Pequeno Dicionário **Houaiss** da Língua Portuguesa

Instituto *Antônio Houaiss* de Lexicografia

PEQUENO DICIONÁRIO HOUAISS *da língua portuguesa*

São Paulo, 2015

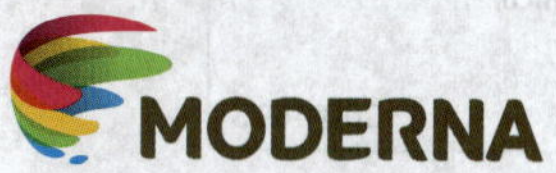

Instituto Antônio Houaiss de Lexicografia
Equipe editorial

Diretor de projeto
Mauro de Salles Villar
Coordenação Editorial e Administrativa
João Rodrigo de Mello Franco
Rodrigo Otávio Coelho Villar
Grupo redatorial
Suzana D'Ávila (chefia)
Elizabeth Lissovsky
José Monteiro Grillo

Colaboração externa
Flávio de Aguiar Barbosa (gramática)
José Carlos de Azeredo
Vera Cristina Rodrigues
Vera Lúcia Coelho Villar (enciclopédia)
Assistência editorial
Flávia de Mattos Magano Borba
Lucy Fátima Lopes de Carvalho

Editora Moderna

Coordenação editorial
Mônica Franco Jacintho
Edição de texto
Maria Cecilia Kinker Caliendo
Glaucia Amaral
Sueli Campopiano
Debora Silvestre Missias Alves
José Paulo Brait
Regiane de Cássia Thahira
Revisão técnica da Enciclopédia
Fernando Cohen, Miroslávia Lima
Paulo Ferraz de Camargo Oliveira
Assistência editorial
Anabel Ly Maduar, Daniel Maduar
Gerência de design e produção gráfica
Sandra Botelho de Carvalho Homma
Coordenação de design
e produção gráfica
Everson de Paula
Suporte administrativo editorial
Maria de Lourdes Rodrigues (coord.)
Coordenação de design
Marta Cerqueira Leite
Projeto gráfico
Patricia Malizia

Capa
Daniel Messias
Coordenação de arte
Patrícia Costa
Edição de arte
Tiago Gomes Alves
Editoração eletrônica
Nicolai Florian Christof Friedrich Gunkel e
Equipe Triolet Editorial & Comunicação
Coordenação de revisão
Elaine Cristina Del Nero
Revisão
Albertina Piva
Cárita Montenegro
Geuid Dib Jardim
Jacinara A. de Paula
Janaína Higashi
Luiza Delamare
Lígia do Nascimento
Marina Oliveira
Simone Garcia
Viviane T. Mendes
Coordenação de
produção industrial
Viviane Pavani

Dados Internacionais de Catalogação na Publicação (CIP)
(Câmara Brasileira do Livro, SP, Brasil)

Pequeno dicionário Houaiss da língua portuguesa / Instituto Antônio Houaiss de Lexicografia, [organizador] ; [diretores Antônio Houaiss, Mauro de Salles Villar, Francisco Manoel de Mello Franco]. — 1. ed. — São Paulo : Moderna, 2015.

1. Português - Dicionários I. Instituto Antônio Houaiss de Lexicografia. II. Houaiss, Antônio. III. Villar, Mauro de Salles. IV. Franco, Francisco Manoel de Mello.

15-04017 CDD-469.3

Índices para catálogo sistemático:
1. Português : Dicionários 469.3

ISBN 978-85-16-10147-3

EDITORA MODERNA LTDA.
Rua Padre Adelino, 758 - Belenzinho
São Paulo - SP - Brasil - CEP 03303-904
Vendas e Atendimento: Tel. (0_ _11) 2602-5510
Fax (0_ _11) 2790-1501
www.moderna.com.br
2023
Impresso no Brasil

1 3 5 7 9 10 8 6 4 2

IMPRESSÃO E ACABAMENTO Bercrom Gráfica e Editora
Lote 775032
Cod 12101473

Sumário

Introdução

Mauro de Salles Villar

O dicionário que aqui apresentamos versa sobre usos reais da língua contemporânea, viva no Brasil, em mais de 32 mil entradas e locuções. Procuramos captar o português corrente urbano em seus níveis formal e informal, mas também registrar regionalismos e palavras das áreas terminológica, técnica e científica, no nível que comporta um dicionário desta extensão.

A ortografia utilizada foi a preconizada pelo Acordo Ortográfico de 1990, com os acréscimos estabelecidos pela Academia Brasileira de Letras. Segundo essa mesma orientação, por motivos pedagógicos, classificamos nesta obra como substantivos, adjetivos etc. as palavras compostas que tinham conectivos e perderam os seus hifens, embora consideremos que, quanto à forma, elas tenham passado a locuções.

Este dicionário, quanto à sua natureza, é mais descritivo que normativo, mas sem que a necessária orientação idiomática deixe de ser prestada toda vez que preciso, por ser exatamente isso o que se espera de livros de referência como este.

Todo trabalho baseou-se em copiosos levantamentos do idioma continuamente realizados pelo Instituto Houaiss e armazenados nos nossos bancos de dados.

As definições dos verbetes procuramos que fossem as mais simples, claras e precisas possível, concentrando-nos no público-alvo do dicionário que são os alunos do segundo segmento do ensino fundamental — mas não apenas nestes, por se tratar de obra de valimento bem mais geral.

O dicionário oferece, além das definições, informações de ortoépia, plural de palavras terminadas em *-ão, -l, -m, -n -r, -s, -x* e *-z*; plural de palavras compostas e das estrangeiras; femininos, aumentativos e diminutivos irregulares, timbre da vogal tônica quando este se altera no plural, divisão silábica, identificação da sílaba tônica, superlativos absolutos sintéticos irregulares ou eruditos, particípios verbais duplos, sinônimos, conjugação verbal, indicação de maiusculização em substantivos. O dicionário também manda confrontar parônimos e homônimos, assinala a etimologia de homônimos homógrafos homófonos e traz outros dados de natureza gramatical e morfológica. Acrescenta aos verbetes informações de coletivos, vozes de animais, antônimos e pronúncia aproximada das palavras estrangeiras. Os verbetes de verbos informam as preposições requeridas por suas referências.

Há textos iniciais com a história da língua; uma gramática com noções de sintaxe, morfologia, pontuação, crase, hífen, formas de tratamento; esses textos são secundados por inúmeros adendos, tais como a correspondência de medidas, a tabela periódica de elementos químicos etc. O volume se completa com uma enciclopédia de mais de 2.200 verbetes, acrescida de adendos específicos sobre os pontos mais altos do Brasil, as capitanias hereditárias e um painel de países/nacionalidades/idiomas/moedas.

Chave de uso

A coluna da direita reproduz verbetes do dicionário; a da esquerda esclarece a sua natureza.

homônimos homógrafos homófonos
marcas registradas
entrada múltipla
remissiva de entrada múltipla
divisão de sílabas e sílaba tônica
prefixos
sufixos
palavras só usadas em certas fórmulas
timbre de vogal tônica
informações gramaticais básicas
alteração de timbre no plural
antônimo
modelo de conjugação
regências verbais
preposição que a regência pede
exemplos de uso
só usado no Brasil
nível de uso
minidefinição
observações
plural com sentido próprio
outras informações de gramática e uso
palavras relacionadas com a entrada
pronúncia figurada

[1]cola (co.la) *s.f.* sinal que se deixa ao passar; rastro ◉ [ORIGEM: do esp. *cola* 'cauda de animal'] (...)

[2]cola (co.la) *s.f.* **1** substância grudenta us. para ligar materiais como madeira, couro, pano, papel etc.; grude **2** *B infrm.* meio de obter desonestamente as respostas de uma prova (...)

Te.flon® (Te.flon) *s.m.* nome comercial de material não aderente e resistente ao calor, us. em revestimentos, isolantes térmicos etc.

assobio (as.so.bi.o) ou assovio (as.so.vi.o) *s.m.* som ger. agudo que se produz expirando o ar pelos lábios (...)

assovio (a.so.vio) *s.m.* → assobio

onça-pintada (on.ça-pin.ta.da) [pl.: *onças-pintadas*] *s.f.* ZOO grande felino ameaçado de extinção (...)

re- *pref.* **1** 'volta, recuo': *recaída, regredir* **2** 'repetição': *reeditar, refazer*

-ez ou -eza \ê\ *suf.* 'qualidade': *beleza, limpeza, mesquinhez, nudez*

avessas (a.ves.sas) *s.f.pl.* ▶ usado em: **às a.** ao contrário, ao avesso *<vestiu as meias às a.>*

ce.pa (ce.pa) /ê/ *s.f.* **1** BOT tronco da videira (...)

ancião (an.ci.ão) [pl.: *-ãos, -ães* e *-ões*; fem.: *anciã*] *adj.s.m.* que ou o que tem idade avançada (...)

curioso (cu.ri.o.so) /ô/ [pl. e fem.: /ó/] *adj.s.m.* **1** que(m) tem vontade de saber (...)

alto (al.to) *adj.* **1** de altura superior à média (...) ↺ baixo

sen.tir (sen.tir) *v.* {mod. 28} (...)

comprar (com.prar) *v.* {mod. 1} *t.d. e t.d.i.* **1** (prep. *a, de*) adquirir, pagando (a pessoa, empresa etc.), a propriedade ou o uso de (...) □ *t.d.* **2** *fig.* conseguir com muito esforço (...)

investir (in.ves.tir) *v.* {mod. 28} *t.d.,t.i. e pron.* **1** (prep. *contra*) atirar-se com ímpeto contra; atacar (...) □ *t.d.i. e t.d.pred.* **2** (prep. *em*) conferir (cargo, responsabilidade, dignidade) (...)

sentir (sen.tir) *v.* {mod. 28} *t.d.* **1** perceber por qualquer órgão dos sentidos (...) **2** experimentar no corpo, na mente *<s. dor, fome, medo>* **3** ser sensível a; comover-se por *<s. a dor alheia>* (...)

agito (a.gi.to) *s.m.* B *infrm.* **1** estado de agitação, de excitação *<a festa foi o maior a.>* **2** multidão agitada e ruidosa

pirado (pi.ra.do) *adj.* B *gír.* que pirou; louco, maluco

finalíssima (fi.na.lís.si.ma) *s.f.* final ('último jogo ou prova')

júpiter (jú.piter) *s.m.* ASTR nome do quinto e maior planeta do sistema solar ☞ inicial maiúsc.; cf. *Júpiter* na parte enciclopédica

fundamento (fun.da.men.to) *s.m.* **1** base, apoio principal **2** *fig.* causa, motivo (...) ◥ *fundamentos s.m.pl.* **5** princípios básicos de uma ciência, arte etc.

alvorecer (al.vo.re.cer) [pl.: *-es*] *v.* {mod. 8} *int.* **1** raiar (o dia); amanhecer ◉ GRAM/USO verbo só us. na 3ª p., exceto quando fig.

rastejar (ras.te.jar) *v.* {mod. 1} *int.* **1** mover-se tocando o chão; arrastar-se (....) ~ **rastejador** *adj.s.m.* - **rastejante** *adj.2g.* - **rastejo** *s.m.*

joystick (joy.stick) [ing.; pl.: *joysticks*] *s.m.* INF em jogos de computador e vídeo, dispositivo com alavancas e botões para controle de movimentos na tela ⇒ pronuncia-se djóistic

Para entender o dicionário

Mauro de Salles Villar

• Entrada

1 **Entrada** é a palavra, locução, sigla ou elemento de composição (prefixo ou sufixo) que abre o verbete, sendo objeto de definição e/ou de informação. Neste dicionário, vem em negrito e em tipo redondo, se se tratar de língua portuguesa, e em negrito e em tipo itálico, se se tratar de palavra ou locução de língua estrangeira.

juba (ju.ba) *s.f.* **1** crina de leão **2** *p.ext.* vasta cabeleira (...)

a priori (a.pri.o.ri) [lat.] *loc.adj.* **1** independente da experiência (raciocínio, método etc.) ■ *loc.adv.* **2** por dedução, a partir de elementos prévios (...)

ISS *s.m.* sigla de *imposto sobre serviços*

deci- *pref.* 'a décima parte' (em unidades de medida): *decibel, decilitro*

1.1 No caso de variantes próximas ou puramente gráficas, com estatística de uso semelhante ou aproximada e mesmo nível de uso, utilizaram-se **entradas múltiplas.** Todas as vezes em que esse múltiplo não vier imediatamente anteposto ou posposto ao verbete em que está definido, a palavra ganha entrada autônoma, meramente remissiva, na nominata alfabetada do dicionário.

assobio (as.so.bi.o) ou **assovio** (as.so.vi.o) *s.m.* som ger. agudo que se produz expirando o ar pelos lábios apertados (...)

assovio (as.so.vi.o) *s.m.* → ***ASSOBIO***

1.2 As palavras simples, as compostas por hífen e as locuções trazem sempre indicação de sua divisão silábica marcada por pontos e a sua sílaba tônica, sublinhada:

miopia (mi.o.pi.a) MED *s.f.* deficiência visual em que (...)

onça-pintada (on.ça-pin.ta.da) [pl.: *onças-pintadas*] *s.f.* ZOO grande felino (...)

curriculum vitae (cur.ri.cu.lum vi.tae) [lat.; pl.: *curricula vitae*] *loc.subst.* documento que reúne (...)

1.2.1 Nessa separação, nos casos dos encontros vocálicos da língua que ficam, na pronúncia, entre o ditongo e o hiato (diérese e sinérese) [ca.de/a.do, de.cep.ci/o.nan.te, es.pé.ci/e, ma.lí.ci/a etc.] utilizamos preferencialmente as divisões de uso mais comum, embora, geralmente, ambas sejam consideradas igualmente válidas.

1.2.2 No caso das palavras estrangeiras, o dicionário registrou algumas das de uso percentualmente mais corriqueiro na língua, com sua pronúncia figurada (ver item **11**).

1.3 Nas entradas, só se usaram letras **maiúsculas** quando se tratou de símbolos (por exemplo, W, Hz), de siglas (por exemplo, as dos estados brasileiros: SP, RJ, MG), de alguns acrônimos (FEB) e de certas marcas comerciais, quando assim registradas no departamento competente (*Lycra*). Quando a maiusculização se emprega apenas em determinada acepção, é no campo das OBSERVAÇÕES, de que mais à frente falaremos (ver o item 6), que o fato vem indicado. São quatro as variedades possíveis de indicação de maiusculização:

inicial maiúsc.
inicial ger. maiúsc.
inicial freq. maiúsc.
inicial por vezes maiúsc.

antiguidade (an.ti.gui.da.de) /gu *ou* gü/ *s.f.* **1** característica do que é antigo **2** tempo durante o qual se vem exercendo cargo, função *<a. é posto>* *<recebeu um aumento por a.>* **3** HIST período da história, de início indefinido, que se encerra com a queda do Império Romano do Ocidente (476 d.C.) ☞ inicial maiúsc. **4** objeto antigo
tupã (tu.pã) *s.m.* MIT entre os indígenas de língua tupi, o trovão, cultuado como divindade suprema ☞ inicial freq. maiúsc.
ângelus (ân.ge.lus) *s.m.2n.* REL **1** prece à Virgem Maria, que se reza ao amanhecer, ao meio-dia e ao anoitecer ☞ inicial por vezes maiúsc. **2** *p.ext.* toque do sino que anuncia a hora da ave-maria

1.3.1 No caso das siglas, este dicionário optou, geralmente, por não interromper com pontos de abreviação a sua sequência, seguindo o uso mais recente da mídia. Em verdade, ocorre atualmente grande flutuação dentro da língua no emprego de pontos nas siglas. Quem preferir pontuá-las na escrita, portanto, não estará incorrendo em erro: ONU ou O.N.U., CPF ou C.P.F. etc.

1.3.2 Quando a sigla remete para um verbete, a remissão se faz com itálico:

Alca (Al.ca) *s.f.* sigla de *Área de Livre Comércio das Américas*

Se o intitulativo da sigla não tiver entrada autônoma no dicionário, aparece em tipo redondo:

FGTS *s.m.* sigla de Fundo de Garantia do Tempo de Serviço

1.4 Nas entradas que são **marcas registradas**, a indicação dessa sua qualidade é visível na cabeça do verbete com o sinal ® ou no texto do verbete:

Teflon ® (Te.flon) *s.m.* nome comercial de material não aderente e resistente ao calor, us. em revestimentos, isolantes térmicos etc.
náilon (nái.lon) [pl.: *náilones* e *(B) náilons*] *s.m.* **1** forma aportuguesada de *nylon*, marca registrada de materiais sintéticos de poliamida, us. na confecção de fibras, tecidos, plásticos etc. **2** tecido ou fibra feito com esses materiais

1.5 Homônimos homógrafos homófonos. Um algarismo alceado à esquerda da unidade léxica que se define é usado nos casos de grupos desses vocábulos que se escrevem e pronunciam da mesma maneira, mas têm origens etimológicas diferentes. Quando é esse o caso, registramos a etimologia de cada uma das palavras, para justificar ao leitor a autonomia das entradas.

¹cola (co.la) *s.f.* sinal que se deixa ao passar; rastro ● [ORIGEM: do esp. *cola* 'cauda de animal'] (...)
²co.la (co.la) *s.f.* **1** substância grudenta us. para ligar materiais como madeira, couro, pano, papel etc.; grude **2** *B infrm.* meio de obter desonestamente as respostas de uma prova (...) ● ORIGEM do gr. *kólla,és* 'goma, cola'
³co.la (co.la) *s.f.* BOT noz-de-cola ● ORIGEM: do lat. cien. gên. *Cola*

1.6 Homônimos homógrafos não homófonos. Neste caso, não há número alceado nas entradas, pois a ortoépia se encarrega de justificá-los como palavras de entrada autônoma. Na nominata, os de timbre aberto entram sempre antes dos de timbre fechado.

bes.ta (bes.ta)/é/ *s.f.* antiga arma portátil (...)
bes.ta (bes.ta)/ê/ *s.f.* **1** ZOO quadrúpede, ger. doméstico (...)

1.7 Se a entrada é um **afixo** (prefixo ou sufixo), ela aparece igualmente grafada em negrito redondo, antecedida de um hífen, se se tratar de afixo pospositivo.

re- *pref.* **1** 'volta, recuo': *recaída, regredir* **2** 'repetição': *reeditar, refazer*
trans-, tra-, tras- ou **tres-** *pref.* 'mudança, deslocamento para além de ou através de': *transbordar, travestir, trasladar, tresnoitado*
-ez ou **-eza** /ê/ *suf.* 'qualidade': *beleza, limpeza, mesquinhez, nudez*

Neste dicionário, os **prefixos** e **sufixos** vêm alfabetados no conjunto de verbetes do corpo do dicionário, para facilitar o seu acesso. Foram redigidos de modo muito simples, a fim de se poder dar o máximo de informação na forma mais concisa possível.

1.8 Quanto a **gentílicos**, constam do corpo do dicionário apenas aqueles das capitais dos estados brasileiros, do Distrito Federal e de países frequentemente citados na mídia. Entre os adendos, nas páginas finais do dicionário, uma lista bastante completa com nomes de países, suas moedas e gentílicos nacionais cobre essa área.

1.9 No caso das palavras que só se usam em determinadas locuções, o dicionário não as definiu, passando de imediato à locução em causa. Um sinal de meia-lua (◗) indica esse tipo de verbete:

avessas (a.ves.sas) *s.f.pl.* ◗ usado em: **às a.** ao contrário, ao avesso <*vestiu as meias às a.*>

breca (bre.ca) *s.f.* ◗ usado em: **da b.** muito incômodo; insuportável <*uma ventania da b.*> • **levado da b.** muito travesso

• Campo da ortoépia

❷ **Ortoépia** é a indicação normativa da pronúncia de um vocábulo da língua. É apresentada entre barras invertidas, imediatamente a seguir à entrada.

2.1 Na **ortoépia**, o dicionário indica o timbre das vogais tônicas fechadas ***e*** e ***o***, quando já não expressamente acentuadas com sinal diacrítico e, conforme o Acordo Ortográfico de 1990, o timbre aberto das vogais ***e*** e ***o*** dos ditongos orais que deixaram de ser acentuados graficamente, e a indicação da prolação do ***u*** nas combinações *gue*, *gui*, *que* e *qui*, anteriormente com trema; indica também hiatos e o som da letra ***x***, no caso de esta valer por \cs\, \gz\ ou \z\. Exemplos:

cepa (ce.pa) /ê/ *s.f.* **1** BOT tronco da videira (...)

toco (to.co) /ô/ *s.m.* **1** parte de planta cortada (...)

ideia (i.dei.a)/éi/ *s.f.* **1** representação mental (...)

heroico (he.roi.co)/ói/ *adj.* **1** característico de herói (...)

quinquagenário (quin.qua.ge.ná.rio) /qü/ *adj.s.m.* (o) que tem entre 50 e 59 anos de idade

linguiça (lin.gui.ça)/gü/ *s.f.* **1** tripa recheada de carne (...)

tóxico (tó.xi.co)/cs/ *adj.s.m.* **1** (o) que produz efeitos nocivos no organismo (...)

êxito (ê.xi.to) /z/ *s.m.* **1** bom resultado <*todos apreciaram o ê. do trabalho*> ↺ fracasso **2** consequência, efeito (...)

2.1.1 Se houver mais de uma pronúncia possível para determinada palavra, o campo explicita essa informação:

grumete (gru.me.te) /ê *ou* é/ *s.m.* MAR marinheiro de menor graduação na armada

líquido (lí.qui.do)/qu *ou* qü/ *adj.***1** diz-se do estado da matéria intermediário (...)

2.1.2 Para elucidação, o dicionário por vezes indica o som de vogais tônicas de timbre aberto, não acentuadas com sinal gráfico (diacrítico), especialmente no caso de vocábulos terminológicos ou quando frequentemente sobre a palavra incida equívoco de pronúncia:

lobo (lo.bo)/ó/ *s.m.* ANAT **1** parte de um órgão (...)

besta (bes.ta)/é/ *s.f.* antiga arma portátil que arremessa setas curtas

cateter (ca.te.ter)/é/ [pl.: *-es*] *s.m.* MED tubo ou sonda (...)

2.1.3 O *Vocabulário Ortográfico da Língua Portuguesa*, da Academia Brasileira de Letras, nas palavras formadas com o elemento de composição antepositivo **hex(a)-**, registra como pronúncias aceitáveis \cs ou z\. Em tais casos, registramos as três pronúncias que hoje ocorrem tanto no Brasil como em Portugal:

hexágono (he.xá.go.no)/z, cs *ou* gz/ *s.m.* GEOM polígono de seis lados

2.2 O registro da pronúncia das palavras estrangeiras que fazemos não aparece nesse campo, mas no final do verbete (ver item **11**).

• Campo das informações gramaticais imediatas

❸ A seguir à ortoépia, o dicionário indica, junto à cabeça do verbete e entre colchetes, dados gramaticais relativos a plural e feminino.

3.1 Os plurais das palavras terminadas em *-ão*, *-l*, *-m*, *-n*, *-r*, *-s*, *-x* e *-z* são sempre registrados; no caso das terminadas em *-n*, indica-se o plural aceito na língua como um todo e o usado apenas no Brasil (com um *B*).

artesão (ar.te.são) [pl.: *-ãos*; fem.: *artesã*] *s.m.* artista ou profissional que (...)

tigre (ti.gre) [fem.: *tigresa*] *s.m.* ZOO grande felino asiático de pelo amarelado com listras negras

sax /cs/ *s.m.2n.* MÚS saxofone ◉ GRAM/USO admite-se tb. o pl. saxes

hífen (hí.fen) [pl.: *hífenes* e *(B) hifens*] *s.m.* GRAM sinal [-] us. para unir os elementos de palavras compostas (...)

guardião (guar.di.ão) [pl.: *-ões* e *-ães*; fem.: *guardiã*] *s.m.* indivíduo que defende ou conserva algo (...)

ancião (an.ci.ão) [pl.: *-ãos*, *-ães* e *-ões*; fem.: *anciã*] *adj.s.m.* que ou o que tem idade avançada (...)

arroz (ar.roz)/ô/ [pl.: *-es*] *s.m.* BOT **1** planta com inúmeras variedades (...)

3.1.1 Registra-se o plural, simples ou duplo, das palavras locucionais ou compostas por hífen e também das palavras ou locuções estrangeiras:

sempre-viva (sem.pre-vi.va) [pl.: *sempre-vivas*] *s.f.* BOT nome comum dado a flores ornamentais que secam sem murchar

navio-tanque (na.vio-tan.que) [pl.: *navios-tanque* e *navios-tanques*] *s.m.* navio destinado ao transporte de líquidos, ger. água ou combustíveis

curriculum vitae (cur.ri.cu.lum-vi.tae) [lat.; pl.: *curricula vitae*] *loc.subst.* documento que reúne os dados pessoais, acadêmicos e profissionais de alguém (...)

3.1.2 O plural das palavras estrangeiras e locuções entra na cabeça do verbete, na língua original, como se vê no último exemplo acima. Em casos especiais, damos nesse local o plural utilizado na língua estrangeira, e no campo GRAM/USO informamos o plural corrente no Brasil:

> ***pizza*** (piz.za) [it.; pl.: *pizze*] *s.f.* CUL massa assada em forma de disco, coberta por molhos diversos, fatias de mozarela, tomate etc. ● GRAM/USO pl. corrente no Brasil: *pizzas* ⇒ pronuncia-se pitsa ▣ **acabar em p.** *fig. B infrm.* ficar sem punição (falta ou crime) (...)

3.2 Registra-se, ainda, a alteração de timbre da tônica nos plurais em que tal fato sucede:

> **curioso** (cu.ri.o.so)/ô/ [pl. e fem.: /ó/] *adj.s.m.* 1 que(m) tem vontade de saber (...)

• Campo da classe gramatical

4 No esquema estrutural do verbete, é a **classificação gramatical** da unidade léxica o que se segue. Ela vem sempre grafada em itálico e em cor:

> ***curriculum vitae*** (cur.ri.cu.lum vi.tae) [lat.; pl.: *curricula vitae*] *loc.subst.* documento que reúne os dados pessoais (...)
>
> **beliscão** (be.lis.cão) [pl.: *-ões*] *s.m.* apertão dado na pele com as pontas ou nós dos dedos (...)

4.1 Nos verbetes das letras, um triângulo colorido (▲) dá entrada aos símbolos, pelo fato de estes terem classificação autônoma:

> **[1]a** *s.m.* **1** primeira letra do nosso alfabeto (...) ▲ **5** símbolo de *are* (...)

4.2 Em alguns verbetes, as categorias gramaticais podem vir combinadas. Isto ocorre basicamente nos verbetes curtos e especialmente nos puramente remissivos:

> **acadêmico** (a.ca.dê.mi.co) *adj.s.m.* **1** próprio de ou membro de academia ou de universidade (...)
>
> **efeminado** (e.fe.mi.na.do) *adj.s.m.* afeminado

4.3 Quando uma acepção ou uma palavra tem dupla classe, como *adjetivo* e como *substantivo*, usou-se frequentemente de parênteses para distinguir a definição adjetiva da substantiva. O substantivo é o elemento dentro dos parênteses. Veja a acp. **3** deste exemplo:

> **poeira** (po.ei.ra) *s.f.* **1** qualquer substância reduzida a pó muito fino **2** terra seca reduzida a pó ■ *adj.s.m.* **3** *B* (cinema) de baixa categoria (...)

• Campo das definições

5 As **acepções** dos verbetes são numeradas sequencialmente e separadas por um símbolo convencional (■) todas as vezes que se altera o qualificativo da classe gramatical ou quando a classe muda:

> **senão** (se.não) *conj.altv.* **1** do contrário *<coma, s. ficará de castigo>* ■ *conj.advrs.* **2** mas *<não conseguiu apoio nem aprovação, s. críticas>* ■ *prep.* **3** exceto *<todos, s. você, riram>* ■ *s.m.* **4** pequena imperfeição; falha *<um teste sem qualquer s.>* (...)

5.1 Quando não se trata de uma nova acepção, mas sim de uma subacepção do sentido anterior, em vez de um número inteiro, usou-se um decimal:

> **sul** [pl.: *suis*] *s.m.* **1** direção à direita de quem se volta para o nascente **2** na rosa dos ventos, ponto cardeal que marca essa direção [símb.: *S*] ■ *adj.2g.s.m.* **3** que ou o que se situa ao sul (diz-se de região ou conjunto de regiões) [abrev.: *S.*] *<viajou para o s. do Canadá>* *<a região s. do país>* **3.1** diz-se de ou região brasileira que compreende os estados do Paraná, Santa Catarina e Rio Grande do Sul [abrev.: *S.*] ☞ inicial maiúsc. (...)

5.2 Em grande número das acepções que comportam **antonímia**, esta vem indicada após uma seta reversa (↺), com o que a definição informada se completa e se fecha na indicação do seu oposto semântico:

> **tristeza** (tris.te.za) /ê/ *s.f.* **1** estado emocional caracterizado pela melancolia *<a separação causou muita t. ao filho>* ↺ alegria (...)

5.3 No caso dos **verbos**, a primeira informação que o leitor encontra logo após a classe gramatical é um número que remete ao paradigma de conjugação que se ajusta ao seu caso (ver página XLII).

> **adequar** (a.de.quar) *v.* {mod. 3} (...)
>
> **sentir** (sen.tir) *v.* {mod. 28} (...)

5.3.1 As **regências** das acepções verbais precedem a sua numeração. As acepções estão agregadas em blocos por suas regências comuns; se não há indicação de regência na acepção de um verbo, é por ser ela igual à(s) anterior(es):

> **sentir** (sen.tir) *v.* {mod. 28} *t.d.* **1** perceber por qualquer órgão dos sentidos *<s. o perfume das flores>* **2** experimentar no corpo, na mente *<s. dor, fome, medo>* **3** ser sensível a; comover-se por *<s. a dor alheia>* **4** perceber ao longe ou antes de acontecer; pressentir, prever
>
> **comprar** (com.prar) *v.* {mod. 1} *t.d. e t.d.i.* **1** (prep. *a, de*) adquirir, pagando (a pessoa, empresa etc.), a propriedade ou o uso de *<c. ingressos para o jogo>* *<c. um lanche>* *<comprou o carro a um amigo>* *<c. um imóvel diretamente do proprietário>* ↺ vender □ *t.d.* **2** *fig.* conseguir com muito esforço *<comprou sua paz ao quitar as dívidas>* **3** subornar ou conseguir com suborno *<c. o silêncio da testemunha>* **4** RECR apanhar (carta) do baralho durante o jogo (...)

5.3.2 Todas as vezes em que há mudança de regência, este sinal (□) indica-o:

sentir (sen.tir) *v.* {mod. 28} *t.d.* **1** perceber por qualquer órgão dos sentidos *<s. o perfume das flores>* **2** experimentar no corpo, na mente *<s. dor, fome, medo>* **3** ser sensível a; comover-se por *<s. a dor alheia>* **4** perceber ao longe ou antes de acontecer; pressentir, prever *<sentiu que o negócio não daria certo>* □ *t.d. e pron.* **5** ter ou tomar consciência de (impressão íntima, estado espiritual, ou condição física) *<s. o amor pulsar> <s.-se bem à mesa>* **6** encarar de modo negativo; ressentir-se *<s. as injustiças> <sentiu-se das críticas que ouviu>* □ *pron.* **7** estar em certa condição física, mental provisória; passar *<sente-se mal no calor>* □ *t.d.,t.d.pred. e pron.* **8** julgar(-se), considerar(-se) *<agora sentimos que ainda há esperanças> <sinto-o tão feliz!> <sente-se muito idoso>* □ *int.* **9** ter pesar *<sinto tê-lo traído>*

5.3.3 A fim de facilitar a consulta, mas também para manter a obra próxima da realidade de sala de aula e acessível ao maior número de pessoas, evitamos criar novas nomenclaturas para a classificação dos verbos quanto à predicação, priorizando o que recomenda a Nomenclatura Gramatical Brasileira (NGB). Não utilizamos a designação *verbo de ligação*, optando por manter *verbo predicativo*, convenção adotada no *Grande dicionário Houaiss da língua portuguesa*, pelo fato de também poder ser usada junto aos verbos que, além do objeto, exigem, por seu sentido, um predicativo do seu objeto.
Eis as classificações e as abreviações adotadas neste dicionário:

t.d. — transitivo direto
t.i. — transitivo indireto
t.d.i. — transitivo direto e indireto
t.d.pred. — transitivo direto predicativo
t.i.pred. — transitivo indireto predicativo
pred. — predicativo (verbo de ligação)
int. — intransitivo

NOTA: quanto às regências registradas, pautamo-nos pela gramática da norma culta, uma vez que o objeto desta obra são informações linguísticas voltadas aos usos do ensino oficial do Brasil. Foram aqui, no entanto, também inventariados, ocasionalmente, outros usos regenciais que captamos em dinâmica na língua.

5.3.4 As acepções encontram-se ordenadas basicamente pelo critério semântico e de uso na língua — registram-se antes as acepções mais comuns —, mas os vários sentidos dos verbos submeteram-se também a um segundo critério de organização, o da predicação, para facilitar a consulta ao leitor. Vêm separados em blocos, de acordo com as regências comuns a diferentes acepções.

5.3.5 Inclui-se nos verbos outra informação, relacionada à sua regência. Junto a cada acepção pertencente a um bloco que tenha predicação *t.i.*, *t.d.i.* ou *pron.*, o dicionário fornece a **preposição** ou **preposições** que a regência verbal pede:

investir (in.ves.tir) *v.* {mod. 28} *t.d.,t.i. e pron.* **1** (prep. *contra*) atirar-se com ímpeto contra; atacar *<as tropas investiram (contra) o inimigo> <provocados, investiram-se contra os adversários>* □ *t.d.i. e t.d.pred.* **2** (prep. *em*) conferir (cargo, responsabilidade, dignidade) a; nomear *<investiram o mais votado na presidência> <investiram-no rei>* □ *pron.* **3** (prep. *em*) tomar posse de *<o império investiu-se no domínio de vasto território>* □ *t.i. e t.d.i.* **4** (prep. *em*) empregar (recursos, tempo, esforço etc.) em (algo), esperando obter sucesso *<o plano falhou porque não investimos em recursos humanos> <investiu tempo e dinheiro no talento do filho>* **5** (prep. *em*) fazer (investimento financeiro) em; aplicar

5.3.6 O dicionário fornece exemplos de uso sempre que estes ajudem na compreensão de determinada acepção. Não se deram exemplos de todas as regências nos verbetes de verbos por motivo de espaço, mas procurou-se contemplar especialmente aquelas que exigem preposição. Exemplifica-se também todas as vezes em que há dificuldades sintáticas ou semânticas.

5.4 Quanto aos **grupos indígenas** brasileiros, só foram deixadas no corpo do dicionário as denominações mais corriqueiras (aimoré, tupinambá, tupiniquim, xavante etc.), ou seja, aquelas de 'nível zero' na língua comum.

5.5 Os **elementos químicos** têm verbetes no corpo do dicionário com informações úteis sobre a sua utilização, e remetem para a *tabela periódica*, um adendo posto no bloco final do dicionário.

promécio (pro.mé.cio) *s.m.* QUÍM elemento químico radiativo, us. em baterias nucleares, para medir espessuras muito finas etc. [símb.: *Pm*] ☞ cf. *tabela periódica* (no fim do dicionário)

5.6 As acepções neste dicionário, especialmente quando se trata de terminologia, têm indicação da área do saber ou fazer humano a que pertencem por meio de uma **rubrica** temática, como se pode ver nos exemplos abaixo. As rubricas usadas estão listadas a seguir a estas informações, na página XXII.

lúpus (lú.pus) *s.m.2n.* MED inflamação crônica da pele, caracterizada por ulcerações ou manchas

[1]soma (so.ma) *s.f.* **1** conjunto constituído pela reunião de diversos subconjuntos; total, conjunto, somatório *<a s. dos conhecimentos humanos> <a s. de todos os esforços possibilitou a vitória do time>* **2** MAT operação e resultado da adição **3** certa quantidade (...)

usufruto (u.su.fru.to) *s.m.* **1** DIR direito de gozar ou fruir de um bem que pertence a outrem **2** *p.ext.* posse (...)

5.7 O dicionário informa sobre a **derivação** das acepções, sempre que se trata de sentidos metafóricos (*fig.*) ou de sentidos derivados de metonímias, sinédoques e analogias (*p.ext.*):

aclarar (a.cla.rar) *v.* {mod. 1} *t.d.,int. e pron.* **1** tornar(-se) claro; iluminar(-se) *<a luz da lua aclarava o terraço> <o céu aclarou(-se)>* **2** dar ou tomar cor mais clara *<acrescentou tinta branca para a. a mistura> <o tecido aclarou(-se)>* □ *t.d. e pron. fig.* **3** tornar(-se) compreensível; esclarecer(-se)

mi.lhão (mi.lhão) [pl.: *-ões*] *n.card.* **1** mil vezes mil (10^6) ■ *s.m. p.ext.* **2** grande quantidade *<contou a piada um m. de vezes>* (...)

5.8 Se determinada palavra, locução ou acepção é de emprego exclusivo no Brasil (dialetismo vocabular ou semântico) ou é uma variante brasileira de uma palavra da língua, esse dado é informado ao leitor por meio de um *B*:

agito (a.gi.to) *s.m. B infrm.* **1** estado de agitação, de excitação *<a festa foi o maior a.>* **2** multidão agitada e ruidosa

5.9 O dicionário informa também sobre o **nível de uso**, na língua, da palavra, locução ou acepção registrada, ou seja, a faixa linguística de expressão em que é empregada. Eis os níveis de uso averbados neste dicionário:

a) linguagem formal *frm.*:

lá.ba.ro (lá.ba.ro) *s.m. frm.* bandeira, estandarte

b) linguagem informal *infrm.*:

agito (a.gi.to) *s.m. B infrm.* **1** estado de agitação, de excitação *<a festa foi o maior a.>* **2** multidão agitada e ruidosa

c) gíria *gír.*:

pirado (pi.ra.do) *adj. B gír.* que pirou; louco, maluco

d) os tabuísmos, expressões consideradas chulas, grosseiras ou ofensivas na maioria dos contextos *gros.*:

porrada (por.ra.da) *s.f. gros.* **1** pancada, bordoada **2** grande quantidade

e) linguagem pejorativa *pej.*:

gentinha (gen.ti.nha) *s.f. pej.* **1** indivíduo de baixa condição social, econômica e/ou cultural **2** pessoa mesquinha, dada a intrigas (...)

f) palavra, locução ou acepção jocosa *joc.*:

economês (e.co.no.mês) [pl.: *-eses*] *s.m. joc.* linguajar técnico dos economistas

g) linguagem infantil *l.inf.*:

dodói (do.dói) *adj.2g. l.inf.* **1** doente ou machucado *<ele está d.>* ■ *s.m. l.inf.* **2** escoriação, ferida **3** doença

h) linguagem de usuários de drogas *drg.*:

bola (bo.la) *s.f.* (...) **5** *infrm. drg.* droga entorpecente (...)

(Por vezes, mais de um nível pode qualificar uma única acepção: por exemplo, *infrm. joc.*)

5.10 O dicionário, em suas **remissões**, não refere números de acepções de outros verbetes. Usa, em lugar disso, uma *minidefinição* da acepção para a qual se remete — síntese curta, geralmente em uma ou duas palavras, entre parênteses e aspas simples —, para que o leitor saiba imediatamente do que se trata ou, desejando, possa ir à definição completa no outro verbete e encontrá-la com facilidade:

finalíssima (fi.na.lís.si.ma) *s.f.* final ('último jogo ou prova')

5.11 No emprego dos parênteses nas definições do dicionário foi adotado o seguinte padrão:

a) são usados nas palavras que podem ser consideradas ou desconsideradas no texto de uma definição (ver **afiar**, acp. **1**, em seguida);

b) usados nos sujeitos e objetos potenciais nos verbos (ver **afiar**, acp. **3**, em seguida);

c) usados nas acepções verbais que são objetivas diretas conjuntamente com a voz pronominal, quando o *-se* é indicado parenteticamente (ver **afiar**, acp. **4**, em seguida);

d) usados nas acepções verbais que são objetivas diretas, conjuntamente com outras regências, onde o *fazer* interparentético vale pela regência objetiva direta (ver **acrescer**, acp. **1**, em seguida);

e) usados para identificar a partícula que a regência pede (ver **acrescer**, acp. **1**, em seguida);

afiar (a.fi.ar) *v.* {mod. 1} *t.d.* **1** tornar (mais) cortante o gume de; amolar *<a. uma faca>* **2** tornar fino na ponta; afilar *<a. a haste da flecha>* **3** *fig.* tornar (o que se diz) mordaz, ferino *<a. as palavras>* □ *t.d. e pron. fig.* **4** tornar(-se) apurado, refinado; aprimorar(-se) *<a. o ouvido> <a-se no estilo>*
~ **afiador** *adj.s.m.*

acrescer (a.cres.cer) *v.* {mod. 8} *t.d.,t.d.i. e int.* **1** (prep. *de, a*) [fazer] crescer, esp. pela adição de elementos; aumentar, acrescentar *<pretende a. a casa de dois quartos> <com o tempo, a amizade acresce>* □ *t.i.,t.d.i. e pron.* **2** (prep. *a*) juntar-se (uma coisa) [a outra]; acrescentar(-se) □ *t.i.,int. e pron.* **3** (prep. *a*) ser condição ou fato complementar a ser considerado *<acresce (a isso) que foi impossível convencê-lo>*

NOTA: todas as vezes que parênteses ocorrem dentro de parênteses ou parênteses são colocados ao lado de outros segmentos também entre parênteses, um par deles torna-se colchetes (ver **acrescer**, acp. **1** e **2**, aqui acima)

• Campo das observações

❻ Este campo, sinalizado por um sinal dito índice (☞), contém informações que ger. não são da natureza da gramática ou do uso vocabular ou locucional. Eis as suas utilizações neste minidicionário:

a) indicações de maiusculização (ver o item **1.3**);

b) indicação, em certas palavras compostas por hífen e locuções, de que existe uma forma reduzida também usada (*tb. se diz apenas*):

literatura (li.te.ra.<u>tu</u>.ra) *s.f.* **1** arte da utilização estética da linguagem, esp. a escrita **2** conjunto de obras literárias pertencentes a um país, época etc. *<l. brasileira>* **3** bibliografia sobre determinado assunto *<l. médica>* **4** disciplina escolar constituída de estudos de obras literárias *<professor de l.>* **5** *pej.* série de palavras vazias, de caráter artificial ou superficial *<tudo que dizia não passava de l.>* ▣ **l. de cordel** **1** literatura popular (esp. novelas e poesias), de impressão barata, exposta à venda em cordéis **2** *p.ext.* pequeno livro contendo esse material ☞ tb. se diz apenas [2]*cordel*

c) sugestão de que se confira outro verbete (cf.), por se tratar, por exemplo, de um parônimo ou homônimo, ou por sua definição ter a ver com o verbete que se está consultando etc.:

absolver (ab.sol.<u>ver</u>) *v.* {mod. 8} *t.d. e t.d.i.* **1** (prep. *de*) isentar (alguém) [de acusação, crime, pena etc.] *<o júri absolveu o réu> <absolveram-no do crime>* ↺ condenar □ *t.d.,t.d.i. e pron.* **2** (prep. *de*) perdoar(-se), desconsiderando erros passados *<a. um velho inimigo (de todas as faltas)> <absolveu-se sem pensar duas vezes>* ↺ castigar(-se) ☞ cf. *absorver*

d) remissões à enciclopédia, na segunda parte deste volume:

júpiter (<u>jú</u>.pi.ter) *s.m.* ASTR nome do quinto e maior planeta do sistema solar ☞ inicial maiúsc.; cf. *Júpiter* na parte enciclopédica

e) no caso dos verbos, informação sobre algum fenômeno morfológico peculiar ligado a determinada acepção (ver **8.1**);

f) informação sobre o emprego mais frequente de uma palavra ou acepção no plural:

arredor (ar.re.<u>dor</u>) [pl.: *-es*] (...) ■ *s.m.* **3** conjunto das localidades vizinhas; redondeza ☞ nesta acp., mais us. no pl.

g) remissão de um verbete de elemento químico para a *tabela periódica*:

paládio (pa.<u>lá</u>.dio) *s.m.* QUÍM elemento químico metálico, us. em diferentes ligas e em trabalhos de joalheria, prótese dentária etc. [símb.: *Pd*] ☞ cf. *tabela periódica* (no fim do dicionário)

h) algumas informações gramaticais ligadas a determinada acp.:

s *s.m.* **1** 19ª letra do nosso alfabeto ■ *n.ord.* **2** diz-se do 19º elemento de uma série *<casa s> <item 4 s>* ☞ empr. após um substantivo ou numeral (...)

i) algumas informações de nível de uso:

caipira (cai.<u>pi</u>.ra) *adj.2g.s.2g.* *B* **1** habitante do campo, de hábitos rústicos e jeito simples; matuto ☞ pode ter uso pej. (...)

j) algumas informações sobre marcas registradas.

• Campo do plural com sentido próprio

❼ Este campo vem englobado no corpo do verbete, antes das locuções, e um triângulo invertido (▼) indica o seu início.

A numeração das acepções do verbete se estende até ele, em sequência. O plural, em tais oportunidades, aparece escrito por extenso, em negrito-itálico, fazendo as vezes de uma subentrada dentro do corpo do verbete:

fundamento (fun.da.<u>men</u>.to) *s.m.* **1** base, apoio principal **2** *fig.* causa, motivo *<apoiou-se em f. justos para a decisão>* **3** explicação para fatos, acontecimentos etc. *<a história deve ter f.>* **4** demonstração da autenticidade de algo; prova *<acusações sem f.>* ▼ ***fundamentos*** *s.m.pl.* **5** princípios básicos de uma ciência, arte etc.

O dicionário só lança mão deste recurso quando a unidade léxica inclui de fato um ou mais sentidos especiais, privativos de sua forma plural. Caso contrário, o fato não passa de uma acepção que também é usada no plural, ou que é mais usada no plural, ou é frequentemente empregada no plural — embora tenha o mesmo sentido no singular:

arredor (ar.re.<u>dor</u>) [pl.: *-es*] *s.m.* **3** conjunto das localidades vizinhas; redondeza *<fez um passeio aos a. da cidade>* ☞ nesta acp., mais us. no pl.

• Campo da gramática e/ou uso

❽ Na estrutura do verbete, este campo segue-se imediatamente àquele do plural com sentido próprio. Em ● GRAM/USO, encontram-se informações gramaticais não fornecidas no grupo das ligadas à cabeça do verbete (item **3**). Neste campo registram-se aumentativos e diminutivos irregulares; superlativo absoluto sintético etc. e dados sobre o emprego do vocábulo ou locução e informações sobre ortografia.

mão [pl.: *mãos*] *s.f.* **1** ANAT extremidade do braço (...) • GRAM/USO aum. irreg.: *manzorra, manopla* (...)

agudo (a.gu.do) *adj.* **1** que termina em ponta (...) • GRAM/USO sup.abs.sint.: *agudíssimo, acutíssimo* ~ **agudez** *s.f.* - **agudeza** *s.f.*

sicrano (si.cra.no) *s.m.* indivíduo indeterminado • GRAM/USO empr. ger. depois de *fulano* e de *beltrano*

8.1 Por ser o verbo uma classe de palavras de comportamento morfológico peculiar, este dicionário fornece, quando necessário, variadas informações sobre elas no campo de GRAM/USO e também, em algumas acepções, no das OBSERVAÇÕES. Indicam-se os particípios irregulares, os duplos particípios, assim como se os verbos são defectivos, impessoais, conjugados em certas pessoas ou, ainda, se há alguma informação importante sobre a sua conjugação nos comentários do modelo de flexão verbal incluído no início do dicionário (ver item **5.3**).

desprazer (des.pra.zer) *v.* {mod. 13} *t.i. e int.* **1** (prep. *a*) não agradar (a); desagradar *<sua atitude rebelde sempre desprazia (à mãe)>* ■ *s.m.* **2** ausência de prazer; desagrado, descontentamento ↺ prazer ☞ como s.m., pl.-*es* • GRAM/USO **a)** verbo ger. só us. nas 3as p.; **b)** cf. observação no modelo

• Campo da origem da palavra

9 Este dicionário só registra a origem etimológica dos homônimos homógrafos homófonos para justificar a sua entrada em separado na nominata. Fazê-lo para todas as palavras, como seria o ideal, significaria um enorme aumento do volume do texto, mesmo usando de etimologias compactas, pois seria necessário incluir, por exemplo, várias centenas de elementos mórficos da língua na nominata, além dos afixos que registramos. Tal fato impôs-nos a opção pelos homônimos homógrafos homófonos apenas. Quando existente no verbete, este campo segue-se ao da GRAM/USO:

[1]circular (cir.cu.lar) [pl.: *-es*] *adj.2g.* **1** relativo ou semelhante a círculo; redondo *<arco c.> <medalha de formato c.>* **2** que descreve uma trajetória parecida com um círculo *<movimento c.>* **3** que parte de um determinado ponto e, ao fim do percurso, retorna ao ponto inicial *<linha de ônibus c.>* **4** *p.ext.* que se transmite de pessoa a pessoa; circulante *<comentário c.>* ■ *adj.2g.s.f.* **5** (texto escrito) que se envia a muitas pessoas com interesse comum *<recebemos hoje a (carta) c.>* • ORIGEM do lat. *circulāris,e* 'que tem a forma de círculo'

[2]circular (cir.cu.lar) *v.* {mod. 1} *t.d. e t.d.i.* **1** (prep. *de*) formar círculo(s) em torno de; cercar *<belas praias circulam a ilha> <c. de renda a toalha>* □ *t.d.* **2** estar ou mover-se ao redor de *<na quadrilha, os casais circulavam a fogueira dançando>* □ *t.i. e int.* **3** (prep. *em*) mover-se num circuito, retornando ao ponto inicial *<o sangue circula nas veias> <a água da piscina circula passando por um filtro>* **4** (prep. *em, por*) deslocar-se em diversas direções; transitar *<os garçons circulam pela sala> <caminhões estão proibidos de c. (nos túneis)>* □ *int.* **5** mover-se em torno de um centro; girar *<a ventoinha circula e renova o ar>* **6** ser aceito como valor no comércio, na prestação de serviços etc.; ter circulação *<circulam duas moedas na zona de fronteira>* **7** ser divulgado; difundir-se *<a novidade circulou rápido> <está circulando a nova tabela de preços>* **8** estar em circulação entre o público leitor *<este jornal circula há mais de 50 anos>* • ORIGEM do lat. *circulāre* 'fazer círculo ou roda' ~ **circulante** *adj.2g.*

• Campo dos coletivos e vozes de animais

10 O dicionário informa **coletivos** e **vozes** de animais em campos específicos no corpo de seus verbetes, quando tais informações são pertinentes. Este sinal (•) dá entrada a tais informações:

lobo (lo.bo) /ô/ [fem.: /ô/] *s.m.* ZOO grande mamífero carnívoro da fam. dos canídeos, que vive em grupos de cerca de sete indivíduos, de pelagem longa, ger. cinzenta no dorso e esbranquiçada nas partes inferiores • GRAM/USO dim.irreg.: *lobacho, lobato*; aum.irreg.: *lobaz* • COL alcateia • VOZ v.: uivar, ulular; subst.: uivo

pombo (pom.bo) *s.m.* ZOO ave de voo possante, bico coberto de cera na base, domesticada para servir de alimento e correio • COL revoada • VOZ v.: arrulhar; subst.: arrulho

baleia (ba.lei.a) *s.f.* **1** ZOO nome comum a várias espécies de grandes mamíferos cetáceos marinhos ☞ cf. *caxaréu* **2** *p.ext. pej.* pessoa muito gorda • COL baleal • VOZ v.: *bufar*

• Campo da pronúncia

11 As palavras estrangeiras têm uma representação simplificada de sua pronúncia, uma vez que não se poderia transcrevê-las em caracteres fonéticos num minidicionário voltado basicamente para o ensino fundamental. Essa representação vem no fim do verbete, em seguida a um índice (⇒) e a expressão "pronuncia-se":

joystick (joy.stick) [ing.; pl.: *joysticks*] *s.m.* INF em jogos de computador e vídeo, dispositivo com alavancas e botões para controle de movimentos na tela ⇒ pronuncia-se djóistic

11.1 O dicionário usa dos acentos agudo (´) e circunflexo (^), nessas representações de pronúncia, apenas para marcar timbre aberto ou fechado, respectivamente, das vogais, sendo a sílaba tônica sublinhada:

kosher (ko.sher) [iídiche] *adj.2g.2n.* **1** que é permitido pela lei judaica (diz-se de alimento) **2** que se comporta de acordo com a lei judaica <*pessoa k.*> ⇒ pronuncia-se côxer

bodyboard (bo.dy.board) [ing.; pl.: *bodyboards*] *s.m.* ESP **1** prancha curta e flutuante sobre a qual se deita o tronco para deslizar nas ondas **2** esse esporte ⇒ pronuncia-se bádi bórd

• Campo das locuções e da fraseologia

12 Na estrutura do verbete, o campo dos sintagmas locucionais e das chamadas frases feitas segue-se ao campo geral das definições. Nele, registram-se as combinações da unidade léxica que é cabeça do verbete com outra ou outras palavras. Este símbolo (▣) dá-lhe entrada.

12.1 Todas as locuções e frases feitas são grafadas em negrito e iniciam-se por letra minúscula, salvo se se tratar de antropônimo, topônimo ou qualquer dos outros casos em que a maiusculização é de uso.

12.2 Quando a palavra que é cabeça do verbete tem mais de duas letras, reduz-se, na locução, à sua inicial e um ponto, mesmo que se trate de palavra composta com hífen. Faz-se exceção a isso quando na locução ela aparece no plural e tal coisa não se pode inferir do conjunto do texto. Neste caso, ela vem grafada por extenso. O mesmo ocorre quando se trata de verbo flexionado, pois só no infinitivo impessoal se pode reduzi-lo à sua primeira letra mais um ponto. (Os verbos de regência pronominal, no infinitivo, abreviam-se também, mas o *-se* permanece visível.)

12.3 Em caso de haver multiplicidade de sentidos para a locução (*polissemia*), cada acepção vem antecedida de um número sequente em negrito:

couro (cou.ro) *s.m.* tecido curtido e resistente feito da pele de certos animais, us. na confecção de sapatos, roupas, móveis etc. ▣ **c. cabeludo** pele do crânio onde nascem os cabelos • **dar no c.** *fig.* mostrar-se eficiente em algo • **tirar o c. de** *infrm.* **1** falar mal de **2** explorar (alguém) financeiramente **3** forçar (alguém) a realizar um trabalho

12.4 As locuções vêm separadas por um ponto quando mais de uma existir nesse campo; o mesmo quanto à fraseologia:

água (á.gua) *s.f.* **1** líquido sem cor, odor ou sabor, essencial à vida (...) ▣ **á. benta** REL água benzida pelo celebrante da missa católica • **á. destilada** QUÍM água obtida por destilação de sólidos e organismos dissolvidos ou suspensos, us. sobretudo para fins químicos e farmacêuticos • **á. doce** água (de rios, lagos etc.) que não contém cloreto de sódio • **á. mineral** água potável de valor medicinal por conter sais minerais (...)

coisa (coi.sa) *s.f.* **1** tudo o que existe ou pode existir (...) ▣ **c. nenhuma** ou **alguma** nada <*não se lembra de c. nenhuma (do que leu)*> • **c. pública** conjunto dos negócios e interesses do Estado ou da coletividade <*o deputado se dedica à c. pública com abnegação*> • **cheio de c.** *infrm.* que se ofende facilmente; melindroso • **não dizer c. com c.** falar de modo incoerente <*acordou assustado, e não dizia c. com c.*>

• Campo dos derivados e cognatos

13 Não têm verbete autônomo no dicionário os derivados e os cognatos cujo sentido se pode depreender daquele(s) da palavra-base definida. Eles entram embutidos no final do verbete, seguidos de suas classificações gramaticais. Este sinal (~) antecede as inclusões:

aprumar (a.pru.mar) *v.* {mod. 1} *t.d. e pron.* **1** pôr (-se) em linha vertical <*a. um muro*> ↺ desaprumar (-se) (...) **4** *fig. B* melhorar de sorte, saúde etc. <*depois de alguns anos, conseguiram a.-se*> ~ **aprumação** *s.f.*

rastejar (ras.te.jar) *v.* {mod. 1} *int.* **1** mover-se tocando o chão; arrastar-se (...) ~ **rastejador** *adj.s.m.* - **rastejante** *adj.2g.* - **rastejo** *s.m.*

NOTA: quando o derivado ou o cognato é palavra de emprego percentualmente alto na língua ou não se consegue deduzir o seu sentido facilmente da palavra de entrada, ou quando contém acepções que devem ser necessariamente esclarecidas ao leitor, ele se torna um verbete autônomo na nomenclatura do dicionário, contrariando a regra referida no item 13 (é o que ocorre, por exemplo, com **condensador**, **condensação**, **condensar**).

14 A primeira parte desse volume se completa com uma série de adendos que incluem correspondências de medidas, prefixos para múltiplos e submúltiplos decimais, unidades de base e derivadas, um quadro de algarismos, um quadro de numerais, os alfabetos grego e latino, tabela periódica e lista dos elementos químicos e tabela de conversão de Fahrenheit para centígrados e vice-versa.

15 A segunda parte do volume é a da enciclopédia com seus adendos específicos (ver página 995).

Abreviações, rubricas e sinais

abrev. — abreviação; abreviatura

AC — Acre

a.C. — antes de Cristo

acp. — acepção ou acepções

adj. — adjetivo

adj.2g. — adjetivo de dois gêneros

adj.2g.2n. — adjetivo de dois gêneros e dois números

adj.2g.2n.s.2g. — adjetivo de dois gêneros e dois números e substantivo de dois gêneros

adj.2g.2n.s.2g.2n. — adjetivo de dois gêneros e dois números e substantivo de dois gêneros e dois números

adj.2g.2n.s.m. — adjetivo de dois gêneros e dois números e substantivo masculino

adj.2g.2n.s.m.2n. — adjetivo de dois gêneros e dois números e substantivo masculino de dois números

adj.2g.s.2g. — adjetivo de dois gêneros e substantivo de dois gêneros

adj.2g.s.2g.s.f. — adjetivo de dois gêneros, substantivo de dois gêneros e substantivo feminino

adj.2g.s.2g.s.m. — adjetivo de dois gêneros, substantivo de dois gêneros e substantivo masculino

adj.2g.s.f. — adjetivo de dois gêneros e substantivo feminino

adj.2g.s.m. — adjetivo de dois gêneros e substantivo masculino

adj.2n.s.m.2n. — adjetivo de dois números e substantivo masculino de dois números

adj.s.m. — adjetivo e substantivo masculino

adp. — adaptação(ões), adaptado(a/s)

adv. — advérbio, adverbial

AER — aeródinos, aeronáutica, aerostação, aerostática, aeróstatos, dirigíveis

afrn. — africânder

AGR — agricultura

AL — Alagoas

al. — alemão

alt. — alteração
alt.gráf. — alteração gráfica
AM — Amazonas
AMAZ — Amazônia
ANAT — anatomia
ant. — antigo
antr. — antropônimo
ANTRPOL — antropologia
AP — Amapá
aport. — aportuguesamento
aprox. — aproximadamente
ár. — árabe
arc. — arcaico
ARQ — arquitetura
art. — artigo
art.def. — artigo definido
art.ind. — artigo indefinido
ART.PLÁST — artes plásticas
ASTR — astronomia
ASTRL — astrologia
aum. — aumentativo
aum.irreg. — aumentativo irregular
B — Brasil, brasileirismo
BA — Bahia
BIBLIO — bibliologia
BIO — biologia
BIOQ — bioquímica
b.-lat — baixo-latim
BOT — botânica
CE — Ceará
cf. — conferir
chn. — chinês
CINE — cinema
C.-O. — centro-oeste
COL — coletivo
COMN — comunicação
comp.inf. — comparativo de inferioridade
comp.super. — comparativo de superioridade
conj. — conjunção
conj.adt. — conjunção aditiva
conj.advrs. — conjunção adversativa
conj.altv. — conjunção alternativa
conj.caus. — conjunção causal
conj.comp. — conjunção comparativa
conj.concl. — conjunção conclusiva
conj.concs. — conjunção concessiva
conj.cond. — conjunção condicional
conj.confr. — conjunção conformativa
conj.explc. — conjunção explicativa
conj.fin. — conjunção final
conj.intg. — conjunção integrante
conj.prop. — conjunção proporcional
conj.sub. — conjunção subordinativa
conj.temp. — conjunção temporal
CONSTR — construção
contr. — contração; contracto
CUL — culinária
der. — derivado
desin. — desinência
desus. — desusado
DF — Distrito Federal
dim. — diminutivo
dim.irreg. — diminutivo irregular
DIR — direito
DNÇ — dança
drg. — linguagem de drogados
duv. — duvidoso(a)
ECO — ecologia
ECON — economia
el.comp. — elemento de composição
ELETR — eletricidade
ELETRÔN — eletrônica
empr. — empregado(s)/a(s); emprega-se
ENG — engenharia em geral, especialmente a civil
ES — Espírito Santo
esp. — espanhol; especialmente
ESP — esporte
E.U.A. — Estados Unidos da América
ex. — exemplo
FARM — farmacologia
f.divg. — forma divergente
fem. — feminino
fem.irreg. — feminino irregular
fig. — figurado
FIL — filosofia
FÍS — física
FISL — fisiologia
FISQUÍM — fisioquímica
f. mais us. — forma mais usada
f. menos us. — forma menos usada
FN — Fernando de Noronha
FOLC — folclore
FON — fonética; fonologia
FONO — indústria fonográfica e afins
FOT — fotografia
fr. — francês

Abreviações, rubricas e sinais

fraseol. — fraseologia
freq. — frequentemente
frm. — linguagem formal
FUTB — futebol
gên. — gênero (taxonômico)
GEN — genética
GEO — geografia
GEOL — geologia
GEOM — geometria
ger. — geralmente
ger.maiúsc. — geralmente maiúscula
gír. — gíria
GO — Goiás
gr. — grego
GRÁF — gráfica, artes gráficas
GRAM — gramática
gros. — grosseiro
heb. — hebraico
HIST — história
id. — *idem*, de mesmo sentido
inf. — infinitivo
INF — informática
infl. — influência
infrm. — linguagem informal
ing. — inglês
int. — intransitivo
int. e pron — intransitivo e pronominal
interj. — interjeição, interjetiva(o), interjetivamente
INTERN — internet
irreg. — irregular, irregularidade
it. — italiano
jap. — japonês
joc. — jocoso
JOR — jornalismo
lat. — latim
lat.cien. — latim científico
lat.cl. — latim clássico
lat.medv. — latim medieval
lat.tar. — latim tardio
lat.vulg. — latim vulgar
l.inf. — linguagem infantil
LING — linguística
LIT — literatura
LITUR — liturgia
loc.adj. — locução adjetiva
loc.adv. — locução adverbial
loc.conj. — locução conjuntiva
loc.interj. — locução interjetiva
loc.prep. — locução prepositiva
loc.subst. — locução substantiva
loc.verb. — locução verbal
MA — Maranhão
mais us. — mais usado
maiúsc. — maiúscula(s)
MAR — marinha (termo de); náutica
masc. — masculino
MAT — matemática
MEC — mecânica
MED — medicina
menos us. — menos usado
MET — meteorologia
MG — Minas Gerais
MICRB — microbiologia
MIL — militar (termo), assuntos militares (esp. exército)
MINER — mineralogia
MIT — mitologia
mod. — modelo
MS — Mato Grosso do Sul
MT — Mato Grosso
MÚS — música
N. — norte
n. — número (gramatical); numeral
n.card. — numeral cardinal
N.E. — nordeste
n.frac. — numeral fracionário
n.mult. — numeral multiplicativo
n.ord. — numeral ordinal
O. — oeste
ODONT — odontologia
ÓPT — óptica
orign. — originalmente
p., *p.* — pessoa(s); pessoal
PA — Pará
pal. — palavra
part. — particípio
part.irreg. — particípio irregular
part.pas. — particípio passado
PB — Paraíba
PE — Pernambuco
pej. — pejorativo
p.ex. — por exemplo
p.ext. — por extensão
PI — Piauí
pl. — plural
plat. — espanhol platino
POL — política

port. —— português
port.ant. —— português antigo
pp. —— páginas
p.pl. —— pessoa do plural
PR —— Paraná
pred. —— predicativo
pred. e pron. —— predicativo e pronominal
pred.,int. e pron. — predicativo, intransitivo e pronominal
pref. —— prefixo
prep. —— preposição
prep.lat. —— preposição latina
pres.ind. —— presente do indicativo
pron. —— pronome; pronominal, reflexivo e/ou recíproco
pron.dem. —— pronome demonstrativo
pron.ind. —— pronome indefinido
pron.ind.pl. —— pronome indefinido plural
pron.interg. —— pronome interrogativo
pron.p. —— pronome pessoal
pron.pos. —— pronome possessivo
pron.rel. —— pronome relativo
pron.trat. —— pronome de tratamento
p.s. —— pessoa do singular
PSIC —— psicologia
PSICN —— psicanálise
PSIQ —— psiquiatria
QUÍM —— química
quimb. —— quimbundo
RÁD —— rádio
REC.AV —— recursos audiovisuais
RECR —— recreação
red. —— redução; forma reduzida
regr. —— regressivo
REL —— religião
RJ —— Rio de Janeiro
RN —— Rio Grande do Norte
RO —— Rondônia
RR —— Roraima
RS —— Rio Grande do Sul
S. —— sul
s —— século
sânsc. —— sânscrito
SC —— Santa Catarina
s.2g. —— substantivo de dois gêneros
s.2g.2n. —— substantivo de dois gêneros e dois números
s.2g.pl. —— substantivo de dois gêneros plural
SE —— Sergipe
S.E. —— sudeste
séc. —— século(s)
s.f. —— substantivo feminino
s.f.2n. —— substantivo feminino de dois números
s.f.pl. —— substantivo feminino plural
símb. —— símbolo
sing. —— singular
s.m. —— substantivo masculino
s.m.2n. —— substantivo masculino de dois números
s.m.pl. —— substantivo masculino plural
S.O. —— sudoeste
SOC —— sociologia
SP —— São Paulo (estado)
subj. —— subjuntivo
subst. —— substantivo
suf. —— sufixo
sup.abs.sint. —— superlativo absoluto sintético
sup.abs.sint.irreg. – superlativo absoluto sintético irregular
tb. —— também
t.d. —— transitivo direto
t.d. e int. —— transitivo direto e intransitivo
t.d. e pron. —— transitivo direto e pronominal
t.d. e t.d.i. —— transitivo direto e transitivo direto e indireto
t.d. e t.d.pred. —— transitivo direto e transitivo direto predicativo
t.d. e t.i. —— transitivo direto e transitivo indireto
t.d.i. —— transitivo direto e indireto
t.d.i. e int. —— transitivo direto e indireto e intransitivo
t.d.i. e pron. —— transitivo direto e indireto e pronominal
t.d.i. e t.d.pred. —— transitivo direto e indireto e transitivo direto predicativo
t.d.,int. e pron. —— transitivo direto, intransitivo e pronominal
t.d.i.,int. e pron. — transitivo direto e indireto, intransitivo e pronominal
t.d.pred. —— transitivo direto predicativo
t.d.pred. e pron. — transitivo direto predicativo e pronominal
t.d.pred. e t.i.pred. – transitivo direto predicativo e transitivo indireto predicativo

Abreviações, rubricas e sinais

t.d.,t.d.i. e int. — transitivo direto, transitivo direto e indireto e intransitivo

t.d.,t.d.i. e pron. — transitivo direto, transitivo direto e indireto e pronominal

t.d.,t.d.i.,int. e pron. – transitivo direto, transitivo direto e indireto, intransitivo e pronominal

t.d.,t.d.i.,t.i. e int. — transitivo direto, transitivo direto e indireto, transitivo indireto e intransitivo

t.d.,t.d.i.,t.i.,int. e pron. — transitivo direto, transitivo direto e indireto, transitivo indireto, intransitivo e pronominal

t.d.,t.d.pred. e pron. — transitivo direto, transitivo direto predicativo e pronominal

t.d.,t.d.pred. e t.d.i. transitivo direto, transitivo direto predicativo e transitivo direto e indireto

t.d.,t.d.pred.,t.d.i. e pron. — transitivo direto, transitivo direto predicativo, transitivo direto e indireto e pronominal

t.d.,t.i. e int. — transitivo direto, transitivo indireto e intransitivo

t.d.,t.i. e pron. — transitivo direto, transitivo indireto e pronominal

t.d.,t.i. e t.d.i. — transitivo direto, transitivo indireto e transitivo direto e indireto

t.d.,t.i.,int. e pron. – transitivo direto, transitivo indireto, intransitivo e pronominal

t.d.,t.i.pred. e int. — transitivo direto, transitivo indireto predicativo e intransitivo

t.d.,t.i.,t.d.i. e pron. – transitivo direto, transitivo indireto, transitivo direto e indireto e pronominal

t.d.,t.i.,t.d.pred. e pron. — transitivo direto, transitivo indireto, transitivo direto predicativo e pronominal

TEAT — teatro

TEL — telecomunicações

term. — terminação

t.i. — transitivo indireto

t.i. e int. — transitivo indireto e intransitivo

t.i. e pron. — transitivo indireto e pronominal

t.i. e t.d.i. — transitivo indireto e transitivo direto e indireto

t.i.,int. e pron. — transitivo indireto, intransitivo e pronominal

t.i.,t.d.i. e int. — transitivo indireto, transitivo direto e indireto e intransitivo

t.i.,t.d.i. e pron. — transitivo indireto, transitivo direto e indireto e pronominal

t.i.,t.i.pred. e int. — transitivo indireto, transitivo indireto predicativo e intransitivo

TO — Tocantins

top. — topônimo

TV — televisão

us. — usado(s)/a(s)

v. — verbo

VEST — vestuário

VET — veterinária

VOZ V. — voz verbal

vulgarm. — vulgarmente

ZOO — zoologia

Sinais

■ — mudança de classe gramatical ou do qualificativo da classe gramatical

□ — mudança de regência

® — marca registrada

▲ — símbolo (sem classe gramatical)

☞ — campo das observações

▼ — plural com sentido próprio

◉ — gramática e/ou uso, coletivos e vozes

▣ — início das locuções

• — separador de locuções

~ — campo das palavras embutidas

→ — remissão a uma entrada múltipla

◗ — ver diretamente a locução

⇒ — pronúncia

↺ — antônimo

Gramática

Flávio de Aguiar Barbosa

I • História, domínio e variedade da língua portuguesa

Para contar a história da língua portuguesa devemos nos deslocar até o continente europeu e voltar no tempo a oito séculos antes de Cristo. Nessa época, algumas tribos que viviam no território que hoje corresponde à Itália se uniram, formando uma cidade chamada Roma. Esse foi o ponto de partida para a criação de um dos maiores impérios da história: o Império Romano.

Os romanos, grandes guerreiros e conquistadores, foram pouco a pouco aumentando os seus domínios a partir de disputas militares por territórios; suas conquistas avançaram cada vez mais e chegaram à sua extensão máxima no segundo século depois de Cristo, quando o Império Romano ocupava a maior parte da Europa, além de territórios na África e na Ásia.

Durante a expansão do império, os guerreiros romanos chegaram à ponta ocidental da Europa, região que chamaram de *Hispânia* e que hoje é a península Ibérica, onde ficam Portugal e Espanha.

Quando conquistavam um território, os romanos implantavam nele o seu modo de viver e também a sua língua, o *latim*, para facilitar a administração e a comunicação por todo o império; o domínio romano, portanto, trazia geralmente alterações na economia, na política, na integração do território, no desenvolvimento das cidades, na cultura etc.

Depois do desenvolvimento máximo, o Império Romano entrou em declínio. Surgiram crises políticas, econômicas, populacionais, que foram se agravando até que, no quinto século depois de Cristo, o império se desintegrou.

Cada um dos territórios conquistados pelos romanos passou a ter um desenvolvimento mais individual depois da queda do império. A partir dessa individualização, formaram-se aos poucos nações com governos independentes e línguas próprias. Muitas dessas línguas (principalmente as europeias) são da mesma família, pois todas se desenvolveram do latim: são *línguas neolatinas*, como o português, o espanhol, o francês, o italiano e o romeno.

Portugal foi um desses territórios que se desenvolveram e unificaram, formando uma nação. Suas fronteiras terminaram de ser instauradas em 1252 e a língua portuguesa, que vinha se formando desde o fim do Império Romano, também terminou o seu estabelecimento nessa época (os textos mais antigos em português são do final do século XII).

O próximo momento histórico importante para explicar a chegada da língua portuguesa ao Brasil, assim como a outras partes do mundo, é o século XVI. Nessa época, graças a avanços nos conhecimentos sobre navegação, os portugueses fizeram várias expedições, descobrindo novas terras, principalmente na África e na América. Fundaram colônias nesses lugares e, como os romanos, implantaram nelas o seu modo de viver e a sua língua.

Vendo a extensão dos domínios coloniais de Portugal nessa época, podemos compreender a amplitude do domínio atual da nossa língua pelo mundo: a partir do século XIX as colônias portuguesas foram conquistando a independência. Ficando independentes, ou adotaram o português como língua oficial (como fez o Brasil), ou mantiveram suas línguas anteriores, com influências da língua dos colonizadores (como fez Goa, estado da Índia).

A grande difusão da língua portuguesa, que hoje é falada oficialmente em três continentes, não quer dizer unidade absoluta: é só compararmos o jeito de falar de um português com o de um brasileiro para percebermos que cada um dos dois usa uma variedade diferente da língua.

Nem é preciso comparar países diferentes para perceber que a língua não é uniforme. Se observarmos apenas o vocabulário do português do Brasil, perceberemos que há várias maneiras de dizer a mesma coisa, usadas em diferentes situações, por diferentes tipos de pessoas, ou com diferentes intenções.[1]

Para o que chamamos regularmente de *alimento*, ou *comida*, dependendo da situação, das intenções do falante, da região do país etc., pode-se usar *manjar* (uso formal e elogioso); *pão* (uso figurado); *papá* (uso infantil); *boia*, *gravanço*, *paparoca*, *salgueiro* ou *rango* (usos informais), *gororoba*, *bodega*, *mistela*, *soquete* ou *grude* (usos informais e depreciativos); *de-comer* (uso popular); *mixórdia* (uso depreciativo); *xepa* (uso informal entre militares); *épula* ou *cibo* (uso antigo); *manjuba* (uso informal da Bahia e de São Paulo).

Para o que regularmente qualificamos como *ótimo* ou *excelente*, também dependendo da situação, podemos usar *soberbo*, *excelso*, *luculento* ou *fabuloso* (usos formais), *superno* (uso formal e figurado); *legal*, *bonzão*, *genial*, *bacana* (usos informais); *supimpa* (uso informal e jocoso); *maneiro*, *irado* (gírias); *mantena* (uso de Goiás e Tocantins); *marmo* (uso do nordeste do Brasil e de Minas Gerais).

Da mesma forma, *trabalho*, *ocupação* ou *serviço* podem ser *afã*, *labor*, *labuta*, *lida* ou *mister* (usos formais); *andança*, *batalha*, *canseira* ou *suor* (usos figurados); *batente*, *bico*, *biscate*, *esfrega*, *galho*, *gregueu*, *quefazer*, *rojão*, *trabulança* ou *viração* (usos informais); *trampo* (uso informal de São Paulo).

Muitos outros exemplos poderiam ser dados, mas, a partir desses, você já deve ter constatado que, na unidade geral da língua portuguesa do Brasil, há espaço para uma série de variações que podem acontecer

[1] *Algumas das palavras listadas nos exemplos desta página pertencem a usos muito específicos do português do Brasil. Por isso, você não encontrará todas elas neste pequeno dicionário. Se quiser saber mais sobre alguma que não esteja registrada aqui, procure-a em um dicionário de grande porte.*

de acordo com o lugar, a situação, a identidade ou mesmo a intenção de quem fala.

A variedade da língua faz parte da riqueza da nossa cultura. Para que essa herança cultural não fique de fora dos nossos estudos de português, devemos buscar conhecer não só a forma oficial da língua — que, sem dúvida, deve ser valorizada e preservada, pois é a referência geral, que garante a sua unidade — mas também essas diferentes opções de uso. Alcançar o conhecimento abrangente da língua portuguesa é indispensável para dominá-la verdadeiramente.

II • A estrutura básica das orações

A maioria das orações na língua portuguesa é construída a partir de duas estruturas básicas: o sujeito, que geralmente tem como núcleo um substantivo, e o predicado, que tem como núcleo um verbo.

Ex.: [O **casal**] [**viajou** em férias.]
SUJEITO PREDICADO

O verbo é o único elemento realmente indispensável para a existência de uma oração. A estrutura básica da oração é estabelecida a partir do significado e das possibilidades de combinação dessa palavra com outras. Vejamos, a seguir, os tipos principais de verbos que formam diferentes construções de orações.

Há verbos que precisam de uma única estrutura nominal para formar uma oração. Esses verbos são classificados como intransitivos:

Ex.: [O bebê] **dormiu**.
SUJEITO

Obs.: além da definição da estrutura da oração, o verbo *dormir*, por seu significado, restringe o grupo dos substantivos que podem ocupar a posição de sujeito: a não ser que se fale em linguagem figurada (mudando o sentido original das palavras), não se diz, por exemplo, *o tijolo dormiu*.

Há verbos que precisam de duas estruturas nominais para formar uma oração. São classificados como transitivos diretos, quando a estrutura que os sucede, complementando seu sentido, vem sem preposição (o objeto direto):

Ex.: [Meu pai] **varreu** [o quintal] ontem.
SUJEITO OBJETO DIRETO

Obs.: 1) novamente, a não ser que se fale em linguagem figurada, não se diz, por exemplo, *a cadeira varreu o lixo da calçada*, ou *o faxineiro varreu os postes da rua*;
Obs.: 2) no exemplo anterior, além do sujeito e do objeto direto, há a palavra *ontem*, que não estava prevista na estrutura estabelecida pelo verbo: é um advérbio, que situa a ação de varrer no tempo. Os advérbios servem para esclarecer circunstâncias relacionadas ao significado do verbo; para mais informações sobre essa classe de palavras, veja o que se diz sobre advérbios na seção "Classes de palavras".

Se o complemento que sucede esses verbos é preposicionado (o objeto indireto), são classificados como transitivos indiretos:

Ex.: [Essa menina] sempre **gostou** [de cantar.]
SUJEITO OBJETO INDIRETO

Há, ainda, outro tipo desses verbos, que precisam de um objeto direto, ou indireto, qualificado por uma segunda estrutura nominal, o predicativo. São os verbos transitivos diretos predicativos, ou transitivos indiretos predicativos:

Ex.: [Os juízes] **consideraram** [o atleta]
SUJEITO OBJETO DIRETO
[apto à disputa.]
PREDICATIVO DO OBJETO DIRETO

[O cliente] **precisa** [da encomenda] [pronta]
SUJEITO OBJETO INDIRETO PREDICATIVO DO OBJETO INDIRETO
até amanhã.

Há verbos que precisam de três estruturas nominais para formar uma oração. São conhecidos como transitivos diretos e indiretos, quando, além do objeto direto, também são sucedidos por um objeto indireto:

Ex.: [Nós] **vendemos** [o apartamento]
SUJEITO OBJETO DIRETO
[aos antigos inquilinos.]
OBJETO INDIRETO

Obs.: por causa do significado do verbo *vender*, a não ser que se fale em linguagem figurada, não se diz *a cortina vendeu um carro ao jovem*, ou *o balconista vendeu cinco soluços ao cliente*, ou *vendi livros a meu cachorro*.

Os verbos de ligação, como seu nome já diz, *ligam* um sujeito a um predicativo, que traz informações novas sobre o sujeito.

Ex.: [Eu] **estou** [atrasado.]
SUJEITO PREDICATIVO

[Meu nome] **é** [Paulo.]
SUJEITO PREDICATIVO

[Esta porta] **é** [de ferro.]
SUJEITO PREDICATIVO

[Nossos amigos] **ficaram** [felizes.]
SUJEITO PREDICATIVO

[O jogo] **é** [hoje.]
SUJEITO PREDICATIVO

Obs.: como os verbos predicativos ou de ligação não têm significado próprio, nas orações com esse tipo de verbo as restrições de combinação dependem do significado do sujeito e do predicativo; assim, a não ser que se fale em linguagem figurada, não se diz, por exemplo, *a madeira está enferrujada*, ou *a noite é ensolarada*.

Alguns poucos verbos não precisam de nenhuma estrutura nominal para formar uma oração. Esses verbos geralmente nomeiam fenômenos da natureza.

Ex.: **Chove**. **Troveja**. **Venta** muito.

Obs.: em alguns usos da linguagem figurada, esses verbos precisam que um sujeito e, por vezes, também um objeto direto os complementem:

Ex.: **Choveram** [denúncias] durante a investigação.
SUJEITO

[O pai,] exaltado, **trovejava** [insultos.]
SUJEITO OBJETO DIRETO

III • Classes de palavras

Esta é uma descrição geral das classes de palavras, baseada em três categorias de cada uma delas: significado, forma e função.

• Substantivos

Significado: nomeiam principalmente seres, coisas e ideias.

Ex.: *homem* (um ser); *pedra* (uma coisa); *felicidade* (uma ideia ou sentimento).

Forma: são geralmente variáveis; suas variações expressam as ideias de gênero (masculino ou feminino) e número (singular ou plural).

Ex.: *moço* (masculino singular / *moça* (feminino singular)
moços (masculino plural) / *moças* (feminino plural)

Obs.: veja mais informações sobre a formação do feminino e do plural nas seções deste dicionário dedicadas a esses assuntos.

Função: ocupam o núcleo de unidades nominais, como o sujeito, o objeto direto, o objeto indireto, o predicativo ou o agente da passiva.

Ex.: [O **balconista**] informou [as **horas**] [à **cliente**.]
SUJEITO — OBJETO DIRETO — OBJETO INDIRETO

[O meu **irmão** mais velho] é [**professor**.]
SUJEITO — PREDICATIVO

[O **samba**] foi muito bem interpretado
SUJEITO

[pelo jovem **cantor**.]
AGENTE DA PASSIVA

• Verbos

Significado: nomeiam principalmente ações, processos e fenômenos da natureza.

Ex.: *Protegi*-me da chuva forte. (nomeação de uma ação)

A água *molhou* as minhas compras. (nomeação de um processo)

Choveu por duas horas. (nomeação de um fenômeno da natureza)

Obs.: os chamados *verbos predicativos* ou *verbos de ligação* não têm significado próprio; costumam ligar o sujeito a uma qualidade ou estado.

Ex.: Meus pés *estavam* molhados.

Forma: são variáveis; suas variações expressam as ideias de pessoa, número, tempo e modo.

Ex.: Se eles *gostassem* de chocolate, eu *faria* esta torta para a sobremesa.
gostassem — verbo *gostar*; pessoa: terceira; número: plural; tempo: pretérito imperfeito; modo: subjuntivo
faria — verbo *fazer*; pessoa: primeira; número: singular; tempo: futuro do pretérito; modo: indicativo

Obs.: além de verbos simples, há, também, locuções verbais, formadas por um verbo auxiliar conjugado mais um verbo principal no particípio, no gerúndio ou no infinitivo: *tinha perguntado* (em vez de *perguntara*), *teria molhado* (em vez de *molharia*), *está falando*, *poderá saber* etc.

Função: ocupam o núcleo do predicado; são a base da oração.

Ex.: [Toda a família] [**vai** ao casamento.]
SUJEITO — PREDICADO

Obs.: em frases com verbo de ligação, como

[Nós] [**estamos** atrasados para a festa.]
SUJEITO — PREDICADO

o predicado é considerado nominal, porque o núcleo do seu significado é um nome: o adjetivo *atrasados*.

• Adjetivos

Significado: nomeiam principalmente qualidades, características ou estados.

Ex.: música *agradável* (nomeação de uma qualidade)
fio *metálico* (nomeação de uma característica)
pãezinhos *quentes* (nomeação de estado)

Forma: são geralmente variáveis; suas variações expressam as ideias de gênero (masculino ou feminino) e número (singular ou plural).

Ex.: caderno *novo* (masculino singular) / cadernos *novos* (masculino plural)
caneta *nova* (feminino singular) / canetas *novas* (feminino plural)

Obs.: 1) veja mais informações sobre a formação do feminino e do plural nas seções deste dicionário dedicadas a esses assuntos;
Obs.: 2) além de adjetivos simples, como *metálico*, há também locuções adjetivas, como *de metal*, *de pedra* e *de madeira*. As locuções adjetivas são estruturas de mais de uma palavra sempre introduzidas por uma preposição.

Função: na maioria dos casos, ligam-se a substantivos, modificando o seu significado:

Ex.: [O *jovem* **balconista**] informou [as **horas** *exatas*] [à **cliente** *apressada*.]

Podem, também, ter a função de núcleo do predicativo:
Ex.: A pintura da casa ficou [**bonita**.]

• Advérbios

Significado: nomeiam circunstâncias.

Ex.: Chegamos *tarde*. (circunstância de tempo)
Passeamos *calmamente por toda a cidade*. (circunstâncias de modo e de lugar)
Estávamos *muito* cansados. (circunstância de intensidade)

Forma: são invariáveis.

Obs.: além de advérbios simples, como *sempre* e *cuidadosamente*, há, também, locuções adverbiais, como *por toda a cidade*, *à noite* e *com cuidado*. As locuções adverbiais são estruturas de mais de uma palavra sempre introduzidas por uma preposição.

Função: ligam-se a verbos, adjetivos e substantivos, modificando o seu significado.

Ex.: **Estudei** *ontem* para a prova de biologia.
Estava *meio* **aborrecida**.
O jogo **é** *hoje*.

Obs.: 1) Os advérbios de intensidade podem, também, se ligar a outros advérbios.

Ex.: Comemos *muito* **bem** no jantar.

Obs.: 2) Em alguns casos, o advérbio pode se ligar a uma oração inteira:

Ex.: *Infelizmente*, **não ouvimos o seu chamado**.

• Artigos

Significado: indicam se o significado dos substantivos aos quais se ligam é específico ou genérico — o artigo definido é usado para marcar um significado específico (determinado) e o indefinido é usado para marcar um significado genérico (indeterminado).
Ex.: *O* rapaz da padaria esteve aqui. (artigo definido: ideia específica)
Um rapaz esteve aqui. (artigo indefinido: ideia genérica)
Forma: são variáveis. Suas variações expressam as ideias de gênero (masculino ou feminino) e número (singular ou plural).

Ex.: *o* rapaz / *os* rapazes / *um* rapaz / *uns* rapazes
a moça / *as* moças / *uma* moça / *umas* moças

Função: ligam-se a substantivos especificando ou indeterminando o seu significado.

• Numerais

Significado: nomeiam quantidades (inteiras, fracionárias ou multiplicativas) e indicam a posição de elementos em uma série.
Ex.: Já li *dois* livros neste mês. (nomeação de uma quantidade inteira)
Fiz *dois terços* do trabalho. (nomeação de uma quantidade fracionária)
Ele é o *décimo terceiro* da fila. (indicação da posição em uma série)
Consegui cinco novas figurinhas e ele conseguiu o *dobro* disso. (indicação da multiplicação de uma quantidade)

Forma: há dois grupos — um de numerais variáveis e um de numerais invariáveis.

Ex.: Essas *duas* senhoras moram a *dois* quarteirões daqui. (numeral variável)
Vamos fazer *meia* viagem em *meio* dia. (numeral variável)
O filme começa às *dez* horas e *dez* minutos. (numeral invariável)
As *três* amigas foram conhecer a Praça dos *Três* Poderes. (numeral invariável)

Função: podem ocupar o núcleo do sujeito, do objeto direto, do objeto indireto, do predicativo ou do agente da passiva (função substantiva) ou ligar-se a um substantivo, modificando o seu significado (função adjetiva).

Ex.: Elas eram sempre [as ***primeiras*** a chegar.] (função substantiva)

[A *primeira* **coisa** que fiz] foi limpar aquela bagunça. (função adjetiva)

• Pronomes

Significado: 1) indicam as pessoas participantes de uma situação comunicativa (quem fala — a 1ª pessoa; com quem se fala — a 2ª pessoa; de quem se fala — a 3ª pessoa; **2)** indicam uma pessoa ou coisa indefinida, desconhecida ou já mencionada; **3)** situam as pessoas e coisas no tempo e no espaço e estabelecem relações entre elas e outros elementos.
Ex.: *Eu te* disse que sairíamos hoje. (indicação da 1ª e da 2ª pessoas do singular)
Tudo estava preparado para a apresentação. (indicação de coisas indefinidas)
Quem está aí? (indicação de pessoa desconhecida, que se quer descobrir)
Um amigo *que* sabe ouvir é um tesouro. (indicação de uma pessoa já mencionada)
Este carro é maior do que *aquele*. (indicação da localização de objetos em relação aos falantes)
Nossos trabalhos foram premiados. (indicação de relação de posse)

Forma: há dois grupos — um de pronomes variáveis e um de pronomes invariáveis.

Ex.: *Eles a* convidaram para sair, mas *ela* não quis. (pronomes variáveis)
Aquele pacote está molhado. *Aqueles outros* estão secos. (pronomes variáveis)
Alguém esteve na biblioteca. (pronome invariável)
Aquilo parece um incêndio. (pronome invariável)

Função: podem ocupar o núcleo do sujeito, do objeto direto, do objeto indireto, do predicativo ou do agente da passiva (função substantiva) ou ligar-se a um substantivo, modificando o seu significado (função adjetiva).

Ex.: *Eu o* vi ontem à noite. (função substantiva)
[*Este* **relógio**] é caro. (função adjetiva)
Obs.: Com relação aos pronomes pessoais no português do Brasil, é muito frequente o uso, mesmo em situações formais, de *você(s)* com referência à segunda pessoa do singular ou do plural (aquele[s] com quem se fala). Já *tu* e *vós* têm sido pouco usados; o pronome *tu*, entretanto, é muitas vezes empregado com concordância na terceira pessoa, fora da norma padrão:

Ex.: *Tu* foste à festa ontem? / Vós *fostes* à festa ontem? (usos raros no português brasileiro atual)
Você foi à festa ontem? / *Vocês* foram à festa ontem? (usos comuns, tanto informal quanto formalmente)
**Tu* foi à festa ontem? (uso não correspondente à norma padrão)

Outro pronome comum nos usos informais, também encontrável em expressões mais cuidadas, é *a gente*, substituindo *nós*. A concordância é na terceira pessoa do singular, mas, por associação com o significado do pronome, muitas vezes se faz a concordância pela primeira pessoa do plural, o que não corresponde à norma padrão:
Ex.: *A gente* foi à festa ontem. (uso comum, princi-

palmente informal)
A gente fomos à festa ontem. (uso não correspondente à norma padrão)

• Preposições

Significado: em geral são consideradas palavras vazias de significado, sendo definidas apenas a partir da sua função de ligar palavras:

Ex.: Gosto *de* bananas. (palavra vazia de significado)
Concordo *com* você. (palavra vazia de significado)
O livro consiste *em* anotações e artigos inéditos. (palavra vazia de significado)

Entretanto, em certos casos, pode-se perceber seu significado:

Ex.: Fui *de* São Paulo *a* Fortaleza. (preposição *de* com a ideia de 'ponto de partida' e preposição *a* com a ideia de 'destino')
Fui à praia *com* a família. (ideia de 'companhia')
O presente foi entregue *em* uma caixa colorida. (ideia de 'localização no interior')

Obs.: além de preposições simples, há, também, locuções prepositivas, como *a partir de*, *dentro de*, *antes de* etc.

Forma: são invariáveis.

Função: ligam palavras dentro do limite da oração, relacionando-as sintaticamente.

Ex.: Essa **porta** [*de* madeira] é resistente. (função adjetiva)
Lutamos [*contra* a discriminação.] (função adverbial)

• Conjunções

Significado: em geral são consideradas palavras vazias de significado, sendo definidas apenas a partir da sua função de ligar palavras:

Ex.: Pedro *e* Paulo saíram apressados. (palavra vazia de significado)
Disse *que* me ajudaria. (palavra vazia de significado)

Entretanto, em certos casos, pode-se perceber seu significado:

Ex.: Estou cansado. *Entretanto*, não consigo dormir. (ideia de 'oposição de informações')
Está ficando tarde. *Portanto*, devemos sair logo. (ideia de 'conclusão')

Obs.: além de conjunções simples, há, também, locuções conjuntivas, como *no entanto*, *por conseguinte*, *desde que*, *ainda que* etc.

Forma: são invariáveis.

Função: ligam palavras ou locuções dentro de uma mesma oração, ou orações entre si.

Ex.: **Preciso** de [pratos] *e* [talheres] novos. (ligação de palavras dentro da mesma oração)
[**Ganhamos** o jogo,] [*mas* o campeonato não **acabou**.] (ligação de orações)
[**Saímos**] [*quando* o filme **terminou**.] (ligação de orações)

• Interjeições

Significado: exprimem sentimentos e emoções de quem fala ou escreve.

Ex.: *Droga*! Deu tudo errado! (expressão de aborrecimento)
Nossa, como essa menina cresceu! (expressão de espanto)
Viva! Passei de ano! (expressão de alegria)

Forma: são invariáveis.

Obs.: além de interjeições simples, como *ai!* e *hem?*, há, também, locuções interjetivas: *puxa vida!*; *meu Deus do céu!*; *que beleza!*

Função: têm o valor de frases isoladas (sem função sintática dentro da oração), que exprimem sentimentos e emoções.

IV • A formação do plural em português

Apresentam-se, a seguir, os principais mecanismos de formação do plural de substantivos e adjetivos:

Regra geral: para formar o plural de uma dessas palavras, geralmente se usa *-s*. Por exemplo: *casa* > *casas*; *beijo* > *beijos*; *grande* > *grandes*; *doce* > *doces*.

Veja alguns casos nos quais a regra geral sofre alterações:

Caso	Alteração	Exemplos
final em *-ão*	torna-se *-ões*	*informação* > *informações* *caminhão*; *cartão*; *chorão*; *comilão*; *coração*; *exceção*; *leão*; *limão*; *milhão*; *portão* etc.
	torna-se *-ãos*	*irmão* > *irmãos* *acórdão*; *artesão*; *bênção*; *grão*; *mão*; *órfão*; *órgão*; *são*; *sótão*; *vão* etc.
	torna-se *-ães*	*pão* > *pães* *alemão*; *cão*; *capelão*; *capitão*; *sacristão* etc.
	tem mais de um plural	*aldeão* > *aldeões*, *aldeãos* e *aldeães*; *ancião* > *anciãos*, *anciões* e *anciães*; *guardião* > *guardiões* e *guardiães*; *vilão* > *vilões*, *vilãos* e *vilães* etc.
final em *-l*	torna-se *-is*[1]	*animal* > *animais*; *anel* > *anéis*; *servil* > *servis*; *anzol* > *anzóis*; *carnaval*; *mortal*; *cascavel*; *cruel*; *nível*; *papel*; *barril*; *funil*; *sutil*; *álcool*; *espanhol*; *lençol*; *azul*; *paul* etc.
	torna-se *-eis*	*útil* > *úteis* *afável*; *amável*; *móvel*; *notável*; *fácil*; *fóssil*; *fútil*; *projétil*; *réptil*[2] etc.
	tem mais de um plural	*cal* > *cais* ou *cales*; *aval* > *avais* ou *avales*
	outras exceções	*cônsul* > *cônsules*; *mal* > *males*
finais em *-m* **ou** *-n*	tornam-se *-ns*	*imagem* > *imagens*; *pólen* > *polens*; *álbum*; *batom*; *bom*; *comum*; *homem*; *refém*; *selim*; *totem* etc.
	têm mais de um plural	*abdômen* > *abdomens* e *abdômenes*; *gérmen* > *germens* e *gérmenes*; *hífen* > *hifens* e *hífenes* etc.
final em *-r*	torna-se *-res*	*jantar* > *jantares* *ator*; *cantor*; *senhor*; *torcedor*; *trator*; *vencedor*; *amor*; *bar*; *cor*; *elixir*; *flor*; *hambúrguer*; *mar*; *mártir* etc.
final em *-s*	torna-se *-ses*	*país* > *países* *cortês*; *freguês*; *marquês*; *ás*; *cós*; *gás*; *mês* etc.
	mantém-se invariável	*bis*; *cais*; *clitóris*; *cútis*; *íris*; *lápis*; *xis*; *atlas*; *isósceles*; *ônibus*; *ourives*; *pires*; *reles*; *simples* etc.
final em *-x*	mantém-se invariável	*anticlímax*; *bômbix*; *clímax*; *dúplex*; *ônix*; *tórax* etc.
	flexão facultativa	*durex* > *durex*, *durexes* *fax*; *pirex*; *sax*; *xerox* etc.
final em *-z*	torna-se *-zes*	*paz* > *pazes* *capataz*; *cartaz*; *gravidez*; *vez*; *cicatriz*; *giz*; *avestruz*; *luz* etc.

[1] ***Cuidado:*** *os substantivos terminados por* -u *seguem a regra geral. Passá-los para o plural como se fossem terminados por* -l *é uma confusão comum. Veja:* troféu > troféus*; idem para* céu, degrau *etc.*

[2] Reptil *e* projetil, *como oxítonos, fazem plural em* -is: reptil > reptis; projetil > projetis.

Veja, a seguir, outros casos, que destoam dos já registrados:

Classe	Caso	Exemplos
substantivos	normalmente não se empregam no plural[3]	*oxigênio, ouro* (na acp. química) etc.
	normalmente só se empregam no plural[4]	*anais; núpcias; parabéns; víveres* etc.

• Formação do plural de compostos

1 Quando o composto é formado por um verbo e um substantivo, só o segundo elemento recebe a marca de plural: para-choque > para-choques. *Idem* para bate-boca; beija-flor; fura-bolo; guarda-roupa; marca-passo; mata-burro; pega-ladrão; porta-bandeira; quebra-queixo; vaga-lume etc.;

2 quando o composto é formado pela repetição de um verbo, há duas opções: pisca-pisca > pisca-piscas ou piscas-piscas. *Idem* para corre-corre; mata-mata; mexe-mexe; pega-pega; pula-pula; treme-treme etc.;

3 quando o composto é formado por palavras que imitam sons, somente a última pluraliza-se: pingue-pongue > pingue-pongues. *Idem* para bangue-bangue; reco-reco; teco-teco; tique-taque; vapt-vupt; tico-tico etc.;

4 quando o composto é formado por uma palavra invariável[5] e uma variável[6], só a última recebe a marca de plural: super-homem > super-homens. *Idem* para abaixo-assinado; alto-falante; ave-maria; bem-estar; contra-ataque; ex-namorado; grã-fino; grão-vizir; mal-educado; pré-vestibular; sempre-viva; vice-campeão etc.;

5 quando o composto é formado por um substantivo e um adjetivo, ambos pluralizam-se: cabeça-dura > cabeças-duras. *Idem* para ar-condicionado; bicho-papão; boia-fria; cabra-cega; cachorro-quente; carne-seca; cartão-postal; conta-corrente; conversa-fiada; dedo-duro; guarda-florestal; novo-rico; pão-duro; pé-frio; ponta-direita; quadro-negro etc.;

6 quando o composto é formado por dois substantivos, segue um dos modelos abaixo:

6.1 carta-bomba[7] > cartas-bomba ou cartas-bombas. *Idem* para carro-pipa; cobra-coral; couve-flor; decreto-lei; fruta-pão; homem-sanduíche; livro-caixa; navio-escola; pau-brasil; porco-espinho; rádio-relógio; salário-família; samba-enredo; tamanduá-bandeira etc.;

6.2 diretor-gerente[8] > diretores-gerentes. *Idem* para médico-professor; sócio-proprietário; tenente-coronel etc.;

7 quando o composto, ou locução, é formado por substantivos ligados por preposição, só o primeiro substantivo recebe a marca de plural: banana-da-terra > bananas-da-terra; água de coco > águas de coco. *Idem* para baião de dois; carne de sol; castanha-de-caju; estrela-do-mar; flor-de-lis; fruta-de-conde; leão de chácara; mala sem alça; mula sem cabeça; pau de arara; rosa dos ventos; porco-do-mato etc.;

8 quando o composto, ou locução, é formado por uma frase substantiva, é ger. invariável: leva e traz (singular e plural). *Idem* para bumba meu boi; chove não molha; comigo-ninguém-pode; disse me disse; louva-a-deus; tomara que caia etc. Exceções: bem-te-vi (pl.: bem-te-vis); bem-me-quer (pl.: bem-me-queres).

• Adjetivos compostos

Regra geral: na maioria dos casos, apenas a segunda palavra desse tipo de composto se pluraliza: congressos *afro-brasileiros*; ações *político-sociais*.

Exceção: em surdo-mudo, ambas as palavras pluralizam-se — jovens *surdos-mudos*.

Quando o adjetivo composto designa uma cor, segue um dos modelos seguintes:

1 geralmente, apenas a última palavra recebe a marca de plural: paletós *azul-escuros*. *Idem* para cinza-claro, rubro-negro, verde-azul, amarelo-fosco etc.[9]

Exceções: azul-marinho e furta-cor permanecem invariáveis no plural — calças azul-marinho, tecidos *furta-cor*.

2 quando a segunda palavra é um substantivo designativo de algo que tem a cor nomeada na primeira parte do composto, ele permanece invariável no plural: toalhas *verde-oliva*. *Idem* para azul-violeta, vermelho-sangue, amarelo-ouro etc.

---

[3] *Referem-se geralmente a coisas indivisíveis ou incontáveis.*

[4] *Referem-se, geralmente, a coisas que existem aos pares ou que têm implícita a ideia de pluralidade; podem, ainda, ser usados assim por convenção.*

[5] *Advérbio, preposição etc.*

[6] *Substantivo, adjetivo etc.*

[7] *O segundo substantivo geralmente especifica ou qualifica o primeiro.*

[8] *O segundo substantivo geralmente indica cargo ou função.*

[9] *Como substantivos, essas palavras seguem as regras de formação daquela classe de compostos (consulte-as no item anterior): azuis-escuros, azuis-marinhos; verdes-olivas ou verdes-oliva; furta-cores; etc.*

V • A formação do feminino em português

Apresentam-se, a seguir, os principais mecanismos de formação do feminino de substantivos e adjetivos:

Regra geral: para formar o feminino de uma dessas palavras, geralmente usa-se *-a*. Por exemplo: *moço* > *moça*; *urso* > *ursa*; *belo* > *bela*; *alto* > *alta*.

Veja alguns casos nos quais a regra geral sofre alterações:

Caso	Alteração	Exemplos
terminação *-ão*	torna-se *-ã*	*órfão* > *órfã*; *irmão; afegão; aldeão; alemão; anão; ancião; artesão; capitão; cidadão; cristão; espião; tabelião; sacristão* etc.
	torna-se *-ona*	*valentão* > *valentona;* *bonachão; chorão; comilão; folião; mandão; solteirão; valentão* etc.
	torna-se *-oa*	*leitão* > *leitoa;* *ermitão; leão; patrão; pavão*
	exceções	*barão* > *baronesa;* *cafetão* > *cafetina;* *sultão* > *sultana;* *cão* > *cadela;* *perdigão* > *perdiz*
terminação *-eu*	torna-se *-eia*	*europeu* > *europeia;* *ateu; fariseu; galileu; hebreu; pigmeu*
	torna-se *-ia*	*judeu* > *judia;* *sandeu* > *sandia*

Em outros casos, o feminino é formado por adição ou mudança de sufixo:

Caso	Alteração	Exemplos
sufixos *-dor* **ou** *-tor*	tornam-se *-triz*	*imperador* > *imperatriz;* *ator; embaixador*[1]
	seguem a regra geral ***maioria dos casos**	*carregador* > *carregadora;* *embaixador*[2]*; imitador; sofredor; poupador; autor; cantor; doutor* etc.
terminação *-éu*	torna-se *-oa*	*ilhéu* > *ilhoa;* *tabaréu* > *tabaroa*
	exceção	*réu* > *ré*
substantivos com diferentes sufixos ou terminações (ger. nomeando títulos)	recebem os sufixos *-esa* ou *-essa*	*cônsul* > *consulesa;* *duque; príncipe; marquês;* *abade* > *abadessa;* *conde*[3]
	recebem o sufixo *-ina*	*maestro* > *maestrina;* *czar; herói*
	recebem o sufixo *-isa*	*poeta* > *poetisa;* *papa; diácono; profeta; sacerdote*
	recebem o sufixo *-inha*	*rei* > *rainha; galo* > *galinha*

Obs.: em certos casos há mais de um feminino possível: *ladrão* > *ladra, ladrona* ou *ladroa*; *vilão* > *vilã* ou *viloa*; *bordador* > *bordadora* ou *bordadeira*; *presidente* > *presidenta* ou *presidente*; *prior* > *priora* ou *prioresa*.

Finalmente, veja a seguir casos excepcionais, que destoam dos já registrados:

---

[1] Embaixatriz *é a esposa do embaixador.*

[2] Embaixadora *é a mulher que tem o cargo de embaixador.*

[3] *Se já são terminados por -s, seguem a regra geral:* marquês > marquesa.

Classe	Caso	Exemplos
substantivos	feminino nomeado por um substantivo diferente do masculino	*pai > mãe; homem > mulher; macho > fêmea; boi > vaca; cavalo > égua; bode > cabra* etc.
	mesma forma para o masculino e o feminino, **com variação de artigo**	*o chefe > a chefe; homossexual; policial; pedinte; profissional* etc.
	mesma forma para o masculino e o feminino, **sem variação de artigo**	*a sentinela; a criança; a testemunha; o músico; a vítima; a cobaia; o animal; a pessoa* etc.
	uso dos adjetivos *macho* e *fêmea* para diferenciar os sexos	*cobra-macho; jacaré-fêmea* etc.
adjetivos	mesma forma para o masculino e o feminino	*agrícola; breve; comum; contente; doente; exemplar; experiente; feliz; feroz; fiel; simples; útil* etc.

VI • O emprego da crase

Ocorre a crase quando a preposição 'a' se encontra e funde com outro 'a'.

A Usa-se a crase:

1 diante de palavra feminina precedida do artigo definido ('a'), singular ou plural: <*ir à aula*>, <*dedicar-se às crianças*>;

2 diante dos pronomes demonstrativos 'a'(s), 'aquele'(s), 'aquela'(s), 'aquilo': <*roupa semelhante à que ela tinha*>, <*nunca assistiu àquele filme*>;

3 diante do pronome relativo feminino 'a qual': <*sabe a matéria à qual o professor se referiu*>;

4 em locução adverbial, prepositiva ou conjuntiva, que contenha ou introduza palavra do gênero feminino: <*à tarde*>, <*às vezes*>, <*devido à (situação)*>, <*à medida que*>;

5 para indicar hora: <*às dez horas*>, <*à uma hora*>, <*à meia-noite*>;

6 antes da palavra moda (expressa ou não): <*vestido à (moda) antiga*>, <*bigode à (moda de) Salvador Dalí*>.

B Nunca se usa a crase:

1 diante de palavra masculina: <*andar a cavalo*>;

2 diante de verbo: <*decidido a renunciar*>;

3 diante de artigo indefinido, numeral cardinal e pronome (exceto os supracitados): <*tributo a uma heroína*>, <*a duas léguas de distância*>, <*atenda a ela primeiro*>, <*cumprimentos a V. Ex.ª*>, <*não sabe a quem pedir*>;

4 em expressões formadas por palavras repetidas: <*linha a linha*>, <*frente a frente*>;

5 diante de topônimos que não requerem o artigo definido feminino: <*ir a Roma*> (cf. <*vir de Roma*>);

6 diante de palavras femininas não precedidas do artigo definido: <*a estratégia refere-se a leis de mercado, a direito tributário e a competição*>.

C Casos excepcionais:

1 diante de nome próprio feminino: <*respondeu a (ou à) Maria com um sim*>;

2 diante de pronome possessivo feminino: <*respondeu a (ou à) sua pergunta*>.

Obs.: 1) no caso da palavra *casa*, só se usa a crase se estiver determinada: <*foi à casa da avó*> (mas: *foi a casa, saiu de casa, está em casa, dirigiu-se para casa*); **2)** na linguagem de Marinha, a palavra *terra* não admite crase: <*foi a terra*>, <*desceu a terra*>.

D Sugestões práticas para o uso da crase:

1 substituir a palavra feminina por uma masculina e ver se aparece 'ao'; se aparecer, a crase é obrigatória (cf. *vou à cidade — vou ao teatro / barco a vela — barco a motor*);

2 substituir a preposição 'a' por outra (para, em, de, por etc.) e ver se se usaria 'para a', 'na', 'da', 'pela' etc.

VII • Acentuação gráfica

Antes de listar as regras de acentuação gráfica, é preciso explicar o conceito de **sílaba tônica**: quando falamos uma palavra de mais de uma sílaba, pronunciamos uma delas com maior força do que a(s) outra(s). É essa sílaba mais forte que chamamos de sílaba tônica. Por exemplo, nas palavras ***mú**-si-ca*, ***li**-vro* e *ca-**ju*** a sílaba em destaque é a tônica.

Dependendo da posição da sílaba tônica, as palavras podem ser classificadas como: **oxítonas** — as que têm a última sílaba tônica, como *pa-**pel*** e *ma-**ré***; **paroxítonas** — as que têm a penúltima sílaba tônica, como *ca-**ne**-ta* e ***tú**-nel*; e proparoxítonas — as que têm a antepenúltima sílaba tônica, como ***mé**-di-co* e ***câ**-ma-ra*.

Observando os exemplos anteriores, podemos perceber que em algumas daquelas palavras a sílaba tônica é marcada por um acento gráfico e em outras, não. Há algumas regras que determinam se as palavras devem receber acentuação gráfica ou não:

1 As palavras oxítonas que terminam em *a(s)*, *e(s)*, *o(s)*, *em(-ens)* são acentuadas. Por exemplo: *Pa-**rá**, li-**lás**; ca-**fé**, con-**vés**; ro-**bô**, ro-**bôs**; re-**fém**, re-**féns**.*

2 As palavras paroxítonas que ***não terminam*** em *a(s)*, *e(s)*, *o(s)*, *em(-ens)* são acentuadas. Por exemplo: ***cá**-qui, **lá**-pis; **ló**-tus, **bô**-nus; a-gra-**dá**-vel, de-**cá**-tlon, **pôs**-ter, **tó**-rax; **ál**-bum, **ór**-fão, **vô**-lei, **í**-mã; co-**mé**-dia, ca-**ná**-rio, es-**pé**-cie.*

Obs.: repare que em *co-**mé**-dia*, *ca-**ná**-rio* e *es-**pé**-cie*, as terminações não são simplesmente *a*, *o* e *e*: nesses casos, encontramos os ditongos *ia*, *io* e *ie*. Por isso aquelas palavras são acentuadas.

3 ***Todas*** as palavras proparoxítonas são acentuadas. Por exemplo: ***ár**-vo-re, **lá**-gri-ma, **pé**-ro-la, al-**môn**-de-ga.*

4 Os **monossílabos tônicos** (palavras que têm uma única sílaba e são pronunciadas com voz forte), quando terminam em *a(s)*, *e(s)* e *o(s)*, recebem acento. Por exemplo: ***gás**, **mês**, **nó**.*

5 Os ditongos abertos *ei* e *oi*, quando estão na sílaba tônica, não são acentuados em vocábulos paroxítonos, mas sim em oxitonos. Por exemplo: *i-**dei**-a, cau-**bói**, a-**néis**, ji-**boi**-a.*

6 As vogais *i* e *u*, quando são tônicas e estão em hiato com outras vogais de sílaba anterior, são acentuadas. Já os grupos de vogais *oo* e *ee*, também quando estão em hiato, não recebem acento no primeiro *o* e *e*. Por exemplo: *pa-ra-**í**-so, sa-**ú**-de, vi-**ú**-vo, **vo**-o, **cre**-em.*

Obs.: há exceções para essa regra. As vogais *i* e *u*, mesmo tônicas e em hiato com a vogal anterior, ***não são acentuadas*** se forem seguidas de *l*, *m*, *n*, *r* ou *z* ou antecedidas de ditongo decrescente. Por exemplo: *Ra-**ul**, cons-ti-tu-**in**-te, a-men-do-**im**, ca-**ir**, ju-**iz**, cau-**i**-la, fei-**u**-ra.* Essas mesmas vogais também não são acentuadas quando estão em hiato e são seguidas de *nh*, mesmo que não seja na mesma sílaba. Por exemplo: *mo-**i**-nho, ra-**i**-nha, ba-**i**-nha.*

VIII • Notações léxicas

Veremos, agora, alguns sinais que trazem informações sobre como as palavras devem ser pronunciadas:

´ Acento agudo

O acento agudo sempre cai na sílaba tônica. Quando usado nas vogais *e* ou *o*, informa que devem ser pronunciadas abertas.

Ex.: ***pé**; **só**; ca-**fé**; for-**ró**; va-ta-**pá**; **prá**-ti-co; **quí**-mi-ca; **mú**-si-ca.*

^ Acento circunflexo

O acento circunflexo sempre cai na sílaba tônica, sobre as vogais *a*, *e* ou *o*. Quando é usado, informa que essas vogais devem ser pronunciadas fechadas:

Ex.: ***dê**; **xô**; vo-**vô**; **tâ**-ma-ra; **fê**-me-a; **cô**-mi-co.*

~ Til

O til é usado sobre as letras *a* e *o* para informar que o seu som é nasalizado.

Ex.: *f**ã**; l**ã**; crist**ã**; órf**ã**; canç**õ**es.*

ç Cedilha

A cedilha é usada na letra *c*, sempre antes de *a*, *o* ou *u*, para indicar que o seu som é como o da letra *s* no início de uma palavra (em *seta*, por exemplo).

Ex.: *pe-**ça**; po-**ço**; a-**çú**-car.*

` Acento grave

O acento grave é usado para informar que houve uma fusão (também chamada de *crase*) entre duas vogais *a* (geralmente uma preposição e um artigo).

Ex.: Ir *à* praia. Dar um presente *à* namorada.
Dediquei-me *àquele* projeto o quanto pude.

' Apóstrofo

O apóstrofo serve para informar que um som foi apagado de uma locução.

Ex.: *gota de água / gota **d'água**; cabelos de ouro / cabelos **d'ouro**.*

- Hífen

O hífen serve para:

1) ligar as partes de palavras compostas:

Ex.: *bem-te-vi; tira-teima; beija-flor.*

2) ligar verbos e pronomes:

Ex.: ***decida-se**; **pedi-lhe** um conselho; **faltava-nos** tempo para esperar.*

3) separar sílabas:

Ex.: *Pegou a mala sem fazer barulho e saiu **de-va-ga-ri-nho**.*

¨ Trema

O trema é usado para alterar o som de determinada vogal (como no alemão *Führer*) em palavras derivadas de nomes próprios estrangeiros (p.ex., *mülleriano*, a partir de J. Fritz T. *Müller*, *hübnerita*, a partir de Adolf *Hübner*).

IX • Pontuação

Esta é a relação dos sinais de pontuação usados em língua portuguesa, com uma breve explicação do seu uso:

. Ponto

O ponto indica, na leitura, uma pausa longa. Esse sinal costuma ser usado no final de uma frase.

Ex.: Siga a rua do museu até chegar a uma praça. Vire, então, à direita e procure uma casa amarela.

, Vírgula

A vírgula indica, na leitura, uma pausa breve e é usada para separar frases encadeadas entre si ou elementos dentro de uma frase.

Ex.: Vou ao supermercado comprar carne, leite, feijão, arroz, farinha e óleo.
Fui ao banco, conversei com o gerente, fiz o pagamento e voltei para casa.

; Ponto e vírgula

O ponto e vírgula indica, na leitura, uma pausa média. Destacaremos, aqui, dois de seus usos: **1)** antes de conjunções como *logo*, *portanto*, *assim*, *entretanto*, *contudo*, *todavia* etc., interrompendo o que se fala para depois continuar o raciocínio; **2)** separando, em uma série de itens, cada um deles:

Ex.: Está chovendo; portanto, talvez seja melhor ficarmos em casa.
Estamos cansados; entretanto, acho que devemos andar mais um pouco.
Tarefas domésticas: a) lavar a louça; b) varrer a casa; c) arrumar o quarto.

: Dois-pontos

Os dois-pontos geralmente são usados para indicar que em seguida será feita uma citação ou alguma coisa será explicada ou esclarecida.

Ex.: Então ele disse: "Acredito em você: por isso vou ajudar."
Por isso você está atrasado: só foi dormir hoje de madrugada.
Gostaria de lembrar uma coisa: na próxima semana viajaremos.

? Ponto de interrogação

O ponto de interrogação é usado para frases interrogativas:

Ex.: — Boa noite. Qual é o seu nome?
— Carlos. E o seu?
— Helena. Prazer em conhecê-lo.

! Ponto de exclamação

O ponto de exclamação marca expressões de espanto, animação e irritação, entre outras.

Ex.: Nossa! Que dia bonito!
Parabéns! Você é papai!
Droga! Perdi o ônibus.

... Reticências

As reticências marcam uma interrupção do que está sendo dito, porque a frase não foi mesmo terminada ou porque alguma coisa foi deixada sugerida.

Ex.: — Olha, a bateria do celular está acabando. Eu queria te avisar que...
Conversamos na fila do cinema, compramos pipoca, peguei em sua mão, pus o braço sobre seus ombros, ela sorriu, aí...

" " Aspas

As aspas são usadas para abrir e fechar citações ou destacar palavras ou expressões em uma frase:

Ex.: Lembre-se do velho ditado: "Prudência e caldo de galinha não fazem mal a ninguém."
"Furdunço" significa "festa animada".

( ) Parênteses

Os parênteses são usados para acrescentar nos textos comentários e explicações:

Ex.: O hábito de fumar (que eu, aliás, acho horroroso) é prejudicial à saúde.
Deodoro da Fonseca (o primeiro presidente da República do Brasil) era alagoano.

— Travessão

O travessão serve para indicar, por escrito, as falas que compõem diálogos ou (assim como os parênteses) para acrescentar comentários em um texto:

Ex.: — Alô.
— Bom dia, é da casa da Cláudia?
— Bom dia, aqui não mora nenhuma Cláudia, não.
— Ah, então me desculpe. Foi engano.
A encomenda — esperada ansiosamente por todos — finalmente chegou.

[ ] Colchetes

Os colchetes são usados para inserir comentários em uma citação ou para, num trecho que já está entre parênteses, acrescentar mais comentários:

Ex.: O solista interrompeu a apresentação: "[com voz irritada] Desculpem-me, mas a qualidade do som está péssima. [dirigindo-se ao técnico:] Vou fazer uma pausa para você ajeitar isso."
Os animais vertebrados (peixes, anfíbios, répteis, aves e mamíferos [e, dentre estes últimos, o homem]) são os mais desenvolvidos biologicamente.

X • Regras de ortografia

A ortografia é o estudo das regras que estabelecem como escrever corretamente as palavras. Também cuida de assuntos como pontuação e acentuação gráfica, já tratados em outras seções deste pequeno dicionário.
A consulta ao dicionário é a melhor maneira de se ter certeza sobre como se escreve uma palavra: uma das funções desse tipo de livro é exatamente registrar a forma de escrever corretamente.
Certas regras ajudam a resolver algumas dúvidas de ortografia:

1 Regras para o uso de *x* ou *ch*:

- após um ditongo, usa-se *x*. Por exemplo: *ba**i**xo*, *fr**ou**xo*, *qu**ei**xo*;
- escreve-se com *x* a maioria das palavras iniciadas pelo prefixo *en-*. Por exemplo: ***en**xaguar*, ***en**xofre*, ***en**xugar*.

  Exceções: as palavras da família de *encher* (como *enchente* e *preencher*) e as derivadas de outras que são escritas com *ch* (como *enchapelar*, que vem de *chapéu*) não seguem essa regra;
- escrevem-se com *x* as palavras iniciadas por *me* (como ***me**xer*, ***me**xicano* e ***me**xerica*).

  Exceções: a palavra *mecha* e as outras da sua família (como *mechar* e *mechagem*) não seguem essa regra;

- em geral, escrevem-se com *x* palavras que vêm de línguas indígenas e africanas: *abacaxi*, *pataxó*, *Xingu*, *axé*, *oxalá*, *maxixe*.

2 Regras sobre o uso de *g* ou *j*:

- escrevem-se com *g* as palavras terminadas pelos sufixos *-agem*, *-igem* e *-ugem*. Por exemplo: *bobagem*, *origem*, *ferrugem*.

  Exceções: as palavras *pajem* e *lambujem* não seguem essa regra.

  Obs.: *viagem* (substantivo) escreve-se com *g*, mas o verbo *viajar*, em todas as suas flexões, é escrito com *j*;
- também escrevem-se com *g* as palavras terminadas por *-ágio*, *-égio*, *-ígio*, *-ógio* e *-úgio*. Por exemplo: *estágio*, *colégio*, *vestígio*, *relógio*, *subterfúgio*;
- depois de *a* no início da palavra, usa-se *ge* ou *gi*. Por exemplo: *agência*, *agitar*.

  Exceções: algumas palavras de origem indígena e as palavras da família de *jeito*, mesmo que comecem com *a*, são escritas com *j*: veja as duas regras seguintes;
- em geral, escrevem-se com *j* as palavras que vêm de línguas indígenas e africanas: *jenipapo*, *jequitibá*, *jerimum*; *acarajé*, *canjerê*, *jiló*;
- escrevem-se com *j* palavras derivadas de outras escritas com *j*. Por exemplo: ***jeito*** / *ajeitar*, *jeitoso*; ***loja*** / *lojista*; ***nojo*** / *nojeira*, *nojento*; ***sujo*** / *sujeira*.

3 Regras sobre o uso de *s* ou *z*:

- escrevem-se com *s* as palavras derivadas de outras escritas com *s*. Por exemplo: ***base*** / *basear*, *básico*; ***brasa*** / *abrasador*, *abrasar*, *braseiro*; ***prisão*** / *aprisionar*, *prisioneiro*;
- da mesma forma, escrevem-se com *z* as palavras derivadas de outras escritas com *z*. Por exemplo: ***cinza*** / *cinzeiro*, *cinzento*; ***cruz*** / *cruzado*, *cruzamento*, *cruzeiro*;
- preste atenção na diferença: são escritos com *s* substantivos que nomeiam uma nacionalidade ou um título e que são terminados pelos sufixos *-ês*, *-esa*: *portu**guês***, *japon**esa***, *marq**uês*** e *baron**esa***. No entanto, são escritos com *z* substantivos que nomeiam ideias abstratas e que são terminados pelos sufixos *-ez*, *-eza*: *estupi**dez***, *pali**dez***, *bel**eza***, *cert**eza***;
- escrevem-se com *s* os sufixos *-ense*, *-oso* e *-osa*. Por exemplo: *circ**ense***, *canad**ense***, *cear**ense***; *aren**oso***, *gost**oso***, *oci**oso***; *bab**osa***, *muc**osa***, *nebul**osa***;
- escreve-se com *z* o sufixo *-izar*. Por exemplo: *ag**ilizar***, *cicatr**izar***, *parabenizar*.

  Exceções: cuidado! Os verbos terminados em *-ar* que vêm de palavras escritas com *s* continuam com *s*. Por exemplo: *análise* / *analisar*; *liso* / *alisar*; *pesquisa* / *pesquisar*;
- depois de ditongo, usa-se *s*. Por exemplo: *ap**lau**so*, ***ou**sado*, *p**au**sa*, *rep**ou**so*;
- nas flexões dos verbos *pôr* e *querer* usa-se *s*. Por exemplo: *pusemos*, *pusesse*, *puser*; *quisemos*, *quisesse*, *quiser*.

XI • Emprego do hífen em compostos por prefixos e falsos prefixos

1º elemento	2º elemento
aero, agro ('terra'), alfa, ante, anti, arqui, auto, beta, bi, bio, contra, eletro, entre, extra, foto, geo, hetero, hidro, hipo, homo, infra, intra, iso, lipo, macro, maxi, meso, micro, mini, mono, multi, neo, neuro, paleo, para ('junto a'), peri, pluri, poli, proto, pseudo, psico, retro, semi, sobre, supra, tele, tetra, tri, ultra	**a)** iniciado por vogal igual à vogal final do 1º elemento **b)** iniciado por *h*
re	iniciado por *h*
hiper, inter, nuper, super	iniciado por *h* e *r*
ab, ob, sob, sub	iniciado por *b*, *h* e *r*

1º elemento	2º elemento
ad	iniciado por *d*, *h* e *r*
pan	**a)** iniciado por qualquer vogal **b)** iniciado por *h*, *m* e *n* (diante de *b* e *p* passa a *pam*)
circum	**a)** iniciado por qualquer vogal **b)** iniciado por *h*, *m* e *n*
além, aquém, ex ('cessamento'; 'estado anterior'), para ('de parar'), recém, sem, sota, soto, vice	qualquer (sempre com hífen)
pós, pré, pró	sempre que conserve autonomia vocabular

Observações:

a) Emprega-se o hífen, nas palavras compostas por sufixação, somente naquelas terminadas por sufixos de origem tupi-guarani, como *açu*, *guaçu* e *mirim*, quando o primeiro elemento termina em vogal acentuada graficamente ou quando a pronúncia exige a distinção gráfica dos dois elementos: *amoré-guaçu, anajá-mirim, capim-açu.*

b) Não se emprega o hífen em palavras cujo prefixo ou elemento antepositivo termina em vogal e o segundo elemento começa por *r* ou *s*, que se duplicam: *antirreligioso, antissemita, infrassom, minissaia.*

c) Não se emprega o hífen em palavras cujo prefixo ou elemento antepositivo termina em vogal e o segundo elemento começa por vogal diferente: *antiaéreo, coeducação, extraescolar, aeroespacial, autoestrada, agroindustrial, hidroelétrico.*

d) *euro, indo, sino, franco, anglo, luso, afro* etc. escrevem-se sem hífen quando funcionam adjetivamente como elemento mórfico (*eurocomunista, afrolatria, francofonia, sinofilia, lusofilia*); quando se trata da soma de duas ou mais identidades, o hífen tem de ser empregado: *euro-africano, euro-afro-americano, indo-português, anglo-americano, franco-suíço, sino-japonês.*

e) Palavras com os prefixos *ab-*, *ad-*, *ob-*, *sob-* e *sub-* seguidos da consoante *r*: em conformidade com a ABL, mantém-se a grafia consagrada com hífen (*ab-rogar, ad-renal, ob-rogar, sob-roda, sub-reptício*), uma vez que o *r* dos grupos *br* e *dr*, nesses casos, não representa uma vibrante alveolar (como, p.ex., em *abraço*), tratando-se de duas sílabas separadas. Já *adrenalina* só se escreve sem hífen, e *ab-rupto* e *ad-renal* aceitam dupla grafia, com ou sem hífen.

f) Palavras com o prefixo *co-* escrevem-se sem hífen, mesmo havendo encontro da vogal *o* (*coobrigado, coordenação* etc.). Quando o segundo elemento começa por *h*, a ABL sugere a supressão dessa letra na posição intermédia, a exemplo de *coabitar*, registrando, em seu Vocabulário Ortográfico, *coerdar* e *coerdeiro.*

g) Este quadro vai além dos limites de informação impostos ao corpo de um pequeno dicionário como este; mesmo assim, vai aqui disponibilizado por sua enorme utilidade, uma vez que cobre praticamente qualquer dúvida que possa ocorrer aos leitores nessa questão.

XII • Formas de tratamento de autoridades

❶ Civis

Título	Cabeçalho de correspondência	Abreviatura	Forma de referência	Abreviatura
presidente da República, governador, ministro de Estado, chefe da casa civil, senador, deputado, secretário de Estado, embaixador, prefeito	Excelentíssimo Senhor	Exmo Sr.	Vossa Excelência	V. Ex.[a]
diretor (de estatal, autarquia etc.)	Senhor Diretor	Sr.	Vossa Senhoria	V. S.[a]
vereador	Senhor Vereador	Sr.	Vossa Excelência	V. Ex.[a]
cônsul	Ilustríssimo Senhor Cônsul	Il.[mo] Sr.	Vossa Excelência	V. Ex.[a]
reitor	Magnífico Reitor	—	Vossa Magnificência	V. Mag.[a]

❷ Judiciárias

Título	Cabeçalho de correspondência	Abreviatura	Forma de referência	Abreviatura
desembargador, promotor, curador	Excelentíssimo Senhor	Exmo Sr.	Vossa Excelência	V. Ex.[a]
juiz	Excelentíssimo Senhor Juiz	Exmo Sr.	Meritíssimo	MM.

❸ Militares

Título	Cabeçalho de correspondência	Abreviatura	Forma de referência	Abreviatura
oficiais generais ou comandantes (até coronel ou capitão de mar e guerra)	Excelentíssimo Senhor (patente)	Exmo Sr. (patente)	Vossa Excelência	V. Ex.[a]
demais patentes	Ilustríssimo Senhor (patente)	Il.[mo] Sr. (patente)	Vossa Senhoria	V. S.[a]

❹ Eclesiásticas

Título	Cabeçalho de correspondência	Abreviatura	Forma de referência	Abreviatura
papa	Sua Santidade	S. S.	Sua Santidade	S. S.
cardeal	Eminentíssimo Senhor	Em.[mo] Sr.	Vossa Eminência Reverendíssima	V. Em.[a] Rev.[ma]
arcebispo, bispo	Reverendíssimo Senhor	Rev.[mo] Sr.	Vossa Excelência Reverendíssima	V. Ex.[a] Rev.[ma]
abade, cônego, monsenhor, sacerdote, superior de ordem religiosa e demais autoridades	Reverendíssimo Senhor	Rev.[mo] Sr.	Vossa Reverendíssima	V. Rev.[ma]

❺ Monárquicas

Título	Cabeçalho de correspondência	Abreviatura	Forma de referência	Abreviatura
rei, rainha	Sua Majestade (Real)	S.M.(R.)	Vossa Majestade	V. M.
imperador, imperatriz	Sua Majestade Imperial	S.M.I.	Vossa Majestade	V. M.
príncipe, princesa	Sua Alteza (Cristianíssima, Fidelíssima, Imperial, Real ou Sereníssima)	S.A. (S.A.C., S.A.F., S.A.I, S.A.R., S.A.S.)	Vossa Alteza	V. A.

❻ Diversas

Título	Cabeçalho de correspondência	Abreviatura	Forma de referência	Abreviatura
dom	Digníssimo Dom	Dig.^{mo} D.	Vossa Senhoria	V. S.^{a}
doutor	Senhor Doutor	Sr. Dr.	Doutor	Dr.
professor	Senhor Professor	Sr. Prof.	Professor	Prof.
comendador	Senhor Comendador	Sr. Com.	Comendador	Com.

Obs.: *As práticas de abreviação modernas condenam o uso excessivo de superposições (p.ex.: Il.^{mo}, Exmo, Rev.^{mo} etc.)*

Conjugação dos verbos

Vera Cristina Rodrigues

[Adaptação às Normas do Acordo Ortográfico de 1990 por José Carlos Azeredo]

Cada verbo do dicionário remete a um dos 32 **modelos** de conjugação aqui descritos. Os conceitos empregados na descrição desses modelos vão aqui explicados.

Rizotônicas são as formas do verbo cuja acentuação tônica recai no radical; **arrizotônicas** são aquelas que têm acentuação tônica fora do radical. Para efeito desta descrição da conjugação de verbos, essa diferença importa, sobretudo, no pres. ind., no pres.subj. e no imp.afirm. dos verbos da 1ª conjugação:

• Rizotônicas

	pres.ind.	pres.subj.	imp.
1ª p.s.	rizot.	rizot.	—
2ª p.s.	rizot.	rizot.	rizot.
3ª p.s.	rizot.	rizot.	rizot.
1ª p.pl.			
2ª p.pl.			
3ª p.pl.	rizot.	rizot.	rizot.

• Arrizotônicas

	pres.ind.	pres.subj.	imp.
1ª p.s.			—
2ª p.s.			
3ª p.s.			
1ª p.pl.	arrizot.	arrizot.	arrizot.
2ª p.pl.	arrizot.	arrizot.	arrizot.
3ª p.pl.			

São aqui considerados verbos de **irregularidade 1 (irreg.1)** e de **irregularidade 2 (irreg.2)** os que apresentam alteração no radical, nas formas assinaladas nos quadros a seguir:

• Irregularidade 1

	pres.ind.	pres.subj.	imp.
1ª p.s.	irreg.1	irreg.1	—
2ª p.s.		irreg.1	
3ª p.s.		irreg.1	irreg.1
1ª p.pl.		irreg.1	irreg.1
2ª p.pl.		irreg.1	
3ª p.pl.		irreg.1	irreg.1

• Irregularidade 2

	pres.ind.	pres.subj.	imp.
1ª p.s.	irreg.2	irreg.2	—
2ª p.s.	irreg.2	irreg.2	irreg.2
3ª p.s.	irreg.2	irreg.2	irreg.2
1ª p.pl.		irreg.2	irreg.2
2ª p.pl.		irreg.2	
3ª p.pl.	irreg.2	irreg.2	irreg.2

Os poucos verbos de **irregularidade 3 (irreg.3)** apresentam alterações nas 2ª e 3ª p.s., 3ª p.pl. do pres.ind. e 2ª p.s. do imp. Os de **irregularidade 4 (irreg.4)** são os chamados irregulares fortes e anômalos, que têm, em sua conjugação, radicais primários diferentes. Por isso, nesses verbos, diferentemente dos das outras três irregularidades e dos regulares, não haverá identidade nas formas do infinitivo flexionado e do fut.subj.: *caber, caberes* etc., *couber, couberes* etc.

Verbos **defectivos** são aqueles a que faltam algumas formas; a uns, identificados aqui por **D1**, faltam as formas marcadas no quadro irreg.1; a outros, chamados **D2**, faltam as formas marcadas no quadro irreg.2; outros, ainda, os **D3**, só são conjugados nas 3ªs p. de todos os tempos verbais.

• D1

	pres.ind.	pres.subj.	imp.
1ª p.s.	falta	falta	—
2ª p.s.		falta	
3ª p.s.		falta	falta
1ª p.pl.		falta	falta
2ª p.pl.		falta	
3ª p.pl.		falta	falta

• D2

	pres.ind.	pres.subj.	imp.
1ª p.s.	falta	falta	—
2ª p.s.	falta	falta	falta
3ª p.s.	falta	falta	falta
1ª p.pl.		falta	falta
2ª p.pl.		falta	
3ª p.pl.	falta	falta	falta

Verbos **abundantes** são os que têm mais de uma forma em determinadas flexões: uns apresentam duas — e até três — formas para o particípio: uma regular, outra(s) irregular(es), p.ex., *aceitado/aceito/aceite*; outros, em algumas de suas pessoas, apresentam variações, geralmente de ordem dialetal, como *constróis/construis*.

Para alguns verbos pode haver necessidade de **adequação ortográfica**:

-car: o *-c-* passa a *-qu-* antes de *-e*
-çar: o *-ç-* passa a *-c-* antes de *-e*
-gar: o *-g-* passa a *-gu-* antes de *-e*
-cer, -scer, -cir: o *-c-* passa a *-ç-* antes de *-o* e *-a*
-ger, -gir: o *-g-* passa a *-j-* antes de *-o* e *-a*
-guer, -guir: o *-gu-* (sem pronúncia do *-u-*) perde o *-u-* diante de *-o* e *-a*

Os **tempos compostos** são formados pelos auxiliares *ter* ou *haver* seguidos do part. do verbo principal:

• Indicativo

	pret.perf.	
1ª p.s.	tenho/hei	aceitado
2ª p.s.	tens/hás	
3ª p.s.	tem/há	
1ª p.pl.	temos/havemos	
2ª p.pl.	tendes/haveis	
3ª p.pl.	têm/hão	

	pret.m.-q.-perf.	
1ª p.s.	tinha/havia	aceitado
2ª p.s.	tinhas/havias	
3ª p.s.	tinha/havia	
1ª p.pl.	tínhamos/havíamos	
2ª p.pl.	tínheis/havíeis	
3ª p.pl.	tinham/haviam	

	fut.pres.	
1ª p.s.	terei/haverei	aceitado
2ª p.s.	terás/haverás	
3ª p.s.	terá/haverá	
1ª p.pl.	teremos/haveremos	
2ª p.pl.	tereis/havereis	
3ª p.pl.	terão/haverão	

	fut.pret.	
1ª p.s.	teria/haveria	aceitado
2ª p.s.	terias/haverias	
3ª p.s.	teria/haveria	
1ª p.pl.	teríamos/haveríamos	
2ª p.pl.	teríeis/haveríeis	
3ª p.pl.	teriam/haveriam	

• Subjuntivo

	pret.perf.	
1ª p.s.	tenha/haja	aceitado
2ª p.s.	tenhas/hajas	
3ª p.s.	tenha/haja	
1ª p.pl.	tenhamos/hajamos	
2ª p.pl.	tenhais/hajais	
3ª p.pl.	tenham/hajam	

	pret.m.-q.-perf.	
1ª p.s.	tivesse/houvesse	aceitado
2ª p.s.	tivesses/houvesses	
3ª p.s.	tivesse/houvesse	
1ª p.pl.	tivéssemos/houvéssemos	
2ª p.pl.	tivésseis/houvésseis	
3ª p.pl.	tivessem/houvessem	

	fut.	
1ª p.s.	tiver/houver	aceitado
2ª p.s.	tiveres/houveres	
3ª p.s.	tiver/houver	
1ª p.pl.	tivermos/houvermos	
2ª p.pl.	tiverdes/houverdes	
3ª p.pl.	tiverem/houverem	

• Formas nominais não conjugadas

infinitivo	gerúndio	
ter/haver	tendo/ havendo	aceitado

• Infinitivo flexionado

1ª p.s.	ter/haver	aceitado
2ª p.s.	teres/haveres	
3ª p.s.	ter/haver	
1ª p.pl.	termos/havermos	
2ª p.pl.	terdes/haverdes	
3ª p.pl.	terem/haverem	

Forma-se a **voz passiva**, de todos os tempos e modos, com o verbo auxiliar *ser* flexionado, acompanhado do part. do verbo principal. Quando o verbo admite mais de um part., a passiva geralmente se faz com a forma irregular: *fomos aceitos*.

O **imperativo negativo** se faz com as formas do pres.subj. precedidas de advérbio de negação: *não fales* tu, *não faleis* vós.

Os verbos com os pronomes oblíquos *o/a*, *os/as*, enclíticos (ou mesoclíticos), sofrem alterações em algumas das desinências número-pessoais: os *-s* e *-r* (ou *-z*) finais caem, e o pronome passa a se apoiar na consoante *l-*; quando a desinência é nasal, o pronome vem precedido de *n-*. Como algumas dessas formas passam a oxítonas, há alterações na acentuação gráfica, como se vê nos exemplos a seguir, antecedidos da forma correspondente com o pronome proclítico:

Conjugação dos verbos

pronome proclítico	pronome mesoclítico	pronome enclítico
tu o amas		(tu) amá-lo
nós as perdemos		(nós) perdemo-las
de o dizer		de dizê-lo
(para) eu o conseguir		(para eu) consegui-lo
eu os fiz		(eu) fi-los
elas o quiseram		(elas) quiseram-no
eu o direi	(eu) di-lo-ei	
vós o saberíeis	(vós) sabê-lo-íeis	

Na 1ª p.pl. a desinência número-pessoal perde o *-s* diante do pron.p. *nos*: *perdemo-nos*.

Os verbos tomados como modelo para a conjugação de outros estão, a seguir, apresentados em caixa alta.

Modelos

Modelo 1 AMAR

Indicativo

	pres.	pret.imperf.	pret.perf.
1ª p.s.	amo	amava	amei
2ª p.s.	amas	amavas	amaste
3ª p.s.	ama	amava	amou
1ª p.pl.	amamos	amávamos	amamos
2ª p.pl.	amais	amáveis	amastes
3ª p.pl.	amam	amavam	amaram

	pret.m.-q.-perf.	fut.pres.	fut.pret.
1ª p.s.	amara	amarei	amaria
2ª p.s.	amaras	amarás	amarias
3ª p.s.	amara	amará	amaria
1ª p.pl.	amáramos	amaremos	amaríamos
2ª p.pl.	amáreis	amareis	amaríeis
3ª p.pl.	amaram	amarão	amariam

Subjuntivo

	pres.	pret.imperf.	fut.
1ª p.s.	ame	amasse	amar
2ª p.s.	ames	amasses	amares
3ª p.s.	ame	amasse	amar
1ª p.pl.	amemos	amássemos	amarmos
2ª p.pl.	ameis	amásseis	amardes
3ª p.pl.	amem	amassem	amarem

Imperativo/infinitivo flexionado

	imp.	imp.neg.	inf.flex.
1ª p.s.	—	—	amar
2ª p.s.	ama	não ames	amares
3ª p.s.	ame	não ame	amar
1ª p.pl.	amemos	não amemos	amarmos
2ª p.pl.	amai	não ameis	amardes
3ª p.pl.	amem	não amem	amarem

Formas nominais não conjugadas

infinitivo	particípio	gerúndio
amar	amado	amando

Observações:

1) Grafa-se sem acento circunflexo o hiato *-oo* da 1ª p.s. do pres.ind. dos verbos em *-oar*: *abençoo*, *enjoo*, *perdoo*.

2) Os verbos em *-oiar* têm ditongo aberto, nas formas rizotônicas, sem marca gráfica: *apoio*, *apoie* etc.

3) Os verbos *mobiliar*, *resfolegar* e *tresfolegar* têm, em função de sua tonicidade, suas formas rizotônicas graficamente acentuadas: *mobílio*, *mobílias*, *mobílie*, *mobílies* etc., *mobília* tu, *mobílie* você, *mobíliem* vocês; *resfólego*, *tresfólegas* etc. Também existem as variantes *mobilhar*, *resfolgar* e *tresfolgar*, que são regulares.

4) Não se acentuam graficamente as flexões *para*, *pelo*, *pela* e *pelas*, respectivamente dos verbos *parar* e *pelar*.

5) O verbo *grassar* é **D3**.

Modelo 2 SAUDAR/ARRUINAR

Os verbos que seguem este modelo apresentam hiato graficamente acentuado nas formas rizotônicas; as outras são totalmente regulares, seguindo o Modelo [1].

Hiato acentuado nas formas rizotônicas

	pres.ind.	pres.subj.	imp.
1ª p.s.	saúdo/arruíno	saúde/arruíne	—
2ª p.s.	saúdas/ arruínas	saúdes/ arruínes	saúda/ arruína
3ª p.s.	saúda/arruína	saúde/arruíne	saúde/ arruíne
1ª p.pl.			
2ª p.pl.			
3ª p.pl.	saúdam/ arruínam	saúdem/ arruínem	saúdem/ arruínem

Modelo 3 AGUAR

Os verbos terminados em *-aguar*, *-inguar* e *-inquar* têm, nas formas rizotônicas, acento gráfico no *-a-* ou no *-i-*. O *-u-* é sempre pronunciado, sem receber qualquer sinal gráfico.

Acentuação nas formas rizotônicas

	pres.ind.	pres.subj.	imp.
1ª p.s.	águo	águe	—
2ª p.s.	águas	águes	água
3ª p.s.	água	águe	águe
1ª p.pl.			
2ª p.pl.			
3ª p.pl.	águam	águem	águem

Observações:

1) Alguns gramáticos brasileiros admitem ou preferem para estes verbos a conjugação prevista no Modelo [4].

2) O verbo *adequar*, tradicionalmente considerado defectivo (**D2**), já é amplamente usado no Brasil segundo este modelo.

• Modelo 4 APAZIGUAR

Este modelo abrange os verbos terminados em *-iguar*, *-eguar* e *-iquar*, e difere do anterior pela tonicidade no *-u-* nas respectivas formas rizotônicas. Como no Modelo [3], o *-u-* é sempre pronunciado, sem receber qualquer sinal gráfico.

Acentuação nas formas rizotônicas

	pres.ind.	pres.subj.	imp.
1ª p.s.	apaziguo	apazigue	—
2ª p.s.	apaziguas	apazigues	apazigua
3ª p.s.	apazigua	apazigue	apazigue
1ª p.pl.			
2ª p.pl.			
3ª p.pl.	apaziguam	apaziguem	apaziguem

• Modelo 5 CEAR

Nos verbos terminados em *-ear*, o *-e-* passa a *-ei-* nas formas rizotônicas; as demais formas seguem o Modelo [1]. Para os verbos *estrear* e *idear* e para os terminados em *-iar*, ver observações.

Ditongação das rizotônicas

	pres.ind.	pres.subj.	imp.
1ª p.s.	ceio	ceie	—
2ª p.s.	ceias	ceies	ceia
3ª p.s.	ceia	ceie	ceie
1ª p.pl.			
2ª p.pl.			
3ª p.pl.	ceiam	ceiem	ceiem

Observações:

1) Os verbos *idear* e *estrear* apresentam ditongo aberto, sem acentuação gráfica: *ideio*, *estreias* etc.

2) Os verbos em *-iar* são regulares, mas *ansiar*, *incendiar*, *intermediar*, *mediar*, *remediar* e *odiar* seguem o padrão dos verbos em *-ear* nas formas rizotônicas: *medeio*, *anseias*, *remedeiem* etc.

• Modelo 6 DAR

Indicativo

	pres.	pret.imperf.	pret.perf.
1ª p.s.	dou	dava	dei
2ª p.s.	dás	davas	deste
3ª p.s.	dá	dava	deu
1ª p.pl.	damos	dávamos	demos
2ª p.pl.	dais	dáveis	destes
3ª p.pl.	dão	davam	deram

	pret.m.-q.- -perf.	fut.pres.	fut.pret.
1ª p.s.	dera	darei	daria
2ª p.s.	deras	darás	darias
3ª p.s.	dera	dará	daria
1ª p.pl.	déramos	daremos	daríamos
2ª p.pl.	déreis	dareis	daríeis
3ª p.pl.	deram	darão	dariam

Subjuntivo

	pres.	pret.imperf.	fut.
1ª p.s.	dê	desse	der
2ª p.s.	dês	desses	deres
3ª p.s.	dê	desse	der
1ª p.pl.	demos	déssemos	dermos
2ª p.pl.	deis	désseis	derdes
3ª p.pl.	deem	dessem	derem

Imperativo/infinitivo flexionado

	imp.	imp.neg.	inf.flex.
1ª p.s.	—	—	dar
2ª p.s.	dá	não dês	dares
3ª p.s.	dê	não dê	dar
1ª p.pl.	demos	não demos	darmos
2ª p.pl.	dai	não deis	dardes
3ª p.pl.	deem	não deem	darem

Formas nominais não conjugadas

infinitivo	particípio	gerúndio
dar	dado	dando

• Modelo 7 Estar

Indicativo

	pres.	pret.imperf.	pret.perf.
1ª p.s.	estou	estava	estive
2ª p.s.	estás	estavas	estiveste
3ª p.s.	está	estava	esteve
1ª p.pl.	estamos	estávamos	estivemos
2ª p.pl.	estais	estáveis	estivestes
3ª p.pl.	estão	estavam	estiveram

	pret.m.-q.- -perf.	fut.pres.	fut.pret.
1ª p.s.	estivera	estarei	estaria
2ª p.s.	estiveras	estarás	estarias
3ª p.s.	estivera	estará	estaria
1ª p.pl.	estivéramos	estaremos	estaríamos
2ª p.pl.	estivéreis	estareis	estaríeis
3ª p.pl.	estiveram	estarão	estariam

Subjuntivo

	pres.	pret.imperf.	fut.
1ª p.s.	esteja	estivesse	estiver
2ª p.s.	estejas	estivesses	estiveres
3ª p.s.	esteja	estivesse	estiver
1ª p.pl.	estejamos	estivéssemos	estivermos
2ª p.pl.	estejais	estivésseis	estiverdes
3ª p.pl.	estejam	estivessem	estiverem

Imperativo/infinitivo flexionado

	imp.	imp.neg.	inf.flex.
1ª p.s.	—	—	estar
2ª p.s.	está	não estejas	estares
3ª p.s.	esteja	não esteja	estar
1ª p.pl.	estejamos	não estejamos	estarmos
2ª p.pl.	estai	não estejais	estardes
3ª p.pl.	estejam	não estejam	estarem

Formas nominais não conjugadas

infinitivo	particípio	gerúndio
estar	estado	estando

• Modelo 8 VENDER

Para verbos terminados em *-screver*; para *jazer* e derivados; para os defectivos, ver observações.

Indicativo

	pres.	pret.imperf.	pret.perf.
1ª p.s.	vendo	vendia	vendi
2ª p.s.	vendes	vendias	vendeste
3ª p.s.	vende	vendia	vendeu
1ª p.pl.	vendemos	vendíamos	vendemos
2ª p.pl.	vendeis	vendíeis	vendestes
3ª p.pl.	vendem	vendiam	venderam

	pret.m.-q.-perf.	fut.pres.	fut.pret.
1ª p.s.	vendera	venderei	venderia
2ª p.s.	venderas	venderás	venderias
3ª p.s.	vendera	venderá	venderia
1ª p.pl.	vendêramos	venderemos	venderíamos
2ª p.pl.	vendêreis	vendereis	venderíeis
3ª p.pl.	venderam	venderão	venderiam

Subjuntivo

	pres.	pret.imperf.	fut.
1ª p.s.	venda	vendesse	vender
2ª p.s.	vendas	vendesses	venderes
3ª p.s.	venda	vendesse	vender
1ª p.pl.	vendamos	vendêssemos	vendermos
2ª p.pl.	vendais	vendêsseis	venderdes
3ª p.pl.	vendam	vendessem	venderem

Imperativo/infinitivo flexionado

	imp.	imp.neg.	inf.flex.
1ª p.s.	—	—	vender
2ª p.s.	vende	não vendas	venderes
3ª p.s.	venda	não venda	vender
1ª p.pl.	vendamos	não vendamos	vendermos
2ª p.pl.	vendei	não vendais	venderdes
3ª p.pl.	vendam	não vendam	venderem

Formas nominais não conjugadas

infinitivo	particípio	gerúndio
vender	vendido	vendendo

Observações:

1) Os verbos *escrever* e seus derivados têm part. irreg.: *escrito*, *circunscrito* etc.

2) O verbo *jazer* e seus derivados perdem o *-e* da 3ª p.s. (ele *jaz*), mantendo a variante com *-e* no imperativo afirmativo: *jaz* ou *jaze* tu.

3) Os verbos *precaver* e *desprecaver* são **D2**. (O verbo *viger*, geralmente considerado **D1**, tem apresentado pres.subj.: *vija*.)

• Modelo 9 MOER

Para defectivos, ver observação.

Indicativo

	pres.	pret.imperf.	pret.perf.
1ª p.s.	moo	moía	moí
2ª p.s.	móis	moías	moeste
3ª p.s.	mói	moía	moeu
1ª p.pl.	moemos	moíamos	moemos
2ª p.pl.	moeis	moíeis	moestes
3ª p.pl.	moem	moíam	moeram

	pret.m.-q.-perf.	fut.pres.	fut.pret.
1ª p.s.	moera	moerei	moeria
2ª p.s.	moeras	moerás	moerias
3ª p.s.	moera	moerá	moeria
1ª p.pl.	moêramos	moeremos	moeríamos
2ª p.pl.	moêreis	moereis	moeríeis
3ª p.pl.	moeram	moerão	moeriam

Subjuntivo

	pres.	pret.imperf.	fut.
1ª p.s.	moa	moesse	moer
2ª p.s.	moas	moesses	moeres
3ª p.s.	moa	moesse	moer
1ª p.pl.	moamos	moêssemos	moermos
2ª p.pl.	moais	moêsseis	moerdes
3ª p.pl.	moam	moessem	moerem

Imperativo/infinitivo flexionado

	imp.	imp.neg.	inf.flex.
1ª p.s.	—	—	moer
2ª p.s.	mói	não moas	moeres
3ª p.s.	moa	não moa	moer
1ª p.pl.	moamos	não moamos	moermos
2ª p.pl.	moei	não moais	moerdes
3ª p.pl.	moam	não moam	moerem

Formas nominais não conjugadas

infinitivo	particípio	gerúndio
moer	moído	moendo

Observações:

1) São defectivos os verbos *soer* (**D1**), *doer* e *condoer* (**D3**).

2) Quando pronominais, *doer-se* e *condoer-se* têm conjugação completa.

• Modelo 10 Verbos com irregularidade 1 (irreg.1)

Para todos estes verbos, as formas não assinaladas no quadro da **irreg.1** são regulares, conjugando-se pelo Modelo [8].

VALER: *valho, vales* etc.; *valha, valhas* etc.; *vale, valha, valhamos, valei, valham.*

PERDER: *perco, perdes* etc.; *perca, percas* etc.; *perde, perca, percamos, perdei, percam.*

REQUERER: *requeiro, requeres, requer* etc.; *requeira, requeiras* etc.; *requer(e), requeira, requeiramos, requerei, requeiram.*

	pres.ind.	pres.subj.	imp.
1ª p.s.	lh/c/ei	lh/c/ei	—
2ª p.s.		lh/c/ei	
3ª p.s.		lh/c/ei	lh/c/ei
1ª p.pl.		lh/c/ei	lh/c/ei
2ª p.pl.		lh/c/ei	
3ª p.pl.		lh/c/ei	lh/c/ei

• Modelo 11 CRER

Ditongo *-ei-* nas formas de **irreg.1**. Assinala-se com circunflexo apenas o timbre fechado das formas terminadas em *-ê* e *-ês*: *crê, descrês.*

	pres.ind.	pres.subj.	imp.
1ª p.s.	creio	creia	—
2ª p.s.	crês	creias	crê
3ª p.s.	crê	creia	creia
1ª p.pl.	cremos	creiamos	creiamos
2ª p.pl.	credes	creiais	crede
3ª p.pl.	creem	creiam	creiam

Atenção: *creem, descreem.*

• Modelo 12 VER

Assinala-se com circunflexo apenas o timbre fechado das formas terminadas em *-ê* e *-ês*: *vê, revê, provês.* Para *prover* e *desprover*, ver observação.

Indicativo

	pres.	pret.imperf.	pret.perf.
1ª p.s.	vejo	via	vi
2ª p.s.	vês	vias	viste
3ª p.s.	vê	via	viu
1ª p.pl.	vemos	víamos	vimos
2ª p.pl.	vedes	víeis	vistes
3ª p.pl.	veem	viam	viram

	pret.m.-q.-perf.	fut.pres.	fut.pret.
1ª p.s.	vira	verei	veria
2ª p.s.	viras	verás	verias
3ª p.s.	vira	verá	veria
1ª p.pl.	víramos	veremos	veríamos
2ª p.pl.	víreis	vereis	veríeis
3ª p.pl.	viram	verão	veriam

Subjuntivo

	pres.	pret.imperf.	fut.
1ª p.s.	veja	visse	vir
2ª p.s.	vejas	visses	vires
3ª p.s.	veja	visse	vir
1ª p.pl.	vejamos	víssemos	virmos
2ª p.pl.	vejais	vísseis	virdes
3ª p.pl.	vejam	vissem	virem

Imperativo/infinitivo flexionado

	imp.	imp.neg.	inf.flex.
1ª p.s.	—	—	ver
2ª p.s.	vê	não vejas	veres
3ª p.s.	veja	não veja	ver
1ª p.pl.	vejamos	não vejamos	vermos
2ª p.pl.	vede	não vejais	verdes
3ª p.pl.	vejam	não vejam	verem

Formas nominais não conjugadas

infinitivo	particípio	gerúndio
ver	visto	vendo

Observação: *prover* e *desprover* conjugam-se por VER, mas são regulares no pret.perf. e tempos dele derivados (m.-q.-perf., pret.imperf. e fut.subj.) e no particípio — *provi, proveste, proveu* etc.; *provera, provesse, prover* etc.; *provido.*

Atenção: *veem, reveem, proveem.*

• Modelo 13 HAVER

Para *prazer* e seus derivados e para defectivos, ver observações.

Indicativo

	pres.	pret.imperf.	pret.perf.
1ª p.s.	hei	havia	houve
2ª p.s.	hás	havias	houveste
3ª p.s.	há	havia	houve
1ª p.pl.	havemos/ hemos	havíamos	houvemos
2ª p.pl.	haveis/heis	havíeis	houvestes
3ª p.pl.	hão	haviam	houveram

	pret.m.-q.--perf.	fut.pres.	fut.pret.
1ª p.s.	houvera	haverei	haveria
2ª p.s.	houveras	haverás	haverias
3ª p.s.	houvera	haverá	haveria
1ª p.pl.	houvéramos	haveremos	haveríamos
2ª p.pl.	houvéreis	havereis	haveríeis
3ª p.pl.	houveram	haverão	haveriam

Subjuntivo

	pres.	pret.imperf.	fut.
1ª p.s.	haja	houvesse	houver
2ª p.s.	hajas	houvesses	houveres
3ª p.s.	haja	houvesse	houver
1ª p.pl.	hajamos	houvéssemos	houvermos
2ª p.pl.	hajais	houvésseis	houverdes
3ª p.pl.	hajam	houvessem	houverem

Imperativo/infinitivo flexionado

	imp.	imp.neg.	inf.flex.
1ª p.s.	—	—	haver
2ª p.s.	há	não hajas	haveres
3ª p.s.	haja	não haja	haver
1ª p.pl.	hajamos	não hajamos	havermos
2ª p.pl.	havei	não hajais	haverdes
3ª p.pl.	hajam	não hajam	haverem

Formas nominais não conjugadas

infinitivo	particípio	gerúndio
haver	havido	havendo

Observação:

1) Os verbos *prazer, aprazer, desprazer* são **D3** e conjugam-se como HAVER no pretérito perfeito e formas dele derivadas. Nas demais formas, são regulares (Modelo [8]), perdendo a vogal temática na 3ª p.s. do pres.ind. (*praz*). Há divergências entre os gramáticos quanto à conjugação defectiva desses verbos. Alguns admitem, também, sua conjugação totalmente regular.

2) O verbo *comprazer*, de conjugação completa, é também abundante, pois apresenta, para o pretérito perfeito e formas dele derivadas, variantes regulares (Modelo [8]).

3) Quando pronominais, *prazer* e seus derivados têm conjugação completa.

4) O verbo *reaver* é **D2**.

• Modelo 14 FAZER

Indicativo

	pres.	pret.imperf.	pret.perf.
1ª p.s.	faço	fazia	fiz
2ª p.s.	fazes	fazias	fizeste
3ª p.s.	faz	fazia	fez
1ª p.pl.	fazemos	fazíamos	fizemos
2ª p.pl.	fazeis	fazíeis	fizestes
3ª p.pl.	fazem	faziam	fizeram

	pret.m.-q.--perf.	fut.pres.	fut.pret.
1ª p.s.	fizera	farei	faria
2ª p.s.	fizeras	farás	farias
3ª p.s.	fizera	fará	faria
1ª p.pl.	fizéramos	faremos	faríamos
2ª p.pl.	fizéreis	fareis	faríeis
3ª p.pl.	fizeram	farão	fariam

Subjuntivo

	pres.	pret.imperf.	fut.
1ª p.s.	faça	fizesse	fizer
2ª p.s.	faças	fizesses	fizeres
3ª p.s.	faça	fizesse	fizer
1ª p.pl.	façamos	fizéssemos	fizermos
2ª p.pl.	façais	fizésseis	fizerdes
3ª p.pl.	façam	fizessem	fizerem

Imperativo/infinitivo flexionado

	imp.	imp.neg.	inf.flex.
1ª p.s.	—	—	fazer
2ª p.s.	faze/faz	não faças	fazeres
3ª p.s.	faça	não faça	fazer
1ª p.pl.	façamos	não façamos	fazermos
2ª p.pl.	fazei	não façais	fazerdes
3ª p.pl.	façam	não façam	fazerem

Formas nominais não conjugadas

infinitivo	particípio	gerúndio
fazer	feito	fazendo

• Modelo 15 DIZER

Indicativo

	pres.	pret.imperf.	pret.perf.
1ª p.s.	digo	dizia	disse
2ª p.s.	dizes	dizias	disseste
3ª p.s.	diz	dizia	disse
1ª p.pl.	dizemos	dizíamos	dissemos
2ª p.pl.	dizeis	dizíeis	dissestes
3ª p.pl.	dizem	diziam	disseram

	pret.m.-q.-perf.	fut.pres.	fut.pret.
1ª p.s.	dissera	direi	diria
2ª p.s.	disseras	dirás	dirias
3ª p.s.	dissera	dirá	diria
1ª p.pl.	disséramos	diremos	diríamos
2ª p.pl.	disséreis	direis	diríeis
3ª p.pl.	disseram	dirão	diriam

Subjuntivo

	pres.	pret.imperf.	fut.
1ª p.s.	diga	dissesse	disser
2ª p.s.	digas	dissesses	disseres
3ª p.s.	diga	dissesse	disser
1ª p.pl.	digamos	disséssemos	dissermos
2ª p.pl.	digais	dissésseis	disserdes
3ª p.pl.	digam	dissessem	disserem

Imperativo/infinitivo flexionado

	imp.	imp.neg.	inf.flex.
1ª p.s.	—	—	dizer
2ª p.s.	diz/dize	não digas	dizeres
3ª p.s.	diga	não diga	dizer
1ª p.pl.	digamos	não digamos	dizermos
2ª p.pl.	dizei	não digais	dizerdes
3ª p.pl.	digam	não digam	dizerem

Formas nominais não conjugadas

infinitivo	particípio	gerúndio
dizer	dito	dizendo

• Modelo 16 TER

Para os verbos derivados de TER, ver observação.

Indicativo

	pres.	pret.imperf.	pret.perf.
1ª p.s.	tenho	tinha	tive
2ª p.s.	tens	tinhas	tiveste
3ª p.s.	tem	tinha	teve
1ª p.pl.	temos	tínhamos	tivemos
2ª p.pl.	tendes	tínheis	tivestes
3ª p.pl.	têm	tinham	tiveram

	pret.m.-q.-perf.	fut.pres.	fut.pret.
1ª p.s.	tivera	terei	teria
2ª p.s.	tiveras	terás	terias
3ª p.s.	tivera	terá	teria
1ª p.pl.	tivéramos	teremos	teríamos
2ª p.pl.	tivéreis	tereis	teríeis
3ª p.pl.	tiveram	terão	teriam

Subjuntivo

	pres.	pret.imperf.	fut.
1ª p.s.	tenha	tivesse	tiver
2ª p.s.	tenhas	tivesses	tiveres
3ª p.s.	tenha	tivesse	tiver
1ª p.pl.	tenhamos	tivéssemos	tivermos
2ª p.pl.	tenhais	tivésseis	tiverdes
3ª p.pl.	tenham	tivessem	tiverem

Imperativo/infinitivo flexionado

	imp.	imp.neg.	inf.flex.
1ª p.s.	—	—	ter
2ª p.s.	tem	não tenhas	teres
3ª p.s.	tenha	não tenha	ter
1ª p.pl.	tenhamos	não tenhamos	termos
2ª p.pl.	tende	não tenhais	terdes
3ª p.pl.	tenham	não tenham	terem

Formas nominais não conjugadas

infinitivo	particípio	gerúndio
ter	tido	tendo

Observação: os verbos derivados de TER recebem acento agudo nas 2ª e 3ª p.s. do pres.ind. e na 2ª p.s. do imperativo: *conténs, contém*; *contém* tu.

• Modelo 17 PODER

Indicativo

	pres.	pret.imperf.	pret.perf.
1ª p.s.	posso	podia	pude
2ª p.s.	podes	podias	pudeste
3ª p.s.	pode	podia	pôde
1ª p.pl.	podemos	podíamos	pudemos
2ª p.pl.	podeis	podíeis	pudestes
3ª p.pl.	podem	podiam	puderam

	pret.m.-q.-perf.	fut.pres.	fut.pret.
1ª p.s.	pudera	poderei	poderia
2ª p.s.	puderas	poderás	poderias
3ª p.s.	pudera	poderá	poderia
1ª p.pl.	pudéramos	poderemos	poderíamos
2ª p.pl.	pudéreis	podereis	poderíeis
3ª p.pl.	puderam	poderão	poderiam

Subjuntivo

	pres.	pret.imperf.	fut.
1ª p.s.	possa	pudesse	puder
2ª p.s.	possas	pudesses	puderes
3ª p.s.	possa	pudesse	puder
1ª p.pl.	possamos	pudéssemos	pudermos
2ª p.pl.	possais	pudésseis	puderdes
3ª p.pl.	possam	pudessem	puderem

Imperativo/infinitivo flexionado

	imp.	imp.neg.	inf.flex.
1ª p.s.	—	—	poder
2ª p.s.	pode	não possas	poderes
3ª p.s.	possa	não possa	poder
1ª p.pl.	possamos	não possamos	podermos
2ª p.pl.	podei	não possais	poderdes
3ª p.pl.	possam	não possam	poderem

Formas nominais não conjugadas

infinitivo	particípio	gerúndio
poder	podido	podendo

Observação: raramente o verbo *poder* é empregado no imperativo.

• Modelo 18 QUERER

Indicativo

	pres.	pret.imperf.	pret.perf.
1ª p.s.	quero	queria	quis
2ª p.s.	queres	querias	quiseste
3ª p.s.	quer	queria	quis
1ª p.pl.	queremos	queríamos	quisemos
2ª p.pl.	quereis	queríeis	quisestes
3ª p.pl.	querem	queriam	quiseram

	pret.m.-q.-perf.	fut.pres.	fut.pret.
1ª p.s.	quisera	quererei	quereria
2ª p.s.	quiseras	quererás	quererias
3ª p.s.	quisera	quererá	quereria
1ª p.pl.	quiséramos	quereremos	quereríamos
2ª p.pl.	quiséreis	querereis	quereríeis
3ª p.pl.	quiseram	quererão	quereriam

Subjuntivo

	pres.	pret.imperf.	fut.
1ª p.s.	queira	quisesse	quiser
2ª p.s.	queiras	quisesses	quiseres
3ª p.s.	queria	quisesse	quiser
1ª p.pl.	queiramos	quiséssemos	quisermos
2ª p.pl.	queirais	quisésseis	quiserdes
3ª p.pl.	queiram	quisessem	quiserem

Imperativo/infinitivo flexionado

	imp.	imp.neg.	inf.flex.
1ª p.s.	—	—	querer
2ª p.s.	quer/quere	não queiras	quereres
3ª p.s.	queira	não queira	querer
1ª p.pl.	queiramos	não queiramos	querermos
2ª p.pl.	querei	não queirais	quererdes
3ª p.pl.	queiram	não queiram	quererem

Formas nominais não conjugadas

infinitivo	particípio	gerúndio
querer	querido	querendo

Observação: a 1ª p.s. do pres.ind. do verbo *requerer* é *requeiro*, diferentemente do que ocorre em *querer*.

• Modelo 19 SABER

Indicativo

	pres.	pret.imperf.	pret.perf.
1ª p.s.	sei	sabia	soube
2ª p.s.	sabes	sabias	soubeste
3ª p.s.	sabe	sabia	soube
1ª p.pl.	sabemos	sabíamos	soubemos
2ª p.pl.	sabeis	sabíeis	soubestes
3ª p.pl.	sabem	sabiam	souberam

	pret.m.-q.- -perf.	fut.pres.	fut.pret.
1ª p.s.	soubera	saberei	saberia
2ª p.s.	souberas	saberás	saberias
3ª p.s.	soubera	saberá	saberia
1ª p.pl.	soubéramos	saberemos	saberíamos
2ª p.pl.	soubéreis	sabereis	saberíeis
3ª p.pl.	souberam	saberão	saberiam

Subjuntivo

	pres.	pret.imperf.	fut.
1ª p.s.	saiba	soubesse	souber
2ª p.s.	saibas	soubesses	souberes
3ª p.s.	saiba	soubesse	souber
1ª p.pl.	saibamos	soubéssemos	soubermos
2ª p.pl.	saibais	soubésseis	souberdes
3ª p.pl.	saibam	soubessem	souberem

Imperativo/infinitivo flexionado

	imp.	imp.neg.	inf.flex.
1ª p.s.	—	—	saber
2ª p.s.	sabe	não saibas	saberes
3ª p.s.	saiba	são saiba	saber
1ª p.pl.	saibamos	não saibamos	sabermos
2ª p.pl.	sabei	não saibais	saberdes
3ª p.pl.	saibam	não saibam	saberem

Formas nominais não conjugadas

infinitivo	particípio	gerúndio
saber	sabido	sabendo

• Modelo 20 TRAZER

Indicativo

	pres.	pret.imperf.	pret.perf.
1ª p.s.	trago	trazia	trouxe
2ª p.s.	trazes	trazias	trouxeste
3ª p.s.	traz	trazia	trouxe
1ª p.pl.	trazemos	trazíamos	trouxemos
2ª p.pl.	trazeis	trazíeis	trouxestes
3ª p.pl.	trazem	traziam	trouxeram

	pret.m.-q.- -perf.	fut.pres.	fut.pret.
1ª p.s.	trouxera	trarei	traria
2ª p.s.	trouxeras	trarás	trarias
3ª p.s.	trouxera	trará	traria
1ª p.pl.	trouxéramos	traremos	traríamos
2ª p.pl.	trouxéreis	trareis	traríeis
3ª p.pl.	trouxeram	trarão	trariam

Subjuntivo

	pres.	pret.imperf.	fut.
1ª p.s.	traga	trouxesse	trouxer
2ª p.s.	tragas	trouxesses	trouxeres
3ª p.s.	traga	trouxesse	trouxer
1ª p.pl.	tragamos	trouxéssemos	trouxermos
2ª p.pl.	tragais	trouxésseis	trouxerdes
3ª p.pl.	tragam	trouxessem	trouxerem

Imperativo/infinitivo flexionado

	imp.	imp.neg.	inf.flex.
1ª p.s.	—	—	trazer
2ª p.s.	traze/traz	não tragas	trazeres
3ª p.s.	traga	não traga	trazer
1ª p.pl.	tragamos	não tragamos	trazermos
2ª p.pl.	trazei	não tragais	trazerdes
3ª p.pl.	tragam	não tragam	trazerem

Formas nominais não conjugadas

infinitivo	particípio	gerúndio
trazer	trazido	trazendo

• Modelo 21 CABER

Indicativo

	pres.	pret.imperf.	pret.perf.
1ª p.s.	caibo	cabia	coube
2ª p.s.	cabes	cabias	coubeste
3ª p.s.	cabe	cabia	coube
1ª p.pl.	cabemos	cabíamos	coubemos
2ª p.pl.	cabeis	cabíeis	coubestes
3ª p.pl.	cabem	cabiam	couberam

	pret.m.-q.- -perf.	fut.pres.	fut.pret.
1ª p.s.	coubera	caberei	caberia
2ª p.s.	couberas	caberás	caberias
3ª p.s.	coubera	caberá	caberia
1ª p.pl.	coubéramos	caberemos	caberíamos
2ª p.pl.	coubéreis	cabereis	caberíeis
3ª p.pl.	couberam	caberão	caberiam

Subjuntivo

	pres.	pret.imperf.	fut.
1ª p.s.	caiba	coubesse	couber
2ª p.s.	caibas	coubesses	couberes
3ª p.s.	caiba	coubesse	couber
1ª p.pl.	caibamos	coubéssemos	coubermos
2ª p.pl.	caibais	coubésseis	couberdes
3ª p.pl.	caibam	coubessem	couberem

Imperativo/infinitivo flexionado

	imp.	imp.neg.	inf.flex.
1ª p.s.	—	—	caber
2ª p.s.	cabe	não caibas	caberes
3ª p.s.	caiba	não caiba	caber
1ª p.pl.	caibamos	não caibamos	cabermos
2ª p.pl.	cabei	não caibais	caberdes
3ª p.pl.	caibam	não caibam	caberem

Formas nominais não conjugadas

infinitivo	particípio	gerúndio
caber	cabido	cabendo

Observação: raramente o verbo *caber* é empregado no imperativo.

• Modelo 22 SER

Indicativo

	pres.	pret.imperf.	pret.perf.
1ª p.s.	sou	era	fui
2ª p.s.	és	eras	foste
3ª p.s.	é	era	foi
1ª p.pl.	somos	éramos	fomos
2ª p.pl.	sois	éreis	fostes
3ª p.pl.	são	eram	foram

	pret.m.-q.-perf.	fut.pres.	fut.pret.
1ª p.s.	fora	serei	seria
2ª p.s.	foras	serás	serias
3ª p.s.	fora	será	seria
1ª p.pl.	fôramos	seremos	seríamos
2ª p.pl.	fôreis	sereis	seríeis
3ª p.pl.	foram	serão	seriam

Subjuntivo

	pres.	pret.imperf.	fut.
1ª p.s.	seja	fosse	for
2ª p.s.	sejas	fosses	fores
3ª p.s.	seja	fosse	for
1ª p.pl.	sejamos	fôssemos	formos
2ª p.pl.	sejais	fôsseis	fordes
3ª p.pl.	sejam	fossem	forem

Imperativo/infinitivo flexionado

	imp.	imp.neg.	inf.flex.
1ª p.s.	—	—	ser
2ª p.s.	sê	não sejas	seres
3ª p.s.	seja	não seja	ser
1ª p.pl.	sejamos	não sejamos	sermos
2ª p.pl.	sede	não sejais	serdes
3ª p.pl.	sejam	não sejam	serem

Formas nominais não conjugadas

infinitivo	particípio	gerúndio
ser	sido	sendo

• Modelo 23 PÔR

Indicativo

	pres.	pret.imperf.	pret.perf.
1ª p.s.	ponho	punha	pus
2ª p.s.	pões	punhas	puseste
3ª p.s.	põe	punha	pôs
1ª p.pl.	pomos	púnhamos	pusemos
2ª p.pl.	pondes	púnheis	pusestes
3ª p.pl.	põem	punham	puseram

	pret.m.-q.-perf.	fut.pres.	fut.pret.
1ª p.s.	pusera	porei	poria
2ª p.s.	puseras	porás	porias
3ª p.s.	pusera	porá	poria
1ª p.pl.	puséramos	poremos	poríamos
2ª p.pl.	puséreis	poreis	poríeis
3ª p.pl.	puseram	porão	poriam

Subjuntivo

	pres.	pret.imperf.	fut.
1ª p.s.	ponha	pusesse	puser
2ª p.s.	ponhas	pusesses	puseres
3ª p.s.	ponha	pusesse	puser
1ª p.pl.	ponhamos	puséssemos	pusermos
2ª p.pl.	ponhais	pusésseis	puserdes
3ª p.pl.	ponham	pusessem	puserem

Imperativo/infinitivo flexionado

	imp.	imp.neg.	inf.flex.
1ª p.s.	—	—	pôr
2ª p.s.	põe	não ponhas	pores
3ª p.s.	ponha	não ponha	pôr
1ª p.pl.	ponhamos	não ponhamos	pormos
2ª p.pl.	ponde	não ponhais	pordes
3ª p.pl.	ponham	não ponham	porem

Formas nominais não conjugadas

infinitivo	particípio	gerúndio
pôr	posto	pondo

• Modelo 24 PARTIR

Ver observações para os verbos *abrir, boquiabrir, entreabrir, reabrir*; para os verbos em *-uzir*; para os verbos em *-guir*; para os verbos *coibir, proibir* e *reunir*, e para defectivos.

Indicativo

	pres.	pret.imperf.	pret.perf.
1ª p.s.	parto	partia	parti
2ª p.s.	partes	partias	partiste
3ª p.s.	parte	partia	partiu
1ª p.pl.	partimos	partíamos	partimos
2ª p.pl.	partis	partíeis	partistes
3ª p.pl.	partem	partiam	partiram

	pret.m.-q.--perf.	fut.pres.	fut.pret.
1ª p.s.	partira	partirei	partiria
2ª p.s.	partiras	partirás	partirias
3ª p.s.	partira	partirá	partiria
1ª p.pl.	partíramos	partiremos	partiríamos
2ª p.pl.	partíreis	partireis	partiríeis
3ª p.pl.	partiram	partirão	partiriam

Subjuntivo

	pres.	pret.imperf.	fut.
1ª p.s.	parta	partisse	partir
2ª p.s.	partas	partisses	partires
3ª p.s.	parta	partisse	partir
1ª p.pl.	partamos	partíssemos	partirmos
2ª p.pl.	partais	partísseis	partirdes
3ª p.pl.	partam	partissem	partirem

Imperativo/infinitivo flexionado

	imp.	imp.neg.	inf.flex.
1ª p.s.	—	—	partir
2ª p.s.	parte	não partas	partires
3ª p.s.	parta	não parta	partir
1ª p.pl.	partamos	não partamos	partirmos
2ª p.pl.	parti	não partais	partirdes
3ª p.pl.	partam	não partam	partirem

Formas nominais não conjugadas

infinitivo	particípio	gerúndio
partir	partido	partindo

Observações:

1) *abrir, boquiabrir, entreabrir, reabrir* têm part. em *aberto* (*boquiaberto* etc.).

2) Os verbos terminados em *-uzir* perdem o *-e* na 3ª p.s. do pres.ind., podendo mantê-lo na 2ª p.s. do imp. (*traduz, traduz/traduze* tu).

3) Os verbos *coibir, proibir* e *reunir* apresentam hiato com acentuação gráfica, nas formas rizotônicas: *coíbo, coíbes, coíbe, coíbem*; *proíba, proíbas, proíba, proíbam*; *reúne* tu, *reúna* você, *reúnam* vocês.

4) Verbos terminados em *-guir* (sem pronúncia do *-u-*) perdem esta letra diante de *-o* ou *-a*: *distingo, distingam*.

5) São defectivos:
D1: *abolir, aturdir, balir, banir, bramir, brandir, carpir, comedir, demolir, descomedir-se, extorquir, fremir, fulgir, ganir, premir, refulgir, retorquir*.

	pres.ind.	pres.subj.	imp.
1ª p.s.	falta	falta	—
2ª p.s.		falta	
3ª p.s.		falta	falta
1ª p.pl.		falta	falta
2ª p.pl.		falta	
3ª p.pl.		falta	falta

(Muitos verbos considerados defectivos têm sido usados com conjugação completa: é o caso, por exemplo, de *colorir, eclodir, erodir, esculpir, implodir, explodir* [que eu *exploda* ou *expluda*]; de *haurir* e *exaurir*; de *espargir*; dos verbos em *-ungir*; de *emergir, imergir, submergir* — que têm assumido conjugação regular. Quanto aos verbos *brunir* e *tugir* há gramáticos que preferem considerá-los **D1**.)

D2: *adir, aducir, aguerrir, combalir, ebulir, empedernir, escandir, espavorir, falir, florir, fornir, garrir, inanir, lenir, reflorir, remir, ressequir*.

	pres.ind.	pres.subj.	imp.
1ª p.s.	falta	falta	—
2ª p.s.	falta	falta	falta
3ª p.s.	falta	falta	falta
1ª p.pl.		falta	falta
2ª p.pl.		falta	
3ª p.pl.	falta	falta	falta

(O verbo *ressarcir*, considerado por muitos defectivo, tem hoje conjugação completa e regular.)

D3: *concernir* e *urgir*.
(Para alguns gramáticos, o verbo *rugir* é sempre D3.)

• Modelo 25 SAIR

Para defectivos, ver observação.

Indicativo

	pres.	pret.imperf.	pret.perf.
1ª p.s.	saio	saía	saí
2ª p.s.	sais	saías	saíste
3ª p.s.	sai	saía	saiu
1ª p.pl.	saímos	saíamos	saímos
2ª p.pl.	saís	saíeis	saístes
3ª p.pl.	saem	saíam	saíram

	pret.m.-q.-perf.	fut.pres.	fut.pret.
1ª p.s.	saíra	sairei	sairia
2ª p.s.	saíras	sairás	sairias
3ª p.s.	saíra	sairá	sairia
1ª p.pl.	saíramos	sairemos	sairíamos
2ª p.pl.	saíreis	saireis	sairíeis
3ª p.pl.	saíram	sairão	sairiam

Subjuntivo

	pres.	pret.imperf.	fut.
1ª p.s.	saia	saísse	sair
2ª p.s.	saias	saísses	saíres
3ª p.s.	saia	saísse	sair
1ª p.pl.	saiamos	saíssemos	sairmos
2ª p.pl.	saiais	saísseis	sairdes
3ª p.pl.	saiam	saíssem	saírem

Imperativo/infinitivo flexionado

	imp.	imp.neg.	inf.flex.
1ª p.s.	—	—	sair
2ª p.s.	sai	não saias	saíres
3ª p.s.	saia	não saia	sair
1ª p.pl.	saiamos	não saiamos	sairmos
2ª p.pl.	saí	não saiais	sairdes
3ª p.pl.	saiam	não saiam	saírem

Formas nominais não conjugadas

infinitivo	particípio	gerúndio
sair	saído	saindo

Observações: o verbo *embair* é **D2**.

• Modelo 26 AFLUIR

Os verbos em *-uir* com o *-u-* pronunciado são conjugados pela regra de AFLUIR (não o são, portanto, os com terminação em *-quir* e *-guir*, que seguem o Modelo [25]). Para *construir, desconstruir, reconstruir, destruir*, ver observações.

Indicativo

	pres.	pret.imperf.	pret.perf.
1ª p.s.	afluo	afluía	afluí
2ª p.s.	afluis	afluías	afluíste
3ª p.s.	aflui	afluía	afluiu
1ª p.pl.	afluímos	afluíamos	afluímos
2ª p.pl.	afluís	afluíeis	afluístes
3ª p.pl.	afluem	afluíam	afluíram

	pret.m.-q.-perf.	fut.pres.	fut.pret.
1ª p.s.	afluíra	afluirei	afluiria
2ª p.s.	afluíras	afluirás	afluirias
3ª p.s.	afluíra	afluirá	afluiria
1ª p.pl.	afluíramos	afluiremos	afluiríamos
2ª p.pl.	afluíreis	afluireis	afluiríeis
3ª p.pl.	afluíram	afluirão	afluiriam

Subjuntivo

	pres.	pret.imperf.	fut.
1ª p.s.	aflua	afluísse	afluir
2ª p.s.	afluas	afluísses	afluíres
3ª p.s.	aflua	afluísse	afluir
1ª p.pl.	afluamos	afluíssemos	afluirmos
2ª p.pl.	afluais	afluísseis	afluirdes
3ª p.pl.	afluam	afluíssem	afluírem

Imperativo/infinitivo flexionado

	imp.	imp.neg.	inf.flex.
1ª p.s.	—	—	afluir
2ª p.s.	aflui	não afluas	afluíres
3ª p.s.	aflua	não aflua	afluir
1ª p.pl.	afluamos	não afluamos	afluirmos
2ª p.pl.	afluí	não afluais	afluirdes
3ª p.pl.	afluam	não afluam	afluírem

Formas nominais não conjugadas

infinitivo	particípio	gerúndio
afluir	afluído	afluindo

Observação: os verbos *construir, desconstruir, reconstruir, destruir* apresentam variantes nas seguintes formas: pres.ind. *constróis, constrói, constroem*; imp. afirm. *constrói* tu. As formas regulares — *construis, construi, construem* — são mais usadas em Portugal.

• Modelo 27 Verbos com irregularidade 2 (irreg.2)

Todos os verbos deste modelo apresentam **irreg.2** em relação ao Modelo [24]. Para *cerzir*, ver observação.

AGREDIR: o *-e-* da penúltima sílaba do infinitivo passa a *-i-* nas formas de irreg.2: *agrido, agrides, agride, agridem*; *agrida, agridas* etc.

POLIR: o *-o-* da penúltima sílaba do infinitivo passa a *-u-* nas formas de irreg.2: *pulo, pules, pule, pulem, pula, pulas* etc.

	pres.ind.	pres.subj.	imp.
1ª p.s.	i/u	i/u	—
2ª p.s.	i/u	i/u	i/u
3ª p.s.	i/u	i/u	i/u
1ª p.pl.		i/u	i/u
2ª p.pl.		i/u	
3ª p.pl.	i/u	i/u	i/u

Observação: para *cerzir*, também é aceita a conjugação *cirzo, cerzes, cerze* etc.

• Modelo 28 Verbos com irregularidade 1 (irreg.1)

Todos os verbos deste modelo apresentam irregularidade em relação ao Modelo [24] nas formas da irreg.1.

PEDIR: *peço*; *peça, peças* etc.

OUVIR: *ouço*; *ouça, ouças* etc.

ADERIR: *adiro*; *adira, adiras* etc.

TOSSIR: *tusso*; *tussa, tussas* etc.

PARIR: *pairo*; *paira, pairas* etc.

	pres.ind.	pres.subj.	imp.
1ª p.s.	ç/i/u/ai	ç/i/u/ai	—
2ª p.s.		ç/i/u/ai	
3ª p.s.		ç/i/u/ai	ç/i/u/ai
1ª p.pl.		ç/i/u/ai	ç/i/u/ai
2ª p.pl.		ç/i/u/ai	
3ª p.pl.		ç/i/u/ai	ç/i/u/ai

• Modelo 29 Verbos com irregularidade 3 (irreg.3) ACUDIR/ FRIGIR

	pres.ind.	imp.
1ª p.s.		—
2ª p.s.	acodes/freges	acode/frege
3ª p.s.	acode/frege	
1ª p.pl.		
2ª p.pl.		
3ª p.pl.	acodem/fregem	

• Modelo 30 RIR

Os dois verbos deste modelo mantêm a vogal temática *-i-* em todas as formas e têm a desinência *-des* na 2ª p.pl. do pres.ind.; o imp. para as 2as p. é *ri, ride, sorri, sorride.*

• Modelo 31 VIR

Indicativo

	pres.	pret.imperf.	pret.perf.
1ª p.s.	venho	vinha	vim
2ª p.s.	vens	vinhas	vieste
3ª p.s.	vem	vinha	veio
1ª p.pl.	vimos	vínhamos	viemos
2ª p.pl.	vindes	vínheis	viestes
3ª p.pl.	vêm	vinham	vieram

	pret.m.-q.-perf.	fut.pres.	fut.pret.
1ª p.s.	viera	virei	viria
2ª p.s.	vieras	virás	virias
3ª p.s.	viera	virá	viria
1ª p.pl.	viéramos	viremos	viríamos
2ª p.pl.	viéreis	vireis	viríeis
3ª p.pl.	vieram	virão	viriam

Subjuntivo

	pres.	pret.imperf.	fut.
1ª p.s.	venha	viesse	vier
2ª p.s.	venhas	viesses	vieres
3ª p.s.	venha	viesse	vier
1ª p.pl.	venhamos	viéssemos	viermos
2ª p.pl.	venhais	viésseis	vierdes
3ª p.pl.	venham	viessem	vierem

Imperativo/infinitivo flexionado

	imp.	imp.neg.	inf.lex.
1ª p.s.	—	—	vir
2ª p.s.	vem	não venhas	vires
3ª p.s.	venha	não venha	vir
1ª p.pl.	venhamos	não venhamos	virmos
2ª p.pl.	vinde	não venhais	virdes
3ª p.pl.	venham	não venham	virem

Formas nominais não conjugadas

infinitivo	particípio	gerúndio
vir	vindo	vindo

Observação: todos os verbos derivados de *vir* têm acento agudo nas 2ª e 3ª p.s. do pres.ind. e na 2ª p.s. do imperativo: *advéns, advém*; *advém* tu.

• Modelo 32 IR

Indicativo

	pres.	pret.imperf.	pret.perf.
1ª p.s.	vou	ia	fui
2ª p.s.	vais	ias	foste
3ª p.s.	vai	ia	foi
1ª p.pl.	vamos	íamos	fomos
2ª p.pl.	ides	íeis	fostes
3ª p.pl.	vão	iam	foram

	pret.m.-q.- -perf.	fut.pres.	fut.pret.
1ª p.s.	fora	irei	iria
2ª p.s.	foras	irás	irias
3ª p.s.	fora	irá	iria
1ª p.pl.	fôramos	iremos	iríamos
2ª p.pl.	fôreis	ireis	iríeis
3ª p.pl.	foram	irão	iriam

Subjuntivo

	pres.	pret.imperf.	fut.
1ª p.s.	vá	fosse	for
2ª p.s.	vás	fosses	fores
3ª p.s.	vá	fosse	for
1ª p.pl.	vamos	fôssemos	formos
2ª p.pl.	vades	fôsseis	fordes
3ª p.pl.	vão	fossem	forem

Imperativo/infinitivo flexionado

	imp.	imp.neg.	inf.flex.
1ª p.s.	—	—	ir
2ª p.s.	vai	não vás	ires
3ª p.s.	vá	não vá	ir
1ª p.pl.	vamos	não vamos	irmos
2ª p.pl.	ide	não vades	irdes
3ª p.pl.	vão	não vão	irem

Formas nominais não conjugadas

infinitivo	particípio	gerúndio
ir	ido	indo

Quadro de particípios duplos

Tradicionalmente, a lista de verbos que apresentam particípios duplos, um regular e outro irregular, costuma ser a seguinte:

VERBO	Particípio regular / Particípio irregular
absorver	absorvido / absorto
abstrair	abstraído / abstrato
aceitar	aceitado / aceito* / aceite
acender	acendido / aceso*
adstringir	adstringido / adstrito
afetar	afetado / afeto
afligir	afligido / aflito
anexar	anexado / anexo
apensar	apensado / apenso
apreender	apreendido / apreenso
aspergir	aspergido / asperso
assentar	assentado / assente*
assumir	assumido / assumpto
atender	atendido / atento
benquerer	benquerido / benquisto
benzer	benzido / bento
cativar	cativado / cativo
cegar	cegado / cego
circundar	circundado / circuso
coagir	coagido / coacto
coligir	coligido / coleto
completar	completado / completo
comprimir	comprimido / compresso
concluir	concluído / concluso*
confessar	confessado / confesso
confundir	confundido / confuso
constringir	constringido / constrito
consumir	consumido / consumpto
contrair	contraído / contracto
controverter	controvertido / controverso
contundir	contundido / contuso
convencer	convencido / convicto
converter	convertido / converso
corrigir	corrigido / correto
corromper	corrompido / corrupto
crucificar	crucificado / crucifixo
cultivar	cultivado / culto
defender	defendido / defeso
demitir	demitido / demisso

VERBO	Particípio regular / Particípio irregular
deprimir	deprimido / depresso
desenvolver	desenvolvido / desenvolto
desoprimir	desoprimido / desopresso
despertar	despertado / desperto*
destingir	destingido / destinto
devolver	devolvido / devoluto
difundir	difundido / difuso
digerir	digerido / digesto
diluir	diluído / diluto
dirigir	dirigido / direto
disjungir	disjungido / disjunto
dispersar	dispersado / disperso*
dissolver	dissolvido / dissoluto
distender	distendido / distenso
distinguir	distinguido / distinto
eleger	elegido / eleito*
emergir	emergido / emerso
empregar	empregado / empregue
encarregar	encarregado / encarregue
entregar	entregado / entregue*
envolver	envolvido / envolto*
enxugar	enxugado / enxuto
erigir	erigido / ereto
esconder	escondido / escuso
escurecer	escurecido / escuro
escusar	escusado / escuso
espargir	espargido / esparso
exaurir	exaurido / exausto
excluir	excluído / excluso
expelir	expelido / expulso*
exprimir	exprimido / expresso*
expulsar	expulsado / expulso*
extinguir	extinguido / extinto*
extrair	extraído / extrato
fartar	fartado / farto*
findar	findado / findo*
fixar	fixado / fixo
frigir	frigido / frito*
fritar	fritado / frito*
ganhar	ganhado / ganho*
gastar	gastado / gasto*
imergir	imergido / imerso*
imprimir	imprimido / impresso*
incluir	incluído / incluso
incorrer	incorrido / incurso*

VERBO	Particípio regular / Particípio irregular
induzir	induzido / induto
infectar	infectado / infecto
inquietar	inquietado / inquieto
inserir	inserido / inserto*
insurgir	insurgido / insurreto
interromper	interrompido / interrupto
inverter	invertido / inverso
isentar	isentado / isento
jungir	jungido / junto
juntar	juntado / junto
libertar	libertado / liberto*
limpar	limpado / limpo*
livrar	livrado / livre
malquerer	malquerido / malquisto
manifestar	manifestado / manifesto
matar	matado / morto*
misturar	misturado / misto
morrer	morrido / morto
murchar	murchado / murcho
nascer	nascido / nato
ocultar	ocultado / oculto*
omitir	omitido / omisso
oprimir	oprimido / opresso
pagar	pagado / pago*
pasmar	pasmado / pasmo
pegar	pegado / pego*
perverter	pervertido / perverso
possuir	possuído / possesso
prender	prendido / preso*
pretender	pretendido / pretenso
prostituir	prostituído / prostituto
quedar	quedado / quedo
reeleger	reelegido / reeleito*
remitir	remitido / remisso
repelir	repelido / repulso
repreender	repreendido / represo
resolver	resolvido / resoluto
ressurgir	ressurgido / ressurreto
restringir	restringido / restrito*
reverter	revertido / reverso
revolver	revolvido / revolto
romper	rompido / roto
safar	safado / safo
salvar	salvado / salvo*
secar	secado / seco*

VERBO	Particípio regular / Particípio irregular
segurar	segurado / seguro*
sepultar	sepultado / sepulto*
situar	situado / sito
soltar	soltado / solto*
submergir	submergido / submerso*
submeter	submetido / submisso
sujar	sujado / sujo*
sujeitar	sujeitado / sujeito*
suprimir	suprimido / supresso
surgir	surgido / surto
surpreender	surpreendido / surpreso
suspeitar	suspeitado / suspeito
suspender	suspendido / suspenso*
tingir	tingido / tinto
torcer	torcido / torto
tumefazer	tumefazido / tumefacto
vagar	vagado / vago

Entretanto, apesar de todos esses particípios irregulares de fato serem originados de particípios latinos, a maioria deles atualmente não se comporta mais, no nível sintático, como formas verbais, e sim como adjetivos, substantivos, ou advérbios:

Estava tão **absorta (adj.)** com a leitura que se esqueceu de apagar o forno.

Seus óculos caíram e a armação ficou **torta (adj.)**.

Veja-se a seção de **anexos (subst.)** para mais informações.

Ganhou um **crucifixo (subst.)** entalhado em madeira.

Comemorou o **aceite (subst.)** recebido para seu artigo científico.

Queria ir **junto (adv.)** com o pai à pescaria.

Estava cansada e foi **direto (adv.)** para casa depois do trabalho.

Os particípios irregulares assinalados na tabela com um asterisco, entretanto, ainda têm o comportamento de formas verbais, integrando locuções e ocupando o núcleo de significado dessas estruturas:

Passou pela seleção e **foi aceito** como funcionário da empresa.

A fraudadora finalmente **foi pega** pela polícia.

Essas embarcações bombardeadas **foram submersas** há séculos.

O acarajé costuma **ser frito** no azeite de dendê.

No uso formal da língua, considera-se recomendável que o particípio irregular seja combinado com os verbos auxiliares *ser* e *estar*, em construções de voz passiva. Entretanto, encontram-se frequentemente, em textos escritos, esses particípios em outros tipos de locuções, correspondentes ao pretérito mais-que-perfeito do indicativo, para as quais tradicionalmente se recomendariam os particípios regulares, combinados com os auxiliares *ter* e *haver*:

... a desgraçada (...) ainda no irresponsável arrebatamento do primeiro amor, **havia eleito** já o homem a quem sua alma teria de pertencer... (Aluísio Azevedo, *O Mulato*)

Até o mês passado [a Prefeitura] já **havia gasto** 76% dos recursos previstos para o serviço em 2009. (*Folha de São Paulo*, 09/09/2009)

... não ia mais roubar a Nossa Senhora (...) e que nem queria mais os 25 contos que já **tinha ganho**... (Antônio Callado, *A Madona de Cedro*)

Quem havia se inscrito e não **tinha pago** a taxa não precisa se reinscrever... (*Folha de São Paulo*, 06/10/2009)

Também estamos nos concentrando nos usos atuais da língua. Até o século XIX, outros desses particípios irregulares eram empregados na língua e estão registrados, por exemplo, em passagens de nossa Literatura:

Antes te **houvessem roto** na batalha, / Que servires a um povo de mortalha!... (Castro Alves, *O Navio Negreiro*)

João Maria, em troca, impôs outra [condição]: que ao quadro **fosse apenso** um rótulo, com o nome dele e a circunstância de não saber nada. (Machado de Assis, *Habilidoso*)

... como a primeira capela se achava arruinada, pretendia (...) erigir nova (...). **Foi benta** e novamente **ereta** sete anos depois... (Manoel de Oliveira Paiva, *Dona Guidinha do Poço*)

Finalmente, nesta exposição nos concentramos no português do Brasil. Se considerássemos a variedade lusitana da língua, haveria outros usos verbais de particípios irregulares a serem indicados, como se pode perceber nos exemplos a seguir:

... os 15 mil contos **serão** integralmente **empregues** na recuperação da sede da velha colectividade, na rua da Voz do Operário. (*O Público*, 1994)

Não perdia a Francelina pela demora, entendeu D. Ester, e **foi** a Judite **encarregue** de ir! (Tomaz de Figueiredo, *A Gata Borralheira*)

Pequeno Dicionário Houaiss da Língua Portuguesa

Aa

[1]**a** *s.m.* **1** primeira letra do nosso alfabeto, vogal ■ *n.ord. (adj.2g.2n.)* **2** diz-se do primeiro elemento de uma série *<casa A>* *<item 1a>* ☞ empr. após um subst. ou numeral **3** diz-se da primeira classe na escala de poder e riqueza *<classe A>* **4** BIO grupo sanguíneo *<Lia tem sangue A positivo>* ☞ ger. maiúscula ▲ **5** símbolo de *are* ● GRAM/USO na acp. s.m., pl.: *aa* ● ORIGEM do nome da primeira letra do alfabeto latino

[2]**a** *art.def.* **1** fem. de *o* (art.def.) *<a escola>* ■ *pron.dem.* **2** fem. de *o* (pron.dem.) *<esta menina é Ana, a que está atrás é Ruth>* ■ *pron.p.* **3** fem. de [2]*o* (pron.p.) *<Jô está bem, eu a vi na rua>* ● ORIGEM do acusativo latino *illu(m)* e *illa(m)* do pron.dem. latino *ille, illa, illud* 'aquele, aquela, ele, ela'

[3]**a** *prep.* **1** subordina e expressa **1.1** movimento *<ando da casa à loja>* **1.2** tempo *<volto duqui a um mês, chego ao enturdecer>* **1.3** direção no tempo ou espaço *<foi do Rio a Niterói de bike>* *<sua vida vai de mal a pior>* **1.4** situação *<sentava-se à cabeceira>* *<a 100 metros>* *<a 3%>* *<cara a cara>* **1.5** modo, meio ou matéria *<falar aos berros>* *<andar a pé>* *<pintura a óleo>* **2** antes de um verbo no infinitivo, exprime **2.1** uma circunstância *<estar a brincar>* **2.2** o início de uma ação *<começar a perceber>* **2.3** um propósito ou fim *<estar a ouvir>* ● ORIGEM da prep. lat. *ad* 'aproximação etc.'

A símbolo de *ampere*

[1]**a-** ou **ad-** *pref.* 'proximidade': *abeirar, adjunto, ad-renal, arribar, assimilação* ● ORIGEM da prep.lat. *ad* 'em direção a, aproximação'

[2]**a-**, **ab-**, **abs-** ou **av-** *pref.* 'distanciamento': *abdicar, abster, aversão* ● ORIGEM da prep.lat. *ab* 'id.'

[3]**a-** ou **an-** *pref.* 'negação, privação': *acefalia, amoral, anaeróbio* ● ORIGEM do pref.gr. *an-* 'id.'

[1]**à** *contr.* da preposição *a* com o artigo definido feminino *a* *<deu nota máxima à aluna>* ● GRAM/USO fem. de *ao*; pl. *às*

[2]**à** *contr.* da preposição *a* com o pronome demonstrativo *a* ('aquela') *<uma caixa igual à que lhe dei>* ● GRAM/USO fem. de *ao*; pl. *às*

AA *s.m.* sigla de Alcoólicos Anônimos

ab- *pref.* → [2]*A-*

aba (a.ba) *s.f.* **1** parte saliente (de chapéu, de roupa, de um objeto) **2** lugar ao lado de outro *<na a. do terreno havia um pinheiral>* **3** parte inferior de montanha; sopé ↺ cume **4** *gír.* dependência financeira *<vive na a. dos tios>* ● GRAM/USO dim.irreg.: *abeta*

abaçanado (a.ba.ça.na.do) *adj.* **1** que tem cor morena **2** que tem aspecto embaciado

abacate (a.ba.ca.te) *s.m.* BOT fruto do abacateiro

abacateiro (a.ba.ca.tei.ro) *s.m.* BOT árvore de até 20 m, cultivada por seus frutos ovais de casca verde, grande semente esférica envolta por polpa verde e amarelada, esp. us. em saladas e em sobremesas ● COL abacateiral

abacaxi (a.ba.ca.xi) *s.m.* **1** planta terrestre da fam. das bromeliáceas, nativa do Brasil, que traz uma coroa de folhas com beirada espinhosa sobre seus frutos comestíveis, que chegam a 15 cm **2** o fruto dessa planta **3** *fig. infrm.* problema, complicação

abacaxizeiro (a.ba.ca.xi.zei.ro) *s.m.* abacaxi ('planta') ● COL abacaxizal

abacial (a.ba.ci.al) [pl.: *-ais*] *adj.2g.* **1** relativo a abade ou a abadia **2** próprio de abade *<postura a.>*

ábaco (á.ba.co) *s.m.* quadro us. em cálculos aritméticos, composto de fileiras de pequenas bolas que deslizam sobre hastes fixas

abade (a.ba.de) [fem.: *abadessa /ê/*] *s.m.* REL **1** título ou cargo do monge que dirige uma ordem religiosa ou uma abadia **2** indivíduo com esse título ou cargo

abadia (a.ba.di.a) *s.f.* REL **1** mosteiro em que monges ou monjas vivem em retiro **2** instituição à qual pertencem esses monges ou monjas, ger. dirigida por abade ou abadessa **3** tipo de governo ou poder eclesiástico associado ao cargo de abade

abafado (a.ba.fa.do) *adj.* **1** coberto para manter o calor *<a massa do pão deve ficar a. para crescer>* **2** em que não se pode respirar; sufocante ↺ arejado, ventilado **3** *p.ext.* não divulgado, ocultado *<o escândalo foi a.>* **4** diz-se de som fraco, amortecido **5** *infrm.* muito ocupado ~ **abafadiço** *adj.*

abafador (a.ba.fa.dor) /ô/ [pl.: *-es*] *adj.s.m.* **1** (utensílio) que se usa para apagar uma chama **2** MÚS (dispositivo) que diminui o som de um instrumento; surdina

abafamento (a.ba.fa.men.to) *s.m.* **1** falta de ar ou ventilação **2** *p.ext.* aflição ou cansaço provocados por falta de ar; sufocação

abafante (a.ba.fan.te) *adj.2g.* **1** que abafa, sufoca *<verão a.>* **2** *infrm.* que se destaca pela elegância, beleza etc. **3** *fig.* que envolve, absorve; estonteante *<de uma personalidade a.>*

abafar (a.ba.far) *v.* {mod. 1} *t.d.* **1** cobrir para manter o calor *<a. um prato de comida>* **2** interromper (combustão) *<a. um incêndio>* **3** *fig.* conter, dominar *<a. uma revolta>* ↺ instigar **4** dificultar que se ouça um som, amortecendo-o *<cobriu o martelo para a. o barulho>* **5** *fig.* impedir aparecimento ou divulgação de; esconder *<a. um caso>* ↺ revelar □ *t.d.,int. e pron.* **6** impedir que respire ou não poder respirar *<a colcha abafava a criança> <estava abafando de cansaço> <abafou-se tanto com os casacos que quase desmaiou>* □ *int.* **7** *fig. gír.* furtar, roubar **8** *fig. B gír.* ser um sucesso *<subiu no palco e abafou>*

abaixar (a.bai.xar) *v.* {mod. 1} *t.d. e pron.* **1** tornar(-se) baixo ou mais baixo *<a. o microfone> <abaixou-se para entrar no ônibus>* ↺ erguer(-se) **2** mover(-se) de cima para baixo; inclinar(-se), curvar(-se) *<a. o olhar> <a.-se para calçar o sapato>* ↺ levantar(-se) **3** *fig.* humilhar(-se), rebaixar (-se) ↺ valorizar(-se) □ *int.* **4** descer ao chão ou ao fundo de recipiente (pó, resíduo etc.) □ *t.d. e int.* **5** diminuir de valor, intensidade, grau ou quantidade *<a. o som, os preços>* ↺ aumentar ~ **abaixado** *adj.* - **abaixamento** *s.m.*

abaixo (a.bai.xo) *adv.* **1** em lugar menos elevado; embaixo *<a cintura desse vestido fica mais a.>* ↺ acima **2** em posição imediatamente seguinte *<veja os exemplos a.>* ↺ anteriormente **3** em direção descendente *<a pedra rolou ladeira a.>* ↺ acima **4** ao chão *<o prédio veio a.>* ■ *interj.* **5** exclamação de protesto e repúdio *<a. a impunidade>* ▣ **a. de 1** em categoria, situação, posição, condição, número etc. inferior a *<nota a. de cinco> <inteligência a. do normal>* **2** depois de, em seguida a *<a. de Pedro, há mais três irmãos>*

abaixo-assinado (a.bai.xo-as.si.na.do) [pl.: *abaixo-assinados*] *s.m.* documento de reivindicação, protesto ou solidariedade assinado por várias pessoas

abajur (a.ba.jur) [pl.: *-es*] *s.m.* **1** peça adaptada a uma lâmpada que dirige a claridade para determinada área; quebra-luz **2** *p.ext.* luminária de mesa

abalançar (a.ba.lan.çar) *v.* {mod. 1} *t.d.* **1** pesar em balança *<a. as compras>* **2** calcular (valor, quantidade etc.), com ou sem precisão *<a. as despesas do mês>* □ *t.d.,int. e pron.* **3** mover(-se) de um lado para outro; balançar *<abalançou o corpo antes de cair> <o mar fez o barco a.> <abalançava-se para marcar o ritmo da música>* □ *pron.* **4** (prep. *a*) arriscar-se, aventurar-se *<abalançava-se a desafiar o chefe>* ↺ hesitar

abalar (a.ba.lar) *v.* {mod. 1} *t.d. e pron.* **1** (fazer) tremer *<a chuva forte abalou os galhos da árvore> <o varal abalou-se com o vento>* ↺ estabilizar(-se) **2** *fig.* (fazer) sentir forte emoção; impressionar(-se) *<o desastre abalou a família> <tentou não se a. com o fato>* **3** *fig.* tornar(-se) perturbado; desassossegar (-se) *<a inflação alta abala a população> <os vizinhos abalaram-se com a briga>* ↺ tranquilizar(-se) □ *t.d.,int. e pron.* **4** (fazer) perder a firmeza, a resistência; enfraquecer(-se) *<o peso abalou a ponte> <alguns dentes (se) abalaram com a pancada>* ↺ fortalecer (-se) □ *int. e pron.* **5** ir embora; partir *<já era hora de as visitas abalarem(-se)>* ↺ chegar, voltar □ *int.* **6** pôr-se em fuga; escapar ~ **abalado** *adj.* - **abalamento** *s.m.*

abalizado (a.ba.li.za.do) *adj.* **1** marcado com balizas *<caminho a.>* **2** que se assinalou; indicado **3** que demonstra muita competência; capaz *<profissional a.>* ↺ incompetente ~ **abalizamento** *s.m.*

abalizar (a.ba.li.zar) *v.* {mod. 1} *t.d.* **1** demarcar (campo, terreno etc.) com balizas ↺ desbalizar **2** assinalar, marcar *<a. um ponto de escavação>* ↺ desmarcar □ *t.d.i.* **3** *fig.* (prep. *a*) impor (limites ou restrições) a *<a. limites aos gastos>* □ *pron.* **4** (prep. *em*) adquirir importância, peso; destacar-se *<abalizou-se em pediatria na Europa>*

abalo (a.ba.lo) *s.m.* **1** tremor, trepidação **2** *fig.* comoção, perturbação emocional *<sofreu um forte a. com a demissão>*

abalroar (a.bal.ro.ar) *v.* {mod. 1} *t.d.,t.i.,int. e pron.* (prep. *com*) ir de encontro a; chocar-se com *<o navio abalroou (com) uma lancha> <os dois abalroaram (-se) no corredor>* ~ **abalroamento** *s.m.*

abanador (a.ba.na.dor) /ô/ [pl.: *-es*] *adj.s.m.* **1** (o) que abana ■ *s.m.* **2** abano

abanar (a.ba.nar) *v.* {mod. 1} *t.d. e pron.* **1** refrescar(-se) com o vento de abano, leque *<abanou a filha> <precisou a.-se ao sair do prédio>* □ *t.d. e int.* **2** agitar de um lado para outro; sacudir *<o cachorro abanou o rabo> <com o vento, a bandeira abanava>* ↺ aquietar(-se)

[1]**abancar** (a.ban.car) *v.* {mod. 1} *t.d.* **1** colocar bancos em *<a. uma praça>* □ *int. e pron.* **2** tomar assento; sentar(-se) *<abancou(-se) assim que chegou>* ● ORIGEM [1]*a-* + *banco* + [2]*-ar*

[2]**abancar** (a.ban.car) *v.* {mod. 1} *t.d.,int. e pron.* **1** sentar(-se) à banca ou à mesa *<abancou os alunos para a merenda> <os convidados abancaram> <o time abancou-se em volta da mesa>* □ *int. e pron.* **2** ficar muito tempo num lugar ou se instalar com tal intenção *<a.(-se) na casa dos pais>* ● ORIGEM [1]*a-* + *banca* + [2]*-ar*

abandalhar (a.ban.da.lhar) *v.* {mod. 1} *t.d. e pron.* (fazer) perder a dignidade ou qualidade; aviltar(-se) *<o fechamento da fábrica abandalhou a cidade> <com a bebida, abandalhou-se de vez>* ↺ dignificar(-se)

abandonar (a.ban.do.nar) *v.* {mod. 1} *t.d.* **1** largar de vez; deixar *<a. a casa dos pais, a. os estudos>* **2** deixar sem condições (de sobreviver, p.ex.); desamparar *<a. os filhos>* ↺ amparar **3** desistir de; renunciar *<a. os ideais, a. a religião>* ↺ manter □ *pron.* **4** (prep. *a*) entregar-se, render-se *<a.-se ao fracasso>*

abandono (a.ban.do.no) *s.m.* **1** partida sem a intenção de volta ↺ permanência **2** desistência ↺ insistência **3** falta de amparo ou cuidado ↺ proteção **4** sensação de relaxamento físico e/ou mental *<os passeios eram momentos de a.>*

abano (a.ba.no) *s.m.* objeto com que se agita o ar manualmente; abanador ● GRAM/USO dim.irreg.: *abanico*

abantesma (a.ban.tes.ma) /ê/ *s.2g.* alma do outro mundo; fantasma

abará (a.ba.rá) *s.m.* CUL *BA* massa de feijão-fradinho enrolada em folha de bananeira e cozida

abarcante (a.bar.can.te) *adj.2g.* abrangente

abarcar (a.bar.car) *v.* {mod. 1} *t.d.* **1** envolver com os braços ou as mãos; abraçar **2** conter em si; abranger *<esse texto abarca toda a vida do autor>* **3** alcançar, atingir, abranger *<do alto, abarcava todo o vale>* ~ **abarcamento** *s.m.*

abarrotar (a.bar.ro.tar) *v.* {mod. 1} *t.d. e t.d.i.* **1** (prep. *de, com*) encher demais; entulhar *<abarrotou a geladeira (de frutas)>* ↺ esvaziar □ *pron.* **2** comer demais; empanturrar-se *<abarrotaram-se (com o empadão)>* ↺ desempanturrar-se ~ **abarrotado** *adj.* - **abarrotamento** *s.m.*

abastado (a.bas.ta.do) *adj.* **1** bem provido; abundante ↺ escasso **2** rico, endinheirado ↺ carente, desprovido ~ **abastadamente** *adv.*

abastança (a.bas.tan.ça) *s.f.* **1** abastecimento satisfatório; suficiência ↺ penúria **2** abundância, riqueza ↺ pobreza, privação

abastardar (a.bas.tar.dar) *v.* {mod. 1} *t.d. e pron.* **1** (fazer) perder as características originais **2** degenerar (-se) moralmente; corromper(-se) ↺ regenerar(-se)

abastecedor (a.bas.te.ce.dor) /ô/ [pl.: *-es*] *adj.s.m.* (o) que abastece; fornecedor

abastecer (a.bas.te.cer) *v.* {mod. 8} *t.d.,t.d.i. e pron.* (prep. *de*) fornecer ou passar a ter, contar com [o que for necessário, útil]; prover(-se), munir(-se) *<a. a loja> <abasteceu o carro de combustível> <abasteceram-se de remédios para a viagem>* ↺ desprover (-se) ~ **abastecimento** *s.m.*

abatatado (a.ba.ta.ta.do) *adj.* **1** que tem forma de batata **2** diz-se de nariz grosso e largo

abate (a.ba.te) *s.m.* **1** matança de animais para consumo **2** derrubada de árvores ↺ plantio **3** abatimento ('desconto') ↺ aumento

abatedouro (a.ba.te.dou.ro) *s.m.* matadouro

abater (a.ba.ter) *v.* {mod. 8} *t.d.* **1** fazer cair; derrubar *<a. avião inimigo>* **2** cortar *<a. árvores>* **3** matar (animais) □ *t.d. e t.d.i.* **4** (prep. *em, de*) descontar (valor, preço etc.) [de um total] *<abateu o preço do ingresso>* ↺ aumentar □ *t.d. e pron. fig.* **5** tornar(-se) triste, desanimado; abalar(-se) *<a morte do gatinho abateu o menino> <abati-me com o fim do namoro>* ↺ animar(-se) □ *t.d.,int. e pron. fig.* **6** (fazer) perder as forças; debilitar(-se) *<a doença abatia-o dia a dia> <abateu muito com a mudança de tempo> <abatem-se rapidamente>* ↺ fortalecer(-se)

abatido (a.ba.ti.do) *adj.* **1** que se abateu **2** lançado por terra; caído, derrubado **3** que desmoronou ou desabou **4** *fig.* que foi descontado (de um total); deduzido ↺ acrescentado, aumentado **5** *fig.* que perdeu o ânimo ou as forças; desanimado, enfraquecido ↺ alvoroçado, animado **6** *fig.* que aparenta estar doente; débil ↺ forte, saudável **7** que foi morto (esp. animal)

abatimento (a.ba.ti.men.to) *s.m.* **1** abate **2** *fig.* desconto ou redução em valor, preço etc. ↺ acréscimo, majoração **3** *fig.* falta de ânimo ↺ alento, ânimo

abaular (a.ba.u.lar) *v.* {mod. 2} *t.d.,int. e pron.* tornar(-se) convexo; arquear(-se) *<a. as grades da janela> <as portas do armário abaularam(-se)>* ↺ aplainar, nivelar ~ **abaulado** *adj.* - **abaulamento** *s.m.*

abc *s.m.* abecê

abdicar (ab.di.car) *v.* {mod. 1} *t.d.,t.i. e int.* **1** (prep. *de*) renunciar a (poder, autoridade) por vontade própria *<o rei abdicou o trono> <o diretor abdicou de seu cargo> <antes de completar 20 anos, o príncipe abdicara>* ↺ assumir □ *t.d.,t.i. e pron.* **2** (prep. *de*) abrir mão de; desistir *<o pai abdicou sua autoridade> <abdicou(-se) de seus direitos>* ↺ insistir ~ **abdicação** *s.f.*

abdome (ab.do.me) ou **abdômen** (ab.dô.men) [pl.: *abdômenes* e *(B) abdomens*] *s.m.* ANAT no homem e em outros animais vertebrados, parte do corpo entre o tórax e a bacia ('cavidade'); barriga, ventre

abdominal (ab.do.mi.nal) [pl.: *-ais*] *adj.2g.* **1** do abdome ■ *s.2g.* **2** exercício para fortalecer os músculos dessa região ☞ mais us. no pl.

abdução (ab.du.ção) [pl.: *-ões*] *s.f.* **1** rapto por violência ou sedução **2** ANAT movimento de afastamento (de membro ou parte de membro) do corpo humano ↺ adução

abdutor (ab.du.tor) [pl.: *-es*] *adj.s.m.* ANAT que ou o que executa o movimento de abdução (diz-se de músculo)

abduzir (ab.du.zir) *v.* {mod. 24} *t.d.* **1** raptar, sequestrar *<disse que extraterrestres o abduziram>* **2** desviar de um ponto; afastar **3** ANAT afastar (membro ou parte de membro) do corpo *<a. o braço>* ↺ aduzir

abeberar (a.be.be.rar) *v.* {mod. 1} *t.d. e pron.* saciar a sede (de) *<a. os cavalos> <abeberam-se na mesma bica>*

abecê (a.be.cê) ou **á-bê-cê** (á-bê-cê) [pl.: *á-bê-cês*] *s.m.* **1** forma substantivada das três primeiras letras do abecedário, com que se designa o alfabeto **2** as primeiras noções de uma arte, ciência, técnica, doutrina etc. *<conhecia o a. da pintura>* **3** elementos básicos da instrução primária **4** cartilha ou livro de leitura elementar

abecedário (a.be.ce.dá.rio) *s.m.* alfabeto

abeirar (a.bei.rar) *v.* {mod. 1} *t.d. e t.d.i.* **1** (prep. *a*) pôr(-se) na beira de *<a. o abismo> <abeirou o boi ao rio>* □ *t.d. e pron.* **2** (prep. *a, de*) chegar perto de; aproximar(-se) *<o público abeirava mil pessoas> <abeirou-se da cama da avó>* ↺ afastar(-se) **~ abeirado** *adj* **- abeiramento** *s.m.*

abelha (a.be.lha) /ê/ *s.f.* ZOO inseto que vive em colônia e produz mel e cera • GRAM/USO masc.: *zangão* • COL enxame • VOZ v.: zumbir, zunir; subst.: zumbido, zunido

abelha-mestra (a.be.lha-mes.tra) [pl.: *abelhas-mestras*] *s.f.* ZOO única fêmea fecundada de uma colônia de abelhas; rainha

abelhudo (a.be.lhu.do) *adj.s.m. infrm.* curioso, intrometido ↺ discreto **~ abelhudice** *s.f.*

abençoar (a.ben.ço.ar) *v.* {mod. 1} *t.d.* **1** dar bênção a; benzer *<o padre abençoou os animais>* **2** *p.ext.* desejar bem a *<abençoe a todos, sem distinção>* ↺ amaldiçoar □ *pron.* **3** fazer o sinal da cruz; persignar-se *<abençoava-se ao entrar no avião>*

aberração (a.ber.ra.ção) [pl.: *-ões*] *s.f.* **1** desvio do que é considerado padrão; anomalia **2** defeito de uma forma da natureza; imperfeição, monstruosidade *<a. anatômica>* **3** desvio da lógica ou do bom senso; extravagância *<a saia feita de cabelos era uma a.>*

aberrar (a.ber.rar) *v.* {mod. 1} *t.i. e pron.* (prep. *de*) ser ou tornar(-se) diferente (do que é normal, natural) *<não se deve a. do dever> <evite a.-se da justiça>* **~ aberrante** *adj.2g.*

aberta (a.ber.ta) *s.f.* **1** abertura; fenda **2** clareira **3** vala, canal **4** lugar por onde se pode passar; acesso **5** curto período de tempo sem chuva

aberto (a.ber.to) *adj.* **1** desimpedido, desobstruído *<caminho a.> <porta a.>* ↺ fechado **2** sem cobertura *<varanda a.>* ↺ coberto **3** amplo, sem limites (diz-se de espaço) *<as vacas pastavam em campo a.>* ↺ estreito, limitado **4** cuja entrada é permitida a todos *<parque a.>* ↺ restrito **5** que já está em funcionamento *<o restaurante foi a. ontem>* **6** que está afastado ou separado *<braços a.>* **7** sem nuvens; límpido *<tempo a.> <céu a.>* **8** franco; manifesto *<declarou uma guerra a. ao capitão do time>* ↺ dissimulado **9** ESP competição (torneio, campeonato) de que podem participar esportistas amadores e profissionais *<a. de tênis da Austrália>* **10** FON articulado com a língua mais baixa do que a posição de descanso (diz-se de som de vogal) • GRAM/USO part. de *abrir* ▣ **em a.** a ser resolvido (assunto, questão etc.)

abertura (a.ber.tu.ra) *s.f.* **1** fenda; buraco; passagem *<havia uma a. na cerca>* **2** primeiro momento; início *<assistiu à festa de a. da olimpíada>* ↺ encerramento **3** inauguração <a. de uma exposição> ↺ fechamento **4** apresentação que inicia determinado programa de rádio ou TV *<compôs a música para a a. da novela>* **5** *fig.* tolerância, acessibilidade *<é preciso ter a. para dialogar com as pessoas>* ↺ resistência **6** *fig.* processo da aceitação de novas ideias, acabando com barreiras e preconceitos antes existentes **7** FON timbre de uma vogal resultante do distanciamento entre a língua e o céu da boca **8** ÓPT diafragma que controla a quantidade de luz que penetra em câmeras fotográficas e outros sistemas ópticos

abespinhar (a.bes.pi.nhar) *v.* {mod. 1} *t.d. e pron.* (fazer) ficar irritado ou aborrecido, amuado; agastar(-se) *<abespinhou o amigo com perguntas bobas> <abespinhava-se com a rotina>* ↺ deleitar(-se) **~ abespinhamento** *s.m.*

abestado (a.bes.ta.do) *adj. N.E.* leso, bobo, tolo

abestalhado (a.bes.ta.lha.do) *adj.* abobado, espantado

abestalhar-se (a.bes.ta.lhar-se) *v.* {mod. 1} *pron.* **1** ficar pasmo; surpreender-se *<abestalhou-se ao ver a obra terminada>* **2** tornar-se tolo; imbecilizar-se **3** tornar-se bruto *<abestalha-se quando bebe muito>*

abeto (a.be.to) /ê/ *s.m.* BOT pinheiro da América do Norte e Europa, cultivado esp. pela madeira, us. em marcenaria e no fabrico de papel

ABI *s.f.* sigla de Associação Brasileira de Imprensa

abieiro (a.bi.ei.ro) *s.m.* BOT árvore frondosa nativa da Amazônia, muito cultivada no Brasil por seus frutos comestíveis e pela madeira de boa qualidade

abio (a.bi.o) *s.m.* BOT fruto do abieiro, de polpa amarela e doce ☞ ver *abiu*

abiose (a.bi.o.se) *s.f.* BIO **1** interrupção aparente de vida pela retirada de algum elemento vital, como a água ou o oxigênio **2** ausência de vida **3** estado do que é incapaz de viver **~ abiótico** *adj.*

abiscoitar (a.bis.coi.tar) *v.* {mod. 1} *t.d.* **1** conseguir, ganhar ↺ perder **2** *B* receber (vantagem ou melhoria) *<abiscoitou uma promoção no trabalho>*

abismal (a.bis.mal) [pl.: *-ais*] *adj.2g.* **1** relativo a abismo; abissal **2** *fig.* que parece não ter fim ou limite, muito profundo **3** *fig.* que apavora; aterrorizante *<grito a.>*

abismar (a.bis.mar) *v.* {mod. 1} *t.d. e pron.* **1** espantar(-se); admirar(-se) *<a notícia abismou a família> <abismaram-se com a falta de educação da criança>* **2** lançar(-se) no abismo □ *pron.* **3** (prep. *em*) ficar absorto; concentrar-se *<abismou-se em pensamentos>* ↺ distrair-se **~ abismado** *adj.*

abismo (a.bis.mo) *s.m.* **1** grande depressão ou cavidade natural, quase vertical, ou vertical; precipício, despenhadeiro ↺ topo **2** *fig.* o que é incompreensível, misterioso *<o coração humano é um a.>* **3** *fig.* grande distância *<a falta de diálogo provocou um a. entre nós>* **~ abismático** *adj.*

abissal (a.bis.sal) [pl.: *-ais*] *adj.2g.* **1** relativo a abismo; abismal **2** GEO diz-se de profundidade oceanográfica de mais de 2.000 m **3** *fig.* imenso *<distância a.>* ↺ diminuto

abiu (a.biu) *s.m.* BOT abio ☞ a term. *-iu* é de flexão verbal; prefira escrever essa palavra com final *-io*

abjeção (ab.je.ção) [pl.: *-ões*] *s.f.* baixeza; infâmia ↺ dignidade, nobreza

abjeto (ab.je.to) *adj.* moralmente baixo; desprezível; infame ↺ digno

abjurar (ab.ju.rar) *v.* {mod. 1} *t.d. e int.* **1** renegar (fé religiosa, crença etc.) ↺ aceitar □ *t.d.* **2** voltar atrás (sobre algo confuso, polêmico); retratar-se *<o*

jornalista teve de a. seu artigo> ↺ recalcitrar ~ **abjuração** *s.f.* - **abjuramento** *s.m.*

ABL *s.f.* sigla de Academia Brasileira de Letras

ablação (a.bla.ção) [pl.: *-ões*] *s.f.* MED retirada cirúrgica de uma parte do corpo, esp. devido a tumor *<a. das amídalas>*

ablução (a.blu.ção) [pl.: *-ões*] *s.f.* **1** lavagem do corpo ou de parte dele **2** REL ritual de purificação (do corpo ou de parte dele) por meio da água

abnegado (ab.ne.ga.do) *adj.s.m.* (o) que revela abnegação, dedicação desinteressada; altruísta *<atitude a.> <era um a.>*

abnegar (ab.ne.gar) *v.* {mod. 1} *t.d.* **1** abrir mão de; renunciar a *<abnegou a vida luxuosa para trabalhar no interior>* ↺ aceitar □ *t.i.* **2** (prep. *de*) renegar (fé, crença) *<a. de seus ideais>* ↺ professar □ *pron.* **3** sacrificar-se em benefício de alguém ou algo *<abnegou-se na dedicação aos doentes>* ~ **abnegação** *s.f.*

abóbada (a.bó.ba.da) *s.f.* teto abaulado; cúpula ▣ **a. celeste** o céu • **a. palatina** o céu da boca

abobadar (a.bo.ba.dar) *v.* {mod. 1} *t.d.* **1** construir abóbadas em *<a. uma sala>* **2** dar forma de abóbada a; arquear

abobado (a.bo.ba.do) *adj.* tolo, abobalhado ↺ esperto ~ **abobar** *v.t.d. e pron.*

abobalhado (a.bo.ba.lha.do) *adj.* bobo; tolo ↺ sagaz ~ **abobalhar** *v.t.d. e pron.*

abóbora (a.bó.bo.ra) *s.f.* **1** BOT fruto da aboboreira, de polpa comestível, de um tom entre o alaranjado e o vermelho ■ *s.m.* **2** a cor desse fruto ■ *adj.2g.2n.* **3** que tem essa cor *<saia a.> <sapatos a.>* **4** diz-se dessa cor *<colcha de cor a.>*

aboboreira (a.bo.bo.rei.ra) *s.f.* BOT nome comum a várias ervas, trepadeiras e rastejantes, cultivadas pela polpa e sementes dos frutos, as abóboras

abobrinha (a.bo.bri.nha) *s.f.* **1** BOT variedade de abóbora comprida, de casca verde clara com riscas verdes mais escuras e polpa esverdeada **2** *B infrm* bobagem, tolice *<só fala a.>*

abocanhar (a.bo.ca.nhar) *v.* {mod. 1} *t.d.* **1** pegar com a boca **2** dar dentadas em; morder **3** *B infrm.* obter de forma ilegal ou indevida, com astúcia, artimanhas *<a. um cargo>* ~ **abocanhador** *adj.s.m.* - **abocanhamento** *s.m.*

aboio (a.boi.o) /ô/ *s.m. B* canto, ger. lento e sem palavras, com que os vaqueiros guiam ou chamam a boiada ~ **aboiar** *v.t.d. e int.*

aboletar (a.bo.le.tar) *v.* {mod. 1} *t.d. e pron.* **1** dar alojamento a ou alojar-se; instalar(-se) *<aboletou os amigos em sua casa> <aboletaram-se no hotel mais próximo>* ↺ desalojar(-se) □ *pron.* **2** (prep. *em*) estirar-se, refestelar-se *<a.-se no sofá>* ↺ levantar-se ~ **aboletamento** *s.m.*

abolição (a.bo.li.ção) [pl.: *-ões*] *s.f.* revogação de um costume ou lei; anulação, supressão *<a. da escravatura>* ↺ manutenção

abolicionismo (a.bo.li.cio.nis.mo) *s.m.* **1** HIST movimento político que pregava o fim da escravatura **2** doutrina originada desse movimento

abolicionista (a.bo.li.cio.nis.ta) *adj.2g.* **1** relativo ao abolicionismo ■ *adj.2g.s.2g.* **2** partidário do abolicionismo

abolir (a.bo.lir) *v.* {mod. 24} *t.d.* **1** tirar a validade de; revogar, anular *<a. uma lei>* **2** deixar de usar; largar *<a. o cigarro>* □ *t.d.i.* **3** (prep. *de*) afastar, banir *<a. o açúcar da alimentação>* ⊛ GRAM/USO verbo defectivo

abomaso (a.bo.ma.so) *s.m.* ANAT ZOO quarta câmara do estômago dos ruminantes, onde ocorre a digestão; coalheira

abominar (a.bo.mi.nar) *v.* {mod. 1} *t.d. e pron.* detestar(-se), odiar(-se) *<abominava as ideias do amigo> <abominou-se por ter negado ajuda à irmã>* ↺ adorar(-se) ~ **abominação** *s.f.* - **abominado** *adj.* - **abominando** *adj.*

abominável (a.bo.mi.ná.vel) [pl.: *-eis*] *adj.2g.* que merece ser abominado; detestável, odioso *<decisão a.>* ↺ admirável, adorável

abonação (a.bo.na.ção) [pl.: *-ões*] *s.f.* **1** garantia de uma obrigação ou compromisso; caução, fiança **2** recomendação favorável; abono **3** atitude de aprovação; abono **4** ato de desculpar falta(s) ao trabalho; abono **5** citação de trecho de texto que serve para exemplificar ou autorizar o uso de uma palavra, expressão etc.

abonado (a.bo.na.do) *adj.* **1** garantido; aprovado ↺ desabonado **2** abastado, rico ↺ pobre **3** acreditado, confiável *<testemunha a.>* **4** LING (vocábulo) que teve comprovada sua existência e uso ■ *s.m.* **5** que ou quem é rico

abonar (a.bo.nar) *v.* {mod. 1} *t.d. e pron.* **1** mostrar (-se) ser bom, válido, verdadeiro *<a. a qualidade de um filme> <abonava-se mostrando suas notas altas>* □ *t.d.* **2** comprovar, confirmar *<o resultado da corrida abonou sua boa forma>* ↺ contestar **3** ser fiador de; afiançar *<a. um contrato>* **4** desculpar (falta, atraso etc.) □ *t.d.i.* **5** (prep. *a*) conceder (liberdade, licença etc.) para *<o juiz abonou-lhe o direito de ver os filhos>* ↺ negar ~ **abonador** *adj.s.m.* - **abonatório** *adj.*

abono (a.bo.no) *s.m.* **1** aprovação; recomendação *<contava com o a. do ex-chefe>* ↺ desaprovação, descrédito **2** gratificação salarial *<alegrou-se com o a. de fim de ano>* **3** ato de desculpar falta(s), não descontando as ausências ao trabalho

abordagem (a.bor.da.gem) [pl.: *-ens*] *s.f.* **1** aproximação de duas embarcações; abalroamento **2** *p.ext.* qualquer tipo de aproximação **3** *fig.* maneira ou método de tratar ou interpretar algo *<apresentou uma a. ampla do tema>*

abordar (a.bor.dar) *v.* {mod. 1} *t.d.* **1** chegar à beira de *<a. o penhasco>* ↺ afastar(-se) **2** *p.ext.* aproximar-se de *<abordou o vigia para confirmar o endereço>* ↺ distanciar-se **3** tratar de (tema, questão, ideia etc.) *<a. um assunto difícil>* □ *t.d. e int.* **4** encostar-se (o navio) com o bordo (em cais, outro navio etc.) *<o navio abordou o cais> <o barco abordará pela manhã>* ↺ desacostar

aborígine (a.bo.rí.gi.ne) ou **aborígene** (a.bo.rí.ge.ne) *adj.2g.s.2g.* (aquele) que é nascido na terra onde vive; indígena, autóctone, nativo ↺ estrangeiro

aborrecer (a.bor.re.cer) *v.* {mod. 8} *t.d. e pron.* **1** causar ou sofrer desgosto ou contrariedade; desagradar(-se) *<discussões tolas aborrecem-no>* *<a.-se com tolices>* ↺ agradar(-se) **2** causar ou sentir tédio; enfadar(-se) *<a espera aborreceu-o>* *<aborrece-se com a demora da mulher>* ↺ alegrar(-se) **3** tornar(-se) zangado; irritar(-se) *<a insistência do filho aborreceu-a>* *<aborrecia-se com o assédio do vizinho>* ↺ acalmar(-se) ~ **aborrecedor** *adj.s.m.*

aborrecido (a.bor.re.ci.do) *adj.* **1** que se aborreceu; chateado, contrariado ↺ satisfeito **2** que causa aborrecimento; desagradável; maçante *<filme a.>* ↺ interessante

aborrecimento (a.bor.re.ci.men.to) *s.m.* **1** sentimento de desgosto; contrariedade, desagrado *<o cachorro mal-educado dava a. à família>* ↺ agrado, contentamento **2** sensação de enfado, vazio ou zanga; tédio *<tantos dias seguidos de chuva causavam a.>* ↺ prazer **3** coisa ou situação que aborrece *<teve muitos a. durante a viagem>* ↺ alegria

abortar (a.bor.tar) *v.* {mod. 1} *int.* **1** expulsar o feto do útero, natural ou artificialmente □ *t.d. e int.* **2** *fig.* (fazer) falhar; frustrar *<abortaram o plano original>* *<a revolta abortou>* □ *t.d.* INF **3** interromper (processo ou tarefa) propositalmente ou não *<a. a transferência de arquivos>*

abortivo (a.bor.ti.vo) *adj.s.m.* (substância) que provoca interrupção da gravidez

aborto (a.bor.to) /ô/ *s.m.* **1** expulsão prematura do feto *<problemas de pressão arterial causaram o a.>* **2** *fig.* o que não obteve sucesso *<essa árvore minúscula é um a. da natureza>*

aboticado (a.bo.ti.ca.do) *adj. N. N.E. infrm.* arregalado ou saliente (diz-se de olho)

abotoadura (a.bo.to.a.du.ra) *s.f.* enfeite composto ger. por dois botões ligados por uma corrente ou haste, us. para fechar punho de camisa

abotoar (a.bo.to.ar) *v.* {mod. 1} *t.d.* **1** fechar (peça de roupa), introduzindo os botões nas casas *<abotoe essa calça!>* ↺ desabotoar **2** pregar botões em □ *t.d.,int. e pron.* **3** deitar (a planta) botões ou brotos; germinar *<o limoeiro abotoou seus brotos na semana passada>* *<as roseiras abotoaram cedo>* *<abotoou-se a flor no meio da noite>* □ *int. B gír.* **4** morrer ~ **abotoamento** *s.m.*

abracadabra (a.bra.ca.da.bra) *s.m.* **1** palavra de significado secreto a que se atribuía a propriedade de curar doenças **2** *p.ext.* palavra mágica

abraçadeira (a.bra.ça.dei.ra) *s.f.* **1** peça em forma de braço, us. para prender outras peças **2** tira de tecido ou argola que prende cortina

abraçar (a.bra.çar) *v.* {mod. 1} *t.d. e pron.* **1** envolver (-se) com os braços *<a. um amigo>* *<as crianças abraçaram-se ao pai>* ↺ desabraçar □ *t.d.* **2** *fig.* dispor-se em torno de; cercar *<águas abraçam a ilha>* **3** *fig.* seguir (profissão, ideia, causa etc.) *<abraçaram a vida de viajantes>* □ *pron.* **4** prender-se com os braços; agarrar-se *<abraçou-se ao poste para não cair>* ↺ soltar(-se)

abraço (a.bra.ço) *s.m.* **1** ato de apertar, envolver entre os braços **2** *fig.* sinal de afeto ou amizade *<mandou um a. aos primos>*

abrandar (a.bran.dar) *v.* {mod. 1} *t.d.,int. e pron.* **1** tornar(-se) flexível, macio; amolecer *<a. a cera>* *<a pasta abrandou(-se) com o calor>* ↺ endurecer **2** *fig.* diminuir a intensidade (de) *<a. o calor, a dor>* *<no meio da tarde, o sol abrandou(-se)>* ↺ intensificar(-se) **3** *fig.* tornar (-se) sereno ou suave *<a. a ira>* *<os ânimos, afinal, abrandaram(-se)>* ↺ intensificar ~ **abrandamento** *s.m.*

abrangente (a.bran.gen.te) *adj.2g.* que abrange, envolve, contém; abrangedor *<texto a.>*

abranger (a.bran.ger) *v.* {mod. 8} *t.d.* **1** envolver, cercar *<a. o tronco com os braços>* **2** conter em si ou em seus limites; compreender, incluir *<o livro abrange a história do bairro>* *<a proposta de venda abrangia a casa e o carro>* ↺ excluir **3** chegar a; atingir, alcançar *<o fogo pode a. toda a mata>* ~ **abrangedor** *adj.s.m.* - **abrangência** *s.f.*

abrasador (a.bra.sa.dor) /ô/ [pl.: *-es*] *adj.s.m.* **1** (o) que abrasa ↺ resfriador **2** (o) que está muito quente *<sol a.>* **3** *fig.* (o) que é excitante, arrebatador *<viveu uma aventura abrasadora>*

abrasamento (a.bra.sa.men.to) *s.m.* **1** ato de pôr fogo, de incendiar; queima **2** *fig.* entusiasmo ↺ desânimo **3** *fig.* paixão ou excitação sexual

abrasão (a.bra.são) [pl.: *-ões*] *s.f.* **1** desgaste por fricção **2** esfolamento, escoriação **3** GEOL erosão de rocha por fricção ou impacto (de vento, água corrente etc.)

abrasar (a.bra.sar) *v.* {mod. 1} *t.d.,int. e pron.* **1** reduzir(-se) a brasa; queimar(-se) *<o fazendeiro abrasou as árvores contaminadas>* *<a casa abrasava(-se) rapidamente>* **2** (fazer) ficar quente; arder *<o sol abrasa a pedra>* *<a cidade abrasava no verão>* *<seu rosto abrasou(-se) com a febre>* ↺ esfriar(-se) □ *t.d. e pron. fig.* **3** tornar(-se) da cor de brasa; avermelhar(-se), ruborizar *<as paredes vermelhas abrasaram o quarto>* *<suas bochechas abrasam-se sob o sol>* **4** (fazer) ter sentimentos intensos; entusiasmar(-se) *<a bela atriz abrasava seu coração>* *<abrasou-se pela luta dos estudantes>* ↺ abater(-se) ~ **abrasante** *adj.2g.*

abrasileirar (a.bra.si.lei.rar) *v.* {mod. 1} *t.d. e pron.* adequar(-se) ao modo de ser ou costumes brasileiros *<o samba abrasileirou seus primos estrangeiros>* *<o francês abrasileira-se a cada dia>* ~ **abrasileiramento** *s.m.*

abrasivo (a.bra.si.vo) *adj.s.m.* (o) que causa abrasão, desgaste ou dá polimento *<usou um a. para polir o portão>* *<produto a.>*

abre-alas (a.bre-a.las) *s.m.2n.* carro ou grupo que abre desfile de escola de samba, bloco etc.

abreugrafia (a.breu.gra.fi.a) *s.f.* radiografia do tórax ☞ f. menos us.: *abreografia*

abreviação (a.bre.vi.a.ção) [pl.: *-ões*] *s.f.* **1** redução, encurtamento ↺ alongamento **2** redução de palavra a algumas sílabas ou letras; abreviatura **3** redução de uma palavra que passa a funcionar como seu sinônimo (p.ex., *microcomputador/micro, videocassete/vídeo* etc.)

abreviar (a.bre.vi.ar) *v.* {mod. 1} *t.d.* **1** tornar breve ou mais breve; encurtar, reduzir *<a. a reunião>* ↺ prolongar **2** resumir, sintetizar *<a. um texto>* ↺ encompridar **3** reduzir (palavra, locução) a algumas de suas letras ou sílabas, de modo compreensível ou conforme critério combinado <*deveríamos a. o nome da empresa*>

abreviatura (a.bre.vi.a.tu.ra) *s.f.* **1** abreviação **2** redução de uma palavra ou locução <*melhor usar a a. do que escrever a palavra por extenso*> **3** redução de uma locução a uma sigla (p.ex., *cadastro de pessoas físicas/CPF*) **4** sinal ou cifra com que se representa uma palavra ou locução

abricó (a.bri.có) *s.m.* BOT fruto do abricoteiro, semelhante ao damasco

abricoteiro (a.bri.co.tei.ro) *s.m.* BOT árvore de até 18 m, nativa da América Central e cultivada no Brasil, de folhas verde-escuras, flores brancas aromáticas e frutos grandes e carnosos us. em doces; abricozeiro

abricozeiro (a.bri.co.zei.ro) *s.m.* BOT abricoteiro

abridor (a.bri.dor) /ô/ [pl.: *-es*] *adj.s.m.* **1** (o) que abre ■ *s.m.* **2** utensílio que abre garrafas, latas etc.

abrigar (a.bri.gar) *v.* {mod. 1} *t.d. e pron.* **1** dar ou receber acolhida; hospedar(-se) <*a. os parentes*> <*os ursos abrigaram-se numa caverna*> ↺ desabrigar (-se) □ *t.d.,t.d.i. e pron.* **2** (prep. *de*) proteger(-se) [de dano, ameaça etc.]; resguardar(-se) <*à noite, é preciso a. o gado*> <*abrigou os livros do sol*> <*preferiu a.(-se) no bar*> ↺ desproteger(-se) □ *t.d.* **3** poder conter; comportar <*o galpão abriga mil frangos*>

abrigo (a.bri.go) *s.m.* **1** refúgio, proteção <*procurou a. sob uma marquise*> ↺ desproteção **2** agasalho <*usava um a. de flanela*> **3** casa que acolhe desamparados <*o a. de idosos voltou a funcionar*> **4** *fig.* amparo, acolhimento <*a amizade do tio era um a. seguro*> ↺ abandono ~ **abrigada** *s.f.* - **abrigadouro** *s.m.*

abril (a.bril) [pl.: *-is*] *s.m.* o quarto mês do ano no calendário gregoriano, composto de 30 dias ~ **abrilino** *adj.* - **aprilino** *adj.*

abrilhantar (a.bri.lhan.tar) *v.* {mod. 1} *t.d. e pron.* **1** (fazer) ficar reluzente, brilhante <*abrilhantou a blusa com purpurina*> <*a mesa dourada abrilhantava-se com a luz do sol*> ↺ embaçar(-se) **2** *fig.* dar ou receber brilho, pompa; realçar(-se) <*contratou dançarinos para a. a festa*> <*abrilhantou-se ao colocar o colar de pérolas*> ↺ ofuscar(-se) ~ **abrilhantamento** *s.m.*

abrir (a.brir) *v.* {mod. 24} *t.d.* **1** desunir as partes móveis de <*a. os olhos, a blusa*> ↺ fechar **2** retirar a tampa ou invólucro de <*a. garrafa, carta*> **3** tornar acessível <*a. novos horizontes*> <*a. um porto*> **4** estender, esticar <*a. os braços, as asas*> ↺ encolher **5** cortar, rasgar <*a. a testa*> <*a. um abscesso*> **6** quebrar, partir <*o tremor abriu o muro*> **7** cavar (poço, túnel etc.) **8** deixar fluir (algo retido ou bloqueado) <*a. o gás*> ↺ fechar **9** dar início a; pôr em funcionamento; começar, inaugurar <*a. inquérito*> <*a. uma loja*> ↺ terminar, fechar **10** obter (vantagem, melhor pontuação etc.) sobre o adversário <*a. sete pontos no placar*> **11** INF acessar (arquivo, programa) □ *t.d. e int.* **12** mover(-se) [porta, janela etc.], possibilitando acesso a um lugar <*ao meio-dia, a porta abriu*> ↺ fechar(-se) □ *t.d. e pron.* **13** possibilitar a passagem (por); desbloquear(-se) <*a. estradas*> ↺ bloquear(-se) □ *int. e pron.* **14** desabrochar <*as orquídeas (se) abriram ao mesmo tempo*> **15** rasgar(-se), partir(-se) <*a calça abriu(-se)*> □ *int.* **16** *B* ficar limpo e ensolarado (o tempo) ↺ nublar **17** começar a funcionar <*a loja abre cedo*> ↺ fechar **18** passar a verde (sinal de trânsito), permitindo o avanço de veículos ou pedestres ↺ fechar □ *pron.* **19** fazer confidência(s); desabafar <*abre-se com a melhor amiga*> ● GRAM/USO part.: *aberto*

ab-rogar (ab-ro.gar) *v.* {mod. 1} *t.d.* **1** revogar (lei) ↺ validar **2** pôr fora de uso (hábito, costume etc.); abolir ~ **ab-rogação** *s.f.* - **ab-rogatório** *adj.*

abrolho (a.bro.lho) /ô/ [pl.: /ó/] *s.m.* rochedo marinho, recife ☞ freq. us. no pl.

abrupto (a.brup.to) ou **ab-rupto** (ab.rup.to) [pl.: *ab-ruptos*] *adj.* **1** muito inclinado, íngreme <*penhasco a.*> ↺ plano, reto **2** *fig.* que ocorre de maneira súbita; repentino <*mudança a. de direção*> ↺ esperado, previsível **3** *fig.* rude, indelicado <*respondeu ao chefe de modo a.*> ↺ brando, suave ● GRAM/USO a pronúncia usual é a.brup.to

abrutalhado (a.bru.ta.lha.do) *adj.* de modos brutos; grosseiro ↺ amável, gentil ~ **abrutalhar** *v.t.d. e pron.*

abs- *pref.* → ²*A-*

abscesso (abs.ces.so) *s.m.* acúmulo de pus causado por inflamação

abscissa (abs.cis.sa) *s.f.* GEOM **1** distância numa reta entre um ponto e outro tomado como origem **2** coordenada que define a posição de um ponto num plano ou no espaço

absentismo (ab.sen.tis.mo) ou **absenteísmo** (ab. sen.te.ís.mo) *s.m.* **1** falta de constância na frequência ao trabalho, à escola etc. **2** prática habitual de abandonar o cumprimento de deveres e funções de determinado posto ou cargo

abside (ab.si.de) *s.f.* REL local onde fica o altar-mor em certas igrejas

absinto (ab.sin.to) *s.m.* **1** BOT erva aromática nativa da Europa, de que se extrai um óleo tóxico, us. no licor de absinto; losna **2** bebida alcoólica, esverdeada, preparada com óleo de absinto, anis e outras plantas aromáticas

absolutamente (ab.so.lu.ta.men.te) *adv.* **1** de modo absoluto, completo; totalmente <*foi a. impossível atender o seu pedido*> **2** de jeito algum <*não permito a. que você repita isso*>

absolutismo (ab.so.lu.tis.mo) *s.m.* **1** POL sistema de governo em que o dirigente assume poderes ilimitados **2** *p.ext.* qualquer forma de tirania ~ **absolutista** *adj.2g.s.2g.*

absoluto (ab.so.lu.to) *adj.* **1** que não depende de ninguém ou coisa alguma; independente, soberano <*Estado a.*> ↺ dependente **2** que não admite condições, limites; total <*poder a.*> <*silêncio a.*> ↺ limitado, restrito **3** único, supremo <*líder a.*> **4** que não permite contestação; incondicional <*impossível duvidar daquele amor a.*> ■ *s.m.* **5** realidade plena, que só depende de si mesma para existir ▣ **em a.** de modo nenhum, absolutamente <*ela não se preocupa em a. com isso*>

absolver (ab.sol.ver) *v.* {mod. 8} *t.d. e t.d.i.* **1** (prep. *de*) isentar (alguém) [de acusação, crime, pena etc.] <*o júri absolveu o réu*> <*absolveram-no do crime*> ↺ condenar □ *t.d.,t.d.i. e pron.* **2** (prep. *de*) perdoar (-se), desconsiderando erros passados <*a. um velho inimigo (de todas as faltas)*> <*absolveu-se sem pensar duas vezes*> ↺ castigar(-se) ☞ cf. *absorver*

absolvição (ab.sol.vi.ção) [pl.: *-ões*] *s.f.* perdão de pecados, culpas, erros ou faltas ↺ condenação

absorção (ab.sor.ção) [pl.: *-ões*] *s.f.* **1** processo de absorver ou de ser absorvido *<a. do líquido pela esponja>* **2** FISQUÍM processo em que uma substância é retida no interior de outra ☞ cf. *adsorção* **3** *fig.* concentração mental ↺ distração

absorto (ab.sor.to) /ô/ *adj.* **1** que se absorveu; absorvido **2** concentrado em seus pensamentos *<estava tão a. no livro que não me viu>* ↺ disperso ◉ GRAM/USO part. de *absorver*

absorvente (ab.sor.ven.te) *adj.2g.* **1** que absorve ou assimila *<tecido a.>* **2** *fig.* que atrai, chama a atenção *<enredo a.>* ■ *s.m.* **3** o que absorve ▣ **a. higiênico** peça de material absorvente, us. para recolher o fluxo da menstruação

absorver (ab.sor.ver) *v.* {mod. 8} *t.d.* **1** encher-se de (líquido); embeber *<a toalha absorveu o suco derramado>* **2** reter em si; incorporar *<a. ensinamentos>* **3** aspirar, respirar *<a. a poeira>* **4** consumir (tempo, energia, paciência etc.) **5** tomar para si; monopolizar *<a. todo o lucro>* □ *t.d.,t.d.i. e pron.* **6** (prep. *em*) deter a atenção, o pensamento (em); concentrar(-se) *<a televisão absorve as crianças> <o menino absorvia os pais em suas brincadeiras> <a.-se em pensamentos profundos>* ↺ desconcentrar(-se) ☞ cf. *absolver* ◉ GRAM/USO part.: *absorvido, absorto*; ver QUADRO DE PARTICÍPIOS DUPLOS nas pp. iniciais ~ **absorvedor** *adj.*

absorvido (ab.sor.vi.do) *adj.* **1** absorto **2** consumido aos poucos; corroído, dissipado *<dinheiro a. em bobagens>* **3** puxado para dentro; aspirado, inalado, sorvido *<ar a.>* **4** que foi monopolizado; açambarcado ◉ GRAM/USO part. de *absorver*

abstêmio (abs.tê.mio) *adj.s.m.* que(m) não toma bebida alcoólica ↺ beberrão

abstenção (abs.ten.ção) [pl.: *-ões*] *s.f.* **1** recusa de membro de assembleia de participar em decisão, votação etc. **2** privação *<a. de comida>* **3** declaração de que não se quer alguma coisa *<a. de herança>* ~ **abstencionismo** *s.m.* - **abstencionista** *adj.2g.s.2g.*

abster (abs.ter) *v.* {mod. 16} *t.d.i. e pron.* **1** (prep. *de*) privar(-se) [de exercer função ou direito]; impedir(-se) *<a febre absteve-o de ir à escola> <absteve-se de votar>* ↺ permitir(-se) □ *pron.* **2** (prep. *de*) abrir mão de; abdicar *<absteve-se da herança>* **3** não interferir, não participar *<na dúvida, preferiu a.-se de opinar>*

abstinência (abs.ti.nên.cia) *s.f.* **1** renúncia ao uso de alguma coisa *<a. de álcool>* **2** privação voluntária de bens materiais ou desejos sexuais ~ **abstinente** *adj.2g.s.2g.*

abstração (abs.tra.ção) [pl.: *-ões*] *s.f.* **1** ato de abstrair(-se) ou o seu efeito **2** imagem mental irreal ↺ realidade **3** ART.PLÁST escultura ou desenho que não representa uma forma visível na natureza **4** alheamento, distração ↺ concentração

abstracionismo (abs.tra.cio.nis.mo) *s.m.* ART.PLÁST arte sem imagens figurativas ~ **abstracionista** *adj.2g.s.2g.*

abstrair (abs.tra.ir) *v.* {mod. 25} *t.d.i.* **1** (prep. *de*) observar (elemento, qualidade etc.) à parte (de um todo), avaliando suas propriedades em separado *<a. de um objeto a sua cor>* □ *t.i. e pron.* **2** (prep. *de*) não se deter em; alhear-se *<abstraiu(-se) das distrações>* ↺ concentrar-se □ *pron.* **3** (prep. *em*) deter toda a atenção em; concentrar-se *<a.-se na leitura>* ↺ distrair-se ◉ GRAM/USO part.: *abstraído, abstrato*; ver QUADRO DE PARTICÍPIOS DUPLOS nas pp. iniciais

abstrato (abs.tra.to) *adj.* **1** que se apoia apenas em ideias e suas associações e não diretamente em fatos reais ↺ concreto **2** *fig.* que é de difícil compreensão *<conceito muito a.>* ↺ objetivo, preciso **3** ART.PLÁST relativo aos artistas e estilos de arte que não representam objetos ou figuras reais, concretas ↺ figurativo **4** GRAM diz-se do substantivo que nomeia seres imateriais, como qualidade, ação, sentimento, estado, modo de ser etc. *<beleza é um substantivo a.>* ☞ cf. *concreto*

absurdo (ab.sur.do) *adj.s.m.* **1** (o) que contraria a razão ou o bom senso *<ideia a., preços a.> <pular numa piscina vazia é um a.!>* ↺ sensato ■ *adj.* **2** *p.ext.* inaceitável *<preço a.>* ~ **absurdez** *s.f.* - **absurdeza** *s.f.* - **absurdidade** *s.f.*

abulia (a.bu.li.a) *s.f.* MED perda ou diminuição da vontade ou da iniciativa ↺ ânimo ~ **abúlico** *adj.*

abundância (a.bun.dân.cia) *s.f.* **1** grande quantidade; fartura *<a. de recursos>* ↺ escassez **2** *p.ext.* quantidade excessiva; fortuna, luxo *<vivia na a.>* ↺ miséria

abundante (a.bun.dan.te) *adj.2g.* **1** que existe em grande número ou quantidade; copioso, farto *<vegetação a.>* ↺ escasso, minguado **2** que é rico ou opulento; abastado ↺ carente, desprovido **3** GRAM que apresenta mais de uma forma de particípio passado (diz-se de verbo) ~ **abundantemente** *adv.*

abundar (a.bun.dar) *v.* {mod. 1} *t.i. e int.* **1** (prep. *em*) ter ou existir em grande quantidade *<a geladeira abunda em legumes> <na sala, o mau humor abunda>* ↺ faltar □ *int.* **2** sobrar, superabundar *<não precisamos de mais caixas, elas abundam>*

abusado (a.bu.sa.do) *adj.s.m.* **1** (o) que vai além do razoável ou permitido ↺ respeitoso **2** intrometido, confiado ↺ discreto **3** *N. N.E.* que(m) costuma se meter em brigas ou procurar confusão *<menino forte e a.>*

abusar (a.bu.sar) *v.* {mod. 1} *t.i.* **1** (prep. *de*) usar de modo inadequado *<abusou do telefone, que acabou quebrando>* **2** (prep. *de*) usar em excesso; exceder-se *<abusou da maquiagem>* ↺ moderar-se **3** (prep. *de*) desonrar, violentar *<a. de uma donzela>* □ *t.i. e int.* **4** (prep. *de*) tirar vantagem; aproveitar-se, explorar *<abusaram do irmão caçula> <sabendo que a tia é bondosa, as crianças abusam>* ↺ respeitar □ *int.* **5** fazer mau uso de condição superior *<os poderosos abusam>*

abusivamente (a.bu.si.va.men.te) *adv.* **1** com abuso (de poder ou autoridade); arbitrariamente *<agiu a. contra os manifestantes>* **2** em excesso; exageradamente ↺ moderadamente

abuso (a.bu.so) *s.m.* **1** uso exagerado, injusto ou errado *<o a. de doces faz mal> <a. de poder>* ↺ moderação **2** desaforo, desrespeito *<gritar com o pai é um a.>* ↺ consideração **3** defloramento, estupro

abutre (a.bu.tre) *s.m.* **1** ZOO ave de rapina da Europa, Ásia e África, de até 1 m de comprimento e 3 m

de envergadura, ger. de cabeça e pescoço pelados **2** *fig. pej.* pessoa ambiciosa *<é um a. nos negócios>*

Ac QUÍM símbolo de *actínio*

AC sigla do Estado do Acre

a.C. abrev. de *antes de Cristo*

-aça *suf.* 'aumento': *barcaça, caraça, couraça*

aça (a.ça) *adj.2g.s.2g. B* **1** albino ■ *s.2g.* **2** mulato de cabelos alourados

acabado (a.ca.ba.do) *adj.* **1** concluído, pronto *<trabalho a.>* ↺ inacabado **2** perfeito *<um exemplo a. do bom funcionário>* ↺ tosco **3** *fig.* abatido; envelhecido ↺ conservado **4** *fig.* com as forças reduzidas; exausto *<ao fim do dia, estava a.>*

acabamento (a.ca.ba.men.to) *s.m.* **1** operação que completa ou aperfeiçoa algo; arremate *<a. de uma obra>* **2** resultado dessa operação *<roupa de a. perfeito>* **3** fim, termo ↺ começo

acabanado (a.ca.ba.na.do) *adj.* **1** em forma de cabana **2** [1]cabano

acabanar (a.ca.ba.nar) *v.* {mod. 1} *t.d.* **1** usar como cabana ou dar forma de cabana a *<acabanaram os cobertores para brincar>* **2** *B* dobrar para baixo ou fazer descer (chapéu ou sua aba)

acabar (a.ca.bar) *v.* {mod. 1} *t.d.,t.i.,int. e pron.* **1** (prep. *com*) [fazer] chegar ao fim; terminar, encerrar(-se) *<a. um trabalho> <a reclamação acabou com o barulho> <a reunião acabará cedo> <acabou-se o que era doce>* ↺ começar □ *t.i.* **2** (prep. *com*) dar cabo de; exterminar *<a. com os cupins>* **3** (prep. *em*) ter como fim; terminar em *<a festa acabou em confusão>* **4** (prep. *com*) causar grande prejuízo a; destruir *<o boato acabou com sua imagem>* □ *pred.* **5** vir a ser; tornar-se *<estudou e acabou aprovado>* □ *t.i.,int. e pron.* **6** (prep. *com*) causar ou sofrer sérios danos; prejudicar(-se), arruinar(-se) *<o boato acabou com sua carreira> <se não se alimentar, sua saúde irá a.> <nossas reservas acabaram-se>* ↺ ajudar(-se), fortalecer(-se) □ *t.i. e int.* **7** (prep. *com*) estragar(-se), envelhecer *<o sofrimento acabou com sua pele> <seu rosto acabara cedo>* ↺ rejuvenescer □ *t.d.,t.i. e int.* **8** terminar relação (de namoro, noivado etc.); romper *<João e Maria acabaram (com) o namoro> <eles dizem que acabaram para sempre>*

acaboclado (a.ca.bo.cla.do) *adj.* **1** de origem ou aparência cabocla **2** de comportamento rústico, simples; caipira ↺ urbano

acabrunhado (a.ca.bru.nha.do) *adj.* **1** abatido, desanimado *<ficou a. com o segundo lugar>* ↺ revigorado **2** humilhado; envergonhado *<o segundo tombo deixou-o a.>* ↺ estimulado ~ **acabrunhador** *adj.s.m.*

acabrunhar (a.ca.bru.nhar) *v.* {mod. 1} *t.d.,int. e pron.* **1** causar ou sentir falta de ânimo, abatimento; prostrar(-se) *<as provas acabrunhavam o menino> <a vitória anima, a derrota acabrunha> <seu rosto se acabrunhava com o sono acumulado>* ↺ revigorar(-se) □ *t.d. e pron.* **2** entristecer(-se), desalentar(-se) *<a notícia ruim acabrunhará a moça> <vai a.-se quando souber a verdade>* ↺ alegrar(-se) **3** envergonhar(-se), mortificar(-se) *<a voz muito aguda do cantor acabrunhou a plateia> <acabrunhava-se, sem razão, com o aumento de peso>* ↺ estimular(-se) ~ **acabrunhamento** *s.m.* - **acabrunhante** *adj.2g.*

acaçá (a.ca.çá) *s.m.* CUL *B* **1** bolinho de farinha de arroz ou de milho, cozido, envolvido ainda quente em folhas de bananeira **2** refresco fermentado de fubá, arroz ou milho

acaçapar (a.ca.ça.par) ou **acachapar** (a.ca.cha.par) *v.* {mod. 1} *t.d. e pron.* **1** esconder(-se) bem; ocultar(-se) *<a. o cofre> <acaçapou-se atrás da porta>* ↺ mostrar(-se) **2** achatar(-se), encolher(-se) ↺ mostrar(-se) □ *t.d. fig.* **3** derrotar, dominar *<a. o adversário>* **4** diminuir moralmente; humilhar *<a. o inimigo>* ↺ exaltar ~ **acaçapado/acachapado** *adj.*

acácia (a.cá.cia) *s.f.* BOT **1** nome comum a árvores e arbustos da fam. das leguminosas, muitos cultivados como ornamentais, outros como forrageiros ou para extração de tinturas e resinas us. em medicina e perfumaria **2** flor amarela de uma dessas árvores, que nasce em cachos

academia (a.ca.de.mi.a) *s.f.* **1** escola de ensino superior; faculdade, universidade **2** agremiação cultural (literária, científica, artística) *<foi eleito para a a. de letras de seu estado>* **3** *p.ext.* o conjunto dos membros dessa agremiação **4** local para práticas esportivas ou recreativas *<a. de tênis>* **5** RECR *RN* ver ***AMARELINHA***

academicismo (a.ca.de.mi.cis.mo) *s.m.* **1** comportamento de quem integra a academia **2** mentalidade clássica ou conservadora **3** ART.PLÁST obediência às regras clássicas, acadêmicas **4** *p.ext.* ART.PLÁST cópia de obras de arte da escola clássica

acadêmico (a.ca.dê.mi.co) *adj.s.m.* **1** próprio de ou membro de academia ou de universidade *<o a. veio para o encontro> <corrigia textos a.>* ■ *adj.* **2** de estilo clássico ou conservador *<pintor a., escritor a.>*

acafajestado (a.ca.fa.jes.ta.do) *adj.* que se veste ou age como um cafajeste ↺ digno, honrado ~ **acafajestar** *v.t.d. e pron.*

açafrão (a.ça.frão) [pl.: -ões] *s.m.* **1** BOT erva nativa da Europa e cultivada desde a Antiguidade para uso na culinária e na fabricação de bebidas e corantes **2** CUL pó preparado com os estigmas da flor dessa erva, de cor amarela, us. como corante e tempero

açaí (a.ça.í) *s.m.* **1** BOT palmeira de até 25 m, que produz palmito e pequenos frutos roxo-escuros, em cachos, de polpa comestível; açaizeiro **2** BOT fruto dessa palmeira **3** o sumo desse fruto

açaizeiro (a.ça.i.zei.ro) *s.m.* BOT palmeira de açaí • COL açaizal

acaju (a.ca.ju) *s.m.* **1** mogno **2** madeira castanho-avermelhada como o mogno ■ *adj.2g.2n.* **3** dessa cor *<cabelos a.>* **4** diz-se dessa cor *<a mesa de cor a.>*

acalantar (a.ca.lan.tar) *v.* → ***ACALENTAR***

acalanto (a.ca.lan.to) *s.m.* cantiga de ninar

acalentar (a.ca.len.tar) ou **acalantar** (a.ca.lan.tar) *v.* {mod. 1} *t.d. e pron.* **1** (fazer) dormir ao som de cantiga *<a mãe acalentava o bebê> <acalentou-se nos braços do avô>* □ *t.d.* **2** levar consolo a; confortar *<a visão do ônibus acalentou-os>* ↺ desconsolar **3** *fig.* incentivar, alimentar (ideias, planos, projetos etc.) *<a. esperanças>* ↺ desestimular

acalento (a.ca.len.to) *s.m.* **1** ação de adormecer criança **2** acalanto **3** conforto, consolo ↺ desconsolo **4** demonstração de afeto; carícia

acalmar (a.cal.mar) *v.* {mod. 1} *t.d.,int. e pron.* **1** tornar(-se) calmo; tranquilizar(-se) *<o pai acalmou o filho> <a multidão acalmou(-se)>* ↺ agitar(-se) **2** (fazer) perder a intensidade; amansar(-se) *<a correnteza irá a. sua intensidade> <o vento acalmou (-se)>* ↺ intensificar(-se)

acalorado (a.ca.lo.ra.do) *adj.* **1** quente; afogueado *<tinha o rosto a.>* **2** animado, entusiasmado ↺ desanimado **3** *fig.* impetuoso; exaltado *<discussão a.>* ↺ sereno

acalorar (a.ca.lo.rar) *v.* {mod. 1} *t.d. e pron.* **1** dar ou receber calor; aquecer(-se) *<a água fervente acalora o bule> <deixou o prato a.-se sobre a panela>* ↺ refrescar(-se) **2** *fig.* tornar(-se) vivo, caloroso *<a. os ânimos> <o debate acalorou-se no final>* ↺ arrefecer

acamado (a.ca.ma.do) *adj.* **1** deitado na cama; estendido, recostado ↺ levantado **2** que está de cama; adoentado, doente ↺ curado, sadio, são **3** disposto em camadas ou camas

acamar (a.ca.mar) *v.* {mod. 1} *t.d. e pron.* **1** deitar (-se) em cama ou outra superfície *<vou a. as crianças> <estava cansado e acamou-se>* ↺ levantar □ *int. e pron.* **2** ficar doente *<meu sogro acamou(-se) de repente>* ↺ curar(-se) □ *t.d.* **3** arrumar em camadas *<o jardineiro acamou cuidadosamente dez metros de grama no novo jardim>*

açambarcar (a.çam.bar.car) *v.* {mod. 1} *t.d.* **1** tomar com exclusividade; monopolizar *<a. o comércio de CDs>* ↺ compartilhar **2** tomar para si; apoderar-se *<a. mercadorias>* ↺ desfazer-se ~ **açambarcador** *adj.s.m.* - **açambarcamento** *s.m.*

acampamento (a.cam.pa.men.to) *s.m.* **1** MIL instalação de tropa(s) em barracas **2** instalação de um grupo de pessoas em marcha *<a. de escoteiros>* **3** *p.ext.* o local onde essas pessoas se instalam *<visitar um a.>* **4** grupo de pessoas acampadas ▣ **levantar a.** ir-se embora

acampar (a.cam.par) *v.* {mod. 1} *t.d.,int. e pron.* **1** instalar(-se) em campo ou acampamento, esp. militar *<a. uma tropa> <ao anoitecer, o grupo acampou>* **2** *p.ext.* alojar(-se) provisoriamente *<os viajantes acamparam(-se) na entrada da cidade>* ↺ desalojar(-se)

acanalhar (a.ca.na.lhar) *v.* {mod. 1} *t.d. e pron.* tornar(-se) canalha, desprezível ↺ engrandecer (-se) ~ **acanalhado** *adj.*

acanhado (a.ca.nha.do) *adj.* **1** pouco espaçoso; apertado *<sala a.>* ↺ largo **2** tímido, inibido *<rapaz a.>* ↺ desinibido

acanhamento (a.ca.nha.men.to) *s.m.* **1** falta de espaço; aperto, estreiteza ↺ amplidão **2** falta de traquejo social; embaraço, timidez ↺ desembaraço, desenvoltura

acanhar (a.ca.nhar) *v.* {mod. 1} *t.d. e pron.* **1** (fazer) sentir vergonha; encabular(-se) *<aquela situação acanhava o time> <não é preciso a.(-se) para exigir os seus direitos>* ↺ desinibir(-se) **2** tornar(-se) estreito, apertado *<o armário acanhou o quarto> <a rua se acanha no final>* ↺ alargar(-se) **3** submeter (-se) a pressão; intimidar(-se) *<acanhou-se diante do chefe>* ↺ encorajar(-se)

acanto (a.can.to) *s.m.* **1** BOT nome comum a arbustos de flores chamativas e folhas muito recortadas **2** ARQ enfeite inspirado nas folhas desses arbustos

acantonar (a.can.to.nar) *v.* {mod. 1} *t.d.,int. e pron.* acampar (tropa, grupo) em lugar habitado (p.ex., para descansar) *<o comandante acantonou a tropa> <os turistas acantonaram(-se) na vila>* ~ **acantonamento** *s.m.*

ação (a.ção) [pl.: *-ões*] *s.f.* **1** evidência de uma força, de um agente etc. e o seu efeito *<a. do tempo> <a. de um medicamento>* **2** disposição ou capacidade para agir *<a notícia deixou-a sem a.>* **3** modo de proceder; comportamento *<a. típica de um mau-caráter>* **4** CINE TEAT TV conjunto de eventos de uma história, filme etc.; intriga, enredo **5** DIR processo pelo qual se pode reclamar à justiça um direito ou a punição de um infrator das leis *<moveu uma a. contra a loja que não entregou a mercadoria>* **6** ECON título ou documento de propriedade representativo de uma fração do capital de uma sociedade *<as ações de sua empresa perderam valor>* ▣ **a. de graças** LITUR ato de devoção com que se agradece a Deus ou a um santo um benefício recebido • **a. entre amigos** *B* rifa ~ **acional** *adj.2g.*

acará (a.ca.rá) *s.m.* ZOO peixe de água doce com cores e desenhos variados

acarajé (a.ca.ra.jé) *s.m.* CUL *BA* bolinho de feijão--fradinho frito em azeite de dendê

acarear (a.ca.re.ar) *v.* {mod. 5} *t.d. e t.d.i.* **1** (prep. *com*) pôr cara a cara *<acareou os novos vizinhos> <a. um indivíduo com outro>* **2** DIR (prep. *com*) reunir perante autoridade judicial (testemunhas com declarações que divergem) *<a. dois acusados> <a. uma testemunha com outra>* ~ **acareação** *s.f.* - **acareamento** *s.m.*

acari (a.ca.ri) *s.m.* ZOO peixe de rio de cabeça grande e corpo delgado, revestido por uma couraça formada por placas ósseas; cascudo

acariase (a.ca.ri.a.se) ou **acaríase** (a.ca.rí.a.se) *s.f.* MED **1** infestação por ácaros **2** sarna

acariciar (a.ca.ri.ci.ar) *v.* {mod. 1} *t.d. e pron.* **1** fazer(-se) carícias em ou trocar carícias *<a. o filho> <acariciou-se após o tombo> <acariciaram-se diante da família>* □ *t.d.* **2** *p.ext.* tocar ou roçar levemente; afagar *<a brisa acaricia as flores>* **3** *fig.* tratar com carinho; lisonjear *<a. o ego>* ↺ maltratar

acaricida (a.ca.ri.ci.da) *adj.2g.s.m.* (substância) que elimina ácaros

acarinhar (a.ca.ri.nhar) *v.* {mod. 1} *t.d.* **1** dar tratamento carinhoso a *<a. o cão>* **2** tocar ou roçar levemente; afagar *<acarinhou o braço da amiga>* ↺ maltratar □ *t.d. e pron.* **3** fazer carícias em ou trocar carícias *<acarinham-se a todo momento>* ~ **acarinhamento** *s.m.*

acarinose (a.ca.ri.no.se) *s.f.* MED acariase

acarneirado (a.car.nei.ra.do) *adj.* **1** que lembra o carneiro **2** *fig.* doce, manso, suave ↺ rebelde **3** *fig.* que não tem vontade própria **4** *fig.* coberto de pequenas nuvens (diz-se do céu e das próprias nuvens)

ácaro (á.ca.ro) *s.m.* ZOO nome comum a pequenos aracnídeos parasitas, entre os quais se incluem os causadores da sarna e de outras doenças de pele no homem e em animais

acarpetar (a.car.pe.tar) *v.* {mod. 1} *t.d.* revestir de carpete *<mandou a. o quarto>*

acarretar (a.car.re.tar) *v.* {mod. 1} *t.d. e t.d.i.* (prep. *a*) trazer como consequência; ocasionar *<sua distração pode a. um desastre> <a enchente acarretou danos à cidade>* ↺ evitar **~ acarretamento** *s.m.*

acasalamento (a.ca.sa.la.men.to) *s.m.* **1** junção de macho e fêmea para procriação; cruzamento, cruza **2** ato sexual; coito

acasalar (a.ca.sa.lar) *v.* {mod. 1} *t.d.,t.d.i.,int. e pron.* **1** (prep. *com*) juntar(-se), formando um casal, um par *<acasalou a prima com o amigo de infância>* ↺ separar(-se) **2** (prep. *com*) unir(-se) [macho e fêmea] para procriar; cruzar *<a. cães> <as aves acasalam(-se) no verão>* ↺ desacasalar(-se)

acaso (a.ca.so) *s.m.* **1** sorte, destino *<foi o a. que te trouxe aqui!>* **2** acontecimento casual, incerto ou imprevisível ↺ certeza ■ *adv.* **3** talvez, porventura *<se a. chover, não irei>* ▣ **ao a.** de qualquer modo, sem reflexão *<escolhi o livro ao a.>* • **por a. 1** de maneira imprevista *<encontrei Bia por a.>* **2** eventualmente *<quem por a. fizer gol, ganha o jogo>*

acastanhado (a.cas.ta.nha.do) *adj.* **1** que tem o tom marrom da castanha ou com ela se parece *<casaco a.>* **2** diz-se dessa cor *<calça de cor a.>* ■ *s.m.* **3** essa cor

acatar (a.ca.tar) *v.* {mod. 1} *t.d.* agir de acordo com (ordem, regulamento, opinião etc.); obedecer, seguir ↺ desobedecer **~ acatamento** *s.m.* - **acato** *s.m.*

acauã (a.cau.ã) *s.2g.* ZOO ave de até 50 cm de comprimento, penas creme e dorso escuro, cujo canto, no nascer e no pôr do sol, é considerado anunciador de má sorte

acautelado (a.cau.te.la.do) *adj.* **1** posto de sobreaviso; cauteloso, precavido, prudente ↺ desprevenido, imprudente **2** que está resguardado; cuidado, protegido ↺ desabrigado, desprotegido

acautelar (a.cau.te.lar) *v.* {mod. 1} *t.d.,t.d.i. e pron.* **1** (prep. *contra*) pôr(-se) de sobreaviso; prevenir (-se), precaver(-se) *<a ordem era a. problemas> <a. a região contra a possibilidade iminente de terremotos> <acautelaram-se contra a tempestade>* ↺ desprevenir (-se) **2** (prep. *de, contra*) pôr(-se) a salvo, protegido (contra mal, dano etc.); resguardar(-se) *<a. as economias> <acautelou o amigo das dificuldades do desemprego>* ↺ descuidar(-se) **~ acautelamento** *s.m.*

acautelatório (a.cau.te.la.tó.rio) *adj.* que serve para prevenir(-se)

acavalado (a.ca.va.la.do) *adj.* **1** que se acavalou *<dente a.>* **2** semelhante a cavalo **3** *fig. pej.* de modos grosseiros; estúpido ↺ cortês

acavalar (a.ca.va.lar) *v.* {mod. 1} *t.d.* **1** cobrir (a égua) para procriar □ *t.d. e pron.* **2** sobrepor (-se), amontoar(-se) *<dois dentes acavalaram-se> <a. livros>*

acebolado (a.ce.bo.la.do) *adj.* **1** semelhante a cebola **2** com gosto de cebola **3** feito com cebola *<bife a.>*

aceder (a.ce.der) *v.* {mod. 8} *t.i. e int.* **1** (prep. *a, em*) estar de acordo; concordar *<acedeu em renunciar> <sabia a hora de discutir e a hora de a.>* ↺ discordar **2** (prep. *a, em*) conformar-se, aceitar *<acabou acedendo à ordem superior>* ↺ recusar **~ acedência** *s.f.* - **acedente** *adj.2g.s.2g.*

acefalia (a.ce.fa.li.a) *s.f.* **1** MED anormalidade no feto que provoca a formação de corpo sem cabeça **2** *fig.* ausência de liderança, comando ou orientação

acéfalo (a.cé.fa.lo) *adj.s.m.* **1** que(m) não tem cabeça *<feto a.> <estátua a.>* ■ *adj.* **2** *fig.* sem inteligência *<menino a.>* **3** *fig.* sem chefia *<empresa a.>* **~ acefalismo** *s.m.*

[1]**aceirar** (a.cei.rar) *v.* {mod. 1} *t.d.* **1** converter (ferro) em aço □ *t.d. e pron.* **2** (fazer) adquirir resistência; fortalecer(-se) *<a. os sentimentos> <aceiraram-se com o sofrimento>* ◉ ORIGEM [1]*aceiro* + [2]*-ar*

[2]**aceirar** (a.cei.rar) *v.* {mod. 1} *t.d.* isolar (parte de terreno) abrindo uma clareira na vegetação, para impedir que incêndios se espalhem ◉ ORIGEM [2]*aceiro* + [2]*-ar*

[1]**aceiro** (a.cei.ro) *adj.s.m.* **1** que(m) trabalha com aço ■ *adj.* **2** que tem as propriedades do aço *<metal a.>* **3** *fig.* que é forte, resistente *<rapaz a.>* ◉ ORIGEM lat.tar. *aciarĭum* 'aço'

[2]**aceiro** (a.cei.ro) *s.m.* faixa limpa em torno de um terreno que o protege de incêndio ◉ ORIGEM duv., talvez de um lat.tar. der. de *acĭes,ēi*, 'fileira' **~ aceiramento** *s.m.*

aceitação (a.cei.ta.ção) [pl.: *-ões*] *s.f.* **1** ato ou efeito de concordar; anuência ↺ discordância **2** facilidade em ser bem recebido e acolhido publicamente; receptividade *<o filme teve boa a.>* **3** ato ou efeito de aprovar, de considerar bom; aplauso, aprovação *<a. de uma proposta, de uma teoria>* ↺ desaprovação, reprovação

aceitante (a.cei.tan.te) *adj.2g.s.2g.* ECON pessoa ou instituição que se responsabiliza pelo pagamento de letra de câmbio ou de título de crédito

aceitar (a.cei.tar) *v.* {mod. 1} *t.d.* **1** ficar com (algo dado ou oferecido) *<a. um presente>* **2** estar de acordo com; aprovar, concordar *<aceitou todas as sugestões>* ↺ discordar **3** submeter-se sem revolta a (fato, condição etc.); conformar-se *<a. a decisão da diretoria>* ↺ divergir **4** reagir de determinada forma *<o ator aceitou mal as críticas>* **5** tomar para si; assumir *<a. a culpa>* **6** ter como verdadeiro, correto *<aceita qualquer bobagem que lhe digam>* □ *t.d.pred.* **7** admitir, reconhecer *<a. como verdadeira a história> <aceitou-o como amigo>* ↺ negar ◉ GRAM/USO part.: *aceitado, aceito, aceite*; ver QUADRO DE PARTICÍPIOS DUPLOS nas pp. iniciais **~ aceitável** *adj.2g.*

aceite (a.cei.te) *s.m.* ECON **1** assinatura do responsável pelo pagamento de um título de crédito **2** esse título de crédito ◉ GRAM/USO part. de *aceitar*

aceleração (a.ce.le.ra.ção) [pl.: *-ões*] *s.f.* **1** ato ou efeito de acelerar(-se); aceleramento **2** aumento de velocidade ou de movimento ↺ desaceleração **3** diminuição do tempo de ocorrência; abreviação, antecipação *<a. da cura>* ↺ atraso

acelerador (a.ce.le.ra.dor) /ô/ [pl.: *-es*] *adj.s.m.* **1** (o) que acelera ■ *s.m.* MEC **2** pedal ou dispositivo que regula a velocidade de um motor

acelerar (a.ce.le.rar) *v.* {mod. 1} *t.d.,int. e pron.* **1** (fazer) adquirir mais velocidade ou movimento *<a. o passo> <ao avistar o sinal, acelerou> <aceleraram-se para chegar na hora>* □ *t.d. e pron.* **2** (fazer) ocorrer com maior agilidade; apressar(-se) *<a. a cura>* ↺ demorar(-se) □ *t.d.* **3** estimular, instigar *<a. uma rebelião com discursos>* ↺ desestimular ~ **aceleramento** *s.m.*

acelga (a.cel.ga) *s.f.* BOT hortaliça de folhas grandes, ger. verdes, claras e crespas

acelular (a.ce.lu.lar) [pl.: *-es*] *adj.2g.* BIO MED não formado por células (diz-se de organismo ou tecido) *<vírus são organismos a.>*

acém (a.cém) [pl.: *-éns*] *s.m.* carne do lombo do boi

acenar (a.ce.nar) *v.* {mod. 1} *t.i. e int.* **1** (prep. *a*, *para*) fazer sinais (com as mãos, cabeça ou olhos), para prevenir, provocar, despedir-se, chamar etc. *<acena para o pai> <ao entrar no carro, acenou>* □ *t.d.* **2** dar a perceber; indicar, mostrar *<prestem atenção ao que o mercado acena>* □ *t.i.* **3** (prep. *a*) fazer alusão; referir-se *<o escritor acenava a um tempo que já ia longe>*

acendedor (a.cen.de.dor) /ô/ [pl.: *-es*] *adj.s.m.* (o) que acende

acender (a.cen.der) *v.* {mod. 8} *t.d.,int. e pron.* **1** pôr fogo em ou pegar fogo; (fazer) arder *<a. vela, fogueira, lareira> <o fogão acendeu sozinho>* ↺ apagar **2** pôr(-se) em funcionamento (luz, aparelho, equipamento etc.) *<o painel se acende automaticamente>* ↺ desligar(-se) □ *t.d. e pron.* **3** *fig.* inflamar(-se), excitar(-se) *<acenderam-se os ânimos>* ↺ acalmar (-se) ☞ cf. *ascender* ◉ GRAM/USO part.: *acendido*, *aceso*; ver QUADRO DE PARTICÍPIOS DUPLOS nas pp. iniciais ~ **acendimento** *s.m.*

aceno (a.ce.no) *s.m.* **1** gesto de cabeça, mão ou olhos para avisar, informar o que se deseja *<com um a., dispensou o motorista>* **2** convite; apelo; convocação

acento (a.cen.to) *s.m.* **1** FON realce de intensidade, altura ou duração que uma sílaba ou uma palavra têm em comparação com outras **2** GRAM sinal gráfico que indica a tonicidade ou o timbre de uma vogal **3** MÚS destaque dado a uma nota, acorde ou pulsação **4** sotaque *<tem um forte a. gaúcho>* ☞ cf. *assento* ▣ **a. agudo** GRAM sinal gráfico (´) us. para marcar a vogal tônica (*dádiva*, *país*, *baú*) e, no caso das vogais *e* e *o*, tb. o timbre aberto (*café*, *óbvio*) • **a. circunflexo** GRAM sinal gráfico (^) us. para indicar a sílaba tônica associada ao timbre fechado das vogais *e* e *o* (*você* e *capô*), e a tonicidade da sílaba com *a* seguida de consoante nasal (*lâmpada*) • **a. diferencial** GRAM o acento circunflexo us. para diferençar palavras de mesma grafia e sons diferentes (verbo *pôr* e preposição *por*; o pretérito *pôde* e o presente *pode*) • **a. grave** GRAM sinal gráfico (`) que assinala a existência de crase (*ir à cidade* e *ir àquele museu*) • **a. tônico** FON destaque que uma sílaba possui dentro de uma palavra; acentuação tônica ~ **acentual** *adj.2g.*

acentuação (a.cen.tu.a.ção) [pl.: *-ões*] *s.f.* **1** FON tom de voz que revela a intenção ou o sentimento de quem fala; entonação, inflexão, modulação **2** FON destaque de intensidade, altura ou duração dado a uma sílaba ou palavra em comparação com outras **3** GRAM colocação de acento gráfico sobre vogal **4** MÚS realce dado na execução de uma nota ou acorde musical; acento ▣ **a. tônica** FON acento tônico

acentuadamente (a.cen.tu.a.da.men.te) *adv.* **1** com grande intensidade *<pressão a. elevada>* ↺ imperceptivelmente, levemente **2** com destaque ou relevo; marcadamente

acentuado (a.cen.tu.a.do) *adj.* **1** GRAM que leva acento gráfico *<sílaba a.>* **2** que se destaca; proeminente, saliente *<um defeito a.>* **3** que é bem marcado; definido *<rugas a.>* ↺ atenuado, suave **4** mais forte, mais intenso *<mudanças a. no clima>* **5** posto em destaque; realçado *<mostrou um trecho a. da obra>*

acentuar (a.cen.tu.ar) *v.* {mod. 1} *t.d.* **1** FON emitir (uma sílaba) com mais força que as outras **2** GRAM pôr acento gráfico em (palavra) **3** MÚS destacar (pulsação, nota ou acorde); fazer um acento □ *t.d. e pron.* **4** pôr ou estar em destaque; realçar(-se) *<acentuou que queria se vingar> <sua beleza acentua-se nessa roupa>* **5** tornar(-se) mais forte, mais intenso; aumentar *<as olheiras acentuavam seu cansaço> <acentuam-se no mundo as diferenças econômicas>* □ *int.* **6** falar ou escrever as palavras com os devidos acentos

-áceo *suf.* 'semelhança, pertinência': *farináceo*, *sebáceo*

acepção (a.cep.ção) [pl.: *-ões*] *s.f.* cada sentido de uma palavra ou frase de acordo com cada contexto

acepipe (a.ce.pi.pe) *s.m.* **1** aperitivo, petisco **2** comida saborosa

acerar (a.ce.rar) *v.* {mod. 1} *t.d.* **1** converter em aço; aceirar **2** revestir de aço, para dar maior resistência *<a. a fechadura>* **3** afiar, amolar *<a. uma espada>* **4** *fig.* estimular, excitar *<a. a ira do inimigo>* ↺ acalmar ~ **acerado** *adj.*

acerbo (a.cer.bo) /ê/ *adj.* **1** de sabor azedo ou amargo ↺ doce **2** difícil de suportar; cruel, terrível *<dor a.> <comentário a.>*

acerca (a.cer.ca) /ê/ *adv.* us. em ▣ **a. de** a respeito de, sobre *<informou-se a. da corrida>*

acercar (a.cer.car) *v.* {mod. 1} *t.d.i. e pron.* **1** (prep. *de*) colocar(-se) perto; aproximar(-se) *<acercou do leito os parentes próximos> <acerquei-me da diretora>* ↺ afastar(-se) □ *t.d. e pron.* **2** (prep. *de*) cercar (-se), rodear(-se) *<os guardas acercaram a porta do banco> <a.-se de amigos>* ~ **acercamento** *s.m.*

acerola (a.ce.ro.la) *s.f.* BOT **1** planta da América tropical, cultivada por seus frutos comestíveis, ricos em vitamina C **2** o fruto dessa planta, pequeno, arredondado e de cor alaranjada

acertado (a.cer.ta.do) *adj.* **1** de bom senso; razoável *<foi uma decisão a.> <conselho a.>* **2** que é apropriado; adequado, certo *<vestiu-se de forma a. para o evento>* **3** que foi objeto de combinação, acordo *<pagou a quantia a.>*

acertar (a.cer.tar) *v.* {mod. 1} *t.d.* **1** descobrir, encontrar *<a. a saída>* ↺ errar **2** deixar certo, regulado; consertar, endireitar *<a. os relógios>* ↺ desacertar, desregular **3** pôr em harmonia; igualar *<a. o passo>* **4** eliminar erro de; corrigir ↺ desacertar, errar □ *t.d. e t.d.i.* **5** (prep. *com*) resolver em conjunto; combinar *<acertaram os detalhes da viagem (com o empresário)>* **6** (prep. *em*) aplicar (golpe, soco etc.) [em alguém ou algo] *<acertou um tapa (no colega)>* □ *t.i.* **7** (prep. *em, com*) ser bem-sucedido ou satisfazer-se *<a. com um médico>*

acerto (a.cer.to) /ê/ *s.m.* **1** acordo, ajuste ↺ desacordo **2** ação correta **3** acaso feliz, sorte *<comprar aquela casa foi um a.>* ↺ azar ☞ cf. *asserto* ▣ **a. de contas** desforra, vingança

acervo (a.cer.vo) /ê/ *s.m.* conjunto de bens de uma pessoa, de uma instituição ou de um país *<consultou o a. de vários museus para escrever o livro>*

aceso (a.ce.so) /ê/ *adj.* **1** que tem chama; inflamado *<fósforo a.> <lareira a.>* ↺ apagado **2** que se acendeu; iluminado *<luz a.>* ↺ apagado **3** *fig.* vivo, animado *<estavam a. para o baile>* ■ *s.m.* **4** *fig.* auge, apogeu *<no a. do debate, ofendeu o colega>*

acessar (a.ces.sar) *v.* {mod. 1} *t.d.* INF *B* obter acesso a (informação, dados de computador etc.) *<a. a internet>*

acessível (a.ces.sí.vel) [pl.: *-eis*] *adj.2g.* **1** a que se pode ter acesso; fácil de chegar *<bairro a.>* ↺ inacessível **2** que se pode comprar ou possuir; de valor razoável *<preço a.>* **3** que é facilmente compreendido *<discurso a.>* ↺ complicado **4** sociável; comunicativo *<pessoa a.>* ↺ introvertido ~ **acessibilidade** *s.f.*

acesso (a.ces.so) *s.m.* **1** caminho, passagem *<por aqui, não há a. à praia>* **2** possibilidade de alcançar (algo difícil) *<poucos tiveram a. a uma boa educação>* **3** direito a entrada (em local ou instituição) *<o cargo lhe dá a. ao palácio do governo>* **4** ataque repentino; crise *<teve um a. de tosse>* **5** INF comunicação com um dispositivo, unidade de rede, arquivo etc., visando receber ou fornecer dados

acessório (a.ces.só.rio) *adj.* **1** secundário; adicional *<criou um termo a. ao contrato>* ↺ essencial ■ *s.m.* **2** detalhe; complemento *<o vestido era simples, mas os a. eram luxuosos> <loja de a. para automóveis>* ☞ cf. *assessório*

acetato (a.ce.ta.to) *s.m.* **1** QUÍM sal ou éster do ácido acético ou ânion dele derivado **2** REC.AV base não inflamável de película fotográfica e cinematográfica **3** FONO disco de alumínio us. como matriz de discos fonográficos

acético (a.cé.ti.co) *adj.* **1** QUÍM relativo ao ácido que forma o vinagre e lhe dá cheiro e sabor próprios **2** relativo ao vinagre ☞ cf. *ascético*

acetileno (a.ce.ti.le.no) *s.m.* QUÍM gás combustível us. na indústria química e em maçaricos para corte e solda de metais

acetilsalicílico (a.ce.til.sa.li.cí.li.co) *s.m.* QUÍM ácido us. como analgésico; aspirina ● GRAM/USO tb. us. como adj.

acetinado (a.ce.ti.na.do) *adj.* lustroso e macio como cetim *<tecido a.> <pele a.>*

acetinar (a.ce.ti.nar) *v.* {mod. 1} *t.d.* tornar macio e lustroso (papel, tecido) ~ **acetinagem** *s.f.*

acetona (a.ce.to.na) *s.f.* QUÍM líquido incolor, inflamável e que evapora facilmente, us. como solvente, esp. para remover esmalte de unhas

acha (a.cha) *s.f.* pedaço de madeira us. para fazer lenha para o fogo ou fogueira

achacadiço (a.cha.ca.di.ço) *adj.* sujeito a doenças leves; doentio

achacar (a.cha.car) *v.* {mod. 1} *t.d.* **1** causar aborrecimento a; incomodar *<o barulho achacava os vizinhos>* **2** *B infrm.* exigir dinheiro (para não prender, não multar etc.) *<os maus policiais achacaram os comerciantes>* □ *t.d. e t.d.pred.* **3** (prep. *de*) apontar defeito em; acusar *<gostava de a. nossos trabalhos> <achacou-o de desonesto>* ↺ defender □ *int. e pron.* **4** adoecer *<as crianças achacam(-se) mais no inverno>*

achado (a.cha.do) *adj.* **1** encontrado *<brinco a.>* ■ *s.m.* **2** aquilo que se achou, encontrou; descoberta *<a. histórico> <seção de a. e perdidos>* **3** *infrm.* sorte, acaso providencial *<um a. assim vale mais que ganhar na loteria>* **4** *infrm.* pechincha *<essa calça foi um a.>*

achamalotado (a.cha.ma.lo.ta.do) *adj.* semelhante ao chamalote

achaque (a.cha.que) *s.m.* doença sem gravidade; mal-estar, indisposição

achar (a.char) *v.* {mod. 1} *t.d.* **1** topar com (algo que se procurava ou não); encontrar *<a. uma moeda>* **2** *fig.* criar, descobrir ou inventar *<achou um modo barato de viajar>* □ *t.d. e t.d.pred.* **3** ter a impressão; pensar, crer *<acha que vai chover> <achamos isso possível>* □ *t.d.,t.d.pred. e pron.* **4** julgar(-se), considerar(-se) *<achei que isto não tinha solução> <achou-a cansada> <acha-se dono da verdade>* □ *pron.* **5** estar em certo lugar ou situação; encontrar-se *<achava-se numa situação difícil> <acha-se longe de casa>* ~ **achamento** *s.m.*

achatado (a.cha.ta.do) *adj.* **1** que tem ou tomou forma chata; plano *<travesseiro a.> <nariz a.>* **2** *fig.* que foi diminuído ou rebaixado *<salário a.>* ↺ decente, digno **3** *fig.* diminuído moralmente; humilhado *<sentiu-se a. com as críticas>* ↺ enaltecido, exaltado **4** *fig.* derrotado física ou intelectualmente; arrasado, batido *<foi a. pelos concorrentes>*

achatar (a.cha.tar) *v.* {mod. 1} *t.d. e pron.* **1** tornar(-se) chato, plano *<achatou a almofada> <a esponja achatou-se ao ser espremida>* **2** *fig.* não deixar ter ou não ter destaque; rebaixar(-se), humilhar(-se) *<a timidez achatou a menina> <achata-se diante dos mais fortes>* ~ **achatamento** *s.m.*

achega (a.che.ga) /ê/ *s.f.* **1** algo que se junta ao principal; acréscimo *<suas a. ao livro foram fundamentais>* **2** ajuda, contribuição

achegar (a.che.gar) *v.* {mod. 1} *t.d.,t.d.i. e pron.* **1** (prep. *a*) pôr(-se) perto (de); aproximar(-se) *<a. um banco para sentar-se> <achegou a cadeira à mesa> <achegou-se ao grupo>* □ *t.d.* **2** agrupar, reunir

achego (a.che.go) /ê/ *s.m.* **1** aconchego, proteção **2** achega ('ajuda')

achincalhar (a.chin.ca.lhar) *v.* {mod. 1} *t.d.* **1** zombar de; ridicularizar *<o humorista achincalhava os políticos>* **2** tratar com desdém; rebaixar *<achincalhou o irmão>* **~ achincalhação** *s.f.* - **achincalhe** *s.m.*

-acho *suf.* 'diminuição': *riacho, fogacho*

achocolatado (a.cho.co.la.ta.do) *adj.s.m.* **1** (o) que tem a cor ou o sabor do chocolate *<batom a.>* **2** (o) que contém chocolate *<bebe um a. pela manhã>* **~ achocolatar** *v.t.d.*

aciaria (a.ci.a.ri.a) *s.f.* setor em usina siderúrgica em que se produz aço

acicatar (a.ci.ca.tar) *v.* {mod. 1} *t.d.* **1** incitar (mula, cavalo) usando espora **2** *fig.* dar estímulo a; animar, incentivar *<a promessa de recompensa acicatou-o>*

acicate (a.ci.ca.te) *s.m.* **1** espora **2** *fig.* estímulo, encorajamento

acicular (a.ci.cu.lar) [pl.: *-es*] *adj.2g.* que tem feitio de agulha

acidentado (a.ci.den.ta.do) *adj.* **1** cheio de elevações e depressões; irregular *<terreno a.>* ■ *adj.s.m.* **2** que(m) sofreu acidente *<passageiros a.> <os a. foram levados de helicóptero>*

acidental (a.ci.den.tal) [pl.: *-ais*] *adj.2g.* **1** que acontece por acaso; eventual, casual *<encontro a.>* **2** que ocorre por acidente, sem desejo ou intenção *<morte a.>* **3** que não é essencial a algo; acessório, suplementar *<a prosa é a. na obra do poeta>* **~ acidentalidade** *s.f.*

acidentalmente (a.ci.den.tal.men.te) *adv.* por acaso; casualmente, fortuitamente ↺ deliberadamente, intencionalmente

acidentar (a.ci.den.tar) *v.* {mod. 1} *t.d. e pron.* **1** causar ou sofrer acidente; vitimar(-se) *<a batida acidentou quatro pessoas> <acidentaram-se na escalada>* **2** tornar(-se) [um terreno] irregular *<os alagamentos acidentaram a estrada> <depois da serra, o terreno acidenta-se muito>*

acidente (a.ci.den.te) *s.m.* **1** acontecimento imprevisto *<a descoberta da penicilina foi um a.>* **2** desastre *<a. aéreo>* **3** alteração de relevo *<essa estrada tem muitos a.>* ▣ **a. de percurso** *fig.* acontecimento imprevisto que interrompe a evolução ou o desenvolvimento de um trabalho, de um projeto etc. • **a. vascular cerebral** MED hemorragia cerebral seguida de perda das funções cerebrais [sigla: *AVC*]

acidez (a.ci.dez) /ê/ [pl.: *-es*] *s.f.* **1** característica do que é ácido ou azedo; azedume *<a a. de um limão>* **2** QUÍM quantidade de ácido existente numa substância química

ácido (á.ci.do) *adj.* **1** que tem cheiro ou sabor azedo como o do vinagre, acre *<gosto á.> <o abacaxi estava muito á.>* **2** que tem propriedade ácida, corrosiva *<solvente á.>* **3** *fig.* irônico ou cruel *<comentário á.>* ■ *s.m.* QUÍM **4** substância ou íon capaz de doar prótons e que reage com base para formar sal e água ▣ **a. ascórbico** QUÍM substância rica em vitamina C encontrada em vegetais verdes e frutas cítricas • **á. clorídrico** QUÍM ácido us. na produção de cloretos empregados no tratamento de metais, na indústria alimentícia etc.; ácido muriático • **á. desoxirribonucleico** QUÍM ácido contido nos cromossomos que determina a estrutura e função de cada célula e é responsável pela herança biológica de quase todos os seres vivos [sigla: *ADN* (tb. us. *DNA*, em ing.)] • **á. graxo** QUÍM ácido orgânico com número par de átomos de carbono, encontrado nas gorduras e óleos animais e vegetais • **á. muriático** QUÍM ácido clorídrico • **á. nítrico** QUÍM ácido us. na produção de fertilizantes, corantes, explosivos etc. • **á. ribonucleico** QUÍM ácido que transporta as informações contidas no ADN, do núcleo para o citoplasma [sigla: *ARN* e, em ing., *RNA*] • **á. sulfúrico** QUÍM ácido us. na fabricação de fertilizantes, detergentes, pigmentos inorgânicos, catalisadores etc. • **á. úrico** QUÍM ácido presente na urina dos animais carnívoros, us. em síntese orgânica

acidose (a.ci.do.se) *s.f.* MED acúmulo de ácido no organismo ou perda de reserva alcalina

acídulo (a.cí.du.lo) *adj.* levemente ácido

acima (a.ci.ma) *adv.* **1** em lugar mais alto *<voou a. da cidade>* **2** para cima *<marcharam montanha a.>* **3** em posição anterior (em texto) *<exemplo a. mencionado>* ▣ **a. de** em situação, posição, condição etc. superior a *<inteligência a. da média> <homens a. de 40 anos>*

acinte (a.cin.te) *s.m.* ofensa; provocação **~ acintoso** *adj.*

acinzentar (a.cin.zen.tar) *v.* {mod. 1} *t.d.,int. e pron.* **1** tornar(-se) cinzento *<a. um tecido> <o tapete acinzentou(-se) com o tempo>* **2** *p.ext.* tornar(-se) menos luminoso ou colorido; escurecer(-se) *<acinzentou o fundo do quadro> <o céu acinzenta(-se) antes de uma tempestade>* **~ acinzentado** *adj.*

acionar (a.cio.nar) *v.* {mod. 1} *t.d.* **1** pôr em ação; fazer funcionar *<a. um mecanismo>* **2** DIR mover ação judicial contra; processar **~ acionador** *adj.s.m.*

acionista (a.cio.nis.ta) *adj.2g.s.2g.* ECON que(m) possui ação de empresa, sociedade anônima etc.

acirrado (a.cir.ra.do) *adj.* **1** que teve a agressividade despertada ou aumentada; atiçado, instigado ↺ acalmado, apaziguado **2** que foi levado a agir ou reagir; excitado, estimulado **3** que não admite qualquer concessão ou compromisso; persistente, obstinado *<defensor a. da democracia>* ↺ dócil, maleável **4** que é enérgico, intenso *<debate a.>*

acirrar (a.cir.rar) *v.* {mod. 1} *t.d. e t.d.i.* **1** (prep. *contra*) despertar ou aumentar a agressividade de *<acirrou o cão (contra o bandido)>* **2** *p.ext.* (prep. *a*) levar (alguém) [a determinada reação]; instigar, incitar *<seu exemplo acirrou-os a resistir>* □ *t.d. e pron.* **3** *p.ext.* irritar(-se), enervar(-se) *<a discussão acirrou os adversários> <acirra-se com facilidade>* **4** aguçar(-se), avivar(-se) *<a. os ânimos> <as discordâncias acirraram-se ao fim do debate>* **~ acirramento** *s.m.*

aclamação (a.cla.ma.ção) [pl.: *-ões*] *s.f.* **1** saudação entusiasmada **2** aprovação ruidosa **3** proclamação, declaração ▣ **por a.** por meio de aplausos, gritos etc., sem realização de votação individual *<eleito por a.>*

aclamar (a.cla.mar) *v.* {mod. 1} *t.d.* **1** saudar com entusiasmo *<começaram a aclamá-lo assim que saiu do carro>* **2** manifestar aprovação, ger. com gritos, aplausos etc. *<os torcedores aclamavam a seleção campeã>* □ *t.d.pred. e pron.* **3** proclamar(-se), declarar(-se) *<aclamaram-no rei> <aclamou-se presidente da empresa>*

aclarar (a.cla.rar) *v.* {mod. 1} *t.d.,int. e pron.* **1** tornar(-se) claro; iluminar(-se) *<a luz da lua aclarava o terraço> <o céu aclarou(-se)>* **2** dar ou tomar cor mais clara *<acrescentou tinta branca para a. a mistura> <o tecido aclarou(-se)>* □ *t.d. e pron. fig.* **3** tornar(-se) compreensível; esclarecer(-se) *<a boa aula aclarou o texto> <o filme aclarou(-se) no final>*

aclimar (a.cli.mar) *v.* {mod. 1} *t.d.,t.d.i. e pron.* **1** (prep. *a*) adaptar(-se) [a condições atmosféricas ou climáticas, ou a ambiente ou meio biológico] *<a. plantas europeias (às condições tropicais)> <o animal não se aclimou bem à temperatura baixa>* **2** *fig.* (prep. *a*) harmonizar(-se) [com ambiente, condições etc.] *<a. o filme (à plateia)> <tais meios não se aclimam aos seus objetivos>* □ *t.d.i. e pron.* **3** (prep. *a*) habituar(-se), acostumar(-se) *<a. as crianças às novas regras> <aclimaram-se rapidamente a acordar cedo>* ↺ desacostumar(-se)

aclimatar (a.cli.ma.tar) *v.* {mod. 1} *t.d.,t.d.i. e pron.* aclimar ~ **aclimatação** *s.f.*

aclive (a.cli.ve) *s.m.* subida, ladeira (considerada de baixo para cima)

acne (ac.ne) *s.f.* MED doença de pele causada por inflamação da cavidade onde nasce o pelo, com acúmulo de secreção sebácea, podendo causar, cravos, espinhas ou lesões avermelhadas

-aco *suf.* 'relativo a': *cardíaco, demoníaco, maníaco*

-aço *suf.* 'aumento': *inchaço, ricaço*

aço (a.ço) *s.m.* **1** liga de ferro e carbono **2** qualquer arma branca (faca, punhal etc.)

acoar (a.co.ar) *v.* {mod. 1} *SC RS* soltar latidos; ladrar • GRAM/USO só us. nas 3as p., exceto quando fig.

acobertar (a.co.ber.tar) *v.* {mod. 1} *t.d. e pron.* **1** pôr(-se) coberta, capa; cobrir(-se) *<acobertou o animal ferido> <acobertou-se com um xale>* **2** *fig.* manter(-se) seguro; resguardar(-se) *<a. os desabrigados> <acobertaram-se da chuva>* □ *t.d.* **3** manter em segredo; encobrir, esconder *<a. fraudes>* ~ **acobertamento** *s.m.*

acobrear (a.co.bre.ar) *v.* {mod. 5} *t.d. e pron.* **1** dar ou adquirir a cor do cobre *<a. uma peça de metal> <os talheres acobrearam-se>* □ *t.d.* **2** revestir com camada de cobre *<a. uma panela>*

acocorar (a.co.co.rar) *v.* {mod. 1} *t.d. e pron.* **1** pôr(-se) de cócoras; agachar(-se) *<acocorou-se para esperar>* **2** *fig.* rebaixar(-se), humilhar(-se)

açodar (a.ço.dar) *v.* {mod. 1} *t.d. e pron.* **1** aumentar velocidade, ritmo (de); acelerar(-se) *<a. o ritmo dos tambores>* **2** apressar(-se), precipitar(-se) *<a impaciência açodou-a> <açodou-se e pôs tudo a perder>* □ *t.d.* **3** instigar, atiçar (esp. cão) ~ **açodamento** *s.m.*

acoimar (a.coi.mar) *v.* {mod. 1} *t.d.* **1** fazer pagar multa **2** *p.ext.* castigar, punir *<a. os desobedientes>* □ *t.d.pred. e pron.* **3** atribuir(-se) [culpa, responsabilidade ou defeito] *<acoimou-os de desonestos> <insiste em a.-se de frágil>* ~ **acoimado** *adj.*

acoitar (a.coi.tar) *v.* {mod. 1} *t.d. e pron.* **1** abrigar (-se); proteger(-se) *<acoitaram os parentes> <acoitaram-se em barracas>* □ *t.d.,t.d.i. e pron.* **2** (prep. *de*) proteger(-se), amparar(-se) *<o país aceitou a. os refugiados> <não quis acoitá-lo da fúria dos perseguidores>* □ *t.d.* **3** esconder da justiça (infrator, criminoso)

açoitar (a.çoi.tar) *v.* {mod. 1} *t.d. e pron.* **1** golpear (-se) com açoite ou outro instrumento, como vara, chicote etc. *<açoitou os prisioneiros> <açoitavam-se como penitência>* □ *t.d.* **2** *fig.* chocar-se com ou ir de encontro a, com força ou violência *<as ondas do mar açoitavam a embarcação>* **3** *p.ext.* causar dor, morte, dano e/ou destruição a *<a miséria açoitava a população>* ~ **açoitador** *adj.s.m.* - **açoitamento** *s.m.*

açoite (a.çoi.te) *s.m.* **1** chicote **2** golpe aplicado com açoite; chicotada

acolá (a.co.lá) *adv.* em lugar afastado da pessoa que fala e de seu interlocutor; naquele lugar, lá, além, adiante

acolchoado (a.col.cho.a.do) *adj.* **1** revestido com forro macio ou com espuma ■ *s.m.* **2** colcha ou tecido de forro macio **3** *PR* cobertor de lã

acolchoar (a.col.cho.ar) *v.* {mod. 1} *t.d.* **1** forrar com colcha **2** rechear ou revestir com material macio, como espuma, lã etc. *<a. o sofá> <acolchoou a embalagem dos copos>* ~ **acolchoamento** *s.m.*

acolhedor (a.co.lhe.dor) /ô/ [pl.: *-es*] *adj.s.m.* (o) que oferece bom acolhimento; hospitaleiro *<ambiente a.>* ↺ inóspito

acolher (a.co.lher) *v.* {mod. 8} *t.d. e pron.* **1** dar ou obter refúgio, proteção ou conforto físico *<acolheu os vizinhos por uma noite> <a.-se debaixo de uma árvore>* ↺ abandonar **2** hospedar(-se), abrigar(-se) *<acolheu o cunhado durante a reforma da casa> <acolheram-se num hotel>* □ *t.d.* **3** reagir, receber *<a. mal as críticas>* **4** aceitar, atender a (pedidos, sugestões etc.) *<o juiz acolheu o pedido de pensão>* ~ **acolhimento** *s.m.*

acolhida (a.co.lhi.da) *s.f.* **1** maneira de receber ou de ser recebido; acolhimento, recepção *<o romance teve uma boa a. dos leitores>* ↺ desacolhida, rejeição **2** abrigo gratuito; hospitalidade ↺ inospitalidade **3** local seguro; abrigo, refúgio

acolitar (a.co.li.tar) *v.* {mod. 1} *t.d. e int.* **1** REL auxiliar em serviço religioso, na função de acólito □ *t.d.* **2** estar sempre próximo a (alguém), auxiliando-o; ajudar

acólito (a.có.li.to) *s.m.* **1** REL na Igreja católica, pessoa que auxilia o padre nas missas; sacristão **2** ajudante

acometer (a.co.me.ter) *v.* {mod. 8} *t.i,t.d.i,int. e pron.* **1** (prep. *contra*) [fazer] iniciar agressão, esp. com arma ou força física; atacar *<a. contra o adversário> <a raiva o acometeu contra o colega> <acometeram assim que foi dado o sinal>* □ *t.d.* **2** insultar, hostilizar *<usou gestos ofensivos para a. o professor>* **3** chocar-se com; abalroar *<o caminhão acometeu o táxi>* **4** tomar completamente; apossar-se de *<a ferrugem acometeu a fechadura>* □ *t.d. e int.* **5** afetar (alguém) de repente (doença, paixão, raiva etc.) *<a tristeza acometeu-o rapidamente> <a doença acometeu seus rins>* ~ **acometedor** *adj.s.m.*

A

acometida (a.co.me.ti.da) *s.f.* acometimento

acometimento (a.co.me.ti.men.to) *s.m.* **1** investida vigorosa; ataque **2** manifestação repentina (de uma doença, sentimento, desejo etc.) <*a. de raiva*> **3** esforço para obter algo difícil; empreendimento, tentativa

acomodação (a.co.mo.da.ção) [pl.: *-ões*] *s.f.* **1** ato de alojar(-se), de hospedar(-se); alojamento, hospedagem <*ofereceu a. para o viajante*> **2** divisão de um local; aposento, cômodo, dependência <*o hotel tinha excelentes a.*> ☞ mais us. no pl. **3** adaptação, adequação, conformidade ↺ desadaptação, inadaptação **4** ausência de ambição; conformismo, desinteresse <*sua a. a impede de aproveitar boas oportunidades*> ↺ ambição, interesse **5** GEOL movimento da crosta terrestre, com nivelamento ou superposição de camadas

acomodado (a.co.mo.da.do) *adj.* **1** convenientemente disposto; arrumado, organizado <*tem os livros a. na estante*> ↺ desorganizado **2** instalado, alojado, hospedado <*a. na casa dos pais*> ↺ desalojado **3** que aceita ou se submete a uma situação indesejada; conformado, resignado <*é um rapaz a., não briga por seus direitos*> ↺ inconformado, revoltado ■ *s.m.* **4** indivíduo que se acomodou <*não passa de um a.*>

acomodar (a.co.mo.dar) *v.* {mod. 1} *t.d.* **1** tornar cômodo; adaptar <*a. uma sala de estar*> **2** conter ou poder conter; comportar <*essa caixa acomoda dois sacos de biscoito*> **3** pôr em ordem; arrumar <*a. as roupas na gaveta*> □ *t.d.,t.d.i. e pron. fig.* **4** (prep. *em*) pôr(-se) em lugar ou posição confortável ou adequada <*parou para a. a criança (no colo)*> <*acomodou-se para ver o filme*> **5** (prep. *em*) instalar(-se), provisoriamente ou não, com relativo conforto <*a. os primos (no quarto do fundos)*> <*acomodou-se em um canto da sala*> ↺ desacomodar **6** *fig.* (prep. *a, com*) pôr(-se) em acordo ou harmonia; adequar(-se) <*a. opiniões divergentes*> <*acomodou a teoria aos fatos*> <*seus métodos não se acomodam com os nossos*> □ *pron.* **7** acostumar-se a, resignar-se com <*a.-se a uma situação injusta*>

acomodatício (a.co.mo.da.tí.cio) *adj.* que se acomoda com facilidade

acompadrar (a.com.pa.drar) *v.* {mod. 1} *t.d. e pron.* **1** (prep. *com*) tornar-se compadre (de) <*acompadrou o motorista*> <*acompadrou-se com o chefe*> □ *pron.* **2** *p.ext.* (prep. *com*) fazer alianças; aliar-se <*acompadrou-se com o prefeito*> □ *t.d.,t.d.i. e pron. p.ext.* **3** (prep. *com*) firmar relações de amizade (com) <*tentou acompadrá-los (com o síndico)*> <*não demoraram a a.-se*> ~ **acompadração** *s.f.*

acompanhador (a.com.pa.nha.dor) /ô/ [pl.: *-es*] *adj.s.m.* **1** acompanhante **2** MÚS (instrumentista) que acompanha cantor ou outro instrumentista

acompanhamento (a.com.pa.nha.men.to) *s.m.* **1** conjunto de pessoas que acompanha outra(s); cortejo, comitiva, séquito **2** aquilo que acompanha ou vem em seguida **2.1** guarnição de um prato de comida <*bife e batatas como a.*> **3** MED assistência ou supervisão de profissional a alguém que esteve sob seus cuidados <*sugeriu que tivesse o a. de um nutricionista*> **4** MÚS parte de composição musical (voz, instrumento) que assessora e complementa a melodia

acompanhante (a.com.pa.nhan.te) *adj.2g.s.2g.* **1** que(m) acompanha **2** que(m) faz companhia e dá assistência a pessoa idosa ou doente

acompanhar (a.com.pa.nhar) *v.* {mod. 1} *t.d.* **1** estar, ficar ou ir junto com <*acompanhou a família na viagem*> ↺ desacompanhar **2** ir na mesma direção de <*acompanhou o fluxo dos carros*> **3** deslocar-se na mesma velocidade que <*não conseguiu a. o líder da corrida*> **4** estar associado ou relacionado a <*chuvas acompanham a chegada da frente fria*> **5** ser complemento ou acessório de <*a salada acompanhou muito bem a carne*> <*a. o texto com figuras*> **6** observar o andamento, o progresso de <*a. uma obra*> **7** *fig.* prestar atenção a, entendendo o que é dito, pensado etc. <*a. um raciocínio*> **8** tomar consciência ou conhecimento de <*a. as notícias*> □ *t.d. e pron.* **9** MÚS seguir, com voz ou instrumento, a melodia <*a. cantores em suas apresentações*> <*quando canta, acompanha-se ao piano*> □ *pron.* **10** (prep. *de*) ter junto a si companhia, ajudante(s); cercar-se, rodear-se <*a.-se de bons profissionais*>

aconchegante (a.con.che.gan.te) *adj.2g.* que aconchega, acolhe agradavelmente; acolhedor, caloroso, cômodo <*ambiente a.*> ↺ des(a)conchegante, desagradável, incômodo

aconchegar (a.con.che.gar) *v.* {mod. 1} *t.d.,t.d.i. e pron.* **1** (prep. *a*) colocar(-se) próximo; achegar(-se) <*a. o bebê (ao peito) para aquecê-lo*> <*mal aconchegou-se à rede, começou a chover*> □ *t.d. e pron.* **2** posicionar(-se) confortavelmente; acomodar(-se) <*a. o corpo*> <*aconchegaram-se no sofá*> □ *t.d.* **3** tornar mais confortável <*a. um travesseiro*>

aconchego (a.con.che.go) /ê/ *s.m.* **1** proteção, acolhimento, amparo físico <*o a. de um abraço*> **2** comodidade, conforto <*o a. de sua casa*>

acondicionar (a.con.di.cio.nar) *v.* {mod. 1} *t.d.* **1** guardar em lugar ou em condições adequadas, esp. para conservação <*a. alimentos*> **2** embalar, empacotar <*acondicionaram a louça com muito cuidado*> **3** dotar de certa condição, índole, caráter <*a boa educação acondicionou sua vida*> ~ **acondicionamento** *s.m.*

aconselhar (a.con.se.lhar) *v.* {mod. 1} *t.d.,t.d.i.,int. e pron.* **1** (prep. *a*) dar ou pedir conselho(s) [a alguém] <*não tem experiência suficiente para a. (ninguém)*> <*aconselha a todos que bebam muita água*> <*aconselhou-se com amigos*> □ *t.d. e t.d.i.* **2** (prep. *a*) mostrar a necessidade ou conveniência de; sugerir <*aconselharam (a ele) um remédio caseiro*> ~ **aconselhamento** *s.m.*

aconselhável (a.con.se.lhá.vel) [pl.: *-eis*] *adj.2g.* que se deve ou pode aconselhar; conveniente, apropriado

acontecer (a.con.te.cer) *v.* {mod. 8} *t.i. e int.* **1** (prep. *a, com*) ser ou tornar-se realidade; ocorrer <*algo desagradável aconteceu com ele, por isso está tão triste*> <*a festa acontecerá, chova ou faça sol*> <*acidentes acontecem*> □ *int. fig. B infrm.* **2** ser objeto de atenção ou admiração, fazer sucesso <*a banda aconteceu*> ~ **acontecido** *adj.s.m.*

acontecimento (a.con.te.ci.men.to) *s.m.* **1** fato, evento **2** *fig. infrm.* pessoa ou fato que causa sensação; sucesso <*o disco foi um a.*>

acoplagem (a.co.pla.gem) [pl.: *-ens*] *s.f.* acoplamento

acoplamento (a.co.pla.men.to) *s.m.* **1** junção, encaixe *<a. de duas partes de um cano>* **2** junção, no espaço, de duas astronaves, ou de uma astronave e uma estação espacial, para abastecimento ou outro serviço

acoplar (a.co.plar) *v.* {mod. 1} *t.d.,t.d.i. e pron.* **1** (prep. *a*) juntar(-se) fisicamente num único conjunto *<a. dois circuitos elétricos> <a. um sistema a outro> <os módulos espaciais acoplaram-se perfeitamente>* **2** (prep. *a, com*) estabelecer ou apresentar vínculo ou compatibilidade *<a. novas estratégias de venda a pesquisas de mercado> <os esforços da equipe acoplam-se com os objetivos da chefia>*

acórdão (a.cór.dão) [pl.: *-ãos*] *s.m.* DIR sentença definitiva dada por tribunal

[1]**acordar** (a.cor.dar) *v.* {mod. 1} *t.d.,t.i.,t.d.i. e pron.* **1** (prep. *a, com, sobre*) [fazer] ficar em acordo, em harmonia; conciliar(-se), concordar *<a. opiniões contrárias> <a. os atos às intenções> <a raiva entre eles é tanta, que jamais irão acordar-se>* □ *t.d. e t.i.* **2** (prep. *com*) admitir como verdadeiro ou legítimo *<acordou ser real a notícia> <acordaram com os argumentos>* **3** (prep. *com*) consentir, permitir *<não puderam a. (com) tal desrespeito>* ↺ proibir **4** (prep. *em*) decidir ou resolver conjuntamente *<a. um contrato> <acordaram (em) adiar a reunião>* □ *t.d.,t.i. e pron.* **5** (prep. *em*) resolver (-se), decidir(-se) individualmente *<acordou (em) atendê-la> <afinal acordou-se quanto à viagem>* ◉ ORIGEM de um lat. **accordāre*, de *concordāre* 'estar de acordo'

[2]**acordar** (a.cor.dar) *v.* {mod. 1} *t.d.,t.d.i.,t.i. e int.* **1** (prep. *de*) [fazer] sair do sono ou recobrar os sentidos; despertar *<acordou-a para ir à escola> <acordou a avó de um desmaio> <a. de um pesadelo> <só acorda depois de tomar café>* □ *t.d. fig.* **2** tornar mais ativo, intenso; avivar *<a batucada acordou o ambiente>* □ *t.d. e t.d.i. fig.* **3** (prep. *em*) provocar (emoção, sentimento) [em alguém] *<os gritos acordaram a reação (no time)>* ◉ ORIGEM do *adj. acordado* 'prudente, sensato', do lat. *cordātus*, de *cor* 'coração'

acorde (a.cor.de) *adj.2g.* **1** que está de acordo; conforme ■ *s.m.* MÚS **2** execução simultânea de duas ou mais notas musicais

acordeão (a.cor.de.ão) [pl.: *-ões*] ou **acordeom** (a.cor.de.om) [pl.: *-ons*] *s.m.* MÚS instrumento musical portátil que tem, de um lado, um pequeno teclado e, do outro, uma série de botões e é dotado de um fole que faz vibrar palhetas de metal; sanfona

acordeonista (a.cor.de.o.nis.ta) *adj.2g.s.2g.* MÚS que(m) toca acordeão

acordo (a.cor.do) /ô/ *s.m.* **1** entendimento recíproco **2** ajuste formal; pacto, convenção *<um a. entre os países encerrou a guerra>* **3** permissão, consentimento *<viajou com o a. dos pais>* ▣ **a. de cavalheiros** entendimento garantido pela palavra, com base na confiança entre as partes, que dispensa formalidades legais • **de a. com** conforme, segundo *<de a. com o manual, a bateria dura três dias>* • **de comum a.** com a concordância de todos • **estar de a.** ser da mesma opinião; concordar

açoriano (a.ço.ri.a.no) *adj.* **1** do arquipélago português dos Açores ■ *s.m.* **2** natural ou habitante dessas ilhas

acoroçoar (a.co.ro.ço.ar) *v.* {mod. 1} *t.d.,t.d.i. e pron.* (prep. *a*) [fazer] sentir coragem, ânimo *<o bom resultado acoroçoou o atleta (a continuar)> <há de a.-se quando for reconhecido>* ↺ desanimar(-se), amedrontar(-se)

acorrentar (a.cor.ren.tar) *v.* {mod. 1} *t.d.,t.d.i. e pron.* **1** (prep. *a*) prender(-se) com corrente; amarrar(-se) *<acorrentou-os (à parede)> <o mágico acorrentava-se e escapava logo depois>* **2** *fig.* (prep. *a*) pôr(-se) na dependência forçada de; sujeitar(-se) *<a. a produção agrícola (ao mercado externo)> <acorrentou-se ao passado>* ~ **acorrentamento** *s.m.*

acorrer (a.cor.rer) *v.* {mod. 8} *t.d.,t.i. e int.* (prep. *a*) ir ou vir em auxílio de; acudir, socorrer *<a. os necessitados> <acorreu aos doentes com a vacina> <são os verdadeiros amigos que acorrem nos momentos difíceis>* ~ **acorrimento** *s.m.*

acossar (a.cos.sar) *v.* {mod. 1} *t.d.* **1** perseguir, caçar *<a. o animal selvagem>* **2** machucar, ferir (física e moralmente) *<os espinhos acossavam seu corpo>* **3** *fig.* perturbar insistentemente; atormentar *<jornalistas acossavam-na>* ~ **acossador** *adj.s.m.*

acostamento (a.cos.ta.men.to) *s.m.* faixa lateral de uma rodovia, destinada a paradas de emergência dos veículos

acostar (a.cos.tar) *v.* {mod. 1} *t.d.,t.d.i. e pron.* **1** (prep. *a*) [fazer] tocar a superfície de *<a. a estante (à parede)> <acostou-se à porta para não cair>* **2** MAR encostar ou atracar (navio) junto a (cais, outra embarcação) *<a. a embarcação (ao cais)> <o barco de salvamento acostou-se ao navio>* □ *t.i,t.d.i, int. e pron.* **3** (prep. *a, contra, em*) pôr(-se) junto ou próximo a; encostar(-se) *<o carro acostou (na margem da estrada)> <acostou a orelha à porta para ouvir a conversa> <acostou-se contra a parede>* ~ **acostado** *adj.*

acostumado (a.cos.tu.ma.do) *adj.* **1** que age habitualmente de determinada maneira; habituado *<cão a. a fazer xixi na rua>* ↺ desabituado, desafeito, desacostumado **2** condicionado por estímulos externos; adaptado *<a. às dificuldades da vida>* ↺ desadaptado **3** costumeiro, habitual *<brincadeira a. entre velhos amigos>* ↺ incomum

acostumar (a.cos.tu.mar) *v.* {mod. 1} *t.d.,t.i.,t.d.i. e pron.* **1** (prep. *a, com*) [fazer] agir de certo modo, com regularidade ou frequência; habituar(-se) *<acostumou os filhos ao trabalho> <acostumou (-se) rápido com o ambiente>* □ *t.d.i. e pron.* **2** (prep. *a*) adaptar (-se), ajustar(-se) *<a. a vista à escuridão> <a.-se ao frio>*

acotovelar (a.co.to.ve.lar) *v.* {mod. 1} *t.d.* **1** tocar ou golpear com o cotovelo □ *pron.* **2** dar cotoveladas ou esbarrões recíprocos; empurrar-se *<todos acotovelaram-se na saída>*

açougue (a.çou.gue) *s.m.* lugar onde se vendem carnes

açougueiro (a.çou.guei.ro) *s.m.* **1** dono ou funcionário de açougue **2** *fig. B infrm. pej.* mau cirurgião; carniceiro

acovardar (a.co.var.dar) *v.* {mod. 1} *t.d. e pron.* **1** tornar(-se) covarde; intimidar(-se) *<a arma do policial acovardou o assaltante> <acovardou-se quando viu o precipício>* **2** *fig.* (fazer) perder o ânimo, a disposição *<nem a chuva acovardava o corredor> <acovardou-se quando soube o número de candidatos>* ~ **acovardamento** *s.m.*

[1]**acre** (a.cre) *adj.2g.* **1** azedo **2** *fig.* que não é amável; áspero, ríspido *<aquele autor tem um humor a.>* • GRAM/USO sup.abs.sint.: *acríssimo, acérrimo* • ORIGEM do lat. *acer,acris,acre* 'id.' ~ **acridade** *s.f.* - **acridez** *s.f.*

[2]**acre** (a.cre) *s.m.* unidade de medida agrária • ORIGEM do ing. *acre* 'campo; medida agrária'

acreditado (a.cre.di.ta.do) *adj.* **1** que é aceito como possível ou verdadeiro *<informação a.>* **2** que se considera provável ou possível; crível, plausível ↺ improvável, inacreditável **3** bem conceituado, digno de confiança; confiável, qualificado, respeitado *<profissional a.>*

acreditar (a.cre.di.tar) *v.* {mod. 1} *t.i. e int.* **1** (prep. *em*) tomar por verdadeiro; crer *<a. no amor dos pais> <jurou, mas não acreditamos>* ↺ descrer □ *t.i.* **2** (prep. *em*) ter confiança; crer *<acredita apenas no amigo de infância>* ↺ descrer, desconfiar **3** (prep. *em*) ter esperança; confiar *<a. na vitória>* □ *t.d.* **4** credenciar (alguém) para representar país ou instituição (perante país estrangeiro ou outra instituição) *<a. um diplomata>* □ *t.d. e t.d.pred.* **5** pensar, sem ter certeza; julgar, supor *<acredita que voltará a encontrá-lo> <acreditam fundamental a sua ajuda>* ~ **acreditável** *adj.2g.*

acrescentar (a.cres.cen.tar) *v.* {mod. 1} *t.d.,t.d.i. e pron.* **1** (prep. *a*) tornar(-se) maior em tamanho, número, força, extensão; aumentar *<acrescentaram 40 lugares (ao auditório)> <a pobreza acrescentou-se no período de guerra>* **2** (prep. *a*) juntar (uma coisa) [a outra]; adicionar(-se) *<ao final, acrescentou os agradecimentos> <a. chocolate ao leite> <acrescentava-se à competência muita disposição>* □ *t.d. e t.d.i.* **3** adicionar informações para esclarecer ou completar; aditar *<acrescentou que voltaria muito tarde> <a. detalhes a uma história>* ~ **acrescentador** *adj.s.m.* - **acrescentamento** *s.m.*

acrescer (a.cres.cer) *v.* {mod. 8} *t.d.,t.d.i. e int.* **1** (prep. *de, a*) [fazer] crescer, esp. pela adição de elementos; aumentar, acrescentar *<pretende a. a casa de dois quartos> <com o tempo, a amizade acresce>* □ *t.i.,t.d.i. e pron.* **2** (prep. *a*) juntar-se (uma coisa) [a outra]; acrescentar(-se) □ *t.i.,int. e pron.* **3** (prep. *a*) ser condição ou fato complementar a ser considerado *<acresce (a isso) que foi impossível convencê-lo>*

acréscimo (a.crés.ci.mo) *s.m.* o que se acrescenta; adição, aumento

acriano (a.cri.a.no) *adj.* **1** do Acre ■ *s.m.* **2** natural ou habitante desse estado

acridoce (a.cri.do.ce) /ô/ *adj.2g.s.m.* agridoce

acrílico (a.crí.li.co) *s.m.* **1** resina sintética transparente ■ *adj.* **2** feito de ou com propriedades dessa resina *<caixa a.>*

acrimônia (a.cri.mô.nia) *s.f.* **1** azedume **2** tratamento indelicado; aspereza, rispidez *<tratava o porteiro com a.>* ~ **acrimonioso** *adj.*

acrisolar (a.cri.so.lar) *v.* {mod. 1} *t.d.* **1** tirar as impurezas de (metal precioso) □ *t.d. e pron. fig.* **2** tornar(-se) melhor; aperfeiçoar(-se) *<seu estilo de escrever acrisolou-se>* **3** purificar(-se) moralmente pelo sofrimento

acrobacia (a.cro.ba.ci.a) *s.f.* **1** exercício executado por acrobata **2** *fig.* manobra audaciosa *<fez quase uma a. para voltar à pista>*

acrobata (a.cro.ba.ta) *s.2g.* artista que realiza exercícios de agilidade e força em espetáculos ou competições

acrobático (a.cro.bá.ti.co) *adj.* relativo a acrobata ou acrobacia

acrofobia (a.cro.fo.bi.a) *s.f.* MED pânico de altura ~ **acrofóbico** *adj.s.m.* - **acrófobo** *adj.s.m.*

acromático (a.cro.má.ti.co) *adj.* **1** sem cor **2** que não distingue as cores ~ **acromatismo** *s.m.*

acromegalia (a.cro.me.ga.li.a) *s.f.* MED crescimento exagerado das extremidades do corpo (pés, mãos, rosto) ~ **acromegálico** *adj.s.m.*

acrônimo (a.crô.ni.mo) *adj.s.m.* (palavra) que se forma com as iniciais ou sílabas de uma locução, frase etc. (p.ex., *Sudam* = *Su*perintendência do *De*senvolvimento da *Am*azônia)

acrópole (a.cró.po.le) *s.f.* local mais alto das antigas cidades gregas, que servia de cidadela

acróstico (a.crós.ti.co) *s.m.* LIT poesia em que as letras iniciais de cada verso, quando lidas verticalmente, formam uma palavra ou frase • GRAM/USO tb. us. como adj.

actiniídeo (ac.ti.ni.í.deo) *s.m.* QUÍM qualquer elemento da família dos actiniídeos, que, na *tabela periódica*, vai de actínio a laurêncio ☞ cf. *tabela periódica* (no fim do dicionário) • GRAM/USO tb. us. como adj.

actínio (ac.tí.nio) *s.m.* QUÍM elemento químico radioativo [símb.: *Ac*] ☞ cf. *tabela periódica* (no fim do dicionário)

acuar (a.cu.ar) *v.* {mod. 1} *t.d.* **1** levar (caça) a local ou situação de fuga impossível; encurralar *<acuaram a onça> <a. um fugitivo>* □ *int.* **2** empacar (animal) *<a mula acuou>* □ *t.d. e pron. fig.* **3** (fazer) ficar sem saída, sem alternativa; inibir(-se) *<acuaram-no e teve de confessar o crime> <os políticos acuaram-se diante dos fatos>* ~ **acuação** *s.f.* - **acuamento** *s.m.*

açúcar (a.çú.car) [pl.: *-es*] *s.m.* **1** substância doce obtida esp. da cana-de-açúcar e da beterraba; sacarose **2** QUÍM nome genérico dado a carboidratos de sabor doce e que dissolvem em água, como sacarose, frutose, glicose

açucarar (a.çu.ca.rar) *v.* {mod. 1} *t.d.* **1** temperar ou cobrir com açúcar □ *t.d.,int. e pron.* **2** converter(-se) em açúcar (mel, calda) *<o mel açucarou(-se) em pouco tempo>* □ *t.d. e pron. fig.* **3** tornar(-se) agradável, suave (tom, palavra, discurso); suavizar(-se) *<a. a voz para falar com a namorada> <seu discurso açucarou-se, pois temia a reação do público>*

açúcar-cande (a.çú.car-can.de) [pl.: *açúcares-cande* e *açúcares-candes*] *s.m.* açúcar formado pela cristalização da sacarose

açucareiro (a.çu.ca.rei.ro) *s.m.* **1** pote para guardar e servir açúcar ■ *adj.* **2** relativo a açúcar ou cana-de-açúcar <*indústria a.*>

açucena (a.çu.ce.na) *s.f.* BOT planta ornamental e sua flor, apreciada pelo perfume

açude (a.çu.de) *s.m.* **1** CONSTR barragem **2** lago que se forma por represamento

acudir (a.cu.dir) *v.* {mod. 29} *t.d.,t.i. e int.* **1** (prep. *a*) pôr-se à disposição de (alguém em dificuldade); ajudar, socorrer <*a. os amigos*> <*o médico acudiu ao doente*> <*a polícia foi chamada e logo acudiu*> □ *t.i. e int.* **2** (prep. *a*) atender ou obedecer a (pedido, convite, ordem etc.) <*a. à convocação*> <*chamados, todos acudiram*> □ *t.i. e pron.* **3** (prep. *a, de*) recorrer, valer-se <*leu o livro sem a.-se do dicionário*>

acuidade (a.cui.da.de) *s.f.* **1** qualidade do que é agudo **2** grande capacidade de percepção <*a. visual*>

açular (a.çu.lar) *v.* {mod. 1} *t.d. e t.d.i.* **1** (prep. *contra*) atiçar (cão) a morder, atacar **2** *p.ext.* (prep. *contra*) provocar, irritar <*a. a torcida (contra o time adversário)*> **3** *p.ext.* (prep. *a*) estimular, incentivar <*a recompensa açulou-o (a prosseguir)*> ~ **açulamento** *s.m.*

acúleo (a.cú.leo) *s.m.* **1** BOT estrutura vegetal dura e pontiaguda que cresce na superfície de certas plantas e pode ser arrancada sem ferir muito a planta ☞ cf. *espinho* **2** ZOO estrutura dura presente nas nadadeiras ou no corpo de vários peixes **3** ZOO ferrão ou espinho de animais **4** *p.ext.* ponta aguçada

aculturação (a.cul.tu.ra.ção) [pl.: *-ões*] *s.f.* ANTRPOL adaptação de um indivíduo ou grupo a uma cultura diferente ~ **aculturar** *v.t.d. e pron.*

acumulação (a.cu.mu.la.ção) [pl.: *-ões*] *s.f.* **1** conjunto ou volume de coisas reunidas; acúmulo, amontoamento **2** GEOL sedimentação

acumulada (a.cu.mu.la.da) *s.f.* **1** sorteio de loteria em que se acumulam os prêmios de apostas anteriores, em que não houve vencedor **2** no turfe, aposta num só jogo em cavalos de vários páreos

acumulador (a.cu.mu.la.dor) /ô/ [pl.: *-es*] *adj.s.m.* **1** (o) que acumula ■ *s.m.* **2** FISQUÍM dispositivo capaz de transformar, de forma reversível, energia química em energia elétrica

acumular (a.cu.mu.lar) *v.* {mod. 1} *t.d.,t.d.i. e pron.* **1** (prep. *em, sobre*) reunir(-se) ordenada ou desordenadamente; amontoar(-se), empilhar(-se) <*a. camadas (sobre camadas)*> <*os papéis acumulavam-se na estante*> **2** (prep. *sobre*) realizar(-se) sucessivamente <*a. feitos heroicos*> <*acumula decepções sobre decepções*> <*as críticas acumulavam-se, mas não desistiu*> □ *t.d. e pron.* **3** juntar(-se), reunir(-se) <*o aluno acumulou muitas informações para seu trabalho*> <*os motoristas de ônibus se acumularam na porta da garagem*> ℧ dispersar(-se) □ *t.d. e t.d.i.* **4** (prep. *a, com*) exercer (cargos, funções) simultaneamente <*devido aos baixos salários, muitos profissionais acumulam empregos*> <*acumula a função de secretário com a de redator*> □ *t.d. e int.* **5** juntar (dinheiro ou riquezas); poupar <*trabalha muito, mas não consegue acumular*> ~ **acumulativo** *adj.*

acúmulo (a.cú.mu.lo) *s.m.* acumulação

acupuntura (a.cu.pun.tu.ra) *s.f.* MED ramo da medicina tradicional chinesa que introduz agulhas muito finas em determinados pontos do corpo do paciente para tratá-lo

acupunturista (a.cu.pun.tu.ris.ta) *adj.2g.s.2g.* MED que ou aquele que pratica ou é especialista em acupuntura

acurar (a.cu.rar) *v.* {mod. 1} *t.d.* **1** cuidar de (alguém ou algo) com dedicação, atenção □ *t.d. e pron.* **2** aprimorar(-se), aperfeiçoar(-se) <*a.-se em culinária nordestina*>

acusação (a.cu.sa.ção) [pl.: *-ões*] *s.f.* **1** atribuição de culpa ou crime **2** crítica desfavorável do comportamento de alguém <*ficou triste com as a. de preguiçoso*> **3** DIR advogado da parte que acusa <*a a. interrogou o réu por várias horas*>

acusado (a.cu.sa.do) *adj.* **1** que foi alvo de acusação; incriminado, indiciado ℧ inocentado **2** posto a descoberto; denunciado, revelado <*as falhas foram acusadas pelo sistema do banco*> ■ *s.m.* **3** pessoa que é alvo de acusação **4** DIR réu em processo judicial

acusar (a.cu.sar) *v.* {mod. 1} *t.d.,t.d.i.,int. e pron.* **1** (prep. *de*) atribuir (falta, crime) [a alguém ou si próprio]; culpar(-se) <*acusou o vizinho (de machucar seu gato)*> <*não se deve a. sem provas*> <*o adolescente achou melhor se a.*> □ *t.d.pred.* **2** (prep. *de*) qualificar, tachar <*acusou o político de corrupto*> □ *t.d.* **3** *fig.* tornar conhecido; mostrar <*a radiografia acusou a fratura*> **4** notificar, confirmar (recepção de carta, ofício etc.) <*acusaram o recebimento do convite*> ~ **acusador** *adj.s.m.*

acusativo (a.cu.sa.ti.vo) *adj.* relativo a acusação

acústica (a.cús.ti.ca) *s.f.* **1** FÍS estudo dos sons **2** qualidade de um local do ponto de vista da propagação do som <*um teatro com boa a.*>

acústico (a.cús.ti.co) *adj.* **1** relativo ao som ou à acústica <*isolamento a.*> **2** relativo à audição ou ao ouvido **3** MÚS que não envolve meios eletrônicos <*contrabaixo a.*>

acutângulo (a.cu.tân.gu.lo) *adj.* GEOM que tem todos os ângulos agudos ~ **acutangulado** *adj.* - **acutangular** *adj.2g.*

ad- *pref.* → [1]*A-*

-ada *suf.* **1** 'coleção': *bicharada, boiada* **2** 'porção contida em': *colherada* **3** 'produto alimentício': *laranjada, macarronada* **4** 'ação ou resultado da ação': *caminhada, facada, largada*

adaga (a.da.ga) *s.f.* espada curta e larga, de um ou dois gumes

[1]**adágio** (a.dá.gio) *s.m.* MÚS composição musical ou movimento de uma composição em andamento lento ◉ ORIGEM do it. *adagio* 'devagar, lentamente'

[2]**adágio** (a.dá.gio) *s.m.* frase moral de origem popular; provérbio ◉ ORIGEM do lat. *adagĭum,i* 'id.'

adamantino (a.da.man.ti.no) *adj.* semelhante ao diamante

adamascado (a.da.mas.ca.do) *adj.* **1** que apresenta relevo semelhante ao damasco ('tecido') **2** da cor ou do sabor do damasco ('fruto') ~ **adamascar** *v.t.d.*

adaptação (a.dap.ta.ção) [pl.: *-ões*] *s.f.* **1** acomodação, ambientação *<não foi fácil a a. à nova cidade>* **2** conversão de uma obra escrita a outro meio de comunicação *<a a. do romance para o cinema foi muito elogiada>*

adaptador (a.dap.ta.dor) /ô/ [pl.: *-es*] *adj.s.m.* **1** que(m) adapta **2** ELETR (dispositivo) que pode associar dois sistemas elétricos ou eletrônicos

adaptar (a.dap.tar) *v.* {mod. 1} *t.d.i. e pron.* **1** (prep. *a*) pôr(-se) de acordo, em harmonia; ajustar(-se), adequar(-se) *<adaptou a blusa às suas medidas> <adaptaram-se bem à nova escola>* □ *t.d. e t.d.i.* **2** (prep. *a, para*) adequar (obra escrita) [a outro público, veículo de comunicação] *<a. um romance (para a televisão)>* ~ **adaptável** *adj.2g.*

adega (a.de.ga) *s.f.* **1** local onde se guardam vinhos e outras bebidas **2** *p.ext.* coleção de vinhos e outras bebidas **3** estabelecimento onde se servem bebidas, esp. vinhos, e iguarias

adejar (a.de.jar) *v.* {mod. 1} *int.* **1** agitar as asas durante voo **2** dar pequenos e repetidos voos ☞ nas duas acp., só us. nas 3ªs p., exceto quando fig. □ *t.d. e int.* **3** mover ou agitar, como o bater de asas; abanar *<a. os braços>* ~ **adejo** *s.m.*

adelgaçar (a.del.ga.çar) *v.* {mod. 1} *t.d.,int. e pron.* **1** tornar(-se) delgado, estreito; afinar(-se) *<a obra adelgaçou a calçada> <a perna engessada adelgaçava(-se) dia após dia>* □ *t.d. e pron.* **2** emagrecer ~ **adelgaçado** *adj.* - **adelgaçamento** *s.m.*

ademais (a.de.mais) *adv.* além disso, além do mais

ademane (a.de.ma.ne) *s.m.* gesto com as mãos; trejeito ☞ mais us. no pl.

adendo (a.den.do) *s.m.* ou **adenda** (a.den.da) *s.f.* aquilo que se junta (a uma obra escrita) *<fazer um a. ao relatório>*

adenocarcinoma (a.de.no.car.ci.no.ma) *s.m.* MED tumor maligno de um tecido glandular

adenoide (a.de.noi.de) /ói/ *adj.2g.* **1** em forma de glândula ■ *s.f.* **2** tecido dos gânglios linfáticos entre as fossas nasais e a garganta **3** MED desenvolvimento excessivo desse tecido ☞ mais us. no pl. nessas duas acp.

adenoma (a.de.no.ma) *s.m.* MED tumor, ger. benigno, cuja estrutura se assemelha à das glândulas

adenovírus (a.de.no.ví.rus) *s.m.2n.* MED vírus encontrado no tecido adenoide e responsável por infecções respiratórias agudas

adensar (a.den.sar) *v.* {mod. 1} *t.d.,int. e pron.* **1** tornar(-se) mais espesso, compacto *<o excesso de açúcar adensou o leite> <pouco a pouco, a escuridão adensava> <as nuvens adensavam-se>* □ *pron.* **2** acumular-se, formando ajuntamento compacto *<adensava-se a multidão em volta do palácio>* □ *t.d. e pron.* **3** tornar(-se) saturado; impregnar(-se) *<o cheiro de desinfetante adensava o ambiente> <o ar do quarto adensou-se com o perfume do jardim>*

adentrar (a.den.trar) *v.* {mod. 1} *t.d.,int. e pron.* entrar, penetrar em *<conversaram e decidiram a. (o salão)> <adentraram-se na floresta>* ~ **adentramento** *s.m.*

adentro (a.den.tro) *adv.* em direção ao interior de *<entrar casa a.>*

adepto (a.dep.to) *adj.s.m.* que(m) segue uma escola, doutrina, hábito; partidário, seguidor *<a. da igualdade social>*

adequado (a.de.qua.do) *adj.* **1** que está em perfeita conformidade com algo; adaptado, ajustado **2** próprio para determinado uso ou fim; apropriado, conveniente, oportuno *<roupa a. à ocasião> <não é a. gritar em sala de aula>* ↺ incompatível, inconveniente

adequar (a.de.quar) *v.* {mod. 3} *t.d.i. e pron.* **1** (prep. *a*) pôr(-se) ou estar ajustado, em harmonia; adaptar(-se), combinar *<adequou uma buzina nova ao carro> <tentava a.-se aos horários dos colegas>* **2** (prep. *a*) tornar(-se) conveniente, próprio *<adequava suas roupas ao gosto da namorada> <o local do escritório adequou-se ao trajeto do ônibus>* ~ **adequação** *s.f.*

adereçar (a.de.re.çar) *v.* {mod. 1} *t.d. e pron.* enfeitar(-se), adornar(-se) *<a. a mesa de jantar> <adereçou-se antes de sair>* ~ **adereçamento** *s.m.*

adereço (a.de.re.ço) /ê/ *s.m.* **1** enfeite, adorno **2** REC.AV acessório que compõe a cena de teatro, cinema etc. **3** *B* objeto levado ger. na mão de componentes de escolas de samba, blocos de carnaval etc., e que complementa a fantasia ▼ ***adereços*** *s.m.pl.* **4** elementos que complementam uma roupa, como joias, bijuterias, chapéus etc. **5** arreios de cavalo

aderência (a.de.rên.cia) *s.f.* **1** característica ou propriedade do que é aderente *<azulejos não têm boa a.>* **2** adesão de uma coisa a outra(s); junção *<forte a. da etiqueta à embalagem>* ↺ descolamento **3** força de contato entre os pneus de um veículo e o solo *<a superfície molhada dificulta a a.>* **4** MED união congênita ou acidental de superfícies ou tecidos do corpo *<descobriram duas a. em seu intestino>*

aderente (a.de.ren.te) *adj.2g.s.2g.* **1** (o) que é pegajoso, adesivo *<substância a.> <papel a.>* **2** que(m) aceitou uma ideia ou credo; adepto, seguidor

aderir (a.de.rir) *v.* {mod. 28} *t.i. e int.* **1** (prep. *a*) tornar-se aderente; grudar, colar *<a fuligem aderia à pele> <aquele tecido adere>* □ *t.i.* **2** (prep. *a*) tornar-se adepto (de causa, seita, partido etc.) *<pediram que aderisse ao novo partido>* **3** (prep. *a*) apoiar (pessoa, causa etc.) **4** (prep. *a*) adaptar-se a (local, situação etc.) *<a. à nova terra>* □ *t.d.i.* **5** (prep. *a*) juntar, unir *<a. nova peça ao motor>*

adernar (a.der.nar) *v.* {mod. 1} *t.d. e int.* MAR inclinar(-se) [embarcação] sobre um dos lados; virar *<a grande onda adernou a canoa> <a carga fazia o barco a.>* ~ **adernamento** *s.m.*

adesão (a.de.são) [pl.: *-ões*] *s.f.* ação de aderir

adesionismo (a.de.sio.nis.mo) *s.m.* costume de aderir imediatamente a ideias ou práticas novas; adesismo ~ **adesionista** *adj.2g.s.2g.*

adesismo (a.de.sis.mo) *s.m.* adesionismo ~ **adesista** *adj.2g.s.2g.*

adesivo (a.de.si.vo) *adj.* **1** que gruda, adere *<plástico a.>* ■ *s.m.* **2** objeto colante (fita, papel, plástico etc.) *<encheu o caderno de a. brilhantes>* **3** substância que cola *<use um a. para pregar a flor na toalha>*

adestrador (a.des.tra.dor) /ô/ [pl.: *-es*] *adj.s.m.* que(m) adestra; amestrador, treinador *<contrataram um a. para seu cachorro>*

adestrar (a.des.trar) *v.* {mod. 1} *t.d. e pron.* **1** tornar(-se) capaz, hábil; preparar(-se) *<os atletas adestraram-se sozinhos>* □ *t.d.* **2** ensinar (animais) a ter certas habilidades; treinar ~ **adestramento** *s.m.*

adeus (a.deus) *interj.* **1** expressão de despedida ■ *s.m.* **2** separação *<chorou por causa do a.>*

adiamento (a.di.a.men.to) *s.m.* transferência para uma ocasião posterior *<o a. da prova daria mais tempo para ele estudar>*

adiantamento (a.di.an.ta.men.to) *s.m.* **1** movimento para a frente; avanço **2** aceleração *<o a. do trabalho será recompensado>* **3** progresso, desenvolvimento *<a. da turma>* ↺ atraso **4** pagamento antecipado de parte de um total *<pediu um a. para comprar tintas>*

adiantar (a.di.an.tar) *v.* {mod. 1} *t.d. e pron.* **1** movimentar(-se) para diante; avançar *<a. o relógio> <adiantou-se e deixou o grupo para trás>* □ *t.d.* **2** apressar ou antecipar a execução, a realização de *<a. uma tarefa>* □ *t.d. e t.d.i.* **3** (prep. *a*, *para*) fazer acontecer ou anunciar antes *<adiantou o encontro (para a manhã)> <adiantou (ao irmão) a decisão do pai>* **4** (prep. *a*) pagar com antecipação (parte ou todo) □ *int.* **5** trazer proveito, benefício; valer a pena *<recorrer à violência não adianta>* **6** trabalhar (o relógio) mais depressa que o normal

adiante (a.di.an.te) *adv.* **1** na frente; à frente; antes *<o capitão é aquele que está a. do time> <a padaria fica ali a.>* **2** *fig.* à etapa seguinte de uma ação que se desenvolve ou foi interrompida *<tossiu e seguiu a. com a aula>* ■ *interj.* **3** exprime incentivo, estímulo *<a. com esta leitura>*

adiar (a.di.ar) *v.* {mod. 1} *t.d.* deixar para outro dia, marcar para depois; transferir, postergar *<a. festa, encontro, reunião>* ↺ antecipar ~ **adiável** *adj.2g.*

adição (a.di.ção) [pl.: *-ões*] *s.f.* **1** MAT operação aritmética que une em um único número unidades ou frações de unidades; soma **2** acréscimo *<a a. de açúcar estragou a receita>*

adicional (a.di.cio.nal) [pl.: *-ais*] *adj.2g.s.2g.* **1** (o) que se acrescenta *<pôs uma cama a. no quarto>* ■ *s.m.* **2** gratificação salarial *<recebe um a. por trabalhar à noite>* **3** cobrança extra *<teve de pagar um a. pela entrega do móvel>*

adicionar (a.di.cio.nar) *v.* {mod. 1} *t.d.i.* **1** (prep. *a*) juntar (alguma coisa) [a outra]; acrescentar *<a. uma cadeira à mesa da sala>* □ *t.d. e int.* **2** MAT realizar a adição; somar

adido (a.di.do) *s.m.* funcionário com cargo especial numa embaixada de seu país no estrangeiro

adimplência (a.dim.plên.cia) *s.f.* DIR cumprimento de uma obrigação ↺ inadimplência

adimplente (a.dim.plen.te) *adj.2g.s.2g.* DIR que(m) cumpre com uma obrigação *<está a. com os impostos>* ↺ inadimplente

adiposo (a.di.po.so) /ô/ [pl. e fem.: /ó/] *adj.* **1** muito gordo ou obeso **2** ANAT que contém ou é formado por gordura (diz-se de tecido) ~ **adiposidade** *s.f.*

adir (a.dir) *v.* {mod. 24} *t.d.i.* **1** (prep. *a*) juntar, acrescentar *<a. novas ideias ao projeto>* □ *pron.* **2** (prep. *a*) pôr-se junto; agregar-se *<a.-se aos rebeldes>* ◉ GRAM/USO verbo defectivo

aditamento (a.di.ta.men.to) *s.m.* adendo, complementação (em um documento) *<fizeram um a. ao contrato de aluguel>*

aditar (a.di.tar) *v.* {mod. 1} *t.d.,t.d.i. e int.* **1** (prep. *a*) fazer acréscimo(s) [a]; adicionar *<corrigiu o texto sem a. nenhuma palavra> <aditou duas obras à biblioteca> <ao rever o texto, mais cortava do que aditava>* □ *pron. p.ext.* **2** (prep. *a*) pôr-se junto; ligar-se *<aditou-se ao grupo para realizar o trabalho>*

aditiva (a.di.ti.va) *s.f.* GRAM ver ***CONJUNÇÃO ADITIVA***

aditivo (a.di.ti.vo) *adj.s.m.* **1** (o) que se acrescenta ■ *s.m.* **2** QUÍM substância acrescentada a outra para modificar-lhe as propriedades *<prefere gasolina sem a.>*

adivinha (a.di.vi.nha) *s.f.* **1** RECR pergunta que exige resposta criativa; enigma, adivinhação *<propôs uma a. para as crianças>* **2** mulher que pode prever o futuro

adivinhar (a.di.vi.nhar) *v.* {mod. 1} *t.d.* **1** desvendar ou conhecer (fatos ocultos) por meios sobrenaturais ou por intuição *<a. o futuro>* **2** descobrir por suposição ou por acaso *<adivinhou que ganharia uma bicicleta>* ~ **adivinhação** *s.f.*

adivinho (a.di.vi.nho) *s.m.* vidente

adjacência (ad.ja.cên.cia) *s.f.* característica ou condição do que está próximo, adjacente; vizinhança

adjacente (ad.ja.cen.te) *adj.2g.* que fica ao lado; contíguo *<escolheu o quarto a. ao banheiro>* ↺ afastado

adjetivar (ad.je.ti.var) *v.* {mod. 1} *t.d.* **1** GRAM qualificar com adjetivo(s), atributo(s) *<procure a. mais as frases>* **2** GRAM dar função de adjetivo a *<costumo a. todos os substantivos>* □ *t.d.pred. e pron.* **3** (prep. *de*) considerar(-se); ter(-se) por *<preferiu não a. aquela atitude> <adjetivou seu esforço de inútil> <adjetivava-se de esforçado>* □ *int.* **4** GRAM usar adjetivos *<este autor não sabe a.>* ~ **adjetivação** *s.f.*

adjetivo (ad.je.ti.vo) *adj.s.m.* GRAM **1** (palavra) que modifica o significado de um substantivo, acrescentando-lhe uma característica, extensão ou quantidade *<usou dois a. para descrever o personagem> <locução a.>* ■ *adj.* **2** subordinado, conexo; secundário *<razões a.>* ▣ **a. de dois gêneros** GRAM o que tem a mesma forma para os gêneros masculino e feminino, como *fácil*, *exemplar*, *crescente*, *ruim* • **a. de dois números** GRAM o que tem a mesma forma no singular e no plural, como *simples*, *isósceles* ~ **adjetival** *adj.2g.*

adjudicar (ad.ju.di.car) *v.* {mod. 1} *t.d. e t.d.i.* DIR **1** (prep. *a*) entregar a posse de (algo) [a alguém], por decisão judicial *<adjudicou as propriedades (aos herdeiros)>* □ *t.d.i. e pron.* **2** (prep. *a*) considerar (-se) responsável por; atribuir(-se) *<adjudicou-se o sucesso da campanha>* ~ **adjudicação** *s.f.*

adjudicatário (ad.ju.di.ca.tá.rio) *s.m.* DIR pessoa que recebe legalmente um bem

adjunção (ad.jun.ção) [pl.: *-ões*] *s.f.* junção, associação de uma coisa ou pessoa com outra

adjunto (ad.jun.to) *adj.* **1** próximo a, contíguo *<mudaram-se para um quarto a. ao antigo>* ■ *adj.s.m.* **2** (o) que auxilia; assistente, assessor *<diretor a.>* ■ *s.m.* **3** aquele que substitui alguém; suplente **4** GRAM palavra ou expressão que serve para precisar o sentido de um substantivo, adjetivo, advérbio ou verbo ▣ **a. adnominal** GRAM palavra ou expressão que especifica ou delimita o significado de um substantivo • **a. adverbial** GRAM palavra ou expressão que indica alguma circunstância de um verbo, ou intensifica o sentido deste, de um adjetivo ou de um advérbio

adjutório (ad.ju.tó.rio) *s.m.* **1** prestação de ajuda; auxílio **2** *N.E. ES SP PR* ajuda coletiva e gratuita, esp. entre trabalhadores do campo; mutirão

administração (ad.mi.nis.tra.ção) [pl.: *-ões*] *s.f.* **1** ato ou efeito de administrar **2** ação de governar ou gerir empresa, órgão público etc. ~ **administrativo** *adj.*

administrador (ad.mi.nis.tra.dor) /ô/ [pl.: *-es*] *adj.s.m.* que(m) administra, gerencia ou governa

administrar (ad.mi.nis.trar) *v.* {mod. 1} *t.d. e int.* **1** exercer mando, ter poder de decisão (sobre); dirigir, gerir *<a. uma empresa>* *<é um bom funcionário, mas não sabe a.>* □ *t.d. e t.d.i.* **2** REL (prep. *a*) ministrar (sacramento) [a alguém] *<o padre administrou o batismo (aos gêmeos)>* **3** MED VET (prep. *a*) determinar o uso de (líquido, remédio etc.) [a pessoa ou animal] *<administrou uma dose de xarope (ao doente)>* □ *t.d.i.* **4** (prep. *a*) aplicar (golpe, pancada etc.) [em alguém] *<administrou-lhe um tapa>*

admiração (ad.mi.ra.ção) [pl.: *-ões*] *s.f.* **1** respeito, consideração *<sentia grande a. pela arte brasileira>* **2** sentimento de surpresa ou espanto *<a novidade causou-lhe a.>* ~ **admirativo** *adj.*

admirador (ad.mi.ra.dor) /ô/ [pl.: *-es*] *adj.s.m.* **1** que(m) admira, venera (alguém ou algo); aficionado, apreciador, entusiasta *<é um a. de livros>* ↺ avesso, desinteressado **2** *p.ext.* que sente e/ou manifesta grande paixão, amor por outrem; amante, apaixonado *<um eterno a. da esposa>* ↺ indiferente

admirar (ad.mi.rar) *v.* {mod. 1} *t.d.* **1** observar com deleite, interesse; apreciar *<a. um espetáculo>* □ *t.d. e pron.* **2** considerar(-se) com respeito, veneração, apreço *<a. os pais>* *<admirava-se pelo sucesso que conquistou>* □ *t.i. e int.* **3** (prep. *a*) causar espanto (a); surpreender *<o anúncio do casamento admirou aos amigos>* *<não admira que ela prefira viajar>* □ *pron.* **4** (prep. *de*) sentir surpresa; espantar-se *<admirou-se de ter conseguido chegar na hora>* ~ **admirado** *adj.*

admirável (ad.mi.rá.vel) [pl.: *-eis*] *adj.2g.* capaz de provocar admiração ou digno dela *<talento a.>*

admissão (ad.mis.são) [pl.: *-ões*] *s.f.* ato ou efeito de admitir

admissível (ad.mis.sí.vel) [pl.: *-eis*] *adj.2g.* que se pode admitir; aceitável *<desculpa a.>* ↺ inadmissível, inaceitável, inconcebível

admitir (ad.mi.tir) *v.* {mod. 24} *t.d.* **1** reconhecer (algo evidente, incontestável) *<a. a superioridade do time adversário>* **2** ter como aceitável; consentir, tolerar *<a. atrasos>* ↺ inadmitir **3** deixar entrar em recinto, instituição etc. *<o bar admitia cachorros>* **4** tornar possível; permitir *<o contrato não admite alterações>* ↺ inadmitir **5** aceitar como hipótese; supor *<admitamos que ele não tenha feito por mal>* □ *t.d. e t.d.pred.* **6** aceitar ou contratar (alguém) para exercer atividade, ofício *<a empresa admitiu novas secretárias>* *<admitiram-no como professor>* ~ **admitido** *adj.*

admoestar (ad.mo.es.tar) *v.* {mod. 1} *t.d.* **1** avisar de incorreção no modo de agir, pensar etc.; repreender *<admoestou o devedor, ameaçando denunciá-lo>* □ *t.d.i.* **2** (prep. *a*) advertir de maneira branda (sobre algo); aconselhar *<admoestaram o filho a obedecer a professora>* ~ **admoestação** *s.f.*

ADN *s.m.* BIOQ sigla de *ácido desoxirribonucleico* ☞ ver *DNA*

adnominal (ad.no.mi.nal) [pl.: *-ais*] *adj.2g.* GRAM que se liga a um substantivo e o determina, qualificando-o, quantificando-o etc. (diz-se de adjunto)

-ado *suf.* **1** 'titulação, instituição': *bacharelado, noviciado* **2** 'território subordinado a um nobre': *condado, ducado* **3** 'propriedade, fartura': *barbado* **4** 'caráter, semelhança': *amarelado*

adobe (a.do.be) /ô/ *s.m.* tijolo seco ao sol

adoçante (a.do.çan.te) *adj.2g.* **1** que adoça ■ *s.m.* **2** substância, natural ou artificial, us. para adoçar alimento, bebida ou medicamento

adoção (a.do.ção) [pl.: *-ões*] *s.f.* **1** ato ou efeito de adotar *<campanha de a. de animais>* *<a. de ideias pacifistas>* **2** DIR processo legal em que se aceita uma criança ou jovem como filho

adoçar (a.do.çar) *v.* {mod. 1} *t.d.* **1** tornar doce, acrescentando açúcar, mel etc. *<a. um suco>* **2** *fig.* tornar (algo) agradável, aprazível *<os detalhes curiosos adoçaram a história>* □ *t.d. e pron. fig.* **3** aliviar(-se) [sofrimento, aflição, dor etc.] *<a viagem adoçou sua tristeza>* *<adoçou-se com a esperança dada pelos médicos>* ~ **adoçado** *adj.* - **adoçamento** *s.m.*

adocicado (a.do.ci.ca.do) *adj.* **1** de sabor levemente doce *<biscoito a.>* **2** *fig.* suave, brando, agradável *<palavras a.>* ~ **adocicar** *v.t.d.*

adoecer (a.do.e.cer) *v.* {mod. 8} *t.d. e int.* tornar (-se) doente; enfermar *<o frio adoeceu o bebê>* *<não aproveitou a viagem porque adoeceu>*

adoentado (a.do.en.ta.do) *adj.* um pouco doente ~ **adoentar** *v.t.d. e pron.*

adoidado (a.doi.da.do) *adj.* **1** meio maluco **2** que não tem prudência; inconsequente ■ *adv. infrm.* **3** muito; à beça *<choveu a.>*

adolescência (a.do.les.cên.cia) *s.f.* período da vida entre a infância e a idade adulta ~ **adolescer** *v.int.*

adolescente (a.do.les.cen.te) *adj.2g.* **1** relativo a adolescência *<preocupações a.>* ■ *adj.2g.s.2g.* **2** que(m) está na adolescência *<amigos a.>* *<os a. fizeram barulho ao entrar>*

adônis (a.dô.nis) *s.m.2n.* jovem muito bonito ☞ cf. *Adônis* na parte enciclopédica

adoração (a.do.ra.ção) [pl.: *-ões*] *s.f.* **1** REL culto à divindade ou a alguém ou algo assim considerado *<a. do Sol>* **2** *p.ext.* amor excessivo; idolatria, paixão **3** *p.ext.* gosto descomedido, exagerado *<a. por sapatos>*

adorar (a.do.rar) *v.* {mod. 1} *t.d.* **1** REL prestar culto a (divindade) **2** *p.ext.* ter veneração por; reverenciar *<a. os mestres>* **3** *infrm.* gostar muito de *<a. cinema>* □ *t.d. e pron.* **4** *p.ext.* amar(-se) de maneira extrema, apaixonada *<meus tios adoravam-se>* ~ **adorador** *adj.s.m.*

adorável (a.do.rá.vel) [pl.: *-eis*] *adj.2g.* **1** digno de culto, de adoração **2** *p.ext.* que exerce fascínio; encantador *<encontro a.>*

adormecer (a.dor.me.cer) *v.* {mod. 8} *t.d. e int.* **1** (fazer) dormir *<a avó adormeceu a criança>* *<o rapaz adormeceu>* **2** *fig.* entorpecer (sentimentos, emoções, inquietações etc.); anestesiar, aquietar *<a paixão não correspondida adormeceu seu coração>* *<aos poucos, suas angústias adormeciam>* □ *t.d.* **3** reduzir a sensibilidade física de *<a. o braço>* ~ **adormecimento** *s.m.*

adornar (a.dor.nar) *v.* {mod. 1} *t.d. e pron.* colocar (-se) enfeites; ornar(-se) *<o quadro adornava a parede>* *<adornou-se para encontrar o namorado>*

adorno (a.dor.no) /ô/ *s.m.* enfeite

adotar (a.do.tar) *v.* {mod. 1} *t.d.* **1** DIR tomar (alguém) legalmente como filho, dando-lhe direitos **2** seguir (ideia, doutrina etc.) *<a. uma religião>* **3** usar temporariamente (atitude, comportamento); assumir *<a. postura grosseira>* **4** dar preferência a; escolher *<adotaram o plano do gerente>*

adotivo (a.do.ti.vo) *adj.* **1** relativo a adoção ('processo legal') **2** que foi adotado *<o mais velho era filho a.>* **3** que adotou *<tinha muito carinho pela mãe a.>*

adquirir (ad.qui.rir) *v.* {mod. 24} *t.d. e t.d.i.* **1** (prep. *de*) tornar-se dono de (algo), por compra, troca etc. *<a. uma casa>* *<adquiriu o carro de seu vizinho>* □ *t.d.* **2** passar a ter (uma qualidade, uma condição etc.); alcançar, assumir *<a. habilidades>* *<adquiriu permissão para trabalhar>* **3** vir a ter (doença, moléstia); contrair *<adquiriu uma forte gripe>* ~ **adquirente** *adj.2g.s.2g.*

adrede (a.dre.de) /ê/ *adv.* de propósito, com intenção *<avistou o chefe e a. evitou o encontro>*

adrenalina (a.dre.na.li.na) *s.f.* **1** BIOQ hormônio secretado pelas glândulas suprarrenais cuja ação estimula o coração e eleva a pressão arterial **2** *p.ext. infrm.* excitação, emoção muito forte *<para quem gosta de a., surfe é um bom esporte>* **3** *p.ext. infrm.* disposição física; vigor, energia *<foi preciso muita a. para concluir a tarefa>* ☞ marca registrada (ing. *Adrenalin*) que passou a designar o seu gênero

adriático (a.dri.á.ti.co) *adj.* relativo ao mar Adriático ou às regiões por ele banhadas

adriça (a.dri.ça) *s.f.* MAR cabo ou corda para içar vela ou bandeira ~ **adriçamento** *s.m.*

adro (a.dro) *s.m.* ARQ pátio externo de uma igreja; átrio

adsorção (ad.sor.ção) [pl.: *-ões*] *s.f.* FISQUÍM processo em que íons, átomos ou moléculas são retidos na superfície de um sólido ou líquido por interações de natureza química ou física ☞ cf. *absorção*

adstringente (ads.trin.gen.te) *adj.2g.s.m.* **1** (o) que adstringe, comprime **2** MED (substância) que provoca constrição *<loção a.>*

adstringir (ads.trin.gir) *v.* {mod. 24} *t.d. e pron.* **1** comprimir(-se), apertar(-se) *<a. os nós das cordas>* *<as bordas da ferida adstringiram-se>* **2** □ *pron.* **3** limitar-se, restringir-se *<adstringia-se a citar ideias de outros>* □ *t.d.* **4** MED produzir contração em (tecidos orgânicos) ◉ GRAM/USO part.: *adstringido, adstrito*; ver QUADRO DE PARTICÍPIOS DUPLOS nas pp. iniciais ~ **adstringência** *s.f.*

adstrito (ads.tri.to) *adj.* **1** ligado a, incorporado *<departamento a. ao ministério>* **2** que se contraiu; apertado **3** submetido a; obrigado; limitado *<a avaliação ficará a. à nota da prova>* ◉ GRAM/USO part. de *adstringir*

aduana (a.du.a.na) *s.f.* alfândega

aduaneiro (a.du.a.nei.ro) *adj.* **1** relativo a aduana *<legislação a.>* ■ *s.m.* **2** funcionário de aduana

adubar (a.du.bar) *v.* {mod. 1} *t.d.* pôr adubo em (terra, terreno)

adubo (a.du.bo) *s.m.* conjunto de resíduos minerais ou vegetais us. para fertilizar a terra; estrume

adução (a.du.ção) [pl.: *-ões*] *s.f.* **1** exposição (de razões, provas, argumentos etc.) **2** ANAT movimento de aproximação (de membro ou parte de membro) do corpo *<a. do antebraço>* ↺ abdução

aduela (a.du.e.la) *s.f.* **1** cada uma das tábuas arqueadas que formam os tonéis e os barris **2** ARQ cada uma das pedras de seis faces us., encaixadas, na composição dos arcos e abóbadas **3** CONSTR madeira que guarnece o vão de uma passagem, porta ou janela

adular (a.du.lar) *v.* {mod. 1} *t.d.* elogiar em excesso, ger. por interesse; bajular *<a. o chefe>* ~ **adulação** *s.f.* - **adulador** *adj.s.m.*

adulteração (a.dul.te.ra.ção) [pl.: *-ões*] *s.f.* **1** alteração das características iniciais; mudança, modificação **2** falsificação ~ **adulterador** *adj.s.m.*

adulterado (a.dul.te.ra.do) *adj.* **1** modificado em sua essência original, ger. pela ação da natureza; transformado *<couro a. pelo sol>* **2** que sofreu processo de falsificação *<medicamento a.>* **3** que foi propositadamente alterado *<teve sua declaração a. pela imprensa>*

adulterar (a.dul.te.rar) *v.* {mod. 1} *t.d. e pron.* **1** causar alteração em ou sofrer mudança; modificar(-se) *<o calor adulterou a qualidade da tinta>* *<o projeto original adulterou-se>* □ *t.d.* **2** falsificar (esp. documentos) *<a. o passaporte>* □ *int.* **3** cometer adultério *<nunca adulteraria>*

adulterino (a.dul.te.ri.no) *adj.* **1** que sofreu falsificação; adulterado **2** em que ocorre adultério; adúltero **3** decorrente de adultério *<filho a.>*

adultério (a.dul.té.rio) *s.m.* infidelidade no casamento

adúltero (a.dúl.te.ro) *adj.s.m.* que(m) comete adultério

adulto (a.dul.to) *adj.s.m.* **1** (o) que já atingiu o máximo de seu crescimento *<aves a.>* *<os a. cuidam dos mais novos>* ■ *adj.* **2** maduro; amadurecido *<decisão a.>*

adunco (a.dun.co) *adj.* em forma de gancho; curvo *<nariz a.>* ~**aduncar** *v.t.d.*

adutor (a.du.tor) [pl.: *-es*] *adj.s.m.* **1** que ou o que aduz, transporta *<(cano) a. de dejetos>* **2** ANAT que ou o que executa o movimento de adução, em direção ao centro do corpo (diz-se de músculo)

adutora (a.du.to.ra) /ô/ *s.f.* canal ou cano que conduz água para um reservatório

aduzir (a.du.zir) *v.* {mod. 24} *t.d. e t.d.i.* **1** (prep. *a*) expor (razões, provas etc.) *<o advogado aduziu seus motivos> <aduziu novas provas ao juiz>* □ *t.d.* **2** ANAT aproximar (membro ou parte de membro) do corpo *<a. a perna>* ↺abduzir

adventício (ad.ven.tí.cio) *adj.s.m.* **1** que chega de fora; forasteiro ↺nativo ■ *adj.* **2** que ocorre inesperadamente; acidental **3** BOT que se encontra fora de seu local ou de sua época normal *<folha, raiz a.>*

adventismo (ad.ven.tis.mo) *s.m.* REL doutrina ou seita protestante que acredita na iminência de uma segunda vinda de Cristo à Terra ~**adventista** *adj.2g.s.2g.*

advento (ad.ven.to) *s.m.* **1** chegada; início **2** *fig.* aquilo que começa ou se institui *<o a. da República>* **3** REL período de quatro semanas que antecede o Natal, destinado à preparação espiritual e à purificação para a vinda do Salvador ☞ inicial maiúsc.

adverbial (ad.ver.bi.al) [pl.: *-ais*] *adj.2g.* GRAM **1** próprio de advérbio **2** que tem valor, caráter ou função de advérbio *<oração, locução a.>*

advérbio (ad.vér.bio) *s.m.* GRAM palavra invariável que modifica verbo, adjetivo, outro advérbio ou frase, atribuindo circunstância de tempo, modo, intensidade, lugar etc.

adversário (ad.ver.sá.rio) *adj.s.m.* (o) que se opõe a ou compete com; antagonista, oponente *<time a.> <conhecerá seu a. amanhã>* ↺aliado

adversativa (ad.ver.sa.ti.va) *s.f.* GRAM ver ***CONJUNÇÃO ADVERSATIVA***

adversativo (ad.ver.sa.ti.vo) *adj.* que exprime oposição; contrário a; oposto

adversidade (ad.ver.si.da.de) *s.f.* **1** característica ou condição do que é adverso, desfavorável **2** infelicidade, infortúnio, revés **3** transtorno, contrariedade

adverso (ad.ver.so) *adj.* **1** que provoca infortúnio; prejudicial, desfavorável **2** contrário, antagônico *<ideias a.>*

advertência (ad.ver.tên.cia) *s.f.* **1** aviso, informação *<colocaram uma a. na porta do elevador>* **2** repreensão *<fez uma falta e recebeu uma a. do juiz>*

advertir (ad.ver.tir) *v.* {mod. 28} *t.d. e t.d.i.* **1** (prep. *de, a*) fazer (alguém) ciente (de algo); avisar, informar *<advertiu o chefe (de que sairia cedo)>* **2** (prep. *de, a*) fazer saber antes; prevenir *<advertiram-no da chuva que pegaria na estrada>* **3** (prep. *de*) dar advertência; repreender *<teve de advertir o filho (da falha no compromisso)>* ~**advertido** *adj.*

advir (ad.vir) *v.* {mod. 31} *t.i. e int.* **1** (prep. *a*) acontecer, ocorrer *<a sorte adveio-lhe de repente> <a recompensa logo advirá>* □ *t.i.* **2** (prep. *de*) surgir como consequência; resultar *<o divórcio adveio da incompatibilidade entre o casal>*

advocacia (ad.vo.ca.ci.a) *s.f.* **1** profissão de advogado **2** o exercício dessa profissão

advocatício (ad.vo.ca.tí.cio) *adj.* **1** referente a advocacia **2** investido de poder para advogar, para defender *<tribunal a.>*

advogado (ad.vo.ga.do) *s.m.* **1** pessoa formada em Direito, habilitada a prestar assistência jurídica **2** *p.ext.* indivíduo que protege alguém ou uma causa; defensor, patrono

advogar (ad.vo.gar) *v.* {mod. 1} *t.d.* **1** DIR representar (pessoa ou causa) em juízo **2** defender (alguém ou algo) com argumentos, ideias etc. *<a. a causa dos oprimidos>* □ *t.d. e t.i.* **3** (prep. *por*) atuar a favor de; trabalhar por *<a. por melhores condições de transporte>* □ *int.* **4** DIR atuar como advogado *<advoga desde que se formou>*

aedes (ae.des) [lat.] *s.m.2n.* ZOO gênero de mosquitos vetores de várias doenças, abundantes na região tropical e subtropical ⇒ pronuncia-se édes ▣ ***a. aegipti*** mosquito vetor da febre amarela e da dengue

aeração (a.e.ra.ção) [pl.: *-ões*] *s.f.* renovação do ar, ventilação ~**aerar** *v.t.d.*

aéreo (a.é.reo) *adj.* **1** relativo ao ar **2** BOT diz-se de órgão vegetal que se desenvolve acima do solo e da água *<raízes a.>* **3** relativo a avião ou aviação *<combate a.>* **4** *fig.* distraído, desatento

aerícola (a.e.rí.co.la) *adj.2g.* BIO que vive no ar (diz-se de organismo vivo) *<bactéria a.>*

aerobarco (a.e.ro.bar.co) *s.m.* barco a motor que desliza rente à superfície da água

aeróbica (a.e.ró.bi.ca) *s.f.* método de condicionamento físico que envolve exercícios rápidos para ativar a oxigenação do organismo

aeróbico (a.e.ró.bi.co) *adj.* **1** BIO que apresenta atividade ou ocorre apenas em presença do oxigênio *<organismo a.> <respiração a.>* **2** relativo à aeróbica

aeróbio (a.e.ró.bio) *adj.s.m.* BIO (organismo) que precisa de oxigênio para sobreviver ☞ cf. *anaeróbio*

aerobionte (a.e.ro.bi.on.te) *s.m.* BIO aeróbio

aeroclube (a.e.ro.clu.be) *s.m.* **1** centro que forma pilotos civis **2** clube para prática amadora de voos

aerodinâmica (a.e.ro.di.nâ.mi.ca) *s.f.* FÍS o estudo do movimento dos gases e a interação desse movimento com corpos sólidos

aerodinâmico (a.e.ro.di.nâ.mi.co) *adj.* **1** FÍS relativo a aerodinâmica **2** construído de forma a diminuir a resistência na passagem por um meio fluido, como o ar, a água etc. *<uma lancha a.>*

aeroduto (a.e.ro.du.to) *s.m.* CONSTR encanamento para conduzir o ar

aeroespacial (a.e.ro.es.pa.ci.al) [pl.: *-ais*] *adj.2g.* relativo a aeroespaço

aeroespaço (a.e.ro.es.pa.ço) *s.m.* espaço aéreo

aerofólio (a.e.ro.fó.lio) *s.m.* peça aerodinâmica que aumenta a estabilidade de um veículo

aerógrafo (a.e.ró.gra.fo) *s.m.* **1** aparelho que estuda as propriedades do ar **2** instrumento de ar comprimido us. para aplicar tinta

aerograma (a.e.ro.gra.ma) *s.m.* carta aérea pré-franqueada

aerólito (a.e.ró.li.to) *s.m.* meteorito

aeromoça (a.e.ro.mo.ça) /ô/ *s.f.* tripulante que atende os passageiros de avião comercial; comissária de bordo

aeromodelismo (a.e.ro.mo.de.lis.mo) *s.m.* **1** construção de aeromodelo para pesquisa, competição ou diversão **2** ESP prática de manobras com aeromodelo ~ **aeromodelista** *adj.2g.s.2g.*

aeromodelo (a.e.ro.mo.de.lo) /ê/ *s.m.* miniatura de aeronave us. para fins experimentais, diversão ou competição

aeronauta (a.e.ro.nau.ta) *s.2g.* quem comanda ou tripula aeronave

aeronáutica (a.e.ro.náu.ti.ca) *s.f.* **1** ciência e prática da navegação aérea **2** MIL força militar responsável pela defesa aérea da nação; Força Aérea ☞ inicial maiúsc. ~ **aeronáutico** *adj.*

aeronaval (a.e.ro.na.val) [pl.: *-ais*] *adj.2g.* MIL **1** relativo às forças aérea e naval simultaneamente **2** da força aérea da Marinha

aeronave (a.e.ro.na.ve) *s.f.* veículo capaz de se sustentar e se conduzir no ar • COL esquadrilha

aeronavegação (a.e.ro.na.ve.ga.ção) [pl.: *-ões*] *s.f.* navegação aérea; aeronáutica

aeroplano (a.e.ro.pla.no) *s.m.* veículo aéreo com asas; avião

aeroporto (a.e.ro.por.to) /ô/ [pl.: /ó/] *s.m.* local para pouso e decolagem de aeronaves, com instalações para embarque e desembarque de passageiros e de cargas

aeroportuário (a.e.ro.por.tu.á.rio) *adj.* **1** referente a aeroporto ■ *adj.s.m.* **2** que(m) trabalha em aeroporto

aerossol (a.e.ros.sol) [pl.: *-óis*] *s.m.* **1** FISQUÍM suspensão de partículas sólidas ou líquidas num meio gasoso **2** *p.ext.* embalagem que permite espalhar essas partículas

aerostática (a.e.ros.tá.ti.ca) *s.f.* **1** FÍS o estudo dos gases em equilíbrio **2** estudo dos aeróstatos e da técnica de manejá-los

aerostático (a.e.ros.tá.ti.co) *adj.* relativo a aerostática ou a aeróstato

aeróstato (a.e.rós.ta.to) *s.m.* veículo aéreo sustentado por ar quente ou gás mais leve que o ar, como os balões ou dirigíveis

aeroterrestre (a.e.ro.ter.res.tre) *adj.2g.* **1** referente ao ar e à terra ao mesmo tempo **2** MIL relativo às forças militares do ar e da terra em operação conjunta e sob um único comando

aerotransporte (a.e.ro.trans.por.te) *s.m.* **1** transporte de passageiros, cargas etc. feito por via aérea **2** avião com capacidade para transportar grandes cargas

aerovia (a.e.ro.vi.a) *s.f.* **1** espaço aéreo delimitado para organizar e controlar o tráfego de aviões entre aeroportos **2** rota de aviões, esp. de carreira

aeroviário (a.e.ro.vi.á.rio) *adj.* **1** relativo a aerovia ou a aerotransporte ■ *s.m.* **2** funcionário de empresa aérea

aético (a.é.ti.co) *adj.* ²anético

afã (a.fã) *s.m.* **1** muita pressa; afobação *<no a. de sair, esqueceu de trancar a porta>* **2** sentimento de aflição; ansiedade **3** trabalho intenso, penoso; faina, lida *<seu a. diário não deixava tempo para o lazer>* **4** *p.ext.* empenho, zelo

afabilidade (a.fa.bi.li.da.de) *s.f.* qualidade ou comportamento de quem é afável; amabilidade, delicadeza ↺ grosseria, rudeza

afadigar (a.fa.di.gar) *v.* {mod. 1} *t.d. e pron.* (fazer) sentir fadiga; cansar(-se) *<o trabalho pesado afadigou-o> <afadiga-se facilmente>*

afagar (a.fa.gar) *v.* {mod. 1} *t.d.,int. e pron.* **1** fazer (-se) carinho, ger. com a mão *<a. um cachorro> <não paravam de afagar-se>* □ *t.d. fig.* **2** dar proteção a; favorecer *<a sorte afaga-o a todo momento>* **3** alimentar, acalentar (sonhos, planos etc.) *<a. a esperança de tornar-se engenheiro>*

afago (a.fa.go) *s.m.* **1** carícia **2** *fig.* favor, agrado que se faz a alguém

afamado (a.fa.ma.do) *adj.* que adquiriu fama; célebre, famoso ↺ desconhecido, obscuro

afamar (a.fa.mar) *v.* {mod. 1} *t.d. e pron.* (fazer) adquirir fama; notabilizar(-se) *<o domínio da navegação afamou os portugueses> <afamou-se como cirurgião>*

afanar (a.fa.nar) *v.* {mod. 1} *t.d. e int.* **1** *B infrm.* roubar, furtar *<a. uma carteira> <foi visto afanando na feira>* □ *int. e pron.* **2** trabalhar com afã, com empenho *<afanava dia e noite para se sustentar> <afanou-se para entregar o trabalho no prazo>*

afasia (a.fa.si.a) *s.f.* MED diminuição ou perda do uso da linguagem devido a lesão cerebral ~ **afásico** *adj.s.m.*

afastado (a.fas.ta.do) *adj.* **1** que está muito longe; longínquo, remoto *<mora em um bairro a.>* ↺ contíguo, próximo, vizinho **2** distante de, separado, apartado *<sentou-se num canto a. de todos>* ↺ achegado, junto **3** cujo grau de parentesco é longínquo *<primo a.>* ↺ próximo **4** *fig.* que está desatualizado *<é um bom teórico, mas está a. da prática médica>* ↺ atualizado **5** que foi demitido ou exonerado de cargo ou está de licença por problema de saúde

afastamento (a.fas.ta.men.to) *s.m.* **1** ato ou efeito de pôr(-se) a certa distância; distanciamento, separação ↺ aproximação **1.1** *fig.* distanciamento (ger. físico) do convívio social e/ou familiar ↺ convivência **2** desligamento de funcionário (esp. público) das funções ou do cargo que exerce; demissão, exoneração ↺ admissão, nomeação **3** licença para tratamento de saúde

afastar (a.fas.tar) *v.* {mod. 1} *t.d.,t.d.i. e pron.* **1** (prep. *de*) pôr(-se) a certa distância de; distanciar(-se), separar(-se) *<a. (da mente) os pensamentos tristes> <afastou-se para dar passagem às crianças> <com o tempo, afastaram-se da família>* ↺ aproximar(-se) □ *t.d.i. e pron.* **2** (prep. *de*) demitir(-se) [de função, cargo etc.] *<o chefe afastou-o da empresa> <cansado, afastou-se da função de gerente>*

afável (a.fá.vel) [pl.: *-eis*] *adj.2g.* **1** delicado, educado no trato; amável *<pessoa a.>* ↺ grosseiro **2** de aspecto agradável, bondoso *<rosto a.>* ↺ duro **3** que proporciona prazer; aprazível *<tarde a.>* ↺ desagradável ● GRAM/USO sup.abs.sint.: *afabilíssimo*

[1]**afazer** (a.fa.zer) *v.* {mod. 14} *t.d.i. e pron.* **1** (prep. *a*) acostumar(-se), habituar(-se) *<a. o corpo aos exercícios> <afez-se ao trabalho noturno>* **2** (prep. *a*) pôr(-se) em harmonia (com novo ambiente); adaptar(-se) *<tenta a. seu comportamento ao novo emprego> <afizeram-se logo à nova cidade>* ● ORIGEM [1]*a-* + *fazer*

[2]**afazer** (a.fa.zer) [pl.: *-es*] *s.m.* tarefa a ser cumprida; ocupação *<cuidou logo cedo de seus a. domésticos>* ☞ mais us. no pl. ● ORIGEM substantivação da expressão *a fazer*

afecção (a.fec.ção) [pl.: *-ões*] *s.f.* MED doença física ou psíquica

afegão (a.fe.gão) [pl.: *-ãos*; fem.: *afegã*] *adj.s.m.* **1** natural ou habitante do Afeganistão ■ *s.m.* **2** língua us. no Afeganistão ■ *adj.* **3** próprio do Afeganistão ou dos afegãos *<cultura a.>* **4** relativo à língua us. nesse país

afeição (a.fei.ção) [pl.: *-ões*] *s.f.* **1** ligação afetiva; afeto **2** inclinação para algo *<a. pelas artes>*

[1]**afeiçoar** (a.fei.ço.ar) *v.* {mod. 1} *t.d. e pron.* **1** (prep. *a, de*) [fazer] sentir afeto, amizade, amor por *<conseguiu afeiçoá-lo em pouco tempo> <afeiçoaram-se ao cão como a um bebê>* ↺ desafeiçoar(-se) □ *t.d.i. e pron.* **2** (prep. *a*) [fazer] desenvolver gosto por *<o pai afeiçoou-o aos esportes> <cedo afeiçoou-se ao estudo de matemática>* ↺ desafeiçoar(-se) ● ORIGEM *afeição* sob a f. *afeiço-* + [2]*-ar* ~ **afeiçoamento** *s.m.*

[2]**afeiçoar** (a.fei.ço.ar) *v.* {mod. 1} *t.d.* **1** dar ou tomar certa forma; modelar *<a. a madeira>* □ *t.d.i. e pron.* **2** (prep. *a*) adaptar(-se), ajustar(-se) *<a. os alunos ao novo método> <afeiçoou-se rápido aos horários de ensaio>* ● ORIGEM [1]*a-* + *feição* sob a f. *feiço-* + [2]*-ar* ~ **afeiçoamento** *s.m.*

afeito (a.fei.to) *adj.* acostumado, habituado *<a. à boa comida>*

afélio (a.fé.lio) *s.m.* ASTR ponto da órbita de um planeta, ou de um cometa, em que este alcança a sua distância máxima do Sol ↺ peri-hélio

afeminado (a.fe.mi.na.do) *adj.s.m.* **1** que(m) não tem ou perdeu os modos masculinos **2** (homem) homossexual ■ *adj.* **3** *fig.* que é exageradamente delicado, sensual ~ **afeminar** *v.t.d. e pron.*

aferente (a.fe.ren.te) *adj.2g.* **1** que conduz, que traz ou leva **2** ANAT que conduz sangue a um órgão, linfa a um gânglio ou estímulo a centro nervoso *<vaso a.> <nervo a.>*

aférese (a.fé.re.se) *s.f.* FON supressão de fonema(s) no princípio da palavra (*enamorar* > *namorar*) ~ **aferésico** *adj.* - **aferético** *adj.*

aferição (a.fe.ri.ção) [pl.: *-ões*] *s.f.* **1** ação ou efeito de aferir (pesos, medidas etc.) e o resultado dessa ação; aferimento **2** o que resulta de uma comparação; avaliação

aferir (a.fe.rir) *v.* {mod. 28} *t.d.* **1** comparar (pesos, medidas etc.) com os padrões *<o pediatra aferiu o peso do bebê>* **2** examinar a exatidão de (instrumentos para pesar, medir etc.) *<a. uma balança>* □ *t.d. e t.d.i. fig.* **3** (prep. *a, por*) julgar por comparação; avaliar, verificar *<a. a habilidade dos competidores> <aferiu o filme novo pelos anteriores>* ~ **aferidor** *adj.s.m.*

aferrar (a.fer.rar) *v.* {mod. 1} *t.d.* **1** prender, segurar com gancho de ferro *<a. carne no frigorífico>* **2** prender, fixar (com ferro ou outro material) *<a. a coluna com madeira>* □ *t.d.,t.d.i. e pron. p.ext.* **3** (prep. *a, com, por*) agarrar(-se) com força; prender(-se) *<aferrou o gato (pela coleira)> <aferrou-se à boia, para não afundar>* □ *pron. fig.* **4** (prep. *a*) apegar-se com firmeza (a sentimentos, ideias) *<a.-se à vida> <aferra-se à luta contra as desigualdades>* **5** dedicar-se (a tarefa, trabalho etc.) *<quando se aferra ao trabalho, ninguém a tira de casa>* ~ **aferrado** *adj.*

aferroar (a.fer.ro.ar) *v.* {mod. 1} *t.d.* **1** picar com ferrão; ferroar *<a abelha aferroou a criança>* **2** *fig.* magoar, ofender *<as palavras do antigo colega aferroaram a turma>* **3** *fig.* despertar reação (física, moral ou mental); provocar, estimular *<a indiferença da moça aferroava-o>*

aferrolhar (a.fer.ro.lhar) *v.* {mod. 1} *t.d.* **1** fechar ou prender com ferrolho *<a. os animais>* ↺ desaferrolhar **2** *p.ext.* pôr na prisão **3** *p.ext.* trancar em local seguro ~ **aferrolhado** *adj.*

aferventar (a.fer.ven.tar) *v.* {mod. 1} *t.d.* ferver rapidamente *<a. legumes>*

afervorar (a.fer.vo.rar) *v.* {mod. 1} *t.d.* **1** pôr em ebulição; ferver □ *t.d. e pron. fig.* **2** tornar(-se) caloroso, intenso; estimular, intensificar(-se) *<a tragédia afervorou a caridade dos vizinhos> <sua crença afervorou-se>*

afetação (a.fe.ta.ção) [pl.: *-ões*] *s.f.* **1** ausência de naturalidade *<fala com a.>* **2** atitude fingida, falsa *<cumprimentou os parentes com a.>* ↺ sinceridade **3** desejo de atrair admiração; vaidade ↺ modéstia

afetado (a.fe.ta.do) *adj.* **1** sem naturalidade; artificial, exagerado *<gestos a.>* ↺ natural **2** acometido por uma doença ou afecção *<pulmões a.>* **3** tocado de forma afetiva; abalado *<a. com a morte do pai>*

afetar (a.fe.tar) *v.* {mod. 1} *t.d.* **1** dizer respeito a; interessar, concernir *<a decisão afeta todos os alunos>* **2** aparentar, fingir *<a. modéstia>* **3** causar lesão em; atingir *<o corte afetou o nervo>* **4** fazer mal a; afligir *<a perda do avô afetou a família>* **5** comover, sensibilizar *<a tragédia na cidade afetou o país>* □ *pron.* **6** (prep. *em*) apurar-se de modo exagerado, ridículo *<afeta-se no modo de vestir, falar>* ● GRAM/USO part.: *afetado, afeto*; ver QUADRO DE PARTICÍPIOS DUPLOS nas pp. iniciais

afetivo (a.fe.ti.vo) *adj.* **1** relativo a afeto ou a afetividade **2** que tem ou denota afeição; afetuoso ↺ indiferente ~ **afetividade** *s.f.*

[1]**afeto** (a.fe.to) *s.m.* **1** afeição por uma pessoa ou um animal ↺ desafeto **2** o objeto dessa afeição *<trazia seu a. junto de si>* ↺ desafeto ● ORIGEM do lat. *affectus,us* 'id.'

[2]**afeto** (a.fe.to) *adj.* **1** admirador, simpatizante *<violonista a. à música clássica>* ↺ avesso **2** que se destina a algo *<recursos a. ao fim da fome>* **3** subordinado a alguém ou algo *<decisões a. ao juiz>* ● ORIGEM do lat. *affĕctus,a,um* 'afetado, cheio etc.'

afetuosidade (a.fe.tu.o.si.da.de) *s.f.* **1** demonstração de afeto; apego, carinho ↺ desinteresse **2** simpatia por algo ou alguém ↺ antipatia

afetuoso (a.fe.tu.o.so) /ô/ [pl. e fem.: /ó/] *adj.* cheio de afeto; amigo, carinhoso ↺ indiferente

afiado (a.fi.a.do) *adj.* **1** que tem gume bem amolado; cortante *<faca a.>* ↺ cego, embotado **2** *fig.* feito com perspicácia; penetrante *<observação a.>* ↺ tolo **3** *B infrm.* em boas condições para fazer algo; preparado *<estava a. para o teste>* ↺ despreparado

afiançar (a.fi.an.çar) *v.* {mod. 1} *t.d.,int. e pron.* **1** responsabilizar-se (por), ser fiador (de) *<um engenheiro afiançou a execução do projeto> <essa firma não afiança mais> <afiançou-se (de tudo) antes de ir ao tribunal>* □ *t.d. e t.d.i. p.ext.* **2** (prep. *a*) afirmar com certeza; assegurar *<afiançou (à mãe) que voltaria cedo>* ~ **afiançamento** *s.m.* - **afiançável** *adj.2g.*

afiar (a.fi.ar) *v.* {mod. 1} *t.d.* **1** tornar (mais) cortante o gume de; amolar *<a. uma faca>* **2** tornar fino na ponta; afilar *<a. a haste da flecha>* **3** *fig.* tornar (o que se diz) mordaz, ferino *<a. as palavras>* □ *t.d. e pron. fig.* **4** tornar(-se) apurado, refinado; aprimorar(-se) *<a. o ouvido> <a-se no estilo>* ~ **afiador** *adj.s.m.*

aficionado (a.fi.cio.na.do) *adj.s.m.* **1** (o) que é entusiasta, simpatizante *<um colecionador a. de figurinhas> <os a. do vôlei>* **2** que(m) tem inclinação para uma atividade esportiva, artística etc. *<apesar de a. da pintura, nunca expõe seus quadros>*

afidídeo (a.fi.dí.deo) *s.m.* ZOO **1** espécime dos afidídeos, família de insetos sem asas, popularmente chamados pulgões, sugadores de ramos ou folhas de plantas, considerados pragas sérias de lavouras ■ *adj.* **2** relativo a essa família de insetos

afigurar (a.fi.gu.rar) *v.* {mod. 1} *t.d.* **1** apresentar a forma ou figura de; assemelhar-se a *<a montanha afigura a corcova de um camelo>* **2** dar forma ou figura a *<a. o mármore>* □ *t.d.pred.* **3** dar a impressão de; aparentar, parecer *<afigurava-a mais alta>* □ *t.d.i. e pron.* **4** (prep. *a*) representar na mente; imaginar *<no escuro, o vulto afigurou-lhe um ladrão> <a possível vitória afigurou-se>*

afilar (a.fi.lar) *v.* {mod. 1} *t.d.* **1** dar forma de fio a *<a. as fibras da planta>* □ *t.d. e pron.* **2** tornar(-se) fino e comprido *<a. a massa da torta> <seu rosto afilou-se>* □ *t.d.,int. e pron.* **3** tornar(-se) pontudo; aguçar *<a. a ponta do lápis> <à medida que o tempo esquenta, o iceberg afila(-se)>* ~ **afilação** *s.f.* - **afilado** *adj.* - **afilamento** *s.m.*

afilhadagem (a.fi.lha.da.gem) [pl.: *-ens*] *s.f.* **1** grupo numeroso de afilhados **2** favoritismo para com afilhados; nepotismo

afilhado (a.fi.lha.do) *s.m.* **1** quem recebeu batismo, casou-se etc., em relação a seu padrinho e/ou madrinha **2** quem recebe proteção como se fosse filho ● COL afilhadagem

afiliar (a.fi.li.ar) *v.* {mod. 1} *t.d.i. e pron.* (prep. *a*) associar(-se) [a clube, entidade, sociedade etc.] *<afiliou-se ao clube para usar a piscina>* ~ **afiliação** *s.f.* - **afiliado** *adj.s.m.*

afim (a.fim) [pl.: *-ins*] *adj.2g.* **1** que tem afinidade, semelhança ou ligação *<profissões a.>* ☞ cf. *a fim de,* no verbete *fim* ■ *adj.2g.s.2g.* **2** (indivíduo) ligado a outro(s) por parentesco não sanguíneo *<sobrinhos a.> <os a. também foram lembrados no testamento>*

afinado (a.fi.na.do) *adj.* **1** tornado fino **2** MÚS que está no tom certo; harmonioso *<piano a.> <cantor a.>* ↺ desafinado **3** bem preparado; apto *<aluno a.>* **4** de acordo com (outros) *<a. com os diretores>*

afinal (a.fi.nal) *adv.* **1** enfim, finalmente *<a., formou-se>* **2** afinal de contas *<a., quanto foi o jogo?>*

afinar (a.fi.nar) *v.* {mod. 1} *t.d.* **1** tornar fino ou mais fino *<a. a ponta de um lápis>* ↺ engrossar **2** livrar (metais) de impurezas; purificar □ *t.d. e int.* **3** MÚS pôr em harmonia (instrumentos, vozes) *<afinou a guitarra antes de tocar> <esse coro nunca afina>* □ *t.d. e pron. fig.* **4** tornar(-se) melhor, mais perfeito; apurar(-se) *<o estudo afina o conhecimento> <com a idade, seu gosto afinou-se>* □ *t.i.,t.d.i. e pron. fig.* **5** (prep. *com*, *a*) pôr(-se) em concordância, equilíbrio; ajustar(-se) *<o comportamento dela afinava com o da mãe> <você deve a. suas ideias com as do grupo> <não se afinava com o irmão>* □ *int.* **6** *B infrm.* assustar-se diante do adversário (esp. no futebol) *<ao ver o tamanho do zagueiro, o atacante afinou>* ~ **afinação** *s.f.*

afincar (a.fin.car) *v.* {mod. 1} *t.d. e pron.* **1** fixar (-se), cravar(-se) *<a. um prego> <a flecha afincou-se na árvore>* □ *t.i. e pron. fig.* **2** (prep. *a*, *em*) insistir, teimar *<afincou em sair, apesar da chuva> <afincava-se às velhas manias>* ~ **afincamento** *s.m.*

afinco (a.fin.co) *s.m.* conduta firme; perseverança, persistência *<estudar com a.>*

afinidade (a.fi.ni.da.de) *s.f.* **1** vínculo de parentesco não sanguíneo *<primos por a.>* **2** relação entre pessoas existente pela coincidência ou semelhança (de gostos, sentimentos etc.) *<foram amigos na infância, mas já não havia a. entre eles>* **3** relação de semelhança entre coisas *<a. entre o som e a cor>*

afirmação (a.fir.ma.ção) [pl.: *-ões*] *s.f.* **1** ato de dizer sim ou seu efeito; asserção *<respondeu à proposta com uma a.>* ↺ negação **2** o que se afirma como verdade; afirmativa *<a a. do governador irritou o deputado>* **3** declaração firme; afirmativa, asserção *<aquele ato foi a a. de seu caráter>* **4** autoafirmação *<adolescente em busca de a.>*

afirmar (a.fir.mar) *v.* {mod. 1} *t.d. e t.d.i.* **1** (prep. *a*) dizer com firmeza, assumindo a verdade do que é dito; asseverar *<afirmaram que voltariam cedo> <afirmou ao povo que seria reeleito>* □ *t.d. e pron.* **2** tornar(-se) firme; estabelecer(-se), consolidar(-se) *<a. termos do contrato> <a.-se no emprego>* □ *t.d.* **3** garantir a veracidade, a existência de; comprovar *<o atestado afirma que a joia é antiga>*

afirmativa (a.fir.ma.ti.va) *s.f.* **1** afirmação **2** resposta positiva; confirmação ↺ negativa

afirmativo (a.fir.ma.ti.vo) *adj.* **1** que afirma ou que envolve afirmação *<dar um olhar a.>* **2** que revela certeza; categórico *<declaração a.>* **3** GRAM LING em que não há negação (diz-se de palavra, frase etc.)

afivelar (a.fi.ve.lar) *v.* {mod. 1} *t.d.* **1** prender com fivela *<a. o cinto de segurança>* **2** pôr fivela em *<afivelou a correia do relógio>*

afixar (a.fi.xar) /cs/ *v.* {mod. 1} *t.d.* **1** tornar fixo; fixar *<afixou os pés da mesa>* **2** colar (aviso, cartaz etc.) *<a. um quadro no mural>* **~afixação** *s.f.*

afixo (a.fi.xo) /cs/ *adj.* **1** unido, preso ■ *s.m.* GRAM **2** elemento acrescentado ao início, meio ou fim de uma palavra base, us. para formar outra palavra, por derivação, ou para flexioná-la em número, gênero etc. ☞ cf. *prefixo*, *sufixo* e [2]*infixo*

aflautado (a.flau.ta.do) *adj.* **1** que tem som ou aparência semelhante à de uma flauta *<instrumento a.>* **2** *fig.* doce, suave *<voz a.>*

aflição (a.fli.ção) [pl.: *-ões*] *s.f.* **1** agitação, inquietação, desconforto *<sente a. em lugares fechados>* ↺ calma **2** sentimento de persistente dor ou tristeza; angústia *<a. dos desalojados pela enchente>* ↺ alívio **3** preocupação, receio ↺ tranquilidade

afligir (a.fli.gir) *v.* {mod. 24} *t.d. e pron.* **1** (fazer) sentir inquietação, angústia; atormentar(-se) *<a antecipação da prova afligiu os candidatos>* *<afligiu-se ao ver que perdera o ônibus>* □ *t.d.* **2** causar destruição a; assolar, devastar *<a seca aflige a região>* ◉ GRAM/USO part.: *afligido*, *aflito*; ver QUADRO DE PARTICÍPIOS DUPLOS nas pp. iniciais

aflitivo (a.fli.ti.vo) *adj.* **1** que provoca aflição ou angústia; desesperador *<situação a.>* ↺ aliviador, animador **2** que consome, tortura; lancinante

aflito (a.fli.to) *adj.s.m.* **1** que(m) está angustiado, preocupado *<coração a.>* ↺ tranquilo **2** que(m) está muito ansioso; inquieto *<aguardava a. o resultado da prova>*

aflorar (a.flo.rar) *v.* {mod. 1} *int.* **1** vir à superfície; emergir *<mergulhou e demorou para a.>* □ *t.d. e int. fig.* **2** tornar(-se) visível; manifestar(-se) *<a. um sorriso>* *<seu talento para dança aflorou cedo>* **~afloração** *s.f.* - **afloramento** *s.m.*

afluência (a.flu.ên.cia) *s.f.* **1** chegada ou presença de muitas pessoas ou coisas *<grande a. de espectadores para o show>* **2** GEO ato de dois ou mais rios seguirem para um mesmo ponto **3** GEO esse ponto

afluente (a.flu.en.te) *adj.2g.* **1** que acorre em grande quantidade *<público a.>* **2** abundante, caudaloso ■ *adj.2g.s.m.* **3** GEO (rio) que deságua em outro rio ou em lago *<não consegue decorar os a. do rio Amazonas>*

afluir (a.flu.ir) *v.* {mod. 26} *int.* **1** correr para; confluir *<o Amazonas aflui ao Atlântico>* **2** chegar em quantidade *<fiéis afluíam ao templo>* **~afluição** *s.f.*

afluxo (a.flu.xo) /cs/ *s.m.* **1** fluxo, enchente *<o a. das águas>* **2** convergência em quantidade grande; abundância *<a. de pessoas>*

afobação (a.fo.ba.ção) [pl.: *-ões*] *s.f.* *B* **1** muita pressa, precipitação *<cozinhar com a. não dá certo>* **2** grande atrapalhação ou perturbação *<aquele cachorro causava muita a.>* **~afobado** *adj.*

afobar (a.fo.bar) *v.* {mod. 1} *t.d. e pron.* **1** (fazer) ficar com muita pressa ou precipitação *<afobou-se e deixou cair o prato>* **2** (fazer) ficar perturbado; atrapalhar(-se) *<as perguntas difíceis afobaram o candidato>* *<sempre se afoba ao ser entrevistado>* **~afobamento** *s.m.*

afofar (a.fo.far) *v.* {mod. 1} *t.d. e int.* tornar(-se) fofo, mole; amaciar(-se) *<a. travesseiros>* *<após a lavagem, o tecido afofou>* **~afofamento** *s.m.*

afogadilho (a.fo.ga.di.lho) *s.m.* pressa, precipitação ▣ **de a.** às pressas, de modo precipitado *<cuidadoso, não faz nada de a.>*

afogar (a.fo.gar) *v.* {mod. 1} *t.d. e pron.* **1** matar(-se) ou morrer por asfixia, imergindo em líquido *<sem intenção, afogou o inseto no tanque>* *<não entrou no rio com medo de se a.>* □ *t.d. fig.* **2** procurar esquecer; abafar *<a. as mágoas>* □ *int. p.ext.* **3** MEC enguiçar (motor de veículo) por excesso de gasolina ou deficiência de entrada de ar no carburador **~afogado** *adj.s.m.* - **afogador** *adj.s.m.* - **afogamento** *s.m.*

afogueado (a.fo.gue.a.do) *adj.* **1** muito quente, escaldante *<tarde a.>* **2** *p.ext.* de tonalidade vermelha; rubro *<poente a.>* **3** *p.ext.* que enrubesceu, corou *<faces a.>*

afoguear (a.fo.gue.ar) *v.* {mod. 5} *t.d.* **1** tornar muito quente; abrasar *<o calor do motor afogueava o piloto>* □ *t.d. e pron. p.ext.* **2** tornar(-se) corado; ruborizar(-se) *<a vergonha afogueou seu rosto>* *<qualquer elogio a faz a.-se>* **~afogueamento** *s.m.*

afoito (a.foi.to) *adj.* **1** que tem coragem, ousadia; destemido **2** que é muito valente; valentão **3** apressado, precipitado; ansioso **~afoitar** *v.t.d. e pron.* - **afoiteza** *s.f.*

afonia (a.fo.ni.a) *s.f.* MED perda parcial ou total da voz

afônico (a.fô.ni.co) *adj.* **1** que padece de afonia total ou parcial *<a gripe deixou-o a.>* **2** relativo a ou próprio da afonia

afora (a.fo.ra) *adv.* **1** para fora *<saiu porta a.>* **2** adiante, em frente (no tempo ou no espaço) *<pela vida a.>* *<pela estrada a.>* ■ *prep.* **3** exceto *<a. o irmão, todos o abandonaram>* **4** além de *<a. o carro novo, ganhou uma viagem>*

aforamento (a.fo.ra.men.to) *s.m.* DIR direito permanente de utilizar um imóvel mediante a obrigação de não deteriorá-lo e de pagar um foro ('imposto') anual

aforar (a.fo.rar) *v.* {mod. 1} *t.d. e t.d.i.* **1** DIR (prep. *a*) dar ou tomar por aforamento *<aforou a sede do clube>* *<a. terras aos indígenas>* □ *pron.* **2** (prep. *de*) atribuir-se (direitos, qualidades etc.) *<aforava-se a única responsável pela vitória>*

aforismo (a.fo.ris.mo) *s.m.* máxima ou sentença que exprime um conceito ou uma lição moral ◉ COL analecto **~aforista** *adj.2g.s.2g.* - **aforístico** *adj.*

aformosear (a.for.mo.se.ar) *v.* {mod. 5} *t.d. e pron.* **1** tornar(-se) formoso; embelezar(-se) *<a operação plástica aformoseou suas orelhas>* *<aformoseou-se com a idade>* **2** enfeitar(-se), adornar(-se) *<a. a entrada da casa>* *<aformoseou-se para encontrar o namorado>*

afortunado (a.for.tu.na.do) *adj.s.m.* que(m) foi abençoado com a boa sorte, felicidade; bem-aventurado ↺ mal-afortunado **~afortunar** *v.t.d. e pron.*

afoxé (a.fo.xé) *s.m.* **1** cortejo meio religioso meio leigo que desfila no período do carnaval, na Bahia, ger. como obrigação de uma casa de candomblé **2** MÚS *B* instrumento composto de uma cabaça seca com contas em seu interior ou presas em fio à sua volta, que faz um som semelhante ao do chocalho

afrancesar (a.fran.ce.sar) *v.* {mod. 1} *t.d. e pron.* dar ou tomar aspecto ou característica própria do povo, da cultura, da língua francesa *<a. uma receita> <afrancesou-se para parecer chique>*

afresco (a.fres.co) /ê/ *s.m.* ART.PLÁST **1** método de pintura mural feita sobre a argamassa úmida **2** pintura feita desse modo *<os a. do pintor Michelangelo>*

africânder (a.fri.cân.der) [pl.: *-es*] ou **africâner** (a.fri.câ.ner) [pl.: *africâneres*] *s.m.* **1** LING uma das línguas oficiais da África do Sul, derivada do holandês ■ *s.2g.* **2** indivíduo sul-africano, descendente de holandês, que fala essa língua **3** raça sul-africana de gado bovino ■ *adj.2g.* **4** relativo a essa língua, a esse indivíduo e a essa raça bovina

africanismo (a.fri.ca.nis.mo) *s.m.* **1** influência africana na cultura dos demais continentes **2** LING palavra, construção ou expressão tomada de empréstimo de qualquer das línguas africanas

africanizar (a.fri.ca.ni.zar) *v.* {mod. 1} *t.d. e pron.* dar ou tomar aspecto ou característica própria dos povos, culturas, línguas da África *<a. sua música> <a escritora americana africanizou-se>*

africano (a.fri.ca.no) *adj.* **1** da África ■ *s.m.* **2** natural ou habitante desse continente

afro (a.fro) *adj.s.m.* **1** (indivíduo) dos afros, antigo povo da África, que deu origem ao nome do continente **2** africano ■ *adj.2g.2n.* **3** típico da África negra *<cabelos, dança a.>*

afro-brasileiro (a.fro-bra.si.lei.ro) [pl.: *afro-brasileiros*] *s.m.* **1** brasileiro descendente de africanos negros ■ *adj.* **2** relativo a esse descendente **3** relativo ao mesmo tempo à África e ao Brasil **4** que é uma mistura das duas culturas *<literatura a.>*

afro-cubano (a.fro-cu.ba.no) [pl.: *afro-cubanos*] *s.m.* **1** cubano descendente de africanos negros ■ *adj.* **2** relativo a esse cubano **3** relativo ao mesmo tempo à África e a Cuba

afrodescendente (a.fro.des.cen.den.te) *adj.2g.s.2g.* que ou quem descende de família ou de indivíduo africano negro

afrodisíaco (a.fro.di.sí.a.co) *adj.s.m.* (substância) que aumenta ou restabelece os desejos sexuais ~ **afrodisia** *s.f.*

afronta (a.fron.ta) *s.f.* **1** ofensa, insulto, ultraje *<faltar àquela aula foi uma a. ao professor>* **2** *fig.* aquilo que contraria ou ofende um padrão estabelecido *<o livro é uma a. à literatura>*

afrontado (a.fron.ta.do) *adj.* **1** que sofreu afronta; insultado **2** *infrm.* que se sente incomodado por má digestão

afrontar (a.fron.tar) *v.* {mod. 1} *t.d. e pron.* **1** enfrentar(-se), defrontar(-se) *<a. o inimigo> <afrontou-se com a fera>* □ *t.d.* **2** dirigir ofensa a; insultar *<era sua intenção a. os colegas>* **3** causar mal-estar físico a *<o tempero da comida afrontou-o>* ~ **afrontamento** *s.m.*

afrontoso (a.fron.to.so) /ô/ [pl. e fem.: /ó/] *adj.* **1** que constitui ou envolve afronta, ofensa; ofensivo, ultrajante *<comentário a.>* ↺ honroso, respeitoso **2** que causa mal-estar ou fadiga; cansativo, fatigante

afrorreligioso (a.fror.re.li.gi.o.so) /ô/ [pl. e fem.: /ó/] *adj.* relativo a, pertencente a ou próprio da tradição religiosa africana *<líder a.>*

afrouxar (a.frou.xar) *v.* {mod. 1} *t.d. e int.* **1** tornar(-se) frouxo, flexível *<a. o nó da gravata> <as cordas do violão afrouxaram>* ↺ apertar(-se) □ *t.d.* **2** tornar-se mais lento ou menos intenso *<o cavalo afrouxou o passo>* □ *t.d. e pron.* **3** (fazer) perder rigor, severidade *<a. a disciplina> <os costumes afrouxaram-se>* □ *int.* **4** perder o ânimo ou a coragem *<diante da fúria do outro, afrouxou>* ~ **afrouxamento** *s.m.*

afta (af.ta) *s.f.* MED pequena ferida, na boca ou lábios, ger. causada por vírus, fungos, ou problemas alimentares

aftosa (af.to.sa) *s.f.* VET febre aftosa

aftose (af.to.se) *s.f.* MED qualquer doença com presença de aftas

aftoso (af.to.so) /ô/ [pl. e fem.: /ó/] *adj.* relativo a ou que tem aftas ou aftosa

afuazado (a.fu.a.za.do) *adj.* *C.-O. TO infrm.* **1** aborrecido, enfezado, irritado *<fica a. por qualquer bobagem>* **2** que se assustou; espantado *<galinha a.>* **3** desalinhado, desarrumado *<vive com o cabelo a.>*

afugentar (a.fu.gen.tar) *v.* {mod. 1} *t.d.* **1** pôr em fuga; expulsar, enxotar *<afugentou as abelhas>* **2** *fig.* fazer desaparecer; extinguir *<a luz afugenta as trevas>* ~ **afugentador** *adj.s.m.* - **afugentamento** *s.m.*

afundar (a.fun.dar) *v.* {mod. 1} *t.d.,int. e pron.* **1** (fazer) ir ao fundo; imergir *<a. o pé numa poça> <não deixava o filho a.(-se)>* ↺ emergir **2** naufragar *<a imensa onda afundou o navio> <o barco afundou rapidamente>* □ *t.d.* **3** escavar para tornar fundo *<a. o leito do rio>* □ *t.d. e pron.* **4** *fig. infrm.* (fazer) sair-se mal *<a prova difícil afundou a turma>* □ *int. e pron.* **5** ter mau êxito; fracassar *<foi bem até o meio da competição, depois afundou(-se)>* **6** penetrar, embrenhar-se *<corajoso, afundava(-se) casa adentro>* □ *t.i. e pron.* **7** *fig.* (prep. *em*) deixar-se imergir, mergulhar *<a.(-se) em lembranças>* ~ **afundamento** *s.m.*

afunilar (a.fu.ni.lar) *v.* {mod. 1} *t.d. e pron.* **1** (fazer) tomar forma de funil **2** afinar(-se) na extremidade; estreitar(-se) *<a obra afunilará a estrada> <depois da curva, a ladeira afunila(-se)>* ☞ cf. *enfunilar* ~ **afunilamento** *s.m.*

Ag QUÍM símbolo de *prata*

agá (a.gá) *s.m.* nome da letra *h*

agachamento (a.ga.cha.men.to) *s.m.* **1** ato ou efeito de agachar-se; abaixamento, acocoramento *<fez uma série de a. ao final do treino>* **2** *fig.* atitude servil; submissão, subserviência ↺ insubordinação, rebeldia

agachar (a.ga.char) *v.* {mod. 1} *t.d. e pron.* **1** (fazer) ficar abaixado, de cócoras *<agachou-se para desviar da bola>* □ *pron.* **2** submeter-se, rebaixar-se *<não se agachava para os colegas mais velhos>*

agadanhar (a.ga.da.nhar) *v.* {mod. 1} *t.d.* agarrar, ferir com as mãos, unhas, garras etc. *<a leoa saltou e agadanhou a presa>*

ágape (á.ga.pe) *s.2g.* **1** HIST REL refeição dos antigos cristãos para celebrar a Eucaristia **2** *p.ext.* refeição de confraternização

ágar (á.gar) [pl.: *-es*] *s.m.* QUÍM ágar-ágar

ágar-ágar (á.gar-á.gar) [pl.: *ágar-ágares*] *s.m.* QUÍM substância tirada de certas algas, us. para dar consistência gelatinosa a alimentos, cosméticos etc.; ágar

agárico (a.gá.ri.co) *s.m.* BIO nome comum a fungos comestíveis, conhecidos como cogumelos, de corpo grande, carnoso e cores variadas

agarração (a.gar.ra.ção) [pl.: *-ões*] *s.f.* agarramento

agarrado (a.gar.ra.do) *adj.* **1** preso com garra ou mão ↺ livre, solto **2** *fig.* muito unido; próximo, enlaçado *<irmãos a.>* ↺ desapegado **3** *fig.* apegado com firmeza; convicto *<a. aos seus ideais>* ■ *s.m. B infrm.* **4** passagem estreita entre rochas ou numa trilha

agarramento (a.gar.ra.men.to) *s.m.* **1** ato de agarrar(-se) ou o seu efeito; agarração **2** *B* apego excessivo a coisas ou pessoas

agarrar (a.gar.rar) *v.* {mod. 1} *t.d.* **1** prender com garra *<a águia agarrou a presa>* **2** conseguir pegar; prender, deter *<a. o culpado, um ladrão>* **3** apanhar, pegar, segurar *<agarrou a bolsa e saiu>* □ *t.d. e pron. fig.* **4** (prep. *a*) segurar(-se) com força *<agarrou-se ao poste para não cair>* □ *pron.* **5** estar sempre próximo a; grudar-se *<agarra-se ao chefe para mostrar eficiência>* □ *int.* **6** FUTB *B* jogar na posição de goleiro *<joga no ataque, mas também agarra muito bem>*

agasalhar (a.ga.sa.lhar) *v.* {mod. 1} *t.d. e pron.* **1** cobrir(-se) com agasalho; aquecer(-se) *<agasalhou a criança> <está frio; agasalhe-se>* **2** *p.ext.* acolher (-se), hospedar(-se) *<tiveram de a. os primos> <agasalhou-se na casa do vizinho>* **3** *p.ext.* proteger(-se), resguardar(-se) *<agasalharam os animais durante a tempestade> <agasalhou-se assim que começou a chover>* □ *t.d. fig.* **4** guardar no íntimo; nutrir *<a. um sonho>* **5** conter em si; abrigar *<a mata agasalha vários animais>*

agasalho (a.ga.sa.lho) *s.m.* **1** roupa que protege da chuva ou do frio **2** ESP roupa usada sobre o uniforme de jogo ou competição *<tiraram os a. quase dentro do campo>*

agastar (a.gas.tar) *v.* {mod. 1} *t.d. e pron.* (fazer) ficar irritado; zangar(-se), aborrecer(-se) *<a alta dos preços agastou os compradores> <agasta-se por qualquer coisa>* ~ **agastamento** *s.m.*

ágata (á.ga.ta) *s.f.* **1** MINER pedra semipreciosa com círculos de cores, us. na confecção de joias e objetos ornamentais **2** ferro esmaltado; ágate

ágate (á.ga.te) *s.m.* ferro esmaltado; ágata *<panelas de á.>*

agavácea (a.ga.vá.cea) *s.f.* BOT espécime das agaváceas, família de árvores e ervas tropicais e subtropicais, de folhas ger. estreitas, que armazenam grande quantidade de água, cultivadas pelas fibras, como o sisal, ou para cercas vivas ~ **agaváceo** *adj.*

agave (a.ga.ve) *s.m.* BOT nome comum dado a certas plantas de folhas ger. grandes, carnosas e rígidas, que limpam as toxinas do organismo, são benéficas para o estômago, além de fornecerem fibras que são usadas na produção da tequila

-agem *suf.* **1** 'ação ou resultado da ação': *lavagem, regulagem* **2** 'coleção': *folhagem, plumagem*

agência (a.gên.cia) *s.f.* **1** empresa que presta serviços a outra *<a. de empregos> <a. de turismo>* **2** sucursal de indústria, banco, firma, jornal etc.

agenciar (a.gen.ci.ar) *v.* {mod. 1} *t.d.* **1** cuidar de (negócios, interesses), como representante ou agente *<a. artistas>* **2** buscar, solicitar (benefício) *<a. um empréstimo>* ~ **agenciador** *adj.s.m.* - **agenciamento** *s.m.*

agenda (a.gen.da) *s.f.* **1** conjunto de compromissos diários a serem cumpridos *<está com a a. cheia>* **2** *p.ext.* livro que registra esses compromissos e afins *<no aniversário, ganhou duas a.>* ▣ **a. eletrônica** INF aparelho computadorizado que armazena compromissos, nomes, endereços etc.

agendar (a.gen.dar) *v.* {mod. 1} *t.d.* incluir (compromisso) em agenda *<a. duas reuniões para o mesmo dia>*

agente (a.gen.te) *adj.2g.s.2g.* **1** que(m) atua, opera, agencia ■ *s.2g.* **2** pessoa ou algo que desencadeia ação ou efeito *<ainda não descobriram o a. da infecção>* **3** intermediário em negociações mercantis ou de artistas, escritores, músicos etc. **4** membro de corporação policial ■ *s.m.* **5** causa, motivo *<a alta dos preços foi o a. da crise>* ■ *adj.2g.s.m.* **6** GRAM (aquele) que executa a ação expressa pelo verbo ▣ **a. da passiva** GRAM na voz passiva, complemento verbal que expressa o ser que executa a ação do verbo • **a. secreto** espião

agigantado (a.gi.gan.ta.do) *adj.* **1** que tem dimensões de gigante; colossal, descomunal, gigantesco ↺ minúsculo, pequeno **2** dotado de grande força; hercúleo, vigoroso ↺ debilitado, fraco

agigantar (a.gi.gan.tar) *v.* {mod. 1} *t.d. e pron.* **1** tornar(-se) gigante, enorme *<com a demissão, seus problemas agigantaram-se>* **2** *fig.* aumentar muito; exagerar *<vaidoso, agigantou suas conquistas>* □ *pron. fig.* **3** ter grande destaque; sobressair *<o goleiro agigantou-se naquela defesa>* ~ **agigantamento** *s.m.*

ágil (á.gil) [pl.: *-eis*] *adj.2g.* **1** que se move com facilidade; ligeiro *<é um time á. nos contra-ataques>* ↺ lento, vagaroso **2** desembaraçado, vivo, rápido *<diálogo á.>* **3** eficiente no trabalho; diligente *<juiz á.>* ◉ GRAM/USO sup.abs.sint.: *agílimo, agilíssimo*

agilidade (a.gi.li.da.de) *s.f.* **1** característica do que ou de quem é ágil; ligeireza, rapidez ↺ lentidão, lerdeza, morosidade **2** *fig.* desenvoltura, vivacidade *<a. de pensamento>* ↺ lerdeza

agilizar (a.gi.li.zar) *v.* {mod. 1} *t.d. e pron.* tornar (-se) mais rápido, mais ativo, mais eficiente *<a. as entregas> <agilizaram-se sem perder a eficiência>* ~ **agilização** *s.f.*

ágio (á.gio) *s.m.* ECON **1** lucro nas operações do câmbio de moeda **2** juro superior à taxa legal, obtido por empréstimo em dinheiro

agiota (a.gi.o.ta) *adj.2g.s.2g.* que(m) se dedica à agiotagem

agiotagem (a.gi.o.ta.gem) [pl.: *-ens*] *s.f.* **1** especulação sobre o câmbio, o preço de mercadorias etc., visando a grandes lucros **2** empréstimo de dinheiro a juros superiores à taxa legal; usura ~ **agiotar** *v.int.*

agir (a.gir) *v.* {mod. 24} *int.* **1** tomar providências; atuar *<só falavam, não agiam>* **2** produzir efeito ou reação *<o ácido também age sobre metais>* **3** exercer atividade; trabalhar *<o escritor prefere a. à noite>* **4** proceder, comportar-se *<deveria a. com muita cautela>*

agitação (a.gi.ta.ção) [pl.: *-ões*] *s.f.* **1** ato ou efeito de agitar(-se); agitamento **2** movimento irregular e repetido; balanço, oscilação *<a. do mar>* ↺ imobilidade, inércia **3** perturbação moral, psíquica etc.; desassossego, inquietação *<não conseguia esconder sua a.>* ↺ calma, serenidade **4** movimento que resulta de grande concentração de pessoas (na rua, em bares etc.); rebuliço, tumulto *<foi para casa antes que a a. começasse>* ↺ calmaria, paz

agitado (a.gi.ta.do) *adj.* **1** que se movimenta muito *<mar a.>* ↺ calmo **2** *fig.* que transcorre com desassossego, inquietação *<vida a.>* ↺ sereno, tranquilo **3** perturbado, inquieto *<gestos e palavras a.>* ■ *adj.s.m.* **4** que(m) se mostra perturbado, inquieto ou travesso *<criança a.>*

agitador (a.gi.ta.dor) /ô/ [pl.: *-es*] *adj.s.m.* que(m) provoca agitação; fomentador, incitador *<a passeata estava cheia de a.>* ↺ apaziguador

agitar (a.gi.tar) *v.* {mod. 1} *t.d. e pron.* **1** mover (-se) muito; sacudir *<o vento agitava a bandeira>* **2** tornar(-se) inquieto; perturbar(-se) *<agitava sua mãe com tantas perguntas> <a.-se durante o sono>* □ *t.d.* **3** incitar à revolta; sublevar *<a. as massas>* ~ **agitamento** *s.m.*

agito (a.gi.to) *s.m.* *B infrm.* **1** estado de agitação, de excitação *<a festa foi o maior a.>* **2** multidão agitada e ruidosa

aglomeração (a.glo.me.ra.ção) [pl.: *-ões*] *s.f.* **1** ato ou efeito de juntar(-se), misturar(-se); aglomerado, concentração, mistura **2** grande quantidade de coisas ou pessoas; aglomerado, multidão *<havia uma a. na praça>*

aglomerado (a.glo.me.ra.do) *adj.* **1** reunido ■ *s.m.* **2** conjunto de coisas ou pessoas reunidas; aglomeração *<a. de estrelas>* **3** CONSTR bloco ou peça formada de fragmentos de pedra, cortiça etc., prensados e colados com cimento ou resina, us. como material de construção **4** CONSTR *B* chapa plana prensada de partículas de madeira e resina

aglomerar (a.glo.me.rar) *v.* {mod. 1} *t.d. e pron.* pôr(-se) junto; reunir(-se), amontoar(-se) *<a. caixas> <aglomeraram-se em um canto da sala>*

aglutinação (a.glu.ti.na.ção) [pl.: *-ões*] *s.f.* **1** união e integração de elementos distintos, formando um todo em que dificilmente se reconhecem as partes originais *<da a. dos dois livros resultou uma grande obra>* **2** GRAM reunião de dois ou mais vocábulos distintos em um só vocábulo, com significado novo, perda de fonemas e esp. de acento de um dos vocábulos aglutinados (p.ex.: *aguardente* por *água* + *ardente*, *pernalta* por *perna* + *alta*) ☞ cf. *justaposição* e *composição*

aglutinante (a.glu.ti.nan.te) *adj.2g.s.m.* **1** (o) que aglutina, que pega como grude ■ *s.m.* **2** substância que liga e fixa pigmento de tinta

aglutinar (a.glu.ti.nar) *v.* {mod. 1} *t.d.,t.d.i. e pron.* **1** (prep. *a*, *com*) unir(-se) com grude, cola *<a. a fita ao embrulho>* **2** (prep. *a*, *com*) juntar(-se) [coisas diversas]; reunir(-se) *<os componentes aglutinaram-se na mistura>* **3** *fig.* (prep. *a*, *com*) unir(-se), de modo que não se diferenciem as partes; fundir(-se), misturar(-se) *<a manteiga e o açúcar aglutinam-se perfeitamente>*

agnosticismo (ag.nos.ti.cis.mo) *s.m.* FIL doutrina segundo a qual é impossível a compreensão de questões como a existência de Deus, o sentido da vida, a origem e destino dos seres, por não haver a possibilidade de comprovação científica ☞ cf. *ateísmo*

agnóstico (ag.nós.ti.co) *adj.* **1** relativo ao agnosticismo ■ *adj.s.m.* **2** partidário ou seguidor do agnosticismo ☞ cf. *ateu*

agogô (a.go.gô) *s.m.* MÚS *B* instrumento de origem afro-brasileira formado de dois cones de metal unidos pela ponta mais estreita, percutidos com uma vareta de metal

agonia (a.go.ni.a) *s.f.* **1** respiração ruidosa dos moribundos **2** *fig.* aflição ou sofrimento agudo, de origem física ou moral *<depois que enviuvou, vive em a.>* **3** *fig.* últimos momentos; declínio *<a a. de um império>* **4** *infrm.* mal-estar provocado por enjoo ou náusea ~ **agônico** *adj.*

agoniado (a.go.ni.a.do) *adj.* **1** que sente agonia, estertores de aflição e morte; agonizado **2** *p.ext.* que está sofrendo de indisposição ou enjoo; indisposto, nauseado *<sentiu-se a. após o jantar>* ↺ bem-disposto **3** *fig.* dominado por amargura, tristeza ou aflição *<estavam a. à espera do resultado da prova>* ↺ alegre, contente **4** *B* que tem pressa; afobado, apressado *<estava a. para chegar em casa>* ↺ calmo, tranquilo

agoniar (a.go.ni.ar) *v.* {mod. 1} *t.d. e pron.* **1** tornar (-se) amargurado, aflito; atormentar(-se) *<inseguro, qualquer crítica agoniava-o> <agoniou-se com tanta crueldade>* **2** (fazer) ficar irritado; agastar(-se) *<a demora agoniava toda a família> <agoniava-se com aquele barulho>*

agonizante (a.go.ni.zan.te) *adj.2g.s.2g.* **1** que(m) agoniza, está prestes a morrer; moribundo ■ *adj.2g.* **2** próprio da agonia **3** *p.ext.* que causa agonia, que aflige, atormenta; aflitivo, angustiante **4** *fig.* que declina de modo rápido ou está em decadência; decadente, declinante *<sociedade a.>* ↺ florescente, próspero

agonizar (a.go.ni.zar) *v.* {mod. 1} *int.* **1** estar prestes a morrer **2** *fig.* estar em decadência *<a monarquia agonizava>* □ *t.d.* **3** causar aflição a; atormentar ~ **agonizado** *adj.*

agora (a.go.ra) *adv.* **1** neste momento, neste instante *<está entrando a. em casa>* **2** há poucos instantes *<chegou a. mesmo>* **3** atualmente *<a. vivemos tempos difíceis>* **4** daqui por diante *<a. resta esperar>* ■ *conj.advrs.* **5** porém; contudo *<falar é fácil, a. fazer é difícil>* ■ *conj.altv.* *frm.* **6** ora ▣ **a. mesmo** *infrm.* neste mesmo instante; agorinha *<fez o café a. mesmo>* • **a. que** uma vez que, a partir do momento em que *<a. que começou a trabalhar, quase não o vê> <a. que chegou, podemos nos sentar>* • **de a. em diante** a partir deste momento *<de a. em diante, não comerei mais chocolate>*

ágora (á.go.ra) *s.f.* na Grécia antiga, praça principal, em que ficava o mercado e aconteciam as assembleias do povo; era tb. um centro religioso

agorafobia (a.go.ra.fo.bi.a) /àgo/ *s.f.* MED pânico de se achar sozinho em grandes espaços abertos ou lugares públicos ↺ claustrofobia ~ **agorafóbico** *adj.s.m.* - **agoráfobo** *adj.s.m.*

agorinha (a.go.ri.nha) *adv.* *B* há poucos instantes, agora mesmo

agosto (a.gos.to) /ô/ *s.m.* o oitavo mês do ano no calendário gregoriano, composto de 31 dias

agourar (a.gou.rar) *v.* {mod. 1} *t.d.,t.i.,t.d.i. e pron.* **1** (prep. *de, a, para*) adivinhar, prever, pressentir *<otimista, agoura sucesso (para todo novo projeto)>* *<agouraram bem do novo sócio>* *<agoura-se um futuro afortunado>* □ *t.d.* **2** desejar mau agouro a *<vive agourando o síndico>* **3** ser sinal de (mau agouro, desgraça etc.) *<espelho quebrado agoura infelicidades>* ~ **agoureiro** *adj.s.m.*

agourento (a.gou.ren.to) *adj.s.m.* **1** que(m) crê em agouros; supersticioso **2** *pej.* (o) que envolve ou traz mau agouro *<animal a.>*

agouro (a.gou.ro) *s.m.* **1** predição, profecia *<quebrar uma taça é de bom a.>* **2** sinal que pressagia algo **3** presságio de acontecimento ou notícia ruim ~ **agoural** *adj.2g.*

agraciar (a.gra.ci.ar) *v.* {mod. 1} *t.d.,t.d.pred. e t.d.i.* (prep. *com*) conceder (graças, condecorações, honras etc.) [a alguém] *<a. o antigo funcionário (com uma placa)>* *<a rainha agraciou-o cavalheiro>* ~ **agraciador** *adj.s.m.*

agradar (a.gra.dar) *v.* {mod. 1} *t.d.,t.i. e int.* **1** (prep. *a*) estar a gosto de; ser agradável; contentar, satisfazer *<agradava os filhos>* *<o garçom agradou aos fregueses>* *<o espetáculo não agradou>* □ *pron.* **2** (prep. *de*) encantar-se com *<agradou-se dos presentes recebidos>*

agradável (a.gra.dá.vel) [pl.: *-eis*] *adj.2g.* **1** que agrada, satisfaz *<casa a.>* **2** delicado, cortês *<modos a.>* ■ *adj.2g.s.m.* **3** (o) que dá prazer, satisfação *<sabor a.>* *<uniu o útil ao a.>* • GRAM/USO sup.abs.sint.: *agradabilíssimo*

agradecer (a.gra.de.cer) *v.* {mod. 8} *t.d.,t.d.i.,t.i. e int.* **1** (prep. *a*) mostrar gratidão (por algo) [a alguém]; reconhecer *<a. um favor>* *<a. ao santo a graça recebida>* *<agradeça a ele por mim>* *<não saia sem a.>* □ *t.d.* **2** retribuir, recompensar *<a. uma gentileza>* ~ **agradecimento** *s.m.*

agradecido (a.gra.de.ci.do) *adj.* **1** que revela gratidão; grato, reconhecido *<ficaram a. pela oportunidade>* ↺ ingrato, mal-agradecido **2** fórmula de agradecimento; grato, obrigado *<– Vocês foram muito gentis. Agradecida – disse a moça.>*

agrado (a.gra.do) *s.m.* **1** sentimento de satisfação; contentamento, gosto *<foi com a. que recebi seu telefonema>* ↺ desgosto **2** manifestação de carinho; afago *<foi recebido com muitos a.>* **3** *B infrm.* gorjeta, presente, gratificação *<deu-lhe um a. pela informação>*

agramatical (a.gra.ma.ti.cal) [pl.: *-ais*] *adj.2g.* que não foi formado de acordo com a estrutura gramatical de uma língua

agrário (a.grá.rio) *adj.* relativo ao campo e à agricultura; rural *<atividade a.>* *<política a.>*

agravado (a.gra.va.do) *adj.* **1** que se tornou pior, mais grave *<doença a.>* ↺ atenuado **2** que se enfureceu; colérico *<ficaram a. com o descaso das autoridades>* ■ *adj.s.m.* **3** DIR (pessoa ou decisão judicial) que recebeu agravo

agravante (a.gra.van.te) *adj.2g.s.2g.* **1** (o) que agrava, sobrecarrega *<o vento forte foi um a.>* **2** DIR que(m) interpõe recurso de agravo **3** DIR (circunstância) que torna mais grave crime ou falta ↺ atenuante

agravar (a.gra.var) *v.* {mod. 1} *t.d. e pron.* **1** tornar(-se) grave ou mais grave; piorar *<a doença agravou-se>* ↺ desagravar □ *t.d.* **2** DIR recorrer com agravo ('recurso') □ *t.d.,t.i. e pron.* **3** (prep. *a*) ofender(-se), magoar(-se) *<as palavras duras agravaram a moça>* *<a má decisão agravará a seus pais>* *<não se agravou com a ofensa>* ↺ desagravar(-se) ~ **agravamento** *s.m.*

agravo (a.gra.vo) *s.m.* **1** ofensa que se faz a alguém; injúria, afronta **2** agravamento de mal ou doença ↺ melhora **3** DIR recurso a uma instância judicial superior, para que se mude decisão de juiz de instância inferior

agredir (a.gre.dir) *v.* {mod. 27} *t.d.* **1** praticar agressão contra; atacar *<a. uma pessoa desconhecida>* **2** dirigir ofensas a; insultar *<agrediu o vizinho>* **3** causar sensação ruim em; incomodar *<o odor agrediu seu olfato>* □ *pron.* **4** trocar agressões *<agrediram-se na fila do ônibus>* ~ **agressor** *adj.s.m.*

agregado (a.gre.ga.do) *adj.* **1** que está junto ou anexo; reunido *<novos pesquisadores a. ao projeto>* ■ *s.m.* **2** conjunto, aglomerado **3** *B* quem se junta a uma família, como membro ou serviçal *<convidou parentes e a. para jantar>* **4** *B* trabalhador rural que mora em terras alheias, cultiva a terra e dá alguns dias de trabalho ao dono, como remuneração *<a fazenda contava com muitos a.>*

agregar (a.gre.gar) *v.* {mod. 1} *t.d. e pron.* **1** juntar (-se) em um só (elementos sem ligação natural) *<agregou vários poemas e publicou um livro>* **2** reunir(-se), agrupar(-se) *<agregou alguns cantores e começou a ensaiar>* *<agregou-se à turma de dança>* □ *t.d.i. e pron.* **3** (prep. *a*) associar(-se), acrescentar(-se) *<a vida agregou-lhe experiência>* *<novas ideias podem a.-se à pesquisa>* ~ **agregação** *s.f.* - **agregativo** *adj.*

agremiação (a.gre.mi.a.ção) [pl.: *-ões*] *s.f.* **1** associação, agrupamento **2** grupo de pessoas com atividades ou interesses comuns, submetidas a um regulamento; grêmio

agremiar (a.gre.mi.ar) *v.* {mod. 1} *t.d.* **1** reunir em grêmio, assembleia, agremiação □ *t.d. e pron.* **2** (prep. *a*) tornar(-se) associado; agregar(-se) *<agremiou-se ao clube do bairro>*

agressão (a.gres.são) [pl.: *-ões*] *s.f.* **1** ataque físico ou moral a alguém *<ao perder a discussão, partiu para a a.>* *<a a. verbal também fere>* **2** ato de hostilidade, de provocação **3** ofensa ou insulto *<o lixo acumulado é uma a. aos olhos>*

agressividade (a.gres.si.vi.da.de) *s.f.* **1** característica, modo de ser do que ou de quem é agressivo ↺ brandura, delicadeza **2** disposição para agredir e/ou provocar **3** *fig.* espírito empreendedor; combatividade, dinamismo *<o sucesso da empresa se deve à a. do diretor>*

agressivo (a.gres.si.vo) *adj.* **1** que agride, envolve ou revela agressão *<olhar a.> <cão a.>* ↺ gentil **2** voltado para o ataque; aguerrido, lutador *<boxeador a.> <empresária a.>* ↺ defensivo ■ *adj.s.m.* **3** PSIC que(m) tem tendência para um comportamento hostil ou destrutivo **~agressivamente** *adv.*

agreste (a.gres.te) *adj.2g.s.m.* **1** (o) que se refere aos campos; selvagem ↺ citadino, urbano **2** *fig.* que(m) se caracteriza, no trato social, pela aspereza, grosseria *<com a idade, foi-se tornando a.>* ↺ civilizado ■ *s.m.* **3** GEO no nordeste do Brasil, zona árida, próxima ao litoral, entre a mata e a caatinga **~agrestia** *s.f.* - **agrestidade** *s.f.*

agrião (a.gri.ão) [pl.: *-ões*] *s.m.* BOT erva ger. aquática, cultivada pelos talos e folhas verdes, de sabor azedo, ger. consumidos em saladas, ricos em minerais e propriedades medicinais

agrícola (a.grí.co.la) *adj.2g.* **1** relativo ao campo, à agricultura; agrário, campestre, rural *<propriedade a.>* **2** que se dedica à agricultura ou nela se baseia *<atividade a.> <economia a.>* ■ *s.2g.* **3** agricultor

agricultor (a.gri.cul.tor) /ô/ [pl.: *-es*] *adj.s.m.* que(m) se dedica à agricultura; lavrador

agricultura (a.gri.cul.tu.ra) *s.f.* **1** cultivo do solo para produção de vegetais úteis à alimentação do ser humano e/ou de animais e também na fabricação de medicamentos, matéria-prima para indústria etc.; lavoura **2** conjunto de métodos e técnicas desse cultivo

agridoce (a.gri.do.ce) /ô/ *adj.2g.s.m.* (sabor) que é acre e doce ao mesmo tempo; acre-doce, acridoce *<frango a.>*

agrilhoar (a.gri.lho.ar) *v.* {mod. 1} *t.d.* **1** prender com grilhões; acorrentar *<a. um prisioneiro>* **2** *fig.* reprimir, refrear *<a. sentimentos>* □ *t.d.i. e pron.fig.* **3** (prep. *a*) tornar(-se) submisso ou escravo *<a. os empregados à empresa> <agrilhoou-se a uma rotina muito cansativa>* **~agrilhoamento** *s.m.*

agrimensor (a.gri.men.sor) /ô/ [pl.: *-es*] *adj.s.m.* que(m) está legalmente habilitado para medir, dividir e/ou demarcar terras ou propriedades rurais *<instrumentos a.>*

agrimensório (a.gri.men.só.rio) *adj.* relativo a agrimensura ou a agrimensor

agrimensura (a.gri.men.su.ra) *s.f.* **1** medição de terras, campos etc. **2** técnica dessa medição **~agrimensar** *v.t.d.*

agrobiologia (a.gro.bi.o.lo.gi.a) *s.f.* BIO estudo da nutrição e crescimento das plantas direcionado ao aumento da produção agrícola

agroecologia (a.gro.e.co.lo.gi.a) *s.f.* ECO parte da ecologia que estuda os agroecossistemas

agroecossistema (a.gro.e.cos.sis.te.ma) *s.m.* ECO ecossistema artificial que se estabelece em áreas agrícolas

agroindústria (a.gro.in.dús.tria) *s.f.* indústria que se ocupa da transformação de produtos agrícolas **~agroindustrial** *adj.2g.*

agronegócio (a.gro.ne.gó.cio) *s.m.* ECON conjunto de operações da cadeia produtiva, que vai desde as atividades agropecuárias até a comercialização do produto

agronomia (a.gro.no.mi.a) *s.f.* conjunto das ciências, técnicas e conhecimentos sobre a prática da agricultura *<formou-se em a.>* **~agronômico** *adj.*

agrônomo (a.grô.no.mo) *s.m.* diplomado ou especialista em agronomia

agropecuária (a.gro.pe.cu.á.ria) *s.f.* atividade que envolve o cultivo do solo e a criação de gado **~agropecuário** *adj.*

agrotóxico (a.gro.tó.xi.co) /cs/ *adj.s.m.* (produto químico) us. no combate e prevenção de pragas da lavoura; defensivo agrícola

agrovia (a.gro.vi.a) *s.f.* via (terrestre, marítima, fluvial) que liga centros de produção agrícola e armazenagem a centros de consumo

agrovila (a.gro.vi.la) *s.f.* *B* povoado que abriga os que trabalham na construção de estradas, esp. em terras desconhecidas

agrupamento (a.gru.pa.men.to) *s.m.* condição do que se acha agrupado, reunido, aglomerado; associação, grupo ↺ dispersão

agrupar (a.gru.par) *v.* {mod. 1} *t.d. e pron.* juntar (-se) em grupo(s); reunir(-se) *<a. os talheres> <agruparam-se na porta do ônibus>*

agrura (a.gru.ra) *s.f.* **1** sabor ácido; azedume **2** *fig.* situação difícil; empecilho, obstáculo *<agruras da vida>* **3** *fig.* padecimento físico ou espiritual; aflição, insatisfação *<sofreu diversas a. no amor>*

água (á.gua) *s.f.* **1** líquido sem cor, odor ou sabor, essencial à vida **2** a parte líquida da superfície terrestre **3** ARQ cada lado de um telhado **4** *fig.* *B infrm.* confusão mental causada por excesso de álcool; embriaguez *<o homem estava na maior á.>* ▼ ***águas*** *s.f.pl.* **5** grandes extensões de água (mares, rios, lagos) **6** as chuvas *<março é o mês das á.>* **7** nascentes de águas minerais e medicinais; termas ▣ **á. benta** REL água benzida pelo celebrante da missa católica • **á. destilada** QUÍM água obtida por destilação de sólidos e organismos dissolvidos ou suspensos, us. sobretudo para fins químicos e farmacêuticos • **á. doce** água (de rios, lagos etc.) que não contém cloreto de sódio • **á. mineral** água potável de valor medicinal por conter sais minerais • **á. na boca** *fig.* forte vontade de comer; grande desejo *<ficou com á. na boca ao ver a sobremesa>* • **á. oxigenada** líquido antisséptico e alvejante • **á. que passarinho não bebe** *B infrm.* cachaça • **á. sanitária** líquido desinfetante à base de cloro • **á. passadas** *fig.* coisas do passado; o que já passou e não interessa mais *<a derrota do time são á. passadas>* • **até debaixo de á.** *fig. B infrm.* **1** muito, demais, em excesso *<ele é bom até debaixo de á.>* **2** em todas as situações; em quaisquer circunstâncias *<ela sapateia até debaixo de á.> <somos amigos até debaixo de á.>* • **ir por á. abaixo** não dar certo; falhar, fracassar *<os planos de viagem foram por á. abaixo>* • **tirar á. do joelho** *B infrm. joc.* urinar

aguaçal (a.gua.çal) [pl.: *-ais*] *s.m.* **1** pântano **2** *B* área alagada depois de grandes chuvas <*o pasto virou um a.*>

aguaceiro (a.gua.cei.ro) *s.m.* chuva forte, súbita e passageira <*voltou para casa debaixo de um a.*>

aguacento (a.gua.cen.to) *adj.* **1** impregnado de água; encharcado <*terreno a.*> **2** diluído em água; aquoso <*solução a.*> **3** semelhante à água

água com açúcar (á.gua com a.çú.car) *adj.2g.2n.* **1** sentimental, piegas <*filme água com açúcar*> **2** simples, ingênuo <*romance água com açúcar*>

aguada (a.gua.da) *s.f.* **1** abastecimento de água potável, ger. para viagem **2** lugar em que se faz esse abastecimento **3** *RS* bebedouro de animais **4** ART.PLÁST técnica us. em aquarela, nanquim etc. em que a tinta é diluída em água **5** ART.PLÁST obra em que é us. essa técnica

água de cheiro (á.gua de chei.ro) [pl.: *águas de cheiro*] *s.f. B infrm.* água-de-colônia

água de coco (á.gua de co.co) [pl.: *águas de coco*] *s.f. B* líquido rico em substâncias nutritivas, encontrado no interior do coco ainda verde, muito consumido como bebida refrescante

água-de-colônia (á.gua-de-co.lô.nia) [pl.: *águas-de-colônia*] *s.f.* preparação com álcool e certos óleos aromáticos, us. como perfume; água de cheiro

água de flor (á.gua de flor) [pl.: *águas de flor*] *s.f.* água aromatizada com flores de laranjeira

aguado (a.gua.do) *adj.* **1** diluído em água <*suco a.*> **2** que tem muita água e pouca substância nutritiva (diz-se de caldos, sopas, refrescos etc.) **3** inundado de água; regado, molhado <*a grama está a.*> **4** *B infrm.* com água na boca **5** *fig.* que se frustrou, fracassado <*plano a.*>

água-forte (á.gua-for.te) [pl.: *águas-fortes*] *s.f.* **1** QUÍM solução de ácido nítrico **2** ART.PLÁST técnica de gravura a entalhe em metal obtido com ácido nítrico **3** ART.PLÁST chapa de cobre, zinco ou ferro us. nessa técnica **4** ART.PLÁST gravura que se obtém por esse processo

água-fortista (á.gua-for.tis.ta) [pl.: *água-fortistas*] *adj.2g.s.2g.* (artista) que usa a técnica de água-forte

água-furtada (á.gua-fur.ta.da) [pl.: *águas-furtadas*] *s.f.* ARQ cômodo entre o telhado e o forro de uma casa; mansarda

água-marinha (á.gua-ma.ri.nha) [pl.: *águas-marinhas*] *s.f.* MINER pedra brasileira, semipreciosa, de um tom claro de azul ou verde

aguamento (a.gua.men.to) *s.m.* VET inflamação da pata dos cavalos devido ao frio ou a trabalho excessivo

aguapé (a.gua.pé) *s.m.* **1** BOT nome comum a várias plantas aquáticas flutuantes, cultivadas como ornamentais, como forragem para o gado e esp. para purificar a água **2** emaranhado de plantas aquáticas que cobre as águas dos rios, lagos e pantanais

aguar (a.guar) *v.* {mod. 3} *t.d.* **1** molhar, regar <*a. o jardim*> **2** adicionar água a (um líquido) <*aguou o café pois estava muito forte*> **3** *fig.* estragar, frustrar (prazer, alegria etc.) <*a. os planos do concorrente*> □ *int. e pron. infrm.* **4** salivar, por vontade de comer algo; ficar com água na boca ~ **aguador** *adj.s.m.*

aguardar (a.guar.dar) *v.* {mod. 1} *t.d. e t.i.* (prep. *por*) ficar na expectativa de; esperar <*a. o namorado*> <*a. (por) uma melhor oportunidade*> ~ **aguardo** *s.m.*

aguardente (a.guar.den.te) *s.f.* bebida de alto teor alcoólico obtida da destilação de vegetais (cana-de-açúcar, cereais, raízes etc.) depois de fermentados ▣ **a. de cana** cachaça ~ **aguardenteiro** *s.m.*

aguarrás (a.guar.rás) *s.f.* essência de terebintina, us. como solvente ◉ GRAM/USO esta pal. ordinariamente não se empr. no pl.

água-viva (á.gua-vi.va) [pl.: *águas-vivas*] *s.f.* ZOO nome comum dado a animais invertebrados, marinhos, de corpo gelatinoso e transparente, cujos tentáculos podem provocar sérias queimaduras nos humanos; caravela

aguçado (a.gu.ça.do) *adj.* **1** terminado em bico ou proeminência fina; agudo, pontudo ↺ rombudo **2** que apresenta forma afilada; adelgaçado, fino <*nariz a.*> ↺ grosso **3** que tem gume; afiado, amolado ↺ cego, embotado **4** *fig.* capaz de perceber sensações com exatidão (diz-se de qualquer dos sentidos); apurado <*audição a.*> **5** *fig.* que apresenta perspicácia, sagacidade, agudeza de espírito; astuto, perspicaz <*mente a.*>

aguçar (a.gu.çar) *v.* {mod. 1} *t.d. e int.* **1** tornar(-se) pontiagudo <*a. um lápis*> <*no topo, o rochedo aguça*> □ *t.d.* **2** afiar, amolar <*a. facas*> **3** *fig.* fazer surgir ou intensificar-se; estimular <*a. o apetite, a curiosidade*> **4** *p.ext.* aumentar a capacidade sensorial de <*a. os ouvidos, a vista*> ~ **aguçamento** *s.m.*

agudo (a.gu.do) *adj.* **1** que termina em ponta aguçada; pontiagudo <*lápis a.*> ↺ rombudo **2** que tem gume ou aresta <*navalha a.*> ↺ cego, embotado **3** *fig.* perspicaz, sutil <*espírito a.*> ↺ ingênuo **4** *fig.* que é áspero, cortante, frio (diz-se do vento) **5** *fig.* que apresenta fortes sintomas e evolução rápida (diz-se de doença) **6** *fig.* que demonstra ironia, mordacidade; irônico <*humor a.*> ↺ grave, sério **7** GEOM que mede menos de 90° (diz-se de ângulo) **8** GRAM diz-se de acento agudo ■ *adj.s.m.* **9** MÚS (som) elevado na escala musical <*os a. de uma soprano*> ↺ baixo, grave ◉ GRAM/USO sup.abs.sint.: *agudíssimo, acutíssimo* ~ **agudez** *s.f.* - **agudeza** *s.f.*

aguentar (a.guen.tar) /gü/ *v.* {mod. 1} *t.d.* **1** sustentar (carga, peso etc.) <*aguentava uma pesada mochila*> **2** tolerar, suportar <*aguenta com paciência as reclamações da irmã*> <*a calça não aguenta mais um remendo*> **3** manter a sobrevivência de; sustentar <*aguentava uma família de seis filhos*> □ *t.d. e int.* **4** resistir, suportar <*mal pôde a. tanto sofrimento*> <*em meio à tempestade, o barco não aguentou*> □ *pron.* **5** manter-se, conservar-se <*a.-se na presidência*> <*enquanto teve saúde, aguentou-se*>

aguerrido (a.guer.ri.do) *adj.* **1** preparado, armado, treinado para a guerra **2** exaltado, violento ↺ calmo, manso **3** *p.ext.* que demonstra destemor; valente, corajoso ↺ covarde, fraco

aguerrir (a.guer.rir) *v.* {mod. 24} *t.d. e pron.* **1** preparar(-se) para a guerra <*a. o exército*> <*os soldados aguerriram-se em meses de treinamento*> **2**

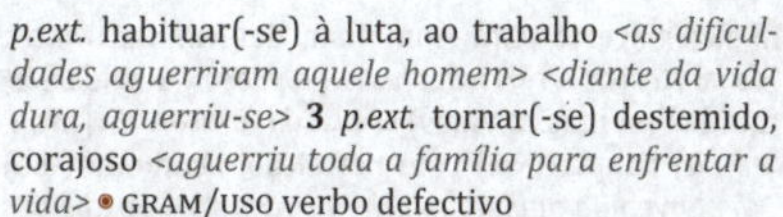

p.ext. habituar(-se) à luta, ao trabalho *<as dificuldades aguerriram aquele homem> <diante da vida dura, aguerriu-se>* **3** *p.ext.* tornar(-se) destemido, corajoso *<aguerriu toda a família para enfrentar a vida>* ◉ GRAM/USO verbo defectivo

águia (á.guia) *s.f.* **1** ZOO ave de grande porte, cosmopolita, da família dos gaviões, predadora, dotada de bico e garras muito fortes **2** *fig.* pessoa notável por seu talento e/ou inteligência *<é uma á. nos negócios>* ■ *s.2g. B pej.* **3** pessoa velhaca, espertalhona

aguilhão (a.gui.lhão) [pl.: *-ões*] *s.m.* **1** ponta afiada de ferro **2** *fig.* fator estimulante, excitante *<a fama é o a. que o move>* **3** ANAT ZOO ferrão de certos insetos

aguilhoada (a.gui.lho.a.da) *s.f.* **1** picada ou ferimento com aguilhão **2** *fig.* dor forte e súbita; pontada *<sentiu uma a. no estômago>* **3** *fig.* estímulo

aguilhoar (a.gui.lho.ar) *v.* {mod. 1} *t.d.* **1** picar com aguilhão *<a. um animal>* **2** *fig.* causar dor física ou moral em *<a culpa aguilhoava sua consciência>* **3** *fig.* estimular, provocar *<a fome aguilhoava seu mau humor>* ~ **aguilhoamento** *s.m.*

agulha (a.gu.lha) *s.f.* **1** haste fina e pontuda de metal, com orifício na extremidade, por onde passa linha, lã, barbante etc., us. para costurar, bordar ou tecer **2** *p.ext.* qualquer objeto alongado e/ou pontiagudo construído pelo ser humano **3** peça de toca-discos us. para transmitir as vibrações sonoras de um disco de vinil **4** peça metálica pontiaguda us. em injeções, costuras cirúrgicas e punções **5** ponteiro (de relógio, bússola, rádio etc.) **6** parte móvel do trilho, que permite que o trem passe de uma via para outra **7** MAR equipamento us. para navegação, que indica o norte **8** pico de montanha com extremidade pontiaguda ◉ GRAM/USO tb. us. como adj. *(salto agulha)*

agulhada (a.gu.lha.da) *s.f.* **1** picada de agulha **2** *fig.* dor forte e súbita; pontada *<uma a. na perna o fez perder o equilíbrio>*

agulheiro (a.gu.lhei.ro) *s.m.* **1** estojo ou suporte para guardar agulhas de costura **2** nas estradas de ferro, o encarregado de movimentar a agulha dos trilhos

ah *interj.* exprime alegria, decepção, surpresa, ironia etc.

ai *interj.* **1** exprime dor, tristeza, lamento ■ *s.m.* **2** manifestação de sofrimento, dor *<saiu decepcionada, mas não disse um ai> <ela é a razão dos meus ais>* ☞ tb. us. no pl. ▣ **ai de** pobre de, desgraçado de, infeliz *<ai de mim, não consigo terminar o trabalho> <ai dele se chegar tarde>*

aí (a.í) *adv.* **1** nesse lugar, próximo ao ouvinte *<o livro está aí na sua frente>* **2** no lugar a que se fez referência; lá, ali *<foi para a biblioteca e aí vai estudar>* **3** nesse aspecto, nesse ponto *<é aí que está o problema>* **4** nesse momento; então *<a noiva chegou e, aí, a festa começou>* **5** junto, anexado *<aí vai o dinheiro>* ■ *interj.* **6** *B infrm.* exprime aprovação, aplauso ou incentivo *<aí, garoto, aguenta firme!>* **7** denota sentido brincalhão *<aí, hein, namorando!>* ▣ **por aí 1** pelo mundo afora, em lugar indeterminado *<acabou de almoçar e saiu por aí>* **2** mais ou menos, cerca de *<o livro custou quarenta reais, por aí>* **3** em algum lugar *<não perdi as chaves, devem estar por aí> <você viu minha gravata por aí?>* **4** assim, dessa maneira *<não é por aí, melhor reconsiderar a oferta>*

aia (ai.a) *s.f.* **1** criada de uma dama nobre; camareira **2** dama de companhia

aiatolá (ai.a.to.lá) *s.m.* REL líder religioso dos muçulmanos xiitas

-aico *suf.* 'referência, pertinência': *hebraico, prosaico*

aidético (ai.dé.ti.co) *adj.s.m.* (indivíduo) infectado pelo vírus HIV e que apresenta Aids

Aids [ing.] *s.f.2n.* sigla de *acquired immunological deficiency syndrome* (síndrome de imunodeficiência adquirida, Sida) ◉ GRAM/USO grafado com letras maiúsc.: AIDS

aikido (ai.ki.do) [jap.] *s.m.* ver ***AIQUIDÔ*** ⇒ pronuncia-se aiquidô

aimoré (ai.mo.ré) *s.2g.* **1** indivíduo dos aimorés, designação de grupos indígenas que não falavam o tupi ■ *adj.2g.* **2** relativo a esse indivíduo ou aos seus grupos indígenas

ainda (a.in.da) *adv.* **1** até este momento (presente) *<a. não chegou>* **2** até aquele momento (passado) *<quando saí, ele a. estava lá>* **3** agora mesmo; em tempo recente (passado) *<a. há cinco minutos estava aqui>* **4** até lá, até esse tempo (futuro) *<quando ele voltar, ela estará a. à sua espera>* **5** um dia, algum dia (futuro) *<a. serei feliz>* **6** além disso, também, mais *<há a. outras pessoas interessadas>* **7** ao menos *<se a. tivesse dinheiro, poderia comer um doce>* **8** mesmo, até, inclusive *<a. os atrasados entraram>* ▣ **a. agora** há pouco *<a. agora estava aqui>* • **a. bem** felizmente *<a. bem que chegaram cedo>* • **a. que** mesmo que

aipim (ai.pim) [pl.: *-ins*] *s.m.* **1** BOT arbusto nativo do Brasil, muito semelhante à mandioca, porém menos venenoso, cultivado pelas raízes, de elevado teor alimentício **2** essa raiz, consumida frita, assada ou cozida; macaxeira ☞ cf. *mandioca*

aipo (ai.po) *s.m.* BOT erva de caule largo, com propriedades para combater a febre, os gases intestinais e o escorbuto, us. em saladas e sopas; salsão

aiquidô (ai.qui.dô) *s.m.* arte marcial japonesa baseada em movimentos de rotação e esquiva, nos quais a própria força do oponente é us. para desequilibrá-lo e vencê-lo

airbag (air.bag) [ing.] ou ***air bag*** [ing.] *s.m.* saco inflável que, em caso de batida, se enche de ar, amortecendo o choque sofrido por motorista e passageiros de veículos automotivos ⇒ pronuncia-se érbég

airoso (ai.ro.so) /ô/ [pl. e fem.: /ó/] *adj.* **1** que tem boa aparência *<corpo a.>* ↺ deselegante, desleixado **2** que demonstra gentileza; delicado *<gestos a.>* ↺ indelicado, rude **3** honroso, digno *<saída a.>* ↺ indigno ~ **airosidade** *s.f.*

ajantarado (a.jan.ta.ra.do) *s.m. B* **1** refeição farta servida fora do horário habitual, ger. aos domingos e feriados, com a finalidade de dispensar o jantar ■ *adj.* **2** semelhante a um jantar *<lanche, almoço a.>*

ajardinar (a.jar.di.nar) *v.* {mod. 1} *t.d.* construir ou plantar jardim em *<a. a frente da casa>* ~ **ajardinamento** *s.m.*

ajeitar (a.jei.tar) *v.* {mod. 1} *t.d.,t.d.i. e pron.* **1** (prep. *a*) pôr(-se) a jeito; acomodar(-se) *<a. o cabelo> <ajeitou a sala às exigências do novo diretor> <não se ajeitava àquelas condições>* □ *t.d. e t.d.i.* **2** (prep. *a, para*) conseguir por meios hábeis; arranjar *<tentou a. uma casa com aluguel barato> <ajeitou um emprego para o amigo>* □ *pron.* **3** sair de dificuldade *<perdeu muito dinheiro, mas ajeitou-se>* **4** (prep. *com*) relacionar-se bem *<a.-se com a vizinhança>* **~ ajeitação** *s.f.* - **ajeitamento** *s.m.*

ajoelhar (a.jo.e.lhar) *v.* {mod. 1} *t.d.,int. e pron.* **1** pôr(-se) de joelhos *<ajoelhava os filhos para rezar> <ajoelhou antes de deitar> <ajoelhou-se e pegou a bola>* **2** *fig.* (fazer) agir com submissão *<a. as multidões> <ajoelhou(-se) diante do líder>* **~ ajoelhado** *adj.*

ajoujo (a.jou.jo) *s.m.* **1** correia, cordão ou corrente com que se prendem dois a dois (cães, bois etc.) **2** *p.ext.* par de animais presos um ao outro **~ ajoujado** *adj.* - **ajoujar** *v.t.d.*

ajuda (a.ju.da) *s.f.* **1** ação ou resultado de ajudar, de auxiliar; auxílio, amparo, socorro ↺ abandono, omissão **2** favor que se presta a alguém; obséquio ↺ desfavor ▣ **a. de custo** remuneração por despesa ou serviço extraordinário

ajudante (a.ju.dan.te) *adj.2g.s.2g.* **1** que(m) ajuda; auxiliar **2** (funcionário) às ordens de outro; assistente

ajudante de ordens (a.ju.dan.te de or.dens) [pl.: *ajudantes de ordens*] *s.m.* oficial sob o comando de um superior militar ou civil (chefe de governo, ministro etc.)

ajudar (a.ju.dar) *v.* {mod. 1} *t.d.,t.d.i.,t.i.,int. e pron.* **1** (prep. *a, em*) prestar socorro, assistência (a outrem ou si mesmo); auxiliar(-se) *<a. os desabrigados> <ajudou-a em suas tarefas> <fez tudo sem ninguém lhe a.> <todos queriam a.> <eles se ajudam, pois são muito unidos>* ↺ desajudar □ *t.d.* **2** tornar mais fácil; facilitar *<caminhar ajuda a digestão>* ↺ atrapalhar

ajuizado (a.ju.i.za.do) *adj.* **1** que tem juízo; sensato, prudente *<é um homem a.>* ↺ desajuizado, imprudente **2** DIR submetido a juiz; processado *<recurso a.>*

ajuizar (a.ju.i.zar) *v.* {mod. 2} *t.d. e t.i.* **1** (prep. *de*) formar juízo ou ideia sobre; julgar *<a. o fato> <não conseguia a. de suas qualidades>* □ *t.d.* **2** fazer a avaliação de; calcular *<a. os prejuízos>* **3** DIR levar a juízo □ *t.d. e pron.* **4** (fazer) ter discernimento, moderação e bom senso *<tentou a. seus filhos> <ajuizou-se com a idade>* **~ ajuizamento** *s.m.* - **ajuizável** *adj.2g.*

ajuntamento (a.jun.ta.men.to) *s.m.* **1** agrupamento de pessoas; aglomeração **2** *MG* mutirão ('auxílio gratuito') **3** união matrimonial; casamento

ajuntar (a.jun.tar) *v.* {mod. 1} *t.d.,t.d.i.,int. e pron.* juntar

ajuramentar (a.ju.ra.men.tar) *v.* {mod. 1} *t.d.* **1** tomar juramento de ou fazer jurar *<a. a testemunha>* **2** declarar, revelar sob juramento *<ele ajuramentou sua versão do crime>* □ *pron.* **3** obrigar-se por juramento *<ajuramentou-se de não revelar a ninguém o segredo>*

ajustar (a.jus.tar) *v.* {mod. 1} *t.d.* **1** fazer os reparos necessários; acertar *<a. uma balança, um relógio>* **2** tornar mais justo; apertar *<ajustou a saia>* **3** fazer acerto para; combinar, determinar *<antes de contratar o serviço, ajustou o preço>* **4** saldar, liquidar (contas, dívidas) □ *t.i.,t.d.i. e pron.* **5** (prep. *em, a*) adaptar(-se) com perfeição; acomodar(-se) *<a chave não ajusta na fechadura> <a. os gastos aos ganhos> <o casal não se ajustou muito bem>* **~ ajustado** *adj.* - **ajustamento** *s.m.* - **ajustável** *adj.2g.*

ajuste (a.jus.te) *s.m.* **1** adaptação harmônica de um elemento em um contexto ↺ desajuste **2** estabelecimento de pacto, acordo ▣ **a. de contas 1** quitação de dívidas e obrigações **2** *fig.* vingança, acerto de contas

-al *suf.* **1** 'relação': *anual, brutal, intestinal, pessoal* **2** 'coleção': *laranjal, seringal*

Al QUÍM símbolo de *alumínio*

AL sigla do Estado de Alagoas

ala (a.la) *s.f.* **1** fileira de objetos; fila **2** facção (dentro de um grupo ou partido) *<pertencia à a. liberal de seu partido>* **3** cada parte lateral (de prédio, de ponte) **4** subdivisão (de batalhão, escola de samba etc.) *<a. das baianas>* ■ *adj.2g.s.2g.* *B* **5** ESP (atleta) que atua pelas laterais do campo, em esportes coletivos

alá (a.lá) *s.m.* REL designação muçulmana de Deus ☞ inicial maiúsc.

alabarda (a.la.bar.da) *s.f.* antiga lança cuja ponta é atravessada por uma lâmina em forma de meia-lua **~ alabardeiro** *s.m.* - **alabardino** *adj.*

alabastro (a.la.bas.tro) *s.m.* **1** MINER rocha branca e transparente, finamente granulada ou maciça **2** vaso ou outro ornamento feito dessa pedra **3** *fig.* alvura, brancura **~ alabastrino** *adj.*

álacre (á.la.cre) *adj.2g.* vivo, animado, alegre *<música a.>* ↺ triste, sorumbático

alado (a.la.do) *adj.* **1** dotado de asas, que voa *<inseto a.>* **2** com forma de asa *<sinal a.>*

alagadiço (a.la.ga.di.ço) *adj.* **1** sujeito a inundações *<terreno a.>* **2** encharcado, lodoso ■ *s.m.* **3** solo úmido e pesado, próprio para a cultura do arroz

alagado (a.la.ga.do) *adj.* **1** coberto de água; encharcado, inundado *<quintal a.>* ■ *s.m.* **2** pequeno lago, lagoa ou porção de água estagnada, de existência temporária, decorrente de chuva ou inundação **3** terreno pantanoso; atoleiro, brejo

alagar (a.la.gar) *v.* {mod. 1} *t.d.,int. e pron.* **1** cobrir (-se) ou encher(-se) de água; inundar(-se) *<a água da chuva alagou a garagem> <com o vazamento, as ruas podem alagar(-se)>* □ *t.d.,t.d.i. e pron.* **2** (prep. *de*) molhar(-se) muito; encharcar(-se) *<o suor alagava seu rosto> <o calor alagava-a de suor> <seus olhos alagaram-se de lágrimas>* **~ alagamento** *s.m.*

alagoano (a.la.go.a.no) *adj.* **1** de Alagoas ■ *s.m.* **2** natural ou habitante desse estado

alalia (a.la.li.a) *s.f.* MED perda total ou parcial da capacidade de falar

alamar (a.la.mar) [pl.: *-es*] *s.m.* **1** enfeite de roupa, feito com cordão trançado de seda, lã ou metal **2** peça de uniforme militar formada por cordões trançados ☞ nesta acp., mais us. no pl.

alambicado (a.lam.bi.ca.do) *adj.* **1** destilado em alambique **2** *fig. pej.* pretensioso, vaidoso ↺ modesto **3** *N.E.* embriagado, bêbado

alambique (a.lam.bi.que) *s.m.* **1** aparelho us. para realizar a destilação, composto por caldeira, tubulação e condensador **2** *p.ext.* local onde está esse aparelho; destilaria

alambrado (a.lam.bra.do) *adj.* **1** que possui cerca de arame *<campo a.>* ■ *s.m.* **2** cerca de arame **3** terreno com essa cerca ☞ cf. *aramado*

alameda (a.la.me.da) /ê/ *s.f.* **1** rua (ou caminho) ladeada de árvores enfileiradas **2** lugar arborizado para passeio; aleia

^{1}**alar** (a.lar) *v.* {mod. 1} *t.d.* levar para cima; içar, suspender *<a. um móvel>* ◉ORIGEM do fr. *haler* 'puxar'

^{2}**alar** (a.lar) *v.* {mod. 1} *pron.* **1** adquirir asas *<na época própria, as formigas se alam>* **2** movimentar-se voando *<o avião alou-se no ar>* ☞ nas duas acp., só us. nas 3as p., exceto quando fig. □ *t.d.* **3** dispor ou organizar em alas *<a. a tropa>* ◉ORIGEM *ala* 'asa' + ^{2}*-ar*

^{3}**alar** (a.lar) [pl.: *-es*] *adj.2g.* **1** em forma de asa **2** relativo ou semelhante a asa ◉ORIGEM do lat. *alāris,e* 'das alas de um exército'

^{4}**alar** (a.lar) *v.* {mod. 1} *int.* *TO* continuar a haver; conservar-se *<com um comilão como aquele, doce não ala na geladeira>* ◉ORIGEM desc.

alaranjado (a.la.ran.ja.do) *s.m.* **1** a cor do fruto da laranjeira; laranja ■ *adj.* **2** que lembra essa cor *<calça a.>* **3** diz-se dessa cor *<a cor a.>* **4** que tem gosto, forma ou odor de laranja *<refrigerante a.>*

alarde (a.lar.de) *s.m.* **1** atitude exibicionista; ostentação ↺ simplicidade **2** vaidade grande e infundada; vanglória ↺ modéstia

alardear (a.lar.de.ar) *v.* {mod. 5} *t.d.* **1** exibir ou anunciar com ostentação *<a. riqueza>* □ *int. e pron.* **2** gabar-se, vangloriar-se *<alardeava diante dos colegas> <alardeava-se de ser generoso>* ~ **alardeamento** *s.m.*

alargar (a.lar.gar) *v.* {mod. 1} *t.d.,int. e pron.* **1** tornar(-se) mais largo *<a. uma rua> <aqui o rio alarga> <o horizonte alargava-se ao redor>* ↺ estreitar(-se) **2** tornar(-se) menos apertado; afrouxar *<a. o cinto> <a calça alargou após ser lavada>* □ *t.d. e pron.* **3** tornar(-se) mais amplo, maior; aumentar *<a. a clientela> <a. um prazo> <sua influência alargava-se>* □ *int. e pron.* **4** dilatar, aumentar *<sob a ação do calor, os metais alargaram> <seus olhos alargaram-se de espanto>* ~ **alargado** *adj.* - **alargamento** *s.m.*

alarido (a.la.ri.do) *s.m.* **1** ruído de vozes, de gritos; algazarra, gritaria ↺ silêncio **2** lamentação, lamúria

alarmante (a.lar.man.te) *adj.2g.* **1** que causa alarme; assustador **2** que apresenta gravidade, perigo *<quadro clínico a.>*

alarmar (a.lar.mar) *v.* {mod. 1} *t.d. e pron.* pôr (-se) em alarme, em sobressalto; assustar(-se), inquietar(-se) *<o ruído alarmou as crianças> <alarmaram-se com a notícia>* ~ **alarmado** *adj.*

alarme (a.lar.me) *s.m.* **1** aviso de ameaça de perigo *<a. de incêndio>* **2** dispositivo de segurança em portas, janelas etc., para denunciar tentativas de roubo, invasão etc. *<pôs um a. no carro>* **3** situação de tumulto *<a notícia causou a. na rua>*

alarmismo (a.lar.mis.mo) *s.m.* divulgação de boatos ou notícias alarmantes

alarmista (a.lar.mis.ta) *adj.2g.s.2g.* que(m) costuma propagar notícias ou boatos alarmantes *<o síndico era um a.>*

alastramento (a.las.tra.men.to) *s.m.* ato ou efeito de alastrar(-se); difusão, disseminação, propagação

alastrar (a.las.trar) *v.* {mod. 1} *t.d.,int. e pron.* **1** espalhar(-se) gradualmente; estender(-se) *<pela manhã, o sol alastra seu calor> <a fumaça alastrou(-se), apesar de a janela estar fechada>* □ *t.d. e pron.* **2** tornar(-se) conhecido; difundir(-se) *<a. um boato> <a notícia alastrou-se rapidamente>* **3** aumentar a ação ou incidência (de vírus, doença etc.); proliferar(-se) *<o frio alastrou a gripe> <a tuberculose alastrou-se no último ano>* ~ **alastrante** *adj.2g.*

alastrim (a.las.trim) [pl.: *-ins*] *s.m.* MED forma branda da varíola

alaúde (a.la.ú.de) *s.m.* MÚS instrumento de cordas dedilháveis, de origem árabe, com caixa convexa e em forma de gota

alavanca (a.la.van.ca) *s.f.* **1** barra resistente us. para mover ou erguer objetos pesados **2** *fig.* meio us. para obter um resultado; instrumento *<a educação é a a. do progresso>* ◉GRAM/USO dim.irreg.: *alavancote*

alavancar (a.la.van.car) *v.* {mod. 1} *t.d.* **1** mover, erguer com alavanca **2** *fig.* favorecer o desenvolvimento de; incentivar, impulsionar *<a. a carreira>*

alazão (a.la.zão) [pl.: *-ães* e *-ões*; fem.: *alazã*] *adj.s.m.* (cavalo) que tem o pelo cor de canela

alba (al.ba) *s.f.* **1** primeira claridade da manhã; alva, aurora ↺ ocaso, poente **2** *p.ext.* LIT gênero de poesia medieval cujo tema é a despedida de dois amantes ao romper da aurora

albarda (al.bar.da) *s.f.* **1** sela grosseira us. em bestas de carga **2** *fig. infrm.* roupa malfeita

albardão (al.bar.dão) [pl.: *-ões*] *s.m.* **1** grande albarda ('sela') **2** GEO conjunto de pequenas elevações, alternadas de baixadas, ao longo de cursos de água **3** GEO terreno elevado à margem de rios ou lagunas

albatroz (al.ba.troz) [pl.: *-es*] *s.m.* ave oceânica do hemisfério sul, de corpo robusto, cauda curta e asas longas e estreitas, que atinge mais de 3,5 m de envergadura

albergar (al.ber.gar) *v.* {mod. 1} *t.d.,int. e pron.* **1** alojar(-se), hospedar(-se) *<a. um amigo> <albergaram-se em casa de parentes>* □ *t.d. e pron.* **2** abrigar(-se), asilar(-se) *<a. um sem-teto>* ~ **albergamento** *s.m.*

albergue (al.ber.gue) *s.m.* **1** hospedaria, estalagem *<transformou sua casa em um a.>* **2** *p.ext.* local de refúgio; local onde moradores de rua podem pernoitar; abrigo *<procurou um a. público para passar a noite>*

albinismo (al.bi.nis.mo) *s.m.* MED anomalia genética caracterizada pela ausência total ou parcial de pigmentação na pele, pelos e olhos

albino (al.bi.no) *adj.s.m.* que apresenta a anomalia genética do albinismo; aça, sarará

albor (al.bor) /ô/ [pl.: *-es*] *s.m.* → ***ALVOR***

albornoz (al.bor.noz) [pl.: *-es*] *s.m.* **1** manto de lã com capuz, us. pelos árabes **2** casaco de mangas largas, com capuz ou gola subida

álbum (ál.bum) [pl.: *-uns*] *s.m.* **1** livro próprio para colagem de fotografias, postais, selos etc. **2** livro de registro de notas pessoais, autógrafos etc. **3** volume composto por um ou mais discos, CDs, CD-ROMs etc., ger. acompanhado de folheto informativo

albume (al.bu.me) ou **albúmen** (al.bú.men) [pl.: *albúmenes* e *(B) albumens*] *s.m.* **1** clara de ovo **2** BOT tecido rico em substâncias nutritivas que envolve o embrião nas sementes

albumina (al.bu.mi.na) *s.f.* BIOQ proteína solúvel em água e coagulável com o calor, encontrada na clara de ovo, leite, sangue e plantas ~ **albuminoso** *adj.*

alburno (al.bur.no) *s.m.* ANAT BOT parte periférica do tronco das árvores constituída por células vivas que realizam a condução de água

Alca (Al.ca) *s.f.* sigla de *Área de Livre Comércio das Américas*

alça (al.ça) *s.f.* **1** parte de um objeto, ger. em forma de asa ou presilha, us. para segurá-lo ou movê-lo *<a. da xícara>* **2** tira que se passa pelos ombros para segurar certas peças do vestuário *<vestido de a.> <a. da bolsa>* **3** ANAT parte de um órgão que descreve um arco *<a. do intestino>*

alcácer (al.cá.cer) [pl.: *-es*] *s.m.* **1** palácio ou fortaleza moura, ger. residência de governador, alcaide ou mesmo rei **2** *p.ext.* habitação luxuosa

alcachofra (al.ca.cho.fra) /ô/ *s.f.* BOT **1** planta hortense cujas folhas (brácteas) e base carnosa são comestíveis e ricas em minerais **2** a flor dessa planta ● COL alcachofral

alcaçuz (al.ca.çuz) [pl.: *-es*] *s.m.* **1** BOT arbusto cultivado pelo seu rizoma, do qual se extrai uma pasta ou xarope us. em confeitaria, remédios para tosse e na produção de cerveja preta **2** essa pasta ou xarope

alçada (al.ça.da) *s.f.* **1** DIR jurisdição; limite de competência ou autoridade de juiz, tribunal, chefes de repartição pública etc. *<isso é da a. do diretor>* **2** *fig.* campo de atuação; atribuição *<não dê palpites, esse assunto não é da sua a.>*

alcaguetar (al.ca.gue.tar) /gü/ ou **caguetar** (ca.gue.tar) /gü/ *v.* {mod. 1} *t.d. e t.d.i. infrm.* **1** (prep. *a*, *para*) denunciar como culpado; acusar *<a. o colega (para a professora)>* **2** (prep. *a*, *para*) fazer denúncia de; delatar *<a. o esconderijo (à polícia)>*

alcaguete (al.ca.gue.te) /güê/ ou **caguete** (ca.gue.te) /güê/ *s.2g. B infrm.* **1** delator; dedo-duro **2** espião da polícia

alcaide (al.cai.de) [fem.: *alcaidessa* /ê/] *s.m.* **1** antigo governador de castelo ou província **2** antigo funcionário encarregado de cumprir determinações judiciais **3** autoridade espanhola correspondente ao prefeito

álcali (ál.ca.li) *s.m.* QUÍM hidróxido cuja solução aquosa reage com (ou neutraliza) ácidos para formar sal e água

alcalino (al.ca.li.no) *adj.* QUÍM **1** relativo a álcali **2** que tem pH maior que 7; básico ■ *s.m.* **3** QUÍM metal alcalino ~ **alcalinidade** *s.f.*

alcaloide (al.ca.loi.de) /ói/ *s.m.* QUÍM classe de compostos orgânicos de nitrogênio e, freq., oxigênio, que tb. podem ser obtidos por síntese; alguns possuem ação terapêutica (morfina, estricnina)

alcançar (al.can.çar) *v.* {mod. 1} *t.d.* **1** chegar junto de (alguém ou algo) *<acelerou o passo para a. o amigo>* **2** pegar, tocar (algo) ger. com as mãos *<não alcançava o açucareiro>* **3** abarcar com a vista; avistar *<seguiu-a até onde seu olhar pôde alcançá-la>* **4** *fig.* entender, compreender *<não alcancei a explicação do professor>* **5** atingir número, quantidade, quantia de; chegar a *<o time alcançou 50 pontos> <a senhora alcançou os 90 anos>* □ *t.d.,t.d.i. e int.* **6** (prep. de) ter êxito na conquista de; conseguir *<ela já alcançou uma boa situação na firma> <alcançou do pai o que queria> <não basta querer para a.>* ~ **alcançável** *adj.2g.*

alcance (al.can.ce) *s.m.* **1** distância dentro da qual se consegue ver, tocar ou atingir algo *<o a. visual de sua janela abrangia o vale>* **2** obtenção, conquista *<o a. da vitória estava distante>* **3** importância, valor *<comentário de pouco a.>* **4** perseguição *<foi em a. do amigo>* **5** inteligência, perspicácia *<faltou a. ao seu raciocínio>* **6** intenção *<não entendeu o a. da proposta>*

alcantil (al.can.til) [pl.: *-is*] *s.m.* **1** rochedo alto, com forte declive **2** lugar íngreme; abismo, precipício **3** ponto mais alto de uma elevação; cume, píncaro ↺ sopé ~ **alcantilado** *adj.*

alçapão (al.ça.pão) [pl.: *-ões*] *s.m.* **1** porta ou abertura que dá passagem ao porão ou ao desvão do telhado **2** armadilha para pássaro

alcaparra (al.ca.par.ra) *s.f.* BOT **1** alcaparreira **2** botão floral da alcaparreira, verde, aromático, que, conservado em vinagre, é us. como condimento ● COL alcaparral

alcaparral (al.ca.par.ral) [pl.: *-ais*] *s.m.* grande concentração de alcaparreiras

alcaparreira (al.ca.par.rei.ra) *s.f.* BOT arbusto da região do Mediterrâneo, cultivado esp. por seu botão floral, a alcaparra; alcaparra

alçar (al.çar) *v.* {mod. 1} *t.d. e pron.* **1** tornar(-se) mais alto; erguer(-se), levantar(-se) *<a. voo> <alçou-se na ponta dos pés>* □ *t.d.* **2** realizar construção de; erigir *<a. uma torre>* □ *pron.* **3** (prep. *a*) alcançar posição de destaque; elevar-se *<alçou-se à chefia do departamento>* ~ **alçamento** *s.m.*

alcateia (al.ca.tei.a) /éi/ *s.f.* **1** bando de lobos **2** *fig.* bando de criminosos

alcatifa (al.ca.ti.fa) *s.f.* **1** alfombra ('tapete') **2** *p.ext.* tudo o que cobre o chão como um tapete ~ **alcatifar** *v.t.d.*

alcatra (al.ca.tra) *s.f.* carne da parte superior da anca do boi

alcatrão (al.ca.trão) [pl.: *-ões*] *s.m.* QUÍM líquido negro e viscoso destilado de substâncias orgânicas, como o petróleo e o carvão, us. em produtos químicos e farmacêuticos ~ **alcatroar** *v.t.d.*

alcatraz (al.ca.traz) [pl.: *-es*] *s.m.* grande ave marinha, de cauda bifurcada e plumagem escura, que ocorre em grande parte do litoral brasileiro

alce (al.ce) *s.m.* mamífero ruminante das regiões frias do hemisfério norte, de pelos escuros, ponta do focinho larga e chifres ramificados, presentes apenas nos machos

alcear (al.ce.ar) *v.* {mod. 5} *t.d.* **1** pôr no alto; erguer *<a. um troféu>* **2** pôr alça em *<a. uma sacola>* ~ **alceado** *adj.* - **alceamento** *s.m.*

alcionáceo (al.cio.ná.ceo) *s.m.* ZOO **1** espécime dos alcionáceos, ramo de animais invertebrados aquáticos, tropicais, conhecidos como corais-moles, cuja colônia tem a forma de cogumelo ■ *adj.* **2** relativo a esse ramo de animais

álcool (ál.co.ol) [pl.: *álcoois* e *alcoóis*] *s.m.* **1** QUÍM substância sem cor, que queima e evapora com facilidade, geralmente obtida pela fermentação de açúcares ou por processos sintéticos **2** bebida alcoólica ▣ **á. etílico** QUÍM substância obtida da fermentação ou destilação de açúcares e us. em bebidas, perfumaria e como combustível • **á. metílico** QUÍM metanol

alcoólatra (al.co.ó.la.tra) *adj.2g.s.2g.* que(m) sofre de alcoolismo

alcoólico (al.co.ó.li.co) *adj.* **1** relativo a álcool **2** que contém álcool *<solução a.>* ■ *adj.s.m.* **3** alcoólatra

alcoolismo (al.co.o.lis.mo) *s.m.* MED dependência física e psíquica de bebidas alcoólicas

alcoolizado (al.co.o.li.za.do) *adj.* **1** que contém álcool **2** que se embriagou; bêbado ~ **alcoolizar** *v.t.d. e pron.*

alcorão (al.co.rão) ou **corão** (co.rão) [pl.: *-ões* e *-ães*] *s.m.* REL livro sagrado dos muçulmanos ☞ inicial maiúsc.; cf. *Alcorão* na parte enciclopédica

alcova (al.co.va) /ô/ *s.f.* **1** quarto de dormir sem passagem para o exterior **2** quarto de mulher ou de casal

alcovitar (al.co.vi.tar) *v.* {mod. 1} *t.d. e t.d.i.* **1** (prep. *a*) mediar as relações amorosas de *<alcovitou a prima (ao melhor amigo)>* □ *int.* **2** fazer intrigas; mexericar *<vivia de a.>* ~ **alcovitaria** *s.f.* - **alcovitice** *s.f.*

alcoviteiro (al.co.vi.tei.ro) *adj.s.m.* **1** intermediário de relações amorosas **2** *p.ext.* fofoqueiro

alcunha (al.cu.nha) *s.f.* denominação que substitui ou é acrescentada ao nome próprio de alguém, de um grupo de pessoas, de um povo etc.; apelido ~ **alcunhar** *v.t.d.pred.*

aldeamento (al.de.a.men.to) *s.m.* **1** conjunto de aldeias **2** HIST *B* povoação de índios administrada por missionários ou autoridades leigas

aldeão (al.de.ão) [pl.: *-ãos*, *-ães* e *-ões*; fem.: *aldeã*] *adj.* **1** relativo a aldeia **2** camponês, rústico ■ *s.m.* **3** natural ou habitante de aldeia

aldear (al.de.ar) *v.* {mod. 5} *t.d.* **1** construir aldeia(s) em *<a. uma região>* **2** reunir numa só aldeia *<aldearam ali mais de uma etnia indígena>* **3** dispor em aldeias *<a. trabalhadores de uma hidrelétrica em construção>*

aldeia (al.dei.a) *s.f.* **1** povoado indígena **2** pequeno povoado ● GRAM/USO dim.irreg.: *aldeola* e *aldeota* ● COL aldeamento

aldeola (al.de.o.la) *s.f.* pequena aldeia ● GRAM/USO dim.irreg. de *aldeia*

aldeota (al.de.o.ta) *s.f.* pequena aldeia ● GRAM/USO dim.irreg. de *aldeia*

aldrava (al.dra.va) ou **aldraba** (al.dra.ba) *s.f.* **1** pequena tranca metálica de porta ou janela **2** peça móvel de metal com que se bate à porta

aleatório (a.le.a.tó.rio) *adj.* que depende do acaso *<a escolha dos componentes do grupo foi a.>* ↺ previsto ☞ cf. *alheatório*

alecrim (a.le.crim) [pl.: *-ins*] *s.m.* BOT **1** arbusto aromático, nativo da Europa, cujo óleo das sementes é us. como cicatrizante e em cosméticos, e as flores e folhas us. como tempero **2** ramo, folha ou flor desse arbusto

alegação (a.le.ga.ção) [pl.: *-ões*] *s.f.* o que se apresenta como argumento; explicação

alegar (a.le.gar) *v.* {mod. 1} *t.d. e t.d.i.* (prep. *a*) apresentar (fatos, argumentos etc.) como defesa, justificativa, explicação de algo *<a. inocência>* *<alegou ao patrão razões particulares>*

alegoria (a.le.go.ri.a) *s.f.* **1** representação de pensamentos, ideias etc. por elementos simbólicos **2** história, pintura, discurso etc. com personagens e acontecimentos simbólicos **3** carro ou ornamentação que ilustra um enredo de escola de samba

alegórico (a.le.gó.ri.co) *adj.* **1** que envolve ou contém alegoria; figurado, figurativo, metafórico *<enredo a.>* **2** referente a alegoria, ornamentação *<carro a.>*

alegrar (a.le.grar) *v.* {mod. 1} *t.d.,int. e pron.* **1** (fazer) sentir alegria, satisfação, prazer *<o mágico alegrou a festa>* *<as boas amizades alegram e confortam>* *<alegrei-me em vê-la>* ↺ entristecer(-se) □ *t.d. e int.* **2** deixar bonito, cheio de vida; avivar *<flores alegram a casa>* *<o vermelho é uma cor que alegra>*

alegre (a.le.gre) *adj.2g.* **1** que causa ou sente alegria, contentamento ↺ triste **2** ligeiramente bêbado **3** de tom forte, vivo (diz-se de cor) ↺ pálido

alegria (a.le.gri.a) *s.f.* **1** estado de satisfação e prazer; contentamento *<não cabia em si de tanta a.>* ↺ desolação **2** acontecimento feliz *<a chegada dos pais foi uma a.>*

alegro (a.le.gro) *adv.* MÚS **1** de maneira rápida, alegre ■ *s.m.* MÚS **2** composição musical ou movimento de uma composição em andamento rápido

aleia (a.lei.a) /éi/ *s.f.* alameda

aleijado (a.lei.ja.do) *adj.s.m.* que(m) tem uma deficiência física ou que não tem uma parte do corpo *<com o acidente, o cão ficou a.>* ☞ a palavra pode ser ofensiva

aleijão (a.lei.jão) [pl.: *-ões*] *s.m.* **1** *pej.* deformidade física **2** *p.ext.* qualquer coisa disforme ou malfeita *<aquela ideia era um a.>*

aleijar (a.lei.jar) *v.* {mod. 1} *t.d.,int. e pron.* tornar (-se) aleijado *<o tombo aleijou sua perna>* *<muitos soldados (se) aleijaram na guerra>* ~ **aleijamento** *s.m.*

aleitar (a.lei.tar) *v.* {mod. 1} *t.d.* dar leite a; amamentar ~ **aleitamento** *s.m.*

aleivosia (a.lei.vo.si.a) *s.f.* 1 traição, deslealdade ↺ lealdade 2 acusação baseada numa mentira; calúnia ~ **aleivoso** *adj.*

aleluia (a.le.lui.a) *s.f.* 1 REL no culto cristão, cântico de alegria ou de ação de graças, na ocasião da Páscoa 2 REL o sábado de Páscoa, quando se celebra a ressurreição de Cristo 3 LITUR trecho da missa que antecede o Evangelho ■ *interj.* 4 exclamação de alegria *<a luz voltou; a.!>*

além (a.lém) *adv.* 1 mais adiante *<este é o portão da fazenda, o da casa fica a.>* ↺ aquém 2 em lugar longe ou bem longe *<na cidadezinha, sonhava com o que o havia a.>* ↺ aquém ■ *s.m.* 3 o outro mundo ◉ GRAM/USO o subst. ordinariamente não se empr. no pl. ▣ **a. de** 1 mais à frente de *<não foi a. de cem passos>* 2 para mais de *<já ia a. dos 50 quando casou>* 3 do outro lado de *<a casa fica a. da serra>* 4 acima de; mais do que *<come a. do que precisa>* 5 somado a *<a. de bonito, é inteligente>* • **a. disso** ou **do mais** ademais *<a. do mais, ele ficou feliz de sair mais cedo> <entende de música e, a. disso, canta muito bem>*

alemão (a.le.mão) [pl.: *-ães*; fem.: *alemã*] *adj.* 1 da Alemanha (Europa) ■ *s.m.* 2 natural ou habitante desse país 3 LING a língua oficial desse país

além-mar (a.lém-mar) [pl.: *além-mares*] *s.m.* 1 território situado do outro lado do mar; ultramar *<partiram para o além-mar>* ■ *adv.* 2 do outro lado do mar

além-túmulo (a.lém-tú.mu.lo) [pl.: *além-túmulos*] *s.m.* o que vem depois da morte

alencariano (a.len.ca.ri.a.no) *adj.* 1 relativo ao escritor José de Alencar ou à sua obra *<época a.>* ■ *adj.s.m.* 2 que(m) é admirador ou estudioso da obra desse escritor *<teórico a.>*

alentar (a.len.tar) *v.* {mod. 1} *t.d. e pron.* 1 (fazer) recobrar ânimo; encorajar(-se) *<as palavras do amigo alentaram-no> <suas pulsações alentaram-se>* □ *t.d.* 2 *fig.* tornar mais forte, vigoroso; alimentar *<o sonho alenta seu espírito>* □ *pron.* 3 tomar alento; respirar *<parou para respirar e alentar-se>* ~ **alentado** *adj.* - **alentador** *adj.s.m.*

alento (a.len.to) *s.m.* 1 fôlego, respiração *<após o solo, o cantor ficou sem a.>* 2 ânimo, entusiasmo *<no fim do curso, perdeu o a.>* ↺ desalento 3 *p.ext.* o que alimenta, revigora *<seus filhos eram seu a.>*

alergênico (a.ler.gê.ni.co) *adj.* que causa alergia

alérgeno (a.lér.ge.no) ou **alergênio** (a.ler.gê.nio) *s.m.* substância que causa alergia

alergia (a.ler.gi.a) *s.f.* 1 MED reação anormal e específica do organismo a certa substância *<a. a amendoim>* 2 *fig.* sentimento de antipatia; aversão *<tem a. aos arrogantes>* ↺ atração

alérgico (a.lér.gi.co) *adj.* 1 de ou próprio de alergia *<reação a.>* ■ *adj.s.m.* 2 que(m) tem alergia *<cão a.>*

alergista (a.ler.gis.ta) *adj.2g.s.2g.* especialista em doenças alérgicas; alergologista

alergologia (a.ler.go.lo.gi.a) *s.f.* MED estudo e tratamento das doenças alérgicas ~ **alergologista** *adj.2g.s.2g.*

alerta (a.ler.ta) *adj.2g.* 1 atento, vigilante *<pessoas a.>* ↺ desatento ■ *s.m.* 2 sinal ou aviso para estar vigilante *<foi dado um a. sobre a forte correnteza>* 3 estado de atenção ou vigilância *<a cidade está em a. diante da chegada das chuvas>* ■ *adv.* 4 atentamente; de vigia *<fiquem a. aos movimentos do atacante>* ■ *interj.* 5 grito de aviso

alertar (a.ler.tar) *v.* {mod. 1} *t.d.,int. e pron.* (fazer) ficar atento, de sobreaviso *<o tenente alertou os soldados> <os animais alertaram(-se) ao primeiro ruído>*

aletria (a.le.tri.a) *s.f.* CUL macarrão de fio muito fino us. em pratos salgados e doces

alevino (a.le.vi.no) *s.m.* ZOO estágio inicial da vida dos peixes

[1]**alexandrino** (a.le.xan.dri.no) *adj.* 1 de Alexandria (Egito) ■ *s.m.* 2 natural ou habitante dessa cidade ◉ ORIGEM do lat. *alexandrīnus,a,um* 'id.'

[2]**alexandrino** (a.le.xan.dri.no) *s.m.* LIT 1 verso de 12 sílabas, ger. com acento na sexta ■ *adj.* 2 relativo a esse verso ◉ ORIGEM do antr. *Alexandre* + *-ino*

alfa (al.fa) *s.m.* 1 primeira letra do alfabeto grego (α, Α) 2 ASTR estrela principal de uma constelação ◉ ORIGEM do lat. *ālpha* 'id.'

alfabetar (al.fa.be.tar) *v.* {mod. 1} *t.d.* pôr em ordem alfabética ~ **alfabetação** *s.f.* - **alfabetamento** *s.m.*

alfabético (al.fa.bé.ti.co) *adj.* 1 relativo ou pertencente a alfabeto 2 que segue a ordem das letras do alfabeto

alfabetização (al.fa.be.ti.za.ção) [pl.: *-ões*] *s.f.* 1 ato ou efeito de alfabetizar, de ensinar as primeiras letras 2 *p.ext.* ensino ou aprendizagem das primeiras noções de uma disciplina ou atividade ▣ **a. digital** ato ou efeito de ensinar ou aprender a usar o computador

alfabetizado (al.fa.be.ti.za.do) *adj.s.m.* que(m) aprendeu a ler e a escrever ↺ analfabeto

alfabetizar (al.fa.be.ti.zar) *v.* {mod. 1} *t.d. e pron.* ensinar ou aprender a ler e escrever *<a. adultos> <alfabetizou-se sozinha>*

alfabeto (al.fa.be.to) *s.m.* 1 série ordenada das letras de uma língua; abecedário 2 qualquer série ou sistema de sinais convencionados para representar letras, fonemas, palavras etc. *<a. fonético>*

alface (al.fa.ce) *s.f.* BOT hortaliça de folhas largas dispostas em roseta, verde-claras ou violáceas, us. em salada

alfafa (al.fa.fa) *s.f.* BOT erva us. mundialmente para alimentar o gado

alfaia (al.fai.a) *s.f.* 1 móvel ou adorno de uma casa *<suas a. constavam de um baú com discos e livros>* 2 enfeite; joia 3 REL objeto us. em culto religioso; adorno de igreja

alfaiataria (al.fai.a.ta.ri.a) *s.f.* oficina e/ou loja de alfaiate

alfaiate (al.fai.a.te) [fem.: *alfaiata*] *s.m.* aquele que faz roupas masculinas e femininas com corte masculino (paletós, ternos etc.) ~ **alfaiatar** *v.t.d. e int.*

alfândega (al.fân.de.ga) *s.f.* **1** repartição pública que fiscaliza bagagens e mercadorias que entram e saem de um país; aduana **2** local onde funciona essa repartição; aduana

alfandegário (al.fan.de.gá.rio) *adj.* relativo ou pertencente a alfândega; aduaneiro *<imposto a.>*

alfanje (al.fan.je) *s.m.* sabre de lâmina curta e larga

alfanumérico (al.fa.nu.mé.ri.co) *adj.* composto por letras e números *<teclado a.>*

alfarrábio (al.far.rá.bio) *s.m.* **1** livro antigo **2** *p.ext.* anotação antiga ☞ mais us. no pl.

alfarrabista (al.far.ra.bis.ta) *adj.2g.s.2g.* **1** que(m) negocia livros usados **2** que(m) coleciona, lê ou consulta alfarrábios com frequência

alfavaca (al.fa.va.ca) *s.f.* arbusto de pequenas folhas, flores lilases ou amarelo-esverdeadas, de uso medicinal e culinário

alfazema (al.fa.ze.ma) *s.f.* **1** BOT planta cultivada como ornamental e para extração de óleo essencial, us. em perfumaria e medicina; lavanda **2** essência aromática extraída dessa planta ~ **alfazemar** *v.t.d.*

alfenim (al.fe.nim) [pl.: *-ins*] *s.m.* **1** massa de açúcar muito branca e consistente **2** *fig.* pessoa delicada, franzina

alferes (al.fe.res) *s.m.2n.* antiga patente de oficial, logo abaixo de tenente

alfinetada (al.fi.ne.ta.da) *s.f.* **1** picada com alfinete **2** dor aguda e rápida, comparável à dessa picada; fisgada **3** *fig.* crítica mordaz; insinuação maliciosa *<faltou ao treino e recebeu uma a. do técnico>*

alfinetar (al.fi.ne.tar) *v.* {mod. 1} *t.d.* **1** espetar ou prender com alfinete *<a. o forro do casaco>* **2** *fig.* provocar sensação de picada a *<a notícia alfinetou seu coração>* **3** *fig.* criticar ou observar com sarcasmo *<alfinetava seus alunos a todo momento>*

alfinete (al.fi.ne.te) /ê/ *s.m.* **1** fina haste de metal com ponta, us. para prender ou marcar peças de roupa, papéis etc. **2** enfeite que se espeta em gravata, chapéu etc. ▣ **a. de fralda** alfinete de segurança em forma de gancho que abre e fecha, com que se prendem as fraldas de pano de bebês • **a. de segurança** alfinete composto de duas partes articuladas, em que a ponta de uma das partes se prende na cavidade de uma cabeça soldada à outra parte

alfombra (al.fom.bra) *s.f.* **1** tapete espesso e macio, de cores e desenhos variados; alcatifa **2** *p.ext.* chão coberto de relva, flores etc. ~ **alfombrar** *v.t.d.*

alforje (al.for.je) *s.m.* saco duplo, fechado nas extremidades e aberto no meio, por onde se dobra, formando duas bolsas iguais ~ **alforjar** *v.t.d.*

alforria (al.for.ri.a) *s.f.* **1** HIST liberdade concedida ao escravo **2** *p.ext.* libertação; emancipação

alforriado (al.for.ri.a.do) *adj.s.m.* que(m) recebeu alforria ou carta de alforria; liberto *<os escravos a. continuaram vivendo na fazenda>*

alforriar (al.for.ri.ar) *v.* {mod. 1} *t.d.* **1** dar alforria a; libertar *<alforriou os escravos assim que herdou a fazenda>* □ *pron.* **2** ficar livre; libertar-se *<a.-se de um casamento ruim>*

alga (al.ga) *s.f.* BOT espécime das algas, divisão do reino vegetal que reúne plantas de coloração diversa, com grande variedade de formas e tamanhos, que vivem em água salgada ou doce ▣ **a. azul** BOT cianofícea • **a. parda** BOT feofícea • **a. verde** BOT clorofícea • **a. vermelha** BOT rodofícea

algaravia (al.ga.ra.vi.a) *s.f.* **1** linguagem confusa, incompreensível **2** *p.ext.* o que é difícil de entender ~ **algaraviar** *v.t.d.*

algarismo (al.ga.ris.mo) *s.m.* sinal convencional us. para representação gráfica dos números ▣ **a. arábico** cada um dos dez caracteres representativos dos números 0 (zero), 1 (um), 2 (dois), 3 (três), 4 (quatro), 5 (cinco), 6 (seis), 7 (sete), 8 (oito), 9 (nove), cuja divulgação no Ocidente se deve aos árabes • **a. romano** representação numérica por meio das letras I (um), V (cinco), X (dez), L (cinquenta), C (cem), D (quinhentos), M (mil) ~ **algarítmico** *adj.*

algazarra (al.ga.zar.ra) *s.f.* barulheira, gritaria *<a. de crianças> <a. de pardais>*

álgebra (ál.ge.bra) *s.f.* MAT parte da matemática elementar que introduz letras e outros símbolos para representar os números ~ **algébrico** *adj.*

algema (al.ge.ma) *s.f.* par de argolas interligadas, ger. de metal, us. para prender alguém pelos pulsos ou tornozelos ⁕ GRAM/USO mais us. no pl. ~ **algemar** *v.t.d.*

algesia (al.ge.si.a) *s.f.* MED sensibilidade à dor ↺ analgesia

algibeira (al.gi.bei.ra) *s.f.* VEST pequeno bolso, ger. costurado no lado de dentro da roupa

álgido (ál.gi.do) *adj.* muito frio, glacial ↺ cálido ~ **algidez** *s.f.*

algo (al.go) *pron.ind.* **1** alguma coisa; qualquer coisa *<compre a. para o jantar>* ■ *adv.* **2** um pouco, em algum grau *<era um bom aluno, mas a. disperso>*

algodão (al.go.dão) [pl.: *-ões*] *s.m.* **1** BOT algodoeiro **2** BOT conjunto de pelos longos, entrelaçados e ger. brancos que revestem as sementes do algodoeiro **3** fio ou tecido que se fabrica com esses pelos ⁕ COL algodoal

algodão-doce (al.go.dão-do.ce) [pl.: *algodões-doces*] *s.m.* doce feito de fios muito finos de açúcar que, unidos, parecem um floco de algodão

algodoal (al.go.do.al) [pl.: *-ais*] *s.m.* BOT grande concentração de arbustos de algodão

algodoaria (al.go.do.a.ri.a) *s.f.* fábrica de fiação ou de tecidos de algodão

algodoeiro (al.go.do.ei.ro) *s.m.* **1** BOT arbusto que fornece o algodão ■ *adj.s.m.* **2** que(m) produz algodão

algologia (al.go.lo.gi.a) *s.f.* BOT ramo da botânica dedicado ao estudo das algas

algoritmo (al.go.rit.mo) *s.m.* MAT sequência finita de regras, raciocínios ou operações que, aplicada a um número finito de dados, permite solucionar classes semelhantes de problemas matemáticos ~ **algorítmico** *adj.*

algoz (al.goz) /ó ou ô/ [pl.: *-es*; /ó ou ô/] *s.2g.* **1** [1]carrasco ↺ vítima **2** *fig.* aquele que trata os outros com crueldade

alguém (al.guém) [pl.: *-éns*] *pron.ind.* **1** uma pessoa sem identidade definida ou especificada **2** pessoa importante *<lutava para ser a.>* ■ *s.m.* **3** ser humano, pessoa *<aquele a. de que falamos ainda vive>*

alguidar (al.gui.dar) [pl.: *-es*] *s.m.* vaso cuja borda é muito mais larga que o seu fundo

algum (al.gum) [pl.: *-uns*] *pron.ind.* **1** us. para indicar um indivíduo ou coisa indeterminada; um, certo número de algo *<a. de nós terá de sair>* *<a. velas estão acesas>* **2** nem muito nem pouco *<já tem a. experiência>* **3** nenhum (quando segue um subst.) *<dinheiro a. o trará de volta>*

algures (al.gu.res) *adv.* em algum lugar

-alha *suf.* 'quantidade': *gentalha*

alhear (a.lhe.ar) *v.* {mod. 5} *pron.* **1** distrair-se, absorver-se *<alheava-se com frequência>* □ *t.d.,t.d.i. e pron.* **2** (prep. *de*) manter(-se) afastado; desviar (-se) *<a. um pensamento>* *<alheou-se do que se passava à sua volta>* □ *t.d.* **3** passar a alguém domínio ou direito de; ceder, alienar *<a. um bem>* ~ **alheação** *s.f.* - **alheamento** *s.m.*

alheatório (a.lhe.a.tó.rio) *adj.* que alheia ☞ cf. *aleatório*

alheio (a.lhei.o) *adj.s.m.* **1** (o) que pertence a outra pessoa *<evite mexer nas coisas a.>* ↺ próprio ■ *adj.* **2** que não se relaciona com o assunto de que se trata; impróprio *<observação a. à conversa>* ↺ pertinente **3** que se mostra indiferente; distraído *<estava a. a tudo>* ↺ interessado

alheiro (a.lhei.ro) *s.m.* **1** quem cultiva ou negocia alhos **2** cultura de alhos

alho (a.lho) *s.m.* BOT **1** erva de até 60 cm, com flores brancas ou avermelhadas e cujo bulbo, formado por gomos (dentes), é us. como condimento **2** o bulbo dessa erva ◉ COL alhada, alhal, réstia ▣ **misturar alhos com bugalhos** *infrm.* confundir coisas muito diferentes; fazer grande confusão ~ **aliáceo** *adj.*

alho-porro (a.lho-por.ro) /ô/ [pl.: *alhos-porros*] ou **alho-poró** (a.lho-po.ró) [pl.: *alhos-porós*] *s.m.* BOT erva originária da Eurásia e norte da África, com um ou dois bulbos e folhas longas, us. na alimentação humana

alhures (a.lhu.res) *adv.* em outro lugar *<trabalha aqui, mas mora a.>*

ali (a.li) *adv.* **1** em lugar diferente do que se está *<vou a. e já volto>* **2** naquele lugar, momento ou situação *<as compras chegaram até ali em perfeito estado>*

aliado (a.li.a.do) *adj.s.m.* **1** (o) que se liga a outro para defender a mesma causa ou atacar o mesmo inimigo *<ontem divulgaram o grupo de nações a.>* *<conseguiu vários a. na briga com o síndico>* ↺ adversário **2** cúmplice, parceiro

aliança (a.li.an.ça) *s.f.* **1** anel de noivado ou casamento *<a. de ouro>* **2** pacto ou tratado entre indivíduos, partidos, povos ou governos *<fez uma a. com vários partidos para poder governar>*

aliar (a.li.ar) *v.* {mod. 1} *t.d.,t.d.i. e pron.* (prep. *a*, *com*, *contra*) firmar união, ligação, pacto (com); associar(-se), combinar(-se) *<a. o útil ao agradável>* *<aliaram-se contra o inimigo>*

aliás (a.li.ás) *adv.* **1** de outro modo *<estuda muito, a. tiraria notas ruins se não estudasse>* **2** além disso *<a., não era a primeira vez que faltava>* **3** isto é; ou seja *<estamos em agosto, a. julho>*

álibi (á.li.bi) *s.m.* **1** DIR prova que inocenta o réu do crime de que foi acusado **2** *p.ext. infrm.* justificação ou desculpa aceitável

alicate (a.li.ca.te) *s.m.* ferramenta composta de duas barras articuladas como tesoura, com extremidades achatadas ou recurvadas, us. para segurar ou cortar

alicerçar (a.li.cer.çar) *v.* {mod. 1} *t.d.* **1** colocar o(s) alicerce(s) de *<a. uma casa>* **2** *fig.* dar base a; fundamentar *<a. uma opinião>* **3** *fig.* tornar firme, sólido; consolidar *<a. uma amizade>*

alicerce (a.li.cer.ce) *s.m.* **1** CONSTR bloco de alvenaria sobre o qual se assentam as estruturas externas de uma construção; base, fundação **2** *fig.* o que serve de fundamento para algo *<os a. de uma teoria>*

aliciador (a.li.ci.a.dor) /ô/ [pl.: *-es*] *adj.s.m.* aliciante

aliciante (a.li.ci.an.te) *adj.2g.s.2g.* **1** (o) que atrai, alicia **2** *fig.* encantador, fascinante **3** (o) que instiga

aliciar (a.li.ci.ar) *v.* {mod. 1} *t.d.* atrair, criando a esperança de prazer ou vantagem *<a. eleitores>* ~ **aliciamento** *s.m.*

alienação (a.li.e.na.ção) [pl.: *-ões*] *s.f.* **1** afastamento, alheamento, distração **2** DIR transferência de um bem ou direito para outra pessoa *<a. de um imóvel>* **3** indiferença às questões políticas ou sociais *<vivia em completa a.>* **4** loucura, perda da razão

alienado (a.li.e.na.do) *adj.* **1** DIR que foi transferido, cedido ou vendido *<bens a.>* ■ *adj.s.m.* **2** *infrm.* que(m), voluntariamente ou não, se mantém distanciado da realidade política e social *<estudante a.>* **3** *infrm.* louco, maluco *<hospital para a.>*

alienar (a.li.e.nar) *v.* {mod. 1} *t.d. e t.d.i.* **1** DIR (prep. de) transferir a posse de; alhear *<a. um prédio>* *<alienou de si todas as suas posses>* □ *t.d. e pron.* **2** (fazer) ficar maluco; enlouquecer *<a tragédia alienou o rapaz>* *<depois do choque, alienou-se>* **3** tornar(-se) indiferente esp. às questões sociais e políticas *<alienaram os filhos>* *<após ser preso, alienou-se>* □ *t.d.i. e pron.* **4** (prep. *de*) tornar(-se) separado; afastar(-se) *<aquela atitude alienou dele vários amigos>* *<a.-se da vida em sociedade>* ~ **alienante** *adj.2g.s.2g.*

alienatário (a.li.e.na.tá.rio) *s.m.* DIR aquele a quem se transfere algum direito, bem, posse etc.

alienígena (a.li.e.ní.ge.na) *adj.2g.s.2g.* **1** que(m) é natural de outro país; estrangeiro **2** *fig.* (o) que é de outros planetas *<invasão a.>* *<não acreditava em a.>* ☞ cf. *indígena*

alienista (a.li.e.nis.ta) *s.2g.* PSIQ médico especialista em doenças mentais

aligeirar (a.li.gei.rar) *v.* {mod. 1} *t.d. e pron.* **1** tornar(-se) rápido; apressar(-se) *<a. uma decisão>* *<aligeirou-se para não chegar atrasado>* **2** tornar (-se) mais suave; aliviar(-se) *<a. a dor>* □ *t.d.* **3** tornar mais leve *<deixou no porto uma parte da carga para a. o navio>*

alijar (a.li.jar) *v.* {mod. 1} *t.d.* **1** tornar menos pesado (ger. embarcação), tirando parte da carga *<o comandante alijou o navio> <a. um caminhão>* □ *t.d. e pron.* **2** (prep. *de*) [fazer] ficar livre de; afastar(-se) *<alijou a família> <a.-se dos problemas>* ~ **alijamento** *s.m.*

alimária (a.li.má.ria) *s.f.* **1** animal, esp. quadrúpede **2** besta de carga **3** *fig.* pessoa estúpida e grosseira

alimentação (a.li.men.ta.ção) [pl.: *-ões*] *s.f.* **1** abastecimento com as substâncias necessárias à conservação da vida; sustento *<a. saudável>* **2** *p.ext.* abastecimento de algo com o necessário ao seu funcionamento *<a. de uma caldeira (com água)> <a. de uma impressora (com papel)>*

[1]**alimentar** (a.li.men.tar) *v.* {mod. 1} *t.d. e pron.* **1** prover(-se) de substâncias necessárias ao metabolismo; nutrir(-se) *<a. os animais> <alimente-se bem>* **2** *fig.* manter(-se) vivo, aceso (sonho, emoção etc.) *<a. desejos> <sua alegria alimenta-se do sucesso dos filhos>* □ *t.d.* **3** abastecer, munir *<a. uma caldeira>* ◉ ORIGEM *alimento* + [2]*-ar*

[2]**alimentar** (a.li.men.tar) [pl.: *-es*] *adj.2g.* **1** relativo a alimento ou a alimentação *<despesas a.>* **2** próprio para a alimentação *<produtos a.>* ◉ ORIGEM *alimento* + [1]*-ar*

alimentício (a.li.men.tí.cio) *adj.* que alimenta, que nutre *<substância a.>*

alimento (a.li.men.to) *s.m.* **1** toda substância que sirva para alimentar ou nutrir *<verduras são um a. importante>* **2** *p.ext.* tudo o que contribui para a subsistência de algo *<o álcool serviu de a. para o fogo>* **3** *fig.* o que mantém ou sustenta *<a leitura é um a. para o espírito>*

alínea (a.lí.nea) *s.f.* **1** primeira linha de um novo parágrafo **2** *p.ext.* subdivisão de um artigo de lei, decreto ou contrato, ger. indicado por letras

alinhado (a.li.nha.do) *adj.* **1** colocado em linha reta ↺ desalinhado **2** vestido com elegância *<era o mais a. da festa>* ↺ desleixado **3** correto nas maneiras e ações; íntegro ↺ desonesto **4** POL harmonizado com, aliado *<países a.>*

alinhamento (a.li.nha.men.to) *s.m.* **1** fila de pessoas ou coisas em linha reta **2** *fig.* apuro, correção **3** tomada de partido; adesão, engajamento ▣ **a. das rodas** ajuste da suspensão de um veículo para garantir segurança e estabilidade

alinhar (a.li.nhar) *v.* {mod. 1} *t.d. e pron.* **1** pôr(-se) em linha reta; enfileirar(-se) *<a. cadeiras> <os cavalos alinharam-se para a largada>* ↺ desalinhar(-se) **2** *fig.* tornar(-se) bem cuidado; enfeitar(-se) *<a. o cabelo, a roupa>* ↺ desalinhar(-se) □ *pron.* **3** (prep. *a*) pôr-se no mesmo nível; equiparar-se *<procurava a.-se ao mestre>* **4** (prep. *a*) ligar-se, aderir *<alinhou-se ao partido do tio>*

alinhavar (a.li.nha.var) *v.* {mod. 1} *t.d.* **1** costurar provisoriamente, com pontos largos *<alinhavou a colcha>* **2** *fig.* traçar as linhas gerais de; esboçar *<a. um texto>* **3** *fig.* fazer às pressas e/ou com imperfeições *<alinhavaram o discurso de formatura>*

alinhavo (a.li.nha.vo) *s.m.* **1** ponto largo de costura provisória **2** *fig.* esboço de uma obra; delineamento **3** *fig.* elaboração apressada

alíquota (a.lí.quo.ta) *s.f.* **1** percentual a ser pago sobre o valor de algo *<foi descontada do salário a a. do imposto de renda>* **2** MAT parte que divide um todo sem deixar resto

alisar (a.li.sar) *v.* {mod. 1} *t.d.* **1** tornar plano; nivelar, igualar *<a. madeira>* **2** deslizar a mão ou os dedos sobre, ger. com delicadeza *<a. o bigode>* □ *t.d.,int. e pron.* **3** (fazer) ficar sem rugas, pregas, dobras; esticar(-se) *<a. pele, roupa>* **4** (fazer) perder as ondulações; desencrespar(-se) *<alisou o cabelo> <o tecido alisou-se após a lavagem>* ☞ cf. *alizar* ~ **alisador** *adj.s.m.* - **alisamento** *s.m.*

alísio (a.lí.sio) *adj.s.m.* (vento) que sopra durante todo o ano, de sudeste para noroeste no hemisfério sul e de nordeste para sudoeste no hemisfério norte

alistamento (a.lis.ta.men.to) *s.m.* inscrição, arrolamento, esp. para prestar o serviço militar

alistar (a.lis.tar) *v.* {mod. 1} *t.d.* **1** colocar em lista; relacionar □ *t.d. e pron.* **2** inscrever(-se), p.ex., para o serviço militar, para um trabalho voluntário

aliteração (a.li.te.ra.ção) [pl.: *-ões*] *s.f.* GRAM LIT repetição de sons idênticos ou semelhantes no início de várias palavras de uma frase ou verso *<quem com ferro fere, com ferro será ferido> <o rato roeu a roupa do rei de Roma>* ~ **aliterar** *v.t.d. e int.*

aliviar (a.li.vi.ar) *v.* {mod. 1} *t.d.* **1** diminuir o peso de *<a. a carroça>* □ *t.d. e int.* **2** (fazer) ficar mais brando, suave; atenuar *<em pouco tempo a dor aliviou>* ↺ intensificar □ *t.d.,int. e pron.* **3** (prep. *de*) [fazer] sentir, ter tranquilidade, consolo, alívio *<precisou chorar para aliviar-se da angústia>*

alívio (a.lí.vio) *s.m.* **1** diminuição de peso, sofrimento, trabalho etc. **2** consolo

alizar (a.li.zar) [pl.: *-es*] *s.m.* ENG **1** revestimento de madeira que cobre as ombreiras das portas e janelas **2** rodapé **3** lambri ☞ nesta acp., mais us. no pl. **4** faixa de madeira, fixada à altura do encosto da cadeira, us. para proteger a parede ☞ cf. *alisar*

aljava (al.ja.va) *s.f.* estojo sem tampa para guarda e transporte de flechas, carregado nas costas, pendurado em um ombro

aljôfar (al.jô.far) [pl.: *-es*] *s.m.* **1** pérola miúda e irregular **2** *fig.* gota de orvalho

aljofre (al.jo.fre) /ô/ *s.m.* aljôfar

alma (al.ma) *s.f.* **1** REL parte imortal do homem; espírito ☞ cf. *corpo* **2** natureza moral e emocional de uma pessoa *<era uma a. revoltada>* **3** ser humano *<é uma boa a.>* **4** caráter de uma pessoa ou grupo *<a a. do povo italiano>* **5** fonte de animação ou liderança *<ela é sempre a a. das festas>* **6** expressão de emoção ou sentimento *<cantar com a.>* **7** fantasma **8** condição essencial para a conquista ou realização de algo *<o segredo é a a. do negócio>* **9** peça de couro colocada entre a palmilha e a sola do calçado **10** interior oco de arma de fogo, que vai da parte anterior da câmara da carga até a boca ▣ **a. gêmea 1** pessoa muito amiga, com quem se tem muita afinidade **2** pessoa com quem se namora ou se é casado; cara-metade

almaço (al.ma.ço) *adj.s.m.* diz-se de ou papel branco encorpado, próprio para documentos, registros etc.

almanaque (al.ma.na.que) *s.m.* **1** publicação que contém o calendário anual e informações úteis, recreativas etc. **2** edição especial de revistas

almeirão (al.mei.rão) [pl.: *-ões*] *s.m.* chicória

almejar (al.me.jar) *v.* {mod. 1} *t.d. e t.i.* (prep. *por*) desejar muito; ansiar *<a. um aumento> <almejavam por dias melhores>* ~**almejo** *s.m.*

almirantado (al.mi.ran.ta.do) *s.m.* **1** título de almirante *<conseguiu o a. ainda jovem>* **2** conjunto de almirantes *<reuniu-se com o a.>*

almirante (al.mi.ran.te) *s.m.* MAR **1** o mais alto posto da Marinha de Guerra **2** oficial nesse posto ● COL almirantado

almirante de esquadra (al.mi.ran.te de es.qua.dra) [pl.: *almirantes de esquadra*] *s.m.* MAR **1** o posto de oficial-general mais elevado na hierarquia da Marinha do Brasil, em tempo de paz, logo acima do vice-almirante e abaixo do almirante **2** oficial que detém esse posto

almíscar (al.mís.car) [pl.: *-es*] *s.m.* **1** substância de odor forte obtida de certos animais (como o almiscareiro), us. em perfumaria **2** *p.ext.* essência preparada com essa substância ou que tenha tal odor ~**almiscarar** *v.t.d. e pron.*

almiscareiro (al.mis.ca.rei.ro) *s.m.* ZOO mamífero ruminante da família dos cervos, veados e renas, de tamanho pequeno, sem chifres, cujos machos possuem no abdome uma glândula produtora de almíscar, substância us. em perfumes

almoçar (al.mo.çar) *v.* {mod. 1} *int.* **1** ingerir o almoço *<almoçou bem>* □ *t.d.* **2** comer (algo) ao almoço *<almoçou peixe>*

almoço (al.mo.ço) /ô/ *s.m.* **1** a primeira refeição substancial depois do café da manhã, feita ger. por volta do meio-dia *<aos domingos, o a. é na casa da avó>* **2** a comida servida nessa refeição *<o a. está na mesa>*

almocrevaria (al.mo.cre.va.ri.a) *s.f.* **1** profissão de almocreve **2** transporte de mercadorias feito por almocreve

almocreve (al.mo.cre.ve) *s.m.* quem conduz animais de carga

almofada (al.mo.fa.da) *s.f.* **1** saco estofado para encosto, assento etc. **2** peça saliente ou superfície de pequena extensão contornada por moldura, em portas, móveis etc. **3** pequeno acolchoado que retém a tinta, us. para tingir os carimbos

almofadinha (al.mo.fa.di.nha) *s.2g.* *B* quem é arrumado demais, esp. no vestuário; janota *<saiu com um a.>* ~**almofadismo** *s.m.*

almofariz (al.mo.fa.riz) [pl.: *-es*] *s.m.* recipiente para triturar e misturar substâncias sólidas

almôndega (al.môn.de.ga) *s.f.* CUL bolinho de carne moída cozido ou frito, servido ger. com molho

almotolia (al.mo.to.li.a) *s.f.* **1** recipiente em forma de cone, de gargalo estreito, us. para azeite e óleos **2** pequena vasilha, com bico estreito e comprido, us. para lubrificar máquinas

almoxarifado (al.mo.xa.ri.fa.do) *s.m.* numa empresa, depósito de materiais para reposição *<pegue um grampeador no a., por favor>*

almoxarife (al.mo.xa.ri.fe) *s.m.* responsável pelo almoxarifado

alô (a.lô) *interj.* **1** us. para chamar a atenção de alguém **2** us. como saudação, esp. ao telefone ■ *s.m.* **3** cumprimento em que se usa essa palavra *<dirigiu-me um rápido a.>* **4** aviso, lembrete *<passei para dar um a. sobre a festa>*

alocar (a.lo.car) *v.* {mod. 1} *t.d.* **1** pôr (alguém ou algo) em determinado lugar **2** destinar (verba, recursos etc.) para uma entidade ou fim específico *<a. dinheiro para a reforma das salas>* ~**alocação** *s.f.*

alóctone (a.lóc.to.ne) *adj.2g.s.2g.* que(m) não é originário do país onde se encontra *<vegetação a.>* ↺ autóctone

alocução (a.lo.cu.ção) [pl.: *-ões*] *s.f.* discurso curto, ger. proferido em solenidades

aloé (a.lo.é) ou **aloés** (a.lo.és) *s.m.* BOT **1** planta medicinal de hastes longas e carnudas e folhas em forma de espada; babosa, erva-babosa **2** sumo extraído da folha dessa planta

aloirado (a.loi.ra.do) *adj.* → ***ALOURADO***

aloirar (a.loi.rar) *v.* → ***ALOURAR***

alojamento (a.lo.ja.men.to) *s.m.* **1** local provisório de moradia *<conseguiram a. para os desabrigados> <a turma terá um a. por duas noites>* **2** acampamento de tropa militar

alojar (a.lo.jar) *v.* {mod. 1} *t.d.,int. e pron.* **1** oferecer ou receber abrigo, hospedagem *<a. cães abandonados> <alojou-se em um hotel barato>* **2** acampar □ *pron.* **3** tomar posição fixa; ficar *<a bala alojou-se na perna>* ~**alojado** *adj.*

alongado (a.lon.ga.do) *adj.* **1** que se dilatou, prolongou (diz-se de prazo); dilatado ↺ reduzido **2** cuja forma é longa; comprido *<veículo de chassi a.>* ↺ curto, pequeno **3** que foi ou está estendido *<músculo a.>* ↺ contraído, encolhido

alongamento (a.lon.ga.men.to) *s.m.* **1** aumento de comprimento; prolongamento ↺ encurtamento **2** exercício físico destinado a estender os músculos

alongar (a.lon.gar) *v.* {mod. 1} *t.d. e pron.* **1** expandir(-se) no tempo ou no espaço; prolongar(-se), estender(-se) *<a. um bom momento> <com as discussões, a reunião se alongou muito>* **2** esticar(-se), estender(-se) *<a. os braços> <a estrada alongava-se à frente>*

alopata (a.lo.pa.ta) ou **alópata** (a.ló.pa.ta) *adj.2g.s.2g.* (profissional) que utiliza a alopatia *<médico a.>*

alopatia (a.lo.pa.ti.a) *s.f.* MED método de tratamento cujos remédios combatem as doenças, produzindo, no organismo, efeitos contrários a elas ☞ cf. *homeopatia* ~**alopático** *adj.*

alopecia (a.lo.pe.ci.a) *s.f.* MED perda ou ausência de cabelo ou pelos

alopécico (a.lo.pé.ci.co) *adj.* **1** relativo a alopecia ■ *adj.s.m.* **2** que(m) tem alopecia

aloprado (a.lo.pra.do) *adj.s.m.* *infrm.* **1** muito agitado ↺ disciplinado **2** doido, desatinado ↺ calmo ~**aloprar** *v.int.*

alourado (a.lou.ra.do) ou **aloirado** (a.loi.ra.do) *adj.* **1** um pouco louro *<rapaz a.>* **2** tostado ou dourado ao fogo

alourar (a.lou.rar) ou **aloirar** (a.loi.rar) *v.* {mod. 1} *t.d.,int. e pron.* tornar(-se) louro *<a. os cabelos> <a plantação de trigo alourava(-se) ao sol>*

[1]**alpaca** (al.pa.ca) *s.f.* **1** ZOO mamífero ruminante de menor porte que a lhama, pelagem longa, macia e lanosa, encontrado na região dos Andes **2** a lã desse animal **3** tecido feito com essa lã *<suéter de a.>* ● ORIGEM do esp. *alpaca* 'id.'

[2]**alpaca** (al.pa.ca) *s.f.* QUÍM liga de cobre, zinco, níquel e prata, us. na confecção de talheres, bijuterias etc.; metal-branco ● ORIGEM duv.

alpargata (al.par.ga.ta) *s.f.* alpercata

alpendrado (al.pen.dra.do) *adj.* **1** com formato ou aspecto de alpendre **2** que tem alpendre *<casa a.>*

alpendre (al.pen.dre) *s.m.* ARQ **1** cobertura saliente na entrada de uma construção, para abrigo do sol ou da chuva ou apenas como enfeite **2** varanda ou pátio coberto

alpercata (al.per.ca.ta) *s.f.* **1** sandália com tiras de couro ou pano **2** sapato de lona com sola de corda

alpinismo (al.pi.nis.mo) *s.m.* ESP esporte que consiste em escalar montanhas, picos etc.; montanhismo

alpinista (al.pi.nis.ta) *adj.2g.s.2g.* relativo a alpinismo ou aquele que pratica esse esporte; montanhista

alpino (al.pi.no) *adj.* **1** dos Alpes ☞ cf. *Alpes* na parte enciclopédica ■ *s.m.* **2** natural ou habitante dessas montanhas

alpiste (al.pis.te) *s.m.* BOT **1** grão us. na alimentação de pássaros domésticos ou engaiolados **2** planta que produz esse grão

alquebrado (al.que.bra.do) *adj.* **1** que anda curvado, devido a doença, cansaço ou velhice; arqueado ↺ aprumado **2** que se apresenta abatido, cansado ↺ forte, vigoroso

alquebrar (al.que.brar) *v.* {mod. 1} *t.d. e int.* **1** dobrar (a coluna) por doença, fraqueza ou velhice *<a artrite alquebrou sua espinha> <depois de certa idade, alquebrou>* □ *t.d.,int. e pron.* **2** tornar(-se) fraco, abatido moral ou fisicamente; debilitar(-se) *<os desgostos alquebraram suas forças> <alquebrara(-se) de tanto trabalhar>* ~ **alquebramento** *s.m.*

alqueire (al.quei.re) *s.m.* *B* unidade de medida de superfície agrária ▣ **a. mineiro** medida agrária equivalente a 48.400 m² • **a. paulista** medida agrária equivalente a 24.200 m²

alquimia (al.qui.mi.a) *s.f.* química medieval que buscava descobrir a cura de todos os males e a pedra filosofal, capaz de transformar metais em ouro ~ **alquímico** *adj.*

alquimista (al.qui.mis.ta) *adj.2g.s.2g.* que(m) se dedicava à alquimia

alta (al.ta) *s.f.* **1** elevação de preço ou cotação *<a. dos laticínios> <a. do dólar>* **2** autorização dada ao paciente para deixar o hospital *<recebeu a. pela manhã>*

alta-costura (al.ta-cos.tu.ra) [pl.: *altas-costuras*] *s.f.* **1** arte de criar e confeccionar roupas femininas exclusivas e sofisticadas **2** conjunto dos grandes costureiros *<a a. francesa>*

alta-fidelidade (al.ta-fi.de.li.da.de) [pl.: *altas-fidelidades*] *s.f.* **1** ELETRÔN técnica de reproduzir e amplificar som sem distorções e com baixos níveis de ruído **2** equipamento de som cujo funcionamento se baseia nessa técnica

altanaria (al.ta.na.ri.a) *s.f.* **1** capacidade de voar alto (aves) **2** caçada feita com aves de rapina treinadas **3** arte de adestrar tais aves **4** *fig.* orgulho, altivez ↺ humildade

altaneiro (al.ta.nei.ro) *adj.* **1** que se eleva ou voa muito alto *<falcão a.>* **2** cheio de altivez; orgulhoso *<sorriso a.>* ↺ modesto

altar (al.tar) [pl.: *-es*] *s.m.* REL **1** mesa sagrada em que se celebra a missa **2** estrutura ger. elevada destinada a sacrifícios ou imolações; ara

altar-mor (al.tar-mor) [pl.: *altares-mores*] *s.m.* altar principal de uma igreja

alta-roda (al.ta-ro.da) [pl.: *altas-rodas*] *s.f.* alta sociedade; elite ↺ ralé

altear (al.te.ar) *v.* {mod. 5} *t.d.,int. e pron.* **1** tornar (-se) alto ou mais alto; erguer(-se), aumentar *<a. a voz> <o preço da carne alteou> <perto, alteava-se a montanha>* ↺ baixar(-se) □ *int.* **2** crescer em volume; inchar *<no forno, a massa do bolo vai a.>* □ *pron.* **3** (prep. *a*) subir (de posto, posição social etc.) *<a.-se a juiz>* ~ **alteado** *adj.* - **alteamento** *s.m.*

alteração (al.te.ra.ção) [pl.: *-ões*] *s.f.* **1** modificação, mudança do estado normal ou no qual se encontrava *<a. da cor> <a. de um texto>* **2** ato de adulterar algo voluntariamente; adulteração, falsificação *<a. de um vinho>* **3** decomposição, degeneração, deterioração *<o queijo sofreu grande a.>* **4** estado de excitação, desassossego **5** *B* discussão, bate-boca, confusão *<a notícia provocou a. entre o presentes>*

alterado (al.te.ra.do) *adj.* **1** que sofreu alteração *<desenho a.>* **2** que se adulterou; falsificado *<documento a.>* **3** que se acha em estado de decomposição ou deterioração *<alimento a.>* **4** que se encontra ou se mostra desassossegado, inquieto *<está a. com a proximidade das provas>*

alterar (al.te.rar) *v.* {mod. 1} *t.d. e pron.* **1** causar ou sofrer mudança; transformar(-se) *<a. o roteiro da viagem> <a cor do tecido alterou-se>* ↺ conservar(-se) **2** decompor(-se), deteriorar(-se) *<umidade altera os alimentos>* ↺ conservar(-se) **3** *fig.* causar ou sentir inquietação; perturbar(-se) *<a morte do avô alterou toda a família> <alteraram-se ao ver a casa aberta>* **4** *fig.* irritar(-se), enfurecer (-se) *<a derrota do time alterou-o> <o rapaz alterou-se com a mentira da namorada>* ↺ acalmar (-se) ~ **alterável** *adj.2g.*

altercação (al.ter.ca.ção) [pl.: *-ões*] *s.f.* discussão acalorada; bate-boca, briga, desavença ↺ acordo, conciliação

altercar (al.ter.car) *v.* {mod. 1} *t.i. e int.* (prep. *com*) discutir com raiva, com veemência *<altercou com o cunhado> <na rua, os comerciantes altercavam>*

alteridade (al.te.ri.da.de) *s.f.* fato ou condição de ser outro ou diferente; diversidade

A

alternador (al.ter.na.dor) /ô/ [pl.: *-es*] *adj.s.m.* **1** (o) que alterna ■ *s.m.* **2** ELETR sistema elétrico que fornece corrente alternada

alternância (al.ter.nân.cia) *s.f.* **1** repetição intercalada de dois ou mais elementos, sempre obedecendo à mesma ordem **2** revezamento

alternar (al.ter.nar) *v.* {mod. 1} *t.d.,t.d.i.,int. e pron.* (prep. *com*) suceder(-se) ou substituir(-se) de forma intercalada; revezar *<dois vigias alternaram (seus turnos)>* *<a peça alterna o bem com o mal>* *<alternam-se no trabalho>*

alternativa (al.ter.na.ti.va) *s.f.* **1** uma de duas ou mais possibilidades pelas quais se pode optar *<suas a. eram ir à praia ou visitar a avó>* **2** GRAM ver ***CONJUNÇÃO ALTERNATIVA***

alternativo (al.ter.na.ti.vo) *adj.* **1** que oferece possibilidade de escolha *<há um caminho a. para chegar à cidade>* **2** que representa uma opção não convencional *<imprensa a.>* *<estilo de vida a.>* ↺ tradicional

alteroso (al.te.ro.so) /ô/ [pl. e fem.: /ó/] *adj.* **1** que tem altura elevada **2** *fig.* cheio de altivez; grandioso *<torre a.>* ↺ diminuto

alteza (al.te.za) /ê/ *s.f.* **1** título dado aos príncipes ☞ inicial maiúsc. **2** *fig.* elevação moral; nobreza ▣ **Sua A. (Real)** forma de tratamento us. inicialmente para se referir a reis, e depois somente a príncipes *<leve a refeição de Sua A.>* • **Vossa A. (Real)** forma de tratamento us. inicialmente para se dirigir a reis, e depois apenas a príncipes *<esse documento é para Vossa A.>*

altímetro (al.tí.me.tro) *s.m.* instrumento para medir altitudes

altinho (al.ti.nho) *s.m.* RECR divertimento em que a bola é controlada pelos jogadores durante algum tempo sem tocar o chão e sem a ajuda das mãos

altiplano (al.ti.pla.no) *s.m.* GEO planalto

altissonante (al.tis.so.nan.te) *adj.2g.* **1** que soa muito alto; retumbante *<voz a.>* **2** *fig.* que demonstra pompa; rebuscado *<estilo de escrever a.>* ↺ simples

altitude (al.ti.tu.de) *s.f.* altura em relação ao nível do mar *<a montanha tem 750 metros de a.>*

altivez (al.ti.vez) /ê/ [pl.: *-es*] *s.f.* **1** sentimento de dignidade **2** arrogância; orgulho ↺ submissão

altivo (al.ti.vo) *adj.* **1** que revela dignidade; digno, ilustre *<postura a. como a de um rei>* ↺ indigno **2** que demonstra generosidade; magnânimo, nobre *<atitude a. ao ajudar os necessitados>* ↺ mesquinho **3** dominado pela arrogância, pela soberba; arrogante, presunçoso *<resposta a. e malcriada>* ↺ humilde, modesto

alto (al.to) *adj.* **1** de altura superior à média *<prédio a.>* *<pessoa a.>* ↺ baixo **2** *fig.* caro *<preço a.>* *<despesa a.>* ↺ baixo, barato **3** *fig.* mais complexo ou elaborado; difícil, superior *<a. ciência>* *<a. estudos>* **4** *fig.* de maior importância, de mais destaque *<só contou os pontos a. do filme>* **5** MÚS diz-se de som agudo ↺ baixo, grave **6** que atinge graus mais elevados, superiores à média ou ao que é normal *<febre a.>* *<competidores de a. gabarito>* **7** afastado da costa *<mar a.>* **8** que se encontra muito distante *<a. sertão>* **9** distanciado ou avançado no tempo *<a. Idade Média>* *<ficou acordado até a. horas>* **10** *infrm.* ligeiramente bêbado ↺ sóbrio ■ *s.m.* **11** o ponto mais elevado *<subiu ao a. da torre>* ■ *adv.* **12** a grande altura do solo *<voar a.>* ↺ baixo **13** com som forte ou agudo *<falem mais a.>* *<a flauta tocava a.>* **14** MÚS em tom agudo *<está a. para mim, não consegui rei cantar>* ↺ baixo, grave ◉ GRAM/USO nas acp. adj., sup.abs.sint.: *altíssimo* ▣ **altos e baixos** revezamento entre bons e maus momentos, situações etc. • **de a. a baixo 1** de cima a baixo *<o muro rachou de a. a baixo>* **2** em toda a extensão *<estudantes ocuparam a rua de a. a baixo>* **3** *fig.* com arrogância, com desdém *<ar superior, olhou o rival de a. a baixo>* • **por a.** de modo superficial, sem entrar em detalhes *<contou o caso por a.>*

alto-astral (al.to-as.tral) [pl.: *altos-astrais* (subst.); *alto-astrais* (adj.)] *adj.2g.s.2g.* (o) que é simpático, interessante, estimulante *<festa a.>* *<amigo a.>* ↺ baixo-astral

alto-comissário (al.to-co.mis.sá.rio) [pl.: *altos-comissários*] *s.m.* delegado especial do governo, com amplos poderes

alto-cúmulo (al.to-cú.mu.lo) [pl.: *altos-cúmulos*] *s.m.* MET formação de nuvens altas, dispostas em grandes flocos

alto-estrato (al.to-es.tra.to) [pl.: *altos-estratos*] *s.m.* MET nuvem alta em forma de véu espesso e cinzento

alto-falante (al.to-fa.lan.te) [pl.: *alto-falantes*] *s.m.* **1** amplificador de som em aparelhos de rádio, caixas de som etc. **2** megafone

alto-forno (al.to-for.no) [pl.: *altos-fornos*] *s.m.* forno revestido de chapas metálicas por fora e tijolos refratários por dentro, que funde minério de ferro, transformando-o em ferro-gusa

alto-mar (al.to-mar) [pl.: *altos-mares*] *s.m.* região marítima longe da costa ou fora das águas territoriais de uma nação; mar alto

alto-relevo (al.to-re.le.vo) [pl.: *altos-relevos*] *s.m.* ART.PLÁST figura que se esculpe ou molda, em relevo, sobre uma superfície plana *<detalhes da roupa em a.>* ☞ cf. *baixo-relevo*

altruísmo (al.tru.ís.mo) *s.m.* preocupação com a felicidade e o bem-estar alheio ↺ egoísmo ~ **altruístico** *adj.*

altruísta (al.tru.ís.ta) *adj.2g.* **1** relativo a altruísmo **2** que revela altruísmo *<gesto a.>* ■ *adj.2g.s.2g.* **3** que(m) pratica o altruísmo; filantropo, humanitário ↺ egoísta, misantropo

altura (al.tu.ra) *s.f.* **1** dimensão de um corpo, da base para cima *<a a. do prédio>* **2** dimensão vertical de um indivíduo; estatura **3** ponto elevado; elevação, cume *<daquela a., avista-se a cidade>* **4** propriedade do som (grave ou agudo), determinada pela frequência das vibrações das ondas sonoras **5** intensidade de som, voz etc. *<ouvia o rádio numa a. insuportável>* **6** determinado ponto; lugar *<caminhe até aquela a.>* **7** momento determinado; instante *<a certa a., todos saíram>* ▣ **à a.** de acordo, conforme é exigido pelas circunstâncias *<reagir ou responder à a.>* *<é pessoa à a. da missão que lhe foi dada>* • **pôr nas a.** atribuir qualidades ideais a; exaltar *<colocava a sobrinha nas a.>*

aluá (a.lu.á) *s.m.* CUL *B* refresco feito com cascas de frutas, sumo de limão e farinha de arroz ou milho

aluado (a.lu.a.do) *adj.s.m.* que(m) é distraído, amalucado ↺ atento ~ **aluar** *v.t.d. e pron.*

alucinação (a.lu.ci.na.ção) [pl.: *-ões*] *s.f.* **1** PSIC perturbação mental caracterizada pelo aparecimento de sensações (visuais, auditivas etc.) atribuídas a causas que na realidade não existem **2** *p.ext.* impressão falsa; delírio, ilusão

alucinado (a.lu.ci.na.do) *adj.* **1** que(m) sofre de alucinações; louco **2** que(m) perdeu momentaneamente o uso da razão, do entendimento ↺ ajuizado **3** *fig.* que(m) perdeu a razão ou o equilíbrio por causa de sofrimentos; cego, desvairado *<a. de dor>* **4** *fig.* que(m) está ou ficou fascinado; deslumbrado, encantado *<ficou a. com o cantor>*

alucinante (a.lu.ci.nan.te) *adj.2g.* **1** que provoca alucinação, que perturba a mente e os sentidos com visões ou percepções imaginárias; alucinatório *<substância a.>* **2** que produz impressão fascinante ou deslumbrante; extraordinário *<espetáculo a.>* ↺ desinteressante **3** *p.ext.* que apaixona, que arrebata; arrebatador, estonteante *<amor a.>*

alucinar (a.lu.ci.nar) *v.* {mod. 1} *t.d. e pron.* **1** (fazer) perder momentaneamente a razão, o entendimento; desvairar(-se) *<a dor alucinava-o> <ao perceber que perdera tudo, alucinou-se>* **2** (prep. *com*) maravilhar(-se), encantar(-se) *<o filme alucinou o menino> <alucinou-se com a apresentação>* □ *t.d. e int.* **3** provocar delírio ou desvario em *<certas bebidas alucinam (pessoas sensíveis)>* ~ **alucinatório** *adj.*

alucinógeno (a.lu.ci.nó.ge.no) *adj.s.m.* (substância) que provoca alucinações

alude (a.lu.de) *s.m.* **1** GEOL avalanche **2** *fig.* grande quantidade de pessoas ou coisas em movimento

aludir (a.lu.dir) *v.* {mod. 24} *t.i.* (prep. *a*) fazer rápida menção; referir-se *<aludiu ao baile, sem entrar em detalhes>* ● GRAM/USO não aceita o pron. *lhe(s)*, apenas *a ele(s)*, *a ela(s)*

alugar (a.lu.gar) *v.* {mod. 1} *t.d. e t.d.i.* **1** (prep. *a*, *para*) conceder (a outrem) o uso de (algo), por certo tempo e mediante pagamento; locar *<alugou seu apartamento (a amigos)>* □ *t.d.* **2** usar (algo de outrem) por um período, pagando por isso *<alugou a casa e se mudou para lá>* **3** *B gír.* tomar o tempo, a atenção de (alguém) *<alugava a irmã com suas queixas>*

aluguel (a.lu.guel) [pl.: *-éis*] *s.m.* **1** uso de algo móvel ou imóvel por tempo e valor determinados; arrendamento *<a. de carros, de casas>* **2** o preço pago por esse uso *<mudou-se pois o a. subiu muito>*

aluir (a.lu.ir) *v.* {mod. 26} *t.d.* **1** tirar a firmeza de; abalar *<com alavancas, aluíram a rocha>* **2** arruinar, prejudicar *<a. o bom nome de alguém>* □ *t.d.,int. e pron.* **3** (fazer) cair; derrubar(-se) *<o vento aluiu algumas árvores> <com a chuva, o muro aluiu(-se)>* □ *int.* **4** sair do lugar; mexer-se *<fizeram muita força para que a pedra aluísse>* ~ **aluimento** *s.m.*

alume (a.lu.me) ou **alúmen** (a.lú.men) [pl.: *alúmenes* e *(B) alumens*] *s.m.* QUÍM sulfato duplo de alumínio e metais alcalinos, us. em corantes, papel, porcelana, purificação de água, clarificação de açúcar; ume

alumiar (a.lu.mi.ar) *v.* {mod. 1} *t.d.,int. e pron.* **1** encher(-se) de luz, tornar(-se) claro; iluminar(-se) *<a. a sala> <a vela ardia e alumiava> <alumiavam-se com uma lanterna>* □ *t.d.* **2** fazer sair luz de; acender *<a. o lampião>* ~ **alumiação** *s.f.* - **alumiamento** *s.m.*

alumínio (a.lu.mí.nio) *s.m.* QUÍM metal abundante na crosta terrestre, branco prateado, flexível e leve, bom condutor de eletricidade e calor e resistente à oxidação, us. na indústria [símb.: *Al*] ☞ cf. *tabela periódica* (no fim do dicionário) ~ **alumínico** *adj.* - **aluminizar** *v.t.d.*

alunissar (a.lu.nis.sar) *v.* {mod. 1} *int.* pousar na Lua ~ **alunissagem** *s.f.*

alunizar (a.lu.ni.zar) *v.* {mod. 1} *int.* alunissar

aluno (a.lu.no) *s.m.* quem recebe instrução ou educação em estabelecimento de ensino ou particularmente; discípulo, estudante ● COL alunado, classe

alusão (a.lu.são) [pl.: *-ões*] *s.f.* referência rápida ou vaga a algo ou alguém *<fez uma a. à vitória e continuou o discurso>* ~ **alusivo** *adj.*

aluvião (a.lu.vi.ão) [pl.: *-ões*] *s.2g.* **1** GEOL depósito composto de cascalho, argila, areia etc., transportados por correntes de água **2** inundação de terras provocada por águas correntes, pluviais etc.; enchente, enxurrada ~ **aluvial** *adj.2g.*

alva (al.va) *s.f.* **1** alba, aurora **2** LITUR veste branca e comprida us. pelos padres

alvacento (al.va.cen.to) *adj.* quase branco; esbranquiçado

alvaiade (al.vai.a.de) *s.m.* QUÍM pigmento branco, constituído de carbonato de chumbo, us. em pintura de exteriores

alvar (al.var) [pl.: *-es*] *adj.2g.* de cor branca; alvacento

alvará (al.va.rá) *s.m.* **1** licença concedida por autoridade administrativa para exercer atividades como comércio, construção etc. *<a loja só abriu após conseguir o a.>* **2** DIR documento judiciário ou administrativo no qual se ordenam ou se autorizam determinados atos *<emitiram um a. para soltar o preso>*

alvedrio (al.ve.dri.o) *s.m.* livre vontade; arbítrio *<tinha a. para escolher seu futuro>*

alvejante (al.ve.jan.te) *adj.2g.s.m.* (substância) que alveja, torna branco *<produto a.> <lavava os lençóis com sabão e um pouco de a.>*

[1]**alvejar** (al.ve.jar) *v.* {mod. 1} *t.d. e int.* tornar(-se) branco ou mais branco *<a cal alvejou o muro> <a roupa branca alvejava ao sol>* ● ORIGEM [1]*alvo* + *-ejar*

[2]**alvejar** (al.ve.jar) *v.* {mod. 1} *t.d.* acertar com precisão; atingir *<a. a caça>* ● ORIGEM [2]*alvo* + *-ejar*

alvenaria (al.ve.na.ri.a) *s.f.* **1** arte, atividade ou ocupação de pedreiro **2** pedra, tijolo etc. us. em construção *<forno de a.>* **3** qualquer obra de pedra e cal

alveolar (al.ve.o.lar) [pl.: *-es*] *adj.2g.* **1** relativo ou pertencente a alvéolo **2** semelhante a alvéolo; alveolado

alvéolo (al.vé.o.lo) *s.m.* **1** pequena cavidade **2** local, no favo, onde a abelha deposita o mel ▣ **a. dental** ANAT cada uma das cavidades em que os dentes se encaixam nos maxilares • **a. pulmonar** ANAT cada uma das pequenas cavidades, em forma de saco, no fundo do pulmão

A

alvinegro (al.vi.ne.gro) /ê/ *adj.* **1** que é branco e preto ou que tem essas cores *<saia a.>* **2** ESP *B* referente a um clube ou time cujas cores são branco e preto ■ *adj.s.m.* ESP *B* **3** torcedor ou jogador de um desses clubes ou times *<os a. protestaram na frente do estádio>*

alvirrubro (al.vir.ru.bro) *adj.* **1** que é branco e vermelho ou que tem essas cores *<cortina a.>* **2** ESP *B* referente a um clube ou time cujas cores são branco e vermelho ■ *adj.s.m.* **3** ESP *B* torcedor ou jogador de um desses clubes ou times *<a seleção a. comemorou muito a vitória>*

alvíssaras (al.vís.sa.ras) *interj.* exclamação de alegria por notícia ou acontecimento feliz *<a.! fui promovido!>*

alvissareiro (al.vis.sa.rei.ro) *adj.s.m.* **1** (o) que anuncia ou promete boas-novas ou acontecimento feliz ■ *adj.* **2** promissor *<revelação a.>*

alvitrar (al.vi.trar) *v.* {mod. 1} *t.d. e t.d.i.* **1** (prep. *a*) mostrar a necessidade ou conveniência de; sugerir, propor *<a. uma solução para o caso> <alvitrou a ela um novo emprego>* **2** (prep. *a*) atribuir, fixar (remuneração) *<a. a féria dos motoristas> <alvitrou-lhe um bom salário>* ~ **alvitramento** *s.m.*

alvitre (al.vi.tre) *s.m.* o que é sugerido ou lembrado; conselho *<a. de roteiro para a viagem>*

alviverde (al.vi.ver.de) /ê/ *adj.2g.* **1** que é branco e verde ou que tem essas cores *<bandeira a.>* **2** ESP *B* referente a um clube ou time cujas cores são branco e verde *<torcida a.>* ■ *adj.2g.s.2g.* **3** ESP *B* torcedor ou jogador de um desses clubes ou times *<fanático, seguia o a. pelo país>*

[1]**alvo** (al.vo) *adj.* branco, claro *<dentes a.> <blusa a. como a neve>* ◉ ORIGEM do lat. *albus,a,um* 'id.'

[2]**alvo** (al.vo) *s.m.* **1** a cor branca **2** a parte branca do olho; esclerótica **3** ponto que se procura atingir com tiro, flecha etc. *<na competição, havia a. fixos e móveis> <a bola acertou o a.>* **4** *fig.* centro de interesse; motivo, objeto *<seu chapéu foi o a. das atenções> <a turma vem sendo a. de críticas>* **5** *fig. p.ext.* aquilo que se procura alcançar; intuito, objetivo *<o a. daquela atriz era o teatro, não a televisão>* ◉ GRAM/USO nas acp. fig., pode vir ligado por hífen a outro subst., como palavra invariável (*público-alvo, mercados-alvo*) ◉ ORIGEM do lat. *album,i* 'cor branca; parte branca de algo; quadro, lista de nomes etc.'

alvor (al.vor) ou **albor** (al.bor) /ô/ [pl.: *-es*] *s.m.* **1** a primeira luz do amanhecer **2** *fig.* começo, princípio *<nos a. do século XIX>* **3** *fig.* alvura *<o a. da neve>*

alvorada (al.vo.ra.da) *s.f.* **1** primeira claridade da manhã; amanhecer ↺ ocaso **2** canto das aves ao amanhecer **3** MIL toque de corneta para acordar a tropa **4** *fig.* começo, princípio *<a. da vida>*

alvorecer (al.vo.re.cer) [pl.: *-es*] *v.* {mod. 8} *int.* **1** raiar (o dia); amanhecer **2** *fig.* começar a manifestar-se; surgir, aparecer *<o cinema alvoreceu no final do século XIX>* ■ *s.m.* **3** o nascimento do dia; alvorada ◉ GRAM/USO verbo só us. na 3ª p., exceto quando fig.

alvoroçar (al.vo.ro.çar) *v.* {mod. 1} *t.d. e pron.* **1** pôr(-se) agitado; inquietar(-se) *<a notícia alvoroçou a cidade> <ao chegar o carro, todos se alvoroçaram>* **2** encher(-se) de alegria; entusiasmar(-se) *<o bom resultado no concurso alvoroçou-o> <alvoroçou-se ao saber que viajariam>* **3** provocar revolta em ou revoltar(-se); rebelar(-se) *<a suspensão do espetáculo alvoroçou o público> <os alunos alvoroçaram-se contra a decisão do diretor>* **4** assustar(-se), espantar(-se) *<esse barulho alvoroçará o gado> <o bebê alvoroçou-se com os latidos>* ~ **alvoroço** *s.m.*

alvura (al.vu.ra) *s.f.* estado ou qualidade do que é alvo, branco; brancura *<a a. de um tecido>*

Alzheimer (Al.zhei.mer) [al.] *s.m.* MED ver ***MAL DE ALZHEIMER*** ⇒ pronuncia-se alzaimer, em português

Am QUÍM símbolo de *amerício*

AM sigla do Estado do Amazonas

-ama *suf.* 'quantidade, abundância, coleção': *dinheirama*

ama (a.ma) *s.f.* **1** senhora, patroa **2** babá

amabilidade (a.ma.bi.li.da.de) *s.f.* **1** delicadeza, gentileza *<admirava sua a. com os idosos>* ↺ descortesia, grosseria **2** dito ou ato amável *<um discurso recheado de a.>*

amaciar (a.ma.ci.ar) *v.* {mod. 1} *t.d.* **1** fazer ficar macio; amolecer *<a. o couro, as roupas>* **2** deixar liso ou sedoso; desembaraçar *<a. o pelo>* □ *t.d. e pron.* **3** *fig.* tornar(-se) brando; acalmar(-se) *<o amor amacia até os homens muito sérios> <amaciou-se no contato com as crianças>* □ *t.d. e int.* *B* **4** (fazer) trabalhar (motor), a baixa velocidade, para ajuste das peças *<a. o motor do ônibus> <a essa velocidade, o motor não amacia bem>* ~ **amaciamento** *s.m.* - **amaciante** *adj.2g.s.2g.*

ama de leite (a.ma de lei.te) [pl.: *amas de leite*] *s.f.* mulher que amamenta filho de outra ☞ cf. *ama-seca*

amado (a.ma.do) *adj.s.m.* (o) que é muito querido

amador (a.ma.dor) /ô/ [pl.: *-es*] *adj.s.m.* **1** que(m) se dedica a uma arte ou ofício por gosto, não por profissão *<músico a.>* ↺ profissional **2** que(m) gosta muito de algo; amante, apreciador *<a. de cinema>* **3** *pej.* inexperiente *<é esforçado, mas não passa de um a.>* ■ *adj.* **4** praticado por amadores (diz-se de esporte, arte ou ofício) *<tenista a.>* ↺ profissional

amadorismo (a.ma.do.ris.mo) *s.m.* **1** dedicação a arte ou ofício, sem caráter profissional; diletantismo **2** *pej.* demonstração de incompetência ou inabilidade em atividade *<o a. dos organizadores prejudicou o congresso>* ~ **amadorista** *adj.2g.s.2g.*

amadurecer (a.ma.du.re.cer) *v.* {mod. 8} *t.d.,int. e pron.* **1** desenvolver(-se) plenamente [esp. fruto] *<o sol amadurece os frutos> <o mamão ainda não amadureceu>* □ *t.d. e int.* *fig.* **2** tornar(-se) mais experiente, consciente, sensato *<o sofrimento amadureceu-o> <a criança amadureceu cedo>* □ *t.d.* **3** elaborar, desenvolver *<a. uma ideia>* ~ **amadurecimento** *s.m.*

âmago (â.ma.go) *s.m.* **1** parte central de alguma coisa ou pessoa; cerne **2** *fig.* a parte mais íntima ou fundamental; essência *<o â. da questão>* **3** *fig.* a parte mais profunda de um ser; alma *<o choro vinha do â.>*

amainar (a.mai.nar) *v.* {mod. 1} *t.d. e int.* **1** perder força, ímpeto (vento, mar etc.) <*o fim da ventania amainou o mar*> <*ao amanhecer, o vento amainou*> □ *t.d.,int. e pron. fig.* **2** tornar(-se) sereno; abrandar(-se) <*o chefe amainou sua raiva*> <*a discussão, afinal, amainou(-se)*>

amaldiçoar (a.mal.di.ço.ar) *v.* {mod. 1} *t.d.* **1** lançar maldição a; praguejar, maldizer <*o vilão, ao ser derrotado, amaldiçoou o super-herói*> ↺abençoar **2** ter horror a; abominar <*a. a má sorte*> **~amaldiçoado** *adj.s.m.* - **amaldiçoador** *adj.s.m.*

amálgama (a.mál.ga.ma) *s.m.* **1** QUÍM nome genérico das ligas metálicas que contêm mercúrio, us. em obturações dentárias, no garimpo de ouro etc. **2** *fig.* conjunto formado por elementos diferentes ou heterogêneos <*um a. de luzes e sons*>

amalgamar (a.mal.ga.mar) *v.* {mod. 1} *t.d.* **1** fazer liga de mercúrio com (outro metal) <*a. a prata*> □ *t.d.,t.d.i. e pron. fig.* **2** (prep. *com*) fazer ou sofrer mistura, fusão; combinar(-se), juntar(-se) <*a. sons e cores*> <*a. a preposição com o artigo*> <*índio e branco amalgamaram-se, originando o mameluco*>

amalucar (a.ma.lu.car) *v.* {mod. 1} *t.d.,int. e pron.* (fazer) ficar louco; endoidecer <*o barulho dos aviões amalucou o rapaz*> <*com tanto azar, quase amalucou*> <*amalucaram-se ao receber o dinheiro do prêmio*> **~amalucado** *adj.*

amamentar (a.ma.men.tar) *v.* {mod. 1} *t.d. e int.* dar de mamar (a); aleitar <*a. o filho*> <*é importante a.*> **~amamentação** *s.f.*

amancebar-se (a.man.ce.bar-se) *v.* {mod. 1} *pron.* (prep. *com*) viver com (alguém), sem se casar; amasiar-se **~amancebado** *adj.s.m.* - **amancebamento** *s.m.*

amanhã (a.ma.nhã) *adv.* **1** no dia seguinte ao presente <*viajaremos a.*> **2** em um futuro indeterminado <*hoje é sucesso, a. poderá ser esquecido*> ■ *s.m.* **3** o dia seguinte <*a. será outro dia*> **4** o futuro <*queria um a. seguro*>

amanhar (a.ma.nhar) *v.* {mod. 1} *t.d.* **1** cultivar, lavrar (a terra) <*a. o campo para plantar trigo*> **2** pôr ordem em; arrumar <*a. a mala, as roupas*> □ *t.d. e pron.* **3** enfeitar(-se) para ficar elegante <*amanhou o vestido e saiu*> <*amanha-se com bom gosto*>

amanhecer (a.ma.nhe.cer) [pl.: *-es*] *v.* {mod. 8} *int.* **1** começar, raiar (a manhã, o dia) <*espere a. para se levantar*> □ *pred.fig.* **2** encontrar-se ou sentir-se, pela manhã, em certo estado ou condição <*os meninos amanheceram felizes*> □ *int.fig.* **3** estar ou encontrar-se de manhã em um lugar qualquer <*não vamos a. aqui*> ■ *s.m.* **4** o começo do dia; alvorecer <*ficou acordada para ver o a.*> **5** *fig.* o início de algo <*o a. de uma década*> ◉GRAM/USO verbo impessoal, exceto quando fig.

amanho (a.ma.nho) *s.m.* **1** lavoura, cultura **2** ação de arrumar, de preparar; arranjo, arrumação

amansar (a.man.sar) *v.* {mod. 1} *t.d.,int. e pron.* **1** (fazer) ficar manso ou dócil <*a. um leão*> <*ao ver o fogo, a fera amansou-(se)*> **2** *fig.* tornar(-se) calmo, sereno; aquietar(-se) <*o mar amansou suas ondas*> <*a tempestade amansou(-se)*> □ *t.d. e pron. fig.* **3** tornar(-se) mais suave; aliviar(-se) <*a.(-se) a sede*> ↺intensificar(-se) **~amansamento** *s.m.*

amante (a.man.te) *adj.2g.s.2g.* **1** que(m) ama; apaixonado **2** admirador, apreciador <*a. das artes*> ■ *s.2g.* **3** pessoa que mantém relações sexuais extraconjugais com outra; amásio

amanteigado (a.man.tei.ga.do) *adj.* **1** untado com manteiga <*fôrma a.*> **2** semelhante a manteiga <*substância a.*> **3** *fig.* que é brando, macio, mole <*coração a.*> ■ *adj.s.m.* **4** (o) que é feito com muita manteiga <*biscoito a.*> <*os famosos a. de Petrópolis*>

amanuense (a.ma.nu.en.se) *s.2g.* **1** quem escreve texto à mão; escrevente **2** antigo funcionário público que copiava ou registrava documentos **~amanuensal** *adj.2g.*

amapaense (a.ma.pa.en.se) *adj.2g.* **1** do Amapá ■ *s.2g.* **2** natural ou habitante desse estado

amar (a.mar) *v.* {mod. 1} *t.d. e pron.* **1** sentir amor (por) <*amava seu marido*> <*sempre se amaram*> **2** ter relações sexuais (com) □ *t.d.* **3** sentir grande devoção por; adorar <*a. o próximo*> ☞ tb. us. com a prep. *a* **4** gostar muito de; apreciar <*ama praticar esportes*> □ *pron.* **5** ter muito amor-próprio <*ama-se por ser quem é*>

amarantácea (a.ma.ran.tá.cea) *s.f.* BOT espécime das amarantáceas, família de muitas ervas, alguns arbustos, trepadeiras e poucas árvores, cultivadas como ornamentais, como as sempre-vivas, ou para alimentação **~amarantáceo** *adj.*

amaranto (a.ma.ran.to) *s.m.* BOT nome comum a diversas plantas nativas de regiões tropicais e temperadas, cultivadas como ornamentais e/ou pelas sementes e folhas comestíveis

[1]**amarar** (a.ma.rar) *v.* {mod. 1} *t.d.,int. e pron.* amerissar ◉ORIGEM [1]*a-* + *mar* + [2]*-ar* **~amaragem** *s.f.*

[2]**amarar** (a.ma.rar) *v.* {mod. 1} *t.d. e pron.* causar ou sentir angústia, aflição; amargurar(-se) <*a separação amarou sua família*> <*amararam-se com a displicência do irmão*> ◉ORIGEM *amaro* 'amargo' + [2]*-ar*

amarelado (a.ma.re.la.do) *adj.* **1** que tem cor parecida com amarelo <*retrato a.*> **2** diz-se dessa cor <*a cor a. das cortinas*> **3** que amarelou <*com o tempo, a toalha ficou a.*> **4** sem viço; anêmico, descorado, pálido <*pele a.*> ↺ corado, rosado ■ *s.m.* **5** a cor amarelada <*o a. dos dentes*>

amarelão (a.ma.re.lão) [pl.: *-ões*] *s.m.* ancilostomíase

amarelar (a.ma.re.lar) *v.* {mod. 1} *t.d.,int. e pron.* **1** tornar(-se) amarelo ou amarelado <*o sol amarela as folhas*> <*a camisa branca amarelou(-se)*> □ *int.* **2** perder o viço, o frescor; empalidecer <*sua pele amarelou*> **3** *infrm.* perder a coragem em situação difícil, perigosa etc.; acovardar-se <*ao ver o tamanho do adversário, amarelou*>

amarelecer (a.ma.re.le.cer) *v.* {mod. 8} *t.d.,int. e pron.* amarelar ('tornar[-se] amarelo', 'perder o viço') **~amarelecimento** *s.m.*

amarelento (a.ma.re.len.to) *adj.* **1** amarelado **2** *fig.* um tanto pálido, descorado, doentio <*rosto a.*> ↺corado ■ *adj.s.m.B* **3** doente de febre amarela

amarelidão (a.ma.re.li.dão) [pl.: *-ões*] *s.f.* **1** palidez <*a a. do rosto de um doente*> **2** característica visual do que tem cor amarela <*a a. dos campos de trigo*> **~amarelidez** *s.f.*

amarelinha (a.ma.re.li.nha) *s.f.* RECR *B* brincadeira em que se pula em uma só perna dentro de quadrados riscados no chão, saltando aquele em que se jogou uma pedrinha, ou objeto semelhante, que deve ser depois recuperada

amarelo (a.ma.re.lo) *s.m.* **1** cor primária entre o verde e o laranja; a cor da gema do ovo, do açafrão, do ouro **2** RECR *CE* ver ***AMARELINHA*** ■ *adj.* **3** que tem essa cor *<pano a.>* **4** diz-se dessa cor *<a cor a.>* **5** descorado, pálido *<faces a.>* ↺ corado **6** *fig.* sem espontaneidade; contrafeito *<riso a.>*

amarfanhar (a.mar.fa.nhar) *v.* {mod. 1} *t.d. e pron.* encher(-se) de pregas, vincos ou dobras; amassar(-se) *<a. um tecido>* *<amarfanhou-se ao sentar>* ↺ desenrugar

amargar (a.mar.gar) *v.* {mod. 1} *int.* **1** ter sabor amargo ou azedo *<as frutas verdes amargam>* □ *t.d.* **2** tornar amargo *<a. um molho com vinagre>* ↺ adoçar **3** *fig.* tornar doloroso, penoso *<a traição amargou sua vida>* □ *t.d. e pron. fig.* **4** (fazer) sentir amargura, tristeza; afligir(-se) *<amargava-o tanta injustiça>* *<amargou-se ao ver que havia sido reprovado>*

amargo (a.mar.go) *adj.* **1** de sabor áspero como o da bílis *<remédio a.>* ↺ adocicado **2** não doce; sem doce *<toma café a.>* **3** *fig.* penoso, aflitivo *<sentimento a.>* **4** *fig.* cheio de mágoa, de amargura; desgostoso *<tornou-se uma pessoa a.>* ↺ feliz ■ *s.m.* **5** amargor ('sabor') • GRAM/USO sup.abs.sint.: *amarguíssimo, amaríssimo* ~ **amargoso** *adj.*

amargor (a.mar.gor) /ô/ [pl.: *-es*] *s.m.* **1** sabor amargo ↺ doçura **2** *fig.* desgosto; angústia

amargura (a.mar.gu.ra) *s.f.* **1** sabor amargo *<a a. do jiló>* **2** *fig.* aflição, angústia *<a a. da solidão>*

amargurar (a.mar.gu.rar) *v.* {mod. 1} *t.d. e pron.* **1** causar ou sentir angústia, aflição; afligir(-se) *<a espera amargurava seus dias>* *<amargurava-se com a doença do cachorro>* □ *t.d.* **2** tornar penoso, difícil *<a solidão amargurou sua vida>* ~ **amargurante** *adj.2g.*

amarílico (a.ma.rí.li.co) *adj.* *B* referente à febre amarela

amarilidácea (a.ma.ri.li.dá.cea) *s.f.* BOT espécime das amarilidáceas, família composta de ervas com grandes e belas flores coloridas, como a açucena ~ **amarilidáceo** *adj.*

amarílis (a.ma.rí.lis) *s.2g.2n.* BOT nome comum de plantas cultivadas por suas flores ger. avermelhadas e cheirosas, conhecidas também como açucena

amarra (a.mar.ra) *s.f.* **1** MAR corrente ou cabo que prende a âncora à embarcação **2** *p.ext.* qualquer cabo, corda ou corrente com que se prende algo

amarrar (a.mar.rar) *v.* {mod. 1} *t.d.,t.d.i. e pron.* **1** (prep. *a, em*) ligar fortemente; atar, prender *<a. o cavalo (na árvore)>* *<a. um pé ao outro>* *<amarrou-se à árvore>* □ *t.d.* **2** atar (com corda, fita etc.) *<a. um embrulho>* **3** *fig.* *B* impedir o bom andamento de; travar *<a. o trabalho alheio>* □ *t.d.i. e pron.* **4** *fig.* (prep. *a, em*) prender(-se) com laços amorosos *<o acaso amarrara-o àquela moça>* *<amarrou-se para sempre naquele rapaz>* **5** prender por obrigação moral *<a promessa amarrava-o>* *<a.-se por uma dívida>* □ *t.d.i.* **6** *fig.* (prep. *a*) fazer depender; sujeitar *<a. um aumento a outro>* ↺ desvincular □ *pron.* **7** *B gír.* (prep. *em*) gostar demais *<amarra-se em teatro>* **8** *fig.* (prep. *a*) ligar-se a (convicções, ideias) *<a.-se à política>* ~ **amarração** *s.f.*

amarronzado (a.mar.ron.za.do) *adj.* *B* **1** que apresenta tonalidade tirante ao marrom ou que com ela se parece; acastanhado *<cabelo a.>* **2** diz-se dessa cor *<papel de cor a.>* ■ *s.m.* **3** a cor amarronzada *<usa lentes coloridas para cobrir o a. dos olhos>*

amarrotar (a.mar.ro.tar) *v.* {mod. 1} *t.d. e pron.* encher(-se) de vincos, dobras por compressão ou pressão; amassar(-se) *<a. a saia>* *<amarrotou-se ao sentar>* ↺ desamarrotar(-se) ~ **amarrotado** *adj.* - **amarrotamento** *s.m.*

ama-seca (a.ma-se.ca) [pl.: *amas-secas*] *s.f.* mulher que cuida de criança sem amamentar; ama ☞ cf. *ama de leite*

amasiar-se (a.ma.si.ar-se) *v.* {mod. 1} *pron.* (prep. *com*) viver com (alguém), sem se casar; amigar-se

amásio (a.má.sio) *s.m.* **1** aquele que vive com alguém como cônjuge, sem ser casado; amigado **2** amante ('pessoa')

amassar (a.mas.sar) *v.* {mod. 1} *t.d.* **1** transformar em massa ou pasta *<a. barro, pão>* **2** *fig.* dar pancada em; bater *<a. o nariz de alguém>* □ *t.d.,int. e pron.* **3** achatar(-se) por pressão ou esmagamento *<a queda da árvore amassou o carro>* *<o metal parece resistente, mas amassa>* *<ao cair, a jarra amassou-se>* ↺ desamassar(-se) **4** encher(-se) de dobras, rugas; amarrotar(-se) *<a. o papel>* *<esse tecido não amassa>* *<com a idade, a pele de seu rosto amassou-se>* ↺ desamassar(-se), desamarrotar(-se) ~ **amassadela** *s.f.* - **amassadura** *s.f.*

amável (a.má.vel) [pl.: *-eis*] *adj.2g.* **1** digno de ser amado *<turma a.>* ↺ desprezível **2** afável, simpático *<a vendedora foi muito a.>* ↺ descortês **3** que causa impressão agradável; encantador ↺ desagradável • GRAM/USO sup.abs.sint.: *amabilíssimo*

amavio (a.ma.vi.o) *s.m.* **1** poção para despertar o amor; filtro **2** meio de sedução, encanto, feitiço • GRAM/USO em todas as acp., mais us. no pl.

amazona (a.ma.zo.na) *s.f.* **1** mulher que anda a cavalo **2** mulher corajosa ▼ ***amazonas*** *s.f.pl.* **3** MIT corajosas guerreiras lendárias que, na Antiguidade, teriam vivido às margens do mar Negro

amazonense (a.ma.zo.nen.se) *adj.2g.* **1** do Amazonas ■ *s.2g.* **2** natural ou habitante desse estado

[1]**amazônico** (a.ma.zô.ni.co) *adj.* relativo a amazona • ORIGEM do lat. *amazonicus,a,um* 'id.'

[2]**amazônico** (a.ma.zô.ni.co) *adj.* relativo ou pertencente à Amazônia; amazônio ☞ cf. *Amazônia* na parte enciclopédica • ORIGEM do topônimo *Amazônia* + *-ico*

âmbar (âm.bar) [pl.: *-es*] *s.m.* **1** a cor do âmbar-amarelo ■ *adj.2g.* **2** que tem a cor entre castanho e amarelo *<olhos â.>* **3** diz-se dessa cor *<a cor â.>* ~ **ambarino** *adj.*

âmbar-amarelo (âm.bar-a.ma.re.lo) [pl.: *âmbares-amarelos*] *s.m.* resina fóssil, semitransparente, de cor entre o castanho e o amarelo, us. na confecção de piteiras, colares etc.

âmbar-cinzento (âm.bar-cin.zen.to) [pl.: *âmbares-cinzentos*] *s.m.* âmbar-gris

âmbar-gris (âm.bar-gris) [pl.: *âmbares-grises*] *s.m.* substância formada no intestino dos cachalotes e us. na indústria de perfumes; âmbar-cinzento

ambárico (am.bá.ri.co) *adj.* **1** relativo ao âmbar; ambarino **2** feito de âmbar-amarelo

ambi- *pref.* 'duplicidade': *ambidestro, ambivalente*

ambição (am.bi.ção) [pl.: *-ões*] *s.f.* **1** anseio por poder, riqueza, fama etc.; cobiça ↺ desapego **2** anseio forte de alcançar determinado objetivo; pretensão ↺ desinteresse

ambicionar (am.bi.cio.nar) *v.* {mod. 1} *t.d.* **1** desejar com ardor (esp. riquezas, honras); cobiçar *<a. o poder>* **2** ter como objetivo, desejo; pretender *<ambiciona formar-se em engenharia>*

ambicioso (am.bi.ci.o.so) /ô/ [pl. e fem.: /ó/] *adj.s.m.* **1** que(m) tem ambição *<profissional a.>* ■ *adj.* **2** cuja execução exige competência ou coragem; arrojado *<projeto a.>*

ambidestro (am.bi.des.tro) /é *ou* ê/ *adj.s.m.* que(m) usa as duas mãos com a mesma habilidade ~ **ambidestreza** *s.f.* - **ambidestria** *s.f.*

ambiência (am.bi.ên.cia) *s.f.* **1** o meio físico em que vive um animal ou um vegetal; meio ambiente **2** *p.ext.* conjunto de condições sociais, culturais, morais etc. que cercam e influenciam uma pessoa; meio ambiente

ambientalismo (am.bi.en.ta.lis.mo) *s.m.* conjunto de ideias, ideologia ou movimento em defesa da preservação do meio ambiente ~ **ambientalista** *adj.2g.s.2g.*

ambientar (am.bi.en.tar) *v.* {mod. 1} *t.d. e pron.* **1** adaptar(-se) a um ambiente *<a. uma planta>* *<ambientaram-se rápido à nova cidade>* ↺ desambientar (-se) □ *pron.* **2** acontecer (filme, peça, história) em determinado lugar *<a história ambienta-se em Porto Alegre>* ~ **ambientação** *s.f.*

ambiente (am.bi.en.te) *adj.2g.s.m.* **1** (o) que rodeia e constitui o meio em que se vive *<temperatura a.>* ■ *s.m.* **2** recinto, espaço, em que se está ou vive *<a. fechado>* **3** conjunto de condições que envolve as pessoas; atmosfera *<o a. parecia tenso>* **4** ambiência ('espaço') **5** CINE LIT TEAT TV conjunto dos aspectos de um meio social, natural ou histórico em que se situa uma ação **6** INF configuração de um computador ~ **ambiental** *adj.2g.*

ambiguidade (am.bi.gui.da.de) /gü/ *s.f.* **1** característica ou condição do que é ambíguo **2** imprecisão de sentido (de palavras, formas, expressões etc.) ↺ clareza **3** hesitação entre possibilidades; dúvida, incerteza ↺ precisão

ambíguo (am.bí.guo) *adj.* **1** que tem ou pode ter mais de um sentido; equívoco *<texto a.>* **2** que desperta dúvida; vago *<comentário a.>* ↺ preciso

âmbito (âm.bi.to) *s.m.* **1** espaço físico limitado; recinto *<â. do plenário>* **2** *fig.* setor, área de atuação *<essa medida está no â. da educação>*

ambivalente (am.bi.va.len.te) *adj.2g.* que apresenta dois poderes ou valores, contrários ou não *<sentimentos a.>* ~ **ambivalência** *s.f.*

ambos (am.bos) *pron.pl.* **1** os dois, um e outro (referente a pessoas ou coisas mencionadas em pares) *<beijou-lhe a. as mãos>* **2** os dois, um e outro (referente a pessoas ou coisas de que se falou anteriormente) *<quanto aos livros emprestados, a. são bons>* ● GRAM/USO deve ser us. em referência a pessoas ou coisas que não se opõem: o casal tem filhos gêmeos, ambos são meninos

ambrosia (am.bro.si.a) *s.f.* **1** alimento dos deuses do Olimpo, que concedia ou mantinha a imortalidade **2** *fig.* o que causa grande prazer **3** CUL *B* doce de ovos cozidos em leite com açúcar e baunilha ~ **ambrosíaco** *adj.*

ambulância (am.bu.lân.cia) *s.f.* carro equipado para atender e transportar doentes e feridos

ambulante (am.bu.lan.te) *adj.2g.* **1** que se transporta sempre de um lugar para outro *<biblioteca, comércio a.>* ■ *adj.2g.s.2g.* **2** que(m) exerce sua atividade em local não fixo *<vendedor a.>* *<os a. fugiram da polícia>*

ambulatório (am.bu.la.tó.rio) *s.m.* **1** enfermaria para consulta ou primeiros socorros, em hospital, fábrica etc. *<há na escola um novo a.>* ■ *adj.* **2** que não força o doente a ficar acamado (diz-se esp. de doença ou tratamento) ~ **ambulatorial** *adj.2g.*

-ame *suf.* 'quantidade, abundância, coleção': *vasilhame*

ameaça (a.me.a.ça) *s.f.* **1** promessa de castigo ou dano *<a. de morte>* **2** prenúncio ou indício de acontecimento desagradável; ameaço, sinal *<a. de temporal>* **3** início de algo negativo, que não chega a consumar-se *<a. de enfarte>* **4** constrangimento imposto a alguém *<compareceu sob a.>* ~ **ameaçador** *adj.s.m.*

ameaçar (a.me.a.çar) *v.* {mod. 1} *t.d.* **1** pôr medo em, com promessas de causar dano, dar castigo *<a. uma criança>* **2** *p.ext.* pôr em risco; prejudicar *<a. um projeto>* **3** *fig.* fazer menção de (fazer algo) *<ameaçou denunciar o colega, mas desistiu>* □ *t.d. e int.* **4** estar prestes a (acontecer, chegar) *<a. chuva>* *<o muro ameaçava cair>* *<está ameaçando um temporal>*

ameaço (a.me.a.ço) *s.m.* ameaça ('sinal')

amealhar (a.me.a.lhar) *v.* {mod. 1} *t.d. e int.* juntar (dinheiro) aos poucos; economizar *<amealhou o máximo que pôde durante dez anos>* *<em toda a sua vida, só amealhou>* ~ **amealhador** *adj.s.m.*

ameba (a.me.ba) *s.f.* ZOO microrganismo que se instala no intestino humano, causando colite, disenteria e cólica ~ **amebiano** *adj.* - **amébico** *adj.*

amebíase (a.me.bí.a.se) *s.f.* MED infecção causada por ameba, que se caracteriza por diarreia dolorosa com perda de sangue

amedrontar (a.me.dron.tar) *v.* {mod. 1} *t.d.,int. e pron.* (fazer) ficar com medo; aterrorizar(-se) *<a careta amedrontou as crianças>* *<a escuridão amedrontava>* *<o animal amedrontou-se e fugiu>* ~ **amedrontador** *adj.s.m.* - **amedrontamento** *s.m.*

ameia (a.mei.a) *s.f.* cada um dos parapeitos com recortes em forma de dentes, na parte superior das muralhas ou torres de fortalezas e castelos ☞ mais us. no pl.

amêijoa (a.mêi.joa) *s.f.* ZOO molusco comestível, branco opaco, encontrado no lodo de mangues; lambreta, sarnambi, sernambi

ameixa (a.mei.xa) *s.f.* BOT **1** arbusto da família da maçã, pera, pêssego etc., de fruto com único caroço, roxo-escuro, comestível, carnoso e suculento, com propriedade laxante; ameixeira **2** esse fruto

ameixeira (a.mei.xei.ra) *s.f.* BOT ameixa ('arbusto')

amém (a.mém) [pl.: *-éns*] *interj.* REL **1** assim seja ■ *s.m. infrm.* **2** aprovação, consentimento *<deu a. ao projeto>*

amêndoa (a.mên.doa) *s.f.* BOT **1** fruto e semente da amendoeira e suas variedades **2** *p.ext.* qualquer semente contida num caroço

amendoado (a.men.do.a.do) *adj.* **1** que se assemelha a amêndoa na cor ou no aspecto *<pele a.>* **2** de contorno acentuadamente oblongo; puxado *<morena de olhos a.>*

amendoeira (a.men.do.ei.ra) *s.f.* BOT árvore nativa da Europa e Ásia, de frutos esverdeados contendo uma semente, a amêndoa

amendoim (a.men.do.im) [pl.: *-ins*] *s.m.* BOT **1** planta anual, brasileira, de fruto em forma de cilindro que se desenvolve e amadurece sob a terra **2** a semente dessa planta, muito us. na alimentação humana

amenia (a.me.ni.a) *s.f.* MED amenorreia

amenidade (a.me.ni.da.de) *s.f.* **1** jeito característico do que é ameno, agradável, tranquilo **2** conjunto de qualidades e condições que provocam o bem-estar *<a. do clima>* ▼ ***amenidades*** *s.f.pl.* **3** assuntos, atividades etc. agradáveis, leves *<tratou apenas de a.>*

amenizar (a.me.ni.zar) *v.* {mod. 1} *t.d.,int. e pron.* **1** tornar(-se) ameno, suave; abrandar(-se) *<a leitura ameniza seu repouso forçado> <o tempo amenizou(-se) bastante>* **2** tornar(-se) menos penoso, difícil; suavizar(-se) *<remédio para a. a dor> <no meio do caminho, a subida amenizou(-se)>* ~ **amenização** *s.f.*

ameno (a.me.no) *adj.* **1** que causa bem-estar; agradável, brando, suave *<clima, lugar a.>* ↺ desagradável **2** que tem serenidade; calmo, tranquilo *<vida a.>* ↺ agitado, perturbado

amenorreia (a.me.nor.rei.a) /éi/ *s.f.* MED ausência de menstruação; amenia ~ **amenorreico** *adj.*

americanismo (a.me.ri.ca.nis.mo) *s.m.* **1** admiração, mania ou imitação da cultura norte-americana **2** LING palavra ou expressão própria dos E.U.A. ou que aí teve origem ~ **americanista** *adj.2g.s.2g.*

americanizar (a.me.ri.ca.ni.zar) *v.* {mod. 1} *t.d. e pron.* dar ou tomar aspecto ou característica própria do povo, da cultura, da língua dos E.U.A. *<os parentes não conseguiram americanizá-lo> <após tantos anos, seu sotaque americanizou-se>* ~ **americanização** *s.f.*

americano (a.me.ri.ca.no) *adj.* **1** relativo à América ou às línguas indígenas faladas nesse continente **2** relativo aos E.U.A.; estadunidense, norte-americano, ianque ■ *s.m.* **3** natural ou habitante da América **4** natural ou habitante dos E.U.A.; estadunidense, norte-americano, ianque

amerício (a.me.rí.cio) *s.m.* QUÍM elemento químico da família dos actiniídeos [símb.: *Am*] ☞ cf. *tabela periódica* (no fim do dicionário)

ameríndio (a.me.rín.dio) *s.m.* **1** indígena americano **2** LING cada uma das línguas indígenas nativas do continente americano ■ *adj.* **3** relativo a esse indígena ou língua

amerissar (a.me.ris.sar) *v.* {mod. 1} *t.d.,int. e pron.* **1** afastar(-se) da terra em direção ao alto-mar; amarar *<o comandante amerissou o navio> <amerissaram (-se) devido à forte correnteza>* □ *int.* **2** pousar (aeronave) na água; amarar *<o hidroavião finalmente amerissou>* ~ **amerissagem** *s.f.*

amesquinhar (a.mes.qui.nhar) *v.* {mod. 1} *t.d. e pron.* tornar(-se) pequeno, de pouco valor; rebaixar(-se) *<sua crítica amesquinhava tudo> <mesmo os grandes homens às vezes amesquinham-se>* ~ **amesquinhador** *adj.s.m.* - **amesquinhamento** *s.m.*

amestrar (a.mes.trar) *v.* {mod. 1} *t.d.* **1** ensinar (animais) a desenvolver habilidades; treinar *<amestrou seu cachorro>* **2** *p.ext.* tornar manso (animal); domar *<conseguiu a. um tigre>* ~ **amestrador** *adj.s.m.* - **amestramento** *s.m.*

ametista (a.me.tis.ta) *s.f.* MINER pedra semipreciosa lilás, variedade de quartzo

amianto (a.mi.an.to) *s.m.* nome comercial de um mineral resistente ao calor, us. em materiais (como fios para tecidos, placas etc.) que não queimam ☞ cf. *asbesto*

amídala (a.mí.da.la) *s.f.* → ***AMÍGDALA***

amidalite (a.mi.da.li.te) *s.f.* → ***AMIGDALITE***

amido (a.mi.do) *s.m.* carboidrato presente em vegetais, como trigo, arroz, batata etc.

amigar-se (a.mi.gar-se) *v.* {mod. 1} *pron.* (prep. *com*) unir-se maritalmente sem se casar; amancebar-se *<amigou-se com a primeira namorada>* ~ **amigado** *adj.*

amigável (a.mi.gá.vel) [pl.: *-eis*] *adj.2g.* **1** característico de amigo(s); amistoso *<conversa a.>* **2** dito ou realizado de forma conciliadora *<separação a.>*

amígdala (a.míg.da.la) ou **amídala** (a.mí.da.la) *s.f.* ANAT ver ***TONSILA***

amigdalite (a.mig.da.li.te) ou **amidalite** (a.mi.da.li.te) *s.f.* MED ver ***TONSILITE***

amigo (a.mi.go) *adj.s.m.* **1** que(m) ama, demonstra amizade **2** (o) que mantém relações amistosas com outro(s); aliado ↺ inimigo ■ *s.m. infrm.* **3** partidário de alguém ou de alguma causa; simpatizante *<a. da ecologia>*

amigo da onça (a.mi.go da on.ça) [pl.: *amigos da onça*] *s.m.* *B infrm.* amigo falso, hipócrita, infiel; amigo-urso

amigo-oculto (a.mi.go-o.cul.to) [pl.: *amigos-ocultos*] *s.m.* *B infrm.* espécie de sorteio entre amigos, colegas de trabalho e familiares, realizado esp. no Natal e em que cada um recebe em segredo o nome da pessoa a quem deve presentear; amigo-secreto

amigo-secreto (a.mi.go-se.cre.to) [pl.: *amigos--secretos*] *s.m.* amigo-oculto

amigo-urso (a.mi.go-ur.so) [pl.: *amigos-ursos*] *s.m. B infrm.* amigo da onça

amiláceo (a.mi.lá.ceo) *adj.* **1** semelhante ao amido **2** que contém amido ou similar

amina (a.mi.na) *s.f.* QUÍM classe de compostos orgânicos que derivam da amônia

aminoácido (a.mi.no.á.ci.do) *s.m.* QUÍM ácido orgânico, principal componente das proteínas

amistoso (a.mis.to.so) /ô/ [pl. e fem.: /ó/] *adj.* **1** que é próprio de amigo(s); amigável, afetuoso *<bate-papo a.>* ↺ agressivo, hostil ■ *adj.s.m. B* **2** (partida, ger. de futebol) fora de campeonato ou de torneio *<o time só ganha a.>*

[1]**amiudar** (a.mi.u.dar) *v.* {mod. 2} *t.d.* **1** fazer (algo) com frequência *<amiudou suas visitas aos pais>* ↺ rarear □ *int. e pron.* **2** acontecer muitas vezes, repetidamente *<suas faltas amiudaram> <no verão, as chuvas fortes amiudam-se>* ◉ ORIGEM *amiúde* + [2]*-ar* ~**amiudado** *adj.*

[2]**amiudar** (a.mi.u.dar) *v.* {mod. 2} *t.d.,int. e pron.* **1** tornar(-se) miúdo; apequenar(-se) *<os insetos amiudavam as folhas da plantação> <aos poucos, a chuva foi amiudando> <seus passos amiudaram-se com o cansaço>* □ *t.d.* **2** examinar bem; esmiuçar *<a. um caso>* ◉ ORIGEM [1]*a-* + *miúdo* + [2]*-ar*

amiúde (a.mi.ú.de) *adv.* repetidas vezes, com frequência *<visitava a. o amigo>* ↺ às vezes, raramente

amizade (a.mi.za.de) *s.f.* **1** sentimento de simpatia, de afeição *<tinha por ele uma forte a.>* **2** concordância de sentimentos ou posição a respeito de algo; aliança *<tratado de a.>* **3** *p.ext.* amigo, companheiro, camarada *<era uma das suas a. preferidas>*

amnésia (am.né.sia) *s.f.* MED perda parcial ou total da memória ~**amnésico** *adj.s.m.*

âmnio (âm.nio) *s.m.* ANAT membrana da bolsa que protege o feto dos vertebrados ~**amniótico** *adj.*

amniocentese (am.ni.o.cen.te.se) *s.f.* MED retirada de líquido amniótico do abdome da mulher grávida para análise

amnioscopia (am.ni.os.co.pi.a) *s.f.* MED exame direto do líquido amniótico e das membranas, feito no final da gravidez

amo (a.mo) *s.m.* dono da casa, patrão *<tratava o a. com muito respeito>*

amofinação (a.mo.fi.na.ção) [pl.: *-ões*] *s.f.* ato ou efeito de amofinar(-se), de apoquentar(-se); amolação, contrariedade ↺ satisfação

amofinar (a.mo.fi.nar) *v.* {mod. 1} *t.d. e pron.* (fazer) ficar triste, descontente; aborrecer(-se) *<o barulho amofina os vizinhos> <amofinava-se por bobagens>*

amolação (a.mo.la.ção) [pl.: *-ões*] *s.f.* **1** afiação de instrumento de corte *<a. de facas>* **2** aquilo que aborrece, que incomoda; contrariedade, maçada *<a demora do ônibus foi uma a.>* ↺ prazer, satisfação

amolador (a.mo.la.dor) /ô/ [pl.: *-es*] *adj.s.m.* **1** (o) que amola **2** *B* (o) que aborrece *<situação a.>* ■ *s.m.* **3** máquina ou instrumento us. para amolar facas, tesouras etc.

amolar (a.mo.lar) *v.* {mod. 1} *t.d.* **1** tornar (mais) cortante o gume de; afiar *<a. um canivete>* □ *t.d.,int. e pron. fig. B* **2** causar ou sofrer aborrecimento; importunar(-se) *<sem saber, amolava o cachorro> <saia e não me amole> <ninguém se amolou com o atraso>* ~**amolado** *adj.*

amoldar (a.mol.dar) *v.* {mod. 1} *t.d. e pron.* **1** ajustar(-se) ao molde; moldar(-se) *<a. o gesso> <o barro não se amoldou bem>* □ *t.d.,t.d.i. e pron. fig.* **2** (prep. *a*) tornar(-se) adequado a; conformar(-se) *<tentava a. seu estilo (ao dos sogros)> <preferia não se a. às ideias da maioria>* □ *t.d.i. e pron. fig.* **3** (prep. *a*) acostumar(-se), habituar(-se) *<a necessidade amoldou-os a uma vida simples> <com o tempo amoldou-se à solidão>*

amolecado (a.mo.le.ca.do) *adj.* **1** com jeito de moleque *<ar a.>* **2** que age como moleque; irresponsável *<sujeito a.>*

amolecer (a.mo.le.cer) *v.* {mod. 8} *t.d.,int. e pron.* **1** tornar(-se) mole, flexível, macio *<o calor amolecerá a cera> <na água, o couro amolece> <amoleceu-se o asfalto com o sol forte>* **2** *fig.* tornar(-se) menos rígido, mais brando; enternecer(-se) *<o choro do cão amoleceu o coração do dono> <com a idade, o pai amoleceu(-se)>* □ *int. fig. infrm.* **3** ceder a pedido, súplica etc. *<amoleceu diante da insistência da filha>* ~**amolecido** *adj.* - **amolecimento** *s.m.*

amolgar (a.mol.gar) *v.* {mod. 1} *t.d.,int. e pron.* **1** deformar(-se) esmagando ou amassando *<a. o chapéu> <alumínio amolga bem> <muitos metais não se amolgam>* ↺ desamolgar □ *t.d.i. fig.* **2** (prep. *a*) obrigar, forçar *<a profissão amolgava-o a sacrificar os fins de semana>* □ *int. e pron.* **3** submeter-se, sujeitar-se *<pediram que desistisse, mas não (se) amolgou>* ~**amolgadura** *s.f.*

amônia (a.mô.nia) *s.f.* QUÍM solução aquosa do amoníaco, us. como reagente químico

amoníaco (a.mo.ní.a.co) *s.m.* QUÍM gás incolor de cheiro forte, facilmente solúvel em água, us. em fertilizantes, fluido de refrigeração etc. ~**amoniacal** *adj.2g.*

amontoar (a.mon.to.ar) *v.* {mod. 1} *t.d.* **1** juntar ou empilhar em grande quantidade, com ou sem ordem *<a. papéis>* □ *t.d. e pron.* **2** pôr ou estar disposto de qualquer maneira, esp. sem ordem *<amontoou as roupas sujas no chão> <no porão, móveis velhos amontoavam-se>* □ *int. e pron.* **3** formar monte; acumular-se *<a chuva levou a terra a amontoar(-se) em alguns pontos>* ~**amontoado** *adj.s.m.* - **amontoamento** *s.m.*

amor (a.mor) /ô/ [pl.: *-es*] *s.m.* **1** atração afetiva ou física **2** adoração, veneração, culto *<a. a Deus>* **3** afeto, carinho, ternura, dedicação *<a. aos animais>* **4** aventura amorosa; caso, namoro *<tinha muitos a.>* **5** o ato sexual **6** o ser amado *<ainda não conheço o seu a.>* **7** demonstração de zelo, dedicação; fidelidade *<a. a uma causa>* **8** *fig.* apego a algo que dá prazer; paixão, fascínio *<a. à natureza>*

amora (a.mo.ra) *s.f.* BOT **1** fruto vermelho-escuro quase negro da amoreira, comestível ao natural ou em geleias **2** amoreira

amoral (a.mo.ral) [pl.: *-ais*] *adj.2g.* **1** moralmente neutro (nem moral, nem imoral) ■ *s.2g.* **2** pessoa sem senso moral ☞ cf. *imoral* ~ **amoralidade** *s.f.*

amorável (a.mo.rá.vel) [pl.: *-eis*] *adj.2g.* **1** inclinado ao amor e à amizade; afetuoso *<pessoa a.>* **2** *fig.* ameno, agradável *<clima a.>*

amordaçar (a.mor.da.çar) *v.* {mod. 1} *t.d.* **1** pôr mordaça em *<amordaçaram o xerife>* **2** *fig.* proibir de falar, de dar opinião; silenciar *<a. a oposição>* ~ **amordaçamento** *s.m.*

amoreira (a.mo.rei.ra) *s.f.* BOT árvore nativa do Irã, de folhas que servem de alimento ao bicho-da-seda e cujos frutos são as amoras; amora ● COL amoreiral

amorfo (a.mor.fo) *adj.* que não tem forma definida *<a água-viva é um animal a.>* ~ **amorfia** *s.f.* - **amórfico** *adj.* - **amorfismo** *s.m.*

amornar (a.mor.nar) *v.* {mod. 1} *t.d.,int. e pron.* **1** (fazer) ficar morno *<a. o leite>* *<aumente o fogo ou a água não amornará>* *<com as luvas, as mãos amornaram-se>* □ *int.* **2** *fig.* perder o entusiasmo, a intensidade *<não foi à festa, pois seu ânimo amornou>*

amoroso (a.mo.ro.so) /ô/ [pl. e fem.: /ó/] *adj.s.m.* **1** (o) que tem inclinação para o amor ■ *adj.* **2** que tem ou demonstra amor *<palavras a.>* **3** que demonstra ternura, afeto; terno *<pai a.>* ~ **amorosidade** *s.f.*

amor-perfeito (a.mor-per.fei.to) [pl.: *amores-perfeitos*] *s.m.* BOT erva nativa da Europa, de flores com coloração roxa, branca e amarela, muito cultivada como ornamental

amor-próprio (a.mor-pró.prio) [pl.: *amores-próprios*] *s.m.* sentimento de dignidade, estima ou respeito por si mesmo

amortecedor (a.mor.te.ce.dor) /ô/ [pl.: *-es*] *adj.* **1** que amortece **2** que torna mais suave, mais brando ■ *s.m.* **3** MEC em veículos automotores, peça ajustada ao sistema de suspensão que amortece a oscilação das molas

amortecer (a.mor.te.cer) *v.* {mod. 8} *t.d.,int. e pron.* **1** (fazer) ficar dormente; entorpecer(-se) *<a posição amorteceu seu braço>* *<levante-se ou suas pernas irão (se) a.>* **2** (fazer) perder a força (golpe, choque etc.) *<conseguiu a. o chute>* *<a flecha amorteceu(-se) em sua trajetória>* **3** *fig.* acalmar(-se), moderar(-se) [paixão, sentimento etc.] *<o tempo amortece a saudade>* *<ano após ano, aquele amor amortecia(-se)>* ~ **amortecimento** *s.m.*

amortizar (a.mor.ti.zar) *v.* {mod. 1} *t.d.* pagar (dívida, empréstimo etc.) aos poucos ou em prestações ~ **amortização** *s.f.*

amostra (a.mos.tra) *s.f.* **1** parte que pode dar ideia do todo *<a. de bolo>* **2** mostra, sinal, revelação *<sorriso, a. de alegria>* **3** exemplo perfeito, completo *<a. do talento brasileiro>* **4** porção ou miniatura de um produto que é oferecida ao possível consumidor *<a. de perfume>* **5** em estatística, subconjunto cujas características ou propriedades são estudadas com o objetivo de estendê-las a outro conjunto do qual é parte

amostragem (a.mos.tra.gem) [pl.: *-ens*] *s.f.* ação, processo ou técnica de escolha de amostras para análise de um todo *<pesquisa por a.>*

amotinar (a.mo.ti.nar) *v.* {mod. 1} *t.d.,t.d.i. e pron.* (prep. *contra*) provocar motim em ou envolver(-se) em motim; rebelar(-se) *<tanta injustiça amotinou o povo (contra o governo)>* *<os marinheiros amotinaram-se>* ~ **amotinador** *adj.s.m.*

amovível (a.mo.ví.vel) [pl.: *-eis*] *adj.2g.* **1** que se pode remover ou transferir **2** que não oferece estabilidade; temporário *<cargo a.>* ↺ efetivo, estável ~ **amovibilidade** *s.f.*

amparar (am.pa.rar) *v.* {mod. 1} *t.d. e pron.* **1** segurar(-se) para não cair; escorar(-se) *<amparou o amigo na hora da queda>* *<a.-se no muro>* □ *t.d.,t.d.i. e pron.* **2** (prep. *de, contra*) proteger (-se), resguardar(-se) *<a jaqueta amparava-o (contra o frio)>* *<amparou-se do sol embaixo da árvore>* □ *t.d.* **3** garantir o sustento de *<com seu salário podia a. os pais>* **4** dar amparo moral a; apoiar *<estava sempre pronto para a. os amigos>* ↺ desamparar

amparo (am.pa.ro) *s.m.* **1** ato de amparar ou o seu efeito; apoio **2** pessoa ou algo que ajuda, protege, socorre *<as colunas serviam de a. ao telhado>* *<procurou a. nos livros de seu professor>*

amperagem (am.pe.ra.gem) [pl.: *amperagens*] *s.f.* ELETR intensidade de corrente elétrica, medida em amperes

ampere (am.pe.re) *s.m.* ELETR FÍS unidade de medida para a corrente elétrica no Sistema Internacional [símb.: *A*] ☞ lê-se *ampér*

amplexo (am.ple.xo) /cs/ *s.m.* abraço

ampliação (am.pli.a.ção) [pl.: *-ões*] *s.f.* **1** alargamento, dilatação, aumento *<a. de uma estrada>* **2** FOT reprodução fotográfica em escala maior que o negativo **3** FOT a foto aumentada *<essa a. ficou excelente>*

ampliador (am.pli.a.dor) /ô/ [pl.: *-es*] *adj.* **1** que amplia ■ *s.m.* **2** FOT aparelho que aumenta e imprime imagens fotográficas

ampliar (am.pli.ar) *v.* {mod. 1} *t.d. e pron.* **1** tornar(-se) mais abrangente, maior (em tamanho, extensão, intensidade etc.) *<a. os conhecimentos>* *<ampliou-se o número de participantes>* □ *t.d.* **2** FOT reproduzir (fotografia, imagem) em tamanho maior ~ **ampliativo** *adj.* - **ampliável** *adj.2g.*

amplidão (am.pli.dão) [pl.: *-ões*] *s.f.* **1** grande extensão; vastidão, grandeza *<a a. do terreno>* ↺ pequenez **2** o espaço, o céu

amplificador (am.pli.fi.ca.dor) /ô/ [pl.: *-es*] *adj.* **1** que aumenta, intensifica ■ *s.m.* **2** ELETRÔN aparelho us. na reprodução ou aumento de sons

amplificar (am.pli.fi.car) *v.* {mod. 1} *t.d. e pron.* tornar(-se) amplo ou mais amplo; ampliar(-se) *<a. o som>* *<com o estudo, suas ideias amplificaram-se>* ~ **amplificação** *s.f.*

amplitude (am.pli.tu.de) *s.f.* **1** grande extensão ou largueza; vastidão, amplidão *<a. dos mares>* **2** *fig.* importância, valor, relevância *<a a. de um ato>*

amplo (am.plo) *adj.* **1** de grandes dimensões; vasto, espaçoso *<quarto a.>* ↺ exíguo, pequeno **2** muito extenso; abundante *<a. material de trabalho>* ↺ reduzido **3** que apresenta grande largura; folgado *<paletó a.>* ↺ apertado, estreito **4** abrangente *<pesquisa a.>* **5** que é aberto, franco, generoso *<sorriso a.>* **6** sem restrições *<a. poderes>* ↺ limitado, restrito

ampola (am.po.la) /ô/ *s.f.* **1** tubo inteiriço, de vidro, plástico ou metal, totalmente fechado após a introdução de um fluido **2** *p.ext.* o conteúdo desse tubo *<teve de tomar duas a. do medicamento>* **3** empola

ampulheta (am.pu.lhe.ta) /ê/ *s.f.* instrumento, com dois compartimentos idênticos, que serve para medir o tempo, com a ajuda da areia que escorre de um compartimento para o outro

amputar (am.pu.tar) *v.* {mod. 1} *t.d.* **1** cortar (membro ou parte dele); decepar *<a. uma perna>* **2** *fig.* eliminar, suprimir *<a direção amputou uma parte do texto>* ~ **amputação** *s.f.*

amuado (a.mu.a.do) *adj.* aborrecido, mal-humorado, carrancudo

amuar (a.mu.ar) *v.* {mod. 1} *t.d.,int. e pron.* (fazer) ficar mal-humorado, aborrecido *<vivia amuando os irmãos> <amuava-se à toa>*

amulatado (a.mu.la.ta.do) *adj.* que tem cor ou aparência de mulato ~ **amulatar** *v.t.d. e pron.*

amuleto (a.mu.le.to) /ê/ *s.m.* objeto, fórmula escrita ou figura (medalha, figa etc.) que alguém guarda consigo para defesa contra azares, desgraças etc. ~ **amulético** *adj.*

amuo (a.mu.o) *s.m.* enfado ou mau humor manifestado por gestos, palavras ou expressões faciais ↺ alegria, bom humor

amurada (a.mu.ra.da) *s.f.* **1** MAR parapeito em convés de navio *<não se aproxime tanto da a.>* **2** CONSTR muro de arrimo; paredão

amuralhar (a.mu.ra.lhar) *v.* {mod. 1} *t.d.* cercar (casa, propriedade) de muralhas ou muros

amurar (a.mu.rar) *v.* {mod. 1} *t.d.* **1** cercar de muros; amuralhar *<a. um terreno>* **2** *B* pôr na prisão; prender

an- *pref.* → [3]*A-*

ana- *pref.* **1** 'inversão': *anagrama* **2** 'repetição': *anabatismo*

anabatismo (a.na.ba.tis.mo) *s.m.* REL seita protestante que prega o batismo somente na idade adulta ~ **anabatista** *adj.2g.s.2g.*

anabolismo (a.na.bo.lis.mo) *s.m.* BIOQ conjunto de fenômenos metabólicos em que as substâncias são incorporadas às células, após a digestão; assimilação ☞ cf. *catabolismo* ~ **anabólico** *adj.*

anabolizante (a.na.bo.li.zan.te) *adj.2g.s.m.* (substância) que favorece o anabolismo, esp. o aumento da massa muscular *<o lutador tomava esteroides a.> <o atleta foi desclassificado por usar a.>*

Anac (A.nac) *s.f.* sigla de Agência Nacional de Aviação Civil

anacardiácea (a.na.car.di.á.cea) *s.f.* BOT espécime das anacardiáceas, família de árvores, arbustos, cipós e poucas ervas, cultivadas pelos frutos comestíveis, como a manga, o caju e o pistache, pela madeira, ou para extração de tinturas e produção de laca ~ **anacardiáceo** *adj.*

anaconda (a.na.con.da) *s.f.* ZOO sucuri

anacoreta (a.na.co.re.ta) /ê/ *s.m.* **1** monge cristão ou eremita que vive em retiro, esp. nos primeiros tempos do cristianismo ☞ cf. *cenobita* **2** *fig.* pessoa que vive afastada do convívio social; eremita

anacrônico (a.na.crô.ni.co) *adj.* **1** fora de época *<roupa a.>* **2** contrário ao que é moderno; retrógrado *<é difícil conviver com ideias a.>*

anacronismo (a.na.cro.nis.mo) *s.m.* **1** erro na datação de acontecimentos **2** atitude ou fato que não está de acordo com sua época *<aquela regra era um a.>*

anaeróbico (a.na.e.ró.bi.co) *adj.* **1** BIO que apresenta atividade ou ocorre na ausência de oxigênio *<bactéria a.> <respiração a.>* **2** que ocorre sem ou com pouco consumo de oxigênio *<exercícios a.>*

anaeróbio (a.na.e.ró.bio) *adj.s.m.* BIO (organismo) capaz de viver na ausência de ar ou de oxigênio ☞ cf. *aeróbio*

anafilaxia (a.na.fi.la.xi.a) /cs/ *s.f.* MED reação violenta de organismo vivo a um antígeno ~ **anafilático/anafiláctico** *adj.*

anafrodisíaco (a.na.fro.di.sí.a.co) *adj.s.m.* (substância, remédio etc.) que inibe o desejo sexual ↺ afrodisíaco ~ **anafrodisia** *s.f.*

anagrama (a.na.gra.ma) *s.m.* palavra formada pela troca da ordem das letras de outra palavra ou frase (p.ex.: *amor*, por *Roma*) ~ **anagramático** *adj.* - **anagramatizar** *v.t.d. e int.*

anágua (a.ná.gua) *s.f.* VEST saia que as mulheres usam sob outra saia ou vestido

anais (a.nais) *s.m.pl.* **1** narração ou história organizada ano por ano *<os a. da década de 1990>* **2** publicação periódica de uma área científica, literária ou artística *<os a. do congresso de cardiologia>* **3** registro de memórias, fatos pessoais *<decidiu publicar os a. de sua família>*

anal (a.nal) [pl.: *-ais*] *adj.2g.* relativo ou pertencente a ânus *<região a.> <hemorragia a.>*

analecto (a.na.lec.to) *s.m.* coleção de aforismos de um ou mais autores

analfabeto (a.nal.fa.be.to) *adj.s.m.* **1** que(m) não sabe ler nem escrever **2** *p.ext.* *B* que(m) desconhece ou conhece muito mal um assunto ou matéria *<é um a. em geografia>* ~ **analfabetismo** *s.m.*

analgesia (a.nal.ge.si.a) *s.f.* MED perda ou ausência de sensibilidade à dor ↺ algesia

analgésico (a.nal.gé.si.co) *adj.* **1** relativo a analgesia ■ *adj.s.m.* **2** (remédio) que diminui ou tira a dor *<medicamento a.> <a dor nas costas só passou com um a. forte>*

analisar (a.na.li.sar) *v.* {mod. 1} *t.d.* **1** separar elementos ou componentes de (um todo) *<a. um texto>* **2** observar, examinar em detalhes *<tomará uma decisão depois de a. o caso>*

[1]análise (a.ná.li.se) *s.f.* **1** estudo das diversas partes de um todo *<a. de uma substância>* **2** investigação; exame ● ORIGEM do fr. *analyse* 'id.'

[2]análise (a.ná.li.se) *s.f.* psicanálise ● ORIGEM red. de *psicanálise*

[1]analista (a.na.lis.ta) *adj.2g.s.2g.* **1** (aquele) que analisa **2** (aquele) que realiza análises (químicas, clínicas etc.) ● ORIGEM do fr. *analyste* 'id.', ▣ **a. de sistemas** INF profissional que elabora, desenvolve ou organiza sistemas de informação

[2]analista (a.na.lis.ta) *adj.2g.s.2g.* psicanalista ● ORIGEM red. de *psicanalista*

[1]analítico (a.na.lí.ti.co) *adj.* **1** relativo a [1]análise **2** que tem tendência ao estudo detalhado ou age desse modo **3** que separa um todo em suas partes *<método a.>* ● ORIGEM do lat.tar. *analytĭcus,a,um* 'analítico, explicativo'

[2]analítico (a.na.lí.ti.co) *adj.* relativo a psicanálise; psicanalítico ● ORIGEM red. de *psicanalítico*

analogia (a.na.lo.gi.a) *s.f.* **1** relação ou semelhança entre coisas ou fatos *<estabeleceu uma a. entre a derrota do time e a reprovação do aluno>* ↺ diferença **2** lógica baseada nessa semelhança **3** LING criação ou alteração de forma linguística para se adaptar a um modelo existente (p.ex.: *friorento* tem *or* por analogia com *calorento*)

analógico (a.na.ló.gi.co) *adj.* **1** que tem relação de semelhança **2** que se funda ou se baseia na analogia *<leis a.>* *<raciocínio a.>* **3** INF diz-se de representação de grandezas ou valores em fluxo contínuo, linear, sem hiatos *<mostrador a.>* ☞ cf. *digital*

análogo (a.ná.lo.go) *adj.s.m.* (o) que é semelhante, parecido, afim *<ao saber da viagem, os irmãos tiveram reações a.>*

ananás (a.na.nás) [pl.: *ananases*] *s.m.* BOT **1** planta tropical da família das bromeliáceas, cujo fruto grande e suculento tem propriedades medicinais **2** fruto dessa planta **3** abacaxi ('fruto', 'planta')

anão (a.não) [pl.: *-ãos* e *-ões*; fem.: *anã*] *adj.s.m.* **1** (o) que apresenta nanismo **2** *p.ext.* (o) que tem tamanho muito abaixo do normal; nanico ↺ gigante ● GRAM/USO como adj., pode ligar-se ou não por hífen a um subst. precedente (p.ex.: *estrela anã*; *bananeira-anã*)

anarquia (a.nar.qui.a) *s.f.* **1** sistema político baseado na negação do princípio da autoridade; ausência de governo ou autoridade **2** *p.ext.* confusão, desordem, baderna *<esta casa é uma a.>* ↺ disciplina, ordem ~ **anárquico** *adj.*

anarquismo (a.nar.quis.mo) *s.m.* **1** FIL HIST POL teoria e movimento político que sustenta a ideia de que a sociedade existe de forma independente e contrária ao poder exercido pelo Estado **2** *p.ext.* qualquer ataque à ordem social *<quebrar as vitrines foi um ato de a.>* ~ **anarquista** *adj.2g.s.2g.*

anarquizar (a.nar.qui.zar) *v.* {mod. 1} *t.d. e pron.* **1** (fazer) cair na anarquia *<o fim do Império Romano anarquizou a Europa>* *<o país anarquizou-se com a luta pelo poder>* □ *t.d.* **2** causar anarquia ou desordem em; desorganizar *<as medidas do prefeito anarquizaram a cidade>* *<a. os arquivos>* □ *t.d. e t.i. fig.* **3** (prep. *com*) desmoralizar, ridicularizar *<a. (com) o caçula diante de todos>* ~ **anarquização** *s.f.* - **anarquizador** *adj.s.m.*

anástrofe (a.nás.tro.fe) *s.f.* GRAM inversão da ordem natural entre duas palavras (p.ex.: *de raiva cheio* por *cheio de raiva*)

Anatel (A.na.tel) *s.f.* sigla de Agência Nacional de Telecomunicações

anatematizar (a.na.te.ma.ti.zar) *v.* {mod. 1} *t.d.* **1** REL condenar com anátema; excomungar □ *t.d. e pron. p.ext.* **2** reprovar(-se), amaldiçoar(-se) *<a instituição anatematiza o casamento entre funcionários>* *<anatematizava-se agora pelos erros da mocidade>* ~ **anatematização** *s.f.*

anatídeo (a.na.tí.deo) *s.m.* ZOO **1** espécime dos anatídeos, família de aves aquáticas, que incluem marrecos, patos, cisnes e afins, encontrados no mundo todo ■ *adj.* **2** relativo a essa família

anatomia (a.na.to.mi.a) *s.f.* **1** ANAT dissecação do corpo humano ou de qualquer animal ou vegetal para estudo de sua organização interna **2** MED ramo da medicina que realiza esse estudo do corpo humano **3** *p.ext.* livro, compêndio, tratado sobre esse estudo *<comprou a nova edição da famosa a.>* **4** *p.ext.* forma e estrutura de qualquer corpo, máquina etc. *<a. de um computador>* *<a. de um crime>* **5** *fig.* aparência externa do corpo humano *<ter bela a.>* ~ **anatômico** *adj.* - **anatomista** *adj.2g.s.2g.*

anca (an.ca) *s.f.* **1** cada uma das laterais do corpo humano, da cintura à articulação da coxa; cadeira, quadril **2** parte mais alta do quarto traseiro de um quadrúpede, esp. cavalo, boi, burro etc.; garupa ☞ nas duas acp., tb. us. no pl.

-ança ou **-ância** *suf.* 'ação ou resultado da ação': *implicância, lembrança, liderança, observância*

ancestral (an.ces.tral) [pl.: *-ais*] *adj.2g.* **1** próprio dos antepassados ou antecessores **2** muito antigo ou velho *<sabedoria a.>* *<costumes a.>* ↺ moderno, novo ■ *s.m.* **3** familiar antepassado *<conheceu poucos dos seus a.>* ↺ descendente, sucessor ▼ ***ancestrais*** *s.m.pl.* **4** avós, antepassados ~ **ancestralidade** *s.f.*

ancho (an.cho) *adj.* **1** que tem grande extensão; amplo, espaçoso *<sala a.>* **2** *fig.* convencido, orgulhoso *<estava todo a. com o sucesso da peça>*

anchova (an.cho.va) /ô/ *s.f.* ZOO *B* peixe ósseo, de grande valor comercial, que ocorre no Atlântico, semelhante às manjubas brasileiras; enchova

-ância *suf.* → *-ANÇA*

ancião (an.ci.ão) [pl.: *-ãos*, *-ães* e *-ões*; fem.: *anciã*] *adj.s.m.* que ou o que tem idade avançada (diz-se esp. de pessoa); idoso *<um frade a.>* *<a comunidade era dirigida por a.>* ■ *adj.* ~ **ancianidade** *s.f.*

ancilose (an.ci.lo.se) *s.f.* MED diminuição ou perda de movimento de uma articulação

ancilostomíase (an.ci.los.to.mí.a.se) *s.f.* MED doença caracterizada por grave anemia, produzida no ser humano e em vários mamíferos por vermes; amarelão, ancilostomose

ancilóstomo (an.ci.lós.to.mo) *s.m.* ZOO verme parasita do intestino de mamíferos, causador da ancilostomíase no ser humano

ancilostomose (an.ci.los.to.mo.se) *s.f.* MED ancilostomíase

ancinho (an.ci.nho) *s.m.* ferramenta agrícola dentada e com longo cabo, us. para juntar palha, folhas etc. e preparar a terra para o plantio

âncora (ân.co.ra) *s.f.* **1** MAR peça de ferro que, lançada à água, mantém as embarcações paradas **2** *fig.* amparo, proteção, abrigo <*era a â. da família*> ■ *s.2g.* **3** RÁD TV principal apresentador e comentarista de programas jornalísticos

ancoradouro (an.co.ra.dou.ro) *s.m.* lugar próprio para a ancoragem segura de embarcações

ancorar (an.co.rar) *v.* {mod. 1} *t.d. e int.* **1** MAR lançar âncora de (embarcação) <*a. um navio*> <*a frota ancorou longe da costa*> ↺ desancorar □ *t.i.,t.d.i. e pron. fig.* **2** (prep. *em*) tomar como fundamento; basear(-se) <*nossa esperança ancora na estação das chuvas*> <*ancorou sua teoria em estudiosos famosos*> <*a.-se na família*> □ *t.d. e int.* RÁD TV **3** comandar a apresentação de (um programa de notícias) <*a. um telejornal*> <*jornalista experiente, ancorou muito bem*> ~ **ancoragem** *s.f.*

anda (an.da) *s.f.* perna de pau ('vara')

andaço (an.da.ço) *s.m. infrm.* **1** epidemia sem gravidade **2** *B* diarreia

andador (an.da.dor) /ô/ [pl.: *-es*] *adj.s.m.* **1** (pessoa ou animal) que anda muito ou rápido; andejo <*cavalo a.*> ■ *s.m. B* **2** aparelho us. como apoio para ajudar crianças que começam a andar e adultos com dificuldades locomotoras

andadura (an.da.du.ra) *s.f.* modo de andar (esp. de cavalgadura)

andaime (an.dai.me) *s.m.* CONSTR armação provisória de metal ou madeira sobre a qual os operários trabalham nas construções

andaluz (an.da.luz) [pl.: *-es*] *adj.2g.* **1** da Andaluzia, região do sul da Espanha **2** relativo ao dialeto do espanhol falado nessa região ■ *s.m.* **3** natural ou habitante dessa região **4** LING o dialeto falado nessa região

andamento (an.da.men.to) *s.m.* **1** ato de andar ou seu efeito; andada **2** velocidade ou modo com que se anda <*o a. da equipe na trilha estava muito rápido*> **3** *fig.* curso de um processo, um negócio etc. <*a chuva interrompeu o a. da obra*> <*o a. do trabalho é mais lento do que se esperava*> **4** MÚS velocidade das pulsações de um trecho musical; tempo <*tocou a peça em a. mais rápido que o original*>

andança (an.dan.ça) *s.f.* **1** ato de andar ou seu efeito; andamento **2** viagem ou série de viagens <*parece que nunca voltará de suas a.*> ☞ nesta acp., mais us. no pl.

[1]**andante** (an.dan.te) *adj.2g.* **1** que anda sem rumo; errante, aventureiro <*cavaleiro a.*> ■ *adj.2g.s.m.* **2** (semana, mês, ano) que está em curso; corrente ● ORIGEM *andar* + *-nte*

[2]**andante** (an.dan.te) *s.m.* MÚS composição ou movimento de uma composição em andamento moderado, entre o [1]adágio e o alegro ● ORIGEM do it. *andante* 'id.'

andar (an.dar) *v.* {mod. 1} *int.* **1** percorrer ou fazer caminho a pé; caminhar <*andamos muito hoje*> **2** mover-se, por força própria ou não <*o bebê começou a a.*> **3** decorrer, passar (o tempo) <*o dia andou muito rápido*> **4** funcionar, trabalhar (ger. mecanismo) <*esse relógio não anda*> **5** comportar-se, agir **6** ser conduzido ou transportado <*a. de avião, a cavalo*> **7** mover-se, agir com pressa; aviar-se <*ande, ou se atrasará*> **8** estar acompanhado <*sempre anda com amigas*> □ *pred.* **9** estar, sentir-se, viver (em certo estado ou condição) <*a. doente*> ■ *s.m.* **10** ato ou modo de caminhar; marcha <*o a. de uma modelo*> **11** cada uma das áreas em que se divide horizontalmente um edifício; pavimento <*mora no primeiro a.*> **12** *p.ext.* cada divisão do que é formado de partes superpostas; camada <*bolo de dois a.*> ☞ como *s.m.*, pl. *-es*

andarilho (an.da.ri.lho) *adj.s.m.* **1** (o) que anda muito ou por vários lugares ■ *s.m.* **2** artefato com rodas e assento, us. para auxiliar crianças que começam a andar; voador

andejo (an.de.jo) /ê/ *adj.s.m.* **1** (o) que anda muito **2** (o) que não para em lugar algum <*menino a., não para em casa*>

andino (an.di.no) *adj.* **1** dos Andes ☞ cf. *Andes* na parte enciclopédica ■ *s.m.* **2** natural ou habitante dessa região; andícola

andiroba (an.di.ro.ba) *s.f.* BOT árvore tropical, de até 30 m, com madeira de qualidade, flores amarelas ou vermelhas, de cujas sementes se extrai óleo medicinal ● COL andirobal

andirobal (an.di.ro.bal) [pl.: *-ais*] *s.m.* grande concentração de andiroba

andor (an.dor) /ô/ [pl.: *-es*] *s.m.* armação em que se levam as imagens sacras nas procissões

andorinha (an.do.ri.nha) *s.f.* ZOO pequena ave, migratória, de asas longas e pontiagudas, que vive em bandos e se alimenta de insetos, ger. capturados em voo ● COL revoada ● VOZ *v.* e subst.: cantar, chilrear, gorjear; subst.: chilreada, chilreio, gorjeio

andrajo (an.dra.jo) *s.m.* **1** pano velho e rasgado; trapo ▼ ***andrajos*** *s.m.pl.* **2** vestes sujas e/ou rasgadas ~ **andrajoso** *adj.*

androceu (an.dro.ceu) /êu/ *s.m.* BOT conjunto dos órgãos masculinos da flor, os estames ☞ cf. *gineceu*

androfobia (an.dro.fo.bi.a) *s.f.* **1** aversão ao ser humano **2** MED distúrbio mental caracterizado por horror ao sexo masculino

andrógino (an.dró.gi.no) *adj.s.m.* **1** BIO hermafrodita **2** (o) que tem aparência sexualmente indefinida <*cantor a.*> ~ **androginia** *s.f.*

androide (an.droi.de) /ói/ *adj.2g.* **1** semelhante ao ser humano; antropoide ■ *s.m.* **2** robô com figura de humano, cujos movimentos imita <*um a. era o personagem principal do filme*>

androlatria (an.dro.la.tri.a) *s.f.* adoração dedicada a um homem

andropausa (an.dro.pau.sa) *s.f.* MED diminuição ou parada da atividade sexual e de reprodução no homem por envelhecimento

anedota (a.ne.do.ta) *s.f.* **1** narrativa curta e engraçada; piada *<trouxe de presente um livro de a.>* **2** história curiosa e pouco divulgada de pessoa ou fato histórico *<há várias a. sobre o imperador>* ● COL anedotário

anedotário (a.ne.do.tá.rio) *s.m.* conjunto de anedotas

anel (a.nel) [pl.: *-éis*] *s.m.* **1** aro ou fita circular com que se prende ou segura algo *<fez a. de couro para segurar as cortinas>* **2** pequeno aro com que se adorna um dedo *<ganhou um belo a. de prata>* *<a. de formatura>* **3** *p.ext.* qualquer objeto, órgão, linha ou figura circular *<a. de cabelo>* **4** *p.ext.* cada um dos diversos elos de uma corrente; argola **5** ASTR matéria que circula ao redor de um corpo celeste *<os a. de Saturno>*

[1]**anelar** (a.ne.lar) *v.* {mod. 1} *int.* **1** respirar com dificuldade; ofegar □ *t.d. e t.i.* **2** (prep. *por*) desejar ardentemente; ansiar *<a. o retorno de seus pais>* *<a. por um aumento>* ● ORIGEM do lat. *anhelāre* 'respirar com dificuldade'

[2]**anelar** (a.ne.lar) *v.* {mod. 1} *t.d. e pron.* (fazer) tomar forma de anel; enrolar(-se) *<a. os cabelos>* *<seu bigode anelou-se>* ● ORIGEM *anel* + [2]*-ar*

[3]**anelar** (a.ne.lar) [pl.: *-es*] *adj.2g.* **1** em forma de anel ■ *adj.2g.s.m.* **2** (dedo da mão) entre o médio e o mínimo, em que se usa aliança ou anel; anular ● ORIGEM *anel* + [1]*-ar*

anelídeo (a.ne.lí.deo) *s.m.* ZOO **1** espécime dos anelídeos, ramo de invertebrados de corpo segmentado em forma de anéis, que inclui as minhocas e sanguessugas ■ *adj.* **2** relativo a esse ramo

anelo (a.ne.lo) *s.m.* desejo intenso

anemia (a.ne.mi.a) *s.f.* **1** MED diminuição do número de glóbulos vermelhos no sangue ou seu teor de hemoglobina, freq. produzindo sintomas como palidez e fadiga **2** *fig.* estado de debilidade; fraqueza, abatimento *<uma a. de boas ideias no projeto>* ↺ força, vigor

anêmico (a.nê.mi.co) *adj.s.m.* **1** que(m) sofre de anemia ■ *adj.* **2** relativo a anemia **3** *fig.* sem brilho, sem destaque *<o ator teve um desempenho a.>* ↺ forte, intenso

anemofilia (a.ne.mo.fi.li.a) *s.f.* BOT polinização das plantas por ação do vento

anemômetro (a.ne.mô.me.tro) *s.m.* aparelho que mede a velocidade dos ventos e, às vezes, tb. a sua direção

anêmona (a.nê.mo.na) *s.f.* BOT erva muito cultivada pelas suas flores decorativas e por suas propriedades medicinais

anêmona-do-mar (a.nê.mo.na-do-mar) [pl.: *anêmonas-do-mar*] *s.f.* ZOO nome comum a animais aquáticos invertebrados bem coloridos, que habitam águas costeiras, onde ger. aderem a superfícies ou sedimentos embaixo da água

anencefalia (a.nen.ce.fa.li.a) *s.f.* MED distúrbio do desenvolvimento embrionário caracterizado pela ausência parcial do encéfalo e do crânio

-âneo *suf.* 'relação': *litorâneo, momentâneo*

anequim (a.ne.quim) [pl.: *-ins*] *s.m.* ZOO *B* tubarão encontrado nos mares tropicais e temperados, muito veloz e agressivo, de focinho pontudo e nadadeira da cauda em forma de meia-lua; enequim

anestesia (a.nes.te.si.a) *s.f.* MED **1** perda da sensibilidade, por problemas neurológicos ou por medicamento ↺ hiperestesia **2** medicamento anestésico *<trata os dentes sem a.>* ▣ **a. peridural** anestesia que insensibiliza o tórax e a parte inferior do corpo

anestesiar (a.nes.te.si.ar) *v.* {mod. 1} *t.d.* **1** reduzir ou eliminar a sensibilidade física de *<a. o paciente antes da cirurgia>* **2** *fig.* tornar frio, indiferente; insensibilizar *<a mágoa anestesiou-o>* ~ **anestesiante** *adj.2g.*

anestésico (a.nes.té.si.co) *adj.s.m.* FARM (substância, medicamento) que diminui ou elimina a sensibilidade

anestesista (a.nes.te.sis.ta) *adj.2g.s.2g.* (profissional) que prepara e administra anestesia

[1]**anético** (a.né.ti.co) *adj.* que reduz a dor (diz-se de medicamento) ● ORIGEM do gr. *anetikós,ḗ,ón* 'que relaxa, que enfraquece'

[2]**anético** (a.né.ti.co) *adj.* contrário à ética, à moral; aético ● ORIGEM *a(n)-* 'privação' + *ético*

aneto (a.ne.to) /ê/ *s.m.* BOT erva de odor forte, cujas sementes e folhas são us. como tempero em peixes, sopas, saladas etc.

aneurisma (a.neu.ris.ma) *s.m.* MED dilatação anormal de veia ou artéria ~ **aneurismal** *adj.2g.* - **aneurismático** *adj.*

anexar (a.ne.xar) /cs/ *v.* {mod. 1} *t.d.i.* **1** (prep. *a*) juntar, como anexo (a algo principal); unir, acrescentar *<o advogado anexou novas provas ao processo>* **2** (prep. *a*) incorporar (país, região etc.) [a outro] *<a Áustria foi anexada à Alemanha na Segunda Guerra Mundial>* **3** INF (prep. *a*) juntar arquivo a uma mensagem de correio eletrônico *<anexou seu currículo ao e-mail>* □ *pron.* **4** (prep. *a*) passar a fazer parte de; unir-se *<a.-se a um grupo>* ● GRAM/USO part.: *anexado, anexo*; ver QUADRO DE PARTICÍPIOS DUPLOS nas pp. iniciais ~ **anexação** *s.f.* - **anexador** *adj.s.m.*

anexim (a.ne.xim) [pl.: *-ins*] *s.m.* provérbio popular que expressa um conselho sábio (p.ex.: *não deixe para amanhã o que pode fazer hoje*)

anexo (a.ne.xo) /cs/ *adj.s.m.* **1** (o) que é ligado ou subordinado a algo principal *<documento a.>* *<o autor incluiu um a. no livro>* *<dormiram no quarto a.>* ■ *adj.* **2** que tem relação lógica com outra coisa; correlacionado *<ideia a.>* ↺ desconexo, oposto ■ *s.m.* **3** INF arquivo anexado a uma mensagem de correio eletrônico

anfetamina (an.fe.ta.mi.na) *s.f.* FARM substância estimulante do sistema nervoso, us. no tratamento do mal de Parkinson, entre outras doenças

anfi- *pref.* **1** 'duplicidade': *anfíbio* **2** 'ao redor': *anfiteatro*

anfíbio (an.fí.bio) *s.m.* ZOO **1** espécime dos anfíbios, classe de animais vertebrados, que inclui os sapos e salamandras entre outros, de pele lisa, sem escamas, com muitas glândulas de veneno e muco; os adultos são terrestres e as larvas, aquáticas ■ *adj.* **2** ZOO relativo a essa classe **3** que tanto pode andar ou pousar em terra ou na água (diz-se de tanque, lancha, avião etc.)

anfípode (an.fí.po.de) *s.m.* ZOO **1** espécime dos anfípodes, ordem de crustáceos de corpo comprimido nas laterais e sem carapaça ■ *adj.2g.* **2** relativo a essa ordem **3** que tem dois tipos de pés (diz-se de crustáceo)

anfiteatro (an.fi.te.a.tro) *s.m.* espaço circular, oval ou semicircular, com arquibancadas e palco, us. para encenações teatrais, aulas, palestras etc. ~ **anfiteatral** *adj.2g.* - **anfiteátrico** *adj.*

anfitrião (an.fi.tri.ão) [pl.: *-ões*; fem.: *anfitriã* e *anfitrioa*] *s.m.* o dono da casa, que recebe convidados

ânfora (ân.fo.ra) *s.f.* vaso de cerâmica, com duas asas, us. pelos antigos gregos e romanos para conservar líquidos e cereais ● GRAM/USO dim.: *anforeta, anfórula* ~ **anforal** *adj.2g.*

angariar (an.ga.ri.ar) *v.* {mod. 1} *t.d.* **1** obter mediante solicitação (colaboração, adesão) <*a. dinheiro para realizar a festa*> **2** atrair para grupo, agremiação etc.; recrutar <*angariou novos alunos para o grupo de estudos*> ~ **angariação** *s.f.* - **angariador** *adj.s.m.*

angelical (an.ge.li.cal) [pl.: *-ais*] *adj.2g.* **1** relativo a ou próprio de anjo; angélico **2** *fig.* completamente puro; imaculado, angélico <*espírito a.*> ↺ impuro **3** de grande beleza e perfeição; angélico <*rosto a.*>

angélico (an.gé.li.co) *adj.* angelical

ângelus (ân.ge.lus) *s.m.2n.* REL **1** prece à Virgem Maria, que se reza ao amanhecer, ao meio-dia e ao anoitecer ☞ inicial por vezes maiúsc. **2** *p.ext.* toque do sino que anuncia a hora da ave-maria

angico (an.gi.co) *s.m.* BOT nome comum a várias árvores nativas da América tropical, a maioria do Brasil, freq. exploradas ou cultivadas pela boa madeira

angina (an.gi.na) *s.f.* MED **1** dor espasmódica, sufocante **2** infecção de garganta e faringe ▣ **a. do peito** MED doença do coração caracterizada por dor forte no peito e ombro esquerdo, acompanhada da sensação de sufocação e desmaio

angiograma (an.gi.o.gra.ma) *s.m.* MED radiografia de vaso(s) sanguíneo(s)

angiologia (an.gi.o.lo.gi.a) *s.f.* MED **1** parte da anatomia que estuda o coração e os vasos sanguíneos e linfáticos **2** ramo da medicina que estuda as doenças vasculares e seu tratamento ~ **angiológico** *adj.* - **angiologista** *adj.2g.s.2g.*

angiopatia (an.gi.o.pa.ti.a) *s.f.* MED nome genérico para as doenças do aparelho vascular ~ **angiopático** *adj.*

angioplastia (an.gi.o.plas.ti.a) *s.f.* MED cirurgia para reparar vaso sanguíneo estreitado ou dilatado

angiosperma (an.gi.os.per.ma) *s.f.* BOT espécime das angiospermas, subdivisão do reino vegetal que compreende as plantas que produzem flores, cujas sementes ficam dentro do fruto; ao final do sXX, passou-se a usar também a denominação *magnoliófita* ☞ cf. *gimnosperma*

anglicanismo (an.gli.ca.nis.mo) *s.m.* REL doutrina e religião protestante oficial na Inglaterra

anglicano (an.gli.ca.no) *adj.* **1** relativo ou pertencente à Inglaterra, aos ingleses, à sua língua ou religião oficial ■ *adj.s.m.* **2** (o) que professa ou é partidário do anglicanismo

anglicismo (an.gli.cis.mo) *s.m.* palavra ou expressão inglesa us. em outra língua (p.ex.: *e-mail, show*)

anglo-brasileiro (an.glo-bra.si.lei.ro) [pl.: *anglo-brasileiros*] *adj.* **1** relativo ou pertencente ao mesmo tempo à Grã-Bretanha e ao Brasil ■ *adj.s.m.* **2** que(m) é brasileiro de origem e/ou de língua inglesa

anglo-saxão (an.glo-sa.xão) /cs/ [pl.: *anglo-saxões*] *s.m.* **1** HIST indivíduo dos anglo-saxões, povo germânico que se fixou na Inglaterra no sV **2** *p.ext.* inglês ('natural') **3** LING idioma falado pelos anglo-saxões, que deu origem ao inglês ■ *adj.* **4** relativo a esse indivíduo, povo e língua

angorá (an.go.rá) *adj.2g.s.2g.* **1** (raça de gato, coelho, cabra) de pelo longo e sedoso <*tinha uma criação de (gatos) a.*> **2** (roupa ou tecido) feito com esse material <*suéter a.*>

angra (an.gra) *s.f.* GEO pequena baía ou enseada

angu (an.gu) *s.m. B* **1** CUL papa feita de farinha de milho (fubá), de mandioca ou de arroz, cozida com água; polenta **2** *infrm.* falta de ordem; confusão, complicação **3** *infrm.* briga que envolve muitas pessoas

anguilídeo (an.gui.lí.deo) /gü/ *s.m.* ZOO **1** espécime dos anguilídeos, família de peixes ósseos, conhecidos como enguias e moreias, encontrados em alguns mares tropicais e temperados ■ *adj.* **2** relativo a essa família

angulado (an.gu.la.do) *adj.* que tem ângulo(s); anguloso

angular (an.gu.lar) [pl.: *-es*] *adj.2g.* **1** relativo a ângulo **2** em forma de ou com ângulo(s); angulado, anguloso ~ **angularidade** *s.f.*

ângulo (ân.gu.lo) *s.m.* **1** GEOM figura geométrica delimitada por duas semirretas de mesma origem **2** GEOM medida do afastamento de duas semirretas que têm um ponto comum **3** *p.ext.* aresta, quina, canto <*machucou-se no â. da mesa*> **4** *fig.* aspecto sob o qual se observa ou analisa algo; ponto de vista <*considerado por esse â., o caso parece menos grave*> ▣ **â. agudo** GEOM aquele menor que um ângulo reto (menos de 90 graus) • **â. obtuso** GEOM ângulo maior do que um ângulo reto (mais de 90 graus) • **â. reto** GEOM ângulo formado por duas retas perpendiculares, formando 90 graus • **â. suplementar** GEOM ângulo que se deve adicionar a outro para se obter 180 graus

anguloso (an.gu.lo.so) /ô/ [pl. e fem.: /ó/] *adj.* **1** angulado **2** com arestas ou saliências pontudas; ossudo <*rosto a.*> ~ **angulosidade** *s.f.*

angústia (an.gús.tia) *s.f.* estado de ansiedade, inquietude; sofrimento, tormento <*o torcedor fanático sente a. em final de campeonato*> ↺ contentamento ~ **angustiador** *adj.s.m.* - **angustiante** *adj.2g.*

angustiar (an.gus.ti.ar) *v.* {mod. 1} *t.d. e pron.* (fazer) sentir aflição, ansiedade; agoniar(-se) <*a demora na chegada do avião angustiava-o*> <*angustiam-se com a falta de notícias da avó*>

anhangá (a.nhan.gá) *s.m. B* ente mitológico tupi-guarani, que protege os animais de caçadores e pescadores

A

anhanguera (a.nhan.gue.ra) /gü/ *s.m.* *B* **1** gênio manhoso e traiçoeiro **2** valente ■ *adj.2g.s.m.* *B* **3** que(m) é corajoso, valentão

anhimídeo (a.nhi.mí.deo) *s.m.* ZOO **1** espécime dos anhimídeos, família de aves aquáticas, representadas por marrecos, patos, anhumas etc., que vivem em pântanos ou charcos da América do Sul ■ *adj.* **2** relativo a essa família

anho (a.nho) *s.m.* ZOO cordeiro ◉ VOZ v. e subst.: balar, balir; subst.: balado, balido

anhuma (a.nhu.ma) *s.f.* ZOO ave aquática, originária dos pântanos ou charcos amazônicos, de plumagem preta e branca, e uma saliência na testa ◉ VOZ v. e subst.: cantar, estridular, gritar

aniagem (a.ni.a.gem) [pl.: *-ens*] *s.f.* tecido grosseiro us. esp. na confecção de sacos

anidro (a.ni.dro) *adj.* QUÍM que não contém água, líquidos orgânicos etc. *<álcool a.>*

anil (a.nil) [pl.: *-is*] *adj.2g.2n.* **1** diz-se de certa tonalidade de azul *<janelas de cor azul a.>* **2** que tem certa tonalidade de azul *<céu a.>* ■ *s.m.* **3** QUÍM corante azul de origem vegetal ou sintética; índigo **4** o tom de azul desse corante **5** azul *<o a. da Bandeira Nacional>* ~ **anilar** *v.t.d.*

anilho (a.ni.lho) *s.m.* pequena argola para enfiar cordões ou para proteger furos de ilhós

anilina (a.ni.li.na) *s.f.* QUÍM substância venenosa, derivada do benzeno, muito us. em corantes, resinas, perfumes etc.

animação (a.ni.ma.ção) [pl.: *-ões*] *s.f.* **1** agitação, movimento, rebuliço *<a a. da feira>* ↺ calma **2** expressividade, vida *<olhos cheios de a.>* ↺ apatia, tristeza **3** *fig.* entusiasmo, alegria, vivacidade *<não faltou a. ao debate>* ↺ desânimo **4** CINE TV técnica de produzir a ilusão de movimento a partir de imagens fixas, por meio de dispositivo mecânico, cinematográfico etc.

animado (a.ni.ma.do) *adj.* **1** dotado de vida e de movimento *<ser a.>* ↺ inanimado, morto **2** que parece ter movimento *<desenho a.>* **3** *fig.* muito alegre; bem-disposto, vivaz *<aquele rapaz é muito a.>* ↺ triste **4** *fig.* cheio de entusiasmo, de vivacidade *<bate-papo a.>* **5** *fig.* muito confiante; esperançoso *<estavam a. com o novo projeto>* ~ **animadamente** *adv.*

animador (a.ni.ma.dor) /ô/ [pl.: *-es*] *adj.s.m.* **1** (o) que estimula *<notícia a.>* ↺ desanimador **2** RÁD TEAT TV que(m) apresenta programas de auditório, em rádio ou televisão, ou faz *show* em casas de espetáculo; mestre de cerimônias **3** CINE TV que(m) faz animação de imagens audiovisuais

animal (a.ni.mal) [pl.: *-ais*] *s.m.* **1** ser vivo multicelular, capaz de locomover-se e de reagir a estímulos externos **2** animal irracional **3** indivíduo bruto *<aquele vendedor é um a.>* ■ *adj.2g.* **4** relativo a animal *<gênero a.>* **5** relativo a ou próprio dos animais irracionais; bestial *<instinto a.>* ↺ humano **6** que se relaciona com o físico, o material; carnal *<prazer a.>* ↺ espiritual ◉ COL fauna ▣ **a. irracional** qualquer animal, exceto o ser humano; bicho, alimária • **a. racional** o ser humano

animalesco (a.ni.ma.les.co) /ê/ *adj.* **1** relativo a ou próprio de animal *<reação a.>* **2** *fig.* bruto, estúpido *<gritar com a criança foi uma atitude a.>*

animalidade (a.ni.ma.li.da.de) *s.f.* **1** conjunto de características próprias dos animais irracionais e da parte instintiva do homem; bestialidade, brutalidade **2** *fig.* o que é brutal, grosseiro, violento

animalizar (a.ni.ma.li.zar) *v.* {mod. 1} *t.d. e pron.* assemelhar(-se) a um animal; bestializar(-se) *<com a solidão, animalizou-se>* ~ **animalização** *s.f.*

animar (a.ni.mar) *v.* {mod. 1} *t.d. e pron.* **1** (fazer) adquirir entusiasmo, vivacidade; alegrar(-se) *<a. uma festa>* *<afinal, animou-se e saiu com os amigos>* □ *t.d.,t.d.i.,int. e pron.* **2** *fig.* (prep. *a*) (fazer) criar ânimo, coragem, alento; encorajar(-se) *<seu objetivo era a. o espírito do time>* *<a família animou-o a fazer o concurso>* *<bastou um telefonema para ela a.>* *<animou-se a viajar sozinho>* □ *t.d.* **3** intensificar, avivar *<a. fogo, chama>*

anímico (a.ní.mi.co) *adj.* relativo a ou próprio da alma

animismo (a.ni.mis.mo) *s.m.* FIL cada uma das doutrinas que afirmam a existência da alma humana, considerada como base das percepções, sentimentos e pensamentos ~ **animista** *adj.2g.s.2g.*

ânimo (â.ni.mo) *s.m.* **1** manifestação de desejo; vontade *<não teve â. de sair>* **2** determinação diante do perigo ou do sofrimento; coragem, decisão *<faltou-lhe â. na luta>* ↺ abatimento **3** caráter natural; temperamento *<tem â. alegre>* ■ *interj.* **4** coragem, força *<â., já estamos chegando!>*

animosidade (a.ni.mo.si.da.de) *s.f.* má vontade constante; aversão, antipatia *<não escondia sua a. com o sogro>* ↺ afeição

aninhar (a.ni.nhar) *v.* {mod. 1} *t.d. e pron.* **1** recolher(-se) em ninho *<observava o pardal aninhando os filhotes>* *<após se alimentar, o gavião aninhou-se>* **2** acomodar(-se) confortavelmente *<a. o filho no peito>* *<a.-se no sofá>* □ *int.* **3** fazer ninho *<os pássaros aninharam no telhado>*

ânion (â.ni.on) [pl.: *aníones, ânions*] *s.m.* FISQUÍM íon de carga elétrica negativa

aniquilar (a.ni.qui.lar) *v.* {mod. 1} *t.d.* **1** destruir, exterminar *<a. os inimigos>* *<o veneno aniquilou as baratas>* **2** tornar sem efeito; anular *<a. ordem judicial>* □ *t.d. e pron.* **3** abater(-se) física ou moralmente *<a virose aniquilou-o>* *<ela é forte, não se aniquila facilmente>* ~ **aniquilação** *s.f.* - **aniquilador** *adj.s.m.* - **aniquilamento** *s.m.*

anis (a.nis) [pl.: *-es*] *s.m.* **1** BOT erva aromatizante e sua semente, us. em balas, licor etc. **2** anisete

anisete (a.ni.se.te) *s.m.* licor de anis

anistia (a.nis.ti.a) *s.f.* DIR perdão coletivo de algum delito político ou legal *<a. de multas>* *<a. para os presos políticos>* ~ **anistiar** *v.t.d.*

anistórico (a.nis.tó.ri.co) *adj.* **1** que não participa da história; não histórico **2** avesso, antagônico à história; anti-histórico

aniversariante (a.ni.ver.sa.ri.an.te) *adj.2g.s.2g.* que(m) faz aniversário *<quis conhecer as crianças a.>* *<fizeram um bolo para os a. do mês>*

aniversário (a.ni.ver.sá.rio) *s.m.* **1** dia em que alguém completa ano(s) de vida <*o cachorro faz a. no dia 2 de setembro*> **2** dia em que se completa um ou mais anos de ocorrência de um fato <*a. de casamento*> **~ aniversariar** *v.int.*

anjo (an.jo) *s.m.* **1** REL mensageiro celestial entre Deus e os homens **2** *p.ext.* representação (em escultura, pintura etc.) desse ser **3** *p.ext.* criança vestida de anjo em procissões e outras cerimônias católicas **4** *fig.* pessoa boa e tranquila <*a inspetora é um a.*> ↺ demônio **5** criança morta

-ano *suf.* **1** 'origem, procedência': *sergipano* **2** 'relação': *republicano, freudiano*

ano (a.no) *s.m.* **1** intervalo de tempo que a Terra leva para circundar o Sol, equivalente a 365 dias e 6 horas, aprox. **2** período de 12 meses <*levaram dois a. para construir a casa*> ▣ **a. bissexto** ano de 366 dias e que ocorre a cada quatro anos • **a. civil** período de 1º de janeiro a 31 de dezembro • **a. letivo** período do ano em que são dadas as aulas nas escolas

ano-bom (a.no-bom) [pl.: *anos-bons*] *s.m.* ano-novo ('meia-noite', 'dia 1º')

anodinia (a.no.di.ni.a) *s.f.* ausência de dor

anódino (a.nó.di.no) *adj.* **1** que diminui a dor <*medicamento a.*> **2** *fig.* pouco eficaz; insignificante <*comentário a.*>

anófele (a.nó.fe.le) *s.m.* ZOO designação comum a mosquitos que ocorrem em todos os continentes e são responsáveis pela transmissão da malária **~ anofelino** *adj.s.m.*

anoitecer (a.noi.te.cer) [pl.: *-es*] *v.* {mod. 8} *int.* **1** tornar-se noite <*quando chegou, já anoitecia*> ☞ nesta acp., é impessoal, exceto quando *fig.* □ *t.d. fig.* **2** cobrir de trevas; escurecer <*as nuvens escuras anoiteceram todo o vale*> ■ *s.m.* **3** o início da noite <*saíram ao a.*>

ano-luz (a.no-luz) [pl.: *anos-luz*] *s.m.* ASTR unidade que corresponde à distância (aprox. 9 trilhões e 450 bilhões de km) percorrida pela luz, no vácuo, durante um ano, à velocidade de 300 mil km/s

anomalia (a.no.ma.li.a) *s.f.* o que não é normal, o que se desvia do padrão; irregularidade, aberração <*aquele atraso era uma a.*> <*os exames identificaram uma a. em sua pele*>

anômalo (a.nô.ma.lo) *adj.* **1** fora da ordem, da norma estabelecida; diferente do normal; anormal, atípico, estranho ↺ corriqueiro, natural, normal **2** LING diz-se de verbo que não segue as regras gerais de formação (p.ex.: o verbo *ir*, que apresenta mais de um radical ao ser conjugado – eu vou, eu fui, eu iria)

anona (a.no.na) /ô/ *s.f.* BOT **1** araticum (árvore e fruto) **2** fruta-de-conde **3** graviola

anonimato (a.no.ni.ma.to) *s.m.* condição ou característica do que é anônimo

anônimo (a.nô.ni.mo) *adj.* **1** sem o nome do autor <*texto a.*> **2** de nome desconhecido <*receberam uma denúncia a.*> ↺ conhecido **3** que não tem fama, renome <*ainda era um cantor a.*> ↺ famoso

ano-novo (a.no-no.vo) [pl.: *anos-novos*] *s.m.* **1** ano que entra <*esperava com ansiedade o a.*> **2** meia-noite do dia 31 de dezembro; ano-bom **3** dia 1º de janeiro; ano-bom ☞ nas três acp., iniciais por vezes maiúsc.

anoraque (a.no.ra.que) *s.m.* VEST **1** agasalho de pele e com capuz us. pelos esquimós **2** *p.ext.* agasalho impermeável com capuz

anorexia (a.no.re.xi.a) /cs/ *s.f.* MED perda de apetite ↺ orexia ▣ **a. nervosa** MED grave perda de apetite, de fundo emocional

anoréxico (a.no.ré.xi.co) /cs/ *adj.s.m.* **1** que(m) tem anorexia ■ *adj.* **2** relativo a anorexia

anormal (a.nor.mal) [pl.: *-ais*] *adj.2g.* **1** que não está de acordo com a norma <*temperatura a. para essa época do ano*> ↺ comum, normal **2** fora do comum; extraordinário <*tem um talento a. para cuidar de crianças*> ■ *adj.2g.s.2g.* **3** que(m) apresenta desenvolvimento físico, intelectual ou mental deficiente **~ anormalidade** *s.f.*

anotação (a.no.ta.ção) [pl.: *-ões*] *s.f.* **1** ato ou efeito de anotar, de tomar notas **2** indicação escrita breve; apontamento, nota <*fez algumas a. para o discurso de formatura*> **3** série de comentários (ger. sobre um texto ou uma obra); comentário, observação **4** a informação contida nesse comentário ou apontamento <*pôde consultar suas a. durante a prova*>

anotar (a.no.tar) *v.* {mod. 1} *t.d.* **1** tomar nota(s) de; registrar <*a. um endereço*> **2** incluir nota em (texto) **3** comentar por meio de notas <*anotou os trechos do livro mais complicados*> **~ anotado** *adj.* **- anotador** *adj.s.m.*

anseio (an.sei.o) *s.m.* desejo forte

ânsia (ân.sia) *s.f.* **1** náusea, enjoo <*sentia â. ao tomar leite*> **2** ansiedade, desassossego <*a dúvida lhe dava â.*> **3** anseio

ansiar (an.si.ar) *v.* {mod. 5} *t.d. e t.i. fig.* **1** (prep. *por*) desejar muito; almejar <*ansiava ser cantora*> <*ansiavam pelas férias*> □ *t.d. e pron.* **2** (fazer) sentir ansiedade, preocupação; angustiar(-se) <*o aumento dos preços ansiava-o*> <*ansiava-se com a possibilidade de perder o trem*> □ *t.d.,int. e pron.* **3** (fazer) sentir náusea(s); enjoar <*as curvas da estrada ansiaram a criança*> <*anseia(-se) ao sentir cheiro de gasolina*>

ansiedade (an.si.e.da.de) *s.f.* **1** angústia, inquietação, intranquilidade <*sentia muita a. antes de cada apresentação*> ↺ calma **2** desejo impaciente <*aguardava com a. a chegada da noiva*>

ansiolítico (an.si.o.lí.ti.co) *adj.s.m.* FARM (medicamento) que reduz a ansiedade, a tensão <*os a. devem ser recomendados por médicos*>

ansiosamente (an.si.o.sa.men.te) *adv.* **1** com grande inquietação, angústia, aflição, nervoso; impacientemente <*procurou a. a lista de aprovados*> ↺ pacientemente, tranquilamente **2** com muita ânsia, desejo, sofreguidão ↺ sobriamente

ansioso (an.si.o.so) /ô/ [pl. e fem.: /ó/] *adj.* que tem ânsia, inquietação, aflição <*sente dificuldades nas provas porque é muito a.*> <*estava a. para que fizesse sol*>

anta (an.ta) *s.f.* ZOO mamífero selvagem, pesado e de pernas curtas, com focinho comprido em forma de uma pequena tromba; tapir

antagônico (an.ta.gô.ni.co) *adj.* que se opõe; contrário, incompatível *<as ideias a. terminaram por separar o casal>*

antagonismo (an.ta.go.nis.mo) *s.m.* tendência contrária; rivalidade, oposição *<a. de ideias, de princípios>*

antagonista (an.ta.go.nis.ta) *adj.2g.s.2g.* **1** que(m) age em sentido oposto; opositor **2** que(m) é contra alguém ou contra alguma coisa; adversário, rival *<o herói conseguiu vencer seus a.>* ■ *adj.2g.* **3** relativo a antagonismo

antagonizar (an.ta.go.ni.zar) *v.* {mod. 1} *t.d. e pron.* mostrar-se contrário, antagônico a; opor-se *<a população antagonizou o prefeito> <antagonizou-se com os antigos amigos>*

antanho (an.ta.nho) *adv.* em épocas passadas; antigamente ● GRAM/USO palavra pouco us. hoje em dia

antártico (an.tár.ti.co) *adj.* do polo sul *<fauna a.>* ↺ ártico

ante- pref. 'precedência': *anteontem, anteprojeto*

-ante *suf.* equivale a *-nte*

ante (an.te) prep. **1** em frente a; diante de *<a prova estava a. seus olhos>* **2** em consequência de *<a. tamanha insistência, tiveram de aceitar o convite>*

antebraço (an.te.bra.ço) *s.m.* ANAT parte do braço entre o punho e o cotovelo ☞ cf. *braço*

antecâmara (an.te.câ.ma.ra) *s.f.* antessala

antecedência (an.te.ce.dên.cia) *s.f.* ato ou efeito de anteceder(-se) ◘ **com a.** antes do tempo marcado *<se você vier, avise-me com alguma a.>*

antecedente (an.te.ce.den.te) *adj.2g.* **1** que se passou anteriormente; anterior *<dia a. à mudança>* ↺ posterior, seguinte ▼ ***antecedentes*** *s.m.pl.* **2** fatos do passado de uma pessoa *<pesquisaram seus a. antes de contratá-lo>*

anteceder (an.te.ce.der) *v.* {mod. 8} *t.d. e t.i.* **1** (prep. *a*) ser anterior a, vir antes de; preceder *<os trovões antecederam a chuva> <pintaram a casa no dia que antecedeu à festa>* ↺ seguir □ *pron.* **2** (prep. *a*) adiantar-se, antecipar-se *<os chineses antecederam-se aos outros povos na invenção do papel>*

antecessor (an.te.ces.sor) /ô/ [pl.: *-es*] *adj.s.m.* que(m) antecede ↺ sucessor

antecipação (an.te.ci.pa.ção) [pl.: *-ões*] *s.f.* **1** ocorrência antes do tempo normal *<a. das aulas>* ↺ adiamento **2** o que precede ou se posiciona antes de um acontecimento futuro *<essa gravação é uma a. do DVD que sairá no fim do ano>*

antecipar (an.te.ci.par) *v.* {mod. 1} *t.d.,int. e pron.* **1** (prep. *a*) fazer chegar ou ocorrer antes do esperado; adiantar(-se) *<mandou a. o salário de todos> <mais vale esperar do que a.> <o inverno antecipou-se este ano>* □ *t.d.i.* **2** (prep. *a*) comunicar com antecedência *<não anteciparam nada aos alunos sobre o assunto>* □ *t.d. e pron.* **3** (prep. *a*) chegar antes de; adiantar (-se) *<o amigo antecipara-o na chegada ao cinema> <a empresa antecipou-se à lei e deu o aumento aos funcionários>* ~ **antecipado** *adj.* - **antecipatório** *adj.*

antedatar (an.te.da.tar) *v.* {mod. 1} *t.d.* falsificar (documento, escrito) pondo uma data anterior a sua elaboração ☞ cf. *pré-datar*

antediluviano (an.te.di.lu.vi.a.no) *adj.* **1** anterior ao dilúvio narrado na Bíblia **2** *fig.* muito antigo *<essa roupa é a.>*

antegozar (an.te.go.zar) *v.* {mod. 1} *t.d.* deliciar-se por (algo) antes de sua realização *<a. a vitória>* ~ **antegozo** *s.m.*

ante-histórico (an.te-his.tó.ri.co) [pl.: *ante-históricos*] *adj.* pré-histórico ☞ cf. *anti-histórico*

antemão (an.te.mão) *adv.* ◗ usado em: **de a.** de modo antecipado, com antecedência *<de a. informaram que os ingressos estavam esgotados>*

antemeridiano (an.te.me.ri.di.a.no) *adj.* anterior ao meio-dia

antena (an.te.na) *s.f.* **1** ELETRÔN FÍS TEL dispositivo que capta e transmite ondas eletromagnéticas *<instalaram uma a. de celular no telhado do prédio>* **2** ANAT ZOO cada um dos apêndices sensoriais alongados de insetos, crustáceos etc.

antenado (an.te.na.do) *adj.* **1** com antena(s) **2** *fig. infrm.* bem informado; atento *<é um garoto a.>*

antenista (an.te.nis.ta) *adj.2g.s.2g.* que(m) instala ou conserta antenas ('dispositivo')

anteontem (an.te.on.tem) *adv.* no dia que veio antes do dia de ontem *<viajaram a. e chegaram ontem ao destino>*

anteparar (an.te.pa.rar) *v.* {mod. 1} *t.d.* **1** pôr anteparo em *<anteparou a passagem com um portão>* **2** *fig.* evitar, impedir *<a. um mal>* □ *t.d. e int.* **3** (fazer) parar antecipadamente *<a. um cavalo na corrida> <obrigaram a turma a a. antes do fim da caminhada>* □ *int. e pron.* **4** parar de repente *<sentindo o perigo, o animal anteparou> <anteparava-se diante de qualquer dificuldade>* □ *t.d.,t.d.i. e pron. p.ext.* **5** (prep. *de*) oferecer ou dar proteção (física ou moral); defender(-se) *<por causa da explosão, buscou a. o rosto> <tentou anteparà-lo daquela decepção> <usou os braços para a.-se do golpe>*

anteparo (an.te.pa.ro) *s.m.* o que se coloca diante de alguém ou de algo para abrigo ou defesa

antepassado (an.te.pas.sa.do) *adj.* **1** já passado ou decorrido; anterior, precedente *<fatos a.>* ■ *s.m.* **2** parente em linha ascendente *<tinha um a. nobre>* ↺ descendente ▼ ***antepassados*** *s.m.pl.* **3** gerações anteriores de um indivíduo; ancestrais

antepasto (an.te.pas.to) *s.m.* CUL iguaria servida antes da refeição; aperitivo

antepenúltimo (an.te.pe.núl.ti.mo) *adj.s.m.* (o) que está antes do penúltimo *<terminou a corrida em a. lugar> <não ficou feliz em ser o a.>*

antepor (an.te.por) *v.* {mod. 23} *t.d.i. e pron.* **1** (prep. *a*) pôr(-se) antes de; antecipar(-se) *<a. o adjetivo ao substantivo> <a construção da piscina antepôs-se à reforma do salão>* ↺ pospor(-se) **2** (prep. *a*) pôr(-se) em oposição a; contrapor(-se) *<antepunha sua vontade ao desejo dos colegas> <a.(-se) às injustiças>* □ *t.d.i. fig.* **3** (prep. *a*) considerar mais importante; preferir *<antepôs seus estudos à diversão>* ● GRAM/USO part.: *anteposto* ~ **anteposição** *s.f.*

anteprojeto (an.te.pro.je.to) *s.m.* estudo preparatório de um projeto *<a. de lei> <o arquiteto apresentou o a. da casa>*

antera (an.te.ra) *s.f.* BOT extremidade dilatada do estame onde fica o pólen

anterior (an.te.ri.or) /ô/ [pl.: *-es*] *adj.2g.* **1** que vem antes *<a infância é a. à adolescência>* ↺ posterior **2** situado na parte da frente *<o volante fica na parte a. do carro>* ↺ posterior **~ anterioridade** *s.f.* - **anteriormente** *adv.*

antes (an.tes) *adv.* **1** em tempo ou lugar anterior *<chegou a. de todos>* ↺ depois **2** de preferência, melhor *<a. só que mal acompanhado>* **3** primeiro, primeiramente *<afirmou que, antes, lavaria a louça>* **4** ao contrário, pelo contrário *<não era uma boa pessoa, a. revelava-se um egoísta>*

antessala (an.tes.sa.la) *s.f.* **1** sala anterior à sala principal; antecâmara **2** sala de espera

antever (an.te.ver) *v.* {mod. 12} *t.d.* **1** ver, observar com antecedência *<anteviu o carro que vinha na contramão e evitou a batida>* **2** *p.ext.* perceber (fato futuro) por meios sobrenaturais; prever, adivinhar *<a. uma tragédia>* **~ antevisão** *s.f.*

antevéspera (an.te.vés.pe.ra) *s.f.* o dia anterior à véspera *<dia 23 de dezembro é a a. do dia de Natal>*

anti- *pref.* 'oposição': *antipatia, antigripal, antioxidante* ☞ usa-se hífen quando o segundo el. for iniciado por *i* ou *h* (*anti-inflamatório*)

antiabolicionismo (an.ti.a.bo.li.cio.nis.mo) *s.m.* HIST movimento político contrário à abolição da escravidão ↺ abolicionismo **~ antiabolicionista** *adj.2g.s.2g.*

antiaborto (an.ti.a.bor.to) /ô/ *adj.2g.2n.* que se opõe à prática do aborto *<manifestações antiaborto>*

antiácido (an.ti.á.ci.do) *adj.s.m.* FARM (remédio) que combate a acidez do estômago *<medicamento a.> <comeu demais, tomou um a. antes de dormir>*

antiaderente (an.ti.a.de.ren.te) *adj.2g.s.2g.* (produto ou revestimento) que impede aderência *<frigideira a.> <material revestido com a.>* **~ antiaderência** *s.f.*

antiaéreo (an.ti.a.é.reo) *adj.* que protege de ataques aéreos *<esconderijo a.>*

antialérgico (an.ti.a.lér.gi.co) *adj.s.m.* **1** FARM (medicamento) que combate alergia ■ *adj.* **2** que não provoca alergia *<cobertor a.>*

antiamericano (an.ti.a.me.ri.ca.no) *adj.s.m.* que(m) é contra os E.U.A. ou a sua influência em outros países ↺ americanista

antiasmático (an.ti.as.má.ti.co) *adj.s.m.* FARM (medicamento) que combate a asma

antibacteriano (an.ti.bac.te.ri.a.no) *adj.s.m.* (agente ou substância) que inibe o desenvolvimento de bactérias *<sabonete a.>*

antibiótico (an.ti.bi.ó.ti.co) *adj.s.m.* FARM (substância) que combate microrganismos causadores de doenças infecciosas *<tratou a infecção com um forte a.>*

anticaspa (an.ti.cas.pa) *adj.2g.2n.s.m.* (substância) que evita ou combate a caspa *<xampu a.> <lava seus cabelos com um a.>*

anticiclone (an.ti.ci.clo.ne) *s.m.* zona de alta pressão atmosférica, de onde os ventos sopram em espiral **~ anticiclônico** *adj.*

anticlerical (an.ti.cle.ri.cal) [pl.: *-ais*] *adj.2g.s.2g.* POL que(m) combate a influência política, social ou moral do clero **~ anticlericalismo** *s.m.* - **anticlericalista** *adj.2g.s.2g.*

anticlímax (an.ti.clí.max) /cs/ *s.m.2n.* **1** CINE LIT TEAT TV numa narrativa, cena menos relevante do que a antecedente (o clímax) **2** *p.ext.* situação, por vezes decepcionante, que não corresponde à expectativa de um clímax *<o namorado ter desmarcado o jantar foi um verdadeiro a.>*

anticoagulante (an.ti.co.a.gu.lan.te) *adj.2g.s.m.* FARM (substância) que evita a coagulação do sangue *<parou de tomar a. dois dias antes da cirurgia>* ↺ coagulante

anticoncepção (an.ti.con.cep.ção) [pl.: *-ões*] *s.f.* método ou conjunto de métodos para evitar a fecundação ou a nidação; contracepção

anticoncepcional (an.ti.con.cep.cio.nal) [pl.: *-ais*] *adj.2g.s.m.* **1** (o) que impede a fecundação do óvulo; contraceptivo *<métodos a.>* ■ *s.m.* **2** FARM medicamento us. por mulheres para evitar a gravidez

anticonstitucional (an.ti.cons.ti.tu.cio.nal) [pl.: *-ais*] *adj.2g.* que contraria ou infringe a Constituição de um país *<a lei não foi aprovada por ser a.>*

anticonvulsivo (an.ti.con.vul.si.vo) *adj.s.m.* FARM (medicamento) que previne ou combate convulsões

anticorpo (an.ti.cor.po) /ô/ [pl.: /ó/] *s.m.* BIO proteína que o organismo de uma pessoa ou animal produz em seu sangue para combater germes, bactérias e substâncias tóxicas

anticorrosivo (an.ti.cor.ro.si.vo) *adj.s.m.* (o) que evita ou combate a corrosão *<aplicou um líquido a. na porta da geladeira>*

anticorrupção (an.ti.cor.rup.ção) [pl.: *-ões*] *adj.2g.2n.* que investiga e/ou combate a corrupção *<medidas anticorrupção>*

anticristo (an.ti.cris.to) *s.m.* REL no livro do Apocalipse, personagem misteriosa que deverá aparecer algum tempo antes do fim do mundo, enchendo a Terra de crime e impiedade, sendo afinal vencido por Cristo ☞ inicial maiúsc.

antidemocrata (an.ti.de.mo.cra.ta) *adj.2g.s.2g.* (o) que se opõe à democracia *<governo a.> <era um partido formado por a.>*

antidemocrático (an.ti.de.mo.crá.ti.co) *adj.* que é contrário à democracia; antidemocrata *<medidas a.> <pensamento a.>*

antidepressivo (an.ti.de.pres.si.vo) *adj.s.m.* FARM (medicamento) que evita ou torna menos intensa a depressão psíquica *<melhorou e pôde parar de tomar a.>*

antiderrapante (an.ti.der.ra.pan.te) *adj.2g.s.m.* (o) que impede a derrapagem *<pneu a.>*

antidoping (an.ti.dop.ing) [ing.] *adj.2g.2n.* ESP **1** realizado para verificar se houve uso ilegal de alguma substância por um atleta em competição esportiva *<exames a.>* **2** contrário ao uso do *doping* *<políticas a.>* ⇒ pronuncia-se antidóping

antídoto (an.tí.do.to) *adj.s.m.* FARM (medicamento) que combate os efeitos de toxina ou veneno <*a. contra veneno de cobra*>

antieconômico (an.ti.e.co.nô.mi.co) *adj.* **1** que não gera economia ou não reduz gastos <*a embalagem cara tornou o produto a.*> **2** contrário à boa gestão da economia <*política a.*>

antiespasmódico (an.ti.es.pas.mó.di.co) *adj.s.m.* FARM (substância) que combate espasmos; antispasmódico

antiesportivo (an.ti.es.por.ti.vo) *adj.* que não respeita as regras ou os procedimentos numa competição esportiva <*foi expulso pelo comportamento a.*>

antiestático (an.ti.es.tá.ti.co) *adj.* ELETRÔN **1** que impede ou limita a formação de eletricidade estática **2** que diminui interferências atmosféricas nas comunicações sem fio

antífona (an.tí.fo.na) *s.f.* **1** LITUR versículo cantado ou recitado antes e depois de um salmo **2** MÚS composição feita sobre o texto dessa seção da liturgia ~ **antifônico** *adj.*

antífrase (an.tí.fra.se) *s.f.* LING emprego de palavra ou frase com sentido oposto ao verdadeiro, (p.ex., *muito bonito!* por *que coisa feia!*) ~ **antifrástico** *adj.*

antigamente (an.ti.ga.men.te) *adv.* **1** em época remota, no passado; outrora <*a., a vida era mais tranquila*> ↺ atualmente, recentemente ■ *s.m.* **2** época mais ou menos distante no tempo <*veste roupas de a.*>

antígeno (an.tí.ge.no) *s.m.* BIO FARM MED partícula, molécula ou substância que, ao ser introduzida no organismo, provoca a formação de anticorpos específicos ~ **antigenicidade** *s.f.* - **antigênico** *adj.*

antiginástica (an.ti.gi.nás.ti.ca) *s.f.* ginástica de movimentos suaves com o objetivo de promover consciência corporal e correção postural

antigo (an.ti.go) *adj.* **1** que existe há muito tempo <*carro a.*> ↺ novo **2** que tem precedência; anterior <*era mais feliz na casa a.*> ↺ novo ● GRAM/USO sup. abs.sint.: *antiguíssimo, antiquíssimo*

antigripal (an.ti.gri.pal) [pl.: *-ais*] *adj.2g.s.m.* FARM (medicamento) que combate ou previne a gripe ou os seus sintomas

antigualha (an.ti.gua.lha) ou **antiqualha** (an.ti.qua.lha) *s.f.* qualquer coisa antiga

antiguerra (an.ti.guer.ra) *adj.2g.2n.* que tem por objetivo evitar guerras ou mostrar-se contrário a elas <*movimentos antiguerra*>

antiguidade (an.ti.gui.da.de) /gu *ou* gü/ *s.f.* **1** característica do que é antigo **2** tempo durante o qual se vem exercendo cargo, função <*a. é posto*> <*recebeu um aumento por a.*> **3** HIST período da história, de início indefinido, que se encerra com a queda do Império Romano do Ocidente (476 d.C.) ☞ inicial maiúsc. **4** objeto antigo e valioso <*este vaso é uma a.*> <*loja de a.*>

anti-herói (an.ti-he.rói) [pl.: *anti-heróis*; fem.: *anti-heroína*] *s.m.* personagem que não possui as características de um herói ou cujas características se opõem às do herói

anti-hidrofóbico (an.ti-hi.dro.fó.bi.co) [pl.: *anti-hidrofóbicos*] *adj.s.m.* FARM antirrábico

anti-higiênico (an.ti-hi.gi.ê.ni.co) [pl.: *anti-higiênicos*] *adj.* contrário às normas da higiene <*hábitos a.*> <*ambiente a.*>

anti-histamínico (an.ti-his.ta.mí.ni.co) [pl.: *anti-histamínicos*] *adj.s.m.* FARM (medicamento) que combate a ação da histamina e impede seus efeitos no organismo, us. esp. contra alergia

anti-histórico (an.ti-his.tó.ri.co) [pl.: *anti-históricos*] *adj.* contrário à história, seus dados e fundamentos; anistórico <*explicação a.*> ☞ cf. *ante-histórico*

anti-horário (an.ti-ho.rá.rio) [pl.: *anti-horários*] *adj.* que tem rotação contrária à dos ponteiros do relógio <*a roda girava em sentido a.*>

anti-ictérico (an.ti-ic.té.ri.co) [pl.: *anti-ictéricos*] *adj.s.m.* FARM (medicamento) que combate a icterícia

anti-infeccioso (an.ti-in.fec.ci.o.so) [pl.: *anti-infecciosos*; pl. e fem.: /ó/] *adj.s.m.* (substância) que combate infecção

anti-inflacionário (an.ti-in.fla.cio.ná.rio) [pl.: *anti-inflacionários*] *adj.* que previne ou age contra a inflação

anti-inflamatório (an.ti-in.fla.ma.tó.rio) [pl.: *anti-inflamatórios*] *adj.s.m.* FARM (substância ou medicamento) que combate inflamações

antijogo (an.ti.jo.go) /ô/ [pl.: /ó/] *s.m.* ESP comportamento, em campo ou na quadra, que contraria o espírito esportivo, a lealdade, a honestidade entre os oponentes

antijurídico (an.ti.ju.rí.di.co) *adj.* que contraria as normas jurídicas; ilegal

antilhano (an.ti.lha.no) *adj.* **1** das Antilhas ☞ cf. *Antilhas* na parte enciclopédica ■ *s.m.* **2** natural ou habitante desse arquipélago

antílope (an.tí.lo.pe) *s.m.* ZOO mamífero ruminante de chifres longos e arqueados para trás, comum na África

antimagnético (an.ti.mag.né.ti.co) *adj.* que resiste à magnetização

antimatéria (an.ti.ma.té.ria) *s.f.* matéria que se pensa existir no universo cujas partículas teriam características e propriedades opostas às da matéria comum

antimicótico (an.ti.mi.có.ti.co) *adj.s.m.* FARM (medicamento) que combate micoses

antimíssil (an.ti.mís.sil) [pl.: *-eis*] *s.m.* arma destinada a interceptar e destruir mísseis

antimônio (an.ti.mô.nio) *s.m.* QUÍM elemento químico us. em ligas metálicas [símb.: *Sb*] ☞ cf. *tabela periódica* (no fim do dicionário) ~ **antimonial** *adj.2g.s.m.*

antinatural (an.ti.na.tu.ral) [pl.: *-ais*] *adj.2g.* contrário às leis da natureza

antinevrálgico (an.ti.ne.vrál.gi.co) *adj.s.m.* FARM (medicamento) que alivia a nevralgia

antinuclear (an.ti.nu.cle.ar) [pl.: *-es*] *adj.2g.* **1** contrário ao uso de energia atômica ou armamento nuclear **2** que protege da radiação nuclear (diz-se de abrigo)

antiofídico (an.ti.o.fí.di.co) *adj.s.m.* FARM (substância) que combate veneno de cobra *<soro a.>*

antioxidante (an.ti.o.xi.dan.te) /cs/ *adj.2g.s.m.* QUÍM (substância) que evita a oxidação ~ **antioxidação** *s.f.*

antipatia (an.ti.pa.ti.a) *s.f.* aversão espontânea, gratuita, por algo ou alguém *<a a. pela cunhada logo acabou> <sente a. por filmes de suspense>* ↺ simpatia

antipático (an.ti.pá.ti.co) *adj.s.m.* que(m) provoca ou inspira antipatia; desagradável *<sua voz era a.> <é um a., ninguém se aproxima dele>* ↺ simpático

antipatizar (an.ti.pa.ti.zar) *v.* {mod. 1} *t.i.* (prep. *com*) ter antipatia por, aversão a; implicar *<antipatiza com os gatos da vizinha>* ↺ simpatizar

antipatriota (an.ti.pa.tri.o.ta) *adj.2g.s.2g.* que(m) é contra a sua pátria ↺ patriota

antipatriótico (an.ti.pa.tri.ó.ti.co) *adj.* contra os interesses da pátria *<o ato a. levou à expulsão do soldado>* ↺ patriótico

antipatriotismo (an.ti.pa.tri.o.tis.mo) *s.m.* **1** falta de patriotismo **2** atitude antipatriótica

antipedagógico (an.ti.pe.da.gó.gi.co) *adj.* contrário à pedagogia ↺ pedagógico

antiperspirante (an.ti.pers.pi.ran.te) *adj.2g.s.m.* FARM (substância) que reduz o suor; antitranspirante *<desodorante a.> <era alérgico a a.>*

antipirético (an.ti.pi.ré.ti.co) *adj.s.m.* FARM (substância ou medicamento) que combate a febre; antitérmico

antípoda (an.tí.po.da) *s.m.* **1** habitante do globo que, em relação a outro, vive em lugar diametralmente oposto *<os a. dos brasileiros são os japoneses>* ■ *adj.2g.s.m.* **2** (o) que se situa em lugar diametralmente oposto *<Brasil e Japão são a.>* **3** *p.ext.* (o) que tem características opostas *<ideologias a.>* ↺ semelhante

antipólio (an.ti.pó.lio) *adj.2g.s.f.* FARM (vacina) contra a poliomielite

antipoluente (an.ti.po.lu.en.te) *adj.2g.s.m.* (substância ou processo) que reduz a poluição ambiental ↺ poluente

antipopular (an.ti.po.pu.lar) [pl.: *-es*] *adj.2g.* contrário aos desejos do povo, à opinião pública ☞ cf. *impopular*

antiprogressista (an.ti.pro.gres.sis.ta) *adj.2g.s.2g.* que(m) é contrário ao progresso ↺ progressista

antipruriginoso (an.ti.pru.ri.gi.no.so) /ô/ [pl. e fem.: /ó/] *adj.s.m.* FARM (substância) que combate pruridos e coceiras *<talco a.>*

antiquado (an.ti.qua.do) *adj.* ultrapassado, fora de moda *<suas roupas, assim como suas ideias, eram a.>* ↺ atual, moderno

antiqualha (an.ti.qua.lha) *s.f.* → *ANTIGUALHA*

antiquário (an.ti.quá.rio) *s.m.* **1** colecionador ou vendedor de objetos antigos **2** loja de objetos antigos

antirrábico (an.tir.rá.bi.co) *adj.s.m.* FARM (medicamento) que evita ou combate a raiva ('doença') *<a vacina a. deve ser dada aos animais uma vez por ano>*

antirregimental (an.tir.re.gi.men.tal) [pl.: *-ais*] *adj.2g.* que contraria regimento ou estatuto *<a sugestão do síndico era a.>*

antirruído (an.tir.ru.í.do) *adj.2g.2n.* que bloqueia ou diminui ruídos *<filtros a.>*

antispasmódico (an.tis.pas.mó.di.co) *adj.s.m.* FARM antiespasmódico

antissemita (an.tis.se.mi.ta) *adj.2g.s.2g.* que(m) se opõe aos semitas, esp. aos judeus ~ **antissemitismo** *s.m.*

antisséptico (an.tis.sép.ti.co) *adj.s.m.* FARM (substância ou medicamento) que impede a contaminação e combate a infecção ↺ séptico

antissifilítico (an.tis.si.fi.lí.ti.co) *adj.s.m.* FARM (medicamento) que combate a sífilis

antissocial (an.tis.so.ci.al) [pl.: *-ais*] *adj.2g.* **1** contrário às ideias, costumes ou interesses da sociedade *<comportamento a.>* **2** avesso à vida social *<tinha um primo a. que nunca saía de casa>*

antitabagismo (an.ti.ta.ba.gis.mo) *s.m.* movimento ou opinião contrários ao hábito de fumar ~ **antitabagista** *adj.2g.s.2g.*

antitérmico (an.ti.tér.mi.co) *adj.s.m.* **1** (o) que protege do calor *<revestimento a.>* **2** FARM antipirético

antiterrorismo (an.ti.ter.ro.ris.mo) *s.m.* movimento ou atitude contrários ao terrorismo

antítese (an.tí.te.se) *s.f.* **1** ideia que é o oposto de uma outra ideia, que apresenta um contraste muito nítido *<a noite é a a. do dia>* **2** figura de retórica que opõe duas ideias ou palavras de sentido contrário (p.ex.: *ela era seu bem e seu mal; trazia luz no olhar e escuridão no peito*) ~ **antitético** *adj.*

antitetânico (an.ti.te.tâ.ni.co) *adj.s.m.* FARM (medicamento) que evita ou combate o tétano

antitóxico (an.ti.tó.xi.co) /cs/ *adj.s.m.* antídoto ~ **antitoxicidade** *s.f.*

antitranspirante (an.ti.trans.pi.ran.te) *adj.2g.s.m.* antiperspirante

antitruste (an.ti.trus.te) *adj.2g.2n.* que limita a formação de truste *<política a.>*

antitússico (an.ti.tús.si.co) *adj.s.m.* FARM antitussígeno

antitussígeno (an.ti.tus.sí.ge.no) *adj.s.m.* FARM (substância ou medicamento) que acalma ou elimina a tosse

antivariólico (an.ti.va.ri.ó.li.co) *adj.s.m.* FARM (medicamento) que previne ou trata a varíola *<tomou vacina a. quando era bebê>*

antiviral (an.ti.vi.ral) [pl.: *-ais*] *adj.2g.* FARM que imuniza ou atua contra vírus *<recorreu a um a. para acelerar a cura>*

antivirótico (an.ti.vi.ró.ti.co) *adj.s.m.* FARM (substância) que combate vírus

antivírus (an.ti.ví.rus) *adj.2g.2n.s.m.2n.* INF (programa) que detecta e elimina vírus de computador

antolhos (an.to.lhos) /ó/ *s.m.pl.* par de peças, ger. de couro, colocadas ao lado dos olhos de animal de montaria, para que ele só olhe para a frente, evitando que se distraia ou se assuste

antologia (an.to.lo.gi.a) *s.f.* **1** coleção de textos organizados segundo tema, época etc. **2** livro que contém essa coleção *<comprou uma a. de Manuel Bandeira>* ~ **antologista** *adj.2g.s.2g.*

antológico (an.to.ló.gi.co) *adj.* **1** que merece figurar em antologia *<uma redação a.>* **2** digno de ser relembrado *<jogada a.>*

antonímia (an.to.ní.mia) *s.f.* **1** LING relação de sentido que opõe dois termos, seja numa gradação (*grande/pequeno*); numa reciprocidade (*perguntar/responder*) ou numa complementaridade (*ele não é solteiro, é casado*) ↺ sinonímia **2** estudo de ou teoria sobre antônimos **3** lista de antônimos

antônimo (an.tô.ni.mo) *adj.s.m.* LING (palavra) de sentido contrário a outra *<alto é o a. de baixo>* *<grande e pequeno são termos a.>* ↺ sinônimo • COL antonímia ~ **antonímico** *adj.*

antonomásia (an.to.no.má.sia) *s.f.* LING substituição de um nome de pessoa, objeto etc. por outra denominação (*um romeu* por *um homem apaixonado*)

antraz (an.traz) [pl.: *-es*] *s.m.* MED carbúnculo

antro (an.tro) *s.m.* **1** caverna profunda e escura **2** *p.ext.* lugar onde se reúnem criminosos ou pessoas de má índole *<estava naquele a. de desocupados>*

antropocêntrico (an.tro.po.cên.tri.co) *adj.* que interpreta a realidade sob o ponto de vista do antropocentrismo

antropocentrismo (an.tro.po.cen.tris.mo) *s.m.* FIL REL forma de pensamento que considera o homem o centro do universo e interpreta tudo de acordo com valores e experiências humanas ~ **antropocentrista** *adj.2g.s.2g.*

antropofagia (an.tro.po.fa.gi.a) *s.f.* ato ou fato de comer carne humana ~ **antropofágico** *adj.*

antropófago (an.tro.pó.fa.go) *adj.s.m.* que(m) come carne humana

antropoide (an.tro.poi.de) /ói/ *adj.2g.* **1** semelhante ao homem **2** relativo aos antropoides ■ *s.m.* **3** ZOO espécime dos antropoides, subordem de primatas desprovidos de cauda, como o homem, o orangotango etc.

antropologia (an.tro.po.lo.gi.a) *s.f.* ciência que estuda a natureza do homem e sua cultura ~ **antropológico** *adj.* - **antropologista** *adj.2g.s.2g.*

antropólogo (an.tro.pó.lo.go) *s.m.* o especialista em antropologia

antropomorfo (an.tro.po.mor.fo) *adj.* que tem forma humana; antropoide ~ **antropomorfia** *s.f.* - **antropomórfico** *adj.*

antroponímia (an.tro.po.ní.mia) *s.f.* **1** estudo dos nomes próprios de pessoa **2** lista de antropônimos

antropônimo (an.tro.pô.ni.mo) *s.m.* nome de pessoa ~ **antroponímico** *adj.*

antúrio (an.tú.rio) *s.m.* BOT planta tropical ornamental, de folhas grandes, que pode ter flores vermelhas, rosa ou brancas

anu (a.nu) ou **anum** (a.num) [pl.: *-uns*] *s.m.* ZOO pequena ave preta de bico forte e cauda longa

anual (a.nu.al) [pl.: *-ais*] *adj.2g.* **1** que ocorre uma vez por ano *<festas a.>* **2** que dura um ano *<contrato a.>*

anuário (a.nu.á.rio) *s.m.* publicação anual que registra informações sobre um ou vários ramos de atividade ou as principais ocorrências da vida de uma instituição e suas atividades durante o ano

anuência (a.nu.ên.cia) *s.f.* consentimento, aprovação ↺ proibição

anuidade (a.nu.i.da.de) *s.f.* quantia que se paga uma vez por ano

anuir (a.nu.ir) *v.* {mod. 26} *t.i. e int.* (prep. *a*) estar de acordo; aprovar, permitir *<anuiu ao meu pedido>* *<a piscada de olhos era um sinal de que anuíra>*

[1]**anular** (a.nu.lar) *v.* {mod. 1} *t.d. e pron.* **1** tornar (-se) nulo, sem efeito; invalidar(-se) *<anularam uma questão do teste>* *<sua defesa anulou-se ante as provas da acusação>* □ *t.d.* **2** tornar insignificante ou quase nulo *<bastava sua presença para a. as pretensões de qualquer rival>* □ *pron.* **3** perder a identidade; desvalorizar-se *<anulou-se diante da equipe adversária>* • ORIGEM do lat. *anulāre* 'id.' ~ **anulação** *s.f.* - **anulador** *adj.s.m.* - **anulatório** *adj.*

[2]**anular** (a.nu.lar) [pl.: *-es*] *adj.2g.* **1** relativo a anel **2** que tem feitio de anel ■ *adj.2g.s.m.* **3** [3]anelar • ORIGEM do lat. *anulāris,e* 'id.'

anum (a.num) [pl.: *-uns*] *s.m.* → ***ANU***

anunciação (a.nun.ci.a.ção) [pl.: *-ões*] *s.f.* **1** comunicação de uma mensagem **2** REL notícia recebida por Maria de que ela seria a mãe do Filho de Deus ☞ inicial ger. maiúsc. **3** REL festa da Igreja católica em memória desse acontecimento ☞ inicial maiúsc.

anunciante (a.nun.ci.an.te) *adj.2g.s.2g.* **1** (o) que anuncia ou prenuncia; anunciador, divulgador **2** (o) que patrocina anúncios em qualquer meio de comunicação; patrocinador *<o programa saiu do ar por falta de a.>*

anunciar (a.nun.ci.ar) *v.* {mod. 1} *t.d.,t.d.i. e int.* **1** (prep. *a*) comunicar, divulgar *<a. a inauguração de uma loja>* *<anunciaram aos clientes o cardápio do dia>* *<para vender é preciso a.>* □ *t.d. e t.d.i.* **2** (prep. *a*) mostrar claramente, por gesto, sinal etc.; indicar *<as nuvens escuras anunciavam chuva>* *<uma buzina anunciou aos competidores o início da corrida>* **3** (prep. *a*) prevenir da presença ou chegada de *<o mordomo anunciou a visita (aos patrões)>* □ *t.d. e int.* **4** fazer propaganda (de produto, serviço etc.) *<a. uma nova marca de sabão em pó>* *<decidiram a. em jornais>* ~ **anunciador** *adj.s.m.*

anúncio (a.nún.cio) *s.m.* **1** ação de divulgar algo ao público; notícia **2** sinal que indica acontecimento futuro *<cigarras cantando é a. de tempo quente>* **3** comercial *<sempre abaixa o volume na hora dos a.>*

anuro (a.nu.ro) *adj.* **1** que não possui cauda ■ *s.m.* **2** ZOO espécime dos anuros, ordem de anfíbios cujos adultos não possuem cauda, como sapos, rãs e pererecas

ânus (â.nus) *s.m.2n.* ANAT abertura do reto por onde saem as fezes

anuviar (a.nu.vi.ar) *v.* {mod. 1} *t.d. e pron.* **1** cobrir(-se) de nuvens; nublar(-se) ↺ desanuviar(-se) **2** *fig.* entristecer(-se), perturbar(-se) *<a partida do amigo anuviou toda a turma>* *<anuviou-se, como se*

nunca mais fosse sorrir> ↺ desanuviar(-se) ~ **anuviamento** *s.m.*

anverso (an.ver.so) *s.m.* **1** parte da frente de qualquer objeto que apresente dois lados opostos *<o a. de uma folha, de um documento>* ↺ verso **2** nas moedas e medalhas, face com emblema ou efígie; cara

anzol (an.zol) [pl.: *-óis*] *s.m.* pequeno gancho com uma ponta fina que faz um ângulo agudo, us. para fisgar peixes

^{1}**-ão** *suf.* **1** 'aumento': *camisolão* **1.1** com sentido pejorativo: *machão* **1.2** com sentido afetivo: *paizão* **2** 'diminuição': *calção* **3** 'ação ou seu resultado': *encontrão* ◉ ORIGEM lat. *-ĭo,iōnis*

^{2}**-ão** *suf.* **1** ligado a hábitos (ger. censuráveis): *beberrão* **2** a numerais: *bilhão, trilhão* **3** a idade: *quarentão* **4** a origem gentílica ou de lugar: *bretão, aldeão* **5** a ofícios, profissões: *cirurgião, tecelão* **6** a instrumentos: *boticão, pilão* ◉ ORIGEM lat. *-anu-*

^{3}**-ão** *suf.* de origens diversas (grega, árabe, espanhola, francesa, italiana, tupi etc.): *anão, algodão, chimarrão, avião, artesão, mutirão* etc.

aonde (a.on.de) *adv.* ao lugar que (em que direção); para o lugar que (para que direção); para qual lugar *<quer saber o lugar a. pode ir> <e vocês? a. vão?>*

aorta (a.or.ta) /ór/ *s.f.* ANAT grande artéria que distribui sangue do ventrículo esquerdo do coração para todo o organismo ~ **aórtico** *adj.*

AP sigla do Estado do Amapá

APA (A.PA) *s.f.* sigla de *área de proteção ambiental*

apache (a.pa.che) *s.2g.* **1** indivíduo dos apaches, povo indígena dos E.U.A. ■ *s.m.* **2** LING língua falada pelos apaches ■ *adj.2g.* **3** relativo a esse indivíduo, povo ou língua

apadrinhar (a.pa.dri.nhar) *v.* {mod. 1} *t.d.* **1** ser padrinho de (em batizado, casamento, formatura etc.) **2** patrocinar, financiar *<a. uma equipe esportiva>* **3** lutar em favor de; defender *<apadrinhou a causa do moradores de rua>* ~ **apadrinhamento** *s.m.*

Apae (A.pae) *s.f.* sigla de Associação de Pais e Amigos dos Excepcionais

apagado (a.pa.ga.do) *adj.* **1** que não tem fogo ou luz; extinto *<lareira a., lâmpada a.>* ↺ aceso, vivo **2** *fig.* sem brilho; amortecido, embaciado *<tinha um olhar a.>* ↺ claro, luminoso **3** *fig.* que não se destaca; insignificante, medíocre *<foi uma apresentação a.>* ↺ importante, notável **4** *fig.* riscado, raspado, sumido (diz-se de escrita) *<o texto estava com duas linhas a.>* **5** *fig.* excluído da lembrança; esquecido *<o fato triste foi a. de sua memória>* **6** *fig.* em estado de inconsciência, causado por drogas ou álcool **7** *fig.* sem ânimo ou entusiasmo; abatido, desanimado, murcho *<foi ao baile, mas estava muito a.>* ↺ animado, entusiasmado **8** *fig. B infrm.* que perdeu a vida; assassinado, morto

apagador (a.pa.ga.dor) /ô/ [pl.: *-es*] *adj.s.m.* **1** (o) que apaga ■ *s.m.* **2** utensílio com uma superfície de feltro ou esponja us. para limpar os escritos em quadro-negro ou similar

apagão (a.pa.gão) [pl.: *-ões*] *s.m.* falta repentina de eletricidade ☞ cf. *blecaute*

apagar (a.pa.gar) *v.* {mod. 1} *t.d.,int. e pron.* **1** (fazer) acabar (luz, fogo) *<a. uma lâmpada> <a lareira apagou(-se)>* □ *t.d.* **2** desligar (rádio, televisão etc.) **3** *fig.* esquecer, anular *<a. uma lembrança>* **4** *B infrm.* tirar a vida de; matar *<a. o traidor>* □ *t.d. e pron.* **5** (fazer) sumir escrito, traço, marca *<apagou dois nomes da lista de convidados> <as marcas na areia apagaram-se>* **6** *fig.* (fazer) perder o brilho, o colorido; embaciar(-se); desbotar *<o sofrimento apagou o seu sorriso> <depois da tragédia, seu olhar apagou-se>* □ *t.d. e int. B infrm.* **7** (fazer) perder os sentidos *<com um soco, o lutador apagou o adversário> <dançou e pulou até a.>* □ *int. e pron. B* **8** ceder ao cansaço, dormir *<apesar de adorar o carnaval, apagou(-se) logo>* ~ **apagamento** *s.m.*

apaixonadamente (a.pai.xo.na.da.men.te) *adv.* **1** com um amor intenso e profundo; com paixão *<amar a.>* **2** com arrebatamento, exaltação, fervor *<aplaudiu o cantor a.>*

apaixonado (a.pai.xo.na.do) *adj.s.m.* **1** que(m) está dominado por paixão amorosa, por amor intenso e profundo; enamorado ↺ desinteressado, indiferente **2** que(m) denota paixão, arrebatamento; exaltado *<revelou-se um (leitor) apaixonado>* **3** que gosta muito; admirador, entusiasta, fanático *<é (um) a. por futebol>*

apaixonante (a.pai.xo.nan.te) *adj.2g.* que apaixona, que prende a atenção; cativante, envolvente *<história a.>*

apaixonar (a.pai.xo.nar) *v.* {mod. 1} *t.d. e pron.* **1** (prep. *por*) despertar ou sentir paixão *<sua beleza e sua inteligência o apaixonaram desde cedo> <apaixonou-se pelo colega de turma>* **2** (prep. *por*) encher(-se) de entusiasmo; arrebatar(-se) *<o futebol apaixona multidões> <apaixonou-se pela poesia de Manuel Bandeira>*

apalavrar (a.pa.la.vrar) *v.* {mod. 1} *t.d. e t.d.i.* **1** (prep. *a*) combinar verbalmente; acertar *<a. um negócio> <apalavrei ao advogado a venda da casa>* □ *pron.* **2** dar a palavra; comprometer-se *<apalavrou-se para trabalhar quatro horas diárias>* ~ **apalavramento** *s.m.*

apalpadela (a.pal.pa.de.la) *s.f.* toque delicado com as mãos ▣ **às a.** sem enxergar, pelo tato *<sem luz em casa, procurou a fechadura às a.>*

apalpar (a.pal.par) *v.* {mod. 1} *t.d. e pron.* **1** tocar (-se) com a(s) mão(s); tatear(-se) *<apalpou o melão para ver se estava maduro> <apalpou-se à procura da carteira>* □ *t.d. B infrm.* **2** tocar (alguém) com fins libidinosos; bolinar *<foi acusado de a. uma moça no ônibus>* ~ **apalpação** *s.f.* - **apalpamento** *s.m.*

apanágio (a.pa.ná.gio) *s.m.* **1** vantagem particular; privilégio **2** *fig.* propriedade característica, essencial, de alguém *<a arte não pode ser a. de uma elite>*

apanha (a.pa.nha) *s.f.* **1** ato ou efeito de apanhar **2** captura de animais em larga escala *<a. de peixes>* **3** colheita de qualquer produto agrícola *<a. de café>*

apanhado (a.pa.nha.do) *adj.* **1** que se apanhou, agarrou ■ *s.m.* **2** resumo *<um a. dos acontecimentos>*

apanhar (a.pa.nhar) *v.* {mod. 1} *t.d.* **1** recolher ou segurar (algo), com auxílio das mãos ou de objeto; pegar *<a. um lápis>* **2** tornar prisioneiro; capturar *<o delegado apanhou os bandidos>* **3** embarcar em (veículo) *<não vá a pé, apanhe um ônibus>* **4** ser atingido (por chuva, vento etc.) *<apanhou um temporal na volta para casa>* **5** chegar junto a (o que vai à frente); alcançar *<teve de correr para a. os amigos>* **6** contrair (doença) *<a. uma gripe>* □ *int.* **7** levar surra ↺ bater **8** *B infrm.* ter dificuldade; sofrer *<apanhou muito para resolver a questão>* □ *t.d.pred. e pron.* **9** encontrar(-se) [em certo estado, situação ou lugar]; flagrar *<apanhando-o distraído, a namorada lhe deu um susto>* *<apanhou-se na praia sem dinheiro>* □ *t.i. e int. fig.* **10** (prep. de) ser derrotado; perder *<seu time sempre apanha do meu>* *<essa equipe só apanha>* ↺ vencer ~ **apanhador** *adj.s.m.*

apaniguado (a.pa.ni.gua.do) *adj.s.m.* **1** protegido, predileto *<(funcionários) a. do chefe>* **2** partidário ↺ rival ~ **apaniguar** *v.t.d.*

apara (a.pa.ra) *s.f.* sobra de qualquer material (papel, madeira etc.) que foi cortado

aparadeira (a.pa.ra.dei.ra) *s.f. infrm.* parteira

aparador (a.pa.ra.dor) /ô/ [pl.: *-es*] *s.m.* móvel onde se apoiam as travessas durante a refeição

aparafusar (a.pa.ra.fu.sar) *v.* {mod. 1} *t.d.* **1** fixar, apertar com parafuso; atarraxar *<a. a perna da mesa>* ↺ desaparafusar **2** *p.ext.* tornar firme, fixo; firmar

aparar (a.pa.rar) *v.* {mod. 1} *t.d.* **1** segurar, sustentar (com mãos, objeto etc.) [algo que cai] *<o goleiro aparou a bola>* **2** retirar o excesso de (algo) cortando, serrando *<a. grama, cabelo>* **3** tornar fino ou pontudo; aguçar *<a. a ponta de um lápis>* **4** *fig.* melhorar a qualidade de; aprimorar *<a. o estilo de um texto>* ~ **aparação** *s.f.* - **aparo** *s.m.*

aparato (a.pa.ra.to) *s.m.* **1** demonstração de luxo; ostentação, pompa ↺ simplicidade, modéstia **2** peça que enfeita; adereço, adorno **3** aparelho us. para um fim específico; artefato *<a. militar>* **4** conjunto de elementos necessários ao desenvolvimento de uma atividade *<a. teórico de uma tese>* ~ **aparatoso** *adj.*

aparceirar (a.par.cei.rar) *v.* {mod. 1} *t.d. e pron.* tornar(-se) parceiro ou cúmplice *<aparceirou o amigo na letra do samba>* *<aparceirou-se com os filhos para abrir um negócio>*

aparecer (a.pa.re.cer) *v.* {mod. 8} *t.i. e int.* **1** (prep. *a, para*) tornar-se visível, perceptível; surgir *<a avó apareceu para ele em um sonho>* *<o sol demorou, mas apareceu>* □ *int.* **2** estar presente; comparecer *<disse que não iria à escola, mas apareceu à tarde>* ↺ ausentar-se **3** começar a manifestar-se; surgir, ocorrer *<apareceram vários casos de pneumonia>* **4** *fig. B* fazer-se notar; exibir-se *<faz de tudo para a.>*

aparecimento (a.pa.re.ci.men.to) *s.m.* **1** manifestação, aparição *<o a. de um novo astro>* ↺ desaparecimento **2** primeira aparição; origem, princípio *<desde seu a., a revista mantém a mesma qualidade>* ↺ fim

aparelhagem (a.pa.re.lha.gem) [pl.: *-ens*] *s.f.* conjunto de peças que compõem um equipamento *<a. de som>*

aparelhamento (a.pa.re.lha.men.to) *s.m.* conjunto de providências necessárias para realização de algo

aparelhar (a.pa.re.lhar) *v.* {mod. 1} *t.d.,int. e pron.* **1** prover(-se) do que é necessário; (fazer) ficar em condições de funcionar; equipar(-se) *<a. um hospital>* *<o inimigo aparelhava-se para a guerra>* □ *t.d.* **2** pôr arreios em *<a. uma égua>*

aparelho (a.pa.re.lho) /ê/ *s.m.* **1** equipamento de uso específico *<a. de ginástica>* **2** *B* conjunto de peças us. na mesa durante certas refeições *<a. de jantar>* **3** ANAT grupo de órgãos que participam de uma mesma função *<a. circulatório>* **4** *B* telefone *<vou atender no outro a.>* **5** *N.E. infrm.* vaso sanitário; latrina, privada ● COL aparelhagem ▣ **a. dentário** peça para correção da arcada dentária

aparência (a.pa.rên.cia) *s.f.* **1** aquilo que se mostra imediatamente; aspecto *<tinha uma a. cansada>* *<a comida estava com ótima a.>* **2** apresentação enganosa; fingimento *<não devemos nos iludir com a a. dos fatos>* ↺ verdade

^{1}**aparentado** (a.pa.ren.ta.do) *adj.* que tem parentesco ● ORIGEM part. de ^{1}*aparentar*

^{2}**aparentado** (a.pa.ren.ta.do) *adj.* parecido, semelhante ● ORIGEM part. de ^{2}*aparentar*

^{1}**aparentar** (a.pa.ren.tar) *v.* {mod. 1} *t.d.,t.d.i. e pron.* (prep. *com*) tornar(-se) parente *<o casamento da filha aparentou-os (com aquela rica família)>* *<aparentou-se com família tradicional>* ● ORIGEM ^{1}*a- + parente +* ^{2}*-ar*

^{2}**aparentar** (a.pa.ren.tar) *v.* {mod. 1} *t.d.* **1** revelar na aparência *<a. cansaço>* □ *pred. e pron.* **2** (prep. *de*) dar(-se) ares de; afetar(-se) *<a. de importante>* *<aparentava-se infeliz para comover os amigos>* □ *pron.* **3** tornar-se semelhante, esp. na forma *<os quadros aparentam-se>* ● ORIGEM *aparente +* ^{2}*-ar*

aparente (a.pa.ren.te) *adj.2g.* **1** visível, evidente *<sinais a. de velhice>* ↺ oculto **2** cuja aparência não corresponde à realidade; suposto *<o movimento a. da nuvem>* ↺ autêntico, real

aparentemente (a.pa.ren.te.men.te) *adv.* **1** pelo que se pode observar; pela aparência exterior *<está a. recuperado da doença>* **2** ao que parece; pelo visto; supostamente *<problema a. resolvido>*

aparição (a.pa.ri.ção) [pl.: *-ões*] *s.f.* **1** ato ou efeito de aparecer; aparecimento, surgimento ↺ desaparecimento **2** ser sobrenatural que se faz visível; assombração, visagem

apartamento (a.par.ta.men.to) *s.m.* cada uma das residências num edifício de moradia ▣ **a. conjugado** conjugado

apartar (a.par.tar) *v.* {mod. 1} *t.d.* **1** separar (quem briga, discute) *<apartou os cães>* □ *t.d.,t.d.i. e pron.* **2** (prep. *de*) afastar(-se), desunir(-se) *<apartou os gomos do fruto>* *<apartou-o dos colegas indesejáveis>* *<mal casaram, já se apartaram>* **3** (prep. *de*) pôr(-se) à parte; separar(-se) *<a. as frutas estragadas (das boas)>* *<apartaram-se do grupo para ir ao cinema>* **4** (prep. *de*) desviar(-se) [de caminho, direção etc.] *<tímida, apartou o olhar (do rapaz)>* *<cansado de caminhar, apartou-se da trilha>* □ *t.d. e t.d.i.* **5** (prep. *de*) servir como separação entre *<o rio*

aparta as duas propriedades> <*um biombo apartava a saleta da sala de jantar*> ~ **apartação** *s.f.* - **apartador** *adj.s.m.*

aparte (a.par.te) *s.m.* fala que interrompe um discurso <*seus a. eram sempre interessantes*> ☞ cf. *à parte*, no verbete *parte*

apartear (a.par.te.ar) *v.* {mod. 5} *t.d. e int. B* interromper (fala, discurso etc.) com aparte(s)

apartheid (apart.heid) [afrn.] *s.m.* regime de segregação racial, esp. o que se estabeleceu na África do Sul pela minoria branca ⇒ pronuncia-se apartêid

apart-hotel (a.part-ho.tel) [pl.: *apart-hotéis*] *s.m.* prédio de apartamentos com serviços de hotel

apartidário (a.par.ti.dá.rio) *adj.* **1** que não segue um partido <*não assumia posições, era um indivíduo a.*> ↺ partidário **2** que não apoia nenhuma das partes em disputa, que não toma partido

apartidarismo (a.par.ti.da.ris.mo) *s.m.* teoria política que propõe a ausência de organização partidária ~ **apartidarista** *adj.2g.s.2g.*

aparvalhado (a.par.va.lha.do) *adj.* **1** tolo ou que age como tolo **2** desorientado, desnorteado <*ficou a. com a notícia*> ~ **aparvalhamento** *s.m.* - **aparvalhar** *v.t.d. e pron.*

apascentar (a.pas.cen.tar) *v.* {mod. 1} *t.d.* **1** conduzir ao pasto <*a. as ovelhas*> **2** vigiar no pasto ~ **apascentador** *adj.s.m.* - **apascentamento** *s.m.*

apassivador (a.pas.si.va.dor) /ô/ [pl.: *-es*] *adj.s.m.* GRAM (elemento gramatical) que coloca o verbo na voz passiva (p.ex., a partícula *se* na frase *vendem-se livros usados* é apassivadora)

apatetado (a.pa.te.ta.do) *adj.* **1** que é tolo ou age como tolo **2** desnorteado, distraído ↺ atento ~ **apatetar** *v.t.d. e pron.*

apatia (a.pa.ti.a) *s.f.* **1** estado caracterizado por falta de atividade e de interesse **2** *p.ext.* falta de ânimo; abatimento, moleza ↺ interesse, vibração

apático (a.pá.ti.co) *adj.* que demonstra apatia; que está sem ânimo; desinteressado, indiferente, insensível ↺ animado, ativo

apátrida (a.pá.tri.da) *adj.2g.s.2g.* que(m) perdeu sua nacionalidade de origem e não adquiriu outra; que(m) está oficialmente sem pátria

apavorado (a.pa.vo.ra.do) *adj.* que sente muito pavor; assustado <*ficou a. quando ouviu o barulho no corredor*>

apavorante (a.pa.vo.ran.te) *adj.2g.* que provoca pavor; amedrontador, aterrador <*um grito a.*>

apavorar (a.pa.vo.rar) *v.* {mod. 1} *t.d.,int. e pron.* (fazer) sentir grande medo; aterrorizar(-se) <*os raios apavoraram a criança*> <*a escuridão apavora*> <*a.-se com a alta dos preços*> ~ **apavoramento** *s.m.*

apaziguar (a.pa.zi.guar) *v.* {mod. 4} *t.d. e pron.* **1** pôr(-se) em paz; pacificar(-se) <*a viagem apaziguou o casal*> <*apaziguou-se com a família*> ↺ indispor (-se) **2** pôr(-se) em acordo; harmonizar(-se) <*a. os ânimos*> <*após longa discussão, apaziguaram-se*> ↺ divergir ~ **apaziguador** *adj.s.m.* - **apaziguamento** *s.m.*

apê (a.pê) *s.m.* forma reduzida de apartamento <*vive dando festas em seu a.*>

apear (a.pe.ar) *v.* {mod. 5} *t.d.,t.d.i.,int. e pron.* **1** (prep. *de*) (fazer) descer de montaria ou veículo <*apeou a carga sozinho*> <*chegou, apeou e deu de beber ao cavalo*> <*apearam(-se) do ônibus no ponto errado*> □ *t.d.* **2** *fig.* pôr abaixo; derrubar <*a. uma parede*> □ *t.i.,int. e pron. B* **3** (prep. *em*) hospedar-se, acomodar-se <*apeou na casa do amigo*> <*assim que chegou buscou lugar para a.(-se)*> ~ **apeamento** *s.m.*

apedrejar (a.pe.dre.jar) *v.* {mod. 1} *t.d.* **1** jogar pedra(s) em <*a. uma vidraça*> □ *t.d. e int. fig.* **2** dizer injúrias, xingamentos etc.; insultar <*apedrejou a ex-chefe com calúnias*> <*num dia elogia, no outro apedreja*> ~ **apedrejamento** *s.m.*

apegar (a.pe.gar) *v.* {mod. 1} *t.d.i. e pron.* **1** (prep. *a*) [fazer] sentir apego a; afeiçoar(-se) <*o bom ambiente apegou-o à escola*> <*apegou-se logo à nova secretária*> ↺ rejeitar **2** (prep. *a*) habituar(-se), acostumar(-se) <*a riqueza apegou-o ao conforto*> <*rapidamente apegou-se às facilidades da internet*> ↺ desabituar(-se) □ *pron.* **3** (prep. *a*) grudar-se, agarrar-se <*a hera se apegou ao muro*> **4** (prep. *a*) pôr-se sob a proteção de; recorrer, amparar-se <*no fim da vida apegou-se à religião*> ~ **apegado** *adj.*

apego (a.pe.go) /ê/ *s.m.* **1** ligação afetuosa, estima <*tem grande a. ao irmão*> ↺ indiferença **2** dedicação excessiva <*a. ao dinheiro*> ↺ desprezo, rejeição

apelação (a.pe.la.ção) [pl.: *-ões*] *s.f.* **1** DIR recurso judicial para revisão de processo **2** *infrm.* exploração da ingenuidade ou dos sentimentos de outrem, para obter vantagem, sair de dificuldade etc. <*fingir que tinha levado um chute foi a. do jogador*>

apelar (a.pe.lar) *v.* {mod. 1} *t.d.* **1** DIR recorrer de sentença por apelação □ *t.i.* **2** (prep. *para*) pedir auxílio, proteção a; recorrer <*apelou para deus e o mundo*> □ *t.i. e int. B infrm.* **3** (prep. *para*) usar (recurso rude, grosseiro, ilícito) para ter vantagem, sair de dificuldade <*apelou para o choro, mas não convenceu o professor*> <*se não conseguisse os ingressos era capaz de a.*> ~ **apelatório** *adj.*

apelativo (a.pe.la.ti.vo) *adj.s.m.* **1** (o) que denomina (alguém ou algo) **2** LING (expressão) us. na comunicação direta para o falante dirigir-se ao interlocutor, nomeando-o ou mencionando o caráter da relação existente entre ambos (p.ex.: *senhor presidente, peço a palavra; mamãe, já estamos prontos*) ■ *adj. infrm.* **3** que atrai a atenção ou a piedade com o uso de recursos excessivos e por vezes contrários à ética e à moral <*propaganda a.*>

apelidar (a.pe.li.dar) *v.* {mod. 1} *t.d.,t.d.pred. e pron. B* (prep. *de*) chamar(-se) por apelido; alcunhar(-se) <*não conseguiram apelidar o bebê (de nada)*> <*depois de eleito, apelidou-se Herói do Povo*> ~ **apelidação** *s.f.*

apelido (a.pe.li.do) *s.m. B* nome familiar e informal

apelo (a.pe.lo) /ê/ *s.m.* solicitação de ajuda; pedido <*fez um a. aos alunos para chegarem cedo*>

apenas (a.pe.nas) *adv.* **1** só, exclusivamente <*falava a. com a mãe*> **2** a custo, com dificuldade <*fraco, a. sussurrava*> ■ *conj.temp.* **3** logo que, assim que <*a. o dia clareou, começaram a mudança*>

A

apêndice (a.pên.di.ce) *s.m.* **1** parte pertencente a outra, maior, e que a completa; acessório *<o a. era mais longo que o texto>* **2** ANAT parte acessória de um órgão **3** ANAT apêndice cecal ◘ **a. cecal** ANAT prolongamento saliente do ceco que apresenta a forma de um dedo de luva

apendicite (a.pen.di.ci.te) *s.f.* MED inflamação do apêndice cecal

apensar (a.pen.sar) *v.* {mod. 1} *t.d.i.* (prep. *a*) pôr em anexo; juntar, incorporar *<mandou a. a certidão de casamento ao processo>* • GRAM/USO part.: *apensado, apenso*; ver QUADRO DE PARTICÍPIOS DUPLOS nas pp. iniciais ~ **apensação** *s.f.* - **apensamento** *s.m.*

apenso (a.pen.so) *adj.* **1** que se acrescentou *<manuscrito a.>* ↺ retirado ■ *s.m.* **2** texto, documento etc. que se anexa a uma obra; suplemento

apequenar (a.pe.que.nar) *v.* {mod. 1} *t.d. e pron.* **1** tornar(-se) pequeno; encolher(-se) *<aquelas lentes apequenam os objetos> <as imagens apequenam-se à distância>* ↺ crescer **2** *fig.* rebaixar(-se), humilhar (-se) *<o gerente, sem motivo, apequenou o funcionário> <apequenava-se diante dos irmãos mais velhos>* ↺ valorizar(-se)

aperceber (a.per.ce.ber) *v.* {mod. 8} *t.d. e pron.* **1** (prep. *de*) dar(-se) conta de; perceber, notar *<o luar deixava a. as árvores> <ninguém se apercebera da sua chegada>* **2** preparar(-se) para tarefa, missão, ação etc. *<mandou a. o pelotão (para a luta)> <aperceberam-se os dois exércitos para o combate>* ~ **apercebimento** *s.m.*

aperfeiçoar (a.per.fei.ço.ar) *v.* {mod. 1} *t.d. e pron.* tornar(-se) melhor ou perfeito; aprimorar(-se) *<procurava a. o seu invento> <aperfeiçoou-se na prática do violão>* ↺ piorar ~ **aperfeiçoamento** *s.m.*

apergaminhado (a.per.ga.mi.nha.do) *adj.* que parece pergaminho

aperitivo (a.pe.ri.ti.vo) *adj.s.m.* (bebida ou comida) que se serve antes da refeição, para abrir o apetite *<um vinho a.> <os a. estavam uma delícia>*

aperrear (a.per.re.ar) *v.* {mod. 5} *t.d. e pron.* aborrecer(-se), irritar(-se) *<gosta de a. o irmão> <não se aperreie, estamos quase chegando>* ↺ alegrar(-se) ~ **aperreação** *s.f.* - **aperreamento** *s.m.*

apertado (a.per.ta.do) *adj.* **1** segurado com força *<trazia a caneta a. na mão>* **2** que se deixou sem espaço livre, sem folga; comprimido *<o cinto estava a. contra a barriga> <o aluno ficou a. contra a mesa>* **3** pouco espaçoso, pequeno *<era um bom apê, mas a cozinha era a.>* **4** justo ou em tamanho menor do que o necessário *<sapatos a.>* **5** *fig.* em que há amargura, sofrimento; angustiado, aflito *<trazia o coração a.>* **6** *fig.* com limite para expandir; restrito, curto *<o orçamento do ano estava a.>* **7** *fig.* de tempo curto, ger. insuficiente para realizar algo *<prazo a., horário a.>* **8** *fig.* em que a diferença é mínima (diz-se de resultado) *<venceram por um placar a.>* **9** *fig. B infrm.* que tem urgência de urinar *<a., pediu à professora para sair>* **10** *fig. B infrm.* que passa por dificuldade financeira (diz-se de pessoa) ■ *adv.* **11** com dificuldade, a custo *<nosso time venceu a.>*

apertar (a.per.tar) *v.* {mod. 1} *t.d. e pron.* **1** segurar(-se) em volta, com força; cingir(-se) *<apertava nervosamente as mãos> <os dois irmãos apertaram-se num abraço carinhoso>* ↺ soltar(-se) **2** unir (-se) muito, anulando espaços entre; comprimir (-se) *<apertou os arreios do cavalo> <os passageiros apertavam-se no ônibus>* ↺ folgar(-se) **3** afligir(-se), angustiar(-se) *<aquela tragédia apertava sua alma> <sentiu seu coração a.-se>* □ *t.d.* **4** fixar com força; firmar *<a. um parafuso>* ↺ afrouxar **5** fazer pressão em; pressionar *<apertou o braço que sangrava>* ↺ soltar **6** tornar menos largo ou frouxo; ajustar *<a. um vestido>* ↺ alargar **7** interrogar com insistência; pressionar *<apertou a testemunha até conseguir uma resposta>* **8** *fig.* tornar mais veloz; apressar *<a. o passo>* □ *int.* **9** tornar-se mais intenso, forte, rigoroso *<corre que a chuva apertou>* ↺ amenizar **10** diminuir diferença *<quando o placar apertou, pressionaram o time adversário>* □ *pron. B infrm.* **11** estar com dificuldades financeiras *<apertou-se com as obras da casa>* ~ **apertadela** *s.f.* - **apertão** *s.m.*

aperto (a.per.to) /ê/ *s.m.* **1** pressão **2** *fig.* constrangimento físico ou psicológico *<precisaram dar um a. na turma>* **3** ajuste, estreitamento *<a calça nova precisava de alguns a.>* ↺ folga **4** lugar estreito, sem espaço *<aquela sala era um a.>* **5** *fig.* dificuldade temporária; apertura *<passou por um grande a. após a perda do emprego>* **6** *fig.* aflição, angústia, apertura *<a. no coração>*

apertura (a.per.tu.ra) *s.f.* **1** característica do que é estreito **2** urgência **3** situação difícil; embaraço, aperto **4** aflição, angústia, aperto

apesar (a.pe.sar) *adv.* ▸ usado em: **a. de** a despeito de, não obstante *<a. de ser jovem, era muito responsável>* • **a. de que** ainda que *<há tempos não se viam, a. de que se gostavam muito>*

apetecer (a.pe.te.cer) *v.* {mod. 8} *t.d.* **1** ter apetite por (comida) *<com pouca fome, apeteceu apenas uma salada>* □ *t.i. e int.* **2** (prep. *a*) despertar apetite (em) *<uma sopa quente não (lhe) apetece>* **3** (prep. *a*) despertar interesse; agradar *<já não apetece aos pais viajar> <este calor infernal só apetece a quem está de férias>* ↺ desagradar ~ **apetecedor** *adj.s.m.*

apetência (a.pe.tên.cia) *s.f.* apetite ↺ inapetência

apetite (a.pe.ti.te) *s.m.* **1** desejo, vontade de comer *<o resfriado tirou seu a.>* ↺ inapetência **2** *fig.* ânimo para agir; vontade *<acordou sem a. para sair>* ↺ desinteresse

apetitoso (a.pe.ti.to.so) /ô/ [pl. e fem.: /ó/] *adj.* **1** saboroso ↺ desapetitoso **2** que provoca o desejo, tentador *<a foto do bolo já era a.>*

apetrecho (a.pe.tre.cho) /ê/ *s.m.* **1** instrumento de guerra (armas, munições etc.); petrecho **2** utensílio, ferramenta; petrecho ☞ em ambas as acp., mais us. no pl. ~ **apetrechar** *v.t.d. e pron.*

apiário (a.pi.á.rio) *s.m.* **1** local para criação de abelhas ■ *adj.* **2** relativo a abelha

ápice (á.pi.ce) *s.m.* **1** ponto mais alto; topo *<o á. de uma montanha>* ↺ raiz, sopé **2** *fig.* o mais alto grau; apogeu *<está no á. da carreira>* ↺ declínio

apicultura (a.pi.cul.tu.ra) *s.f.* criação de abelhas ~ **apicultor** *adj.s.m.*

apiedar (a.pi.e.dar) *v.* {mod. 1} *t.d. e pron.* (fazer) sentir piedade, compaixão; comover(-se) *<os argumentos dela apiedaram-no> <alguém há de se a. do gatinho abandonado>*

apimentado (a.pi.men.ta.do) *adj.* **1** condimentado, temperado com pimenta; picante **2** *p.ext.* que excita, estimula o apetite, o desejo; estimulante, instigante, provocante *<namoro a.>* ↺ calmo, comportado **3** *fig.* malicioso, licencioso, indecente *<anedota a.>* ↺ decente, inocente

apimentar (a.pi.men.tar) *v.* {mod. 1} *t.d.* **1** temperar com pimenta *<a. um molho>* **2** *fig.* tornar (fala, discurso etc.) malicioso *<costumava a. as histórias que contava>*

apinhado (a.pi.nha.do) *adj.* **1** muito cheio; abarrotado, repleto *<ramo a. de frutos>* ↺ esvaziado, vazio **2** muito junto; aglomerado, amontoado *<gente a. na porta do estádio>*

apinhar (a.pi.nhar) *v.* {mod. 1} *t.d. e pron.* **1** unir (-se) estreitamente **2** encher(-se) completamente; coalhar(-se) *<os turistas apinhavam as ruas> <com a sala cheia, muitos alunos apinharam-se na entrada>*

apitar (a.pi.tar) *v.* {mod. 1} *int.* **1** emitir som usando apito **2** *B infrm.* manifestar opinião sem ter sido solicitado *<criança aqui não apita>* ◻ *t.d. e int.* **3** ESP ser juiz (em jogo); arbitrar *<o juiz apitou a falta> <não apitou porque não viu o impedimento>*

apito (a.pi.to) *s.m.* **1** tubo metálico mais estreito numa ponta ou com uma fenda por onde se força a passagem de ar ou vapor para produzir som *<o a. da fábrica, da locomotiva>* **2** pequeno instrumento de sopro cujo som é produzido pela passagem de ar através de uma ranhura *<a. de juiz de futebol>* **3** assobio produzido por esses instrumentos *<de longe ouviu-se o a. do inspetor>* **4** *p.ext.* ruído prolongado e estridente

aplacar (a.pla.car) *v.* {mod. 1} *t.d.,int. e pron.* **1** tornar(-se) quieto, tranquilo; serenar *<a. a fúria do incêndio> <a ventania aplacou> <aplacou-se com aquela boa notícia>* ↺ agitar(-se) **2** (fazer) diminuir a força, intensidade de (falando de sentimentos); suavizar(-se) *<a. o desejo de vingança> <a dor da ausência aplacara> <aos poucos, seu ódio se aplacava>* ↺ intensificar(-se)

aplainar (a.plai.nar) *v.* {mod. 1} *t.d.* **1** passar plaina em *<o carpinteiro aplainou a tábua>* **2** tornar plano; nivelar, aplanar *<a. um terreno>*

aplanar (a.pla.nar) *v.* {mod. 1} *t.d. e pron.* tornar (-se) plano ou raso, aplainar; nivelar(-se) *<a. as irregularidades de um caminho> <com a enxurrada, o terreno aplanou-se>*

aplaudir (a.plau.dir) *v.* {mod. 24} *t.d. e int.* **1** dar aplausos a *<a. um espetáculo> <o público não parava de a.>* ↺ vaiar ◻ *t.d. e pron.* **2** *fig.* aprovar(-se), elogiar(-se) *<aplaudiram sua escolha> <aplaudiu-se por não ter reagido à provocação>*

aplauso (a.plau.so) *s.m.* **1** aclamação ruidosa (esp. com palmas) ↺ apupo, vaia **2** *p.ext.* manifestação de apoio dada a alguém; aprovação, elogio ↺ censura, crítica

aplicação (a.pli.ca.ção) [pl.: *-ões*] *s.f.* **1** uso prático de algo *<a a. de uma lei>* **2** sobreposição (de algo) em superfície *<tecido com algumas a. de pérolas>* **3** administração de remédio **4** investimento financeiro *<o gerente do banco ligou para oferecer uma nova a.>* **5** atenção constante; dedicação *<aluno de muita a.>* ↺ desinteresse

aplicar (a.pli.car) *v.* {mod. 1} *t.d.* **1** pôr em cima de; sobrepor *<a. compressa na ferida>* **2** pôr como enfeite, adorno *<a. renda em vestido>* **3** investir (dinheiro) **4** dar, ministrar (medicamento) *<a. uma injeção>* ◻ *t.d. e t.d.i.* **5** (prep. *a*) impor (pena, castigo etc.) [a pessoa, instituição etc.] *<a. multas (aos infratores)>* **6** (prep. *em*) desferir (golpe, pancada) [contra alguém ou algo] *<a. uma surra> <aplicou uma bofetada no rapaz>* **7** (prep. *a*) pôr em prática; empregar *<a. um novo método de alfabetização> <aplicou suas teorias à economia do país>* ◻ *pron.* **8** dedicar-se com afinco a (estudo, trabalho etc.) *<aplicou-se muito e tirou ótimas notas>* ↺ desinteressar-se ~ **aplicabilidade** *s.f.*

aplicativo (a.pli.ca.ti.vo) *s.m.* INF programa de computador projetado para auxiliar a execução de uma tarefa específica (p.ex., processamento de textos, cálculos etc.)

aplique (a.pli.que) *s.m.* **1** enfeite posto sobre tecido, parede etc. **2** *B* mecha de cabelo aplicada sobre a cabeça ou sobre os próprios cabelos de uma pessoa

apneia (ap.nei.a) /éi/ *s.f.* MED breve interrupção da respiração ~ **apneico** *adj.*

apoastro (a.po.as.tro) *s.m.* ASTR ponto da órbita de um astro em que este se acha mais distante do seu centro de atração ↺ periastro

apocalipse (a.po.ca.lip.se) *s.m.* **1** REL qualquer dos antigos textos judaicos ou cristãos com revelações, esp. sobre o fim do mundo (esp. o último livro do Novo Testamento) ☞ inicial maiúsc. **2** *fig.* grande catástrofe; fim do mundo ~ **apocalíptico** *adj.*

apócope (a.pó.co.pe) *s.f.* FON queda de fonema(s) no final de uma palavra (*cinema > cine, belo > bel*) ~ **apocopado** *adj.*

apócrifo (a.pó.cri.fo) *adj.s.m.* **1** (livro, documento etc.) de autoria não comprovada *<em suas pesquisas, encontrou um texto a. do século XVI>* **2** REL (obra religiosa) destituída de autoridade canônica *<esses manuscritos a. foram excluídos da Bíblia>* ~ **apocrifia** *s.f.*

apodar (a.po.dar) *v.* {mod. 1} *t.d.* **1** tornar ridículo; zombar *<os colegas apodavam seu ar superior>* ◻ *t.d.,t.d.pred. e pron.* **2** (prep. *de*) dar(-se) apelido; alcunhar(-se) *<por ser um bom amigo, desistiram de apodá-lo> <apodaram-no (de) perna de pau> <apodava-se de Lindinho>*

ápode (á.po.de) *adj.2g.* **1** sem pés **2** ZOO sem nadadeiras ventrais (diz-se de peixe) ~ **apodia** *s.f.*

apoderar-se (a.po.de.rar-se) *v.* {mod. 1} *pron.* **1** (prep. *de*) tomar posse de (bem, objeto de valor etc.); apossar-se *<a.-se de um livro>* **2** *fig.* (prep. *de*) tomar conta de; invadir *<a tristeza apoderou-se dele>* ↺ abandonar

apodo (a.po.do) /ô/ *s.m.* **1** apelido **2** dito irônico; troça, gracejo

apodrecer (a.po.dre.cer) *v.* {mod. 8} *t.d.,int. e pron.* **1** tornar(-se) podre; estragar(-se) *<a umidade apodreceu as sementes> <as maçãs apodreceram rapidamente> <apodrecera-se a madeira deixada ao abandono>* □ *t.i.* **2** *fig.* (prep. *em*) ficar muito tempo em (algum lugar) [por qualquer motivo]; ficar esquecido em (algum lugar) *<apodreceu na cadeia> <a. num emprego qualquer>* ~ **apodrecimento** *s.m.*

apófise (a.pó.fi.se) *s.f.* ANAT saliência na superfície de um osso (atualmente denominada processo) ~ **apofisário** *adj.* - **apofisiário** *adj.*

apogeu (a.po.geu) *s.m.* **1** o mais alto grau; auge *<o a. da felicidade>* ↺ declínio **2** ASTR maior distância do Sol ou de um satélite em relação à Terra ↺ perigeu

apoiar (a.poi.ar) *v.* {mod. 1} *t.d.* **1** dar apoio a; aprovar *<a. uma decisão>* ↺ reprovar **2** ajudar, amparar *<a. um amigo>* ↺ abandonar □ *t.d. e pron.* **3** encostar(-se), amparar(-se) *<para não cair, precisou a. seu corpo> <apoiava-se apenas sobre uma das pernas>* ↺ desencostar(-se) □ *t.d.i. e pron.* **4** (prep. *em*) ter como base; fundamentar(-se) *<apoiara seu estudo em livros especializados> <apoiava-se nas palavras do médico>* ~ **apoiado** *adj.*

apoio (a.poi.o) /ô/ *s.m.* **1** o que serve para sustentar; suporte *<sem a. adequado, a mesa cairá>* **2** ajuda, amparo *<os amigos deram a. à viúva>* ↺ abandono **3** aprovação *<o diretor deu total a. à iniciativa dos alunos>*

apólice (a.pó.li.ce) *s.f.* ECON **1** documento de dívida comercial **2** ação financeira de uma companhia ou de uma sociedade anônima ▣ **a. de seguro** contrato feito com uma companhia de seguros, e que garante indenização por determinado prejuízo (p.ex., perda de bens, acidente, morte etc.)

apolíneo (a.po.lí.neo) *adj.* **1** relativo a Apolo ☞ cf. *Apolo* na parte enciclopédica **2** belo como esse deus grego

apolítico (a.po.lí.ti.co) *adj.* **1** que não é político, que não apresenta significado político *<mensagem a.>* ■ *adj.s.m.* **2** que(m) não se interessa por política

apologético (a.po.lo.gé.ti.co) *adj.* **1** que contém apologia; que defende e justifica (conceito, ideia etc.); laudatório ■ *s.m.* **2** defesa que se faz de alguém ou de algo *<redigiu um a. para o ex-supervisor>*

apologia (a.po.lo.gi.a) *s.f.* **1** discurso de defesa ou elogio **2** *p.ext.* defesa apaixonada de alguém ou algo ↺ depreciação, menosprezo ~ **apologista** *adj.s.m.*

apólogo (a.pó.lo.go) *s.m.* LIT narrativa mais ou menos longa, ger. dialogada, cujos personagens são animais ou seres inanimados e que contém uma lição moral ☞ cf. *fábula*

[1]**apontador** (a.pon.ta.dor) /ô/ [pl.: *-es*] *adj.s.m.* **1** (indivíduo) que aponta, que faz pontas através de instrumento **2** *B* (objeto) que é us. para apontar lápis ● ORIGEM *apontado* (part. de [1]*apontar*) + *-or*

[2]**apontador** (a.pon.ta.dor) /ô/ [pl.: *-es*] *adj.s.m.* **1** que(m) é encarregado de anotar o ponto ('registro') dos outros empregados **2** que(m) serve de ponto ('funcionário') nos teatros ● ORIGEM *apontado* (part. de [2]*apontar*) + *-or*

apontamento (a.pon.ta.men.to) *s.m.* resumo ou registro de algo lido, ouvido ou observado *<levou seus a. para ler antes da prova>* ☞ mais us. no pl.

[1]**apontar** (a.pon.tar) *v.* {mod. 1} *t.d.* **1** fazer a ponta de *<a. um lápis>* ↺ embotar **2** *fig.* fazer referência a; mencionar *<a. os vencedores>* ↺ omitir **3** *fig.* apresentar (razões, provas etc.) *<apontou os motivos pelos quais não viajaria mais>* ↺ ocultar □ *t.d.,t.d.i. e int.* **4** (prep. *a, para*) mostrar, indicar com dedo, gesto, olhar etc. *<apontou o assaltante> <a. ao pedestre o caminho certo> <apontou para o ônibus>* ● ORIGEM [1]*a-* + *ponta* + [2]*-ar*

[2]**apontar** (a.pon.tar) *v.* {mod. 1} *t.d.* **1** marcar com ponto ou sinal *<apontou os melhores trechos do livro>* **2** *fig.* tomar notas; registrar *<apontou os nomes dos que faltaram>* □ *t.d.,t.d.i. e int.* **3** (prep. *para*) dirigir para um ponto ou alvo; mirar *<a. a luneta (para o céu)> <o soldado segurou a arma e apontou>* ● ORIGEM [1]*a-* + *ponto* + [2]*-ar*

apoplético (a.po.plé.ti.co) ou **apopléctico** (a.po.pléc.ti.co) *adj.* **1** relativo a apoplexia **2** *fig.* vermelho de raiva; furioso ↺ tranquilo ■ *adj.s.m.* **3** (indivíduo) acometido de apoplexia

apoplexia (a.po.ple.xi.a) /cs/ *s.f.* MED hemorragia cerebral que causa paralisia

apoquentar (a.po.quen.tar) *v.* {mod. 1} *t.d.* **1** tirar o sossego; chatear, aporrinhar *<não apoquente a sua irmã>* □ *t.d. e pron.* **2** aborrecer(-se) com coisas menores, pouco importantes *<apoquentava-o muito a ideia de ficar sozinho> <apoquentava-se por qualquer coisa>* ~ **apoquentação** *s.f.* - **apoquentador** *adj.s.m.*

apor (a.por) *v.* {mod. 23} *t.d.i.* **1** (prep. *em*) pôr junto a; colocar *<a. endereço no envelope>* ↺ retirar **2** (prep. *a*) acrescentar, juntar *<a. um comentário à petição>* ↺ suprimir ● GRAM/USO part.: *aposto*

aporrinhar (a.por.ri.nhar) *v.* {mod. 1} *t.d. e pron. infrm.* apoquentar ~ **aporrinhação** *s.f.*

aportar (a.por.tar) *v.* {mod. 1} *t.d. e int.* **1** (fazer) chegar (embarcação) a porto, ilha etc. *<a. o navio em Santos> <o barco aportou cedo>* □ *int.* **2** chegar ao porto *<o navio, afinal, aportou>*

aportuguesar (a.por.tu.gue.sar) *v.* {mod. 1} *t.d. e pron.* dar ou tomar aspecto ou característica própria do povo, da cultura ou da língua portuguesa *<a. uma palavra estrangeira> <aportuguesou-se, depois de tantos anos em Lisboa>* ~ **aportuguesamento** *s.m.*

após (a.pós) *prep.* **1** atrás de, em seguida a (no espaço) *<as crianças entraram a. os idosos>* ↺ antes de **2** depois de (no tempo) *<a. uma breve pausa, continuou>* ■ *adv.* **3** em seguida *<o sinal abriu e, logo a., ela atravessou>* ↺ antes

aposentado (a.po.sen.ta.do) *adj.s.m.* **1** que(m) obteve aposentadoria **2** que(m) recebe mensalmente a pensão da aposentadoria

aposentadoria (a.po.sen.ta.do.ri.a) *s.f.* **1** afastamento (de uma pessoa) do trabalho por invalidez ou por já ter completado o tempo de serviço estabelecido por lei **2** remuneração mensal recebida pelo aposentado

aposentar (a.po.sen.tar) *v.* {mod. 1} *t.d. e pron.* **1** conceder ou obter aposentadoria <*aposentaram-no por tempo de serviço*> <*aposentou-se há dez anos*> □ *t.d. fig.* **2** *B* pôr de lado; deixar de usar <*a. uma roupa velha*>

aposento (a.po.sen.to) *s.m.* cômodo de uma casa, esp. o quarto de dormir <*antes do fim da festa, recolheu-se aos seus a.*> ☞ mais us. no pl.

aposição (a.po.si.ção) [pl.: *-ões*] *s.f.* **1** união de alguma coisa a outra; justaposição **2** GRAM emprego de um substantivo ou locução substantiva como aposto

apositivo (a.po.si.ti.vo) *adj.* **1** relativo a aposição **2** em que existe aposição ■ *adj.s.m.* GRAM **3** (palavra ou locução invariável) que condensa uma frase de caráter adjetivo (p.ex., leis *antidroga* = leis que combatem o uso das drogas)

apossar (a.pos.sar) *v.* {mod. 1} *t.d.* **1** dar posse a; empossar <*o diretor apossou os assistentes*> □ *pron.* **2** (prep. *de*) tomar posse de; apoderar-se <*apossaram-se da casa da avó*> ↺ devolver **3** *fig.* (prep. *de*) tomar conta, apoderar-se <*o pânico apossou-se dela*>

aposta (a.pos.ta) *s.f.* **1** ajuste entre pessoas com opiniões diferentes sobre um fato, em que a que perder ou errar paga à outra o valor combinado **2** quantia ou coisa em que se aposta <*a a. foi uma caixa de bombons*>

apostar (a.pos.tar) *v.* {mod. 1} *t.d.,t.d.i.,t.i. e int.* **1** (prep. *em*) fazer aposta; arriscar, jogar <*apostou seu lanche (na vitória da turma)*> <*aposta na loteria toda semana*> <*saiu de casa para a.*> □ *t.d.* **2** afirmar com convicção; asseverar <*aposto que ele não vem*> □ *t.i.* **3** (prep. *em*) confiar no sucesso, na vitória de <*o escritor apostava em seu novo livro*> ~ **apostador** *adj.s.m.*

apostasia (a.pos.ta.si.a) *s.f.* **1** REL renúncia de uma religião ou crença **2** *p.ext.* abandono de um partido, doutrina, teoria etc.

apóstata (a.pós.ta.ta) *adj.2g.s.2g.* que(m) abandonou sua fé, sua crença, sua ideologia ~ **apostatar** *v.t.i. e int.*

apostema (a.pos.te.ma) *s.m.* **1** MED abscesso **2** *fig.* grande sofrimento; desgosto

apostemar (a.pos.te.mar) *v.* {mod. 1} *t.d.* **1** produzir abscesso em <*a picada de abelha apostemou seu pé*> □ *int. e pron.* **2** criar pus; supurar <*a ferida apostemou(-se)*>

a posteriori (a pos.te.ri.o.ri) [lat.] *loc.adj.* **1** baseado na experiência ■ *loc.adv.* **2** posterior à observação <*solução dada* a posteriori> ☞ cf. *a priori* ⇒ pronuncia-se a posterióri

apostila (a.pos.ti.la) *s.f.* **1** *B* brochura que contém resumo de textos, aulas etc. <*estudei pelas a., não pelos livros*> **2** livro que reúne anotações feitas em outras obras **3** anotação complementar ou esclarecedora feita à margem de um texto

apostilar (a.pos.ti.lar) *v.* {mod. 1} *t.d. e t.d.i.* (prep. *a*) acrescentar (nota, comentário etc.) [a textos, documentos, ger. nas margens] <*apostilou observações às receitas de sua mãe*>

aposto (a.pos.to) /ô/ [pl.: /ó/] *adj.* **1** posto ao lado de **2** GRAM ligado a outro por aposição ■ *s.m.* GRAM **3** termo que explica, desenvolve ou resume outro, adquirindo seu valor sintático (p.ex.: João, *primo de Maria*)

^{1}**apostolado** (a.pos.to.la.do) *s.m.* **1** HIST REL grupo dos 12 apóstolos de Jesus Cristo ☞ cf. *Jesus Cristo* na parte enciclopédica **2** REL obrigação, missão de apóstolo **3** *p.ext.* difusão de uma doutrina ou ideia ● ORIGEM do lat. *apostolātus,us* 'id.'

^{2}**apostolado** (a.pos.to.la.do) *adj.* **1** doutrinado por apóstolo **2** difundido, vulgarizado (doutrina ou ideia) ● ORIGEM particípio de ^{1}*apostolar*

^{1}**apostolar** (a.pos.to.lar) *v.* {mod. 1} *t.d.,t.d.i. e int.* (prep. *a*) difundir (Evangelho, doutrina, ensinamento etc.); pregar <*a. o Evangelho (à juventude)*> <*dedicou sua vida a a.*> ● ORIGEM *apóstolo* + ^{2}*-ar*

^{2}**apostolar** (a.pos.to.lar) [pl.: *-es*] *adj.2g.* **1** próprio de apóstolo **2** *fig.* que encerra justiça e virtude; exemplar <*atitude a.*> ● ORIGEM *apóstolo* + ^{1}*-ar*

apostólico (a.pos.tó.li.co) *adj.* **1** relativo a ou próprio de apóstolo **2** procedente dos apóstolos ou por eles estabelecido <*ensinamento a.*> **3** relativo ao papa ou que provém da sua autoridade <*mandado a.*> **4** relativo à Santa Sé <*palácio a.*>

apóstolo (a.pós.to.lo) *s.m.* **1** HIST REL cada um dos 12 homens escolhidos por Jesus Cristo entre seus discípulos, e aos quais deu autoridade para ensinar em seu nome ☞ cf. *Jesus Cristo* na parte enciclopédica **2** *p.ext.* quem se dedica à defesa e propagação de uma doutrina; evangelizador, doutrinador

apóstrofe (a.pós.tro.fe) *s.f.* **1** LING LIT interrupção súbita do discurso, para dirigir-se a alguém ou a algo (p.ex.: a seguir, *leitor amigo*, contarei a história tal como sucedeu) **2** GRAM palavra ou expressão que inicia um enunciado, para indicar o destinatário da mensagem (p.ex.: *você*, venha cá) **3** frase violenta com que se interrompe ou ataca alguém ☞ cf. *apóstrofo* ~ **apostrofar** *v.t.d. e int.*

apóstrofo (a.pós.tro.fo) *s.m.* GRAM sinal em forma de vírgula suspensa que indica supressão de letra(s) e som(ns) ['] <*mãe-d'água*> ☞ cf. *apóstrofe*

apótema (a.pó.te.ma) *s.m.* GEOM perpendicular que une o centro de um polígono regular a um de seus lados

apoteose (a.po.te.o.se) *s.f.* **1** cena final gloriosa (em espetáculos, desfiles etc.) **2** momento mais importante de um acontecimento <*aquele discurso foi a a. da cerimônia*> **3** glorificação (de algo ou alguém) ↺ depreciação ~ **apoteótico** *adj.*

apoucar (a.pou.car) *v.* {mod. 1} *t.d. e pron.* **1** reduzir (-se), diminuir <*como a sala era pequena, apoucou os convidados*> <*após o escândalo, os amigos apoucaram-se*> **2** tornar(-se) menos intenso; enfraquecer (-se) <*a doença apoucara seu ânimo*> <*com o tempo, sua coragem apoucou-se*> ↺ intensificar(-se) **3** tornar (-se) sem importância ou valor; rebaixar(-se) <*os falsos elogios o apoucaram*> <*apoucava-se trabalhando naquele escritório*> ~ **apoucamento** *s.m.*

aprazar (a.pra.zar) *v.* {mod. 1} *t.d.* **1** marcar (tempo, data) para realização de algo <*aprazaram a data do noivado*> <*a. uma reunião*> **2** estipular (duração, tempo, prazo) <*a. um ano para o fim da obra*> ~ **aprazamento** *s.m.*

aprazer (a.pra.zer) *v.* {mod. 13} *t.i.,int. e pron.* (prep. *a, em*) causar prazer a ou sentir prazer; deleitar(-se) *<essa decisão apraz aos senhores?>* *<poucas são as opiniões que aprazem>* *<apraz-se em ficar o tempo todo diante da televisão>* ◉ GRAM/USO **a)** só us. nas 3as p., exceto quando pron. **b)** cf. observação no modelo ~ **aprazimento** *s.m.*

aprazível (a.pra.zí.vel) [pl.: *-eis*] *adj.2g.* **1** que causa prazer; agradável ↺ desagradável **2** que tem aspecto agradável e clima ameno (diz-se de lugar) ~ **aprazibilidade** *s.f.*

apreçar (a.pre.çar) *v.* {mod. 1} *t.d.* **1** perguntar, discutir ou ajustar o preço de *<antes de comprar, apreçava os mantimentos de que precisava>* **2** avaliar o preço de *<não sabia em quanto a. a mercadoria>* ☞ cf. *apressar* ~ **apreçamento** *s.m.*

apreciação (a.pre.ci.a.ção) [pl.: *-ões*] *s.f.* **1** opinião moral sobre (alguém ou algo); análise, juízo, julgamento *<a. de um caráter>* **2** o resultado dessa opinião **3** estimação do valor de objeto, bem material etc.; avaliação, cotação *<fez a a. das mercadorias antes de decidir comprá-las>* **4** atenção dedicada a algo que proporcione prazer, emoção etc. *<a. de uma boa* pizza*>*

apreciador (a.pre.ci.a.dor) /ô/ [pl.: *-es*] *adj.s.m.* que(m) aprecia; admirador *<a. de boa comida>*

apreciar (a.pre.ci.ar) *v.* {mod. 1} *t.d.* **1** dar valor a, ter apreço por; estimar, prezar *<a. a companhia dos amigos>* **2** deleitar-se com; admirar *<apreciavam a paisagem em silêncio>* **3** fazer estimativa de; avaliar *<a. os prejuízos>* ~ **apreciativo** *adj.*

apreço (a.pre.ço) /ê/ *s.m.* consideração que se tem por alguém ou algo; estima *<tinha grande a. por sua primeira professora>* ↺ desprezo

apreender (a.pre.en.der) *v.* {mod. 8} *t.d.* **1** assimilar mentalmente; compreender *<teve dificuldades para a. as ideias do autor>* **2** tomar, pegar *<apreendeu os cigarros do filho>* **3** tomar posse de (algo) com base legal; confiscar *<a. um contrabando>* ◉ GRAM/USO part.: *apreendido, apreenso*; ver QUADRO DE PARTICÍPIOS DUPLOS nas pp. iniciais ~ **apreensível** *adj.2g.*

apreensão (a.pre.en.são) [pl.: *-ões*] *s.f.* **1** compreensão; percepção *<texto de difícil a.>* **2** confisco *<foi feita uma grande a. de mercadoria roubada>* ↺ devolução **3** preocupação, temor *<a. em relação ao futuro>* ↺ despreocupação

apreensivo (a.pre.en.si.vo) *adj.* **1** que apreende **2** preocupado, receoso *<estava a. com o resultado do concurso>*

apreenso (a.pre.en.so) *adj. frm.* que se apreendeu; apreendido ◉ GRAM/USO part. de *apreender*

apregoar (a.pre.go.ar) *v.* {mod. 1} *t.d.* **1** anunciar em voz alta; tornar público, divulgar *<um camelô apregoava canetas e isqueiros>* **2** anunciar (produtos) em pregão *<apregoou apenas os objetos mais valiosos>* □ *t.d. e pron.* **3** (fazer) ficar muito conhecido; promover(-se) *<vaidoso, apregoava as próprias conquistas>* *<resolveu a.-se para arranjar um bom casamento>* ~ **apregoador** *adj.s.m.* - **apregoamento** *s.m.*

aprender (a.pren.der) *v.* {mod. 8} *t.d.,t.i. e int.* **1** (prep. *a*) adquirir conhecimento (de) ou habilidade prática (em) *<a. língua, esporte>* *<aprendeu a nadar com seu tio>* *<tem facilidade para a.>* □ *t.d.,t.i. e t.d.i.* **2** (prep. *a, com*) ter melhor compreensão de (algo), esp. por intuição, experiência, convivência *<aprendeu cedo que dinheiro não é tudo>* *<tiveram de a. a comer melhor>* *<a. o exemplo com os pais>*

aprendiz (a.pren.diz) [pl.: *-es*] *s.m.* **1** quem aprende uma arte ou ofício *<a. de marcenaria>* **2** quem começa a aprender algo; principiante, novato *<os a. chegaram cedo à fábrica>* ↺ veterano

aprendizado (a.pren.di.za.do) *s.m.* **1** processo de aprender; aprendizagem *<o a. de uma língua estrangeira>* **2** duração desse processo; aprendizagem

aprendizagem (a.pren.di.za.gem) [pl.: *-ens*] *s.f.* aprendizado

apresar (a.pre.sar) *v.* {mod. 1} *t.d.* **1** tomar como presa; capturar *<a. inimigos durante um combate>* **2** agarrar com as presas *<o gavião apresou o coelho>* ~ **apresamento** *s.m.*

apresentação (a.pre.sen.ta.ção) [pl.: *-ões*] *s.f.* **1** ação de fazer (alguém) conhecer (alguém ou algo) *<fez ontem a a. de seu namorado à família>* **2** espetáculo *<os músicos só farão duas a.>* **3** aparência pessoal *<ter boa a.>* **4** LIT texto inicial de obra literária; prefácio **5** CINE RÁD TV parte, ger. inicial, de filme, programa de rádio ou TV na qual se indicam o título e os nomes dos que participaram da obra

apresentador (a.pre.sen.ta.dor) /ô/ [pl.: *-es*] *adj. s.m.* RÁD TEAT TV **1** que(m) faz a apresentação inicial de um programa ou de um espetáculo **2** que(m) conduz programa de entrevistas, debates ou de auditório

apresentar (a.pre.sen.tar) *v.* {mod. 1} *t.d.,t.d.i. e pron.* **1** (prep. *a*) pôr(-se) em contato (uma pessoa) [com outra(s)] *<cumprimentou os convidados e apresentou o companheiro>* *<na carta, apresenta o amigo ao ministro>* *<apresentou-se ao novo diretor>* □ *t.d.i. e pron.* **2** (prep. *a*) pôr(-se) diante ou na presença de; mostrar(-se) *<apresentaram a ele as belezas do lugar>* *<convocado, apresentou-se imediatamente ao quartel>* □ *t.d. e t.d.i.* **3** (prep. *a*) pôr à vista; evidenciar; mostrar *<a. sinais de arrombamento>* *<apresentou ao fiscal seus documentos>* ↺ esconder **4** (prep. *a*) dar a conhecer ou tornar público; expor, divulgar *<resolveu a. os últimos quadros que havia feito>* *<apresentou aos jornais a nova coleção de biquínis>* ↺ ocultar □ *t.d.* **5** ter em si; conter, mostrar *<o livro apresenta falhas>* □ *pron.* **6** estar presente; comparecer *<a.-se na diretoria>* **7** atuar em (espetáculo, teatro etc.) *<apresenta-se toda noite no salão do hotel>*

apresentável (a.pre.sen.tá.vel) [pl.: *-eis*] *adj.2g.* de boa aparência *<casa a.>*

apressado (a.pres.sa.do) *adj.* **1** que tem pressa ↺ vagaroso **2** que se caracteriza pela falta de reflexão; precipitado (diz-se de ato) *<a solução a. atrapalhou o trabalho>* ↺ cuidadoso **3** impaciente, ansioso *<estava a. para sair dali>* ↺ paciente

apressar (a.pres.sar) *v.* {mod. 1} *t.d. e pron.* **1** (fazer) agir ou realizar algo com maior agilidade; aviar(-se) <*a. os filhos*> <*apressaram-se para sair*> □ *t.d.* **2** fazer adquirir velocidade, agilidade; acelerar <*a. o passo, o trabalho*> **3** fazer que ocorra mais cedo; precipitar <*pediram que apressasse o conserto das roupas*> ☞ cf. *apreçar*

apressurar (a.pres.su.rar) *v.* {mod. 1} *t.d. e pron.* (fazer) ficar com pressa; apressar(-se)

aprestar (a.pres.tar) *v.* {mod. 1} *t.d. e pron.* preparar(-se) prontamente; aprontar(-se) <*mandou a. os exércitos*> <*aprestaram-se para viajar*> ~ **aprestamento** *s.m.* - **apresto** *s.m.*

aprimorar (a.pri.mo.rar) *v.* {mod. 1} *t.d. e pron.* tornar(-se) melhor, mais perfeito; aperfeiçoar(-se) <*a. o ensino de redação*> <*aprimorou-se com a leitura de bons livros*> ~ **aprimoramento** *s.m.*

a priori (a pri.o.ri) [lat.] *loc.adj.* **1** independente da experiência (raciocínio, método etc.) ■ *loc.adv.* **2** por dedução, a partir de elementos prévios <a priori, *todos temos os mesmos direitos*> ☞ cf. *a posteriori* ⇒ pronuncia-se a prióri

aprisco (a.pris.co) *s.m.* curral de ovelhas

aprisionar (a.pri.sio.nar) *v.* {mod. 1} *t.d.* **1** fazer prisioneiro; prender **2** pôr na prisão; encarcerar ~ **aprisionador** *adj.s.m.* - **aprisionamento** *s.m.*

aproar (a.pro.ar) *v.* {mod. 1} *t.d.* **1** levar a proa de (embarcação) para certo rumo <*a. o barco para oeste*> □ *int.* **2** chegar (embarcação) a porto, ilha etc.; aportar <*ao fim do dia, o navio aproou*>

aprobativo (a.pro.ba.ti.vo) *adj.* **1** que aprova **2** que contém ou manifesta aprovação <*a decisão a. foi tomada pela chefia*>

aprobatório (a.pro.ba.tó.rio) *adj.* aprobativo

aprofundar (a.pro.fun.dar) *v.* {mod. 1} *t.d. e pron.* **1** tornar(-se) mais fundo ou profundo <*o excesso de preocupação aprofundou suas rugas*> **2** meter (-se) muito para dentro; adentrar(-se) <*a. uma estaca*> <*aprofundou-se no mato*> **3** *fig.* examinar, estudar, observar com muita atenção (tema, problema, fato etc.) <*a. um debate*> <*não me aprofundei nesse assunto*> **4** *fig.* levar ou chegar ao extremo <*as atitudes da direção aprofundaram a crise*> ~ **aprofundamento** *s.m.*

aprontar (a.pron.tar) *v.* {mod. 1} *t.d. e pron.* **1** pôr(-se) pronto; preparar(-se) <*mal teve tempo de a. a mala*> <*a.-se para o ataque*> **2** *infrm.* vestir (-se), enfeitar(-se) para sair; arrumar(-se) <*aprontou a filha antes de tomar banho*> <*aprontaram-se rapidamente*> □ *t.d.* **3** pôr em condições de uso ou funcionamento; aparelhar <*a. uma embarcação*> **4** concluir, terminar <*aprontou o lanche em alguns minutos*> □ *t.d. e int. B infrm.* **5** fazer (algo errado, indevido) ou proceder mal, ger. provocando confusão <*a. um escândalo*> <*bebe e apronta*> ~ **aprontamento** *s.m.* - **apronto** *s.m.*

apropriado (a.pro.pri.a.do) *adj.* adequado, conveniente <*roupa a. para a ocasião*>

apropriar (a.pro.pri.ar) *v.* {mod. 1} *t.d. e pron.* **1** (prep. *de*) tomar para si; apoderar(-se) <*muitas famílias apropriaram a terra invadida*> <*apropriou-se do dinheiro da empresa*> □ *t.d.i. e pron.* **2** (prep. *a*) tornar(-se) próprio ou adequado; adaptar(-se) <*apropriou seu tom de voz ao dos outros debatedores*> <*a música suave apropriava-se à cerimônia*> ~ **apropriação** *s.f.*

aprovação (a.pro.va.ção) [pl.: *-ões*] *s.f.* **1** manifestação de consentimento; anuência, licença <*obteve a. dos pais para namorar*> ↺ proibição **2** avaliação positiva de conduta, ato etc.; aplauso <*atitude merecedora de a.*> ↺ desaprovação **3** ato pelo qual se considera alguém aprovado em exame, concurso etc. ↺ reprovação

aprovado (a.pro.va.do) *adj.s.m.* **1** (o) que obteve aprovação ↺ reprovado ■ *adj.* **2** em que houve acordo <*proposta a.*> ↺ recusado

aprovar (a.pro.var) *v.* {mod. 1} *t.d.* **1** considerar bom, justo, adequado; concordar <*aprovou a atitude do amigo*> ↺ desaprovar, reprovar **2** permitir a realização de; autorizar <*a prefeitura aprovou o desfile dos blocos*> ↺ proibir **3** dar por habilitado (candidato, aluno) <*a banca aprovou o candidato*>

aproveitador (a.pro.vei.ta.dor) /ô/ [pl.: *-es*] *adj.s.m.* **1** que(m) aproveita **2** *pej.* que(m) tira vantagem de alguém ou de alguma situação

aproveitamento (a.pro.vei.ta.men.to) *s.m.* **1** ato ou efeito de tirar proveito ou vantagem; desfrute <*a. do tempo livre*> **2** progresso físico, mental ou moral; avanço, desenvolvimento <*bom a. nos estudos*> **3** utilização adequada de algo; proveito <*a. de terras férteis*> ↺ desperdício

aproveitar (a.pro.vei.tar) *v.* {mod. 1} *t.d.,int. e pron.* **1** (prep. *de*) tirar proveito ou vantagem de; utilizar, valer-se <*aproveita as horas vagas praticando esportes*> <*é preciso a. enquanto é tempo*> <*aproveitou-se das boas amizades para subir na vida*> □ *t.d. e int.* **2** fazer progresso esp. intelectual (em) <*aproveitou bem as aulas de inglês*> <*vai à aula, mas não parece a.*> □ *t.d.* **3** fazer uso de (algo que já tenha sido usado ou descartado) <*a. as roupas do irmão*> □ *pron.* **4** (prep. *de*) abusar da ingenuidade ou da benevolência alheia <*aproveitou-se da bondade do amigo para pedir-lhe mais dinheiro*>

aprovisionar (a.pro.vi.sio.nar) *v.* {mod. 1} *t.d. e pron.* munir(-se) de provisões; abastecer(-se) <*a. a despensa*> <*antes de partir, aprovisionou-se com alguns alimentos*> ~ **aprovisionador** *adj.s.m.* - **aprovisionamento** *s.m.*

aproximação (a.pro.xi.ma.ção) /ss/ [pl.: *-ões*] *s.f.* **1** proximidade no espaço ou no tempo; acercamento, avizinhamento <*souberam cedo da a. do inimigo*> <*fazia calor, apesar da a. do inverno*> ↺ afastamento, distância **2** restabelecimento de relações pessoais ou políticas; reconciliação <*promoveu a a. dos colegas*> <*foram feitos esforços para a a. dos dois povos em guerra*> **3** avaliação próxima a determinado resultado; estimativa, previsão <*chegar a um valor por a.*> **4** *fig.* comparação entre coisas, fatos ou ideias; confronto, paralelo <*em seu livro, estabeleceu a a. dos diferentes tipos de poesia*>

aproximadamente (a.pro.xi.ma.da.men.te) /ss/ *adv.* cerca de; mais ou menos <*há a. dois anos não tira férias*>

aproximar (a.pro.xi.mar) /ss/ *v.* {mod. 1} *t.d.,t.d.i. e pron.* **1** (prep. *de*) pôr(-se), tornar(-se) próximo no espaço ou no tempo *<aproximou o copo (das mãos do pai)>* *<aproximava-se o dia de seu aniversário>* ↺ distanciar(-se) **2** (prep. *de*) estabelecer ou restabelecer relações; unir(-se) *<não foi fácil a. os dois adversários>* *<procura sempre a.-se dos inteligentes>* □ *pron.* **3** (prep. *de*) ter semelhança; parecer *<a cor das cortinas aproxima-se da cor do sofá>* ~ **aproximado** *adj.* - **aproximativo** *adj.*

aprumado (a.pru.ma.do) *adj.* **1** que está a prumo; ereto, vertical *<o barco saiu com as velas a.>* **2** que tem boa postura; ereto *<andava sempre a.>* ↺ curvado **3** *fig.* muito correto e digno; honesto, íntegro ↺ desonesto **4** *fig. B* recuperado nos negócios, nas finanças ou na saúde

aprumar (a.pru.mar) *v.* {mod. 1} *t.d. e pron.* **1** pôr(-se) em linha vertical *<a. um muro>* ↺ desaprumar(-se) **2** pôr(-se) reto, direito; endireitar(-se) *<a. as costas>* *<aprume-se!>* ↺ desaprumar(-se) □ *pron.* **3** vestir-se com elegância *<aprumou-se para encontrar a noiva>* **4** *fig. B* melhorar de sorte, saúde etc. *<depois de alguns anos, conseguiram a.-se>* ~ **aprumação** *s.f.*

aprumo (a.pru.mo) *s.m.* **1** posição vertical **2** *fig.* altivez; arrogância *<fez a afirmação com o a. de quem não pode ser contrariado>* ↺ humildade **3** *B* elegância, capricho no vestir ↺ desleixo **4** *B* melhoria financeira, de saúde etc.

aptidão (ap.ti.dão) [pl.: *-ões*] *s.f.* **1** vocação, inclinação *<tinha a. para o ensino>* **2** série de condições necessárias para exercer determinada atividade, função etc. *<tinha a. para encaminhar aquele projeto>*

apto (ap.to) *adj.* **1** capaz, hábil *<a. a exercer um cargo>* ↺ inapto **2** autorizado legalmente *<após tirar a carteira de habilitação, estava a. a dirigir>*

apunhalar (a.pu.nha.lar) *v.* {mod. 1} *t.d. e pron.* **1** ferir(-se) ou matar(-se) com punhal *<apunhalou o rival>* *<ao fim do duelo, apunhalaram-se>* □ *t.d. e int. fig.* **2** ferir moralmente; magoar *<as mentiras apunhalaram-no>* *<a traição sempre apunhala>* □ *t.d. fig.* **3** ser desleal, infiel a; trair *<a. o sócio>*

apupo (a.pu.po) *s.m.* vaia ↺ aplauso ~ **apupar** *v.t.d. e int.*

apuração (a.pu.ra.ção) [pl.: *-ões*] *s.f.* **1** exame cuidadoso; verificação, investigação **2** *p.ext.* levantamento de informações para matéria jornalística; esclarecimento *<deveria fazer uma a. dos fatos antes de publicá-los>* **3** contagem de votos de uma eleição; cômputo *<a a. levou dois dias>* **4** ação de reduzir, concentrar algo para dar consistência; concentração, espessamento *<a. de um molho>* **5** aguçamento de sentido; estímulo, intensificação *<disse que fez um curso para a. do paladar>*

apurar (a.pu.rar) *v.* {mod. 1} *t.d.,int. e pron.* **1** tornar(-se) melhor; aprimorar(-se) *<você precisa a. sua caligrafia>* *<com a experiência, seu estilo apurou (-se)>* □ *t.d.* **2** examinar em detalhes *<é sempre importante a. a verdade>* **3** tornar mais sensível, preparado; aguçar *<apurou sua audição na adolescência>* **4** fazer a contagem de; calcular *<a. votos>* **5** obter, juntar (dinheiro de venda, coleta, trabalho etc.) *<conseguiram a. cem reais com a venda de biscoitos>* □ *t.d. e int.* **6** concentrar(-se) [líquido], por meio de ebulição demorada *<o molho apurou depois de cinco minutos de fervura>* ~ **apurado** *adj.* - **apurativo** *adj.*

apuro (a.pu.ro) *s.m.* **1** situação difícil *<conta com o pai para livrá-lo dos a.>* ☞ mais us. no pl. **2** toque de requinte; capricho, esmero *<vestiu-se com a. para causar boa impressão nos sogros>*

aquacultura (a.qua.cul.tu.ra) *s.f.* aquicultura ~ **aquacultor** *adj.s.m.*

Aqua-Lung ® (A.qua-Lung) [ing.; pl.: *Aqua-Lungs*] *s.m.* dispositivo us. para respirar embaixo da água ⇒ pronuncia-se água lang

aquaplanagem (a.qua.pla.na.gem) [pl.: *-ens*] *s.f.* **1** pouso ou deslizamento sobre a água **2** *infrm.* perda de controle de um veículo por causa de pista molhada ~ **aquaplanar** *v.int.*

aquarela (a.qua.re.la) *s.f.* ART.PLÁST **1** tinta diluída em água **2** técnica de pintura com essa tinta *<fez um curso de a.>* **3** a pintura feita com essa técnica *<tinha em sua casa duas a. penduradas na parede>* ~ **aquarelista** *adj.2g.s.2g.*

aquariano (a.qua.ri.a.no) *adj.s.m.* **1** ASTRL que(m) é do signo de Aquário ■ *adj.* **2** relativo ao signo de Aquário

aquário (a.quá.rio) *s.m.* **1** recipiente com água para manter, criar ou observar plantas e animais aquáticos **2** décima primeira constelação zodiacal, situada entre Capricórnio e Peixes ☞ inicial maiúsc. **3** ASTRL décimo primeiro signo do zodíaco (de 21 de janeiro a 19 de fevereiro) ☞ inicial maiúsc. **4** ASTRL aquariano *<minha mãe é a.>*

aquariofilia (a.qua.rio.fi.li.a) *s.f.* criação de peixes em aquário ~ **aquariófilo** *adj.s.m.*

aquartelar (a.quar.te.lar) *v.* {mod. 1} *t.d. e pron.* **1** alojar(-se) [tropa, soldado etc.] em quartel *<a. militares de todo o país>* *<os soldados aquartelaram-se cedo>* **2** *p.ext.* instalar(-se) em qualquer lugar *<a avó aquartelou-o em casa por algum tempo>* *<o cão aquartelou-se embaixo da cama>* ~ **aquartelamento** *s.m.*

aquático (a.quá.ti.co) *adj.* **1** que vive na água ou em sua superfície *<animal a.>* *<plantas a.>* **2** que se refere a ou se realiza na água *<equipamento a.>* *<balé a.>*

aquavia (a.qua.vi.a) *s.f.* hidrovia ~ **aquaviário** *adj.*

aquecedor (a.que.ce.dor) /ô/ [pl.: *-es*] *adj.s.m.* **1** (o) que aquece ■ *s.m.* **2** aparelho us. para aquecer água, ambientes etc.

aquecer (a.que.cer) *v.* {mod. 8} *t.d.,int. e pron.* **1** tornar(-se) quente; esquentar *<a. as mãos>* *<o café aquecia sobre o fogão>* *<aqueceu-se junto à lareira>* **2** *fig.* passar ou receber calor, conforto *<a. o coração>* *<só a verdadeira amizade aquece>* *<aqueceu-se com aquele carinho inesperado>* □ *t.d. e pron.* **3** *fig.* tornar(-se) excitado; entusiasmar(-se) *<a proximidade da viagem aquecia a jovem>* *<a plateia só se aqueceu na metade da peça>* **4** ESP pôr(-se) em boas condições físicas (esp. os músculos) *<o treino serviu para a. os jogadores>* *<aqueceu-se para iniciar a corrida>* □ *t.d.* **5** ECON intensificar a atividade econômica em (setor, mercado etc.) *<a redução de impostos aqueceu as vendas>* ~ **aquecido** *adj.*

aquecimento (a.que.ci.men.to) *s.m.* **1** elevação da temperatura ↺ resfriamento **2** ESP série de exercícios físicos leves, feitos antes de ginástica, jogo, competição etc. **3** ECON aumento das vendas ou da atividade econômica ▣ **a. global** elevação da temperatura na superfície da Terra, prov. causada por efeito estufa

aqueduto (a.que.du.to) *s.m.* CONSTR canal artificial construído para conduzir água

aquele (a.que.le) /ê/ *pron.dem.* **1** designa o que está afastado no espaço ou no tempo da pessoa que fala e da que ouve *<a. homem lá fora é meu tio>* *<a. dia foi inesquecível para os alunos>* **2** *infrm.* refere-se a coisa muito especial, muito boa, indescritível, excelente *<desejou-lhe a. abraço >* *<correram quando caiu a. temporal>*

àquele (à.que.le) /ê/ *contr.* da preposição *a* com o pronome demonstrativo *aquele* *<você se refere à. professora lá no portão?>* *<o presidente entregou a taça à. que fez mais gols>* ● GRAM/USO fem. *àquela*; pl.: *àqueles, àquelas*

aquém (a.quém) *adv.* na parte de cá, neste lado ↺ além ▣ **a. de 1** do lado de cá, antes de *<mora a. da ponte>* **2** abaixo de, menos que *<o preço pedido está a. do seu valor real>*

aqui (a.qui) *adv.* **1** neste ou a este lugar *<moro a.>* **2** até este lugar *<de Roma a. é uma grande distância>* **3** nesta ocasião, neste ponto *<a. houve uma pausa, depois continuaram>*

aquicultura (a.qui.cul.tu.ra) /qü/ *s.f.* criação de animais ou plantas aquáticas; aquacultura **~ aquicultor** *adj.s.m.*

aquiescer (a.qui.es.cer) *v.* {mod. 8} *t.i. e int.* (prep. *a, em*) agir ou considerar com tolerância; concordar, consentir *<aquiesceu ao pedido dos filhos>* *<após ouvir aquele forte argumento, teve de a.>* **~ aquiescência** *s.f.* - **aquiescente** *adj.2g.*

aquietar (a.qui.e.tar) *v.* {mod. 1} *t.d.,int. e pron.* pôr(-se) ou tornar(-se) quieto; tranquilizar(-se) *<a chegada do professor aquietou os ânimos>* *<dia após dia, seu espírito aquietava>* *<aquietou-se com o fim do carnaval>* **~ aquietação** *s.f.*

aquilatar (a.qui.la.tar) *v.* {mod. 1} *t.d.* **1** determinar o quilate de (metal ou pedra preciosa) **2** *fig.* apreciar, avaliar o valor de *<a. o caráter de alguém>* □ *t.d. e pron. fig.* **3** tornar(-se) melhor; aperfeiçoar(-se) *<a solidariedade aquilata o espírito>* *<a.-se na virtude>* **~ aquilatação** *s.f.*

aquilino (a.qui.li.no) *adj.* **1** próprio de águia **2** curvo como bico de águia; adunco *<nariz a.>*

aquilo (a.qui.lo) *pron.dem.* designa algo distante, no espaço ou no tempo, tanto do falante como do ouvinte *<a. ali é a entrada do sítio>* *<a. foi uma tragédia>* ● GRAM/USO de natureza subst., não é us. junto de outro subst. e pode ser modificado por adj. *<a. vermelho é o sol nascendo>*

àquilo (à.qui.lo) *contr.* da preposição *a* com o pronome demonstrativo *aquilo* *<prefiro sanduíche à. que ela sugeriu>* *<não me refiro à. lá longe, mas a isto aqui>*

aquinhoar (a.qui.nho.ar) *v.* {mod. 1} *t.d.* **1** dividir em partes; repartir *<os herdeiros aquinhoaram os bens do falecido>* **2** favorecer, agraciar *<a sorte aquinhoou aquela moça>* □ *t.d. e t.i.* **3** (prep. *de*) participar de; compartilhar *<aquinhoamos (de) seu sofrimento>* **~ aquinhoamento** *s.m.*

aquisição (a.qui.si.ção) [pl.: *-ões*] *s.f.* **1** compra ou tomada de posse de uma coisa ↺ venda **2** a coisa comprada ou apossada *<a casa foi uma ótima a.>*

aquisitivo (a.qui.si.ti.vo) *adj.* **1** relativo a aquisição *<período a.>* **2** que faz adquirir *<poder a.>*

aquoso (a.quo.so) /ô/ [pl. e fem.: /ó/] *adj.* **1** que contém água *<mistura a.>* **2** da natureza da água ou semelhante a ela *<substância a.>* **~ aquosidade** *s.f.*

¹-ar *suf.* 'relação': *escolar, retangular, veicular* ● ORIGEM do suf. lat. formador de adj. *-aris,e*

²-ar *term.* de verbos da 1ª conjugação: *cantar, esparramar, moldar* ● ORIGEM da term. lat. *-are*, formadora de verbos da 1ª conjugação

ar [pl.: *-es*] *s.m.* **1** mistura de gases que forma a atmosfera terrestre **2** brisa, vento *<abra a janela, para entrar ar fresco>* **3** *fig.* indício *<um ar de felicidade rondava a sala>* **4** *fig.* aparência, aspecto *<ar de superioridade>* ▣ **ar condicionado** ar resfriado ou aquecido por meio de aparelho próprio ☞ cf. *ar-condicionado* • **ao ar livre** em espaço aberto *<assistiu a um show ao ar livre>* • **ir ao ar** RÁD TV INTERN ser veiculado por estação de rádio, televisão ou internet *<o seriado vai ao ar às quintas-feiras>* • **fora do ar** RÁD TV **1** interrompido ou sem transmissão (diz-se de programa veiculado por meios de comunicação, como rádio, televisão, etc.) **2** interrompido, sem funcionamento ou operação (diz-se de sistema, programa etc. ligado a computadores) *<não pude fazer o pagamento, o sistema estava fora do ar>* **3** *p.ext. infrm.* desatento ao que ocorre ao redor; distraído *<nem tente falar com ele, passou o dia fora do ar>* • **sair do ar** RÁD TV INTERN deixar de ser transmitido *<infelizmente, esse programa já saiu do ar>*

Ar QUÍM símbolo de *argônio*

ara (a.ra) *s.f.* REL altar ('estrutura')

árabe (á.ra.be) *s.2g.* **1** natural ou habitante da península Arábica (Ásia) ■ *s.m.* **2** LING língua dessa região ■ *adj.2g.* **3** relativo a essa região, habitante ou língua

arabesco (a.ra.bes.co) /ê/ *s.m.* **1** ART.PLÁST ornamento de origem árabe, no qual se entrelaçam linhas, ramagens, flores etc. **2** *p.ext.* linha irregular; rabisco

arábico (a.rá.bi.co) *adj.* relativo à Arábia, aos árabes ou a sua cultura *<algarismos a.>* *<costumes a.>*

arabismo (a.ra.bis.mo) *s.m.* **1** LING palavra ou expressão característica da língua árabe **2** defesa dos valores árabes

arabista (a.ra.bis.ta) *adj.2g.s.2g.* **1** especialista na língua e/ou cultura árabes **2** partidário do arabismo ('defesa')

arabizar (a.ra.bi.zar) *v.* {mod. 1} *t.d. e pron.* dar ou tomar aspecto ou característica própria do povo, da cultura, da língua árabe *<a carne arabizou-se com aqueles temperos>*

araçá (a.ra.çá) *s.m.* BOT **1** fruta silvestre semelhante à goiaba **2** a planta que produz essa fruta; araçazeiro

aracajuano (a.ra.ca.ju.a.no) *adj.* **1** de Aracaju (SE) ■ *s.m.* **2** natural ou habitante dessa capital

aracajuense (a.ra.ca.ju.en.se) *adj.2g.s.2g.* aracajuano

araçazal (a.ra.ça.zal) [pl.: *-ais*] *s.m.* grande concentração de araçazeiros

araçazeiro (a.ra.ça.zei.ro) *s.m.* BOT nome comum a vários arbustos e árvores com o tronco malhado e frutos, ger. comestíveis, semelhantes aos da goiabeira; araçá ◉ COL araçazal

aracnídeo (a.rac.ní.deo) *s.m.* ZOO **1** espécime dos aracnídeos, classe de animais invertebrados mais conhecidos por aranhas, ácaros e escorpiões, com quatro pares de patas e sem antenas ■ *adj.* **2** relativo a essa classe

aracnofobia (a.rac.no.fo.bi.a) *s.f.* MED medo doentio de aranhas ~ **aracnofóbico** *adj.* - **aracnófobo** *adj.s.m.*

aracnoide (a.rac.noi.de) /ói/ *adj.2g.s.f.* **1** ANAT diz-se de ou membrana serosa, fina e transparente que envolve o cérebro e a medula espinhal ☞ cf. *dura-máter* e *pia-máter* ■ *adj.2g.* **2** semelhante a uma aranha

arado (a.ra.do) *s.m.* instrumento para arar a terra

aragem (a.ra.gem) [pl.: *-ens*] *s.f.* brisa *<no alto do morro soprava uma leve a.>*

aramado (a.ra.ma.do) *adj.* **1** feito de arame **2** fechado por cerca de arame *<o galinheiro já está a.>* ■ *s.m.* **3** tela ou cerca de arame ☞ cf. *alambrado*

aramaico (a.ra.mai.co) *s.m.* LING língua falada na antiga Síria e na Mesopotâmia

arame (a.ra.me) *s.m.* fio metálico ▣ **a. farpado** cabo formado por fios de arame enrolados, com pontas agudas ou farpas

arameu (a.ra.meu) *s.m.* HIST **1** indivíduo dos arameus, povo semita que vivia em Aram (na antiga Síria) e na Mesopotâmia **2** LING aramaico ■ *adj.* **3** relativo a esse indivíduo, povo ou língua

aramida (a.ra.mi.da) *s.f.* QUÍM poliamida sintética e aromática, com que se produzem fibras de alta resistência mecânica e térmica (us. em blindagens, na fabricação de luvas industriais, coletes à prova de balas etc.)

arandela (a.ran.de.la) *s.f.* **1** suporte de parede para lâmpada ou vela **2** peça circular colocada na boca do castiçal para recolher os pingos de cera

aranha (a.ra.nha) *s.f.* ZOO nome comum a aracnídeos de aspecto e tamanho variados, muitos dos quais tecem teias para capturar suas presas

aranha-caranguejeira (a.ra.nha-ca.ran.gue.jei.ra) [pl.: *aranhas-caranguejeira e aranhas-caranguejeiras*] *s.f.* ZOO aranha grande, que não faz teia, e que possui o corpo coberto de pelos

aranzel (a.ran.zel) [pl.: *-éis*] *s.m.* **1** discurso cansativo; lenga-lenga **2** *C.-O. infrm.* confusão, briga *<no fim do baile, houve um grande a.>*

araponga (a.ra.pon.ga) *s.f.* **1** ZOO ave de penas brancas, garganta e face peladas e esverdeadas, cujo canto lembra o som de golpes de ferro numa bigorna ■ *s.2g. fig. B infrm.* **2** quem trabalha para serviços de informação; espião ◉ VOZ v. e subst.: gritar, martelar

arapuca (a.ra.pu.ca) *s.f.* **1** armadilha para caçar pássaros pequenos **2** *fig.* armadilha, cilada *<a proposta comercial era na verdade uma a.>* **3** *fig.* estabelecimento em que se fazem negócios desonestos

arar (a.rar) *v.* {mod. 1} *t.d.* fazer sulcos (na terra) com o arado, preparando-a para o cultivo ~ **aração** *s.f.* - **arada** *s.f.*

arara (a.ra.ra) *s.f.* **1** ZOO ave de cores vivas, bico alto e curvo e cauda longa **2** peça roliça presa a dois suportes us. para pendurar cabides e peças de vestuário *<em seu quarto não havia armários, apenas uma a. para vestidos>* ◉ VOZ v.: berrar, gritar, palrar

araruta (a.ra.ru.ta) *s.f.* **1** BOT erva de cujo caule subterrâneo se produz uma farinha **2** farinha branca e nutritiva, extraída dessa planta, muito us. em alimentação

araticum (a.ra.ti.cum) [pl.: *-uns*] ou **araticu** (a.ra.ti.cu) *s.m.* BOT **1** nome de árvores e arbustos da região do cerrado, cultivados pelos frutos comestíveis; anona **2** a fruta dessas plantas

aratu (a.ra.tu) *s.m.* ZOO caranguejo cinza e de carapaça quadrada, capaz de subir nas árvores do mangue, onde se alimenta e se acasala

araucária (a.rau.cá.ria) *s.f.* BOT pinheiro de copa uniforme, típico do Estado do Paraná *<via-se, da estrada, um bosque de a.>*

arauto (a.rau.to) *s.m.* **1** HIST na Idade Média, oficial da monarquia encarregado do anúncio de guerra ou paz, de informar sucessos de batalha etc. **2** *fig.* aquele que anuncia *<a cigarra é o a. do verão>* **3** *fig.* aquele que defende (uma ideia, uma causa etc.) *<tornou-se o a. das reformas políticas>*

arbitragem (ar.bi.tra.gem) [pl.: *-ens*] *s.f.* **1** julgamento, avaliação por árbitro(s) ou perito(s) **1.1** ESP atuação de árbitro em jogos e competições *<anular o gol foi uma decisão da a.>* **2** DIR poder concedido a juiz, ou pessoa escolhida, para que decida sobre conflito entre partes

arbitrar (ar.bi.trar) *v.* {mod. 1} *int.* **1** servir de juiz □ *t.d.* **2** decidir, resolver *<a. uma questão familiar>* **3** ESP dirigir (jogo) como árbitro; apitar □ *t.d.i.* **4** DIR (prep. *a*) decidir judicialmente; estabelecer *<arbitraram a ele uma pensão baixa>* ~ **arbitramento** *s.m.*

arbitrariedade (ar.bi.tra.rie.da.de) *s.f.* **1** abuso de autoridade; violência *<o comportamento dos invasores foi uma a.>* **2** comportamento ilógico e injusto; capricho *<não suportava as a. do diretor>*

arbitrário (ar.bi.trá.rio) *adj.* **1** que depende da vontade de quem age; sem regras *<reduzir o tempo do recreio foi uma medida a.>* **2** que se pode fazer ou não, que pode existir ou não; opcional, casual, eventual *<a ida ao passeio é a.>* *<escolheram um número a. para demonstrar o cálculo>* **3** violento, sem medida *<ataque a.>* ~ **arbitrariamente** *adv.*

arbítrio (ar.bí.trio) *s.m.* **1** decisão dependente apenas da vontade *<impôs à menina o a. de pai>* **2** domínio ou poder absoluto *<usou do a. real para aprovar as leis>* **3** DIR sentença de juiz ou árbitro; parecer

árbitro (ár.bi.tro) *s.m.* **1** DIR mediador, juiz **2** ESP em um jogo ou competição, quem faz cumprir as regras estabelecidas; juiz

arbóreo (ar.bó.reo) *adj.* **1** relativo ou próprio de árvore **2** que apresenta características de árvore (diz-se de planta)

arborescente (ar.bo.res.cen.te) *adj.2g.* que se apresenta como uma árvore *<planta, erva a.>*

arboreto (ar.bo.re.to) /ê/ *s.m.* lugar onde se cultivam árvores, arbustos e plantas para fins científicos, exibição ao público etc.

arborícola (ar.bo.rí.co.la) *adj.2g.* que vive nas árvores (diz-se de animal ou vegetal)

arboricultura (ar.bo.ri.cul.tu.ra) *s.f.* estudo, técnica e cultivo de árvores ~ **arboricultor** *s.m.*

arborismo (ar.bo.ris.mo) ou **arvorismo** (ar.vo.ris.mo) *s.m.* ESP prática que consiste em percorrer um circuito formado por diferentes estruturas (pontes de cordas, redes etc.), montadas entre copas de árvores

arborizar (ar.bo.ri.zar) *v.* {mod. 1} *t.d.* plantar árvores em *<a. a rua>* ↺ desarborizar ~ **arborização** *s.f.* - **arborizado** *adj.*

arbusto (ar.bus.to) *s.m.* BOT vegetal de no máximo 6 m de altura, com ramos saídos do caule muito próximos do solo ~ **arbustivo** *adj.*

arca (ar.ca) *s.f.* caixa grande para guardar roupas, objetos, louças etc.; baú ▣ **a. da aliança** HIST REL arca em que os hebreus guardavam as tábuas da lei de Moisés

arcabouço (ar.ca.bou.ço) *s.m.* **1** CONSTR estrutura de uma construção; esqueleto *<o a. do prédio ficou pronto antes do prazo>* **2** esboço *<a. de um romance>* **3** ANAT conjunto dos ossos que formam o tórax

arcabuz (ar.ca.buz) [pl.: *-es*] *s.m.* antiga arma de fogo, portátil, de cano curto e largo

arcada (ar.ca.da) *s.f.* **1** série de arcos em sequência (em galerias, passagens etc.) **2** ANAT estrutura em forma de arco *<a. dentária>* **3** MÚS direção do movimento do arco em instrumento de cordas

árcade (ár.ca.de) *adj.2g.* **1** relativo à Arcádia, região da Grécia **2** próprio do estilo das arcádias *<literatura á.> <autor á.>* ■ *s.2g.* **3** natural ou habitante da Arcádia **4** LIT membro de uma arcádia

arcádia (ar.cá.dia) *s.f.* LIT nome comum das sociedades literárias dos séculos XVII e XVIII seguidoras do Classicismo e cujos membros assinavam suas obras com nomes de pastores ☞ inicial por vezes maiúsc. ~ **arcádico** *adj.*

arcadismo (ar.ca.dis.mo) *s.m.* **1** LIT corrente literária ou escola representada pelas arcádias, na qual o artista idealizava a vida no campo e se imaginava pastor em contato com a natureza ☞ inicial maiúsc. **2** caráter arcádico, neoclássico ~ **arcadista** *adj.2g.*

arcaico (ar.cai.co) *adj.* **1** muito antigo *<português a.>* **2** ultrapassado, obsoleto *<essa é uma expressão a., ninguém a usa mais>* ↺ moderno

arcaísmo (ar.ca.ís.mo) *s.m.* **1** LING palavra, expressão ou acepção que deixou de ser usada na norma atual de uma língua *<tivemos uma aula sobre a.>* **2** uso ou tendência para usar palavras ou expressões arcaicas

arcaizar (ar.ca.i.zar) *v.* {mod. 2} *t.d. e pron.* **1** (fazer) adquirir feição arcaica *<a. uma frase usando uma palavra muito antiga> <esse adjetivo arcaizou-se>* □ *int.* **2** usar arcaísmos ~ **arcaização** *s.f.* - **arcaizante** *adj.2g.*

arcanjo (ar.can.jo) *s.m.* REL anjo de ordem superior, que atua como mensageiro

arcano (ar.ca.no) *adj.s.m.* (o) que é misterioso, secreto

arção (ar.ção) [pl.: *-ões*] *s.m.* armação arqueada e saliente da sela, feita de madeira coberta de couro

[1]**arcar** (ar.car) *v.* {mod. 1} *t.d.* **1** dar forma de arco a *<a. as sobrancelhas>* **2** pôr arcos em *<a. um barril>* □ *t.d.,int. e pron.* **3** sofrer ou fazer força para baixo; curvar(-se) *<arcando as costas, apanhou os sapatos> <de tão pesados, os ramos arcavam> <seu corpo arcou-se com o passar dos anos>* ◉ ORIGEM do lat. *arcuāre* 'dobrar em arco'

[2]**arcar** (ar.car) *v.* {mod. 1} *t.i.* (prep. *com*) responsabilizar-se por; assumir *<a. com as despesas, as consequências>* ◉ ORIGEM *arca* + [2]*-ar*

arcaz (ar.caz) [pl.: *-es*] *s.m.* grande arca com gavetas

arcebispado (ar.ce.bis.pa.do) *s.m.* REL **1** território sob a responsabilidade de um arcebispo **2** cargo de arcebispo **3** período de exercício desse cargo

arcebispo (ar.ce.bis.po) *s.m.* REL bispo responsável por uma arquidiocese ~ **arcebispal** *adj.2g.*

archote (ar.cho.te) *s.m.* corda coberta de breu, que se acende para iluminar um lugar ou caminho; tocha

arco (ar.co) *s.m.* **1** GEOM segmento de uma curva **2** curvatura *<fez um a. com os braços>* **3** arma portátil composta de uma vara flexível com uma corda presa às suas extremidades, para atirar setas e flechas **4** ARQ a forma curva de uma abóbada **5** FUTB o conjunto formado pelas balizas e rede; gol **6** MÚS peça us. para fazer vibrar as cordas de violino, viola, contrabaixo etc. **7** círculo metálico ou de madeira que prende as aduelas de um barril; aro **8** VEST acessório com a forma de um meio círculo, usado para segurar o cabelo

arco e flecha (ar.co e fle.cha) *s.m.* **1** arma constituída de arco, com uma corda flexível que liga e prende os seus dois extremos, e de haste, com flecha na ponta **2** ESP esse conjunto us. em competições esportivas, em que a flecha deve atingir um alvo predeterminado **3** ESP esse esporte

arco-íris (ar.co-í.ris) *s.m.2n.* arco luminoso multicolorido produzido quando a luz solar é refletida por gotículas de água da chuva

ar-condicionado (ar-con.di.cio.na.do) [pl.: *ares-condicionados*] *s.m.* aparelho us. para resfriar ambientes fechados ☞ cf. *ar condicionado*

ardência (ar.dên.cia) *s.f.* **1** estado ou característica do que arde, fica em fogo, queima; ardor, calor, quentura **2** sensação semelhante ao ardor de queimadura; afogueamento, enrubescimento *<creme para a. na pele>* **3** sabor picante *<sentiu a a. da pimenta na primeira mordida>*

ardente (ar.den.te) *adj.* **1** que queima em chamas ou brasas **2** que concentra ou causa calor *<verão a.>* ↺ frio **3** picante, apimentado *<tempero a.>* **4** *fig.* entusiasmado, intenso *<sentimento a.>*

arder (ar.der) *v.* {mod. 8} *int.* **1** estar em chamas; queimar *<a floresta arde>* **2** *p.ext.* sentir como se queimasse *<seu corpo ardia (em febre)> <os olhos ardiam (de sono)>* **3** estar aceso *<o lampião já não arde>* **4** ter sabor picante *<essa pimenta arde muito?>* **5** *fig.* ficar com a face vermelha; ruborizar-se *<sentiu o rosto a. quando subiu no palco>* □ *t.d. e int.* **6** (fazer) ter sensação de ardor; queimar *<o iodo ardeu a ferida> <a queimadura ardia>* ~ **ardimento** *s.m.*

ardil (ar.dil) [pl.: *-is*] *s.m.* esquema para enganar; artimanha, astúcia ~ **ardileza** *s.f.*

ardiloso (ar.di.lo.so) /ô/ [pl. e fem.: /ó/] *adj.* que faz uso de ardis, cheio de astúcias; astuto, esperto ↺ confiável, correto

ardor (ar.dor) /ô/ [pl.: *-es*] *s.m.* **1** calor forte **2** sabor picante *<sentiu um a. na língua>* **3** amor intenso, paixão **4** *fig.* entusiasmo ↺ indiferença

ardoroso (ar.do.ro.so) /ô/ [pl. e fem.: /ó/] *adj.* que tem ardor, entusiasmo, paixão ↺ frio, indiferente

ardósia (ar.dó.sia) *s.f.* rocha compacta, de cor cinza, us. para revestimento de pisos, paredes, telhados etc.

árduo (ár.duo) *adj.* **1** de difícil acesso; íngreme *<caminho á.>* **2** *fig.* cansativo; trabalhoso *<o a. trabalho dos pedreiros>* ↺ fácil, leve ~ **arduidade** *s.f.*

are (a.re) *s.m.* medida agrária equivalente a 100 m^2 [símb.: *a*]

área (á.rea) *s.f.* **1** extensão limitada de espaço, terreno ou superfície **2** GEOM a medida de superfície de uma figura geométrica *<a á. do triângulo> <á. do terreno>* **3** campo de conhecimento ou de atividade (profissional etc.) *<á. científica>* **4** pátio interno ☞ cf. *ária* ▣ **Á. de Livre Comércio das Américas** organização internacional criada em 1994 para facilitar o comércio entre os 34 países americanos (exceto Cuba) [sigla: *Alca*] • **á. de proteção ambiental** região legalmente preservada para a conservação da vida silvestre e dos recursos naturais [sigla: *APA*] • **á. de serviço** nas casas ou apartamentos, parte destinada às atividades de lavagem e secagem de roupas, ger. próxima à cozinha • **á. de trabalho** INF parte da interface gráfica de sistemas operacionais que exibe, no vídeo, representações de objetos presentes nas mesas de trabalho, como documentos, arquivos, pastas e impressoras; *desktop* • **á. verde** terreno, em cidade, prédio ou condomínio, com vegetação e sem construção *<dizem que o prédio terá 100 metros de á. verde>* • **grande á.** FUTB zona retangular diante do gol, dentro da qual o goleiro ainda pode defender com as mãos e onde fica a marca do penâlti • **pequena á.** FUTB zona retangular, dentro da grande área, na qual o goleiro não pode ser atingido por jogador adversário

areal (a.re.al) [pl.: *-ais*] *s.m.* **1** extensa superfície coberta de areia; areão **2** local de onde se extrai areia

areão (a.re.ão) [pl.: *-ões*] *s.m.* **1** areal ('superfície') **2** *S.* areia grossa

arear (a.re.ar) *v.* {mod. 5} *t.d.* **1** limpar ou polir, esfregando com areia ou algo similar *<a. panelas>* **2** escovar (os dentes) □ *t.d. e pron.* **3** cobrir(-se) com areia *<um vento forte areou o calçadão> <os meninos arearam-se na praia>* ~ **areamento** *s.m.*

areento (a.re.en.to) *adj.* misturado ou coberto com areia; arenoso

areia (a.rei.a) *s.f.* **1** MINER substância formada por pedaços minúsculos de rocha que se encontra no leito dos rios, dos mares, nas praias e nos desertos **2** *p.ext.* praia **3** grão calcificado encontrado na urina ▣ **a. movediça** atoleiro de areia, em que podem afundar pessoas, animais ou objetos • **entrar a. em** *infrm.* surgir um imprevisto que dificulta ou impossibilita a realização de algo planejado *<entrou a. no projeto de viagem>* • **ser muita a. para o caminhão de** *infrm.* estar além do alcance de *<desista, isso aí é muita a. para o seu caminhão>*

arejado (a.re.ja.do) *adj.* **1** que tem boa circulação de ar *<quarto a.>* **2** *fig.* que é aberto ao que é novo, ao não convencional; liberal *<mente a.>*

arejar (a.re.jar) *v.* {mod. 1} *t.d.* **1** fazer circular o ar em; ventilar *<a. o recinto>* **2** expor ao ar para secar, tirar odor etc. *<a. a roupa>* **3** *fig.* entrar em contato com o novo; renovar *<a. as ideias>* □ *int. e pron.* **4** *fig.* tomar novo ânimo; distrair, espairecer *<após a discussão, saiu para a.(-se)>* ~ **arejamento** *s.m.*

arena (a.re.na) *s.f.* **1** área central do circo; picadeiro **2** ESP estrado onde lutam os boxeadores **3** espaço circular para touradas e outros espetáculos **4** *p.ext.* local de debate, de desafio *<os candidatos se encontraram na a.>* **5** HIST parte central, coberta de areia, dos anfiteatros romanos **6** *p.ext.* qualquer anfiteatro

arenga (a.ren.ga) *s.f.* **1** discurso cansativo e longo; lenga-lenga **2** discussão, disputa **3** *infrm.* intriga, fofoca, mexerico ~ **arengar** *v.t.d.,t.i. e int.*

arenito (a.re.ni.to) *s.m.* rocha sedimentar formada por detritos de outras rochas, us. como material de construção, pavimentação etc.

arenoso (a.re.no.so) /ô/ [pl. e fem.: /ó/] *adj.* cheio de areia ou semelhante a ela *<terreno a.>*

arenque (a.ren.que) *s.m.* ZOO peixe com cerca de 30 cm de comprimento, dorso azulado e ventre prateado, encontrado no Pacífico e Atlântico norte, consumido fresco, salgado, defumado ou em conserva

aréola (a.ré.o.la) *s.f.* **1** pequena área **2** ANAT área castanha ou rosada que circunda o mamilo **3** ASTR área luminosa que circunda o Sol ou a Lua ☞ cf. *auréola* ~ **areolado** *adj.* - **areolar** *adj.2g.*

aresta (a.res.ta) *s.f.* **1** GEOM a reta formada pela interseção de dois planos **2** ângulo; quina *<cuidado com as a. da mesa>* ▼ ***arestas*** *s.f.pl.* **3** pequenos pontos de conflito; detalhes *<ainda precisamos aparar algumas a. para fecharmos o negócio>* ~ **arestoso** *adj.*

-aréu *suf.* 'aumento': *fogaréu, mundaréu*

arfar (ar.far) *v.* {mod. 1} *int.* **1** respirar com dificuldade; ofegar *<arfava muito ao fim da corrida>* **2** balançar, oscilar *<ao vento, as folhas arfam>* ~ **arfagem** *s.f.* - **arfante** *adj.2g.*

argamassa (ar.ga.mas.sa) *s.f.* CONSTR mistura de areia, água e um aglutinante us. em construções

argelino (ar.ge.li.no) *adj.* **1** da Argélia (África) ■ *s.m.* **2** natural ou habitante desse país **3** LING a língua árabe falada na Argélia

argênteo (ar.gên.teo) *adj.* **1** feito de ou que contém prata **2** da cor da prata *<metal a.>*

argentino (ar.gen.ti.no) *adj.* **1** da Argentina (América do Sul) ■ *s.m.* **2** natural ou habitante desse país

argila (ar.gi.la) *s.f.* barro macio e fácil de moldar quando molhado e duro quando seco, us. na fabricação de cerâmicas, telhas etc. ~ **argiloso** *adj.*

argola (ar.go.la) *s.f.* **1** aro metálico para prender ou puxar algo **2** qualquer objeto circular e vazio no meio **3** VEST brinco de forma circular ▼ ***argolas*** *s.f.pl.* **4** ESP aparelho de ginástica que consiste em dois aros presos à extremidade de cordas suspensas

argonauta (ar.go.nau.ta) *s.2g.* **1** MIT cada um dos heróis gregos que viajaram na nau Argo em busca da lã de ouro **2** navegante destemido, explorador dos mares ~ **argonáutico** *adj.*

argônio (ar.gô.nio) *s.m.* QUÍM gás nobre us. em lâmpadas incandescentes, soldas, *laser* etc. [símb.: *Ar*] ☞ cf. *tabela periódica* (no fim do dicionário)

argúcia (ar.gú.cia) *s.f.* **1** percepção aguçada; sagacidade ↺ ingenuidade **2** sutileza de raciocínio, habilidade de argumentação *<envolveu os ouvintes com sua a.>* ~ **argucioso** *adj.*

argueiro (ar.guei.ro) *s.m.* **1** pequena partícula separada de um corpo; cisco, pó **2** *fig.* coisa sem importância; ninharia

arguição (ar.gui.ção) /gü/ [pl.: *-ões*] *s.f.* **1** prova oral **2** DIR citação de razões ou motivos para provar ou defender algo; alegação, argumentação

arguir (ar.guir) /gü/ *v.* {mod. 26} *t.d.,t.d.i. e int.* *B* **1** (prep. *sobre*) examinar (aluno, candidato), questionando ou interrogando *<foi firme ao a. os alunos (sobre a matéria dada)>* *<no momento de a., esqueceu as questões>* □ *t.d. e t.d.i.* **2** (prep. *de*) repreender, censurar, condenar *<a. o suspeito>* *<não o arguam de possuir outras ideias>* □ *t.d.* **3** contradizer com argumentos; refutar *<a. uma acusação>* ~ **arguidor** *adj.s.m.*

argumentar (ar.gu.men.tar) *v.* {mod. 1} *t.d.,t.i.* e *int.* **1** (prep. *com, contra*) apresentar fatos, razões, provas contra ou a favor (de algo) *<argumentou que não tinha dinheiro>* *<o aluno argumentou contra a proposta do colega>* *<argumentaram durante horas e não chegaram a um acordo>* □ *t.d.* **2** apresentar (ideia, fato) como argumento; alegar *<argumentou que desconhecia o fato>* ~ **argumentação** *s.f.*

argumento (ar.gu.men.to) *s.m.* **1** DIR raciocínio que conduz à dedução de algo **2** prova que serve para afirmar ou negar um fato *<não quis tomar banho e usou como a. o chuveiro só ter água fria>* **3** CINE TV resumo do enredo a partir do qual se desenvolve um roteiro cinematográfico ou de televisão

arguto (ar.gu.to) *adj.* capaz de perceber rapidamente as coisas mais sutis; perspicaz ↺ ingênuo

-aria *suf.* **1** 'local, estabelecimento': *carvoaria, padaria* **2** 'coleção': *pedraria* **3** 'ação de alguém': *patifaria, pirataria*

ária (á.ria) *s.f.* MÚS movimento ou parte de uma ópera, cantata ou oratório, para voz solista ☞ cf. *área*

arianismo (a.ri.a.nis.mo) *s.m.* teoria nazista que afirmava a superioridade dos descendentes do povo ariano ~ **arianista** *adj.2g.s.2g.*

[1]**ariano** (a.ri.a.no) *adj.s.m.* diz-se de ou grupo humano que se pensa abrangesse os que no passado falavam línguas indo-europeias e seus atuais descendentes não misturados com outros grupos, gente descrita como brancos europeus, de estatura elevada, olhos azuis e cabelos louros, esp. os nórdicos e alemães (hipótese essa ligada às teorias nazistas de raça superior) ◉ ORIGEM do lat. *ariānus,a,um* 'de ou relativo à região de Ária (Pérsia)'

[2]**ariano** (a.ri.a.no) *adj.s.m.* **1** que(m) é do signo de Áries ■ *adj.* **2** relativo ao signo de Áries ◉ ORIGEM *ári(es)* + *-ano*

árido (á.ri.do) *adj.* **1** seco *<clima á.>* ↺ úmido **2** que pouco ou nada produz; estéril, improdutivo *<era um terreno á.>* ↺ fértil **3** *fig.* difícil de ser compreendido *<texto á.>* ~ **aridez** *s.f.*

áries (á.ries) *s.m.2n.* **1** primeira constelação zodiacal, situada entre Peixes e Touro; Carneiro ☞ inicial maiúsc. **2** ASTRL primeiro signo do zodíaco (de 21 de março a 20 de abril); Carneiro ☞ inicial maiúsc. **3** ASTRL [2]ariano *<meu irmão mais velho é á.>*

aríete (a.rí.e.te) *s.m.* antiga máquina de guerra us. para derrubar muralhas e portões

arilo (a.ri.lo) *s.m.* BOT saliência ou conjunto de camadas, presente na superfície de muitas sementes como a mamona, a noz-moscada etc.

-ário *suf.* **1** 'relação': *diário, contrário, temporário* **2** 'profissão': *bancário, ferroviário* **3** 'local': *orquidário, vestiário*

ariranha (a.ri.ra.nha) *s.f.* ZOO mamífero carnívoro, diurno e semiaquático, com cerca de 1 m de comprimento, corpo marrom e cauda achatada em forma de remo

arisco (a.ris.co) *adj.* **1** desconfiado, tímido *<foi uma criança a.>* **2** de difícil convivência *<pessoa a.>* **3** que não se deixa domesticar (diz-se de animal)

aristocracia (a.ris.to.cra.ci.a) *s.f.* **1** organização social e política em que uma classe social formada por nobres detém, ger. por herança, o poder **2** classe dos nobres; nobreza **3** *fig.* grupo de pessoas que se distinguem pelo saber ou por diversas formas de merecimento *<a a. do samba>*

aristocrata (a.ris.to.cra.ta) *adj.2g.s.2g.* **1** que(m) é membro da aristocracia **2** que(m) tem atitudes nobres

aristocrático (a.ris.to.crá.ti.co) *adj.* **1** pertencente ou relativo à aristocracia; fidalgo, nobre ↺ plebeu **2** *fig.* que demonstra distinção, nobreza; elegante, fino *<reconhecer a derrota foi uma atitude a.>* ↺ grosseiro, vulgar

aristotélico (a.ris.to.té.li.co) *adj.* **1** relativo a Aristóteles ou à sua doutrina ■ *adj.s.m.* **2** adepto do aristotelismo ☞ cf. *Aristóteles* na parte enciclopédica

aristotelismo (a.ris.to.te.lis.mo) *s.m.* FIL doutrina de Aristóteles, cujos conceitos serviram à criação da lógica formal e da ética, que ainda influencia o pensamento ocidental ☞ cf. *Aristóteles* na parte enciclopédica ~ **aristotelista** *adj.2g.s.2g.*

aritmética (a.rit.mé.ti.ca) *s.f.* **1** MAT o estudo das operações numéricas: soma, subtração, multiplicação, divisão **2** livro, esp. escolar, que contém essa matéria **3** *p.ext.* tudo que exige um cálculo qualquer *<a a. de um orçamento doméstico>* ~ **aritmético** *adj.*

arlequim (ar.le.quim) [pl.: *-ins*] *s.m.* **1** personagem da comédia italiana (séc. XVI e XVII), de traje feito de losangos coloridos, que divertia o público nos intervalos das peças ☞ inicial maiúsc. **2** *p.ext.* fantasia carnavalesca inspirada nesse personagem **3** *fig.* quem se comporta de maneira ridícula; palhaço, bufão

arma (ar.ma) *s.f.* **1** instrumento, aparelho, substância preparada ou adaptada para ataque ou defesa **2** *fig.* argumento us. para tentar vencer ou defender-se numa discussão *<dizer a verdade foi sua melhor a.>* **3** cada uma das tropas de um exército (cavalaria, artilharia etc.) **4** cada uma das três forças militares (Exército, Marinha, Aeronáutica) ▼ ***armas*** *s.f.pl.* **5** as forças armadas de um país • COL armamento ▣ **a. biológica** arma que utiliza seres vivos ou substâncias derivadas de seres vivos para promover a morte de seres humanos ou a destruição de rebanhos ou lavouras • **a. branca** arma com lâmina metálica e cabo • **a. de fogo** toda arma que lança projétil por explosão de uma carga de pólvora ou outro material que provoque combustão • **a. nuclear** arma que possui enorme poder de destruição por utilizar a energia liberada na fissão ou fusão do núcleo do átomo • **a. química** arma que usa produtos químicos destrutivos • **de armas e bagagem** com todos os seus pertences *<mudou-se para cá de armas e bagagem>*

armação (ar.ma.ção) [pl.: *-ões*] *s.f.* **1** conjunto de peças que sustenta, reforça ou une as partes de um todo *<a. dos óculos>* **2** estrutura ou arcabouço de alguma coisa *<com o barco ainda na a., sonhavam com viagens>* **3** *infrm.* o que se planeja com a finalidade de enganar alguém; golpe *<logo descobriu que o negócio era uma a.>*

armada (ar.ma.da) *s.f.* **1** conjunto das forças navais de um país **2** conjunto de navios de guerra; esquadra

armadilha (ar.ma.di.lha) *s.f.* **1** objeto ou dispositivo para capturar animais *<recolheram várias a. para pássaros>* **2** *fig.* artifício enganador; cilada *<não caia nas a. dessa turma>*

armador (ar.ma.dor) /ô/ [pl.: *-es*] *s.m.* **1** MAR pessoa física ou jurídica que explora comercialmente uma embarcação mercante, sendo ou não seu proprietário **2** *B* gancho que prende rede de dormir **3** *infrm.* quem prepara armadilhas ou planeja situações para levar vantagem sobre os outros **4** ESP *B* jogador que arma jogadas do meio do campo, distribuindo a bola para os companheiros de ataque; meia-armador ■ *adj.s.m.* **5** (o) que arma

armadura (ar.ma.du.ra) *s.f.* **1** vestimenta de batalha dos antigos guerreiros (elmo, couraça etc.) **2** *p.ext.* ANAT ZOO qualquer estrutura (chifres, espinhos, carapaça, escudo etc.) us. pelos animais para defesa ou ataque **3** ENG tudo aquilo que sustenta qualquer obra; armação **4** *fig.* sistema de proteção; defesa *<fechara-se numa a. intransponível>*

armagedão (ar.ma.ge.dão) [pl.: *-ões*] ou **armagedom** (ar.ma.ge.dom) *s.m.* batalha final entre o Bem e o Mal ☞ inicial maiúsc.

armamentismo (ar.ma.men.tis.mo) *s.m.* teoria que defende o armamento ou o aumento de material bélico de um país ou países ~ **armamentista** *adj.2g.s.2g.*

armamento (ar.ma.men.to) *s.m.* **1** ato de armar (-se) ou o seu efeito **2** conjunto de armas de um exército, de um país etc.

armar (ar.mar) *v.* {mod. 1} *t.d. e pron.* **1** (prep. *com, contra, de*) dar armas para ataque ou defesa *<a. uma tropa (com escudos)> <armou os trabalhadores (contra a polícia)> <o país armava-se rapidamente>* □ *t.d.* **2** preparar (arma de fogo) para atirar *<o caçador armou a espingarda>* **3** *p.ext.* aprontar (mecanismo) para funcionar *<não soube a. a máquina, e a foto não foi tirada>* **4** fazer a instalação de; montar *<armou sozinho a barraca>* **5** *fig.* pensar, elaborar (plano, situação etc.) *<a. uma revolta>* **6** *infrm.* fazer (algo errado, indevido) ou proceder mal, ger. provocando confusão *<a. escândalo>* □ *pron.* **7** *fig.* (prep. *contra*) prevenir-se; resguardar-se *<a.-se contra o frio>* **8** *p.ext.* estar-se na iminência de; preparar-se (falando de objetos ou acontecimentos) *<armava-se forte tempestade>* □ *t.d. e int.* **9** arrumar ou encaixar partes ou peças de (um objeto); montar *<a. a rede de dormir> <brinquedo de a.>*

armaria (ar.ma.ri.a) *s.f.* **1** conjunto ou depósito de armas **2** a arte dos brasões; heráldica

armarinho (ar.ma.ri.nho) *s.m.* **1** pequeno armário **2** *B* loja em que se vendem materiais para costura e outras miudezas

armário (ar.má.rio) *s.m.* **1** móvel com divisões internas para guardar roupas, louças etc. **2** *fig. B infrm.* homem muito grande e forte ▣ **sair do a.** *infrm.* assumir a própria homossexualidade

armazém (ar.ma.zém) [pl.: *-éns*] *s.m.* **1** estabelecimento comercial onde se vendem gêneros alimentícios e vários utensílios domésticos; mercearia **2** grande depósito de mercadorias, munições etc.

armazenar (ar.ma.ze.nar) *v.* {mod. 1} *t.d.* **1** guardar em armazém *<o agricultor armazenou metade da safra>* **2** *fig.* acumular, juntar *<a. energias>* **3** conter, comportar *<o galpão armazena mil sacas>* **4** INF guardar (dados) na memória, para recuperá-los depois □ *t.d. e int.* **5** criar provisão, estoque de (alimentos, mantimentos) para uso futuro *<armazenou os biscoitos de chocolate> <com o risco do aumento dos preços, decidiu a.>* ~ **armazenagem** *s.f.* - **armazenamento** *s.m.*

armeiro (ar.mei.ro) *s.m.* **1** quem fabrica, conserta, limpa ou vende armas **2** local para guardar armas **3** responsável pela guarda e distribuição de armas de uma tropa, batalhão ou quartel

arminho (ar.mi.nho) *s.m.* **1** ZOO mamífero carnívoro da família das doninhas, lontras e ariranhas, encontrado em regiões polares, com pelos vermelho-acastanhados no verão e brancos no inverno **2** a pele ou pelo desse animal ▼ ***arminhos*** *s.m.pl.* **3** títulos de nobreza

armistício (ar.mis.tí.cio) *s.m.* acordo que suspende uma guerra; trégua

armoriado (ar.mo.ri.a.do) *adj.* decorado com armas ou brasões *<encadernação a.>*

armorial (ar.mo.ri.al) [pl.: *-ais*] *s.m.* **1** livro de registro dos brasões da nobreza ■ *adj.2g.* **2** relativo a heráldica ou brasões; heráldico

ARN *s.m.* sigla de *ácido ribonucleico*

arnês (ar.nês) [pl.: *-eses*] *s.m.* **1** armadura completa dos antigos guerreiros **2** arreio de cavalo

arnica (ar.ni.ca) *s.f.* **1** BOT planta nativa de regiões árticas e temperadas do hemisfério norte, de flores amarelas ou alaranjadas, cultivada como ornamental ou medicinal **2** tintura extraída dessa planta

aro (a.ro) *s.m.* **1** linha circular de extremidades ligadas, formando um círculo; anel, argola **2** armação circular das rodas de certos veículos *<a. de bicicleta>* **3** armação de óculos ou luneta **4** CONSTR peça us. como moldura da janela ou da porta

aroeira (a.ro.ei.ra) *s.f.* BOT árvore originária dos Andes peruanos, explorada ou cultivada pela madeira compacta, pelas propriedades medicinais da resina da casca e pelos frutos que fornecem tintura amarela e rosada

aroma (a.ro.ma) *s.m.* **1** odor natural agradável *<a. do campo>* **2** cheiro agradável que emana de substâncias de origens diversas *<a. de desodorante, de bolo>* ↺ fedor **3** aditivo que reforça ou dá sabor ou cheiro a alimentos industrializados *<pudim com a. de baunilha>*

aromaterapia (a.ro.ma.te.ra.pi.a) *s.f.* → ***AROMOTERAPIA***

aromático (a.ro.má.ti.co) *adj.* **1** relativo a aroma **2** que tem aroma agradável ↺ fedorento

aromatizante (a.ro.ma.ti.zan.te) *adj.2g.s.m.* **1** (o) que perfuma **2** que ou o que condimenta

aromatizar (a.ro.ma.ti.zar) *v.* {mod. 1} *t.d.,int. e pron.* (fazer) ficar com aroma; perfumar(-se) *<as ervas aromatizam (a casa)> <frutos aromatizam-se ao amadurecer>* ~ **aromatização** *s.f.*

aromoterapia (a.ro.mo.te.ra.pi.a) ou **aromaterapia** (a.ro.ma.te.ra.pi.a) *s.f.* terapia baseada na ingestão, inalação ou massagem do corpo com essências vegetais aromáticas

arpão (ar.pão) [pl.: *-ões*] *s.m.* instrumento de ferro em forma de seta que se fixa a um cabo, us. para fisgar grandes peixes e cetáceos

arpejar (ar.pe.jar) *v.* {mod. 1} *int.* MÚS executar arpejos ☞ cf. *harpejar*

arpejo (ar.pe.jo) /ê/ *s.m.* MÚS execução sucessiva das notas de um acorde musical

arpéu (ar.péu) *s.m.* pequeno arpão

arpoar (ar.po.ar) *v.* {mod. 1} *t.d.* **1** cravar o arpão em *<a. um tubarão>* □ *int.* **2** arremessar o arpão *<mirou no alvo e arpoou>* ~ **arpoação** *s.f.* - **arpoador** *adj.s.m.*

arqueado (ar.que.a.do) *adj.* que tem forma de arco

arquear (ar.que.ar) *v.* {mod. 5} *t.d. e pron.* dobrar (-se) em forma de arco; curvar(-se) *<a árvore arqueava os galhos> <com a idade, suas costas arquearam-se>* ~ **arqueação** *s.f.* - **arqueadura** *s.f.* - **arqueamento** *s.m.*

[1]**arqueiro** (ar.quei.ro) *s.m.* **1** quem fabrica ou vende arcos **2** guerreiro armado de arco **3** FUTB *B* goleiro ◉ ORIGEM *arco* + *-eiro*, com alt. gráf. *-c-* > *-qu-*

[2]**arqueiro** (ar.quei.ro) *s.m.* quem fabrica e/ou vende arcas ◉ ORIGEM *arca* + *-eiro*, com alt. gráf. *-c-* > *-qu-*

arquejar (ar.que.jar) *v.* {mod. 1} *int.* respirar com dificuldade ou sob tensão; ofegar ~ **arquejamento** *s.m.* - **arquejante** *adj.2g.*

arquejo (ar.que.jo) /ê/ *s.m.* respiração difícil e ger. acelerada *<dava para ouvir os a. do atleta após a corrida>*

arqueologia (ar.que.o.lo.gi.a) *s.f.* ciência que, utilizando processos como coleta e escavação, estuda os costumes e culturas dos povos antigos através do material (artefatos, monumentos etc.) que restou da vida desses povos ~ **arqueológico** *adj.*

arqueólogo (ar.que.ó.lo.go) *s.m.* aquele que se dedica à arqueologia, que tem essa disciplina como profissão

arqueópterix (ar.que.óp.te.rix) /cs/ *s.m.2n.* nome da primeira ave conhecida, que viveu no Jurássico

arqueozoico (ar.que.o.zoi.co) /ói/ *s.m.* GEOL **1** segundo período geológico da era pré-cambriana, entre o Azoico e o Proterozoico, em que aparecem as primeiras formas de vida, como certos tipos de bactérias e algas ☞ inicial maiúsc. ■ *adj.* **2** desse período *<animais a.>*

arquétipo (ar.qué.ti.po) *s.m.* **1** modelo mais típico de algo; protótipo **2** modelo ou tipo ideal *<era o a. da beleza>*

arquibancada (ar.qui.ban.ca.da) *s.f.* **1** conjunto de bancadas ou assentos destinados ao público de um evento artístico ou esportivo **2** público que ocupa esse espaço *<a a. gritou durante todo o jogo>*

arquidiocese (ar.qui.di.o.ce.se) *s.f.* REL diocese que tem poder sobre outras e que se encontra sob o controle oficial de um arcebispo; arcebispado ~ **arquidiocesano** *adj.*

arquiducado (ar.qui.du.ca.do) *s.m.* **1** conjunto de terras de um arquiduque **2** dignidade, título de arquiduque

arquiducal (ar.qui.du.cal) [pl.: *-ais*] *adj.2g.* relativo a arquiduque e a arquiducado

arquiduque (ar.qui.du.que) [fem.: *arquiduquesa*] *s.m.* **1** título superior ao de duque **2** quem tem esse título

arqui-inimigo (ar.qui-i.ni.mi.go) [pl.: *arqui-inimigos*] *adj.s.m.* que(m) é o maior inimigo ou o maior rival; arquirrival

arquimilionário (ar.qui.mi.lio.ná.rio) *adj.s.m.* que(m) é muitas vezes milionário *<ficou a. ao ganhar na loteria>*

arquipélago (ar.qui.pé.la.go) *s.m.* grupo de ilhas mais ou menos próximas umas das outras *<o a. de Abrolhos fica no litoral do sul da Bahia>*

arquirrival (ar.quir.ri.val) [pl.: *-ais*] *adj.2g.s.2g.* arqui-inimigo *<tratavam-se como a. desde que se conheceram>*

arquitetar (ar.qui.te.tar) *v.* {mod. 1} *t.d.* **1** fazer o projeto arquitetônico de **2** *fig.* planejar, tramar *<a. uma vingança>*

arquiteto (ar.qui.te.to) *s.m.* profissional que idealiza, planeja, desenha e acompanha projetos de construção, jardins etc.

A

arquitetura (ar.qui.te.tu.ra) *s.f.* **1** arte e técnica de organizar espaços e criar ambientes para as diversas atividades humanas **2** conjunto das construções que caracterizam uma época, um povo ou um lugar *<a. modernista> <a. europeia do século XVI>* **3** projeto ou estilo de uma construção *<prédio de a. clássica>* ~ **arquitetônico** *adj.*

arquitrave (ar.qui.tra.ve) *s.f.* ARQ viga mestra horizontal, assentada sobre pilares ou colunas

arquivar (ar.qui.var) *v.* {mod. 1} *t.d.* **1** guardar em arquivo *<a. documentos>* **2** DIR interromper andamento jurídico de (inquérito ou processo) **3** *fig.* guardar na mente; memorizar *<arquivava facilmente números de telefone>* **4** *fig. infrm.* deixar de lado; esquecer *<arquivou o mal-entendido para evitar uma briga>* ~ **arquivamento** *s.m.*

arquivista (ar.qui.vis.ta) *adj.2g.s.2g.* que(m) é responsável por um arquivo

arquivo (ar.qui.vo) *s.m.* **1** conjunto de documentos relativos à história de um país, região, cidade, instituição, família, pessoa etc. **2** local ou móvel onde se guardam esses documentos *<tinha em casa um a. de metal>* **3** INF conjunto de dados ou instruções armazenados em computador, identificado por nome *<sempre fazia uma cópia de seus a. em um CD>*

-arra *suf.* 'aumento': *bocarra*

arrabalde (ar.ra.bal.de) *s.m.* **1** parte de uma cidade ou povoação que fica fora ou nas vizinhanças; subúrbio *<morava nos a. de Campinas>* **2** lugar muito afastado do centro de uma cidade ou povoação; arredor, cercania ☞ tb. us. no pl.

arraia (ar.rai.a) *s.f.* *B* **1** ZOO peixe ovovivíparo, de corpo achatado e nadadeiras peitorais muito desenvolvidas, cuja cauda pode ter ferrão; raia **2** RECR pipa; papagaio

arraial (ar.rai.al) [pl.: *-ais*] *s.m.* **1** pequena aldeia ou povoado *<a. de pescadores> <decidiu sair da cidade e morar no a.>* **2** local para festas juninas, inspirado nessas aldeias **3** lugarejo de caráter provisório, temporário *<a. militar> <a. de garimpeiros>*

arraia-miúda (ar.rai.a-mi.ú.da) [pl.: *arraias-miúdas*] *s.f.* a camada social mais baixa da sociedade; plebe, ralé

arraigado (ar.rai.ga.do) *adj.* **1** que lançou raízes; enraizado **2** *fig.* que se estabeleceu; radicado **3** gravado na memória, nos costumes, na cultura do indivíduo ou da coletividade *<crença a.>*

arraigar (ar.rai.gar) *v.* {mod. 1} *t.d.,int. e pron.* **1** fixar(-se) [a planta] pela raiz *<a. uma planta> <não deixe as ervas daninhas arraigarem(-se) aqui>* **2** *fig.* estabelecer(-se), firmar(-se) de maneira definitiva ou profunda *<a. os imigrantes na cidade> <a doença arraigou(-se)>* ~ **arraigamento** *s.m.*

arrais (ar.rais) *s.m.2n.* MAR mestre ou comandante de embarcação

arrancada (ar.ran.ca.da) *s.f.* **1** começo da rodagem de um veículo ou do funcionamento de um motor **2** FUTB ataque súbito e veloz contra o gol adversário **3** ESP numa competição, aceleração repentina para se distanciar de um adversário **4** *fig.* grande avanço ou melhora *<depois da nota baixa, deu uma a. nos estudos>*

arrancar (ar.ran.car) *v.* {mod. 1} *t.d.* **1** tirar, extrair fazendo uso da força *<a. um dente, um prego da parede>* □ *t.d. e t.d.i.* **2** (prep. *de*) fazer aparecer ou surgir; provocar *<arrancou aplausos (da plateia)>* **3** (prep. *de*) tirar (vegetal) da terra *<a. batatas (do solo)>* □ *t.d.i.* **4** (prep. *de*) obter com dificuldade *<tanto fizeram que arrancaram o segredo da irmã>* **5** (prep. *de*) obter por ameaça ou violência; extorquir *<a. dinheiro dos comerciantes>* □ *t.i. e int.* **6** (prep. *com, contra*) avançar, sair com ímpeto e de repente *<a. contra o adversário> <o piloto arrancou com o carro> <o carro arrancou>* ~ **arrancamento** *s.m.*

arranca-rabo (ar.ran.ca-ra.bo) [pl.: *arranca-rabos*] *s.m.* *B infrm.* discussão, briga

arranchar (ar.ran.char) *v.* {mod. 1} *t.d. e pron.* **1** reunir(-se) em ranchos ('grupos de pessoas'); associar(-se) *<a. a tropa> <moças e rapazes arranchavam-se na festa>* **2** abrigar(-se), hospedar(-se) *<não havia lugar para a.>* □ *int. e pron.* **3** estabelecer-se provisoriamente **4** consumir o rancho ('comida') *<os soldados, famintos, arrancharam(-se) naquela hora>* ~ **arranchamento** *s.m.*

arranha-céu (ar.ra.nha-céu) [pl.: *arranha-céus*] *s.m.* prédio muito alto, com muitos andares

arranhadura (ar.ra.nha.du.ra) *s.f.* arranhão

arranhão (ar.ra.nhão) [pl.: *-ões*] *s.m.* **1** ferimento superficial na pele; arranhadura, arranhado *<os dentes do cachorro fizeram um a. no seu dedo>* **2** fenda pouco profunda em superfície polida; arranhadura *<descobriu um a. no vidro>*

arranhar (ar.ra.nhar) *v.* {mod. 1} *t.d.,int. e pron.* **1** ferir(-se) levemente, com a unha, objeto pontiagudo, superfície áspera *<a. o rosto> <esses gatos arranham> <arranhou-se no braço>* □ *t.d. e int.* **2** causar, por atrito, sensação desagradável (em) *<arranhou a marcha ao engatar a ré> <essa toalha arranha>* □ *t.d.* **3** produzir ranhura, traço em (superfície); riscar *<arranhou a mesa>* **4** *infrm.* conhecer pouco (assunto, língua etc.) *<arranha o espanhol>*

arranjar (ar.ran.jar) *v.* {mod. 1} *t.d. e t.d.i.* **1** (prep. *a, para*) conseguir, obter (algo que queria ou de que precisava) *<arranjou companhia (para sair)>* □ *t.d.* **2** pôr em ordem; arrumar *<a. o quarto>* **3** colocar enfeites em; adornar *<arranjou o salão para o baile>* **4** pôr em condições de funcionar; consertar *<arranjou o ônibus e seguiram viagem>* **5** MÚS fazer arranjo de (peça musical) *<o violonista arranjou esta peça>* □ *pron.* **6** sair-se bem de dificuldades *<não se preocupe, ele se arranja>* ~ **arranjamento** *s.m.*

arranjo (ar.ran.jo) *s.m.* **1** disposição harmoniosa ou artística *<a. dos quadros na sala>* **2** ordem, harmonia, conforto no cotidiano *<a. para uma vida melhor>* **3** situação ou circunstância planejada, ordenada *<um a. nos horários permitiu que jantassem juntos>* **4** combinação, ajuste *<a. para dividir o trabalho>* **5** *B* acordo para enganar outras pessoas; negociata *<fez um a. para abrir a loja>* **6** MÚS adaptação de uma melodia ou peça musical a uma outra forma de execução *<fez um a. para coro>* ▼ ***arranjos*** *s.m.pl.* **7** medidas prévias de organização; preparativos *<precisamos fazer os a. para a festa>*

arranque (ar.ran.que) *s.m.* **1** movimento inesperado, feito de uma só vez **2** partida súbita e violenta *<deu um a. e saiu a toda velocidade>*

-arrão *suf.* 'aumento': *canzarrão, homenzarrão*

arrasar (ar.ra.sar) *v.* {mod. 1} *t.d.* **1** causar muitos estragos a; danificar, destruir *<o acidente arrasou o carro> <o temporal arrasou as ruas>* **2** tornar raso, plano; nivelar *<o matagal arrasou o terreno>* □ *t.d. e pron.* **3** debilitar(-se) física ou moralmente; abater(-se) *<o diagnóstico arrasou-o> <arrasaram-se com a longa viagem>* □ *t.i.* **4** (prep. *com*) agir contra (alguém), com palavras ou atos *<a crítica arrasou com o autor>* □ *int. gír.* **5** ser um sucesso; abafar *<o grupo arrasou>* □ *pron.* **6** perder a riqueza, o dinheiro; arruinar-se *<arrasou-se com os maus negócios>* ~ **arrasador** *adj.s.m.* - **arrasamento** *s.m.* - **arrasante** *adj.2g.*

arrastão (ar.ras.tão) [pl.: *-ões*] *s.m.* **1** *B* ação de recolher do mar a rede de pesca **2** *p.ext.* a pesca realizada desta forma **3** *p.ext.* rede que se usa nesse tipo de pesca **4** *B infrm.* assalto cometido por turmas em praias, praças etc.

arrasta-pé (ar.ras.ta-pé) [pl.: *arrasta-pés*] *s.m. B infrm.* **1** baile em que se costuma dançar forró, samba etc. **2** reunião informal, esp. familiar, para dançar *<vamos fazer um a. lá em casa>*

arrastar (ar.ras.tar) *v.* {mod. 1} *t.d.* **1** puxar fazendo deslizar pelo chão ou por uma superfície qualquer *<arrastou a mala em vez de carregá-la>* **2** INF mover (texto, arquivo etc.) no computador, com o auxílio do *mouse* □ *t.d. e pron.* **3** conduzir(-se) à força ou com dificuldade *<a. o assaltante até a delegacia> <o doente arrastava-se pelo hospital>* □ *t.d.,int. e pron.* **4** (fazer) roçar no chão *<a. a cauda do vestido> <não vá com essa calça, ela arrasta> <a beirada do manto se arrastava pelo tapete>* □ *pron.* **5** deslizar por qualquer superfície; rastejar *<as cobras se arrastavam em silêncio>* **6** passar lentamente; demorar *<o domingo se arrastou>* ~ **arrastamento** *s.m.* - **arrasto** *s.m.*

-arraz *suf.* 'aumento': *pratarraz*

arrazoar (ar.ra.zo.ar) *v.* {mod. 1} *t.i.* **1** (prep. *sobre*) abordar (tema), expondo razões ou pontos de vista *<arrazoa sobre um assunto que domina>* □ *t.d.* **2** fazer censura a; repreender *<a. o filho que não quer estudar>* **3** DIR apresentar razões, argumentos de (ideia, tese) em juízo *<a. a defesa perante o juiz>* □ *t.i. e int.* **4** (prep. *com*) discutir, altercar *<a. com os que recusaram a proposta> <ele arrazoou bastante até restabelecer a calma>* ~ **arrazoado** *adj.s.m.* - **arrazoamento** *s.m.*

arre (ar.re) *interj.* **1** voz com que se tocam animais de carga *<a., mula!>* **2** voz que exprime aborrecimento, zanga ou raiva *<a., que chatice!>*

arrear (ar.re.ar) *v.* {mod. 5} *t.d.* colocar arreios em (cavalgadura) ☞ cf. *arriar* ~ **arreamento** *s.m.*

arrebanhar (ar.re.ba.nhar) *v.* {mod. 1} *t.d.* **1** reunir em rebanho *<arrebanhava as ovelhas ao anoitecer>* **2** *p.ext.* juntar ou recolher (objetos) *<arrebanhou suas coisas e partiu>* □ *t.d. e pron.* **3** juntar(-se) em grupo; reunir(-se) *<a. gente> <os candidatos arrebanhavam-se aos poucos>* ~ **arrebanhamento** *s.m.*

arrebatar (ar.re.ba.tar) *v.* {mod. 1} *t.d. e t.d.i.* **1** (prep. *a, de*) puxar, levar com força ou de repente; arrancar *<o vento arrebatou o papel (das mãos da moça)>* □ *t.d. e pron.* **2** encantar(-se), deslumbrar(-se) *<a poesia arrebata as pessoas sensíveis> <a.-se com o pôr do sol>* **3** enfurecer(-se), irar(-se) *<a intolerância o arrebata> <arrebatou-se com a provocação>* ~ **arrebatador** *adj.s.m.* - **arrebatamento** *s.m.* - **arrebatante** *adj.2g.*

arrebentação (ar.re.ben.ta.ção) [pl.: *-ões*] *s.f.* **1** choque das ondas sobre a praia, recife ou outro obstáculo; rebentação **2** local onde as ondas se quebram; rebentação

arrebentar (ar.re.ben.tar) *v.* {mod. 1} *t.d. e int.* **1** fazer(-se) em pedaços; romper(-se), rebentar(-se) *<a tempestade arrebentou os mastros do veleiro> <durante a ventania, a corda do varal de roupas arrebentou>* **2** estourar, explodir; rebentar *<o alfinete arrebentou o balão de gás> <as bolhas arrebentaram>* **3** fazer-se em espuma (as ondas, o mar); rebentar □ *int.* **4** gír. ter um ótimo desempenho; sair-se muito bem *<estudou muito para as provas e arrebentou>* □ *pron.* **5** *fig.* cansar-se muito (física ou mentalmente) *<arrebentou-se de tanto trabalhar>* ~ **arrebentamento** *s.m.*

arrebitado (ar.re.bi.ta.do) *adj.* **1** que tem a ponta virada para cima *<nariz a.>* **2** que ficou de pé *<corpo a.>* **3** *fig.* que demonstra arrogância, atrevimento *<foi um adolescente a.>* **4** *fig. B* que se irrita com facilidade; genioso ℧ calmo

arrebitar (ar.re.bi.tar) *v.* {mod. 1} *t.d.* **1** virar para cima *<arrebitou a aba do chapéu>* □ *t.d. e pron.* **2** pôr(-se) em pé; levantar(-se) *<ela arrebitou o dedo indicador> <o soldado arrebitou-se com a entrada do oficial>* □ *pron.* **3** *fig.* tornar-se arrogante, presunçoso *<arrebitou-se ao ganhar o elogio>* **4** *fig. B* tornar-se irritado; enfurecer-se *<arrebita-se com muita facilidade>* ~ **arrebitamento** *s.m.*

arrebol (ar.re.bol) [pl.: *-óis*] *s.m.* cor avermelhada do nascer ou do pôr do sol

arrecadar (ar.re.ca.dar) *v.* {mod. 1} *t.d.* **1** fazer cobrança ou recolhimento de; receber *<a. taxas, impostos> <arrecadaram muitos donativos no Natal>* **2** ter ou guardar em segurança *<a. joias>* □ *t.d. e int.* **3** conseguir, alcançar, obter (o que se deseja, esp. riquezas) *<o time arrecadou vários campeonatos> <depois de muito trabalhar, arrecadou bastante>* ~ **arrecadação** *s.f.* - **arrecadador** *adj.s.m.* - **arrecadamento** *s.m.*

arrecife (ar.re.ci.fe) *s.m.* recife

arredar (ar.re.dar) *v.* {mod. 1} *t.d.,int. e pron.* **1** (fazer) ir para trás; recuar(-se), afastar(-se) *<os policiais arredaram os curiosos> <os mais sensatos arredavam(-se) dali>* ℧ aproximar(-se) □ *t.d.* **2** transportar (algo ou alguém); remover, retirar *<a. a cadeira para sentar>* □ *t.d.i. e pron.* **3** (prep. *de*) deixar ou fazer deixar (local, morada) *<ninguém o arredava da sala> <não me arredo de minha casa>* **4** (prep. *de*) convencer a desistir; dissuadir(-se), demover(-se) *<nenhum argumento arredou-o de seus propósitos> <ele não se arredava de seu modo de pensar>* ℧ convencer(-se) ~ **arredamento** *s.m.*

arredio (ar.re.di.o) *adj.* **1** que foge do convívio social *<foi um menino a., difícil de tirar de casa>* **2** que se desvia ou separa; apartado

arredondado (ar.re.don.da.do) *adj.* de forma ou feitio redondo, circular ou esférico *<bolsa a.>*

arredondar (ar.re.don.dar) *v.* {mod. 1} *t.d. e pron.* **1** tornar(-se) redondo *<arredondou a beirada da mesa> <dobrou o papel, e as linhas do desenho arredondaram-se>* □ *t.d.* **2** calcular (valor, número) dispensando as frações *<arredondou a gorjeta por falta de troco> <a. a nota da prova de 7,8 para 8>* ~ **arredondamento** *s.m.*

arredor (ar.re.dor) [pl.: *-es*] *adv.* **1** ao redor, em volta, em torno *<a neblina estava densa a.>* ■ *adj.2g.* **2** que está localizado na vizinhança; adjacente *<montanhas arredores>* ■ *s.m.* **3** conjunto das localidades vizinhas; redondeza *<fez um passeio aos a. da cidade>* ☞ nesta acp., mais us. no pl.

arreeiro (ar.re.ei.ro) *s.m.* arrieiro

arrefecer (ar.re.fe.cer) *v.* {mod. 8} *t.d.,int. e pron.* **1** tornar(-se) frio; esfriar *<o frio arrefeceu a comida> <entrou na casa porque já arrefecia> <o café arrefeceu(-se)>* ↺ esquentar **2** *fig.* desanimar ou provocar o desânimo de *<a injustiça arrefeceu os trabalhadores em greve> <seu entusiasmo arrefeceu(-se) com o tempo>* □ *int.* **3** *fig.* ficar mais brando, mais fraco *<a febre arrefeceu>* ↺ intensificar-se ~ **arrefecedor** *adj.s.m.* - **arrefecimento** *s.m.*

arregaçar (ar.re.ga.çar) *v.* {mod. 1} *t.d.* **1** dobrar ou puxar para cima (roupa ou parte dela) *<arregaçou as mangas do casaco para não molhá-las>* □ *t.d. e pron.* **2** levantar(-se) [os lábios], enrolando-os, arqueando-os ou enrugando-os *<a. os lábios> <o lábio superior arregaçou-se em um sorriso>* ~ **arregaçado** *adj.* - **arregaçamento** *s.m.*

arregalar (ar.re.ga.lar) *v.* {mod. 1} *t.d.* abrir muito (os olhos), por alegria, espanto etc.; esbugalhar ~ **arregalado** *adj.*

arreganhar (ar.re.ga.nhar) *v.* {mod. 1} *t.d.* **1** abrir muito (a boca, os olhos etc.) *<com raiva, arreganhou os lábios>* □ *t.d. e pron.* **2** deixar ver (os dentes) abrindo os lábios *<o cachorro arreganhou os dentes para o treinador> <a.-se numa careta>* □ *pron.* **3** rir muito; gargalhar *<a plateia arreganhava-se com o humorista>* ~ **arreganhamento** *s.m.* - **arreganho** *s.m.*

arregimentar (ar.re.gi.men.tar) *v.* {mod. 1} *t.d.* **1** MIL reunir em regimento militar □ *t.d. e pron.* **2** associar(-se) em partido, grupo etc. *<arregimentou todos os amigos para a reunião> <arregimentaram-se e avançaram contra o exército inimigo>* ~ **arregimentação** *s.f.*

arrego (ar.re.go) /ê/ *s.m.* **1** ato ou efeito de desistir de algo; desistência ■ *interj.* **2** *B infrm.* expressa renúncia, impossibilidade de continuar suportando determinada situação (por medo, irritação, impaciência ou constatação de derrota) ◙ **pedir a.** *B infrm.* desistir de algo, dando-se por vencido; arregar *<após a terceira rodada pediu a.>* ~ **arregar** *v.int. e pron.*

arreio (ar.rei.o) *s.m.* conjunto de peças us. para preparar a cavalgadura para montaria ou para trabalho de carga ☞ mais us. no pl. • COL selaria

arrelia (ar.re.li.a) *s.f.* **1** aborrecimento, apoquentação *<as longas esperas lhe davam a.>* ↺ contentamento **2** falta de paciência; pressa ↺ paciência **3** rolo, confusão **4** pressentimento de coisa má; mau agouro *<sentiu a. ao ler aquela notícia>*

arreliar (ar.re.li.ar) *v.* {mod. 1} *t.d. e pron.* (fazer) ficar aborrecido, zangado; aborrecer(-se) *<a derrota arreliou o time> <arreliava-se com a falta de educação do primo>* ~ **arreliação** *s.f.* - **arreliado** *adj.*

arrematar (ar.re.ma.tar) *v.* {mod. 1} *t.d.,int. e pron.* **1** dar ou alcançar finalização; acabar *<arrematou a tarefa depois de anos> <seu namoro arrematou(-se) de maneira triste>* □ *t.d.* **2** completar com detalhes, retoques finais *<a obra estava quase terminada, faltava apenas a. a pintura>* **3** dizer (algo) para encerrar conversa ou discussão **4** fazer os acabamentos em (uma roupa) *<arrematou a bainha da saia>* **5** comprar em leilão *<um desconhecido arrematou todas as obras de arte>* □ *t.d. e int.* **6** chutar em gol como conclusão de (jogada ou série de jogadas) *<o atacante arrematou o gol com perfeição> <depois de uma troca de passes, o ponta arrematou com força>* ~ **arrematação** *s.f.* - **arrematador** *adj.s.m.*

arremate (ar.re.ma.te) *s.m.* **1** término, desfecho *<o a. do longo trabalho foi muito comemorado>* **2** acabamento final de uma roupa (como bainhas, colocação de botões etc.); remate

arremedar (ar.re.me.dar) *v.* {mod. 1} *t.d.* **1** tentar reproduzir (som, estilo etc.) *<a. o estilo de Machado de Assis> <a criança arremedava o gato>* **2** imitar, fazendo graça ou zombaria *<gostava de a. o professor>* **3** *fig.* ser semelhante a; parecer *<esta cidade arremeda Friburgo>* ~ **arremedo** *s.m.*

arremessão (ar.re.mes.são) [pl.: *-ões*] *s.m.* impulso de lançar(-se) para longe; arremesso, arremessamento

arremessar (ar.re.mes.sar) *v.* {mod. 1} *t.d.* **1** lançar longe, com força; atirar *<o atleta girou antes de a. o peso>* □ *pron.* **2** (prep. *contra*) lançar-se em ataque, com ímpeto *<a.-se contra o inimigo>* **3** (prep. *a*) arriscar-se, aventurar-se *<arremessava-se a situações perigosas>* ~ **arremessador** *adj.s.m.* - **arremessamento** *s.m.*

arremesso (ar.re.mes.so) /ê/ *s.m.* **1** ato ou efeito de arremessar **2** arremessão *<a. de dardos é um esporte olímpico>* **3** ação ofensiva; ataque *<ganhou a luta em um único a.>* ↺ defesa **4** grande coragem; audácia, bravura ↺ covardia **5** ESP lançamento da bola à cesta, no basquete

arremeter (ar.re.me.ter) *v.* {mod. 8} *t.i. e int.* **1** (prep. *contra*) lançar-se em ataque (contra) *<a. contra o adversário> <depois de dias de espera, a tropa arremeteu>* □ *int.* **2** ir apressadamente em direção a *<a. à saída>* **3** AER fazer voltar ou voltar (a aeronave) a subir durante uma aproximação de pouso *<a visibilidade era ruim, e o piloto decidiu a.>* ~ **arremetimento** *s.m.*

arremetida (ar.re.me.ti.da) *s.f.* **1** atitude de atacar com fúria ou ímpeto; investida ↺ defensiva **2** ação impetuosa que demonstra grande coragem ↺ covardia **3** AER operação de arremeter a aeronave no pouso

arrendador (ar.ren.da.dor) /ô/ [pl.: *-es*] *adj.s.m.* que(m) oferece algo, ger. bem imóvel, em arrendamento

arrendamento (ar.ren.da.men.to) *s.m.* **1** contrato que garante o uso de um imóvel (ger. rural) por tempo e preço determinados **2** título ou escritura desse contrato

arrendar (ar.ren.dar) *v.* {mod. 1} *t.d. e t.d.i.* **1** (prep. *a*) permitir uso de (imóvel, ger. rural), por certo tempo e mediante pagamento *<arrendou as terras (ao governo)>* **2** (prep. *de*) poder usar por certo tempo (imóvel, ger. rural), mediante pagamento *<a. (do patrão) uma propriedade>*

arrendatário (ar.ren.da.tá.rio) *s.m.* indivíduo que toma alguma coisa em arrendamento; rendeiro

arrepanhar (ar.re.pa.nhar) *v.* {mod. 1} *t.d.* **1** pegar ou arrancar com violência *<o urso arrepanhou o peixe com uma só patada>* **2** *p.ext.* roubar, furtar *<arrepanhou a bolsa e saiu correndo>* **3** arregaçar *<a. o vestido>* □ *t.d. e pron.* **4** tornar (-se) enrugado *<a idade arrepanhou a pele do seu rosto> <sua boca arrepanhou-se num sorriso>* ~ **arrepanho** *s.m.*

arrepender-se (ar.re.pen.der-se) *v.* {mod. 8} *pron.* (prep. *de*) lamentar mal, erro ou ato do passado *<arrependeu-se de ter recusado o convite>* ~ **arrependido** *adj.s.m.*

arrependimento (ar.re.pen.di.men.to) *s.m.* **1** lamentação por um mal cometido **2** negação ou desistência de algo feito ou pensado no passado *<o a. de não ter estudado para as provas>*

arrepiante (ar.re.pi.an.te) *adj.2g.* **1** que dá arrepios **1.1** que aterroriza, causa pavor; amedrontador, apavorante

arrepiar (ar.re.pi.ar) *v.* {mod. 1} *t.d. e int.* **1** levantar(-se) [cabelos, pelos, penas etc.] *<o gato arrepiou os pelos> <o leão rugiu tão forte que seu cabelo arrepiou>* □ *t.d.,int. e pron.* **2** (fazer) sentir arrepios, por frio, medo *<o medo arrepiou a moça> <suas atitudes violentas arrepiam> <arrepiou-se diante da catástrofe>* □ *int.* **3** *RJ* ter bom desempenho, destacar-se *<ele arrepiou no jogo passado>* ▣ **de a.** de arrepiar os cabelos, cf. no verbete *cabelo* ~ **arrepiadura** *s.f.* - **arrepiamento** *s.m.*

arrepio (ar.re.pi.o) *s.m.* **1** rápido tremor involuntário, por frio, medo etc.; calafrio *<sentiu um a. ao ver a atriz de perto>* **2** leve ondulação *<o vento causa a. no lago>*

arresto (ar.res.to) *s.m.* DIR apreensão judicial dos bens do devedor, para garantir a futura cobrança da dívida; embargo ~ **arrestante** *adj.2g.s.2g.* - **arrestar** *v.t.d.*

arretado (ar.re.ta.do) *adj. N.E. infrm.* palavra que pode expressar diversos elogios; legal, bom, belo etc. *<uma garota a.> <um filme a.>*

arrevesado (ar.re.ve.sa.do) *adj.* **1** colocado às avessas *<camisa a.>* **2** de difícil compreensão; complicado, confuso *<fala um alemão a.>* ↺ entendível

arrevesar (ar.re.ve.sar) *v.* {mod. 1} *t.d.* **1** pôr às avessas *<a. uma roupa>* **2** dar sentido contrário a; inverter *<a. um propósito>*

arriar (ar.ri.ar) *v.* {mod. 1} *t.d.* **1** fazer descer; abaixar *<a. a bandeira>* ↺ suspender, levantar **2** pousar (objeto) em superfície plana, esp. o chão *<arriou a sacola de compras>* □ *int.* **3** cair ou vergar-se por pressão ou falta de sustentação *<a prateleira arriou>* **4** cair ou tombar por perda das energias; ficar exausto *<o cavalo arriou no final da reta>* **5** *B* ficar sem carga (bateria); descarregar □ *int. e pron.* **6** cair ou deixar-se cair, por cansaço, fadiga etc. *<arriou(-se) na poltrona e lá ficou>* ☞ cf. *arrear* ~ **arriamento** *s.m.*

arriba (ar.ri.ba) *adv.* **1** acima, adiante *<mora a. daquela casa>* ↺ abaixo, antes ■ *interj.* **2** acima, adiante

arribação (ar.ri.ba.ção) [pl.: *-ões*] *s.f.* **1** chegada a algum lugar; arribada **2** deslocamento de animais, ger. aves e peixes, de uma região para outra em determinadas épocas do ano

arribada (ar.ri.ba.da) *s.f.* **1** arribação ('chegada') **2** MAR retorno (de navio) ao porto de origem **3** rebanho disperso, fugido **4** *infrm.* recuperação da saúde *<depois da febre, deu uma a.>*

arribar (ar.ri.bar) *v.* {mod. 1} *int.* **1** MAR chegar (embarcação) a porto, praia etc.; aportar **2** *p.ext.* chegar (a algum lugar) *<a. em outra cidade>* **3** mudar de região (aves); migrar □ *t.i.* **4** (prep. *de*) não dar continuidade a; desistir *<arribou dos estudos>* □ *t.i. e int.* **5** (prep. *de*) melhorar de (saúde, sorte etc.) *<a moça arribou da doença> <depois de maus momentos, felizmente ele arribou>*

arrieiro (ar.ri.ei.ro) *s.m.* **1** guia de animais de carga; tropeiro, arreeiro **2** *fig.* pessoa grosseira, sem educação

arrimar (ar.ri.mar) *v.* {mod. 1} *t.d. e pron.* **1** fornecer(-se) apoio ou suporte; amparar(-se), sustentar(-se) *<o poste arrimava o muro> <arrima-se na bengala>* □ *t.d. fig.* **2** dar amparo (financeiro, afetivo etc.) a *<trabalhava para a. a família>* **3** pôr em pilha; empilhar *<a. os livros>* □ *pron.* **4** usar como apoio ou base; valer-se; basear-se *<arrimam-se na fortuna do pai> <a.-se nos fatos>*

arrimo (ar.ri.mo) *s.m.* **1** peça ou lugar onde se encosta ou se apoia; encosto, apoio *<a parede serviu-lhe de a.>* **2** indivíduo ou situação que protege, dá apoio afetivo, financeiro etc. *<casou e perdeu o a. do pai> <trabalha muito porque é a. de família>*

arriscado (ar.ris.ca.do) *adj.* que oferece risco; perigoso *<era um trabalho a.>* ↺ inofensivo

arriscar (ar.ris.car) *v.* {mod. 1} *t.d. e pron.* **1** pôr (-se) em risco, perigo; expor(-se) *<o bombeiro arriscou a vida para fazer o salvamento> <arriscou-se muito ao subir aquela montanha>* **2** sujeitar(-se) a boa ou má sorte; aventurar(-se) *<arriscou seu dinheiro numa aposta boba> <o jogador arriscou-se ao tentar fazer a cesta de tão longe>*

arritmia (ar.rit.mi.a) *s.f.* **1** irregularidade no ritmo ↺ eurritmia **2** MED arritmia cardíaca ▣ **a. cardíaca** MED irregularidade nas contrações cardíacas ~ **arrítmico** *adj.*

arrivista (ar.ri.vis.ta) *adj.2g.s.2g.* que(m) é ambicioso e inescrupuloso *<profissional a.>* ~ **arrivismo** *s.m.*

arrizotônico (ar.ri.zo.tô.ni.co) *adj.* GRAM diz-se de forma verbal cujo acento tônico recai fora do radical (p.ex., *livr-aste, am-amos*) ↺ rizotônico

arroba (ar.ro.ba) /ô/ *s.f.* **1** unidade de peso equivalente a 15 kg **2** INF sinal gráfico (@) us. em endereços de correio eletrônico

arrochar (ar.ro.char) *v.* {mod. 1} *t.d. e pron.* **1** apertar(-se) muito *<a. o cinto> <ela arrochava-se dentro daquele vestido>* ↺ desarrochar □ *t.d. e int. fig.* **2** ser implacável, duro, exigente; oprimir *<o governo vai a. os contribuintes> <para admitir gente, a empresa arrochava>* ~ **arrochamento** *s.m.*

arrocho (ar.ro.cho) /ô/ *s.m.* **1** pau torto e curto us. para torcer e apertar as cordas que prendem cargas, fardos etc. **2** qualquer coisa que sirva para atar ou apertar **3** *infrm.* abraço impetuoso **4** *fig.* circunstância difícil ↺ facilidade **5** *B* forte repressão policial ou de outras autoridades ▣ **a. salarial** grande controle do nível de salários, para diminuição de despesas ou estabilização de preços • **dar um a. em** exercer forte pressão ou coação sobre alguém *<deu um a. no namorado e descobriu suas mentiras>*

arrogância (ar.ro.gân.cia) *s.f.* **1** ato de atribuir a si direito, poder ou privilégio, ou o seu efeito *<teve a a. de achar que merecia chefiar a equipe>* **2** *p.ext.* falta de respeito; insolência, atrevimento *<sua a. afastou-o do time>* ↺ respeito **3** *p.ext.* orgulho ostensivo, altivez ↺ humildade

arrogante (ar.ro.gan.te) *adj.2g.s.2g.* **1** que(m) demonstra arrogância; orgulhoso, altivo ↺ humilde ■ *adj. 2g.* **2** insolente, mal-educado, atrevido ↺ educado

arrogar (ar.ro.gar) *v.* {mod. 1} *t.d.,t.d.i. e pron.* (prep. *a*) atribuir(-se) [direito, poder etc.] *<o diretor arrogava uma liderança indiscutível> <arrogava a si o direito de acordar depois de todos> <arrogava-se o privilégio de comandar o grupo>* ~ **arrogação** *s.f.*

arroio (ar.roi.o) /ô/ *s.m.* pequeno curso de água; regato

arrojado (ar.ro.ja.do) *adj.* **1** em que há ousadia; arriscado *<negócio a.>* ↺ seguro **2** que apresenta características inovadoras, progressistas; ousado *<arquitetura a.>* ↺ tradicional

arrojar (ar.ro.jar) *v.* {mod. 1} *t.d. e pron.* **1** lançar (-se) com força; jogar(-se) *<a. uma pedra> <o paraquedista arrojou-se ao mergulho no ar>* **2** arrastar (-se) no chão *<o vento arrojava os papéis para a rua> <a cobra arrojava-se no gramado>* □ *pron.* **3** (prep. *a*) fazer (algo) com ousadia; aventurar-se *<arrojou-se ao projeto com muita determinação>* ~ **arrojamento** *s.m.*

arrojo (ar.ro.jo) /ô/ *s.m.* **1** movimento que atira longe; lançamento, arremesso *<o a. de uma bola>* **2** *p.ext.* ação de expelir; expulsão, excreção *<a. do vômito>* **3** *fig.* grande coragem; audácia, ousadia ↺ covardia

arrolar (ar.ro.lar) *v.* {mod. 1} *t.d.* **1** pôr em rol ou lista; relacionar *<arrolou os itens que faltavam na despensa>* □ *t.d. e pron.* **2** inscrever(-se), alistar (-se) *<a associação arrolou novos voluntários> <eles arrolaram-se no exército>* ~ **arrolador** *adj.s.m.* - **arrolamento** *s.m.*

arrolhar (ar.ro.lhar) *v.* {mod. 1} *t.d.* tapar com rolha *<a. uma garrafa>* ~ **arrolhamento** *s.m.* - **arrolho** *s.m.*

arromba (ar.rom.ba) *s.f. infrm.* cantiga animada, tocada na viola ▣ **de a.** *B infrm.* sensacional, espetacular, estupendo *<festa de a.>*

arrombar (ar.rom.bar) *v.* {mod. 1} *t.d.* **1** abrir um rombo em; romper *<a força da água arrombou a barragem>* **2** abrir à força, de modo violento *<a. um cofre, uma fechadura>* ~ **arrombador** *adj.s.m.* - **arrombamento** *s.m.*

arrostar (ar.ros.tar) *v.* {mod. 1} *t.d.,t.i. e pron.* (prep. *a, com, contra*) olhar(-se) de frente, sem medo; encarar(-se) *<ninguém ousou a. o bando> <mesmo atrasada, resolveu a. ao treinador> <a.-se com a morte>*

arrotar (ar.ro.tar) *v.* {mod. 1} *t.d. e int.* **1** soltar (gases estomacais) pela boca, ger. com ruído *<arrotava refrigerante> <ao terminar o almoço, arrotou>* □ *t.d. fig.* **2** vangloriar-se de, alardear *<a. valentia>* ~ **arrotação** *s.f.* - **arrotador** *adj.s.m.*

arrotear (ar.ro.te.ar) *v.* {mod. 5} *t.d.* **1** limpar (terreno), preparando-o para plantação **2** *fig.* dar educação a; instruir ~ **arroteamento** *s.m.*

arroto (ar.ro.to) /ô/ *s.m.* emissão dos gases do estômago pela boca

arroubo (ar.rou.bo) *s.m.* manifestação repentina de entusiasmo; êxtase, enlevo *<abraçou o mestre, num a. de felicidade>* ~ **arroubar** *v.t.d. e pron.*

arroxeado (ar.ro.xe.a.do) *adj.* **1** que tem cor aproximada ou semelhante a roxo *<lenço a. de seda>* **2** diz-se dessa cor *<a cor a. duma flor>* ■ *s.m.* **3** essa cor

arroz (ar.roz) /ô/ [pl.: *-es*] *s.m.* BOT **1** planta com inúmeras variedades, cultivada pelos grãos, importante elemento da dieta básica de grande parte da população mundial **2** o grão dessa planta • COL arrozal, arrozeira

arroz-doce (ar.roz-do.ce) [pl.: *arrozes-doces*] *s.m.* CUL doce feito com arroz cozido primeiro em água e sal e depois em leite adoçado, que se serve ger. com canela

arruaça (ar.ru.a.ça) *s.f.* **1** tumulto ou desordem de rua *<depois do jogo houve muita a.>* **2** *p.ext.* muito barulho ~ **arruaçar** *v.int.*

arruaceiro (ar.ru.a.cei.ro) *adj.s.m.* **1** que(m) promove ou participa de arruaça, confusão na rua; baderneiro ↺ ordeiro **2** que(m) demonstra valentia em brigas de rua; brigão, valentão ↺ covarde, medroso

arruamento (ar.ru.a.men.to) *s.m.* **1** traçado, demarcação ou abertura de ruas **2** disposição, distribuição das ruas de um loteamento ou bairro

arruçado (ar.ru.ça.do) *adj.* que se tornou ruço, pardacento ou grisalho *<esse tecido ficou a.> <cabelos a.>*

arruda (ar.ru.da) *s.f.* BOT planta de odor muito forte, cultivada por seus usos medicinais

arruela (ar.ru.e.la) *s.f.* plaqueta com furo central, que se coloca entre a porca e o parafuso

arrufar (ar.ru.far) *v.* {mod. 1} *t.d.,int. e pron.* **1** tornar(-se) irritado; zangar(-se) *<suas palavras arrufaram a irmã> <arrufou(-se) com a ironia do colega>* **2** tornar(-se) crespo, arrepiado; ouriçar *<o pavão arrufou a cauda> <seus cabelos arrufaram (-se) com o vento>* **~ arrufo** *s.m.*

arruinar (ar.ru.i.nar) *v.* {mod. 2} *t.d.* **1** transformar em ruínas *<o terremoto arruinou a cidade>* **2** *p.ext.* causar dano(s) ou devastação a; destruir, arrasar *<as pragas arruinaram a plantação>* □ *t.d. e pron. fig.* **3** reduzir(-se) à miséria; empobrecer *<arruinou a fortuna no jogo> <arruinara-se com excesso de gastos>* **4** levar(-se) à decadência física e/ou moral; destruir(-se) *<o vício arruinou sua vida> <arruinou--se com apostas>* **~ arruinação** *s.f.*

arrulhar (ar.ru.lhar) *v.* {mod. 1} *int.* **1** emitir arrulhos (pombo, rola) □ *t.d. e int.* **2** *fig.* exprimir (sentimento) com ternura; dizer palavras doces a *<arrulhei meu amor em seu ouvido> <o casal brigava muito, mas depois arrulhava>* ◉ GRAM/USO só us. nas 3as p., exceto quando fig.

arrulho (ar.ru.lho) *s.m.* **1** voz, canto ou gemido característico de rolas e pombos **2** *fig.* fala ou conversa meiga, carinhosa (ger. de namorados)

arrumação (ar.ru.ma.ção) [pl.: *-ões*] *s.f.* **1** conjunto de operações para manter algo em ordem *<a. de uma casa, de uma estante>* ↺ desarrumação **2** *fig.* disposição harmônica; organização *<suas ideias precisam de a.>*

arrumadeira (ar.ru.ma.dei.ra) *s.f.* *B* empregada que arruma e limpa casa, escritório etc.

arrumadela (ar.ru.ma.de.la) *s.f.* arrumação rápida e superficial, para organizar um pouco; arrumada *<deu uma a. na casa antes da chegada das visitas>*

arrumar (ar.ru.mar) *v.* {mod. 1} *t.d.* **1** pôr (algo) em ordem; organizar, ordenar *<a. a mesa>* ↺ desarrumar **2** dar rumo a (embarcação) **3** *infrm.* consertar, reparar *<chamou alguém para a. o vazamento>* **4** *B* provocar a ocorrência de *<a. confusão, problema>* □ *t.d. e t.d.i.* **5** *B* (prep. *a, para*) conseguir, obter, arranjar *<arrumou entradas (para o show)>* □ *pron.* **6** conseguir boa situação; arranjar-se *<lutou muito para a.-se na vida>* **7** sair de dificuldades; avir-se *<após alguns meses, conseguiu se a.>* **8** cuidar da aparência, esp. no vestuário; aprontar-se *<arrumaram-se para o casamento>* **~ arrumada** *s.f.* **- arrumado** *adj.*

arsenal (ar.se.nal) [pl.: *-ais*] *s.m.* **1** fábrica e depósito de armas **2** grande quantidade de qualquer coisa; conjunto *<a. de ideias>* **3** *fig.* arquivo, depósito *<ela é um a. de informações>*

arsênico (ar.sê.ni.co) *adj.s.m.* QUÍM **1** (ácido) us. como agente para desfolhar plantas, esterilizar o solo, na fabricação de vidros etc. **2** (substância) us. como inseticida, em tingimento etc.

arsênio (ar.sê.nio) *s.m.* QUÍM elemento químico us. em ligas metálicas, semicondutores, xerografia etc. [símb.: *As*] ☞ cf. *tabela periódica* (no fim do dicionário)

art déco (art dé.co) [fr.] *loc.subst.* **1** estilo de arte, desenho industrial e arquitetura, esp. decorativo, de formas geométricas, retilíneas, simétricas e ziguezagueantes, de fácil adaptação à produção industrial ☞ inicial freq. maiúsc. ■ *loc.adj.* **2** próprio de ou relativo a *art déco* *<estilo a.>* ⇒ pronuncia-se ar decô

arte (ar.te) *s.f.* **1** habilidade humana de pôr em prática uma ideia, pelo domínio da matéria *<a a. de usar o fogo>* **2** o uso dessa habilidade nos campos do pensamento e do conhecimento humano e/ou da experiência prática *<a a. do pensamento, da música>* **3** perfeição técnica na elaboração; requinte *<um jardim realizado com a.>* **4** o conjunto de técnicas características de um ofício ou profissão, esp. manual *<domina como poucos a a. da culinária>* **5** o próprio ofício *<a. da marcenaria>* **6** capacidade especial; aptidão, jeito, dom *<a a. de lidar com crianças>* **7** ardil, artimanha, astúcia *<usou de a. para convencer os pais>* **8** *B infrm.* travessura, traquinagem *<fez tanta a. que ficou de castigo>* ☞ tb. us. no pl. **9** produção de obras, formas ou objetos com ideal de beleza e harmonia ou para a expressão da subjetividade humana *<a. literária>* **10** conjunto dessas obras, pertencente a determinada época, corrente, espaço geográfico ou cultural *<a. moderna>* ▣ **a. cênicas** TEAT conjunto das artes e técnicas relativas à representação teatral • **a. gráficas** GRÁF **1** conjunto de processos relativos à criação e preparação de trabalhos de arte destinados à reprodução (desenho de figuras, letras, diagramação, arte-final etc.), e aos processos, mecânicos ou artesanais, de impressão, acabamento, encadernação etc. **2** conjunto das artes e técnicas relativas à atividade gráfica • **a. plásticas** ART.PLÁST conjunto de artes em que se recriam linhas, formas, cores, volumes, como o desenho, a pintura, a escultura, a gravura e a arquitetura • **sétima a.** arte cinematográfica; cinema

artefato (ar.te.fa.to) *s.m.* **1** objeto, dispositivo, artigo industrializado **2** aparelho, engenho construído para um fim determinado *<um a. de jardinagem>*

arte-final (ar.te-fi.nal) [pl.: *artes-finais*] *s.f.* GRÁF **1** projeto final de um trabalho gráfico **2** esse trabalho pronto para reprodução **~ arte-finalista** *adj.2g.s.2g.*

arteiro (ar.tei.ro) *adj.* **1** *B* que apronta artes ou travessuras *<aquele menino é muito a., por isso, ficou de castigo>* ↺ quieto **2** esperto, ardiloso, sagaz ↺ escrupuloso **~ arteirice** *s.f.*

artelho (ar.te.lho) /ê/ *s.m.* ANAT **1** articulação; junta de ossos **2** cada um dos dez dedos dos pés

artéria (ar.té.ria) *s.f.* **1** ANAT veia que transporta sangue oxigenado do coração para o resto do corpo, exceto para os pulmões **2** via de comunicação importante por onde circula grande parte do tráfego *<a avenida costeira era a maior a. da cidade>* **~ arterial** *adj.2g.*

arteriosclerose (ar.te.ri.os.cle.ro.se) *s.f.* **1** MED doença degenerativa da artéria devido à destruição de suas fibras ☞ cf. *aterosclerose* **2** *p.ext. infrm.* condição de quem está ou de quem se diz estar caduco **~ arteriosclerótico** *adj.*

arterioscleroso (ar.te.ri.os.cle.ro.so) /ô/ [pl. e fem.: /ó/] *adj.* **1** relativo a arteriosclerose **2** que é afetado por essa doença

artesanal (ar.te.sa.nal) [pl.: *-ais*] *adj.2g.* relativo a ou próprio de artesão ou artesanato *<geleia a.> <feira de produtos a.>*

artesanato (ar.te.sa.na.to) *s.m.* **1** arte ou técnica do trabalho manual não industrializado, realizado por artesão **2** peça ou conjunto de peças artesanais *<loja de a. indígena>*

artesão (ar.te.são) [pl.: *-ãos*; fem.: *artesã*] *s.m.* artista ou profissional que se dedica a trabalhos manuais

artesiano (ar.te.si.a.no) *adj.* **1** diz-se do lençol de água subterrâneo escoado por um poço profundo e perpendicular ao solo **2** relativo a esse poço

ártico (ár.ti.co) *adj.* **1** do polo norte ↺ antártico **2** que se encontra ao norte; setentrional, boreal ↺ meridional

articulação (ar.ti.cu.la.ção) [pl.: *-ões*] *s.f.* **1** ANAT ponto de junção de duas partes do corpo ou de dois ou mais ossos *<a. do cotovelo>* **2** FON sequência das etapas da emissão de um som **3** pronúncia clara das palavras *<um ator precisa ter ótima a.>* **4** ajuste entre partes; inter-relação *<houve uma a. dos grupos rivais antes da eleição>*

[1]**articular** (ar.ti.cu.lar) *v.* {mod. 1} *t.d. e pron.* **1** unir(-se) pelas articulações *<a. as hastes de uma armação de óculos> <as janelas articulam-se>* **2** tornar(-se) ligado; unir(-se), juntar(-se) *<a. as partes de um todo> <peças que se articulam e formam uma mesa>* **3** dar organização a ou organizar-se *<ofereceram um almoço para a. uma questão> <os grupos já se articularam>* □ *t.d.* **4** dizer, pronunciar *<não articulou uma só palavra durante o passeio> <articula mal as vogais>* ● ORIGEM do lat. *articulāre* 'separar, pronunciar distintamente' ~ **articulado** *adj.* - **articulável** *adj.2g.*

[2]**articular** (ar.ti.cu.lar) [pl.: *-es*] *adj.2g.* relativo às articulações *<dor a.>* ● ORIGEM do lat. *articulāris,e* 'id.'

articulista (ar.ti.cu.lis.ta) *adj.2g.s.2g.* que(m) escreve artigos de jornal, revista etc.

artífice (ar.tí.fi.ce) *s.2g.* **1** trabalhador, artesão que produz algum artefato ou que se dedica a uma arte **2** *fig.* quem cria algo; autor *<é a. de belos versos>*

artificial (ar.ti.fi.ci.al) [pl.: *-ais*] *adj.2g.* **1** feito pelo homem; postiço *<braço a.> <pérolas a.>* ↺ natural **2** que não revela naturalidade; afetado, fingido *<gestos a.> <cumprimentou o sogro com um sorriso a.>* ↺ espontâneo, sincero ~ **artificialidade** *s.f.* - **artificialismo** *s.m.* - **artificializar** *v.t.d. e pron.*

artifício (ar.ti.fí.cio) *s.m.* **1** expediente, recurso ou meio engenhoso *<usou um a. para o carro andar>* **2** uso da astúcia a fim de enganar; sagacidade *<com um a. fugiu dos ladrões>* **3** processo ou meio através do qual se obtém um artefato ou um objeto artístico ~ **artificioso** *adj.*

artigo (ar.ti.go) *s.m.* **1** mercadoria, objeto de comércio *<caneta é o a. que mais vende na loja>* **2** DIR cada uma das divisões, ger. numeradas, de uma constituição, código, lei, tratado etc. **3** texto completo e independente de uma publicação *<a. de jornal>* **4** GRAM palavra que precede o substantivo, indicando-lhe gênero e número ☞ ver *definido* e *indefinido*

artilharia (ar.ti.lha.ri.a) *s.f.* **1** MIL conjunto de materiais de guerra (canhões, projéteis etc.) **2** MIL o corpo de artilheiros ('militares') **3** FUTB *B* a linha de ataque **4** *fig.* conjunto de argumentos numa discussão *<usou a. pesada para convencer os adversários>*

artilheiro (ar.ti.lhei.ro) *s.m.* **1** MIL militar que maneja peças de artilharia **2** FUTB *B* jogador que faz mais gols numa partida ou numa competição ● COL artilharia

artimanha (ar.ti.ma.nha) *s.f.* procedimento para levar alguém ao engano; ardil, artifício

artiodátilo (ar.tio.dá.ti.lo) ou **artiodáctilo** (ar.tio.dác.ti.lo) *s.m.* ZOO **1** espécime dos artiodátilos, ordem de mamíferos herbívoros providos de casco e dedos pares, como os porcos, camelos e ruminantes ■ *adj.* **2** relativo a essa ordem

artista (ar.tis.ta) *s.2g.* **1** quem se dedica às belas-artes ou faz delas sua profissão **2** quem interpreta papéis em teatro, cinema, televisão ou rádio; ator **3** quem tem habilidades especiais e as exibe em circos, feiras etc. ■ *adj.2g.* **4** que tem o sentimento ou o gosto da arte ■ *adj.2g.s.2g.* **5** *infrm.* que(m) tem talento, engenho *<é um a. com a bola nos pés>*

artístico (ar.tís.ti.co) *adj.* **1** relativo às artes, esp. às belas-artes **2** que foi executado com arte *<desfile a.>*

art nouveau (art nou.veau) [fr.] *loc.subst.* **1** estilo ornamental utilizado em arquitetura, decoração, joalheria, ilustração etc. caracterizado pelo uso de linhas longas, sinuosas e assimétricas, e de formas associadas a elementos da natureza ■ *loc.adj.* **2** próprio de ou relativo a *art nouveau* *<construção a.>* ⇒ pronuncia-se ar nuvô

artrite (ar.tri.te) *s.f.* MED inflamação de uma articulação ~ **artrítico** *adj.s.m.*

artropatia (ar.tro.pa.ti.a) *s.f.* MED qualquer doença das articulações

artrópode (ar.tró.po.de) *s.m.* ZOO **1** espécime dos artrópodes, filo de animais invertebrados, com corpo segmentado e membros articulados, como os crustáceos, insetos, lacraias, aranhas, ácaros e escorpiões ■ *adj.2g.* **2** relativo a esse filo

aruaque (a.ru.a.que) *s.m.* **1** indígena pertencente a qualquer dos grupos aruaques, povos distribuídos pelas Antilhas e América do Sul **2** LING família linguística que compreende as línguas faladas por esses povos **3** LING língua pertencente a essa família ■ *adj.2g.* **4** relativo a esse indígena, a esses povos e a essas línguas

arvorar (ar.vo.rar) *v.* {mod. 1} *t.d.* **1** hastear (bandeira, insígnia etc.) **2** *p.ext.* pôr no alto; levantar, erguer ↺ baixar □ *pron. fig.* **3** (prep. *a*, *de*) assumir por vontade própria título, encargo etc. *<a.-se a defensor dos oprimidos>* ~ **arvorado** *adj.*

árvore (ár.vo.re) *s.f.* BOT vegetal composto de um caule ereto e único, o tronco, que emite ramificações formadoras da copa ● GRAM/USO dim.irreg.: *arvoreta* ● COL arboreto, arvoredo, bosque, floresta, mata, pomar ▣ **á. genealógica** representação gráfica dos antepassados de um indivíduo

arvoredo (ar.vo.re.do) /ê/ *s.m.* extenso aglomerado de árvores em determinada área

arvoreta (ar.vo.re.ta) /ê/ *s.f.* pequena árvore

arvorismo (ar.vo.ris.mo) *s.m.* ESP → ***ARBORISMO***

As QUÍM símbolo de *arsênio*

ás [pl.: *-es*] *s.m.* **1** carta de baralho que inicia ou termina a sequência de cada naipe **2** *fig.* pessoa que se destaca em um assunto ou em sua atividade (esporte, profissão etc.) *<um ás em gramática>*

asa (a.sa) *s.f.* **1** ANAT ZOO cada um dos membros superiores das aves, morcegos, insetos voadores, us. para voar **2** *p.ext.* parte lateral pela qual se pegam objetos *<a. da xícara>* **3** cada parte lateral que sustenta um avião no ar ● GRAM/USO dim.irreg.: *aselha* ▣ **arrastar a a. para** fazer a corte (como fazem algumas aves); cortejar, galantear *<todos o viram arrastando a a. para a aluna nova>* • **cortar (as) a.** limitar a liberdade de alguém; reprimir *<quis cortar as a. do menino antes que ele arranjasse problemas>* • **dar a.** ou **asas a** dar confiança ou intimidade a; dar liberdade a *<não se pode dar a. a pessoas confiadas>* *<deu a. à imaginação e escreveu um belo texto>*

asa-delta (a.sa-del.ta) [pl.: *asas-delta* e *asas-deltas*] *s.f.* ESP **1** aparelho composto de armação metálica triangular coberta por tecido sintético, us. para a prática de voo livre **2** essa prática; voo livre

asbesto (as.bes.to) *s.m.* MINER mineral não combustível, us. como isolante térmico, acústico e elétrico ☞ cf. *amianto*

asbestose (as.bes.to.se) *s.f.* MED doença pulmonar causada pela inalação de partículas de asbesto

ascarídeo (as.ca.rí.deo) *adj.s.m.* ZOO ascaridídeo

ascaridíase (as.ca.ri.dí.a.se) *s.f.* MED doença causada pela presença de vermes ascaridídeos nos intestinos

ascaridídeo (as.ca.ri.dí.deo) *s.m.* ZOO **1** espécime dos ascaridídeos, família de vermes que reúne seis gêneros de parasitas intestinais de vertebrados ■ *adj.* **2** relativo a essa família

ascendência (as.cen.dên.cia) *s.f.* **1** movimento para cima; subida *<a. do balão>* ↺ descida **2** *p.ext.* promoção profissional ou social *<teve uma rápida a. na carreira>* ↺ declínio **3** origem, genealogia ↺ descendência **4** influência que se exerce sobre alguém *<tinha forte a. sobre os filhos>*

ascendente (as.cen.den.te) *adj.2g.s.m.* **1** diz-se de ou pessoa de quem se descende; ancestral, antepassado ↺ descendente ☞ mais us. no pl. ■ *adj.2g.* **2** que se eleva, que se dirige para cima, vai progredindo, aumentando, crescendo; afluente, crescente *<movimento a.>* ↺ decrescente ■ *adj.2g.s.m.* **3** ASTRL diz-se de ou astro do zodíaco que se eleva no horizonte oriental no momento do nascimento de alguém, ou de um evento *<tinha a. em Gêmeos>*

ascender (as.cen.der) *v.* {mod. 8} *int. e pron.* **1** mover(-se) para cima; subir *<a.(-se) ao segundo andar>* ↺ descer □ *t.i. fig.* **2** (prep. *a*) elevar-se (em cargo, posto etc.) *<ascendeu à presidência da empresa>* ☞ cf. *acender* **~ ascendimento** *s.m.*

ascensão (as.cen.são) [pl.: *-ões*] *s.f.* **1** ato ou efeito de ascender; ascendimento, elevação ↺ descida **2** acesso ou elevação a cargo ou categoria superior; promoção ↺ rebaixamento **3** REL a subida ao céu de Jesus Cristo ressuscitado ☞ inicial maiúsc.

ascensional (as.cen.sio.nal) [pl.: *-ais*] *adj.2g.* **1** relativo a ascensão *<movimento a.>* **2** que faz subir ou tende a subir

ascensor (as.cen.sor) /ô/ [pl.: *-es*] *adj.s.m.* **1** (o) que ascende ■ *s.m.* **2** máquina que serve para elevar; elevador

ascensorista (as.cen.so.ris.ta) *adj.2g.s.2g.* que(m) maneja um elevador

ascese (as.ce.se) *s.f.* **1** conjunto de exercícios de meditação religiosa ou melhoria corporal que leva ao aperfeiçoamento espiritual **2** misticismo, exaltação religiosa

asceta (as.ce.ta) *s.2g.* **1** quem se dedica à ascese **2** *p.ext.* pessoa que leva uma vida austera, privando-se dos prazeres materiais

asceticismo (as.ce.ti.cis.mo) *s.m.* FIL REL ascetismo

ascético (as.cé.ti.co) *adj.s.m.* **1** que(m) se dedica ao ascetismo **2** *p.ext.* que(m) é sisudo, austero ☞ cf. *acético*

ascetismo (as.ce.tis.mo) *s.m.* FIL REL **1** doutrina que considera a disciplina e o autocontrole do corpo e do espírito como o caminho a Deus, à verdade ou à virtude; asceticismo **2** o conjunto de práticas e comportamentos dessa doutrina; asceticismo

-asco *suf.* 'aumento': *penhasco*

asco (as.co) *s.m.* sensação de nojo, repugnância; aversão *<tinha a. de goiaba>* *<a. de pessoas intolerantes>* ↺ atração

aselha (a.se.lha) /ê/ *s.f.* pequena asa *<uma ave com a. azuis>*

asfalto (as.fal.to) *s.m.* **1** impermeabilizante derivado do petróleo, us. para pavimentação; betume *<o sol está tão quente que o a. está mole>* **2** essa pavimentação *<cuidado para não derrapar no a. molhado>* **3** *fig.* espaço urbanizado e privilegiado das grandes cidades, em oposição esp. a favela ou a ambiente rural *<o morro e o a. se encontram na praia>* **~ asfaltamento** *s.m.* **- asfaltar** *v.t.d.*

asfixia (as.fi.xi.a) /cs/ *s.f.* MED dificuldade ou impossibilidade de respirar, causada por estrangulamento, afogamento etc.

asfixiar (as.fi.xi.ar) /cs/ *v.* {mod. 1} *t.d. e int.* **1** (fazer) perder a respiração; sufocar *<a raiva o asfixiava>* *<calor que asfixia>* □ *t.d. e pron.* **2** matar(-se) ou morrer por asfixia □ *int. e pron.* **3** não poder respirar livremente *<passageiros (se) asfixiam em trens lotados>* **~ asfixiante** *adj.2g.s.2g.*

asiático (a.si.á.ti.co) *adj.* **1** da Ásia ■ *s.m.* **2** natural ou habitante desse continente

asilar (a.si.lar) *v.* {mod. 1} *t.d. e pron.* **1** abrigar(-se) em asilo de caridade *<o prefeito mandou a. a população de rua>* *<asilou-se numa instituição pública>* **2** dar ou procurar para si proteção em local seguro *<a. perseguidos políticos>* *<após o golpe, asilou-se numa embaixada>*

asilo (a.si.lo) *s.m.* **1** instituição de assistência social que abriga crianças, doentes mentais, idosos etc. **2** *fig.* proteção, amparo, segurança *<buscou a. na casa dos pais>*

asinino (a.si.ni.no) *adj.* **1** relativo a asno **2** *fig.* desprovido de inteligência; estúpido *<ideia a.>*

asma (as.ma) *s.f.* MED doença dos brônquios caracterizada por crises de falta de ar, respiração ruidosa e ofegante, tosse seca e sensação de opressão no peito

asmático (as.má.ti.co) *adj.s.m.* relativo a asma ou indivíduo que sofre dessa doença

asnada (as.na.da) *s.f.* grande concentração de asnos; asnaria

asnaria (as.na.ri.a) *s.f.* asnada

asnear (as.ne.ar) *v.* {mod. 5} *int. infrm.* dizer ou fazer bobagens, tolices

asneira (as.nei.ra) *s.f.* ato ou dito tolo ou impensado; bobagem, ingenuidade *<desatento, só falava a.> <cometeu a a. de contar o segredo para a turma toda>* ~ **asneirento** *adj.s.m.*

asno (as.no) [fem.: *asna*] *s.m.* **1** jumento **2** *fig. infrm.* indivíduo pouco inteligente; burro ↺ gênio • COL asnada, asnaria, récua • VOZ v. e subst.: zurrar; subst.: zurro

aspargo (as.par.go) *s.m.* BOT planta cultivada pelas raízes medicinais e esp. pelos brotos carnosos, muito apreciados como alimento

aspartame (as.par.ta.me) *s.m.* adoçante artificial 160 vezes mais forte que o açúcar comum

aspas (as.pas) *s.f.pl.* sinal gráfico (" ") us. para delimitar citações, títulos de obras, sentidos figurados etc.

aspecto (as.pec.to) *s.m.* **1** aparência exterior **2** ponto de vista, ângulo, lado *<um dos a. de um problema>* **3** parte de um todo *<diferentes a. de uma doença>*

aspereza (as.pe.re.za) /ê/ *s.f.* **1** característica ou o que é próprio do que não é liso e uniforme *<a a. do lençol não a deixou dormir> <a a. de um tronco de árvore>* **2** característica do que é ácido; acidez, travo *<a. do vinagre>* ↺ doçura, suavidade **3** *fig.* fator que impressiona desagradavelmente os ouvidos; desarmonia, dissonância ↺ harmonia **4** característica de quem ou do que é rude; grosseria, indelicadeza ↺ delicadeza, gentileza

aspergido (as.per.gi.do) *adj.* que se aspergiu; asperso

aspergir (as.per.gir) *v.* {mod. 28} *t.d. e pron.* **1** molhar(-se) com pequenas gotas; borrifar(-se) *<a. a sala com lavanda> <a.-se com água-de-colônia>* **2** borrifar(-se) de água benta • GRAM/USO part.: *aspergido, asperso*; ver QUADRO DE PARTICÍPIOS DUPLOS nas pp. iniciais ~ **aspersão** *s.f.*

áspero (ás.pe.ro) *adj.* **1** que tem superfície desigual, ger. desagradável ao tato *<tecido á.>* ↺ macio **2** cheio de irregularidades (diz-se de terreno); acidentado, escarpado ↺ regular **3** desagradável ao paladar; ácido, acre *<laranja muito á.>* ↺ doce **4** sem harmonia, desagradável aos ouvidos *<música á.>* ↺ harmônico **5** *fig.* árduo, penoso *<terminar a leitura foi uma tarefa á.>* ↺ fácil **6** *fig.* de trato difícil; rude, ríspido *<pessoa á.>* ↺ delicado • GRAM/USO sup.abs.sint.: *asperíssimo, aspérrimo*

asperso (as.per.so) *adj. frm.* que se aspergiu; aspergido • GRAM/USO part. de *aspergir*

aspersor (as.per.sor) /ô/ [pl.: *-es*] *adj.s.m.* **1** (o) que asperge ■ *s.m.* **2** peça us. em irrigação de plantas

aspersório (as.per.só.rio) *s.m.* LITUR instrumento us. para aspergir água benta

áspide (ás.pi.de) *s.f.* ZOO serpente europeia, de corpo marrom com estrias negras nas costas, que em regiões mais frias pode hibernar por longos períodos

aspiração (as.pi.ra.ção) [pl.: *-ões*] *s.f.* **1** ato de aspirar ou o seu efeito; inspiração, sucção ↺ expiração **2** *fig.* sonho, ambição *<tinha grandes a. quando jovem>* ↺ desambição **3** FON ruído de atrito produzido pela saída do ar na expiração durante a articulação de certos sons

aspirador (as.pi.ra.dor) /ô/ [pl.: *-es*] *adj.s.m.* **1** (o) que aspira ■ *s.m.* **2** aparelho us. para sugar gases, vapores e líquidos *<comprou um a. de pó>*

aspirante (as.pi.ran.te) *adj.2g.s.2g.* **1** (o) que aspira, suga **2** (o) que ambiciona (objeto, posição etc.) *<a. a ator>* ■ *s.m.* **3** MIL militar que ocupa hierarquicamente a posição de aspirante (aspirante a oficial, aspirante a guarda-marinha)

aspirante a guarda-marinha (as.pi.ran.te a guar.da-ma.ri.nha) [pl.: *aspirantes a guarda-marinha*] *s.m.* MIL estudante (praça especial) que cursa os primeiros quatro anos dos cursos de graduação em ciências navais da Escola Naval ☞ cf. *guarda--marinha*

aspirante a oficial (as.pi.ran.te a o.fi.ci.al) [pl.: *aspirantes a oficial*] *s.m.* MIL **1** patente do aluno que concluiu o curso superior de uma escola militar e aguarda a promoção a oficial **2** militar dessa patente

aspirar (as.pi.rar) *v.* {mod. 1} *t.d.* **1** atrair ou recolher por sucção *<usou o aparelho para a. os pelos do cachorro>* **2** trazer (o ar) aos pulmões; inalar, inspirar *<a. o ar puro das montanhas>* ↺ expirar □ *t.i.* **3** (prep. *a*) desejar muito; almejar *<aspiravam ao sucesso>*

aspirina ® (as.pi.ri.na) *s.f.* **1** FARM ácido acetilsalicílico sintético **2** *p.ext.* comprimido que contém essa substância

asquelminto (as.quel.min.to) *s.m.* ZOO conjunto de pequenos vermes marinhos e de água doce, com espécimes alongados e ger. cilíndricos

asqueroso (as.que.ro.so) /ô/ [pl. e fem.: /ó/] *adj.* **1** que causa nojo; repugnante **2** *fig.* que tem conduta condenável; sórdido, ignóbil ↺ digno ~ **asquerosidade** *s.f.*

assacar (as.sa.car) *v.* {mod. 1} *t.d.i.* (prep. *a*) afirmar, acusar sem fundamento; caluniar *<assaca os próprios erros aos assessores>* ~ **assacador** *adj.s.m.*

assadeira (as.sa.dei.ra) *s.f.* utensílio de cozinha em que se levam alimentos ao forno para assar

assado (as.sa.do) *adj.s.m.* **1** (carne) que se assou **2** (pele) que apresenta assaduras

assadura (as.sa.du.ra) *s.f.* inflamação na pele causada por transpiração ou atrito

assa-fétida (as.sa-fé.ti.da) [pl.: *assas-fétidas*] *s.f.* **1** BOT nome comum a plantas de odor forte, antigamente muito us. como remédio, tempero ou na conservação de alimentos **2** resina obtida dessas plantas, us. em perfumaria ou como remédio

assalariado (as.sa.la.ri.a.do) *adj.s.m.* que(m) trabalha por salário ~ **assalariar** *v.t.d. e pron.*

assaltante (as.sal.tan.te) *adj.2g.s.2g.* que(m) assalta; ladrão ◉ COL bando, quadrilha

assaltar (as.sal.tar) *v.* {mod. 1} *t.d. e int.* **1** atacar (pessoa, instituição, residência) levando bens, pertences, mediante ameaça e/ou violência; roubar *<a. um banco> <foi preso por a.>* **2** atacar com ímpeto e de repente *<as tropas assaltaram as trincheiras inimigas> <os invasores assaltaram de todos os lados>*

assalto (as.sal.to) *s.m.* **1** ataque repentino com uso de força e intuito de roubo *<a. ao banco>* **2** ataque repentino e violento, físico ou emocional *<a. de dor de cabeça> <a. de remorso>* **3** ESP cada período em que se divide uma luta livre, de boxe etc. *<foi nocauteado no segundo a.>* **4** *fig. B infrm.* exagero no preço ↺ pechincha

ássana (ás.sa.na) *s.m.* **1** cada uma das posições corporais da ioga **2** ART.PLÁST a posição sentada dos personagens humanos e divinos retratados nas artes indianas

assanhamento (as.sa.nha.men.to) *s.m.* **1** *B infrm.* excitação erótica; assanho **2** estado de irritação; fúria

assanhar (as.sa.nhar) *v.* {mod. 1} *t.d. e pron.* **1** causar ou ter sanha, fúria; irritar(-se) *<a. o touro antes do rodeio> <assanhou-se contra o motorista que não parou no sinal>* **2** *B infrm.* (fazer) ficar irrequieto ou animado; alvoroçar(-se) *<já estava quase dormindo mas o barulho o assanhou> <assanhou-se com a passagem do bloco carnavalesco>* ↺ serenar **3** tornar (-se) revolto (a água, o mar) *<a ventania assanha o mar> <as águas da lagoa assanharam-se com a tempestade>* ↺ acalmar ▫ *pron.* **4** portar-se revelando excitação, às vezes sem compostura ou comedimento ~ **assanho** *s.m.*

assar (as.sar) *v.* {mod. 1} *t.d. e int.* **1** preparar (alimento) ao forno ou junto a brasas *<assou um frango para o almoço> <pôs a carne para a.>* **2** provocar assadura (em) *<a lã assou-o nas axilas> <tecidos sintéticos costumam a.>* **3** causar ou sofrer muito calor; queimar *<o sol do deserto assava os pesquisadores> <o calor dos trópicos assa>* ~ **assador** *adj.s.m.*

assassinar (as.sas.si.nar) *v.* {mod. 1} *t.d.* **1** tirar a vida de; matar **2** *fig.* dar fim a; exterminar, destruir *<a. a democracia>* **3** *fig.* praticar ou executar mal (arte, ofício etc.) *<assassinou aquela canção>* ~ **assassinado** *adj.*

assassinato (as.sas.si.na.to) *s.m.* **1** destruição planejada da vida humana; assassínio, morte **2** destruição cruel de vida; assassínio *<o a. de focas provoca muitos protestos>* **3** *fig.* destruição, ruína moral; assassínio *<acusar injustamente a instituição foi um a.>*

assassínio (as.sas.sí.nio) *s.m.* assassinato

assassino (as.sas.si.no) *s.m.* **1** indivíduo que tira a vida a alguém **2** *fig.* indivíduo que causa uma perda ou ruína *<a. das alegrias alheias>* ■ *adj.* **3** que causa a morte de algo ou alguém *<arma a.>*

assaz (as.saz) *adv.* **1** em alto grau; muito *<os prejuízos o deixaram a. preocupado>* ↺ pouco **2** suficientemente *<ser a. esperto para uma missão>*

assear (as.se.ar) *v.* {mod. 5} *t.d. e pron.* tornar(-se) limpo; lavar(-se) *<a. a casa> <asseia-se com cuidado todas as manhãs>* ↺ sujar(-se)

assecla (as.se.cla) *s.2g.* pessoa que segue alguém; adepto, correligionário *<o deputado chegou com seus a.>*

assediar (as.se.di.ar) *v.* {mod. 1} *t.d.* **1** perseguir com insistência; importunar *<assediava os colegas com perguntas indiscretas>* **2** pôr cerco a; sitiar *<a. um castelo>*

assédio (as.sé.dio) *s.m.* **1** insistência incômoda, perseguição constante, em relação a alguém *<após a derrota, sofreu grande a. de jornalistas>* **2** estabelecimento de um cerco com a finalidade de exercer o domínio *<o a. à cidade durou muitos dias>* ▣ **a. sexual** **1** abordagem com intenções sexuais **2** pressão de um superior para obter favores sexuais de subalterno(a)

assegurar (as.se.gu.rar) *v.* {mod. 1} *t.d. e t.d.i.* **1** (prep. *a*) tornar (algo) infalível, garantido, seguro; garantir *<sua participação assegurará o sucesso do congresso> <uma medida que assegure água encanada a todos os moradores>* **2** (prep. *a*) afirmar com certeza; asseverar *<o editor assegurou o sucesso do livro> <assegurou aos pais que venceria o concurso>* ▫ *pron.* **3** (prep. *de*) ter certeza; certificar-se *<assegure-se de que o filme começa às sete horas>* ~ **asseguração** *s.f.*

asseio (as.sei.o) *s.m.* característica do que é limpo; higiene, limpeza ↺ sujeira

assembleia (as.sem.blei.a) /éi/ *s.f.* **1** reunião de pessoas para discutir e deliberar sobre um tema determinado *<a greve dos estudantes será votada em uma a.>* **2** *p.ext.* local ou instituição onde acontece essa reunião; plenário **3** REL reunião de fiéis em serviços religiosos; congregação ▣ **a. constituinte** POL assembleia que se reúne para fazer ou alterar a Constituição de um país; constituinte • **a. legislativa** POL **1** lugar ou órgão em que se reúnem os representantes do povo de um estado ou país; congresso, parlamento **2** no Brasil, órgão que reúne os deputados estaduais e elabora as leis de sua competência ☞ iniciais maiúsc.

assemelhar (as.se.me.lhar) *v.* {mod. 1} *t.d.,t.d.i. e pron.* **1** (prep. *a*) tornar(-se) semelhante a *<o penteado assemelhou-as> <sua figura assemelhava-o a um nobre> <o casal acabou por se a.>* ▫ *pron.* **2** (prep. *a*) ser semelhante a; parecer-se *<assemelha-se muito ao pai>* ~ **assemelhação** *s.f.*

assenhorear (as.se.nho.re.ar) *v.* {mod. 5} *t.d.* **1** dominar, comandar como senhor *<a. províncias>* ▫ *pron.* **2** (prep. *de*) tornar-se dono de; apoderar-se *<assenhoreou-se de todos os bens da família>* ~ **assenhoramento** *s.m.*

assentamento (as.sen.ta.men.to) *s.m.* **1** *B* núcleo de povoamento constituído por camponeses ou trabalhadores rurais *<deu aulas para as crianças no a. dos trabalhadores sem terra>* **2** *B* ato que fixa o trabalhador rural a terras desapropriadas ou o seu efeito *<após três anos, foi feito o a. das famílias>* **3** registro escrito de algo; apontamento

assentar (as.sen.tar) *v.* {mod. 1} *t.d. e pron.* **1** pôr(-se) sobre assento; acomodar(-se) *<assentou a criança> <por fim, pôde a.-se>* **2** estabelecer(-se) em núcleo de povoamento *<a. moradia na vila>* ▫ *t.d.,int. e pron.* **3** pôr ou estar apoiado, de forma estável *<a. os alicerces> <a viga assenta(-se) sobre o solo>* ▫ *t.d.* **4** montar, instalar *<assentaram a barraca em vinte minutos>* **5** *B* dar posse legal de terra a (trabalhador rural que não a possuía) **6** concluir em função de reflexão; supor *<assentou que era boa ocasião para viajar>* **7** anotar, registrar *<a. as despesas>* **8** manter arrumado (cabelo ou penteado) *<usou um creme para a. o cabelo>* **9** aplicar, passar *<a. uma camada de tinta>* **10** dar, aplicar (golpe, pancada) em *<assentou um tapa na mesa>* ▫ *t.i.* **11** (prep. *em, com*) estar em harmonia com; combinar com *<essa saia não assenta com a blusa> <o vermelho assenta bem em você>* ▫ *t.d.i.* **12** *fig.* (prep. *sobre, em*) estabelecer (sobre uma base); fundamentar *<assentava suas ideias sobre princípios rígidos>* ▫ *t.d. e t.d.i.* **13** (prep. *de*) decidir, resolver, combinar *<a. de auxiliar os colegas>* ▫ *t.d. e int.* **14** tornar(-se) ajuizado, ponderado *<a idade assentou sua conduta> <com o casamento, assentou>* ▫ *int.* **15** pousar, baixar *<a poeira assentou>* ↺ subir ▫ *pron.* **16** inscrever-se, alistar-se *<a.-se num partido>* ◉ GRAM/USO part.: *assentado, assente*; ver QUADRO DE PARTICÍPIOS DUPLOS nas pp. iniciais

assente (as.sen.te) *adj.2g.* **1** colocado sobre; apoiado *<escultura a. no pedestal>* **2** *fig.* fundamentado, baseado *<estudo a. em muita pesquisa>* **3** estabelecido com firmeza; sólido, estável *<paz a. e duradoura>* ↺ instável **4** estabelecido de comum acordo; definido, ajustado *<regras a. para utilização da máquina>* ↺ indefinido **5** anotado em lugar próprio; escrito, registrado *<fatos a. na ata da reunião>* ◉ GRAM/USO part. de *assentar*

assentir (as.sen.tir) *v.* {mod. 28} *t.i.* **1** (prep. *a, em*) dar permissão ou aprovação para; consentir *<a. na escolha dele>* ▫ *t.i. e int.* **2** (prep. *com, em*) entrar em acordo; concordar *<assentiu em colaborar> <prefere sempre discordar a a.>* ~ **assentimento** *s.m.*

assento (as.sen.to) *s.m.* **1** superfície ou coisa sobre a qual se senta *<usou o muro como a.>* **2** parte horizontal de uma cadeira, sofá etc. onde se senta **3** *infrm.* conjunto das nádegas ☞ cf. *acento*

assepsia (as.sep.si.a) *s.f.* MED conjunto de meios us. para impedir a entrada de germes no organismo ou num ambiente ~ **asséptico** *adj.*

asserção (as.ser.ção) [pl.: *-ões*] *s.f.* afirmação categórica; assertiva, asserto ~ **assertivo** *adj.*

assertiva (as.ser.ti.va) *s.f.* asserção

asserto (as.ser.to) /ê/ *s.m.* asserção ☞ cf. *acerto*

assessor (as.ses.sor) /ô/ [pl.: *-es*] *s.m.* **1** quem ajuda alguém em suas funções; auxiliar, assistente *<o gerente não está, fale com o a.>* ■ *adj.* **2** que assessora, assiste ~ **assessorial** *adj.2g.*

assessorar (as.ses.so.rar) *v.* {mod. 1} *t.d.* **1** servir de assessor a *<ele assessora o presidente da empresa>* ▫ *pron.* **2** (prep. *de*) cercar-se de assessores ou procurar assessoria *<a.-se de técnicos especializados>* ~ **assessoramento** *s.m.*

assessoria (as.ses.so.ri.a) *s.f.* **1** órgão ou pessoa(s) que prestam ajuda técnica a um chefe **2** serviço de coleta e fornecimento de dados relacionados a um assunto *<contratou uma firma de a. antes de abrir sua loja>*

assessório (as.ses.só.rio) *adj.* referente ou pertencente a assessor *<competência a.>* ☞ cf. *acessório*

assestar (as.ses.tar) *v.* {mod. 1} *t.d. e t.d.i.* (prep. *para, contra*) direcionar, apontar, mirar *<a. a luneta (para o céu)> <a. arma contra o inimigo>*

asseverar (as.se.ve.rar) *v.* {mod. 1} *t.d. e t.d.i.* **1** (prep. *a*) declarar com certeza; assegurar *<os médicos asseveram ser preciso beber muita água> <assevero a vocês que aceito a proposta>* ▫ *t.d.* **2** dar como certo; provar *<nada assevera seu erro>* ~ **asseveração** *s.f.* - **asseverativo** *adj.*

assexuado (as.se.xu.a.do) /cs/ *adj.s.m.* **1** (ser) que não tem órgãos sexuais **2** BIO (o) que é desprovido de processo reprodutivo envolvendo os órgãos sexuais **3** que(m) não tem interesse ou atividade sexual

assexual (as.se.xu.al) /cs/ [pl.: *-ais*] *adj.2g.* BIO que ocorre sem fecundação *<reprodução a.>*

assíduo (as.sí.duo) *adj.* **1** que se faz presente constantemente em determinado lugar *<a. frequentador de cinema>* **2** que não falta às suas obrigações *<trabalhador a.>* ↺ negligente **3** que não sofre interrupção; contínuo, constante *<cuidados a.>* ↺ inconstante ~ **assiduidade** *s.f.*

assim (as.sim) *adv.* **1** deste, desse ou daquele modo *<não faça a. com seu irmão>* **2** de natureza igual *<nunca vi chuva a.>* **3** em (ou com) grande quantidade *<o jardim está a. de flores>* ■ *conj.concl.* **4** deste modo, portanto *<você está de dieta, a. não deve comer doces>* ▣ **a. como** bem como, do mesmo modo que *<os velhos, a. como os jovens, também têm direito ao lazer>* • **a. mesmo** ainda assim, apesar disso *<não está preparado, a. mesmo vai competir>* • **a. que** logo que, mal, tão logo *<o telefone tocou a. que você saiu>*

assimetria (as.si.me.tri.a) *s.f.* **1** ausência de simetria *<a. entre os dois lados da figura>* ↺ simetria **2** *fig.* grande diferença; disparidade, discrepância *<a. de temperamentos>* ↺ semelhança ~ **assimétrico** *adj.*

assimilação (as.si.mi.la.ção) [pl.: *-ões*] *s.f.* **1** ato de absorver uso, costume etc. e incorporá-los como parte integrante sua, ou o seu efeito *<a. da cultura grega> <a. de informações>* **2** BIOQ anabolismo **3** LING modificação que um fonema sofre por estar em contato com outro, vizinho, do qual adquire traços e ao qual se torna mais semelhante

assimilar (as.si.mi.lar) *v.* {mod. 1} *t.d.* **1** converter em substância própria *<nosso corpo só assimila parte dos nutrientes que consumimos>* **2** BIOQ realizar o anabolismo ▫ *t.d. e t.d.i.* **3** (prep. *a*) incorporar (costume, técnica, cultura etc.) *<o jovem escritor assimilou o estilo de Machado de Assis> <os povos ibéricos assimilaram à sua cultura a civilização romana>* ▫ *pron.* **4** (prep. *a*) passar a fazer parte de; incorporar-se *<as crianças assimilaram-se bem à nova escola>* ~ **assimilativo** *adj.* - **assimilável** *adj.2g.*

assinalado (as.si.na.la.do) *adj.* **1** marcado com sinal *<correção a.>* **2** indicado, apontado *<sentar-se no lugar a. na plateia>* **3** que se distinguiu; ilustre *<homem a.>*

assinalar (as.si.na.lar) *v.* {mod. 1} *t.d.* **1** marcar com um sinal *<assinale suas malas antes de despachá--las> <a. os substantivos>* **2** diferenciar por traços especiais; particularizar *<a. bem as diferenças entre os irmãos>* □ *t.d. e pron.* **3** pôr(-se) em destaque; evidenciar(-se) *<a doação desse dinheiro assinala seu interesse pelos pobres> <sempre se assinalou por sua inteligência>* ~ **assinalação** *s.f.* - **assinalamento** *s.m.*

assinante (as.si.nan.te) *adj.2g.s.2g.* **1** que(m) assina um papel, documento etc. **2** que(m) recebe produto ou serviço por meio de uma assinatura ('contrato')

assinar (as.si.nar) *v.* {mod. 1} *t.d.* **1** firmar com o nome, assumindo autoria, responsabilidade, conhecimento de algo; subscrever *<a. obra, documento>* **2** fazer assinatura ('contrato') de (publicações e/ou serviços) *<assinou o jornal por apenas seis meses>*

assinatura (as.si.na.tu.ra) *s.f.* **1** nome de uma pessoa escrito por ela mesma; firma *<falta apenas uma a. no contrato>* **2** contrato entre fornecedor e cliente para que este receba regularmente um produto ou serviço *<a. de jornal> <a. de TV a cabo>*

assíncrono (as.sín.cro.no) *adj.* que não apresenta sincronia ↺ síncrono ~ **assincronia** *s.f.* - **assincronismo** *s.m.*

assindético (as.sin.dé.ti.co) *adj.* GRAM diz-se de oração sem conjunção ☞ cf. *sindético*

assintomático (as.sin.to.má.ti.co) *adj.* que não tem ou não produz os sintomas característicos *<doença a.>* ↺ sintomático

assírio (as.sí.rio) *adj.* **1** da Assíria (Mesopotâmia, atual Oriente Médio) ■ *s.m.* **2** natural ou habitante desse antigo reino

assisado (as.si.sa.do) *adj.* que age com siso; ajuizado *<jovem a., casou-se após conseguir um emprego>* ↺ desajuizado

assistência (as.sis.tên.cia) *s.f.* **1** grupo de pessoas presentes num evento **2** proteção, amparo *<dava a. aos desabrigados>* ↺ abandono **3** socorro médico **4** *B* ambulância ('carro') **5** ESP no futebol e no basquete, passe que possibilita ao companheiro de equipe fazer gol ou cesta ~ **assistencial** *adj.2g.*

assistente (as.sis.ten.te) *adj.2g.s.2g.* **1** que(m) auxilia alguém nas suas funções; auxiliar, ajudante *<era a. do diretor>* **2** que(m) presencia; espectador *<a peça teve muitos a.>*

assistir (as.sis.tir) *v.* {mod. 24} *t.i.* **1** (prep. *a*) estar presente a; presenciar, ver *<assistiu ao acidente> <não conseguiram a. ao* show*>* ☞ não pode ligar-se ao pronome *lhe(s)* **2** (prep. *a*) ser responsabilidade de; caber, competir *<assiste a você a limpeza da sala>* □ *t.d. e t.i.* **3** (prep. *a*) prestar auxílio ou assistência a; socorrer; ajudar *<a. (a)o amigo em situação difícil> <assiste (a)os doentes em sua casa>* □ *t.d.* **4** ESP passar a bola a (outro jogador da própria equipe), deixando--o bem colocado para fazer a cesta ou o gol

assoalhar (as.so.a.lhar) *v.* {mod. 1} *t.d.* pôr piso de tábuas, tacos ou material similar em *<a. o quarto de dormir>*

assoalho (as.so.a.lho) *s.m.* piso de madeira ou similar

assoar (as.so.ar) *v.* {mod. 1} *t.d. e pron.* soprar o ar (pelo nariz) para expelir o muco ou secreção *<a. o nariz> <assoou-se após o espirro>*

assoberbado (as.so.ber.ba.do) *adj.* **1** que age com soberba; altivo, arrogante ↺ modesto **2** muito atarefado *<estava a. de trabalho>* ↺ desocupado ~ **assoberbamento** *s.m.* - **assoberbar** *v.t.d.,t.d.i.,int. e pron.*

assobiar (as.so.bi.ar) ou **assoviar** (as.so.vi.ar) *v.* {mod. 1} *int.* **1** emitir assobio ou produzir som semelhante *<chegou contente, assobiando>* □ *t.d.* **2** reproduzir (melodia) com assobios *<assobiava uma melodia desconhecida>*

assobio (as.so.bi.o) ou **assovio** (as.so.vi.o) *s.m.* som ger. agudo que se produz expirando o ar pelos lábios apertados ● COL assobiada ~ **assobiador** *adj.s.m.*

assobradado (as.so.bra.da.do) *adj.* de dois pavimentos (diz-se de prédio) *<morava numa casa a.>* ~ **assobradar** *v.t.d. e int.*

associação (as.so.ci.a.ção) [pl.: *-ões*] *s.f.* **1** ação de aproximar, de combinar *<a. de fatos, de cores>* **2** reunião de pessoas que têm interesses comuns *<a. de moradores>*

associado (as.so.ci.a.do) *adj.* **1** que se associou ■ *s.m.* **2** sócio ou membro de associação

associar (as.so.ci.ar) *v.* {mod. 1} *t.d.,t.d.i. e pron.* **1** (prep. *a*) pôr(-se) junto; reunir(-se), unir(-se) *<a. ideias> <a. o raro ao comum> <associaram-se os elementos semelhantes>* **2** (prep. *a*) tornar(-se) sócio *<o clube associou mais 12 atletas> <a. vários parentes à empresa> <a.-se a um clube>* ~ **associativo** *adj.*

assolador (as.so.la.dor) /ô/ [pl.: *-es*] *adj.s.m.* (o) que assola, devasta

assolar (as.so.lar) *v.* {mod. 1} *t.d.* **1** pôr por terra; devastar, destruir *<a enchente assolou a aldeia>* **2** *fig.* pôr em grande aflição; agoniar *<preocupação que assola o país>* ~ **assolação** *s.f.* - **assolamento** *s.m.*

assomar (as.so.mar) *v.* {mod. 1} *int.* **1** subir ao alto, ao cume *<a. ao monte>* **2** surgir num ponto alto para ver ou ser visto *<a. ao terraço>* **3** aparecer, surgir *<a lua assomou ao longe>*

assombração (as.som.bra.ção) [pl.: *-ões*] *s.f.* **1** sentimento de terror por coisas inexplicáveis ↺ valentia **2** fantasma

assombrar (as.som.brar) *v.* {mod. 1} *t.d.,int. e pron.* **1** causar ou sentir susto, medo; aterrorizar (-se) *<eram casos que assombravam (as crianças)> <assombra-se com a violência>* **2** (fazer) sentir espanto ou admiração; maravilhar(-se) *<a magia da natureza assombrou-os> <sua capacidade de trabalho assombra> <a.-se com o talento de alguém>* □ *t.d.* **3** aparecer (em um lugar) na forma de fantasma, assombração *<os fantasmas que assombram o castelo>* □ *t.d. e pron.* **4** cobrir(-se) de sombra *<a nuvem assombrou o sol> <o terraço assombrou-se>* ~ **assombramento** *s.m.*

assombro (as.som.bro) *s.m.* **1** grande espanto ou admiração ↺ indiferença **2** pessoa ou coisa que causa admiração *<aquele menino era um a. no violão>* ↺ banalidade **3** pessoa ou coisa que causa terror

assombroso (as.som.bro.so) /ô/ [pl. e fem.: /ó/] *adj.* que causa assombro; espantoso, impressionante

assomo (as.so.mo) /ô/ *s.m.* **1** surgimento, aparecimento ↺ desaparecimento **2** impulso, ímpeto *<num a. pulou no lago>* **3** aspecto revelador; indício *<um a. de infecção>* **4** irritação, raiva ↺ calma

assonância (as.so.nân.cia) *s.f.* semelhança ou igualdade de sons em palavras próximas *<aonde anda o bonde?>* ↺ dissonância **~ assonântico** *adj.*

assonante (as.so.nan.te) *adj.2g.s.2g.* (o) que tem ou produz assonância

assoprar (as.so.prar) *v.* {mod. 1} *t.d.,t.d.i. e int.* soprar **~ assopradela** *s.f.* **- assopramento** *s.m.*

assopro (as.so.pro) /ô/ *s.m.* sopro

assoreamento (as.so.re.a.men.to) *s.m.* acúmulo de areia ou outros sedimentos carregados por um rio

assorear (as.so.re.ar) *v.* {mod. 5} *t.d.,int. e pron.* obstruir(-se) [rio, canal] com areia, terra etc. *<a. rios para fazer uma barragem> <esse rio assoreou em alguns pontos> <o canal assoreou-se>*

assoviar (as.so.vi.ar) *v.* → ***ASSOBIAR***

assovio (as.so.vi.o) *s.m.* → ***ASSOBIO***

assuada (as.su.a.da) *s.f.* **1** desordem, confusão, arruaça ↺ ordem **2** vaia, apupo ↺ aclamação, ovação

assuar (as.su.ar) *v.* {mod. 1} *t.d.* **1** reunir (pessoas) esp. para motim *<o primeiro passo era a. os correligionários>* **2** dar vaia em *<assuaram o prefeito>*

assumir (as.su.mir) *v.* {mod. 24} *t.d.* **1** tomar para si; apropriar-se **2** ser ou ficar responsável por *<a. cuidar do filho>* **3** adquirir, apresentar (característica, aparência) *<assumiu um ar muito sério>* **4** vir a ter; alcançar, atingir *<o caso assumiu proporção inesperada>* □ *t.d. e int.* **5** tomar posse (em cargo, função) *<assume hoje (a chefia do departamento)>* □ *t.d. e pron.* **6** revelar(-se), declarar(-se) *<a. o ateísmo> <depois que se assumiu como mãe mudou por completo>* □ *int.* **7** *B* reconhecer-se publicamente como homossexual • GRAM/USO part.: *assumido*, *assumpto*; ver QUADRO DE PARTICÍPIOS DUPLOS nas pp. iniciais

assumpto (as.sump.to) *adj. frm.* **1** promovido (a uma dignidade ou cargo) **2** transportado ao céu • GRAM/USO part. de *assumir*

assunção (as.sun.ção) [pl.: *-ões*] *s.f.* **1** promoção a um cargo ou dignidade **2** REL dogma relativo à subida do corpo da Virgem Maria ao céu ☞ inicial maiúsc. **3** REL festa católica que celebra esse evento ☞ inicial maiúsc.

assuntar (as.sun.tar) *v.* {mod. 1} *t.d. e int.* **1** prestar atenção (em); observar, reparar *<a. ruídos suspeitos> <saiu para a.>* □ *t.d.* **2** verificar com detalhes; apurar *<assuntou as razões da demissão>* □ *t.i. e int.* **3** (prep. *em*) pensar longamente; refletir *<a. na vida> <passa horas assuntando>*

assunto (as.sun.to) *s.m.* aquilo que é tema de observação, consideração, interesse etc. *<o a. da redação> <o a. de um quadro>*

assustador (as.sus.ta.dor) /ô/ [pl.: *-es*] *adj.s.m.* (o) que assusta *<barulho a.> <revelação a.>*

assustar (as.sus.tar) *v.* {mod. 1} *t.d.,int. e pron.* (fazer) levar susto ou sentir medo; apavorar(-se) *<suas palavras já não (me) assustam> <assustou-se com a sombra dos galhos>* **~ assustadiço** *adj.* **- assustado** *adj.*

astatínio (as.ta.tí.nio) *s.m.* QUÍM elemento químico artificial e radiativo [símb.: *At*] ☞ cf. *tabela periódica* (no fim do dicionário)

asteca (as.te.ca) *s.2g.* **1** indivíduo dos astecas, povo indígena que fundou, no território do México atual, um império pré-colombiano ■ *s.m.* **2** LING língua falada pelos astecas ■ *adj.2g.* **3** relativo a esse indivíduo, povo ou língua

astenia (as.te.ni.a) *s.f.* MED perda ou diminuição da força física

astênico (as.tê.ni.co) *adj.* MED **1** referente a astenia ■ *adj.s.m.* MED **2** que(m) sofre de astenia

asterisco (as.te.ris.co) *s.m.* sinal gráfico em forma de estrela (*) us. em textos ger. como chamada para notas

asteroide (as.te.roi.de) /ói/ *adj.2g.* **1** em forma de estrela ■ *s.m.* ASTR **2** qualquer dos pequenos corpos celestes que gravitam em torno do Sol; planetoide

astigmático (as.tig.má.ti.co) *adj.* **1** relativo a astigmatismo ■ *adj.s.m.* **2** MED que(m) tem astigmatismo

astigmatismo (as.tig.ma.tis.mo) *s.m.* MED deficiência visual causada por deformação na curvatura da córnea, do cristalino ou do globo ocular, que provoca visão embaralhada tanto de perto como de longe

astracã (as.tra.cã) *s.m.* **1** pele com pelos escuros e encaracolados de certo cordeiro asiático recém-nascido ou que não chegou a nascer **2** tecido de lã que imita essa pele

astral (as.tral) [pl.: *-ais*] *adj.2g.* **1** dos astros; sideral ■ *s.m.* **2** *B infrm.* estado de espírito *<pessoa de bom a.>* **3** ASTRL plano intermediário entre o mundo físico e o espiritual

astro (as.tro) *s.m.* **1** ASTR qualquer corpo celeste (estrela, planeta etc.), com ou sem luz própria **2** *p.ext.* pessoa que se destaca na sua atividade *<é um a. na cozinha>* **3** REC.AV ator de grande fama **4** ASTRL cada um dos corpos celestes que influenciam os destinos humanos (mais us. no pl.) *<leu no jornal o que os a. lhe reservavam para aquele dia>* ☞ mais us. no pl.

astrofísica (as.tro.fí.si.ca) *s.f.* FÍS ramo da física que estuda as propriedades dos astros, bem como sua origem e evolução

astrofísico (as.tro.fí.si.co) *adj.* **1** referente a astrofísica ■ *s.m.* **2** especialista em astrofísica

astrolábio (as.tro.lá.bio) *s.m.* ASTR MAR antigo instrumento náutico que media a altura dos astros para determinar a latitude e a longitude

astrologia (as.tro.lo.gi.a) *s.f.* estudo da influência dos astros na vida das pessoas e no curso dos acontecimentos terrestres **~ astrológico** *adj.*

astrólogo (as.tró.lo.go) *adj.s.m.* especialista em astrologia

astronauta (as.tro.nau.ta) *s.2g.* piloto ou passageiro de nave espacial; cosmonauta

astronáutica (as.tro.náu.ti.ca) *s.f.* ciência da construção e operação de veículos espaciais ~ **astronáutico** *adj.*

astronave (as.tro.na.ve) *s.f.* nave espacial

astronomia (as.tro.no.mi.a) *s.f.* ciência que estuda os astros e o espaço sideral; uranografia

astronômico (as.tro.nô.mi.co) *adj.* **1** referente a astronomia **2** *fig.* de grandes proporções; alto demais *<preços a.>* ↺ irrisório

astrônomo (as.trô.no.mo) *s.m.* especialista em astronomia

astúcia (as.tú.cia) *s.f.* **1** habilidade para não se deixar enganar; sagacidade *<precisou de muita a. para se livrar do mau negócio>* ↺ ingenuidade **2** habilidade para usar artifícios enganadores; malícia, artimanha *<sua a. não foi suficiente para enganar os pais>* ↺ franqueza, sinceridade ~ **astuto** *adj.*

At QUÍM símbolo de *astatínio*

-ata *suf.* 'ação ou resultado da ação': *passeata*

[1]**ata** (a.ta) *s.f.* registro escrito de uma reunião ◉ ORIGEM do lat. *acta* 'coisas feitas, obras'

[2]**ata** (a.ta) *s.f.* fruta-de-conde ◉ ORIGEM duv., talvez palavra indígena

atabalhoar (a.ta.ba.lho.ar) *v.* {mod. 1} *t.d.* **1** fazer às pressas, de qualquer jeito *<atabalhoou seus deveres para ir brincar>* **2** fazer ou dizer (algo) sem ordem nem propósito *<foi reprovado porque atabalhoou as provas>* □ *t.d. e pron.* **3** confundir(-se), atrapalhar(-se) *<o sinal enguiçado atabalhoou os motoristas> <ele se atabalhoa nas situações mais simples>* ~ **atabalhoamento** *s.m.*

atabaque (a.ta.ba.que) *s.m.* MÚS tambor comprido, em forma de funil, com uma pele na extremidade de maior abertura, que se toca com as mãos

atacadista (a.ta.ca.dis.ta) *adj.2g.s.2g.* **1** (comerciante) que negocia por atacado ☞ cf. *varejista* ■ *adj.2g.* **2** do comércio de [2]atacado ☞ cf. *varejista*

[1]**atacado** (a.ta.ca.do) *adj.* **1** que sofreu ataque *<a. por um cachorro bravo>* **2** *infrm.* mal-humorado; irritado *<não diga nada, hoje ele está muito a.>* ◉ ORIGEM part. de *atacar* ☞ cf. *varejo*

[2]**atacado** (a.ta.ca.do) *s.m.* venda de mercadorias em grande quantidade ↺ varejo ◉ ORIGEM duv., talvez ligado a *taco*

atacante (a.ta.can.te) *adj.2g.s.2g.* **1** que(m) ataca; que(m) toma a ofensiva ↺ defensor ■ *s.2g.* **2** ESP jogador que atua no ataque

atacar (a.ta.car) *v.* {mod. 1} *t.d. e int.* **1** investir contra (alguém ou algo), de repente e com violência *<o cão atacou o gato> <esperaram anoitecer para a.>* **2** ESP tomar a iniciativa e procurar marcar ponto, deixando (o adversário) na defensiva *<o tenista atacou o oponente até cansá-lo> <o time não parava de a.>* □ *t.d. e pron.* **3** agredir(-se) fisicamente *<um bando de abelhas atacou-os> <os leões atacaram-se>* □ *t.d.* **4** lançar ofensas contra; insultar *<o jornal atacou o presidente>* **5** reprovar moralmente; criticar *<a. os fumantes>* **6** afetar de repente; acometer *<a gripe atacou-o>* **7** causar estragos a; danificar *<a maresia ataca os metais>* **8** *B infrm.* comer com grande apetite; devorar *<atacou a macarronada assim que chegou à mesa>*

atadura (a.ta.du.ra) *s.f.* **1** ato ou efeito de atar **2** tira de tecido, ger. gaze, us. para fixar curativo

atalaia (a.ta.lai.a) *s.2g.* **1** aquele que vigia, que observa; sentinela ■ *s.f.* **2** local alto de onde se vigia ▣ **de a.** de vigia; à espera, de sobreaviso

atalaiar (a.ta.lai.ar) *v.* {mod. 1} *t.d. e int.* **1** ficar de sentinela; vigiar *<a. o inimigo> <subiram o morro para de lá atalaiarem>* □ *t.d.* **2** defender, proteger *<os guardas atalaiam o palácio>* □ *pron.* **3** ficar de sobreaviso *<a.-se do novo comandante>*

atalhar (a.ta.lhar) *v.* {mod. 1} *t.d.* **1** impedir que prossiga; interromper *<a. uma discussão> <a. a correria das crianças>* □ *t.d. e int.* **2** seguir por atalho para encurtar (caminho) *<para a. a subida, meteu-se pelo mato> <antes de chegar à barreira, atalhou>* ~ **atalhador** *adj.s.m.* - **atalhamento** *s.m.*

atalho (a.ta.lho) *s.m.* **1** caminho mais curto que o habitual *<pegaram um atalho e chegaram antes de nós>* **2** INF acesso rápido a um arquivo, imagem, programa etc., por meio do teclado ou de um ícone na área de trabalho

atamancar (a.ta.man.car) *v.* {mod. 1} *t.d.* **1** fazer às pressas, sem cuidado *<a. o trabalho para não perder o prazo>* □ *int.* **2** agir com precipitação *<sabia que não devia a.>*

atapetar (a.ta.pe.tar) *v.* {mod. 1} *t.d.* **1** forrar com tapete *<atapetou a sala>* □ *t.d. e pron.* **2** *p.ext.* cobrir(-se) como um tapete *<a árvore atapetou o chão com folhas vermelhas e amarelas> <na primavera, os campos atapetaram-se>* ~ **atapetado** *adj.*

ataque (a.ta.que) *s.m.* **1** ação violenta contra algo ou alguém *<houve um a. ao mercado>* **2** agressão física ou moral **3** manifestação inesperada; acesso *<a. de tosse>* **4** ESP jogada ofensiva *<foi um belo a., mas a bola não entrou no gol>* **5** ESP grupo de jogadores encarregados das jogadas ofensivas *<perderam o jogo porque o a. era muito fraco>*

atar (a.tar) *v.* {mod. 1} *t.d. e t.d.i.* **1** (prep. *a, em*) prender com nó; amarrar *<a. os cordões dos sapatos> <a. um barbante em outro>* □ *t.d.,t.d.i. e pron.* **2** (prep. *a*) criar relação direta com; ligar(-se), vincular(-se) *<a. todas as sugestões> <a. o trabalho à inspiração> <para tudo sair bem, calma e competência devem a.-se>* □ *t.d.i.* **3** (prep. *com*) formar, estabelecer (relações) com *<a. amizade com os vizinhos> <atou um namoro com o colega>* □ *t.d. e pron. fig.* **4** tolher(-se), conter(-se) *<o susto atou sua voz> <seus movimentos ataram-se>*

atarantado (a.ta.ran.ta.do) *adj.* confuso, atrapalhado

atarantar (a.ta.ran.tar) *v.* {mod. 1} *t.d. e pron.* perturbar o raciocínio, a percepção (de); desnortear(-se), confundir(-se) *<o barulho atarantou-o> <atarantou-se ao ver a beleza da moça>* ~ **atarantação** *s.f.*

atarefar (a.ta.re.far) *v.* {mod. 1} *t.d.* **1** dar tarefa a □ *t.d. e pron.* **2** sobrecarregar(-se) de trabalho *<a. a secretária antes de viajar> <atarefou-se para o dia passar mais rápido>* ~ **atarefamento** *s.m.*

atarracado (a.tar.ra.ca.do) *adj.* **1** baixo e corpulento *<era um cara a. e mal-humorado>* **2** bem apertado *<nó a.>* ↺ frouxo

atarraxar (a.tar.ra.xar) *v.* {mod. 1} *t.d.* **1** apertar ou fixar com tarraxa **2** tornar firme, fixo; prender *<atarraxou a fechadura com força>*

atascadeiro (a.tas.ca.dei.ro) *s.m.* lugar onde tem muita lama; lamaçal

atascar (a.tas.car) *v.* {mod. 1} *t.d. e pron.* **1** meter (-se) na lama; atolar(-se) *<a. o caminhão> <atascaram-se na subida>* ↺ desatolar(-se) **2** ligar-se a vício, mau hábito; degradar-se *<as más companhias o atascaram no jogo> <após a viuvez, atascou-se na bebida>*

ataúde (a.ta.ú.de) *s.m.* caixão de defunto

atavio (a.ta.vi.o) *s.m.* enfeite ~ **ataviamento** *s.m.* - **ataviar** *v.t.d. e pron.*

atavismo (a.ta.vis.mo) *s.m.* BIO reaparição de características de algum antepassado remoto que não se manifestaram por várias gerações ~ **atávico** *adj.*

atazanar (a.ta.za.nar) *v.* {mod. 1} *t.d.* importunar com insistência; incomodar, azucrinar *<a. o avô>* ~ **atazanamento** *s.m.*

até (a.té) *prep.* **1** expressa limite de tempo e de espaço *<esperou a. o meio-dia> <a trilha vai a. a estrada>* ■ *adv.* **2** também, inclusive, ainda *<come de tudo, a. carne crua>* **3** no máximo *<só pago a. 30>*

atear (a.te.ar) *v.* {mod. 5} *t.d.i.* **1** (prep. *em*) provocar (fogo, incêndio) em *<a. fogo na roupa>* □ *t.d. e pron. fig.* **2** começar, intensificar(-se) [ideias, paixões, lutas etc.] *<a atriz ateava as fantasias dos espectadores> <a batalha ateou-se novamente>*

ateísmo (a.te.ís.mo) *s.m.* FIL doutrina de quem não crê na existência de qualquer divindade ☞ cf. *agnosticismo* ~ **ateísta** *adj.2g.s.2g.*

ateliê (a.te.li.ê) *s.m.* oficina de artesãos ou artistas; estúdio *<a. de costura> <o pintor só trabalha em seu a.>*

atemoia (a.te.moi.a) /ói/ *s.f.* BOT fruta da família da fruta-do-conde, ger. em forma de coração ou arredondada, com polpa doce, suculenta e poucas sementes pretas

atemorizar (a.te.mo.ri.zar) *v.* {mod. 1} *t.d.,int. e pron.* (fazer) sentir temor ou susto; assustar(-se) *<a história atemorizou as crianças> <esse filme atemoriza> <a.-se diante do desconhecido>* ~ **atemorizante** *adj.2g.*

atemporal (a.tem.po.ral) [pl.: *-ais*] *adj.2g.* que não varia em função do tempo *<verdade a.>* ↺ passageiro

atenazar (a.te.na.zar) *v.* {mod. 1} *t.d.* **1** apertar com tenaz *<a. uma porca>* **2** submeter à tortura **3** *fig.* causar dor em; mortificar *<a lembrança o atenazava>* **4** *fig.* atazanar

atenção (a.ten.ção) [pl.: *-ões*] *s.f.* **1** concentração da atividade mental sobre algo *<ouvir com a. a aula>* ↺ distração **2** cuidado, zelo com algo ou alguém *<dedicava muita a. aos avós>* ↺ descaso ■ *interj.* **3** expressa advertência *<A.! O sinal está aberto!>* ▣ **chamar a.** ser muito visível ou vistoso; exibir-se *<vista uma roupa simples, para não chamar a.>* • **chamar a a. de** **1** fazer advertência; repreender, advertir *<a mãe chamou a a. do filho para que parasse de brigar>* **2** despertar, atrair o interesse (de alguém) *<a maneira como ele coçava a cabeça chamou a a. de todos>*

atencioso (a.ten.ci.o.so) /ô/ [pl. e fem.: /ó/] *adj.* **1** que presta atenção; atento, concentrado ↺ distraído **2** cuidadoso, gentil *<era muito a. com todos os clientes>*

atendente (a.ten.den.te) *adj.2g.s.2g.* *B* **1** auxiliar de enfermagem **2** recepcionista

atender (a.ten.der) *v.* {mod. 8} *t.d. e t.i.* **1** (prep. *a*) dar atenção a *<a. (a)os conselhos do pai>* **2** (prep. *a*) responder a (chamado) *<atenda (a)o telefone, por favor>* **3** (prep. *a*) estar disponível para ouvir; receber *<atendia (a) todos que o procuravam>* **4** (prep. *a*) dar solução a; resolver *<isto não atende (a)o nosso caso>* **5** (prep. *a*) ser favorável a; deferir; aprovar *<a. (a)o que foi solicitado>* **6** (prep. *a*) prestar socorro; acudir *<a. as (às) vítimas>* □ *t.d.,t.i. e int.* **7** (prep. *a*) dar audiência ou consulta (a) *<a. (a)os ministros> <o médico não atende hoje>* □ *int.* **8** cumprir ordem; obedecer *<mandou-o sair, e ele atendeu>* • GRAM/USO part.: *atendido, atento*; ver QUADRO DE PARTICÍPIOS DUPLOS nas pp. iniciais ~ **atendimento** *s.m.*

ateneu (a.te.neu) *s.m.* instituição de ensino

ateniense (a.te.ni.en.se) *adj.2g.* **1** de Atenas (Grécia) ■ *s.2g.* **2** natural ou habitante dessa capital

[1]**atentado** (a.ten.ta.do) *s.m.* **1** infração, violação das normas *<a. contra o bom gosto>* **2** ato criminoso contra pessoas, ideias etc. *<a embaixada sofreu um a.>* • ORIGEM do fr. *attentat* 'id.' ~ **atentatório** *adj.*

[2]**atentado** (a.ten.ta.do) *adj.* que tem prudência; atento, vigilante ↺ distraído • ORIGEM part. de [2]*atentar*

[3]**atentado** (a.ten.ta.do) *adj.* *B infrm.* muito levado; endiabrado *<foi uma criança tão a. que a tia não o deixava entrar em casa>* ↺ comportado • ORIGEM part. de [3]*atentar*

[1]**atentar** (a.ten.tar) *v.* {mod. 1} *t.i.* **1** (prep. *contra*) cometer crime contra *<a. contra a própria vida>* **2** *fig.* (prep. *contra*) cometer ofensa, abuso contra *<a. contra a moral>* □ *t.d.* **3** pôr em execução; empreender *<a. um projeto>* □ *t.d. e int.* *B infrm.* **4** causar aborrecimento (a); importunar *<atentou o dia inteiro a mãe para ir jogar bola> <aqui os insetos estão sempre atentando>* • ORIGEM do lat. *attemptāre* 'experimentar, atacar, intentar'

[2]**atentar** (a.ten.tar) *v.* {mod. 1} *t.d. e t.i.* **1** (prep. *a, em, para*) observar com atenção; reparar *<a. (para) o texto>* □ *t.d.,t.i. e int.* **2** (prep. *a, em, para*) fazer reflexões, ponderações (sobre) *<atenta muito (a)o que aprende> <muito aérea, não atentava, não via, nem ouvia>* □ *t.d.* **3** aplicar com atenção *<o cão atentava o faro>* • ORIGEM *atento* + [2]*-ar*

[3]**atentar** (a.ten.tar) *v.* {mod. 1} *t.d.* induzir a ou seduzir para o mal; tentar, instigar *<a cobiça o atentou>* • ORIGEM *a-* (como prótese) + *tentar*

atento (a.ten.to) *adj.* **1** que se aplica ao que faz *<está sempre a. às aulas>* **2** feito com atenção *<análise a. dos fatos>* ↺ superficial **3** que presta atenção ↺ disperso, distraído

atenuante (a.te.nu.an.te) *adj.2g.s.f.* DIR (circunstância) que diminui a gravidade de um delito ↺ agravante

atenuar (a.te.nu.ar) *v.* {mod. 1} *t.d. e pron.* **1** fazer (-se) menos espesso *<a. a viscosidade de um líquido> <com a medicação o sangue atenuou-se>* ↺ engrossar **2** tornar(-se) menos intenso, forte; suavizar (-se) *<as medidas do governo atenuaram os efeitos da seca> <a dor da separação com o tempo atenuou-se>* ↺ intensificar(-se) ~ **atenuação** *s.f.* - **atenuado** *adj.*

aterosclerose (a.te.ros.cle.ro.se) *s.f.* MED depósito de placas de gordura na parede das artérias ☞ cf. *arteriosclerose* ~ **aterosclerótico** *adj.*

aterragem (a.ter.ra.gem) [pl.: *-ens*] *s.f.* **1** aterrissagem **2** aproximação (de barco) da terra

[1]**aterrar** (a.ter.rar) *v.* {mod. 1} *t.d.,int. e pron.* aterrorizar ◉ ORIGEM duv., talvez *a-* + lat. *terrere* 'atemorizar' ~ **aterrador** *adj.*

[2]**aterrar** (a.ter.rar) *v.* {mod. 1} *t.d.* **1** cobrir ou encher com terra *<aterraram o buraco>* **2** depositar esp. terra sobre (área), formando base firme, nivelada ou alteada *<a. um pântano>* □ *int.* **3** pousar em terra (aeronave, astronave etc.); aterrissar ◉ ORIGEM *a-* (como prótese) + *terra* + *-ar* ~ **aterrado** *adj.*

aterrissagem (a.ter.ris.sa.gem) [pl.: *-ens*] *s.f.* descida em terra de aeronave, paraquedas etc.; aterragem, pouso ↺ decolagem

aterrissar (a.ter.ris.sar) ou **aterrizar** (a.ter.ri.zar) *v.* {mod. 1} *int.* pousar em terra (aeronave, paraquedas etc.) ↺ decolar

aterro (a.ter.ro) /ê/ *s.m.* **1** terra ou entulho us. para nivelar ou elevar um terreno **2** terreno aterrado ▣ **a. sanitário** ECO ENG área preparada para o depósito de lixo, que é disposto em camadas intercaladas com terra ☞ cf. *lixão*

aterrorizar (a.ter.ro.ri.zar) *v.* {mod. 1} *t.d.,int. e pron.* (fazer) sentir terror, pavor; apavorar(-se), aterrar(-se) *<a má notícia aterrorizou-o> <esse filme foi feito para a.> <sempre aterroriza-se ao viajar de avião>* ~ **aterrorização** *s.f.* - **aterrorizante** *adj.2g.*

ater-se (a.ter-se) *v.* {mod. 16} *pron.* **1** (prep. *a*) dedicar-se exclusivamente a; limitar-se *<a.-se ao trabalho>* **2** (prep. *a*) dar muita atenção a; prender-se *<atinha-se aos mínimos detalhes>*

atestado (a.tes.ta.do) *s.m.* **1** documento no qual se atesta algo; certificado *<faltou à prova e levou um a. médico>* **2** *infrm.* prova, evidência *<responder daquele jeito foi um a. de burrice>*

atestar (a.tes.tar) *v.* {mod. 1} *t.d.* **1** afirmar ou provar oficialmente *<atestou sua inocência>* **2** declarar por escrito *<a. a saúde de alguém>* □ *t.d. e t.d.i.* **3** (prep. *a*) dar prova ou demonstração de; comprovar *<seu rosto atestava seu cansaço> <a prova atestou aos juízes o talento do ginasta>* ~ **atestação** *s.f.* - **atestatório** *adj.*

ateu (a.teu) [fem.: *ateia* /éi/] *adj.s.m.* (indivíduo) que não crê na existência de qualquer divindade; ateísta ↺ crente ☞ cf. *agnóstico*

atiçar (a.ti.çar) *v.* {mod. 1} *t.d.* **1** ativar ou avivar (fogo, chama etc.) *<a. a fogueira>* **2** *fig.* estimular, animar *<a. amores, brigas>* □ *t.d. e t.d.i. fig.* **3** (prep. *a*) dar incentivo a (alguém) [para fazer algo]; incitar, impelir *<o cheiro de comida atiçou sua fome> <as leituras atiçaram-no às aventuras>* ~ **atiçador** *adj.s.m.* - **atiçamento** *s.m.*

-átil *suf.* 'passível de': *portátil, volátil*

atilado (a.ti.la.do) *adj.* **1** que age com inteligência; esperto, vivo ↺ tolo, estúpido **2** cumpridor de suas obrigações ↺ negligente, descuidado **3** que tem juízo; sensato ↺ imprudente ~ **atilamento** *s.m.*

atilar (a.ti.lar) *v.* {mod. 1} *t.d.* **1** fazer com cuidado e atenção *<atila tudo que faz>* **2** dar o último retoque em *<atilou a redação até que não tivesse um só erro>* □ *t.d. e pron.* **3** tornar(-se) esperto, hábil *<atilou-se com a experiência dos anos>* ~ **atilamento** *s.m.*

atilho (a.ti.lho) *s.m.* **1** barbante ou fita para atar **2** estopim ('fio') **3** *B* feixe de espigas de milho

átimo (á.ti.mo) *s.m.* porção mínima ▣ **num á.** rapidamente *<ela foi e voltou num á.>*

atinar (a.ti.nar) *v.* {mod. 1} *t.d. e t.i.* **1** (prep. *com*) descobrir por dedução, observação; perceber *<ele não atinava (com) a razão de ser daquela carta>* □ *t.i.* **2** (prep. *com*) dar-se conta de; reparar *<custou a a. com o prejuízo que causara>* ↺ ignorar **3** (prep. *com*) recordar, lembrar *<não atinou com o nome dela>* ↺ esquecer ~ **atino** *s.m.*

atinente (a.ti.nen.te) *adj.2g.* que diz respeito a *<problemas a. a todos nós>* ~ **atinência** *s.f.*

atingir (a.tin.gir) *v.* {mod. 24} *t.d.* **1** chegar a, até (lugar, objeto, pessoa etc.); alcançar *<a. a Lua>* **2** *fig.* conseguir (um objetivo) *<atingiu todas as suas metas>* **3** *fig.* chegar a (certa quantidade, marca, idade etc.); alcançar *<ele já atingiu os 50 pontos necessários> <atingiu os 90 anos>* **4** *fig.* dizer respeito a; abranger *<esse desconto só atinge os alunos antigos>* **5** *fig.* ter compreensão, percepção de; apreender *<a. o significado das palavras>* **6** *fig.* fazer mal a; afetar *<suas ofensas não o atingem>* **7** acertar, ferir *<a flecha atingiu o centro do alvo>* ~ **atingível** *adj.2g.*

atípico (a.tí.pi.co) *adj.* incomum, raro *<temperatura a. para a época do ano>* ↺ corriqueiro ~ **atipicidade** *s.f.*

atiradeira (a.ti.ra.dei.ra) *s.f.* RECR bodoque; estilingue

atirado (a.ti.ra.do) *adj.s.m.* (indivíduo) destemido, desembaraçado *<que menina a.! cantou e declamou na festa>* ↺ acanhado

atirar (a.ti.rar) *v.* {mod. 1} *t.d. e pron.* **1** lançar (-se) longe, com força; jogar(-se) *<atirou com força o copo> <a.-se ao mar>* □ *t.i. e int.* **2** (prep. *em*) dar tiro (em) *<atirou no animal antes que ele o atacasse> <preparou-se para a., mas perdeu a coragem>* □ *pron.* **3** *fig.* (prep. *a*) entregar-se inteiramente; lançar-se *<atirou-se à política com entusiasmo>* **4** deixar-se cair *<a.-se na cama>* ~ **atirador** *adj.s.m.* - **atiramento** *s.m.*

atitude (a.ti.tu.de) *s.f.* **1** modo de agir *<não suportava a a. arrogante do cunhado>* **2** maneira como o corpo está posicionado; pose, postura *<melhorou a a. erguendo os ombros> <os guerreiros estavam em a. de ataque>* ▣ **tomar (uma) a.** tomar uma decisão enérgica para mudar uma situação insatisfatória que perdura há algum tempo

ativa (a.ti.va) *s.f.* **1** exercício total ou parcial de uma atividade *<embora idoso, continua na a.>* **2** período em que um servidor público militar ou civil realiza atividade funcional *<não está na a. desde os 70 anos>* **3** GRAM voz ativa (do verbo)

ativado (a.ti.va.do) *adj.* que se tornou ativo ou mais intenso *<o sabor foi a. com o uso de mais temperos>* ↺ desativado

ativar (a.ti.var) *v.* {mod. 1} *t.d. e pron.* tornar(-se) ativo ou aumentar a atividade *<a. a produção> <a.(-se) uma função orgânica> <a. o galope do cavalo>* ~ **ativação** *s.f.*

atividade (a.ti.vi.da.de) *s.f.* **1** capacidade de agir, de funcionar, de pensar etc. e seu uso *<a a. do coração é muito importante para nossa vida> <a loja está em a. desde janeiro>* **2** ocupação profissional ou trabalho produtivo *<a. industrial> <a. de empresário>* **3** realização de uma ação *<dança é uma das a. da colônia de férias>* **4** realização de várias ações de modo acelerado e vigoroso *<a a. do cão o incomodava>*

ativismo (a.ti.vis.mo) *s.m.* doutrina que privilegia a ação em vez da teoria e da especulação; engajamento, militância *<a. político>* ~ **ativista** *adj.2g.s.2g.*

ativo (a.ti.vo) *adj.* **1** que envolve ação ou movimento ↺ inativo **2** que é mais dado à ação do que à contemplação; atuante, diligente *<é uma senhora muito a.>* **3** que exerce ação intensa *<medicamento a.>* **4** que está funcionando ou valendo *<tem apenas uma conta a. no banco>* **5** que está ou poderá entrar em erupção (diz-se de vulcão) ↺ extinto, inativo **6** esperto, vivo *<criança a.>* ↺ desinteressado ■ *s.m.* ECON **7** conjunto de bens e capitais de pessoa ou empresa ☞ cf. *passivo*

atlântico (a.tlân.ti.co) *adj.* **1** do oceano Atlântico ■ *adj.s.m.* **2** que(m) é das regiões banhadas por esse oceano *<ilhas a.>*

atlas (a.tlas) *s.m.2n.* **1** livro que contém uma coleção de mapas **2** ANAT a primeira vértebra cervical, que sustenta o crânio

atleta (a.tle.ta) *s.2g.* **1** praticante de qualquer modalidade esportiva; esportista **2** praticante de atletismo **3** *p.ext.* indivíduo forte, saudável • COL time, equipe

atlético (a.tlé.ti.co) *adj.* relativo a atleta ou a atletismo *<jovem a.> <pista a.>*

atletismo (a.tle.tis.mo) *s.m.* ESP **1** conjunto de exercícios físicos que compreendem corrida, lançamento (de disco, peso, dardo) e salto **2** a prática do atletismo

atmosfera (at.mos.fe.ra) *s.f.* **1** FÍS camada de gases que envolve um planeta *<o gás em maior quantidade na atmosfera de Saturno é o hidrogênio>* **2** ar que envolve a Terra *<o ônibus espacial cruzou a a. em poucos minutos>* **3** *p.ext.* conjunto de condições meteorológicas; tempo, céu **4** *fig.* ambiente social ou espiritual; clima *<havia na casa uma a. de tranquilidade>* ~ **atmosférico** *adj.*

-ato *suf.* **1** 'titulação; instituição': *mecenato, pensionato* **2** 'atividade, ofício': *artesanato*

ato (a.to) *s.m.* **1** aquilo que se faz; ação *<a. de caridade>* **2** ocasião, momento *<no a. da matrícula, o aluno deve trazer sua foto>* **3** solenidade social ou política *<a posse do presidente é um a. grandioso>* **4** cada parte de uma peça de teatro, de um balé etc. **5** DIR documento público que expõe a decisão de uma autoridade *<o regulamento foi alterado por meio de um a. administrativo>* ▣ **a. falho** PSIC um erro na fala, na escrita ou numa ação física que supostamente remete para conteúdos ou desejos recalcados *<chamar o namorado pelo nome do ex-noivo foi um a. falho>*

à toa (à to.a) *adj.2g.2n.* **1** fácil de fazer *<acabou rápido, era um exercício à toa>* ↺ difícil **2** insignificante, desprezível *<um machucado à toa>* ↺ relevante **3** sem utilidade; inútil *<é um cara à toa, não trabalha nem estuda>* ↺ indispensável ☞ cf. *à toa* (loc.)

atoalhado (a.to.a.lha.do) *adj.* **1** de textura felpuda, similar à de uma toalha de banho *<ao sair da piscina, vestiu um roupão a.>* ■ *s.m.* **2** pano ou toalha de mesa ~ **atoalhar** *v.t.d.*

atobá (a.to.bá) *s.m.* ZOO ave de asas compridas e estreitas que se alimenta de peixes que captura mergulhando

atochar (a.to.char) *v.* {mod. 1} *t.d.* **1** fazer entrar com força; enfiar *<a. uma rolha na garrafa>* **2** encher em demasia; entulhar *<atochou a mala e não conseguiu fechá-la>*

atol (a.tol) [pl.: *-óis*] *s.m.* recife de forma oval, com lagoa central, que se forma distante da costa ☞ cf. *recife*

atoladouro (a.to.la.dou.ro) *s.m.* atoleiro

atolar (a.to.lar) *v.* {mod. 1} *t.d.,int. e pron.* **1** meter (-se), afundar(-se) em atoleiro, na lama, no lodo *<a. os pés> <há perigo de a. por aí> <a carroça atolou-se no caminho encharcado>* □ *t.d.i. e pron.* **2** (prep. *com, de*) encher(-se) de (trabalho, obrigação etc.) *<atolou de trabalho os funcionários> <atolou-se com obrigações>* □ *pron.* **3** *fig.* meter-se em dificuldades, embaraços *<atolou-se em um empreendimento arriscado> <tentou ajudar a família e atolou-se>* ↺ desenredar-se ~ **atolador** *adj.s.m.* - **atolamento** *s.m.*

atoleimar (a.to.lei.mar) *v.* {mod. 1} *t.d. e pron.* tornar(-se) tolo, pateta

atoleiro (a.to.lei.ro) *s.m.* **1** solo pantanoso, alagadiço; atoladouro **2** *infrm.* situação difícil; apuro *<sem perceber, se viu metido em um a.>*

atômico (a.tô.mi.co) *adj.* FISQUÍM **1** próprio do ou pertencente ao átomo *<massa a.>* **2** referente ao poder produzido pela energia liberada pela desintegração do núcleo do átomo *<bomba a.> <explosão a.>* **3** que utiliza essa energia *<combustível a.>*

atomizador (a.to.mi.za.dor) /ô/ [pl.: *-es*] *adj.s.m.* nebulizador

atomizar (a.to.mi.zar) *v.* {mod. 1} *t.d. e pron.* **1** reduzir(-se) a átomos **2** *p.ext.* reduzir(-se) a dimensões mínimas *<a. um pedra> <a vidraça atomizou-se>* □ *t.d.* **3** *fig.* dividir em partes menores; fragmentar *<a. uma empresa>* **4** borrifar com atomizador

átomo (á.to.mo) *s.m.* FISQUÍM a menor parte de um elemento que pode existir sozinha ou em combinação com outra

A

atonal (a.to.nal) [pl.: *-ais*] *adj.2g.* MÚS não executado ou escrito numa tonalidade definida ou na escala de oitavas ~ **atonalidade** *s.f.*

atonia (a.to.ni.a) *s.f.* MED perda de força física e mental; debilidade geral ↺ vigor

atônito (a.tô.ni.to) *adj.* **1** assombrado, admirado *<ficou a. com o luxo das fantasias>* **2** confuso, atrapalhado *<o barulho deixou-a a.>*

átono (á.to.no) *adj.* GRAM sem acento tônico (diz-se de vogal, sílaba ou palavra) ↺ tônico ~ **atonicidade** *s.f.*

atopetar (a.to.pe.tar) *v.* {mod. 1} *t.d.* **1** atingir o topo de **2** *B* encher demais; abarrotar *<atopetou a sala de móveis>*

ator (a.tor) /ô/ [pl.: *-es*; fem.: *atriz*] *s.m.* **1** homem que representa em teatro, cinema etc. **2** *fig.* homem que finge, dissimula **3** quem tem papel ativo em algum acontecimento *<foi um importante a. da constituinte>*

atordoar (a.tor.do.ar) *v.* {mod. 1} *t.d. e pron.* **1** (fazer) sofrer perturbação da mente e dos sentidos por efeito de pancada, queda, bebida, estrondo etc.; aturdir(-se) *<a bolada atordoou a jogadora>* □ *t.d.* **2** surpreender muito; maravilhar *<a beleza da moça atordoou-o>* ~ **atordoado** *adj.s.m.* - **atordoamento** *s.m.* - **atordoante** *adj.2g.*

atormentar (a.tor.men.tar) *v.* {mod. 1} *t.d. e int.* **1** submeter a tormento; torturar *<um sapato apertado atormenta>* **2** *fig.* causar incômodo ou aborrecimento (a); importunar *<o ruído da rua atormenta-o>* *<esses mosquitos atormentam dia e noite>* □ *t.d. e pron. fig.* **3** (fazer) sofrer desgosto ou angústia; afligir(-se) *<sua indiferença atormentava a mulher>* *<a.-se com o excesso de preocupações>* ~ **atormentação** *s.f.*

atóxico (a.tó.xi.co) /cs/ *adj.* não tóxico; não venenoso ↺ tóxico

atracadouro (a.tra.ca.dou.ro) *s.m.* lugar onde se atracam as embarcações

atração (a.tra.ção) [pl.: *-ões*] *s.f.* **1** força que aproxima dois corpos materiais *<a. do ferro pelo ímã>* **2** *fig.* fascínio, encanto *<sentiu uma forte a. pelo novo colega>* ↺ repulsa **3** *fig.* interesse *<tem grande a. por cinema>* ↺ antipatia **4** lugar, acontecimento ou espetáculo a que as pessoas vão por ser do seu interesse ou para se divertir *<os museus são uma atração para os turistas>* **5** diversão, número artístico ou artista de um espetáculo *<a peça está cheia de a.>* *<o cantor foi a maior a. da noite>*

atracar (a.tra.car) *v.* {mod. 1} *t.d. e int.* MAR **1** aproximar(-se) [embarcação] do cais ou de outra embarcação *<o oficial vai a. o navio>* *<o iate atracou>* ↺ desatracar □ *pron.* **2** entrar em luta corpo a corpo; engalfinhar-se *<atracaram-se no meio do pátio>* **3** *infrm.* (prep. *com*) abraçar-se com força; agarrar-se *<emocionado, atracou-se com o pai>* ~ **atracação** *s.f.*

atraente (a.tra.en.te) *adj.2g.* que tem o poder de atrair *<pessoa a.>* *<espetáculo a.>* ↺ repugnante

atraiçoar (a.trai.ço.ar) *v.* {mod. 1} *t.d.* **1** trair a confiança de; enganar *<atraiçoou o chefe>* **2** ser infiel a; trair *<atraiçoava a mulher desde que casou>* □ *t.d. e pron.* **3** revelar (segredo íntimo); denunciar(-se) *<o riso nervoso o atraiçoou>* *<atraiçoou-se ao desviar o olhar>*

atrair (a.tra.ir) *v.* {mod. 25} *t.d.* **1** trazer para si; aproximar *<o grito de socorro atraiu o segurança>* **2** ser objeto de desejo, de cobiça *<o chocolate o atraía>* *<o dinheiro atrai aquela família>* **3** conquistar atenção, admiração, desejo ou afeto de *<sua pintura atrai um público diverso>* **4** fazer surgir (ideia, sentimento, opinião etc.); provocar *<sua fala atraiu a admiração de todos>* □ *t.d.i.* **5** (prep. *para*) levar à adesão de; aliciar, conquistar *<a. deputados para o partido>*

atrapalhado (a.tra.pa.lha.do) *adj.* **1** sem saber o que fazer ou dizer; embaraçado, atarantado *<a crise política deixou os governantes a.>* *<ficou a. ao ver a antiga namorada>* **2** sem organização, confuso *<foi um reencontro a.>* **3** em apuros; em dificuldades, esp. financeiras *<ficou a. com as despesas médicas durante a doença da mãe>*

atrapalhar (a.tra.pa.lhar) *v.* {mod. 1} *t.d. e int.* **1** ser um obstáculo a; estorvar *<o homem alto atrapalhava a minha visão>* *<se não quer ajudar, pelo menos não atrapalhe>* □ *t.d.* **2** agir mal, impedindo as ações de *<a. o estudo do irmão>* □ *pron.* **3** ficar confuso; confundir-se *<atrapalhou-se na hora de fazer o discurso>* ~ **atrapalhação** *s.f.*

atrás (a.trás) *adv.* **1** em posição posterior; detrás *<a tomada fica a. da mesa>* ↺ à frente **2** depois, após *<um cão vinha correndo a. da bola>* **3** antes *<chegou dias a.>* **4** no passado *<tempos a.>*

atrasar (a.tra.sar) *v.* {mod. 1} *t.d.* **1** fazer recuar *<a. o ponteiro do relógio>* **2** passar para data posterior; adiar *<atrasou o retorno da viagem>* **3** *fig.* impedir o progresso de; prejudicar *<isso atrasou sua vida>* **4** fazer com que demore; retardar *<arrume logo suas coisas ou irá a. os colegas>* □ *t.d.,int. e pron.* **5** (fazer) chegar, realizar-se, acontecer após o previsto *<a. o pagamento>* *<o trem atrasou(-se)>* □ *int. e pron.* **6** trabalhar com menos velocidade do que o normal, o necessário *<este relógio sempre atrasa>* *<atrasa-se nas tarefas porque é distraído>* □ *t.d. e t.d.i.* FUTB *B* **7** (prep. *para*) tocar a bola para trás, no sentido do seu próprio gol *<o zagueiro parou a bola e atrasou-a (para o goleiro)>* ~ **atrasado** *adj.*

atraso (a.tra.so) *s.m.* **1** demora, retardamento *<chegou com a.>* **2** falta de pontualidade *<a escola não admite a.>* **3** falta de desenvolvimento econômico ou cultural; subdesenvolvimento *<o a. nas regiões mais pobres do mundo continua aumentando>* ↺ avanço **4** falta, carência, privação *<dormiu dois dias e duas noites para tirar o a.>*

atrativo (a.tra.ti.vo) *s.m.* **1** o que atrai, seduz *<os cavalos eram o a. do parque>* **2** estímulo, incentivo *<o prêmio era um a. para os alunos>* ■ *adj.* **3** que chama a atenção; atraente *<o negócio tem condições a.>* ↺ repulsivo **4** que é capaz de atrair *<força a. do ímã>* ~ **atratividade** *s.f.*

atravancar (a.tra.van.car) *v.* {mod. 1} *t.d.* **1** pôr obstáculos em (um lugar), impedindo o trânsito ou o acesso *<a. uma rua>* ↺ desatravancar, desobstruir **2** *fig.* causar dificuldade a; atrapalhar *<a. a ação da justiça>* **3** encher por completo; abarrotar *<a. a sala de móveis>* ↺ desatravancar ~ **atravancamento** *s.m.* - **atravanco** *s.m.*

através (a.tra.vés) *adv.* transversalmente, de lado a lado *<uma grande árvore caída a. na estrada>* ▣ **a. de 1** pelo interior de *<caminhar a. da floresta> <o alfinete passou a. da roupa>* **2** no decorrer de *<tradição que se mantém a. dos anos>* **3** por meio de *<os pais educam os filhos através de exemplos>*

atravessador (a.tra.ves.sa.dor) /ô/ [pl.: *-es*] *adj.s.m.* **1** (o) que atravessa **2** *pej.* que(m) compra mercadorias do produtor e revende para o varejista; intermediário *<o produto sai mais caro por causa dos a.>*

atravessar (a.tra.ves.sar) *v.* {mod. 1} *t.d. e pron.* **1** dispor(-se) de forma a cruzar com *<a. a régua no caderno> <atravessou-se na cama>* □ *t.d.* **2** passar para o outro lado de *<cuidado ao a. a rua>* **3** passar por entre *<a. a multidão>* **4** percorrer de ponta a ponta; cruzar, transpor *<um riacho atravessa o terreno>* **5** penetrar, passando de um lado a outro; perfurar *<a agulha atravessou o tecido>* **6** durar (certo tempo); prolongar-se *<os descobrimentos portugueses atravessaram dois séculos>* **7** passar, sofrer (dificuldades, crises) *<atravessaram maus momentos>* **8** comprar dos produtores para revender com lucro □ *int.* MÚS *B infrm.* **9** nos desfiles das escolas de samba, faltar sincronia entre a música e o ritmo da bateria, ou entre o canto das diversas alas que compõem a escola *<o samba atravessou> <a escola perdeu pontos porque atravessou>* ~ **atravessado** *adj.s.m.*

atrelar (a.tre.lar) *v.* {mod. 1} *t.d.* **1** prender (animais) com trela *<a. cavalos, bois>* □ *t.d. e t.d.i. p.ext.* **2** (prep. *a*) ligar, engatar, prender *<a. o carro (ao reboque)>* □ *t.d.i. fig.* **3** (prep. *a*) tornar dependente; submeter, vincular *<atrelou o aumento dos funcionários ao lucro da empresa>* ~ **atrelagem** *s.f.*

atrever-se (a.tre.ver-se) *v.* {mod. 8} *pron.* (prep. *a*) ter coragem, audácia suficiente para; ousar, arriscar-se *<não se atreveriam a enfrentar a tempestade>*

atrevido (a.tre.vi.do) *adj.s.m.* **1** que(m) não demonstra medo ou submissão; ousado, destemido *<assumir o erro foi uma atitude a.>* ↺ covarde **2** que(m) não demonstra o devido respeito *<era uma criança a., desobedecia aos pais e aos professores>* ↺ respeitoso

atrevimento (a.tre.vi.men.to) *s.m.* **1** coragem excessiva; petulância, audácia *<seu atrevimento evitou que fôssemos atacados>* ↺ covardia **2** falta de respeito; desaforo *<pare com esses a. ou fica de castigo>* ↺ respeito

atribuição (a.tri.bu.i.ção) [pl.: *-ões*] *s.f.* **1** ação de atribuir *<a. de bolsas de estudo>* **2** o que foi atribuído **3** responsabilidade própria de um cargo ou função *<esclarecer crimes é a. de detetives>*

atribuir (a.tri.bu.ir) *v.* {mod. 26} *t.d.i.* **1** (prep. *a*) considerar causador, autor ou possuidor de; imputar *<atribuem a ele defeitos que não tem>* **2** (prep. *a*) conceder, conferir, dar *<a. notas aos candidatos> <atribuiu tarefas demais ao funcionário>* □ *pron.* **3** tomar para si; arrogar-se *<atribui-se o direito de sair mais cedo>* ~ **atribuível** *adj.2g.* - **atributivo** *adj.*

atribulação (a.tri.bu.la.ção) [pl.: *-ões*] *s.f.* **1** sofrimento moral, aflição **2** acontecimento desagradável; adversidade *<uma viagem cheia de a.>* ↺ alegria

atribular (a.tri.bu.lar) *v.* {mod. 1} *t.d. e pron.* (fazer) sofrer atribulações; perturbar(-se), afligir(-se) *<aquela revelação atribulou a sua alma> <atribulou-se com as ameaças que ouviu>*

atributo (a.tri.bu.to) *s.m.* **1** qualidade, característica *<a bondade era um de seus a.>* **2** GRAM termo que se acrescenta ao significado de um substantivo (p.ex.: moça *bonita*, casa *nova* etc.)

atrição (a.tri.ção) [pl.: *-ões*] *s.f.* **1** ação de atritar **2** desgaste resultante de atrito **3** *p.ext.* arrependimento, remorso

átrio (á.trio) *s.m.* **1** ARQ pátio interno, fechado por construções, ger. com arcadas **2** ARQ espaço coberto que dá acesso ao interior de um edifício; vestíbulo, saguão **3** adro **4** ANAT cavidade do coração que recebe sangue venoso

atrito (a.tri.to) *s.m.* **1** fricção entre dois corpos *<a cera foi removida pelo a. dos móveis no chão>* **2** *fig.* desentendimento, desavença *<houve um a. entre o genro e a sogra>* ↺ acordo ~ **atritar** *v.t.d.,t.d.i. e pron.*

atriz (a.triz) [pl.: *-es*] *s.f.* **1** mulher que representa em teatro, cinema etc. **2** *fig.* mulher capaz de simular sentimentos, atitudes etc.

atroada (a.tro.a.da) *s.f.* grande barulho

atroar (a.tro.ar) *v.* {mod. 1} *t.d.* **1** fazer estremecer por estrondo *<as explosões atroaram a cidade>* **2** *fig.* perturbar com barulho *<atroou os presentes com seu vozeirão>* □ *int.* **3** fazer grande barulho; ressoar *<um trovão atroou ao longe>* ~ **atroo** *s.m.*

atrocidade (a.tro.ci.da.de) *s.f.* ato cruel; perversidade ↺ bondade

atrocíssimo (a.tro.cís.si.mo) *adj.* extremamente atroz

atrofia (a.tro.fi.a) *s.f.* **1** BIO falta de desenvolvimento de um corpo, órgão, membro etc., ou sua diminuição *<a. das mãos>* **2** *fig.* diminuição da capacidade de ação *<a. da memória>* ~ **atrófico** *adj.*

atrofiar (a.tro.fi.ar) *v.* {mod. 1} *t.d.,int. e pron.* **1** BIO causar ou sofrer atrofia (corpo, órgão etc.) *<a doença atrofiou o fígado do paciente> <a planta atrofiou (-se)>* **2** *fig.* tornar(-se) debilitado ou menos intenso; enfraquecer *<as dificuldades não atrofiaram seus ideais> <o ressentimento foi(-se) atrofiando aos poucos>* ↺ desenvolver(-se) ~ **atrofiamento** *s.m.*

atropelar (a.tro.pe.lar) *v.* {mod. 1} *t.d.* **1** bater em (algo), derrubando-o e/ou passando por cima dele *<uma bicicleta atropelou-o>* **2** *fig.* realizar mal ou com pressa *<a. o serviço>* **3** *fig.* ignorar a ordem adequada, a sequência natural de *<a. etapas>* □ *t.d. e pron.* **4** mover-se dando esbarrões e cotoveladas (em); empurrar(-se) *<fugiu, atropelando os pedestres> <os alunos atropelam-se na saída para o recreio>* **5** (fazer) perder a coerência (palavras, ideias etc.) *<nervoso, atropelava os argumentos> <seus pensamentos atropelam-se>* ~ **atropelamento** *s.m.*

atropelo (a.tro.pe.lo) /ê/ *s.m.* **1** falta de organização; confusão, tumulto *<havia um a. de caixas no quintal>* ↺ ordem **2** *fig.* aflição, preocupação *<a luta contra o tempo é um dos a. da vida moderna>*

atroz (a.<u>troz</u>) [pl.: *-es*] *adj.2g.* **1** muito cruel; impiedoso <*castigo a.*> ↺ bondoso **2** que é horrível; assombroso, monstruoso <*pobreza a.*> **3** difícil de controlar ou tolerar <*sentia uma saudade a. de seu avô*> • GRAM/USO sup.abs.sint.: *atrocíssimo*

atuação (a.tu.a.<u>ção</u>) [pl.: *-ões*] *s.f.* **1** ato de agir, atuar <*teve uma boa a. no tribunal*> ↺ inatividade **2** o efeito desse ato **3** CINE TEAT TV interpretação de personagem em filme, peça teatral etc.; representação

atual (a.tu.<u>al</u>) [pl.: *-ais*] *adj.2g.* da época presente <*notícia a.*> ↺ passado

atualidade (a.tu.a.li.<u>da</u>.de) *s.f.* momento ou época presente ↺ passado

atualizar (a.tu.a.li.<u>zar</u>) *v.* {mod. 1} *t.d. e pron.* **1** tornar(-se) atual; modernizar(-se) <*a. o ensino de línguas*> <*a. um manual*> <*atualizou-se comprando um novo computador*> **2** informar(-se) sobre pesquisas, dados, notícias etc. mais atuais ou mais recentes <*a. profissionais*> <*faz assinatura de revistas médicas para se a.*> ~ **atualização** *s.f.*

atualmente (a.tu.al.<u>men</u>.te) *adv.* nos dias que correm; na atualidade, no presente; hoje <*a., vive em Macapá*>

atuante (a.tu.<u>an</u>.te) *adj.2g.* que participa de forma bastante ativa em qualquer empreendimento, grupo etc.; ativo, militante <*foi um dos elementos mais a. na administração*>

atuar (a.tu.<u>ar</u>) *v.* {mod. 1} *int.* **1** exercer ação ou atividade; agir <*o bombeiro atuou com coragem no incêndio*> **2** CINE TEAT TV interpretar um papel (em peça, filme etc.) <*atuou muito bem na última novela*> □ *t.i.* **3** (prep. *em*) ter influência em; influir <*o tio foi quem mais atuou em sua formação*> □ *t.i. e int.* **4** (prep. *em*) produzir efeito <*as mudanças atuaram bem no ritmo do trabalho*> <*remédio que atua devagar*>

atuária (a.tu.<u>á</u>.ria) *s.f.* estudo da teoria e do cálculo de seguros ~ **atuarial** *adj.2g.*

atuário (a.tu.<u>á</u>.rio) *s.m.* especialista em seguros

atulhar (a.tu.<u>lhar</u>) *v.* {mod. 1} *t.d.,t.d.i. e pron.* (prep. *com, de*) entulhar ~ **atulhamento** *s.m.*

atum (a.<u>tum</u>) [pl.: *-uns*] *s.m.* ZOO nome comum dado a certos peixes marinhos de corpo alongado e robusto, de carne muito apreciada

aturar (a.tu.<u>rar</u>) *v.* {mod. 1} *t.d.* lidar (com algo desagradável, ruim, prejudicial) com paciência e resignação; suportar, tolerar <*não atura intolerância*> ~ **aturável** *adj.2g.*

aturdido (a.tur.<u>di</u>.do) *adj.* **1** com a mente ou os sentidos perturbados <*fica a. com a violência*> **2** espantado, maravilhado <*estavam a. com a voz da cantora*>

aturdir (a.tur.<u>dir</u>) *v.* {mod. 24} *t.d.,int. e pron.* **1** (fazer) sofrer perturbação da mente e dos sentidos; aturdir(-se) <*o assédio dos fãs aturdiu-o*> <*um ruído que aturde*> <*aturdiram-se com a notícia*> □ *t.d.* **2** causar surpresa a; maravilhar, pasmar <*a paisagem da pousada aturdiu os hóspedes*> • GRAM/USO verbo defectivo ~ **aturdimento** *s.m.*

Au QUÍM símbolo de *ouro*

audácia (au.<u>dá</u>.cia) *s.f.* **1** impulso que leva o indivíduo a realizar ações difíceis <*teve a a. de mergulhar*> ↺ covardia **2** falta de respeito; atrevimento <*foi uma a. ir à cerimônia sem ser convidado*> ↺ consideração

audacioso (au.da.ci.<u>o</u>.so) /ô/ [pl. e fem.: /ó/] *adj.* **1** valente ↺ covarde **2** atrevido, abusado ↺ respeitoso **3** que é inovador, arrojado <*um cientista a.*>

audaz (au.<u>daz</u>) [pl.: *-es*] *adj.2g.* audacioso • GRAM/USO sup.abs.sint.: *audacíssimo*

audição (au.di.<u>ção</u>) [pl.: *-ões*] *s.f.* **1** FISL sentido que permite captar os sons <*perdeu a a. em um acidente*> **2** apresentação pública de obra musical ou teatral <*assistiram a uma bela a. de piano*>

audiência (au.di.<u>ên</u>.cia) *s.f.* **1** DIR sessão de tribunal <*a a. foi interrompida por ordem do juiz*> **2** RÁD TV grupo de ouvintes ou de espectadores que sintoniza determinado programa de rádio ou televisão <*programa de grande a.*> <*a atração foi cancelada porque teve pouca a.*> **3** reunião de uma autoridade com pessoas que desejam falar-lhe <*marcou uma a. com o prefeito*>

áudio (<u>áu</u>.dio) *s.m.* **1** sinal sonoro; som **2** ELETRÔN transmissão, recepção e reprodução de sons por meios eletrônicos <*o á. desta televisão está ruim*> **3** *p.ext.* equipamento us. para tal **4** CINE RÁD TV componente sonoro de filme, transmissão de TV, vídeo etc. <*o filme tem um excelente á.*>

audioconferência (au.dio.con.fe.<u>rên</u>.cia) *s.f.* conferência na qual o diálogo entre as várias pessoas se estabelece através de circuito telefônico

audiofone (au.di.o.<u>fo</u>.ne) *s.m.* **1** par de pequenos alto-falantes que se põe nos ouvidos para ouvir música etc., adaptados a um arco que o ouvinte ajusta na cabeça; fone de ouvido, *headphone* **2** pequeno aparelho que amplifica os sons, us. pelas pessoas com deficiência auditiva

audiolivro (au.di.o.<u>li</u>.vro) *s.m.* gravação sonora da leitura de um livro para reprodução em aparelho de som, computador etc.

audiologia (au.dio.lo.<u>gi</u>.a) *s.f.* MED estudo da audição e suas doenças ~ **audiológico** *adj.* - **audiólogo** *s.m.*

audiometria (au.dio.me.<u>tri</u>.a) *s.f.* MED exame da capacidade auditiva por meio de instrumentos

audiômetro (au.di.<u>ô</u>.me.tro) *s.m.* instrumento elétrico para medir os limites da audição

audiovisual (au.dio.vi.su.<u>al</u>) [pl.: *-ais*] *adj.2g.* **1** que se destina a ou visa estimular os sentidos da audição e da visão simultaneamente <*recurso a.*> <*mensagem a.*> **2** que utiliza som e imagem na transmissão de mensagens ou ensinamentos <*método a. de ensino de matemática*> ■ *s.m.* **3** qualquer produção que conjugue som e imagem <*assistimos a um a. sobre amamentação*>

auditagem (au.di.<u>ta</u>.gem) [pl.: *-ens*] *s.f.* auditoria

auditivo (au.di.<u>ti</u>.vo) *adj.* relativo ao ouvido ou à audição <*aparelho a.*>

auditoria (au.di.to.<u>ri</u>.a) *s.f.* **1** análise dos movimentos financeiros de uma empresa **2** *p.ext.* exame do funcionamento de uma atividade ~ **auditar** *v.t.d.* - **auditor** *s.m.*

auditório (au.di.tó.rio) *s.m.* **1** sala para palestras, concertos etc. *<o novo a. da escola ficou pronto>* **2** público que a ocupa *<jogou flores para o a.>*

audível (au.dí.vel) [pl.: *-eis*] *adj.2g.* que pode ser ouvido ↺ inaudível **~ audibilidade** *s.f.*

auê (au.ê) *s.m.* gír. **1** confusão, tumulto, briga *<armou um a. danado por causa do fim dos ingressos>* **2** agitação, vibração *<o aniversário dela foi um tremendo a.>*

auferir (au.fe.rir) *v.* {mod. 28} *t.d. e t.d.i.* (prep. *de*) ter como resultado; conseguir, obter *<a. benefícios (de um acordo)>* **~ auferível** *adj.2g.*

auge (au.ge) *s.m.* apogeu, máximo *<estava no a. da carreira de modelo>*

augurar (au.gu.rar) *v.* {mod. 1} *t.d., t.d.i. e int.* **1** (prep. *a*) fazer previsão (sobre); prever, pressagiar *<a. a vitória do time (ao público)> <alguns videntes auguram jogando búzios>* **2** (prep. *a*) fazer votos de; desejar *<a. sucesso (ao viajante)>* □ *t.d.* **3** dar indícios de; indicar *<as nuvens escuras auguram chuvas fortes>*

augúrio (au.gú.rio) *s.m.* presságio de um acontecimento futuro; profecia, vaticínio *<teve um bom a. em relação ao concurso>*

augusto (au.gus.to) *adj.* **1** que merece respeito *<a. governante>* ↺ desprezível **2** de grande imponência; majestoso *<a. ritual>* ■ *s.m.* HIST **3** na Roma antiga, título dado a alguns imperadores

aula (au.la) *s.f.* **1** explicação sobre alguma matéria; lição *<hoje tem a. de inglês>* **2** sala em que se leciona; classe *<saíram da a. porque faltou luz>* **3** parte de um programa de ensino, no conjunto de um curso *<o curso se divide em dez a.>*

áulico (áu.li.co) *adj.s.m.* cortesão, palaciano

aumentar (au.men.tar) *v.* {mod. 1} *t.d. e int.* **1** tornar(-se) maior (em extensão, quantidade, intensidade etc.) *<o cheiro da comida aumentou sua fome> <a família aumentou> <com a febre, a temperatura do corpo aumenta>* ↺ diminuir □ *t.d.* **2** tornar mais grave; piorar *<o silêncio aumenta sua agonia>* ↺ suavizar **3** fazer com que se mostre maior; ampliar *<usou a lupa para a. os detalhes da foto>* **4** estender o enredo de (caso, narrativa etc.), com exageros, fantasias ou mentiras *<os jornais aumentaram muito a história do acidente>* □ *t.i.* **5** (prep. *de*) adquirir mais (volume, tamanho etc.) *<a. de peso>*

aumentativo (au.men.ta.ti.vo) *adj.s.m.* GRAM diz-se de ou grau que acrescenta ao significado do substantivo ou do adjetivo a noção de 'grande' ou 'muito', p.ex.: felizardo ('muito feliz'), altão ('muito alto'), moçona ('moça grande') etc. ↺ diminutivo ☞ tb. pode expressar ideias de importância ou intensidade, p.ex.: amigão ('amigo muito querido')

aumento (au.men.to) *s.m.* **1** desenvolvimento em tamanho ou quantidade *<houve um a. no número de matrículas>* ↺ diminuição **2** acréscimo no valor do salário *<os funcionários receberam um a.>* ↺ redução

aura (au.ra) *s.f.* **1** conjunto de elementos sutis que caracterizam uma coisa ou pessoa; ar, indício *<uma casa com a. de mistério>* **2** suposto campo de energia que irradia dos seres vivos *<exalava uma a. de bondade>* **~ aural** *adj.2g.*

áureo (áu.reo) *adj.* **1** de ouro ou dourado **2** *fig.* que brilha, sobressai; esplendoroso, magnífico *<estilo á.>* ↺ decadente **3** *fig.* diz-se de época, período etc. de grande florescimento cultural, ou marcado por acontecimentos felizes ou excepcionais *<época á. do cinema nacional> <a natação estava em seu período á.>*

auréola (au.ré.o.la) *s.f.* **1** aro de metal ou dourado colocado sobre a cabeça de imagens de santos **2** *p.ext.* qualquer círculo luminoso; halo, nimbo ☞ cf. *aréola*

[1]**aureolar** (au.re.o.lar) *v.* {mod. 1} *t.d. e pron.* **1** ornar(-se) com auréola; coroar **2** *fig.* (fazer) adquirir prestígio; glorificar(-se) *<a boa atuação vai a. o ator> <a.-se com vitórias>* • ORIGEM *auréola* + [2]*-ar*

[2]**aureolar** (au.re.o.lar) [pl.: *-es*] *adj.2g.* em forma de ou semelhante a auréola *<luz a.>* • ORIGEM *auréola* + [1]*-ar*

aurícula (au.rí.cu.la) *s.f.* ANAT **1** parte externa da orelha **2** cada uma das cavidades superiores do coração, acima dos ventrículos **~ auricular** *adj.2g.*

aurífero (au.rí.fe.ro) *adj.* que contém ouro *<minas a.>*

auriverde (au.ri.ver.de) /ê/ *adj.2g.* dourado (ou amarelo) e verde *<bandeira a.>*

aurora (au.ro.ra) *s.f.* **1** claridade que precede o nascer do sol **2** *p.ext.* a primeira manifestação de qualquer coisa *<a. da vida>* ▣ **a. austral** fenômeno luminoso que resulta do encontro de partículas solares com a atmosfera da região antártica • **a. boreal** fenômeno luminoso que resulta do encontro de partículas solares com a atmosfera da região ártica **~ auroral** *adj.2g.* - **auroreal** *adj.2g.*

auscultador (aus.cul.ta.dor) /ô/ [pl.: *-es*] *adj.s.m.* **1** que(m) ausculta ■ *s.m.* **2** MED estetoscópio

auscultar (aus.cul.tar) *v.* {mod. 1} *t.d.* **1** MED escutar, com ou sem aparelho, ruídos do (parte do organismo) para fazer diagnóstico *<a. o coração>* **2** *fig.* procurar saber; investigar *<auscultou uns e outros, para formar sua opinião>* **~ ausculta** *s.f.* - **auscultação** *s.f.*

ausência (au.sên.cia) *s.f.* **1** afastamento temporário de uma pessoa de seu domicílio, dos lugares que frequenta, de uma atividade etc. *<a a. do guitarrista obrigou-os a cancelar as apresentações>* ↺ retorno **2** não comparecimento *<sentiram sua a. na festa>* ↺ presença **3** tempo em que se está ausente *<muita coisa aconteceu na sua a.>* **4** falta, carência *<a a. de leite no mercado gerou protestos>* **5** MED perda temporária de consciência

ausentar (au.sen.tar) *v.* {mod. 1} *t.d. e pron.* **1** afastar(-se) de um local por tempo limitado; retirar(-se) *<o trabalho ausentava-o bastante de casa> <ausentou-se da sala para ir ao banheiro>* □ *pron.* **2** (prep. *de*) não participar de algo *<as autoridades ausentaram-se do auxílio necessário às vítimas>* **3** (prep. *de*) não se manifestar *<o bom senso parece ter-se ausentado de suas decisões>*

ausente (au.sen.te) *adj.2g.s.2g.* **1** que(m) se afastou **2** que(m) não compareceu ↺ presente **3** DIR (indivíduo) cujo desaparecimento foi reconhecido por um juiz <*pai a.*>

auspiciar (aus.pi.ci.ar) *v.* {mod. 1} *t.d. e t.d.i.* (prep. *a*) prever, predizer (algo), ger. em sentido favorável <*a. boas colheitas (aos lavradores)*>

auspício (aus.pí.cio) *s.m.* **1** bom ou mau pressentimento ▼ ***auspícios*** *s.m.pl.* **2** apoio financeiro, patrocínio <*a pesquisa teve os a. do Ministério da Saúde*>

auspicioso (aus.pi.ci.o.so) /ô/ [pl. e fem.: /ó/] *adj.* que é ou parece promissor, de bom agouro <*uma época a. para viagens*> ↺ desfavorável

austero (aus.te.ro) *adj.* **1** de caráter severo; sóbrio, rigoroso <*juiz a.*> <*disciplina a.*> **2** sem enfeites <*arquitetura a.*> <*mobília a.*> ~ **austeridade** *s.f.*

austral (aus.tral) [pl.: *-ais*] *adj.2g.* do sul ou voltado para o sul <*terras a.*> <*vento a.*> ↺ setentrional

australiano (aus.tra.li.a.no) *adj.* **1** da Austrália (Oceania) ■ *s.m.* **2** natural ou habitante desse país

australopiteco (aus.tra.lo.pi.te.co) *s.m.* primata extinto da família dos hominídeos, que anda ereto, sobre os dois pés

austríaco (aus.trí.a.co) *adj.* **1** da Áustria (Europa) ■ *s.m.* **2** natural ou habitante desse país

autarquia (au.tar.qui.a) *s.f.* *B* entidade pública que tem autonomia administrativa e presta serviço auxiliar ao estado ~ **autárquico** *adj.*

autenticar (au.ten.ti.car) *v.* {mod. 1} *t.d.* **1** reconhecer como autêntico ou verdadeiro; legitimar <*a. uma obra de arte*> **2** DIR tornar legítimo (ato ou documento), declarando-o verdadeiro; validar ~ **autenticação** *s.f.*

autenticidade (au.ten.ti.ci.da.de) *s.f.* **1** caráter do que é genuíno, verdadeiro <*provaram a a. do quadro*> **2** caráter do que é adequado; pertinência <*a a. de uma opinião*> ↺ inadequação

autêntico (au.tên.ti.co) *adj.* **1** verdadeiro, legítimo ↺ falso **2** adequado, pertinente ↺ inadequado

autismo (au.tis.mo) *s.m.* PSIQ fenômeno patológico que se caracteriza por privilegiar o mundo dos pensamentos, das representações e dos sentimentos pessoais e se afastar, em maior ou menor grau, do mundo real

autista (au.tis.ta) *adj.2g.* **1** relativo a autismo ou aos autistas <*reações a.*> ■ *adj.2g.s.2g.* **2** PSIQ que(m) é centrado sobre si mesmo, preso a seu mundo interior, com grande dificuldade de se comunicar com os outros, por força de certa desordem mental ~ **autístico** *adj.*

[1]**auto** (au.to) *s.m.* **1** cerimônia pública **2** DIR registro de investigação judicial ou administrativa <*foi feito o a. do roubo*> **3** LIT TEAT gênero do teatro medieval **4** TEAT teatro ligado às festas do Natal ▼ ***autos*** *s.m.pl.* **5** DIR documentos de um processo judicial ● ORIGEM do lat. *ăctus,us* 'movimento; representação de peça teatral'

[2]**auto** (au.to) *s.m.* automóvel ● ORIGEM redução de *automóvel*

autoacusação (au.to.a.cu.sa.ção) [pl.: *-ões*] *s.f.* acusação a si próprio

autoadesivo (au.to.a.de.si.vo) *adj.s.m.* (etiqueta, papel, impresso) com substância que cola em um dos lados

autoafirmação (au.to.a.fir.ma.ção) [pl.: *-ões*] *s.f.* **1** tentativa ou fato de impor sua identidade, direitos, opiniões etc. à aceitação do meio **2** demonstração de independência ~ **autoafirmar-se** *v.pron.*

autoajuda (au.to.a.ju.da) *s.f.* **1** prática que consiste em utilizar os próprios recursos mentais e morais para alcançar objetivos de ordem prática ou resolver dificuldades psicológicas ou emocionais **2** conjunto de informações, orientações, conselhos que visam possibilitar essa prática <*curso de a.*> <*livro de a.*>

autoatendimento (au.to.a.ten.di.men.to) *s.m.* sistema em que o cliente se serve sozinho em lojas, postos de gasolina etc.; autosserviço

autoavaliação (au.to.a.va.li.a.ção) [pl.: *-ões*] *s.f.* avaliação de si próprio <*ao fim do curso, o professor pediu ao aluno que fizesse uma a.*>

autobiografia (au.to.bi.o.gra.fi.a) *s.f.* LIT relato da vida de uma pessoa, escrito por ela mesma ~ **autobiográfico** *adj.*

autocensura (au.to.cen.su.ra) *s.f.* censura dos próprios atos, pensamentos etc. <*não tinha nenhuma a., falava qualquer coisa para qualquer pessoa*>

autocentrado (au.to.cen.tra.do) *adj.* **1** voltado para si mesmo <*personalidade a.*> **2** independente de forças ou influências externas; autossuficiente <*desenvolvimento a.*>

autoclave (au.to.cla.ve) *s.f.* **1** aparelho em que se podem controlar condições como a pressão e a temperatura, us. para diversos fins **2** MED aparelho que utiliza vapor de água sob pressão para esterilizar instrumentos <*havia uma a. no consultório do dentista*>

autocombustão (au.to.com.bus.tão) [pl.: *-ões*] *s.f.* queima de uma substância sem causa externa

autoconfiança (au.to.con.fi.an.ça) *s.f.* confiança em si mesmo

autocontrole (au.to.con.tro.le) /ô/ *s.m.* domínio sobre as próprias emoções e reações

autocracia (au.to.cra.ci.a) *s.f.* POL regime político em que o governante detém poder ilimitado e absoluto

autocrata (au.to.cra.ta) *adj.2g.s.2g.* (governante) cujo poder é ilimitado e absoluto

autocrítica (au.to.crí.ti.ca) *s.f.* **1** ato de reconhecer os próprios erros e acertos, defeitos e qualidades <*fez uma profunda a. e mudou de opinião em relação ao diretor*> **2** capacidade de agir dessa forma <*um homem sem a.*> ~ **autocriticar-se** *v.pron.* - **autocrítico** *adj.*

autóctone (au.tóc.to.ne) *adj.2g.s.2g.* **1** que(m) é natural do lugar em que habita ↺ alóctone ■ *adj.2g.* **2** que se origina da região onde é encontrado <*vegetação a.*> ~ **autoctonia** *s.f.* - **autoctonismo** *s.m.*

auto de fé (au.to de fé) [pl.: *autos de fé*] *s.m.* cerimônia de proclamação e execução de sentença pelo tribunal da Inquisição

autodefesa (au.to.de.fe.sa) /ê/ *s.f.* defesa de si mesmo ~ **autodefender-se** *v.pron.*

autodestruição (au.to.des.tru.i.ção) [pl.: *-ões*] *s.f.* destruição de si mesmo ~ **autodestruir-se** *v.pron.*

autodeterminação (au.to.de.ter.mi.na.ção) [pl.: *-ões*] *s.f.* poder de decidir por si mesmo; livre escolha do próprio destino

autodidata (au.to.di.da.ta) *adj.2g.s.2g.* que(m) se instrui, sem a ajuda de mestre *<um pianista a.>* ~ **autodidatismo** *s.m.*

autódromo (au.tó.dro.mo) *s.m.* local destinado a corridas de automóveis, composto de pistas e instalações diversas (oficinas, arquibancadas etc.)

autoescola (au.to.es.co.la) *s.f.* escola que forma motoristas

autoestima (au.to.es.ti.ma) *s.f.* qualidade de quem se valoriza, se contenta com seu modo de ser e demonstra confiança em seus atos e julgamentos

autoestrada (au.to.es.tra.da) *s.f.* rodovia para tráfego veloz com pistas duplas ou triplas e acessos limitados; autopista

autoexame (au.to.e.xa.me) /z/ *s.m.* exame que uma pessoa faz em si mesma, para verificar alguma anormalidade *<a. das mamas>*

autogestão (au.to.ges.tão) [pl.: *-ões*] *s.f.* ECON administração de uma empresa pelos próprios empregados

autógrafo (au.tó.gra.fo) *s.m.* **1** assinatura de pessoa famosa ou de artista *<conseguiu a. dos jogadores da seleção> <ficou na fila para pegar o a. do escritor>* ■*adj.s.m.* **2** (manuscrito) original de um autor *<carta a. de Machado de Assis>* ~ **autografar** *v.t.d.*

autoimune (au.to.i.mu.ne) *adj.2g.* **1** que diz respeito a autoimunidade *<doença a.>* **2** produzido por autoimunidade

autoimunidade (au.to.i.mu.ni.da.de) *s.f.* MED condição em que um organismo é agredido por seus próprios anticorpos

autolimpante (au.to.lim.pan.te) *adj.2g.* que limpa a si mesmo *<forno a.>*

automação (au.to.ma.ção) [pl.: *-ões*] *s.f.* **1** sistema em que os dispositivos mecânicos ou eletrônicos de um aparelho, processo ou sistema são realizados por operação automática e não por trabalho humano **2** processo de substituição do trabalho humano por esse tipo de operação *<a a. da agricultura>*

automasturbação (au.to.mas.tur.ba.ção) *s.m.* masturbação que o indivíduo faz em si mesmo ↺ heteromasturbação

automaticamente (au.to.ma.ti.ca.men.te) *adv.* **1** de forma automática, mecânica, sem operadores *<o disjuntor desliga a.>* **2** *fig.* de modo maquinal, involuntário; espontaneamente, inconscientemente *<responder a.>* **3** sem intervenção de causas externas *<o contrato foi renovado a.>*

automático (au.to.má.ti.co) *adj.* **1** que funciona por si mesmo *<essa balança é a.>* ↺ manual **2** *fig.* cuja operação se realiza sem a intervenção consciente da vontade; involuntário *<gesto a.>*

automatizar (au.to.ma.ti.zar) *v.* {mod. 1} *t.d.* **1** prover de máquinas, para agilizar produção, serviços etc. *<a. a rede telefônica>* □ *t.d. e pron. fig.* **2** tornar(-se) maquinal ou inconsciente (pessoa, ação, reação etc.) *<o treinamento automatizou o cão> <os jogadores automatizaram-se>* ~ **automatização** *s.f.* - **automatizado** *adj.*

autômato (au.tô.ma.to) *s.m.* **1** aparelho com movimentos mecânicos (p.ex., um relógio) **2** máquina com aparência de um ser animado, movido por meios mecânicos ou eletrônicos **3** *fig.* pessoa que age como máquina, sem raciocínio e sem vontade própria ~ **automatismo** *s.m.*

automedicar-se (au.to.me.di.car-se) *v.* {mod. 1} *pron.* consumir remédio sem orientação médica *<foi aconselhado a procurar um médico em vez de se a.>* ~ **automedicação** *s.f.*

automobilismo (au.to.mo.bi.lis.mo) *s.m.* **1** indústria de fabricação de automóveis **2** ESP esporte cuja prática consiste em corridas de automóvel ~ **automobilístico** *adj.*

automodelismo (au.to.mo.de.lis.mo) *s.m.* **1** ciência ou técnica de projetar e construir miniaturas de automóveis **2** passatempo que gira em torno dessa atividade

automotivo (au.to.mo.ti.vo) *adj.* relativo a automóvel ou à indústria automobilística

automotor (au.to.mo.tor) /ô/ [pl.: *-es*] *adj.* **1** cujo movimento resulta de mecanismo próprio, sem intervenção de força exterior **2** movido a motor *<veículo a.>*

automotriz (au.to.mo.triz) [pl.: *-es*] *s.f.* trem que possui motor próprio, tendo, portanto, função de locomotiva e de vagão

automóvel (au.to.mó.vel) [pl.: *-eis*] *s.m.* veículo de passageiros, movido a motor de explosão, ger. de quatro rodas ▣ **a. conversível** automóvel cuja capota pode ser baixada, recolhida ou retirada ☞ tb. se diz apenas *conversível*

autonomia (au.to.no.mi.a) *s.f.* **1** capacidade de governar a si próprio ↺ dependência **2** DIR direito reconhecido a um país de ser governado segundo suas próprias leis; soberania ↺ dependência **3** liberdade, independência moral ou intelectual *<tinha a. para tomar decisões na empresa>* ↺ submissão **4** distância percorrida por um veículo sem ser reabastecido

autônomo (au.tô.no.mo) *adj.* **1** capaz de determinar as próprias normas de conduta, sem imposições (diz-se de indivíduo, instituição etc.) ↺ submisso **2** que se governa segundo as suas leis e costumes ↺ dependente ■ *adj.s.m.* **3** que(m) exerce por conta própria uma atividade profissional remunerada *<é um tradutor a.>*

autopeça (au.to.pe.ça) *s.f.* **1** peça ou acessório para automóvel **2** *p.ext.* loja que vende essa peça ou acessório

autopista (au.to.pis.ta) *s.f.* autoestrada

autopreservação (au.to.pre.ser.va.ção) [pl.: *-ões*] *s.f.* **1** proteção contra a destruição ou ferimento de si mesmo ↺ autodestruição **2** tendência instintiva para agir em função da preservação da própria existência ↺ autodestruição

autópsia (au.tóp.sia) *s.f.* MED exame médico de um cadáver, para determinar o momento e a causa da morte; necropsia ~ **autopsiar** *v.t.d.*

autopunição (au.to.pu.ni.ção) [pl.: *-ões*] *s.f.* punição imposta a si próprio ~ **autopunitivo** *adj.*

autor (au.tor) /ô/ [pl.: *-es*] *s.m.* **1** escritor *<é o segundo livro desse a. que leio>* **2** indivíduo responsável pela criação de algo; inventor, descobridor *<a. de uma vacina>* **3** aquele que causa algo; agente *<a. de reformas administrativas>* **4** DIR quem pratica um delito *<prenderam o a. do crime>* **5** DIR quem inicia processo judicial

autoral (au.to.ral) [pl.: *-ais*] *adj.2g.* relativo a autor de obra literária, artística ou científica *<recebe em dia seus direitos a.>*

autorama (au.to.ra.ma) *s.m.* RECR miniatura de pista automobilística para carros de brinquedo guiados por controle remoto

autoria (au.to.ri.a) *s.f.* **1** qualidade ou condição de autor *<assumiu a a. do desenho>* **2** o que causa a ocorrência de algo *<ao grêmio cabe a a. da comemoração>*

autoridade (au.to.ri.da.de) *s.f.* **1** direito ou poder de ordenar, de decidir, de se fazer obedecer *<a a. do rei não pode ser questionada>* **2** pessoa com esse direito ou poder *<naquela sala, o inspetor era a a.>* **3** representante do poder público *<esta fila está reservada para as a.>* **4** influência exercida por uma pessoa sobre outra; ascendência *<tinha grande a. com os filhos>* **5** força convincente; peso *<sua sinceridade deu mais a. à sua história>* **6** especialista respeitado em um assunto *<é uma a. em biologia>*

autoritário (au.to.ri.tá.rio) *adj.* **1** que se apoia numa autoridade forte *<regime a.>* ↺ democrático **2** dominador *<temperamento a.>* ↺ liberal **3** relativo a autoridade ~ **autoritarismo** *s.m.*

autorização (au.to.ri.za.ção) [pl.: *-ões*] *s.f.* **1** determinação pela qual se autoriza ou se concede algum poder ou licença *<o pai deu a. para irmos ao passeio>* **2** *p.ext.* o poder ou a licença obtida *<tenho a. para entrar por aqui>* **3** registro escrito dessa determinação *<mostre sua a. para dirigir>*

autorizar (au.to.ri.zar) *v.* {mod. 1} *t.d. e t.d.i.* **1** (prep. *a*) dar motivo, razão para; legitimar, validar *<a violência autorizou a reação> <a injustiça autoriza o povo a reclamar>* ↺ invalidar **2** (prep. *a*) dar permissão para; consentir *<a. novas contratações> <autorizei-o a sair>* ↺ proibir

autorretrato (au.tor.re.tra.to) *s.m.* retrato que alguém faz de si mesmo, sob forma de desenho, pintura, fotografia etc. ~ **autorretratar-se** *v.pron.*

autosserviço (au.tos.ser.vi.ço) *s.m.* autoatendimento

autossuficiente (au.tos.su.fi.ci.en.te) *adj.2g.* **1** capaz de viver sem depender de ninguém; independente ↺ dependente **2** ECON capaz de atender às próprias necessidades de consumo, sem importar *<país a. em petróleo>* ~ **autossuficiência** *s.f.*

autossugestão (au.tos.su.ges.tão) [pl.: *-ões*] *s.f.* ato de convencer a si mesmo de algo por meio de sugestão ou sugestões

autossustentável (au.tos.sus.ten.tá.vel) [pl.: *-eis*] *adj.2g.* capaz de assegurar sua própria sobrevivência, sem auxílio externo *<uma casa a. usa energia solar>*

autotrófico (au.to.tró.fi.co) *adj.* BIO que é capaz de produzir seu próprio alimento (diz-se de alguns vegetais e bactérias) ~ **autotrofia** *s.f.* - **autotrofismo** *s.m.* - **autótrofo** *adj.s.m.*

autovacina (au.to.va.ci.na) *s.f.* MED vacina feita de germes colhidos de secreções ou tecidos do próprio paciente ~ **autovacinação** *s.f.*

autuar (au.tu.ar) *v.* {mod. 1} *t.d.* DIR **1** lavrar auto de infração contra *<o delegado autuou o criminoso>* **2** reunir e ordenar em forma de processo ~ **autuação** *s.f.* - **autuado** *adj.s.m.*

[1]**auxiliar** (au.xi.li.ar) /ss/ [pl.: *-es*] *adj.2g.* **1** que auxilia, que socorre *<doação a.>* ■ *adj.2g.s.2g.* **2** que(m) ajuda alguém em seu trabalho ou função *<enfermeira a.> <a. de pedreiro>* **3** que(m) exerce função secundária *<não adianta falar com o a., procure o produtor>* ↺ principal ● ORIGEM do lat. *auxiliāris,e* 'que socorre, ajuda'

[2]**auxiliar** (au.xi.li.ar) /ss/ *v.* {mod. 1} *t.d. e t.d.i.* **1** (prep. *em*) prestar ajuda, assistência a *<a. os refugiados (na fuga)>* □ *t.d. e t.i.* **2** (prep. *em*) dar apoio a; contribuir, colaborar *<a tecnologia auxilia nosso progresso> <a. numa campanha>* □ *t.d.* **3** trabalhar como ajudante, assistente etc. *<ela auxilia o advogado nas pesquisas>* ● ORIGEM de *auxílio* + [2]*-ar*

auxílio (au.xí.lio) /ss/ *s.m.* **1** contribuição para a realização de uma tarefa; ajuda *<organizou uma bela exposição, com o a. do colega> <limpou o lustre com o a. de uma escada>* **2** amparo, proteção *<a. às crianças de rua>*

av- *pref.* → [2]*A-*

avacalhar (a.va.ca.lhar) *v.* {mod. 1} *t.d. e pron. infrm.* **1** desmoralizar(-se), ridicularizar(-se) *<os alunos avacalharam o treinador> <avacalhou-se com as falsas promessas>* □ *t.d. infrm.* **2** fazer sem cuidado, sem capricho *<a. um trabalho>* ↺ caprichar ~ **avacalhação** *s.f.* - **avacalhado** *adj.*

aval (a.val) [pl.: *-ais*] *s.m.* **1** DIR garantia pessoal, em título de crédito, de cumprimento das obrigações de outra pessoa *<precisou do a. de seu chefe para conseguir o empréstimo>* **2** *fig.* apoio, aprovação *<teve o a. da família na difícil decisão>* ↺ desaprovação ~ **avalista** *adj.2g.s.2g.*

avalanche (a.va.lan.che) ou **avalancha** (a.va.lan.cha) *s.f.* **1** GEOL queda rápida e violenta de neve ou gelo pela encosta de montanhas altas; alude **2** *fig.* tudo o que surge ou invade com força *<a. de lágrimas, de ideias>* **3** *fig.* queda barulhenta de coisas pesadas *<a. de pedras>*

avaliação (a.va.li.a.ção) [pl.: *-ões*] *s.f.* **1** cálculo do valor de um bem; cômputo, estimativa *<fizeram a a. do terreno>* **2** *p.ext.* valor determinado por quem avalia *<a a. da casa não foi muito alta>* **3** observação das características, da qualidade ou das condições de algo ou de alguém; análise, parecer *<a. médica de um paciente>* **4** apreciação da competência de um profissional, do progresso de um aluno etc. *<obteve do professor a. positiva>*

avaliar (a.va.li.ar) *v.* {mod. 1} *t.d.* **1** estabelecer o valor ou o preço de *<a. uma peça antiga>* **2** determinar a quantidade de; contar *<ainda não puderam a. as perdas no acidente>* **3** pensar ou determinar a qualidade, a intensidade etc. de *<avaliou a distância e saltou> <a. o sofrimento de alguém>*

avalizar (a.va.li.zar) *v.* {mod. 1} *t.d.* **1** DIR dar aval a *<a. uma compra>* **2** *fig.* garantir a honestidade, a propriedade etc. de *<avalizou o novo funcionário> <a. um lote de medicamentos>* **3** *fig.* apoiar, abonar *<os diretores avalizaram as novas contratações>*

avançado (a.van.ça.do) *adj.* **1** que está adiante *<tropa a.> <atacantes a.>* **2** que atingiu um nível alto de desenvolvimento *<país a.>* ↺ atrasado **3** adiantado no tempo *<idade a.>* **4** muito moderno, inovador *<tinha ideias a.>* ↺ antiquado **5** *fig.* exótico, singular *<roupas a.>* ↺ banal

avançar (a.van.çar) *v.* {mod. 1} *t.i. e int.* **1** (prep. *para*) mover(-se) para a frente *<as tropas avançaram para o litoral> <sem encontrar resistência, o exército avançou>* □ *t.d.,t.i. e int.* **2** (prep. *em*) (fazer) ter progresso; desenvolver(-se) *<avançaram bastante o projeto nos últimos meses> <o aluno avançou em química> <as obras não avançam por falta de verbas>* □ *t.d.* **3** ir além de (ponto permitido); ultrapassar *<a. o sinal>* □ *t.i.* **4** (prep. *contra, em, para*) lançar-se, investir, atacar *<o cachorro avançou contra o menino> <os garotos avançaram no bolo>* **5** (prep. *a, até, por, sobre*) estender-se, expandir-se *<a plantação avança pelo terreno do vizinho> <a varanda avança sobre a praia>* □ *int.* **6** passar (o tempo) *<as horas avançaram sem percebermos>* ~ **avanço** *s.m.*

avantajado (a.van.ta.ja.do) *adj.* **1** que excede; superior *<lucro a.>* ↺ inferior **2** maior do que o comum *<feições a.>* ↺ pequeno

avantajar (a.van.ta.jar) *v.* {mod. 1} *t.d.,t.d.i. e pron.* **1** (prep. *a, em*) [fazer] sobressair; destacar(-se) *<a natureza avantajou-a (em talento artístico)> <o conhecimento de línguas avantajava-o aos outros candidatos> <avantaja-se aos demais por sua capacidade de observação>* □ *t.d. e pron.* **2** tornar(-se) mais vantajoso; melhorar *<a. um empreendimento> <os negócios avantajaram-se com a valorização da moeda>* **3** tornar(-se) maior; aumentar *<o incêndio avantajou-se>* □ *t.d. fig.* **4** considerar melhor, maior do que é *<a. suas virtudes>* ~ **avantajamento** *s.m.*

avante (a.van.te) *adv.* **1** para a frente *<seguiram a. até o próximo vilarejo>* ↺ atrás **2** em localização à frente; adiante *<mais a. pegaremos um atalho>* ↺ atrás ■ *interj.* **3** expressa estímulo para que se prossiga *<meninos, a.!>*

avarandado (a.va.ran.da.do) *adj.* **1** que tem varanda *<janela a.>* ■ *s.m.* **2** varanda coberta; alpendre

avarento (a.va.ren.to) *adj.s.m.* **1** que(m) é obcecado por juntar dinheiro; avaro, sovina ↺ gastador **2** *p.ext.* que(m) não é generoso; avaro ↺ dadivoso ~ **avareza** *s.f.*

avaria (a.va.ri.a) *s.f.* qualquer dano, deterioração ou desgaste que ocorra a algo *<o carro sofreu algumas a. na viagem>* ~ **avariar** *v.t.d. e pron.*

avaro (a.va.ro) *adj.s.m.* avarento

avassalar (a.vas.sa.lar) *v.* {mod. 1} *t.d.* **1** causar devastação a; arrasar *<um terremoto avassalou a costa>* **2** *fig.* ter domínio sobre; subjugar *<o medo avassala o país> <um homem que avassala corações>* **3** tornar vassalo *<a. um povo>* ~ **avassalador** *adj.s.m.* - **avassalamento** *s.m.*

avatar (a.va.tar) [pl.: *-es*] *s.m.* **1** REL na crença hindu, materialização de um deus em forma humana ou animal **2** manifestação, modalidade; encarnação (de alguém ou algo) *<conheceram o ator no seu a. de cozinheiro>* **3** INF RECR personificação simbólica de um usuário em ambientes virtuais (p.ex., internet, jogos etc.)

AVC *s.m.* sigla de *acidente vascular cerebral*

¹ave (a.ve) *s.f.* ZOO **1** nome comum a animais vertebrados, que põem ovos, de corpo coberto por penas, com asas, bico duro e sem dentes ▼ ***aves*** *s.f.pl.* ZOO **2** classe de animais vertebrados encontrados no mundo inteiro ● ORIGEM do lat. *ăvis,is* 'ave' ● COL avifauna, bando, revoada ▣ **a. de rapina 1** ZOO nome comum a diversas aves carnívoras, como os gaviões, águias, falcões e corujas, de bico, curto e curvo, e garras fortes **2** *fig.* pessoa ambiciosa ~ **avícola** *adj.*

²ave (a.ve) *interj.* forma us. em saudação, equivalente a 'salve' ● ORIGEM do lat. *avēre* 'dar bom-dia a alguém, saudar'

aveia (a.vei.a) *s.f.* BOT **1** cereal nativo do Mediterrâneo, com grãos altamente nutritivos, muito cultivado para a alimentação humana e animal **2** o grão desse cereal

-ável *suf.* equivalente a *-vel*

avelã (a.ve.lã) *s.f.* BOT **1** aveleira **2** o fruto dessa árvore

aveleira (a.ve.lei.ra) *s.f.* BOT árvore cultivada como ornamental, pelas sementes muito us. em doces, chocolates e licores, e pelas raízes com propriedades medicinais; avelã

aveludado (a.ve.lu.da.do) *adj.* **1** que tem a textura ou a aparência do veludo *<saia a.>* **2** *fig.* agradável aos sentidos ('órgão'); suave *<pele a.> <voz a.>* ↺ áspero

ave-maria (a.ve-ma.ri.a) [pl.: *ave-marias*] *s.f.* REL **1** oração católica à Virgem Maria ☞ inicial por vezes maiúsc. **2** cântico que tem como tema essa oração ▼ ***ave-marias*** *s.f.pl.* REL **3** conjunto de três badaladas do sino, que chama os fiéis à reza da ave-maria; ângelus

avena (a.ve.na) *s.f.* BOT nome comum a plantas nativas da Europa, África e Ásia, mais conhecidas como aveia, entre as quais algumas são cultivadas como cereais

avenca (a.ven.ca) *s.f.* nome comum a várias plantas nativas do Brasil, de folhas muito delicadas, que ger. nascem e vivem em lugares sombrios e úmidos

avenida (a.ve.ni.da) *s.f.* via pública urbana, mais larga do que a rua

avental (a.ven.tal) [pl.: *-ais*] *s.m.* VEST vestimenta us. para proteger a roupa

aventar (a.ven.tar) *v.* {mod. 1} *t.d.* **1** expor e agitar ao vento; ventilar *<a. um pano para que se solte a poeira>* **2** pressentir, prever *<a. o fracasso de um projeto>* □ *t.d. e t.d.i.* **3** (prep. *a*) sugerir, propor *<quis a. sua ideia (ao grupo)>*

aventura (a.ven.<u>tu</u>.ra) *s.f.* **1** circunstância ou fato inesperado; peripécia <*as a. de um andarilho*> **2** experiência arriscada e perigosa <*sair à noite aqui é uma a.*> **3** relacionamento amoroso passageiro <*tiveram uma a. na adolescência*>

aventurar (a.ven.tu.<u>rar</u>) *v.* {mod. 1} *t.d. e pron.* (prep. *a*) submeter(-se) ao desconhecido e/ou ao perigo; arriscar(-se), ousar <*resolveu a. seu destino e partiu*> <*aventurou-se pela mata, em busca de alimento*>

aventureiro (a.ven.tu.<u>rei</u>.ro) *adj.* **1** em que há risco, perigo; arriscado, incerto <*expedição a.*> ↺ seguro ■ *adj.s.m.* **2** que(m) ama ou procura aventuras ('peripécia'); audacioso ↺ covarde **3** que(m) conta com a sorte e vive de golpes

averbar (a.ver.<u>bar</u>) *v.* {mod. 1} *t.d.* **1** firmar por escrito; registrar <*a. um depoimento*> **2** anotar na margem de um documento ou registro público, para assinalar alteração relativa ao documento ou registro original <*averbou a sentença de separação no registro de casamento*> ~ **averbação** *s.f.* - **averbamento** *s.m.*

averiguar (a.ve.ri.<u>guar</u>) *v.* {mod. 4} *t.d.* **1** fazer cuidadoso exame de; apurar <*o delegado está averiguando as causas do crime*> **2** concluir por meio de pesquisa <*averiguou que a epidemia se espalhara pela escola*> □ *t.d.i.* **3** (prep. *de*) procurar informações sobre; indagar <*averigou dos detalhes do acidente*> ~ **averiguação** *s.f.* - **averiguador** *adj.s.m.* - **averiguável** *adj.2g.*

avermelhado (a.ver.me.<u>lha</u>.do) *adj.* **1** que tem cor tirante a vermelho ou que a ela se assemelha <*olhos a.*> **2** puxado para o vermelho <*roxo a.*> **3** diz-se dessa cor <*a cor a. das folhas no outono*> ■ *s.m.* **4** a cor avermelhada <*o a. do crepúsculo*>

avermelhar (a.ver.me.<u>lhar</u>) *v.* {mod. 1} *t.d.,int. e pron.* **1** tornar(-se) vermelho <*o sangue avermelhou a água*> <*a roupa avermelhou(-se) na máquina*> **2** *p.ext.* corar, enrubescer (face, rosto, pele) <*os elogios avermelharam suas faces*> <*seu rosto avermelhou(-se) ao vê-la*> ~ **avermelhamento** *s.m.*

aversão (a.ver.<u>são</u>) [pl.: *-ões*] *s.f.* **1** sentimento de repulsa; repugnância <*a. ao cigarro*> ↺ atração **2** rancor, ódio <*a. ao padrasto*> ↺ afeição

avessas (a.<u>ves</u>.sas) *s.f.pl.* ▸ usado em: **às a.** ao contrário, ao avesso <*vestiu as meias às a.*>

avesso (a.<u>ves</u>.so) /ê/ *adj.* **1** que é contra algo; antagônico, hostil <*a. às práticas esportivas*> **2** não adepto (no sentido moral) <*a. às manifestações do espírito*> ↺ inclinado ■ *s.m.* **3** a parte de trás, o reverso de algo <*o a. da saia era branco*> ↺ direito **4** *fig.* o oposto <*ela é o a. da irmã*> **5** aspecto negativo; defeito <*tudo na vida tem seu a.*>

avestruz (a.ves.<u>truz</u>) [pl.: *-es*] *s.2g.* ZOO maior ave que existe, com cerca de 2,5 m de altura, pernas longas e fortes, e cabeça e pescoço quase sem penas ◉ voz v.: grasnar, roncar; subst.: grasnada, ronco

avexar (a.ve.<u>xar</u>) *v.* {mod. 1} *t.d. e pron.* vexar

aviação (a.vi.a.<u>ção</u>) [pl.: *-ões*] *s.f.* **1** navegação aérea por meio de aparelhos de voo mais pesados do que o ar <*no início da a., a segurança era pouca*> **2** ciência relativa aos transportes aéreos <*dedicou sua vida à a.*> **3** frota de aeronaves, funcionários especializados etc. que fornecem o transporte aéreo <*a. comercial*> **4** indústria e técnica de fabricação de aeronaves **5** MIL conjunto de aeronaves <*a. militar*> ~ **aviatório** *adj.*

[1]**aviador** (a.vi.a.<u>dor</u>) /ô/ [pl.: *-es*] *adj.s.m.* (o) que avia receitas ◉ ORIGEM rad. do part. *aviado* + *-or*

[2]**aviador** (a.vi.a.<u>dor</u>) /ô/ [pl.: *-es*] *s.m.* indivíduo que pilota avião ◉ ORIGEM do fr. *aviateur* 'id.'

avião (a.vi.<u>ão</u>) [pl.: *-ões*] *s.m.* **1** aeronave impulsionada por motor e dotada de asas que a mantêm no ar **2** *fig. B infrm.* mulher muito atraente **3** *B infrm. drg.* intermediário na compra e venda de drogas ▣ **a. de caça** MIL avião de combate us. para interceptar ou abater aviões inimigos

aviar (a.vi.<u>ar</u>) *v.* {mod. 1} *t.d.* **1** concluir (trabalho, obra etc.) **2** preparar (medicamento, produto de beleza etc.) conforme uma receita <*aviou uma receita para queda de cabelo*> **3** despachar, expedir, remeter <*a. encomendas*> □ *int. e pron.* **4** mover-se ou agir com maior pressa; apressar-se <*avie(-se), estamos atrasados*> ~ **aviado** *adj.* - **aviamento** *s.m.*

[1]**aviário** (a.vi.<u>á</u>.rio) *s.m.* **1** viveiro de aves **2** local de criação ou venda de aves ◉ ORIGEM do lat. *aviarĭum,ĭi* 'id.'

[2]**aviário** (a.vi.<u>á</u>.rio) *adj.* referente a aves; avícola ◉ ORIGEM do lat. *aviarĭus,a,um* 'id.'

avicultura (a.vi.cul.<u>tu</u>.ra) *s.f.* criação de aves ~ **avicultor** *adj.s.m.*

ávido (<u>á</u>.vi.do) *adj.* **1** que deseja com ardor <*á. de comida, por aventuras*> **2** ansioso <*á. pela resposta da amada*> ~ **avidamente** *adv.* - **avidez** *s.f.*

avifauna (a.vi.<u>fau</u>.na) *s.f.* o conjunto das aves de uma região ou ambiente

aviltar (a.vil.<u>tar</u>) *v.* {mod. 1} *t.d.,int. e pron.* **1** tornar(-se) vil, indigno; desonrar(-se) <*o excesso de poder avilta (os fracos)*> <*aviltou-se com a ambição sem limites*> ↺ honrar(-se) □ *t.d. e pron.* **2** submeter(-se) a vexame; humilhar(-se) <*aviltou o ex-namorado em público*> <*avilta-se não reagindo às agressões*> □ *t.d.* **3** baixar muito o preço de; baratear <*a concorrência estrangeira aviltou o calçado nacional*> ↺ encarecer ~ **aviltação** *s.f.* - **aviltamento** *s.m.* - **aviltante** *adj.2g.*

avinagrado (a.vi.na.<u>gra</u>.do) *adj.* **1** que contém vinagre <*salada a.*> **2** que tem gosto ou cheiro de vinagre; azedo <*vinho a.*>

avinagrar (a.vi.na.<u>grar</u>) *v.* {mod. 1} *t.d.* **1** temperar com vinagre <*a. um molho*> □ *int. e pron.* **2** tornar-se azedo <*a bebida avinagrou(-se)*> □ *int.* **3** transformar-se em vinagre por causa da fermentação <*com o tempo, o vinho avinagrou*>

avio (a.<u>vi</u>.o) *s.m.* *B* **1** execução de algo **2** cada um dos materiais, equipamentos etc. us. na realização de uma tarefa <*preparou seus a. de caça*> ☞ nesta acp., mais us. no pl.

avir (a.<u>vir</u>) *v.* {mod. 31} *t.d. e pron.* **1** pôr(-se) em harmonia (com); conciliar(-se) <*fez tudo para avir os irmãos brigados*> <*avieram-se após longa conversa*> □ *pron.* **2** (prep. *com*) adaptar-se, ajustar-se <*teve que se a. com aquela situação*> ~ **avindo** *adj.*

avisado (a.vi.sa.do) *adj.* **1** que recebeu aviso ↺ desinformado **2** que usa de prudência; ajuizado, sensato *<não se preocupe, é um rapaz a.>* ↺ imprudente **3** discreto, reservado *<confiou-lhe seu segredo porque sabe que ela é muito a.>* ↺ extrovertido

avisar (a.vi.sar) *v.* {mod. 1} *t.d.,t.d.i.,int. e pron.* **1** (prep. *a, de*) fazer(-se) ciente; informar(-se), comunicar(-se) *<a. o vizinho da reunião> <a. aos alunos a data da prova> <saiu e não avisou> <avisaram-se da presença do policial>* □ *t.d.,t.d.i. e int.* **2** (prep. *para*) mostrar a conveniência de; aconselhar, recomendar *<avisou-o para largar o cigarro> <avisei-lhe que não saísse> <ele avisou, mas não o ouvi>* □ *t.d.i. e int.* **3** (prep. *de*) chamar a atenção (de); advertir *<avisei-o dos erros daquela resposta> <ela bem que avisou>*

aviso (a.vi.so) *s.m.* **1** toda e qualquer espécie de comunicação, informação ou declaração prestada a alguém *<recebeu o aviso da festa por telefone>* **2** carta ou documento pelo qual se informa algo a alguém *<chegou o a. de pagamento dos impostos>* **3** aquilo que adverte; advertência, conselho, recomendação *<foi um a. providencial>*

aviso-prévio (a.vi.so-pré.vio) *s.m.* **1** comunicação pela qual o empregador ou o empregado informa um ao outro o término do contrato de trabalho, em certo prazo (ger. um mês) *<deu seu a. quarenta dias antes de encerrar seu contrato>* **2** quantia que o empregado recebe quando o empregador decide rescindir o contrato de trabalho imediatamente

avistar (a.vis.tar) *v.* {mod. 1} *t.d.* **1** alcançar com a vista; enxergar, ver *<dali podia a. o mar>* **2** *fig.* perceber, pressentir *<a. perigo>* □ *pron.* **3** (prep. *com*) encontrar-se por acaso; topar *<avistou-se com o pai na feira>*

avitaminose (a.vi.ta.mi.no.se) *s.f.* MED doença causada por falta de vitamina(s)

avivar (a.vi.var) *v.* {mod. 1} *t.d. e pron.* **1** tornar(-se) mais vivo; animar(-se), revigorar(-se) *<a música avivou o ambiente> <sua memória, por fim, avivou-se>* **2** tornar(-se) mais forte; intensificar(-se) *<sua presença aviva mágoas> <o antigo sonho avivou-se com aquela oferta>* ↺ enfraquecer **3** realçar(-se), destacar(-se) *<a maquiagem avivou-lhe a face> <a pintura avivou-se com a moldura dourada>* □ *t.d.,int. e pron.* **4** (fazer) recobrar os sentidos; reanimar(-se) *<após o desmaio, avivou-o com amoníaco> <com a chuva, o bêbado avivou(-se)>* ~ **avivador** *adj.s.m.* - **avivamento** *s.m.*

avizinhar (a.vi.zi.nhar) *v.* {mod. 1} *t.d.,t.d.i. e pron.* **1** (prep. *de*) [fazer] ficar próximo; aproximar(-se) *<avizinhou os dois jovens na mesa de jantar> <avizinhou a lâmpada do sofá> <avizinha-se o fim do ano>* □ *t.d.* **2** ser vizinho de; confinar *<a igreja avizinha o museu>* ~ **avizinhação** *s.f.* - **avizinhamento** *s.m.*

avo (a.vo) *s.m.* MAT palavra posta junto ao numeral do denominador de uma fração, quando este é maior que dez (p.ex.: 1/12, um doze avos; 4/20, quatro vinte avos)

avó (a.vó) *s.f.* a mãe do pai ou da mãe; vovó • GRAM/USO masc.: *avô*

avô (a.vô) [fem.: *avó*] *s.m.* **1** o pai do pai ou da mãe; vovô ▼ ***avôs*** *s.m.pl.* **2** o pai do pai e o pai da mãe ▼ ***avós*** *s.m.pl.* **3** o avô e a avó (o casal) de um indivíduo **4** os antepassados ↺ descendentes

avoado (a.vo.a.do) *adj.* *B* que está ou vive distraído, aéreo *<estava tão a. que esqueceu a chave de casa>* ↺ atento

avocar (a.vo.car) *v.* {mod. 1} *t.d.* **1** chamar para si *<avocou-as para junto de si>* □ *t.d.i.* **2** (prep. *a, para*) levar à adesão de; atrair *<a. indecisos para seu partido>* □ *pron.* **3** atribuir a si próprio, arrogar-se *<a.-se o poder de decisão>* ~ **avocação** *s.f.* - **avocatório** *adj.*

avoengo (a.vo.en.go) *adj.* **1** que se herdou dos avós *<bens a.>* ■ *s.m.* **2** avô; antepassado *<traços herdados de a.>* ☞ nesta acp., freq. us. no pl.

avolumar (a.vo.lu.mar) *v.* {mod. 1} *t.d.,int. e pron.* aumentar (em volume, tamanho, quantidade, intensidade) *<dizem que esse xampu avoluma os cabelos> <as cartas dos fãs avolumam sem que consiga respondê-las> <com a greve, o lixo avolumou-se nas ruas>* ~ **avolumamento** *s.m.*

à vontade (à von.ta.de) [pl.: *à vontades*] *s.m.* naturalidade no comportamento; desembaraço *<o à v. com que ela fala conosco mostra sua confiança>* ↺ timidez ☞ cf. *à vontade* (loc.)

avulsão (a.vul.são) [pl.: *-ões*] *s.f.* **1** ato de extrair algo violentamente **2** MED extração de um órgão ou parte de órgão; evulsão

avulso (a.vul.so) *adj.* **1** que não faz parte de um todo *<selos a.>* ↺ integrado **2** separado do conjunto de que faz parte *<venda a. de exemplares da revista>* **3** arrancado ou separado à força

avultar (a.vul.tar) *v.* {mod. 1} *t.d.,int. e pron.* **1** tornar(-se) maior ou mais intenso; aumentar, intensificar(-se) *<a. a produção> <sua influência sobre a turma tem(-se) avultado>* ↺ diminuir □ *t.d.* **2** elevar (custo, preços etc.) ↺ baixar **3** engrandecer, glorificar *<elogios que avultam a obra do poeta>* ↺ denigrir **4** representar em forma de vulto ou relevo *<a. uma figura humana no mármore>* □ *int.* **5** distinguir-se, sobressair *<uma voz forte avultava entre as outras>* ~ **avultação** *s.f.* - **avultante** *adj.2g.* - **avultoso** *adj.*

avuncular (a.vun.cu.lar) [pl.: *-es*] *adj.2g.* relativo ao tio ou à tia, esp. maternos

axadrezado (a.xa.dre.za.do) *adj.* **1** que apresenta quadrados semelhantes ao tabuleiro de xadrez *<toalha de mesa a.>* **2** disposto em forma de xadrez *<calçadas a.>* ~ **axadrezar** *v.t.d.*

axé (a.xé) *s.m.* **1** REL no candomblé, a força sagrada de cada orixá **2** MÚS *B* gênero musical dançante, originário da Bahia, criado a partir de elementos afro-brasileiros ■ *interj.* **3** saudação com votos de felicidade

axial (a.xi.al) /cs/ [pl.: *-ais*] *adj.2g.* **1** relativo a ou em forma de eixo **2** que funciona como eixo, que divide ao meio **3** *fig.* essencial, primordial *<explicação a. para entendermos a questão>*

axila (a.xi.la) /cs/ *s.f.* ANAT cavidade sob o ombro; sovaco ~ **axilar** *adj.2g*

axiologia (a.xi.o.lo.gi.a) /cs/ *s.f.* FIL teoria ou crítica sobre a questão dos valores morais, éticos etc. ~ **axiológico** *adj.*

axioma (a.xi.o.ma) /cs/ *s.m.* **1** FIL enunciado considerado verdadeiro sem necessidade de demonstração **2** *p.ext.* provérbio, dito, máxima *<comprou uma coletânea de a.>* ~ **axiomático** *adj.*

-az *suf.* 'aumento': *audaz, eficaz, voraz*

azado (a.za.do) *adj.* conveniente, oportuno *<momento a.>* ↺ desazado

azáfama (a.zá.fa.ma) *s.f.* **1** pressa na execução de algo *<com a., terminamos a obra>* ↺ moderação **2** *p.ext.* grande atividade e confusão; atropelo *<o comício realizou-se em meio a grande a.>* ↺ tranquilidade ~ **azafamado** *adj.*

azafamar (a.za.fa.mar) *v.* {mod. 1} *t.d. e pron.* **1** tornar(-se) mais ágil; apressar(-se) *<a falta de tempo azafamou-o> <os garçons azafamavam-se para atender os fregueses>* ↺ acalmar(-se) **2** sobrecarregar(-se) de tarefas *<o acúmulo de funções azafamou-o> <azafamaram-se e não conseguiram dar conta do serviço>* **3** pôr ou ficar em azáfama; alvoroçar(-se), agitar(-se) *<o tumulto na rua azafamou a vizinhança> <azafamou-se com a chegada das visitas>*

azagaia (a.za.gai.a) *s.f.* qualquer lança de arremesso; zagaia

azálea (a.zá.lea) ou **azaleia** (a.za.lei.a) /éi/ *s.f.* BOT nome comum a plantas nativas de clima temperado do hemisfério norte, mundialmente cultivadas pelas flores coloridas

azar (a.zar) [pl.: *-es*] *s.m.* **1** infelicidade, infortúnio *<teve muito a. no sorteio das duplas>* ↺ sorte **2** acaso, eventualidade *<por a., tropeçou no degrau ao entrar>* ■ *interj. B* **3** exprime aceitação da má sorte (freq. acompanhada de gesto, p.ex., dar de ombros) ~ **azarado** *adj.s.m.*

azarão (a.za.rão) [pl.: *-ões*] *s.m.* **1** ESP cavalo com poucas chances de vencer uma corrida ↺ favorito **2** *p.ext.* o que tem poucas possibilidades de vencer uma disputa ou de dar certo em algum empreendimento; zebra *<aquele time era o a. do campeonato>*

azarar (a.za.rar) *v.* {mod. 1} *t.d.* **1** levar má sorte a *<a. um jogo de cartas>* □ *t.d. e int.* gír. **2** mostrar interesse amoroso (por); paquerar *<foi ao baile para a. o colega de turma> <saiu para a.>*

azarento (a.za.ren.to) *adj.* **1** que tem má sorte; azarado *<pessoa a.>* ↺ sortudo **2** que traz ou produz azar *<dia a.>* ↺ alvissareiro

azedar (a.ze.dar) *v.* {mod. 1} *t.d. e int.* **1** (fazer) ficar azedo ('ácido', 'estragado'); estragar(-se) *<o excesso de vinagre azedou o molho> <o leite azedou>* **2** *fig.* tornar(-se) amargo, irritado; agastar(-se) *<as críticas que recebeu azedaram-no> <ela azedou quando o viu com outra>* ↺ alegrar(-se) ~ **azedamento** *s.m.*

azedo (a.ze.do) /ê/ *adj.* **1** de sabor ou cheiro ácido; acre *<uva a.>* ↺ doce **2** estragado pela fermentação (diz-se de alimento) **3** *infrm.* amargo *<café frio e a.>* **4** *fig.* de mau humor; irritado *<está a. porque está com fome>* ↺ afável **5** *fig.* que demonstra contrariedade; áspero, rude *<respondeu com um tom a.>* ↺ gentil ■ *s.m.* **6** o sabor ácido; acidez ↺ doçura

azedume (a.ze.du.me) *s.m.* **1** sabor ácido; acidez *<o tomate tem a.>* **2** estado de espírito que demonstra amargor, irritação *<chegou da rua no maior a.>* ↺ alegria

azeite (a.zei.te) *s.m.* **1** substância líquida e oleosa extraída da azeitona, us. na alimentação **2** *p.ext.* óleo extraído de outros frutos, plantas, ou de alguns animais ▣ **a. de dendê** dendê ('azeite') ~ **azeitar** *v.t.d.*

azeitona (a.zei.to.na) *s.f.* **1** BOT fruto da oliveira; oliva ■ *s.m.* **2** a cor verde desse fruto ■ *adj.2g.2n.* **3** que tem essa cor; oliva *<calças a.>* **4** diz-se dessa cor *<a cor a.>* ~ **azeitonado** *adj.s.m.*

azêmola (a.zê.mo.la) *s.f.* ZOO besta de carga

azenha (a.ze.nha) /ê/ *s.f.* moinho movido a água

azeviche (a.ze.vi.che) *s.m.* **1** MINER substância mineral us. para fazer objetos de adorno **2** a cor negra dessa substância *<cabelos de a.>*

azia (a.zi.a) *s.f.* MED sensação semelhante à de uma queimadura que vai do estômago à faringe, ger. acompanhada de arroto e aumento de saliva; pirose

aziago (a.zi.a.go) *adj.* **1** que traz má sorte; azarento *<dizem que agosto é um mês a.>* ↺ sortudo **2** em que há infelicidade; desafortunado *<vida a.>* ↺ feliz

azidotimidina (a.zi.do.ti.mi.di.na) *s.f.* FARM substância inibidora da duplicação do vírus da Aids [sigla: *AZT*]

ázimo (á.zi.mo) *adj.s.m.* (pão) sem fermento ou levedura

azinhavre (a.zi.nha.vre) *s.m.* camada verde que se forma no cobre ou latão expostos à umidade; zinabre ~ **azinhavrar** *v.t.d.,int. e pron.*

-ázio *suf.* 'aumento': *copázio*

azo (a.zo) *s.m.* motivo, causa; oportunidade *<as disputas familiares deram a. à sua partida>*

azoado (a.zo.a.do) *adj.* **1** tonto **2** aborrecido, irritado ↺ feliz

azoico (a.zoi.co) /ói/ *s.m.* GEOL **1** primeiro e mais antigo período geológico da era pré-cambriana, anterior ao Arqueozoico, caracterizado pela ausência de vida e pela formação das primeiras rochas magmáticas ☞ inicial maiúsc. ■ *adj.* **2** desse período

azoratado (a.zo.ra.ta.do) ou **azoretado** (a.zo.re.ta.do) *adj.* **1** um tanto perturbado, transtornado, desequilibrado *<ficaram a. com a proposta>* **2** distraído *<a., entrou pela saída>* **3** que desperdiça dinheiro com farras ~ **azoratar** *v.t.d. pron.*

azorrague (a.zor.ra.gue) *s.m.* chicote formado por correias presas a cabo ou pau; açoite

azoto (a.zo.to) /ô/ *s.m.* QUÍM antiga denominação para nitrogênio ~ **azótico** *adj.s.m.*

azougue (a.zou.gue) *s.m.* **1** QUÍM *infrm.* mercúrio **2** *fig.* pessoa muito viva e inquieta ↺ apático

AZT ® *s.m.* sigla de *azidotimidina*, droga us. no tratamento de Aids

azucrinar (a.zu.cri.nar) *v.* {mod. 1} *t.d.,int. e pron.* importunar(-se), aborrecer(-se) *<pare de a. seu irmão!> <não ajuda o grupo, só azucrina> <azucrinava-se com a demora do ônibus>* ↺ alegrar(-se) ~ **azucrinação** *s.f.* - **azucrinante** *adj.2g.*

A

azul (a.zul) [pl.: *-uis*] *s.m.* **1** cor primária entre o verde e o violeta **2** *p.ext.* o céu *<sonhava olhando o a.>* ■ *adj.2g.* **3** que tem essa cor *<canetas azuis>* **4** diz-se dessa cor *<a cor a.>*

azulado (a.zu.la.do) *adj.* **1** que tem cor tirante a azul, ou que a ele se assemelha **2** diz-se dessa cor *<flor de cor a.>* ■ *s.m.* **3** a cor azulada *<o a. de seus olhos>*

azulão (a.zu.lão) [pl.: *-ões*] *s.m. B* **1** tom forte de azul **2** tecido rústico de algodão, de cor azul **3** zoo ave canora, cujos machos têm plumagem azulada, asas e cauda negras, e as fêmeas são pardas ◉ voz v.: gorjear

azular (a.zu.lar) *v.* {mod. 1} *t.d.,int. e pron.* **1** (fazer) adquirir tom azul ou azulado *<a. um tecido>* *<o céu azulou(-se) após a chuva>* □ *int. B infrm.* **2** fugir, escapar *<azulou quando avistou os fiscais>*

azulejo (a.zu.le.jo) /ê/ *s.m.* placa de cerâmica esmaltada, colorida, com que se revestem paredes ~ **azulejado** *adj.* - **azulejar** *v.t.d.* - **azulejista** *adj.2g.s.2g.*

azul-marinho (a.zul-ma.ri.nho) [pl.: *do subst.: azuis-marinhos*] *s.m.* **1** tom escuro similar ao azul do mar ■ *adj.2g.2n.* **2** que tem essa cor *<calças azul-marinho>* **3** diz-se dessa cor *<a cor a.>*

azul-piscina (a.zul-pis.ci.na) [pl.: *do subst.: azuis-piscina* e *azuis-piscinas*] *s.m.* **1** cor azul tirante a verde ■ *adj.2g.2n.* **2** que tem essa cor *<olhos azul-piscina>* **3** diz-se dessa cor *<a cor a.>*

azul-violeta (a.zul-vi.o.le.ta) [pl. *do subst.: azuis-violetas* e *azuis-violeta*] *s.m.* **1** tom arroxeado de azul ■ *adj.2g.2n.* **2** que tem essa cor *<toalhas azul-violeta>* **3** diz-se dessa cor *<suéter de cor a.>*

Bb

b *s.m.* **1** segunda letra do nosso alfabeto, consoante ■ *n.ord. (adj.2g.2n.)* **2** diz-se do segundo elemento de uma série *<casa B> <item 1b>* ☞ empr. após um substantivo ou numeral **3** diz-se da segunda classe na escala de poder e riqueza *<classe B>* **4** BIO grupo sanguíneo *<o hospital precisa de sangue B negativo>* ☞ ger. maiúscula ◉ GRAM/USO na acp. s.m., pl.: *bb*

B **1** símbolo de *byte* **2** QUÍM símbolo de *boro*

Ba QUÍM símbolo de *bário*

BA sigla do Estado da Bahia

bá *interj. RS* usada para demonstrar aprovação ou desaprovação *<bá, tchê, que vergonha!>*

[1]**baba** (ba.ba) *s.f.* **1** saliva que escorre sem que se queira **2** gosma secretada por caracóis e lesmas **3** substância pegajosa de certos vegetais *<b. de quiabo>* **4** *gír.* muito dinheiro, uma fortuna *<esse livro custa uma b.>* **5** FUTB *BA TO infrm.* pelada ◉ ORIGEM do lat. *baba 'onomatopeia do blá-blá-blá infantil, com o sentido de mistura de saliva e muco'

[2]**baba** (ba.ba) *s.f. BA TO* pelada ◉ ORIGEM duv., talvez de uma das línguas de Timor, *bába* 'pequeno tambor'

babá (ba.bá) *s.f.* empregada doméstica que cuida das crianças

babaca (ba.ba.ca) *adj.2g.s.2g. infrm. gros.* **1** que(m) é ingênuo, tolo; babaquara *<conheceu um rapaz b. e afetado> <teu amigo é um b.>* ■ *adj.2g. infrm.* **2** que não desperta interesse; bobo, fútil *<comentário b.>*

babaçu (ba.ba.çu) *s.m.* BOT **1** palmeira de folhas us. no fabrico de esteiras, cestos etc. e frutos com sementes comestíveis, das quais se extrai óleo **2** o fruto dessa palmeira ◉ COL babaçual, babaçuzal

babaçuzal (ba.ba.çu.zal) [pl.: *-ais*] ou **babaçual** (ba.ba.çu.al) [pl.: *-ais*] *s.m. B* grande concentração de babaçus em determinada área

baba de moça (ba.ba de mo.ça) [pl.: *babas de moça*] *s.f.* CUL *B* doce feito com leite de coco, gemas e açúcar

babado (ba.ba.do) *adj.* **1** molhado de baba *<fronha b.>* ■ *s.m.* **2** enfeite ou remate de tecido franzido *<mandou tirar os b. do vestido>* **3** *infrm.* fofoca; mexerico *<vou te contar um b.>*

babador (ba.ba.dor) /ô/ [pl.: *-es*] *s.m.* peça, ger. de pano, us. para proteger a roupa ao comer e/ou aparar a baba de crianças e idosos

babadouro (ba.ba.dou.ro) *s.m.* babador

babalorixá (ba.ba.lo.ri.xá) [fem.: *ialorixá*] *s.m.* REL *B* no candomblé e na umbanda, chefe espiritual e administrador da casa, responsável pelo culto aos orixás; pai de santo

babão (ba.bão) [pl.: *-ões*; fem.: *babona*] *adj.s.m.* **1** (o) que baba muito **2** que(m) fala ou faz tolices; bobo **3** *fig.* que(m) está perdidamente apaixonado

baba-ovo (ba.ba-o.vo) [pl.: *baba-ovos*] *s.2g. infrm. pej.* o que adula; bajulador; puxa-saco

babaquara (ba.ba.qua.ra) *adj.2g.s.2g. infrm.* tolo; babaca

babaquice (ba.ba.qui.ce) *s.f. infrm.* **1** bobagem; tolice **2** aquilo que é muito superficial, que não desperta interesse *<o filme de ontem era uma b.>*

babar (ba.bar) *v.* {mod. 1} *t.d.,int. e pron.* **1** molhar (-se), sujar(-se) de baba *<b. o travesseiro> <alguns doentes babam> <o neném babou-se todo>* □ *pron. fig. infrm.* **2** (prep. *por*) gostar muito de *<b.-se por cinema>* □ *t.d.* **3** gaguejar, balbuciar *<enquanto chorava, babava coisas estranhas>*

babau (ba.bau) *interj. infrm.* exclamação indicativa de que a perda de algo é irreversível; acabou-se, sumiu *<perdeu a oportunidade e, agora, b.>*

babel (ba.bel) [pl.: *-éis*] *s.f.* **1** confusão de línguas *<a cidade, com tantos turistas, era uma b.>* **2** *p.ext.* confusão de vozes; gritaria ↺ silêncio **3** *p.ext.* movimentação barulhenta de pessoas; balbúrdia ↺ tranquilidade ~ **babélico** *adj.*

babilônico (ba.bi.lô.ni.co) *adj.s.m.* babilônio

babilônio (ba.bi.lô.nio) *adj.* **1** relativo à cidade ou ao império da Babilônia **2** *fig.* imenso *<orgulho b.>* ↺ pequenino ■ *s.m.* **3** natural ou habitante dessa cidade ou império

babosa (ba.bo.sa) *s.f.* **1** BOT aloé **2** sua resina

baboseira (ba.bo.sei.ra) *s.f.* dito sem importância; asneira

babugem (ba.bu.gem) [pl.: *-ens*] *s.f.* **1** ^{1}baba **2** espuma formada pela agitação da água **3** restos, esp. de comida **4** coisa sem importância

babuíno (ba.bu.í.no) *s.m.* ZOO macaco africano de focinho longo, que vive em grandes bandos

babujar (ba.bu.jar) *v.* {mod. 1} *t.d.i. e pron.* **1** (prep. *de*) sujar(-se) [com baba ou comida] *<b. de comida a roupa> <a criança babujou-se de sopa>* □ *t.d.* **2** *fig.* tratar sem respeito *<não babuje as regras da gramática>* ↺ respeitar **3** bajular, adular *<b. os poderosos>*

bacaba (ba.ca.ba) *s.f.* BOT **1** nome comum a várias palmeiras, umas produtoras de frutos e sementes oleaginosas, outras de palmito **2** o fruto dessas palmeiras e seu sumo **3** a fibra dessas palmeiras ~ **bacabeira** *s.f.*

bacalhau (ba.ca.lhau) *s.m.* **1** ZOO peixe do Atlântico Norte, ger. vendido seco e salgado **2** *B* chicote de couro cru trançado us. para castigar escravos **3** *infrm.* pessoa muito magra

bacalhoada (ba.ca.lho.a.da) *s.f.* CUL bacalhau cozido, preparado com azeite, batatas, cebolas etc.

bacalhoeiro (ba.ca.lho.ei.ro) *s.m.* **1** pescador ou vendedor de bacalhau ■ *adj.* **2** relativo à pesca, ao comércio e à industrialização desse peixe

bacamarte (ba.ca.mar.te) *s.m.* arma de fogo de cano curto e largo, em forma de sino, que se carrega pela boca; garrucha, trabuco

bacana (ba.ca.na) *adj.2g. B infrm.* **1** palavra que qualifica pessoas ou coisas com atributos positivos; bonito, bom, correto etc. *<um vestido b.> <uma irmã b.> <uma atitude b.>* ■ *s.2g.* **2** indivíduo rico; grã-fino *<queria casar com um b.>* ↺ pobre

bacanal (ba.ca.nal) [pl.: *-ais*] *s.f.* **1** festa em honra de Baco, deus do vinho **2** *p.ext. infrm.* orgia sexual com mais de duas pessoas

bacante (ba.can.te) *s.f.* **1** sacerdotisa do deus Baco **2** *fig.* mulher depravada

bacará (ba.ca.rá) *s.m.* RECR **1** jogo de cartas em que a carta dez equivale a zero e cujo objetivo é totalizar nove pontos **2** a carta dez nesse jogo

bacelo (ba.ce.lo) /ê/ *s.m.* BOT **1** muda de videira us. para reprodução **2** *p.ext.* videira pequena e nova

bacharel (ba.cha.rel) [pl.: *-éis*] *s.m.* **1** quem completa curso universitário **2** quem se forma em direito; advogado ~ **bacharelar** *v.t.d. e pron.*

bacharelado (ba.cha.re.la.do) ou **bacharelato** (ba.cha.re.la.to) *s.m.* **1** curso para obter grau de bacharel **2** esse grau ~ **bacharelando** *s.m.*

bacia (ba.ci.a) *s.f.* **1** recipiente largo e raso para líquidos **2** GEOL depressão de terra ocupada por rio, lago etc. **3** ANAT cavidade formada pelos ossos do quadril, sacro e cóccix; pelve

bacilo (ba.ci.lo) *s.m.* BIO bactéria alongada, em forma de bastonete ~ **bacilar** *adj.2g.*

bacio (ba.ci.o) *s.m.* penico

^{1}**baço** (ba.ço) *s.m.* ANAT víscera, próxima ao estômago, que destrói glóbulos vermelhos inúteis e libera hemoglobina ◉ ORIGEM duv., talvez do gr. *hēpátion*, dim. de *hêpar* 'fígado'

^{2}**baço** (ba.ço) *adj.* **1** embaciado, opaco **2** moreno ◉ ORIGEM de um lat. *opaceus*, der. de *opācus* 'opaco, sombrio'

bacon (ba.con) [ing.] *s.m.* toucinho defumado ◉ GRAM/USO em ing., invariável ⇒ pronuncia-se bêicon

bacorada (ba.co.ra.da) *s.f.* grande concentração de bácoros; bacoral

bacoral (ba.co.ral) [pl.: *-ais*] *s.f.* bacorada

bacorejar (ba.co.re.jar) *v.* {mod. 1} *t.d.* **1** adivinhar, prever *<bacorejou grande sucesso no novo empreendimento>* **2** sugerir, propor *<b. a solução de um problema>* □ *int.* **3** grunhir (o leitão) ☞ nesta acp., só us. nas 3as p., exceto quando fig.

bacorinho (ba.co.ri.nho) *s.m. B* **1** ZOO bácoro pequeno **2** *infrm.* criança ou filho pequeno; neném

bácoro (bá.co.ro) *s.m.* ZOO porco novo ◉ COL bacorada, bacoral ◉ VOZ v.: bacorejar, coinchar, grunhir, guinchar

bactéria (bac.té.ria) *s.f.* BIO micróbio, parasita ou não, essencial para o processo de decomposição de matéria orgânica ~ **bacteriano** *adj.* - **bactérico** *adj.*

bactericida (bac.te.ri.ci.da) *adj.2g.s.m.* (substância) que elimina bactérias *<sabonete b.>*

bacteriófago (bac.te.ri.ó.fa.go) *adj.s.m.* (vírus) que destrói bactérias

bacteriologia (bac.te.rio.lo.gi.a) *s.f.* ciência que estuda as bactérias e suas propriedades ~ **bacteriológico** *adj.* - **bacteriologista** *adj.2g.s.2g.* - **bacteriólogo** *s.m.*

bacteriostase (bac.te.ri.os.ta.se) ou **bacterióstase** (bac.te.ri.ós.ta.se) *s.f.* BIO condição em que não há reprodução de bactérias ~ **bacteriostático** *adj.s.m.*

báculo (bá.cu.lo) *s.m.* **1** REL bastão de extremidade curva us. pelos bispos **2** *p.ext.* cajado, ^{1}bordão **3** *fig.* apoio moral ou financeiro

^{1}**bacuri** (ba.cu.ri) *s.m.* BOT **1** árvore da região amazônica, de madeira nobre, flores rosadas e frutos grandes us. para refrescos e doces; bacurizeiro **2** o fruto dessa árvore ◉ ORIGEM do tupi *ïwaku'ri* 'espécie de palmeira'

^{2}**bacuri** (ba.cu.ri) *s.m. B infrm.* menino pequeno ◉ ORIGEM duv., talvez de *bacorinho*

bacurizeiro (ba.cu.ri.zei.ro) *s.m.* [1]bacuri

badalação (ba.da.la.ção) [pl.: *-ões*] *s.f. infrm.* **1** vida social ativa; divertimento *<rapaz animado, adora uma b.>* **2** divulgação de algo, exagerando suas qualidades *<fizeram muita b. em torno desse filme>*

badalada (ba.da.la.da) *s.f.* **1** pancada do badalo no sino **2** o som produzido por essa pancada

badalar (ba.da.lar) *v.* {mod. 1} *t.d. e int.* **1** fazer soar ou soar por badalada(s) *<b. uma sineta> <sinos badalam por toda a cidade>* ◻ *int. B infrm.* **2** frequentar lugares diversos, festas etc. *<os adolescentes gostam de b.>* ◻ *t.d. fig. infrm.* **3** divulgar, promover *<badalaram o concerto por toda a cidade>* ~ **badalador** *adj.s.m.*

badalo (ba.da.lo) *s.m.* peça que fica pendurada no interior de sinos, sinetas etc., que, ao bater em suas paredes, os faz vibrar e soar

badejo (ba.de.jo) /ê *ou* é/ *s.m.* ZOO *B* nome comum a vários peixes de valor comercial, que vivem sobre fundos rochosos ou arenosos das águas costeiras tropicais e não formam cardumes

baderna (ba.der.na) *s.f.* situação em que há desordem ↺ ordem ~ **badernar** *v.t.d. e int.* - **badernista** *adj.2g.s.2g.*

baderneiro (ba.der.nei.ro) *adj.s.m.* **1** que(m) é dado a fazer baderna, a criar desordem ou confusão; arruaceiro, badernista, desordeiro **2** que(m) promove noitadas ou vive na farra; boêmio, farrista

badminton (bad.min.ton) [ing.] *s.m.* ESP jogo de quadra em que dois adversários ou duas duplas, munidos de raquetes e separados por uma rede, rebatem alternadamente, sem deixar cair no chão, uma espécie de peteca ◉ GRAM/USO em ing., esta pal. não se emprega no pl. ⇒ pronuncia-se bédminton

badulaque (ba.du.la.que) *s.m.* **1** penduricalho *<a bolsa tinha tantos b. que parecia um varal>* ▼ ***badulaques*** *s.m.pl.* **2** coisa pequena e de pouco valor *<uma loja de b.>*

baeta (ba.e.ta) /ê/ *s.f.* tecido felpudo, de lã ou algodão

bafafá (ba.fa.fá) *s.m. B infrm.* tumulto, confusão ↺ tranquilidade

bafejar (ba.fe.jar) *v.* {mod. 1} *int.* **1** (prep. *de*) exalar bafo *<b. de cansaço>* ◻ *t.d.* **2** soprar sobre *<bafejou as mãos geladas>* **3** favorecer, proteger *<a sorte o bafeja>* ↺ desamparar ~ **bafejador** *adj.s.m.*

bafejo (ba.fe.jo) /ê/ *s.m.* **1** ar que sai da boca; sopro **2** *fig.* proteção *<b. da sorte>* ↺ desproteção

bafio (ba.fi.o) *s.m.* cheiro característico de ambientes úmidos e abafados

bafo (ba.fo) *s.m.* **1** ar que sai dos pulmões pela boca; hálito **2** hálito contaminado por outro odor *<estar com b. de cigarro>* **3** *infrm.* conversa fiada, mentira ▣ **b. de onça** mau hálito

bafômetro (ba.fô.me.tro) *s.m. B infrm.* aparelho que mede o grau de concentração de álcool no sangue de uma pessoa pelo teor alcoólico de sua expiração

baforada (ba.fo.ra.da) *s.f.* **1** exalação quente de gás ou vapor *<a chaminé da locomotiva soltou uma b.>* **2** fumaça expelida ao fumar ↺ tragada ~ **baforar** *v.t.d. e int.*

baga (ba.ga) *s.f.* **1** BOT fruto carnudo, ger. comestível **2** *fig.* gota (de suor, de orvalho) ☞ cf. *bago*

bagaceira (ba.ga.cei.ra) *s.f.* **1** local onde se junta bagaço **2** *p.ext.* resto; tralha **3** *B infrm.* aguardente de cana, cachaça

bagaço (ba.ga.ço) *s.m.* **1** resto (de fruta, cana etc.) após a extração do sumo *<jogue no lixo o b. da laranja>* **2** *p.ext.* resto de coisa muito usada *<esse tênis está um b.>* **3** RECR em certos jogos de baralho, conjunto de cartas descartadas **4** *fig.* pessoa com má aparência ou muito cansada *<ficou um b. depois da separação>*

bagageiro (ba.ga.gei.ro) *adj.s.m.* **1** (o) que transporta bagagens *<há um vagão b. no trem>* ■ *s.m.* **2** estrutura metálica presa ao teto de carro, ônibus etc. para acomodar bagagens

bagagem (ba.ga.gem) [pl.: *-ens*] *s.f.* **1** conjunto de malas etc. de viagem *<a b. foi pesada antes do embarque>* **2** conteúdo dessas malas *<levou dois biquínis na b.>* **3** *fig.* a experiência de vida e o conjunto de conhecimentos de alguém *<com a b. que tem, é a pessoa ideal para o cargo>* ↺ inexperiência

bagana (ba.ga.na) *s.f. drg.* ponta de [2]baseado, depois de fumado

bagatela (ba.ga.te.la) *s.f.* **1** coisa sem valor; bugiganga *<naquela caixa só tem b.>* **2** quantia insignificante; ninharia *<vendeu o carro por uma b.>*

bago (ba.go) *s.m.* **1** cada um dos frutos de um cacho de uvas **2** *p.ext.* fruto carnoso semelhante à uva *<b. de jaca>* **3** *p.ext.* grão miúdo *<b. de trigo>* **4** *infrm.* testículo ☞ cf. *baga*

bagre (ba.gre) *s.m.* ZOO peixe sem escamas, com barbilhões no maxilar inferior, que vive no fundo de águas salgadas ou doces

bagual (ba.gual) [pl.: *-ais*] *adj.2g. RS infrm.* muito bom *<b. é sair com uma prenda, tchê>*

baguete (ba.gue.te) *s.f.* pão francês comprido e fino

bagulho (ba.gu.lho) *s.m. infrm.* **1** coisa de má qualidade; cacareco *<nessa loja só tem b.>* **2** qualquer objeto *<pega aquele b. atrás da estante, por favor>* **3** pessoa feia ou envelhecida *<foi um menino bonito, mas está um b.>* **4** *drg.* maconha

bagunça (ba.gun.ça) *s.f. infrm.* falta de ordem; confusão ↺ organização

bagunçar (ba.gun.çar) *v.* {mod. 1} *t.d. e int.* **1** promover desordem (em) *<as crianças costumam b. o meu quarto> <bagunçou muito e depois foi dormir>* ↺ organizar ◻ *t.d. e t.i.* **2** (prep. *com*) agir de modo a destruir algo; arrasar *<b. (com) um projeto>*

bagunceiro (ba.gun.cei.ro) *adj.s.m.* que(m) faz e/ou gosta de bagunça *<amigo b.> <os b. vão ajudar na limpeza>*

baia (bai.a) *s.f.* **1** compartimento da cocheira em que ficam os cavalos **2** *p.ext.* ambiente separado por divisórias *<dividiram o escritório em seis b.>* **3** *B* área reservada para embarque e desembarque de passageiros em ônibus

baía (ba.í.a) *s.f.* GEO **1** enseada num litoral em que se pode aportar **2** *p.ext. B* lagoa que se comunica com um rio através de um canal **3** região da costa mais larga no interior do que na entrada, por onde penetram as águas do mar

baiacu (bai.a.cu) *s.m.* ZOO peixe espinhoso de água salgada ou doce que infla o corpo quando se sente ameaçado

baiana (bai.a.na) *s.f.* **1** mulher natural ou habitante da Bahia **2** *p.ext.* vendedora de pratos típicos da culinária afro-baiana *<marcaram encontro na b. do acarajé>* **3** seu traje típico *<desfilou com uma b. toda rendada>*

baiano (bai.a.no) *adj.* **1** da Bahia ■ *s.m.* **2** natural ou habitante desse estado

baião (bai.ão) [pl.: *-ões*] *s.m.* DNÇ MÚS *N.E.* dança e canto popular, com influência do samba e da conga, acompanhado por sanfona e violas ▣ **b. de dois** CUL *CE* prato feito com feijão e arroz cozidos juntos, ger. acompanhado de carnes

baila (bai.la) *s.f.* ▸ usado em: **trazer à b.** lembrar no momento adequado *<trouxeram à b. as novas provas no início do julgamento>* • **vir à b.** ser lembrado, ser mencionado *<o assunto veio à b. apenas uma vez>*

bailado (bai.la.do) *adj.* **1** em que há dança *<teatro b.>* ■ *s.m.* **2** dança **3** *p.ext.* qualquer movimento que lembre uma dança *<o b. das folhas ao vento>* **4** coreografia

bailar (bai.lar) *v.* {mod. 1} *t.d. e int.* **1** mover o corpo em certo ritmo, ger. com música; dançar *<b. um tango> <bailaram até o dia raiar>* □ *int.* **2** *p.ext.* agitar-se, balançar *<a chama da vela bailava ao sopro da brisa>* **3** *p.ext.* mover-se em curvas; rodopiar *<a folha bailava no ar>* ~ **bailador** *adj.s.m.*

bailarino (bai.la.ri.no) *adj.s.m.* (indivíduo) que dança profissionalmente

baile (bai.le) *s.m.* festa dançante ▣ **dar um b.** *fig. B infrm.* ter excelente atuação *<meu time deu um b.>*

bainha (ba.i.nha) *s.f.* **1** estojo de couro, madeira ou metal em que se guarda a lâmina de uma arma branca *<enfiou a faca na b.>* **2** dobra costurada pelo avesso nas barras de um tecido cortado (p.ex., saias, calças, cortinas) *<deixe-me fazer a b. desse vestido>* **3** ANAT tecido que recobre um órgão ou estruturas como vasos, músculos etc. **4** BOT base da folha que envolve o ramo ou o caule

baio (bai.o) *adj.s.m.* (cavalo) de cor castanha

baioneta (bai.o.ne.ta) /ê/ *s.f.* lâmina metálica pontuda que se prende à boca do fuzil

bairrismo (bair.ris.mo) *s.m.* defesa entusiasmada de seu bairro ou terra natal ~ **bairrista** *adj.2g.s.2g.*

bairro (bair.ro) *s.m.* cada uma das divisões de uma cidade ou vila

baita (bai.ta) *adj.2g. B infrm.* **1** muito grande *<uma b. sala>* **2** *fig.* muito bom no que faz *<um b. cantor>*

baitola (bai.to.la) /ô ou ó/ *adj.2g.s.m. gros.* homem homossexual

baiuca (bai.u.ca) *s.f. infrm.* **1** casa comercial em que se vendem bebidas alcoólicas; taberna, botequim **2** *p.ext.* local sujo, mal frequentado *<este cinema é uma b.>*

baixa (bai.xa) *s.f.* **1** diminuição de valor *<a b. dos juros>* ↺ alta **2** dispensa de emprego ou serviço militar *<o empregador deu b. na carteira do empregado>* ↺ admissão **3** MIL soldado morto, ferido ou capturado em ação militar *<quantas b. tivemos?>* **4** *p.ext.* perda ou afastamento (de alguém num grupo) *<a equipe teve tantas b. que se desfez>* **5** GEO depressão de terreno *<ao planalto segue-se uma b.>* ↺ chapada

baixada (bai.xa.da) *s.f.* GEO área plana entre montanhas

baixa-mar (bai.xa-mar) [pl.: *baixa-mares*] *s.f.* maré depois da vazante, até começar a encher; maré baixa

baixar (bai.xar) *v.* {mod. 1} *t.d.,int. e pron.* **1** (fazer) descer ou diminuir *<baixou o varal para pendurar a roupa>* ↺ aumentar, subir □ *t.i.* **2** (prep. *a*) encaminhar-se, descer *<b. ao porão>* □ *t.d. e t.d.i.* **3** (prep. *para*) expedir (portaria, aviso etc.) [para setor, seção etc.] *<baixou uma ordem de serviço (para os funcionários da secretaria)>* ↺ suspender **4** INF (prep. *de, para*) transferir (dados) da internet ou de um computador (para outro) *<b. um programa>* □ *t.i. e int.* REL *B* **5** (prep. *em*) manifestar-se (ser espiritual, p.ex., um orixá) no corpo e/ou no espírito de alguém (p.ex., um médium); incorporar-se, materializar-se *<Iemanjá baixou (na mãe de santo)>*

baixaria (bai.xa.ri.a) *s.f. infrm.* pessoa, coisa, ação desagradável, grosseira

baixela (bai.xe.la) *s.f.* conjunto de travessas, pratos, talheres etc. de metal

baixeza (bai.xe.za) /ê/ *s.f.* **1** característica ou estado do que é baixo ou está embaixo *<a b. do muro permite observar a casa vizinha>* **2** *fig.* falta de dignidade *<demitir os empregados sem motivo foi uma b.>* ↺ nobreza

baixio (bai.xi.o) *s.m.* GEO banco de areia ou rochedo coberto por pouca quantidade de água do mar ou de rio

baixista (bai.xis.ta) *adj.2g.s.2g.* que(m) toca contrabaixo

baixo (bai.xo) *adj.* **1** de pouca estatura *<uma pessoa b.>* **2** de nível inferior ao normal *<o rio está b.>* **3** que está a pouca altura do solo *<voo b.>* ↺ alto **4** que custa ou vale pouco; barato *<preços b.> <valor b.>* **5** grosseiro, mal-educado *<ofendeu-o com termos b.>* ↺ nobre **6** mais próximo no tempo *<b. Idade Média>* ■ *s.m.* **7** MÚS voz masculina de registro mais grave **8** cantor com essa voz *<o coral precisa de mais b.>* **9** contrabaixo **10** parte inferior de algo *<a vila fica no b. da montanha>* ↺ superior ■ *adj.2g.* **11** MÚS que tem registro grave (diz-se de cantor ou instrumento) *<flauta b., sax b.>* ↺ alto ■ *adv.* **12** a pouca altura do solo *<dois pássaros voando b.>* **13** com pouco volume *<falem b.>* ↺ forte **14** MÚS em tom grave *<esse tom está b. para você>* ▼ ***baixos*** *s.m.pl.* **15** GEO depressões de terreno ▣ **por b. 1** em situação difícil, desmoralizado *<por suas atitudes, ela anda por b. na turma>* **2** por menos *<calculou por b. as despesas>*

baixo-astral (bai.xo-as.tral) [pl.: *baixos-astrais* (subst.); *baixo-astrais* (adj.)] *adj.2g.s.2g. infrm.* (o) que é desagradável, deprimente etc. *<filme b.>* ↺ alto-astral

baixo-latim (bai.xo-la.tim) [pl.: *baixos-latins*] *s.m.* LING latim da Idade Média, us. esp. como língua escrita

baixo-relevo (bai.xo-re.le.vo) [pl.: *baixos-relevos*] *s.m.* ART.PLÁST figura esculpida com pouco relevo em relação ao fundo plano ☞ cf. *alto-relevo*

baixote (bai.xo.te) *adj.s.m. pej.* que(m) é muito baixo

baixo-ventre (bai.xo-ven.tre) [pl.: *baixos-ventres*] *s.m.* ANAT parte inferior do abdome

bajoujar (ba.jou.jar) *v.* {mod. 1} *t.d.* **1** bajular **2** cobrir de carinho; acariciar

bajulador (ba.ju.la.dor) /ô/ [pl.: *-es*] *adj.s.m.* **1** que(m) bajula ■ *adj.* **2** em que há bajulação *<comentário b.>*

bajular (ba.ju.lar) *v.* {mod. 1} *t.d.* lisonjear para obter vantagens; adular *<bajulou o chefe, mas não conseguiu o aumento>* ~ **bajulação** *s.f.*

bala (ba.la) *s.f.* **1** doce de tamanho pequeno, mais ou menos duro, e de sabores variados **2** projétil de arma de fogo *<a b. errou o alvo>* **3** pacote pesado que se carrega ou transporta; carga ◉ GRAM/USO aum.irreg.: balaço ▣ **b. de goma** CUL jujuba • **b. na agulha** dinheiro *<o produtor tem b. na agulha>* • **mandar b.** *infrm.* executar com presteza uma tarefa, uma ordem; tocar para a frente

balaço (ba.la.ço) *s.m.* **1** bala ('projétil') grande **2** *infrm.* tiro de bala **3** FUTB chute forte e certeiro na bola

balada (ba.la.da) *s.f.* **1** LIT MÚS poema narrativo popular, acompanhado ou não de música **2** MÚS canção romântica em ritmo lento **3** *B infrm.* diversão noturna nos grandes centros urbanos, esp. em danceterias e boates

balado (ba.la.do) *s.m.* balido

balaio (ba.lai.o) *s.m.* cesto grande para guardar ou transportar objetos

balalaica (ba.la.lai.ca) *s.f.* MÚS instrumento russo de três cordas, braço com trastes e caixa de ressonância triangular, muito us. na música popular russa

balança (ba.lan.ça) *s.f.* **1** aparelho us. para pesar pessoas, produtos etc. **2** ASTRL o signo de Libra ☞ inicial maiúsc. ▣ **b. comercial** ECON registro do saldo entre exportações e importações

balançar (ba.lan.çar) *v.* {mod. 1} *t.d.,int. e pron.* **1** mover(-se) de um lado para outro *<o vento balançava a corda do sino> <sentia o trem b.> <b.-se na rede>* □ *t.d.i.* **2** (prep. *com*) compensar, equilibrar *<b. uma reclamação com um elogio>* ↺ desequilibrar □ *t.d.* **3** *fig.* causar abalo a; comover, afetar *<o acidente balançou-o>* ↺ estabilizar □ *t.i.* **4** *fig.* (prep. *entre*) ficar indeciso; hesitar *<b. entre duas propostas>* ↺ decidir

balancê (ba.lan.cê) *s.m.* DNÇ passo de quadrilha em que a pessoa desloca o peso do corpo de um pé para o outro, sem sair do lugar

balanceado (ba.lan.ce.a.do) *adj.* **1** que se balanceou **2** que tem elementos nutritivos equilibrados *<dieta b.>* **3** *S.* meio amalucado; sem juízo; pancada ■ *s.m.* **4** ginga, movimento

balancear (ba.lan.ce.ar) *v.* {mod. 5} *t.d.,int. e pron.* **1** mover(-se) de um lado para outro *<o vento balanceava a bandeira> <o barco balanceou> <b.-se na cadeira>* □ *t.d.i.* **2** (prep. *com*) compensar, equilibrar *<balanceou a reclamação com um sorriso>* □ *t.i.* **3** (prep. *em, entre*) hesitar, vacilar *<balanceava entre viajar ou ficar com a família>* □ *t.d.* **4** equilibrar (as rodas de um veículo) para garantir estabilidade ~ **balanceamento** *s.m.*

balancete (ba.lan.ce.te) /ê/ *s.m.* **1** levantamento parcial das despesas e receitas de uma firma, condomínio etc. **2** *fig.* avaliação; estimativa de valor

balancim (ba.lan.cim) [pl.: *-ins*] *s.m.* **1** MEC peça com movimento oscilatório que transmite movimento a outras peças **2** GRÁF prensa us. para impressão em relevo **3** ANAT ZOO órgão de equilíbrio localizado em cada lado do tórax dos insetos dípteros

balanço (ba.lan.ço) *s.m.* **1** movimento para a frente e para trás, ou para um lado e outro *<o b. da rede adormeceu a criança>* **2** verificação de receita e despesa de uma empresa etc. **3** *fig.* análise; exame profundo *<fez um b. de seus atos>* **4** RECR assento suspenso por correntes, cordas etc., us. para balançar-se

balangandã (ba.lan.gan.dã) *s.m.* enfeite que, ger., fica pendurado; berloque *<tinha a jaqueta cheia de b.>*

balão (ba.lão) [pl.: *-ões*] *s.m.* **1** AER aeronave cheia de ar quente ou gás mais leve que o ar **2** objeto de papel fino inflado pelo ar aquecido por buchas acesas (muito comum nas festas juninas, mas perigoso, pois pode causar incêndios) **3** bola de encher *<esqueceram de comprar os b. para o aniversário>* **4** *B* local para retorno em estradas, vias etc.; rotatória **5** espaço para diálogos nas histórias em quadrinhos ▣ **b. dirigível** dirigível

balão de ensaio (ba.lão de en.sai.o) [pl.: *balões de ensaio*] *s.m.* **1** AER MET pequeno balão que verifica a direção do vento **2** recipiente esférico de vidro com gargalo estreito us. em laboratórios químicos **3** *fig.* experiência, ensaio, tentativa

balão-sonda (ba.lão-son.da) [pl.: *balões-sonda* e *balões-sondas*] *s.m.* MET balão de observação meteorológica

balar (ba.lar) *v.* {mod. 1} *int.* balir ◉ GRAM/USO só us. nas 3as p., exceto quando fig.

balata (ba.la.ta) *s.f.* **1** BOT árvore de madeira resistente de que se extrai o látex **2** o látex dessa árvore, us. como isolante e na fabricação de correias de transmissão de veículos automotores

balaustrada (ba.la.us.tra.da) *s.f.* ARQ **1** série de balaústres que forma um parapeito **2** *p.ext.* corrimão, grade de apoio ou parapeito

balaústre (ba.la.ús.tre) *s.m.* **1** ARQ cada uma das pequenas colunas de sustentação, dispostas em fila, ligadas por um corrimão de escada ou por parapeito de sacada, terraço etc. **2** haste em transportes coletivos para auxiliar o embarque e desembarque de passageiros

balbuciar (bal.bu.ci.ar) *v.* {mod. 1} *t.d. e int.* **1** pronunciar gaguejando *<balbuciou umas poucas palavras e sentou-se> <balbuciava alto>* **2** emitir sons sem sentido *<o bebê não falava, balbuciava>* **3** *fig.* falar (sobre algo) sem conhecimento *<balbuciou umas bobagens sobre pintura>* ~ **balbuciação** *s.f.* - **balbuciante** *adj.2g.* - **balbucio** *s.m.*

B

balbúrdia (bal.búr.dia) *s.f.* **1** algazarra ↺ silêncio **2** situação confusa ↺ ordem ~ **balburdiar** *v.t.d.*

balcanizar (bal.ca.ni.zar) *v.* {mod. 1} *t.d.* **1** dividir (região, país etc.) em estados menores **2** *p.ext.* subdividir, dispersar ~ **balcanização** *s.f.*

balcão (bal.cão) [pl.: *-ões*] *s.m.* **1** ARQ varanda, sacada **2** móvel comprido para atender público ou expor mercadorias *<apoiou-se no b. para falar com o vendedor>* **3** TEAT cada um dos andares situados acima das últimas filas da plateia, entre os camarotes e as galerias

balconista (bal.co.nis.ta) *adj.2g.s.2g.* que(m) atende fregueses em estabelecimentos comerciais; caixeiro

balda (bal.da) *s.f.* **1** mania ou hábito *<sua b. é falar muito alto>* **2** RECR carta sem valor para o jogo ou o parceiro

baldaquim (bal.da.quim) [pl.: *-ins*] ou **baldaquino** (bal.da.qui.no) *s.m.* ARQ tipo de cobertura com cortinas, apoiada em colunas, us. sobre altares, tronos etc.

baldar (bal.dar) *v.* {mod. 1} *t.d. e pron.* tornar(-se) inútil; frustrar(-se), anular(-se) *<sua ausência baldou o empenho da equipe> <baldaram-se todas as advertências>*

balde (bal.de) *s.m.* **1** recipiente com alça, us. para tirar ou carregar líquidos, areia etc. **2** *p.ext.* qualquer recipiente com esse formato *<comprou um b. de pipoca>*

baldear (bal.de.ar) *v.* {mod. 5} *t.d.,t.d.i. e int.* **1** (prep. *para*) transferir (alguém ou algo) de um veículo (para outro) *<vou b. minha bagagem e venho tomar um café> <a professora baldeou as crianças para o trem> <em que estação vamos b.?>* ↺ manter □ *t.d.i. e pron. p.ext.* **2** (prep. *para*) transferir(-se), deslocar(-se) *<b. os melhores alunos para uma turma mais adiantada> <não queremos nos b. deste hotel (para outro)>* ↺ manter(-se) □ *t.d.* **3** tirar (algo) com balde *<b. areia>* **4** molhar ou lavar com balde *<b. a plantação, o quintal>* ~ **baldeação** *s.f.*

baldio (bal.di.o) *adj.* **1** sem cultivo *<terreno b.>* ↺ cultivado **2** que não vale a pena; inútil *<esperanças b.>* ↺ útil

balé (ba.lé) *s.m.* **1** dança, música e dramatização conjuntas **2** peça musical para execução dessa dança **3** grupo profissional de bailarinos *<o b. Stagium>* **4** coreografia **5** *fig.* qualquer coisa em movimento que lembre um balé *<o b. das águas>*

balear (ba.le.ar) *v.* {mod. 5} *t.d.* ferir ou matar com bala de arma de fogo

baleeira (ba.le.ei.ra) *s.f.* embarcação pequena, com a popa e a proa mais ou menos iguais, finas e elevadas, orign. us. na pesca de baleias

baleeiro (ba.le.ei.ro) *adj.s.m.* **1** que(m) pesca baleias ■ *s.m.* **2** navio-baleeiro

baleia (ba.lei.a) *s.f.* **1** ZOO nome comum a várias espécies de grandes mamíferos cetáceos marinhos ☞ cf. *caxaréu* **2** *p.ext. pej.* pessoa muito gorda ◉ COL baleal ◉ VOZ v.: *bufar*

baleiro (ba.lei.ro) *s.m.* **1** vendedor ambulante de balas, doces etc. **2** pote para balas, doces etc.

balela (ba.le.la) *s.f.* boato; mentira

baleote (ba.le.o.te) *s.m.* ZOO baleia de até 10 m, com cabeça quase triangular, corpo cinza e nadadeira peitoral com uma grande mancha branca

balido (ba.li.do) *s.m.* som emitido por ovelha ou por cordeiro

balir (ba.lir) *v.* {mod. 24} *int.* berrar (ovelha ou cordeiro) ◉ GRAM/USO só us. nas 3as p., exceto quando fig.

balística (ba.lís.ti.ca) *s.f.* estudo da trajetória dos projéteis, esp. os disparados por armas de fogo ~ **balístico** *adj.*

baliza (ba.li.za) *s.f.* **1** marco, estaca ou qualquer objeto que assinale um limite **2** *B* estaca ou cone us. em cursos e provas de direção de automóveis para delimitar espaços para fazer manobras, estacionar etc. *<passou, afinal, na prova de b.>* **3** ESP gol, meta ■ *s.2g.* **4** quem abre desfiles manejando um bastão

balizar (ba.li.zar) *v.* {mod. 1} *t.d.* **1** marcar com balizas; delimitar *<b. um sítio> <b. um caminho>* **2** determinar a grandeza de; medir *<b. um patrimônio>* **3** distinguir, separar *<b. uma palavra (com grifo)>* ~ **balizagem** *s.f.* - **balizamento** *s.m.*

balnear (bal.ne.ar) [pl.: *-es*] *adj.2g.* relativo a banho ou próprio para banhos; balneário

balneário (bal.ne.á.rio) *adj.* **1** relativo a banho; balnear ■ *s.m.* **2** estância de águas medicinais ou minerais *<passaram as férias num b.>* **3** *p.ext.* local público destinado a banhos, us. para descanso e lazer **4** edifício construído para banhos, com banheiras, duchas, piscinas

baloeiro (ba.lo.ei.ro) *s.m.* quem faz ou solta balões

balofo (ba.lo.fo) /ô/ *adj.* **1** muito volumoso em relação ao peso *<almofada b.>* **2** *pej.* muito gordo ↺ magro **3** fofo, de consistência leve *<bolo b.>* ↺ denso ■ *s.m.* **4** *pej.* pessoa gorda ↺ magro ~ **balofice** *s.f.*

balonismo (ba.lo.nis.mo) *s.m.* passatempo ou técnica de soltar balões ou esporte de neles voar ~ **balonista** *adj.2g.s.2g.*

balouçar (ba.lou.çar) *v.* {mod. 1} *t.d.,int. e pron.* mover(-se) de um lado para outro; balançar(-se) *<balouçava os braços ao andar> <a mesa balouça> <b.-se na rede>*

balsa (bal.sa) *s.f.* **1** transporte flutuante para curtas distâncias **2** embarcação que atravessa veículos e pessoas em rios sem ponte ~ **balsear** *v.t.d. e int.*

balsamar (bal.sa.mar) *v.* {mod. 1} *t.d.* **1** destilar, gotejar bálsamo em **2** perfumar, aromatizar *<b. os lençóis>* **3** *fig.* tornar mais ameno ou suave; aliviar *<b. o sofrimento>*

balsamizar (bal.sa.mi.zar) *v.* {mod. 1} *t.d.* balsamar

bálsamo (bál.sa.mo) *s.m.* **1** resina aromática de certas plantas us. em perfumaria e farmácia **2** *p.ext.* infusão caseira com que se friccionam partes doloridas do corpo **3** aroma agradável; perfume ↺ fedor **4** *fig.* alívio *<viver aqui é um b.>* ~ **balsâmico** *adj.s.m.*

baluarte (ba.lu.ar.te) *s.m.* **1** fortaleza, bastião **2** *p.ext.* local totalmente seguro **3** alicerce, base *<esse império foi o b. da civilização ocidental>*

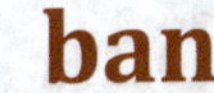

balzaquiano (bal.za.qui.a.no) *adj.* **1** referente ao escritor francês Honoré de Balzac ou à sua obra ■ *adj.s.m.* **2** *p.ext.* que(m) tem 30 ou mais anos de idade

bamba (bam.ba) *adj.2g.s.2g. infrm.* **1** que(m) é valentão **2** *fig.* que(m) domina um assunto; bambambã *<ele é b. em física>*

bambambã (bam.bam.bã) *adj.2g.s.2g.* bamba

bambear (bam.be.ar) *v.* {mod. 5} *t.d. e int.* **1** tornar(-se) bambo; afrouxar(-se) *<o excesso de peso bambeou a corda do varal> <com medo, suas pernas bambearam>* ↺ esticar(-se) □ *int.* **2** hesitar, vacilar *<bambeou antes de tomar a decisão>* ↺ decidir-se ~ **bambeio** *s.m.*

bâmbi (bâm.bi) *s.m.* ZOO **1** filhote de gazela ou corço **2** bovídeo africano de até 1,15 m, de pelo cinza ou amarelado e chifres curtos

bambinela (bam.bi.ne.la) *s.f.* cortina franjada dividida em duas partes erguidas e presas dos lados

bambo (bam.bo) *adj.* **1** que não está esticado *<corda b.>* **2** pouco firme, instável *<dente b., cadeira b.>* ↺ estável

bambochata (bam.bo.cha.ta) *s.f.* **1** gênero de pintura que representa festas e cenas populares ou burlescas **2** *p.ext.* orgia, festança

bambolê (bam.bo.lê) *s.m.* RECR aro, ger. de plástico, que se faz girar em torno do corpo, como forma de jogo ou brinquedo

bambolear (bam.bo.le.ar) *v.* {mod. 5} *t.d.,int. e pron.* **1** mover(-se), balançando (quadris, corpo); gingar(-se) *<b. os quadris> <o cachorro anda (se) bamboleando>* □ *int. p.ext.* **2** tremular, tremer *<a bandeira bamboleava ao vento>* ~ **bamboleio** *s.m.*

bambu (bam.bu) *s.m.* BOT planta de caule oco us. para ornamento, divisão de terrenos, mobília, cestaria etc. ◉ COL bambual, bambuzal ~ **bambuada** *s.f.*

bambual (bam.bu.al) [pl.: *-ais*] *s.m.* bambuzal

bamburrar (bam.bur.rar) *v.* {mod. 1} *int.* AMAZ BA **1** ter sorte no garimpo **2** *p.ext.* enriquecer de repente

bambúrrio (bam.búr.rio) *s.m. infrm.* **1** descoberta casual de ouro ou pedras preciosas **2** *p.ext.* fortuna inesperada **3** sorte em jogo

bambuzal (bam.bu.zal) [pl.: *-ais*] *s.m.* grande concentração de bambus em determinada área; bambual

banal (ba.nal) [pl.: *-ais*] *adj.2g.* sem originalidade; vulgar, corriqueiro *<história b.>*

banalidade (ba.na.li.da.de) *s.f.* condição ou característica do que é banal; insignificância, trivialidade

banalizar (ba.na.li.zar) *v.* {mod. 1} *t.d. e pron.* tornar(-se) banal, comum; vulgarizar(-se) *<os filmes de vampiros banalizaram o terror> <o uso do computador banalizou-se>* ↺ singularizar(-se) ~ **banalização** *s.f.*

banana (ba.na.na) *s.f.* **1** BOT fruta tropical sem sementes, rica em amido e potássio, comprida, um pouco curva, de casca amarela **2** *B infrm.* gesto ofensivo em que se apoia a mão na dobra do outro braço, mantendo-o erguido e de punho fechado *<chateado com a notícia, deu uma b. para a televisão>* ■ *adj.2g.s.2g.* **3** *infrm.* que(m) é covarde ↺ corajoso **4** *infrm.* que(m) não tem iniciativa *<vai custar a se arrumar na vida, é um b.>* ↺ ativo ▣ **b. de dinamite** dinamite embalada em cartucho cilíndrico, fino e alongado

banana-comprida (ba.na.na-com.pri.da) [pl.: *bananas-compridas*] *s.f.* BOT banana-da-terra

bananada (ba.na.na.da) *s.f.* **1** grande quantidade de bananas **2** CUL doce de banana

banana-d'água (ba.na.na-d'á.gua) [pl.: *bananas-d'água*] *s.f.* BOT banana comprida de polpa amarela e doce

banana-da-terra (ba.na.na-da-ter.ra) [pl.: *bananas-da-terra*] *s.f.* BOT *S.E. S.* banana grande, de casca espessa, que se come cozida; banana-comprida

bananal (ba.na.nal) [pl.: *-ais*] *s.m.* grande concentração de bananeiras em determinada área

banana-maçã (ba.na.na-ma.çã) [pl.: *bananas-maçã* e *bananas-maçãs*] *s.f.* BOT banana de casca fina e polpa esbranquiçada que, mesmo madura, tem muita cica

banana-nanica (ba.na.na-na.ni.ca) [pl.: *bananas-nanicas*] *s.f.* BOT banana muito pequena de casca fina, polpa amarela e doce; banana-ouro

banana-ouro (ba.na.na-ou.ro) [pl.: *bananas-ouro*] *s.f.* BOT banana-nanica

banana-são-tomé (ba.na.na-são-to.mé) [pl.: *bananas-são-tomé*] *s.f.* BOT banana muito doce que se come assada ou frita

bananeira (ba.na.nei.ra) *s.f.* planta que produz a banana ◉ COL bananal ▣ **plantar b.** ficar de cabeça para baixo, apoiando-se nas mãos

bananeiro (ba.na.nei.ro) *adj.* **1** relacionado a banana ■ *s.m.* **2** quem cultiva e/ou comercializa bananas

bananicultura (ba.na.ni.cul.tu.ra) *s.f.* plantação de bananeiras com fins comerciais ou industriais ~ **bananicultor** *adj.s.m.*

bananosa (ba.na.no.sa) *s.f. B infrm.* situação muito complicada

banca (ban.ca) *s.f.* **1** mesa grande e simples *<os irmãos montaram uma b. de verduras na feira>* **2** local de venda de jornais e revistas **3** grupo de pessoas designadas para examinar os candidatos em um concurso **4** escritório de advocacia **5** em jogos de azar, fundo de apostas destinado a pagar aos jogadores **6** *infrm.* pose *<entrou cheio de b.>* ▣ **pôr** ou **botar b.** *infrm.* gabar-se

bancada (ban.ca.da) *s.f.* **1** balcão de trabalho ou apoio *<espalhou os papéis sobre a b.>* **2** POL representação de um estado, de um partido etc. nas câmaras de vereadores, assembleias etc. *<a b. mineira>*

bancar (ban.car) *v.* {mod. 1} *t.d. e int.* **1** servir de banqueiro (em jogos de azar) *<ele sempre banca (o jogo)>* □ *t.d.* **2** pagar os gastos de; financiar, custear *<bancou a viagem da família>* □ *pred. infrm.* **3** fazer-se de; fingir *<b. o conquistador>*

bancário (ban.cá.rio) *adj.* **1** relativo a banco ou a funcionário de banco ■ *s.m.* **2** funcionário de banco

bancarrota (ban.car.ro.ta) /ô/ *s.f.* falência ~ **bancarrotear** *v.int.*

banco (ban.co) *s.m.* **1** assento estreito e duro (de madeira, pedra, cimento etc.), com ou sem encosto ou apoio para os braços, ger. para mais de uma pessoa *<sentou-se no primeiro b. da igreja>* **2** tamborete *<comprou dois b. para a cozinha>* **3** ECON instituição financeira *<tem conta no b. ao lado do trabalho>* **4** local onde algo é guardado para utilização futura *<b. de leite>* ▣ **b. central** ECON instituição estatal que emite moeda e fiscaliza o sistema bancário • **b. de areia** GEOL elevação do fundo do mar ou de curso de água • **b. de dados** INF conjunto de informações armazenadas em sistemas de processamento de dados • **b. de reservas** ESP **1** assento em que ficam os reservas de uma equipe durante a partida **2** conjunto dos jogadores reservas à disposição do técnico • **b. eletrônico** INTERN banco que tem suas operações realizadas por meios eletrônicos, pela internet

[1]**banda** (ban.da) *s.f.* **1** MÚS conjunto de música popular *<formou uma b. de roque>* **2** parte lateral; lado *<pulou de uma b. do corredor para a outra>* **3** metade de algo *<comi só uma b. da maçã>* **4** *RJ* rasteira dada de pé *<deu uma b. na prima>* ▼ ***bandas*** *s.f.pl.* **5** lugar; local *<nunca estive naquelas b.>* **6** direção; lado(s) *<vivia para as bandas de Recife>* ◉ ORIGEM do fr. *bande* 'tropa' ▣ **b. de música** MÚS conjunto de instrumentos de sopro e percussão ☞ tb. se diz apenas *banda*

[2]**banda** (ban.da) *s.f.* tira de tecido; barra *<tirou uma b. do lençol velho para fazer um remendo>* ◉ ORIGEM do fr. *bande* / *bende* (ant.) 'faixa, tira' ▣ **b. larga** INF TEL conexão com a internet de velocidade maior que a realizada por linha discada (a conexão pode ser via telefonia digital, cabo, rádio, satélites etc.)

bandagem (ban.da.gem) [pl.: *-ens*] *s.f.* **1** faixa de gaze ou outro tecido us. como curativo ou para sustentação *<pôs uma b. sobre o ferimento>* **2** tecido de algodão macio e com trama aberta de que se faz a bandagem

band-aid [ing.; pl.: *band-aids*] *s.m.* pequeno curativo adesivo com uma almofada de gaze no centro ☞ marca registrada (*Band-Aid*) que passou a designar o seu gênero ⇒ pronuncia-se bandêid

bandalha (ban.da.lha) *s.f. RJ* **1** bandalheira **2** corja ~ **bandalhice** *s.f.*

bandalheira (ban.da.lhei.ra) *s.f. B pej.* **1** atitude de bandalho; indignidade **2** negócio ilícito; roubalheira *<descobriram a b. feita pelos vendedores>* ↺ honestidade

bandalho (ban.da.lho) *s.m.* **1** pessoa sem dignidade **2** indivíduo maltrapilho

bandana (ban.da.na) *s.f.* lenço ou faixa de tecido que se amarra à cabeça *<o tenista usava uma b. para que o suor não escorresse para os olhos>*

bandarilha (ban.da.ri.lha) *s.f.* haste enfeitada que o toureiro crava no touro ~ **bandarilheiro** *s.m.*

bandear (ban.de.ar) *v.* {mod. 5} *int. e pron.* **1** mudar de opinião ou ligar-se a outro partido, grupo *<bandeou no momento em que percebeu a derrota>* *<b.(-se) para o lado inimigo>* ☐ *t.d.* **2** inclinar para o lado *<b. a gola da blusa>* **3** balançar, agitar *<b. o lenço>* ~ **bandeamento** *s.m.*

bandeira (ban.dei.ra) *s.f.* **1** peça de pano com cores e/ou desenhos que simbolizam uma nação, partido etc.; estandarte, lábaro, pavilhão, pendão **2** MAR pedaço de pano usado para transmitir mensagens em código **3** lema; ideal *<a b. do partido é a criação de mais escolas>* **4** dispositivo no taxímetro que marca o início da corrida **5** HIST no Brasil colonial, expedição pelo interior do país para capturar indígenas e descobrir novas jazidas minerais ☞ mais us. no plural ■ *s.2g.* FUTB **6** bandeirinha ◉ GRAM/USO dim.irreg.: *bandeirola* ▣ **b. a meio pau** aquela içada até a metade do mastro em sinal de luto • **b. branca** pano branco com que se acena ao inimigo o desejo de cessar o combate, fazer uma trégua etc. • **dar b.** *infrm.* **1** *gír.* deixar transparecer que está sob efeito de drogas **2** *p.ext.* deixar escapar algo que deveria ser ocultado

bandeirada (ban.dei.ra.da) *s.f.* **1** sinal dado com uma bandeira *<dois carros receberam a b. ao mesmo tempo>* **2** valor mínimo em corrida de táxi

bandeirante (ban.dei.ran.te) *s.m.* **1** HIST homem que tomava parte de uma bandeira ('expedição') ■ *s.f.* **2** menina ou moça que participa do bandeirantismo ■ *adj.2g.s.2g.* **3** pioneiro, desbravador **4** paulista ■ *adj.2g.* **5** próprio de bandeirante **6** relativo ao bandeirantismo

bandeirantismo (ban.dei.ran.tis.mo) *s.m.* variação feminina do escotismo

bandeirinha (ban.dei.ri.nha) *s.2g.* **1** auxiliar de arbitragem em futebol; bandeira ■ *s.f.* **2** pequena bandeira; bandeirola **3** cada uma das bandeirolas presas em um barbante us. para enfeitar festas juninas, quermesses etc.

bandeirola (ban.dei.ro.la) *s.f.* pequena bandeira ◉ GRAM/USO dim.irreg. de *bandeira*

bandeiroso (ban.dei.ro.so) /ô/ [pl. e fem.: /ó/] *adj. gír.* que revela o que devia ser ocultado; que dá bandeira ↺ discreto

bandeja (ban.de.ja) /ê/ *s.f.* recipiente raso usado para apoiar e transportar objetos *<pôs as xícaras sobre uma b. de plástico>* ▣ **dar de b.** revelar ou entregar espontaneamente *<deu a resposta de b. para a turma>*

bandejão (ban.de.jão) [pl.: *-ões*] *s.m.* **1** bandeja grande **2** restaurante que serve refeição a preço baixo, ger. em fábricas, universidades etc.

bandidagem (ban.di.da.gem) [pl.: *-ens*] *s.f.* **1** corja de bandidos; a totalidade dos bandidos **2** banditismo

bandido (ban.di.do) *s.m.* **1** indivíduo que pratica crimes; assaltante, malfeitor **2** *p.ext.* pessoa de mau caráter ↺ honrado ■ *adj.* **3** cruel, infeliz *<vida b.>* *<amor b.>* ◉ COL bandidagem, bando, quadrilha

banditismo (ban.di.tis.mo) *s.m.* **1** modo de vida de bandido **2** incidência de crimes num determinado lugar ou época; criminalidade

bando (ban.do) *s.m.* **1** grupo de pessoas ou animais *<viu da janela um b. de pássaros>* **2** grupo de bandidos *<foram assaltados por um b.>*

bandô (ban.dô) *s.m.* peça decorativa que esconde o trilho das cortinas

bandoleira (ban.do.lei.ra) *s.f.* correia us. a tiracolo para prender arma de fogo

bandoleiro (ban.do.lei.ro) *s.m.* **1** *infrm.* bandido **2** cangaceiro **3** *infrm.* trapaceiro

bandolim (ban.do.lim) [pl.: *-ins*] *s.m.* MÚS instrumento com o corpo em forma de gota arredondada e o braço curto, de quatro cordas duplas, tocado com palheta ~ **bandolinista** *adj.2g.s.2g.*

bandulho (ban.du.lho) *s.m. pej.* barriga volumosa; pança

bangalô (ban.ga.lô) *s.m.* casa, ger. de madeira, com varandas e estilo campestre

banguê (ban.guê) /gü/ *s.m.* **1** padiola para carregar diferentes objetos, como material de construção, bagaço de cana etc. **2** HIST *B* padiola us. para transportar o cadáver dos escravos **3** engenho de açúcar primitivo, movido por força animal

bangue-bangue (ban.gue-ban.gue) [pl.: *bangue-bangues*] *s.m.* **1** CINE LIT faroeste ('filme ou livro') *<seu tio adora filmes de b.>* **2** troca de tiros; tiroteio

banguela (ban.gue.la) *adj.2g.s.2g.* que(m) tem falta de um ou mais dentes da frente; desdentado ▣ **na b.** *infrm.* em ponto morto *<desceu a ladeira na b.>*

banha (ba.nha) *s.f.* **1** gordura animal, esp. a de porco **2** *p.ext.* gordura localizada *<fazia ginástica para perder as b.>*

banhado (ba.nha.do) *s.m. S.* pântano raso coberto de vegetação

banhar (ba.nhar) *v.* {mod. 1} *t.d. e pron.* **1** dar ou tomar banho; lavar(-se) *<b. um bebê> <b.-se no rio>* ↺ sujar □ *t.d.* **2** molhar; umedecer *<banhou as mãos>* ↺ secar **3** passar em ou junto de; correr por *<o rio banha a vila>* □ *t.d.i.* **4** (prep. *em*) mergulhar (algo) [em água ou outro líquido] *<b. material fotográfico> <b. o pão no leite>*

banheira (ba.nhei.ra) *s.f.* **1** grande cuba us. para lavar o corpo *<tomou um longo banho de b.>* **2** *p.ext. B infrm.* automóvel grande e ger. antigo **3** FUTB *infrm.* impedimento

banheiro (ba.nhei.ro) *s.m.* **1** local público ou privado com vaso sanitário; toalete *<no restaurante, há dois b. femininos>* **2** cômodo para banho, equipado com banheira e/ou chuveiro

banhista (ba.nhis.ta) *s.2g.* **1** quem está em traje de banho numa praia, piscina etc. **2** *S.* salva-vidas ('nadador')

banho (ba.nho) *s.m.* **1** imersão de algo em um líquido, para lavar, higienizar, refrescar *<b. de chuveiro> <o médico recomendou que tomasse alguns b. de mar>* **2** o líquido us. para esse fim *<só toma b. quente>* **3** exposição a raios, vapores etc. *<b. de sol>* **4** *fig. infrm.* vitória com grande diferença de pontos *<o time levou um b.>* ▼ ***banhos*** *s.m.pl.* **5** balneário

banho-maria (ba.nho-ma.ri.a) [pl.: *banhos-maria* e *banhos-marias*] *s.m.* modo de aquecer, cozinhar etc. qualquer substância em que a vasilha ou panela contendo a substância é colocada dentro de um recipiente com água fervente ou quente *<aqueceu o café em b.>* ▣ **cozinhar em b.** *infrm.* deixar para depois; adiar, protelar *<em vez de responder logo, deixou a turma cozinhando em b.>*

banido (ba.ni.do) *adj.s.m.* **1** que(m) foi condenado ao exílio **2** *p.ext.* que(m) foi expulso *<foi b. do grupo depois da quarta falta>*

banir (ba.nir) *v.* {mod. 24} *t.d.* **1** mandar embora de um lugar, esp. da pátria; desterrar ↺ repatriar **2** expulsar, excluir *<b. do clube um associado>* ↺ readmitir **3** pôr de lado; afastar *<b. o medo>* ↺ atrair **4** eliminar, abolir *<b. uma norma>* ◉ GRAM/USO verbo defectivo ~ **banimento** *s.m.*

banjo (ban.jo) *s.m.* MÚS instrumento de cordas cujo corpo se assemelha a um pandeiro ~ **banjoísta** *adj.2g.s.2g.*

banner (ban.ner) [ing.; pl.: *banners*] *s.m.* **1** peça publicitária em forma de bandeira, impressa de um ou de ambos os lados, ger. para ser pendurada em postes, fachadas ou paredes; galhardete **2** curta mensagem publicitária em uma página *web*, com *link* para o *site* do anunciante ⇒ pronuncia-se baner

banqueiro (ban.quei.ro) *s.m.* **1** quem dirige ou é proprietário de um banco **2** quem controla as apostas em jogos de azar

banqueta (ban.que.ta) /ê/ *s.f.* **1** pequeno banco *<havia duas b. de plástico perto da janela>* **2** pequena banca ou mesa

banquete (ban.que.te) /ê/ *s.m.* **1** refeição solene para muitos convidados **2** refeição farta e refinada *<o almoço de aniversário foi um verdadeiro b.>*

banquetear (ban.que.te.ar) *v.* {mod. 5} *t.d.* **1** oferecer banquete a, ou em honra de *<era costume b. os vitoriosos>* □ *pron.* **2** participar de banquete *<gosta de b.-se com os amigos>* **3** (prep. *com, em*) comer muito bem *<banqueteou-se num excelente restaurante>*

banto (ban.to) *s.m.* **1** LING grupo de línguas faladas em extensa área africana, da atual Cabinda até a África do Sul ■ *adj.s.m.* **2** (indivíduo) dos bantos, povos negroides africanos falantes de qualquer dessas línguas **3** (indivíduo desse grupo) trazido como escravo para o Brasil

banzar (ban.zar) *v.* {mod. 1} *t.d.* **1** causar surpresa a; pasmar *<novos costumes banzam os mais idosos>* □ *int.* **2** ficar pensativo; refletir *<deixou-se ficar ali, o olhar perdido, banzando>*

banzé (ban.zé) *s.m.* **1** *infrm.* confusão, tumulto *<a torcida armou o maior b.>* ↺ calmaria **2** *infrm.* gritaria, algazarra *<a multidão fazia um b. ensurdecedor>* ↺ silêncio

banzo (ban.zo) *s.m.* **1** nostalgia profunda que afetava negros africanos escravizados no Brasil ■ *adj.* **2** *p.ext.* abatido, triste *<ficou b. com saudade de casa>*

baobá (ba.o.bá) *s.m.* BOT árvore de tronco muito largo, originária da África, cujos frutos, flores e sementes são comestíveis e possuem usos medicinais

baque (ba.que) *s.m.* **1** som de um corpo ao cair ou ao bater em outro **2** queda **3** má sorte súbita; dissabor, contratempo *<ser despedido foi um b.>* ↺ sorte

B

baquear (ba.que.ar) *v.* {mod. 5} *int.* **1** tombar de repente, vir abaixo; desabar *<sentiu tonteira e baqueou>* ↺ levantar-se **2** *fig.* falir *<a empresa baqueou devido à crise mundial>* ↺ prosperar □ *t.d. fig.* **3** enfraquecer, debilitar *<o câncer baqueou-o>* ↺ fortalecer □ *t.d. e int. fig.* **4** abater(-se), abalar (-se) *<o acidente baqueou-o> <b. diante de alguém>* ↺ animar(-se) ~ **baqueado** *adj.*

baqueta (ba.que.ta) /ê/ *s.f.* MÚS vareta de madeira us. em instrumentos de percussão

bar [pl.: *-es*] *s.m.* **1** estabelecimento em que se vendem bebidas e petiscos; botequim **2** móvel no qual se guardam garrafas de bebida

baraço (ba.ra.ço) *s.m.* **1** corda fina **2** corda usada para enforcar condenados

barafunda (ba.ra.fun.da) *s.f.* situação confusa; bagunça, tumulto

barafustar (ba.ra.fus.tar) *v.* {mod. 1} *int. e pron.* **1** entrar com violência ou rapidez *<b.(-se) pelo bosque atrás do filho>* □ *int.* **2** espernear, debater-se *<o gato barafustava atrás do armário>* **3** esforçar-se (por algo) *<b. por um emprego>* ↺ acomodar-se

baralhada (ba.ra.lha.da) *s.f.* confusão; barafunda

baralhar (ba.ra.lhar) *v.* {mod. 1} *t.d. e pron.* embaralhar ~ **baralhador** *adj.s.m.* - **baralhamento** *s.m.*

baralho (ba.ra.lho) *s.m.* RECR conjunto de cartas de jogo

baranga (ba.ran.ga) *adj.2g. pej.* **1** de baixa qualidade; de pouco ou nenhum valor *<produto b.>* ■ *s.f. pej.* **2** mulher feia ou deselegante

barão (ba.rão) [pl.: *-ões*; fem.: baronesa] *s.m.* **1** homem com título de nobreza abaixo de visconde **2** *p.ext.* magnata do comércio, da indústria etc.; homem de negócios notável em determinado ramo *<b. do café>*

barata (ba.ra.ta) *s.f.* ZOO nome comum a insetos de corpo achatado e oval, ger. de hábitos noturnos e domésticos ▣ **b. tonta** pessoa desnorteada

barata-cascuda (ba.ra.ta-cas.cu.da) [pl.: *baratas-cascudas*] *s.f.* ZOO barata de hábitos domésticos que chega a medir 45 mm

baratear (ba.ra.te.ar) *v.* {mod. 5} *t.d. e int.* **1** diminuir de preço; baixar *<os feirantes baratearam seus produtos> <o tomate, afinal, barateou>* ↺ encarecer □ *t.d. e pron.* **2** dar(-se) pouco valor; depreciar(-se) *<b. a colaboração de alguém> <barateia-se perante os amigos>* ↺ valorizar(-se) ~ **barateamento** *s.m.* - **barateio** *s.m.*

barateiro (ba.ra.tei.ro) *adj.* que cobra preços baixos *<restaurante b.>*

baratinar (ba.ra.ti.nar) *v.* {mod. 1} *t.d. e pron.* (fazer) perder a serenidade, o controle; desnortear (-se) *<o excesso de trabalho baratina-o> <baratinou-se com os preparativos para o casamento>* ~ **baratinado** *adj.*

barato (ba.ra.to) *adj.* **1** de baixo custo *<livro b.> <festa b.>* ↺ caro **2** *pej.* sem qualidade *<filme b.>* ↺ superior **3** *pej.* sem elegância; vulgar *<ambiente b.>* ↺ fino ■ *s.m.* **4** *infrm.* o que proporciona prazer *<a irmã dele é um b.> <viajar com ele é um b.>* **5** *infrm.* o que está na moda *<o b. agora é usar saias longas>* **6** *infrm. drg.* sensação provocada pelo uso de droga ■ *adv.* **7** por preço baixo *<comprou b. a bicicleta>* **8** *fig.* sem muito custo *<saiu-lhe b. a ajuda ao amigo>* ~ **barateza** *s.f.*

barba (bar.ba) *s.f.* **1** pelos que nascem nas faces do homem **2** grupo de pelos ou penas que crescem no focinho de alguns mamíferos, ou na base do bico de algumas aves **3** arestas de madeira serrada ou papel aparado ▣ **nas b. de** na presença de (alguém), por desrespeito ou desafio *<trapaceou no jogo nas b. dos adversários>* • **pôr as b. de molho** precaver-se contra perigo ou risco próximo, ou previsível; acautelar-se *<diante do sucesso do concorrente, pôs as b. de molho e retirou-se da competição>*

barba-azul (bar.ba-a.zul) [pl.: *barbas-azuis*] *s.m.* **1** homem que ficou viúvo várias vezes **2** homem dado a conquistas, ou que possui muitas mulheres

barbada (bar.ba.da) *s.f.* **1** *infrm.* competição, tarefa etc. em que se alcança com facilidade um bom resultado *<as provas finais vão ser uma b.>* **2** ESP *infrm.* cavalo favorito no páreo *<só apostava nas b.>* **3** lábio inferior do cavalo

barbado (bar.ba.do) *adj.s.m.* **1** que(m) usa barba ou está com a barba por fazer ■ *s.m. infrm.* **2** homem adulto; marmanjo *<um b. não pode se comportar como uma criança>* ↺ menino

barbante (bar.ban.te) *s.m.* cordão fino

barbaridade (bar.ba.ri.da.de) *s.f.* **1** selvageria, crueldade *<assustou-se com as b. cometidas na batalha>* **2** absurdo, tolice *<era impossível conversar com ele, só dizia b.>* **3** GRAM erro grosseiro de linguagem ou escrita; barbarismo ■ *interj. RS* **4** exclamação de espanto, admiração

barbárie (bar.bá.rie) *s.f.* condição ou estado de bárbaro; selvageria ↺ bondade

barbarismo (bar.ba.ris.mo) *s.m.* **1** barbárie **2** GRAM erro de pronúncia, de grafia, gramatical etc.

barbarizar (bar.ba.ri.zar) *v.* {mod. 1} *t.d. e pron.* **1** tornar(-se) bárbaro, rude; embrutecer(-se) *<b. um povo> <barbarizou-se naquela terra distante>* ↺ civilizar(-se), polir(-se) □ *int.* **2** *infrm.* ter bom desempenho *<nossa equipe barbarizou>* ↺ fracassar **3** GRAM cometer barbarismo ('erro')

bárbaro (bár.ba.ro) *adj.s.m.* **1** que(m) é rude, grosseiro *<hábitos b.> <esses b. serão afastados da excursão>* ↺ educado **2** que(m) é cruel, desumano ↺ bondoso **3** HIST (indivíduo) dos povos invasores do Império Romano; estrangeiro ■ *adj. infrm.* **4** que é muito bom, muito interessante etc. *<uma viagem b.> <um amigo b.>* **5** GRAM que é impróprio, incorreto *<estilo b.>* ■ *interj.* **6** exprime admiração, espanto ~ **barbaresco** *adj.* - **barbaria** *s.f.*

barbatana (bar.ba.ta.na) *s.f.* **1** ANAT ZOO dobra cutânea externa de peixes e de certos animais marinhos **2** VEST haste flexível us. na armação de certas peças do vestuário

barbeador (bar.be.a.dor) /ô/ [pl.: *-es*] *s.m.* aparelho de barbear

barbear (bar.be.ar) *v.* {mod. 5} *t.d. e pron.* fazer a barba (de) *<barbeou o filho> <barbeia-se três vezes por semana>*

barbearia (bar.be.a.ri.a) *s.f.* salão ou loja de barbeiro

barbeirada (bar.bei.ra.da) *s.f. infrm.* barbeiragem

barbeiragem (bar.bei.ra.gem) [pl.: *-ens*] *s.f. infrm.* **1** manobra ruim de um motorista **2** ação descuidada, imperícia *<não usar anestesia foi uma b. do dentista>*

barbeiro (bar.bei.ro) *s.m.* **1** indivíduo que barbeia por profissão **2** barbearia *<saiu para ir ao b.>* **3** zoo inseto transmissor da doença de Chagas ■ *adj.s.m. infrm.* **4** mau motorista **5** profissional descuidado ↺ cuidadoso

barbela (bar.be.la) *s.f.* **1** ANAT ZOO pelanca sob o pescoço de ruminantes e lagartos ou sob o bico de certas aves **2** papada

barbicha (bar.bi.cha) *s.f.* **1** barba curta e rala **2** barba pequena e pontuda **3** a barba estreita e comprida do bode

barbilhão (bar.bi.lhão) [pl.: *-ões*] *s.m.* ANAT ZOO **1** barbela **2** filamento sensitivo desenvolvido nos maxilares de certos peixes

barbilho (bar.bi.lho) *s.m.* **1** tipo de focinheira us. em certos animais para que não mordam, mamem ou comam a plantação **2** *fig.* obstáculo, impedimento

barbitúrico (bar.bi.tú.ri.co) *s.m.* FARM medicamento de efeito sonífero e calmante

barbudo (bar.bu.do) *adj.s.m.* que(m) tem muita barba

barca (bar.ca) *s.f.* embarcação de fundo raso us. para transporte de cargas e passageiros em rios e baías

barcaça (bar.ca.ça) *s.f.* **1** grande barca **2** embarcação de madeira us. para carregar ou descarregar navios no porto **3** *BA* local para secagem das sementes de cacau ao sol

barcarola (bar.ca.ro.la) *s.f.* **1** MÚS canção dos gondoleiros de Veneza **2** MÚS peça musical inspirada nessa canção **3** LIT gênero de poesia no qual o verso procura reproduzir o ritmo dos remos batendo na água

barco (bar.co) *s.m.* qualquer embarcação miúda ▣ **deixar o b. correr** permitir que os fatos sigam seu curso natural; não interferir *<não se meteu no namoro da filha, apenas deixou o b. correr>* • **estar no mesmo b.** estar na mesma situação ou compartilhar os desejos ou metas de alguém *<estamos todos no mesmo b., se ele ganhar, ganhamos todos>*

bardo (bar.do) *s.m.* **1** HIST entre os celtas e gauleses, o que compõe ou declama poemas épicos **2** *p.ext.* qualquer poeta, trovador

barganha (bar.ga.nha) *s.f. infrm.* **1** transferência de coisas, ger. de pouco valor, entre seus respectivos donos; troca *<os vizinhos fizeram uma b. de discos>* **2** algo cujo preço é muito baixo; pechincha **3** *pej.* troca de favores e/ou privilégios de forma pouco ética, esp. em política *<b. com partidos de oposição>*

barganhar (bar.ga.nhar) *v.* {mod. 1} *t.d. e int.* **1** pedir redução no preço (de); pechinchar *<barganhou o casaco> <entrou na loja já pensando em b.>* □ *t.d. e t.d.i.* **2** (prep. *por*) negociar por troca *<b. trabalho por comida> <b. votos para reeleger-se>* ↺ destrocar ~ **barganhista** *adj.2g.s.2g.*

bário (bá.rio) *s.m.* QUÍM elemento químico us. em velas de ignição, tubos de alto vácuo etc. [símb.: *Ba*] ☞ cf. *tabela periódica* (no fim do dicionário)

barisfera (ba.ris.fe.ra) *s.f.* GEOL núcleo rígido da Terra ☞ cf. *litosfera* e *pirosfera*

barítono (ba.rí.to.no) *s.m.* MÚS **1** voz masculina de registro médio, entre o tenor e o baixo **2** cantor com essa voz ■ *adj.2g.* **3** que tem esse registro (diz-se de cantor ou instrumento) *<toca sax b.>*

barlavento (bar.la.ven.to) *s.m.* MAR **1** direção da qual sopra o vento **2** *p.ext.* lado da embarcação que recebe o vento ☞ cf. *sota-vento*

bar mitzvah (bar mitz.vah) [heb.; pl.: *bnei mitzvah*] *loc.subst.* REL **1** na religião judaica, menino que atinge a maioridade religiosa (ao completar 13 anos) **2** *p.ext.* a cerimônia de sua iniciação religiosa ⇒ pronuncia-se bar mitsva

barnabé (bar.na.bé) *s.2g. infrm. pej.* funcionário público de baixa hierarquia

barômetro (ba.rô.me.tro) *s.m.* FÍS instrumento que mede a pressão atmosférica ~ **barométrico** *adj.*

baronato (ba.ro.na.to) *s.m.* título de barão

baronesa (ba.ro.ne.sa) /ê/ *s.f.* **1** esposa de barão **2** mulher que recebeu baronato ('título')

barqueiro (bar.quei.ro) *s.m.* indivíduo que dirige barco

barra (bar.ra) *s.f.* **1** borda ou acabamento de vestimenta, cortina etc. *<havia uma renda na b. da saia>* **2** bainha ('dobra') *<a b. da calça está descosturando>* **3** bloco de qualquer substância rígida *<b. de ouro> <b. de sabão>* **4** peça rígida, comprida e estreita, de diferentes materiais e para diversas finalidades *<uma grade com b. de ferro>* **5** apoio de exercícios de ginástica ou balé com essas características **6** GRÁF sinal em diagonal (/) us. para separar números, dia, mês e ano de uma data, entre outros fins **7** GEO entrada de baía **8** GEO local em que um rio deságua no mar ou em lago; foz, desembocadura **9** *B infrm.* situação difícil *<a caminhada foi uma b.>* ▣ **b. de compasso** MÚS traço vertical que separa, graficamente, na pauta, os compassos • **b. de direção** em automóveis, peça ligada ao volante que transmite seu movimento à caixa de direção • **b. de ferramentas** INF faixa horizontal estreita em que ficam os botões, identificados por um ícone, que permitem acesso mais rápido às ferramentas do programa • **b. fixa** aparelho de ginástica constituído de uma barra horizontal que se apoia em dois suportes de cerca de 2,50 m de altura • **b. assimétricas** aparelho de ginástica artística feminina, composto de duas barras redondas e horizontais, apoiadas em suportes de alturas diferentes • **b. paralelas** aparelho de ginástica artística masculina, que consiste em duas barras cilíndricas paralelas e da mesma altura • **aguentar a b.** *B infrm.* **1** desdobrar-se em esforços e manter o domínio de uma situação difícil *<aguentou a b. até o temporal passar>* **2** suportar a pressão, o incômodo etc. *<aguentou a b. e não faltou ao encontro>*

barraca (bar.ra.ca) *s.f.* **1** abrigo portátil para acampamento **2** tenda de fácil remoção *<b. de frutas>* **3** guarda-sol *<não vai à praia sem b.>*

barracão (bar.ra.cão) [pl.: *-ões*] *s.m.* **1** galpão us. como alojamento, depósito ou oficina *<as caixas de livros foram guardadas no b.>* **2** barraco

barraco (bar.ra.co) *s.m.* **1** *B* moradia pobre de acabamento muito simples **2** *B infrm.* escândalo, confusão ▣ **armar um b.** *B infrm.* arrumar confusão *<armou o maior b. no cinema por causa da falta de luz>*

barracuda (bar.ra.cu.da) *s.f.* ZOO peixe grande cuja carne é considerada tóxica

barragem (bar.ra.gem) [pl.: *-ens*] *s.f.* CONSTR obstáculo artificial que interrompe ou desvia um curso de água; açude, levada, represa

barra-limpa (bar.ra-lim.pa) [pl.: *barras-limpas*] *adj.2g.s.2g. infrm.* que(m) é confiável ou boa-praça; que(m) não cria problemas *<ambiente b.> <um b. como ele é sempre bem-vindo>*

barranca (bar.ran.ca) *s.f.* → ***BARRANCO***

barranceira (bar.ran.cei.ra) *s.f.* **1** rocha argilosa na beira do rio **2** grande ribanceira de rio

barranco (bar.ran.co) *s.m.* ou **barranca** (bar.ran.ca) *s.f.* **1** escavação em terreno provocada pelo homem ou pela natureza *<as casas próximas ao b. foram desocupadas>* **2** margem de rio alta e íngreme **3** obstáculo; dificuldade *<venceu a partida aos trancos e b.>* ↺ facilidade

barra-pesada (bar.ra-pe.sa.da) [pl.: *barras-pesadas*] *adj.2g.s.2g. B infrm.* **1** (pessoa) perigosa ou tida como tal *<é o b. do bairro>* **2** (situação) de difícil solução *<o vestibular foi uma b.> <era um caso b.>*

[1]**barraqueiro** (bar.ra.quei.ro) *adj.s.m.* **1** que(m) possui ou trabalha em barraca, ger. de feira **2** que(m) fabrica ou vende barraca ◉ ORIGEM *barraca + -eiro*, com alt. gráf. *-c- > -qu-*

[2]**barraqueiro** (bar.ra.quei.ro) *s.m. B infrm.* quem procura briga ou arma confusão *<é uma b., briga por qualquer motivo>* ◉ ORIGEM *barraco + -eiro*, com alt. gráf. *-c- > -qu-*

[1]**barrar** (bar.rar) *v.* {mod. 1} *t.d.* **1** atravessar com barras ('peça rígida') *<b. uma porta>* **2** adornar com barra(s) ('acabamento') *<b. uma saia>* **3** converter em barra(s) *<b. ouro, sabão>* **4** *fig.* impedir, proibir *<barrou sua entrada>* ↺ permitir **5** *p.ext.* ESP *B* não escalar (jogador) *<barrou o zagueiro mais uma vez>* ◉ ORIGEM *barra +* [2]*-ar*

[2]**barrar** (bar.rar) *v.* {mod. 1} *t.d.* cobrir, encher ou tapar (algo) usando barro *<barraram os potes antes de guardá-los>* ◉ ORIGEM *barro +* [2]*-ar*

[1]**barreira** (bar.rei.ra) *s.f.* **1** obstáculo, impedimento *<os moradores fizeram uma b. com pneus na estrada> <não saber inglês foi uma b. para conseguir o emprego>* **2** deslizamento de terra à margem de estrada que pode impedir o trânsito **3** escarpa sem vegetação à beira de rio **4** posto fiscal de fronteiras para controle de veículos e mercadorias **5** ESP em competições de atletismo, cada um dos obstáculos numa pista, que os corredores devem saltar **6** FUTB em cobranças de falta, grupo de jogadores que se coloca, um ao lado do outro, entre a bola e o gol ◉ ORIGEM *barra + -eira* ▣ **b. do som** AER FÍS resistência do ar a um avião que se aproxima da ou atinge a velocidade do som

[2]**barreira** (bar.rei.ra) *s.f.* local de onde se extrai barro ◉ ORIGEM *barro + -eira*

barreiro (bar.rei.ro) *s.m.* **1** [2]barreira **2** terreno com salitre aonde vão o gado e os animais silvestres em busca de sal

barrela (bar.re.la) *s.f.* solução de cinzas vegetais us. para clarear roupa

barrento (bar.ren.to) *adj.* **1** que contém muito barro *<estrada b.>* **2** da cor do barro

barretada (bar.re.ta.da) *s.f.* **1** saudação com o barrete ou o chapéu **2** cumprimento exagerado; rapapé

barrete (bar.re.te) /ê/ *s.m.* **1** VEST espécie de gorro de tecido mole **2** VEST chapéu quadrangular sem aba us. pelos cardeais **3** ANAT ZOO segunda cavidade do estômago dos ruminantes

barrica (bar.ri.ca) *s.f.* pequeno tonel de madeira, us. esp. para guardar líquidos

barricada (bar.ri.ca.da) *s.f.* trincheira improvisada para obstruir uma passagem *<fecharam a entrada do parque com uma b. de troncos de árvores>*

barrido (bar.ri.do) ou **barrito** (bar.ri.to) *s.m.* som emitido pelo elefante

barriga (bar.ri.ga) *s.f.* **1** ANAT abdome **2** protuberância na região do abdome *<fazia exercícios para perder b.>* **3** *p.ext.* saliência em qualquer superfície *<havia uma b. na parede pintada>* ↺ reentrância ▣ **b. da perna** ANAT panturrilha • **chorar de b. cheia** lamentar-se sem motivo • **empurrar com a b.** adiar a solução de um problema • **pegar b.** engravidar

barrigada (bar.ri.ga.da) *s.f.* **1** golpe na ou com a barriga **2** prenhez dos animais **3** *p.ext.* conjunto de filhotes paridos de uma só vez; ninhada

barriga-d'água (bar.ri.ga-d'á.gua) [pl.: *barrigas-d'água*] *s.f. infrm.* acúmulo de líquido na cavidade do abdome

barriga-verde (bar.ri.ga-ver.de) [pl.: *barrigas-verdes*] *adj.2g.s.2g. infrm.* catarinense

barrigudo (bar.ri.gu.do) *adj.s.m.* que(m) tem barriga grande

barrigueira (bar.ri.guei.ra) *s.f.* **1** peça de arreio que prende a sela ao cavalo; cilha **2** *S.* couro retirado da barriga dos animais **3** *S.* a carne da barriga de uma rês

barril (bar.ril) [pl.: *-is*] *s.m.* tonel ◉ GRAM/USO dim. irreg.: *barrilete*

barrilete (bar.ri.le.te) /ê/ *s.m.* pequeno barril

barrilha (bar.ri.lha) *s.f.* QUÍM nome comercial dos carbonatos de sódio e de potássio, us. na fabricação de vidro, sabão, fibras sintéticas etc.

barrito (bar.ri.to) *s.m.* → ***BARRIDO***

barro (bar.ro) *s.m.* **1** terra us. para fazer tijolos, telhas etc.; argila **2** terra molhada *<suas botas estavam sujas de b.>* ~ **barrear** *v.t.d.* - **barroso** *adj.*

barroca (bar.ro.ca) *s.f.* **1** buraco formado por enxurrada; barranco **2** precipício

barroco (bar.ro.co) /ô/ *s.m.* HIST ART.PLÁST **1** estilo artístico que vigorou entre os séculos XVII e XVIII caracterizado pela abundância de ornamentos, linhas curvas e expressões de movimento ☞ inicial maiúsc. ■ *adj.* **2** que pertence ou se assemelha a esse estilo *<arquitetura b.>* **3** *p.ext. pej.* extravagante, excêntrico *<gosto b., decoração b.>* ↺ comum, simples

barroquismo (bar.ro.quis.mo) *s.m.* **1** qualidade do que é barroco **2** *p.ext. pej.* extravagância, exagero

barrote (bar.ro.te) *s.m.* CONSTR peça de madeira us. para fixar assoalho, forro etc.

barulhento (ba.ru.lhen.to) *adj.* **1** que faz barulho *<carro b.>* ↺ silencioso **2** em que há barulho *<festa b.>* ↺ tranquilo

barulho (ba.ru.lho) *s.m.* **1** som alto e forte; estrondo *<essa campainha faz muito b.>* ↺ silêncio **2** algazarra, tumulto *<as crianças fizeram b. no recreio>* ↺ tranquilidade **3** tumulto por motivo político ou social; revolta, motim *<as demissões foram a causa do b. dos trabalhadores>* **4** exibição, alarde *<lançou o produto com muito b.>* ↺ discrição ~ **barulhada** *s.f.* - **barulheira** *s.f.*

basal (ba.sal) [pl.: *-ais*] *adj.2g.* **1** relativo à base; básico **2** MED indicador do patamar mínimo de atividade de um organismo em total repouso

basalto (ba.sal.to) *s.m.* GEOL rocha vulcânica escura ~ **basáltico** *adj.*

basbaque (bas.ba.que) *adj.2g.s.2g.* **1** que(m) se admira à toa **2** que(m) diz tolices **3** ingênuo; tolo ↺ esperto ~ **basbaquice** *s.f.*

basco (bas.co) ou **vasco** (vas.co) *adj.* **1** do País Basco (região entre a França e a Espanha) ■ *s.m.* **2** natural ou habitante dessa região **3** LING a língua basca; vasconço

báscula (bás.cu.la) *s.f.* **1** balança para objetos pesados **2** ENG básculo ('ponte')

basculante (bas.cu.lan.te) *adj.2g.* **1** que sobe e desce com auxílio de um contrapeso *<porta b.>* ■ *s.m.* **2** janela cujos painéis de vidro se abrem girando em seus eixos horizontais *<feche o b. do banheiro, está ventando muito>* ~ **bascular** *v.t.d.*

básculo (bás.cu.lo) *s.m.* **1** ENG ponte levadiça; báscula **2** peça de metal que gira numa cavilha para abrir ou fechar portas, janelas etc.

base (ba.se) *s.f.* **1** aquilo que serve de apoio ou sustentação; a parte inferior de alguma coisa *<a b. da montanha> <b. do copo>* **2** parte ou aspecto essencial de alguma coisa; princípio, origem *<as b. de um acordo> <a honestidade era a b. de seu relacionamento>* **3** AER MAR MIL central de apoio *<b. aérea> <b. naval>* **4** primeira camada que cobre uma superfície sobre a qual se aplica(m) outra(s) de acabamento *<a tinta branca é a b.> <b. para maquiagem>* **5** ingrediente principal de uma mistura *<a b. desse bolo é mel>* **6** QUÍM substância que reage com ácidos, formando um sal **7** POL conjunto de militantes de partido ou sindicato *<o prefeito decidiu consultar suas b.>* ☞ mais us. no pl. **8** GEOM lado ou face de uma figura geométrica sobre a qual ela se apoia *<a b. de um triângulo>* ▣ **b. de dados** INF banco de dados • **b. espacial** centro de lançamento de foguetes e satélites • **à b. de 1** à custa de; com base em, na base de *<só trabalha à b. de muito café>* **2** que inclui principalmente (certos produtos ou ingredientes) *<dieta à b. de legumes> <bolo à b. de farinha, ovos e açúcar>* • **tremer nas b.** *B* ter muito medo ou receio; intimidar-se, apavorar-se *<o jogador tremeu nas b. no jogo final do torneio>*

[1]baseado (ba.se.a.do) *adj.* que está sustentado por fundamento intelectual, moral etc. *<b. nos ensinamentos do avô, conseguiu alcançar o sucesso>* ◉ ORIGEM part. de *basear*

[2]baseado (ba.se.a.do) *s.m.* *B infrm. drg.* cigarro de maconha ◉ ORIGEM desc.

basear (ba.se.ar) *v.* {mod. 5} *t.d.* **1** servir de base a; fundamentar *<o ensino da matemática deve b. o da física>* □ *t.d.i. e pron.* **2** (prep. *em*) firmar(-se), apoiar(-se) *<b. a defesa em provas> <baseou-se em falsas informações>*

basicamente (ba.si.ca.men.te) *adv.* **1** na essência, no que é fundamental *<a mesada garantia-lhe b. o lanche e o transporte>* **2** quase exclusivamente *<alimenta-se b. de vegetais>*

básico (bá.si.co) *adj.* **1** que faz parte da base *<estruturas b. de um edifício>* **2** fundamental, essencial *<o problema b. dessa loja é a falta de vendedores>* **3** QUÍM que tem propriedade de base ('substância'); alcalino

basilar (ba.si.lar) [pl.: *-es*] *adj.2g.* **1** que está na base ou a constitui **2** básico, fundamental ↺ secundário

basílica (ba.sí.li.ca) *s.f.* REL igreja católica com jurisdição própria concedida pelo papa

basilisco (ba.si.lis.co) *s.m.* **1** MIT lagarto ou serpente lendária que tinha o poder de matar com o olhar, o bafo ou contato **2** ZOO lagarto da fam. dos iguanídeos que ocorre do México à Colômbia **3** antigo canhão feito de bronze

basquete (bas.que.te) *s.m.* ESP basquetebol

basquetebol (bas.que.te.bol) [pl.: *-óis*] *s.m.* ESP jogo em que dois times de cinco pessoas devem bater a bola no chão e arremessá-la a uma cesta suspensa, usando apenas as mãos

bassê (bas.sê) *s.m.* ZOO cão de pernas curtas, orelhas compridas, corpo e focinho longos

basta (bas.ta) *interj.* **1** chega; não mais *<b.! já falou demais>* ■ *s.m.* **2** ponto final; limite, termo ▣ **dar um b.** interromper ou finalizar *<é preciso dar um b. nesse abuso>*

bastante (bas.tan.te) *adj.s.m.* **1** (o) que basta, (o) que é suficiente *<há b. arroz> <o valor que lhe ofereceram não foi o b.>* ■ *pron.ind.* **2** em grande quantidade; muito *<o livro tem bastantes exemplos>* ■ *adv.* **3** em quantidade suficiente *<não estou com fome, almocei b.> <ela viaja b.>*

bastão (bas.tão) [pl.: *-ões*] *s.m.* **1** pedaço de madeira roliço e alongado **2** *p.ext.* qualquer forma cilíndrica similar *<um b. de chocolate> <desodorante em b.>* **3** cajado

bastar (bas.tar) *v.* {mod. 1} *t.i. e int.* **1** (prep. *a, para, de*) ser suficiente; chegar *<poucas coisas bastam às pessoas não ambiciosas> <sua força não basta para nos tirar daqui> <uma semana de folga não basta>* ↺ faltar ▫ *pron.* **2** não precisar de ajuda alheia; ser autossuficiente *<ela se basta para viver>*

bastardo (bas.tar.do) *adj.s.m.* **1** (o) que nasceu fora do casamento *<filho b.>* **2** que(m) é ilegítimo *<cópia b.>* ↺ legítimo

bastião (bas.ti.ão) [pl.: *-ães* e *-ões*] *s.m.* **1** parte avançada de uma fortificação us. para vigiar a face externa da muralha; baluarte **2** *p.ext.* posto avançado para defesa de um território, país etc. **3** *fig.* o que ou quem serve de referência na luta por uma causa *<b. da liberdade> <b. da democracia>*

bastidor (bas.ti.dor) /ô/ [pl.: *-es*] *s.m.* **1** par de aros entre os quais se prende o pano esticado para bordar, pintar etc. ▼ ***bastidores*** *s.m.pl.* **2** TEAT espaço que contorna o palco atrás do cenário; coxias **3** ambiente em que resoluções são tomadas sem o conhecimento do grande público *<os b. da empresa> <os. b. do governo>*

basto (bas.to) *adj.* **1** espesso, encorpado *<cabeleira b.>* **2** abundante, numeroso ↺ escasso ~ **bastidão** *s.f.* - **bastura** *s.f.*

bastonete (bas.to.ne.te) /ê/ *s.m.* **1** pequeno bastão **2** BIO bactéria em forma de bastão

bata (ba.ta) *s.f.* VEST **1** blusa feminina larga e reta us. por fora da saia ou da calça **2** vestido solto e largo **3** traje de trabalho us. sobre a roupa para protegê-la; jaleco

batalha (ba.ta.lha) *s.f.* **1** confronto armado entre forças rivais; combate **2** disputa acirrada; confronto não armado *<houve uma b. partidária no congresso>* **3** trabalho ou empenho constantes *<estão na b. por mais patrocinadores>*

batalhador (ba.ta.lha.dor) /ô/ [pl.: *-es*] *adj.s.m.* **1** que(m) batalha; lutador **2** que(m) trabalha muito; trabalhador **3** defensor militante de uma ideia, um princípio, uma religião, uma instituição, um partido etc.

batalhão (ba.ta.lhão) [pl.: *-ões*] *s.m.* **1** MIL unidade de um regimento subdividida em companhias **2** *infrm.* grande número de pessoas; multidão *<um b. veio para o lançamento do livro>*

batalhar (ba.ta.lhar) *v.* {mod. 1} *int.* **1** entrar em batalha; combater, lutar *<b. até a morte>* ↺ pacificar ▫ *t.i. fig.* **2** (prep. *por*) brigar ou agir em favor de; lutar *<b. pela democracia>* ▫ *t.d. e t.i. fig.* **3** (prep. *por*) esforçar-se, empenhar-se *<b. (por) um emprego público>* ↺ desistir

batata (ba.ta.ta) *s.f.* **1** BOT tubérculo comestível de certos vegetais, como a batata-inglesa **2** *p.ext.* BOT qualquer tubérculo ◉ COL batatal ▣ **b. da perna** barriga da perna; panturrilha • **b. quente** *infrm.* problema, dificuldade *<passaram a b. quente para o novato>* • **ser b.** *infrm.* não falhar; não deixar de ocorrer *<a advertência do pai foi b.: aconteceu tudo daquela forma>* • **plantar batatas** parar de incomodar *<ora, vá plantar batatas!>*

batata-baroa (ba.ta.ta-ba.ro.a) [pl.: *batatas-baroas*] *s.f.* BOT **1** erva de tubérculos amarelos comestíveis e cujas folhas servem de forragem; mandioquinha **2** o tubérculo dessa planta

batatada (ba.ta.ta.da) *s.f.* **1** CUL doce feito com batatas-doces **2** *infrm.* grande tolice *<seu irmão disse a maior b.>*

batata-doce (ba.ta.ta-do.ce) [pl.: *batatas-doces*] *s.f.* BOT **1** erva cujos tubérculos, ricos em açúcar, são comestíveis **2** o tubérculo dessa planta, ger. de casca arroxeada

batata-inglesa (ba.ta.ta-in.gle.sa) [pl.: *batatas-inglesas*] *s.f.* BOT **1** erva cultivada mundialmente por seus tubérculos comestíveis e dos quais se extrai fécula **2** o tubérculo dessa planta, arredondado, de casca fina e amarelada

batatal (ba.ta.tal) [pl.: *-ais*] *s.m.* grande concentração de batata em determinada área

batavo (ba.ta.vo) *adj.* **1** da Batávia, antigo nome da Holanda ■ *s.m.* **2** natural ou habitante desse país ■ *adj.s.m. p.ext.* **3** holandês

bateada (ba.te.a.da) *s.f.* quantidade de minério ou detritos de uma bateia

bate-bate (ba.te-ba.te) [pl.: *bate-bates, bates-bates*] *s.m.* **1** movimento e ruído constante de objetos ou peças que se chocam **2** *AL* batida ('bebida')

bate-boca (ba.te-bo.ca) [pl.: *bate-bocas*] *s.m. B infrm.* discussão agressiva; desentendimento ↺ acordo

bate-bola (ba.te-bo.la) [pl.: *bate-bolas*] *s.m.* FUTB *infrm.* **1** jogo recreativo, informal; pelada **2** troca de passes, antes do jogo, para aquecimento muscular **3** FOLC *RJ* clóvis

batedeira (ba.te.dei.ra) *s.f.* aparelho, manual ou elétrico, que mexe ingredientes de massas e de outras misturas culinárias

batedor (ba.te.dor) /ô/ [pl.: *-es*] *adj.s.m.* **1** (o) que bate **2** que(m) vai à frente de um grupo ou personalidade para abrir-lhe caminho

bate-estacas (ba.te-es.ta.cas) *s.m.2n.* **1** máquina para fincar estacas no solo **2** MÚS *B infrm.* música eletrônica com ritmo constante marcado por pancadas fortes

bátega (bá.te.ga) *s.f.* chuva forte ☞ mais us. no pl.

bateia (ba.tei.a) /êi *ou* éi/ *s.f.* recipiente de madeira ou metal us. na garimpagem de pedras e metais preciosos ~ **batear** *v.t.d.* - **bateeiro** *s.m.*

batel (ba.tel) [pl.: *-éis*] *s.m.* pequeno barco

batelada (ba.te.la.da) *s.f.* **1** carga transportada por um batel **2** *p.ext.* grande quantidade *<compraram uma b. de biscoitos>*

batelão (ba.te.lão) [pl.: *-ões*] *s.m.* **1** barca us. para transporte de carga pesada **2** *AMAZ* embarcação movida a remo ou a reboque, us. no comércio fluvial

bateleiro (ba.te.lei.ro) *s.m.* **1** proprietário de batel **2** quem comanda ou tripula batel

batente (ba.ten.te) *s.m.* **1** relevo no vão de porta ou janela em que ela encosta ao fechar **2** *infrm.* trabalho diário; ganha-pão *<sai para o b. às seis da manhã>*

bate-papo (ba.te-pa.po) [pl.: *bate-papos*] *s.m. infrm.* conversa amigável

bate-pronto (ba.te-pron.to) [pl.: *bate-prontos*] *s.m.* **1** rebatida de bola que mal tocou o chão *<rebateu o saque de b.>* **2** *p.ext.* resposta rápida *<aceitou o convite de b.>*

bater (ba.ter) *v.* {mod. 8} *t.d.* **1** dar pancadas ou golpes em *<b. um prego>* **2** *fig.* agitar *<bateu asas e voou> <o cachorro bate as orelhas ao acordar>* **3** misturar, sovar (alimento) *<bata a massa da pizza>* **4** vencer; superar, ultrapassar *<b. um adversário, um recorde>* **5** mover, tremer (dentes, queixo), de frio, medo, raiva etc. **6** usar muito; surrar *<b. uma calça, um par de tênis>* **7** *B infrm.* furtar, roubar *<b. carteira>* **8** *B infrm.* comer vorazmente; devorar *<bateu um prato de arroz com feijão>* **9** *B* efetuar cobrança de (lateral, falta, tiro de meta etc.) *<b. um pênalti>* □ *t.i. e int.* **10** (prep. *a*, *em*) dar golpes (em porta, janela etc.), para que atendam *<bateram na porta com força> <entre sem b.>* **11** (prep. *com*, *em*) chocar-se, colidir com *<b. com o carro> <virou-se rapidamente e bateu>* □ *t.d. e t.i. fig.* **12** (prep. *em*) alcançar, atingir (um valor) *<a inflação bateu em 6,4%>* □ *t.d. e int.* **13** datilografar; digitar *<bateu duas páginas e cansou> <já escrevi; falta b.>* **14** soar, tocar *<o sino bateu>* □ *t.d.,t.i. e int.* **15** (prep. *com*) fechar(-se) com força *<bateu (com) a porta e saiu> <a janela bateu>* □ *int.* **16** pulsar, palpitar *<sentia o coração b.>* □ *pron.* **17** lutar, empenhar--se *<bateu-se para conseguir o ingresso>*

bateria (ba.te.ri.a) *s.f.* **1** MÚS instrumento de percussão constituído por bumbo, caixas, tarol e pratos **2** MÚS grupo de percussão numa escola de samba **3** ELETR fonte de voltagem contínua que converte energia química, térmica, nuclear ou solar em energia elétrica *<a b. do celular descarregou>* **4** conjunto de panelas **5** conjunto de testes, exames ou provas *<o médico pediu uma b. de exames>* **6** cada etapa de um torneio esportivo *<dois competidores empataram na segunda b.>* **7** MIL unidade da artilharia **8** MIL conjunto de peças de artilharia

baterista (ba.te.ris.ta) *adj.2g.s.2g.* MÚS que(m) toca bateria ('instrumento')

baticum (ba.ti.cum) [pl.: *-uns*] *s.m.* *B* **1** som de sapateado e palmas, como nos batuques **2** *p.ext.* série de pancadas fortes, marteladas etc. *<o b. da obra atrapalhava sua concentração>*

batida (ba.ti.da) *s.f.* **1** pulsação *<ouviu as b. de seu coração>* **2** choque entre dois corpos *<felizmente não houve feridos na b. dos carros>* **3** *p.ext.* vibração sonora produzida por pancada *<a b. dos tambores>* **4** *p.ext. infrm.* ritmo musical *<a b. do samba>* **5** andamento rápido em alguma atividade *<é difícil acompanhar sua b. no trabalho>* **6** averiguação policial *<deram uma b. no bar>* **7** bebida preparada com cachaça e suco de fruta *<b. de maracujá>*

batido (ba.ti.do) *adj.* **1** gasto pelo uso *<casaco b.>* **2** banalizado; comum *<esse filme é muito b.>* ■ *adv.* **3** rapidamente *<passou b. pela portaria>*

batimento (ba.ti.men.to) *s.m.* **1** choque; pancada **2** movimento de pulsação; batida *<b. cardíaco>*

batimetria (ba.ti.me.tri.a) *s.f.* ciência que mede a profundidade das massas de água (oceanos, lagos etc.) e determina a topografia do seu leito

batina (ba.ti.na) *s.f.* veste longa sem gola e de mangas compridas, ger. preta, us. por sacerdotes católicos; roupeta

batique (ba.ti.que) *s.m.* **1** método manual de estampar tecido revestindo com cera partes dele e retirando-a após sua imersão em tinta **2** tecido assim estampado

batismo (ba.tis.mo) *s.m.* **1** REL o primeiro sacramento dos cristãos e seu ritual; batizado **2** *p.ext.* rito de iniciação em qualquer religião, seita, partido, grupo etc. **3** ato de dar um nome *<qual o seu nome de b.?> <fizeram o b. do carro>* **4** MAR ato de benzer (navio) **5** *infrm.* adição de água a bebida, gasolina etc. ~ **batismal** *adj.2g.*

batista (ba.tis.ta) *adj.2g.s.2g.* **1** que(m) batiza ■ *adj.2g.* **2** REL diz-se do protestantismo que prega o batismo consentido pelo fiel ■ *s.2g.* **3** REL membro dessa religião

batistério (ba.tis.té.rio) *s.m.* local da igreja onde fica a pia batismal

batizado (ba.ti.za.do) *s.m.* REL **1** rito do batismo ■ *adj.* **2** que recebeu batismo ↺ pagão

batizar (ba.ti.zar) *v.* {mod. 1} *t.d. e pron.* **1** ministrar batismo a ou (fazer) receber esse sacramento *<batizou dois bebês hoje> <batizou-se aos cinco anos>* □ *t.d.* **2** ser padrinho ou madrinha de batismo de (alguém) **3** *infrm.* adulterar (líquido), ger. adicionando água □ *t.d. e t.d.pred.* **4** *fig.* (prep. *de*) dar nome, apelido a (alguém ou algo) *<b. uma invenção> <batizou-o (de) Pedro>*

bat mitzvah (bat mitz.vah) [heb.; pl.: *bnot mitzvah*] *loc.subst.* REL **1** na religião judaica, menina que atinge a maioridade religiosa (por volta dos 12 anos) **2** a cerimônia de sua iniciação religiosa ⇒ pronuncia-se bat mitsva

batom (ba.tom) [pl.: *-ons*] *s.m.* **1** pasta sólida e oleosa em forma de bastão us. como cosmético para os lábios **2** o bastão desse cosmético e sua embalagem

batoque (ba.to.que) *s.m.* **1** rolha que veda orifício no bojo de barris **2** *p.ext.* esse orifício **3** *p.ext. pej.* pessoa baixa e gorda

batota (ba.to.ta) *s.f.* **1** fraude em jogo **2** *p.ext.* qualquer forma de trapaça **3** casa de jogo ~ **batoteiro** *adj.s.m.*

batráquio (ba.trá.quio) *adj.s.m.* ZOO (animal) anfíbio de cabeça unida ao corpo, sem cauda, com membros posteriores próprios para o salto e a natação (sapo, rã, perereca)

batucada (ba.tu.ca.da) *s.f.* **1** ato ou efeito de batucar; batuque **2** diversão popular com instrumentos de percussão, podendo haver dança e canto

batucar (ba.tu.car) *v.* {mod. 1} *t.d. e int.* *B* **1** marcar ritmo (de algo) com percussão *<batucava um samba numa caixa de fósforos> <sentou-se à mesa e começou a b.>* □ *int.* **2** dançar e cantar o batuque ~ **batucador** *adj.s.m.*

batuque (ba.tu.que) *s.m.* **1** ritmo marcado por tambores ou instrumentos de percussão; batucada **2** DNÇ MÚS nome genérico de algumas danças afro--brasileiras acompanhadas de percussão e, por vezes, canto ~ **batuqueiro** *adj.s.m.*

B

batuta (ba.tu.ta) *s.f.* **1** MÚS bastão fino e leve com que os regentes dirigem orquestras, bandas etc. ■ *adj.2g.* **2** *B infrm.* excelente, primoroso *<uma atitude b.> <um jogo b.>* ↺ péssimo ■ *adj.2g.s.2g.* **3** *B infrm.* que(m) é muito capaz *<é um elenco b.> <ele é um b. em física>* ↺ fraco

baú (ba.ú) *s.m.* **1** caixa com tampa para guardar ou transportar bens **2** *p.ext.* espécie de caixa com tampa arqueada, us. para guardar ou transportar (bens), ou como objeto decorativo **3** caçamba fechada de caminhão **4** *B infrm.* pessoa rica ↺ pobre

baunilha (bau.ni.lha) *s.f.* **1** BOT planta aromática tropical de frutos compridos dos quais se extrai a essência de baunilha **2** BOT o fruto seco dessa planta **3** substância extraída desse fruto ou produzida sinteticamente, us. em culinária e perfumaria

bauru (bau.ru) *s.m.* sanduíche de pão francês com rosbife, tomate, mozarela e picles de pepino, temperado com orégano e sal

bauxita (bau.xi.ta) *s.f.* rocha com a aparência da argila, mas não moldável, principal fonte de alumínio ~ **bauxítico** *adj.*

bávaro (bá.va.ro) *adj.* **1** da Baviera (Alemanha) *<comida b.>* ■ *s.m.* **2** natural ou habitante dessa região

bazar (ba.zar) [pl.: *-es*] *s.m.* **1** loja de artigos variados *<abriu um b. de brinquedos criativos>* **2** exposição e venda de objetos ger. com fins beneficentes *<não se esqueçam do b. de fim de ano da escola>*

bazófia (ba.zó.fia) *s.f.* vaidade exagerada e sem motivo ↺ simplicidade

bazofiar (ba.zo.fi.ar) *v.* {mod. 1} *t.d.,t.i. e int.* (prep. *de*) dizer, mostrar bazófia; vangloriar-se *<b. poder e riqueza> <bazofiava de suas grandes conquistas> <gostava de b. nas festas>* ~ **bazofiador** *adj.s.m.* - **bazófio** *adj.s.m.*

bazuca (ba.zu.ca) *s.f.* arma portátil em forma de tubo, manejada ger. por duas pessoas, us. para lançar granadas que penetram em veículos blindados

B.C.G. *s.f.* vacina contra tuberculose, sigla de bacilo de Calmette-Guérin, bacteriologistas franceses que a desenvolveram

Be QUÍM símbolo de *berílio*

bê *s.m.* nome da letra *b*

beabá (be.a.bá) ou **bê-á-bá** (bê-á-bá) [pl.: *bê-á-bás*] *s.m.* **1** conjunto das letras do alfabeto; abecedário **2** *fig.* noção básica de algum assunto *<aprendeu apenas o b. da química>*

[1]**beata** (be.a.ta) *s.f.* **1** REL mulher beatificada pela Igreja **2** mulher muito dedicada às práticas religiosas **3** *pej.* mulher exageradamente religiosa e puritana; carola ◉ ORIGEM fem. substv. de *beato*

[2]**beata** (be.a.ta) *s.f.* *infrm. drg.* ponta queimada de cigarro de maconha; bagana, guimba ◉ ORIGEM desc.

beatice (be.a.ti.ce) *s.f.* *pej.* devoção exagerada, fingida ou afetada

beatificação (be.a.ti.fi.ca.ção) [pl.: *-ões*] *s.f.* REL ato e cerimônia em que um indivíduo falecido, de reconhecidas virtudes, é incluído pelo papa no catálogo dos bem-aventurados ☞ cf. *canonização*

beatificar (be.a.ti.fi.car) *v.* {mod. 1} *t.d.* **1** REL (a Igreja) declarar (alguém) beato, conceder-lhe a beatificação ☞ cf. *canonizar* □ *t.d. e pron.* **2** *fig.* elogiar(-se) com entusiasmo ou em excesso *<os alunos beatificavam a professora de história> <a falta de modéstia o levava a b.-se>*

beatitude (be.a.ti.tu.de) *s.f.* **1** REL serenidade trazida à alma pelo êxtase místico **2** *p.ext.* felicidade suprema; placidez

beato (be.a.to) *adj.s.m.* **1** REL que(m) goza da bem-aventurança celeste; bem-aventurado **2** REL que(m) foi beatificado pela Igreja católica ↺ pecador **3** que(m) demonstra grande devoção religiosa **4** *pej.* carola

bêbado (bê.ba.do) ou **bêbedo** (bê.be.do) *adj.s.m.* **1** que(m) se intoxicou com bebida alcoólica **2** que(m) se embriaga por hábito ■ *adj.* **3** zonzo, atarantado *<estava b. de sono>*

bebê (be.bê) *s.2g.* criança de poucos meses; neném ▣ **b. de proveta** criança gerada por fecundação em laboratório

bebedeira (be.be.dei.ra) *s.f.* **1** estado de quem ingeriu bebida(s) alcoólica(s) e ficou bêbado; embriaguez ↺ sobriedade **2** ato de embebedar-se

bêbedo (bê.be.do) *adj.s.m.* → ***BÊBADO***

bebedouro (be.be.dou.ro) *s.m.* **1** aparelho do qual jorra água filtrada; bebedor **2** recipiente ou local onde os animais bebem água

beber (be.ber) *v.* {mod. 8} *t.d.* **1** ingerir (líquido) *<bebe água pela manhã>* **2** ingerir o conteúdo líquido de *<bebeu um copo de suco>* **3** absorver (líquido) por ser esponjoso, poroso etc. *<a terra bebeu a água da chuva> <a esponja beberá o café que derramamos>* **4** *fig.* absorver com atenção; mergulhar em *<b. os ensinamentos dos mais velhos>* □ *t.d. e int.* *fig. B* **5** (veículo) consumir muito (combustível) *<esse carro bebe muita gasolina> <nossa, como esse caminhão bebe!>* □ *int.* **6** ingerir bebida alcoólica *<atletas não devem b.>* ~ **bebedor** *adj.s.m.*

beberagem (be.be.ra.gem) [pl.: *-ens*] *s.f.* **1** preparado medicinal caseiro; garrafada **2** bebida de sabor ruim

bebericar (be.be.ri.car) ou **beberricar** (be.ber.ri.car) *v.* {mod. 1} *t.d.* **1** beber a goles pequenos *<bebericou um pouco de champanhe>* □ *t.d. e int.* **2** beber pouco, repetida e frequentemente *<o passarinho bebericava (sua água)>*

beberrão (be.ber.rão) [pl.: *-ões*; fem.: *beberrona*] *adj.s.m.* que(m) bebe muito; ébrio

bebes (be.bes) *s.m.pl.* coisas de beber; bebidas

bebida (be.bi.da) *s.f.* **1** qualquer líquido que se bebe **2** bebida alcoólica *<abriu uma loja de b.>* **3** vício de se embriagar *<foi vencido pela b.>*

bebido (be.bi.do) *adj.* **1** que foi ingerido *<o leite b. pela menina estava estragado>* **2** bêbado *<ele fica muito chato quando está b.>*

beca (be.ca) *s.f.* VEST **1** longa veste us. por formandos de grau superior, juízes e advogados **2** *infrm.* roupa elegante *<vestiu uma b. e foi ao casamento>*

beça (be.ça) *s.f.* ▶ usado em: **à b. 1** em grande quantidade *<gente à b. assistiu ao filme> <comeu à b.>* **2** em grande intensidade; muito *<ruim à b.>*

becape (be.ca.pe) *s.m.* ver **CÓPIA DE SEGURANÇA** ~ **becapar** *v.t.d.* - **becapear** *v.t.d.*

beco (be.co) /ê/ *s.m.* rua estreita e curta, por vezes sem saída ▣ **b. sem saída** *fig.* **1** situação difícil; aperto *<com a demissão do técnico ficaram num b. sem saída>* **2** problema sem solução

bedel (be.del) [pl.: *-éis*] *s.m.* **1** inspetor de alunos **2** funcionário encarregado de tarefas administrativas nas faculdades

bedelho (be.de.lho) /ê/ *s.m.* ferrolho de porta ▣ **meter o b.** *infrm.* intrometer-se onde não é chamado *<vive metendo o b. na vida da irmã>*

beduíno (be.du.í.no) *s.m.* **1** árabe nômade do deserto ■ *adj.* **2** próprio desse nômade *<vestimenta b.>*

bege (be.ge) *adj.2g.2n.s.m.* diz-se de ou cor da lã natural, ou de fibras de tecido não tingidas, entre o branco e o marrom muito claro *<tem duas saias b.>* *<o b. é sua cor favorita>*

begônia (be.gô.nia) *s.f.* BOT **1** planta ornamental de folhagem vistosa e flores coloridas **2** a flor dessa planta

begoniácea (be.go.ni.á.cea) *s.f.* BOT espécime das begoniáceas, família de ervas de folhas grandes e coloridas e flores brancas, róseas ou vermelhas, mais encontradas em lugares úmidos ~ **begoniáceo** *adj.*

behaviorismo (be.ha.vio.ris.mo) *s.m.* PSIC teoria que procura examinar o comportamento humano e animal com destaque para a observação das reações físicas a estímulos ~ **behaviorista** *adj.2g.s.2g.*

beiço (bei.ço) *s.m.* **1** lábio **2** borda virada para fora como um lábio *<o b. de um jarro>*

beiçola (bei.ço.la) *s.f.* **1** lábio grosso e grande ■ *s.2g.* **2** beiçudo ◉ GRAM/USO aum.irreg. de *beiço*

beiçudo (bei.çu.do) *adj.s.m.* que(m) tem beiços grossos

beija-flor (bei.ja-flor) [pl.: *beija-flores*] *s.m.* ZOO pequena ave de bico longo e voo veloz, que se alimenta do néctar das flores; chupa-flor, colibri

beija-mão (bei.ja-mão) [pl.: *beija-mãos*] *s.m.* ato ou ritual de beijar as costas da mão de um soberano

beija-pé (bei.ja-pé) [pl.: *beija-pés*] *s.m.* REL cerimônia que consiste em beijar os pés (do papa ou de uma imagem de Cristo) em sinal de respeito e humildade

beijar (bei.jar) *v.* {mod. 1} *t.d.* **1** dar beijo(s) em; oscular *<beijou seu avô>* **2** roçar os lábios sobre *<b. uma foto>* **3** *fig.* tocar levemente; roçar *<a brisa beija a folha>* **4** *fig. joc.* bater em, chocar-se com *<o carro beijou o poste>* □ *pron.* **5** trocar beijo(s) com *<beijaram-se na porta do cinema>*

beijo (bei.jo) *s.m.* toque com lábios, com leve sucção, que exprime afeto ou consideração *<deu um b. na bochecha do tio>*

beijoca (bei.jo.ca) *s.f.* **1** beijo que estala, que faz ruído **2** beijo leve ~ **beijocar** *v.t.d. e pron.*

beijoqueiro (bei.jo.quei.ro) *adj.s.m.* que(m) gosta de dar beijos ou beijocas

beiju (bei.ju) ou **biju** (bi.ju) *s.m.* CUL espécie de bolo de goma de tapioca ou massa de mandioca assada

beira (bei.ra) *s.f.* **1** margem de rio, lago, mar etc. *<nade próximo à b.>* **2** parte que determina os limites (de qualquer coisa); borda *<a b. da mesa>* *<encheu o copo até a b.>* **3** espaço vizinho, cercania *<mora lá para as b. de Mauá>* ☞ nesta acp. tb.us no pl.

beirada (bei.ra.da) *s.f.* **1** borda, margem *<a b. da mesa>* *<a b. da piscina>* **2** parte pequena que se tira de um todo, junto à borda *<tirou apenas uma b. do bolo>* **3** *N.* região vizinha

beiral (bei.ral) [pl.: *-ais*] *s.m.* CONSTR borda de telhado

beira-mar (bei.ra-mar) [pl.: *beira-mares*] *s.f.* região costeira, litoral ▣ **à b.** junto ao mar, na praia *<visitou uma casa à b.>*

beirar (bei.rar) *v.* {mod. 1} *t.d.* **1** mover-se, ir pela margem de *<b. o rio>* **2** *fig.* estar a ponto de atingir; aproximar-se *<isso b. o desrespeito>* □ *t.d. e t.i.* **3** (prep. *com*) fazer limite com; confinar **4** (prep. *por*) contar aproximadamente *<b. (pel)os 20 anos>*

beirute (bei.ru.te) *s.m.* CUL sanduíche em pão árabe, ger. com rosbife, queijo derretido e tomate

beisebol (bei.se.bol) [pl.: *-óis*] *s.m.* ESP jogo entre dois times de nove componentes que devem, um por vez, rebater a bola com um bastão e tentar dar uma volta completa em torno do campo

beladona (be.la.do.na) *s.f.* BOT erva originária da Europa e da Ásia cultivada para uso medicinal

belas-artes (be.las-ar.tes) *s.f.pl.* manifestações artísticas de natureza visual e plástica (desenho, pintura, escultura, arquitetura etc.); artes plásticas

belas-letras (be.las-le.tras) *s.f.pl.* manifestações literárias consideradas sob o ponto de vista de suas qualidades estéticas, seu valor, sua beleza

belchior (bel.chi.or) [pl.: *-es*] *s.m.* **1** comerciante de coisas usadas **2** a loja desse comerciante; brechó

beldade (bel.da.de) *s.f.* mulher muito bela

beleléu (be.le.léu) *s.m.* *infrm.* morte; desaparecimento ▣ **ir para o b.** *infrm.* **1** morrer **2** sumir *<o carro novo foi para o b.>* **3** *fig.* não ter êxito *<o encontro foi para o b.>* • **mandar para o b.** *infrm.* **1** matar **2** fazer desaparecer **3** desistir de (algo) *<mandou o emprego para o b.>*

belenense (be.le.nen.se) *adj.2g.* **1** de Belém (PA) ■ *s.2g.* **2** natural ou habitante dessa capital

beleza (be.le.za) /ê/ *s.f.* **1** característica ou aparência do que é belo **2** pessoa ou coisa bela *<essa criança é uma b.>* *<li uma b. de livro>*

belezoca (be.le.zo.ca) *s.2g.* *infrm.* pessoa ou coisa bonita *<sua casa é uma b.>*

belga (bel.ga) *adj.2g.* **1** da Bélgica (Europa) ■ *s.2g.* **2** natural ou habitante desse país

beliche (be.li.che) *s.m.* **1** móvel com duas ou mais camas apoiadas uma(s) sobre a(s) outra(s), ligadas por escada; cama-beliche **2** vão para camas em cabines de trem ou navio

belicismo (be.li.cis.mo) *s.m.* **1** doutrina ou tendência que incita à guerra ou ao armamentismo **2** a prática dessas ideias ~ **belicista** *adj.2g.s.2g.*

bélico (bé.li.co) *adj.* 1 relativo à guerra ou ao belicismo 2 *p.ext.* que apresenta comportamento agressivo

belicoso (be.li.co.so) /ô/ [pl. e fem.: /ó/] *adj.s.m.* 1 que(m) tende ou incita à guerra *<tribo b.>* 2 que(m) é agressivo ~ **belicosidade** *s.f.*

beligerância (be.li.ge.rân.cia) *s.f.* 1 estado de quem está em guerra 2 agressividade, belicosidade ~ **beligerante** *adj.2g.s.2g.*

beliscão (be.lis.cão) [pl.: *-ões*] *s.m.* apertão dado na pele com as pontas ou nós dos dedos ou com as unhas, para causar dor

beliscar (be.lis.car) *v.* {mod. 1} *t.d.,int. e pron.* 1 dar beliscão (em outrem ou em si próprio) *<b. o braço de alguém> <adora fazer cócegas e b.!> <beliscou-se para ver se estava acordado>* □ *t.d.* 2 prender, ferir levemente *<a gaveta beliscou seu dedo>* □ *t.d. e int.* 3 *fig.* tirar ou comer pequena porção (de) *<não jantou, só beliscou (um pouco de salada)>* 4 mordiscar (a isca)

belo (be.lo) *adj.* 1 que tem formas e proporções harmônicas *<uma b. pintura>* 2 que causa admiração *<uma b. paisagem>* 3 vantajoso, lucrativo *<fez um b. negócio>* 4 de elevado valor moral *<b. alma>* 5 notável pela quantidade, pelo número etc. *<uma b. coleção>* ■ *s.m.* 6 beleza *<valorizava o b.>*

belo-horizontino (be.lo-ho.ri.zon.ti.no) [pl.: *belo-horizontinos*] *adj.* 1 de Belo Horizonte (MG) ■ *s.m.* 2 natural ou habitante dessa capital

belonave (be.lo.na.ve) *s.f.* navio de guerra

bel-prazer (bel-pra.zer) [pl.: *bel-prazeres*] *s.m.* vontade ou prazer pessoal ▣ **a (seu) b.** segundo a (sua) própria escolha *<vivia a seu b.> <mudou as regras do jogo a seu b.>*

beltrano (bel.tra.no) *s.m.* pessoa indeterminada ou cujo nome se desconhece ou não se quer dizer ◉ GRAM/USO empr. ger. depois de *fulano* e antes de *sicrano*

belveder (bel.ve.der) /dê/ [pl.: *-es*] ou **belvedere** (bel.ve.de.re) /dê/ *s.m.* mirante

belzebu (bel.ze.bu) *s.m.* o demônio

bem *s.m.* 1 o que é bom ☞ por vezes maiúsc. 2 o que traz bem-estar *<queria o b. de todos>* 3 ente querido *<minha namorada é meu b.>* 4 patrimônio *<deixou seus b. para o sobrinho>* ☞ mais us. no pl.; como s.m., pl. *-ens* ■ *adv.* 5 de modo bom *<fui muito b. tratado> <falaram b. de você>* 6 com saúde, disposição *<sente-se b. agora>* 7 em paz; à vontade *<estou b. nessa casa>* 8 muito, bastante *<dormiu b.?> <essa pergunta é b. difícil>* 9 com acerto, precisão *<chegamos b. na hora>* 10 com fartura *<comeu b.!>* ■ *adj.2g.2n.* ▣ **b. como** da mesma forma que *<no jantar, b. como no almoço, não bebeu nada>* • **b. comuns** DIR 1 os de propriedade e de uso geral (p.ex. o ar, o mar etc.) 2 os pertencentes a duas ou mais pessoas, em condomínio 3 os pertencentes ao casal, pelo regime de comunhão • **bens de capital** ECON os que servem para a produção de outros, esp. de consumo (p.ex. máquinas, materiais de construção etc.) • **bens de consumo** ECON os que atendem necessidades da população a médio ou longo prazo (p.ex. um automóvel, um eletrodoméstico) • **de b.** correto; honesto *<é um homem de b.>* • **nem b.** logo que *<nem b. saiu, começou a chover>*

bem-acabado (bem-a.ca.ba.do) [pl.: *bem-acabados*] *adj.* realizado com capricho *<pintura b.>*

bem-amado (bem-a.ma.do) [pl.: *bem-amados*] *adj.* 1 que é ou foi objeto de grande estima ou amor particular *<despediu-se do b. gatinho>* ■ *s.m.* 2 aquele a quem se quer muito *<meu marido é meu b.>*

bem-apessoado (bem-a.pes.so.a.do) [pl.: *bem-apessoados*] *adj.* de boa aparência; bonito ↺ mal-apessoado

bem-aventurado (bem-a.ven.tu.ra.do) [pl.: *bem-aventurados*] *adj.s.m.* 1 REL merecedor das graças divinas 2 REL que(m) foi beatificado pela Igreja 3 que(m) é feliz ~ **bem-aventurança** *s.f.*

bem-bom (bem-bom) [pl.: *bem-bons*] *s.m.* vida folgada *<gostava do b.>*

bem-comportado (bem-com.por.ta.do) [pl.: *bem-comportados*] *adj.* que se porta ou se comporta bem *<cachorro b.>*

bem-disposto (bem-dis.pos.to) [pl.: *bem-dispostos*] *adj.* em bom estado de ânimo e de saúde

bem-dotado (bem-do.ta.do) [pl.: *bem-dotados*] *adj.* 1 bonito 2 de inteligência ou habilidade acima da média ☞ cf. *superdotado* 3 *joc.* de pênis grande (diz-se de homem)

bem-educado (bem-e.du.ca.do) [pl.: *bem-educados*] *adj.* que recebeu boa educação, que tem boas maneiras; educado ↺ malcriado, mal-educado

bem-estar (bem-es.tar) [pl.: *bem-estares*] *s.m.* 1 estado de satisfação plena 2 sensação de segurança, tranquilidade, conforto *<a vista de sua mãe lhe trouxe b.>*

bem-feito (bem-fei.to) [pl.: *bem-feitos*] *adj.* 1 feito com capricho *<trabalho b.>* 2 que tem belas formas; elegante *<corpo b.>* ☞ cf. *bem feito* e *benfeito*

bem-humorado (bem-hu.mo.ra.do) [pl.: *bem-humorados*] *adj.* de bom humor; alegre ↺ mal-humorado

bem-intencionado (bem-in.ten.cio.na.do) [pl.: *bem-intencionados*] *adj.s.m.* (aquele) que tem boas intenções ↺ mal-intencionado

bem-me-quer (bem-me-quer) [pl.: *bem-me-queres*] *s.m.* BOT erva de flores amarelas nativa dos campos do Brasil; malmequer

bem-nascido (bem-nas.ci.do) [pl.: *bem-nascidos*] *adj.s.m.* que(m) vem de família rica ou nobre

bemol (be.mol) [pl.: *-óis*] *s.m.* MÚS 1 sinal gráfico que indica que a nota por ele antecedida deve ser abaixada de um semitom [símb.: ♭] ■ *adj.2g.* 2 alterada por este sinal (diz-se de nota) ☞ cf. *sustenido* ~ **bemolizar** *v.t.d.*

bem-posto (bem-pos.to) [pl.: *bem-postos*] *adj.* 1 harmonioso, elegante nos movimentos 2 vestido com elegância; alinhado

bem-querer (bem-que.rer) *v.* {mod. 18} *t.d.* 1 desejar o bem a; amar ■ *s.m.* 2 sentimento de amizade, afeição; benquerença *<conquistar o b. dos mestres>* ☞ como s.m., pl. *-es*; cf. *benquerer* 3 boa disposição de ânimo; benevolência

bem-sucedido (bem-su.ce.di.do) [pl.: *bem-sucedidos*] *adj.* **1** de sucesso <*empreendimento b.*> **2** *p.ext.* cuja situação financeira é boa <*profissional b.*>

bem-te-vi (bem-te-vi) [pl.: *bem-te-vis*] *s.m.* ZOO pequena ave de bico longo, dorso verde, ventre amarelo e cabeça preta e branca com uma mancha amarela no topo, reconhecida por seu canto, que lembra seu nome

bem-vindo (bem-vin.do) [pl.: *bem-vindos*] *adj.* recebido ou aceito com gosto <*vocês são sempre b. a essa casa*> <*notícia b.*>

bem-visto (bem-vis.to) [pl.: *bem-vistos*] *adj.* **1** que tem boa reputação, renome <*um artista muito b. pela crítica*> **2** estimado, querido

bênção (bên.ção) [pl.: *-ãos*] *s.f.* **1** pedido de proteção divina **2** graça divina <*confiava nas b. do céu*> **3** *p.ext.* algo oportuno e bom <*aquela chuva foi uma b.*> **4** voto de felicidade ou aprovação ditos em favor de alguém <*viajou com a b. da família*>

bendito (ben.di.to) *adj.* **1** que se abençoou <*casa b.*> **2** que faz o bem; generoso <*a gente b. daquele lugar*> **3** que acontece no momento adequado; oportuno, conveniente <*b. a hora em que saímos*> **4** protegido <*criança b. pela sorte*> ■ *s.m.* **5** cântico católico iniciado por essa palavra **6** ZOO *MG* louva-a-deus ◉ GRAM/USO part. de *bendizer*

bendizer (ben.di.zer) *v.* {mod. 15} *t.d.* **1** lançar bênção sobre; benzer <*b. os fiéis*> **2** tornar feliz ou próspero; abençoar **3** agradecer por (favor ou graça recebidos) <*bendigo a hora em que ele apareceu*> ↺ maldizer ◉ GRAM/USO part.: *bendito* ~ **bendição** *s.f.*

beneditino (be.ne.di.ti.no) *s.m.* REL **1** monge da ordem de São Bento ☞ cf. *São Bento* na parte enciclopédica ■ *adj.* **2** próprio desses monges ou de sua ordem

beneficência (be.ne.fi.cên.cia) *s.f.* **1** inclinação para o bem **2** caridade

beneficente (be.ne.fi.cen.te) *adj.2g.* **1** caritativo <*instituições b.*> <*torneio b.*> **2** benéfico <*foi uma decisão b. para o grupo*>

beneficiar (be.ne.fi.ci.ar) *v.* {mod. 1} *t.d. e pron.* **1** (prep. *com*) trazer benefício(s) a ou usufruir dele(s); favorecer(-se) <*a lei só beneficiou parte dos funcionários*> <*beneficiou-se muito com as críticas dos professores*> □ *t.d.* **2** melhorar (produtos, imóveis etc.) com reformas, processos industriais etc. ~ **beneficiado** *adj.* - **beneficiamento** *s.m.*

beneficiário (be.ne.fi.ci.á.rio) *adj.s.m.* **1** favorecido por vantagem ou direito <*b. de uma herança*> ■ *adj.* **2** relativo a benefício ■ *s.m.* **3** segurado ou dependente da previdência social que tem direito à prestação de serviços e benefícios

benefício (be.ne.fí.cio) *s.m.* **1** auxílio, favor **2** privilégio ou provento concedidos a alguém <*não teve nenhum b. com a mudança*> **3** resultado de benfeitoria <*os b. valorizaram a propriedade*> **4** circunstância favorável <*o b. da dúvida*> **5** auxílio da previdência social, assegurado em lei

benéfico (be.né.fi.co) *adj.* **1** que faz bem <*clima b.*> **2** que beneficia; positivo, favorável <*tem uma influência b. sobre os amigos*>

benemérito (be.ne.mé.ri.to) *adj.s.m.* **1** que(m) merece louvor, elogio **2** que(m) colabora com causa ou instituição <*um b. das pesquisas médicas*> ■ *adj.* **3** distinto, ilustre <*um cientista b.*> ~ **benemerência** *s.f.*

beneplácito (be.ne.plá.ci.to) *s.m.* **1** consentimento, concordância **2** aprovação dada por autoridade superior <*b. régio*>

benesse (be.nes.se) *s.2g.* **1** REL remuneração eclesiástica **2** *p.ext.* presente, dádiva **3** *p.ext.* vantagem obtida sem esforço <*os políticos aproveitam as b. do cargo*>

benevolência (be.ne.vo.lên.cia) *s.f.* **1** boa vontade <*manifestou b. em relação ao pedido do amigo*> **2** generosidade; complacência <*trata os filhos com b.*> ~ **benevolente** *adj.2g.*

benévolo (be.né.vo.lo) *adj.* **1** favorável, benfazejo <*foi uma decisão b.*> **2** que tem bons propósitos; bem-intencionado **3** compreensivo <*é um patrão b.*> ◉ GRAM/USO sup.abs.sint.: *benevolentíssimo*

benfazejo (ben.fa.ze.jo) /ê/ *adj.* que pratica ou proporciona o bem ↺ malfazejo

benfeito (ben.fei.to) *adj.* **1** que se benfez; beneficiado ■ *s.m.* **2** benefício, benfeitoria ☞ cf. *bem feito* e *bem-feito*

benfeitor (ben.fei.tor) /ô/ [pl.: *-es*] *adj.s.m.* **1** (o) que pratica o bem **2** (o) que faz benfeitorias

benfeitoria (ben.fei.to.ri.a) *s.f.* obra de melhoria ou reparo em propriedades <*o terraço foi a maior b. que realizou*> ~ **benfeitorizar** *v.t.d.*

bengala (ben.ga.la) *s.f.* **1** bastão us. como apoio para caminhar **2** pão longo e fino **3** tipo de fogo de artifício

benigno (be.nig.no) *adj.* **1** de bom caráter e boa índole **2** MED sem gravidade (diz-se de tumor ou doença) ~ **benignidade** *s.f.*

benjamim (ben.ja.mim) [pl.: *-ins*] *s.m.* **1** filho caçula ou predileto **2** *p.ext.* o mais jovem ou preferido de um grupo **3** ELETR peça que acrescenta entradas às tomadas elétricas

benjoeiro (ben.jo.ei.ro) *s.m.* BOT planta de que se extrai o benjoim

benjoim (ben.jo.im) [pl.: *-ins*] *s.m.* **1** resina aromática de uso cosmético e medicinal <*sabonetes de b.*> **2** BOT planta que produz essa resina; benjoeiro

benquerença (ben.que.ren.ça) *s.f.* **1** fato de querer bem a; afeição, afeto, amor **2** manifestação de estima; amizade, carinho **3** benevolência ~ **benquerente** *adj.2g.*

benquerer (ben.que.rer) *v.* {mod. 18} *t.d.,t.i. e pron.* **1** (prep. *a*) querer bem a; dedicar grande afeição, amizade, estima a (algo, alguém ou reciprocamente) <*benqueremos (a)o estado em que nascemos*> <*era visível que os dois se benqueriam*> ■ *s.m.* **2** pessoa amada ou estimada; bem-amado <*ela é meu b.*> ☞ como *s.m.*, pl. *-es*; cf. *bem-querer* ◉ GRAM/USO part.: *benquerido, benquisto*; ver QUADRO DE PARTICÍPIOS DUPLOS nas pp. iniciais

benquisto (ben.quis.to) *adj.* querido ou aceito por todos

bentinho (ben.ti.nho) *s.m.* escapulário, patuá

bento (ben.to) *adj.* **1** benzido em ritual religioso <*medalha b.*> ■ *s.m.* **2** monge beneditino

B

bentos (ben.tos) *s.m.pl.* BIO fauna e flora do fundo dos mares, rios e lagos ~ **bêntico** *adj.* - **bentônico** *adj.*

benzedura (ben.ze.du.ra) *s.f.* reza proferida por leigo com o intuito de afastar o mal ~ **benzedeiro** *adj.s.m.*

benzeno (ben.ze.no) *s.m.* QUÍM hidrocarboneto aromático us. como solvente e na fabricação de detergentes, corantes etc.

benzer (ben.zer) *v.* {mod. 8} *t.d.* **1** invocar a graça divina sobre; abençoar *<b. os fiéis>* **2** consagrar ao culto de Deus *<b. uma igreja>* **3** fazer benzedura(s) em; rezar □ *pron.* **4** fazer o sinal da cruz *<benzeu-se ao entrar no barco>* ◉ GRAM/USO part.: benzido, bento; ver QUADRO DE PARTICÍPIOS DUPLOS nas pp. iniciais

benzina (ben.zi.na) *s.f.* QUÍM solvente us. em detergentes, corantes etc.

beócio (be.ó.cio) *adj.s.m.* **1** que(m) é natural ou habitante da Beócia, região da antiga Grécia **2** *p.ext. pej.* (indivíduo) grosseiro, ignorante ou ingênuo ■ *s.m.* **3** LING dialeto falado na antiga Beócia

bequadro (be.qua.dro) *s.m.* MÚS sinal que anula o efeito de sustenidos e bemóis e repõe em seu tom natural a nota elevada ou abaixada [símb.: ♮]

beque (be.que) *s.m.* FUTB zagueiro

berbigão (ber.bi.gão) [pl.: *-ões*] *s.m.* ZOO molusco bivalve marinho, comestível, muito encontrado no litoral brasileiro; vôngole

berçário (ber.çá.rio) *s.m.* local, nas maternidades e hospitais, onde ficam os recém-nascidos

berço (ber.ço) /ê/ *s.m.* **1** cama para bebês **2** origem *<b. da colonização>* **3** local de nascimento; pátria **4** nascente de rio ▣ **nascer em b. de ouro** *fig.* nascer em família rica • **ter b.** *fig.* vir de família de nível socioeconômico e cultural elevado

berenguendém (be.ren.guen.dém) [pl.: *-éns*] *s.m.* balangandã

bergamota (ber.ga.mo.ta) *s.f.* BOT **1** pequena árvore de flores aromáticas e fruto em forma de pera, com casca fina, lisa e amarela **2** o fruto dessa árvore **3** *S.* tangerina ~ **bergamoteira** *s.f.*

beribéri (be.ri.bé.ri) *s.m.* MED inflamação nos nervos devida à carência de vitamina B1, causadora de paralisia, esp. das pernas, edemas e problemas cardíacos

berílio (be.rí.lio) *s.m.* QUÍM elemento químico us. em ogivas de foguetes, molas de relógio, reatores atômicos, tubos de raios X, computadores etc. [símb.: *Be*] ☞ cf. *tabela periódica* (no fim do dicionário)

beriliose (be.ri.li.o.se) *s.f.* MED doença nos pulmões causada pela inalação de poeira de berílio

berilo (be.ri.lo) *s.m.* MINER mineral, principal fonte do berílio, que forma cristais us. como pedras preciosas ou semipreciosas

berimbau (be.rim.bau) *s.m.* MÚS instrumento formado por um arco de madeira com um fio de arame unindo cada uma de suas pontas e uma meia cabaça presa em sua extremidade inferior, us. na capoeira

berimbau de boca (be.rim.bau de bo.ca) [pl.: *berimbaus de boca*] *s.m.* MÚS pequeno instrumento cujo som, produzido pela vibração de uma lingueta metálica que sai do seu centro, é controlado com a boca e o polegar

beringela (be.rin.ge.la) *s.f.* BOT berinjela ◉ GRAM/USO encontra-se o registro dessa palavra com *g* desde a sua entrada na língua portuguesa; a partir do sXX, a grafia com *j* passa a ser comum

berinjela (be.rin.je.la) *s.f.* BOT **1** planta de horta de fruto roxo comestível, rico em iodo **2** esse fruto

berkélio (ber.ké.lio) *s.m.* QUÍM elemento químico artificial da família dos actinídeos [símb.: *Bk*] ☞ cf. *tabela periódica* (no fim do dicionário)

berlinda (ber.lin.da) *s.f.* **1** RECR jogo infantil em que uma criança é alvo de comentários anônimos de outras **2** carruagem pequena com vidraças laterais **3** pequeno oratório com paredes de vidro ▣ **estar** ou **ficar na b.** **1** ser o alvo dos comentários, no jogo da berlinda **2** *p.ext.* ser objeto de comentários ou atenção pública

berlinense (ber.li.nen.se) *adj.2g.* **1** de Berlim (Alemanha) ■ *s.2g.* **2** natural ou habitante dessa capital

berloque (ber.lo.que) *s.m.* **1** enfeite que se traz pendurado na corrente de relógio, pulseira etc.; penduricalho **2** coisa de pouco valor ☞ nesta acp., mais us. no pl.

bermuda (ber.mu.da) *s.f.* VEST bermudas

bermudas (ber.mu.das) *s.f.pl.* VEST calças curtas que vão quase até os joelhos

berne (ber.ne) *s.m.* **1** ZOO larva de certa mosca **2** MED tumor subcutâneo criado por essa larva

berquélio (ber.qué.lio) *s.m.* QUÍM berkélio

berrante (ber.ran.te) *adj.2g.* **1** que berra **2** de cor forte, que chama a atenção *<uma jaqueta b.>* ■ *s.m.* **3** trombeta de chifre us. para tanger o gado

berrar (ber.rar) *v.* {mod. 1} *int.* **1** soltar a voz (vários animais); urrar ☞ só us. nas 3as p., exceto quando fig. **2** chorar forte *<o bebê berrava>* **3** *fig.* produzir ruído contínuo e agudo; zunir *<o vento berrava>* **4** ter cor muito viva *<sua calça berra>* **5** não combinar; destoar *<esses dois estampados berram>* □ *t.d.,t.i. e int.* **6** (prep. *com*, *por*) dizer aos berros, falar alto; gritar *<berravam palavrões>* *<b. com a mãe>* *<berravam por seus direitos>*

berreiro (ber.rei.ro) *s.m.* **1** série de berros; gritaria **2** choro ruidoso; choradeira

berro (ber.ro) *s.m.* **1** voz de ovelha, cabrito etc. **2** grito **3** *B infrm.* revólver

berruga (ber.ru.ga) *s.f.* → ***VERRUGA***

besouro (be.sou.ro) *s.m.* ZOO nome genérico dado a insetos com um par de asas membranosas, protegidas por um par de asas duras, que faz um zumbido forte quando voa; cascudo ~ **besoural** *adj.2g.*

besta (bes.ta) /é/ *s.f.* antiga arma portátil que arremessa setas curtas

besta (bes.ta) /ê/ *s.f.* **1** ZOO quadrúpede, ger. doméstico **2** ZOO animal de carga *<levaram os cocos em duas b.>* **3** ZOO burro ('animal estéril') **4** *fig.* pessoa

grosseira ■ *adj.2g.s.2g. pej.* **5** (indivíduo) pouco inteligente **6** grosso; bruto *<que cara b.>* ■ *adj.2g. infrm.* **7** banal, sem importância *<um acidente b.>* **8** pasmo *<ficou b. de ver como cresci>* ↺ indiferente **9** arrogante *<achei-a muito b., não cumprimentou ninguém>* ↺ modesto ◉ COL récua, tropa ◉ VOZ v.: relinchar, rinchar; subst.: relincho, rincho ▣ **fazer (alguém) de b.** *fig. infrm.* enganar (alguém) • **fazer-se de b.** *fig. infrm.* **1** fazer-se de tolo, fingir desconhecimento **2** intrometer-se com alguém *<fez-se de b. com a diretora e quase foi expulso>* • **metido a b.** *fig. infrm.* pretensioso, arrogante

besta-fera (bes.ta-fe.ra) [pl.: *bestas-feras*] *s.2g.* **1** animal feroz **2** *fig.* indivíduo cruel, desumano

bestalhão (bes.ta.lhão) [pl.: *-ões*; fem.: *bestalhona*] *adj.s.m.* tolo, bobo, besta

bestar (bes.tar) *v.* {mod. 1} *int. infrm.* **1** falar ou fazer besteira **2** andar sem destino; errar, vagar **3** perder tempo (por vontade própria ou não) *<ficou bestando até que o porteiro chegasse>*

besteira (bes.tei.ra) *s.f.* **1** bobagem, asneira **2** insignificância, ninharia *<brigaram por uma b.>* **3** *infrm.* atitude de quem se ofende à toa; melindre *<ele é cheio de besteiras>* ☞ nesta acp., mais us. no pl.

bestial (bes.ti.al) [pl.: *-ais*] *adj.2g.* **1** animalesco **2** cruel, sanguinolento ~ **bestialidade** *s.f.*

bestializar (bes.ti.a.li.zar) *v.* {mod. 1} *t.d. e pron.* **1** *fig.* tirar ou perder a natureza humana; animalizar (-se) *<a vida dura bestializou-o>* ↺ humanizar(-se) **2** *fig.* tornar(-se) bruto, ignorante; brutalizar(-se) ↺ polir(-se)

bestialógico (bes.ti.a.ló.gi.co) *adj. infrm.* **1** sem nexo ■ *s.m.* **2** fala ou texto disparatado, cheio de absurdos

bestice (bes.ti.ce) *s.f.* **1** tolice **2** arrogância

bestificar (bes.ti.fi.car) *v.* {mod. 1} *t.d. e pron.* **1** bestializar(-se) **2** *B* (fazer) ficar espantado; pasmar (-se) *<a surpresa bestificou os convidados>* *<bestificaram-se ao saber do casamento>*

best-seller (best-sell.er) [ing.; pl.: *best-sellers*] *s.m.* **1** livro de sucesso **2** produto muito vendido ⇒ pronuncia-se bést séler

bestunto (bes.tun.to) *s.m. infrm.* **1** cabeça **2** *pej.* inteligência limitada

besuntar (be.sun.tar) *v.* {mod. 1} *t.d.,t.d.i. e pron.* **1** (prep. *de, com*) dotar(-se) [de camada gordurosa] *<b. o pão (com manteiga)>* *<b.-se de creme hidratante>* **2** *p.ext.* (prep. *de, com*) sujar(-se), lambuzar(-se) *<besuntou a camisa de chocolate>* *<b.-se com maionese>*

beta (be.ta) *s.m.* segunda letra do alfabeto grego (β, B)

betabloqueador (be.ta.blo.que.a.dor) /ô/ [pl.: *-es*] *adj.s.m.* BIOQ (substância) us. no tratamento de cardíacos e hipertensos

betacaroteno (be.ta.ca.ro.te.no) *s.m.* provitamina A frequente em legumes e frutas amarelos e verdes escuros

betão (be.tão) [pl.: *-ões*] *s.m.* concreto

beterraba (be.ter.ra.ba) *s.f.* BOT **1** planta de raiz comestível rica em açúcar e betacaroteno **2** a raiz dessa planta ◉ COL beterrabal

beterrabal (be.ter.ra.bal) [pl.: *-ais*] *s.m.* grande concentração de beterrabas em determinada área

betoneira (be.to.nei.ra) *s.f.* máquina de misturar concreto

betulácea (be.tu.lá.cea) *s.f.* BOT espécime das betuláceas, família de mais de 100 espécies de árvores e arbustos ger. cultivadas pela madeira, pelas nozes comestíveis ou como ornamentais

betume (be.tu.me) *s.m.* **1** QUÍM impermeabilizante us. na pavimentação de estradas e na fabricação de borrachas, tintas etc. **2** massa de vidraceiro ~ **betumar** *v.t.d.* - **betuminoso** *adj.*

bexiga (be.xi.ga) *s.f.* **1** ANAT órgão em forma de saco que acumula a urina antes de ser excretada **2** *p.ext.* bola de encher **3** *infrm.* varíola **4** *p.ext.* marca deixada por essa doença *<tinha o rosto cheio de bexigas>*

bexiguento (be.xi.guen.to) *adj.s.m.* (o) que tem bexiga (varíola ou suas marcas)

bezerro (be.zer.ro) /ê/ *s.m.* filhote de vaca que ainda mama ◉ COL bezerrada ◉ VOZ v.: berrar, mugir; subst.: mugido ▣ **como (um) b. desmamado** em um tom agudo e forte *<chorar como um b. desmamado>*

Bh QUÍM símbolo de *bóhrio*

bi- ou **bis-** *pref.* 'dois, duas vezes': *bianual, bicarbonado, bisavô*

[1]**bi** *n.card.* red. de ***BILHÃO***

[2]**bi** *adj.2g.2n.s.2g.2n.* red. de ***BICAMPEÃO*** e ***BICAMPEONATO***

Bi QUÍM símbolo de *bismuto*

bianual (bi.a.nu.al) [pl.: *-ais*] *adj.2g.* que surge ou se dá a cada dois anos; bienal ~ **bianualidade** *s.f.*

bibelô (bi.be.lô) *s.m.* **1** pequeno objeto decorativo **2** *p.ext.* quem tem beleza delicada *<essa criança é um b.>* **3** *p.ext. pej.* pessoa ou coisa bela e inútil

bíblia (bí.blia) *s.f.* **1** REL livro sagrado dos judeus (Antigo Testamento) e dos cristãos (com o acréscimo do Novo Testamento) ☞ inicial ger. maiúsc. **2** *p.ext.* REL qualquer livro sagrado **3** *p.ext.* livro muito importante, us. como modelo ou guia *<a b. da matemática>* ~ **biblicismo** *s.m.* - **bíblico** *adj.*

bibliocanto (bi.bli.o.can.to) *s.m.* peça ger. em L e freq. aos pares, que se coloca de um ou dos dois lados de um conjunto de livros, para conservá-los, em posição vertical, sobre prateleiras, mesas etc.

bibliofilia (bi.bli.o.fi.li.a) *s.f.* bibliomania ~ **bibliofílico** *adj.* - **bibliófilo** *adj.s.m.*

bibliografia (bi.bli.o.gra.fi.a) *s.f.* **1** relação de obras consultadas ou citadas em livros, textos etc. *<a b. deve ficar no fim do trabalho>* **2** listagem de obras de um autor ~ **bibliográfico** *adj.* - **bibliógrafo** *adj.s.m.*

bibliologia (bi.bli.o.lo.gi.a) *s.f.* ciência da história e composição material dos livros ~ **bibliológico** *adj.* - **bibliólogo** *adj.s.m.*

bibliomania (bi.bli.o.ma.ni.a) *s.f.* interesse por colecionar livros, esp. os raros; bibliofilia ~ **bibliomaníaco** *adj.s.m.*

B

biblioteca (bi.bli.o.te.ca) *s.f.* **1** coleção de livros **2** local onde se guardam, ordenam e catalogam livros e outros impressos para consulta, leitura e empréstimo ao público

bibliotecário (bi.bli.o.te.cá.rio) *s.m.* **1** quem trabalha em biblioteca ■ *adj.* **2** relativo a biblioteca

biblioteconomia (bi.bli.o.te.co.no.mi.a) *s.f.* ciência da organização e administração de bibliotecas ~ **biblioteconômico** *adj.* - **biblioteconomista** *adj.2g.s.2g.*

biboca (bi.bo.ca) *s.f.* **1** mercearia ou bar pequeno e simples *<abriram uma b. no pé da ladeira>* **2** casa humilde **3** local de difícil acesso ou perigoso **4** *p.ext.* lugar suspeito

bica (bi.ca) *s.f.* **1** abertura, calha, cano ou similar por onde escorre líquido **2** fonte de água corrente **3** torneira ▣ **estar na b.** *infrm.* estar quase *<estava na b. de viajar>* • **suar em bica(s)** *infrm.* suar demais

bicama (bi.ca.ma) *s.f.* móvel com duas camas, uma embutida sob a outra

bicampeão (bi.cam.pe.ão) [pl.: *-ões*; fem.: *-ã*] *adj.s.m.* que ou aquele que é ou foi duas vezes campeão na mesma competição, torneio ou campeonato ☞ tb. se diz apenas [2]*bi* ~ **bicampeonato** *s.m.*

bicampeonato (bi.cam.pe.o.na.to) *s.m.* campeonato vencido por um indivíduo ou um clube, colégio, time etc. por duas vezes, seguidas ou não ~ **bicampeão** *adj.s.m.*

bicar (bi.car) *v.* {mod. 1} *t.d.,int. e pron.* **1** picar(-se) com o bico *<o papagaio bicou meu dedo> <o pássaro bicava para todos os lados> <os periquitos bicavam-se sem parar>* □ *t.d.* **2** pegar com o bico, ger. para comer ou beber *<a andorinha bicou um inseto voando> <b. o milho>* **3** *p.ext.* tirar pequena porção de *<b. um doce>* **4** *p.ext.* bebericar *<bicou um pouco de suco>* □ *int. e pron. B* **5** ingerir bebida alcoólica ~ **bicada** *s.f.*

bicarbonado (bi.car.bo.na.do) *adj.* QUÍM que contém dois átomos de carbono

bicarbonato (bi.car.bo.na.to) *s.m.* QUÍM sal ou ânion derivado do ácido carbônico ▣ **b. de sódio** sal us. no tratamento da acidez estomacal

bicentenário (bi.cen.te.ná.rio) *adj.* **1** que tem entre 200 e 300 anos ■ *s.m.* **2** espaço de 200 anos *<comemorou-se o b. de nascimento do fundador da escola>*

bíceps (bí.ceps) *s.m.2n.* ANAT cada um dos músculos do corpo cuja extremidade superior tem duas inserções de ligamentos ou tendões ▣ **b. braquial** ANAT músculo que flexiona o antebraço sobre o braço e vira a palma da mão para cima • **b. femoral** ANAT músculo que flexiona a perna sobre a coxa e gira lateralmente a perna quando está dobrada ~ **bicipital** *adj.2g.*

bicha (bi.cha) *s.f.* **1** *infrm.* verme, esp. lombriga **2** ZOO sanguessuga ■ *adj.2g.s.2g.* **3** *infrm. pej.* (indivíduo) afeminado, homossexual masculino

bichado (bi.cha.do) *adj.* **1** estragado ou comido por bicho **2** *infrm.* que sofre de mal crônico *<tinha o joelho b.>* **3** *p.ext. infrm.* defeituoso *<esse ventilador está b.>*

bichano (bi.cha.no) *s.m.* **1** gato manso, ger. doméstico **2** filhote de gato

bichar (bi.char) *v.* {mod. 1} *int.* encher-se (ferida, madeira, fruta etc.) de bicho (verme ou inseto)

bicharada (bi.cha.ra.da) *s.f.* uma porção de animais

bicheira (bi.chei.ra) *s.f.* **1** ferida causada por larva de moscas *<a pata do boi estava com b.>* **2** essa larva

bicheiro (bi.chei.ro) *s.m.* banqueiro do jogo do bicho ou seu empregado

bicho (bi.cho) *s.m.* **1** qualquer animal, exceto o homem **2** animal feroz; fera **3** verme, inseto, larva **4** *p.ext.* pessoa muito feia ou antipática *<tinha cada b. naquele baile!>* **5** *B infrm.* qualquer pessoa ou coisa de que ou de quem se fala *<tirou o embrulho da bolsa e largou o b. sobre a mesa>* **6** jogo do bicho **7** ESP gratificação que jogadores e técnico recebem após uma vitória **8** *B infrm.* cara, você, us. na presença da pessoa com quem se fala *<e aí, b., como vai?>*

bicho-cabeludo (bi.cho-ca.be.lu.do) [pl.: *bichos-cabeludos*] *s.m.* ZOO lagarta que queima; taturana

bicho-carpinteiro (bi.cho-car.pin.tei.ro) [pl.: *bichos-carpinteiros*] *s.m.* ZOO **1** nome comum a várias espécies de besouro que durante a fase larvar furam troncos ou cascas de árvores **2** escaravelho ▣ **estar com b.** mostrar-se muito agitado *<esse menino não para, parece que está com b.>*

bicho-da-seda (bi.cho-da-se.da) [pl.: *bichos-da-seda*] *s.m.* ZOO inseto cujo casulo fornece as fibras com que se faz a seda

bicho de sete cabeças (bi.cho de se.te ca.be.ças) [pl.: *bichos de sete cabeças*] *s.m.* coisa de difícil solução *<não se preocupe, o teste não é nenhum bicho de sete cabeças>*

bicho-de-pé (bi.cho-de-pé) [pl.: *bichos-de-pé*] ou **bicho-do-pé** (bi.cho-do-pé) [pl.: *bichos-do-pé*] *s.m.* ZOO inseto cuja fêmea fecundada penetra sob a pele, ger. do pé, causando infecção e coceira

bicho-papão (bi.cho-pa.pão) [pl.: *bichos-papões*] *s.m.* FOLC monstro inventado para meter medo em crianças; papão

bicho-pau (bi.cho-pau) [pl.: *bichos-pau* e *bichos-paus*] *s.m.* ZOO inseto semelhante a um graveto ou um pequeno ramo seco

bicicleta (bi.ci.cle.ta) *s.f.* **1** veículo de duas rodas alinhadas uma atrás da outra, impulsionado por pedais **2** FUTB chute para trás, por cima da cabeça

bico (bi.co) *s.m.* **1** ANAT ZOO saliência resistente e dura da boca das aves **2** *fig. infrm.* a boca humana *<não abriu o b. a tarde inteira>* **3** extremidade pontuda de um objeto *<o b. da chaleira>* **4** chute com a ponta do calçado *<deu um b. na bola>* **5** *infrm.* serviço eventual; biscate *<fazia uns b. como pintor de paredes>*

bico de jaca (bi.co de ja.ca) [pl.: *bicos de jaca*] *s.m.* lapidação em cristal que lembra a casca da jaca

bico de papagaio (bi.co de pa.pa.gai.o) [pl.: *bicos de papagaio*] *s.m.* **1** *infrm.* deformação em forma de gancho que ocorre na coluna vertebral **2** nariz curvo ☞ cf. *bico-de-papagaio*

bico-de-papagaio (bi.co-de-pa.pa.gai.o) [pl.: *bicos-de-papagaio*] *s.m.* BOT planta ornamental com folhas vermelhas ☞ cf. *bico de papagaio*

bico de pena (bi.co de pe.na) [pl.: *bicos de pena*] *s.m.* ART.PLÁST **1** técnica de desenho que utiliza pena de bico fino e nanquim **2** a obra realizada com essa técnica

bicolor (bi.co.lor) /ô/ [pl.: *-es*] *adj.2g.* de duas cores *<sapato b.>*

bicôncavo (bi.côn.ca.vo) *adj.* de duas faces côncavas opostas *<espelho b.>* ~ **biconcavidade** *s.f.*

biconvexo (bi.con.ve.xo) /cs/ *adj.* de duas faces convexas opostas ~ **biconvexidade** *s.f.*

bicota (bi.co.ta) *s.f. B* beijo rápido ou beijo estalado; beijoca ☞ dim.irreg. de *bico*

bicudo (bi.cu.do) *adj.* **1** de bico grande *<animal b.>* **2** pontudo *<chapéu b.>* **3** *infrm.* difícil *<era um problema b.>* **4** *infrm.* mal-humorado

bidé (bi.dé) ou **bidê** (bi.dê) *s.m.* bacia sanitária para higiene íntima

bidimensional (bi.di.men.sio.nal) [pl.: *-ais*] *adj.2g.* que possui duas dimensões *<a pintura é uma arte b.>*

bidongo (bi.don.go) *s.m. infrm.* **1** *C.-O. TO* galo ('calombo') ou hematoma ou furúnculo *<ter um b. na testa>* **2** *TO* parte mais dura da madeira; nó

biela (bi.e.la) *s.f.* **1** haste de aço articulada a duas peças móveis que transmite a uma o movimento da outra **2** nos automóveis, caminhões, aviões etc., peça de ligação entre o êmbolo e o eixo de manivelas, que transforma o movimento retilíneo do primeiro no movimento circular do segundo

bielorrusso (bi.e.lor.rus.so) *adj.* **1** da Bielorrússia, país da Europa central **2** LING relativo à língua falada nesse país ■ *s.m.* **3** natural ou habitante desse país **4** LING a língua eslava oriental falada nesse país

bienal (bi.e.nal) [pl.: *-ais*] *adj.2g.* **1** que dura ou vale por dois anos **2** que ocorre de dois em dois anos *<foi à b. de livros>*

biênio (bi.ê.nio) *s.m.* período de dois anos consecutivos

biestável (bi.es.tá.vel) [pl.: *-eis*] *adj.2g.* ELETRÔN (circuito elétrico ou eletrônico) que tem dois estados estáveis de operação

bifásico (bi.fá.si.co) *adj.* ELETR de duas fases *<circuito b.>*

bife (bi.fe) *s.m.* **1** fatia de carne, esp. bovina **2** CUL essa fatia grelhada, cozida ou frita, us. como alimento **3** *infrm.* corte acidental na pele ao fazer a barba, as unhas etc. *<tirou um b. do dedo>*

bífido (bí.fi.do) *adj.* BIO dividido em duas partes semelhantes por uma fissura ou corte no sentido do comprimento *<alguns lagartos têm a língua b.>*

bifocal (bi.fo.cal) [pl.: *-ais*] *adj.2g.* **1** com dois focos **2** ÓPT com duas distâncias focais diferentes, uma para longe, outra para perto (diz-se de lente, óculos)

bifurcar (bi.fur.car) *v.* {mod. 1} *t.d. e pron.* dividir (-se) em dois ramos, dois caminhos; bipartir(-se) *<o engenheiro bifurcou a estrada> <a avenida bifurca-se na praça>* ~ **bifurcação** *s.f.*

biga (bi.ga) *s.f.* HIST na Roma antiga, carro de duas ou quatro rodas puxado por dois cavalos

bigamia (bi.ga.mi.a) *s.f.* realização de novo casamento sem dissolução do anterior ☞ cf. *monogamia, poligamia* ~ **bígamo** *adj.s.m.*

big bang [ing.] *loc.subst.* **1** FÍS teoria que explica a criação do universo a partir de uma explosão cósmica **2** essa explosão ⇒ pronuncia-se big beng

bignoniácea (big.no.ni.á.cea) *s.f.* BOT espécime das bignoniáceas, família com mais de 700 espécies de árvores e cipós, cultivadas para ornamentação ou arborização urbana; algumas fornecem madeiras nobres, como o ipê ~ **bignoniáceo** *adj.*

bigode (bi.go.de) *s.m.* parte da barba crescida sobre o lábio superior ~ **bigodudo** *adj.s.m.*

bigodeira (bi.go.dei.ra) *s.f.* bigode farto

bigorna (bi.gor.na) *s.f.* **1** peça de ferro sobre a qual se malham ou amoldam metais **2** ANAT pequeno osso da orelha, situado na caixa do tímpano, entre o martelo e o estribo

bigorrilha (bi.gor.ri.lha) *s.2g.* ou **bigorrilho** (bi.gor.ri.lho) *s.m. infrm. pej.* **1** indivíduo desprezível e sem importância **2** *RS* indivíduo fraco, que aparenta ser valentão

biguá (bi.guá) *s.m.* ZOO ave aquática ger. negra ou marrom, semelhante ao pelicano, do tamanho de um pato, de bico estreito e curvo, pescoço e cauda longos, e asas curtas

biju (bi.ju) *s.m.* → ***BEIJU***

bijuteria (bi.ju.te.ri.a) *s.f.* objeto de adorno como brincos, anéis, broches etc. que imitam joias

bike [ing.; pl.: *bikes*] *s.f.* bicicleta ⇒ pronuncia-se baik

bilabiado (bi.la.bi.a.do) *adj.* BOT ZOO que tem dois lábios *<ventosa b.> <cálice b.>*

bilateral (bi.la.te.ral) [pl.: *-ais*] *adj.2g.* **1** que tem dois lados **2** que diz respeito a dois lados *<paralisia b.>* **3** DIR em que há um pacto entre as duas partes *<contrato b.>* ~ **bilateralidade** *s.f.*

bilboquê (bil.bo.quê) *s.m.* RECR brinquedo composto de uma bola de madeira com um furo, ligada por um barbante a um pequeno bastão, onde ela deve se encaixar, depois de atirada para o ar

bile (bi.le) *s.f.* BIOQ ***BÍLIS***

bilha (bi.lha) *s.f.* **1** vaso de barro para líquidos; moringa **2** pequena esfera de aço us. dentro dos rolamentos para reduzir atrito

bilhão (bi.lhão) [pl.: *-ões*] *n.card.* **1** mil milhões ■ *s.m.* **2** *p.ext.* grande quantidade *<ainda temos um b. de provas para fazer>*

bilhar (bi.lhar) [pl.: *-es*] *s.m.* RECR **1** jogo com duas bolas vermelhas e uma branca que devem ser empurradas por um taco sobre uma mesa retangular, forrada de feltro verde, sem caçapas **2** mesa onde esse jogo é praticado **3** estabelecimento onde se joga sinuca e/ou bilhar

bilhete (bi.lhe.te) /ê/ *s.m.* **1** carta ou mensagem curta **2** ingresso para espetáculos, jogos etc. **3** impresso que permite o transporte por via aérea, marítima, rodoviária etc. *<b. de avião> <b. de metrô>* **4** cédula numerada de loteria

B

bilheteria (bi.lhe.te.ri.a) *s.f.* posto de venda de ingressos, passagens etc. ~ **bilheteiro** *adj.s.m.*

bilião (bi.li.ão) [pl.: *-ões*] *n.card.* bilhão

biliardário (bi.li.ar.dá.rio) *adj.s.m.* bilionário

bilíngue (bi.lín.gue) /gü/ *adj.2g.* **1** que fala duas línguas *<secretária b.>* **2** que ensina em duas línguas, a oficial do país e outra *<escola b.>* **3** que é escrito ou apresentado em duas línguas *<edição b. de um texto>*

bilinguismo (bi.lin.guis.mo) /gü/ *s.m.* **1** coexistência de duas línguas oficiais num país **2** uso regular de duas línguas por um falante ou grupo

bilionário (bi.li.o.ná.rio) *adj.s.m.* que(m) possui patrimônio (bens, valores etc.) que somam mais de um bilhão

bilionésimo (bi.li.o.né.si.mo) *n.ord.* **1** (o) que, numa sequência, ocupa a posição do número um bilhão *<parecia que era a b. vez que ouvia a mesma pergunta>* ■ *n.frac.* **2** (o) que é um bilhão de vezes menor que a unidade

bilioso (bi.li.o.so) /ô/ [pl. e fem.: /ó/] *adj.* **1** que tem bílis **2** produzido ou provocado pela bílis **3** *p.ext.* mal-humorado **4** da cor da bílis

biliro (bi.li.ro) *s.m.* *PA PE* espécie de grampo us. para prender o cabelo

bilirrubina (bi.lir.ru.bi.na) *s.f.* BIOQ composto de coloração alaranjada comum na bile de vertebrados, resultante da degradação da hemoglobina

bílis (bí.lis) *s.f.2n.* **1** BIOQ líquido amarelo-esverdeado segregado pelo fígado; fel **2** *fig.* mau humor ~ **biliar** *adj.2g.* - **biliário** *adj.*

biloto (bi.lo.to) /ô/ *s.m.* *infrm.* **1** pequena verruga ou saliência carnuda **2** *CE* botão *<b. de elevador>*

bilro (bil.ro) *s.m.* peça de madeira ou metal em forma de fuso, us. para fazer renda artesanal

biltre (bil.tre) *adj.2g.s.2g.* (indivíduo) desprezível

bimbalhar (bim.ba.lhar) *v.* {mod. 1} *t.d. e int.* soar ou fazer soar (sino ou similar); badalar

bimensal (bi.men.sal) [pl.: *-ais*] *adj.2g.* **1** que ocorre de 15 em 15 dias; quinzenal **2** que ocorre de dois em dois meses ☞ cf. *bimestral* ~ **bimensalidade** *s.f.*

bimestral (bi.mes.tral) [pl.: *-ais*] *adj.2g.* que ocorre de dois em dois meses ☞ cf. *bimensal* ~ **bimestralidade** *s.f.*

bimestre (bi.mes.tre) *s.m.* período de dois meses *<passou o primeiro b. do ano viajando>*

bimotor (bi.mo.tor) /ô/ [pl.: *-es*] *adj.s.m.* (veículo) de dois motores

bina ® (bi.na) *s.m.* TEL dispositivo eletrônico que identifica o número de origem de uma chamada telefônica ◉ ORIGEM sigla da frase "B Identifica Número de A"

binacional (bi.na.cio.nal) [pl.: *-ais*] *adj.2g.* **1** de duas nações *<empresa b.>* **2** que tem dupla nacionalidade

binário (bi.ná.rio) *adj.* **1** que tem dois elementos ou unidades **2** MÚS que tem dois tempos *<compasso b.>*

bingo (bin.go) *s.m.* **1** jogo de azar com cartelas numeradas que devem ser preenchidas à medida que os números vão sendo sorteados; loto **2** reunião ou local onde se pratica esse jogo ■ *interj.* **3** grito us. para indicar que se completou o cartão e venceu o jogo

binóculo (bi.nó.cu.lo) *s.m.* instrumento óptico portátil para observação a distância composto de dois telescópios que podem ser postos em foco ao mesmo tempo

binômio (bi.nô.mio) *s.m.* MAT expressão algébrica composta de dois termos ligados por um sinal de mais ou de menos ~ **binomial** *adj.2g.*

biocenose (bi.o.ce.no.se) *s.f.* BIO comunidade

biociclo (bi.o.ci.clo) *s.m.* BIO sequência de fases por que passam certos seres vivos; ciclo vital

biociência (bi.o.ci.ên.cia) *s.f.* biologia

biocombustível (bi.o.com.bus.tí.vel) [pl.: *-eis*] *adj.2g.s.m.* (combustível) produzido a partir de matéria orgânica (vegetais, lixo etc.)

biodegradável (bi.o.de.gra.dá.vel) [pl.: *-eis*] *adj.2g.* que pode ser destruído por um agente biológico (p.ex., bactérias) *<detergente b.>* ~ **biodegradação** *s.f.* - **biodegradar** *v.t.d. e pron.*

biodiesel (bi.o.die.sel) /dízel/ [pl.: *-eis*] *s.m.* QUÍM combustível biodegradável, não tóxico e pouco poluente, produzido a partir de óleos vegetais, e que pode ser usado em motores diesel

biodigestor (bi.o.di.ges.tor) /ô/ [pl.: *-es*] *s.m.* QUÍM equipamento us. para produzir biogás

biodiversidade (bi.o.di.ver.si.da.de) *s.f.* BIO **1** conjunto de todos os seres vivos **2** conjunto de todos os seres vivos de determinada região ou época *<é importante preservar a b. da mata atlântica>*

bioenergética (bi.o.e.ner.gé.ti.ca) *s.f.* **1** BIO ramo da biologia que estuda as transformações de energia nos seres vivos **2** PSIC terapia que trabalha corpo e mente de forma integrada, liberando-lhes energia para promover bem-estar ~ **bioenergético** *adj.*

bioenergia (bi.o.e.ner.gi.a) *s.f.* BIO **1** energia renovável obtida da transformação química da biomassa **2** força vital

bioengenharia (bi.o.en.ge.nha.ri.a) *s.f.* **1** BIO engenharia genética **2** ENG aplicação de princípios e técnicas da engenharia na criação de equipamentos para solução de problemas biomédicos ~ **bioengenheiro** *s.m.*

bioetanol (bi.o.e.ta.nol) [pl.: *-óis*] *s.m.* BIOQ etanol produzido a partir de biomassa ou de resíduos orgânicos, para utilização como biocombustível

bioética (bi.o.é.ti.ca) *s.f.* estudo das questões morais relativas às pesquisas médicas e genéticas e suas aplicações

biogás (bi.o.gás) *s.m.* QUÍM gás obtido da fermentação, sem oxigênio, de material orgânico ◉ GRAM/USO pl.: *biogases* (esta pal. ordinariamente não se empr. no pl.)

biogênese (bi.o.gê.ne.se) *s.f.* BIO formação de um ser vivo a partir de outro já existente ~ **biogenético** *adj.*

biogeocenose (bi.o.ge.o.ce.no.se) *s.f.* ECO ecossistema

biogeografia (bi.o.ge.o.gra.fi.a) *s.f.* BIO ECO estudo da distribuição das espécies de seres vivos no planeta e de suas relações com o ambiente em que vivem ~ **biogeográfico** *adj.* - **biogeógrafo** *s.m.*

biografar (bi.o.gra.far) *v.* {mod. 1} *t.d.* pesquisar e escrever a biografia de alguém

biografia (bi.o.gra.fi.a) *s.f.* **1** relato da vida de alguém **2** livro, filme etc. que contém esse relato ~ **biográfico** *adj.* - **biógrafo** *s.m.*

biologia (bi.o.lo.gi.a) *s.f.* ciência que estuda a estrutura, funcionamento, evolução, distribuição e relações dos seres vivos entre si e com o ambiente; ciências biológicas ~ **biológico** *adj.* - **biologista** *adj.2g.s.2g.* - **biólogo** *s.m.*

bioluminescência (bi.o.lu.mi.nes.cên.cia) *s.f.* BIO emissão de luz por seres vivos ~ **bioluminescente** *adj.2g.*

bioma (bi.o.ma) *s.m.* ECO comunidade ecológica estável e desenvolvida, caracterizada ger. por um tipo predominante de vegetação, p.ex., o cerrado, o deserto, a mata atlântica

biomassa (bi.o.mas.sa) *s.f.* BIO **1** massa de matéria viva **2** matéria de origem vegetal us. como fonte de energia

biombo (bi.om.bo) *s.m.* divisória móvel ger. feita de caixilhos ou de folhas de madeira articuladas por dobradiças

biomecânica (bi.o.me.câ.ni.ca) *s.f.* BIO FÍS estudo das leis da mecânica aplicadas às estruturas orgânicas vivas, esp. ao sistema locomotor do corpo humano ~ **biomecânico** *adj.s.m.*

biomedicina (bi.o.me.di.ci.na) *s.f.* MED medicina baseada nas ciências naturais (biologia, bioquímica etc.) ~ **biomédico** *adj.s.m.*

biometria (bi.o.me.tri.a) *s.f.* BIO MAT análise estatística de fatos biológicos ~ **biométrico** *adj.*

biônico (bi.ô.ni.co) *adj.s.m.* **1** que(m) tem capacidade humana reforçada por mecanismos eletrônicos **2** *B infrm. joc.* que ou aquele que é nomeado para um cargo de natureza eletiva, sem ter sido eleito (diz-se esp. de deputado e senador)

biopolímero (bi.o.po.lí.me.ro) *s.m.* BIO macromolécula formada em um sistema biológico, p.ex. proteínas

biópsia (bi.óp.sia) ou **biopsia** (bi.op.si.a) *s.f.* MED **1** exame de fragmento de tecido vivo para diagnóstico **2** esse fragmento

bioquímica (bi.o.quí.mi.ca) *s.f.* BIOQ ramo da química que estuda as transformações ocorrentes nas substâncias e moléculas que se originam de seres vivos e de seus processos metabólicos ~ **bioquímico** *adj.s.m.*

biorritmo (bi.or.rit.mo) *s.m.* BIO manifestação cíclica de processos biológicos ~ **biorrítmico** *adj.*

biosfera (bi.os.fe.ra) *s.f.* ECO **1** parte da Terra onde há ou pode haver vida **2** conjunto dos organismos vivos e seu ambiente; ecosfera ~ **biosférico** *adj.*

biossíntese (bi.os.sín.te.se) *s.f.* BIOQ produção de compostos químicos por seres vivos; síntese

biossistema (bi.os.sis.te.ma) *s.m.* ECO ecossistema

biossociologia (bi.os.so.cio.lo.gi.a) *s.f.* SOC estudo biológico do comportamento social animal e humano; sociobiologia

biota (bi.o.ta) *s.f.* ECO conjunto de todos os seres vivos de uma região

biotecnia (bi.o.tec.ni.a) *s.f.* BIO ENG biotécnica

biotécnica (bi.o.téc.ni.ca) *s.f.* BIO ENG conjunto de técnicas que visa adequar a utilização de seres vivos às necessidades humanas; biotecnia

biotecnologia (bi.o.tec.no.lo.gi.a) *s.f.* **1** BIO tecnologia desenvolvida a partir de conhecimentos de uma ou mais áreas da biologia, ger. com finalidade produtiva **2** GEN estudo e desenvolvimento de organismos geneticamente modificados e seu uso ~ **biotecnológico** *adj.*

bioterrorismo (bi.o.ter.ro.ris.mo) *s.m.* forma de terrorismo que recorre a armas biológicas para destruição em massa ~ **bioterrorista** *adj.2g.s.2g.*

biótico (bi.ó.ti.co) *adj.* BIO ECO **1** relativo a biota **2** relativo ou pertencente à vida ou aos seres vivos

biotina (bi.o.ti.na) *s.f.* BIOQ substância importante para o crescimento de animais e microrganismos encontrada esp. na gema do ovo, no levedo e no fígado

biótipo (bi.ó.ti.po) ou **biotipo** (bi.o.ti.po) *s.m.* **1** BIO grupo de indivíduos geneticamente semelhantes **2** tipo físico *<tem o b. da família do pai>* ~ **biotípico** *adj.* - **biotipologia** *s.f.*

biovular (bi.o.vu.lar) [pl.: *-es*] *adj.2g.* BIO derivado de dois óvulos (diz-se de gêmeos)

bipar (bi.par) *v.* {mod. 1} *t.d.* chamar (alguém) por meio de bipe

bipartidarismo (bi.par.ti.da.ris.mo) *s.m.* POL existência de apenas dois partidos, ou de apenas dois partidos importantes, na vida política de um país ~ **bipartidário** *adj.* - **bipartidarista** *adj.2g.s.2g.*

bipartir (bi.par.tir) *v.* {mod. 24} *t.d. e pron.* dividir (-se) em duas partes, iguais ou não *<b. uma laranja>* *<há vermes que se bipartem>* ~ **bipartição** *s.f.*

bipe (bi.pe) *s.m.* **1** sinal sonoro curto e agudo **2** aparelho portátil ligado a uma central de recados

bípede (bí.pe.de) *adj.2g.s.m.* (o) que tem ou anda com dois pés *<animais b.>* ~ **bipedal** *adj.2g.*

bipolar (bi.po.lar) [pl.: *-es*] *adj.2g.* **1** que tem ou opõe dois polos ■ *adj.2g.s.2g.* PSIQ **2** diz-se de ou pessoa com transtorno psiquiátrico de humor caracterizado por episódios de depressão e mania

bipolaridade (bi.po.la.ri.da.de) *s.f.* **1** característica do que é bipolar **2** PSIQ depressão bipolar

bipolo (bi.po.lo) *s.m.* ELETR ELETRÔN dispositivo elétrico ou eletrônico que apresenta dois terminais

biqueira (bi.quei.ra) *s.f.* **1** peça que se ajusta à extremidade de algo, para complementar ou dar acabamento; ponteira **2** bico ou ponta de calçado *<a bota tinha uma b. de metal>*

biquíni (bi.quí.ni) *s.m.* VEST **1** maiô de duas peças **2** variedade de calcinha

biriba (bi.ri.ba) *s.f.* RECR **1** jogo de cartas semelhante à canastra, no qual, além das 11 cartas distribuídas aos jogadores, são reservados mais dois conjuntos de cartas para aqueles que conseguirem descartar a primeira mão **2** esse conjunto de cartas; morto

birita (bi.ri.ta) *s.f. infrm.* **1** cachaça **2** *p.ext.* qualquer bebida alcoólica **~ biritar** *v.t.d. e int.*

birô (bi.rô) *s.m.* **1** escrivaninha **2** escritório **3** GRÁF estúdio de computação gráfica ou editoração eletrônica

birosca (bi.ros.ca) *s.f. infrm.* **1** pequena venda, simples, misto de bar e mercearia **2** *p.ext.* bar ou venda de aspecto sujo

birra (bir.ra) *s.f.* **1** insistência exagerada; teimosia *<está chorando de b.>* **2** antipatia sem motivo aparente *<tem b. com o novo chefe>* **3** mau humor, aborrecimento **~ birrar** *v.t.i. e int.* - **birrento** *adj.s.m.*

biruta (bi.ru.ta) *s.f.* **1** saco em forma de cone, com a abertura mais larga presa a um aro no alto de um mastro, e a mais estreita solta, para indicar o rumo do vento ■ *adj.2g.s.2g.* **2** *infrm.* (indivíduo) sem rumo; maluco

bis- *pref.* → *BI-*

bis *s.m.2n.* **1** repetição (de algo) *<pedir b.>* **2** qualquer peça que um artista repete, a pedido do público *<o b. foi a canção mais famosa da banda>* **3** o grito com que se pede que uma peça ou número seja repetido ■ *interj.* **4** expressa pedido de repetição de uma peça musical ou prolongamento de um espetáculo

bisão (bi.são) [pl.: *-ões*] *s.m.* ZOO bovídeo encontrado na América do Norte e Europa, de pelagem longa sobre o quarto anterior do corpo e cabeça grande, com chifres curtos e firmes

bisar (bi.sar) *v.* {mod. 1} *t.d. e int.* **1** tornar a fazer, dizer etc.; reiterar *<no jantar, bisou a sobremesa>* *<deu a resposta uma vez e bisou, para que todos entendessem>* □ *t.d.* **2** repetir ou pedir repetição de (parte de espetáculo) *<bisou a primeira música>*

bisavó (bi.sa.vó) *s.f.* mãe do avô ou da avó

bisavô (bi.sa.vô) [fem.: *bisavó*] *s.m.* **1** o pai do avô ou da avó ▼ ***bisavós*** *s.m.pl.* **2** o bisavô e a bisavó (o casal) de um indivíduo

bisbilhotar (bis.bi.lho.tar) *v.* {mod. 1} *t.d. e int.* **1** investigar (algo alheio); intrometer-se *<passava o dia bisbilhotando (a vida dos outros)>* **2** buscar com minúcia; vasculhar *<b. documentos>* *<tanto bisbilhotou que acabou descobrindo o livro que queria>* **~ bisbilhoteiro** *adj.s.m.* - **bisbilhotice** *s.f.*

bisca (bis.ca) *s.f.* **1** RECR nome dado a diversas modalidades de jogo para duas ou quatro pessoas, em que se usa um baralho de 52 cartas **2** RECR a carta de número sete, quando us. como trunfo **3** *pej.* indivíduo mau-caráter, patife *<é uma boa b., não merece sua atenção>*

biscate (bis.ca.te) *s.m.* ocupação ou serviço ocasional e ger. mal pago; bico *<faz alguns b. como eletricista>* **~ biscatear** *v.int.*

biscateiro (bis.ca.tei.ro) *adj.s.m.* que faz ou vive de biscates, de trabalhos ocasionais ou de pouca remuneração

biscoiteira (bis.coi.tei.ra) *s.f.* **1** recipiente em que se guardam biscoitos e bolachas **2** mulher que faz e/ou vende biscoitos e bolachas

biscoito (bis.coi.to) *s.m.* CUL massa crocante de farinha, ovos etc., doce ou salgada, assada em forno ou frita **~ biscoiteiro** *s.m.*

biscuit (bis.cuit) [fr.; pl.: *biscuits*] *s.m.* **1** massa de porcelana fina **2** objeto feito dessa massa *<bonecas de b.>* ⇒ pronuncia-se biscui

bisel (bi.sel) [pl.: *-éis*] *s.m.* **1** corte oblíquo em borda de vidro, cristal, metal etc.; chanfradura **2** borda de vidro ou cristal com esse corte, para evitar o ângulo reto **~ biseladora** *s.f.* - **biselamento** *s.m.* - **biselar** *v.t.d.*

bismuto (bis.mu.to) *s.m.* QUÍM elemento químico us. em extintores de incêndio e fusíveis [símb.: *Bi*] ☞ ver TABELA PERIÓDICA no fim do dicionário

bisnaga (bis.na.ga) *s.f.* **1** tubo flexível us. como embalagem de cremes **2** pão de formato comprido, mais grosso do que a baguete

bisneto (bis.ne.to) *s.m.* filho de neto ou neta

bisonho (bi.so.nho) *adj.* **1** sem habilidade ou treinamento; inexperiente **2** que não tem confiança em si mesmo **3** *infrm.* malvestido

bisonte (bi.son.te) *s.m.* ZOO bisão

bispado (bis.pa.do) *s.m.* REL **1** cargo de bispo **2** período de exercício desse cargo **3** conjunto de paróquias sob a autoridade espiritual de um bispo

bispar (bis.par) *v.* {mod. 1} *int.* **1** exercer a função de bispo □ *t.d. p.ext. infrm.* **2** ver sem muita clareza; entrever *<mal bisparam o inspetor, desceram correndo a escada>* **3** *PE infrm.* furtar, afanar *<b. laranjas na feira>* □ *t.d. e int. infrm.* **4** observar de longe; espreitar *<bispava a namorada pela janela do salão>*

bispo (bis.po) *s.m.* **1** REL em religiões cristãs, sacerdote que exerce a direção espiritual de uma diocese **2** RECR peça do jogo de xadrez que se move, em diagonal, para a frente e para trás ● COL concílio, episcopado

bisseção (bis.se.ção) ou **bissecção** (bis.sec.ção) [pl.: *-ões*] *s.f.* divisão em duas partes iguais **~ bissecional/bisseccional** *adj.2g.* - **bissetar/bissectar** *v.t.d.*

bissectriz (bis.sec.triz) [pl.: *-es*] *s.f.* → ***BISSETRIZ***

bissemanal (bis.se.ma.nal) [pl.: *-ais*] *adj.2g.* que se faz, se efetua ou aparece duas vezes por semana *<programa b.>*

bissetriz (bis.se.triz) [pl.: *-es*] ou **bissectriz** (bis.sec.triz) [pl.: *-es*] *s.f.* MAT reta que divide ao meio um ângulo

bissexto (bis.sex.to) /ê/ *s.m.* **1** o dia que, de quatro em quatro anos, é acrescido ao mês de fevereiro ■ *adj.* **2** em que isso acontece (diz-se do ano) **3** que exerce uma atividade com pouca frequência *<é um ator b.>*

bissexual (bis.se.xu.al) /cs/ [pl.: *-ais*] *adj.2g.* **1** que abrange ou reúne os dois sexos *<colégio b.>* *<moda b.>* ■ *adj.2g.s.2g.* **2** BIO hermafrodita **3** que(m) sente atração sexual por homens e mulheres **~ bissexuado** *adj.s.m.* - **bissexualidade** *s.f.* - **bissexualismo** *s.m.*

bistrô (bis.trô) *s.m.* pequeno bar e restaurante aconchegante

bisturi (bis.tu.ri) *s.m.* instrumento cirúrgico cortante, de lâmina curta

bit [ing.; pl.: *bits*] *s.m.* INF **1** menor parcela de informação processada por um computador **2** algarismo do sistema binário que só pode assumir as formas 0 ou 1; dígito binário [símb.: *b*] ⇒ pronuncia-se bit

bitaca (bi.ta.ca) *s.f. infrm.* **1** *MG* pequena venda; botequim **2** *CE* gola, colarinho

bitola (bi.to.la) *s.f.* **1** medida-padrão us. em gráfica, construção, indústria etc. **2** largura entre os trilhos de uma ferrovia **3** CINE largura de um filme (p.ex.: 35 mm, 16 mm, 8 mm)

bitolado (bi.to.la.do) *adj.* **1** medido com bitola **2** *infrm. pej.* limitado na conduta ou no pensamento *<um cara b.>* ~ **bitolar** v.

bitransitivo (bi.tran.si.ti.vo) *adj.s.m.* GRAM (verbo) que pede objeto direto e objeto indireto

bitributação (bi.tri.bu.ta.ção) [pl.: *-ões*] *s.f.* DIR incidência de dois tributos sobre um mesmo ato ou produto ~ **bitributar** *v.t.d.*

biunívoco (bi.u.ní.vo.co) *adj.* MAT que associa a cada um dos elementos de um conjunto um único elemento de outro conjunto, e vice-versa (diz-se de relação)

bivalve (bi.val.ve) *adj.2g.s.m.* ZOO (o) que tem duas conchas, esp. moluscos

bivitelino (bi.vi.te.li.no) *adj.* **1** que apresenta dois ovos ou óvulos **2** relativo à gestação de fetos formados de dois óvulos distintos *<gravidez b.>* **3** que provém de gestação desse tipo *<gêmeos b.>*

bivolt (bi.volt) *adj.2g.* ELETR que pode ser ligado em duas voltagens *<estabilizador b.>*

bixácea (bi.xá.cea) /cs/ *s.f.* BOT espécime das bixáceas, família de árvores e arbustos nativos dos trópicos, cultivados como ornamentais e por fornecerem corantes, fibras etc.

bizantinismo (bi.zan.ti.nis.mo) *s.m.* **1** estudo da história e da civilização do Império Bizantino **2** *fig.* tendência a se preocupar com temas complexos e sem importância ou consequência prática **3** *fig.* algo que é ao mesmo tempo pretensioso e inútil ~ **bizantinista** *adj.2g.s.2g.*

bizantino (bi.zan.ti.no) *adj.* **1** HIST de Bizâncio (atual Istambul, Turquia), antiga capital do Império Romano do Oriente **2** HIST relativo ao Império Romano do Oriente (tb. dito Império Bizantino) **3** *fig. pej.* fútil, inútil ■ *s.m.* **4** HIST natural ou habitante dessa antiga capital

bizarro (bi.zar.ro) *adj. infrm.* que é esquisito, estranho, excêntrico *<voltou de viagem cheio de ideias b.>* ~ **bizarria** *s.f.* - **bizarrice** *s.f.* - **bizarrismo** *s.m.*

Bk QUÍM símbolo de *berkélio*

blá-blá-blá (blá-blá-blá) [pl.: *blá-blá-blás*] *s.m.* conversa oca, sem conteúdo; conversa fiada *<chega de b., vamos ao que interessa>*

black tie [ing.; pl.: *black ties*] *loc.subst.* VEST ver ***SMOKING*** ⇒ pronuncia-se blék tai

blague (bla.gue) *s.f.* gozação, zombaria

blandícia (blan.dí.cia) ou **blandície** (blan.dí.cie) *s.f.* **1** ato de ternura; carícia **2** ato ou gesto com que se busca agradar alguém ou obter um favor; adulação ☞ mais us. no pl. ~ **blandicioso** *adj.*

blasfemar (blas.fe.mar) *v.* {mod. 1} *int.* **1** proferir blasfêmia ('afirmação') **2** rogar praga(s); amaldiçoar □ *t.i.* **3** (prep. *de, contra, sobre*) usar insultos ao se dirigir ou se referir a *<blasfemavam dele e da sua ajuda> <b. contra tudo e todos> <b. sobre o clima>* ~ **blasfemador** *adj.s.m.*

blasfêmia (blas.fê.mia) *s.f.* **1** afirmação que insulta o que é considerado sagrado **2** *p.ext.* expressão ou afirmação que insulta ou ofende o que é considerado digno de respeito ~ **blasfematório** *adj.*

blasfemo (blas.fe.mo) /ê/ *adj.* **1** herege; ofensivo ■ *adj.s.m.* **2** (aquele) que profere insultos ou heresias

blasonar (bla.so.nar) *v.* {mod. 1} *t.d.* **1** anunciar, alardear *<vive a b. suas conquistas>* □ *pred.,int. e pron.* **2** (prep. *de*) gabar-se, vangloriar-se *<não blasones de valente> <está sempre a b., mas nunca prova o que diz> <b.-se de possuir nobreza e virtudes>* ~ **blasonador** *adj.s.m.*

blatário (bla.tá.rio) *s.m.* ZOO espécime dos blatários, subordem dos insetos terrestres, alados ou não, de corpo alongado, como os gafanhotos, as esperanças e as baratas

blaterar (bla.te.rar) *v.* {mod. 1} *int.* **1** soltar a voz (o camelo) ☞ só us. nas 3as p., exceto quando fig. □ *t.d. e int. p.ext.* **2** falar muito, alto ou com ênfase; berrar, vociferar *<blaterou que não aceitaria tal situação> <blaterava, alternando elogios e insultos>*

blatídeo (bla.tí.deo) *adj.s.m.* ZOO (espécime) dos blatídeos, família de pequenas baratas, ger. aladas, com antenas longas e patas finas

blazer (blaz.er) [ing.; pl.: *blazers*] *s.m.* VEST paletó esportivo ⇒ pronuncia-se bleizer

blecaute (ble.cau.te) *s.m.* interrupção noturna no fornecimento de luz elétrica, planejada ou não, que afeta um bairro, uma cidade, uma região etc. ☞ cf. *apagão*

blefar (ble.far) *v.* {mod. 1} *int.* **1** RECR iludir no jogo, fingindo ter boas cartas, para intimidar o(s) oponente(s) *<blefava sempre que jogava>* □ *t.d. e int. p.ext.* **2** enganar, iludir *<blefou o porteiro e entrou> <não tem o apoio da turma, está apenas blefando>* ~ **blefador** *adj.s.m.* - **blefista** *adj.2g.s.2g.*

blefe (ble.fe) /é *ou* ê/ *s.m.* simulação ou fingimento para tirar proveito de uma situação, esp. em jogo de cartas

blenorragia (ble.nor.ra.gi.a) *s.f.* MED doença bacteriana transmitida por via sexual que provoca inflamação da mucosa genital; gonococia, gonorreia ~ **blenorrágico** *adj.s.m.*

blindar (blin.dar) *v.* {mod. 1} *t.d.* **1** revestir com peça(s) ou camada(s) de metal, aço *<b. um carro>* □ *t.d. e t.i. p.ext.* **2** (prep. *de, com, contra*) cobrir, envolver (com algo resistente ou impermeável) *<a concha blinda os moluscos (contra ataques dos predadores)>* □ *t.d.i. e pron. fig.* **3** (prep. *de, contra*) preservar(-se), guardar(-se) *<desejava b.-se contra as tristezas>* ~ **blindado** *adj.* - **blindagem** *s.f.*

blitz [al.; pl.: *Blitze*] *s.f.* **1** ataque militar repentino **2** batida policial ◉ GRAM/USO em al., inicial maiúsc. ⇒ pronuncia-se blitz

bloco (blo.co) *s.m.* **1** porção de matéria sólida *<um b. de gelo, de concreto>* **2** grupo de coisas afins *<respondeu um b. inteiro de perguntas>* **3** cada prédio de um conjunto habitacional ou comercial *<moravam no b. 2>* **4** grupo carnavalesco *<saíram atrás de um b. de frevo>* **5** certo tipo de obturação dentária *<o b. caiu quando comia amendoim>* **6** maço de folhas destacáveis *<comprou dois b. de papel>*

blog [ing.; pl.: *blogs*] *s.m.* INTERN blogue ⇒ pronuncia-se blóg

blogue (blo.gue) *s.m.* INTERN página pessoal ou coletiva, em que criadores e visitantes podem trocar experiências, comentários etc. *<escrevia num b. de literatura brasileira>* ~ **blogueiro** *adj.s.m.* - **bloguista** *adj.2g.s.2g.*

bloqueador (blo.que.a.dor) /ô/ [pl.: *-es*] *adj.s.m.* (o) que bloqueia ▣ **b. solar** preparação química para proteção da pele humana contra as radiações solares ☞ cf. *protetor solar*

bloquear (blo.que.ar) *v.* {mod. 5} *t.d.* **1** impor cerco militar sobre; sitiar *<bloquearam a cidade>* **2** impedir a passagem por *<b. uma rua>* **3** impedir o trânsito ou o movimento de; parar, travar *<b. a frota de caminhões>* *<a areia bloqueou as rodas do carro>* **4** *fig.* criar obstáculos a; dificultar *<a diretoria bloqueou o aumento dos funcionários>*

bloqueio (blo.quei.o) *s.m.* **1** ato ou efeito de bloquear **2** obstrução ou impedimento de entrada, saída ou passagem, por meio de algum obstáculo físico; barreira *<b. de estrada>* **3** interrupção de movimento, desenvolvimento, funcionamento etc. de algo *<b. de telefone>* **4** cerco militar à entrada e saída de pessoas, informações, mantimentos etc.; sítio *<foi feito um b. ao redor do acampamento>* **5** ESP no voleibol, tentativa de deter o ataque adversário, ger. com a(s) mão(s), erguida(s) acima da rede **6** MED interrupção de uma função normal *<b. cardíaco>* **7** PSIQ interrupção repentina do pensamento ou de um ato (gesto, palavra etc.) causada por fatores emocionais

Bluetooth ® (Blue.tooth) [ing.] *s.m.* COMN padrão global e tecnologia de conexão e troca de informações sem fio, via frequência de rádio, entre equipamentos habilitados (p.ex. telefones celulares, computadores etc.) ⇒ pronuncia-se blutus

blusa (blu.sa) *s.f.* VEST peça de roupa usada na parte de cima do corpo para cobrir o tronco

blusão (blu.são) [pl.: *-ões*] *s.m.* **1** camisa folgada *<comprei um b. florido>* **2** casaco; jaqueta *<vestiu um b. de couro e saiu>*

BNDES *s.m.* sigla de Banco Nacional de Desenvolvimento Econômico e Social

boa-fé (bo.a-fé) [pl.: *boas-fés*] *s.f.* pureza de intenções; sinceridade ↺ má-fé

boa-noite (bo.a-noi.te) [pl.: *boas-noites*] *s.m.* cumprimento com que se saúda alguém à noite *<deu uma b. à avó e foi para o quarto>*

boa-nova (bo.a-no.va) [pl.: *boas-novas*] *s.f.* notícia feliz *<voltou da reunião com várias b.>*

boa-pinta (bo.a-pin.ta) [pl.: *boas-pintas*] *adj.2g.s.2g.* *infrm.* que(m) tem boa aparência *<só namorava (rapazes) b.>*

boa-praça (bo.a-pra.ça) [pl.: *boas-praças*] *adj.2g.s.2g.* *infrm.* que(m) é afetuoso, simpático, confiável *<era um sujeito b.>*

boas-festas (bo.as fes.tas) *s.f.pl.* votos de felicitações por ocasião do Natal e do Ano-Novo

boas-vindas (bo.as-vin.das) *s.f.pl.* expressão de satisfação pela chegada de alguém *<um pequeno grupo foi ao aeroporto dar as b. aos atletas>*

boa-tarde (bo.a-tar.de) [pl.: *boas-tardes*] *s.m.* cumprimento com que se saúda alguém à tarde *<o mágico deu um sonoro b. às crianças>*

boate (bo.a.te) *s.f.* casa noturna de entretenimento, ger. com pista de dança

boato (bo.a.to) *s.m.* notícia de fonte desconhecida, que se espalha sem que se saiba se é verdadeira ~ **boataria** *s.f.* - **boateiro** *adj.s.m.*

boa-vida (bo.a-vi.da) [pl.: *boas-vidas*] *adj.2g.s.2g.* **1** que(m) pouco trabalha **2** que(m) vive sem preocupação

boa-vistense (bo.a-vis.ten.se) [pl.: *boa-vistenses*] *adj.2g.* **1** de Boa Vista (RR) ■ *s.2g.* **2** natural ou habitante dessa capital

bobagem (bo.ba.gem) [pl.: *-ens*] *s.f.* **1** dito ou ação boba, em que não se pensou; tolice; disparate *<fez a b. de esconder o apagador>* **2** coisa de pouca importância ou de pouco valor *<não se preocupe com bobagens>* **3** *infrm.* presente modesto *<não repare, é uma b.>* **4** *infrm.* alimento pouco nutritivo *<em vez de jantar, comeu b.>*

bobalhão (bo.ba.lhão) [pl.: *-ões*] *adj.s.m.* tolo demais

bobe (bo.be) *s.m.* pequeno rolo us. para cachear cabelos

bobear (bo.be.ar) *v.* {mod. 5} *int.* **1** fazer ou dizer bobagem, tolice **2** *infrm.* desperdiçar uma oportunidade *<ofereceram-lhe um emprego, mas ela bobeou e disse não>* ↺ aproveitar **3** *infrm.* deixar-se enganar, descuidar-se *<bobeou e perdeu o dia da prova>* ~ **bobeada** *s.f.*

bobeira (bo.bei.ra) *s.f.* **1** *infrm.* atitude de tolo *<deixa de b. e sai desse quarto>* **2** condição ou estado de quem pode ser facilmente enganado **3** coisa insignificante *<esse machucado é uma b.>* ▣ **de b.** à toa *<passou o dia todo de b.>* • **marcar b.** perder oportunidades *<marcou b. e perdeu a hora de acordar>*

bobina (bo.bi.na) *s.f.* **1** carretel us. para enrolar fios, fitas, papel etc. **2** ELETR enrolamento ~ **bobinagem** *s.f.* - **bobinar** *v.t.d.*

bobo (bo.bo) /ô/ *s.m.* **1** palhaço do rei; bufão *<o b. da corte>* **2** RECR FUTB jogo em que os participantes em círculo trocam passes entre si, enquanto um jogador, no centro, tenta reter a bola **3** RECR FUTB quem, nesse jogo, fica no meio do círculo para interceptar a bola ■ *adj.s.m.* **4** que(m) é fútil, idiota ou ingênuo; tolo *<era um cachorro b.>* *<não gosta de conversar com b.>* ■ *adj.* **5** de pouco valor ou insignificante *<presente b.>* *<comentário b.>* *<queda b.>*

bobó (bo.bó) *s.m.* CUL *B* creme de inhame ou aipim cozido com azeite de dendê e temperos, que se come puro ou com frutos do mar *<b. de camarão>*

boboca (bo.bo.ca) *adj.2g.s.2g.* ingênuo, bobo

boca (bo.ca) /ô/ *s.f.* **1** ANAT cavidade da cabeça pela qual os homens e os animais ingerem os alimentos **2** o contorno dos lábios **3** abertura; entrada; início *<a b. da caverna>* **4** foz **5** *fig.* indivíduo a ser alimentado *<tinha oito b. em casa>* **6** *B infrm.* chance de ganhar dinheiro fácil, oportunidade vantajosa *<arrumou uma b. na empresa do sogro>* **7** *B infrm. drg.* local de venda de drogas, b. de fumo ▣ **b. a b.** realizado por via oral, de uma pessoa a outra *<publicidade b. a. b., respiração b. a b.>* • **b. da noite** o anoitecer • **b. de forno** RECR *B* brincadeira infantil em que uma das crianças, o mestre, dá tarefas para as outras cumprirem • **b. de urna** *B* **1** área próxima de local de votação **2** *p.ext.* propaganda eleitoral feita junto aos locais de votação *<aqui não é permitido fazer b. de urna>* • **arrebentar a b. do balão** *RJ gír.* fazer algo muito bem, ter muito sucesso *<o time arrebentou a b. do balão>* • **bater b.** *B infrm.* discutir com veemência (com alguém) *<batia b. com a vizinha quase todo dia>* • **com a b. na botija** *infrm.* em flagrante *<foi pego com a b. na botija>* • **de b.** *infrm.* apenas por via oral, sem ser por escrito *<prometeu de b.>* • **encher a b.** demonstrar que se orgulha de algo *<enche a b. ao falar dos filhos>*

boca-aberta (bo.ca-a.ber.ta) [pl.: *bocas-abertas*] *s.2g. infrm. pej.* pessoa que se admira à toa

boca de siri (bo.ca de si.ri) [pl.: *bocas de siri*] *s.f. B infrm.* **1** atitude de reserva; silêncio ■ *s.2g.* **2** indivíduo muito discreto ■ *interj.* **3** expressão que pede ou sugere discrição, reserva *<vocês já sabem: boca de siri!>* ◉ GRAM/USO este subst. ger. não se usa no pl. ▣ **fazer boca de siri** *B infrm.* silenciar sobre algo *<fez boca de siri quanto ao combinado>*

bocado (bo.ca.do) *s.m.* **1** porção de comida que cabe na boca **2** fração, parte *<um b. de pão>* ▣ **passar um mau b.** ter dificuldades *<passaram um mau b. no navio>* • **um b.** muito, bastante *<riu um b.>*

boca do lixo (bo.ca do li.xo) [pl.: *bocas do lixo*] *s.f. infrm.* zona de tráfico e prostituição

bocaina (bo.cai.na) *s.f.* GEO vale entre duas serras

bocaiuva (bo.cai.u.va) *s.f.* BOT **1** palmeira de caule liso cujos frutos têm polpa comestível, amarela e doce **2** esse fruto

bocal (bo.cal) [pl.: *-ais*] *s.m.* **1** abertura de pote, vaso, garrafa etc. *<usou um funil pra fazer a água passar pelo estreito b.>* **2** ELETR peça onde se atarraxa a lâmpada; soquete **3** MÚS peça móvel que serve de embocadura para certos instrumentos de sopro de metal *<perdeu o b. de seu trompete>* **4** *C.-O.* embocadura do berrante, pela qual o vaqueiro sopra

boçal (bo.çal) [pl.: *-ais*] *adj.2g.s.2g.* que(m) é rude ou insensível *<comportava-se como um b.>* ~ **boçalidade** *s.f.*

boca-livre (bo.ca-li.vre) [pl.: *bocas-livres*] *s.f. infrm.* **1** evento social com entrada, comida e bebida de graça *<o lançamento do filme foi b.>* **2** mamata

boca-rica (bo.ca-ri.ca) [pl.: *bocas-ricas*] *s.f. infrm.* chance de ganhar dinheiro sem esforço

bocarra (bo.car.ra) *s.f.* boca enorme ou toda aberta ◉ GRAM/USO aum.irreg. de *boca*

bocejo (bo.ce.jo) /ê/ *s.m.* movimento involuntário de abrir a boca por sono ou tédio *<soltou três b. durante a palestra>* ~ **bocejador** *adj.s.m.* - **bocejar** *v.int.*

boceta (bo.ce.ta) /ê/ *s.f.* **1** caixinha **2** caixa de rapé **3** *gros.* vulva

bocha (bo.cha) *s.f.* RECR *S.* **1** jogo praticado com várias bolas maciças grandes e uma pequena, da qual as bolas grandes, ao serem roladas, devem se aproximar o mais possível **2** cada uma dessas bolas

bochecha (bo.che.cha) /ê/ *s.f.* cada lado carnoso da face

bochechar (bo.che.char) *v.* {mod. 1} *t.d. e int.* agitar (líquido) na boca, enchendo e esvaziando as bochechas *<b. água com medicamento>* *<escova os dentes e depois bochecha>*

bochecho (bo.che.cho) /ê/ *s.m.* **1** ação de agitar líquido na boca *<fez um b. com água morna>* **2** porção desse líquido

bochechudo (bo.che.chu.do) *adj.s.m.* (aquele) que tem bochechas grandes

bochicho (bo.chi.cho) *s.m. B infrm.* **1** aglomeração ruidosa de pessoas; tumulto, confusão *<estava o maior b. na praça>* **2** rumor, boato *<ouvi um b. de que a escola ia fechar>*

bócio (bó.cio) *s.m.* MED inchaço crônico na glândula tireoide devido à carência de iodo

bocó (bo.có) *adj.2g.s.2g. infrm.* que(m) é tolo, simplório *<que pergunta b.!>*

boda (bo.da) /ô/ *s.f.* cerimônia de casamento ◉ GRAM/USO mais us. no pl.

bode (bo.de) *s.m.* **1** ZOO ruminante que tem chifres grandes e pelos no queixo que parecem uma barba comprida; o macho da cabra **2** *infrm.* briga, encrenca *<a festa estava boa, mas deu b. no final>* **3** *infrm.* exaustão, prostração *<chegou do passeio no maior b.>* **4** *infrm.* mal-estar causado por ingestão de droga ▣ **b. expiatório** pessoa ou coisa sobre a qual recaem culpas alheias

bodega (bo.de.ga) *s.f.* **1** local que serve refeições baratas **2** pequeno armazém **3** *infrm.* coisa suja ou de má qualidade; porcaria *<tire essa b. da minha frente e me traga o jantar>* ~ **bodegueiro** *adj.sm.*

bodoque (bo.do.que) *s.m.* RECR brinquedo us. para atirar pedras, feito com uma forquilha e elástico; atiradeira

bodum (bo.dum) [pl.: *-uns*] *s.m.* **1** fedor de bode não castrado **2** *p.ext. pej.* fedor de suor de gente ou bicho **3** *p.ext. pej.* mau cheiro

bodyboard (bo.dy.board) [ing.; pl.: *bodyboards*] *s.m.* ESP **1** prancha curta e flutuante sobre a qual se deita o tronco para deslizar nas ondas **2** esse esporte ⇒ pronuncia-se bádi bórd

boemia (bo.e.mi.a) ou **boêmia** (bo.ê.mia) *s.f.* **1** modo de vida de boêmio **2** vida alegre e sem regras **3** vadiagem

boêmio (bo.ê.mio) *adj.* **1** da Boêmia, região ocidental da República Tcheca **2** próprio dos ciganos ■ *s.m.* **3** natural ou habitante da Boêmia **4** LING dialeto tcheco dessa região **5** cigano ■ *adj.s.m.* **6** que(m) vive em noitadas **7** que(m) leva uma vida de prazeres, sem regras ou controle

bôer (bô.er) [pl.: *bôeres*] ou **bóer** (bó.er) [pl.: *bóeres*] *adj.2g.s.2g.* sul-africano descendente de holandeses que colonizaram a atual África do Sul

bofe (bo.fe) *s.m.* **1** *infrm.* pulmão <*terminou a corrida botando os b. para fora*> ☞ mais us. no pl. **2** *infrm.* indivíduo feio **3** *gír.* na linguagem dos homossexuais masculinos, homem ▼ ***bofes*** *s.m.pl.* **4** vísceras de animal **5** temperamento <*era um cara de maus b.*> <*bons b.*>

bofetada (bo.fe.ta.da) *s.f.* **1** tapa no rosto **2** *p.ext.* ofensa, afronta <*não ser convidado para o casamento foi uma b.*>

bofetão (bo.fe.tão) [pl.: *-ões*] *s.m.* bofetada ('tapa') violenta

bogari (bo.ga.ri) *s.m.* BOT arbusto de flores perfumadas com as quais se aromatizam chás e cuja essência é us. em perfumaria

bogotano (bo.go.ta.no) *adj.* **1** de Bogotá (Colômbia) ■ *s.m.* **2** natural ou habitante dessa capital

bóhrio (bóh.rio) *s.m.* QUÍM elemento químico artificial radioativo, anteriormente denominado *unnilseptium* [símb.: *Bh*] ☞ cf. *tabela periódica* (no fim do dicionário)

boi [fem.: *vaca*] *s.m.* ZOO **1** mamífero ruminante, ger. domesticado, us. para tração e extração de carne, couro etc. **2** touro adulto castrado ◉ COL boiada, rebanho ◉ VOZ v. mugir; subst. mugido ▣ **estar de b.** *N.E. infrm.* menstruar

bói *s.m.* empregado que faz trabalhos de entregas, pagamentos etc. de um escritório; contínuo

boia (boi.a) /ói/ *s.f.* **1** objeto que flutua na água e serve para sinalizar algo ou auxiliar pessoas ou objetos a não afundar **2** *infrm.* comida <*a b. já saiu?*>

boiada (boi.a.da) *s.f.* rebanho bovino

boiadeiro (boi.a.dei.ro) *adj.s.m.* **1** que(m) conduz a marcha da boiada **2** proprietário de boiada

boia-fria (boi.a-fri.a) [pl.: *boias-frias*] *adj.2g.s.2g.* *B* trabalhador rural temporário e itinerante

boiar (boi.ar) *v.* {mod. 1} *t.d. e int.* **1** (fazer) flutuar em meio líquido, prendendo(-se) ou não a boia(s) <*b. as toras de madeira rio abaixo*> <*não sabe nadar, mas consegue b.*> □ *int.* **2** *B gír.* não entender ou perceber algo <*durante a aula, muitos alunos boiaram*>

boi-bumbá (boi-bum.bá) [pl.: *bois-bumbá* e *bois-bumbás*] *s.m.* FOLC *AMAZ MA* variação do bumba meu boi

boicotar (boi.co.tar) *v.* {mod. 1} *t.d.* **1** recusar, como forma de punição, qualquer tipo de relação com <*b. um grupo*> **2** negar colaboração a <*b. a passeata*> <*os atores boicotaram a visita do produtor*> **3** recusar e/ou proibir transação comercial com <*após o aumento dos preços, o público boicotou o supermercado*>

boicote (boi.co.te) *s.m.* **1** recusa de um grupo a trabalhar ou fazer transações com determinada indústria ou estabelecimento comercial <*b. à indústria de refrigerantes*> **2** ação ou efeito de não participar de qualquer atividade a que se tenha sido convidado <*b. à festa de casamento*> <*b. à posse do presidente*> **3** rompimento de relações com indivíduo ou grupo a que(m) se queira punir ou constranger a algo <*após a desonestidade dos primos, decidiu-se por um b. à família*> **4** não participação em determinado ato ou manifestação pública <*b. à greve*>

boídeo (bo.í.deo) *adj.s.m.* ZOO (espécime) dos boídeos, família de cobras tropicais que inclui a sucuri e a jiboia

boiler (boil.er) [ing.; pl.: *boilers*] *s.m.* caldeira elétrica para aquecimento de água ⇒ pronuncia-se bóiler

boina (boi.na) *s.f.* VEST boné achatado sem aba, ger. de lã

boiola (boi.o.la) *s.m.* *B infrm. gros. pej.* homossexual do sexo masculino

boitatá (boi.ta.tá) *s.m.* **1** FOLC *B* mito indígena simbolizado por uma cobra de fogo ou por um touro que lança fogo pelo nariz **2** fogo-fátuo

boiuna (boi.u.na) *s.f.* **1** FOLC *AMAZ* cobra lendária capaz de se transformar em qualquer embarcação e, mais raramente, em uma mulher **2** ZOO sucuri

bojo (bo.jo) /ô/ *s.m.* **1** parte mais larga do interior de um recipiente ou de qualquer objeto <*o b. de uma garrafa*> <*o b. do violão*> **2** saliência arqueada, convexa <*suas costas faziam um b. abaixo dos ombros*> **3** *fig.* âmago <*definiram o b. do estatuto*>

bojudo (bo.ju.do) *adj.* **1** que tem a parte interna arredondada <*um vaso b.*> **2** *p.ext.* barrigudo <*seu marido está um pouco b.*>

bola (bo.la) *s.f.* **1** qualquer objeto de forma esférica; globo **2** RECR objeto esférico us. em diferentes jogos ou esportes <*b. de futebol, de tênis*> **3** círculo; circunferência <*desenhou uma b.*> <*usava uma saia com bolas*> **4** futebol, pelada <*quebrou o pé jogando b.*> **5** *infrm. drg.* droga entorpecente **6** carne envenenada que se usa para matar cães **7** pessoa ou coisa engraçada <*você é uma b.*> **8** *infrm.* mente <*ele é meio ruim da b.*> ◉ GRAM/USO dim.irreg. bolota ▣ **b. de cristal 1** esfera de cristal us. para prever o futuro **2** capacidade de prever o futuro <*parece que ela tem b. de cristal, pois sempre adivinha o resultado dos jogos*> • **b. de encher** objeto de borracha em forma de saco com pequena abertura por onde se introduz ar, para enchê-lo; balão (de gás); bexiga • **b. de gude** RECR pequena esfera de vidro us. no jogo de gude • **bater b.** FUTB jogar uma pelada • **dar b. a** *infrm.* **1** dar importância a; ligar <*ninguém deu b. para os comentários dele*> **2** flertar, paquerar <*dava b. para todas as garotas da festa*> • **estar com a b. toda** estar no domínio da situação • **estar pela b. sete 1** ESP no jogo de sinuca, proximidade do fim da partida **2** *infrm.* esperar algum acontecimento próximo • **pisar na b.** cometer um erro; bobear

bolacha (bo.la.cha) *s.f.* **1** biscoito crocante e achatado, ger. redondo <*comeu um pacote inteiro de b.*> **2** *infrm.* bofetada <*foi separar a briga e levou uma b.*> **3** círculo de papelão us. em bares para apoiar copo de chope **4** FONO *gír.* disco

bolaço (bo.la.ço) *s.m.* **1** bola grande **2** ESP em qualquer jogo com bola, jogada executada com excelência; bolão ◉ GRAM/USO aum.irreg. de *bola*

[1]**bolada** (bo.la.da) *s.f.* arremesso ou golpe com bola *<o fotógrafo levou uma b.>* ◉ ORIGEM *bola* + *-ada*

[2]**bolada** (bo.la.da) *s.f. infrm.* muito dinheiro *<ganhou uma b. na loteria>* ◉ ORIGEM [1]*bolo* + *-ada*

bola de neve (bo.la de ne.ve) [pl.: *bolas de neve*] *s.f.* situação que se desenvolve rapidamente e sem controle *<a descida do time está se tornando uma bola de neve>*

[1]**bolão** (bo.lão) [pl.: *-ões*] *s.m.* **1** bola grande **2** *infrm.* bolaço ('jogada') *<esse cara bate um b.>* **3** grande quantidade de qualquer coisa *<comprou um b. de canetas>* ◉ ORIGEM *bola* + *-ão*

[2]**bolão** (bo.lão) [pl.: *-ões*] *s.m. infrm.* **1** grande prêmio em dinheiro; bolada **2** aposta feita coletivamente *<fizeram mais um b. na empresa, mas não ganharam>* ◉ ORIGEM [1]*bolo* + *-ão*

bolar (bo.lar) *v.* {mod. 1} *t.d. infrm.* criar na mente; inventar, arquitetar *<b. um plano>*

bolas (bo.las) *s.f.pl.* **1** *infrm.* testículos ■ *interj.* **2** expressa desagrado, aborrecimento *<b.! perdi o trem>*

bolbo (bol.bo) *s.m.* BOT bulbo

bolchevique (bol.che.vi.que) *adj.2g.s.2g.* HIST POL bolchevista

bolchevista (bol.che.vis.ta) *adj.2g.s.2g.* HIST POL (membro) da antiga ala esquerda do Partido Comunista russo ☞ cf. *menchevista* ~ **bolchevismo** *s.m.*

boldo (bol.do) /ô/ *s.m.* BOT árvore de cujas folhas se faz chá digestivo

boldrié (bol.dri.é) *s.m.* VEST **1** tira passada de um ombro ao quadril oposto que serve para sustentar uma espada ou a haste de uma bandeira **2** cinturão largo de couro **3** cadeirinha ('conjunto')

boleadeiras (bo.le.a.dei.ras) *s.f.pl.* *RS* peça com três esferas (de pedra, ferro ou marfim) revestidas de couro e unidas por três tiras de couro presas entre si, us. para laçar animais

bolear (bo.le.ar) *v.* {mod. 5} *t.d.* **1** dar forma de bola a *<b. o barro>* **2** *RS* arremessar boleadeiras e prender com elas (um animal) *<b. bezerros>* □ *t.d. e pron.* **3** tornar(-se) arredondado ou roliço *<b. a ponta de uma espada>* *<boleava-se, mesmo comendo pouco>* □ *t.d.,int. e pron.* **4** requebrar(-se), rebolar (-se) *<b. os quadris>* *<mal ouviu a música, começou a b.>* *<boleou-se a noite inteira>* □ *pron. B* **5** tombar do cavalo depois que ele empina *<boleou-se no centro do picadeiro>*

boleia (bo.lei.a) /éi/ *s.f.* **1** assento do cocheiro ou motorista **2** em caminhões, cabine do motorista

bolero (bo.le.ro) *s.m.* **1** DNÇ MÚS música e dança popular espanhola **2** DNÇ MÚS música, canção e dança popular na América Latina *<conheceu um famoso compositor de b.>* **3** VEST jaqueta curta, com ou sem mangas, us. sobre outra peça

boletim (bo.le.tim) [pl.: *-ins*] *s.m.* **1** breve texto informativo para circulação interna ou para divulgação pública *<a empresa publicou um b. com seu lucro anual>* *<b. médico, policial>* **2** documento com as notas de um aluno

boleto (bo.le.to) /ê/ *s.m.* **1** documento de um pagamento a ser feito em banco **2** entrada para um espetáculo

bolha (bo.lha) /ô/ *s.f.* **1** pequeno globo de ar *<adorava fazer b. de sabão>* **2** borbulha de água na pele *<o sapato novo fez duas b. em seu calcanhar>* ■ *adj.2g.s.2g.* **3** *infrm.* que(m) aborrece; maçante *<seu amigo é um b.!>*

boliche (bo.li.che) *s.m.* ESP **1** jogo cujo objetivo é derrubar pinos de madeira com uma bola pesada arremessada por uma pista estreita **2** local onde se pratica esse jogo

bólide (bó.li.de) *s.f.* **1** ASTR meteorito muito grande que produz ruído e deixa um rastro luminoso ao atravessar a atmosfera **2** *fig.* pessoa ou objeto que se desloca em alta velocidade

bolina (bo.li.na) *s.f.* MAR **1** cabo que orienta a vela para o vento **2** chapa adaptada à quilha de embarcações para equilibrá-las

bolinar (bo.li.nar) *v.* {mod. 1} *t.d.* MAR **1** conduzir (barco) usando bolina ('cabo') **2** aproximar a proa da linha do vento □ *t.d. e int. B infrm.* **3** tocar ou encostar-se com fins libidinosos *<bolinou a mulher que estava sentada a seu lado>* *<foi preso por b. no ônibus>* ~ **bolinação** *s.f.* - **bolinador** *adj.s.m.* - **bolinagem** *s.f.*

boliviano (bo.li.vi.a.no) *adj.* **1** da Bolívia (América do Sul) ■ *s.m.* **2** natural ou habitante desse país

[1]**bolo** (bo.lo) /ô/ *s.m.* **1** qualquer substância amontada em forma de bola *<um b. de cabelo>* **2** massa, doce ou salgada, à base de farinha, cozida ao forno *<b. de laranja>* *<b. de peixe>* **3** *infrm.* ajuntamento desordenado, confusão *<havia um b. de gente em frente ao cinema>* **4** monte de dinheiro, ou seu equivalente, em mesa de jogo **5** prêmio *<dividiram o b. por todos os apostadores>* **6** *infrm.* golpe dado na palma da mão **7** *infrm.* confusão, rolo ◉ ORIGEM duv., talvez de *bola* /ó/ ▣ **dar (o) b.** *infrm.* faltar a compromisso ou encontro

[2]**bolo** (bo.lo) /ô/ *s.m.* **1** argila avermelhada por conter ferro **2** *p.ext.* porção de barro us. na criação de objetos de cerâmica ◉ ORIGEM do lat. *bŏlus,i* 'massa, argila' ▣ **b. alimentar** MED massa de alimento mastigado, formado na boca no início da digestão

bolo de rolo (bo.lo. de ro.lo) *s.m.* CUL *N.E.* doce preparado com camadas muito finas de massa amanteigada, intercaladas com recheio doce, ger. goiabada, e enroladas, tomando forma semelhante à de um rocambole

bolonhês (bo.lo.nhês) [pl.: *-eses*] *adj.* **1** de Bolonha (Itália) ■ *s.m.* **2** natural ou habitante dessa cidade ▣ **à bolonhesa** CUL com molho de tomate e carne moída *<espaguete à bolonhesa>*

bolor (bo.lor) /ô/ [pl.: *-es*] *s.m.* **1** BIO mofo **2** bafio ~ **bolorento** *adj.*

bolota (bo.lo.ta) *s.f.* **1** pequena bola *<b. de massa>* **2** BOT fruto do carvalho **3** *infrm.* pompom

B

bolsa (bol.sa) /ô/ *s.f.* **1** saco de couro, tecido etc., ger. com alça e fecho, us. para transportar ou guardar objetos diversos; sacola **2** ANAT qualquer cavidade semelhante a um saco **3** MED bolha, ger.de água ou pus **4** auxílio financeiro para a realização de alguma tarefa *<b. de estudo>* **5** ECON instituição em que se comercializam mercadorias ou documentos de valor (ações, títulos, fundos) *<b. de valores> <b. de mercadorias>*

bolsão (bol.são) [pl.: *-ões*] *s.m.* **1** bolsa ou bolso grande **2** área em que ocorre um fenômeno ou um foco de algo, distinto da realidade que a circunda *<bolsões de pobreza> <um b. de resistência à ocupação do território>*

bolsista (bol.sis.ta) *adj.2g.s.2g.* que(m) recebe bolsa de estudos *<reunião dos (alunos) b.>*

bolso (bol.so) /ô/ *s.m.* **1** pequeno saco costurado na roupa para guardar miudezas **2** *fig. infrm.* dinheiro, patrimônio *<as despesas saem do meu b.>* ▣ **de b.** pequeno; portátil *<livro de b.>*

bom [pl.: *bons*; fem.: *boa*] *adj.* **1** que apresenta as qualidades esperadas *<b. aluno> <b. resposta>* ↺ mau **2** generoso; bondoso **3** saboroso *<comida b.>* **4** competente; eficaz *<um b. funcionário>* **5** agradável *<tivemos um b. dia>* **6** curado de um mal *<ficou b. em uma semana>* **7** grande *<comeu um b. pedaço de torta>* **8** favorável, vantajoso *<b. acordo>* ■ *s.m.* **9** pessoa honrada *<junte-se aos b.>* ☞ mais us. no pl. **10** qualidade positiva *<o b. da peça são os atores>* **11** o que é superior em qualidade, beleza etc. *<ele é o b. em física>* ◉ GRAM/USO **a)** comp.super.: *melhor*; sup.abs.sint.irreg.: *ótimo*; **b)** usa-se dizer corretamente "mais bom" e "mais boa" e não "melhor" quando se comparam duas qualidades diferentes em relação à mesma pessoa ou coisa: *um filme mais bom do que ruim*

bomba (bom.ba) *s.f.* **1** artefato explosivo **2** máquina para extrair ou sugar líquidos **3** CUL doce de massa cozida recheado de creme; ecler *<b. de chocolate>* **4** *S.* canudo para tomar chimarrão **5** *infrm.* reprovação em exame *<levou b. em ciências>* **6** *infrm.* medicamento forte com efeitos colaterais nocivos **7** *infrm.* anabolizante **8** FUTB chute muito forte *<mandou uma b. em direção ao gol>* **9** *fig. infrm.* acontecimento inesperado *<a separação dos pais foi uma b.>* **10** *infrm. pej.* coisa malfeita, de qualidade inferior *<aquela pintura ficou uma b.>* ▣ **b. atômica** explosivo formado por átomos de urânio ou plutônio ☞ tb. se diz apenas *bomba A* • **b. de hidrogênio** bomba atômica ativada pelo aquecimento excessivo de átomos leves como lítio ou hidrogênio ☞ tb. se diz apenas *bomba H*

bombacácea (bom.ba.cá.ce.a) *s.f.* BOT espécime das bombacáceas, árvores tropicais ger. cultivadas para extração da paina ou para arborização de ruas, como a paineira ~ **bombacáceo** *adj.*

bombachas (bom.ba.chas) *s.f.pl.* VEST *B* calças largas nas pernas e apertadas nos tornozelos, como as do traje típico dos gaúchos

bombada (bom.ba.da) *s.f.* **1** cada movimento completo de uma bomba ('máquina') *<uma b. de fertilizante>* **2** *infrm.* prejuízo, perda *<levou uma b. de seu amigo>*

bombado (bom.ba.do) *adj. infrm.* quem toma remédio para desenvolver muito os músculos

bombar (bom.bar) *v.* {mod. 1} *t.d.* **1** bombear ◻ *t.i. gír.* **2** (prep. *em*) ser reprovado (em prova, exame) *<bombou em química>* ↺ passar ◻ *int.* **3** atingir alto grau de intensidade, alegria; ferver *<a quermesse está bombando>*

bombardão (bom.bar.dão) [pl.: *-ões*] *s.m.* MÚS **1** instrumento metálico de sopro, de som grave, com pistons **2** bombardino

bombardear (bom.bar.de.ar) *v.* {mod. 5} *t.d.* **1** lançar bombas ou projéteis de artilharia em *<b. uma cidade>* ◻ *t.d. e t.d.i. fig.* **2** (prep. *com*) incomodar, combater, agredir (com argumentos, perguntas etc.) *<bombardeou a namorada (com perguntas tolas)>* ~ **bombardeio** *s.m.*

bombardeiro (bom.bar.dei.ro) *s.m.* AER avião projetado para lançar bombas

bombardino (bom.bar.di.no) *s.m.* MÚS **1** instrumento metálico de sopro, de timbre semelhante ao barítono, us. em banda **2** trombone de pistons **3** quem toca esses instrumentos

bomba-relógio (bom.ba-re.ló.gio) [pl.: *bombas-relógio* e *bombas-relógios*] *s.f.* **1** dispositivo que explode em momento prefixado **2** *fig.* qualquer coisa com uma reação retardada potencialmente perigosa

bombástico (bom.bás.ti.co) *adj.* **1** que tem efeito devastador *<notícias b.>* **2** cuja linguagem é empolada *<discurso b.> <um orador b.>*

bombear (bom.be.ar) *v.* {mod. 5} *t.d.* movimentar (fluido) por meio de bomba *<b. água para fora do barco>* ~ **bombeamento** *s.m.*

bombeiro (bom.bei.ro) *s.m.* **1** membro de corporação que presta socorro em caso de incêndio, acidente ou dano a um bem **2** *RJ* encanador

bômbice (bôm.bi.ce) *s.m.* → ***BÔMBIX***

bombilha (bom.bi.lha) *s.f. S.* canudo ger. metálico para beber chimarrão

bombinha (bom.bi.nha) *s.f.* RECR pequena bomba característica dos festejos juninos, que se detona com estrondo por meio de uma cabeça de fósforo

bômbix (bôm.bix) /cs/ *s.m.2n.* ou **bômbice** (bôm.bi.ce) *s.m.* ZOO bicho-da-seda

bombo (bom.bo) ou **bumbo** (bum.bo) *s.m.* MÚS tambor grande; zabumba

bom-bocado (bom-bo.ca.do) [pl.: *bons-bocados*] *s.m.* CUL bolinho feito com gemas, farinha de trigo, açúcar e coco ralado

bombom (bom.bom) [pl.: *-ons*] *s.m.* CUL tipo de bala macia, geralmente coberta de chocolate, recheada ou não

bombona (bom.bo.na) *s.f.* QUÍM frasco para armazenar gases ou produtos químicos

bomboneria (bom.bo.ne.ri.a) *s.f.* estabelecimento em que se vendem bombons, balas etc.

bombordo (bom.bor.do) *s.m.* AER MAR lado esquerdo de uma embarcação ou aeronave, olhando da popa para a proa ☞ cf. *bordo, boreste* e *estibordo*

bom-dia (bom-di.a) [pl.: *bons-dias*] *s.m.* cumprimento com que se saúda alguém de manhã *<deu um b. ao porteiro>*

bom-moço (bom-mo.ço) [pl.: *bons-moços*] *s.m. B infrm. joc.* aquele que se faz passar por honesto, sério *<diz a todos que é um b.>*

bom-tom (bom-tom) [pl.: *bons-tons*] *s.m.* bom comportamento social ▣ **de b.** apropriado *<foi de b. ter se retirado antes da chegada do adversário>*

bonachão (bo.na.chão) [pl.: *-ões*; fem.: *bonachona*] *adj.s.m.* que(m) é simples e muito bondoso

bonacheirão (bo.na.chei.rão) [pl.: *-ões*; fem.: *bonacheirona*] *adj.s.m.* bonachão

bonança (bo.nan.ça) *s.f.* MAR MET **1** tempo propício à navegação **2** tranquilidade, sossego ~ **bonançoso** *adj.*

bondade (bon.da.de) *s.f.* **1** aquilo que é bom **2** ação de praticar o bem *<acredita na b. humana>* **3** cortesia; favor *<tenha a b. de aguardar mais um pouco>*

bonde (bon.de) *s.m.* veículo urbano, ger. movido a eletricidade, que trafega sobre trilhos ▣ **pegar o b. andando** *infrm.* entrar numa conversa já iniciada, sem saber o que foi dito antes • **tomar o b. errado** *infrm.* equivocar-se, confundir-se

bondinho (bon.di.nho) *s.m.* **1** pequeno bonde **2** carro de elevador de rua ou de teleférico

bondoso (bon.do.so) /ô/ [pl. e fem.: /ó/] *adj.* que tem ou demonstra bondade

boné (bo.né) *s.m.* VEST tipo de chapéu sem abas e com uma pala sobre os olhos

boneca (bo.ne.ca) *s.f.* **1** RECR brinquedo que representa a figura feminina *<colecionava b. de pano>* **2** moça ou menina bonita e bem arrumada **3** *pej.* homem afeminado **4** *B pej.* homossexual masculino ou travesti **5** pequeno saco de pano (com tempero, anil, verniz etc.) us. em culinária ou tarefas domésticas **6** GRÁF projeto gráfico de livro ou revista que visa definir as características (diagramação, tipo de papel, encadernação etc.) que deverá ter o produto impresso **7** GRÁF modelo de uma publicação (livro, revista etc.), com o tamanho e formato finais, mas ainda sem texto e capa definitivos *<ficou emocionado ao ver a b. de seu livro>*

boneco (bo.ne.co) *s.m.* **1** RECR objeto que representa a figura masculina **2** *infrm.* pessoa facilmente influenciável *<é um b. nas mãos dos amigos>* ▣ **b. de engonço** boneco articulado; fantoche; marionete

bonequeiro (bo.ne.quei.ro) *adj.s.m.* **1** que(m) fabrica ou vende bonecos **2** que(m) manipula bonecos em espetáculos

bongô (bon.gô) *s.m.* MÚS instrumento de percussão constituído de dois pequenos tambores ligados entre si

bonificação (bo.ni.fi.ca.ção) [pl.: *-ões*] *s.f.* concessão de prêmio ou vantagem; gratificação ~ **bonificar** *v.t.d.*

bonifrate (bo.ni.fra.te) *s.m.* **1** fantoche **2** *fig. pej.* pessoa que é manipulada por outra **3** *fig. pej.* quem se veste ou age de forma ridícula

bonito (bo.ni.to) *adj.* **1** que agrada aos sentidos *<b. paisagem>* **2** de aspecto admirável; belo *<joias b.>* **3** nobre; generoso *<uma ação b.>* **4** notável pela qualidade e quantidade *<b. coleção>* **5** diz-se de dia ensolarado ■ *adv.* **6** com bom estilo; bem; de forma adequada *<falou b.>* ■ *interj.* **7** exprime aprovação ou reprovação *<b., hein! precisava ter molhado o chão todo?>* ~ **boniteza** *s.f.*

bonomia (bo.no.mi.a) *s.f.* característica de quem é bom, crédulo, simples

bonsai (bon.sai) *s.m.* **1** técnica japonesa de cultivar plantas em miniatura **2** árvore cultivada nessa técnica

bônus (bô.nus) *s.m.2n.* **1** pagamento extra dado a um empregado; abono *<aguardava ansioso pelo b. de fim de ano>* **2** *p.ext.* algo que se dá ou recebe além do esperado *<junto com o dicionário, veio um CD de b.>* **3** prêmio oferecido por estabelecimento comercial a seus clientes *<o supermercado oferece um b. a cada cem reais em compras>* **4** ECON título de crédito emitido por empresa pública ou privada

bonzo (bon.zo) *s.m.* REL monge budista, esp. das ordens budistas do Japão e da China

book [ing.; pl.: *books*] *s.m.* espécie de portfólio com fotos de modelo profissional ou candidatos a modelo ⇒ pronuncia-se buc

boom [ing.; pl.: *booms*] *s.m.* **1** ECON alta súbita na cotação de valores (p.ex., títulos, ações) ou mercadorias *<o b. da bolsa de valores>* **2** ECON expansão rápida e muito abrangente da atividade econômica de país, cidade etc. **3** crescimento muito rápido na comercialização ou aceitação de um determinado produto *<houve um b. no comércio de eletrônicos>* ⇒ pronuncia-se bum

boot [ing.; pl.: *boots*] *s.m.* INF operação que dá início ao funcionamento do computador ⇒ pronuncia-se but

boqueira (bo.quei.ra) *s.f.* ferida no canto dos lábios

boqueirão (bo.quei.rão) [pl.: *-ões*] *s.m.* **1** boca grande **2** grande abertura de rio ou canal

boquejar (bo.que.jar) *v.* {mod. 1} *t.d. e int.* **1** falar baixo e/ou com mau humor *<b. confidências> <bufava e boquejava pelos corredores>* □ *t.i.* **2** (prep. *de*, *em*, *sobre*) falar mal de *<vive a b. da própria irmã>* □ *t.i. e int.* **3** (prep. *com*) discutir *<boqueja com todos que discordam dele> <passaram o dia a b.>*

boquete (bo.que.te) *s.m. gros.* felação

boquiaberto (bo.qui.a.ber.to) *adj.* **1** de boca aberta **2** *fig.* cheio de admiração; estupefato *<a decoração da casa deixou-a b.>* ~ **boquiabrir** *v.t.d. e pron.*

boquinha (bo.qui.nha) *s.f.* boca pequena ▣ **fazer b.** franzir os lábios como sinal de zanga • **fazer uma b.** fazer uma refeição leve *<não vou almoçar, fiz uma b. antes de sair>*

borá (bo.rá) *s.m. MG TO* som grave produzido pelo sopro nas mãos em cuia

boraginácea (bo.ra.gi.ná.cea) *s.f.* BOT espécime das boragináceas, família de ervas, árvores ou arbustos, cultivadas como ornamentais, como o miosótis, e pela madeira, tinturas ou frutos comestíveis ~ **boragináceo** *adj.*

borato (bo.ra.to) *s.m.* QUÍM qualquer sal do ácido bórico

bórax (bó.rax) /cs/ *s.m.2n.* QUÍM substância us. como antisséptico

borboleta (bor.bo.le.ta) /ê/ *s.f.* **1** ZOO inseto diurno com asas coloridas **2** dispositivo com três ou quatro barras giratórias us. para dar passagem a uma pessoa por vez (em ônibus, cinema, estádio etc.); roleta, catraca, molinete **3** ESP estilo de nado **4** dobradiça com duas asas para sustentar janelas que deslizam na vertical **5** parafuso provido de duas asinhas, com as quais ele é apertado ◉ COL panapaná

borboletear (bor.bo.le.te.ar) *v.* {mod. 5} *int.* **1** dar voos curtos, sem rumo certo **2** *p.ext.* andar a esmo; errar **3** *fig.* sonhar, devanear *<a mente vive a b.>*

borborigmo (bor.bo.rig.mo) ou **borborismo** (bor.bo.ris.mo) *s.m.* MED ruído intestinal causado por gases em movimento

borbotão (bor.bo.tão) [pl.: *-ões*] *s.m.* jato forte e volumoso; jorro ▣ **aos b.** *fig.* em grande quantidade, em profusão *<gente aos b.> <havia comida aos b. na festa>*

borbotar (bor.bo.tar) *v.* {mod. 1} *t.d.* **1** expelir, expulsar, lançar *<vulcões borbotam lava>* □ *int.* **2** jorrar, brotar, espirrar *<o sangue borbotava da ferida>* **3** *fig.* surgir em grande número *<as ideias custaram a b.>* **4** formar botões (a planta)

borbulha (bor.bu.lha) *s.f.* **1** bolha de ar formada pela agitação ou ebulição de líquido **2** MED bolha de água ou pus na pele

borbulhar (bor.bu.lhar) *v.* {mod. 1} *int.* **1** produzir borbulhas **2** sair em borbulhas ou gotas ~ **borbulhante** *adj.2g.* - **borbulhento** *adj.*

borco (bor.co) /ô/ *s.m.* ◗ usado em: **de b. 1** de bruços *<deu uma topada e caiu de b.>* **2** com a abertura para baixo *<pôs a tigela de b. para secar>*

borda (bor.da) *s.f.* **1** extremidade de superfície; beira *<a b. de um copo>* **2** parte que arremata e enfeita um objeto *<b. da toalha>* **3** faixa de terra que ladeia qualquer massa de água; margem

bordadeira (bor.da.dei.ra) *s.f.* mulher que faz bordado(s)

bordado (bor.da.do) *s.m.* **1** ato de bordar **2** trabalho ornamental sobre tecido feito com agulha e linha ~ **bordador** *adj.s.m.*

bordador (bor.da.dor) /ô/ [fem.: *bordadeira, bordadora*] *adj.s.m.* que ou aquele que borda

[1]**bordão** (bor.dão) [pl.: *-ões*] *s.m.* **1** cajado us. como apoio; bastão **2** *fig.* aquele ou aquilo que ampara, ajuda *<nos momentos difíceis, a família é seu b.>* **3** *B* palavra ou frase repetida na fala ou na escrita **4** *p.ext.* RÁD TV *B* palavra, expressão ou frase repetida por um personagem ou apresentador para obter um efeito cômico ou emocional ◉ ORIGEM do lat. *būrdo,ōnis* 'bastão'

[2]**bordão** (bor.dão) [pl.: *-ões*] *s.m.* MÚS nota ou corda mais grave de instrumento musical *<trocou apenas os b. de seu violão>* ◉ ORIGEM do fr. *bourdon*, onomatopeia do zumbido de abelha

[1]**bordar** (bor.dar) *v.* {mod. 1} *t.d. e int.* enfeitar (pano ou estofo) com fios, pérolas etc. usando agulha *<b. uma toalha> <costumava b. após o jantar>* ◉ ORIGEM do lat. **brosdare* 'id.'

[2]**bordar** (bor.dar) *v.* {mod. 1} *t.d.* **1** acompanhar a margem de *<duas fileiras de árvores bordavam a estrada>* **2** encher até a borda *<o leite vazou por b. a panela>* ◉ ORIGEM *borda* + *-ar*

bordejar (bor.de.jar) *v.* {mod. 1} *int.* **1** MAR navegar em zigue-zague, com o vento alternando-se entre os dois bordos **2** *p.ext.* MAR navegar sem rumo certo; fazer passeios por mar *<o iate bordejou pelas ilhas da baía>* **3** *fig.* andar sem equilíbrio; cambalear *<saiu da montanha-russa bordejando>* **4** *fig. B infrm.* buscar aventuras amorosas □ *t.d.* **5** andar ao redor de *<bordejaram a praça>*

bordejo (bor.de.jo) /ê/ *s.m.* **1** MAR navegação em zigue-zague ou a esmo **2** *p.ext. B infrm.* passeio a esmo *<saiu para um b.>* **3** *B infrm.* busca de aventura amorosa

bordel (bor.del) [pl.: *-éis*] *s.m.* casa de prostituição

borderô (bor.de.rô) *s.m.* documento que detalha os débitos e créditos de uma operação bancária ou comercial

bordo (bor.do) /ó/ *s.m.* **1** limite de uma superfície; borda **2** MAR cada lado de embarcação ☞ cf. *bombordo, boreste, estibordo* ▣ **a b.** dentro (de barco, avião, trem)

bordô (bor.dô) *s.m.* **1** a cor do vinho tinto ■ *adj.2g.2n.* **2** que tem essa cor *<vestido b.>* **3** diz-se dessa cor *<a cor b. de um tapete>*

bordoada (bor.do.a.da) *s.f.* **1** pancada com bordão; cacetada, paulada **2** *fig.* o que causa grande abalo psicológico; golpe *<levou uma b. da vida>*

borduna (bor.du.na) *s.f.* tacape ~ **bordunada** *s.f.*

boré (bo.ré) *s.m.* espécie de flauta indígena, com sons roucos

boreal (bo.re.al) [pl.: *-ais*] *adj.2g.* **1** relativo ao hemisfério norte *<as regiões b. são frias>* **2** pertencente ao norte terrestre; ártico *<aurora b.>* **3** que vem do lado norte; setentrional *<vento b.>*

boreste (bo.res.te) *s.m.* MAR lado direito de uma embarcação; estibordo ☞ cf. *bordo* e *bombordo*

boreta (bo.re.ta) /ê/ *s.f.* *TO C.-O.* fêmea do cavalo; égua

bórico (bó.ri.co) *adj.* QUÍM **1** diz-se de ácido us. em materiais à prova de fogo, cosméticos, corantes e como antisséptico ■ *s.m.* QUÍM **2** esse ácido ~ **boricado** *adj.*

borla (bor.la) *s.f.* **1** pompom do qual pendem franjas **2** barrete de doutores e magistrados **3** *p.ext.* grau de doutor

bornal (bor.nal) [pl.: *-ais*] *s.m.* embornal

boro (bo.ro) *s.m.* QUÍM elemento químico us. em aços, reatores nucleares, semicondutores etc. [símb.: *B*] ☞ cf. *tabela periódica* (no fim do dicionário)

borocoxô (bo.ro.co.xô) *adj.2g.s.2g.* *B infrm.* que(m) está envelhecido e/ou desanimado

bororo (bo.ro.ro) /ô/ ou **bororó** (bo.ro.ró) *s.2g.* **1** indivíduo dos bororos, povo indígena do leste de Mato Grosso ■ *s.m.* **2** LING língua falada pelos bororos ■ *adj.2g.* **3** relativo a esse indivíduo, povo ou língua

borra (bor.ra) /ô/ *s.f.* **1** resíduo espesso de uma substância *<b. de café, de vinho>* **2** parte mais grosseira e espessa da lã, do algodão etc., de que se fazem tecidos mais grossos

borra-botas (bor.ra-bo.tas) *s.2g.2n. pej.* **1** mau profissional **2** joão-ninguém

borracha (bor.ra.cha) *s.f.* **1** substância elástica sintética ou de látex **2** material resultante da manufatura ou industrialização dessa substância *<comprou botas de b.>* **3** pedaço industrializado dessa substância us. para apagar traços escritos **4** ^{2}mangueira ('tubo') *<não pôde regar o jardim porque a b. estava furada>* **5** *B infrm.* cassetete **6** *CE* menina jovem ▣ **passar a b.** *fig.* perdoar; esquecer *<passou a b. sobre o assunto>*

borracharia (bor.ra.cha.ri.a) *s.f. B* estabelecimento em que se consertam e/ou se vendem pneumáticos; borracheiro

borracheira (bor.ra.chei.ra) *s.f.* **1** bebedeira **2** ato, dito ou comportamento de borracho ('bêbado') **3** *p.ext. infrm.* coisa de má qualidade ou malfeita *<o filme foi uma b.>*

borracheiro (bor.ra.chei.ro) *s.m.* **1** pessoa ou loja que conserta ou vende pneus **2** *B* seringueiro

borracho (bor.ra.cho) *adj.s.m.* **1** bêbado ■ *s.m.* **2** ZOO pombo de plumagem incompleta, que ainda não voa

borrachudo (bor.ra.chu.do) *adj. B infrm.* **1** com a consistência da borracha *<bife b.>* **2** sem fundos (diz-se de cheque) ■ *s.m.* **3** ZOO nome comum a mosquitos negros de fêmeas que picam

borrador (bor.ra.dor) /ô/ [pl.: *-es*] *adj.s.m.* **1** (o) que borra **2** (o) que serve para rascunho ■ *s.m.* **3** diário de registro de operações comerciais

borralha (bor.ra.lha) *s.f.* **1** borralho **2** cinza

borralheira (bor.ra.lhei.ra) *s.f.* local onde se acumula a borralha; borralheiro

borralheiro (bor.ra.lhei.ro) *adj.* **1** que vive junto ao borralho ou nele se aquece *<história da Gata B.>* **2** sujo de cinzas **3** *p.ext.* que pouco sai de casa ■ *s.m.* **4** borralheira

borralho (bor.ra.lho) *s.m.* **1** braseiro coberto de cinzas; borralha **2** *fig.* lugar aquecido e confortável **3** o calor da lareira *<à noite, os cães aqueciam-se no b.>*

borrão (bor.rão) [pl.: *-ões*] *s.m.* **1** mancha de tinta **2** borrador ('rascunho') **3** *fig.* mácula na honra ou reputação **4** *infrm.* pessoa covarde

borrar (bor.rar) *v.* {mod. 1} *t.d.,int. e pron. infrm.* **1** sujar(-se) com borrão; manchar(-se) *<borrei o dedo> <a pintura borrou> <vamos colorir com cuidado para não b.>* □ *t.d. e pron. gros.* **2** sujar(-se) com fezes *<b. as calças> <borrou-se de medo>* □ *t.d. p.ext.* **3** rabiscar, riscar (algo escrito) *<b. um desenho>* □ *pron. fig. gros.* **4** ter medo; apavorar-se *<borrou-se ao ver o filme de terror>*

borrasca (bor.ras.ca) *s.f.* tempestade violenta, esp. no mar; temporal, tormenta ↻ calmaria

borregada (bor.re.ga.da) *s.f.* grande concentração de borregos

borrego (bor.re.go) /ê/ *s.m.* ZOO cordeiro de até um ano ◉ COL borregada ◉ VOZ v.: balar, balir

borreliose (bor.re.li.o.se) *s.f.* MED termo geral que designa um grupo de doenças causadas por piolhos e carrapatos

borrifar (bor.ri.far) *v.* {mod. 1} *t.d. e pron.* molhar (-se) salpicando pequenas gotas *<b. água nas plantas> <borrifou-se com perfume>* ~ **borrifador** *adj.s.m.*

borrifo (bor.ri.fo) *s.m.* **1** difusão ou aspersão de gotas **2** porção de gotas miúdas de orvalho ou de chuva

borzeguim (bor.ze.guim) [pl.: *-ins*] *s.m.* VEST bota fechada com cadarço

bosque (bos.que) *s.m.* **1** reunião de árvores e arbustos que resta de antigas florestas europeias, africanas e do maciço central brasileiro **2** *p.ext.* mata, pequena floresta

bosquejo (bos.que.jo) /ê/ *s.m.* **1** ART.PLÁST desenho incompleto e simplificado; esboço, rascunho **2** *p.ext.* descrição vaga ou genérica de algo; síntese ~ **bosquejar** *v.t.d. e int.*

bossa (bos.sa) *s.f.* **1** saliência nas costas ou no peito; corcova **2** calombo produzido por uma contusão *<a pancada na perna deixou-a com uma b.>* **3** *B infrm.* inclinação para alguma atividade; talento *<tem b. para criar roupas>* **4** *infrm.* virtude que diferencia algo ou alguém (pela simpatia, novidade, originalidade etc.) *<esse aí tem b.>* ▣ **b. nova** MÚS *B* movimento e estilo musical brasileiro iniciado no Rio de Janeiro nos anos 1960

bosta (bos.ta) *s.f.* **1** excremento animal ou humano **2** *fig. pej.* indivíduo mole, preguiçoso **3** *fig. pej.* coisa malfeita ■ *interj.* **4** *gros.* expressa aborrecimento, desprazer, descontentamento

bota (bo.ta) *s.f.* VEST calçado de cano alongado, que cobre parte da perna ▣ **b. de sete léguas 1** LIT nos contos fantásticos, b. que permite deslocamento muito rápido **2** *fig.* aquilo que permite rápido deslocamento ou desenvolvimento de algo • **bater as b.** *infrm.* morrer

bota-fora (bo.ta-fo.ra) *s.m.2n.* festa de despedida

bota-mesa (bo.ta-me.sa) [pl.: *bota-mesas*] *s.m.* ZOO *PE* louva-a-deus

botânica (bo.tâ.ni.ca) *s.f.* BIO campo da biologia que estuda o reino vegetal

botânico (bo.tâ.ni.co) *s.m.* **1** especialista em botânica ■ *adj.* **2** relativo a botânica, a esse especialista ou a plantas *<classificação b.> <jardim b.>*

botão (bo.tão) [pl.: *-ões*] *s.m.* **1** pequena peça, ger. redonda, us. para unir partes de uma roupa **2** peça us. para controlar volume, sintonia, ligar ou desligar aparelhos e máquinas **3** BOT estágio da flor antes de desabrochar *<ganhou um buquê de botões de rosa>* **4** BOT gema ('saliência')

botar (bo.tar) *v.* {mod. 1} *t.d. infrm.* **1** vestir, calçar *<botem os casacos>* **2** lançar para fora; expelir *<a chaminé está botando fumaça> <b. sangue pelo nariz>* **3** preparar, arrumar *<b. a mesa>* **4** *infrm.* fazer cair dentro de; deitar *<bote mais água no feijão>* **5** introduzir, meter *<botou a mão no bolso e saiu>* **6** fazer ingressar; pôr *<b. o amigo na firma> <botou o filho na escola>* **7** pôr, colocar, estender *<b. roupa na cama>* **8** tocar de leve, encostar *<cuidado, não bota a mão no fogão!>* **9**

B

guardar, depositar *<b. as economias no banco>* □ *t.d.i. e pron. infrm.* **10** (prep. *a, em*) (fazer) tomar posição, deslocar(-se); pôr(-se) *<o professor botou-o na primeira carteira> <botou-se logo à entrada>* □ *t.d.i.* **11** *fig. infrm.* (prep. *em*) atribuir, conferir *<ele bota defeito em tudo>* **12** *infrm.* (prep. *em*) deslocar (algo) de um local para (outro); pôr, colocar *<b. o livro na estante> <b. o carro na garagem>* □ *t.d. e int. infrm.* **13** pôr (ovos) *<vá ver se as galinhas botaram>* □ *t.d.pred. infrm.* **14** fazer ficar; tornar *<sua demora botou a mãe nervosa>* □ *int.* **15** florescer, frutificar *<as rosas botaram>* ▣ **b. para (pra) correr** *infrm.* obrigar a sair ou a ir embora rápido; obrigar a fugir; expulsar *<botou os cachorros para correr>* • **b. para (pra) quebrar** *infrm.* **1** agir de maneira enérgica e radical; brigar *<quando sente que o estão enganando, ele bota pra quebrar>* **2** saber muito alguma coisa ou fazer algo muito bem, com competência *<em matemática, ela bota pra quebrar> <a nova diretoria está botando pra quebrar>* **3** exigir muito *<o professor botou pra quebrar na prova>*

botaréu (bo.ta.réu) *s.m.* ARQ pilar afastado da parede que a apoia estruturalmente e absorve o peso da cobertura

[1]**bote** (bo.te) *s.m.* MAR pequeno barco ou escaler ◉ ORIGEM do fr. *bot* 'id.'

[2]**bote** (bo.te) *s.m.* **1** golpe aplicado com lança, espada, pau etc. **2** *p.ext.* salto (de animal, esp. cobra) sobre a presa **3** *fig.* qualquer agressão ou investida *<b. contra a honestidade>* ◉ ORIGEM regr. de *botar*

boteco (bo.te.co) *s.m.* botequim

botelha (bo.te.lha) /ê/ *s.f.* **1** frasco para líquidos **2** o seu conteúdo *<bebeu uma b. de água>*

botequim (bo.te.quim) [pl.: *-ins*] *s.m.* bar popular em que servem bebidas, lanches, tira-gostos e pratos simples; boteco

botequineiro (bo.te.qui.nei.ro) *s.m.* proprietário, responsável ou servente de botequim

botica (bo.ti.ca) *s.f.* antiga farmácia em que se preparavam e vendiam remédios

boticão (bo.ti.cão) [pl.: *-ões*] *s.m.* alicate para extrair dente

boticário (bo.ti.cá.rio) *s.m.* **1** proprietário ou administrador de botica **2** farmacêutico ('profissional')

botija (bo.ti.ja) *s.f.* vasilha em forma de garrafa, de gargalo fino e curto, ger. com asa

botijão (bo.ti.jão) [pl.: *-ões*] *s.m.* *B* **1** recipiente para armazenar e transportar gases e substâncias que evaporam; bujão **2** o conteúdo desse recipiente *<um b. de gasolina>*

botina (bo.ti.na) *s.f.* VEST bota de cano baixo, mais us. por homens

[1]**boto** (bo.to) /ô/ *adj.* **1** que perdeu o fio ou a ponta; rombudo *<dente b.>* ↺ aguçado, agudo **2** *fig.* pouco inteligente; lento, bronco *<aluno b.>* ↺ perspicaz ◉ ORIGEM duv., talvez vocábulo expressivo

[2]**boto** (bo.to) /ô/ *s.m.* ZOO pequeno mamífero cetáceo, marinho ou de água doce ◉ ORIGEM do lat.tar. *buttis* 'odre de vinho' e *p.ext.* 'golfinho'

botoaria (bo.to.a.ri.a) *s.f.* fábrica, indústria ou loja de botões de roupa

botocudo (bo.to.cu.do) *s.m.* **1** nome dado pelos portugueses aos indivíduos de vários povos indígenas que usavam botoque ■ *adj.* **2** relativo a esses indivíduos ■ *adj.s.m.* **3** *pej.* que(m) é inimigo das boas maneiras; rude

botoeira (bo.to.ei.ra) *s.f.* **1** casa de botão **2** casa na lapela de casaco

botoeiro (bo.to.ei.ro) *s.m.* quem fabrica ou vende botões

botoque (bo.to.que) *s.m.* **1** *B* enfeite indígena us. no lábio inferior e orelhas **2** rolha para vedar orifícios

boto-vermelho (bo.to-ver.me.lho) [pl.: *botos-vermelhos*] *s.m.* ZOO *B* boto dos rios Amazonas e Orenoco, de focinho longo, corpo alongado de coloração cinza ou rosada e olhos pequenos

Botox ® (Bo.tox) [ing.] *s.m.* nome comercial de uma toxina, que, injetada em pequenas doses em músculos ou glândulas, reduz temporariamente sua atividade ◉ GRAM/USO pal. sem pl. registrado ⇒ pronuncia-se botócs

botulina (bo.tu.li.na) *s.f.* BIOQ toxina que age sobre o sistema nervoso, causando paralisia muscular

botulismo (bo.tu.lis.mo) *s.m.* MED intoxicação provocada por bacilo presente em alimentos mal enlatados ou mal conservados ~ **botulínico** *adj.*

bouba (bou.ba) *s.f.* MED **1** doença tropical contagiosa caracterizada por lesões da pele e dos ossos **2** *infrm.* ferimento com pus **3** pequeno tumor de origem venérea

bovídeo (bo.ví.deo) *s.m.* ZOO **1** espécime dos bovídeos, mamíferos ruminantes, de chifres ocos, pares e não ramificados, representados pelos bois, cabras e ovelhas ■ *adj.* **2** relativo a esse espécime

bovino (bo.vi.no) *adj.* **1** relativo ou próprio do boi *<casco b.>* ■ *s.m.* ZOO **2** o animal bovídeo

[1]**boxe** (bo.xe) /cs/ *s.m.* ESP luta de socos, em que se usam luvas especiais; pugilismo ◉ ORIGEM do ing. *boxing* 'id.'

[2]**boxe** (bo.xe) /cs/ *s.m.* **1** compartimento separado de outros por divisórias, em cavalariças, em escritórios, nas enfermarias etc. **2** compartimento para banho de chuveiro **3** ESP nos circuitos de corridas, cada um dos espaços onde as equipes montam as suas oficinas *<após a batida, o carro foi para o b.>* **4** texto posto dentro de um retângulo, numa página impressa ◉ ORIGEM do ing. *box* 'caixa, compartimento pequeno'

boxeador (bo.xe.a.dor) /cs...ô/ [pl.: *-es*] *s.m.* ESP **1** praticante do [1]boxe ■ *adj.* **2** relativo a essa luta ~ **boxear** *v.int.*

bóxer (bó.xer) [pl.: *bóxeres*] *s.m.* cão de origem alemã, robusto, de tamanho médio, pelo curto e focinho achatado

bps INF sigla de bits por segundo, velocidade da transferência digital de dados

Br QUÍM símbolo de *bromo*

brabo (bra.bo) *adj.* **1** feroz *<animal b.>* ↺ manso **2** *p.ext.* que está furioso; irado *<ficou b. com o resultado da prova>* ↺ calmo, tranquilo **3** revolto, violento *<mar b.>* ↺ calmo, sereno **4** que tende a se envolver em rixas; brigão *<é um sujeito b.>* **5** que não é bom para comer; venenoso *<mandioca b.>* **6** difícil, ruim *<fase b.>* ~ **brabeza** *s.f.* - **brabura** *s.f.*

braça (bra.ça) *s.f.* **1** antiga unidade de comprimento equivalente a 2,2 m **2** medida de comprimento equivalente a 1,829 m, us. em sondagens de marinha

braçada (bra.ça.da) *s.f.* **1** o que se pode abarcar com os braços *<b. de flores>* **2** pancada aplicada com o braço *<deu, sem querer, uma b. na parede>* **3** ESP movimento do braço ao nadar *<vence a prova por uma b.>*

braçadeira (bra.ça.dei.ra) *s.f.* **1** faixa us. no braço *<o capitão do time usa uma b.>* **2** tira ou argola fixada atrás do escudo e pela qual se enfia o braço **3** presilha que une ou firma duas ou mais peças *<ponha mais uma b. para prender esse fio à parede>*

braçal (bra.çal) [pl.: *-ais*] *adj.2g.* **1** relativo a braço **2** feito com os braços *<serviço b.>* **3** que executa serviços pesados *<trabalhador b.>*

bracejar (bra.ce.jar) *v.* {mod. 1} *int.* **1** gesticular fortemente **2** *p.ext.* mover-se como braços ~ **bracejador** *adj.s.m.* - **bracejamento** *s.m.*

bracelete (bra.ce.le.te) /ê/ *s.m.* adorno usado no pulso ou braço

braço (bra.ço) *s.m.* **1** ANAT segmento de cada um dos membros superiores que se estende da articulação do ombro à do cotovelo ☞ cf. *antebraço* **2** ANAT membro superior entre o ombro e a mão *<b. direito> <b. esquerdo>* **3** *fig.* trabalhador braçal **4** autoridade, poder *<b. da lei>* **5** haste ou barra horizontal por onde se pega algo, ou que permite prender, empurrar ou acionar algo *<os b. de uma maca> <o b. da manivela>* **6** menor haste da cruz **7** GEO porção de mar ou rio que entra pela terra **8** GEO ramificação de rio **9** MÚS parte sobre a qual ficam as cordas dos instrumentos musicais *<o b. do violão era de madeira clara>* **10** apoio para o antebraço nas cadeiras, poltronas etc. **11** o comprimento convencional de um braço (75 cm) **12** ANAT ZOO tentáculo ▣ **b. direito** auxiliar principal *<era o b. direito do senador>* • **de b. dado** com o braço enlaçado no de outra pessoa *<atravessou a rua de b. dado com o avô>* ~ **braçal** *adj.2g.*

braço de ferro (bra.ço de fer.ro) [pl.: *braços de ferro*] *s.m.* **1** pessoa enérgica, rigorosa **2** queda de braço ▣ **com braço de ferro** com autoridade, com rigor *<administra a empresa com braço de ferro>*

bráctea (brác.tea) *s.f.* BOT folha modificada situada abaixo de uma flor

bradar (bra.dar) *v.* {mod. 1} *t.d. e int.* **1** dizer aos brados ou soltar brados; gritar *<b. insultos> <socava o ar e bradava>* ↺ sussurrar ◻ *t.i.* **2** (prep. *por, contra*) pedir, protestar em voz alta *<b. contra as injustiças>*

bradicardia (bra.di.car.di.a) *s.f.* MED redução do ritmo cardíaco abaixo de uma frequência de 60 batimentos por minuto ↺ taquicardia ~ **bradicardíaco** *adj.s.m.*

brado (bra.do) *s.m.* **1** voz forte e enérgica de forma a ser ouvida longe ou com temor; grito **2** grito de queixa, súplica ou protesto; clamor

braguilha (bra.gui.lha) *s.f.* VEST abertura na parte dianteira das calças, cuecas etc.

braille (brail.le) ou **braile** (brai.le) *s.m.* **1** sistema de leitura e escrita para cegos *<um texto em braille está escrito com vários pontos em relevo para que a pessoa use os dedos para ler>* ■ *adj.2g.* **2** próprio desse sistema

B

[1]**brama** (bra.ma) *s.m.* REL deus supremo da religião hindu ☞ inicial maiúsc. ● ORIGEM sânsc. *Brahma* 'nome do deus hindu'

[2]**brama** (bra.ma) *s.f.* *infrm.* cerveja de qualquer marca ● ORIGEM marca registrada (*Brahma*) que passou a designar seu gênero

brâmane (brâ.ma.ne) ou **brâmine** (brâ.mi.ne) *adj.2g.s.2g.* FIL REL (indivíduo) dos brâmanes, membros da casta sacerdotal, a primeira da estratificação social indiana

bramanismo (bra.ma.nis.mo) *s.m.* FIL REL período da religião indiana anterior ao hinduísmo, marcado pela consolidação do sistema de castas e pela hegemonia religiosa da casta sacerdotal dos brâmanes ~ **bramanista** *adj.2g.s.2g.*

bramar (bra.mar) *v.* {mod. 1} *int.* **1** soltar a voz (certos mamíferos); berrar ☞ nesta acp., só us. nas 3as p., exceto quando fig. **2** *p.ext.* falar ou reclamar em tom colérico *<os guardas bramavam, tentando conter os rebeldes>* **3** produzir grande ruído; retumbar ◻ *t.i.* *p.ext.* **4** (prep. *por*) suplicar aos gritos *<b. por atenção>*

bramido (bra.mi.do) *s.m.* **1** rugido de fera **2** *p.ext.* reclamação em alta voz; clamor **3** *p.ext.* ruído forte e impressionante; estrondo

bramir (bra.mir) *v.* {mod. 24} *int.* **1** soltar a voz (as feras, o gamo) ☞ só us. nas 3as p., exceto quando fig. **2** gritar com fúria **3** produzir grande ruído; retumbar **4** *p.ext.* estar revolto ou em tempestade (mar, atmosfera etc.) ◻ *t.i.* *fig.* **5** (prep. *por*) suplicar aos berros *<b. por atenção>* ● GRAM/USO verbo defectivo

brancacento (bran.ca.cen.to) *adj.* quase branco

branco (bran.co) *s.m.* **1** a cor do leite, da cal etc. **2** indivíduo com tom de pele claro **3** *fig.* *infrm.* lapso mental *<teve um b. e esqueceu o nome do sogro>* ■ *adj.* **4** diz-se dessa cor *<cor b.>* **5** de cor cinza-pálida brilhante; prateado *<ouro b.>* **6** que tem essa cor **7** de cor branco-amarelada ou rosada (diz-se de carnes, peixes etc.) *<só come carne b.>* **8** *fig.* pálido, sem cor *<b. de medo>* **9** *fig.* inocente, puro, ingênuo *<alma b.>* ▣ **em b.** que não está preenchido *<cheque em b.>* ~ **brancura** *s.f.*

branco-sujo (bran.co-su.jo) [pl.: *brancos-sujos*] *adj.* que não é branco puro, mas sim algo escurecido por outra cor, como o negro *<o pelo dos tordilhos é b.>*

brandir (bran.dir) *v.* {mod. 24} *t.d.* **1** erguer (arma) antes do ataque ou disparo **2** agitar (a mão ou algo nela contido) como ameaça *<resmungava e brandia o guarda-chuva>* **3** balançar, agitar *<b. uma bandeira>* ◻ *int.* **4** oscilar, vibrar *<as folhas brandiam ao vento>* ● GRAM/USO verbo defectivo ~ **brandimento** *s.m.*

brando (bran.do) *adj.* **1** afável *<temperamento b.>* **2** que reflete suavidade, doçura *<voz b.>* ↺ áspero **3** falta de severidade, de rigidez *<medidas b.> <castigo b.>* **4** pouco intenso *<cozinhe o arroz em fogo b.> <febre b.>* ↺ forte **5** que cede fácil a pressão; macio, tenro *<cera b.> <carne b.>* ↺ duro ~ **brandura** *s.f.*

branquear (bran.que.ar) *v.* {mod. 5} *t.d. e int.* **1** tornar(-se) branco ou mais branco; alvejar(-se) *<b. a roupa ao sol> <com o tempo, a parede rosa branqueou>* ↺ escurecer ▫ *t.d.* **2** cobrir com tinta, pó de cor branca *<b. com cal o muro>* ~ **branqueador** *adj.s.m.* - **branqueamento** *s.m.*

brânquia (brân.quia) *s.f.* ANAT ZOO estrutura respiratória dos animais aquáticos; guelra ~ **branquial** *adj.2g.*

branquicento (bran.qui.cen.to) *adj.* um tanto branco; brancacento

branquinha (bran.qui.nha) *s.f. B infrm.* cachaça

braquial (bra.qui.al) [pl.: *-ais*] *adj.2g.* relativo a braço *<bíceps b.>*

braquícero (bra.quí.ce.ro) *adj.s.m.* ZOO (espécime) dos braquíceros, subordem de insetos, cujas antenas e chifres são curtos

braquilogia (bra.qui.lo.gi.a) *s.f.* GRAM **1** processo pelo qual um dos componentes de uma locução é omitido e o outro adquire o significado da locução completa (p.ex: *celular*, em vez de *telefone celular; micro*, em vez de *microcomputador* etc.) **2** concisão na expressão verbal (em palavra, expressão, no discurso etc.), sem prejuízo do sentido

braquiópode (bra.qui.ó.po.de) *s.m.* ZOO **1** espécime dos braquiópodes, ramo de animais invertebrados, marinhos, cujos tentáculos servem para locomoção e respiração ■ *adj.2g.* **2** relativo a esse ramo de animais

braquiossauro (bra.qui.os.sau.ro) *s.m.* ZOO nome comum aos maiores dinossauros existentes, herbívoros, de cabeça pequena e cauda e pescoços longos

brasa (bra.sa) *s.f.* **1** carvão que arde sem chama *<batatas assadas na b.>* **2** *fig.* coisa muito quente, escaldante *<o sol está uma b.>* **3** *fig. infrm.* desejo ardente; ardor, paixão **4** *fig. infrm.* raiva, cólera ◉ COL braseiro

brasão (bra.são) [pl.: *-ões*] *s.m.* **1** conjunto de figuras que compõem escudo de famílias nobres, cidades, corporações, estados etc. **2** *fig.* lema, princípio *<a justiça social é seu b.>*

braseiro (bra.sei.ro) *s.m.* **1** grande quantidade de brasa, lenha, carvões ou objetos incendiados **2** fogareiro **3** aquecedor alimentado por brasas **4** *p.ext.* calor intenso *<está um b. lá fora>*

brasileirice (bra.si.lei.ri.ce) *s.f.* modo de ser dos brasileiros

brasileirismo (bra.si.lei.ris.mo) *s.m.* LING palavra ou expressão típica do português do Brasil

brasileiro (bra.si.lei.ro) *adj.* **1** do Brasil (América do Sul) ■ *s.m.* **2** natural ou habitante desse país

brasiliana (bra.si.li.a.na) *s.f.* coleção de estudos, livros, publicações, filmes, músicas etc. sobre o Brasil

brasilianista (bra.si.li.a.nis.ta) *adj.2g.s.2g.* (estrangeiro) especializado em temas brasileiros ~ **brasilianismo** *s.m.*

brasílico (bra.sí.li.co) *adj.* **1** relativo aos indígenas brasileiros ■ *adj.s.m.* **2** brasileiro

brasilidade (bra.si.li.da.de) *s.f.* caráter ou qualidade peculiar do que ou de quem é brasileiro

brasiliense (bra.si.li.en.se) *adj.2g.* **1** de Brasília (DF) ■ *s.2g.* **2** natural ou habitante dessa capital

braúna (bra.ú.na) *s.f.* BOT árvore de madeira muito dura e escura

bravata (bra.va.ta) *s.f.* **1** atitude ou ação arrogante; fanfarronice **2** prova de força ou de coragem desnecessária e danosa

bravatear (bra.va.te.ar) *v.* {mod. 5} *t.d.,t.i.pred. e int.* **1** (prep. *de*) mostrar-se presumido; gabar-se *<bravateiam (de) grandes conquistas> <bravateia de (ser) especialista no assunto> <vive a b.>* ▫ *t.d.,t.d.i. e int.* **2** (prep. *a*) dirigir (ameaças, insultos etc.) [a] *<bravateou ameaças (ao júri)> <bravateava e dava socos no ar>* ~ **bravateador** *adj.s.m.*

bravio (bra.vi.o) *adj.* **1** que não foi domesticado; selvagem, feroz *<animal b.>* ↺ manso **2** rude, bruto (diz-se, p.ex., de grupo, comportamento, palavras) ↺ educado **3** revolto, tempestuoso *<mar b.>* ↺ calmo

bravo (bra.vo) *adj.* **1** rude, não civilizado *<gente b.>* **2** feroz, brabo *<animais b.>* ↺ manso **3** que está em estado de fúria *<ficou b. com o insulto>* **4** que não é cultivado; bravio *<terra b.>* **5** que é tempestuoso, revolto, violento *<mar b.>* ↺ calmo, sereno ■ *adj.s.m.* **6** que(m) é destemido, valente ■ *interj.* **7** exclamação de aprovação, de entusiasmo (dirigida a cantor, ator etc.) ~ **braveza** *s.f.*

bravura (bra.vu.ra) *s.f.* **1** coragem, destemor *<a b. dos guerreiros>* ↺ covardia **2** ferocidade, selvageria ↺ mansidão **3** ímpeto, violência *<atacou-os com b.>*

break dancing (break danc.ing) [ing.; pl.: *break dancings*] *loc.subst.* DNÇ dança ger. executada ao som de música *rap* por adolescentes nas ruas, caracterizada por movimentos atléticos improvisados ⇒ pronuncia-se brêik dêncing

brear (bre.ar) *v.* {mod. 5} *t.d.* **1** revestir de breu *<b. um cabo>* **2** dar cor de breu a ▫ *t.d. e pron. infrm.* **3** *N.E. C.-O.* sujar(-se) [ger. de algo pegajoso] *<b. um vestido de gordura> <b.-se de graxa>*

breca (bre.ca) *s.f.* ◗ usado em: **da b.** muito incômodo; insuportável *<uma ventania da b.>* • **levado da b.** muito travesso

brecar (bre.car) *v.* {mod. 1} *t.d. e int.* parar (veículo) com o breque; frear *<o motorista brecou (o ônibus)>* ↺ acelerar ~ **brecada** *s.f.*

brecha (bre.cha) *s.f.* **1** fenda, rachadura, em cerca, muralha, tapume etc. **2** espaço vazio; lacuna **3** *fig.* tempo livre; folga *<conseguiu uma b. e foi ao cinema>* **4** *fig.* chance *<dar b. para o diálogo>*

brechó (bre.chó) *s.m.* loja de objetos usados; belchior

brega (bre.ga) *adj.2g.s.2g. infrm. pej.* **1** deselegante, cafona **2** que(m) tem mau gosto ~ **breguice** *s.f.*

bregueço (bre.gue.ço) /ê/ [pl.: *bregueços* /é/] *s.m. B infrm.* **1** roupa velha **2** cacareco, quinquilharia, traste **3** objeto pessoal, pertence **4** qualquer objeto ◉ GRAM/USO em todas as acp., mais us. no pl.

brejeiro (bre.jei.ro) *adj.s.m.* **1** que(m) habita um brejo **2** que(m) tem graciosidade e certa malícia *<sorriso b.>* ~ **brejeiral** *adj.2g.* - **brejeirice** *s.f.*

brejo (bre.jo) *s.m.* **1** terreno lodoso; pântano **2** *fig.* lugar impuro ▣ **ir para o b.** *B infrm.* não dar certo; gorar *<a viagem foi para o b.>* ~ **brejento** *adj.*

brenha (bre.nha) *s.f.* **1** mata cerrada; matagal **2** *p.ext.* coisa emaranhada *<b. de cabelos>* **3** *fig.* algo difícil de entender, indecifrável, secreto *<as b. do destino>* ~ **brenhoso** *adj.*

breque (bre.que) *s.m. B* **1** freio **2** MÚS *B* no samba, interrupção da música, para que o cantor possa fazer observações, ger. engraçadas, a respeito do que é narrado na letra

bretão (bre.tão) [pl.: *-ões*; fem.: *bretã*] *adj.s.m.* **1** (natural ou habitante) da Grã-Bretanha (Inglaterra, Escócia e País de Gales) **2** (natural ou habitante) da Bretanha, região francesa ■ *s.m.* **3** LING língua falada na Bretanha

breu *s.m.* **1** substância inflamável obtida do alcatrão **2** *fig.* escuridão *<dentro do quarto estava um b.>*

breve (bre.ve) *adj.2g.* **1** de curta duração *<um b. intervalo>* ↺ longo **2** que é de limitada extensão espacial *<distância b.>* ↺ extenso, longo **3** sucinto, resumido *<fez uma b. descrição da pesquisa>* ↺ extenso, prolixo **4** pouco profundo; resumido *<deu-nos uma b. ideia dos seus planos>* **5** pouco numeroso *<livro de b. páginas>* ■ *s.m.* **6** patuá com uma oração **7** REL documento que contém decisões do papa ■ *adv.* **8** logo, brevemente *<b. irão viajar>*

brevê (bre.vê) *s.m.* **1** AER diploma de piloto de avião **2** registro de invenção ou patente

breviário (bre.vi.á.rio) *s.m.* **1** resumo, sumário **2** REL livro das rezas cotidianas dos sacerdotes católicos **3** *p.ext.* conjunto de princípios, convicções etc. *<seguem o mesmo b.>*

brevidade (bre.vi.da.de) *s.f.* **1** curta duração **2** concisão **3** CUL tipo de bolinho doce quebradiço, feito ger. de polvilho, com ovos e açúcar

brevilíneo (bre.vi.lí.neo) *adj.* **1** de linhas ou dimensões curtas **2** ANAT que apresenta tronco e membros mais curtos que a média (diz-se de indivíduo) ☞ p. opos. a *longilíneo*

briba (bri.ba) *s.f.* **1** *B* lagartixa **2** *B N.E.* lagarto **3** *B* cachaça

bricabraque (bri.ca.bra.que) *s.m.* **1** conjunto de objetos usados **2** brechó ~ **bricabraquista** *adj.2g.s.2g.*

brida (bri.da) *s.f.* **1** rédea **2** MED formação fibrosa de cicatrizes, úlceras etc ▣ **a toda b.** em disparada, a toda velocidade

bridão (bri.dão) [pl.: *-ões*] *s.m.* **1** freio de cavalo mais brando que o usual, utilizado em corridas de cavalo **2** o jóquei que usa tal sistema de freio **3** *fig.* impedimento, restrição *<o diretor pôs fortes b. a suas ideias>*

briga (bri.ga) *s.f.* **1** luta, combate *<machucou-se ao tentar separar uma b.>* **2** *p.ext.* discussão; bate-boca **3** disputa por um privilégio, um favor etc. *<b. pelo poder, por um cargo>* **4** rompimento de relações

brigada (bri.ga.da) *s.f.* **1** MIL unidade militar organizada **2** grupo de pessoas voltado para a execução de certos serviços *<organizaram uma b. para recolher o lixo nas praias>* ~ **brigadista** *adj.2g.s.2g.*

brigadeiro (bri.ga.dei.ro) *s.m.* **1** AER MIL oficial que comanda uma brigada **2** AER oficial que detém essa patente **3** CUL doce de chocolate com leite condensado

brigadeiro do ar (bri.ga.dei.ro do ar) [pl.: *brigadeiros do ar*] *s.m.* AER oficial que detém a patente intermediária entre a de major-brigadeiro e a de coronel-aviador

brigalhada (bri.ga.lha.da) *s.f.* briga longa; série de brigas constantes

brigão (bri.gão) [pl.: *-ões*; fem.: *brigona*] *adj.s.m.* que(m) é dado a brigas; briguento

brigar (bri.gar) *v.* {mod. 1} *t.i. e int.* **1** (prep. *com*) combater, lutar *<pôs-se a b. (com o irmão)>* **2** (prep. *com*) desentender-se, discutir *<da janela, brigava com a vizinha>* *<briga muito, mas logo se acalma>* **3** *B* (prep. *com*) romper relações sociais ou amorosas *<brigou com o amigo há anos e ainda sente sua falta>* *<brigaram, desfazendo um longo namoro>* □ *t.i.* **4** (prep. *com*) ralhar, repreender *<brigou com o filho pelas notas baixas>* ↺ elogiar **5** *B* (prep. *por*) disputar, batalhar *<b. por um salário maior>* ~ **brigado** *adj.*

briguento (bri.guen.to) *adj.s.m.* brigão

brilhante (bri.lhan.te) *adj.2g.* **1** que emite ou reflete uma luz forte; luzente *<estrela b.>* **2** que, por ter brilho, reluz; lustroso *<cabelo b.>* **3** *fig.* vivo, forte, vistoso *<cor b.>* ↺ desbotado **4** *fig.* que apresenta grande luxo; magnificente *<cerimônia b.>* ↺ simples **5** *fig.* que tem grande notoriedade e distinção; ilustre *<um cientista b.>* ↺ obscuro **6** *fig.* inteligente e/ou original *<aluno b.>* ■ *s.m.* **7** diamante lapidado *<viu na vitrine um anel de b.>*

brilhantina (bri.lhan.ti.na) *s.f.* cosmético que dá brilho e fixa os cabelos

brilhantismo (bri.lhan.tis.mo) *s.m.* **1** característica ou aspecto do que é brilhante; brilho, cintilação *<o b. de uma estrela>* **2** *fig.* grande luxo; esplendor, pompa *<o b. da corte de um imperador>* **3** *fig.* grande talento; maestria, perícia *<o b. de um advogado>* **4** *fig.* perfeição, excelência *<saiu-se com b. no exame>*

brilhar (bri.lhar) *v.* {mod. 1} *int.* **1** lançar ou refletir luz; luzir *<o sol brilhava muito desde cedo>* ↺ apagar-se **2** *fig.* mostrar-se superior; sobressair *<sua escultura foi a que mais brilhou>* □ *t.i. fig.* **3** (prep. *em*) revelar-se, manifestar-se *<o ódio brilha no seu olhar>* ↺ esconder-se

brilho (bri.lho) *s.m.* **1** luz que um corpo irradia ou reflete *<o b. das estrelas>* *<o b. de uma lâmpada>* **2** *p.ext. fig.* intensidade, vibração *<o b. de um acorde musical>* **3** *fig.* luxo, opulência, grandiosidade *<o b. dos salões>* **4** *fig.* virtude ou característica do que é de muito boa qualidade *<o b. de um orador>* *<o b. de um discurso>*

brilhoso (bri.lho.so) /ô/ [pl. e fem.: /ó/] *adj.* que brilha; brilhante, lustroso *<cabelo b.>*

brim [pl.: *-ins*] *s.m.* tecido resistente de linho, algodão, fibra sintética etc.

brincadeira (brin.ca.dei.ra) *s.f.* **1** jogo, divertimento, esp. de crianças; passatempo **2** gracejo, zombaria *<puseram-lhe um apelido e ele não gostou da b.>* **3** *infrm.* algo fácil de resolver *<esse teste é b.> <a situação dessa estrada não é b.>* ⊡ **não estar para b.(s)** não querer ser importunado com gracejos etc. *<não diga nada, hoje ele não está para b.>* • **nem de b.** de jeito nenhum *<não vou a esse show nem de b.>*

brincalhão (brin.ca.lhão) [pl.: *-ões*; fem.: *brincalhona*] *adj.s.m.* **1** que(m) gosta de brincar **2** que(m) faz gracejo

brincar (brin.car) *v.* {mod. 1} *t.i. e int.* **1** (prep. *de*) distrair-se com jogos, brinquedos infantis *<b. de mímica, de pique> <passaram a tarde brincando>* **2** (prep. *com*) entreter-se, divertir-se *<o gato brincava com um fio> <brincaram horas na areia>* □ *t.i.* **3** (prep. *com*) não dar importância *<brincou (com a oportunidade recebida) e agora se arrepende>* □ *t.d.,t.i. e int.* **4** (prep. *com*) não falar a sério *<vive brincando que está apaixonado> <não brinque (comigo), fale direito>* □ *t.d. e t.i.* **5** (prep. *em*) participar (nas festas carnavalescas) *<vai b. (n)o carnaval este ano?> <brinca sempre no clube>*

brinco (brin.co) *s.m.* **1** enfeite us. na orelha **2** *fig.* palavra que designa uma série de qualidades positivas: coisa bem-feita, bem organizada, bem cuidada *<a festa estava um b.> <sua casa é um b.>*

brindar (brin.dar) *v.* {mod. 1} *t.d.,t.i. e int.* **1** (prep. *a*) beber em homenagem a *<todos brindaram (os vencedores)> <brindemos à sua promoção>* **2** (prep. *a*) levantar brinde (a) *<o padrinho brindou aos noivos>* □ *t.d.i.* **3** (prep. *com*) presentear *<b. a boa amiga com flores>*

brinde (brin.de) *s.m.* **1** votos de saudação a algo ou alguém *<um b. ao novo projeto>* **2** presente, mimo *<a empresa distribuiu agendas como b. de Natal>*

brinquedo (brin.que.do) /ê/ *s.m.* **1** objeto de brincar *<seu b. preferido era um cavalo de borracha>* **2** jogo ou distração; passatempo, brincadeira *<b. de roda>*

brio (bri.o) *s.m.* **1** sentido de dignidade; amor-próprio *<as derrotas feriram o b. do time>* ☞ tb. us. no pl. **2** coragem; disposição *<recuperou o b. e fez uma excelente prova>*

brioche (bri.o.che) *s.m.* CUL espécie de pão de massa leve, doce ou não, feito com farinha, água ou leite, fermento, ovos e manteiga

briófita (bri.ó.fi.ta) *s.f.* BOT espécime das briófitas, divisão do reino vegetal que reúne plantas sem flores, como os musgos

briófito (bri.ó.fi.to) *s.m.* BOT briófita

brioso (bri.o.so) /ô/ [pl. e fem.: /ó/] *adj.* **1** que tem brio; digno, honrado *<mostrou-se b. em sua despedida>* **2** orgulhoso de sua condição; altivo *<b. de sua glória>* **3** corajoso, valente *<soldado b.>* ↺ covarde, medroso **4** que tem muita energia (diz-se de cavalo); fogoso

brisa (bri.sa) *s.f.* vento leve e fresco; aragem

brita (bri.ta) *s.f.* fragmentos de pedra us. em estradas de rodagem, na composição de concreto, na filtragem de água etc.; cascalho

britadeira (bri.ta.dei.ra) *s.f.* máquina para quebrar pedras, concreto, asfalto etc.

britânico (bri.tâ.ni.co) *adj.* **1** da Grã-Bretanha (Inglaterra, Escócia e País de Gales) ou do Reino Unido (Grã-Bretanha e Irlanda do Norte) ■ *s.m.* **2** natural ou habitante dessas regiões

britar (bri.tar) *v.* {mod. 1} *t.d.* quebrar em pequenos pedaços; triturar *<b. pedras, nozes>* ~ **britador** *adj.s.m.* - **britagem** *s.f.* - **britamento** *s.m.*

broa (bro.a) /ô/ *s.f.* CUL pão ou bolo arredondado de fubá de milho

broca (bro.ca) *s.f.* **1** instrumento de perfuração *<acordou com o barulho das b. no asfalto> <tinha muito medo da b. do dentista>* **2** *p.ext.* furo, orifício **3** ZOO *B* inseto que perfura ou corrói madeiras, livros, plantas etc. ~ **brocar** *v.t.d. e int.*

brocado (bro.ca.do) *s.m.* **1** tecido bordado a ouro e/ou prata **2** qualquer tecido que imite esse bordado ■ *adj.* **3** bordado como esses tecidos

brocardo (bro.car.do) *s.m.* **1** DIR máxima jurídica **2** *p.ext.* qualquer máxima ou provérbio ~ **brocárdico** *adj.*

brocha (bro.cha) *s.f.* **1** prego curto e chato; tacha **2** pincel grande us. em pintura e caiação ■ *adj.2g.s.2g.* **3** *B pej.* impotente sexualmente **4** *p.ext. infrm.* (indivíduo) desanimado, indiferente

brochante (bro.chan.te) *adj.2g.* **1** *pej.* desestimulante da potência sexual ↺ afrodisíaco **2** *p.ext. infrm.* desanimador *<a escadaria para chegar à casa era b.>* ↺ estimulante

brochar (bro.char) *v.* {mod. 1} *t.d.* **1** encadernar (livro, publicação) em brochura **2** pregar brocha ('prego') em **3** pintar com brocha ('pincel') □ *int. B* **4** *gros.* perder, provisoriamente ou não, a potência sexual **5** *infrm.* desanimar

broche (bro.che) *s.m.* joia ou bijuteria com alfinete e fecho, us. ger. ao peito para prender ou enfeitar a roupa

brochete (bro.che.te) *s.f.* **1** espeto para grelhar ou assar carnes na brasa **2** CUL alimento assim preparado; espetinho *<uma b. de carne e pimentão>*

brochura (bro.chu.ra) *s.f.* **1** livro de capa mole **2** a capa us. nesse tipo de livro

brócolis (bró.co.lis) ou **brócolos** (bró.co.los) *s.m.pl.* BOT nome comum a diversas variedades de couve cultivada, com pequenos botões florais muito próximos

bromélia (bro.mé.lia) *s.f.* BOT nome comum a plantas da família das bromeliáceas, nativas da América tropical, cultivadas como ornamentais

bromeliácea (bro.me.li.á.cea) *s.f.* BOT espécime das bromeliáceas, família de plantas de caule pequeno, cultivadas como ornamentais, ou por suas fibras ou frutos, como o abacaxi

bromeliáceo (bro.me.li.á.ceo) *adj.* BOT relativo às bromeliáceas

bromo (bro.mo) *s.m.* QUÍM elemento químico tóxico, avermelhado, us. em corantes e produtos de farmácia [símb.: *Br*] ☞ cf. *tabela periódica* (no fim do dicionário)

bronca (bron.ca) *s.f. B infrm.* **1** repreensão áspera *<levou uma b. pelo atraso>* **2** reclamação ou crítica a respeito de pessoa ou estado de coisas *<depois da b., o barulho cessou>* **3** implicância, cisma *<tem b. dos amigos da filha>*

bronco (bron.co) *adj.s.m.* que(m) é ignorante, grosseiro, pouco inteligente

broncopneumonia (bron.co.pneu.mo.ni.a) *s.f.* MED inflamação aguda do tecido pulmonar

bronha (bro.nha) *s.f. B gros.* masturbação masculina

bronquear (bron.que.ar) *v.* {mod. 5} *t.i.* **1** (prep. *com*) dar bronca em; repreender *<bronqueou com o amigo por uma bobagem>* ◻ *t.i. e int.* **2** (prep. *com*) protestar, reclamar *<mudaram as regras do jogo, e ele bronqueou (com o responsável)>*

brônquio (brôn.quio) *s.m.* ANAT cada um dos dois canais que se ramificam da traqueia e conduzem o ar aos pulmões ~ **bronquial** *adj.2g.* - **brônquico** *adj.*

bronquite (bron.qui.te) *s.f.* MED inflamação da traqueia e dos brônquios

brontossauro (bron.tos.sau.ro) *s.m.* ZOO nome comum a dinossauros quadrúpedes, herbívoros, de até 30 t e 22 m de comprimento

bronze (bron.ze) *s.m.* **1** liga de cobre e estanho **2** *p.ext.* ART.PLÁST obra de arte fundida em bronze *<há dois b. no jardim do museu>* **3** *p.ext.* medalha feita de bronze *<ganhou o b. nas olimpíadas>* **4** *p.ext.* em competições esportivas, a terceira colocação, que faz jus à medalha de bronze **5** *p.ext.* a cor do bronze ou que lembra a do bronze *<prefere o b. ao dourado>* **6** *p.ext. B* a cor morena da pele; bronzeado *<foi à praia pegar um b.>* ■ *adj.2g.2n.* **7** que tem a cor dessa liga metálica *<jarra b.>* ~ **brônzeo** *adj.*

bronzeador (bron.ze.a.dor) /ô/ [pl.: *-es*] *adj.s.m.* **1** (o) que bronzeia ■ *s.m.* **2** substância própria para bronzear a pele

bronzear (bron.ze.ar) *v.* {mod. 5} *t.d.* **1** revestir ou cobrir de bronze *<b. uma jarra>* ◻ *t.d.,int. e pron.* **2** dar ou tomar aspecto ou cor do bronze *<b. um espelho> <o dourado da cadeira bronzeou(-se) com o tempo>* **3** (fazer) adquirir tom moreno *<foi à praia para b. as pernas> <este sol fraco não bronzeia> <bronzeou-se no passeio de barco>* ~ **bronzeado** *adj.s.m.* - **bronzeamento** *s.m.*

brotar (bro.tar) *v.* {mod. 1} *t.d.,t.i. e int.* **1** (prep. *de*) gerar rebentos (a planta); germinar *<a cerejeira brotou centenas de rebentos> <uma trepadeira brota dessa semente> <essas flores brotam na primavera>* ◻ *t.i. fig.* **2** (prep. *de*) ter origem; nascer, provir *<desta alma não mais brotarão tristezas>* ◻ *t.d.* **3** produzir (secreção); expelir *<seus olhos brotaram lágrimas de alívio>* ◻ *t.i. e int.* **4** (prep. *de*) sair em jato; jorrar *<brotou muito petróleo (do solo)>* ◻ *int. fig.* **5** aparecer, surgir *<esse prédio brotou rápido>* ↺ sumir, desaparecer ~ **brotamento** *s.m.*

broto (bro.to) /ô/ *s.m.* **1** BOT início do desenvolvimento de um novo órgão numa planta; rebento *<vejam os b. da goiabeira>* **2** *p.ext. B infrm.* pessoa jovem **3** *p.ext. B infrm.* pessoa bem conservada *<aos cinquenta, continua um b.!>* **4** *B infrm.* namorado ou namorada

brotoeja (bro.to.e.ja) /ê/ *s.f.* MED erupção na pele que forma pequenas bolhas muito próximas umas das outras e causa coceira

brownie (brown.ie) [ing.; pl.: *brownies*] *s.m.* CUL variedade de bolo de chocolate com nozes, amêndoas etc. ⇒ pronuncia-se brauni

browser (brows.er) [ing.; pl.: *browsers*] *s.m.* INF ver ***NAVEGADOR*** ⇒ pronuncia-se brauzer

bruaca (bru.a.ca) *s.f. B* **1** saco ou mala de couro cru, us. para transporte de mantimentos sobre bestas **2** *infrm. pej.* mulher idosa e feia

brucelose (bru.ce.lo.se) *s.f.* MED infecção bacteriana transmitida ao homem por contato com caprinos, bovinos, suínos e cães

bruços (bru.ços) *s.m.pl.* ◗ usado em: **de b.** deitado de barriga para baixo

bruguelo (bru.gue.lo) *s.m. B N.E. infrm.* **1** criança pequena; bebê **2** filho; filho menor **3** filhote de ave

bruma (bru.ma) *s.f.* **1** nevoeiro; neblina **2** névoa, esp. no mar **3** *fig.* coisa antiga, meio esquecida, desaparecida no tempo *<perder-se nas b. da história>* ~ **brumoso** *adj.*

brunir (bru.nir) *v.* {mod. 24} *t.d.* **1** tornar brilhante; polir, lustrar *<b. panelas> <b. o couro de uma sela>* **2** *fig.* apurar, aperfeiçoar (estilo, ideia etc.) ~ **brunidor** *adj.s.m.* - **brunidura** *s.f.*

brusco (brus.co) *adj.* **1** rude, indelicado *<modos b.>* **2** repentino, imprevisto *<fez uma manobra b. com o carro>* ~ **brusquidão** *s.f.*

brutal (bru.tal) [pl.: *-ais*] *adj.2g.* **1** próprio de bruto; irracional *<fome b.>* **2** violento; cruel *<a cidade sofreu um ataque b.>* **3** que impressiona *<um acidente b.>* **4** *infrm.* extraordinário; colossal *<uma ideia de b. importância>* ~ **brutalizar** *v.t.d.,int. e pron.*

brutalidade (bru.ta.li.da.de) *s.f.* **1** modo de ser ou característica de quem é bruto ou daquilo que é brutal **2** violência, selvageria *<a b. de uma guerra>* **3** ação ou palavra grosseira; grosseria, estupidez *<respondeu com b.>* ↺ civilidade, cortesia

brutamontes (bru.ta.mon.tes) *s.2g.2n.* ou **brutamonte** (bru.ta.mon.te) *s.2g.* **1** indivíduo corpulento **2** indivíduo de modos rudes

bruto (bru.to) *adj.s.m.* **1** (animal) que vive em estado natural; selvagem **2** que(m) age como um animal selvagem **3** que(m) não tem instrução ou refinamento **4** que(m) é violento ■ *adj.* **5** que não foi tocado *<diamante b.>* **6** que não é racional; violento *<força b.>* **7** que está sem desconto ou abatimento *<renda b.> <o peso b. equivale a um produto mais o seu invólucro>* ↺ líquido ~ **bruteza** *s.f.* - **brutidade** *s.f.*

bruxa (bru.xa) *s.f.* **1** mulher que usa forças supostamente sobrenaturais para causar o mal, prever o futuro e fazer feitiços **2** *p.ext. pej.* mulher má e/ou feia **3** ZOO nome comum a diversas mariposas com mais de 10 cm e de cor escura

bruxaria (bru.xa.ri.a) *s.f.* **1** ação ou prática de bruxa; feitiço, mandinga **2** *fig.* atração irresistível; encantamento

bruxismo (bru.xis.mo) /cs/ *s.m.* MED hábito de ranger os dentes durante o sono ◉ GRAM/USO pronúncia corrente *bruxismo* /ch/

bruxulear (bru.xu.le.ar) *v.* {mod. 5} *int.* **1** brilhar com tremulações ou fracamente <*a chama da vela bruxuleia*> **2** *fig.* estar para acabar; agonizar <*sua inspiração bruxuleava*> ~ **bruxuleante** *adj.2g.* - **bruxuleio** *s.m.*

bubão (bu.bão) [pl.: *-ões*] *s.m.* MED **1** inchação de gânglio; íngua **2** pústula ou tumor de pele ~ **bubônico** *adj.*

bubuiar (bu.bui.ar) *v.* {mod. 1} *int. infrm.* **1** *AMAZ TO* manter-se à tona; boiar, flutuar <*o peixe veio bubuiando para o nosso lado*> **2** *B* borbulhar ('produzir bolhas') <*embaixo da cachoeira bubuia muito*>

bucal (bu.cal) [pl.: *-ais*] *adj.2g.* relativo a boca; oral <*higiene b.*>

bucaneiro (bu.ca.nei.ro) *s.m.* pirata que atuava no Caribe no sXVII

bucha (bu.cha) *s.f.* **1** objeto us. para vedar orifício ou fenda **2** peça que se embute na parede para fixar prego ou parafuso **3** BOT trepadeira alta, de flores amarelas com riscas verdes, nativa e/ou cultivada em regiões tropicais por seus usos medicinais e seus brotos, frutos e fibras **4** material fibroso extraído do fruto seco da bucha, us. como esfregão para banho **5** *p.ext.* qualquer tipo de material, natural ou sintético, us. para tomar banho ou lavar louças; esponja **6** pedaço de papel ou pano us. para prender e calcar a carga de armas de carregar pela boca **7** chumaço combustível dos balões juninos ▣ **b. de canhão** pessoa us. como escudo ou proteção • **na b.** imediatamente <*respondeu na b.*>

buchada (bu.cha.da) *s.f.* **1** estômago e demais entranhas de animais **2** CUL cozido das entranhas de bode, cabrito, carneiro ou ovelha

bucho (bu.cho) *s.m.* **1** ANAT ZOO estômago de animais **2** *B infrm.* estômago do homem; barriga, ventre **3** *B pej.* mulher velha e/ou muito feia

buclê (bu.clê) *adj.s.m.* (tecido) cujos fios formam pequenas alças, parecendo crespos <*lã b.*>

buço (bu.ço) *s.m.* penugem do lábio superior

bucólico (bu.có.li.co) *adj.* **1** relativo a pastores e animais de qualquer rebanho **2** relacionado à vida e aos costumes do campo **3** *p.ext.* relativo à natureza <*passou horas mirando a paisagem b.*> **4** *p.ext.* que ama o campo ou a natureza **5** *fig.* sem malícia; puro, ingênuo ~ **bucolismo** *s.m.* - **bucolista** *adj.2g.s.2g.*

buda (bu.da) *s.m.* FIL REL título dado pelos budistas a quem alcança a iluminação, livrando-se do sofrimento humano e do processo de transmigração das almas ☞ inicial ger. maiúsc.

budismo (bu.dis.mo) *s.m.* FIL REL religião e filosofia oriental que busca, por meio da meditação e do amor a todos os seres vivos, superar o sofrimento humano e atingir o nirvana ☞ cf. *Buda* na parte enciclopédica ~ **budista** *adj.2g.s.2g.*

bueiro (bu.ei.ro) *s.m.* **1** abertura para escoamento de águas para o subsolo **2** *p.ext.* a caixa de ferro dessa abertura e sua tampa grelhada

búfalo (bú.fa.lo) *s.m.* ZOO nome comum a duas espécies de bovídeos, a africana, selvagem, e a asiática, atualmente domesticada e distribuída pelo mundo, de que se usam o leite, a carne e o couro

bufante (bu.fan.te) *adj.2g.* VEST folgado e afastado do corpo (diz-se de roupa ou parte dela) <*mangas b.*>

bufão (bu.fão) [pl.: *-ões*; fem.: *bufona*] *s.m.* **1** palhaço de rei; bobo ■ *adj.s.m.* **2** *p.ext.* (pessoa) que fala ou se comporta de modo cômico ou inoportuno **3** *p.ext.* que(m) se vangloria muito ~ **bufonaria** *s.f.*

bufar (bu.far) *v.* {mod. 1} *t.d. e int.* **1** expelir (ar, sopro, vapor etc.) com força <*a locomotiva bufava nuvens de fumaça*> <*subiram a ladeira bufando*> □ *t.i. e int. fig.* **2** (prep. *de*) enfurecer-se ou protestar intensamente <*bufava de raiva*> <*saia daí sem b.*>

bufê (bu.fê) *s.m.* **1** mesa, aparador <*ponha os talheres sobre o b.*> **2** serviço que fornece comidas e bebidas em festas, reuniões etc. <*seu b. ficou famoso na cidade*> **3** *p.ext.* conjunto das comidas e bebidas servidas nessas ocasiões <*havia um b. japonês na festa*>

bufo (bu.fo) *s.m.* **1** palhaço de rei; bobo, bufão ■ *adj.* **2** TEAT com texto e música cômicos; burlesco (diz-se de peça teatral) <*ópera b.*>

bug [ing.; pl.: *bugs*] *s.m.* INF defeito ou falha no código de um programa de computador ⇒ pronuncia-se bâg

bugalho (bu.ga.lho) *s.m.* **1** nódulo globular no carvalho formado por ação de insetos, fungos, bactérias etc. **2** *p.ext.* qualquer objeto esférico que lembre esse nódulo **3** *p.ext. infrm.* o olho

buganvília (bu.gan.ví.lia) *s.f.* BOT trepadeira ornamental com espinhos nos galhos e cacho de flores coloridas; primavera

bugiganga (bu.gi.gan.ga) *s.f.* objeto de pouco valor

bugio (bu.gi.o) *s.m.* ZOO macaco ~ **bugiar** *v.int.* - **bugiaria** *s.f.*

bugre (bu.gre) [fem.: *bugra*] *s.m.* **1** *pej.* nome dado pelos europeus a todos os índios **2** *fig. pej.* pessoa mal-educada e inculta **3** *fig.* pessoa desconfiada

bujão (bu.jão) [pl.: *-ões*] *s.m.* **1** peça us. para vedar um orifício ou uma fenda **2** botijão <*b. de gás*>

bujarrona (bu.jar.ro.na) *s.f.* MAR vela grande, triangular, que se iça à proa da embarcação

bula (bu.la) *s.f.* **1** impresso explicativo de um medicamento **2** REL decreto, escrito solene ou carta expedida em nome do papa ~ **bulático** *adj.*

bulbo (bul.bo) *s.m.* **1** BOT órgão vegetal arredondado, aéreo ou subterrâneo, responsável pela nutrição da planta <*b. de cebola*> <*b. de tulipa*> **2** *p.ext.* qualquer estrutura, elemento ou parte dele que lembre um bulbo **3** parte dilatada de órgão vegetal ou animal **4** cobertura de metal ou vidro em lâmpada ou válvula ~ **bulbar** *adj.2g.* - **bulboso** *adj.*

buldogue (bul.do.gue) *s.m.* ZOO cão inglês, baixo, musculoso, de pelo curto, patas dianteiras separadas e maxilar inferior proeminente

buldôzer (bul.dô.zer) [pl.: *-es*] *s.m.* trator de terraplenagem equipado com lâmina frontal de aço

bule (bu.le) *s.m.* recipiente de louça, metal etc. com tampa, asa e bico em que se faz e/ou serve chá, café etc.

bulevar (bu.le.var) [pl.: *-es*] *s.m.* rua ou avenida larga, ger. arborizada

bulha (bu.lha) *s.f.* **1** confusão de vozes; gritaria **2** *p.ext.* desordem; tumulto ~ **bulhar** *v.t.i. e int.* - **bulhento** *adj.s.m.*

bulhufas (bu.lhu.fas) *pron.ind. B infrm.* coisa nenhuma, nada *<não entende b. de química>*

bulício (bu.lí.cio) *s.m.* **1** ruído de agitação; murmúrio **2** falta de sossego; inquietação

buliçoso (bu.li.ço.so) /ô/ [pl. e fem.: /ó/] *adj.* agitado, inquieto *<crianças b.>*

bulimia (bu.li.mi.a) *s.f.* PSIC distúrbio caracterizado por ingestão excessiva de alimentos, seguida de indução ao vômito, uso de laxantes, jejuns etc., a fim de impedir aumento de peso

bulir (bu.lir) *v.* {mod. 29} *t.d.,t.i.,int. e pron.* **1** (prep. *com*) mover(-se) ou agitar(-se) de leve; mexer(-se) *<disse que não sem nem b. (com) a cabeça> <a brisa era tão leve que o milharal nem bulia> <ficou ali mudo, sem se b. nem piscar>* □ *t.i.* **2** (prep. *em*) pôr as mãos; tocar *<não pode b. no armário até eu voltar>* **3** *fig.* (prep. *com*) aborrecer; incomodar *<deixe-o em paz, não vá b. com ele>* ~ **bulimento** *s.m.*

bullying (bul.ly.ing) [ing.] *s.m.2n.* comportamento insistente de quem procura intimidar, por meio de violência física ou psicológica, alguém que é incapaz de se defender, ger. em ambiente escolar ◉ GRAM/USO em ing., invariável ⇒ pronuncia-se bâling

bumba meu boi (bum.ba meu boi) *s.m.2n.* FOLC encenação do ciclo natalino, realizada em todo o Brasil, com variações locais, cujo protagonista é um boi que morre e ressuscita; boi-bumbá

bumbo (bum.bo) *s.m.* → ***BOMBO***

bumbódromo (bum.bó.dro.mo) *s.m.* construção com arquibancadas e área para apresentação de agremiações de boi-bumbá em Parintins AM no mês de junho

bumbum (bum.bum) [pl.: *-uns*] *s.m. B infrm.* bunda

bumerangue (bu.me.ran.gue) *s.m.* peça arqueada de madeira, us. para caça e guerra, que retorna ao ponto do qual foi lançada

bunda (bun.da) *s.f.* **1** região das nádegas **2** *p.ext. infrm.* conjunto das nádegas e do ânus ◉ GRAM/USO aum.irreg.: *bundão* ▣ **nascer com a b. para a lua** *infrm.* ter muita sorte

bunda-canastra (bun.da-ca.nas.tra) [pl.: *bundas-canastras*] *s.f.* RECR *N.E. TO* cambalhota em que ger. se apoia a cabeça no chão

bunda-mole (bun.da-mo.le) [pl.: *bundas-moles*] *adj.2g.s.2g. pej.* **1** que(m) é fraco, medroso *<você não passa de um b.>* **2** que(m) é apático, desanimado *<deixa de ser b., vem para a festa>*

bundão (bun.dão) [pl.: *-ões*; fem.: *bundona*] *adj.s.m. infrm.* **1** que(m) é tolo, desanimado, maçante ■ *s.m.* **2** bunda grande ◉ GRAM/USO aum.irreg. de *bunda*

buquê (bu.quê) *s.m.* **1** ramo de flores *<ganhou um belo b. de rosas>* **2** aroma dos vinhos envelhecidos

buraco (bu.ra.co) *s.m.* **1** espaço vazio, natural ou artificial, em um corpo ou superfície *<um b. no bolso da calça> <um b. no muro>* **2** toca *<b. de tatu>* **3** *fig. pej.* lugar isolado, pobre e/ou pequeno **4** RECR jogo de cartas, semelhante à canastra, que utiliza dois baralhos e pode ser jogado com ou sem parcerias ▣ **b. de ozônio** ASTR área da camada de ozônio destruída pela poluição atmosférica • **b. negro 1** ASTR FÍS região cósmica dotada de força gravitacional muito intensa **2** *joc.* local ou situação em que coisas desaparecem sem explicação

buraqueira (bu.ra.quei.ra) *s.f.* grande quantidade de buracos *<o carro quebrou por causa da b. na estrada>*

burburejar (bur.bu.re.jar) *v.* {mod. 1} *int.* ter ou fazer som de água a borbulhar *<o riacho burbureja>* ◉ GRAM/USO só us. nas 3as p., exceto quando fig.

burburinho (bur.bu.ri.nho) *s.m.* **1** ruído prolongado de vozes *<não conseguiu distinguir uma palavra naquele b.>* **2** som produzido pela água que corre; murmúrio ~ **burburinhar** *v.int.*

burca (bur.ca) *s.f.* VEST vestimenta que cobre todo o corpo, desde a cabeça, com uma pequena abertura para os olhos, us. por algumas mulheres muçulmanas

burel (bu.rel) [pl.: *-éis*] *s.m.* tecido grosseiro de lã parda, marrom ou preta

burgo (bur.go) *s.m.* **1** HIST na Idade Média, fortaleza **2** povoação, aldeia

burgomestre (bur.go.mes.tre) *s.m.* cargo equivalente a prefeito, em certas cidades alemãs, belgas, holandesas e suíças

burguês (bur.guês) [pl.: *-eses*] *s.m.* **1** HIST na Idade Média, habitante livre de um burgo ■ *adj.* **2** relativo ou próprio do burgo **3** relativo à burguesia, cujo ofício não é manual (como o dos operários e camponeses) ■ *adj.s.m.* **4** que(m) pertence à classe média **5** *pej.* que(m) é preconceituoso, conservador e apegado a valores materiais

burguesia (bur.gue.si.a) *s.f.* **1** conjunto dos que exercem profissões liberais, estando mais ou menos ligados às esferas dirigentes e que detêm a economia; classe média **2** *pej.* caráter considerado típico dessa classe social

buril (bu.ril) [pl.: *-is*] *s.m.* **1** ferramenta de aço com ponta oblíqua cortante us. na gravação em metal e madeira **2** *p.ext.* ART.PLÁST gênero de gravura em placa de metal na qual se trabalha diretamente com o buril

burilar (bu.ri.lar) *v.* {mod. 1} *t.d.* **1** gravar ou lavrar com buril *<b. uma gravura> <b. o metal>* **2** *fig.* aprimorar, melhorar *<b. um texto>* ↺ piorar ~ **burilada** *s.f.*

buriti (bu.ri.ti) *s.m.* BOT **1** palmeira de cujas folhas se extrai fibra us. em cobertura de casas e artesanato **2** seu fruto ◉ COL buritizal

buritizal (bu.ri.ti.zal) [pl.: *-ais*] *s.m.* grande concentração de buritis

buritizeiro (bu.ri.ti.zei.ro) *s.m.* buriti ('palmeira')

burlar (bur.lar) *v.* {mod. 1} *t.d.* **1** desrespeitar, transgredir *<b. a lei>* ↺ obedecer **2** enganar, ludibriar *<burlaram a vigilância dos pais e foram ao cinema>* **3** fraudar *<burlou o freguês em duzentos reais>* ~ **burla** *s.f.* - **burlador** *adj.s.m.* - **burlão** *adj.s.m.*

burlesco (bur.les.co) /ê/ *adj.* **1** cômico ou grotesco **2** que provoca riso ou zombaria por ser extravagante ou muito grosseiro, ou apresentar uma visão comicamente vulgar *<estilo b.> <obra b.>*

burocracia (bu.ro.cra.ci.a) *s.f.* **1** sistema de procedimentos administrativos **2** *pej.* a ineficiência no desempenho desses procedimentos *<por causa da b., o documento demorou muito a ficar pronto>* **3** conjunto de funcionários desse sistema ~ **burocratização** *s.f.* - **burocratizar** *v.t.d.,int. e pron.*

burocrata (bu.ro.cra.ta) *s.2g.* **1** funcionário da burocracia **2** *pej.* indivíduo preso a rotinas

burocrático (bu.ro.crá.ti.co) *adj.* **1** relativo a burocracia **2** próprio de burocrata

burra (bur.ra) *s.f.* **1** fêmea do burro **2** caixa em que se guardavam objetos de valor e/ou dinheiro; cofre ▣ **encher a b.** *infrm.* ganhar muito dinheiro

burrada (bur.ra.da) *s.f.* **1** ajuntamento de burros **2** ato estúpido *<foi uma b. ter brigado com ele>*

burrice (bur.ri.ce) *s.f.* **1** falta de inteligência **2** asneira; tolice

burrico (bur.ri.co) *s.m.* ZOO burro pequeno ◉ GRAM/USO dim.irreg. de *burro* ~ **burrical** *adj.2g.*

burrificar (bur.ri.fi.car) *v.* {mod. 1} *t.d.,int. e pron.* (fazer) perder a inteligência; emburrecer *<esse programa de* TV *burrifica as crianças>*

burrinho (bur.ri.nho) *s.m.* **1** ZOO burro pequeno ou jovem **2** MEC bomba para aspirar líquidos **3** MEC compressor de ar ou óleo, esp. o us. no sistema de freios dos automóveis

burro (bur.ro) *s.m.* ZOO **1** jumento **2** animal estéril, cruza de cavalo com jumenta ou de jumento com égua; mu, muar, mulo ■ *adj.s.m. fig.* **3** teimoso; ignorante ◉ GRAM/USO dim.irreg.: *burrico* ▣ **b. de carga** *infrm.* indivíduo muito trabalhador • **pra b.** *infrm.* muito *<a topada doeu pra b.>*

bursite (bur.si.te) *s.f.* MED inflamação de alguma bolsa ('cavidade') do organismo

busca (bus.ca) *s.f.* **1** esforço para achar ou descobrir algo *<na gincana haverá uma b. ao tesouro>* **2** pesquisa minuciosa; revista; investigação *<o inspetor deu uma b. nas mochilas>* **3** esforço para obter ou atingir algo; tentativa, pretensão *<a b. pela felicidade>*

busca-pé (bus.ca-pé) [pl.: *busca-pés*] *s.m.* fogo de artifício que corre em zigue-zague pelo chão antes de estourar

buscar (bus.car) *v.* {mod. 1} *t.d.* **1** esforçar-se por descobrir, encontrar (alguém ou algo) *<b. uma palavra no dicionário>* **2** pesquisar, investigar *<buscou a razão de ser daquela discussão>* **3** apanhar, pegar *<veio b. os livros>* **4** tentar obter; procurar *<buscaram o apoio da família>* **5** esforçar-se por, empenhar-se *<buscava convencê-la de suas boas intenções> <busca vender seus doces em restaurantes>* **6** imaginar, pensar *<b. um modo de vencer>* **7** dirigir-se, ir para *<rios buscam o mar>* ↺ afastar-se

busílis (bu.sí.lis) *s.m.2n.* a essência do problema; dificuldade

bússola (bús.so.la) *s.f.* **1** instrumento de orientação formado por uma agulha magnética que gira na horizontal sobre um pino e aponta para o norte magnético **2** *fig.* direção a seguir; meta *<a seriedade foi nossa b. nesta pesquisa>* **3** *fig.* o que serve de guia

bustiê (bus.ti.ê) *s.m.* VEST corpete feminino curto, ger. sem alças

busto (bus.to) *s.m.* **1** parte do corpo da cintura para cima **2** ART.PLAST estátua ou pintura da parte superior do tronco humano **3** os seios da mulher

butano (bu.ta.no) *s.m.* QUÍM gás incolor us. como combustível

butiá (bu.ti.á) *s.m.* BOT **1** palmeira de fruto oleaginoso e longas folhas us. em artesanato **2** seu fruto ~ **butiazeiro** *s.m.*

butique (bu.ti.que) *s.f.* **1** loja pequena de artigos finos **2** *p.ext.* qualquer loja pequena e elegante

butuca (bu.tu.ca) *s.f.* **1** ZOO mutuca **2** *B infrm.* olho *<olhava para ela com as b. arregaladas>* ☞ mais us. no pl. ▣ **de b.** *B infrm.* de olho; à espreita

buzina (bu.zi.na) *s.f.* **1** dispositivo sonoro de veículos *<b. de carro, de lancha>* **2** *p.ext.* qualquer aparelho que produza som estridente com fins de sinalização **3** corneta ou trombeta ~ **buzinada** *s.f.*

buzinar (bu.zi.nar) *v.* {mod. 1} *t.d. e int.* **1** tocar a buzina (de) *<buzinava o carro assim que o sinal abria> <nervosos, os motoristas não paravam de b.>* □ *t.d. e t.d.i. fig.* **2** (prep. *a*) repetir várias vezes; repisar *<passou a semana buzinando (aos ouvidos da noiva) que a amava>*

búzio (bú.zio) *s.m.* **1** ZOO nome comum dado a diversos moluscos dotados de grandes conchas **2** a concha espiralada desses moluscos ▣ **jogar búzios** ler a sorte conforme a disposição dos búzios ('conchas') lançados sobre mesa ou peneira

buzuleta (bu.zu.le.ta) /ê/ *s.f.* TO *infrm.* coisa complicada, esquisita, fora do comum

byte (by.te) [ing.; pl.: *bytes*] *s.m.* INF unidade de informação constituída por 8 *bits* [símb.: *B*] ⇒ pronuncia-se bait

Cc

c *s.m.* **1** terceira letra do nosso alfabeto, consoante ■ *n.ord. (adj.2g.2n.)* **2** diz-se do terceiro elemento de uma série *<casa C> <item 1c>* ☞ empr. após um substantivo ou numeral **3** diz-se da terceira classe na escala de poder e riqueza *<classe C>* ◉ GRAM/USO na acp. s.m., pl.: *cc*

C **1** MAT símbolo do número 100, em algarismos romanos **2** FÍS símbolo de *Celsius* **3** QUÍM símbolo de [1]*carbono* **4** FÍS símbolo de *coulomb*

Ca QUÍM símbolo de *cálcio*

[1]**cá** *adv.* **1** aqui *<jogue essa bola para cá>* **2** agora *<vive cansado de uns tempos para cá>* ◉ ORIGEM do lat. *eccum hāc* 'eis aqui'

[2]**cá** *s.m.* nome da letra *k* ◉ ORIGEM pronúncia da letra grega *kapa*

cã *s.f.* cabelo branco ☞ mais us. no pl.

caaba (ca.a.ba) *s.f.* REL **1** pedra grande e negra, em forma de cubo, sagrada para os muçulmanos **2** santuário muçulmano, localizado em Meca, Arábia Saudita, onde fica essa pedra

caapora (ca.a.po.ra) *s.2g.* *B* **1** caipora ('ser') **2** *AMAZ* habitante da mata

caatinga (ca.a.tin.ga) *s.f.* *B* **1** BOT vegetação típica do nordeste brasileiro e de parte do norte de MG, formada por arbustos espinhentos **2** GEO área dessa vegetação

cabaça (ca.ba.ça) *s.f.* **1** BOT planta de frutos ocos e casca dura, us. no fabrico de diferentes objetos; cabaceiro **2** BOT fruto dessa planta; cabaço **3** cuia ger. feita da metade desse fruto; cabaço

cabaceiro (ca.ba.cei.ro) *s.m.* BOT **1** pequena árvore, de madeira branca e leve, própria para caixotaria **2** cabaça ('planta')

cabaço (ca.ba.ço) *s.m.* **1** cabaça ('fruto' e 'cuia') **2** *gros.* hímen **3** *gros.* mulher ou homem virgem

cabal (ca.bal) [pl.: *-ais*] *adj.2g.* que é ou está como deve ser; completo, pleno *<o aluno deu uma resposta c.>*

cabala (ca.ba.la) *s.f.* **1** REL sistema filosófico-religioso judaico de interpretações dos textos do Antigo Testamento **2** *fig.* negociação ou combinação secreta; conspiração ~ **cabalista** *adj.2g.s.2g.*

cabalar (ca.ba.lar) *v.* {mod. 1} *int.* **1** conspirar, tramar *<a oposição cabalava nos corredores do parlamento>* □ *t.d.* **2** obter por meios ardilosos *<c. votos> <c. eleitores>*

cabalístico (ca.ba.lís.ti.co) *adj.* **1** relativo a cabala **2** *fig.* que tem significado oculto, esotérico *<número c.> <palavra c.>*

cabana (ca.ba.na) *s.f.* casa pequena e rústica, ger. campestre

[1]**cabano** (ca.ba.no) *adj.* diz-se de animais cujos chifres ou orelhas são voltados para baixo; acabanado *<boi c.>* ◉ ORIGEM desc.

[2]**cabano** (ca.ba.no) *s.m.* HIST *B* partidário de facções políticas do Norte e do Nordeste durante a regência (1831-1840) ◉ ORIGEM duv., talvez de *cabana*

cabaré (ca.ba.ré) *s.m.* casa de diversões que apresenta espetáculos para adultos e oferece serviço de bar

cabaz (ca.baz) [pl.: *-es*] *s.m.* cesto de vime, junco etc., com alças e ger. com tampa

cabeça (ca.be.ça) /ê/ *s.f.* **1** ANAT parte do corpo humano composta pelo crânio e pela face e que contém o cérebro e os órgãos da visão, audição, olfato e paladar **2** ANAT parte análoga do corpo de outros animais **3** *infrm.* couro cabeludo *<lavo a c. todos os dias>* **4** extremidade maior, superior ou anterior de qualquer objeto *<c. de prego>* **5** parte superior; topo, alto *<c. de página>* **6** bulbo ou tubérculo de certos vegetais, de forma arredondada *<c. de alho>* **7** *fig.* pessoa reconhecida por sua inteligência e/ou cultura **8** centro do intelecto, da memória; inteligência *<usou a c. para*

resolver o problema> **9** indivíduo ou animal considerado como a unidade de um grupo *<c. de gado>* ■ *s.2g.* **10** figura proeminente; líder *<prenderam o c. do bando>* ◉ GRAM/USO aum.irreg.: *cabeçorra, cabeção* ▣ **c. fria** ânimo sereno; tranquilidade, equilíbrio *<manteve a c. fria durante o debate>* • **baixar a c.** submeter-se à vontade ou às ordens de alguém *<ela não baixa a c. diante de arbitrariedades>* • **de c. 1** sem usar o cálculo escrito ou a calculadora *<fazer contas de c.>* **2** de cor, de memória *<recitar um poema de c.>* • **esquentar a c.** ficar preocupado; afligir-se • **fazer a c. de** convencer, persuadir *<fez a c. do sócio e assinaram o contrato>* • **levantar a c.** superar ou recuperar-se de um revés *<levante a c. e tente de novo!>* • **perder a c.** perder a calma, o autocontrole *<perdeu a c. e ofendeu o patrão>* • **quebrar a c.** concentrar-se na resolução de um problema *<vamos quebrar a c. para trocar a fiação da casa>*

cabeça-chata (ca.be.ça-cha.ta) [pl.: *cabeças-chatas*] *s.2g. B pej.* **1** pessoa que nasce no Nordeste, esp. no Ceará ☞ palavra ofensiva **2** ZOO perigoso tubarão costeiro, de carne saborosa, pele us. como couro, de cujo fígado se extrai óleo

cabeçada (ca.be.ça.da) *s.f.* **1** pancada com a cabeça *<deu uma c. no poste>* **2** ESP ato de impulsionar a bola com a cabeça *<o atacante acertou uma c. na trave>* **3** *fig.* atitude insensata ou imprudente *<comprar o carro foi uma c.>*

cabeça de bagre (ca.be.ça de ba.gre) [pl.: *cabeças de bagre*] *s.2g. B infrm. pej.* **1** ESP mau jogador **2** pessoa estúpida

cabeça de chave (ca.be.ça de cha.ve) [pl.: *cabeças de chave*] *s.2g.* ESP *B* jogador ou equipe favorita que encabeça cada uma das chaves de um torneio *<o Brasil sempre é cabeça de chave na Copa do Mundo>*

cabeça de negro (ca.be.ça de ne.gro) [pl.: *cabeças de negro*] *s.f.* RECR bombinha que explode com grande estrondo ☞ cf. *cabeça-de-negro*

cabeça-de-negro (ca.be.ça-de-ne.gro) [pl.: *cabeças-de-negro*] *s.f.* BOT arbusto brasileiro, de frutos grandes e comestíveis, cujas sementes se usam no alívio da diarreia ☞ cf. *cabeça de negro*

cabeça de ponte (ca.be.ça de pon.te) [pl.: *cabeças de ponte*] *s.f.* MIL posição de vanguarda que uma tropa invasora ocupa em terreno inimigo e serve de ponto de partida para operações de ataque posteriores ☞ cf. *cabeça de praia*

cabeça de porco (ca.be.ça de por.co) [pl.: *cabeças de porco*] *s.f. B infrm. pej.* edificação, ger. com vários cômodos, que serve de habitação coletiva para a população pobre; cortiço

cabeça de praia (ca.be.ça de prai.a) [pl.: *cabeças de praia*] *s.f.* MIL área conquistada no litoral inimigo para desembarque de tropas e material ☞ cf. *cabeça de ponte*

cabeça de prego (ca.be.ça de pre.go) [pl.: *cabeças de prego*] *s.f. infrm.* furúnculo pequeno ☞ cf. *cabeça-de-prego*

cabeça-de-prego (ca.be.ça-de-pre.go) [pl.: *cabeças-de-prego*] *s.f.* ZOO inseto de aparência achatada e circular, que ataca árvores frutíferas ☞ cf. *cabeça de prego*

cabeça de vento (ca.be.ça de ven.to) [pl.: *cabeças de vento*] *s.2g. infrm.* pessoa que vive distraída ou tem pouca responsabilidade

cabeça-dura (ca.be.ça-du.ra) [pl.: *cabeças-duras*] *s.2g. infrm.* **1** indivíduo teimoso, obstinado *<quero ver você convencer aquela c.>* **2** pessoa de pouca inteligência *<era impossível ensinar aqueles c.>*

cabeçalho (ca.be.ça.lho) *s.m.* **1** conjunto de informações no alto da página de qualquer escrito, documento ou formulário **2** GRÁF título permanente que encabeça e identifica uma publicação periódica (revista, jornal etc.); cabeço

cabeção (ca.be.ção) [pl.: *-ões*] *s.m.* **1** cabeça grande; cabeçorra **2** VEST gola grande e pendente de certas peças de vestuário *<blusa com c.>* **3** VEST *BA* a parte superior da camisa do traje típico das baianas

cabecear (ca.be.ce.ar) *v.* {mod. 5} *int.* **1** mover a cabeça *<simplesmente cabeceou para negar-lhe o pedido>* **2** deixar pender a cabeça *<c. de sono>* □ *t.d.,t.d.i. e int.* **3** golpear ou impulsionar com a cabeça *<c. a bola (para o gol)>* *<esse jogador não cabeceia bem>* ~ **cabeceio** *s.m.*

cabeceira (ca.be.cei.ra) *s.f.* **1** parte da cama em que se pousa a cabeça **2** cada uma das duas extremidades de uma mesa retangular ou oval **3** posição ou lugar de maior destaque à mesa de refeição ou reunião **4** nascente de um rio ☞ nesta acp. mais us. no pl.

cabeço (ca.be.ço) /ê/ *s.m.* **1** topo arredondado de um monte **2** monte baixo e arredondado **3** cabeçalho ('título') ◉ GRAM/USO aum.irreg.: *cabeçorro*

cabeçorra (ca.be.çor.ra) /ô/ *s.f.* cabeça grande; cabeção

cabeçorro (ca.be.çor.ro) /ô/ *s.m.* grande cabeço ('monte'); morro

cabeçote (ca.be.ço.te) *s.m.* **1** dispositivo us. para fixar peça a ser trabalhada no torno **2** ENG peça inteiriça da parte superior de um motor **3** ELETRÔN mecanismo de leitura e gravação de disquete ou de fita magnética

cabeçudo (ca.be.çu.do) *adj.s.m.* **1** (o) que tem cabeça grande **2** *fig.* que(m) é teimoso

cabedal (ca.be.dal) [pl.: *-ais*] *s.m.* **1** conjunto de bens e recursos materiais *<vive dos c. que o pai deixou-lhe em herança>* **2** *fig.* saber, experiência ou reputação adquirida *<vamos recomendá-lo a um mestre de grande c.>*

cabedelo (ca.be.de.lo) /ê/ *s.m.* GEO faixa de areia junto à foz dos rios

cabeleira (ca.be.lei.ra) *s.f.* **1** cabelo cheio e longo *<pentear a c.>* **2** peruca **3** ASTR nuvem luminosa de gás e poeira que envolve o núcleo de um astro; coma ■ *s.m.* **4** *N.E.* indivíduo mau, cruel, perverso

cabeleireiro (ca.be.lei.rei.ro) *s.m.* **1** profissional que corta e trata cabelos **2** estabelecimento em que trabalha esse profissional e que oferece outros serviços cosméticos

cabelo (ca.be.lo) /ê/ *s.m.* **1** conjunto de pelos que crescem no corpo humano, esp. na cabeça **2** cada um desses pelos ◉ COL cabeleira, madeixa, mecha, melena ▣ **de arrepiar o(s) c.** aterrorizante, espantoso; de arrepiar *<vimos um filme de arrepiar os c.>* • **ter c. na(s) venta(s) 1** ser muito corajoso **2** ter mau gênio; ser irritadiço

cabelo de anjo (ca.be.lo de an.jo) [pl.: *cabelos de anjo*] *s.m. S.E.* macarrão bem fino, tb. us. em sopas e sobremesas

cabeludo (ca.be.lu.do) *adj.s.m.* **1** (o) que tem cabelos longos e/ou cheios ■ *adj. fig. infrm.* **2** difícil de lidar com ou de resolver; complicado *<problema c.>* ↺ fácil, simples **3** sem sutileza ou finura; grosseiro *<mentira c.>* **4** obsceno, imoral *<piada c.>*

caber (ca.ber) *v.* {mod. 21} *t.i.* **1** (prep. *em*) poder ser ou estar contido dentro de *<cabem dez pessoas no elevador>* **2** (prep. *em*) poder entrar ou passar por *<o móvel coube no corredor> <o vestido não cabe mais nela>* **3** (prep. *em*) poder realizar-se (em um dado espaço de tempo) *<o discurso cabe em uma hora>* **4** (prep. *a*) competir a, ser da responsabilidade de *<cabe a você decidir>* **5** (prep. *a*) ser adequado; convir □ *int.* **6** ter cabimento; convir *<já não cabem recursos>*

cabide (ca.bi.de) *s.m.* **1** peça de madeira, de metal ou de outros materiais, triangular ou arqueada, com gancho para pendurar paletós, camisas, calças etc. **2** móvel com pequenos braços em que se penduram roupas, chapéus, bengalas etc.; cabideiro **3** suporte com hastes que se prende ger. a uma parede e serve para pendurar roupas ou outros utensílios; cabideiro

cabide de empregos (ca.bi.de de em.pre.gos) *s.m. B infrm.* empresa, repartição, organização, que contrata empregados desnecessários para satisfazer interesses políticos ou de amizade

cabideiro (ca.bi.dei.ro) *s.m.* cabide ('móvel' e 'suporte')

cabidela (ca.bi.de.la) *s.f.* **1** conjunto das extremidades das aves (cabeça, pescoço, pés, asas) e dos miúdos **2** CUL ensopado feito com esses miúdos, a que se acrescentam outros pedaços e o sangue da ave

[1]**cabido** (ca.bi.do) *s.m.* conjunto dos cônegos de uma catedral ◉ ORIGEM do lat. *capitŭlum,i* 'cabeça pequena; capitel de coluna etc.'

[2]**cabido** (ca.bi.do) *adj.* **1** que tem cabimento; cabível, admissível *<comentário c.>* ↺ descabido **2** merecido *<elogio c.>* ◉ ORIGEM part. de *caber*

cabilda (ca.bil.da) *s.f.* **1** grupo ou tribo nômade **2** *pej.* quadrilha, bando

cabimento (ca.bi.men.to) *s.m.* **1** condição do que é aceitável, razoável, louvável *<tais reivindicações não têm c.>* **2** característica do que é conveniente, apropriado *<veja se a ideia tem c.>*

cabine (ca.bi.ne) ou **cabina** (ca.bi.na) *s.f.* **1** compartimento do avião onde se encontram os instrumentos de voo e no qual viajam o piloto e outros tripulantes **2** compartimento de um caminhão, utilitário etc. ocupado pelo motorista e ajudante(s) **3** camarote em navios, trens etc. **4** local reservado para experimentar roupas em lojas **5** boxe ou guarita em que se instala um telefone público **6** guarita **7** plataforma ou caixa móvel do elevador

cabineiro (ca.bi.nei.ro) *s.m. B* **1** pessoa responsável pelas cabines de trens ou navios e que ger. recolhe os bilhetes de passagem **2** ascensorista

cabisbaixo (ca.bis.bai.xo) *adj.* **1** de cabeça baixa ↺ aprumado, ereto **2** *fig.* moralmente abatido; triste ↺ alegre, vibrante

cabiúna (ca.bi.ú.na) ou **caviúna** (ca.vi.ú.na) *s.f.* **1** BOT árvore alta, de madeira nobre e ger. escura, us. em móveis, objetos de enfeite etc. **2** madeira dessa árvore ■ *s.2g.* **3** negro ou mulato escuro

cabível (ca.bí.vel) [pl.: *-eis*] *adj.2g.* que tem cabimento; admissível, aceitável *<propostas c.>*

[1]**cabo** (ca.bo) *s.m.* **1** extremidade pela qual se maneja ou segura algo *<c. de panela> <c. de espada>* **2** feixe de fios metálicos us. em tração *<o elevador é suspenso por cabos de aço>* **3** ELETR TEL feixe de fios us. para transmissão de eletricidade e sinais telefônicos, de televisão, de internet etc. ◉ ORIGEM do lat. *capŭlum,i* 'corda para laçar, prender ou guiar animais, esp. o cavalo'

[2]**cabo** (ca.bo) *s.m.* **1** MIL graduação de praça logo acima da de soldado (no Exército e na Aeronáutica) ou de marinheiro (na Marinha) e imediatamente inferior a terceiro-sargento (nas três armas) **2** militar que detém essa graduação **3** GEO ponta de terra que entra pelo mar **4** parte, elemento ou período final ou terminal *<perdeu a visão ao c. dos anos>* ◉ ORIGEM do lat. *caput,ĭtis* 'cabeça, extremidade etc.' ▣ **c. eleitoral** quem faz campanha para um candidato a cargo eletivo • **dar c. de 1** matar *<deu c. do inimigo>* **2** fazer desaparecer; exterminar *<deram c. dos ratos que infestavam a casa>* **3** concluir, rematar; levar a cabo *<deu c. do serviço rapidamente>* • **de c. a rabo** de um extremo ao outro, do início ao fim *<leu a revista de c. a rabo>* • **levar a c.** dar cabo de

caboclada (ca.bo.cla.da) *s.f. B* grupo de caboclos ☞ pode ter uso pej.

caboclinho (ca.bo.cli.nho) *s.m.* ZOO **1** passarinho encontrado no Brasil, Argentina e Paraguai, em pântanos e campos de arbustos, com plumagem variada e cocuruto negro ▼ ***caboclinhos*** *s.m.pl.* DNÇ FOLC *N.E.* **2** grupos de danças folclóricas com temas indígenas, na época do carnaval

caboclo (ca.bo.clo) /ô/ *s.m.* **1** mestiço descendente de índio e branco **2** pessoa de pele morena ou acobreada **3** caipira, roceiro ■ *adj.* **4** relativo a esse mulato e caipira, seus aspectos, seus hábitos, sua índole *<lenda c.>* **5** da cor morena do cobre *<pele c.>* ◉ COL caboclada

cabo de guerra (ca.bo de guer.ra) [pl.: *cabos de guerra*] *s.m. B* jogo entre duas equipes que puxam em direções opostas as pontas de uma corda, para arrastar o oponente

cabograma (ca.bo.gra.ma) *s.m.* telegrama transmitido por cabo submarino

caboré (ca.bo.ré) *s.2g. B* caburé ('caipira', 'indivíduo feio', 'coruja')

cabotagem (ca.bo.ta.gem) [pl.: *-ens*] *s.f.* MAR navegação mercante entre portos de um mesmo país

cabotinismo (ca.bo.ti.nis.mo) *s.m.* **1** ação ou comportamento de cabotino **2** modo de vida de cabotino ('ator')

cabotino (ca.bo.ti.no) *adj.s.m.* **1** que(m) é presunçoso e procura atrair a atenção para as próprias qualidades ■ *s.m.* **2** ator ambulante, esp. cômico

cabo-verdiano (ca.bo-ver.di.a.no) [pl.: *cabo-verdianos*] *adj.* **1** de Cabo Verde (África) ■ *s.m.* **2** natural ou habitante desse país

cabra (ca.bra) *s.f.* ZOO **1** fêmea do bode ■ *s.2g. B infrm.* **2** jagunço, capanga **3** indivíduo, sujeito, cara *<c. bom>* ◉ COL fato, rebanho ◉ VOZ v.: balar, balir, berrar; subst.: berro, balido

cabra-cega (ca.bra-ce.ga) [pl.: *cabras-cegas*] *s.f.* RECR brincadeira em que um participante, com venda nos olhos, tem de pegar outro, que vai substituí-lo na função de pegador

cabra da peste (ca.bra da pes.te) [pl.: *cabras da peste*] *s.m. N.E. infrm.* pessoa admirada ou temida por sua valentia e firmeza; cabra-macho

cabra-macho (ca.bra-ma.cho) [pl.: *cabras-machos*] *s.m. N.E. infrm.* cabra da peste

cabrão (ca.brão) [pl.: *-ões*] *s.m.* **1** macho da cabra; bode **2** *gros.* homem que desconhece ou não se incomoda com os namoros da própria esposa

cábrea (cá.brea) *s.f.* guindaste para grandes pesos de construção, contêineres etc.

cabreiro (ca.brei.ro) *adj.* **1** *B infrm.* desconfiado, arisco *<o silêncio do amigo o deixou c.>* **2** *B infrm.* astucioso, enganador, dissimulado **3** que age ou trabalha com rapidez e eficiência *<garoto c., sempre se vira sozinho>* ■ *s.m.* **4** pessoa que trabalha com cabras

cabrestante (ca.bres.tan.te) *s.m.* MAR mecanismo para içar grandes pesos, âncoras etc. ☞ cf. ²*guincho*

cabresto (ca.bres.to) /ê/ *s.m.* **1** arreio para prender animais de montaria ou controlar sua marcha **2** *fig.* algo que subjuga *<ele vive sob o c. da esposa>*

cabreúva (ca.bre.ú.va) ou **cabriúva** (ca.bri.ú.va) *s.f.* BOT árvore brasileira de madeira nobre, serragem us. em perfumaria, e de folhas e frutos medicinais

¹**cabril** (ca.bril) [pl.: *-is*] *s.m.* curral de cabras ◉ ORIGEM do lat. *caprīle,is* 'id.'

²**cabril** (ca.bril) [pl.: *-is*] *adj.2g.* agreste, por ser rochoso e escarpado (diz-se de terreno) ◉ ORIGEM do lat. *caprilis,le* 'relativo a cabra'

cabriola (ca.bri.o.la) *s.f.* **1** salto de cabra **2** cambalhota **3** *fig.* mudança súbita de opinião ou de partido

cabriolar (ca.bri.o.lar) *v.* {mod. 1} *int.* **1** dar cabriolas **2** *fig.* ter muitas curvas, voltas (p.ex., um rio)

cabriolé (ca.bri.o.lé) *s.m.* **1** carruagem de capota móvel, de duas rodas, puxada por cavalo **2** carroceria de carro conversível de dois ou três lugares

cabrita (ca.bri.ta) *s.f.* **1** cabra nova **2** *B infrm.* menina-moça

cabritagem (ca.bri.ta.gem) [pl.: *-ens*] *s.f. TO C.-O. infrm. pej.* comportamento corrupto, desonesto; desonestidade *<desvios de verbas por c.>*

cabritar (ca.bri.tar) *v.* {mod. 1} *int.* saltitar como cabrito

cabrito (ca.bri.to) *s.m.* **1** bode jovem **2** *infrm.* menino levado **3** *infrm.* homem mulato ou bem moreno; cabrocha

cabriúva (ca.bri.ú.va) *s.f.* → ***CABREÚVA***

cabrocha (ca.bro.cha) *s.f. B infrm.* **1** mulata jovem, esp. a que gosta de sambar ou participa de desfiles carnavalescos ■ *s.2g. B* **2** mulato ou mestiço jovem **3** *AM* filho de índio e mulata ou vice-versa

cabueta (ca.bu.e.ta) /ê/ *s.2g. B N.E. infrm. pej.* **1** pessoa que denuncia ou delata outrem; dedo-duro, caguete **2** espião da polícia

cábula (cá.bu.la) *s.f.* **1** falta às aulas por vadiagem **2** artimanha para escapar do trabalho **3** *infrm.* falta de sorte; azar ■ *s.2g.* **4** aluno que falta às aulas; gazeteiro **5** pessoa que usa artimanhas para escapar do trabalho ~ **cabulice** *s.f.*

cabular (ca.bu.lar) *v.* {mod. 1} *int.* **1** não comparecer à aula sem razão **2** usar artifícios para fugir de obrigações

cabuloso (ca.bu.lo.so) /ô/ [pl. e fem.: /ó/] *adj. B infrm.* **1** que traz ou tem azar; azarento *<homem c.>* **2** aborrecido, tedioso *<conversa c.>*

caburé (ca.bu.ré) *s.m. B* **1** mestiço de negro com índio; cafuzo **2** mestiço de branco com índio; caboclo **3** habitante da roça; caipira, caboré **4** indivíduo feio e melancólico; caboré **5** pessoa baixa e corpulenta **6** ZOO pequena coruja de hábitos diurnos; caboré

caca (ca.ca) *s.f. infrm.* **1** excremento; fezes **2** *fig.* coisa malfeita; porcaria

¹**caça** (ca.ça) *s.f.* **1** ação de caçar; caçada *<c. à raposa>* *<temporada de c.>* **2** conjunto de animais caçados *<aquela tribo vive da c.>* **3** *fig.* busca insistente; perseguição *<c. aos sequestradores>* *<brincadeira de c. ao tesouro>* ☞ cf. *cassa* ◉ ORIGEM regr. de *caçar* ▣ **c. submarina** ESP pesca subaquática feita com arpão; pesca submarina

²**caça** (ca.ça) *s.m.* MIL avião de caça ◉ ORIGEM red. de *avião de caça*

caçada (ca.ça.da) *s.f.* ação de caçar; caça

caçador (ca.ça.dor) /ô/ [pl.: *-es*] *adj.s.m.* (o) que caça *<animal c.>* *<os c. partiram de madrugada>*

caçador-coletor (ca.ça.dor-co.le.tor) /ô...ô/ [pl.: *caçadores-coletores*] *adj.s.m.* ANTRPOL que(m) vive da caça, pesca e coleta de materiais da natureza *<tribo c.>* *<território habitado por c.>*

caça-dotes (ca.ça-do.tes) *s.2g.2n. B* quem busca enriquecer casando-se com pessoa rica

cacajau (ca.ca.jau) *s.m.* ZOO gênero de macacos amazônicos conhecidos vulgarmente como uacaris

caçamba (ca.çam.ba) *s.f. B* **1** balde ger. preso a uma corda, para tirar água de poços **2** receptáculo que pode ser acoplado a caminhões, guindastes, escavadeiras etc. e que serve para conter ou transportar lixo, terra etc. **3** parte da betoneira em que se prepara o concreto

caça-minas (ca.ça-mi.nas) *s.m.2n.* MAR MIL *B* navio com um dispositivo para detectar e destruir minas

caça-níqueis (ca.ça-ní.queis) *s.m.2n.* **1** máquina de jogo de azar que funciona com introdução de moedas ■ *adj.2g.2n.s.m.2n. pej.* **2** (o) que visa exclusivamente ao lucro *<torneio c.>* *<o crítico afirmou que o espetáculo era um c.>*

cação (ca.ção) [pl.: *-ões*] *s.m.* ZOO tubarão, esp. o de pequeno ou médio porte, apreciado como alimento

caçapa (ca.ça.pa) *s.f.* RECR cada uma das seis redes em que caem as bolas no jogo de sinuca

caçar (ca.çar) *v.* {mod. 1} *t.d.* **1** perseguir (animal) para prender ou matar *<c. jacarés>* **2** *p.ext.* procurar para prender; perseguir *<c. ladrões>* **3** buscar insistentemente; catar *<os colecionadores caçam essa peça há décadas>* ◻ *int.* **4** perseguir animais para prender ou matar *<os nobres caçavam por esporte>* ☞ cf. *cassar*

cacareco (ca.ca.re.co) *s.m. B* **1** objeto velho e/ou bastante us. **2** *p.ext.* objeto sem valor ◉ GRAM/USO mais us. no pl.

cacarejar (ca.ca.re.jar) *v.* {mod. 1} *int.* **1** cantar (a galinha) ☞ só us. nas 3as p., exceto quando fig. **2** *fig. pej.* falar muito; tagarelar

cacarejo (ca.ca.re.jo) /ê/ *s.m.* **1** ação ou efeito de cacarejar **2** canto da galinha **3** *fig.* ação ou hábito de quem fala demais; tagarelice

[1]**cacaria** (ca.ca.ri.a) *s.f.* porção de cacos ◉ ORIGEM *caco + -aria*

[2]**cacaria** (ca.ca.ri.a) *s.f. B* **1** grupo de ladrões **2** antro de ladrões ◉ ORIGEM desc.

caçarola (ca.ça.ro.la) *s.f.* panela alta, com alças e tampa

cacatua (ca.ca.tu.a) *s.f.* ZOO nome comum a aves da família dos psitacídeos, de plumagem ger. branca e longo topete de penas

cacau (ca.cau) *s.m.* **1** BOT fruto do cacaueiro, com polpa adocicada e comestível **2** BOT semente desse fruto **3** matéria-prima do chocolate extraída das sementes dessa fruta ◉ COL cacaual

cacaual (ca.cau.al) [pl.: *-ais*] *s.m.* grande concentração de cacaueiros em determinada área

cacaueiro (ca.cau.ei.ro) ou **cacauzeiro** (ca.cau.zei.ro) *s.m.* BOT árvore muito cultivada pelos seus frutos e sementes, conhecidos como cacau

cacauicultor (ca.cau.i.cul.tor) /ô/ [pl.: *-es*] *adj.s.m.* (o) que cultiva o cacau; cacaulista

cacauicultura (ca.cau.i.cul.tu.ra) *s.f.* AGR plantação ou cultivo de cacau

cacaulista (ca.cau.lis.ta) *adj.2g.s.2g. B* **1** cacauicultor **2** que(m) negocia com cacau

cacauzeiro (ca.cau.zei.ro) *s.m.* → ***CACAUEIRO***

caceta (ca.ce.ta) /ê/ *s.f. B gros.* pênis, cacete

cacetada (ca.ce.ta.da) *s.f.* **1** golpe com cacete; bordoada *<a polícia distribuiu c. entre os manifestantes>* **2** *p.ext.* pancada, golpe *<levou uma c. do seu desafeto>* **3** *infrm.* grande quantidade *<tomou uma c. de remédios>* **4** *fig.* amolação, aborrecimento

cacete (ca.ce.te) /ê/ *s.m.* **1** bastão de madeira, us. para dar pancadas, servir de apoio etc. **2** algo cuja forma comprida e/ou cilíndrica lembra a desse bastão **3** *gros.* pênis, caceta **4** *B infrm.* cacetada, bordoada **5** *p.ext. infrm.* surra ☞ cf. *cassete* ■ *adj.2g.s.2g.* **6** (o) que provoca tédio, aborrecimento; maçante ■ *interj.* **7** *gros.* expressa apreensão, lembrança repentina, aborrecimento ▣ **pra c.** *B infrm. gros.* muito, em grande quantidade ou intensidade

caceteação (ca.ce.te.a.ção) [pl.: *-ões*] *s.f. B* **1** coisa ou situação enfadonha, chata *<a palestra foi uma c.>* **2** aborrecimento *<o vazamento no banheiro foi uma grande c.>*

cacetear (ca.ce.te.ar) *v.* {mod. 5} *t.d.* **1** bater com cacete em; espancar ◻ *t.d. e pron. B* **2** aborrecer(-se), chatear(-se) *<caceteava-o fazer compras com a irmã> <leve um livro para não se cacetear enquanto espera>*

cachaça (ca.cha.ça) *s.f.* **1** aguardente obtida da fermentação e destilação das borras do melaço da cana-de-açúcar **2** *p.ext. B* qualquer bebida alcoólica, esp. destilada **3** *fig. B infrm.* aquilo que se faz com entusiasmo; paixão *<o trabalho é a sua c.>*

cachação (ca.cha.ção) [pl.: *-ões*] *s.m.* **1** empurrão ou pancada no cachaço **2** *p.ext.* golpe com a mão; bofetada

cachaceiro (ca.cha.cei.ro) *adj.s.m. B* que(m) tem o hábito de beber muita cachaça ou outra bebida alcoólica

cachaço (ca.cha.ço) *s.m.* **1** parte posterior do pescoço; nuca **2** *B* porco reprodutor; varrão

cachalote (ca.cha.lo.te) *s.m.* ZOO baleia cinzenta ou preta, com até 20 m de comprimento, de cabeça enorme e quase quadrangular

cachão (ca.chão) [pl.: *-ões*] *s.m.* **1** jato forte e volumoso; borbotão **2** agitação ou turbilhão de água ou outro líquido **3** *MG* cachoeira alta e com grande volume de água; tombo

cachê (ca.chê) *s.m.* **1** remuneração que um artista recebe por apresentação **2** pagamento que uma pessoa recebe por sua participação em peça publicitária ou espetáculo público

cachear (ca.che.ar) *v.* {mod. 5} *t.d. e int.* deixar ou ficar (o cabelo) com cachos *<produto para c. os cabelos> <o cabelo do bebê crescia e cacheava>* ↺ alisar ~ **cacheado** *adj.s.m.*

cachecol (ca.che.col) [pl.: *-óis*] *s.m.* VEST faixa comprida de lã ou de outro tecido para agasalhar o pescoço

cachimbada (ca.chim.ba.da) *s.f.* ato de aspirar e soltar a fumaça do cachimbo

cachimbar (ca.chim.bar) *v.* {mod. 1} *int.* **1** fumar cachimbo *<o professor tem o hábito de c.>* **2** *fig.* exalar vapor(es) ou fumaça *<um vulcão a c.>*

cachimbo (ca.chim.bo) *s.m.* utensílio para fumar, composto de um tubo ligado a um bojo em que arde o tabaco

cachimônia (ca.chi.mô.nia) *s.f. infrm.* **1** centro do intelecto; mente **2** capacidade de lembrar; memória **3** paciência, calma

cacho (ca.cho) *s.m.* **1** BOT conjunto de flores ou frutos que brotam em um eixo comum *<c. de banana>* **2** pequena madeixa de cabelo encaracolada **3** *B infrm.* caso amoroso

cachoeira (ca.cho.ei.ra) *s.f.* **1** queda-d'água **2** torrente de água que corre ou cai formando um borbotão

cachola (ca.cho.la) *s.f. infrm.* cabeça ('centro do intelecto')

cacholeta (ca.cho.le.ta) /ê/ *s.f.* pancada na cabeça com o dorso da mão ou com uma vara

cachopa (ca.cho.pa) /ô/ *s.f. TO C.-O.* colmeia de abelhas ou casa de marimbondos

cachorra (ca.chor.ra) /ô/ *s.f.* **1** *B* fêmea do cão; cadela **2** cadela nova **3** *pej.* mulher de mau caráter **4** *pej.* mulher devassa, imoral ▣ **com a c.** *B infrm.* muito mal-humorado

cachorrada (ca.chor.ra.da) *s.f.* **1** bando de cães **2** *fig. pej.* grupo de indivíduos de má índole; corja **3** *fig. infrm.* ato ou comportamento baixo, indigno; cachorrice

cachorrice (ca.chor.ri.ce) *s.f. B* cachorrada ('ato')

cachorro (ca.chor.ro) /ô/ [fem.: *cadela, cachorra*] *s.m.* **1** ZOO *B* cão **2** cão novo **3** filhote de outros animais como o lobo, o leão, a hiena **4** *fig. pej.* indivíduo desprezível; canalha ◉ COL matilha ◉ VOZ v.: ganir, ladrar, latir, rosnar; subst.: ganido, latido, rosnado ▣ **matar c. a grito** *B infrm.* em estado ou situação aflitiva ou desesperadora *<está matando c. a grito porque perdeu o emprego>* • **pra c.** *B infrm.* em grande quantidade ou intensidade; muito • **soltar os c.** *B infrm.* expressar raiva; demonstrar agressividade *<soltou os c. porque o seu time perdeu>* • **soltar os c. em** ou **em cima de** *B infrm.* dirigir-se a (alguém) agressivamente, aos gritos ou com palavras ofensivas *<não tente enganá-la, senão ela solta os c. em você>*

cachorro-quente (ca.chor.ro-quen.te) [pl.: *cachorros-quentes*] *s.m.* CUL pão comprido com uma salsicha dentro, ger. com molho quente

cacife (ca.ci.fe) *s.m. B* **1** em jogo de aposta, quantia mínima que cada jogador deve ter para participar **2** *fig. infrm.* conjunto de condições, materiais ou não, necessárias para realizar algo *<não temos c. para enfrentar esse time>*

cacimba (ca.cim.ba) *s.f.* poço que se cava até um lençol de água subterrâneo

cacique (ca.ci.que) *s.m.* **1** chefe indígena; morubixaba **2** *fig.* chefe político de grande influência que conta com os votos dos eleitores de uma localidade **3** *fig.* chefe, líder *<esta empresa tem c. demais>* ☞ nessas duas acp., pode ter uso pej.

caco (ca.co) *s.m.* **1** pedaço quebrado *<c. de vidro> <c. de louça>* **2** objeto estragado ou muito gasto **3** *fig. infrm. pej.* pessoa envelhecida e/ou doente **4** TEAT *infrm.* fala improvisada introduzida pelo ator no texto original

caçoada (ca.ço.a.da) *s.f.* troça, zombaria

caçoar (ca.ço.ar) *v.* {mod. 1} *t.i. e int.* (prep. *de*) ridicularizar com gestos, palavras etc.; zombar *<tornou-se antipático por causa do hábito de c. (de todos)>*

cacoete (ca.co.e.te) /ê/ *s.m.* **1** contração muscular involuntária e repetitiva; tique **2** *p.ext.* gesto, trejeito ou ação habitual, considerada feia, de mau gosto, anormal etc. pelas outras pessoas; mania **3** *fig. B* indício de uma habilidade específica *<ela tem c. de bailarina>*

cacófato (ca.có.fa.to) *s.m.* GRAM som desagradável ou palavra de mau gosto que se forma do encontro de sons de palavras vizinhas; cacofonia *<na frase "pagou dois reais por cada doce" há um c.>*

cacofonia (ca.co.fo.ni.a) *s.f.* GRAM **1** pronúncia feia ou incorreta de palavras, formando cacófato ☞ cf. *eufonia* **2** cacófato ~ **cacofônico** *adj.*

cacografar (ca.co.gra.far) *v.* {mod. 1} *t.d. e int.* escrever com erros de ortografia *<c. palavras estrangeiras> <o mestre é inflexível com quem cacografa>*

cacografia (ca.co.gra.fi.a) *s.f.* GRAM grafia errada ↺ ortografia ~ **cacográfico** *adj.*

cactácea (cac.tá.cea) *s.f.* BOT espécime das cactáceas, família de plantas espinhentas, de regiões quentes e secas das Américas, com caules engrossados por amplas reservas de água, cultivadas como ornamentais, como alimento ou como cerca viva ~ **cactáceo** *adj.*

cacto (cac.to) *s.m.* ou **cáctus** (các.tus) *s.m.2n.* BOT nome comum a várias plantas da família das cactáceas, de caule espinhoso e suculento

caçula (ca.çu.la) *adj.2g.s.2g. B* que(m) é o mais novo dos filhos ou irmãos *<irmão c.> <o c. sempre é favorecido>*

cacunda (ca.cun.da) *s.f. B* **1** a região das costas; dorso **2** corcunda ■ *adj.2g.s.2g. B* **3** corcunda

cada (ca.da) *pron.ind.* **1** num conjunto, série ou totalidade, indica todo e qualquer elemento considerado individualmente *<c. criança ganhou um brinquedo> <guarda c. moeda que lhe sobra de troco>* **2** indica repetição ou intervalos regulares dentro de uma série ou conjunto *<visita a tia a c. três semanas>* **3** us. com valor intensivo *<esse menino tem c. ideia!>* ▣ **c. um** ou **c. qual** qualquer dos elementos de um conjunto, considerado separadamente *<c. um trabalha quanto pode>*

cadafalso (ca.da.fal.so) *s.m.* tablado para execução pública de condenados; patíbulo

cadarço (ca.dar.ço) *s.m. B* cordão a que se dá um laço para ajustar os calçados aos pés

cadastrar (ca.das.trar) *v.* {mod. 1} *t.d.* **1** incluir num cadastro; fazer o cadastro de *<c. bens> <a prefeitura irá c. as famílias carentes>* □ *pron.* **2** dar informações para fazer o próprio cadastro *<cadastrei-me numa agência de empregos>* ~ **cadastramento** *s.m.*

cadastro (ca.das.tro) *s.m.* **1** registro de dados (sobre clientes, fornecedores, bens etc.) **2** documento ou arquivo que contém esses dados ▣ **c. de pessoa física** cadastro de contribuintes individuais do imposto de renda [sigla: *CPF*] • **c. geral de contribuinte** cadastro de pessoas jurídicas contribuintes do imposto de renda [sigla: *CGC*] ~ **cadastral** *adj.2g.*

cadáver (ca.dá.ver) [pl.: *-res*] *s.m.* **1** corpo morto, esp. de um ser humano **2** *fig.* indivíduo muito doente ou enfraquecido, ou apresentando aspecto pouco saudável (palidez, magreza etc.) *<depois da doença, ele está um c.>* ◉ COL mortualha

cadavérico (ca.da.vé.ri.co) *adj.* **1** relativo a cadáver ou semelhante a ele *<rigidez c.>* **2** que se dá ou se faz no cadáver *<exame c.>* **3** *fig. pej.* muito magro

cadê (ca.dê) *adv. B infrm.* quede

cadeado (ca.de.a.do) *s.m.* tranca portátil e móvel, provida de uma barra ou de um arco em forma de U, cuja extremidade livre é presa ao corpo da tranca

cadeia (ca.dei.a) *s.f.* **1** série de elos, anéis etc., us. para prender, amarrar, sustentar etc. **2** corrente para prender condenados; grilhão **3** prisão *<os corruptos foram para a c.>* **4** série ou conjunto de elementos abstratos relacionados entre si *<c. dos acontecimentos>* **5** conjunto de estabelecimentos comerciais sob a mesma administração, marca, franquia etc. *<c. de lojas> <c. de* fast-food*>* **6** conjunto de emissoras que transmitem, temporária ou permanentemente, a mesma programação ou evento *<o presidente vai falar em c. de rádio e TV>* **7** QUÍM arranjo de átomos ligados entre si, assim como os átomos de carbono nos compostos orgânicos ▣ **c. alimentar** ECO representação da transferência de energia ou das relações alimentares em um ecossistema, através de uma série em que os seres vivos se alimentam e servem de alimento para outros seres vivos • **c. de montanhas** GEO sucessão de montanhas ligadas entre si, formando uma cordilheira, serra ou um sistema montanhoso mais vasto

cadeira (ca.dei.ra) *s.f.* **1** assento com encosto e pernas, ger. para uma pessoa **2** *fig.* lugar de honra ocupado por político, cientista, literato etc. *<assumir uma c. na Academia Brasileira de Letras>* **3** *fig.* disciplina; cátedra *<c. de geografia>* **4** *fig.* anca, quadril ☞ freq. us. no pl. ▣ **c. de balanço** cadeira com uma base recurvada e que a um leve impulso balança para a frente e para trás • **c. de rodas** cadeira montada sobre rodas us. por indivíduos com dificuldade de locomoção • **de c.** com conhecimento, experiência ou autoridade *<pode falar de c. sobre dietas>*

cadeirante (ca.dei.ran.te) *adj.2g.s.2g.* (pessoa) que se locomove em cadeira de rodas

cadeirinha (ca.dei.ri.nha) *s.f.* **1** liteira pequena **2** RECR brincadeira em que duas pessoas carregam uma terceira nos braços entrelaçados **3** conjunto de montanhismo, feito de fitas de náilon, resistentes, costuradas entre si para envolver as coxas e a cintura do escalador; boldrié

cadela (ca.de.la) *s.f.* **1** fêmea do cão **2** *pej.* mulher vulgar ◉ GRAM/USO dim.irreg.: *cadelita*; fem.irreg. de *cão*

cadência (ca.dên.cia) *s.f.* **1** encadeamento ou sucessão regular de sons, movimentos etc. **2** *p.ext.* ritmo, compasso *<marcava a c. com o pé>*

cadenciado (ca.den.ci.a.do) *adj.* que tem cadência; cadente, ritmado *<canção c.> <passo c.>*

cadenciar (ca.den.ci.ar) *v.* {mod. 1} *t.d.* **1** dar cadência a; ritmar *<c. a marcha>* **2** *fig.* impor o ritmo adequado a *<passou a c. o trabalho e tem agora mais tempo para a família>*

cadente (ca.den.te) *adj.2g.* **1** que cai ou está caindo *<a neve c. vai cobrindo a cidade>* **2** cadenciado

caderneta (ca.der.ne.ta) /ê/ *s.f.* pequeno caderno para registros diversos ▣ **c. de poupança** ECON *B* depósito bancário em que a quantia não movimentada rende juros; poupança • **c. de vacinação** MED documento que contém os registros das vacinas tomadas e por tomar na época própria

caderno (ca.der.no) *s.m.* **1** conjunto de folhas de papel reunidas por grampo, costura ou espiral, que formam um livro para anotações, desenhos etc. **2** obra publicada, ger. seriada, sobre determinado assunto *<c. literários>* ☞ mais us. no pl. **3** suplemento de jornal, revista etc. *<c. de esporte>*

cadete (ca.de.te) /ê/ *s.m.* aluno de escola militar que forma oficiais

cadinho (ca.di.nho) *s.m.* **1** QUÍM vaso resistente ao fogo us. para fundir metais, minérios etc.; crisol **2** *fig.* lugar onde pessoas ou coisas se misturam ou se fundem *<o continente americano é um c. de povos e culturas>*

cádmio (cád.mio) *s.m.* QUÍM elemento químico metálico, dúctil e maleável, us. em baterias e em placas de proteção de reatores nucleares [símb.: *Cd*] ☞ cf. *tabela periódica* (no fim do dicionário)

caducar (ca.du.car) *v.* {mod. 1} *int.* **1** tornar-se antigo ou obsoleto *<tal hábito caducou>* **2** *B* perder a lucidez, por velhice **3** desaparecer, extinguir-se *<sua fé caducou>* **4** perder a validade ou o efeito legal (contrato, direito etc.)

caduceu (ca.du.ceu) *s.m.* **1** bastão com duas serpentes enroscadas e asas na extremidade superior, símbolo do deus Mercúrio **2** emblema com essa figura **3** esse emblema us. como símbolo da Medicina

caducidade (ca.du.ci.da.de) *s.f.* **1** estado de caduco; decrepitude, velhice **2** DIR estado do que se tornou inválido ou ineficaz *<c. de uma lei>*

caduco (ca.du.co) *adj.s.m.* **1** que(m) perdeu parcialmente o juízo devido à idade ou a doença mental ■ *adj.* **2** que cai **3** que perdeu a força, a firmeza e/ou o brilho; decrépito, velho **4** DIR sem validade *<lei c.>* ↺ válido, vigente ~ **caduquez** *s.f.* - **caduquice** *s.f.*

caeté (ca.e.té) *s.2g.* **1** indivíduo dos caetés, povo indígena que vivia no litoral nordestino, da foz do rio São Francisco à foz do rio Parnaíba, na Paraíba, no sXVI ■ *adj.2g.* **2** relativo a esse indivíduo e a esse povo

cafajestada (ca.fa.jes.ta.da) *s.f.* *B* **1** ato ou comportamento de cafajeste **2** grupo de cafajestes

cafajeste (ca.fa.jes.te) *adj.2g.s.2g.* *B* **1** (pessoa) de mau caráter; velhaco **2** (pessoa) sem refinamento, atrevida e que se veste ger. com mau gosto ■ *adj.2g.* *B* **3** de modos grosseiros, ordinários, abusados ↺ educado, gentil ~ **cafajestagem** *s.f.* - **cafajestice** *s.f.*

cafarnaum (ca.far.na.um) [pl.: *-uns*] *s.m.* **1** lugar em que há tumulto **2** falta de ordem; confusão **3** lugar muito afastado; cafundó

café (ca.fé) *s.m.* **1** BOT cafeeiro *<plantação de c.>* **2** BOT fruto do cafeeiro **3** bebida feita desse fruto depois de seco, torrado e moído **4** estabelecimento onde se servem café, bebidas, lanches **5** a cor marrom do grão do café **6** *B* refeição que se toma ao acordar ■ *adj.2g.2n.* **7** que tem a cor do café ('fruto', 'bebida') **8** diz-se dessa cor *<coloração c.>* ▣ **c. preto** café puro, sem mistura de leite

café-cantante (ca.fé-can.tan.te) [pl.: *cafés-cantantes*] *s.m.* TEAT café-concerto

café com leite (ca.fé com lei.te) [pl.: *cafés com leite* (subst.)] *s.m.* **1** cor bege da mistura do café com o leite ■ *adj.2g.2n.* **2** que tem essa cor *<móvel café com leite>* **3** diz-se dessa cor *<coloração café com leite>* ■ *adj.2g.2n.s.m.* RECR *B* **4** (criança ger. menor) a quem as regras de jogo infantil se aplicam de modo especial ou mais brando

café-concerto (ca.fé-con.cer.to) [pl.: *cafés-concerto*] *s.m.* TEAT pequeno teatro onde se pode beber e comer enquanto se assiste a números musicais e de variedades; café-cantante, café-teatro

café da manhã (ca.fé da ma.nhã) [pl.: *cafés da manhã*] *s.m.* *B* refeição que se toma ao acordar; desjejum

cafeeiro (ca.fe.ei.ro) *s.m.* BOT **1** arbusto de cujas sementes se faz, por torrefação e moagem, o pó de café ■ *adj.* **2** relativo a café, esp. à produção ou ao comércio *<região c.> <indústria c.>*

cafeicultura (ca.fe.i.cul.tu.ra) *s.f.* AGR cultivo ou plantação de cafeeiros ~ **cafeicultor** *adj.s.m.*

cafeína (ca.fe.í.na) *s.f.* QUÍM substância estimulante e diurética presente no café, mate etc.

C

café-pequeno (ca.fé-pe.que.no) [pl.: *cafés-pequenos*] *s.m. infrm.* **1** coisa simples, fácil de fazer **2** pessoa, coisa ou fato sem importância

cafetã (ca.fe.tã) *s.m.* VEST túnica comprida, ger. forrada de peles, us. esp. pelos turcos e árabes

cafetão (ca.fe.tão) [pl.: *-ões*; fem.: *cafetina, caftina*] *s.m. B* homem que arranja fregueses para prostitutas e fica com grande parte do dinheiro pago a elas; cáften

café-teatro (ca.fé-te.a.tro) [pl.: *cafés-teatros* e *cafés-teatro*] *s.m.* TEAT café-concerto

cafeteira (ca.fe.tei.ra) *s.f.* vasilha ou máquina para fazer e/ou servir café

cafeteria (ca.fe.te.ri.a) *s.f.* local público especializado em servir cafés e por vezes outras bebidas e lanches

cafetina (ca.fe.ti.na) ou **caftina** (caf.ti.na) *s.f. B* mulher que vive da exploração de prostitutas

cafezal (ca.fe.zal) [pl.: *-ais*] *s.m.* grande concentração de cafeeiros em determinada área

cafezinho (ca.fe.zi.nho) *s.m.* café que se serve em xícaras pequenas

cáfila (cá.fi.la) *s.f.* **1** grupo de camelos que transportam mercadorias **2** caravana de mercadores na Ásia e África **3** *pej.* corja

cafofo (ca.fo.fo) /ô/ *s.m. B infrm.* **1** lugar onde se mora *<seja bem-vindo ao meu c.>* **2** esconderijo

cafona (ca.fo.na) *adj.2g.s.2g. B infrm.* (o) que revela mau gosto, pouca sofisticação *<roupa c.> <pessoa c.>* ~ **cafonice** *s.f.*

cafta (caf.ta) *s.f.* CUL iguaria árabe de carne moída, farinha de trigo e especiarias, assada (em espeto ou em forno) ou frita

cáften (cáf.ten) [pl.: *caftens*; fem.: *caftina, cafetina*] *s.m.* cafetão

caftina (caf.ti.na) *s.f. B* → ***CAFETINA***

cafua (ca.fu.a) *s.f.* **1** cova, caverna **2** lugar isolado e escuro **3** antro, esconderijo **4** *B* aposento escuro onde os alunos eram deixados de castigo; cafundó ◉ GRAM/USO aum.: *cafuão*

cafubira (ca.fu.bi.ra) *s.f.2n. MG GO TO infrm.* coceira muito forte

cafundó (ca.fun.dó) *s.m. B* **1** lugar distante e pouco habitado ☞ tb. us. no pl. **2** baixada estreita entre encostas altas e íngremes **3** cafua ('aposento')

cafuné (ca.fu.né) *s.m.* carícia na cabeça ☞ tb. us. no pl.

cafungar (ca.fun.gar) *v.* {mod. 1} *t.d. e int.* cheirar com força; fungar *<c. a panela de feijão> <está resfriado e não para de c.>* ~ **cafungada** *s.f.*

cafuzo (ca.fu.zo) *adj.s.m. B* **1** mestiço de negro com índio **2** *p.ext.* mestiço de pele muito escura ou negra e cabelos lisos e cheios

cagaço (ca.ga.ço) *s.m. gros.* **1** medo, susto **2** falta de coragem; covardia **3** *CE* censura, repreensão

cagada (ca.ga.da) *s.f. gros.* **1** ação de cagar **2** porção de fezes expelidas no ato de defecar **3** *B* porcaria, sujeira *<as crianças fizeram a maior c. no quarto>* **4** coisa malfeita *<o pedreiro fez c. na obra>* **5** boa sorte inesperada *<acertar na loteria foi uma c.>*

cágado (cá.ga.do) *s.m.* ZOO **1** réptil de água doce de pescoço longo e casco mais achatado que o do jabuti ■ *adj.s.m. fig. infrm.* **2** que(m) que é lento, vagaroso

cagaita (ca.gai.ta) *s.f.* BOT fruto da cagaiteira

cagaiteira (ca.gai.tei.ra) *s.f.* BOT árvore de cujos frutos se fazem sucos, geleias e sorvetes, além de álcool e vinagre, por fermentação

cagão (ca.gão) [pl.: *-ões*; fem.: *cagona*] *adj.s.m. infrm.* **1** que(m) é medroso, covarde **2** (pessoa) que tem sorte; sortudo

cagar (ca.gar) *v.* {mod. 1} *int. gros.* **1** expelir fezes; defecar □ *pron. gros.* **2** sujar-se de fezes; borrar-se □ *t.d.,t.d.i. e pron. gros.* **3** (prep. *de*) sujar(-se), emporcalhar(-se) *<cagou a calça (de molho)> <c.-se de tinta>* □ *t.i. fig. B infrm.* **4** (prep. *para*) não dar importância a; desprezar *<c. para os conselhos dos amigos>* □ *t.d. B infrm.* **5** dizer com presunção ou levianamente *<c. regras>* □ *int. B infrm.* **6** ter sorte ▣ **c. e andar (para)** *gros.* não dar a mínima importância (para) *<caga e anda para as notas baixas que tira>*

caga-regras (ca.ga-re.gras) *s.2g.2n. B pej.* pessoa que se julga superior aos outros e quer impor a própria vontade

cagueta (ca.gue.ta) /güe/ *s.2g.* → ***CAGUETE***

caguetar (ca.gue.tar) /gü/ *v. infrm.* → ***ALCAGUETAR***

caguete (ca.gue.te) /güê/ ou **cagueta** (ca.gue.ta) /güe/ *s.2g. infrm.* → ***ALCAGUETE***

caiana (cai.a.na) *s.f.* **1** BOT cana-caiana **2** *p.ext. B infrm.* cachaça

caiapó (cai.a.pó) *s.2g.* **1** indivíduo dos caiapós, grupo indígena brasileiro ■ *s.m.* **2** língua falada pelos caiapós ■ *adj.2g.* **3** relativo a esse indivíduo e a esse grupo

caiaque (cai.a.que) *s.m.* **1** canoa para uma ou mais pessoas, movida com um remo que tem uma pá em cada extremidade, us. para esporte e lazer **2** canoa esquimó feita de ossos de baleia e coberta com pele animal

caiar (cai.ar) *v.* {mod. 1} *t.d.* **1** pintar com mistura de cal, água e, ger., cola *<c. uma parede>* **2** *fig.* tornar branco ou mais branco *<a neve caiou a rua>* ~ **caiação** *s.f.*

cãibra (cãi.bra) ou **câimbra** (câ.im.bra) *s.f.* contração muscular súbita, dolorosa e involuntária

caibro (cai.bro) *s.m.* CONSTR peça de madeira retangular, us. em armação de telhado, forro, soalho etc.

caiçara (cai.ça.ra) *s.f. B* **1** cerca feita de galhos ou varas ■ *s.2g. RJ SP* **2** habitante do litoral que vive de modo rústico ◉ COL caiçarada

caído (ca.í.do) *adj.* **1** que caiu ou foi derrubado; tombado *<árvore c.>* **2** *fig.* abatido, enfraquecido *<a longa doença o deixou c.>* **3** *fig.* desanimado, triste *<ela anda c., sem vontade de ver os amigos>* **4** *fig.* muito apaixonado *<está c. pela nova colega>*

caieira (cai.ei.ra) *s.f. B* **1** forno próprio para fazer a cal **2** fábrica de cal **3** forno ou fogueira us. para cozer tijolos

caimão (cai.mão) [pl.: *-ões*] *s.m.* ZOO nome de algumas espécies de jacaré, encontradas em rios e lagos das Américas Central e do Sul

câimbra (câ.im.bra) *s.f.* → ***CÃIBRA***

caimento (ca.i.men.to) *s.m.* **1** desvio, inclinação *<c. do piso> <c. do telhado>* **2** *B* modo como tecido ou roupa toma a forma do corpo *<um paletó de bom c.>*

caipira (cai.pi.ra) *adj.2g.s.2g. B* **1** habitante do campo, de hábitos rústicos e jeito simples; matuto ☞ pode ter uso pej. ■ *adj.2g. B* **2** próprio de caipira (acp. 1) *<costumes c.>* **3** diz-se das festas juninas e da indumentária que as caracteriza *<festa c.> <roupa c.>* ~ **caipirada** *s.f.* - **caipiragem** *s.f.*

caipirinha (cai.pi.ri.nha) *s.f. B* bebida feita de limão macerado, aguardente, açúcar e gelo

caipiríssima (cai.pi.rís.si.ma) *s.f.* caipirinha em que a cachaça é substituída por rum ou outro destilado (que não vodca)

caipirosca (cai.pi.ros.ca) *s.f.* caipirinha em que a cachaça é substituída por vodca

caipora (cai.po.ra) *s.2g.* FOLC *B* **1** ser mitológico indígena, protetor das matas; caapora ■ *adj.2g.s.2g. fig. B* **2** (indivíduo) azarento

caiporice (cai.po.ri.ce) *s.f. B* má sorte constante; caiporismo

caiporismo (cai.po.ris.mo) *s.m. B* caiporice

caíque (ca.í.que) *s.m.* MAR *B* barco pequeno para curtas distâncias, us. para recreio ou como embarcação secundária transportada por outra maior (p.ex., em pesca, atividades portuárias etc.)

cair (ca.ir) *v.* {mod. 25} *int.* **1** ir de cima para baixo; tombar *<o golpe fez o adversário c.> <o vaso caiu da janela>* ↺ levantar **2** descer sobre a terra *<caiu uma forte chuva>* **3** soltar-se, desprender-se *<seus cabelos caíram>* **4** desmoronar *<a ponte caiu por causa da enchente>* **5** perder força, qualidade, intensidade; decair *<o serviço caiu muito>* **6** jogar-se, atirar-se *<c. na piscina>* **7** estar pendurado; pender *<o colar lhe caía pelo busto>* **8** desvalorizar-se (moeda, ação etc.) *<as ações da empresa vão c. por causa do escândalo>* ↺ subir **9** perder cargo ou poder *<o ministro denunciado caiu>* **10** ser enganado *<c. no conto do vigário>* **11** sofrer interrupção (sistema de comunicação, funcionamento, transmissão) *<a ligação caiu quando entramos no túnel>* **12** baixar, diminuir (temperatura, preço etc.) ↺ aumentar **13** *infrm.* participar intensamente *<c. no samba>* **14** ocorrer *<o feriado cai na quinta-feira>* **15** ter caimento *<este tecido cai bem>* □ *t.i.* **16** (prep. *em*) recair, incidir *<em avô, o acento cai na última sílaba>* **17** (prep. *em*) incorrer (em erro, falta) *<c. em tentação>* **18** (prep. *com*) ajustar-se, combinar *<a roupa cai bem com a ocasião>* □ *pred.* **19** tornar-se; ficar *<c. doente>* ▣ **c. bem** ser adequado ou apropriado *<um sorvete agora cai bem> <os óculos lhe caem bem>* • **c. de maduro** *fig. B* perder o equilíbrio e tombar sozinho, sem intervenção de outros fatores a não ser o próprio peso *<a modelo caiu de madura em plena passarela>* • **c. de quatro** *fig. B infrm.* **1** ficar estupefato; espantar-se *<você vai c. de quatro quando lhe contar a verdade>* **2** ficar embevecido; encantar-se *<caiu de quatro quando conheceu a moça>* • **c. em si** tomar consciência de um fato ou da própria condição *<se ele não c. em si, não vai passar de ano>* • **c. fora** *B infrm.* sair, ir embora; dar o fora • **c. mal** não ser adequado ou apropriado *<o comentário do filho caiu mal>*

cairota (cai.ro.ta) *adj.2g.* **1** do Cairo (Egito) ■ *s.2g.* **2** natural ou habitante dessa capital

cais *s.m.2n.* num porto, plataforma para embarque e desembarque de passageiros ou carga

cáiser (cái.ser) [pl.: *-es*] *s.m.* designação do imperador da Alemanha, de 1871 a 1918

caititu (cai.ti.tu) *s.m.* ZOO *B* mamífero aparentado dos porcos, de pernas longas, casco pequeno e pelagem áspera cinza-escura com uma faixa branca no pescoço; porco-do-mato, cateto

caixa (cai.xa) *s.f.* **1** recipiente de formatos diversos, com ou sem tampa, us. para guardar ou transportar objetos *<c. de sapatos> <c. de fósforos>* **1.1** *fig.* seu conteúdo *<comeu uma c. de bombons>* **2** ECON provisão de dinheiro *<a empresa tem c. para esse projeto?>* **3** MÚS tipo de tambor, com membranas nas duas extremidades e uma esteira de cordas ou metal sob a inferior, que se percute com duas baquetas, us. para floreios e improvisos ■ *s.m.* **4** livro de registro de receita e despesa ■ *s.2g.* **5** funcionário que opera uma caixa (acp. 2) *<o banco vai contratar dois c.>* **6** local no comércio onde é feito pagamento e recebimento de valores *<c. de banco> <c. de supermercado>* ◉ GRAM/USO dim.irreg.: *caixeta, caixote* ▣ **c. de mensagens** **1** TEL serviço prestado pelas operadoras de telefonia que consiste em registrar e transmitir recados ao assinante que não respondeu à ligação; caixa postal de voz, correio de voz **2** INF INTERN diretório em que se armazenam as mensagens recebidas em um aplicativo de correio eletrônico • **c. de ressonância** MÚS compartimento oco de vários instrumentos de cordas, que serve para amplificar o som produzido por elas • **c. de som** ou **acústica** ELETRÔN conjunto formado por um ou mais alto-falantes e, eventualmente, outros dispositivos de ampliação e reprodução sonora, instalados em uma caixa recoberta na frente por uma tela • **c. dois** livro de registro de dinheiro não declarado ao fisco • **c. eletrônico** equipamento acionado por cartão magnético, que presta serviços bancários ao correntista (saques, depósitos, pagamentos etc.) • **c. postal** nas agências de correio, caixa particular numerada para recebimento da correspondência • **c. postal de voz** TEL caixa de mensagens • **c. registradora** máquina para registrar e guardar o dinheiro recebido e emitir recibos *<compramos uma nova c. registradora para a loja>* • **c. torácica** ANAT conjunto de ossos do tórax formado pelas vértebras, costelas e esterno

caixa-alta (cai.xa-al.ta) [pl.: *caixas-altas*] *s.f.* GRÁF em tipografia, letra maiúscula

caixa-baixa (cai.xa-bai.xa) [pl.: *caixas-baixas*] *s.f.* GRÁF em tipografia, letra minúscula

caixa-d'água (cai.xa-d'á.gua) [pl.: *caixas-d'água*] *s.f.* reservatório de água que abastece casa, edifício, bairro, cidade etc.

caixa-forte (cai.xa-for.te) [pl.: *caixas-fortes*] *s.f.* recinto de alta segurança, ger. num banco, empresa etc., para guarda de dinheiro, documentos e outros valores

caixão (cai.xão) [pl.: *-ões*] *s.m.* **1** caixa de madeira com tampa onde o defunto é colocado para ser enterrado; esquife, féretro, ataúde **2** caixa grande

caixa-pregos (cai.xa-pre.gos) *s.m.2n. B infrm.* lugar ermo e afastado; cafundó

C

caixa-preta (cai.xa-pre.ta) [pl.: *caixas-pretas*] *s.f.* **1** aparelho que grava os dados de funcionamento de uma aeronave e as conversas entre os tripulantes e os controladores de voo **2** *fig.* sistema, instituição etc., cujos mecanismos de funcionamento interno são obscuros

caixeiro (cai.xei.ro) *s.m.* **1** balconista **2** pessoa que entrega mercadorias nos domicílios; entregador **3** quem fabrica caixas

caixeiro-viajante (cai.xei.ro-vi.a.jan.te) [pl.: *caixeiros--viajantes*] *s.m.* empregado comercial que viaja de lugar em lugar com o mostruário da empresa que representa

caixeta (cai.xe.ta) /ê/ *s.f.* **1** caixa pequena **2** *p.ext. B* forminha de papel para bolos, doces etc. **3** BOT árvore nativa do Brasil, de madeira branca, porosa e mole, us. para boias, salva-vidas e palmilhas; caxeta

caixilho (cai.xi.lho) *s.m.* **1** CONSTR armação em que se encaixam vidros ou outro material translúcido ou transparente em janelas, portas etc. **2** moldura que guarnece ou mantém presos painéis, telas, quadros decorativos etc. ◉ COL caixilharia ~ **encaixilhar** *v.t.d.*

caixinha (cai.xi.nha) *s.f.* **1** caixa pequena **2** *B infrm.* gorjeta recebida por empregado de bar, restaurante etc. **3** *B infrm.* coleta de dinheiro para algum fim *<os garotos fizeram uma c. para comprar uma bola nova>*

caixote (cai.xo.te) *s.m.* **1** caixa tosca de madeira para embalar e transportar produtos *<c. de frutas>* **2** *fig. B infrm.* onda do mar que quebra abruptamente e por inteiro ◉ COL caixotaria

cajá (ca.já) *s.m.* BOT **1** fruto da cajazeira, amarelo, azedo e aromático **2** cajazeira **3** cajá-manga

cajadada (ca.ja.da.da) *s.f.* pancada com cajado

cajado (ca.ja.do) *s.m.* **1** vara com a extremidade superior curvada em gancho, us. por pastores **2** bastão us. como apoio

cajá-manga (ca.já-man.ga) [pl.: *cajás-mangas* e *cajás-manga*] *s.m.* BOT **1** árvore nativa do Brasil, da família da manga e do cajá, cultivada pelos frutos comestíveis; cajá, cajarana **2** o fruto dessa árvore

cajarana (ca.ja.ra.na) *s.f.* BOT cajá-manga

cajazeira (ca.ja.zei.ra) *s.f.* BOT grande árvore nativa dos trópicos, de madeira branca e fruto alaranjado, resinoso e ácido; cajá, cajazeiro, taperebá

cajazeiro (ca.ja.zei.ro) *s.m.* BOT cajazeira

caju (ca.ju) *s.m.* BOT **1** pedúnculo comestível do fruto do cajueiro, amarelo, rosado ou vermelho, rico em vitamina C, e o fruto propriamente dito, duro e oleaginoso (castanha-de-caju); acaju **2** cajueiro ~ **cajuzeiro** *s.m.*

cajuada (ca.ju.a.da) *s.f. B* refresco ou doce de caju

cajual (ca.ju.al) [pl.: *-ais*] *s.m. B* cajueiral

cajueiral (ca.ju.ei.ral) [pl.: *-rais*] *s.m.* grande concentração de cajueiros em determinada área; cajual

cajueiro (ca.ju.ei.ro) *s.m.* BOT árvore que produz o caju ◉ COL cajual, cajueiral

cajuína (ca.ju.í.na) *s.f. B* espécie de vinho feito com caju

[1]**cal** [pl.: *cais* e *cales*] *s.f.* QUÍM pó branco extraído de pedras calcárias, us. em cerâmicas, tintas, revestimento contra fogo, na manufatura de papel etc. ◉ ORIGEM lat. vulgar *cals*, do lat. *calx,is* 'pedra calcária'

[2]**cal** FÍS símbolo de *caloria*

calabouço (ca.la.bou.ço) *s.m.* prisão subterrânea; cárcere, masmorra

calabrês (ca.la.brês) [pl.: *-eses*; fem.: *calabresa*] *adj.* **1** da Calábria, sul da Itália ■ *s.m.* **2** natural ou habitante dessa região **3** LING dialeto italiano falado nessa região

calada (ca.la.da) *s.f.* silêncio completo *<o estampido rompeu a c. da noite>*

[1]**calado** (ca.la.do) *adj.* **1** que não diz nada; que está em silêncio *<puxou assunto com o moço c.>* **2** que costuma falar pouco *<é uma menina tímida e c.>* **3** que não se diz; que se omite *<as respostas c. geraram ressentimentos entre os amigos>* ◉ ORIGEM part. de [1]*calar*

[2]**calado** (ca.la.do) *s.m.* distância vertical entre a parte inferior da quilha e a linha de flutuação de uma embarcação ◉ ORIGEM part. de [2]*calar*, usado como subst.

calafate (ca.la.fa.te) *s.m.* profissional cujo ofício é calafetar

calafetar (ca.la.fe.tar) *v.* {mod. 1} *t.d.* vedar com massa apropriada, estopa, papel etc. as frestas ou juntas de *<c. o barco> <c. as janelas>* ~ **calafetação** *s.f.* - **calafetagem** *s.f.*

calafrio (ca.la.fri.o) *s.m.* ligeiro tremor da pele causado pelo frio, medo, febre etc.; arrepio

calamar (ca.la.mar) [pl.: *-res*] *s.m.* ZOO *B* lula

calamidade (ca.la.mi.da.de) *s.f.* **1** grande destruição; catástrofe, desgraça *<as enchentes trouxeram c. à região>* **2** *fig.* grande infortúnio ou infelicidade pessoal *<a perda do filho foi uma c.>*

calamitoso (ca.la.mi.to.so) /ô/ [pl. e fem.: /ó/] *adj.* que causa calamidade; desastroso, catastrófico

calandra (ca.lan.dra) *s.f.* máquina para produzir matrizes de reprodução tipográfica, acetinar papel, lustrar, alisar ou frisar tecido ~ **calandragem** *s.f.* - **calandrar** *v.t.d.*

calango (ca.lan.go) *s.m.* **1** ZOO nome comum a pequenos lagartos que vivem ger. na terra ou em pedreiras e que se alimentam de vermes, insetos etc.; calangro **2** *N.E.* o bíceps; muque **3** DNÇ FOLC *MG RJ* dança popular parecida com o coco nordestino

calangro (ca.lan.gro) *s.m.* ZOO calango

calão (ca.lão) [pl.: *-ões*] *s.m.* linguajar grosseiro ▣ **baixo c.** calão, grosseria

[1]**calar** (ca.lar) *v.* {mod. 1} *int. e pron.* **1** manter-se em silêncio *<calou(-se) durante o debate>* ↺ falar □ *t.d. e pron.* **2** (fazer) parar de falar ou de produzir qualquer som; silenciar(-se) *<o estrondo calou os animais> <a turma calou(-se) diante do professor>* □ *t.d.,int. e pron.* **3** conter(-se), reprimir(-se) *<c. a opinião pública> <a oposição calou(-se)>* ◉ ORIGEM duv., talvez de um lat. **callare* 'baixar a voz'

[2]**calar** (ca.lar) *v.* {mod. 1} *t.d.* MIL **1** preparar (a baioneta) para a luta, encaixando-a na boca da arma □ *t.i. fig.* **2** (prep. *em*) atingir o âmago, o íntimo de, produzindo impressão forte *<as palavras calaram fundo em nossa consciência>* ◉ ORIGEM duv., talvez do lat.tar. *calāre* 'fazer baixar; abrir'

calça (cal.ça) *s.f.* VEST *B* calças

calçada (cal.ça.da) *s.f. B* caminho pavimentado para pedestres, numa rua; passeio

calçadão (cal.ça.dão) [pl.: *-ões*] *s.m.* calçada ou passeio de grande largura e extensão <*o c. de Copacabana*>

calçadeira (cal.ça.dei.ra) *s.f.* apetrecho us. para facilitar a entrada do pé no calçado

calçado (cal.ça.do) *adj.* **1** revestido de pedras, paralelepípedos ou outro material; pavimentado <*rua c.*> **2** que tem os pés protegidos por sapatos etc. **3** apoiado ou equilibrado em calço ■ *s.m.* VEST **4** peça de vestuário que protege os pés, como sapatos, tênis, sandálias etc.

calçamento (cal.ça.men.to) *s.m.* **1** ato ou efeito de revestir com asfalto, pedras etc. <*a prefeitura terminou o c. da avenida*> **2** camada de asfalto, pedras, paralelepípedos etc. com que se reveste uma via <*o c. da nossa rua precisa de reparos*>

calcâneo (cal.câ.neo) *s.m.* ANAT **1** osso que forma o calcanhar ■ *adj.* **2** relativo ao calcanhar ou ao osso que o forma

calcanhar (cal.ca.nhar) [pl.: *-es*] *s.m.* ANAT parte posterior, arredondada, do pé humano, abaixo do tornozelo

calcanhar de aquiles (cal.ca.nhar de a.qui.les) [pl.: *calcanhares de aquiles*] *s.m.* ponto fraco ou vulnerável

calção (cal.ção) [pl.: *-ões*] *s.m.* VEST tipo de calça curta, cujo comprimento ger. não ultrapassa os joelhos, e se ajusta à cintura por cordão ou elástico ☞ cf. *caução* ▣ **c. de banho** VEST traje masculino para banho de mar, piscina etc., justo em torno do corpo e bem curto

calcar (cal.car) *v.* {mod. 1} *t.d.* **1** fazer pressão com os pés sobre; pisar <*a tropa avançou, calcando o solo com estrépito*> **2** comprimir, apertar <*c. os grãos com um pilão*> **3** decalcar ('reproduzir') **4** *fig.* menosprezar, depreciar <*c. as leis*> **5** *fig.* conter, reprimir <*c. um impulso*> □ *t.d.i. fig.* **6** (prep. *em, sobre*) ter como base; basear <*c. a própria conduta em princípios sólidos*>

calçar (cal.çar) *v.* {mod. 1} *t.d. e pron.* **1** revestir com sapatos, meias, luvas os pés ou as mãos de <*calce as crianças e vamos logo*> <*calçou-se e saiu*> □ *t.d.* **2** pôr nos pés ou nas mãos, para vesti-los <*c. os sapatos, as luvas*> **3** revestir (ruas, caminhos etc.) com pedras, pavimento **4** pôr calço em <*c. a mesa*> **5** FUTB dar calço em <*o zagueiro calçou o atacante e foi expulso*> □ *int.* **6** adaptar-se, ajustar-se <*a bota calça bem*>

calcário (cal.cá.rio) *s.m.* GEOL **1** rocha constituída esp. de carbonato de cálcio, us. na produção de cal, no refino do açúcar etc. ■ *adj.* **2** relativo a cal ou a calcário, ou que os contém <*rocha c.*>

calças (cal.ças) *s.f.pl.* VEST peça única de roupa masculina ou feminina que se ajusta à cintura e cobre cada uma das pernas, ger. até os tornozelos; calça

calceiro (cal.cei.ro) *s.m.* **1** fabricante de calças **2** peça para guardar calças, em armários, *closets* etc.

calcemia (cal.ce.mi.a) *s.f.* MED presença de cálcio no sangue

calceta (cal.ce.ta) /ê/ *s.f.* argola de ferro com que se prendiam os prisioneiros pelos tornozelos

calcetar (cal.ce.tar) *v.* {mod. 1} *t.d.* revestir (ruas, caminhos etc.) com pedras, postas lado a lado; calçar

calceteiro (cal.ce.tei.ro) *s.m.* trabalhador que calça ruas e calçadas com pedras ou paralelepípedos

calcificação (cal.ci.fi.ca.ção) [pl.: *-ões*] *s.f.* **1** MED depósito de cálcio no esqueleto durante o processo de ossificação **2** MED infiltração anormal de cálcio em tecidos do organismo <*c. de artérias*> **3** AGR aplicação de substância com cálcio para diminuir a acidez do solo

calcificar (cal.ci.fi.car) *v.* {mod. 1} *t.d.,int. e pron.* **1** (fazer) passar por processo de calcificação <*c. uma articulação*> <*a fratura calcificou(-se)*> **2** dar o aspecto ou a consistência da cal a

calcinar (cal.ci.nar) *v.* {mod. 1} *t.d. e pron. p.ext.* **1** queimar(-se) completamente; incinerar(-se) <*as chamas calcinaram a casa*> <*a explosão fez o carro c.(-se)*> □ *t.d.* **2** transformar (o carbonato de cálcio) em cal pela ação do calor

calcinha (cal.ci.nha) *s.f.* VEST calcinhas

calcinhas (cal.ci.nhas) *s.f.pl.* VEST calça muito curta do vestuário feminino íntimo, que vai da cintura, ou pouco abaixo da cintura, até as virilhas; calcinha

cálcio (cál.cio) *s.m.* QUÍM elemento químico presente na cal e em alguns alimentos (leite, queijo) e que é parte importante da composição dos ossos e dos dentes [símb.: *Ca*] ☞ cf. *tabela periódica* (no fim do dicionário)

calço (cal.ço) *s.m.* **1** algo que se põe sob ou junto a um objeto para nivelá-lo, firmá-lo ou elevá-lo <*é preciso pôr um c. no pé da cadeira*> **2** FUTB *B* golpe em que o agressor tenta atingir o adversário com o pé na altura dos tornozelos, para derrubá-lo

calçola (cal.ço.la) *s.f.* ou **calçolas** (cal.ço.las) *s.f.pl.* VEST *N.E. TO* calcinha feminina ou de criança

calçudo (cal.çu.do) *adj.* **1** que usa calças muito compridas **2** *fig.* que tem penas compridas que lhe cobrem as pernas (diz-se de ave) <*pinto c.*>

calculadora (cal.cu.la.do.ra) /ô/ *s.f.* máquina, de formatos variáveis, que faz cálculos matemáticos <*ganhei uma c. eletrônica*>

calcular (cal.cu.lar) *v.* {mod. 1} *t.d. e int.* **1** determinar (um valor) por meio de operações matemáticas <*c. uma despesa*> <*aprendeu a c. aos cinco anos*> □ *t.d.* **2** avaliar com base em indícios; estimar <*ainda não podemos c. o prejuízo*> **3** fazer ideia de; imaginar <*tente c. o meu susto*> **4** adivinhar, supor, prever <*não pôde c. que perderia*> ~ **calculador** *adj.s.m.* - **calculável** *adj.2g.*

calculista (cal.cu.lis.ta) *adj.2g.s.2g.* **1** *pej.* que(m) age para obter benefícios para si próprio; interesseiro <*homem frio e c.*> **2** que(m) faz cálculos

cálculo (cál.cu.lo) *s.m.* **1** MAT operação ou conjunto de operações matemáticas ou algébricas; cômputo <*a professora já fez o c. das médias da turma*> **2** estimativa, avaliação <*pelos meus c., o prazo é curto*> **3** MED corpo sólido que se forma em alguns órgãos por sedimentação de certas substâncias ou sais minerais <*c. na vesícula*> <*c. renal*>

calda (cal.da) *s.f.* líquido grosso obtido da fervura de água com açúcar e, por vezes, outros ingredientes <*c. de caramelo*> <*c. de morango*> ☞ cf. *cauda*

caldear (cal.de.ar) *v.* {mod. 5} *t.d.* **1** tornar incandescente ou maleável (metal, vidro etc.) **2** soldar (metal aquecido) **3** mergulhar (ferro em brasa) na água para lhe dar têmpera **4** transformar em calda ou massa <*c. a barra de chocolate*> ◻ *t.d.i. e pron. fig.* **5** (prep. *com*) amalgamar(-se), misturar(-se) <*o escritor costuma c. a narrativa com fatos reais*> <*no Brasil, várias culturas se caldeiam*> ~ **caldeamento** *s.m.*

caldeira (cal.dei.ra) *s.f.* grande recipiente metálico para aquecer líquidos, produzir vapor, cozinhar alimentos etc.

caldeirada (cal.dei.ra.da) *s.f.* **1** CUL ensopado à base de peixes e/ou frutos do mar, à moda dos pescadores **2** porção de líquido que uma caldeira pode conter

caldeirão (cal.dei.rão) [pl.: *-ões*] *s.m.* **1** panela grande e alta, us. esp. para cozimento em água fervente **2** capacidade ou o conteúdo dessa panela <*preparamos um c. de sopa*> **3** *fig.* situação em que há muita vibração ou tensão <*o estádio virou um c. no jogo final*>

caldeireiro (cal.dei.rei.ro) *s.m.* **1** quem fabrica caldeiras e outros utensílios de metal **2** quem trabalha nas caldeiras dos engenhos de açúcar

caldeirinha (cal.dei.ri.nha) *s.f.* pequeno recipiente para água benta

caldeu (cal.deu) [fem.: *caldeia* /éi/] *s.m.* **1** indivíduo dos caldeus, povo que habitava a Caldeia, país na antiga Mesopotâmia, às margens do rio Eufrates **2** LING língua semítica falada pelos caldeus ■ *adj.* **3** pertencente ou relativo a esse indivíduo, país, língua ou povo

caldo (cal.do) *s.m.* **1** alimento líquido ou molho preparado a partir do cozimento de carne, peixe, legumes etc. <*c. de carne*> <*c. de feijão*> **2** sumo de frutas, vegetais etc. <*c. de cana*> **3** *p.ext. infrm.* puxão ou empurrão da cabeça de alguém para baixo da água, por brincadeira ou crueldade ▣ **entornar o c.** *infrm.* complicar(-se) ainda mais uma situação que já é ruim

caleça (ca.le.ça) *s.f.* *B* caleche

caleche (ca.le.che) *s.f.* carruagem com quatro rodas e dois assentos, puxada por dois cavalos em parelha; caleça

calefação (ca.le.fa.ção) [pl.: *-ões*] *s.f.* **1** sistema de aquecimento para recintos fechados **2** FÍS aparecimento de uma camada de vapor entre um líquido e uma superfície muito aquecida <*os alunos observaram a c. derramando um pouco de água sobre a chapa*>

caleidoscópio (ca.lei.dos.có.pio) ou **calidoscópio** (ca.li.dos.có.pio) *s.m.* tubo cilíndrico com jogo interno de espelhos que, ao ser movido, produz múltiplas imagens simétricas <*gosta de brincar com o c.*>

calejado (ca.le.ja.do) *adj.* **1** que tem calos <*mãos c.*> **2** *fig.* que tem experiência, prática; experimentado <*vendedor c.*> **3** *fig.* que se tornou endurecido, pouco sensível; empedernido <*era um indivíduo duro, c.*>

calejar (ca.le.jar) *v.* {mod. 1} *t.d.,int. e pron.* **1** (fazer) adquirir calos <*o trabalho na roça calejou-lhe as mãos*> <*ela é jovem, e suas mãos ainda não (se) calejaram*> **2** *fig.* tornar(-se) insensível; empedernir(-se) <*a vida rude calejou-o*> <*não perdem a esperança, não (se) calejaram*>

calendário (ca.len.dá.rio) *s.m.* **1** sistema oficial de medida que divide o tempo em anos, meses e dias **2** tabela dos dias, semanas, meses e feriados do ano; folhinha <*marca os compromissos no c.*> **3** aplicativo de computadores, celulares etc. que exibe essa tabela e permite fazer anotações e lembretes **4** grupo de datas especiais prefixadas <*c. de provas*> ▣ **c. gregoriano** calendário universal, introduzido pelo papa Gregório XIII em 1582

calendas (ca.len.das) *s.f.pl.* entre os antigos romanos, o primeiro dia de cada mês ▣ **c. gregas** dia que nunca chegará

calêndula (ca.lên.du.la) *s.f.* BOT erva da família das compostas, de flores alaranjadas, us. contra febres, frieiras, verrugas etc., como aromatizante e no fabrico de cosméticos

calha (ca.lha) *s.f.* **1** cano aberto na parte superior, semelhante a um sulco, us. para escoar as águas das chuvas, esp. as que caem do telhado **2** *p.ext.* qualquer canal para escoar líquidos, grãos etc.

calhamaço (ca.lha.ma.ço) *s.m.* *infrm.* livro ou caderno com muitas páginas

calhambeque (ca.lham.be.que) *s.m.* carro velho

calhandra (ca.lhan.dra) *s.f.* ZOO ave de belo canto, encontrada na Europa, Ásia e África, semelhante à cotovia

calhar (ca.lhar) *v.* {mod. 1} *int.* **1** ser oportuno; convir <*o feriado veio a c.*> **2** ocorrer por acaso <*calhou estarmos aqui quando o diretor chegou*> ◻ *t.i.* **3** (prep. *a*) cair bem; adaptar-se <*a roupa calha a seu estilo*>

calhau (ca.lhau) *s.m.* **1** fragmento de rocha **2** no jargão jornalístico, qualquer texto us. para preencher espaço numa página diagramada

calhorda (ca.lhor.da) *adj.2g.s.2g.* que(m) é desprezível, sem valor ~ **calhordice** *s.f.*

calibrador (ca.li.bra.dor) /ô/ [pl.: *-es*] *adj.s.m.* **1** (o) que calibra ■ *s.m.* **2** aparelho us. para calibrar; calibre

calibrar (ca.li.brar) *v.* {mod. 1} *t.d.* **1** dar a correta pressão de ar a (pneu, câmara de ar etc.) **2** medir ou ajustar o calibre de ~ **calibragem** *s.f.*

calibre (ca.li.bre) *s.m.* **1** diâmetro da parte interior de um cilindro **2** diâmetro interno de uma peça de artilharia **3** diâmetro exterior de um projétil ou corpo cilíndrico **4** *fig.* volume, tamanho ou grandeza consideráveis <*obra de grande c.*> **5** *p.ext.* valor, importância <*escritores de mesmo c.*> **6** calibrador ('aparelho')

caliça (ca.li.ça) *s.f.* **1** entulho de obra **2** camada de cal ou argamassa que recobre uma superfície; reboco

[1]**cálice** (cá.li.ce) *s.m.* **1** pequena taça us. para servir vinhos, licores etc. **2** o conteúdo dessa taça <*bebeu um c. de vinho*> **3** LITUR taça us. na missa para a consagração do vinho ◉ ORIGEM do lat. *calix,ĭcis* 'id.'

[2]**cálice** (cá.li.ce) *s.m.* BOT envoltório de flores mais externo, formado pelas sépalas, ger. verdes e herbáceas ◉ ORIGEM do gr. *káluks,ukos* 'id.'

cálido (cá.li.do) *adj.* **1** que tem calor; quente <*foram passear naquela noite c.*> ↺ frio, gélido **2** *fig.* que irradia entusiasmo; caloroso <*sempre contou com o c. apoio do amigo*> ↺ frio, indiferente ~ **calidez** *s.f.*

calidoscópio (ca.li.dos.có.pio) *s.m.* → ***CALEIDOSCÓPIO***

califa (ca.li.fa) *s.m.* líder espiritual e temporal da comunidade muçulmana, sucessor de Maomé (c570-632)

califado (ca.li.fa.do) *s.m.* **1** dignidade e jurisdição de califa **2** território governado por um califa **3** tempo de duração do governo de um califa

califom (ca.li.fom) [pl.: -*ons*] *s.f. B N.E.* sutiã

califórnio (ca.li.fór.nio) *s.m.* QUÍM elemento químico artificial radioativo [símb.: *Cf*] ☞ cf. *tabela periódica* (no fim do dicionário)

caligrafia (ca.li.gra.fi.a) *s.f.* **1** arte ou técnica de escrever à mão com beleza e harmonia **2** escrita produzida com essa arte ou técnica **3** estilo ou maneira própria de escrever à mão *<tem péssima c.>* ~ **caligráfico** *adj.*

calígrafo (ca.lí.gra.fo) *s.m.* especialista em caligrafia ('arte')

calipígio (ca.li.pí.gio) *adj.* que tem belas nádegas *<o museu adquiriu uma estátua de Vênus c.>*

calipso (ca.lip.so) *s.m.* MÚS gênero musical originário do Caribe, com andamento vívido e muito acentuado

calista (ca.lis.ta) *s.2g.* especialista no cuidado e tratamento dos pés (esp. dos calos)

calitriquídeo (ca.li.tri.quí.deo) *s.m.* ZOO **1** espécime dos calitriquídeos, família de pequenos primatas florestais, encontrados nas Américas Central e do Sul, conhecidos vulgarmente como saguis ou micos ■ *adj.* **2** relativo ou pertencente a essa família

calma (cal.ma) *s.f.* **1** serenidade de ânimo ou de disposição; tranquilidade *<Celeste nunca perde a c. com os alunos>* **2** ausência de ventos, esp. no mar; calmaria **3** calor forte do dia **4** a hora mais quente do dia

calmante (cal.man.te) *adj.2g.* **1** que acalma ■ *adj.2g.s.m.* MED **2** (medicamento) que diminui a ansiedade ou a dor; sedativo, tranquilizante

calmar (cal.mar) *v.* {mod. 1} *t.d.,int. e pron.* acalmar

calmaria (cal.ma.ri.a) *s.f.* **1** ausência de ventos, esp. no mar; calma **2** grande calor sem ventos; calma **3** *fig.* serenidade de espírito, de ânimo, calma, tranquilidade ↺ agitação, perturbação

calmo (cal.mo) *adj.* **1** que não apresenta movimento, agitação, perturbação; quieto, sossegado *<céu c.>* ↺ agitado, movimentado **2** sereno; tranquilo *<pessoa c.>* ↺ impaciente, nervoso ~ **calmamente** adv.

calmoso (cal.mo.so) /ô/ [pl. e fem.: /ó/] *adj.* em que há calor; abafado, calorento *<tarde c.>*

calo (ca.lo) *s.m.* **1** pele endurecida por atrito, compressão ou outra irritação frequente; calosidade *<o sapato novo me fez c.> <o agricultor mostrou as mãos cheias de c.>* **2** *fig.* manha ou malícia de quem é experiente ▣ **c. ósseo** MED matéria óssea que solda as partes de um osso fraturado ~ **caloso** *adj.*

calombo (ca.lom.bo) *s.m.* **1** inchação endurecida e protuberante na superfície do corpo resultante de queda ou pancada *<ergueu-se do chão com um c. na cabeça>* **2** ondulação ou proeminência numa superfície *<estrada cheia de c.>*

calor (ca.lor) /ô/ [pl.: -*es*] *s.m.* **1** característica, estado ou condição do que é ou está quente *<o c. de um corpo>* **2** sensação de aquecimento *<sentia c. na sala>* **3** *fig.* veemência, impetuosidade *<fez um discurso com c.>* **4** *fig.* afeto demonstrado por palavras, gestos, olhares etc. *<o c. daquela família lhe dava grande paz>* **5** FÍS forma de energia que se transfere de um sistema para outro graças à diferença de temperatura entre eles ▣ **c. humano** capacidade de sentir e demonstrar afeição, simpatia, compreensão

calorento (ca.lo.ren.to) *adj.* **1** que tem calor; quente **2** que provoca sensação de calor *<cubículo c.>* ↺ friorento **3** sensível ao calor *<Dolores é muito c.>* ↺ friorento

caloria (ca.lo.ri.a) *s.f.* FÍS **1** unidade de medida de energia definida como a quantidade de calor necessária para elevar a temperatura de 1 grama de água de 14,5 °C a 15,5 °C [símb.: [2]*cal*] **2** essa unidade us. para medir o valor energético dos alimentos [símb.: [2]*cal*]

calórico (ca.ló.ri.co) *adj.* **1** referente a calor ou a caloria **2** que contém muitas calorias *<alimento c.>*

calorífero (ca.lo.rí.fe.ro) *adj.s.m.* **1** (o) que tem, produz ou transmite calor **2** (aparelho) que serve para aquecer recintos fechados

calorífico (ca.lo.rí.fi.co) *adj.* **1** relativo a calor ou a produção de calor **2** que tem capacidade de realizar ou passar por trocas de energia sob forma de calor *<poder c. de um gás>*

caloroso (ca.lo.ro.so) /ô/ [pl. e fem.: /ó/] *adj.* **1** que tem ou provoca calor; quente **2** que inspira ânimo, simpatia *<tivemos uma recepção c.>* **3** que demonstra entusiasmo; ardoroso *<aplausos c.>*

calosidade (ca.lo.si.da.de) *s.f.* endurecimento da pele em locais submetidos a atrito ou irritação; calo

calota (ca.lo.ta) *s.f.* **1** peça arredondada de metal que protege as rodas de automóvel **2** GEOM parte de uma esfera limitada por um plano que a corta ▣ **c. polar** GEO região que se estende ao redor do polo de um planeta, coberta de gelo ou outras substâncias congeladas • **c. craniana** ou **do crânio** ANAT ver ***VÉRTICE***

calote (ca.lo.te) *s.m.* *infrm.* dívida não paga ou que se contraiu sem a intenção de pagar *<o primo não lhe perdoou o c.>* ▣ **dar um c.** *infrm.* deixar de pagar dívida ou conta, ou contraí-la sem intenção de pagar *<o menino deu um c. no sorveteiro>* ~ **calotear** *v.t.d. e int.*

caloteiro (ca.lo.tei.ro) *adj.s.m.* *infrm.* que(m) não paga conta ou dívida, esp. de forma proposital ou habitual

calouro (ca.lou.ro) *s.m.* novato em uma instituição, corporação ou grupo, esp. estudante recém-chegado à universidade ~ **calourice** *s.f.*

caluda (ca.lu.da) *interj.* palavra us. para pedir silêncio *<– Caluda! Chega de discussão!>*

calundu (ca.lun.du) *s.m.* *B* mau humor e irritabilidade *<hoje ela acordou de c.>*

calunga (ca.lun.ga) *s.2g.* **1** FOLC *PE* no maracatu, boneco carregado pela rainha do cortejo **2** pequeno boneco tosco **3** qualquer objeto pequeno ■ *s.m.* **4** REL entre os povos de origem banta, divindade associada à morte, ao mar e ao inferno **5** imagem dessa divindade

calúnia (ca.lú.nia) *s.f.* **1** afirmação falsa e desonrosa sobre alguém *<crime de c.>* **2** *B infrm.* mentira, invenção

caluniar (ca.lu.ni.ar) *v.* {mod. 1} *t.d. e int.* fazer afirmação falsa sobre; difamar *<c. um colega> <calunia quando não tem argumentos>* ~ **caluniador** *adj.s.m.*

C

calunioso (ca.lu.ni.o.so) /ô/ [pl. e fem.: /ó/] *adj.* **1** que faz calúnia **2** que contém calúnia <*acusação c.*>

calva (cal.va) *s.f.* porção do couro cabeludo onde os cabelos deixaram de crescer; careca

calvário (cal.vá.rio) *s.m. fig. sofrimento* prolongado; martírio <*viveu um c. nas mãos de vários médicos*> ☞ cf. *Calvário* na parte enciclopédica

calvície (cal.ví.cie) *s.f.* ausência total ou parcial de cabelos na cabeça

calvinismo (cal.vi.nis.mo) *s.m.* REL doutrina protestante fundada por João Calvino (1509-1564) ~ calvinista *adj.2g.s.2g.*

calvo (cal.vo) *adj.s.m.* (pessoa) que tem pouco ou nenhum cabelo na cabeça; careca

cama (ca.ma) *s.f.* **1** móvel para deitar ou dormir, composto de um estrado sobre o qual se põe um colchão; leito **2** conjunto composto desse móvel e da roupa <*faz a c. logo depois de acordar*> **3** camada de material macio <*preparamos uma c. de palha para o bezerrinho*> ▣ **de c.** doente <*Maria pegou dengue e caiu de c.*> <*não posso ir à festa porque estou de c.*>

cama-beliche (ca.ma-be.li.che) [pl.: *camas-beliches*] *s.f.* beliche ('móvel')

camada (ca.ma.da) *s.f.* **1** porção de matéria estendida por igual sobre uma superfície <*passou uma grossa c. de geleia no pão*> **2** revestimento mais ou menos uniforme aplicado sobre uma superfície <*passou duas c. de tinta no portão*> **3** conjunto de pessoas com características sociais semelhantes; nível, estrato <*as medidas serão benéficas para todas as c. sociais*> ▣ **c. de ozônio** GEO camada da atmosfera que absorve parte da radiação ultravioleta

cama de gato (ca.ma de ga.to) [pl.: *camas de gato*] *s.f.* **1** RECR brincadeira em que se dão diversas formas a um barbante cujas pontas se entrelaçam nos dedos **2** golpe em que se empurra alguém de encontro a outro que está agachado atrás dele **3** ESP lance, esp. no futebol, em que se derruba o adversário desequilibrando-o por trás com o corpo

camafeu (ca.ma.feu) *s.m.* **1** pedra semipreciosa, com duas camadas de cor ou tonalidade, numa das quais se esculpe uma figura em alto-relevo **2** *infrm.* mulher de rosto delicado

camaleão (ca.ma.le.ão) [pl.: *-ões*] *s.m.* **1** ZOO lagarto arborícola, dotado de língua longa e pegajosa e capaz de alterar a sua cor para se proteger dos predadores **2** *fig.* quem muda de opinião ou atitude por interesse ou conveniência ~ **camaleônico** *adj.*

camará (ca.ma.rá) *s.m.* BOT arbusto nativo do Brasil, de flores amarelas, laranja ou vermelhas e fruto carnoso roxo-escuro; cambará

câmara (câ.ma.ra) *s.f.* **1** aposento de uma casa **2** assembleia de poderes e atribuições legislativas <*Câmara dos Deputados*> <*Câmara dos Vereadores*> ☞ inicial maiúsc. **3** local onde funciona essa assembleia <*os manifestantes invadiram a c.*> **4** junta de indivíduos ligados a determinada atividade <*c. de comércio*> **5** designação comum a várias cavidades do corpo <*c. cardíacas*> **6** compartimento do tambor de um revólver **7** seção de um tribunal de apelações <*c. civil*> <*c. criminal*> **8** REC.AV máquina de filmar ou fotografar; câmera <*c. fotográfica*> <*c. cinematográfica*> ■ *s.2g.* **9** o operador desse tipo de máquina; câmera ▣ **c. digital** FOT INF câmara fotográfica que transforma a imagem captada em informação digital, que então se grava em algum meio de armazenamento (p.ex., cartão de memória) • **c. lenta** CINE TV recurso cinematográfico que torna lento um movimento natural

camarada (ca.ma.ra.da) *adj.2g.* **1** que expressa companheirismo, amizade <*gesto c.*> <*gente c.*> **2** *p.ext. infrm.* que é um favor ou benefício <*preço c.*> ■ *s.2g.* **3** companheiro, colega **4** *infrm.* indivíduo, pessoa <*chame aquele c. ali*>

camaradagem (ca.ma.ra.da.gem) [pl.: *-ens*] *s.f.* **1** convivência amigável entre companheiros <*cresceu entre eles uma forte c.*> **2** atitude, gesto próprio de camarada <*conseguimos o dinheiro graças à c. do seu pai*>

câmara de ar (câ.ma.ra de ar) [pl.: *câmaras de ar*] *s.f.* globo ou tubo de borracha que, cheio de ar, dá consistência e forma a pneus, bolas etc.

camarão (ca.ma.rão) [pl.: *-ões*] *s.m.* **1** ZOO nome comum a crustáceos da ordem dos decápodes, marinhos ou de água doce, com abdome longo e corpo comprimido nas laterais, muito us. na culinária **2** *fig. B infrm.* pessoa cuja pele adquiriu um tom vermelho por exposição ao sol

camareiro (ca.ma.rei.ro) *s.m.* **1** pessoa que cuida dos compartimentos pessoais de hotéis, navios, trens etc. e atende aos que estão neles acomodados **2** CINE TEAT TV profissional encarregado de organizar os figurinos e auxiliar os artistas a vesti-los **3** fidalgo que serve um rei, rainha ou pessoa nobre, em seus aposentos

camarilha (ca.ma.ri.lha) *s.f.* grupo que convive com uma autoridade ou pessoa importante e procura influir em suas decisões

camarim (ca.ma.rim) [pl.: *-ins*] *s.m.* CINE TEAT TV recinto reservado onde os artistas se preparam para sua apresentação

camarinha (ca.ma.ri.nha) *s.f.* **1** quarto pequeno **2** pequena prateleira num canto ou nicho da sala **3** *N.E.* quarto de dormir

camaroeiro (ca.ma.ro.ei.ro) *s.m.* **1** rede para pescar camarões **2** pescador de camarões

camaronense (ca.ma.ro.nen.se) *adj.2g.s.2g.* **1** dos Camarões (África); camaronês ■ *s.2g.* **2** natural ou habitante desse país; camaronês

camaronês (ca.ma.ro.nês) [pl.: *-eses*] *adj.s.m.* **1** camaronense ■ *s.m.* **2** camaronense

camarote (ca.ma.ro.te) *s.m.* **1** TEAT em salas de espetáculo, espaço para espectadores, fechado e separado da plateia **2** compartimento onde se alojam os tripulantes ou passageiros de um navio; cabine

camaroteiro (ca.ma.ro.tei.ro) *s.m.* **1** TEAT pessoa que vende bilhetes de entrada para camarotes de teatro **2** pessoa que, nos navios de passageiros, limpa e arruma os camarotes e atende seus ocupantes; camareiro

camartelo (ca.mar.te.lo) *s.m.* **1** tipo de martelo com um lado da cabeça pontiagudo e outro achatado, us. para assentar, cortar ou picar pedras, tijolos etc. **2** *fig.* qualquer instrumento para quebrar ou demolir

camba (cam.ba) *s.f.* MEC cada uma das peças curvas que forma a circunferência externa da roda de um veículo

cambada (cam.ba.da) *s.f.* **1** porção de objetos pendurados ou enfiados em algum suporte; cambulhada **2** molho de chaves **3** *fig.* grupo de pessoas, ger. de má índole *<c. de malfeitores>*

cambaio (cam.bai.o) *adj.s.m.* **1** que(m) tem pernas tortas **2** que(m) tem dificuldade de andar; cambeta ~ **cambaiar** *v.t.d. e pron.*

cambalacho (cam.ba.la.cho) *s.m. infrm.* negócio fraudulento; trapaça ~ **cambalachar** *v.int.* - **cambalacheiro** *adj.s.m.*

cambalear (cam.ba.le.ar) *v.* {mod. 5} *int.* andar sem equilíbrio, sem firmeza; bordejar *<alguns maratonistas cambaleavam no fim da prova>* ~ **cambaleante** *adj.2g.* - **cambaleio** *s.m.*

cambalhota (cam.ba.lho.ta) *s.f.* giro completo do corpo sobre a cabeça; cabriola *<as crianças davam cambalhotas no tatame>* ~ **cambalhotar** *v.int.*

cambapé (cam.ba.pé) *s.m. infrm.* **1** golpe com o pé ou a perna por entre as pernas de outra pessoa para derrubá-la; rasteira **2** *fig.* golpe traiçoeiro; armadilha *<armaram um c. para mim>*

cambar (cam.bar) *v.* {mod. 1} *t.d. e int.* **1** (fazer) ficar inclinado ou torto *<o cansaço cambou-o> <com o peso, a prateleira cambou>* □ *int.* **2** andar sem equilíbrio; cambalear ~ **cambamento** *s.m.*

cambará (cam.ba.rá) *s.m.* BOT **1** árvore frondosa de flores amarelas em cachos e frutos em forma de cápsulas **2** camará

cambaxirra (cam.ba.xir.ra) ou **cambaxilra** (cam.ba.xil.ra) *s.f.* ZOO pequena ave parda com faixas negras nas asas e na cauda

cambeta (cam.be.ta) /ê/ *adj.2g.s.2g.* que(m) tem pernas tortas ~ **cambetear** *v.int.*

cambial (cam.bi.al) [pl.: *-ais*] *adj.2g.* relativo a câmbio *<operação c.>*

cambiante (cam.bi.an.te) *adj.2g.* **1** que passa por mudanças *<cores c.> <ideias c.>* **2** que muda ou parece mudar de cor *<o céu c. do crepúsculo>* ■ *s.m.* **3** cor indefinida

cambiar (cam.bi.ar) *v.* {mod. 1} *t.d. e t.d.i.* **1** (prep. *por*) dar e receber mutuamente; trocar, permutar *<c. figurinhas> <c. pirulitos por balas>* **2** transformar, modificar *<a prática cambiou suas teorias> <c. ideias em ações>* □ *t.d.,t.d.i. e int.* **3** (prep. *por*) trocar (moeda de um país) [por moeda de outro] *<vou c. meus reais (por euros)> <a loja foi autuada e proibida de c.>* □ *t.i.* **4** (prep. *de*) mudar, trocar *<c. de opinião>* ↺ manter □ *t.d. e int.* **5** causar ou apresentar alteração de aspecto, cor etc. *<o pôr do sol cambiava a paisagem> <um panorama que cambiava>*

câmbio (câm.bio) *s.m.* **1** ECON operação de venda, compra ou troca da moeda de um país pela de outro **2** *p.ext.* ECON a relação numérica que se estabelece entre a moeda de um país e a de outro nas operações de câmbio *<as medidas do governo fizeram o c. baixar>* **3** alavanca us. pelo motorista para alterar as marchas do veículo ▣ **c. negro** ECON prática ilegal do câmbio; mercado paralelo de moeda estrangeira ou de mercadoria

cambista (cam.bis.ta) *adj.2g.s.2g.* **1** que(m) negocia dinheiro ou outros títulos de crédito **2** que(m) revende, ilicitamente, ingressos a preços mais altos

cambito (cam.bi.to) *s.m. joc.* perna fina

[1]**cambota** (cam.bo.ta) *adj.2g.s.2g. TO MA RS infrm. pej.* **1** diz-se de ou pessoa de pernas tortas **2** diz-se de ou pessoa que coxeia ◉ ORIGEM *camba* 'peça curva do arado' + [1]*-ota*

[2]**cambota** (cam.bo.ta) *s.f.* cambalhota ('movimento ou exercício', 'reviravolta') ◉ ORIGEM duv., talvez alt. de *cambalhota*

cambraia (cam.brai.a) *s.f.* tecido fino de algodão ou linho

cambriano (cam.bri.a.no) *s.m.* GEOL **1** primeiro e mais antigo período geológico da era paleozoica, anterior ao Ordoviciano, em que se verifica a presença de grande parte dos grupos de invertebrados e começam a surgir as plantas terrestres ☞ inicial maiúsc. ■ *adj.* **2** desse período *<período c.> <animais c.>*

cambucá (cam.bu.cá) *s.m.* BOT **1** árvore de flores brancas e frutos amarelos comestíveis; cambucazeiro **2** seu fruto

cambucazeiro (cam.bu.ca.zei.ro) *s.m.* BOT cambucá ('árvore')

cambuci (cam.bu.ci) *s.m.* BOT **1** árvore nativa do Brasil, de flores brancas e frutos comestíveis **2** fruto dessa árvore

cambulhada (cam.bu.lha.da) *s.f.* **1** grande agrupamento de coisas; cambada **2** *fig.* reunião de coisas diversas; mistura **3** falta de ordem; confusão ▣ **de c.** sem ordem, em alvoroço *<aberto o portão, entraram todos de c.>*

cambuquira (cam.bu.qui.ra) *s.f.* **1** BOT broto da aboboreira **2** CUL guisado feito desse broto

camburão (cam.bu.rão) [pl.: *-ões*] *s.m.* carro de polícia com compartimento traseiro fechado, para transporte de presos

cameleiro (ca.me.lei.ro) *adj.s.m.* que(m) conduz camelos

camélia (ca.mé.lia) *s.f.* BOT **1** arbusto japonês de flores coloridas, cultivado como ornamental **2** sua flor

camelo (ca.me.lo) /ê/ *s.m.* ZOO mamífero ruminante com duas corcovas no dorso ◉ COL cáfila ◉ VOZ v.: blaterar

camelô (ca.me.lô) *s.2g. B* vendedor que expõe suas mercadorias na rua, muitas vezes sem permissão legal

câmera (câ.me.ra) *s.f.* **1** câmara ('máquina') ■ *s.2g.* **2** pessoa que opera uma câmara, esp. cinematográfica

camerlengo (ca.mer.len.go) *s.m.* REL cardeal que governa a Igreja católica enquanto o cargo do papa está vago

camicase (ca.mi.ca.se) *adj.2g.s.m.* **1** (avião japonês) utilizado para ataques suicidas a alvos inimigos na Segunda Guerra Mundial **2** (piloto) treinado para pilotar esse avião ■ *adj.2g.* **3** *fig.* que envolve certeza ou risco de autodestruição *<atitude c.>* ■ *adj.2g.s.2g.* **4** *fig.* (o) que se arrisca muito ao agir

C

caminhada (ca.mi.nha.da) *s.f.* **1** passeio a pé **2** longo percurso feito ou por fazer *<daqui até a praia é uma boa c.>* **3** marcha coletiva em que se manifesta o apoio a uma causa, uma reivindicação etc.; passeata

caminhão (ca.mi.nhão) [pl.: *-ões*] *s.m.* **1** veículo motorizado, com quatro ou mais rodas, destinado ao transporte de grandes cargas **2** *p.ext.* porção de carga que esse veículo pode levar *<precisamos de dois c. de areia>* **3** *fig.* grande quantidade *<leva um c. de roupas quando viaja>*

caminhar (ca.mi.nhar) *v.* {mod. 1} *int.* **1** percorrer ou fazer caminho a pé; andar *<c. é um bom exercício>* **2** *fig.* desenvolver-se, progredir *<esse projeto não c.>* ↺ regredir ▫ *t.i.* **3** *fig.* (prep. *para, a*) ter propensão a; tender *<o caso caminha para o desenlace>* ~ **caminhante** *adj.2g.s.2g.* - **caminheiro** *adj.s.m.*

caminho (ca.mi.nho) *s.m.* **1** faixa de terreno que leva de um lugar a outro **2** rumo, direção *<tomou o c. do norte>* **3** trajeto, rota *<seguiram pelo mesmo c.>* **4** *fig.* maneira de atingir um objetivo *<conversar sempre fora o melhor c.>* ▣ **c. das pedras** maneira mais difícil ou eficaz de chegar a um lugar ou objetivo desejado

caminhoneiro (ca.mi.nho.nei.ro) *s.m.* motorista de caminhão

caminhoneta (ca.mi.nho.ne.ta) /ê/ *s.f.* caminhonete

caminhonete (ca.mi.nho.ne.te) *s.f.* veículo para transporte de passageiros com espaço para pequenas cargas; perua, picape

camisa (ca.mi.sa) *s.f.* VEST peça de roupa com mangas, ger. fechada na frente por botões, que cobre o tronco ▣ **suar a c.** trabalhar arduamente, com dedicação ou empenho • **vestir a c.** adotar uma causa e lutar por ela *<nesta empresa os empregados vestem a c.>*

camisa de força (ca.mi.sa de for.ça) [pl.: *camisas de força*] *s.f.* **1** espécie de camisa de tecido resistente para amarrar e imobilizar doentes mentais em acessos de fúria **2** *fig.* algo que limita ou impede a ação *<a nova legislação criou uma camisa de força para os empresários>*

camisa de vênus (ca.mi.sa de vê.nus) [pl.: *camisas de vênus*] *s.f.* invólucro de látex muito fino que cobre o pênis, us. nas relações sexuais para evitar a concepção e doenças sexualmente transmissíveis; camisinha, preservativo

camisaria (ca.mi.sa.ri.a) *s.f.* estabelecimento onde se fabricam ou vendem camisas

camiseiro (ca.mi.sei.ro) *s.m.* **1** quem faz ou vende camisas **2** móvel para guardar camisas

camiseta (ca.mi.se.ta) /ê/ *s.f.* VEST camisa sem botões, ger. de malha, com ou sem mangas

camisinha (ca.mi.si.nha) *s.f.* **1** camisa pequena **2** *B infrm.* camisa de vênus

camisola (ca.mi.so.la) *s.f.* VEST **1** roupa feminina para dormir, semelhante a uma camisa comprida ou a um vestido **2** vestido largo

camomila (ca.mo.mi.la) *s.f.* BOT erva da família das compostas, nativa da Europa, de flores brancas e amarelas, com propriedades digestivas e calmantes

camoniano (ca.mo.ni.a.no) *adj.* **1** relativo ao poeta português Luís de Camões (c1525-1580) ■ *adj.s.m.* **2** que(m) estuda a obra ou a vida de Camões

camorra (ca.mor.ra) /ô/ *s.f.* associação de criminosos; máfia

[1]**campa** (cam.pa) *s.f.* sino pequeno; sineta ◉ ORIGEM do lat. *campāna,ae* 'espécie de balança; sino'

[2]**campa** (cam.pa) *s.f.* **1** laje que cobre a sepultura **2** *p.ext.* sepultura, túmulo ◉ ORIGEM desc.

campainha (cam.pa.i.nha) *s.f.* **1** pequeno sino de mão **2** dispositivo, ger. elétrico, que ao ser acionado emite sinal sonoro **3** ANAT *infrm.* úvula

campal (cam.pal) [pl.: *-ais*] *adj.2g.* que se realiza em campo aberto *<batalha c.>* *<missa c.>*

[1]**campana** (cam.pa.na) *s.f.* sino ◉ ORIGEM do lat. *campāna,ae* 'espécie de balança; sino'

[2]**campana** (cam.pa.na) *s.f.* *RJ* gír. ato de seguir ou vigiar (alguém), sem que seja percebido, para roubar, prender etc. ◉ ORIGEM duv., talvez do esp. *acampanar* 'dar forma de sino (campana)' ~ **campanar** *v.t.d.*

campanário (cam.pa.ná.rio) *s.m.* ARQ **1** torre da igreja onde ficam os sinos **2** abertura da torre onde se encaixam os sinos

campanha (cam.pa.nha) *s.f.* **1** soma de esforços para alcançar um objetivo *<c. contra a fome>* **2** conjunto de meios utilizados para conseguir um fim *<c. publicitária>* *<c. eleitoral>* **3** série de operações militares em determinado lugar por determinado tempo **4** grande extensão de terreno plano; planície

campânula (cam.pâ.nu.la) *s.f.* **1** objeto em forma de sino **2** redoma us. para proteger objetos ou alimentos

campeão (cam.pe.ão) [pl.: *-ões*; fem.: *campeã*] *adj.s.m.* **1** vencedor de prova, torneio etc. *<atleta c.>* *<time c.>* *<os c. saudaram a torcida>* **2** que(m) se destaca por fazer algo melhor que a maioria *<(emissora) c. de audiência>*

campear (cam.pe.ar) *v.* {mod. 5} *t.d.* **1** procurar (animais) no campo, a cavalo **2** *p.ext.* buscar, procurar ▫ *int.* **3** instalar-se num local temporariamente; acampar *<a tropa campeou no bosque>* **4** estar em campanha; batalhar *<os soldados campeavam com bravura>* **5** exercer domínio; imperar, prevalecer *<o prefeito não quer que a violência campeie na cidade>* ~ **campeação** *s.f.* - **campeador** *adj.s.m.* - **campeio** *s.m.*

campeiro (cam.pei.ro) *adj.* **1** relativo ao campo *<vida c.>* ■ *adj.s.m.* **2** que(m) trabalha no campo, cuida do gado e monta bem

campeonato (cam.pe.o.na.to) *s.m.* ESP torneio que dá ao vencedor o título de campeão *<c. de futebol>* *<c. sul-americano>*

campesinato (cam.pe.si.na.to) *s.m.* conjunto dos camponeses

campesino (cam.pe.si.no) *adj.* **1** campestre *<atividades c.>* ■ *adj.s.m.* **2** diz-se de ou camponês

campestre (cam.pes.tre) *adj.2g.* relativo ao campo; campesino, rural *<ambiente c.>*

campina (cam.pi.na) *s.f.* campo extenso, plano, com vegetação rasteira e sem árvores

camping (camp.ing) [ing.] *s.m.* **1** ato ou prática de acampar fazendo uso de barraca, tenda etc.; acampamento **2** *p.ext.* local destinado a essa atividade ◉ GRAM/USO em ing., invariável ⇒ pronuncia-se kemping

campo (cam.po) *s.m.* **1** extensão de terra, ger. destinada à agricultura ou pastagem **2** terreno cultivado; plantação **3** região afastada dos centros urbanos, onde predominam as atividades agrícolas *<passar as férias no c.>* **4** matéria; assunto *<ele se destaca no c. da física>* **5** ESP local para a prática de certos esportes *<c. de futebol> <c. de beisebol>* **6** espaço que deve ser preenchido com certo tipo de informação num formulário, questionário, banco de dados etc. ▣ **c. de ação** área de interesse ou de atividade; esfera, domínio *<a vida doméstica está fora do c. de ação do Estado>* • **c. de batalha** local de combates *<muitos soldados caíram no c. de batalha> <os confrontos tornaram as ruas um c. de batalha>* • **c. de concentração** local de confinamento de prisioneiros de guerra, presos políticos etc. • **c. visual** ou **de visão** área que o olho é capaz de perceber quando está imóvel

campo-grandense (cam.po-gran.den.se) [pl.: *campo-grandenses*] *adj.2g.* **1** de Campo Grande (MS) ■ *s.2g.* **2** natural ou habitante dessa capital

camponês (cam.po.nês) [pl.: *-eses*; fem.: *-esa* /ê/] *adj.s.m.* **1** que(m) vive e trabalha no campo ■ *adj.* **2** relativo ao campo; agrário **3** próprio de camponês (subst.) *<insurreição c.>*

campônio (cam.pô.nio) *s.m.* pessoa que vive e trabalha no campo; camponês

campo-santo (cam.po-san.to) [pl.: *campos-santos*] *s.m.* lugar onde se enterram os mortos; cemitério

campus (cam.pus) [lat.; pl.: *campi*] *s.m.* conjunto das instalações de uma universidade ⇒ pronuncia-se campus

camuflagem (ca.mu.fla.gem) [pl.: *-ens*] *s.f.* **1** ato ou efeito de camuflar *<c. de carros de combate>* **2** qualquer coisa que sirva para disfarçar *<a c. dos soldados enganou o inimigo>* **3** ECO semelhança visual entre um animal e o ambiente ao redor, que lhe permite ocultar-se de predadores ou de presas *<o camaleão e o urso polar usam a c.>*

camuflar (ca.mu.flar) *v.* {mod. 1} *t.d. e pron.* **1** disfarçar(-se) para confundir(-se) com o meio ambiente, esp. na guerra *<c. carros de combate> <o pelotão camuflou-se entre as folhagens>* **2** *fig.* dissimular(-se), disfarçar(-se) *<c. sentimentos> <ele se camufla sob uma aparente timidez>* ↺ mostrar(-se), expor(-se)

camundongo (ca.mun.don.go) *s.m.* ZOO pequeno rato caseiro, de orelhas arredondadas e cauda longa e sem pelos

camurça (ca.mur.ça) *s.f.* **1** ZOO mamífero de montanha semelhante à cabra **2** pele curtida desse animal *<sapatos de c.>*

[1]**cana** (ca.na) *s.f.* **1** BOT caule de várias gramíneas como a cana-de-açúcar e o bambu **2** BOT cana-de-açúcar **3** *infrm.* aguardente de cana; cachaça ◉ ORIGEM do lat. *canna,ae* 'cana, junco fino, caniço'

[2]**cana** (ca.na) *s.f.* *infrm.* cadeia, prisão ◉ ORIGEM desc. ▣ **em c.** *infrm.* na cadeia, na prisão *<entrar em c.> <o bandido está em c.>*

cana-caiana (ca.na-cai.a.na) [pl.: *canas-caianas*] *s.f.* BOT variedade de cana-de-açúcar, originária de Caiena (Guiana Francesa)

cana-de-açúcar (ca.na-de-a.çú.car) [pl.: *canas-de-açúcar*] *s.f.* BOT planta alta da família das gramíneas, nativa da Ásia e cultivada no Brasil, de cujo caule se extrai suco para produção de açúcar, aguardente, álcool combustível etc.

canadense (ca.na.den.se) *adj.2g.* **1** do Canadá (América do Norte) ■ *s.2g.* **2** natural ou habitante desse país

canal (ca.nal) [pl.: *-ais*] *s.m.* **1** sulco ou vala por onde corre água *<vamos abrir canais para irrigar a plantação>* **2** via natural ou artificial de comunicação entre rios, mares etc. *<c. do Panamá>* **3** GEO braço de mar ou rio entre ilhas ou continentes *<c. da Mancha>* **4** tubo para transportar líquidos ou gases **5** leito de rio **6** ANAT ver ***ducto*** **7** *fig.* caminho, via *<o pedido foi enviado por c. diplomáticos>* ☞ mais us. no pl. **8** ELETRÔN via de entrada, memória ou saída de som ou imagem, em equipamentos de gravação, edição ou reprodução sonora ou televisiva *<gravador de quatro c.>* **9** RÁD TV faixa de frequência para emissão de rádio ou TV ▣ **c. dentário** ODONT conduto constituído de um tecido duro, situado na espessura do maxilar, que dá passagem aos nervos e vasos dos dentes

canaleta (ca.na.le.ta) /ê/ *s.f.* **1** calha **2** duto de concreto, retangular, com tampas, us. na instalação de condutores elétricos **3** *PR* via exclusiva para ônibus

canalha (ca.na.lha) *adj.2g.s.2g.* **1** que(m) é indigno de confiança, desonesto, traiçoeiro ■ *s.f.* **2** conjunto de pessoas desprezíveis ~ **canalhada** *s.f.*

canalhice (ca.na.lhi.ce) *s.f.* ação própria de canalha

canalização (ca.na.li.za.ção) [pl.: *-ões*] *s.f.* **1** ato ou efeito de canalizar *<a empresa iniciou as obras de c.>* **2** conjunto de canos ou canais *<conserto da c. de gás>*

canalizar (ca.na.li.zar) *v.* {mod. 1} *t.d.* **1** fazer escorrer por canais, valas, canos etc. *<c. a água da chuva> <c. o esgoto>* **2** instalar rede de água e esgoto em *<c. o bairro>* □ *t.d.i.* *fig.* **3** (prep. *para*, *contra*) conduzir, dirigir para *<c. a força para o trabalho>*

cananeu (ca.na.neu) [fem.: *cananeia* /éi/] *adj.* **1** de Canaã (Palestina) ■ *s.m.* **2** natural ou habitante dessa região

canapé (ca.na.pé) *s.m.* **1** espécie de sofá com encosto e braços **2** CUL pequena fatia de pão coberta por patê, frios etc., servida como aperitivo

canarino (ca.na.ri.no) *adj.* **1** das ilhas Canárias (África); canário ■ *s.m.* **2** natural ou habitante desse arquipélago; canário

canário (ca.ná.rio) *s.m.* ZOO **1** pássaro original das ilhas Canárias, verde-amarelado, de belo canto **2** *fig.* pessoa que canta bem ■ *adj.s.m.* **3** canarino

[1]**canastra** (ca.nas.tra) *s.f.* **1** cesta baixa e larga, feita com ripas flexíveis de madeira entrelaçadas, com ou sem tampa **2** *B* caixa ou maleta em que se guardam roupas e pequenos objetos ◉ ORIGEM *canastro* 'cesta estreita, de lados altos'

[2]**canastra** (ca.nas.tra) *s.f.* RECR **1** jogo com dois baralhos de 52 cartas, jogado ger. por duas duplas, cujo objetivo é formar sequências de sete cartas **2** nos jogos de biriba, buraco e canastra, sequência de sete cartas de mesmo naipe ou valor ◉ ORIGEM do esp. *canasta* 'jogo de baralho'

canastrão (ca.nas.trão) [pl.: *-ões*; fem.: *canastrona*] *s.m. infrm.* mau ator ◉ GRAM/USO tb. us. como adj.

canavial (ca.na.vi.al) [pl.: *-ais*] *s.m.* grande concentração de canas-de-açúcar em determinada área

canavieiro (ca.na.vi.ei.ro) *adj.* **1** próprio de cana-de-açúcar *<indústria c.>* ■ *s.m.* **2** quem planta cana-de-açúcar

cancã (can.cã) *s.m.* DNÇ dança típica dos cabarés de Paris, na qual as dançarinas lançam as pernas para o alto, erguendo e sacudindo as saias com as mãos

canção (can.ção) [pl.: *-ões*] *s.f.* **1** MÚS composição musical para ser cantada **2** LIT MÚS poesia dos trovadores medievais

cancela (can.ce.la) *s.f.* **1** portão largo que fecha a entrada de fazenda, sítio etc.; porteira **2** trave metálica ou de madeira para abrir ou fechar o trânsito em passagens de nível, entradas de garagens, postos de pedágio etc.

cancelar (can.ce.lar) *v.* {mod. 1} *t.d.* **1** interromper definitivamente ou não; suspender *<a companhia cancelou o espetáculo>* **2** riscar (algo escrito) para torná-lo sem efeito **3** invalidar, anular *<c. um contrato>* ↺ validar ~ **cancelamento** *s.m.*

câncer (cân.cer) [pl.: *-es*] *s.m.* **1** MED *B* doença que se manifesta pela multiplicação desordenada de células de um tecido ou órgão, levando à formação de tumores **2** MED *B* tumor maligno *<ele tem um câncer no estômago>* **3** ASTR quarta constelação zodiacal, situada entre Gêmeos e Leão ☞ inicial maiúsc. **4** ASTRL quarto signo do zodíaco (de 22 de junho a 21 de julho) ☞ inicial maiúsc. **5** ASTRL canceriano *<ela é c., de 5 de julho>*

canceriano (can.ce.ri.a.no) *adj.s.m.* ASTRL **1** que(m) é do signo de Câncer ■ *adj.* **2** relativo a esse signo

cancerígeno (can.ce.rí.ge.no) *adj.* que gera câncer *<a radiação é um agente c.>*

cancerologia (can.ce.ro.lo.gi.a) *s.f.* MED especialidade que se dedica ao estudo e tratamento do câncer; oncologia ~ **cancerologista** *adj.2g.s.2g.*

canceroso (can.ce.ro.so) /ô/ [pl. e fem.: /ó/] *adj.* **1** próprio ou da natureza do câncer *<tumor c.>* ■ *adj.s.m.* MED **2** que(m) tem câncer *<especializou-se no tratamento de (pacientes) c.>*

cancha (can.cha) *s.f.* **1** pista de corrida de cavalos **2** campo (de futebol, tênis, basquete etc.) **3** *infrm.* conhecimento adquirido na prática; experiência, tarimba

cancioneiro (can.cio.nei.ro) *s.m.* **1** LIT MÚS coleção de canções ou de poemas **2** LIT coleção da antiga poesia lírica da Galiza, Portugal e Provença

cancionista (can.cio.nis.ta) *s.2g.* MÚS quem compõe canções

cançoneta (can.ço.ne.ta) /ê/ *s.f.* MÚS **1** pequena canção **2** canção leve, bem-humorada ou satírica

cancro (can.cro) *s.m.* **1** MED ferida na pele ou mucosas comum a várias doenças venéreas **2** *fig.* mal que destrói gradativamente um organismo *<a miséria é um c. na sociedade>* **3** BOT doença dos tecidos vegetais causada por bactérias, comum em hortaliças e plantas cítricas

candango (can.dan.go) *s.m.* **1** operário que construiu Brasília (DF) **2** *p.ext.* cada um dos primeiros habitantes de Brasília

cande (can.de) ou **cândi** (cân.di) *s.m.* açúcar formado pela cristalização da sacarose; açúcar-cande

candeeiro (can.de.ei.ro) *s.m.* utensílio para iluminação provido de líquido combustível e mecha

candeia (can.dei.a) *s.f.* aparelho de iluminação com óleo ou gás inflamável e mecha, preso à parede por um prego

candela (can.de.la) *s.f.* ÓPT unidade de intensidade luminosa do Sistema Internacional [símb.: *cd*]

candelabro (can.de.la.bro) *s.m.* castiçal com braços providos de focos luminosos nas extremidades

candente (can.den.te) *adj.2g.* **1** aquecido até ficar em brasa; incandescente *<metal c.>* **2** *fig.* cheio de entusiasmo; com ardor; ardoroso *<suas palavras c. arrebataram a plateia>*

cândi (cân.di) *s.m.* → ***CANDE***

cândida (cân.di.da) *s.f.* BIO nome comum a fungos causadores de micoses, como pé de atleta, vaginite, afta e sapinho

candidatar (can.di.da.tar) *v.* {mod. 1} *t.d.i. e pron.* **1** (prep. *a*) apresentar(-se) como candidato *<c. a cidade a sede das Olimpíadas> <pretende c.-se a prefeito>* **2** (prep. *a*) tornar(-se) apto; credenciar(-se) *<seu currículo o candidata ao cargo> <não me candidato a tamanha honraria!>* □ *pron.* **3** oferecer-se, dispor-se *<o banheiro tem de ser lavado; alguém se candidata?>*

candidato (can.di.da.to) *s.m.* quem se apresenta para concorrer (a um cargo eletivo, em concurso etc.) *<c. a deputado> <c. a Miss Brasil>*

candidatura (can.di.da.tu.ra) *s.f.* **1** condição de candidato *<sua c. não engrenou>* **2** indicação de um candidato para eleição *<o partido aceitou a c. do economista>*

candidíase (can.di.dí.a.se) *s.f.* MED micose causada por cândida

cândido (cân.di.do) *adj.* **1** *frm.* muito branco; imaculado **2** *fig.* puro, inocente *<menina c.>* **3** *fig.* que revela inocência, candura *<olhar c.>* ~ **candidez** *s.f.*

candomblé (can.dom.blé) *s.m.* REL **1** religião animista afro-brasileira que cultua os orixás com danças, cantos e oferendas **2** local desse culto *<frequenta o c. desde criança>* **3** a liturgia, as cerimônias dessa religião *<assistir a um c. de grande beleza>*

candonga (can.don.ga) *s.f.* **1** carinho fingido **2** intriga; fofoca **3** pessoa querida ~ **candonguice** *s.f.*

candongar (can.don.gar) *v.* {mod. 1} *t.d.* **1** tratar com lisonjas; adular *<ele candonga a filha e a cobre de mimos>* □ *int.* **2** fazer mexerico; intrigar *<as vizinhas candongaram a tarde toda>*

candongueiro (can.don.guei.ro) *adj.s.m.* **1** que(m) demonstra falso afeto **2** mexeriqueiro, fofoqueiro ■ *s.m.* **3** atabaque pequeno de som agudo

candura (can.du.ra) *s.f.* característica de quem ou do que é puro, inocente *<a c. de um sorriso de criança>*

caneca (ca.ne.ca) *s.f.* recipiente pequeno, ger. cilíndrico e com asa, para beber líquidos *<encheu uma c. de café com leite>*

caneco (ca.ne.co) *s.m.* **1** caneca alta e estreita **2** *B infrm.* troféu que recebe o vencedor de um torneio

canela (ca.ne.la) *s.f.* **1** BOT árvore cuja casca é us. como tempero; caneleira **2** CUL casca dessa árvore, us. em pó ou pedaços *<pôs c. na canjica>* **3** parte anterior da perna entre o joelho e o pé ■ *s.m.* **4** cor marrom da canela em pó ■ *adj.2g.2n.* **5** que tem essa cor *<pulseiras canela>* **6** diz-se dessa cor *<coloração c.>* ▣ **esticar as c.** *infrm.* morrer

canelada (ca.ne.la.da) *s.f.* pancada na canela ou com a canela *<levar uma c.> <dar uma c. na cadeira>*

caneleira (ca.ne.lei.ra) *s.f.* **1** ESP proteção acolchoada us. na parte anterior da perna **2** ESP tornozeleira pesada us. em musculação **3** BOT árvore de que se extrai a canela ('casca'); canela

caneta (ca.ne.ta) /ê/ *s.f.* **1** utensílio que contém tinta, us. para escrever ou desenhar **2** *fig. infrm.* perna, esp. muito fina *<levar um drible por baixo das canetas>*

canetar (ca.ne.tar) *v.* {mod. 1} *t.d.* **1** *BA gír.* dedurar **2** *B gír.* multar **3** estabelecer por meio de assinatura *<o diretor c. a demissão do funcionário>* ~ **canetada** *s.f.*

caneta-tinteiro (ca.ne.ta-tin.tei.ro) [pl.: *canetas-tinteiro* e *canetas-tinteiros*] *s.f.* caneta com reservatório para tinta

cânfora (cân.fo.ra) *s.f.* QUÍM substância extraída da madeira da canforeira e tb. sintetizada, us. em produtos farmacêuticos e cosméticos ~ **canforado** *adj.* - **canforar** *v.t.d.*

canforeira (can.fo.rei.ra) *s.f.* BOT árvore de até 25 m, nativa da China e do Japão, de copa piramidal, flores brancas ou amareladas, de cuja madeira se obtém cânfora

[1]**canga** (can.ga) *s.f.* peça de madeira que prende a junta de bois ao carro ou ao arado ◉ ORIGEM duv., talvez do célt. **cambica* 'madeira curva'

[2]**canga** (can.ga) *s.f.* tecido que se enrola da cintura para baixo, sobre a roupa de banho, us. como saída de praia ◉ ORIGEM duv., talvez do port. *tanga*

cangaceiro (can.ga.cei.ro) *s.m. B* bandido fortemente armado que andava em bando pelos sertões do nordeste brasileiro

cangaço (can.ga.ço) *s.m. B* **1** modo de vida do cangaceiro **2** bagaço da uva depois de pisada **3** conjunto dos cangaceiros *<Lampião era o rei do c.>*

cangalha (can.ga.lha) *s.f.* armação que sustenta a carga no lombo de animais

cangambá (can.gam.bá) *s.m.* ZOO jaritataca

cangapé (can.ga.pé) *s.m. B* pontapé na barriga da perna

cangote (can.go.te) *s.m.* parte posterior do pescoço; cachaço, nuca

canguru (can.gu.ru) *s.m.* ZOO mamífero marsupial saltador, encontrado na Austrália e arredores, de cabeça pequena, orelhas grandes, patas posteriores longas e fortes, e cauda longa e grossa

canhada (ca.nha.da) *s.f. S.* terreno plano e baixo entre duas colinas pequenas

cânhamo (câ.nha.mo) *s.m.* **1** BOT arbusto asiático de 2 m a 3 m, cujo caule fornece fibras têxteis e de cujas folhas e flores se produz a maconha e o haxixe **2** fibra, fio ou tecido desse arbusto

canhão (ca.nhão) [pl.: *-ões*] *s.m.* **1** MIL arma pesada de cano longo para tiro horizontal de grande alcance **2** extremidade do cano da bota **3** FOT TEAT refletor potente com foco ajustável e gelatinas ('folha de celofane') para mudança da cor de cena **4** *pej.* pessoa feia

canhestro (ca.nhes.tro) /ê/ *adj.* **1** desajeitado; sem habilidade **2** envergonhado, tímido

canhonaço (ca.nho.na.ço) *s.m.* disparo de canhão

canhonear (ca.nho.ne.ar) *v.* {mod. 5} *t.d.* dar tiros de canhão contra *<c. a fortaleza inimiga>*

canhoneira (ca.nho.nei.ra) *s.f.* MIL **1** abertura no parapeito de um fortaleza para dar passagem à artilharia **2** MAR navio de pequeno calado dotado de artilharia grossa

canhoneiro (ca.nho.nei.ro) *adj.* **1** equipado com canhões *<embarcação c.>* ■ *adj.s.m.* **2** que(m) lida com canhão *<pelotão de (soldados) c.>*

canhota (ca.nho.ta) /ó *ou* ô/ *s.f.* a mão ou a perna esquerda; sinistra *<fez o gol com a c.>* ↺ destra

canhoto (ca.nho.to) /ô/ [fem.: /ó/] *adj.s.m.* **1** que(m) é mais hábil com a mão esquerda ↺ destro ■ *s.m.* **2** num talonário (de recibos, cheques etc.), a parte não destacável, ger. à esquerda

canibal (ca.ni.bal) [pl.: *-ais*] *adj.2g.s.2g.* **1** que(m) come carne humana; antropófago **2** (animal) que devora outro da mesma espécie ~ **canibalesco** *adj.*

canibalismo (ca.ni.ba.lis.mo) *s.m.* ato, comportamento de canibal ~ **canibalístico** *adj.*

canibalizar (ca.ni.ba.li.zar) *v.* {mod. 1} *t.d.* aproveitar peças de (equipamento desativado) para reposição em outro igual ou similar *<c. automóveis>*

canície (ca.ní.cie) *s.f.* **1** embranquecimento dos cabelos **2** *p.ext.* idade avançada; velhice

caniço (ca.ni.ço) *s.m.* **1** BOT cana fina **2** vara de pescar **3** *fig. infrm.* pessoa magra e alta **4** *fig. infrm.* perna fina

canícula (ca.ní.cu.la) *s.f.* calor muito forte

canicular (ca.ni.cu.lar) [pl.: *-es*] *adj.2g.* próprio da canícula *<dias c.>*

canicultura (ca.ni.cul.tu.ra) *s.f.* criação de cães ~ **canicultor** *adj.s.m.*

canídeo (ca.ní.deo) *s.m.* ZOO **1** espécime dos canídeos, família de mamíferos que andam sobre os dedos, da ordem dos carnívoros, que inclui os cães, os lobos e as raposas ■ *adj.* **2** relativo ou pertencente a essa família

canil (ca.nil) [pl.: *-is*] *s.m.* local para alojamento e/ou criação de cães

caninana (ca.ni.na.na) *s.f.* **1** ZOO cobra preta e amarela não venenosa com cerca de 2,5 m de comprimento **2** *fig. infrm.* pessoa que ser irrita com facilidade

canindé (ca.nin.dé) *s.m.* ZOO arara de até 80 cm de comprimento, parte superior do corpo azul e inferior amarela, alto da cabeça verde, penas negras na face e na garganta

caninha (ca.ni.nha) *s.f.* **1** cana pequena **2** *infrm.* aguardente de cana; cachaça

[1]**canino** (ca.ni.no) *adj.* relativo a cão ou próprio dele *<ração c.> <faro c.>* ◉ ORIGEM lat. *canīnus,a,um* 'de cão, canino; dentes caninos'

[2]**canino** (ca.ni.no) *adj.s.m.* ANAT ODONT (dente) pontudo que permite rasgar os alimentos ◉ ORIGEM red. de *dente canino*

cânion (câ.nion) [pl.: *caníones* e *(B) cânions*] *s.m.* GEO grande desfiladeiro sinuoso por onde corre um rio

canitar (ca.ni.tar) [pl.: *-es*] *s.m.* *B* enfeite de cabeça feito de penas, us. pelos indígenas em suas cerimônias

canivete (ca.ni.ve.te) *s.m.* pequena navalha com lâmina dobrável

canja (can.ja) *s.f.* **1** CUL sopa de galinha com arroz **2** *B infrm.* coisa fácil *<o jogo vai ser c.>* **3** *B infrm.* apresentação não programada de um artista *<o cantor deu uma c. na casa do amigo>*

canjerê (can.je.rê) *s.m.* *B* **1** reunião para a prática de feitiçaria **2** *p.ext.* feitiço, bruxaria

canjica (can.ji.ca) *s.f.* CUL **1** mingau de milho branco com leite de coco; munguzá **2** papa de milho verde ralado e cozido com leite e açúcar

canjirão (can.ji.rão) [pl.: *-ões*] *s.m.* jarro grande de boca larga

cano (ca.no) *s.m.* **1** cilindro longo e oco para escoar líquido ou gás **2** em arma de fogo, tubo por onde sai a bala **3** parte da bota que cobre a perna acima do tornozelo ◉ COL encanamento, tubulação ▣ **c. de descarga** nos veículos, cano por onde escapam os gases provenientes do motor • **dar o (um) c.** *B infrm.* faltar a compromisso marcado • **entrar pelo c.** *B infrm.* dar-se mal em alguma empreitada

canoa (ca.no.a) /ô/ *s.f.* **1** pequena embarcação a remo, sem quilha **2** qualquer objeto com a forma dessa embarcação ▣ **embarcar em c. furada** meter-se em uma situação arriscada

canoagem (ca.no.a.gem) [pl.: *-ens*] *s.f.* ESP modalidade de esporte em que a descida de rios caudalosos é feita em canoas e botes [Como esporte olímpico, é praticado em caiaques ou canoas em duas modalidades: velocidade e *slalom*, na qual os canoístas devem passar remando por 18 a 25 "portas" que pendem de fios metálicos.] ~ **canoísta** *adj.2g.s.2g.*

canoeiro (ca.no.ei.ro) *s.m.* **1** aquele que conduz canoa **2** quem produz canoas

cânone (câ.no.ne) ou **cânon** (câ.non) [pl.: *cânones*] *s.m.* **1** regra ou princípio geral; norma, padrão *<c. morais>* *<c. literários>* **2** REL decisão de um concílio da Igreja católica sobre matéria de fé ou de disciplina **3** REL lista dos livros considerados de inspiração divina *<c. do Novo Testamento>* **4** REL lista dos santos da Igreja católica **5** LITUR parte central da missa, durante a qual o sacerdote consagra o pão e o vinho **6** *p.ext.* maneira de agir; padrão **7** composição musical cujo tema, iniciado por uma voz, é repetido por outra(s) em tempos diferentes ~ **canonista** *adj.2g.s.2g.*

canônico (ca.nô.ni.co) *adj.* **1** relativo a cânone *<normas c.>* **2** conforme as regras ou os preceitos *<escritos c.>* **3** de acordo com os cânones da Igreja *<direito c.>* ~ **canonicidade** *s.f.*

canonização (ca.no.ni.za.ção) [pl.: *-ões*] *s.f.* REL ato solene em que o papa declara uma pessoa falecida inscrita no catálogo dos santos ☞ cf. *beatificação*

canonizar (ca.no.ni.zar) *v.* {mod. 1} *t.d.* declarar santo (alguém já morto), inscrevendo-o (a Igreja católica) numa lista chamada *cânone* ☞ cf. *beatificar*

canoro (ca.no.ro) *adj.* que canta bem; melodioso *<pássaro c.>*

cansaço (can.sa.ço) *s.m.* sensação de fraqueza devido a esforço físico ou doença; fadiga, canseira

cansado (can.sa.do) *adj.* **1** que se cansou; fatigado **2** que se aborreceu; entediado, farto *<está c. de desculpas esfarrapadas>*

cansanção (can.san.ção) [pl.: *-ões*] *s.m.* BOT cada uma de várias espécies de urtiga

cansar (can.sar) *v.* {mod. 1} *t.d.,int. e pron.* **1** (prep. *de*) (fazer) sentir cansaço *<o esforço cansou o operário>* *<este exercício é leve e não cansa>* *<cansei-me de ler tantas páginas>* ↺ descansar **2** *fig.* (prep. *de*) aborrecer(-se), enfastiar(-se) *<os alunos cansaram o mestre com tantas perguntas>* *<cansa muito esperar os retardatários>* *<cansei-me de pedir a mesma coisa>* ↺ agradar(-se), alegrar(-se)

cansativo (can.sa.ti.vo) *adj.* que causa cansaço; fatigante *<trabalho c.>*

canseira (can.sei.ra) *s.f.* **1** cansaço, fadiga **2** trabalho intenso; faina

cantada (can.ta.da) *s.f.* *fig. infrm.* ato de tentar seduzir com palavras agradáveis ▣ **dar** ou **passar uma c. em** tentar conquistar ou convencer com palavras agradáveis *<deu uma c. no patrão para conseguir um aumento>*

cantador (can.ta.dor) /ô/ [pl.: *-es*] *adj.s.m.* **1** que(m) canta; cantor ■ *s.m.* *N.E.* **2** cantor ou poeta popular

cantante (can.tan.te) *adj.2g.* **1** que canta *<ave c.>* *<menina alegre e c.>* **2** próprio para ser cantado *<parte c. de uma composição>*

cantão (can.tão) [pl.: *-ões*] *s.m.* divisão territorial de alguns países europeus, como a Suíça

cantar (can.tar) *v.* {mod. 1} *t.d. e int.* **1** expressar com a voz (sons musicais) *<c. marchinhas>* *<ensinou o primo a c.>* **2** interpretar pelo canto (peça ou trecho musical) *<c. uma ária>* □ *int.* **3** emitir sons (ave) *<o canário canta lindamente>* □ *t.d.* **4** celebrar em verso ou prosa *<c. feitos heroicos>* **5** ler em voz alta e clara *<c. as pedras de um jogo de bingo>* **6** *fig. B infrm.* tentar convencer (alguém) a fazer algo *<precisava de um parceiro de jogo, e cantou o colega>* □ *t.d. e t.d.i.* **7** (prep. *para*) prever, prevenir *<cantou (para o colega) o que estava para acontecer>* ■ *s.m.* **8** ato de cantar; canto *<nessa noite ninguém ouviu o c. do violeiro>* ◉ GRAM/USO como *s.m.*, pl. *-es*

cantaria (can.ta.ri.a) *s.f.* CONSTR pedra lavrada em forma geométrica para construções

cântaro (cân.ta.ro) *s.m.* vaso para líquidos, bojudo e com asas

cantarolar (can.ta.ro.lar) *v.* {mod. 1} *t.d. e int.* cantar baixo, ger. para si mesmo *<cantarolava uma singela melodia>* *<estava distraída, cantarolando>*

cantata (can.ta.ta) *s.f.* MÚS composição vocal e instrumental, freq. religiosa, em vários movimentos ('parte') *<c. de Natal>*

canteiro (can.tei.ro) *s.m.* porção de terra demarcada para cultivar plantas ▣ **c. de obras** *B* local anexo à área da construção us. como depósito, alojamento etc.

cântico (cân.ti.co) *s.m.* MÚS **1** canto religioso em louvor à divindade; hino **2** *p.ext.* hino ou poema de louvor

cantiga (can.ti.ga) *s.f.* **1** LIT MÚS canto formado de versos curtos dividido em estrofes <*c. de trovadores*> **2** MÚS qualquer composição popular para ser cantada <*c. de roda*> **3** *infrm.* conversa astuciosa, visando obter vantagem ou lucro <*não se deixe levar por essa c.*>

cantil (can.til) [pl.: *-is*] *s.m.* pequeno recipiente us. por soldados, esportistas etc. para levar água

cantilena (can.ti.le.na) *s.f.* **1** canção breve e simples **2** *fig.* queixa repetida e monótona **3** *fig.* conversa maçante

cantimplora (can.tim.plo.ra) ou **catimplora** (ca.tim.plo.ra) *s.f.* recipiente de metal us. para resfriar água

cantina (can.ti.na) *s.f.* **1** local onde se vendem alimentos e bebidas em escolas, quartéis etc.; lanchonete **2** *B* restaurante simples de comida italiana

[1]**canto** (can.to) *s.m.* **1** ângulo formado pela união de duas linhas ou dois planos <*pôs o abajur no c. da sala*> <*cole a etiqueta no c. da página*> **2** limite lateral de uma cavidade corporal; comissura <*c. da boca*> <*c. do olho*> **3** ESP ângulo formado pela linha lateral e pela linha de fundo num campo de futebol, hóquei, handebol <*a bola entrou no c. direito*> **4** lugar onde se vive <*só sai do seu c. para ir à igreja*> **5** local afastado, com pouco movimento <*consegui um bom c. para estudar*> **6** qualquer lugar <*em que c. se meteu aquele menino?*> ◉ ORIGEM do lat. *canthus,i* 'área ou faixa de ferro que envolve a roda'

[2]**canto** (can.to) *s.m.* **1** emissão de sons musicais pela voz; ato de cantar **2** sequência de sons mais ou menos melodiosos produzidos pela voz de certos animais <*c. dos passarinhos*> **3** música cantada; canção, cantiga **4** MÚS arte e técnica de cantar <*aulas de c.*> **5** LIT cada parte de um poema longo <*os c. de Os Lusíadas*> ◉ ORIGEM do lat. *cantus,us* 'id.' ▣ **c. coral** MÚS canto em coro • **c. de sereia** aquilo que atrai irresistivelmente, ger. para um resultado funesto <*deixou-se levar pelo c. de sereia do corretor desonesto*> • **c. do cisne** última e magnífica obra de um artista • **c. gregoriano** LITUR MÚS cantochão • **c. orfeônico** canto coral escolar

cantochão (can.to.chão) [pl.: *-ãos*] *s.m.* LIT MÚS canto da Igreja católica ocidental, de ritmo livre e a uma só voz, us. na recitação de textos litúrgicos; canto gregoriano

cantoneira (can.to.nei.ra) *s.f.* **1** móvel que se encaixa em ângulo da parede **2** peça de metal em L para sustentar prateleiras **3** reforço nos cantos de pastas, encadernações etc. **4** triângulo de papel que prende, pelos cantos, fotografias, selos etc.

cantor (can.tor) /ô/ [pl.: *-es*] *adj.s.m.* que(m) canta, esp. como profissional <*a companhia teatral contrata (artistas) c.*> ◉ COL coro

cantoria (can.to.ri.a) *s.f.* **1** ação de cantar; canto **2** conjunto de vozes cantando <*de onde vem essa c.?*> **3** *B* desafio de cantadores

canudo (ca.nu.do) *s.m.* **1** tubo cilíndrico estreito, com finalidades diversas <*enrolou os desenhos e guardou-os dentro de um c.*> <*bebeu o suco por um c.*> **2** *infrm.* diploma universitário

cânula (câ.nu.la) *s.f.* MED pequeno tubo, aberto em ambas as extremidades, adaptável a instrumentos cirúrgicos, seringas, drenos etc.

canutilho (ca.nu.ti.lho) *s.m.* pequeno canudo de vidro e/ou fio de ouro ou prata enrolado em espiral us. em bordados e passamanaria

canzarrão (can.zar.rão) [pl.: *-ões*] *s.m.* cão muito grande ◉ GRAM/USO aum.irreg. de *cão*

canzoada (can.zo.a.da) *s.f.* **1** agrupamento de cães **2** barulheira de cães

cão [pl.: *-ães*; fem.: *cadela*] *s.m.* **1** ZOO mamífero quadrúpede, carnívoro, domesticável, da família dos canídeos, representado por diversas raças; cachorro <*c. de guarda*> <*c. pastor*> **2** *fig. pej.* pessoa muito má **3** *B infrm.* o diabo **4** peça da arma de fogo que faz disparar a cápsula ◉ GRAM/USO aum.irreg.: *canzarrão* ◉ COL matilha ◉ VOZ v. : ganir, ladrar, latir, rosnar, uivar; subst.: ganido, latido, rosnado, uivo

caolho (ca.o.lho) /ô/ *adj.s.m. B pej.* **1** que(m) é cego de um olho **2** estrábico, vesgo

caos *s.m.2n.* **1** mistura de coisas desarrumadas; confusão <*sua gaveta é um c.*> **2** estado desorganizado da matéria primordial antes da criação de todos os seres do universo

caótico (ca.ó.ti.co) *adj.* em que há caos; confuso, desordenado <*trânsito c.*>

cão-tinhoso (cão-ti.nho.so) /ô/ [pl.: /ó/] *s.m. infrm.* o diabo

[1]**capa** (ca.pa) *s.f.* **1** VEST veste longa, sem mangas, que se usa sobre a roupa para proteger contra a chuva ou o frio **2** *p.ext.* envoltório que protege ou oculta <*c. de sofá*> **3** BIBLIO parte exterior de qualquer publicação <*c. de livro, de revista*> ◉ ORIGEM do lat.tar. *cappa,ae* 'proteção para a cabeça; certo tipo de casaco com capuz' ▣ **de c. e espada** de aventura, em que os personagens principais são heróis cavalheirescos <*filme de c. e espada*> <*romance de c. e espada*>

[2]**capa** (ca.pa) *s.m.* nome da décima letra do alfabeto grego (κ, K) ◉ ORIGEM do gr. *káppa* 'id.'

capacete (ca.pa.ce.te) /ê/ *s.m.* proteção para cabeça feita com material resistente a impactos <*c. de operários*> <*c. de motociclistas*>

capacho (ca.pa.cho) *s.m.* **1** tapete us. para limpar as solas dos sapatos **2** *p.ext. infrm. pej.* bajulador; puxa-saco

capacidade (ca.pa.ci.da.de) *s.f.* **1** volume que pode ser contido em algo <*a sala tem c. para 100 pessoas*> **2** poder de produção <*reduzimos nossa c. em 30%*> **3** competência e/ou talento para realizar ou compreender algo **4** *p.ext.* pessoa de muito talento <*esse aluno é uma c.*>

capacitação (ca.pa.ci.ta.ção) [pl.: *-ões*] *s.f.* ação ou resultado de capacitar(-se) <*programa de c. de profissionais*>

capacitar (ca.pa.ci.tar) *v.* {mod. 1} *t.d.i. e pron.* **1** (prep. *para*) tornar(se) capaz, apto (a uma função, serviço etc.); habilitar(-se) <*c. atletas para um torneio*> <*c.-se para o concurso de redação*> **2** (prep. *de*) convencer (-se), persuadir(-se) <*o relatório capacitou-os de que as mudanças eram urgentes*> <*ela não se capacitou do inevitável*>

C

capacitor (ca.pa.ci.tor) /ô/ [pl.: *-es*] *s.m.* ELETR *B* conjunto de condutores isolados que armazenam carga elétrica no campo que se forma entre eles; condensador

capado (ca.pa.do) *adj.* **1** a que se extraíram os órgãos reprodutores; castrado *<touro c.>* ■ *s.m. B* **2** animal, ger. o porco, castrado para engorda; capão

capanga (ca.pan.ga) *s.m. B* **1** pessoa que acompanha outra para protegê-la; guarda-costas ■ *s.f. B* **2** bolsa pequena, us. a tiracolo por viajantes, comerciantes etc. **3** *p.ext.* bolsa de mão para homem

[1]**capão** (ca.pão) [pl.: *-ões*] *s.m.* animal castrado para engorda, esp. frango ◉ ORIGEM do lat. *capo,onis* 'galo castrado'

[2]**capão** (ca.pão) [pl.: *-ões*] *s.m.* pequena extensão de vegetação, de volume e composição variados, e aspecto diferente da que a circunda ◉ ORIGEM do tupi *ka'a pu'ã* 'mato redondo' ou *kaa'paũ* 'mato isolado'

capar (ca.par) *v.* {mod. 1} *t.d.* retirar ou inutilizar os órgãos reprodutores de; castrar *<c. um touro>*

capataz (ca.pa.taz) [pl.: *-es*] *s.m.* **1** chefe de grupo organizado de trabalhadores braçais **2** *B* administrador de fazenda

capatazia (ca.pa.ta.zi.a) *s.f.* **1** função de capataz **2** *p.ext.* grupo de trabalhadores chefiado por um capataz

capaz (ca.paz) [pl.: *-es*] *adj.2g.* **1** que pode conter, abrigar algo em si *<ônibus c. de levar 44 pessoas>* **2** que tem competência ou habilidade *<vidro c. de isolar o calor> <ele já é c. de dirigir>* **3** legalmente apto *<ela é maior de idade e c.>* ◉ GRAM/USO sup.abs. sint. *capacíssimo*

capcioso (cap.ci.o.so) /ô/ [pl. e fem.: /ó/] *adj.* **1** que procura confundir *<pergunta c.>* **2** que engana *<é um menino malvado e c.>*

capear (ca.pe.ar) *v.* {mod. 5} *t.d.* **1** guarnecer de capa; encapar **2** recobrir (muros, estradas etc.) com o revestimento final **3** *fig.* encobrir, disfarçar *<c. as emoções>* ~ **capeamento** *s.m.*

capela (ca.pe.la) *s.f.* **1** pequena igreja com um só altar **2** *p.ext.* local em uma igreja, com altar próprio, reservado para orações, meditação etc. **3** *p.ext.* local destinado ao culto religioso fora das igrejas *<a missa foi na c. do hospital>*

capelão (ca.pe.lão) [pl.: *-ães*] *s.m.* **1** padre de uma capela **2** padre que dá assistência espiritual em quartéis, hospitais, asilos etc. ~ **capelania** *s.f.*

capelo (ca.pe.lo) /ê/ *s.m.* **1** capuz de frade **2** chapéu de cardeal **3** pequena capa us. por doutores em cerimônias acadêmicas

capenga (ca.pen.ga) *adj.2g.s.2g.* **1** que(m) se apoia mais em uma das pernas para andar; manco ■ *adj.2g. fig.* **2** que está bambo, sem apoio *<cadeira c.>* **3** incompleto; defeituoso *<texto c.> <desculpa c.>*

capengar (ca.pen.gar) *v.* {mod. 1} *t.i. e int.* (prep. *de*) caminhar apoiando-se mais em uma das pernas; mancar *<c. de uma perna> <não podia correr porque capengava>*

capeta (ca.pe.ta) /ê/ *s.m. infrm.* **1** o diabo ■ *adj.2g.s.2g. infrm.* **2** que(m) é travesso *<menino c.> <a professora pena com esses c.>*

capetice (ca.pe.ti.ce) *s.f.* ato ou comportamento de quem é capeta; diabrura, travessura *<ficou de castigo por causa de suas c.>*

capiau (ca.pi.au) [fem.: *capioa*] *adj.s.m. B* habitante do campo, de jeito simples e hábitos rústicos; caipira

capilar (ca.pi.lar) [pl.: *-es*] *adj.2g.* **1** relativo a cabelo *<doença c.> <loção c.>* **2** fino como fio de cabelo *<raízes c.>* ■ *s.m.* ANAT **3** vaso sanguíneo muito fino ~ **capilaridade** *s.f.*

capim (ca.pim) [pl.: *-ins*] *s.m.* BOT nome comum a diversas gramíneas, que cobrem áreas mais ou menos extensas e são us. para forragem

capina (ca.pi.na) *s.f.* retirada de capim; ação ou resultado de capinar

capinação (ca.pi.na.ção) [pl.: *-ões*] *s.f.* ação ou efeito de capinar; capina

capinar (ca.pi.nar) *v.* {mod. 1} *t.d.* retirar capim, mato ou ervas daninhas de *<c. um terreno> <c. a plantação>*

capinzal (ca.pin.zal) [pl.: *-ais*] *s.m.* terreno coberto de capim

capista (ca.pis.ta) *s.2g.* profissional que cria capas de livros, discos etc.

capitação (ca.pi.ta.ção) [pl.: *-ões*] *s.f.* o que se paga por cabeça, isto é, individualmente (p.ex., imposto, taxa, contribuição etc.)

capital (ca.pi.tal) [pl.: *-ais*] *adj.2g.* **1** de primeira importância; principal, fundamental *<assunto c.>* **2** que traz a morte; fatal *<pena c.>* ■ *s.f.* **3** cidade que sedia um governo *<Brasília é a c. do Brasil>* **4** cidade que é o centro de uma atividade *<Paris é a c. da moda>* ■ *s.m.* ECON **5** conjunto do dinheiro e de outros bens que forma o patrimônio de alguém *<c. pessoal> <c. de uma empresa>* **6** bem que pode ser aplicado à produção **7** riqueza capaz de produzir renda ▣ **c. de giro** parte do capital de uma empresa us. na produção

capitalismo (ca.pi.ta.lis.mo) *s.m.* ECON regime econômico e social baseado na propriedade privada e na fixação livre dos preços, segundo a concorrência e a relação entre a oferta e a procura dos bens e serviços

capitalista (ca.pi.ta.lis.ta) *adj.2g.* **1** próprio do capitalismo *<regime c.>* ■ *adj.2g.s.2g.* **2** que(m) possui capital ('conjunto') **3** *p.ext.* que(m) é muito rico **4** partidário do capitalismo

capitalização (ca.pi.ta.li.za.ção) [pl.: *-ões*] *s.f.* ECON **1** acumulação de juros ao capital investido **2** formação ou aumento de um capital

capitalizar (ca.pi.ta.li.zar) *v.* {mod. 1} *t.d.* **1** ECON converter em capital, em dinheiro *<c. ações da bolsa>* **2** ECON guardar ou investir para formar um capital *<capitalizou suas economias durante anos>* **3** ECON acrescentar juros ou rendimentos a (um capital) **4** *fig.* tirar todo o benefício possível de; aproveitar *<o candidato soube c. as reivindicações do povo>* □ *int.* ECON **5** acumular riquezas; formar ou aumentar um capital *<o agronegócio é o setor que mais capitaliza no Brasil>*

capitanear (ca.pi.ta.ne.ar) *v.* {mod. 5} *t.d.* **1** comandar como capitão *<c. um navio>* **2** *p.ext.* dirigir, governar *<c. uma empresa>*

capitania (ca.pi.ta.ni.a) *s.f.* **1** cargo ou posto de capitão **2** sede administrativa de um porto ▣ **c. dos portos** MAR repartição do Ministério da Marinha responsável por inspecionar, policiar e controlar os portos e o pessoal marítimo • **c. hereditária** HIST cada uma das unidades administrativas do Brasil colonial

capitânia (ca.pi.tâ.nia) *s.f.* MAR navio em que viaja o comandante ◉ GRAM/USO tb. us. como adj.: *nau capitânia*

capitão (ca.pi.tão) [pl.: *-ães*; fem.: *capitã* e *capitoa*] *s.m.* **1** MIL posto militar abaixo de major e acima de tenente **2** MIL oficial nesse posto **3** comandante de navio **4** *p.ext.* chefe de qualquer grupo de pessoas **5** ESP membro de uma equipe que a representa e comanda *<o árbitro advertiu o c. do time>* ◉ GRAM/USO nas acp. de MIL, freq. não se empregam as formas femininas, e a distinção se faz pelo artigo: o *capitão*, a *capitão*

capitão de corveta (ca.pi.tão de cor.ve.ta) [pl.: *capitães de corveta*] *s.m.* MIL **1** posto de oficial da Marinha de Guerra superior ao de capitão-tenente e inferior ao de capitão de fragata **2** oficial que tem esse posto ◉ GRAM/USO freq. não se emprega o feminino, e a distinção se faz pelo artigo: o *capitão de corveta*, a *capitão de corveta*

capitão de fragata (ca.pi.tão de fra.ga.ta) [pl.: *capitães de fragata*] *s.m.* MIL **1** posto de oficial da Marinha de Guerra superior ao de capitão de corveta e inferior ao de capitão de mar e guerra **2** oficial que tem esse posto ◉ GRAM/USO freq. não se emprega o feminino, e a distinção se faz pelo artigo: o *capitão de fragata*, a *capitão de fragata*

capitão de mar e guerra (ca.pi.tão de mar e guer.ra) [pl.: *capitães de mar e guerra*] *s.m.* MIL **1** posto de oficial da Marinha de Guerra superior ao de capitão de fragata e inferior ao de contra-almirante **2** oficial que tem esse posto ◉ GRAM/USO freq. não se emprega o feminino, e a distinção se faz pelo artigo: o *capitão de mar e guerra*, a *capitão de mar e guerra*

capitão do mato (ca.pi.tão do ma.to) [pl.: *capitães do mato*] *s.m.* *B* caçador de escravos foragidos

capitão-mor (ca.pi.tão-mor) [pl.: *capitães-mores*] *s.m.* HIST **1** título dado aos donatários das capitanias hereditárias **2** autoridade militar que chefiava a milícia de uma cidade ou vila

capitão-tenente (ca.pi.tão-te.nen.te) [pl.: *capitães-tenentes*] *s.m.* MIL **1** posto de oficial da Marinha de Guerra superior ao de primeiro-tenente e inferior ao de capitão de corveta **2** oficial que tem esse posto ◉ GRAM/USO freq. não se emprega o feminino, e a distinção se faz pelo artigo: o *capitão-tenente*, a *capitão-tenente*

capitari (ca.pi.ta.ri) *s.m.* **1** BOT árvore ribeirinha da Amazônia de flores róseas e madeira castanho-escura us. para marcenaria **2** ZOO *N.* macho da tartaruga

capitel (ca.pi.tel) [pl.: *-éis*] *s.m.* ARQ parte superior, ger. trabalhada, de uma coluna

capitoso (ca.pi.to.so) /ô/ [pl. e fem.: /ó/] *adj.* **1** que tem alto teor alcoólico *<vinho c.>* **2** *fig.* que embriaga, entontece

capitulação (ca.pi.tu.la.ção) [pl.: *-ões*] *s.f.* **1** ato ou efeito de capitular **2** MIL ato pelo qual se estabelecem as condições para a rendição de um chefe militar **3** rendição incondicional; sujeição, renúncia *<o desânimo o levou à c.>*

[1]**capitular** (ca.pi.tu.lar) *v.* {mod. 1} *t.d.* **1** acertar sob determinadas condições *<c. um acordo>* **2** descrever detalhadamente *<c. os sintomas de uma doença>* **3** dividir (texto) em capítulos **4** *p.ext.* enumerar, listar *<c. as virtudes da mãe>* □ *t.d.pred.* **5** (prep. *de*) dar a qualificação de; classificar *<os jornais capitularam o candidato de radical>* □ *int.* **6** deixar de resistir; render-se *<o exército inimigo capitulou>* **7** *p.ext.* ceder, transigir *<insista, que ele vai c.>* ◉ ORIGEM do lat. *capitulare* 'fazer um pacto'

[2]**capitular** (ca.pi.tu.lar) [pl.: *-es*] *adj.2g.* **1** relativo ou pertencente a capítulo ('assembleia') *<decisão c.>* **2** maiúsculo *<letra c.>* ■ *s.f.* **3** letra capitular ◉ ORIGEM do lat. *capitulāris,e* 'id.'

capítulo (ca.pí.tu.lo) *s.m.* **1** divisão de livro, código etc. **2** assembleia de religiosos para decidir sobre dado assunto **3** BOT inflorescência formada de pequenas flores inseridas em um só receptáculo

capivara (ca.pi.va.ra) *s.f.* ZOO grande mamífero roedor, semiaquático, de corpo compacto, pernas curtas, pés anteriores com quatro dedos e posteriores com três

capixaba (ca.pi.xa.ba) *adj.2g.* **1** do Espírito Santo ■ *s.2g.* **2** natural ou habitante desse estado

capô (ca.pô) *s.m.* cobertura móvel que protege o motor dos automóveis

[1]**capoeira** (ca.po.ei.ra) *s.f.* **1** AGR terreno desmatado para cultivo ou outros fins **2** vegetação que surge após a derrubada da mata original ◉ ORIGEM do tupi *ko'pwera*, de *ko* 'roça' + *pwera* 'que já foi'

[2]**capoeira** (ca.po.ei.ra) *s.m.* **1** negro que vivia na capoeira ('terreno') e assaltava viajantes ■ *s.f.* **2** luta introduzida no Brasil por escravos bantos, hoje praticada como jogo e esporte ■ *s.2g.* **3** praticante de capoeira; capoeirista ◉ ORIGEM duv., talvez de [1]*capoeira*

[3]**capoeira** (ca.po.ei.ra) *s.f.* cesto de varas ou gaiola para guardar capões e outras aves ◉ ORIGEM *capão* sob a f. rad. *capon-*, com perda da nasalidade, + *-eira*

capoeirista (ca.po.ei.ris.ta) *s.2g.* praticante de [2]capoeira ('luta'); capoeira

caporal (ca.po.ral) [pl.: *-ais*] *s.m.* *B* tabaco picado, de má qualidade

capota (ca.po.ta) *s.f.* cobertura de automóveis, removível ou não

capotar (ca.po.tar) *v.* {mod. 1} *int.* **1** tombar (automóvel, avião etc.), de rodas para cima ou dando voltas sobre si **2** *infrm.* cair em sono profundo, ger. por cansaço

capote (ca.po.te) *s.m.* VEST **1** capa larga e longa, com ou sem capuz **2** casacão longo us. por soldado da infantaria

capoteiro (ca.po.tei.ro) *s.m.* aquele que faz ou conserta capotas de veículos

caprichar (ca.pri.char) *v.* {mod. 1} *t.i. e int.* (prep. *em*) fazer com capricho, com perfeição; esmerar-se *<quando rebece hóspedes, ela capricha (na comida)>*

capricho (ca.pri.cho) *s.m.* **1** grande esforço em fazer bem qualquer coisa; apuro, esmero *<trabalhar com c.>* **2** desejo ou vontade repentina, que muda com frequência *<ele tem muita paciência com os c. da namorada>* **3** atitude de quem insiste sem razão; teimosia, obstinação

C

caprichoso (ca.pri.cho.so) /ô/ [pl. e fem.: /ó/] *adj.* **1** que faz as coisas com capricho; cuidadoso, aplicado ↺ desleixado, negligente **2** elaborado com apuro; esmerado *<trabalho c.>* ↺ mal-acabado, malfeito **3** que age por capricho; cuja vontade muda com frequência *<menina c.>*

capricorniano (ca.pri.cor.ni.a.no) *adj.s.m.* ASTRL que(m) é do signo de Capricórnio

capricórnio (ca.pri.cór.nio) *s.m.* **1** ASTR décima constelação zodiacal, situada ao sul do equador celeste, entre Sagitário e Aquário **2** ASTRL décimo signo do zodíaco (de 22 de dezembro a 20 de janeiro) ☞ inicial maiúsc. em ambas as acp. **3** ASTRL capricorniano

caprino (ca.pri.no) *adj.* **1** relativo a cabra ou bodes *<gado c.>* **2** semelhante a ou próprio de cabra ou bode *<voz c.>* ■ *s.m.* ZOO **3** espécime dos caprinos, fam. de bovídeos que inclui, entre outros, cabras, carneiros e ovelhas

cápsula (cáp.su.la) *s.f.* **1** qualquer invólucro vedado que lembra uma caixa pequena **2** FARM invólucro de goma que contém um medicamento **3** AER compartimento pressurizado de uma espaçonave, que leva os astronautas e os instrumentos

[1]**capsular** (cap.su.lar) [pl.: *-es*] *adj.2g.* em forma de cápsula ou relativo a ela *<fruto c.>* ⊙ ORIGEM *cápsula* + [1]*-ar*

[2]**capsular** (cap.su.lar) *v.* {mod. 1} *t.d.* colocar em cápsula; encapsular *<c. um medicamento>* ⊙ ORIGEM *cápsula* + [2]*-ar*

captar (cap.tar) *v.* {mod. 1} *t.d.* **1** trazer para si; atrair, conquistar *<c. a atenção de todos>* **2** recolher, obter *<c. recursos>* **3** apreender pela inteligência; compreender, entender *<c. a mensagem>* **4** recolher e canalizar para determinado local *<sistema para c. a água das chuvas>* **5** RÁD TV receber (sinais de áudio e vídeo) ~ **captação** *s.f.*

captor (cap.tor) /ô/ [pl.: *-es*] *adj.s.m.* (o) que captura

captura (cap.tu.ra) *s.f.* ato ou efeito de capturar; prisão, aprisionamento *<c. de animais>* *<c. de fugitivos>* ↺ soltura, libertação

capturar (cap.tu.rar) *v.* {mod. 1} *t.d.* privar da liberdade; prender *<c. uma quadrilha de bandidos>* ~ **capturador** *adj.s.m.*

capuchinho (ca.pu.chi.nho) *adj.s.m.* **1** (religioso) de um ramo da ordem de São Francisco de Assis *<confessou-se com um (frade) c.>* ■ *s.m.* **2** capuz pequeno

capuz (ca.puz) [pl.: *-es*] *s.m.* VEST parte de um casaco, capa, hábito etc. que cobre a cabeça

caqueiro (ca.quei.ro) *s.m.* **1** *BA* vaso de plantas **2** *CE* jarro

caquético (ca.qué.ti.co) *adj.* **1** relativo a caquexia *<sintomas c.>* **2** que sofre de caquexia *<paciente c.>* **3** *fig.* muito abatido, envelhecido *<homem c.>* **4** *fig.* que se apresenta em péssimo estado *<ideias c.>*

caquexia (ca.que.xi.a) /cs/ *s.f.* MED grau extremo de enfraquecimento causado por desnutrição ou outras enfermidades

caqui (ca.qui) *s.m.* BOT **1** fruto avermelhado do caquizeiro, de polpa gelatinosa e doce **2** caquizeiro

cáqui (cá.qui) *s.m.* **1** cor castanho-amarelada **2** brim dessa cor, ger. us. em uniformes militares ■ *adj.2g.2n.* **3** que tem essa cor *<bolsas cáqui>* **4** diz-se dessa cor *<coloração c.>*

caquizeiro (ca.qui.zei.ro) *s.m.* BOT árvore que dá o caqui, nativa do Japão, com flores amareladas; caqui

cara (ca.ra) *s.f.* **1** parte anterior da cabeça, composta pela testa, olhos, nariz, boca, queixo e bochechas; face, rosto **2** expressão facial; fisionomia, semblante *<c. risonha>* **3** aparência, aspecto *<esse bolo está com uma c. ótima>* **4** lado da moeda que tem uma efígie ☞ cf. *coroa* ■ *s.m. infrm.* **5** indivíduo, pessoa qualquer *<aquele c. está te chamando>* ⊙ GRAM/USO aum.irreg.: *caraça, carão* ▣ **c. a c.** de frente (um para o outro); frente a frente, face a face *<sentaram-se c. a c.>* • **c. de tacho** *infrm.* expressão encabulada ou confusa, diante de um fato inesperado e/ou desagradável *<levou um fora e ficou com c. de tacho>* • **amarrar** ou **fechar a c.** demonstrar desagrado ou irritação *<não gostou do que ouviu e fechou a c.>* • **com a c. e a coragem** *B infrm.* **1** sem nada possuir; sem recursos *<partiu em peregrinação com a c. e a coragem>* **2** sem medo; com ousadia *<vamos enfrentá-los com a c. e a coragem>* • **dar as c.** *infrm.* comparecer a um lugar, compromisso, evento etc. *<por aqui ele nunca deu as c.>* • **dar de c. com** *infrm.* encontrar inesperadamente ou repentinamente (alguém ou algo) • **de c.** *infrm.* logo no início, de saída *<tomamos um gol logo de c.>* • **encher a c.** beber muito; embriagar-se • **estar na c.** ser evidente, óbvio *<está na c. que ele não vem>* • **livrar a c. de** declarar inocente; inocentar *<fez tudo para livrar a c. do amigo>* • **meter a c. em** *infrm.* empenhar-se em *<meter a c. nos estudos>* • **quebrar a c.** não alcançar o objetivo; frustrar-se • **ser a c. de** *infrm.* ser muito parecido com *<o filho é a c. do pai>*

cará (ca.rá) *s.m.* BOT **1** trepadeira cujo tubérculo, rico em amido, é comestível **2** o tubérculo dessa planta

carabina (ca.ra.bi.na) *s.f.* espingarda curta; clavina ~ **carabinada** *s.f.*

carabineiro (ca.ra.bi.nei.ro) *s.m.* **1** soldado que usa carabina **2** pessoa que fabrica ou vende carabina

[1]**caraca** (ca.ra.ca) *s.f. B infrm.* **1** casca de ferida **2** camada de sujeira na pele **3** muco ressecado do nariz; cataraca, meleca ⊙ ORIGEM duv., talvez de *craca*

[2]**caraca** (ca.ra.ca) *interj. B infrm.* expressa admiração, entusiasmo, surpresa ou indignação ⊙ ORIGEM eufemismo, por *caralho*

caraça (ca.ra.ça) *s.f.* **1** cara enorme ■ *s.m.* **2** boi ou cavalo com mancha branca no focinho

caracará (ca.ra.ca.rá) *s.m.* → *CARCARÁ*

caracol (ca.ra.col) [pl.: *-óis*] *s.m.* **1** ZOO molusco gastrópode, terrestre, com concha espiralada ☞ cf. *caramujo* **2** cacho de cabelo

caracolar (ca.ra.co.lar) *v.* {mod. 1} *int.* **1** mover-se em círculos ou em espiral *<Pelé caracolava entre os zagueiros>* **2** fazer (o cavalo) curvetas; corcovear

caractere (ca.rac.te.re) *s.m.* INF qualquer letra, algarismo, símbolo, sinal que pode ser armazenado em computador ☞ cf. *caráter*

característica (ca.rac.te.rís.ti.ca) *s.f.* aquilo que caracteriza; qualidade distintiva *<a alegria é uma de suas c.>*

característico (ca.rac.te.rís.ti.co) *adj.* que caracteriza; distintivo, particular, próprio *<comportamento c. de uma criança>*

caracterização (ca.rac.te.ri.za.ção) [pl.: *-ões*] *s.f.* **1** ato ou efeito de caracterizar **2** CINE TEAT TV modificação efetuada no rosto e corpo do ator para representar determinado papel

caracterizar (ca.rac.te.ri.zar) *v.* {mod. 1} *t.d. e pron.* **1** (prep. *por*) evidenciar, destacar as características (de); distinguir(-se) *<a emoção caracteriza os seus discursos> <sua vida se caracteriza pela humildade>* **2** preparar(-se) [ator] para encarnar um personagem *<os camareiros terminaram de c. a atriz> <o ator se caracterizou com perfeição>*

caracu (ca.ra.cu) *adj.2g.s.2g.* ZOO (boi) de pelo curto e ruivo

cara de pau (ca.ra de pau) [pl.: *caras de pau*] *adj.2g.s.2g. infrm.* **1** que(m) não se incomoda com as próprias atitudes reprováveis; cínico, descarado ■ *s.f. infrm.* **2** petulância, atrevimento *<teve a cara de pau de sair sem pagar a conta>*

caradura (ca.ra.du.ra) *s.f. B pej.* **1** cara de pau ■ *adj.2g.s.2g. B pej.* **2** cara de pau

caradurismo (ca.ra.du.ris.mo) *s.m. infrm.* falta de vergonha, de escrúpulos; caradura, desfaçatez

caraíba (ca.ra.í.ba) *s.m. B* **1** homem branco, europeu, na denominação dos indígenas do sXVI **2** coisa sagrada ou sobrenatural

carajá (ca.ra.já) *adj.2g.s.2g.* (indivíduo) dos carajás, povo indígena que vive ao longo do rio Araguaia (C.-O.)

caralho (ca.ra.lho) *s.m. gros.* **1** pênis ■ *interj. gros.* **2** expressa admiração, entusiasmo *<c., que maravilha!>* **3** exprime raiva, indignação *<c., queimei o dedo!>* ▣ **pra c.** *B gros.* **1** muito, demais *<gostou pra c. do filme; pra cacete>* **2** em grande quantidade; à beça *<veio gente pra c. à apresentação; pra cacete>*

caramanchão (ca.ra.man.chão) [pl.: *-ões*] *s.m.* construção leve, ger. de madeira e coberta por plantas trepadeiras nos jardins

caramba (ca.ram.ba) *interj. infrm.* expressa surpresa, admiração ou ironia *<caramba! achei 50 reais!>*

carambola (ca.ram.bo.la) *s.f.* **1** BOT fruto da caramboleira, facetado, de sabor ácido e cor amarelada **2** RECR bola vermelha, no bilhar **3** RECR nesse jogo, tacada que atinge duas bolas de uma vez

carambolar (ca.ram.bo.lar) *v.* {mod. 1} *int.* **1** RECR no bilhar, atingir duas bolas numa tacada **2** *fig.* trapacear, enganar

caramboleira (ca.ram.bo.lei.ra) *s.f.* ou **caramboleiro** (ca.ram.bo.lei.ro) *s.m.* BOT árvore da carambola, de tronco tortuoso e flores pequenas

caramelo (ca.ra.me.lo) *s.m.* **1** calda de açúcar queimado **2** guloseima feita dessa calda **3** cor do açúcar queimado ■ *adj.2g.2n.* **4** que tem essa cor *<bolsas caramelo>* **5** diz-se dessa cor *<tons caramelo>* ~ **caramelizar** *v.t.d.,int. e pron.*

cara-metade (ca.ra-me.ta.de) [pl.: *caras-metades*] *s.f. infrm.* pessoa com quem se namora ou se é casado; alma gêmea

caraminguás (ca.ra.min.guás) *s.m.pl. B infrm.* **1** pertences de pouco valor **2** dinheiro miúdo

caraminholas (ca.ra.mi.nho.las) *s.f.pl. infrm.* **1** sonhos impossíveis; fantasias *<vive com c. na cabeça>* **2** histórias falsas; mentiras *<não dê ouvido a essas c.>*

caramujo (ca.ra.mu.jo) *s.m.* ZOO molusco gastrópode, de água doce ou salgada, de concha espiralada, grossa e forte ☞ cf. *caracol*

carango (ca.ran.go) *s.m.* ou **caranga** (ca.ran.ga) *s.f. B infrm.* automóvel, carro

caranguejeira (ca.ran.gue.jei.ra) *s.f.* ZOO aranha--caranguejeira

caranguejo (ca.ran.gue.jo) /ê/ *s.m.* ZOO nome comum a crustáceos decápodes de carapaça larga e grandes pinças, encontrados em mangues

caranguejola (ca.ran.gue.jo.la) *s.f.* **1** armação pouco firme, de madeira **2** *p.ext.* estrutura instável de objetos sobrepostos

carantonha (ca.ran.to.nha) *s.f.* **1** cara feia e grande; carão **2** máscara grotesca **3** careta, esgar

carão (ca.rão) [pl.: *-ões*] *s.m.* **1** cara muito grande e feia; carantonha **2** *infrm.* repreensão, advertência, bronca *<levou um c. porque chegou atrasado>* ◉ GRAM/USO aum.irreg. de *cara*

caraoquê (ca.ra.o.quê) *s.m.* **1** tipo de espetáculo em que os frequentadores de um bar, casa noturna etc. podem cantar ao microfone, acompanhados pelos músicos da casa ou por fundos instrumentais gravados **2** aparelho sonoro ou audiovisual que reproduz fundos instrumentais de músicas para acompanhar quem canta no microfone

carapaça (ca.ra.pa.ça) *s.f.* **1** escudo rígido no dorso de certos animais, como tartarugas, tatus, caranguejos **2** *p.ext.* qualquer proteção rígida (tb. fig.) *<o gladiador vestia uma c. sobre o tórax>*

cara-pálida (ca.ra-pá.li.da) [pl.: *caras-pálidas*] *s.2g.* **1** pessoa de pele branca, para os índios norte--americanos **2** *infrm.* qualquer indivíduo (expressa estranhamento ou oposição entre pessoas) *<a quem pensa que engana, c.?>*

carapanã (ca.ra.pa.nã) *s.m. AMAZ* mosquito

carapeba (ca.ra.pe.ba) *s.f.* ZOO peixe comestível de boca pequena e sem dentes

carapicu (ca.ra.pi.cu) *s.m.* ZOO nome comum a vários peixes que possuem nadadeiras anais com espinhos

carapinha (ca.ra.pi.nha) *s.f.* cabelo muito crespo, próprio das pessoas negras; pixaim

carapinhada (ca.ra.pi.nha.da) *s.f.* bebida feita com xarope ou sumo de fruta e raspas de gelo

cara-pintada (ca.ra-pin.ta.da) [pl.: *caras-pintadas*] *adj.2g.s.2g.* (jovem) que pinta o rosto em manifestações políticas de rua

carapuça (ca.ra.pu.ça) *s.f.* **1** gorro em forma de cone **2** crítica indireta ▣ **vestir a c.** sentir-se atingido por uma crítica supostamente impessoal

caratê (ca.ra.tê) *s.m.* ESP método oriental de defesa pessoal em que se usam apenas os pés e as mãos

carateca (ca.ra.te.ca) *s.2g.* ESP pessoa que pratica caratê

C

caráter (ca.rá.ter) [pl.: *caracteres*] *s.m.* **1** personalidade, temperamento, índole *<homem de bom c.>* **2** traço distintivo de pessoa, coisa ou grupo *<descrever os c. de uma espécie botânica>* **3** sinal (letra, número etc.) ou figura us. na escrita *<c. arábicos> <c. fonéticos> <c. cuneiformes>* ☞ cf. *caractere* **4** honestidade, dignidade *<pessoa de c., de princípios firmes>* ▣ **a c.** de acordo com o lugar, a época, os costumes (diz-se de trajes) *<compareceram vestidos a c.>*

caratinga (ca.ra.tin.ga) *s.m.* **1** ZOO peixe comum no sudeste brasileiro, mas de carne pouco apreciada **2** BOT trepadeira nativa do Brasil com tubérculo comestível

caravana (ca.ra.va.na) *s.f.* **1** grupo de mercadores ou viajantes que se juntam para atravessar regiões perigosas **2** *p.ext.* qualquer grupo de pessoas ou veículos que viajam juntos *<c. de peregrinos>* ~ **caravaneiro** *s.m.*

caravançará (ca.ra.van.ça.rá) *s.m.* no Oriente Médio, estalagem gratuita para caravanas

caravela (ca.ra.ve.la) *s.f.* **1** MAR antiga embarcação veloz, a vela e com até quatro mastros **2** ZOO água-viva

carbo-hidrato (car.bo-hi.dra.to) [pl.: *carbo-hidratos*] ou **carboidrato** (car.bo.i.dra.to) *s.m.* QUÍM composto orgânico formado por carbono, hidrogênio e oxigênio, tal como os açúcares, o amido e a celulose

carbonato (car.bo.na.to) *s.m.* QUÍM sal ou éster do ácido carbônico ou ânion dele derivado ▣ **c. de cálcio** QUÍM substância us. como suplemento alimentar de cálcio, como antiácido, em dentifrícios e cosméticos, em tintas, abrasivos etc. • **c. de chumbo** QUÍM substância us. industrialmente como pigmento branco em tintas

carboneto (car.bo.ne.to) /ê/ *s.m.* QUÍM combinação química com carbono; carbureto

carbônico (car.bô.ni.co) *adj.* **1** que diz respeito a, ou que contém [1]carbono ■ *adj.s.m.* QUÍM **2** (o) que é formado pela dissolução de gás carbônico em água (diz-se de ácido) ☞ cf. *gás carbônico*

carbonífero (car.bo.ní.fe.ro) *s.m.* GEOL **1** quinto período geológico da era paleozoica, entre o Devoniano e o Permiano, em que se formaram grandes jazidas de carvão e surgiram os batráquios e répteis ☞ inicial maiúsc. ■ *adj.* **2** desse período **3** que contém ou produz carvão *<jazida c.>*

carbonizar (car.bo.ni.zar) *v.* {mod. 1} *t.d. e pron.* **1** reduzir(-se) a carvão *<o incêndio carbonizou as árvores> <as plantas carbonizaram-se ao sol>* □ *t.d.* **2** queimar completamente *<bomba capaz de c. um carro>* ~ **carbonização** *s.f.*

[1]**carbono** (car.bo.no) *s.m.* QUÍM elemento químico que constitui os diamantes, o carvão, o grafite etc. [símb.: *C*] ☞ cf. *tabela periódica* (no fim do dicionário) ◉ ORIGEM lat. *carbo,ōnis* 'carvão' ▣ **c. 14** QUÍM isótopo radioativo do carbono us. na datação arqueológica

[2]**carbono** (car.bo.no) *s.m.* papel-carbono ◉ ORIGEM red. de *papel-carbono*

carbúnculo (car.bún.cu.lo) *s.m.* MED infecção que ataca homens e animais caracterizada pela presença de pústulas necrosantes na pele ou em outros tecidos; antraz

carburador (car.bu.ra.dor) /ô/ [pl.: *-es*] *s.m.* MEC dispositivo que mistura ar e combustível em motores de explosão

carburante (car.bu.ran.te) *s.m.* **1** produto ou combustível us. em motor de explosão ■ *adj.2g.* **2** que carbura, queima *<substância c.>*

carburar (car.bu.rar) *v.* {mod. 1} *t.d.* misturar (vapor de combustível) com ar, em motor de explosão *<c. a gasolina>* ~ **carburação** *s.f.*

carbureto (car.bu.re.to) /ê/ *s.m.* QUÍM carboneto

carcaça (car.ca.ça) *s.f.* **1** esqueleto de animal **2** cadáver de animal de açougue, sem o couro, os pés, a cabeça e as vísceras **3** qualquer arcabouço, armação ou estrutura *<c. de um navio>* **4** *infrm.* corpo humano *<preciso descansar a c.>* **5** *infrm.* corpo velho, abatido

carcamano (car.ca.ma.no) *s.m. B pej.* italiano ou seu descendente

carcará (car.ca.rá) ou **caracará** (ca.ra.ca.rá) *s.m.* ZOO ave de rapina semelhante ao gavião, com até 56 cm de comprimento, encontrada nas Américas

carceragem (car.ce.ra.gem) [pl.: *-ens*] *s.f.* **1** local onde ficam os presos nas delegacias **2** ação de encarcerar; aprisionamento **3** despesa com a manutenção de presos

cárcere (cár.ce.re) *s.m.* **1** prisão, cadeia **2** cela em que o preso fica detido **3** calabouço ~ **carcerário** *adj.*

carcereiro (car.ce.rei.ro) *s.m.* pessoa que vigia os prisioneiros

carcinógeno (car.ci.nó.ge.no) *s.m.* MED agente que provoca carcinoma

carcinoma (car.ci.no.ma) *s.m.* MED tumor maligno que se origina em tecido epitelial ou glandular; câncer ~ **carcinomatoso** *adj.*

carcinose (car.ci.no.se) *s.f.* MED disseminação de um câncer pelo organismo

carcoma (car.co.ma) *s.f.* **1** caruncho **2** o que corrói ou destrói

carcomer (car.co.mer) *v.* {mod. 8} *t.d.* **1** reduzir (madeira) a pó *<os cupins carcomeram a árvore toda>* **2** *p.ext.* corroer, desgastar (tb. fig.) *<tanto uso vai c. rapidamente os sapatos> <o homem foi carcomido pelos anos de trabalho pesado>*

carcunda (car.cun.da) *s.f.* **1** corcunda ■ *adj.2g.s.2g.* **2** corcunda

carda (car.da) *s.f.* **1** ferramenta us. para cardar lã, algodão, linho etc. **2** máquina industrial para desembaraçar e limpar fibras têxteis

cardamomo (car.da.mo.mo) *s.m.* BOT **1** erva cujas sementes são us. como condimento **2** essa semente

cardápio (car.dá.pio) *s.m.* **1** nos restaurantes, lista de pratos com seus preços; menu **2** conjunto dos pratos que se servem numa refeição

cardar (car.dar) *v.* {mod. 1} *t.d.* desembaraçar fios de (lã, algodão, pelo etc.) ~ **cardação** *s.f.* - **cardadura** *s.f.* - **cardagem** *s.f.*

cardeal (car.de.al) [pl.: *-ais*] *adj.2g.* **1** que é muito importante; fundamental, principal, cardinal *<princípios c.>* ↺ acessório, secundário ☞ cf. *ponto cardeal* ■ *s.m.* **2** cada um dos dignitários da Igreja católica que elegem o papa e são seus conselheiros **3** ZOO nome comum de várias aves encontradas na América do Sul que se distinguem por possuir cabeça vermelha ou com topete

cárdia (cár.dia) *s.f.* ANAT orifício pelo qual o esôfago se comunica com o estômago

cardíaco (car.dí.a.co) *adj.* **1** relativo ao coração *<insuficiência c.>* ■ *adj.s.m.* MED **2** que(m) sofre de doença no coração; cardiopata *<o hospital tem uma ala para (pacientes) c.>*

cardigã (car.di.gã) *s.m.* VEST casaco ou suéter com decote redondo ou em V, que se abotoa à frente do tórax

cardinal (car.di.nal) [pl.: *-ais*] *adj.2g.* **1** cardeal ■ *adj.2g.s.m.* GRAM **2** (numeral) que expressa quantidade absoluta *<dois, quinze e oitenta são (numerais) c.>* ☞ cf. *ordinal*

cardinalato (car.di.na.la.to) *s.m.* título de cardeal

cardinalício (car.di.na.lí.cio) *adj.* relativo a cardeal ('dignitário') *<colégio c.>*

cardiografia (car.dio.gra.fi.a) *s.f.* MED registro dos movimentos do coração por meio do cardiógrafo ~ **cardiográfico** *adj.*

cardiógrafo (car.di.ó.gra.fo) *s.m.* aparelho que registra graficamente os movimentos do coração

cardiograma (car.dio.gra.ma) *s.m.* MED gráfico obtido por meio do cardiógrafo

cardiologia (car.dio.lo.gi.a) *s.f.* MED ramo da medicina que estuda as doenças do coração e dos vasos sanguíneos ~ **cardiológico** *adj.*

cardiologista (car.dio.lo.gis.ta) *adj.2g.s.2g.* MED especialista em cardiologia

cardiopata (car.dio.pa.ta) *adj.2g.s.2g.* MED que(m) sofre de doença no coração; cardíaco

cardiopatia (car.dio.pa.ti.a) *s.f.* MED doença do coração

cardiopulmonar (car.dio.pul.mo.nar) [pl.: *-es*] *adj.2g.* relativo ao coração e aos pulmões

cardiovascular (car.dio.vas.cu.lar) [pl.: *-es*] *adj.2g.* relativo ao coração e aos vasos sanguíneos

cardo (car.do) *s.m.* BOT nome comum a várias plantas com folhas espinhosas e caule revestido de pelos

cardume (car.du.me) *s.m.* agrupamento de peixes

careca (ca.re.ca) *adj.2g.s.2g.* **1** que(m) não tem cabelos; calvo ■ *s.f.* **2** parte da cabeça sem cabelos; calva ■ *adj.2g. infrm.* **3** gasto (diz-se de pneu) ▣ **estar c. de** *infrm.* estar farto de *<estou c. de saber que vai haver aula neste sábado> <estou c. de pedir para você abaixar esse som>*

carecer (ca.re.cer) *v.* {mod. 8} *t.i.* **1** (prep. *de*) ser desprovido de; não ter *<carece de talento para o esporte>* **2** (prep. *de*) precisar, necessitar *<as crianças carecem de mais atenção>*

careiro (ca.rei.ro) *adj.* **1** que cobra caro *<profissional c.>* **2** que vende por preço elevado *<supermercado c.>*

carena (ca.re.na) *s.f.* **1** parte da quilha do navio que fica submersa **2** *p.ext.* BOT peça formada pelas duas pétalas inferiores das flores cuja forma parece uma quilha **3** *p.ext.* ZOO crista em forma de quilha, de certos ossos, como no esterno das aves

carência (ca.rên.cia) *s.f.* **1** falta, necessidade *<c. de alimento> <c. afetiva>* **2** tempo de espera para ter direito aos benefícios de um seguro, plano de saúde etc.

carente (ca.ren.te) *adj.2g.* **1** que tem necessidade, que precisa *<c. de carinho>* **2** que nada possui; pobre *<população c.>*

carepa (ca.re.pa) *s.f.* **1** descamação do couro cabeludo; caspa **2** superfície áspera de madeira grosseiramente desbastada **3** pó que aparece na superfície de algumas frutas secas **4** penugem de alguns frutos

carestia (ca.res.ti.a) *s.f.* **1** escassez, falta **2** encarecimento do custo de vida **3** preço elevado, acima do valor real

careta (ca.re.ta) /ê/ *s.f.* **1** contração involuntária ou proposital dos músculos da face; trejeito, esgar *<fez uma c. de dor> <divertiu os amigos com suas c.>* ■ *adj.2g.s.2g. gír.* **2** (pessoa) que não adere a hábitos considerados modernos *<essas (mulheres) c. não usam calça comprida>* **3** *infrm. drg.* que(m) não usa drogas

careteiro (ca.re.tei.ro) *adj.s.m.* que(m) faz caretas

caretice (ca.re.ti.ce) *s.f. gír.* modo de ser de quem ou do que é careta, chato *<a c. do programa chateou a todos>*

carga (car.ga) *s.f.* **1** ação de carregar; carregação, carregamento *<local para c. e descarga>* **2** grande quantidade de algo *<a escola recebeu uma c. de material didático>* **3** porção de explosivo com que se carrega uma arma de fogo **4** quantidade de eletricidade acumulada num corpo *<a bateria está com a c. baixa>* **5** investida impetuosa *<c. de cavalaria>* ▣ **c. elétrica** ELETR quantidade de eletricidade acumulada numa matéria • **c. horária** **1** número de horas de trabalho a que um empregado se obriga, por lei ou por contrato *<nossa c. horária é de oito horas por dia>* **2** número de horas de duração de um curso técnico, de pós-graduação etc.

carga-d'água (car.ga-d'á.gua) [pl.: *cargas-d'água*] *s.f.* **1** chuva forte ▼ ***cargas-d'água*** *s.f.pl. infrm.* **2** razão ou motivo desconhecido *<por que cargas-d'água ele reagiu assim?>*

cargo (car.go) *s.m.* **1** aquilo que é ou se tornou incumbência ou compromisso de alguém; encargo, função *<c. de escriturário> <c. de prefeito>* **2** dever assumido; responsabilidade, obrigação *<a segurança está a c. do Estado>*

cargueiro (car.guei.ro) *adj.* **1** que leva carga *<navio c.>* ■ *s.m.* **2** besta de carga **3** pessoa que conduz besta de carga **4** navio que transporta carga

cariar (ca.ri.ar) *v.* {mod. 1} *t.d. e int.* provocar cárie em ou criar cárie *<o açúcar caria os dentes> <o dente cariou>* ~ **cariado** *adj.*

caribé (ca.ri.bé) *s.m.* CUL **1** mingau de farinha fina de mandioca **2** refresco feito com beiju de tapioca

caribenho (ca.ri.be.nho) *adj.* **1** do Caribe ■ *s.m.* **2** natural ou habitante dessa região

cariboca (ca.ri.bo.ca) *s.2g.* → ***CURIBOCA***

caricato (ca.ri.ca.to) [pl.: *-ais*] *adj.* **1** semelhante a uma caricatura *<imagem c.>* **2** que causa riso; ridículo *<fez uma imitação c. do professor>*

C

caricatura (ca.ri.ca.tu.ra) *s.f.* **1** desenho em que se exageram os traços de uma pessoa ou situação para dar um tom jocoso ou grotesco **2** *p.ext.* reprodução deformada de alguma coisa *<ele fez uma c. de poema>* **3** *p.ext.* indivíduo de aparência ou modos ridículos ~ **caricatural** *adj.2g.* - **caricaturar** *v.t.d.* - **caricaturesco** *adj.*

caricaturista (ca.ri.ca.tu.ris.ta) *adj.2g.s.2g.* que(m) faz caricaturas

carícia (ca.rí.cia) *s.f.* manifestação de afeição ou amor por meio de toque; carinho *<a menina fazia carícias no gatinho>*

caridade (ca.ri.da.de) *s.f.* **1** ação que beneficia outra pessoa, esp. os pobres e desfavorecidos **2** donativo ou ajuda que se dá aos pobres; esmola **3** REL a terceira virtude teologal, que conduz ao amor a Deus e às outras pessoas ☞ cf. *fé* e *esperança*

caridoso (ca.ri.do.so) /ô/ [pl. e fem.: /ó/] *adj.* que tem ou que demonstra caridade; caritativo *<mulher c.>* *<gesto c.>*

cárie (cá.rie) *s.f.* **1** ODONT lesão que destrói o esmalte do dente e pode progredir até a raiz **2** MED destruição de um osso por corrosão progressiva

carijó (ca.ri.jó) *adj.2g.s.2g.* (galo ou galinha) de penas salpicadas de preto e branco; pedrês

caril (ca.ril) [pl.: *-is*] *s.m.* CUL **1** tempero indiano, freq. em pó amarelo, feito de várias especiarias **2** molho com esse tempero

carimã (ca.ri.mã) *s.2g.* *B* **1** farinha de mandioca seca e fina **2** bolo de farinha de mandioca **3** praga que ataca algodoeiros

carimbar (ca.rim.bar) *v.* {mod. 1} *t.d.* **1** fazer marca com carimbo em *<c. um documento>* **2** *fig.* atingir com força *<a bola carimbou a trave>* *<o jogador carimbou o árbitro sem querer>*

carimbo (ca.rim.bo) *s.m.* **1** peça com uma base contendo inscrição ou figura em relevo us. para marcar com tinta papel, tecido etc. **2** marca feita por essa peça *<a certidão precisa do c. do diretor>*

carimbó (ca.rim.bó) *s.m.* **1** DNÇ *PA MA* dança de roda com uma dançarina no centro **2** MÚS *PA* tambor que acompanha essa dança

carinho (ca.ri.nho) *s.m.* **1** manifestação de afeição ou amor por meio de toque; carícia *<fez um c. na cabeça da menina>* **2** manifestação de estima, desvelo, cuidado *<cuida dos filhos com c.>*

carinhoso (ca.ri.nho.so) /ô/ [pl. e fem.: /ó/] *adj.* **1** que trata com carinho; afetuoso, terno *<pessoa c.>* **2** em que há carinho *<palavras c.>*

carioca (ca.ri.o.ca) *adj.2g.* **1** do Rio de Janeiro (RJ) ■ *s.2g.* **2** natural ou habitante dessa cidade ☞ cf. *fluminense*

cariri (ca.ri.ri) *s.m.* BOT **1** *AC* macaxeira **2** *PB* caatinga de vegetação menos rude

carisma (ca.ris.ma) *s.m.* **1** fascínio pessoal que influencia as outras pessoas *<um candidato de c.>* **2** REL dom de inspiração divina, para ser us. em benefício de uma comunidade *<c. de cura>* *<c. de pregação>*

carismático (ca.ris.má.ti.co) *adj.* **1** relativo a carisma **2** que tem carisma, que fascina *<ator c.>*

caritativo (ca.ri.ta.ti.vo) *adj.* que tem caridade; caridoso

caritó (ca.ri.tó) *s.m.* *N.E.* **1** casinha pobre **2** gaiola em que se prendem caranguejos **3** prateleira ou nicho, nas casas sertanejas **4** quarto de guardar coisas velhas ▣ **ficar no c.** *fig.* *N.E.* *infrm.* envelhecer (a mulher) sem conseguir se casar

carlovíngio (car.lo.vín.gio) *adj.* → *CAROLÍNGIO*

carma (car.ma) *s.m.* FIL REL resultado das boas ou más ações de uma pessoa que a afetam nesta ou nas existências seguintes, segundo o budismo e o hinduísmo ~ **cármico** *adj.*

carmelita (car.me.li.ta) *adj.2g.s.2g.* REL (frade ou freira) que pertence a uma das ordens de Nossa Senhora do Carmo ou do Monte Carmelo

carmesim (car.me.sim) [pl.: *-ins*] *s.m.* **1** cor vermelha do carmim ■ *adj.2g.* **2** que tem a cor do carmim *<almofada c.>* **3** diz-se dessa cor *<cor c.>*

carmim (car.mim) [pl.: *carmins*] *s.m.* **1** substância corante de tom vermelho forte; magenta **2** cor desse corante; carmesim ■ *adj.2g.2n.* **3** dessa cor *<seda c.>* **4** diz-se dessa cor *<coloração c.>*

carmona (car.mo.na) *s.f.* cremona

carnação (car.na.ção) [pl.: *-ões*] *s.f.* **1** cor da carne ou da pele humana **2** ART.PLÁST representação do corpo humano nu e com a cor natural

carnadura (car.na.du.ra) *s.f.* **1** aparência externa do corpo humano **2** parte carnosa do corpo humano

carnal (car.nal) [pl.: *-ais*] *adj.2g.* **1** do corpo, em oposição ao espírito *<apetites c.>* **2** relativo ao instinto sexual; sensual **3** consanguíneo *<irmão c.>* ~ **carnalidade** *s.f.*

carnaúba (car.na.ú.ba) *s.f.* **1** BOT palmeira nativa do nordeste brasileiro, com até 15 m de altura, de cujas folhas se extrai cera **2** cera dessa palmeira ◉ COL carnaubal

carnaval (car.na.val) [pl.: *-ais*] *s.m.* **1** período de três dias anteriores à Quarta-Feira de Cinzas, marcados por desfiles e bailes populares **2** conjunto de festejos desses dias **3** *infrm.* alegria coletiva; folia *<o time campeão fez um c. no campo>*

carnavalesco (car.na.va.les.co) /ê/ *adj.* **1** relativo a carnaval *<desfiles c.>* **2** que chama a atenção pela extravagância; ridículo *<vestia uma camisa c.>* ■ *s.m.* *B* **3** quem brinca o carnaval; folião **4** artista responsável pela criação e produção do enredo e do desfile de uma escola de samba

carne (car.ne) *s.f.* **1** parte macia do corpo humano e animal, composta esp. de músculos **2** carne animal comestível *<c. de peixe>* *<c. de boi>* **3** corpo, por oposição ao espírito, à alma **4** instinto sexual **5** parte comestível das frutas; polpa ▣ **c. branca** carne de coloração clara como a do frango, dos peixes, do coelho etc. • **c. vermelha** a que tem cor vermelha, como a carne de boi, de porco etc. • **em c. e osso** fisicamente presente; em pessoa *<emocionou-se ao ver o ídolo em c. e osso>* • **em c. viva** sem pele; esfolado *<o tombo deixou seu joelho em c. viva>*

carnê (car.nê) *s.m.* talonário para pagamento de prestações

carnear (car.ne.ar) *v.* {mod. 5} *t.d. e int.* abater e esquartejar (gado) ~ **carneação** *s.f.* - **carneador** *adj.s.m.*

carne de sol (car.ne de sol) [pl.: *carnes de sol*] *s.f. N. N.E.* carne bovina levemente salgada e seca ao sol

carnegão (car.ne.gão) [pl.: *-ões*] *s.m. B* carnicão

carneirada (car.nei.ra.da) *s.f.* **1** rebanho de carneiros **2** *fig. pej.* grupo de pessoas submissas

[1]**carneiro** (car.nei.ro) *s.m.* **1** ZOO animal bovídeo de que se aproveita a lã, a carne e o leite **2** onda espumosa **3** *infrm.* pessoa obediente, submissa **4** signo de Áries ☞ inicial maiúsc. ◉ ORIGEM do lat. *carnariu 'id.' ◉ voz v. e subst.: balar, balir, berrar, berregar; subst.: balado, balido

[2]**carneiro** (car.nei.ro) *s.m.* gaveta ou urna para sepultar cadáveres nos cemitérios ◉ ORIGEM do lat. *carnarĭum* 'id.'

carne-seca (car.ne-se.ca) [pl.: *carnes-secas*] *s.f.* CUL *B* charque ▣ **estar por cima da c.** *B infrm.* estar dominando a situação; estar por cima *<está por cima da c., agora que foi promovido a gerente>*

carniça (car.ni.ça) *s.f.* **1** cadáver de animal em decomposição **2** RECR jogo infantil no qual várias crianças se postam em fila e pulam sucessivamente por sobre as costas daquelas a sua frente

carnicão (car.ni.cão) [pl.: *-ões*] *s.m.* núcleo das furúnculos, endurecido e cheio de pus; carnegão

carniceiro (car.ni.cei.ro) *adj.* **1** que se alimenta de carne; carnívoro ■ *adj.s.m.* **2** que(m) se satisfaz em ver ou derramar sangue; sanguinário ■ *s.m.* **3** açougueiro **4** *infrm. pej.* mau cirurgião

carnificina (car.ni.fi.ci.na) *s.f.* grande massacre; matança

carnívoro (car.ní.vo.ro) *adj.s.m.* **1** (o) que se alimenta de carne *<animal c.> <os felinos são c.>* ■ *adj.* **2** que captura e digere insetos *<planta c.>* ■ *s.m.* ZOO **3** espécime dos carnívoros, ordem de mamíferos que possuem dentes adaptados para cortar carne, como os cães, gatos, ursos, entre outros

carnoso (car.no.so) /ô/ [pl. e fem.: /ó/] *adj.* **1** cheio de carne; carnudo **2** com aparência ou consistência de carne *<substância c.>* **3** espesso e suculento *<fruta c.> <folha c.>* ~ **carnosidade** *s.f.*

carnudo (car.nu.do) *adj.* **1** cheio de carne; carnoso *<pegou um pedaço c. do frango>* **2** que tem muita polpa *<fruto c.>*

caro (ca.ro) *adj.* **1** de preço alto *<achou o aparelho muito c.>* **2** que cobra preços altos; careiro *<médico c.> <loja c.>* **3** querido, amado *<c. amigo>* ■ *adv.* **4** por preço alto *<vendeu caro a coleção de selos>* **5** com más consequências morais ou materiais *<a imprudência lhe custou caro>*

caroá (ca.ro.á) *s.m.* BOT **1** planta bromeliácea cujas folhas fornecem fibras longas e resistentes us. na fabricação de cordas **2** fibra dessa planta

caroba (ca.ro.ba) *s.f.* BOT nome comum a várias árvores da família das bignoniáceas, nativas do Brasil e de propriedades medicinais

carochinha (ca.ro.chi.nha) *s.f.* mulher velha e/ou bruxa *<história da c.>*

caroço (ca.ro.ço) /ô/ [pl.: /ó/] *s.m.* **1** BOT camada dura que envolve a semente de certos frutos, como ameixa, azeitona, manga etc. **2** BOT qualquer semente de fruto com casca endurecida **3** *infrm.* porção inchada ou inflamada, mais ou menos arredondada, na pele *<incomodava-o o c. no pescoço>* **4** *infrm.* porção de farinha endurecida que se forma em cremes ou molhos ~ **caroçudo** *adj.*

carola (ca.ro.la) *adj.2g.s.2g.* que(m) é muito devoto, frequentador assíduo de cerimônias religiosas ~ **carolice** *s.f.* - **carolismo** *s.m.*

carolíngio (ca.ro.lín.gio) ou **carlovíngio** (car.lo.vín.gio) *adj.* HIST relativo à dinastia de Carlos Magno (742-814), rei dos francos e imperador do Ocidente

carolo (ca.ro.lo) *s.m.* **1** pancada na cabeça com pau, vara ou com os nós dos dedos **2** espiga de milho sem os grãos; sabugo

carona (ca.ro.na) *s.f.* **1** transporte gratuito *<costuma dar c. ao vizinho>* **2** peça dos arreios colocada diretamente sobre o dorso da cavalgadura ■ *s.2g.* **3** aquele que viaja de graça

caroteno (ca.ro.te.no) *s.m.* QUÍM substância encontrada em cenouras, manteiga, folhas verdes etc., us. como corante vermelho, aditivo de alimentos, em produtos farmacêuticos etc.

carótida (ca.ró.ti.da) *s.f.* ANAT cada uma das duas artérias que levam o sangue ao pescoço e à cabeça ~ **carotídeo** *adj.*

carpa (car.pa) *s.f.* ZOO peixe de água doce, ornamental e comestível, com boca pequena rodeada de barbas curtas

carpaccio (car.pac.cio) [it.] *s.m.* CUL comida feita de fatias fininhas e cruas de carne ou peixe, geralmente, temperadas com sumo de limão e azeite de oliveira, entre outras coisas ⇒ pronuncia-se carpatio

carpelo (car.pe.lo) *s.m.* BOT cada uma das folhas transformadas que entram na constituição do gineceu da flor

carpete (car.pe.te) *s.m.* tapete fixo que cobre todo o piso de um cômodo

carpideira (car.pi.dei.ra) *s.f.* **1** mulher contratada para chorar durante os funerais **2** *p.ext.* mulher que chora muito

carpina (car.pi.na) *s.m.* carpinteiro

carpintaria (car.pin.ta.ri.a) *s.f.* **1** trabalho de carpinteiro **2** objeto produzido por carpinteiro **3** oficina de carpinteiro

carpinteiro (car.pin.tei.ro) *s.m.* operário que trabalha com madeira, montando esp. obras pesadas; carpina

carpir (car.pir) *v.* {mod. 24} *t.d.* **1** livrar do mato, de erva daninha; capinar *<c. um terreno>* □ *t.d. e pron.* **2** exprimir(-se) com lamentos, queixas; lastimar(-se) *<c. um parente morto> <passava o dia a c.-se>* ◉ GRAM/USO verbo defectivo

carpo (car.po) *s.m.* **1** ANAT conjunto de ossos entre a mão e o antebraço **2** BOT fruto ('órgão')

carpófago (car.pó.fa.go) *adj.s.m.* (o) que se alimenta de frutos; frugívoro

carqueja (car.que.ja) /ê/ *s.f.* BOT planta de uso medicinal, esp. para males do estômago

C

carquilha (car.qui.lha) *s.f.* ruga, franzido da pele

carrada (car.ra.da) *s.f.* **1** carga que um carro transporta de uma só vez **2** *fig.* grande quantidade ▣ **às c.** em grande quantidade • **com carradas de razão** com toda a razão

carranca (car.ran.ca) *s.f.* **1** fisionomia de mau humor **2** figura ornamental de madeira colocada na proa de embarcações

carrança (car.ran.ça) *adj.2g.s.2g.* que(m) vive preso ao passado

carrancudo (car.ran.cu.do) *adj.* cujo rosto expressa mau humor *<está c. porque seu time perdeu>*

carrapaticida (car.ra.pa.ti.ci.da) *adj.2g.s.m.* (substância) que mata carrapatos

carrapato (car.ra.pa.to) *s.m.* **1** ZOO nome comum a vários ácaros parasitas, que se agarram à pele de vertebrados terrestres para sugar-lhes o sangue **2** *infrm.* pessoa que não desgruda da outra

carrapeta (car.ra.pe.ta) /ê/ *s.f.* **1** pequeno pião que se faz girar com a ponta dos dedos **2** peça que impede o fluxo da água quando a torneira é fechada

carrapicho (car.ra.pi.cho) *s.m.* BOT **1** nome comum a várias plantas que possuem pequenos frutos com espinhos ou pelos que aderem às roupas e aos pelos dos animais **2** fruto dessas plantas

[1]**carrasco** (car.ras.co) *s.m.* **1** pessoa que executa a pena de morte; algoz, verdugo **2** *fig.* quem é muito mau e não tem pena de ninguém ◉ ORIGEM do antr. Belchior Nunes *Carrasco*

[2]**carrasco** (car.ras.co) *s.m. N.E.* **1** formação vegetal muito densa presente na caatinga **2** terreno pedregoso ou arenoso com essa vegetação ◉ ORIGEM duv., talvez de uma raiz pré-romana *karr-*, cujo signif. geral é 'carvalho'

carraspana (car.ras.pa.na) *s.f. B infrm.* **1** estado de quem ingeriu grande quantidade de bebida alcoólica; bebedeira **2** repreensão, bronca

carrear (car.re.ar) *v.* {mod. 5} *t.d.* **1** levar de arrasto; carregar *<c. uma braçada de lenha nos ombros>* **2** transportar em carro *<os caminhões vão c. toda a produção da fazenda>* □ *t.d. e t.d.i.* **3** (prep. *a*) ser a causa de; causar, acarretar *<a chuva carreou prejuízos (aos moradores)>* □ *int.* **4** guiar carro *<aquele peão não sabe c.>* **~ carreação** *s.f.*

carreata (car.re.a.ta) *s.f. B* passeata de carros em demonstração de protesto ou comemoração

carregação (car.re.ga.ção) [pl.: *-ões*] *s.f.* **1** ato ou efeito de carregar; carga, carregamento *<a c. do trem demorou duas horas>* **2** grande quantidade *<chegou uma c. de cervejas para a festa>* **3** peso que se suporta ou se carrega **4** *B* doença ▣ **de c.** malfeito ou de má qualidade *<trabalho de c.>*

carregado (car.re.ga.do) *adj.* **1** que tem ou recebeu carga *<caminhão c.>* **2** conduzido ou transportado por pessoa, por animal ou em veículo *<chegou com febre, c. pelo amigo>* **3** muito cheio; repleto *<cesta c. de compras>* **4** que recebeu carga de munição *<arma c.>* **5** inclinado pelo peso dos frutos *<parreira c.>* **6** que prenuncia chuva forte *<céu c.>* **7** em que há tensão, descontentamento, rancor *<ambiente c.>* **8** com fisionomia fechada; carrancudo *<rosto c.>* **9** tomado, cheio *<pessoa c. de preocupações>*

carregador (car.re.ga.dor) /ô/ [pl.: *-es*] *adj.s.m.* **1** que(m) transporta carga ou carrega bagagem ■ *s.m.* **2** aparelho que carrega baterias *<c. de celular>* **3** pente de balas nas armas de fogo

carregamento (car.re.ga.men.to) *s.m.* **1** ato ou efeito de carregar; carga, carregação *<terminamos o c. do barco antes do previsto>* **2** conjunto do que forma a carga *<c. de frutas>*

carregar (car.re.gar) *v.* {mod. 1} *t.d.* **1** ter consigo; transportar, levar *<carregava um sanduíche para comer no recreio>* **2** pôr carga em *<c. o navio>* ↺ descarregar **3** pôr munição em (arma de fogo) *<c. um revólver>* **4** acumular eletricidade em *<c. a bateria do carro>* **5** *fig.* arcar com, suportar *<c. o peso da idade>* **6** transferir dados de (um programa) para a memória do computador *<carregou o* software *e começou a trabalhar>* □ *t.i.* **7** (prep. *em*) pôr muito; exagerar *<c. no tempero>* □ *t.d. e t.i.* **8** (prep. *com*) levar consigo; conduzir, arrastar *<a enchente carregou (com) tudo>* □ *int. e pron. fig.* **9** tornar(-se) sombrio; anuviar(-se) *<o céu carregou(-se), vai chover> <sua fisionomia carregou-se>* ↺ desanuviar(-se)

carreira (car.rei.ra) *s.f.* **1** profissão em que há promoção ou progresso *<c. diplomática>* **2** corrida veloz **3** rota habitual de aviões e navios **4** sequência de pessoas ou coisas dispostas em fila **5** *infrm. drg.* pó de cocaína disposto em fileira para ser aspirado ▣ **às c.** às pressas *<arrumou-se às c. e saiu>*

carreirista (car.rei.ris.ta) *adj.2g.s.2g.* que(m) é capaz de fazer qualquer coisa para vencer com rapidez na carreira **~ carreirismo** *s.m.*

carreiro (car.rei.ro) *s.m.* **1** condutor do carro de bois **2** caminho estreito **3** fileira de formigas

carreta (car.re.ta) /ê/ *s.f.* **1** *B* grande caminhão para cargas pesadas; jamanta **2** pequeno carro de duas rodas **3** carroça

carreteiro (car.re.tei.ro) *s.m.* motorista de carreta

carretel (car.re.tel) [pl.: *-éis*] *s.m.* cilindro com bordas largas us. para enrolar materiais longos e flexíveis, como fita, linha, arame etc.; bobina

carretilha (car.re.ti.lha) *s.f.* **1** instrumento dentado para cortar ou pontilhar massas, tecidos etc. **2** carretel com manivela usado em vara de pescar

carreto (car.re.to) /ê/ *s.m.* **1** serviço de transporte de carga *<usa a caminhonete para fazer carretos>* **2** valor que se paga por esse serviço

carril (car.ril) [pl.: *-is*] *s.m.* **1** rastro que as rodas de um veículo deixam no chão **2** cada uma das barras de ferro paralelas sobre as quais giram as rodas de trens, bondes etc.; trilho

carrilhão (car.ri.lhão) [pl.: *-ões*] *s.m.* **1** conjunto de sinos afinados em diversos tons **2** relógio que badala com som de sino

carrinho (car.ri.nho) *s.m.* **1** carro pequeno **2** carro para levar bebês **3** carro de brinquedo **4** FUTB lance em que um jogador atira-se aos pés do adversário, deslizando pelo chão com as pernas estendidas para a frente, para tomar-lhe a bola

carrinho de mão (car.ri.nho de mão) [pl.: *carrinhos de mão*] *s.m.* carro de uma só roda dianteira us. para carregar material de construção; carro de mão

carro (car.ro) *s.m.* **1** veículo de passageiros, movido a motor, ger. com quatro rodas; automóvel **2** qualquer veículo dotado de rodas, motorizado ou não, para o transporte de coisas ou pessoas **3** vagão de um trem ▣ **c. alegórico** *B* carro enfeitado, ger. grande, que exibe figuras e imagens alegóricas em desfiles, esp. no carnaval • **c. de praça** *B* táxi

carro-bomba (car.ro-bom.ba) *s.m.* veículo ao qual se adapta uma bomba preparada para detonar num momento determinado

carroça (car.ro.ça) *s.f.* **1** carro ger. de madeira puxado por animais **2** *infrm.* automóvel velho

carroção (car.ro.ção) [pl.: *-ões*] *s.m.* **1** carroça grande com cobertura para o transporte de pessoas **2** *infrm.* expressão matemática com muitos termos **3** RECR no dominó, o seis duplo

carroceiro (car.ro.cei.ro) *s.m.* pessoa que conduz carroça

carroceria (car.ro.ce.ri.a) ou **carroçaria** (car.ro.ça.ri.a) *s.f.* **1** ENG estrutura sobre o chassi dos automóveis em que vão o motorista e os passageiros **2** parte traseira dos caminhões em que vai a carga

carro-chefe (car.ro-che.fe) [pl.: *carros-chefes* e *carros-chefe*] *s.m.* *B* **1** o carro alegórico mais importante de um desfile **2** elemento que se destaca em um conjunto, por ser o principal, o mais apreciado etc. <*a feijoada é o c. da culinária brasileira*>

carrocinha (car.ro.ci.nha) *s.f.* **1** pequena carroça **2** veículo que recolhe cães abandonados nas ruas

carro de combate (car.ro de com.ba.te) *s.m.* MIL veículo de guerra, robusto, blindado e dotado de armas de combate; tanque

carro de mão (car.ro de mão) [pl.: *carros de mão*] *s.m.* carrinho de mão

carro-forte (car.ro-for.te) [pl.: *carros-fortes*] *s.m.* carro blindado que transporta valores

carro-guincho (car.ro-guin.cho) [pl.: *carros-guincho* e *carros-guinchos*] *s.m.* veículo com um guincho, que serve para rebocar outros veículos; reboque

carro-pipa (car.ro-pi.pa) [pl.: *carros-pipa* e *carros-pipas*] *s.m.* caminhão com um grande tanque para transportar água

carrossel (car.ros.sel) [pl.: *-éis*] *s.m.* RECR mecanismo composto de figuras de cavalos, carrinhos etc. nas quais as pessoas se sentam ou apoiam e que giram em torno de um eixo, muito comum em parques de diversões

carruagem (car.ru.a.gem) [pl.: *-ens*] *s.f.* veículo de quatro rodas sobre molas, puxado por cavalos, para transporte de passageiros

carta (car.ta) *s.f.* **1** mensagem escrita que se envia a uma pessoa, ger. num envelope; missiva, epístola <*recebi uma c. pelo correio*> **2** cada peça do baralho **3** cardápio <*c. de vinhos*> **4** mapa <*c. náutica*> ▣ **c. branca** autorização dada a uma pessoa para agir da maneira que julgar melhor <*lembre que você recebeu c. branca do chefe*> • **c. fora do baralho** *fig.* pessoa que perdeu sua força, influência ou prestígio • **c. magna** a Constituição de um país ☞ iniciais freq. maiúsc. • **dar as c. 1** distribuir as cartas de um jogo de baralho **2** comandar uma situação; dar as ordens <*depois que foi promovido, é ele que dá as c.*> • **pôr as c. na mesa 1** esclarecer uma questão <*vamos pôr as c. na mesa e desfazer esse mal-entendido*> **2** declarar francamente suas intenções <*chamou o namorado da filha para porem as c. na mesa*>

carta-bomba (car.ta-bom.ba) [pl.: *cartas-bombas* e *cartas-bomba*] *s.f.* carta que explode ao ser aberta, por conter material explosivo

cartada (car.ta.da) *s.f.* **1** lance com uma carta em jogo de baralho <*venceu a partida com uma c. genial*> **2** *fig.* ação ou decisão arriscada <*comprar a casa naquela época foi uma c. de mestre*>

cartaginês (car.ta.gi.nês) [pl.: *-eses*] *adj.* **1** relativo à antiga Cartago (África) ■ *s.m.* **2** natural dessa cidade africana **3** língua fenícia falada em Cartago

cartão (car.tão) [pl.: *-ões*] *s.m.* **1** papel espesso **2** retângulo desse papel para nele se escrever ou imprimir ▣ **c. de crédito** cartão magnético emitido por financeira, que permite a seu titular a compra de produtos ou serviços para pagamento posterior • **c. de memória** INF dispositivo portátil com grande capacidade de armazenar informações, us. para aumentar a memória de câmeras digitais, telefones celulares, computadores etc. • **c. de ponto** cartão que, numa empresa, serve para controlar a frequência e a pontualidade do empregado, marcando a hora de entrada e de saída no local de trabalho • **c. magnético** ou **eletrônico** INF cartão ger. de plástico que contém uma faixa magnética na qual são armazenados dados que serão lidos por dispositivos eletrônicos • **c. telefônico** tipo de cartão magnético, us. para fazer ligações telefônicas em aparelhos públicos ou em certos telefones celulares

cartão-postal (car.tão-pos.tal) [pl.: *cartões-postais*] *s.m.* **1** cartão, enviado pelo correio, com uma imagem em um dos lados e o outro reservado para se escrever uma mensagem; postal <*Mariana me mandou um c. de Roma*> **2** *fig.* símbolo visual que representa bem uma cidade, uma país etc. <*o Cristo Redentor é o c. do Rio de Janeiro*>

cartapácio (car.ta.pá.cio) *s.m.* **1** carta muito grande **2** livro grande e antigo **3** conjunto de folhas manuscritas e papéis avulsos encadernados

carta-resposta (car.ta-res.pos.ta) [pl.: *cartas-resposta* e *cartas-respostas*] *s.f.* impresso, ger. com porte postal pré-pago, que se envia a um público-alvo para obter informações, receber pedidos de compra etc.

cartaz (car.taz) [pl.: *-es*] *s.m.* **1** grande folha de papel, papelão etc. com uma mensagem impressa ou feita à mão, com texto e/ou imagens, afixada em lugares públicos ou carregada em manifestações populares <*o c. anunciava a estreia do filme*> <*havia centenas de c. na passeata*> **2** *infrm.* fama, notoriedade <*um ator de grande c.*> ~ **cartazista** *adj.2g.s.2g.*

carteado (car.te.a.do) *s.m.* qualquer jogo de cartas

cartear (car.te.ar) *v.* {mod. 5} *int.* **1** dar as cartas no jogo □ *t.d. e int.* **2** jogar (cartas) <*c. biriba*> <*passaram a tarde carteando*>

carteira (car.tei.ra) *s.f.* **1** pequena bolsa achatada e dobrável para documentos, dinheiro etc. **2** mesa

C

pequena ou cadeira escolar **3** documento oficial de identificação ou licença em forma de cartão ou caderneta *<c. de identidade> <c. de trabalho> <c. escolar>*

carteirada (car.tei.ra.da) *s.f. RJ infrm.* apresentação de carteira profissional ou funcional por quem quer mostrar importância ou autoridade *<deu uma c. para ser atendido logo>*

carteiro (car.tei.ro) *s.m.* funcionário do correio que entrega correspondência

cartel (car.tel) [pl.: *-éis*] *s.m.* ECON acordo comercial entre empresas para controle de preços e produção, inibindo a livre concorrência ☞ cf. *truste* ~ **cartelização** *s.f.*

cartela (car.te.la) *s.f.* **1** mostruário de miudezas *<c. de bijuterias>* **2** embalagem para pequenos objetos, remédios etc. *<c. com dez comprimidos>* **3** RECR cartão de jogos como víspora, bingo etc.

cárter (cár.ter) [pl.: *cárteres*] *s.m.* MEC caixa metálica que recolhe e resfria o óleo lubrificante do motor dos automóveis

cartesianismo (car.te.si.a.nis.mo) *s.m.* FIL doutrina de René Descartes (1596-1650) e de seus seguidores que defende o questionamento constante do método para obtenção da verdade ☞ cf. *Descartes* na parte enciclopédica ~ **cartesianista** *adj.2g.s.2g.*

cartesiano (car.te.si.a.no) *adj.s.m.* **1** que(m) segue o cartesianismo; cartesianista **2** metódico, racional *<ele era c. até nas relações familiares>* ↺ intuitivo

cartilagem (car.ti.la.gem) [pl.: *-ens*] *s.f.* ANAT tecido resistente e flexível de que se originam os ossos e encontrado nas articulações, nas orelhas, no nariz etc.

cartilaginoso (car.ti.la.gi.no.so) /ô/ [pl. e fem.: /ó/] *adj.* relativo a cartilagem ou que tem cartilagem *<as orelhas são c.>*

cartilha (car.ti.lha) *s.f.* **1** livro que ensina a ler **2** *p.ext.* livro que contém os fundamentos básicos sobre um assunto *<c. de prevenção de acidentes no trabalho>* **3** *fig.* padrão de pensamento ou comportamento *<não seguimos a c. dos carreiristas>* ⊡ **ler** ou **rezar pela c. de** *fig.* pensar ou agir de maneira idêntica a de outra pessoa *<lê pela c. do irmão mais velho> <esses dois traquinas rezam pela mesma c.>*

cartografia (car.to.gra.fi.a) *s.f.* **1** arte ou ciência de produzir mapas **2** descrição ou tratado sobre mapas ~ **cartográfico** *adj.* - **cartógrafo** *s.m.*

cartola (car.to.la) *s.f.* VEST **1** chapéu masculino de copa alta e cilíndrica ■ *s.m. B infrm.* **2** dirigente de clube esportivo *<os c. do futebol>* ☞ pode ter uso pej.

cartolina (car.to.li.na) *s.f.* cartão menos espesso que o papelão

cartomante (car.to.man.te) *s.2g.* pessoa que procura prever o futuro pela leitura de cartas de baralho ~ **cartomancia** *s.f.*

cartonado (car.to.na.do) *adj.s.m.* BIBLIO (livro) encadernado com lâminas de cartão

cartonagem (car.to.na.gem) [pl.: *-ens*] *s.f.* **1** fabricação de produtos de cartão ou papelão **2** encadernação com cartão ou papelão

cartoon (car.toon) [ing.] *s.m.* ver ***CARTUM*** ⇒ pronuncia-se cartum

cartório (car.tó.rio) *s.m.* **1** repartição de registro, autenticação ou emissão de documentos, certidões etc. *<c. de registro de nascimentos>* **2** local onde são arquivados documentos importantes *<c. de um tribunal>* ~ **cartorário** *adj.s.m.* - **cartorial** *adj.2g.*

cartuchame (car.tu.cha.me) *s.m.* conjunto de cartuchos para arma de fogo

cartucheira (car.tu.chei.ra) *s.f.* cinturão para guardar cartuchos de arma de fogo

cartucho (car.tu.cho) *s.m.* **1** recipiente que contém a carga de arma de fogo **2** recipiente que contém material substituível ou recarregável (tinta, fita magnética etc.) *<c. de impressora>* **3** invólucro de papel de forma cônica, em que se coloca pequena quantidade de um produto *<compramos dois c. de amendoins salgados>* ☞ cf. *cartuxo*

cartum (car.tum) [pl.: *-uns*] *s.m.* **1** desenho caricatural ou humorístico, com ou sem legenda **2** história em quadrinhos **3** desenho animado

cartunista (car.tu.nis.ta) *adj.2g.s.2g.* desenhista de cartuns

cartuxa (car.tu.xa) *s.f.* **1** ordem religiosa fundada em 1066 por São Bruno e conhecida por sua disciplina austera **2** convento dessa ordem

cartuxo (car.tu.xo) *adj.s.m.* (religioso) da ordem cartuxa ☞ cf. *cartucho*

carunchar (ca.run.char) *v.* {mod. 1} *int.* ficar cheio de carunchos *<só agora percebeu que o armário caruncho>*

caruncho (ca.run.cho) *s.m.* **1** ZOO nome comum aos besouros que perfuram madeira, livros e cereais **2** pó da madeira carcomida por esses insetos ~ **carunchoso** *adj.*

caruru (ca.ru.ru) *s.m.* **1** BOT nome comum a certas plantas de folhas comestíveis, us. em culinária, e a maioria invasora de plantações **2** CUL prato afro-brasileiro à base de caruru (acp. 1) ou quiabo, camarão seco, peixe e azeite de dendê

carvalho (car.va.lho) *s.m.* BOT árvore de até 45 m, nativa da Europa e do Mediterrâneo, de madeira nobre e resistente, cujo fruto é us. na alimentação de porcos ◉ COL carvalhal

carvão (car.vão) [pl.: *-ões*] *s.m.* **1** QUÍM substância combustível, sólida, negra, rica em carbono e resultante da decomposição de matéria vegetal no subsolo; carvão mineral, hulha **2** qualquer matéria carbonizada *<da fogueira da véspera só restou c.>* **3** lápis para desenho feito dessa substância *<desenho a c.>* **4** desenho feito com esse lápis ⊡ **c. ativado** carvão submetido a tratamento químico us. em máscaras contra gases, medicamentos, solventes etc. • **c. mineral** carvão (acp. 1) • **c. vegetal** matéria obtida de madeira verde carbonizada pelo fogo ~ **carvoento** *adj.*

carvoaria (car.vo.a.ri.a) *s.f.* local onde se fabrica ou armazena carvão

carvoeiro (car.vo.ei.ro) *s.m.* quem fabrica e vende carvão

casa (ca.sa) *s.f.* **1** construção, de um ou poucos pavimentos, ger. destinada a habitação e com mais

de um cômodo <c. de alvenaria> **2** morada de uma família; lar <só fico seguro em c.> **3** conjunto dos membros de uma família <sentia saudades de c.> **4** lugar em que funciona uma empresa de comércio; casa comercial, estabelecimento **5** abertura pela qual passa o botão da roupa **6** cada uma das divisões de um tabuleiro de jogo (dama, xadrez etc.) **7** posição de cada algarismo de um número <c. decimal> ◉ GRAM/USO aum.irreg.: *casarão*; dim.irreg.: *casebre, casinhola* ◉ COL casario ▣ **c. civil** órgão que auxilia diretamente o chefe de Estado e/ou de governo nas suas relações com os outros poderes ☞ iniciais ger. maiúsc. • **c. comercial** casa (acp. 4) • **c. da moeda** ECON estabelecimento que imprime cédulas e cunha moedas com autorização do governo central • **c. da sogra** *infrm.* lugar em que não se respeita nenhuma norma disciplinar ou de boa educação; casa da mãe joana • **c. de câmbio** ECON estabelecimento que vende, compra e troca moedas estrangeiras segundo a taxa de câmbio do dia • **c. de campo** habitação situada fora das cidades, para recreio e descanso • **c. de chá** tipo de restaurante onde se serve chá ('infusão') e pequenas refeições • **c. de cômodos** casa em que moram várias famílias de baixa renda; cortiço • **c. de detenção** penitenciária • **c. de espetáculos** estabelecimento em que se apresentam espetáculos diversos (peças de teatro, musicais etc.) • **c. de máquinas 1** MAR compartimento onde estão instaladas as máquinas de propulsão do navio **2** compartimento em que se instala a aparelhagem destinada a movimentar um elevador • **c. de marimbondo** *infrm.* coisa ou assunto que pode desencadear consequências imprevisíveis <lembrar aquela rixa é mexer em c. de marimbondo> • **c. de saúde** hospital que presta atendimento mediante pagamento ou convênio com planos de saúde • **c. de tolerância** lugar onde se explora a prostituição; prostíbulo, zona • **c. do caralho** *gros.* lugar longínquo; cafundó, casa do cacete • **c. do cacete** *infrm.* casa do caralho • **c. lotérica** estabelecimento onde se vendem bilhetes de loterias e se fazem apostas; loteria, lotérica • **c. noturna** casa de diversão que funciona durante a noite, ger. com pista de dança e serviço de bar; boate • **c. popular** *B* moradia que pode ser adquirida por quem recebe salários baixos • **em c.** à vontade, descontraidamente <aquele casal faz todo mundo se sentir em c.> <relaxe! aqui você está em c.> • **santa c.** instituição de caridade destinada a obras de assistência hospitalar • **ser de c.** frequentar a casa (de alguém) e participar da sua intimidade <aqui na vila todos são de c.>

casaca (ca.sa.ca) *s.f.* VEST espécie de paletó de lapelas compridas, curto na frente e com duas abas que descem na parte de trás, a partir da cintura, us. como traje de gala ▣ **virar (a) c.** mudar de time, de partido, de opinião

casacão (ca.sa.cão) [pl.: *-ões*] *s.m.* VEST casaco de tecido grosso e pesado, ger. comprido, e que se veste sobre outra roupa; sobretudo

casaco (ca.sa.co) *s.m.* VEST vestimenta de mangas longas, que se pode fechar na frente e us. para agasalhar o tronco

casa da mãe joana (ca.sa da mãe jo.a.na) *s.f. infrm.* casa da sogra

casado (ca.sa.do) *adj.s.m.* **1** que(m) se casou; que(m) está unido pelo matrimônio <mulher c.> <torneio de solteiros contra casados> ■ *adj.* **2** que está ligado, unido

casadouro (ca.sa.dou.ro) *adj.* **1** que está na idade de casar **2** que deseja casar

casa-grande (ca.sa-gran.de) [pl.: *casas-grandes*] *s.f.* HIST *B* casa do proprietário de engenho ou fazenda

casal (ca.sal) [pl.: *-ais*] *s.m.* **1** par formado por macho e fêmea <c. de passarinhos> **2** par formado por marido e mulher ou por pessoas que mantêm uma relação amorosa

casamata (ca.sa.ma.ta) *s.f.* MIL abrigo subterrâneo blindado para estocar armas, munições e outros materiais de guerra

casamenteiro (ca.sa.men.tei.ro) *adj.* que promove ou favorece casamentos

casamento (ca.sa.men.to) *s.m.* **1** união entre duas pessoas, legitimada por um ato religioso e/ou civil, com a finalidade de formar uma família; matrimônio <os noivos se preparam para o c.> **2** cerimônia em que essa união é celebrada <fomos convidados para o c. da Eduarda> **3** vida conjugal; o dia a dia das pessoas que se casaram <viviam em intensa alegria os primeiros dias do c.> **4** *fig.* associação, união <naquela obra se via o c. perfeito entre força e beleza>

casanova (ca.sa.no.va) *s.m.* mulherengo, *donjuán*

casar (ca.sar) *v.* {mod. 1} *t.d.,t.d.i.,t.i.,int. e pron.* **1** (prep. *com*) unir(-se) em casamento numa cerimônia, religiosa ou não <que padre casou vocês?> <vai c. a filha com um bom rapaz> <quer c. comigo?> <eles já têm idade para se c.> ↺ separar(-se) **2** (prep. *com, a*) harmonizar(-se); combinar(-se) <a costureira casou bem as padronagens> <não consegue c. seu gosto com o do chefe> <esta blusa casa com uma saia> <é preciso fazer c.(-se) o estudo e o lazer> ↺ destoar □ *t.d. e t.d.i.* **3** (prep. *com*) unir em par; emparelhar <c. as meias> <c. um sapato com outro> ↺ descasar

casarão (ca.sa.rão) [pl.: *-ões*] *s.m.* **1** casa grande <vão demolir o c. abandonado> **2** casa luxuosa, com vários cômodos; mansão

casario (ca.sa.ri.o) *s.m.* série ou conjunto de casas <o governo tombou o c. colonial>

casca (cas.ca) *s.f.* **1** camada externa de diversas partes dos vegetais (fruto, semente, caule etc.) <c. de maçã> <c. de amendoim> **2** qualquer crosta que reveste total ou parcialmente alguma coisa; côdea <c. de ovo> <c. de pão> **3** *fig.* aparência, superfície <é muito brincalhão por baixo daquela c. de seriedade>

cascabulho (cas.ca.bu.lho) *s.m.* **1** *N.E.* monte de cascas **2** *fig. infrm.* coisa de pouca importância

casca-grossa (cas.ca-gros.sa) [pl.: *cascas-grossas*] *adj.2g.s.2g. infrm.* que(m) é grosseiro, rude <como você aguenta esse (vizinho) c.?>

cascalho (cas.ca.lho) *s.m.* **1** conjunto de pedras britadas ou lascas de pedra us. em construção **2** *B* mistura de conchas, areia e pedras miúdas, nas praias e no fundo do mar **3** *B* camada de areia grossa ou de pedras roliças onde se encontram ouro e diamantes **4** *infrm.* dinheiro miúdo, esp. em moedas

C

cascão (cas.cão) [pl.: *-ões*] *s.m.* **1** casca grossa **2** camada endurecida que se forma sobre uma superfície; crosta **3** camada de sujeira na pele

cascata (cas.ca.ta) *s.f.* **1** pequena cachoeira, natural ou artificial, em que a água ger. escorre por entre pedras **2** *B infrm.* conversa fiada; mentira

cascateiro (cas.ca.tei.ro) *adj.s.m. B infrm.* (pessoa) que conta cascatas; mentiroso

cascavel (cas.ca.vel) [pl.: *-éis*] *s.f.* **1** zoo nome comum a várias serpentes venenosas com guizo na cauda, encontradas nas Américas **2** *fig.* pessoa traiçoeira

casco (cas.co) *s.m.* **1** unha de cavalo, boi, elefante e outros animais **2** MAR corpo de embarcação, sem os mastros e a aparelhagem *<o torpedo atingiu o c. do navio>* **3** *infrm.* garrafa de vidro vazia, freq. de cerveja e refrigerante **4** couro cabeludo **5** conjunto dos ossos que formam o crânio

[1]**cascudo** (cas.cu.do) *s.m.* pancada na cabeça com os nós dos dedos; cocorote ◉ ORIGEM *casco* 'crânio' + *-udo*

[2]**cascudo** (cas.cu.do) *adj.* **1** de casca grossa ou pele dura *<fruta c.> <mãos c.>* **2** *fig. B infrm.* que tem vivência, prática; calejado *<homem c., que não se deixa enganar>* ■ *s.m.* zoo **3** peixe de rio com cabeça grande e corpo delgado, revestido por uma couraça de placas ósseas ◉ ORIGEM *casca* + *-udo*

casear (ca.se.ar) *v.* {mod. 5} *t.d.* fazer casa de botão em *<c. uma camisa>*

casebre (ca.se.bre) *s.m.* casa pequena e pobre

caseína (ca.se.í.na) *s.f.* BIOQ proteína rica em fósforo encontrada no leite

caseiro (ca.sei.ro) *adj.* **1** que se usa em casa *<roupas c.>* **2** que gosta de ficar em casa *<ela é festeira, mas o marido é c.>* **3** que é feito em casa *<comida c.>* ■ *s.m.* **4** empregado que cuida da casa, esp. de sítio, casa de praia etc.

caserna (ca.ser.na) *s.f.* alojamento de soldados em quartel, forte etc.

casimira (ca.si.mi.ra) *s.f.* tecido leve de lã

casinha (ca.si.nha) *s.f.* **1** casa pequena *<mora numa c. de sapê>* **2** *infrm.* local reservado, ger. fora da residência, que contém um vaso sanitário ou outro aparato para recolher dejeções

casinhola (ca.si.nho.la) *s.f.* casa pequena ou humilde

casmurro (cas.mur.ro) *adj.s.m.* **1** que(m) anda com o rosto fechado, triste; macambúzio **2** que(m) é teimoso; cabeçudo ~ **casmurrice** *s.f.*

caso (ca.so) *s.m.* **1** o que acontece, aconteceu ou pode acontecer; fato, ocorrência *<não me lembro desse c.>* **2** fato computado, p.ex., pela estatística *<é o terceiro c. de gripe esta semana>* **3** DIR ação judicial; causa, processo *<o desembargador tinha muitos c. para julgar>* **4** fato ou conjunto de fatos que chamam a atenção pelo que têm de incomum ou extraordinário *<o c. da coroa roubada> <o c. dos irmãos xifópagos>* **5** história, narrativa *<vovô é um grande contador de c.>* **6** *B infrm.* relação amorosa, ger. fora do casamento ■ *conj.cond.* **7** na hipótese de; se *<c. ele vá, nós avisaremos>* ▣ **c. sério** pessoa ou fato que exige atenção especial; problemático *<esse garoto é um c. sério, não quer saber de estudar>* • **criar c.** criar dificuldades, rixas, confusão • **de c. pensado** com intenção; de propósito *<matou a aula de c. pensado>* • **em todo (o) c.** em qualquer circunstância; de qualquer maneira *<em todo c., vou levar o guarda-chuva>* • **fazer c. de** dar importância a; levar em conta *<ela não faz c. de mim>* • **fazer pouco c. de** não demonstrar respeito, estima ou interesse por; menosprezar, fazer pouco de *<fez pouco c. dos colegas menores>* • **vir ao c.** vir a propósito, ter cabimento; caber *<sua sugestão não vem ao c.>*

casório (ca.só.rio) *s.m. infrm.* cerimônia de casamento *<já tem a roupa para o c.?>*

caspa (cas.pa) *s.f.* descamação natural do couro cabeludo ~ **caspento** *adj.s.m.*

cáspite (cás.pi.te) *interj.* expressa admiração, com tom de ironia; caramba

casquento (cas.quen.to) *adj.* que tem muita casca ou casca grossa

casquete (cas.que.te) *s.m.* VEST **1** cobertura para cabeça com pala para proteger os olhos; boné **2** boné sem abas, muitas vezes us. como complemento de uniforme; barrete

casquinada (cas.qui.na.da) *s.f.* gargalhada ou risada sarcástica

casquinar (cas.qui.nar) *v.* {mod. 1} *int.* dar uma série de risadas *<a bruxa casquinou sinistramente>*

casquinha (cas.qui.nha) *s.f.* **1** casca muito fina **2** cone ou copinho de biscoito em que se serve sorvete **3** sorvete servido dessa maneira ▣ **tirar (uma) c.** *B* tirar pequeno proveito de algo; aproveitar

cassa (cas.sa) *s.f.* tecido fino, transparente, de linho ou de algodão ☞ cf. [1]*caça*

cassar (cas.sar) *v.* {mod. 1} *t.d.* e *t.d.i.* **1** (prep. *a*) impedir que produza efeitos; tornar inválido; anular *<cassaram(-lhe) o direito de exercer a medicina>* □ *t.d.* **2** privar dos direitos políticos, profissionais *<a Câmara cassou o deputado por corrupção>* **3** apreender (documentos, publicações etc.) ☞ cf. *caçar* ~ **cassação** *s.f.*

cassata (cas.sa.ta) [it.; pl.: *cassate*] *s.f.* CUL sorvete recheado com frutas cristalizadas e bolo ⇒ pronuncia-se cassata

cassete (cas.se.te) *s.m.* **1** estojo que contém fita magnética para gravação ou reprodução de áudio e/ou imagem em aparelhos próprios **2** aparelho para gravar e reproduzir sons com esse estojo; toca-fitas ☞ cf. *cacete* ◉ GRAM/USO tb. us. como adj.2g.2n.: *fita cassete, gravadores cassete*

cassetete (cas.se.te.te) *s.m.* bastão de madeira ou borracha, ger. us. por policiais

cassino (cas.si.no) *s.m. B* casa de diversões e de jogos de azar

cassiterita (cas.si.te.ri.ta) *s.f.* MINER *B* minério de que se extrai o estanho

casta (cas.ta) *s.f.* **1** SOC grupo social fechado e hereditário (p.ex., na Índia), cujos membros têm a mesma etnia, profissão ou religião *<não é possível passar de uma c. a outra>* **2** *p.ext.* SOC grupo de pessoas que compõem uma camada social *<c. dos banqueiros> <c. dos desvalidos>* **3** *p.ext.* natureza, espécie, gênero *<um missionário que conhece gente de todas as c.>*

4 BIO conjunto de espécies animais ou vegetais com características ou funções específicas *<c. de uvas>* *<c. das abelhas operárias>*

castanha (cas.ta.nha) *s.f.* **1** fruto do castanheiro-da-europa, cuja polpa é consumida assada, cozida e em doces **2** fruto do cajueiro **3** semente desse fruto; castanha-de-caju **4** pancada na cabeça com os nós dos dedos; cascudo

castanha-de-caju (cas.ta.nha-de-ca.ju) [pl.: *castanhas-de-caju*] *s.f.* castanha ('semente')

castanha-do-brasil (cas.ta.nha-do-bra.sil) [pl.: *castanhas-do-brasil*] *s.f.* castanha-do-pará

castanha-do-pará (cas.ta.nha-do-pa.rá) [pl.: *castanhas-do-pará*] *s.f.* semente de uma grande árvore amazônica (a castanheira-do-pará), muito nutritiva, consumida crua ou assada, em confeitos e doces; castanha-do-brasil

castanheiro (cas.ta.nhei.ro) *s.m.* ou **castanheira** (cas.ta.nhei.ra) *s.f.* **1** nome comum a diversas plantas com sementes comestíveis tb. conhecidas como castanhas **2** castanheiro-da-europa

castanheiro-da-europa (cas.ta.nhei.ro-da-eu.ro.pa) [pl.: *castanheiros-da-europa*] *s.m.* árvore de até 30 m de altura, nativa do Mediterrâneo, cujo fruto é muito apreciado na culinária; castanheira, castanheiro

castanho (cas.ta.nho) *adj.* **1** que tem a cor marrom da castanha *<cabelos c.>* **2** diz-se dessa cor *<olhos de cor c.>* ■ *s.m.* **3** a cor castanha *<o c. de suas melenas>*

castanholas (cas.ta.nho.las) *s.f.pl.* MÚS instrumento de percussão formado de peças côncavas de madeira tocadas aos pares, presas aos dedos das mãos, batendo-se uma contra a outra *<as c. são muito populares na Espanha>*

castão (cas.tão) [pl.: *-ões*] *s.m.* enfeite no punho de bengalas

castelão (cas.te.lão) [pl.: *-ões* e *-ãos*; fem.: *castelã*] *s.m.* dono ou governador de castelo

castelhano (cas.te.lha.no) *adj.* **1** de Castela (Espanha) ■ *s.m.* **2** natural ou habitante dessa região **3** LING o idioma espanhol

castelo (cas.te.lo) *s.m.* **1** grande residência real ou senhorial com fortificações **2** MAR parte mais alta do convés de um navio

castiçal (cas.ti.çal) [pl.: *-ais*] *s.m.* utensílio com bocal para encaixar vela ('peça de cera')

castiço (cas.ti.ço) *adj.* **1** puro, de boa qualidade **2** que apresenta linguagem pura, sem estrangeirismos; vernáculo *<escreve em português c.>*

castidade (cas.ti.da.de) *s.f.* **1** condição de não fazer sexo com ninguém ou de só fazê-lo com a sua mulher ou o seu marido **2** *p.ext.* inocência, pureza, modéstia

castigar (cas.ti.gar) *v.* {mod. 1} *t.d.,int. e pron.* **1** dar castigo, pena, repreensão a; punir(-se) *<a autoridade tem poder de c. (os infratores)>* *<não se castigue por esse erro; já o perdoei>* ↺ premiar(-se) □ *t.d.* **2** causar danos ou prejuízo a *<a ventania castigou a plantação>* **3** exigir o máximo (de si ou de algo); forçar *<castigou os lábios treinando o assobio>* *<castigou o sapato de tanto andar>*

castigo (cas.ti.go) *s.m.* **1** pena imposta a culpado; punição **2** repreensão, bronca **3** imposição de sofrimento *<fazer dieta é um c.>*

casto (cas.to) *adj.* **1** que vive a castidade *<casal c.>* **2** que se abstém de relações sexuais **3** inocente, cândido *<amor c.>* **4** *fig.* que guarda pudor; recatado, pudico *<trajes c.>*

castor (cas.tor) /ô/ [pl.: *-es*] *s.m.* **1** ZOO roedor semiaquático com cauda achatada em forma de remo **2** pelo desse animal

castrar (cas.trar) *v.* {mod. 1} *t.d.* **1** retirar ou inutilizar os órgãos reprodutores de *<c. bois>* **2** *fig.* reprimir iniciativa pessoal ou a personalidade de *<um pai não deve c. os filhos>* ↺ estimular ~ **castração** *s.f.* - **castrado** *adj.* - **castrador** *adj.s.m.*

castrense (cas.tren.se) *adj.2g.* **1** relativo à classe militar *<hierarquia c.>* **2** relativo a acampamento militar

casual (ca.su.al) [pl.: *-ais*] *adj.2g.* **1** que ocorre por acaso *<um encontro c.>* **2** pouco frequente; ocasional *<cliente c.>* ~ **casualidade** *s.f.* - **casualmente** *adv.*

casuarina (ca.su.a.ri.na) *s.f.* BOT nome comum a várias árvores nativas da Indonésia e Oceania cultivadas pela madeira ou como ornamentais

casuísmo (ca.su.ís.mo) *s.m.* **1** argumento enganoso e oportunista fundado em caso particular e não em princípio geral **2** submissão a ideias, doutrinas ou princípios **3** DIR obediência total à lei ~ **casuísta** *adj.2g.s.2g.* - **casuístico** *adj.*

casulo (ca.su.lo) *s.m.* **1** ZOO invólucro sedoso construído pela larva de alguns insetos, dentro do qual passa pelo processo de metamorfose **2** BOT invólucro de certas sementes, como as do algodão

cata- *pref.* **1** 'embaixo, para baixo': *catacumba*, *catarata* **2** 'de cima para baixo, completamente': *cátodo*, *catálise*

cata (ca.ta) *s.f.* **1** ato ou efeito de catar; procura, busca **2** *B* exploração de minerais preciosos com instrumentos rudimentares; garimpagem **3** escavação para extração mineral ▣ **à c. de** à procura de, em busca de *<está à cata de informações para escrever o livro>*

catabi (ca.ta.bi) *s.m.* *N.E.* **1** ondulação nas estradas que provoca tremores nos veículos em movimento **2** o solavanco produzido por essa irregularidade

catabolismo (ca.ta.bo.lis.mo) *s.m.* BIOQ fase do metabolismo em que ocorre a decomposição pelo organismo das moléculas nutritivas, com liberação de energia ☞ cf. *anabolismo*

catacego (ca.ta.ce.go) *adj.* *infrm.* **1** que enxerga mal **2** *fig.* pouco esperto

cataclismo (ca.ta.clis.mo) *s.m.* **1** GEOL alteração geológica brusca e violenta na superfície terrestre **2** calamidade, desastre **3** *fig.* convulsão social

catacrese (ca.ta.cre.se) *s.f.* GRAM emprego de palavra em sentido figurado, por falta de termo próprio (p.ex.: *braços da poltrona, pé da cadeira, pescoço da garrafa*)

catacumba (ca.ta.cum.ba) *s.f.* **1** sepultura **2** galeria subterrânea para sepultamento ☞ nesta acp., mais us. no pl.

catadióptrico (ca.ta.di.óp.tri.co) *s.m.* ÓPT cada um dos instrumentos próprios para a reflexão e refração da luz us. na sinalização das vias públicas e nos veículos; olho de gato

C

catadupa (ca.ta.du.pa) *s.f.* **1** queda-d'água de altura considerável, em grande quantidade e com estrondo **2** *fig.* jorro, derramamento *<c. de palavras>*

catadura (ca.ta.du.ra) *s.f.* **1** expressão do rosto de ser humano ou animal *<c. selvagem>* **2** *p.ext.* aspecto, aparência *<cicatrização de c. normal>* **3** *fig.* estado de ânimo; disposição *<c. tranquila>*

catafalco (ca.ta.fal.co) *s.m.* estrado alto sobre o qual se coloca o ataúde ou a representação de um morto a quem se quer homenagear; essa

catalão (ca.ta.lão) [pl.: *-ães*; fem.: *catalã*] *adj.* **1** da Catalunha (Espanha) ■ *s.m.* **2** natural ou habitante dessa região **3** LING língua românica falada na Catalunha, em Valência, Andorra e ilhas Baleares

catalepsia (ca.ta.lep.si.a) *s.f.* MED estado temporário de rigidez muscular, perda de movimento e insensibilidade ~ **cataléptico** *adj.s.m.*

catalisador (ca.ta.li.sa.dor) /ô/ [pl.: *-es*] *adj.s.m.* **1** FISQUÍM (substância) que modifica a velocidade de uma reação química sem se alterar **2** *fig.* (o) que estimula ou dinamiza *<c. de novas ideias>* ■ *s.m.* MEC **3** peça acoplada ao cano de descarga de veículos, que diminui a emissão de gases poluentes ~ **catalisar** *v.t.d.*

catálise (ca.tá.li.se) *s.f.* FISQUÍM modificação da velocidade de uma reação química pela presença de um catalisador ~ **catalítico** *adj.*

catalogar (ca.ta.lo.gar) *v.* {mod. 1} *t.d.* inscrever, ordenar em catálogo *<c. documentos, livros>* ~ **catalogação** *s.f.* - **catalogador** *adj.s.m.*

catálogo (ca.tá.lo.go) *s.m.* lista organizada, ger. por ordem alfabética *<c. de endereços>* *<c. de livros>* *<c. de sócios>*

catamarã (ca.ta.ma.rã) *s.m.* MAR embarcação com dois cascos paralelos unidos por peças transversais sobre as quais se monta uma plataforma

catana (ca.ta.na) *s.f.* **1** espada japonesa curva e curta **2** *RN* faca de lâmina comprida ▣ **meter a c. em** *B* falar mal de

catanduva (ca.tan.du.va) ou **catanduba** (ca.tan.du.ba) *s.f.* **1** BOT árvore brasileira de madeira boa, flores amarelas e vagens em forma de foice **2** terreno argiloso e pouco fértil **3** mato espinhoso e rasteiro, comum nesse tipo de terreno

catão (ca.tão) [pl.: *-ões*] *adj.s.m.* (pessoa) de princípios e costumes muito rígidos

cata-piolho (ca.ta-pi.o.lho) [pl.: *cata-piolhos*] *s.m.* *B* *infrm.* o dedo polegar da mão

cataplasma (ca.ta.plas.ma) *s.m.* pasta medicinal aplicada sobre local dolorido ou inflamado

catapora (ca.ta.po.ra) *s.f.* MED doença infecciosa, comum na infância, provocada por vírus e caracterizada por febre e pequenas bolhas na pele; varicela

catapulta (ca.ta.pul.ta) *s.f.* **1** MIL antiga máquina de guerra para lançar projéteis **2** MAR MIL *B* em navios de guerra, aparelho para dar impulso inicial ao voo de aviões

catapultar (ca.ta.pul.tar) *v.* {mod. 1} *t.d.* **1** arremessar por meio de catapulta **2** *fig.* fazer progredir; levantar *<a descoberta vai c. sua pesquisa>*

catar (ca.tar) *v.* {mod. 1} *t.d.* **1** pegar, recolher, um por um, no meio de outras coisas *<c. gravetos>* *<c. garrafas no lixo>* **2** procurar com insistência *<catou as chaves pela casa toda>* **3** tirar e matar (parasitos), de alguém ou de si mesmo *<c. piolhos>* *<c. pulgas>* **4** selecionar, limpar *<c. feijão>* ~ **catador** *adj.s.m.*

cataraca (ca.ta.ra.ca) *s.f.* *infrm.* muco ressecado do nariz; meleca, caraca

catarata (ca.ta.ra.ta) *s.f.* **1** cachoeira volumosa que cai de grande altura **2** MED doença que torna opaco o cristalino (ANAT) e causa cegueira parcial ou total

catarinense (ca.ta.ri.nen.se) *adj.2g.* **1** de Santa Catarina ■ *s.2g.* **2** natural ou habitante desse estado

catarineta (ca.ta.ri.ne.ta) /ê/ *adj.2g.s.2g.* *S.* catarinense

catarral (ca.tar.ral) [pl.: *-ais*] *adj.2g.* **1** relativo a catarro ■ *s.2g.* **2** *infrm.* bronquite aguda

catarreira (ca.tar.rei.ra) *s.f.* *infrm.* grande quantidade de catarro

catarro (ca.tar.ro) *s.m.* **1** MED muco produzido por inflamação das mucosas das vias respiratórias **2** MED defluxo ou constipação, ger. acompanhada de tosse **3** *N. N.E.* *infrm.* polpa do coco verde quando ainda está muito macia ~ **catarrento** *adj.*

catarse (ca.tar.se) *s.f.* FIL PSIC TEAT liberação de emoções ou tensões reprimidas por meio de uma encenação dramática

catártico (ca.tár.ti.co) *adj.* relativo a catarse *<a arte tem uma função c.>*

catarucho (ca.ta.ru.cho) *adj.s.m.* diz-se de ou habitante da fronteira entre Santa Catarina e o Rio Grande do Sul *<os c. de Lages>*

catástrofe (ca.tás.tro.fe) *s.f.* **1** acidente de grandes proporções **2** *p.ext.* fato de consequências graves *<o fim das doações foi uma c.>* ~ **catastrófico** *adj.*

catastrofismo (ca.tas.tro.fis.mo) *s.m.* **1** tendência a crer na ameaça de grandes riscos e perigos **2** pessimismo muito forte ~ **catastrofista** *adj.2g.s.2g.*

catatau (ca.ta.tau) *s.m.* **1** coisa volumosa *<o livro era um c. de 600 páginas>* **2** grande quantidade *<achou um c. de dinheiro>* **3** *N. N.E.* indivíduo muito baixo

cata-vento (ca.ta-ven.to) [pl.: *cata-ventos*] *s.m.* **1** MET aparelho que indica a velocidade e a direção do vento **2** mecanismo que usa a força do vento para puxar água de poços **3** RECR brinquedo composto de uma haste de madeira que tem em sua extremidade um arranjo de papel em forma de pás de moinho; corrupio

catecismo (ca.te.cis.mo) *s.m.* **1** conjunto dos princípios fundamentais de uma religião, esp. a cristã **2** livro com esse ensinamento

catecúmeno (ca.te.cú.me.no) *s.m.* REL quem se prepara para receber o batismo

cátedra (cá.te.dra) *s.f.* **1** cargo de professor titular de universidade **2** assento do bispo em sua catedral

catedral (ca.te.dral) [pl.: *-ais*] *s.f.* principal igreja da diocese, onde se encontra a cátedra do bispo

catedrático (ca.te.drá.ti.co) *adj.* **1** relativo a cátedra ■ *adj.s.m.* **2** (professor) detentor de uma cátedra de escola superior ■ *s.m.* *B* *infrm.* **3** profundo conhecedor de determinado assunto *<ele é um c. em samba>*

catefra (ca.te.fra) *s.f. PR gír.* grande grupo de pessoas; multidão

categoria (ca.te.go.ri.a) *s.f.* **1** conjunto de pessoas ou coisas que possuem características comuns; classe, grupo *<c. dos estudantes>* **2** grau de excelência; qualidade *<um aluno de grande c.>* **3** alta qualidade *<um trabalho de c.>* **4** posição numa hierarquia *<o escriturário queria mudar de c.>* **5** ESP grupo em que se clasificam atletas *<c. profissional> <c. dos juniores>* ▣ **c. gramatical** GRAM classe de palavras

categórico (ca.te.gó.ri.co) *adj.* **1** relativo a categoria *<juízo c.>* **2** que não permite dúvidas nem discussão; indiscutível *<resposta c.> <falou em tom c.>*

categorizar (ca.te.go.ri.zar) *v.* {mod. 1} *t.d.* **1** dividir em categorias; classificar *<c. a população>* **2** fazer subir de nível, dando mais prestígio, importância etc. *<a nova decoração vai c. o restaurante>* ~ **categorizado** *adj.*

categute (ca.te.gu.te) *s.m.* MED fio de origem animal us. em suturas cirúrgicas

catequese (ca.te.que.se) *s.f.* explicação oral dos princípios da fé cristã e das coisas religiosas em geral ~ **catequista** *adj.2g.s.2g.*

catequizar (ca.te.qui.zar) *v.* {mod. 1} *t.d.* **1** instruir nos princípios da religião *<os jesuítas catequizavam os índios>* **2** iniciar em ou converter a uma doutrina, ideia etc. *<o governo queria c. os oposicionistas>*

cateretê (ca.te.re.tê) *s.m.* DNÇ FOLC *B* dança em que homens e mulheres, em filas separadas, sapateiam e batem palmas ao som da viola; catira

caterva (ca.ter.va) *s.f.* **1** grupo de pessoas de má índole; súcia, malta **2** grupo de pessoas, animais ou coisas

cateter (ca.te.ter) /é/ [pl.: *-es*] *s.m.* MED tubo ou sonda introduzida em canais ou cavidades do corpo para retirar líquido, ministrar soro, medicamentos etc. ◉ GRAM/USO ocorre tb. a pronúncia *catéter*

cateterismo (ca.te.te.ris.mo) *s.m.* MED introdução de cateter em alguma cavidade do corpo, para exames, desentupimento de artérias etc.

[1]**cateto** (ca.te.to) /ê/ *s.m.* GEOM cada um dos lados do ângulo reto no triângulo retângulo ◉ ORIGEM do latim *cathĕtus,i* 'linha perpendicular'

[2]**cateto** (ca.te.to) /ê/ *s.m.* ZOO *B* caititu; porco-do-mato ◉ ORIGEM duv., talvez alt. de *caititu*

catilinária (ca.ti.li.ná.ria) *s.f.* acusação violenta contra alguém

catimba (ca.tim.ba) *s.f. B infrm.* **1** ESP ato de prejudicar o desempenho do adversário por meio de provocações, simulações ou outros artifícios **2** manha, astúcia, malícia ~ **catimbar** *v.int.*

catimbó (ca.tim.bó) ou **catimbau** (ca.tim.bau) *s.m. B* **1** ritual de feitiçaria que junta magia branca europeia com elementos afros, ameríndios e católicos **2** *p.ext.* cachimbo us. nesse ritual

catimplora (ca.tim.plo.ra) *s.f.* → ***CANTIMPLORA***

catina (ca.ti.na) *s.f.* VEST *PR infrm.* chinelo, sandália

[1]**catinga** (ca.tin.ga) *s.f. B* mau cheiro ◉ ORIGEM duv., talvez do tupi *kati* 'id.' ~ **catingar** *v.int.* - **catingoso** *adj.s.m.* - **catinguento** *adj.s.m.*

[2]**catinga** (ca.tin.ga) *s.f.* BOT GEO caatinga ◉ ORIGEM do tupi *kaa'tinga*

cátion (cá.tion) [pl.: *catíones* e *(B) cátions*] *s.m.* FISQUÍM íon com carga elétrica positiva

catira (ca.ti.ra) *s.2g.* DNÇ FOLC *TO S. MG GO* cateretê [No Tocantins e em Goiás, a catira só é dançada por homens.]

catiripapo (ca.ti.ri.pa.po) *s.m. B infrm.* **1** tapa, tabefe **2** empurrão

catita (ca.ti.ta) *adj.2g.s.2g.* **1** que(m) se veste bem ou com elegância; janota ■ *adj.2g.* **2** bonito, bacana *<vestido c.> <um cachorrinho c.>*

cativante (ca.ti.van.te) *adj.2g.* que cativa; atraente, encantador *<criança c.> <paisagem c.>* ↺ aborrecido, desagradável

cativar (ca.ti.var) *v.* {mod. 1} *t.d. e pron.* **1** tornar (-se) cativo, preso (física ou moralmente); prender *<c. animais> <cativou-se à influência do mestre>* ↺ libertar(-se) □ *t.d.* **2** *fig.* obter a simpatia ou o amor de *<cativou a futura esposa no primeiro encontro>* ◉ GRAM/USO part.: *cativado, cativo*; ver QUADRO DE PARTICÍPIOS DUPLOS nas pp. iniciais

cativeiro (ca.ti.vei.ro) *s.m.* **1** estado de quem está preso *<viver em c.>* **2** lugar em que alguém se encontra preso *<a polícia descobriu o c. do empresário>* **3** *fig.* opressão ou prisão moral *<o c. do remorso>*

cativo (ca.ti.vo) *adj.s.m.* **1** que(m) perdeu a liberdade ou foi forçado à escravidão **2** *fig.* que(m) está seduzido ou dominado *<dava esperança aos (homens) c. do vício>*

cátodo (cá.to.do) ou **catodo** (ca.to.do) /ô/ *s.m.* ELETR elétrodo de carga elétrica negativa ~ **catódico** *adj.*

catolicismo (ca.to.li.cis.mo) *s.m.* REL **1** o conjunto dos dogmas, preceitos e rituais da Igreja católica **2** a totalidade dos católicos; catolicidade

católico (ca.tó.li.co) *adj.* **1** da Igreja católica **2** *infrm.* que é ou está de acordo com o padrão considerado comum, ou normal, ou melhor etc. *<esse bife não está muito c.>* ■ *adj.s.m.* REL **3** que(m) professa o catolicismo

catorze (ca.tor.ze) /ô/ ou **quatorze** (qua.tor.ze) /ô/ *n.card.* **1** treze mais um **2** diz-se desse número *<ofício número c.>* **3** diz-se do décimo quarto elemento de uma série *<capítulo c.> <dia c.>* **4** que equivale a essa quantidade (diz-se de medida ou do que é contável) *<c. litros de suco> <o prazo é de c. dias>* ■ *s.m.* **5** representação gráfica desse número ☞ em algarismos arábicos, *14*; em algarismos romanos, *XIV*

catraca (ca.tra.ca) *s.f. B* borboleta ('dispositivo'), roleta

catraia (ca.trai.a) *s.f.* MAR pequeno barco com duas proas us. para serviços nos portos ~ **catraieiro** *s.m.*

catre (ca.tre) *s.m.* **1** cama rústica e pobre **2** cama de viagem, dobrável

catuaba (ca.tu.a.ba) *s.f.* BOT arbusto brasileiro de flores grandes e cápsulas de tom ocre, cultivado como ornamental e por suas propriedades medicinais

catucão (ca.tu.cão) [pl.: *-ões*] *s.m.* → ***CUTUCÃO***

catucar (ca.tu.car) *v.* → ***CUTUCAR***

C

caturra (ca.tur.ra) *adj.2g.s.2g.* **1** que(m) é obstinado, agarrado a ideias ou hábitos antigos **2** que(m) gosta de discutir por questões sem importância **~ caturrice** *s.f.* **- caturrismo** *s.m.*

caubói (cau.bói) *s.m.* **1** em filmes de faroeste, figura heroica de vaqueiro **2** *p.ext.* boiadeiro, vaqueiro

caução (cau.ção) [pl.: *-ões*] *s.f.* **1** valor que se deposita como garantia de um contrato ou de pagamento de dívida **2** cuidado em evitar dano ou prejuízo; precaução ☞ cf. *calção*

caucho (cau.cho) *s.m.* árvore brasileira com mais de 35 m, folhas alongadas, frutos com polpa mole e madeira própria para pasta de papel e látex de que se faz borracha

caucionar (cau.cio.nar) *v.* {mod. 1} *t.d.* dar dinheiro, ações etc. como caução de *<c. uma dívida>*

cauda (cau.da) *s.f.* **1** apêndice que prolonga o corpo do animal; rabo **2** *fig.* parte posterior ou prolongamento de alguma coisa *<c. de avião> <a c. do vestido>* **3** rastro luminoso dos cometas, formado por partículas de poeira e material gasoso ☞ cf. *calda*

[1]**caudal** (cau.dal) [pl.: *-ais*] *s.2g.* **1** grande fluxo de água; torrente muito forte *<o c. do rio Amazonas> <a c. das cataratas do Iguaçu>* ■ *adj.2g.* **2** caudaloso ◉ ORIGEM do latim *capitalis,e* 'relativo a cabeça; capital, principal', pelo espanhol *caudal* 'id.'

[2]**caudal** (cau.dal) [pl.: *-ais*] *adj.2g.* da cauda *<nadadeira c.>* ◉ ORIGEM *cauda* + *-al*

caudaloso (cau.da.lo.so) /ô/ [pl. e fem.: /ó/] *adj.* que leva grande volume de água; caudal *<rio c.>*

caudatário (cau.da.tá.rio) *s.m.* **1** quem carrega a cauda do manto de altas autoridades (p.ex., reis, cardeais) em cerimônias solenes **2** adepto, partidário *<c. do ambientalismo>* ■ *adj.s.m.* **3** que(m) não tem opinião ou pensamento próprio

caudilho (cau.di.lho) *s.m.* **1** político com força militar própria *<o c. tentou um golpe de Estado>* **2** *p.ext.* ditador **~ caudilhismo** *s.m.*

cauim (cau.im) [pl.: *-ins*] *s.m.* *B* bebida indígena feita de mandioca cozida e fermentada

caule (cau.le) *s.m.* haste das plantas, freq. aérea, com folhas e ligada à raiz

caulim (cau.lim) [pl.: *-ins*] *s.m.* MINER argila branca, us. em cerâmica e porcelana

causa (cau.sa) *s.f.* **1** razão para uma ação ou estado; motivo *<a desobediência é c. de punição>* **2** o que faz com que algo exista ou aconteça; origem *<a frente fria foi a c. do temporal>* **3** ideia ou princípio que alguém defende ou apoia *<lutar pela c. indigenista>* **4** DIR ação judicial; processo *<advogado de c. trabalhistas>* ▣ **justa c.** DIR argumento ou atitude válida por se fundamentar em lei, acordo, contrato, regulamento etc. *<demissão por justa c.>* • **por c. de** como consequência de; em razão de *<não foi à escola por c. da gripe que pegou>*

causal (cau.sal) [pl.: *-ais*] *adj.2g.* **1** relativo a causa *<não há relação c. entre esses fatos>* ■ *s.f.* **2** GRAM ver *CONJUNÇÃO CAUSAL* **~ causalidade** *s.f.*

causar (cau.sar) *v.* {mod. 1} *t.d.* e *t.d.i.* (prep. *a*) ser causa de; motivar, provocar **~ causador** *adj.s.m.*

causídico (cau.sí.di.co) *s.m.* quem se encarrega de causas judiciais; advogado

causo (cau.so) *s.m.* *B infrm.* caso, conto, história *<foi assim que se deu o c.>*

causticar (caus.ti.car) *v.* {mod. 1} *t.d.* **1** pôr substância cáustica em; cauterizar *<c. uma ferida>* ◻ *t.d.* e *int.* **2** aquecer muito; queimar *<no verão o sol caustica (a gente)>* **~ causticante** *adj.2g.*

cáustico (cáus.ti.co) *adj.s.m.* **1** (substância) que corrói ou queima *<soda c.> <pôs um c. na ferida>* ■ *adj.* **2** *fig.* corrosivo, ácido *<humor c.>*

cautela (cau.te.la) *s.f.* **1** precaução para evitar dano, prejuízo ou perigo; cuidado, prudência **2** DIR recibo de depósito ou de penhor

cauteloso (cau.te.lo.so) /ô/ [pl. e fem.: /ó/] *adj.* que age ou pensa com cautela, com prudência; cauto ↺ imprudente, incauto

cautério (cau.té.rio) *s.m.* MED agente químico ou físico us. para queimar tecidos orgânicos e assim estancar sangramentos, fechar feridas e facilitar a cicatrização *<o cirurgião usou um bisturi elétrico como c.>*

cauterizar (cau.te.ri.zar) *v.* {mod. 1} *t.d.* tratar com cautério *<c. um sangramento>* **~ cauterização** *s.f.*

cauto (cau.to) *adj.* que tem cautela; cauteloso

cava (ca.va) *s.f.* **1** VEST cada uma das aberturas (de camisa, colete etc.) por onde entram os braços **2** VEST abertura na parte central e superior do peito; decote **3** qualquer escavação; cova, buraco **4** ARQ MIL escavação em torno de fortaleza; fosso, vala **5** ANAT cada uma das duas grandes veias que levam o sangue do corpo para o átrio direito do coração ☞ nesta acp., tb. us. como adj.: *veia cava*

cavação (ca.va.ção) [pl.: *-ões*] *s.f.* **1** ato ou efeito de cavar; escavação **2** *B infrm.* negócio ou vantagem obtida de modo ilegal **3** *B infrm.* esforço para obter vantagens ou condições melhores

cavaco (ca.va.co) *s.m.* **1** lasca de madeira; cavaqueira **2** MÚS cavaquinho **3** *fig. infrm.* conversa informal, bate-papo; cavaqueira ▣ **catar c.** *infrm.* correr tentando restabelecer o equilíbrio após tropeção ou choque físico

cavado (ca.va.do) *adj.* **1** que se cavou *<terreno c.>* **2** em que se fez cava; decotado *<vestido c.>*

cavala (ca.va.la) *s.f.* ZOO peixe marinho comestível com cerca de 1,5 m de comprimento, dorso azul-escuro e ventre prateado

cavalar (ca.va.lar) [pl.: *-es*] *adj.2g.* **1** relativo a ou próprio de cavalo *<raça c.> <força c.>* **2** *fig. infrm.* maior do que o normal; desmedido, excessivo *<dose c.> <inteligência c.>*

cavalaria (ca.va.la.ri.a) *s.f.* **1** MIL tropa militar que usa cavalos como montaria **2** HIST instituição militar da Idade Média, formada por cavaleiros nobres **3** conjunto de cavalos

cavalariano (ca.va.la.ri.a.no) *s.m.* MIL membro da cavalaria

cavalariça (ca.va.la.ri.ça) *s.f.* alojamento de cavalos e de outros animais de montaria; cocheira

cavalariço (ca.va.la.ri.ço) *s.m.* empregado que cuida de animais em cavalariças

cavaleiro (ca.va.lei.ro) *adj.s.m.* **1** que(m) anda a cavalo **2** que(m) é membro de uma ordem de cavalaria ▣ **c. andante** HIST cavaleiro medieval que corria terras em busca de aventuras e lutas por causas justas

cavalete (ca.va.le.te) /ê/ *s.m.* **1** estrutura móvel com três pés, us. como suporte para telas, trabalhos em madeira etc. **2** armação em que marceneiros, mecânicos etc. apoiam instrumentos de trabalho

cavalgada (ca.val.ga.da) *s.f.* **1** grupo de pessoas a cavalo **2** marcha, galope de um grupo de pessoas a cavalo

cavalgadura (ca.val.ga.du.ra) *s.f.* **1** animal us. para montar; montaria **2** *fig. pej.* pessoa estúpida, grosseira

cavalgar (ca.val.gar) *v.* {mod. 1} *int.* **1** andar a cavalo <*costumava c. pelos prados*> □ *t.d. e t.i.* **2** (prep. *em*) sentar-se de pernas abertas sobre <*c. um corcel*> <*c. numa moto*>

cavalhada (ca.va.lha.da) *s.f. B* **1** manada de cavalos **2** FOLC folguedo em que cavaleiros encenam lutas, lembrando as disputas medievais ☞ mais us. no pl.

cavalheiresco (ca.va.lhei.res.co) /ê/ *adj.* próprio de cavalheiro; galante, distinto <*gesto c.*>

cavalheirismo (ca.va.lhei.ris.mo) *s.m.* **1** ação de cavalheiro; gentileza, cortesia <*teve o c. de levar as sacolas para ela*> **2** jeito de ser de cavalheiro <*sempre se comporta com c.*>

cavalheiro (ca.va.lhei.ro) *s.m.* **1** homem de bom caráter, bem-educado e gentil **2** parceiro na dança (de uma mulher) ☞ cf. *dama* **3** *p.ext.* homem <*banheiro para cavalheiros*> ■ *adj.* **4** próprio de cavalheiro; cavalheiresco

cavalo (ca.va.lo) [fem.: *égua*] *s.m.* **1** ZOO mamífero quadrúpede de grande porte, cauda e crina longas, us. como montaria e como animal de carga <*montar a c.*> <*carroça puxada por cavalos*> **2** *pej.* pessoa grosseira; cavalgadura **3** AGR planta em que se faz enxerto **4** RECR peça do jogo de xadrez que se movimenta em L no tabuleiro **5** FÍS cavalo-vapor **6** ESP cavalo de pau ('aparelho') ◉ COL cavalaria ◉ VOZ v.: relinchar, rinchar; subst.: relincho, rincho ▣ **a c.** montado sobre um cavalo • **cair do c.** *fig. B infrm.* ficar muito surpreso, ger. de modo negativo <*caiu do c. quando soube a nota da prova*> • **tirar o c. da chuva** *B infrm.* desistir de ideia ou projeto ☞ tb. se diz *tirar o cavalinho da chuva*

cavalo de batalha (ca.va.lo de ba.ta.lha) [pl.: *cavalos de batalha*] *s.m. fig.* ideia ou assunto em que alguém insiste repetidamente <*a paixão pelo time é seu c. de batalha*>

cavalo de pau (ca.va.lo de pau) [pl.: *cavalos de pau*] *s.m.* **1** ESP aparelho composto de travessa de madeira, com ou sem alças, sobre quatro pernas, us. para saltos e movimentos atléticos; cavalo **2** freada súbita que inverte o rumo de um veículo

cavalo-marinho (ca.va.lo-ma.ri.nho) [pl.: *cavalos-marinhos*] *s.m.* ZOO pequeno peixe marinho que nada em posição vertical e cuja cabeça lembra a de um cavalo; hipocampo

cavalo-vapor (ca.va.lo-va.por) [pl.: *cavalos-vapor*] *s.m.* FÍS unidade de medida de potência equivalente a 735,5 watts [símb.: *cv*]; cavalo

cavanhaque (ca.va.nha.que) *s.m. B* barba aparada em ponta no queixo

cavaquear (ca.va.que.ar) *v.* {mod. 5} *t.i. e int.* (prep. *com*) conversar à vontade; bater papo, papear <*gostava de c. (com os amigos do avô)*>

cavaqueira (ca.va.quei.ra) *s.f.* cavaco ('lasca de madeira' e 'conversa')

cavaquinho (ca.va.qui.nho) *s.m.* MÚS instrumento de quatro cordas, semelhante a um pequeno violão, us. no samba e no choro

cavar (ca.var) *v.* {mod. 1} *t.d.* **1** revolver ou furar (a terra), usando pá, enxada, as mãos etc. **2** fazer (algo) na terra, na pedra, abrindo nela um buraco <*c. um túnel*> **3** fazer (buraco, vala, fenda etc.) <*c. uma vala no quintal*> **4** *p.ext.* abrir buraco ou fenda em <*c. o tronco da árvore*> **5** abrir ou aumentar a cava de (roupa) <*c. uma blusa*> □ *t.d. e t.d.i. fig.* **6** (prep. *a, para*) conseguir (algo) [para si ou para outra pessoa] <*c. um emprego*> <*cavou uma vaga para ele no time*>

caveira (ca.vei.ra) *s.f.* **1** parte do esqueleto composta pelos ossos do crânio e da face **2** esqueleto **3** *fig.* rosto muito magro **4** *fig.* desgraça; prejuízo <*não quero ver a c. de ninguém*> ▣ **fazer a c. de** *B infrm.* falar mal de; difamar

caverna (ca.ver.na) *s.f.* **1** cavidade profunda numa rocha; gruta, furna **2** *p.ext.* qualquer cavidade profunda; cova ~ **cavernal** *adj.2g.*

cavername (ca.ver.na.me) *s.m.* MAR conjunto das peças que dão forma ao casco de uma embarcação

cavernícola (ca.ver.ní.co.la) *adj.2g.s.2g.* (o) que habita em caverna

cavernoso (ca.ver.no.so) /ô/ [pl. e fem.: /ó/] *adj.* **1** semelhante a caverna **2** que tem cavernas <*montanha c.*> **3** rouco e profundo (diz-se de som) <*voz c.*>

caviar (ca.vi.ar) [pl.: *-es*] *s.m.* CUL ova de esturjão em conserva

cavidade (ca.vi.da.de) *s.f.* **1** parte oca no interior de um corpo, objeto etc.; buraco <*a escavadeira abriu cavidades no terreno*> **2** ANAT parte oca do corpo ou de seus órgãos <*c. abdominal*>

caviídeo (ca.vi.í.deo) *s.m.* ZOO **1** espécime dos caviídeos, família de roedores sul-americanos como a cobaia e o preá, sem cauda, com pelos grossos, orelhas curtas, membros anteriores com quatro dedos e posteriores com três ■ *adj.* **2** relativo a esse espécime ou a essa família

cavilação (ca.vi.la.ção) [pl.: *-ões*] *s.f.* plano para enganar alguém ou levá-lo a errar ~ **cavilar** *v.t.i. e int.* - **caviloso** *adj.*

cavilha (ca.vi.lha) *s.f.* pino de madeira ou metal us. para tapar orifícios ou juntar peças

caviúna (ca.vi.ú.na) *adj.2g.s.2g.s.f.* → ***CABIÚNA***

cavo (ca.vo) *adj.* **1** que tem o interior vazio; oco <*peça c.*> <*tronco c.*> ↺ maciço **2** que apresenta uma curva acentuada para dentro; côncavo <*olhos c.*> ↺ convexo, saliente **3** *fig.* rouco, cavernoso (diz-se de som)

cavoucar (ca.vou.car) *v.* {mod. 1} *t.d. e int.* **1** abrir cova, buraco (em) <*passou a manhã cavoucando (a terra)*> ↺ tapar, fechar □ *t.d. p.ext.* **2** mexer em; cutucar <*c. o nariz*>

cavouco (ca.vou.co) *s.m.* escavação ou buraco na terra; cova

cavouqueiro (ca.vou.quei.ro) *s.m.* **1** quem abre cavoucos **2** trabalhador de minas ou pedreiras

caxambu (ca.xam.bu) *s.m.* *B* **1** DNÇ dança afro-brasileira semelhante ao batuque, com canto ao som de tambor e cuícas **2** MÚS tambor, semelhante a uma zabumba, us. nessa dança e no jongo

caxangá (ca.xan.gá) *s.m.* ZOO siri encontrado nas Américas e na Europa, de carapaça cinzenta ou verde-azulada e carne muito apreciada

caxaréu (ca.xa.réu), **caxarela** (ca.xa.re.la) ou **caxarelo** (ca.xa.re.lo) *s.m.* ZOO *B* macho adulto de baleia

caxemira (ca.xe.mi.ra) *s.f.* **1** lã fina e macia feita do pelo de cabra da Caxemira (Índia e Paquistão) **2** fio dessa lã *<gorro de c.>*

caxeta (ca.xe.ta) /ê/ *s.f.* BOT caixeta ('árvore')

caxias (ca.xi.as) *adj.2g.2n.s.2g.2n.* *B infrm.* que(m) se preocupa demais em cumprir as próprias obrigações ☞ pode ter uso pej.

caxinguelê (ca.xin.gue.lê) *s.m.* ZOO *B* esquilo florestal da Amazônia e do leste do Brasil, com cerca de 20 cm de comprimento, cauda longa e pelo marrom e laranja ☞ cf. *esquilo*

[1]**caxixi** (ca.xi.xi) *s.m.* RECR *BA* brinquedo infantil feito de barro, esp. da área vizinha a Salvador ◉ ORIGEM duv., talvez do quimbundo *katito* 'pequeno', em cruzamento com *kaxixi* 'metade'

[2]**caxixi** (ca.xi.xi) *s.m.* MÚS pequeno chocalho feito de uma cestinha de vime com sementes dentro *<o c. acompanha o berimbau>* ◉ ORIGEM duv., talvez de uma língua banta

caxumba (ca.xum.ba) *s.f.* MED *B* doença causada por vírus, que provoca febre e inflamação das parótidas e, às vezes, dos testículos, ovários e meninges; papeira ~ **caxumbento** *adj.*

CBB *s.f.* sigla de Confederação Brasileira de Basquetebol

CBF *s.f.* sigla de Confederação Brasileira de Futebol

CBTU *s.f.* sigla de Companhia Brasileira de Trens Urbanos

CBV *s.f.* sigla de Confederação Brasileira de Voleibol

cd ÓPT símbolo de *candela*

Cd QUÍM símbolo de *cádmio*

CD [ing.; pl.: *CDs*] *s.m.* FONO INF sigla de *compact disc* ⇒ pronuncia-se cidi, *corrente* cedê

CDC *s.m.* **1** sigla de Código de Defesa do Consumidor **2** sigla de Código de Direito Civil

CD player (CD play.er) [ing.; pl.: *CD players*] *loc.subst.* equipamento que executa arquivos de multimídia (esp. músicas) gravados em *CD* ⇒ pronuncia-se cidi plêier, *corrente* cedê plêier

CD-ROM [ing.; pl.: *CD-ROMs*] *s.m.* disco compacto us. em computadores que armazena aplicativos diversos, arquivos de áudio e vídeo etc. ⇒ pronuncia-se cidi-rom, *corrente* cedê rom

Ce QUÍM símbolo de *cério*

CE *s.f.* **1** sigla de Comunidade Europeia ▲ **2** sigla do Estado do Ceará

cê *s.m.* nome da letra *c* ▣ **cê cedilhado** cê em que se colocou cedilha; cê-cedilha

cear (ce.ar) *v.* {mod. 5} *t.d. e int.* **1** tomar (o que compõe a ceia) *<ceamos chá e biscoitos de polvilho>* □ *int.* **2** tomar a ceia *<vamos c. às dez horas>*

cearense (ce.a.ren.se) *adj.2g.* **1** do Ceará ■ *s.2g.* **2** natural ou habitante desse estado

Ceasa (Ce.a.sa) *s.f.* sigla de Centrais de Abastecimento S.A.

cebídeo (ce.bí.deo) *s.m.* ZOO **1** espécime dos cebídeos, família de primatas florestais e arborícolas, de cauda longa e peluda, e cujo polegar do pé é desenvolvido e passível de se opor aos demais dedos ■ *adj.* **2** relativo a essa família

cebola (ce.bo.la) /ô/ *s.f.* BOT **1** erva com bulbos membranosos, folhas ocas e compridas e flores esbranquiçadas **2** bulbo dessa planta, de sabor forte e picante, us. como condimento

cebolão (ce.bo.lão) [pl.: *-ões*] *s.m.* *B* **1** relógio de pulso grande, ger. de má qualidade **2** antigo relógio de bolso, grande e redondo **3** cebola grande

cebolinha (ce.bo.li.nha) *s.f.* **1** BOT erva de folhas compridas e cilíndricas, us. como tempero **2** cebola pequena

cecear (ce.ce.ar) *v.* {mod. 5} *t.d. e int.* pronunciar o som de (*s* ou *z*) com a ponta da língua entre os dentes *<procurou um fonoaudiólogo porque ceceia o s>* ~ **ceceio** *s.m.*

cê-cedilha (cê-ce.di.lha) [pl.: *cês-cedilhas*] *s.m.* letra *c* com o sinal gráfico da cedilha (ç)

ceco (ce.co) *s.m.* ANAT parte inicial do intestino grosso ~ **cecal** *adj.2g.*

cê-dê-efe (cê-dê-e.fe) [pl.: *cê-dê-efes*] *adj.2g.2n.s.2g.* *B infrm.* cu de ferro

ceder (ce.der) *v.* {mod. 8} *t.d. e t.d.i.* **1** (prep. *a*) transferir (a alguém) uma posse ou direito sobre (algo) *<c. a casa (ao amigo)>* **2** (prep. *a*) emprestar □ *t.i. e int.* **3** (prep. *a*) não resistir; sucumbir *<mesmo em dificuldades, nunca cede (às ofertas de suborno)>* □ *int.* **4** perder a intensidade; diminuir *<a chuva cedeu>* ↺ aumentar **5** cessar, acabar *<nunca cederá a rivalidade entre os dois clubes>* ↺ começar **6** tornar-se mais largo, solto; afrouxar *<o sapato novo vai cedendo com o uso>* ↺ apertar ~ **cedente** *adj.2g.s.2g.* - **cedível** *adj.2g.*

cediço (ce.di.ço) *adj.* **1** estragado, podre *<ovo c.>* **2** estagnado, sujo ou fétido *<água c.>* **3** *fig.* conhecido por todas as pessoas *<esse é um caso c.>* **4** *fig.* que está fora de uso ou de moda

cedilha (ce.di.lha) *s.f.* sinal gráfico colocado sob a letra *c* antes de *a*, *o* e *u* para indicar o som '*ss*' ~ **cedilhado** *adj.* - **cedilhar** *v.t.d.*

cedo (ce.do) /ê/ *adv.* **1** antes do tempo previsto *<chegamos c. à festa>* **2** em pouco tempo; logo *<c. vamos acabar a tarefa>* **3** no início do dia *<acordar c.>*

cedro (ce.dro) *s.m.* **1** BOT nome comum a árvores da família dos pinheiros, cultivadas como ornamentais e pelas madeiras de qualidade **2** *p.ext.* a madeira dessas árvores ◉ COL cedral

cédula (cé.du.la) *s.f.* **1** papel ou nota que representa a moeda que circula em um país; papel-moeda *<c. de 50 reais>* **2** documento impresso *<c. de identidade>* ▣ **c. eleitoral** *B* impresso próprio para votação com nome e/ou número de candidatos ou espaço para escrevê-los

CEF *s.f.* sigla de Caixa Econômica Federal

cefaleia (ce.fa.lei.a) /éi/ *s.f.* MED dor de cabeça

cefálico (ce.fá.li.co) *adj.* da cabeça *<gânglio c.>*

cefalópode (ce.fa.ló.po.de) *s.m.* ZOO **1** espécime dos cefalópodes, classe de moluscos marinhos, predadores, com cabeça e olhos grandes, boca circundada por oito ou dez braços ou tentáculos (p.ex., lulas e polvos) ■ *adj.2g.* **2** relativo a essa classe

cefalotórax (ce.fa.lo.tó.rax) /cs/ *s.m.2n.* ANAT ZOO parte anterior do corpo dos aracnídeos e crustáceos, formada pela fusão da cabeça com o tórax

cega (ce.ga) *s.f.* mulher que não enxerga ▣ **às cegas 1** sem conseguir ver *<caminhou às cegas pelo salão escuro>* **2** sem raciocinar *<seguir conselhos às cegas>*

cegamente (ce.ga.men.te) *adv.* **1** sem enxergar nada; às cegas *<por causa do nevoeiro, conduzia o carro c.>* **2** sem prestar atenção ao que há de negativo (vícios, defeitos etc.) *<obedecer c. a um líder megalômano>* **3** sem pensar nas consequências; às cegas, inconscientemente *<entrou c. num negócio arriscado>*

cegar (ce.gar) *v.* {mod. 1} *t.d.,int. e pron.* **1** (fazer) perder a visão; tornar(-se) cego *<o glaucoma pode c. (algumas pessoas)> <ele (se) cegou por causa de um derrame>* □ *t.d. e int.* **2** impedir ou perturbar a visão (de) *<no meio do dia, o sol cega (os sertanejos)>* □ *t.d. e pron.* **3** *fig.* deslumbrar(-se), fascinar(-se) *<o brilho do ouro cegava-o> <cegou-se diante da paisagem exuberante>* **4** *fig.* (fazer) perder a razão; alucinar(-se) *<a raiva cegou-o> <cegou-se quando acertou na loteria>* **5** (fazer) ficar sem corte, sem fio (faca, canivete etc.); embotar ↺ afiar, amolar ☞ cf. *segar* ◉ GRAM/USO part.: *cegado, cego*; ver QUADRO DE PARTICÍPIOS DUPLOS nas pp. iniciais

cega-rega (ce.ga-re.ga) [pl.: *cega-regas*] *s.f.* ZOO cigarra

cego (ce.go) *adj.s.m.* **1** que(m) não tem a capacidade da visão em um ou ambos os olhos; deficiente visual ☞ a pal. pode ser ofensiva ■ *adj.* **2** que enfraquece ou anula a razão *<fé c.>* **3** sem gume *<faca c.>* **4** difícil de desatar *<nó c.>*

cegonha (ce.go.nha) *s.f.* **1** ZOO grande ave migratória, de bico e pernas compridos, penas brancas e asas negras, encontrada na Europa, África e Ásia **2** *B* caminhão longo, adequado para o transporte de carros; jamanta

cegueira (ce.guei.ra) *s.f.* **1** estado de quem não tem a capacidade da visão em um ou ambos os olhos **2** *fig.* incapacidade de perceber a realidade dos fatos

ceia (cei.a) *s.f.* última refeição do dia, ger. pouco antes da hora de dormir

ceifa (cei.fa) *s.f.* **1** trabalho de cortar os cereais quando as espigas estão maduras; sega **2** conjunto dos cereais colhidos **3** época de ceifar **4** *fig.* grande número de mortes; mortandade ~ **ceifeiro** *adj.s.m.*

ceifadeira (cei.fa.dei.ra) *s.f.* máquina de ceifar; segadeira

ceifar (cei.far) *v.* {mod. 1} *t.d. e int.* **1** cortar (cereais, ervas etc.) com foice; segar *<chegou a hora de c. (o trigo)>* □ *t.d.* **2** *fig.* tirar a vida de; matar *<a epidemia ceifou quase toda a população da aldeia>* **3** *fig.* destruir, tirar (a vida) *<a guerra ceifa muitas vidas>*

cela (ce.la) *s.f.* **1** compartimento de prisão *<havia excesso de presos nas c. da delegacia>* **2** quarto muito pequeno **3** aposento de frades e freiras ☞ cf. *sela*

celebração (ce.le.bra.ção) [pl.: *-ões*] *s.f.* **1** ato ou efeito de celebrar; comemoração, festejo **2** realização formal de um contrato, acordo etc. **3** ofício religioso *<c. eucarística>*

celebrar (ce.le.brar) *v.* {mod. 1} *t.d.* **1** comemorar, festejar *<c. um aniversário>* **2** realizar (contrato, acordo etc.) com solenidade **3** acolher com festejos *<c. a vitória>* **4** louvar, exaltar *<c. os heróis>* □ *t.d. e int.* **5** rezar (missa) *<o papa irá c. (missa solene) no domingo>* ~ **celebrante** *adj.2g.s.2g.*

célebre (cé.le.bre) *adj.2g.* **1** que tem muita fama; famoso, conhecido *<cantor c.> <a c. parada de Sete de Setembro>* ↺ desconhecido, ignorado **2** que merece ser lembrado; ilustre *<data c.>* ◉ GRAM/USO sup.abs. sint.: *celebérrimo*

celebridade (ce.le.bri.da.de) *s.f.* **1** fato de ser célebre; fama, notoriedade *<a c. tem os seus inconvenientes>* ↺ obscuridade **2** *p.ext.* pessoa que é famosa, que tem celebridade *<essa cantora já é uma c.>*

celebrizar (ce.le.bri.zar) *v.* {mod. 1} *t.d. e pron.* tornar(-se) célebre; notabilizar(-se) *<as novelas celebrizaram Janete Clair> <celebrizou-se depois de publicar o último livro>*

celeiro (ce.lei.ro) *s.m.* **1** construção rural para armazenar grãos ou provisões **2** *fig.* lugar onde se encontra com frequência certo tipo de pessoa ou coisa *<o Brasil é um c. de craques>* ☞ cf. *seleiro*

celerado (ce.le.ra.do) *adj.s.m.* **1** que(m) cometeu ou é capaz de cometer grandes crimes; criminoso **2** que(m) tem má índole; malvado, perverso

célere (cé.le.re) *adj.2g.* que anda rápido; ligeiro, veloz ↺ lento, vagaroso ~ **celeridade** *s.f.*

celeste (ce.les.te) ou **celestial** (ce.les.ti.al) [pl.: *-ais*] *adj.2g.* **1** relativo ao céu, ao espaço sideral; celestial *<abóbada c.> <a Lua é um corpo c.>* **2** cuja tonalidade se assemelha à do céu claro; celestial *<azul c.>* **3** divino, sobrenatural, celestial *<seres c.>* **4** *fig.* de excelente qualidade; magnífico, celestial *<voz c.> <aroma c.>*

celeuma (ce.leu.ma) *s.f.* **1** algazarra; tumulto **2** *fig.* discussão acalorada

celíaco (ce.lí.a.co) *adj.* ANAT **1** relativo à cavidade abdominal *<região c.>* ■ *s.m.* **2** portador de *doença celíaca*

celibatário (ce.li.ba.tá.rio) *adj.s.m.* **1** que(m) não se casou ■ *adj.* **2** próprio de celibatário (subst.) ou de solteiro *<vida c.>*

celibato (ce.li.ba.to) *s.m.* estado de quem é celibatário *<os padres católicos usam o c.>*

celofane (ce.lo.fa.ne) *s.m.* película transparente, feita de um composto de celulose, us. esp. para envolver alimentos e embrulhar presentes; papel celofane ☞ marca registrada *Cellophan*, da Hoechst AG, que passou a designar o seu gênero ◉ GRAM/USO tb. us. como adj.2g.

Celsius (Cel.sius) *adj.2g.2n.* FÍS relativo à escala Celsius de temperatura e a cada um dos graus em que ela se divide [símb.: *C*] ☞ cf. *Celsius* na parte enciclopédica e *centígrado*

celta (cel.ta) *s.2g.* HIST **1** indivíduo dos celtas, povos que ocuparam a Europa ocidental na Antiguidade ■ *s.m.* LING **2** língua falada por esses povos ■ *adj.2g.* **3** relativo a esse indivíduo, povo ou língua ~ **céltico** *adj.*

C

célula (cé.lu.la) *s.f.* **1** BIO unidade microscópica fundamental dos seres vivos, constituída de citoplasma e núcleo limitados por uma membrana *<o corpo humano tem trilhões de c.>* **2** pequena cela **3** elemento ou unidade de um conjunto, organização etc. *<a família é a c. fundamental da sociedade>* **4** grupo de pessoas que pensa e age de modo semelhante, ger. com fins políticos *<esse partido fundou uma c. na cidade>* ▣ **c. fotoelétrica** ELETRÔN dispositivo fotossensível que gera corrente ou tensão elétrica quando estimulado; fotocélula

célula-ovo (cé.lu.la-o.vo) [pl.: *células-ovo* e *células-ovos*] *s.f.* BIO célula resultante da fertilização de um óvulo, ainda não dividida

[1]**celular** (ce.lu.lar) [pl.: *-es*] *adj.2g.* BIO **1** relativo a célula *<membrana c.>* **2** formado por células *<tecido c.>* ◉ ORIGEM *célula* + [1]*-ar*

[2]**celular** (ce.lu.lar) [pl.: *-es*] *s.m.* TEL telefone celular ◉ ORIGEM red. de *telefone celular*

célula-tronco (cé.lu.la-tron.co) [pl.: *células-tronco* e *células-troncos*] *s.f.* BIO célula capaz de dividir-se para formar outros tipos de células com propriedades e funções específicas

celulite (ce.lu.li.te) *s.f.* MED conjunto de nódulos de gordura em tecido subcutâneo, com localizações mais ou menos delimitadas *<c. nas coxas>*

celuloide (ce.lu.loi.de) /ói/ *s.2g.* QUÍM tipo de plástico us. em brinquedos, filmes fotográficos etc.

celulose (ce.lu.lo.se) *s.f.* BIOQ substância vegetal us. como matéria-prima na produção do papel

cem *n.card.* **1** noventa mais dez *<c. reais> <ganhou c. pontos no jogo>* **2** diz-se desse número *<ofício de número c.>* **3** diz-se do centésimo elemento de uma série *<capítulo c.>* **4** que equivale a essa quantidade (diz-se de medida ou do que é contável) *<festa para c. convidados>* **5** grande número indeterminado *<contou a história umas c. vezes>* ■ *s.m.* **6** representação gráfica do número cem ☞ em algarismos arábicos, *100*; em algarismos romanos, *C* ◉ GRAM/USO pl. do s.m.: *cens* (virtual na língua)

cemento (ce.men.to) *s.m.* ODONT tecido rico em cálcio que recobre a raiz dos dentes ☞ cf. *cimento*

cemitério (ce.mi.té.rio) *s.m.* **1** lugar onde se enterram os mortos; necrópole **2** *fig.* lugar em que se atiram ou depositam objetos velhos *<c. de automóveis>*

cena (ce.na) *s.f.* **1** CINE LIT TEAT TV divisão de uma peça teatral, filme cinematográfico, obra literária, telenovela etc. que forma uma unidade da ação dramática *<o romance tem c. belíssimas> <emocionou-se com a última c.>* **2** REC.AV conjunto dos elementos decorativos que representam o ambiente em que se passa a ação; cenário *<a c. mostrava uma povoação do século XVII>* **3** TEAT espaço onde se desenvolve uma peça; palco *<ele já está em c.>* **4** *fig.* fingimento, simulação, encenação *<o choro dela é só c.>* **5** *fig.* situação de que participam duas ou mais pessoas que tomam atitudes escandalosas ou reprováveis; escândalo *<fazer c.> <a briga entre os irmãos foi uma c. lamentável>* ~ **cênico** *adj.*

cenário (ce.ná.rio) *s.m.* **1** CINE TEAT TV o local e a decoração das ações de peça, filme etc.; cena **2** *p.ext.* lugar em que se desenrola algum fato *<essa rua já foi c. de diversas disputas>* **3** *p.ext.* panorama; paisagem

cenho (ce.nho) *s.m.* **1** expressão ou fisionomia que demonstra irritação ou mau humor; carranca **2** rosto; semblante *<c. fechado>*

cenóbio (ce.nó.bio) *s.m.* residência de monges que vivem em comunidade; convento de cenobitas ~ **cenobial** *adj.2g.*

cenobita (ce.no.bi.ta) *adj.2g.s.2g.* (monge) que vive em comunidade ☞ cf. *anacoreta*

cenografia (ce.no.gra.fi.a) *s.f.* CINE TEAT TV arte e técnica de projetar cenários para filmes, peças etc. ~ **cenográfico** *adj.* - **cenógrafo** *s.m.*

cenotáfio (ce.no.tá.fio) *s.m.* túmulo ou monumento fúnebre em memória de alguém cujo corpo está sepultado em outro lugar

cenotécnica (ce.no.téc.ni.ca) *s.f.* CINE TEAT TV técnica de executar cenários para teatro, cinema etc. ~ **cenotécnico** *adj.s.m.*

cenoura (ce.nou.ra) *s.f.* BOT **1** raiz comestível alaranjada, rica em açúcar, caroteno e glúten **2** planta com essa raiz

cenozoico (ce.no.zoi.co) /ói/ *s.m.* GEOL **1** era geológica mais recente, posterior ao Mesozoico e dividida em período terciário e quaternário, caracterizada pelo grande desenvolvimento dos mamíferos e extinção dos répteis gigantes ☞ inicial maiúsc. ■ *adj.* **2** diz-se dessa era *<era c.>*

censo (cen.so) *s.m.* contagem da população de um país, de uma região etc.; recenseamento ☞ cf. *senso* ~ **censitário** *adj.* - **censual** *adj.2g.*

censor (cen.sor) /ô/ [pl.: *-es*] *adj.s.m.* **1** (o) que censura **2** (o) que critica, sugere correções etc. ~ **censório** *adj.* ☞ cf. *sensor*

censura (cen.su.ra) *s.f.* **1** advertência severa; repreensão **2** controle moral ou político de obras artísticas, publicações etc. **3** *p.ext.* comissão de pessoas encarregadas de exercer esse controle

censurar (cen.su.rar) *v.* {mod. 1} *t.d.* **1** desaprovar, reprovar *<c. os atos de alguém> <c. o filho>* ↺ aprovar **2** exercer censura sobre (obra, filme etc.) ~ **censurável** *adj.2g.*

centauro (cen.tau.ro) *s.m.* MIT ser fantástico, com rosto, torso e braços de homem, corpo e pernas de cavalo ~ **centáureo** *adj.*

centavo (cen.ta.vo) *s.m.* centésima parte da moeda oficial de diversos países

centeio (cen.tei.o) *s.m.* BOT planta de até 2 m, folhas planas e flores em espigas, com grãos ricos em glúten us. esp. no preparo de pães

centelha (cen.te.lha) /ê/ *s.f.* **1** partícula que salta de um corpo em brasa; fagulha, faísca **2** luz forte que surge do choque entre dois corpos duros, ou de um corpo eletrizado **3** *p.ext.* brilho momentâneo *<percebi uma c. em seu olhar>* **4** *fig.* inspiração ou intuição súbita ~ **centelhar** *v.int.*

centena (cen.te.na) *s.f.* grupo de 100 unidades; cento, centúria

centenário (cen.te.ná.rio) *s.m.* **1** período de 100 anos **2** centésimo aniversário ■ *adj.s.m.* **3** que(m) atingiu 100 anos

centésimo (cen.té.si.mo) *n.ord.* **1** (o) que, numa sequência, ocupa a posição de número 100 ■ *n.frac.* **2** (o) que é 100 vezes menor que a unidade ~ **centesimal** *adj.2g.*

centi- *pref.* 'a centésima parte' (em unidades de medida): *centigrama, centímetro*

centiare (cen.ti.a.re) *s.m.* unidade de medida agrária que corresponde a um metro quadrado ou à centésima parte do are

centígrado (cen.tí.gra.do) *adj.* **1** correspondente a um centésimo de intervalo na escala de temperatura de 100 graus *<grau c.>* **2** dividido em 100 graus *<escala c.>* ☞ cf. *Celsius*

centigrama (cen.ti.gra.ma) *s.m.* unidade de medida de massa equivalente à centésima parte do grama [símb.: *cg*]

centilitro (cen.ti.li.tro) *s.m.* unidade de medida de volume equivalente à centésima parte do litro [símb.: *cl*]

centímetro (cen.tí.me.tro) *s.m.* unidade de medida de comprimento equivalente à centésima parte do metro [símb.: *cm*]

cêntimo (cên.ti.mo) *s.m.* centésima parte do euro e das moedas de diversos países

cento (cen.to) *s.m.* **1** conjunto de 100 unidades; centena *<um c. de salgadinhos>* ■ *n.card.* **2** cem (us. na designação de numerais de 101 a 199) *<apartamento c. e oito> <a catedral levou c. e quinze anos para ser construída>* ▣ **por c.** em cada cem, cento ou centena (símb. %) *<noventa por c. da população foi vacinada>*

centopeia (cen.to.pei.a) /éi/ *s.f.* ZOO animal artrópode com 15 ou mais pares de patas; lacraia

central (cen.tral) [pl.: *-ais*] *adj.2g.* **1** situado no centro *<ponto c.> <bairro c.>* **2** *p.ext.* que está na base do funcionamento de (órgão, setor), por oposição ao que é local, regional etc. *<banco c.> <governo c.>* **3** *fig.* principal; fundamental *<a dívida é nosso problema c.>* ■ *s.f.* **4** construção (edifício, usina etc.) que visa ao controle, ao abastecimento, à distribuição, à geração etc. *<c. de operações> <c. hidrelétrica>*

centralismo (cen.tra.lis.mo) *s.m.* POL sistema em que há concentração do poder de decisão em uma pessoa ou em um grupo pequeno

centralização (cen.tra.li.za.ção) [pl.: *-ões*] *s.f.* **1** ato ou efeito de centralizar(-se) **2** reunião em um mesmo centro ou local **3** forte concentração de poder nas mãos de um único centro ou grupo *<c. econômica>* ↺ descentralização

centralizar (cen.tra.li.zar) *v.* {mod. 1} *t.d.,t.d.i. e pron.* **1** (prep. *em*) colocar(-se) ou reunir(-se) no centro *<centralizou o desenho (na cartolina)> <os bailarinos centralizavam-se no palco>* ↺ descentralizar **2** (fazer) ir para o mesmo ponto; concentrar(-se) *<o recém-nascido centralizava a atenção de todos> <o governo centralizou-se na capital>* ~ **centralizador** *adj.s.m.*

centrar (cen.trar) *v.* {mod. 1} *t.d. e t.d.i.* **1** (prep. *em*) situar em posição central; centralizar *<c. o anúncio (na página)>* □ *t.d.,t.i. e int.* FUTB **2** (prep. *para*) passar (a bola) de grande distância, ger. pelo alto, para fazer a jogada seguir; cruzar *<tropeçou e não conseguiu c. (a bola)> <centrou para o atacante, que marcou o gol>*

centrífuga (cen.trí.fu.ga) *s.f.* **1** eletrodoméstico us. esp. para extrair o suco de frutas e legumes **2** FÍS aparelho de alta rotação que separa substâncias de densidades diferentes

centrífugo (cen.trí.fu.go) *adj.* que se afasta ou faz afastar do centro *<força c.> <movimento c.>* ↺ centrípeto

centrípeto (cen.trí.pe.to) *adj.* que se aproxima ou faz aproximar do centro *<aceleração c.>* ↺ centrífugo

centrismo (cen.tris.mo) *s.m.* POL atitude ou orientação política que procura se afastar dos extremismos de direita e de esquerda

centrista (cen.tris.ta) *adj.2g.s.2g.* POL que(m) é militante de algum partido de centro ou simpatiza com o ideário do centrismo

centro (cen.tro) *s.m.* **1** ponto, região ou parte que se encontra a igual distância dos pontos periféricos; meio *<c. de uma circunferência> <a mesa está no c. da sala>* **2** área de bairro ou cidade onde se concentram atividades comerciais, burocráticas e de serviços *<foi ao c. comprar presentes>* **3** *p.ext.* ponto de convergência (de olhares, pessoas etc.) *<ele era o c. das atenções>* **4** *p.ext.* lugar principal de certas atividades *<c. nervoso> <c. cirúrgico>* **5** POL posição política que procura se afastar dos extremismos de direita e de esquerda *<deputado de c.>* **6** FUTB cruzamento ('ato de passar a bola') ▣ **c. de terapia intensiva** MED unidade de terapia intensiva [sigla: *CTI*]

centro-americano (cen.tro-a.me.ri.ca.no) [pl.: *centro-americanos*] *adj.* **1** da América Central ■ *s.m.* **2** natural ou habitante desse continente

centroavante (cen.tro.a.van.te) *s.2g.* FUTB *B* jogador que atua no ataque, entre o meia-direita e o meia-esquerda

centro-oeste (cen.tro-o.es.te) [pl.: *centro-oestes*] *adj.2g.s.m.* GEO **1** (o) que está no centro de uma área a oeste **2** que ou o que abrange áreas centrais e ocidentais (diz-se de região ou conjunto de regiões) [abrev.: *C.-O.*] **3** diz-se de ou região brasileira que compreende o Distrito Federal, Goiás, Mato Grosso e Mato Grosso do Sul [abrev.: *C.-O.*] ☞ nesta acp., iniciais maiúsc.

centuplicar (cen.tu.pli.car) *v.* {mod. 1} *t.d. e pron.* **1** multiplicar(-se) por cem **2** *p.ext.* aumentar muito

cêntuplo (cên.tu.plo) *n.mult.* **1** que é 100 vezes maior que outro ■ *s.m.* **2** o produto da multiplicação por 100

centúria (cen.tú.ria) *s.f.* **1** HIST MIL tropa romana de 100 cavaleiros **2** centena **3** período de 100 anos; século

centurião (cen.tu.ri.ão) [pl.: *-ões*] *s.m.* HIST MIL líder de uma centúria romana

CEP *s.m.* *B* sigla de *código de endereçamento postal*

cepa (ce.pa) /ê/ *s.f.* **1** BOT tronco da videira **2** *p.ext.* BOT videira **3** MICRBIO população homogênea de organismos com características definidas; linhagem *<c. de vírus>* **4** origem social ou familiar; tronco, linhagem ▣ **de boa c.** de boa origem

cepo (ce.po) /ê/ *s.m.* pedaço de tronco de árvore cortado transversalmente

cepticismo (cep.ti.cis.mo) *s.m.* → ***CETICISMO***

céptico (cép.ti.co) *adj.s.m.* → ***CÉTICO***

cera (ce.ra) /ê/ *s.f.* **1** substância amarelada e pastosa produzida pelas abelhas **2** qualquer substância semelhante à cera das abelhas **3** produto us. para polir madeiras, pisos etc. **4** *fig. B infrm.* prolongamento desnecessário da execução de trabalho, competição esportiva etc. <*faz c. sempre que está perdendo*> ▣ **c. do ouvido** FISL substância mole, de aspecto ceroso, que se forma no fundo do canal auditivo e serve de barreira mecânica e química; cerume

cerâmica (ce.râ.mi.ca) *s.f.* **1** arte de fabricar objetos de argila <*aulas de c.*> **2** *p.ext.* matéria-prima us. nessa fabricação **3** *p.ext.* objeto resultante dessa atividade <*ela faz lindas c. coloridas*> **4** *p.ext.* local onde são fabricadas peças de cerâmica <*ele tem uma c. em Itaipava*> ~**cerâmico** *adj.*

ceramista (ce.ra.mis.ta) *adj.2g.s.2g.* que(m) fabrica e/ou vende objetos de cerâmica

ceratina (ce.ra.ti.na) *s.f.* BIOQ proteína fibrosa e pouco solúvel em água, comum na epiderme, principal constituinte do cabelo, das unhas, dos chifres etc. ⊛ GRAM/USO f. mais us.: *queratina*

[1]**cerca** (cer.ca) /ê/ *s.f.* obra de madeira, ferro, arame etc. que limita ou protege um terreno, uma plantação, uma construção etc. <*c. de arame farpado*> ⊛ ORIGEM duv., talvez regressivo do v. *cercar* ▣ **c. viva** cerca feita de plantas

[2]**cerca** (cer.ca) /ê/ *adv.* ⊛ ORIGEM do lat. *circa* 'ao redor de, em volta de' ◗ usado em: **c. de** quase, aproximadamente, mais ou menos <*esperamos c. de duas horas*>

cercado (cer.ca.do) *adj.* **1** que tem [1]cerca <*terreno c.*> **2** que está entre vários elementos ao redor; rodeado <*casa c. de árvores*> **3** que sofreu cerco; sitiado <*em poucos dias acabarão os víveres da cidade c.*> ■ *s.m.* **4** terreno delimitado por [1]cerca <*fez um c. para criar galinhas*> **5** móvel ger. de base quadrangular, construído com grades onde se colocam crianças de colo <*os bebês brincavam no c.*>

cercadura (cer.ca.du.ra) *s.f.* o que cerca; contorno, orla <*chapéu com c. de rendas*>

cercania (cer.ca.ni.a) *s.f.* região que está perto ou ao redor; arredor, imediação <*havia cobras nas c. do sítio*> ☞ mais us. no pl.

cercar (cer.car) *v.* {mod. 1} *t.d.* **1** limitar (área) com cerca ou muro <*c. o jardim*> **2** impedir a passagem de; parar <*os policiais cercaram o suspeito*> **3** pôr cerco a; sitiar <*a vanguarda cercou a cidade em poucas horas*> **4** perseguir, assediar <*não gostava que os vendedores o cercassem*> □ *t.d. e t.d.i.* **5** (prep. *com, de*) pôr ou estar em volta de; circundar, rodear <*vamos c. a varanda com uma tela*> **6** *fig.* (prep. *de*) deixar repleto de; cobrir, cumular <*cerca a esposa de carinho*> □ *pron.* **7** (prep. *de*) acompanhar-se <*c.-se de pessoas de confiança*>

cerce (cer.ce) *adv.* **1** pela base, pela raiz; rente <*cortar c.*> ■ *adj.2g.* **2** que alcança a base, a raiz; rente <*um corte c.*>

cercear (cer.ce.ar) *v.* {mod. 5} *t.d.* **1** cortar pela base, pela raiz <*c. a grama*> **2** aparar ou cortar toda a volta de <*c. a fronde de uma árvore*> **3** pôr fim a; impedir <*a justiça cerceou seus planos criminosos*> **4** *fig.* impor limite a; restringir <*a ditadura cerceia a liberdade dos cidadãos*> ↺ estimular, ampliar ~**cerceamento** *s.m.*

cerco (cer.co) /ê/ *s.m.* **1** ação ou efeito de cercar **2** roda em torno de algo **3** bloqueio a uma cidade, praça de guerra etc.

cerda (cer.da) /é *ou* ê/ *s.f.* **1** pelo espesso e rígido de certos animais **2** *p.ext.* pelo ou fibra natural ou sintética de escova, pincel etc. ~**cerdoso** *adj.*

cerdo (cer.do) /é *ou* ê/ *s.m.* ZOO porco

cereal (ce.re.al) [pl.: *-ais*] *s.m.* **1** BOT planta que produz grão comestível, p.ex. arroz, milho, trigo, soja **2** *p.ext.* BOT grão ou semente dessas plantas **3** *p.ext.* alimento industrializado à base dos grãos dessas plantas ⊛ COL tulha

cerebelo (ce.re.be.lo) /ê/ *s.m.* ANAT parte posterior do cérebro, situada acima da medula, responsável pela coordenação muscular e pela manutenção do equilíbrio

cerebral (ce.re.bral) [pl.: *-ais*] *adj.2g.* **1** do cérebro <*artérias c.*> **2** que afeta o cérebro <*derrame c.*> **3** *fig.* que pensa e age de modo racional, com pouca emoção <*homem frio e c.*>

cérebro (cé.re.bro) *s.m.* **1** ANAT parte do sistema nervoso situada no crânio; órgão do pensamento e da coordenação neural **2** *p.ext.* inteligência; talento **3** *p.ext.* líder, cabeça <*o c. do time*>

cereja (ce.re.ja) /ê/ *s.f.* BOT **1** fruto da cerejeira, pequeno, redondo, vermelho e doce, com um só caroço no centro ■ *s.m.* **2** a cor desse fruto ■ *adj.2g.2n.* **3** de cor vermelho-escura, similar à desse fruto <*botas cereja*> **4** diz-se dessa cor <*tons cereja*>

cerejeira (ce.re.jei.ra) *s.f.* BOT árvore com cerca de 20 m, casca lisa e cinzenta, flores brancas e frutos vermelhos comestíveis

cerimônia (ce.ri.mô.nia) *s.f.* **1** conjunto de atos formais e solenes segundo regras rigorosas <*c. de casamento*> **2** *p.ext.* padrão de comportamento que expressa relação formal entre pessoas; protocolo **3** *p.ext.* timidez diante de pessoa ou fato <*ela, por c., recusou o convite*> <*fique à vontade, não faça c.*>

cerimonial (ce.ri.mo.ni.al) [pl.: *-ais*] *s.m.* **1** conjunto das formalidades de um evento solene <*preparar o c. da posse do presidente*> ■ *adj.2g.* **2** cerimonioso

cerimonioso (ce.ri.mo.ni.o.so) /ô/ [pl. e fem.: /ó/] *adj.* que segue regras de polidez e etiqueta; cerimonial <*pessoa c.*> <*gestos c.*>

cério (cé.rio) *s.m.* QUÍM elemento químico us. em isqueiros, dispositivos de ignição etc. [símb.: *Ce*] ☞ cf. *sério*; cf. *tabela periódica* (no fim do dicionário)

cernambi (cer.nam.bi) *s.m.* ZOO ver ***SERNAMBI***

cerne (cer.ne) *s.m.* **1** BOT parte interna do tronco das árvores, formada por células mortas, em que não ocorre o transporte de água; durame, durâmen **2** *fig.* centro, âmago <*vamos direto ao c. da questão*>

ceroila (ce.roi.la) *s.f.* → ***CEROULA***

ceroilas (ce.roi.las) *s.f.pl.* → ***CEROULAS***

cerol (ce.rol) [pl.: *-óis*] *s.m.* *B* mistura de vidro moído e cola que se passa na linha da pipa, para, no ar, cortar a linha de outra pipa

ceroma (ce.ro.ma) *s.f.* **1** MED tumor de tecidos que sofreram degeneração gordurosa **2** ANAT ZOO pele na base da maxila do bico das aves, por onde se abrem as narinas

ceroso (ce.ro.so) [pl. e fem.: /ó/] *adj.* **1** feito de cera **2** semelhante a cera, a sua consistência ou cor *<substância c.> <pele c.>*

ceroto (ce.ro.to) /ô/ *s.m. N.E. infrm.* sujeira escura na pele devida a falta de higiene

ceroula (ce.rou.la) ou **ceroila** (ce.roi.la) *s.f.* ceroulas

ceroulas (ce.rou.las) ou **ceroilas** (ce.roi.las) *s.f.pl.* VEST roupa masculina, us. sob as calças, que cobre da cintura ao tornozelo

cerração (cer.ra.ção) [pl.: *-ões*] *s.f.* **1** nevoeiro denso **2** *p.ext.* escuridão

cerrado (cer.ra.do) *adj.* **1** que está fechado, trancado ou tapado *<ninguém morava no sobrado, e as portas e janelas estavam c.> <mantinha os olhos c. enquanto pensava>* **2** apertado *<punhos c.>* **3** denso, compacto *<bosque c.> <entrei numa fila c.>* **4** encoberto de nuvens *<céu c.>* ■ *s.m.* **5** BOT mata de vegetação herbácea e árvores pequenas, tortuosas e de casca grossa, típica do planalto central brasileiro **6** GEO área onde ocorre esse tipo de vegetação

cerrar (cer.rar) *v.* {mod. 1} *t.d. e pron.* **1** unir duas ou mais partes de, impedindo que passe ar, luz etc.; fechar(-se), tapar(-se) *<c. as janelas> <c. os olhos>* ↺ abrir(-se), descerrar(-se) □ *t.d.* **2** unir com força; apertar *<c. os punhos>* ↺ soltar □ *int. e pron.* **3** cobrir(-se) de névoa (o tempo, o céu); escurecer, carregar(-se) ↺ abrir ☞ cf. *serrar*

cerro (cer.ro) /ê/ *s.m.* pequeno monte; colina, outeiro

certa (cer.ta) *s.f.* ◗ usado em: **na c.** com certeza, certamente, decerto *<se ele não veio, na c. teve um contratempo>*

certame (cer.ta.me) ou **certâmen** (cer.tâ.men) [pl.: *certâmenes* e *(B) certamens*] *s.m.* **1** combate físico **2** *p.ext.* disputa esportiva **3** *p.ext.* debate

certamente (cer.ta.men.te) *adv.* **1** com toda a certeza ou com grande probabilidade *<ele estará c. aqui para a reunião>* **2** indica concordância; claro, sem dúvida *<– Ela não é bonita? – C.>* **3** us. para responder de forma positiva um pedido; sim, claro *<– Pode me ajudar com os embrulhos? – C.>*

certeiro (cer.tei.ro) *adj.* **1** que acerta com exatidão; preciso *<acertou o alvo com uma flechada c.>* ↺ errado **2** correto, acertado *<resposta c.>* ↺ errado, incorreto

certeza (cer.te.za) /ê/ *s.f.* **1** característica ou condição do que é certo ou considerado certo; verdade *<a c. de um fato>* ↺ dúvida, incerteza **2** estado de quem não tem dúvida; convicção *<temos c. de que vai vencer>* ↺ hesitação, dúvida **3** conhecimento indiscutível *<as c. da fé e da ciência não são incompatíveis>* ▣ **com c.** sem dúvida; decerto, certamente *<com c. a proposta será aceita>*

certidão (cer.ti.dão) [pl.: *-ões*] *s.f.* documento emitido por autoridade competente que serve de prova ou comprovação de algo *<c. de nascimento>*

certificado (cer.ti.fi.ca.do) *adj.* **1** que se certificou *<hipótese c.>* ■ *s.m.* **2** documento que certifica ou comprova algo; certidão *<c. de conclusão de curso>*

certificar (cer.ti.fi.car) *v.* {mod. 1} *t.d. e t.d.i.* **1** (prep. *a*) afirmar (a alguém) a certeza, a verdade de; atestar *<c. as informações (às autoridades)>* ↺ desmentir □ *t.d.i. e pron.* **2** (prep. *de*) (fazer) obter a certeza de; assegurar(-se) *<certificou a irmã de que fora aprovada> <c.-se das próprias credenciais para o cargo>* □ *t.d.* **3** passar certidão de *<c. um nascimento>* ~ **certificador** *adj.s.m.*

certo (cer.to) *adj.* **1** sem erro *<resposta c.> <julgamento c.>* **2** fácil de demonstrar *<é c. que abril tem 30 dias>* **3** combinado; fixo *<o dia c. de entregar o trabalho>* **4** que não falha *<consequências c.>* ↺ duvidoso **5** correto, incontestável *<argumento c.>* ↺ errado, falso **6** que tem certeza; convicto *<estou c. de que vencerei>* ↺ equivocado, indeciso ■ *pron.ind.* **7** indeterminado; algum, um, qualquer *<queria um c. remédio para gripe>* ■ *adv.* **8** corretamente *<o aluno respondeu c.>* **9** com certeza, certamente *<vai cumprir o combinado, c.?>* ■ *s.m.* **10** o que é correto *<falar verdade é o c.>* ▣ **ao c.** com precisão; exatamente *<não sabemos ao c. a que horas ele chegou>* • **por c.** sem dúvida, certamente *<por c., esse aroma é de pão fresco>*

cerúleo (ce.rú.leo) *adj. frm.* **1** do céu *<seres c.>* **2** que tem a cor do céu em dias claros *<azul c.>*

cerume (ce.ru.me) ou **cerúmen** (ce.rú.men) [pl.: *cerúmenes* ou *(B) cerumens*] *s.m.* cera do ouvido

cerveja (cer.ve.ja) /ê/ *s.f.* bebida alcoólica fermentada, feita de cereais, esp. a cevada, e aromatizada com lúpulo ~ **cervejeiro** *adj.s.m.*

cervejaria (cer.ve.ja.ri.a) *s.f.* **1** fábrica de cerveja **2** casa comercial onde se consome cerveja, entre outras bebidas e comidas

cervical (cer.vi.cal) [pl.: *-ais*] *adj.2g.* **1** relativo à cerviz *<coluna c.> <nervos c.>* **2** feito na cerviz *<punção c.>* **3** relativo à parte inferior do colo do útero

cervídeo (cer.ví.deo) *s.m.* ZOO **1** espécime dos cervídeos, família de mamíferos ruminantes, como os veados, cervos, alces e renas, cujos machos possuem chifres ger. ramificados, trocados periodicamente ■ *adj.* **2** relativo a essa família

cerviz (cer.viz) [pl.: *-es*] *s.f.* ANAT **1** parte posterior do pescoço **2** cabeça **3** o colo ('porção estreitada') de um órgão *<c. uterina>*

cervo (cer.vo) /é *ou* ê/ *s.m.* ZOO **1** nome comum a diversas espécies de veado do hemisfério norte **2** veado grande encontrado em áreas pantanosas de vegetação alta, do sul do Peru e Brasil até o Uruguai ☞ cf. *servo*

cerzideira (cer.zi.dei.ra) *s.f.* **1** agulha de cerzir **2** *p.ext.* mulher que cirze

cerzir (cer.zir) *v.* {mod. 27} *t.d. e int.* costurar (tecido puído ou rasgado) com pontos miúdos, quase imperceptíveis *<c. (meias) com agulhas finas>* ~ **cerzidura** *s.f.*

cesáreo (ce.sá.reo) *adj.* relativo a cesariana *<parto c.> <operação c.>*

cesariana (ce.sa.ri.a.na) ou **cesárea** (ce.sá.rea) *s.f.* MED cirurgia que consiste numa incisão no abdome e no útero para retirar o feto *<parto por c.>*

césio (cé.sio) *s.m.* QUÍM elemento químico us. em células fotelétricas, relógios atômicos, tubos de alto vácuo etc. [símb.: *Cs*] ☞ cf. *tabela periódica* (no fim do dicionário)

cessão (ces.são) [pl.: *-ões*] *s.f.* **1** ato de ceder *<c. de vagas de trabalho>* **2** DIR transferência de posse ou direito *<c. de bens> <c. de privilégios>* ☞ *seção* e *sessão*

cessar (ces.sar) *v.* {mod. 1} *t.d. e int.* **1** dar fim a ou ter fim; parar *<c. a guerra> <um dia as dificuldades cessarão>* ↺ iniciar, continuar □ *t.i.* **2** (prep. *com, de*) não levar adiante; desistir *<c. de gritar> <c. com as brigas>* ↺ insistir, persistir ~ **cessação** *s.f.* - **cessante** *adj.2g.*

cessar-fogo (ces.sar-fo.go) [pl.: *cessar-fogos*] *s.m.* interrupção ou fim de um combate, guerra etc.; armistício, trégua

cessionário (ces.sio.ná.rio) *adj.s.m.* que(m) se beneficia de uma cessão

cesta (ces.ta) /ê/ *s.f.* **1** utensílio de vime, palha etc., us. para guardar ou carregar coisas *<c. de frutas>* **2** quantidade de objetos que uma cesta pode conter *<compramos duas c. de laranjas>* **3** ESP rede sem fundo, presa a um aro, por onde a bola de basquete deve passar para marcar pontos **4** ESP ponto assinalado no transcorrer do jogo, isto é, quando a bola ultrapassa esse aro ☞ cf. *sesta* ▣ **c. básica** *B* conjunto dos itens essenciais à subsistência de uma família durante um mês ~ **cesteiro** *adj.s.m.*

cestaria (ces.ta.ri.a) *s.f.* **1** arte e técnica de fabricar cestas ou cestos **2** local ou empresa onde são vendidos e/ou fabricados esses utensílios

cestinha (ces.ti.nha) *s.f.* **1** cesta pequena ■ *s.2g.* ESP **2** no basquete, jogador que marca o maior número de pontos da partida **3** *p.ext.* jogador de basquete que marca muitos pontos

cesto (ces.to) /ê/ *s.m.* cesta ('utensílio')

cesura (ce.su.ra) *s.f.* abertura em superfície; corte, incisão ~ **cesurar** *v.t.d.*

CET *s.f.* sigla de Companhia de Engenharia de Tráfego

cetáceo (ce.tá.ceo) *s.m.* ZOO **1** espécime dos cetáceos, ordem de mamíferos aquáticos com corpo semelhante ao de peixes e orifícios respiratórios no alto da cabeça (p.ex., baleia, boto, golfinho) ■ *adj.* **2** relativo a essa ordem

ceticismo (ce.ti.cis.mo) ou **cepticismo** (cep.ti.cis.mo) *s.m.* **1** FIL atitude de quem afirma não ser possível alcançar com certeza a verdade ↺ dogmatismo **2** inclinação para duvidar daquilo que a maioria das pessoas creem ↺ credulidade

cético (cé.ti.co) ou **céptico** (cép.ti.co) *adj.s.m.* **1** que(m) duvida ou descrê ↺ crédulo **2** partidário do ceticismo (FIL) ↺ dogmático

cetim (ce.tim) [pl.: *-ins*] *s.m.* tecido de seda lustroso e macio ~ **cetinoso** *adj.*

cetro (ce.tro) *s.m.* **1** bastão pequeno, ger. com uma figura decorativa na ponta superior, que simboliza o poder real **2** *fig.* o poder do rei

céu *s.m.* **1** espaço onde se localizam e movem os astros *<estudar o c.>* **2** parte desse espaço, visível pelo homem e limitado pelo horizonte; firmamento, abóbada celeste *<c. cheio de nuvens>* **3** REL local onde estão Deus, os anjos, as almas dos justos **4** *fig.* local de felicidade e harmonia *<a casa era meu c.>* ↺ inferno ▣ **c. da boca** ANAT *infrm.* palato, abóbada palatina • **c. de brigadeiro** AER *B infrm.* condições atmosféricas ideais para voo de aeronave • **a c. aberto** ao ar livre • **cair do c.** *fig.* ocorrer de modo inesperado e bem-vindo *<a sua ajuda caiu do c.>*

ceva (ce.va) *s.f.* **1** ato ou efeito de cevar **2** alimento para engordar animais **3** *B* local onde se prendem os animais para a engorda

cevada (ce.va.da) *s.f.* BOT cereal us. como alimento para o homem e o gado, e no fabrico de cerveja e outras bebidas alcoólicas

cevado (ce.va.do) *adj.* **1** bem alimentado, nutrido **2** gordo ■ *s.m.* **3** animal criado na ceva ('local')

cevar (ce.var) *v.* {mod. 1} *t.d.* **1** alimentar bem (animal) para que engorde **2** colocar isca em (anzol, armadilha) □ *t.d. e pron.* **3** alimentar(-se), nutrir(-se) **4** saciar(-se), fartar(-se) □ *pron. fig.* **5** enriquecer-se *<c.-se com diamantes>*

Cf QUÍM símbolo de *califórnio*

cg símbolo de *centigrama*

CGC *s.m.* sigla de *cadastro geral de contribuinte*

chá *s.m.* **1** chá-da-índia **2** *p.ext.* a folha de chá-da-índia **3** infusão dessas folhas **4** *p.ext.* infusão preparada com outros tipos de ervas *<c. de hortelã>* **5** reunião social com chá ('infusão') e comidas leves ▣ **c. de cadeira 1** *infrm.* longa espera *<tomou um c. de cadeira no consultório>* **2** em baile, falta de convite para dançar *<a moça antipática levou um c. de cadeira>* • **tomar c. de sumiço** *infrm.* desaparecer, sumir

chã *s.f.* **1** planície **2** carne da coxa do boi

chabu (cha.bu) *s.m.* *N.E.* falha em fogo de artifício ▣ **dar c.** *B infrm.* não sair como o previsto; falhar

chacal (cha.cal) [pl.: *-ais*] *s.m.* ZOO mamífero carnívoro semelhante ao lobo que vive na África e na Ásia

chácara (chá.ca.ra) *s.f.* *B* pequena propriedade rural ☞ cf. *xácara* ~ **chacareiro** *adj.s.m.*

chacina (cha.ci.na) *s.f.* assassinato de várias pessoas de uma só vez; matança ~ **chacinar** *v.t.d.*

chacoalhar (cha.coa.lhar) *v.* {mod. 1} *t.d. e int.* *B* **1** (fazer) sacudir, ger. produzindo barulho; agitar, chocalhar *<c. o tapete pela janela> <o avião chacoalhou muito>* □ *t.d.* *B* **2** agitar (líquido ou recipiente que o contém); chocalhar *<os burros chacoalhavam o leite até o arraial> <c. o garrafão até sair toda a manteiga>*

chacota (cha.co.ta) *s.f.* deboche, zombaria ~ **chacoteação** *s.f.* - **chacotear** v.t.d. e t.i.

chacrinha (cha.cri.nha) *s.f.* *infrm.* **1** *B* reunião informal **2** *p.ext.* conversa fiada **3** *p.ext.* agitação; bagunça *<sentavam atrás para fazer c.>*

chá-da-índia (chá-da-ín.dia) [pl.: *chás-da-índia*] *s.m.* BOT arbusto nativo da Índia e da China, de folhas verde-escuras de que se faz chá

chá de cadeira (chá de ca.dei.ra) [pl.: *chás de cadeira*] *s.m.* *infrm.* **1** longa espera *<tomou um c. de cadeira no consultório>* **2** em bailes, falta de convite para dançar *<a moça antipática levou um c. de cadeira>*

chã de dentro (chã de den.tro) [pl.: *chãs de dentro*] *s.f.* carne da parte interior da coxa do boi

chã de fora (chã de fo.ra) [pl.: *chãs de fora*] *s.f.* carne da parte exterior da coxa do boi

chá de panela (chá de pa.ne.la) [pl.: *chás de panela*] *s.m. B* reunião, ger. de mulheres, em que a noiva ganha presentes para a casa nova

chafariz (cha.fa.riz) [pl.: *-es*] *s.m.* ARQ CONSTR fonte com uma ou mais bicas por onde corre água, formando ger. um conjunto arquitetônico

chafurdar (cha.fur.dar) *v.* {mod. 1} *t.i.,int. e pron.* **1** (prep. *em*) atolar-se, revolver-se (em lama, lamaçal etc.) *<os porcos chafurdam(-se) (na lama)>* ◻ *t.i.* **2** *fig.* (prep. *em*) entregar-se (a vícios, maus hábitos) *<c. no alcoolismo>*

chaga (cha.ga) *s.f.* ferida aberta; úlcera ~ **chagado** *adj.* - **chaguento** *adj.*

chairel (chai.rel) [pl.: *-éis*] *s.m.* xairel

chalaça (cha.la.ça) *s.f.* o que se diz em tom de brincadeira; gracejo, ger. de mau gosto ~ **chalaceiro** *s.m.*

chalana (cha.la.na) *s.f.* MAR pequena embarcação fluvial de fundo chato, lados retos e proa e popa salientes

chalé (cha.lé) *s.m.* **1** casa de campo, de madeira, com telhado inclinado e terminando em ângulo agudo **2** casa rústica de madeira

chaleira (cha.lei.ra) *s.f.* **1** vasilha de metal com bico e tampa, us. para ferver água ■ *adj.2g.s.2g. B infrm.* **2** (pessoa) que bajula; bajulador, puxa-saco

chaleirar (cha.lei.rar) *v.* {mod. 1} *t.d.* bajular, puxar o saco de

chalrear (chal.re.ar) ou **chalrar** (chal.rar) *v.* {mod. 5} *int.* **1** soltar a voz (algumas aves), como a imitar a fala ☞ só us. nas 3as p., exceto quando fig. **2** *fig.* falar com descontração, fazendo algazarra *<as crianças chalreavam na varanda>* ~ **chalreio** *s.m.*

chama (cha.ma) *s.f.* **1** mistura gasosa e incandescente, acompanhada de luz e calor *<c. de uma vela> <c. de um lampião>* **2** *p.ext.* labareda, fogo *<as c. destruíram o primeiro andar do prédio>* **3** *fig.* ardor; entusiasmo *<a c. da esperança>*

chamada (cha.ma.da) *s.f.* **1** ato de chamar; chamado, chamamento *<o Exército fará a c. de reservistas>* **2** ato de chamar as pessoas para verificar sua presença *<entrou na sala quando o professor já fazia a c.>* **3** telefonema *<tenho de fazer uma c. urgente>* **4** advertência; repreensão *<levar uma c.>* **5** COMN resumo (em jornal, revista, rádio, TV etc.) que chama atenção para certa matéria, programa ou material publicitário

chamado (cha.ma.do) *s.m.* **1** ato ou efeito de chamar; chamada, chamamento **2** ato de dizer o nome de (alguém), para pedir aproximação ou verificar presença *<não ouviu o c. do instrutor>* **3** ato de atrair a atenção por meio de som, gesto etc. *<o navio detectou o c. dos náufragos>* ■ *adj.s.m.* **4** que(m) recebeu convite ou convocação; convidado, convocado *<25 foram os (jogadores) c. para a seleção>* ■ *adj.* **5** que recebeu apelido, qualificação; denominado, dito *<ela procurava a c. cara-metade>*

chamalote (cha.ma.lo.te) *s.m.* tecido cuja trama produz efeitos ondulados ~ **chamalotado** *adj.*

chamar (cha.mar) *v.* {mod. 1} *t.d. e t.i.* **1** (prep. *por*) dizer o nome de (alguém), esperando comunicação, aproximação ou indicação de presença *<c. os amigos, um a um> <em ordem alfabética, chamava pelos alunos>* **2** (prep. *por*) atrair a atenção de, com voz ou gesto *<c. um táxi> <chamou pela plateia, que estava dispersa>* ◻ *t.d.* **3** tirar do sono; acordar, despertar *<pediu ao pai que a chamasse cedo>* **4** acionar mecanismo de (elevador) *<apertou o botão para c. o elevador>* ◻ *t.d.i.* **5** (prep. *para*) convocar (para cargo, emprego); nomear *<chamou-o para monitor>* ◻ *t.d. e t.d.i.* **6** (prep. *para*) pedir a presença ou participação de (alguém) [em festa, reunião etc.]; convidar, convocar *<chamou 80 pessoas (para a festa)>* ◻ *t.d.pred.* **7** dar nome, apelido ou qualificativo a *<os colegas chamavam-no (de) Toninho> <chamam-lhe (de) crânio>* ◻ *int.* **8** soar (telefone) ◻ *pron.* **9** ter por nome *<c.-se Carlos>* **10** dizer-se, intitular-se *<c.-se vencedor>* ~ **chamamento** *s.m.*

chamariz (cha.ma.riz) [pl.: *-es*] *s.m.* coisa que atrai; isca *<o c. da loja eram os preços baixos>*

chá-mate (chá-ma.te) [pl.: *chás-mate* e *chás-mates*] *s.m.* BOT mate ('chá')

chamativo (cha.ma.ti.vo) *adj.* **1** que chama a atenção; atraente; atrativo *<anúncio c.>* **2** berrante; vívido *<cores c.> <roupa c.>* ↺ discreto

chambaril (cham.ba.ril) [pl.: *-is*] *s.m.* mocotó

chambre (cham.bre) *s.m.* VEST peça de roupa aberta na frente, us. ger. sobre a roupa de dormir; roupão

chamego (cha.me.go) /ê/ *s.m. B* **1** afeição; apego *<ela tem um c. pelos seus gatos>* **2** troca de carícias íntimas ~ **chamegar** *v.* - **chameguento** *adj.t.d.,t.i. e int.*

chamejar (cha.me.jar) *v.* {mod. 1} *int.* **1** lançar chamas; queimar, arder *<as tochas chamejam>* **2** brilhar como chama; fulgurar, cintilar *<o diamante chamejava à luz> <seus olhos chamejam quando fala da amada>* ~ **chamejante** *adj.2g.*

chaminé (cha.mi.né) *s.f.* **1** CONSTR tubo por onde escapa a fumaça de fornalha, fogão, lareira etc. **2** *fig. pej.* pessoa que fuma excessivamente

champanha (cham.pa.nha) ou **champanhe** (cham.pa.nhe) *s.2g.* **1** vinho espumante, branco ou rosado, produzido em Champagne, na França **2** qualquer vinho semelhante a esse

champignon (cham.pi.gnon) [fr.] *s.m.* BIO cogumelo comestível, freq. cultivado ⇒ pronuncia-se chãpinhon

champinhom (cham.pi.nhom) [pl.: *-ons*] *s.m.* BIO aport. de *champignon*

chamusca (cha.mus.ca) *s.f.* chamuscamento

chamuscamento (cha.mus.ca.men.to) *s.m.* **1** queima de leve daquilo que se passa pelo fogo; chamusca, chamusco **2** enegrecimento pelo fogo; chamusca, chamusco

chamuscar (cha.mus.car) *v.* {mod. 1} *t.d. e pron.* queimar(-se) ligeiramente *<c. o dedo no fogão> <ele chamuscou-se por desatenção>* ~ **chamuscado** *adj.*

chamusco (cha.mus.co) *s.m.* **1** chamuscamento **2** *p.ext.* cheiro de queimado

chanca (chan.ca) *s.f. infrm.* **1** pé grande, feio **2** sapato grande e tosco **3** FUTB *B* chuteira ou sua sola

chance (chan.ce) *s.f.* **1** possibilidade de algo acontecer *<a c. de chover é pequena>* **2** oportunidade, ocasião, vez *<agora é a nossa c. de vencer>*

chancela (chan.ce.la) *s.f.* **1** selo ou carimbo em documento **2** impressão da assinatura ou de qualquer sinal que serve para aprovar, autenticar ou certificar algo *<portaria com a c. do ministro>*

chancelar (chan.ce.lar) *v. t.d.* **1** pôr chancela em *<o oficial chancelou os documentos>* **2** aprovar, referendar *<o congresso chancelou a indicação presidencial>*

chancelaria (chan.ce.la.ri.a) *s.f.* **1** unidade do serviço público onde se aplica o selo do Estado em documentos **2** POL ministério encarregado das relações exteriores em certos países **3** POL cargo de chanceler

chanceler (chan.ce.ler) [pl.: *-es*] *s.m.* POL **1** chefe de governo ou primeiro-ministro de certos países **2** ministro encarregado das relações exteriores em alguns países

chanchada (chan.cha.da) *s.f.* CINE TEAT espetáculo ou filme em que predomina um humor ingênuo, burlesco, de caráter popular

chanfalho (chan.fa.lho) *s.m.* espada grande, velha e enferrujada

chanfradura (chan.fra.du.ra) *s.f.* corte em forma de meia-lua ou em ângulo na borda de um objeto; chanfro

chanfrar (chan.frar) *v.* {mod. 1} *t.d.* cortar na diagonal ou em meia-lua a borda de (vidro, madeira etc.) ~ **chanfrador** *adj.s.m.*

chanfro (chan.fro) *s.m.* chanfradura

chantagear (chan.ta.ge.ar) *v.* {mod. 5} *t.d. e int.* exigir dinheiro ou vantagem de (alguém), p.ex., para não revelar fato desabonador a seu respeito; fazer chantagem contra *<tentou c. o cúmplice>* *<é honesto, não chantageia>*

chantagem (chan.ta.gem) [pl.: *-ens*] *s.f.* pressão sobre alguém para obter dinheiro ou favores por meio de ameaças; extorsão

chantagista (chan.ta.gis.ta) *adj.2g.s.2g.* que(m) faz chantagem

chantili (chan.ti.li) *s.m.* CUL creme de leite fresco batido e açucarado ☞ tb. us. como adj.2g.2n.: *creme chantili*

chantre (chan.tre) *s.m.* pessoa encarregada da direção dos coros nas igrejas e capelas

chanuca (cha.nu.ca) [heb.] *s.m.* REL festa judaica, tb. dita da Consagração ou das Luzes, comemorada próximo do Natal ☞ inicial maiúsc. ⇒ pronuncia-se ranuca

chão [pl.: *chãos*] *s.m.* **1** superfície sólida da crosta terrestre; solo, terra **2** pavimento, piso *<a quadra tem c. de cimento>* *<fizemos um c. de madeira na casa>*

chapa (cha.pa) *s.f.* **1** peça plana, fina, feita de metal, vidro etc., ger. us. para revestir, reforçar ou proteger algo; lâmina, folha **2** peça metálica que se aquece para cozer ou fritar alimentos *<bife na c.>* **3** *infrm.* radiografia ('imagem') *<tirar uma c. dos pulmões>* **4** conjunto de candidatos de um grupo ou partido *<c. oposicionista>* **5** *B* placa de metal colocada na dianteira e/ou traseira de um veículo, com o número do licenciamento; placa ■ *s.2g.* **6** *infrm.* amigo, camarada *<como vai, meu c.?>*

chapada (cha.pa.da) *s.f.* GEO **1** superfície elevada e plana, ou com poucas ondulações; planalto **2** grande extensão de terreno plano; planície

chapadão (cha.pa.dão) [pl.: *-ões*] *s.m.* GEO **1** chapada ou planalto extenso **2** série de chapadas

chapado (cha.pa.do) *adj.* **1** revestido de chapa(s) **2** deitado, estirado *<o corredor terminou a prova c. no chão>* **3** *fig. B infrm.* abatido por esforço excessivo ou consumo de álcool ou drogas *<chegou a casa c.>*

chapar (cha.par) *v.* {mod. 1} *t.d. e t.d.i.* **1** (prep. *com, de*) pôr chapa(s) em; chapear *<c. o casco do navio>* *<c. as janelas com material corta-fogo>* **2** dar forma de chapa a *<c. o alumínio>* **3** cunhar (moeda) □ *pron.* **4** (prep. *em*) cair estendido; estatelar-se

chapear (cha.pe.ar) *v.* {mod. 5} *t.d.* **1** revestir ou reforçar com chapas metálicas ou não; chapar *<c. o casco de uma embarcação>* **2** fazer com argamassa, barro ou cimento revestimento áspero e desigual em (parede, teto, muro)

chapelaria (cha.pe.la.ri.a) *s.f.* **1** local onde são fabricados ou vendidos chapéus **2** em algumas casas de espetáculos, lugar onde se guardam chapéus e, atualmente, casacos, guarda-chuvas etc.

chapeleira (cha.pe.lei.ra) *s.f.* **1** mulher que fabrica ou vende chapéus **2** caixa para guardar e transportar chapéus **3** cabide para chapéus, bonés etc.

chapeleiro (cha.pe.lei.ro) *s.m.* aquele que fabrica ou vende chapéus

chapeleta (cha.pe.le.ta) /ê/ *s.f.* **1** VEST pequeno chapéu **2** válvula de couro us. em certas bombas de água

chapéu (cha.péu) *s.m.* **1** VEST peça de vestuário para a cabeça, feita de diferentes materiais e ger. constituída de copa e aba **2** *B* guarda-chuva **3** FUTB *B* jogada em que a bola é chutada por cima do adversário e recuperada logo adiante, às suas costas; lençol ◉ GRAM/USO aum.: *chapelão, chapeirão*; dim.: *chapeleta, chapelete, chapelinho*

chapéu-coco (cha.péu-co.co) [pl.: *chapéus-coco* e *chapéus-cocos*] *s.m.* VEST chapéu de homem, de feltro duro, com a copa arredondada e a aba estreita voltada para cima

chapéu de chuva (cha.péu de chu.va) [pl.: *chapéus de chuva*] *s.m.* guarda-chuva

chapéu de sol (cha.péu de sol) [pl.: *chapéus de sol*] *s.m.* guarda-sol

chapéu-panamá (cha.péu-pa.na.má) [pl.: *chapéus-panamá* e *chapéus-panamás*] *s.m.* VEST chapéu masculino de palha fina; panamá

chapinha (cha.pi.nha) *s.f.* **1** chapa pequena **2** *B* pequena tampa metálica us. para vedar o gargalo de garrafas **3** *B* artefato us. para alisar cabelos ▣ **fazer c.** *B* utilizar uma chapinha ('artefato') para alisar cabelos

chapinhar (cha.pi.nhar) *v.* {mod. 1} *t.d. e int.* **1** agitar (água, lama etc.) com os pés ou as mãos *<c. a água nadando de costas>* *<as crianças gostam de c. na banheira>* □ *int.* **2** atolar *<na seca, os cavalos costumam c. no leito do rio>*

chapisco (cha.pis.co) *s.m.* CONSTR argamassa de cimento e areia que se aplica em superfície lisa para formar uma base irregular, áspera, sobre a qual se fixa o reboco ~ **chapiscar** *v.t.d.*

charada (cha.ra.da) *s.f.* **1** enigma cuja solução é uma palavra ou expressão **2** *p.ext.* linguagem pouco inteligível, enigmática, obscura **3** *fig.* coisa difícil de solucionar ou de entender; enigma, problema ▣ **matar a c.** *B* achar a resposta para algum problema

charadista (cha.ra.dis.ta) *adj.2g.s.2g.* que(m) cria ou decifra charadas

charanga (cha.ran.ga) *s.f.* **1** MÚS banda pequena, formada principalmente por instrumentos de sopro **2** *p.ext. pej.* conjunto musical desafinado e barulhento **3** *B infrm.* carro velho

charão (cha.rão) [pl.: *-ões*] *s.m.* **1** verniz de laca, negro ou vermelho, us. no revestimento de madeira, papelão, couro etc. **2** objeto de madeira revestido com esse verniz

charco (char.co) *s.m.* **1** terreno baixo onde a água estagnada se espalha; pântano **2** lugar com água parada e lamacenta; lamaçal ~ **charcoso** *adj.*

charge (char.ge) *s.f.* cartum que contém crítica social, política etc.

chargista (char.gis.ta) *adj.2g.s.2g.* humorista que concebe e desenha charges

charlar (char.lar) *v.* {mod. 1} *int.* conversar à toa, sem assunto determinado ~ **charla** *s.f.* - **charlador** *adj.s.m.*

charlatanice (char.la.ta.ni.ce) *s.f.* atitude, linguagem, método ou obra de charlatão; charlatanismo

charlatanismo (char.la.ta.nis.mo) *s.m.* charlatanice

charlatão (char.la.tão) [pl.: *-ões* e *-ães*; fem.: *charlatona*] *adj.s.m.* **1** que(m) explora a credulidade alheia, p.ex., vendendo produtos que não possuem as qualidades a eles atribuídas **2** *p.ext.* que(m) se faz passar por médico **3** (médico) incompetente ou inescrupuloso ~ **charlatanear** *v.t.d. e int.* - **charlatanesco** *adj.*

charme (char.me) *s.m.* graça sedutora própria daquele que agrada, cativa ou deslumbra; encanto *<o c. de uma cantora> <o meu bairro tem um c. especial>* ▣ **fazer c.** *B infrm.* simular falta de interesse por alguém ou por algo que na realidade se deseja *<disse que não vai à festa só para fazer c.>*

charmoso (char.mo.so) /ô/ [pl. e fem.: /ó/] *adj.* que tem charme *<pessoa c.> <lugar c.>*

charneca (char.ne.ca) *s.f.* *B* terreno baixo e alagadiço, com águas paradas; pântano, charco

charola (cha.ro.la) *s.f.* armação em que se levam imagens sacras nas procissões; andor

charque (char.que) *s.m.* carne bovina cortada em mantas, salgada e seca, ger. ao sol; carne-seca, jabá ~ **charquear** *v.t.d. e int.*

charqueada (char.que.a.da) *s.f.* *B* local onde os bois são abatidos e onde se prepara o charque

charrete (char.re.te) *s.f.* veículo para duas ou três pessoas, com duas rodas, puxado por cavalo

charrua (char.ru.a) *s.f.* grande arado de ferro ~ **charruar** *v.t.d. e int.*

charter (char.ter) [ing.; pl.: *charters*] *s.m.* **1** avião alugado por contrato para fins específicos, ger. turísticos ■ *adj.2g.2n.* **2** que é feito nessas condições *<voo c.>* ⇒ pronuncia-se tcharter

charutaria (cha.ru.ta.ri.a) *s.f.* *B* **1** loja onde se vendem cigarros, charutos etc.; tabacaria **2** arte e técnica de fazer charutos **3** lugar onde se fabricam charutos

charuteira (cha.ru.tei.ra) *s.f.* estojo para charutos

charuteiro (cha.ru.tei.ro) *s.m.* **1** operário que fabrica charutos **2** dono de charutaria

charuto (cha.ru.to) *s.m.* rolo de folhas secas de tabaco para se fumar

chassi (chas.si) *s.m.* *B* estrutura de aço sobre a qual se monta a carroceria de um veículo

chat [ing.; pl.: *chats*] *s.m.* INTERN bate-papo virtual entre usuários da internet, em que as mensagens escritas aparecem no monitor em tempo real ⇒ pronuncia-se tchét

chata (cha.ta) *s.f.* MAR embarcação quadrangular, de fundo chato, us. para dragagem, transporte de carga etc.

chatear (cha.te.ar) *v.* {mod. 5} *t.d.,int. e pron. infrm.* **1** (fazer) ficar aborrecido; irritar(-se), exasperar(-se) *<pare com isso, e não (me) chateie!> <chateia-se com as manias do irmão>* **2** (fazer) sentir tédio; enfadar(-se), entediar(-se) *<c. o público com uma lenga-lenga> <música repetitiva chateia> <c.-se em reuniões formais>* ↺ agradar, entreter ~ **chateação** *s.f.*

chatice (cha.ti.ce) *s.f.* *infrm.* **1** condição ou característica do que é chato *<a c. do seu tom de voz>* **2** aquilo que chateia; chateação *<esperar os retardatários é uma c.>*

chato (cha.to) *adj.* **1** que tem a superfície plana ou uniforme *<terreno c.> <pé c.>* **2** *p.ext.* de pouca profundidade; raso *<vasilha c.>* **3** *p.ext.* de pouca altura ou pouca espessura *<travesseiro c.>* ■ *adj.s.m. fig. infrm.* **4** (o) que é entediante, monótono ou insistente *<conversa c.> <não convidou os c. para o passeio>* ■ *s.m.* ZOO **5** piolho encontrado nos pelos pubianos do ser humano

chauvinismo (chau.vi.nis.mo) /chô/ *s.m.* **1** patriotismo exagerado e agressivo **2** entusiasmo intransigente por uma causa, atitude etc. ~ **chauvinista** *adj.2g.s.2g.*

chavão (cha.vão) [pl.: *-ões*] *s.m.* frase ou dito tão repetido que já perdeu seu valor expressivo; clichê, lugar-comum

chave (cha.ve) *s.f.* **1** peça metálica que abre e fecha uma fechadura *<c. de uma porta> <fechou a gaveta a chave>* **2** peça análoga que liga e desliga motores *<c. do carro>* **3** peça com que se dá corda a relógios, brinquedos etc. **4** ferramenta para ajuste de peças, parafusos etc. **5** posse efetiva (de imóvel, negócio etc.) *<entrega das c.>* ☞ freq. us. no pl. **6** interruptor *<c. de luz>* **7** numa linha férrea, dispositivo por meio do qual se faz a passagem de um trem para outra linha vizinha **8** *fig.* elemento essencial *<a competência dos empregados é a c. do sucesso da empresa>* **9** *fig.* aquilo que permite a compreensão ou explicação *<a c. dos sonhos> <a c. do enigma>* **10** início ou fim de um poema **11** sinal gráfico ({) que agrupa os elementos de uma operação matemática **12** sinal gráfico ({) que indica a reunião de itens relacionados entre si formando um grupo ☞ mais us. no pl. **13** ESP em certos campeonatos e torneios, cada um dos grupos de participantes que devem enfrentar, em sequência, os adversários de outro(s) grupo(s) até a disputa da final **14** golpe que comprime uma parte do corpo do adversário com os braços ou com as pernas *<c. de braço>* **15** MÚS mecanismo que, em certos instrumentos de sopro, controla a abertura dos orifícios ◉ GRAM/USO dim.irreg. *chaveta*; aum.irreg. *chavão* ▣ **c. de fenda**

ou **de parafuso** chave constituída por uma haste cilíndrica de ferro com cabo e a ponta livre achatada, que se introduz no sulco da cabeça de um parafuso para girá-lo • **c. de ouro 1** remate de belo efeito num poema **2** *fig.* conclusão perfeita *<terminou o discurso com c. de ouro>* • **c. mestra** chave que abre todas as portas de um imóvel • **a sete c.** de modo muito seguro; muito bem trancado ou guardado *<mantém o próprio testamento num cofre fechado a sete c.>* *<guardar um segredo a sete c.>*

chavear (cha.ve.ar) *v.* {mod. 5} *t.d.* trancar, fechar à chave *<por segurança, chaveou o cofre>* *<c. as janelas>* ~ **chaveamento** *s.m.*

chaveiro (cha.vei.ro) *s.m.* *B* **1** profissional que faz cópias ou conserta chaves **2** objeto portátil ou fixo onde se prendem chaves

chavelho (cha.ve.lho) /ê/ *s.m.* ANAT ZOO chifre

chávena (chá.ve.na) *s.f.* pequeno recipiente com asa us. esp. para bebidas quentes; xícara

chaveta (cha.ve.ta) /ê/ *s.f.* **1** pequena chave **2** MEC peça que, na extremidade do eixo, fixa a roda **3** peça que segura uma cavilha **4** haste que une as duas partes de uma dobradiça

checape (che.ca.pe) *s.m.* aport. de *check-up*

checar (che.car) *v.* {mod. 1} *t.d.* **1** verificar, conferir *<c. o equipamento de trabalho>* □ *t.d.i.* **2** (prep. *com*) confrontar, comparar *<c. o documento com uma cópia>* ~ **checagem** *s.f.*

check-in [ing.; pl.: *check-ins*] *s.m.* **1** nos aeroportos comerciais, verificação do bilhete de viagem e autorização para embarcar **2** registro das informações pessoais na chegada a um hotel, hospital, congresso etc. ⇒ pronuncia-se tchequin

check-out [ing.; pl.: *check-outs*] *s.m.* ato ou efeito de desocupar o cômodo que se usava e pagar pela estada (freq. num hotel) ⇒ pronuncia-se tchecaut

check-up [ing.; pl.: *check-ups*] *s.m.* **1** MED exame médico completo **2** *p.ext.* análise minuciosa para verificação de uma situação, de um fato etc. *<c. do motor do carro>* ⇒ pronuncia-se tchecap

checo (che.co) *adj.s.m.* → ***TCHECO***

cheeseburger (cheese.bur.ger) [ing.; pl.: *cheeseburgers*] *s.m.* CUL hambúrguer com uma fatia de queijo sobre a carne ⇒ pronuncia-se xisburguer

chefatura (che.fa.tu.ra) *s.f.* **1** seção, esp. na polícia, onde o chefe trabalha **2** cargo de chefe; chefia

chefe (che.fe) *s.2g.* **1** autoridade principal *<c. de repartição>* *<c. de governo>* *<pedir aumento ao c.>* **2** aquele que dirige, governa *<c. do partido>* *<c. do bando>* **3** pessoa reconhecida como autoridade dentro de um grupo social, cultural, religioso etc. *<c. de família>* ◉ GRAM/USO tb. se aceita o fem. infrm. *chefa*

chefia (che.fi.a) *s.f.* **1** cargo ou função de chefe **2** *B infrm.* chefe, patrão

chefiar (che.fi.ar) *v.* {mod. 1} *t.d. e int.* exercer cargo ou função de chefe *<está capacitado para c. (o departamento)>*

chega (che.ga) /ê/ *interj.* expressa ordem de interromper algo que irrita; basta *<chega! você passou dos limites>*

chegada (che.ga.da) *s.f.* **1** ato ou efeito de chegar *<esperava a c. da namorada>* ↺ partida, saída **2** momento em que algo ou alguém chega a um lugar *<previmos a c. do ônibus para as 11 horas>* **3** ato de estar próximo ou iminente *<todos aguardam a c. da primavera>* **4** ESP marca que indica o fim de uma corrida

chegado (che.ga.do) *adj.* **1** que acabou de chegar *<amigo c. de viagem>* **2** muito próximo no espaço *<eles dançavam c.>* ↺ afastado, distante **3** íntimo, próximo *<primos c.>* *<amigas c.>* **4** que tem inclinação ou gosto; propenso, dado *<c. ao estudo>* ↺ desinteressado, indiferente

chegança (che.gan.ça) *s.f.* DNÇ FOLC *B* dança dramatizada que evoca as aventuras marítimas portuguesas e as lutas entre cristãos e mouros

chega pra lá (che.ga pra lá) *s.m.2n.* *B infrm.* **1** encontrão, empurrão *<o jogador deu um chega pra lá no adversário>* **2** ato de repreender alguém e seu efeito *<a turma se endireitou depois do chega pra lá que levou do professor>* **3** ato de manter alguém afastado ou seu efeito *<precisou dar um chega pra lá nos convidados inconvenientes>*

chegar (che.gar) *v.* {mod. 1} *t.i. e int.* **1** (prep. *a*, *de*) atingir o fim de um percurso de ida e/ou de vinda *<c. cedo (à reunião)>* *<c. da Europa>* ↺ partir **2** (prep. *a*) acontecer, sobrevir *<a noite chegou (à floresta)>* □ *t.i.* **3** (prep. *a*) alcançar um ponto no espaço ou no tempo *<a saia chega ao chão>* *<não sei se chegarei à velhice>* **4** (prep. *a*) alcançar (quantia, valor) *<o lucro chega a 100 mil>* **5** (prep. *de*, *para*) ser suficiente; bastar *<isso chega para pagar o serviço>* ↺ faltar □ *t.d.i.* **6** (prep. *a*) juntar duas coisas; aproximar *<c. o lenço à fronte>* ↺ afastar □ *pron.* **7** achegar-se, aproximar-se ↺ distanciar-se

cheia (chei.a) *s.f.* **1** aumento rápido do nível de um curso de água ☞ cf. *vazante* **2** *p.ext.* inundação, enchente

cheio (chei.o) *adj.* **1** totalmente preenchido; repleto *<copo c. de água>* ↺ vazio **2** cuja lotação está completa; lotado *<o cinema está c.>* ↺ vazio **3** que tem muito ou muitas coisas *<caixa c. de joias>* *<olhos c. de lágrimas>* **4** *fig.* que não está disponível; ocupado *<táxi c.>* ↺ disponível, livre **5** *fig.* bem preenchido ou sem horas vagas *<dia c.>* ↺ livre **6** nutrido, forte, redondo *<rosto c.>* ↺ macilento **7** *B infrm.* que está nos limites da paciência, da tolerância; farto *<estamos c. dos seus caprichos>* ◉ GRAM/USO sup.abs. sint.: *cheiíssimo* ▣ **c. de si** arrogante, convencido, metido • **em c.** com precisão, sem erro *<acertou em c. no alvo>*

cheirar (chei.rar) *v.* {mod. 1} *t.d.* **1** sentir ou tentar sentir o cheiro de *<c. uma flor>* *<c. o feijão>* □ *int.* **2** usar o sentido do olfato *<perdeu a capacidade de c.>* □ *t.d.* **3** inalar, aspirar *<c. rapé>* □ *t.i.* **4** (prep. *a*) exalar cheiro *<a cozinha cheirava a pipoca>* **5** *infrm.* (prep. *a*) dar indício de; parecer *<isso cheira a confusão>*

cheiro (chei.ro) *s.m.* **1** impressão produzida no olfato pela emanação volátil dos corpos; odor *<c. forte>* **2** fragrância, perfume *<pôr c. nos cabelos>* **3** mau cheiro; fedor *<que c., parece peixe podre>* **4** *N.E.* ato de cheirar alguém com carinho *<dar um c. no bebê>* **5** *fig.* indício, rastro *<foi pego porque deixou c.>*

cheiroso (chei.ro.so) /ô/ [pl. e fem.: /ó/] *adj.* que tem cheiro agradável *<comida c.> <andava sempre limpo e c.>*

cheiro-verde (chei.ro-ver.de) [pl.: *cheiros-verdes*] *s.m.* CUL raminho de salsa, cebolinha etc., us. para temperar a comida

chenile (che.ni.le) *s.f.* tecido de fio aveludado, com fibras protuberantes, us. esp. em colchas e tapetes

cheque (che.que) *s.m.* documento por meio do qual o titular de uma conta ordena ao banco o pagamento de certa quantia a favor de outra pessoa ou firma ☞ cf. *xeque*

cherne (cher.ne) *s.m.* ZOO *B* peixe ósseo, marinho, da família dos badejos e garoupas, de águas tropicais, com cerca de 1,5 m de comprimento, apreciado como alimento

chiado (chi.a.do) *s.m.* **1** ruído contínuo *<o c. da panela de pressão>* **2** ruído prolongado produzido por alguns animais *<o c. da cigarra>*

chiar (chi.ar) *v.* {mod. 1} *int.* **1** emitir chiados (certos animais) *<os grilos chiam ao anoitecer>* **2** produzir ruído áspero (ger. por atrito); ranger *<ouviu o portão c. quando o pai chegou>* **3** produzir som semelhante ao de fervura ou fritura *<ficou com água na boca quando ouviu o bife c.>* **4** *gír.* reclamar, protestar *<não chiou quando chamaram a atenção dele>* ~ **chiada** *s.f.* - **chiadeira** *s.f.*

chibata (chi.ba.ta) *s.f.* **1** vara flexível us. para bater **2** *B* chicote ~ **chibatar** *v.t.d.*

chibatada (chi.ba.ta.da) *s.f.* golpe com chibata; chicotada

chibé (chi.bé) *s.m.* CUL *AMAZ MA* papa ou refresco de farinha de mandioca adoçada

chicana (chi.ca.na) *s.f.* **1** argumentação astuciosa de um advogado **2** *p.ext.* tramoia, ardil **3** passagem de carro em zigue-zague por obstáculos **4** conjunto desses obstáculos ~ **chicanear** *v.int.*

chicaneiro (chi.ca.nei.ro) *adj.s.m.* que(m) faz chicana, trapaceia

chicano (chi.ca.no) [esp.] *adj.s.m.* (norte-americano) de ascendência latino-americana, esp. mexicana ⇒ pronuncia-se tchicano

chicle (chi.cle) *s.m.* **1** látex do sapoti, matéria-prima da goma de mascar **2** goma de mascar

chiclete (chi.cle.te) *s.m.* certa goma de mascar (cuja marca registrada no Brasil é *Chicletes*)

chico (chi.co) *s.m.* *B infrm.* **1** mico ou macaco doméstico **2** menstruação

chicória (chi.có.ria) *s.f.* BOT erva da família das compostas, de folhas amargas, comestíveis, us. como forragem ou como mistura para o café; almeirão

chicotada (chi.co.ta.da) *s.f.* golpe com chicote; chibatada

chicote (chi.co.te) *s.m.* conjunto de tiras de couro presas a um cabo us. para golpear; látego, açoite, chibata ~ **chicoteamento** *s.m.* - **chicotear** *v.t.d.*

chicote-queimado (chi.co.te-quei.ma.do) [pl.: *chicotes-queimados*] *s.m.* RECR jogo em que as crianças devem encontrar um objeto previamente escondido

chicungunha (chi.cun.gu.nha) *s.2g.* BIO **1** vírus causador da doença que tem esse nome ■ *adj.2g.s.2g.* MED **2** diz-se de ou febre transmitida pela picada de mosquitos aedes infectados por esse vírus, e caracterizada por dores musculares e articulares fortíssimas

chiffon (chif.fon) [fr.; pl.: *chiffons*] *s.m.* tecido fino feito de seda, náilon ou raiom ⇒ pronuncia-se xifon

chifrada (chi.fra.da) *s.f.* golpe com chifre(s)

chifrar (chi.frar) *v.* {mod. 1} *t.d.* **1** golpear com o(s) chifre(s); cornear ☞ nesta acp., só us. nas 3as p., exceto quando fig. **2** *infrm.* ser infiel a (namorado, cônjuge); trair, cornear

chifre (chi.fre) *s.m.* ANAT ZOO **1** cada um dos dois apêndices ósseos na cabeça de muitos ruminantes; corno **2** cada um dos tentáculos de um caracol ou das antenas de um inseto; corno

chifrudo (chi.fru.do) *adj.s.m.* **1** (animal) que tem chifre(s) **2** *B infrm.* (cônjuge) enganado pelo parceiro; corno ■ *s.m. infrm.* **3** diabo

chile (chi.le) ou **chili** (chi.li) *s.m.* CUL molho de pimenta vermelha muito forte, comum na culinária do México e de Macau

chileno (chi.le.no) *adj.* **1** do Chile (América do Sul) ■ *s.m.* **2** natural ou habitante desse país

chilique (chi.li.que) *s.m.* *infrm.* **1** ataque de nervos; faniquito *<ela vai ter um c. quando descobrir que você mentiu>* **2** desfalecimento, desmaio

chilrar (chil.rar) *v.* → ***CHILREAR***

chilreada (chil.re.a.da) *s.f.* chilreio

chilrear (chil.re.ar) ou **chilrar** (chil.rar) *v.* {mod. 5} *t.d. e int.* cantar, gorjear (pássaros) *<o canário chilreava sons claros e alegres> <os pardais partiram em revoada, chilreando>* ◉ GRAM/USO só us. nas 3as p., exceto quando fig.

chilreio (chil.rei.o) *s.m.* voz de pássaro que se faz ouvir em pios, trinados ou gorjeios sucessivos; chilreada

chimarrão (chi.mar.rão) [pl.: *-ões*] *s.m.* mate amargo que se bebe quente, sem açúcar, ger. numa cuia, com uma bomba ('canudo') *<beber c. é um hábito dos gaúchos>*

chimpanzé (chim.pan.zé) ou **chipanzé** (chi.pan.zé) *s.m.* ZOO nome comum a macacos de orelhas e lábios grandes, braços mais longos que as pernas e sem cauda, capazes de criar ferramentas para a obtenção de alimento

[1]**china** (chi.na) *s.2g.* chinês ('natural ou habitante') ◉ ORIGEM do top. *China*, us. por *chinês*

[2]**china** (chi.na) *adj.2g.s.f.* (mulher) indígena ou descendente de índio ◉ ORIGEM do quích. *tchina* 'fêmea de animal'

chinchila (chin.chi.la) *s.f.* **1** ZOO nome comum a pequenos roedores ger. de pelo cinza macio **2** a pele desses roedores

chinela (chi.ne.la) *s.f.* VEST chinelo

chinelada (chi.ne.la.da) *s.f.* pancada com chinelo

chinelo (chi.ne.lo) *s.m.* VEST calçado confortável us. em casa; chinela

chinês (chi.nês) [pl.: *-eses*] *adj.* **1** da China (Ásia) ■ *s.m.* **2** natural ou habitante desse país **3** LING grupo de línguas faladas nesse país

C

chinfrim (chin.frim) [pl.: *-ins*] *adj.2g. pej.* ordinário, de mau gosto

chinfrinada (chin.fri.na.da) *s.f. infrm.* coisa ridícula, grotesca

chinó (chi.nó) *s.m.* cabeleira postiça no alto da cabeça

chio (chi.o) *s.m.* **1** chiado **2** som do atrito de duas superfícies polidas *<c. das rodas do trem>*

chip [ing.; pl.: *chips*] *s.m.* ELETRÔN INF circuito integrado ⇒ pronuncia-se tchip

chipanzé (chi.pan.zé) *s.m.* → ***CHIMPANZÉ***

chique (chi.que) *adj.2g.* que se destaca pela elegância e pelo bom gosto *<mulher c.> <roupa c.>*

chiquê (chi.quê) *s.m. B infrm.* afetação pretensiosa de luxo, requinte ou ostentação *<ela é cheia de c.>*

chiqueiro (chi.quei.ro) *s.m.* **1** curral para porcos; pocilga **2** *fig. infrm.* lugar imundo

chispa (chis.pa) *s.f.* **1** fragmento luminoso que sai de um corpo em brasa ou em atrito com outro; centelha, faísca **2** *fig.* manifestação intensa e brilhante de um sentimento, de uma ideia; centelha, lampejo *<as c. da paixão> <sua inteligência explodia em chispas>*

chispada (chis.pa.da) *s.f. B* corrida veloz, disparada

chispar (chis.par) *v.* {mod. 1} *t.d. e int.* **1** soltar (chispas); faiscar, lampejar *<o vento fazia c. fagulhas em todas as direções> <os relâmpagos chispavam>* □ *t.i. infrm.* **2** correr, disparar *<chispa daqui!>*

chispe (chis.pe) *s.m.* pé de porco, esp. o us. na culinária

chiste (chis.te) *s.m.* dito espirituoso, ger. de humor fino e adequado; gracejo ~ **chistoso** *adj.*

chita (chi.ta) *s.f.* tecido barato de algodão, estampado em cores

chitão (chi.tão) [pl.: *-ões*] *s.m.* chita com grandes estampados

choça (cho.ça) *s.f.* cabana, casebre de palha, ramos etc.

chocadeira (cho.ca.dei.ra) *s.f.* aparelho aquecido, us. para chocar ovos e abrigar as crias; incubadora, incubadeira

chocalhar (cho.ca.lhar) *v.* {mod. 1} *t.d. e int.* **1** (fazer) soar (chocalho ou objeto similar) *<c. o maracá> <de longe, ouvia-se o burrinho c.>* **2** *p.ext.* agitar (líquido ou recipiente que o contenha) *<c. um xarope> <c. a mamadeira>* ~ **chocalhante** *adj.2g.*

chocalho (cho.ca.lho) *s.m.* **1** instrumento de metal, provido de badalo, em forma de cone ou cilindro, que se põe no pescoço de animais **2** MÚS instrumento de percussão que consiste numa estrutura oca contendo pedras ou sementes **3** objeto de metal ou plástico, us. para distração de crianças de colo

chocante (cho.can.te) *adj.2g.* **1** que choca *<cena c.>* **2** *B gír.* muito bom, bonito ou divertido *<filme c.> <sapatos c.>*

[1]**chocar** (cho.car) *v.* {mod. 1} *t.i. e pron.* **1** (prep. *em, contra, com*) ir de encontro a; bater(-se) *<o carro chocou no poste> <os dois navios chocaram-se à entrada da barra>* □ *t.d.,int. e pron.* **2** (prep. *com*) ofender(-se), escandalizar(-se) *<o crime chocou a opinião pública> <ele choca (os outros) com suas ideias polêmicas> <palavras e gestos que chocam> <ela se chocou com a grosseria do menino>* ◉ ORIGEM do fr. *choquer*

[2]**chocar** (cho.car) *v.* {mod. 1} *t.d. e int.* **1** postar-se (uma ave) de modo que transmita o calor do corpo a (os ovos) e assim faça desenvolver embrião; incubar *<no conto de Andersen, uma pata chocou um ovo de cisne> <a galinha fez o ninho para c.>* □ *int. fig.* **2** esperar por muito tempo *<chocou durante uma hora no ponto de ônibus>* ◉ ORIGEM duv., talvez de [2]*choco* + [2]*-ar*

chocarrice (cho.car.ri.ce) *s.f.* **1** chiste **2** gracejo de mau gosto, insolente ~ **chocarrear** *v.t.d. e int.* - **chocarreiro** *adj.s.m.*

chochar (cho.char) *v.* {mod. 1} *int.* **1** ficar murcho, seco (a planta) ☞ só us. nas 3as p., exceto quando fig. **2** *fig.* não ir à frente; gorar *<o projeto vai c.>*

chocho (cho.cho) /ô/ *adj.* **1** sem suco ou miolo *<castanha c.>* **2** *fig.* sem interesse ou consistência; superficial, fraco *<filme c.>* **3** *fig.* sem graça; desanimado *<festa c.>*

[1]**choco** (cho.co) /ô/ [pl.: /ó/] *s.m.* estado ou período de incubação ◉ ORIGEM regr. de [2]*chocar*

[2]**choco** (cho.co) /ô/ [pl. e fem.: /ó/] *adj.* **1** que está chocando *<galinha c.>* **2** cujo embrião está em desenvolvimento (diz-se de ovo) **3** *p.ext.* que se deteriorou; podre, estragado **4** que perdeu a gaseificação *<cerveja c.>* ◉ ORIGEM duv., talvez de um lat. **clocca*, onom. da voz da galinha *choca*

chocolate (cho.co.la.te) *s.m.* **1** pasta de cacau e açúcar em forma de tablete ou bombom **2** pó feito de cacau e açúcar **3** a bebida preparada com esse pó **4** cor ou tom amarronzado de chocolate ■ *adj.2g.2n.* **5** que tem essa cor *<camurça c.>* **6** diz-se dessa cor *<cor c.>*

chocolateira (cho.co.la.tei.ra) *s.f.* jarro em que se prepara ou serve chocolate ('bebida')

chocolateiro (cho.co.la.tei.ro) *adj.s.m.* **1** que(m) fabrica ou vende chocolate ('pasta de cacau') **2** *B infrm.* que(m) negocia ou produz cacau

chofer (cho.fer) [pl.: *-es*] *s.m.* motorista de automóvel

chofre (cho.fre) /ô/ *s.m.* choque repentino ▣ **de c. 1** de repente *<ouviu-se um estouro de c.>* **2** em cheio *<o sol batia de c. no quarto>*

choldra (chol.dra) /ô/ *s.f. infrm.* **1** tumulto causado por gente de má índole **2** gente vil; ralé, escória **3** coisa que não presta; droga

chope (cho.pe) /ô/ *s.m.* **1** cerveja fresca acondicionada em barril **2** copo ou caneca dessa cerveja *<pedimos dois c.>*

choperia (cho.pe.ri.a) *s.f. B* estabelecimento em que se serve chope; cervejaria

choque (cho.que) *s.m.* **1** encontro violento entre corpos e o seu efeito *<c. de duas embarcações>* **2** *p.ext.* luta violenta *<c. corpo a corpo>* **3** *fig.* oposição violenta; conflito *<c. de opiniões>* **4** abalo emocional ou psíquico *<levou um c. ao saber que tirou zero na prova>* **5** efeito nervoso no homem e no animal, produzido por uma descarga elétrica

choradeira (cho.ra.dei.ra) *s.f.* **1** choro longo ou ruidoso **2** *p.ext.* queixa lamentosa; lamúria

choramingar (cho.ra.min.gar) *v.* {mod. 1} *int.* **1** chorar sem motivo, repetidamente e com poucas lágrimas □ *t.d. e int.* **2** reclamar ou pedir com voz chorosa *<c. uma lenga-lenga e vencer pela insistência> <esperou cinco minutos e choramingou meia hora>*

choramingas (cho.ra.min.gas) ou **choramigas** (cho.ra.mi.gas) *s.2g.2n.* pessoa que choraminga; chorão

chorão (cho.rão) [pl.: *-ões*; fem.: *chorona*] *adj.s.m.* **1** que(m) chora muito **2** MÚS *B* (instrumentista) que toca choro ■ *adj.* **3** de ramos pendentes para o chão (planta)

chorar (cho.rar) *v.* {mod. 1} *int.* **1** derramar lágrimas **2** manifestar-se (um bebê) a plenos pulmões, com ou sem lágrimas, por meio de gritos e movimentos de pernas e braços *<o garoto está chorando de fome>* □ *t.d.* **3** queixar-se de, ger. com lágrimas; lastimar *<c. a separação>* **4** expressar tristeza pela perda ou ausência de *<c. um ente querido>* □ *t.d. e int. B infrm.* **5** pedir redução do preço de; regatear, pechinchar *<não aceita que chorem o que cobra pelos serviços> <paga o que lhe pedem, não sabe c.>*

chorinho (cho.ri.nho) *s.m.* MÚS *B* variante do choro ('gênero de música') de andamento vivo e corrido

choro (cho.ro) /ô/ *s.m.* **1** ato de chorar ou seu efeito ↺ risada, riso **2** ação de verter lágrimas; pranto **3** MÚS gênero de música popular brasileira, cuja formação hoje compreende um bandolim, um ou dois violões de seis cordas e outro de sete cordas, um cavaquinho, um pandeiro e, eventualmente, um ou mais instrumentos de sopro **4** MÚS conjunto que executa esse gênero musical e a música desse gênero

choroso (cho.ro.so) /ô/ [pl. e fem.: /ó/] *adj.* **1** que chora ↺ risonho **2** *fig.* que indica tristeza, sofrimento, lástima *<voz c.>* ↺ alegre, feliz **3** *fig.* sentimental, piegas *<filme c.>*

chorrilho (chor.ri.lho) *s.m.* conjunto de coisas semelhantes, que se sucedem como que jorrando *<c. de grãos> <c. de insultos>*

chorumela (cho.ru.me.la) *s.f. B* coisa de pouco valor; ninharia

choupana (chou.pa.na) *s.f.* casa tosca e humilde

choupo (chou.po) *s.m.* BOT nome comum a árvores da família do salgueiro, de folhas espiraladas, ger. cultivadas pelas madeiras, pelos usos medicinais e como ornamentais ◉ COL choupal

chouriço (chou.ri.ço) *s.m.* CUL tripa recheada de carne de porco picada, sangue, gordura e temperos, e defumada

chove não molha (cho.ve não mo.lha) *s.m.2n. B infrm.* coisa ou situação que não se resolve

chover (cho.ver) *v.* {mod. 8} *int.* **1** cair chuva **2** cair como chuva *<c. granizo, cinza, pétalas>* ☞ nestas acp., é impessoal, exceto quando fig. **3** *fig.* chegar em quantidade *<c. pedidos, cartas>*

chuca ® (chu.ca) *s.f.* pequena mamadeira com formato apropriado para dar água, remédios ou outros líquidos aos bebês

[1]**chuchar** (chu.char) *v.* {mod. 1} *t.d. e int.* **1** mamar ao seio *<o bebê chuchava com força o leite da mãe> <o neném parou de c. e caiu no sono>* **2** chupar, sugar *<c. o dedo> <a mãe olhava a boquinha do filho que chuchava, adormecido>* □ *t.d. p.ext.* **3** ingerir (líquido); beber ◉ ORIGEM duv., talvez onomatopaica

[2]**chuchar** (chu.char) *v.* {mod. 1} *t.d.* **1** estimular a raiva de; cutucar *<c. o cachorro do vizinho>* **2** atiçar ânimo, curiosidade de *<mestre que sabe c. os alunos>* ↺ desestimular ◉ ORIGEM *chuço* + [2]*-ar*

chuchu (chu.chu) *s.m.* **1** BOT trepadeira da família da abóbora, do melão, do pepino e da melancia, tropical das Américas, com frutos em forma de peras, verdes, amarelados ou esbranquiçados, rugosos, de até 20 cm, comestíveis após cozimento **2** BOT esse fruto **3** *B infrm.* pessoa, animal ou coisa bonita *<você é meu c.>*

chuço (chu.ço) *s.m.* vara provida de uma ponta de ferro aguçada

chucro (chu.cro) *adj.* **1** não domado; bravo *<cavalo c.>* ↺ manso **2** *p.ext.* desprovido de conhecimento, de instrução ↺ educado, instruído

chucrute (chu.cru.te) *s.m.* CUL iguaria de repolho picado e fermentado em salmoura

chué (chu.é) *adj.2g.* **1** ordinário, reles *<presente c.>* **2** sem cuidado; desleixado *<moça c.>*

chula (chu.la) *s.f* DNÇ MÚS **1** dança popular portuguesa, com canto acompanhado por rabecas, violas, guitarras e percussão **2** dança gaúcha com canto e sapateado ao redor de uma lança fincada no chão

chulé (chu.lé) *s.m. infrm.* **1** mau cheiro dos pés humanos **2** sujeira malcheirosa que se forma entre os dedos dos pés

chulear (chu.le.ar) *v.* {mod. 5} *t.d. e int.* dar pontos nas bordas de (tecido), para que não desfie *<c. uma saia> <sabe c. com pontos pequenos e regulares>* ~ **chuleio** *s.m.*

chulo (chu.lo) *adj.* **1** grosseiro, rude **2** *p.ext.* de baixo calão, obsceno *<palavras c.>* ~ **chulice** *s.f.* - **chulismo** *s.m.*

chumaço (chu.ma.ço) *s.m.* **1** pequena porção arredondada de algodão, cabelo, paina, gaze etc. **2** material com que se acolchoa qualquer coisa; estofo ◉ GRAM/USO dim.irreg.: *chumacete* ~ **chumaçar** *v.t.d.*

chumbada (chum.ba.da) *s.f.* **1** tiro de chumbo **2** ferimento por ele causado **3** *B* pedaço de chumbo preso à rede ou à linha de pescar

chumbado (chum.ba.do) *adj.* **1** soldado, fixado ou tapado com chumbo *<corrente c.>* **2** *fig.* sem forças; abatido, prostrado **3** *fig. infrm.* muito embriagado; bêbado

chumbar (chum.bar) *v.* {mod. 1} *t.d.* **1** soldar, prender ou tapar com chumbo ou outro metal fusível *<c. uma grade>* **2** ferir ou matar com tiro; balear *<c. a caça>* **3** munir com pesos de chumbo *<c. a rede de pesca>* **4** *fig.* fechar muito bem *<c. um cofre>* **5** *fig.* enfraquecer muito *<a gripe chumbou toda a família>*

chumbo (chum.bo) *s.m.* **1** QUÍM elemento químico us. em soldas, fusíveis, baterias, encanamentos e proteção contra radiações [símb.:*Pb*] ☞ cf. *tabela periódica* (no fim do dicionário) **2** *fig.* objeto muito pesado **3** a cor cinza-escura do chumbo (acp. 1) ■ *adj.2g.2n.* **4** que tem essa cor *<tintas c.>* **5** diz-se dessa cor *<paletó de cor c.>*

chupa-flor (chu.pa-flor) [pl.: *chupa-flores*] *s.m.* ZOO beija-flor

chupão (chu.pão) [pl.: *-ões*] *s.m. B infrm.* **1** beijo violento **2** marca deixada por uma sucção na pele

chupar (chu.par) *v.* {mod. 1} *t.d.* **1** sugar (líquido) **2** fazer movimentos de sucção em *<c. o dedo>* **3** encher-se de (líquido); absorver **4** manter (algo) na boca, dissolvendo na saliva *<c. bala>* **5** *fig. B* imitar, copiar (ideia, invenção)

C

chupeta (chu.pe.ta) /ê/ *s.f.* **1** bico de borracha em forma de mamilo, que se costuma dar às criancinhas para que o suguem e se aquietem **2** MEC *B* recurso que consiste em carregar a bateria de um veículo ligando-a a outra em perfeitas condições

chupim (chu.pim) [pl.: *-ins*] *s.m. B* **1** ZOO ave canora cujo macho é azul-violeta e a fêmea, negra, que põe seus ovos nos ninhos de outras aves **2** ZOO melro **3** *p.ext. RJ infrm. pej.* homem que vive à custa da esposa **4** *p.ext. PR pej.* quem vive à custa dos outros; aproveitador

chupinhar (chu.pi.nhar) *v.* {mod. 1} *int. PR pej.* aproveitar-se dos outros

chupitar (chu.pi.tar) *v.* {mod. 1} *t.d.* chupar ou beber aos poucos, lentamente

churrascaria (chur.ras.ca.ri.a) *s.f. B* restaurante cuja especialidade é churrasco

churrasco (chur.ras.co) *s.m.* CUL *B* carne assada na grelha ou no espeto

churrasqueira (chur.ras.quei.ra) *s.f. B* aparelho ou instalação us. para fazer churrasco

churrasqueiro (chur.ras.quei.ro) *s.m. B* pessoa que prepara churrasco

churrasquinho (chur.ras.qui.nho) *s.m.* CUL *B* churrasco feito de carne partida em pedaços pequenos e servida presa a um palito ou a um espeto

churro (chur.ro) *s.m.* CUL cilindro de massa de farinha frito, recheado ou não com doce, e ger. passado em açúcar e canela

chusma (chus.ma) *s.f.* grande quantidade de pessoas ou coisas; montão

chutar (chu.tar) *v.* {mod. 1} *t.d. e int.* **1** dar chute(s) [em] *<o zagueiro chutou (a bola) com força>* □ *t.d.* **2** *B gír.* tentar acertar (respostas, testes) por sorte *<chutou duas questões da prova>* **3** *B gír.* abandonar (namorado, cônjuge, emprego etc.)

chute (chu.te) *s.m.* **1** golpe com a ponta ou o dorso do pé; pontapé **2** *fig. B infrm.* tentativa de acertar uma resposta sobre assunto que pouco ou nada se conhece *<responder no c.>*

chuteira (chu.tei.ra) *s.f.* FUTB *B* sapato fechado com travas na sola, próprio para jogar futebol ▣ **pendurar as c.** *fig.* **1** FUTB encerrar a carreira como jogador profissional **2** *p.ext.* deixar de exercer qualquer profissão; aposentar-se

chuva (chu.va) *s.f.* **1** precipitação formada de gotas de água, resultante da condensação do vapor de água contido na atmosfera **2** *fig.* abundância de algo *<c. de perguntas>*

chuvada (chu.va.da) *s.f.* chuva abundante, mas passageira; chuvarada

chuvarada (chu.va.ra.da) *s.f. B* chuvada

chuveirada (chu.vei.ra.da) *s.f. B* banho rápido de chuveiro

chuveiro (chu.vei.ro) *s.m.* **1** *B* dispositivo com uma chapa dotada de furos pela qual jorra a água com que se toma banho **2** *p.ext. B* local onde está instalado esse dispositivo *<vá para o c., garoto!>* **3** peça perfurada colocada no bico dos regadores e de objetos semelhantes **4** chuva forte **5** *B* anel com uma pedra preciosa rodeada de brilhantes ▣ **c. automático** sistema contra incêndios dotado de dispositivos que, a determinada temperatura, fazem chover água no recinto incendiado; *sprinkler*

chuviscar (chu.vis.car) *v.* {mod. 1} *int.* cair chuva fina e rala ou chover pouco, em intervalos ◉ GRAM/USO verbo impessoal, exceto quando fig.

chuvisco (chu.vis.co) *s.m.* **1** chuva fina **2** CUL *B* docinho de gema de ovo, em forma de gota

chuvoso (chu.vo.so) /ô/ [pl. e fem.: /ó/] *adj.* **1** em que chove; com chuva *<dia c.>* **2** em que chove muito ou frequentemente *<clima c.>* ↺ seco

ciano (ci.a.no) *s.m.* **1** a cor azul pura, uma das três cores básicas ■ *adj.* **2** que tem essa cor *<corante c.>* **3** diz-se dessa cor *<cor c.>*

cianofícea (ci.a.no.fí.cea) *s.f.* BOT espécime das cianofíceas, classe de algas microscópicas, abundantes na água doce e no solo, onde formam tapetes conhecidos como limo ou se associam a certos fungos, formando os liquens; alga azul **~ cianofíceo** *adj.*

cianose (ci.a.no.se) *s.f.* MED tom azulado da pele e das mucosas, devido à baixa oxigenação do sangue **~ cianótico** *adj.s.m.*

ciática (ci.á.ti.ca) *s.f.* MED dor no nervo ciático, que se irradia para a parte posterior do quadril e da coxa, podendo chegar até o pé; lumbago

ciático (ci.á.ti.co) *adj.* **1** relativo à articulação do quadril **2** próprio do nervo ciático

cibercafé (ci.ber.ca.fé) *s.m.* café ('estabelecimento') onde os clientes dispõem de computadores com acesso à internet

ciberespaço (ci.be.res.pa.ço) *s.m.* INF espaço das comunicações por redes de computação

cibernética (ci.ber.né.ti.ca) *s.f.* ciência que estuda comparativamente os sistemas de comunicação, controle e regulação nos seres vivos e nas máquinas **~ ciberneticista** *adj.2g.s.2g.* - **cibernético** *adj.*

ciberpirata (ci.ber.pi.ra.ta) *s.2g.* INF pessoa com conhecimentos de informática que eventualmente os utiliza para violar sistemas ou exercer outras atividades ilegais

ciborgue (ci.bor.gue) *s.m.* criatura que é parcialmente humana e parcialmente máquina

cica (ci.ca) *s.f. B* sabor amargo e adstringente, característico das frutas ainda verdes ou ricas em tanino, como o caju

cicatriz (ci.ca.triz) [pl.: *-es*] *s.f.* marca ou tecido fibroso formado pela cicatrização de uma lesão, corte etc. **~ cicatricial** *adj.2g.*

cicatrizar (ci.ca.tri.zar) *v.* {mod. 1} *t.d.,int. e pron.* curar(-se) formando cicatriz; fechar(-se) *<esse medicamento é eficaz para c. queimaduras> <a ferida cicatrizou(-se) espontaneamente>* **~ cicatrização** *s.f.* - **cicatrizante** *adj.2g.s.m.*

cicerone (ci.ce.ro.ne) *s.2g.* pessoa que mostra e explica a visitantes ou a turistas os aspectos de determinado lugar; guia **~ ciceronear** *v.t.d.*

ciciar (ci.ci.ar) *v.* {mod. 1} *int.* **1** fazer ruído fraco e contínuo, como sussurro *<os pernilongos começam*

a c. ao anoitecer> □ *t.d. e int.* **2** dizer em voz baixa; sussurrar *<c. confidências> <pelo rádio mal sintonizado, o locutor ciciava>* ↺ berrar, gritar

cicio (ci.ci.o) *s.m.* **1** som brando, continuado e agudo *<c. das folhagens das árvores>* **2** ruído de vozes baixo e confuso; murmúrio

ciclagem (ci.cla.gem) [pl.: *-ens*] *s.f.* ELETR frequência de oscilação de uma corrente elétrica alternada

ciclamato (ci.cla.ma.to) *s.m.* QUÍM substância sintética us. como adoçante dietético

cíclico (cí.cli.co) *adj.* **1** relativo ou pertencente a ciclo *<tempo c. de um fenômeno> <as fases c. de uma atividade>* **2** *fig.* que se repete com regularidade *<festa c.>*

ciclismo (ci.clis.mo) *s.m.* locomoção ou exercício em bicicleta como esporte ou recreação ~ **ciclístico** *adj.*

ciclista (ci.clis.ta) *adj.2g.s.2g.* **1** (aquele) que se locomove de bicicleta **2** ESP praticante de ciclismo

ciclo (ci.clo) *s.m.* **1** espaço de tempo durante o qual um fenômeno ou um fato ocorre e se completa *<c. da vida> <c. lunar>* **2** série de fatos que ocorrem periodicamente *<c. das estações>* **3** fase em que predomina determinado fato político, social, econômico etc. *<c. do ouro no Brasil>* ▣ **c. vital** BIO sequência de etapas por que passam certos seres vivos; biociclo

ciclofaixa (ci.clo.fai.xa) *s.f.* área de tráfego de bicicletas e afins visualmente limitada, p.ex., por uma faixa pintada no chão

ciclone (ci.clo.ne) *s.m.* MET tempestade de ventos violentos e velozes que giram em turbilhão ~ **ciclonal** *adj.2g.* - **ciclônico** *adj.*

ciclope (ci.clo.pe) *s.m.* MIT gigante com um só olho no meio da testa ~ **ciclópico** *adj.*

ciclovia (ci.clo.vi.a) *s.f.* **1** pista para a prática de ciclismo **2** área de tráfego de bicicletas e afins limitada por muro, mureta, canteiro etc. que a separe da área de trânsito mais pesado (carros, ônibus etc.) ~ **cicloviário** *adj.*

ciconiídeo (ci.co.ni.í.deo) *s.m.* ZOO **1** espécime dos ciconiídeos, família de aves de grande porte, pescoço e bico longos, pernaltas, de ampla distribuição, representadas pelas cegonhas, tuiuiús etc. ■ *adj.* **2** relativo a essa família

cicuta (ci.cu.ta) *s.f.* **1** BOT nome comum a ervas venenosas, nativas do hemisfério norte **2** veneno extraído dessas ervas

cidadania (ci.da.da.ni.a) *s.f.* condição de quem, sendo membro de um Estado, se acha no gozo de direitos e no compromisso de deveres que lhe permitem participar da vida política, e, portanto, tb. da econômica e cultural

cidadão (ci.da.dão) [pl.: *-ãos*; fem.: *cidadã* e *cidadoa*] *s.m.* **1** indivíduo que goza de direitos e deveres civis e políticos num país **2** *infrm.* indivíduo qualquer; sujeito *<chame aquele c., por favor>* **3** habitante da cidade

cidade (ci.da.de) *s.f.* **1** área geograficamente circunscrita, com concentração populacional não agrícola, na qual são desenvolvidas atividades culturais, industriais, financeiras etc. **2** núcleo original e/ou principal de uma cidade, onde se concentram importantes atividades administrativas, comerciais, financeiras etc.; centro *<ir à c.> <trabalhar na c.>* **3** conjunto de habitantes dessa área *<a c. recebeu com euforia os campeões>* **4** *B* sede de município **5** a vida urbana *<prefere o campo à c.>*

cidadela (ci.da.de.la) *s.f.* MIL fortaleza localizada estrategicamente, que domina e protege uma cidade

cidade-satélite (ci.da.de-sa.té.li.te) [pl.: *cidades-satélites* e *cidades-satélite*] *s.f.* cidade que cresce nas vizinhanças de uma metrópole à qual está ligada, com ou sem autonomia administrativa

cidra (ci.dra) *s.f.* BOT fruto da cidreira, cuja casca é muito us. em compotas ☞ cf. *sidra*

cidreira (ci.drei.ra) *s.f.* BOT arbusto cítrico, originário da Índia e da Indochina, de folhas com óleo essencial, e de frutos cujas cascas são us. na confecção de compotas

ciência (ci.ên.cia) *s.f.* **1** conjunto de conhecimentos sistematizados relativos a um determinado objeto de estudo *<homem de c.> <os progressos da c.> <as leis da c.>* **2** noção precisa; consciência *<tomar c. do problema> <ter c. das responsabilidades>* **3** conjunto de conhecimentos práticos, técnicos ou intuitivos *<há c. em fazer bolos>* ▼ ***ciências*** *s.f.pl.* **4** conhecimentos ou disciplinas sobre um determinado tema *<c. econômicas>* **5** disciplinas voltadas para o estudo sistemático da natureza ou para o cálculo matemático *<c. naturais> <c. matemáticas>* ▣ **c. biológicas** BIO biologia • **c. econômicas** ECON economia ('ciência') • **c. exatas** ciências cujos métodos e resultados se baseiam na fidelidade e precisão de números, grandezas, proporções etc. *<a matemática é uma das c. exatas>* • **c. humanas** disciplinas que tratam dos aspectos do homem como indivíduo e como ser social (p.ex., psicologia, história, sociologia etc.) • **c. naturais** ciências que têm por objeto a observação e o estudo da natureza e dos fenômenos naturais (biologia, botânica, zoologia, geologia etc.) • **c. ocultas** conhecimentos relativos a fatos que escapam a explicações objetivas e cuja prática é confiada a pessoas iniciadas (alquimia, magia, astrologia etc.) • **c. sociais** disciplinas que têm por objeto o estudo das sociedades humanas em seus diferentes aspectos (sociologia, história etc.)

ciente (ci.en.te) *adj.2g.* **1** que tem ciência ou conhecimento de alguma coisa; sabedor *<pai c. das necessidades da família> <ao partir, estava c. dos riscos da viagem>* **2** versado em qualquer ciência ou matéria; sábio *<um mestre c. ocupava a cátedra>* ■ *s.m.* **3** assinatura posta a um documento ao se tomar conhecimento de seu conteúdo *<o chefe apôs o c. ao requerimento>*

cientificar (ci.en.ti.fi.car) *v.* {mod. 1} *t.d.i. e pron.* (prep. *de, sobre*) tornar(-se) ciente; informar(-se) *<c. os pais do alto rendimento do aluno> <o público cientificou-se do ocorrido através da imprensa>*

cientificismo (ci.en.ti.fi.cis.mo) *s.m.* FIL concepção filosófica que afirma a superioridade da ciência sobre todas as outras formas de compreensão humana da realidade; cientismo

científico (ci.en.tí.fi.co) *adj.* **1** relativo à ciência ('conjunto de conhecimentos') *<pesquisa c.> <rigor c.> <congresso c.>* **2** que possui o rigor e a objetividade da ciência *<método c.> <leis c.>*

cientismo (ci.en.tis.mo) *s.m.* FIL cientificismo

cientista (ci.en.tis.ta) *adj.2g.s.2g.* que(m) se dedica a uma ciência

cifose (ci.fo.se) *s.f.* MED convexidade anormal da coluna vertebral, na região do tórax, devido a causas patológicas ou postura imprópria ☞ cf. *escoliose* e *lordose*

cifra (ci.fra) *s.f.* **1** algarismo zero (0), que confere valores relativos aos algarismos que o acompanham, segundo a posição que ocupam **2** *p.ext.* montante, valor *<a c. de votos computados>* **3** *p.ext.* conjunto de sinais, palavras convencionadas, us. em escrita secreta **4** *fig.* linguagem obscura, metafórica *<falar por c.>* **5** MÚS número ou letra que representa um acorde musical

cifrado (ci.fra.do) *adj.* escrito ou transmitido em cifra, em código *<telegrama c.>*

cifrão (ci.frão) [pl.: *-ões*] *s.m.* o sinal gráfico ($) que indica as unidades monetárias de diversos países

cifrar (ci.frar) *v.* {mod. 1} *t.d.* **1** registrar em cifras (algarismos, números) *<c. dados>* **2** comunicar em código *<c. uma mensagem>* ◻ *t.d.i. e pron.* **3** (prep. *a*, *em*) reduzir(-se), limitar(-se) *<cifra a felicidade às posses>* *<suas experiências cifram-se ao ambiente doméstico>*

cigano (ci.ga.no) *adj.s.m.* **1** (indivíduo) dos ciganos, povo itinerante que emigrou da Índia para todo o mundo, com talento para a música e a magia; zíngaro **2** *p.ext.* que(m) tem vida incerta e errante; boêmio ☞ esta acp. é por vezes preconceituosa ◉ COL bando, cabilda, ciganada, gitanaria ~ **ciganear** *v.int.*

cigarra (ci.gar.ra) *s.f.* **1** ZOO nome comum a insetos sugadores de seiva, notáveis devido à cantoria entoada pelos machos no período quente do ano; cega-rega **2** sirene estridente ◉ VOZ v.: cantar, zumbir, zunir; subst.: canto, chiado, grito, zumbido, zunido

cigarreira (ci.gar.rei.ra) *s.f.* estojo para guardar cigarros; porta-cigarros

cigarrilha (ci.gar.ri.lha) *s.f.* cigarro enrolado na própria folha de tabaco

cigarrinha (ci.gar.ri.nha) *s.f.* ZOO nome comum e genérico de muitas espécies de pequenos insetos, saltadores e sugadores de seiva, que causam prejuízos à agricultura

cigarro (ci.gar.ro) *s.m.* fumo picado, enrolado em papel ou palha, que se destina a ser fumado

cilada (ci.la.da) *s.f.* **1** ação de surpreender o inimigo ou a caça; emboscada **2** ação que visa iludir; ardil, armadilha, arapuca **3** *fig.* traição

cilha (ci.lha) *s.f.* cinta us. na barriga das cavalgaduras para prender a sela ou a carga ~ **cilhar** *v.t.d.*

ciliar (ci.li.ar) [pl.: *-es*] *adj.2g.* **1** relativo ou semelhante a cílio(s) *<movimento c.>* **2** que margeia cursos de água (diz-se de formação vegetal, mata etc.)

cilício (ci.lí.cio) *s.m.* **1** veste ou faixa de pano grosseiro us. sobre a pele por penitência **2** cinto ou cordão com cerdas ou correntes de ferro pontudas, amarrado ao corpo, us. como penitência ☞ cf. *silício*

cilindrada (ci.lin.dra.da) *s.f.* MEC capacidade máxima de volume de gás carburante em um cilindro de motor a explosão

cilindrar (ci.lin.drar) *v.* {mod. 1} *t.d.* **1** passar cilindro ou rolo sobre (matéria pastosa) *<c. o asfalto no leito da estrada>* **2** dar forma de cilindro a *<c. uma peça no torno>*

cilíndrico (ci.lín.dri.co) *adj.* que tem forma de cilindro *<barril c.>*

cilindro (ci.lin.dro) *s.m.* **1** GEOM sólido gerado por uma reta que se desloca paralelamente a si mesma e se apoia numa curva *<o professor mandou desenhar um c.>* *<um cano tem a forma de um c.>* **2** *p.ext.* objeto alongado, com o mesmo diâmetro em todo o seu comprimento; rolo *<as colunas do templo são c. perfeitos>* **3** MEC peça cilíndrica, oca, na qual se move o pistom de um motor *<um carro de seis c.>*

cílio (cí.lio) *s.m.* **1** cada um dos pelos unidos das bordas das pálpebras, que protegem os olhos; pestana **2** BIO filamento muito fino da superfície celular, dotado de movimento sincronizado, responsável pela locomoção dos organismos unicelulares e de certas larvas de invertebrados

cima (ci.ma) *s.f.* ◗ usado em: **de c. 1** da parte mais alta; do alto *<o barulho vem de c.>* **2** *fig.* da autoridade; dos poderosos *<ordens de c. não se discutem!>* • **em c.** na parte mais elevada; no alto *<o livro está lá em c., na estante>* • **em c. de 1** na parte superior de; sobre *<as travessas estão em c. do aparador>* **2** depois, após, sobre *<ouviam-se gritos em c. de gritos>* **3** *fig.* com base em; apoiado em *<escreveu o artigo em c. dos fatos>* • **para c. 1** para o alto *<jogue a bola para c.>* **2** *fig. B infrm.* otimista, jovial *<ele é um cara para c.>* • **para c. e para baixo** de um lado para outro *<anda para c. e para baixo, muito atarefada>* • **por c. 1** em posição superior; sobre *<o projétil passou por c. sem tocar o alvo>* *<guardei o bolo com um pano de prato por c.>* **2** *B infrm.* em situação privilegiada *<trabalhou por anos e agora está por c.>* • **por c. de** pela superfície de; sobre *<caminhar por c. do cascalho>*

cimalha (ci.ma.lha) *s.f.* ARQ moldura saliente que arremata a fachada de um edifício em que são assentados os beirais

címbalo (cím.ba.lo) *s.m.* MÚS **1** antigo instrumento de cordas **2** instrumento de percussão constituído de pratos metálicos; prato

cimeiro (ci.mei.ro) *adj.* **1** que está no alto *<a imagem c. do altar>* **2** *fig.* do mais alto nível *<conferência c.>*

cimentar (ci.men.tar) *v.* {mod. 1} *t.d.* CONSTR unir, encher ou revestir com cimento *<c. uma fiada de tijolos>* *<c. azulejos>* *<c. o chão do alpendre>*

cimento (ci.men.to) *s.m.* CONSTR **1** massa de substâncias calcárias e argilosas misturadas com água, que se enrijece ao secar **2** essa massa pulverizada industrialmente *<saco de c.>* ☞ cf. *cemento*

cimitarra (ci.mi.tar.ra) *s.f.* espada de lâmina curva e mais larga na extremidade livre, us. pelos guerreiros muçulmanos

cimo (ci.mo) *s.m.* **1** a parte de cima; topo *<o c. de uma torre>* **2** ponto mais alto de morro, serra etc.; cume

cinamomo (ci.na.mo.mo) *s.m.* BOT nome comum a árvores e arbustos tropicais, aromáticos, muitos cultivados pelas cascas, das quais se extraem aromatizantes, essências e substâncias medicinais, como, p.ex., a canela e a cânfora

cincada (cin.ca.da) *s.f.* **1** engano, erro, inexatidão *<deu uma c. e trocou o nome das capitais>* **2** comentário desastrado; gafe *<perdoe a c., não falei por mal>* ~ **cincar** *v.int.*

cinco (cin.co) *n.card.* **1** quatro mais um **2** diz-se desse número *<cartões de número c.>* **3** diz-se do quinto elemento de uma série *<nota c.>* **4** que equivale a essa quantidade (diz-se de medida ou do que é contável) *<bebê de c. quilos>* ■ *s.m.* **5** representação gráfica desse número *<no exame de vista, não pôde ler o c.>* ☞ em algarismos arábicos, *5*; em algarismos romanos, *V*

cindir (cin.dir) *v.* {mod. 24} *t.d.,t.d.i. e pron.* **1** (prep. *em*) dividir(-se), separar(-se) [em duas ou mais partes] *<o arado cinde o solo> <a polêmica cindiu a assembleia em dois grupos> <a multidão cindiu-se à passagem do cortejo>* ↺ unir(-se) ◻ *t.d.* **2** abrir traços fundos; sulcar *<rugas de contrariedade cindem-lhe a testa>* **3** passar transversalmente; cruzar *<o navio cinde os mares>* **4** *fig.* tornar nulo; romper *<c. um compromisso>* ↺ preservar, manter

cine (ci.ne) *s.m.* sala de projeção de filmes; cinema *<frequentávamos o c. Paratodos>*

cineasta (ci.ne.as.ta) *s.2g.* CINE diretor ou realizador de filmes

cineclube (ci.ne.clu.be) *s.m.* CINE associação de caráter amador, para estudo, debates e exibição de filmes selecionados ~ **cineclubista** *adj.2g.s.2g.*

cinéfilo (ci.né.fi.lo) *adj.s.m.* que(m) ama o cinema como arte ou forma de lazer

cinegética (ci.ne.gé.ti.ca) *s.f.* arte da caça com cães ~ **cinegético** *adj.*

cinegrafista (ci.ne.gra.fis.ta) *adj.2g.s.2g.* CINE TV que(m) opera câmara de cinema ou de televisão

cinema (ci.ne.ma) *s.m.* CINE **1** sala de projeção de filmes cinematográficos **2** cinematografia **3** conjunto de pessoas que trabalham na indústria cinematográfica ▣ **fazer c.** *B infrm.* fingir ou chamar atenção de modo artificial; fazer fita *<não se preocupe, ele está fazendo c.>*

cinemateca (ci.ne.ma.te.ca) *s.f.* CINE **1** coleção de filmes; filmoteca **2** local onde são conservados filmes cinematográficos, esp. aqueles com valor cultural ou artístico **3** entidade incumbida de guardar e exibir esses filmes

cinemática (ci.ne.má.ti.ca) *s.f.* FÍS ramo da mecânica que estuda os movimentos dos corpos, sem referência às forças que os produzem ☞ cf. *cinética* ~ **cinemático** *adj.*

cinematografia (ci.ne.ma.to.gra.fi.a) *s.f.* CINE **1** arte e técnica us. para transformar imagens estáticas sequenciais (fotogramas) em filme cinematográfico; cinema **2** conjunto de filmes de um autor, de um país, de uma época *<a c. de Chaplin> <a c. francesa da década de 1930>*

cinematográfico (ci.ne.ma.to.grá.fi.co) *adj.* **1** relativo a cinematografia e a cinema *<película c.> <indústria c.>* **2** relativo a cinema como meio de expressão *<linguagem c.>* **3** *fig.* que tem atrativos físicos ou qualidades estéticas, tais como os que são vistos nos filmes *<mulher de beleza c.> <uma mansão c.>* **4** *fig.* que lembra o que se vê em filmes de cinema *<aventura c.> <beijo c.>*

cinematógrafo (ci.ne.ma.tó.gra.fo) *s.m.* CINE antigo aparelho de fotografia e projeção de imagens em sequência, que cria a ilusão de cenas em movimento

cinerama (ci.ne.ra.ma) *s.m.* CINE projeção de cinema com três aparelhos sincronizados em tela côncava, capaz de dar ao espectador uma sensação de tridimensionalidade

cinerário (ci.ne.rá.rio) *adj.* **1** relativo a cinzas *<vestígios c.>* **2** que contém as cinzas de um morto *<urna c.>* **3** relativo aos mortos; fúnebre *<lápide c.>* ■ *s.m.* **4** jazigo, sepultura **5** caixão mortuário

cinéreo (ci.né.reo) *adj.frm.* de cor cinzenta; cinzento *<vestes c.>*

cinescópio (ci.nes.có.pio) *s.m.* ELETRÔN tubo de imagem de televisão

cinética (ci.né.ti.ca) *s.f.* FÍS ramo da física que trata da ação das forças nas mudanças de movimento dos corpos ☞ cf. *cinemática*

cinético (ci.né.ti.co) *adj.* relativo a movimento *<energia c.>*

cinetose (ci.ne.to.se) *s.f.* MED qualquer distúrbio causado por um movimento não habitual do corpo, como o enjoo que experimenta quem viaja de navio, avião etc.

cingir (cin.gir) *v.* {mod. 24} *t.d. e t.d.i.* **1** (prep. *de*) fechar, conter ou incluir no seu interior; rodear *<os manifestantes deram-se as mãos e cingiram o monumento> <c. o terreno de muros>* **2** (prep. *a*) prender a (cinta, cintura) *<c. o punhal (à cinta)>* ◻ *t.d.,t.d.i. e pron.* **3** (prep. *com*) pôr (enfeite, acessório etc.) ao redor de (parte do corpo) *<c. os quadris (com uma faixa)> <uma pulseira cingia seu braço> <para proteger-se, cingiu-se de perneiras de couro>* ↺ despir, tirar **4** (prep. *a*) apertar(-se), envolver(-se) fortemente ↺ soltar(-se) ◻ *t.d.i. e pron. fig.* **5** (prep. *a*) limitar(-se), ater(-se) *<c. a conversa ao essencial> <c.-se a ouvir>* ~ **cingido** *adj.*

cínico (cí.ni.co) *adj.s.m.* **1** que(m) afronta as convenções e conveniências morais e sociais *<tirano c.> <o c. tornou a fazer as mesmas acusações>* **2** *p.ext.* que(m) é dado a atos e/ou ditos imorais, impudicos, escandalosos; desavergonhado *<esse homem c. apresenta-se como carola> <o c. não encontrou respaldo entre os ex-amigos>* **3** que(m) é fingido, hipócrita

cinismo (ci.nis.mo) *s.m.* atitude ou caráter de pessoa que revela descaso pelas convenções sociais e pela moral; desfaçatez

cinocéfalo (ci.no.cé.fa.lo) *adj.* que tem cabeça ou face parecida com a do cão *<macaco c.>*

cinografia (ci.no.gra.fi.a) *s.f.* tratado descritivo sobre raças de cães

cinologia (ci.no.lo.gi.a) *s.f.* estudo sobre os cães

cinquenta (cin.quen.ta) /qü/ *n.card.* **1** quarenta mais dez **2** diz-se desse número *<pasta de número c.>* **3** diz-se do quinquagésimo elemento de uma série *<capítulo c.> <os anos c.>* **4** que equivale a essa quantidade (diz-se de medida ou do que é contável) *<daqui a c. metros, há uma passarela> <fez uma festa para c. convidados>* ■ *s.m.* **5** representação gráfica desse número ☞ em algarismos arábicos, *50*; em algarismos romanos, *L* ◉ GRAM/USO seguido do conectivo *e* antes das unidades, forma os numerais cardinais entre 50 e 60

cinquentão (cin.quen.tão) /qü/ [pl.: *-ões*] *adj.s.m. infrm.* que(m) está na faixa dos 50 anos de idade; quinquagenário

cinquentenário (cin.quen.te.ná.rio) /qü/ *s.m.* quinquagésimo aniversário *<papai comemorou o seu c.>* *<c. de fundação do banco>*

cinta (cin.ta) *s.f.* **1** VEST peça íntima us. para apertar e modelar a cintura e o abdome **2** MED peça análoga, para conter o abdome em certos casos patológicos ou cirúrgicos *<usou uma c. depois da cesariana>* **3** faixa de tecido, couro ou outro material que cinge a cintura com uma ou mais voltas, e que serve para segurar a roupa e, eventualmente, para prender objetos (uma arma, uma bolsinha etc.) *<trazia a espada na c.>* **4** cintura **5** tira de papel que envolve jornais, livros etc. para remessa pelo correio **6** qualquer anel, aro ou tira de material resistente para reforçar ou prender alguma coisa *<a c. de aço de um fardo>*

cintar (cin.tar) *v.* {mod. 1} *t.d.* **1** pôr faixa ou cinta para envolver ou prender *<c. um embrulho>* **2** costurar (roupa), marcando a cintura *<c. paletós>*

cintilante (cin.ti.lan.te) *adj.2g.* **1** que emite raios luminosos, em intervalos curtos *<estrela c.>* **2** que emite brilho faiscante *<maquiagem c.>*

cintilar (cin.ti.lar) *v.* {mod. 1} *int.* **1** luzir com pequenos intervalos; faiscar *<as estrelas cintilam>* **2** brilhar muito; reluzir *<o diamante cintila>* **~ cintilação** *s.f.*

cinto (cin.to) *s.m.* VEST tira de couro, tecido etc., us. em torno da cintura, presa com fivela ou outro fecho ▣ **c. de segurança** tira reforçada, ajustável, que mantém os ocupantes de aeronaves, automóveis etc. presos ao assento para evitar que sejam projetados a distância em caso de acidente

cintura (cin.tu.ra) *s.f.* **1** parte mais estreita do tronco humano situada entre os quadris e a região inferior do busto **2** *p.ext.* a circunferência que rodeia essa parte *<tem c. de 70 cm>* ▣ **c. pélvica** ANAT a que liga os membros inferiores à coluna vertebral, constituída pelos dois ossos do quadril que se articulam entre si e com o osso sacro **~ cinturado** *adj.*

cinturão (cin.tu.rão) [pl.: *-ões*] *s.m.* **1** cinto largo **2** faixa de terreno que limita uma área ▣ **c. verde** GEO região periférica de centros urbanos, cujo objetivo é melhorar as condições ambientais ou fornecer produtos hortifrutigranjeiros

cinza (cin.za) *s.f.* **1** pó resultante da queima de certas substâncias (madeira, folhas etc.); borralha ■ *adj.2g.2n.s.m.* **2** cinzento ▼ ***cinzas*** *s.f.pl.* **3** restos mortais

cinzeiro (cin.zei.ro) *s.m.* recipiente em que se jogam as cinzas e pontas de cigarros, charutos etc.

cinzel (cin.zel) [pl.: *-éis*] *s.m.* instrumento com extremidade cortante us. para entalhar, esculpir, cortar ou gravar materiais duros

cinzelar (cin.ze.lar) *v.* {mod. 1} *t.d.* **1** trabalhar (peça, material) com cinzel *<c. o mármore>* **2** *fig.* fazer com esmero; apurar *<c. um poema>* **~ cinzeladura** *s.f.* - **cinzelamento** *s.m.*

cinzento (cin.zen.to) *s.m.* **1** cor das cinzas; cinza ■ *adj.* **2** que tem essa cor; cinza *<tapete c.>* **3** diz-se dessa cor; cinza *<cor c.>* **4** *fig.* sem luz ou sem brilho; escuro, apagado *<escritos c.>*

cio (ci.o) *s.m.* BIO **1** estado fisiológico cíclico das fêmeas de muitos mamíferos, favorável à fecundação e à gestação; estro **2** *p.ext.* período de excitação sexual próprio de tal estado; estro

cioso (ci.o.so) /ô/ [pl. e fem.: /ó/] *adj.* **1** que tem ciúmes ou zelos por amizade ou por amor *<amigo c.>* **2** que zela cuidadosamente por algo a que está ligado *<profissional c. de sua reputação>* ↺ descuidado, negligente **3** invejoso *<Caim era c. das qualidades de Abel>*

cipó (ci.pó) *s.m.* BOT *B* nome comum a plantas tropicais, lenhosas e trepadeiras, que pendem das árvores e nelas se trançam; liana

cipoal (ci.po.al) [pl.: *-ais*] *s.m.* **1** emaranhado de cipós, difícil de atravessar **2** *fig.* situação complicada *<o c. da burocracia>*

cipreste (ci.pres.te) *s.m.* BOT nome comum a árvores e arbustos com copa ger. muito estreita e esguia ou piramidal, muito cultivados como ornamentais e pela madeira

ciprinicultura (ci.pri.ni.cul.tu.ra) *s.f.* criação de ciprinídeos, esp. carpas **~ ciprinicultor** *adj.s.m.*

ciprinídeo (ci.pri.ní.deo) *s.m.* ZOO **1** espécime dos ciprinídeos, família de peixes ósseos, fluviais, representados esp. pelas carpas, importantes para a alimentação, a criação em aquários e o desenvolvimento de pesquisas ■ *adj.* **2** relativo a essa família

cipriota (ci.pri.o.ta) *adj.2g.* **1** da ilha de Chipre (mar Mediterrâneo) ■ *s.2g.* **2** natural ou habitante dessa ilha

ciranda (ci.ran.da) *s.f.* **1** DNÇ dança de roda com trovas cantadas **2** *fig.* movimentação, agitação *<c. dos preços>* **3** peneira grossa de palha **~ cirandar** *v.t.d. e int.*

cirandinha (ci.ran.di.nha) *s.f.* DNÇ ciranda

circadiano (cir.ca.di.a.no) *adj.* **1** que dura cerca de 24 horas *<período c.>* **2** que ocorre no organismo diariamente mais ou menos à(s) mesma(s) hora(s) *<ritmo c. do sono>*

circense (cir.cen.se) *adj.2g.* relativo ou pertencente a circo *<artistas c.>* *<espetáculo c.>*

circo (cir.co) *s.m.* **1** recinto circular coberto por toldo, ger. desmontável, que tem um picadeiro rodeado por arquibancadas, no qual se apresenta espetáculo com malabaristas, acrobatas, animais, palhaços etc. **2** esse espetáculo

circuito (cir.cui.to) *s.m.* **1** ELETR ELETRÔN série de componentes conectados por onde circula uma corrente elétrica **2** linha fechada que limita uma superfície, um espaço; contorno *<o c. da piscina>* **3** deslocamento espacial em torno de uma área; percurso, volta *<ciclistas fazem o c. da lagoa>* **4** conjunto de empresas comerciais ligadas a um determinado ramo de serviços; rede *<o c. de cinemas da cidade>* **5** *fig.* série de espetáculos realizados sucessivamente em locais diferentes *<a orquestra partiu em c. pelas principais cidades europeias>* ▣ **c. integrado** ELETRÔN INF pequeno dispositivo que incorpora todos os componentes de um circuito eletrônico completo, com funções determinadas; microcircuito, *chip* **~ circuitar** *v.t.d. e int.*

circulação (cir.cu.la.ção) [pl.: *-ões*] *s.f.* **1** movimento ordenado e contínuo de um corpo num trajeto circular com retorno ao ponto de partida *<c. de água na caldeira>* **2** *p.ext.* movimentação contínua de pessoas ou coisas; marcha, deslocamento *<c. de hóspedes no hotel>* **3** FISL movimento contínuo de líquido no organismo, que distribui substâncias essenciais e remove excreções <*c. sanguínea*> **4** distribuição de mercadorias, dinheiro etc. <*coleciona moedas fora de c.*> **5** quantidade de exemplares de uma publicação <*jornal de grande c.*>

circulador (cir.cu.la.dor) /ô/ [pl.: *-es*] *adj.s.m.* (aparelho) que faz circular ar, água etc. ▣ **c. de ar** tipo de ventilador que permite a circulação do ar em várias direções simultaneamente

[1]**circular** (cir.cu.lar) [pl.: *-es*] *adj.2g.* **1** relativo ou semelhante a círculo; redondo <*arco c.*> <*medalha de formato c.*> **2** que descreve uma trajetória parecida com um círculo <*movimento c.*> **3** que parte de um determinado ponto e, ao fim do percurso, retorna ao ponto inicial <*linha de ônibus c.*> **4** *p.ext.* que se transmite de pessoa a pessoa; circulante <*comentário c.*> ■ *adj.2g.s.f.* **5** (texto escrito) que se envia a muitas pessoas com interesse comum <*recebemos hoje a (carta) c.*> ◉ ORIGEM do lat. *circulāris,e* 'que tem a forma de círculo'

[2]**circular** (cir.cu.lar) *v.* {mod. 1} *t.d. e t.d.i.* **1** (prep. *de*) formar círculo(s) em torno de; cercar <*belas praias circulam a ilha*> <*c. de renda a toalha*> □ *t.d.* **2** estar ou mover-se ao redor de <*na quadrilha, os casais circulavam a fogueira dançando*> □ *t.i. e int.* **3** (prep. *em*) mover-se num circuito, retornando ao ponto inicial <*o sangue circula nas veias*> <*a água da piscina circula passando por um filtro*> **4** (prep. *em, por*) deslocar-se em diversas direções; transitar <*os garçons circulam pela sala*> <*caminhões estão proibidos de c. (nos túneis)*> □ *int.* **5** mover-se em torno de um centro; girar <*a ventoinha circula e renova o ar*> **6** ser aceito como valor no comércio, na prestação de serviços etc.; ter circulação <*circulam duas moedas na zona de fronteira*> **7** ser divulgado; difundir-se <*a novidade circulou rápido*> <*está circulando a nova tabela de preços*> **8** estar em circulação entre o público leitor <*este jornal circula há mais de 50 anos*> ◉ ORIGEM do lat. *circulāre* 'fazer círculo ou roda' ~ **circulante** *adj.2g.*

circulatório (cir.cu.la.tó.rio) *adj.* **1** relativo a circulação ou a qualquer movimento circular <*fluxo c.*> **2** relativo à ou próprio da circulação sanguínea <*sistema c.*> <*distúrbio c.*>

círculo (cír.cu.lo) *s.m.* **1** GEOM superfície plana limitada por uma circunferência <*uma moeda é um c.*> **2** movimento circular; circuito <*o avião fazia círculos no ar*> **3** anel, arco, roda <*o tigre saltou o c. de fogo*> <*os jogadores fizeram um c. em torno do treinador*> **4** associação de pessoas com interesses comuns <*c. literário*> ▣ **c. vicioso 1** falha lógica que consiste em deduzir uma proposição por meio de outra, sendo que esta só pode ser demonstrada através da primeira **2** *fig.* dificuldade insolúvel em que os resultados possíveis esbarram sempre no mesmo obstáculo; impasse

circum- ou **circun-** *pref.* 'em volta de': *circum-navegar, circumpolar, circunscrever, cincunvizinhança*

circum-navegar (cir.cum-na.ve.gar) *v.* {mod. 1} *t.d. e int.* rodear (continente, ilha etc.) navegando <*diversas expedições circum-navegaram a terra para fins científicos*> ~ **circum-navegação** *s.f.* - **circum--navegador** *adj.s.m.*

circumpolar (cir.cum.po.lar) [pl.: *-es*] *adj.2g.* próximo ou em torno de um dos polos terrestres <*fauna c.*> <*voo c.*>

circun- *pref.* → *CIRCUM-*

circuncidado (cir.cun.ci.da.do) ou **circunciso** (cir.cun.ci.so) *adj.s.m.* que(m) se submeteu à circuncisão ◉ GRAM/USO part. de *circuncidar*

circuncidar (cir.cun.ci.dar) *v.* {mod. 1} *t.d. e pron.* realizar a circuncisão em ou submeter-se à circuncisão <*os judeus circuncidam os meninos aos oito dias de nascidos*> <*circuncidou-se por indicação médica*> ◉ GRAM/USO part.: *circuncidado, circunciso*; ver QUADRO DE PARTICÍPIOS DUPLOS nas pp. iniciais

circuncisão (cir.cun.ci.são) [pl.: *-ões*] *s.f.* **1** MED retirada cirúrgica do prepúcio **2** REL cerimônia, esp. entre judeus e muçulmanos, em que se pratica ritualmente tal ato

circunciso (cir.cun.ci.so) *adj.s.m.* → *CIRCUNCIDADO* ◉ GRAM/USO part. de *circuncidar*

circundar (cir.cun.dar) *v.* {mod. 1} *t.d.* **1** estar em volta de; cercar <*um aro de prata circunda a moeda*> **2** mover-se à volta de; rodear <*as crianças corriam circundando o balanço*> ~ **circundante** *adj.2g.*

circunferência (cir.cun.fe.rên.cia) *s.f.* **1** GEOM curva plana fechada que limita um círculo e cujos pontos estão à mesma distância do centro, situado no mesmo plano <*calcular a c. de uma roda*> **2** contorno mais ou menos circular <*medir a c. do crânio*>

circunflexo (cir.cun.fle.xo) /cs/ *adj.* **1** GRAM diz-se do acento gráfico (^) us. para indicar a sílaba tônica associada ao timbre fechado das vogais *e* e *o* (*você* e *capô*), e a tonicidade do *a* seguido de consoante nasal (*lâmpada*) **2** dobrado em arco <*a forma c. de uma ferradura*>

circunjacente (cir.cun.ja.cen.te) *adj.2g.* circunvizinho

circunlocução (cir.cun.lo.cu.ção) [pl.: *-ões*] *s.f.* circunlóquio

circunlóquio (cir.cun.ló.quio) *s.m.* **1** série de palavras ou locuções us. em lugar de um termo específico; perífrase, circunlocução **2** uso excessivo de palavras num enunciado que não chega a ser claramente expresso; rodeio, circunlocução

circunscrever (cir.cuns.cre.ver) *v.* {mod. 8} *t.d.* **1** definir limites de (área, espaço) <*c. um terreno*> **2** GEOM traçar uma circunferência ou uma elipse que passa por todos os vértices de (um polígono) <*c. um quadrado*> **3** *fig.* conter em si; abranger <*o contrato circunscreve todas as possibilidades legais*> □ *t.d.,t.d.i. e pron.* **4** (prep. *a*) limitar(-se), restringir(-se) <*c. um debate (aos temas definidos)*> <*c.-se ao tema da redação*> ↺ estender(-se) ◉ GRAM/USO part.: *circunscrito*

circunscrição (cir.cuns.cri.ção) [pl.: *-ões*] *s.f.* divisão territorial para fins administrativos, eleitorais etc.

circunscrito (cir.cuns.cri.to) *adj.* **1** de limites bem marcados <*lesão c.*> <*área c.*> **2** GEOM limitado por linha ou superfície <*triângulo c.*> <*uma esfera c. num cubo de cristal*> **3** *fig.* limitado, restrito <*liberdade c.*> ↺ ilimitado, amplo

circunspecto (cir.cuns.pec.to) ou **circunspeto** (cir.cuns.pe.to) *adj.* **1** que encara com cuidado todos os aspectos de um fato, uma questão etc. **2** que mantém atitude séria e reservada ~ **circunspecção/circunspeção** *s.f.*

C

circunstância (cir.cuns.tân.cia) *s.f.* **1** condição de tempo, lugar ou modo associada a um fato ou situação *<a presença da luz é c. indispensável para identificar as cores>* **2** conjunto de fatores materiais ou não que acompanham alguém ou alguma coisa; contexto *<o homem vive condicionado à sua c.> <as c. econômicas de uma região>* **3** momento, ocasião *<aguardava uma c. favorável para fazer o pedido>* **4** formalidade, cerimônia, solenidade *<o casamento realizou-se com pompa e c.>*

circunstancial (cir.cuns.tan.ci.al) [pl.: *-ais*] *adj.2g.* **1** relativo a circunstância *<fazer um relato c.>* **2** que depende ou está ligado a uma circunstância *<escolha c.> <acordo c.>* **3** GRAM que indica uma circunstância (lugar, tempo, modo etc.) *<complemento c.>* **4** DIR que se baseia em indícios e deduções, sem demonstrar uma direta evidência dos fatos (diz-se de prova)

circunstanciar (cir.cuns.tan.ci.ar) *v.* {mod. 1} *t.d.* relatar as circunstâncias de (fato, situação), enumerando-as com detalhes *<c. graves ocorrências>*

circunstante (cir.cuns.tan.te) *adj.2g.* **1** que está ao redor *<objetos c.>* ■ *adj.2g.s.2g.* **2** participante ou espectador de algo *<deixou perplexa a gente c.> <a advertência vale para todos os c.>*

circunvizinhança (cir.cun.vi.zi.nhan.ça) *s.f.* território ou população vizinha *<uma onça foi vista na c.>*

circunvizinho (cir.cun.vi.zi.nho) *adj.* que está próximo ou ao redor de; circunjacente *<visitar as terras c. (à cidade)>*

circunvolução (cir.cun.vo.lu.ção) [pl.: *-ões*] *s.f.* **1** volta em torno de um centro *<os abutres faziam circunvoluções no céu>* **2** contorno sinuoso *<as c. de um rio, de uma estrada>* **3** ANAT cada uma das dobras sinuosas da face externa do cérebro

ciriguela (ci.ri.gue.la) /gü/ *s.f.* → ***SERIGUELA***

círio (cí.rio) *s.m.* **1** grande vela de cera **2** procissão em que se conduz essa vela ☞ cf. *sírio*

cirro (cir.ro) *s.m.* MET nuvem formada por pequenos cristais de gelo e situada de 6.000 m a 12.000 m de altitude

cirro-cúmulo (cir.ro-cú.mu.lo) [pl.: *cirros-cúmulos*] *s.m.* MET conjunto de nuvens formadas por pequenos flocos brancos dispostos em grupos ou fileiras; cúmulo-cirro

cirro-estrato (cir.ro-es.tra.to) [pl.: *cirros-estratos*] *s.m.* MET nuvem de cristais de gelo, que dá a impressão de um véu fino e esbranquiçado; estrato-cirro

cirrose (cir.ro.se) *s.f.* MED doença crônica, causada ger. por hepatite ou alcoolismo, que provoca alteração das células do fígado; cirrose hepática ▣ **c. hepática** MED cirrose ~ **cirrótico** *adj.*

cirurgia (ci.rur.gi.a) *s.f.* MED **1** especialidade de diagnóstico e tratamento por meio de incisões que permitem o acesso direto à parte afetada do corpo **2** tratamento em que se aplica esse procedimento; intervenção cirúrgica, operação *<c. de catarata> <c. do coração> <c. exploratória>* ▣ **c. plástica** MED a que busca mudar, embelezando ou reparando, uma parte do corpo; plástica ~ **cirúrgico** *adj.*

cirurgião (ci.rur.gi.ão) [pl.: *-ões* e *-ães*; fem.: *cirurgiã*] *s.m.* MED especialista em cirurgia

cis- *pref.* 'aquém': *cisalpino, cisplatino*

cisalpino (ci.sal.pi.no) *adj.* que se situa aquém dos Alpes, na Europa (em relação a Roma) *<fez uma pesquisa sobre a Gália Cisalpina>*

cisandino (ci.san.di.no) *adj.* que se situa aquém dos Andes (oeste da América do Sul) *<territórios c.>*

cisão (ci.são) [pl.: *-ões*] *s.f.* **1** ato ou efeito de cindir **2** divisão de um partido, sociedade etc. ▣ **c. nuclear** FÍS fissão nuclear

ciscar (cis.car) *v.* {mod. 1} *t.d. e int.* **1** *B* remexer (o solo) [a galinha] *<uma galinha ciscava o chão> <rolinhas ciscavam em busca de alimento>* □ *t.d.* **2** tirar ou afastar ciscos, folhas etc. de *<c. o jardim>*

cisco (cis.co) *s.m.* **1** *B* pequena partícula ou grão (de poeira etc.) que entra no olho **2** graveto, folha ou qualquer pequeno detrito

cisma (cis.ma) *s.m.* **1** separação de uma pessoa ou grupo de pessoas de uma coletividade, esp. religiosa ■ *s.f.* **2** ato ou efeito de cismar **3** preocupação obsessiva *<c. com o próprio peso>* **4** desconfiança, suspeita *<ter c. de alguém>*

cismado (cis.ma.do) *adj.* *B* que tem cisma de; desconfiado *<anda meio c. com o tio, acha que ele não tem tomado o remédio>*

cismar (cis.mar) *v.* {mod. 1} *t.d.,t.i. e int.* **1** (prep. *em*) pensar muito (em algo) *<cismava novo rumo para sua vida> <vive a c. no futuro> <passa horas cismando>* **2** (prep. *em, de*) teimar, insistir (em) *<cismou que é um grande ator> <cismou de viajar> <o garoto cismou e não tomou o remédio>* □ *t.i.* **3** (prep. *com*) antipatizar, implicar *<cismou com o advogado>* ↻ simpatizar

cisne (cis.ne) *s.m.* ZOO ave aquática, de corpo pesado, plumagem branca e pescoço muito longo

cisplatino (cis.pla.ti.no) *adj.* que está aquém do Rio da Prata (sul da América do Sul) ☞ cf. *transplatino*

cissiparidade (cis.si.pa.ri.da.de) *s.f.* BIO processo de reprodução assexuada em que um organismo unicelular se divide em dois organismos semelhantes; divisão binária

cisterna (cis.ter.na) *s.f.* **1** *B* em prédios urbanos, reservatório subterrâneo de água potável **2** reservatório de águas pluviais, abaixo do nível da terra; poço

cistite (cis.ti.te) *s.f.* MED inflamação da bexiga

cisto (cis.to) *s.m.* MED cavidade anormal em um órgão ou tecido que ger. contém uma substância mole e limitada por parede própria; quisto ~ **cístico** *adj.*

citação (ci.ta.ção) [pl.: *-ões*] *s.f.* **1** referência a um trecho ou a uma opinião autorizada *<fazer c.>* **2** texto citado *<fez uma dissertação cheia de citações>* **3** DIR intimação para que alguém, em data fixada, compareça ou responda perante autoridade judiciária, civil etc.

citadino (ci.ta.di.no) *adj.* **1** relativo a cidade *<hábitos c.>* ■ *adj.s.m.* **2** habitante de cidade

citar (ci.tar) *v.* {mod. 1} *t.d.* **1** fazer referência a; mencionar *<citou alguns nomes que não estavam na lista>* **2** usar (palavras, texto etc.) como exemplo, abonação *<citou o texto legal que lhe dava razão>* **3** DIR intimar para ir a juízo ou cumprir ordem judicial *<o juiz mandou citá-lo>* ~ **citado** *adj.s.m.*

cítara (cí.ta.ra) *s.f.* MÚS instrumento de cordas dedilháveis ou tocado com palheta, semelhante à lira, cujas cordas atravessam toda a caixa de ressonância ~ **citarista** *adj.2g.s.2g.*

citologia (ci.to.lo.gi.a) *s.f.* BIO estudo da estrutura, desenvolvimento e função das células ~ **citológico** *adj.* - **citologista** *adj.2g.s.2g.* - **citólogo** *s.m.*

citoplasma (ci.to.plas.ma) *s.m.* BIO fluido gelatinoso, rico em moléculas orgânicas e organelas, que circunda o núcleo das células ~ **citoplasmático** *adj.*

cítrico (cí.tri.co) *adj.* **1** relativo a árvores como o limoeiro, a laranjeira etc. e suas frutas **2** relativo ao ácido nelas encontrado

citricultura (ci.tri.cul.tu.ra) *s.f.* AGR cultivo de frutas cítricas ~ **citricultor** *adj.s.m.*

citrino (ci.tri.no) *adj.s.m.* **1** (o) que tem cor e sabor da cidra ou do limão ■ *adj.* **2** diz-se dessa cor ou sabor ■ *s.m.* **3** fruto cítrico **4** variedade de quartzo amarelado, semelhante ao topázio

citronela (ci.tro.ne.la) *s.f.* **1** BOT planta da qual se extrai essência us. como repelente de insetos **2** essa essência

ciumada (ci.u.ma.da) *s.f.* *B infrm.* ciumeira

ciúme (ci.ú.me) *s.m.* **1** sentimento causado pelo receio de perder o afeto de alguém para outrem ☞ mais us. no pl. **2** medo de perder alguma coisa *<tem c. dos seus livros>* **3** inveja *<não tem c. das habilidades do colega>*

ciumeira (ci.u.mei.ra) *s.f.* *infrm.* **1** ciúme exagerado; ciumada **2** demonstração pública de ciúme; ciumada

ciumento (ci.u.men.to) *adj.s.m.* que(m) tem ciúmes

cível (cí.vel) [pl.: *-eis*] *adj.2g.* relativo ao direito civil *<juizado c.>*

cívico (cí.vi.co) *adj.* **1** relativo ao cidadão como membro do Estado *<deveres c.>* **2** que revela amor à pátria; patriótico *<espírito c.>*

civil (ci.vil) [pl.: *-is*] *adj.2g.* **1** relativo ao cidadão *<direitos c.>* **2** que não é militar nem religioso *<o ataque não fez vítimas c.>* *<registro c.>* *<casamento c.>* **3** cível ■ *s.2g.* **4** quem não é militar *<a guerrilha arregimentou civis>*

civilidade (ci.vi.li.da.de) *s.f.* conjunto de formalidades adotadas para demonstrar mútuo respeito e consideração; polidez, cortesia

civilismo (ci.vi.lis.mo) *s.m.* doutrina que defende o exercício do poder por civis ~ **civilista** *adj.2g.s.2g.* - **civilístico** *adj.*

civilização (ci.vi.li.za.ção) [pl.: *-ões*] *s.f.* **1** conjunto de aspectos referentes à vida intelectual, artística, moral etc. de um povo, de um lugar ou de um período *<c. egípcia>* *<c. moderna>* **2** condição de adiantamento e de cultura social; progresso *<o desenvolvimento da escrita foi o grande impulso da c.>* **3** tipo de cultura *<c. tecnológica>*

civilizado (ci.vi.li.za.do) *adj.* **1** que tem civilização; desenvolvido *<povo c.>* ↺ primitivo, subdesenvolvido **2** que é bem-educado, cortês ↺ mal-educado, bronco

civilizar (ci.vi.li.zar) *v.* {mod. 1} *t.d. e pron.* **1** tirar ou sair do estado primitivo *<muitos pretenderam c. os silvícolas>* *<aquela região jamais se civilizou>* ↺ asselvajar(-se) **2** tornar(-se) educado, gentil *<prometeu c. aquela criança rebelde>* *<civilizou-se na companhia dos livros>* ↺ embrutecer(-se) ~ **civilizador** *adj.s.m.*

civismo (ci.vis.mo) *s.m.* ardor cívico; patriotismo

cizânia (ci.zâ.nia) *s.f.* **1** BOT planta daninha a plantações, esp. às de trigo, por seus frutos serem infestados de fungos; joio **2** *fig.* falta de harmonia; discórdia *<fez tudo para acabar com a c. entre os amigos>*

cl símbolo de *centilitro*

Cl QUÍM símbolo de *cloro*

clã *s.m.* tribo ou conjunto de famílias com ancestrais comuns

clamar (cla.mar) *v.* {mod. 1} *t.d. e int.* **1** dizer em voz alta e forte; gritar, bradar *<clamava que era inocente>* *<todos clamaram diante daquela injustiça>* □ *t.i. e int.* **2** (prep. *contra, por*) protestar, reclamar *<c. contra a desordem>* *<a multidão clamava nas ruas>* □ *t.d.,t.i. e t.d.i.* **3** (prep. *por, a*) pedir com insistência; suplicar, implorar *<c. (por) misericórdia>* *<clamava a Deus que o ajudasse>*

clamor (cla.mor) /ô/ [pl.: *-es*] *s.m.* **1** brado, grito **2** queixa ou súplica em voz alta

clamoroso (cla.mo.ro.so) /ô/ [pl. e fem.: /ó/] *adj.* **1** que se faz ou manifesta por clamor; feito com clamor *<protesto c.>* **2** muito claro; gritante *<erro c.>*

clandestino (clan.des.ti.no) *adj.* **1** feito em segredo *<reunião c.>* **2** ilegal, ilegítimo *<grupo c.>* ■ *adj.s.m.* **3** que(m) entrou ilegalmente num país ou num meio de transporte *<imigrante c.>* *<a polícia prendeu os c. no porto>* ~ **clandestinidade** *s.f.*

clangor (clan.gor) /ô/ [pl.: *-es*] *s.m.* som forte, estridente, como o de alguns instrumentos metálicos de sopro (trombeta, trompa etc.)

claque (cla.que) *s.f.* **1** RÁD TEAT TV grupo contratado para aplaudir ou vaiar uma peça, um ator etc. **2** *p.ext.* conjunto dos admiradores de alguém ou de algo *<ao desembarcar, o cantor foi cercado por sua c.>*

clara (cla.ra) *s.f.* matéria transparente que envolve a gema do ovo; albume ▣ **às c.** sem esconder nada; à vista de todos *<agir às c.>*

claraboia (cla.ra.boi.a) /ói/ *s.f.* CONSTR abertura no teto, ger. envidraçada, por onde entra luz

clarão (cla.rão) [pl.: *-ões*] *s.m.* **1** claridade intensa **2** jato de luz momentâneo *<o c. do relâmpago>* **3** *fig.* revelação de um sentimento ou breve duração de um estado de espírito *<c. de generosidade>*

clarear (cla.re.ar) *v.* {mod. 5} *t.d. e int.* **1** tornar(-se) claro; iluminar(-se) *<o luar clareava a estrada>* *<saiu quando o dia clareou>* ↺ escurecer **2** *fig.* tornar(-se) compreensível; esclarecer(-se) *<clareou a questão em poucas palavras>* *<depois das explicações, o mal-entendido clareou>* ↺ obscurecer(-se) ~ **clareamento** *s.m.*

clareira (cla.rei.ra) *s.f.* espaço sem árvores em bosque, mata, floresta

clareza (cla.re.za) /ê/ *s.f.* **1** característica ou propriedade do que é claro *<a c. de um quarto ao meio-dia>* **2** característica do que é fácil de entender *<a c. de um discurso>* **3** estado que permite distinguir bem objetos, avaliar fatos etc. *<ver com c.>* *<pensar com c.>*

claridade (cla.ri.da.de) *s.f.* **1** qualidade do que é claro **2** luz intensa *<era uma tarde de muita c.>* **3** foco luminoso *<uma abertura na parede dava c. ao aposento>*

clarificar (cla.ri.fi.car) *v.* {mod. 1} *t.d. e pron.* **1** tornar (-se) claro ou mais claro *<pôs mais leite para c. o café> <a água do poço clarificou-se>* ↺ turvar(-se) **2** tornar(-se) facilmente compreensível; esclarecer(-se) *<o professor clarificou todas as dúvidas da turma> <as ideias clarificaram-se em sua mente>* ↺ complicar(-se) ~ **clarificação** *s.f.*

clarim (cla.rim) [pl.: *-ins*] *s.m.* MÚS instrumento de sopro com bocal e tubo mais estreito que o da corneta, us. em sinais militares

clarinada (cla.ri.na.da) *s.f.* MÚS toque de clarim

clarineta (cla.ri.ne.ta) /ê/ *s.f.* ou **clarinete** (cla.ri.ne.te) /ê/ *s.m.* MÚS instrumento de sopro, de madeira ou metal, de palheta simples ~ **clarinetista** *adj.2g.s.2g.*

clarividência (cla.ri.vi.dên.cia) *s.f.* **1** capacidade de pensar com clareza **2** percepção extrassensorial *<alguns afirmam que têm c. para ver o futuro>* ~ **clarividente** *adj.2g.s.2g.*

claro (cla.ro) *adj.* **1** que clareia, ilumina; luminoso, resplandecente *<a luz c. da lua>* **2** que recebe luz; iluminado *<sala c.>* **3** límpido; transparente *<rio de águas c.>* **4** distinto, nítido *<imagem de contornos c.>* **5** em que o sol está acima do horizonte *<quando se levantou já era dia c.>* **6** de cor não muito forte *<tecido c.>* **7** que não é muito vivo ou intenso *<cor c.> <vestido amarelo c.>* **8** que se ouve bem *<som c.> <voz c.>* **9** fácil de entender *<texto c.>* **10** que não deixa dúvida; evidente *<sua intenção era c.>* ■ *s.m.* **11** espaço vazio; lacuna *<ele tem claros no cabelo> <acamparam num c. da floresta>* ■ *adv.* **12** com clareza, de maneira clara *<ele sempre falou c.>* ■ *interj.* **13** sem dúvida *<ela virá, c.!>*

claro-escuro (cla.ro-es.cu.ro) [pl.: *claro-escuros* e *claros-escuros*] *s.m.* ART.PLÁST em pintura, desenho, fotografia etc., imitação do efeito de luz e sombra

classe (clas.se) *s.f.* **1** conjunto de seres ou coisas com características comuns *<a loja vende várias c. de produtos> <o código abrange todas as c. de consumidores>* **2** BIO categoria taxonômica que agrupa ordens distinguíveis das outras por diferenças marcantes, e que é a principal subdivisão dos filos *<c. de invertebrados> <c. de algas>* **3** categoria legal ou social *<c. dirigente> <c. militar>* **4** categoria de pessoas baseada em mérito ou capacidade individual *<ator de segunda c.>* **5** grau atribuído a pessoas ou coisas segundo uma ordem de importância *<hotel de primeira c.>* **6** grupo de pessoas de mesma ocupação, opinião etc. *<c. dos motoristas>* **7** veículo ou parte de veículo de transporte segundo as acomodações ou o valor da passagem *<c. econômica> <viajar na primeira c.>* **8** *B infrm.* elegância de maneiras; educação **9** aula **10** grupo de alunos que frequenta determinada aula; turma *<a c. de ciências>* **11** local onde são dadas as aulas **12** BIO na classificação dos seres vivos, categoria que agrupa ordens relacionadas segundo a história da evolução e distinguíveis das outras por diferenças marcantes ▣ **c. de palavras** GRAM subconjunto das palavras que compõem o vocabulário de uma língua, reunido por propriedades comuns, definidas por critério morfológico, sintático ou semântico; categoria gramatical

classicismo (clas.si.cis.mo) *s.m.* **1** ART.PLÁST LIT estilo artístico ou literário baseado nos modelos da Antiguidade greco-romana ☞ inicial freq. maiúsc. **2** característica do que é clássico ~ **classicista** *adj.2g.*

clássico (clás.si.co) *adj.* **1** relativo à literatura, às artes ou à cultura da Antiguidade greco-latina *<literatura c.> <arquitetura c.> <teatro c.>* **2** que pertence ou se inspira no Classicismo *<autor c.> <poesia c.>* **3** que serve de modelo; exemplar *<obra c.>* **4** tradicional *<traje c.>* ■ *s.m.* **5** obra ou autor que constitui modelo digno de imitação **6** jogo entre dois times importantes

classificação (clas.si.fi.ca.ção) [pl.: *-ões*] *s.f.* **1** ato ou efeito de classificar(-se) **2** lista dos classificados numa competição, concurso etc. **3** posição obtida por um candidato em uma competição, concurso etc. *<sua c. em segundo lugar foi ótima>*

classificado (clas.si.fi.ca.do) *adj.s.m.* **1** que(m) se classificou *<o colégio matriculou metade dos (alunos) c.>* ■ *s.m.* **2** pequeno anúncio de compra, venda, emprego, aluguel etc., em jornal ou revista *<ler a seção de classificados>* ☞ nesta acp., mais us. no pl.

classificador (clas.si.fi.ca.dor) /ô/ [pl.: *-es*] *s.m.* **1** pasta em que se guardam anotações, documentos etc. devidamente classificados ■ *adj.s.m.* **2** (o) que classifica

classificar (clas.si.fi.car) *v.* {mod. 1} *t.d. e t.d.i.* **1** (prep. *em*) distribuir (objetos, pessoas etc.) [em classes] *<c. uma população> <c. obras de arte em diferentes estilos>* □ *t.d.* **2** pôr em ordem (coleções, documentos etc.) ↺ desorganizar □ *t.d. e pron.* **3** aprovar ou ser aprovado em exame, concurso etc. *<a banca classificou apenas um candidato> <dez concorrentes se classificaram para o torneio>* □ *t.d.pred. e pron.* **4** (prep. *de*) emitir opinião ou julgamento sobre; considerar(-se) *<classificou-o de metido> <costumava c.-se de afável>*

claudicante (clau.di.can.te) *adj.2g.* **1** que claudica, que manca; capenga *<andar c.>* **2** *fig.* que revela incerteza; vacilante *<temperamento c.>* **3** *fig.* que comete erros ou demonstra falhas *<funcionário c.>* ~ **claudicância** *s.f.*

claudicar (clau.di.car) *v.* {mod. 1} *t.i. e int.* **1** (prep. *de*) não ter firmeza em um dos pés; capengar, mancar *<após o acidente, passou a c. (de uma perna)>* □ *int.* **2** ter defeito, imperfeição; falhar *<ultimamente sua memória claudica muito>* □ *t.i. fig.* **3** (prep. *em*) cometer falta; errar *<às vezes claudica nas contas>* ↺ acertar

claustro (claus.tro) *s.m.* **1** pátio interno cercado de arcadas, num convento ou mosteiro **2** *p.ext.* convento, mosteiro **3** vida monástica; clausura ~ **claustral** *adj.2g.*

claustrofobia (claus.tro.fo.bi.a) *s.f.* PSIQ medo de ficar em lugares fechados ~ **claustrofóbico** *adj.s.m.* - **claustrófobo** *adj.s.m.*

cláusula (cláu.su.la) *s.f.* cada um dos itens de um contrato, testamento etc. ▣ **c. pétrea** DIR dispositivo constitucional que não pode ser alterado

clausura (clau.su.ra) *s.f.* **1** local fechado (esp. em convento ou mosteiro) **2** vida reclusa, esp. a dos monges; claustro ~ **clausural** *adj.2g.*

clava (cla.va) *s.f.* tora com uma extremidade mais larga, us. como arma ◉ GRAM/USO dim.irreg.: *clávula*

clave (cla.ve) *s.f.* MÚS sinal colocado no início da pauta musical que identifica o nome e o tom das notas

clavícula (cla.ví.cu.la) *s.f.* ANAT osso que articula o esterno com a escápula ~ **clavicular** *adj.2g.*

clavina (cla.vi.na) *s.f.* carabina

clávula (clá.vu.la) *s.f.* pequena clava ◉ GRAM/USO dim.irreg. de *clava*

clemência (cle.mên.cia) *s.f.* disposição para perdoar as ofensas; indulgência, bondade ~ **clemente** *adj.2g.*

clepsidra (clep.si.dra) *s.f.* antigo instrumento formado por dois cones, um deles cheio de água, unidos pelo ápice, us. para medir o tempo; relógio de água

cleptomania (clep.to.ma.ni.a) *s.f.* PSIQ desejo doentio de roubar ~ **cleptomaníaco** *adj.s.m.* - **cleptômano** *adj.s.m.*

clerical (cle.ri.cal) [pl.: *-ais*] *adj.2g.* relativo ao ou próprio do clero ↺ laical, laico, leigo

clericalismo (cle.ri.ca.lis.mo) *s.m.* poder ou influência do clero sobre assuntos não religiosos

clérigo (clé.ri.go) *s.m.* **1** quem recebeu as ordens sacras **2** sacerdote cristão ◉ COL clero ~ **clericato** *s.m.*

clero (cle.ro) *s.m.* conjunto dos clérigos de uma religião ou de um país, cidade etc.

clicar (cli.car) *v.* {mod. 1} *t.d. e int. B* **1** apertar (um botão, a tecla do *mouse* do computador etc.) ◻ *t.d. B* **2** fotografar

clichê (cli.chê) *s.m.* **1** frase ou ideia banalizada por repetição excessiva; lugar-comum **2** GRÁF placa gravada em relevo para impressão tipográfica

cliente (cli.en.te) *s.2g.* quem recebe, em troca de pagamento, serviços de dentista, advogado, comerciante, banco etc. ◉ COL clientela

clientela (cli.en.te.la) *s.f.* **1** conjunto de clientes **2** *p.ext.* conjunto de frequentadores de um estabelecimento *<a c. do nosso restaurante é exigente>*

clientelismo (cli.en.te.lis.mo) *s.m. B* prática eleitoreira de privilegiar um conjunto de indivíduos em troca de seus votos ~ **clientelista** *adj.2g.s.2g.*

clima (cli.ma) *s.m.* **1** MET conjunto das condições do tempo (temperatura, pressão, umidade etc.) de uma região ou de um período **2** *fig.* ambiente favorável ou não para a realização de algo; atmosfera *<a declaração do diretor restaurou o c. de tranquilidade na empresa>* ~ **climático** *adj.*

climatério (cli.ma.té.rio) *s.m.* MED período que antecede o término da capacidade reprodutiva da mulher ~ **climatérico** *adj.*

climatização (cli.ma.ti.za.ção) [pl.: *-ões*] *s.f.* **1** criação ou manutenção, num local, de certa temperatura e umidade *<c. de uma biblioteca>* **2** *p.ext.* conjunto dos aparelhos us. para esse fim **3** acondicionamento de produto, material etc. para resistir à ação do clima ~ **climatizar** *v.t.d.*

climatologia (cli.ma.to.lo.gi.a) *s.f.* MET ciência que descreve, explica e classifica os climas, investigando os seus fenômenos e influências

clímax (clí.max) /cs/ *s.m.2n.* **1** ponto mais alto; ápice, auge *<a atriz está no c. da carreira>* **2** CINE LIT TEAT TV parte de uma narrativa de maior tensão dramática, prenunciando o desfecho *<o c. de uma peça de teatro>*

clínica (clí.ni.ca) *s.f.* **1** prática ou exercício da medicina **2** clientela de um médico **3** local de consulta, tratamento e realização de exames, cirurgias etc. ▣ **c. geral** MED especialidade que trata doenças dos vários aparelhos e sistemas do corpo que não necessitam de tratamento cirúrgico

clinicar (cli.ni.car) *v.* {mod. 1} *int.* praticar a medicina

clínico (clí.ni.co) *adj.* **1** relativo à clínica ou ao tratamento médico *<exames c.>* *<tratamento c.>* ■ *adj.s.m.* **2** (médico) de clínica geral

clipagem (cli.pa.gem) [pl.: *-ens*] *s.f.* COMN **1** serviço que apura e fornece recortes de matérias de jornais e revistas a respeito de determinado assunto, instituição etc. **2** conjunto desses recortes **3** conjunto de sinopses das principais notícias da mídia impressa ou eletrônica

[1]**clipe** (cli.pe) *s.m.* **1** pequena peça de metal ou plástico us. para juntar papéis **2** enfeite com alfinete e fecho, us. ger. ao peito; broche ◉ ORIGEM do ing. *clip* 'id.', der. de *to clip* 'prender, segurar'

[2]**clipe** (cli.pe) *s.m.* MÚS TV curta-metragem em filme ou vídeo que ilustra uma música; videoclipe ◉ ORIGEM red. de *videoclipe*

clique (cli.que) *s.m.* **1** ação de clicar *<acionou o aplicativo com um c.>* **2** som curto e estalado *<mantenham o sorriso até ouvirem o c. da câmera>*

clister (clis.ter) [pl.: *-es*] *s.m.* MED introdução de água ou medicamentos no organismo por via retal; lavagem

clitóris (cli.tó.ris) *s.m.2n.* ANAT pequeno órgão erétil do aparelho genital feminino, situado na parte anterior da vulva ~ **clitorídeo** *adj.* - **clitoridiano** *adj.*

cloaca (clo.a.ca) *s.f.* **1** ANAT ZOO cavidade comum dos sistemas digestivo, excretor e reprodutor de aves, répteis, anfíbios e muitos peixes **2** fossa ou cano para receber dejetos **3** vaso sanitário ~ **cloacal** *adj.2g.*

clonagem (clo.na.gem) [pl.: *-ens*] *s.f.* **1** GEN técnica que permite passar material genético de uma célula a outra, a qual adquire e multiplica as características genéticas da primeira **2** *fig.* ação de copiar ilegalmente *<c. de cartões de crédito>*

clonar (clo.nar) *v.* {mod. 1} *t.d.* **1** GEN gerar (organismo, célula etc.) por clonagem **2** *fig.* fazer cópia ou imitação ilegal de *<c. um telefone celular>*

clone (clo.ne) *s.m.* **1** GEN indivíduo geneticamente idêntico a outro, produzido por engenharia genética **2** *fig.* o que é ou parece ser a cópia de um original *<esse* chip *é um clone>* **3** INF *B* cópia de um elemento de *hardware* ou *software* capaz de executar as mesmas funções que o original

clorar (clo.rar) *v.* {mod. 1} *t.d.* **1** tratar (água) com cloro **2** misturar cloro com ↺ desclorar ~ **cloração** *s.f.*

cloreto (clo.re.to) /ê/ *s.m.* QUÍM sal do ácido clorídrico ou ânion dele derivado ▣ **c. de sódio 1** QUÍM substância us. na fabricação do ácido clorídrico, em misturas refrigerantes, na indústria de corantes e cerâmicas, como anti-inflamatório tópico etc. **2** *p.ext. infrm.* sal de cozinha

cloro (clo.ro) *s.m.* QUÍM elemento químico us. como alvejante, desinfetante e no tratamento de águas [símb.: *Cl*] ☞ cf. *tabela periódica* (no fim do dicionário)

C

clorofícea (clo.ro.fí.cea) *s.f.* BOT espécime das clorofíceas, classe de um dos maiores grupos de algas, em número e ocorrência, apresentando grande diversidade de formas; alga verde **~clorofíceo** *adj.*

clorofila (clo.ro.fi.la) *s.f.* BIOQ pigmento verde dos vegetais essencial à realização da fotossíntese

clorofilado (clo.ro.fi.la.do) *adj.* que tem clorofila

clorófita (clo.ró.fi.ta) *s.f.* BOT espécime das clorófitas, divisão do reino vegetal que reúne algas de coloração verde encontradas em todo o planeta

clorofórmio (clo.ro.fór.mio) *s.m.* QUÍM substância volátil us. como solvente, empr. no passado como anestésico **~clorofórmico** *adj.*

cloroplasto (clo.ro.plas.to) *s.m.* BOT organela que contém clorofila, presente na maioria das células das plantas autotróficas expostas à luz

clorose (clo.ro.se) *s.f.* **1** MED anemia que ataca mulheres jovens e causa esverdeamento da pele do rosto, perturbações menstruais e fraqueza **2** BOT amarelecimento ou branqueamento das folhas provocado por parasita ou deficiência mineral

closet (clo.set) [ing.; pl.: *closets*] *s.m.* ARQ cômodo fechado, ger. anexo ao dormitório, us. como guarda-roupa ⇒ pronuncia-se clózet

clóvis (cló.vis) *s.m.2n.* FOLC *RJ* mascarado que sai no carnaval de macacão colorido e capa bordada, carregando uma bola presa a um cordão, a qual ele bate com força no chão; bate-bola

CLT *s.f.* sigla de Consolidação das Leis do Trabalho

clube (clu.be) *s.m.* **1** associação com objetivo recreativo, cultural, esportivo etc. *<c. de futebol> <c. de cinéfilos>* **2** local onde se realizam as reuniões dessa associação; sede do clube (acp. 1)

cm símbolo de *centímetro*

Cm QUÍM símbolo de *cúrio*

CMN *s.m.* sigla de Conselho Monetário Nacional

CNBB *s.f.* sigla de Conferência Nacional dos Bispos do Brasil

cnidário (cni.dá.rio) *s.m.* ZOO espécime dos cnidários, animais aquáticos invertebrados como as águas-vivas, os corais, as anêmonas-do-mar, de corpo simétrico, boca localizada na parte inferior do corpo, rodeada por tentáculos

CNPJ *s.m.* sigla de cadastro nacional de pessoas jurídicas

co-, col-, com-, con- ou **cor-** *pref.* 'companhia, proximidade, junto com': *coabitar, coautor, colateral, compressão, comprometer, consanguíneo, conviver, correlação, corroer*

Co QUÍM símbolo de *cobalto*

C.-O. abreviatura de *Centro-Oeste* ('região')

coabitar (co.a.bi.tar) *v.* {mod. 1} *t.d. e t.i.* **1** (prep. *com, em*) morar junto com ou existir no mesmo espaço que *<ambos coabitam o mesmo apartamento> <declarou que coabitava com os irmãos> <eles coabitam há muitos anos nessa casa>* ◻ *t.i. e int.* **2** (prep. *com*) viver (com alguém) na condição de cônjuge *<Antônio coabita com Manuela há 10 anos> <noivaram um ano antes de começarem a c.>* ◻ *t.d. e int. fig.* **3** conviver pacificamente (em) *<ideias opostas coabitam sua mente> <com a crise, foram obrigados a c.>* **~coabitação** *s.f.*

[1]**coação** (co.a.ção) [pl.: *-ões*] *s.f.* **1** ato ou efeito de coagir **2** DIR constrangimento físico ou moral imposto a alguém para que faça, deixe de fazer ou permita que se faça alguma coisa ◉ORIGEM do lat. *coactĭo,ōnis* 'ação de recolher, resumo, condição imposta'

[2]**coação** (co.a.ção) [pl.: *-ões*] *s.f.* ato ou efeito de coar ◉ORIGEM *coar* + *-ção*

coacto (co.ac.to) ou **coato** (co.a.to) *adj.frm.* **1** vítima de coação; coagido, constrangido **2** sem livre-arbítrio ◉GRAM/USO part. de *coagir*

coadjutor (co.ad.ju.tor) /ô/ [pl.: *-es*] *adj.s.m.* **1** que(m) ajuda; cooperador **2** (prelado) auxiliar ou substituto *<bispo c.>*

coadjuvante (co.ad.ju.van.te) *adj.2g.s.2g.* **1** (ator ou atriz) que tem papel secundário **2** ajudante, auxiliar

coadjuvar (co.ad.ju.var) *v.* {mod. 1} *t.d., t.d.i. e pron.* (prep. *em*) prestar auxílio a; ajudar *<dispôs-se a c. o irmão naquela empreitada> <embora adversários, eles se coadjuvavam>* **~coadjuvação** *s.f.*

coador (co.a.dor) /ô/ [pl.: *-es*] *adj.* **1** que serve para coar ■ *s.m.* **2** filtro constituído de papel, pano, tela etc., us. para coar líquidos *<c. de café>*

coadunar (co.a.du.nar) *v.* {mod. 1} *t.d., t.d.i. e pron.* **1** (prep. *com*) pôr(-se) em harmonia; combinar(-se) *<c. pontos de vista divergentes> <c. autoridade com bondade> <seu comportamento não se coadunava com o ambiente>* ↺conflitar ◻ *t.d.* **2** pôr junto, para formar um todo; reunir *<procurou c. as sugestões apresentadas>* ↺separar **~coadunação** *s.f.*

coagir (co.a.gir) *v.* {mod. 24} *t.d. e t.d.i.* (prep. *a*) obrigar (alguém) [a fazer ou não fazer algo]; forçar *<c. o réu para obrigá-lo a confessar> <não se pode c. ninguém a fazer o que não quer>* ◉GRAM/USO part.: *coagido, coacto*; ver QUADRO DE PARTICÍPIOS DUPLOS nas pp. iniciais

coagulação (co.a.gu.la.ção) [pl.: *-ões*] *s.f.* passagem de líquido (esp. sangue, leite) ao estado sólido, pela ação de mecanismos físicos e químicos

coagular (co.a.gu.lar) *v.* {mod. 1} *t.d., int. e pron.* (fazer) perder a fluidez, transformando(-se) em massa ou sólido (esp. sangue e leite) *<esse produto coagula o sangue rapidamente> <o leite coagula com sumo de limão> <o sangue da galinha coagulou-se>* ↺ liquefazer(-se) **~coagulador** *adj.s.m.* - **coagulante** *adj.2g.s.m.*

coágulo (co.á.gu.lo) *s.m.* FISL massa mais ou menos sólida de sangue ou linfa; coalho

coala (co.a.la) *s.m.* ZOO pequeno marsupial australiano de pelos cinzentos e brancos, que vive em árvores e alimenta-se de folhas de eucalipto

coalhada (co.a.lha.da) *s.f.* leite coalhado, us. na alimentação ou na produção de laticínios

coalhar (co.a.lhar) *v.* {mod. 1} *t.d., int. e pron.* **1** coagular ↺liquefazer ◻ *t.d., t.d.i. e pron.* **2** (prep. *de*) encher(-se) inteiramente (de algo); apinhar(-se) *<embarcações coalhavam o mar> <a noite coalhou o céu de estrelas> <a praça coalhara-se de gente durante o comício>*

coalheira (co.a.lhei.ra) *s.f.* **1** substância ou produto us. nas queijarias para coalhar o leite; coalho **2** ANAT ZOO cavidade do estômago dos ruminantes onde ocorre a digestão; abomaso

coalho (co.a.lho) *s.m.* **1** coágulo **2** coalheira ('substância')

coalizão (co.a.li.zão) [pl.: *-ões*] *s.f.* acordo ou aliança para fins comuns *<c. de partidos>* *<c. de países>* ~ **coalizar-se** *v.pron.*

coar (co.ar) *v.* {mod. 1} *t.d.* separar as partículas sólidas de (líquido), fazendo-o passar por coador, peneira etc. *<c. o café>* *<c. o creme>*

coato (co.a.to) *adj.* → **COACTO**

coautor (co.au.tor) /ô/ [pl.: *-es*] *s.m.* **1** quem executa com outro(s) obra ou trabalho **2** DIR quem contribui para o crime de outra pessoa; cúmplice ~ **coautoria** *s.f.*

coaxar (co.a.xar) *v.* {mod. 1} *int.* soltar a voz (a rã, o sapo) ◉ GRAM/USO só us. nas 3as p., exceto quando fig.

coaxial (co.a.xi.al) /cs/ [pl.: *-ais*] *adj.2g.* **1** que tem eixos coincidentes **2** ELETR ELETRÔN TEL constituído por dois ou mais condutores concêntricos isolados entre si *<cabo c.>*

COB *s.m.* sigla de Comitê Olímpico Brasileiro

cobaia (co.bai.a) *s.f.* **1** ZOO roedor encontrado como animal doméstico, us. em experiências de laboratório; porquinho-da-índia, preá **2** *p.ext.* qualquer animal ou pessoa us. como objeto de experimentação

cobalto (co.bal.to) *s.m.* **1** QUÍM elemento químico us. em aços, cerâmicas, catalisadores etc. [símb.: *Co*] ☞ cf. *tabela periódica* (no fim do dicionário) **2** a cor azul-escura do cobalto ■ *adj.2g.2n.* **3** que tem essa cor *<pulseiras cobalto>* **4** diz-se dessa cor *<coloração c.>* ~ **cobáltico** *adj.*

coberta (co.ber.ta) *s.f.* **1** o que alguém usa para cobrir-se ao dormir (cobertor, colcha, lençol etc.) *<o mendigo usava jornais como c.>* **2** o que se usa para cobrir ou proteger; cobertura, abrigo

coberto (co.ber.to) *adj.* **1** que se cobriu *<deixou o bolo c. com um pano de prato>* **2** protegido, tapado *<a casa era c. de sapé>* **3** vestido ou agasalhado *<saiu de casa c. com um sobretudo>* **4** carregado; repleto *<árvore c. de frutos>*

cobertor (co.ber.tor) /ô/ [pl.: *-es*] *s.m.* coberta grossa para agasalhar, esp. ao dormir

cobertura (co.ber.tu.ra) *s.f.* **1** tudo o que serve para cobrir (teto, tampa, capa, véu etc.) **2** camada *<a c. do bolo era de merengue>* **3** apartamento construído sobre a laje do último andar dos edifícios **4** *fig.* entre policiais, esportistas etc., ato ou efeito de proteger ou apoiar o(s) envolvido(s) numa situação de ataque e defesa *<ninguém ficou na c. do zagueiro>* **5** registro de um fato pela imprensa *<a fuga teve uma c. pequena>* **6** garantia de pagamento *<calma, o cheque tem c.>* **7** proteção dada por um contrato de seguro *<o plano de saúde dá c. para partos>*

cobiça (co.bi.ça) *s.f.* forte desejo de possuir ou conseguir bens materiais, honrarias etc.

cobiçar (co.bi.çar) *v.* {mod. 1} *t.d.* ter cobiça por (esp. riquezas, honras); ambicionar *<c. os bens dos outros>* ~ **cobiçoso** *adj.s.m.*

cobra (co.bra) *s.f.* ZOO **1** nome comum aos répteis carnívoros, de corpo alongado coberto de escamas, sem membros, ouvidos e pálpebras, e com língua terminada em duas pontas; serpente, ofídio **2** *fig.* pessoa má ■ *adj.2g.s.2g.* **3** *B infrm.* (pessoa) muito capaz *<é (um) c. em matemática>*

cobra-coral (co.bra-co.ral) [pl.: *cobras-coral* e *cobras-corais*] *s.f.* ZOO nome comum a serpentes venenosas, de até 1,5 m de comprimento, corpo colorido, ger. uma combinação de anéis vermelhos, amarelos e pretos ☞ tb. se diz apenas [3]*coral*

cobrança (co.bran.ça) *s.f.* ato ou efeito de cobrar ou receber (o que é devido) *<c. de uma dívida>* *<c. de tributos>*

cobrar (co.brar) *v.* {mod. 1} *t.d.* e *t.d.i.* **1** (prep. *a*, *de*) fazer que (alguém) pague (dívida, conta etc.) ou cumpra (promessa, compromisso etc.) *<mandou c. a dívida (ao cliente)>* *<cobrou (do filho) o cumprimento da promessa>* **2** (prep. *a*) fazer exigências (a); pedir, reclamar *<c. (ao pai) aumento de mesada>* ↺ dispensar □ *t.d.* **3** exigir em troca *<ao pagar, cobre recibo>* **4** *B* executar (jogada) como punição de uma infração do adversário ou para dar sequência à partida *<c. um pênalti>* ~ **cobrador** *adj.s.m.*

cobre (co.bre) *s.m.* QUÍM **1** metal us. em fios condutores de eletricidade, encanamentos, ligas etc. [símb.: *Cu*] ☞ cf. *tabela periódica* (no fim do dicionário) **2** *fig. infrm.* dinheiro *<ganhou uns c. ao vender a coleção de selos>*

cobreiro (co.brei.ro) ou **cobrelo** (co.bre.lo) /ê/ *s.m.* *B infrm.* lesão na pele (herpes-zóster) popularmente atribuída ao contato com roupa sobre a qual passou uma cobra

cobrir (co.brir) *v.* {mod. 28} *t.d.* e *t.d.i.* **1** (prep. *de*, *com*) ocultar ou resguardar estando ou pondo(-se) em cima, diante ou em redor de *<um lenço de seda cobria sua cabeça>* *<cobriu o rosto com as mãos>* *<um tapume cobria o canteiro de obras>* *<c. de terra um buraco>* ↺ descobrir □ *t.d.* **2** estender-se por cima de *<uma névoa espessa cobriu toda a região>* **3** sobrepor-se a (fêmea) para acasalar *<um só touro cobre várias vacas>* ☞ nesta acp., só us. nas 3as p., exceto quando fig. **4** pagar, liquidar *<c. o cheque especial>* **5** fazer reportagem sobre *<c. a decisão do campeonato>* **6** percorrer (distância) *<cobriu 10 km em uma hora>* □ *t.d.i.* e *pron.* **7** (prep. *de*) encher(-se), cumular(-se) *<c. o filho de beijos>* *<c.-se de bijuterias>* ◉ GRAM/USO part.: *coberto*

[1]**coca** (co.ca) *s.f.* BOT arbusto com folhas que concentram alcaloides, de uso medicinal para mastigação e em chá e como principal fonte da pasta com a qual se produzem o *crack* e a cocaína ◉ ORIGEM do esp. *coca* 'arbusto da América do Sul de cujas folhas se extrai a substância cocaína'

[2]**coca** (co.ca) *s.f.* refrigerante gaseificado, aromatizado com extratos vegetais e tingido com corante caramelo ◉ ORIGEM red. de *Coca-Cola*, marca registrada

[3]**coca** (co.ca) *s.f.* *B infrm.* cocaína ◉ ORIGEM red. de *cocaína*

coça (co.ça) *s.f.* ação de maltratar por meio de pancadas; surra

cocada (co.ca.da) *s.f.* CUL doce de coco ralado e calda de açúcar, de consistência firme

C

cocaína (co.ca.í.na) *s.f.* FARM alcaloide extraído das folhas da coca, us. com restrições como anestésico, por causar dependência

cocainômano (co.ca.i.nô.ma.no) *adj.s.m.* PSIQ que(m) é viciado em cocaína ou tem o hábito de consumir essa substância ~ **cocainomania** *s.f.*

cocar (co.car) [pl.: *-es*] *s.m.* **1** adorno de cabeça us. pelos indígenas, feito de penas com suporte trançado ou tecido **2** pluma, enfeite de fita ou laço us. na cabeça ou no chapéu

coçar (co.çar) *v.* {mod. 1} *t.d. e pron.* **1** esfregar (parte do corpo) com as unhas ou objeto áspero *<c. as costas>* *<ele não para de se c.>* ◻ *int.* **2** produzir coceira *<a ferida coça muito>* ~ **coçadura** *s.f.*

cocção (coc.ção) [pl.: *-ões*] *s.f.* ato de cozinhar; cozimento

coccinelídeo (coc.ci.ne.lí.deo) *s.m.* ZOO **1** espécime dos coccinelídeos, família de besouros com cerca de 5.000 espécies conhecidas vulgarmente por joaninha, que apresenta corpo arredondado, convexo e de coloração brilhante ■ *adj.* **2** relativo a essa família

cóccix (cóc.cix) /csis/ *s.m.2n.* ANAT osso da extremidade inferior da coluna vertebral

cócega (có.ce.ga) *s.f.* **1** sensação que provoca vontade de rir, causada por toques em certos pontos do corpo **2** *fig.* vivo desejo; tentação *<estava em cócegas para contar o segredo>* ◉ GRAM/USO mais us. no pl. em ambas as acp. ~ **coceguento** *adj.* - **cosquento** *adj.*

coceira (co.cei.ra) *s.f.* **1** grande vontade de se coçar **2** irritação na pele causada pelo ato continuado de coçar

coche (co.che) /ô/ *s.m.* **1** carruagem fechada **2** *B* carro fúnebre

cocheira (co.chei.ra) *s.f.* **1** local para guardar coches e carruagens **2** cavalariça

cocheiro (co.chei.ro) *s.m.* quem conduz os cavalos de carruagem, coche ou charrete

cochichar (co.chi.char) *v.* {mod. 1} *t.d.,t.i. e int.* (prep. *a, com*) falar em voz baixa; sussurrar *<c. segredos (ao confidente)>* *<cochichou com ela o tempo todo>* *<evitem c. na sua presença>* ~ **cochicho** *s.m.*

cochilar (co.chi.lar) *v.* {mod. 1} *int.* **1** dormir de leve *<gostava de c. depois do almoço>* **2** *fig. infrm.* distrair-se ou descuidar-se *<fez boa prova, mas cochilou na última questão>* ↺ atentar ~ **cochilo** *s.m.*

cochinilha (co.chi.ni.lha) *s.f.* → ***COCHONILHA***

cocho (co.cho) /ô/ *s.m.* **1** tronco escavado us. para colocar comida ou água para o gado **2** comedouro ou bebedouro para o gado com formato parecido ao de um tronco escavado ☞ cf. *coxo*

cochonilha (co.cho.ni.lha) ou **cochinilha** (co.chi.ni.lha) *s.f.* ZOO nome comum a famílias de insetos parasitas de plantas, alguns dos quais segregam corante vermelho us. em alimentos, medicamentos e como indicador químico

cociente (co.ci.en.te) *s.m.* → ***QUOCIENTE***

cockpit (cock.pit) [ing.; pl.: *cockpits*] *s.m.* local para o piloto nos aviões e carros de corrida ⇒ pronuncia-se cókpit

cóclea (có.clea) *s.f.* ANAT parte anterior do labirinto que serve à audição, situada na orelha interna

coco (co.co) /ó/ *s.m.* BIO bactéria de forma esférica

[1]**coco** (co.co) /ô/ *s.m.* **1** BOT fruto do coqueiro, grande e oval, de casca impermeável e polpa fibrosa **2** BOT fruto de palmeiras, de tamanho menor e formato semelhante ao do fruto do coqueiro **3** *fig. B* crânio, cabeça; cuca *<chorou porque bateu com o c. no chão>* **4** máscara ou objeto com que se mete medo às crianças ◉ ORIGEM duv., talvez do lat. *calcāre* 'pressionar, apertar'; o nome do fruto foi dado por sua semelhança com a máscara

[2]**coco** (co.co) /ô/ *s.m* DNÇ MÚS *N. N.E.* tipo de dança de roda cantada em coro e acompanhada por percussão ◉ ORIGEM desc.

cocó (co.có) *s.m. B infrm.* coque de cabelo

cocô (co.cô) *s.m. B* **1** excremento; fezes **2** *p.ext. pej.* coisa de péssima qualidade

cócoras (có.co.ras) *s.f.pl.* ▸ usado em: **de c.** apoiado sobre os pés ou sobre a ponta dos pés, com os joelhos dobrados e as nádegas sobre os calcanhares; agachado

cocoricar (co.co.ri.car) *v.* {mod. 1} *int.* cantar (o galo) ◉ GRAM/USO só us. nas 3as p., exceto quando fig. ~ **cocoricó** *s.m.* - **cocorocó** *s.m.*

cocorote (co.co.ro.te) *s.m. B* pancada na cabeça com os nós dos dedos; cascudo

cocuruto (co.cu.ru.to) *s.m.* **1** alto da cabeça **2** ponto mais alto; cume

côdea (cô.dea) *s.f.* **1** parte exterior e endurecida (de árvores, frutos, queijo etc.); crosta, casca **2** *p.ext.* pedaço de pão endurecido

codeína (co.de.í.na) *s.f.* FARM produto anestésico, analgésico e antitussígeno, preparado a partir da morfina *<xarope de c.>*

códice (có.di.ce) *s.m.* **1** BIBLIO HIST grupo de folhas de pergaminho manuscritas, unidas, numa espécie de livro, por cadarços e/ou cosedura e encadernação **2** reunião de manuscritos, documentos históricos ou leis

codificador (co.di.fi.ca.dor) /ô/ [pl.: *-es*] *adj.s.m.* **1** (o) que codifica **2** INF (dispositivo) que traduz uma forma de expressão (código) para outra aceitável por um computador

codificar (co.di.fi.car) *v.* {mod. 1} *t.d.* **1** reunir (p.ex., leis) em um código *<c. as leis trabalhistas>* **2** reunir numa obra (textos diversos); coligir, compilar *<c. documentos do período colonial>* **3** converter (mensagem) em código ~ **codificação** *s.f.*

código (có.di.go) *s.m.* **1** conjunto organizado de leis ou normas *<c. civil>* *<c. eleitoral>* **2** sistema de sinais que contêm uma mensagem ▣ **c. de barras** INF conjunto de barras paralelas associadas a números e caracteres que são decodificados digitalmente e servem, p.ex., para o registro de preços de mercadorias e controle de estoque • **c. de endereçamento postal** *B* código postal que identifica um município, cidade, bairro ou logradouro público [sigla: *CEP*] • **c. genético** GEN informação contida nos genes, que determina o desenvolvimento dos seres vivos • **c. Morse** TEL código telegráfico constituído de sinais longos e curtos

codinome (co.di.no.me) *s.m. B* nome que oculta a identidade de pessoa, ação, plano etc.

codorna (co.dor.na) *s.f.* ZOO nome comum a aves de duas famílias, uma us. como presa de caça e outra doméstica, apreciada por sua carne e ovos; codorniz

codorniz (co.dor.niz) [pl.: *-es*] *s.f.* ZOO codorna

coedição (co.e.di.ção) [pl.: *-ões*] *s.f.* edição realizada por convênio entre editores ~ **coeditar** *v.t.d.* - **coeditor** *s.m.*

coeficiente (co.e.fi.ci.en.te) *s.m.* **1** MAT fator constante que multiplica uma expressão algébrica **2** propriedade que um objeto, fenômeno ou matéria tem de ser avaliado numericamente; grau, nível *<c. de rendimento>*

coelheira (co.e.lhei.ra) *s.f.* local para criação de coelhos

coelho (co.e.lho) /ê/ *s.m.* ZOO pequeno mamífero roedor, herbívoro, de longas orelhas, cauda curta, pelo macio e dois pares de dentes incisivos superiores ▣ **matar dois c. com uma cajadada** *fig.* atingir dois objetivos de uma só vez

coentro (co.en.tro) *s.m.* BOT erva de odor forte, us. como tempero

coerção (co.er.ção) [pl.: *-ões*] *s.f.* ato ou efeito de coagir; coação, repressão

coercitivo (co.er.ci.ti.vo) *adj.* que exerce coerção *<poder c. do Estado>* ~ **coercitividade** *s.f.*

coercível (co.er.cí.vel) [pl.: *-eis*] *adj.2g.* **1** que se pode reprimir ou conter *<força c.>* **2** que se pode fechar em espaço menor *<gás c.>*

coercivo (co.er.ci.vo) *adj.* coercitivo

coerdeiro (co.er.dei.ro) *s.m.* quem herda com outros *<os irmãos são c. do pai>*

coerência (co.e.rên.cia) *s.f.* ligação, lógica ou harmonia entre dois fatos ou ideias *<c. entre o que se diz e o que se faz>*

coerente (co.e.ren.te) *adj.2g.* **1** que tem nexo; lógico, racional *<explicação c.>* **2** que age com coerência *<ele é c. em relação a suas ideias>*

coesão (co.e.são) [pl.: *-ões*] *s.f.* **1** FÍS força de atração entre átomos e moléculas que constituem uma matéria e evita que esta se quebre **2** *fig.* coerência de um pensamento ou de uma obra *<o autor demonstrou a c. de suas ideias>* **3** *fig.* solidariedade entre os integrantes de um grupo *<c. de uma equipe esportiva>* **4** LING característica de um texto em que todas as partes estão formalmente ligadas entre si numa ordem lógica

coeso (co.e.so) /é *ou* ê/ *adj.* **1** que é ou está intimamente ligado, unido *<matéria c.>* **2** *fig.* que apresenta harmonia, lógica *<texto c.>*

coetâneo (co.e.tâ.neo) *adj.s.m.* que(m) é da mesma idade ou época; coevo, contemporâneo *<gostava de conversar com os (amigos) c. do avô>*

coevo (co.e.vo) /é/ *adj.s.m.* coetâneo, contemporâneo

coexistência (co.e.xis.tên.cia) /z/ *s.f.* existência de uma pessoa ou coisa ao mesmo tempo que outra ~ **coexistente** *adj.2g.*

coexistir (co.e.xis.tir) /z/ *v.* {mod. 24} *t.i. e int.* (prep. *com*) existir junto (com) ou ao mesmo tempo (que) *<a pobreza coexiste com a dignidade> <a força e a bondade coexistiam naquela alma> <todos os torcedores podem c. pacificamente>*

cofiar (co.fi.ar) *v.* {mod. 1} *t.d.* afagar, alisar (bigode, barba, cabelo) com os dedos ou com a mão

cofre (co.fre) *s.m.* caixa ou móvel resistente, ger. com segredo, onde se guardam dinheiro, documentos, joias etc.

cogitar (co.gi.tar) *v.* {mod. 1} *t.d. e t.i.* **1** (prep. *em, sobre*) pensar com insistência (sobre) *<começou a c. uma viagem ao campo> <prometeu c. no caso> <gostava de c. sobre as manias da irmã>* □ *t.d.* **2** ter em mente; planejar *<nem cogita mudar de emprego>* □ *int.* **3** entregar-se a reflexões; meditar ~ **cogitação** *s.f.*

cognato (cog.na.to) *adj.s.m.* **1** LING (palavra) de mesma raiz que outra(s) <estudante *e* estudantil *são palavras cognatas*> <sorte *e* sortudo *são cognatos*> **2** que(m) tem a mesma ascendência *<eles são (parentes) c.>* ~ **cognação** *s.f.*

cognição (cog.ni.ção) [pl.: *-ões*] *s.f.* **1** capacidade de adquirir conhecimento **2** *p.ext.* ato ou processo de adquirir um conhecimento

cognitivo (cog.ni.ti.vo) *adj.* relativo ao conhecimento, à cognição *<capacidade c.>*

cognome (cog.no.me) *s.m.* apelido, alcunha ~ **cognominar** *v.t.d.,t.d.pred. e pron.*

cognoscível (cog.nos.cí.vel) [pl.: *-eis*] *adj.2g.* que pode ser conhecido *<realidade c.>* ~ **cognoscibilidade** *s.f.*

cogula (co.gu.la) *s.f.* VEST túnica larga e sem mangas us. por certos monges

cogulo (co.gu.lo) *s.m.* **1** quantidade que ultrapassa as bordas de uma medida de grãos, farináceos etc. **2** *p.ext.* diferença para mais de qualquer quantidade sobre outra; excesso

cogumelo (co.gu.me.lo) *s.m.* BIO fungo de talo curto e mais estreito que a cabeça, arredondada, com algumas espécies comestíveis e outras venenosas

COI *s.m.* sigla de Comitê Olímpico Internacional

coibir (co.i.bir) *v.* {mod. 24} *t.d.* **1** impedir que continue; refrear, reprimir *<c. excessos>* ↺ estimular □ *t.d. e t.d.i.* **2** (prep. *de*) impedir, tolher *<queria declarar-se, mas a timidez o coibia> <coibiram-no de se apresentar em público>* □ *pron.* **3** (prep. *de*) conter-se em ou privar-se *<coíbe-se de doces>* ~ **coibição** *s.f.*

coice (coi.ce) *s.m.* **1** golpe com as patas traseiras dado por certos quadrúpedes **2** recuo da arma de fogo quando disparada **3** *fig.* resposta ou tratamento agressivo; grosseria, patada *<levou um c. do balconista>* ~ **coicear** *v.t.d. e int.*

coifa (coi.fa) *s.f.* tipo de exaustor com chaminé para fogões, aquecedores etc.

coima (coi.ma) *s.f.* **1** pena em dinheiro por pequenos furtos **2** *p.ext.* multa por infração

coincidência (co.in.ci.dên.cia) *s.f.* **1** ocorrência simultânea e casual *<encontrar você foi uma feliz c.>* **2** identidade, igualdade de formas, ideias etc. *<havia c. entre aqueles dois pensadores>* ~ **coincidente** *adj.2g.*

coincidir (co.in.ci.dir) *v.* {mod. 24} *t.i.* **1** (prep. *com*) ocorrer ao mesmo tempo *<a chuva coincidiu com o início do jogo>* □ *t.i. e int.* **2** (prep. *com*) ser condizente (com); combinar *<a declaração do réu não coincidia com a da testemunha> <nossos pontos de vista coincidem>* ↺ destoar, divergir **3** (prep. *com*) ser igual *<uma esfera coincidia com a outra> <os dois triângulos coincidem>* ↺ diferir

coiote (coi.o.te) *s.m.* ZOO mamífero da América do Norte e Central, semelhante ao lobo, porém menor, mais magro e com orelhas mais compridas

coirana (coi.ra.na) *s.f.* BOT nome comum a arbustos de folhas com odor desagradável e propriedades diuréticas, sedativas e antiespasmódicas

coirmão (co.ir.mão) [pl.: *-ãos*; fem.: *coirmã*] *adj.s.m.* **1** diz-se de ou cada um dos filhos de um irmão em relação aos do outro irmão *<Júnia e Laura são (primas) c.>* ■ *adj.* **2** que pertence ao mesmo grupo ou partilha os mesmos interesses *<empresas c.>*

coisa (coi.sa) *s.f.* **1** tudo o que existe ou pode existir *<as c. do céu e da terra>* **2** qualquer ser inanimado *<os viventes e as c.>* **3** realidade; fato concreto *<as c. são mais importantes do que as palavras>* **4** ato; empreendimento *<o concerto foi uma c. espetacular>* **5** algo que não se quer ou não se pode nomear *<disse--lhe uma porção de coisas>* **6** objeto; item *<uma bolsa cheia de coisas>* **7** assunto; tema *<aqui não se fala de outra c.>* **8** o que acontece; evento *<estava dormindo quando a c. começou>* **9** o que não se sabe; mistério *<desconfio que ali tem c.>* **10** *infrm.* mal-estar súbito *<teve uma c. e precisou deitar-se>* ▣ **c. nenhuma** ou **alguma** nada *<não se lembra de c. nenhuma (do que leu)>* • **c. pública** conjunto dos negócios e interesses do Estado ou da coletividade *<o deputado se dedica à c. pública com abnegação>* • **cheio de c.** *infrm.* que se ofende facilmente; melindroso • **não dizer c. com c.** falar de modo incoerente *<acordou assustado, e não dizia c. com c.>*

coisa à toa (coi.sa à to.a) [pl.: *coisas à toa*] *s.2g. B* **1** pessoa desprezível ■ *s.m. B infrm.* **2** diabo, coisa-ruim

coisa-feita (coi.sa-fei.ta) [pl.: *coisas-feitas*] *s.f. B* feitiço, bruxaria

coisa-ruim (coi.sa-ru.im) [pl.: *coisas-ruins*] *s.m. B infrm.* diabo, coisa à toa

coisificar (coi.si.fi.car) *v.* {mod. 1} *t.d.* **1** tornar parecido com uma coisa, um ato ou um objeto *<c. uma ideia>* **2** tratar (uma pessoa) como algo somente material *<o censo parece c. a população>* ~ **coisificação** *s.f.*

coitado (coi.ta.do) *adj.s.m.* **1** (o) que é infeliz *<o (pobre) coitado não tem onde morar>* ■ *interj.* **2** exprime dó, compaixão *<c., está doente>*

coiteiro (coi.tei.ro) *s.m. N.E.* quem dá asilo ou proteção a bandido

coito (coi.to) *s.m.* ato sexual; cópula

coivara (coi.va.ra) *s.f. B* quantidade de ramagens a que se põe fogo para limpar um terreno e adubá-lo com as cinzas

col- *pref.* → *co-*

[1]**cola** (co.la) *s.f.* sinal que se deixa ao passar; rastro ◉ ORIGEM do esp. *cola* 'cauda de animal' ▣ **andar na c. de** *B infrm.* **1** seguir de perto *<o gato anda na c. do rato>* **2** vigiar o comportamento de *<o inspetor anda na sua c., rapaz!>*

[2]**cola** (co.la) *s.f.* **1** substância grudenta us. para ligar materiais como madeira, couro, pano, papel etc.; grude **2** *B infrm.* meio de obter desonestamente as respostas de uma prova *<passou o tempo todo pedindo c. ao amigo>* *<aluno exemplar, não dá c. a ninguém>* **3** *B infrm.* conjunto de respostas preparadas para serem us. às escondidas numa prova *<levou a c. dentro do sapato>* ◉ ORIGEM do gr. *kólla,ēs* 'goma, cola'

[3]**cola** (co.la) *s.f.* BOT noz-de-cola ◉ ORIGEM do lat. cien. gên. *Cola*

colaboração (co.la.bo.ra.ção) [pl.: *-ões*] *s.f.* **1** ação de colaborar; trabalho em conjunto; cooperação *<com a c. de todos, o plano dará certo>* **2** participação em obra literária, científica etc. **3** artigo de jornal, revista etc. escrito por pessoa que não faz parte do grupo fixo de redatores *<mantinha uma c. mensal para o site>*

colaboracionista (co.la.bo.ra.cio.nis.ta) *adj.2g.s.2g.* que(m) auxilia ou apoia o inimigo ~ **colaboracionismo** *s.m.*

colaborador (co.la.bo.ra.dor) /ô/ [pl.: *-es*] *adj.s.m.* **1** (aquele) que colabora **2** que(m) produz com outro(s) qualquer trabalho ou obra; coautor **3** que(m) escreve para jornal, revista etc. sem pertencer ao grupo permanente de seus redatores

colaborar (co.la.bo.rar) *v.* {mod. 1} *t.i.* **1** (prep. *com*) ajudar (alguém) em tarefa, trabalho etc.; cooperar *<colaborou com o mutirão>* *<colaborou com a escola trazendo livros>* ↺ atrapalhar **2** (prep. *para*) ter parte (em um resultado); contribuir *<o desmatamento colabora para o aquecimento global>*

colação (co.la.ção) [pl.: *-ões*] *s.f.* **1** refeição leve *<costuma tomar a c. entre o desjejum e o almoço>* **2** cotejo, comparação entre um original e uma cópia **3** concessão de título ou grau superior

colagem (co.la.gem) [pl.: *-ens*] *s.f.* **1** ato ou efeito de colar **2** ART.PLÁST obra de arte feita de materiais diversos colados sobre uma superfície

colágeno (co.lá.ge.no) *s.m.* BIOQ proteína fibrosa do tecido conjuntivo (pele, cartilagens, ossos etc.) ~ **colagênico** *adj.*

colapso (co.lap.so) *s.m.* **1** MED estado de prostração extrema, com baixa da pressão sanguínea e insuficiência circulatória **2** *fig.* diminuição súbita de eficiência ou poder; ruína *<c. econômico>* ▣ **c. nervoso** PSIQ termo genérico que indica depressão ou problema psicológico agudo

[1]**colar** (co.lar) [pl.: *-es*] *s.m.* enfeite de pedras, contas etc., us. em torno do pescoço ◉ ORIGEM lat. *collare,is* 'id.'

[2]**colar** (co.lar) *v.* {mod. 1} *t.d.,t.d.i. e int.* **1** (prep. *a*) [fazer] grudar com cola *<c. um selo>* *<colou o rótulo à garrafa>* *<reclamou que o adesivo não colava>* ↺ descolar, desgrudar **2** *B gír.* (prep. *de*) copiar de outro ou ter consigo indevidamente (respostas, soluções etc.), num exame *<tentou c. (do colega) todas as respostas da prova>* *<foi aprovado sem c.>* □ *t.d.i. e pron.* **3** (prep. *a, em*) pôr(-se) bem perto (de); grudar(-se) *<colou o ouvido à porta para escutar melhor>* *<colou-se ao muro para fugir do tumulto>* ↺ afastar(-se) □ *int. gír.* **4** ser plausível, verossímil *<a mentira não colou>* ◉ ORIGEM [2]*cola* ('goma') + [2]*-ar*

[3]**colar** (co.lar) *v.* {mod. 1} *t.d.* receber (cargo, título, grau) *<c. grau de médico>* ◉ ORIGEM de *colação*

colarinho (co.la.ri.nho) *s.m.* **1** gola de camisa bem junto ao pescoço **2** *B infrm.* espuma num copo de chope ou cerveja

colarinho-branco (co.la.ri.nho-bran.co) [pl.: *colarinhos-brancos*] *s.m.* *B* profissional ou funcionário de alto nível

colateral (co.la.te.ral) [pl.: *-ais*] *adj.2g.* **1** que está ao lado ou em plano paralelo *<ruas c.>* ■ *adj.2g.s.m.* **2** (parente) que não está em linha direta, p.ex., tios e sobrinhos ~**colateralidade** *s.f.*

colcha (col.cha) /ô/ *s.f.* coberta de cama, ger. estendida sobre o lençol ▣ **c. de retalhos** **1** a que é feita de retalhos de diferentes tecidos **2** *fig.* o que é feito de várias partes diferentes, ger. sem unidade nem conexão *<esse livro é uma c. de retalhos!>*

colchão (col.chão) [pl.: *-ões*] *s.m.* grande peça estofada onde se deita, ger. us. sobre o estrado da cama ~**colchoaria** *s.f.* - **colchoeiro** *s.m.*

colcheia (col.chei.a) *s.f.* MÚS **1** figura de ritmo que equivale à metade da semínima **2** seu símbolo (♪)

colchete (col.che.te) /ê/ *s.m.* **1** pequeno gancho de metal para juntar duas partes de uma peça de roupa **2** GRAM sinal de pontuação [ ] us. para intercalar palavras ou frases em um texto

colchonete (col.cho.ne.te) *s.m.* pequeno colchão portátil, que ger. se pode enrolar ou dobrar

coldre (col.dre) *s.m.* estojo para revólver, ger. preso ao cinto

colear (co.le.ar) *v.* {mod. 5} *t.d.,int. e pron.* mover-se em curvas ou fazendo zigue-zagues *<a expedição avançava, coleando a trilha do outeiro>* *<a serpente coleava(-se) no mato>* ~**coleante** *adj.2g.* - **coleio** *s.m.*

coleção (co.le.ção) [pl.: *-ões*] *s.f.* **1** conjunto de objetos, reunidos por terem alguma qualidade em comum *<c. de selos>* *<c. de medalhas>* **2** coletânea, compilação *<c. de poemas de Castro Alves>* **3** conjunto de modelos de alta-costura *<c. de verão>*

colecionar (co.le.cio.nar) *v.* {mod. 1} *t.d.* reunir (objetos) em coleção, considerando qualidade(s) em comum *<c. camisas de times de futebol>* ~**colecionador** *adj.s.m.*

colega (co.le.ga) *s.2g.* companheiro de estudos, trabalho, profissão etc. *<neste ano, tenho vinte c. de classe>*

colegiado (co.le.gi.a.do) *adj.* **1** que está reunido em colégio *<membros c. de um instituto>* ■ *adj.s.m.* **2** (entidade) cujos membros possuem poderes iguais *<hoje haverá eleição para o (órgão) c.>*

colegial (co.le.gi.al) [pl.: *-ais*] *s.2g.* **1** aluno de colégio ■ *adj.2g.* **2** próprio de colégio ou desse aluno *<disciplina c.>*

colégio (co.lé.gio) *s.m.* **1** estabelecimento que se dedica ao ensino fundamental ou ao ensino médio **2** associação de indivíduos de mesma profissão ou atividade *<c. de cirurgiões>* **3** grupo de pessoas investidas da mesma dignidade *<c. de bispos>* ▣ **c. eleitoral** conjunto dos eleitores de um local, município, estado etc. *<o c. eleitoral do Pará>* *<o c. eleitoral da Academia Brasileira de Letras>*

coleguismo (co.le.guis.mo) *s.m.* solidariedade entre colegas; camaradagem

coleira (co.lei.ra) *s.f.* peça, ger. de couro, us. em volta do pescoço de cães e outros animais, e que pode ser presa a uma correia ou corrente

colendo (co.len.do) *adj.* digno de respeito e obediência; respeitável, venerando *<c. tribunal>*

colênquima (co.lên.qui.ma) *s.m.* ANAT BOT tecido vegetal de parede celular com reforços de celulose, para sustentação dos órgãos em desenvolvimento ☞ cf. *esclerênquima*

coleóptero (co.le.óp.te.ro) *s.m.* ZOO **1** espécime dos coleópteros, ordem de insetos conhecidos como besouros ■ *adj.* **2** relativo a essa ordem

cólera (có.le.ra) *s.f.* **1** raiva intensa; ira **2** *fig.* impulso violento; fúria *<a c. dos ventos>* ■ *s.2g.* MED **3** doença infecciosa de origem bacteriana, causadora de forte diarreia, cãibras, diminuição da urina e fraqueza *<epidemia de c.>*

colérico (co.lé.ri.co) *adj.s.m.* **1** (o) que se irrita facilmente; irascível *<temperamento c.>* *<evitava os violentos e os c.>* **2** que(m) sofre de cólera (MED) *<o hospital reservou uma ala para os (pacientes) c.>*

colesterol (co.les.te.rol) [pl.: *-óis*] *s.m.* BIOQ substância produzida pelas células dos vertebrados, presente em gorduras animais, cujo nível elevado está relacionado a doenças cardiovasculares

coleta (co.le.ta) *s.f.* **1** ato ou efeito de colher; recolhimento, arrecadação *<c. de impostos>* *<c. de donativos>* **2** ato de colher ou recolher produtos, elementos etc. para análise posterior *<c. de dados>* *<c. de sangue>*

coletânea (co.le.tâ.nea) *s.f.* conjunto de textos selecionados da obra ou das obras de um ou vários autores, assuntos etc.; antologia *<c. de poemas>*

coletar (co.le.tar) *v.* {mod. 1} *t.d.* **1** reunir, juntar (dados, provas etc.) **2** fazer a coleta de (doações, pagamentos etc.); recolher **3** colher para análise ou estudo *<c. uma amostra de sangue>*

colete (co.le.te) /ê/ *s.m.* VEST veste curta sem gola nem mangas, us. sobre a camisa justa ao peito ▣ **c. salva-vidas** MAR dispositivo inflável ou de material flutuante que se veste ao redor do tronco como medida de segurança ou em situações de risco

coletividade (co.le.ti.vi.da.de) *s.f.* **1** condição ou característica do que é coletivo **2** grupo que vive junto ou se agrega por algum interesse, profissão etc. *<a c. do morro da Mangueira>* *<a c. dos médicos>*

coletivismo (co.le.ti.vis.mo) *s.m.* POL doutrina que procura transferir a riqueza e os bens particulares ao Estado, para que este os distribua à coletividade ~**coletivista** *adj.2g.s.2g.* - **coletivizar** *v.t.d. e pron.*

coletivo (co.le.ti.vo) *adj.* **1** que abrange, pertence ou é utilizado por muitos *<transporte c.>* ■ *adj.s.m.* GRAM **2** (substantivo) que indica um conjunto de seres ou de coisas da mesma espécie consideradas como um todo *<cardume é o (substantivo) c. de peixe>* ■ *s.m.* *B* **3** veículo para transporte de muitas pessoas (ônibus, trem etc.)

coleto (co.le.to) *adj.* **1** que foi coletado, compilado **2** que foi recolhido ou arrecadado ◉ GRAM/USO part. de *coligir*

coletor (co.le.tor) /ô/ [pl.: *-es*] *adj.s.m.* **1** (o) que coleta ou recebe algo **2** (elétrodo) que coleta elétrons em um componente elétrico ou eletrônico ■ *s.m.* **3** funcionário federal encarregado de arrecadar os impostos determinados em lei

C

coletoria (co.le.to.ri.a) *s.f.* **1** repartição pública arrecadadora de impostos **2** cargo de coletor

colhão (co.lhão) [pl.: *-ões*] *s.m. gros.* testículo

colheita (co.lhei.ta) *s.f.* **1** coleta de produtos agrícolas *<a c. de milho começa no próximo mês>* **2** *p.ext.* o conjunto desses produtos colhidos num dado período; safra *<a c. de laranja bateu o recorde neste ano>*

colher (co.lher) [pl.: *-es*] *s.f.* **1** talher composto de um cabo com uma parte côncava na extremidade, us. para misturar, servir e levar alimentos à boca **2** colherada *<serviu-se de duas c. de arroz>* **3** *p.ext.* utensílio de feitio semelhante ao da colher *<c. de pedreiro>* ▣ **dar uma c. de chá** facilitar; favorecer

colher (co.lher) /ê/ *v.* {mod. 8} *t.d.* **1** tirar (flores, frutos etc.), separando do ramo, da árvore etc. **2** retirar, pegar de um lugar *<c. água do poço>* ↺ pôr **3** conseguir (informações, dados etc.) **4** arrecadar, coletar *<c. donativos para os flagelados>* **5** ter plantação de; cultivar *<atualmente a empresa colhe soja>* **6** *fig.* ter como recompensa *<c. os louros da vitória>* □ *t.d. e int.* **7** fazer a colheita de *<c. o trigo> <chegou a época de c.>*

colherada (co.lhe.ra.da) *s.f.* porção que cabe numa colher

colhereiro (co.lhe.rei.ro) *s.m.* ZOO ave de pescoço e pernas compridas, plumagem rosada e bico semelhante a uma colher com o qual captura pequenos crustáceos na areia ou na lama

colibacilo (co.li.ba.ci.lo) *s.m.* BIO bactéria presente na água, no leite e em certos alimentos e que vive como parasita no intestino

colibri (co.li.bri) *s.m.* ZOO beija-flor

cólica (có.li.ca) *s.f.* MED dor espasmódica na cavidade abdominal, esp. no cólon

colidir (co.li.dir) *v.* {mod. 24} *t.i.,t.d.i. e int.* **1** (prep. *com, contra*) (fazer) ir de encontro a; chocar(-se) *<o carro colidiu com o bonde> <colidiu o carro contra o muro> <as embarcações colidiram>* □ *t.i. e int.* **2** (prep. *com*) ser oposto ou contraditório (a); contradizer(-se) *<seus interesses colidem com os meus> <nele, os atos e as palavras colidiam>* ↺ condizer

coliforme (co.li.for.me) *adj.2g.s.m.* BIO (bacilo) de origem intestinal cuja presença na água indica poluição fecal e contaminação bacteriana potencial

coligação (co.li.ga.ção) [pl.: *-ões*] *s.f.* associação (de pessoas, entidades, países etc.) que visa a um objetivo comum; aliança

coligar (co.li.gar) *v.* {mod. 1} *t.d.,t.d.i. e pron.* (prep. *a, com*) unir(-se) em aliança; aliar(-se) *<c. as correntes políticas de oposição> <o acordo coligou um país ao outro> <os dois grupos coligaram-se>* ↺ separar(-se)

coligir (co.li.gir) *v.* {mod. 24} *t.d.* **1** reunir em coleção; colecionar *<c. moedas antigas>* □ *t.d. e t.d.i.* **2** (prep. *com*) juntar, reunir (algo disperso) *<precisou c. todas as doações> <coligiu os versos da juventude com outros trabalhos>* ↺ dispersar □ *t.d.i.* **3** (prep. *de*) concluir logicamente; deduzir *<era o que podiam c. do que fora escrito>* ◉ GRAM/USO part.: *coligido, coleto*; ver QUADRO DE PARTICÍPIOS DUPLOS nas pp. iniciais

colina (co.li.na) *s.f.* pequena elevação de terreno; outeiro

colinear (co.li.ne.ar) [pl.: *-es*] *adj.2g.* GEOM que está sobre uma mesma reta que outro(s) *<pontos c.>*

colírio (co.lí.rio) *s.m.* **1** FARM medicamento líquido para os olhos **2** *infrm.* pessoa muito bonita *<ele é um c. para os nossos olhos>*

colisão (co.li.são) [pl.: *-ões*] *s.f.* **1** embate entre dois ou mais objetos; batida, choque *<c. de veículos>* **2** luta; conflito *<houve c. entre veteranos e calouros>* **3** discordância extrema *<c. de opiniões>*

coliseu (co.li.seu) *s.m.* **1** ARQ HIST grande anfiteatro em que, na Antiguidade, se realizavam jogos públicos **2** *p.ext.* estádio ou ginásio amplo

colite (co.li.te) *s.f.* MED inflamação do cólon

collant (col.lant) [fr.; pl.: *collants*] *s.m.* VEST **1** roupa de malha elástica que adere ao corpo *<c. de bailarina>* **2** meia-calça ⇒ pronuncia-se colã

colmeia (col.mei.a) /éi *ou* êi/ *s.f.* **1** habitação de abelhas, natural ou artificial **2** *fig.* acúmulo de coisas ou pessoas ◉ GRAM/USO segundo a norma culta, a palavra tem timbre fechado; no Brasil, no entanto, a forma mais comum é com o ditongo aberto /éi/ ~ **colmeeiro** *s.m.*

colmo (col.mo) /ô/ *s.m.* **1** BOT caule das gramíneas, como o milho, o trigo, a cana etc. **2** palha comprida extraída de diversas plantas

[1]**colo** (co.lo) *s.m.* **1** ANAT parte do corpo humano que liga a cabeça ao tronco; pescoço **2** ANAT porção estreitada de um órgão *<c. do útero>* **3** ANAT parte estreita entre o corpo e a cabeça de certos ossos *<c. do fêmur>* **4** espaço da cintura até os joelhos de uma pessoa sentada; regaço *<deitou-se com a cabeça no c. da avó>* ◉ ORIGEM do lat. *collum,i* 'id.' ▣ **andar no c.** ser trazido nos braços e apoiado ao peito de alguém

[2]**colo** (co.lo) *s.m.* ANAT cólon ◉ ORIGEM gr. *kólon,ou* 'id.'

colocação (co.lo.ca.ção) [pl.: *-ões*] *s.f.* **1** ato ou efeito de colocar(-se) **2** lugar ocupado em uma sequência *<ficou na segunda c.>* **3** emprego, ocupação *<conseguiu uma boa c. no banco>* **4** *AMAZ* casa, ger. sobre palafitas, de seringueiro da Amazônia **5** GRAM ordem das palavras na frase e sua disposição em relação aos outros termos *<c. de pronomes>* **6** *infrm.* exposição de opinião, proposta, crítica etc. *<em cinco minutos faz todas as suas c.>*

colocar (co.lo.car) *v.* {mod. 1} *t.d.i.* **1** (prep. *em, sobre*) pousar sobre; pôr, botar *<c. o pé no estribo> <c. a fruteira sobre o aparador>* ↺ retirar **2** (prep. *em*) fixar, colar *<c. cartazes na parede>* **3** (prep. *em*) fazer investimento em; aplicar *<c. dinheiro na poupança>* **4** (prep. *em*) deixar (alguém) em (certa situação, condição); meter *<c. o amigo em problemas>* □ *t.d.i. e pron.* **5** conseguir emprego (para) *<c. o primo na empresa> <colocou-se no mercado rapidamente>* **6** (prep. *em*) (fazer) tomar posição; posicionar(-se) *<c. o filho na fila> <c.-se à frente de todos>* **7** (prep. *em*) fazer conseguir ou conseguir (determinada classificação ou colocação) *<o técnico colocou o time em primeiro lugar no torneio> <o nadador colocou-se entre os primeiros>* □ *t.d.* **8** pôr em foco, em discussão; propor, aventar *<c. uma questão, um problema>* **9** usar segundo as normas gramaticais *<c. vírgulas> <c. pronomes>*

colofão (co.lo.fão) [pl.: *-ões*] ou **cólofon** (có.lo.fon) [pl.: *colofones* e *(B) cólofons*] *s.m.* nos livros, inscrição final que indica data, lugar e tipo de papel em que a obra foi impressa

coloidal (co.loi.dal) [pl.: *-ais*] *adj.2g.* **1** referente a coloide (diz-se de sistema sólido, líquido ou gasoso); coloide *<estado c.>* **2** que tem o aspeto e a transparência da cola; coloide

coloide (co.loi.de) /ói/ *s.m.* FISQUÍM sistema sólido, líquido e gasoso, aparentemente homogêneo, no qual partículas se encontram suspensas em um fluido; possui propriedades particulares de dispersão de luz, passagem através de membranas etc.

colombiano (co.lom.bi.a.no) *adj.* **1** da Colômbia (América do Sul) ■ *s.m.* **2** natural ou habitante desse país

colombina (co.lom.bi.na) *s.f.* TEAT **1** personagem da comédia italiana (séc. XVI e XVII), mulher sedutora, esperta e volúvel ☞ inicial freq. maiúsc. **2** traje carnavalesco inspirado nessa personagem

cólon (có.lon) [pl.: *cólones* e *(B) cólons*] *s.m.* ANAT porção média do intestino grosso que vai do ceco ao reto; colo

colônia (co.lô.nia) *s.f.* **1** território ocupado e administrado por um Estado, fora do âmbito de suas fronteiras geográficas **2** grupo de pessoas de mesma origem que habitam uma outra região ou país *<a c. coreana de São Paulo>* **3** grupo de pessoas que vivem em comum ou que repartem determinadas afinidades ou situações comuns; comunidade *<c. de artistas> <c. de pescadores>* **4** lugar em que tais pessoas vivem ou se agrupam **5** BIO conjunto de organismos de uma mesma espécie e que vivem juntos *<c. de bactérias, de formigas>* ▣ **c. de férias 1** grupo de crianças e adolescentes que gozam, juntos e sob controle de uma administração, as suas férias em determinado local **2** estabelecimento e local onde tal coisa se faz *<fomos para uma c. de férias em Campos do Jordão>*

colonial (co.lo.ni.al) [pl.: *-ais*] *adj.2g.* **1** relativo a colônia ou a colonos *<política c.> <exército c.>* **2** que tem as condições de colônia *<territórios c.> <possessões c.>* **3** que possui colônia ou possessão *<império c.>* **4** relativo aos padrões artísticos do período colonial *<igreja c.> <mesa c.>*

colonialismo (co.lo.ni.a.lis.mo) *s.m.* **1** HIST processo histórico de fundação e administração de colônias *<o c. ibérico das Américas>* **2** HIST época colonial *<leis do tempo do c.>* **3** conjunto de meios pelos quais uma nação mantém sob seu domínio econômico, político ou cultural outra nação ou território ~ **colonialista** *adj.2g.s.2g.*

colonizar (co.lo.ni.zar) *v.* {mod. 1} *t.d.* **1** criar colônia(s) em; transformar em colônia *<a Inglaterra colonizou a Índia durante décadas>* **2** habitar como colono *<uma grande leva de agricultores chegou para c. o Norte>* ~ **colonização** *s.f.* - **colonizador** *adj.s.m.*

colono (co.lo.no) *s.m.* **1** habitante de uma colônia **2** quem emigra para povoar uma terra estranha **3** lavrador assalariado que trabalha em terra alheia

coloquial (co.lo.qui.al) [pl.: *-ais*] *adj.2g.* de maneira espontânea, como uma conversa; informal *<o romance foi escrito em linguagem c.>*

colóquio (co.ló.quio) *s.m.* **1** conversa entre duas ou mais pessoas **2** debate entre especialistas *<c. científico>*

coloração (co.lo.ra.ção) [pl.: *-ões*] *s.f.* **1** ato ou efeito de colorir(-se) *<processo de c. do fio de linho> <gosta de observar a c. das folhas durante o outono>* **2** aspecto de um corpo colorido; cor *<quadro de c. viva> <as c. do azul>*

colorante (co.lo.ran.te) *adj.2g.* **1** que dá cor ■ *adj.2g.s.m.* **2** (substância) empregada para colorir alimentos, tecidos etc.; corante

colorar (co.lo.rar) *v.* {mod. 1} *t.d. e pron.* colorir

colorau (co.lo.rau) *s.m.* CUL condimento e colorante vermelho feito de pimentão seco ou de urucum

colorido (co.lo.ri.do) *adj.* **1** que tem ou recebeu cores *<livro c.>* **2** que tem cores vivas, fortes *<vestia uma blusa c. e bufante>* ↺ pálido **3** REC.AV capaz de reproduzir imagens coloridas, assim como foram captadas *<filme c.> <televisor c.>* ☞ cf. *preto e branco* ■ *adj.s.m.* **4** (o) que tem vivacidade, brilho *<estilo c.> <o c. de um trecho musical>* ■ *s.m.* **5** efeito do uso e distribuição das cores *<estampa de belo c.>* **6** cor ou mistura de cores *<o c. de um vitral>*

colorir (co.lo.rir) *v.* {mod. 24} *t.d. e pron.* **1** (prep. *de*) (fazer) adquirir cor(es); colorar *<c. uma página com tinta verde e azul> <o canteiro coloriu-se de mil matizes>* ↺ descolorir(-se) □ *t.d. fig.* **2** tornar vivo ou expressivo; colorar *<c. as descrições de uma redação>* **3** enfeitar, ornar; colorar *<luzes coloriam a cena>*

colorizar (co.lo.ri.zar) *v.* {mod. 1} *t.d.* **1** CINE converter (filme em preto e branco) em filme colorido *<a empresa colorizou os filmes de O Gordo e o Magro>* **2** *desus.* dar cores a; colorir ~ **colorização** *s.f.*

colossal (co.los.sal) [pl.: *-ais*] *adj.2g.* **1** que tem dimensões de colosso; enorme, imenso *<escultura c.> <monumento c.>* ↺ minúsculo **2** muito vasto, muito extenso *<império c.>* **3** *fig.* espantoso, extraordinário *<bravura c.>*

colosso (co.los.so) /ô/ *s.m.* **1** estátua gigantesca **2** *fig.* pessoa ou coisa muito grande **3** *fig.* o que tem excepcional merecimento, valor, qualidade *<Machado de Assis é o c. da nossa literatura>*

colostomia (co.los.to.mi.a) *s.f.* MED **1** abertura cirúrgica do cólon, com a finalidade de criar um ânus artificial para a eliminação das fezes **2** abertura criada por esse procedimento

colostro (co.los.tro) /ô/ *s.m.* líquido amarelado rico em anticorpos, secretado pelas glândulas mamárias alguns dias antes e logo após o parto

colpite (col.pi.te) *s.f.* MED inflamação das paredes da vagina; vaginite

colubrídeo (co.lu.brí.deo) *s.m.* ZOO **1** espécime dos colubrídeos, grande família de serpentes, com cerca de 1.000 espécies, ger. inofensivas ao homem, encontradas em todos os continentes, tanto na água doce como na terra ■ *adj.* **2** relativo a essa família

columbídeo (co.lum.bí.deo) *s.m.* ZOO **1** espécime dos columbídeos, família de aves com cabeça pequena e arredondada, corpo pesado, conhecidas como pombas, pombos ou rolas ■ *adj.* **2** relativo a essa família

C

coluna (co.lu.na) *s.f.* **1** pilar cilíndrico que sustenta ou enfeita construções *<as c. de um templo>* **2** *p.ext.* o que atinge uma altura considerável, apresentando forma mais ou menos cilíndrica *<c. de fumaça>* **3** *fig.* cada uma das divisões verticais de uma página impressa *<o jornal tinha páginas de seis c.>* **4** *p.ext.* seção regularmente publicada em periódico (jornal, revista etc.) *<c. de política> <c. de moda>* **5** MIL tropa em deslocamento ou alinhada em fila ▣ **c. vertebral** ANAT conjunto das vértebras superpostas, na parte dorsal do tronco, do crânio ao cóccix; raque, espinha

colunista (co.lu.nis.ta) *adj.2g.s.2g.* que(m) escreve uma coluna ('seção') para jornais, revistas etc.

com- *pref.* → **co-**

com *prep.* **1** expressa mais comumente os sentidos de: **1.1** companhia; união *<café c. leite>* **1.2** comparação *<são muito parecidos c. a mãe>* **1.3** modo de ser ou de agir *<cozinhar c. prazer>* **1.4** simultaneidade *<acorda c. as galinhas>* **1.5** objetivo; propósito *<saiu c. a intenção de voltar logo>* **1.6** meio ou instrumento *<pegou a caneta c. um guardanapo>*

[1]**coma** (co.ma) *s.f.* **1** juba, penacho ou cabelo crescido **2** copa de árvore frondosa **3** ASTR cabeleira ('nuvem') ● ORIGEM do lat. *coma,ae* 'id.'

[2]**coma** (co.ma) *s.f.* MÚS nas partituras musicais, sinal em forma de vírgula que indica o momento para respirar ● ORIGEM do lat. *comma,ătis* 'membro do período, parte de uma frase ou de um verso'

[3]**coma** (co.ma) *s.m.* MED estado de inconsciência profunda e perda da sensibilidade ● ORIGEM do gr. *kôma,atos* 'sono profundo' ~ **comatoso** *adj.*

comadre (co.ma.dre) *s.f.* **1** madrinha de uma pessoa em relação aos pais desta **2** mãe de uma pessoa em relação aos padrinhos desta **3** *p.ext. infrm.* mulher com quem se mantém estreita relação de amizade *<as c. tomavam chá todas as tardes>* **4** *infrm.* urinol achatado us. por doentes que não podem se levantar da cama **5** *PR infrm.* menstruação ● GRAM/USO masc.: *compadre*

comanda (co.man.da) *s.f.* formulário em que se anotam os pedidos em restaurantes, lanchonetes, boates etc.

comandante (co.man.dan.te) *adj.2g.s.2g.* **1** (o) que comanda ■ *s.2g.* AER MAR MIL **2** oficial que exerce o comando (de aeronave, frota, navio etc.)

comandar (co.man.dar) *v.* {mod. 1} *t.d.* **1** ter autoridade sobre; mandar *<c. uma tropa>* ↺ subordinar-se **2** administrar, governar *<c. uma fábrica>* **3** chefiar, coordenar *<c. uma equipe>* **4** *fig.* ter domínio sobre; controlar *<não pôde c. as pernas>*

comandita (co.man.di.ta) *s.f.* DIR sociedade comercial em que alguns sócios entram com capital mas não gerenciam os negócios

comando (co.man.do) *s.m.* **1** AER MAR MIL ação de comandar, de dirigir uma força militar (terrestre, naval ou aérea) *<c. de um batalhão> <c. de um destróier>* **2** função ou posto de comandante *<c. militar> <c. de um navio mercante>* **3** AER MAR MIL força militar ou paramilitar esp. preparada para missões especiais *<c. de fuzileiros> <c. terrorista>* **4** controle, domínio *<perdeu o c. da situação>* **5** INF instrução de um programa de computador que, especificada pelo usuário, faz com que uma determinada ação se realize

comarca (co.mar.ca) *s.f.* DIR *B* região sob a jurisdição de um juiz de direito

combalir (com.ba.lir) *v.* {mod. 24} *t.d. e pron.* **1** tornar(-se) fraco; debilitar(-se) *<os acessos de tosse combaliam a criança> <o desfalque combaliu as finanças da firma> <combaliu-se muito com a doença>* ↺ fortalecer(-se) **2** (fazer) sofrer abalo emocional; abater(-se) *<a falência do pai não chegou a c. os filhos> <a família combaliu-se nos tempos da guerra>* **3** (fazer) sofrer diminuição da solidez ou firmeza *<o terremoto combaliu as fundações do prédio> <combaliram-se as muralhas com as bombas inimigas>* ● GRAM/USO verbo defectivo

combate (com.ba.te) *s.m.* **1** ação em que duas forças militares se enfrentam; batalha, refrega, embate **2** luta, pugna *<os boxeadores apresentaram-se para o c.>* **3** *fig.* discussão sobre um assunto

combatente (com.ba.ten.te) *adj.2g.s.2g.* **1** (o) que combate ou está preparado para fazê-lo *<o Exército tem 200 mil c.>* **2** soldado, guerreiro

combater (com.ba.ter) *v.* {mod. 8} *t.d.,t.i. e int.* **1** (prep. *com, por, contra*) lutar em combate *<os bárbaros combateram as legiões romanas> <c. pela nação> <Alexandre combateu contra os persas> <os soldados combateram a manhã inteira>* □ *t.d.* **2** ser contra; opor-se a *<c. as más influências>* **3** argumentar contra; contestar *<c. um orador oponente>* **4** debelar ou tentar debelar (doença) *<c. um resfriado> <c. uma infecção>*

combativo (com.ba.ti.vo) *adj.* **1** que tem espírito de combatente **2** que não recusa lutar, apesar das dificuldades **3** que defende ativamente uma causa; militante *<advogado c.>* ~ **combatividade** *s.f.*

combinação (com.bi.na.ção) [pl.: *-ões*] *s.f.* **1** ordenação de coisas por suas semelhanças ou diferenças **2** acordo, entendimento *<os grupos chegaram a uma c.>* **3** conjunto de números que regulam a fechadura de um cofre; segredo **4** peça íntima feminina us. sob o vestido

combinar (com.bi.nar) *v.* {mod. 1} *t.d. e t.d.i.* **1** (prep. *com*) unir (coisas diferentes ou afins); juntar *<c. as peças de roupa> <sabia c. os atores (com os personagens)>* **2** (prep. *com*) pactuar (ação, resolução etc.) [com alguém] □ *t.d.,t.d.i.,t.i. e int.* **3** (prep. *com*) pôr (-se) em harmonia; ajustar(-se), condizer *<c. tons> <c. o forro das poltronas com as cortinas> <no fundo, as duas propostas combinam>* ↺ destoar □ *t.d.i.* **4** (prep. *com, em*) unir (dois ou mais elementos químicos) para formar um composto *<c. cobre com ouro> <c. os metais numa liga>* ~ **combinado** *adj.s.m.*

combo (com.bo) [ing.; pl.: *combos*] *s.m.* **1** MÚS pequeno conjunto de *jazz* de no máximo oito músicos **2** combinação de diferentes produtos que se vendem juntos, ger. por um preço menor que o cobrado por cada item separadamente *<c. de pipoca e refrigerante>* ⇒ pronuncia-se combou, *corrente* combo

comboio (com.boi.o) /ô/ *s.m.* **1** série de veículos que se deslocam juntos **2** série de navios mercantes ou de guerra que navegam escoltados **3** conjunto de vagões puxados por locomotiva; trem **4** conjunto de animais ou pessoas que se deslocam próximos uns dos outros, com o mesmo destino

comburente (com.bu.ren.te) *adj.2g.s.2g.* (o) que reage com um combustível para provocar a combustão *<o oxigênio é um (gás) c.>*

combustão (com.bus.tão) [pl.: *-ões*] *s.f.* **1** QUÍM fenômeno da combinação de oxigênio com uma substância combustível, gerando fogo **2** estado de um sólido, líquido ou gás que se consome pelo fogo **3** ato ou efeito de queimar

combustível (com.bus.tí.vel) [pl.: *-eis*] *adj.2g.* **1** que tem a propriedade de se queimar ou de se consumir pela combustão ■ *adj.2g.s.m.* QUÍM **2** (matéria) que se queima para gerar energia térmica *<o carvão é uma matéria c.> <a gasolina é um dos c. mais empregados no mundo>* ▣ **c. nuclear** ou **atômico** QUÍM elemento que libera energia por fissão ou fusão, us. como fonte de energia num reator nuclear

começar (co.me.çar) *v.* {mod. 1} *t.d. e int.* **1** dar início a ou ter início; principiar *<começaram a construção na semana passada> <ele começou a conversa> <a chuva começou de manhã cedo>* ↺findar, acabar □ *int.* **2** fazer a primeira experiência ou tentativa *<aquele banqueiro começou cedo na vida>* □ *pred.* **3** ter início (em determinadas condições ou circunstâncias) *<a festa começou animada>* □ *t.i.* **4** (prep. *a, por*) iniciar (ação) com ímpeto e vontade; desandar *<quando viu a mãe, começou a chorar>*

começo (co.me.ço) /ê/ *s.m.* **1** momento inicial; início, princípio *<a fecundação é o c. da vida>* ↺fim, término, termo ▼ ***começos*** *s.m.pl.* **2** primeiros ensaios ou experiências; tentativas iniciais *<os c. do cinema>*

comédia (co.mé.dia) *s.f.* **1** REC.AV LIT obra de ficção que tem como objetivo fazer rir ☞ cf. *drama* **2** *fig. gír.* pessoa ou fato cômico; ridículo *<esse locutor é uma c.> <a passeata foi uma c.>* **3** *fig.* a aventura da vida; o processo da existência humana em todos os seus aspectos *<a c. da vida> <a c. humana>*

comediante (co.me.di.an.te) *s.2g.* REC.AV ator ou atriz de comédia

comedido (co.me.di.do) *adj.* que pensa, age ou se comporta com comedimento; moderado ↺exagerado

comedimento (co.me.di.men.to) *s.m.* **1** moderação, sobriedade *<c. no comer e no beber>* **2** prudência *<c. nas palavras>*

comedir (co.me.dir) *v.* {mod. 24} *t.d. e pron.* pôr(-se) no meio-termo; moderar(-se), controlar(-se) *<c. os impulsos> <c.-se no divertimento>* ↺descontrolar(-se) ◉ GRAM/USO verbo defectivo

comemoração (co.me.mo.ra.ção) [pl.: *-ções*] *s.f.* **1** cerimônia festiva em que se comemora um acontecimento ou uma pessoa **2** ato ou efeito de comemorar, de trazer à lembrança; memoração, recordação

comemorar (co.me.mo.rar) *v.* {mod. 1} *t.d.* **1** fazer festa, solenidade por; celebrar *<c. o aniversário de casamento> <c. o centenário de uma cidade>* **2** trazer à lembrança; recordar, memorar *<os textos comemoravam datas históricas>* ~**comemorativo** *adj.*

comenda (co.men.da) *s.f.* **1** distinção honorífica; condecoração **2** antigo benefício concedido a militar ou eclesiástico

comendador (co.men.da.dor) /ô/ [pl.: *-es*] *s.m.* quem recebeu comenda

comensal (co.men.sal) [pl.: *-ais*] *s.2g.* cada um daqueles que comem juntos ◉ GRAM/USO tb. us. como adj.2g. ~**comensalidade** *s.f.*

comensurar (co.men.su.rar) *v.* {mod. 1} *t.d.* **1** avaliar tamanho, extensão etc. de; medir **2** MAT medir (duas ou mais grandezas) com a mesma unidade ~ **comensurável** *adj.2g.*

comentar (co.men.tar) *v.* {mod. 1} *t.d. e t.d.i.* **1** (prep. *com*) fazer comentário sobre *<c. (com o amigo) a viagem de férias>* □ *t.d.* **2** tornar compreensível, interpretar *<na primeira aula, comentou a poesia de Camões>* **3** analisar criticamente *<o examinador comentou a prova dos alunos>*

comentário (co.men.tá.rio) *s.m.* **1** observação crítica ou esclarecedora **2** parecer, ponto de vista

comentarista (co.men.ta.ris.ta) *adj.2g.s.2g.* especialista que comenta fatos, textos, notícias etc. na imprensa falada e escrita *<c. esportivo>*

comer (co.mer) *v.* {mod. 8} *t.d.* **1** pôr (alimentos) na boca, mastigando-os e engolindo-os *<c. uma maçã>* **2** RECR em xadrez e damas, eliminar (pedras do adversário) **3** corroer, gastar *<a maresia come o ferro>* **4** omitir, eliminar *<costuma c. palavras quando está nervoso>* **5** roubar, furtar *<a fraude comeu milhões de reais>* **6** *gros.* manter relação sexual com □ *t.i. fig.* **7** (prep. *de*) experimentar, provar *<c. de tudo um pouco>* □ *int.* **8** alimentar-se *<está abatido porque não come bem>* ~**comedor** *adj.s.m.* - **comedouro** *s.m.*

comercial (co.mer.ci.al) [pl.: *-ais*] *adj.2g.* **1** relativo a comércio *<relações c. de um país com outro>* **2** que dá ou pode dar lucro *<provou que o projeto era c.>* ■ *s.m.* **3** mensagem publicitária veiculada em rádio, televisão ou cinema; propaganda, reclame, anúncio

comercializar (co.mer.ci.a.li.zar) *v.* {mod. 1} *t.d.* **1** pôr no comércio; tornar comercial *<c. gêneros alimentícios>* □ *t.d.i.* **2** (prep. *com*) fazer negócio de (mercadoria, serviço) [com empresa, pessoa etc.] *<c. soja (com países europeus)>* ~**comercialização** *s.f.*

comerciante (co.mer.ci.an.te) *adj.2g.s.2g.* que(m) trabalha com comércio

comerciar (co.mer.ci.ar) *v.* {mod. 1} *int.* **1** fazer negócios, exercer comércio □ *t.i. e t.d.i.* **2** (prep. *com, em*) fazer comércio (de mercadoria, serviço etc.) [com pessoa, empresa etc.] *<comerciamos com essa empresa há muito tempo> <comercia em azeites e óleos comestíveis>*

comerciário (co.mer.ci.á.rio) *adj.s.m.* B **1** que(m) trabalha no comércio como empregado ■ *adj.* B **2** do comércio *<feriado c.>*

comércio (co.mér.cio) *s.m.* **1** troca, compra ou venda com fins lucrativos **2** classe dos comerciantes **3** aglomerado de lojas em um bairro, cidade etc. ▣ **c. eletrônico** INTERN comércio em que as transações são feitas pela internet

comes (co.mes) *s.m.pl.* petiscos, acepipes ▣ **c. e bebes** os alimentos e as bebidas de uma reunião festiva

comestível (co.mes.tí.vel) [pl.: *-eis*] *adj.2g.s.m.* (o) que se pode comer *<massa c.> <negocia com comestíveis>*

cometa (co.me.ta) /ê/ *s.m.* ASTR astro que se move em torno do Sol e é formado por um núcleo pouco denso com um envoltório gasoso que, próximo ao Sol, se estende como uma cauda luminosa

C

cometer (co.me.ter) *v.* {mod. 8} *t.d.* **1** fazer que ocorra; consumar *<c. um erro>* **2** praticar, perpetrar *<c. um crime> <ele já cometeu duas faltas no jogo>*

cometimento (co.me.ti.men.to) *s.m.* **1** ato ou efeito de cometer; acometimento *<c. de uma infração>* **2** ato praticado *<não se atreveria a tal c.>* **3** tentativa arriscada; aventura

comezaina (co.me.zai.na) *s.f.* **1** refeição farta; banquete **2** festa para comer e beber

comezinho (co.me.zi.nho) *adj.* **1** próprio da vida comum; corriqueiro, trivial *<uma verdade c.>* **2** fácil de entender; simples *<leitura c.>* **3** fácil de comer

comichão (co.mi.chão) [pl.: *-ões*] *s.f.* **1** coceira, prurido **2** desejo forte *<tinha uma c. de provar que era o melhor>*

comichar (co.mi.char) *v.* {mod. 1} *t.d. e int.* **1** (fazer) sentir comichão *<o sol comichava os ombros dele> <ao cicatrizar, o corte começou a c.> <seu corpo comichava quando ela usava linho>* □ *t.i. e int.* **2** sentir impaciência ou vontade forte *<c. de curiosidade> <sentia a mão c. ao ver o dinheiro>*

comício (co.mí.cio) *s.m.* manifestação política de rua que reúne cidadãos em torno de alguém que discursa *<c. de um candidato> <c. contra a intervenção estatal> <c. contra baixos salários>*

cômico (cô.mi.co) *adj.* **1** relativo a comédia *<teatro c.> <ator c.>* **2** que diverte e/ou causa riso *<cena c.>* ■ *s.m.* **3** ator ou autor de comédias ~ **comicidade** *s.f.*

comida (co.mi.da) *s.f.* **1** aquilo que se come ou é próprio para comer; alimento *<nesta mesa não falta c.>* **2** refeição *<a família se reunia na hora da c.>* **3** culinária, cozinha *<a c. baiana é muito apreciada>*

comigo (co.mi.go) *pron.p.* **1** com a minha pessoa *<foi c. à festa>* **2** em minha companhia *<viveu c. muitos anos>* **3** em mim *<trago c. uma boa impressão daquela gente>*

comigo-ninguém-pode (co.mi.go-nin.guém-po.de) *s.m.2n.* BOT planta nativa da Amazônia, ornamental, venenosa e de folhas verdes com manchas brancas

comilança (co.mi.lan.ça) *s.f. B infrm.* **1** ação de comer muito **2** aquilo que se come muito; comida abundante

comilão (co.mi.lão) [pl.: *-ões*; fem.: *comilona*] *adj.s.m.* que(m) come muito; guloso, glutão

cominar (co.mi.nar) *v.* {mod. 1} *t.d.i.* (prep. *a*) fazer ameaça de ou impor (castigo, pena) por infração cometida *<a autoridade cominou duras penas a quem reincidisse>* ~ **cominação** *s.f.* - **cominativo** *adj.* - **cominatório** *adj.*

cominho (co.mi.nho) *s.m.* BOT erva aromática cuja semente é us. como tempero

comiseração (co.mi.se.ra.ção) [pl.: *-ões*] *s.f.* sentimento de piedade pela infelicidade de alguém; compaixão ~ **comiserativo** *adj.*

comiserar (co.mi.se.rar) *v.* {mod. 1} *t.d. e pron.* (prep. *de*) (fazer) sentir piedade, compaixão *<aquela cena comiserava as pessoas mais sensíveis> <que os afortunados se comiserem dos miseráveis>*

comissão (co.mis.são) [pl.: *-ões*] *s.f.* **1** incumbência, encargo **2** grupo de pessoas encarregadas de resolver um assunto *<c. julgadora>* **3** cada um dos grupos em que se dividem os membros das duas câmaras legislativas para analisar projetos e propostas de lei e emitir pareceres sobre esses assuntos **4** trabalho ou cargo temporário **5** gratificação paga a uma pessoa pela execução de um serviço *<o empregado ganha 10% de c. sobre cada venda>* ▣ **c. executiva** grupo responsável pela execução das decisões tomadas pelos membros do partido, agremiação ou reunião a que pertence; executiva • **c. parlamentar de inquérito** POL grupo de deputados, vereadores ou especialistas num dado setor, encarregado de realizar um inquérito sobre denúncias de corrupção ou outros delitos [sigla: *CPI*]

comissariado (co.mis.sa.ri.a.do) *s.m.* **1** cargo de comissário **2** local onde esse cargo é exercido

comissário (co.mis.sá.rio) *s.m.* **1** aquele que exerce uma incumbência **2** pessoa que desempenha, em caráter temporário, determinada missão para o governo ou o representa *<c. do Brasil na Fifa>* ▣ **c. de bordo** AER em aviões comerciais, tripulante encarregado do atendimento aos passageiros durante o voo • **c. de polícia** funcionário da polícia civil que exerce as funções de auxiliar do delegado de um distrito

comissionar (co.mis.sio.nar) *v.* {mod. 1} *t.d.* **1** dar uma comissão a, esp. cargo ou mandato *<o ministério comissionou um adido militar>* **2** confiar uma tarefa temporária a *<a empresa comissionou dois vendedores para representá-la>* ~ **comissionado** *adj.s.m.*

comissura (co.mis.su.ra) *s.f.* **1** ANAT qualquer uma das junções das bordas de aberturas em forma de fenda, no corpo, p.ex., pálpebras, lábios etc. *<c. labial>* **2** ponto, superfície ou linha de união de duas partes correspondentes

comitê (co.mi.tê) *s.m.* **1** grupo encarregado de resolver determinado assunto; comissão **2** local de reunião desse grupo

comitiva (co.mi.ti.va) *s.f.* **1** grupo de pessoas que acompanha alguém ou algo; séquito *<c. presidencial>* **2** *S.E. C.-O.* grupo de pessoas que segue com a boiada

como (co.mo) *conj.caus.* **1** porque; visto que *<c. estava atrasado, acelerou o passo>* ■ *conj.confr.* **2** conforme *<c. a diretora avisou, amanhã não há aula>* ■ *conj. comp.* **3** do mesmo modo que; tal qual *<ela adula o menino, c. fazem todas as mães>* ■ *adv.* **4** de que modo *<c. chegaram a lugar tão longínquo?>* **5** quanto; quão *<c. me sinto bem naquela fazenda!>*

comoção (co.mo.ção) [pl.: *-ões*] *s.f.* **1** emoção forte *<c. de raiva, de susto> <o filme causou c.>* **2** MED distúrbio no funcionamento de um órgão em decorrência de abalo físico ou nervoso *<c. na retina>* **3** agitação, revolta popular *<a c. ganhou as ruas>*

cômoda (cô.mo.da) *s.f.* móvel de gavetas sobrepostas us. para guardar roupas

comodidade (co.mo.di.da.de) *s.f.* **1** qualidade ou estado do que é cômodo, do que satisfaz plenamente; adequado, conveniente, útil **2** conforto, bem-estar *<a c. de uma poltrona>* **3** aquilo que traz conforto, prazer, bem-estar *<vive numa casa cheia de comodidades> <o lava-louça é uma grande c.>*

comodismo (co.mo.dis.mo) *s.m.* caráter ou modo de proceder do comodista

comodista (co.mo.dis.ta) *adj.2g.s.2g.* que(m) só pensa na própria comodidade e evita qualquer esforço ou responsabilidade

cômodo (cô.mo.do) *adj.* **1** que atende à finalidade a que se destina; conveniente *<esta escrivaninha é muito c.>* **2** confortável, agradável *<vida c.>* **3** que não exige esforço ou responsabilidade *<é c. não tomar partido de nenhum dos lados>* ■ *s.m. B* **4** cada divisão do interior de uma casa; aposento

comovente (co.mo.ven.te) *adj.2g.* que comove; emocionante, comovedor *<dirigiu palavras c. aos formandos>*

comover (co.mo.ver) *v.* {mod. 8} *t.d.,int. e pron.* **1** (prep. *com*) (fazer) sentir emoção forte; emocionar (-se), impressionar(-se) *<o filme comoveu o público> <queria contar uma história para c.> <comoveu-se com o pedido da criança>* **2** (prep. *com*) (fazer) perder a frieza ou a indiferença; enternecer(-se) *<tentou c. o amigo intransigente> <sua delicada gentileza comovia> <a professora comoveu-se com a alegria dos alunos>* ↺ endurecer □ *t.d.* **3** mover fortemente; agitar *<o estouro dos trovões comovia os ares>* ↺ serenar ~ **comovedor** *adj.s.m.*

compactar (com.pac.tar) *v.* {mod. 1} *t.d.* **1** tornar (mais) compacto, reduzindo o volume *<c. cimento> <c. lixo>* **2** juntar (partes, elementos etc.) num todo, diminuindo ou resumindo *<o desafio era c. a obra de Fernando Pessoa>* **3** INF *B* alterar o formato de (arquivo), para ocupar menor espaço na memória; comprimir ~ **compactação** *s.f.*

compact disc (com.pact disc) [ing.; pl.: *compact discs*] *loc.subst.* FONO INF disco de aprox. 12 cm de diâmetro, no qual informações, músicas e outros tipos de arquivos são gravados para reprodução, por leitura de raios laser, em um sistema de som, computador ou dispositivo análogo [sigla: *CD*] ◉ GRAM/USO tb. se grafa *compact disk* ⇒ pronuncia-se compact disc

compacto (com.pac.to) *adj.* **1** cujas partes constituintes estão muito próximas; condensado, comprimido *<mata c.>* **2** cujas partes estão firmemente unidas; maciço, denso *<madeira c.>* **3** de pequeno tamanho; reduzido *<apartamento c.>* ■ *s.m.* **4** TV edição resumida de um evento, programa etc. *<assistimos a um c. da final do campeonato>* **5** FONO pequeno disco de vinil; disco compacto

compactuar (com.pac.tu.ar) *v.* {mod. 1} *t.i.* (prep. *com*) ser conivente; condescender, pactuar *<não compactuava com corruptos>* ↺ opor-se

compadecer (com.pa.de.cer) *v.* {mod. 8} *pron.* **1** (prep. *de*) sofrer junto; ter compaixão *<c.-se dos refugiados>* □ *t.d.* **2** inspirar compaixão em *<a renúncia do tirano não compadeceu o povo>* ~ **compadecimento** *s.m.*

compadre (com.pa.dre) [fem.: *comadre*] *s.m.* **1** padrinho de uma pessoa em relação aos pais desta **2** pai de uma pessoa em relação aos padrinhos desta **3** *p.ext. infrm.* indivíduo com quem se mantém estreita relação de amizade

compadrio (com.pa.dri.o) *s.m.* **1** relação entre compadres **2** *p.ext.* sentimento de grande amizade ~ **compadresco** *adj.s.m.*

compaixão (com.pai.xão) [pl.: *-ões*] *s.f.* sentimento de tristeza em relação a quem sofre; piedade

companheirismo (com.pa.nhei.ris.mo) *s.m.* convívio amigável e solidário; coleguismo, camaradagem

companheiro (com.pa.nhei.ro) *adj.s.m.* **1** que(m) faz companhia *<cão c.> <meu c. de conversas> <c. de viagem>* ■ *s.m.* **2** camarada, amigo **3** pessoa em relação à outra com quem vive, casado ou não com ela

companhia (com.pa.nhi.a) *s.f.* **1** aquele ou aquilo que acompanha *<ele vai ser a minha c. no baile> <aquele livro seria sua c. durante a viagem>* **2** presença de algo ou alguma coisa perto de alguém; convívio *<os idosos gostam da c. de cães ou gatos>* **3** sociedade comercial ou industrial *<c. de seguros> <c. telefônica> <c. de navegação>* **4** associação de pessoas para desenvolver um trabalho comum *<c. de teatro, de dança>* **5** subdivisão do batalhão ('unidade militar')

comparação (com.pa.ra.ção) [pl.: *-ões*] *s.f.* ato ou efeito de comparar; cotejo, confronto *<c. de um exemplar com outro> <c. entre dois escritores>*

comparar (com.pa.rar) *v.* {mod. 1} *t.d. e t.d.i.* **1** (prep. *com, a*) aproximar (coisas, seres, ideias) para achar suas semelhanças e diferenças *<c. produtos de diversas marcas> <c. os homens com os primatas> <c. a melancolia à saudade>* □ *t.d.,t.d.i. e pron.* **2** (prep. *com, a*) igualar(-se), equiparar(-se) *<não se devem c. os filhos> <como c. Pelé a qualquer outro jogador?> <nosso pão não se compara com o da padaria>* ↺ diferenciar(-se) ~ **comparável** *adj.2g.*

comparativa (com.pa.ra.ti.va) *s.f.* GRAM ver ***CONJUNÇÃO COMPARATIVA***

comparativo (com.pa.ra.ti.vo) *adj.* **1** que envolve comparação *<teste c.> <estudo c. de duas gramáticas>* ■ *s.m.* GRAM **2** grau do adjetivo que indica qualidade em nível igual, superior ou inferior à de outro ser ou coisa [*o livro é mais (menos) grosso (do) que o caderno*], ou que determinada qualidade de um ser ou coisa é igual, superior ou inferior a outra de suas qualidades [*ele é mais bonito (do) que simpático*] **3** grau do advérbio, que pode ser de igualdade (*o meu carro é tão bom quanto o seu*), superioridade (*tua casa é maior (do) que a dele*) ou inferioridade (*teu time é pior que o meu*)

comparecer (com.pa.re.cer) *v.* {mod. 8} *t.i. e int.* (prep. *a, em*) estar presente em local, evento etc. *<compareceu ao encontro na hora marcada> <embora atarefado, não deixa de c.>* ↺ faltar

comparecimento (com.pa.re.ci.men.to) *s.m.* ato ou efeito de comparecer; apresentação de uma pessoa em determinado lugar a que foi chamada ou convocada

comparsa (com.par.sa) *s.2g.* cúmplice que ger. desempenha função secundária *<o vigarista e seus c. foram presos>*

compartilhar (com.par.ti.lhar) *v.* {mod. 1} *t.d. e t.i.* **1** (prep. *de*) ter ou tomar parte em; participar *<c. (d) as alegrias da família>* □ *t.d.i.* **2** (prep. *com*) repartir, partilhar *<c. os lucros com os empregados>* ~ **compartilhamento** *s.m.* - **compartilhante** *adj.2g.s.2g.*

compartimentar (com.par.ti.men.tar) *v.* {mod. 1} *t.d.* **1** dividir em compartimentos *<c. um espaço>* **2** *fig.* separar em partes, categorias *<c. uma área do conhecimento>*

compartimento (com.par.ti.men.to) *s.m.* cada uma das divisões de uma casa, móvel etc. *<o armário tem quatro c.> <pôs as malas no c. de bagagem>*

compartir (com.par.tir) *v.* {mod. 24} *t.d. e t.i.* **1** (prep. *de*) participar de; compartilhar *<c. (da) dor alheia>* □ *t.d.i.* **2** (prep. *com*) partilhar, dividir *<c. novidades com amigos>* □ *t.d.* **3** compartimentar

compassar (com.pas.sar) *v.* {mod. 1} *t.d.* **1** dar ritmo regular a *<c. a respiração> <c. as passadas>* ↺ descompassar **2** tornar mais lento ou espaçado *<compassou a andadura do cavalo>* **3** medir com compasso *<c. um mapa>* **4** dividir com simetria *<c. os lotes de um terreno>*

compassivo (com.pas.si.vo) *adj.* que se compadece; que sofre junto

compasso (com.pas.so) *s.m.* **1** instrumento para traçar círculos ou transferir medidas que consiste de duas hastes móveis presas em uma extremidade **2** MÚS divisão da pauta musical em partes iguais

compatibilidade (com.pa.ti.bi.li.da.de) *s.f.* **1** condição ou característica do que é compatível *<c. entre temperamentos> <c. da teoria com a prática>* **2** MED capacidade que apresentam dois grupos sanguíneos ou outros tecidos de se unirem e funcionarem em conjunto *<c. de órgãos>*

compatibilizar (com.pa.ti.bi.li.zar) *v.* {mod. 1} *t.d.,t.d.i. e pron.* (prep. *com*) tornar(-se) compatível; harmonizar(-se) *<c. compromissos> <c. horário de trabalho com lazer> <os dois temas se compatibilizam>* ↺ incompatibilizar(-se)

compatível (com.pa.tí.vel) [pl.: *-eis*] *adj.2g.* **1** capaz de coexistir *<a disciplina é c. com a liberdade>* **2** que pode funcionar conjuntamente *<equipamentos c.>* **3** MED que tem compatibilidade *<temos o sangue c.> <espera um doador c. para o transplante>*

compatriota (com.pa.tri.o.ta) *adj.2g.s.2g.* que(m) é do mesmo país ou região

compelir (com.pe.lir) *v.* {mod. 28} *t.d.i.* (prep. *a*) fazer agir sob coação; obrigar *<c. o acusado a confessar>* ↺ desobrigar

compêndio (com.pên.dio) *s.m.* **1** resumo de uma disciplina, ciência, técnica etc. **2** livro que contém esse resumo *<c. de eletrônica>* ~ **compendiar** *v.t.d.* - **compendioso** *adj.*

compenetrado (com.pe.ne.tra.do) *adj.* **1** que se compenetrou *<homem c. de suas obrigações>* **2** concentrado, absorto *<estava tão c. que não notou nossa chegada>* ↺ disperso

compenetrar (com.pe.ne.trar) *v.* {mod. 1} *t.d.i. e pron.* (prep. *de*) (fazer) adquirir convicção, certeza; convencer(-se), persuadir(-se) *<a doença compenetrou-o de sua fragilidade> <c.-se de uma nova responsabilidade>* ↺ dissuadir(-se) ~ **compenetração** *s.f.*

compensação (com.pen.sa.ção) [pl.: *-ões*] *s.f.* **1** ação de compensar, de estabelecer o equilíbrio *<c. de acertos e erros>* **2** benefício, recompensa *<espera uma c. pelos seus esforços>* **3** liberação do valor de um cheque depositado ▣ **em c.** em troca *<estuda muito, em c. tira boas notas>*

compensado (com.pen.sa.do) *s.m.* **1** chapa formada por lâminas finas de madeira prensadas ■ *adj.* **2** que se compensou *<viu-se c. das noites em claro com a aprovação no concurso>* **3** que passou por processo de compensação bancária *<cheque c.>*

compensador (com.pen.sa.dor) /ô/ [pl.: *-es*] *adj.* **1** que traz vantagem, benefício; vantajoso *<negócio c.>* **2** que recompensa; que vale a pena *<o trabalho foi árduo, mas c.>* ■ *adj.s.m.* **3** us. para equilibrar ou anular os efeitos perturbadores capazes de entravar o funcionamento de um mecanismo, sistema etc. *<conectou um (mecanismo) c. no circuito>*

compensar (com.pen.sar) *v.* {mod. 1} *t.d.,t.d.i.,int. e pron.* **1** (prep. *com*) reparar (algo bom ou ruim) [com o efeito oposto]; contrabalançar *<a qualidade do recital compensou a longa espera> <compensava a fraqueza com a inteligência> <o comércio com os asiáticos compensa> <na vida, o bem e o mal se compensam>* □ *t.d.* **2** estabelecer o equilíbrio entre; contrabalançar *<c. dois pesos>* ↺ desequilibrar **3** fazer a compensação de (cheque) ~ **compensatório** *adj.*

competência (com.pe.tên.cia) *s.f.* **1** conjunto de conhecimentos ou habilidades; aptidão *<ter c. para um cargo>* **2** autoridade atribuída a um indivíduo por seu cargo ou sua função; atribuição, alçada *<esse assunto está acima da minha c.>*

competente (com.pe.ten.te) *adj.2g.* **1** que tem competência *<profissional c.>* **2** adequado, conveniente *<tomar as medidas c.>*

competição (com.pe.ti.ção) [pl.: *-ões*] *s.f.* **1** ação de competir; concorrência, disputa **2** ESP prova em que concorrem pessoas ou equipes

competidor (com.pe.ti.dor) /ô/ [pl.: *-es*] *adj.s.m.* (o) que compete; concorrente

competir (com.pe.tir) *v.* {mod. 28} *t.i. e int.* **1** (prep. *com, em*) entrar em concorrência simultânea (com); concorrer *<em jogos, a sorte compete com o azar> <compete com a amiga em beleza> <o importante é c.>* □ *t.i.* **2** (prep. *a*) ser da responsabilidade ou direito de; caber *<a formação das crianças compete aos pais>* ~ **competitivo** *adj.*

compilar (com.pi.lar) *v.* {mod. 1} *t.d.* reunir numa obra (textos de origens diversas) *<c. leis>* ~ **compilação** *s.f.* - **compilador** *adj.s.m.*

complacência (com.pla.cên.cia) *s.f.* **1** disposição de atender os desejos de outra pessoa para agradar-lhe *<conquistou naturalmente a c. dos filhos>* **2** *pej.* condescendência ou submissão indigna *<c. com os desmandos no escritório>* **3** brandura, benignidade *<c. divina>* ~ **complacente** *adj.2g.*

compleição (com.plei.ção) [pl.: *-ões*] *s.f.* **1** constituição física *<rapaz de c. frágil>* **2** índole; temperamento *<c. melancólica> <c. recatada>*

[1]**complementar** (com.ple.men.tar) *v.* {mod. 1} *t.d. e pron.* dar complemento a, ou receber complemento; completar(-se) *<faltam duas aulas para c. o curso> <o relatório complementou-se com os dados recentes>* ↺ retirar ◉ ORIGEM *complemento* + [2]*-ar* ~ **complementação** *s.f.*

[2]**complementar** (com.ple.men.tar) [pl.: *-es*] *adj.2g.* relativo a ou que é o complemento de algo *<cores c.> <explicações c.>* ◉ ORIGEM *complemento* + [1]*-ar* ~ **complementaridade** *s.f.*

complemento (com.ple.men.to) *s.m.* **1** o que completa ou aperfeiçoa um todo *<a sobremesa é o c. de uma boa refeição> <os diversos c. de um motor>* **2** GRAM palavra, locução ou oração que desempenham na frase a função de complementar o sentido de um substantivo (p.ex.: fazer o elogio *da virtude*), de um adjetivo (p.ex.: estar confiante *no resultado*), de um verbo (p.ex.: fechar *o armário*, desejar *que o natal chegue logo*) e de um advérbio (p.ex.: dormir depois *do almoço*)

completamente (com.ple.ta.men.te) *adv.* **1** de modo completo, inteiro; totalmente, inteiramente *<os açudes estão c. cheios> <o pedido não foi c. atendido>* ↺ parcialmente **2** em alto grau; totalmente, absolutamente *<ficou c. surpresa com a notícia>*

completar (com.ple.tar) *v.* {mod. 1} *t.d. e pron.* **1** acrescentar a (algo) o que falta para torná-lo completo ou perfeito *<c. uma quantia> <como duas partes de um todo, completaram-se>* ↺ suprimir □ *t.d.* **2** concluir, terminar *<falta pouco para c. o trabalho>* **3** atingir (número, valor etc.) *<hoje completamos 20 anos de casados>* ◉ GRAM/USO part.: *completado, completo*; ver QUADRO DE PARTICÍPIOS DUPLOS nas pp. iniciais

completo (com.ple.to) *adj.* **1** que possui todas as partes integrantes *<equipamento c.>* **2** *fig.* concluído, perfeito *<nossa missão está c.>* **3** no máximo da capacidade *<estava numa felicidade c.> <um artista c.>*

completude (com.ple.tu.de) *s.f.* qualidade do que está perfeito, acabado

complexo (com.ple.xo) /cs/ *adj.* **1** que se compõe de elementos diversos relacionados entre si *<o homem é um ser c.>* ↺ simples **2** complicado, difícil *<assunto c.>* ↺ fácil, simples ■ *s.m.* **3** conjunto, aglomerado *<c. industrial>* **4** PSIC conjunto de ideias, impressões e conceitos, mais ou menos conscientes, capaz de gerar reações e comportamentos doentios *<c. de inferioridade>* ~ **complexidade** *s.f.*

complicação (com.pli.ca.ção) [pl.: *-ões*] *s.f.* **1** ato ou efeito de complicar(-se) *<um bom líder evita complicações>* ↺ simplificação **2** estado ou condição do que é complicado; complexidade ↺ simplicidade **3** aquilo que complica; dificuldade, complicador ↺ facilidade **4** coisa complicada, confusa *<a trama da história era uma c.>* **5** MED surgimento de um novo processo patológico durante a evolução de uma doença ou em consequência de cirurgia ou outro procedimento *<internou-se por causa das c. de uma pneumonia>*

complicado (com.pli.ca.do) *adj.* **1** que apresenta complicação ou dificuldade; complexo, difícil *<máquina c.> <texto c.>* ↺ simples, fácil **2** que se comporta de maneira obsessiva ou imprevisível; que cria complicações *<uma pessoa c.>*

complicar (com.pli.car) *v.* {mod. 1} *t.d. e pron.* **1** tornar(-se) menos simples de aprender, usar, resolver *<c. uma operação algébrica> <complicou a vida aceitando muitos compromissos> <complicou-se ao consultar diversos autores>* ↺ simplificar **2** MED tornar(-se) pior; agravar(-se) *<a infecção complicou seu quadro clínico> <o estado do paciente complicou-se nas últimas horas>* □ *t.d.i.* **3** (prep. *em*) conduzir a (problema, constrangimento etc.); comprometer *<c. o amigo numa situação embaraçosa>* ~ **complicador** *adj.s.m.*

complô (com.plô) *s.m.* conspiração; trama secreta

componente (com.po.nen.te) *adj.2g.s.2g.* (o) que é parte de um todo *<partes c.> <os c. de um motor> <os (elementos) c. do corpo policial>*

compor (com.por) *v.* {mod. 23} *t.d. e pron.* **1** fazer parte de ou ser formado por *<30 alunos compõem o coral> <a peça compõe-se de três atos>* **2** pôr(-se) em harmonia; reconciliar(-se) *<a mãe compôs os filhos brigados> <os rivais compuseram-se>* ↺ desarmonizar (-se), desavir(-se) □ *t.d.* **3** criar (música, poema etc.) **4** dar boa ou melhor disposição a; arrumar *<c. a roupa> <c. os móveis da sala>* □ *pron.* **5** arrumar-se, ajeitar-se *<c.-se para sair>* ↺ desarrumar-se ◉ GRAM/USO part.: *composto*

comporta (com.por.ta) *s.f.* porta que retém a água num dique, represa etc.

comportado (com.por.ta.do) *adj.* que tem bom comportamento; bem-comportado

comportamento (com.por.ta.men.to) *s.m.* **1** procedimento, conduta *<um c. tímido diante do público>* **2** reação de um indivíduo, de um grupo ou de uma espécie ao conjunto de fatores que compõem o seu meio ambiente *<o c. dos indígenas> <o c. das abelhas>* **3** reação de uma coisa em determinadas circunstâncias *<o c. de um avião em voo>*

comportar (com.por.tar) *v.* {mod. 1} *t.d.* **1** dar condições para; possibilitar *<tais palavras comportam diferentes interpretações>* ↺ impossibilitar **2** conter ou poder conter em si *<a sala não comporta mais ninguém>* **3** ter como exigência; requerer *<essa reforma comporta gastos elevados>* ↺ dispensar **4** ter como consequência; envolver *<seu mau gênio comporta muitas desavenças>* □ *pron.* **5** proceder socialmente; portar-se, agir *<envergonhou os pais por c.-se mal diante das visitas>* **6** agir de modo bem-comportado; portar-se bem *<o menino sabia se c.>*

composição (com.po.si.ção) [pl.: *-ões*] *s.f.* **1** organização das partes de um todo; disposição, arrumação *<a c. do consultório ficou boa>* **2** criação artística, esp. musical **3** redação escolar **4** acordo, consenso *<o devedor e os credores chegaram a uma c.>* **5** GRÁF montagem dos elementos tipográficos para fazer a impressão *<já terminamos a c. das provas do livro>* **6** conjunto dos vagões de um trem **7** GRAM processo de formação de palavra pela união de dois ou mais radicais ☞ cf. *aglutinação* e *justaposição*

compositor (com.po.si.tor) /ô/ [pl.: *-es*] *s.m.* **1** o que compõe **2** pessoa que compõe obras musicais **3** GRÁF quem faz serviços de composição

composta (com.pos.ta) *s.f.* BOT espécime das compostas, família de arbustos, árvores e trepadeiras, em sua maioria daninhos, mas também cultivados como medicinais, na produção de inseticidas, como alimento ou pelas flores, como p.ex. a margarida, a dália, a alface, a alcachofra e o girassol

composto (com.pos.to) /ô/ [pl. e fem.: /ó/] *adj.* **1** formado por mais de um elemento ■ *s.m.* QUÍM **2** mistura homogênea de diferentes átomos ou moléculas

compostura (com.pos.tu.ra) *s.f.* decência, recato, comedimento

compota (com.po.ta) *s.f.* CUL doce de fruta cozida em calda de açúcar

compoteira (com.po.tei.ra) *s.f.* recipiente de vidro, provido de tampa e ger. pé, para compotas

compra (com.pra) *s.f.* **1** ato ou efeito de comprar **2** aquilo que se compra

C

comprar (com.prar) *v.* {mod. 1} *t.d. e t.d.i.* **1** (prep. *a, de*) adquirir, pagando (a pessoa, empresa etc.), a propriedade ou o uso de *<c. ingressos para o jogo> <c. um lanche> <comprou o carro a um amigo> <c. um imóvel diretamente do proprietário>* ↺ vender □ *t.d.* **2** *fig.* conseguir com muito esforço *<comprou sua paz ao quitar as dívidas>* **3** subornar ou conseguir com suborno *<c. o silêncio da testemunha>* **4** RECR apanhar (carta) do baralho durante o jogo ~ **comprador** *adj.s.m.*

comprazer (com.pra.zer) *v.* {mod. 13} *t.i. e int.* **1** (prep. *a, com*) ser gentil, agradar *<compraz às crianças oferecendo-lhes bombons> <dançou para comprazer com a vontade da namorada> <sorrir para c.>* □ *t.i.* **2** (prep. *a*) ceder, atender (a súplica, pedido etc.) ↺ negar **3** (prep. *com*) ser tolerante, piedoso *<c. com os relapsos>* □ *pron.* **4** (prep. *com, de*) experimentar deleite; deliciar-se *<c.-se com o canto dos pássaros>* ◉ GRAM/USO verbo abundante ~ **comprazimento** *s.m.*

compreender (com.pre.en.der) *v.* {mod. 8} *t.d.* **1** conter em si; abranger *<a coleção compreende 10 livros>* ↺ excluir **2** apreender o sentido de; entender *<c. um texto>* ↺ desentender **3** ter compreensão, simpatia, atenção com *<c. os jovens, os pobres>* ↺ antipatizar ~ **compreendido** *adj.*

compreensão (com.pre.en.são) [pl.: *-ões*] *s.f.* **1** percepção, entendimento *<c. de um fenômeno>* **2** domínio intelectual de um assunto **3** complacência, indulgência *<ter c. com os pequenos>*

compreensível (com.pre.en.sí.vel) [pl.: *-eis*] *adj.2g.* passível de ser compreendido, entendido; inteligível *<linguagem c.>*

compreensivo (com.pre.en.si.vo) *adj.* **1** que compreende ou tem a capacidade de compreender *<percepção c. dos próprios atos>* **2** que demonstra compreensão, simpatia, boa vontade *<pai c.>* **3** que contém em si; que abrange; englobante *<relatório c., resumo c.>*

compressa (com.pres.sa) *s.f.* **1** pedaço de tecido no qual se aplica medicamento e que se comprime sobre uma ferida **2** tecido embebido em água quente ou fria que se põe sobre o corpo para aliviar dor ou febre

compressão (com.pres.são) [pl.: *-ões*] *s.f.* **1** ação de comprimir *<os gases são substâncias passíveis de c.>* **2** *fig.* ação de limitar, de restringir; corte *<regime de c. de gastos>* **3** MED pressão, aperto praticado por meio de bandagem, ligadura ou aparelho cirúrgico ~ **compressibilidade** *s.f.*

compresso (com.pres.so) *adj. frm.* que sofreu compressão; comprimido ◉ GRAM/USO part. de *comprimir*

compressor (com.pres.sor) /ô/ [pl.: *-es*] *adj.s.m.* **1** (o) que comprime ■ *s.m.* **2** máquina de comprimir fluidos *<c. de ar>*

comprido (com.pri.do) *adj.* **1** extenso ou longo *<uma vara c.> <uma frase c.> <os dias c. de verão>* **2** que tem grande estatura; alto *<era um sujeito c.>* **3** que cresceu; crescido *<unhas e cabelos c.>*

comprimento (com.pri.men.to) *s.m.* **1** a maior dimensão horizontal de um objeto, de uma superfície *<c. de um campo de futebol>* **2** extensão de um objeto considerado de uma extremidade à outra *<c. de um lápis>* ☞ cf. *cumprimento*

comprimido (com.pri.mi.do) *adj.* **1** que sofreu compressão *<ar c.>* **2** com pouco espaço para o movimento; apertado *<viajamos c. no ônibus>* ■ *s.m.* FARM **3** pequena massa rígida de medicamento para ser ingerida; pílula ◉ GRAM/USO part. de *comprimir*

comprimir (com.pri.mir) *v.* {mod. 24} *t.d. e pron.* **1** (fazer) sofrer compressão *<c. uma veia> <o capô do carro comprimiu-se sob o peso>* **2** reduzir(-se) o volume de (algo) por pressão; contrair(-se) *<c. um fluido> <o gás comprimiu-se sob a ação do frio>* ↺ expandir(-se) □ *t.d.* INF **3** compactar ◉ GRAM/USO part.: *comprimido, compresso*; ver QUADRO DE PARTICÍPIOS DUPLOS nas pp. iniciais

comprobatório (com.pro.ba.tó.rio) ou **comprovatório** (com.pro.va.tó.rio) *adj.* que comprova *<documentos c.>*

comprometedor (com.pro.me.te.dor) /ô/ [pl.: *-es*] *adj.* **1** que compromete *<cláusula c.>* **2** que expõe ou pode expor a risco ou embaraço *<declarações c. mancharam a sua reputação>*

comprometer (com.pro.me.ter) *v.* {mod. 8} *t.d.i. e pron.* **1** (prep. *a, com*) (fazer) assumir compromisso *<comprometeu os parceiros a agir como combinado> <c.-se com credores a quitar a dívida>* □ *t.d.* **2** dar como garantia moral; empenhar *<c. a palavra> <c. o próprio prestígio>* **3** causar dano a *<os treinos comprometeram o seu joelho>* □ *t.d. e pron.* **4** expor(-se) a risco ou embaraço; arriscar(-se) *<comprometeu a empresa ao descuidar do planejamento> <seu depoimento pode c. o sócio> <aventurou-se demais e acabou comprometendo-se>* ↺ precaver(-se) □ *pron.* **5** (prep. *com*) combinar casamento ~ **comprometimento** *s.m.*

compromisso (com.pro.mis.so) *s.m.* **1** obrigação assumida *<o casamento implica sérios c.>* **2** combinação entre pessoas ou instituições; pacto, trato, acordo *<os dois países formaram o c. de ajudar os refugiados>* **3** *B* qualquer obrigação profissional, social etc. *<tenho muitos c. nesta semana>*

comprovação (com.pro.va.ção) [pl.: *-ões*] *s.f.* ato ou efeito de comprovar; prova, confirmação

comprovante (com.pro.van.te) *adj.2g.* **1** que comprova ■ *s.m.* **2** documento que comprova algo *<c. de venda> <c. de rendimentos>*

comprovar (com.pro.var) *v.* {mod. 1} *t.d.* **1** afirmar como verdadeiro; confirmar *<o álibi era verdadeiro e todos podiam comprová-lo>* ↺ contestar **2** afirmar com prova(s); provar *<a investigação comprovou a inocência do acusado>* ↺ contestar □ *t.d. e t.d.i.* **3** (prep. *a*) tornar evidente; demonstrar *<c. sua coragem (a todos)>* ↺ esconder, dissimular ~ **comprovador** *adj.s.m.*

comprovatório (com.pro.va.tó.rio) *adj.* → ***COMPROBATÓRIO***

compulsão (com.pul.são) [pl.: *-ões*] *s.f.* PSIC tendência irresistível que leva uma pessoa a comportar-se de forma contrária a sua vontade *<c. para furtar> <c. para o consumo>*

compulsar (com.pul.sar) *v.* {mod. 1} *t.d.* folhear (livros, documentos etc.) para fazer anotações, tirar dúvidas etc.; consultar ~ **compulsação** *s.f.*

compulsivo (com.pul.si.vo) *adj.* **1** relativo a ou que envolve compulsão *<comportamento c.>* ■ *adj.s.m.* PSIC **2** que(m) é muito escrupuloso ou fortemente impelido por uma compulsão <*profissional especializado no tratamento de (pacientes) c.*>

compulsória (com.pul.só.ria) *s.f.* **1** aposentadoria imposta a servidores públicos por limite de idade **2** DIR sentença de um juiz para que outro, inferior, cumpra ordem sua

compulsório (com.pul.só.rio) *adj.* obrigatório

compunção (com.pun.ção) [pl.: *-ões*] *s.f.* **1** grave pesar; arrependimento **2** manifestação desse sentimento; contrição

compungir (com.pun.gir) *v.* {mod. 24} *t.d. e pron.* **1** (prep. *de*) (fazer) sentir compunção, arrependimento <*os destemperos passados compungem o velho*> <*c.-se de seus pecados*> **2** (prep. *com*) (fazer) sentir piedade, compaixão <*o drama do amigo o compungiu*> <*c.-se com a desgraça alheia*>

computação (com.pu.ta.ção) [pl.: *-ões*] *s.f.* **1** ação ou efeito de computar; cômputo, contagem <*c. de um prazo*> <*c. de despesas*> **2** ciência e técnica de tratar a informação por meio de computadores e demais dispositivos de processamento de dados; informática

computador (com.pu.ta.dor) /ô/ [pl.: *-es*] *adj.s.m.* **1** (o) que computa ou calcula ■ *s.m.* INF **2** equipamento eletrônico capaz de guardar, analisar e processar dados de acordo com programas previamente estabelecidos ▣ **c. pessoal** INF microcomputador

computadorizado (com.pu.ta.do.ri.za.do) *adj.* **1** que usa computadores ou uma rede de computadores no trabalho diário; informatizado <*loja c.*> **2** feito por meio ou com o auxílio de computadores <*tomografia c.*>

computadorizar (com.pu.ta.do.ri.zar) *v.* {mod. 1} *t.d.* INF prover de computadores ou de uma rede de computadores; informatizar <*c. uma escola*>

computar (com.pu.tar) *v.* {mod. 1} *t.d.* **1** fazer o cômputo de; calcular <*c. os gastos de uma viagem*> <*c. os votos de uma eleição*> □ *t.d.i.* **2** (prep. *em*) calcular aproximadamente a quantidade, o montante de; estimar, orçar <*computou o prejuízo em milhões*>

cômputo (côm.pu.to) *s.m.* contagem, apuração <*o c. das despesas*> <*os c. do tempo*>

comum (co.mum) [pl.: *-uns*] *adj.2g.* **1** que pertence a mais de dois seres ou coisas <*amigo c.*> **2** usual, habitual <*um acontecimento c.*> **3** relativo a todos os elementos de um conjunto; coletivo, geral <*interesses c.*> **4** simples <*roupas c.*> ■ *s.m.* **5** o que é corriqueiro ou habitual <*o c. era o neném chorar muito*>

comum de dois (co.mum de dois) [pl.: *comuns de dois*] *adj.2g.s.m.* GRAM (substantivo) que possui apenas uma forma para o feminino e o masculino, sendo a flexão de gênero indicada no artigo, pronome ou adjetivo (p.ex.: o colega/a colega, bom dentista/boa dentista) ☞ cf. *epiceno* e *sobrecomum*

comuna (co.mu.na) *s.f.* **1** na Idade Média, cidade emancipada ■ *s.2g. B infrm.* **2** partidário do comunismo; comunista

comungar (co.mun.gar) *v.* {mod. 1} *t.d. e t.i.* **1** (prep. *com*) concordar com (ideias, tendências etc.) <*c. a lição dos antigos*> <*c. com o pacifismo*> ↺ dissentir, discordar □ *t.i.* **2** (prep. *de*) ter participação; compartilhar <*c. da intimidade dos irmãos*> □ *t.d. e int.* **3** REL dar a comunhão a, ou receber (a comunhão, a hóstia consagrada) <*o padre comungou os paroquianos*> <*c. (a hóstia) de joelhos*> ~ **comungante** *adj.2g.s.2g.*

comunhão (co.mu.nhão) [pl.: *-ões*] *s.f.* **1** ação de fazer algo em comum ou o seu efeito **2** compartilhamento de sentimentos, de modo de pensar ou agir; identificação <*c. espiritual*> ↺ desarmonia **3** REL no catolicismo, o sacramento da Eucaristia **4** REL a administração e o recebimento desse sacramento

comunicação (co.mu.ni.ca.ção) [pl.: *-ões*] *s.f.* **1** transmissão de uma mensagem **2** a informação contida nessa mensagem **3** via de acesso <*aquela estrada era a c. entre as duas cidades*> **4** exposição, oral ou escrita, sobre determinado tema <*todas as c. do congresso serão publicadas*> ▼ ***comunicações*** *s.f.pl.* **5** COMN TEL telecomunicações **6** rede de transportes ~ **comunicacional** *adj.2g.*

comunicado (co.mu.ni.ca.do) *adj.* **1** que se comunicou; transmitido <*notícia c. pela televisão*> **2** tornado conhecido <*o diagnóstico c. à família foi tranquilizador*> ■ *s.m.* **3** informe de fonte oficial difundido pela mídia <*os repórteres receberam o c. da assessoria da presidência*>

comunicador (co.mu.ni.ca.dor) /ô/ [pl.: *-es*] *adj.* **1** que comunica ■ *s.m.* COMN **2** profissional que trabalha em comunicação **3** apresentador de espetáculos, programas de rádio, televisão etc.

comunicar (co.mu.ni.car) *v.* {mod. 1} *t.d. e t.d.i.* **1** (prep. *a*) passar (informação, ordem, mensagem etc.) [a alguém] <*c. uma ideia*> <*comunicou a nova resolução aos funcionários*> □ *t.d.i. e pron.* **2** (prep. *a*) transmitir(-se) [força, ação, energia etc.] para <*c. movimento a uma peça rotativa*> <*o movimento do eixo comunica-se às rodas*> □ *t.d.,t.d.i. e pron.* **3** (prep. *com*) possibilitar a ida, a passagem de (um lugar) [a outro]; ligar(-se) <*um corredor comunica as duas saletas*> <*a porta comunicava o vestíbulo com o salão*> <*o jardim comunicava-se com o pátio por um passadiço*> **4** (prep. *a*) transmitir(-se) por contágio <*o barbeiro comunica a doença de Chagas*> <*comuniquei minha gripe a ela*> <*em pouco tempo o vírus comunicou-se a quase todos*> □ *pron.* **5** (prep. *com*) manter boas relações; entender-se <*feitas as pazes, voltaram a c.-se*> ↺ desentender-se ~ **comunicante** *adj.2g.* - **comunicável** *adj.2g.*

comunicativo (co.mu.ni.ca.ti.vo) *adj.* **1** que envolve comunicação <*gestos c.*> **2** que tem facilidade para comunicar(-se); expansivo <*um frade c.*>

comunidade (co.mu.ni.da.de) *s.f.* **1** conjunto de habitantes de um mesmo local <*o prefeito ouviu as reivindicações da c.*> **2** conjunto de indivíduos com características comuns <*a c. japonesa de São Paulo*> <*a c. muçulmana*> **3** BIO conjunto de populações que habitam uma mesma área ao mesmo tempo; biocenose

comunismo (co.mu.nis.mo) *s.m.* POL doutrina que defende o fim da propriedade privada e o estabelecimento de uma sociedade sem classes ☞ cf. *socialismo*

comunista (co.mu.nis.ta) *adj.2g.* **1** do comunismo, relativo a comunismo ■ *adj.2g.s.2g.* **2** POL que(m) é partidário ou militante do comunismo

comunitário (co.mu.ni.tá.rio) *adj.* **1** relativo a ou que pertence a uma comunidade *<biblioteca c.>* **2** em que sobressai o sentimento de comunidade *<trabalho c.>*

comutador (co.mu.ta.dor) /ô/ [pl.: *-es*] *s.m.* ELETR **1** interruptor ■ *adj.* **2** que comuta

comutar (co.mu.tar) *v.* {mod. 1} *t.d. e t.d.i.* **1** (prep. *com, por*) trocar, substituir *<c. mercadorias (com negociantes)> <comutam ouro por combustível>* **2** DIR (prep. *a, em*) trocar (pena, castigo) [por outro menor] *<o juiz não quis c. a pena do réu (em serviços comunitários)> <c. uma pena a um condenado>* ~ **comutação** *s.f.* - **comutável** *adj.2g.*

comutativo (co.mu.ta.ti.vo) *adj.* MAT cujo resultado é independente da ordem dos elementos (diz-se de operação) *<a soma é uma operação c.>*

con- *pref.* → *co-*

concatenar (con.ca.te.nar) *v.* {mod. 1} *t.d.,t.i.,t.d.i. e pron.* **1** (prep. *com*) juntar(-se) numa sequência lógica *<c. ideias (com a ação)> <sua proposta concatena com o efeito que pretendemos> <só então os fatos concatenaram-se na minha cabeça>* **2** (prep. *com*) harmonizar(-se), condizer *<c. interesses (com a conveniência)> <tal conceito não concatena com o que temos em mente> <esperemos que suas vontades se concatenem um dia>* ↺ destoar ~ **concatenação** *s.f.* - **concatenamento** *s.m.*

concavidade (con.ca.vi.da.de) *s.f.* **1** qualidade ou propriedade do que é côncavo **2** característica de um objeto que apresenta uma cavidade semelhante a uma calota *<a c. de uma lente>* **3** parte côncava de um objeto *<a cabeça de um osso articula-se com a c. de outro>*

côncavo (côn.ca.vo) *adj.* **1** que tem uma depressão curva, mais funda no centro do que na borda, como a superfície interna de uma calota ↺ convexo ■ *s.m.* **2** concavidade *<o c. da palma da mão>*

conceber (con.ce.ber) *v.* {mod. 8} *t.d.* **1** formar (um ser), pela fecundação do óvulo *<concebeu um filho logo após o casamento>* **2** *fig.* formar na mente; criar *<c. um plano>* **3** acalentar, alimentar (sonhos, ideais etc.) **4** perceber a razão de; entender *<não concebo lutar por uma causa ultrapassada>* ~ **concebível** *adj.2g.*

conceder (con.ce.der) *v.* {mod. 8} *t.d. e t.d.i.* **1** (prep. *a*) pôr à disposição de; dar *<a prefeitura concede alvarás> <concedemos empréstimos a interessados> <c. anistia a devedores>* ↺ recusar **2** (prep. *a*) permitir, consentir *<o relator concedeu que mais provas fossem apresentadas> <o deputado cassado não concede entrevistas a ninguém>* ~ **concessor** *adj.s.m.*

conceição (con.cei.ção) [pl.: *-ões*] *s.f.* REL **1** concepção da Virgem Maria, isenta de pecado **2** festa em que se comemora esse acontecimento ☞ inicial freq. maiúsc. em ambas as acp.

conceito (con.cei.to) *s.m.* **1** explicação de ideia por palavras; definição *<sintetizou naquele c. toda a alma brasileira>* **2** noção, concepção, ideia *<seu c. de moral é severo>* **3** opinião, ponto de vista *<no meu c., esse negócio não é honesto>* **4** reputação, fama *<goza de bom c. entre seus pares>* **5** grau de avaliação do resultado escolar *<ganhou c. A em todas as disciplinas>* ~ **conceitual** *adj.2g.*

conceituado (con.cei.tu.a.do) *adj.* que tem bom conceito, boa reputação *<profissional c.>*

conceituar (con.cei.tu.ar) *v.* {mod. 1} *t.d.* **1** criar e/ou enunciar conceito sobre; definir *<Platão conceituou a beleza>* **2** emitir opinião sobre; avaliar *<a crítica conceituou bem aquele filme>* □ *t.d.pred.* **3** (prep. *de*) atribuir uma qualidade a (algo ou alguém); classificar de *<c. de sábio um homem de cabelos brancos>* ~ **conceituação** *s.f.*

concelebrar (con.ce.le.brar) *v.* {mod. 1} *t.d. e int.* **1** comemorar em conjunto *<arrasaram o adversário e concelebraram (a vitória)>* **2** REL celebrar (missa) com outro(s) sacerdote(s) *<três cardeais concelebraram (uma missa) antes do conclave>*

concentração (con.cen.tra.ção) [pl.: *-ões*] *s.f.* **1** ação de concentrar(-se) **2** proporção de soluto dissolvido em uma solução química *<mediu a c. de sal na água>* **3** ESP recolhimento de atletas antes de uma competição **4** local onde ficam esses atletas *<os torcedores invadiram a c. da seleção>*

concentrado (con.cen.tra.do) *adj.* **1** que se concentrou **2** *fig.* muito atento e aplicado a uma coisa; absorto *<fazia c. o dever de casa>* **3** reunido em ou dirigido para o centro ou um ponto (diz-se do que estava disperso ou separado) *<foco de luz c.> <um grupo c. numa praça>* ■ *adj.s.m.* **4** (alimento ou mistura de alimentos) de que se retirou a água em maior ou menor quantidade, para reduzi-lo a consistência sólida ou pastosa *<tomou um caldo de carne c. > <comprou um c. de uvas para fazer refresco>*

concentrar (con.cen.trar) *v.* {mod. 1} *t.d.,t.d.i. e pron.* **1** (prep. *em*) (fazer) convergir (o disperso ou separado) para um mesmo ponto *<os espelhos côncavos concentram os raios do sol> <concentrou no rio da Prata as tropas de assalto> <as descargas elétricas concentram-se no polo negativo do aparelho>* ↺ dispersar, difundir **2** (prep. *em*) reunir(-se) num espaço limitado *<a professora concentrou as duas turmas (numa sala comum)> <a multidão concentrava-se na praça>* **3** (prep. *em*) apresentar(-se) em grande quantidade ou intensidade; acumular(-se) *<ela concentra todas as qualidades de uma boa aluna> <o presidente concentra em si todos os poderes> <algas microscópicas concentram-se na superfície do mar>* □ *t.d.i. e pron.* **4** (prep. *em*) voltar totalmente (atenção, disposição etc.) [para um fim] *<concentre seus esforços em terminar a tarefa> <concentrou-se no objetivo de passar no vestibular>* □ *t.d.* **5** tornar mais denso, mais espesso *<c. a sopa>*

concêntrico (con.cên.tri.co) *adj.* GEOM que tem o mesmo centro *<círculos c.>* ~ **concentricidade** *s.f.*

concepção (con.cep.ção) [pl.: *-ões*] *s.f.* **1** ação ou efeito de gerar (ou ser gerado) um ser vivo, em consequência da fecundação de um óvulo *<a c. de um filho>* **2** produção intelectual; teoria, ideia *<c. de um plano de ação>* **3** compreensão, percepção *<c. das órbitas dos planetas>* **4** ponto de vista, noção *<na c. dele, nada disso seria possível>* ~ **conceptivo** *adj.*

concernente (con.cer.nen.te) *adj.2g.* que concerne; relativo, referente *<a questão levantada não é c. ao tema>*

concernir (con.cer.nir) *v.* {mod. 24} *t.i.* **1** (prep. *a*) ter relação com *<sua história não concerne ao tema da nossa redação>* **2** (prep. *a*) ser adequado a; caber *<os elogios não me concernem>* **3** (prep. *a*) ser do interesse de; importar *<sua solidão só a ele concerne>* ◉ GRAM/USO só us. nas 3as p.

concertar (con.cer.tar) *v.* {mod. 1} *t.d.,t.i. e pron.* **1** (prep. *com*) harmonizar(-se), conciliar(-se) [com] *<c. opiniões divergentes> <suas aspirações concertam com as nossas> <brigaram e depois concertaram-se>* □ *t.d.,t.i. e t.d.i.* **2** (prep. *contra, em*) entrar em acordo (sobre); combinar, concordar *<concertamos (em) voltar mais cedo> <c. um golpe contra os insurretos>* □ *int.* **3** soar harmoniosamente *<instrumentos que concertam>* ☞ cf. *consertar* ~ **concertamento** *s.m.*

concertina (con.cer.ti.na) *s.f.* MÚS acordeão de forma hexagonal e dotado de dois teclados

concertista (con.cer.tis.ta) *adj.2g.s.2g.* MÚS **1** (músico) que toma parte num concerto **2** (instrumentista ou cantor) que se apresenta em solo ou acompanhado por conjunto ou orquestra

concerto (con.cer.to) /ê/ *s.m.* **1** MÚS composição musical longa com orquestra e solista(s) *<c. para violoncelo e orquestra>* **2** execução ou audição pública ou privada de obra(s) musical(is) *<assistimos a um belo c.>* **3** combinação, acordo, pacto *<finalmente chegaram a um c.>* ☞ cf. *conserto*

concessão (con.ces.são) [pl.: *-ões*] *s.f.* **1** ação ou efeito de conceder; consentimento *<para chegar a um acordo, tivemos de fazer concessões>* **2** entrega, doação, cessão *<c. de um prêmio>* **3** licença obtida do Estado para explorar recurso natural ou serviço público *<a empresa do metrô trabalha em regime de c.>*

concessionária (con.ces.sio.ná.ria) *s.f.* **1** empresa que recebeu uma concessão ('licença') *<c. de energia elétrica>* **2** revendedora de automóveis novos ou usados

concessionário (con.ces.sio.ná.rio) *adj.s.m.* (o) que tem uma concessão do Estado *<empresa c. de transporte público> <há grande concorrência entre os c. de telefonia móvel>*

concessiva (con.ces.si.va) *s.f.* GRAM ver ***CONJUNÇÃO CONCESSIVA***

concessivo (con.ces.si.vo) *adj.* que se concede ou pode conceder

concha (con.cha) *s.f.* **1** ANAT ZOO envoltório calcário e duro, formado de uma ou duas peças côncavas, de certos invertebrados, esp. os moluscos (p.ex., a ostra, o caramujo, a lula) **2** qualquer coisa que lembre essa forma *<mãos em c.> <c. da orelha>* **3** colher funda de cabo longo us. para servir caldos, sopas etc. ▣ **c. acústica** ARQ construção em forma de concha, capaz de reverberar os sons e destinada a apresentações de música e teatro, ger. ao ar livre

conchavo (con.cha.vo) *s.m.* **1** acordo, combinação **2** combinação com uma intenção ilícita; conluio ~ **conchavar** *v.t.d.,int. e pron.*

concidadão (con.ci.da.dão) [pl.: *-ãos*; fem.: *concidadã*] *s.m.* pessoa que, em relação a outra, é do mesmo país ou cidade

conciliábulo (con.ci.li.á.bu.lo) *s.m.* assembleia secreta com propósitos malévolos

conciliação (con.ci.li.a.ção) [pl.: *-ões*] *s.f.* acordo, harmonização

conciliador (con.ci.li.a.dor) /ô/ [pl.: *-es*] *adj.* **1** que concilia ou tem facilidade para conciliar *<gesto c.> <espírito c.>* ↺ pacificador ■ *s.m.* **2** indivíduo conciliador

[1]**conciliar** (con.ci.li.ar) *v.* {mod. 1} *t.d.,t.d.i. e pron.* **1** (prep. *com*) pôr(-se) em acordo; congraçar(-se) *<o padre tentou c. os inimigos> <o pai conciliou o filho com o sobrinho> <os dois povos hostis por fim conciliaram-se>* ↺ indispor(-se) **2** (prep. *com*) pôr(-se) em harmonia (coisas contrárias, incompatíveis); compatibilizar (-se) *<seu livro conciliou teses que pareciam díspares> <é difícil c. maternidade com trabalho> <materiais diferentes conciliaram-se na decoração>* ◉ ORIGEM do lat. *conciliāre* 'reunir, associar' ~ **conciliatório** *adj.*

[2]**conciliar** (con.ci.li.ar) [pl.: *-es*] *adj.2g.* próprio ou resultante de concílio (de bispos etc.) *<decisão c.>* ◉ ORIGEM *concílio* + [1]*-ar*

concílio (con.cí.lio) *s.m.* **1** junta de eclesiásticos, esp. bispos, presidida ou aprovada pelo papa **2** assembleia, reunião

concisão (con.ci.são) [pl.: *-ões*] *s.f.* característica do que é conciso, resumido, sintético *<escreve com elegância e c.>* ↺ prolixidade

conciso (con.ci.so) *adj.* **1** reduzido ao essencial, a poucas palavras; resumido, sucinto *<um bilhete c.> <uma nota c. no jornal>* **2** que se expressa com concisão; lacônico *<um autor c.> <estilo c.>*

concitar (con.ci.tar) *v.* {mod. 1} *t.d. e t.d.i.* **1** (prep. *a*) convencer (alguém) [a praticar uma ação, ger. negativa]; instigar *<os presos mais perigosos concitaram os outros (ao levante)>* **2** (prep. *a*) transmitir vontade a; animar, estimular *<só você consegue concitá-lo (a estudar)>* □ *t.d.* **3** provocar ou fazer aumentar (sentimento, vontade etc.) *<concitou ânimos e levou a tropa adiante>*

conclamar (con.cla.mar) *v.* {mod. 1} *t.d.* **1** gritar em conjunto *<"Brasil!", conclamavam os torcedores>* □ *t.d. e t.d.i.* **2** (prep. *a*) convocar, chamar *<c. os moradores a comparecer à assembleia>* □ *t.d. e t.d.pred.* **3** aclamar coletivamente *<todos os presentes conclamaram o herói> <a tribo conclamou-o líder>* □ *int.* **4** protestar aos gritos ~ **conclamação** *s.f.*

conclave (con.cla.ve) *s.m.* **1** reunião de cardeais para eleger o papa **2** local dessa reunião **3** *p.ext.* reunião para se discutir algo; congresso

concludente (con.clu.den.te) *adj.2g.* que conclui, que leva a conclusão; conclusivo, terminante *<o delegado tem provas c. de que o acusado é culpado>*

concluir (con.clu.ir) *v.* {mod. 26} *t.d.* **1** chegar ao fim de; terminar *<c. um curso, um trabalho> <o velocista concluiu a prova em terceiro lugar>* **2** chegar a um acordo sobre *<c. um pacto de não agressão>* □ *t.d. e t.d.i.* **3** (prep. *de*) chegar a (resultado, ideia, afirmação), com base em dados, observações; deduzir *<concluiu que valia a pena voltar> <diga-me o que você conclui desta carta>* ◉ GRAM/USO part.: *concluído, concluso*; ver QUADRO DE PARTICÍPIOS DUPLOS nas pp. iniciais

conclusão (con.clu.são) [pl.: *-ões*] *s.f.* **1** ato ou efeito de concluir; acabamento, arremate *<c. de uma reforma>* **2** encerramento, fim *<c. dos trabalhos>* **3** proposição a que se chega ao final de um raciocínio; dedução *<c. errada>* **4** ensinamento que se extrai de um texto ou fato; moral **5** acerto definitivo de um contrato, negócio etc. *<c. de um negócio>*

conclusiva (con.clu.si.va) *s.f.* GRAM ver ***CONJUNÇÃO CONCLUSIVA***

conclusivo (con.clu.si.vo) *adj.* que contém ou leva a uma conclusão

concluso (con.clu.so) *adj. frm.* concluído, terminado ◉ GRAM/USO part. de *concluir*

concomitante (con.co.mi.tan.te) *adj.2g.* que existe ou ocorre ao mesmo tempo que outro; simultâneo *<sons c.>* ~ **concomitância** *s.f.*

concordância (con.cor.dân.cia) *s.f.* **1** ação de concordar *<o mediador obteve a c. dos debatedores>* **2** GRAM correspondência de flexões existente entre dois termos de uma oração, como entre verbo e sujeito, entre adjetivo e substantivo

concordar (con.cor.dar) *v.* {mod. 1} *t.d. e t.d.i.* **1** (prep. *com*) pôr em harmonia; combinar *<c. interesses> <c. os acessórios com a roupa>* □ *t.i.* **2** (prep. *com, em*) pôr-se ou estar de acordo *<concordo com seus argumentos> <concordamos em tudo>* ↺ discordar **3** (prep. *em*) responder afirmativamente a um pedido; permitir *<o segurança concordou em deixá-lo entrar>* ↺ proibir □ *t.d.* **4** resolver por acordo; pactuar *<terão de c. a pacificação>* □ *t.i. e t.d.i.* **5** (prep. *com*) estar ou pôr em concordância gramatical *<o verbo deve c. com o sujeito> <é preciso c. o adjetivo com o substantivo>* ~ **concordante** *adj.2g.* - **concorde** *adj.2g.*

concordata (con.cor.da.ta) *s.f.* DIR acordo que uma empresa insolvente faz com os credores, para evitar a declaração da sua falência ~ **concordatário** *adj.s.m.*

concórdia (con.cór.dia) *s.f.* **1** entendimento, harmonia *<sempre viveram em c.>* **2** paz, conciliação *<buscar a c. entre os povos>*

concorrência (con.cor.rên.cia) *s.f.* **1** competição, disputa **2** competição mercantil entre produtores ou comerciantes *<a c. diminui o preço dos produtos>* **3** conjunto desses competidores *<a empresa trabalha para superar a c.>* **4** encontro, afluência *<foi grande a c. ao jogo>* **5** característica ou condição do que ocorre ao mesmo tempo; simultaneidade *<a c. de causas>* ▣ **c. pública** DIR processo de seleção de fornecedores de bens ou serviços para o governo

concorrer (con.cor.rer) *v.* {mod. 8} *t.i.* **1** (prep. *a, com*) opor-se (a outrem), tendo o mesmo objetivo que ele e buscando vencê-lo *<os dois concorrem a uma vaga de monitor> <nosso time vai c. com os melhores>* ↺ aliar-se **2** (prep. *com*) disputar clientela no mercado *<concorremos com outros fabricantes>* **3** (prep. *para*) ter parte (em um resultado); contribuir *<muitas qualidades concorrem para seu talento criador>* □ *int.* **4** existir ao mesmo tempo *<naquela casa concorrem a paz e a alegria>* ~ **concorrente** *adj.2g.s.2g.*

concorrido (con.cor.ri.do) *adj.* **1** muito disputado *<prova c.>* **2** a que comparecem muitas pessoas *<organizaram um c. almoço>*

concreção (con.cre.ção) [pl.: *-ões*] *s.f.* **1** ação de tornar concreto; concretização, solidificação **2** agregado de partículas sólidas precipitadas em uma solução **3** MED massa compacta que se forma numa cavidade natural do corpo ou dos tecidos; cálculo *<c. óssea>*

concretismo (con.cre.tis.mo) *s.m.* ART.PLÁST corrente artística, do início do sXX, que busca mostrar conceitos intelectuais através de formas concretas ~ **concretista** *adj.2g.s.2g.*

concretizar (con.cre.ti.zar) *v.* {mod. 1} *t.d. e pron.* tornar(-se) concreto; realizar(-se), materializar(-se) *<c. um sonho> <suas aspirações se concretizaram>* ~ **concretização** *s.f.*

concreto (con.cre.to) *adj.s.m.* **1** (o) que é real, existente *<objetos c.> <perigo c.> <sua pesquisa oscila entre o c. e o abstrato>* ■ *adj.* **2** material, palpável, sólido *<substância c.>* **3** GRAM que nomeia tudo que é perceptível aos sentidos, seres e objetos do mundo físico (diz-se do substantivo) *<água é um substantivo c.>* ☞ cf. *abstrato* **4** diz-se da arte ligada ao concretismo ■ *s.m.* **5** massa de cimento, água, areia etc., us. em construções

concubina (con.cu.bi.na) *s.f. pej.* mulher que vive como cônjuge com homem, sem ser com ele casada

concubinato (con.cu.bi.na.to) *s.m.* união livre e estável de duas pessoas que não são casadas uma com a outra e que vivem juntas como se fossem casadas

concunhada (con.cu.nha.da) *s.f.* cunhada de um cônjuge em relação ao outro

concunhado (con.cu.nha.do) *s.m.* cunhado de um cônjuge em relação ao outro

concupiscência (con.cu.pis.cên.cia) *s.f.* **1** ambição por bens materiais **2** desejo de prazeres sensuais ~ **concupiscente** *adj.2g.*

concursado (con.cur.sa.do) *adj.s.m.* que(m) foi aprovado em concurso *<na autarquia só trabalham (funcionários) c.>*

concurso (con.cur.so) *s.m.* **1** exame de seleção para candidatos a uma vaga **2** competição **3** afluência, encontro *<houve um forte c. de pessoas ao local do crime>* **4** cooperação *<o c. da família foi decisivo na recuperação do menino>*

concussão (con.cus.são) [pl.: *-ões*] *s.f.* **1** ato ou efeito de concutir; abalo, choque *<a pancada na cabeça durante o acidente causou-lhe uma c. cerebral>* **2** DIR obtenção de vantagens ilícitas por funcionário público

concutir (con.cu.tir) *v.* {mod. 24} *t.d.* **1** dar pancadas ou golpes em; bater **2** fazer estremecer; sacudir □ *t.d.i. fig.* **3** (prep. *em*) inspirar, incutir *<sua presença concutia terror nas pessoas>*

condado (con.da.do) *s.m.* **1** título de conde **2** território sob o domínio de um conde **3** divisão administrativa em alguns países

condão (con.dão) [pl.: *-ões*] *s.m.* **1** dom ou capacidade especial *<ter o c. de alegrar os outros>* **2** poder mágico

conde (con.de) [fem.: *condessa* /ê/] *s.m.* homem com título de nobreza acima de visconde e abaixo de marquês ~ **condal** *adj.2g.*

condecoração (con.de.co.ra.ção) [pl.: *-ões*] *s.f.* **1** ato ou efeito de condecorar *<c. dos campeões>* **2** prêmio honorífico, ou para recompensar por algum serviço *<recebeu c. por bravura>* **3** insígnia (medalha, cruz etc.) que representa esse prêmio *<a c. foi colocada no peito do soldado>*

condecorar (con.de.co.rar) *v.* {mod. 1} *t.d. e t.d.i.* (prep. *com*) conferir título ou honraria a *<o governador condecorou várias personalidades (com a medalha de Tiradentes)>* ~ **condecorativo** *adj.*

condenação (con.de.na.ção) [pl.: *-ões*] *s.f.* **1** ação de condenar **2** sentença *<o juiz proferiu a c. do réu>* **3** pena imposta por essa sentença *<uma c. de 10 anos de prisão>* **4** reprovação, rejeição *<o projeto recebeu uma c. veemente>* **~ condenatório** *adj.*

condenado (con.de.na.do) *adj.s.m.* **1** que(m) foi declarado culpado de um crime *<instituição para mulheres c.> <o presídio abriga 500 c.>* **2** (pessoa) que recebeu o diagnóstico de um mal incurável **3** *fig.* (o) que está forçado, obrigado *<um (homem) c. à solidão>* ■ *adj.* **4** considerado incorreto ou reprovável *<hábito c.> <construção gramatical c.>* **5** prestes a desmoronar *<edifício c.>*

condenar (con.de.nar) *v.* {mod. 1} *t.d. e pron.* **1** declarar(-se) culpado *<o juiz condenou o réu> <condenou-se porque não tinha um álibi>* ↺ inocentar(-se) □ *t.d. e t.d.i.* **2** (prep. *a*) impor pena a *<certamente, o desembargador irá c. a empresa (a pagar uma pesada multa)>* □ *t.d.* **3** declarar ou mostrar o perigo de *<a Defesa Civil c. o antigo prédio>* **4** reprovar, rejeitar *<a população c. as medidas do governo>* ↺ aprovar **5** considerar (doente) incurável □ *t.d.,t.d.i. e pron.* **6** *fig.* (prep. *a*) impor(-se) obrigação ou castigo; forçar(-se) *<o descuido o condenou (à pobreza)> <c.-se ao ostracismo>*

condensação (con.den.sa.ção) [pl.: *-ões*] *s.f.* **1** ato ou efeito de condensar; concentração *<bata a mistura para obter a c. de creme>* **2** FÍS passagem do estado gasoso para o estado líquido **3** síntese, resumo *<leu uma c. do tratado>*

condensador (con.den.sa.dor) /ô/ [pl.: *-es*] *adj.s.m.* **1** (o) que condensa ■ *s.m.* ELETR **2** capacitor

condensar (con.den.sar) *v.* {mod. 1} *t.d. e pron.* **1** tornar(-se) mais denso ou espesso *<c. sombras no desenho> <o leite condensou-se com a fervura>* ↺ descondensar(-se) **2** tornar(-se) líquido (gás ou vapor) *<c. um gás> <o vapor condensou-se no espelho do banheiro>* □ *t.d.,t.d.i. e pron.* **3** (prep. *em*) resumir(-se), sintetizar(-se) *<c. um livro (em uma lauda)> <a longa exposição condensou-se numa conclusão>* □ *t.d.* **4** *fig.* concentrar, juntar *<c. esforços>* ↺ dispersar

condescendência (con.des.cen.dên.cia) *s.f.* ato de condescender; complacência, consentimento

condescendente (con.des.cen.den.te) *adj.2g.* **1** que condescende; indulgente, transigente *<ter uma atitude c. com os ignorantes>* ↺ intransigente, inflexível **2** que não impõe ordem, disciplina *<como pai, ele é muito c.>* ↺ exigente, severo

condescender (con.des.cen.der) *v.* {mod. 8} *t.i. e int.* (prep. *a, com, em*) concordar ou ceder em favor de (alguém ou algo), por interesse, bondade, temor etc. *<condescendeu em dormir na sala> <tinha de c. (com aquela desordem) para sobreviver>* ↺ negar-se, resistir

condessa (con.des.sa) /ê/ *s.f.* **1** esposa de conde **2** na Idade Média, mulher que possuía um condado

condição (con.di.ção) [pl.: *-ões*] *s.f.* **1** modo de ser **2** estado (de algo ou alguém) *<encontrou a avó em boa c.>* **3** requisito, exigência *<não concordei com as c. daquele contrato>* **4** situação ou posição na sociedade; classe *<era uma família de c. humilde>*

condicionador (con.di.cio.na.dor) /ô/ [pl.: *-es*] *adj.s.m.* **1** (o) que condiciona **2** (produto) que torna os cabelos macios e desembaraçados ▣ **c. de ar** aparelho us. para resfriar ambientes fechados; ar-condicionado

condicional (con.di.cio.nal) [pl.: *-ais*] *adj.2g.* **1** que contém uma condição ('requisito') **2** DIR liberdade condicional ■ *s.f.* GRAM **3** ver ***CONJUNÇÃO CONDICIONAL*** **~ condicionalidade** *s.f.*

condicionar (con.di.cio.nar) *v.* {mod. 1} *t.d.* **1** regular a natureza, a existência ou o comportamento de *<as ações de hoje condicionam o futuro>* □ *t.d.i.* **2** (prep. *a*) impor (algo) como condição de *<c. sua apresentação a um cachê alto>* □ *t.d. e t.d.i.* **3** (prep. a) sugestionar, influenciar *<não tem direito de c. ninguém (a resignar-se)>* □ *t.d.i. e pron.* **4** (prep. *a*) adaptar(-se) [a novas condições] *<c. o corpo à altitude> <c.-se à rotina>* **~ condicionamento** *s.m.*

condigno (con.dig.no) *adj.* **1** adequado, merecido *<salário c. às necessidades> <pena c. do crime>* **2** que tem dignidade; digno *<trabalho c.>*

condiloma (con.di.lo.ma) *s.m.* MED lesão da pele ou das mucosas que se localizam esp. na região genital e anal, causada por vírus e bactérias

[1]**condimentar** (con.di.men.tar) *v.* {mod. 1} *t.d.* **1** pôr condimento(s) em; temperar *<c. a sopa>* **2** *fig.* tornar malicioso ou mordaz (texto, dito etc.) *<c. uma história>* ◉ ORIGEM *condimento* + [2]*-ar* **~ condimentação** *s.f.* **- condimentoso** *adj.*

[2]**condimentar** (con.di.men.tar) [pl.: *-es*] *adj.2g.* relativo a condimento ou próprio para temperar *<ervas c.>* ◉ ORIGEM *condimento* + [1]*-ar*

condimento (con.di.men.to) *s.m.* CUL substância que realça o sabor dos alimentos; tempero

condizer (con.di.zer) *v.* {mod. 15} *t.i. e int.* **1** (prep. *com*) estar em harmonia ou de acordo (com); combinar *<o verde do tapete condiz com os tons da sala> <o cinzento e o lilás condizem>* ↺ discrepar, destoar **2** (prep. *com*) ser proporcional *<esta escada não condiz com o espaço do saguão> <o volume da escada e o do saguão não condizem>* ◉ GRAM/USO part.: *condito* **~ condizente** *adj.2g.*

condoer (con.do.er) *v.* {mod. 9} *t.d. e pron.* (fazer) sentir tristeza, compaixão; comover(-se) *<o quadro daquela miséria condoía os jovens> <c.-se com o sofrimento do irmão>* ◉ GRAM/USO só us. nas 3as p., exceto quando pron. **~ condoimento** *s.m.*

condolência (con.do.lên.cia) *s.f.* **1** piedade, compaixão ▼ ***condolências*** *s.f.pl.* **2** manifestação de pesar por infelicidade ou mal de outro; pêsames **~ condolente** *adj.2g.*

condomínio (con.do.mí.nio) *s.m.* **1** posse simultânea de uma propriedade por duas ou mais pessoas; copropriedade **2** edifício residencial ou conjunto de casas cujos moradores dividem dependências e equipamentos de uso comum **3** administração de um prédio ou conjunto de casas **4** taxa mensal para as despesas com essa administração **~ condominial** *adj.2g.*

condômino (con.dô.mi.no) *s.m.* **1** indivíduo que, com outro(s), exerce o direito de propriedade sobre um bem não dividido; coproprietário **2** cada proprietário de um condomínio

condor (con.dor) /ô/ [pl.: *-es*] *s.m.* ZOO grande ave de rapina dos Andes

C

condoreiro (con.do.rei.ro) *adj.s.m.* LIT *B* **1** (poeta) que segue o condoreirismo, escola poética de cunho político, da última fase do Romantismo brasileiro *<nosso maior c. foi Castro Alves>* ■ *adj. B* **2** empolado, bombástico *<estilo c. de escrever>* ~ **condoreirismo** *s.m.*

condução (con.du.ção) [pl.: *-ões*] *s.f.* **1** ação de conduzir **2** meio de transporte, esp. coletivo *<pega duas c. para ir ao trabalho>*

conducente (con.du.cen.te) *adj.2g.* que conduz ou tende para um fim *<providências c. à recuperação da estrada>*

conduíte (con.du.í.te) *s.m.* CONSTR *B* tubo, ger. embutido na parede, por onde passam fios elétricos, cabos etc.

conduta (con.du.ta) *s.f.* modo de agir, de se portar; procedimento *<ter má c. à mesa> <tem uma c. irrepreensível com os colegas>*

condutância (con.du.tân.cia) *s.f.* ELETR capacidade de conduzir eletricidade; condutividade

condutibilidade (con.du.ti.bi.li.da.de) *s.f.* característica ou propriedade do que pode ser conduzido ou propagado *<a c. do gás de cozinha>*

condutivo (con.du.ti.vo) *adj.* que conduz; condutor, transportador ~ **condutividade** *s.f.*

conduto (con.du.to) *s.m.* **1** passagem para escoar algo de um local para outro; duto, canal **2** ANAT qualquer canal do organismo *<c. lacrimal> <c. auditivo>*

condutor (con.du.tor) /ô/ [pl.: *-es*] *adj.s.m.* **1** (o) que conduz *<o c. do barco> <a trama c. da novela>* **2** FÍS objeto, substância ou sistema capaz de transmitir energia elétrica, térmica ou acústica *<o cobre é um (material) c. de eletricidade>* ■ *s.m.* **3** ELETR fio que permite a passagem de uma corrente elétrica **4** cobrador de passagens em trens e bondes

conduzir (con.du.zir) *v.* {mod. 24} *t.d. e t.d.i.* **1** (prep. *a*) acompanhar, de um lugar para outro, dando direção e/ou comando; guiar, dirigir *<c. rebanho, tropa> <c. um barco ao porto>* □ *t.d.* **2** ser responsável por; administrar *<c. os negócios da família>* **3** dar direção, ordem a; orientar *<c. os jovens no caminho certo>* **4** ser condutor de *<o ar conduz o som> <a água c. eletricidade>* □ *t.i.* **5** (prep. *a*) possibilitar o acesso a *<essa passagem c. ao porão>* **6** *fig.* (prep. *a*) dar como resultado; levar a *<o esforço c. ao sucesso>* □ *pron.* **7** dirigir seus atos; comportar-se *<ele sabe c.-se em qualquer ambiente>*

cone (co.ne) *s.m.* **1** GEOM sólido geométrico formado por um plano que converge de uma base circular para um vértice **2** qualquer objeto com o formato aproximado desse sólido *<cones de trânsito>*

conectar (co.nec.tar) *v.* {mod. 1} *t.d.,t.d.i. e pron.* **1** (prep. *com, a*) estabelecer conexão entre; ligar(-se) *<c. dois cabos elétricos> <c. um telefone com outro> <os aparelhos ainda não se conectaram>* ↺ desconectar (-se) **2** INF *B* (prep. *com, a*) interligar(-se) [dispositivos, computadores] para transferir dados *<c. os terminais do colégio (com a internet)> <este celular conecta-se com o computador>* □ *pron.* INF **3** (prep. *a*) acessar (informações, serviços etc.) por meio de dispositivos, computadores postos em comunicação *<não consegui me conectar à internet hoje de manhã>*

conectivo (co.nec.ti.vo) *adj.* **1** que estabelece conexão ■ *s.m.* GRAM **2** termo que liga palavras ou orações (preposição ou conjunção) ~ **conectividade** *s.f.*

conector (co.nec.tor) /ô/ [pl.: *-es*] *adj.* **1** que conecta ■ *s.m.* **2** peça que conecta outras **3** ELETR componente de um circuito que une dois dispositivos para a passagem da corrente elétrica

cônego (cô.ne.go) *s.m.* padre pertencente ao colegiado de uma igreja

conexão (co.ne.xão) /cs/ [pl.: *-ões*] *s.f.* **1** ligação, junção **2** relação lógica, coerência *<perceber a c. entre duas ideias>* **3** peça que liga tubulações

conexo (co.ne.xo) /cs/ *adj.* em que há correlação *<fatos c.>*

confabular (con.fa.bu.lar) *v.* {mod. 1} *t.i. e int.* **1** (prep. *com*) ter conversa amigável *<c. com os amigos> <passaram a noite confabulando e rindo muito>* **2** (prep. *com*) maquinar, tramar *<aqueles velhacos estão confabulando (com gente perigosa)>* ~ **confabulação** *s.f.*

confecção (con.fec.ção) [pl.: *-ões*] *s.f.* **1** fabricação, preparação **2** pequena fábrica de roupas ~ **confeccionista** *adj.2g.s.2g.*

confeccionar (con.fec.cio.nar) *v.* {mod. 1} *t.d.* **1** preparar (comida, bebida, remédio etc.) **2** fabricar (roupas, bolsas, adereços etc.)

confederação (con.fe.de.ra.ção) [pl.: *-ões*] *s.f.* **1** associação de estados autônomos sob um governo central **2** agrupamento de associações *<Confederação Brasileira de Voleibol>* ~ **confederar** *v.t.d. e pron.* - **confederativo** *adj.*

confeitar (con.fei.tar) *v.* {mod. 1} *t.d.* enfeitar (bolos, tortas etc.) com açúcar ou cobertura doce (ger. glacê) ~ **confeiteiro** *adj.s.m.*

confeitaria (con.fei.ta.ri.a) *s.f.* estabelecimento onde se fabricam e/ou comercializam doces, tortas, biscoitos etc.

confeito (con.fei.to) *s.m.* CUL **1** castanha coberta com calda de açúcar seca **2** bolinha colorida para enfeitar bolos e doces **3** *B* bala ('guloseima')

conferência (con.fe.rên.cia) *s.f.* **1** conversa ou debate sobre tema importante **2** exposição oral para um auditório; palestra **3** ação de verificar semelhanças e diferenças entre duas coisas; comparação, confronto

conferenciar (con.fe.ren.ci.ar) *v.* {mod. 1} *t.i. e int.* **1** (prep. *com, sobre*) discutir, analisar (algo) em conversa *<o deputado conferenciou hoje com o ministro da Fazenda> <os presidentes conferenciaram por muitas horas (sobre o acordo)>* **2** (prep. *sobre*) proferir uma conferência *<o professor conferenciou sobre literatura> <o emissário estrangeiro ainda está conferenciando>*

conferencista (con.fe.ren.cis.ta) *adj.2g.s.2g.* que(m) faz conferências públicas *<professor c.> <um c. brilhante>*

conferir (con.fe.rir) *v.* {mod. 28} *t.d. e t.d.i.* **1** (prep. *com*) ver se há igualdade (entre); comparar *<c. as cópias (com o original)>* **2** (prep. *a*) conceder, transmitir *<c. prêmios (aos vencedores)>* ↺ negar **3** (prep. *a*) imprimir (característica, qualidade) [a] *<c. velocidade (ao veículo)>* □ *t.d.* **4** ver se há exatidão em (contas, listas etc.) □ *t.i. e int.* **5** (prep. *com*) estar exato ou conforme; condizer *<seu relato confere (com os fatos)>* ↺ diferir, destoar ~ **conferição** *s.f.*

confessar (con.fes.sar) *v.* {mod. 1} *t.d. e t.d.i.* **1** (prep. *a*) admitir, revelar (erro, culpa etc.) <*confessou o crime (à polícia)*> ↺ocultar □ *t.d.,t.d.i. e pron.* REL **2** (prep. *a, com*) contar (os pecados) [a um padre] <*confessou (ao pároco) suas más ações*> <*confessou-se com o novo padre*> □ *t.d.* **3** REL ouvir (um padre) os pecados de <*o frade confessou o moribundo*> **4** *fig.* deixar transparecer; revelar <*seus olhos confessavam o que sua boca negava*> ↺dissimular ◉GRAM/USO part.: *confessado, confesso*; ver QUADRO DE PARTICÍPIOS DUPLOS nas pp. iniciais ~**confessável** *adj.*

confessionário (con.fes.sio.ná.rio) *s.m.* **1** local onde o padre ouve confissões **2** móvel dentro do qual o sacerdote se senta para ouvir confissões dos fiéis, que se ajoelham num genuflexório externo

confesso (con.fes.so) *adj.* **1** que confessou <*réu c.*> <*segredo c.*> **2** que se converteu ao cristianismo <*judeu c.*>

confessor (con.fes.sor) /ô/ [pl.: *-es*] *s.m.* REL **1** sacerdote que ouve confissões **2** pessoa que confessa a fé cristã com heroísmo ☞ nesta acp., cf. *mártir* ('pessoa')

confete (con.fe.te) *s.m.* **1** porção de pequeninas rodelas de papel colorido que os foliões jogam uns nos outros **2** *fig. B infrm.* elogio, adulação

confiança (con.fi.an.ça) *s.f.* **1** sentimento de segurança na sinceridade ou na competência de alguém **2** crença de que alguma coisa sucederá bem; otimismo, esperança **3** *infrm.* atrevimento, insolência

confiar (con.fi.ar) *v.* {mod. 1} *t.i. e int.* **1** (prep. *em*) ter esperança, fé; crer <*c. nas palavras do pai*> <*se não existe alternativa, o melhor é c.*> ↺descrer □ *t.d.i. e pron.* **2** (prep. *a*) pôr(-se) sob os cuidados de; entregar(-se) <*confiamos ao caseiro as chaves do sítio*> <*c.-se a Deus*> □ *t.d.i.* **3** (prep. *a*) revelar (segredos, informações etc.) <*é preciso c. suas inquietações a alguém*> ↺ocultar ~**confiante** *adj.2g.*

confiável (con.fi.á.vel) [pl.: *-eis*] *adj.2g.* **1** em que se pode confiar; honesto, leal <*amigo c.*> **2** que dá segurança a quem usa (diz-se de objeto, aparelho, método etc.) <*este equipamento de mergulho é c.?*> **3** em que se pode acreditar; fidedigno <*documento c.*> ~**confiabilidade** *s.f.*

confidência (con.fi.dên.cia) *s.f.* comunicação feita em segredo

confidencial (con.fi.den.ci.al) [pl.: *-ais*] *adj.2g.* sigiloso, secreto

confidenciar (con.fi.den.ci.ar) *v.* {mod. 1} *t.d. e t.d.i.* (prep. *a*) fazer confidência a <*c. seus remorsos (à mãe)*>

confidente (con.fi.den.te) *adj.2g.s.2g.* (pessoa) a quem se confiam segredos ou intimidades ☞ cf. *confitente*

configuração (con.fi.gu.ra.ção) [pl.: *-ões*] *s.f.* **1** aspecto externo de um corpo ou conjunto **2** disposição, arranjo **3** INF conjunto de opções definidas para o bom funcionamento de um *hardware* ou *software*

configurar (con.fi.gu.rar) *v.* {mod. 1} *t.d.,t.d.i. e pron.* **1** (prep. *em*) (fazer) tomar a figura de <*movimentos geológicos configuram as montanhas*> <*c. o mármore em estátua*> <*o horizonte já se configurava*> □ *t.d.* **2** ser indicação de; caracterizar <*esse comportamento configura um tipo de neurose*> **3** INF ajustar as características de (componente, programa, computador), para permitir que funcione adequadamente com os demais elementos a que está conectado

confim (con.fim) [pl.: *-ins*] *adj.2g.* **1** que confina, que faz limite; fronteiriço <*um bosque c. ao (ou do) lago*> ■ *s.m.* **2** fronteira, limite <*os c. da Amazônia com a Bolívia*> **3** lugar distante <*os c. do Universo*> ☞ nessas duas acp., mais us. no pl.

confinar (con.fi.nar) *v.* {mod. 1} *t.i. e int.* **1** (prep. *com*) fazer fronteira <*Rondônia confina com a Bolívia*> <*reinos que confinavam*> □ *t.d.* **2** traçar limites para; demarcar <*c. um bosque*> □ *t.d.,t.d.i. e pron.* **3** (prep. *em*) obrigar(-se) a ficar num espaço limitado; isolar (-se) <*c. um prisioneiro*> <*a chuva confinou os filhos em casa*> <*decidiu c.-se num mosteiro*> ↺libertar(-se) ~**confinamento** *s.m.* - **confinante** *adj.2g.*

confirmação (con.fir.ma.ção) [pl.: *-ões*] *s.f.* **1** demonstração da verdade ou da exatidão de afirmação, crença ou fato anterior <*provas que requerem c.*> ↺negação **2** validação de um ato ou fato anterior <*c. de um privilégio*> ↺invalidação **3** REL sacramento mediante o qual se reafirma a graça do batismo; crisma ~**confirmatório** *adj.*

confirmar (con.fir.mar) *v.* {mod. 1} *t.d.* **1** declarar como verdadeiro, exato (fato, crença, decisão anterior) <*c. as declarações da testemunha*> <*c. uma suposição*> <*c. o total de uma soma*> ↺retificar □ *t.d. e pron.* **2** provar(-se) verdadeiro; comprovar(-se) <*confirmou a tese na prática*> <*nossos temores não se confirmaram*> **3** REL dar a ou receber a crisma <*o bispo confirmou um grupo de adolescentes*> <*uma nova turma confirmou-se no sábado*> □ *t.d.i.* **4** (prep. *em*) manter, conservar <*confirmou-o no cargo*> ~**confirmativo** *adj.*

confiscar (con.fis.car) *v.* {mod. 1} *t.d.* **1** apreender em proveito do fisco <*c. bens*> **2** tomar (algo), como punição ou cumprimento de regra que proíbe seu uso <*a fiscalização do aeroporto confiscou várias armas de brinquedo*> ~**confiscação** *s.f.*

confisco (con.fis.co) *s.m.* ato ou efeito de confiscar; confiscação <*c. de bens*>

confissão (con.fis.são) [pl.: *-ões*] *s.f.* **1** revelação de própria culpa, crime, pecado etc. **2** revelação do que se sabe, sente ou pensa <*uma c. de amor*> **3** desabafo, confidência <*ouvir as c. de uma amiga*> ☞ freq. us. no pl. **4** REL sacramento em que o católico revela os próprios pecados ao confessor, para obter a absolvição; penitência **5** ação em que o católico faz tal revelação e o sacerdote a ouve <*o padre não pode revelar segredos de c.*> **6** REL cada uma das profissões de fé ou credos cristãos <*c. luterana, anglicana*> ~**confessional** *adj.2g.*

confitente (con.fi.ten.te) *adj.2g.s.2g.* **1** que(m) revela os seus pecados para deles ser absolvido **2** que(m) revela o que sabe em juízo ☞ cf. *confidente*

conflagração (con.fla.gra.ção) [pl.: *-ões*] *s.f.* **1** grande incêndio **2** *fig.* conflito armado entre vários países; guerra **3** *fig.* explosão de sentimentos <*c. de ciúmes acumulados*>

conflagrar (con.fla.grar) *v.* {mod. 1} *t.d. e pron.* **1** incendiar(-se) por completo <*um raio conflagrou toda a floresta*> <*a cidade conflagrou-se em poucas horas*> □ *t.d. fig.* **2** estimular o conflito de; agitar <*c. uma nação*> **3** estimular, inflamar <*c. ódios*> □ *pron. fig.* **4** irritar-se, enfurecer-se ↺acalmar-se

C

conflitar (con.fli.tar) *v.* {mod. 1} *t.i. e int.* **1** (prep. *com*) ficar ou estar em conflito; divergir *<o seu depoimento conflita com o dela> <o pensamento dos debatedores não conflita>* □ *int.* **2** ser incompatível *<as ideias dos dois sócios conflitam constantemente>* ↺ compatibilizar-se **~ conflitante** *adj.2g.*

conflito (con.fli.to) *s.m.* **1** ato, estado ou efeito de divergirem muito ou de se oporem duas ou mais coisas *<c. de ideias, de interesses>* **2** choque, enfrentamento *<c. entre polícia e manifestantes>* **3** discussão acalorada; desavença

conflituoso (con.fli.tu.o.so) /ô/ [pl. e fem.: /ó/] *adj.* **1** em que há conflito(s) *<opiniões c.> <época c.>* **2** propenso a conflitos *<temperamento c.> <pessoa c.>*

confluência (con.flu.ên.cia) *s.f.* **1** fato de se reunirem em um mesmo ponto (rios, dutos etc.); convergência **2** ponto dessa convergência

confluir (con.flu.ir) *v.* {mod. 26} *t.i. e int.* **1** (prep. *para*) correr para o mesmo lugar; afluir *<vários tropas confluíram para a frente de batalha> <as três avenidas confluem para esta praça> <estas retas confluem>* **2** *fig.* (prep. *com*) tornar-se afim; coincidir *<nossa iniciativa confluiu com a dele> <finalmente nossos interesses confluem>* ↺ divergir **~ confluente** *adj.2g.s.2g.*

conformação (con.for.ma.ção) [pl.: *-ões*] *s.f.* **1** ação de dar ou de tomar forma *<a c. do vidro pelo sopro>* **2** ato ou efeito de formar(-se) um ser ou uma coisa pelo arranjo de seus elementos *<a c. do ser humano no útero> <defeito de c.>* **3** disposição ou configuração dessas partes ou elementos *<a c. de uma galáxia>* **4** forma, tamanho, aspecto (de um ser humano ou animal); compleição, constituição *<é de c. frágil> <ter a c. de um gigante>* **5** resignação, submissão *<a fé não é simplesmente c.>*

conformar (con.for.mar) *v.* {mod. 1} *t.d. e pron.* **1** (fazer) tomar a forma de; configurar(-se) *<o sopro conforma o vidro> <essa rocha conformou-se pela ação dos ventos>* ↺ desfigurar(-se) □ *t.i. e pron.* **2** (prep. *a, com*) pôr(-se) em acordo; ajustar(-se) *<seus hábitos já não (se) conformam com a vida da cidade>* □ *pron.* **3** (prep. *com, em*) resignar-se, aceitar *<não me conformo com a injustiça>* ↺ resistir

conformativa (con.for.ma.ti.va) *s.f.* GRAM ver ***CONJUNÇÃO CONFORMATIVA***

conforme (con.for.me) *adj.2g.* **1** que tem ou está com a mesma forma; semelhante, parecido *<duas estátuas c.>* **2** nos devidos termos *<a certidão está c.>* **3** proporcional, adequado *<reação c. aos estímulos>* **4** da mesma opinião; concorde **5** conformado, resignado *<estar c. ao peso dos anos>* ■ *conj.confr.* **6** de acordo com; como *<tudo foi um equívoco, c. se vê>* ■ *conj. temp.* **7** *B* no momento em que; mal, assim que *<c. ele entrou, a mãe chegou>* ■ *conj.prop.* **8** à medida que *<c. iam chegando, iam sentando-se>* ■ *prep.* **9** de acordo com *<fez tudo c. o previsto>* **10** à medida que *<a taxa é cobrada c. o (ou ao) lucro>* **~ conformidade** *s.f.*

conformismo (con.for.mis.mo) *s.m.* resignação, passividade *<a ignorância contribui para o c.>* **~ conformista** *adj.2g.s.2g.*

confortar (con.for.tar) *v.* {mod. 1} *t.d. e pron.* **1** ter ou trazer consolo a; animar(-se) *<as cartas dos amigos confortavam os exilados> <os doentes confortaram-se com as palavras do padre>* ↺ desalentar(-se) **2** renovar as forças de; revigorar(-se) *<o almoço confortou-os por algumas horas> <confortamo-nos com uma boa noite de sono>* ↺ debilitar(-se) **~ confortador** *adj.s.m.* **- confortante** *adj.2g.*

confortável (con.for.tá.vel) [pl.: *-eis*] *adj.2g.* **1** que proporciona conforto físico *<chinelo c.>* **2** que proporciona bem-estar, segurança **3** livre de problemas; cômodo *<situação c.>* ↺ desagradável, incômodo

conforto (con.for.to) /ô/ *s.m.* **1** ato ou efeito de confortar(-se); alívio, consolo **2** aquilo que traz facilidade e bem-estar físico e emocional **3** bem-estar, comodidade *<viver com c.>* ↺ desconforto, incômodo

confranger (con.fran.ger) *v.* {mod. 8} *t.d.* **1** quebrar com força; esmigalhar *<c. com golpes de aríete a porta do castelo>* □ *t.d. e pron.* **2** contrair(-se), apertar (-se) *<c. a boca em sinal de dúvida> <sua sobrancelha confrangeu-se de preocupação>* **3** *fig.* afligir(-se), angustiar(-se) ↺ alegrar(-se), acalmar(-se)

confraria (con.fra.ri.a) *s.f.* **1** associação de leigos com fins religiosos; congregação, irmandade **2** *p.ext.* grupo ligado por profissão ou gostos comuns *<a c. dos negociantes> <a c. dos gastrônomos>* **~ confrade** *s.m.*

confraternização (con.fra.ter.ni.za.ção) [pl.: *-ões*] *s.f.* **1** ato ou efeito de confraternizar **2** demonstração mútua de amizade, cordialidade e estímulo

confraternizar (con.fra.ter.ni.zar) *v.* {mod. 1} *t.i. e int.* **1** (prep. *com*) mostrar ou manter companheirismo, amizade; festejar *<depois do espetáculo, o cantor confraternizou com amigos> <encontraram-se e confraternizaram a tarde toda>* □ *t.d.* **2** unir como irmãos *<c. vitoriosos e vencidos>* □ *t.i.* **3** (prep. *com, em*) partilhar (ideias, sentimentos etc.) *<c. com os sentimentos da amiga> <c. em preferências gastronômicas>*

confrei (con.frei) *s.m.* BOT erva da família das boragináceas, nativa da Europa, de folhas ásperas e de pontas finas, muito us. na medicina caseira

confrontar (con.fron.tar) *v.* {mod. 1} *t.d. e pron.* **1** estar em frente de *<nossa casa confronta o lago> <as saídas laterais dos dois teatros confrontam-se>* □ *t.d.,t.d.i. e pron.* **2** (prep. *com*) pôr ou ficar frente a frente (com) *<c. os dois acusados> <c. o suspeito com a vítima> <os dois inimigos confrontaram-se>* □ *t.d. e t.d.i.* **3** (prep. *com*) comparar, cotejar *<c. os rótulos de duas garrafas> <c. o texto de um autor com o de outro>* **~ confrontação** *s.f.* **- confrontador** *adj.s.m.*

confronte (con.fron.te) *adj.2g.* **1** que está em frente; defronte *<mora no prédio c. ao meu>* **2** que se delimita com; fronteiriço

confronto (con.fron.to) *s.m.* **1** encontro face a face **2** comparação, cotejo **3** enfrentamento de interesses ou de ideias; luta *<um c. entre empregadores e empregados>* ↺ concórdia **4** disputa esportiva

confundir (con.fun.dir) *v.* {mod. 24} *t.d. e pron.* **1** tornar(-se) indistinto; misturar(-se) *<o pintor confundiu os contornos da imagem> <camuflados, os escoteiros confundiam-se com as árvores> <suas lembranças confundiram-se>* ↺ diferençar(-se) **2** (fazer) sofrer perturbação, perdendo concentração, segurança etc. *<o barulho confundia suas ideias> <seu olhar confundiu-o> <confundiu-se com a minha observação>* □ *t.d. e t.d.i.* **3** (prep. *com*) tomar (uma coisa) [por outra]; baralhar *<c. o rosto das atrizes> <c.*

alhos com bugalhos> ↺ distinguir □ *pron.* **4** cometer engano; equivocar-se <*confundiu-se e preencheu errado o formulário*> ◉ GRAM/USO part.: *confundido, confuso*; ver QUADRO DE PARTICÍPIOS DUPLOS nas pp. iniciais

confusão (con.fu.são) [pl.: *-ões*] *s.f.* **1** ato ou efeito de identificar uma coisa com outra até torná-las indistintas <*c. de sabores*> **2** *p.ext.* mistura confusa, desordenada, de seres ou coisas; mixórdia, misturada <*c. de cores e formas*> **3** *fig.* falta de clareza, de exatidão <*c. de ideias*> **4** *fig.* falta de ordem; desarrumação, bagunça <*o quarto está uma c.*> **5** *fig.* tumulto, briga, enfrentamento <*c. entre meninos travessos*> **6** *fig.* equívoco, engano <*por c. de horário, cheguei cedo*> **7** *fig.* hesitação, perplexidade, embaraço <*teve c. na hora de reagir*> ~ **confusional** *adj.2g.*

confuso (con.fu.so) *adj.* **1** desordenado, caótico <*dados c.*> ↺ ordenado, organizado **2** que os sentidos não captam com nitidez; indistinto <*som c.*> ↺ distinto, nítido **3** *fig.* sem clareza, exatidão ou método; obscuro <*história c.*> ↺ claro, inequívoco **4** emaranhado, intrincado, entrelaçado <*instalação elétrica c.*> **5** *fig.* inseguro, hesitante <*c. sobre como reagir*>

confutar (con.fu.tar) *v.* {mod. 1} *t.d.* **1** contestar (argumentos, ideias) <*confutou as falhas apontadas no projeto*> ↺ admitir, aceitar □ *pron.* **2** dar provas contra si; contradizer-se <*afirma uma coisa e se c. nas páginas finais*> ~ **confutação** *s.f.*

conga (con.ga) *s.f.* **1** DNÇ MÚS dança e música popular em Cuba e em outros países da América Central **2** MÚS tambor que as acompanha

congada (con.ga.da) *s.f.* DNÇ *B* dança afro-brasileira que encena a coroação dos reis do Congo

congelado (con.ge.la.do) *adj.* **1** solidificado pela ação do frio <*mercúrio c.*> <*água c.*> ↺ degelado **2** muito frio; gélido <*minhas orelhas estão c.*> ↺ aquecido **3** que é ou foi conservado a temperaturas abaixo de zero para não se deteriorar <*alimentos c.*> ↺ descongelado **4** parado, imobilizado <*imagem c.*> ■ *s.m.* **5** alimento preparado e submetido a temperaturas muito baixas, para que se conserve por muito tempo <*comemos c. um mês inteiro*>

congelador (con.ge.la.dor) /ô/ [pl.: *-es*] *adj.* **1** que congela ■ *s.m.* **2** compartimento da geladeira ou eletrodoméstico us. para fazer gelo e congelar alimentos

congelamento (con.ge.la.men.to) *s.m.* **1** solidificação de líquido por resfriamento **2** entorpecimento por ação do frio; congelação <*c. dos pés*> **3** *fig.* imobilização de movimento, imagem; paralisação <*c. da imagem num certo instante*>

congelar (con.ge.lar) *v.* {mod. 1} *t.d. e pron.* **1** tornar (-se) sólido por ação do frio <*c. a água*> <*o refresco congelou-se*> ↺ descongelar(-se) □ *t.d. e int.* **2** (fazer) sentir muito frio <*o vento nos congelou*> <*feche a porta, porque estamos congelando*> □ *t.d.* **3** *fig.* manter sem movimento <*c. uma imagem*>

congeminar (con.ge.mi.nar) *v.* {mod. 1} *t.d. e pron.* **1** harmonizar(-se), reconciliar(-se) <*o bom senso é capaz de c. desafetos*> <*duas almas que se congeminaram*> ↺ desarmonizar(-se) **2** multiplicar(-se), redobrar(-se) <*c. golpes de machado*> <*os bocejos congeminavam-se pela sala*>

congênere (con.gê.ne.re) *adj.2g.s.2g.* (o) que tem o mesmo gênero, espécie, origem etc. que outro <*plantas c.*> <*automóveis c.*> <*o ministro encontrou-se com seus c. em Paris*>

congênito (con.gê.ni.to) *adj.* **1** que nasce com o indivíduo <*doença c.*> **2** que se manifesta espontaneamente; inato, natural <*tendência c. para a música*> **3** apropriado, adequado <*trabalho c. ao seu temperamento*>

congestão (con.ges.tão) [pl.: *-ões*] *s.f.* MED acumulação excessiva de fluidos, esp. sangue, em um órgão ou região do corpo <*c. do rosto*> <*c. nasal*>

congestionamento (con.ges.tio.na.men.to) *s.m.* **1** ato ou efeito de congestionar(-se) **2** *B* acúmulo de pessoas, veículos ou objetos, impedindo ou dificultando a circulação

congestionar (con.ges.tio.nar) *v.* {mod. 1} *t.d.,int. e pron. fig. B* **1** deixar ou ficar obstruído (via, porto, praça etc.) pelo acúmulo de carros, pessoas etc. <*o acidente congestionou a avenida*> <*quando chove, a estrada sempre (se) congestiona*> □ *t.d. e pron.* **2** (fazer) sofrer (órgão ou parte do corpo) acúmulo de fluido <*a pancada congestionou seu olho esquerdo*> <*seus pulmões congestionaram-se*> ↺ descongestionar(-se) **3** alterar(-se) ruborizando (rosto, face etc.); corar <*a vergonha congestionava as faces da moça*> <*seu rosto congestionou-se de raiva*> ~ **congestionado** *adj.* - **congestionante** *adj.2g.s.2g.*

conglobar (con.glo.bar) *v.* {mod. 1} *t.d. e pron.* **1** juntar(-se) em forma mais ou menos esférica <*c. flores para formar um buquê*> <*a inflorescência são inúmeras florzinhas que se conglobam*> **2** convocar ou atender a convocação; reunir(-se) <*os rebeldes conglobaram centenas de pessoas*> <*os revoltosos conglobaram-se em torno do líder*> **3** reunir(-se), aglomerar(-se) <*é preciso c. o povo para a passeata*> <*os manifestantes conglobaram-se na praça*> ↺ dispersar

conglomerado (con.glo.me.ra.do) *adj.* **1** reunido, aglutinado ■ *s.m.* **2** ECON agrupamento de várias empresas **3** GEOL rocha sedimentar formada por fragmentos de diversas origens

conglomerar (con.glo.me.rar) *v.* {mod. 1} *t.d. e pron.* reunir(-se) em massa compacta ou num todo coerente <*o cimento conglomera a areia e a brita*> <*as nações europeias conglomeraram-se numa comunidade*> ~ **conglomeração** *s.f.*

congo (con.go) *s.m.* **1** indivíduo dos congos, conjunto de povos bantos que habitam o baixo Zaire (ou Congo), o segundo maior rio da África **2** LING língua banta falada por esse povo; congolês **3** DNÇ dança dramática afro-brasileira ■ *adj.s.m.* **4** que(m) participa, como personagem, dessa dança ■ *adj.* **5** relativo àquele indivíduo, povo e língua

congolês (con.go.lês) [pl.: *-eses*; fem.: *-esa*; pl. e fem.: /ê/] *adj.* **1** da República Democrática do Congo (África), anteriormente Zaire, e da República do Congo (África), antigo Congo Belga ■ *s.m.* **2** natural ou habitante desses países **3** LING congo

congonha (con.go.nha) *s.f.* BOT nome comum a várias plantas cujas folhas são us. em lugar das folhas do mate

congraçar (con.gra.çar) *v.* {mod. 1} *t.d.,t.d.i. e pron.* (prep. *com*) (fazer) voltar à paz; reconciliar(-se) <*c. pessoas brigadas*> <*c. um colega com outro*> <*inimigos de longa data, por fim se congraçaram*> ↺ desavir(-se) ~ **congraçamento** *s.m.*

C

congratulação (con.gra.tu.la.ção) [pl.: *-ões*] *s.f.* **1** ato de congratular(-se) ou seu efeito ▼ ***congratulações*** *s.f.pl.* **2** parabéns, felicitações, cumprimentos ☞ aceita--se tb. us. no sing. ~ **congratulatório** *adj.*

congratular (con.gra.tu.lar) *v.* {mod. 1} *t.d.,t.d.i. e pron.* **1** (prep. *por*) dar os parabéns a; parabenizar, felicitar *<todos o congratularam (por seu feito)>* *<congratularam-se mutuamente>* □ *pron.* **2** (prep. *por, com, de*) alegrar-se com o sucesso, a felicidade próprios ou de alguém *<congratulei-me por aquele dia inesquecível>* ↺ lastimar-se ~ **congratulante** *adj.*

congregação (con.gre.ga.ção) [pl.: *-ões*] *s.f.* **1** ato ou efeito de congregar(-se); reunião **2** associação de sacerdotes, religiosos e/ou leigos **2.1** REL assembleia de fiéis

congregar (con.gre.gar) *v.* {mod. 1} *t.d. e pron.* **1** pôr(-se) junto; reunir(-se) *<c. músicos para a banda>* *<c. esforços>* *<sorte e coragem congregaram-se para a vitória>* ↺ separar(-se) **2** agregar(-se), misturar(-se) *<c. componentes químicos>* *<metais que se congregam para formar uma liga>* ↺ separar(-se) ~ **congregante** *adj.2g.s.2g.*

congressista (con.gres.sis.ta) *adj.2g.s.2g.* **1** que(m) participa de congresso **2** que(m) é membro de congresso; parlamentar

congresso (con.gres.so) *s.m.* **1** reunião de especialistas para que se apresentem questões de interesse comum, estudos, novas descobertas etc. *<c. de medicina>* **2** POL conjunto dos que detêm um mandato eletivo e compõem o poder legislativo de um país; parlamento ☞ inicial ger. maiúsc. ~ **congressual** *adj.2g.*

congruência (con.gru.ên.cia) *s.f.* adequação, concordância, harmonia *<c. de pesos e medidas>* *<c. de ideias>* ~ **congruente** *adj.2g.*

conhaque (co.nha.que) *s.m.* bebida alcoólica destilada de vinho branco

conhecer (co.nhe.cer) *v.* {mod. 8} *t.d.* **1** obter informações sobre; reter na memória; saber *<c. a história dos antepassados>* *<c. leis>* ↺ ignorar **2** ter consciência de *<c. a própria força>* ↺ desconhecer **3** ver, visitar *<c. a Europa>* **4** saber muito sobre; dominar *<c. música>* **5** experimentar, sentir *<c. a derrota>* □ *t.d. e pron.* **6** ser apresentado a *<conhecemos ontem seu irmão>* *<conheceram-se em circunstâncias incomuns>* **7** manter relações pessoais com *<não o conheço o suficiente para pedir-lhe um favor>* *<conhecemo-nos desde a infância>* □ *pron.* **8** ter consciência das próprias características, sentimentos etc. ~ **conhecedor** *adj.s.m.*

conhecido (co.nhe.ci.do) *adj.* **1** que muitos conhecem ou sabem *<canção c.>* *<caminho c.>* **2** célebre, famoso *<cirurgião plástico c.>* **3** chamado, denominado *<homem c. como Lampião>* ■ *adj.s.m.* **4** (pessoa) com quem se mantém relação superficial *<é um (rapaz) c. meu>*

conhecimento (co.nhe.ci.men.to) *s.m.* **1** ato ou capacidade de conhecer, por meio da razão e da experiência; cognição *<o c. das causas de um fenômeno>* **2** fato, estado ou condição de compreender; entendimento **3** informação sobre um fato, uma notícia; ciência *<os responsáveis tomaram c. da reunião do colégio>* **4** domínio (de um tema, arte etc.); competência, experiência *<seu c. de português faz dele um bom redator>* ▼ ***conhecimentos*** *s.m.pl.* **5** erudição, sabedoria, cultura *<apesar de poucos c., é muito capaz na sua profissão>*

cônico (cô.ni.co) *adj.* **1** que tem forma de cone *<chapéu c.>* **2** relativo a cone *<propriedades c.>*

conífera (co.ní.fe.ra) *s.f.* BOT espécime das coníferas, classe de árvores que vivem em regiões tropicais e frias, cultivadas como ornamentais, pelas sementes comestíveis, pela madeira e para produção de celulose e resinas

conivente (co.ni.ven.te) *adj.2g.* **1** que encobre um mal praticado por alguém; condescendente **2** que participa de crime; cúmplice ~ **conivência** *s.f.*

conjectura (con.jec.tu.ra) ou **conjetura** (con.je.tu.ra) *s.f.* opinião baseada em informações incompletas, supostas ou imaginadas; hipótese, suposição

conjecturar (con.jec.tu.rar) ou **conjeturar** (con.je.tu.rar) *v.* {mod. 1} *t.d. e int.* **1** fazer conjecturas sobre; supor *<você conjecturou essas conclusões?>* *<não decidimos ainda, apenas conjecturamos>* □ *t.d.* **2** considerar como provável; presumir *<conjectura que se saiu bem na prova>* **3** ver antes; prever *<conjecturou a derrota do seu candidato>*

conjugação (con.ju.ga.ção) [pl.: *-ões*] *s.f.* **1** ato ou efeito de conjugar(-se); reunião, ligação *<a c. de forças nos levou ao êxito>* **2** GRAM ato de conjugar um verbo *<a tarefa de casa é fazer a c. do verbo estudar>* **3** GRAM cada um dos conjuntos de verbos agrupados segundo um padrão de flexões *<o português tem três c., terminadas em -ar, -er e -ir>* *<amar é um verbo da 1ª c.>*

conjugado (con.ju.ga.do) *adj.* **1** que se conjugou; ligado, combinado *<peças c.>* *<sistemas c.>* ■ *s.m.* **2** apartamento constituído, em uma só peça, de quarto e sala, banheiro e cozinha; apartamento conjugado

conjugal (con.ju.gal) [pl.: *-ais*] *adj.2g.* **1** de cônjuge **2** do casal; matrimonial *<propriedade c.>* **3** do casamento ou da vida de casado *<alegrias c.>*

conjugar (con.ju.gar) *v.* {mod. 1} *t.d.,t.d.i. e pron.* **1** (prep. *a, com*) unir(-se), combinar(-se) *<c. duas opiniões>* *<c. cimento com areia>* *<a bondade e a alegria conjugam-se>* ↺ desagregar(-se) □ *t.d.* GRAM **2** falar ou escrever formas de (um verbo) em alguma das ou em todas as suas flexões (tempos, modos, pessoas e números) ~ **conjugável** *adj.2g.*

cônjuge (côn.ju.ge) *s.m.* indivíduo casado com alguém; consorte *<o c. feminino>* *<o c. masculino>* *<os c. comemoraram bodas de ouro>*

conjunção (con.jun.ção) [pl.: *-ões*] *s.f.* **1** GRAM palavra invariável que liga duas orações ou dois termos, do mesmo tipo ou função, de uma oração **2** oportunidade, ocasião; conjuntura *<uma boa c. para viajarmos>* **3** união *<c. de rios, de corpos celestes>* ▣ **c. aditiva** GRAM conjunção coordenativa que liga duas palavras equivalentes na mesma oração ou duas orações coordenadas (p.ex.: *e, nem*) ☞ tb. se diz apenas *aditiva* • **c. adversativa** GRAM conjunção (ou locução conjuntiva) coordenativa que liga duas palavras da mesma oração ou duas orações de função idêntica, mas dando-lhes um sentido opositivo (p.ex.: *mas, contudo, entretanto, no entanto, porém, todavia* etc.) ☞ tb. se diz apenas *adversativa* • **c. alternativa** GRAM conjunção coordenativa que liga duas palavras da mesma oração, ou duas orações, de sentido diferente, determinando que, a acontecer um dos fatos mencionados, o outro não se cumprirá (p.ex.: *ou* [repetido ou não]; *nem, ora, quer, seja* [repetidos] etc.) ☞ tb. se diz apenas *alternativa* • **c. causal** GRAM conjunção (ou locução conjuntiva) que inicia uma oração subordinada, esclarecendo que o que se diz nessa segunda oração é causa ou motivo para o que se diz na oração principal (p.ex.: *como, já que, pois, porquanto, porque, que, visto como, visto que* etc.) ☞ tb. se diz apenas *causal* • **c. comparativa** GRAM cada uma das conjunções ou locuções conjuntivas iniciadoras de uma oração subordinada que tem o papel de segundo membro de uma comparação (p.ex.: *assim como, bem como, como se, do que* [depois de *mais, menos, maior, menor, melhor, pior*], [tal]... *qual*, [tanto]... *quanto, que, que nem*) ☞ tb. se diz apenas *comparativa* • **c. concessiva** GRAM conjunção (ou locução conjuntiva) que inicia uma oração subordinada contrariando o que se diz na oração principal, sem, porém, anular ou impedir o fato que está sendo mencionado (p.ex.: *ainda que, apesar de que, bem que, conquanto, embora, mesmo que, nem que, por mais que, por menos que, posto que, que, se bem que* etc.) ☞ tb. se diz apenas *concessiva* • **c. conclusiva** GRAM conjunção (ou locução conjuntiva) coordenativa que liga à oração anterior outra em que existe uma conclusão ou uma consequência (p.ex.: *assim, logo, pois, por conseguinte, por consequência, por isso, portanto* etc.) ☞ tb. se diz apenas *conclusiva* • **c. condicional** GRAM conjunção (ou locução conjuntiva) que inicia uma oração subordinada que contém uma hipótese ou uma condição necessária para que se cumpra o que se afirma na oração principal (p.ex.: *a menos que, a não ser que, caso, contanto que, dado que, desde que, salvo se, se, sem que* etc.) ☞ tb. se diz apenas *condicional* • **c. conformativa** GRAM conjunção (ou locução conjuntiva) que inicia uma oração subordinada na qual está expressa uma ideia de concordância com o que se afirma na oração principal (p.ex.: *como, conforme, consoante, segundo, na qualidade de* etc.) ☞ tb. se diz apenas *conformativa* • **c. consecutiva** GRAM conjunção (ou locução conjuntiva) que inicia uma oração subordinada cujo conteúdo é consequência do que se afirma na oração principal (p.ex.: *de forma que, de maneira que, de modo que, de sorte que, que* [combinada com *tal, tanto, tão* ou *tamanho*, presentes ou não na oração principal] etc.) ☞ tb. se diz apenas *consecutiva* • **c. coordenativa** GRAM conjunção que relaciona palavras ou orações que têm a mesma função gramatical; as conjunções coordenativas se classificam em *aditivas, adversativas, alternativas, conclusivas* e *explicativas* ☞ tb. se diz apenas *coordenativa* • **c. explicativa** GRAM conjunção que inicia uma oração coordenativa que liga duas orações, numa das quais se explica ou se justifica o que se afirma na outra (p.ex.: *pois, porquanto, porque, que* etc.) ☞ tb. se diz apenas *explicativa* • **c. integrante** GRAM conjunção que inicia uma oração subordinada que é sujeito, objeto direto ou indireto, predicativo, complemento nominal ou aposto de outra oração (são elas: *que, se*) ☞ tb. se diz apenas *integrante* • **c. proporcional** GRAM conjunção (ou locução conjuntiva) que inicia uma oração subordinada que cita um fato ocorrido ou que vai ocorrer ao mesmo tempo do fato de que fala a oração principal (p.ex.: *à medida que, ao passo que, à proporção que, enquanto, quanto mais... mais, quanto mais... tanto mais, quanto mais... menos, quanto mais... tanto menos, quanto menos... menos, quanto menos... tanto menos, quanto menos... mais, quanto menos... tanto mais* etc.) ☞ tb. se diz apenas *proporcional* • **c. subordinativa** GRAM conjunção que introduz uma oração subordinada; ao ligá-la à oração principal, forma um período composto por subordinação; as conjunções subordinativas se classificam em *causais, comparativas, concessivas, condicionais, conformativas, consecutivas, finais, integrantes, proporcionais* e *temporais* ☞ tb. se diz apenas *subordinativa* • **c. temporal** GRAM conjunção (ou locução conjuntiva) que inicia uma oração subordinada que expressa uma circunstância de tempo (p.ex.: *ainda bem, ainda não, antes de, antes que, ao tempo que, apenas, assim que, até que, cada vez que, depois que, desde que, logo que, mal, no que, quando, que* ['desde que'], *sempre que, todas as vezes que* etc.) ☞ tb. se diz apenas *temporal* ~**conjuncional** *adj.2g.*

conjuntiva (con.jun.ti.va) *s.f.* ANAT membrana que cobre o globo ocular e a parte interna das pálpebras ~**conjuntival** *adj.2g.*

conjuntivite (con.jun.ti.vi.te) *s.f.* MED inflamação da conjuntiva

conjuntivo (con.jun.ti.vo) *adj.* **1** que junta, reúne **2** que serve para estabelecer relações entre pessoas ou coisas *<testamento c.>* **3** GRAM que une palavras ou orações *<locução c.>* **4** ANAT que une, protege e sustenta as diversas partes e órgãos do corpo (diz--se de tecido)

conjunto (con.jun.to) *s.m.* **1** reunião de elementos vistos como um todo **2** soma total de elementos; totalidade *<c. de palavras de um dicionário>* **3** grupo de pessoas empenhadas num trabalho comum integrado; equipe **4** grupo de músicos ou de dançarinos ■ *adj.* **5** simultâneo *<ação c.>* **6** situado em local próximo; adjacente *<a casa c. ao morro>* **7** somado, reunido *<o clamor c. da multidão>*

conjuntura (con.jun.tu.ra) *s.f.* **1** combinação de circunstâncias num dado momento; quadro *<c. favorável>* **2** oportunidade, ocasião *<naquela c. a sorte chegou>* ~**conjuntural** *adj.2g.*

conjuração (con.ju.ra.ção) [pl.: *-ões*] *s.f.* **1** associação de indivíduos para um fim comum **2** conspiração, trama, inconfidência *<hoje estudamos a C. Mineira>* **3** conjuro ('prece')

conjurar (con.ju.rar) *v.* {mod. 1} *t.d.,t.d.i. e pron.* **1** (prep. *contra*) unir(-se) com um objetivo determinado *<c. os camponeses (contra os invasores)> <os proprietários conjuraram-se contra a lei injusta>* □ *t.d.* **2** tramar em comum *<c. um golpe de Estado>* **3** pedir com insistência a; suplicar **4** exorcizar □ *t.i. e pron.* **5** (prep. *para, contra*) contribuir, concorrer □ *pron.* **6** lamentar-se, lastimar-se

conjuro (con.ju.ro) *s.m.* **1** prece mágica dirigida a forças, ocultas ou naturais, para que obedeçam à vontade de alguém; conjuração, esconjuro **2** exorcismo

conluiar (con.lui.ar) *v.* {mod. 1} *t.d.,t.d.i. e pron.* **1** (prep. *contra, com*) juntar(-se) em trama ou aliança *<c. bandidos (contra os cidadãos)> <os três países conluiaram-se com o inimigo do passado>* □ *t.d.i. e pron.* p.ext. **2** (prep. *com*) combinar(-se), somar(-se) *<c. inteligência com beleza> <conluíam-se nela amor e dedicação>*

conluio (con.<u>lui</u>.o) *s.m.* **1** trama para prejudicar terceiro(s) **2** acordo, aliança, coligação *<c. de Estados africanos>*

conosco (co.<u>nos</u>.co) /ô/ *pron.p.* **1** em nossa companhia *<vive c.>* **2** em nosso poder *<o dinheiro ficou c.>* **3** a nosso encargo *<o trabalho pesado fica c.>*

conotação (co.no.ta.<u>ção</u>) [pl.: *-ões*] *s.f.* **1** algo que uma palavra ou coisa sugere; implicação *<um cobertor macio tem a c. de aconchego>* **2** GRAM ampliação do significado básico, direto e imediato de uma palavra ☞ cf. *denotação* ~ **conotar** *v.t.d.* - **conotativo** *adj.*

conquanto (con.<u>quan</u>.to) *conj.concs.* embora; se bem que *<não concorreu, c. pudesse fazê-lo>*

conquista (con.<u>quis</u>.ta) *s.f.* **1** aquisição de algo pela força das armas ou pela concorrência *<c. de novas terras> <c. do título de campeão>* **2** sucesso numa investida amorosa **3** coisa ou pessoa conquistada *<esta vitória foi uma grande c.>*

conquistador (con.quis.ta.<u>dor</u>) /ô/ [pl.: *-es*] *adj.s.m.* **1** que ou aquele que conquista, que vence *<Júlio César foi o c. da Gália>* ↺ conquistado, vencido **2** que(m) atrai simpatias ou faz conquistas amorosas *<é um tremendo c.> <olhos c. e fatais>* ↺ seduzido

conquistar (con.quis.<u>tar</u>) *v.* {mod. 1} *t.d.* **1** apossar-se de; tomar *<c. uma fortaleza>* **2** obter com esforço ou receber por merecimento *<c. um prêmio>* ↺ perder **3** *fig.* obter simpatia, amor, respeito de *<c. pessoas>* ~ **conquistado** *adj.* - **conquistável** *adj.2g.*

consagração (con.sa.gra.<u>ção</u>) [pl.: *-ões*] *s.f.* **1** dedicação integral; entrega *<c. a um trabalho>* **2** louvor, elogio *<a c. de um artista>* **3** *fig.* validação, legitimação, reconhecimento *<a c. de um princípio>* **4** REL ação sagrada de dedicar (algo ou alguém) à divindade *<c. de um templo>* **5** REL ato de consagrar o pão e o vinho durante a missa

consagrado (con.sa.<u>gra</u>.do) *adj.* **1** que se consagrou **2** dedicado a Deus ou aos santos **3** devotado, dedicado *<um pai c. aos filhos>* **4** que obteve sucesso na sua atividade *<artista c.>*

consagrar (con.sa.<u>grar</u>) *v. t.d.pred.* **1** atribuir valor a (alguém ou algo); legitimar *<o novo dicionário consagra palavras de gíria> <aquele livro consagrou-o> <a História consagrou Tiradentes como mártir da Independência>* □ *pron.* **2** ganhar fama *<só se consagrou depois dos 50 anos>* □ *t.d.i.* **3** (prep. *a*) destinar (algo) a (determinada finalidade) *<resolveu c. à edição do livro muito dinheiro> <consagrou a vida à medicina>* □ *pron.* **4** (prep. *a*) ocupar-se totalmente com; dedicar-se *<consagrou-se à militância política>* □ *t.d.,t.d.i. e pron.* **5** REL dar qualidade ou função de sagrado a *<c. um templo (a Júpiter)> <aos 16 anos, decidiu c.-se servo de Deus>* ↺ desconsagrar □ *t.d.* **6** REL entre os católicos, converter na missa (pão e vinho) no corpo e sangue de Cristo *<só o sacerdote pode c. a hóstia e o vinho>*

consanguíneo (con.san.<u>guí</u>.neo) /gü/ *adj.* **1** que é do mesmo sangue, mesma origem *<parentes c.>* **2** realizado entre parentes (diz-se de casamento) ■ *adj.s.m.* **3** descendente do mesmo ancestral de outra(s) pessoa(s) **4** que(m) é irmão de alguém apenas por parte de pai ~ **consanguinidade** *s.f.*

consciência (cons.ci.<u>ên</u>.cia) *s.f.* **1** compreensão que se tem da própria existência **2** conhecimento, discernimento *<tem c. dos seus direitos>* **3** faculdade de se julgar moralmente *<não faz nada que seja contra a sua c.>* **4** posse das faculdades como ver, ouvir, pensar etc. *<perder a c.>* **5** sentido de responsabilidade, dever *<trabalho feito com c.>* **6** dignidade, honradez *<pessoa de c.>*

consciencioso (cons.ci.en.ci.<u>o</u>.so) /ô/ [pl. e fem.: /ó/] *adj.* **1** honesto, responsável *<médico c.>* ↺ inescrupuloso **2** cuja execução é minuciosa; meticuloso, cuidadoso *<pesquisa c.>* ↺ descuidado

consciente (cons.ci.<u>en</u>.te) *adj.2g.* **1** que tem consciência de sua existência **2** que tem capacidade de pensar, desejar, perceber, raciocinar etc. **3** côncio, ciente, informado *<c. dos perigos que corria>* **4** acordado, desperto ■ *s.m.* **5** nível superior da vida mental do qual uma pessoa tem percepção ☞ cf. *inconsciente* e *subconsciente* ~ **conscientemente** *adv.*

conscientização (cons.ci.en.ti.za.<u>ção</u>) [pl.: *-ões*] *s.f.* fato de ficar consciente da própria condição ou situação

conscientizar (cons.ci.en.ti.<u>zar</u>) *v.* {mod. 1} *t.d.,t.d.i. e pron.* (prep. *de*) fazer(-se) sabedor ou consciente de *<é preciso c. a criança (das suas capacidades)> <enfim se conscientizaram do erro>*

cônscio (<u>côns</u>.cio) *adj.* **1** que sabe, que tem noção clara; ciente, consciente **2** feito com meticulosidade, competência, cuidado *<um parecer c.>*

conscrição (cons.cri.<u>ção</u>) [pl.: *-ões*] *s.f.* alistamento para o serviço militar ~ **conscrito** *adj.s.m.*

consecução (con.se.cu.<u>ção</u>) [pl.: *-ões*] *s.f.* ato ou efeito de conseguir; conquista, obtenção *<a c. de um objetivo>*

consecutiva (con.se.cu.<u>ti</u>.va) *s.f.* GRAM ver ***CONJUNÇÃO CONSECUTIVA***

consecutivo (con.se.cu.<u>ti</u>.vo) *adj.* **1** que se segue após o outro; seguido *<vencer três vezes c.>* ↺ intervalado **2** resultante, consequente *<pneumonia c. de resfriado mal curado>*

conseguinte (con.se.<u>guin</u>.te) *adj.2g.s.m.* (o) que se segue; sucessivo, consecutivo ▣ **por c.** portanto, logo, por isso

conseguir (con.se.<u>guir</u>) *v.* {mod. 28} *t.d. e t.d.i.* **1** (prep. *de*) sair-se bem na busca de (resultado, objetivo etc.); conquistar *<conseguimos uma vitória> <tudo fez para c. da plateia um pouco de atenção>* □ *t.d.* **2** ter êxito na realização de *<conseguirão chegar sãos e salvos> <c. parar o carro>* **3** alcançar (número, quantia etc.) *<a equipe conseguiu 70 pontos no jogo>*

conselheiro (con.se.<u>lhei</u>.ro) *adj.s.m.* **1** que(m) aconselha ■ *s.m.* **2** título da época do Império **3** indivíduo com esse título **4** membro de conselhos ou tribunais

conselho (con.<u>se</u>.lho) /ê/ *s.m.* **1** opinião, parecer *<dar, pedir c.>* **2** bom senso; sabedoria *<opinião cheia de c.>* ↺ imprudência **3** corpo consultivo e/ou deliberativo de uma instituição pública ou privada *<o c. de classe é a reunião dos professores de uma turma ou ano>*

consenso (con.<u>sen</u>.so) *s.m.* **1** concordância ou uniformidade de opiniões, sentimentos etc. **2** bom senso, senso comum *<conforme o c., não se deve rasgar dinheiro>* ~ **consensual** *adj.2g.*

consentâneo (con.sen.<u>tâ</u>.neo) *adj.* **1** apropriado, adequado *<resposta c. com a provocação>* ↺ inadequado **2** que combina com; coerente *<voz c. ao corpinho delicado>* ↺ incoerente

consentimento (con.sen.ti.men.to) *s.m.* 1 permissão, licença *<casar sem o c. dos pais>* ↺ desautorização 2 manifestação de que se aprova algo; concordância *<o chefe deu c. ao novo projeto>* 3 tolerância, condescendência ↺ intransigência

consentir (con.sen.tir) *v.* {mod. 28} *t.d.,t.i. e int.* 1 (prep. *a*, *em*) não se opor a; concordar, aprovar *<não consente (ao pai) prestar-lhe ajuda> <consentiu num abraço> <sabe quando proibir e quando c.>* □ *t.d. e t.d.i.* 2 (prep. *a*) possibilitar, propiciar *<o ritmo do trabalho não consentia ócio (ao grupo)>* ↺ impedir, impossibilitar

consequência (con.se.quên.cia) /qü/ *s.f.* 1 efeito, resultado *<a gripe foi c. da chuva que tomou>* 2 conclusão que deriva de um raciocínio lógico; dedução *<a c. de uma proposição lógica>* 3 alcance, importância *<uma questão de grande c.>*

consequente (con.se.quen.te) /qü/ *adj.2g.* 1 que se segue como resultado ou efeito de algo *<o trabalho e o c. sucesso>* 2 racional, coerente *<raciocínio c.>* 3 inferido ou deduzido por raciocínio lógico *<conclusões c.>*

consequentemente (con.se.quen.te.men.te) *adv.* como resultado; em consequência *<as chuvas prejudicaram a colheita; c., o preço dos vegetais aumentou>*

consertar (con.ser.tar) *v.* {mod. 1} *t.d.* 1 pôr em boas condições (algo danificado, parado, defeituoso etc.); reparar *<c. uma escada> <c. o relógio>* ↺ danificar 2 *fig.* anular ou diminuir (efeitos de má atitude); remediar *<procurou logo c. sua ação desastrada>* ☞ cf. *concertar* ~ **consertador** *adj.s.m.*

conserto (con.ser.to) /ê/ *s.m.* 1 restauração ou recomposição de coisa deteriorada, partida etc. 2 *fig.* emenda *<esse fora não tem c.>* ☞ cf. *concerto*

conserva (con.ser.va) *s.f.* 1 CUL alimento preservado em calda, vinagre ou outro preparado *<c. de carne> <cebolas em c.>* 2 ato ou efeito de conservar; conservação ~ **conserveiro** *adj.s.m.*

conservação (con.ser.va.ção) [pl.: *-ões*] *s.f.* 1 ato ou efeito de conservar(-se); conserva 2 preservação contra dano, perda ou desperdício *<c. do solo> <c. da pele>* 3 BIO conjunto de práticas que visa à utilização dos recursos naturais, a fim de permitir que se preservem e renovem ☞ cf. *preservação* ~ **conservativo** *adj.*

conservador (con.ser.va.dor) /ô/ [pl.: *-es*] *adj.s.m.* 1 (o) que conserva 2 que(m) defende a manutenção do que é tradicional ou da ordem estabelecida ~ **conservadorismo** *s.m.* - **conservantismo** *s.m.*

conservante (con.ser.van.te) *adj.2g.s.m.* QUÍM (substância) us. em produtos alimentícios para prevenir ou retardar a deterioração

conservar (con.ser.var) *v.* {mod. 1} *t.d.,t.d.pred. e pron.* 1 manter(-se) em bom estado ou no estado anterior *<conservavam a fazenda (impecável)> <como c. perfeitos os seus tapetes> <as inscrições conservaram-se visíveis>* ↺ deteriorar(-se) □ *t.d. e pron.* 2 manter(-se) sem alteração (dado, característica etc.) *<algumas pessoas conservam um sorriso infantil> <c.-se saudável>* ↺ alterar(-se) 3 continuar a ter ou a exercer (cargo, emprego etc.) *<em época de crise, é melhor c. o emprego> <conservou-se naquela ocupação até os 60 anos>* □ *t.d.* 4 preservar

conservatório (con.ser.va.tó.rio) *s.m.* 1 escola onde se conservam certos valores culturais por meio de sua propagação e ensino *<c. de teatro> <c. de música>* 1.1 MÚS escola em que se ensinam música e canto

consideração (con.si.de.ra.ção) [pl.: *-ões*] *s.f.* 1 respeito ou estima por algo ou alguém; deferência 2 reflexão, observação *<vamos ouvir suas c.>* ☞ freq. us. no pl. 3 exame atento de algo ou alguém *<tema que exige c.>*

considerado (con.si.de.ra.do) *adj.* 1 que se considerou; levado em conta *<pedido c. e aceito>* 2 que recebe certa qualificação ou juízo *<alguém c. (como) perigoso>* 3 respeitado, estimado *<é um médico c.>*

considerar (con.si.de.rar) *v.* {mod. 1} *t.d.* 1 decidir após reflexão; julgar *<consideraram melhor sair mais cedo>* 2 levar em conta *<o juiz não considerou a nossa petição>* ↺ ignorar, desconsiderar 3 respeitar, prezar *<todos consideram muito a diretora>* ↺ desrespeitar, desconsiderar □ *t.i. e int.* 4 (prep. *sobre*, *em*) refletir, pensar *<c. (sobre) um assunto>* □ *t.d.pred. e pron.* 5 julgar(-se), qualificar(-se) *<considerou o pedido aceitável> <considera-se apto para o cargo>*

considerável (con.si.de.rá.vel) [pl.: *-eis*] *adj.2g.* 1 digno de consideração *<o mais c. dos mestres>* ↺ irrelevante 2 *p.ext.* grande *<fortuna c.>* ↺ pequeno

consignar (con.sig.nar) *v.* {mod. 1} *t.d.* 1 registrar por escrito *<c. um depoimento>* □ *t.d. e t.d.i.* 2 (prep. *a*) fazer notar; mencionar, assinalar *<o momento certo de c. um fato> <consignei ao chefe o meu apreço>* ↺ esconder, omitir 3 (prep. *a*) confiar aos cuidados (de alguém) *<consignou (ao sócio) a direção da empresa>* 4 (prep. *a*) entregar (mercadorias) [a alguém] para que as venda *<vamos c. vinte motores (à loja)>* ~ **consignação** *s.f.* - **consignador** *adj.s.m.*

consignatário (con.sig.na.tá.rio) *s.m.* quem recebe mercadoria de outros para vender

consigo (con.si.go) *pron.p.* 1 em sua companhia *<traga seus filhos c.>* 2 em seu poder *<tinha uma arma c.>* 3 dentro de si *<levar c. boa impressão>*

consistência (con.sis.tên.cia) *s.f.* 1 qualidade ou estado do que é consistente 2 estado duro, sólido e coeso de um corpo *<c. de uma parede>* 3 estado pastoso, espesso, de um líquido *<a c. de um molho>* 4 *fig.* coerência *<um discurso sem c.>*

consistente (con.sis.ten.te) *adj.2g.* 1 compacto, duro, sólido *<madeira c.>* 2 que se tornou pastoso, espesso *<molho c.>* 3 *fig.* duradouro, estável *<conhecimentos pouco c.>* 4 *fig.* que tem base bem estruturada e coerente *<argumentação c.>*

consistir (con.sis.tir) *v.* {mod. 24} *t.i.* 1 (prep. *em*) ser, traduzir-se por *<seu objetivo consiste em reerguer a empresa>* 2 (prep. *em*) ser constituído por; compor-se *<seu lanche consistia num só sanduíche>* 3 (prep. *em*) fundar-se, resumir-se *<sua alegria consiste na alegria dos outros>*

consistório (con.sis.tó.rio) *s.m.* 1 assembleia solene; conselho 2 REL assembleia de cardeais convocada e presidida pelo papa 3 REL assembleia de ministros e de fiéis em algumas igrejas protestantes, ou de membros do conselho de uma sinagoga, reunida para discutir problemas gerais das suas comunidades religiosas 4 *p.ext.* sessão de qualquer dessas assembleias 5 *p.ext.* local onde se reúne qualquer uma dessas assembleias

consoada (con.so.a.da) *s.f.* **1** ceia noturna leve em dia de jejum **2** ceia familiar da noite de Natal ou de véspera de ano-novo

consoante (con.so.an.te) *adj.2g.* **1** que concorda; harmonioso ■ *adj.2g.s.f.* GRAM **2** (fonema) em cuja produção o ar encontra obstáculo à sua passagem **3** (letra) que representa esse fonema ■ *conj.confr.* **4** conforme *<aja c. manda a sua vontade>* ■ *prep.* **5** de acordo com *<reajo c. a provocação>*

consolação (con.so.la.ção) [pl.: *-ões*] *s.f.* **1** alívio, conforto ↺ aflição, amargura **2** pessoa ou coisa que consola **3** compensação, consolo *<prêmio de c.>*

consolar (con.so.lar) *v.* {mod. 1} *t.d. e pron.* **1** (tentar) aliviar o sofrimento (de), com palavras, recompensas etc. *<ela tem muito jeito para c. as pessoas> <consolou-se da frustração comendo chocolate>* ↺ desconsolar(-se) □ *t.d.,int. e pron. fig.* **2** (prep. *com*) (fazer) ter boa sensação; satisfazer(-se) *<c. o estômago> <um bom livro consola> <c.-se com o sucesso do outro>* □ *pron.* **3** (prep. *de*) conformar-se, resignar-se *<c.-se das perdas nos negócios>* ↺ revoltar-se ~ **consolador** *adj.s.m.*

[1]**console** (con.so.le) *s.m.* tipo de prateleira em que se põem vasos, enfeites etc. ◉ ORIGEM do fr. *console* 'id.'

[2]**console** (con.so.le) *s.m.* **1** equipamento que combina mostradores com dispositivos de entrada (teclado, botões, unidade de disco etc.), por meio do qual se opera um sistema (p.ex., um computador, *video game* etc.) **2** espaço, em carros, caminhões etc., entre os bancos dianteiros, us. para guardar objetos, cinzeiro etc. ◉ ORIGEM do ing. *console* 'id.'

consolidação (con.so.li.da.ção) [pl.: *-ões*] *s.f.* **1** solidificação, endurecimento **2** *fig.* estabilidade, firmeza *<a c. da democracia>* **3** código, compilação de textos legais *<c. das leis do trabalho>* **4** fusão de várias indústrias em uma única

consolidar (con.so.li.dar) *v.* {mod. 1} *t.d. e pron.* **1** tornar(-se) firme, estável; fortalecer(-se) *<c. o sistema de ensino> <a república consolidou-se>* ↺ abalar(-se) □ *t.d.,int. e pron.* **2** tornar(-se) sólido; endurecer(-se) *<teve dificuldade de c. o cimento> <o concreto já (se) consolidou>* ↺ amolecer

consolo (con.so.lo) /ô/ *s.m.* o que consola; alívio, consolação

consonância (con.so.nân.cia) *s.f.* **1** ato ou efeito de soar ao mesmo tempo *<sons em c.>* **2** *fig.* concordância, conformidade *<um grupo deve agir em c. com o outro>* **3** harmonia de sons musicais **4** rima *<versos ricos em c.>*

consonantal (con.so.nan.tal) [pl.: *-ais*] *adj.2g.* **1** formado por consoantes *<grupo c.>* **2** relativo a consoante, próprio de consoante *<fonema c.>* ☞ cf. *vocálico*

consorciar (con.sor.ci.ar) *v.* {mod. 1} *t.d.,t.d.i. e pron.* **1** (prep. *com, a, em*) pôr(-se) junto; unir(-se), associar(-se) *<consorciou as atividades favoritas> <c. a fé e a ciência> <as duas empresas consorciaram-se>* ↺ dissociar(-se) **2** (prep. *com*) casar(-se)

consórcio (con.sór.cio) *s.m.* **1** associação, união **2** união matrimonial **3** cooperativa de compradores de um tipo de mercadoria, que é entregue a cada um por ordem de sorteio ou lance *<c. de automóveis>*

consorte (con.sor.te) *s.2g.* **1** colega, companheiro **2** *p.ext.* cônjuge

conspícuo (cons.pí.cuo) *adj.* **1** bem visível *<as características c. de um inseto>* **2** *p.ext.* notável, eminente, ilustre *<o jurista mais c. do seu tempo>* **3** *p.ext.* muito grave ou circunspecto; sério *<semblante c.>* **4** que serve para identificar espécie, grupo etc.; característico, típico *<animal c.>* ~ **conspicuidade** *s.f.*

conspiração (cons.pi.ra.ção) [pl.: *-ões*] *s.f.* ato ou efeito de conspirar; conluio, trama *<o presidente foi alvo de uma c.>* ~ **conspiratório** *adj.*

conspirar (cons.pi.rar) *v.* {mod. 1} *t.i. e int.* **1** (prep. *contra*) planejar, secretamente e em conjunto, ações danosas (contra alguém); conluiar *<cortesãos conspiraram contra o rei> <os funcionários conspiraram para tirá-lo da chefia>* □ *t.i. fig.* **2** (prep. *contra*) ser desfavorável *<o tempo conspira contra nós>* ↺ favorecer **3** (prep. *para, a*) concorrer, contribuir *<a sorte conspirou para a nossa vitória>* ~ **conspirador** *adj.s.m.*

conspurcar (cons.pur.car) *v.* {mod. 1} *t.d.* **1** sujar, manchar *<conspurcou o traje de gala>* ↺ limpar □ *t.d. e pron.* **2** pôr ou estar em dúvida (caráter, honra etc.); macular (-se) *<c. a honra de alguém> <c. o próprio nome com atos maus>* ↺ ilibar(-se) **3** tornar(-se) vil; corromper (-se) *<c.(-se) o idealismo dos jovens>* ↺ reabilitar(-se) ~ **conspurcação** *s.f.* - **conspurcador** *adj.s.m.*

constância (cons.tân.cia) *s.f.* **1** qualidade, característica do que é constante **2** assiduidade, frequência *<graças à sua c., o tratamento terminará em breve>* **3** persistência, insistência, obstinação *<não termina nada que inicia porque não tem c.>* **4** quantidade de repetições de uma ação, um fenômeno etc. *<é grande a c. de raios aqui>* **5** prosseguimento, continuidade

constante (cons.tan.te) *adj.2g.* **1** que faz parte de algo; incluído *<artigos c. de uma coleção>* **2** inalterável, invariável, fixo *<o c. brilho da Lua>* **3** contínuo, frequente *<barulho c.> <par c.>* ↺ intermitente **4** *p.ext.* progressivo, contínuo *<o c. crescimento das plantas>* **5** persistente, tenaz *<ela foi c. nos treinamentos para o campeonato>*

constantemente (cons.tan.te.men.te) *adv.* **1** com muita frequência, quase sempre *<aqui chove c.>* **2** de modo contínuo, progressivo *<o bom profissional se atualiza c.>*

constar (cons.tar) *v.* {mod. 1} *t.i. e int.* **1** (prep. *a*) ser do conhecimento de; correr (notícia, boato) *<consta (ao povo) que o prefeito irá baixar os impostos>* □ *t.i.* **2** (prep. *de, em*) fazer parte de *<esta música consta do seu repertório>* ↺ faltar **3** (prep. *de*) ser composto de *<o poema consta de três estrofes>*

constatar (cons.ta.tar) *v.* {mod. 1} *t.d.* **1** tomar conhecimento de; perceber *<os inspetores constataram as condições do hospital>* ↺ ignorar **2** descobrir a verdade sobre; verificar *<o delegado foi pessoalmente c. as circunstâncias do crime>* **3** provar, demonstrar *<experiências constataram a veracidade da hipótese>* ~ **constatação** *s.f.*

constelação (cons.te.la.ção) [pl.: *-ões*] *s.f.* **1** grupo de estrelas próximas umas das outras, vistas da Terra **2** *fig.* grupo de pessoas famosas **3** ASTR cada uma das 88 subdivisões da esfera celeste

consternar (cons.ter.nar) *v.* {mod. 1} *t.d. e pron.* causar ou sentir grande tristeza, perturbação ou desânimo; abater(-se) *<a morte do ídolo consternou os fãs> <consternou-se com a partida da filha>* ↺ alegrar(-se) ~ **consternação** *s.f.*

constipação (cons.ti.pa.ção) [pl.: *-ões*] *s.f.* MED **1** prisão de ventre **2** resfriado

constipar (cons.ti.par) *v.* {mod. 1} *t.d. e pron.* **1** (fazer) sofrer retenção de fezes *<a má alimentação pode c. as crianças> <constipa-se sempre que viaja>* □ *t.d.,int. e pron.* **2** (fazer) contrair um resfriado *<a mudança de tempo constipa (muita gente)> <cuidado, não vá se c. na chuva>*

constitucional (cons.ti.tu.cio.nal) [pl.: *-ais*] *adj.2g.* **1** relativo a constituição ('conjunto de leis') *<direito c.>* **2** de acordo com a constituição; legítimo, legal *<medidas c.> <governo c.>* **3** regido por uma constituição *<monarquia c.>* **4** que faz parte da constituição biológica do indivíduo ~ **constitucionalidade** *s.f.*

constitucionalismo (cons.ti.tu.cio.na.lis.mo) *s.m.* POL **1** doutrina que defende o regime constitucional **2** regime político regulado por uma constituição ~ **constitucionalista** *adj.2g.s.2g.*

constituição (cons.ti.tu.i.ção) [pl.: *-ões*] *s.f.* **1** conjunto das leis fundamentais que regem uma nação; carta magna ☞ inicial freq. maiúsc. **2** preceitos e regras que regem uma instituição; regulamento, estatuto, regimento **3** formação, composição *<a c. da mesa diretora dos trabalhos>* **4** compleição, físico *<c. robusta>*

[1]**constituinte** (cons.ti.tu.in.te) *adj.2g.* **1** referente a constituição ■ *adj.2g.s.2g.* **2** que ou o que constitui *<a substância c. de uma tinta> <a ceratina é o principal c. das unhas>* **2.1** integrante, componente **3** (congresso, assembleia, deputado etc.) que tem a missão de elaborar a Constituição **4** (deputado ou senador) que participa de uma assembleia constituinte **5** que(m) nomeia outrem seu procurador ◉ ORIGEM *constituir* + *-nte*

[2]**constituinte** (cons.ti.tu.in.te) *s.f.* POL assembleia constituinte ◉ ORIGEM red. de *assembleia constituinte*

constituir (cons.ti.tu.ir) *v.* {mod. 26} *t.d. e pron.* **1** ser ou ter como a parte principal; compor(-se) *<as células constituem os tecidos dos seres vivos> <os troncos das árvores constituem-se de várias camadas>* **2** criar(-se), formar(-se) *<c. um grupo de estudos> <o sistema solar constituiu-se de uma explosão do Sol>* ↺ desfazer(-se) □ *t.d.pred.* **3** escolher, nomear *<c. um procurador> <constituiu o neto seu herdeiro>*

constranger (cons.tran.ger) *v.* {mod. 8} *t.d.* **1** sujeitar, dominar *<o patrão não deve c. os empregados>* □ *t.d.i.* **2** (prep. *a*) obrigar (alguém), ger. com ameaças, (a fazer o que não quer); coagir *<vão constrangê-lo a pedir demissão>* □ *t.d. e pron.* **3** envergonhar(-se), embaraçar(-se) *<o excesso de elogios o constrangeu> <constrangia-se por sua falta de habilidade>* **4** (fazer) perder o bom humor; aborrecer(-se) *<pedidos insistentes o constrangem> <constrange-se com a incompetência dos administradores>* ~ **constrangedor** *adj.s.m.*

constrangimento (cons.tran.gi.men.to) *s.m.* **1** ato ou efeito de forçar alguém a fazer algo contra a própria vontade; pressão, coação **2** algo desagradável que não se pode evitar; aborrecimento, descontentamento **3** falta de coragem diante de outras pessoas; acanhamento, timidez

constrição (cons.tri.ção) [pl.: *-ões*] *s.f.* **1** ação ou efeito de constringir **2** aperto, compressão **3** MED ato ou efeito de diminuir as dimensões de um órgão; estreitamento *<c. de uma artéria>* ~ **constritor** *adj.s.m.*

constringir (cons.trin.gir) *v.* {mod. 24} *t.d.* **1** fazer pressão; apertar, comprimir *<a cinta constringe a sua barriga>* ↺ descomprimir □ *t.d. e pron.* **2** diminuir o volume (de) [músculo, órgão etc.]; contrair(-se) *<a gordura constringe as artérias> <sentiu c.-se a garganta>* ↺ descontrair(-se) ◉ GRAM/USO part.: *constringido*, *constrito*; ver QUADRO DE PARTICÍPIOS DUPLOS nas pp. iniciais ~ **constringente** *adj.2g.*

constrito (cons.tri.to) *adj.* **1** apertado, comprimido **2** constrangido, forçado, contido ◉ GRAM/USO part. de *constringir*

construção (cons.tru.ção) [pl.: *-ões*] *s.f.* **1** ação de reunir diferentes elementos, formando um todo *<c. de navio, máquina, prédio>* **2** a obra construída *<c. novas>* **3** organização, estruturação de algo *<c. de projeto>* **4** evolução, consolidação *<a c. da fraternidade>* **5** GRAM maneira de dispor as palavras numa oração

construir (cons.tru.ir) *v.* {mod. 26} *t.d.* **1** erguer (edifícios, casas etc.) ↺ demolir **2** fabricar, produzir (veículos, máquinas etc.) ↺ destruir **3** *fig.* elaborar, criar *<c. uma teoria>*

construtivo (cons.tru.ti.vo) *adj.* **1** próprio para construir **2** *fig.* criativo, fecundo *<trabalho c.>* **3** *fig.* que visa melhorar; positivo *<crítica c.>*

construtor (cons.tru.tor) /ô/ [pl.: *-es*] *adj.s.m.* **1** (aquele) que constrói *<indústria c. de navios> <c. de estradas>* **2** que(m) possui empresa dedicada à construção de imóveis

construtora (cons.tru.to.ra) /ô/ *s.f.* empresa de engenharia que constrói prédios, casas, pontes, estradas etc.

consubstanciar (con.subs.tan.ci.ar) *v.* {mod. 1} *t.d. e pron.* (prep. *em*) unir(-se) para compor (uma única substância) *<várias ideias consubstanciam sua proposta> <o espírito e alma do time consubstanciam-se no capitão>* ~ **consubstancial** *adj.2g.*

consuetudinário (con.su.e.tu.di.ná.rio) *adj.* **1** habitual, usual **2** relativo a ou baseado nos costumes de um povo *<direito c.>*

cônsul (côn.sul) [pl.: *cônsules*; fem.: *consulesa* /ê/] *s.m.* representante diplomático local de uma nação em país estrangeiro, encarregado da assistência aos seus concidadãos, de representar o embaixador etc. ~ **consular** *adj.2g.*

consulado (con.su.la.do) *s.m.* **1** escritório ou residência de cônsul **2** cargo ou função de cônsul

consulente (con.su.len.te) *adj.2g.s.2g.* que(m) consulta algo ou alguém em busca de informação, conselho, opinião etc.

consulta (con.sul.ta) *s.f.* **1** pedido de opinião de alguém mais experiente ou especialista sobre algo **2** parecer, conselho **3** ato de atender, aconselhar, diagnosticar ou efetuar tratamento médico ou seu efeito; atendimento *<marcar uma c.>* **4** processo de obtenção de informação em livros, em banco de dados ou via internet

C

consultar (con.sul.tar) *v.* {mod. 1} *t.d.,t.d.i. e pron.* **1** (prep. *sobre, com*) pedir (a alguém) [opinião, parecer etc.] *<c. um médico (sobre a doença do filho)> <c.-se com um professor>* □ *t.d.* **2** buscar informações em *<c. uma enciclopédia>* □ *t.d. e int.* **3** dar consulta (a) *<ele consulta os pobres de graça> <é aqui que ele costuma c.>*

consultivo (con.sul.ti.vo) *adj.* **1** referente a consulta **2** que emite parecer, sem deliberar ou tomar decisões *<órgão c.> <conselho c.>*

consultor (con.sul.tor) /ô/ [pl.: *-es*] *adj.s.m.* que(m) dá conselho ou parecer

consultoria (con.sul.to.ri.a) *s.f.* **1** ação ou efeito de dar consultas, conselhos, pareceres etc. **2** cargo de consultor *<ocupar uma c.>* **3** local de trabalho do consultor *<vou à c.>*

consultório (con.sul.tó.rio) *s.m.* local em que médicos e dentistas dão consulta aos seus clientes

[1]**consumação** (con.su.ma.ção) [pl.: *-ões*] *s.f.* ato ou efeito de consumar(-se); finalização ◉ ORIGEM do lat. *consummatĭo,ōnis* 'ação de somar, soma'

[2]**consumação** (con.su.ma.ção) [pl.: *-ões*] *s.f. B* consumo de bebida ou de comida estipulado por certas boates, casas de *show* etc. *<c. mínima>* ◉ ORIGEM do fr. *consommation* na acp. 'porção de alimento que se serve num restaurante'

consumado (con.su.ma.do) *adj.* **1** terminado *<trabalho c.>* **2** abalizado, competente *<c. pesquisador>*

consumar (con.su.mar) *v.* {mod. 1} *t.d. e pron.* **1** concluir(-se), finalizar(-se) *<consumou(-se) a venda>* ↺ iniciar(-se) □ *t.d.* **2** realizar, fazer *<c. um ato condenável>* □ *pron.* **3** (prep. *como, em*) atingir a perfeição (em determinada atividade) *<c.-se como cozinheiro> <c.-se na arte de pintar>*

consumição (con.su.mi.ção) [pl.: *-ões*] *s.f.* **1** destruição total; aniquilamento **2** sofrimento, tormento **3** *B infrm.* aquilo que incomoda; amolação *<carregar mala sem alça é uma c.>*

consumidor (con.su.mi.dor) /ô/ [pl.: *-es*] *adj.s.m.* **1** (o) que consome **2** que(m) compra para usar; comprador

consumir (con.su.mir) *v.* {mod. 29} *t.d. e pron.* **1** destruir(-se) totalmente *<a seca consumiu tudo> <a casa consumiu-se nas chamas>* ↺ poupar(-se) **2** *fig.* (prep. *de*) afligir(-se); aborrecer(-se) *<consumia os pais ao comportar-se mal> <não se consuma por bobagens>* **3** danificar(-se) [a saúde]; debilitar(-se) *<consumiu a saúde naquele trabalho insalubre> <consumia-se aos poucos no leito>* ↺ fortalecer(-se) □ *t.d.,t.i. e int.* **4** (prep. *com*) gastar dinheiro (com produtos, serviços etc.) *<c. bens> <o pobre consome basicamente com alimentação> <o povo anda consumindo pouco>* □ *t.d.* **5** fazer uso de; utilizar, gastar *<c. eletricidade> <consumiu dois anos nessa pesquisa>* **6** ingerir (comida ou bebida) ◉ GRAM/USO part.: *consumido, consumpto*; ver QUADRO DE PARTICÍPIOS DUPLOS nas pp. iniciais

consumismo (con.su.mis.mo) *s.m.* consumo de bens acima das necessidades reais ~ **consumista** *adj.2g.s.2g.*

consumo (con.su.mo) *s.m.* **1** ato ou efeito de consumir **2** compra e venda de produtos *<as festas de fim de ano aumentam o c.>* **3** o que se gasta; despesa, consumação *<o c. na viagem foi grande>* **4** gasto, uso, emprego *<c. de eletricidade>* **5** ingestão, utilização *<c. de medicamentos>*

consumpto (con.sump.to) *adj. frm.* consumido, gasto, debilitado ◉ GRAM/USO part. de *consumir*

conta (con.ta) *s.f.* **1** ato ou efeito de contar; cálculo **2** operação aritmética *<c. de somar>* **3** total de despesas em restaurante, hotel etc. *<hoje eu pago a c.>* **4** fatura cobrada por fornecimentos de várias espécies *<c. de luz, gás etc.>* **5** conta-corrente **6** pequena peça furada no centro pela qual passa barbante, arame etc. para formar colares, rosários, bordados etc. **7** *fig.* conceito, reputação *<ter alguém em alta c.>* ▣ **afinal de contas** em conclusão, no fim, afinal *<afinal de contas, fomos todos aprovados>* • **dar c. de 1** saber onde se encontra (alguém ou algo) ou saber tudo o que se passa *<você dá c. dos meus óculos?> <dar c. da vida dos outros>* **2** ser capaz de (fazer alguma coisa); conseguir *<ela disse que não daria c. de lavar toda a roupa hoje>* **3** fazer (alguém) ciente de; informar *<dar c. de como anda o trabalho>* **4** *infrm.* acabar com (alguma coisa); dar cabo de *<já deram c. do bolo>* • **dar c. do recado** desempenhar bem alguma tarefa • **dar-se c. de** tomar consciência de; perceber, notar *<não se deu c. do mal que fazia>* • **demais da c.** *infrm.* muito, demais *<comeu demais da c.>* • **em c.** por um preço razoável; barato *<comprar por atacado sai mais em c.>* • **fazer de c.** fingir, simular *<faça de c. que estamos na Grécia antiga>* • **levar em c.** não desprezar; considerar *<leve em c. os conselhos de sua mãe>* • **pedir as c.** *B infrm.* pedir demissão • **por c. 1** muito zangado; furioso *<seu pai ficou por c. por você ter abandonado a faculdade>* **2** em lugar do total; como parte do total *<recebeu um terço do pagamento por c.>* • **por c. de 1** por incumbência ou sob a responsabilidade de *<deu ordens por c. do diretor>* **2** mantido, sustentado por *<vive por c. do marido>* **3** por causa de *<p. conta da nova lei, os impostos serão aumentados>* • **por c. própria** por si mesmo; de maneira autônoma *<deixou o emprego e agora vai trabalhar por c. própria>* • **prestar c. (de) 1** informar e explicar (a quem de direito) como foram feitas determinadas despesas, ou como foram realizadas certas ações etc. *<já prestou c. (do seu trabalho) ao chefe?>* **2** *fig.* ser julgado por atos praticados, procedimentos etc. *<prestar c. a Deus dos crimes que praticou>* • **sem c.** que não se pode contar *<esperamos por ela horas sem c.>* • **ser da c. de** dizer respeito a; interessar *<esse assunto não é da sua c.>* • **tomar c. de 1** cuidar, vigiar, administrar *<tomar c. da casa> <tomar c. das crianças>* **2** apoderar-se de; apropriar-se de *<os invasores tomaram c. da fazenda>* **3** cobrir por completo; invadir *<o mato tomou c. dos canteiros>*

contábil (con.tá.bil) [pl.: *-eis*] *adj.2g.* relativo a contabilidade *<ciência c.> <prática c.>*

contabilidade (con.ta.bi.li.da.de) *s.f.* **1** ciência e técnica de registro e cálculo de movimentações financeiras de uma empresa **2** conjunto desses cálculos *<fazer a c. da firma>* ~ **contabilista** s.2g.

contabilizar (con.ta.bi.li.zar) *v.* {mod. 1} *t.d.* **1** registrar sistematicamente (transações financeiras de uma empresa) **2** *p.ext. infrm.* calcular, avaliar *<c. os gastos>* ~ **contabilização** *s.f.*

conta-corrente (con.ta-cor.ren.te) [pl.: *contas--correntes*] *s.f.* inscrição em banco que dá direito a recebimento de salário, guarda de dinheiro, emissão de cheques etc.

contactar (con.tac.tar) ou **contatar** (con.ta.tar) *v.* {mod. 1} *t.d.,t.d.i. e int.* **1** (prep. *com*) pôr, entrar ou estar em contato com; ligar(-se), conectar(-se) <*estes fios não contactam (com nada)*> <*contacte essa extremidade com aquela*> □ *t.d. e t.i.* **2** (prep. *com*) estabelecer comunicação com; comunicar-se <*contactaram um médico pela internet*> <*não conseguimos c. com o técnico*>

contacto (con.tac.to) *s.m.* → ***CONTATO***

contador (con.ta.dor) /ô/ [pl.: *-es*] *adj.s.m.* **1** que(m) narra histórias, fatos etc. **2** *B* que(m) se formou em contabilidade ou em ciências contábeis **3** que(m) faz a contabilidade de firmas; guarda-livros **4** (o) que conta, mede, registra ■ *s.m.* **5** aparelho que mede o consumo de água, gás, luz etc.

contadoria (con.ta.do.ri.a) *s.f.* firma ou repartição que faz pagamentos e verificação de contas

contagem (con.ta.gem) [pl.: *-ens*] *s.f.* **1** ato de contar **2** soma ou cômputo que se obtém **3** *B* placar de jogo esportivo; escore

contagiante (con.ta.gi.an.te) *adj.2g.* **1** que contagia **2** *fig.* que se propaga pela intensidade, pelo poder de influência etc.; contagioso <*alegria c.*>

contagiar (con.ta.gi.ar) *v.* {mod. 1} *t.d.,t.d.i. e pron.* **1** transmitir ou adquirir (doença); contaminar(-se) <*contagiou seus hóspedes (com o vírus)*> <*contagiou-se no hospital*> **2** *fig.* influenciar ou deixar-se influenciar por <*contagiou os filhos (com seu otimismo)*> <*c.-se pela política*>

contágio (con.tá.gio) *s.m.* **1** transmissão de doença **2** *fig.* transmissão de características negativas, de vícios etc.

contagioso (con.ta.gi.o.so) /ô/ [pl. e fem.: /ó/] *adj.* **1** transmitido por contato ou contágio <*doença c.*> **2** que constitui veículo para o contágio <*secreção c.*> **3** *fig.* que se transmite pela intensidade, pela influência etc.; contagiante <*bocejo c.*>

conta-giros (con.ta-gi.ros) *s.m.2n.* tacômetro

conta-gotas (con.ta-go.tas) *s.m.2n.* dispositivo us. para pingar gotas de um líquido

contaminação (con.ta.mi.na.ção) [pl.: *-ões*] *s.f.* **1** ato ou efeito de contaminar(-se) **2** transmissão de organismo nocivo ou de doença infecciosa; infecção **3** *fig.* influência de uma coisa sobre alguém ou algo <*c. de uma língua por outra*>

contaminar (con.ta.mi.nar) *v.* {mod. 1} *t.d. e pron.* **1** (prep. *com*) (fazer) adquirir doença; contagiar(-se) <*a peste contaminou toda a comunidade*> <*contaminou-se com o namorado gripado*> ↺ descontaminar(-se) **2** (prep. *de*) tornar(-se) impuro; poluir(-se) <*agrotóxicos mal usados contaminam os vegetais*> <*a praia contaminou-se de óleo*> **3** (prep. *com*) influenciar (-se), contagiar(-se) <*sua vivacidade contaminava os alunos*> <*contaminou-se com a corrupção à volta*> ~ **contaminador** *adj.s.m.*

contanto (con.tan.to) *adv.* ▸ usado em: **c. que** com a condição de que; desde que <*ajudaria, c. que não houvesse interferências*>

contar (con.tar) *v.* {mod. 1} *t.d.,t.i. e t.d.i.* **1** (prep. *sobre, de, a*) descrever (história, caso etc.); relatar <*vivia a c. (sobre) suas viagens pelo mundo*> <*contou à amiga uma história macabra*> □ *t.d. e int.* **2** fazer a conta de; calcular <*c. as cabeças de gado*> <*seu filhinho já sabe c.?*> **3** levar ou ser levado em conta <*trabalha e estuda, sem c. as outras atividades*> <*a experiência conta muito*> ↺ ignorar □ *t.d. e t.i.* **4** (prep. *com*) ter à disposição; dispor <*ela conta com bons assessores*> <*o país conta com grandes jogadores*> **5** (prep. *com*) fazer previsão de; esperar <*contava achar a casa arrumada*> <*c. com tempo bom no dia do passeio*> **6** (prep. *em, com*) ter intenção de; pretender <*contava (em) acabar o trabalho no fim do mês*> □ *t.i.* **7** (prep. *com*) ter como certa a ajuda e/ou apoio de; confiar <*os pais idosos contam com os filhos*> □ *t.d. e t.d.i.* **8** (prep. *a*) revelar, divulgar <*c. um segredo (ao padre)*> ↺ omitir □ *int.* **9** ter importância; pesar, importar <*inteligência conta mais que beleza*> ~ **contável** *adj.2g.*

contatar (con.ta.tar) *v.* → ***CONTACTAR***

contato (con.ta.to) ou **contacto** (con.tac.to) *s.m.* **1** situação em que dois ou mais objetos, seres etc. se tocam; toque <*o c. da chuva com o rosto*> <*o c. da língua nos dentes*> **2** relacionamento, convívio <*viver longe do c. humano*> **3** estabelecimento de comunicação com alguém ou algo, ou recepção de um sinal <*c. do sonar com o fundo do oceano*> <*entre logo em c. com ela*> **4** indivíduo que tem a função de fazer troca de informações <*c. comercial*> **5** em publicidade, o profissional que representa a agência perante o cliente

contêiner (con.têi.ner) [pl.: *-es*] *s.m.* grande recipiente destinado ao acondicionamento e transporte de carga em navios, trens etc.

contemplação (con.tem.pla.ção) [pl.: *-ões*] *s.f.* **1** concentração da vista em algo <*c. da paisagem*> **2** concentração do espírito nas coisas divinas **3** *p.ext.* meditação, reflexão **4** consideração, benevolência <*não teve c. com o pobre rapaz*>

contemplar (con.tem.plar) *v.* {mod. 1} *t.d. e pron.* **1** olhar(-se) com atenção ou encantamento <*contemplou longamente o recém-nascido*> <*c.-se no espelho*> □ *t.d.* **2** levar em conta; considerar <*a resolução só contempla os alunos do nono ano*> □ *t.d. e t.d.i.* **3** (prep. *com*) conceder algo a, como prêmio, por consideração <*contemplou os vitoriosos (com belo troféu)*> ~ **contemplativo** *adj.*

contemporâneo (con.tem.po.râ.neo) *adj.s.m.* **1** (o) que viveu ou existiu na mesma época **2** (o) que é do tempo atual <*arte c.*> <*nossos c. tendem a ser consumistas*> ~ **contemporaneidade** *s.f.*

contemporizar (con.tem.po.ri.zar) *v.* {mod. 1} *t.i. e int.* **1** (prep. *com*) ser flexível, tolerante; condescender <*resolveu a disputa contemporizando (com o vizinho)*> □ *t.d.* **2** distrair, para ganhar tempo <*c. as crianças*> ~ **contemporização** *s.f.* - **contemporizador** *adj.s.m.*

[1]**contenção** (con.ten.ção) [pl.: *-ões*] *s.f.* **1** briga, luta, contensão <*c. por uma mulher*> **2** desentendimento verbal ou da ordem das ideias; debate, contensão ◉ ORIGEM do lat. *contentĭo* ou *contensio,ōnis* 'id.'

[2]**contenção** (con.ten.ção) [pl.: *-ões*] *s.f.* *B* ato de conter(-se) ou o seu efeito <*c. de despesas*> ☞ cf. *contensão* ◉ ORIGEM rad. de *conter* sob a f. *conten-* (por infl. do lat. *continēre*) + *-ção*

C

contencioso (con.ten.ci.o.so) /ô/ [pl. e fem.: /ó/] *adj.* **1** em que há [1]contenção; litigioso <*questão c.*> **2** sujeito a dúvidas, a reivindicações; incerto ■ *s.m.* DIR **3** órgão público ou privado que cuida de pendências judiciais

contenda (con.ten.da) *s.f.* **1** luta, combate, guerra **2** rixa, discussão <*as c. de uma família*> **3** disputa judicial

contender (con.ten.der) *v.* {mod. 8} *t.i. e int.* **1** (prep. *com, sobre*) criar ou manter contenda; brigar, discutir <*ficavam horas a c. sobre política*> <*contende (com os alunos) quando o contradizem*> □ *t.i.* **2** (prep. *por*) disputar, concorrer <*os dois partidos contendem pelo poder*> **3** (prep. *com, em*) ser igual ou superior; rivalizar <*poucos contendiam com ela em álgebra*> ~ **contendor** *adj.s.m.*

[1]**contensão** (con.ten.são) [pl.: *-ões*] *s.f.* [1]contenção

[2]**contensão** (con.ten.são) [pl.: *-ões*] *s.f.* uso concentrado da atenção, da inteligência <*c. do espírito*> ☞ cf. *contenção* ◉ ORIGEM *con-* 'com' + *tensão*

contentamento (con.ten.ta.men.to) *s.m.* **1** estado de contente; alegria, júbilo **2** satisfação, agrado, prazer

contentar (con.ten.tar) *v.* {mod. 1} *t.d. e pron.* **1** (prep. *com, em*) satisfazer os desejos, as exigências de <*a desculpa dele não contentou a mãe*> <*contenta-se com pouco*> <*não se contentou em ficar na segunda colocação*> ↺ desagradar(-se) □ *t.d.* **2** tranquilizar, sossegar <*as palavras do governador contentaram a população*> ↺ agitar

contente (con.ten.te) *adj.2g.* **1** cujos desejos, exigências etc. foram atendidos ou realizados; satisfeito ↺ insatisfeito **2** alegre, feliz ↺ aborrecido, triste

contento (con.ten.to) *s.m.* contentamento ▣ **a c.** de maneira satisfatória; satisfatoriamente <*a festa saiu a c.*>

conter (con.ter) *v.* {mod. 16} *t.d. e pron.* **1** exercer controle sobre; controlar(-se), refrear(-se) <*c. gastos*> <*não conteve as lágrimas ao rever a filha*> <*conteve-se, para não agredi-lo*> ↺ descontrolar(-se) **2** ter em si; incluir(-se), encerrar(-se) <*o território contém muito minério*> <*neste manifesto se contém a essência de sua teoria*> ↺ excluir □ *t.d.* **3** ter capacidade para abrigar, receber; comportar <*o cinema só contém 80 pessoas*> <*quantos litros contém esse bujão?*>

conterrâneo (con.ter.râ.neo) *adj.s.m.* que(m) é da mesma terra (cidade, estado etc.) que outro; compatriota

contestação (con.tes.ta.ção) [pl.: *-ões*] *s.f.* **1** ato de contestar; oposição, objeção **2** rebeldia, insubmissão

contestar (con.tes.tar) *v.* {mod. 1} *t.d.* **1** não aceitar a validade de; refutar <*c. o resultado de uma votação*> ↺ aceitar **2** pôr em dúvida; questionar <*c. uma tese*> □ *t.i.* **3** (prep. *a*) replicar, responder <*c. a uma arguição*> ~ **contestador** *adj.s.m.* - **contestável** *adj.2g.*

contestatário (con.tes.ta.tá.rio) *adj.s.m.* (indivíduo) que contesta, que põe em causa a ordem social

conteste (con.tes.te) *adj.2g.* **1** cujo depoimento ou afirmação é igual a de outrem <*testemunhas c.*> ↺ inconteste **2** que contém as mesmas afirmações ou dados de outro <*atestados c.*> ↺ inconteste

conteúdo (con.te.ú.do) *s.m.* **1** aquilo que ocupa o espaço em algo <*o c. de uma garrafa*> ☞ cf. *continente* **2** tópico abrangido em livro, anúncio etc.; assunto **3** significação mais profunda; relevância <*filme sem c.*>

contexto (con.tex.to) /ê/ *s.m.* **1** inter-relação de circunstâncias que acompanham um fato ou uma situação <*o c. histórico da Independência*> **2** o encadeamento do discurso <*o c. é importante na tradução de uma obra*> ~ **contextual** *adj.*

contextualizar (con.tex.tu.a.li.zar) *v.* {mod. 1} *t.d.* situar em certo contexto <*o historiador contextualizou bem a Inquisição*> ~ **contextualização** *s.f.*

contextura (con.tex.tu.ra) *s.f.* **1** modo como estão interligadas as partes de um todo; composição, estrutura **2** encadeamento de ideias, palavras etc. num conjunto organizado; contexto <*a c. de um poema*> **3** entrelaçamento dos fios em um tecido; textura

contido (con.ti.do) *adj.* **1** que se contém **2** que foi ou está incluído <*nome c. na lista de espera*> ↺ excluído **3** que está encerrado no interior de alguma coisa <*derramou o líquido c. na jarra*> **4** que se reprime; comedido <*é um homem c., mas sensível*> <*alegria mal c.*> ↺ liberado

contigo (con.ti.go) *pron.p.* **1** em tua companhia <*posso passear c.?*> **2** dentro de ti <*leve minha gratidão c.*> **3** referente a ti <*esse assunto é c.*>

contíguo (con.tí.guo) *adj.* **1** que toca em ou confina com algo <*ouvimos vozes na saleta c. ao quarto*> **2** adjacente, vizinho <*poltronas c.*> **3** *fig.* próximo no tempo ou no sentido <*ideias c. às minhas*> ↺ distante ~ **contiguidade** *s.f.*

continência (con.ti.nên.cia) *s.f.* **1** comportamento contido; comedimento <*c. na comida e na bebida*> **2** controle sobre os impulsos sexuais; castidade **3** saudação militar <*o soldado prestou c. ao sargento*>

continental (con.ti.nen.tal) [pl.: *-ais*] *adj.2g.* **1** relativo a continente (GEO) **2** relativo ao território europeu que se situa no continente, em contraste com as ilhas Britânicas <*Europa c.*> **3** que predomina nos continentes <*ventos c.*> <*clima c.*> **4** que tem a extensão de um continente <*país c.*>

continente (con.ti.nen.te) *adj.2g.* **1** moderado nas palavras ou gestos; contido <*comportamento c.*> ↺ descontrolado ■ *adj.2g.s.m.* **2** (o) que contém algo ☞ cf. *conteúdo* ■ *s.m.* GEO **3** grande extensão de terra cercada por oceanos, que constitui cada uma das divisões tradicionais da Terra (Europa, Ásia, África, América, Oceania, Antártida)

contingência (con.tin.gên.cia) *s.f.* **1** qualidade, característica do que é contingente, casual **2** possibilidade de que alguma coisa aconteça ou não **3** fato imprevisível que foge ao controle <*estar preparado para qualquer c.*>

contingenciar (con.tin.gen.ci.ar) *v.* {mod. 1} *t.d.* **1** controlar (despesas) do orçamento governamental para evitar desequilíbrio financeiro <*c. verbas*> **2** impor política econômica que estabeleça limites a <*c. as exportações*>

contingente (con.tin.gen.te) *adj.2g.* **1** que pode ocorrer ou não; incerto <*situação c.*> **2** acidental; casual, fortuito <*fatores c. precipitam os acontecimentos*> ■ *s.m.* **3** grupamento, esp. de militar **4** determinação quantitativa; número <*c. populacional*>

continuação (con.ti.nu.a.ção) [pl.: *-ões*] *s.f.* **1** ato ou efeito de dar sequência àquilo que foi iniciado *<a c. de uma pesquisa>* *<amanhã vamos ouvir a c. da história>* **2** prolongamento no espaço; extensão *<o escritório é c. da sala>* **3** prolongamento no tempo; prosseguimento *<os patrocinadores decidiram a c. do festival>* **4** obra literária, cinematográfica etc. que sucede e complementa outra anterior

continuar (con.ti.nu.ar) *v.* {mod. 1} *t.d. e t.i.* **1** (prep. *com*) levar adiante, não interromper (o que começou) *<c. uma viagem>* *<o paciente deve c. com o tratamento>* ↺ interromper, parar □ *t.d.,t.i. e int.* **2** (prep. *com*) dar sequência após interrupção; prosseguir *<depois do almoço, continuamos o trabalho>* *<continuarão com as aulas extras em agosto>* *<o artigo continua no fim da revista>* ↺ descontinuar, interromper □ *int.* **3** seguir existindo; manter-se *<o grupo diminuiu, mas as reuniões mensais continuam>* *<as dores continuaram, apesar da medicação>* □ *t.i.* **4** (prep. *em*) persistir, insistir *<continua no propósito de apurar a verdade>* ↺ desistir □ *pred.* **5** manter-se do mesmo modo; permanecer *<a lei continua vigente>*

continuidade (con.ti.nu.i.da.de) *s.f.* **1** qualidade, característica de contínuo *<a c. nos movimentos de um bailarino>* *<a c. do som de uma sirene>* **2** persistência das características inerentes a um determinado contexto *<a c. da tradição cristã>* **3** aquilo que dá coerência e unidade a uma ação, a uma ideia, a uma narrativa etc. *<não há c. em suas explicações>* **4** CINE TV medidas que garantem coerência ao fluxo visual ou sonoro ou aos cortes de uma filmagem, mantendo unidade de ação nas tomadas e cenas que se sucedem **5** CINE RÁD TEAT TV desenvolvimento lógico e coerente na sequência de um programa, de um filme, de uma peça etc.

continuísmo (con.ti.nu.ís.mo) *s.m.* *B* doutrina ou manobra que visa à perpetuação de uma pessoa ou grupo no poder

continuísta (con.ti.nu.ís.ta) *adj.2g.s.2g.* **1** que(m) é adepto do continuísmo **2** que(m) é responsável pela continuidade em filmagem ou gravação de programa

contínuo (con.tí.nuo) *adj.* **1** que não é dividido nem interrompido na extensão *<faixa de terreno contínua>* **2** sem interrupção no tempo *<as obras prosseguem em ritmo c.>* **3** que perdura sem interrupção; constante *<o movimento c. do mar>* **4** que se repete a intervalos breves e regulares; sucessivo *<recaídas c.>* ■ *s.m.* **5** funcionário encarregado de fazer entregas, levar recados e outros pequenos serviços; bói

contista (con.tis.ta) *s.2g.* pessoa que escreve contos

conto (con.to) *s.m.* história curta em prosa, com um só conflito e ação, e poucos personagens *<os c. de As Mil e Uma Noites>* ☞ cf. *fábula* e *romance* ▣ **c. de fadas** LIT conto infantil que narra encantamentos e fatos maravilhosos com a intervenção de fadas

conto da carochinha (con.to da ca.ro.chi.nha) *s.m.* **1** conto popular cujas personagens são seres fabulosos, animais que falam etc.; história da carochinha **2** *fig.* fruto da imaginação; invenção

conto do vigário (con.to do vi.gá.rio) [pl.: *contos do vigário*] *s.m.* *B* trapaça para tomar dinheiro de pessoa de boa-fé ou ambiciosa

contorção (con.tor.ção) [pl.: *-ões*] *s.f.* **1** ato ou efeito de contorcer(-se) **2** movimento forte, voluntário ou não, do corpo, dos músculos de pessoas e animais *<c. de dor>* **3** trejeito, ou crispação exagerada, que altera a expressão facial *<c. da boca>*

contorcer (con.tor.cer) *v.* {mod. 8} *t.d. e pron.* **1** imprimir movimentos fortes de torção (a); retorcer(-se) *<o vendaval contorceu as armações metálicas>* *<c.-se de dor>* ↺ endireitar(-se) **2** contrair(-se), torcer(-se) ou entortar *<c. a boca num esgar>* *<suas mãos contorciam-se de ansiedade>* ~ **contorcido** *adj.*

contorcionista (con.tor.cio.nis.ta) *adj.2g.s.2g.* (pessoa) capaz de fazer movimentos e assumir posições contorcidas antinaturais na postura humana ~ **contorcionismo** *s.m.*

contornar (con.tor.nar) *v.* {mod. 1} *t.d.* **1** mover-se à volta de; rodear *<Bartolomeu Dias contornou o cabo das Tormentas>* **2** estar em volta de; cercar *<grades altas contornam a mansão>* **3** traçar o contorno de *<c. o desenho com um traço preto>* **4** *fig.* dar solução imperfeita ou incompleta a (situação difícil) *<por ora, conseguimos c. o problema>*

contorno (con.tor.no) /ô/ *s.m.* **1** linha que circunscreve uma superfície, uma figura, um objeto etc., indicando-lhe a forma; desenho, perfil *<c. dos olhos>* **2** circunferência, volta, perímetro *<o c. do parque>* **3** desvio, volta *<fez um c. para evitar o centro da cidade>*

contra (con.tra) *prep.* **1** em oposição a *<luta c. a caça às baleias>* **2** no rumo oposto *<nadar c. a corrente>* **3** de encontro a *<o carro chocou-se c. o poste>* **4** de frente para *<o rosto c. o sol>* **5** junto de *<apertou o filho c. o peito>* **6** de combate a (doença, mal etc.) *<vacina c. a gripe>* **7** na escala de; para *<aposto dez c. um>* ■ *adj.2g.* **8** contra seu próprio time *<fez um gol c.>* ■ *s.m.* **9** aspecto negativo ou inconveniente *<estudar os prós e os contras de uma questão>* **10** objeção *<dar um c.>* ■ *adv.* **11** desfavoravelmente *<quantos votaram c.?>* ▣ **ser do c.** *B infrm.* ser habitualmente contrário a quaisquer sugestões, planos, ideias etc.

contra-almirante (con.tra-al.mi.ran.te) [pl.: *contra-almirantes*] *s.m.* MAR **1** na Marinha de Guerra brasileira e portuguesa, posto logo abaixo de vice-almirante e imediatamente acima de capitão de mar e guerra **2** oficial que detém esse posto

contra-argumentar (con.tra-ar.gu.men.tar) *v.* {mod. 1} *t.d.* apresentar argumentos contrários a *<não soube c. a acusação de omisso>* ~ **contra-argumento** *s.m.*

contra-atacar (con.tra-a.ta.car) *v.* {mod. 1} *t.d. e int.* **1** revidar um ataque *<acuado, o animal contra-atacou o invasor>* *<é hora de o pelotão c.>* **2** ESP reagir a um ataque tomando controle da bola de forma súbita e ágil *<c. (o adversário) com eficiência>*

contra-ataque (con.tra-a.ta.que) [pl.: *contra-ataques*] *s.m.* **1** ato ou efeito de contra-atacar **2** MIL ofensiva militar para desbaratar, destruir etc. força atacante **3** ESP em jogo, domínio súbito da bola, interrompendo ataque do adversário e impedindo-o de armar a defesa

contra-aviso (con.tra-a.vi.so) [pl.: *contra-avisos*] *s.m.* aviso que muda ou anula um anterior

contrabaixo (con.tra.bai.xo) *s.m.* MÚS maior e mais grave instrumento da família dos violinos; baixo, rabecão ~ **contrabaixista** *adj.2g.s.2g.*

C

contrabalançar (con.tra.ba.lan.çar) *v.* {mod. 1} *t.d.* **1** ser igual em peso a; equilibrar □ *t.d. e t.d.i. fig.* **2** (prep. *com*) reparar (algo bom ou ruim) [com o efeito oposto]; compensar *<os êxitos contrabalançam as lutas da vida> <contrabalança a timidez com meiguice>* **3** (prep. *com*) fazer que haja equilíbrio, harmonia entre (duas ou mais coisas); equilibrar, balancear *<c. receita e despesa> <c. o trabalho com o lazer>* ↺ desequilibrar

contrabandear (con.tra.ban.de.ar) *v. t.d. e int.* fazer contrabando de *<c. (bebidas) na fronteira>*

contrabandista (con.tra.ban.dis.ta) *adj.2g.s.2g.* (aquele) que faz contrabando; muambeiro

contrabando (con.tra.ban.do) *s.m.* **1** importação clandestina de mercadorias estrangeiras sem pagamento de impostos **2** mercadoria contrabandeada; muamba

contração (con.tra.ção) [pl.: *-ões*] *s.f.* **1** ato ou efeito de contrair(-se); encolhimento *<a c. de metais no frio>* **2** redução do volume de um músculo ou órgão, voluntária ou involuntária, devido a tensão *<c. da bexiga> <c. uterina>* **3** GRAM combinação das preposições *de* e *em*, que sofrem redução em sua forma, com os artigos definidos e indefinidos, com os pronomes pessoais, demonstrativos e indefinidos, formando um vocábulo único (p.ex.: *do, dele, daquela, deste; no, naquele* etc.)

contracapa (con.tra.ca.pa) *s.f.* cada uma das duas faces internas da capa de livro, revista etc.

contracenar (con.tra.ce.nar) *v.* {mod. 1} *t.i.* **1** (prep. *com*) atuar junto (com outro ator) □ *int.* **2** atuar em cenas secundárias

contracepção (con.tra.cep.ção) [pl.: *-ões*] *s.f.* conjunto dos métodos que visam evitar a fecundação de um óvulo ou a nidação do ovo; anticoncepção

contraceptivo (con.tra.cep.ti.vo) *adj.s.m.* (meio físico ou químico) que evita a concepção ('fecundação'); anticoncepcional

contracheque (con.tra.che.que) *s.m.* documento emitido pelo empregador que especifica o salário de um funcionário, autorizando-o a receber o que lhe é devido; holerite

contráctil (con.trác.til) [pl.: *-eis*] *adj.2g.* → *CONTRÁTIL*

contracto (con.trac.to) *adj.* que sofreu contração, diminuição de extensão ou volume; contraído *<forma c. de uma palavra>* ◉ GRAM/USO part. de *contrair*

contracultura (con.tra.cul.tu.ra) *s.f.* ANTRPOL movimento cultural que rejeita e questiona valores e práticas da cultura dominante da qual faz parte

contradança (con.tra.dan.ça) *s.f.* **1** dança de quatro ou mais pares, uns de frente para o outro **2** música que acompanha essa dança **3** *fig. infrm.* mudança frequente ou sucessiva *<a c. política>*

contradição (con.tra.di.ção) [pl.: *-ões*] *s.f.* **1** dito, procedimento ou atitude oposta ao que se tinha dito, ou a que se adotara anteriormente *<cair em c.>* **2** *p.ext.* falta de lógica; incoerência

contradita (con.tra.di.ta) *s.f.* **1** impugnação; contestação **2** DIR o conjunto das alegações contra a credibilidade de testemunha em processo judicial

contraditar (con.tra.di.tar) *v.* {mod. 1} *t.d.* **1** contrariar, contestar *<evitava c. o chefe>* ↺ aceitar **2** pôr em dúvida; questionar, refutar *<c. uma teoria>*

contraditório (con.tra.di.tó.rio) *adj.* **1** que envolve contradição; incoerente *<atitudes c.>* ↺ coerente ■ *s.m.* DIR **2** igualdade entre as partes, o que lhes oferece as mesmas oportunidades de apresentar provas e de contradizê-las *<princípio do c.>*

contradizer (con.tra.di.zer) *v.* {mod. 15} *t.d. e pron.* **1** dizer o contrário de (algo já dito); desmentir(-se) *<o perito contradisse a informação dos jornais> <a testemunha se contradisse e invalidou o depoimento>* ↺ confirmar, corroborar **2** não condizer (com); destoar *<esse comportamento contradiz sua educação> <as versões sobre o incidente se contradizem>* ↺ combinar ◉ GRAM/USO part.: *contradito*

contraente (con.tra.en.te) *adj.2g.s.2g.* que(m) assume um contrato; contratante

contrafazer (con.tra.fa.zer) *v.* {mod. 14} *t.d.* **1** imitar com a intenção de falsificar *<c. uma assinatura>* **2** imitar, por comicidade ou zombaria *<costuma c. o tio nas reuniões de família>* □ *t.d. e pron.* **3** disfarçar(-se), dissimular(-se) *<contrafaz seus verdadeiros sentimentos> <contrafez-se para ocultar a própria identidade>* ~ **contrafação** *s.f.*

contrafé (con.tra.fé) *s.f.* DIR cópia autêntica de citação ou intimação judicial entregue ao intimado por oficial de justiça

contrafeito (con.tra.fei.to) *adj.* **1** imitado por falsificação *<caligrafia c.>* ↺ autêntico **2** constrangido, sem jeito *<sorriso c.>* ↺ espontâneo **3** feito contra a vontade; forçado *<recuou, quando c.>*

contrafilé (con.tra.fi.lé) *s.m.* *B* corte de carne macia e magra, retirada da região lombar do boi

contraforte (con.tra.for.te) *s.m.* **1** CONSTR reforço de muro ou outra edificação **2** GEO cadeia secundária de montanhas, que dá um aspecto de sustentação a uma cadeia principal **3** pedaço de couro ou tecido para reforçar calçados ou outras peças

contragolpe (con.tra.gol.pe) *s.m.* **1** golpe dado em reação a outro recebido **2** iniciativa que se antecipa a um golpe

contragosto (con.tra.gos.to) /ô/ *s.m.* ▸ usado em: **a c. contra** a vontade *<aceitou o convite a c.>*

contraído (con.tra.í.do) *adj.* **1** que estreitou ou encolheu; apertado, crispado *<dedos c.>* ↺ descontraído **2** tornado mais curto e menos volumoso, por fatores fisiológicos ou patológicos (diz-se de músculo, órgão etc.)

contraindicação (con.tra.in.di.ca.ção) [pl.: *-ões*] *s.f.* **1** indicação oposta a outra **2** circunstância que desaconselha ou proíbe o uso de medicamento ou recurso médico

contraindicar (con.tra.in.di.car) *v.* {mod. 1} *t.d. e t.d.i.* **1** (prep. *a*) considerar prejudicial ou inadequado a; desaconselhar *<o clínico contraindicou a nova vacina> <a crítica contraindicou o filme a menores>* ↺ indicar □ *t.d.* **2** ser inadequado a *<sua condição cardíaca contraindica exercícios pesados>*

contrair (con.tra.ir) *v.* {mod. 25} *t.d. e pron.* **1** diminuir o volume, a forma de; apertar, encolher *<contraiu os lábios para não chorar> <o metal contrai-se sob baixa temperatura>* ↺ descontrair □ *t.d.* **2** adquirir (doença) *<contraiu malária na viagem à Amazônia>* ↺ sarar

3 assumir (obrigação, dívida etc.) ↺ descontratar **4** ajustar (contrato, matrimônio etc.) ↺ anular ◉ GRAM/USO part.: *contraído, contracto/contrato*; ver QUADRO DE PARTICÍPIOS DUPLOS nas pp. iniciais

contralto (con.tral.to) *s.m.* MÚS **1** voz feminina de registro mais grave ■ *s.2g.* **2** cantora ou cantor com essa voz ■ *adj.2g.* **3** que tem esse registro (diz-se de cantor ou instrumento)

contraluz (con.tra.luz) [pl.: *-es*] *s.f.* **1** efeito obtido ao se iluminar um objeto por trás **2** lugar oposto à incidência da luz **3** TEAT foco de luz que incide do palco sobre a plateia

contramão (con.tra.mão) [pl.: *-ãos*] *s.f.* *B* **1** sentido de rua, avenida etc. proibido ao fluxo de veículos vindos em direção oposta *<entrar na c.>* **2** *fig.* posição contrária ao que foi estabelecido ou convencionado *<estar na c. de seu tempo>* ■ *adj.2g.2n.* **3** que fica no sentido contrário ao de um fluxo *<pistas contramão>* **4** *fig.* de difícil acesso; fora de mão *<lugar c.>*

contramarcha (con.tra.mar.cha) *s.f.* marcha em sentido contrário ao que se fazia ou em retrocesso ao local em que foi iniciada

contramedida (con.tra.me.di.da) *s.f.* medida que anula ou atenua o efeito de outra medida

contramestre (con.tra.mes.tre) *s.m.* **1** chefe de um grupo de operários de fábrica, obras etc. **2** substituto do capitão no comando de um navio

contraofensiva (con.tra.o.fen.si.va) *s.f.* MIL **1** operação estratégica de retomada da iniciativa, após uma fase de defesa **2** operação em conjunto que responde a um ataque do inimigo

contraoferta (con.tra.o.fer.ta) *s.f.* nova oferta que modifica a anterior ~ **contraofertar** *v.t.d.*

contraordem (con.tra.or.dem) [pl.: *-ens*] *s.f.* ordem que se opõe a ou revoga outra ~ **contraordenar** *v.t.d. e int.*

contraparente (con.tra.pa.ren.te) *s.2g.* **1** parente longínquo **2** parente por vínculo originado no casamento

contraparte (con.tra.par.te) *s.f.* **1** complemento, contrapartida **2** MÚS parte musical que dialoga com outra, esp. em duetos

contrapartida (con.tra.par.ti.da) *s.f.* **1** complemento, contraparte **2** *p.ext.* correlação, correspondência, equivalência *<o sucesso nos negócios tem sua c. em prestígio social>*

contrapesar (con.tra.pe.sar) *v.* {mod. 1} *t.d.* **1** equilibrar o peso de; contrabalançar *<c. os pratos da balança>* ↺ desequilibrar **2** *fig.* recompensar, compensar *<as pequenas alegrias contrapesam as agruras do dia a dia>* **3** *fig.* avaliar, pesar *<c. os méritos de alguém>* *<c. uma proposta>*

contrapeso (con.tra.pe.so) /ê/ *s.m.* **1** peso que compensa uma força oposta ou um outro peso *<pôs os c. no prato da balança>* **2** pequena porção que se acrescenta a uma mercadoria para completar o peso desejado pelo comprador **3** *fig.* aquilo que dá compensação e/ou equilíbrio *<a sisudez do marido tem como c. a afabilidade da mulher>*

contraponto (con.tra.pon.to) *s.m.* MÚS **1** técnica de composição musical que consiste na superposição de duas melodias diferentes **2** composição que utiliza essa técnica

contrapor (con.tra.por) *v.* {mod. 23} *t.d. e t.d.i.* **1** (prep. *a*) pôr frente a frente; confrontar *<c. duas figuras de porcelana>* *<c. uma foto a outra>* **2** (prep. *a*) comparar □ *t.d. e pron.* **3** (prep. *a*) pôr(-se) em contraste; opor(-se) ↺ aceitar ◉ GRAM/USO part.: *contraposto*

contraposição (con.tra.po.si.ção) [pl.: *-ões*] *s.f.* **1** posição ou disposição em sentido contrário **2** contrariedade, oposição, divergência *<c. de interesses>* ↺ concordância

contraproducente (con.tra.pro.du.cen.te) *adj.2g.* **1** que produz resultado oposto ao esperado; contraprodutivo *<conselho c.>* **2** que prova o contrário do que se tinha intenção de provar

contrapropaganda (con.tra.pro.pa.gan.da) *s.f.* propaganda que visa à anulação dos efeitos de outra

contraproposta (con.tra.pro.pos.ta) *s.f.* proposta alternativa a outra que não foi aprovada

contraprova (con.tra.pro.va) *s.f.* **1** DIR prova que invalida a anterior **2** segunda experiência, que tem o objetivo de verificar a exatidão da primeira **3** GRÁF prova tipográfica feita depois das emendas de uma prova anterior

contrariado (con.tra.ri.a.do) *adj.* **1** que sofre ou sofreu oposição *<desejos c.>* **2** aborrecido, desgostoso, descontente *<ficou c. com o rumo dos acontecimentos>* ↺ satisfeito

contrariar (con.tra.ri.ar) *v.* {mod. 1} *t.d.* **1** dizer ou fazer o contrário de *<c. a vontade de alguém>* ↺ aprovar **2** estar em desacordo com *<a vivacidade da música contrariava a sobriedade da ocasião>* ↺ concordar □ *t.d.,int. e pron.* **3** aborrecer(-se), descontentar(-se) *<o seu egoísmo contraria o marido>* *<insistiu no argumento negativo só para c.>* *<contrariou-se com a indisciplina da turma>* ↺ contentar(-se)

contrariedade (con.tra.ri.e.da.de) *s.f.* **1** coisa ou situação que aborrece; desgosto ↺ satisfação **2** o que embaraça a realização ou o desenvolvimento de algo; dificuldade, estorvo **3** oposição, resistência

contrário (con.trá.rio) *adj.* **1** que tem direção ou sentido oposto *<ventos c.>* **2** avesso; reverso *<vestira a blusa do lado c.>* **3** em que há desacordo ou contradição *<abordam a questão de formas c.>* **4** que é hostil a; adverso, antagônico *<pessoas c. à pena de morte>* **5** nocivo, prejudicial *<estilo de vida c. à saúde>* **6** que traz desventura; desfavorável *<sorte c.>* ■ *s.m.* **7** o que é oposto ou inverso **8** adversário, inimigo ▣ **ao c.** **1** do lado avesso *<pôs a toalha ao c.>* **2** de frente para trás *<vestiu a suéter ao c.>* **3** trocado *<colocou a meia ao c.>* • **do c.** se assim não for *<insista nos seus objetivos; do c. nada alcançará>*

contrarregra (con.trar.re.gra) *s.2g.* CINE RÁD TEAT TV **1** técnico que cuida dos objetos de cena, indica as entradas e saídas dos atores etc. ■ *s.f.* **2** ofício desse técnico

contrarrevolução (con.trar.re.vo.lu.ção) [pl.: *-ões*] *s.f.* revolução posterior que se propõe a anular os resultados de outra ~ **contrarrevolucionário** *adj.s.m.*

contrassenha (con.tras.se.nha) *s.f.* palavra, frase ou sinal secreto que responde a uma senha

contrassenso (con.tras.sen.so) *s.m.* ato ou dito contrário à boa lógica, à razão; disparate

contrastar (con.tras.tar) *v.* {mod. 1} *t.d. e t.d.i.* **1** (prep. *com*) examinar, comparando; confrontar *<c. duas radiografias> <c. uma declaração com outra>* □ *t.d. e t.i.* **2** (prep. *com*) mostrar-se o oposto de *<o céu escuro contrasta (com) o brilho das estrelas>* ↺ combinar □ *t.d.* **3** ir contra; contrariar *<modos que contrastam a boa educação>* ↺ condizer ~ **contrastante** *adj.2g.*

contraste (con.tras.te) *s.m.* **1** diferença ou oposição entre coisas de mesma natureza *<o c. entre o preto e o branco>* **2** *p.ext.* comparação de objetos similares para se estabelecerem as respectivas diferenças *<c. entre dois textos do mesmo autor>* **3** CINE FOT TV variação de claro e escuro numa imagem de televisão, cinema ou fotografia **4** MED substância introduzida no organismo do paciente para a realização de exames médicos em certas estruturas ou órgãos

contratação (con.tra.ta.ção) [pl.: *-ões*] *s.f.* **1** ato ou efeito de contratar; combinação, trato **2** admissão a emprego

contratar (con.tra.tar) *v.* {mod. 1} *t.d.* **1** ajustar por contrato *<c. os serviços de uma empresa>* ↺ descontratar **2** admitir em emprego; empregar ↺ demitir **3** combinar, tratar *<c. casamento>* ↺ distratar ~ **contratador** *adj.s.m.* - **contratante** *adj.2g.*

contratempo (con.tra.tem.po) *s.m.* **1** circunstância ou incidente inesperado *<um c. atrasou a conclusão do trabalho>* **2** *p.ext.* obstáculo, estorvo, empecilho **3** contrariedade, aborrecimento, desgosto **4** MÚS a parte fraca da pulsação musical

contrátil (con.trá.til) [pl.: *-eis*] ou **contráctil** (con.trác.til) [pl.: *-eis*] *adj.2g.* capaz de sofrer contração, de diminuir *<fibra c.> <músculo c.>*

contrato (con.tra.to) *s.m.* **1** acordo legal entre pessoas, com delimitação de seus direitos e deveres *<c. de aluguel>* **2** documento que sela esse acordo *<assinar um c.>* ■ *adj.* **3** que sofreu contração, diminuição de extensão ou volume; contracto <to *é forma contrata de* te + o> ◉ GRAM/USO part. de *contrair* ~ **contratual** *adj.2g.*

contratorpedeiro (con.tra.tor.pe.dei.ro) *s.m.* MAR navio de combate veloz, que dispõe de torpedos; destróier

contratura (con.tra.tu.ra) *s.f.* **1** diminuição de tamanho; contração, encolhimento **2** contração muscular involuntária e prolongada

contravenção (con.tra.ven.ção) [pl.: *-ões*] *s.f.* transgressão de regulamentos, contratos ou leis

contraveneno (con.tra.ve.ne.no) *s.m.* FARM substância que neutraliza a ação de um veneno; antídoto

contraventor (con.tra.ven.tor) /ô/ [pl.: *-es*] *adj.s.m.* que(m) faz contravenção; infrator, transgressor

contribuição (con.tri.bu.i.ção) [pl.: *-ões*] *s.f.* **1** ato ou efeito de contribuir; ajuda, colaboração **2** quantia que se doa a alguém ou a alguma entidade *<c. para um asilo>* **3** parte que cabe a cada um em despesa ou encargo comum; cota, quinhão **4** imposto a que está sujeito o cidadão, para formar fundos necessários para despesas públicas **5** colaboração de caráter social, intelectual, científico etc. *<a c. de Newton para a física moderna>*

contribuinte (con.tri.bu.in.te) *adj.2g.s.2g.* **1** que(m) contribui com a parte que lhe é atribuída num total *<sócio c. de um clube> <o orfanato precisa de mais c.>* **2** que(m), segundo a lei, é obrigado a pagar imposto *<empresa c.> <o novo tributo vai onerar os c.>*

contribuir (con.tri.bu.ir) *v.* {mod. 26} *t.i.* **1** (prep. *em*) colaborar na execução de; cooperar *<a equipe contribuiu no levantamento das informações>* ↺ atrapalhar **2** (prep. *para*) ter parte (em um resultado); concorrer *<suas habilidades contribuem para as vitórias do time>* **3** (prep. *com*) prestar (ajuda material e/ou financeira) *<cada um contribui com o que pode>* ↺ recusar(-se) □ *t.i. e int.* **4** (prep. *em, para*) pagar cota (de despesa, encargo etc.) *<todos contribuíram para as obras do condomínio> <os colegas contribuíram na reforma da quadra> <negou-se a c.>* **5** (prep. *com*) pagar impostos *<contribui com 25% de seu salário> <quem contribui tem direito de reivindicar>* ~ **contributivo** *adj.*

contrição (con.tri.ção) [pl.: *-ões*] *s.f.* REL **1** arrependimento dos pecados cometidos e pela ofensa a Deus **2** prece que expressa esse arrependimento

contristar (con.tris.tar) *v.* {mod. 1} *t.d.,int. e pron.* (prep. *com*) tornar(-se) triste; entristecer(-se) *<a indiferença dos parentes contristou-o> <tanta incompetência contrista> <contrista-se com a pobreza à volta>* ~ **contristação** *s.f.*

contrito (con.tri.to) *adj.* **1** que sente contrição; arrependido *<pecador c.> <alma c.>* **2** que revela contrição *<palavras c.> <semblante c.>*

controlado (con.tro.la.do) *adj.* **1** que se submete a controle ou fiscalização *<velocidade c.> <remédio c.>* **2** que tem autocontrole; calmo; ponderado *<indivíduo c. em suas emoções>* ↺ descontrolado **3** que se manifesta de modo comedido, moderado *<choro c.>* ↺ exagerado

controlar (con.tro.lar) *v.* {mod. 1} *t.d.* **1** submeter a exame e vigilância; fiscalizar, monitorar *<c. a taxa de glicose de um diabético> <c. a produção para melhorar a qualidade>* ↺ negligenciar **2** agir com restrição sobre; conter *<c. gastos>* **3** ter domínio sobre; dominar *<os pais têm de c. os filhos> <os britânicos controlaram Hong Kong por mais de 100 anos>* ↺ submeter-se □ *pron.* **4** manter o autocontrole; conter-se *<controlou-se para não perder a paciência>* ↺ descontrolar-se ~ **controlável** *adj.2g.*

controle (con.tro.le) /ô/ *s.m.* **1** monitoração ou fiscalização minuciosa de acordo, padrões, normas etc. *<c. da taxa de colesterol>* **2** chave, botão etc. que controla e regula máquinas, aparelhos ou instrumentos *<c. do som>* **3** *fig.* poder, domínio ou autoridade sobre alguém ou algo *<c. dos presos>* **4** *fig.* domínio da própria vontade ou das emoções *<perdeu o c.>*

controvérsia (con.tro.vér.sia) *s.f.* discussão, debate, referente a ações ou propostas sobre as quais há divergências *<o novo imposto gerou muita c.>*

controverso (con.tro.ver.so) *adj.* que provoca controvérsia, polêmica, discussão; controvertido *<questão c.>* ↺ incontroverso

controverter (con.tro.ver.ter) *v.* {mod. 8} *t.d.* pôr em dúvida; contestar *<c. uma teoria>* ↺ aceitar ◉ GRAM/USO part.: *controvertido, controverso*; ver QUADRO DE PARTICÍPIOS DUPLOS nas pp. iniciais

controvertido (con.tro.ver.ti.do) *adj.* **1** debatido, discutido **2** controverso ◉GRAM/USO part. de *controverter*

contudo (con.tu.do) *conj.advrs.* mas, porém, entretanto, todavia

contumácia (con.tu.má.cia) *s.f.* **1** extrema teimosia; insistência, obstinação **2** DIR desobediência consciente a ordens judiciais **3** DIR falta de comparecimento em juízo por questão criminal

contundente (con.tun.den.te) *adj.2g.* **1** capaz de ferir *<instrumento c.>* **2** *fig.* categórico, incisivo *<prova c.>* **3** *fig.* que causa sofrimento, mágoa *<palavras c.>* ~ **contundência** *s.f.*

contundir (con.tun.dir) *v.* {mod. 24} *t.d. e pron.* **1** (fazer) sofrer contusão *<na queda contundiu o pé>* *<contundiu-se ao rolar a escada>* ↺ curar(-se) □ *t.d. fig.* **2** magoar, ofender ↺ agradar ◉GRAM/USO part.: *contundido, contuso*; ver QUADRO DE PARTICÍPIOS DUPLOS nas pp. iniciais

conturbar (con.tur.bar) *v.* {mod. 1} *t.d. e pron.* **1** causar ou sentir perturbação; abalar(-se) *<a espera o conturbava>* *<conturbou-se com a angústia do amigo>* ↺ acalmar(-se) **2** rebelar(-se), revoltar(-se) *<o rigor das ordens conturbou os alunos>* *<conturbaram-se os membros expulsos do grupo>* ↺ pacificar(-se) ~ **conturbação** *s.f.*

contusão (con.tu.são) [pl.: *-ões*] *s.f.* lesão causada por impacto, sem que haja ruptura da pele; traumatismo, pisadura

contuso (con.tu.so) *adj.frm.* **1** que sofreu contusão; contundido *<tendão c. da perna>* **2** acompanhado de contusão *<ferimento c.>* ◉GRAM/USO part. de *contundir*

conúbio (co.nú.bio) *s.m.* **1** casamento, matrimônio **2** *fig.* relação íntima

conurbação (co.nur.ba.ção) [pl.: *-ões*] *s.f.* extensa área urbana formada por cidades e vilarejos que foram surgindo e se desenvolvendo um ao lado do outro, formando um conjunto

convalescença (con.va.les.cen.ça) *s.f.* período de recuperação das forças e da saúde, depois de doença, cirurgia etc.

convalescer (con.va.les.cer) *v.* {mod. 8} *t.d.,t.i.,int. e pron.* (prep. *de*) [fazer] recobrar aos poucos o ânimo, a saúde, abalados por doença, lesão etc. *<o ar marinho convalesceu-o>* *<c. de uma pneumonia>* *<depois da cirurgia, foi c. numa fazenda>* *<convalesceu-se da depressão com a viagem>* ↺ piorar; recair ~ **convalescente** *adj.2g.s.2g.*

convenção (con.ven.ção) [pl.: *-ões*] *s.f.* **1** acordo, pacto, combinação sobre determinado assunto **2** conjunto de costumes sociais estabelecidos e aceitos pelos indivíduos de uma comunidade, como regras de boa educação, de boa conduta etc. **3** assembleia ou encontro para tratar de assunto comum; congresso, conferência

convencer (con.ven.cer) *v.* {mod. 8} *t.d.,t.d.i.,int. e pron.* (prep. *a, de*) levar ou passar a crer, por motivo ou argumento bem fundamentado *<não convenceu o irmão (a mudar de time)>* *<um advogado hábil sempre convence>* *<só se convencerá com provas concretas>* ↺ desconvencer(-se) ◉GRAM/USO part.: *convencido, convicto*; ver QUADRO DE PARTICÍPIOS DUPLOS nas pp. iniciais

convencido (con.ven.ci.do) *adj.* **1** que se convenceu; persuadido, convicto ↺ hesitante, incerto ■ *adj.s.m.* **2** *B* que(m) é presunçoso, arrogante

convencimento (con.ven.ci.men.to) *s.m.* **1** ação de fazer alguém aceitar um fato ou opinião mediante argumentos *<capacidade de c.>* **2** aceitação decorrente dessa ação *<falar com c.>* **3** *B* atitude arrogante; presunção, soberba

convencional (con.ven.cio.nal) [pl.: *-ais*] *adj.2g.* **1** criado por convenção **2** consolidado pelo uso ou pela prática *<saudação c.>* **3** que obedece a padrões aceitos; comum *<uma beleza c.>* **4** que não utiliza energia nuclear; não atômico *<armas c.>* ■ *s.2g.* **5** membro de uma convenção; congressista ~ **convencionalismo** *s.m.* - **convencionalista** *adj.2g.s.2g.*

convencionar (con.ven.cio.nar) *v.* {mod. 1} *t.d.,t.i. e pron.* (prep. *em*) estipular por convenção; ajustar *<c. um código secreto>* *<a família convencionou em jantar sempre às 20 horas>* *<convencionou-se chamar um mau jogador de perna de pau>* ↺ descombinar

conveniência (con.ve.ni.ên.cia) *s.f.* **1** o que atende ao gosto, às necessidades de alguém *<para sua c. foi instalado um frigobar no quarto>* **2** utilidade, vantagem *<a c. de um serviço>* **3** interesse ou vantagem material, social etc. *<casamento de c.>* **4** decoro, decência *<ato contrário à c. pública>*

conveniente (con.ve.ni.en.te) *adj.2g.* **1** apropriado, oportuno *<atitude c.>* ↺ inconveniente, impróprio **2** que traz vantagem; útil, proveitoso *<negócio c.>* **3** que facilita; cômodo, favorável *<é c. trabalhar de manhã>* ↺ inconveniente, incômodo **4** decente, decoroso *<ato pouco c.>* ↺ indecente, indecoroso ■ *adj.2g.s.2g.* **5** que(m) toma parte em convênio

convênio (con.vê.nio) *s.m.* **1** contrato de prestação de serviço entre entidades públicas ou privadas **2** acordo entre pessoas; pacto ~ **conveniar** *v.t.d. e int.*

convento (con.ven.to) *s.m.* habitação de uma comunidade religiosa *<c. de freiras>* ~ **conventual** *adj.2g.s.2g.*

convergência (con.ver.gên.cia) *s.f.* **1** ato de dirigir-se a ou unir-se em um mesmo ponto ↺ divergência, dispersão **2** concordância de objetivos, sentimentos ou opiniões ↺ divergência

convergente (con.ver.gen.te) *adj.2g.* **1** que se dirige para um ponto comum a outro *<ramos c.>* *<linhas c.>* **2** *fig.* que tende a um mesmo fim que outro *<empreendimentos c.>* **3** *fig.* que se identifica com outro *<pontos de vista c.>*

convergir (con.ver.gir) *v.* {mod. 28} *t.i.* **1** (prep. *para, em*) dirigir-se (a um mesmo ponto) *<cinco rodovias convergem para esse trevo>* ↺ dispersar-se **2** (prep. *em*) reunir-se, agrupar-se *<diversas linhas políticas convergem no programa do partido>* ↺ separar-se **3** *fig.* (prep. *para*) tender (para um objetivo); concentrar-se *<os esforços devem c. para o aumento da produção>* ↺ divergir

conversa (con.ver.sa) *s.f.* **1** troca de palavras, de ideias entre duas ou mais pessoas; diálogo, conversação, palestra **2** assunto dessa troca *<a nossa c. foi o jogo de ontem>* **3** *infrm.* lábia, astúcia *<cair na c. de um vigarista>* **4** *infrm.* mentira, invenção *<essa história é c.>* ▣ **c. fiada** *infrm.* **1** conversa sem importância; conversa mole **2** proposta ou promessa que não se tem intenção de cumprir; conversa mole, conversa para boi dormir **3** palavreado com intuito de enganar; conversa mole ☞ cf. *conversa-fiada* • **c. mole** *B infrm.* conversa fiada • **c. para boi dormir** *B infrm.* conversa fiada (acp. 2) • **ir na c. de** **1** deixar-se enganar por (alguém) **2** acreditar, confiar em (alguém) • **jogar c. fora** *B infrm.* conversar sobre assuntos corriqueiros, sem grande importância • **passar uma c. em** *B infrm.* convencer ou conquistar com habilidade; dar uma cantada; cantar *<passou uma c. no pai, mas não conseguiu se livrar das tarefas>* • **puxar c. com** *B infrm.* procurar iniciar diálogo com alguém

C

conversação (con.ver.sa.ção) [pl.: *-ões*] *s.f.* **1** ação de conversar; conversa, colóquio **2** arte ou habilidade de conversar (ger. em língua estrangeira) *<aula de c.>*

conversa-fiada (con.ver.sa-fi.a.da) [pl.: *conversas fiadas*] *s.2g. B infrm.* **1** pessoa que não cumpre o que se dispõe a fazer ou o que promete **2** indivíduo que conta vantagem; garganta **3** quem tem prazer em conversar ☞ cf. *conversa fiada*

conversão (con.ver.são) [pl.: *-ões*] *s.f.* **1** transformação de uma coisa em outra *<c. do leite em manteiga>* **2** mudança de religião ou seita, de costumes etc. **3** operação de cálculo do valor da moeda de um país em relação à moeda de outro *<c. do dólar em real>*

conversar (con.ver.sar) *v.* {mod. 1} *t.i.,t.d.i. e int.* (prep. *com, sobre*) trocar palavras, ideias, informações *<c. sobre cinema> <só conversa amenidades com os vizinhos> <um homem que conversa pouco>* ↺ calar ~ **conversador** *adj.s.m.*

[1]**conversível** (con.ver.sí.vel) [pl.: *-eis*] *adj.2g.* **1** que se pode converter **2** cuja capota se pode dobrar ou remover (diz-se de carro, barco etc.) ◉ ORIGEM do lat. *conversibĭlis* ou *convertibĭlis,e* 'que se pode virar ou mudar' ~ **conversibilidade** *s.f.*

[2]**conversível** (con.ver.sí.vel) [pl.: *-eis*] *s.m.* automóvel conversível ◉ ORIGEM red. de *automóvel conversível*

converso (con.ver.so) *adj.s.m.* **1** que(m) se converteu a uma religião ou a uma forma de pensamento; convertido ■ *s.m.* **2** indivíduo leigo que serve em convento

conversor (con.ver.sor) /ô/ [pl.: *-es*] *s.m.* **1** ELETR aparelho que transforma corrente elétrica contínua em alternada e vice-versa **2** ELETRÔN dispositivo que altera a frequência de um sinal e funciona paralelamente ao receptor de rádio ou televisão **3** INF aplicativo que transfere informações de um formato para outro *<c. de MP3>*

converter (con.ver.ter) *v.* {mod. 8} *t.d.i. e pron.* **1** (prep. *em*) transformar(-se) em; mudar *<o fogo converte a lenha em cinzas> <o choro converteu-se em riso>* ↺ conservar(-se) □ *t.d.,t.d.i. e pron.* **2** (prep. *a*) [fazer] mudar de religião, de costumes etc. *<c. os pagãos (ao cristianismo)> <c.-se ao budismo>* ↺ desconverter □ *t.d.i.* **3** (prep. *em*) substituir por outra coisa; trocar, comutar *<c. uma pena em outra mais branda>* **4** (prep. *em*) trocar (moeda de um país) [pela de outro] *<c. euros em reais>* □ *t.d.* **5** fazer mudar de direção; virar *<c. a mão de direção>* □ *t.d. e int.* **6** ESP encestar ◉ GRAM/USO part.: *convertido, converso*; ver QUADRO DE PARTICÍPIOS DUPLOS nas pp. iniciais

convés (con.vés) [pl.: *conveses*] *s.m.* MAR pavimento dos navios descoberto ou protegido por toldo; deque

convexo (con.ve.xo) /cs/ *adj.* que tem relevo exterior, abaulado, bojudo, como uma calota ↺ côncavo ~ **convexidade** *s.f.*

convexo-côncavo (con.ve.xo-côn.ca.vo) [pl.: *convexo-côncavos*; fem.: *convexo-côncava*] *adj.* convexo de um lado e côncavo do outro

convicção (con.vic.ção) [pl.: *-ões*] *s.f.* crença ou opinião firme a respeito de algo ↺ dúvida

convicto (con.vic.to) *adj.* **1** que tem convicção de algo; convencido, persuadido **2** em que há convicção, prova; provado *<réu c.>*

convidado (con.vi.da.do) *adj.s.m.* **1** que(m) recebeu convite ↺ desconvidado ■ *s.m.* **2** DNÇ *SP* dança do fandango brasileiro, na qual se alternam os momentos em que os pares se defrontam ou dançam juntos

convidar (con.vi.dar) *v.* {mod. 1} *t.d. e t.d.i.* **1** (prep. *para, a*) solicitar a presença ou participação de; chamar, convocar *<só convidou os íntimos (para o aniversário)>* ↺ desconvidar □ *t.i.,t.d.i. e int.* **2** (prep. *a*) despertar a vontade; induzir *<o silêncio convida à meditação> <o calor convida (as pessoas) à moleza> <o mar calmo convidava>* ↺ desencorajar □ *pron.* **3** ir a festa, evento etc. sem ter sido chamado

convidativo (con.vi.da.ti.vo) *adj.* que atrai, que seduz; atraente *<preços c.>* ↺ desconvidativo

convincente (con.vin.cen.te) *adj.2g.* **1** que convence; persuasivo *<provas c.>* **2** que manifesta certeza *<um ar c. não deixava dúvidas>*

convir (con.vir) *v.* {mod. 31} *t.i.* **1** (prep. *em*) concordar, aceitar *<c. nas condições do contrato>* ↺ rejeitar **2** (prep. *a*) vir a propósito; servir *<esta é a casa que convém à família>* □ *t.i. e int.* **3** (prep. *a*) ser conveniente, adequado, útil *<livro que convém a estudantes de ensino fundamental> <o preço do imóvel convém>* **4** (prep. *a*) ficar bem; condizer *<essa cor de cabelo não convém à sua pele> <deve manter-se discreto, como convém>* ↺ destoar

convite (con.vi.te) *s.m.* **1** solicitação da presença ou participação de alguém em algo; convocação **2** meio que formaliza tal solicitação *<recebeu pelo correio o c. de casamento>* **3** apelo, chamamento *<um c. à união>* **4** bilhete gratuito para espetáculo

conviva (con.vi.va) *s.2g.* convidado em jantar, festa etc.; comensal

convivência (con.vi.vên.cia) *s.f.* **1** vida em comum; convívio *<c. em família>* **2** intimidade, familiaridade, convívio *<evita a c. com os vizinhos>*

conviver (con.vi.ver) *v.* {mod. 8} *t.i. e int.* **1** (prep. *com*) viver em comum *<o antropólogo conviveu com várias tribos> <a família convive num sala e quarto>* ↺ separar-se **2** (prep. *com*) ter relações cordiais *<no trabalho, convive com todos igualmente> <as duas nações convivem pacificamente>* **3** (prep. *com*) compartilhar do mesmo espaço; coexistir *<na estufa, orquídeas convivem com avencas> <bondade e compaixão convivem em seu espírito>* □ *t.i.* **4** (prep. *com*) adaptar-se, habituar-se (a certas condições) *<aprendeu a c. com o diabetes>* ↺ desadaptar-se ~ **convivente** *adj.2g.s.2g.*

convívio (con.ví.vio) *s.m.* convivência

convocação (con.vo.ca.ção) [pl.: *-ões*] *s.f.* **1** ato ou efeito de chamar um ou mais indivíduos para participar de reunião, assembleia etc. <*c. de sócios*> <*c. de condôminos*> **2** ESP chamada para fazer parte de uma seleção nacional **3** MIL chamada para o serviço militar ou para a guerra

convocar (con.vo.car) *v.* {mod. 1} *t.d. e t.d.i.* **1** (prep. *para*) chamar (alguém) [para reunião, evento oficial etc.] <*o diretor irá c. os gerentes amanhã*> <*c. jogadores para a seleção*> ↺ desconvocar ◻ *t.d.* **2** reunir, formar <*c. uma junta*> ↺ dissolver ~ **convocatório** *adj.*

convocatória (con.vo.ca.tó.ria) *s.f.* carta, circular ou ordem de convocação

convolvulácea (con.vol.vu.lá.cea) *s.f.* BOT espécime das convolvuláceas, família de arbustos, raras árvores e ervas, muitas espécies cultivadas como ornamentais, algumas pelos tubérculos, us. como purgantes ou na alimentação (como a batata-doce), e outras, para extração de drogas alucinógenas ~ **convolvuláceo** *adj.*

convosco (con.vos.co) /ô/ *pron.p.* **1** em vossa companhia <*iremos c.*> **2** dentro de vós <*não guardeis rancor c.*> **3** referente a vós <*a decisão é c.*> ◉ GRAM/USO no Brasil, pouco us., apenas em textos mais form., jurídicos, bíblicos, etc.

convulsão (con.vul.são) [pl.: *-ões*] *s.f.* **1** MED contração violenta, dolorosa e involuntária do corpo <*teve convulsões por causa da febre alta*> **2** grande agitação, alvoroço <*a c. nas ruas na entrada do ano*> **3** revolta social de grande impacto; revolução ~ **convulsivo** *adj.*

convulsionar (con.vul.sio.nar) *v.* {mod. 1} *t.d.* **1** causar grande agitação a <*o prêmio da loteria convulsionou a família*> ↺ acalmar ◻ *t.d. e pron.* **2** revoltar(-se), sublevar(-se) <*c. os grevistas*> <*o país convulsionou-se após o golpe de Estado*> ↺ pacificar(-se); submeter(-se)

coobrigado (co.o.bri.ga.do) *adj.s.m.* DIR (o) que assumiu obrigação juntamente com outrem

cookie (cook.ie) [ing.; pl.: *cookies*] *s.m.* **1** CUL biscoito arredondado, crocante, freq. com recheio de passas, nozes etc. **2** INF arquivo de texto gravado pelo navegador no computador do usuário, com a função de guardar informações de acesso ⇒ pronuncia-se cuqui

coonestar (co.o.nes.tar) *v.* {mod. 1} *t.d.* **1** fazer parecer honesto; disfarçar <*c. negócios escusos*> **2** reconhecer como autêntico; legitimar

cooperação (co.o.pe.ra.ção) [pl.: *-ões*] *s.f.* ato ou efeito de cooperar; ajuda, colaboração

cooperado (co.o.pe.ra.do) *adj.s.m.* que(m) é membro de uma cooperativa; cooperativado

cooperar (co.o.pe.rar) *v.* {mod. 1} *t.i. e int.* (prep. *com*, *para*) ajudar (alguém), contribuindo com trabalho, esforços; colaborar <*os atores cooperaram com o diretor para o sucesso da peça*> <*a população cooperou durante a calamidade*> ↺ atrapalhar ~ **cooperador** *adj.s.m.*

cooperativa (co.o.pe.ra.ti.va) *s.f.* associação civil gerenciada coletivamente em favor dos sócios <*c. agrícola*>

cooperativado (co.o.pe.ra.ti.va.do) *adj.s.m.* cooperado

cooperativismo (co.o.pe.ra.ti.vis.mo) *s.m.* sistema econômico baseado em cooperativas ~ **cooperativista** *adj.2g.s.2g.*

cooperativo (co.o.pe.ra.ti.vo) *adj.* **1** que coopera; cooperador <*atendente c.*> **2** que envolve a contribuição de vários indivíduos, visando a um mesmo fim <*trabalho c.*> <*sociedade c.*>

cooptar (co.op.tar) *v.* {mod. 1} *t.d.* **1** fazer que (alguém) se associe; aliciar, atrair <*conseguiram c. alguns integrantes do grupo adversário*> **2** admitir em instituição, grupo etc., fora das condições usuais de admissão <*o conselho decidiu c. o filho do diretor*> ~ **cooptação** *s.f.*

coordenação (co.or.de.na.ção) [pl.: *-ões*] *s.f.* **1** disposição ou funcionamento segundo uma certa ordem **2** ato de conjugar um conjunto de elementos, de atividades etc., que tendem a resultado harmonioso <*c. de esforços*> **3** direção, gerenciamento de projeto, setor etc. <*coube a ela a c. da gincana*> **4** GRAM relação entre elementos linguísticos com as mesmas propriedades sintáticas ~ **coordenativo** *adj.* ☞ cf. *subordinação*

[1]**coordenada** (co.or.de.na.da) *s.f.* **1** GEOM referência que permite localizar um ponto numa linha, superfície ou espaço **2** diretriz, indicação; dado, informação <*as c. de um plano*> ☞ nesta acp., mais us. no pl. ◉ ORIGEM fem.substv. de *coordenado*

[2]**coordenada** (co.or.de.na.da) *s.f.* GRAM red. de ***ORAÇÃO COORDENADA***

coordenado (co.or.de.na.do) *adj.* **1** que se coordenou <*operação c.*> **2** GRAM diz-se de oração ligada a outra por coordenação

coordenador (co.or.de.na.dor) /ô/ [pl.: *-es*] *adj.s.m.* (aquele) que coordena

coordenar (co.or.de.nar) *v.* {mod. 1} *t.d. e pron.* **1** organizar(-se), ordenar(-se) <*c. as etapas de um trabalho*> <*os pensamentos dele não se coordenam bem*> ↺ desestruturar(-se) ◻ *t.d. e t.d.i.* **2** (prep. *a*, *com*) tornar ligado, relacionado a; conjugar, unir <*c. esforços*> <*c. um curso de língua com os demais*> ↺ desarmonizar ◻ *t.d.* **3** ser responsável por (setor, equipe etc.) <*o gerente coordena a área de administração*>

coordenativa (co.or.de.na.ti.va) *s.f.* GRAM ver ***CONJUNÇÃO COORDENATIVA***

copa (co.pa) *s.f.* **1** topo de árvore, constituído pelos ramos (com ou sem folhas) ☞ cf. *fronde* **2** saleta ligada à cozinha onde há uma mesa de refeições **3** local em hospitais, hotéis etc. onde são preparadas refeições leves **4** torneio cujo troféu é uma taça **5** parte do chapéu, do boné que cobre a cabeça ▼ ***copas*** *s.f.pl.* RECR **6** um dos quatro naipes do baralho, representado por um coração vermelho

copado (co.pa.do) *adj.* que apresenta copa densa e abundante (diz-se de árvore)

copaíba (co.pa.í.ba) *s.f.* BOT **1** nome comum a árvores da família das leguminosas, nativas do Brasil, de boa madeira e com óleo cicatrizante e antitetânico **2** esse óleo

copal (co.pal) [pl.: *-ais*] *s.2g.* QUÍM **1** resina secretada pelo jatobá, us. na fabricação de vernizes e colas ■ *adj.2g.* **2** diz-se dessa resina ■ *s.m.* **3** nome comercial dessa resina

C

coparticipar (co.par.ti.ci.par) *v.* {mod. 1} *t.i.* (prep. *de, em*) tomar parte (em algo), juntando-se a outros *<todos os alunos coparticiparam do projeto>* ~ **coparticipação** *s.f.* - **coparticipante** *adj.2g.s.2g.*

copázio (co.pá.zio) *s.m.* **1** copo grande **2** conteúdo desse copo ◉ GRAM/USO aum.irreg. de *copo*

copeiro (co.pei.ro) *s.m.* empregado doméstico que serve à mesa, atende à porta etc. ◉ COL copeiragem

cópia (có.pia) *s.f.* **1** transcrição de um texto original *<c. de uma carta> <c. de um contrato>* **2** imitação de obra de arte ou trabalho original **3** reprodução de um texto, gravura, filme, fita por meio de impressão, gravação, fotografia etc. **4** *fig.* pessoa muito semelhante a outra; retrato *<é a c. da mãe>* ▣ **c. de segurança** cópia de arquivo(s) de computador feita para preservar dados, em caso de dano ou destruição do original; becape

copiador (co.pi.a.dor) /ô/ [pl.: *-es*] *adj.s.m.* **1** (o) que copia ■ *s.m.* **2** pessoa que copia textos à mão; copista **3** livro em que se copiam documentos, por decalque ou outro processo

copiar (co.pi.ar) *v.* {mod. 1} *t.d.* **1** produzir cópia de, por transcrição *<c. um documento>* **2** fazer outra versão de (algo), mantendo as mesmas características do original; reproduzir *<c. fotos> <c. um CD>* ↺ inventar **3** falsificar, plagiar *<c. uma assinatura>* □ *t.d. e pron.* **4** (prep. *de*) tomar por modelo; imitar *<o irmão mais novo copia o mais velho> <as duas amigas se copiam no modo de vestir>* ↺ criar

copidesque (co.pi.des.que) *s.m.* **1** revisão de texto para correção e adequação às normas editoriais **2** setor de jornal, editora etc. onde se executa essa revisão ■ *s.2g.* **3** profissional que faz essa revisão ~ **copidescar** *v.t.d.*

copiloto (co.pi.lo.to) /ô/ *s.m.* AER piloto auxiliar de uma aeronave

copioso (co.pi.o.so) /ô/ [pl. e fem.: /ó/] *adj.* **1** em que há abundância; farto, numeroso *<chuva c., cabelo c.>* ↺ escasso, raro **2** extenso, longo *<discurso c. e chato>* ↺ conciso, curto ~ **copiosidade** *s.f.*

copirraite (co.pir.rai.te) *s.m.* DIR aport. de *copyright*

copista (co.pis.ta) *adj.2g.s.2g.* **1** que(m) copia textos à mão, esp. partituras musicais **2** *pej.* (autor) sem originalidade; imitador

copla (co.pla) *s.f.* LIT MÚS poesia popular espanhola, de estrofes curtas, ger. cantada com música improvisada

copo (co.po) *s.m.* **1** recipiente cilíndrico, sem asa e sem tampa, us. para beber **2** *p.ext.* o conteúdo desse recipiente *<pediu um c. de água>* **3** *fig.* bebida alcoólica *<tomar uns c.>* **4** *fig. infrm.* bebedor de bebidas alcoólicas *<é um bom c.>* ◉ GRAM/USO aum.irreg.: *copaço, coparrão, copázio*; dim.irreg.: *copito*

copo-de-leite (co.po-de-lei.te) [pl.: *copos-de-leite*] *s.m.* BOT planta aquática aveludada e de aroma suave, da família do antúrio, do inhame e da taioba, cultivada como ornamental

coproduzir (co.pro.du.zir) *v.* {mod. 24} *t.d.* realizar (filmes, peças teatrais etc.) junto com indivíduo(s), empresa(s) etc. ~ **coprodução** *s.f.* - **coprodutor** *adj.s.m.*

copropriedade (co.pro.pri.e.da.de) *s.f.* posse simultânea de uma propriedade por duas ou mais pessoas; condomínio

coproprietário (co.pro.pri.e.tá.rio) *s.m.* indivíduo que, com outro(s), exerce o direito de propriedade sobre um bem não dividido; condômino

cópula (có.pu.la) *s.f.* **1** ato sexual; coito **2** ligação, união, vínculo ~ **copulativo** *adj.*

copular (co.pu.lar) *v. t.i. e int.* **1** (prep. *com*) ter cópula ('ato sexual') *<o macho copula com a fêmea> <comprou porcos que ainda não copularam>* □ *t.d. e t.d.i.* **2** (prep. *a*) unir, acoplar *<c. os carros (ao reboque)>*

copyright (copy.right) [ing.] *s.m.* DIR direito exclusivo do autor de imprimir, reproduzir ou vender sua obra literária, artística ou científica; direito autoral ⇒ pronuncia-se copirráit

[1]**coque** (co.que) *s.m.* leve pancada na cabeça com os nós dos dedos ◉ ORIGEM onomatopaica

[2]**coque** (co.que) *s.m.* QUÍM carvão mineral ou vegetal, us. como combustível na indústria química, na produção de calor etc. ◉ ORIGEM do ing. *coke* 'id.'

[3]**coque** (co.que) *s.m.* *B* penteado em que o cabelo é enrolado em espiral ou em forma de concha no alto ou na parte posterior da cabeça ◉ ORIGEM do fr. *coque* 'id.'

coqueiral (co.quei.ral) [pl.: *-ais*] *s.m.* grande concentração de coqueiros em determinada área

coqueiro (co.quei.ro) *s.m.* BOT palmeira tropical, litorânea, cujas folhas são us. como cobertura ou em cestaria, as fibras dos frutos como material para cordas, isolamento e estofamento, e os frutos (coco), como alimento; coqueiro-da-baía ◉ COL coqueiral

coqueiro-da-baía (co.quei.ro-da-ba.í.a) [pl.: *coqueiros-da-baía*] *s.m.* BOT coqueiro

coqueluche (co.que.lu.che) *s.f.* **1** MED doença infectocontagiosa, causada por bacilo, caracterizada por fortes ataques de tosse **2** *fig. infrm.* objeto da preferência e/ou do entusiasmo momentâneo; moda *<os tablets viraram c.>*

coquete (co.que.te) *adj.2g.s.2g.* **1** que(m) procura despertar admiração, ger. apenas pelo prazer de seduzir **2** que(m) é bastante cuidadoso com a aparência pessoal ~ **coquetear** *v.int.* - **coquetismo** *s.m.*

coquetel (co.que.tel) [pl.: *-éis*] *s.m.* **1** drinque que combina bebidas, ger. alcoólicas **2** *p.ext.* combinação de remédios **3** reunião social com iguarias e bebidas

coqueteleira (co.que.te.lei.ra) *s.f.* *B* recipiente alongado, com tampa, us. para misturar ingredientes de um coquetel ('drinque')

cor- *pref.* → *co-*

cor /ó/ [pl.: *-es*] *s.m.* ▸ usado em: **de c.** de memória *<saber de c. a tabuada>*

cor /ô/ [pl.: *-es*] *s.f.* **1** propriedade dos corpos de absorver ou refletir a luz em maior ou menor grau, produzindo no olho uma sensação característica **2** o que se opõe ao preto e ao branco **3** colorido, matiz *<o filme tem a c. desbotada>* **4** a cor ou o conjunto de cores que constituem elementos distintivos ou simbólicos de alguma coisa *<o branco é a c. da paz>* **5** coloração da pele *<discriminação pela c.>* **6** *fig.* vitalidade de linguagem; realce, colorido *<dar c. à frase>*

coração (co.ra.ção) [pl.: *-ões*] *s.m.* **1** ANAT órgão muscular oco, que recebe o sangue das veias e o impulsiona para as artérias **2** *p.ext.* peito *<levar a mão ao c.>* **3** objeto ou desenho com o formato desse órgão **4** *fig.* símbolo do amor **5** *fig.* a parte mais central ou mais profunda de algo; âmago *<no c. da floresta>* **6** *fig.* a parte mais íntima de um ser *<as razões do c. escapam à lógica>* **7** generosidade; piedade *<pessoa sem c.>* ▣ **abrir o c.** revelar os sentimentos de modo franco, fazer confidências; desabafar • **com o c. na mão** com medo; aflito • **cortar o c.** causar dor moral, afetar emocionalmente *<uma história de cortar o c.>* • **do fundo do c. 1** com a maior sinceridade **2** com muito amor

corado (co.ra.do) *adj.* **1** que tem cor; colorido **2** *p.ext.* que apresenta as faces rosadas ou avermelhadas **3** *p.ext.* tomado de vergonha; vexado **4** tostado ao fogo *<amêndoas c.>*

coradouro (co.ra.dou.ro) *s.m.* quaradouro

coragem (co.ra.gem) [pl.: *-ens*] *s.f.* **1** moral e firmeza diante do perigo e dos riscos; bravura **2** capacidade de suportar esforço prolongado **3** *pej.* ousadia; desfaçatez *<teve a c. de mentir>* ■ *interj.* **4** exclamação para encorajar, animar

corajoso (co.ra.jo.so) /ô/ [pl. e fem.: /ó/] *adj.s.m.* **1** que(m) tem coragem; bravo, valente ↺ covarde, medroso **2** que(m) é disposto e tem energia diante das situações difíceis ou críticas *<povo c.>* *<os c. não se intimidam nas crises>* ■ *adj.* **3** que revela audácia, destemor (diz-se de ato, atitude etc.) ↺ acanhado

[1]**coral** (co.ral) [pl.: *-ais*] *s.m.* **1** ZOO nome comum a diversos animais marítimos, cuja secreção calcárea é responsável pela formação de recifes **2** essa secreção calcária, us. em joias e adornos **3** a cor avermelhada dessa secreção ■ *adj.2g.2n.* **4** que tem essa cor; coralino *<almofadas coral>* **5** diz-se dessa cor *<a cor c.>* ◉ ORIGEM do lat.tar. *corallĭum,ĭi* 'coral'

[2]**coral** (co.ral) [pl.: *-ais*] *adj.2g.* **1** referente a coro ('conjunto de cantores') ■ *s.m.* **2** coro ('conjunto de cantores') ◉ ORIGEM do lat. *choralis* 'relativo a coro, canto'

[3]**coral** (co.ral) [pl.: *-ais*] *s.f.* ZOO cobra-coral ◉ ORIGEM red. de *cobra-coral*

coralino (co.ra.li.no) *adj.* **1** relativo a ou próprio de [1]coral **2** da cor do [1]coral; coral

coral-mole (co.ral-mo.le) [pl.: *corais-moles*] *s.m.* ZOO nome comum a ramo de animais marinhos, tropicais, que inclui as águas-vivas, corais e anêmonas-do-mar, cujas colônias têm a forma de um cogumelo

coral-pétreo (co.ral-pé.treo) [pl.: *corais-pétreos*] *s.m.* ZOO nome comum a corais da ordem dos escleractíneos, habitantes de mares quentes, principais formadores de recifes de coral

coramina ® (co.ra.mi.na) *s.f.* FARM substância us. como estimulante cardíaco e respiratório

corante (co.ran.te) *adj.2g.s.m.* (substância) us. para dar cor *<este alimento não tem (produtos) c.>*

corão (co.rão) [pl.: *-ões* e *-ães*] *s.m.* → ***ALCORÃO***

corar (co.rar) *v.* {mod. 1} *t.d.* e *int.* **1** (fazer) tomar cor *<uma gota de anilina corou a água>* *<esse cabelo não cora, não pega tinta>* ↺ desbotar **2** tornar(-se) rosado (pele); ruborizar(-se) *<o sol corou o seu rosto>* *<os morenos não coram facilmente>* ↺ empalidecer **3** tostar pela ação do fogo ou do calor *<c. batatas>* **4** clarear (roupas, panos etc.), expondo ao sol □ *int. fig.* **5** ficar envergonhado; acanhar-se

corbelha (cor.be.lha) *s.f.* cesta, ger. de vime, com arranjos de flores, frutas ou doces

corcel (cor.cel) [pl.: *-éis*] *s.m.* cavalo muito veloz

corço (cor.ço) /ô/ *s.m.* ZOO pequeno veado da Europa e da Ásia, de pelo avermelhado e marrom-acinzentado, com galhadas curtas e pontudas ☞ cf. *corso* ◉ VOZ v.: balar

corcova (cor.co.va) *s.f.* **1** corcunda, esp. em animais **2** curvatura muito convexa *<o outeiro forma uma c. na planície>* **3** curva, sinuosidade, volta *<a c. do caminho>* **4** *B* salto ou pinote de cavalgadura; corcovo

corcovado (cor.co.va.do) *adj.* **1** que tem corcova ('curvatura convexa') *<colinas c.>* **2** que tem a coluna vertebral arqueada, voltada para o chão; corcunda

corcovar (cor.co.var) *v.* {mod. 1} *t.d.* e *int.* **1** arquear (o corpo); curvar(-se) *<o gato corcovou (as costas), espreguiçando>* □ *int.* **2** tornar-se corcunda **3** dar saltos, curvando o dorso para cima (cavalo, burro etc.); corcovear

corcovear (cor.co.ve.ar) *v.* {mod. 5} *int.* **1** corcovar ('dar saltos') **2** arquear o corpo (pessoa); curvar-se ↺ aprumar-se, endireitar-se **3** mover-se formando curvas *<o trem corcoveia pelo vale>*

corcovo (cor.co.vo) /ô/ [pl.: /ó/] *s.m.* corcova ('salto')

corcunda (cor.cun.da) *s.f.* **1** formação saliente no dorso dos animais; bossa, cacunda, carcunda, corcova **2** curvatura nas costas ou no peito do ser humano; cacunda, carcunda ■ *adj.2g.s.2g.* **3** (pessoa) com essa deformidade; cacunda, carcunda

corda (cor.da) *s.f.* **1** feixe de fios torcidos em espiral, us. para amarrar, laçar, puxar **2** varal de roupa **3** cabo de brincar de pular **4** mecanismo que aciona relógios, brinquedos etc. *<relógio de c.>* **5** fio de tripa, seda ou aço em violões, violinos etc., que produz som ao ser vibrado *<violão de sete c.>* **6** *fig. infrm.* boa disposição física e mental; energia, vigor *<já trabalhou muito e ainda tem c. para mais>* ▼ ***cordas*** *s.f.pl.* MÚS **7** conjunto dos instrumentos de cordas em uma orquestra ◉ COL cordame ▣ **c. bamba 1** corda suspensa sobre a qual anda um equilibrista **2** *fig.* situação instável *<desempregado, vive na c. bamba>* • **c. vocal** ANAT ver ***PREGA VOCAL*** • **com a c. no pescoço** *fig. infrm.* em dificuldades, esp. econômicas • **estar com toda a c.** ou **com a c. toda** *fig. infrm.* **1** mostrar-se muito animado **2** estar com a língua solta, falando sem parar • **roer a c.** *fig. infrm.* **1** falhar ou faltar ao prometido **2** desfazer um negócio que está prestes a ser fechado ~ **cordoaria** *s.f.* - **cordoeiro** *adj.s.m.*

[1]**cordado** (cor.da.do) *s.m.* ZOO **1** espécime dos cordados, ramo de animais dotados, ao menos durante uma das fases da vida, de uma notocorda, guelras e cordão nervoso ■ *adj.* **2** relativo aos cordados ◉ ORIGEM do lat.cien. filo *Chordata*

[2]**cordado** (cor.da.do) *adj.* cuja base forma uma curva para dentro (diz-se de folha) ◉ ORIGEM do lat. *cordātus,a,um* 'referente a coração'

C

cordame (cor.da.me) *s.m.* conjunto de cordas ou de cabos

cordão (cor.dão) [pl.: *-ões*] *s.m.* **1** corda fina e flexível **2** *CE* barbante de atar **3** cadarço **4** adorno de ouro ou prata, us. no pescoço **5** linha ou fila ininterrupta de pessoas ou coisas; cadeia, corda *<c. de policiais>* **6** *B* grupo de foliões carnavalescos ▣ **c. de isolamento** corda ou outro obstáculo que isola uma área para impedir o acesso do público • **c. umbilical 1** ANAT estrutura que contém os vasos que ligam o feto à placenta e lhe asseguram oxigênio e nutrientes provindos do sangue da mãe **2** *fig.* laço muito forte que une alguém a uma figura ou fato marcante do passado

cordato (cor.da.to) *adj.* **1** que concorda **2** sensato, judicioso, prudente ~ **cordura** *s.f.*

cordeiro (cor.dei.ro) *s.m.* **1** ZOO filhote de carneiro de até um ano de idade **2** *fig.* pessoa pacífica, cândida ◉ VOZ v.: balar, balir; subst.: balado, balido

[1]**cordel** (cor.del) [pl.: *-éis*] *s.m.* corda fina e flexível; barbante, cordão ◉ ORIGEM do fr. *cordeau*, dim. do fr. *corde* 'id.'

[2]**cordel** (cor.del) [pl.: *-éis*] *s.m.* *B* literatura de cordel ◉ ORIGEM red. de *literatura de cordel*

cor-de-rosa (cor-de-ro.sa) *s.m.2n.* **1** cor vermelho--clara da flor de certas roseiras ■ *adj.2g.2n.* **2** que tem essa cor *<fitas c.>* **3** *fig.* feliz, venturoso *<período c.>*

cordial (cor.di.al) [pl.: *-ais*] *adj.2g.* **1** caloroso, franco *<abraço c.>* **2** que revela disposição favorável em relação a outrem *<chefe c., mas rigoroso>* **3** em que há boa vontade ou convergência de pontos de vista *<reunião c.>* ■ *s.m.* **4** bebida ou medicamento que fortalece ou conforta

cordialidade (cor.di.a.li.da.de) *s.f.* manifestação de afeto e simpatia *<agradeço a c. do seu telefonema>* ↺ hostilidade, frieza

cordilheira (cor.di.lhei.ra) *s.f.* GEO grande cadeia de montanhas

cordoalha (cor.do.a.lha) *s.f.* conjunto de cordas de vários tipos; cordame

cordovão (cor.do.vão) [pl.: *-ões*] *s.m.* couro de cabra curtido, us. esp. para fazer calçados

coreano (co.re.a.no) *adj.* **1** da República da Coreia (Coreia do Sul) ou da República Democrática Popular da Coreia (Coreia do Norte) **2** relativo à língua falada nesses países ■ *s.m.* **3** natural ou habitante desses países **4** língua falada nesses países

coreia (co.rei.a) /éi/ *s.f.* **1** dança, bailado **2** MED síndrome nervosa caracterizada por movimentos involuntários, esp. no ombro e no quadril

coreografia (co.re.o.gra.fi.a) *s.f.* **1** DNÇ arte de criar movimentos e passos de dança **2** DNÇ conjunto desses movimentos e passos **3** *fig.* qualquer sequência de movimentos que lembram uma dança *<c. das borboletas>* ~ **coreografar** *v.t.d.* - **coreógrafo** *s.m.*

coreto (co.re.to) /ê/ *s.m.* construção com teto e sem paredes, us. para concertos musicais em praças públicas ▣ **bagunçar** ou **balançar o c.** intrometer-se numa situação ou atividade, causando confusão ou embaraço (a alguém)

coriáceo (co.ri.á.ceo) *adj.* **1** da consistência do couro **2** semelhante ao couro

corifeu (co.ri.feu) *s.m.* **1** regente do coro no antigo teatro grego **2** *p.ext.* líder de um grupo

coriscar (co.ris.car) *v.* {mod. 1} *int.* **1** produzir coriscos; relampejar *<coriscou ao cair a tarde>* ☞ nesta acp., é impessoal, exceto quando fig. **2** brilhar como um corisco; cintilar ☞ nesta acp., só us. nas 3as p., exceto quando fig.

corisco (co.ris.co) *s.m.* faísca elétrica da atmosfera; raio ◉ COL coriscada

corista (co.ris.ta) *adj.2g.s.2g.* **1** MÚS que(m) canta em coro *<a companhia contratou dez (atores) c.>* **2** MÚS TEAT (mulher) que dança e canta em teatros de revista, musicais etc.

coriza (co.ri.za) *s.f.* MED corrimento nasal decorrente de inflamação ou alergia; defluxo

corja (cor.ja) *s.f.* grupo de indivíduos grosseiros, de má índole; malta, súcia

córnea (cór.nea) *s.f.* ANAT membrana transparente que forma a parte anterior do olho

cornear (cor.ne.ar) *v.* {mod. 5} *t.d.* **1** golpear com os cornos; chifrar **2** *fig. infrm.* ser infiel a (namorado, cônjuge); trair, chifrar

córneo (cór.neo) *adj.* **1** relativo a corno, a chifre *<armação c. dos bois>* **2** constituído principalmente por ceratina (como os cornos dos bois, cabras etc.) *<unhas e cascos são formados de tecido c.>*

córner (cór.ner) [pl.: *-es*] *s.m.* FUTB *B* **1** escanteio **2** cada canto do campo de futebol

corneta (cor.ne.ta) /ê/ *s.f.* MÚS instrumento de sopro feito de metal, com bocal e tubo cilíndrico que termina em forma de cone ~ **cornetear** *v.int.*

corneteiro (cor.ne.tei.ro) *s.m.* aquele que toca corneta, esp. num batalhão, para transmitir ordens e sinais

cornífero (cor.ní.fe.ro) *adj.* que tem chifres; cornígero, cornudo

cornígero (cor.ní.ge.ro) *adj.* cornífero

cornija (cor.ni.ja) *s.f.* ARQ moldura saliente que arremata o alto de fachadas, paredes, portas etc.

corno (cor.no) /ô/ [pl.: /ó/] *s.m.* ANAT ZOO **1** chifre ■ *adj.s.m. infrm. gros.* **2** que(m) foi traído por namorado, companheiro etc. ▼ *cornos* *s.m.pl.* *B infrm. gros.* **3** cara, rosto ◉ GRAM/USO dim.irreg.: *cornicho*, *cornículo* ▣ **não ir com os c. de (alguém)** *infrm.* não simpatizar com *<ele não vai com os c. do vizinho>*

cornucópia (cor.nu.có.pia) *s.f.* vaso em forma de chifre, que derrama flores e frutos; antigo símbolo da fertilidade e abundância, hoje simboliza a agricultura e o comércio

cornudo (cor.nu.do) *adj.s.m.* **1** (o) que tem cornos; chifrudo **2** *fig. pej.* (homem) traído pela mulher ou namorada; corno

coro (co.ro) /ô/ [pl.: /ó/] *s.m.* **1** MÚS conjunto de cantores que cantam em uníssono ou em várias vozes; coral **2** MÚS composição musical para conjunto de cantores **3** *p.ext.* conjunto de quaisquer sons *<c. de buzinas>* **4** balcão de igreja reservado aos cânticos e ao clero

coroa (co.ro.a) /ô/ *s.f.* **1** ornamento circular de cabeça que denota realeza, vitória ou enfeite **2** realeza, majestade ☞ nesta acp., inicial ger. maiúsc. **3** o rei ☞ nesta acp., inicial ger. maiúsc. **4** círculo luminoso que se forma ao redor do Sol ou da Lua **5** parte mais elevada de algo; cocuruto, cume <*c. de morro*> **6** reverso de uma moeda ☞ cf. *cara* ■ *s.2g. B infrm.* **7** pessoa de meia-idade ☞ cf. *balzaquiano* ▣ **c. dentária** ODONT parte do dente revestida de esmalte

coroação (co.ro.a.ção) [pl.: *-ões*] *s.f.* **1** ato ou efeito de coroar **2** cerimônia em que se coroa alguém <*c. de um rei*> **3** *fig.* conclusão, arremate perfeito <*este doce foi a c. de um jantar delicioso*>

coroado (co.ro.a.do) *adj.* **1** que se coroou; guarnecido de coroa <*rei c.*> **2** arrematado de modo que lembra uma coroa <*construção c.*> **3** *fig.* que obteve prêmio ou reconhecimento <*esforço c.*>

coroar (co.ro.ar) *v.* {mod. 1} *t.d.* **1** pôr coroa em <*c. uma rainha*> **2** estar à volta de; rodear <*árvores frondosas coroavam o lago*> **3** arrematar, completar (ação, tarefa etc.) com excelência <*coroou a narrativa com um desfecho singular*> **4** *fig.* premiar, recompensar <*a promoção coroou seu trabalho*> **5** satisfazer (desejo, vontade etc.) <*o nascimento do filho coroou o sonho da mulher*> □ *t.d. e t.d.pred.* **6** aclamar como soberano ou pontífice em cerimônia de coroação <*os cardeais coroaram papa um argentino*> ~ **coroamento** *s.m.*

coroca (co.ro.ca) *adj.2g. B pej.* **1** enfraquecido, adoentado ou idoso; caduco, decrépito <*velha c.*> ■ *s.2g. B pej.* **2** indivíduo velho e feio

coroinha (co.ro.i.nha) *s.2g.* jovem ou criança que ajuda o padre na missa ☞ cf. *acólito*

corola (co.ro.la) *s.f.* BOT conjunto das pétalas de uma flor ◉ GRAM/USO dim.irreg.: *corólula*

corolário (co.ro.lá.rio) *s.m.* **1** verdade que se demonstra incidentalmente, na demonstração de uma outra **2** consequência natural; dedução <*o c. da política econômica foi a recessão*>

coronária (co.ro.ná.ria) *s.f.* ANAT cada uma das duas artérias que levam oxigênio ao coração

coronariano (co.ro.na.ri.a.no) *adj.* relativo à(s) ou próprio da(s) coronária(s) <*trombose c.*>

coronário (co.ro.ná.rio) *adj.* que recobre um órgão ou parte do corpo como se fosse uma coroa (diz-se de cada um dos vasos, ligamentos etc.) <*artérias c.*>

coronel (co.ro.nel) [pl.: *-éis*] *s.m.* **1** AER MIL patente imediatamente acima de tenente-coronel **2** AER MIL oficial que detém essa patente **3** *B* indivíduo, ger. grande proprietário rural, que exerce influência política e econômica em determinada região ~ **coronelato** *s.m.*

coronel-aviador (co.ro.nel-a.vi.a.dor) [pl.: *coronéis-aviadores*] *s.m.* AER **1** patente logo acima da de tenente-coronel e imediatamente inferior à de brigadeiro **2** oficial que detém essa patente

coronelismo (co.ro.ne.lis.mo) *s.m.* POL *B* poder ou influência de uma elite rural sobre a vida política, econômica e social de uma região ~ **coronelista** *adj.2g.s.2g.*

coronha (co.ro.nha) *s.f.* peça para o encaixe do cano da arma de fogo e para a empunhadura

coronhada (co.ro.nha.da) *s.f.* golpe com a coronha de uma arma

corpaço (cor.pa.ço) *s.m.* **1** grande corpo; corpanzil **2** *B infrm.* corpo muito bonito, bem-feito ◉ GRAM/USO aum.irreg. de *corpo*

corpanzil (cor.pan.zil) [pl.: *-is*] *s.m.* corpo grande, forte; corpaço ◉ GRAM/USO aum.irreg. de *corpo*

corpete (cor.pe.te) /ê/ *s.m.* VEST **1** blusa justa e até a cintura **2** sutiã

corpo (cor.po) /ô/ [pl.: /ó/] *s.m.* **1** ANAT estrutura física dos animais e do ser humano **2** ANAT no ser humano, o conjunto da cabeça, tronco e membros **3** *p.ext.* o tronco humano ou animal <*tinha o c. atarracado*> **4** *p.ext.* compleição física; constituição <*ainda era moço, mas já tinha c.*> **5** cadáver **6** *fig.* materialidade do ser <*os prazeres do c.*> ☞ cf. *alma* **7** substância, matéria, tudo o que ocupa lugar <*c. líquido*> **8** parte essencial ou principal de algo <*o c. de uma casa*> <*o c. de um projeto*> **9** conjunto de profissionais <*c. de médicos*> **10** GRÁF tamanho de letra impressa ◉ GRAM/USO aum. irreg.: *corpaço, corpanzil*; dim.irreg.: *corpúsculo* ▣ **c. a c.** em luta física <*lutaram c. a c.*> ☞ cf. *corpo a corpo* (s.m.) • **c. celeste** ASTR objeto natural existente no espaço, como planeta, estrela etc. • **c. de bombeiros** grupo paramilitar dedicado à prevenção e combate a incêndios e a prestar socorro à população • **c. de delito** DIR exame feito por perito, para constatar a existência de crime • **c. discente** conjunto de alunos de um estabelecimento de ensino • **c. docente** conjunto de professores de um estabelecimento de ensino • **c. estranho 1** MED substância ou objeto que se encontra de modo indevido em um órgão, orifício ou conduto do corpo, quer acidentalmente (objeto inalado, deglutido ou introduzido) quer espontaneamente (cálculos, calcificações intra-articulares etc.) **2** *fig.* indivíduo que não se adaptou em determinado ambiente • **de c. e alma** *fig.* **1** em pessoa, pessoalmente **2** com todas as forças <*dedicou-se de c. e alma à pesquisa*> • **fazer c. mole** *fig.* escapar ou tentar escapar a certo trabalho ou pedido de ajuda • **tirar o c. fora** *infrm.* **1** desviar-se de um golpe ou livrar-se de um ataque **2** omitir-se em relação a certo pedido, compromisso ou obrigação

corpo a corpo (cor.po a cor.po) *s.m.2n. B* **1** luta física **2** *p.ext.* confronto de ideias, opiniões etc. **3** contato direto de um político ou candidato a cargo legislativo com a população ☞ cf. *corpo a corpo* (loc.adv.)

corporação (cor.po.ra.ção) [pl.: *-ões*] *s.f.* **1** associação de pessoas, freq. da mesma profissão, sujeitas a um mesmo regulamento, visando a um fim comum <*c. de engenheiros*> **2** empresa ou grupo de empresas de grande porte

corporal (cor.po.ral) [pl.: *-ais*] *adj.2g.* **1** relativo ao corpo, próprio dele ou a ele pertencente; corporal <*expressão c.*> **2** que tem corpo; corporal, físico <*seres c.*> ↺ incorpóreo, espiritual **3** que afeta o corpo <*castigo c.*>

corporativismo (cor.po.ra.ti.vis.mo) *s.m.* doutrina baseada no agrupamento das classes produtoras em corporações de defesa dos próprios interesses ~ **corporativista** *adj.2g.s.2g.*

corporativo (cor.po.ra.ti.vo) *adj.* relativo a ou próprio de uma corporação <*trabalho c.*> <*normas c.*>

corpóreo (cor.pó.reo) *adj.* corporal ↺ incorpóreo, material

corporificar (cor.po.ri.fi.car) *v.* {mod. 1} *t.d.,t.d.i. e pron.* (prep. *em*) (fazer) adquirir corpo, matéria; concretizar(-se), materializar(-se) *<c. um ideia (numa obra de arte)>* *<ela acha que um espírito pode c.-se>* ~ **corporificação** *s.m.*

corpulento (cor.pu.len.to) *adj.* **1** de corpo grande **2** *p.ext.* obeso, gordo **3** *p.ext.* de grande volume ou vulto *<guindaste c.>* ~ **corpulência** *s.f.*

corpúsculo (cor.pús.cu.lo) *s.m.* corpo muito pequeno ◉ GRAM/USO dim.irreg. de *corpo*

correame (cor.re.a.me) *s.m.* conjunto de correias

correção (cor.re.ção) [pl.: *-ões*] *s.f.* **1** ato ou efeito de pôr em bom estado ou em boa disposição algo que apresenta defeito, erro, falha *<c. da postura>* **2** ato de reparar injustiça, ofensa etc., ou o seu efeito **3** aperfeiçoamento de uma obra, um trabalho etc. *<pronto o livro, começou a fazer-lhe as c. necessárias>* **4** comportamento incorrupto; honestidade *<agir com c.>* ↺ desonestidade **5** repreensão ou castigo *<a mãe deu uma c. ao filho>* **6** indicação de erros e acertos em provas, testes etc. ☞ cf. *correição* ▣ **c. monetária** ECON reajuste do valor de um título financeiro, para compensar a perda do poder aquisitivo da moeda ~ **correcional** *adj.2g.s.m.*

corre-corre (cor.re-cor.re) [pl.: *corre-corres* e *corres-corres*] *s.m. B infrm.* correria

corredeira (cor.re.dei.ra) *s.f. B* trecho de rio com águas que correm mais ligeiras; cachoeira

corrediço (cor.re.di.ço) *adj.* que desliza ou escorrega facilmente; corredio

corredio (cor.re.di.o) *adj.* corrediço

corredor (cor.re.dor) /ô/ [pl.: *-es*] *adj.s.m.* **1** (o) que corre bem **2** *B* (cavalo) de corrida **3** que(m) participa de corridas a pé, de moto etc. ■ *s.m.* **4** passagem mais ou menos estreita no interior de prédio, apartamento etc.

correeiro (cor.re.ei.ro) *s.m.* pessoa que fabrica ou comercializa correias ou outros produtos em que se usa o couro como matéria-prima

corregedor (cor.re.ge.dor) /ô/ [pl.: *-es*] *s.m.* DIR magistrado que fiscaliza e corrige erros de autoridades judiciais

corregedoria (cor.re.ge.do.ri.a) *s.f.* DIR **1** cargo, ofício ou jurisdição de corregedor **2** área de jurisdição de um corregedor **3** repartição onde o corregedor exerce seu ofício

córrego (cór.re.go) *s.m.* **1** *B* pequeno rio com fluxo de água tênue; riacho **2** via estreita e funda entre montanhas; desfiladeiro

correia (cor.rei.a) *s.f.* tira resistente, ger. de couro, us. para atar, prender etc. ◉ COL correagem, correame, encorreadura ~ **correaria** *s.f.*

correição (cor.rei.ção) [pl.: *-ões*] *s.f.* **1** conserto de erro, imperfeição etc.; correção **2** ofício de corregedor **3** região sob a alçada de um juiz; comarca **4** *B* fila de formigas ☞ cf. *correção*

correio (cor.rei.o) *s.m.* **1** órgão público que recebe e expede correspondência **2** *p.ext.* local onde funciona esse órgão **3** *p.ext.* carteiro **4** *infrm.* pessoa que passa adiante informações confidenciais; informante *<é um c. da irmã>* **5** correspondência pessoal *<não abriu o c. hoje>* ▣ **c. de voz** TEL caixa de mensagens • **c. eletrônico** INTERN **1** troca de mensagens por meios eletrônicos, esp. em rede de computadores **2** mensagem de texto eletrônica

correlação (cor.re.la.ção) [pl.: *-ões*] *s.f.* **1** ligação mútua entre dois ou mais termos, coisas etc. **2** relação de conformidade; correspondência *<c. de dois pontos de vista>*

correlacionar (cor.re.la.cio.nar) *v. t.d.i. e pron.* (prep. *a, com*) fazer correlação entre (pessoas, coisas, ideias etc.) *<c. idade cronológica com idade mental>* *<teoria e prática se correlacionam no seu dia a dia>*

correlato (cor.re.la.to) *adj.s.m.* **1** (o) que apresenta correlação **2** LING (termo) cujo significado tem relação com o de outro termo <pequenino, *mínimo, mirim são (termos) c. de* pequeno>

correligionário (cor.re.li.gio.ná.rio) *adj.s.m.* que(m) é do mesmo grupo, partido, doutrina etc. ↺ adversário

corrente (cor.ren.te) *s.f.* **1** série ou cadeia de argolas interligadas, ger. de ferro; grilhão *<os presos traziam nos pés grossas c.>* *<com pesadas c., prenderam o navio ao cais>* **2** qualquer conjunto de argolas, rolos etc. que, articulados entre si, constituem uma série com as mais diversas aplicações, esp. em engrenagens, máquinas etc *<c. de uma bicicleta>* **3** correnteza **4** *fig.* série continuada de pessoas ou coisas interligadas de alguma maneira *<c. de esperança>* **5** fluxo *<c. de pensamento>* **6** linha de pensamento *<há diversas c. dentro do partido>* ■ *adj.2g.* **7** que corre ou flui *<água c.>* **8** que, no momento, está passando (diz-se de tempo) *<mês c.>* **9** que tem curso; vigente *<moeda c.>* **10** que é usual; comum *<hábito c.>* **11** evidente, claro, notório *<problema c.>* ▣ **c. alternada** ELETR corrente elétrica que inverte periodicamente o sentido do seu fluxo, segundo uma frequência determinada • **c. contínua** ELETR corrente elétrica que flui sempre no mesmo sentido, como a gerada pelas pilhas • **c. de ar 1** movimento do vento em determinada direção **2** fluxo de ar num espaço fechado *<fechou a janela para bloquear a c. de ar>* • **c. elétrica** ELETR fluxo de cargas elétricas através de um condutor • **c. marinha** ou **marítima** movimento contínuo das águas oceânicas, decorrente da rotação da Terra, do vento, de diferenças de temperatura etc. e cuja velocidade e direção variam também em função do relevo e da profundidade das águas • **c. sanguínea** FISL circulação do sangue no corpo • **estar ao c.** de estar ciente de, estar informado de • **ir** ou **nadar contra a c.** decidir ou agir contra a opinião ou tendência majoritária ou mais popular

correnteza (cor.ren.te.za) /ê/ *s.f.* fluxo de água ger. forte e contínuo; corrente *<c. de um rio>*

correntio (cor.ren.ti.o) *adj.* **1** que corre com facilidade; corrediço *<janela c.>* **2** *fig.* que apresenta fluidez; fluente *<leitura c.>*

correntista (cor.ren.tis.ta) *adj.2g.s.2g. B* que(m) tem conta-corrente em banco

correr (cor.rer) *v.* {mod. 8} *int.* **1** deslocar-se velozmente, pelo contato rápido dos pés ou patas com uma superfície *<com o estrondo, os animais correram assustados>* **2** participar de corrida ('competição') **3** fluir ou descer (líquido) *<lágrimas que correm>* **4** decorrer, passar *<o tempo corre depressa>* ↺ deter-se, parar **5** prosseguir, tramitar *<fazer c. uma ação>* **6** *fig.* tornar-se público; espalhar-se *<a notícia correu por toda a cidade>* □ *t.d.* **7** percorrer, viajar *<c. toda a França>* **8** mover, fazendo deslizar *<c. as cortinas>* **9** examinar ou percorrer, procurando algo *<c. um lugar, um livro>* **10** estar sujeito a (risco, perigo etc.) □ *t.d. e t.i.* **11** (prep. *com*) expulsar, enxotar *<corra daqui com esse cão>* □ *t.i.* **12** (prep. *a*, *para*) dirigir-se com pressa (a um lugar) *<c. para casa>* □ *t.d.i.* **13** (prep. *por*) passar delicadamente; deslizar *<c. os dedos pelo rosto>*

correria (cor.re.ri.a) *s.f.* **1** ato, processo ou efeito de correr; corre-corre *<alunos em c.>* **2** grande pressa; corre-corre *<dias cheios de c.>* **3** tumulto, briga; corre-corre *<fugiu da c.>*

correspondência (cor.res.pon.dên.cia) *s.f.* **1** relação mútua entre pessoas ou coisas; conformidade *<c. entre palavras e atos>* **2** intercâmbio de mensagens, cartas etc. entre pessoas **3** conjunto de cartas, telegramas etc. *<ainda não li a c. de hoje>*

correspondente (cor.res.pon.den.te) *adj.2g.* **1** que apresenta analogia, semelhança *<teoria e prática c.>* **2** conveniente, adequado *<usou um vestido c. à formalidade da reunião>* ■ *s.2g.* **3** jornalista que envia notícias de outra cidade ou país **4** quem troca correspondência com alguém ☞ cf. *enviado*

corresponder (cor.res.pon.der) *v.* {mod. 8} *t.i.* **1** (prep. *a*) ser equivalente, adequado, proporcional *<a sua parte correspondia à metade da herança>* ↺ destoar **2** (prep. *a*) responder (a gesto, favor etc.) de modo semelhante; retribuir *<correspondeu ao sorriso do amigo>* □ *pron.* **3** (prep. *com*) comunicar-se por meio de carta *<correspondia-se com a família frequentemente>*

corresponsável (cor.res.pon.sá.vel) [pl.: *-eis*] *adj.2g.s.2g.* que(m) divide responsabilidade com outrem ~ **corresponsabilidade** *s.f.*

corretagem (cor.re.ta.gem) [pl.: *-ens*] *s.f.* **1** atividade ou serviço de um ²corretor **2** comissão recebida por esse serviço ~ **corretar** *v.int.*

corretivo (cor.re.ti.vo) *adj.s.m.* **1** (o) que corrige ou pode corrigir **2** (castigo, punição) que se aplica com o propósito de corrigir *<o professor aplicou-lhes uma admoestação c.>* *<a mãe aplicou-lhe um c.>* **3** (cosmético) que cobre pequenas falhas da pele; corretor

correto (cor.re.to) *adj.* **1** sem falha, erros ou defeitos *<atitude c.>* ↺ inadequado, incorreto **2** emendado, corrigido *<versão c. da obra>* **3** que corresponde (a certo padrão, norma etc.); perfeito *<peso c. para sua idade>* **4** que apresenta exatidão *<soma c.>* ↺ errado, incorreto, inexato **5** digno, irrepreensível, honrado (diz-se de pessoa) ↺ incorreto, indigno

¹**corretor** (cor.re.tor) /ô/ [pl.: *-es*] *adj.s.m.* **1** que(m) corrige **2** (cosmético) que cobre pequenas falhas da epiderme; corretivo ◉ ORIGEM do lat. *corrĕctor,ōris* 'o que emenda, corrige'

²**corretor** (cor.re.tor) /ô/ [pl.: *-es*] *adj.s.m.* que(m) compra e vende bens de outrem ou ações da bolsa de valores em troca de comissão *<contratou um (profissional) c. de imóveis>* ◉ ORIGEM do ant. provençal *corratier* 'intermediário'

corretora (cor.re.to.ra) /ô/ *s.f.* entidade que atua no comércio de títulos e valores de bens móveis *<c. de seguros>*

corrida (cor.ri.da) *s.f.* **1** ato ou efeito de correr **2** ESP competição de velocidade *<c. de obstáculos>* *<c. de cavalos>* *<c. de automóveis>* **3** caminho percorrido entre dois pontos; curso **4** nos táxis, quantia a ser paga pelo passageiro por um certo percurso

corrido (cor.ri.do) *adj.* **1** que correu **2** que passou (diz-se esp. de tempo) *<mês c.>*

corrigenda (cor.ri.gen.da) *s.f.* **1** repreensão, reprimenda **2** documento com lista de erros de uma obra; errata

corrigir (cor.ri.gir) *v.* {mod. 24} *t.d. e pron.* **1** (fazer) tomar a forma correta, melhor; endireitar(-se) *<c. o defeito de um aparelho>* *<o problema da engrenagem corrigiu-se sozinho>* **2** castigar(-se), punir(-se) *<c. os filhos>* *<os noviços corrigiam-se com cilícios>* ↺ absolver; premiar □ *t.d.* **3** indicar acertos e erros em (prova, teste etc.) **4** reparar, remediar (injustiça, ofensa etc.) ◉ GRAM/USO part.: *corrigido*, *correto*; ver QUADRO DE PARTICÍPIOS DUPLOS nas pp. iniciais

corrimão (cor.ri.mão) [pl.: *-ãos* e *-ões*] *s.m.* barra de apoio para a mão em escadas, rampas etc.

corrimento (cor.ri.men.to) *s.m.* secreção que escorre de um órgão doente

corriola (cor.ri.o.la) *s.f.* **1** RECR jogo com uma fita dobrada, na qual se metem ponteiros entre as voltas, ganhando quem consegue prender algum desses ponteiros quando a fita se desenrola **2** essa fita **3** *fig. infrm.* laço, artifício com que se engana uma pessoa; armadilha **4** *B infrm.* grupo de pessoas desonestas ou inescrupulosas; súcia, corja

corriqueiro (cor.ri.quei.ro) *adj.* **1** que é usual; comum, trivial *<situação c.>* **2** sem graça, estilo ou brilho; desgracioso *<enfeite c.>*

corroborar (cor.ro.bo.rar) *v.* {mod. 1} *t.d.* confirmar, comprovar *<sua pesquisa corroborou a hipótese do cientista>* ↺ contradizer, negar ~ **corroboração** *s.f.*

corroer (cor.ro.er) *v.* {mod. 9} *t.d. e pron.* **1** consumir(-se) aos poucos; desgastar(-se) *<a água corrói a madeira>* *<a paixão corrói-se com o tempo>* **2** *fig.* (prep. *de*) destruir(-se) *<a cobiça corrói o homem>* *<corroía-se de mágoa com aquela revelação>*

corromper (cor.rom.per) *v.* {mod. 8} *t.d. e pron.* **1** tornar(-se) estragado; deteriorar(-se) *<a ferrugem corrompe o ferro>* *<os alimentos expostos corrompem-se facilmente>* **2** (fazer) comportar-se contra a ética, a moral etc.; perverter(-se) *<os hábitos desregrados corrompem os jovens>* *<corrompeu-se por causa das drogas>* ↺ dignificar(-se) □ *t.d.* **3** alterar, adulterar *<c. um texto>* **4** subornar (pessoa) por interesse próprio ou de outrem *<tentou c. o policial>* ◉ GRAM/USO part.: *corrompido*, *corrupto*; ver QUADRO DE PARTICÍPIOS DUPLOS nas pp. iniciais

corrosão (cor.ro.são) [pl.: *-ões*] *s.f.* desgaste gradual de um corpo qualquer (rocha, metal etc.) por agentes externos

C

corrosivo (cor.ro.si.vo) *adj.s.m.* (o) que causa corrosão

corrugado (cor.ru.ga.do) *adj.* que tem rugas ou pregas *<papel c.>* ~ **corrugar** *v.t.d.,int. e pron.*

corrupção (cor.rup.ção) [pl.: *-ões*] *s.f.* **1** deterioração física de algo; putrefação *<c. dos alimentos>* ↺ conservação **2** *fig.* depravação de hábitos, costumes etc.; devassidão ↺ decência **3** oferta de dinheiro ou vantagem em troca de um benefício, ger. ilegal; suborno

corrupião (cor.ru.pi.ão) [pl.: *-ões*] *s.m.* ZOO *B* ave muito conhecida pela sua voz e pela capacidade de imitar melodias, com algumas espécies de cor negra e laranja e outras, apenas laranja ◉ VOZ v.: gorjear; subst.: gorjeio

corrupiar (cor.ru.pi.ar) *v.* {mod. 1} *t.d. e int.* (fazer) girar em torno de um eixo; rodopiar *<c. um pião>* *<o guri corrupiava sem parar>*

corrupio (cor.ru.pi.o) *s.m.* RECR **1** brincadeira em que um par rodopia de mãos dadas **2** cata-vento ('brinquedo')

corruptela (cor.rup.te.la) *s.f.* pronúncia ou escrita de palavra, expressão etc. distanciada de linguagem com maior prestígio social

corruptível (cor.rup.tí.vel) [pl.: *-eis*] *adj.2g.* que pode ser corrompido ↺ incorruptível

corrupto (cor.rup.to) *adj.* **1** em que houve corrupção; estragado ■ *adj.s.m.* **2** (aquele) que age com desonestidade, ger. em benefício próprio

corruptor (cor.rup.tor) /ô/ [pl.: *-es*] *adj.s.m.* **1** (o) que desvirtua (costumes, hábitos etc.) **2** (o) que suborna outra pessoa, em função de interesse próprio ou alheio

corsário (cor.sá.rio) *s.m.* **1** MAR navio que faz o [1]corso **2** MAR comandante de tal navio **3** pirata

[1]**corso** (cor.so) /ô/ *s.m.* **1** HIST MAR tipo de guerra irregular em que um comandante de navio mercante armado ou de guerra recebe autorização do Estado para atacar embarcações inimigas **2** antigo desfile carnavalesco de carros enfeitados com serpentinas, fitas etc. ☞ cf. *corço* ◉ ORIGEM do it. *corsa* 'ação bélica contra navios mercantes inimigos'

[2]**corso** (cor.so) /ô/ *adj.* **1** da Córsega (mar Mediterrâneo) ■ *s.m.* **2** natural ou habitante dessa ilha ☞ cf. *corço* ◉ ORIGEM do lat. *corsus,a,um* 'id.'

cortada (cor.ta.da) *s.f.* ESP golpe forte e rápido na bola de cima para baixo, no tênis, no vôlei etc.

cortado (cor.ta.do) *adj.* **1** que se cortou *<grama c.>* *<cabelos c.>* **2** talhado *<terno bem c.>* **3** em que houve interrupção; interrompido, suspenso *<ligação telefônica c.>* *<fornecimento de energia c.>* **4** regularmente interrompido; entremeado *<choro c. por soluços>*

cortador (cor.ta.dor) [pl.: *-es*] *adj.s.m.* (o) que é us. para cortar (diz-se de qualquer instrumento ou máquina) *<máquina c. de batatas>* *<c. de grama>*

corta-fogo (cor.ta-fo.go) *adj.2g.2n.* que impede a propagação do fogo *<portas c.>*

corta-jaca (cor.ta-ja.ca) [pl.: *corta-jacas*] *s.m.* DNÇ dança caracterizada pela movimentação dos pés juntos, quase sem nenhuma flexão das pernas

cortante (cor.tan.te) *adj.2g.* **1** que corta; afiado **2** *p.ext.* frio, gélido *<vento c.>* **3** que se apresenta de modo agudo (diz-se de som); estridente, ruidoso

cortar (cor.tar) *v.* {mod. 1} *t.d.* **1** dividir em partes com instrumento afiado ou com as próprias mãos *<c. uma folha ao meio>* **2** talhar (costura) *<c. um paletó>* **3** retirar o excesso de; aparar *<c. o cabelo>* *<c. as unhas>* **4** interromper a transmissão de *<c. a energia elétrica>* **5** acabar com; anular *<remédio para c. a febre>* **6** deixar de usar, de consumir *<c. os doces>* *<c. a bebida>* **7** sulcar (água de mar, rio etc.) **8** *fig.* cruzar (caminho, rua etc.) *<a rua corta a avenida>* **9** *B infrm.* tomar a dianteira de (veículo) de maneira arriscada; fechar **10** ESP em alguns jogos, interceptar (a bola ou jogada do adversário) *<c. um passe>* □ *t.d. e t.d.i.* **11** (prep. *de*) separar com instrumento afiado *<c. da pizza só uma fatia>* **12** (prep. *de*) eliminar, suprimir *<c. do texto dois parágrafos>* □ *t.d. e pron.* **13** ferir(-se) com objeto cortante *<c. o dedo com uma faca>* *<cortou-se picando os legumes>* □ *int.* **14** ser afiado *<esta tesoura não corta>* **15** ESP dar cortada na bola *<o levantador preparou a jogada para que o companheiro cortasse>*

corte (cor.te) *s.m.* **1** ato ou efeito de cortar(-se) **2** ferimento causado por um instrumento cortante **3** fio de faca, tesoura etc. **4** abate de animais em açougue ou matadouro **5** peça de carne de gado cortada esp. para consumo **6** acabamento de uma roupa *<vestido de bom c.>* **7** ato ou efeito de aparar; desbaste *<c. de cabelo>* **8** supressão de trecho em livro, filme etc. **9** interrupção, suspensão *<c. do fornecimento de gás>* **10** *fig.* rompimento de relação entre pessoas, países etc. *<c. das relações diplomáticas>*

corte (cor.te) /ô/ *s.f.* **1** residência de soberano; paço **2** a nobreza que rodeia esse soberano; séquito **3** cidade onde o soberano reside *<o camponês visitou a c.>* **4** galanteio **5** tribunal de justiça *<c. de apelação>* ▣ **c. marcial** DIR tribunal para crimes militares, em tempo de paz, e crimes, mesmo comuns, em tempo de guerra • **fazer a c. a** requestar (uma mulher) com palavras e/ou gestos amáveis, delicados; cortejar *<fazer a corte à filha do patrão>*

cortejar (cor.te.jar) *v.* {mod. 1} *t.d.* **1** tratar com cortesia, educação ↺ desconsiderar **2** fazer corte a (mulher); galantear **3** *pej.* bajular, adular ↺ criticar ~ **cortejador** *adj.s.m.*

cortejo (cor.te.jo) /ê/ *s.m.* **1** saudação solene e especial **2** procissão, comitiva *<grande c. seguia o rei>* **3** galanteio, amabilidade, gentileza

cortês (cor.tês) [pl.: *-eses*] *adj.2g.* **1** da corte ('cidade') **2** refinado, civilizado, urbanizado *<pessoa de hábitos c.>* **3** *fig.* delicado nas palavras e ações; gentil *<homem c.>*

cortesã (cor.te.sã) *s.f.* **1** antiga dama da corte, favorita do rei **2** prostituta de luxo

cortesão (cor.te.são) [pl.: *-ãos* e *-ões*; fem.: *cortesã*] *s.m.* **1** pessoa que vive e/ou trabalha na corte **2** indivíduo cortês ■ *adj.* **3** próprio da corte *<costumes c.>* **4** urbanizado, civilizado **5** cortês, refinado ↺ rude

cortesia (cor.te.si.a) *s.f.* **1** amabilidade, polidez **2** brinde ou presente *<recebeu flores como c.>*

córtex (cór.tex) /cs/ *s.m.2n.* BIO parte externa de órgão ou estrutura animal ou vegetal *<c. cerebral>*

cortiça (cor.ti.ça) *s.f.* BOT **1** camada macia e porosa de alguns troncos e raízes, us. no fabrico de rolhas, boias etc. **2** nome comum a várias árvores que possuem essa camada

cortiço (cor.ti.ço) *s.m.* **1** *fig. B* casa que serve de habitação coletiva para a população pobre; casa de cômodos, cabeça de porco **2** *p.ext. B* aglomerado de casas pobres **3** peça feita de casca de árvore, para alojar colônias de abelhas

corticoide (cor.ti.coi.de) /ói/ *adj.2g.s.m.* BIOQ corticosteroide

corticosteroide (cor.ti.cos.te.roi.de) /ói/ *adj.2g.s.m.* (grupo de hormônios do córtex suprarrenal ou sintéticos) us. esp. como anti-inflamatórios; corticoide

cortina (cor.ti.na) *s.f.* peça suspensa, ger. de pano, para cobrir vãos, separar e proteger espaços etc. <*c. de janela*> <*c. de banheiro*> <*c. de um palco*> ▣ **c. de fumaça 1** MAR fumaça espessa lançada pelas chaminés dos navios de guerra com o fim de despistar a artilharia inimiga **2** *fig.* atitude, gesto etc. feito com o propósito de ocultar, despistar alguma coisa

cortinado (cor.ti.na.do) *s.m.* **1** armação de cortinas que envolve cama ou berço **2** cortina bastante grande

cortisona (cor.ti.so.na) *s.f.* FARM hormônio extraído das glândulas suprarrenais de animais domésticos e tb. produzido sinteticamente, us. para tratar artrites, alergias etc.

coruja (co.ru.ja) *s.f.* ZOO **1** ave de hábitos crepusculares e noturnos, com face em forma de coração e voo silencioso, que engole por inteiro pequenos mamíferos, insetos e aranhas, e depois vomita os pelos e fragmentos de ossos ■ *adj.2g. infrm.* **2** muito admirado e orgulhoso do que criou ou produziu <*pai c.*> ◉ GRAM/USO masc.: *corujo*; aum.: *corujão* ◉ voz v.: arrulhar, chalrar, chalrear, crocitar, piar, pipilar; subst.: arrulho, crocito, pio

coruscar (co.rus.car) *v.* {mod. 1} *int.* emitir brilho, luz intensa; cintilar, reluzir <*as estrelas coruscavam*> ◉ GRAM/USO só us. nas 3as p., exceto quando fig. ~ **coruscação** *s.f.* - **coruscante** *adj.2g.*

corvejar (cor.ve.jar) *v.* {mod. 1} *int.* **1** emitir som (o corvo) ☞ só us. nas 3as p., exceto quando fig. **2** imitar ou lembrar o seu som

corveta (cor.ve.ta) /ê/ *s.f.* MAR navio de guerra de porte médio e boa mobilidade, menor que a fragata

corvídeo (cor.ví.deo) *s.m.* ZOO **1** espécime dos corvídeos, família de grandes aves quase cosmopolitas, que inclui as gralhas e corvos, de asas largas, cauda longa, bico grande e forte, ger. pretas ou azul-violeta ■ *adj.* **2** relativo a essa família

corvina (cor.vi.na) *s.f.* ZOO peixe ósseo, marinho, de dorso dourado com estrias negras e ventre amarelado, com grande valor comercial

corvo (cor.vo) /ô/ [pl.: /ó/; fem.: *corva* /ô/ e *corvacha*] *s.m.* ZOO grande ave preta, da família dos corvídeos, famosa pela astúcia e inteligência, encontrada em todos os continentes, menos na América do Sul ◉ GRAM/USO dim.irreg.: *corvacho* ◉ VOZ v.: corvejar, crocitar, grasnar; subst.: crocito, grasnada ~ **corvino** *adj.*

cós *s.m.2n.* faixa de pano reforçada de arremate na cintura de calças, saias etc.

cosca (cos.ca) *s.f. infrm.* cócega

coscorão (cos.co.rão) [pl.: *-ões*] *s.m.* casca grossa de ferida durante a cicatrização

coscoro (cos.co.ro) /ô/ *s.m.* **1** rigidez, dureza de um tecido que recebeu goma **2** enrugamento da pele **3** crosta

coser (co.ser) *v.* {mod. 8} *t.d. e int.* unir com pontos feitos com agulha e linha, fio etc.; costurar <*c. o bolso de uma camisa*> <*a menina está aprendendo a c.*> ↺ descoser ☞ cf. *cozer* ~ **cosedura** *s.f.*

cosmética (cos.mé.ti.ca) *s.f.* **1** ciência de embelezamento físico por meio de produtos próprios **2** indústria desses produtos

cosmético (cos.mé.ti.co) *s.m.* **1** produto de higiene e beleza da pele e dos cabelos ☞ mais us. no pl. ■ *adj.* **2** relativo a esse produto **3** *fig.* não substancial, superficial <*solução c.*>

cósmico (cós.mi.co) *adj.* **1** pertencente ou relativo ao cosmo <*espaço c.*> **2** que diz respeito ao espaço interestelar <*poeira c.*>

cosmo (cos.mo) *s.m.* ou **cosmos** (cos.mos) *s.m.2n.* espaço universal, composto de matéria e energia e ordenado segundo suas próprias leis; universo

cosmogonia (cos.mo.go.ni.a) *s.f.* corpo de doutrinas (religiosas, míticas ou científicas) que se ocupa em explicar a origem do universo ☞ cf. *cosmologia*

cosmologia (cos.mo.lo.gi.a) *s.f.* ASTR ciência que estuda a origem, a estrutura e a evolução do universo ☞ cf. *cosmogonia* ~ **cosmológico** *adj.*

cosmonauta (cos.mo.nau.ta) *s.2g.* piloto ou passageiro de nave espacial; astronauta

cosmonáutica (cos.mo.náu.ti.ca) *s.f.* ciência e técnica de pilotagem de naves espaciais

cosmopolita (cos.mo.po.li.ta) *adj.2g.* **1** relativo a grandes cidades **2** que ocorre em todos os continentes e/ou águas oceânicas (diz-se de organismo, espécie, gênero etc.) ■ *adj.2g.s.2g.* **3** (indivíduo) que viveu em muitos países e não demonstra ligação com sua terra natal **4** *p.ext.* (indivíduo) muito viajado ~ **cosmopolitismo** *s.m.*

cosmos (cos.mos) *s.m.2n.* → ***cosmo***

cossaco (cos.sa.co) *s.m.* **1** indivíduo dos cossacos, povos guerreiros esp. do sul da Rússia, da Ucrânia e da Sibéria **2** soldado do exército russo czarista ■ *adj.* **3** referente a esse indivíduo, soldado ou povo

cossecante (cos.se.can.te) *adj.2g.s.f.* MAT (função) que é definida como o inverso do seno

cosseno (cos.se.no) *s.m.* MAT em um ângulo de um triângulo retângulo, o quociente entre o cateto adjacente e a hipotenusa

costa (cos.ta) *s.f.* **1** área próxima ao mar; litoral **2** parte do mar junto da terra firme <*navios ancorados na c.*> **3** encosta ▼ ***costas*** *s.f.pl.* **4** ANAT região posterior do tronco correspondente às vértebras; dorso **5** parte de trás de um objeto **6** parte de móvel onde se descansa as costas; encosto ▣ **carregar nas c.** fazer praticamente sozinho trabalho ou esforço que caberia a um grupo <*os atacantes carregam o time nas c.*> • **dar as c. a 1** retirar-se da presença de <*deu as c. ao superior e saiu*> **2** *fig.* manifestar desprezo por <*dar as c. à pobreza*> • **de costas** de barriga para cima <*dormir de costas*> • **pelas c.** durante a ausência de <*falar mal de alguém pelas c.*> • **ter as c. largas 1** suportar encargos ou

C

responsabilidades **2** ter as costas quentes • **ter as c. quentes** estar confiante, sem receio para realizar ou falar algo, por ter a proteção de alguém; ter as costas largas • **ver pelas c.** evitar encontros, aproximações com alguém *<quer ver o desafeto pelas c.>*

costado (cos.ta.do) *s.m.* **1** parte lateral (esp. de barcos) **2** grau de inclinação de um terreno; declive **3** *infrm.* dorso de pessoa; costas **4** cada um dos quatro avós de uma pessoa

costa-riquenho (cos.ta-ri.que.nho) [pl.: *costa-riquenhos*] *adj.* **1** da Costa Rica (América Central) ■ *s.m.* **2** natural ou habitante desse país

costear (cos.te.ar) *v.* {mod. 5} *t.d. e int.* **1** navegar ao longo de (costa) *<o navio costeava o litoral gaúcho> <antes de aportar, a nau costeava perto do litoral>* ◻ *t.d.* **2** percorrer pelas margens *<c. a serra>*

costeiro (cos.tei.ro) *adj.* que se refere a costa *<comércio c.> <navegações c.>*

costela (cos.te.la) *s.f.* **1** ANAT cada um dos 12 pares de ossos chatos e curvos que formam o tórax **2** *fig. B* a esposa de um homem

costeleta (cos.te.le.ta) /ê/ *s.f.* **1** costela de animais abatidos e comercializados em açougue, junto com a carne *<c. de porco> <c. de boi>* **2** CUL prato feito com essa costela **3** *B* faixa de barba junto à orelha; suíça

costumar (cos.tu.mar) *v.* {mod. 1} *t.d.i. e pron.* **1** (prep. *a*) habituar(-se), adaptar(-se) *<os pais costumam os filhos à disciplina> <costumou-se ao trabalho árduo>* ↺ desabituar(-se) ◻ *t.d.* **2** ter por hábito *<ela costuma sair cedo>* ◻ *int.* **3** ser comum (fato, ação etc.) *<costuma chover no verão>* ☞ nesta acp., é impessoal

[1]**costume** (cos.tu.me) *s.m.* **1** hábito, prática *<c. de caminhar>* **2** modo de pensar e agir característico de pessoa, povo etc.; comportamento ☞ mais us. no pl. **3** moda *<o c. da minissaia>* **4** particularidade; peculiaridade *<o trem não tem o c. de atrasar>* ◉ ORIGEM do lat. *consuetūdo,ĭnis* 'costume, hábito, uso'

[2]**costume** (cos.tu.me) *s.m.* VEST **1** traje adequado a ocasiões sociais formais **2** traje social masculino composto ger. de calça comprida, paletó e colete ◉ ORIGEM do fr. *costume* 'vestimenta especial'

costumeiro (cos.tu.mei.ro) *adj.* que é ou se tornou comum, habitual; frequente

costura (cos.tu.ra) *s.f.* **1** ato ou efeito de costurar, de unir duas ou mais coisas por meio de pontos feitos com linha, fio etc. e agulha **2** linha que une as partes costuradas *<a c. da manga está frouxa>* **3** profissão, ofício, arte de costurar, esp. roupas *<fez um curso de corte e c.>*

costurar (cos.tu.rar) *v.* {mod. 1} *t.d. e int.* **1** unir com pontos feitos com agulha e linha *<costurou a bainha da calça> <aprender a c.>* ↺ descosturar **2** confeccionar (roupas), profissionalmente ou não *<c. vestidos de noiva> <costura naquela fábrica>* ◻ *t.d. e t.d.i. fig.* **3** (prep. *com*) combinar, articular *<c. um acordo (com a oposição)>* ◻ *int. fig. B* **4** dirigir um veículo em zigue-zague

costureiro (cos.tu.rei.ro) *adj.s.m.* **1** que(m) trabalha com costura **2** ANAT (músculo) que realiza a flexão da coxa e da perna

cota (co.ta) ou **quota** (quo.ta) *s.f.* **1** parcela determinada de um todo; quinhão *<c. da herança>* **2** porção determinada ou não de algo *<recebeu sua c. de pão>* **3** fração determinada de um sócio no capital de uma empresa **4** prestação paga por algum objeto *<c. condominial>* **5** tempo de um anunciante em programa ou esquema publicitário

cotação (co.ta.ção) [pl.: *-ões*] *s.f.* **1** ato de estabelecer preço, valor etc. de algo ou o seu efeito **2** valor de uma mercadoria, moeda etc., estabelecido pelo mercado *<a c. do dólar está alta>* **3** *fig. infrm.* apreço, consideração

cotangente (co.tan.gen.te) *s.f.* MAT tangente do complemento de um ângulo ou arco [símb.: *cot*]

cota-parte (co.ta-par.te) [pl.: *cotas-partes*] ou **quota-parte** (quo.ta-par.te) [pl.: *quotas-partes*] *s.f.* parte que cabe a cada pessoa na divisão de um todo

cotar (co.tar) *v.* {mod. 1} *t.d. e t.d.i.* **1** (prep. *a, em*) fixar o valor, o preço de *<o governo cotou a gasolina (a três reais)>* ◻ *t.d.* **2** calcular a medida de *<os geógrafos cotaram a cadeia de montanhas da região>* ◻ *t.d.pred.* **3** qualificar, tachar *<cotou-o de preguiçoso>*

cotejar (co.te.jar) *v.* {mod. 1} *t.d. e t.d.i.* (prep. *com*) investigar semelhanças e/ou diferenças entre; comparar *<a banca cotejou as provas> <cotejou as hipóteses com os resultados obtidos>*

cotejo (co.te.jo) /ê/ *s.m.* **1** comparação entre pessoas, coisas, elementos etc. **2** confronto entre duas provas tipográficas para detectar erros

cotelê (co.te.lê) *adj.2g.s.m.* (o) que apresenta textura grossa, composta de listras finas e paralelas em relevo *<veludo c.> <comprou um bom c. para a saia>*

côtelé (cô.te.lé) [fr.] *adj.2g.s.m.* ver **COTELÊ** ⇒ pronuncia-se cotelê

cotidiano (co.ti.di.a.no) ou **quotidiano** (quo.ti.di.a.no) *adj.* **1** que é comum a todos os dias; diário **2** *p.ext.* que é comum; banal ■ *s.m.* **3** conjunto de ações realizadas por alguém todos os dias **4** dia a dia

cotilédone (co.ti.lé.do.ne) *s.m.* BOT primeira folha que surge depois da germinação da semente, que nutre a planta germinada ~ **cotiledôneo** *adj.*

cotingídeo (co.tin.gí.deo) *s.m.* ZOO **1** espécime dos cotingídeos, família de aves tropicais das Américas, representadas pelas arapongas e afins, muito coloridas, cabeça larga, bico forte e asas grandes ■ *adj.* **2** relativo a essa família

cotista (co.tis.ta) ou **quotista** (quo.tis.ta) *adj.2g.s.2g.* (o) que possui cotas de capital, ações etc. em alguma sociedade mercantil

cotizar (co.ti.zar) ou **quotizar** (quo.ti.zar) *v.* {mod. 1} *t.d.* **1** dividir em cotas *<c. dívida>* ◻ *pron.* **2** contribuir individualmente

coto (co.to) /ô/ *s.m.* **1** parte restante de braço ou perna humana amputada **2** *p.ext.* resto de vela, lápis, cigarro etc.

cotó (co.tó) *adj.s.m. infrm.* **1** (indivíduo) que tem braço ou perna amputado; aleijado **2** (indivíduo) de pequena estatura; baixo ■ *adj.* **3** sem rabo *<cachorro c.>*

cotoco (co.to.co) /ô/ *s.m. B infrm.* **1** coto **2** pequeno pedaço de algo *<c. de pão>* **3** indivíduo muito baixo

cotonete ® (co.to.ne.te) *s.m.* haste flexível, com algodão na ponta, us. para limpar ouvido, nariz etc. ☞ marca registrada (*Cotonete*) que passou a designar seu gênero

cotonicultura (co.to.ni.cul.tu.ra) *s.f.* AGR *B* cultivo de algodão ~ **cotonicultor** *adj.s.m.*

cotovelada (co.to.ve.la.da) *s.f.* **1** golpe forte com o cotovelo **2** pressão leve com o cotovelo, us. para chamar a atenção

cotovelo (co.to.ve.lo) /ê/ *s.m.* **1** ANAT parte posterior da articulação entre braço e antebraço **2** ANAT protuberância na face externa dessa articulação **3** *p.ext.* parte da manga de uma vestimenta, localizada sobre essa região **4** *p.ext.* ângulo de rio, estrada etc. ▣ **falar pelos c.** *infrm.* falar muito e com desembaraço

cotovia (co.to.vi.a) *s.f.* ZOO ave famosa pelo canto melodioso, de penas marrons ou pardas e garras posteriores compridas e retas, us. como suporte para andar e correr ◉ voz v.: cantar, chilrear, gorjear, piar, trilar, trinar; subst.: canto, chilreio, trinado

coturno (co.tur.no) *s.m.* VEST *B* bota de cano alto com cordões, us. por soldados

coulomb (cou.lomb) *s.m.* ELETR unidade de medida para a carga elétrica no Sistema Internacional [símb.: *C*]

couraça (cou.ra.ça) *s.f.* **1** armadura para proteção do tronco dos soldados, de couro ou metal **2** ANAT ZOO conjunto de placas ou escamas ósseas que revestem o corpo de certos animais **3** MAR espesso revestimento de aço us. em navios de combate

couraçado (cou.ra.ça.do) *adj.* **1** protegido por couraça, revestimento; encouraçado ■ *s.m.* MAR **2** grande navio de guerra com poderosa artilharia e mísseis; encouraçado

couro (cou.ro) *s.m.* tecido curtido e resistente feito da pele de certos animais, us. na confecção de sapatos, roupas, móveis etc. ▣ **c. cabeludo** pele do crânio onde nascem os cabelos • **dar no c.** *fig.* mostrar-se eficiente em algo • **tirar o c. de** *infrm.* **1** falar mal de **2** explorar (alguém) financeiramente **3** forçar (alguém) a realizar um trabalho

couve (cou.ve) *s.f.* BOT hortaliça de folha verde-escura e ondulada

couve-flor (cou.ve-flor) [pl.: *couves-flor* e *couves-flores*] *s.f.* BOT couve de caule curto, com folhas ger. verde-escuras e muitas hastes com flores carnosas e comestíveis

couvert (cou.vert) [fr.; pl.: *couverts*] *s.m.* *B* **1** conjunto de pratos, talheres, guardanapos etc. postos à mesa para refeição **2** conjunto de alimentos (ger. pão, pastas, azeitonas etc.) que precedem a refeição; entrada **3** preço desse conjunto ⇒ pronuncia-se cuvér

cova (co.va) *s.f.* **1** escavação feita na terra para semear **2** *p.ext.* cavidade profunda; caverna **3** buraco na terra onde se enterram cadáveres ◉ GRAM/USO dim.irreg.: *covacho* e *coveta*

covarde (co.var.de) *adj.2g.s.2g.* **1** que(m) é medroso, sem coragem **2** que(m) é desleal, perverso

covardia (co.var.di.a) *s.f.* **1** comportamento que mostra falta de coragem **2** violência contra o mais fraco *<o que ele fez com aquele menino foi uma c.>*

coveiro (co.vei.ro) *s.m.* indivíduo que abre covas e enterra os mortos no cemitério

covil (co.vil) [pl.: *-is*] *s.m.* **1** cova habitada por animais ferozes; toca **2** *fig.* antro de ladrões, malfeitores etc.

covinha (co.vi.nha) *s.f.* **1** cova pequena **2** pequena reentrância, esp. nas bochechas das pessoas, quando sorriem, e sob o queixo

covo (co.vo) /ó/ *s.m.* **1** cesto comprido, feito ger. de vime e us. para pescar **2** gaiola para criação de galinhas

covo (co.vo) /ô/ *adj.s.m.* (o) que apresenta profundidade, concavidade; côncavo

cowboy (cow.boy) [ing.; pl.: *cowboys*] *s.m.* ver **CAUBÓI** ⇒ pronuncia-se caubói

coxa (co.xa) /ô/ *s.f.* ANAT parte da perna entre o quadril e o joelho

coxear (co.xe.ar) *v.* {mod. 5} *t.i. e int.* (prep. *de*) caminhar apoiando-se mais em uma das pernas; mancar *<c. de um pé>* *<passou a c. após a cirurgia>*

coxia (co.xi.a) *s.f.* **1** TEAT espaço situado nas laterais e atrás do palco dos teatros, que não é visto pelo público ☞ mais us. no pl. **2** assento extra nas plateias **3** espaço ocupado por cada cavalo em uma cavalariça

coxilha (co.xi.lha) *s.f.* *S.* extensão de terra com pequenas e grandes elevações, constituindo uma espécie de ondulação, e na qual se desenvolve a atividade pastoril

coxim (co.xim) [pl.: *-ins*] *s.m.* **1** leito ou sofá sem costas e sem braços, com colchão fino; divã **2** assento da sela

coxo (co.xo) /ô/ *adj.s.m.* *pej.* **1** (o) que caminha apoiando-se mais em uma das pernas; manco ■ *adj.* **2** a que falta uma perna ou pé (diz-se de objeto) **3** *fig.* incompleto ou defeituoso *<apresentou um trabalho c.>* ☞ cf. *cocho*

cozedura (co.ze.du.ra) *s.f.* **1** ato ou efeito de cozer; cozimento, cocção *<c. de carnes>* **2** ato ou efeito de cozer matérias-primas, preparando-as para uso nos diferentes ramos da indústria *<c. do barro>*

cozer (co.zer) *v.* {mod. 8} *t.d. e int.* cozinhar ☞ cf. *coser*

cozido (co.zi.do) *adj.* **1** que passou por cozimento *<alimentos c.>* ■ *s.m.* CUL **2** prato composto de carnes e legumes cozidos

cozimento (co.zi.men.to) *s.m.* ato ou efeito de cozer; cozedura, cocção

cozinha (co.zi.nha) *s.f.* **1** local, numa residência, restaurante etc. onde se preparam alimentos **2** arte ou técnica de preparo dos alimentos **3** conjunto de pratos característicos de um país ou região *<a c. nordestina>*

cozinhar (co.zi.nhar) *v.* {mod. 1} *t.d. e int.* **1** preparar (alimentos) ger. pela ação do fogo *<c. batatas para o almoço>* *<ela cozinha admiravelmente>* **2** *infrm.* demorar a fazer algo pedido por (alguém); embromar *<cozinhou (o chefe) até acabar o relatório>* □ *t.d.* *p.ext.* **3** submeter à ação do fogo *<c. tijolos>* **4** *infrm.* enganar com ardil; engambelar *<vive cozinhando a noiva>*

cozinheiro (co.zi.nhei.ro) *s.m.* quem cozinha, esp. como profissão

CPF *s.m.* sigla de *cadastro de pessoa física*

CPI *s.f.* sigla de *comissão parlamentar de inquérito*

CPU [ing.] *s.f.* sigla de *central processing unit* (unidade central de processamento), *UCP*

Cr QUÍM símbolo de *cromo*

craca (cra.ca) *s.f.* ZOO nome comum a crustáceos marinhos que vivem presos a rochas, corais e objetos flutuantes, fechados em uma carapaça semelhante a um pequeno vulcão

crachá (cra.chá) *s.m.* cartão de identificação que se usa preso à roupa ou pendurado ao pescoço

crack [ing.; pl.: *cracks*] *s.m.* QUÍM droga de uso ilegal, que mistura cocaína, bicarbonato de sódio etc., ger. em forma de cristais que se fumam ⇒ pronuncia-se crac

craniano (cra.ni.a.no) *adj.* próprio de ou relativo a crânio *<calota c.>*

crânio (crâ.nio) *s.m.* **1** ANAT caixa óssea que envolve o cérebro **2** *p.ext.* o cérebro, fonte do pensamento **3** *p.ext. infrm.* pessoa muito inteligente

crápula (crá.pu.la) *adj.2g.s.2g.* **1** devasso **2** canalha ■ *s.f.* **3** vida desregrada; devassidão ~ **crapuloso** *adj.*

[1]**craque** (cra.que) *s.2g.* **1** quem é bom no que faz ■ *s.m.* **2** cavalo de corrida com desempenho excelente ◉ ORIGEM do ing. *crack* 'o que tem capacidade superior'

[2]**craque** (cra.que) *s.m.* **1** queda acentuada na cotação de bolsas de valores **2** *p.ext.* ruína financeira ◉ ORIGEM do ing. *crash* 'queda súbita de negócios, valores etc.'

crase (cra.se) *s.f.* GRAM **1** contração da prep. *a* com o artigo *a* ou com pronomes demonstrativos iniciados por *a* **2** acento grave que indica essa contração (`)

crasso (cras.so) *adj.* **1** espesso, denso **2** *fig.* grosseiro *<erro c.>* ~ **crassidade** *s.f.* - **crassitude** *s.f.*

cratera (cra.te.ra) *s.f.* **1** boca por onde saem a lava e os gases do vulcão **2** *p.ext.* grande buraco, cova aberta em uma superfície *<uma c. abriu-se no meio da estrada>*

cravar (cra.var) *v.* {mod. 1} *t.d.,t.d.i. e pron.* **1** (prep. *em*) (fazer) penetrar à força e com profundidade *<c. pregos> <c. o punhal no inimigo> <as raízes cravaram-se no solo>* ↺ descravar(-se) □ *t.d.i. fig.* **2** (prep. *em*) fixar (o olhar) [em alguém ou algo] *<cravou os olhos na moça durante toda a festa>* **3** (prep. *em*) fixar (pedraria) [em joias, peças etc.]; engastar, embutir *<o ourives cravou uma safira no anel>* ↺ desengastar

craveiro (cra.vei.ro) *s.m.* **1** BOT erva de flores vermelhas, brancas ou variadas e frutos em forma de cápsula, muito cultivada como ornamental **2** serralheiro que faz cravos de ferraduras

craveiro-da-índia (cra.vei.ro-da-ín.dia) [pl.: *craveiros-da-índia*] *s.m.* BOT árvore de até 15 m, nativa da Indonésia, com madeira de qualidade, flores róseas ou vermelhas, esp. cultivada pelo botão de sua flor

cravejar (cra.ve.jar) *v.* {mod. 1} *t.d. e t.d.i.* **1** fixar usando cravos, pregos etc. *<c. um quadro> <cravejaram-no na cruz>* ↺ desencravar □ *t.d.i.* **2** (prep. *em*) embutir (pedraria) [em peça, joia]; cravar, engastar *<c. brilhantes no bracelete>* ↺ desengastar, desencastoar **3** *fig.* (prep. *com, de*) pôr (algo) intercaladamente em; entremear *<Deus cravejou o céu de estrelas>* ~ **cravejado** *adj.*

cravelha (cra.ve.lha) /ê/ *s.f.* MÚS chave com que se esticam as cordas dos instrumentos musicais, para afiná-los

[1]**cravo** (cra.vo) *s.m.* **1** BOT flor do craveiro **2** botão seco da flor do craveiro-da-índia, us. como condimento; cravo-da-índia **3** prego quadrangular de ferradura **4** HIST prego com que se fixavam as mãos e os pés dos condenados à cruz **5** calo em forma de cone na planta do pé **6** entupimento do poro por gordura e resíduos de pele e poeira ◉ ORIGEM do lat. *clavus,i* 'prego, cravo' ▣ **dar uma no c. e outra na ferradura** *infrm.* apoiar duas coisas contraditórias

[2]**cravo** (cra.vo) *s.m.* MÚS instrumento precursor do piano, com um ou dois teclados, cujo som é produzido por palhetas internas que puxam as cordas, fazendo-as vibrar ◉ ORIGEM duv., talvez adp. do fr. *clavier* 'teclado' ~ **cravista** *s.2g.*

cravo-da-índia (cra.vo-da-ín.dia) [pl.: *cravos-da-índia*] *s.m.* [1]cravo ('botão seco')

crawl [ing.; pl.: *crawls*] *s.m.* ver ***NADO CRAWL*** ⇒ pronuncia-se cról

cream-cracker (cream-crack.er) [ing.; pl.: *cream-crackers*] *s.m.* biscoito delgado e levemente salgado, que se come com acompanhamentos diversos ⇒ pronuncia-se crim créquer, *corrente* crem cráquer

creche (cre.che) *s.f.* **1** instituição que cuida de crianças pequenas enquanto seus pais trabalham **2** escola que recebe crianças até 3 anos e 11 meses, integrante do primeiro segmento da educação infantil

credencial (cre.den.ci.al) [pl.: *-ais*] *adj.2g.* **1** que dá crédito a alguém *<carta c.>* ■ *s.f.* **2** cartão de identificação que permite a entrada em certo local, a participação em determinado evento etc. *<recebeu a c. para a audiência com o papa>* **3** título ou ato que justifica as pretensões de uma pessoa *<pediram-lhe que apresentasse as suas c.>* ☞ mais us. no pl. **4** POL documento emitido por um Estado a embaixador ou enviado em país estrangeiro, para se fazer acreditar perante este ☞ mais us. no pl.

credenciar (cre.den.ci.ar) *v.* {mod. 1} *t.d.* **1** dar credencial ou credenciais a ↺ descredenciar □ *t.d.,t.d.i. e pron.* **2** (prep. *a*) tornar(-se) apto (para função, atividade etc.); habilitar(-se) *<c. um estagiário (ao cargo efetivo)> <c.-se a uma missão>* ↺ desqualificar(-se) ~ **credenciado** *adj.* - **credenciamento** *s.m.*

crediário (cre.di.á.rio) *s.m. B* **1** sistema de venda a prestações *<fez um c. para comprar o computador>* **2** dívida contraída nesse sistema *<neste mês terminamos de pagar o c.>* ~ **crediarista** *adj.2g.s.2g.*

credibilidade (cre.di.bi.li.da.de) *s.f.* **1** qualidade daquilo em que se pode acreditar *<a c. de um relato>* **2** condição de uma pessoa em que se pode acreditar *<a c. de um consultor>*

creditar (cre.di.tar) *v.* {mod. 1} *t.d. e pron.* **1** (prep. *em, para*) dar(-se) crédito (a); garantir(-se) *<o chefe creditou-o para o cargo> <c.-se na realização da tarefa>* ↺ desacreditar(-se) □ *t.d.i. e pron.* **2** (prep. *a*) considerar causador, autor ou possuidor de; atribuir *<creditou ao amigo o sucesso da peça> <c.-se todo o fracasso>* ↺ desacreditar(-se) □ *t.d. e t.d.i.* **3** (prep. *em*) depositar (em conta-corrente) *<o pai creditou 100 reais (na conta do filho)>* ↺ retirar, sacar

crédito (cré.di.to) *s.m.* **1** segurança de que alguém ou algo é capaz ou veraz; confiança *<o médico merece todo o c. de seus clientes> <as notícias eram dignas de c.>* **2** boa reputação; confiabilidade *<o agrônomo ganhou c. em toda a região>* **3** depósito em conta bancária **4** o que é devido a alguém *<nessa conquista os funcionários merecem todo o c.>* **5** indicação de autoria ou participação em livros, filmes, discos etc. ~ **creditício** *adj.*

credo (cre.do) *s.m.* **1** REL oração cristã originariamente em latim, iniciada por *credo in unum Deus Patrem* ('creio em Deus pai') **2** *p.ext.* REL parte da missa em que se recita essa oração **3** crença religiosa; fé <*c. católico*> <*c. anglicano*> **4** doutrina; programa ideológico ou político ■ *interj.* **5** exprime espanto e, por vezes, repulsa; cruz-credo

credor (cre.dor) /ô/ [pl.: *-es*] *adj.s.m.* (aquele) a quem se deve ↺ devedor

crédulo (cré.du.lo) *adj.s.m.* que(m) acredita com facilidade em qualquer pessoa ou coisa ~ **credulidade** *s.f.*

creiom (crei.om) [pl.: *-ons*] *s.m.* **1** lápis de grafite macio, us. em desenho **2** *p.ext.* desenho feito com esse tipo de lápis

cremalheira (cre.ma.lhei.ra) *s.f.* peça ou trilho dentado para transmissão e transformação do movimento em diversos tipos de engrenagens

cremar (cre.mar) *v.* {mod. 1} *t.d.* reduzir (cadáver) a cinzas ~ **cremação** *s.f.*

crematório (cre.ma.tó.rio) *adj.s.m.* (forno) próprio para cremar

creme (cre.me) *s.m.* **1** substância espessa e gordurosa que se forma na superfície do leite fervido, us. na produção de diversos alimentos; nata **2** CUL prato doce ou salgado preparado com leite engrossado, ovos e temperos variados <*c. de espinafre*> **3** qualquer produto pastoso us. na higiene pessoal ou como cosmético <*c. dental*> <*c. para as mãos*> **4** cor branco-amarelada semelhante à do creme <*pintou a parede de c.*> ■ *adj.2g.2n.* **5** que tem a cor branco-amarelada <*calças creme*> **6** diz-se dessa cor ▣ **c. chantili** CUL chantili • **c. de leite** *B* produto, ger. industrializado, feito com leite e us. no preparo de diversos pratos doces e/ou salgados • **c. dental** creme levemente abrasivo que, aplicado a uma escova apropriada, serve para limpar os dentes; pasta de dentes

cremona (cre.mo.na) *s.f.* CONSTR ferragem us. para trancar portas e janelas

cremoso (cre.mo.so) /ô/ [pl. e fem.: /ó/] *adj.* **1** relativo a ou que contém creme **2** que apresenta a consistência de creme ('substância')

crença (cren.ça) *s.f.* **1** estado ou condição de quem acredita em alguma coisa ou pessoa **2** religião <*um país com liberdade de crenças*> **3** convicção profunda <*c. no potencial dos jovens*>

crendice (cren.di.ce) *s.f.* crença supersticiosa, sem base em religiões institucionalizadas; superstição

crente (cren.te) *adj.2g.s.2g.* **1** que(m) crê **2** *p.ext.* crédulo; ingênuo **3** que(m) segue uma fé religiosa <*o papa falou a todos os (homens) c.*> **4** REL que ou quem segue as novas Igrejas protestantes **5** *B pej.* que(m) adere a qualquer das facções consideradas de nível mais popular do protestantismo **6** *B* que(m) tem certeza de alguma coisa <*ela estava c. que ia chover*>

creolina (cre.o.li.na) *s.f.* QUÍM nome comercial de líquido desinfetante de cheiro forte, composto de óleo de alcatrão mineral e substâncias antissépticas e germicidas

crepe (cre.pe) *s.m.* **1** tecido leve e crespo **2** faixa de tecido preto us. em sinal de luto **3** CUL panqueca de massa fina

creperia (cre.pe.ri.a) *s.f.* restaurante especializado em crepes (CUL)

crepitar (cre.pi.tar) *v.* {mod. 1} *int.* produzir estalidos (sólido em combustão ou o próprio fogo, as brasas) <*a madeira crepitava na lareira*> ~ **crepitação** *s.f.* - **crepitante** *adj.2g.*

crepom (cre.pom) [pl.: *-ons*] *s.m.* **1** tecido de seda, lã ou algodão, crespo ou ondulado ■ *adj.s.m.* **2** diz-se de ou papel de seda enrugado

crepuscular (cre.pus.cu.lar) [pl.: *-es*] *adj.2g.* **1** relativo a ou próprio de crepúsculo **2** que aparece ou ocorre ao cair da noite <*borboletas c.*> **3** *fig.* que declina; que está no fim; decadente <*império c.*>

crepúsculo (cre.pús.cu.lo) *s.m.* **1** claridade entre a noite e o nascer do sol ou entre o pôr do sol e a noite **2** *p.ext.* tempo de duração dessa claridade **3** *fig.* decadência; declínio <*c. de uma civilização*>

crer *v.* {mod. 11} *t.i.* **1** (prep. *em*) tomar por verdadeiro; acreditar <*c. nas palavras do pai*> ↺ descrer **2** (prep. *em*) ter confiança <*c. no futuro*> ↺ desconfiar □ *t.d.pred. e pron.* **3** presumir(-se), imaginar(-se), julgar(-se) <*ela ainda o cria sincero*> <*ele se crê feliz*>

crescendo (cres.cen.do) *s.m.* **1** MÚS intensificação progressiva de um som musical ☞ cf. *diminuendo* **2** *fig.* aumento, gradação <*c. dramático*> <*ritmo cinematográfico num c.*>

crescente (cres.cen.te) *adj.2g.* **1** que cresce <*um clamor c.*> <*c. desordem*> **2** que se encontra na fase em que apenas a metade da sua superfície voltada para oeste está iluminada (diz-se da Lua) ■ *s.m.* **3** ASTR quarto crescente **4** qualquer coisa em forma de meia-lua **4.1** arma, estandarte ou divisa que simboliza os muçulmanos **5** o conjunto dos países muçulmanos ☞ inicial maiúsc. ■ *s.f.* **6** inundação de rio ou de maré; cheia, enchente

crescer (cres.cer) *v.* {mod. 8} *int.* **1** desenvolver-se progressivamente, por etapas próprias <*o menino crescia rápido*> <*é preciso sol para a planta c.*> **2** aumentar (em quantidade, tamanho, intensidade, extensão etc.) <*deixou a barba c.*> <*a população está crescendo demais*> <*o desemprego tem de parar de c.*> ↺ diminuir **3** tornar-se mais experiente, maduro <*quando esse rapazola vai c.?*> □ *t.i. infrm.* **4** (prep. *para, sobre, contra*) avançar para agredir <*enfurecido, cresceu para ele como um lobo*>

crescido (cres.ci.do) *adj.* que cresceu, que adquiriu maior dimensão física <*criança c.*>

crescimento (cres.ci.men.to) *s.m.* **1** aumento de dimensão, volume ou quantidade <*c. populacional*> <*c. de reservas*> **2** ampliação; expansão <*uma campanha em fase de c.*> **3** *fig.* desenvolvimento ou prosperidade <*c. de um país*>

crespo (cres.po) /ê/ *adj.* **1** que tem superfície áspera; rugoso <*tecido c.*> **2** que apresenta textura ondulada <*cabelos c.*> ~ **crespidão** *s.f.*

crestar (cres.tar) *v.* {mod. 1} *t.d. e pron.* **1** queimar (-se) levemente; tostar(-se) <*o sol da tarde crestou a sua pele*> <*crestou-se na praia*> **2** ressecar por excesso de calor ou de frio <*o sol crestou o pasto*> <*com o frio, todas as folhas vão c.-se*>

cretáceo (cre.tá.ceo) *s.m.* GEOL **1** terceiro e mais recente período geológico da era mesozoica, posterior ao Jurássico, em que aparecem os primeiros mamíferos, de pequeno porte, e as primeiras plantas floríferas ☞ inicial maiúsc. ■ *adj.* **2** desse período

cretense (cre.ten.se) *adj.2g.* **1** de Creta (Grécia) ■ *s.2g.* **2** natural ou habitante dessa ilha do mar Mediterrâneo

cretinice (cre.ti.ni.ce) *s.f.* comportamento, atitude própria de pessoa insolente, atrevida, cínica; cretinismo

cretinismo (cre.ti.nis.mo) *s.m.* **1** MED perturbação grave do desenvolvimento físico e intelectual decorrente de uma diminuição da atividade da tireoide **2** *infrm.* cretinice

cretino (cre.ti.no) *adj.s.m.* **1** *B infrm.* que(m) é insolente ou idiota **2** que(m) sofre de cretinismo (MED)

cretone (cre.to.ne) *s.m.* tecido grosso de linho ou algodão, us. em colchas, cortinas etc.

cria (cri.a) *s.f.* **1** animal recém-nascido ou que ainda mama **2** *p.ext. infrm.* criança **3** *p.ext.* pessoa criada em casa alheia **4** pessoa intelectualmente devedora de outra; seguidor *<ele é c. do último diretor>*

criação (cri.a.ção) [pl.: *-ões*] *s.f.* **1** ação de conceber, inventar, gerar ou de dar nova forma ou uso a algo já existente **2** ato divino de dar existência aos seres e ao mundo ☞ inicial maiúsc. **3** produção artística ou intelectual; obra **4** educação de uma pessoa *<gastam muito com a c. dos filhos>* **5** conjunto de animais ger. criados para venda, abate etc.

criacionismo (cri.a.cio.nis.mo) *s.m.* doutrina segundo a qual o mundo foi criado por Deus a partir do nada ~ **criacionista** *adj.2g.s.2g.*

criado (cri.a.do) *s.m.* empregado doméstico ⊙ COL criadagem

criado-mudo (cri.a.do-mu.do) [pl.: *criados-mudos*] *s.m.* mesa de cabeceira

criador (cri.a.dor) /ô/ [pl.: *-es*] *adj.s.m.* **1** (o) que cria, produz ■ *s.m.* **2** Deus ☞ inicial maiúsc. **3** pessoa que se ocupa da criação de animais *<c. de galinhas>*

criança (cri.an.ça) *s.f.* **1** ser humano que se encontra na infância **2** filho *<levar as c. à escola>* ■ *adj.2g.s.f.* **3** que(m) age de maneira imatura *<o namorado dela é muito c.> <é uma verdadeira c. de tão ingênuo>* ⊙ COL criançada

criançada (cri.an.ça.da) *s.f.* **1** grupo de crianças **2** criancice

criancice (cri.an.ci.ce) *s.f.* ato ou comportamento infantil; criançada

criançola (cri.an.ço.la) *s.m.* adolescente ou adulto que age como criança

criar (cri.ar) *v.* {mod. 1} *t.d.* **1** dar existência a *<Deus criou o homem à sua imagem>* **2** dar origem a; gerar *<para alguns, o* big bang *criou o universo>* ↺ extinguir **3** imaginar, inventar (algo ger. original, novo) *<c. uma personagem> <criaram um motor mais possante para o automóvel>* **4** fundar, instituir *<c. um instituição filantrópica>* **5** passar a ter; adquirir *<c. fama>* ↺ perder **6** educar, sustentar *<c. os filhos>* **7** *fig.* alimentar, sustentar *<c. esperança>* ↺ perder **8** cultivar (plantas) **9** desenvolver a criação de (animais) *<c. gado>* □ *t.d.i.* **10** (prep. *para*) ocasionar, causar *<criou transtornos para todos>* □ *t.d.i. e pron.* **11** (prep. *com*) crescer em convívio *<criaram-no com os primos> <criou-se com os avós>* □ *pron.* **12** (prep. *em*) crescer (em determinado lugar) *<criou-se no subúrbio>*

criatividade (cri.a.ti.vi.da.de) *s.f.* talento para criar, inventar, inovar; inventividade

criativo (cri.a.ti.vo) *adj.* **1** que tem criatividade *<aluno c.>* **2** que revela criatividade *<talento c.>* **3** inovador, original *<ideia c.>*

criatório (cri.a.tó.rio) *s.m.* local para criação de animais *<c. de rãs>*

criatura (cri.a.tu.ra) *s.f.* **1** ser criado **2** indivíduo, pessoa **3** *p.ext.* ser com características horrendas; monstro *<sonhava com criaturas da noite>*

crica (cri.ca) *s.f.* *CE* moça jovem, pré-adolescente

criciúma (cri.ci.ú.ma) *s.f.* BOT gramínea cujo caule é us. no fabrico de cestos

cri-cri [pl.: *cri-cris*] *adj.2g.s.2g.* *B infrm.* **1** (o) que se refere apenas a crianças e criados (diz-se de conversa) **2** *p.ext.* (o) que é maçante, que só fala de coisas sem nenhum interesse

cricrilar (cri.cri.lar) *v.* {mod. 1} *int.* cantar (o grilo) ⊙ GRAM/USO só us. nas 3as p., exceto quando fig.

crime (cri.me) *s.m.* **1** ato ilegal; delito **2** ação condenável *<jogar comida fora é um c.>* **3** criminalidade *<combate ao c.>* ■ *adj.2g.2n.* **4** criminal *<processo c.>* ▣ **c. de lesa-pátria** crime de leso-patriotismo ☞ tb. se diz apenas *lesa-pátria* • **c. de leso-patriotismo** traição ao próprio país, em tempo de guerra, mediante acordos com nação inimiga; crime de lesa-pátria ☞ tb. se diz apenas *leso-patriotismo*

criminal (cri.mi.nal) [pl.: *-ais*] *adj.2g.* **1** concernente a ou que envolve crime; criminoso *<antecedentes c.>* **2** que se refere a julgamento de crimes *<juizado c.>*

criminalidade (cri.mi.na.li.da.de) *s.f.* **1** característica ou estado de quem ou do que é criminal, criminoso **2** caracterização ou qualificação de um crime **3** conjunto dos crimes cometidos em um dado meio histórico e geográfico durante um determinado período; crime *<a c. na baixada fluminense>* **4** fenômeno social da prática criminosa, expressa em aspectos qualitativos e quantitativos; crime *<o aumento da c. entre os jovens>*

criminalista (cri.mi.na.lis.ta) *adj.2g.s.2g.* (advogado) especializado em direito penal e/ou casos criminais

criminalística (cri.mi.na.lís.ti.ca) *s.f.* DIR disciplina que reúne conhecimentos e técnicas necessários à elucidação dos crimes e à descoberta de seus autores

criminalizar (cri.mi.na.li.zar) *v.* {mod. 1} *t.d.* considerar como crime *<c. a invasão de* sites*>* ↺ descriminalizar

criminologia (cri.mi.no.lo.gi.a) *s.f.* DIR **1** disciplina que se ocupa das teorias do direito criminal ou penal **2** estudo das causas do comportamento antissocial do homem, com base na psicologia e na sociologia

criminoso (cri.mi.no.so) /ô/ [pl. e fem.: /ó/] *adj.s.m.* **1** que(m) comete crime ■ *adj.* **2** relativo a crime ou que envolve crime *<ato c.>* **3** *p.ext.* contrário às leis morais ou sociais *<ganância c.>*

crina (cri.na) *s.f.* **1** pelo do alto da cabeça, do pescoço e da cauda de cavalo, zebra etc. **2** tecido áspero, de fibras vegetais, us. para fricção *<bucha de c.>*

criogenia (cri.o.ge.ni.a) *s.f.* FÍS estudo da produção de temperaturas muito baixas e de seus fenômenos

criogênico (cri.o.gê.ni.co) *adj.* **1** relativo a criogenia **2** capaz de produzir baixas temperaturas *<tanque c.>*

crioulo (cri.ou.lo) *adj.s.m.* **1** negro nascido no continente americano **1.1** *p.ext.* diz-se de ou qualquer negro ☞ nesta acp. pode ter us. pej. **2** LING diz-se de ou língua derivada do contato de um idioma europeu com línguas nativas (p.ex., os crioulos portugueses da África, Índia, China)

cripta (crip.ta) *s.f.* **1** galeria ou sala subterrânea us. para sepultamentos **2** *p.ext.* gruta; caverna

criptografar (crip.to.gra.far) *v.* {mod. 1} *t.d.* **1** reproduzir (mensagem) em código secreto, tornando-a inteligível somente para quem conhece esse código **2** INF codificar (informação) de modo que somente destinatários autorizados possam ter acesso a ela

criptografia (crip.to.gra.fi.a) *s.f.* **1** conjunto de princípios e técnicas us. para cifrar a escrita e torná-la ininteligível para os que não tenham acesso às convenções combinadas **2** em operações diplomáticas, militares, criminais etc., modificação codificada de um texto, para impedir sua compreensão pelos que não conhecem seus caracteres ou convenções

criptográfico (crip.to.grá.fi.co) *adj.* relativo a ou que utiliza a criptografia *<escrita c.>*

criptônio (crip.tô.nio) *s.m.* QUÍM gás nobre us. em lâmpadas fluorescentes, fotografia, *laser* de ultravioleta etc. [símb.: *Kr*] ☞ cf. *tabela periódica* (no fim do dicionário)

críquete (crí.que.te) *s.m.* ESP jogo inglês disputado em um gramado, entre duas equipes de 11 jogadores, com uma pequena bola maciça e pás de madeira

crisálida (cri.sá.li.da) *s.f.* ZOO estado intermediário entre o de lagarta e o de borboleta

crisântemo (cri.sân.te.mo) *s.m.* BOT planta ornamental nativa da Ásia e sua flor; monsenhor

crise (cri.se) *s.f.* **1** MED estado de manifestação aguda ou agravamento de doença física, mental ou emocional *<c. respiratória> <c. histérica>* **2** manifestação repentina de um sentimento *<c. de ciúme> <c. de amabilidade>* **3** estado de incerteza ou vacilação *<c. de fé>* **4** fase crítica de uma situação *<c. econômica>* **5** momento de desequilíbrio emocional *<c. de choro>*

crisma (cris.ma) *s.f.* REL **1** entre os católicos, sacramento que confirma o batismo **2** cerimônia em que se celebra esse sacramento ■ *s.m.* REL **3** óleo bento us. nesse sacramento

crismar (cris.mar) *v.* {mod. 1} *t.d.,int. e pron.* ministrar ou receber a crisma ('sacramento') *<a tia crismou-o quando tinha 15 anos> <o bispo é quem preferentemente pode c.> <crismou-se antes de casar>*

crisol (cri.sol) [pl.: *-óis*] *s.m.* QUÍM cadinho

crisólito (cri.só.li.to) *s.m.* MINER pedra preciosa da cor do ouro

crispação (cris.pa.ção) [pl.: *-ões*] *s.f.* **1** ato ou efeito de crispar(-se) **2** ato ou efeito de contrair(-se) em espasmo *<c. de dor>*

crispar (cris.par) *v.* {mod. 1} *t.d. e pron.* **1** encrespar(-se), enrugar(-se) *<crispou o tecido do bordado> <o milharal crispava-se sob a tempestade>* ↺ desencrespar(-se) **2** contrair(-se) em espasmo *<crispou os lábios, escondendo a dor> <as mãos crisparam-se febrilmente>* ↺ relaxar

crista (cris.ta) *s.f.* **1** ANAT ZOO saliência carnosa na cabeça de certas aves *<c. do galo>* **2** ANAT ZOO ornato de plumas na cabeça de certas aves; topete **3** ANAT ZOO protuberância no alto da cabeça ou no dorso de alguns peixes, répteis e anfíbios **4** ponto mais alto *<c. de uma onda>* ▣ **baixar a c.** *B infrm.* tornar-se humilde; acovardar-se • **de c. arriada** ou **caída** *B infrm.* acovardado, abatido • **na c. da onda** *infrm.* em posição de destaque (na vida social, profissional etc.)

cristal (cris.tal) [pl.: *-ais*] *s.m.* **1** mineral claro e transparente **2** GEOM poliedro com faces planas, regulares e unidas **3** vidro de boa qualidade, muito puro e transparente **4** *p.ext.* objeto feito com esse vidro ■ *adj.2g.* **5** granulado *<açúcar c.>* ▣ **c. líquido** FÍS líquido com propriedades ópticas us. em computadores portáteis, relógios eletrônicos etc.

cristaleira (cris.ta.lei.ra) *s.f.* móvel envidraçado para guardar e expor esp. objetos de cristal

cristalino (cris.ta.li.no) *adj.* **1** claro e transparente como o cristal ■ *s.m.* ANAT **2** ver [1]lente

cristalizar (cris.ta.li.zar) *v.* {mod. 1} *t.d.,int. e pron.* **1** (fazer) adquirir o aspecto, a consistência do cristal *<cristalizou as frutas que sobraram> <o mel verdadeiro (se) cristaliza>* **2** *fig.* imobilizar(-se), estagnar(-se) *<o fanatismo acabou cristalizando suas opiniões> <a doença cristalizara(-se)>* ↺ evoluir □ *t.d.* CUL **3** tratar ou cobrir com açúcar ~ **cristalização** *s.f.*

cristandade (cris.tan.da.de) *s.f.* conjunto dos povos ou países cristãos ☞ inicial por vezes maiúsc.

cristão (cris.tão) [pl.: *-ãos*; fem.: *cristã*] *adj.s.m.* REL **1** que(m) professa o cristianismo ■ *adj.* **2** de acordo com o cristianismo *<princípios c.>* ■ *s.m.* **3** *infrm.* qualquer pessoa *<não tinha nem um cristão no cinema>* ◉ COL cristandade

cristão-novo (cris.tão-no.vo) [pl.: *cristãos-novos*; fem.: *cristã-nova*] *s.m.* **1** judeu que se converteu ao cristianismo **2** quem se converteu recentemente ao cristianismo

cristianismo (cris.ti.a.nis.mo) *s.m.* REL **1** religião que se baseia nos ensinamentos de Jesus Cristo e na crença de ser Ele o filho de Deus ☞ inicial por vezes maiúsc. **2** conjunto das religiões ditas cristãs, baseadas nessa doutrina

cristianizar (cris.ti.a.ni.zar) *v.* {mod. 1} *t.d. e pron.* tornar(-se) cristão *<c. os pagãos> <muitos indígenas cristianizaram-se>* ~ **cristianização** *s.f.*

cristo (cris.to) *s.m.* **1** aquele que é ungido, consagrado [Designação única e específica para Jesus, Filho de Deus.] ☞ inicial maiúsc. **2** Messias ☞ inicial maiúsc. **3** representação de Jesus Cristo crucificado *<um c. de madeira>* **4** *fig.* pessoa que se torna vítima de injustiças ☞ cf. *Jesus Cristo* na parte enciclopédica ▣ **antes de C.** HIST indicação de data anterior à era cristã [abrev.: *a.C.*] • **depois de C.** HIST indicação de data posterior à era cristã [abrev.: *d.C.*]

critério (cri.té.rio) *s.m.* **1** norma de avaliação e escolha *<o edital define os c. do concurso>* **2** *p.ext.* capacidade de identificar o que é certo; discernimento *<homem de c.>* **3** *p.ext.* base para uma decisão

criterioso (cri.te.ri.o.so) /ô/ [pl. e fem.: /ó/] *adj.* **1** que tem ou mostra critério *<exame c.> <homem c.>* **2** de bom senso, acertado *<escolha c.>*

crítica (crí.ti.ca) *s.f.* **1** arte ou técnica de julgar a obra de um autor, período etc. *<c. histórica>* **2** conjunto das pessoas que exercem tal atividade *<a crítica aprovou o filme>* **3** *p.ext.* gênero literário proveniente dessa atividade **4** análise; exame; julgamento *<c. literária> <c. de teatro>* **5** *p.ext.* opinião desfavorável; censura *<fez críticas ao vestido da irmã>*

criticar (cri.ti.car) *v.* {mod. 1} *t.d.* **1** fazer a crítica de (obras, peças, filmes etc.) **2** *p.ext.* apontar defeitos, dizer mal de; depreciar ↺ elogiar ~ **criticável** *adj.2g.*

crítico (crí.ti.co) *adj.s.m.* **1** (o) que julga, avalia *<estudo c.> <o jornal conta com dois c. de cinema>* **2** (o) que censura, deprecia *<palavras c.> <ele é um c. das modas passageiras>* ■ *adj.* **3** que indica crise; grave *<agora é a fase c. da doença>* **4** difícil; embaraçoso *<a empresa passava por um período c.>* ◉ COL crítica

crivar (cri.var) *v.* {mod. 1} *t.d.* **1** fazer passar por crivo; peneirar *<c. o centeio>* □ *t.d.i. e pron.* **2** (prep. *de*) furar(-se) em muitos pontos *<crivaram o animal de dardos envenenados> <c.-se de espinhos>* **3** *fig.* (prep. *de*) lançar(-se) em grande quantidade; encher(-se) *<crivou-o de insultos> <crivara-se de dúvidas sobre o produto>* **4** *fig.* (prep. *de*) cobrir(-se), encher(-se) [de pintas etc.] *<crivou a toalha de molho> <c.-se de picadas de mosquitos>* ~ **crivado** *adj.*

crível (crí.vel) [pl.: *-eis*] *adj.2g.* que se pode crer; acreditável ◉ GRAM/USO sup.abs.sint.: *credibilíssimo*

crivo (cri.vo) *s.m.* **1** utensílio com o fundo perfurado para separar grãos, fragmentos etc., de acordo com o volume e a espessura; peneira **2** *p.ext.* exame detalhado *<venceu o c. dos vestibulares>* **3** bordado de bastidor em que se removem alguns fios do tecido, formando uma grade sobre a qual se trabalha; labirinto

CRM *s.m.* sigla de Conselho Regional de Medicina

croata (cro.a.ta) *adj.2g.* **1** da Croácia ■ *s.2g.* **2** natural ou habitante desse país

crocante (cro.can.te) *adj.2g.* que se quebra, inteiramente ou em partes, com estalidos secos ao ser mordido *<biscoito c.>*

crochê (cro.chê) ou **croché** (cro.ché) *s.m.* trabalho feito à mão com uma agulha terminada em gancho, que produz um trançado semelhante ao da malha ou da renda

crocitar (cro.ci.tar) *v.* {mod. 1} *int.* soltar a voz (corvo, coruja etc.) ◉ GRAM/USO só us. nas 3as p., exceto quando fig. ~ **crocitante** *adj.2g.*

crocodiliano (cro.co.di.li.a.no) *s.m.* ZOO **1** espécime dos crocodilianos, ordem de répteis aquáticos e ovíparos que inclui os crocodilos, jacarés e o gavial, encontrados esp. em regiões tropicais ■ *adj.* **2** relativo a essa ordem

crocodilo (cro.co.di.lo) *s.m.* ZOO grande réptil de pele grossa, focinho longo com grandes dentes cônicos, mandíbulas fortes, pernas curtas terminadas em garras e cauda longa

croissant (crois.sant) [fr.; pl.: *croissants*] *s.m.* CUL pãozinho de massa leve em forma de meia-lua ⇒ pronuncia-se kroassã

cromado (cro.ma.do) *adj.* **1** recoberto de cromo *<metal c.>* ■ *s.m.* **2** parte ou acessório cromado de um veículo qualquer *<lustrou os c. do carro>*

cromar (cro.mar) *v.* {mod. 1} *t.d.* aplicar camada de cromo sobre (superfície metálica) ~ **cromagem** *s.f.*

cromática (cro.má.ti.ca) *s.f.* **1** arte de combinar as cores e os sons **2** ÓPT estudo das propriedades das cores

cromático (cro.má.ti.co) *adj.* **1** relativo a cores e a semitons musicais **2** referente ou pertencente à cromática

cromo (cro.mo) *s.m.* **1** QUÍM elemento químico us. no aço inoxidável e no revestimento de metais [símb.: *Cr*] ☞ cf. *tabela periódica* (no fim do dicionário) **2** figura colorida impressa ou recortada, colada em álbuns, cadernos etc. **3** FOT diapositivo **4** couro macio e resistente us. no fabrico de calçados finos

cromossomo (cro.mos.so.mo) ou **cromossoma** (cro.mos.so.ma) *s.m.* GEN parte da célula vegetal ou animal que contém os genes determinantes das características desse vegetal ou animal ~ **cromossômico** *adj.*

cromoterapia (cro.mo.te.ra.pi.a) *s.f.* MED tratamento por meio de luzes de cores diversas ~ **cromoterápico** *adj.*

crônica (crô.ni.ca) *s.f.* **1** HIST registro de fatos históricos em ordem cronológica **2** LIT pequeno texto ger. baseado em fatos do cotidiano **3** seção ou coluna de jornal sobre tema especializado

crônico (crô.ni.co) *adj.* **1** que dura muito tempo *<mal c.>* **2** que sofre de doença de longa duração (diz-se de paciente) ~ **cronicidade** *s.f.*

cronista (cro.nis.ta) *adj.2g.s.2g.* que(m) escreve crônicas

cronógrafo (cro.nó.gra.fo) *s.m.* aparelho que registra graficamente o tempo que transcorre entre eventos sucessivos

cronograma (cro.no.gra.ma) *s.m.* gráfico com as etapas e os prazos previstos para a execução de um trabalho

cronologia (cro.no.lo.gi.a) *s.f.* **1** estudo do tempo e de suas divisões para distinguir a ordem de ocorrência dos fatos **2** relação de datas e fatos históricos **3** qualquer listagem de situações e eventos na ordem em que aconteceram *<c. da vida de um escritor>*

cronológico (cro.no.ló.gi.co) *adj.* relativo a cronologia *<o livro segue a ordem c. dos eventos>*

cronometrar (cro.no.me.trar) *v.* {mod. 1} *t.d.* **1** medir com cronômetro a duração de *<c. uma corrida>* **2** *p.ext.* delimitar com rigor a duração de *<o professor cronometra as aulas>* ~ **cronometragem** *s.f.*

cronômetro (cro.nô.me.tro) *s.m.* instrumento de precisão capaz de medir o tempo em até frações de segundo ~ **cronométrico** *adj.*

croquete (cro.que.te) *s.m.* **1** CUL bolinho de forma alongada feito de um creme misturado com carne moída e frito em gordura quente **2** *fig. gros. joc.* pênis

croqui (cro.qui) *s.m.* ART.PLÁST esboço à mão de desenho, pintura, planta, projeto arquitetônico

crosta (cros.ta) /ô/ *s.f.* camada endurecida que se forma sobre uma superfície *<c. de pão> <c. de gordura no fogão>* ▣ **c. terrestre** GEOL camada mais externa da litosfera, constituída por rochas relativamente leves

cru *adj.* **1** não cozido *<alimento c.>* **2** *fig.* em fase inicial; não elaborado *<desenho ainda c.>* **3** *fig.* ingênuo; não amadurecido **4** sem piedade; cruel *<ataque c. do adversário>* **5** que não passou por uma preparação especial; em estado natural *<couro c.>* *<fibra c.>* ~ **crueza** *s.f.*

crucial (cru.ci.al) [pl.: *-ais*] *adj.2g.* **1** fundamental para a existência, para o destino de algo ou alguém *<tomou decisões c.>* **2** de opção inevitável; decisivo *<a cirurgia foi uma solução c.>* **3** em forma de cruz

cruciante (cru.ci.an.te) *adj.2g.* **1** que crucia, crucifica **2** *fig.* que aflige, tortura

cruciar (cru.ci.ar) *v.* {mod. 1} *t.d.* **1** pregar na cruz; crucificar **2** *fig.* atormentar, afligir

crucífera (cru.cí.fe.ra) *s.f.* BOT espécime das crucíferas, família de ervas com várias espécies cultivadas para alimentação, como a mostarda, a couve e o repolho

cruciferário (cru.ci.fe.rá.rio) *s.m.* aquele que leva a cruz, esp. nas procissões

crucificar (cru.ci.fi.car) *v.* {mod. 1} *t.d.* **1** pregar na cruz **2** *fig.* atormentar, afligir **3** *fig.* criticar duramente ↺ louvar ◉ GRAM/USO part.: *crucificado, crucifixo*; ver QUADRO DE PARTICÍPIOS DUPLOS nas pp. iniciais ~ **crucificação** *s.f.*

crucifixo (cru.ci.fi.xo) /cs/ *s.m.* imagem de Cristo crucificado

cruel (cru.el) [pl.: *-éis*] *adj.2g.* **1** que gosta de maltratar **2** doloroso; infeliz *<destino c.>* ◉ GRAM/USO sup.abs. sint.: *crudelíssimo* e *cruelíssimo*

crueldade (cru.el.da.de) *s.f.* **1** característica do que é cruel **2** *p.ext.* prazer em fazer o mal **3** severidade; dureza *<a c. da última enchente>*

cruento (cru.en.to) *adj.* **1** em que se derrama sangue *<batalha c.>* **2** que gosta de derramar sangue; sanguinário

crupe (cru.pe) *s.m.* MED obstrução da laringe decorrente de infecção, alergia, corpo estranho ou tumor, que provoca tosse, rouquidão e pode levar à asfixia

crupiê (cru.pi.ê) *s.2g.* empregado de cassino que paga e recolhe as apostas

crustáceo (crus.tá.ceo) *s.m.* ZOO **1** espécime dos crustáceos, animais marinhos artrópodes que têm o corpo recoberto por uma crosta: camarões, cracas, tatuzinhos, lagostas, caranguejos e siris ■ *adj.* **2** relativo a esses animais

cruz [pl.: *-es*] *s.f.* **1** GEOM figura formada por dois traços de interseção perpendicular **2** instrumento de tortura e execução formado por duas toras de madeira transversais **3** REL símbolo do cristianismo ☞ inicial maiúsc. **4** *fig* sofrimento *<a doença do filho é a sua c.>* ■ *interj.* **5** indica medo, susto etc. ☞ tb. us. no pl. ◉ GRAM/USO dim.irreg.: *cruzeta* ~ **cruciforme** *adj.2g.*

cruza (cru.za) *s.f.* **1** cruzamento, acasalamento **2** produto do cruzamento *<c. de burro com égua>*

cruzada (cru.za.da) *s.f.* **1** HIST na Idade Média, expedição militar e religiosa dos cristãos contra os muçulmanos para recuperar a Terra Santa ou contra quaisquer seitas hereges **2** *p.ext.* empreendimento por causa nobre *<c. contra o analfabetismo>*

[1]**cruzado** (cru.za.do) *adj.* **1** disposto em cruz *<talheres c.>* *<pernas c.>* **2** atravessado; cortado *<caminhos c.>* **3** que resulta de cruzamento; mestiço *<raça c.>* **4** que foi interceptado *<linha de telefone c.>* ■ *adj.s.m.* **5** (golpe oblíquo) que atinge o rosto do boxeador adversário ◉ ORIGEM part. de *cruzar*

[2]**cruzado** (cru.za.do) *adj.s.m.* HIST **1** participante de uma cruzada ■ *s.m.* ECON **2** meio pelo qual eram efetuadas as transações monetárias no Brasil de 28 de fevereiro de 1986 a 15 de janeiro de 1989 ◉ ORIGEM de *cruzada*, com alt. da desin. *-a* para *-o* ▣ **c. novo** ECON meio pelo qual eram efetuadas as transações monetárias no Brasil de 16 de janeiro de 1989 a 15 de março de 1990

cruzador (cru.za.dor) /ô/ [pl.: *-es*] *s.m.* MAR navio de guerra de grande porte utilizado em explorações e escolta de comboios etc.

cruzamento (cru.za.men.to) *s.m.* **1** disposição em forma de cruz **2** ponto em que dois caminhos ou ruas se cruzam; encruzilhada **3** junção de macho e fêmea para procriação; acasalamento, cruza **4** FUTB ato de passar a bola de grande distância, ger. pelo alto, para fazer a jogada seguir; centro

cruzar (cru.zar) *v.* {mod. 1} *t.d. e pron.* **1** dispor (-se) [uma coisa sobre outra] em cruz *<cruzou as tranças>* *<os suspensórios cruzam-se nas costas>* ↺ descruzar □ *t.d.* **2** atravessar, cortar *<a ponte cruza o rio>* **3** passar através de *<c. a porta>* □ *t.i.* **4** (prep. *com*) deparar-se, encontrar-se *<sempre cruza com o vizinho de manhã>* □ *t.d.i.* **5** (prep. *com*) unir(-se) [macho e fêmea] para procriar; acasalar *<resolveu c. seus cães com os do vizinho>*

cruz-credo (cruz-cre.do) *interj.* credo

cruzeiro (cru.zei.ro) *s.m.* **1** cruz erguida em lugar público **2** parte da igreja entre a nave e a capela principal **3** viagem turística em navio **4** ECON meio pelo qual eram efetuadas as transações monetárias no Brasil nos períodos de novembro de 1942 a fevereiro de 1967; de junho de 1970 a fevereiro de 1986 e de março de 1990 a julho de 1993 ▣ **c. novo** ECON meio através do qual eram efetuadas transações monetárias no Brasil de março de 1967 a maio de 1970 • **c. real** ECON meio através do qual eram efetuadas transações monetárias no Brasil de agosto de 1993 a julho de 1994

cruzeta (cru.ze.ta) /ê/ *s.f.* **1** cruz pequena **2** *SP* trecho de rio onde duas correntezas se cruzam, formando redemoinho **3** CONSTR cada uma das três réguas de madeira em forma de T, us. pelos topógrafos e pelos pedreiros para nivelar pontos intermediários **4** ENG qualquer peça transversal na extremidade de uma haste, eixo ou equivalente

Cs QUÍM símbolo de *césio*

ctenóforo (cte.nó.fo.ro) *s.m.* ZOO espécime dos ctenóforos, animais marinhos semelhantes às medusas, com oito faixas de placas com cílios e dois tentáculos

CTI *s.m.* sigla de *centro de terapia intensiva*; UTI

cu *s.m. gros.* o final do intestino grosso, por onde saem as fezes; ânus

Cu QUÍM símbolo de *cobre*

cuba (cu.ba) *s.f.* **1** grande recipiente de madeira para vinho, vinagre e outros líquidos **2** grande recipiente para fins industriais **3** recipiente de louça ou vidro us. em laboratórios

C

cuba-libre (cu.ba-li.bre) [pl.: *cubas-libres*] *s.f.* bebida preparada com rum e refrigerante à base de noz-de-cola

cubano (cu.ba.no) *adj.* **1** de Cuba (América Central) ■ *s.m.* **2** natural ou habitante desse país

cúbico (cú.bi.co) *adj.* **1** em forma de ou relativo a cubo ('sólido') **2** referente ou pertencente a cubo ('terceira potência') *<metro c.> <raiz c.>*

cubículo (cu.bí.cu.lo) *s.m.* **1** pequeno quarto ou compartimento **2** cela de convento ~ **cubicular** *adj.2g.*

cubismo (cu.bis.mo) *s.m.* ART.PLÁST estilo artístico surgido na primeira década do sXX, que retratava as formas como se pudessem ser vistas de vários ângulos ao mesmo tempo ☞ inicial maiúsc. ~ **cubista** *adj.2g.s.2g.*

cúbito (cú.bi.to) *s.m.* ANAT ver ***ULNA*** ~ **cubital** *adj.2g.*

cubo (cu.bo) *s.m.* **1** GEOM sólido de seis faces quadradas de igual tamanho **2** *p.ext.* qualquer objeto com a forma desse sólido *<c. de gelo>* **3** MAT terceira potência de um número *<9 é o c. de 3>*

[1]**cuca** (cu.ca) *s.f.* **1** FOLC ser fantástico com que se costuma assustar as crianças **2** *infrm.* cabeça, cérebro ◉ ORIGEM ver em [1]*coco* /ô/

[2]**cuca** (cu.ca) *s.f.* CUL bolo de origem alemã que, no Brasil, pode ser coberto de maçã ou banana; cuque ◉ ORIGEM do alemão *Kuchen* 'bolo'

cuco (cu.co) *s.m.* **1** ZOO pequena ave de bico forte e curvo, cauda longa, plumagem cinzenta no dorso, cujo canto é composto por duas notas **2** *p.ext.* em certos relógios de pêndulo, pássaro mecânico que marca as horas com um canto semelhante ao dessa ave **3** *fig.* esse tipo de relógio ◉ VOZ v. e subst.: cantar, crocitar, cucar, cucular, palrar, piar

cu de ferro (cu de fer.ro) [pl.: *cus de ferro*] *adj.2g.s.2g.* *B gros.* que(m) é muito aplicado a seus estudos, trabalhos, deveres, compromissos *<aluno cu de ferro> <Jorginho é um (estudante) cu de ferro>*

cu-doce (cu-do.ce) [pl.: *cus-doces*] *s.2g.* *B infrm. gros.* pessoa cheia de manhas ou que procura fazer-se de difícil ▣ **fazer c.** *B infrm. gros.* fazer que não quer, querendo; bancar o difícil

cueca (cu.e.ca) *s.f.* ou **cuecas** (cu.e.cas) *s.f.pl.* VEST peça íntima do vestuário masculino us. sob as calças ou bermudas

cueiro (cu.ei.ro) *s.m.* pano leve e macio com que se envolvem os bebês da cintura para baixo

cuia (cui.a) *s.f.* **1** BOT fruto da cuieira, oval, de casca muito dura **2** vasilha feita desse fruto depois de esvaziado e seco

cuiabano (cui.a.ba.no) *adj.* **1** de Cuiabá (MT) ■ *s.m.* **2** natural ou habitante dessa capital

cuíca (cu.í.ca) *s.f.* **1** ZOO marsupial com cerca de 30 cm, cauda longa, peito e barriga de cor amarelo-clara e manchas da mesma cor acima dos olhos **2** MÚS tambor com uma varinha em seu interior em contato com a membrana que, ao ser friccionada, produz um som rouco

cuidado (cui.da.do) *adj.* **1** aprimorado; bem-feito *<trabalho c.>* ↺ desleixado ■ *s.m.* **2** atenção especial; cautela *<tenha c. com esse jarro>* ↺ negligência **3** desvelo que se dedica a algo ou alguém *<c. com os netos>* ■ *interj.* **4** exprime advertência *<Cuidado! O copo vai cair!>*

cuidadoso (cui.da.do.so) /ô/ [pl. e fem.: /ó/] *adj.* **1** que demonstra cuidado, esmero *<profissional c.> <avaliação c.>* **2** que demonstra cautela, precaução *<seja c. ao andar por essas bandas>*

cuidar (cui.dar) *v.* {mod. 1} *t.d.,t.i. e int.* **1** (prep. *em*) pensar, ponderar *<passara o dia cuidando o que ia dizer> <deve c. muito (em aceitar aquela proposta) até se decidir>* □ *t.i.* **2** (prep. *em*) prestar atenção; reparar *<c. no que faz>* ↺ descuidar-se **3** (prep. *de*) tomar conta; tratar *<vai c. das crianças no fim de semana> <c. dos idosos>* ↺ negligenciar □ *t.d.,t.i.,t.d.pred. e pron.* **4** (prep. *de*) supor(-se), julgar(-se) *<não cuidava ser o projeto assim tão árduo> <depois daquilo, não sabia o que c. dessa gente> <cuidara-o benfeitor de sua gente> <cuidou-se habilitado para o cargo>* □ *pron.* **5** ter atenção consigo mesmo **6** prevenir-se ↺ descuidar-se

cuieira (cui.ei.ra) *s.f.* BOT árvore frondosa nativa do Brasil, de folhas variadas, grandes flores coloridas e frutos ovais (cuias), com mais de 30 cm, de que se fazem vasilhas e instrumentos musicais

cujo (cu.jo) *pron.rel.* us. para relacionar dois substantivos, dos quais o segundo menciona uma característica, qualidade, condição etc. do primeiro; a conexão de significado produzida entre esses substantivos é semelhante à que ocorre no uso do pronome possessivo *<a árvore cuja beleza admirava> <os quadros com cuja segurança gastaram uma fortuna> <o amigo em cujo carro aprendeu a dirigir>*

culatra (cu.la.tra) *s.f.* parte posterior do cano de arma de fogo

culhão (cu.lhão) [pl.: *-ões*] *s.m.* *gros.* colhão

culinária (cu.li.ná.ria) *s.f.* **1** arte e técnica de cozinhar **2** conjunto de pratos típicos de uma região *<c. baiana>* ~ **culinário** *adj.*

culminante (cul.mi.nan.te) *adj.2g.* que atingiu o mais elevado ou intenso grau, ponto etc. *<ponto c.> <momento c.>*

culminar (cul.mi.nar) *v.* {mod. 1} *t.i.* (prep. *em, com*) chegar ao auge *<seu trabalho culminou em glória>* ↺ começar ~ **culminância** *s.f.*

-culo *s.f.* → ***-ULO***

culote (cu.lo.te) *s.m.* **1** excesso de gordura na face exterior da coxa, na altura da cabeça do fêmur **2** calça larga na parte de cima e bem justa nas pernas, própria para montaria ☞ mais us. no pl.

culpa (cul.pa) *s.f.* **1** responsabilidade (real ou imaginada) por dano causado a outrem ↺ inocência **2** falta, delito *<o gerente duvidava da c. do caixa>* **3** fato de que resulta um outro fato ruim; causa *<o baixo rendimento é c. da má administração>*

culpado (cul.pa.do) *adj.s.m.* **1** (aquele) que tem culpa **2** (aquele) que é responsável por qualquer falta ou crime ↺ inocente

culpar (cul.par) *v.* {mod. 1} *t.d.,t.d.i. e pron.* **1** (prep. *por*) declarar(-se) responsável por (delito, falta etc.); incriminar *<o juiz culpou-o sem apelação> <culpou o colega pelo barulho> <ela teve de c.-se pelo deslize>* ↺ defender(-se); inocentar(-se) □ *t.d.i.* **2** (prep. *por*) apontar (algo) como causa *<culpou o engarrafamento pelo seu atraso>*

culpável (cul.pá.vel) [pl.: *-eis*] *adj.2g.* passível de ser culpado ~ **culpabilidade** *s.f.*

culposo (cul.po.so) /ô/ [pl. e fem.: /ó/] *adj.* **1** que tem ou sente culpa **2** em que há culpa **3** em que há culpa, mas não a intenção *<homicídio c.>* ☞ cf. *doloso*

cultivado (cul.ti.va.do) *adj.* **1** que é objeto de cultivo *<flores c.>* **2** produzido por tratamento especial *<pérola c.>* **3** *fig.* a que se dedicou atenção *<amizade c.>* **4** *p.ext.* que possui grande cultura *<um homem c.>* ↺ ignorante

cultivador (cul.ti.va.dor) /ô/ [pl.: *-es*] *adj.s.m.* (o) que cultiva; cultor

cultivar (cul.ti.var) *v.* {mod. 1} *t.d.* **1** plantar com cuidados especiais *<c. hortaliças>* **2** criar artificialmente *<c. pérolas>* **3** buscar manter ou conservar *<c. a amabilidade>* **4** passar a ter; criar *<c. inimizades>* □ *t.d. e pron.* **5** educar(-se), aperfeiçoar(-se) *<c. o caráter>* *<c.-se durante a juventude>* ◉ GRAM/USO part.: *cultivado, culto*; ver QUADRO DE PARTICÍPIOS DUPLOS nas pp. iniciais ~ **cultivável** *adj.2g.*

cultivo (cul.ti.vo) *s.m.* ato ou efeito de cultivar (terra, campo etc.); cultura *<c. da terra>* *<c. de milho>* *<c. de plantas e frutas tropicais>*

culto (cul.to) *s.m.* **1** reverência a uma divindade **2** *p.ext.* ritual religioso **3** veneração; paixão intensa por alguém ou algo ■ *adj.* **4** que se cultivou *<terras c.>* ↺ inculto **5** que tem cultura ('conhecimento'); instruído *<pessoa c.>* ↺ inculto

cultor (cul.tor) /ô/ [pl.: *-es*] *adj.s.m.* **1** cultivador **2** (o) que se dedica a estudar determinado assunto ou personalidade *<um artista c. da pintura impressionista>* *<ele é um c. de Pixinguinha>*

cultuar (cul.tu.ar) *v.* {mod. 1} *t.d.* tratar como objeto de culto; venerar *<c. um escritor>*

cultura (cul.tu.ra) *s.f.* **1** ação ou efeito de cultivar a terra; cultivo **2** criação de certos animais *<c. de peixes>* **3** conjunto de padrões de comportamento, crenças, costumes, atividades etc. de um grupo social *<c. brasileira>* **4** forma ou etapa evolutiva das tradições e dos valores de um lugar ou período específico; civilização **5** *fig.* conhecimento; instrução *<homens de c.>* ↺ ignorância

cultural (cul.tu.ral) [pl.: *-ais*] *adj.2g.* **1** referente a ou característico de cultura ('conjunto de padrões') *<características c. de um povo>* *<patrimônio c.>* **2** relativo ao conjunto de conhecimentos de um indivíduo ou de um grupo *<avanço c.>* **3** que divulga cultura *<ação c.>* *<grupo c.>*

cumari (cu.ma.ri) ou **cumarim** (cu.ma.rim) [pl.: *-ins*] *s.m.* BOT pimenta-malagueta

cumbuca (cum.bu.ca) *s.f.* **1** cuia; cabaça **2** armadilha para apanhar macacos feita com essa cabaça

cume (cu.me) *s.m.* **1** ponto mais alto de monte, serra etc.; cimo, ápice ↺ base **2** *fig.* auge, ponto máximo de algo *<c. da carreira profissional>* ◉ COL cumeada

cumeada (cu.me.a.da) *s.f.* sucessão de cumes de montanhas

cumeeira (cu.me.ei.ra) *s.f.* parte mais alta de um telhado

cúmplice (cúm.pli.ce) *adj.2g.s.2g.* **1** que(m) contribui de forma secundária para o crime de outra pessoa **2** *p.ext. infrm.* que(m) colabora com outra pessoa; sócio, parceiro

cumplicidade (cum.pli.ci.da.de) *s.f.* ação ou modo de agir de quem é cúmplice; parceria

cumprimentar (cum.pri.men.tar) *v.* {mod. 1} *t.d.,int. e pron.* **1** dirigir cumprimentos (a); saudar(-se) *<quis c. todos os presentes>* *<ela não gosta de c.>* *<cumprimentaram-se educadamente>* □ *t.d.i.,int. e pron.* **2** (prep. *por*) felicitar (reciprocamente) [por algo] *<cumprimentaram-no pelo feito>* *<foi até lá c. ou zombar?>* *<cumprimentaram-se pelo sucesso alcançado>*

cumprimento (cum.pri.men.to) *s.m.* **1** gesto ou palavra de saudação **2** elogio; felicitação *<receberam os c. pelo noivado>* ☞ mais us. no pl. **3** execução de algo *<o c. de uma tarefa>* ↺ descumprimento ☞ cf. *comprimento*

cumprir (cum.prir) *v.* {mod. 24} *t.d.,t.i. e pron.* **1** (prep. *com*) realizar(-se) [algo dito, prometido, proposto etc.] *<fez c. o regulamento>* *<cumpria ordens superiores>* *<ele não cumpre (com) a palavra>* *<cumpriu-se com o prometido>* ↺ descumprir □ *t.i.* **2** (prep. *a*) ser da responsabilidade de; caber *<cumpre a nós essa missão>* □ *t.d.* **3** submeter-se, sujeitar-se a *<c. sentença>* **4** completar, atingir *<c. dez anos de prisão>* **5** acatar, obedecer *<c. os mandamentos>* ↺ descumprir, desrespeitar **6** preencher, satisfazer *<c. requisitos>* **7** satisfazer, realizar *<c. a vontade do pai>* □ *int.* **8** convir, valer *<cumpre ficar atento>* □ *pron.* **9** desenvolver-se, desenrolar-se ~ **cumpridor** *adj.s.m.*

cumular (cu.mu.lar) *v.* {mod. 1} *t.d.,t.d.i.,int. e pron.* acumular ~ **cumulativo** *adj.*

cúmulo (cú.mu.lo) *s.m.* **1** grande quantidade de coisas sobrepostas; acúmulo **2** ponto mais alto de algo positivo ou negativo; máximo, auge *<o c. da bondade>* *<o c. da chateação>* **3** MET nuvem que lembra um floco de algodão

cúmulo-cirro (cú.mu.lo-cir.ro) [pl.: *cúmulos-cirros*] *s.m.* MET cirro-cúmulo

cúmulo-estrato (cú.mu.lo-es.tra.to) [pl.: *cúmulos-estratos*] *s.m.* MET estrato-cúmulo

cúmulo-nimbo (cú.mu.lo-nim.bo) [pl.: *cúmulos-nimbos*] *s.m.* MET nuvem carregada de chuva que toma, por causa dos cristais de gelo, uma forma que lembra a de torres superpostas; nimbo-cúmulo

cuneiforme (cu.nei.for.me) *adj.2g.* **1** com forma de cunha **2** inscrito, gravado em forma de cunha *<escrita c.>* *<caracteres c.>*

cunha (cu.nha) *s.f.* peça triangular de metal ou madeira que se introduz numa brecha para rachar, ou calçar, ajustar e/ou nivelar algo

cunhã (cu.nhã) *s.f.* *AMAZ* **1** mulher jovem **2** *CE* empregada doméstica

cunhada (cu.nha.da) *s.f.* irmã de um dos cônjuges em relação ao outro e vice-versa

cunhado (cu.nha.do) *s.m.* irmão de um dos cônjuges em relação ao outro e vice-versa ~ **cunhadio** *s.m.*

cunhantã (cu.nhan.tã) ou **cunhatã** (cu.nha.tã) *s.f.* *AMAZ* **1** menina **2** jovem mulher, moça; cunhã

cunhar (cu.nhar) *v.* {mod. 1} *t.d.* **1** imprimir marca em (moeda) **2** transformar (metal) em moeda *<c. o cobre>* **3** *fig.* inventar, criar *<c. uma expressão>* ~ **cunhagem** *s.f.*

cunhatã (cu.nha.tã) *s.f.* → *CUNHANTÃ*

C

cunho (cu.nho) *s.m.* **1** peça de ferro para marcar moedas e medalhas **2** *p.ext.* marca deixada por essa peça **3** traço característico de algo; selo, marca, caráter <*texto de c. jornalístico*>

cunicultura (cu.ni.cul.tu.ra) *s.f.* criação de coelhos ~ **cunicultor** *adj.s.m.*

cupão (cu.pão) [pl.: *-ões*] *s.m.* → **CUPOM**

cupidez (cu.pi.dez) /ê/ [pl.: *-es*] *s.f.* cobiça de bens materiais; ambição

cupido (cu.pi.do) *s.m.* **1** deus do amor (para os gregos, Eros), representado ger. com asas e arco e flechas, para acertar os corações ☞ inicial maiúsc. **2** *p.ext.* pessoa que promove ou favorece a união de um casal

cúpido (cú.pi.do) *adj.* **1** tomado por intenso desejo **2** ambicioso de dinheiro ou bens materiais

cupim (cu.pim) [pl.: *-ins*] *s.m.* **1** ZOO nome comum a insetos abundantes nos trópicos, que se alimentam de madeira ou outras matérias vegetais **2** cupinzeiro **3** corcova dos touros, esp. zebus **4** carne dessa corcova

cupincha (cu.pin.cha) *s.2g. infrm.* amigo; camarada

cupinzeiro (cu.pin.zei.ro) *s.m. B* monte de terra e outros resíduos, construído pelos cupins, constituindo o seu ninho; cupim

cupom (cu.pom) [pl.: *-ons*] ou **cupão** (cu.pão) [pl.: *-ões*] *s.m.* **1** fração destacável de um título, apólice etc. que dá direito a recebimento de juros e/ou dividendos **2** *p.ext.* cédula ou cartão destacável que dá direito a brindes, encomenda de mercadorias, participação em espetáculos etc.

cupressácea (cu.pres.sá.cea) *s.f.* BOT espécime das cupressáceas, família de árvores e arbustos explorados e/ou cultivados pelas madeiras, resinas, frutos e tb. como ornamentais, como os ciprestes ~ **cupressáceo** *adj.*

cupuaçu (cu.pu.a.çu) *s.m.* BOT **1** fruta amazônica de casca dura e polpa aromática us. em doces, refrescos etc. **2** árvore dessa fruta

cúpula (cú.pu.la) *s.f.* **1** teto curvilíneo; abóbada **2** *fig.* conjunto constituído pelos dirigentes de uma instituição, partido político, empresa etc.; chefia, direção

cuque (cu.que) *s.m.* CUL *PR* [2]cuca ('bolo')

cúquina (cú.qui.na) *s.f.* CUL *SC* bolo de origem alemã, preparado com farinha de trigo, fermento, ovos, manteiga, às vezes coberto de açúcar; cuca

cura (cu.ra) *s.f.* **1** restabelecimento da saúde **2** *fig.* solução; remédio <*essa situação não tem c.*> **3** método de secagem de queijo, chouriço etc. ■ *s.m.* **4** vigário de aldeia

curaçau (cu.ra.çau) *s.m.* licor feito com cascas de laranja, cravo, canela etc., originário da ilha de mesmo nome (Antilhas holandesas)

curador (cu.ra.dor) /ô/ [pl.: *-es*] *adj.s.m.* DIR que(m) é judicialmente incumbido de zelar pelos interesses e bens dos que estejam impossibilitados de fazê-lo, p.ex. órfãos menores, doentes mentais etc. ▣ **c. de artes** quem organiza e mantém exposições de obras de arte em museus, galerias etc.

curadoria (cu.ra.do.ri.a) *s.f.* DIR função, cargo ou poder de curador

curandeirismo (cu.ran.dei.ris.mo) *s.m.* **1** *B* atividade e/ou conjunto de recursos utilizados por curandeiro para sanar algum mal **2** DIR crime decorrente de anúncio de curas milagrosas, seja por meio de substâncias, gestos ou palavras

curandeiro (cu.ran.dei.ro) *s.m.* quem trata doentes sem habilitação médica, ger. por meio de rezas, beberagens etc. ~ **curandeirice** *s.f.*

curar (cu.rar) *v.* {mod. 1} *t.d.,t.d.i.,int. e pron.* **1** (prep. *de*) livrar(-se) [de doença] <*c. os enfermos*> <*curaram os aldeões de muitas moléstias*> <*este remédio cura*> <*curou-se com este medicamento*> **2** *fig.* (prep. *de*) corrigir(-se) [defeito, vício etc.] <*já não sabiam como c. a imprevidência do síndico*> <*acabaram curando-o da tristeza*> <*o amor é sempre capaz de c.*> <*sua tendência ao furto nunca chegou a c.(-se)*> □ *t.d.* **3** secar ou defumar (queijo, peixe etc.) ~ **curável** *adj.2g.*

curare (cu.ra.re) *s.m.* **1** veneno paralisante extraído de plantas, us. pelos índios em pontas de flechas **2** extrato vegetal us. como relaxante muscular e anestésico

curativo (cu.ra.ti.vo) *adj.* **1** que cura ■ *s.m.* **2** limpeza e desinfecção de ferimento **3** material ou medicamento us. para esse fim

curato (cu.ra.to) *s.m.* **1** função ou residência de cura ('vigário') **2** aldeia pastoreada por um cura ('vigário')

curau (cu.rau) *s.m.* CUL papa de milho verde ralado e cozido com leite e açúcar

cureta (cu.re.ta) /ê/ *s.f.* MED instrumento cirúrgico em forma de colher, us. para raspagem

curetagem (cu.re.ta.gem) [pl.: *-ens*] *s.f.* MED ato cirúrgico de raspagem interna de uma cavidade natural ou patológica ~ **curetar** *v.t.d.*

cúria (cú.ria) *s.f.* conjunto das pessoas e instituições que auxiliam o papa no governo da Igreja católica

curial (cu.ri.al) [pl.: *-ais*] *adj.2g.* **1** referente ou pertencente a cúria <*autoridade c.*> **2** *fig.* conveniente; apropriado <*um discurso c.*>

curiboca (cu.ri.bo.ca) ou **cariboca** (ca.ri.bo.ca) *s.2g.* mestiço descendente de índio e branco; caboclo

curimã (cu.ri.mã) *s.f.* ZOO *B* espécie de tainha

curinga (cu.rin.ga) *s.m.* **1** RECR carta de baralho que, em certos jogos, vale para substituir outras **2** *B* pessoa que tem variadas qualidades ou habilidades

curió (cu.ri.ó) *s.m.* ZOO pássaro cantor, sendo o macho negro com o ventre castanho, lado inferior das asas branco e a fêmea acastanhada

cúrio (cú.rio) *s.m.* QUÍM elemento químico artificial us. como fonte de calor em baterias termonucleares [símb.: *Cm*] ☞ cf. *tabela periódica* (no fim do dicionário)

curiosidade (cu.ri.o.si.da.de) *s.f.* **1** desejo de conhecer, experimentar algo novo **2** *p.ext.* vontade de aprender, pesquisar etc.; interesse intelectual **3** *p.ext. pej.* desejo de saber da vida alheia; indiscrição **4** informação interessante e surpreendente <*o texto expunha várias c.*>

curioso (cu.ri.o.so) /ô/ [pl. e fem.: /ó/] *adj.s.m.* **1** que(m) tem vontade de saber **2** *p.ext. pej.* que(m) se interessa pela vida alheia; bisbilhoteiro ↺ discreto **3** *infrm.* que(m) desempenha uma atividade sem formação regular; amador ↺ profissional ■ *adj.* **4** estranho, inesperado <*fato c.*>

curitibano (cu.ri.ti.ba.no) *adj.* **1** de Curitiba (PR) ■ *s.m.* **2** natural ou habitante dessa capital

curra (cur.ra) *s.f. B infrm.* agressão sexual cometida por mais de uma pessoa ~ **currar** *v.t.d.*

curral (cur.ral) [pl.: *-ais*] *s.m.* **1** local onde se recolhe o gado **2** *B* armadilha de apanhar peixes

currículo (cur.rí.cu.lo) *s.m.* **1** programação de um curso ou de matéria a ser examinada **2** *curriculum vitae* ~ **curricular** *adj.2g.*

curriculum vitae (cur.ri.cu.lum vi.tae) [lat.; pl.: *curricula vitae*] *loc.subst.* documento que reúne os dados pessoais, acadêmicos e profissionais de alguém ⇒ pronuncia-se curriculum vite

currupira (cur.ru.pi.ra) *s.m.* → ***CURUPIRA***

curry (cur.ry) [ing.; pl.: *curries*] *s.m.* CUL ver ***CARIL*** ⇒ pronuncia-se câri

cursar (cur.sar) *v.* {mod. 1} *t.d.* **1** fazer um curso de; estudar *<c. medicina>* **2** percorrer, atravessar *<c. continentes em busca de aventuras> <as naus cursavam os mares>*

cursinho (cur.si.nho) *s.m.* curso preparatório para o exame vestibular

cursivo (cur.si.vo) *adj.s.m.* (escrita) que é traçada de forma corrente, com letra manuscrita

curso (cur.so) *s.m.* **1** ato ou efeito de correr; corrida **2** movimento contínuo; trajetória *<c. de um rio>* **3** sequência, duração *<o c. dos acontecimentos>* **4** divisão de uma programação de estudos *<c. superior>* **5** programa de estudos específicos para a atividade ou profissão pretendida *<c. de medicina> <c. de fotografia>* **6** *p.ext.* estabelecimento em que se realiza algum ensino sistemático *<hoje vou ao c. de inglês>* ▣ **c. de água** corrente de água doce

cursor (cur.sor) /ô/ [pl.: *-es*] *s.m.* **1** peça que corre ao longo de outra **2** INF sinal que se move na tela acompanhando os movimentos do mouse **3** INF sinal que pulsa na tela para indicar onde será inserido o próximo caractere ■ *adj.* **4** que se desloca

curta (cur.ta) *s.m.* CINE red. de curta-metragem

curta-metragem (cur.ta-me.tra.gem) [pl.: *curtas-metragens*] *s.m.* CINE filme com duração de até 30 minutos

curtição (cur.ti.ção) [pl.: *-ões*] *s.f.* **1** ato ou efeito de curtir; curtimento *<c. de couros> <c. de pimentas>* **2** *gír.* qualquer prazer, experiência agradável; barato **3** *gír.* pessoa ou coisa que dá prazer, que é agradável; barato *<achei o filme uma c.> <sua prima é uma c.>*

curtido (cur.ti.do) *adj.* **1** preparado por curtimento *<couro c.> <carne c.>* **2** habituado a suportar o sofrimento, as dificuldades; calejado *<homem c.>*

curtimento (cur.ti.men.to) *s.m.* ato ou efeito de curtir; curtição

curtir (cur.tir) *v.* {mod. 24} *t.d.* **1** colocar (couro, pele) de molho em líquido preparado para amaciá-lo e deter a sua decomposição *<curtiu o couro antes de costurá-lo>* **2** conservar (comida) em molho apropriado, como salmoura, vinagre, azeite *<c. cebolas>* **3** armazenar (bebida alcoólica) em local apropriado antes de consumi-la *<c. a cachaça>* **4** *fig.* suportar (sofrimento, dor etc.) *<curtiram ambos cinco anos de prisão>* **5** *B gír.* aproveitar, desfrutar *<c. uma boa música> <c. as férias>* □ *int. fig.* **6** endurecer, calejar *<os golpes da vida fizeram-no c.>* ~ **curtidor** *adj.s.m.*

[1]**curto** (cur.to) *adj.* **1** de pouco comprimento *<calças c.>* ↺ comprido **2** de pouca duração; breve *<filme c.>* ↺ longo **3** insuficiente *<o dinheiro está c.>* **4** *fig.* limitado, tacanho *<o rapaz é simpático, mas de entendimento c.>* ◉ ORIGEM lat. *curtus,a,um* 'diminuído, encurtado' ~ **curteza** *s.f.*

[2]**curto** (cur.to) *s.m.* ELETR curto-circuito ◉ ORIGEM red. de *curto-circuito*

curto-circuito (cur.to-cir.cui.to) [pl.: *curtos-circuitos*] *s.m.* **1** ELETR num circuito elétrico, conexão acidental entre os polos que resulta numa passagem excessiva de corrente **2** *p.ext.* colapso no funcionamento de algo; pane

curtume (cur.tu.me) *s.m.* **1** curtimento de couro, pele etc. **2** estabelecimento em que se exerce essa atividade

curumba (cu.rum.ba) *s.2g. N.E.* **1** andarilho esfarrapado que percorre as estradas **2** pessoa proveniente do sertão, em busca de trabalho em estradas, engenhos etc. **3** sertanejo que, na época da safra, trabalha em canaviais ou engenhos ◉ ORIGEM segundo Antenor Nascentes, voc. expressivo

curumim (cu.ru.mim) [pl.: *-ins*] ou **curumi** (cu.ru.mi) *s.m.* AMAZ menino

curupira (cu.ru.pi.ra) ou **currupira** (cur.ru.pi.ra) *s.m.* FOLC ente fantástico das matas, descrito como um anão de cabelos vermelhos e pés virados para trás

cururu (cu.ru.ru) *s.m.* ZOO sapo-cururu

curva (cur.va) *s.f.* **1** linha, superfície ou espaço em forma de arco **2** trecho de estrada, avenida, rua etc. com essa característica **3** traço que representa graficamente as alterações de algum fenômeno *<c. de temperatura>* ▼ ***curvas*** *s.f.pl.* **4** as formas arredondadas e bem-feitas do corpo humano, ger. de mulher

curvado (cur.va.do) *adj.* **1** vergado para a frente e para baixo; inclinado *<diante do pai, conservava a cabeça c.>* **2** *fig.* subjugado, dominado

curvar (cur.var) *v.* {mod. 1} *t.d.,int. e pron.* **1** tornar (-se) curvo, arqueado; envergar(-se) *<o vento curvou os galhos da roseira> <o animal curvava por causa da carga> <curvou-se para passar pela porta>* ↺ descurvar □ *t.d. e pron.* **2** inclinar(-se) ger. para a frente e para baixo *<c. o corpo> <os japoneses curvam-se para cumprimentar-se>* ↺ aprumar(-se) **3** submeter(-se), sujeitar(-se) *<a destreza do lutador curvou o adversário> <curvou-se à vontade dos pais>* ↺ insurgir(-se)

curvatura (cur.va.tu.ra) *s.f.* **1** forma curva de algo *<c. de um chapéu>* **2** ato ou efeito de arquear ou dobrar *<a c. da coluna dorsal>* **3** modo de cumprimentar em que se inclina o corpo para a frente; vênia

curveta (cur.ve.ta) /ê/ *s.f.* **1** curva pequena **2** passo cadenciado do cavalo, levantando e abaixando as patas, esp. as dianteiras ~ **curvetear** *v.t.d. e int.*

curvilíneo (cur.vi.lí.neo) *adj.* **1** com linhas curvas *<rosto c.>* **2** cujo movimento apresenta curvas *<deslocamento c. dos astros>*

curvo (cur.vo) *adj.* que tem forma arqueada; inclinado, curvado ↺ reto

cusco (cus.co) *s.m.* *RS* cachorro pequeno, vira-lata

cuscuz (cus.cuz) [pl.: *-es*] *s.m.2n.* CUL **1** massa doce de tapioca com leite de coco e coco ralado **2** bolo de farinha de milho ou de arroz cozido no vapor **3** iguaria feita de farinha de milho ou tapioca assada na grelha ◉ GRAM/USO admite-se tb. o pl. *cuscuzes*

cusparada (cus.pa.ra.da) *s.f.* **1** grande quantidade de cuspe **2** ato de expelir essa quantidade de cuspe

cuspe (cus.pe) ou **cuspo** (cus.po) *s.m.* saliva

cúspide (cús.pi.de) *s.f.* **1** ponta aguda e ger. alongada *<c. de uma torre>* **2** *fig.* cume, vértice, píncaro *<chegou à c. de sua carreira>*

cuspido (cus.pi.do) *adj.* **1** em que se cuspiu *<o chão do botequim estava c.>* **2** lançado, ejetado, lançado fora (tb. fig.) *<mesmo c. do carro, o motorista sobreviveu>* ▣ **c. e escarrado** *infrm.* exatamente igual, idêntico *<o garoto é o tio c. e escarrado>*

cuspir (cus.pir) *v.* {mod. 29} *t.i. e int.* **1** (prep. *em*) lançar cuspe (em) *<cuspiu no chão> <vivia cuspindo pela rua>* □ *t.d. e int.* **2** expelir pela boca (qualquer substância) *<c. sangue>* ↺ engolir

custa (cus.ta) *s.f.* **1** gasto com alguma coisa ▼ ***custas*** *s.f.pl.* DIR **2** despesas em processos judiciais ▣ **à(s) c.(s) de 1** por conta de *<vivia à c. do pai>* **2** com sacrifício de *<construiu a casa à c. da própria saúde>*

custar (cus.tar) *v.* {mod. 1} *t.d. e int.* **1** ter determinado preço; valer *<a blusa custa dez reais> <a casa custou caro>* □ *t.d. e t.d.i. fig.* **2** (prep. *a*) ser adquirido por determinado preço *<a casa custou milhões (ao homem)>* **3** (prep. *a*) ocasionar (para alguém) [prejuízo material, moral etc.] *<o erro custou (ao jornalista) o emprego>* □ *t.i. e int.* **4** *B* (prep. *a*) ser difícil, trabalhoso ou sofrido *<custa (ao amigo) aceitar a traição>* **5** *B* (prep. *a*) ser lento; demorar *<a hora custa a passar> <custou, mas o resultado saiu!>*

custear (cus.te.ar) *v.* {mod. 5} *t.d.* pagar despesas, gasto(s) de; financiar *<a instituição custeou o estudo dos alunos carentes>*

custeio (cus.tei.o) *s.m.* ato ou efeito de custear; financiamento

custo (cus.to) *s.m.* **1** ECON valor de mercado de alguma coisa, calculado com base no capital e no tempo gastos na sua produção e o lucro de seu produtor; preço **2** dificuldade, esforço físico ou intelectual *<com muito c. fez o trabalho>* **3** *B* demora; morosidade *<foi um c. chegar, o trânsito estava horrível>* ▣ **c. Brasil** ECON conjunto dos custos da produção no Brasil em relação aos dos concorrentes estrangeiros • **c. de vida** ECON índice da variação dos preços de bens e serviços, com o qual é possível avaliar o poder de compra dos salários e o valor real da moeda • **a c.** com dificuldade, com esforço *<foi a c. que conseguimos chegar aqui>* • **a todo (o) c.** sem medir esforços *<será eleito a todo c.>*

custódia (cus.tó.dia) *s.f.* **1** DIR guarda; proteção *<c. de bens> <c. de uma testemunha>* **2** ato ou efeito de deter pessoa que comete algum delito; detenção *<preso sob c.>* **3** *p.ext.* lugar onde se guarda algo em segurança *<sala de c.>* **4** REL ostensório

custodiar (cus.to.di.ar) *v.* {mod. 1} *t.d.* **1** colocar em custódia; proteger, guardar *<custodiou o sobrinho até que atingisse a maioridade>* **2** garantir proteção ou guarda a (alguém ou algo); proteger *<dois agentes vão c. a testemunha>* **3** prender sob custódia *<a polícia custodiou o criminoso>*

custódio (cus.tó.dio) *adj.* que guarda ou protege *<anjo c.>*

custoso (cus.to.so) /ô/ [pl. e fem.: /ó/] *adj.* **1** que custa; que exige grande despesa; caro, dispendioso **2** que apresenta dificuldade; trabalhoso, árduo *<missão c.>*

CUT *s.f.* sigla de Central Única dos Trabalhadores

cutâneo (cu.tâ.neo) *adj.* relativo à cútis *<inflamação c.>*

cutelaria (cu.te.la.ri.a) *s.f.* **1** local ou oficina onde são feitos cutelos e/ou outros instrumentos cortantes **2** arte ou técnica da fabricação desses instrumentos

cutelo (cu.te.lo) *s.m.* **1** antigo instrumento de corte, com lâmina semicircular presa a um cabo de madeira **2** instrumento cortante us. para talhar carnes ~ **cuteleiro** *adj.s.m.*

cutia (cu.ti.a) *s.f.* ZOO roedor de até 60 cm e 4 kg, pelagem curta e áspera, escura no dorso, e cauda curta

cutícula (cu.tí.cu.la) *s.f.* ANAT película que reveste o contorno da unha ~ **cuticular** *adj.2g.*

cutilada (cu.ti.la.da) *s.f.* **1** golpe com cutelo ou outro instrumento de corte **2** corte causado por esse golpe

cútis (cú.tis) *s.f.2n.* ANAT **1** camada externa da pele humana; epiderme **1.1** pele do rosto; tez

cutuba (cu.tu.ba) *adj.2g.* *N. N.E.* **1** forte e corajoso; valente ↺ medroso, tímido **2** de boa aparência; bonito ↺ feio **3** bondoso, simpático ↺ cruel, desalmado **4** inteligente, capaz, esperto ↺ burro **5** importante ↺ desimportante, insignificante

cutucão (cu.tu.cão) [pl.: *-ões*] ou **catucão** (ca.tu.cão) [pl.: *-ões*] *s.m.* *B infrm.* **1** ato ou efeito de tocar alguém com força, usando a ponta dos dedos e/ou o cotovelo **2** golpe com objeto cortante

cutucar (cu.tu.car) ou **catucar** (ca.tu.car) *v.* {mod. 1} *t.d.* *B infrm.* **1** tocar (alguém) com os dedos, o cotovelo etc. para chamar-lhe a atenção **2** introduzir a ponta do dedo ou objeto fino e pontudo em (cavidade, orifício etc.) *<c. o ouvido>* ~ **cutucada/catucada** *s.f.*

cv FÍS símbolo de *cavalo-vapor*

cybercafe (cy.ber.ca.fe) [ing.] *s.m.* ver ***CIBERCAFÉ*** ⇒ pronuncia-se saiber café

czar [pl.: *-es*; fem.: *czarina*], **tsar** [pl.: *-es*; fem.: *tsarina*] ou **tzar** [pl.: *-es*; fem.: *tzarina*] *s.m.* HIST **1** título oficial do soberano russo; tzar **2** na Idade Média, título us. por soberanos búlgaros e sérvios

czarda (czar.da) *s.f.* → ***XARDA***

czarina (cza.ri.na), **tsarina** (tsa.ri.na) ou **tzarina** (tza.ri.na) *s.f.* mulher do czar

czarismo (cza.ris.mo), **tsarismo** (tsa.ris.mo) ou **tzarismo** (tza.ris.mo) *s.m.* HIST POL regime monárquico que vigorou na Rússia até o início do sXX ~ **czarista** *adj.2g.s.2g.* - **tsarista** *adj.2g.s.2g.* - **tzarista** *adj.2g.s.2g.*

a b c d e f g h i j k l m n o p q r s t u v w x y z

Dd

d *s.m.* **1** quarta letra do nosso alfabeto, consoante ■ *n.ord. (adj.2g.2n.)* **2** diz-se do quarto elemento de uma série *<casa D> <item 1d>* ☞ empr. após um substantivo ou numeral **3** diz-se da quarta classe na escala de poder e riqueza *<classe D>* ◉ GRAM/USO na acp. s.m., pl.: *dd*

dábliu (dá.bliu) ou **dáblio** (dá.blio) *s.m.* nome da letra *w*

-dade *suf.* 'qualidade': *capacidade, solidariedade*

dádiva (dá.di.va) *s.f.* **1** oferta espontânea; presente, doação **2** *fig.* favor; graça *<d. do céu>* **~ dadivar** *v.t.d.*

dadivoso (da.di.vo.so) /ô/ [pl. e fem.: /ó/] *adj.* que gosta ou tem o hábito de fazer dádivas; generoso

¹dado (da.do) *adj.* **1** que se deu de graça **2** amável, amistoso ↺ grosseiro **3** habituado ou propenso *<d. ao estudo>* ↺ desacostumado **4** certo, determinado *<nesse d. momento, iniciaremos a transmissão>* ■ *s.m.* **5** informação que serve de base para a solução de algo *<temos d. novos para argumentar>* **6** *p.ext.* resultado de cálculo, pesquisa etc. *<os d. do detetive diferiam dos da polícia>* **7** informação capaz de identificar um indivíduo *<d. pessoais>* **8** INF informação capaz de ser processada por um computador ■ *pron.ind.* **9** não determinado; algum, qualquer *<recebeu uma d. quantia em dinheiro>* ◉ ORIGEM do lat. *dătus,a,um* 'dado, entregue'

²dado (da.do) *s.m.* objeto cúbico, cujas faces são marcadas por números, naipes, figuras etc., us. em jogos ◉ ORIGEM duv., talvez do ár. *dad* 'dado de jogo, o jogo' (persa *dada*)

dag símbolo de *decagrama*

daí (da.í) *contr.* **1** desse lugar *<saia já d.>* **2** desse momento *<a partir d., ela nunca mais apareceu>* **3** então *<papai me pôs de castigo, d. telefonei para mamãe>* **4** us. para indicar a consequência de algo dito antes *<ela saiu da sala, d. todos pensarem que tinha ido embora>* ◉ GRAM/USO contr. da prep *de* com o adv. *aí* ▣ **e d. 1** que importância tem isso? *<Ele me chamou de criança. E d.?>* **2** e que aconteceu depois? *<A noiva chegou à igreja e o noivo não estava lá. E d.?>*

dal símbolo de *decalitro*

dalai-lama (da.lai-la.ma) [pl.: *dalai-lamas*] *s.m.* REL supremo sacerdote e líder espiritual do Tibete

dali (da.li) *contr.* **1** daquele lugar, daquele ponto *<foram até o cais; d. pegaram o barco>* **2** daquele momento *<d. em diante permaneceu calado>* **3** de certo lugar, distante mas não muito *<este vaso é d. daquela cômoda>* ◉ GRAM/USO contr. da prep. *de* com o adv. *ali*

dália (dá.lia) *s.f.* **1** BOT planta ornamental e sua flor **2** CINE TEAT TV cartaz, escondido em um objeto de cena ou ao lado da câmera, com o texto que os apresentadores ou intérpretes devem dizer

dálmata (dál.ma.ta) *adj.2g.* **1** da Dalmácia, região do sul da Europa ■ *s.2g.* **2** natural ou habitante dessa região **3** raça de cão de porte médio, de pelo branco com pintas pretas, focinho quadrado e orelhas pendentes **4** esse cão

daltônico (dal.tô.ni.co) *adj.s.m.* (o) que tem daltonismo

daltonismo (dal.to.nis.mo) *s.m.* MED incapacidade de perceber ou distinguir certas cores, esp. o vermelho e o verde

dam símbolo de *decâmetro*

dama (da.ma) *s.f.* **1** mulher; senhora **2** na dança, mulher que faz par com um cavalheiro **3** RECR carta de baralho com a figura de uma mulher **4** RECR no jogo de damas, cada uma das peças que atinge a última linha de quadrados e que passa a ter movimentação livre pelo tabuleiro ▼ ***damas*** *s.f.pl.* RECR **5** jogo para dois parceiros, com dois conjuntos de 12 peças, cada um de uma cor, sobre um tabuleiro dividido em 64 quadrados, em duas cores alternadas; jogo de damas ▣ **d. de honra** jovem que precede a noiva ao entrar na igreja

D

damasceno (da.mas.ce.no) *adj.* **1** de Damasco (Síria) ■ *s.m.* **2** natural ou habitante dessa capital

damasco (da.mas.co) *s.m.* **1** BOT fruto de tom alaranjado, com polpa carnuda e suculenta, comestível ao natural, como passa ou doce **2** a cor desse fruto **3** tecido de seda ou lã bordado em relevo, com fios da mesma cor ■ *adj.2g.2n.* **4** da cor do damasco ('fruto'); adamascado *<tons damasco>* **5** diz-se dessa cor *<cor damasco>*

damasqueiro (da.mas.quei.ro) *s.m.* BOT árvore que atinge de 3 a 10 m, muito cultivada em diversos países, esp. pelo fruto (damasco)

danação (da.na.ção) [pl.: *-ões*] *s.f.* **1** decadência completa; ruína ↺ prosperidade **2** REL condenação às penas do inferno ↺ salvação **3** condenação, desgraça ↺ absolvição **4** raiva, fúria ↺ mansidão

danado (da.na.do) *adj.* **1** raivoso; irado ↺ calmo, sereno **2** *infrm.* habilidoso; inteligente *<é d. para fazer contas>* ↺ desajeitado, inepto **3** *infrm.* levado, travesso ↺ bem-comportado, comportado **4** de grande proporção; imenso *<a mudança deu um trabalho d.>* **5** condenado ao inferno ↺ bem-aventurado, salvo **6** que ou aquele que tem raiva ('doença'); hidrófobo *<recolheram os cães d.>*

danar (da.nar) *v.* {mod. 1} *t.d. e pron.* **1** (fazer) sofrer mal, perda ou prejuízo; prejudicar(-se), estragar(-se) *<ler no escuro pode d. a vista> <danou-se nos espinhos da roseira>* ↺ preservar(-se) **2** passar ou adquirir hidrofobia ('raiva') *<um cão contaminado pode d. uma pessoa> <a rês mordida pelo morcego danou-se>* **3** *fig.* tornar(-se) zangado, furioso; enraivecer(-se) *<os modos da filha danavam o pai> <dana-se com as reclamações do chefe>* ↺ acalmar(-se) □ *t.i.* *B* **4** (prep. *a*) iniciar (ação) com ímpeto e vontade *<d. a chorar>* □ *pron.* **5** ter dificuldade em algo; extenuar-se *<d.-se para vencer>* **6** *B infrm.* sair-se mal; dançar *<arriscou e se danou>*

dança (dan.ça) *s.f.* **1** arte e/ou técnica de dançar **2** conjunto de movimentos ritmados do corpo, executados ger. ao som de música **3** estilo, gênero ou modo particular de dançar *<a d. dos índios xavantes>* **4** reunião de pessoas com o propósito de dançar; baile *<vocês vão à d.?>* **5** *fig. infrm.* movimentação ou empenho para obter voto, favor, distinção etc. *<a d. dos candidatos já começou>* ▣ **d. de roda** DNÇ **1** qualquer dança na qual os participantes se alternam dentro de uma roda em que todos dançam **1.1** dança, ger. infantil, em que se forma uma roda e se gira, de mãos dadas, cantando • **d. de salão** DNÇ MÚS dança executada por casais, com coreografias próprias *<concurso de d. de salão>* • **entrar na d.** *infrm.* participar de acontecimento do qual se era apenas espectador

dançante (dan.çan.te) *adj.2g.s.2g.* **1** que(m) dança por diversão ou profissionalmente; dançarino ■ *adj.2g.* **2** em que há dança *<chá d.> <almoço d.>* **3** que é próprio para dançar ou estimula a dança *<música d.>*

dançar (dan.çar) *v.* {mod. 1} *t.d. e int.* **1** movimentar o corpo em (certo ritmo), ger. seguindo música *<d. samba> <gosta de d.>* □ *int.* **2** *p.ext.* ir de um lado a outro; balançar **3** *fig.* estar largo, bambo *<a saia está dançando>* **4** *fig. B gír.* sair-se mal; danar-se *<não se precaveu, e dançou>* **5** *B gír.* perder oportunidade, benefício, vantagem *<quem se atrasar dança>* **6** *B gír.* deixar de acontecer ou não dar certo *<nosso passeio dançou>*

dançarino (dan.ça.ri.no) *adj.s.m.* que(m) gosta de dançar ou o faz profissionalmente; dançante

danceteria (dan.ce.te.ri.a) *s.f.* estabelecimento comercial de lazer, no qual se pode dançar, comer e beber

dândi (dân.di) *s.m.* **1** homem que se veste com elegância e requinte **2** *p.ext.* homem que se veste e comporta com afetação e delicadeza ~ **dandismo** *s.m.*

danificar (da.ni.fi.car) *v.* {mod. 1} *t.d. e pron.* **1** (fazer) sofrer prejuízo material ou moral; estragar(-se) *<as intrigas danificaram a sua dignidade> <o excesso de alvejante danificou a blusa> <danificaram-se as frutas que deixamos expostas>* ↺ preservar(-se) **2** (fazer) funcionar mal ou não funcionar; quebrar, enguiçar *<a alta temperatura pode d. o aparelho> <o celular danificou-se ao cair>* ↺ consertar ~ **danificação** *s.f.*

daninho (da.ni.nho) *adj.* que produz dano; danoso, nocivo *<exemplo d.> <erva d.>* ↺ benéfico

dano (da.no) *s.m.* **1** ato ou efeito de danar(-se); malefício, prejuízo *<as más leituras causam d. às crianças>* **2** estrago, deterioração *<os móveis sofreram alguns d. no transporte> <será difícil compensar os d. à colheita>*

danoso (da.no.so) /ô/ [pl. e fem.: /ó/] *adj.* que causa dano; daninho

dantesco (dan.tes.co) /ê/ *adj.* **1** relativo a Dante Alighieri ou a sua obra ☞ cf. *Dante Alighieri* na parte enciclopédica **2** *fig.* de grande horror; pavoroso *<sonhos d.>*

danura (da.nu.ra) *s.f. infrm.* **1** *C.-O.* arte de criança; travessura **2** *C.-O.* perseverança para alcançar algo **3** *TO* mania ou teima *<d. de andar no frio sem abrigo>*

-dão *suf.* 'qualidade': *escuridão, prontidão*

daquele (da.que.le) *contr.* **1** designa o que se encontra espacialmente distante dos interlocutores e, no tempo, foi mencionado antes do momento em que se fala *<a praia começa d. lado> <precisamos falar d. assunto>* ▼ ***daqueles*** *contr.* **2** *B infrm.* us. no sentido de 'fora do comum', 'especial' *<foi uma vitória daquelas>* ◉ GRAM/USO contr. da prep. *de* com o pron.dem. *aquele*; fem.: *daquela*; pl.: *daqueles, daquelas*

daqui (da.qui) *contr.* **1** deste lugar, deste ponto *<d. até aí vamos levar uma boa hora>* **2** deste momento, deste dia *<d. para a frente, vamos acelerar o trabalho>* ◉ GRAM/USO contr. da prep. *de* com o adv. *aqui* ▣ **estar** ou **ser d.** estar ou ser excelente, lindo, delicioso etc. *<a feijoada estava d.!>*

daquilo (da.qui.lo) *contr.* **1** de algo que se encontra espacialmente distante tanto do falante como do ouvinte *<quero 200 gramas d. que está na última prateleira>* **2** de algo a que se referiu num momento anterior ao da fala *<não decorei nada d. que li ontem> <lembra-se d. que você me prometeu?>* ◉ GRAM/USO contr. da prep. *de* com o pron.dem. *aquilo*

dar *v.* {mod. 6} *t.d.i.* **1** (prep. *a*) pôr na posse de; entregar *<d. dinheiro a um necessitado> <d. comida a quem tem fome>* **2** (prep. *a*) oferecer como presente *<deu ao filho uma bicicleta>* **3** (prep. *a*) pôr à disposição de; oferecer, conceder *<d. proteção aos fracos>* ↺ recusar, negar **4** (prep. *a*) tornar possível por consentimento, autorização; conceder, permitir *<deu entrada aos visitantes>*

↺ negar, proibir □ *t.d. e t.d.i.* **5** (prep. *a*, *para*) fazer doação de (algo) [para pessoa, instituição etc.] *<deu livros (para os alunos)>* **6** (prep. *a*, *para*) realizar, promover (evento, curso etc.) *<d. uma palestra (aos estagiários)>* **7** (prep. *a*) passar (informação, ordem, mensagem, aviso etc.) [a alguém] *<deu ordem de parar (aos músicos)>* **8** (prep. *a*) ser a causa de; provocar, suscitar *<a aula deu sono (aos alunos)>* **9** (prep. *a*) manifestar, expressar *<d. conselho (aos filhos)>* **10** (prep. *em*) aplicar, desferir *<d. uma bofetada (no inimigo)>* **11** (prep. *a*) ministrar, administrar *<d. remédio (ao doente)>* □ *t.d.* **12** gerar, produzir *<vacas dão leite>* **13** apresentar *<d. explicação>* **14** emitir, soltar *<d. um grito>* **15** passar, aplicar *<d. uma demão de tinta>* **16** bater, soar *<o relógio deu uma hora>* **17** infestar-se de (uma praga, p.ex.) *<a cômoda deu bicho>* □ *t.d.pred.* **18** ter na conta de; considerar *<d. a redação como pronta>* □ *int.* **19** ser capaz de passar por ou estar contido em; caber *<o armário não dá aqui>* □ *t.i.* **20** (prep. *para*) ser suficiente para; bastar *<o dinheiro não dá para comprar o suco>* **21** (prep. *em*) dar golpes; bater *<deu muito no pobre animal>* □ *pron.* **22** acontecer, ocorrer *<o fato deu-se ontem>* **23** (prep. *com*) ter contato com; relacionar-se *<d.-se com os vizinhos>* ▣ **d. com** deparar-se com; topar, encontrar *<deu com o avô ao virar a esquina>* • **d. de** começar a *<deu de chorar e não parava>* • **d. em cima de** *B infrm.* **1** procurar com fins amorosos *<d. em cima da nova vizinha>* **2** exigir muito; pressionar *<d. em cima dos empregados>* • **d. e vender** em quantidade; à beça *<tem saúde para d. e vender>* • **d. para 1** demonstrar qualidades ou características para ser *<essa menina dá para modista>* **2** mostrar repetida tendência para *<agora deu para ficar desanimada>* **3** sentir o impulso de; começar a, desatar a *<de repente, deu para rir sem motivo>* **4** ser o suficiente para; bastar *<seu dinheiro não dá para nada>* **5** abrir-se para (uma vista); ter vista para ou sobre *<a janela dá para o mar>* **6** dar acesso, ser passagem para *<esta porta dá para o jardim>* • **d. para trás** reagir contra algo; não aceitar ou permitir que algo vá para a frente *<depois de combinar o passeio, deu para trás>* • **d.-se bem** *B* alcançar bom êxito; sair-se bem *<fez o concurso e deu-se bem>* • **d.-se mal** *B* **1** não alcançar bom êxito; sair-se mal *<tentou passar na prova e deu-se mal>* **2** meter-se em apuros *<se você for atrás dele, vai se d. mal>* • **para o que der e vier** para tudo o que possa acontecer, seja bom ou ruim; até debaixo de água *<sou teu amigo para o que der e vier>*

dardejar (dar.de.jar) *v.* {mod. 1} *t.d. e int.* **1** lançar dardo(s) contra *<dardejou o inimigo>* *<os lutadores antigos sabiam d.>* □ *int.* **2** emitir brilho; cintilar *<o sol dardejava no horizonte>* *<teus olhos dardejam como as estrelas>* ↺ apagar-se ~ **dardejante** *adj.2g.*

dardo (dar.do) *s.m.* **1** arma constituída por uma haste de madeira com uma ponta de ferro e que se arremessa horizontalmente **2** ESP haste semelhante à arma, us. em provas de arremesso a distância

DARF *s.m.* sigla de documento de arrecadação da Receita Federal

darmstádtio (darms.tád.tio) *s.m.* QUÍM elemento químico sintético, anteriormente denominado *ununnilium* [símb.: *Ds*] ☞ cf. *tabela periódica* (no fim do dicionário)

darwinismo (dar.wi.nis.mo) *s.m.* BIO teoria de evolução que se baseia na seleção natural para explicar origem, transformação e perpetuação das espécies, fundamentada nas ideias de Charles Darwin ☞ cf. *Darwin* na parte enciclopédica ~ **darwinista** *adj.2g.s.2g.*

dasipodídeo (da.si.po.dí.deo) *s.m.* ZOO **1** espécime dos dasipodídeos, família de mamíferos desdentados, conhecidos popularmente como tatus ■ *adj.* **2** relativo a essa família

data (da.ta) *s.f.* **1** indicação de ano, mês e/ou dia *<d. de nascimento>* **2** *p.ext.* período de tempo, época *<naquela d. eu não era nascido>*

datado (da.ta.do) *adj.* **1** que traz a data em que foi feito **2** característico de época passada; desatualizado *<filme d.>*

datar (da.tar) *v.* {mod. 1} *t.d.* **1** pôr em (algo) a data de conclusão, emissão etc. *<d. uma carta>* **2** atribuir, por suposição ou indício, uma data a *<d. um osso de 250 d.C.>* □ *int.* **3** existir a partir de *<a cidade data da época medieval>* **4** *p.ext.* ocorrer, acontecer (em uma data) *<o Descobrimento data de 1500>*

datilografar (da.ti.lo.gra.far) *v.* {mod. 1} *t.d. e int.* escrever à máquina datilográfica *<d. um contrato>* *<sabe d. muito bem>*

datilografia (da.ti.lo.gra.fi.a) *s.f.* técnica de escrever com máquina datilográfica

datilográfico (da.ti.lo.grá.fi.co) *adj.* relativo a datilografia *<padrão d.>*

datiloscopia (da.ti.los.co.pi.a) *s.f.* técnica para registrar e identificar impressões digitais ~ **datiloscópico** *adj.* - **datiloscopista** *adj.2g.s.2g.*

dativo (da.ti.vo) *adj.s.m.* DIR (o) que é dado por testamento ou nomeado por um juiz *<tutor d.>* *<só pode contar com um (advogado) d.>*

dB FÍS símbolo de *decibel*

Db QUÍM símbolo de *dúbnio*

d.C. HIST abrev. de *depois de Cristo*

DDC *s.m.* TEL sigla de *discagem direta a cobrar*

DDD *s.m.* TEL sigla de *discagem direta a distância*

DDI *s.m.* TEL sigla de *discagem direta internacional*

de- *pref.* **1** 'movimento para baixo': *decrescer* **2** 'separação': *depenar*

de *prep.* **1** subordina e exprime: **1.1** ponto de partida, origem *<venho de Brasília>* **1.2** assunto *<falamos de cinema>* **1.3** causa *<barulho das máquinas>* **1.4** matéria *<casaco de couro>* **1.5** instrumento *<queimadura de ácido>* **1.6** meio *<vive de renda>* **1.7** modo *<sair de fininho>* **1.8** tempo *<começou de manhã>* **2** ligando dois substantivos (ou equivalentes), diretamente ou com auxílio de verbos de ligação, adquire, entre outros, os sentidos de: **2.1** posse ou autoria *<o jardim (é) da escola>* *<poema de Manuel Bandeira>* **2.2** aquilo de que é parte *<maçaneta da porta>* **2.3** finalidade *<roupa de festa>* **2.4** continente ou conteúdo *<copo de água>* *<a água do copo>* **2.5** característica *<mulher de cabelos longos>* **2.6** dimensão *<árvore de 3 metros>* **2.7** mecanismo de manuseio de algo *<carrinho de mão>* **2.8** destino (equivalendo a *para*) *<o trem de São Paulo não parte mais desta estação>* **2.9** valor *<bolsa de 90 reais>* **2.10** origem *<o trem de São Paulo atrasou>*

dê *s.m.* nome da letra *d*

D

deambular (de.am.bu.lar) *v.* {mod. 1} *int.* andar sem rumo; vagar

deão (de.ão) [pl.: *-ãos, -ães, -ões*; fem.: *deã*] *s.m.* **1** membro mais antigo de uma instituição, corporação, assembleia etc.; decano **2** dignitário eclesiástico que dirige o capítulo ('assembleia'); decano

debacle (de.ba.cle) *s.f.* fracasso, ruína ↺ prosperidade

debaixo (de.bai.xo) *adv.* em posição inferior, abaixo *<afastaram a mesa sem reparar que havia livros d.>* ▣ **d. de** embaixo de; sob *<deitou d. da árvore>*

debalde (de.bal.de) *adv.* em vão; inutilmente, embalde *<esforçou-se d.>*

debandada (de.ban.da.da) *s.f.* fuga desordenada; correria, dispersão *<d. das hostes inimigas>*

debandar (de.ban.dar) *v.* {mod. 1} *int.* **1** sair da fila, da ordem ou do rumo; dispersar-se *<a multidão debandou depois do comício>* □ *t.d. e int.* **2** pôr(-se) em fuga desordenada; dispersar *<nosso pelotão debandou os oponentes> <os soldados debandaram horrorizados>*

debate (de.ba.te) *s.m.* **1** discussão acalorada entre duas ou mais pessoas sobre um tema **2** exposição de ideias, razões em defesa de ou contra algum argumento, ordem etc.

debater (de.ba.ter) *v.* {mod. 8} *int.* **1** entrar em discussão; altercar *<aqueles dois debatem à toa>* □ *t.d.* **2** expor razões contra (ideia, argumento etc.); questionar *<d. uma acusação>* □ *t.d. e t.i.* **3** (prep. *sobre*) discutir, examinar (assunto, problema etc.) *<d. (sobre) um projeto>* □ *pron.* **4** agitar o corpo e/ou os membros, para livrar-se de sujeição física; contorcer-se *<a mosca debatia-se na teia da aranha>* ~ **debatedor** *adj.s.m.*

debelar (de.be.lar) *v.* {mod. 1} *t.d.* **1** vencer em luta armada; derrotar *<os aliados debelaram o inimigo>* ↺ perder **2** *fig.* eliminar, extinguir *<d. uma doença>* ↺ gerar

debênture (de.bên.tu.re) *s.f.* ECON título de crédito ao portador que representa uma dívida garantida pelo patrimônio de quem o emitiu

debicar (de.bi.car) *v.* {mod. 1} *t.d. e int.* **1** comer pequena quantidade (de); provar, beliscar *<na festa ela só debicou (as iguarias)>* **2** picar (a ave) com o bico; bicar *<o bem-te-vi vive debicando (frutas maduras)>* □ *t.d.,t.i. e int. fig.* **3** (prep. *de*) zombar, caçoar *<debica os políticos em seu programa> <rapaz irônico, vive a d. (das pessoas)>*

débil (dé.bil) [pl.: *-eis*] *adj.2g.* **1** sem força ou vigor físico; fraco *<pessoa d.> <passos d.>* ↺ forte **2** em que há pouco ânimo ou força moral; desanimado *<vontade d.>* ↺ entusiasmado ■ *adj.2g.s.2g. pej.* **3** *infrm.* (o) que é pouco inteligente, tolo ↺ esperto ▣ **d. mental** *pej.* pessoa que carece de inteligência, discernimento; bobo, idiota, tolo ~ **debilidade** *s.f.* - **debilitante** *adj.2g.*

debilitar (de.bi.li.tar) *v.* {mod. 1} *t.d. e pron.* **1** (fazer) perder o vigor físico ou a saúde; enfraquecer(-se) *<a doença debilitou-o> <após a viagem, os dois debilitaram-se muito>* ↺ fortalecer(-se) **2** (fazer) perder o ânimo; esmorecer *<as críticas debilitaram sua vontade> <sua força de vontade debilitava-se a olhos vistos>* ↺ animar(-se) ~ **debilitação** *s.f.* - **debilitado** *adj.*

debiloide (de.bi.loi.de) /ói/ *adj.2g.s.2g. B infrm. pej.* idiota, débil mental

debitar (de.bi.tar) *v.* {mod. 1} *t.d. e t.d.i.* **1** lançar (valor determinado) em débito *<d. mil reais (à caixa)>* **2** (prep. *em*) inscrever (alguém) como devedor *<d. um cliente (em cem reais)>*

débito (dé.bi.to) *s.m.* **1** o que é devido; dívida *<seu d. está em mil reais>* ↺ crédito **2** inscrição de alguém como devedor **3** lançamento de uma quantia como dívida ou despesa

debochado (de.bo.cha.do) *adj.* **1** que manifesta deboche, zombaria *<jeito d.>* ■ *adj.s.m.* **2** (aquele) que tem o hábito de debochar dos outros

debochar (de.bo.char) *v.* {mod. 1} *t.i.* **1** *B* (prep. *de*) zombar explicitamente; escarnecer *<d. dos humildes>* **2** (prep. *de*) não dar valor a; menosprezar *<d. da capacidade alheia>* ↺ valorizar □ *t.d. e pron.* **3** entregar(-se) à devassidão, à libertinagem *<as más companhias debocharam o rapaz> <debochou-se quando saiu da faculdade>*

deboche (de.bo.che) *s.m.* **1** caçoada, zombaria ↺ respeito **2** libertinagem, devassidão ↺ decência

debrear (de.bre.ar) *v.* {mod. 5} *t.d. e int.* fazer uso do pedal de embreagem de *<é preciso d. (o carro) antes de passar a marcha>*

debruar (de.bru.ar) *v.* {mod. 1} *t.d.* **1** contornar com debrum (orla de roupa, gravura etc.) *<d. um vestido, um desenho>* **2** *p.ext.* acompanhar a margem de; beirar *<uma nova iluminação debrua a lagoa>*

debruçar (de.bru.çar) *v.* {mod. 1} *t.d.,t.d.i. e pron.* **1** (prep. *a, de, em, para, por, sobre*) tombar para a frente; inclinar(-se) *<d. a cabeça> <debruçou no parapeito e quase caiu> <a menina se debruçava para olhar a rua>* **2** (prep. *em, sobre*) pôr(-se) de bruços *<debruçou (no chão) o corpo ferido> <o médico teve de d.-se sobre o leito do doente>*

debrum (de.brum) [pl.: *-uns*] *s.m.* fita que se cose dobrada à orla de um tecido, ou tira que se prega em torno de quadro, gravura etc.

debulha (de.bu.lha) *s.f.* **1** extração de grãos, bagos ou sementes **2** retirada da casca de cereal, fruta, legume etc.

debulhar (de.bu.lhar) *v.* {mod. 1} *t.d.* **1** retirar grãos, bagos, sementes ou casca de (cereal, fruta, legume) □ *pron. fig.* **2** desmanchar-se, desfazer-se *<d.-se em lágrimas>*

debutante (de.bu.tan.te) *adj.2g.s.2g.* **1** que(m) se inicia em alguma atividade **2** (jovem) que se inicia na vida social **3** *p.ext.* que(m) está completando 15 anos (diz-se esp. de moça)

debutar (de.bu.tar) *v.* {mod. 1} *int.* **1** *B* iniciar-se em alguma atividade **2** iniciar-se na vida social **3** *B* completar (esp. moça) 15 anos

década (dé.ca.da) *s.f.* **1** período de dez anos; decênio **2** conjunto de dez dias consecutivos; decêndio **3** conjundo de dez seres ou elementos; dezena

decadência (de.ca.dên.cia) *s.f.* estado do que decai e se encaminha rapidamente para o fim *<d. das artes> <d. do tabagismo>* ↺ ascensão ~ **decadente** *adj.2g.s.2g.*

decaedro (de.ca.e.dro) *s.m.* GEOM poliedro de dez faces

decágono (de.cá.go.no) *s.m.* GEOM polígono que tem dez lados e dez ângulos ~ **decagonal** *adj.2g.*

decagrama (de.ca.gra.ma) *s.m.* unidade de medida de massa correspondente a dez gramas [símb.: *dag*]

decaído (de.ca.í.do) *adj.* **1** que se inclinou; pendente *<árvores d.>* ■ *adj.s.m.* **2** (o) que passou a um estado ou condição inferior; decadente *<nobreza d.> <os d. da sociedade>* **3** (o) que está envelhecido, decrépito

decair (de.ca.ir) *v.* {mod. 25} *int.* **1** tombar, pender *<os galhos decaíram>* **2** diminuir, baixar (pressão, velocidade etc.) ↺ aumentar, subir **3** *fig.* passar a estado ou condição inferior; piorar *<os serviços da empresa não podem d.>* ↺ melhorar □ *t.i.* **4** (prep. *de*) deixar de ter; perder *<d. de qualidade>* ↺ ganhar

decalcar (de.cal.car) *v.* {mod. 1} *t.d.* **1** reproduzir (desenho) por um papel transparente ou comprimindo-o sobre uma superfície; calcar **2** *p.ext.* imitar, copiar *<d. um estilo>* ↺ criar, inventar

decalcomania (de.cal.co.ma.ni.a) *s.f.* reprodução de imagens coloridas em que se comprime o material já estampado sobre a superfície que se pretende decorar

decalitro (de.ca.li.tro) *s.m.* unidade de medida de volume correspondente a dez litros [símb.: *dal*]

decálogo (de.cá.lo.go) *s.m.* **1** REL os dez mandamentos da lei de Deus **2** *p.ext.* conjunto de dez leis ou princípios *<d. do bom estudante>*

decalque (de.cal.que) *s.m.* **1** ato ou efeito de decalcar; transferência de imagem gráfica **2** estampa ger. adesiva **3** *fig.* imitação, plágio

decâmetro (de.câ.me.tro) *s.m.* unidade de medida de comprimento correspondente a dez metros [símb.: *dam*]

decanato (de.ca.na.to) *s.m.* **1** cargo ou dignidade de decano ('deão') **2** ASTRL seção de dez graus do zodíaco, correspondente a um terço de cada signo *<nascido no primeiro d. de Gêmeos>*

decano (de.ca.no) *s.m.* **1** membro mais antigo de uma instituição, corporação, assembleia etc.; deão **2** numa universidade, o chefe de um centro ou de uma sub-reitoria

[1]**decantador** (de.can.ta.dor) /ô/ [pl.: *-es*] *adj.s.m.* **1** (o) que celebra em canto ou verso **2** (o) que faz elogios ◉ ORIGEM *decantado* (part. de [1]*decantar*) + *-or*

[2]**decantador** (de.can.ta.dor) /ô/ [pl.: *-es*] *adj.s.m.* (recipiente) us. para decantar ou receber líquidos ◉ ORIGEM *decantado* (part. de [2]*decantar*) + *-or*

[1]**decantar** (de.can.tar) *v.* {mod. 1} *t.d.* **1** celebrar em cantos ou poemas; cantar *<d. a pátria>* **2** elogiar, enaltecer ↺ aviltar, depreciar ◉ ORIGEM do lat. *decantāre* 'louvar, exaltar'

[2]**decantar** (de.can.tar) *v.* {mod. 1} *t.d. e t.d.i.* **1** (prep. *de*) separar (sedimentos, impurezas) de [um líquido], deixando-o em repouso *<d. a água (de partículas de açúcar)>* **2** *fig.* (prep. *de*) livrar (alguém) [de um mal]; purificar *<a prece decanta os homens (dos maus pensamentos)>* □ *pron.* **3** desaguar (fluxo, corrente) em *<o rio decanta-se no oceano>* ◉ ORIGEM do fr. *décanter* 'id.' ~ **decantação** *s.f.*

decapitar (de.ca.pi.tar) *v.* {mod. 1} *t.d.* cortar a cabeça de; degolar *<a Revolução Francesa decapitou muitos opositores>* ~ **decapitação** *s.f.*

decápode (de.cá.po.de) *s.m.* ZOO **1** espécime dos decápodes, ordem de crustáceos, ger. marinhos, que compreende camarões, lagostas, caranguejos e siris ■ *adj.2g.* **2** relativo a essa ordem **3** que tem dez pés ou patas

decasségui (de.cas.sé.gui) *s.m.* descendente de japonês que trabalha temporariamente no Japão

decatlo (de.ca.tlo) *s.m.* ESP conjunto de dez provas atléticas: corridas de 100 m, 400 m, 1.500 m e 110 m com barreiras; saltos em distância, altura e com vara; lançamentos de peso, disco e dardo

decenal (de.ce.nal) [pl.: *-ais*] *adj.2g.* **1** que abrange um período de dez anos *<calendário d.>* **2** que acontece a cada dez anos *<censo d.>*

decência (de.cên.cia) *s.f.* **1** conformidade com os padrões morais e éticos da sociedade; decoro ↺ indignidade **2** recato, vergonha ↺ descaramento, indecência ☞ cf. *deiscência*

decêndio (de.cên.dio) *s.m.* espaço de dez dias; década

decênio (de.cê.nio) *s.m.* período de dez anos; década

decente (de.cen.te) *adj.2g.* **1** de acordo com os padrões morais e éticos da sociedade; digno, decoroso *<é uma pessoa d.> <só se envolve em transações d.>* **2** conforme o que se espera da sua qualidade, utilidade etc. *<uma roupa d. para a recepção> <regalou-nos com uma refeição d.>*

decepar (de.ce.par) *v.* {mod. 1} *t.d.* extrair ou separar (parte de um todo) com objeto cortante; amputar *<d. um membro> <d. um galho seco>* ~ **decepamento** *s.m.*

decepção (de.cep.ção) [pl.: *-ões*] *s.f.* **1** sentimento de tristeza ou frustração pela ocorrência de fato inesperado; desilusão *<d. amorosas>* ↺ satisfação **2** *p.ext.* esse fato *<o congresso foi uma d.>* ~ **decepcionante** *adj.2g.*

decepcionar (de.cep.cio.nar) *v.* {mod. 1} *t.d. e pron.* **1** desiludir(-se), desapontar(-se) *<as atitudes do amigo decepcionaram-no> <passou a reunião a d.-se>* □ *int. fig.* **2** ser um fracasso *<a seleção decepcionou na Copa>*

decerto (de.cer.to) *adv.* com certeza, certamente *<d. virá amanhã>*

decesso (de.ces.so) *s.m.* **1** morte, óbito **2** rebaixamento a um nível inferior (de classe, cargo etc.)

deci- *pref.* 'a décima parte' (em unidades de medida): *decibel, decilitro*

decibel (de.ci.bel) [pl.: *-éis*] *s.m.* FÍS unidade que mede a intensidade do som [símb.: *dB*]

decidido (de.ci.di.do) *adj.* **1** resolvido, solucionado *<assunto d.>* ↺ indefinido **2** firme em seus princípios; resoluto *<o bom diretor deve ser d.>* ↺ hesitante **3** disposto; determinado *<estava d. a viajar>*

decidir (de.ci.dir) *v.* {mod. 24} *t.d.,t.i. e int.* **1** (prep. *entre, sobre*) tomar resolução (sobre); deliberar, resolver *<decidiu viajar> <a negociação vai d. sobre o término da guerra> <acho que ele decidiu bem>* □ *t.d. e t.i.* **2** (prep. *de*) estabelecer, instituir *<a lei decide que roubo é crime> <a Constituição decide do direito de greve>* **3** (prep. *sobre*) emitir juízo final sobre (questão, causa etc.) □ *t.d. e pron.* **4** (fazer) chegar a um resultado; resolver(-se) *<d. um impasse> <o conflito decidiu-se sem grandes problemas> <não soube decidir(-se) entre os dois vestidos>* □ *pron.* **5** (prep. *por*) optar por; escolher *<decidiu-se pela camisa azul>* ↺ hesitar

decíduo (de.cí.duo) *adj.* BIO que se desprende ou cai em certa fase do desenvolvimento *<folha d.> <dente d.>*

decifrar (de.ci.frar) *v.* {mod. 1} *t.d.* **1** ler, interpretar (texto ou inscrição em código total ou parcialmente desconhecido ou em mau estado, mal escrito, apagado etc.); decodificar *<d. hieróglifos>* ↺ codificar **2** *p.ext.* resolver, desvendar (problema, enigma etc.) ~ **decifração** *s.f.* - **decifrável** *adj.2g.*

decigrama (de.ci.gra.ma) *s.m.* medida de massa ou peso correspondente a um décimo do grama [símb.: *dg*]

decilitro (de.ci.li.tro) *s.m.* medida de volume ou capacidade equivalente a um décimo do litro [símb.: *dl*]

decimal (de.ci.mal) [pl.: *-ais*] *adj.2g.* **1** relativo a décimo; que se constitui de décimos ou se baseia em décimos *<número d.>* ■ *s.2g.* MAT **2** algarismo que representa a parte menor que a unidade de um número decimal, escrito após uma vírgula

decímetro (de.cí.me.tro) *s.m.* medida de comprimento equivalente a um décimo do metro [símb.: *dm*]

décimo (dé.ci.mo) *n.ord.* **1** (o) que, numa sequência, ocupa a posição número dez ■ *n.frac.* **2** (o) que é dez vezes menor que a unidade

decisão (de.ci.são) [pl.: *-ões*] *s.f.* **1** resolução tomada após julgamento; sentença **2** livre escolha; opção **3** capacidade de resolver sem hesitação; firmeza ↺ insegurança

decisivo (de.ci.si.vo) *adj.* **1** em que há ou houve decisão *<momento d.>* **2** que dá a solução; definitivo *<opinião d.> <golpe d.>* ↺ inconclusivo **3** que impõe decisão; corajoso *<atitude d.>*

decisório (de.ci.só.rio) *adj.* que tem o poder de decidir *<autoridade d.>*

declamar (de.cla.mar) *v.* {mod. 1} *t.d. e int.* dizer (texto) em voz alta, usando gestos, expressões faciais e entonação apropriados; recitar *<d. poemas de Olavo Bilac> <os alunos declamaram muito bem>* ~ **declamação** *s.f.* - **declamativo** *adj.*

declaração (de.cla.ra.ção) [pl.: *-ões*] *s.f.* **1** manifestação oral ou escrita; anúncio **2** relação de bens, mercadorias, renda etc., para submeter à fiscalização pública *<já entreguei a d. à Receita Federal>* **3** proclamação oficial; decreto **4** revelação de sentimento ou intenção amorosa **5** depoimento, explicação *<foi à delegacia prestar d.>* **6** documento que declara algo, comprovando *<d. de conclusão de curso>*

declarar (de.cla.rar) *v.* {mod. 1} *t.d.,t.d.i. e pron.* **1** (prep. *a*) tornar(-se) público; anunciar(-se), revelar(-se) *<d. intenções> <declarou aos pais que ia procurar emprego> <após ser insultado, declarou-se policial>* ↺ esconder(-se) □ *t.d. e t.d.i.* **2** (prep. *a*) informar sobre (bens, renda etc.) [a órgãos públicos de fiscalização] *<d. a carga de um navio (à alfândega)>* **3** (prep. *a*) anunciar oficialmente; decretar *<d. guerra (ao inimigo)>* □ *t.d.pred. e pron.* **4** julgar(-se), considerar(-se) *<o júri declarou o réu culpado> <declarou-se ciente dos termos do contrato>* **5** nomear(-se), designar(-se) □ *pron.* **6** (prep. *a*) revelar sentimento *<d.-se ao amado>* ~ **declarado** *adj.*

declinação (de.cli.na.ção) [pl.: *-ões*] *s.f.* **1** ato ou efeito de declinar **2** recusa, rejeição *<d. de um cargo>* **3** decadência, declínio

declinar (de.cli.nar) *v.* {mod. 1} *t.d. e int.* **1** direcionar(-se) para baixo; baixar *<d. o olhar> <seus olhos declinaram timidamente>* ↺ erguer(-se), elevar(-se) □ *int.* **2** passar a posição inferior; piorar, decair *<a produção declinou>* ↺ melhorar **3** perder a intensidade; diminuir *<a febre declinou>* ↺ aumentar, subir □ *t.d. e t.i.* **4** (prep. *de*) demonstrar desinteresse; recusar, rejeitar *<d. (de) um convite>* ↺ interessar-se, aceitar

declínio (de.clí.nio) *s.m.* **1** perda ou diminuição de intensidade ou força *<d. do sol>* ↺ fortalecimento **2** decadência, ruína *<d. de um patrimônio>* ↺ ascensão

declive (de.cli.ve) *s.m.* **1** grau de inclinação de uma superfície *<ladeira de d. acentuado>* ↺ aclive ■ *adj.2g.s.m.* **2** diz-se de ou superfície cuja altura diminui gradualmente *<trecho d.> <há um d. que leva ao mar>*

decô (de.cô) *adj.2g.2n.* ver **DÉCO**

déco (dé.co) [fr.] *adj.2g.2n.* relativo à ou próprio da *art déco* *<decorações d.>* ⇒ pronuncia-se decô

decodificador (de.co.di.fi.ca.dor) [pl.: *-es*] ou **descodificador** (des.co.di.fi.ca.dor) [pl.: *-es*] *adj.s.m.* **1** (o) que decodifica **2** INF TEL (aparelho, aplicativo) que interpreta um código, um conjunto de sinais, convertendo-os em informação inteligível

decodificar (de.co.di.fi.car) ou **descodificar** (des.co.di.fi.car) *v.* {mod. 1} *t.d.* **1** passar (mensagem) para linguagem compreensível; decifrar ↺ codificar **2** INF TEL interpretar (um código, um conjunto de sinais), convertendo-os em informação inteligível ~ **decodificação/descodificação** *s.f.*

decolar (de.co.lar) *v.* {mod. 1} *int.* **1** iniciar o voo (uma aeronave) *<por causa do mau tempo, os aviões não decolaram>* ↺ aterrissar **2** *fig.* ganhar destaque; ascender *<a candidatura ainda vai d.>* ~ **decolagem** *s.f.*

decompor (de.com.por) *v.* {mod. 23} *t.d.,t.d.i. e pron.* **1** (prep. *em*) dividir(-se) [um todo] (em seus constituintes, em partes); analisar(-se), desfazer(-se) *<d. o sangue> <d.(-se) um pensamento> <d. uma palavra em sílabas>* □ *t.d. e pron.* **2** (fazer) entrar em processo de putrefação; apodrecer, estragar *<a alta temperatura pode d. a carne> <congelados, os corpos não se decompõem>* **3** *fig.* alterar(-se) drasticamente; descompor(-se), transtornar(-se) *<o desgosto decompõe sua face> <sua expressão decompôs-se subitamente>* ◉ GRAM/USO part.: *decomposto*

decomposição (de.com.po.si.ção) [pl.: *-ões*] *s.f.* **1** ato ou efeito de decompor(-se); divisão de algo em seus elementos integrantes *<d. uma molécula>* **2** separação do que está unido; desagregação **3** deterioração, apodrecimento *<a carne entrou em d.>*

decoração (de.co.ra.ção) [pl.: *-ões*] *s.f.* **1** ato ou efeito de [2]decorar **2** *p.ext.* aquilo que decora, que adorna; arranjo ornamental *<pagaram caro pela d. da sala>*

decorador (de.co.ra.dor) /ô/ [pl.: *-es*] *adj.s.m.* **1** (o) que [2]decora **2** (profissional) que se dedica à decoração de ambientes

[1]**decorar** (de.co.rar) *v.* {mod. 1} *t.d. e int.* gravar na memória; memorizar *<é capaz de d. qualquer número de telefone> <ela tem facilidade para d.>* ↺ esquecer ◉ ORIGEM *decor-* (lat. *de* + *cor, cordis* 'coração') + [2]*-ar*

[2]**decorar** (de.co.rar) *v.* {mod. 1} *t.d.* **1** prover (casa, recinto) de elementos que a embelezem, como móveis, quadros etc. *<usou lustres de cristal para d. o apartamento>* **2** servir de ornamento para; ornar, enfeitar *<tapetes decoram a casa>* ◉ ORIGEM do lat. *decorāre* 'enfeitar, honrar'

decorativo (de.co.ra.ti.vo) *adj.* **1** que serve para [2]decorar *<a loja oferece muitos artigos d.>* **2** *fig.* que não tem importância *<sua função é meramente d.>*

decoreba (de.co.re.ba) *s.f. B infrm.* ato de decorar dados sem a preocupação de entendê-los ou relacioná-los

decoro (de.co.ro) /ô/ *s.m.* **1** decência, recato *<d. no vestir, no falar>* **2** dignidade, honradez *<é um indivíduo torpe, sem d.>* ▣ **d. parlamentar** POL postura exigida de parlamentar no exercício de seu mandato **~ decoroso** *adj.*

decorrência (de.cor.rên.cia) *s.f.* ato ou efeito de decorrer, de ocorrer; consequência *<faleceu em d. dos ferimentos>*

decorrente (de.cor.ren.te) *adj.2g.* **1** que decorre, que passa *<tempo d.>* **2** que se segue; consequente *<ações d. da investigação policial>*

decorrer (de.cor.rer) *v.* {mod. 8} *int.* **1** passar (tempo) *<já decorreram dois meses, desde que ele partiu>* **2** desenrolar-se, transcorrer *<a negociação decorre bem>* **3** ocorrer, acontecer *<fatos estranhos decorreram na sua ausência>* □ *t.i.* **4** (prep. *de*) ter origem em; derivar *<a recompensa decorre do esforço>*

decotado (de.co.ta.do) *adj.* **1** que tem decote (diz-se de peça de roupa) *<blusa d.>* **2** que usa roupa com decote (diz-se de pessoa) *<a moça d. é minha prima>*

decotar (de.co.tar) *v.* {mod. 1} *t.d.* **1** abrir decote em (peça de roupa) *<d. o vestido>* **2** recortar em volta ou por cima; aparar *<resolveu d. as árvores do jardim>* □ *pron.* **3** vestir-se com roupa decotada

decote (de.co.te) *s.m.* abertura na parte de cima da roupa, pela qual passa a cabeça

decrépito (de.cré.pi.to) *adj.* muito velho ou gasto *<vovó está d.> <estátuas antigas e d.>*

decrepitude (de.cre.pi.tu.de) *s.f.* estado de adiantada velhice *<d. de um prédio, de uma pessoa>*

decrescente (de.cres.cen.te) *adj.2g.* **1** que decresce, que diminui de tamanho, quantidade ou intensidade *<tamanho d.> <números d.>* ʊ crescente **2** que está em declínio; decadente *<turismo d.>* ʊ crescente, próspero

decrescer (de.cres.cer) *v.* {mod. 8} *t.i. e int.* (prep. *em*) diminuir aos poucos; baixar, enfraquecer *<aumentou em quantidade mas decresceu em qualidade> <sua energia decrescia progressivamente> <a verba para o projeto irá d. no próximo ano>* ʊ aumentar, crescer **~ decrescimento** *s.m.*

decréscimo (de.crés.ci.mo) *s.m.* ato ou efeito de decrescer; diminuição ʊ acréscimo

decretar (de.cre.tar) *v.* {mod. 1} *t.d.* **1** estabelecer por decreto *<o governo irá d. um aumento para os professores>* □ *t.d.,t.d.i. e int.* **2** (prep. *a*, *para*) determinar, mandar, ordenar *<a polícia decretou o fim da confusão> <a mãe decretou castigo para a filha> <ela decreta e ele faz>* **~ decretação** *s.f.*

decreto (de.cre.to) *s.m.* **1** ordem por escrito de autoridade superior *<d. do presidente da República>* **2** manifestação de vontade; desígnio *<d. divino>* ▣ **nem por (um) d.** *infrm.* de modo algum, de jeito nenhum *<não perco o jogo nem por d.>*

decreto-lei (de.cre.to-lei) [pl.: *decretos-leis* e *decretos-lei*] *s.m.* DIR decreto do poder executivo com força de lei *<no Brasil, decretos-lei foram expedidos por presidentes de 1937 a 1946 e de 1965 a 1989>* ☞ a Constituição brasileira em vigor não mais prevê esse instituto

D

decúbito (de.cú.bi.to) *s.m.* posição do corpo deitado ▣ **d. dorsal** posição de quem está deitado de costas • **d. ventral** posição de quem está deitado de barriga para baixo

decupar (de.cu.par) *v.* {mod. 1} *t.d.* CINE TV dividir (roteiro) em cenas, sequências e planos numerados, para facilitar a gravação

decuplicar (de.cu.pli.car) *v. t.d.,int. e pron.* tornar (-se) dez vezes maior *<d. o preço de um produto> <o custo de vida decuplicou(-se)>*

décuplo (dé.cu.plo) *n.mult.* (o) que contém dez vezes a mesma quantidade

decurso (de.cur.so) *s.m.* **1** período de tempo; duração *<o d. de um mandato>* **2** DIR espaço de tempo já decorrido **3** distância percorrida em um determinado tempo; percurso *<o d. do Sol>*

dedada (de.da.da) *s.f.* **1** quantidade que se pega com o dedo *<tirou uma d. da cobertura do bolo>* **2** mancha, sinal ou impressão deixada por um dedo *<d. na parede>* **3** toque ou pancada com o dedo *<d. no olho>*

dedal (de.dal) [pl.: *-ais*] *s.m.* peça oca e cilíndrica que se encaixa na ponta do dedo, para ajudar a empurrar a agulha de costura

dedão (de.dão) [pl.: *-ões*] *s.m.* dedo polegar do pé

dedar (de.dar) *v.* {mod. 1} *t.d. B infrm.* dedurar

dedeira (de.dei.ra) *s.f.* cobertura de borracha, pano etc. que protege o dedo

dedetizar (de.de.ti.zar) *v.* {mod. 1} *t.d.* aplicar inseticida em *<d. o escritório>* **~ dedetização** *s.f.*

dedicação (de.di.ca.ção) [pl.: *-ões*] *s.f.* **1** qualidade ou condição de quem se dedica a alguém ou algo; entrega *<d. aos estudos> <d. a uma causa>* ʊ desdém **2** manifestação de amor e consideração *<d. aos filhos>* ʊ descaso

dedicado (de.di.ca.do) *adj.* **1** que se dedica; que se empenha inteiramente; aplicado, devotado *<estudante d.>* **2** oferecido afetuosamente; destinado *<o* show *foi d. aos fãs>*

dedicar (de.di.car) *v.* {mod. 1} *t.d.i.* **1** (prep. *a*) destinar com afeição a; oferecer, ofertar *<d. livro ao pai>* **2** (prep. *a*) dar, prestar (adoração, afeto, amizade etc.) *<d. a vida à pátria>* ʊ negar **3** (prep. *a*) aplicar, empregar (tempo, esforço etc.) *<d. tempo ao estudo>* □ *pron.* **4** (prep. *a*) entregar-se, empenhar-se *<d.-se ao magistério>*

dedicatória (de.di.ca.tó.ria) *s.f.* mensagem escrita com que se dedica uma obra, um presente etc. a alguém *<escreveu uma d. na folha de rosto do livro>*

dedilhar (de.di.lhar) *v.* {mod. 1} *t.d.* **1** tocar (cordas de instrumento musical) com os dedos <*d. uma harpa*> **2** executar (peça musical) em instrumento de cordas <*d. uma sonata*> □ *int. p.ext.* **3** bater com os dedos; tamborilar

dedilhável (de.di.lhá.vel) [pl.: *-eis*] *adj.2g.* que se pode dedilhar <*instrumento de cordas dedilháveis*>

D

dedo (de.do) /ê/ *s.m.* **1** ANAT cada um dos prolongamentos articulados das mãos e dos pés **2** medida correspondente à espessura de um dedo humano <*o livro tem quatro d. de grossura*> **3** *fig.* manifestação de autoridade <*ali tem o d. do patrão*> **4** *fig.* marca de habilidade <*podemos perceber o d. do artista*> ▣ **d. anular** ANAT o que se localiza entre os dedos médio e mínimo e ger. carrega a aliança ou o anel • **d. grande do pé** ANAT dedo polegar • **d. indicador** ANAT segundo dedo da mão; índex • **d. médio** ANAT terceiro e maior dedo da mão • **d. mínimo** ANAT quinto dedo da mão ou do pé • **d. polegar** ANAT **1** primeiro dedo da mão, o mais grosso, oponível aos outros quatro **2** primeiro dedo do pé, o mais grosso; dedão • **a d.** com critério; cuidadosamente <*escolheu a d. os ingredientes da receita*> • **botar** ou **pôr o d. na ferida** tocar no ponto fraco, mostrar o erro • **cheio de dedos** **1** atrapalhado, indeciso **2** cheio de melindres; cheio de frescura • **chupando d.** *fig.* sem conseguir o que se queria ou esperava <*todos ganharam doces, mas eu fiquei chupando d.*> • **dois d. de** pequena quantidade de; muito pouco de <*preciso ter dois d. de conversa com o senhor*> <*tomou dois d. de café*>

dedo-de-moça (de.do-de-mo.ça) [pl.: *dedos-de-moça*] *s.m.* BOT pimenta cultivada originariamente no Brasil, cujo fruto, parecido com um pequeno dedo, é vermelho quando maduro e tem sabor levemente picante ◉ GRAM/USO tb. us. como adj.2g.2n.: *pimenta dedo-de-moça*

dedo-durar (de.do-du.rar) *v.* {mod. 1} *t.d. B gír.* dedurar

dedo-duro (de.do-du.ro) [pl.: *dedos-duros*] *adj.2g.s.m. B infrm.* que(m) denuncia; delator, alcaguete

dedução (de.du.ção) [pl.: *-ões*] *s.f.* **1** conclusão lógica de um raciocínio ☞ cf. *indução* **2** retirada de uma parte de algo; diminuição, desconto <*d. do imposto de renda*> ↺ aumento

dedurar (de.du.rar) *v.* {mod. 1} *t.d.* fazer denúncia de; delatar, alcaguetar <*d. um cúmplice*>

dedutivo (de.du.ti.vo) *adj.* **1** relativo a dedução **2** que parte de premissas ou hipóteses para tirar conclusões (diz-se de método ou raciocínio)

deduzir (de.du.zir) *v.* {mod. 24} *t.d. e t.d.i.* **1** (prep. *de*) concluir pelo raciocínio, a partir de fatos, indícios; inferir <*pela reação do amigo, deduziu que era hora de parar*> <*dessas leituras deduzirá que está enganado*> **2** (prep. *de*) descontar (valor, preço etc.) [de um total]; abater <*vamos d. 10 reais (do preço final)?*> ↺ acrescentar

defasagem (de.fa.sa.gem) [pl.: *-ens*] *s.f.* **1** falta de coincidência ou de sincronia <*d. de horários*> **2** falta de sintonia; atraso, descompasso <*houve uma d. no cronograma e a obra não ficou pronta*> ~ **defasado** *adj.* - **defasar** *v.t.d. e pron.*

default (de.fault) [ing.] *s.m.* INF escolha automática, feita pelo aplicativo, quando o usuário não especifica uma opção ◉ GRAM/USO em ing. invariável ⇒ pronuncia-se difôut; corrente: defô

defecar (de.fe.car) *v.* {mod. 1} *int.* **1** expelir as fezes; evacuar □ *t.d.* **2** separar (líquido) das fezes ou de sedimento; depurar ~ **defecação** *s.f.*

defecção (de.fec.ção) [pl.: *-ões*] *s.f.* abandono de ou renúncia a um partido, crença etc.; deserção

defectivo (de.fec.ti.vo) *adj.* **1** que não é completo; defeituoso **2** GRAM que não apresenta todas as formas do modelo a que pertence (diz-se de verbo) ~ **defectividade** *s.f.*

defeito (de.fei.to) *s.m.* **1** imperfeição física ou moral <*d. da visão*> <*a teimosia é seu pior d.*> ↺ perfeição **2** falha; enguiço <*o elevador está com d.*>

defeituoso (de.fei.tu.o.so) /ô/ [pl. e fem.: /ó/] *adj.* **1** com defeito; imperfeito <*vestido d.*> **2** que não funciona como deve; enguiçado <*máquina d.*>

defender (de.fen.der) *v.* {mod. 8} *t.d.,t.d.i. e pron.* **1** (prep. *contra, de*) proteger(-se), resguardar(-se) [contra ataque, mal, perigo etc.] <*d. a honra da família*> <*d. os fracos (contra os opressores)*> <*um grande muro defende a casa (dos assaltos)*> <*d.-se dos perigos*> ↺ atacar □ *t.d. e t.d.i.* **2** (prep. *de, contra*) lutar em favor de <*o advogado defendeu o réu com êxito*> <*d. as minorias contra a perseguição*> ↺ atacar, combater **3** (prep. *de, contra*) sustentar (argumento, opinião etc.), expondo as razões <*sabe d. suas ideias (contra qualquer interlocutor)*> □ *t.d. e int. B* **4** ESP impedir ou fazer resistência a (ataque, gol, cortada etc.); jogar na defesa <*o goleiro defendeu um chute à queima-roupa*> <*é atacante mas defende quando é preciso*> ◉ GRAM/USO part.: *defendido, defeso*; ver QUADRO DE PARTICÍPIOS DUPLOS nas pp. iniciais

defenestrar (de.fe.nes.trar) *v.* {mod. 1} *t.d.* **1** atirar violentamente pela janela **2** *fig.* expulsar ou destituir <*o clube defenestrou os sócios devedores*> ~ **defenestração** *s.f.*

defensável (de.fen.sá.vel) [pl.: *-eis*] *adj.2g.* que pode ser defendido <*chute d.*> <*razões d.*> ↺ indefensável

defensiva (de.fen.si.va) *s.f.* **1** ação ou sucessão de operações visando à defesa <*o time preparou a d.*> ↺ ofensiva **2** atitude de defesa; precaução desconfiada <*saia da d. e vamos conversar francamente*>

defensivo (de.fen.si.vo) *adj.* **1** próprio para a defesa <*meios d.*> ↺ ofensivo ■ *s.m.* **2** o que defende, preserva ▣ **d. agrícola** agrotóxico

defensor (de.fen.sor) /ô/ [pl.: *-es*] *adj.s.m.* **1** que(m) defende ou protege ↺ acusador **2** DIR que(m) defende em juízo os interesses de outra pessoa ▣ **d. público** advogado do Estado que defende gratuitamente o réu carente ↺ promotor público

deferência (de.fe.rên.cia) *s.f.* atitude de respeito e consideração, ger. em relação a um superior ou a pessoa mais velha ↺ desprezo

deferimento (de.fe.ri.men.to) *s.m.* **1** despacho favorável; consentimento <*obteve d. ao seu pedido*> ↺ indeferimento **2** ação de conceder; concessão <*o juiz decidiu pelo d. da tutela*> ↺ indeferimento

deferir (de.fe.rir) *v.* {mod. 28} *t.d. e t.i.* **1** (prep. *a*) atender a (pedido, requerimento) <*o governador deferiu (a)o pedido do suplicante*> ↺ negar, indeferir □ *t.d.i.* **2** (prep. *a*) conceder ou atribuir (algo) a; conferir <*d. medalha ao vencedor*> <*d. a herança ao requerente*> ☞ cf. *diferir*

defesa (de.fe.sa) /ê/ *s.f.* **1** capacidade de resistir a ataques *<d. de uma fronteira>* **2** meio de proteção *<aulas de d. pessoal>* **3** argumento favorável; justificação ↺ acusação

defeso (de.fe.so) /ê/ *adj.* **1** não permitido; proibido *<é d. passar além dessa cerca>* **2** livre, isento de (ônus, pena etc.) ■ *s.m.* **3** período em que é proibido caçar ou pescar ⊙ GRAM/USO part. de *defender*

défice (dé.fi.ce) *s.m.* ver ***DEFICIT***

deficiência (de.fi.ci.ên.cia) *s.f.* **1** perda de quantidade ou qualidade; falta, carência *<d. de vitaminas>* ↺ excesso **2** MED insuficiência de uma função psíquica ou intelectual *<d. de inteligência>* **3** MED insuficiência ou ausência de funcionamento de um órgão *<d. cardíaca>*

deficiente (de.fi.ci.en.te) *adj.2g.* **1** que tem alguma deficiência; falho, falto *<resultado d.>* ■ *adj.2g.s.2g.* **2** portador de algum tipo de deficiência física ou mental *<d. visual>*

deficit (de.fi.cit) [lat.] *s.m.2n.* **1** ECON o que falta, de um total previsto ↺ *superavit* **2** *p.ext.* ECON situação decorrente dessa falta **3** MED deficiência que se pode medir, quantitativa ou qualitativamente *<d. auditivo>* ⇒ pronuncia-se déficit

déficit (dé.fi.cit) *s.m.* ver ***DEFICIT***

deficitário (de.fi.ci.tá.rio) *adj.* em que há *deficit*; em que falta alguma coisa *<verba d.>* ↺ superavitário

definhar (de.fi.nhar) *v.* {mod. 1} *t.d. e pron.* **1** (fazer) perder as forças; debilitar(-se) *<o trabalho nas minas definha os operários>* *<os anos passam, mas ele não se definha>* ↺ fortalecer(-se) □ *int.* **2** ficar aos poucos fraco, magro, abatido *<conseguiu recuperar-se, quando parecia d. de vez>* **3** ficar murcho; secar *<a roseira definhou>* ~ **definhamento** *s.m.*

definição (de.fi.ni.ção) [pl.: *-ões*] *s.f.* **1** ato ou efeito de definir; estabelecimento de limites *<pediu a d. da área do terreno>* **2** significado, sentido *<é difícil dar a d. de amizade>* **3** LING enunciado que parafraseia a acepção de uma palavra ou expressão pela indicação de suas características genéricas e específicas, de sua finalidade, pela sua inclusão num determinado campo do conhecimento etc. *<foi ver a d. de ciência>*

definido (de.fi.ni.do) *adj.* **1** exatamente delimitado; bem determinado *<mapa de contornos d.>* **2** explicado com precisão *<palavras bem d.>* **3** exposto com clareza *<a programação das férias está d.>* **4** nítido *<imagem bem d.>* **5** GRAM que individualiza ou se refere a algo ou alguém já identificado no contexto da fala ou da escrita (diz-se de artigo: *o, a, os, as*)

definir (de.fi.nir) *v.* {mod. 24} *t.d.* **1** demarcar os limites de; delimitar *<d. uma área de terra>* *<d. atribuições>* **2** determinar, estabelecer com precisão *<d. o número de horas para terminar o serviço>* **3** explicar o sentido de *<d. uma palavra>* *<d. um sentimento>* □ *t.d. e pron.* **4** retratar(-se) pelos caracteres particulares *<os atos definem o caráter>* *<não sabe d.-se porque é imaturo>*

definitivo (de.fi.ni.ti.vo) *adj.* **1** que define; decisivo, determinante **2** que não volta atrás; categórico *<decisão d.>* **3** tal como deve permanecer; final *<versão d. do texto>* ↺ provisório

deflação (de.fla.ção) [pl.: *-ões*] *s.f.* ECON **1** ato de frear a inflação com medidas como controle do crédito, tabelamento de preços etc. ☞ cf. *inflação* **2** diminuição do dinheiro em circulação ~ **deflacionar** *v.t.d.*

deflagração (de.fla.gra.ção) [pl.: *-ões*] *s.f.* **1** QUÍM combustão rápida que provoca explosão **2** *fig.* aparecimento repentino *<d. de uma guerra civil>*

deflagrar (de.fla.grar) *v.* {mod. 1} *t.d. e int.* **1** inflamar (-se) de repente, com chamas, explosões *<o detonador deflagrou as explosões>* *<o explosivo deflagrou sozinho>* **2** *fig.* provocar ou surgir repentinamente; irromper *<d. uma rebelião>* *<a diplomacia não evitou que a guerra deflagrasse>*

D

deflorar (de.flo.rar) *v.* {mod. 1} *t.d. e pron.* **1** retirar as flores de, ou perder as flores (planta, árvore); desflorar(-se) ↺ florescer **2** *fig.* (fazer) perder a virgindade; desvirginar(-se) ~ **defloração** *s.f.* - **defloramento** *s.m.*

defluir (de.flu.ir) *v.* {mod. 26} *int.* **1** correr (líquido) *<o rio deflui serenamente>* □ *t.i. fig.* **2** (prep. *de*) vir de; emanar, provir *<as lembranças defluíam de sua mente, sem parar>*

defluxo (de.flu.xo) /cs/ *s.m.* MED **1** inflamação da mucosa nasal **2** corrimento nasal decorrente dessa inflamação

deformar (de.for.mar) *v.* {mod. 1} *t.d. e pron.* **1** (fazer) mudar a forma ou aspecto original; desfigurar(-se) *<o mau uso deformou o sapato>* *<os dedos deformam-se com a artrite>* □ *t.d. fig.* **2** mudar para pior (modos, atitude etc.); corromper *<a preguiça deforma a vontade>* ~ **deformação** *s.f.* - **deformado** *adj.*

deformidade (de.for.mi.da.de) *s.f.* **1** estado do que perde sua forma original **2** defeito de constituição de um órgão ou parte do corpo **3** *fig.* defeito moral; imperfeição

defraudar (de.frau.dar) *v.* {mod. 1} *t.d. e t.d.i.* **1** (prep. *de*) privar (alguém) [de algo] por meio de fraude *<d. o herdeiro (de seus bens)>* □ *t.d.* **2** prejudicar com intenção *<d. fregueses>* **3** desrespeitar (norma, lei), usando subterfúgios ~ **defraudação** *s.m.*

defrontar (de.fron.tar) *v.* {mod. 1} *t.d.,t.i. e pron.* **1** (prep. *com*) pôr(-se) ou estar diante de *<a árvore defrontava (com) a porta principal>* *<nossas casas defrontavam-se>* □ *t.d. e t.d.i.* **2** (prep. *com*) confrontar, comparar *<d. duas cópias (com o original)>* □ *t.i. e pron.* **3** (prep. *com*) deparar-se com; topar *<d.(-se) com um conhecido>* □ *t.d. e pron.* **4** (prep. *com*) encarar, enfrentar (p.ex., perigo, inimigo) *<costuma d. os adversários>* *<defrontou(-se) com suas dificuldades>* ↺ fugir ~ **defrontação** *s.f.*

defronte (de.fron.te) *adv.* diante, em frente *<moro na casa ali d.>* ▣ **d. a** ou **de 1** diante de, em face de, frente a frente com *<acovardar-se d. ao inimigo>* **2** em comparação com ou em oposição a *<você não é alto d. de seu irmão>*

defumado (de.fu.ma.do) *adj.* que se defumou *<presunto d.>*

defumador (de.fu.ma.dor) /ô/ [pl.: *-es*] *adj.s.m.* **1** (o) que defuma **2** (recipiente) que contém substâncias para serem defumadas

defumar (de.fu.mar) *v.* {mod. 1} *t.d.* **1** secar (carne, peixe etc.) expondo à fumaça; curar *<d. um queijo>* **2** queimar substância aromática, ervas, raízes para perfumar ou para purificar, atrair boa sorte a (alguém ou algum lugar) ~ **defumação** *s.f.*

defunto (de.fun.to) *adj.s.m.* que(m) morreu; falecido *<ainda chora o marido d.> <rezar pelos d.>*

degelar (de.ge.lar) ou **desgelar** (des.ge.lar) *v.* {mod. 1} *t.d.,int. e pron.* **1** (fazer) sair de congelamento; descongelar(-se) *<o calor degelou os picos> <o lago degela na primavera> <ao pé do fogo conseguiu d.-se>* ↺ congelar(-se) **2** *fig.* tornar(-se) menos rígido e/ou formal; amolecer *<sua risada degelava o ambiente> <degelou(-se) após a segunda dança>* ~ **degelado** *adj.*

degelo (de.ge.lo) /ê/ *s.m.* ato ou efeito de degelar; descongelamento

degeneração (de.ge.ne.ra.ção) [pl.: *-ões*] *s.f.* **1** perda ou alteração (no ser vivo) das qualidades de sua espécie **2** mudança para um estado pior; declínio *<d. óssea> <d. de um império>* **3** depravação, corrupção *<d. dos costumes>*

degenerado (de.ge.ne.ra.do) *adj.* **1** que perdeu as qualidades próprias de sua espécie (diz-se do ser vivo) **2** que passou a uma condição inferior; decaído ■ *adj.s.m.* **3** que(m) se corrompeu; pervertido

degenerar (de.ge.ne.rar) *v.* {mod. 1} *int. e pron.* **1** perder (o ser vivo) as características próprias da espécie *<uma raça de cães que (se) degenerou>* **2** mudar para pior; estragar(-se) *<uma grande amizade que (se) degenerou>* ↺ melhorar □ *t.d.,int. e pron.* **3** (fazer) adquirir hábitos, práticas ruins; corromper(-se) *<o mau exemplo pode d. os jovens> <as más companhias vão fazê-lo d.(-se)>* ↺ regenerar(-se) □ *t.d.* **4** alterar, deturpar *<d. uma história>*

degenerativo (de.ge.ne.ra.ti.vo) *adj.* que causa degeneração *<doença d.>*

degenerescência (de.ge.ne.res.cên.cia) *s.f.* **1** ato de degenerar ou seu efeito; degeneração **2** redução ou declínio de qualidade ~ **degenerescente** *adj.2g.*

deglutição (de.glu.ti.ção) [pl.: *-ões*] *s.f.* ação ou efeito de deglutir, de fazer passar o alimento, remédio etc. da boca ao estômago

deglutir (de.glu.tir) *v.* {mod. 24} *t.d. e int.* levar (alimento, remédio etc.) da boca ao estômago; engolir *<bebeu água para d. o comprimido> <a laringite causa dificuldade de d.>*

degola (de.go.la) *s.f.* **1** ato ou efeito de degolar(-se); decapitação *<proceder à d. de um prisioneiro>* **2** *fig. B infrm.* demissão, exclusão em massa; corte *<a empresa vai anunciar a d. dos funcionários>* **3** ESP *B* exclusão de um jogador ou clube de um campeonato ou divisão *<o time livrou-se da d. no último jogo do campeonato>*

degolar (de.go.lar) *v.* {mod. 1} *t.d. e pron.* **1** cortar o pescoço de *<os terroristas degolaram os reféns> <cometeu o suicídio, degolando-se>* □ *t.d.* **2** cortar a cabeça de; decapitar *<a guilhotina degolou muitos condenados>* ~ **degolação** *s.f.*

degradação (de.gra.da.ção) [pl.: *-ões*] *s.f.* **1** degeneração moral *<a d. de um alcoólatra>* ↺ decência **2** *p.ext.* estrago, devastação *<d. das encostas>* **3** *fig.* condenação ao exílio; desterro **4** deposição desonrosa de cargo, dignidade etc. ↺ admissão, promoção **5** QUÍM reação que consiste em romper uma ou mais ligações numa molécula, freq. quebrando-a em outras menores

degradante (de.gra.dan.te) *adj.2g.* que provoca degradação física ou moral

degradar (de.gra.dar) *v.* {mod. 1} *t.d. e t.d.i.* **1** (prep. *de*) privar (de graus, títulos etc.) com desonra *<o comandante degradou o insubordinado (de sua patente)>* □ *t.d. e pron.* **2** tornar(-se) indigno; rebaixar(-se) *<a ambição degradou-o> <degradou-se com a bebida>* ↺ dignificar(-se) □ *t.d.* **3** estragar, deteriorar ↺ preservar **4** QUÍM converter (uma substância complexa) em outra mais simples ☞ cf. *degredar*

degradê (de.gra.dê) *s.m.* **1** diminuição gradual de tons ou de intensidade (de cores, luzes etc.) ■ *adj.2g.* **2** que apresenta esse efeito *<um colorido d.>*

degrau (de.grau) *s.m.* **1** cada peça plana em que se pisa, numa escada **2** cada um dos elementos ou níveis que compõem uma série; grau

degredado (de.gre.da.do) *adj.s.m.* que(m) foi condenado à pena de degredo; desterrado, exilado

degredar (de.gre.dar) *v.* {mod. 1} *t.d. e t.d.i.* (prep. *para*) expulsar da pátria; banir, desterrar *<d. um traidor (para outro país)>* ↺ repatriar ☞ cf. *degradar*

degredo (de.gre.do) /ê/ *s.m.* **1** condenação ao desterro; exílio **2** local onde vive o degredado

degringolar (de.grin.go.lar) *v.* {mod. 1} *int.* **1** cair, tombar *<a roupa degringolou do varal>* **2** ficar na ruína, entrar em decadência; decair **3** *fig.* desorganizar-se; desandar *<o negócio ia bem, até que degringolou>* ↺ deslanchar

degustação (de.gus.ta.ção) [pl.: *-ões*] *s.f.* **1** ato ou efeito de degustar; prova **2** avaliação atenta pelo paladar *<d. de vinhos>* **3** *p.ext.* experiência prazerosa, ger. de caráter sensorial *<d. musical>*

degustar (de.gus.tar) *v.* {mod. 1} *t.d.* **1** apreciar o sabor de; saborear *<d. um sorvete>* **2** experimentar (bebida, comida), avaliando sua qualidade

deidade (de.i.da.de) *s.f.* divindade

deificar (de.i.fi.car) *v.* {mod. 1} *t.d. e pron.* atribuir (-se) natureza divina; endeusar(-se), divinizar(-se) *<d. um animal> <o imperador deificou-se diante do povo>* ~ **deificação** *s.f.*

-deira *suf.* **1** 'ocupação': *lavadeira* **2** 'função': *batedeira, enceradeira* **3** 'ação excessiva': *choradeira*

deiscência (deis.cên.cia) *s.f.* BOT fenômeno em que um órgão vegetal se abre naturalmente ao alcançar a maturação ~ **deiscente** *adj.2g.*

deísmo (de.ís.mo) *s.m.* FIL doutrina que considera a razão como a única via capaz de nos assegurar da existência de Deus ☞ cf. *teísmo* ~ **deísta** *adj.2g.s.2g.*

deitar (dei.tar) *v.* {mod. 1} *t.d.,t.d.i. e pron.* **1** (prep. *em*) estender(-se), pôr(-se) horizontalmente *<d. os objetos para caberem no armário> <d. as garrafas na geladeira> <d.-se no divã>* □ *t.d. e pron.* **2** pôr(-se) na cama, para dormir, repousar etc. *<d. uma criança> <já é tarde, vou d.-me>* ↺ levantar □ *t.d.* **3** deixar inclinado, pendente; inclinar *<o vento deitou as árvores>* ↺ endireitar **4** fazer cair; pôr *<d. sal na comida>* **5** expelir, secretar (substância) *<d. sangue>* **6** deixar escorrer (líquido); derramar *<o cano deitou água>*

deixa (dei.xa) *s.f.* **1** TEAT palavra ou gesto que indica o momento de entrar, falar ou agir em cena **2** acontecimento ou afirmação que possibilita reação; oportunidade *<a pergunta foi a d. para nova explicação>*

deixar (dei.xar) *v.* {mod. 1} *t.d.* **1** sair de; retirar-se *<d. a sala>* ↺ entrar **2** não fazer mais parte de; abandonar *<d. a empresa>* **3** não se dedicar mais a (tarefas, atividades etc.) *<d. o emprego, o esporte>* **4** desistir de (hábitos, vícios etc.) *<d. o cigarro, a rotina>* **5** não levar consigo, por intenção ou esquecimento *<d. a chave em casa>* **6** pôr, colocar, pousar *<d. o livro na mesa>* **7** levar, conduzir *<d. a noiva em casa>* ↺ buscar **8** dar autorização para; permitir *<d. o filho sair>* ↺ proibir **9** tornar possível a; permitir, possibilitar *<a chuva não o deixou sair>* ↺ impossibilitar □ *t.d. e t.d.i.* **10** (prep. *em*) causar (sensação, sentimento etc.) *<d. (em todos) boa impressão>* □ *t.d.i.* **11** (prep. *para*) transmitir em herança; legar *<d. bens para a viúva>* □ *t.i.* **12** (prep. *de*) parar, cessar *<d. de chover>* ↺ começar □ *pron.* **13** não reagir ou resistir *<d.-se levar pelas ondas>* ▣ **d. a desejar** decepcionar *<seu relatório deixou a desejar>* • **d. para depois** adiar a realização de algo *<deixou o banho para depois>* • **d. para lá** não se importar ou preocupar *<se ela não vier, deixa pra lá>*

dejeção (de.je.ção) [pl.: *-ões*] *s.f.* **1** excreção de fezes; dejeto, evacuação **2** GEOL matéria expelida por vulcões

dejejum (de.je.jum) [pl.: *-uns*] *s.m.* → ***DESJEJUM***

dejetar (de.je.tar) *v.* {mod. 1} *t.d. e int.* **1** excretar (fezes); evacuar □ *t.d.* **2** pôr para fora; expulsar *<o vulcão dejetava lava>*

dejeto (de.je.to) *s.m.* **1** dejeção ('excreção') **2** o que resta de material usado; resíduo *<d. industriais>*

delação (de.la.ção) [pl.: *-ões*] *s.f.* acusação secreta, denúncia ☞ cf. *dilação*

delatar (de.la.tar) *v.* {mod. 1} *t.d.,t.d.i. e pron.* **1** (prep. *a*) denunciar(-se) como responsável por crime *<delatou o comparsa (ao delegado)> <cansado de fugir, delatou-se à polícia>* □ *t.d. e t.d.i.* **2** (prep. *a*) revelar (delito ou fato ligado a ele) *<d. o crime (às autoridades)> <d. o esconderijo dos bandidos (ao investigador)>* □ *t.d. fig.* **3** deixar perceber; evidenciar *<os gestos bruscos delatavam sua inquietação>* ↺ esconder ☞ cf. *dilatar*

delator (de.la.tor) /ô/ [pl.: *-es*] *adj.s.m.* (aquele) que delata; acusador, denunciante

dele (de.le) /ê/ [pl.: *deles*; fem.: *dela*] *contr.* GRAM de ('pertencente a', 'próprio de' etc.) algo ou alguém, já mencionado, cujo nome foi substituído pelo pron. p. *ele <Vi Rui com o tio d.>* ◉ GRAM/USO em textos infrm., substitui o pron.pos. *seu*

delegação (de.le.ga.ção) [pl.: *-ões*] *s.f.* **1** autorização para agir em nome de outrem; procuração **2** comissão que representa um país, uma escola etc. *<d. diplomática> <o Brasil enviou uma grande d. para as Olimpíadas>*

delegacia (de.le.ga.ci.a) *s.f.* **1** repartição pública a cargo de um delegado *<d. regional da Receita Federal>* **2** *B* repartição de um delegado de polícia *<registramos o furto na d.>*

delegado (de.le.ga.do) *s.m.* **1** representante *<d. do centro acadêmico>* **2** *B* maior autoridade policial de uma delegacia

delegar (de.le.gar) *v.* {mod. 1} *t.d. e t.d.i.* **1** (prep. *a*) transmitir, conceder (poder) [a pessoa, comissão, instituição] *<delegou a direção da empresa (ao filho)>* □ *t.d.i.* **2** (prep. *para*) enviar (alguém) com poder de agir, falar em seu nome *<d. um representante para a reunião>*

deleitar (de.lei.tar) *v.* {mod. 1} *t.d. e pron.* (prep. *com*) (fazer) sentir deleite, satisfação, prazer; deliciar *<o espetáculo deleitava a plateia> <deleitou-se com o banquete>*

deleite (de.lei.te) *s.m.* sensação agradável; satisfação, prazer ↺ aborrecimento, desgosto

deleitoso (de.lei.to.so) /ô/ [pl. e fem.: /ó/] *adj.* que causa deleite *<música d.>*

deletar (de.le.tar) *v.* {mod. 1} *t.d.* INF apagar, eliminar (caractere, texto, arquivo etc.) de um computador

deletério (de.le.té.rio) *adj.* **1** que é prejudicial à saúde ↺ salubre **2** *p.ext.* que tem efeito destrutivo; nocivo

delfim (del.fim) [pl.: *-ins*] *s.m.* **1** ZOO golfinho **2** HIST o filho mais velho do rei da França, herdeiro do trono

delgado (del.ga.do) *adj.* **1** de pouca espessura; fino ↺ espesso, grosso **2** magro *<rapaz d.>* ↺ gordo

deliberado (de.li.be.ra.do) *adj.* **1** que foi decidido; resolvido **2** com intenção, de propósito *<crime d.>*

deliberar (de.li.be.rar) *v.* {mod. 1} *t.d. e pron.* **1** (prep. *a*) decidir(-se), após reflexão e/ou consultas *<deliberou aceitar o emprego> <deliberou-se a procurar o filho>* □ *t.i. e int.* **2** (prep. *sobre*) empreender reflexões e/ou discussões sobre (algo), para decidir o que fazer *<o congresso deliberou sobre a nova lei> <não é prudente agir sem antes d.>* ~ **deliberação** *s.f.*

deliberativo (de.li.be.ra.ti.vo) *adj.* relativo a deliberação; em que há deliberação *<conselho d.>*

delicadeza (de.li.ca.de.za) /ê/ *s.f.* **1** qualidade ou característica do que é delicado; finura *<a d. das pétalas de uma flor>* **2** constituição frágil; fragilidade *<d. de um objeto, de uma pessoa>* **3** falta de resistência; debilidade *<d. de seu estado de saúde>* **4** beleza sutil *<admirava a d. dos seus olhos>* **5** cortesia, civilidade *<sempre o tratou com d.>* ↺ indelicadeza

delicado (de.li.ca.do) *adj.* **1** de espessura reduzida; fino **2** carente de forças; frágil *<estado de saúde d.>* ↺ forte **3** de beleza sutil *<traços d.>* **4** que possui ternura; meigo *<gesto d.>* ↺ malcriado **5** *fig.* complicado, difícil *<situação d.>*

delicatéssen (de.li.ca.tés.sen) [pl.: *delicatessens*] *s.f.* loja em que se vendem iguarias finas

delícia (de.lí.cia) *s.f.* **1** sabor muito agradável *<a d. de um bom café>* **2** sensação de muito prazer; satisfação *<passear por essa estrada é uma d.>* ↺ desprazer

deliciar (de.li.ci.ar) *v.* {mod. 1} *t.d. e pron.* (fazer) sentir contentamento, prazer; deleitar(-se) *<o jantar deliciou os convivas> <d.-se com a paisagem>* ↺ desagradar(-se)

delicioso (de.li.ci.o.so) /ô/ [pl. e fem.: /ó/] *adj.* **1** que provoca delícia; muito gostoso **2** que encanta pela beleza *<paisagem d.>* **3** espirituoso, divertido *<contou-nos uma história d.>*

delimitar (de.li.mi.tar) *v.* {mod. 1} *t.d.* **1** fixar os limites espaciais de; demarcar *<d. as fronteiras>* **2** *p.ext.* estabelecer limites para *<d. direitos, atribuições>* ~ **delimitação** *s.f.* - **delimitado** *adj.*

delineador (de.li.ne.a.dor) /ô/ [pl.: *-es*] *adj.s.m.* **1** (o) que delineia ■ *s.m.* **2** maquiagem líquida para o contorno dos olhos

D

delinear (de.li.ne.ar) *v.* {mod. 5} *t.d.* **1** desenhar os contornos de; esboçar *<em poucos segundos, delineou a pintura>* **2** *fig.* planejar, arquitetar *<d. uma tentativa de fuga>* ~ **delineação** *s.f.* - **delineado** *adj.* - **delineamento** *s.m.*

delinquente (de.lin.quen.te) /qü/ *adj.2g.s.2g.* criminoso, infrator ~ **delinquência** *s.f.*

delinquir (de.lin.quir) /qü/ *v.* {mod. 25} *t.i. e int.* (prep. *contra, em*) praticar crime(s) *<d. contra a lei>* *<desde jovem ele já delinquia>*

delirante (de.li.ran.te) *adj.2g.* **1** em estado de delírio, de alucinação *<paciente d.>* **2** que não apresenta organização lógica; caótico, desconexo *<palavras d.>* *<imagem d.>* **3** *infrm.* surpreendente, extraordinário *<o filme teve um final d.>*

delirar (de.li.rar) *v.* {mod. 1} *int.* **1** encontrar-se em estado de delírio *<delirou durante a febre>* **2** experimentar exaltação extrema *<a torcida delirava com a vitória>* **3** agir de forma desatinada ou dizer disparates *<delirou quando teve que aceitar a proposta>*

delírio (de.lí.rio) *s.m.* **1** PSIC perturbação mental que provoca alucinações **2** *p.ext.* sentimento de grande entusiasmo; exaltação *<d. poético>*

delito (de.li.to) *s.m.* **1** DIR ato que contraria uma lei; crime **2** violação da moral ou de preceito preestabelecido

delituoso (de.li.tu.o.so) /ô/ [pl. e fem.: /ó/] *adj.* em que há delito *<fato d.>*

delonga (de.lon.ga) *s.f.* atraso, demora ↺ antecipação

delongar (de.lon.gar) *v.* {mod. 1} *t.d.* **1** tornar longo, demorado; retardar *<d. o fim da greve>* ↺ apressar **2** deixar para depois; adiar *<d. uma decisão>* ↺ antecipar □ *t.d. e pron.* **3** manter(-se), prolongar(-se) *<a dor delongava seu sofrimento>* *<delongou-se em questões irrelevantes>* ↺ abreviar

delta (del.ta) *s.m.* **1** quarta letra do alfabeto grego (δ, Δ) **2** GEO acúmulo de terra, de forma triangular, junto à foz dos rios ~ **deltaico** *adj.*

demagogia (de.ma.go.gi.a) *s.f.* **1** *pej.* ação política que apela às emoções populares para exercer dominação **2** *infrm.* apoio ou simpatia fingidos ~ **demagógico** *adj.*

demagogo (de.ma.go.go) /ô/ *adj.s.m.* *pej.* (aquele) que age com demagogia, que finge defender os interesses populares para alcançar os próprios objetivos

demais (de.mais) *adv.* **1** em excesso *<será d. avisá-la novamente da importância da prova>* ↺ pouco **2** de maneira muito forte *<o concerto nos agradou d.>* ↺ pouco ■ *pron.ind.pl.* **3** os outros, os que sobram *<você pode sair, os d. ficam>*

demanda (de.man.da) *s.f.* **1** ação de procurar alguma coisa; busca, diligência *<a d. do cálice sagrado>* **2** necessidade, precisão *<crianças têm uma d. permanente de atenção>* **3** ECON qualquer bem ou serviço procurado no mercado por determinado preço e em determinado momento **4** DIR processo judicial; ação, litígio

demandar (de.man.dar) *v.* {mod. 1} *t.d.* **1** tentar obter, por pedido ou exigência; reivindicar *<os trabalhadores demandavam melhores salários>* **2** exigir, por ser necessário ou adequado; requerer *<estudo demanda disciplina>* ↺ dispensar **3** partir em busca de; procurar *<d. um tesouro escondido>* **4** instaurar processo judicial contra; processar ~ **demandante** *adj.2g.s.2g.*

demão (de.mão) [pl.: *-ãos*] *s.f.* camada de tinta, cal, verniz etc. aplicada sobre uma superfície

demarcar (de.mar.car) *v.* {mod. 1} *t.d.* **1** fixar os limites de; delimitar *<uma cerca demarcava a fazenda>* **2** *p.ext.* definir, estabelecer *<d. tarefas, prazos>* **3** *fig.* determinar as diferenças entre; distinguir *<d. questões diversas>* ↺ igualar ~ **demarcação** *s.f.*

demasia (de.ma.si.a) *s.f.* o que está em excesso ⊡ **em d.** de forma exagerada *<reclama em d.>* *<comeu em d.>*

demasiado (de.ma.si.a.do) *adj.* **1** excessivo, exagerado *<ele tem um apego d. ao seu cão>* ■ *adv.* **2** por demais; excessivamente, muito *<ele estava d. calmo para aquela situação>*

demência (de.mên.cia) *s.f.* **1** MED deterioração mental, esp. na velhice **2** *p.ext.* comportamento que aparenta ou sugere loucura; insensatez

demente (de.men.te) *adj.2g.s.2g.* **1** que(m) sofre de demência **2** *infrm.* que(m) age de forma incoerente ou fora do comum; insensato

demérito (de.mé.ri.to) *s.m.* ausência ou perda de consideração e estima; desmerecimento ↺ mérito

demissão (de.mis.são) [pl.: *-ões*] *s.f.* ato ou efeito de demitir(-se); dispensa dos serviços profissionais de uma pessoa ↺ admissão

demissionário (de.mis.si.o.ná.rio) *adj.* que pediu demissão

demisso (de.mis.so) *adj. frm.* **1** que sofreu demissão; demitido **2** voltado para baixo *<olhos d.>* ◉ GRAM/USO part. de *demitir*

demitir (de.mi.tir) *v.* {mod. 24} *t.d.,t.d.i. e pron.* (prep. *de*) dispensar ou sair (de emprego, cargo); exonerar(-se), despedir(-se) *<o gerente demitiu vários funcionários (de seus cargos)>* *<um antigo empregado demitiu-se da empresa>* ↺ admitir, contratar ◉ GRAM/USO part.: *demitido, demisso*; ver QUADRO DE PARTICÍPIOS DUPLOS nas pp. iniciais

[1]**demo** (de.mo) *s.m.* demônio ◉ ORIGEM do lat. *daemon,ŏnis* 'divindade, gênio, demônio'

[2]**demo** (de.mo) *adj.2g.2n.s.2g.* REC.AV (vídeo, *CD* etc.) produzido para demonstração ou apresentação ◉ ORIGEM do ing. *demo*, red. de *demonstration* 'demonstração'

democracia (de.mo.cra.ci.a) *s.f.* POL **1** governo em que o povo exerce a soberania **2** sistema comprometido com a igualdade ou a distribuição igualitária de poder

democrata (de.mo.cra.ta) *adj.2g.s.2g.* (aquele) que defende os princípios da democracia

democrático (de.mo.crá.ti.co) *adj.* **1** relativo à democracia **2** próprio do povo *<restaurante d.>*

démodé (dé.mo.dé) [fr.] *adj.2g.* que não está mais na moda ⇒ pronuncia-se demodê

demografia (de.mo.gra.fi.a) *s.f.* estudo quantitativo das populações humanas ~ **demográfico** *adj.* - **demógrafo** *s.m.*

demolir (de.mo.lir) *v.* {mod. 24} *t.d.* **1** pôr abaixo (algo construído); derrubar *<d. um prédio>*

2 *fig.* atacar violentamente (de um ponto de vista moral ou intelectual) <*d. uma instituição*> <*d. uma ideologia*> **3** *fig.* obter vitória esmagadora sobre <*nosso time demoliu o adversário*> ◉ GRAM/USO verbo defectivo ~ **demolição** *s.f.*

demoníaco (de.mo.<u>ní</u>.a.co) *adj.* relativo a ou próprio de demônio; diabólico, satânico

demônio (de.<u>mô</u>.nio) *s.m.* **1** REL espírito do mal; diabo ☞ inicial por vezes maiúsc. **2** *fig.* indivíduo cruel, malvado **3** *fig.* indivíduo irrequieto <*esse menino é um d.*> ↺ anjo

demonismo (de.mo.<u>nis</u>.mo) *s.m.* **1** crença nos demônios **2** veneração dos demônios ~ **demonista** *adj.2g.s.2g.*

demonstração (de.mons.tra.<u>ção</u>) [pl.: *-ões*] *s.f.* **1** ato ou efeito de demonstrar **2** qualquer recurso capaz de atestar a veracidade de alguma coisa; prova **3** apresentação de habilidades especiais ou espetaculares; exibição <*d. de mágica*>

demonstrar (de.mons.<u>trar</u>) *v.* {mod. 1} *t.d. e t.d.i.* **1** (prep. *a*) tornar evidente por meio de provas; comprovar <*demonstrou a sua teoria aos debatedores*> ↺ esconder **2** (prep. *a*) tornar perceptível por sinais, indícios; manifestar <*d. solidariedade (ao próximo)*> ↺ esconder **3** (prep. *a*) expor, apresentar, mostrar <*d. conhecimento*> <*o acrobata demonstrou sua técnica ao público*> ~ **demonstrável** *adj.2g.*

demonstrativo (de.mons.tra.<u>ti</u>.vo) *adj.s.m.* **1** (o) que demonstra **2** GRAM (pronome) que localiza a coisa ou pessoa de que ou de quem se fala (primeira, segunda ou terceira pessoa), do ponto de vista de quem fala (p.ex.: *este* livro é meu; *essa* é a sua escrivaninha; observe *aquela* mulher) ■ *s.m.* **3** documento com a análise dos elementos de uma importância recebida ou paga

demora (de.<u>mo</u>.ra) *s.f.* **1** espaço de tempo que se estende para além do esperado; atraso, espera **2** período de tempo em que se permanece (em algum lugar ou do mesmo modo); estada, permanência <*a d. do trem na estação é de 10 minutos*> ▣ **sem d.** já, agora, imediatamente <*precisamos sair sem d.*>

demorado (de.mo.<u>ra</u>.do) *adj.* **1** que se demora; lento <*andavam a passos d.*> **2** que dura muito tempo <*um discurso d.*> **3** que chega com atraso; tardio <*uma resolução d. para o problema*>

demorar (de.mo.<u>rar</u>) *v.* {mod. 1} *int.* **1** tardar a se realizar ou estender-se no tempo <*as mudanças podem d.*> □ *t.d.* **2** causar atraso a; retardar <*ele demorava a decisão pois temia as consequências*> ↺ antecipar □ *int. e pron.* **3** ficar por longo tempo <*d.(-se) no trabalho*> □ *t.i. e pron.* **4** (prep. *a*) passar do tempo necessário ou combinado; atrasar-se, custar <*d. a sair*> <*d.-se em tomar a decisão*>

demover (de.mo.<u>ver</u>) *v.* {mod. 8} *t.d. e t.d.i.* **1** (prep. *de*) [fazer] desistir de (intento, ideia etc.); dissuadir <*os acontecimentos não a demoveram (de sua posição)*> □ *t.d.* **2** mudar de lugar; deslocar, remover <*d. uma pedra*>

Denatran (De.na.<u>tran</u>) *s.m.* sigla de Departamento Nacional de Trânsito

dendê (den.<u>dê</u>) *s.m.* **1** fruto do dendezeiro **2** azeite obtido da polpa desse fruto, us. na culinária afro-brasileira e na fabricação de sabão, graxas e lubrificantes e na indústria siderúrgica; azeite de dendê

dendezeiro (den.de.<u>zei</u>.ro) *s.m.* BOT palmeira do dendê

denegar (de.ne.<u>gar</u>) *v.* {mod. 1} *t.d.* **1** afirmar que não é verdade; negar ↺ confirmar **2** não atender a; indeferir <*d. requerimento*> ↺ deferir **3** rejeitar, recusar <*d. uma oferta*> ↺ aceitar □ *pron.* **4** (prep. *a*) recusar-se <*d.-se a colaborar*> ~ **denegação** *s.f.*

denegrir (de.ne.<u>grir</u>) *v.* → ***DENIGRIR***

D

dengo (<u>den</u>.go) *s.m.* **1** lamentação infantil; birra, manha **2** delicadeza no comportamento; meiguice ~ **denguice** *s.f.*

dengoso (den.<u>go</u>.so) /ô/ [pl. e fem.: /ó/] *adj.* **1** que se comporta de maneira manhosa, birrenta (diz-se de criança) **2** que tem comportamento delicado, terno **3** que age de forma astuciosa; ardiloso

dengue (<u>den</u>.gue) *s.m.* **1** dengo ■ *s.f.* MED **2** doença infecciosa, transmitida pela picada do mosquito *Aedes aegypti*, caracterizada por febre alta, dor na cabeça e no corpo e cansaço

denigrir (de.ni.<u>grir</u>) ou **denegrir** (de.ne.<u>grir</u>) *v.* {mod. 24} *t.d. e pron.* **1** tornar(-se) negro ou escuro; escurecer(-se) <*a poluição denigre o mármore*> <*a tinta denigre-se com o tempo*> ↺ clarear **2** *fig.* diminuir a pureza, o valor de; desvalorizar(-se) <*tais hábitos denigriram sua honra*> <*ele denigriu-se com o escândalo*> ↺ valorizar(-se)

denodo (de.<u>no</u>.do) /ô/ *s.m.* **1** coragem diante do perigo; ousadia, bravura ↺ covardia **2** atitude irrefletida; precipitação ↺ prudência **3** *fig.* brio, distinção ↺ deselegância ~ **denodado** *adj.*

denominação (de.no.mi.na.<u>ção</u>) [pl.: *-ões*] *s.f.* **1** ato ou efeito de denominar; atribuição de um nome a um ser **2** o nome atribuído

denominador (de.no.mi.na.<u>dor</u>) /ô/ [pl.: *-es*] *adj.s.m.* **1** (o) que nomeia ■ *s.m.* MAT **2** número ou termo situado sob o traço de fração, e que representa o divisor ▣ **d. comum 1** MAT qualquer múltiplo dos denominadores de um conjunto de frações **2** *fig.* aquilo que duas ou mais pessoas em conflito podem aceitar, mesmo divergindo sobre todo o resto <*os vizinhos vão conversar para chegar a um d. comum*>

denominar (de.no.mi.<u>nar</u>) *v.* {mod. 1} *t.d. e t.d.pred.* **1** (prep. *de*) pôr nome em; designar, nomear <*os astrônomos denominam as estrelas*> <*depois de terminar o livro, denominou-o (de)* Infância> □ *pron.* **2** dar-se apelido ou qualificação de; intitular-se <*denomina-se especialista, mas nada sabe do assunto*> ~ **denominativo** *adj.*

denotação (de.no.ta.<u>ção</u>) [pl.: *-ões*] *s.f.* GRAM relação direta de significado que um nome estabelece com um objeto da realidade (sem sentidos figurados) ☞ cf. *conotação* ~ **denotativo** *adj.*

denotar (de.no.<u>tar</u>) *v.* {mod. 1} *t.d.* **1** mostrar por sinais ou indícios; indicar <*febre denota problemas de saúde*> ↺ esconder **2** ser a imagem de; simbolizar <*a balança denota a Justiça*>

densidade (den.si.<u>da</u>.de) *s.f.* **1** qualidade do que é denso, compacto; espessura ↺ delgadeza **2** *fig.* profundidade, complexidade <*d. de um texto*> ↺ leveza ▣ **d. populacional** GEO índice que expressa a quantidade de indivíduos de uma população por unidade de área ou volume

densitometria (den.si.to.me.tri.a) *s.f.* **1** ÓPT medição de densidade óptica em chapas fotográficas **2** MED exame radiológico da densidade de um órgão ▣ **d. óssea** MED exame para avaliar o conteúdo mineral dos ossos, esp. a percentagem de cálcio

denso (den.so) *adj.* **1** que possui estrutura compacta; espesso *<creme d.> <fumaça d.> <madeira d.>* ↺ ralo **2** *fig.* intenso em conteúdo; profundo *<um filme d.>* ↺ superficial

dentada (den.ta.da) *s.f.* **1** compressão feita com os dentes; mordida **2** marca ou ferida provocada por essa compressão

dentado (den.ta.do) *adj.* **1** que tem dentes *<animal d.>* **2** que tem forma semelhante à dos dentes *<roda d.>* **3** que possui marca ou vestígio de mordida *<fatia d. de bolo>*

dentadura (den.ta.du.ra) *s.f.* **1** o conjunto dos dentes **2** estrutura de dentes postiços que substitui os naturais

dental (den.tal) [pl.: *-ais*] *adj.2g.* **1** relativo aos dentes; dentário **2** que se usa na limpeza dos dentes *<creme d.> <fio d.>*

dentar (den.tar) *v.* {mod. 1} *t.d.* **1** fazer dentes em; dentear *<d. uma chave>* **2** dar dentadas em; morder □ *int.* **3** começar a apresentar dentes *<muito cedo, a criança já dentava>*

dentário (den.tá.rio) *adj.* **1** relativo aos dentes; dental *<arcada d.> <prótese d.>* **2** em que se presta atendimento odontológico *<clínica d.>*

dente (den.te) *s.m.* **1** ANAT cada um dos corpos duros implantados nos maxilares, us. para morder e mastigar **2** *p.ext.* cada um dos recortes salientes de certos objetos ou instrumentos *<d. de uma engrenagem>* **3** *p.ext.* saliência ou ponta *<os d. de um pente>* ◉ COL dentadura ▣ **d. de leite** ANAT **1** cada um dos dentes que surgem entre os seis e os 30 meses de idade e começam a ser substituídos pelos permanentes por volta dos seis anos **2** FUTB jogador que tem entre sete e 12 anos, e que disputa torneios para sua idade • **d. canino** dente pontudo e perfurante, situado entre o incisivo e o pré-molar, em número de dois em cada maxilar, que permite rasgar os alimentos; canino • **armado até os d.** com grande quantidade de armas *<o policial está armado até os d.>* • **bater os d.** tremer de frio ou de medo • **falar entre os d.** falar baixo e com mau humor; resmungar • **mostrar os d. a** demonstrar agressividade contra (alguém)

denteado (den.te.a.do) *adj.* **1** que tem dentes; dentado **2** que tem forma semelhante à dos dentes; dentado

dentear (den.te.ar) *v.* {mod. 5} *t.d.* **1** fazer dentes em *<d. uma roda>* **2** recortar na forma de dentes *<d. papel, couro>*

dentição (den.ti.ção) [pl.: *-ões*] *s.f.* ANAT **1** processo de formação, nascimento e crescimento dos dentes **2** o conjunto dos dentes

dentifrício (den.ti.frí.cio) *adj.s.m.* (pasta, creme etc.) us. para limpar os dentes

dentina (den.ti.na) *s.f.* **1** a mais interna das duas camadas calcificadas dos dentes ☞ cf. *esmalte* **2** tecido rico em cálcio que recobre a polpa dos dentes

dentista (den.tis.ta) *adj.2g.s.2g.* (profissional) que trata dos dentes; odontologista

dentre (den.tre) *contr.* das prep. *de* e *entre*; do meio de *<d. os atletas, um disparou na frente>*

dentro (den.tro) *adv.* **1** na parte interior *<aqui d. está frio>* ↺ fora **2** para o interior de; adentro *<entrou casa d.>* ↺ afora

dentuça (den.tu.ça) *s.f.* **1** arcada dos dentes da frente grandes ou salientes ■ *s.2g.* **2** quem tem essa arcada

dentuço (den.tu.ço) *adj.s.m.* *B* que(m) tem dentes grandes ou salientes

denúncia (de.nún.cia) *s.f.* **1** acusação de ato ilegal *<d. de corrupção>* **2** DIR cessação (de contrato, acordo etc.) **3** revelação de segredo *<d. dos outros terroristas>* **4** manifestação exterior de algo até então oculto; sinal *<fumaça é d. de fogo>* ▣ **d. vazia** DIR ação de despejo sem qualquer motivo por parte do dono de imóvel

denunciar (de.nun.ci.ar) *v.* {mod. 1} *t.d.,t.d.i. e pron.* **1** (prep. *a*) declarar(-se) responsável por (crime, delito, falta); acusar(-se) *<o jornal denunciou a fraude> <o promotor irá d. os criminosos> <d. a falta ao oficial> <denunciou-se à polícia>* ↺ inocentar(-se) □ *t.d. e t.d.i.* **2** (prep. *a*) tornar conhecido; revelar, anunciar *<d. a notícia publicamente>* □ *t.d. e pron.* **3** expor(-se) à vista; evidenciar(-se), revelar(-se) *<gestos trêmulos denunciavam sua tensão> <cedo ou tarde, a mentira se denuncia>* ↺ esconder(-se) ~ **denunciação** *s.f.* - **denunciante** *adj.2g.s.2g.*

denuncismo (de.nun.cis.mo) *s.m.* onda de denúncias em sequência, esp. pelos meios de comunicação

deparar (de.pa.rar) *v.* {mod. 1} *t.d.,t.i. e pron.* **1** (prep. *com*) encontrar-se de modo inesperado (com); topar *<d. (com) um obstáculo inesperado> <deparou-se com a criança perdida>* □ *pron.* **2** (prep. *a*) surgir de repente *<um carro se deparou aos ciclistas>*

departamento (de.par.ta.men.to) *s.m.* setor, seção de organização pública ou privada (empresa, loja, faculdade etc.) *<d. de eletrodomésticos> <d. de matemática>* ~ **departamental** *adj.2g.*

depauperar (de.pau.pe.rar) *v.* {mod. 1} *t.d.* **1** reduzir ou esgotar os recursos econômicos de *<d. um orçamento>* □ *t.d. e pron.* **2** (fazer) perder o vigor físico ou a saúde; enfraquecer(-se), debilitar(-se) *<a sequência de competições depauperou o atleta> <o homem depauperou-se de preocupação>* ↺ fortalecer(-se)

depenar (de.pe.nar) *v.* {mod. 1} *t.d. e pron.* **1** arrancar as penas de ou perdê-las *<d. uma galinha para o almoço> <o canário depenou-se antes do acasalamento>* □ *t.d. fig. infrm.* **2** tirar o dinheiro, os bens de *<o vigarista depenou a anciã>* **3** tirar as peças de (veículo roubado ou abandonado)

dependência (de.pen.dên.cia) *s.f.* **1** característica de dependente; subordinação ↺ independência **2** submissão à vontade do outro *<relação de d. com o marido>* ↺ autonomia **3** relação necessária; conexão *<d. entre a teoria e a prática>* ↺ desconexão **4** cômodo de uma residência *<casa com d. amplas>* ☞ mais us. no pl. **5** necessidade física ou psíquica de consumir repetidamente determinada substância *<d. de álcool> <d. de calmantes>*

dependente (de.pen.den.te) *adj.2g.s.2g.* **1** (o) que depende ↺ independente **2** que(m) tem necessidade física ou psíquica de consumir repetidamente determinada substância *<visitamos uma clínica para (jovens) d. de drogas>* **3** que(m) vive à custa de outra pessoa

depender (de.pen.der) *v.* {mod. 8} *t.i.* **1** (prep. *de*) estar sujeito a *<d. de horários, da sorte>* **2** (prep. *de*) requerer decisão, resolução de *<a autorização das obras depende do governador>* **3** (prep. *de*) precisar do auxílio, proteção, sustento de *<d. dos pais para viver>* **4** (prep. *de*) surgir em consequência de; derivar, resultar *<o sucesso depende do trabalho>* ↺ causar, originar

dependurar (de.pen.du.rar) *v.* {mod. 1} *t.d. e t.d.i.* suspender e fixar distante do chão (a prego, corda, gancho etc.); pendurar *<d. um lustre (no teto)>*

depenicar (de.pe.ni.car) *v.* {mod. 1} *t.d.* **1** arrancar aos poucos penas ou pelos de □ *t.d.,t.i. e int.* **2** (prep. *em*) comer aos poucos, em pequenas porções; beliscar *<d. (em) uma porção de batatas fritas> <d. em um bar com amigos>*

deperecer (de.pe.re.cer) *v.* {mod. 8} *int.* **1** morrer aos poucos **2** perder a força aos poucos; definhar ↺ fortalecer-se ~ **deperecimento** *s.m.*

depilação (de.pi.la.ção) [pl.: *-ões*] *s.f.* ato ou efeito de extrair os pelos do corpo *<d. das axilas>*

depilador (de.pi.la.dor) /ô/ [pl.: *-es*] *adj.s.m.* **1** que(m) faz depilação como atividade profissional **2** (aparelho) que serve para depilar

depilar (de.pi.lar) *v.* {mod. 1} *t.d. e pron.* extrair ou raspar os pelos de *<d. as pernas> <pediu à irmã que a ajudasse a d.-se>*

depilatório (de.pi.la.tó.rio) *adj.s.m.* **1** (o) que depila ■ *s.m.* **2** preparado us. para retirar os pelos do corpo

depleção (de.ple.ção) [pl.: *-ões*] *s.f.* MED perda de elementos fundamentais do organismo, como água, sangue etc.

deplorar (de.plo.rar) *v.* {mod. 1} *t.d. e pron.* **1** mostrar aflição, sofrimento por; lastimar(-se) *<deplora os desatinos de alguns jovens> <deplorou-se pela partida do amigo>* **2** revelar inconformismo, desagrado; lamentar(-se) *<deplorou os erros do governo> <deplorou-se pelo fracasso do projeto>*

deplorável (de.plo.rá.vel) [pl.: *-eis*] *adj.2g.* **1** que merece ser deplorado **2** que provoca tristeza; lastimável *<tragédia d.>* **3** que desperta aversão; abominável, detestável

depoente (de.po.en.te) *adj.2g.s.2g.* que(m) depõe em juízo, ger. como testemunha

depoimento (de.po.i.men.to) *s.m.* **1** ato ou efeito de depor **2** DIR declaração, em juízo, da testemunha sobre um fato

depois (de.pois) *adv.* **1** em seguida, após *<refletiu e d. se decidiu>* ↺ antes **2** atrás *<d. do capitão vinham os soldados>* ↺ na frente **3** além disso *<é perigoso e, d., contrário à moral>* ▣ **d. de 1** em posição posterior a, no tempo ou no espaço; em seguida, após *<d. de comer, foi dormir> <sua posição na fila é d. de mim>* **2** em posição inferior ou secundária a, numa escala de importância *<d. de Pedro, ele é o melhor>*

depor (de.por) *v.* {mod. 23} *t.d.* **1** pôr à parte; largar, deixar *<depôs as ferramentas para descansar> <d. as armas>* ↺ pegar **2** renunciar a (cargo, título) *<o rei depôs a coroa>* □ *t.d. e t.d.i.* **3** (prep. *em*) repousar (objeto) num lugar; pôr *<d. o copo (na mesa)>* **4** (prep. *de*) destituir (de cargo, poder) *<o conselho deporá o presidente (de suas funções)>* □ *t.d. e int.* **5** declarar ou testemunhar em juízo □ *pron.* **6** acumular-se no fundo *<resíduos de óleo depuseram-se na lagoa>* ◉ GRAM/USO part.: *deposto*

deportação (de.por.ta.ção) [pl.: *-ões*] *s.f.* **1** ato ou efeito de deportar, de afastar do país ou de um grupo social; degredo, exílio ↺ repatriação **2** DIR pena que o Estado impõe ao estrangeiro delinquente, e que consiste em fazê-lo sair do país, não podendo a ele retornar

D

deportar (de.por.tar) *v.* {mod. 1} *t.d.* expulsar do país ou de um grupo social; banir

deposição (de.po.si.ção) [pl.: *-ões*] *s.f.* destituição de função, cargo ou dignidade *<d. do ministro>*

depositar (de.po.si.tar) *v.* {mod. 1} *t.d.i.* **1** (prep. *em*) pôr (algo valioso) [em depósito] *<d. dinheiro no cofre>* **2** (prep. *em*) repousar (objeto) num lugar; colocar *<d. o copo na mesa>* **3** (prep. *em*) comunicar em confiança; confiar *<depositou o patrimônio em suas mãos>* □ *pron.* **4** (prep. *em*) acumular-se no fundo; depor-se, assentar *<a sujeira da água depositou-se no vaso>* ~ **depositante** *adj.2g.s.2g.*

depositário (de.po.si.tá.rio) *s.m.* **1** quem recebe e guarda um depósito **2** aquele a quem foi confiado um segredo ou confidência

depósito (de.pó.si.to) *s.m.* **1** colocação de algo em algum lugar específico **2** a coisa depositada **3** local ou recipiente onde se guarda ou acumula algo *<d. de lixo>* **4** resíduo material acumulado no fundo de um líquido; borra, sedimento *<d. de gordura>* **5** estabelecimento comercial de venda de grande quantidade de mercadorias; armazém ▣ **d. bancário** quantia depositada em um banco comercial

depravação (de.pra.va.ção) [pl.: *-ões*] *s.f.* **1** ato ou efeito de depravar(-se); corrupção, perversão **2** estado de quem se depravou

depravado (de.pra.va.do) *adj.s.m.* que(m) está moralmente corrompido; devasso ↺ recatado

depravar (de.pra.var) *v.* {mod. 1} *t.d. e pron.* **1** mudar para pior; prejudicar(-se) *<alimentos contaminados depravam a saúde> <seu estado geral depravou-se com as drogas>* ↺ melhorar **2** corromper(-se) moralmente; perverter(-se) *<a ambição desmedida deprava as pessoas> <depravou-se com más companhias>* ↺ dignificar(-se), regenerar(-se)

depreciar (de.pre.ci.ar) *v.* {mod. 1} *t.d.* **1** reduzir o preço de; baratear *<d. uma mercadoria>* ↺ encarecer □ *t.d. e pron. fig.* **2** rebaixar o valor, a virtude (de); desvalorizar(-se) *<d. o talento do artista> <ele depreciou-se ao ver que fracassara>* ↺ valorizar(-se) ~ **depreciação** *s.f.* - **depreciador** *adj.*

depreciativo (de.pre.ci.a.ti.vo) *adj.* que deprecia; pejorativo *<comentário d.> <disse a palavra com sentido d.>*

depredar (de.pre.dar) *v.* {mod. 1} *t.d.* **1** destruir, arruinar *<d. um monumento>* **2** roubar, saquear *<d. uma casa>* ~ **depredação** *s.f.*

depreender (de.pre.en.der) *v.* {mod. 8} *t.d.* **1** perceber o sentido de; entender, compreender *<d. um conceito filosófico>* □ *t.d. e t.d.i.* **2** (prep. *de*) chegar a (uma conclusão) com base em; inferir, deduzir *<ele depreendeu (do acontecimento) que a situação era grave>* ~ **depreensão** *s.f.*

depressa (de.pres.sa) *adv.* de maneira apressada, rápida; com pressa <*falar, andar d.*> ↺ devagar

depressão (de.pres.são) [pl.: *-ões*] *s.f.* **1** cova de pequena profundidade <*d. no terreno*> ↺ elevação **2** diminuição de pressão <*d. sanguínea*> <*d. atmosférica*> ↺ aumento **3** ECON crise econômica em que há queda no consumo, produção e emprego de um país ↺ expansão **4** PSIC PSIQ síndrome caracterizada por tristeza e/ou irritabilidade e pela inibição das funções psíquicas ↺ euforia ▣ **d. bipolar** PSIQ a que alterna episódios maníacos e depressivos; bipolaridade, transtorno bipolar • **d. pós-parto** MED PSIC instabilidade emocional e estado de melancolia que as mães, ger. as que deram à luz pela primeira vez, experimentam no período pós-parto

depressivo (de.pres.si.vo) *adj.* **1** em estado de depressão <*depois da separação, ela está d.*> **2** que causa depressão; deprimente ■ *adj.s.m.* **3** que(m) apresenta uma tendência para a depressão <*um d. internou-se na clínica*> <*um homem d.*>

depresso (de.pres.so) *adj. frm.* que tem uma depressão; deprimido ◉ GRAM/USO part. de *deprimir*

deprimente (de.pri.men.te) *adj.2g.* **1** que provoca depressão; depressivo **2** que causa lástima; lastimável, lamentável <*a marcha dos retirantes formava uma cena d.*>

deprimir (de.pri.mir) *v.* {mod. 24} *t.d. e pron.* **1** (fazer) sentir abatimento, tristeza, melancolia <*seu sofrimento deprimiu o irmão*> <*deprimiu-se com a tragédia*> ↺ animar(-se) □ *t.d.* **2** rebaixar <*d. um terreno*> ↺ elevar **3** reduzir, diminuir <*d. a pressão sanguínea*> ↺ aumentar ◉ GRAM/USO part.: *deprimido, depresso*; ver QUADRO DE PARTICÍPIOS DUPLOS nas pp. iniciais

depurar (de.pu.rar) *v.* {mod. 1} *t.d.,t.d.i. e pron.* **1** (prep. *de*) limpar(-se) [de sujeira ou substâncias indesejáveis] <*um remédio que depura o sangue*> <*d. a água das sujidades*> <*d.-se no banho*> ↺ sujar(-se) **2** (prep. *de*) purificar(-se) [de mácula ou pecado]; purgar(-se) <*o padre depurou o fiel (de todo o mal)*> <*depurou-se com a fé*> ↺ corromper(-se) ~ **depuração** *s.f.*

depurativo (de.pu.ra.ti.vo) *adj.s.m.* **1** (o) que depura **2** (substância) que purifica o organismo de toxinas e resíduos

deputado (de.pu.ta.do) *s.m.* **1** quem recebeu autorização para agir em comissão; delegado, enviado **2** POL membro eleito de câmara ou assembleia legislativa ◉ COL assembleia, bancada, câmara

deputar (de.pu.tar) *v.* {mod. 1} *t.d.i.* **1** (prep. *a*) enviar em missão <*cada escola deputou um professor à banca examinadora*> **2** (prep. *em*) investir (em alguém) [poderes, expectativas]; delegar <*deputamos nela a nossa expectativa*> ~ **deputação** *s.f.*

deque (de.que) *s.m.* **1** piso descoberto de uma embarcação; convés **2** *p.ext.* terraço, patamar ou plataforma feita de tábuas paralelas

DER *s.m.* sigla de Departamento de Estradas de Rodagem

deriva (de.ri.va) *s.f.* desvio de rota de navios ou aeronaves causado pelo vento, correntes ou força da gravidade ▣ **à d.** carregado pelas águas, sem direção certa <*navio à d.*>

derivação (de.ri.va.ção) [pl.: *-ões*] *s.f.* **1** ação de desviar um curso de água **2** *p.ext.* movimento de afastamento do caminho normal; desvio <*d. da estrada*> <*d. do assunto de uma narrativa*> **3** GRAM processo de formação de palavras, com uso de afixo <*de casa formam-se caseiro, casebre etc. por d.*> ~ **derivativo** *adj.*

derivado (de.ri.va.do) *adj.s.m.* **1** (o) que se origina de transformação material <*(produtos) d. do petróleo*> **2** GRAM (o) que deriva de outro (diz-se de palavra) <beleza *é um (termo) d. de* belo> ■ *adj.* **3** procedente, resultante <*doença d. de má alimentação*>

derivar (de.ri.var) *v.* {mod. 1} *t.i. e t.d.i.* **1** mudar a direção, o rumo (de) <*o orador derivou (a palestra) para outro tema*> □ *t.i. e pron.* **2** (prep. *de*) ter origem em; proceder <*suas angústias derivavam(-se) da falta de trabalho*> **3** (prep. *de, para*) correr (o líquido); fluir <*a água deriva(-se) da nascente para a represa*> **4** LING GRAM (prep. *de*) formar-se (uma palavra) a partir de outra, com acréscimo de afixos <bondade *deriva(-se) de* bom> □ *t.d.i.* **5** (prep. *de*) extrair, retirar <*d. hipóteses dos fatos*>

derma (der.ma) *s.m.* ANAT derme

dermáptero (der.máp.te.ro) *s.m.* ZOO **1** espécime dos dermápteros, ordem de insetos encontrados em regiões tropicais, de hábitos ger. noturnos, vulgarmente conhecidos como lacrainhas ■ *adj.* **2** relativo a essa ordem

dermatite (der.ma.ti.te) *s.f.* MED inflamação da pele

dermatologia (der.ma.to.lo.gi.a) *s.f.* MED ramo da medicina que trata do diagnóstico e tratamento das doenças da pele ~ **dermatológico** *adj.* - **dermatologista** *adj.2g.s.2g.*

dermatose (der.ma.to.se) *s.f.* MED qualquer doença de pele, esp. quando não há inflamação

derme (der.me) *s.f.* camada da pele que fica sob a epiderme; derma ~ **dérmico** *adj.*

dermóptero (der.móp.te.ro) *s.m.* ZOO **1** espécime dos dermópteros, ordem de mamíferos conhecidos como lêmures-voadores, por possuírem membros unidos por uma prega de pele que se estende até o pescoço, dedos e cauda, o que lhes permite planar por entre as árvores das florestas tropicais da Ásia ■ *adj.* **2** relativo a esses mamíferos

derradeiro (der.ra.dei.ro) *adj.* **1** que não é sucedido por nenhum outro de seu gênero <*gastou o seu d. cartucho*> **2** final; último <*prazo d.*> ↺ primeiro

derrama (der.ra.ma) *s.f.* HIST no período colonial, imposto pago pelos mineradores ou cobrança dos quintos atrasados

derramar (der.ra.mar) *v.* {mod. 1} *t.d.,t.d.i. e pron.* **1** (prep. *em*) (fazer) sair (líquido, grãos etc.), ger. em grande quantidade e espalhando(-se) <*derramou a areia toda*> <*derrame a água suja (no ralo)*> **2** *p.ext.* (prep. *por*) espalhar(-se) sem direção precisa <*a janela derrama luz (pela casa)*> <*o cheiro derramava-se pela sala*> □ *t.d. e pron.* **3** expressar(-se) de forma abundante (sentimentos, emoções etc.) <*seus olhos derramavam tristeza*> <*ao me cumprimentar, derramou-se em gentilezas*> □ *t.d.* **4** cortar ou aparar os ramos de <*d. a árvore*> □ *pron. fig.* **5** (prep. *por*) estar apaixonado <*ela se derrama pelo Paulo*> ~ **derramamento** *s.m.*

derrame (der.ra.me) *s.m.* **1** ato de derramar ou o seu efeito; derramamento <*d. de sangue*> **2** MED ruptura de vaso sanguíneo gerando hemorragia ▣ **d. cerebral** MED acidente vascular cerebral

derrapagem (der.ra.pa.gem) [pl.: *-ens*] *s.f. B* ato ou efeito de derrapar

derrapar (der.ra.par) *v.* {mod. 1} *int.* deslizar de maneira desgovernada *<o carro derrapou na pista molhada>* ~ **derrapada** *s.f.* - **derrapante** *adj.2g.*

derrear (der.re.ar) *v.* {mod. 5} *t.d. e pron.* **1** (fazer) tomar posição inclinada, dobrada; curvar(-se) *<derreou o corpo para entrar no cubículo> <os galhos derreavam-se ao peso das frutas>* ↺ endireitar(-se) **2** (fazer) ficar muito cansado; esgotar(-se) *<o duro trabalho derreava-o> <o animal derreou-se com o excesso de carga>* ↺ descansar ~ **derreamento** *s.m.*

derredor (der.re.dor) *adv.* em volta, em redor; ao derredor, em derredor *<olhou d., mas não viu ninguém>* ▣ **ao d.** ou **em d.** derredor • **ao d. de** ou **em d. de** em volta de, em redor de, em torno de *<havia uma cerca em d. do terreno>*

derreter (der.re.ter) *v.* {mod. 8} *t.d.,int. e pron.* **1** (fazer) passar ao estado líquido pela ação do calor ou de outro agente qualquer; liquefazer(-se), fundir(-se) *<d. um metal> <o gelo derreteu> <o sorvete derretia(-se) rapidamente>* ↺ solidificar(-se) **2** *fig.* (fazer) sentir emoção intensa; comover(-se) *<aquelas palavras o derreteram> <o seu coração se derretia com as graças da caçula>* **3** *fig.* tornar(-se) mais suave; abrandar(-se) *<d. a dureza de um temperamento> <ela derreteu-se quando percebeu a injustiça que cometera>* ↺ endurecer(-se) □ *pron. fig.* **4** (prep. *em*) mostrar sentimentos, emoções; desfazer-se *<d.-se em lágrimas>* **5** (prep. *por*) estar apaixonado *<d.-se pela esposa>*

derretimento (der.re.ti.men.to) *s.m.* **1** ato ou efeito de derreter(-se); transformação de sólido em líquido ↺ solidificação **2** *fig.* encantamento, enlevo *<contemplava a dançarina cheio de d.>* ↺ desinteresse

derribar (der.ri.bar) *v.* {mod. 1} *t.d.* **1** fazer cair; derrubar *<o solavanco derribou-o>* **2** impor domínio sobre; vencer *<d. o inimigo>* ↺ perder □ *t.d. e t.d.i.* **3** (prep. *de*) privar de (cargo, função, poder etc.); destituir *<d. políticos (de cargos de confiança)>* □ *pron.* **4** atirar-se, lançar-se *<derribaram-se sobre os inimigos>*

derrocada (der.ro.ca.da) *s.f.* **1** demolição de construção humana ou natural ↺ construção **2** *fig.* queda acompanhada de decadência *<d. de uma empresa>* ↺ ascensão

derrocamento (der.ro.ca.men.to) *s.m.* derrocada

derrocar (der.ro.car) *v.* {mod. 1} *t.d. e pron.* **1** pôr ou vir abaixo; destruir(-se) *<d. o prédio> <a montanha se derrocou no terremoto>* ↺ erguer(-se) □ *t.d. fig.* **2** destituir do poder; derrubar *<d. o governo>*

derrogar (der.ro.gar) *v.* {mod. 1} *t.d.* **1** alterar em parte (lei, regulamento ou sentença) **2** tornar nulo; invalidar ↺ validar □ *t.i.* **3** (prep. *a*) contrariar (lei ou costume) *<agindo assim, ele derroga aos costumes da família>* ~ **derrogação** *s.f.* - **derrogatório** *adj.*

derrota (der.ro.ta) *s.f.* **1** perda de uma batalha, de uma guerra, de uma competição *<ele estuda a d. da Alemanha em 1945> <a d. não abalou o time>* ↺ vitória **2** revés (em negócio, amor etc.) ↺ sucesso **3** derrubada do poder; queda *<d. de ministro>* ↺ nomeação **4** *B infrm.* acontecimento desventurado, doloroso; calamidade *<a partida do filho foi uma d. na sua vida>* ↺ felicidade

derrotar (der.ro.tar) *v.* {mod. 1} *t.d.* **1** vencer em luta, guerra, competição etc. *<d. um adversário>* ↺ perder **2** produzir cansaço em; fatigar *<a longa e mal dormida viagem derrotou o homem>* ↺ descansar **3** desencorajar, desestimular *<as dificuldades derrotaram-no>* ↺ encorajar

derrotismo (der.ro.tis.mo) *s.m.* atitude pessimista daquele que só crê no fracasso, na derrota ~ **derrotista** *adj.2g.s.2g.*

derrubar (der.ru.bar) *v.* {mod. 1} *t.d. e t.d.i.* **1** (prep. *de, em*) deixar ou fazer cair *<ele derrubou o vaso (no chão)>* **2** (prep. *de*) privar (de cargo, função, poder etc.); destituir *<d. protegidos (dos cobiçados cargos)>* □ *t.d.* **3** vencer, arrasar *<d. o inimigo>* ↺ perder **4** *B gír.* pôr em situação desvantajosa; prejudicar *<essas intrigas não vão me d.>* ↺ ajudar **5** *fig.* abater, prostrar, desanimar *<os desafios nunca o derrubam>* ↺ animar ~ **derrubada** *s.f.*

derruir (der.ru.ir) *v.* {mod. 26} *t.d. e pron.* **1** pôr ou vir abaixo; destruir(-se) *<d. um prédio> <o muro derruiu-se>* **2** *fig.* aniquilar(-se), extinguir(-se) *<a má gestão derruiu a empresa> <não deixaremos d.-se nosso sonho>*

dervixe (der.vi.xe) *s.m.* REL monge muçulmano que faz votos de pobreza, humildade e castidade

des- *pref.* **1** 'separação, afastamento': *descascar, desenterrar* **2** 'oposição, negação': *desamor, desnortear* **3** 'aumento, reforço': *desinfeliz*

desabafar (de.sa.ba.far) *v.* {mod. 1} *t.d.,t.d.i.,t.i.,int. e pron.* **1** (prep. *com*) dizer (o que sente ou pensa) [a alguém] *<d. uma dor> <ele (se) desabafa com o pai> <João desabafou as mágoas com a mulher> <você precisa d.>* □ *t.d. e pron.* **2** retirar o que abafa; descobrir(-se) *<é melhor d. essa criança> <desabafou-se por causa do calor>* ↺ abafar(-se) □ *t.d.* **3** fazer circular o ar em; arejar *<d. a sala>* ~ **desabafamento** *s.m.*

desabafo (de.sa.ba.fo) *s.m.* **1** manifestação de sentimentos e pensamentos íntimos *<esta carta é um d.>* **2** desafogo, desopressão *<a minha vitória foi um d.>*

desabalado (de.sa.ba.la.do) *adj.* **1** que parece não ter freios ou limites; desembestado *<corrida d.>* **2** excessivo, enorme *<dor d.>* ■ *s.m.* **3** movimento precipitado, descomedido *<no d. da fuga atropelou duas pessoas>*

desabar (de.sa.bar) *v.* {mod. 1} *int.* **1** despencar, cair, desmoronar *<prédios ameaçavam d.>* **2** *p.ext.* cair com violência (chuva, temporal etc.) ~ **desabamento** *s.m.*

desabilitar (de.sa.bi.li.tar) *v.* {mod. 1} *t.d.,t.d.i. e pron.* (prep. *para*) [fazer] perder a habilidade (para atividade, função etc.) *<a velhice desabilitou-o (para o trabalho)> <por não estudar, desabilitou-se para o cargo>* ↺ qualificar(-se)

desabitado (de.sa.bi.ta.do) *adj.* que não tem habitantes; despovoado, deserto ↺ habitado, povoado

desabitar (de.sa.bi.tar) *v.* {mod. 1} *t.d.* **1** deixar de habitar (casa, moradia etc.) ↺ habitar, morar **2** deixar (local) sem habitantes; despovoar *<a seca levou-os a d. suas terras>* ↺ povoar

desabituar (de.sa.bi.tu.ar) *v.* {mod. 1} *t.d.i. e pron.* (prep. *de*) [fazer] perder o hábito (de); desacostumar (-se) *<a vida fácil desabituou-o de trabalhar> <desabituou-se depressa da vida de cidade grande>* ↺ habituar(-se)

desabonar (de.sa.bo.<u>nar</u>) *v.* {mod. 1} *t.d. e pron.* tornar(-se) indigno de estima, consideração, crédito; desacreditar(-se) *<confio nele, nada o desabona> <não há fato que desabone sua conduta> <faz de tudo para não d.-se>* ↺ abonar(-se) ~ **desabonador** *adj.s.m.* - **desabono** *s.m.*

desabotoar (de.sa.bo.to.<u>ar</u>) *v.* {mod. 1} *t.d.* **1** abrir retirando das casas ou dos fechos os botões de (roupa) *<d. uma camisa>* ↺ abotoar □ *t.d. e pron.* **2** abrir a roupa (de), soltando os botões *<d. o bebê> <desabotoou--se antes de entrar no banho>* ↺ abotoar □ *t.d.,int. e pron.* **3** desabrochar(-se) [botão de flor] *<as árvores desabotoavam belas flores> <uma flor desabotoou(-se) solitária no jardim>*

desabrido (de.sa.<u>bri</u>.do) *adj.* **1** insolente, inconveniente *<palavras d.>* ↺ amável **2** que é fisicamente desagradável; áspero, rude *<frio d.>* ↺ ameno

desabrigado (de.sa.bri.<u>ga</u>.do) *adj.s.m.* que(m) não tem abrigo ou perdeu o abrigo

desabrigar (de.sa.bri.<u>gar</u>) *v.* {mod. 1} *t.d. e pron.* **1** tirar ou sair do abrigo; desalojar(-se) *<a tempestade desabrigou a população> <desabrigou-se, em busca de aventura>* ↺ abrigar(-se) □ *t.d. p.ext.* **2** desamparar, abandonar ↺ proteger, resguardar

desabrigo (de.sa.<u>bri</u>.go) *s.m.* **1** falta de abrigo *<d. das famílias>* ↺ abrigo **2** *p.ext.* situação de desamparo, abandono ↺ amparo

desabrochar (de.sa.bro.<u>char</u>) *v.* {mod. 1} *int. e pron.* **1** abrir(-se) [o botão] em flor *<começaram a d.(-se) as primeiras violetas>* **2** *fig.* nascer, surgir *<a alegria se desabrochava por toda parte>* ↺ acabar **3** *fig.* desenvolver-se de forma bela ou eficaz; crescer, florescer *<a empresa rapidamente desabrochava> <o romance se desabrocha com paixão>* ~ **desabrochamento** *s.m.*

desabusado (de.sa.bu.<u>sa</u>.do) *adj.* **1** que perdeu a ilusão, preconceito ou superstição ■ *adj.s.m.* **2** que(m) é atrevido, confiado, insolente

desacatar (de.sa.ca.<u>tar</u>) *v.* {mod. 1} *t.d.* **1** não tratar com respeito *<d. uma autoridade>* ↺ respeitar **2** não dar importância a; desconsiderar, desobedecer *<d. usos, ordens>* ↺ considerar ~ **desacatamento** *s.m.*

desacato (de.sa.<u>ca</u>.to) *s.m.* ato ou efeito de desacatar; falta de respeito *<d. à autoridade>* ↺ respeito

desacelerar (de.sa.ce.le.<u>rar</u>) *v.* {mod. 1} *t.d. e int.* **1** diminuir a velocidade (de) *<d. o carro> <o motor desacelerou>* ↺ acelerar **2** *p.ext.* tornar mais lento o progresso (de); retardar *<d. o crescimento industrial> <a inflação desacelerou>* ~ **desaceleração** *s.f.*

desacertar (de.sa.cer.<u>tar</u>) *v.* {mod. 1} *t.d.* **1** não acertar; errar *<d. as questões da prova>* **2** não conseguir encontrar *<d. o caminho, a solução>* ↺ achar □ *t.d. e pron.* **3** desfazer(-se) o acerto, a correção *<ele desacertou todos os cálculos que tínhamos feito> <desacertou-se a marcha dos soldados>* **4** desregular(-se) [motor, relógio etc.] *<a queda desacertou o relógio> <o motor do carro desacertou-se>*

desacerto (de.sa.<u>cer</u>.to) /ê/ *s.m.* **1** falta de acerto; erro ↺ acerto **2** despropósito, asneira, tolice **3** falta de entendimento; desavença, desunião ↺ concordância

desacomodar (de.sa.co.mo.<u>dar</u>) *v.* {mod. 1} *t.d.* **1** tirar do cômodo, do aposento; desalojar *<d. o inquilino inadimplente>* ↺ acomodar **2** desarrumar, desorganizar *<d. os livros>* ↺ arrumar □ *t.d. e pron.* **3** incomodar(-se), perturbar(-se) *<o barulho desacomodou os hóspedes> <desacomodou-se com a insolência do empregado>*

desacompanhado (de.sa.com.pa.<u>nha</u>.do) *adj.* **1** sem companhia; só, solitário *<ele prefere andar d.>* ↺ acompanhado **2** sem a presença de algo *<arroz d. de feijão>* ↺ acompanhado

desacompanhar (de.sa.com.pa.<u>nhar</u>) *v.* {mod. 1} *t.d.* **1** deixar de acompanhar; largar *<d. os amigos nas farras>* ↺ acompanhar **2** recusar apoio a; desproteger *<ele desacompanhou a esposa nos momentos difíceis>* **3** perder o interesse por *<d. um assunto da atualidade>* ↺ interessar-se

desaconselhar (de.sa.con.se.<u>lhar</u>) *v.* {mod. 1} *t.d. e t.d.i.* (prep. *a*) aconselhar (alguém) a não fazer (algo); dissuadir, contraindicar *<o mau tempo desaconselha viagens> <o médico lhe desaconselhou dietas rigorosas>* ↺ indicar, recomendar ~ **desaconselhável** *adj.2g.*

desacorçoar (de.sa.cor.ço.<u>ar</u>), **desacoroçoar** (de.sa.co.ro.ço.<u>ar</u>) ou **descorçoar** (des.cor.ço.<u>ar</u>) *v.* {mod. 1} *t.d. e int.* **1** (fazer) perder o ânimo ou a coragem; esmorecer, acovardar(-se) *<a superioridade do adversário desacorçoou o time> <d. diante da adversidade>* ↺ animar(-se) **2** desapontar(-se), decepcionar(-se) *<a indiferença dos superiores desacorçoou-o> <desacorçoava com um mau resultado dos seus alunos>*

[1]**desacordado** (de.sa.cor.<u>da</u>.do) *adj.* que perdeu os sentidos; desmaiado ↺ acordado ◉ ORIGEM part. de [1]*desacordar*

[2]**desacordado** (de.sa.cor.<u>da</u>.do) *adj.* que está em desacordo, em divergência *<sócio d.>* ↺ combinado ◉ ORIGEM part. de [2]*desacordar*

[1]**desacordar** (de.sa.cor.<u>dar</u>) *v.* {mod. 1} *int. e pron.* **1** perder os sentidos; desmaiar *<desacordou(-se) após forte pancada na cabeça>* □ *t.i. e pron.* **2** (prep. *de*) perder a lembrança; esquecer *<d.(-se) de um velho amigo>* ↺ lembrar ◉ ORIGEM *des-* + [2]*acordar*

[2]**desacordar** (de.sa.cor.<u>dar</u>) *v.* {mod. 1} *t.d.,t.i.,int. e pron.* **1** (prep. *de*) pôr(-se) em desacordo, em divergência *<a herança desacordava os irmãos> <os dois desacordavam (dos outros) constantemente> <d.(-se) da decisão>* ↺ acordar □ *t.d. e int. p.ext.* **2** (fazer) perder a harmonia (de cores, sons etc.) *<o pintor desacordou os matizes de azul e amarelo> <a banda desacordava>* ↺ harmonizar ◉ ORIGEM *des-* + [1]*acordar*

desacordo (de.sa.<u>cor</u>.do) /ô/ *s.m.* **1** ausência de entendimento; desavença ↺ acordo **2** *p.ext.* conjunto desarmônico (de sons, cores etc.) ↺ harmonia **3** *p.ext.* falta de integração; desarmonia *<d. entre os setores da empresa>* ↺ integração

desacoroçoar (de.sa.co.ro.ço.<u>ar</u>) *v.* → ***DESACORÇOAR***

desacorrentar (de.sa.cor.ren.<u>tar</u>) *v.* {mod. 1} *t.d. e pron.* desprender(-se) de corrente *<d. um prisioneiro> <as feras desacorrentaram-se>* ↺ acorrentar(-se)

desacostumar (de.sa.cos.tu.<u>mar</u>) *v.* {mod. 1} *t.d.i. e pron.* (prep. *de*) [fazer] perder o costume de; desabituar(-se) *<d. uma criança dos maus hábitos> <d.-se de um vício>* ↺ habituar(-se)

desacreditado (de.sa.cre.di.ta.do) *adj.* **1** que perdeu o crédito; em que não se pode acreditar *<a empresa d. acabou falindo>* **2** que perdeu a importância, a boa reputação; menosprezado *<embora lido no passado, hoje é um autor d.>*

desacreditar (de.sa.cre.di.tar) *v.* {mod. 1} *t.d. e pron.* **1** (fazer) perder a boa reputação; desabonar(-se) *<o escândalo desacreditou o partido> <agindo assim, ele se desacredita>* **2** depreciar, desmerecer *<d. o empregado>* ↺ valorizar **3** não acreditar em *<d. argumentos inverossímeis>* ↺ acreditar

desafeição (de.sa.fei.ção) [pl.: *-ões*] *s.f.* falta, diminuição ou perda de afeto, de amizade ↺ afeição

[1]**desafeiçoar** (de.sa.fei.ço.ar) *v.* {mod. 1} *t.d.* mudar as feições de; desfigurar ◉ ORIGEM *des-* + [2]*afeiçoar*

[2]**desafeiçoar** (de.sa.fei.ço.ar) *v.* {mod. 1} *t.d.i. e pron.* (prep. *de*) [fazer] perder o afeto, a amizade ou o gosto, o prazer por *<a distância não o desafeiçoou dos amigos> <desafeiçoou-se do namorado>* ↺ afeiçoar(-se) ◉ ORIGEM *des-* + [1]*afeiçoar*

desafeito (de.sa.fei.to) *adj.* que perdeu o costume de; desacostumado ↺ acostumado

desaferrar (de.sa.fer.rar) *v. t.d.,t.d.i. e pron.* **1** (prep. *de*) (fazer) ficar livre de (ferro ou corrente); desprender(-se), soltar(-se) *<d. um navio> <d. o cão da corrente> <o prisioneiro desaferrou-se dos grilhões>* □ *t.d.i. e pron.* **2** *fig.* (prep. *de*) retirar(-se) à força ou com dificuldade *<d. uma peça de outra> <consegui d.-me daquele lugar>* **3** *fig.* (prep. *de*) (levar a) desistir de; dissuadir(-se) *<desaferrei-o de seus intentos funestos> <d.-se de velhos hábitos>*

desaferrolhar (de.sa.fer.ro.lhar) *v.* {mod. 1} *t.d.* **1** abrir, correndo o ferrolho *<d. o portão>* ↺ aferrolhar □ *t.d. e t.d.i. fig.* **2** (prep. *de*) retirar (de onde está aferrolhado ou fortemente guardado) *<o carcereiro desaferrolhou os presos> <d. as joias do cofre>* □ *t.d. e pron. fig.* **3** (fazer) ganhar livre curso; soltar(-se) *<d. a imaginação> <a língua se desaferrolhou>*

desafetação (de.sa.fe.ta.ção) [pl.: *-ões*] *s.f.* modo espontâneo de ser, falar e agir; naturalidade ↺ afetação

desafeto (de.sa.fe.to) *s.m.* **1** ausência de afeto ou afeição ↺ amor **2** *B* adversário, inimigo ↺ amigo ■ *adj.* **3** que se mostra hostil a; contrário *<pessoas d. a um partido político>*

desafiador (de.sa.fi.a.dor) [pl.: *-es*] *adj.s.m.* **1** (o) que desafia ■ *adj.* **2** que é difícil de ser cumprido ou vencido *<projeto d.>*

desafiar (de.sa.fi.ar) *v.* {mod. 1} *t.d.* **1** provocar (alguém) para luta, combate, competição *<d. uma nação inimiga>* **2** *fig.* opor-se a, ger. com desrespeito; contestar *<d. um juiz>* **3** *fig.* pôr à prova; testar *<os riscos desafiavam sua coragem>* □ *t.d.i.* **4** (prep. *a*) incitar (alguém) a agir de certo modo ou fazer algo, ger. supondo sua incapacidade *<desafiou-o a mergulhar no lago gelado>*

desafinado (de.sa.fi.na.do) *adj.* **1** que saiu do tom próprio; não afinado *<instrumento d.>* **2** que não acerta o tom correto *<é inconcebível um cantor d.>*

desafinar (de.sa.fi.nar) *v.* {mod. 1} *t.d.,int. e pron.* **1** (fazer) produzir sons discordantes *<d. um acorde> <o coral desafinou> <nos agudos, ele costuma d.(-se)>* **2** desajustar(-se) [instrumento] *<a queda desafinou o violino> <nas mãos da criança, o violão vai d.(-se)>* □ *t.i. e int. fig.* **3** (prep. *de, em*) ser incompatível com; destoar *<o móvel rococó desafina da decoração moderna> <desafina do marido em política> <suas atitudes desafinavam no ambiente familiar>* ↺ combinar ~ **desafinação** *s.f.*

desafio (de.sa.fi.o) *s.m.* **1** ato de provocar alguém para duelo **2** *p.ext.* convocação para jogo, competição etc. **3** esse jogo, competição etc. *<d. de xadrez>* **4** *fig.* tarefa difícil *<d. da paz>* **5** *fig.* ato ou atitude de desrespeito e provocação; afronta *<olhar de d.>* **6** MÚS *B* diálogo cantado, com caráter de duelo, com versos de improviso

desafivelar (de.sa.fi.ve.lar) *v.* {mod. 1} *t.d.* abrir ou soltar, desprendendo de fivela ou presilha *<d. o cinto>* ↺ afivelar

desafogar (de.sa.fo.gar) *v.* {mod. 1} *t.d. e t.d.i.* **1** (prep. *de*) livrar (do que afoga, asfixia, sufoca) *<d. a garganta> <d. os pulmões de um edema>* □ *t.d.,t.d.i. e pron.* **2** *fig.* (prep. *de*) libertar(-se) [do que pesa à consciência, ao espírito]; desabafar(-se) *<d. as mágoas> <tentou d. o amigo de suas preocupações> <abriu-se comigo, para se d. (dos problemas)>* **3** (prep. *de*) tornar(-se) menos congestionado; esvaziar(-se) *<d. as ruas (de carros)> <o tráfego desafogou-se>* □ *t.d. e pron. fig.* **4** livrar(-se) de problemas financeiros *<o aumento salarial veio desafogar-nos> <a herança ajudou-o a d.-se>*

desafogo (de.sa.fo.go) /ô/ *s.m.* **1** estado de quem se encontra aliviado *<d. da dor>* ↺ aflição **2** despreocupação financeira; folga *<viver em d.>* ↺ privação

desaforado (de.sa.fo.ra.do) *adj.s.m.* que(m) ofende pela falta de respeito; atrevido, insolente *<resposta d.> <o d. recebeu uma reprimenda>* ↺ respeitoso

desaforo (de.sa.fo.ro) /ô/ *s.m.* atrevimento, insolência ↺ respeito ~ **desaforar** *v.t.d. e pron.*

desafortunado (de.sa.for.tu.na.do) *adj.s.m.* (o) que é marcado pela má sorte, pelo fracasso, pela desgraça; desgraçado, infeliz ↺ afortunado

desafronta (de.sa.fron.ta) *s.f.* reparação de uma ofensa; desagravo, vingança ↺ afronta

desafrontar (de.sa.fron.tar) *v.* {mod. 1} *t.d.,t.d.i. e pron.* **1** (prep. *de*) reparar afronta, ofensa etc.; vingar(-se) *<d. o amigo (de um insulto)> <d.-se de calúnias>* **2** (prep. *de*) livrar(-se) [de ataque, perseguição]; defender(-se) *<é preciso d. a cidade sitiada> <d. o país de uma invasão>* **3** (prep. *de*) libertar(-se) [de mal físico ou moral]; aliviar(-se) *<o remédio desafrontou-o (da dor)> <d.-se de um sentimento de culpa>*

desagasalhado (de.sa.ga.sa.lha.do) *adj.* **1** que não tem ou está sem agasalho ↺ agasalhado **2** *fig.* desamparado, desprotegido ↺ protegido ~ **desagasalhar** *v.t.d. e pron.*

deságio (de.sá.gio) *s.m.* ECON desvalorização do valor de título, moeda ou mercadoria em relação ao seu valor de mercado ↺ ágio

desagradar (de.sa.gra.dar) *v.* {mod. 1} *t.d.,t.i. e pron.* **1** (prep. *a, de*) [fazer] ter desprazer, desgosto, insatisfação; descontentar(-se) *<minhas palavras desagradaram o diretor> <a sugestão desagradou aos alunos> <desagradou-se de minhas críticas>* ↺ contentar(-se) □ *t.d. e t.i.* **2** (prep. *a*) causar reação desfavorável *<o projeto desagradou o prefeito> <a nova peça desagradou aos críticos>* ↺ agradar

D

desagradável (de.sa.gra.dá.vel) [pl.: *-eis*] *adj.2g.* **1** que desagrada; que causa desprazer ou incômodo **2** que aborrece, que desgosta *<notícias d.>*

desagrado (de.sa.gra.do) *s.m.* **1** ausência de agrado; desprazer ↺ prazer **2** indelicadeza no trato *<agir com d.>* ↺ delicadeza

desagravar (de.sa.gra.var) *v.* {mod. 1} *t.d.,t.d.i. e pron.* **1** (prep. *de*) reparar(-se) de (ofensa ou insulto); desafrontar(-se), vingar(-se) *<d. a honra ofendida> <d. alguém dos danos que lhe causaram> <não se preocupou em d.-se>* □ *t.d.* **2** tornar menos grave; suavizar *<seu arrependimento desagravou o mal que causara>* ↺ agravar **3** diminuir a intensidade de; aliviar (mal físico) *<o remédio desagravou a dor>*

desagravo (de.sa.gra.vo) *s.m.* reparação de uma ofensa ↺ agravo, afronta

desagregação (de.sa.gre.ga.ção) [pl.: *-ões*] *s.f.* **1** separação de algo em partes; divisão, fragmentação *<d. de um território>* ↺ união **2** perda da unidade de um conjunto organizado; dissolução *<d. de uma empresa>* ↺ conservação

desagregar (de.sa.gre.gar) *v.* {mod. 1} *t.d.,t.d.i. e pron.* **1** (prep. *em*) separar(-se) em partes; dividir(-se) *<a dissensão desagregou o partido (em duas facções)> <as moléculas desagregaram-se>* ↺ juntar(-se) □ *t.d. e pron. fig.* **2** dissolver(-se), deteriorar(-se), desorganizar(-se) *<d. costumes> <o grêmio desagregou-se>*

desaguadouro (de.sa.gua.dou.ro) *s.m.* lugar para onde e/ou por onde se escoam águas; vala

desaguar (de.sa.guar) *v.* {mod. 3} *t.d.* **1** fazer a água escoar de *<d. uma canoa>* **2** tornar seco; secar, drenar *<d. um terreno>* ↺ irrigar □ *t.i. e pron.* **3** terminar seu curso; desembocar, despejar(-se) *<o rio deságua(-se) no mar>* ~ **desaguamento** *s.m.*

desaire (de.sai.re) *s.m.* **1** aparência desalinhada; deselegância ↺ elegância **2** ato vergonhoso; vexame *<sua postura é um d. para a família>* ↺ honra **3** desgraça, derrota *<d. nos negócios>* ↺ sucesso

desairoso (de.sai.ro.so) /ô/ [pl. e fem.: /ó/] *adj.* **1** sem elegância; deselegante *<roupa d.>* ↺ elegante **2** que demonstra falta de decência; inconveniente *<ato d.>* ↺ decente

desajeitado (de.sa.jei.ta.do) *adj.* **1** fora de ordem; desarrumado *<quarto d.>* ↺ arrumado ■ *adj.s.m.* **2** que(m) tem falta de jeito, de destreza, de habilidade **3** (o) que demonstra timidez ↺ extrovertido **4** que(m) é malfeito de corpo; desengonçado, troncho ↺ elegante

desajudar (de.sa.ju.dar) *v.* {mod. 1} *t.d. e int.* **1** não dar ajuda a *<d. o colega>* **2** prestar ajuda de forma inconveniente a; atrapalhar

desajuizado (de.sa.ju.i.za.do) *adj.s.m.* que(m) demonstra insensatez; insensato ↺ prudente ~ **desajuizar** *v.t.d.*

desajustado (de.sa.jus.ta.do) *adj.* **1** que está fora da devida medida ou do grau certo de ajustamento *<mecanismo d.> <óculos d. à vista>* **2** que não se encaixa ou se une perfeitamente *<peças d.>* **3** cujo andamento e desenvolvimento sofrem transtornos; desordenado *<um mundo d.>* ■ *adj.s.m.* **4** que(m) se mostra emocionalmente desequilibrado **5** que(m) não se ajusta ao seu meio social

desajustar (de.sa.jus.tar) *v.* {mod. 1} *t.d.* **1** desfazer (ajuste, combinação, acordo etc.) □ *t.d. e pron.* **2** desunir(-se) [peças, mecanismo, conexões etc.]; afrouxar(-se) **3** desequilibrar(-se) emocionalmente ~ **desajustamento** *s.m.* - **desajuste** *s.m.*

desalentar (de.sa.len.tar) *v.* {mod. 1} *t.d.,int. e pron.* (fazer) perder o alento, o ânimo; esmorecer, desanimar(-se) *<as duras críticas o desalentaram> <não (se) desalente, encontraremos uma solução>* ↺ animar(-se) ~ **desalentador** *adj.s.m.*

desalento (de.sa.len.to) *s.m.* estado de quem se mostra sem ânimo; desânimo, abatimento ↺ alento, vigor

desalgemar (de.sal.ge.mar) *v.* {mod. 1} *t.d.* **1** tirar as algemas de ↺ algemar **2** *p.ext.* pôr em liberdade; soltar ↺ prender

desalinhado (de.sa.li.nha.do) *adj.* **1** que está fora do alinhamento *<estacas d. faziam uma cerca tosca>* **2** que está fora do lugar; desarrumado *<cabelos d.>* **3** com má apresentação, de aparência desagradável; malvestido

desalinhar (de.sa.li.nhar) *v.* {mod. 1} *t.d. e pron.* **1** (fazer) sair do alinhamento *<d. uma fileira de cadeiras> <a uma ordem, os alunos se desalinharam>* ↺ alinhar(-se) **2** *p.ext.* tornar(-se) desarrumado; desarranjar(-se) *<a correria desalinhou seu cabelo> <o vestido desalinhou-se durante a viagem>* ↺ arrumar(-se)

desalinhavar (de.sa.li.nha.var) *v.* {mod. 1} *t.d.* tirar os alinhavos de (roupa, costura etc.) ↺ alinhavar

desalinho (de.sa.li.nho) *s.m.* **1** falta de alinhamento *<d. dos prédios>* ↺ alinhamento **2** falta de cuidado com a aparência *<cabelos em d.>* **3** *fig.* desarrumação, desordem *<d. nos negócios>* ↺ cuidado

desalmado (de.sal.ma.do) *adj.s.m.* **1** que(m) demonstra ter maus sentimentos; cruel ↺ bondoso ■ *adj.* **2** que se caracteriza pela rigidez e crueldade *<lei d.>* ↺ piedoso

desalojar (de.sa.lo.jar) *v.* {mod. 1} *t.d.,t.i.,t.d.i. e pron.* **1** (prep. *de*) (fazer) sair de alojamento, de moradia etc.; retirar(-se) *<desalojou os filhos, para dedetizar a casa> <d. uma bala do pulmão> <ao saberem da epidemia, desalojaram(-se) da área>* □ *t.d. e t.d.i.* **2** forçar a abandonar posto, posição; expulsar *<d. o inimigo (de suas trincheiras)>* ↺ acolher ~ **desalojado** *adj.* - **desalojamento** *s.m.*

desamarrar (de.sa.mar.rar) *v.* {mod. 1} *t.d.,int. e pron.* **1** desprender(-se) [o que está amarrado ou atado] *<d. um embrulho> <desamarrou o animal> <o lenço desamarrou(-se)>* **2** *fig.* (fazer) perder a expressão de zanga, de preocupação *<desamarre essa cara, menino!> <ao vê-la, seu rosto (se) desamarrou>*

desamarrotar (de.sa.mar.ro.tar) *v.* {mod. 1} *t.d.,int. e pron.* tornar(-se) liso, sem vincos ou dobras; alisar *<d. uma roupa> <este tipo de papel não (se) desamarrota>* ↺ amarrotar(-se)

desamassar (de.sa.mas.sar) *v.* {mod. 1} *t.d.,int. e pron.* tornar(-se) liso, sem amassados; alisar(-se) *<d. a lataria do carro> <esse metal não (se) desamassa, mas quebra>* ↺ amassar(-se)

desambição (de.sam.bi.ção) [pl.: *-ões*] *s.f.* ausência de ambição; desapego ↺ ambição

desambientar (de.sam.bi.en.tar) *v.* {mod. 1} *t.d.* **1** tirar do ambiente natural ou rotineiro *<desambientou*

os filhos, mudando de cidade> □ *t.d. e pron.* **2** (fazer) sentir-se fora do ambiente *<a mudança de colégio desambientou-o> <desambientava-se em situações formais>* ↺ adaptar(-se)

desamontoar (de.sa.mon.to.ar) *v.* {mod. 1} *t.d.* separar o que está acumulado em monte(s) *<d. as roupas por lavar>* ↺ amontoar

desamor (de.sa.mor) /ô/ [pl.: *-res*] *s.m.* **1** ausência de amor; desafeição ↺ afeição **2** desprezo, desdém *<d. pela guerra>* ↺ atração **~ desamoroso** *adj.*

desamparado (de.sam.pa.ra.do) *adj.s.m.* que(m) não conta com amparo, com ajuda material e/ou moral; desvalido *<crianças d.> <devem-se acolher os d.>*

desamparar (de.sam.pa.rar) *v.* {mod. 1} *t.d.* **1** privar de ajuda material e/ou moral; abandonar *<d. uma população, uma região>* ↺ amparar □ *t.d. e pron.* **2** (prep. *de*) privar(-se) de apoio, escora *<arrancaram as estacas, desamparando as mudas>*

desamparo (de.sam.pa.ro) *s.m.* **1** estado do que ou de quem se encontra abandonado **2** falta de ajuda material e/ou moral *<viver no d.>*

desamuar (de.sa.mu.ar) *v.* {mod. 1} *t.d. e pron.* (fazer) deixar de sentir amuo; alegrar(-se), desemburrar(-se) *<ele sabe como d. as crianças> <ela tem mau gênio e demora a d.-se>*

desancar (de.san.car) *v.* {mod. 1} *t.d.* **1** curvar com golpes nas ancas *<desancou o animal teimoso>* **2** *p.ext.* bater muito em; espancar *<a multidão queria d. o assaltante>* **3** *fig.* criticar severamente *<ele desancou o novo livro>*

desancorar (de.san.co.rar) *v.* {mod. 1} *t.d. e int.* levantar a âncora (de); desaferrar *<d. um navio> <o veleiro desancorou e partiu>* ↺ ancorar

desandar (de.san.dar) *v.* {mod. 1} *t.d.* **1** mover (veículo, animal etc.) para trás □ *t.d. e int.* **2** percorrer (caminho, trajeto) em sentido oposto; retroceder *<desandou o atalho, em busca do companheiro> <mal chegara do local, desandou de volta para lá>* **3** não (deixar) atingir a consistência desejada *<d. um creme> <o molho desandou>* **4** *B* (fazer) ficar com diarreia *<o amendoim tende a d. o intestino> <o paciente desandou com o remédio>* □ *t.i.* **5** (prep. *a*) pôr-se a; começar *<d. a rir>* **6** (prep. *em*) ter como resultado; descambar *<aquele calor desandou em tempestade>* □ *int.* **7** entrar em declínio; decair *<sua sorte começou a d.>* ↺ melhorar

desanexar (de.sa.ne.xar) /cs/ *v.* {mod. 1} *t.d. e t.d.i.* (prep. *de*) separar (o que está anexado); desligar *<d. um território> <d. uma peça de um todo>* ↺ anexar

desanimação (de.sa.ni.ma.ção) [pl.: *-ões*] *s.f.* **1** estado de quem se mostra abatido; desânimo ↺ ânimo **2** falta de alegria ↺ animação

desanimado (de.sa.ni.ma.do) *adj.s.m.* **1** que(m) se mostra sem ânimo, sem vontade de agir ■ *adj.* **2** sem animação, sem a viva participação dos presentes *<reunião d.>*

desanimar (de.sa.ni.mar) *v.* {mod. 1} *t.d.,t.d.i.,t.i.,int. e pron.* **1** (prep. *de*) [fazer] perder o ânimo, o entusiasmo, a vontade; desalentar(-se) *<o amigo desanimou-o (de seu intento)> <desanimou da viagem por causa do custo> <não (se) desanime, não há mal que sempre dure>* ↺ animar(-se) □ *int.* **2** perder a agitação, a vibração *<a festa começou a d.>* ↺ animar-se **~ desanimador** *adj.s.m.*

desânimo (de.sâ.ni.mo) *s.m.* perda ou falta de ânimo; desanimação ↺ ânimo

desanuviar (de.sa.nu.vi.ar) *v.* {mod. 1} *t.d.,int. e pron.* **1** limpar(-se) de nuvens *<os raios de sol vieram d. o dia> <o tempo desanuviou(-se)>* ↺ anuviar(-se) □ *t.d.,t.d.i.,int. e pron. fig.* **2** (prep. *de*) (fazer) perder sentimento ou ar de preocupação, contrariedade, tensão etc.; serenar *<d. o espírito (de angústias)> <ao ter notícias, sua fronte desanuviou(-se)>* ↺ anuviar(-se)

desaparafusar (de.sa.pa.ra.fu.sar) *v.* {mod. 1} *t.d.* **1** tirar ou afrouxar o(s) parafuso(s) de *<d. uma prateleira>* □ *int. e pron.* **2** ficar com os parafusos frouxos, soltos *<com o uso, o banco pode d.(-se)>*

desaparecer (de.sa.pa.re.cer) *v.* {mod. 8} *int.* **1** deixar de estar visível; sumir *<acenou até o carro d.>* ↺ aparecer **2** *p.ext.* deixar de existir, de manifestar-se; acabar *<a febre irá d.> <daqui a pouco essa moda vai d.>* ↺ surgir **3** *fig.* ausentar-se, ger. sem avisar *<ninguém sabe por que a atriz desapareceu>* **4** perder a vida; extinguir-se; morrer *<estudamos espécies que já desapareceram>* □ *t.i.* **5** (prep. *com*) tirar do devido lugar; sumir *<desapareceram com as provas contra o réu>* **~ desaparecido** *adj.s.m.*

desaparecimento (de.sa.pa.re.ci.men.to) *s.m.* **1** ato ou efeito de desaparecer, de deixar de ser visto; desaparição *<d. de um cometa>* **2** ato ou efeito de deixar de existir ou de manifestar-se; desaparição *<d. de uma floresta> <d. de moléstia>* ↺ surgimento **3** extravio ou roubo; desaparição *<d. das malas>* **4** morte, falecimento; desaparição

desaparição (de.sa.pa.ri.ção) [pl.: *-ões*] *s.f.* desaparecimento

desapear (de.sa.pe.ar) *v.* {mod. 5} *t.d.,int. e pron.* apear

desapegar (de.sa.pe.gar) *v.* {mod. 1} *t.d.i. e pron.* **1** (prep. *de*) tornar(-se) menos afeiçoado a *<seu exemplo desapegou os filhos dos luxos> <d.-se de um amigo>* ↺ afeiçoar(-se) **2** (prep. *de*) (fazer) perder o envolvimento, a dependência ou o compromisso com; afastar(-se) *<d. alguém dos maus hábitos> <desapegou-se do magistério>* ↺ apegar(-se), envolver(-se)

desapego (de.sa.pe.go) /ê/ *s.m.* **1** modo de ser ou estado de quem revela desamor ↺ amor **2** desinteresse, desprendimento *<d. de bens materiais>* ↺ interesse

desapercebido (de.sa.per.ce.bi.do) *adj.* **1** descuidado, desprevenido *<viu-a d. e roubou-lhe a bolsa>* ↺ prevenido **2** de que não se tem conhecimento, não observado; despercebido *<evolução d. aos cientistas>* ↺ observado **~ desaperceber** *v.t.d.,t.d.i. e pron.*

desapertar (de.sa.per.tar) *v.* {mod. 1} *t.d. e pron.* **1** tornar(-se) folgado; afrouxar(-se) *<d. o nó da gravata> <os parafusos se desapertaram>* ↺ apertar(-se) **2** *fig.* aliviar(-se) do que preocupa, angústia *<d. a alma> <o coração se desapertou>* ↺ angustiar(-se) □ *t.d.* **3** abrir ou afrouxar botão, fivela etc. de *<d. um cinto>* **4** *fig.* tirar de aperto financeiro *<o 13º salário irá d. os trabalhadores>* **~ desaperto** *s.m.*

desapiedar (de.sa.pi.e.dar) *v.* {mod. 1} *t.d. e pron.* tornar(-se) indiferente à dor e ao sofrimento alheio ↺ sensibilizar(-se) **~ desapiedado** *adj.*

D

D

[1]desapontar (de.sa.pon.tar) *v.* {mod. 1} *t.d.* tornar rombuda a ponta de *<d. um lápis>* ↺ afiar ◉ ORIGEM *des-* + *[1]apontar*

[2]desapontar (de.sa.pon.tar) *v.* {mod. 1} *t.d. e pron.* (prep. *com*) iludir(-se) em seus desejos e/ou expectativas; decepcionar(-se) *<o resultado desapontou-os> <desapontou-se com o colega>* ◉ ORIGEM do ing. (*to*) *disappoint* 'frustrar' ~ **desapontado** *adj.* - **desapontamento** *s.m.*

desapossar (de.sa.pos.sar) *v.* {mod. 1} *t.d.i.* **1** (prep. *de*) privar da posse, do domínio de *<os assaltantes desapossaram-na de todas as joias>* □ *pron.* **2** (prep. *de*) renunciar à posse *<desapossou-se de seus bens em benefício dos sobrinhos>* ↺ apoderar-se

desapreço (de.sa.pre.ço) /ê/ *s.m.* sentimento que se tem por alguém ou por algo considerado indigno de apreço, de consideração; menosprezo, desprezo *<d. a uma pessoa pública> <d. por um regime político>* ↺ estima

desaprender (de.sa.pren.der) *v.* {mod. 8} *t.d.,t.i. e int.* (prep. *de, a*) esquecer (o que se sabia ou aprendera) *<d. uma arte> <desaprendeu de viver só> <sem prática, as pessoas desaprendem>* ↺ aprender

desaprendizado (de.sa.pren.di.za.do) *s.m.* perda de conhecimento, esquecimento de algo *<d. de regras>* ↺ aprendizado

desapropriar (de.sa.pro.pri.ar) *v.* {mod. 1} *t.d. e t.d.i.* **1** (prep. *de*) privar do direito à propriedade sobre *<desapropriou-os (de suas terras)>* □ *t.d.* **2** tornar (propriedade particular) um bem público *<d. latifúndios improdutivos>* □ *pron.* **3** (prep. *de*) renunciar à posse de *<desapropriou-se do direito à herança>* ~ **desapropriação** *s.f.* - **desapropriador** *adj.s.m.*

desaprovar (de.sa.pro.var) *v.* {mod. 1} *t.d.* não considerar bom, justo, adequado; reprovar *<d. um projeto, um comportamento>* ↺ aprovar ~ **desaprovação** *s.f.* - **desaprovador** *adj.s.m.*

desaprumar (de.sa.pru.mar) *v.* {mod. 1} *t.d.,int. e pron.* **1** (fazer) sair de prumo; inclinar(-se) *<d. um mastro> <os soldados desaprumaram(-se) após a continência>* ↺ endireitar(-se) **2** *fig.* (fazer) perder a compostura; transtornar(-se) ↺ acalmar(-se)

desaprumo (de.sa.pru.mo) *s.m.* falta de aprumo ↺ aprumo

desaquecer (de.sa.que.cer) *v.* {mod. 8} *t.d.* **1** tirar o aquecimento de; esfriar *<d. um motor>* ↺ esquentar □ *t.d. e int. fig.* **2** (fazer) perder força (ger. atividade econômica); enfraquecer *<a crise desaqueceu o comércio>* ↺ aquecer

desarmamento (de.sar.ma.men.to) *s.m.* **1** ato de tirar a(s) arma(s) de alguém *<d. da população civil>* **2** redução ou supressão de armamentos por convenção entre os Estados

desarmar (de.sar.mar) *v.* {mod. 1} *t.d. e pron.* **1** (fazer) largar as armas *<conseguiu d. o agressor> <desarmaram-se e entregaram-se>* ↺ armar(-se) **2** reduzir ou extinguir os armamentos de *<d. um país> <a nação deve d.-se>* □ *t.d.* **3** privar dos instrumentos de ataque e defesa *<d. um forte>* **4** desativar (bomba, mina etc.) **5** desfazer (o que está armado, montado); desmontar *<d. a árvore de Natal>* ↺ armar **6** *fig.* deixar sem ação; paralisar *<a resposta desarmou-o>* **7** *fig.* tornar sem efeito; frustrar *<d. um plano>* ~ **desarme** *s.m.*

desarmonia (de.sar.mo.ni.a) *s.f.* **1** MÚS resultado do que contraria uma harmonia de sons ↺ afinação **2** condição do que não mostra equilíbrio na forma, nas proporções, nas cores ↺ simetria **3** *fig.* divergência, discordância, divisão *<d. entre nações>* ↺ harmonia ~ **desarmônico** *adj.*

desarmonizar (de.sar.mo.ni.zar) *v.* {mod. 1} *t.d.* **1** tornar dissonante *<d. uma melodia>* ↺ harmonizar **2** tirar a proporção, o equilíbrio, a harmonia de *<o artista desarmonizou a gravura> <o carpete desarmoniza a decoração>* ↺ harmonizar □ *t.d. e pron.* **3** pôr(-se) em desacordo; desavir(-se) *<as dificuldades financeiras desarmonizaram a família> <os dois desarmonizaram-se, ao trabalharem juntos>* ↺ harmonizar(-se)

desarraigar (de.sar.rai.gar) *v.* {mod. 1} *t.d.* **1** arrancar (planta, árvore etc.) pela raiz □ *t.d.,t.d.i. e pron. fig.* **2** (prep. *de*) pôr fim a ou ter fim *<d. um vício (do filho)> <o amor não vai d.-se do coração>* ↺ arraigar(-se) ~ **desarraigamento** *s.m.*

desarranjar (de.sar.ran.jar) *v.* {mod. 1} *t.d. e pron.* **1** pôr(-se) em desordem; desarrumar(-se) *<as crianças desarranjaram as gavetas> <com o vento, seus cabelos se desarranjaram>* ↺ arrumar **2** transtornar(-se) o curso, o desenrolar normal de; perturbar(-se) *<d. um plano> <sua vida desarranjou-se depois da demissão>* □ *t.d.,int. e pron. infrm.* **3** (fazer) ficar com diarreia *<o medicamento desarranjou-o> <o intestino desarranjou(-se)>*

desarranjo (de.sar.ran.jo) *s.m.* **1** falta de arrumação; desalinho *<d. de um quarto> <d. de seus cabelos>* ↺ arrumação **2** estado daquilo que está enguiçado *<d. de um relógio>* ↺ desenguiço **3** contratempo; incômodo *<sem querer, fora causa daquele d.>* ▣ **d. intestinal** *infrm.* diarreia

desarrazoado (de.sar.ra.zo.a.do) *adj.* **1** dominado pela emoção *<pessoa, decisão d.>* ↺ racional **2** despropositado, absurdo *<crítica d.> <preço d.>* ↺ sensato, razoável ~ **desarrazoar** *v.int.*

desarrear (de.sar.re.ar) *v.* {mod. 5} *t.d.* **1** retirar os arreios de *<d. o cavalo>* ↺ arrear □ *pron. p.ext.* **2** tirar os enfeites, adornos *<d.-se ao chegar da festa>* ↺ enfeitar-se

desarrochar (de.sar.ro.char) *v.* {mod. 1} *t.d.* despertar (algo arrochado ou atado); afrouxar ↺ arrochar

desarrumação (de.sar.ru.ma.ção) [pl.: *-ões*] *s.f.* **1** ato de colocar fora de ordem ou de alterar a arrumação de algo, ou o seu efeito **2** confusão, bagunça ↺ arrumação

desarrumado (de.sar.ru.ma.do) *adj.* **1** fora da ordem ou do lugar *<cozinha d.>* **2** que se caracteriza pelo desalinho ou falta de cuidado com a aparência *<pessoa d.>* **3** *fig.* que perdeu a orientação ou o rumo *<estava com a vida d.> <sua cabeça ficou d. após a morte do pai>*

desarrumar (de.sar.ru.mar) *v.* {mod. 1} *t.d.* **1** pôr em desordem; desarranjar *<d. o quarto>* ↺ arrumar **2** *fig.* causar transtorno a; perturbar *<as obras desarrumaram a rotina da casa>* □ *t.d. e pron.* **3** (fazer) ficar em desalinho (pessoa, cabelos etc.) ↺ ajeitar(-se)

desarticulação (de.sar.ti.cu.la.ção) [pl.: *-ões*] *s.f.* **1** ato ou efeito de desarticular(-se) *<d. de um osso> <d. do tornozelo>* **2** falta de articulação *<d. entre ministérios>* ↺ articulação **3** *fig.* desmantelamento; fragmentação *<d. de uma rede de contrabando>* ↺ organização **4** *fig.* ausência de sequência lógica *<d. de um texto>*

desarticular (de.sar.ti.cu.lar) *v.* {mod. 1} *t.d. e pron.* **1** (fazer) sair da articulação (osso ou parte do corpo); deslocar(-se) *<d. o pé> <o osso da clavícula desarticulou-se>* **2** (fazer) sair do(s) encaixe(s); desconjuntar(-se) *<desarticulou o aparelho ao tentar consertá-lo> <com o esbarrão, o enfeite de mesa desarticulou-se>* ↺ encaixar (-se) **3** *fig.* romper a unidade de; fragmentar(-se) *<d. uma greve> <o bando desarticulou-se>* ~ **desarticulado** *adj.*

desarvorado (de.sar.vo.ra.do) *adj.* **1** sem saber o que fazer; desnorteado ↺ orientado **2** *p.ext.* que denota desassossego; alvoroçado ↺ sossegado **3** *fig.* que sai ou foge desordenadamente; esbaforido

desarvorar (de.sar.vo.rar) *v.* {mod. 1} *t.d.* **1** pôr abaixo (algo erguido) *<d. um poste>* □ *int.* **2** sair em disparada; fugir *<viu o trem vindo e desarvorou>* □ *t.d. e pron. B* **3** tornar(-se) confuso, desnorteado; desorientar(-se) *<a reprovação no exame desarvorou-a> <desarvorou-se com a perda dos documentos>* ↺ acalmar(-se)

desasnar (de.sas.nar) *v.* {mod. 1} *t.d.* fazer adquirir instrução ou conhecimentos básicos sobre um ofício, arte etc.; instruir(-se) *<d. crianças de rua>*

desasseio (de.sas.sei.o) *s.m.* ausência de asseio; sujeira ↺ limpeza

desassisado (de.sas.si.sa.do) *adj.s.m.* que(m) não tem siso, juízo; doido ↺ ajuizado

desassistido (de.sas.sis.ti.do) *adj.* **1** que não tem amparo, proteção; desvalido *<criança d.>* ↺ assistido **2** carente de auxílio, de cuidados *<doente d.>* ↺ assistido ~ **desassistir** *v.t.d.*

desassociar (de.sas.so.ci.ar) *v.* {mod. 1} *t.d.,t.d.i. e pron.* **1** (prep. *de*) (fazer) romper o vínculo com; separar(-se) *<a rivalidade acabou por d. os dois irmãos> <conseguiu, a custo, d. a filha das más companhias> <com o tempo, desassociou-se dos amigos de infância>* ↺ ligar(-se) □ *t.d.i.* **2** (prep. *de*) deixar de ou não estabelecer ligação entre; dissociar *<com base nas provas, a polícia desassociou um crime do outro>* ↺ associar □ *pron.* **3** (prep. *de*) deixar de ser sócio ou integrante *<d.-se de um clube>* ↺ associar-se

desassombrado (de.sas.som.bra.do) *adj.* **1** sem sombra; claro, iluminado ↺ sombreado **2** *p.ext.* descampado, aberto *<terreno d.>* **3** *fig.* sem tristeza; desanuviado *<feições d.>* ↺ carregado **4** *fig.* marcado pela coragem; valente *<atitude d.> <guerreiro d.>* ↺ medroso, covarde **5** franco, direto *<comentário d.>*

desassombro (de.sas.som.bro) *s.m.* **1** atitude ou dito ousado; valentia *<enfrenta o inimigo com d.>* ↺ covardia **2** franqueza, honestidade *<falar com d.>* ↺ falsidade

desassossegar (de.sas.sos.se.gar) *v.* {mod. 1} *t.d.,int. e pron.* (fazer) perder o sossego, a calma; inquietar (-se) *<as notícias desassossegaram a população> <desassossegou(-se) com aquela espera>* ↺ acalmar(-se)

desassossego (de.sas.sos.se.go) /ê/ *s.m.* falta de sossego, de tranquilidade; agitação, alvoroço ↺ sossego

desastrado (de.sas.tra.do) *adj.s.m.* **1** (o) que revela falta de jeito; desajeitado ■ *adj.* **2** que constitui ou resulta em um desastre; catastrófico *<aventura d.>* ↺ feliz

desastre (de.sas.tre) *s.m.* **1** acontecimento que causa sofrimento e prejuízo; desgraça, infortúnio **2** fracasso completo *<o congresso foi um d.>* ↺ sucesso **3** acidente, sinistro *<d. de avião>* ▣ **d. ecológico** ECO catástrofe causada, ger. pela ação humana, sobre um ecossistema

desastroso (de.sas.tro.so) /ô/ [pl. e fem.: /ó/] *adj.* que causa ou constitui um desastre; catastrófico

desatar (de.sa.tar) *v.* {mod. 1} *t.d.* **1** desfazer (um nó) ↺ atar **2** *fig.* encontrar solução para (dificuldades, dúvidas etc.); resolver □ *t.d.,t.d.i. e pron.* **3** (prep. *de*) soltar(-se) o nó que fechava ou prendia *<d. um embrulho> <desatou dos cabelos a fita que machucava> <o cão desatou-se da coleira>* ↺ amarrar □ *t.d.i. e pron. fig.* **4** (prep. *de*) livrar(-se), desobrigar(-se), desvincular(-se) *<d. alguém de preocupações> <d.-se de compromissos>* ↺ atar(-se), submeter(-se) □ *t.i.* **5** (prep. *em*, *a*) começar de súbito; romper *<d. num choro> <d. a rir>* ~ **desatamento** *s.m.* - **desate** *s.m.*

desatarraxar (de.sa.tar.ra.xar) *v.* {mod. 1} *t.d.* tirar ou desapertar a(s) tarraxa(s) de ↺ atarraxar

desataviar (de.sa.ta.vi.ar) *v.* {mod. 1} *t.d. e pron.* retirar enfeites, adornos (de); desenfeitar(-se) *<d. um vestido> <desataviou-se dos anéis para cozinhar>* ↺ ataviar(-se)

desatenção (de.sa.ten.ção) [pl.: *-ões*] *s.f.* **1** falta de concentração; distração *<demonstra d. durante a aula>* ↺ concentração **2** falta de cortesia; indelicadeza *<d. com os clientes>* ↺ cortesia **3** falta de cuidado; descaso *<d. com a família>* ↺ cuidado ~ **desatencioso** *adj.*

desatender (de.sa.ten.der) *v.* {mod. 8} *t.d. e t.i.* **1** (prep. *a*) não dar atenção a; desconsiderar, ignorar *<desatendeu (a)os conselhos do médico>* **2** (prep. *a*) não dar assistência a *<d. pedidos de ajuda> <desatendeu (a)os protestos dos empregados>* ↺ assistir **3** (prep. *a*) desrespeitar, desacatar *<d. as ordens de alguém> <d. a uma autoridade>* ↺ respeitar **4** (prep. *a*) não satisfazer, não cumprir *<d. (a)os requisitos do concurso>* ↺ atender

desatentar (de.sa.ten.tar) *v.* {mod. 1} *t.i.* **1** (prep. *em*) não reparar em *<distraído, desatentava no que se passava ao seu redor>* ↺ atentar **2** (prep. *de*) não ter os cuidados devidos a; descuidar *<desatentou da vigilância>* ↺ cuidar

desatento (de.sa.ten.to) *adj.s.m.* **1** (o) que não dá atenção ao que vê, escuta ou faz **2** que(m) revela falta de preocupação ou interesse

desatino (de.sa.ti.no) *s.m.* **1** ausência de bom senso, de juízo; loucura ↺ tino **2** contrassenso, disparate ↺ acerto ~ **desatinado** *adj.* - **desatinar** *v.t.d. e int.*

desativar (de.sa.ti.var) *v.* {mod. 1} *t.d.* **1** tornar inativo, inoperante *<d. uma fábrica>* ↺ ativar **2** inutilizar dispositivos de detonação de (artefato explosivo) *<d. uma bomba>* ↺ ativar ~ **desativação** *s.f.*

desatolar (de.sa.to.lar) *v.* {mod. 1} *t.d.,int. e pron.* (fazer) sair do atoleiro *<deu trabalho d. o carro> <a carroça finalmente desatolou> <o animal desatolou-se aos poucos>* ↺ atolar(-se)

desatracar (de.sa.tra.car) *v.* {mod. 1} *t.d. e int.* **1** desamarrar(-se), afastar(-se) [embarcação] do cais ou de outra embarcação *<d. um navio (de outro)> <o barco desatracou de madrugada>* ↺ atracar □ *t.d. e pron.* **2** (fazer) parar de brigar (pessoas ou animais em luta corporal) *<o árbitro não conseguiu d. os dois jogadores> <só se desatracaram com a chegada da polícia>* ↺ atracar(-se)

desatravancar (de.sa.tra.van.car) *v.* {mod. 1} *t.d.* **1** remover o(s) obstáculo(s) de; desobstruir *<d. a passagem>* ↺ atravancar, obstruir **2** desocupar, esvaziar *<d. a mesa, o quarto>* ↺ atravancar, encher

desatrelar (de.sa.tre.lar) *v.* {mod. 1} *t.d. e pron.* **1** soltar(-se) da trela (animais, esp. cães) ↺ atrelar(-se) **2** desprender(-se) do engate; desengatar(-se) *<d.(-se) um vagão>* ↺ engatar(-se)

desautorar (de.sau.to.rar) *v.* {mod. 1} *t.d. e pron.* **1** tirar de ou perder honras, cargo, dignidades **2** (fazer) perder autoridade, respeito; desacreditar(-se) *<d. um funcionário> <um governo que se desautora>* ~ **desautoração** *s.f.*

desautorização (de.sau.to.ri.za.ção) [pl.: *-ões*] *s.f.* **1** recusa de liçenca ou permissão ↺ permissão **2** falta de consideração; desrespeito **3** perda de prestígio, de autoridade ou de crédito

desautorizar (de.sau.to.ri.zar) *v.* {mod. 1} *t.d.* **1** negar permissão para *<o diretor desautorizou a saída dos alunos>* ↺ autorizar □ *t.d. e pron.* **2** (fazer) perder autoridade, respeito; desacreditar(-se) *<desautorizou-o à frente de todos> <com este procedimento, acaba se desautorizando>*

desavença (de.sa.ven.ça) *s.f.* **1** conflito entre pessoas por falta de concordância sobre algo; discórdia ↺ concordância **2** *p.ext.* rompimento de relações ↺ conciliação

desavergonhado (de.sa.ver.go.nha.do) *adj.s.m.* que(m) perdeu ou demonstra não ter vergonha; sem-vergonha ~ **desavergonhar** *v.t.d. e pron.*

desavir (de.sa.vir) *v.* {mod. 31} *t.d.,t.d.i. e pron.* (prep. *com*) pôr(-se) em desavença; indispor(-se), brigar *<questões políticas desavieram os irmãos> <as fofocas desavieram-no com a namorada> <desaveio-se com os outros condôminos>* ↺ reconciliar(-se) ~ **desavindo** *adj.*

desavisado (de.sa.vi.sa.do) *adj.* que dá prova de falta de juízo; imprudente ↺ prudente ~ **desavisar** *v.t.d. e pron.*

desaviso (de.sa.vi.so) *s.m.* **1** aviso contrário a outro anteriormente dado; contra-aviso **2** ausência de juízo ou de prudência; leviandade ↺ prudência

desazado (de.sa.za.do) *adj.* **1** sem cabimento; impróprio *<comparação d.>* ↺ adequado **2** sem aptidão; inábil, inapto ↺ hábil **3** falto de cuidados; desmazelado ↺ cuidadoso

desbancar (des.ban.car) *v.* {mod. 1} *t.d.* **1** ser ou tornar-se superior a; suplantar *<Maria desbancou o primeiro da classe>* **2** triunfar sobre; vencer *<a persistência desbanca a resistência alheia>* ↺ perder **3** ganhar de (alguém) o dinheiro da banca de jogo *<desbancou os adversários com uma jogada de mestre>*

desbaratamento (des.ba.ra.ta.men.to) *s.m.* **1** esbanjamento, dissipação *<d. de bens>* ↺ poupança **2** destruição ou devastação *<d. da quadrilha de ladrões>* **3** derrota *<d. do inimigo>* **4** desordem, confusão ↺ ordem

desbaratar (des.ba.ra.tar) *v.* {mod. 1} *t.d. e t.d.i.* **1** (prep. *em*) gastar ou usar (bens) indevidamente; desperdiçar *<desbaratou o dinheiro (em coisas supérfluas)>* **2** (prep. *com, em*) levar à destruição; destruir, arruinar *<desbaratou a saúde (no trabalho do canavial)>* ↺ preservar □ *t.d.* **3** pôr em desordem *<desbaratou os arquivos>* ↺ organizar □ *t.d. e pron.* **4** pôr(-se) em fuga; dispersar (-se), debandar *<d. uma quadrilha de ladrões> <o grupo desbaratou-se com a chegada da polícia>*

desbarrancado (des.bar.ran.ca.do) *adj.* **1** muito escavado; desaterrado ■ *s.m.* **2** GEO grande escavação de um terreno; erosão **3** abismo, despenhadeiro

desbastar (des.bas.tar) *v.* {mod. 1} *t.d.* **1** remover o excesso de *<d. os cabelos> <d. um arbusto>* **2** afinar, alisar ou igualar, cortando ou polindo *<d. um bloco de mármore>* ~ **desbastamento** *s.m.* - **desbaste** *s.m.*

desbeiçar (des.bei.çar) *v.* {mod. 1} *t.d.* **1** quebrar ou gastar a beirada de; esbeiçar *<d. um prato>* □ *int.* **2** perder a forma ou a elasticidade, por causa de uso ou de esforço *<a meia desbeiçou>* ~ **desbeiçado** *adj.*

desbloquear (des.blo.que.ar) *v.* {mod. 5} *t.d.* **1** livrar (o que está sitiado, cercado) *<d. uma cidade, uma rua>* ↺ cercar, sitiar **2** fazer voltar a funcionar *<d. um mecanismo>* ↺ travar **3** possibilitar o acesso a ou a passagem por; liberar *<d. uma rua>* ↺ fechar ~ **desbloqueio** *s.m.*

desbocado (des.bo.ca.do) *adj.s.m.* *infrm.* que(m) usa palavras grosseiras, obscenas

desbotar (des.bo.tar) *v.* {mod. 1} *t.d.,int. e pron.* **1** (fazer) perder a vivacidade da cor *<lavagens seguidas desbotaram o tecido> <o estampado desbotou(-se)>* **2** tornar(-se) pálido; descorar(-se) *<o cansaço desbotou o rosto dele> <não toma sol há tanto tempo, que a pele (se) desbotou>* ↺ corar(-se) ~ **desbotado** *adj.* - **desbotamento** *s.m.*

desbragado (des.bra.ga.do) *adj.* **1** *infrm.* que se faz notar pelo exagero *<luxo d.>* ↺ discreto ■ *adj.s.m.* **2** que(m) se expressa de modo a agredir a decência; libertino

desbragar (des.bra.gar) *v.* {mod. 1} *t.d. e pron.* **1** tornar(-se) devasso, impudico; depravar(-se) ↺ recatar(-se) **2** manifestar(-se) [linguagem, sentimentos etc.] com liberdade, inconveniência *<o ressentimento desbragou a maledicência> <desbragou-se em sua crítica>* ↺ conter(-se)

desbravar (des.bra.var) *v.* {mod. 1} *t.d.* **1** fazer perder a braveza; amansar *<d. um animal>* **2** *fig.* tornar culto, civilizado; polir **3** preparar (terra) para plantio **4** explorar (lugares desconhecidos) **5** *fig.* vencer (desafios, obstáculos etc.) *<conseguiu d. as dificuldades da prova>* ~ **desbravador** *adj.s.m.* - **desbravamento** *s.m.*

desburocratizar (des.bu.ro.cra.ti.zar) *v.* {mod. 1} *t.d.* eliminar o excesso de burocracia de *<d. o processo de aposentadoria>* ~ **desburocratização** *s.f.*

descabaçar (des.ca.ba.çar) *v.* {mod. 1} *t.d.* *B gros.* tirar a virgindade de

descabelar (des.ca.be.lar) *v.* {mod. 1} *t.d.* **1** arrancar os cabelos de **2** deixar em desalinho o cabelo de; despentear □ *pron. fig.* **3** entrar em desespero; desesperar-se ~ **descabelado** *adj.*

descabido (des.ca.bi.do) *adj.* fora de propósito; impróprio, inoportuno *<sugestão d.> <ideia d.>* ↺ apropriado

descadeirado (des.ca.dei.ra.do) *adj.* **1** com dor nas cadeiras **2** de quadris deformados **3** *fig.* muito cansado; extenuado

descafeinado (des.ca.fe.i.na.do) *adj.* que teve a cafeína retirada ou reduzida *<café d.>*

descaída (des.ca.í.da) *s.f.* **1** ato de descair **2** descuido cometido; indiscrição **3** decadência, degeneração ↺ ascensão

descaimento (des.ca.i.men.to) *s.m.* **1** ato de descair ↺ ascensão **2** *fig.* estado de prostração; abatimento ↺ ânimo **3** *fig.* decadência de algo; degeneração ↺ desenvolvimento **4** MAR mudança de rumo de uma embarcação

descair (des.ca.ir) *v.* {mod. 25} *t.d.,t.i. e int.* **1** (prep. *em, sobre*) (deixar) cair ou pender *<descaiu os braços de cansaço> <os cabelos descaíam sobre os ombros> <as pálpebras descaíram, cedendo ao sono>* □ *int.* **2** curvar-se, vergar-se *<a planta descaiu por falta de umidade>* ↺ esticar-se **3** perder as forças; desfalecer **4** passar a condição pior; decair *<seu prestígio vem descaindo bastante>* ↺ melhorar □ *t.i.* **5** (prep. *de*) mover(-se), afastando-se de *<d. do percurso planejado>* **6** (prep. *em*) degenerar, descambar *<a conversa descaiu em grosserias>*

descalabro (des.ca.la.bro) *s.m.* **1** estado de decadência; ruína *<d. de um país>* ↺ desenvolvimento **2** prejuízo pesado; dano *<d. nos negócios>* **3** desorganização generalizada; caos

descalçar (des.cal.çar) *v.* {mod. 1} *t.d.* **1** tirar (o que calça os pés, as mãos ou as pernas) *<d. as luvas, os sapatos>* ↺ calçar(-se) □ *t.d. e pron.* **2** tirar de (alguém ou de si mesmo) meias, luvas, sapatos *<o marido descalçou-a> <descalçou-se e pôs os pés na água>* □ *t.d.* **3** tirar o calço de *<d. a mesa>* ↺ calçar **4** retirar as pedras de (rua, estrada etc.)

descalço (des.cal.ço) *adj.* **1** que não está calçado; que tem os pés nus ou revestidos de meias *<as crianças adoram andar d.>* **2** que não tem calçamento (diz-se de rua, estrada etc.) ↺ pavimentado

descalibrar (des.ca.li.brar) *v.* {mod. 1} *t.d. e int.* (fazer) perder o calibre adequado (pneu, câmara de ar etc.) ↺ calibrar

descamar (des.ca.mar) *v.* {mod. 1} *t.d.* **1** retirar as escamas de *<d. um peixe>* □ *int. e pron.* **2** perder ou soltar escamas, pele, casca etc. *<com a moléstia, seu corpo (se) descamou>* ~ **descamação** *s.f.*

descambar (des.cam.bar) *v.* {mod. 1} *int.* **1** cair com toda a força; desabar, tombar *<perdeu o equilíbrio e descambou>* **2** declinar, descer (um astro) *<o Sol foi descambando no horizonte>* □ *t.i. fig.* **3** (prep. *para*) sair da direção prevista e tomar (outra direção); derivar *<o caminhão descambou para a esquerda>* **4** (prep. *para*) tender; resvalar *<a zanga dele sempre descamba para malcriação>* **5** (prep. *em, para*) mudar para pior; degenerar *<o papo começou bem e descambou em agressão> <a discussão acabou descambando para briga>*

descaminho (des.ca.mi.nho) *s.m.* **1** desvio do caminho certo **2** *fig.* desregramento, mau comportamento

descamisado (des.ca.mi.sa.do) *adj.s.m.* **1** que(m) não tem ou está sem camisa **2** *fig.* que(m) se apresenta maltrapilho, esfarrapado

descampado (des.cam.pa.do) *adj.s.m.* (campo) vasto, plano, sem árvores e desabitado

descansado (des.can.sa.do) *adj.* **1** que não está cansado *<olhos d.> <sentir-se d.>* ↺ cansado **2** despreocupado; tranquilo *<vida d.>* ↺ tenso **3** lento nas ações; vagaroso ↺ ligeiro, lépido

descansar (des.can.sar) *v.* {mod. 1} *t.d.,t.d.i.,t.i. e int.* **1** (prep. *de*) livrar(-se) de atividade cansativa ou de cansaço *<d. a vista> <as férias descansaram-no do esforço despendido> <d. do trabalho> <descansou, para então retomar o estudo>* ↺ cansar(-se) □ *t.d.,t.d.i. e int.* **2** (prep. *de*) livrar(-se) de receio, preocupações; acalmar(-se) *<d. o espírito> <a leitura descansou-a da tensão> <essa música descansa>* ↺ agitar(-se), inquietar(-se) □ *int.* **3** ficar em repouso, dormindo ou não *<o médico o mandou d.>* **4** *p.ext.* morrer **5** deixar de empenhar-se *<só vai d. quando ganhar>* □ *t.d. e int.* **6** apoiar(-se) *<d. os pés na almofada> <a tábua descansa sobre a pilastra>*

D

descanso (des.can.so) *s.m.* **1** pausa (no trabalho, no movimento etc.); repouso ↺ atividade **2** estado de quem descansou *<sensação de d.>* **3** ato de cochilar ou dormir; sono **4** *fig.* tranquilidade de espírito; sossego ↺ intranquilidade **5** período sem ocupação; ócio **6** lentidão, morosidade *<falar com d.>* ↺ pressa **7** utensílio que faz de apoio para objetos (como travessas de comida, copos etc.)

descapitalizar (des.ca.pi.ta.li.zar) *v.* {mod. 1} *t.d.,int. e pron.* gastar ou perder capital ou bem de valor de (alguém ou o próprio) *<d. a loja> <após tantos desvarios, descapitalizou-se>* ~ **descapitalização** *s.f.*

descaracterizar (des.ca.rac.te.ri.zar) *v.* {mod. 1} *t.d. e pron.* **1** (fazer) perder as qualidades distintivas *<o progresso descaracterizou a velha cidade> <a família do interior descaracterizou-se em contato com a cidade grande>* ↺ caracterizar(-se) **2** despojar(-se) de maquiagem, roupa etc. usada para representar um personagem *<d.(-se) um ator>* ~ **descaracterização** *s.f.*

descarado (des.ca.ra.do) *adj.* **1** que indica cinismo *<mentira d.> <atitude d.>* ↺ respeitoso ■ *adj.s.m.* **2** que(m) não se sente constrangido por seus atos censuráveis; sem-vergonha

descaramento (des.ca.ra.men.to) *s.m.* **1** falta de vergonha; desfaçatez ↺ vergonha **2** desaforo, atrevimento

descarga (des.car.ga) *s.f.* **1** ato de retirar a carga de veículo, embarcação etc. ↺ carregamento **2** FISL liberação de uma substância *<d. de adrenalina>* ↺ retenção **3** tiro ou sequência de tiros de uma arma de fogo *<d. de metralhadora>* **4** válvula que regula a saída de água num vaso sanitário **5** *fig.* ato de manifestar um sentimento com intensidade *<d. de ódio>* ↺ interiorização ▣ **d. elétrica** ELETR passagem de eletricidade através de um meio sólido, líquido ou gasoso, acompanhada ger. por centelhas

descargo (des.car.go) *s.m.* desencargo

descarnado (des.car.na.do) *adj.* **1** separado da carne *<osso d.>* **2** *fig.* sem carnes ou muito magro *<perna d.>* **3** *fig.* que carece; destituído *<alma d. de esperança>*

descarnar (des.car.nar) *v.* {mod. 1} *t.d.* **1** retirar a carne de (osso) **2** separar do caroço (a polpa do fruto) *<d. uma ameixa>* **3** retirar a casca de; descascar □ *t.d. e pron. fig.* **4** tornar(-se) muito magro; emagrecer *<a hepatite descarnou-o> <não vá d.-se com essa dieta rigorosa>* ~ **descarnadura** *s.f.*

descaroçador (des.ca.ro.ça.dor) /ô/ [pl.: *-es*] *adj.s.m.* (instrumento) us. para retirar caroços

descaroçar (des.ca.ro.çar) *v.* {mod. 1} *t.d.* **1** tirar o(s) caroço(s) de **2** *fig. infrm.* eliminar dificuldades em; destrinçar *<d. um problema>* ~ **descaroçamento** *s.m.*

descarregar (des.car.re.gar) *v.* {mod. 1} *t.d. e int.* **1** livrar(-se) de carga ou carregamento *<d. um navio> <a greve dos portuários impediu que o navio descarregasse>* ↺ carregar **2** (fazer) perder a carga elétrica *<a queda de luz pode d. o capacitor> <a bateria descarregou>* □ *t.d.* **3** retirar (carga ou carregamento) *<d. as malas>* **4** aliviar ou liberar, removendo o que está em excesso *<d. uma estante>* □ *t.d.i. e pron.* **5** (prep. *em*) despejar (suas águas) [em] *<o São Francisco descarrega suas águas no Atlântico> <o rio Trombetas se descarrega no Amazonas>* □ *t.d. e pron.* **6** (prep. *de*) externar (emoção, sentimento etc.) *<d. a raiva> <descarregou-se de suas mágoas com a irmã>* **7** tranquilizar(-se), aliviar(-se) *<a confissão descarregou sua consciência> <teu coração se descarregará quando te reconciliares com ele>* ↺ inquietar(-se), agitar(-se) □ *t.d.i.* **8** (prep. *em*) dar vazão a (problema, preocupação etc.), sendo agressivo; descontar *<d. a raiva no empregado>* **9** (prep. *em*) transferir, passar *<d. a culpa no colega>* **10** (prep. *em*) atirar várias vezes ou até esgotar a munição *<d. o rifle no alvo>* ~ **descarregamento** *s.m.*

descarrilar (des.car.ri.lar) ou **descarrilhar** (des.car.ri.lhar) *v.* {mod. 1} *t.d. e int.* **1** (fazer) sair dos trilhos *<uma pedra descarrilou o trem> <o comboio descarrilou de madrugada>* ↺ encarrilar, encarrilhar **2** *fig.* (fazer) sair do caminho aceitável, agindo mal; desencaminhar(-se) *<a ganância descarrilou-o> <toda uma vida correta descarrilou em poucos meses>* ↺ encaminhar(-se) ~ **descarrilamento** *s.m.* - **descarrilhamento** *s.m.*

descartar (des.car.tar) *v.* {mod. 1} *t.d. e pron.* **1** (prep. *de*) pôr de lado (carta de baralho, jogo etc.) *<o jogador descartou o coringa> <d.-se das cartas indesejáveis>* **2** (prep. *de*) livrar(-se) de (pessoa, situação etc. indesejável) *<depois de d. o visitante, voltou ao trabalho> <d.-se de um compromisso>* □ *t.d.* **3** *fig.* não levar em conta; desconsiderar *<d. uma hipótese>* ↺ considerar **4** jogar fora após o uso *<descarte a seringa na lixeira própria>*

descartável (des.car.tá.vel) [pl.: *-eis*] *adj.2g.* **1** que pode ser jogado fora após o uso *<fralda d.>* **2** *fig.* que se caracteriza por ser passageiro, sem profundidade ou importância *<ideia d.>*

descarte (des.car.te) *s.m.* **1** ato ou efeito de colocar (-se) de lado a carta de baralho que não mais interessa **2** essa(s) carta(s) **3** *p.ext.* ato de jogar fora algo inútil ou que não se deseja mais *<d. de jornais antigos>*

descasado (des.ca.sa.do) *adj.* **1** que não combina com seu par; desemparelhado *<meia d.>* ↺ emparelhado ■ *adj.s.m.* **2** que(m) se separou do cônjuge ↺ casado

descasar (des.ca.sar) *v.* {mod. 1} *t.d.,int. e pron.* **1** separar(-se) ou fazer a separação de (um casal) *<a Igreja não pode descasá-los> <nunca pensaram em d.(-se)>* ↺ casar(-se) □ *t.d. e t.d.i.* **2** *fig.* (prep. *de*) separar (uma coisa) [de outra], esp. pares, duplas *<descasou as meias, vestindo uma preta e outra marrom> <descasou a saia da blusa>* ↺ casar, unir □ *t.d.i. e pron.* **3** (prep. *de*) afastar(-se), distanciar(-se) *<as decepções não o descasaram de seus princípios> <muitas vezes, a teoria descasa-se da prática>* ↺ aproximar(-se)

descascador (des.cas.ca.dor) /ô/ [pl.: *-es*] *adj.s.m.* **1** (o) que descasca ■ *s.m.* **2** aparelho us. para descascar legumes, cereais, grãos etc.

descascar (des.cas.car) *v.* {mod. 1} *t.d. e int.* **1** (fazer) perder a casca, pele, revestimento etc. *<d. as laranjas, os camarões> <a tinta da parede descascou>* □ *t.d. fig. B* **2** falar mal de; criticar ↺ elogiar **3** *fig. B* censurar, repreender ~ **descascação** *s.f.* - **descascamento** *s.m.*

descaso (des.ca.so) *s.m.* procedimento de quem não dá importância ou atenção; desconsideração, desdém ↺ consideração

descendência (des.cen.dên.cia) *s.f.* **1** vínculo de parentesco baseado na filiação ↺ ascendência **2** série de pessoas que descendem de um antepassado comum; prole ↺ procedência

descendente (des.cen.den.te) *adj.2g.s.2g.* **1** (o) que descende de uma família ou de um indivíduo ↺ ascendente **2** que(m) possui uma determinada origem *<d. dos (colonizadores) portugueses>* **3** (o) que apresenta filiação espiritual, de ideologia etc. *<esse é um (poeta) d. de Manuel Bandeira>* ■ *adj.2g.* **4** que desce *<curva d.>* ↺ ascendente **5** de valor decrescente *<progressão d.>* ↺ crescente ▼ ***descendentes*** *s.m.pl.* **6** os filhos, netos etc. de uma família ↺ ascendentes ◉ COL descendência, posteridade

descender (des.cen.der) *v.* {mod. 8} *t.i.* **1** (prep. *de*) provir de (família, geração, raça) *<ela descende de família mineira> <descendem de italianos>* **2** *p.ext.* (prep. *de*) ter origem em (algo), por ligação ideológica, linguística etc.; derivar *<as línguas românicas descendem do latim>*

descenso (des.cen.so) *s.m.* **1** ato ou processo de descer, ou seu efeito; descida *<a prática da esgrima, entrou em d.>* ↺ subida **2** MÚS abaixamento do tom de voz

descentralização (des.cen.tra.li.za.ção) [pl.: *-ões*] *s.f.* **1** afastamento do centro **2** sistema político e administrativo que prega a autonomia dos órgãos administrativos em relação ao governo central ↺ centralização ~ **descentralizar** *v.t.d.*

descentrar (des.cen.trar) *v.* {mod. 1} *t.d. e pron.* desviar(-se) do eixo central; descentralizar *<d.-(se) um eixo>* ↺ centralizar(-se)

descer (des.cer) *v.* {mod. 8} *t.d.,t.i. e int.* **1** (prep. *de*, *para*) movimentar(-se) de lugar mais alto para um mais baixo *<d. a ladeira> <d. do ônibus> <desceu para a sala de estar> <espera lá embaixo, que já vamos d.>* ↺ subir **2** (fazer) cair *<d. os braços em desalento> <as lágrimas desciam rapidamente>* □ *t.d.* **3** dirigir para baixo; abaixar *<d. os olhos, a vista>* ↺ elevar, erguer **4** estender para baixo, aumentando *<d. a bainha da saia>* ↺ subir □ *int.* **5** baixar, diminuir *<a maré desceu> <os preços desceram>* ↺ subir □ *t.d.i.* **6** (prep. *em*) desferir (golpes, socos etc.) [em alguém] *<d. o braço no agressor>* □ *t.i.* **7** (prep. *de*) desembarcar *<d. do táxi>* ↺ embarcar **8** *fig.* (prep. *sobre*) incidir sobre; recair *<a bênção desceu sobre o casal>*

descerrar (des.cer.rar) *v.* {mod. 1} *t.d. e pron.* **1** abrir(-se) o que está fechado *<d. uma janela> <seus lábios se descerraram, ela resolvera falar>* ↺ cerrar (-se), fechar(-se) **2** *fig.* descobrir(-se), revelar(-se) *<d. novos horizontes> <descerrou-se o mistério>*

descida (des.ci.da) *s.f.* **1** ato ou efeito de descer; deslocamento para baixo; descenso ↺ subida **2** *fig.* decadência *<d. na carreira>* ↺ ascensão **3** passagem para nível inferior; rebaixamento *<d. de cargo>*

↺ ascensão **4** diminuição, queda *<d. da temperatura com a chuva>* ↺ elevação **5** qualquer plano inclinado; declive *<a rua tem uma d. forte>* ↺ aclive

desclassificar (des.clas.si.fi.car) *v.* {mod. 1} *t.d.* **1** fazer sair de classe ou categoria a que pertence *<d. um hotel>* **2** considerar inapto (concorrente, candidato); eliminar □ *t.d. e pron.* **3** desmoralizar(-se), desacreditar(-se) ↺ acreditar(-se) ~ **desclassificação** *s.f.* - **desclassificado** *adj.s.m.*

descoberta (des.co.ber.ta) *s.f.* **1** processo de descobrir alguém ou algo que se desconhecia ou ignorava; achado, invenção, descobrimento **2** essa pessoa ou coisa *<os pesquisadores vão mostrar as suas d.>* **3** HIST chegada a e exploração de território desconhecido; descobrimento *<d. da América>*

descoberto (des.co.ber.to) *adj.* **1** não coberto por; exposto, visível *<cabeça d.>* ↺ escondido **2** que revela seu interior; aberto, destapado *<cesta d.>* ↺ fechado **3** que se tornou conhecido; sabido *<planeta d.>* ↺ desconhecido **4** que se denunciou *<segredo d.>* ↺ escondido

descobridor (des.co.bri.dor) /ô/ [pl.: *-es*] *adj.s.m.* **1** (o) que faz descobertas **2** explorador de terras longínquas, pouco acessíveis

descobrimento (des.co.bri.men.to) *s.m.* descoberta ('processo', 'chegada')

descobrir (des.co.brir) *v.* {mod. 28} *t.d.* **1** tirar o que cobre ou protege *<d. uma cesta de pão>* ↺ cobrir **2** inventar ou atestar pela primeira vez a existência ou ocorrência de *<d. a fissão nuclear>* **3** fazer conhecer (algo até então ignorado) *<Cabral descobriu o Brasil>* **4** tomar conhecimento de; perceber *<d. a verdade>* □ *t.d. e pron.* **5** pôr(-se) à mostra *<sorriu, descobrindo os dentes> <o céu descobriu-se>* ↺ esconder(-se), cobrir(-se) □ *t.d.,t.d.i. e pron.* **6** (prep. *a*) mostrar(-se), revelar(-se) *<d. o pensamento> <descobriu à amada suas intenções> <a misteriosa figura descobriu-se>* ↺ esconder(-se) ◉ GRAM/USO part.: *descoberto*

descodificador (des.co.di.fi.ca.dor) [pl.: *-es*] *adj.s.m.* → ***DECODIFICADOR***

descodificar (des.co.di.fi.car) *v.* → ***DECODIFICAR***

descolado (des.co.la.do) *adj.* **1** que se descolou; que perdeu a cola **2** *B gír.* habilidoso na solução de questões, no trato com as pessoas etc.; esperto

descolar (des.co.lar) *v.* {mod. 1} *t.d.,t.d.i. e pron.* **1** (prep. *de*) separar(-se) o que está colado; desgrudar(-se) *<d. o selo (do envelope)> <a garota não (se) descola da professora>* ↺ colar(-se), grudar(-se) □ *t.d. B gír.* **2** conseguir (dinheiro, favor, emprego etc.) *<descolou uma vaga no time de vôlei>* ~ **descolagem** *s.f.* - **descolamento** *s.m.*

descolonização (des.co.lo.ni.za.ção) [pl.: *-ões*] *s.f.* aquisição de independência política, econômica e cultural por parte de antigas colônias ↺ colonização

descoloração (des.co.lo.ra.ção) [pl.: *-ões*] *s.f.* ato ou processo de fazer perder total ou parcialmente o colorido, ou seu efeito; desbotamento ↺ coloração

descolorar (des.co.lo.rar) *v.* {mod. 1} *t.d.,int. e pron.* descolorir

descolorir (des.co.lo.rir) *v.* {mod. 24} *t.d.,int. e pron.* (fazer) perder a cor; descolorar *<d. a roupa com sucessivas lavagens> <seu rosto descoloriu(-se) com o susto>* ↺ colorir(-se)

descomedido (des.co.me.di.do) *adj.* **1** sem compostura; desrespeitoso, inconveniente *<comentário d.>* ↺ respeitoso **2** sem propósito; absurdo *<discurso d.>* ↺ adequado **3** imoderado, nada contido *<paixão d.>* ↺ moderado **4** imprudente, desajuizado *<menino d.>* ↺ prudente

descomedimento (des.co.me.di.men.to) *s.m.* **1** exagero nos atos, nas palavras; excesso ↺ comedimento **2** falta de respeito, de consideração; insolência ↺ respeito

descomedir-se (des.co.me.dir-se) *v.* {mod. 24} *pron.* (prep. *em*) agir e/ou falar sem comedimento, com imprudência; exceder-se *<d.-se nas palavras>* ↺ comedir-se, controlar-se ◉ GRAM/USO verbo defectivo

descompasso (des.com.pas.so) *s.m.* **1** ausência de regularidade; desproporção ↺ regularidade **2** *p.ext.* falta de compostura; exagero ↺ comedimento **3** MÚS irregularidade rítmica ↺ cadência **4** *fig.* divergência, desacordo, desarmonia *<d. entre colegas>* ↺ acordo ~ **descompassar** *v.t.d.,int. e pron.*

descomplicar (des.com.pli.car) *v.* {mod. 1} *t.d.* desfazer a complicação de; desembaraçar, simplificar

descompor (des.com.por) *v.* {mod. 23} *t.d. e pron.* **1** pôr(-se) em desordem; desarrumar(-se) *<descompôs os armários, mas não encontrou o que buscava> <seu penteado descompôs-se ao vento>* ↺ arrumar(-se); organizar(-se) **2** livrar(-se) de vestuário; despir(-se) *<d. as crianças por causa do calor> <descompôs-se para dormir>* ↺ vestir(-se) **3** alterar(-se) radicalmente; desfigurar(-se) *<a raiva descompunha sua fisionomia> <o céu escureceu, descompondo-se>* **4** *fig.* (fazer) perder a compostura, o comedimento *<a má sorte nunca o descompôs> <seu temperamento o leva a d.-se facilmente>* □ *t.d.* **5** repreender com veemência *<descompôs o criado na presença de todos>* ◉ GRAM/USO part.: *descomposto* ~ **descomposição** *s.f.* - **descomposto** *adj.*

descompostura (des.com.pos.tu.ra) *s.f.* **1** falta de ordem, desarranjo ↺ ordem **2** repreensão, censura *<passou uma d. no sobrinho>*

descomunal (des.co.mu.nal) [pl.: *-ais*] *adj.2g.* **1** de proporções gigantescas; imenso, colossal *<estátua d.>* ↺ pequeno **2** fora do comum; extraordinário *<força d.>* ↺ comum

desconceituado (des.con.cei.tu.a.do) *adj.s.m.* (o) que perdeu o bom conceito, a boa reputação ↺ ilustre

desconceituar (des.con.cei.tu.ar) *v.* {mod. 1} *t.d. e pron.* (fazer) perder a boa reputação; desabonar (-se) *<não é correto d. um adversário> <o fornecedor desconceituou-se>*

desconcentrar (des.con.cen.trar) *v.* {mod. 1} *t.d.* **1** tirar ou afastar do centro ↺ concentrar **2** disseminar (algo que estava junto, concentrado); dispersar, espalhar ↺ concentrar □ *t.d.,t.i. e pron. fig.* **3** (prep. *de*) distrair(-se), dispersar(-se) *<d. a atenção> <d.(-se) das tarefas>* ↺ concentrar(-se) ~ **desconcentração** *s.f.*

desconcertado (des.con.cer.ta.do) *adj.* **1** sem harmonia, sem ordem ↺ organizado **2** sem saber o que fazer; embaraçado, sem jeito *<sua resposta deixou-o d.>*

desconcertante (des.con.cer.tan.te) *adj.2g.* que desconcerta, desorienta *<pergunta d.>*

D

desconcertar (des.con.cer.tar) *v.* {mod. 1} *t.d. e pron.* **1** (fazer) perder a ordem, a harmonia *<as guerras desconcertaram o mundo> <d.-se a vida dos homens>* ↺ harmonizar(-se) **2** desnortear(-se), desorientar(-se) *<aquelas injúrias desconcertaram o pacífico homem> <desconcertou-se com aqueles acontecimentos>* ↺ acalmar(-se) **3** (fazer) ficar inseguro ou embaraçado por ser apanhado de surpresa *<a franqueza do outro desconcertou-o> <desconcertou-se com aquela súbita aparição>* **4** pôr(-se) em desalinho; desarrumar(-se) ↺ arrumar(-se) □ *t.d.,t.i. e pron.* **5** (prep. *de, com*) pôr(-se) em desacordo; discordar, discrepar *<basta uma voz discordante para d. todas as outras> <suas opiniões desconcertaram das demais> <desconcertaram-se no valor da mercadoria>* ↺ concordar ☞ cf. *desconsertar* ~ **desconcerto** *s.m.*

desconectar (des.co.nec.tar) *v.* {mod. 1} *t.d.* interromper ou desfazer a conexão entre; desligar *<puxou o cabo e desconectou o computador>* ↺ conectar, ligar ~ **desconexão** *s.f.*

desconexo (des.co.ne.xo) /cs/ *adj.* **1** em que não há conexão; desligado, desunido ↺ conectado **2** *p.ext.* que não tem coerência *<texto d.>* ↺ coerente

desconfiado (des.con.fi.a.do) *adj.s.m.* **1** que(m) não confia ↺ confiante **2** que(m) tem suspeitas; receoso ↺ destemido

desconfiança (des.con.fi.an.ça) *s.f.* **1** falta de confiança **2** falta de esperança *<desempregado, encara o futuro com d.>*

desconfiar (des.con.fi.ar) *v.* {mod. 1} *t.i. e int.* **1** (prep. *de*) pôr-se de sobreaviso com relação a; duvidar, suspeitar *<desconfie dos aduladores> <quando a esmola é grande, o pobre desconfia>* ↺ crer, confiar □ *t.d. e t.i.* **2** (prep. *de*) considerar possível, mesmo sem comprovação; supor, julgar *<desconfio (de) que não possa fazê-lo sozinho>*

desconfiômetro (des.con.fi.ô.me.tro) *s.m. B joc.* capacidade de desconfiar quando se está exagerando ou sendo inconveniente *<quando percebeu que falava do que não sabia, ligou o d.>*

desconforme (des.con.for.me) *adj.2g.* **1** que não está em concordância com determinado padrão *<usa umas roupas d.>* ↺ adequado **2** de tamanho muito grande; descomunal *<avistou um vulto alto e d.>* ↺ pequeno ~ **desconformidade** *s.f.*

desconforto (des.con.for.to) *s.m.* **1** falta de conforto *<o braço engessado causava-lhe grande d.>* ↺ comodidade **2** o que abate o ânimo; desalento, desconsolo ↺ ânimo ~ **desconfortável** *adj.2g.*

descongelamento (des.con.ge.la.men.to) *s.m.* ato ou efeito de descongelar; derretimento (de algo congelado) *<a falta de energia causou o d. do frigorífico>* ↺ congelamento

descongelar (des.con.ge.lar) *v.* {mod. 1} *t.d.,int. e pron.* **1** (fazer) sair do congelamento; degelar(-se) *<d. a carne> <o lago custou a d.(-se)>* ↺ congelar (-se) □ *t.d. fig.* **2** liberar (preços, salários, tarifas etc.) ↺ congelar, tabelar ~ **descongelação** *s.f.*

descongestionamento (des.con.ges.tio.na.men.to) *s.m.* ato ou efeito de desfazer o congestionamento *<d. do tráfego de uma via> <d. das linhas telefônicas>* ↺ congestionamento

descongestionante (des.con.ges.tio.nan.te) *adj.2g.s.m.* (substância) que reduz ou elimina a congestão *<remédio d.> <d. nasal>*

descongestionar (des.con.ges.tio.nar) *v.* {mod. 1} *t.d. e pron.* **1** (fazer) ficar livre de congestão *<d. as fossas nasais> <descongestionou-se após a medicação>* ↺ congestionar(-se) □ *t.d.* **2** desobstruir, desimpedir *<d. o tráfego>* ↺ bloquear

desconhecer (des.co.nhe.cer) *v.* {mod. 8} *t.d.* **1** não ter conhecimento de; ignorar *<d. um regulamento> <d. o autor do livro>* ↺ conhecer, saber **2** deixar de reconhecer *<d. o irmão depois de tantos anos>* ↺ identificar **3** não aceitar; recusar *<d. limites>* ↺ admitir ~ **desconhecedor** *adj.s.m.* - **desconhecimento** *s.m.*

desconhecido (des.co.nhe.ci.do) *adj.* **1** que não é conhecido ou se conhece pouco *<terras d.> <uma planta d.>* ↺ conhecido **2** que não tem fama *<artista d.>* ↺ famoso ■ *adj.s.m.* **3** (indivíduo) cuja identidade se ignora *<foi abordado por um (homem) d.>* ↺ conhecido

desconjuntado (des.con.jun.ta.do) *adj.* **1** que se desconjuntou; que se desprendeu das juntas; desarticulado, deslocado *<ossos d.> <braço d.>* **2** que perdeu a estrutura; desmantelado *<o carrilhão está d.>*

desconjuntar (des.con.jun.tar) *v.* {mod. 1} *t.d. e pron.* **1** (fazer) sair das juntas, das articulações; desencaixar(-se) *<d. os ossos do cotovelo> <com a trombada, seu ombro desconjuntou-se>* ↺ encaixar (-se) **2** desmantelar(-se), descompor(-se) *<o mau uso desconjuntou o micro-ondas> <o sofá desconjuntou--se>* □ *t.d.* **3** separar, desunir *<o mecânico teve de d. a engrenagem das rodas>* ↺ ligar, unir

desconjurar (des.con.ju.rar) *v.* {mod. 1} *t.d.,t.d.i. e pron.* esconjurar

desconsertar (des.con.ser.tar) *v.* {mod. 1} *t.d. e pron.* **1** (fazer) deixar de funcionar; estragar(-se) *<d. uma máquina> <o ventilador voltou a d.-se>* ↺ consertar **2** pôr(-se) em desalinho; desarrumar(-se) *<as lágrimas desconsertaram a maquiagem da atriz> <seus cabelos se desconsertaram>* ↺ arrumar(-se) ☞ cf. *desconcertar* ~ **desconserto** *s.m.*

desconsideração (des.con.si.de.ra.ção) [pl.: *-ões*] *s.f.* **1** falta de consideração; desrespeito ↺ respeito **2** *p.ext.* ofensa, ultraje ↺ elogio **3** perda de credibilidade; descrédito ↺ credibilidade

desconsiderar (des.con.si.de.rar) *v.* {mod. 1} *t.d.* **1** não levar em conta; desprezar *<era tão absurdo o pedido que resolveu desconsiderá-lo>* ↺ considerar **2** fazer pouco de; desvalorizar *<d. a arte popular> <d. um subordinado>* ↺ enaltecer **3** (fazer) perder o crédito, o respeito; desacreditar(-se) *<tal atitude só serve para desconsiderá-lo entre os seus pares> <d.-se aos olhos das pessoas>* ↺ respeitar ~ **desconsiderado** *adj.*

desconsolado (des.con.so.la.do) *adj.* **1** muito triste ↺ alegre **2** desinteressado, desanimado ↺ animado ~ **desconsolar** *v.t.d.,int. e pron.*

desconsolo (des.con.so.lo) /ô/ *s.m.* tristeza, desgosto ↺ alegria

descontar (des.con.tar) *v.* {mod. 1} *t.d. e t.d.i.* **1** (prep. *de*) subtrair (valor ou preço) [de um total]; deduzir *<descontando nulos e brancos, os votos chegam a 2 mil> <descontou das despesas a parte da alimentação>*

↺ acrescentar □ *t.d.* **2** receber o valor de (cheque) **3** não levar em conta; desconsiderar *<era tão eficiente que o chefe descontava suas faltas>* ↺ considerar □ *t.d.i.* **4** (prep. *em*) dar vazão a (problema, preocupação etc.), sendo agressivo; descarregar *<d. a raiva na mulher>*

descontentamento (des.con.ten.ta.men.to) *s.m.* falta de contentamento; desgosto ↺ contentamento, felicidade

descontentar (des.con.ten.tar) *v.* {mod. 1} *t.d. e pron.* (prep. *com*) (fazer) ficar insatisfeito ou triste; desagradar(-se) *<o atraso da noiva descontentou os convidados> <descontenta-se com a preguiça dos alunos>* ↺ alegrar(-se)

descontente (des.con.ten.te) *adj.2g.* **1** que não está contente; insatisfeito ↺ satisfeito **2** contrariado, mal--humorado ↺ contente

descontextualizar (des.con.tex.tu.a.li.zar) *v.* {mod. 1} *t.d.* retirar do contexto habitual *<d. a declaração do diretor>* ~ **descontextualização** *s.f.*

descontínuo (des.con.tí.nuo) *adj.* que apresenta interrupções; que não tem continuidade *<aprendizado d.> <linhas d.>* ↺ contínuo, constante ~ **descontinuidade** *s.f.*

desconto (des.con.to) *s.m.* **1** redução no total de uma quantia; abatimento **2** ECON valor abatido na negociação antecipada de título de crédito

descontração (des.con.tra.ção) [pl.: *-ões*] *s.f.* **1** ação ou efeito de descontrair(-se); relaxamento, distensão *<d. dos músculos tensos do pescoço>* ↺ tensão **2** ausência de constrangimento; desembaraço *<aceitou a chefia do colega com d.>* ↺ timidez

descontraído (des.con.tra.í.do) *adj.* **1** sem rigidez muscular; relaxado **2** calmo, relaxado **3** sem timidez; desembaraçado, desinibido

descontrair (des.con.tra.ir) *v.* {mod. 25} *t.d. e pron.* **1** (fazer) perder a contração; relaxar(-se) *<d. os músculos> <sua fisionomia descontraiu-se>* ↺ contrair(-se) **2** (fazer) perder o constrangimento, a timidez *<seu ar bonachão descontrai todo mundo> <somente se descontraía em família>* ↺ constranger(-se), envergonhar(-se)

descontrolado (des.con.tro.la.do) *adj.* **1** que não tem ou perdeu o controle; desgovernado *<um carro d. subiu na calçada>* ↺ controlado **2** que perdeu o domínio sobre si mesmo *<ficou d. ao saber que fora enganado>* ↺ contido

descontrolar (des.con.tro.lar) *v.* {mod. 1} *t.d. e pron.* **1** (fazer) perder o controle; desgovernar(-se) *<a temperatura excessiva descontrolou a pressão da turbina> <quando o pneu furou, o carro descontrolou-se>* **2** (fazer) perder o domínio de si mesmo; exaltar-se *<seu desrespeito descontrolou o professor> <descontrolou-se no fim da partida>*

descontrole (des.con.tro.le) /ô/ *s.m.* falta de controle *<d. motor> <d. emocional>* ↺ controle

desconversar (des.con.ver.sar) *v.* {mod. 1} *int.* **1** fugir do assunto numa conversa, mostrar-se desentendido; disfarçar **2** mudar o curso ou interromper a conversa; tergiversar

descorado (des.co.ra.do) *adj.* **1** que se descorou; desbotado, pálido *<tecido d.> <lábios d.>* **2** que tem pouco brilho, intensidade, luminosidade *<manhã d.>*

descorar (des.co.rar) *v.* {mod. 1} *t.d. e int.* **1** (fazer) perder a cor; desbotar(-se) *<o sol descorou as cortinas da sala> <o vermelho descora facilmente>* □ *t.d. e pron.* **2** (fazer) perder o vigor; empalidecer(-se) *<o nervosismo descorou sua face> <proibida de sair, descorou-se>* ~ **descoramento** *s.m.*

descorçoar (des.cor.ço.ar) *v.* → ***DESACORÇOAR***

descortês (des.cor.tês) [pl.: *-eses*] *adj.2g.* que não tem cortesia; indelicado, grosseiro ↺ gentil, amável

descortesia (des.cor.te.si.a) *s.f.* falta de cortesia; grosseria ↺ delicadeza

descortinar (des.cor.ti.nar) *v.* {mod. 1} *t.d.* **1** tirar ou levantar a cortina de *<descortinou a janela>* **2** fazer aparecer; mostrar, revelar *<ao d. o palco, todo o elenco surgiu>* **3** ver o que está fora e distante; avistar *<d. o barco no horizonte>* **4** *fig.* tomar consciência de; perceber *<descortinava precipitação em suas conclusões>*

descortino (des.cor.ti.no) *s.m.* **1** ação ou efeito de descortinar **2** facilidade de ver ao longe **3** percepção rápida e fácil; perspicácia

descoser (des.co.ser) *v.* {mod. 8} *t.d. e pron.* desfazer (-se) a costura de; desmanchar os pontos de (costura); descosturar(-se) *<d. a bainha, o bordado> <a cortina descoseu-se>* ↺ coser, costurar ~ **descosido** *adj.*

descosturar (des.cos.tu.rar) *v.* {mod. 1} *t.d. e pron.* desfazer(-se) a costura de; descoser(-se) ↺ costurar

descredenciar (des.cre.den.ci.ar) *v.* {mod. 1} *t.d.* retirar as credenciais de *<d. um embaixador> <d. um repórter>* ↺ credenciar

descrédito (des.cré.di.to) *s.m.* **1** perda de crédito; desconfiança ↺ confiança **2** má fama; desonra ↺ honra

descrença (des.cren.ça) *s.f.* **1** falta de crença; desconfiança ↺ confiança **2** falta de religiosidade, de fé ↺ crença

descrente (des.cren.te) *adj.2g.s.2g.* **1** que(m) não acredita *<anda d. das medidas disciplinares> <os d. tiveram de render-se às evidências>* ↺ crente, crédulo **2** que(m) não tem religião ↺ religioso

descrer (des.crer) *v.* {mod. 11} *t.i. e int.* **1** (prep. *de*) não acreditar ou deixar de acreditar; duvidar *<d. da maldade alheia> <não encontra motivos para d.>* ↺ crer □ *t.i.* **2** (prep. *de, em*) perder a confiança em; desacreditar *<d. das promessas de alguns políticos>* ↺ confiar

descrever (des.cre.ver) *v.* {mod. 8} *t.d. e pron.* **1** representar(-se), por escrito ou oralmente, no seu todo ou em detalhes *<d. uma pessoa, um lugar> <descreveu--se como um lutador>* □ *t.d. e t.d.i.* **2** *p.ext.* (prep. *a*) contar em detalhes; relatar *<pediu à testemunha que lhe descrevesse o que aconteceu>* □ *t.d.* **3** desenhar, traçar *<d. uma circunferência>* ◉ GRAM/USO part.: *descrito* ~ **descritível** *adj.2g.*

descrição (des.cri.ção) [pl.: *-ões*] *s.f.* **1** relato das características (de algo) *<d. de uma doença>* **2** exposição oral ou escrita *<d. do encontro>* ☞ cf. *discrição*

descriminação (des.cri.mi.na.ção) [pl.: *-ões*] *s.f.* DIR ato de excluir a criminalidade de um fato *<d. do jogo do bicho>* ↺ incriminação ☞ cf. *discriminação*

descriminalizar (des.cri.mi.na.li.zar) *v.* {mod. 1} *t.d.* descriminar

descriminar (des.cri.mi.nar) *v.* {mod. 1} *t.d.* **1** isentar de culpa; inocentar ↺ culpar, incriminar **2** retirar o caráter ilegal de (um ato) ☞ cf. *discriminar*

descritivo (des.cri.ti.vo) *adj.* **1** que descreve *<texto d.>* **2** que traz a descrição de alguma matéria *<anatomia d.>*

descruzar (des.cru.zar) *v.* {mod. 1} *t.d.* desfazer o cruzamento de *<d. os braços>* ↺ cruzar ~ **descruzado** *adj.*

descuidado (des.cui.da.do) *adj.s.m.* **1** (o) que não toma cuidados suficientes (com alguém ou algo); despreocupado, indiferente *<empresa d. das normas de segurança> <somente os d. não perceberam o problema>* ↺ cuidadoso ■ *adj.* **2** que não recebeu atenção *<palavras d. podem ferir>* ↺ aplicado

descuidar (des.cui.dar) *v.* {mod. 1} *t.d.,t.i. e pron.* **1** (prep. *de*) não ter cuidados com; negligenciar *<ele descuidara (d)a costumeira elegância> <d.(-se) da saúde>* ↺ cuidar, tratar □ *pron.* **2** não estar atento, alerta; distrair-se *<no instante em que se descuidou, o irmão menor pegou o doce>* ↺ atentar

descuido (des.cui.do) *s.m.* **1** atitude não pensada *<seu d. é imperdoável>* ↺ prudência **2** falta de atenção; distração *<deixou o gás aceso por d.>* **3** falta de cuidado; negligência *<o d. de sua aparência chega a incomodar>*

desculpa (des.cul.pa) *s.f.* **1** ato ou efeito de desculpar; perdão *<de tudo fazia para alcançar a d. do marido>* ↺ condenação **2** motivo alegado para defender (a si ou outra pessoa) de algo *<sua d. não foi convincente>* **3** motivo alegado para se livrar de alguma obrigação; pretexto *<usou o cansaço como d. para abandonar a competição>* ▣ **d. esfarrapada** desculpa que não convence

desculpar (des.cul.par) *v.* {mod. 1} *t.d.,t.d.i. e pron.* **1** (prep. *de*) conceder(-se) perdão por falta cometida; perdoar(-se) *<jamais o desculpará> <mais uma vez, desculpou-o de seus atrasos> <é difícil d.-se dos próprios erros>* □ *t.d.* **2** ser tolerante com; relevar *<é necessário d. os excessos da mocidade>* **3** servir de pretexto, justificativa para *<a doença desculpa sua inércia>* □ *pron.* **4** (prep. *com*) explicar-se, justificar-se *<não sabia como d.-se>* **5** (prep. *por*) pedir desculpa(s), perdão ~ **desculpável** *adj.2g.*

descumprir (des.cum.prir) *v.* {mod. 24} *t.d.* deixar de cumprir; infringir, transgredir *<d. ordens>* ↺ obedecer ~ **descumpridor** *adj.s.m.* - **descumprimento** *s.m.*

descurar (des.cu.rar) *v.* {mod. 1} *t.d.,t.i. e pron.* (prep. *de*) não ter cuidados com; descuidar(-se), negligenciar *<os maus governantes descuram a saúde pública> <d. dos habitantes ribeirinhos> <d. de uma tarefa> <d.-se da própria saúde>* ↺ cuidar(-se), tratar(-se)

desde (des.de) *prep.* **1** expressa a noção de movimento ou extensão em relação a um ponto no espaço *<veio a pé d. sua casa>* **2** expressa a noção de movimento ou extensão a partir de um momento determinado *<d. ontem até hoje> <estava a esperá-lo d. as duas horas da tarde>* **3** expressa ordem gradativa, sempre em correlação com as prep. *a* ou *até* *<d. o mais alto ao mais baixo> <estavam lá d. os novatos aos mais experimentados>* ▣ **d. que 1** desde o tempo em que; depois que *<não tive notícias dele d. que viajou>* **2** com a condição de que; uma vez que *<d. que seja possível, será feito>*

desdém (des.dém) [pl.: *-éns*] *s.m.* **1** ato ou efeito de desdenhar; desprezo manifestado por quem se acha melhor do que os outros ↺ apreço **2** falta de cuidado ou capricho *<vestir-se com d.>*

desdenhar (des.de.nhar) *v.* {mod. 1} *t.d. e t.i.* **1** (prep. *de*) tratar com desprezo; desprezar *<d. o conselho dos pais> <costuma d. dos colegas>* **2** (prep. *de*) fazer troça de; zombar *<é muito feio desdenhar (d)os mais fracos>* ~ **desdenhoso** *adj.*

desdentado (des.den.ta.do) *adj.s.m.* **1** que(m) não tem alguns ou todos os dentes ■ *s.m.* ZOO **2** espécime dos desdentados, mamíferos sem dentes ou com dentição imperfeita, como os tamanduás, as preguiças e os tatus ■ *adj.* **3** relativo aos desdentados (acp. 2)

desdita (des.di.ta) *s.f.* má sorte, desgraça ↺ ventura ~ **desditoso** *adj.*

desdizer (des.di.zer) *v.* {mod. 15} *t.d. e pron.* **1** negar ou retirar (o que foi dito); desmentir(-se) *<não desdiga suas promessas> <quis d.-se, mas ninguém acreditou>* ↺ confirmar □ *t.d.* **2** contradizer a afirmação de; desmentir *<desdisse o debatedor sem piedade>* ↺ confirmar ◉ GRAM/USO part.: *desdito*

desdobramento (des.do.bra.men.to) *s.m.* **1** ato ou efeito de desdobrar(-se) **2** divisão de um todo em duas ou mais partes; desmembramento **3** desenvolvimento consecutivo; consequência *<essa decisão terá graves d.>*

desdobrar (des.do.brar) *v.* {mod. 1} *t.d.* **1** desmanchar a dobra de; abrir *<d. um guardanapo>* ↺ dobrar □ *t.d. e pron.* **2** dividir(-se) em dois; repartir(-se) *<d. uma turma> <a ameba desdobra-se para reproduzir-se>* **3** *fig.* desenvolver(-se) sucessivamente; desenrolar(-se) *<enquanto falava, ia desdobrando aos nossos olhos cenas esquecidas> <naquele instante, toda a vida desdobrou-se diante dele>* □ *t.d. e t.d.i.* **4** (prep. *em*) dividir (um todo) [em várias partes] *<d. (em grupos) uma classe>* □ *pron.* **5** esforçar-se, empenhar-se *<teve de d.-se para dar conta do serviço>* ~ **desdobrado** *adj.* - **desdobrável** *adj.2g.*

desdouro (des.dou.ro) *s.m.* descrédito, desonra ↺ honra ~ **desdourar** *v.t.d. e pron.*

deseducar (de.se.du.car) *v.* {mod. 1} *t.d. e pron.* **1** (fazer) perder a educação; embrutecer(-se) *<d. os filhos> <deseducou-se com a ausência dos pais>* ↺ civilizar(-se) □ *t.d.* **2** dar mau exemplo a; educar mal *<a desorganização da escola deseduca os alunos>* ~ **deseducação** *s.f.*

desejar (de.se.jar) *v.* {mod. 1} *t.d.* **1** sentir vontade de possuir ou realizar (o que satisfaça exigência intelectual, emocional ou física); querer *<d. bens> <deseja ter saúde>* **2** ter gosto ou empenho em realizar (algo); ansiar, pretender *<desejava surpreender a mulher>* **3** sentir forte atração por *<d. uma bela mulher>* □ *t.d. e t.d.i.* **4** (prep. *a*) fazer votos de (saúde, sucesso etc.) [a alguém]; estimar *<desejaram(-lhe) pronto restabelecimento>*

desejável (de.se.já.vel) [pl.: *-eis*] *adj.2g.* **1** que se pode desejar; possível de ser desejado **2** que pode ser objeto de aspiração do corpo ou do espírito *<participar das Olimpíadas é uma honra d. por qualquer atleta>* **3** que se deve desejar; necessário, esperado *<a honestidade é uma virtude d. em qualquer pessoa>* **4** que desperta desejo sensual *<homem d.>*

desejo (de.se.jo) /ê/ *s.m.* **1** vontade de conseguir (algo) *<d. de descansar>* ↺ apatia **2** ambição *<todos notavam seu d. de poder>* ↺ desapego **3** impulso sexual *<seu d. pelo marido continuava o mesmo>* ↺ frieza **4** *infrm.* ânsia de satisfazer certos apetites durante a gravidez *<acordou com d. de goiaba>*

desejoso (de.se.jo.so) /ô/ [pl. e fem.: /ó/] *adj.* **1** dominado, impelido pelo desejo; ávido, cobiçoso <*indivíduo d. de honrarias*> **2** disposto (a realizar algo) <*mostrava-se d. de obter um posto fora do país*>

deselegante (de.se.le.gan.te) *adj.2g.* **1** que não apresenta elegância ou discrição; desalinhado, mal--arrumado <*roupa d.*> <*moça d.*> **2** que não possui delicadeza, polidez; grosseiro <*seria d. insistir*> <*procedimento d.*> ~ **deselegância** *s.f.*

desemaranhar (de.se.ma.ra.nhar) *v.* {mod. 1} *t.d. e pron.* **1** desmanchar(-se) o emaranhado de; desembaraçar(-se) <*d.(-se) um rolo de linha*> ↺ emaranhar(-se) **2** *fig.* tornar(-se) compreensível (o que está confuso); esclarecer(-se) <*d.(-se) um crime*>

desembaçar (de.sem.ba.çar) *v.* {mod. 1} *t.d.,int. e pron.* (fazer) recuperar o brilho, a transparência <*d. um espelho*> <*as vidraças rapidamente desembaçaram (-se)*> ↺ embaçar(-se)

desembainhar (de.sem.ba.i.nhar) *v.* {mod. 1} *t.d.* **1** tirar (arma) da bainha ('estojo') <*d. a espada*> ↺ embainhar **2** descosturar a bainha de (roupa) <*d. uma saia*> ↺ embainhar

[1]**desembalar** (de.sem.ba.lar) *v.* {mod. 1} *t.d. e int.* (fazer) perder o embalo, a velocidade; desacelerar <*o piloto deve d. o carro ao se aproximar dos boxes*> <*o cavalo desembalou próximo à linha de chegada*> ↺ embalar ◉ ORIGEM *des-* + [1]*embalar*

[2]**desembalar** (de.sem.ba.lar) *v.* {mod. 1} *t.d.* retirar da embalagem; desembrulhar <*d. a mercadoria*> ↺ embalar ◉ ORIGEM *des-* + [2]*embalar*

desembaraçado (de.sem.ba.ra.ça.do) *adj.* **1** sem nós; desemaranhado <*cabelos d.*> ↺ embaraçado **2** livre de dificuldades; desimpedido ↺ embaraçado **3** que se mostra à vontade na maneira de expressar e agir; desinibido ↺ acanhado, tímido

desembaraçar (de.sem.ba.ra.çar) *v.* {mod. 1} *t.d. e pron.* **1** desfazer nó ou embaraço de (fio, meada etc.) ou perder os nós; desemaranhar(-se) <*d. as franjas de uma cortina*> <*seu cabelo se desembaraça facilmente*> ↺ embaraçar(-se) **2** (fazer) perder a timidez; desinibir (-se) <*o contato com novos colegas desembaraçou--o*> <*levou tempo para d.-se no serviço*> ↺ inibir(-se) □ *t.d.i. e pron.* **3** (prep. *de*) livrar(-se) [do que obstrui ou incomoda]; desvencilhar(-se) <*desembaraçou-o daquele chato*> <*a custo conseguiu d.-se do vendedor*>

desembaraço (de.sem.ba.ra.ço) *s.m.* **1** ausência de obstáculo; desimpedimento ↺ dificuldade **2** agilidade nas ações; presteza <*falar, andar com d.*> ↺ acanhamento **3** valentia diante dos perigos; coragem ↺ covardia

desembaralhar (de.sem.ba.ra.lhar) *v.* {mod. 1} *t.d.* **1** organizar (o que está embaralhado); desembaraçar <*d. um novelo*> **2** *fig.* tornar compreensível <*d. um contrato*> ↺ complicar □ *int. e pron.* **3** tornar(-se) claro <*a visão desembaralhou(-se)*> ↺ embaralhar (-se), confundir(-se)

desembarcadouro (de.sem.bar.ca.dou.ro) *s.m.* local de desembarque <*atracamos em um pequeno d.*>

desembarcar (de.sem.bar.car) *v.* {mod. 1} *t.d. e int.* tirar ou sair de barco, carro, avião etc. <*d. uma carga*> <*desembarcou os passageiros no tempo previsto*> <*os idosos desembarcaram primeiro*> ↺ embarcar

desembargador (de.sem.bar.ga.dor) /ô/ [pl.: *-es*] *s.m.* DIR juiz de tribunal de justiça ou de apelação

desembarque (de.sem.bar.que) *s.m.* **1** retirada ou saída (de objetos ou pessoas) de um veículo ↺ embarque **2** local onde ocorre desembarque <*a família o esperava no d.*> ↺ embarque

desembestado (de.sem.bes.ta.do) *adj.* que desembestou; desenfreado, desabalado <*lá vem o trem d.!*>

desembestar (de.sem.bes.tar) *v.* {mod. 1} *int.* **1** *B* correr desenfreadamente; disparar <*os animais desembestaram pasto afora*> **2** *fig.* perder a calma; descontrolar-se ↺ conter-se □ *t.d. fig.* **3** dizer com raiva (insultos, ofensas ou tolices)

desembocadura (de.sem.bo.ca.du.ra) *s.f.* lugar onde um rio despeja suas águas; foz

desembocar (de.sem.bo.car) *v.* {mod. 1} *t.i.* **1** (prep. *de*) sair de lugar estreito para um mais largo <*o cortejo vai d. do beco*> **2** (prep. *em*) terminar seu curso; desaguar <*o rio desemboca no mar*> **3** (prep. *em*) dar, terminar <*a rua desemboca na praça*>

desembolsar (de.sem.bol.sar) *v.* {mod. 1} *t.d.* **1** tirar da bolsa ou do bolso □ *t.d. e int.* **2** fazer gasto (de); gastar <*não vamos d. um só centavo*> <*se querem passar bem, precisam d.*>

desembolso (de.sem.bol.so) /ô/ *s.m.* **1** ação ou efeito de desembolsar **2** valor que se desembolsou; despesa, gasto

desembrulhar (de.sem.bru.lhar) *v.* {mod. 1} *t.d.* **1** desfazer, abrir (embrulho, pacote) ↺ embrulhar **2** retirar (o conteúdo) de embrulho <*já desembrulhei o jogo de panelas*> **3** retirar a(s) dobra(s) de; desdobrar, estender <*desembrulharam as toalhas arrumadas no armário*> ↺ dobrar □ *t.d. e pron.* **4** (fazer) ficar livre de confusão, embaraço; esclarecer(-se) <*d. um negócio*> <*a situação desembrulhou-se*>

desembuchar (de.sem.bu.char) *v.* {mod. 1} *t.d. e int. infrm.* expor francamente (sentimentos, pensamentos); desabafar

desemburrar (de.sem.bur.rar) *v.* {mod. 1} *t.d.,int. e pron.* **1** tornar(-se) mais instruído; instruir(-se) <*a leitura desemburra os meninos*> <*desemburrou(-se) a duras penas*> **2** (fazer) perder o aborrecimento; alegrar(-se) <*teve muita paciência para d. a criança*> <*depois da briga, levou tempo para d.(-se)*> ↺ emburrar

desemoldurar (de.se.mol.du.rar) *v.* {mod. 1} *t.d.* retirar a moldura de; desenquadrar <*d. um retrato*> ↺ emoldurar

desempacar (de.sem.pa.car) *v.* {mod. 1} *t.d. e int.* **1** (fazer) voltar a andar (cavalgadura) <*d. o cavalo à custa da espora*> <*a mula desempacou finalmente*> **2** *B infrm.* (fazer) retomar o desenvolvimento <*a urgência dos prazos desempacou as atividades*> <*seu raciocínio desempacou*> ↺ parar

desempacotar (de.sem.pa.co.tar) *v.* {mod. 1} *t.d.* **1** retirar (o conteúdo) de pacote; desembalar ↺ embalar **2** desfazer (pacote, embrulho); desembrulhar ↺ embrulhar

desemparelhar (de.sem.pa.re.lhar) *v.* {mod. 1} *t.d. e pron.* **1** separar(-se) [elementos em par] <*d.(-se) uma junta de bois*> ↺ emparelhar(-se) □ *t.d. fig.* **2** fazer brigar; desunir <*o encantamento pelo rapaz desemparelhou as amigas*> ↺ unir

desempatar (de.sem.pa.tar) *v.* {mod. 1} *t.d. e int.* **1** (fazer) sair do empate (o que é igualado em número de pontos, votos etc.); decidir(-se) *<os votos do Nordeste desempataram a eleição> <o jogo só desempatou nos momentos finais>* ↺ empatar □ *t.d.* **2** remover dificuldade de; resolver *<d. uma questão>* □ *t.d. e pron.* **3** (deixar) ficar livre; desimpedir(-se) *<desempate o rapaz se não gosta dele> <desempatou-se do emprego>*

desempate (de.sem.pa.te) *s.m.* ação ou efeito de desempatar *<por poucos votos deu-se o d.> <o time buscou o gol de d. até o fim>*

desempenado (de.sem.pe.na.do) *adj.* a que se tirou o empeno; que se endireitou *<a roda da bicicleta já está d.> <tábua d.>*

desempenar (de.sem.pe.nar) *v.* {mod. 1} *t.d.,int. e pron.* tornar(-se) direito, reto; endireitar(-se) *<d. a porta> <o cartão desempenou(-se)>* ↺ empenar, entortar

desempenhar (de.sem.pe.nhar) *v.* {mod. 1} *t.d.* **1** recuperar (bem penhorado) *<d. uma propriedade hipotecada>* ↺ empenhar **2** executar, realizar (cargo, tarefa etc.) *<d. suas funções com perfeição>* □ *t.d.,t.d.i. e pron.* **3** (prep. *de*) liberar(-se) [de compromisso]; desobrigar(-se) *<d. o filho (de participar do concurso)> <d.-se das tarefas domésticas>* ↺ obrigar(-se) □ *t.d. e int.* **4** representar, interpretar (um personagem) *<o ator irá d. Batman> <uma atriz que desempenha com alma>*

desempenho (de.sem.pe.nho) *s.m.* **1** ação ou efeito de desempenhar; execução (de tarefa etc.) **2** maneira como atua ou se comporta alguém ou algo, avaliada em termos de eficiência, de rendimento *<d. de um atleta, de uma máquina>* **3** maneira de representar; interpretação *<d. de uma atriz>*

desempeno (de.sem.pe.no) *s.m.* **1** ato ou efeito de desempenar(-se) **2** qualidade de desempenado; aprumo, nivelamento **3** instrumento formado de duas réguas us. para verificar se uma superfície está nivelada **4** *fig.* porte esbelto; elegância, garbo **5** *fig.* ousadia, coragem

desemperrar (de.sem.per.rar) *v.* {mod. 1} *t.d.,int. e pron.* **1** soltar(-se) [algo emperrado]; destravar(-se) *<d. a porta> <a fechadura desemperrou(-se)>* ↺ emperrar **2** (fazer) recuperar o funcionamento *<d. o motor do carro> <o relógio ainda não (se) desemperrou>* **3** *fig.* (fazer) perder a inibição; desinibir(-se) *<d. a língua> <desemperrou(-se) depois de um drinque>* ↺ inibir(-se)

desempilhar (de.sem.pi.lhar) *v.* {mod. 1} *t.d.* desarrumar (objetos em pilha); desamontoar *<d. caixas de sapatos>* ↺ empilhar

desempoar (de.sem.po.ar) *v.* {mod. 1} *t.d. e pron.* **1** limpar(-se) de pó ou poeira *<d. os livros> <as crianças já se desempoaram para comer>* **2** *fig.* (fazer) ficar livre de preconceitos *<as viagens desempoaram-no> <o sofrimento a fez d.-se>* **3** *fig.* tornar(-se) modesto, simples *<seu exemplo de austeridade vai d. o amigo> <faz tudo para manter as aparências, e não se desempoa>*

desempoçar (de.sem.po.çar) *v.* {mod. 1} *t.d.* **1** drenar a poça de *<d. uma estrada>* ↺ empoçar **2** tirar de poça ou atoleiro; desatolar *<desempocem o jumento>* ↺ atolar ☞ cf. *desempossar*

desempossar (de.sem.pos.sar) *v.* {mod. 1} *t.d.i. e pron.* desapossar ☞ cf. *desempoçar*

desempregado (de.sem.pre.ga.do) *adj.s.m.* (pessoa) que está sem emprego

desemprego (de.sem.pre.go) /ê/ *s.m.* **1** falta de emprego *<alta taxa de d.>* **2** estado dos trabalhadores que não conseguem emprego *<o d. atinge muitos trabalhadores>*

desencadeamento (de.sen.ca.de.a.men.to) *s.m.* **1** ato ou efeito de desencadear(-se); separação, desconexão **2** *fig.* falta de encadeamento, ordenação *<d. de um texto>* **3** manifestação violenta *<d. de um temporal>*

desencadear (de.sen.ca.de.ar) *v.* {mod. 5} *t.d. e pron.* **1** desprender(-se) de cadeia, de corrente *<d. um animal> <o cão desencadeou-se e atacou os invasores>* **2** *fig.* separar(-se), soltar(-se) [elementos ligados] *<d. os elos de uma corrente> <as palavras se desencadeavam em uma fala febril>* ↺ unir(-se), ligar(-se) □ *t.d.* **3** causar ação súbita e/ou em cadeia; suscitar, provocar *<estuda as ações que desencadearam a guerra>* □ *int. e pron.* **4** manifestar-se com ímpeto (vento, chuva etc.) *<um forte trovão fez a chuva d.> <a tormenta desencadeou-se, trazendo pânico aos marinheiros>*

desencaixar (de.sen.cai.xar) *v.* {mod. 1} *t.d.,t.d.i. e pron.* (prep. *de*) soltar(-se) de encaixe; desconjuntar (-se) *<d. um osso> <d. um tubo de outro> <a porta desencaixou-se da dobradiça>* ↺ encaixar(-se)

desencaixotar (de.sen.cai.xo.tar) *v.* {mod. 1} *t.d.* retirar de caixote ou caixa ↺ encaixotar

desencalacrar (de.sen.ca.la.crar) *v.* {mod. 1} *t.d. e pron. infrm.* livrar(-se) de dificuldades, esp. financeiras *<d. o irmão desempregado> <desencalacrou-se com o prêmio da loteria>* ↺ encalacrar(-se)

desencalhar (de.sen.ca.lhar) *v.* {mod. 1} *t.d. e int.* **1** (fazer) retomar (embarcação) o andamento ou movimento interrompido pela presença de obstáculo *<d. um transatlântico> <o cargueiro desencalhou>* **2** *B* dar saída a ou ter saída (mercadoria) *<d.(-se) o estoque>* □ *t.d. fig.* **3** dar andamento a (algo parado, interrompido) *<d. uma obra>* □ *int. fig. B infrm.* **4** casar-se quando se esperava que não fosse mais possível ~ **desencalhe** *s.m.*

desencaminhar (de.sen.ca.mi.nhar) *v.* {mod. 1} *t.d. e pron.* **1** (fazer) sair do caminho a seguir; desviar(-se) *<a neblina desencaminhou os motoristas> <os alpinistas desencaminharam-se>* ↺ encaminhar(-se) □ *t.d.,t.d.i. e pron. fig.* **2** (prep. *de*) afastar(-se) [do bom caminho, do dever]; corromper(-se) *<os veteranos desencaminharam o recruta> <é preciso d. a juventude dos vícios> <d.-se na companhia daquele bando>* ↺ encaminhar(-se), regenerar(-se) ~ **desencaminhador** *adj.s.m.*

desencantamento (de.sen.can.ta.men.to) *s.m.* **1** estado de quem se decepcionou; desencanto, decepção ↺ satisfação **2** quebra do encantamento *<todos esperavam o d. da Bela Adormecida>* ↺ encantamento

desencantar (de.sen.can.tar) *v.* {mod. 1} *t.d.,t.d.i. e pron.* **1** (prep. *de*) livrar(-se) de encanto, magia *<o beijo do príncipe irá d. Branca de Neve (do terrível feitiço)> <o disfarce se desencanta à meia-noite>* ↺ enfeitiçar(-se) **2** *p.ext.* (prep. *de, com*) [fazer] perder as ilusões, o entusiasmo com; desapontar(-se) *<seu último fracasso desencantou-o (da profissão)> <d.-se com o namorado>* ↺ encantar(-se) □ *t.d. infrm.* **3** descobrir (algo raro, difícil de encontrar) *<desen-*

cantaram um lampião de azeite em meio à tralha> □ *t.d. e pron. fig. infrm.* **4** (fazer) aparecer (algo sumido ou latente) *<o autor desencantou sua obra-prima> <a tese demorou, mas acabou por se d.>*

desencanto (de.sen.can.to) *s.m.* desencantamento

desencapar (de.sen.ca.par) *v.* {mod. 1} *t.d.* tirar a capa, o envoltório de *<d. um livro>* ↺ encapar, envolver

desencarceramento (de.sen.car.ce.ra.men.to) *s.m.* libertação de cárcere; soltura ↺ encarceramento ~ **desencarcerar** *v.t.d. e pron.*

desencardir (de.sen.car.dir) *v.* {mod. 24} *t.d.* **1** tirar a sujeira de; limpar ↺ sujar **2** tirar a cor encardida de (roupa, tecido etc.) ↺ encardir □ *t.d. e t.d.i. fig.* **3** (prep. *de*) livrar de (impureza, desonra etc.); purificar *<d. a alma (do ódio)>*

desencargo (de.sen.car.go) *s.m.* **1** cumprimento ou desobrigação de um encargo ↺ obrigação **2** alívio, desafogo *<por d. de consciência, contou o que sabia>* ↺ angústia

desencarnar (de.sen.car.nar) *v.* {mod. 1} *t.d.* **1** separar a carne de; descarnar □ *int.* **2** REL separar-se (alma, espírito) definitivamente do corpo; morrer □ *t.i. e int. B pej.* **3** (prep. *de*) separar-se; desgrudar(-se) *<desde que chegou, não desencarnou de nós> <desencarne, por favor!>* ~ **desencarnação** *s.f.*

desencarquilhar (de.sen.car.qui.lhar) *v.* {mod. 1} *t.d.* fazer desaparecer as rugas de; desenrugar ↺ enrugar, encarquilhar

desencarregar (de.sen.car.re.gar) *v.* {mod. 1} *t.d.* **1** libertar de culpa; absolver □ *t.d.,t.d.i. e pron.* **2** (prep. *de*) desobrigar(-se) [de tarefa, cargo etc.] *<d. a mãe (das tarefas domésticas)> <d.-se de um trabalho>* ↺ obrigar(-se), incumbir(-se)

desencasquetar (de.sen.cas.que.tar) *v.* {mod. 1} *t.d.,t.d.i. e pron.* (prep. *de*) tirar da cabeça (de alguém) [ideia, mania etc.]; dissuadir(-se) *<desencasquetou-o (do desejo de vingança)> <não se desencasqueta da mania de limpeza>* ↺ encasquetar(-se)

desencastoar (de.sen.cas.to.ar) *v.* {mod. 1} *t.d.* **1** tirar o castão de (bengala) **2** soltar (pedra preciosa, p.ex.) do engaste *<d. os brilhantes da tiara>* ↺ engastar, prender ~ **desencastoamento** *s.m.*

desencavar (de.sen.ca.var) *v.* {mod. 1} *t.d.* **1** soltar da cavidade *<d. uma pedra>* **2** escavar, cavar **3** *fig. B* descobrir, encontrar *<d. documentos antigos>*

desencilhar (de.sen.ci.lhar) *v.* {mod. 1} *t.d.* **1** retirar a cilha de (cavalgadura) **2** *p.ext. B* retirar os arreios de (montaria) ↺ arrear ~ **desencilhamento** *s.m.*

desencontrar (de.sen.con.trar) *v.* {mod. 1} *pron.* **1** não estar (pessoas ou coisas) no mesmo lugar ao mesmo tempo; perder-se *<d.-se dos companheiros de excursão>* ↺ encontrar-se □ *int. e pron. fig.* **2** ser oposto, incompatível; divergir *<nossos propósitos sempre (se) desencontram>* ↺ combinar

desencontro (de.sen.con.tro) *s.m.* **1** ato de não estar no lugar combinado ou previsto; desacerto ↺ encontro **2** divergência (de ideias, sentimentos etc.) ↺ acordo

desencorajamento (de.sen.co.ra.ja.men.to) *s.m.* ato ou efeito de desencorajar(-se); desalento, desânimo

desencorajar (de.sen.co.ra.jar) *v.* {mod. 1} *t.d.,t.d.i. e pron.* (prep. *de*) [fazer] perder a coragem, o ânimo; acovardar(-se), desanimar(-se) *<o salário baixo desencoraja os candidatos ao emprego> <desencorajou-se de pedir aumento>* ↺ animar(-se)

desencorpar (de.sen.cor.par) *v.* {mod. 1} *t.d.* **1** tornar menos corpulento, volumoso *<o regime severo vai desencorpá-lo>* ↺ encorpar **2** tornar menos consistente, espesso; desengrossar *<muita água vai d. o feijão>* ↺ engrossar

desencostar (de.sen.cos.tar) *v.* {mod. 1} *t.d.,t.d.i. e pron.* **1** (prep. *de*) afastar(-se) de onde se estava apoiado *<d. as camas> <d. o móvel da parede> <desencoste-se da porta>* **2** *fig. infrm.* (prep. *de*) afastar(-se) de apoio moral, ajuda *<desencostou o cunhado (do cargo na empresa)> <d.-se da proteção paterna>* □ *t.d.* **3** abrir (o que estava fechado); descerrar *<d. a porta>* ↺ fechar, cerrar

desencravar (de.sen.cra.var) *v.* {mod. 1} *t.d. e t.d.i.* **1** arrancar (cravo, prego) *<d. um prego (da parede)>* ↺ cravar, pregar □ *t.d.* **2** livrar(-se) de cravo, espinho ou do que se tenha fixado por penetração *<d. o casco do cavalo>*

desencrespar (de.sen.cres.par) *v.* {mod. 1} *t.d. e pron.* **1** alisar(-se) [o que está crespo] *<d.(-se) os cabelos>* ↺ encrespar(-se) **2** (fazer) perder ruga(s) ou marca(s); desenrugar(-se) *<comprou um creme para d. a pele> <seu rosto desencrespou-se com o tratamento>* ↺ enrugar(-se) □ *t.d.* **3** desemaranhar, desembaraçar ↺ emaranhar □ *int.* **4** tornar-se sereno, calmo (superfície da água) *<a lagoa desencrespou>*

desencurvar (de.sen.cur.var) *v.* {mod. 1} *t.d. e pron.* (fazer) perder a curvatura; endireitar *<d. o anzol> <os soldados desencurvaram-se para a revista>* ↺ curvar(-se)

desenevoar (de.se.ne.vo.ar) *v.* {mod. 1} *t.d. e pron.* **1** dispersar(-se) a névoa; aclarar(-se) *<os primeiros raios de sol desenevoaram o dia> <o céu desenevoou-se>* ↺ enevoar(-se) **2** (fazer) recuperar a tranquilidade; serenar(-se) *<d. o espírito> <seu semblante desenevoou-se e abriu-se em um sorriso>* ↺ inquietar(-se)

desenfadar (de.sen.fa.dar) *v.* {mod. 1} *t.d. e pron.* livrar(-se) do enfado, do aborrecimento; distrair(-se) *<ela sabe d. as crianças> <desenfada-se caminhando no jardim>* ↺ aborrecer(-se)

desenfado (de.sen.fa.do) *s.m.* **1** ausência de enfado; sossego ↺ agitação **2** divertimento, recreação ↺ aborrecimento

desenfaixar (de.sen.fai.xar) *v.* {mod. 1} *t.d. e pron.* soltar(-se) das faixas *<d. o braço> <d. um bebê> <mal podia esperar para d.-se depois da cirurgia>* ↺ enfaixar(-se)

desenfardar (de.sen.far.dar) *v.* {mod. 1} *t.d.* retirar do(s) fardo(s); desembrulhar ↺ embalar ~ **desenfardamento** *s.m.*

desenfeitar (de.sen.fei.tar) *v. t.d. e pron.* retirar o enfeite de; desataviar(-se) *<d. a cidade depois das festas> <desenfeitou-se para dormir>*

desenfeitiçar (de.sen.fei.ti.çar) *v.* {mod. 1} *t.d. e pron.* **1** libertar(-se) de feitiço; desencantar(-se) *<um banho de ervas vai desenfeitiçá-lo> <o curandeiro desenfeitiçou-se sob a lua cheia>* ↺ enfeitiçar(-se) □ *t.d.,t.d.i. e pron. p.ext.* **2** (prep. *de*) libertar(-se) [do que exerce fascínio ou paixão] *<nem o início do filme desenfeitiçou-o (do olhar da amada)> <é preciso d.-se daquele cafajeste>*

desenfeixar (de.sen.fei.xar) *v.* {mod. 1} *t.d.* **1** desfazer um feixe de ↺ enfeixar **2** desfazer união de; desatar, desunir ↺ unir, juntar

desenferrujar (de.sen.fer.ru.jar) *v.* {mod. 1} *t.d.* **1** tirar a ferrugem de ↺ enferrujar □ *t.d. e pron. fig.* **2** (fazer) sair da inércia, de inatividade *<d. os dedos> <suas articulações desenferrujaram-se>* ↺ parar **3** (fazer) recobrar o ânimo; reanimar(-se) *<d. o espírito> <suas ideias desenferrujaram-se>* ↺ desanimar(-se)

desenfiar (de.sen.fi.ar) *v.* {mod. 1} *t.d.* **1** tirar o fio que passa pelo orifício de *<d. uma agulha>* ↺ enfiar □ *t.d.,int. e pron.* **2** soltar(-se) de (aquilo em que está enfiado) *<d. as pérolas de um colar> <uma carreira de malhas desenfiou(-se)>* ↺ enfiar(-se)

desenfreado (de.sen.fre.a.do) *adj.* **1** sem freio *<deixou o carro d.>* **2** que corre descontroladamente; desembestado *<multidão d.>* **3** *fig.* que não se contém; solto *<língua d.>* ↺ contido **4** *fig.* sem limites; desmedido *<ambição d.>* ↺ moderado **5** *fig.* furioso, irado ↺ calmo **6** *fig.* devasso, licencioso ↺ recatado

desenfrear (de.sen.fre.ar) *v.* {mod. 5} *t.d. e pron.* **1** soltar(-se) do freio *<d. as mulas> <a égua desenfreou-se>* □ *int. e pron.* **2** correr muito, com ímpeto; desabalar *<a boiada desenfreou(-se) porteira afora>* **3** *fig.* manifestar(-se) com força, violência *<sua ira desenfreou(-se)>* □ *t.d. fig.* **4** livrar de limitação; libertar *<d. o pensamento>* ↺ refrear □ *pron.* **5** enfurecer-se, irar-se

desenfurnar (de.sen.fur.nar) *v.* {mod. 1} *t.d. e pron.* **1** (fazer) sair da toca, caverna etc. *<o cão de caça vai d. a raposa> <o guaxinim desenfurnou-se para procurar comida>* ↺ enfurnar(-se) **2** *fig.* (fazer) sair de isolamento, voltando ao convívio social *<nada conseguia desenfurná-la> <só pretende d.-se quando terminar de ler o livro>* ↺ enclausurar(-se)

desengajamento (de.sen.ga.ja.men.to) *s.m.* desligamento de compromisso, esp. os de caráter ideológico ↺ engajamento

desengajar (de.sen.ga.jar) *v.* {mod. 1} *t.d. e pron.* **1** liberar(-se) de participação, compromisso; desobrigar (-se) *<d. um trabalhador> <d-se de um partido>* ↺ engajar(-se) **2** liberar(-se) de engajamento militar *<d. um sargento> <o aviador desengajou-se para trabalhar numa companhia aérea>*

desenganado (de.sen.ga.na.do) *adj.* **1** livre de engano ou desilusão ↺ iludido **2** que não tem cura (diz-se de doente)

desenganar (de.sen.ga.nar) *v.* {mod. 1} *t.d.,t.d.i. e pron.* **1** (prep. *de*) esclarecer(-se) a respeito de um erro; desiludir(-se) *<se assim acredita, não vamos desenganá-lo> <não pretende d. a mãe de suas crenças> <não irá d.-se facilmente>* ↺ iludir(-se) □ *t.d.* **2** não dar esperança de vida a *<d. um doente>*

desenganchar (de.sen.gan.char) *v.* {mod. 1} *t.d.* **1** tirar o gancho de *<d. uma peça de carne>* □ *t.d. e t.d.i.* **2** (prep. *de*) soltar (o que está enganchado) do que o prende; desengatar *<d. a blusa (do prego)>*

desengano (de.sen.ga.no) *s.m.* **1** ato de tomar consciência do erro em que se estava; esclarecimento **2** falta de confiança, de esperança; desencanto, desilusão

desengarrafar (de.sen.gar.ra.far) *v.* {mod. 1} *t.d.* **1** retirar da garrafa ↺ engarrafar **2** *p.ext.* acabar com engarrafamento de; liberar, desobstruir *<d. o trânsito>*

desengasgar (de.sen.gas.gar) *v.* {mod. 1} *t.d. e pron.* livrar(-se) de engasgo; desentalar(-se) *<um tapa nas costas desengasgou-a> <a muito custo conseguiu d.-se>* ↺ engasgar(-se) ~ **desengasgo** *s.m.*

desengastar (de.sen.gas.tar) *v.* {mod. 1} *t.d. e t.d.i.* soltar do engaste; desencastoar *<d. uma pedra (do anel)>* ↺ engastar

desengatar (de.sen.ga.tar) *v.* {mod. 1} *t.d.,t.d.i. e pron.* **1** (prep. *de*) separar(-se) do engate; desencaixar(-se) *<d. (de uma locomotiva) o vagão de carga> <os botões desengataram-se da blusa>* ↺ engatar(-se) □ *t.d. e int.* **2** desengatilhar(-se) [arma de fogo] *<desengataram as armas quando reconheceram o visitante> <durante a noite, o fuzil desengatou>* ↺ engatilhar **3** soltar(-se) a embreagem de (veículo); desengrenar ↺ engrenar ~ **desengatamento** *s.m.* - **desengate** *s.m.*

desengatilhar (de.sen.ga.ti.lhar) *v.* {mod. 1} *t.d.* **1** acionar o gatilho de (arma de fogo); disparar □ *t.d. e pron.* **2** desarmar(-se) o gatilho de (arma de fogo) *<d.(-se) uma pistola>*

desengomar (de.sen.go.mar) *v.* {mod. 1} *t.d. e int.* (fazer) perder a goma; amolecer *<a chuva desengomou seu terno> <este tecido desengoma rápido>* ↺ engomar

desengonçado (de.sen.gon.ça.do) *adj.* **1** que não é gracioso; desajeitado ↺ elegante **2** desconjuntado, bambo, frouxo *<cadeira d.>* ↺ firme, estável ~ **desengonçar** *v.t.d. e pron.*

desengordurar (de.sen.gor.du.rar) *v.* {mod. 1} *t.d.* **1** tirar gordura ou seu excesso de *<d. uma carne> <d. a sopa>* **2** fazer que não fique oleoso *<d. a pele, os cabelos>* **3** remover restos ou mancha de gordura em *<d. a cozinha> <d. o avental>* ↺ engordurar

desengrenar (de.sen.gre.nar) *v. t.d.* **1** soltar da engrenagem □ *t.d. e int.* **2** soltar(-se) a embreagem de (veículo); desengatar

desengrossar (de.sen.gros.sar) *v.* {mod. 1} *t.d. e int.* **1** tornar(-se) mais fino; adelgaçar(-se) *<d. uma tábua> <com a dieta, sua cintura desengrossou bastante>* ↺ engrossar **2** (fazer) ficar ralo, menos grosso *<d. o mingau>* ↺ engrossar, espessar **3** tornar(-se) menos inchado; desinchar *<os medicamentos desengrossaram o hematoma> <os pés desengrossaram>* ↺ inchar

desenguiçar (de.sen.gui.çar) *v.* {mod. 1} *t.d. e pron.* **1** livrar(-se) de quebranto, má sorte *<d. sua vida afetiva> <tenha fé que seu caminho vai se d.>* □ *t.d. B* **2** deixar sem defeito; consertar *<d. uma máquina>* ↺ enguiçar, quebrar ~ **desenguiço** *s.m.*

desenhar (de.se.nhar) *v.* {mod. 1} *t.d. e int.* **1** representar por meio de desenho *<d. uma flor> <saber d.> <d. a lápis>* □ *t.d. fig.* **2** dar a ideia de; descrever, figurar *<no seu relato, desenhou com precisão as pessoas>* **3** planejar, elaborar *<tudo se passou como ele desenhara>* □ *t.d. e pron.* **4** (fazer) ressaltar o contorno, o desenho; distinguir(-se) *<um vestido que desenha a forma do corpo> <as sombras desenhavam-se contra o muro>*

desenhista (de.se.nhis.ta) *adj.2g.s.2g.* que(m) desenha, profissionalmente ou não ▣ **d. industrial** profissional do desenho industrial

desenho (de.se.nho) *s.m.* **1** representação gráfica de objetos e ideias feita sobre uma superfície **2** representação por linhas da forma de um objeto; contorno, traçado **3** arte e técnica de desenhar *<curso de d.>* *<ter talento para d.>* ▣ **d. animado** CINE TV série de desenhos filmados que, projetados, criam movimento • **d. industrial** arte e técnica de desenhar objetos destinados à produção industrial

desenlace (de.sen.la.ce) *s.m.* **1** ato ou efeito de desfazer um nó ou laçada ↺ enlace **2** *fig.* maneira pela qual se conclui ou chega ao fim; desfecho *<d. de uma história>* ~ **desenlaçar** *v.t.d. e pron.*

desenleio (de.sen.lei.o) *s.m.* **1** soltura de qualquer coisa que estava amarrada ↺ enleio **2** desembaraço de apuro ↺ enleio

desenodoar (de.se.no.do.ar) ou **desnodoar** (des.no.do.ar) *v.* {mod. 1} *t.d.* **1** limpar nódoas, manchas de *<d. uma camisa>* ↺ manchar **2** *fig.* restabelecer o crédito, a confiança a *<d. o nome na praça>* ↺ macular

desenovelar (de.se.no.ve.lar) ou **desnovelar** (des.no.ve.lar) *v.* {mod. 1} *t.d. e pron.* **1** desfazer(-se) um novelo; desenrolar(-se) ↺ enovelar(-se) **2** *fig.* dar(-se) a conhecer; revelar(-se) □ *t.d. fig.* **3** resolver (trama ou intriga)

desenquadrar (de.sen.qua.drar) *v.* {mod. 1} *t.d.* **1** retirar de quadro, caixilho, moldura ↺ emoldurar **2** CINE FOT TV tirar do enquadramento *<d. uma imagem>* □ *t.i. e pron.* **3** (prep. *com*) não combinar com; desarmonizar(-se) *<a mansão desenquadrava com a pobreza do lugar>* *<sua opinião desenquadra-se nesse contexto>* ↺ harmonizar(-se) ~ **desenquadramento** *s.m.*

desenraizado (de.sen.ra.i.za.do) *adj.* **1** arrancado pela raiz **2** distante de seu lugar de origem ↺ enraizado

desenraizar (de.sen.ra.i.zar) *v.* {mod. 2} *t.d.* **1** arrancar (planta, árvore etc.) pela raiz; desarraigar □ *t.d.i. e pron. fig.* **2** (prep. *de*) (fazer) sair de (terra natal) *<nada a desenraizaria da cidade natal>* *<d.-se da cidade natal>* ~ **desenraizamento** *s.m.*

desenrascar (de.sen.ras.car) *v.* {mod. 1} *t.d.* **1** desprender de rede ↺ enrascar □ *t.d. e pron.* **2** livrar(-se) de dificuldade, de confusão ↺ enrascar(-se)

desenredar (de.sen.re.dar) *v.* {mod. 1} *t.d.* **1** desprender da rede; desenrascar **2** separar (o que está enredado); desembaraçar, desemaranhar *<d. os fios de uma meada>* ↺ emaranhar □ *t.d. e pron. fig.* **3** tornar(-se) claro, compreensível *<d. um caso complicado>* *<a trama foi aos poucos se desenredando>* ↺ complicar(-se) □ *pron. fig.* **4** livrar-se de dificuldade, confusão *<não sabem como vão se d. dessas trapalhadas>* ↺ atolar-se ~ **desenredo** *s.m.*

desenrolar (de.sen.ro.lar) *v.* {mod. 1} *t.d. e pron.* **1** (fazer) perder a forma de rolo; estender(-se) *<d. um pergaminho>* *<o novelo desenrolou-se>* ↺ enrolar(-se) **2** *fig.* revelar(-se) ou desenvolver(-se) pouco a pouco *<d. uma conversa>* *<a estrada se desenrolava à nossa frente>* □ *t.d.* **3** desembalar, desembrulhar *<d. um presente>* ↺ embrulhar **4** *fig.* resolver (atrapalhação, dificuldade) *<d. pendências do inventário>* □ *pron.* **5** ocorrer sucessivamente; desencadear-se *<os acontecimentos se desenrolavam em grande velocidade>*

desenroscar (de.sen.ros.car) *v.* {mod. 1} *t.d. e pron.* **1** (fazer) deixar de ter a forma de rosca *<d. as pernas>* *<a cobra desenroscou-se>* ↺ enroscar(-se) **2** livrar(-se) do que se torceu ao redor *<d. o arame da estaca>* *<d.-se de um abraço>* ↺ enroscar(-se) □ *t.d.* **3** remover da rosca; desaparafusar *<d. parafusos>*

desenrugar (de.sen.ru.gar) *v.* {mod. 1} *t.d. e pron.* (fazer) perder as rugas ou pregas; desfranzir(-se) *<d.(-se) a testa>*

desensacar (de.sen.sa.car) *v.* {mod. 1} *t.d.* retirar de saco ou saca ↺ ensacar

desentalar (de.sen.ta.lar) *v.* {mod. 1} *t.d.* **1** retirar a tala de *<d. o braço>* ↺ entalar □ *t.d. e pron. p.ext.* **2** livrar(-se) [o que está comprimido]; desapertar(-se) *<abriu a gola para d. o pescoço>* *<d. o pé do buraco>* *<a novilha logo se desentalou>* ↺ apertar(-se), entalar(-se) **3** *infrm.* (fazer) perder o engasgo *<bateu nas costas do garoto para desentalá-lo>* *<bebeu um gole de água para d.-se>* ↺ engasgar(-se) **4** livrar(-se) de apuro ou dificuldade ↺ enrascar(-se)

desentender (de.sen.ten.der) *v.* {mod. 8} *t.d.* **1** não entender **2** fingir não entender □ *pron.* **3** pôr-se em desavença; brigar *<pediu desculpas depois de d.-se com o vizinho>* ↺ reconciliar-se

desentendido (de.sen.ten.di.do) *adj.* **1** não entendido; compreendido de forma errada ou incorreta *<saiu triste julgando-se d.>* ■ *adj.s.m.* **2** que(m) não entende ▣ **fazer-se (de) d.** fingir que não percebe, que não ouve *<fez-se de d. quanto às recomendações da mãe>*

desentendimento (de.sen.ten.di.men.to) *s.m.* **1** falta de entendimento, de percepção ↺ entendimento **2** briga, desavença ↺ concordância

desenterrar (de.sen.ter.rar) *v.* {mod. 1} *t.d.* **1** retirar de debaixo da terra *<d. raízes>* ↺ enterrar **2** *fig.* descobrir (algo escondido ou difícil de ser achado) *<conseguiram d. cartas inéditas de Monteiro Lobato>* **3** *fig.* tirar do esquecimento, trazer à baila *<d. lembranças>* ↺ enterrar

desentoação (de.sen.to.a.ção) [pl.: *-ões*] *s.f.* **1** saída do tom; desafinação ↺ afinação **2** comportamento inconveniente; despropósito

desentoamento (de.sen.to.a.men.to) *s.m.* desentoação

desentoar (de.sen.to.ar) *v.* {mod. 1} *t.d. e int.* **1** (fazer) produzir sons discordantes; desafinar □ *int. e pron. fig.* **2** agir ou falar de forma inconveniente; exceder-se

desentocar (de.sen.to.car) *v.* {mod. 1} *t.d. e pron.* **1** (fazer) sair da toca *<d. um tatu>* *<a capivara desentoca-se ao anoitecer>* ↺ entocar(-se) **2** *fig.* (fazer) sair do isolamento *<tomou a seu encargo d. os primos>* *<desentocou-se para alegria dos amigos>* ↺ isolar(-se)

desentorpecer (de.sen.tor.pe.cer) *v.* {mod. 8} *t.d.,int. e pron.* **1** (fazer) perder o torpor (membro do corpo) *<mergulhou as mãos na água quente para desentorpecê-las>* *<após algumas passadas, suas pernas desentorpeceram(-se)>* ↺ entorpecer(-se) **2** (fazer) perder o desânimo, a inércia; reanimar(-se) *<d.(-se) a inteligência>* ↺ desanimar(-se)

desentortar (de.sen.tor.tar) *v.* {mod. 1} *t.d. e pron.* **1** endireitar(-se) [o que está torto, curvado] *<d. um garfo>* *<desentorte-se, menino!>* ↺ curvar(-se), entortar(-se) **2** *fig.* eliminar faltas, erros [de]; corrigir(-se) *<d. um trabalho malfeito>* *<procurava d.-se para alegrar a mãe>* ↺ entortar(-se)

desentranhar (de.sen.tra.nhar) *v.* {mod. 1} *t.d.* **1** fazer sair das entranhas; parir <*d. um lindo bebê*> **2** arrancar as vísceras de <*abatido o animal, começaram a desentranhá-lo*> **3** *fig.* extrair de lugar escondido; desenterrar <*d. riquezas do mar*> □ *t.d. e pron. fig.* **4** soltar(-se) da alma, do coração <*desentranhou um grito de dor*> <*um soluço desentranhou-se de seu peito*> ~ **desentranhamento** *s.m.*

D

desentulhar (de.sen.tu.lhar) *v.* {mod. 1} *t.d.* **1** retirar o entulho, o lixo de <*d. a casa em obras*> ↺ entulhar **2** *p.ext.* tirar de (um lugar) o que ali existe em excesso; arrumar <*d. uma gaveta*> ↺ atravancar, abarrotar

desentupir (de.sen.tu.pir) *v.* {mod. 29} *t.d.* acabar com o entupimento de; desobstruir <*d. a privada*> ↺ obstruir, entupir

desenvolto (de.sen.vol.to) /ô/ *adj.* **1** que se mostra à vontade na maneira de expressar-se, movimentar-se, agir; desembaraçado, vivo <*andar d.*> <*pessoa d.*> ↺ inibido **2** *infrm.* travesso, irrequieto <*criança d.*> ↺ comportado

desenvoltura (de.sen.vol.tu.ra) *s.f.* **1** qualidade ou característica de desenvolto; desembaraço, vivacidade <*sabe palestrar com d.*> ↺ inibição **2** *infrm.* travessura

desenvolver (de.sen.vol.ver) *v.* {mod. 8} *t.d. e pron.* **1** tornar(-se) maior, mais forte, volumoso; crescer <*d. o corpo*> <*expostas ao sol, as plantas se desenvolvem bem*> **2** (fazer) ir à frente, avançar, progredir <*d. uma empresa*> <*certos setores da indústria se desenvolveram menos que outros*> ↺ regredir; estagnar □ *t.d.* **3** expor em detalhes <*d. uma teoria*> □ *pron.* **4** desenrolar-se, prosseguir <*a conversa se desenvolvia animadamente*> ◉ GRAM/USO part.: *desenvolvido, desenvolto*; ver QUADRO DE PARTICÍPIOS DUPLOS nas pp. iniciais

desenvolvido (de.sen.vol.vi.do) *adj.* **1** que se desenvolveu; que cresceu e se tornou forte <*rapaz d.*> **2** que progrediu; adiantado, avançado <*país d.*> ↺ subdesenvolvido

desenvolvimento (de.sen.vol.vi.men.to) *s.m.* **1** ato, processo ou efeito de desenvolver(-se); crescimento <*d. de um organismo*> **2** ação ou efeito de desenvolver (-se); crescimento, progresso <*d. do comércio*> <*d. de uma cidade*> ↺ retrocesso ▣ **d. sustentável** ECON desenvolvimento planejado a fim de não esgotar ou degradar os recursos naturais

desenxabido (de.sen.xa.bi.do) *adj.* **1** que não tem sabor; insípido, insosso <*fruta d.*> ↺ saboroso **2** que não tem graça, que não desperta interesse; aborrecido <*moça d.*> <*livro d.*> ↺ interessante

desequilibrado (de.se.qui.li.bra.do) *adj.* **1** que não tem equilíbrio <*balança d.*> ↺ equilibrado **2** desprovido de harmonia; desproporcional <*decoração d.*> ↺ harmonioso ■ *adj.s.m.* **3** que(m) não tem equilíbrio mental; doido, louco

desequilibrar (de.se.qui.li.brar) *v.* {mod. 1} *t.d. e pron.* **1** (fazer) perder o equilíbrio <*ao fazer a faxina, desequilibrou a cristaleira*> <*a senhora desequilibrou-se ao descer do ônibus*> ↺ equilibrar(-se) □ *t.d.* **2** romper a harmonia de; desestabilizar <*d. a balança comercial de um país*> <*o verdadeiro craque desequilibra qualquer partida*> ↺ equilibrar; estabilizar **3** *infrm.* causar perturbação mental ou emocional a; desatinar

desequilíbrio (de.se.qui.lí.brio) *s.m.* **1** ausência ou perda do equilíbrio; instabilidade **2** falta de proporção, de harmonia; desarmonia, desigualdade <*d. entre oferta e procura de mão de obra*> <*d. na decoração*> **3** falta de estabilidade emocional

deserção (de.ser.ção) [pl.: *-ões*] *s.f.* **1** abandono de serviço militar sem autorização **2** abandono de um compromisso ou uma afinidade; renúncia ↺ permanência

deserdado (de.ser.da.do) *adj.s.m.* **1** que(m) foi privado de herança **2** que(m) é desprovido de bens, qualidades etc. <*d. de riquezas*> <*os missionários se dedicavam aos d.*>

deserdar (de.ser.dar) *v.* {mod. 1} *t.d.* privar da herança ou sucessão a que (alguém) tinha direito <*d. os próprios filhos*>

desertar (de.ser.tar) *v.* {mod. 1} *t.d.* **1** tornar (lugar) deserto; despovoar <*por causa da poluição, os pescadores desertaram aquelas praias*> ↺ povoar □ *t.d. e t.i.* **2** (prep. *de*) abandonar, deixar, desistir <*d. o lar*> <*d. do alojamento*> ↺ aderir □ *t.i. e int.* **3** (prep. *de*) deixar as forças armadas sem licença <*desertou de sua corporação*> <*muitos soldados desertaram*>

desértico (de.sér.ti.co) *adj.* **1** característico de deserto <*clima d.*> ↺ fértil **2** sem formas de vida; despovoado ↺ povoado

desertificação (de.ser.ti.fi.ca.ção) [pl.: *-ões*] *s.f.* ECO processo de formação ou expansão de desertos, resultante do mau uso da terra, de alterações climáticas ou da combinação desses fatores ~ **desertificar** *v.t.d. e pron.*

deserto (de.ser.to) *s.m.* GEO **1** região de chuvas escassas, vegetação rara e pouco habitada ■ *adj.* **2** privado de habitantes; ermo, desabitado <*ilha d.*> ↺ habitado **3** vazio <*o teatro estava d.*> ↺ cheio

desertor (de.ser.tor) /ô/ [pl.: *-es*] *adj.s.m.* **1** (soldado ou oficial) que abandona ilegalmente o serviço militar **2** que(m) abandona suas convicções ou seus compromissos

desesperado (de.ses.pe.ra.do) *adj.* **1** dominado pelo desespero, extremamente aflito; atormentado <*veio a mim d., clamando por ajuda*> **2** que manifesta ou exprime desespero, aflição <*grito d.*> <*olhar d.*> **3** que deixou de ter esperança; desiludido ■ *adj.s.m.* **4** que(m) perdeu toda esperança, toda fé em seu futuro <*só mesmo um (homem) d. aceitaria tal serviço*>

desesperança (de.ses.pe.ran.ça) *s.f.* falta ou perda de esperança; desespero ↺ esperança

desesperar (de.ses.pe.rar) *v.* {mod. 1} *t.d.,int. e pron.* **1** (fazer) sentir angústia, aflição; afligir(-se) <*as dívidas o desesperavam*> <*à medida que as horas iam passando, começou a d.(-se)*> ↺ serenar **2** irritar(-se) profundamente; enfurecer(-se) <*o falatório da mulher desesperava-o*> <*tudo isso é de d.*> <*acabou perdendo a paciência e desesperando-se*> ↺ acalmar(-se) □ *t.d.,t.d.i.,t.i.,int. e pron.* **3** (prep. *de*) [fazer] perder a esperança, a confiança ou a fé (em) <*a moça desesperou seu pretendente*> <*já desesperávamos de tornar a vê-lo*> <*desesperaram o candidato de suas pretensões*> <*não (se) desespere, dias melhores virão*> ~ **desesperação** *s.f.* - **desesperador** *adj.s.m.*

desespero (de.ses.pe.ro) /ê/ *s.m.* **1** estado de grande aflição e angústia de quem julga uma situação sem saída **2** estado de profundo desânimo e falta de esperança; desesperança ↺ esperança **3** irritação profunda; cólera, raiva

desestabilização (de.ses.ta.bi.li.za.ção) [pl.: *-ões*] *s.f.* **1** ação ou efeito de desestabilizar(-se) **2** perda da estabilidade

desestabilizar (de.ses.ta.bi.li.zar) *v.* {mod. 1} *t.d. e pron.* (fazer) perder a estabilidade, a segurança; descontrolar(-se) *<estradas esburacadas desestabilizam os veículos>* *<o time se desestabilizou após a quinta derrota consecutiva>* ↺ estabilizar(-se)

desestatizar (de.ses.ta.ti.zar) *v.* {mod. 1} *t.d.* excluir a gestão do Estado em ou reduzir sua participação em *<d. uma companhia petrolífera>* ↺ estatizar ~ **desestatização** *s.f.*

desestima (de.ses.ti.ma) *s.f.* **1** falta de estima ↺ estima **2** ausência de afeto; indiferença ↺ afeição **3** insatisfação, descontentamento ↺ satisfação

desestimulante (de.ses.ti.mu.lan.te) *adj.2g.* que desestimula, desanima ↺ estimulante, instigante

desestimular (de.ses.ti.mu.lar) *v.* {mod. 1} *t.d. e pron.* (fazer) perder o estímulo; desanimar(-se) *<a grande concorrência desestimulou os candidatos>* *<desestimulou-se diante de tantos obstáculos>* ↺ animar(-se) ~ **desestimulador** *adj.s.m.*

desestímulo (de.ses.tí.mu.lo) *s.m.* falta ou perda de estímulo; desencorajamento ↺ estímulo

desfaçatez (des.fa.ça.tez) /ê/ [pl.: *-es*] *s.f.* falta de vergonha; descaramento, cinismo

desfalcar (des.fal.car) *v.* {mod. 1} *t.d. e t.d.i.* **1** (prep. *de*) suprimir (uma parte) [de um todo] *<d. a estante (de uns livros)>* ↺ acrescentar **2** (prep. *de*) tirar fraudulentamente de; roubar *<desfalcaram os cofres públicos (de alguns milhões)>* □ *t.d.* **3** reduzir, diminuir *<gastos extras desfalcaram o seu ordenado>* **4** ESP deixar de integrar (uma equipe) por qualquer impedimento *<o atacante, machucado, vai d. o time>* □ *pron.* **5** (prep. *de*) privar-se de *<d.-se de objetos pessoais>*

desfalecer (des.fa.le.cer) *v.* {mod. 8} *int.* **1** perder as forças momentaneamente; desmaiar **2** *fig.* diminuir em intensidade, quantidade *<seu ânimo jamais desfalece>* ↺ aumentar □ *t.i. e int.* **3** (prep. *em*) diminuir em força, disposição; enfraquecer *<d. em seus propósitos>* *<lutar sem d.>* ↺ fortalecer(-se) ~ **desfalecido** *adj.*

desfalecimento (des.fa.le.ci.men.to) *s.m.* **1** ato ou efeito de desfalecer; desmaio **2** *p.ext.* perda de ânimo; esmorecimento ↺ ânimo

desfalque (des.fal.que) *s.m.* **1** retirada de uma parte ↺ acréscimo **2** desvio de dinheiro alheio; roubo *<funcionário acusado de d.>* **3** o montante desviado *<o d. foi da ordem de milhões>* **4** ESP ausência de um atleta numa partida ou torneio

desfastio (des.fas.ti.o) *s.m.* **1** ausência de fastio; apetite ↺ fastio **2** *fig.* prazer de viver **3** *fig.* entretenimento, distração

desfavor (des.fa.vor) /ô/ [pl.: *-es*] *s.m.* **1** perda do favor de que se desfruta; desgraça *<cair em d.>* **2** prejuízo, descrédito *<nunca diz algo em d. do colega>*

desfavorável (des.fa.vo.rá.vel) [pl.: *-eis*] *adj.2g.* **1** não favorável; contrário, adverso *<opinião d. ao projeto>* ↺ favorável **2** desvantajoso, prejudicial *<clima d. ao cultivo de morangos>* ↺ propício

desfavorecer (des.fa.vo.re.cer) *v.* {mod. 8} *t.d.* privar de algo vantajoso; prejudicar *<d. os filhos mais velhos na partilha>* ↺ favorecer

desfavorecido (des.fa.vo.re.ci.do) *adj.s.m.* **1** que(m) perdeu algum bem; que(m) foi prejudicado *<os (alunos) d. pela greve ficaram revoltados>* ↺ beneficiado, favorecido **2** que(m) é pobre; desvalido

desfazer (des.fa.zer) *v.* {mod. 14} *t.d. e pron.* **1** alterar (-se) de modo que deixe de estar feito, elaborado, construído; desmanchar(-se), desmontar(-se) *<d. um móvel>* *<a armação da barraca desfez-se>* **2** pôr (-se) fora da ordem; desarrumar(-se) *<d. a cama>* *<o penteado desfez-se>* ↺ arrumar(-se) **3** separar (-se) [conjunto de pessoas, animais]; desunir(-se), dispersar(-se) *<d. um grupo>* *<o rebanho desfez-se>* **4** fazer(-se) em pedaços; despedaçar(-se) *<d. um bloco de pedra>* *<se cair, essa estatueta se desfaz toda>* **5** (fazer) cessar, dispersando(-se); dissipar (-se) *<d. a espuma>* *<o nevoeiro desfez-se>* **6** pôr fim a ou chegar ao fim; extinguir(-se) *<d. uma empresa>* *<a tribo se desfará em pouco tempo>* **7** tornar(-se) nulo; invalidar(-se) *<d. um contrato>* *<não deixem que o casamento se desfaça>* □ *t.i.* **8** (prep. *de*) fazer pouco caso; desdenhar *<ele gosta de d. das pessoas>* □ *pron.* **9** (prep. *de*) abrir mão de; despojar-se *<d.-se de velharias>* **10** (prep. *em*) manifestar-se com exagero; derramar-se *<d.-se em lágrimas>* ◉ GRAM/USO part.: *desfeito* ~ **desfazimento** *s.m.*

desfechar (des.fe.char) *v.* {mod. 1} *t.d. e int.* **1** dar (tiro) [com arma de fogo]; disparar *<d. um revólver>* *<d. um tiro>* *<todas as armas desfecharam ao mesmo tempo>* □ *t.d.* **2** dar, aplicar (golpe) *<d. um chute>* **3** tirar o que fecha (algo); abrir *<d. a janela>* ↺ fechar, cerrar □ *t.d. e t.i.* **4** (prep. *em*) manifestar-se com força, de súbito; desatar *<d. um grito>* *<d. em risos>* □ *t.i. e int.* **5** (prep. *em*) concluir, terminar *<o que começou como festa acabou desfechando em drama>* *<o enredo desfecha de modo decepcionante>* ↺ começar

desfecho (des.fe.cho) /ê/ *s.m.* **1** conclusão, desenlace *<o d. do romance>* ↺ início **2** solução, resultado

desfeita (des.fei.ta) *s.f.* procedimento grosseiro; indelicadeza, ofensa *<nunca faz d. a ninguém>* ↺ consideração ~ **desfeitear** *v.t.d.*

desfeito (des.fei.to) *adj.* **1** que voltou a seu estado anterior ou foi convertido em algo diferente *<o telhado ficou d. com o vendaval>* **2** abatido, desfigurado *<aparência d.>* **3** que chegou ao fim ou foi elucidado *<namoro d.>* *<dúvida d.>*

desferir (des.fe.rir) *v.* {mod. 28} *t.d.* **1** lançar de si; emitir *<d. raios, luz>* **2** emitir (sons, canto) □ *t.d. e t.d.i.* **3** (prep. *em*) aplicar (golpe) [em alguém]; desfechar *<d. um soco no adversário>* **4** (prep. *em*) tocar (sons, acordes, música) [em instrumento de corda] *<d. o cavaquinho>* *<d. em sua viola choros antigos>*

desferrar (des.fer.rar) *v.* {mod. 1} *t.d. e pron.* (fazer) ficar sem a ferradura (o animal) ↺ ferrar

desfiar (des.fi.ar) *v.* {mod. 1} *t.d. e pron.* **1** desmanchar(-se) em fios (um tecido) *<d. um pano>* *<os velhos estofados desfiavam-se>* □ *t.d.* **2** reduzir a filamentos ou lascas *<d. carne-seca>* **3** passar entre os dedos as contas de (rosário, terço etc.) **4** *fig.* expor, contar em detalhes ~ **desfiadura** *s.f.*

D

D

desfibrado (des.fi.bra.do) *adj.* **1** sem fibras **2** reduzido a fibras; desfiado ■ *adj.s.m.* **3** (indivíduo) sem disposição física; fraco **4** (indivíduo) sem coragem; covarde

desfibrilador (des.fi.bri.la.dor) /ô/ [pl.: *-es*] *adj.s.m.* MED (aparelho) que combate a fibrilação do coração com choques elétricos aplicados no tórax do paciente ~ **desfibrilação** *s.f.* - **desfibrilar** *v.t.d.*

desfigurar (des.fi.gu.rar) *v.* {mod. 1} *t.d. e pron.* **1** alterar o aspecto (de), tornando(-se) irreconhecível; transfigurar(-se) *<o acidente desfigurou seu rosto>* **2** *p.ext.* tornar(-se) feio; enfear(-se) □ *t.d.* **3** alterar os traços essenciais de; deturpar *<d. um fato, um texto>* ~ **desfiguração** *s.f.* - **desfigurado** *adj.* - **desfiguramento** *s.m.*

desfiladeiro (des.fi.la.dei.ro) *s.m.* GEO passagem estreita entre montanhas; estreito

desfilar (des.fi.lar) *v.* {mod. 1} *int.* **1** andar ou marchar em fila **2** apresentar-se em passarela (modelo, escola de samba etc.) □ *t.d.* **3** mostrar num desfile *<d. uma nova coleção>* **4** *p.ext. B infrm.* ostentar, exibir *<d. o novo visual>* ↺ esconder

desfile (des.fi.le) *s.m.* **1** deslocamento ordenado em fila **2** marcha militar solene em coluna **3** *p.ext.* caminhada de manequins sobre passarela para exibir coleção de moda **4** *B* exibição pública de escola de samba

desflorar (des.flo.rar) *v.* {mod. 1} *t.d. e pron.* deflorar ~ **desfloração** *s.f.* - **desfloramento** *s.m.*

desflorestamento (des.flo.res.ta.men.to) *s.m.* ECO desmatamento ('remoção') ↺ reflorestamento ~ **desflorestar** *v.t.d. e int.*

desfocar (des.fo.car) *v.* {mod. 1} *t.d.* **1** ajustar (câmera, filmadora) para obter imagens fora de foco ↺ focar **2** deixar turvo, fora de foco *<d. o rosto na fotografia>* ↺ focar ~ **desfocado** *adj.* - **desfocamento** *s.m.*

desfolhar (des.fo.lhar) *v.* {mod. 1} *t.d. e pron.* despojar(-se) das folhas ou pétalas *<d. uma margarida>* *<as amendoeiras começam a d.-se>* ~ **desfolhação** *s.f.*

desforra (des.for.ra) *s.f.* reparação de uma ofensa; vingança

[1]**desforrar** (des.for.rar) *v.* {mod. 1} *t.d.* retirar o forro, o revestimento de *<d. a poltrona>* ◉ ORIGEM *des-* + [2]*forrar*

[2]**desforrar** (des.for.rar) *v.* {mod. 1} *t.d.,t.d.i. e pron.* **1** (prep. *de*) tirar desforra de (ofensa); vingar(-se) *<d. uma calúnia>* *<d. a família da humilhação>* *<ele deseja d.-se desta vileza>* **2** (prep. *de*) compensar(-se), indenizar(-se) [por perda, prejuízo] *<d. um prejuízo>* *<essas alegrias vão desforrá-la das suas agruras>* *<desforrou-se num banquete do longo dia de jejum>* ◉ ORIGEM *des-* +[1]*forrar*

desfraldar (des.fral.dar) *v.* {mod. 1} *t.d. e pron.* abrir(-se), soltar(-se) ao vento (velas, bandeiras etc.)

desfranzir (des.fran.zir) *v.* {mod. 24} *t.d.* **1** desfazer o franzido ou as pregas de; alisar, esticar ↺ franzir □ *t.d. e pron.* **2** desenrugar(-se), fazendo perder ou perdendo a contração *<d. a testa>* *<seu rosto, enfim, desfranziu-se>* ↺ enrugar(-se)

desfrutar (des.fru.tar) *v.* {mod. 1} *t.d. e t.i.* **1** (prep. *de*) gozar, usufruir de (vantagem, benefício) *<d. (de) boa saúde>* □ *t.d. fig.* **2** deleitar-se com; apreciar *<d. um bom livro>* **3** viver à custa de *<abandonou os estudos e desfruta os irmãos mais velhos>* **4** caçoar, zombar

desfrute (des.fru.te) ou **desfruto** (des.fru.to) *s.m.* **1** ato de usufruir de alguma vantagem ou oportunidade **2** *infrm.* exposição ao ridículo; zombaria *<dar-se ao d.>* ↺ respeito

desgalhar (des.ga.lhar) *v.* {mod. 1} *t.d.* retirar os galhos, os ramos de *<a ventania desgalhou a roseira>*

desgarrar (des.gar.rar) *v.* {mod. 1} *t.d.,t.i.,int. e pron.* **1** (prep. *de*) afastar(-se) de (rumo, rota); desviar(-se) *<a tempestade desgarrou uma das embarcações>* *<o satélite desgarrou de sua órbita>* *<os marinheiros não deixaram o navio d.(-se)>* □ *t.d.,t.d.i. e pron.* **2** (prep. *de*) separar(-se) [de companhia, grupo] *<a trovoada desgarrou as ovelhas>* *<o tumulto desgarrou a criança de seus pais>* *<ela preferiu d.-se de nós e seguir sozinha>* □ *t.d.,t.i.,t.d.i. e pron. fig.* **3** afastar(-se) [da moral]; corromper(-se) *<maus conselhos desgarraram o rapaz>* *<esse desgarrou(-se) completamente das leis>* *<suas paixões o desgarravam do bom caminho>*

desgastante (des.gas.tan.te) *adj.2g.* **1** que desgasta, consome *<substância d.>* *<trabalho d.>* **2** *p.ext.* que provoca tédio, enfado; incômodo ↺ divertido

desgastar (des.gas.tar) *v.* {mod. 1} *t.d.* **1** consumir por fricção, abrasão ou atrito; corroer *<d. um motor>* **2** *infrm.* fazer a digestão; digerir □ *t.d. e pron. fig.* **3** consumir(-se) pela ação do tempo, pelo esforço *<d. a saúde>* *<d.-se no trabalho>*

desgaste (des.gas.te) ou **desgasto** (des.gas.to) *s.m.* **1** ação ou efeito de desgastar(-se); alteração ou redução da forma, por fricção ou atrito; corrosão **2** *fig.* envelhecimento, ruína *<d. de uma instituição>* **3** *fig.* abatimento, enfraquecimento *<o d. de vários anos de trabalho>* **4** *infrm.* ato de digerir os alimentos; digestão

desgelar (des.ge.lar) *v.* → ***DEGELAR***

desgostar (des.gos.tar) *v.* {mod. 1} *t.d. e pron.* **1** (fazer) sentir descontentamento; aborrecer(-se), desagradar (-se) *<não era nossa intenção desgostá-lo>* *<desgostou-se com aquela frase>* ↺ alegrar(-se) □ *t.i. e pron.* **2** (prep. *de*) não gostar ou deixar de gostar de *<d. dos velhos amigos>* *<d.-se dos próprios escritos>* ↺ estimar, gostar

desgosto (des.gos.to) /ô/ *s.m.* **1** falta de prazer, de alegria; aborrecimento *<causar d. a alguém>* ↺ prazer **2** sentimento de grande tristeza, mágoa *<o filho causa-lhe d.>* ↺ satisfação ~ **desgostoso** *adj.*

desgovernado (des.go.ver.na.do) *adj.* **1** mal administrado *<país d.>* **2** descontrolado (diz-se de veículo, animal de montaria) *<um carro d.>* **3** *fig.* sem controle sobre si mesmo ~ **desgovernar** *v.t.d.,int. e pron.* - **desgoverno** *s.m.*

desgraça (des.gra.ça) *s.f.* **1** perda das boas graças; desfavor *<cair em d.>* **2** *p.ext.* avesso da fortuna; azar, infelicidade *<aquele namoro foi uma d.>* ↺ felicidade **3** *p.ext.* acontecimento trágico; calamidade *<a enchente foi uma d.>* ↺ felicidade **4** *p.ext.* grande pobreza; miséria ↺ riqueza **5** *p.ext.* estado de aflição; angústia *<foi uma d. acabar o trabalho>* ↺ tranquilidade **6** *infrm.* pessoa ou coisa desajeitada, irritante, digna de lástima

desgraçadamente (des.gra.ça.da.men.te) *adv.* de modo desgraçado; para a desgraça de alguém; infelizmente *<d., não há chance de recuperação>*

desgraçado (des.gra.ça.do) *adj.s.m.* **1** que(m) perdeu as boas graças ou favores ↺ afortunado **2** (o) que inspira pena, piedade; infeliz, desventurado ↺ afortunado **3** (o) que revela estado de pobreza extrema; indigente ↺ afortunado **4** que(m) é pouco ágil; desajeitado, desgracioso **5** (aquele) cujo caráter inspira indignação, desprezo; infame **6** *infrm.* traquinas, travesso ■ *adj.* **7** pouco acertado; inábil *<comentário d.>* ↺ adequado **8** dotado de infortúnio e causador de prejuízo; funesto *<dia d.>* ↺ favorável **9** *B infrm.* danado, extraordinário *<sorte d.>*

desgraçar (des.gra.çar) *v.* {mod. 1} *t.d. e pron.* **1** tornar(-se) desgraçado, infeliz *<o jogo desgraçou aquele lar> <desgraçava-se na bebida>* ↺ afortunar(-se) □ *t.i.* **2** (prep. *a*) iniciar (ação) com ímpeto e vontade; danar *<d. a falar>* □ *t.d.* **3** causar dano(s) a; arruinar *<d. um projeto>* **4** *B infrm.* tirar a virgindade de; desvirginar

desgraceira (des.gra.cei.ra) *s.f. B* **1** grande sucessão de desgraças ou calamidades **2** *infrm.* coisa malfeita, de má qualidade

desgracioso (des.gra.ci.o.so) /ô/ [pl. e fem.: /ó/] *adj.* desprovido de graça, de elegância; desajeitado ↺ elegante ~ **desgraciosidade** *s.f.*

desgrenhado (des.gre.nha.do) *adj.* despenteado, emaranhado *<cabelo d.>* ↺ pentear ~ **desgrenhar** *v.t.d. e pron.*

desgrudar (des.gru.dar) *v.* {mod. 1} *t.d.,t.i.,t.d.i. e pron.* **1** (prep. *de*) separar(-se) [o que está colado] (daquilo a que se juntou); descolar(-se) *<d. algumas páginas> <d. o chiclete da mesa> <o jovem casal não se desgrudava>* ↺ colar(-se), grudar(-se) □ *t.d.i. fig.* **2** (prep. *de*) desviar (o olhar) *<não desgrudava os olhos da TV>* ~ **desgrude** *s.m.*

desguarnecer (des.guar.ne.cer) *v.* {mod. 8} *t.d.,t.d.i. e pron.* (prep. *de*) privar(-se) [do que seria esperado ou necessário]; desprover(-se) *<d. a biblioteca (de suas melhores obras)> <d.-se de agasalhos>* ↺ guarnecer (-se) ~ **desguarnecimento** *s.m.*

desiderato (de.si.de.ra.to) *s.m.* o que se deseja; aspiração

desídia (de.sí.dia) *s.f.* **1** indolência, ociosidade, preguiça ↺ ânimo **2** falta de atenção, de zelo; desleixo ↺ cuidado

desidratação (de.si.dra.ta.ção) [pl.: *-ões*] *s.f.* **1** ato ou efeito de desidratar(-se) **2** MED perda excessiva de água do organismo causada por insuficiente reposição de líquidos **3** QUÍM retirada de moléculas de água de uma substância

desidratar (de.si.dra.tar) *v.* {mod. 1} *t.d. e pron.* MED **1** (fazer) perder (corpo, organismo) a quantidade de água para níveis abaixo do mínimo recomendável ou normal *<o calor pode d. as crianças> <não vá d.-se ficando horas no sol>* ↺ hidratar(-se) □ *t.d.* QUÍM **2** retirar moléculas de água de (substância) ↺ hidratar ~ **desidratado** *adj.* - **desidratante** *adj.2g.s.m.*

design (de.sign) [ing.] *s.m.* **1** a concepção de um produto, esp. no que se refere à sua forma e funcionalidade **2** *p.ext.* desenho industrial ◉ GRAM/USO em ing., invariável ⇒ pronuncia-se dizaine

designar (de.sig.nar) *v.* {mod. 1} *t.d. e t.d.i.* **1** (prep. *a*) indicar de maneira a distinguir dos demais; apontar *<designou um ponto no mapa> <ao chegar designaram-lhe um lugar para sentar-se>* □ *t.d.* **2** ser marca, símbolo de; representar *<as linhas pontilhadas do mapa designam as vias férreas>* □ *t.d.pred.* **3** chamar, qualificar *<d. o rei como traidor>* □ *t.d.,t.d.pred. e t.d.i.* **4** (prep. *para*) indicar, nomear (para atividade, cargo) *<ele próprio designou seu sucessor> <designaram-no como representante de sua classe> <designaram para ela esta importante missão>* ~ **designação** *s.f.* - **designativo** *adj.*

designer (de.sign.er) [ing.; pl.: *designers*] *s.2g.* desenhista industrial ⇒ pronuncia-se dizainer

desígnio (de.síg.nio) *s.m.* ideia de realizar algo; intenção, propósito *<os d. de Deus>*

desigual (de.si.gual) [pl.: *-ais*] *adj.2g.* **1** cuja qualidade, quantidade, natureza diferem; diferente *<força d.>* ↺ igual **2** que favorece um em detrimento do outro; desproporcional *<luta d.>* ↺ equilibrado **3** sem simetria (diz-se de superfície); assimétrico *<paredes d.>* ↺ regular, simétrico **4** sem uniformidade; incerto, variável *<pulsação d.>* ↺ estável ~ **desigualar** *v.t.d.,t.i.,t.d.i. e pron.*

desigualdade (de.si.gual.da.de) *s.f.* **1** caráter, estado de coisas ou pessoas que não são iguais entre si; dessemelhança, diferença *<d. de alturas> <d. das partes>* **2** ausência de proporção, de equilíbrio; disparidade, distância *<d. de forças> <d. social>* **3** falta de uniformidade, de regularidade; variação, desnivelamento *<d. de um terreno> <d. rítmica>*

desiludir (de.si.lu.dir) *v.* {mod. 24} *t.d.,t.d.i. e pron.* **1** (fazer) perder a ilusão; desenganar(-se) *<não vamos d. a criança (de seus sonhos)> <não se desiludia nunca>* ↺ iludir(-se) □ *t.d.,int. e pron.* **2** (fazer) sofrer decepção; desapontar(-se) *<não gostaria de desiludi-lo> <a militância muitas vezes desilude> <desiludiu-se com a noiva>* ~ **desiludido** *adj.s.m.*

desilusão (de.si.lu.são) [pl.: *-ões*] *s.f.* **1** perda da esperança, da confiança **2** sentimento de tristeza, desapontamento; decepção *<d. amorosa>*

desimpedido (de.sim.pe.di.do) *adj.* **1** sem obstrução ou embaraço; livre *<tráfego d.> <rua d.>* ↺ obstruído **2** *fig.* sem entrave(s); liberado *<o andamento do processo está d.>* ↺ obstruído **3** *fig.* livre de obrigações; desocupado *<de manhã estaremos d.>* ↺ ocupado **4** livre de compromisso afetivo; solteiro ↺ comprometido

desimpedir (de.sim.pe.dir) *v.* {mod. 28} *t.d.* **1** remover o que obstrui; desobstruir *<d. o caminho>* ↺ obstruir, atravancar **2** *fig.* facilitar a solução ou encaminhamento de *<d. a tramitação do processo>* ↺ dificultar, emperrar

desinchar (de.sin.char) *v.* {mod. 1} *t.d.,int. e pron.* (fazer) perder ou diminuir a inchação; murchar(-se) *<o repouso desinchou suas pernas> <o balão está (se) desinchando>* ↺ inchar(-se)

desincorporar (de.sin.cor.po.rar) *v.* {mod. 1} *t.d.,t.d.i. e pron.* **1** (prep. *de*) (fazer) abandonar corporação; desvincular(-se) *<em reunião decidiram desincorporá-lo (da sociedade)> <desincorporou-se do clube após o casamento>* ↺ associar(-se), incorporar(-se) **2** *p.ext.* (prep. *de*) separar(-se) de (conjunto a que pertence); desunir (-se), desligar(-se) *<d. as cartas (do baralho)> <o baterista desincorporou-se da banda>* ↺ unir(-se), incorporar(-se) □ *int.* REL *B* **3** abandonar (entidade, espírito) o corpo de um médium ↺ incorporar ~ **desincorporação** *s.f.*

desincumbir (de.sin.cum.bir) *v.* {mod. 24} *pron.* **1** (prep. *de*) realizar incumbência, tarefa *<d.-se de uma missão>* □ *t.d.i. e pron.* **2** (prep. *de*) desencarregar (-se), desobrigar(-se) *<d. o empregado de arrumar o escritório> <desincumbiu-se de levar as crianças ao colégio>* ↺ obrigar(-se), encarregar(-se)

desindexar (de.sin.de.xar) /cs/ *v.* {mod. 1} *t.d.* ECON eliminar reajuste de (preços, salários etc.) por um índice, ger. de inflação *<d. os aluguéis>* ~ **desindexação** *s.f.*

desinência (de.si.nên.cia) *s.f.* GRAM sufixo indicador de flexão (de número, gênero, pessoa, tempo etc.) ~ **desinencial** *adj.2g.*

desinfectar (de.sin.fec.tar) *v.* → ***DESINFETAR***

desinfeliz (de.sin.fe.liz) [pl.: *-es*] *adj.2g.s.2g. infrm.* infeliz ↺ feliz

desinfetante (de.sin.fe.tan.te) *adj.2g.s.m.* **1** (substância) que desinfeta **2** FARM (substância ou medicamento) que impede a contaminação e combate a infecção; antisséptico

desinfetar (de.sin.fe.tar) ou **desinfectar** (de.sin.fec.tar) *v.* {mod. 1} *t.d. e int.* **1** livrar de germes *<d. um aposento, uma ferida> <a água oxigenada desinfeta bem>* ↺ infectar □ *t.i. e int. B gír.* **2** (prep. *de*) retirar-se; sair, sumir *<desinfete (desta sala) antes que eu perca a paciência>* ~ **desinfecção** *s.f.*

desinflamação (de.sin.fla.ma.ção) [pl.: *-ões*] *s.f.* **1** cura da inflamação ↺ inflamação **2** *fig.* redução da excitação, do ardor

desinflamar (de.sin.fla.mar) *v.* {mod. 1} *t.d.,int. e pron.* **1** curar(-se) de inflamação *<tomou um antibiótico para d. a garganta> <as gengivas desinflamaram(-se)>* ↺ inflamar (-se) □ *t.d. e pron. fig.* **2** diminuir o ardor, a excitação (de) *<o gol d. a torcida rival> <o jogador desinflamou-se>*

desinformação (de.sin.for.ma.ção) [pl.: *-ões*] *s.f.* **1** falta de informação; ignorância ↺ conhecimento **2** informação falsa, dada no propósito de confundir ou induzir a erro ~ **desinformado** *adj.s.m.* - **desinformar** *v.t.d.*

desinibido (de.si.ni.bi.do) *adj.* que revela falta de timidez; desembaraçado, extrovertido ↺ inibido

desinibir (de.si.ni.bir) *v.* {mod. 24} *t.d. e pron.* **1** livrar (-se) do que impede atividade fisiológica ou psicológica *<d. o movimento das pernas> <d.-se com psicoterapia>* ↺ inibir(-se), tolher(-se) **2** (fazer) perder a timidez *<sua simpatia d. os candidatos> <o recém-chegado desinibia-se aos poucos>* ↺ acanhar(-se), envergonhar(-se)

desinquieto (de.sin.qui.e.to) *adj.* **1** em movimento; agitado, inquieto *<os animais do zoológico estavam d.>* ↺ quieto **2** *infrm.* levado, traquinas, travesso ↺ comportado ~ **desinquietação** *s.f.* - **desinquietar** *v.t.d. e pron.*

desinsofrido (de.sin.so.fri.do) *adj.* muito impaciente; agitado ↺ calmo

desintegração (de.sin.te.gra.ção) [pl.: *-ões*] *s.f.* ação ou condição de uma coisa que era inteira e unida desfazer-se; decomposição ↺ agregação, aglutinação ~ **desintegrar** *v.t.d.,t.i. e pron.*

desinteligência (de.sin.te.li.gên.cia) *s.f.* **1** desacordo entre pontos de vista; desentendimento ↺ acordo **2** *p.ext.* falta de amizade; hostilidade ↺ amizade **3** falta de inteligência ↺ inteligência

desinteressado (de.sin.te.res.sa.do) *adj.* **1** destituído de interesses ou lucros ↺ interessado **2** que não toma partido; imparcial *<análise d.>* **3** sem curiosidade; indiferente *<d. do futebol>* ↺ simpatizante **4** que perdeu o amor por; desapaixonado *<mulher d.>* ↺ apaixonado **5** que não se empenha; descuidado ↺ cuidadoso **6** desprendido, generoso ↺ mesquinho

desinteressante (de.sin.te.res.san.te) *adj.2g.* que não desperta interesse ↺ interessante

desinteressar-se (de.sin.te.res.sar-se) *v.* {mod. 1} *pron.* **1** (prep. *de*) perder o interesse, o gosto por *<desinteressou-se do rapaz em duas semanas>* **2** (prep. *de*) não se empenhar; descuidar-se *<desinteressou-se da própria saúde>* ↺ importar-se

desinteresse (de.sin.te.res.se) /ê/ *s.m.* **1** falta de curiosidade, de gosto por; indiferença *<d. por surfe>* ↺ interesse **2** *p.ext.* falta de cuidado; descuido, negligência ↺ zelo **3** abnegação, desprendimento, generosidade ↺ ambição

desintoxicar (de.sin.to.xi.car) /cs/ *v.* {mod. 1} *t.d. e pron.* **1** eliminar os efeitos de intoxicação (em) *<d. o organismo>* **2** submeter(-se) a tratamento para curar a dependência de drogas ou álcool □ *t.d. p.ext.* **3** curar os efeitos do veneno em ~ **desintoxicação** *s.f.* - **desintoxicante** *adj.2g.*

desintumescer (de.sin.tu.mes.cer) *v.* {mod. 8} *t.d. e int.* (fazer) perder o inchaço; desinchar ↺ inchar, intumescer ~ **desintumescimento** *s.m.*

desirmanar (de.sir.ma.nar) *v.* {mod. 1} *t.d. e pron.* **1** desunir(-se) [irmãos] ↺ irmanar(-se), unir(-se) **2** (fazer) romper laços de amizade; brigar ↺ reconciliar(-se) □ *t.d.* **3** deixar incompleto (jogo, conjunto); descasar *<d. os sapatos>* ↺ casar

desistência (de.sis.tên.cia) *s.f.* ação ou efeito de desistir; renúncia de algo que se desejava; abstinência ↺ persistência

desistir (de.sis.tir) *v.* {mod. 24} *t.i. e int.* (prep. *de*) não ir à frente (num intento); abster-se, renunciar *<d. de viajar> <desistimos; essa tarefa está além de nossas forças>* ↺ persistir ~ **desistente** *adj.2g.s.2g.*

desjejum (des.je.jum) [pl.: *-uns*] ou **dejejum** (de.je.jum) [pl.: *-uns*] *s.m.* a primeira refeição do dia; café da manhã ~ **desjejuar** *v.t.d.,int. e pron.*

desjungir (des.jun.gir) *v.* → ***DISJUNGIR***

desktop (desk.top) [ing.; pl.: *desktops*] *s.m.* INF **1** ver ÁREA DE TRABALHO **2** computador pessoal projetado para ser us. sobre uma mesa, escrivaninha etc., ao contrário dos *notebooks* e similares, que são portáteis ⇒ pronuncia-se desctop

deslacrar (des.la.crar) *v.* {mod. 1} *t.d.* remover o lacre de; abrir *<d. uma carta>* ↺ lacrar

deslanchar (des.lan.char) *v.* {mod. 1} *t.d. e int.* **1** pôr(-se) em atividade, ger. de modo repentino ou brusco *<conseguiram d. a motocicleta> <o automóvel deslanchou sem dificuldade>* **2** *fig.* (fazer) ter seguimento; prosseguir *<d. um empreendimento> <as negociações, afinal, deslancharam>* ↺ parar, estagnar **3** (fazer) ter progresso; avançar, progredir *<a concorrência deslanchou novas campanhas publicitárias> <a nova cooperativa deslanchou a olhos vistos>* ↺ regredir □ *int.* **4** ir embora; partir

deslanche (des.lan.che) *s.m.* ato ou efeito de deslanchar; progresso, evolução *<o d. do projeto>*

deslavado (des.la.va.do) *adj.* **1** que perdeu a cor; desbotado **2** *fig. infrm.* de comportamento atrevido; descarado, sem-vergonha *<um vigarista d.> <ele mentia com a cara d.>* **3** desprovido de sal ou de sabor *<comida d.>* ↺ saboroso

desleal (des.le.al) [pl.: *-ais*] *adj.2g.* **1** que desrespeita os princípios e as regras estabelecidas *<concorrência d.>* ↺ justo, leal **2** que apresenta conduta traiçoeira; falso, desonesto *<colega d.>* ↺ verdadeiro, leal

deslealdade (des.le.al.da.de) *s.f.* **1** falta de honestidade; traição ↺ honestidade **2** falta de firmeza ou de fidelidade a alguém ou algo; infidelidade ↺ lealdade

desleixado (des.lei.xa.do) *adj.* **1** feito com desleixo; descuidado *<trabalho d.>* ■ *adj.s.m.* **2** (aquele) que faz as coisas sem cuidado; negligente, desmazelado

desleixar (des.lei.xar) *v.* {mod. 1} *t.d. e pron.* (prep. *em*) deixar de (se) cuidar com zelo; negligenciar(-se) *<d. as tarefas domésticas>* *<d.-se na aparência>* ↺ cuidar(-se)

desleixo (des.lei.xo) *s.m.* **1** falta de cuidado, de atenção, de apuro *<d. no vestir>* ↺ esmero **2** falta de esforço, de ânimo, de atividade ↺ aplicação

deslembrança (des.lem.bran.ça) *s.f.* ausência de lembrança; esquecimento ↺ lembrança

desligado (des.li.ga.do) *adj.* **1** que não está ligado ou funcionando *<lâmpada d.>* *<motor d.>* ↺ ligado **2** separado de um todo; desunido, destacado *<peças d.>* *<frases d.>* ↺ unido **3** que se encontra distante; afastado, isolado *<preferia uma vida solitária e d.>* ↺ próximo ■ *adj.s.m. infrm.* **4** que(m) é desatento ou distraído

desligamento (des.li.ga.men.to) *s.m.* **1** ato de desfazer conexão entre duas ou mais coisas, ou seu efeito; separação *<d. dos elos de uma corrente>* ↺ união **2** falta de ligamento *<d. das juntas>* ↺ ligamento **3** interrupção do funcionamento ou do fornecimento *<d. de luz>* **4** desvinculação de obrigação, laço afetivo etc. ↺ vinculação **5** dispensa de emprego ou trabalho; exoneração ↺ contratação **6** desatenção, distração ↺ atenção

desligar (des.li.gar) *v.* {mod. 1} *t.d.* **1** fazer deixar de funcionar; apagar *<d. o gás, o telefone>* ↺ ligar □ *t.d. e t.d.i.* **2** (prep. *de*) desfazer a ligação entre; separar *<d. os vagões (de sua locomotiva)>* ↺ ligar, unir □ *t.d.,t.d.i. e pron.* **3** (prep. *de*) livrar(-se) [de vínculo, obrigação] *<d. (do grupo) os bagunceiros>* *<desligou-se da sociedade>* **4** (prep. *de*) demitir(-se) [de emprego, função] *<a empresa irá d. 20 funcionários (de seus cargos)>* □ *pron.* **5** *infrm.* (prep. *de*) parar de pensar em (ger. algo ruim, problemático) *<d.-se dos problemas>* **6** (prep. *de*) distanciar-se, afastar-se *<d.-se dos amigos>*

deslindar (des.lin.dar) *v.* {mod. 1} *t.d.* **1** fazer demarcação em; balizar *<d. um terreno>* **2** tornar compreensível; esclarecer *<d. um texto>* ↺ complicar **3** investigar, pesquisar *<d. o inconsciente>* **4** dar solução a; resolver *<d. um enigma>* □ *t.d.i.* **5** (prep. *de*) separar, apartar *<d. sonho da realidade>* ↺ aproximar ~ **deslindamento** *s.m.* - **deslinde** *s.m.*

deslizamento (des.li.za.men.to) *s.m.* **1** ato ou efeito de deslizar(-se) **2** deslocamento de terra; desmoronamento *<houve um d. na estrada>*

deslizar (des.li.zar) *v.* {mod. 1} *int. e pron.* **1** deslocar-se sobre uma superfície sem perder o contato com ela; escorregar *<os pneus deslizaram(-se) sobre o calçamento molhado>* □ *t.d.,int. e pron.* **2** (fazer) correr por *<d. a mão pelo rosto>* *<lágrimas deslizam(-se) pelo rosto>* □ *int.* **3** cometer deslize(s); falhar ↺ acertar ~ **deslizante** *adj.2g.*

deslize (des.li.ze) *s.m.* **1** falha moral, desvio de conduta ou de dever *<d. dos jovens>* ↺ acerto **2** pequena falha ou engano (intencional ou não) *<cometeu um d. no agradecimento aos colaboradores>* ↺ acerto **3** ato ou efeito de deslizar(-se); deslizamento

deslocado (des.lo.ca.do) *adj.* **1** que se deslocou; fora das juntas; desarticulado *<membros d.>* **2** que não está no lugar, na situação ou no contexto apropriado; impróprio, incompatível *<um discurso d. para a ocasião>* *<sentia-se d. no trabalho>*

deslocamento (des.lo.ca.men.to) *s.m.* **1** ato ou efeito de mover(-se) de um lugar para outro *<d. de um astro>* **2** transferência (de pessoas ou grupos de pessoas) de um lugar, posto ou função; remoção, transferência **3** desconjuntamento de osso; luxação

deslocar (des.lo.car) *v.* {mod. 1} *t.d. e pron.* **1** (fazer) sair das juntas; desarticular(-se) *<d.(-se) o ombro>* □ *t.d.* **2** mudar, tirando do lugar *<d. os móveis>* □ *t.d.i.* **3** (prep. *para*) transferir *<d. o funcionário para outro setor>* □ *pron.* **4** ir de um ponto para outro; mover-se *<d.-se com velocidade>*

deslumbrado (des.lum.bra.do) *adj.* **1** que se deslumbrou; ofuscado **2** que se fascinou; encantado, maravilhado ■ *adj.s.m. infrm.* **3** que(m) se deixa ingenuamente fascinar por algo que lhe falta (p.ex., riqueza, inteligência etc.)

deslumbramento (des.lum.bra.men.to) *s.m.* **1** turvação da vista por excesso de luz **2** *fig.* estado de quem é dominado por admiração; encantamento **3** *fig.* perturbação do entendimento; alucinação, obcecação

deslumbrante (des.lum.bran.te) *adj.2g.* **1** que turva a vista por excesso de luz ou brilho; ofuscante *<branco d.>* **2** que impressiona pelas qualidades positivas; fascinante *<beleza d.>* ↺ comum **3** *p.ext.* suntuoso, luxuoso *<cerimônia d.>* ↺ despojado

deslumbrar (des.lum.brar) *v.* {mod. 1} *t.d. e int.* **1** ofuscar, por excesso de luz ou brilho *<os refletores acesos deslumbravam(o público)>* □ *t.d.,int. e pron. fig.* **2** encantar(-se), maravilhar(-se) *<sua inteligência deslumbra (o pai)>* *<deslumbrou-se com a perseverança do amigo>* □ *t.d. fig.* **3** confundir, perturbar *<o sucesso inesperado deslumbrou-o>* ~ **deslumbre** *s.m.*

deslustrar (des.lus.trar) *v.* {mod. 1} *t.d. e pron.* **1** (fazer) perder o brilho *<d. um móvel>* *<limpe sempre a prataria para que ela não se deslustre>* ↺ brilhar **2** *fig.* (fazer) perder o valor, o encanto; ofuscar(-se) *<sua inteligência deslustra as demais>* *<sem bons competidores, deslustra-se o desafio>* **3** *fig.* manchar(-se) [a reputação, a memória etc.] *<não deslustre o nome da família>* *<deslustrou-se a imagem que tinha do chefe>*

deslustre (des.lus.tre) ou **deslustro** (des.lus.tro) *s.m.* **1** falta de brilho ou polimento ↺ lustre **2** *fig.* mancha moral; desonra, deslustro ↺ honra

desmaiar (des.mai.ar) *v.* {mod. 1} *int.* **1** perder os sentidos; desfalecer *<o susto a fez d.>* □ *t.d.,int. e pron.* **2** (fazer) perder a cor; desbotar *<d.(-se) o colorido de um álbum>* ↺ corar(-se) ~ **desmaiado** *adj.s.m.*

desmaio (des.mai.o) *s.m.* **1** perda passageira de sentidos; desfalecimento *<sofreu um d. por causa do calor>* **2** perda de cor; desbotamento

desmamar (des.ma.mar) *v.* {mod. 1} *t.d.* **1** suspender a amamentação de □ *int. e pron.* **2** interromper a amamentação *<o bebê desmamou(-se) aos oito meses>*

desmame (des.ma.me) *s.m.* ou **desmama** (des.ma.ma) *s.f.* ato ou efeito de desmamar(-se)

desmancha-prazeres (des.man.cha-pra.ze.res) *s.2g.2n. infrm.* aquele que acaba com o prazer e a alegria dos outros

desmanchar (des.man.char) *v.* {mod. 1} *t.d. e pron.* **1** alterar a forma ou arrumação (de); desfazer(-se) *<d.(-se) um penteado>* **2** desfazer(-se) [o que estava feito, montado ou construído]; desmontar(-se) *<d.(-se) um armário>* ↺ montar(-se) **3** fazer(-se) em pedaços; despedaçar(-se) *<d.(-se) um bloco de pedra>* **4** desfazer(-se) [uma costura, um ponto etc.]; descosturar(-se), descoser(-se) *<d.(-se) uma bainha>* **5** decompor(-se) [algo] derretendo ou diluindo; dissolver(-se) *<d.(-se) uma bala na boca>* **6** (fazer) dispersar-se; espalhar(-se) *<o vento desmanchou as nuvens> <o sabão desmancha-se na água lentamente>* **7** tornar(-se) inválido; anular(-se) *<d.(-se) um contrato>*

desmanche (des.man.che) *s.m. B* **1** ato ou efeito de desmontar mecanismos, engenhos ou máquinas **2** desmonte ilegal de carros roubados

desmancho (des.man.cho) *s.m.* **1** decomposição, desorganização de algo construído ou elaborado *<d. de construções irregulares>* ↺ construção **2** falta de moderação; excesso ↺ comedimento **3** falta de ordem; desordem, confusão ↺ disciplina **4** *B* negócio malsucedido

desmando (des.man.do) *s.m.* **1** excesso no modo de tratar algo; exagero, abuso *<d. nos gastos>* ↺ moderação **2** desregramento moral; devassidão ↺ moralidade **3** violação de ordens; indisciplina, desobediência ↺ acatamento ~ **desmandar** *v.t.d., int. e pron.*

desmantelar (des.man.te.lar) *v.* {mod. 1} *t.d. e pron.* **1** (fazer) vir abaixo; desmoronar(-se) *<d.(-se) uma casa>* **2** (fazer) ter fim, desaparecer; desbaratar(-se) *<d.(-se) a força inimiga>* **3** decompor(-se) [algo montado, unido ou equilibrado]; desmanchar(-se) *<d.(-se) um sistema>* ~ **desmantelamento** *s.m.* · **desmantelo** *s.m.*

desmarcar (des.mar.car) *v.* {mod. 1} *t.d.* **1** tirar marcas ou marcos de *<d. um terreno>* ↺ demarcar, marcar **2** anular ou transferir para outra ocasião *<d. uma viagem>* ~ **desmarcação** *s.f.*

desmascarar (des.mas.ca.rar) *v.* {mod. 1} *t.d. e pron.* **1** tirar a máscara do rosto (de) *<curioso, queria d. a bela colombina> <à meia-noite, todos iriam d.-se>* ↺ mascarar(-se) **2** *fig.* mostrar(-se) tal como é, sem disfarces; revelar(-se) *<d. um impostor> <acabou desmascarando-se durante o interrogatório>* ↺ disfarçar(-se) □ *t.d.* **3** denunciar ou desvendar (segredo, arranjo etc.) *<d. um conluio de malfeitores>* ~ **desmascaramento** *s.m.*

desmatamento (des.ma.ta.men.to) *s.m.* **1** retirada do mato (de terreno, área, solo etc.) **2** ECO *B* remoção da vegetação de uma área, causando a destruição do ecossistema; desflorestamento ↺ reflorestamento ~ **desmatar** *v.t.d. e int.*

desmazelado (des.ma.ze.la.do) *adj.s.m.* (o) que demonstra desmazelo, falta de cuidado; desleixado, negligente

desmazelo (des.ma.ze.lo) /ê/ *s.m.* qualidade ou característica do que ou de quem é desmazelado; relaxamento, negligência ↺ cuidado, zelo ~ **desmazelar-se** *v.pron.*

desmedido (des.me.di.do) *adj.* **1** acima da medida usual; enorme, desmesurado ↺ pequeno **2** excessivo, exagerado *<ciúme d.>* ↺ contido **3** extraordinário, notável *<talento d.>* ↺ normal

desmedir-se (des.me.dir-se) *v.* {mod. 28} *pron.* mostrar-se abusivo ou inconveniente; exceder-se *<um cavalheiro nunca se desmede>* ↺ comedir-se

desmembrar (des.mem.brar) *v.* {mod. 1} *t.d.* **1** separar ou cortar os membros de (um corpo); mutilar *<d. um cordeiro>* □ *t.d.,t.d.i. e pron.* **2** (prep. *em*) separar(-se) em partes; dividir(-se) *<a turma desmembrou-se (em grupos)> <d. um terreno (em lotes)> <nosso setor não deve d.-se>* ↺ juntar(-se) □ *t.d.i. e pron.* **3** (prep. *de*) desligar(-se), desassociar(-se) *<d. um departamento de outro> <os serviços de entrega e empacotamento desmembraram-se>* ↺ ligar(-se), associar(-se) ~ **desmembramento** *s.m.*

desmemoriado (des.me.mo.ri.a.do) *adj.s.m.* que(m) perdeu a memória ou tem a memória fraca ~ **desmemoriar** *v.t.d.*

desmentido (des.men.ti.do) *adj.* **1** que se negou; negado, contestado *<afirmação d.>* ↺ confirmado ■ *s.m.* **2** negação ou contestação de afirmação anterior *<fazer um d.>* ↺ confirmação

desmentir (des.men.tir) *v.* {mod. 28} *t.d.* **1** afirmar ter (alguém) mentido; desdizer, contradizer *<d. uma testemunha>* **2** afirmar o contrário de; negar *<d. uma informação>* ↺ confirmar **3** estar em contradição com; destoar *<o olhar desmentia suas palavras>* ↺ confirmar □ *pron.* **4** afirmar o contrário do que dissera; contradizer-se

desmerecer (des.me.re.cer) *v.* {mod. 8} *t.d.* **1** tornar-se indigno de *<faremos por não d. a sua confiança>* ↺ merecer □ *t.d. e pron.* **2** rebaixar, diminuir as qualidades de; depreciar(-se) ↺ valorizar(-se) ~ **desmerecimento** *s.m.*

desmesurado (des.me.su.ra.do) *adj.* desmedido

desmiolado (des.mi.o.la.do) *adj.* **1** sem miolo(s) *<só come pão d.>* ■ *adj.s.m.* **2** *fig.* que(m) não age com bom senso, prudência ou responsabilidade **3** *fig.* que(m) tem má memória

desmistificação (des.mis.ti.fi.ca.ção) [pl.: *-ões*] *s.f.* **1** perda do caráter místico ou misterioso *<d. de uma ciência esotérica>* ↺ mistificação **2** desmascaramento, denúncia *<d. de um curandeiro>* ↺ encobrimento

desmistificar (des.mis.ti.fi.car) *v.* {mod. 1} *t.d.* **1** eliminar o caráter místico ou misterioso de *<d. uma sociedade secreta>* **2** *p.ext.* privar da falsa imagem; desmascarar, revelar *<d. um charlatão>*

desmitificação (des.mi.ti.fi.ca.ção) [pl.: *-ões*] *s.f.* perda do caráter mítico ou lendário

desmitificar (des.mi.ti.fi.car) *v.* {mod. 1} *t.d.* retirar caráter de mito, aspectos lendários de (figura, personagem) *<d. um personagem histórico>*

desmobiliar (des.mo.bi.li.ar) ou **desmobilhar** (des.mo.bi.lhar) *v.* {mod. 1} *t.d.* retirar a mobília de (casa, recinto etc.) ↺ mobiliar, mobilhar

desmobilização (des.mo.bi.li.za.ção) [pl.: *-ões*] *s.f.* **1** ato ou efeito de desmobilizar(-se); retorno à vida civil *<d. de tropas>* **2** impedimento de mobilização *<d. de militantes>*

desmobilizar (des.mo.bi.li.zar) *v.* {mod. 1} *t.d. e pron.* **1** (fazer) deixar de estar mobilizado *<d.(-se) uma força expedicionária>* ↺ mobilizar(-se) □ *t.d.* **2** fazer retornar à vida civil (tropas) **3** impedir a mobilização de (militantes, trabalhadores etc.)

desmodontíneo (des.mo.don.tí.neo) *s.m.* zoo **1** espécime dos desmodontíneos, subfamília de morcegos vulgarmente ditos *vampiros*, que se alimentam do sangue fresco de animais adormecidos ■ *adj.* **2** relativo a essa subfamília

desmontar (des.mon.tar) *v.* {mod. 1} *t.d.* **1** desfazer (conjunto ou todo), separando os elementos; desarmar, desmantelar *<d. uma máquina>* ↺ montar, armar **2** *fig.* destruir, arrasar *<um incidente pode d. o projeto>* □ *t.d.,t.i.,t.d.i. e pron.* **3** (prep. *de*) [fazer] descer de montaria; apear(-se) *<segurou a moça pela cintura e desmontou-a> <desmontaram(-no) da égua> <d.-se apressado, com o animal em movimento>* ↺ montar

desmonte (des.mon.te) *s.m.* **1** ato ou efeito de separar as partes (de máquina, aparelho etc.) **2** desmoronamento de morro **3** ato ou efeito de descer de montaria **4** extração de minério de jazidas

desmoralizante (des.mo.ra.li.zan.te) *adj.2g.* **1** que desmoraliza, que causa descrédito; desonroso *<atos d.>* ↺ honroso **2** que causa a perda do senso de moralidade *<literatura d.>* ↺ moralizante **3** que tira o ânimo; desanimador *<derrota d.>* ↺ encorajador

desmoralizar (des.mo.ra.li.zar) *v.* {mod. 1} *t.d. e pron.* **1** tornar(-se) imoral; corromper(-se) *<d. os costumes> <luta para evitar que os filhos se desmoralizem>* ↺ regenerar(-se) **2** (fazer) perder a boa reputação; desacreditar(-se) *<a remessa contaminada desmoralizou o fabricante> <não se desmoralize na companhia daquele salafrário>* **3** (fazer) perder o ânimo, a confiança; desanimar(-se) *<a goleada desmoralizou o time da casa> <os combatentes lutavam para não d.-se>* ↺ animar(-se) ~ **desmoralização** *s.f.*

desmoronar (des.mo.ro.nar) *v.* {mod. 1} *t.d.,int. e pron.* pôr ou vir abaixo, (fazer) ruir; desmantelar(-se) *<d. uma fortificação> <as paredes do velho casario desmoronavam(-se)>* ~ **desmoronamento** *s.m.*

desmotivante (des.mo.ti.van.te) *adj.2g.* que desmotiva, desanima ↺ animador

desmotivar (des.mo.ti.var) *v.* {mod. 1} *t.d. e pron.* (fazer) perder a motivação; desestimular(-se) *<bons professores nunca desmotivam os alunos> <desmotivou-se depois de tantas dificuldades>* ↺ motivar(-se), animar(-se)

desmunhecar (des.mu.nhe.car) *v.* {mod. 1} *t.d.* **1** fraturar ou cortar a mão de **2** *p.ext.* cortar parte de (um todo) □ *int. infrm.* **3** portar-se (homem) como mulher, com modos delicados ou afetados **4** ser ou tornar-se (um homem) homossexual ~ **desmunhecado** *adj.s.m.*

desnacionalizar (des.na.cio.na.li.zar) *v. t.d. e pron.* **1** (fazer) perder as características, a feição nacional *<a cultura de um povo não se desnacionaliza>* **2** (fazer) perder a nacionalidade (de origem ou adquirida) □ *t.d.* **3** transferir (empresa, setor ou atividade estatal) para o setor privado *<d. o petróleo>* ~ **desnacionalização** *s.f.*

desnatadeira (des.na.ta.dei.ra) *s.f.* máquina que separa a gordura do leite e concentra-a em forma de nata; desnatadora

desnatadora (des.na.ta.do.ra) /ô/ *s.f.* desnatadeira

desnaturado (des.na.tu.ra.do) *adj.* **1** cuja natureza e/ou características foram muito alteradas *<sal d.>* ■ *adj.s.m.* **2** que(m) não tem sentimentos considerados como naturais dos humanos *<foi criado por uma (mãe) d.>* ↺ humano ~ **desnaturação** *s.f.* - **desnaturar** *v.t.d. e pron.*

desnecessário (des.ne.ces.sá.rio) *adj.* **1** que não é necessário; inútil, supérfluo ↺ indispensável **2** que deveria ter sido evitado; inoportuno, inconveniente *<palpite d.>* ↺ conveniente

desnível (des.ní.vel) [pl.: *-eis*] *s.m.* **1** diferença de nível *<d. da estrada>* ↺ nivelamento **2** desigualdade *<d. social>* ↺ igualdade

desnivelar (des.ni.ve.lar) *v.* {mod. 1} *t.d.* desfazer o nivelamento de *<d. um pavimento>* ~ **desnivelamento** *s.m.*

desnodoar (des.no.do.ar) *v.* → ***DESENODOAR***

desnortear (des.nor.te.ar) *v.* {mod. 5} *t.d. e pron.* **1** (fazer) sair do rumo; desviar(-se) *<o nevoeiro desnorteou o motorista> <os montanhistas desnortearam-se>* ↺ encaminhar(-se) □ *t.d.,int. e pron. fig.* **2** tornar(-se) confuso, inseguro; desorientar(-se) *<a estratégia visava d. o inimigo> <desnorteou(-se) em meio à algazarra>* ~ **desnorteado** *adj.s.m.* - **desnorteante** *adj.2g.*

desnovelar (des.no.ve.lar) *v.* → ***DESENOVELAR***

desnudar (des.nu.dar) *v.* {mod. 1} *t.d. e pron.* **1** pôr(-se) nu; despir(-se) ↺ vestir(-se) □ *t.d.* **2** tirar da bainha *<d. a faca>* ↺ embainhar **3** *fig.* tornar conhecido; revelar *<d. uma tramoia>* ↺ esconder, ocultar ~ **desnudamento** *s.m.* - **desnudo** *adj.*

desnutrição (des.nu.tri.ção) [pl.: *-ões*] *s.f.* **1** ato ou efeito de desnutrir(-se); falta de nutrição ↺ nutrição **2** enfraquecimento ou emagrecimento por falta de nutrição ↺ fortalecimento

desnutrido (des.nu.tri.do) *adj.s.m.* **1** (o) que deixou de se alimentar ou se nutre de forma inadequada; subnutrido **2** (indivíduo) magro ou fraco por carência alimentar ~ **desnutrir** *v.t.d. e pron.*

desobedecer (de.so.be.de.cer) *v.* {mod. 8} *t.i. e int.* (prep. *a*) recusar-se a seguir (ordens, comandos, de leis, normas etc.); não obedecer *<d. aos pais> <d. às regras> <há severas penas para quem desobedece>* ↺ obedecer

desobediência (de.so.be.di.ên.cia) *s.f.* falta de obediência; insubordinação ↺ obediência

desobediente (de.so.be.di.en.te) *adj.2g.s.2g.* (o) que desobedece, não acata ordens, comandos ou prescrições

desobrigação (de.so.bri.ga.ção) [pl.: *-ões*] *s.f.* **1** ato ou efeito de desobrigar(-se); liberação ou cumprimento de dever, compromisso etc. ↺ obrigação **2** quitação de dívida (esp. hipoteca, penhor etc.) ↺ endividamento

desobrigar (de.so.bri.gar) *v.* {mod. 1} *t.d.,t.d.i. e pron.* (prep. *de*) livrar(-se) [de dever, compromisso, obrigação] *<não posso desobrigá-lo> <desobrigaram-no de certos deveres> <desobriguei-me dos compromissos assumidos>* ↺ obrigar(-se), comprometer(-se)

desobstruir (de.sobs.tru.ir) *v.* {mod. 26} *t.d. e pron.* desembaraçar(-se) do que obstrui; desimpedir(-se) *<d. (-se) uma passagem>* ↺ obstruir(-se) ~ **desobstrução** *s.f.*

desocupado (de.so.cu.pa.do) *adj.* **1** em que não há nada ou ninguém (diz-se de lugar, espaço etc.); desabitado *<terreno d.>* ↺ habitado **2** que não está sendo preenchido por tarefa, obrigação etc. *<horas d.>* ↺ preenchido **3** que está em condições de ser utilizado; livre *<telefone d.> <táxi d.>* ↺ ocupado ■ *adj.s.m.* **4**

D

que(m) não tem trabalho; ocioso, desempregado ☞ pode ter uso pej.

desocupar (de.so.cu.par) *v.* {mod. 1} *t.d.* **1** sair de (um lugar que se estava ocupando) *<d. uma casa> <os inimigos desocuparam a cidade>* ↺ ocupar **2** deixar (cargo, função) **3** tornar vazio; esvaziar *<d. as prateleiras de uma estante>* ↺ encher **4** parar de usar *<d. o telefone> <d. o banheiro>* ~ **desocupação** *s.f.*

desodorante (de.so.do.ran.te) *adj.2g.s.m.* **1** desodorizante ■ *s.m.* **2** cosmético us. para perfumar ou evitar odores desagradáveis de certas partes do corpo (axilas, pés etc.)

desodorizante (de.so.do.ri.zan.te) *adj.2g.s.m.* (o) que serve para eliminar odores desagradáveis; desodorante ~ **desodorização** *s.f.* - **desodorizar** *v.t.d.*

desolação (de.so.la.ção) [pl.: *-ões*] *s.f.* **1** destruição arrasadora; ruína, devastação **2** desertificação, despovoamento **3** falta de amparo; abandono ↺ amparo **4** grande aflição causada por desgraça; tristeza ↺ alegria ~ **desolador** *adj.s.m.*

desolado (de.so.la.do) *adj.* **1** que é triste por estar vazio (diz-se de lugar, região etc.) ↺ agradável **2** que se devastou; arrasado, arruinado **3** muito triste ou que sente grande desilusão ↺ contente

desolar (de.so.lar) *v.* {mod. 1} *t.d. e pron.* **1** tornar(-se) deserto; despovoar(-se) *<d. os campos> <o povoado desolou-se>* ↺ povoar(-se) □ *t.d.* **2** causar grande tristeza; consternar *<a morte do líder desolou a nação>* ↺ alegrar

desonerar (de.so.ne.rar) *v.* {mod. 1} *t.d.,t.d.i. e pron.* **1** (prep. *de*) livrar(-se) [de encargo, obrigação]; isentar (-se) *<d. um contribuinte> <pediu que o desonerassem de sua dívida> <desonerou-se da tarefa>* ↺ obrigar(-se) □ *t.d.i. fig.* **2** (prep. *de*) livrar de; aliviar *<d. a redação de gírias>* ~ **desoneração** *s.f.*

desonestidade (de.so.nes.ti.da.de) *s.f.* **1** falta de honestidade *<agir com d.>* **2** falta de integridade, ger. em relação a valores ou negócios; ilegalidade ↺ honestidade **3** falta de verdade, de sinceridade ↺ sinceridade

desonesto (de.so.nes.to) *adj.s.m.* **1** (aquele) que não é honesto **2** que(m) não tem vergonha nem decoro ■ *adj.* **3** contrário à honestidade *<ato d.>*

desonra (de.son.ra) *s.f.* **1** perda de dignidade, do respeito ou do prestígio *<d. de uma família>* ↺ respeito **2** ato que provoca essa perda *<sofrer uma d.>*

desonrar (de.son.rar) *v.* {mod. 1} *t.d. e pron.* **1** prejudicar(-se) comprometendo a honra, a reputação; infamar(-se) *<acusações que o desonram> <um leviano pode facilmente se d.>* ↺ dignificar(-se) **2** (fazer) perder (mulher, moça) a castidade; desvirginar(-se) ~ **desonroso** *adj.*

desopilação (de.so.pi.la.ção) [pl.: *-ões*] *s.f.* **1** ato ou efeito de desopilar; desobstrução, desimpedimento ↺ opilação **2** *fig.* relaxamento de um estado de tensão; alívio

desopilar (de.so.pi.lar) *v.* {mod. 1} *t.d.* HIST MED **1** desobstruir (esp. o fígado) □ *t.d.,int. e pron. p.ext.* **2** (fazer) esquecer preocupações, tristezas; distrair (-se) *<vamos ao cinema para d. um pouco (a cabeça)> <em vão, fez de tudo para d.-se>* ↺ aborrecer(-se), entristecer ~ **desopilante** *adj.2g.*

desopressão (de.so.pres.são) [pl.: *-ões*] *s.f.* libertação de peso, constrangimento ou opressão ↺ opressão

desopressar (de.so.pres.sar) *v.* {mod. 1} *t.d. e pron.* eliminar a opressão de (alguém ou de si mesmo); desoprimir(-se) ◉ GRAM/USO part.: *desopressado, desopresso*; ver QUADRO DE PARTICÍPIOS DUPLOS nas pp. iniciais

desopresso (de.so.pres.so) *adj. frm.* que se desopressou; desoprimido ◉ GRAM/USO part. de *desopressar* e *desoprimir*

desoprimir (de.so.pri.mir) *v.* {mod. 24} *t.d.,t.d.i. e pron.* **1** (prep. *de*) livrar(-se) [de dor, tensão etc.] *<saber que estava feliz desoprimiu meu coração> <nada iria desoprimi-lo de sua dor> <enquanto falava, sua alma ia desoprimindo-se>* ↺ oprimir **2** (prep. *de*) libertar(-se) [de tirania, de regime opressor] *<d. o povo (do jugo tirânico)> <após intensa luta, desoprimiram-se da ditadura>* ↺ oprimir ◉ GRAM/USO part.: *desoprimido, desopresso*; ver QUADRO DE PARTICÍPIOS DUPLOS nas pp. iniciais

desora (de.so.ra) *s.f.* alta noite ☞ mais us. no pl. ▣ **a desoras 1** a altas horas da noite **2** em hora(s) inoportuna(s)

desordeiro (de.sor.dei.ro) *adj.s.m.* (o) que pratica ou gosta de desordens; baderneiro ↺ ordeiro ◉ COL bando, caterva, corja, horda, malta, súcia

desordem (de.sor.dem) [pl.: *-ens*] *s.f.* **1** falta de arrumação, de organização *<d. de roupas>* ↺ arrumação, ordem **2** falta de lógica; incoerência *<d. de pensamento>* ↺ coerência, ordem **3** falta de regularidade; desarmonia *<d. dos gestos>* ↺ harmonia **4** desarranjo por má gestão *<d. administrativa>* ↺ ordem **5** falta ou perturbação da ordem de um grupo, coletividade etc. ↺ disciplina, ordem

desordenado (de.sor.de.na.do) *adj.* **1** não ordenado **2** que está fora da ordem, do arranjo habitual ou correto *<papéis d.> <tropa d.>* **3** tumultuado, sem obedecer a regra *<fuga d.>* **4** que apresenta irregularidade; desigual, irregular *<movimentos d.>*

desordenar (de.sor.de.nar) *v.* {mod. 1} *t.d. e pron.* **1** romper(-se) a ordem de; desorganizar(-se) *<d.(-se) uma procissão>* ↺ ordenar(-se) □ *pron.* **2** passar dos limites; exceder-se, descomedir-se *<desordenou-se nas despesas>* ↺ conter-se

desorganização (de.sor.ga.ni.za.ção) [pl.: *-ões*] *s.f.* **1** destruição ou mudança do funcionamento de um corpo animal ou vegetal *<d. celular>* ↺ organização **2** *fig.* destruição ou mudança da organização de um corpo administrativo, político, militar etc. *<d. de um partido político>* ↺ organização **3** desarranjo da organização ou da ordem de um conjunto organizado; confusão *<d. do ensino>* ↺ organização

desorganizado (de.sor.ga.ni.za.do) *adj.* que se desorganizou ou que não tem organização; desarranjado, confuso

desorganizar (de.sor.ga.ni.zar) *v.* {mod. 1} *t.d. e pron.* destruir(-se) ou alterar(-se) a organização, o funcionamento, a estrutura de; desordenar(-se) *<d.(-se) uma casa> <d.(-se) um mecanismo>* ↺ organizar(-se)

desorientar (de.so.ri.en.tar) *v.* {mod. 1} *t.d. e pron.* **1** (fazer) perder o rumo; desencaminhar(-se) *<o céu encoberto desorientou-os> <acabaram por d.-se no labirinto de vielas>* ↺ orientar(-se) **2** *fig.* tornar(-se) confuso, inseguro ou perplexo; perturbar(-se) *<a resposta inesperada desorientou-o>* *<desorientou-se e esqueceu o que ia dizer>* ~ **desorientação** *s.f.* - **desorientado** *adj.s.m.*

desossar (de.sos.sar) *v.* {mod. 1} *t.d.* separar, retirar os ossos de *<d. um frango assado>*

desova (de.so.va) *s.f.* **1** postura de ovos (esp. de peixes) **2** *p.ext.* a época dessa postura **3** *fig.* ato de dar vazão a algo; escoamento *<d. de produtos encalhados>* **4** *B gír.* ato de esconder em local ermo cadáveres, carros roubados etc.

desovar (de.so.var) *v.* {mod. 1} *int.* **1** pôr ovos (esp. peixes) □ *t.d.* **2** *fig.* dar vazão a; escoar *<d. mercadorias>* **3** *B gír.* dar sumiço em (cadáver, carro roubado etc.)

desoxirribonucleico (de.so.xir.ri.bo.nu.clei.co) /cs/ *adj.* BIOQ diz-se de um ácido ☞ ver *DNA*

despachado (des.pa.cha.do) *adj.* **1** que se despachou ■ *adj.s.m.* **2** que(m) é ágil, ativo, desembaraçado **3** que(m) é valente, arrojado; atrevido **4** *B* que(m) é espontâneo, franco, sem cerimônia

despachante (des.pa.chan.te) *adj.2g.s.2g.* **1** (profissional) que providencia documentação para terceiros **2** (profissional) que desembaraça negócios, despacha cargas, mercadorias etc.

despachar (des.pa.char) *v.* {mod. 1} *int.* **1** lavrar despacho(s) □ *t.d.* **2** pôr despacho em *<d. uma petição>* **3** mandar embora; dispensar *<despachou o funcionário incompetente>* **4** *infrm.* tirar a vida de; matar □ *t.d.,t.d.i. e int.* **5** (prep. *com*) resolver depois de exame; deliberar *<d. um processo>* *<o presidente despachou com o ministro o assunto em pauta>* *<o governador costuma d. à tarde>* □ *t.d. e t.d.i.* **6** (prep. *a*) enviar, remeter *<d. a bagagem (aos passageiros)>* □ *t.i.* **7** (prep. *com*) dar fim a *<despache logo com isso!>* □ *pron.* **8** mover-se ou agir com pressa; apressar-se, aviar-se

despacho (des.pa.cho) *s.m.* **1** resposta escrita que se dá a um requerimento ou pedido, por parte de autoridade **2** decisão (oral ou escrita) tomada após exame; deliberação **3** carta ou ofício sobre assuntos de interesse público, enviado entre ministros **4** desenvoltura, desembaraço *<d. da criança>* ↺ acanhamento **5** envio de encomendas; remessa ↺ recebimento **6** conjunto de papéis oficiais preenchidos à saída de mercadorias na alfândega **7** REL na umbanda e no candomblé, oferenda a uma entidade, da qual se espera um favor, deixada ger. em encruzilhadas

desparafusar (des.pa.ra.fu.sar) *v.* {mod. 1} *t.d.,int. e pron.* desaparafusar

despautério (des.pau.té.rio) *s.m.* dito ou ação absurda; disparate, tolice

despedaçar (des.pe.da.çar) *v.* {mod. 1} *t.d. e pron.* **1** fazer(-se) em pedaços; partir(-se); rasgar(-se) *<com uma pedra despedaçou a vidraça>* *<o prato despedaçou-se ao cair no chão>* **2** *fig.* (fazer) sentir grande dor, aflição; afligir(-se) *<a desconfiança despedaçava o coração do rapaz>* *<sua alma se despedaçava de tanta tristeza>* ↺ alegrar(-se) ~ **despedaçamento** *s.m.*

despedida (des.pe.di.da) *s.f.* **1** ato de dizer adeus, no momento de separação **2** *fig.* ato de pôr fim a algo ou seu efeito; conclusão *<vamos ao jogo de d. do campeonato>*

despedir (des.pe.dir) *v.* {mod. 28} *t.d. e pron.* **1** (mandar) sair de casa, emprego etc.; demitir(-se) *<d. um funcionário>* *<despediu-se do emprego por discordar do chefe>* ↺ admitir □ *t.d.* **2** desferir, desfechar *<d. um soco>* **3** exalar, soltar *<d. um gemido>* □ *pron.* **4** (prep. *de*) saudar na ocasião de saída, partida, separação *<saiu sem se d.>* *<despediu-se da mãe com um beijo>* **5** ir-se, acabar *<o ano despedia-se em meio a festejos>*

despegar (des.pe.gar) *v.* {mod. 1} *t.d.,t.i.,int. e pron.* **1** (prep. *de*) desunir(-se), descolar(-se)) [o que estava pegado, unido, colado] *<despegou as folhas do bloco>* *<a pele despegava(-se) da carne>* *<com o tempo, o papel de parede despegara(-se)>* ↺ pegar(-se), colar □ *t.i.,t.d.i. e pron.* **2** (prep. *de*) separar(-se), afastar(-se) *<d. o filho da televisão>* *<d.(-se) da leitura>* ↺ aproximar(-se) □ *t.d.i. e pron. fig.* **3** (prep. *de*) tornar(-se) menos afeiçoado ou indiferente; desapegar(-se) *<a distância o despegou dos amigos>* *<d.-se dos baderneiros>* ↺ afeiçoar(-se)

despeitado (des.pei.ta.do) *adj.s.m.* **1** que(m) sente ou demonstra despeito **2** (o) que está ressentido, magoado

despeito (des.pei.to) *s.m.* desgosto causado por desfeita, humilhação ou ofensa ao amor-próprio; ressentimento ▣ **a d. de** apesar de, não obstante ~ **despeitar** *v.t.d. e pron.*

despejar (des.pe.jar) *v.* {mod. 1} *t.d. e t.d.i.* **1** (prep. *em*) derramar, esvaziar o conteúdo de *<d. uma garrafa>* *<despejou no recipiente o pacote de café>* □ *t.d.* **2** *B infrm.* esvaziar bebendo *<d. o copo de água>* **3** fazer sair de imóvel, propriedade *<d. um inquilino>* □ *t.d.i.* **4** derramar, entornar *<d. o suco nos copos>* **5** (prep. *em*) fazer recair sobre; lançar *<d. sua ira no inimigo>* □ *t.d.,t.d.i. e pron.* **6** (prep. *de*) livrar(-se), desimpedir(-se) [de estorvos, obstáculos] *<despejou o projeto (de todos os seus entraves)>* *<despejaram-se dos empecilhos>* ~ **despejado** *adj.s.m.*

despejo (des.pe.jo) /ê/ *s.m.* **1** ato ou efeito de despejar(-se) **2** DIR desocupação obrigatória de um imóvel, esp. por ordem judicial *<a família recebeu, consternada, a ordem de d.>*

¹despelar (des.pe.lar) *v.* {mod. 1} *t.d.,int. e pron.* **1** tirar o pelo de ou perdê-lo *<d. um carneiro>* *<o cão velho começou a d.(-se)>* □ *int. e pron. p.ext.* **2** soltarem-se ou levantarem-se fios, cerdas etc. *<a suéter está despelando(-se)>* ◉ ORIGEM *des-* + *pelo* + ²*-ar*

²despelar (des.pe.lar) *v.* {mod. 1} *t.d.* tirar a pele ou a casca de *<d. a galinha em água fervente>* *<d. amêndoas>* ◉ ORIGEM *des-* + *pele* + ²*-ar*

despencar (des.pen.car) *v.* {mod. 1} *t.d.,int. e pron.* **1** soltar(-se) da penca, do cacho *<despencava as uvas que ia comendo>* *<de maduras, as bananas despencavam (-se)>* □ *int. e pron. B* **2** cair de muito alto *<d.(-se) da árvore>* □ *int. p.ext.* **3** sofrer queda acentuada (moeda, juros, preços etc.) □ *pron. B* **4** correr muito, com ímpeto; desabalar *<despencou-se rua abaixo>* □ *t.i. e pron. B infrm.* **5** (prep. *de, para*) vir de ou ir para lugar distante *<todos os dias (se) despenca do subúrbio para trabalhar>* *<d.(-se) para o outro lado da cidade>*

despender (des.pen.der) *v.* {mod. 8} *t.d.,t.d.i. e int.* **1** (prep. *em*) fazer despesas (com); gastar *<d. muito dinheiro (na compra de joias)>* *<despendia como se fosse rico>* ↺ economizar □ *t.d. e t.d.i. fig.* **2** (prep. *em*) fazer uso de; empregar, gastar *<d. energia (num trabalho)>*

despenhadeiro (des.pe.nha.dei.ro) *s.m.* local muito elevado e muito íngreme; precipício

D

despensa (des.pen.sa) *s.f.* local da residência onde se guardam mantimentos e objetos ligados à manutenção ☞ cf. *dispensa*

despentear (des.pen.te.ar) *v.* {mod. 5} *t.d.,int. e pron.* **1** desmanchar(-se) o penteado de *<o vento me despenteou todo> <d.(-se) o cabelo>* ↺ pentear(-se) □ *pron.* **2** ficar com os cabelos em desalinho *<despenteou-se ridiculamente no vendaval>* ↺ pentear-se

despercebido (des.per.ce.bi.do) *adj.* **1** que não se percebeu; que não se sentiu, viu ou ouviu *<arranhão leve, d.>* ↺ percebido **2** que não percebe o que está ao redor; distraído, desatento *<fez-se de d. e cutucou a irmã>* ~ **desperceber** *v.t.d.*

desperdiçar (des.per.di.çar) *v.* {mod. 1} *t.d.* **1** gastar com exagero; esbanjar *<d. dinheiro>* ↺ poupar **2** usar sem proveito, sem necessidade *<d. água> <d. tempo>* ↺ aproveitar **3** não tirar proveito de; perder *<d. uma oportunidade>* ↺ aproveitar

desperdício (des.per.dí.cio) *s.m.* **1** despesa ou gasto exagerado; esbanjamento *<d. de dinheiro>* **2** uso sem proveito; perda *<d. de tempo>* ▼ ***desperdícios*** *s.m.pl.* **3** coisas que não se aproveitam; sobras *<d. de papel>*

despersonalizar (des.per.so.na.li.zar) *v.* {mod. 1} *t.d. e pron.* (fazer) perder as características específicas, individuais; descaracterizar(-se) *<o consumismo despersonaliza as pessoas> <em grandes empresas, o atendimento tende a d.-se>* ↺ personalizar(-se) ~ **despersonalização** *s.f.*

despersuadir (des.per.su.a.dir) *v.* {mod. 24} *t.d.,t.d.i. e pron.* (prep. *de*) (fazer) mudar de opinião ou intenção; dissuadir(-se) *<o pai conseguiu despersuadi-lo (de viajar)> <acabou por d.-se da execução do plano>* ↺ persuadir(-se), convencer(-se) ~ **despersuasão** *s.f.*

despertador (des.per.ta.dor) /ô/ [pl.: *-es*] *adj.s.m.* **1** (o) que desperta **2** (relógio) que se ajusta para dar alarme em hora predeterminada (ger. para despertar alguém que dorme)

despertar (des.per.tar) *v.* {mod. 1} *t.d.,t.d.i.,t.i. e int.* **1** (prep. *de*) (fazer) sair do sono, de estado dormente; acordar *<o barulho despertou a criança> <d. (alguém) de um sono profundo> <d. tarde>* □ *t.i.,t.d.i. e int.* **2** (prep. de) (fazer) sair de torpor, inércia *<d. de um devaneio> <o amigo despertou-o do desânimo> <a música animou-se e os pares despertaram>* □ *t.d. e t.d.i.* **3** (prep. *em*) dar ocasião ou origem a; provocar, estimular *<d. o apetite> <o local despertou nele saudades da infância>* ◉ GRAM/USO part.: *despertado, desperto*; ver QUADRO DE PARTICÍPIOS DUPLOS nas pp. iniciais

desperto (des.per.to) *adj.* que despertou; que está acordado

despesa (des.pe.sa) /ê/ *s.f.* **1** ato de gastar dinheiro em compras, obrigações etc., ou seu efeito; gasto ↺ economia **2** *p.ext.* o que se gastou ou consumiu; custo *<a d. foi alta>*

despetalar (des.pe.ta.lar) *v.* {mod. 1} *t.d.,int. e pron.* tirar as pétalas de ou perdê-las *<d. uma flor> <a dália começou a d.(-se)>*

despiciendo (des.pi.ci.en.do) *adj.* **1** que deve ser desprezado por inútil, errôneo etc. *<o aluno apresentou uma questão d.>* ↺ pertinente **2** merecedor de desdém; desprezível *<lucro pequeno, mas não d.>* ↺ respeitável

despido (des.pi.do) *adj.* **1** que tirou as roupas ou está sem roupas; nu, desnudo ↺ vestido **2** sem folhas *<árvore d.>* ↺ enfolhado **3** *fig.* que não possui; desprovido *<homem d. de ambições>* ↺ repleto

despique (des.pi.que) *s.m.* vingança de ofensa ou afronta; desforra ~ **despicar** *v.t.d.,t.d.i. e pron.*

despir (des.pir) *v.* {mod. 28} *t.d. e pron.* **1** tirar a roupa de *<o pediatra despiu a criança para examiná-la> <d.-se para tomar banho>* **2** (prep. *de*) tirar (o que se está vestindo ou calçando); descalçar(-se) *<d. as luvas> <d.-se das botas>* ↺ calçar(-se) **3** *fig.* (prep. *de*) pôr de lado; largar, despojar-se *<d. a empáfia> <d.-se de preconceitos>*

despistar (des.pis.tar) *v.* {mod. 1} *t.d.* **1** fazer perder a pista *<a caça despistou os cães>* **2** *fig.* iludir a vigilância de *<para d. os adversários, disse que não treinava>* **3** *fig.* enganar, eliminando as desconfianças de *<conseguimos despistá-lo, para não estragar a surpresa>*

desplante (des.plan.te) *s.m.* atitude atrevida; atrevimento, petulância

despojado (des.po.ja.do) *adj.* **1** privado da posse de algo; desapossado *<povo d. dos seus bens>* **2** privado do que revestia, adornava ou cobria; despido *<casa d.>* **3** sem enfeites; simples *<decoração d.>* ↺ luxuoso **4** que não tem ambição; desprendido ↺ ambicioso

despojamento (des.po.ja.men.to) *s.m.* **1** ação de pôr de lado ou de privar(-se) de (uma posse, por exemplo) **2** característica do que é despojado; simplicidade *<agradou o d. do novo papa>*

despojar (des.po.jar) *v.* {mod. 1} *t.d.* **1** tirar com violência o que pertence a; roubar, saquear *<a tropa invadia residências, despojando os moradores>* □ *t.d.i. e pron.* **2** (prep. *de*) privar(-se) da posse de; desapossar (-se) *<o próprio filho despojou-a de seus bens> <é difícil d.-se de tudo que se tem>* □ *t.d.,t.d.i. e pron.* **3** (prep. *de*) privar(-se) [do que reveste, adorna ou cobre]; despir(-se) *<o outono começava a d. as árvores (de suas folhagens)> <despojou-se das joias>* □ *pron.* **4** (prep. *de*) pôr de lado; abandonar *<despojou-se do orgulho e pediu perdão>*

despojo (des.po.jo) /ô/ [pl.: /ó/] *s.m.* **1** ato ou efeito de despojar(-se); despojamento **2** o que se toma ao inimigo; espólio **3** o que foi retirado ou caiu após servir de revestimento ou adorno (p.ex., penas de animal, folhas de planta etc.)

despoluição (des.po.lu.i.ção) [pl.: *-ões*] *s.f.* eliminação ou diminuição da poluição ↺ poluição ~ **despoluir** *v.t.d.*

despontar (des.pon.tar) *v.* {mod. 1} *t.d. e pron.* **1** gastar(-se) a ponta de ↺ apontar □ *int.* **2** começar a aparecer, a revelar-se; surgir *<o sol já desponta no horizonte>* ~ **despontado** *adj.*

desporto (des.por.to) /ô/ [pl.: /ó/] *s.m.* esporte ~ **desportista** *adj.2g.s.2g.* - **desportivo** *adj.*

desposar (des.po.sar) *v.* {mod. 1} *t.d.,t.d.i. e pron.* (prep. *com*) unir(-se) por matrimônio a; casar(-se) *<desposou o amigo de infância> <d. a filha com um homem de bem> <vai d.-se com a moça dos seus sonhos>* ↺ separar(-se) ~ **desposado** *adj.*

despossuído (des.pos.su.í.do) *adj.* **1** que perdeu a posse ■ *adj.s.m.* **2** (aquele) que não tem posses, que não tem recursos

déspota (dés.po.ta) *adj.2g.s.2g.* **1** (governante) que exerce autoridade arbitrária ou absoluta; tirano **2** *p.ext.* (o) que tem caráter autoritário e tirânico **~ despótico** *adj.* - **despotizar** *v.t.d. e int.*

despotismo (des.po.tis.mo) *s.m.* **1** forma de governo baseada no poder isolado, arbitrário e absoluto de um déspota **2** esse poder **3** *p.ext.* qualquer manifestação de autoridade que tende à tirania e à opressão

despovoação (des.po.vo.a.ção) [pl.: *-ões*] *s.f.* ato ou efeito de tornar(-se) desabitado ou desguarnecido; despovoamento

despovoamento (des.po.vo.a.men.to) *s.m.* despovoação

despovoar (des.po.vo.ar) *v.* {mod. 1} *t.d. e pron.* (fazer) ficar sem ou com poucos habitantes *<a epidemia despovoou a cidade> <a região despovoava-se por falta de empregos>* ↺ povoar **~ despovoado** *adj.*

desprazer (des.pra.zer) *v.* {mod. 13} *t.i. e int.* **1** (prep. *a*) não agradar (a); desagradar *<sua atitude rebelde sempre desprazia (à mãe)>* ■ *s.m.* **2** ausência de prazer; desagrado, descontentamento ↺ prazer ☞ como s.m., pl.*-es* ◉ GRAM/USO **a)** verbo ger. só us. nas 3as p.; **b)** cf. observação no modelo

desprecatar-se (des.pre.ca.tar-se) *v.* {mod. 1} *pron.* (prep. *de*) não ter cautela; descuidar-se ↺ precaver-se **~ desprecatado** *adj.*

desprecaver (des.pre.ca.ver) *v.* {mod. 8} *t.d. e pron.* não se precaver contra; desacautelar(-se) ↺ precaver (-se), prevenir(-se) ◉ GRAM/USO verbo defectivo

despregar (des.pre.gar) *v.* {mod. 1} *t.d.* **1** arrancar os pregos de *<d. uma tábua>* □ *t.d. e pron.* **2** soltar(-se) [o que estava pregado ou preso] *<d. o quadro da parede> <o salto despregou-se>* ↺ pregar, prender □ *t.d.i. e pron. fig.* **3** (prep. de) desviar (os olhos, a atenção) de *<d. a atenção da tela> <d. os olhos do filho> <sua atenção não se desprega dali>*

desprender (des.pren.der) *v.* {mod. 8} *t.d.,t.d.i. e pron.* **1** (prep. de) livrar(-se) [o que se prendeu]; desatar(-se) *<d.(-se) o prisioneiro (das algemas)>* ↺ atar(-se), prender(-se) **2** (prep. de) pôr(-se) de lado; afastar(-se) *<tentava d. (de si) aquela obsessão> <desprendera-se de todos os vícios da juventude>* □ *t.d.* **3** emitir, soltar (sons diversos) *<d. gemidos de dor>* □ *pron.* **4** (prep. *de*) lançar de si; exalar *<o odor desprendia-se das rosas>* **5** (prep. *de*) deixar de ter interesse por; desligar-se ↺ apegar-se

desprendido (des.pren.di.do) *adj.* **1** que foi solto, desamarrado ↺ atado **2** que foi separado, desligado ↺ preso **3** lançado ao ar; exalado *<mau cheiro d. de águas sujas>* **4** *fig.* abnegado, indiferente *<pessoa d. de bens materiais>* ↺ apegado

desprendimento (des.pren.di.men.to) *s.m.* **1** ato ou efeito de desprender(-se) **2** atitude de abnegação; desapego

despreocupação (des.pre.o.cu.pa.ção) [pl.: *-ões*] *s.f.* ausência de preocupação

despreocupado (des.pre.o.cu.pa.do) *adj.* **1** que se despreocupou **2** que não tem preocupação, que não anda preocupado

despreocupar (des.pre.o.cu.par) *v.* {mod. 1} *t.d.,t.d.i. e pron.* (prep. *de*) livrar(-se) de preocupação; sossegar (-se) *<uma boa conversa irá despreocupá-lo (desses problemas)> <despreocupou-se ao saber que todos estavam bem>* ↺ preocupar(-se)

despreparo (des.pre.pa.ro) *s.m.* **1** falta de preparo, de conhecimento *<percebe-se seu d. para o cargo>* ↺ preparo **2** falta de organização; desarranjo ↺ arrumação

despressurização (des.pres.su.ri.za.ção) [pl.: *-ões*] *s.f.* ato de interromper a pressurização (em cabine de avião, nave espacial etc.) ↺ pressurização

despressurizar (des.pres.su.ri.zar) *v. t.d. e pron.* (fazer) perder o estado de pressurização *<d.(-se) a cabine de um avião>*

desprestigiar (des.pres.ti.gi.ar) *v.* {mod. 1} *t.d. e pron.* (fazer) perder o prestígio; desmoralizar(-se) *<disse aquilo para d. o adversário> <desprestigiou-se quando tirou notas baixas>* ↺ prestigiar(-se)

desprestígio (des.pres.tí.gio) *s.m.* falta de prestígio; descrédito ↺ prestígio

despretensão (des.pre.ten.são) [pl.: *-ões*] *s.f.* **1** ausência de pretensão, de vaidade ↺ pretensão, presunção **2** atitude de modéstia ↺ ambição

desprevenido (des.pre.ve.ni.do) *adj.* **1** que não se preveniu; desapercebido ↺ precavido **2** a que falta o necessário; desprovido *<despensa d.>* ↺ provido **3** *B infrm.* sem dinheiro

desprevenir (des.pre.ve.nir) *v.* {mod. 27} *t.d. e pron.* não se prevenir contra ↺ prevenir(-se), precaver(-se)

desprezar (des.pre.zar) *v.* {mod. 1} *t.d.* **1** tratar com desprezo; desdenhar *<d. o vizinho>* ↺ respeitar **2** não levar em conta; descartar, ignorar *<d. o conselho dos mais velhos>* ↺ considerar

desprezível (des.pre.zí.vel) [pl.: *-eis*] *adj.2g.* **1** que pode ser desprezado *<quantia d.>* ↺ considerável **2** merecedor de desprezo; vil, vergonhoso ↺ digno

desprezo (des.pre.zo) /ê/ *s.m.* **1** falta de estima, apreço; desdém ↺ consideração **2** sentimento acima da cobiça, do medo etc.; desprendimento *<d. pelo dinheiro>* ↺ interesse **3** sentimento de repulsa, de nojo

desprimor (des.pri.mor) /ô/ [pl.: *-es*] *s.m.* **1** falta de capricho, de excelência ↺ perfeição **2** descortesia, indelicadeza ↺ delicadeza **~ desprimoroso** *adj.*

desproporção (des.pro.por.ção) [pl.: *-ões*] *s.f.* ausência ou desigualdade de proporção *<d. nas formas>* ↺ proporção, harmonia

desproporcional (des.pro.por.ci.o.nal) [pl.: *-ais*] *adj.2g.* que não é proporcional

despropositado (des.pro.po.si.ta.do) *adj.* **1** inconveniente, impróprio, não pertinente *<comentário d.>* ↺ oportuno **2** que fala ou age sem propósito; disparatado *<pessoa d.>* ↺ sensato **3** *p.ext.* que não tem prudência; estouvado *<atitude d.>* ↺ prudente

despropósito (des.pro.pó.si.to) *s.m.* **1** o que não tem propósito ou pertinência; contrassenso **2** desatino, destempero ↺ comedimento **3** *B infrm.* grande quantidade (de pessoas ou coisas) *<um d. de comida>* ↺ escassez **~ despropositar** *v.t.i. e pron.*

desproteção (des.pro.te.ção) [pl.: *-ões*] *s.f.* ausência de proteção; abandono ↺ amparo

desproteger (des.pro.te.ger) *v.* {mod. 8} *t.d.* deixar sem proteção; desamparar ↺ amparar

D

desprotegido (des.pro.te.gi.do) *adj.* **1** que não tem proteção; que não dispõe de meios de defesa *<os ilhéus estavam d. diante dos invasores>* ■ *adj.s.m.* **2** que ou aquele que não conta com o apoio necessário para subsistir ou desenvolver-se; desamparado, desvalido

desproveito (des.pro.vei.to) *s.m.* **1** falta de aproveitamento; desperdício ↺aproveitamento **2** detrimento, prejuízo *<premiar alguns em d. de outros>* ↺proveito

desprover (des.pro.ver) *v.* {mod. 12} *t.d.,t.d.i. e pron.* (prep. *de*) privar(-se) [de provisões ou do que é necessário] *<d. o bairro (do fornecimento de água)> <d.-se das coisas supérfluas>* ↺munir(-se), prover(-se)

desprovido (des.pro.vi.do) *adj.* **1** em que não há provisões; desabastecido *<armazém d.>* ↺abastecido **2** a que falta, que não tem ou foi privado de algo *<uma escola d. de computadores>*

despudor (des.pu.dor) /ô/ [pl.: *-es*] *s.m.* falta de pudor, de vergonha ↺decência **~despudorado** *adj.s.m.*

desqualificado (des.qua.li.fi.ca.do) *adj.s.m.* **1** (o) que perdeu qualidade superior ↺qualificado **2** que(m) perdeu a reputação ↺qualificado **3** que(m) foi excluído ou eliminado de disputa; desclassificado ↺classificado

desqualificar (des.qua.li.fi.car) *v.* {mod. 1} *t.d.* **1** fazer perder as boas qualidades *<a falta de reciclagem desqualifica o profissional>* ↺qualificar □ *t.d. e pron.* **2** eliminar(-se) de torneio, concurso etc.; desclassificar(-se) *<o teste de* doping *desqualificou o atleta> <desqualificou-se na prova porque colou>* ↺classificar(-se) **3** tornar(-se) indigno; desmoralizar (-se) **~desqualificação** *s.f.*

desquitado (des.qui.ta.do) *adj.s.m.* que(m) se separou do cônjuge por meio de desquite

desquite (des.qui.te) *s.m.* separação legal de corpos e bens dos cônjuges, sem extinção do casamento **~desquitar** *v.t.d. e pron.*

desratizar (des.ra.ti.zar) *v.* {mod. 1} *t.d.* eliminar os ratos de (um local) *<d. o jardim>* **~desratização** *s.f.*

desregramento (des.re.gra.men.to) *s.m.* **1** ausência de regra ou método **2** falta de ordem; desarrumação ↺ordem **3** devassidão, libertinagem ↺castidade

desregrar (des.re.grar) *v.* {mod. 1} *t.d. e pron.* **1** (fazer) sair da regra, da ordem estabelecida *<d. (-se) uma turma>* **2** *p.ext.* tornar(-se) descomedido; descontrolar(-se) *<as companhias desregraram sua conduta> <desregrou-se na comida depois da dieta>* ↺conter(-se) **~desregrado** *adj.*

desregular (des.re.gu.lar) *v.* {mod. 1} *t.d. e pron.* (fazer) deixar de estar regulado, ajustado; desajustar (-se) *<d.(-se) o motor>* ↺regular(-se)

desrespeitar (des.res.pei.tar) *v.* {mod. 1} *t.d.* **1** não dar o devido respeito a; desacatar *<não se deve d. pai e mãe>* ↺respeitar **2** não seguir (regras, leis etc.); desobedecer, infringir ↺obedecer

desrespeito (des.res.pei.to) *s.m.* falta de respeito, de consideração ~desrespeitoso *adj.*

dessalinizar (des.sa.li.ni.zar) *v. t.d.* separar o sal contido em ou livrar do sal que contém *<d. águas marinhas>*

desse (des.se) /ê/ *contr.* da preposição *de* com o pron. dem. *esse <não me lembro d. músico> <vou levar um pouco dessa uva>* ◉GRAM/USO **a)** fem.: *dessa*; pl.: *desses, dessas*; **b)** muitas vezes vem reforçado pelo adv. *aí*, p.ex., *desse lado aí a luz é mais fraca*

dessecação (des.se.ca.ção) [pl.: *-ões*] *s.f.* ato ou efeito de retirar a umidade ☞ cf. *dissecação*

dessecar (des.se.car) *v.* {mod. 1} *t.d.* retirar toda a umidade de; secar ↺molhar, encharcar ☞ cf. *dissecar*

dessemelhante (des.se.me.lhan.te) *adj.2g.* que não tem semelhança; diferente ↺semelhante **~dessemelhança** *s.f.* **- dessemelhar** *v.t.d.,t.d.i. e pron.*

desserviço (des.ser.vi.ço) *s.m.* **1** serviço ou trabalho malfeito **2** o que vai contra o interesse ou benefício de alguém ou algo; dano, prejuízo *<esse livro é um d. à literatura brasileira>* ↺ganho

dessorar (des.so.rar) *v.* {mod. 1} *t.d.,int. e pron.* **1** transformar(-se) em soro *<o calor dessorou o creme> <sem a casca, a fruta dessorou(-se)>* □ *t.d.* **2** retirar o soro de *<d. a ricota>* □ *t.d. e pron.* **3** *fig.* debilitar(-se), enfraquecer(-se) ↺fortalecer(-se) **~dessoramento** *s.m.*

destabocado (des.ta.bo.ca.do) *adj.s.m. B infrm.* **1** que(m) perdeu toda a timidez; atrevido ↺tímido **2** *p.ext.* que(m) não tem decoro nem decência; inconveniente **3** que(m) fala e brinca muito

destacamento (des.ta.ca.men.to) *s.m.* MIL unidade de ação que se separa da tropa

destacar (des.ta.car) *v.* {mod. 1} *t.d.* **1** enviar (tropa, destacamento) em missão ou serviço □ *t.d.,t.d.i. e pron.* **2** (prep. *de*) separar(-se), desligar(-se) *<d. (do caderno) duas folhas> <as pétalas logo se destacaram>* ↺juntar(-se) □ *t.d.,int. e pron.* **3** (fazer) sobressair; distinguir(-se) *<d. uma passagem do discurso> <o rapaz destaca(-se) pela altura>* **~destacado** *adj.*

destacável (des.ta.cá.vel) [pl.: *-eis*] *adj.2g.* **1** que pode ser destacado, desunido, separado *<cheques d. de um talão> <jogo de peças d.>* **2** que tem destaque, que sobressai *<sua inteligência era d. entre a dos outros alunos>*

destampar (des.tam.par) *v.* {mod. 1} *t.d.* tirar tampa ou o tampo de; abrir *<d. a panela>* ↺tampar

destampatório (des.tam.pa.tó.rio) *s.m. infrm.* **1** falta de comedimento; despropósito ↺moderação **2** muito barulho; gritaria ↺quietude **3** *p.ext. B* discussão violenta

destapar (des.ta.par) *v.* {mod. 1} *t.d.* retirar tampa, cobertura ou proteção de; destampar, abrir *<d. o bolo> <d. um bueiro>* ↺tapar, tampar

destaque (des.ta.que) *s.m.* **1** característica do que sobressai; realce, relevo **2** *B* figura ou assunto relevante *<d. do noticiário do dia>* **3** *B* em escola de samba, pessoa que desfila ger. no alto de carro alegórico, com fantasia de impacto visual e/ou muito luxuosa **4** POL *B* parte destacada de texto de projeto de lei, apresentada com modificações, para ser votada em separado

destarte (des.tar.te) *adv.* assim, desta maneira

deste (des.te) /ê/ contr. da prep. *de* com o pron.dem. *este <faz tempo que ela saiu d. nosso bairro> <escolha um destes livros aqui>* ◉GRAM/USO **a)** fem.: *desta*; pl.: *destes, destas*; **b)** muitas vezes ocorre reforçado pelos advérbios *aqui* e *cá*, p.ex., *não vendemos mais d. refrigerante aqui; cá d. lado ficam os melhores restaurantes*

destelhar (des.te.lhar) *v.* {mod. 1} *t.d. e pron.* retirar, quebrar as telhas de ou perdê-las *<o furacão destelhou*

grande parte das casas> <o galpão destelhou-se com a forte ventania> ~ **destelhamento** *s.m.*

destemido (des.te.mi.do) *adj.* **1** que não teme; corajoso, valente ↺ medroso **2** que revela coragem; audacioso *<atitude d.>* ↺ prudente ~ **destemer** *v.t.d.*

destemor (des.te.mor) /ô/ [pl.: *-es*] *s.m.* falta de medo; coragem ↺ temor

destemperar (des.tem.pe.rar) *v.* {mod. 1} *t.d.,int. e pron.* **1** (fazer) perder a têmpera *<d. o aço> <o ferro pode d.(-se) com o calor>* □ *t.d.* **2** enfraquecer o sabor de (comida ou bebida) ↺ temperar **3** diluir (tinta) com água ou outro solvente □ *t.d. e pron.* **4** (fazer) perder a afinação; desafinar ↺ afinar □ *int. e pron.* **5** perder a cabeça; exaltar-se *<não (se) destempere, vamos achar uma solução>* ~ **destemperado** *adj.*

destempero (des.tem.pe.ro) /ê/ *s.m.* **1** grande disparate; despropósito ↺ sensatez **2** perda de sabor ↺ gosto **3** falta de afinação; desarmonia, ↺ afinação **4** excesso de arrebatamento; desvario **5** *B infrm.* despropósito, excesso *<comeu um d. de panquecas>*

desterrar (des.ter.rar) *v.* {mod. 1} *t.d. e pron.* (fazer) sair da terra natal; exilar(-se) *<o ditador planeja d. vários oposicionistas> <desterrou-se para fugir às perseguições>* ↺ repatriar(-se) ~ **desterrado** *adj.s.m.*

desterro (des.ter.ro) /ê/ *s.m.* **1** afastamento da terra natal, por condenação (degredo) ou voluntariamente **2** local onde vive uma pessoa desterrada **3** *p.ext.* local ermo, deserto **4** *p.ext.* isolamento, solidão

destilação (des.ti.la.ção) [pl.: *-ões*] *s.f.* **1** ato ou efeito de destilar; gotejamento de líquido **2** FISQUÍM processo de purificação de um líquido por evaporação com condensação posterior, para se obter um novo líquido

destilado (des.ti.la.do) *adj.* **1** que cai em gotas *<suor d.>* **2** *fig.* que se deixou perceber; insinuado *<maldade d. em suas palavras>* ■ *adj.s.m.* **3** (líquido) obtido por destilação *<bebida d.> <ele não bebe destilados>*

destilar (des.ti.lar) *v.* {mod. 1} *t.d.,t.i. e int.* **1** (prep. *de*) (deixar) sair em gotas; gotejar *<seu rosto destilava suor> <o sangue destila do corte> <observava o látex que destila (da seringueira)>* □ *t.d.* **2** FISQUÍM fazer evaporar (líquido) e fazer condensação do vapor resultante deste processo **3** *fig.* deixar perceber; insinuar, revelar *<seu olhar destila ódio>*

destilaria (des.ti.la.ri.a) *s.f.* local onde se processa a destilação *<d. de aguardente>*

destinar (des.ti.nar) *v.* {mod. 1} *t.d.i.* **1** (prep. *para*) reservar (algo) [para certa finalidade ou destino] *<d. recursos para a educação>* □ *pron.* **2** (prep. *a*) dedicar-se, entregar-se *<d.-se ao magistério>* ~ **destinação** *s.f.*

destinatário (des.ti.na.tá.rio) *s.m.* **1** aquele a quem se destina ou envia algo *<d. de uma carta>* ↺ remetente **2** *fig.* aquele a que algo é dirigido; alvo, objeto *<os d. são os leitores do jornal>*

destingir (des.tin.gir) *v.* {mod. 24} *t.d.,int. e pron.* fazer sair ou perder a tinta; desbotar *<as lavagens sucessivas destingiram o vestido dela> <algumas tonalidades costumam d. com o sol> <a cor das cortinas destingiu-se com o tempo>* ◉ GRAM/USO part.: *destingido, destinto*; ver QUADRO DE PARTICÍPIOS DUPLOS nas pp. iniciais

destino (des.ti.no) *s.m.* **1** fim reservado para algo *<que d. teve o dinheiro?>* **2** local de chegada; rumo, direção *<d. de avião, ônibus>* **3** sucessão de fatos na vida do ser humano que ocorrem independentemente de sua vontade; sorte *<o d. lhe foi favorável>* **4** sequência de fatos inevitáveis; fatalidade *<quis o d. que ele morresse cedo>*

destinto (des.tin.to) *adj.* que perdeu a cor; desbotado ↺ tinto ☞ cf. *distinto* ◉ GRAM/USO part. de *destingir*

D

destituir (des.ti.tu.ir) *v.* {mod. 26} *t.d.,t.d.i. e pron.* **1** (prep. *de*) demitir(-se) [de dignidade, cargo, emprego] *<o presidente destituiu o ministro> <destituíram-no da chefia> <destituiu-se da função de gerente>* ↺ empregar(-se), nomear(-se) □ *t.d.i. e pron.* **2** (prep. *de*) privar(-se) da posse de; desapossar(-se) *<d. um fraudador de seus bens> <d.-se do patrimônio em favor dos pobres>* ↺ apoderar(-se) ~ **destituição** *s.f.* - **destituído** *adj.*

destoar (des.to.ar) *v.* {mod. 1} *int.* **1** perder o tom; desafinar □ *t.i.* **2** (prep. *de*) ter opinião contrária a; discordar *<ele sempre destoa da maioria>* ↺ concordar **3** (prep. *de*) não combinar com ou não ser próprio de *<a roupa destoa da sua dignidade de reitor>* ↺ condizer, combinar ~ **destoante** *adj.2g.*

destorcer (des.tor.cer) *v.* {mod. 8} *t.d. e pron.* **1** endireitar(-se) [o que estava torcido] *<a lavadeira torce e destorce a roupa> <o barbante destorceu-se>* ↺ torcer(-se) □ *t.d.* **2** voltar para o lado oposto *<d. o pescoço para vê-la>* ☞ cf. *distorcer*

destra (des.tra) *s.f.* a mão direita ↺ sinistra

destrambelhado (des.tram.be.lha.do) *adj.s.m. infrm.* (indivíduo) sem juízo; amalucado ↺ sensato ~ **destrambelhar** *v.t.d. e int.*

destrancar (des.tran.car) *v.* {mod. 1} *t.d.* retirar a tranca de; abrir *<d. o portão>* ↺ trancar

destrançar (des.tran.çar) *v.* {mod. 1} *t.d.* **1** desfazer a trança de *<d. os cabelos>* ↺ trançar **2** separar os fios de *<d. uma corda>*

destratar (des.tra.tar) *v.* {mod. 1} *t.d.* tratar mal com palavras; insultar *<o freguês destratou o balconista>* ☞ cf. *distratar*

destravar (des.tra.var) *v.* {mod. 1} *t.d. e pron.* **1** soltar(-se) [o que estava travado] *<destravou o freio de mão e engatou a marcha> <a porta do carro destravou-se>* ↺ travar(-se) **2** *fig.* livrar(-se) de entrave; soltar(-se), desembaraçar(-se) *<d. a língua> <d.-se na companhia dos amigos>* ~ **destravamento** *s.m.*

destreinado (des.trei.na.do) *adj.* que está sem treino *<atleta d.>* ↺ treinado ~ **destreinar** *v.t.d. e pron.*

destreza (des.tre.za) /ê/ *s.f.* **1** facilidade e ligeireza de movimentos, esp. das mãos ↺ lentidão, lerdeza **2** aptidão, habilidade ↺ imperícia

destrinçar (des.trin.çar) ou **destrinchar** (des.trin.char) *v.* {mod. 1} *t.d.* **1** separar os fios ou fibras de *<d. os colares>* **2** analisar ou expor em detalhes; esmiuçar *<d. um caso complicado>* **3** solucionar, resolver *<d. um enigma>* ~ **destrinchamento** *s.m.*

destro (des.tro) /ê/ *adj.* **1** que usa a mão direita ↺ canhoto **2** que está à direita **3** *p.ext.* hábil, ágil ↺ inábil ◉ GRAM/USO ocorre tb. a pronúncia com o *e* aberto

destrocar (des.tro.car) *v.* {mod. 1} *t.d.* desfazer a troca de ↺ trocar

destroçar (des.tro.çar) *v.* {mod. 1} *t.d.* **1** causar a destruição de; arruinar *<d. um povoado>* **2** fazer em pedaços; despedaçar, estraçalhar *<d. um vaso de cerâmica>*

destroço (des.tro.ço) /ô/ [pl.: /ó/] *s.m.* **1** ato ou efeito de destroçar; destruição **2** resto daquilo que foi destroçado *<d. de um navio>* ☞ mais us. no pl.

destróier (des.trói.er) [pl.: *-es*] *s.m.* MAR *B* contratorpedeiro

destronar (des.tro.nar) *v.* {mod. 1} *t.d.* **1** destituir do trono *<d. um déspota>* **2** *fig.* fazer perder liderança, prestígio etc.; rebaixar *<d. um ídolo da música>* ~ **destronamento** *s.m.*

destroncar (des.tron.car) *v.* {mod. 1} *t.d. e int.* **1** (fazer) sair da articulação ou da junta; deslocar *<d. o ombro>* *<meu joelho destroncou>* □ *t.d.* **2** apartar (ramo, galho etc.) do tronco ~ **destroncamento** *s.m.*

destruição (des.tru.i.ção) [pl.: *-ões*] *s.f.* **1** ação de pôr abaixo o que está construído; demolição ↺ construção **2** ação de tirar a vida; exterminação ↺ surgimento **3** estrago, ruína *<a seca provocou a d. da plantação>*

destruir (des.tru.ir) *v.* {mod. 26} *t.d.* **1** pôr no chão (algo construído); demolir ↺ construir **2** causar a morte de; exterminar *<a poluição pode d. a fauna e a flora>* **3** causar a perda de; arruinar, devastar *<o fogo destruiu a plantação>* ↺ salvar **4** *fig.* eliminar, extinguir *<d. uma ilusão>* ↺ criar **5** *fig.* ter efeito negativo sobre *<o incidente destruiu sua imagem>* ↺ melhorar ~ **destruidor** *adj.s.m.*

destrutivo (des.tru.ti.vo) *adj.* que destrói ou serve para destruir *<poder d. de uma arma>* ↺ construtivo

desumanidade (de.su.ma.ni.da.de) *s.f.* **1** qualidade ou característica do que é desumano; crueldade **2** ato bárbaro; selvageria ↺ compaixão

desumanizar (de.su.ma.ni.zar) *v.* {mod. 1} *t.d.,int. e pron.* (fazer) perder o caráter humano; tornar(-se) desumano *<os campos de concentração desumanizaram alguns prisioneiros>* *<a miséria pode levar muitos a d.(-se)>* ↺ humanizar(-se)

desumano (de.su.ma.no) *adj.* **1** a quem falta humanidade; cruel, desalmado ↺ bondoso **2** que não é próprio de um ser humano; bárbaro *<atitude d.>* ↺ caridoso

desunião (de.su.ni.ão) [pl.: *-ões*] *s.f.* **1** ato ou efeito de separar o que estava unido; divisão, separação ↺ união **2** falta de união, de entendimento; discórdia, desarmonia ↺ união

desunir (de.su.nir) *v.* {mod. 24} *t.d. e pron.* **1** separar(-se) [o que estava unido, ligado]; afastar(-se) *<d. fios>* *<os cabos desuniram-se>* ↺ unir(-se), ligar(-se) **2** *fig.* (fazer) ficar em desarmonia, desavença; indispor(-se) *<a disputa quase desuniu o grupo>* *<o time que se desune perde o campeonato>* ↺ reconciliar(-se)

desusado (de.su.sa.do) *adj.* **1** que não é usado *<modelo de sapato d.>* **2** fora de uso; antiquado *<palavra d.>* ↺ moderno

desuso (de.su.so) *s.m.* falta ou diminuição de uso ~ **desusar** *v.t.d. e pron.*

desvairado (des.vai.ra.do) *adj.s.m.* que(m) perdeu o juízo; louco ↺ ajuizado

desvairar (des.vai.rar) *v.* {mod. 1} *t.d.* **1** deixar em desvario; enlouquecer *<os anos de cadeia o desvairaram>* □ *int. e pron.* **2** praticar ou dizer desatinos; disparatar *<uma mulher (se) desvairava na fila do supermercado>*

desvairo (des.vai.ro) *s.m.* → ***DESVARIO***

desvalia (des.va.li.a) *s.f.* **1** falta ou perda de valor; desvalimento ↺ valia **2** falta de apoio; desamparo ↺ apoio

desvalido (des.va.li.do) *adj.s.m.* **1** (o) que não tem valia **2** (o) que é ou está desprotegido, desamparado ↺ assistido **3** pobre, miserável

desvalimento (des.va.li.men.to) *s.m.* desvalia

desvalor (des.va.lor) /ô/ [pl.: *-es*] *s.m.* **1** falta ou perda de valor; depreciação *<não dava para medir o d. da casa incendiada>* ↺ valor **2** falta de aceitação ou de crédito; descrédito *<lamente o d. desse homem>* ↺ valor **3** falta de coragem; covardia ↺ valor

desvalorizar (des.va.lo.ri.zar) *v.* {mod. 1} *t.d. e pron.* **1** (fazer) perder o valor *<d. a moeda>* *<era uma mercadoria que se desvalorizava rapidamente>* **2** *fig.* rebaixar o apreço, a reputação, a virtude de; desmerecer(-se), depreciar(-se) *<os constantes disparates o desvalorizaram perante os sócios>* *<d.-se profissionalmente>* ↺ valorizar(-se) ~ **desvalorização** *s.f.* - **desvalorizador** *adj.s.m.*

desvanecer (des.va.ne.cer) *v.* {mod. 8} *t.d. e pron.* **1** (fazer) desaparecer; extinguir(-se), desfazer(-se) *<o sol veio d. a neblina>* *<desvaneceu-se o antigo ressentimento>* ↺ aparecer **2** tornar(-se) orgulhoso; envaidecer(-se) *<o prêmio não o desvaneceu>* *<não me desvaneço com esses elogios>* □ *t.d.* **3** acalmar, aliviar *<d. a dor>* ↺ estimular □ *pron.* **4** perder a cor; desbotar ~ **desvanecimento** *s.m.*

desvanecido (des.va.ne.ci.do) *adj.* **1** que se desfez; extinto *<lembrança d.>* **2** sem vivacidade; desbotado *<cor d.>* ↺ vivo **3** cheio de vaidade; orgulhoso ↺ modesto

desvantagem (des.van.ta.gem) [pl.: *-ens*] *s.f.* falta de vantagem; inferioridade em qualquer situação *<os mais novos têm d. nas brincadeiras brutas>* *<vai ser difícil o time superar a d. no placar>* ↺ vantagem

desvantajoso (des.van.ta.jo.so) /ô/ [pl. e fem.: /ó/] *adj.* que traz desvantagem; desfavorável, prejudicial ↺ vantajoso

desvão (des.vão) [pl.: *-ãos*] *s.m.* **1** vão da casa que fica entre o forro e o telhado; sótão **2** espaço fechado sob uma escada **3** lugar oculto; esconderijo

desvario (des.va.ri.o) ou **desvairo** (des.vai.ro) *s.m.* **1** falta de sanidade mental; demência, loucura **2** delírio, alucinação ↺ juízo **3** extravagância, excesso *<vestia-se com d.>*

[1]**desvelar** (des.ve.lar) *v.* {mod. 1} *t.d.* **1** privar do sono; não deixar que durma *<o remorso o desvela até hoje>* **2** passar (a noite) sem dormir; velar *<d. noites cuidando do filho>* □ *pron.* **3** (prep. *por*) dedicar-se muito; empenhar-se *<desvela-se por agradar aos convidados>* ◉ ORIGEM do esp. *desvelar* 'ficar sem dormir' ~ **desvelamento** *s.m.*

[2]**desvelar** (des.ve.lar) *v.* {mod. 1} *t.d. e pron.* **1** pôr(-se) à vista, tirando o que recobria *<d. uma estátua magnífica>* *<o mascarado desvelou-se no fim da peça>* ↺ cobrir(-se) □ *t.d.* **2** tornar claro; esclarecer *<o mistério foi desvelado>* ◉ ORIGEM *des-* + [2]*velar*

desvelo (des.ve.lo) /ê/ *s.m.* grande cuidado ou preocupação; dedicação, zelo *<d. com as crianças>* ↺ negligência

desvencilhar (des.ven.ci.lhar) *v.* {mod. 1} *t.d.,t.d.i. e pron.* (prep. *de*) tornar(-se) livre; soltar(-se), libertar (-se) *<o cão procurava d. o pescoço (da coleira)> <o fugitivo desvencilhou-se dos guardas>* ↺ prender(-se)

desvendar (des.ven.dar) *v.* {mod. 1} *t.d.* **1** tirar a venda dos olhos de *<desvendou o aniversariante para mostrar-lhe o presente de surpresa>* ↺ vendar **2** descobrir (os olhos), retirando a venda *<só vamos d. o paciente dois dias após a cirurgia>* □ *t.d.,t.d.i. e int.* **3** *fig.* (prep. *a*) tornar(-se) evidente; revelar(-se) *<decidiu d. (à esposa) a origem do dinheiro> <o enigma desvendara-se>* ↺ esconder(-se), ocultar(-se)

desventura (des.ven.tu.ra) *s.f.* falta de sorte; desgraça ↺ êxito, ventura

desvestir (des.ves.tir) *v.* {mod. 28} *t.d. e pron.* **1** tirar a roupa (de); despir(-se) *<d. o filho> <d.-se para dormir>* ↺ vestir(-se) □ *t.d.* **2** retirar (a roupa ou parte dela) *<d. o casaco>* ↺ vestir

desviar (des.vi.ar) *v.* {mod. 1} *t.d.,t.d.i. e pron.* **1** (prep. *de, para*) mudar a direção ou a orientação (de) *<d. um curso de água> <desviou para si todos os olhares> <d.-se do caminho>* □ *t.d.* **2** tirar da linha reta; entortar *<d. a coluna vertebral>* ↺ endireitar **3** mudar lugar ou posição de; deslocar *<d. a cabeça para não ser atingido>* **4** alterar o destino de; desencaminhar *<d. verbas>* □ *t.d.i. e pron.* **5** (prep. *de*) (levar a) desistir de; dissuadir(-se) *<d. alguém de um mau propósito> <d.-se de uma ideia>* ↺ convencer(-se)

desvincar (des.vin.car) *v.* {mod. 1} *t.d.* tirar vinco ou enrugamento de; alisar *<d. uma calça>* ↺ vincar, amarrotar

desvinculação (des.vin.cu.la.ção) [pl.: *-ões*] *s.f.* ato ou efeito de desvincular(-se); liberação de vínculo(s) ↺ vinculação

desvincular (des.vin.cu.lar) *v.* {mod. 1} *t.d.,t.d.i. e pron.* (prep. *de*) livrar(-se) de vínculo(s); desligar (-se) *<o clube vai d. os sócios inadimplentes> <d. a declaração de seu sentido irônico> <d.-se do emprego>* ↺ vincular(-se), ligar(-se)

desvio (des.vi.o) *s.m.* **1** ato ou efeito de desviar(-se); mudança do caminho, direção ou posição normal **2** caminho fora da rota comum; atalho **3** o que foge aos padrões normais *<d. de comportamento>*

desvirar (des.vi.rar) *v.* {mod. 1} *t.d.* **1** pôr na posição normal (o que estava virado) ↺ virar **2** desfazer (dobra, volta) *<d. o punho da camisa>* ↺ dobrar

desvirginar (des.vir.gi.nar) *v.* {mod. 1} *t.d. e pron.* (fazer) perder a virgindade

desvirtuar (des.vir.tu.ar) *v.* {mod. 1} *t.d.* **1** diminuir ou tirar a virtude ou o mérito de; desmoralizar *<sempre evita d. os adversários políticos>* □ *t.d. e pron.* **2** alterar (-se) de maneira viciosa; deturpar(-se), adulterar(-se) *<d. a finalidade de uma obra> <os mais belos ideais desvirtuavam-se naquele meio>* ~ **desvirtuamento** *s.m.*

desvitalizar (des.vi.ta.li.zar) *v.* {mod. 1} *t.d.* tirar a vitalidade de; enfraquecer ↺ vitalizar ~ **desvitalização** *s.f.* - **desvitalizado** *adj.*

detalhar (de.ta.lhar) *v.* {mod. 1} *t.d.* **1** expor, explicar em detalhes; particularizar *<detalhou as causas do incidente>* **2** esboçar os traços gerais de; delinear *<d. o projeto de construção da escola>* ~ **detalhado** *adj.* - **detalhamento** *s.m.*

detalhe (de.ta.lhe) *s.m.* **1** pequeno elemento; pormenor, minúcia *<só faltam alguns d. para terminar a obra> <ele me contou a história com todos os d.>* ↺ todo **2** *p.ext.* coisa ou fato sem importância; ninharia *<concordamos no mais importante; o resto são d.>*

detalhista (de.ta.lhis.ta) *adj.2g.s.2g.* que(m) se preocupa com detalhes ~ **detalhismo** *s.m.*

D

detecção (de.tec.ção) [pl.: *-ões*] *s.f.* ação ou efeito de detectar; descoberta, revelação

detectar (de.tec.tar) ou **detetar** (de.te.tar) *v.* {mod. 1} *t.d.* **1** localizar ou ter contato com (algo) por radar, sonar, rádio etc. *<d. aviões, submarinos>* **2** revelar ou descobrir (algo encoberto, escondido); identificar *<detectou uma ponta de sarcasmo em seu sorriso>*

detector (de.tec.tor) /ô/ [pl.: *-es*] ou **detetor** (de.te.tor) /ô/ [pl.: *-es*] *adj.s.m.* **1** (o) que detecta **2** (o) que revela a presença de algo *<aparelho d. de metais> <d. de incêndio>*

detenção (de.ten.ção) [pl.: *-ões*] *s.f.* **1** estado do que se acha detido, preso ↺ liberdade **2** DIR prisão provisória ou preventiva **3** *p.ext.* prédio da prisão

detento (de.ten.to) *s.m.* o que está detido; preso, prisioneiro

deter (de.ter) *v.* {mod. 16} *t.d. e pron.* **1** (prep. *em*) (fazer) parar; conter(-se) *<d. o avanço da tropa inimiga> <o cavalo deteve-se na cocheira>* **2** (prep. *em*) (fazer) demorar; reter(-se) *<deteve o amigo em casa para discutir o assunto> <deteve-se na cidade fazendo compras>* **3** conter(-se), controlar(-se) *<mal conseguia d. as gargalhadas> <quis avançar sobre o outro, mas deteve-se>* ↺ liberar(-se) □ *t.d.* **4** DIR determinar a detenção de; prender *<d. um suspeito>* ↺ libertar □ *pron.* **5** (prep. *em*) ocupar-se demoradamente com *<d.-se em minúcias>* ~ **detentor** *adj.s.m.*

detergente (de.ter.gen.te) *adj.2g.s.m.* **1** (substância) que limpa ou purifica ■ *s.m.* **2** produto (líquido, pastoso ou em pó) us. na limpeza doméstica *<lavar a louça com d. neutro>*

deterioração (de.te.ri.o.ra.ção) [pl.: *-ões*] *s.f.* **1** ato ou efeito de deteriorar(-se); decomposição, estrago *<d. de alimentos>* ↺ conservação **2** *fig.* estado de decadência; degeneração *<d. moral>* ↺ prosperidade

deteriorar (de.te.ri.o.rar) *v.* {mod. 1} *t.d. e pron.* **1** (fazer) ficar em mau estado; danificar(-se), estragar (-se) *<a umidade deteriorou a mercadoria> <as frutas caídas deterioravam-se no chão>* ↺ conservar(-se) **2** *fig.* tornar(-se) pior; agravar(-se) *<o desleixo vai deteriorando a sua aparência> <deterioravam-se as relações entre os dois países>* ↺ melhorar **3** *fig.* tornar(-se) inferior, vil; degenerar(-se) *<más leituras deterioram a mente dos jovens> <naquele ambiente, seus valores iam-se deteriorando>* ↺ engrandecer(-se)

determinação (de.ter.mi.na.ção) [pl.: *-ões*] *s.f.* **1** ato ou efeito de determinar(-se); explicação exata; definição *<d. do sentido de uma palavra>* **2** descrição das características; especificação *<d. das espécies da região do cerrado>* **3** ordem superior; prescrição *<tudo foi feito por d. governamental>* **4** firmeza; persistência *<agir com d.>* ↺ indeterminação **5** decisão, resolução *<mostrou-se firme em sua d. de mudar de emprego>* ↺ indecisão

determinado (de.ter.mi.na.do) *adj.* **1** que se determinou; definido, marcado *<saíram na hora d.>* ↺indeterminado **2** firmemente decidido; resoluto *<pessoa d.>* ↺hesitante ■ *pron.ind.* **3** não especificado; certo, dado *<recebeu de herança uma d. quantia>*

determinante (de.ter.mi.nan.te) *adj.2g.* **1** que determina **2** que decide; decisivo *<argumento d.>* ■ *adj.2g.s.2g.* **3** (circunstância) que causa algo *<o fator d. da mudança> <o d. do rompimento>*

determinar (de.ter.mi.nar) *v.* {mod. 1} *t.d.* **1** marcar limites a (algo indefinido); delimitar *<d. a área de um terreno>* **2** precisar, indicar a partir de análise, avaliação; definir *<d. um coeficiente> <d. as bases de um acordo>* **3** ordenar, estabelecer *<d. novas normas>* **4** ser a causa de; provocar, motivar *<as irregularidades da construção determinaram o desabamento do edifício>* **5** discriminar, diferenciar *<d. os componentes de uma fórmula>* ↺misturar, confundir □ *t.d.,t.d.i. e pron.* **6** (prep. *a*) (fazer) tomar decisão; decidir(-se), resolver(-se) *<determinou adiar o casamento> <isso vai determiná-lo a cancelar a viagem> <determinou-se a ficar junto dos seus>*

determinismo (de.ter.mi.nis.mo) *s.m.* teoria segundo a qual no universo tudo decorre de uma relação de causa e efeito **~determinista** *adj.2g.s.2g.*

detestar (de.tes.tar) *v.* {mod. 1} *t.d. e pron.* sentir raiva, aversão por; odiar(-se) *<d. a mentira> <ambos se detestam>* ↺adorar(-se), amar(-se)

detestável (de.tes.tá.vel) [pl.: *-eis*] *adj.2g.* **1** que inspira aversão, ódio; abominável *<temperamento d.>* ↺ admirável **2** muito desagradável *<clima d.>* ↺adorável

detetar (de.te.tar) *v.* → ***DETECTAR***

detetive (de.te.ti.ve) *s.m.* policial que faz investigações criminais ▣ **d. particular** aquele que trabalha como detetive mediante pagamento de pessoa interessada em obter qualquer tipo de informação

detetor (de.te.tor) /ô/ [pl.: *-es*] *adj.s.m.* → ***DETECTOR***

detido (de.ti.do) *adj.* **1** parado, impedido *<ficou d. no trânsito>* ↺livre **2** que não se devolveu; retido *<o passaporte ficou d. na alfândega>* ↺liberado ■ *adj.s.m.* **3** preso, prisioneiro

detonador (de.to.na.dor) /ô/ [pl.: *-es*] *adj.s.m.* **1** (o) que detona ■ *s.m.* **2** dispositivo ou substância que provoca detonação de cargas explosivas

detonar (de.to.nar) *v.* {mod. 1} *t.d.* **1** fazer explodir (bomba, dinamite etc.) *<o terrorista detonou o carro--bomba>* **2** disparar (arma de fogo) **3** *fig.* dar início impetuoso a; deflagrar, desencadear *<d. uma crise>* **4** *fig. infrm.* acabar com; destruir *<d. um adversário>* **~detonação** *s.f.*

detrair (de.tra.ir) *v.* {mod. 25} *t.d.* **1** desvalorizar o mérito, a importância de; depreciar, detratar *<d. um oponente>* ↺valorizar □ *t.i.* **2** (prep. *de*) dizer mal de; difamar *<d. da honra de alguém>* ↺bendizer **~detração** *s.f.*

Detran (De.tran) *s.m.* sigla de Departamento Estadual de Trânsito

detrás (de.trás) *adv.* **1** na parte posterior, oposta à frente; atrás *<esse é o prédio da reitoria, e d., o dos alunos>* ↺diante **2** em sequência; depois *<primeiro veio a rainha, e d., o rei>* ↺antes ▣ **d. de** ou **por d. de** **1** em lugar posterior a; depois de *<d. daquela colina, há uma pequena aldeia>* **2** *fig.* em posição posterior, sem ser percebido; por trás de *<d. daquela capa de frieza, está um homem frágil>* • **por d.** pela retaguarda; pelas costas *<o jato atingiu-o por d.>*

detratar (de.tra.tar) *v.* {mod. 1} *t.d. e t.i.* desvalorizar o mérito de; detrair **~detratação** *s.f.* - **detrator** *adj.s.m.*

detrimento (de.tri.men.to) *s.m.* prejuízo; perda ▣ **em d. de** contrário ao interesse de; em prejuízo de *<as bolsas foram cortadas em d. dos alunos>*

detrito (de.tri.to) *s.m.* sobra de qualquer substância; resíduo, resto *<detritos de uma demolição>*

deturpar (de.tur.par) *v.* {mod. 1} *t.d. e pron.* **1** tornar (-se) pior, viciado; estragar, corromper(-se) *<d.(-se) o costume>* □ *t.d.* **2** interpretar mal ou deformar o sentido de; desvirtuar, distorcer *<d. a declaração de uma autoridade>* **3** tornar feio; desfigurar *<deturparam o desenho do menino com rabiscos grosseiros>* **~deturpação** *s.f.*

deus [pl.: *-es*] *s.m.* REL **1** nas religiões monoteístas, ser supremo, criador do universo ☞ inicial maiúsc. **2** nas religiões politeístas, divindade superior aos homens e aos gênios, com influência especial nos destinos do universo ▣ **d. me livre** *RJ* lugar ermo e afastado; cafundó

deusa (deu.sa) *s.f.* **1** divindade feminina **2** *fig.* mulher muito bonita

deus-dará (deus-da.rá) *s.m.* ◗ usado em: **ao d.** ao acaso, à própria sorte *<depois do despejo, a família ficou ao d.>*

deus nos acuda (deus nos a.cu.da) *s.m.2n.* grande movimento; tumulto, confusão *<o leão fugiu do zoológico, e foi um deus nos acuda>*

devagar (de.va.gar) *adv.* lentamente, sem pressa *<dirija d. perto da escola>* ↺depressa ☞ cf. *divagar*

devanear (de.va.ne.ar) *v.* {mod. 5} *t.d.* **1** criar na imaginação; sonhar *<devaneia façanhas impossíveis>* □ *int.* **2** dizer coisas sem sentido; delirar

devaneio (de.va.nei.o) *s.m.* **1** produto da fantasia; sonho, quimera ↺realidade **2** desvario, delírio

devassa (de.vas.sa) *s.f.* DIR apuração minuciosa de um delito ou conjunto de delitos por meio de pesquisa e inquirição de testemunhas

devassar (de.vas.sar) *v.* {mod. 1} *t.d.* **1** invadir, para conhecer por completo (o que é interdito) *<a polícia devassou a casa do chefe da quadrilha>* **2** ter vista para dentro de *<esta casa devassa a da frente>* **3** investigar, esquadrinhar *<d. a vida de alguém>* **~devassado** *adj.*

devassidão (de.vas.si.dão) [pl.: *-ões*] *s.f.* qualidade ou característica de devasso; depravação de costumes; libertinagem ↺recato

devasso (de.vas.so) *adj.s.m.* depravado, libertino ↺recatado

devastar (de.vas.tar) *v.* {mod. 1} *t.d.* **1** destruir de forma arrasadora; arruinar *<os gafanhotos devastaram a plantação>* **2** causar muitos danos a; estragar *<a ferrugem está devastando o encanamento>* **3** tornar deserto; despovoar *<a fome ainda devastará aquela cidade>* ↺povoar **~devastação** *s.f.* - **devastador** *adj.s.m.*

devedor (de.ve.dor) /ô/ [pl.: *-es*] *adj.s.m.* **1** (o) que tem dívida(s) ↺credor ■ *s.m.* **2** quem tem obrigações com outra pessoa por algum favor ou benefício recebido *<após esse dia, serei seu eterno d.>*

dever (de.ver) *v.* {mod. 8} *t.d.,t.i. e t.d.i.* **1** (prep. *a*) ter de pagar (dívidas ou obrigações) *<d. dinheiro> <d. ao açougueiro> <deve R$ 50,00 ao vizinho>* □ *t.d. e t.d.i.* **2** (prep. *a*) ficar em dívida com ou ter gratidão por (alguém) [por algo recebido] *<deve muitos favores> <deve seu saber ao mestre>* **3** us. com verbo no infinitivo, freq. expressa: **3.1** uma lei inevitável a que se está submisso e que não depende da vontade; ter de *<todos devem morrer um dia>* **3.2** uma obrigação a que se submete, ger. regra moral, convenção social ou saber prático *<a criança deve respeitar os pais> <devemos escovar os dentes diariamente>* **3.3** uma intenção do sujeito; pretender *<avisou que deve viajar hoje>* **3.4** necessidade ou obrigação; ter de *<isto não devia acabar assim>* **3.5** eventualidade, probabilidade ou fatalidade *<deve chover hoje> <ninguém sabe se isso deve acontecer>* ■ *s.m.* **4** aquilo que se deve fazer; obrigação *<o cidadão tem direitos e deveres>* **5** tarefa escolar *<fazer o d. de casa>* ☞ como s.m, pl. *-es*

deveras (de.ve.ras) *adv.* us. para enfatizar a veracidade daquilo que se diz; realmente, de fato *<estudou d. para passar naquele concurso>*

deverbal (de.ver.bal) [pl.: *-ais*] *adj.2g.s.2g.* GRAM (substantivo) formado a partir de verbo, p.ex., *aparecimento*, de *aparecer*

devidamente (de.vi.da.men.te) *adv.* da maneira correta, adequada, justa; como deve ser *<partiu d. preparado para a batalha> <os criminosos foram d. punidos>*

devido (de.vi.do) *adj.s.m.* (o) que é objeto de dívida, obrigação ou reconhecimento *<faremos uma d. homenagem para ele> <pague-me o d., por favor>* ▣ **d. a** por causa de; em virtude de *<tiveram de parar d. à falta de visibilidade>*

devoção (de.vo.ção) [pl.: *-ões*] *s.f.* **1** forte sentimento religioso ↺ impiedade **2** *p.ext.* dedicação completa; zelo *<d. ao trabalho>*

devolução (de.vo.lu.ção) [pl.: *-ões*] *s.f.* ato ou efeito de devolver; restituição

devoluto (de.vo.lu.to) *adj.* que não tem habitantes; desocupado, vazio *<terreno d.>* ↺ habitado, povoado

devolver (de.vol.ver) *v.* {mod. 8} *t.d. e t.d.i.* **1** (prep. *a*) dar de volta (o que é devido ou esperado); restituir *<devolveu ao sogro o dinheiro emprestado>* **2** (prep. *a*) responder na mesma medida; replicar, retrucar *<d. a ofensa (ao inimigo)>* **3** (prep. *a*) transferir (a outrem) [direito ou propriedade] *<d. a herança aos filhos>* **4** (prep. *a*) não aceitar; recusar *<devolveu (ao fornecedor) a mercadoria deteriorada>* ↺ aceitar **5** *fig.* (prep. *a*) recompensar (sentimento, gesto) *<d. a gentileza ao porteiro>* □ *t.d.i.* **6** (prep. *a*) fazer recobrar (o que se perdera) *<o descanso vai devolver as energias à tropa>* □ *t.d.* *B infrm.* **7** expelir o que está no estômago; vomitar ◉ GRAM/USO part.: *devolvido, devoluto*; ver QUADRO DE PARTICÍPIOS DUPLOS nas pp. iniciais

devoniano (de.vo.ni.a.no) *s.m.* GEOL **1** quarto período geológico da era paleozoica, entre o Siluriano e o Carbonífero, em que aparecem as samambaias, os musgos e os anfíbios ☞ inicial maiúsc. ■ *adj.* **2** desse período

devorar (de.vo.rar) *v.* {mod. 1} *t.d. e int.* **1** comer com voracidade; engolir *<devorou todo o frango assado> <ele não comia, devorava>* □ *t.d.* *fig.* **2** atormentar intensamente; afligir *<a saudade o devorava>* ↺ acalmar, tranquilizar **3** destruir rápida e completamente; consumir *<o fogo devorou tudo>* **4** ler rapidamente e com avidez *<d. um livro em poucas horas>* ~ **devorador** *adj.s.m.*

devotar (de.vo.tar) *v.* {mod. 1} *t.d.i.* **1** (prep. *a*) prometer solenemente a (divindade) *<d. a vida a Deus>* □ *t.d.i. e pron.* **2** (prep. *a*) dedicar(-se) [existência, sentimento etc.] a; consagrar(-se) *<d. amizade a alguém> <d.-se à família>* ~ **devotado** *adj.*

D

devoto (de.vo.to) *adj.s.m.* **1** (o) que tem devoção *<tinha um ar d.> <d. de santa Rita>* ↺ indevoto ■ *adj.* **2** dedicado *<amigo d.>* ■ *s.m.* **3** quem se dedica a algo *<era um d. das artes>*

dez *n.card.* **1** nove mais um **2** diz-se desse número *<cartões de número d.>* **3** diz-se do décimo elemento de uma série *<nota d.>* **4** que equivale a essa quantidade (diz-se de medida ou do que é contável) *<ter d. filhos>* ■ *s.m.2n.* **5** representação gráfica desse número *<no exame de vista, não pôde ler o d.>* ☞ em algarismos arábicos, *10*; em algarismos romanos, *X* ◉ GRAM/USO não seria errado pluralizar o dez substantivo segundo a regra (*vez:vezes*), mas o habitual é não fazê-lo: *tirou três dez no exame*

dezembro (de.zem.bro) *s.m.* décimo segundo e último mês do ano no calendário gregoriano, composto de 31 dias

dezena (de.ze.na) *s.f.* conjunto de dez unidades *<estojo com uma d. de lápis>*

dezenove (de.ze.no.ve) *n.card.* **1** dez mais nove **2** diz-se desse número **3** diz-se do décimo nono elemento de uma série *<capítulo d.> <dia d.>* **4** que equivale a essa quantidade (diz-se de medida ou do que é contável) *<havia d. alunos na classe>* ■ *s.m.* **5** representação gráfica desse número *<o d. estava ilegível na data carimbada pelo banco>* ☞ em algarismos arábicos, *19*; em algarismos romanos, *XIX*

dezesseis (de.zes.seis) *n.card.* **1** dez mais seis **2** diz-se desse número *<caixa de número d.>* **3** diz-se do décimo sexto elemento de uma série *<capítulo d.> <dia d.>* **4** que equivale a essa quantidade (diz-se de medida ou do que é contável) *<construiu um prédio de d. metros de altura> <completou d. anos ontem>* ■ *s.m.2n.* **5** representação gráfica desse número *<apenas no original o d. estava legível>* ☞ em algarismos arábicos, *16*; em algarismos romanos, *XVI*

dezessete (de.zes.se.te) *n.card.* **1** dez mais sete **2** diz-se desse número *<ofício de número d.>* **3** diz-se do décimo sétimo elemento de uma série *<capítulo d.> <dia d.>* **4** que equivale a essa quantidade (diz-se de medida ou do que é contável) *<perdeu a eleição só por d. votos>* ■ *s.m.* **5** representação gráfica desse número *<na data sobre a assinatura, o d. estava ilegível>* ☞ em algarismos arábicos, *17*; em algarismos romanos, *XVII*

dezoito (de.zoi.to) *n.card.* **1** dez mais oito **2** diz-se desse número *<ofício de número d.>* **3** diz-se do décimo oitavo elemento de uma série *<capítulo d.> <dia d.>* **4** que equivale a essa quantidade (diz-se de medida ou do que é contável) *<com a dieta, emagreceu d. quilos>* ■ *s.m.* **5** representação gráfica desse número *<o d. da data estava borrado>* ☞ em algarismos arábicos, *18*; em algarismos romanos, *XVIII*

DF sigla do Distrito Federal

dg símbolo de *decigrama*

[1]**di-** *pref.* 'dois': *diedro, dissílabo* ◉ ORIGEM do gr. *di-* 'duas vezes'

[2]**di-** *pref.* **1** 'movimento para várias direções': *difundir* **2** 'ação contrária': *difamar* ◉ ORIGEM do lat. *di-* 'id.'

dia- *pref.* **1** 'movimento através de': *diacronia, diálogo* **2** 'separação, dispersão': *diálise*

dia (di.a) *s.m.* **1** tempo entre o instante do nascer e do pôr do Sol **2** claridade com que o Sol ilumina a Terra **3** período (24 horas) da rotação da Terra em torno de seu eixo **4** temperatura que faz durante o dia; tempo *<dia quente>* **5** tempo presente; momento *<assunto do d.>* ▣ **d. a d.** com o correr dos dias; diariamente *<cria-se d. a d. o hábito do estudo>* ☞ cf. *dia a dia* (s.m.) • **d. e noite** a todas as horas, constantemente, sem parar; noite e dia • **d. santo** feriado católico • **d. útil** qualquer dia da semana, salvo domingos, feriados e dias santos • **em d. 1** atualizado *<em d. com a moda>* **2** sem atraso *<contas em d.>*

dia a dia (di.a a di.a) [pl.: *dia a dias* e *dias a dias*] *s.m.* o viver cotidiano, a rotina ☞ cf. *dia a dia* (loc.adv.)

diabetes (di.a.be.tes) *s.2g.2n.* ou **diabete** (di.a.be.te) *s.2g.* MED **1** doença do metabolismo caracterizada por deficiência na produção de insulina **2** tipo de diabetes que se caracteriza por excesso de glicose no sangue e na urina e alterações do metabolismo das proteínas e das gorduras; diabetes melito ▣ **d. melito** MED diabetes

diabético (di.a.bé.ti.co) *adj.s.m.* MED **1** (aquele) que sofre de diabetes ■ *adj.* **2** relativo a diabetes

diabinho (di.a.bi.nho) *s.m.* **1** diabo pequeno; diabrete **2** *N.E.* espécie de busca-pé pequeno; rabo de saia

diabo (di.a.bo) *s.m.* **1** REL cada um dos anjos que se rebelaram contra Deus e foram lançados no inferno; demônio **2** REL o chefe desses anjos; espírito do mal; demônio ☞ inicial por vezes maiúsc. **3** *pej.* indivíduo mau, de mau gênio **4** *fig.* indivíduo esperto, perspicaz *<o menino é o d., não perde nada>* **5** us. com intensificador, com as ideias de: **5.1** confusão, desordem *<a reunião foi o d., ninguém se entendeu>* **5.2** quantidade excessiva *<tem feito o d. para sobreviver>* **5.3** esperteza, energia *<o d. do menino sabe tudo>* **5.4** descontentamento *<o d. do negócio não deu certo>* **6** us. como realce após pronomes interrogativos *<onde d. você se meteu?>* ■ *interj.* **7** indica contrariedade, espanto, impaciência *<vem logo, d.!>* ▣ **comer o pão que o d. amassou** passar dificuldades, privações

diabólico (di.a.bó.li.co) *adj.* **1** relativo ao diabo *<forças d.>* **2** insuportável, terrível *<sofrimento d.>* **3** inspirado pelo diabo; maligno *<plano d.>*

diabrete (di.a.bre.te) /ê/ *s.m.* **1** diabo pequeno **2** *fig.* criança irrequieta, travessa

diabrura (di.a.bru.ra) *s.f.* **1** ato próprio do diabo **2** *fig.* travessura, traquinice

diacho (di.a.cho) *s.m. e interj. infrm.* diabo

diaconato (di.a.co.na.to) *s.m.* REL dignidade ou função de diácono

diácono (di.á.co.no) *s.m.* REL entre os católicos, clérigo cuja função é auxiliar o sacerdote ou o bispo, pregar, batizar e distribuir a comunhão ~ **diaconal** *adj.2g.*

diacrítico (di.a.crí.ti.co) *adj.s.m.* diz-se de ou *sinal diacrítico*

diacronia (di.a.cro.ni.a) *s.f.* **1** LING descrição de uma língua ou de uma parte dela ao longo de sua história, e das mudanças que sofreu **2** ANTRPOL SOC conjunto dos fenômenos sociais, culturais etc. que ocorrem e se desenvolvem através do tempo ~ **diacrônico** *adj.* - **diacronismo** *s.m.*

diadema (di.a.de.ma) *s.m.* **1** adorno de cabeça de reis e rainhas **2** *p.ext.* joia ou ornato em forma de meia coroa us. pelas mulheres

diáfano (di.á.fa.no) *adj.* **1** que permite a passagem da luz; transparente ↺ opaco **2** *fig.* delicado ↺ corpulento **3** *fig.* sem precisão, vago ↺ claro ~ **diafaneidade** *s.f.* - **diafanidade** *s.f.*

diafragma (di.a.frag.ma) *s.m.* **1** ANAT músculo entre o tórax e o abdômen **2** CINE FOT TV dispositivo que controla a entrada de luz em câmeras fotográficas, de filmar etc. **3** dispositivo contraceptivo feminino, composto de uma membrana de material elástico ~ **diafragmático** *adj.*

diagnose (di.ag.no.se) *s.f.* MED diagnóstico

diagnóstico (di.ag.nós.ti.co) *s.m.* MED fase de investigação sobre a natureza e as causas de determinada doença; diagnose ~ **diagnosticar** *v.t.d.*

diagonal (di.a.go.nal) [pl.: *-ais*] *adj.2g.* **1** inclinado em relação a uma linha de referência; oblíquo, transversal ■ *s.f.* **2** GEOM segmento de reta que une dois vértices não consecutivos de um polígono **3** GEOM segmento de reta determinado por dois vértices que não estão sobre a mesma face de um poliedro **4** linha ou direção oblíqua *<siga na d. até o portão de saída>*

diagrama (di.a.gra.ma) *s.m.* **1** representação gráfica, por meio de pontos, linhas, áreas etc.; gráfico, esquema *<d. do desenvolvimento de um bebê>* **2** traçado em linhas gerais

diagramar (di.a.gra.mar) *v.* {mod. 1} *t.d.* GRÁF arrumar graficamente os elementos (p.ex., textos, títulos, ilustrações, legendas etc.) que deverão fazer parte de (uma publicação) *<d. um livro> <d. uma página de jornal>* ~ **diagramação** *s.f.* - **diagramador** *adj.s.m.*

dialética (di.a.lé.ti.ca) *s.f.* FIL **1** oposição, conflito originado pela contradição entre princípios teóricos ou fenômenos empíricos **2** busca da verdade através do diálogo ~ **dialético** *adj.*

dialeto (di.a.le.to) *s.m.* LING qualquer variedade linguística coexistente com outra e que não pode ser considerada outra língua (p.ex.: no português do Brasil, o dialeto caipira, o nordestino, o gaúcho etc.) ~ **dialetal** *adj.2g.*

dialogal (di.a.lo.gal) [pl.: *-ais*] *adj.2g.* exposto ou escrito em forma de diálogo

dialogar (di.a.lo.gar) *v.* {mod. 1} *t.i. e int.* **1** (prep. *com, sobre*) trocar opiniões, comentários etc., alternando papéis de falante e ouvinte; conversar *<dialogamos sobre o passado> <dialogaram a noite toda>* **2** procurar entendimento, acordo (com); entender-se *<não quis d. com o adversário> <a sua intenção era discutir e não d.>* ~ **dialogado** *adj.*

dialógico (di.a.ló.gi.co) *adj.* em forma de diálogo *<ensino d.> <tratado d.>*

diálogo (di.á.lo.go) *s.m.* **1** fala entre dois ou mais indivíduos; conversa **2** conjunto das palavras trocadas pelas personagens de um romance, filme etc.

diamante (di.a.man.te) *s.m.* **1** MINER carbono puro cristalizado, us. para fins industriais em ferramentas de corte e perfuração e como abrasivo **1.1** a mais dura e brilhante pedra preciosa **2** instrumento us. para cortar vidro, composto de uma haste com um fragmento de diamante em sua ponta

diamantífero (di.a.man.tí.fe.ro) *adj.* em que há diamantes *<terreno d.>*

diamantino (di.a.man.ti.no) *adj.* **1** relativo a diamante **2** semelhante a diamante

diametralmente (di.a.me.tral.men.te) *adv.* **1** de um polo ao outro; no sentido do diâmetro *<percorreu a trajetória d.>* **2** em sentido inteiramente diferente, sem qualquer ponto de convergência *<opiniões d. opostas>*

diâmetro (di.â.me.tro) *s.m.* GEOM linha reta que passa pelo centro de uma circunferência ~ **diametral** *adj.2g.*

diante (di.an.te) *adv. desus.* adiante ▣ **d. de 1** defronte de; perante *<pôs a chave d. do filho>* **2** por efeito ou influência de *<d. das evidências, decidiu desistir do negócio>* • **em, para** ou **por d.** para a frente *<de hoje em d. não me atrasarei mais>*

dianteira (di.an.tei.ra) *s.f.* **1** parte anterior de algo; frente *<a d. do carro>* ↺ traseira **2** primeiro lugar, liderança *<a d. da corrida>*

dianteiro (di.an.tei.ro) *adj.* que vai ou está na frente *<sentou-se no banco d. do carro>* ↺ traseiro

diapasão (di.a.pa.são) [pl.: *-ões*] *s.m.* MÚS **1** pequeno instrumento metálico em forma de U, com um cabo, us. para afinar instrumentos e vozes **2** a nota *lá* fixada por esse instrumento e que constitui o padrão com que se regula a altura absoluta dos sons musicais **3** extensão ou timbre de voz ou instrumento

diapositivo (di.a.po.si.ti.vo) *s.m.* FOT REC.AV imagem positiva em chapa fotográfica transparente que pode ser projetada; *slide*

diária (di.á.ria) *s.f.* **1** salário pago por um dia de trabalho **2** ajuda de custo para cobrir despesas de transporte, estadia, alimentação etc. **3** preço pago por dia em hotéis, hospitais etc.

diariamente (di.a.ri.a.men.te) *adv.* **1** todos os dias; cotidianamente *<sai d. às seis da manhã>* **2** a cada dia, por dia *<dose máxima a ingerir d.>*

diário (di.á.rio) *adj.* **1** que se faz ou acontece todos os dias ■ *s.m.* **2** registro pessoal ou comercial das atividades de cada dia

diarista (di.a.ris.ta) *adj.2g.s.2g.* **1** que(m) recebe diária ('salário') por seu trabalho **2** (empregado) cujo salário varia de acordo com os dias trabalhados

diarreia (di.ar.rei.a) /éi/ *s.f.* eliminação frequente de fezes líquidas e abundantes ~ **diarreico** *adj.s.m.*

diáspora (di.ás.po.ra) *s.f.* **1** HIST dispersão dos judeus, por todo o mundo, no decorrer dos séculos **2** *p.ext.* dispersão de um povo por perseguição política, religiosa ou étnica

diástole (di.ás.to.le) *s.f.* FISL movimento de dilatação do coração, caracterizado por relaxamento muscular e enchimento dos ventrículos de sangue ☞ cf. *sístole* ~ **diastólico** *adj.*

diatônico (di.a.tô.ni.co) *adj.* MÚS que procede de acordo com a sucessão natural dos tons e semitons *<escala d.>*

diatribe (di.a.tri.be) *s.f.* **1** crítica severa **2** discussão exaltada

dica (di.ca) *s.f. infrm.* boa informação; sugestão

dicção (dic.ção) [pl.: *-ões*] *s.f.* **1** modo de pronunciar palavras, frases, versos etc.; articulação **2** arte de proferir um texto com clareza e entonação adequada ao seu sentido

dicionário (di.cio.ná.rio) *s.m.* **1** relação, ger. em ordem alfabética, das palavras e expressões de uma língua ou um assunto com seus respectivos significados ou sua equivalência em outro idioma **2** livro, sob forma impressa ou eletrônica, ou qualquer outro suporte de mensagem auditiva, visual etc., que contém essa relação *<comprei um minidicionário> <preferi usar o d.* on-line*>* ~ **dicionarista** *adj.2g.s.2g.*

dicionarizar (di.cio.na.ri.zar) *v.* {mod. 1} *t.d.* **1** registrar em dicionário *<d. gírias>* **2** organizar sob a forma de dicionário *<quer d. o manual de ortografia>* ~ **dicionarização** *s.f.*

dicotilédone (di.co.ti.lé.do.ne) *adj.2g.* BOT dicotiledôneo

dicotiledônea (di.co.ti.le.dô.nea) *s.f.* BOT espécime das dicotiledôneas, classe de plantas angiospermas cujo embrião abriga dois cotilédones

dicotiledôneo (di.co.ti.le.dô.neo) *adj.* BOT que tem dois cotilédones (diz-se de planta); dicotilédone

dicotomia (di.co.to.mi.a) *s.f.* modalidade de classificação em que cada uma das divisões e subdivisões contém apenas dois termos *<d. entre homens e mulheres>* ~ **dicotômico** *adj.* - **dicotomizar** *v.t.d.*

dicroico (di.croi.co) /ói/ *adj.* que reflete certas cores e permite que outras o atravessem (diz-se de espelho) ~ **dicroísmo** *s.m.*

didata (di.da.ta) *s.2g.* **1** quem ensina **2** especialista em didática **3** autor de livros de ensino

didática (di.dá.ti.ca) *s.f.* **1** técnica de ensinar **2** parte da pedagogia que trata das normas científicas da atividade educativa

didático (di.dá.ti.co) *adj.* **1** destinado a instruir *<livro d.>* **2** que facilita a aprendizagem *<recursos d.>*

didi (di.di) *s.f. CE l.inf.* chupeta, bico

diedro (di.e.dro) *adj.s.m.* GEOM (ângulo) formado pelo encontro de dois planos

dielétrico (di.e.lé.tri.co) *adj.s.m.* ELETR (substância ou objeto) isolador de eletricidade

diérese (di.é.re.se) *s.f.* GRAM **1** passagem de ditongo a hiato (p.ex.: *sau-da-de* por *sa-u-da-de*) ☞ cf. *sinérese* **2** sinal que indica essa passagem; trema ~ **dierético** *adj.*

diesel (die.sel) /dízel/ ou **dísel** (dí.sel) *s.m.* QUÍM combustível derivado de petróleo us. em certos motores, p.ex., de embarcações, locomotivas e caminhões ☞ este subst. ordinariamente não se emprega no pl. ⊙ GRAM/USO tb. us. como adj.2g.2n.: *óleo diesel*, *motores diesel*

diet (di.et) [ing.] *adj.2g.2n.* próprio para dietas com baixo teor de açúcar e gordura; dietético *<comida d.>* ⇒ pronuncia-se daiet

dieta (di.e.ta) *s.f.* **1** regime alimentar **2** predomínio, na nutrição, de determinado tipo de alimento *<d. vegetariana>* **3** tipo de alimentação adotado por um indivíduo ou grupo social

D

dietética (di.e.té.ti.ca) *s.f.* ramo da medicina que estuda as dietas ~ **dietista** *adj.2g.s.2g.*

dietético (di.e.té.ti.co) *adj.* **1** relativo a dietética ou a dieta **2** próprio de dieta **3** cujo valor calórico é baixo *<refrigerante d.>*

difamante (di.fa.man.te) *adj.2g.* que ofende a reputação alheia

difamar (di.fa.mar) *v.* {mod. 1} *t.d. e pron.* **1** (fazer) perder a boa reputação; desmoralizar(-se) *<sempre evitava d. os adversários>* *<sem recato, acabou por d.-se>* □ *t.i.* **2** (prep. *de*) falar mal de; detrair *<a fofoqueira difama dos outros>* ↺ bendizer ~ **difamação** *s.f.* - **difamador** *adj.s.m.*

difamatório (di.fa.ma.tó.rio) *adj.* cujo objetivo é difamar *<artigo d.>* ↺ enaltecedor

diferença (di.fe.ren.ça) *s.f.* **1** falta de semelhança, desigualdade *<há d. entre os desenhos>* *<percebe-se uma leve d. na atenção que dá aos filhos>* ↺ igualdade **2** alteração *<d. de atitude na última semana>* ↺ manutenção **3** falta de harmonia; divergência *<d. de opiniões>* ↺ concordância **4** MAT resultado de uma subtração **5** abatimento no preço; desconto

diferençar (di.fe.ren.çar) *v.* {mod. 1} *t.d.,t.d.i. e pron.* diferenciar

diferenciação (di.fe.ren.ci.a.ção) [pl.: *-ões*] *s.f.* **1** ato ou efeito de diferenciar(-se); discriminação ↺ indiferenciação **2** BIO sequência de mudanças na estrutura ou na função de uma célula, órgão ou organismo que levam a sua especialização

diferenciar (di.fe.ren.ci.ar) *v.* {mod. 1} *t.d.,t.d.i. e pron.* **1** (prep. *de*) estabelecer diferença(s) entre ou tornar(-se) diferente; distinguir(-se) *<embora parecidos, havia características que os diferenciavam>* *<d. uma coisa de outra>* *<d.-se da maioria das pessoas>* ↺ assemelhar(-se), igualar(-se) □ *t.d.* **2** perceber distintamente; discriminar, reconhecer *<d. bem as letras>*

diferente (di.fe.ren.te) *adj.2g.* **1** que se distingue; que não é igual nem semelhante *<d. abordagens de um mesmo problema>* *<não se importava em ser d.>* ↺ igual, idêntico **2** que não é frequente; raro, incomum *<seus cabelos têm uma cor d.>* ↺ comum

diferimento (di.fe.ri.men.to) *s.m.* ato ou efeito de diferir; adiamento, demora ↺ antecipação ☞ cf. *deferimento*

diferir (di.fe.rir) *v.* {mod. 28} *t.i. e int.* **1** (prep. *de*) ser diferente; distinguir-se *<um aluno que difere dos outros na aplicação>* *<uma palavra cujos vários sentidos diferem bastante>* ↺ igualar-se, assemelhar-se **2** (prep. *de*) divergir, discordar *<a sua opinião difere da nossa>* *<são ideias que não diferem tanto>* ↺ concordar □ *t.d.* **3** transferir para outra data; adiar *<d. um pagamento>* ↺ antecipar **4** fazer durar; prolongar ☞ cf. *deferir*

difícil (di.fí.cil) [pl.: *-eis*] *adj.2g.* **1** que exige esforço para ser feito; trabalhoso *<tarefa d.>* ↺ simples **2** que não se compreende com facilidade; complicado *<texto d.>* ↺ fácil **3** que oferece risco *<caminho d.>* ↺ tranquilo **4** penoso, triste *<situação d.>* ↺ favorável **5** de convívio desagradável *<pessoa d.>* ↺ sociável **6** pouco provável; duvidoso *<acho d. que ele venha hoje>* ↺ provável **7** que não se deixa seduzir facilmente *<mulher d.>* ↺ atirado ■ *adv.* **8** de modo complicado *<falar d.>* ↺ claro ◉ GRAM/USO sup.abs.sint.: *dificílimo*

dificilmente (di.fi.cil.men.te) *adv.* **1** expressa pouca probabilidade de algo vir a ocorrer *<d. ela virá ao encontro>* **2** com pouca frequência; raramente *<ele d. se atrasa>*

dificuldade (di.fi.cul.da.de) *s.f.* **1** característica do que é difícil *<d. de um trabalho>* ↺ facilidade **2** o que impede; obstáculo ↺ desimpedimento **3** inquietação moral; escrúpulo *<d. para mentir>* ↺ tendência **4** complexidade *<missão sem d.>* ↺ simplicidade **5** situação aflitiva *<está passando grandes d.>*

dificultar (di.fi.cul.tar) *v.* {mod. 1} *t.d.,t.d.i. e pron.* **1** (prep. *a*) tornar(-se) difícil, trabalhoso, árduo *<o mau tempo dificulta o deslocamento (à população)>* *<a conclusão do acordo dificultara-se>* ↺ facilitar □ *t.d.* **2** pôr obstáculo a; estorvar *<tanta burocracia dificultava a tramitação do processo>* ↺ ajudar, facilitar

dificultoso (di.fi.cul.to.so) /ô/ [pl. e fem.: /ó/] *adj.* que apresenta dificuldade; árduo, difícil ↺ fácil

difteria (dif.te.ri.a) *s.f.* MED doença infectocontagiosa que provoca inflamação e formação de placas brancas na mucosa da garganta, do nariz e, às vezes, da traqueia e dos brônquios ~ **diftérico** *adj.*

difundir (di.fun.dir) *v.* {mod. 24} *t.d. e pron.* **1** fazer(-se) amplamente conhecido (ideia, novidade); disseminar(-se) *<d. um comunicado>* *<a notícia difundiu-se rapidamente>* **2** propagar(-se) no sentido centrífugo; irradiar(-se) *<uma lamparina difundia em redor sua luz mortiça>* *<o luar difundia-se pela clareira>* **3** espalhar(-se) [vapor, odor] **4** espalhar(-se), derretendo *<o sol difundira a neve da encosta>* *<a manteiga difundiu-se ao calor do fogo>* ◉ GRAM/USO part.: *difundido, difuso*; ver QUADRO DE PARTICÍPIOS DUPLOS nas pp. iniciais

difusão (di.fu.são) [pl.: *-ões*] *s.f.* **1** estado do que é difuso **2** divulgação; propagação *<d. de ideias>* *<d. publicitária>* **3** TEL transmissão radiofônica **4** ÓPT espalhamento de raios luminosos, p.ex., na reflexão sobre uma superfície rugosa ou na transmissão através de um material translúcido

difuso (di.fu.so) *adj.* **1** que se espalha por todas as direções ↺ concentrado **2** cujo contorno não está bem definido *<rostos d. povoavam seus sonhos>* ↺ nítido

digerir (di.ge.rir) *v.* {mod. 28} *t.d. e int.* **1** realizar a digestão (de) *<d. o almoço>* *<d. com dificuldade>* □ *t.d. fig.* **2** assimilar, compreender *<digeriu a explicação do mestre>* **3** suportar com resignação *<d. uma ofensa>* ◉ GRAM/USO part.: *digerido, digesto*; ver QUADRO DE PARTICÍPIOS DUPLOS nas pp. iniciais ~ **digerível** *adj.2g.*

digestão (di.ges.tão) [pl.: *-ões*] *s.f.* **1** FISL transformação dos alimentos em substâncias assimiláveis pelo organismo **2** *fig.* assimilação por esforço intelectual *<livro de fácil d.>*

digestivo (di.ges.ti.vo) *adj.* **1** próprio da digestão **2** *fig. joc.* que não exige esforço para ser compreendido; superficial *<romance d.>* ■ *adj.s.m.* **3** (substância) que facilita a digestão *<chá d.>* *<tomou um d. após o jantar>*

digesto (di.ges.to) *s.m.* **1** compilação de regras (esp. jurídicas) **2** pequena publicação que contém resumos e resenhas **3** DIR coleção de obras com decisões dos jurisconsultos romanos ☞ inicial maiúsc.

digestório (di.ges.tó.rio) *adj.* que pode digerir

digital (di.gi.tal) [pl.: *-ais*] *adj.2g.* **1** relativo a dedos *<impressões d.>* **2** relativo a dígito (algarismo) **3** INF que opera com quantidades numéricas ou informações expressas por algarismos (diz-se de dispositivo, computador) **4** ELETRÔN que se utiliza de um conjunto de dígitos, em vez de ponteiros, ou marcas numa escala, para mostrar informações numéricas *<termômetro d.>* ☞ cf. *analógico* ■ *s.f.* **5** impressão deixada pelos dedos *<encontraram d. no copo>*

digitalizar (di.gi.ta.li.zar) *v.* {mod. 1} *t.d.* INF codificar para permitir o processamento por computador e armazenamento em arquivo *<d. um texto> <d. uma fotografia>* ~**digitalização** *s.f.*

digitar (di.gi.tar) *v.* {mod. 1} *t.d.* INF **1** pressionar (tecla) com os dedos **2** introduzir (dados) em computador usando o teclado ~**digitação** *s.f.* - **digitador** *adj.s.m.*

dígito (dí.gi.to) *s.m.* **1** MAT sinal convencional que representa graficamente os números **2** *frm.* dedo ▣ **d. binário** INF algarismo do sistema binário que só pode assumir as formas 0 ou 1; *bit*

digladiar (di.gla.di.ar) *v.* {mod. 1} *int. e pron.* **1** discutir calorosamente; brigar, lutar *<os deputados digladiavam(-se) no plenário>* **2** combater-se à espada, corpo a corpo *<os soldados digladiavam(-se) ferozmente>*

dignar-se (dig.nar-se) *v.* {mod. 1} *pron.* (prep. *de*) fazer o favor; condescender *<o diretor dignou-se (de) ouvir as reivindicações dos alunos>*

dignidade (dig.ni.da.de) *s.f.* **1** consciência do próprio valor; honra; amor-próprio ↺ desonra **2** modo de proceder que inspira respeito; distinção *<agiu com d.>* ↺ indignidade **3** título, função ou cargo de alta graduação *<d. militares> <d. eclesiásticas>*

dignificar (dig.ni.fi.car) *v.* {mod. 1} *t.d. e pron.* **1** tornar(-se) digno; engrandecer(-se), honrar(-se) *<era um professor que dignificava o magistério> <o homem dignifica-se na prática do bem>* ↺ rebaixar(-se) **2** (prep. *em*) elevar(-se) a uma dignidade *<o ministério dignificou o antigo funcionário> <d.-se em reitor>* ~**dignificação** *s.f.* - **dignificante** *adj.2g.*

dignitário (dig.ni.tá.rio) *s.m.* quem ocupa um cargo elevado

digno (dig.no) *adj.* **1** que merece; merecedor *<d. de crédito> <d. de reconhecimento>* ↺ indigno **2** que tem ou revela dignidade; honrado *<comportamento d.>* ↺ vil, desprezível **3** conveniente, adequado *<são d. um do outro>* ↺ inadequado

dígrafo (dí.gra.fo) *s.m.* GRAM grupo de duas letras que representam um único som; digrama (p.ex.: *ch, lh, ss*)

digrama (di.gra.ma) *s.m.* GRAM dígrafo

digressão (di.gres.são) [pl.: *-ões*] *s.f.* **1** ato ou efeito de se afastar, de ir para longe do lugar onde se estava; divagação **2** *fig.* desvio momentâneo do assunto sobre o qual se fala ou escreve

digressivo (di.gres.si.vo) *adj.* **1** que se afasta ou desvia **2** *fig.* que se desvia momentaneamente do assunto de que fala ou escreve

dilação (di.la.ção) [pl.: *-ões*] *s.f.* **1** tempo que passa entre o momento em que alguma coisa acontece e o momento em que esta coisa devia ter acontecido; atraso, demora *<pediu que se fizesse o trabalho sem d.>* ↺ presteza **2** transferência para mais tarde; adiamento, prorrogação *<d. de prazo>* ↺ antecipação **3** intervalo de tempo autorizado para realizar algo; tempo de espera; prazo *<obteve uma d. de dez dias para saldar a dívida>* ☞ cf. *delação*

dilaceração (di.la.ce.ra.ção) [pl.: *-ões*] *s.f.* ato ou efeito de dilacerar(-se), de fazer(-se) em pedaços

dilacerante (di.la.ce.ran.te) *adj.2g.* **1** que dilacera **2** *fig.* que causa dor aguda *<saudade d.>*

dilacerar (di.la.ce.rar) *v.* {mod. 1} *t.d.* **1** rasgar com força; despedaçar *<a onça dilacerou a presa>* □ *t.d. e pron. fig.* **2** (fazer) sentir aflição; atormentar(-se), mortificar(-se) *<o ciúme dilacerava-o> <preso da dúvida, seu coração dilacerava-se>* ~**dilaceramento** *s.m.*

dilapidar (di.la.pi.dar) *v.* {mod. 1} *t.d.* **1** gastar em excesso; desperdiçar, esbanjar *<d. o patrimônio de uma empresa>* ↺ poupar **2** pôr abaixo; destruir, demolir *<dilapidaram o antigo casarão>* ~**dilapidação** *s.f.*

dilatação (di.la.ta.ção) [pl.: *-ões*] *s.f.* **1** ato ou efeito de dilatar(-se); alargamento, ampliação ↺ contração **2** *fig.* extensão no tempo; prorrogação *<d. de prazo>* ↺ antecipação

dilatar (di.la.tar) *v.* {mod. 1} *t.d. e pron.* **1** aumentar o volume ou as dimensões de (um corpo), sem alterar sua natureza *<d. um metal> <os corpos dilatam-se ao calor>* **2** *p.ext.* aumentar a capacidade, a abertura de; distender(-se) *<d. as narinas, os pulmões> <os ventrículos contraem-se e dilatam-se>* **3** *fig.* tornar(-se) mais amplo; expandir(-se) *<d. uma propriedade> <as fronteiras do Brasil dilataram-se graças aos bandeirantes>* ↺ diminuir **4** *fig.* prolongar(-se) no tempo *<a cirurgia dilatara o seu tempo de vida> <o almoço dilatou-se até a tardinha>* ☞ cf. *delatar* ~**dilatado** *adj.* - **dilatador** *adj.s.m.*

dileção (di.le.ção) [pl.: *-ões*] *s.f.* preferência por alguém ou por alguma coisa *<filho de d.>*

dilema (di.le.ma) *s.m.* problema que apresenta duas soluções igualmente indesejáveis ou desagradáveis ~**dilemático** *adj.*

diletante (di.le.tan.te) *adj.2g.s.2g.* que(m) pratica uma arte, ofício etc. como passatempo, e não profissionalmente *<músico d.> <é um d. das belas-artes>* ↺ profissional

diletantismo (di.le.tan.tis.mo) *s.m.* dedicação a uma arte ou ofício apenas por prazer ↺ profissionalismo

dileto (di.le.to) *adj.* aquele de que se gosta mais; preferido *<amigo d.>*

[1]diligência (di.li.gên.cia) *s.f.* **1** interesse e cuidado na execução de uma tarefa *<mostra grande d. em tudo que faz>* ↺ desleixo **2** urgência em fazer algo *<acudiu com d. ao pedido de ajuda>* ↺ lentidão **3** medida necessária para alcançar um fim; providência *<encarregou-se das d. que a situação exigia>* **4** busca minuciosa; investigação *<d. policial>* ◉ ORIGEM do lat. *diligentĭa,ae* 'cuidado, empenho' ~**diligente** *adj.2g.*

²diligência (di.li.gên.cia) *s.f.* grande carruagem para transporte de passageiros, bagagem e malas do correio ◉ ORIGEM do fr. *diligence* 'id'.

diligenciar (di.li.gen.ci.ar) *v.* {mod. 1} *t.d. e t.i.* (prep. *por*) empregar meios para; empenhar-se, esforçar-se *<a professora diligencia melhorar o rendimento dos alunos> <muito diligenciou por eleger-se deputado>*

diluente (di.lu.en.te) *adj.2g.s.m.* (o) que dilui *<substância d.> <d. de tintas>*

diluir (di.lu.ir) *v.* {mod. 26} *t.d. e pron.* **1** misturar(-se) com líquido (ger. água), para reduzir a concentração; dissolver(-se) *<prefiro d. o suco> <o comprimido diluiu-se no leite>* **2** *fig.* (fazer) perder a força; enfraquecer *<aquele sorriso diluiu a seriedade da sua fala> <o suspense do caso diluiu-se em meio a tantas divagações>* ↺ fortalecer ◉ GRAM/USO part.: *diluído, diluto* ~ **diluição** *s.f.*

diluvial (di.lu.vi.al) [pl.: *-ais*] *adj.2g.* diluviano

diluviano (di.lu.vi.a.no) *adj.* **1** que remonta ao dilúvio universal *<animais d.>* **2** *fig.* copioso, abundante *<chuva d.>*

dilúvio (di.lú.vio) *s.m.* **1** REL segundo a narrativa bíblica, inundação de toda a superfície terrestre **2** *p.ext.* chuva muito forte e demorada

dimensão (di.men.são) [pl.: *-ões*] *s.f.* **1** medida que determina o espaço ocupado por um corpo em largura, altura, comprimento ou profundidade; tamanho, proporção *<navio de grandes d.>* **2** cada uma das três grandezas (largura, altura e profundidade) que fixam a posição de um objeto no espaço *<desenhar uma figura em duas d.> <o cubo tem três d.>* **3** *fig.* importância, valor; alcance *<a d. de um projeto, de um ato>* **4** *fig.* aspecto significativo de um pensamento, obra etc. *<a d. da literatura de Machado de Assis>*

dimensional (di.men.sio.nal) [pl.: *-ais*] *adj.2g.* **1** relativo a dimensão ou às dimensões *<características d. de um objeto>* **2** que apresenta dimensão (diz-se de grandeza física) ~ **dimensionalidade** *s.f.*

dimensionar (di.men.sio.nar) *v.* {mod. 1} *t.d.* **1** calcular ou estabelecer as dimensões de **2** atribuir certa importância a *<d. um problema com realismo>* ~ **dimensionamento** *s.m.*

dímer (dí.mer) [pl.: *dímeres*] *s.m.* ELETR dispositivo que controla a intensidade de uma fonte de luz

diminuendo (di.mi.nu.en.do) *s.m.* **1** MAT número de que se subtrai outro; minuendo ☞ cf. *subtraendo* **2** MÚS diminuição gradativa da intensidade do som ou da voz ☞ cf. *crescendo*

diminuição (di.mi.nu.i.ção) [pl.: *-ões*] *s.f.* **1** ato ou efeito de diminuir(-se) [algo] em quantidade, tamanho, grau, extensão; redução *<d. do comprimento de um vestido> <d. dos preços>* **2** declínio do mérito ou da reputação; depreciação **3** MAT subtração

diminuir (di.mi.nu.ir) *v.* {mod. 26} *t.d. e int.* **1** tornar(-se) menor, menos numeroso, menos intenso; reduzir *<precisamos d. as despesas> <a febre diminuía aos poucos>* ↺ aumentar □ *t.d.* **2** tornar breve; encurtar *<d. a estada em um hotel>* ↺ estender □ *t.d. e pron.* **3** reduzir (o mérito, o valor) [de]; depreciar(-se) *<aquele gesto diminuía seu mérito com os colegas> <não era homem que se diminuísse diante do outro>* ↺ valorizar(-se) □ *t.d. e t.d.i.* **4** (prep. *de*) tirar (número, parcela) de; subtrair *<feita a soma, diminuiu o desconto> <d. uma parcela de outra>*

diminutivo (di.mi.nu.ti.vo) *adj.s.m.* GRAM diz-se de ou grau que acrescenta ao significado do substantivo ou do adjetivo a noção de 'pequeno', p.ex: *gatinho* ('gato pequeno'), *casinha* ('casa pequena'), *partícula* ('parte muito pequena') ☞ tb. pode expressar ideias de afeição ou pouca gravidade, p.ex.: *probleminha*, é um problema fácil de resolver; *Ritinha* é uma forma carinhosa de chamar Rita

diminuto (di.mi.nu.to) *adj.* **1** muito pequeno; mínimo *<os micróbios são seres d.>* ↺ enorme **2** em pouca quantidade *<doses d. do remédio já são eficazes>* ↺ farto

dinamarquês (di.na.mar.quês) [pl.: *-eses*] *s.m.* **1** natural ou habitante da Dinamarca (Europa) **2** língua oficial desse país **3** ZOO raça de cães de grande porte, de pelagem em uma só cor (ruivo, cinza ou negro) ou branca com manchas negras **4** cão dessa raça ■ *adj.* **5** pertencente ou relativo à Dinamarca, a sua língua, a seu povo e a cada um dos seus habitantes **6** relativo àquela raça de cães ou àquele cão

dinâmica (di.nâ.mi.ca) *s.f.* **1** FÍS estudo dos movimentos dos corpos e da ação das forças que produzem ou modificam esses movimentos **2** *p.ext.* movimento interno que estimula e faz com que algo evolua *<a d. das relações humanas>* **3** MÚS graduação dos níveis de intensidade dos sons na execução de uma peça musical

dinâmico (di.nâ.mi.co) *adj.* **1** que se modifica continuamente, que evolui *<pensamento d.>* **2** *fig.* ativo, ágil *<aula d.>* ↺ monótono **3** FÍS relativo ao movimento e às forças *<tensão d.>* ☞ cf. *estático*

dinamismo (di.na.mis.mo) *s.m.* **1** característica do que é dinâmico, ativo; energia, vitalidade ↺ fraqueza **2** conjunto das forças que movem, animam os seres *<d. vital>* **3** *fig.* espírito empreendedor *<os êxitos da empresa se devem ao d. do diretor>* ↺ passividade

dinamite (di.na.mi.te) *s.f.* QUÍM explosivo à base de nitroglicerina ~ **dinamitar** *v.t.d.*

dinamizar (di.na.mi.zar) *v.* {mod. 1} *t.d.* tornar dinâmico, ativo, ágil *<d. um processo de seleção> <d. a indústria>* ~ **dinamização** *s.f.*

dínamo (dí.na.mo) *s.m.* ELETR **1** máquina que converte energia mecânica em elétrica; gerador **2** *fig.* o que impulsiona, motiva, desenvolve *<o camisa 10 é o d. do time>*

dinamometria (di.na.mo.me.tri.a) *s.f.* FÍS MED medição realizada com dinamômetro

dinamométrico (di.na.mo.mé.tri.co) *adj.* relativo a dinamometria e a dinamômetro

dinamômetro (di.na.mô.me.tro) *s.m.* **1** FÍS instrumento para medir forças mecânicas mediante emprego de resistência **2** MED instrumento para medir força muscular

dinastia (di.nas.ti.a) *s.f.* **1** série de reis ou soberanos de uma mesma família **2** *p.ext.* sucessão de herdeiros e continuadores *<d. de violinistas>*

dinheirama (di.nhei.ra.ma) *s.f.* *infrm.* **1** grande quantidade de dinheiro (em espécie) **2** alta quantia *<gasta uma d. com bobagens>*

dinheiro (di.nhei.ro) *s.m.* **1** ECON meio de troca, na forma de moedas ou cédulas, us. na compra de bens, serviços, força de trabalho, e nas demais transações financeiras, emitido e controlado pelo governo de cada país **2** cédula e moeda us. nessas transações *<costuma carregar pouco d. na carteira>* **3** *p.ext.* fortuna, riqueza *<aquela família tem muito d.>* ▣ **d. vivo** dinheiro em moedas ou em papel-moeda; dinheiro à vista, dinheiro em espécie *<só aceitamos pagamento em d. vivo>*

dinossauro (di.nos.sau.ro) *s.m.* **1** ZOO nome comum a diversos répteis extintos, bípedes ou quadrúpedes, que habitaram a Terra no período Mesozoico *<estuda fósseis de dinossauros>* **2** *fig. pej.* pessoa ou coisa que já não pertence ao tempo presente; (o) que é ultrapassado *<os d. do* rock*>*

diocesano (di.o.ce.sa.no) *adj.* **1** que pertence a uma diocese ■ *s.m.* **2** quem habita uma diocese **3** quem é fiel a uma diocese ou a seu bispo

diocese (di.o.ce.se) *s.f.* região sob a autoridade de um bispo; bispado

díodo (dí.o.do) ou **diodo** (di.o.do) /ô/ *s.m.* ELETRÔN válvula ou dispositivo semicondutor que transforma a corrente elétrica alternada em contínua

dionisíaco (di.o.ni.sí.a.co) *adj.* **1** relativo a Dionísio ☞ cf. *Dionísio* na parte enciclopédica **2** *fig.* instintivo, espontâneo *<temperamento d.>* **3** *p.ext.* vibrante, arrebatado *<um espetáculo d.>*

dióxido (di.ó.xi.do) /cs/ *s.m.* QUÍM composto que contém dois átomos de oxigênio ▣ **d. de carbono** QUÍM gás carbônico

diploma (di.plo.ma) *s.m.* **1** documento concedido por uma instituição de ensino, no qual se declara que o seu portador cumpriu as exigências necessárias à obtenção de um grau ou título *<d. de ensino fundamental> <d. de médico>* **2** documento que confere honraria, mérito etc. ~ **diplomar** *v.t.d. e pron.*

diplomacia (di.plo.ma.ci.a) *s.f.* **1** ciência, arte e prática das relações internacionais entre os Estados **2** *p.ext.* habilidade para negociar ou tratar outras pessoas **3** a classe de diplomatas de um país **4** a carreira diplomática

diplomata (di.plo.ma.ta) *s.2g.* **1** indivíduo que tem por profissão a diplomacia **2** representante oficial de um país junto ao governo de outro **3** funcionário do serviço diplomático de um país **4** *fig.* indivíduo habilidoso para lidar com pessoas e resolver situações difíceis

diplomático (di.plo.má.ti.co) *adj.* **1** relativo a diplomata ou a diplomacia **2** relativo a diploma **3** *fig.* habilidoso para lidar com pessoas e resolver situações difíceis *<o diretor foi d. e reconciliou os desafetos>* **4** *fig.* que mantém atitude prudente e reservada; discreto

dipsomania (dip.so.ma.ni.a) *s.f.* MED necessidade incontrolável de ingerir bebida alcoólica

díptero (díp.te.ro) *s.m.* ZOO **1** espécime dos dípteros, ordem de insetos de ampla distribuição mundial, conhecidos por moscas, mosquitos e mutucas ■ *adj.* **2** relativo a essa ordem e a esses insetos **3** que possui duas asas

dique (di.que) *s.m.* CONSTR barragem construída para desviar ou conter a invasão da água do mar ou de rio

direção (di.re.ção) [pl.: *-ões*] *s.f.* **1** ato ou efeito de dirigir; comando, liderança *<d. de uma empresa>* **2** *fig.* conjunto de esforços com o objetivo de formação, orientação *<a d. moral dos alunos>* **3** condução do trabalho de atores em filme, peça teatral, *show*, programa etc. **4** sentido; rumo *<a casa fica naquela d.>* **5** condução de veículo *<aulas de d.>* **6** peça, ger. circular, us. para dar rumo a um veículo; volante, guidão *<guie com as duas mãos na d.>*

direcional (di.re.cio.nal) [pl.: *-ais*] *adj.2g.* **1** que indica direção ('sentido') *<lanternas d. do automóvel>* **2** que pode ser orientado, dirigido *<antena d.>*

direcionar (di.re.cio.nar) *v.* {mod. 1} *t.d.i.* **1** (prep. *a*, *para*) dar rumo, orientação a; dirigir, encaminhar *<o governo direcionou sua política à educação>* **2** (prep. *a*, *para*) dirigir para ponto ou alvo; apontar *<d. a luz para o quadro>* ~ **direcionamento** *s.m.* - **direcionável** *adj.2g.*

direita (di.rei.ta) *s.f.* **1** a mão direita; destra ↺ sinistra, canhota **2** *p.ext.* o lado direito *<os carros vêm da d.>* ↺ esquerda **3** POL conjunto dos partidos políticos conservadores ↺ esquerda **4** POL conjunto de indivíduos ou instituições que apoia tais partidos ↺ esquerda

direitismo (di.rei.tis.mo) *s.m.* POL posicionamento, partido ou militância política de direita

direitista (di.rei.tis.ta) *adj.2g.s.2g.* POL que(m) é militante de algum partido de direita ou simpatiza com o seu ideário ◉ COL direita

direito (di.rei.to) *adj.* **1** do lado do corpo humano oposto ao do coração **2** justo, honesto *<homem d.>* ↺ desonesto **3** de comportamento irrepreensível *<sempre foi d. conosco>* **4** sem erros; certo, correto *<suas contas estão d.>* ↺ incorreto **5** com aparência adequada *<meu cabelo está d.?>* **6** empertigado, ereto *<não se curve, fique d.>* ■ *s.m.* **7** o que é permitido a um indivíduo ou a um grupo por leis ou costumes *<d. de ir e vir>* **8** poder legítimo *<os cidadãos têm d. à educação>* **9** privilégio, regalia **10** o lado feito para ser visto de um tecido ou de qualquer material de revestimento *<o d. da tábua, do couro>* ↺ avesso **11** conjunto das ciências jurídicas e sociais ☞ inicial freq. maiúsc. **12** curso superior dessas ciências ☞ inicial freq. maiúsc. ■ *adv.* **13** bem, adequadamente *<não atendem d. nesse bar>* **14** com educação *<fale d. com as visitas>* **15** segundo os princípios da moral; honestamente **16** com boa postura *<sente-se d.>* ▣ **d. autoral** DIR direito exclusivo do autor de reproduzir, vender e imprimir sua obra • **d. civil** DIR conjunto de leis que rege as relações de ordem privada entre os indivíduos • **d. de resposta** DIR direito do ofendido responder à ofensa no mesmo veículo e com as mesmas condições us. pelo ofensor • **d. penal** DIR parte do direito que define os crimes e estabelece as penalidades

diretamente (di.re.ta.men.te) *adv.* **1** em linha reta *<o fio de prumo desce d. até este ponto>* **2** sem desvio nem parada *<mandei-a vir d. para cá>* **3** sem mediação; sem intermediários *<fale d. comigo>*

diretiva (di.re.ti.va) *s.f.* **1** instrução ou conjunto de instruções para a execução de um plano, uma ação etc. **2** norma de procedimento

diretivo (di.re.ti.vo) *adj.* que dá direção, orienta *<plano d.>*

direto (di.re.to) *adj.* **1** em linha reta; reto, direito *<levou um soco d. no queixo>* **2** sem escalas entre o local de partida e o de chegada *<voo d.>* **3** sem intermediários *<ligação d.>* **4** franco, sem rodeios *<é uma pessoa d.>* ■ *adv.* **5** diretamente, sem parada nem desvio *<veio d. para casa>* ■ *s.m.* **6** ESP nas lutas de boxe, soco violento que é dado estendendo-se o braço para a frente **7** *p.ext. infrm.* murro frontal

diretor (di.re.tor) /ô/ [pl.: *-es*; fem.: *diretora* e *diretriz*] *adj.s.m.* **1** (o) que dirige; dirigente *<órgão d.> <os d. se reunirão à tarde>* **2** CINE TEAT TV que(m) dirige um espetáculo (peça de teatro, filme etc.) ■ *adj.* **3** que dirige, que dá orientação *<plano d.>*

diretoria (di.re.to.ri.a) *s.f.* **1** equipe que dirige uma instituição; conjunto de diretores *<d. de um banco> <d. de um hospital>* **2** cargo de diretor *<assumiu a d. há menos de um ano>*

diretório (di.re.tó.rio) *s.m.* **1** grupo de pessoas que dirige um partido, uma associação etc. **2** INF subdivisão de um disco ou de outro meio de armazenamento capaz de conter arquivos; pasta

diretriz (di.re.triz) [pl.: *-es*] *s.f.* **1** linha que determina o traçado de uma estrada **2** *fig.* esboço de um plano, projeto etc.; orientação, diretiva *<traçou a d. de sua administração>* **3** *fig.* norma de procedimento; conduta

dirigente (di.ri.gen.te) *adj.2g.s.2g.* que(m) dirige; governante *<classes d.> <o d. máximo da nação é o presidente>*

dirigir (di.ri.gir) *v.* {mod. 24} *t.d.* **1** exercer a direção de (instituição, cidade, país etc.); administrar, gerir *<d. uma companhia>* **2** planejar e coordenar a execução de; conduzir **3** fazer a direção de (filme, peça etc.) □ *t.d.i.* **4** (prep. *a*) enviar, encaminhar (pedido, sugestão etc.) a *<d. a queixa à secretaria>* □ *t.d.i. e pron.* **5** (prep. *para*) (fazer) tomar certo rumo; encaminhar(-se) *<d. os estudantes para o ginásio> <as pessoas dirigiram-se ao palácio>* □ *t.d. e int.* **6** comandar (veículo), fazendo-o tomar certo rumo; guiar *<d. o carro até o pedágio> <ela dirige bem>* □ *pron.* **7** (prep. *a*) falar, comunicar-se com *<dirija-se ao gerente>* ◉ GRAM/USO part.: *dirigido, direto*; ver QUADRO DE PARTICÍPIOS DUPLOS nas pp. iniciais

dirigível (di.ri.gí.vel) [pl.: *-eis*] *adj.2g.* **1** que pode ser dirigido ↺ indirigível ■ *s.m.* **2** aeronave mais leve que o ar, ger. um balão em forma de elipse, inflada com gás hélio ou hidrogênio, com hélices e leme; balão dirigível ~ **dirigibilidade** *s.f.*

dirimir (di.ri.mir) *v.* {mod. 24} *t.d.* **1** alcançar a solução de; resolver, decidir *<d. uma dúvida>* **2** impedir totalmente; proibir *<a metrópole dirimia a autonomia das colônias>* ↺ desimpedir **3** tornar nulo; extinguir, suprimir *<o tribunal dirimiu a sentença>* ~ **dirimente** *adj.2g.*

[1]dis- *pref.* **1** 'ação contrária': *discordar* **2** 'movimento para várias direções': *distender* ◉ ORIGEM do lat. *dis-* (us. apenas como primeiro termo de derivados)

[2]dis- *pref.* 'dificuldade': *dispneia* ◉ ORIGEM do gr. *dús-*

discagem (dis.ca.gem) [pl.: *-ens*] *s.f.* ação de discar ▣ **d. direta a cobrar** chamada para um aparelho particular, que virá cobrada na conta deste último [sigla: *DDC*] • **d. direta a distância** chamada interurbana de um aparelho a outro, sem auxílio da telefonista [sigla: *DDD*] • **d. direta internacional** chamada de um aparelho localizado num país a outro aparelho de outro país, sem auxílio da telefonista [sigla: *DDI*]

discalculia (dis.cal.cu.li.a) *s.f.* MED dificuldade para aprender a efetuar cálculos matemáticos

discar (dis.car) *v.* {mod. 1} *t.d. e int.* selecionar (número telefônico), girando o disco ou pressionando o teclado de telefone

discência (dis.cên.cia) *s.f.* **1** ação de aprender ↺ docência **2** estado do que é discente ↺ docência

discente (dis.cen.te) *adj.2g.* que estuda; estudantil *<corpo d.>* ↺ docente

discernimento (dis.cer.ni.men.to) *s.m.* **1** capacidade de separar o certo do errado **2** juízo, tino *<tem grande d. para gerir a empresa>* **3** conhecimento, entendimento ↺ ignorância

discernir (dis.cer.nir) *v.* {mod. 28} *t.d. e t.d.i.* **1** (prep. *de*) perceber claramente; distinguir, diferenciar *<d. a ação correta> <d. o bem do mal>* ↺ confundir □ *t.d.* **2** compreender, entender *<d. as consequências de um ato>* □ *t.d. e int.* **3** julgar, avaliar *<até agora ela não discerniu se a proposta é boa> <sob forte emoção não discernimos bem>* ~ **discernível** *adj.2g.*

disciforme (dis.ci.for.me) *adj.2g.* discoide

disciplina (dis.ci.pli.na) *s.f.* **1** obediência às regras e aos superiores *<d. militar>* ↺ indisciplina **2** ordem, bom comportamento *<a d. daquela turma agrada aos professores>* ↺ bagunça **3** método, regularidade *<estudar com d.>* ↺ inconstância **4** ramo do conhecimento; matéria *<o aluno é bom em todas as d.>*

disciplinado (dis.ci.pli.na.do) *adj.* **1** que tem disciplina; obediente, ordeiro ↺ indisciplinado **2** que segue um plano ou regras bem-definidas; metódico, organizado *<trabalhador d.>* ↺ desorganizado

[1]disciplinar (dis.ci.pli.nar) *v.* {mod. 1} *t.d. e pron.* **1** submeter(-se) à disciplina *<d. os recrutas> <os estudantes disciplinaram-se depois das punições>* □ *t.d.* *p.ext.* **2** domar, controlar *<d. os instintos>* ↺ liberar **3** impor castigos a; punir ◉ ORIGEM do lat. *disciplināre* 'ensinar, formar'

[2]disciplinar (dis.ci.pli.nar) [pl.: *-es*] *adj.2g.* **1** relativo a disciplina ('ordem') **2** que promove disciplina, que pune *<medidas d.>* **3** referente a disciplina ('matéria') *<conteúdo d.>* ◉ ORIGEM do lat. *disciplināris,e* 'relativo a disciplina, metódico'

discípulo (dis.cí.pu.lo) *s.m.* **1** aprendiz, aluno **2** aluno disposto a continuar o trabalho de seu mestre **3** seguidor de ideia, ideal etc. **3.1** REL cada um dos seguidores de Jesus ☞ cf. *apóstolo* ~ **discipular** *adj.2g.*

disc jockey [ing.; pl.: *disc jockeys*] *loc.subst.* discotecário ⇒ pronuncia-se disk djóquei

disco (dis.co) *s.m.* **1** ESP peça circular que os atletas arremessam em competições esportivas **2** *p.ext.* objeto redondo e chato *<porta-copos em forma de d.>* **3** ANAT estrutura arredondada e achatada, presente no corpo dos animais (inclusive o homem) *<d. intervertebral>* **4** FONO placa circular com material sonoro gravado *<comprou um d. de Roberto Carlos>* **5** INF meio de armazenamento de informações composto de um suporte circular em que se pode gravar e/ou reproduzir arquivos diversos ▣ **d. compacto 1** FONO compacto **2** FONO INF disco óptico em que se gravam músicas, imagens ou dados digitalmente ☞ menos us.

que *compact disc* • **d. de vinil** FONO disco fonográfico de sulco contínuo cuja leitura é feita por uma agulha; vinil • **d. óptico** INF disco em que dados digitais são armazenados e lidos por *laser* • **d. rígido** INF unidade magnética fixa de armazenamento de dados no interior de um computador • **d. voador** nome popular para designar um objeto voador não identificado

discoide (dis.coi.de) /ói/ *adj.2g.* que tem a forma plana e circular de um disco; disciforme

discordância (dis.cor.dân.cia) *s.f.* **1** diferença de opiniões; divergência *<eram amigos, apesar das d.>* ↺ concordância **2** falta de harmonia *<d. de cores>* ↺ equilíbrio **3** ausência de homogeneidade e ordem; variedade *<há muita d. na natureza>* ↺ uniformidade

discordar (dis.cor.dar) *v.* {mod. 1} *t.i.* **1** (prep. *de*) ter opinião contrária à de (alguém); divergir *<discorda do professor nesse assunto>* ↺ concordar **2** (prep. *de*) ser incompatível, inadequado; destoar *<esses enfeites discordam da decoração da casa>* ↺ combinar ~ **discordante** *adj.2g.s.2g.*

discorde (dis.cor.de) *adj.2g.* **1** que discorda; divergente *<opinião d. das demais>* ↺ concordante **2** que não combina; desproporcionado *<intenções d.>* ↺ conforme **3** dissonante, desafinado *<som d.>* ↺ afinado

discórdia (dis.cór.dia) *s.f.* **1** falta de acordo; desacordo *<os dois superaram a antiga d.>* ↺ concórdia, concordância **2** desentendimento, desavença ↺ entendimento **3** guerra, luta *<nações em d.>* ↺ paz

discorrer (dis.cor.rer) *v.* {mod. 8} *t.i. e int.* (prep. *sobre*) expor pensamentos, ideias (sobre um tema); falar, discursar *<d. sobre educação> <discorreu duas horas sem parar>*

discoteca (dis.co.te.ca) *s.f.* **1** coleção de discos **2** local onde se guarda essa coleção **3** local, ger. fechado, onde jovens se reúnem para dançar

discotecário (dis.co.te.cá.rio) *s.m. B* responsável pela seleção das músicas executadas em discotecas, boates etc.; *disc jockey*

discrepância (dis.cre.pân.cia) *s.f.* **1** desigualdade, diferença *<d. nas contas apresentadas>* ↺ igualdade **2** falta de acordo; discordância *<d. de opiniões>* ↺ concordância ~ **discrepante** *adj.2g.*

discrepar (dis.cre.par) *v.* {mod. 1} *t.i.* **1** (prep. *de*) ser diferente; diferir *<este móvel discrepa do restante da sala>* ↺ assemelhar-se **2** (prep. *de*) estar em discordância; divergir *<sua opinião discrepava do consenso geral>* ↺ concordar

discreto (dis.cre.to) *adj.* **1** que se comporta de maneira comedida; reservado, modesto *<funcionário d.>* ↺ extrovertido **2** que não chama a atenção *<vestido d.>* ↺ chamativo **3** que não revela fatos ou segredos de outros ↺ indiscreto **4** que não se intromete em assuntos dos outros ↺ intrometido **5** de pouca intensidade *<febre d.>* ↺ forte **6** pequeno, diminuto *<havia uma mancha d. no tapete>* ↺ grande

discrição (dis.cri.ção) [pl.: *-ões*] *s.f.* **1** qualidade ou característica de discreto *<comporta-se com d.> <veste-se com d.>* **2** capacidade de distinguir o certo do errado; discernimento ☞ cf. *descrição*

discricionário (dis.cri.cio.ná.rio) *adj.* **1** sujeito à discrição, ao julgamento de alguém **2** livre de condições; ilimitado, arbitrário *<o poder d. dos ditadores>* ↺ limitado, restrito

discriminação (dis.cri.mi.na.ção) [pl.: *-ões*] *s.f.* **1** capacidade de discriminar, de distinguir uma coisa de outra ↺ confusão **2** ação ou efeito de separar, de pôr à parte; segregação *<o nazismo impôs uma impiedosa d. aos judeus>* ☞ cf. *descriminação* ▣ **d. racial** DIR segregação racial

discriminar (dis.cri.mi.nar) *v.* {mod. 1} *t.d., t.i. e t.d.i.* **1** (prep. *de, entre*) perceber diferenças entre; distinguir *<d. bem as cores> <d. entre uma cópia e o original> <d. o certo do errado>* □ *t.d.* **2** pôr à parte; especificar, classificar *<d. os itens do pedido>* **3** preterir ou tratar de modo injusto ou desigual (um indivíduo ou grupo de indivíduos) por característica étnica, cultural, religiosa etc. ☞ cf. *descriminar* ~ **discriminador** *adj.s.m.*

discriminatório (dis.cri.mi.na.tó.rio) *adj.* **1** que discrimina, que serve para distinguir **2** que trata de modo injusto ou desigual um indivíduo ou grupo de indivíduos em relação aos demais

discursar (dis.cur.sar) *v.* {mod. 1} *t.i. e int.* fazer discurso (sobre um tema, assunto); discorrer, falar *<d. sobre o amor> <o candidato discursou no comício>*

discurseira (dis.cur.sei.ra) *s.f. infrm.* **1** discurso longo e monótono **2** série longa de discursos **3** falação, verborragia

discurso (dis.cur.so) *s.m.* **1** mensagem proferida em público *<d. de um presidente>* **2** exposição metódica sobre um assunto *<fez um longo d. sobre a guerra>* **3** conjunto de enunciados que caracterizam o modo de agir ou de pensar de alguém ou de um grupo específico *<d. de um partido político>* **4** GRAM enunciado oral ou escrito em que se supõe um locutor e um interlocutor

discussão (dis.cus.são) [pl.: *-ões*] *s.f.* **1** debate em que cada participante defende pontos de vista opostos **2** desentendimento, briga *<a conversa acabou em d.>* ↺ conciliação

discutir (dis.cu.tir) *v.* {mod. 24} *t.d. e t.d.i.* **1** (prep. *com*) examinar, analisar em detalhes considerando prós e contras (de); debater *<d. as normas> <d. o projeto com a equipe>* □ *t.d.* **2** pôr em dúvida; contestar *<d. o mérito de um ato>* **3** entrar em entendimento sobre; acertar *<d. um contrato>* □ *t.i. e int.* **4** (prep. *com*) brigar verbalmente; desentender-se *<d. com o marido> <eles discutem muito>*

discutível (dis.cu.tí.vel) [pl.: *-eis*] *adj.2g.* **1** que pode ser discutido *<tudo é d., nada está decidido>* **2** que pode ser contestado; duvidoso *<provas d.>* ↺ irrefutável

dísel (dí.sel) *s.m.* → ***DIESEL***

disenteria (di.sen.te.ri.a) *s.f.* MED infecção caracterizada por evacuação de fezes com muco e sangue, acompanhada de cólica intestinal ~ **disentérico** *adj.s.m.*

disfarçado (dis.far.ça.do) *adj.* **1** que usa disfarce; fantasiado, mascarado *<o policial d. infiltrou-se na quadrilha> <foi à festa d. de pierrô>* **2** que esconde seus verdadeiros sentimentos, intenções etc.; dissimulado, fingido *<sorriso d.>*

disfarçar (dis.far.çar) *v.* {mod. 1} *t.d.* **1** tornar menos ou nada visível; encobrir, ocultar *<d. as sardas com pó de arroz>* ↺ mostrar **2** não demonstrar; dissimular *<d. uma decepção>* ↺ expor **3** alterar (voz, maneiras etc.) para não ser reconhecido *<disfarçou a voz ao telefone*

para que não o reconhecessem> □ *t.d.pred. e pron.* **4** (prep. *de*) vestir(-se) de modo diferente para passar por outra pessoa; fantasiar(-se) *<o comandante mandou disfarçar os policiais (de operários)> <os ladrões disfarçaram-se de carteiros>* ~ **disfarçável** *adj.2g.*

disfarce (dis.far.ce) *s.m.* **1** algo us. para disfarçar (-se); fantasia, máscara **2** *fig.* dissimulação, fingimento

disforme (dis.for.me) *adj.2g.* **1** que não apresenta as proporções normais; deformado *<o soco deixou seu rosto d.>* **2** que não tem forma definida; grotesco *<na penumbra só viu uma silhueta d.>* ↺ belo

disfunção (dis.fun.ção) [pl.: *-ões*] *s.f.* **1** funcionamento anormal ou prejudicado **2** MED mal funcionamento de um órgão *<d. renal>*

disjunção (dis.jun.ção) [pl.: *-ões*] *s.f.* ato ou efeito de disjungir; separação, desunião ↺ união

disjungir (dis.jun.gir) ou **desjungir** (des.jun.gir) *v.* {mod. 24} *t.d.* **1** soltar (animal) de jugo *<d. a parelha de bois>* ↺ jungir **2** *p.ext.* desunir, separar ↺ unir, juntar ◉ GRAM/USO part.: *disjungido, disjunto*; ver QUADRO DE PARTICÍPIOS DUPLOS nas pp. iniciais

disjunto (dis.jun.to) *adj.* *frm.* **1** não junto; separado **2** mal junto; um pouco separado ◉ GRAM/USO part. de *disjungir*

disjuntor (dis.jun.tor) /ô/ [pl.: *-es*] *s.m.* ELETR interruptor que se desliga automaticamente quando a corrente elétrica atinge uma determinada intensidade

dislalia (dis.la.li.a) *s.f.* MED distúrbio da articulação de palavras devido a lesão de algum dos órgãos fonadores

dislate (dis.la.te) *s.m.* afirmação tola; asneira, bobagem

dislexia (dis.le.xi.a) /cs/ *s.f.* MED **1** distúrbio da aprendizagem de leitura caracterizado pela dificuldade de reconhecer a correspondência entre o que está escrito e o que é falado **2** dificuldade de leitura, decorrente de lesão do sistema nervoso central, apresentada por pessoa que sabia ler

disléxico (dis.lé.xi.co) /cs/ *adj.* **1** relativo a dislexia ou a quem sofre desse distúrbio ■ *s.m.* **2** aquele que apresenta dislexia

díspar (dís.par) [pl.: *-es*] *adj.2g.* que não é igual; desigual, diferente *<nunca vi dois irmãos tão d.> <ideias d.>* ↺ igual

disparada (dis.pa.ra.da) *s.f.* *B* **1** dispersão do gado, rápida e em todas as direções; estouro **2** corrida desordenada ▣ **em** ou **à d.** em grande velocidade *<as crianças correram em d. atrás dos doces>*

disparar (dis.pa.rar) *v.* {mod. 1} *t.d.* **1** fazer ir longe; arremessar, lançar *<d. flechas>* **2** dar (tiro); desfechar **3** emitir ou soar com força e de repente *<o menino disparou um berro>* □ *t.d.,t.i. e int.* **4** (prep. *em*) acionar o gatilho de (arma de fogo); atirar *<o guarda disparou sua arma> <os policiais dispararam nos manifestantes> <os bandidos estão disparando!>* □ *int.* *B* **5** correr desenfreadamente; desabalar *<o cão disparou atrás do carteiro>* **6** aumentar muito e rapidamente (esp. preço, tarifa)

disparatado (dis.pa.ra.ta.do) *adj.* **1** que diz ou comete disparates **2** que não faz sentido; absurdo, despropositado *<fez uma redação d. e levou zero>*

disparatar (dis.pa.ra.tar) *v.* {mod. 1} *int.* praticar ou dizer disparates, absurdos; desatinar

disparate (dis.pa.ra.te) *s.m.* **1** dito ou ação ilógica, absurda; despropósito **2** *B* *infrm.* quantidade grande *<fez um d. de comida>*

disparidade (dis.pa.ri.da.de) *s.f.* **1** característica do que é díspar; desigualdade, diferença *<houve grande d. nas respostas ao questionário>* **2** o que se diz sem pensar; disparate

disparo (dis.pa.ro) *s.m.* **1** ato ou efeito de disparar *<o soldado fez três d.>* **2** tiro, balaço *<o animal morreu com dois d.>* **3** ruído de tiro; estampido *<ouvimos um d. de madrugada>*

dispêndio (dis.pên.dio) *s.m.* **1** aquilo que se gasta; gasto, consumo *<d. de dinheiro> <d. de energia>* ↺ economia **2** *p.ext.* gasto excessivo; prejuízo ↺ lucro

dispendioso (dis.pen.di.o.so) /ô/ [pl. e fem.: /ó/] *adj.* **1** que dá despesa; caro *<hábitos d.>* **2** que consome muito (p.ex., energia) *<aquecedor d.>* ↺ econômico

dispensa (dis.pen.sa) *s.f.* **1** permissão para não executar um trabalho *<d. das aulas>* **2** documento em que se pede ou se concede essa permissão **3** *B* fim do contrato de trabalho por parte do empregador; demissão ↺ admissão ☞ cf. *despensa*

dispensar (dis.pen.sar) *v.* {mod. 1} *t.d.* **1** não necessitar de; prescindir *<o escritor dispensa apresentação>* ↺ precisar **2** abrir mão de; recusar *<não dispensa a ajuda de ninguém>* ↺ aceitar **3** mandar embora; demitir *<o escritório dispensará oito funcionários>* ↺ admitir □ *t.d.,t.d.i. e pron.* **4** (prep. *de*) desobrigar(-se) de; isentar (-se), liberar(-se) *<terminada a reunião, dispensou os diretores> <d. de identificação os visitantes> <irá d.-se da tarefa quanto antes>* □ *t.d.i.* **5** (prep. *a*) conceder, conferir, dar *<d. o devido tratamento às autoridades>* ↺ receber

dispensário (dis.pen.sá.rio) *s.m.* instituição beneficente que atende doentes pobres

dispensável (dis.pen.sá.vel) [pl.: *-eis*] *adj.2g.* **1** que não faz falta *<alimento d.>* ↺ indispensável **2** *p.ext.* desnecessário, inútil *<críticas d.>* ↺ adequado

dispepsia (dis.pep.si.a) *s.f.* MED sensação de desconforto digestivo, que ocorre após as refeições ~ **dispéptico** *adj.s.m.*

dispersão (dis.per.são) [pl.: *-ões*] *s.f.* **1** ato ou efeito de dispersar(-se), de (fazer) sair ou ir em diferentes direções *<o orador não foi capaz de impedir a d. dos ouvintes>* **2** falta de concentração; desatenção **3** FIS-QUÍM distribuição de uma substância em um fluido em que não é solúvel

dispersar (dis.per.sar) *v.* {mod. 1} *t.d.,int. e pron.* **1** (fazer) ir para diferentes direções; espalhar(-se) *<o vento dispersou as sementes> <não dispersem, vamos ficar juntos> <os torcedores dispersaram-se pacificamente>* ↺ concentrar(-se) **2** (fazer) desaparecer; dissipar(-se) *<o sol dispersou a cerração> <a fumaça ainda não (se) dispersou>* □ *t.d. e pron.* *fig.* **3** (fazer) mudar direção (a atenção); distrair(-se) *<o barulho dispersou a atenção dos alunos> <seus pensamentos se dispersam facilmente>* ↺ concentrar(-se) ◉ GRAM/USO part.: *dispersado, disperso*; ver QUADRO DE PARTICÍPIOS DUPLOS nas pp. iniciais

dispersivo (dis.per.si.vo) *adj.* **1** que causa dispersão *<fatores d. das sementes>* **2** que se dispersa facilmente; distraído, disperso *<aluno d.>*

disperso (dis.per.so) *adj.* **1** que se espalhou; homogeneamente separado *<partículas d. em um líquido>* ↺ concentrado **2** em fuga para várias partes; debandado *<gado d.>* ↺ reunido **3** fora de ordem; desarrumado *<objetos d. no quarto>* ↺ arrumado **4** que se dispersa facilmente; desatento, dispersivo *<criança d.>* ↺ concentrado ◉ GRAM/USO part. de *dispersar*

displasia (dis.pla.si.a) *s.f.* MED distúrbio no desenvolvimento de um órgão ou tecido, que leva a uma má-formação ou a uma disfunção

displicência (dis.pli.cên.cia) *s.f.* **1** *B* característica de quem é ou está desatento; omissão, desinteresse *<houve d. no atendimento>* ↺ empenho **2** característica do que é ou está entediado; aborrecimento ↺ satisfação **3** *B* descuido no modo de vestir, de ser; desleixo, desmazelo ↺ esmero **~ displicente** *adj.2g.s.m.*

dispneia (disp.nei.a) /éi/ *s.f.* MED dificuldade de respirar, ger. associada a doença cardíaca ou pulmonar **~ dispneico** *adj.*

disponibilidade (dis.po.ni.bi.li.da.de) *s.f.* **1** característica do que pode ser us. quando e como se quiser *<d. de recursos>* **2** predisposição para receber (influências externas, conselhos etc.) ou para fazer algo *<d. de diálogo>* **3** condição do funcionário público, juiz etc., que está afastado do trabalho temporariamente, sem perder direitos

disponibilizar (dis.po.ni.bi.li.zar) *v.* {mod. 1} *t.d.* tornar disponível, de fácil acesso; liberar *<d. verba para a educação>*

disponível (dis.po.ní.vel) [pl.: *-eis*] *adj.2g.* **1** de que é possível dispor *<dinheiro d.>* ↺ indisponível **2** que não está ocupado; livre, desimpedido *<tempo d.>* *<vaga d.>* ↺ indisponível

dispor (dis.por) *v.* {mod. 23} *t.d. e t.d.i.* **1** (prep. *em*) colocar numa certa ordem; arrumar *<d. os livros em ordem alfabética>* *<d. os pratos na mesa>* **2** distribuir lugares, aposentos a; acomodar *<o gerente tratará de d. os hóspedes (nos quartos)>* ◻ *t.d.i.* **3** (prep. *em*) dar certa estrutura; distribuir *<d. a tese em capítulos>* ◻ *t.i.* **4** (prep. *de*) ter como parte constituinte ou anexa *<a escola dispõe de salas de informática>* **5** (prep. *de*) ser dono de; possuir *<d. de tempo>* **6** (prep. *de*) fazer uso de; utilizar *<pode d. do livro quando quiser>* **7** (prep. *de*) ter controle sobre; dominar *<não d. dos movimentos>* **8** (prep. *de*) abrir mão de; desfazer-se *<d. de alguns livros usados>* ◻ *pron.* **9** (prep. *a*) tomar resolução; decidir-se *<d.-se a partir>* **10** (prep. *a*) preparar-se, predispor-se *<o júri dispôs-se a condenar o réu>* **11** (prep. *a*) pôr-se ao serviço de; dedicar-se *<d.-se a Deus>* ■ *s.m.* **12** prontidão para servir, ajudar; disposição *<estou a seu d.>* ☞ como s.m., pl.: *dispores* ◉ GRAM/USO part.: *disposto*

disposição (dis.po.si.ção) [pl.: *-ões*] *s.f.* **1** distribuição, arranjo de elementos *<d. dos móveis e utensílios>* **2** estado de espírito ou de saúde *<acordou com boa d.>* **3** *p.ext.* vontade, animação *<d. para sair>* ↺ desanimação **4** tendência de pessoa para uma atividade; inclinação *<d. para a música>* **5** DIR preceito legal; determinação **6** DIR cada uma das cláusulas de um contrato

dispositivo (dis.po.si.ti.vo) *adj.* **1** que contém uma disposição, uma ordem, uma prescrição *<cláusula d.>* ■ *s.m.* **2** norma, preceito *<os d. da lei>* **3** em máquinas, peça ou mecanismo com função especial *<d. de frenagem>* **4** mecanismo construído com determinado fim; engenho *<d. que fecha o portão>* **5** *fig.* conjunto de ações planejadas e coordenadas visando a algo *<d. de prevenção do crime>* ▣ **d. intrauterino** MED pequena peça introduzida no útero com fins contraceptivos [sigla: *DIU*]

disposto (dis.pos.to) /ô/ [pl. e fem.: /ó/] *adj.* **1** colocado de certo modo *<tijolos d. em pilhas>* **2** preparado, organizado *<mesa d. para a festa>* **3** com propensão para algo; inclinado *<ser d. a valentias>* ↺ avesso **4** *B* em bom estado de saúde física e psíquica; animado *<hoje estou mais d.>* ↺ desanimado **5** *B* que não tem medo; arrojado, valente *<homens d. e turbulentos>* ↺ covarde ■ *s.m.* **6** aquilo que foi decidido e está redigido em algum regulamento, código etc.; norma *<argumentou conforme o d. na lei>*

disprósio (dis.pró.sio) *s.m.* QUÍM elemento químico us. em aparelhos de TV e reatores nucleares [símb.: *Dy*] ☞ cf. *tabela periódica* (no fim do dicionário)

disputa (dis.pu.ta) *s.f.* **1** ato ou efeito de disputar; confronto verbal; discussão, debate **2** luta por algo desejado por várias pessoas; competição, concorrência *<d. final do vôlei>* **3** briga, rixa **~ disputante** *adj.2g.s.2g* - **disputativo** *adj.*

disputar (dis.pu.tar) *v.* {mod. 1} *t.d. e t.d.i.* **1** (prep. *a, com*) esforçar-se para obter (algo desejado por outro); competir, concorrer *<d. um campeonato>* *<d. um emprego (com vários candidatos)>* ◻ *t.d. e t.i.* **2** (prep. *entre, por*) tentar tomar ou garantir para si *<os animais disputam o território>* *<os apresentadores disputam entre si pela audiência>* ◻ *t.d.,t.i. e int.* **3** (prep. *com, sobre*) defender pontos de vista contrários sobre; discutir, debater *<d. um assunto>* *<d. (com o oponente) sobre sua teoria>* *<ele costuma d. até convencer os adversários>*

disquete (dis.que.te) *s.m.* INF disco flexível us. para armazenar dados magneticamente

disritmia (dis.rit.mi.a) *s.f.* MED distúrbio do ritmo *<d. cerebral>* ↺ eurritmia **~ disrítmico** *adj.s.m.*

dissabor (dis.sa.bor) /ô/ [pl.: *-es*] *s.m.* **1** sentimento de tristeza e infelicidade; aflição, desgosto ↺ felicidade **2** contrariedade, aborrecimento *<d. de ter vizinhos barulhentos>* ↺ alegria **3** falta de sabor ↺ sabor

dissecação (dis.se.ca.ção) [pl.: *-ões*] *s.f.* **1** ANAT isolamento, com o uso de instrumento cirúrgico, dos elementos anatômicos de um organismo (ser humano, animal ou vegetal); dissecção *<d. de uma rã>* **2** *fig.* análise minuciosa de algo *<d. de um caso policial>* ☞ cf. *dessecação*

dissecar (dis.se.car) *v.* {mod. 1} *t.d.* **1** ANAT realizar dissecação em *<d. um cadáver>* **2** *fig.* examinar em detalhes; esmiuçar *<d. um capítulo do livro>* ☞ cf. *dessecar*

dissecção (dis.sec.ção) [pl.: *-ões*] *s.f.* ANAT dissecação

disse me disse (dis.se me dis.se) *s.m.2n.* sucessão de mexericos, fofocas, intrigas

disseminação (dis.se.mi.na.ção) [pl.: *-ões*] *s.f.* **1** ação ou efeito de disseminar(-se), de espalhar-se; dispersão *<d. de sementes>* **2** *fig.* propagação, divulgação *<d. de novas ideias>*

disseminar (dis.se.mi.nar) *v.* {mod. 1} *t.d. e pron.* **1** (prep. *por*) (fazer) deslocar-se em várias direções; espalhar(-se) *<o vento dissemina os esporos>* *<as*

sementes disseminaram-se pela terra> ↺ concentrar (-se) **2** *fig.* tornar(-se) muito conhecido; difundir(-se) *<o técnico vai d. noções de higiene> <más notícias disseminam-se rapidamente>*

dissensão (dis.sen.são) [pl.: *-ões*] *s.f.* **1** falta de concordância sobre algo; divergência *<eram amigos, apesar das d.>* ↺ concordância **2** conflito, desavença ↺ acordo

dissentir (dis.sen.tir) *v.* {mod. 28} *t.i.* **1** (prep. *de*) estar em divergência com; discordar *<d. das decisões da assembleia>* ↺ concordar **2** (prep. *de*) não estar de acordo, adequado com; destoar *<suas opiniões dissentem do seu modo de vida>* ↺ combinar

dissertação (dis.ser.ta.ção) [pl.: *-ões*] *s.f.* **1** *B* monografia final que o candidato ao título de mestre deve apresentar e defender **2** exposição oral; conferência, discurso *<fez uma bela d. sobre Camões>* **3** exposição escrita sobre assunto científico, artístico etc.

dissertar (dis.ser.tar) *v.* {mod. 1} *t.i. e int.* (prep. *sobre*) expor de modo sistemático, abrangente e profundo, oralmente ou por escrito; discorrer *<d. sobre ecologia> <dissertou brilhantemente>*

dissidência (dis.si.dên.cia) *s.f.* **1** desavença, conflito ↺ acordo **2** ato de separar-se de grupo, partido etc. por divergência de opiniões; cisma **3** o grupo que se separa

dissidente (dis.si.den.te) *adj.2g.s.2g.* (aquele) que não concorda com os princípios, ideias ou práticas de um grupo, uma instituição ou um governo, e por isso dele se afasta

dissídio (dis.sí.dio) *s.m.* **1** conflito de interesses ou opiniões; divergência ↺ acordo **2** conflito coletivo ou individual levado à Justiça do Trabalho, ger. quanto a aumento ou reajuste salarial ↺ acordo

dissílabo (dis.sí.la.bo) *adj.s.m.* (palavra) que tem duas sílabas ~ **dissilábico** *adj.*

dissimulação (dis.si.mu.la.ção) [pl.: *-ões*] *s.f.* **1** disfarce de verdadeiras intenções e sentimentos; fingimento ↺ sinceridade **2** ato ou efeito de encobrir ou modificar algo *<d. de um crime>* ↺ revelação

dissimulado (dis.si.mu.la.do) *adj.* **1** que se dissimula ou dissimulou; encoberto, disfarçado *<sentimentos d.>* ↺ patente, manifesto ■ *adj.s.m.* **2** (pessoa) que dissimula com frequência; fingido, falso ↺ como adj.: sincero, franco

dissimular (dis.si.mu.lar) *v.* {mod. 1} *t.d. e t.d.i.* **1** (prep. *a*) não demonstrar; disfarçar *<d. o ciúme> <dissimulou (ao patrão) a sua mágoa>* ↺ mostrar □ *t.d. e pron.* **2** pôr(-se) de modo a não ser visto; esconder(-se) *<o ladrão dissimulou o carro entre as ramagens> <dissimularam-se na sombra para assustar os avós>* ~ **dissimulável** *adj.2g.*

dissipação (dis.si.pa.ção) [pl.: *-ões*] *s.f.* **1** desaparecimento, dispersão *<d. da fumaça>* ↺ concentração **2** desperdício dos próprios bens *<d. da fortuna do pai>* ↺ poupança **3** *p.ext.* desregramento, devassidão *<parou de viver na d.>* ↺ decência

dissipar (dis.si.par) *v.* {mod. 1} *t.d. e pron.* **1** (fazer) desaparecer; dispersar(-se) *<o amanhecer dissipou a escuridão> <a neblina já se dissipara>* **2** *fig.* (fazer) ter fim; acabar *<d. a saudade> <os temores dissiparam-se>* □ *t.d.* **3** gastar em excesso; esbanjar *<tratou de não d. o prêmio da loteria>* ↺ poupar **4** *fig.* estragar por excessos; arruinar *<d. a saúde>* ~ **dissipado** *adj.s.m.*

disso (dis.so) *contr.* da prep. *de* com o pron.dem. *isso <pegou mal você falar d.> <você não precisa mais d.>*

dissociar (dis.so.ci.ar) *v.* {mod. 1} *t.d.,t.d.i. e pron.* (prep. *de*) desfazer uma associação; desunir(-se), separar(-se) *<a direção dissociou (do clube) os membros inadimplentes> <o vocalista dissociou-se da banda>* ↺ ligar(-se) ~ **dissociação** *s.f.*

dissolução (dis.so.lu.ção) [pl.: *-ões*] *s.f.* **1** ato ou efeito de dissolver(-se); decomposição, desagregação *<o microscópio mostrava células em d.> <o professor determinou a d. do grupo>* ↺ agregação **2** deterioração dos costumes; devassidão, imoralidade ↺ moralidade **3** extinção de uma entidade, contrato etc. *<d. de uma sociedade comercial>* ↺ formação

dissoluto (dis.so.lu.to) *adj.* **1** que foi dissolvido; decomposto *<substância d.>* **2** *fig.* de maus costumes; depravado, devasso ↺ casto

dissolvente (dis.sol.ven.te) *adj.2g.s.2g.* (o) que dissolve; solvente

dissolver (dis.sol.ver) *v.* {mod. 8} *t.d.,t.d.i. e pron.* **1** desfazer(-se) [substância sólida, em pó ou pastosa] em um meio líquido; liquefazer(-se) *<d. o açúcar (na água)> <o sal não se dissolveu inteiramente>* □ *t.d. e pron.* **2** dispersar(-se), dissipar(-se) *<o vento forte dissolveu as nuvens> <ao meio-dia a bruma matutina dissolvera-se>* **3** *fig.* (fazer) desaparecer; eliminar(-se) *<as explicações dissolveram todas as dúvidas> <sua desconfiança dissolveu-se quando a conheceu melhor>* **4** *fig.* acabar com a existência de; extinguir(-se) *<d. o parlamento> <o conselho dissolveu-se>* ◉ GRAM/USO part.: *dissolvido, dissoluto*; ver QUADRO DE PARTICÍPIOS DUPLOS nas pp. iniciais

dissonância (dis.so.nân.cia) *s.f.* **1** conjunto de sons cuja combinação é desagradável ao ouvido ↺ eufonia **2** *p.ext.* falta de harmonia (de cores, formas, opiniões etc.) ↺ harmonia

dissonante (dis.so.nan.te) *adj.2g.* **1** que apresenta ou produz dissonância *<a cena cômica iniciava com acordes d.>* **2** que destoa; discordante *<eles têm opiniões d.>*

dissuadir (dis.su.a.dir) *v.* {mod. 24} *t.d.i. e pron.* (prep. *de*) convencer(-se) a desistir de (ideia, decisão); despersuadir(-se) *<o pai dissuadiu-a de viajar> <dissuadiu-se de largar o emprego>* ↺ persuadir(-se)

dissuasão (dis.su.a.são) [pl.: *-ões*] *s.f.* **1** ato ou efeito de fazer alguém desistir de uma decisão ou mudar de ideia ↺ persuasão **2** capacidade para praticar esse ato *<um diplomata que domina a arte da d.>*

dissuasivo (dis.su.a.si.vo) *adj.* que serve para dissuadir; que convence ou tenta convencer a desistir; dissuasório *<esforços d.>* ↺ persuasivo

dissuasório (dis.su.a.só.rio) *adj.* dissuasivo

distanásia (dis.ta.ná.sia) *s.f.* MED morte lenta, com grande sofrimento ↺ ortotanásia

distância (dis.tân.cia) *s.f.* **1** espaço entre duas coisas ou pessoas *<mesas a dois metros de d. uma da outra>* **2** afastamento, separação *<sofrem com a d.>* **3** intervalo de tempo *<d. entre dois encontros>* **4** separação entre classes sociais, faixas etárias, ideias etc. *<d. entre ricos e pobres>*

distanciamento (dis.tan.ci.a.men.to) *s.m.* **1** ação ou resultado de distanciar(-se); afastamento ↺ aproximação **2** falta de envolvimento com o que se passa em torno; indiferença, desinteresse ↺ envolvimento

distanciar (dis.tan.ci.ar) *v.* {mod. 1} *t.d.,t.d.i. e pron.* **1** (prep. *de*) mover(-se) para longe; afastar(-se) *<distancie o projetor (da tela)> <o maratonista logo se distanciou dos demais>* ↺ aproximar(-se) □ *t.d.i. e pron.* **2** (prep. *de*) (fazer) perder o interesse por, o contato com; afastar(-se) *<o sucesso pessoal distanciou-o dos amigos> <com o fim das aulas, os colegas se distanciaram>* ↺ aproximar(-se) □ *t.d.* **3** pôr em espaços intercalados; espaçar *<d. as carteiras regularmente>*

distante (dis.tan.te) *adj.2g.* **1** situado a uma certa distância *<vive numa casa d. 100 metros da minha>* **2** situado a grande distância; afastado *<em dia claro avistam-se as d. cordilheiras>* ↺ próximo **3** *p.ext.* sem semelhança; diferente *<opiniões d.>* ↺ semelhante **4** separado no tempo; remoto *<época d.>* **5** *fig.* pouco comunicativo; reservado *<atitudes d.>* ↺ caloroso **6** *fig.* distraído, desligado ■ *adv.* **7** a (grande) distância; longe *<d., ouvia-se o barulho do mar>* ↺ perto

distar (dis.tar) *v.* {mod. 1} *t.d.i. e int.* **1** (prep. *de*) estar a certa distância (de) *<a cidade dista 100 km de São Paulo> <a rua não dista muito>* □ *t.i.* **2** (prep. *de*) ser diferente de; distinguir-se *<a cor deste tecido dista muito da do outro>* ↺ assemelhar-se, parecer

distender (dis.ten.der) *v.* {mod. 8} *t.d. e pron.* **1** (prep. *por, sobre*) estender(-se) para várias direções *<d. os dedos da mão> <a luz do Sol distendeu-se sobre o campo>* **2** tornar(-se) rijo, esticado; esticar(-se) *<d. o arco> <o fio distendeu-se>* ↺ afrouxar **3** aumentar de volume; dilatar(-se) *<d.(-se) a barriga>* ↺ comprimir(-se) **4** (fazer) ficar frouxo; relaxar(-se) *<tente d. os músculos do pescoço> <seu corpo e seus nervos distenderam-se>* **5** MED causar distensão a, ou sofrer distensão ('repuxo') *<d. um músculo> <o músculo da coxa distendeu-se>* ◉ GRAM/USO part.: *distendido, distenso*; ver QUADRO DE PARTICÍPIOS DUPLOS nas pp. iniciais ~ **distenso** *adj.*

distensão (dis.ten.são) [pl.: *-ões*] *s.f.* **1** ato ou efeito de distender(-se); retesamento, estiramento *<d. das cordas de um violão>* **2** diminuição ou falta de tensão; relaxamento, afrouxamento **3** MED repuxo ou deslocamento de músculo, ligamentos, nervo etc.; estiramento *<d. muscular>*

dístico (dís.ti.co) *s.m.* **1** LIT estrofe de dois versos *<compor versos em dísticos>* **2** *p.ext.* lema, divisa *<o d. de um escudo>*

distinção (dis.tin.ção) [pl.: *-ões*] *s.f.* **1** ação ou efeito de distinguir(-se); diferença, separação *<damos o mesmo tratamento a todos, sem d.>* ↺ igualdade **2** reconhecimento de duas ou mais coisas ou pessoas como diferentes *<d. entre o bem e o mal>* ↺ semelhança **3** boa educação, fineza *<a anfitriã nos recebeu com d.>* ↺ deselegância **4** maneira honesta, correta de proceder *<agir com d.>* ↺ indignidade **5** condecoração, prêmio *<herói que merece d.>*

distinguir (dis.tin.guir) *v.* {mod. 24} *t.d.,t.d.i. e pron.* **1** (prep. *de*) perceber, estabelecer diferença(s) entre ou ser diferente de; diferenciar(-se) *<ele distinguia bem os verdadeiros amigos> <d. o elogio sincero da bajulação> <sua obra distingue-se das demais>* ↺ assemelhar(-se) □ *t.d.* **2** ser traço distintivo de; caracterizar *<a juba distingue os leões>* **3** perceber com os sentidos; sentir *<d. voz, cheiro>* **4** mostrar respeito, consideração por *<o grupo sempre distinguiu aquele jurista>* □ *t.d. e pron.* **5** (fazer) sobressair; destacar(-se) *<o que o distingue é a simpatia> <margaridas distinguiam-se no jardim>* ◉ GRAM/USO part.: *distinguido, distinto*; ver QUADRO DE PARTICÍPIOS DUPLOS nas pp. iniciais

distintivo (dis.tin.ti.vo) *adj.s.m.* **1** (o) que estabelece distinção *<traços d. do seu temperamento> <a generosidade é o d. do seu caráter>* ■ *s.m.* **2** peça que, presa à roupa, indica patente, honraria, instituição, cargo etc. do usuário; emblema *<o policial identificou-se pelo d.>*

D

distinto (dis.tin.to) *adj.* **1** que não é igual; diferente *<escrever é d. de falar>* ↺ igual **2** nítido, marcante *<sons e imagens d.>* ↺ confuso **3** que goza de respeito por mérito ou posição; ilustre, eminente *<d. autoridade>* ↺ obscuro **4** que se destaca pela elegância, discrição no trajar etc., ou pelas qualidades e aptidões ☞ cf. *destinto*

disto (dis.to) *contr.* da prep. *de* com o pron.dem. *isto* *<você não vai sentir saudades d. aqui> <não sei nada d.>*

distonia (dis.to.ni.a) *s.f.* MED alteração do tônus fisiológico *<d. muscular>* ~ **distônico** *adj.s.m.*

distorção (dis.tor.ção) [pl.: *-ões*] *s.f.* **1** alteração da forma, da estrutura, do aspecto etc.; deformação *<d. visual> <d. sonora>* **2** torção anormal *<d. no pescoço>* **3** *p.ext.* alteração de sentido *<d. de uma declaração à imprensa>*

distorcer (dis.tor.cer) *v.* {mod. 8} *t.d.* **1** alterar, desvirtuar o sentido de (declaração, informação etc.); deturpar *<o político acusou o jornal de d. suas palavras>* **2** modificar a forma ou o padrão característico de *<seus sonhos distorciam a aparência das pessoas>* ☞ cf. *destorcer*

distração (dis.tra.ção) [pl.: *-ões*] *s.f.* **1** falta de concentração no que se passa ao redor; desatenção ↺ atenção **2** resultado dessa desatenção; erro, engano *<pegou pequenas d. no texto>* ↺ acerto **3** diversão, recreação *<criança precisa de d.>*

distraído (dis.tra.í.do) *adj.* **1** que se distrai; alheio, absorto *<anda d. na rua>* **2** que perde a atenção com frequência; desatento *<aluno d.>* ↺ atento

distrair (dis.tra.ir) *v.* {mod. 25} *t.d.,t.d.i. e pron.* **1** (prep. *de*) tirar ou desviar a atenção de (alguém) para outro lugar, momento, assunto etc. *<o telefonema distraiu-o (do trabalho)> <distraiu-se durante a palestra>* ↺ concentrar(-se) □ *t.d.i. e pron. fig.* **2** (prep. *de*) (fazer) esquecer (problemas, preocupações etc.) *<mandou o filho viajar para distraí-lo da desilusão amorosa> <saiu para d.-se daqueles aborrecimentos>* ↺ preocupar(-se) □ *t.d. e pron.* **3** ocupar(-se) de forma prazerosa; divertir(-se) *<estes livrinhos distraem as crianças> <faça uma pausa no estudo e vá d.-se>*

distratar (dis.tra.tar) *v.* {mod. 1} *t.d.* desfazer, anular (acordo, contrato etc.) ↺ tratar ☞ cf. *destratar* ~ **distrato** *s.m.*

distribuição (dis.tri.bu.i.ção) [pl.: *-ões*] *s.f.* **1** ato ou efeito de distribuir; repartição *<d. de lucros> <d. de donativos> <d. de tarefas>* **2** ato ou efeito de dispor com critério; disposição, ordenamento *<d. das matérias no livro>* **3** serviço de entrega de bens e serviços *<d. de correspondência> <d. de jornais>*

distribuidor (dis.tri.bu.i.dor) /ô/ [pl.: *-es*] *adj.* **1** que distribui ■ *s.m.* **2** pessoa ou empresa que se encarrega da distribuição de determinado produto no mercado *<d. de remédios>*

distribuidora (dis.tri.bu.i.do.ra) /ô/ *s.f.* empresa que se encarrega da distribuição de determinado produto no mercado *<d. de combustíveis> <d. de livros>*

distribuir (dis.tri.bu.ir) *v.* {mod. 26} *t.d. e t.d.i.* **1** (prep. *a*, *com*, *entre*, *por*) dar parcela de (algo) [a vários receptores]; repartir, dividir *<d. alimentos e roupas> <d. dividendos entre os acionistas>* **2** (prep. *a*) conferir (tarefa, papel etc.) [a membros de grupo] *<d. papéis (aos atores principais)>* **3** (prep. *em*, *por*) dispor seguindo critérios, princípios etc.; arrumar *<d. os alimentos na despensa>* □ *t.d.* **4** enviar, lançar para diferentes direções; espalhar *<d. beijos>*

distributivo (dis.tri.bu.ti.vo) *adj.* **1** relativo à distribuição ou que distribui *<medidas d. de alimento contra a fome>* **2** em que há divisão por igual; equitativo *<justiça d.>* ↺ desigual

distrito (dis.tri.to) *s.m.* *B* **1** divisão administrativa de um município ou cidade **2** delegacia de polícia ~ **distrital** *adj.2g.*

distrofia (dis.tro.fi.a) *s.f.* MED anomalia no desenvolvimento de um órgão ou região do corpo, decorrente de problemas de nutrição *<d. muscular> <d. adiposa>* ~ **distrófico** *adj.s.m.*

distúrbio (dis.túr.bio) *s.m.* **1** algo que atrapalha; perturbação *<d. no trânsito>* **2** defeito, desajuste *<d. no rádio>* **3** confusão, tumulto *<houve distúrbios durante a passeata>* **4** MED mau funcionamento de órgão, função orgânica etc.; doença *<d. nervoso>*

dita (di.ta) *s.f.* **1** sorte favorável; fortuna ↺ desdita, azar **2** destino, fado

ditado (di.ta.do) *s.m.* **1** texto enunciado para que se escreva *<a turma fará um teste de d.>* **2** esse texto escrito **3** provérbio, adágio, máxima ■ *adj.* **4** dito em voz alta, para ser escrito *<lição d.>* **5** *p.ext.* sugerido, inspirado *<conselho d. pela prudência>* **6** imposto, forçado *<demissão d. pelo governo>*

ditador (di.ta.dor) /ô/ [pl.: *-es*] *adj.s.m.* **1** (autoridade máxima) que governa uma ditadura **2** *p.ext.* (indivíduo) autoritário, despótico

ditadura (di.ta.du.ra) *s.f.* **1** governo autoritário em que, pela força, são revogadas eleições, leis e liberdades individuais ↺ democracia **2** *fig.* excesso de autoritarismo; tirania *<na casa dele vive-se uma d.>*

ditame (di.ta.me) *s.m.* **1** aquilo que deve ser cumprido; regra, determinação *<os d. da lei>* **2** ensinamento, conselho *<os d. da consciência>*

ditar (di.tar) *v.* {mod. 1} *t.d. e t.d.i.* **1** (prep. *a*) dizer em voz alta para outro escrever *<d. (aos alunos) as questões da prova>* **2** *fig.* (prep. *a*) impor, determinar *<ela gosta de d. (aos outros) o que fazer>*

ditatorial (di.ta.to.ri.al) [pl.: *-ais*] *adj.2g.* **1** próprio de ditador ou de ditadura *<medida d.> <período d.>* ↺ democrático **2** *p.ext.* que impõe a própria vontade; despótico *<chefe d. e arbitrário>* ↺ liberal

[1]**dito** (di.to) *adj.* **1** que se diz ou disse; mencionado *<o d. decreto será emendado pelo parlamento>* **2** chamado, conhecido por *<José Carlos, d. Zequinha>* ◉ ORIGEM do lat. *dictus,a,um* 'id.'

[2]**dito** (di.to) *s.m.* **1** aquilo que se diz ou disse **2** ditado, provérbio *<fez uma coletânea de d. populares>* ◉ ORIGEM do lat. *dictum,i* 'id.'

dito-cujo (di.to-cu.jo) [pl.: *ditos-cujos*; fem.: *dita-cuja*] *s.m.* *B infrm.* aquele cujo nome está subentendido, não é conhecido ou não se quer citar *<quem é o d. que comeu os bolinhos?>*

ditongo (di.ton.go) *s.m.* GRAM emissão de dois fonemas vocálicos (vogal e semivogal) em uma mesma sílaba (p.ex., *pai*, *série*, *lei*) ☞ cf. *hiato* e *tritongo* ▣ **d. crescente** GRAM o que tem a semivogal como primeiro som (p.ex., *quadro*) • **d. decrescente** GRAM aquele que tem a semivogal como segundo som (p.ex., *mau*) ~ **ditongal** *adj.2g.*

ditoso (di.to.so) /ô/ [pl. e fem.: /ó/] *adj.* que tem boa dita; feliz, afortunado *<vovô chegou a uma d. velhice>*

DIU *s.m.* MED sigla de *dispositivo intrauterino*

diurese (di.u.re.se) *s.f.* FISL secreção de urina

diurético (di.u.ré.ti.co) *adj.s.m.* (o) que estimula a secreção de urina *<medicamento d.> <alimento d.> <os d. ajudam a tratar a hipertensão>*

diurno (di.ur.no) *adj.* que se faz ou acontece de dia *<expediente d.> <animal de hábitos d.>* ↺ noturno

diuturno (di.u.tur.no) *adj.* que se prolonga ou permanece por muito tempo; longo *<trabalho d.> <hábitos d.>* ↺ breve ~ **diuturnidade** *s.f.*

diva (di.va) *s.f.* **1** divindade feminina; deusa **2** *fig.* mulher da qual alguém fez sua musa inspiradora **3** *p.ext.* atriz ou cantora famosa pela beleza e talento **4** *p.ext.* cantora de ópera muito famosa; prima-dona

divã (di.vã) *s.m.* **1** sofá sem braços e sem encosto **2** *p.ext.* consultório de psicanalista ou sessão de psicanálise *<passou anos no d.>*

divagação (di.va.ga.ção) [pl.: *-ões*] *s.f.* **1** ato de andar sem rumo certo **2** *fig.* desvio do tema principal; digressão *<o palestrante perdeu-se em divagações>*

divagar (di.va.gar) *v.* {mod. 1} *int.* **1** caminhar sem rumo; vagar **2** *fig.* desviar-se do assunto principal *<desconfiamos quando ele começou a d.>* **3** *fig.* falar coisas sem nexo; desvairar **4** soltar o pensamento; fantasiar ☞ cf. *devagar*

divergência (di.ver.gên.cia) *s.f.* **1** afastamento progressivo (de dois raios, duas linhas, duas ruas etc.) ↺ convergência **2** *fig.* diferença de opinião; discordância ↺ concordância

divergente (di.ver.gen.te) *adj.2g.* **1** que diverge; que não é paralelo *<linhas d.>* ↺ convergente **2** que apresenta divergência; discordante *<opiniões d.>* ↺ convergente, concordante

divergir (di.ver.gir) *v.* {mod. 28} *int.* **1** distanciar-se progressivamente (uma coisa de outra) *<naquele ponto, seus caminhos divergiam>* ↺ convergir □ *t.i. e int. fig.* **2** (prep. *de*) estar em desacordo; discordar *<ele não admite que divirjam dele> <sua opiniões divergem>* ↺ concordar

diversão (di.ver.são) [pl.: *-ões*] *s.f.* o que se faz por prazer; divertimento, entretenimento ↺ aborrecimento

diversidade (di.ver.si.da.de) *s.f.* **1** característica do que é diferente, variado; variedade *<d. de traços fisionômicos>* ↺ uniformidade **2** *p.ext.* desacordo, oposição *<d. de opiniões>* ↺ concordância **3** ECO biodiversidade

diversificação (di.ver.si.fi.ca.ção) [pl.: *-ões*] *s.f.* ação ou efeito de diversificar *<seu dia a dia precisa de d.>*

diversificar (di.ver.si.fi.car) *v.* {mod. 1} *t.d.* (prep. *de*) tornar diverso, diferente, variado <*a loja deve d. os seus produtos*>

diverso (di.ver.so) *adj.* **1** que não é igual; dessemelhante <*cores d.*> ↺ igual **2** que tem variedade <*loja de artigos d.*> **3** com mudanças em relação a <*a cidade está d. da que eu conheci*> ↺ igual **4** que diverge; discordante <*opiniões d.*> ↺ concordante ▼ ***diversos*** *pron.ind.pl.* **5** alguns, muitos <*d. vieram, outros faltaram*>

diverticulite (di.ver.ti.cu.li.te) *s.f.* MED inflamação de um ou mais divertículos

divertículo (di.ver.tí.cu.lo) *s.m.* ANAT apêndice oco em forma de bolsa que se forma em um órgão tubular <*d. do intestino*>

divertido (di.ver.ti.do) *adj.* que diverte, que provoca riso <*história d.*> <*seu tio é um sujeito d.*>

divertimento (di.ver.ti.men.to) *s.m.* **1** o que diverte; diversão, entretenimento **2** sensação de agrado com aquilo que dá alegria e disposição <*a dança traz prazer e d.*> ↺ enfado

divertir (di.ver.tir) *v.* {mod. 28} *t.d. e pron.* **1** entreter (-se) com coisas agradáveis, brincadeiras; distrair (-se) <*o brinquedo novo vai d. a meninada*> <*d.-se no fim de semana*> ↺ entediar(-se) **2** (fazer) rir; alegrar (-se) <*o palhaço divertiu muito a plateia*> <*d.-se com as gafes do irmão*> □ *t.d.,t.d.i. e pron.* **3** (prep. *de*) (fazer) desviar a atenção de; distrair(-se) <*os foliões divertiram os operários (do trabalho)*> <*foi ao parque para divertir-se das preocupações*>

dívida (dí.vi.da) *s.f.* **1** falta de cumprimento de uma obrigação (material ou moral) <*está em d. com o banco*> <*d. com a sociedade*> **2** o que se deve pagar <*quitou todas as suas d.*> ▣ **d. externa** ECON débito de um Estado, por empréstimos e financiamentos contraídos no estrangeiro

dividendo (di.vi.den.do) *adj.* **1** que se pode ou deve dividir <*terreno d.*> ■ *s.m.* **2** MAT número que é dividido por outro na operação chamada *divisão* **3** ECON cota de cada acionista nos lucros de uma empresa ▼ ***dividendos*** *s.m.pl. fig.* **4** vantagens, benefícios <*a aliança trouxe d. para o candidato*>

dividir (di.vi.dir) *v.* {mod. 24} *t.d.i.* **1** (prep. *em*) separar conforme certas características; classificar <*d. os animais em suas espécies*> <*d. um período em três orações*> **2** (prep. *com, entre, por*) dar parcela de (algo) [a vários receptores]; distribuir, repartir <*d. o almoço (com o colega)*> <*d. as despesas (entre os participantes)*> □ *t.d.i. e int.* **3** MAT (prep. *por*) efetuar divisão (de um número) <*d. oito por dois*> <*os alunos já sabem d.*> ↺ multiplicar □ *t.d.,t.d.i. e pron.* **4** (prep. *em*) decompor(-se) [um todo] em partes ou porções <*d. a pizza (em dez fatias)*> <*a esquadra dividiu-se em dois grupos*> □ *t.d. e pron.* **5** (fazer) entrar em discórdia; desavir(-se) <*o debate acabou dividindo os correligionários*> <*o presidente pediu que o país não se dividisse*>

divinação (di.vi.na.ção) [pl.: *-ões*] *s.f.* arte ou prática de prever o futuro; adivinhação

divinal (di.vi.nal) [pl.: *-ais*] *adj.2g.* divino (adj.)

divinatório (di.vi.na.tó.rio) *adj.* relativo a adivinhação ou a sua prática e meios <*artes d.*>

divindade (di.vin.da.de) *s.f.* **1** REL natureza ou condição daquele que é divino <*a d. de Cristo*> **2** REL Deus, segundo o monoteísmo **3** REL ente ou ser divino, no politeísmo <*Vênus era a d. do amor*> **4** *p.ext.* qualquer pessoa ou coisa que se venera

divinizar (di.vi.ni.zar) *v.* {mod. 1} *t.d. e pron.* **1** atribuir natureza divina a <*os gregos divinizaram seus heróis*> <*os imperadores se divinizavam*> □ *t.d. fig.* **2** conferir muita importância a; idolatrar <*d. o dinheiro*> ~ **divinizante** *adj.2g.*

divino (di.vi.no) *adj.* **1** relativo ou semelhante a Deus ou a um deus <*preceitos d.*> <*perfeição d.*> <*inspiração d.*> ↺ humano **2** *p.ext.* perfeito, sublime <*mulher d.*> ↺ comum **3** que está acima do entendimento humano; sobrenatural ↺ natural ■ *s.m.* FOLC REL *B* **4** o Espírito Santo em algumas festas religiosas populares ☞ inicial maiúsc.

divisa (di.vi.sa) *s.f.* **1** desenho us. como símbolo ou distintivo para representar país, organização etc. **2** lema **3** *p.ext.* emblema de posto ou patente dos militares us. nas suas fardas **4** linha de divisão entre espaços; fronteira ▼ ***divisas*** *s.f.pl.* ECON **5** reservas em moeda estrangeira us. pelo governo e por entidades privadas em transações comerciais

divisão (di.vi.são) [pl.: *-ões*] *s.f.* **1** ato ou efeito de separar um todo em partes distintas ↺ união **2** o que delimita espaços contínuos; divisória **3** MAT operação pela qual se calcula quantas vezes um número está contido em outro **4** cada uma das partes identificadas num todo, que desempenham uma função comum <*d. militar*> <*d. de segurança de uma empresa*> **5** distribuição das partes por várias pessoas ou coisas; partilha <*d. das tarefas domésticas*> ↺ acumulação **6** diferença de opiniões ou ideias; discórdia ↺ comunhão **7** distinção e classificação de vários elementos de um todo <*d. das plantas em famílias*> **8** BIO processo de multiplicação de células ▣ **d. binária** BIO cissiparidade ~ **divisional** *adj.2g.* - **divisório** *adj.s.m.*

divisar (di.vi.sar) *v.* {mod. 1} *t.d.* **1** distinguir pela visão; avistar, enxergar <*d. alguém ao longe*> **2** notar, perceber <*não conseguia d. a sua intenção*> **3** marcar, delimitar (território, região etc.); dividir <*d. os limites do terreno*>

divisionário (di.vi.sio.ná.rio) *adj.* **1** relativo a divisão militar **2** cujo valor equivale a uma fração da unidade monetária <*o centavo é a moeda d. do real*>

divisível (di.vi.sí.vel) [pl.: *-eis*] *adj.2g.* **1** que pode ser dividido ↺ indivisível **2** MAT que pode ser dividido de modo exato (diz-se de número ou quantia) <*20 é d. por 5*> ↺ indivisível

divisor (di.vi.sor) /ô/ [pl.: *-es*] *adj.s.m.* **1** (o) que divide **2** MAT (número) que divide outro na operação chamada divisão ▣ **d. comum** MAT número que divide outros de modo exato

divisória (di.vi.só.ria) *s.f.* **1** o que limita ou separa compartimentos, objetos etc. <*armário com três d.*> **2** parede, biombo ou coisa semelhante us. para dividir ambientes

divórcio (di.vór.cio) *s.m.* **1** DIR rompimento legal do vínculo de matrimônio entre cônjuges ↺ matrimônio, casamento **2** *p.ext.* qualquer desavença ou separação ~ **divorciar** *v.t.d. e pron.*

divulgação (di.vul.ga.ção) [pl.: *-ões*] *s.f.* ato ou efeito de tornar algo público; difusão <*d. dos resultados das provas*> <*d. de uma campanha de vacinação*>

D

divulgar (di.vul.gar) *v.* {mod. 1} *t.d.* tornar público, conhecido; propagar *<d. o nome dos vencedores do concurso>* ~ **divulgador** *adj.s.m.*

dizer (di.zer) *v.* {mod. 15} *t.d.,t.i. e t.d.i.* **1** expor, exprimir em palavras; falar *<d. a verdade> <disse que precisava sair> <há muito a d. sobre esse problema> <disse ao mensageiro que partisse imediatamente>* □ *t.d. e t.d.i.* **2** (prep. *a*) pronunciar, proferir *<d. palavras sem nexo> <d. segredos ao amigo>* **3** *p.ext.* (prep. *a*) expressar (algo) com gestos, olhares etc. *<seus olhos diziam (ao mundo) sua alegria>* **4** (prep. *a*) contar, relatar *<no livro, disse (a todos) que conhecera a vitória>* □ *t.d.i.* **5** (prep. *a*) avisar a; advertir *<disse-lhe que seria aceito>* □ *pron.* **6** considerar-se, julgar-se *<diz-se um grande ator>* ■ *s.m.* **7** palavra ou sentença proferida ou escrita; dito *<os d. de uma placa>* ◉ GRAM/USO part.: *dito*; como s.m., pl. *dizeres* ▣ **quer d.** isto é

dízima (dí.zi.ma) *s.f.* **1** ECON HIST imposto equivalente à décima parte do rendimento de alguém **2** MAT parte dos números decimais escrita à direita da vírgula ▣ **d. periódica** MAT fração decimal de um número, que se repete indefinidamente

dizimar (di.zi.mar) *v.* {mod. 1} *t.d.* **1** causar morte em massa; exterminar *<as duas guerras mundiais dizimaram milhões de pessoas>* **2** *fig.* arruinar, devastar *<a seca dizimou a lavoura>* ~ **dizimação** *s.f.*

dízimo (dí.zi.mo) *s.m.* **1** décima parte **2** REL contribuição dos fiéis para o culto e o clero ■ *adj.* **3** referente à décima parte de um todo; décimo

DJ [ing.] *s.m. disc jockey* ⇒ pronuncia-se di djêi

dl símbolo de *decilitro*

dm símbolo de *decímetro*

DNA [ing.] *s.m.* BIOQ ácido que se localiza esp. no núcleo das células dos seres vivos e é responsável pela transmissão das características dos pais a seus filhos ☞ *DNA* é a sigla em ing. de *desoxyribonucleic acid* 'ácido desoxirribonucleico', cuja sigla em port. é *ADN*

do [pl.: *dos*; fem.: *da*] *contr.* **1** da prep. *de* com o art. def. *o <a bola do menino>* **2** da prep. *de* com o pron. dem. *o* (aquele, aquilo) *<lembrou do que aprendeu ontem>*

[1]**dó** *s.m.* **1** sentimento de pena; compaixão **2** grande tristeza e mágoa; pesar ◉ ORIGEM do lat. *dŏlus,i* 'luto, compaixão'

[2]**dó** *s.m.* MÚS primeira nota da escala musical ◉ ORIGEM do it. *do* 'id.'

doação (do.a.ção) [pl.: *-ões*] *s.f.* **1** ato ou efeito de doar um bem **2** o que se doa

doador (do.a.dor) [pl.: *-es*] *adj.s.m.* **1** (o) que faz doação **2** MED que(m) autoriza a doação de sangue, órgãos etc. de seu corpo para realização de transplante ou transfusão

doar (do.ar) *v.* {mod. 1} *t.d.i.* **1** (prep. *a*) transferir (bens ou vantagens) legal e gratuitamente *<o pai doou aos filhos toda a fortuna adquirida>* **2** *p.ext.* (prep. *a*) transmitir de graça a posse de; oferecer *<d. livros à escola>* □ *t.d.i. e pron. fig.* **3** (prep. *a*) dedicar(-se), entregar(-se) *<doou sua mocidade aos estudos> <doou-se à vida dos filhos>*

dobra (do.bra) *s.f.* **1** parte de matéria flexível, tecido, papel etc. que, voltada, fica sobreposta a outra *<d. da calça, do livro>* **2** ângulo que formam certas coisas *<d. do cano>*

dobradiça (do.bra.di.ça) *s.f.* peça de metal composta de duas partes unidas por um eixo, que articula portas, janelas etc.; engonço

dobradiço (do.bra.di.ço) *adj.* que é ou pode ser dobrado; flexível, maleável

dobradinha (do.bra.di.nha) *s.f. B* **1** CUL cozido que se faz com as vísceras do boi **2** dupla de pessoas que atuam ou andam juntas

dobrado (do.bra.do) *adj.* **1** que se acha curvado; inclinado *<cabeça d.>* ↺ erguido **2** multiplicado por dois; duplicado *<peso d.>* **3** *fig.* em quantidade; múltiplo *<felicidade d. com o nascimento do filho>* **4** que forma prega *<papel d.>* **5** *B infrm.* de grande força física *<chamou um cabra d. para defendê-lo>* ■ *s.m.* **6** MÚS música, em ritmo rápido, que acompanha marcha militar ▣ **cortar um d.** *B infrm.* passar por ou viver uma situação difícil

dobradura (do.bra.du.ra) *s.f.* **1** ato ou efeito de dobrar; dobramento **2** arte de criar figuras por meio de dobras de papel ☞ cf. *origami*

dobrar (do.brar) *v.* {mod. 1} *t.d. e int.* **1** tornar(-se) duas vezes maior em quantidade, tamanho etc.; duplicar *<vamos d. a sua mesada> <a nossa despesa dobrou>* **2** *p.ext.* aumentar em quantidade; multiplicar(-se) *<d. o número de livros da biblioteca> <com aquele relatório, seu trabalho dobrou>* **3** (fazer) soar (o sino) □ *t.d.* **4** virar um objeto (ger. papel, pano etc.) sobre si mesmo *<dobrou a carta e a pôs no envelope>* ↺ desdobrar □ *t.d. e pron.* **5** curvar(-se), vergar(-se) *<d. os joelhos> <d.-se para rezar>* ↺ esticar(-se) **6** *fig.* (fazer) ceder, render-se, voltar atrás *<sua meiguice dobrou o pai> <d.-se ante as evidências>* ~ **dobramento** *s.m.*

dobre (do.bre) *adj.2g.* **1** que é ou se apresenta dobrado; duplicado **2** *fig.* fingido, falso ↺ verdadeiro ■ *s.m.* **3** toque de sino em que se faz uma volta sobre seu eixo **4** LIT repetição de palavras em partes diferentes de poema **5** duplicação de aposta em um jogo

dobro (do.bro) /ô/ *n.mult.* **1** quantidade duas vezes maior *<ter o d. de seu tamanho>* ■ *s.m.* **2** quantidade muito maior que outra *<com propaganda, venderemos o d. de livros>*

DOC *s.m.* sigla de documento de ordem de crédito

doca (do.ca) *s.f.* **1** parte coberta de um porto onde atracam os navios para carga e descarga **2** *p.ext.* armazém para mercadorias situado no porto ☞ nesta acp., mais us. no pl.

doce (do.ce) /ô/ *adj.2g.* **1** que causa sensação agradável ao paladar, como o mel, o açúcar etc. *<fruta d.>* **2** preparado com açúcar ou outra substância adoçante *<pipoca d.>* **3** *fig.* que não é salgado (diz-se da água de rios, lagos etc.) **4** *fig.* que agrada aos sentidos e ao espírito *<música d.>* ↺ desagradável **5** *fig.* livre de preocupações ou aborrecimentos *<vida d.>* **6** *fig.* afetuoso, amável, meigo *<pessoa d.>* ↺ rude ■ *s.m.* CUL **7** iguaria feita com açúcar, mel ou qualquer outro adoçante *<d. de abóbora>* **7.1** pequena guloseima doce, de sabores e formatos diversos, freq. servida em festas de aniversário *<brigadeiro é o nosso d. favorito>* ◉ GRAM/USO nas acp. adj., sup.abs.sint.: *dulcíssimo, docíssimo* ▣ **fazer d.** *B infrm.* fingir indiferença ou desinteresse ~ **doçaria** *s.f.*

doceiro (do.cei.ro) *adj.s.m.* **1** que(m) faz ou vende doces **2** que(m) gosta muito de doces

docência (do.cên.cia) *s.f.* **1** exercício do magistério ↺ discência **2** condição ou cargo de quem é professor ↺ discência

docente (do.cen.te) *adj.2g.* **1** relativo a ensino e a quem ensina *<corpo d.>* ↺ discente ■ *s.m.* **2** quem tem como profissão dar aulas em escola ou universidade; professor ↺ aluno

dócil (dó.cil) [pl.: *-eis*] *adj.2g.* **1** que se submete à vontade de outro; submisso ↺ insubmisso **2** de temperamento fácil; brando, manso *<cavalo d.>* ↺ bravo ~ **docilidade** *s.f.* - **docilizar** *v.t.d.*

documentação (do.cu.men.ta.ção) [pl.: *-ões*] *s.f.* **1** conjunto de documentos us. para esclarecer um fato ou assunto **2** reunião de documentos com o propósito de esclarecer ou provar alguma coisa *<d. dos alunos da escola>*

documentar (do.cu.men.tar) *v.* {mod. 1} *t.d.* **1** provar ou registrar (fato, episódio etc.) por meio de documentos *<o advogado pode d. as declarações prestadas>* □ *t.d. e pron.* **2** prover(-se) de documentos *<a biblioteca documentou o setor de obras raras> <documentou-se para prestar os exames>*

documentário (do.cu.men.tá.rio) *adj.* **1** relativo a documento ■ *s.m.* CINE TV **2** filme informativo ou didático sobre fatos da vida real, pessoas etc. ~ **documentarista** *adj.2g.s.2g.*

documento (do.cu.men.to) *s.m.* **1** declaração escrita, oficialmente reconhecida, que serve de prova de um acontecimento, fato ou estado *<d. de identidade>* **2** qualquer objeto que comprove, elucide, prove ou registre um fato, acontecimento etc. *<aquela igreja é um d. do Barroco brasileiro>* **3** INF arquivo de dados, esp. o gerado por processadores de texto ◉ COL documentação, papelada ~ **documental** *adj.2g.*

doçura (do.çu.ra) *s.f.* **1** característica do que é doce *<d. do mel>* **2** *fig.* o que é agradável aos sentidos corporais; brandura *<d. da pele, da voz>* ↺ aspereza **3** *fig.* meiguice, ternura *<d. das palavras>* ↺ aspereza **4** *fig.* sensação de bem-estar, de tranquilidade *<d. da noite>*

dodecaedro (do.de.ca.e.dro) *s.m.* MAT sólido formado por 12 faces planas ~ **dodecaédrico** *adj.*

dodecafonismo (do.de.ca.fo.nis.mo) *s.m.* MÚS sistema de composição que utiliza uma escala de 12 semitons ~ **dodecafonia** *s.f.* - **dodecafônico** *adj.*

dodecágono (do.de.cá.go.no) *s.m.* MAT figura plana formada por 12 lados e 12 ângulos ~ **dodecagonal** *adj.2g.*

dodecassílabo (do.de.cas.sí.la.bo) *adj.s.m.* LIT (verso) que tem 12 sílabas

dodói (do.dói) *adj.2g.* *l.inf.* **1** doente ou machucado *<ele está d.>* ■ *s.m.* *l.inf.* **2** escoriação, ferida **3** doença

doença (do.en.ça) *s.f.* **1** distúrbio da saúde de um humano, animal etc., manifestado por sintomas; enfermidade, moléstia ↺ saúde **2** *p.ext.* mania ou vício *<o jogo era uma d.>* ▣ **d. celíaca** MED intolerância hereditária à ingestão de glúten que ocasiona evacuações abundantes e frequentes, e desnutrição progressiva • **d. de Chagas** MED doença aguda transmitida pela picada do inseto denominado *barbeiro* ☞ cf. *Chagas* na parte enciclopédica • **d. do sono** MED doença infecciosa, causada por picada de uma mosca, caracterizada por febre, vômitos, tremores e tendência a dormir • **d. mental** PSIQ doença que afeta a mente ou a personalidade, caracterizada por alterações das emoções, do comportamento e da capacidade de julgar • **d. venérea** MED doença infectocontagiosa transmitida por contato sexual

doente (do.en.te) *adj.2g.s.2g.* **1** que(m) tem alguma doença; enfermo ↺ sadio, são, saudável (adjetivo) **2** que(m) padece de algum mal moral *<ela é uma (pessoa) d. de amor>* ↺ são ■ *adj.2g.* *fig.* *B* **3** que gosta muito de algo ou alguém; louco, obcecado *<d. pelo time de futebol>*

doentio (do.en.ti.o) *adj.* **1** sujeito a doenças **2** que revela doença; mórbido *<aparência d.>* ↺ saudável **3** nocivo à saúde física ou moral *<calor d.>* ↺ sadio **4** excessivo e prejudicial *<ciúme d.>* ↺ contido

doer (do.er) *v.* {mod. 9} *int.* **1** estar dolorido *<minha cabeça dói>* □ *t.i. e int.* **2** (prep. *a*) causar dor física ou moral *<doía-lhe ver o pai já tão alquebrado> <não se preocupe que essa injeção não dói>* □ *pron.* **3** (prep. *de*) arrepender-se *<acabou por d.-se do que dissera à amiga>* **4** (prep. *de*) apiedar-se, comover-se *<este não se dói dos miseráveis>* ◉ GRAM/USO só us. nas 3as p., exceto quando pron. ~ **doído** *adj.*

doesto (do.es.to) *s.m.* acusação desonrosa; insulto, afronta ↺ desafronta, desagravo

doge (do.ge) [fem.: *dogaressa, dogaresa, dogesa*] *s.m.* HIST magistrado das antigas repúblicas de Veneza e Gênova

dogma (dog.ma) *s.m.* **1** REL conjunto de princípios fundamentais e indiscutíveis de uma religião *<d. da Trindade>* **2** *p.ext.* princípio estabelecido; preceito, máxima

dogmático (dog.má.ti.co) *adj.* **1** relativo a dogma **2** relativo a dogmatismo ■ *adj.s.m.* **3** que(m) apresenta opiniões de modo convicto, não admitindo contradição ou discussão **4** que(m) é partidário do dogmatismo

dogmatismo (dog.ma.tis.mo) *s.m.* FIL **1** doutrina que prega a confiança no poder da razão humana em alcançar verdades absolutamente certas e seguras **2** *p.ext.* pensamento ou atitude de adesão irrestrita a princípios tidos como indiscutíveis ~ **dogmatista** *adj.2g.s.2g.* - **dogmatístico** *adj.*

dogue (do.gue) *s.m.* ZOO nome geral de várias raças de cães de guarda que têm pelo raso, pele enrugada, cabeça larga, focinho chato e mandíbula forte

doideira (doi.dei.ra) *s.f.* doidice

doidice (doi.di.ce) *s.f.* **1** perturbação das faculdades mentais; loucura, doideira ↺ sanidade **2** ato ou dito de doido, doideira *<cometer d.>* **3** *p.ext.* ato ou dito que traduz algum descontrole; doideira *<uma d. o que gasta em perfumes>*

doidivanas (doi.di.va.nas) *s.2g.2n.* *infrm.* pessoa extravagante, imprudente

doido (doi.do) *adj.s.m.* **1** que(m) apresenta sinais de loucura; louco, maluco **2** *p.ext.* *infrm.* que(m) age de modo insensato, sem juízo ■ *adj.* *infrm.* **3** muito feliz; encantado *<d. com o nascimento do filho>* **4** extravagante, exagerado *<roupa d.>* ↺ comum

dois [fem.: *duas*] *n.card.* **1** um mais um **2** diz-se desse número *<pastas de número d.>* **3** diz-se do segundo elemento de uma série *<tamanho d.>* **4** que equivale

D

a essa quantidade (diz-se de medida ou do que é contável) *<ter d. filhos>* ■ *s.m.2n.* **5** representação gráfica desse número *<na cópia, o d. não estava nítido>* ☞ em algarismos arábicos, *2*; em algarismos romanos, *II*

dois-pontos (dois-pon.tos) *s.m.pl.* **1** sinal (:) que precede citação, enumeração etc. **2** expressão que enfatiza o que vai ser dito em seguida *<o que eu tenho a dizer é o seguinte, d., nada feito>*

dólar (dó.lar) [pl.: *-es*] *s.m.* **1** ECON cédula e moeda us. em transações comerciais nos EUA, Austrália, Canadá, Hong-Kong e outros países **2** BOT planta ornamental, nativa da Índia, de folhas com nervuras

dolarização (do.la.ri.za.ção) [pl.: *-ões*] *s.f.* ECON substituição da moeda nacional pelo dólar americano em transações comerciais ~ **dolarizar** *v.t.d. e pron.*

doleiro (do.lei.ro) *adj.s.m.* que(m) negocia dólar americano no mercado paralelo

dolência (do.lên.cia) *s.f.* qualidade, estado ou condição de dolente; dor, sofrimento ↺ satisfação

dolente (do.len.te) *adj.2g.* **1** que expressa dor, mágoa ou tristeza *<versos, gemidos d.>* ↺ alegre **2** monótono *<som d.>*

dólmã (dól.mã) *s.m.* VEST casaco, ger. ajustado com cinto, abotoado de cima a baixo, de gola levantada, us. esp. por militares

dolo (do.lo) /ó/ *s.m.* **1** conduta fraudulenta de um indivíduo em relação a outro; astúcia ↺ boa-fé **2** DIR violação deliberada e consciente da lei

dolorido (do.lo.ri.do) *adj.* **1** com dor física ou moral; magoado, ressentido **2** *fig.* que revela dor *<meu d. coração>* ↺ alegre

doloroso (do.lo.ro.so) /ô/ [pl. e fem.: /ó/] *adj.* **1** que causa dor ou sofrimento *<a queimadura é d.>* *<separação d.>* ↺ indolor **2** que revela dor *<voz com tom d.>* ↺ animado

doloso (do.lo.so) /ô/ [pl. e fem.: /ó/] *adj.* **1** que atua com dolo; enganoso *<comerciante d.>* ↺ honesto **2** praticado com dolo (diz-se de falta, crime etc.) *<homicídio d.>* ☞ cf. *culposo*

[1]**dom** [pl.: *dons*] *s.m.* título dado a nobres, bispos etc. ☞ inicial ger. maiúsc. ◉ ORIGEM do lat. *domĭnus,i* 'proprietário'

[2]**dom** [pl.: *dons*] *s.m.* **1** aptidão inata para algo; inclinação, talento *<ter d. para a música>* **2** dádiva, presente dado por alguém ◉ ORIGEM do lat. *dōnum,i* 'id.'

domar (do.mar) *v.* {mod. 1} *t.d.* **1** fazer obedecer (animal selvagem); domesticar *<d. leões>* *<d. cavalos>* **2** *fig.* submeter à autoridade (adversários); subjugar *<d. os rebeldes>* □ *t.d. e pron. fig.* **3** controlar(-se) [paixões, emoções fortes etc.] *<d. a cólera>* *<d.-se em seus impulsos>* ~ **domação** *s.f.* - **domador** *adj.s.m.*

domesticar (do.mes.ti.car) *v.* {mod. 1} *t.d.* amansar (animal selvagem) de modo que possa conviver com o homem ~ **domesticação** *s.f.* - **domesticável** *adj.2g.*

doméstico (do.més.ti.co) *adj.* **1** relativo a lar, à vida particular de alguém; caseiro, familiar *<gostamos do ambiente d.>* ↺ estranho **2** referente à vida interna de um país *<voo d.>* ↺ estrangeiro **3** que vive junto com as pessoas (diz-se de animal) ↺ selvagem ■ *adj.s.m.* **4** (empregado) que cuida da casa ~ **domesticidade** *s.f.*

[1]**domiciliar** (do.mi.ci.li.ar) *v.* {mod. 1} *t.d.* **1** acolher em domicílio □ *t.d. e pron.* **2** (fazer) fixar moradia *<d. os imigrantes>* *<d.-se em outro país>* ◉ ORIGEM *domicílio* + [2]*-ar*

[2]**domiciliar** (do.mi.ci.li.ar) [pl.: *-es*] *adj.2g.* que ocorre em domicílio *<visita d.>* ◉ ORIGEM *domicílio* + [1]*-ar*

domicílio (do.mi.cí.lio) *s.m.* **1** residência fixa de uma pessoa **2** cidade ou região onde se situa essa residência **3** endereço fixo para efeitos legais *<d. eleitoral>*

dominação (do.mi.na.ção) [pl.: *-ões*] *s.f.* exercício do poder sobre pessoa, nação ou território; soberania *<países sob d. estrangeira>*

dominador (do.mi.na.dor) /ô/ [pl.: *-es*] *adj.s.m.* **1** (o) que detém o poder e procura dominar ■ *adj.* **2** que revela vontade de dominar *<olhar d.>*

dominante (do.mi.nan.te) *adj.2g.* **1** que detém o poder *<classe d.>* **2** que é mais difundido *<moda d.>* **3** que prevalece sobre *<valores d.>* **4** MED mais eficaz ou predominante na ação, ou que é us. preferencialmente *<olho d.>* **5** BIO que apresenta seu caráter hereditário de forma manifesta e visível (diz-se de gene) ☞ cf. *recessivo* ~ **dominância** *s.f.*

dominar (do.mi.nar) *v.* {mod. 1} *t.d.* **1** exercer poder ou grande influência sobre (pessoas, nações, instituições etc.) *<um bom ator domina a plateia>* **2** predominar, prevalecer *<o azul dominava as demais cores do quadro>* **3** conhecer bem, saber muito *<d. vários idiomas>* ↺ desconhecer □ *t.d. e pron.* **4** reprimir(-se), conter(-se) *<d. o agressor>* *<d.-se nas discussões>*

domingo (do.min.go) *s.m.* primeiro dia da semana

domingueiro (do.min.guei.ro) *adj.* **1** referente a domingo *<missa d.>* **2** que se veste ou se usa aos domingos *<traje d.>* **3** *p.ext.* que é alegre; festivo *<atitude d.>*

dominical (do.mi.ni.cal) [pl.: *-ais*] *adj.2g.* **1** relativo ao domingo **2** REL concernente ao Senhor

domínio (do.mí.nio) *s.m.* **1** autoridade, poder *<o d. do mais forte>* **2** direito de posse **3** conjunto de bens imóveis, territórios etc. *<senhor de vasto d.>* **4** controle sobre alguém *<tinha d. sobre os filhos>* **5** objeto privilegiado de estudo; especialidade *<a literatura é seu d.>* **6** esfera, campo de ação *<acabar com o analfabetismo é d. do Ministério da Educação>* **7** INTERN em rede de comunicação eletrônica, o final de um endereço, que identifica a instituição ou o provedor de acesso do servidor

dominó (do.mi.nó) *s.m.* RECR **1** conjunto de 28 pedras retangulares divididas em duas partes com pontos redondos de 1 a 6 formando combinações **2** qualquer jogo em que se usam essas pedras

dom-juan (dom-ju.an) [pl.: *dom-juans*] *s.m.* ver ***DONJUÁN***

dom-juanesco (dom-ju.a.nes.co) /ê/ [pl.: *dom-juanescos*] *adj.* próprio de ou que age como um *donjuán*

domo (do.mo) *s.m.* a parte externa de uma cúpula ('teto'); zimbório

dona (do.na) *s.f.* **1** tratamento respeitoso dado a senhoras [abrev.: *d.* ou *D.*] **2** proprietária *<d. de escola>* **3** *B infrm.* mulher *<não vou falar com essa d.>* ▣ **d. de casa** mulher que cuida dos afazeres diários da casa

donatário (do.na.tá.rio) *s.m.* **1** quem recebe doação **2** HIST fidalgo português a quem D. João III doou alguma capitania hereditária no Brasil

donativo (do.na.ti.vo) *s.m.* dádiva ou contribuição em dinheiro para fins de caridade *<d. para uma creche>*

donde (don.de) *contr.* **1** de onde, de que lugar *<d. partiu este trem?>* **2** por consequência, daí *<perdeu o juízo, d. as asneiras que tem feito>* ◉ GRAM/USO contr. da prep. *de* com o adv. *onde*

dondoca (don.do.ca) *s.f. B infrm.* mulher rica e fútil

doninha (do.ni.nha) *s.f.* ZOO mamífero carnívoro de corpo longo e esguio e de patas curtas; furão

donjuán (don.ju.án) [esp.] *s.m.* homem sedutor e sem escrúpulos; conquistador ⇒ pronuncia-se donruã

dono (do.no) *s.m.* **1** proprietário de algo; possuidor **2** quem domina algo *<d. da situação>*

donzela (don.ze.la) *s.f.* **1** mulher virgem, esp. jovem **2** filha de reis e de fidalgos antes de se casar

dopagem (do.pa.gem) [pl.: *-ens*] *s.f. B* **1** administração, em animal ou pessoa, de substâncias que provocam alterações no sistema nervoso **2** ESP ver ***DOPING***

dopamina (do.pa.mi.na) *s.f.* BIOQ neurotransmissor presente nas suprarrenais, indispensável para a atividade normal do cérebro

dopar (do.par) *v.* {mod. 1} *t.d.* **1** ministrar remédio calmante ou estimulante a ◻ *t.d. e pron.* **2** (fazer) consumir droga, ger. tranquilizante, entorpecente; drogar(-se)

doping (dop.ing) [ing.] *s.m.* **1** ESP aplicação ilegal de estimulantes que aumentam a resistência e o desempenho muscular de atletas em competições esportivas **2** esse estimulante ◉ GRAM/USO em ing., invariável ⇒ pronuncia-se dôupin ☞ no BR se fala dópin

-dor *suf.* → ***-OR***

dor /ô/ [pl.: *-es*] *s.f.* **1** sensação desagradável em qualquer parte do corpo, causada por doença, traumatismo, corte etc. ↺ bem-estar **2** sofrimento psicológico ou emocional *<quis dividir sua d.>* ↺ prazer ▼ ***dores*** *s.f.pl. infrm.* **3** os sofrimentos do trabalho de parto

doravante (do.ra.van.te) *adv.* de agora em diante *<d. ficará perto da família>*

dor de cotovelo (dor de co.to.ve.lo) [pl.: *dores de cotovelo*] *s.f. infrm.* sofrimento causado por ciúme ou decepção amorosa

dormência (dor.mên.cia) *s.f.* **1** estado de quem ou do que dorme ou está entorpecido **2** insensibilidade e formigamento nas extremidades dos membros *<d. nos dedos>*

dormente (dor.men.te) *adj.2g.s.2g.* **1** (o) que está adormecido ■ *adj.2g.* **2** *fig.* que é ou está estagnado; parado *<água d.>* **3** privado temporariamente de movimento e/ou de sensibilidade; insensível *<pés d.>* ↺ sensível ■ *s.m.* **4** cada uma das peças de madeira ou metal em que se assentam os trilhos de trem

dormida (dor.mi.da) *s.f.* **1** estado de quem dorme **2** período de sono *<entre uma d. e outra>* **3** hospedagem ou pousada para pernoitar **4** abrigo noturno de animais

dorminhoco (dor.mi.nho.co) /ô/[pl. e fem.: /ó/] *adj.s.m.* (o) que dorme muito

dormir (dor.mir) *v.* {mod. 28} *int.* **1** descansar em estado de sono; adormecer *<hoje vou d. cedo>* ↺ acordar **2** pegar no sono; adormecer *<demora muito a d.>* **3** *fig.* existir mas não se manifestar *<no peito a saudade dorme>* ↺ surgir **4** descuidar-se, distrair-se ◻ *t.i. fig. infrm.* **5** (prep. *com*) ter relação sexual com ◻ *t.d.* **6** passar dormindo *<dormiu uma noite tranquila>*

dormitar (dor.mi.tar) *v.* {mod. 1} *int.* estar sonolento, resistente ao sono ou sem conseguir desfrutá-lo; cochilar

dormitório (dor.mi.tó.rio) *s.m.* **1** aposento individual ou coletivo, para dormir **2** *B* mobília de quarto de dormir

dorsal (dor.sal) [pl.: *-ais*] *adj.2g.* **1** relativo ao dorso, às costas **2** situado sobre o dorso (diz-se de qualquer estrutura ou apêndice) *<nadadeira d.>*

dorso (dor.so) /ô/ *s.m.* **1** ANAT região posterior do tronco correspondente às vértebras; costas ↺ frente **2** lado superior ou posterior de parte do corpo ou de qualquer objeto *<d. do pé> <d. de uma fotografia>* **3** lombada de livro

dosagem (do.sa.gem) [pl.: *-ens*] *s.f.* **1** ação ou efeito de dosar *<substância de difícil d.>* **2** dose *<a d. do medicamento é de 5 ml por quilo>*

dosar (do.sar) *v.* {mod. 1} *t.d.* **1** estabelecer a dose de *<d. um remédio>* ◻ *t.d. e t.d.i.* **2** (prep. *com*) utilizar ou misturar na proporção certa ou apropriada *<d. leite (com café)> <d. severidade (com amor)>*

dose (do.se) *s.f.* quantidade padrão de remédio, bebida etc. *<uma d. de uísque> <d. diária de um anti-inflamatório>* ▣ **ser d.** ser ou tornar-se desagradável e/ou insuportável (diz-se de alguém, de algo, de situação etc.) *<é d. ter de acordar cedo>*

dossel (dos.sel) [pl.: *-éis*] *s.m.* armação forrada e franjada disposta sobre altares, camas etc.; sobrecéu

dossiê (dos.si.ê) *s.m.* conjunto de documentos sobre pessoa, instituição, país etc.

dotação (do.ta.ção) [pl.: *-ões*] *s.f.* **1** ação ou efeito de dotar **2** verba destinada a determinado fim *<d. para obras públicas>* **3** rendimento permanente para o sustento de uma pessoa, instituição etc.

dotar (do.tar) *v.* {mod. 1} *t.d.* **1** conceder dote a *<d. a filha>* **2** estabelecer renda permanente de (instituição, pessoa etc.) ◻ *t.d. e t.d.i.* **3** (prep. *de*) favorecer com (dom ou vantagem natural); agraciar *<Deus dotou-a de grande beleza>* ◻ *t.d.i. e pron.* **4** (prep. *de*) munir (-se), prover(-se) *<d. de pavimentação as ruas do bairro> <d.-se de novos conhecimentos>* ↺ privar(-se) ~ **dotador** *adj.s.m.*

dote (do.te) *s.m.* **1** dom natural, aptidão *<d. de cozinheira>* ☞ mais us. no pl. **2** conjunto de bens que o cônjuge leva ao casar-se (esp. a mulher)

dourado (dou.ra.do) *adj.* **1** que tem a cor do ouro *<trigo d.>* **2** ornado de ouro; áureo *<moldura d.>* **3** *fig.* feliz, venturoso *<anos d.>* ↺ infeliz ■ *s.m.* **4** a cor do ouro **5** ZOO *B* nome comum a diversos peixes de água doce, carnívoros, cuja carne é muito apreciada

dourar (dou.rar) *v.* {mod. 1} *t.d. e pron.* **1** (fazer) ficar da cor do ouro **2** *fig.* tornar(-se) luminoso ou brilhoso *<o sol dourava os telhados do casario> <as águas douravam-se espelhando o sol>* ◻ *t.d.* **3** aplicar camada de ouro em **4** fritar ou assar (comida) até tomar cor acobreada *<d. as cebolas>* ~ **douração** *s.f.* - **douradura** *s.f.*

-douro *suf.* **1** 'ação': *duradouro* **2** 'lugar': *ancoradouro, matadouro*

douto (dou.to) *adj.s.m.* **1** que(m) tem muitos conhecimentos; erudito ↺ inculto ■ *adj.* **2** que revela erudição <*d. anotações*>

doutor (dou.tor) /ô/ [pl.: *-res*] *s.m.* **1** tratamento dado esp. a médicos e advogados **2** *fig. infrm.* quem é experiente ou perito em algo ↺ aprendiz ■ *adj.s.m.* **3** que(m) fez curso de doutorado

doutorado (dou.to.ra.do) *s.m.* **1** curso de pós-graduação, ger. após o mestrado, pelo qual se adquire o título de doutor; doutoramento ■ *adj.* **2** com grau de doutor <*professor d. em física*> ~ **doutorar** *v.t.d. e pron.*

doutoral (dou.to.ral) [pl.: *-ais*] *adj.2g.* **1** próprio de doutor **2** *pej.* sentencioso, pedante; pretensioso <*tom d. das palavras*> ↺ humilde, simples

doutoramento (dou.to.ra.men.to) *s.m.* doutorado

doutorando (dou.to.ran.do) *s.m.* aluno de curso de doutorado

doutrina (dou.tri.na) *s.f.* **1** conjunto de ideias, princípios (científicos, religiosos, filosóficos etc.) a serem ensinados **2** norma de procedimento <*não respeitou a d. da instituição*> ~ **doutrinal** *adj.2g.*

doutrinar (dou.tri.nar) *v.* {mod. 1} *t.d.,t.d.i. e int.* **1** (prep. *em*) ensinar doutrina <*doutrinou a criança (nos princípios da fé)*> <*assim o velho mestre doutrinava*> □ *t.d.i.* **2** (prep. *a*) incutir (crença ou atitude) em <*d. o povo a não discutir ordens*> ~ **doutrinação** *s.f.* - **doutrinador** *adj.s.m.* - **doutrinamento** *s.m.*

doutrinário (dou.tri.ná.rio) *adj.* **1** relativo a doutrina **2** que demonstra excessivo apego a uma doutrina; sistemático <*comportamento d.*> **3** *p.ext.* que se expressa de modo sentencioso; doutoral <*tom d. das palavras*>

download (down.load) [ing.] *s.m.* INF aquisição de cópia, em computador, de um arquivo da internet <*o d. de uma música*> ◉ GRAM/USO em ing., é um verbo ⇒ pronuncia-se daunlôud ▣ **fazer um *d.*** INF baixar ('transferir')

doze (do.ze) *n.card.* **1** dez mais dois **2** diz-se desse número <*o número d. é o meu favorito*> **3** diz-se do décimo segundo elemento de uma série <*não temos o tamanho d. desse sapato*> **4** que equivale a essa quantidade (diz-se de medida ou do que é contável) <*ficou d. horas trabalhando*> ■ *s.m.* **5** representação gráfica desse número ☞ em algarismos arábicos, *12*; em algarismos romanos, *XII*

draconiano (dra.co.ni.a.no) *adj.s.m.* (o) que é muito severo e rigoroso

draga (dra.ga) *s.f.* máquina, flutuante ou não, us. para retirar areia, lama ou lodo do fundo do mar, de rios e canais

dragão (dra.gão) [pl.: *-ões*; fem.: *dragoa*] *s.m.* **1** animal fabuloso, parecido com um grande lagarto, ger. representado com garras de leão, asas, longo pescoço e uma grande boca, que lança fogo **2** soldado de cavalaria que tb. combatia a pé **3** *B pej.* pessoa muito feia (esp. mulher)

dragar (dra.gar) *v.* {mod. 1} *t.d.* limpar (mar, rio, canal), retirando com draga areia, detritos etc. ~ **dragagem** *s.f.*

drágea (drá.gea) *s.f.* **1** FARM comprimido coberto de uma camada dura e ger. doce **2** CUL bala feita de amêndoa coberta com açúcar endurecido

dragona (dra.go.na) *s.f.* VEST adorno com franjas nos ombros de uniformes militares

drama (dra.ma) *s.m.* **1** CINE LIT TEAT TV peça teatral, novela, romance etc. que imita a ação direta das pessoas **2** a arte dramática **3** *fig.* situação de grande tensão ou conflito <*a negociação com os sequestradores foi um d.*> **4** *p.ext.* catástrofe produzida por acidente, crime etc. <*o d. dos desabrigados*> ☞ cf. *comédia*

dramalhão (dra.ma.lhão) [pl.: *-ões*] *s.m. pej.* drama exageradamente trágico, com várias tensões emocionais; melodrama

dramático (dra.má.ti.co) *adj.* **1** relativo a drama <*narrativa d.*> **2** que trabalha em dramas (diz-se de ator, escritor) **3** que causa aflição ou emoção; comovente <*cena de perseguição d.*> ↺ cômico ~ **dramaticidade** *s.f.*

dramatizar (dra.ma.ti.zar) *v.* {mod. 1} *t.d.* **1** dar forma de drama a (romance, conto, poema etc.) **2** *fig. pej.* exagerar na representação ou valorização de (fato, situação, sentimento etc.) <*dramatizou a desculpa para convencer a mãe*> ~ **dramatização** *s.f.*

dramaturgia (dra.ma.tur.gi.a) *s.f.* **1** TEAT arte ou técnica de escrever e representar peças de teatro <*escola de d.*> **2** conjunto dos recursos técnicos teatrais <*uma peça de d. genial*> **3** o produto da utilização de tais recursos <*uma d. da obra de Monteiro Lobato*> **4** conjunto de peças teatrais de um período, escola ou autor <*a d. de Martins Pena*>

dramaturgo (dra.ma.tur.go) *s.m.* TEAT autor de peças de teatro

drapear (dra.pe.ar) ou **drapejar** (dra.pe.jar) *v.* {mod. 5} *t.d.* **1** fazer dobras ou ondulações em (tecido) ↺ alisar □ *int.* **2** mover-se com ondulações (bandeira, vela etc.), agitado pelo vento ~ **drapeado/drapejado** *adj.s.m.*

drástico (drás.ti.co) *adj.* **1** que age ou funciona com energia; enérgico, radical <*medidas d.*> ↺ ameno ■ *adj.s.m.* FARM **2** (purgante) que produz evacuações intensas

drenagem (dre.na.gem) [pl.: *-ens*] *s.f.* **1** ato ou efeito de drenar **2** escoamento de águas de um terreno alagado por meio de um sistema de tubos, valas, fossos etc. **3** MED retirada de líquidos do organismo por meio de dreno

drenar (dre.nar) *v.* {mod. 1} *t.d.* fazer sair, escoar água, secreção ou outro líquido de <*d. um terreno*> <*d. um abscesso*>

dreno (dre.no) *s.m.* **1** em terrenos úmidos, canal para escoamento de águas **2** MED tubo flexível para escoar líquidos do corpo

driblar (dri.blar) *v.* {mod. 1} *t.d.* **1** ESP gingar o corpo, controlando a bola, para escapar das investidas de (adversário) <*o atacante driblou o goleiro e fez o gol*> **2** *fig.* tentar enganar, iludir <*d. a vigilância do pai*> **3** *fig. infrm.* esquivar-se, evitar <*d. os cobradores*>

drible (dri.ble) *s.m.* **1** ESP movimento de corpo para escapar do adversário, mantendo o controle da bola; finta **2** *p.ext.* ginga de corpo para escapar de algo ou alguém

drinque (drin.que) *s.m.* *B* bebida alcoólica que se toma antes ou no intervalo das refeições, pura ou misturada num coquetel

drive [ing.] *s.m.* INF *B* dispositivo que serve para ler, gravar ou eliminar dados em um computador ⇒ pronuncia-se dráiv

droga (dro.ga) *s.f.* **1** substância ou ingrediente us. em farmácia, tinturaria, laboratórios químicos etc. **2** substância que altera a consciência e causa dependência; entorpecente *<tráfico de drogas>* **3** *infrm.* coisa ruim ou sem valor ■ *interj.* **4** manifesta insatisfação *<d., perdi o trem!>*

drogado (dro.ga.do) *adj.s.m.* **1** que(m) está sob efeito de drogas **2** que(m) consome drogas com frequência

drogar (dro.gar) *v.* {mod. 1} *t.d. e pron.* dar a (alguém) ou usar narcótico, entorpecente ou alucinógeno

drogaria (dro.ga.ri.a) *s.f.* local onde se vendem e/ou manipulam drogas; farmácia

dromedário (dro.me.dá.rio) *s.m.* ZOO mamífero herbívoro, da família do camelo, com apenas uma corcova

dropes (dro.pes) *s.m.2n. B* tipo de bala ou pastilha, ger. em forma de disco

druida (drui.da) [fem.: *druidesa* e *druidisa*] *s.m.* HIST REL sacerdote celta, com funções de educador e juiz

druídico (dru.í.di.co) *adj.* concernente aos druidas ou ao druidismo

druidismo (dru.i.dis.mo) *s.m.* HIST REL doutrina religiosa dos druidas, fator de unidade dos povos celtas

drupa (dru.pa) *s.f.* BOT fruto simples, com semente única formando o caroço, freq. comestível (p.ex., azeitona, coco, manga etc.) ~ **drupáceo** *adj.*

Ds QUÍM símbolo de *darmstádtio*

DST *s.f.* sigla de doença sexualmente transmissível

dual (du.al) [pl.: *-ais*] *adj.2g.s.m.* (o) que tem duas partes, aspectos etc. em relação de correspondência e reciprocidade *<o homem é um ser d., composto de corpo e alma>* ~ **dualidade** *s.f.*

dualismo (du.a.lis.mo) *s.m.* FIL REL doutrina, credo ou sistema filosófico em que dois princípios opostos coexistem, basicamente corpo/espírito, bem/mal

dúbio (dú.bio) *adj.* **1** sujeito a diferentes interpretações; ambíguo *<palavras d.>* ↺ inequívoco **2** *p.ext.* que não se pode descrever ou definir *<olhos de cor d.>* ↺ determinado **3** *p.ext.* que vacila; hesitante *<já idoso, adquiriu um andar d.>* ↺ firme ~ **dubiedade** *s.f.*

dubitável (du.bi.tá.vel) [pl.: *-eis*] *adj.2g.* que se pode pôr em dúvida; impreciso *<depoimento d.>* ↺ indubitável, incontestável

dublagem (du.bla.gem) [pl.: *-ens*] *s.f. B* **1** CINE TV gravação de falas posterior à filmagem **2** CINE TV substituição de um idioma por outro na trilha sonora **3** mímica feita sobre uma gravação em *playback* ~ **dublar** *v.t.d.*

dublê (du.blê) *s.2g. B* **1** CINE TV substituto de ator em cenas perigosas ou de nudez **2** quem tem duas atividades simultâneas *<d. de escritor e paisagista>*

dúbnio (dúb.nio) *s.m.* QUÍM elemento químico artificial, anteriormente denominado *unnilpentium* [símb.: *Db*] ☞ cf. *tabela periódica* (no fim do dicionário)

ducado (du.ca.do) *s.m.* **1** território de um duque **2** título de duque **3** nome de várias moedas de ouro ou prata de diversos países e épocas

ducentésimo (du.cen.té.si.mo) *n.ord.* **1** (o) que, numa sequência, ocupa a posição número 200 ■ *n.frac.* **2** (o) que é 200 vezes menor que a unidade

ducha (du.cha) *s.f.* **1** jato de água lançado sobre o corpo com fim higiênico e/ou terapêutico **2** *p.ext.* chuveiro com jato forte **3** banho nesse chuveiro *<vou tomar uma d.>*

dúctil (dúc.til) [pl.: *-eis*] *adj.2g.* **1** que se pode esticar ou comprimir sem se romper ou quebrar; elástico, flexível *<metal d.>* ↺ sólido **2** que pode ser reduzido a fio (diz-se de metal) **3** *fig.* que se adapta a circunstâncias e conveniências; dócil *<personalidade d.>* ↺ rígido ~ **ductilidade** *s.f.*

ducto (duc.to) *s.m.* **1** duto **2** ANAT cada um dos diversos condutos que dão passagem a secreções ou excreções

duelar (du.e.lar) *v.* {mod. 1} *t.i. e int.* **1** (prep. *com*) lutar (duas pessoas) à mão armada, segundo regras específicas, por desafio, motivo de honra etc. *<duelou com o arqui-inimigo> <os mosqueteiros duelavam por profissão>* **2** *fig.* (prep. *por*) confrontar (ideias, forças etc.); bater-se *<os pilotos duelavam pela dianteira> <duelaram diversas vezes no tribunal>*

duelo (du.e.lo) *s.m.* **1** luta, com armas iguais, em campo aberto e na presença de testemunhas, ajustada para reparação da honra de um dos dois adversários **2** *fig.* oposição conflituosa de ideias, sentimentos, forças etc. *<que belo d. travaram aqueles advogados!>* ~ **duelista** *adj.2g.s.2g.*

duende (du.en.de) *s.m.* FOLC homenzinho de orelhas pontudas e espírito travesso, das lendas europeias

dueto (du.e.to) /ê/ *s.m.* **1** MÚS composição para duas vozes ou dois instrumentos **2** MÚS conjunto formado por dois cantores ou dois músicos **3** coreografia para dois bailarinos **4** *p.ext. infrm.* qualquer atividade entre duas pessoas

dulçor (dul.çor) /ô/ [pl.: *-es*] *s.m.* doçura ~ **dulçoroso** *adj.*

dumping (dump.ing) [ing.] *s.m.* venda de produtos a um preço inferior ao do mercado, esp. no mercado internacional, com o objetivo de derrotar a concorrência ⇒ pronuncia-se dâmpin

duna (du.na) *s.f.* GEOL monte de areia formado ger. pelo vento ◉ GRAM/USO dim.irreg.: *duneta*

duo (du.o) *s.m.* dueto

duodeno (du.o.de.no) *s.m.* ANAT parte inicial do intestino delgado ~ **duodenal** *adj.2g.*

dupla (du.pla) *s.f.* **1** par de seres ou coisas **2** aliança de duas pessoas numa atividade *<d. de médicos>*

dúplex (dú.plex) /cs/ *n.mult.* **1** multiplicado por dois; duplo ■ *adj.2g.2n.s.m.2n.* **2** (o) que tem duas camadas, funções etc.; duplo **3** (o) que se construiu em dois andares (casa, apartamento, cobertura) ◉ GRAM/USO em nível infrm. da língua, pronuncia-se como oxítona

duplicação (du.pli.ca.ção) [pl.: *-ões*] *s.f.* **1** ato ou efeito de duplicar **2** repetição, cópia

duplicar (du.pli.car) *v.* {mod. 1} *t.d.,int. e pron.* **1** tornar(-se) duas vezes maior em quantidade, em tamanho etc.; dobrar *<d. os ingredientes do bolo> <a dor diminuiria, se a receita (se) duplicasse>* □ *t.d.* **2** fazer duas vezes; repetir *<d. uma célula>* **3** multiplicar por dois □ *t.d. e int. fig.* **4** aumentar muito; (fazer) crescer *<a distância duplica o afeto> <expandiu a produção e suas tarefas duplicaram>* ~ **duplicador** *adj.s.m.*

duplicata (du.pli.ca.ta) *s.f.* **1** qualquer objeto ou representação idêntica a outra; cópia, reprodução **2** numa coleção, figurinha, selo, livro etc. repetido *<tem uma d. para trocar?>* **3** ECON título de crédito nominativo que obriga o devedor a pagar, no prazo marcado, o valor da fatura

dúplice (dú.pli.ce) *n.mult.* **1** multiplicado por dois; duplo *<vias d.>* ■ *adj.2g.* **2** *fig.* falso, dissimulado *<rapaz de caráter d.>* ↺ verdadeiro **3** com duas camadas (diz-se de papel)

duplicidade (du.pli.ci.da.de) *s.f.* **1** estado ou característica do que é ou está duplicado **2** dissimulação, fingimento

duplo (du.plo) *n.mult.* **1** que contém duas vezes a mesma quantidade *<receita d. de bolo>* ■ *s.m.* **2** quantidade duas vezes maior; dobro *<oito é o d. de quatro>* **3** aquele que é muito parecido com outro; sósia ■ *adj.* **4** que tem dois componentes, funções etc. *<via de mão d.>* **5** em que se identificam duas características contraditórias *<d. personalidade>*

[1]**duque** (du.que) [fem.: *duquesa*] *s.m.* título de nobreza abaixo de príncipe ◉ ORIGEM do lat. *dux,ducis* 'condutor, guia'

[2]**duque** (du.que) *s.m.* RECR carta ou pedra de jogo de dominó, víspora etc., que vale dois pontos ◉ ORIGEM duv., talvez do lat. *duo,ae,o* 'dois, duas'

duquesa (du.que.sa) /ê/ *s.f.* **1** senhora que possui o título correspondente ao de [1]duque **2** esposa do [1]duque

-dura *suf.* equivale a *-ura* ('ação')

durabilidade (du.ra.bi.li.da.de) *s.f.* característica ou qualidade do que é durável; resistência *<d. do couro>*

duração (du.ra.ção) [pl.: *-ões*] *s.f.* **1** tempo durante o qual alguma coisa acontece, existe ou persiste *<d. das férias>* **2** característica do que resiste ao tempo, ao uso; durabilidade *<d. de um produto>* ↺ fragilidade

duradouro (du.ra.dou.ro) *adj.* que dura muito; durável *<material d.>* *<sentimento d.>*

duralumínio (du.ra.lu.mí.nio) *s.m.* QUÍM liga de alumínio com magnésio, leve e resistente, us. em esquadrias, aviões etc.

dura-máter (du.ra-má.ter) [pl.: *duras-máteres*] *s.f.* ANAT a membrana mais externa do cérebro e da medula espinhal ☞ cf. *aracnoide* e *pia-máter*

durame (du.ra.me) ou **durâmen** (du.râ.men) [pl.: *durâmenes* e *(B) duramens*] *s.m.* BOT cerne ('parte interna')

durante (du.ran.te) *prep.* **1** exprime duração ou permanência de algo num tempo determinado *<dormir d. todo o filme>* **2** em um momento no curso de *<viu o Papa d. a visita a Roma>*

durão (du.rão) [pl.: *-ões*; fem.: *durona*] *adj.s.m.* *B infrm.* que(m) possui grande força física e/ou moral

durar (du.rar) *v.* {mod. 1} *int.* **1** existir de maneira contínua; permanecer, prolongar-se *<a guerra durou muitos anos>* **2** continuar vivo *<adoeceu e durou três meses>* **3** manter o mesmo estado ou características; conservar-se *<o linho é um tecido que dura>*

durável (du.rá.vel) [pl.: *-eis*] *adj.2g.* que dura; duradouro, resistente *<tecido d.>*

durex (du.rex) /cs/ *s.m.2n.* *B* fita adesiva ☞ marca registrada (*Durex*) que passou a designar seu gênero ◉ GRAM/USO admite-se tb. o pl. *durexes*

dureza (du.re.za) /ê/ *s.f.* **1** propriedade que caracteriza a matéria que é firme e resistente; rigidez ↺ maciez **2** característica do que é difícil de suportar *<d. do clima>* ↺ amenidade **3** *fig.* rudeza, severidade *<tratar os filhos com d.>* ↺ brandura **4** *p.ext.* ação cruel, desumana *<durezas da guerra>* **5** *B infrm.* falta de dinheiro

duro (du.ro) *adj.* **1** que resiste ao desgaste e à penetração; resistente *<couro d.>* **2** *fig.* árduo, penoso *<inverno d.>* ↺ ameno **3** que não é flexível ou macio; desconfortável *<colchão d.>* **4** que tem atitudes firmes; inflexível *<pai d.>* ■ *adj.s.m.* *B infrm.* **5** (pessoa) sem dinheiro ↺ rico ■ *adv.* *infrm.* **6** intensamente *<trabalhar d.>* **7** sem delicadeza ou pena *<falou d. com ele>*

duto (du.to) *s.m.* **1** qualquer meio de ligação; canal *<um d. entre as duas lagoas>* **2** *fig.* pessoa ou coisa que serve de canal *<o voto é um d. entre o povo e o poder>*

dúvida (dú.vi.da) *s.f.* **1** sentimento de incerteza sobre a verdade ou probabilidade *<d. sobre qual dos dois tinha razão>* ↺ convicção **2** falta de confiança; suspeita *<a d. está entre nós>* ↺ confiança **3** dificuldade de entendimento *<o professor tirava as d.>*

duvidar (du.vi.dar) *v.* {mod. 1} *t.i.* **1** (prep. *de*) não estar convencido de *<Bentinho duvidava da fidelidade de Capitu>* ↺ acreditar **2** (prep. *de*) não ter confiança em; desconfiar, suspeitar *<Jonas duvidou do olhar da namorada para o amigo>* ↺ crer □ *t.d.* **3** considerar impossível *<duvido que voltes aqui>* ↺ acreditar

duvidoso (du.vi.do.so) /ô/ [pl. e fem.: /ó/] *adj.* **1** que transmite muitas dúvidas; incerto *<resultado d.>* ↺ certo **2** que não merece confiança *<produto de origem d.>* ↺ confiável **3** que contraria certos princípios, ger. estéticos *<gosto d.>* ↺ comum

duzentos (du.zen.tos) *n.card.* **1** cem mais cem **2** diz-se desse número *<o memorando de número d.>* **3** diz-se do ducentésimo elemento de uma série *<ofício d.>* *<cadeira d. do teatro>* **4** que equivale a essa quantidade (diz-se de medida ou do que é contável) *<aquela cidade está a d. metros de altitude>* *<há d. vagas para merendeiros>* ■ *s.m.2n.* **5** representação gráfica desse número *<o d. do número de inscrição estava ilegível>* ☞ em algarismos arábicos, *200*; em algarismos romanos, *CC* ◉ GRAM/USO seguido do conectivo *e* antes das dezenas e unidades, forma os numerais cardinais entre 200 e 300

dúzia (dú.zia) *s.f.* conjunto de 12 unidades *<uma d. de laranjas>*

DVD [ing.; pl.: *DVDs*] *s.m.* INF disco óptico digital adaptado à multimídia e ao vídeo digital, cuja capacidade de armazenamento é superior à do CD ⇒ pronuncia-se dividi, *corrente* devedê

DVD player (DVD play.er) [ing.; pl.: *DVD players*] *loc. subst.* equipamento que executa arquivos de multimídia (esp. vídeos) gravados em *DVD* ⇒ pronuncia-se dividi plêier, *corrente* devedê plêier

Dy QUÍM símbolo de *disprósio*

dzeta (dze.ta) *s.m.* a sexta letra do alfabeto grego (ζ, Z)

Ee

e /é *ou* ê/ *s.m.* **1** quinta letra do nosso alfabeto, vogal ■ *n.ord. (adj.2g.2n.)* **2** diz-se do quinto elemento de uma série *<casa E> <item 1e>* ☞ empr. após um substantivo ou numeral **3** diz-se da quinta classe na escala de poder e riqueza *<classe E>* ◉ GRAM/USO na acp. s.m., pl.: *ee* ◉ ORIGEM do nome da quinta letra do alfabeto latino

e /ê/ *conj.adt.* **1** une palavras ou orações de mesmo valor sintático *<João e Maria> <come e dorme>* ■ *conj.advrs.* **2** opõe uma situação a outra; mas, porém, no entanto *<ia sair e choveu>* ◉ ORIGEM do lat. *et* 'id.' ▣ **e comercial** sinal gráfico [&] que substitui a conjunção aditiva *e*

E símbolo de *este* ou *leste* (na rosa dos ventos)

E. abreviatura de *este* ou *leste* ('região') ☞ cf. *L.*

e- *pref.* 'movimento para fora' (equivalente a *ex-*): *emigrar*

e- [ing.] *el.comp.* INF us. em compostos cujo segundo elemento é em geral palavra do inglês (p.ex., *e-mail*) designando atividades e produtos ligados à internet ⇒ pronuncia-se i

-ear *suf.* **1** 'repetição, duração': *folhear, pisotear* **2** 'transformação': *cachear, casear*

e-banking (e-bank.ing) [ing.] *s.m.* ver ***BANCO ELETRÔNICO*** ⇒ pronuncia-se i benquin

ébano (é.ba.no) *s.m.* BOT árvore de madeira resistente e escura

ebola (e.bo.la) *s.m.* MED vírus mortal que causa febre hemorrágica

ebonite (e.bo.ni.te) *s.f.* QUÍM borracha vulcanizada, us. na indústria elétrica

e-book [ing.; pl.: *e-books*] *s.m.* INF INTERN **1** livro em suporte eletrônico, esp. para distribuição via internet, feito ou adaptado para esse tipo de mídia **2** aparelho portátil, próprio para recepção, armazenamento e visualização de livros transmitidos por meios informáticos ⇒ pronuncia-se i buk

ebriedade (e.bri.e.da.de) *s.f.* bebedeira ↺ sobriedade

ébrio (é.brio) *adj.s.m.* **1** que(m) está ou vive bêbado ↺ sóbrio ■ *adj. fig.* **2** que se deixa transtornar por algum forte sentimento; extasiado *<é. de paixão>*

ebulição (e.bu.li.ção) [pl.: *-ões*] *s.f.* **1** FÍS passagem de um líquido ao estado gasoso através do seu aquecimento *<a água entrou em e. e a chaleira apitou>* **2** BIOQ efervescência gasosa que ocorre na fermentação **3** *fig.* estado de euforia; agitação *<a turma estava em e.>* ↺ apatia

ebulidor (e.bu.li.dor) /ô/ [pl.: *-es*] *adj.s.m.* **1** (aparelho com um resistor elétrico) que se usa para fazer ferver pequenas quantidades de água ■ *adj.* **2** que provoca ebulição

ebúrneo (e.búr.neo) *adj.* **1** de marfim **2** semelhante a marfim

e-business (e-busi.ness) [ing.] *s.m.* INTERN ver ***COMÉRCIO ELETRÔNICO*** ⇒ pronuncia-se i biznis

eca (e.ca) *s.f.* **1** *infrm.* coisa suja; porcaria ■ *interj.* **2** *infrm.* exprime nojo, aversão, desprazer (esp. do paladar e olfato)

ECA (E.CA) *s.m.* sigla de *Estatuto da Criança e do Adolescente*

echarpe (e.char.pe) *s.f.* VEST faixa de tecido leve us. ao redor do pescoço

eclampsia (e.clamp.si.a) ou **eclâmpsia** (e.clâmp.sia) *s.f.* MED doença grave que pode ocorrer no final da gravidez, com convulsões causadas por hipertensão arterial ~ **eclâmptico** *adj.*

ecler (e.cler) [pl.: *-es*] *s.m.* CUL bomba ('doce')

eclesiástico (e.cle.si.ás.ti.co) *adj.* **1** relativo à Igreja ou aos seus sacerdotes ■ *s.m.* **2** membro do corpo social da Igreja; padre, sacerdote

eclético (e.clé.ti.co) *adj.s.m.* que(m) mistura um pouco de cada estilo, doutrina etc. *<teoria e.> <decoração e.>*

ecletismo (e.cle.tis.mo) *s.m.* qualquer teoria ou prática que escolhe o que parece melhor entre várias doutrinas, métodos ou estilos

eclipsar (e.clip.sar) *v.* {mod. 1} *t.d. e pron.* ASTR **1** causar ou sofrer eclipse (astro) *<a Lua eclipsou o Sol>* *<o planeta eclipsou-se>* □ *t.d. fig.* **2** tirar o brilho de; ofuscar *<a apresentação deles não pode e. a nossa>* **3** ser superior a; exceder *<esse trabalho, com certeza, eclipsará os demais>*

eclipse (e.clip.se) *s.m.* ASTR obscurecimento total ou parcial de um astro por outro *<o e. encobriu toda a lua>* ~ **eclíptico** *adj.*

eclodir (e.clo.dir) *v.* {mod. 24} *int.* **1** tornar-se visível de repente; surgir, aparecer *<uma luz forte eclodiu no céu>* **2** irromper, rebentar *<a revolução eclodiu>* **3** ZOO sair de ovo, casca etc. *<os canários eclodiram>* **4** desabrochar

écloga (é.clo.ga) ou **égloga** (é.glo.ga) *s.f.* LIT poesia bucólica em que pastores dialogam

eclosão (e.clo.são) [pl.: *-ões*] *s.f.* **1** aparecimento **2** desabrochamento

eclusa (e.clu.sa) *s.f.* em rios com grande desnível, dique que permite a descida ou subida de embarcações

-eco *suf.* 'diminuição e depreciação': *livreco*

eco (e.co) *s.m.* **1** FÍS repetição de um som causada pelo retorno de uma onda sonora que atingiu um obstáculo **2** repercussão (de um fato etc.) *<sua atitude teve e. entre os jovens>*

ecoar (e.co.ar) *v.* {mod. 1} *int.* **1** produzir eco *<seus gritos ainda ecoavam>* **2** *fig.* causar impressão generalizada; repercutir *<entre os amigos, suas palavras ecoaram mal>* □ *t.d.* **3** tornar a fazer, a dizer; repetir *<e. os sentimentos do grupo>* ~ **ecoante** *adj.2g.*

ecocardiograma (e.co.car.dio.gra.ma) *s.m.* ultrassonografia do coração

ecocídio (e.co.cí.dio) *s.m.* ECO destruição deliberada de um ecossistema

ecoencefalograma (e.co.en.ce.fa.lo.gra.ma) *s.m.* representação gráfica das estruturas cerebrais obtida por ultrassonografia

ecografia (e.co.gra.fi.a) *s.f.* ultrassonografia ~ **ecografar** *v.t.d.* - **ecográfico** *adj.*

ecolalia (e.co.la.li.a) *s.f.* **1** hábito ou mania de fazer rimar palavras, falando ou escrevendo **2** MED forma de afasia em que o paciente repete de modo automático palavras ou frases que ouve

ecologia (e.co.lo.gi.a) *s.f.* BIO ciência que estuda as relações entre os seres vivos e o meio ambiente ~ **ecológico** *adj.*

ecologicamente (e.co.lo.gi.ca.men.te) *adv.* do ponto de vista da ecologia; no que se refere ao equilíbrio entre o homem, o ambiente e os demais organismos *<produtos e. corretos>*

ecologista (e.co.lo.gis.ta) *adj.2g.s.2g.* que(m) se dedica a ações ambientalistas

ecólogo (e.có.lo.go) *s.m.* aquele que se dedica ao estudo da ecologia

economês (e.co.no.mês) [pl.: *-eses*] *s.m. joc.* linguajar técnico dos economistas

economia (e.co.no.mi.a) *s.f.* **1** controle ou moderação das despesas ou outros recursos *<se quisermos viajar, temos de fazer e.>* *<um banho rápido gera e. de água>* ↺ desperdício **2** ECON ciência que estuda produção, distribuição e consumo de bens materiais necessários ao bem-estar; ciências econômicas **3** aproveitamento racional e consciente de recursos materiais ▼ ***economias*** *s.f.pl.* **4** dinheiro acumulado com o controle dos gastos; poupança *<usaram as e. para reformar a casa>* ▣ **e. de mercado** ECON sistema em que a oscilação de preços é conduzida pelo mercado, com intervenção mínima do Estado • **e. informal** ECON prática em que o comerciante não paga impostos

economicamente (e.co.no.mi.ca.men.te) *adv.* **1** do ponto de vista da economia *<países e. atrasados>* **2** no que se refere ao equilíbrio entre receitas e despesas *<a empresa tornou-se e. inviável>* **3** com economia; gastando pouco dinheiro *<vive com comodidade, mas sabe comprar e.>*

econômico (e.co.nô.mi.co) *adj.* **1** que diz respeito a economia *<as medidas e. visam combater a inflação>* **2** que gasta pouco e/ou não dá muita despesa *<uma pessoa e.>* *<um carro e.>* ↺ esbanjador **3** que custa pouco; barato ↺ caro

economista (e.co.no.mis.ta) *adj.2g.s.2g.* profissional de economia ~ **ecônomo** *s.m.*

economizar (e.co.no.mi.zar) *v.* {mod. 1} *t.d. e int.* **1** gastar com moderação; poupar ↺ esbanjar □ *t.d.* **2** juntar (dinheiro); poupar, amealhar **3** deixar de gastar; poupar *<e. tempo indo pelo atalho>*

ecoproduto (e.co.pro.du.to) *s.m.* produto cujo impacto sobre o ecossistema é muito reduzido

ecosfera (e.cos.fe.ra) *s.f.* ECO conjunto de regiões do universo onde podem existir organismos vivos

ecossistema (e.cos.sis.te.ma) *s.m.* sistema que inclui os seres vivos, o meio ambiente e suas inter-relações; biogeocenose ~ **ecossistêmico** *adj.*

ecoturismo (e.co.tu.ris.mo) *s.m.* ECO turismo praticado em áreas naturais, que incentiva a conservação do meio ambiente, com atividades além da recreação, como o estudo e a educação; turismo ecológico

ectoplasma (ec.to.plas.ma) *s.m.* **1** BIO camada mais externa do citoplasma **2** em parapsicologia, substância visível considerada capaz de produzir materialização do espírito ~ **ectoplasmático** *adj.*

ecumênico (e.cu.mê.ni.co) *adj.* **1** relativo a ecumenismo **2** de âmbito geral, universal ↺ individual **3** que congrega pessoas de diferentes credos e ideologias *<um encontro e.>* *<uma cerimônia e.>*

ecumenismo (e.cu.me.nis.mo) *s.m.* REL movimento favorável à união de todas as igrejas cristãs ~ **ecumenista** *adj.2g.s.2g.*

ecúmeno (e.cú.me.no) *adj.s.m.* **1** (área geográfica) sempre habitada pelo homem ■ *s.m.* **2** o todo, o universal

eczema (ec.ze.ma) *s.m.* MED inflamação alérgica da pele que produz vesículas, descamação e coceira

edema (e.de.ma) *s.m.* MED acúmulo anormal de líquidos nos tecidos do organismo ~ **edemático** *adj.*

edematoso (e.de.ma.to.so) /ô/ [pl.: /ó/] *adj.* MED que apresenta edema

éden (é.den) [pl.: *edens*] *s.m.* **1** REL jardim em que Adão e Eva viveram, o paraíso terrestre, segundo a Bíblia ☞ inicial maiúsc. **2** paraíso ~ **edênico** *adj.*

edição (e.di.ção) [pl.: *-ões*] *s.f.* **1** publicação de uma obra (texto, partitura, disco etc.) **2** conjunto de exemplares de uma obra, impressos em uma só tiragem *<segunda e. de um livro>* **3** atividade de editor **4** REC.AV seleção e montagem final de textos ou imagens para jornal, televisão, cinema etc. **5** RÁD TV cada uma das transmissões de um determinado programa jornalístico

edificação (e.di.fi.ca.ção) [pl.: *-ões*] *s.f.* **1** construção de um edifício ↺ demolição **2** casa, edifício **3** condução à virtude *<e. do caráter>* **4** ação de instruir, esclarecer, informar *<colaborar para a e. do povo>* ↺ desinformação

edificante (e.di.fi.can.te) *adj.2g.* que conduz à virtude ↺ degradante

edificar (e.di.fi.car) *v.* {mod. 1} *t.d.* **1** levantar, erguer (construção); construir *<e. um palácio>* **2** fundar, criar (teoria, doutrina etc.) □ *t.d.,int. e pron.* **3** induzir ou ser induzido à virtude; engrandecer(-se) *<a leitura edifica o homem> <dediquem-se a programas que edificam> <e.-se frequentando atividades culturais>* ~ **edificador** *adj.s.m.*

edifício (e.di.fí.cio) *s.m.* imóvel de vários andares; prédio

edifício-garagem (e.di.fí.cio-ga.ra.gem) [pl.: *edifícios-garagem* e *edifícios-garagens*] *s.m.* prédio feito exclusivamente para guardar carros

edifício-sede (e.di.fí.cio-se.de) [pl.: *edifícios-sedes* e *edifícios-sede*] *s.m.* edifício onde uma empresa ou instituição tem o seu principal estabelecimento ou a maior quantidade de funcionários

edil (e.dil) [pl.: *-is*] *s.m.* vereador

edílico (e.dí.li.co) *adj.* referente a edil ☞ cf. *idílico*

edilidade (e.di.li.da.de) *s.f.* exercício das funções de edil

edital (e.di.tal) [pl.: *-ais*] *s.m.* escrito oficial com avisos, determinações etc. afixado em local público ou publicado na imprensa

editar (e.di.tar) *v.* {mod. 1} *t.d.* **1** publicar (obra) **2** REC.AV selecionar e combinar imagens, sons etc. para montar (filme, programa de rádio ou televisão etc.)

edito (e.di.to) *s.m.* DIR qualquer determinação legal ☞ cf. *édito*

édito (é.di.to) *s.m.* DIR mandado judicial publicado em edital ☞ cf. *edito*

editor (e.di.tor) /ô/ [pl.: *-es*] *adj.s.m.* **1** que(m) publica livros, partituras etc. **2** que(m) prepara um texto para ser publicado **3** que(m) decide conteúdo e forma final de jornal, telejornal, filme etc. ▣ **e. de textos 1** indivíduo responsável pela preparação, organização e revisão dos originais de uma obra para publicação; editor **2** INF programa de computador que cria e altera textos

editora (e.di.to.ra) /ô/ *s.f.* instituição que edita livros *<os livros dessa e. têm capas muito bonitas>*

editoração (e.di.to.ra.ção) [pl.: *-ões*] *s.f.* **1** conjunto das atividades de um editor **2** preparação e revisão de textos para impressão **3** *p.ext.* conjunto de atividades relacionadas com a publicação de livros, produção de discos, vídeos, *CD-ROM* etc. **4** *p.ext.* INF elaboração de informações transmitidas por meios eletrônicos ▣ **e. eletrônica** INF uso de recursos da informática nas atividades editoriais ~ **editorar** *v.t.d.*

editorador (e.di.to.ra.dor) /ô/ [pl.: *-es*] *adj.s.m.* que(m) editora

editoria (e.di.to.ri.a) *s.f.* REC.AV conjunto das seções de um jornal, revista etc. sob o comando de um editor *<e. de política> <e. de esportes>*

editorial (e.di.to.ri.al) [pl.: *-ais*] *adj.2g.* **1** referente a editor ou editora ■ *s.m.* **2** artigo em jornal ou revista com a opinião de seus editores

editorialista (e.di.to.ri.a.lis.ta) *adj.2g.* **1** relativo a editorial ■ *adj.2g.s.2g.* **2** que(m) escreve editoriais

-edo *suf.* 'coleção': *arvoredo*

edredom (e.dre.dom) [pl.: *-ons*] *s.m.* cobertor acolchoado, tb. us. como colcha

educação (e.du.ca.ção) [pl.: *-ões*] *s.f.* **1** processo para o desenvolvimento físico, intelectual e moral de um ser humano **2** conjunto dos métodos empregados nesse processo; instrução, ensino **3** desenvolvimento metódico (de faculdade, sentido, órgão etc.) *<e. da memória>* **4** civilidade, polidez ↺ incivilidade ▣ **e. básica** *B* conjunto formado pela educação infantil, o ensino fundamental e o ensino médio • **e. de jovens e adultos** *B* curso compacto para suprir escolaridade incompleta de jovens e adultos • **e. infantil** *B* parte da e. básica que cuida da educação de crianças de 0 a 5 anos • **e. superior** *B* curso com duração de quatro a seis anos no qual as pessoas que terminam o ensino médio estudam uma ciência e adquirem uma profissão ~ **educacional** *adj.2g.*

educandário (e.du.can.dá.rio) *s.m.* estabelecimento de ensino; escola

educando (e.du.can.do) *s.m.* aluno

educar (e.du.car) *v.* {mod. 1} *t.d.* **1** fornecer a (alguém) os cuidados necessários ao pleno desenvolvimento físico, intelectual e moral *<educou seus filhos muito bem>* **2** transmitir saber a; ensinar, instruir **3** fazer (o animal) obedecer; domesticar □ *pron.* **4** buscar atingir alto grau de desenvolvimento; aperfeiçoar-se ~ **educado** *adj.* - **educador** *adj.s.m.*

educativo (e.du.ca.ti.vo) *adj.* **1** relativo a educação; educacional **2** que contribui para a educação *<brinquedos e.>*

edulcorante (e.dul.co.ran.te) *adj.2g.s.m.* adoçante ~ **edulcorar** *v.t.d.*

efe (e.fe) *s.m.* nome da letra *f*

efeito (e.fei.to) *s.m.* **1** aquilo que é produzido por uma causa; resultado, consequência *<a miséria é um e. da injustiça social>* ↺ causa **2** o que gera uma sensação, uma influência *<a advertência surtiu e.>* **3** o que produz um resultado esperado; eficácia *<remédio de grande e.>* ↺ ineficácia **4** REC.AV recurso artístico ou técnico que atrai a atenção *<e. sonoro>* ▣ **e. colateral** MED efeito indireto, ger. maléfico, do uso de um medicamento ou tratamento • **e. estufa** ECO MET aquecimento das camadas atmosféricas inferiores causado pelo acúmulo de certos gases no ar • **com e.** de fato, efetivamente *<com e., o trabalho foi bem realizado>* • **levar a e.** realizar

efeméride (e.fe.mé.ri.de) *s.f.* **1** fato importante em determinada data **2** comemoração de um fato importante, de uma data etc. ▼ ***efemérides*** *s.f.pl.* **3** livro que registra acontecimentos diários

efêmero (e.fê.me.ro) *adj.* que dura pouco ↺ duradouro ~ **efemeridade** *s.f.*

efeminado (e.fe.mi.na.do) *adj.s.m.* afeminado

efervescência (e.fer.ves.cên.cia) *s.f.* **1** ato de ferver ou seu efeito **2** formação de bolhas de gás em um meio líquido **3** comoção, agitação *<a novidade causou e. na escola>* ↺ apatia ~ efervescer *v.int.*

efervescente (e.fer.ves.cen.te) *adj.2g.* **1** que apresenta ou pode apresentar efervescência ('formação de bolhas') *<comprimido e.>* **2** *fig.* que se mostra agitado, exaltado, excitado *<festa e.>*

E

efetivo (e.fe.ti.vo) *adj.* **1** que produz efeito real ■ *adj.s.m.* **2** (funcionário) estável *<trabalha como funcionário e.> <apenas os e. receberam aumento>* ■ *s.m.* **3** MIL número real de militares que integram uma formação terrestre, aérea ou naval **4** DIR ECON ativo disponível de uma empresa ~ **efetivamente** *adv.* - **efetividade** *s.f.*

efetuação (e.fe.tu.a.ção) [pl.: *-ões*] *s.f.* execução, realização

efetuar (e.fe.tu.ar) *v.* {mod. 1} *t.d. e pron.* **1** levar ou ir a efeito; realizar, acontecer *<e. um programa de governo> <a separação efetuou-se sem traumas>* □ *t.d.* **2** fazer (operação matemática) *<efetue essa soma>*

eficácia (e.fi.cá.cia) *s.f.* capacidade de atingir o efeito esperado *<a e. desse produto foi comprovada diversas vezes>*

eficaz (e.fi.caz) [pl.: *-es*] *adj.2g.* que produz o efeito esperado; produtivo *<vacina e.>* ↺ ineficaz

eficiência (e.fi.ci.ên.cia) *s.f.* capacidade de atingir o efeito esperado, da forma desejada *<surpreendeu-se com a e. do motorista>*

eficiente (e.fi.ci.en.te) *adj.2g.* que produz o efeito esperado, da forma desejada; competente, capaz *<mensagem e.> <dentista e.>*

efígie (e.fí.gie) *s.f.* imagem, figura, retrato de pessoa ou personagem *<lançaram um selo com a e. do presidente>*

eflorescência (e.flo.res.cên.cia) *s.f.* BOT formação e surgimento da flor

efluência (e.flu.ên.cia) *s.f.* eflúvio ('odor')

efluir (e.flu.ir) *v.* {mod. 26} *int.* fluir de; emanar ~ **efluente** *adj.2g.*

eflúvio (e.flú.vio) *s.m.* **1** odor sutil exalado de um fluido, corpo etc.; efluência **2** emissão de energia ou matéria *<e. de inteligência>*

efusão (e.fu.são) [pl.: *-ões*] *s.f.* **1** derramamento (de líquido) ou expansão (de gás) **2** *fig.* manifestação expansiva e espontânea de afeto, de alegria ↺ frieza

efusivo (e.fu.si.vo) *adj.* que se manifesta com efusão; entusiasmado *<abraço e.>* ↺ tímido

égide (é.gi.de) *s.f.* defesa, proteção *<elegeu-se sob a é. do ex-prefeito>* ↺ desamparo

egiptologia (e.gip.to.lo.gi.a) *s.f.* ciência que estuda o antigo Egito ~ **egiptológico** *adj.*

egiptólogo (e.gip.tó.lo.go) *s.m.* especialista em egiptologia

égloga (é.glo.ga) *s.f.* → ÉCLOGA

ego (e.go) *s.m.* **1** PSIC núcleo da personalidade de uma pessoa **2** PSICN nível psíquico criado pelas experiências do indivíduo e que exerce função de controle sobre o seu comportamento, sendo grande parte de seu funcionamento inconsciente ☞ cf. *superego*

egocêntrico (e.go.cên.tri.co) *adj.s.m.* que(m) age voltado para si mesmo, sem se preocupar com os interesses alheios ↺ altruísta ~ **egocentrismo** *s.m.*

egoísmo (e.go.ís.mo) *s.m.* apego excessivo aos próprios interesses sem consideração pelos alheios

egoísta (e.go.ís.ta) *adj.2g.* **1** relativo a egoísmo *<comportamento e.>* ↺ altruísta ■ *adj.2g.s.2g.* **2** (aquele) que manifesta egoísmo, que só pensa em si mesmo ↺ altruísta

egrégio (e.gré.gio) *adj.* **1** muito distinto (diz-se esp. dos tribunais superiores e de seus juízes) **2** admirável, magnífico ↺ abominável

egresso (e.gres.so) *adj.* **1** que se afastou ■ *s.m.* **2** afastamento, saída ↺ entrada **3** indivíduo que largou o convento **4** DIR indivíduo que saiu da prisão após cumprimento da pena

égua (é.gua) *s.f.* ZOO fêmea do cavalo

eh *interj.* exprime ânimo, incitação

ei *interj.* us. para saudação ou chamado *<ei, você aí!>*

-eima *suf.* 'qualidade': *guloseima*

einstêinio (eins.têi.nio) ou **einstênio** (eins.tê.nio) *s.m.* QUÍM elemento químico artificial radioativo e metálico [símb.: *Es*] ☞ cf. *tabela periódica* (no fim do dicionário)

-eira *suf.* **1** 'ocupação': *lavadeira* **2** 'árvore produtora': *mangueira* **3** 'coleção, quantidade': *cabeleira* **4** 'local, receptáculo': *lixeira*

eira (ei.ra) *s.f.* **1** local para debulhar e limpar cereais e legumes **2** área onde se deposita o sal nas salinas ▣ **sem e. nem beira** muito pobre

-eirão *suf.* 'aumento': *vozeirão*

-eiro *suf.* **1** 'agente, profissão': *jornaleiro* **2** 'árvore produtora': *limoeiro* **3** 'quantificação': *nevoeiro* **4** 'local, receptáculo': *galinheiro, açucareiro* **5** 'origem, nacionalidade': *brasileiro* **6** 'relação': *verdadeiro*

eis *adv.* aqui está *<e. a minha contribuição>*

eita (ei.ta) *interj.* eta

eito (ei.to) *s.m.* **1** série de coisas postas em fila **2** *B* limpeza de uma plantação **3** *B* plantação em que trabalhavam escravos ▣ **a e.** sem interrupção

eiva (ei.va) *s.f.* **1** fenda, rachadura em vidro, cerâmica ou porcelana **2** marca de apodrecimento em um fruto **3** defeito físico do pescoço de bovinos **4** *fig.* imperfeição física ou moral

eivado (ei.va.do) *adj.* contaminado, infectado, maculado *<a redação estava e. de erros>*

eixo (ei.xo) *s.m.* **1** reta, real ou imaginária, que atravessa o centro de um corpo e em torno da qual o corpo gira ou pode girar *<o e. de um planeta>* **2** peça que articula em torno de si, em movimento de rotação, partes de um mecanismo **2.1** barra em cujos extremos são fixadas rodas de um veículo ou de outra máquina **3** *fig.* ponto ou ideia central *<o e. de um raciocínio>* ▣ **e. de manivela** ENG peça de um motor de explosão que transforma o movimento retilíneo alternado do conjunto êmbolo-biela em movimento circular; virabrequim

ejaculação (e.ja.cu.la.ção) [pl.: *-ões*] *s.f.* **1** forte derramamento (de líquido); jato **2** emissão de esperma pela uretra

ejacular (e.ja.cu.lar) *v.* {mod. 1} *t.d.* **1** lançar de si (um líquido) □ *int.* **2** emitir esperma

-ejar *suf.* **1** 'repetição': *gotejar* **2** 'transformação': *verdejar*

ejeção (e.je.ção) [pl.: *-ões*] *s.f.* expulsão

ejetar (e.je.tar) *v.* {mod. 1} *t.d.* lançar fora; expelir, expulsar *<o polvo ejeta um líquido negro quando está ameaçado>* *<o programa ejetará o CD-ROM automaticamente>* ~ **ejetor** *adj.s.m.*

-ejo *suf.* 'diminuição': *lugarejo*

-ela *suf.* 'diminuição': *rodela*

ela (e.la) *pron.p.* **1** fem. de *ele* /ê/ ■ *s.f.* **2** *infrm.* cachaça

elã (e.lã) *s.m.* **1** movimento espontâneo; impulso **2** entusiasmo, vivacidade *<discursou com e.>* *<e. patriótico>* **3** inspiração criativa

elaboração (e.la.bo.ra.ção) [pl.: *-ões*] *s.f.* **1** preparação cuidadosa *<a e. de um jantar chique>* **2** produção, feitura *<e. de uma tabela>*

elaborar (e.la.bo.rar) *v.* {mod. 1} *t.d.* **1** preparar pouco a pouco, com cuidado, precisão *<e. um plano>* **2** tornar mais complexo *<e. mais um texto>* □ *pron.* **3** produzir-se, formar-se *<a saliva se elabora na boca>*

elastano (e.las.ta.no) *s.m.* QUÍM fibra sintética à base de poliuretano, us. na fabricação de tecidos elásticos

elasticidade (e.las.ti.ci.da.de) *s.f.* **1** FÍS propriedade de um corpo sofrer deformação, quando submetido à tração, e retornar à forma original **2** *fig.* agilidade física; flexibilidade *<a e. do atleta>*

elástico (e.lás.ti.co) *adj.* **1** que volta à forma inicial depois de ser deformado *<fita e.>* **2** impreciso, inexato *<palavra de sentido e.>* ↺ exato **3** de princípios pouco rígidos *<moral e.>* ↺ rígido ■ *s.m.* **4** tira de borracha, us. para prender ou apertar

eldorado (el.do.ra.do) *s.m.* lugar imaginário cheio de riquezas e oportunidades

ele (e.le) /é/ *s.m.* nome da letra *l*

ele (e.le) /ê/ *pron.p.* **1** representa a 3ª p.sing. e é us. para indicar aquele ou aquilo de que se fala ou escreve ■ *s.m.* **2** diabo

elefante (e.le.fan.te) [fem.: *elefanta*] *s.m.* ZOO mamífero de grande porte com uma tromba, originário da Ásia e África ◉ voz subst.: barrido ▣ **e. branco** *fig.* coisa inútil ou pouco prática *<a estante grande era um e. branco>*

elefantíase (e.le.fan.tí.a.se) *s.f.* MED doença causada pelo verme filária, caracterizada por inchaço crônico esp. das pernas devido à falta de circulação

elefantino (e.le.fan.ti.no) *adj.* **1** que diz respeito ou é semelhante a elefante **2** relativo a elefantíase

elegância (e.le.gân.cia) *s.f.* **1** graça e distinção no porte e nos modos *<a e. de um gesto>* **2** comportamento cortês, distinto; gentileza, fineza ↺ grosseria **3** adequação e fineza na linguagem *<e. de um verso>* **4** correção de caráter moral; honradez

elegante (e.le.gan.te) *adj.2g.s.2g.* que(m) tem elegância *<rapaz e.>* *<bilhete e.>*

eleger (e.le.ger) *v.* {mod. 8} *t.d. e t.d.pred.* **1** optar por (alguém ou algo), entre dois ou mais; escolher *<elegeram a praia para as próximas férias>* *<elegeu-o padrinho de casamento>* **2** escolher por votação *<a maioria elegeu-o presidente>* □ *pron.* **3** passar ao exercício de (cargo ou função) *<elegeu-se diretor da empresa>* ◉ GRAM/USO part.: *elegido, eleito*; ver QUADRO DE PARTICÍPIOS DUPLOS nas pp. iniciais ~ **eleito** *adj.s.m.*

elegia (e.le.gi.a) *s.f.* **1** LIT poema lírico melancólico **2** MÚS canção lamentosa ~ **elegíaco** *adj.*

elegível (e.le.gí.vel) [pl.: *-eis*] *adj.2g.* que se pode eleger ↺ inelegível ~ **elegibilidade** *s.f.*

eleição (e.lei.ção) [pl.: *-ões*] *s.f.* escolha, por voto, de alguém para ocupar um posto, cargo etc.; votação, pleito *<o representante de turma foi escolhido na última e.>*

eleitor (e.lei.tor) /ô/ [pl.: *-es*] *adj.s.m.* que(m) elege ou pode eleger ◉ COL eleitorado

eleitorado (e.lei.to.ra.do) *s.m.* conjunto de eleitores

eleitoral (e.lei.to.ral) [pl.: *-ais*] *adj.2g.* relativo a eleição *<calendário e.>*

eleitoreiro (e.lei.to.rei.ro) *adj. pej.* diz-se de manobra ou acordo político cuja finalidade é apenas conseguir votos

elementar (e.le.men.tar) [pl.: *-es*] *adj.2g.* **1** que diz respeito a elemento(s) **2** que funciona de modo primário, simples *<mecanismo e.>* ↺ complexo **3** *p.ext.* de fácil compreensão; básico, essencial *<conceitos e.>* ↺ difícil

elemento (e.le.men.to) *s.m.* **1** QUÍM substância formada de átomos com o mesmo número atômico **2** parte constituinte de um todo; componente *<faltavam dois e. para completar o aparelho>* *<se tivessem mais e. poderiam avaliar melhor a situação>* **3** ambiente, meio *<na piscina sentia-se em seu e.>* **4** *infrm.* indivíduo, sujeito *<andava com maus e.>* ▼ ***elementos*** *s.m.pl.* **5** noções básicas *<e. de psicologia>*

elenco (e.len.co) *s.m.* **1** enumeração, lista, relação *<e. de materiais para a obra>* **2** REC.AV lista dos atores de um espetáculo *<e. de uma novela>*

elepê (e.le.pê) *s.m.* disco fonográfico de vinil, gravado em sulcos mínimos e tocado à velocidade de 33 1/3 rotações por minuto; vinil

eletivo (e.le.ti.vo) *adj.* **1** relativo a eleição **2** feito por eleição, escolha, preferência; optativo *<matérias e.>* *<cirurgia e.>*

eletracústica (e.le.tra.cús.ti.ca) *s.f.* FÍS eletroacústica ~ **eletracústico** *adj.*

eletrencefalografia (e.le.tren.ce.fa.lo.gra.fi.a) *s.f.* MED eletroencefalografia

eletrencefalograma (e.le.tren.ce.fa.lo.gra.ma) *s.m.* MED eletroencefalograma

eletricidade (e.le.tri.ci.da.de) *s.f.* **1** forma de energia utilizada na indústria e em residências para produzir luz, gerar calor e acionar motores **2** ELETR FÍS conjunto de fenômenos naturais que envolvem cargas elétricas estacionárias ou em movimento **2.1** FÍS ciência que estuda esses fenômenos **3** carga elétrica *<cuidado com a e. nos trilhos>*

eletricista (e.le.tri.cis.ta) *adj.2g.s.2g.* que(m) instala redes elétricas ou faz consertos em aparelhos elétricos

elétrico (e.lé.tri.co) *adj.* **1** que diz respeito a eletricidade **2** movido a eletricidade *<bicicleta e.>* **3** *fig.* muito rápido *<uma visita e.>* ↺ demorado **4** *fig.* muito agitado ou nervoso *<esse menino está e.>* ↺ calmo

E

eletrificação (e.le.tri.fi.ca.ção) [pl.: *-ões*] *s.f.* ELETR **1** ato de eletrificar ou seu efeito **2** ato de dotar (algo) de propriedades elétricas

eletrificar (e.le.tri.fi.car) *v.* {mod. 1} *t.d.* **1** ELETR FÍS dotar de carga elétrica *<e. uma cerca>* **2** instalar dispositivos elétricos em *<e. a região rural>*

eletrizante (e.le.tri.zan.te) *adj.2g.* **1** carregado de eletricidade **2** *fig.* que provoca grande entusiasmo; alucinante, encantador *<espetáculo e.>* ↺ enfadonho

eletrizar (e.le.tri.zar) *v.* {mod. 1} *t.d.* ELETR FÍS **1** criar ou desenvolver propriedades elétricas em **2** dotar de carga elétrica; eletrificar □ *t.d. e pron. fig.* **3** maravilhar(-se), encantar(-se) *<o cantor eletrizou as fãs> <eletrizou-se com o filme>* ~ **eletrização** *s.f.*

eletroacústica (e.le.tro.a.cús.ti.ca) *s.f.* FÍS ciência que estuda a conversão de energia elétrica em sonora e vice-versa; eletracústica ~ **eletroacústico** *adj.*

eletrocardiografia (e.le.tro.car.dio.gra.fi.a) *s.f.* MED análise do registro feito pelo eletrocardiograma ~ **eletrocardiográfico** *adj.*

eletrocardiógrafo (e.le.tro.car.di.ó.gra.fo) *s.m.* aparelho que realiza o eletrocardiograma

eletrocardiograma (e.le.tro.car.dio.gra.ma) *s.m.* MED registro gráfico das variações elétricas que resultam da atividade do músculo cardíaco

eletrocussão (e.le.tro.cus.são) [pl.: *-ões*] *s.f.* morte por choque elétrico

eletrocutar (e.le.tro.cu.tar) *v.* {mod. 1} *t.d.* matar por choque elétrico ~ **eletrocutor** *adj.s.m.*

eletrodinâmica (e.le.tro.di.nâ.mi.ca) *s.f.* FÍS estudo das cargas elétricas em movimento ~ **eletrodinâmico** *adj.*

elétrodo (e.lé.tro.do) ou **eletrodo** (e.le.tro.do) /ô/ *s.m.* ELETRÔN FÍS **1** condutor de corrente elétrica, ger. metálico **2** ELETR cada uma das placas de um capacitor

eletrodoméstico (e.le.tro.do.més.ti.co) *adj.s.m.* diz--se de ou aparelho elétrico us. em tarefas domésticas (p.ex., geladeira, micro-ondas)

eletroencefalografia (e.le.tro.en.ce.fa.lo.gra.fi.a) *s.f.* MED análise de eletroencefalograma; eletrencefalografia ~ **eletroencefalográfico** *adj.*

eletroencefalograma (e.le.tro.en.ce.fa.lo.gra.ma) *s.m.* MED registro das variações elétricas do cérebro por meio de elétrodos presos à cabeça; eletrencefalograma

eletro-hidráulico (e.le.tro-hi.dráu.li.co) [pl.: *eletro--hidráulicos*] ou **eletroidráulico** (e.le.tro.i.dráu.li.co) *adj.* ELETR ENG **1** relativo a uma combinação de mecanismos elétricos e hidráulicos **2** que envolve ou é produzido pela ação de descargas elétricas de alta voltagem

eletroímã (e.le.tro.í.mã) *s.m.* ELETR FÍS ímã com um núcleo de ferro que é magnetizado ao ter o fio que o envolve atravessado por uma corrente elétrica; eletromagneto

eletrólise (e.le.tró.li.se) *s.f.* FISQUÍM decomposição de eletrólito ('solução') por meio de corrente elétrica ~ **eletrolisar** *v.t.d.* · **eletrolítico** *adj.*

eletrólito (e.le.tró.li.to) *s.m.* **1** ELETR condutor elétrico em que o transporte de corrente é feito por íons **2** QUÍM solução condutora de eletricidade

eletromagnetismo (e.le.tro.mag.ne.tis.mo) *s.m.* FÍS conjunto de fenômenos físicos referentes à interação entre campos elétricos e campos magnéticos e sua inter-relação ~ **eletromagnético** *adj.*

eletromagneto (e.le.tro.mag.ne.to) *s.m.* ELETR FÍS eletroímã

eletromotor (e.le.tro.mo.tor) /ô/ [pl.: *-es*] *adj.s.m.* ELETR ELETRÔN (o) que desenvolve eletricidade

elétron (e.lé.tron) [pl.: *elétrons*] *s.m.* FÍS partícula de carga elétrica negativa, presente em todos os átomos

eletronegativo (e.le.tro.ne.ga.ti.vo) *adj.* FÍS que atrai elétrons (diz-se de elemento) ~ **eletronegatividade** *s.f.*

eletrônica (e.le.trô.ni.ca) *s.f.* FÍS estudo do comportamento de circuitos elétricos e suas aplicações

eletrônico (e.le.trô.ni.co) *adj.* referente a eletrônica

eletrostática (e.le.tros.tá.ti.ca) *s.f.* FÍS estudo das cargas elétricas quando em repouso

eletrostático (e.le.tros.tá.ti.co) *adj.* referente a eletrostática

eletrotecnia (e.le.tro.tec.ni.a) *s.f.* ciência das aplicações técnicas da eletricidade

eletrotécnico (e.le.tro.téc.ni.co) *adj.* **1** referente a eletrotecnia ■ *adj.s.m.* **2** especialista em eletrotecnia

elevação (e.le.va.ção) [pl.: *-ões*] *s.f.* **1** ação de elevar (-se) ou seu efeito **2** parte ou área mais alta que seu entorno *<e. do terreno>* ↺ depressão **3** ascensão a cargo ou categoria social superior; promoção, engrandecimento *<sua e. a gerente custou-lhe muitas amizades>* ↺ rebaixamento **4** aumento (de preço ou quantidade) *<e. do preço das passagens>* ↺ redução

elevado (e.le.va.do) *s.m.* **1** viaduto ■ *adj.* **2** que se eleva ou elevou **3** superior, sublime *<inspiração e.>* ↺ vulgar

elevador (e.le.va.dor) /ô/ [pl.: *-es*] *s.m.* **1** cabine para deslocamento vertical de pessoas ou cargas ■ *adj.* **2** que eleva

elevar (e.le.var) *v.* {mod. 1} *t.d. e pron.* **1** pôr(-se) em plano ou ponto superior; levantar(-se) *<a chuva elevou o nível dos rios> <seus braços elevaram-se para abraçar o pai>* ↺ baixar **2** voltar(-se) para o alto; erguer(-se) *<e. o olhar> <os olhos elevaram-se para apreciar a queima de fogos>* ↺ baixar **3** *fig.* exaltar(-se), enaltecer(-se) *<é preciso e. os trabalhadores da nação> <não parava de e.-se por ter vencido a corrida>* □ *t.d.* **4** construir, erguer *<e. duas paredes>* **5** aumentar (preço, valor, quantidade) ↺ diminuir **6** subir o tom de (voz)

elevatória (e.le.va.tó.ria) *s.f.* estação elevatória

elevatório (e.le.va.tó.rio) *adj.* **1** que serve para elevar **2** relativo a elevação

-elho *suf.* 'diminuição': *artelho, grupelho*

eliminação (e.li.mi.na.ção) [pl.: *-ões*] *s.f.* ato ou efeito de eliminar(-se) *<a e. do time deixou os torcedores tristes>*

eliminar (e.li.mi.nar) *v.* {mod. 1} *t.d. e t.d.i.* **1** (prep. *de*) retirar (algo) [de um conjunto, um todo]; excluir, suprimir *<a prova eliminou vários candidatos> <ele eliminou um parágrafo do relatório>* **2** (prep. *de*) fazer sair; expulsar *<a diretoria eliminou do clube alguns sócios>* □ *t.d.* **3** fazer sumir; apagar *<e. as pistas do crime>* **4** destruir, extinguir *<os novos prédios eliminaram áreas de vegetação>* **5** matar, assassinar

eliminatória (e.li.mi.na.tó.ria) *s.f.* exame ou competição que pode resultar em eliminação

eliminatório (e.li.mi.na.tó.rio) *adj.* que tem a finalidade ou a possibilidade de eliminar *<prova e.>*

elipse (e.lip.se) *s.f.* **1** GEOM figura representada por uma curva fechada de forma oval com ambas as extremidades semelhantes **2** GRAM supressão de um termo que pode ser subentendido pelo contexto (p.ex.: *meu livro não está aqui,* [ele] *sumiu!*)

elíptico (e.líp.ti.co) *adj.* **1** GEOM referente ou semelhante a uma elipse **2** GRAM próprio de frase ou construção em que existe elipse

elisão (e.li.são) [pl.: *-ões*] *s.f.* **1** supressão, omissão, eliminação ↺ inclusão **2** GRAM supressão da vogal final de uma palavra quando a próxima começa por vogal (p.ex.: *d'água* [de água]) ~ **elidir** *v.t.d.*

elite (e.li.te) *s.f.* **1** o melhor ou mais valorizado num grupo social **2** SOC minoria que detém o prestígio e o domínio sobre o grupo social *<a e. dos alunos> <os produtos da loja são apenas para a e.>* ↺ escória ~ **elitizar** *v.t.d.*

elitismo (e.li.tis.mo) *s.m.* **1** influência de uma elite **2** consciência ou pretensão de ser da elite ou de pertencer a uma elite **3** discriminação social e/ou cultural que resulta de elitismo; esnobismo ~ **elitista** *adj.2g.s.2g.*

elixir (e.li.xir) [pl.: *-es*] *s.m.* **1** FARM solução com substâncias medicinais e/ou aromáticas *<e. para dor de barriga>* **2** bebida a que se costuma atribuir propriedades mágicas *<buscava o e. da eterna juventude>*

elmo (el.mo) *s.m.* peça de armadura medieval que protegia a cabeça

-elo *suf.* 'diminuição': *magrelo*

elo (e.lo) *s.m.* **1** argola de corrente **2** vínculo, ligação *<buscavam um e. entre os acontecimentos> <os amigos têm um e. muito forte>*

elocução (e.lo.cu.ção) [pl.: *-ões*] *s.f.* **1** exposição de um pensamento por palavras **2** modo de expressar-se, oralmente ou na escrita

elogiar (e.lo.gi.ar) *v.* {mod. 1} *t.d.* fazer elogios a (pessoa, fato, atuação etc.); louvar as qualidades de *<as revistas de moda elogiaram a nova coleção do estilista>* ↺ criticar

elogio (e.lo.gi.o) *s.m.* aprovação explícita das qualidades de uma pessoa, um trabalho, um gesto etc.; louvor *<fizeram muitos e. ao seu trabalho>* ↺ crítica

elogioso (e.lo.gi.o.so) /ô/ [pl. e fem.: /ó/] *adj.* que apresenta ou contém elogio

eloquência (e.lo.quên.cia) /qü/ *s.f.* **1** arte de falar bem ↺ ineloquência **2** *p.ext.* poder de persuadir pela palavra

eloquente (e.lo.quen.te) /qü/ *adj.2g.* **1** que tem facilidade de expressar-se *<um diretor e.>* **2** *p.ext.* persuasivo, convincente *<após um discurso e., conquistou muitos votos>*

elucidação (e.lu.ci.da.ção) [pl.: *-ões*] *s.f.* explicação, esclarecimento

elucidar (e.lu.ci.dar) *v.* {mod. 1} *t.d. e pron.* tornar (-se) claro, compreensível; esclarecer(-se) *<e. um mistério> <e.-se sobre as novas normas do clube>* ↺ complicar(-se)

elucidário (e.lu.ci.dá.rio) *s.m.* publicação que esclarece assuntos de difícil entendimento

elucidativo (e.lu.ci.da.ti.vo) *adj.* que explica *<um comentário e.>*

elucubração (e.lu.cu.bra.ção) [pl.: *-ões*] *s.f.* **1** estudo trabalhoso; lucubração **2** meditação, reflexão profunda; lucubração **3** pensamento teórico longo, artificial e complicado

elucubrar (e.lu.cu.brar) *v.* {mod. 1} *t.d. e int.* **1** consumir noites estudando (algo) **2** criar (algo) com esforço, muita meditação *<está elucubrando um romance> <seria melhor que não elucubrasse tanto e agisse mais>* **3** especular, pensar muito (sobre); meditar *<e. um plano> <passava as tardes a e.>* **4** fazer raciocínios teóricos longos, artificiais e complicados (sobre algo)

E

em- ou **en-** *pref.* 'movimento para dentro': *embarcar, enclausurar*

em *prep.* **1** expressa relações de: **1.1** tempo *<receberá a fortuna em breve>* **1.2** lugar *<estar em casa>* **1.3** modo *<andar em farrapos>* **1.4** distribuição *<a peça é em três atos>* **1.5** finalidade *<calou-se em protesto>*

-ema *suf.* 'menor unidade significativa': *morfema*

ema (e.ma) *s.f.* ZOO ave pernalta de grande porte, natural das regiões campestres e cerrados da América do Sul ® voz v.: gemer, suspirar

emaçar (e.ma.çar) *v.* {mod. 1} *t.d.* **1** juntar num maço *<e. a correspondência>* **2** *p.ext.* envolver em papel; embrulhar *<emaçou os presentes>* ↺ desembrulhar ☞ cf. *emassar*

emaciar (e.ma.ci.ar) *v.* {mod. 1} *t.d.,int. e pron.* (fazer) perder bastante massa adiposa e muscular, emagrecendo muito; definhar *<a doença o emaciou> <exercícios intensos emaciam> <emaciou-se com a dieta rigorosa>*

emagrecer (e.ma.gre.cer) *v.* {mod. 8} *t.d. e int.* tornar (-se) magro ou mais magro *<o excesso de trabalho emagreceu a moça> <com a nova dieta, não para de e.>* ↺ engordar ~ **emagrecimento** *s.m.*

email (e.mail) [ing.; pl.: *emails*] ou ***e-mail*** [ing.; pl.: *e-mails*] *s.m.* ver ***CORREIO ELETRÔNICO*** ⇒ pronuncia-se i méil

emanação (e.ma.na.ção) [pl.: *-ões*] *s.f.* **1** ponto de partida, origem **2** odor, exalação *<e. floral>*

emanar (e.ma.nar) *v.* {mod. 1} *t.i.* **1** (prep. *de*) ter origem em; vir *<o poder emana do povo>* **2** (prep. *de*) espalhar-se em partículas; exalar *<um cheiro de comida emanava da cozinha>*

emancipação (e.man.ci.pa.ção) [pl.: *-ões*] *s.f.* **1** libertação, independência **2** DIR regra jurídica que, no Brasil, concede ao menor de 18 anos e maior de 16 anos a habilitação de todos os atos da vida civil

emancipar (e.man.ci.par) *v.* {mod. 1} *t.d.,t.d.i. e pron.* **1** (prep. *de*) tornar(-se) independente; libertar (-se) *<e. um povo (do domínio estrangeiro)> <nossa produção de petróleo está perto de se e.>* **2** (prep. *de*) eximir(-se) [de pátrio poder ou tutela] *<e. um filho menor> <e. os índios da tutela do Estado> <o irmão caçula emancipou-se>*

emanente (e.ma.nen.te) *adj.2g.* que emana ☞ cf. *imanente*

emaranhado (e.ma.ra.nha.do) *adj.s.m.* (o) que se apresenta misturado de modo confuso *<mata e.> <e. de linhas>*

emaranhar (e.ma.ra.nhar) *v.* {mod. 1} *t.d. e pron.* **1** misturar(-se) de modo confuso; embaraçar(-se) *<e. linhas> <seus cabelos emaranham-se facilmente>* **2** tornar(-se) confuso; atrapalhar(-se) *<uma nova testemunha emaranhou a solução do crime> <emaranha-se ao enfrentar situações desconhecidas>* ~ **emaranhamento** *s.m.*

emasculação (e.mas.cu.la.ção) [pl.: *-ões*] *s.f.* **1** castração **2** *fig.* enfraquecimento ↺ fortalecimento

emassar (e.mas.sar) *v.* {mod. 1} *t.d.* **1** transformar em massa, pasta **2** *B* revestir com massa *<emassou a parede antes de pintá-la>* ☞ cf. *emaçar*

embaçar (em.ba.çar) *v.* {mod. 1} *t.d.,int. e pron.* **1** embaciar *<o calor embaçou as lentes dos óculos> <os vidros do carro embaçaram(-se)>* **2** *fig.* fazer perder ou perder o brilho; obscurecer(-se), ofuscar(-se) *<a presença do campeão embaçou os outros atletas> <sua popularidade embaçou(-se)>*

embaciar (em.ba.ci.ar) *v.* {mod. 1} *t.d.,int. e pron.* embaçar ~ **embaciado** *adj.*

embainhar (em.ba.i.nhar) *v.* {mod. 1} *t.d.* **1** pôr (arma) na bainha ('estojo') ↺ desembainhar **2** fazer bainha em (roupa) ↺ desembainhar

embair (em.ba.ir) *v.* {mod. 25} *t.d.* induzir em erro; enganar, iludir *<e. os eleitores>* ◉ GRAM/USO verbo defectivo

embaixada (em.bai.xa.da) *s.f.* **1** missão no exterior chefiada por um embaixador *<vá à e. informar a perda do passaporte>* **2** corpo de representantes diplomáticos chefiado por um embaixador **3** função ou posto de embaixador *<assumiu a e. da Inglaterra>* **4** seu local de trabalho e/ou residência **5** sua comitiva **6** FUTB técnica de mover a bola com o pé, coxa, peito etc. sem deixá-la cair *<fez duas e. antes de chutar a bola para o gol>*

embaixador (em.bai.xa.dor) /ô/ [pl.: *-es*; fem.: *embaixadora, embaixatriz*] *s.m.* **1** diplomata que representa um estado junto a outro ☞ cf. *embaixadora* e *embaixatriz* **2** qualquer indivíduo encarregado de uma missão *<e. da paz>*

embaixadora (em.bai.xa.do.ra) /ô/ *s.f.* mulher com cargo de embaixador ☞ cf. *embaixatriz*

embaixatriz (em.bai.xa.triz) [pl.: *-es*] *s.f.* esposa de embaixador ☞ cf. *embaixadora*

embaixo (em.bai.xo) *adv.* em ponto inferior *<a garagem da casa fica e.>* ↺ acima ▣ **e. de** sob *<escondeu a chave e. do tapete>* ↺ sobre

[1]**embalagem** (em.ba.la.gem) [pl.: *-ens*] *s.f.* velocidade crescente; aceleração *<o carro ganhou e. e disparou>* ◉ ORIGEM [1]*embalar* + *-agem*

[2]**embalagem** (em.ba.la.gem) [pl.: *-ens*] *s.f.* **1** acondicionamento *<pegue sua compra na seção de e.>* **2** proteção externa que guarda e conserva um objeto, um produto etc. *<a e. do leite mudou>* ◉ ORIGEM [2]*embalar* + *-agem*

[1]**embalar** (em.ba.lar) *v.* {mod. 1} *t.d. e pron.* **1** mover (-se) de um lado para outro; balançar(-se) *<embalava o carrinho para acalmar o bebê> <embalou-se (na rede) até adormecer>* □ *t.d.* **2** balançar (criança) para fazê-la dormir *<embalei-a quando nasceu>* □ *t.d. e int.* **3** dar ou adquirir impulso; acelerar(-se) *<e. o carro> <o ônibus embalou na ladeira>* ↺ desembalar ◉ ORIGEM duv., talvez ligado a *abalar* ~ **embalado** *adj.* - **embalador** *adj.s.m.*

[2]**embalar** (em.ba.lar) *v.* {mod. 1} *t.d.* guardar (objeto) em pacote, caixa etc., a fim de protegê-lo; empacotar *<e. brinquedos>* ↺ desembalar ◉ ORIGEM *em-* + *bala* 'pacote' + [2]*-ar* ~ **embalado** *adj.* - **embalador** *adj.s.m.*

embalde (em.bal.de) *adv.* inutilmente; debalde

embalo (em.ba.lo) *s.m.* **1** balanço *<dormiu com o e. do navio>* **2** aceleração *<a motocicleta pegou e. na descida>* **3** *infrm.* agitação, euforia **4** *B infrm.* festa animada

embalsamar (em.bal.sa.mar) *v.* {mod. 1} *t.d.* **1** tratar (cadáver) com substâncias que evitam sua decomposição □ *t.d. e pron.* **2** impregnar(-se) de bálsamos; perfumar(-se) *<um cheiro de flores embalsama o ar> <embalsamou-se com perfume>* ~ **embalsamador** *adj.s.m.* - **embalsamamento** *s.m.*

embananar (em.ba.na.nar) *v.* {mod. 1} *t.d. e pron.* **1** pôr(-se) em situação difícil ou embaraçosa **2** confundir (-se) a ponto de perder a concentração, a segurança etc.; atrapalhar(-se) *<ao mudar a festa de lugar, embananou os convidados> <embananaram-se ao descer do ônibus e erraram o caminho>* ~ **embananamento** *s.m.*

embandeirar (em.ban.dei.rar) *v.* {mod. 1} *t.d. e pron.* **1** enfeitar(-se) com bandeiras *<e. a rua> <a praça embandeirou-se para o carnaval>* □ *t.d. fig. B* **2** destacar o mérito de; enaltecer ↺ depreciar ~ **embandeiramento** *s.m.*

embaraçar (em.ba.ra.çar) *v.* {mod. 1} *t.d. e pron.* **1** (fazer) sentir dificuldade; atrapalhar(-se) *<o excesso de regras embaraça as crianças> <embaraçou-se com o novo equipamento>* **2** misturar(-se) desordenadamente; embaralhar(-se) *<o gato embaraçou a lã> <com o vento, seu cabelo embaraçou-se>* **3** perturbar(-se), perdendo a naturalidade; vexar(-se) *<a pergunta embaraçou o empresário> <embaraçou-se durante a entrevista>* □ *t.d.* **4** pôr obstáculo a; obstruir *<uma pilha de pneus embaraçava a estrada>* ↺ desembaraçar ~ **embaraçado** *adj.*

embaraço (em.ba.ra.ço) *s.m.* **1** dificuldade, atrapalhação *<depois do conserto do freio, espero que a viagem prossiga sem e.>* **2** situação constrangedora *<o vestido rasgado causou e. à noiva>*

embaraçoso (em.ba.ra.ço.so) /ô/ [pl. e fem.: /ó/] *adj.* que provoca ou em que há embaraço *<situação e.>*

embarafustar (em.ba.ra.fus.tar) *v.* {mod. 1} *t.i.,int. e pron.* (prep. *com, por*) entrar num lugar de modo impetuoso *<e.(-se) pela mata atrás da caça>*

embaralhamento (em.ba.ra.lha.men.to) *s.m.* **1** ação de misturar as cartas do baralho **2** *fig.* confusão *<e. de informações>* ↺ organização

embaralhar (em.ba.ra.lhar) *v.* {mod. 1} *t.d.* **1** misturar (cartas de baralho) **2** *p.ext.* pôr fora de ordem; desarrumar *<embaralhou os papéis da mesa>* □ *t.d. e pron. fig.* **3** misturar(-se), confundir(-se) *<e. as ideias>* □ *pron.* **4** atrapalhar-se, confundir-se *<e.-se ao depor>* ~ **embaralhado** *adj.*

embarcação (em.bar.ca.ção) [pl.: *-ões*] *s.f.* MAR qualquer meio de transporte aquático

embarcadouro (em.bar.ca.dou.ro) *s.m.* MAR lugar onde se embarcam e desembarcam passageiros e carga transportados por navio

embarcar (em.bar.car) *v.* {mod. 1} *t.d.,t.i. e int.* **1** (prep. *em*) pôr ou entrar em (barco, trem, ônibus, avião etc.) *<foi ao cais e. o amigo> <embarcou cedo (no navio)>*

↺ desembarcar □ *t.i. B infrm.* **2** (prep. *em*) deixar-se levar por (ardil, golpe) *<embarca em qualquer história triste que lhe contam>* □ *int. B infrm.* **3** morrer

embargamento (em.bar.ga.men.to) *s.m.* colocação de embargo ou obstáculo; oposição, impedimento

embargar (em.bar.gar) *v.* {mod. 1} *t.d. e t.d.i.* **1** (prep. *a*) pôr obstáculos a; impedir, dificultar *<a família da noiva tentou e. o casamento> <embargou-lhe o acesso à carreira>* ↺ permitir □ *t.d.* **2** impedir que se manifeste; conter *<a emoção embargou sua voz>* **3** DIR pôr embargo a *<a justiça embargou a obra>*

embargo (em.bar.go) *s.m.* **1** aquilo que impede; empecilho ↺ desembaraço **2** DIR impedimento judicial ▣ **e. econômico** veto estatal ao comércio com determinado país • **sem e.** entretanto

embarque (em.bar.que) *s.m.* entrada em (barco, trem, ônibus, avião etc.) *<o e. será às dez horas>*

embarrigar (em.bar.ri.gar) *v.* {mod. 1} *int.* **1** tornar-se barrigudo **2** *B infrm.* engravidar

embasamento (em.ba.sa.men.to) *s.m.* **1** ARQ base, alicerce **2** *fig.* princípio que sustenta um raciocínio; fundamento

embasar (em.ba.sar) *v.* {mod. 1} *t.d.* **1** ARQ fazer a base de (uma construção) *<já embasaram o muro>* □ *t.d.i. e pron. fig.* **2** (prep. *em*) ter como fundamento; basear(-se), apoiar(-se) *<embasou seu trabalho nos estudos mais modernos> <embasa-se nas receitas da avó para criar novos pratos>*

embasbacado (em.bas.ba.ca.do) *adj.* **1** tomado de surpresa **2** espantado, admirado

embasbacar (em.bas.ba.car) *v.* {mod. 1} *t.d.,int. e pron.* (fazer) ficar admirado, espantado, surpreso; pasmar (-se) *<sua apresentação embasbacou a plateia> <essa paisagem embasbaca> <os visitantes embasbacam-se com a vista do Corcovado>*

embate (em.ba.te) *s.m.* **1** choque ou confronto violento *<o e. das tropas inimigas>* **2** *fig.* manifestação contrária; oposição ↺ apoio

embater (em.ba.ter) *v.* {mod. 8} *t.i.,int. e pron.* (prep. *em*) ter choque forte, violento; encontrar-se, chocar-se *<os exércitos embateram (no deserto)> <há crenças que se embatem>*

embatucar (em.ba.tu.car) *v.* {mod. 1} *t.d.* **1** tapar com batoque □ *t.d. e int. fig.* **2** (fazer) ficar calado, sem ação ou resposta *<a inteligência da jornalista embatucou o entrevistado> <diante da situação constrangedora, embatucou>* □ *t.i. fig. infrm.* **3** (prep. *com*) ficar preocupado, cismado *<embatucou com o pedido do namorado>*

embaúba (em.ba.ú.ba) ou **imbaúba** (im.ba.ú.ba) *s.f.* BOT árvore comum nas regiões tropicais americanas, de que se fazem calhas e pequenos objetos, e cujas folhas têm forma de mão aberta

embebedamento (em.be.be.da.men.to) *s.m.* embriaguez

embebedar (em.be.be.dar) *v.* {mod. 1} *t.d. e pron.* (fazer) ficar bêbado; embriagar(-se) *<embebedou-se logo no início da festa>*

embeber (em.be.ber) *v.* {mod. 8} *t.d.i. e pron.* **1** (prep. *de, em*) fazer ou deixar-se penetrar por (um líquido); molhar(-se), encharcar(-se) *<e. o lenço de perfume> <o pão embebe-se no leite>* □ *t.d.* **2** sorver pelos poros; absorver *<a esponja embebeu o detergente>* ~ **embebição** *s.f.* - **embebimento** *s.m.*

embeiçar (em.bei.çar) *v.* {mod. 1} *t.d. B infrm.* **1** dar aparência de beiço a, por desviar do alinhamento *<o uso embeiçou a gola da camisa>* □ *t.d. e pron.* **2** encantar (-se), apaixonar(-se) *<a atriz embeiçou o diretor da novela> <embeiçou-se pelo novo colega de turma>*

embelezar (em.be.le.zar) *v.* {mod. 1} *t.d. e pron.* tornar(-se) belo, enfeitar(-se) *<a pintura embelezou a casa> <embelezou-se com batom>* ↺ enfear(-se) ~ **embelezador** *adj.s.m.* - **embelezamento** *s.m.*

E

embevecer (em.be.ve.cer) *v.* {mod. 8} *t.d. e pron.* (fazer) sentir admiração profunda; extasiar(-se) *<embeveceu a plateia com seu talento> <e.-se com a beleza de uma obra de arte>* ~ **embevecido** *adj.*

embevecimento (em.be.ve.ci.men.to) *s.m.* admiração, êxtase

embicar (em.bi.car) *v.* {mod. 1} *t.d.* **1** tornar bicudo *<e. uma gola>* □ *t.i. fig.* **2** (prep. *com*) ter antipatia ou prevenção com; implicar *<embica com todos os namorados da filha>* ↺ simpatizar □ *int.* **3** dirigir-se, encaminhar-se *<o carro embicou para a direita>* **4** deparar-se com obstáculo imprevisto; topar *<e. numa rua sem saída>*

embira (em.bi.ra) *s.f.* BOT nome de diversas árvores e arbustos cujas folhas são venenosas para o gado e de cuja casca se fazem cordas e estopa

embirração (em.bir.ra.ção) [pl.: *-ões*] *s.f.* **1** rancor, antipatia ↺ afeição **2** forte persistência numa vontade; teima, obstinação

embirrante (em.bir.ran.te) *adj.2g.s.2g.* birrento, persistente *<cavalo e.>* ↺ dócil

embirrar (em.bir.rar) *v.* {mod. 1} *t.i.* **1** (prep. *em*) insistir muito; teimar *<embirrou em não sair mais de casa>* **2** (prep. *com*) ter antipatia, aversão por; implicar *<embirrava com o carteiro>* ↺ simpatizar □ *int.* **3** ficar ou parecer mal-humorado *<ora, não embirre à toa!>* ~ **embirrativo** *adj.*

emblema (em.ble.ma) *s.m.* **1** ser ou objeto concreto que representa uma ideia abstrata; símbolo **2** *p.ext.* distintivo de instituição, associação etc. *<costurou o e. do time em seu casaco>*

emblemático (em.ble.má.ti.co) *adj.* **1** próprio de ou que representa emblema *<armas e. da realeza>* **2** representativo, simbólico *<um livro e. da obra do autor>*

emboaba (em.bo.a.ba) *s.2g.* ou **emboava** (em.bo.a.va) *s.2g.* HIST apelido dado pelos bandeirantes paulistas aos brasileiros de outras capitanias e aos portugueses que chegavam em busca de ouro

embocadura (em.bo.ca.du.ra) *s.f.* **1** foz **2** parte do freio que entra pela boca das cavalgaduras **3** MÚS posição dos lábios ao tocar instrumento de sopro *<tinha uma boa e. para flauta>* **4** MÚS parte superior dos instrumentos de sopro, onde se apoiam os lábios

embocar (em.bo.car) *v.* {mod. 1} *t.d.* **1** envolver com a boca (instrumento de sopro) *<embocou a clarineta>* □ *int.* **2** (prep. *em*) pôr-se no interior de; entrar *<e. na sala sem avisar>*

emboçar (em.bo.çar) *v.* {mod. 1} *t.d.* aplicar emboço em *<e. uma parede>* ☞ cf. *embuçar*

emboço (em.bo.ço) /ô/ *s.m.* CONSTR camada inicial de argamassa ou cal em parede, que serve de base ao reboco

embolada (em.bo.la.da) *s.f.* MÚS *N.E.* forma musical e poética em que se fala muito rápido, com uma melodia de poucas notas que se repetem

[1]**embolar** (em.bo.lar) *v.* {mod. 1} *int. B* **1** cair, rolando como uma bola □ *int. e pron. B infrm.* **2** encher-se de caroços pelo corpo; encaroçar(-se) *<o mingau embolou>* □ *t.i. e pron.* **3** (prep. *com*) atracar(-se), rolando pelo chão *<depois da discussão, embolou(-se) com o irmão>* ◉ ORIGEM *em-* + *bola* + [2]*-ar*

[2]**embolar** (em.bo.lar) *v.* {mod. 1} *t.d.* **1** transformar em bolo *<e. a massa>* □ *t.d.,int. e pron.* **2** enrolar(-se), emaranhar(-se) *<e. a roupa suja> <a linha embolou (-se)>* ↺ desenrolar(-se) **3** confundir(-se), misturar (-se) *<e. as contas> <os papéis embolaram(-se)>* □ *t.d. e int.* **4** formar um bolo (no estômago); embrulhar *<o cheiro de gasolina e. seu estômago>* □ *t.d. e pron.* **5** envolver(-se), enrolar(-se) *<e. o filho na manta> <e.-se nas cobertas>* ◉ ORIGEM *em-* + *bolo* + [2]*-ar*

embolia (em.bo.li.a) *s.f.* MED obstrução de veia ou artéria causada por um corpo estranho trazido pela corrente sanguínea

êmbolo (êm.bo.lo) *s.m.* **1** cilindro que se move em vaivém dentro de seringas, bombas etc.; pistom **2** cilindro metálico de motor de combustão interna; pistom **3** MED corpo estranho ou coágulo trazido pela corrente sanguínea, que obstrui a circulação

embolorar (em.bo.lo.rar) *v.* {mod. 1} *t.d.,int. e pron.* **1** cobrir(-se) com bolor; mofar *<a umidade embolorou os móveis> <o queijo embolorou(-se)>* □ *t.d. e int. fig. infrm.* **2** tornar antigo, obsoleto; antiquar(-se) *<o tempo embolora certos ideais> <com o tempo, suas ideias emboloraram>* ↺ modernizar(-se)

embolsar (em.bol.sar) *v.* {mod. 1} *t.d.* **1** meter no bolso ou na bolsa *<embolsou a caneta>* **2** ganhar, receber *<com a morte do pai, irá e. uma fortuna>* □ *t.d.i.* **3** (prep. *a*) pagar o que se deve a; restituir, indenizar *<o inquilino embolsou ao proprietário o valor dos estragos>*

embolso (em.bol.so) /ô/ *s.m.* **1** ato ou efeito de embolsar **2** aquilo que se paga ou se recebe; ganho, pagamento

embonecar (em.bo.ne.car) *v.* {mod. 1} *t.d. e pron.* **1** enfeitar(-se) demais *<e. a sala> <embonecaram-se para o baile>* **2** *p.ext.* vestir(-se) de modo ridículo

embora (em.bo.ra) *adv.* **1** exprime ideia de retirada *<foi e. cedo>* ■ *conj.concs.* **2** ainda que; mesmo que *<e. com atraso, refez suas contas>*

emborcar (em.bor.car) *v.* {mod. 1} *t.d.,int. e pron.* **1** colocar(-se) de boca para baixo; virar *<tropeçou e emborcou o balde de água> <depois da queda, o avião emborcou(-se)>* ↺ desvirar(-se) □ *t.d.* **2** beber com avidez *<emborcou o suco em dois segundos>* □ *int. B infrm.* **3** levar um tombo; cair *<tropeçou na escada e emborcou>* ↺ levantar **4** morrer

embornal (em.bor.nal) [pl.: *-ais*] *s.m.* **1** sacola com alça longa, us. para se carregar provisões, ferramentas etc.; bornal **2** saco em que comem as cavalgaduras; bornal

emborrachar (em.bor.ra.char) *v.* {mod. 1} *t.d.* **1** revestir de borracha **2** tornar semelhante à borracha *<e. um tecido>* □ *t.d. e pron. fig. infrm.* **3** (fazer) ficar bêbado; embriagar(-se) *<ele não gosta de (-se) emborrachar>* ~ **emborrachado** *adj.*

emboscada (em.bos.ca.da) *s.f.* **1** espera do inimigo, às escondidas, para atacá-lo; tocaia **2** *fig.* falta de lealdade; cilada

emboscar (em.bos.car) *v.* {mod. 1} *t.d.* **1** atacar de emboscada; tocaiar *<prepararam-se para e. os bandidos>* □ *pron.* **2** esperar, às escondidas, pronto para atacar; tocaiar *<a patrulha emboscou-se no desfiladeiro à sua espera>*

embotamento (em.bo.ta.men.to) *s.m.* **1** ato ou efeito de embotar(-se) **2** *fig.* enfraquecimento, torpor *<a doença causou o e. de sua memória>* **3** *fig.* perda da sensibilidade, endurecimento *<o divórcio provocou o e. de seu coração>*

embotar (em.bo.tar) *v.* {mod. 1} *t.d. e pron.* **1** (fazer) ficar sem corte (faca, canivete etc.); cegar ↺ afiar **2** *fig.* enfraquecer(-se), debilitar(-se) *<a idade embota os músculos>* ↺ fortalecer(-se), revigorar(-se) **3** *fig.* tornar(-se) frio, insensível *<o divórcio embotou seu coração>* ↺ sensibilizar(-se) ~ **embotado** *adj.*

embrabecer (em.bra.be.cer) *v.* {mod. 8} *t.d.,int. e pron.* deixar ou ficar bravo, furioso; irar(-se), embravecer (-se) *<a gritaria embrabeceu os cães> <embrabeceram-se com o atraso do jantar>* ↺ acalmar(-se)

Embraer (Em.bra.er) *s.f.* sigla de Empresa Brasileira de Aeronáutica

embranquecer (em.bran.que.cer) *v.* {mod. 8} *t.d.,int. e pron.* tornar(-se) branco *<a cal embranquecerá a parede> <não queria que seus cabelos embranquecessem> <o cume da montanha embranqueceu-se com a neve>* ↺ escurecer ~ **embranquecimento** *s.m.*

Embrapa (Em.bra.pa) *s.f.* sigla de Empresa Brasileira de Pesquisas Agropecuárias

Embratel (Em.bra.tel) *s.f.* sigla de Empresa Brasileira de Telecomunicações S.A.

embravecer (em.bra.ve.cer) *v.* {mod. 8} *t.d.,int. e pron.* **1** deixar ou ficar bravo, furioso; irar(-se), embrabecer (-se) ↺ acalmar(-se) □ *int. e pron.* **2** ficar agitado (o mar, as águas); encapelar(-se) ↺ serenar(-se)

embreagem (em.bre.a.gem) [pl.: *-ens*] *s.f.* mecanismo que permite interromper a transmissão de força ao motor, possibilitando a mudança de marchas ~ **embrear** *v.t.d. e int.*

embrechado (em.bre.cha.do) *s.m.* incrustação de conchas, pedras, fragmentos de louça numa parede, muro etc.

embrenhar (em.bre.nhar) *v.* {mod. 1} *t.d.,t.d.i. e pron.* (prep. *em*) meter(-se) ou esconder(-se) [no mato, nas brenhas] *<o capitão embrenhou a tropa (no mato)> <embrenharam-se na floresta atrás do lobo>*

embriagado (em.bri.a.ga.do) *adj.* **1** com os sentidos perturbados; aturdido, alucinado *<e. de sono, de raiva>* **2** que exagerou na ingestão de bebida alcoólica; bêbado ↺ sóbrio **3** submetido a encantamento; extasiado, maravilhado *<e. de amor>*

embriagar (em.bri.a.gar) *v.* {mod. 1} *t.d.,int. e pron.* **1** (fazer) ficar em êxtase, encantado; inebriar(-se) *<o sucesso embriagava-o> <o amor embriaga> <embriagou-se com a oferta de trabalho>* □ *t.d. e pron.* **2** (fazer) tomar bebida alcoólica em excesso; embebedar(-se) *<embriagou*

os amigos e saiu escondido> <*embriagaram-se no baile de carnaval*> □ *int.* 3 deixar bêbado <*vinho embriaga*>

embriaguez (em.bri.a.guez) /ê/ [pl.: *-es*] *s.f.* **1** estado provocado pela ingestão de grande quantidade de bebida alcoólica **2** *fig.* entusiasmo causado por grande alegria ou admiração; êxtase <*e. do sucesso*>

embrião (em.bri.ão) [pl.: *-ões*] *s.m.* **1** ZOO organismo no início de seu desenvolvimento **2** MED ser humano até a décima segunda semana de vida dentro do útero **3** *fig.* começo; origem <*nossas reuniões foram o e. do projeto*>

embriologia (em.bri.o.lo.gi.a) *s.f.* ramo da biologia e da medicina que estuda o embrião ~ **embriológico** *adj.* - **embriologista** *adj.s.m.*

embrionário (em.bri.o.ná.rio) *adj.* **1** relativo a embrião **2** que começa a tomar forma, a existir <*projeto ainda e.*>

embrocação (em.bro.ca.ção) [pl.: *-ões*] *s.f.* **1** qualquer aplicação local de medicamento líquido **2** esse medicamento

embromação (em.bro.ma.ção) [pl.: *-ões*] *s.f.* *B* uso de artifício para adiar uma tarefa, decisão etc.

embromar (em.bro.mar) *v.* {mod. 1} *int.* **1** usar de artifícios para adiar tarefa, decisão etc.; remanchar <*faça logo esse dever, não embrome*> □ *t.d.* **2** enganar usando ardil <*tentou e. o professor, mas não conseguiu*> ~ **embromador** *adj.s.m.*

embrulhada (em.bru.lha.da) *s.f.* **1** desentendimento, confusão <*aquele curso foi uma enorme e.*> ↺ arrumação **2** dificuldade, atrapalhação <*o amigo meteu-o, sem querer, em uma e.*>

embrulhar (em.bru.lhar) *v.* {mod. 1} *t.d.* **1** envolver com papel, pano etc., formando pacote ou volume; embalar <*e. presentes*> ↺ desembrulhar **2** fazer dobras ou enrolar <*e. cigarro, bandeira*> ↺ desenrolar **3** *fig.* fazer cair em ilusão; enganar <*embrulhou o comprador e vendeu o carro com defeito*> **4** *fig.* provocar náusea; embolar <*o arroz azedo embrulhou seu estômago*> □ *t.d. e pron.* *fig.* **5** complicar(-se), confundir(-se) <*e. uma história*> <*tentou justificar sua falta, mas embrulhou-se*>

embrulho (em.bru.lho) *s.m.* **1** qualquer coisa envolvida em papel, pano etc.; pacote **2** *fig.* situação confusa; embrulhada

embrutecer (em.bru.te.cer) *v.* {mod. 8} *t.d.,int. e pron.* tornar(-se) bruto, estúpido, rude <*o tempo no exército embruteceu-o*> <*a solidão embrutece*> <*embruteceram-se ao deixar a família*> ↺ civilizar(-se) ~ **embrutecimento** *s.m.*

embuá (em.bu.á) *s.m.* ZOO invertebrado semelhante à lacraia, com dois pares de pernas em cada parte do corpo, de cor preta ou marrom com traços vermelhos ou alaranjados

embuçar (em.bu.çar) *v.* {mod. 1} *t.d. e pron.* **1** cobrir (o rosto), deixando só os olhos de fora **2** *p.ext.* pôr disfarce (em); encobrir(-se) <*antes de sair, embuçou-o*> <*e.-se em trapos*> ☞ cf. *emboçar* □ *pron.* *p.ext.* **3** cobrir-se com capa, capote etc. ~ **embuçado** *adj.*

embuço (em.bu.ço) *s.m.* VEST **1** parte da capa que cobre o rosto **2** *infrm.* disfarce

emburrar (em.bur.rar) *v.* {mod. 1} *t.d. e pron.* **1** (fazer) ficar burro, estúpido; emburrecer <*esse tipo de programa emburra as crianças*> <*você precisa ler mais, ou irá e.-se*> □ *int.* **2** *p.ext.* firmar-se em uma posição (como o burro); empacar **3** ficar aborrecido e calado, mostrando-se ofendido; amuar <*não o deixaram sair, por isso emburrou*> ~ **emburrado** *adj.*

emburrecer (em.bur.re.cer) *v.* {mod. 8} *t.d. e int.* (fazer) perder a inteligência, ficar estúpido

embuste (em.bus.te) *s.m.* mentira ardilosa; fraude, logro <*descobriram a tempo que o currículo dele era um e.*>

embusteiro (em.bus.tei.ro) *adj.s.m.* (aquele) que faz uso de embustes ou fraudes; trapaceiro

embutido (em.bu.ti.do) *adj.* **1** encaixado em vão apropriado <*armário e.*> **2** metido à força ↺ desembutido ■ *s.m.* *B* **3** nome genérico para chouriços, linguiças etc.

embutir (em.bu.tir) *v.* {mod. 24} *t.d.* **1** inserir e/ou ajustar em um vão <*conseguiram, afinal, e. o fogão*> **2** pôr (pedaços de madeira, marfim etc.) em madeira, metal etc.; incrustar □ *t.d.i.* **3** (prep. *em*) incluir como parte integrante e, por vezes, inseparável de <*e. o microfone no gravador*> <*e. o imposto no preço da mercadoria*> ~ **embutimento** *s.m.*

eme (e.me) *s.m.* nome da letra *m*

emenda (e.men.da) *s.f.* **1** retificação de falta ou defeito; correção <*a e. ao texto ficou perfeita*> **2** junção de uma peça a outra <*fizeram uma e. no cano*> **3** o lugar dessa junção <*a água vazou pela e.*> **4** arrependimento, regeneração <*depois da e., tornou-se uma pessoa confiável*>

emendar (e.men.dar) *v.* {mod. 1} *t.d.* **1** eliminar erros ou defeitos de; corrigir <*emendou o texto até deixá-lo perfeito*> **2** fazer alteração em; modificar <*o governo quer e. a lei das aposentadorias*> □ *t.d.,t.d.i. e pron.* **3** (prep. *com*) ligar(-se) [uma parte] (com outra), formando um todo <*e. retalhos para fazer uma colcha*> <*e. uma linha com outra para prender na pipa*> <*estante e mesa se emendam*> □ *pron.* **4** corrigir-se moralmente; regenerar-se <*ainda bem que ela se emendou*>

ementa (e.men.ta) *s.f.* **1** anotação; lista **2** texto resumido; síntese <*pregaram na parede a e. do curso*> **3** DIR resumo do conteúdo da lei, posto em sua parte inicial ◉ COL ementário

ementário (e.men.tá.rio) *s.m.* **1** caderno de anotações **2** DIR coletânea de ementas

emergência (e.mer.gên.cia) *s.f.* **1** ato de emergir ou seu efeito; aparecimento <*a e. de razões para sua atitude*> ↺ desaparecimento **2** situação crítica ou perigosa <*só me procure em caso de e.*> **3** dispositivo de segurança instalado em elevadores, máquinas, meios de transporte coletivo etc. que deve ser acionado em situações difíceis

emergencial (e.mer.gen.ci.al) [pl.: *-ais*] *adj.2g.* referente a, que tem ou envolve emergência

emergente (e.mer.gen.te) *adj.2g.* **1** que surge <*sol e.*> ↺ imergente ■ *adj.2g.s.2g.* **2** que(m) está em ascensão socioeconômica

emergir (e.mer.gir) *v.* {mod. 24} *t.d. e int.* **1** trazer ou vir à tona <*guindastes fizeram e. o carro*> <*com a seca, as cidades cobertas pelas águas emergem*> ↺ imergir, submergir □ *int.* *fig.* **2** tornar-se claro ou perceptível; manifestar-se <*a razão da renúncia custou a e.*> ☞ cf. *imergir* ◉ GRAM/USO **a)** part.: *emergido, emerso*; ver QUADRO DE PARTICÍPIOS DUPLOS nas pp. iniciais **b)** cf. observação no modelo

E

emérito (e.mé.ri.to) *adj.* **1** sábio em uma arte ou ciência **2** que se distinguiu ao ministrar determinada matéria (diz-se de título universitário dado a professor) **3** aposentado com tal título

emersão (e.mer.são) [pl.: *-ões*] *s.f.* ato de sair de um líquido *<a e. do submarino assustou banhistas>* ☞ cf. *imersão*

emerso (e.mer.so) *adj.* que emergiu; aparecido ↺ imerso

emético (e.mé.ti.co) *adj.s.m.* (o) que provoca vômito ~ **emeticidade** *s.f.*

emigração (e.mi.gra.ção) [pl.: *-ões*] *s.f.* **1** saída espontânea de um país ↺ imigração **2** movimentação de uma para outra região dentro de um mesmo país *<a e. de agricultores para os centros urbanos>* **3** conjunto de indivíduos que emigram *<o Brasil recebeu grande e. europeia no início do século XX>* ☞ cf. *migração* e *imigração*

emigrante (e.mi.gran.te) *adj.2g.s.2g.* que(m) emigra ↺ imigrante ☞ cf. *migrante* e *imigrante*

emigrar (e.mi.grar) *v.* {mod. 1} *int.* **1** sair de um país ou do lugar onde se vive para viver em outro, por um período ou para sempre *<e. do Brasil para a França>* ↺ imigrar **2** mudar de terra em determinados períodos (animais, esp. aves) *<esta é a época em que as aves emigram para o sul>* ☞ cf. *migrar* e *imigrar*

eminência (e.mi.nên.cia) *s.f.* **1** elevação ↺ rebaixamento **2** *fig.* superioridade moral ou intelectual, excelência **3** tratamento dado aos cardeais [abrev.: Em.ª] ☞ cf. *iminência*

eminente (e.mi.nen.te) *adj.2g.* **1** acima do que está em volta; proeminente, alto *<torre e.>* **2** superior aos demais *<um mestre e.>* ☞ cf. *iminente*

eminentemente (e.mi.nen.te.men.te) *adv.* acima de tudo; em alto grau *<formação e. teórica>*

emir (e.mir) [pl.: *-es*] *s.m.* **1** descendente de Maomé **2** título dado a certos governantes muçulmanos

emirado (e.mi.ra.do) *s.m.* **1** cargo de emir **2** estado ou região governada por emir

emissão (e.mis.são) [pl.: *-ões*] *s.f.* **1** ato de projetar de si *<e. de luz>* *<e. de palavras>* **2** ECON ato de pôr em circulação (dinheiro, ações etc.) **3** FÍS liberação de energia sob forma de partículas ou radiação **4** LING ação de emitir a mensagem, produzir enunciados e o seu efeito

emissário (e.mis.sá.rio) *adj.s.m.* **1** que(m) é enviado em missão; mensageiro ■ *s.m.* **2** parte de uma rede de esgoto ou pluvial que conduz os materiais para o local final de lançamento

emissor (e.mis.sor) /ô/ [pl.: *-es*] *adj.s.m.* **1** (o) que emite **2** (instituição bancária ou de crédito) que emite papel-moeda; emitente **3** LING (o) que faz a codificação da mensagem e transmite os sinais codificados ao receptor

emissora (e.mis.so.ra) /ô/ *s.f.* RÁD TV **1** estação de transmissão de sinais de rádio ou televisão **2** empresa produtora e transmissora de programas de rádio ou televisão

emitente (e.mi.ten.te) *adj.2g.s.2g.* **1** (o) que emite ou envia *<o e. de uma mensagem>* ↺ receptor **2** emissor ('instituição') **3** DIR (o) que cria um título de câmbio, para colocá-lo em circulação como ordem, promessa ou meio de pagamento

emitir (e.mi.tir) *v.* {mod. 24} *t.d.* **1** lançar de si; soltar *<o rádio do avião emitiu um pedido de socorro>* *<instrumentos musicais emitem sons>* **2** exprimir oralmente ou por escrito *<e. opinião>* □ *t.d. e t.d.i.* **3** (prep. *a, para*) enviar, expedir *<e. um telegrama>* *<e. o boleto para os clientes>* □ *t.d. e int.* **4** pôr em circulação (dinheiro) *<o governo não emitiu muito nos últimos anos>*

emoção (e.mo.ção) [pl.: *-ões*] *s.f.* abalo afetivo ou moral ↺ frieza

emocional (e.mo.cio.nal) [pl.: *-ais*] *adj.2g.* **1** em que há forte abalo sentimental *<atitude e.>* **2** que desperta sentimentos intensos *<discurso e.>*

emocionante (e.mo.cio.nan.te) *adj.2g.* que desperta emoção; comovente *<espetáculo e.>*

emocionar (e.mo.cio.nar) *v.* {mod. 1} *t.d.,int. e pron.* (fazer) sentir emoção; impressionar(-se), comover(-se) *<o livro emocionou (os leitores)>* *<emociona-se facilmente>*

emoldurar (e.mol.du.rar) *v.* {mod. 1} *t.d.* **1** pôr em moldura *<e. uma gravura>* **2** enfeitar em volta de *<o novo corte de cabelo emoldurou muito bem o seu rosto>*

emoliente (e.mo.li.en.te) *adj.2g.s.m.* FARM (substância) própria para amolecer, abrandar *<creme e.>* *<esta solução é um e. para inflamações>*

emolumento (e.mo.lu.men.to) *s.m.* **1** o que se ganha; vantagem, lucro **2** recompensa, gratificação **3** rendimento extra

emotividade (e.mo.ti.vi.da.de) *s.f.* estado ou condição de quem é emotivo ↺ frieza, insensibilidade

emotivo (e.mo.ti.vo) *adj.* que se emociona facilmente ↺ frio, distante

empacar (em.pa.car) *v.* {mod. 1} *int.* **1** parar a marcha (burro, cavalo), firmando as patas, sem que seja possível fazê-lo continuar ↺ desempacar **2** *infrm.* não ir adiante; estagnar, parar *<o trabalho empacou>* ↺ prosseguir ~ **empacador** *adj.s.m.*

empachar (em.pa.char) *v.* {mod. 1} *t.d.* **1** encher demais; sobrecarregar □ *t.d. e pron.* **2** encher(-se) de comida; empanturrar(-se) *<e. o estômago>* *<e.-se nas festas>* ~ **empachado** *adj.* - **empachamento** *s.m.* - **empacho** *s.m.*

empacotadeira (em.pa.co.ta.dei.ra) *s.f.* empacotadora *<trabalha na loja como e.>*

empacotador (em.pa.co.ta.dor) /ô/ [pl.: *-es*] *adj.s.m.* (o) que empacota

empacotadora (em.pa.co.ta.do.ra) /ô/ *s.f.* **1** mulher que empacota; empacotadeira **2** máquina agrícola que faz pacotes de palha, feno etc.

empacotar (em.pa.co.tar) *v.* {mod. 1} *t.d.* **1** arrumar em pacotes; embalar *<pediu ajuda para e. as compras>* ↺ desembalar □ *int. gír.* **2** morrer, falecer ~ **empacotamento** *s.m.*

empada (em.pa.da) *s.f.* CUL salgadinho de forno com recheios variados, assado em pequenas fôrmas

empadão (em.pa.dão) [pl.: *-ões*] *s.m.* CUL torta grande semelhante à empada, para ser servida aos pedaços

empáfia (em.pá.fia) *s.f.* orgulho sem motivo; arrogância, insolência ↺ modéstia

empalhação (em.pa.lha.ção) [pl.: *-ões*] *s.f.* **1** empalhamento **2** malha de vime, palha etc. us. em forração **3** enchimento de palha que recheia pele de animal morto

empalhamento (em.pa.lha.men.to) *s.m.* ato de empalhar e o seu efeito; empalhação *<o e. de uma cadeira>*

empalhar (em.pa.lhar) *v.* {mod. 1} *t.d.* **1** encher (animal morto) de palha para conservar sua forma **2** forrar, tecer ou cobrir (móvel, objeto) com palha, vime ou tiras de junco *<é preciso e. o encosto da cadeira de balanço>* **3** envolver em palha para proteger *<e. louça>* ~ **empalhador** *adj.s.m.*

empalidecer (em.pa.li.de.cer) *v.* {mod. 8} *t.d. e int.* **1** (fazer) perder a cor, o viço *<a gripe forte empalideceu seu rosto> <saia um pouco, ou irá e.>* ↺ corar **2** *fig.* (fazer) perder a intensidade; enfraquecer *<a esperança empalidece o pessimismo> <com a idade, sua paciência empalideceu>* ↺ intensificar(-se) □ *int. fig.* **3** perder a importância ou o valor *<suas opiniões empalideceram com o tempo>*

empalmar (em.pal.mar) *v.* {mod. 1} *t.d.* **1** esconder na palma da mão *<o mágico empalmou o lenço>* **2** *infrm.* furtar com habilidade; surrupiar *<não percebeu quando empalmaram sua carteira>* **3** tomar posse de; apoderar-se *<empalmou a caneta do colega e não a devolveu>* ~ **empalmação** *s.f.*

empanada (em.pa.na.da) *s.f.* CUL espécie de empada, assada em fôrma média, com recheio variados

[1]**empanar** (em.pa.nar) *v.* {mod. 1} *t.d. e pron.* **1** (fazer) perder brilho, transparência ou reflexão (metais, vidros, espelhos etc.); embaçar(-se) *<o calor empana os vidros> <logo o espelho empanou-se>* ↺ desembaçar **2** *fig.* (fazer) perder o brilho, o valor; deslustrar(-se) *<o escândalo empanou a festa> <sua honra empanou-se>* ↺ abrilhantar(-se) **3** não deixar ou não ficar à mostra; encobrir(-se) *<cortinas empanavam a visão do quarto> <a atriz empana-se debaixo de um véu>* ↺ expor(-se) ◉ ORIGEM *em-* + *pano* + [2]*-ar* ~ **empanado** *adj.* - **empanamento** *s.m.*

[2]**empanar** (em.pa.nar) *v.* {mod. 1} *t.d.* CUL passar (pedaço de carne, peixe etc.) na farinha de trigo, em ovos batidos e na farinha de rosca, para fritar em seguida ◉ ORIGEM *em-* + lat. *pānis* 'pão' + [2]*-ar* ~ **empanado** *adj.*

empanturrar (em.pan.tur.rar) *v.* {mod. 1} *t.d. e pron.* (prep. *de*) [fazer] encher a barriga de comida; empanzinar(-se) *<empanturrou-se de brigadeiro>* ~ **empanturrado** *adj.*

empanzinar (em.pan.zi.nar) *v.* {mod. 1} *t.d. e pron.* empanturrar ~ **empanzinamento** *s.m.*

empapar (em.pa.par) *v.* {mod. 1} *t.d. e pron.* **1** molhar (se) demais; encharcar(-se) *<e. uma esponja> <no calor, empapa-se de suor>* □ *t.d.* **2** tornar mole como papa *<a inundação empapou o terreno>* ~ **empapado** *adj.*

empapuçar (em.pa.pu.çar) *v.* {mod. 1} *t.d. e pron.* **1** cobrir(-se) de papos ou pregas *<a costura malfeita empapuçou a calça>* **2** tornar(-se) inchado **3** *infrm.* encher(-se) de comida, bebida, droga *<empapuçou-se de doce antes do almoço>* ~ **empapuçado** *adj.* - **empapuçamento** *s.m.*

emparceirar (em.par.cei.rar) *v.* {mod. 1} *t.d. e pron.* unir(-se) em parceria *<o técnico só emparceirou craques nesta equipe> <emparceirou-se com um amigo para fazer a pesquisa>* ↺ desunir(-se), separar(-se)

emparedar (em.pa.re.dar) *v.* {mod. 1} *t.d.* **1** encerrar ou fixar em parede *<e. os canos>* **2** cercar de paredes *<emparedaram o quintal>* □ *t.d. e pron. fig.* **3** enclausurar(-se), isolar(-se) *<empareda o filho para obrigá-lo a estudar> <o cientista empareda-se no laboratório>*

emparelhar (em.pa.re.lhar) *v.* {mod. 1} *t.d.,t.i.,t.d.i. e pron.* **1** (prep. *a, com, em*) pôr(-se) ou ficar lado a lado, ou de par em par *<a comerciante emparelhou as mercadorias (na vitrine)> <o menino emparelhou(-se) com o adversário na corrida>* **2** *p.ext.* (prep. *a, com*) tornar(-se) igual ou semelhante; equiparar(-se) *<o exportador emparelhou seus produtos com os demais no mercado internacional>* ↺ diferenciar(-se) □ *t.d.* **3** pôr junto; unir, ligar *<a vontade de vencer emparelhava os amigos>* ↺ separar □ *t.i.* **4** (prep. *com*) estar em harmonia; condizer *<seu comportamento emparelha com a formação que teve>* ↺ destoar ~ **emparelhamento** *s.m.*

empastar (em.pas.tar) *v.* {mod. 1} *t.d. e pron.* **1** converter(-se) em pasta *<e. farinha para fazer cola> <com a umidade, o polvilho empastou-se>* **2** cobrir(-se) de pasta *<o excesso de cera empastava o assoalho> <no calor, seu cabelo empasta-se>* **3** *fig.* tornar[-se] (voz, fala etc.) confuso ou alterado *<a falta de sono empastou a fala do rapaz> <sua voz empastou-se ao final do discurso>* □ *t.d.* **4** ART. PLÁST aplicar (tinta) em grande quantidade para dar volume e acentuar o brilho, esp. nas pinturas a óleo ~ **empastamento** *s.m.*

empatar (em.pa.tar) *v.* {mod. 1} *t.d.* **1** dificultar a continuidade de; embaraçar *<a chuva empatou seu plano de ir à praia>* **2** tomar, ocupar (tempo) □ *t.d. e t.d.i.* **3** (prep. *em*) empregar (dinheiro) sem ter lucro imediato ou possível *<antes de viajar, empatou uma fortuna> <e. o capital em imóveis>* □ *t.d.,t.i. e int.* **4** (prep. *com*) igualar(-se) em pontos, votos etc. *<o jogador empatou a partida> <um time empatou com o outro> <os candidatos empataram>*

empate (em.pa.te) *s.m.* **1** igualdade no número de pontos, votos, gols etc. **2** emprego de tempo, recursos etc.; aplicação *<e. de capital>*

empatia (em.pa.ti.a) *s.f.* capacidade de partilhar dos sentimentos e emoções de outra pessoa ~ **empático** *adj.*

empavonar (em.pa.vo.nar) *v.* {mod. 1} *t.d. e pron.* tornar(-se) vaidoso como um pavão *<o elogio empavonou o cantor> <empavonaram-se com os aplausos>* ~ **empavonamento** *s.m.*

empecilho (em.pe.ci.lho) *s.m.* **1** dificuldade, impedimento ↺ facilitação **2** quem atrapalha

empedernido (em.pe.der.ni.do) *adj.* **1** endurecido, petrificado **2** *fig.* que não se deixa convencer; inflexível, insensível

empedernir (em.pe.der.nir) *v.* {mod. 24} *t.d.* **1** transformar em pedra; petrificar **2** *p.ext.* endurecer, empedrar *<a massa empederniu>* ↺ amolecer □ *t.d. e pron. fig.* **3** tornar(-se) insensível, duro *<a vida difícil acaba por e. os cidadãos> <empederniu-se após ver tantas injustiças>* ↺ sensibilizar(-se) ◉ GRAM/USO verbo defectivo (cf. modelo)

E

empedrar (em.pe.drar) *v.* {mod. 1} *t.d.* **1** revestir ou tapar com pedras □ *t.d.,int. e pron.* **2** (fazer) ficar duro como pedra; endurecer(-se) *<o contato com o ar empedrou a tinta> <o açúcar empedrou(-se)>* **3** *fig.* tornar(-se) insensível; empedernir(-se) ↺ sensibilizar (-se) ~ **empedramento** *s.m.*

empelicado (em.pe.li.ca.do) *adj.* MED *infrm.* **1** diz-se do bebê que nasce com a cabeça envolvida no pelico ou âmnio, fato considerado pelo povo como sinal de proteção ■ *adj.s.m. fig.* **2** que(m) tem sorte ↺ azarado

E

empena (em.pe.na) *s.f.* CONSTR **1** parte superior, de forma triangular, das paredes das fachadas menores de uma construção cujo telhado é de duas águas, na qual se apoia a cumeeira **2** cada um dos lados de um frontão **3** *p.ext.* qualquer parede lateral, esp. as construídas nas divisas do terreno

empenamento (em.pe.na.men.to) *s.m.* deformação de uma superfície plana de madeira por ação de calor ou umidade; empeno ↺ desempenamento

empenar (em.pe.nar) *v.* {mod. 1} *t.d. e int.* entortar(-se) devido ao calor ou à umidade; deformar(-se) *<a madeira empenou>* ↺ desempenar ☞ cf. *empinar* ~ **empenado** *adj.*

empenhar (em.pe.nhar) *v.* {mod. 1} *t.d.* **1** dar (algo material) como garantia do cumprimento de compromisso financeiro; hipotecar, penhorar *<e. joias>* □ *t.d. e pron. fig.* **2** obrigar(-se) moralmente; comprometer (-se) *<e. a palavra> <empenhou-se com todos, portanto estará aqui>* □ *t.d.,t.d.i. e pron.* **3** (prep. *em*) dedicar(-se) com afinco; aplicar(-se) *<empenhou seus esforços na solução da crise> <empenhou-se muito para conseguir a aprovação>* □ *pron.* **4** fazer dívidas, dando em penhor

empenho (em.pe.nho) *s.m.* **1** forte disposição ou interesse *<mostrou e. em terminar cedo suas tarefas>* ↺ descaso **2** penhora

empeno (em.pe.no) *s.m.* empenamento

emperiquitar (em.pe.ri.qui.tar) *v.* {mod. 1} *t.d. e pron.* enfeitar(-se) com exagero; empetecar(-se)

emperramento (em.per.ra.men.to) *s.m.* **1** dificuldade de movimento(s); emperro **2** *fig.* birra, teimosia *<deixe de e. e venha almoçar conosco>*

emperrar (em.per.rar) *v.* {mod. 1} *t.d.,int. e pron.* tornar(-se) difícil de mover; travar(-se) *<a falta de uso emperrou a fechadura> <o portão emperrou(-se)>* ↺ desemperrar

emperro (em.per.ro) /ê/ *s.m.* emperramento

empertigar (em.per.ti.gar) *v.* {mod. 1} *t.d. e pron.* **1** tornar(-se) rígido ou direito; aprumar(-se) *<e. a coluna> <após meses de ginástica, empertigou-se>* □ *pron. fig.* **2** portar-se com altivez, arrogância *<empertigou-se para falar ao diretor>*

empestar (em.pes.tar) *v.* {mod. 1} *t.d. e pron.* empestear(-se)

empestear (em.pes.te.ar) *v.* {mod. 5} *t.d. e pron.* **1** infectar(-se) com peste **2** (fazer) adquirir infecção ou doença; contaminar(-se) *<empesteou-se com varíola>* □ *t.d. fig.* **3** tornar insalubre e/ou malcheiroso por contaminar o ambiente com elementos nocivos *<a fumaça empesteou a sala>*

empetecar (em.pe.te.car) *v.* {mod. 1} *t.d. e pron.* enfeitar(-se) demais, com exagero; emperiquitar(-se) *<não se deve e. uma criança> <empetecou-se toda, mas desistiu de sair>*

empilhadeira (em.pi.lha.dei.ra) *s.f.* máquina para empilhamento e arrumação de produtos ou cargas em armazéns, portos etc.

empilhamento (em.pi.lha.men.to) *s.m.* arrumação em pilhas

empilhar (em.pi.lhar) *v.* {mod. 1} *t.d. e pron.* pôr em pilha ou formar pilha; amontoar(-se) *<e. livros> <as roupas empilhavam-se sobre a cama>* ↺ desempilhar

empinar (em.pi.nar) *v.* {mod. 1} *t.d. e pron.* **1** pôr(-se) na vertical; endireitar(-se) *<e. as costas> <ao meio-dia, o Sol empina-se>* □ *t.d.* **2** fazer subir; levantar, erguer *<e. pipa>* ↺ baixar **3** tornar proeminente, saliente *<e. o bumbum>* □ *int. e pron.* **4** erguer-se nas patas de trás (cavalo etc.) *<assustado, o cavalo empinou(-se)>* ☞ cf. *empenar* ~ **empinado** *adj.*

empipocar (em.pi.po.car) *v.* {mod. 1} *t.d. e int.* formar pústulas ou bolhas (na pele, no corpo) *<a rubéola empipocou a criança> <a catapora empipocou de repente>*

empíreo (em.pí.reo) *s.m.* **1** MIT morada dos deuses **2** REL lugar reservado aos santos e bem-aventurados; céu ■ *adj.* **3** relativo ao céu; celestial **4** que está acima de tudo; supremo

empírico (em.pí.ri.co) *adj.* baseado apenas na experiência e na observação *<opinião e.>*

empirismo (em.pi.ris.mo) *s.m.* **1** FIL doutrina de que todo conhecimento se origina da experiência **2** atitude de quem só usa conhecimentos práticos ~ **empirista** *adj.2g.s.2g.*

emplacar (em.pla.car) *v.* {mod. 1} *t.d.* **1** pôr placa em *<e. o carro>* **2** *gír.* alcançar determinada idade, tempo *<emplacou noventa essa semana>* □ *int. infrm.* **3** ter êxito, boa aceitação *<o livro emplacou>* **4** *B gír.* tornar-se realidade; concretizar-se *<a lei não vai e.>* ~ **emplacamento** *s.m.*

emplastar (em.plas.tar) *v.* → ***EMPLASTRAR***

emplasto (em.plas.to) *s.m.* → ***EMPLASTRO***

emplastrar (em.plas.trar) ou **emplastar** (em.plas.tar) *v.* {mod. 1} *t.d.* **1** aplicar ou colocar emplastro(s) em **2** dispor em camada(s) *<e. a massa>* □ *t.d. e pron. fig.* **3** revestir(-se) como se cobrisse com emplastro *<emplastrou-se de creme>*

emplastro (em.plas.tro) ou **emplasto** (em.plas.to) *s.m.* **1** FARM medicamento de uso externo que, amolecendo com o calor, adere à pele **2** curativo com esse medicamento ~ **emplástrico/emplástico** *adj.*

emplumação (em.plu.ma.ção) [pl.: *-ões*] *s.f.* **1** ato de emplumar(-se) ou seu efeito **2** cobertura de penas das aves

emplumar (em.plu.mar) *v.* {mod. 1} *t.d. e pron.* **1** enfeitar(-se) com plumas ou penas *<emplumou a fantasia> <emplumaram-se para o carnaval>* □ *int. e pron.* **2** cobrir-se de plumas ou penas *<o pássaro emplumou>* □ *pron.* **3** exibir-se com vaidade *<emplumou-se ao perceber que a observavam>*

empoar (em.po.ar) *v.* {mod. 1} *t.d.,int. e pron.* **1** cobrir (-se) de pó ou de poeira *<a obra empoará a casa> <o carro empoou> <empoou-se ao passar pela estrada de*

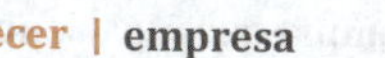

terra> □ *t.d. e pron.* **2** aplicar(-se) maquiagem (esp. pó de arroz) *<e. o nariz> <pediu licença para empoar-se>*

empobrecer (em.po.bre.cer) *v.* {mod. 8} *t.d.,int. e pron.* **1** (fazer) ficar pobre, sem recursos ↺ enriquecer **2** *fig.* (fazer) perder qualidade, valor, atributo etc. *<a saída daquela professora empobreceu a escola> <sem as figuras, o texto empobreceu>* □ *t.d.* **3** esgotar os recursos de; depauperar *<queimadas empobrecem o solo>*

empobrecimento (em.po.bre.ci.men.to) *s.m.* perda de riqueza ↺ enriquecimento

empoçar (em.po.çar) *v.* {mod. 1} *t.d. e int.* **1** (fazer) formar poça *<o desnível da rua empoça a água da chuva> <com a chuva intensa, a água empoçou>* □ *t.d. e pron.* **2** meter(-se) ou cair em poço ou poça; atolar(-se) *<e. os pés na lama> <e.-se no lodaçal>* ☞ cf. *empossar* ~ **empoçamento** *s.m.*

empoeirar (em.po.ei.rar) *v.* {mod. 1} *t.d. e pron.* cobrir(-se) de poeira; empoar(-se)

empola (em.po.la) /ô/ *s.f.* acúmulo de serosidade, linfa, pus ou sangue na pele; ampola, bolha, vesícula

empolar (em.po.lar) *v.* {mod. 1} *t.d.,int. e pron.* **1** (fazer) ficar com bolhas na pele, no corpo *<os mosquitos empolaram o rapaz> <empolou(-se) após a caminhada pelo pasto>* □ *t.d. e pron.* **2** *fig.* tornar(-se) pomposo, exagerado *<e. o discurso> <empolava-se em presença dos chefes>* **3** tornar(-se) agitado (esp. o mar); encapelar(-se) ~ **empolamento** *s.m.*

empoleirar (em.po.lei.rar) *v.* {mod. 1} *t.d. e pron.* **1** pôr(-se) em poleiro **2** *fig.* pôr(-se) como em poleiro; subir *<empoleirou o menino na cadeira> <os pássaros empoleiram-se nos fios>* ↺ descer

empolgação (em.pol.ga.ção) [pl.: *-ões*] *s.f.* **1** ação de empolgar(-se) **2** animação, entusiasmo *<a e. da torcida empurrou o time>* ↺ desinteresse

empolgamento (em.pol.ga.men.to) *s.m.* empolgação

empolgante (em.pol.gan.te) *adj.2g.* que prende a atenção *<uma peça e.>*

empolgar (em.pol.gar) *v.* {mod. 1} *t.d.* **1** segurar com força com a(s) mão(s) ou garra(s) *<a águia empolgou sua presa>* □ *t.d. e pron. fig.* **2** (fazer) ficar entusiasmado; arrebatar(-se), impressionar(-se) *<o cantor empolgou seu público> <os jovens não se empolgaram com o novo esporte>*

empombar (em.pom.bar) *v.* {mod. 1} *t.i. e pron.* (prep. *com*) ficar nervoso, irritado ou desconfiado *<empombou com o amigo> <empombaram-se e abandonaram a reunião>* ~ **empombação** *s.f.*

emporcalhar (em.por.ca.lhar) *v.* {mod. 1} *t.d. e pron.* tornar(-se) muito sujo *<essa fuligem emporcalhou a sala> <emporcalharam-se de tinta>* ↺ limpar(-se)

empório (em.pó.rio) *s.m.* **1** bazar, armazém **2** porto, cidade, região de grande atividade comercial

empossar (em.pos.sar) *v.* {mod. 1} *t.d.,t.d.i. e pron.* (prep. *em*) dar posse a ou tomar posse *<o presidente empossou seus ministros> <o diretor empossará o assistente no cargo de coordenador> <empossou-se diretor>* ☞ cf. *empoçar* ~ **empossamento** *s.m.*

empostar (em.pos.tar) *v.* {mod. 1} *t.d.* impostar

emprazar (em.pra.zar) *v.* {mod. 1} *t.d. e t.d.i.* **1** (prep. *para*) convidar ou convocar para comparecer em certo tempo *<emprazou os candidatos para dali a duas semanas>* □ *pron.* **2** acertar data e local para um encontro *<emprazaram-se com muita antecedência>* ~ **emprazamento** *s.m.*

empreendedor (em.pre.en.de.dor) /ô/ [pl.: *-es*] *adj.s.m.* (aquele) que empreende

empreendedorismo (em.pre.en.de.do.ris.mo) *s.m.* **1** disposição ou capacidade de idealizar, coordenar e realizar projetos, serviços, negócios **2** iniciativa de pôr em prática mudanças em empresas ou negócios já existentes, ger. com transformações que envolvem inovação e riscos **3** conjunto de conhecimentos relacionados a essa forma de agir

E

empreender (em.pre.en.der) *v.* {mod. 8} *t.d.* **1** decidir fazer (tarefa difícil e trabalhosa); tentar *<e. uma viagem arriscada>* **2** pôr em execução; realizar *<e. pesquisas> <e. longas caminhadas>*

empreendimento (em.pre.en.di.men.to) *s.m.* **1** ato de quem assume tarefa ou responsabilidade **2** essa tarefa ou responsabilidade; projeto, realização *<o novo e. exige muitos colaboradores> <e. imobiliário>*

empregado (em.pre.ga.do) *adj.* **1** admitido em emprego ↺ desempregado **2** posto em prática; utilizado *<o método e. não trouxe bons resultados>* ■ *s.m.* **3** quem presta serviços contínuos a um empregador **4** quem presta serviços domésticos ◉ GRAM/USO part. de *empregar*

empregador (em.pre.ga.dor) /ô/ [pl.: *-es*] *adj.s.m.* **1** (o) que contrata pessoal para serviço assalariado ■ *s.m.* **2** patrão

empregar (em.pre.gar) *v.* {mod. 1} *t.d. e t.d.i.* **1** (prep. *em*) fazer uso de; utilizar *<empregou os verbos de forma correta> <não soube e. seu dinheiro (em um bom negócio)>* □ *t.d. e pron.* **2** admitir ou ser admitido em emprego *<a loja empregou dois novos funcionários> <empregou-se logo que terminou seu curso>* ↺ demitir(-se) ◉ GRAM/USO part.: *empregado, empregue*; ver QUADRO DE PARTICÍPIOS DUPLOS nas pp. iniciais

empregatício (em.pre.ga.tí.cio) *adj.* referente a emprego ('trabalho')

emprego (em.pre.go) /ê/ *s.m.* **1** uso *<e. de talento, de habilidade>* **2** trabalho contínuo em serviço público ou privado *<conseguiu um e. na padaria>* ↺ desemprego **3** local em que se exerce esse trabalho *<esqueci a chave no e.>*

empreitada (em.prei.ta.da) *s.f.* **1** obra por conta de outrem; tarefa **2** trabalho cujo preço, ajustado com antecedência, é pago de uma só vez

empreitar (em.prei.tar) *v.* {mod. 1} *t.d.* contratar ou executar por empreitada

empreiteira (em.prei.tei.ra) *s.f.* firma que realiza obras por empreitada

empreiteiro (em.prei.tei.ro) *adj.s.m.* (o) que faz obra de empreitada

emprenhar (em.pre.nhar) *v.* {mod. 1} *t.d.,t.i. e int.* (prep. *de*) tornar(-se) prenhe (mulher ou fêmea); engravidar *<minha gata emprenhou do siamês do vizinho> <custou muito a e.>*

empresa (em.pre.sa) /ê/ *s.f.* **1** empreendimento, tentativa *<era uma e. arriscada>* **2** organização mercantil, industrial etc.; firma *<trabalha em uma empresa de alimentos>* ▣ **e. estatal** DIR aquela cuja maioria das ações pertence de forma direta ou indireta ao poder público; estatal

empresariado (em.pre.sa.ri.a.do) *s.m.* a classe dos empresários

empresarial (em.pre.sa.ri.al) [pl.: *-ais*] *adj.2g.* relativo a empresa ou empresário *<decisões e.>*

empresário (em.pre.sá.rio) *s.m.* **1** dono ou chefe de empresa; homem de negócios *<um e. do ramo de farmácias>* **2** quem cuida da carreira de artistas, atletas etc. *<mudou de e. após lançar o CD>* ◉ COL empresariado

emprestar (em.pres.tar) *v.* {mod. 1} *t.d. e t.d.i.* **1** (prep. *a*) confiar (dinheiro, objeto) [a alguém], para usar por tempo limitado e depois devolver ao dono; ceder *<emprestei meu caderno a um aluno do terceiro ano> <nunca empresto livros>* **2** *B* (prep. *de*) tomar por empréstimo *<emprestou a rede (do primo)>* □ *t.d.i. fig.* **3** (prep. *a*) deixar marcado; imprimir, conferir *<e. mais de um sentido a um gesto>*

empréstimo (em.prés.ti.mo) *s.m.* **1** ato de emprestar *<está autorizado o e. de livros na biblioteca>* **2** aquilo que foi emprestado

emproado (em.pro.a.do) *adj.* orgulhoso; presunçoso ~ **emproar** *v.t.d. e pron.*

empubescer (em.pu.bes.cer) *v.* {mod. 8} *int. e pron.* **1** chegar à puberdade **2** *p.ext.* criar pelos

empulhação (em.pu.lha.ção) [pl.: *-ões*] *s.f. infrm.* logro, tapeação, mentira

empulhar (em.pu.lhar) *v.* {mod. 1} *t.d.* **1** dizer pulhas a; zombar **2** agir com o objetivo de iludir; enganar *<cuidado com esse rapaz, ele gosta de e. os outros>*

empunhadura (em.pu.nha.du.ra) *s.f.* parte por onde se segura (arma, remo etc.)

empunhar (em.pu.nhar) *v.* {mod. 1} *t.d.* **1** pegar pelo punho ou pela empunhadura *<e. uma lança>* **2** pegar, segurar *<e. uma caneta>*

empurra-empurra (em.pur.ra-em.pur.ra) [pl.: *empurra-empurras* e *empurras-empurras*] *s.m.* confusão de pessoas que se esbarram em local apertado *<ao iniciar a entrega das senhas, começou o e.>*

empurrão (em.pur.rão) [pl.: *-ões*] *s.m.* impulso forte, ger. para mover algo ou alguém *<deu um e. no sofá para abrir espaço>* ↺ puxão

empurrar (em.pur.rar) *v.* {mod. 1} *t.d.* **1** impulsionar com força, vigor; empuxar *<precisou e. o carro com as mãos>* □ *t.d. e pron.* **2** dar um ou vários encontrões (em) *<os cantores empurravam os fãs para abrir passagem> <as crianças se empurravam para ver o ídolo>* □ *t.d.i. fig.* **3** (prep. *a*) obrigar a aceitar; impingir *<empurrou o iogurte ao irmão mais novo>*

emputecer (em.pu.te.cer) *v.* {mod. 8} *t.d. e pron. gros.* (fazer) ficar com raiva; enraivecer-se *<emputeceu o sujeito com suas reclamações> <emputeceu-se com a demora>*

empuxar (em.pu.xar) *v.* {mod. 1} *t.d.* **1** impulsionar com força; empurrar **2** fazer tremer; sacudir □ *t.d.i. p.ext.* **3** (prep. *a*) conduzir, induzir *<o desespero empuxou-o a colar na prova>* ~ **empuxão** *s.m.*

empuxo (em.pu.xo) *s.m.* **1** ato de empuxar **2** força que empurra, atuando como elemento de impulsão *<o e. da água derrubou o balde>*

emudecer (e.mu.de.cer) *v.* {mod. 8} *t.d.,int. e pron.* **1** tornar(-se) mudo *<um acidente emudeceu-o>* **2** (fazer) ficar em silêncio; silenciar(-se) *<a presença do pai o emudeceu> <quando ela falava, ele emudecia> <emudeceu-se diante do que via>* ↺ falar ~ **emudecimento** *s.m.*

emulação (e.mu.la.ção) [pl.: *-ões*] *s.f.* **1** esforço para imitar ou superar alguém **2** competição, disputa

emular (e.mu.lar) *v.* {mod. 1} *t.i. e pron.* **1** (prep. *com, em*) tentar superar ou igualar-se a; competir, equiparar-se *<emula(-se) com a irmã em beleza>* □ *t.i. e pron.* **2** (prep. *em*) esforçar-se para realizar (um objetivo) *<os bons emulam(-se) em realizar boas ações>* □ *t.d.* **3** seguir o exemplo de; imitar *<emulava seu professor de dança>*

emulativo (e.mu.la.ti.vo) *adj.* referente a emulação

êmulo (ê.mu.lo) *s.m.* rival, concorrente

emulsão (e.mul.são) [pl.: *-ões*] *s.f.* QUÍM dispersão de uma substância (em forma de partículas minúsculas) numa outra ~ **emulsificar** *v.t.d.*

emulsivo (e.mul.si.vo) *adj.* que pode tomar o caráter de emulsão

en- *pref.* → *EM-*

Enade (E.na.de) *s.m.* sigla de exame nacional de desempenho de estudantes

enaltecer (e.nal.te.cer) *v.* {mod. 8} *t.d.* **1** tornar alto; elevar **2** *fig.* tornar glorioso; exaltar, engrandecer *<enaltecia seu time, ganhando ou perdendo>* ↺ desvalorizar ~ **enaltecedor** *adj.s.m.* - **enaltecimento** *s.m.*

enamorar (e.na.mo.rar) *v.* {mod. 1} *t.d. e pron.* sentir ou inspirar amor; encantar(-se) *<a linda paisagem enamorava os visitantes> <enamorou-se pela professora>*

-ença ou **-ência** *suf.* 'ação ou resultado da ação': *aderência, crença, frequência, renascença*

encabar (en.ca.bar) *v.* {mod. 1} *t.d.* pôr cabo em

encabeçar (en.ca.be.çar) *v.* {mod. 1} *t.d.* **1** estar à frente de; começar, abrir *<seu nome encabeçava a lista de ganhadores>* **2** ser o líder de; chefiar *<o funcionário mais antigo encabeçou a revolta>* ~ **encabeçamento** *s.m.*

encabrestar (en.ca.bres.tar) *v.* {mod. 1} *t.d.* **1** pôr cabresto em (cavalgadura) □ *t.d. e pron. fig.* **2** submeter (-se) ao domínio; subjugar(-se)

encabulado (en.ca.bu.la.do) *adj.s.m.* com vergonha; em situação desconfortável *<sentia-se e. na casa da sogra>*

encabular (en.ca.bu.lar) *v.* {mod. 1} *t.d.,int. e pron.* (fazer) sentir vergonha ou constrangimento; acanhar (-se) *<as grosserias do avô encabularam toda a família> <e.(-se) diante do auditório>* ↺ desinibir(-se) ~ **encabulação** *s.f.*

encadeamento (en.ca.de.a.men.to) *s.m.* **1** ordenação em sequência de coisas ou fatos; conexão, concatenação *<começaram a reunião com um e. dos últimos acontecimentos>* **2** série, sucessão *<um e. de vitórias>*

encadear (en.ca.de.ar) *v.* {mod. 5} *t.d.,t.d.i. e pron.* (prep. *a*) dispor(-se) em cadeia ou em série *<encadeava*

as ideias com facilidade> <encadeou as teorias do amigo às suas crenças> <suas palavras encadeavam-se mal>

encadernação (en.ca.der.na.ção) [pl.: *-ões*] *s.f.* **1** ação ou processo de revestir com capa dura as folhas que compõem um livro **2** *p.ext.* capa de livro **3** local onde se encadernam livros

encadernador (en.ca.der.na.dor) /ô/ [pl.: *-es*] *adj.s.m.* que(m) encaderna ou trabalha em oficina de encadernação

encadernar (en.ca.der.nar) *v.* {mod. 1} *t.d.* unir (folhas, livros etc.) em um só volume, ger. com capa

encafifar (en.ca.fi.far) *v.* {mod. 1} *t.d.,int. e pron. B infrm.* **1** encher(-se) de timidez; acanhar(-se) ↺ desinibir(-se) ◻ *t.d. e int.* **2** (fazer) ficar preocupado ou cismado; intrigar, inquietar *<a mudança de planos encafifou a turma>* ◻ *t.i.* **3** (prep. *em*) teimar, insistir, cismar *<e. em querer o doce>* ↺ desistir

encafuar (en.ca.fu.ar) *v.* {mod. 1} *t.d. e pron.* **1** (fazer) entrar em caverna, esconderijo; enfurnar(-se) *<o caçador encafuou o coelho> <os tatus encafuaram-se>* **2** *fig.* tornar(-se) oculto; esconder(-se) *<e. planos>* ↺ mostrar(-se)

encaiporar (en.cai.po.rar) *v.* {mod. 1} *t.d. e pron.* **1** tornar(-se) infeliz, sem sorte; azarar(-se) *<dizem que o gato preto encaipora quem o vê> <encaiporou-se desde que comprou aquele sítio>* ◻ *pron.* **2** ficar aborrecido; amolar-se *<encaipora-se quando vê alguém jogar lixo no chão>*

encaixar (en.cai.xar) *v.* {mod. 1} *t.d.,t.d.i.,int. e pron.* **1** (prep. *em*) ajustar (peça, parte de mecanismo) [em espaço, peça, lugar preparado para recebê-la] *<o bebê encaixou as peças (no brinquedo)> <as partes do mecanismo não (se) encaixaram>* ◻ *t.d.,t.d.i. e pron.* **2** *fig.* (prep. *em, entre*) inserir(-se) entre; incluir(-se) *<encaixou seus quadros (na exposição)> <encaixou-se entre os candidatos>* ◻ *t.d.* **3** guardar em caixa ou caixote; encaixotar *<e. livros>* ◻ *int. e pron.* **4** estar em conformidade; coincidir *<os depoimentos das testemunhas não (se) encaixaram>* ◻ *t.i.,int. e pron.* **5** (prep. *em*) vir a propósito; convir *<sua pergunta não (se) encaixa (em minha linha de raciocínio)> <essas observações não encaixam>* ◻ *t.d. e int.* FUTB **6** defender (a bola) com firmeza, envolvendo-a com ambos os braços *<o goleiro encaixou a pelota> <o chute foi forte, mas o goleiro encaixou bem>* ~ **encaixamento** *s.m.*

encaixe (en.cai.xe) *s.m.* **1** ato ou efeito de encaixar(-se) ↺ desencaixe **2** espaço destinado a receber peça que completará um todo ou parte dele **3** ponto de junção *<o cano rompeu no e.>*

encaixotar (en.cai.xo.tar) *v.* {mod. 1} *t.d.* guardar em caixote ou caixa; encaixar *<encaixotou primeiro a louça>* ↺ desencaixotar ~ **encaixotador** *adj.s.m.* - **encaixotamento** *s.m.*

encalacrar (en.ca.la.crar) *v.* {mod. 1} *t.d. e pron.* **1** pôr(-se) em empreendimento prejudicial; embaraçar(-se) *<encalacrou o amigo ao convencê-lo a viajar> <abriu novo negócio, mas encalacrou-se>* ↺ desencalacrar(-se) ◻ *pron.* **2** endividar-se *<encalacrou-se com a compra do carro>* ~ **encalacração** *s.f.*

encalço (en.cal.ço) *s.m.* **1** perseguição *<saiu no e. do cachorro fujão>* **2** vestígio, rastro

encalhar (en.ca.lhar) *v.* {mod. 1} *t.d.,t.d.i. e int.* **1** MAR (prep. *em*) apoiar (quilha de embarcação) no fundo de mar, rio ou em algum obstáculo *<e. o navio (no banco de areia)> <o barco encalhou>* ◻ *int.* **2** parar sobre a água por haver um obstáculo *<os troncos deslizavam sobre as águas, mas encalharam de repente>* **3** *fig.* não ter continuidade; parar *<o projeto encalhou logo no início>* **4** *fig.* não vender bem (produto, mercadoria) *<o perfume novo encalhou>* **5** *fig. B infrm.* não ter casado ↺ desencalhar ~ **encalhação** *s.f.* - **encalhamento** *s.m.*

encalhe (en.ca.lhe) *s.m.* **1** ato ou efeito de encalhar ↺ desencalhe **2** ausência ou interrupção de continuidade; obstrução, obstáculo **3** conjunto de mercadorias que não foram vendidas

encalistrar (en.ca.lis.trar) *v.* {mod. 1} *t.d.,int. e pron.* **1** (fazer) ficar tímido, encabulado; acanhar(-se) *<o técnico encalistrou os novos jogadores> <encalistraram-se diante do famoso ator>* ↺ desinibir(-se) ◻ *int.* **2** teimar com ira; obstinar-se ~ **encalistramento** *s.m.*

encaminhamento (en.ca.mi.nha.men.to) *s.m.* ação, processo ou efeito de encaminhar(-se) *<dar e. a um pedido>*

encaminhar (en.ca.mi.nhar) *v.* {mod. 1} *t.d.,t.d.i. e pron.* **1** (prep. *a, até, para*) mostrar ou tomar certo caminho; conduzir(-se), dirigir(-se) *<e. o infrator à delegacia> <e.-se para a biblioteca>* ◻ *t.d. e t.d.i.* **2** (prep. *a, com, para*) fazer que avance ou se oriente em certa direção moral, intelectual; guiar *<encaminhava o discurso com a capacidade de um mestre> <encaminhamos o rapaz à vida artística>* ◻ *t.d.* **3** conduzir para o bom caminho *<o velho professor gostava de e. os alunos>* ↺ desencaminhar **4** conduzir pelos meios competentes *<e. um requerimento>*

encampar (en.cam.par) *v.* {mod. 1} *t.d.* **1** tomar (o governo) posse de (empresa privada) mediante indenização **2** *fig.* aceitar como bom ou necessário; adotar *<e. ideias>* ~ **encampação** *s.f.* - **encampamento** *s.m.*

encanador (en.ca.na.dor) /ô/ [pl.: *-es*] *s.m. B* quem conserta ou instala encanamentos; bombeiro

encanamento (en.ca.na.men.to) *s.m.* conjunto de canos instalados para distribuição de água, gás etc.

[1]**encanar** (en.ca.nar) *v.* {mod. 1} *t.d.* conduzir por cano ou canal; canalizar ◉ ORIGEM *en-* + *cano* + [2]*-ar*

[2]**encanar** (en.ca.nar) *v.* {mod. 1} *t.d.* **1** proteger (osso fraturado) com talas, mantendo-o em posição adequada para cura; engessar *<teve de e. a perna>* **2** pôr na cadeia; prender ◻ *t.i. e int.* **3** *gír.* (prep. *com*) importar-se demais com algo; preocupar-se *<encanaram com a contratação do jogador> <vamos resolver o problema, não encana>* ◉ ORIGEM *en-* + [2]*cana* + [2]*-ar* ~ **encanação** *s.f.*

encandear (en.can.de.ar) *v.* {mod. 5} *t.d.* **1** ofuscar (o peixe, a caça), para atraí-lo ◻ *t.d. e int.* **2** turvar (a vista) com luz; ofuscar *<a claridade da manhã encandeia (a vista)>* ◻ *t.d. e pron. fig.* **3** deslumbrar(-se), encantar(-se) *<tem um carisma que encandeia multidões> <encandeiam-se com as palavras do orador>*

encanecer (en.ca.ne.cer) *v.* {mod. 8} *t.d. e int.* **1** embranquecer pouco a pouco (os cabelos) **2** (fazer) ficar com cabelos brancos; envelhecer

E

encantador (en.can.ta.dor) /ô/ [pl.: *-es*] *adj.s.m.* **1** (o) que atrai, seduz *<olhar e.>* **2** (o) que causa prazer *<uma conversa e.>* **3** que(m) faz encantamentos; mágico *<e. de serpentes>*

encantamento (en.can.ta.men.to) *s.m.* **1** encanto **2** sensação de admiração ou prazer despertada ao se ver, ouvir ou perceber algo muito bom, bonito, sedutor etc.; fascínio *<o e. daquela viagem ficará na memória de todos>* ↺ desencantamento

encantar (en.can.tar) *v.* {mod. 1} *t.d. e pron.* **1** submeter (-se) a feitiço ou magia; enfeitiçar *<o feiticeiro encantou a princesa> <encantou-se num sapo>* **2** *p.ext.* envolver (-se) por algo sedutor; maravilhar(-se) *<e. a plateia> <encantaram-se com a música>* □ *t.d.* **3** causar grande prazer a *<a boa-nova encantou-a>* ~ **encantado** *adj.*

encanto (en.can.to) *s.m.* **1** quem ou o que agrada *<ser um e. de pessoa>* **2** atração sentida pelas boas qualidades de algo ou alguém *<o e. que ele nos causou foi imediato>* ↺ desencanto **3** palavra, frase etc. que possui poderes de enfeitiçar; encantamento *<o e. da bruxa transformou-o numa coruja>*

encapar (en.ca.par) *v.* {mod. 1} *t.d.* revestir com capa (livro, caderno etc.) ↺ desencapar

encapelar (en.ca.pe.lar) *v.* {mod. 1} *t.d. e pron.* **1** agitar(-se) [esp. o mar] **2** conceder ou receber o capelo de doutor; doutorar(-se)

encapetado (en.ca.pe.ta.do) *adj.* *B* endiabrado, travesso *<que gatinho e.!>* ~ **encapetar-se** *v.pron.*

encapotar (en.ca.po.tar) *v.* {mod. 1} *t.d. e pron.* **1** cobrir(-se) com capa ou capote *<encapotou-se por causa do frio>* **2** *fig.* vestir(-se) para não ser reconhecido; disfarçar(-se) *<e. a amante>*

encapsular (en.cap.su.lar) *v.* {mod. 1} *t.d.* colocar em cápsula; capsular *<e. medicamento>*

encapuzar (en.ca.pu.zar) *v.* {mod. 1} *t.d. e pron.* cobrir(-se) com capuz ~ **encapuzado** *adj.*

encaracolado (en.ca.ra.co.la.do) *adj.* **1** semelhante a caracol **2** enrolado em espiral *<cabelos e.>*

encaracolar (en.ca.ra.co.lar) *v.* {mod. 1} *t.d.,int. e pron.* (fazer) tomar forma de caracol; enrolar(-se) *<e. uma fita> <seus cabelos encaracolaram(-se)>* ↺ desenrolar(-se)

encaramujar-se (en.ca.ra.mu.jar-se) *v.* {mod. 1} *pron.* **1** voltar-se para si mesmo; retrair-se ↺ abrir-se **2** *fig.* ficar deprimido, triste *<quando recebeu a notícia, encaramujou-se>*

encarapinhado (en.ca.ra.pi.nha.do) *adj.* muito ondulado; crespo *<cabelo e.>* ↺ liso ~ **encarapinhar** *v.t.d.,int. e pron.*

encarapitar (en.ca.ra.pi.tar) *v.* {mod. 1} *t.d. e pron.* pôr(-se) no alto *<encarapitou-se no muro para ver a paisagem>* ↺ descer

encarar (en.ca.rar) *v.* {mod. 1} *t.d.* **1** olhar de frente, nos olhos de *<encarou o irmão e repreendeu-o>* **2** examinar com atenção; analisar *<e. um problema>* **3** fazer frente a; enfrentar *<e. o adversário sem receio>* ↺ esquivar-se □ *t.i.* **4** (prep. *com*) encontrar subitamente com; topar *<ao entrar no prédio, encarou com o segurança>* ~ **encaramento** *s.m.*

encarcerar (en.car.ce.rar) *v.* {mod. 1} *t.d.* **1** prender em cárcere; aprisionar ↺ libertar □ *t.d. e pron.* **2** afastar (-se) do convívio social; isolar(-se) *<encarcerou-se por livre e espontânea vontade>* ~ **encarceramento** *s.m.*

encardido (en.car.di.do) *adj.* **1** escuro de sujeira **1.1** acinzentado ou amarelado, por lavagem malfeita ou pela ação do tempo *<um colarinho e.>* ~ **encardimento** *s.m.* - **encardir** *v.t.d.,int. e pron.*

encarecer (en.ca.re.cer) *v.* {mod. 8} *t.d. e int.* **1** tornar (-se) caro ou aumentar de preço *<a temporada de chuvas fortes encareceu as verduras> <a gasolina encareceu>* ↺ baratear □ *t.d.* **2** enaltecer, louvar *<em sua crítica, encarece as técnicas do escritor>* **3** recomendar com interesse, diligência *<encareceu a necessidade da reforma>* ~ **encarecimento** *s.m.*

encarecido (en.ca.re.ci.do) *adj.* **1** cujo preço subiu **2** valorizado, elogiado **3** recomendado com empenho

encargo (en.car.go) *s.m.* **1** incumbência; dever *<trazer o gelo era seu e.>* **2** cargo ou função *<e. de chefe>* **3** tarefa sem compensação ou dispendiosa; fardo *<passar roupa era um e. para ele>*

encarnação (en.car.na.ção) [pl.: *-ões*] *s.f.* **1** ação de tornar(-se) semelhante à carne **2** REL materialização de uma divindade em alguma forma viva terrena **2.1** entre os cristãos, corporificação de Deus na pessoa de Jesus Cristo **2.2** entre os espíritas, cada uma das existências terrenas do espírito **3** *fig.* representação, personificação *<ele é a e. da bondade>* **4** ART.PLAST a cor de carne que se dá nas imagens e estátuas

encarnado (en.car.na.do) *adj.* **1** que encarnou **2** da cor da carne vermelha, do sangue *<saia e.>* ■ *s.m.* **3** imagem que foi objeto de encarnação **4** cor vermelha de carne, de sangue *<gostava mais do e. que do azul>*

encarnador (en.car.na.dor) /ô/ [pl.: *-es*] *adj.s.m.* (o) que encarna figuras ou imagens *<pintor e.>*

encarnar (en.car.nar) *v.* {mod. 1} *t.i.,int. e pron.* **1** (prep. *em*) fazer-se humano (Deus, entidade) *<o deus grego encarnou em um guerreiro>* □ *int.* REL **2** ter uma encarnação ('existência'); nascer ↺ desencarnar □ *t.d.* **3** representar (personagem) *<encarnou Brás Cubas>* **4** ser o modelo de; personificar, representar *<encarnou a justiça>* **5** ART.PLÁST dar cor de carne a (figuras, estátuas etc.)

encarniçar (en.car.ni.çar) *v.* {mod. 1} *t.d.* **1** dar (a um cão) um pedaço de caça para familiarizá-lo com o cheiro e o gosto **2** *p.ext.* provocar excitação em; incitar *<e. a multidão>* □ *pron.* **3** enfurecer-se, irar-se ↺ acalmar-se ~ **encarniçamento** *s.m.*

encaroçar (en.ca.ro.çar) *v.* {mod. 1} *int. e pron.* **1** ficar com caroços *<o mingau encaroçou>* **2** encher-se (a pele) de erupções, inchaços *<seu braço encaroçou> <o rosto encaroçou-se com as picadas de abelha>*

encarquilhar (en.car.qui.lhar) *v.* {mod. 1} *t.d. e pron.* encher(-se) de carquilhas, rugas; enrugar(-se) *<a idade encarquilhou seu rosto> <encarquilhava-se dia após dia>* ↺ desenrugar(-se)

encarrancar (en.car.ran.car) *v.* {mod. 1} *t.d. e pron.* **1** (fazer) ficar carrancudo, zangado □ *int.* **2** fazer carranca ('figura') **3** encher-se de nuvens (o tempo); fechar

encarregado (en.car.re.ga.do) *adj.s.m.* **1** que ou aquele a quem se atribuiu alguma tarefa, cargo etc. ■ *s.m.* **2** indivíduo incumbido de fiscalizar os operários em uma obra

encarregar (en.car.re.gar) *v.* {mod. 1} *t.d.i. e pron.* (prep. *de*) atribuir(-se) [cargo, tarefa etc.]; incumbir (-se) *<encarregou-o de dar a resposta ao vizinho> <encarregou-se de dirigir a empresa do pai>* ↺ desobrigar (-se) ◉ GRAM/USO part.: *encarregado, encarregue*; ver QUADRO DE PARTICÍPIOS DUPLOS nas pp. iniciais

encarreirar (en.car.rei.rar) *v.* {mod. 1} *t.d. e pron.* **1** abrir caminho (para); conduzir(-se) □ *t.d.* **2** pôr em carreira, linha, fila; enfileirar *<e. copos>* **3** *fig.* induzir à boa conduta; encaminhar *<encarreirou a vida do sobrinho>* ↺ desencaminhar

encarrilar (en.car.ri.lar) ou **encarrilhar** (en.car.ri.lhar) *v.* {mod. 1} *t.d.* **1** engatar nos carris *<e. o trem>* ↺ descarrilar □ *t.d. e int. fig.* **2** (fazer) ir pelo bom caminho; encaminhar(-se) *<encarrilou a turma> <após a demissão, não sabia como e.>* ↺ desencaminhar(-se)

encarte (en.car.te) *s.m.* GRÁF **1** operação de inserir, em uma publicação, um folheto com matérias especiais ou publicitárias **2** suplemento impresso avulso (em jornais, discos etc.) *<o e. do CD está cheio de fotos>* ~ **encartar** *v.t.d.*

encartuchar (en.car.tu.char) *v.* {mod. 1} *t.d.* **1** pôr em cartucho *<encartuchou a pólvora>* **2** dar forma ou aspecto de cartucho a

encarvoar (en.car.vo.ar) *v.* {mod. 1} *t.d. e pron.* **1** sujar(-se) de carvão □ *pron.* **2** transformar-se em carvão

encasacar (en.ca.sa.car) *v.* {mod. 1} *t.d. e pron.* **1** vestir(-se) com casaca ou casaco *<encasaque as crianças; está frio> <encasacou-se antes de sair>* **2** *infrm.* pôr traje de cerimônia (em)

encasquetar (en.cas.que.tar) *v.* {mod. 1} *t.d.,t.d.i. e pron.* **1** (prep. *com, em*) pôr casquete, barrete etc. na cabeça (de) *<e. o bebê> <encasquetou o boné no filho> <encasquetou-se com uma touca>* □ *t.d.* **2** pôr na cabeça, no juízo; cismar *<e. uma ideia maluca>* □ *t.d.i.* **3** (prep. *a*) convencer, persuadir *<encasquetou a moça a acompanhá-lo>*

encastelar (en.cas.te.lar) *v.* {mod. 1} *t.d.* **1** dar forma de castelo a (construção) *<encastelou sua casa de campo>* **2** prover de castelos, para fortificar *<encastelou a vila para criar um sistema de defesa>* □ *pron.* **3** refugiar-se em lugar seguro *<encastelaram-se em uma loja>* □ *t.d.i. e pron.* **4** (prep. *em*) colocar(-se) no alto, no cume *<encastelou o gato no alto da árvore> <encastelou-se (na torre)>* □ *t.d. e pron.* **5** formar montes ou pilhas; acumular(-se) *<encastelava moedas> <nuvens encastelavam-se sobre a montanha>* ~ **encastelamento** *s.m.*

encastoar (en.cas.to.ar) *v.* {mod. 1} *t.d.* **1** aplicar castão em (bengala, bastão) ↺ desencastoar **2** prender no engaste; embutir *<e. pedras na tiara>* ↺ desengastar ~ **encastoamento** *s.m.*

encatarrado (en.ca.tar.ra.do) *adj.* cheio de catarro

encatarrar (en.ca.tar.rar) *v.* {mod. 1} *t.d. e pron.* (fazer) criar catarro *<a gripe o encatarrou> <se brincar na chuva, vai se e.>*

encavalar (en.ca.va.lar) *v.* {mod. 1} *pron.* **1** montar (o cavalo); cavalgar □ *t.d.* **2** passar por cima de □ *t.d. e pron.* **3** (fazer) ficar por cima; sobrepor *<os dentes encavalaram-se>* ~ **encavalamento** *s.m.*

encefalite (en.ce.fa.li.te) *s.f.* MED inflamação do encéfalo

encéfalo (en.cé.fa.lo) *s.m.* ANAT conjunto do tronco cerebral, cerebelo e cérebro ~ **encefálico** *adj.*

encefalografia (en.ce.fa.lo.gra.fi.a) *s.f.* MED radiografia do encéfalo depois de o líquido do cérebro e da medula espinhal ter sido substituído por ar ou outro gás

encefalograma (en.ce.fa.lo.gra.ma) *s.m.* MED radiografia do cérebro

encenação (en.ce.na.ção) [pl.: *-ões*] *s.f.* **1** TEAT espetáculo teatral **2** TEAT conjunto de providências para a realização de um espetáculo **3** TEAT direção teatral *<meu amigo é o responsável pela e. dessa peça>* **4** *fig.* invenção, fingimento *<essa tristeza é só e.>* ↺ verdade

encenador (en.ce.na.dor) /ô/ [pl.: *-es*] *adj.s.m.* **1** (o) que encena **2** TEAT diretor

encenar (en.ce.nar) *v.* {mod. 1} *t.d.* **1** TEAT fazer a preparação necessária para levar à cena (espetáculo, esp. teatral); montar *<o produtor resolveu e. uma ópera>* **2** TEAT dirigir (um espetáculo), esp. teatral **3** REC.AV representar ('interpretar') *<foi convidado para e. Otelo>* □ *t.d. e int. fig.* **4** agir para impressionar ou iludir *<encenou arrependimento>*

enceradeira (en.ce.ra.dei.ra) *s.f.* eletrodoméstico para encerar o chão

encerado (en.ce.ra.do) *adj.* **1** coberto de cera *<chão e.>* ■ *s.m.* **2** lona impermeabilizada; oleado *<colocou um e. sobre o piso>*

encerar (en.ce.rar) *v.* {mod. 1} *t.d.* cobrir, polir com cera a superfície de *<e. o salão de festas>* ~ **enceramento** *s.m.*

encerrar (en.cer.rar) *v.* {mod. 1} *t.d.,t.d.i. e pron.* **1** (prep. *em*) recolher(-se) em clausura; enclausurar (-se) *<o rei malvado encerrou o próprio irmão (na masmorra)> <encerrou-se no quarto e não saiu mais>* ↺ libertar(-se) □ *t.d.* **2** ter em si; conter, compreender *<sua carta encerra elogios à turma>* **3** pôr fim a; terminar *<encerrou o espetáculo com uma nova canção>* ↺ iniciar ~ **encerramento** *s.m.*

encestar (en.ces.tar) *v.* {mod. 1} *t.d.* **1** *B* guardar em cesto ou cesta *<e. a roupa suja>* **2** *B gír.* bater em; espancar □ *t.d. e int.* ESP **3** no basquete, acertar (a bola) na cesta ~ **encestamento** *s.m.*

encetar (en.ce.tar) *v.* {mod. 1} *t.d.* dar início a; principiar, começar *<foi o caçula que encetou a briga>* ↺ encerrar ~ **encetamento** *s.m.*

enchapelar (en.cha.pe.lar) *v.* {mod. 1} *t.d. e pron.* pôr chapéu (em)

encharcar (en.char.car) *v.* {mod. 1} *t.d. e pron.* **1** transformar(-se) em charco ou pântano; alagar □ *t.d. e int.* **2** encher(-se) de água; ensopar(-se) *<o excesso de chuvas encharcou o solo> <de tanto suar, a camisa encharcou-se>* ↺ secar □ *pron. fig. infrm.* **3** beber muito; embriagar-se *<encharcou-se de vinho>* ~ **encharcado** *adj.* - **encharcamento** *s.m.*

enchente (en.chen.te) *s.f.* **1** acúmulo de águas causado por maré, chuva forte etc.; inundação **2** *fig.* grande quantidade, excesso; inundação *<e. de filmes infantis>*

encher (en.cher) *v.* {mod. 8} *t.d.,t.d.i. e pron.* **1** (prep. *de*) tornar(-se) cheio *<e. o copo (de água)> <a banheira encheu-se num minuto>* ↺ esvaziar □ *t.d. e pron.* **2** satisfazer a fome, a sede (de); saciar(-se) □ *t.d.* **3** ocupar, tomar *<o trabalho enche seu tempo>* **4** espalhar-se (cheiro, odor) por *<o perfume das flores encheu a sala>* □ *t.d.,int. e pron. B infrm.* **5** (prep. *de*) [fazer] perder a paciência, a tolerância; aborrecer(-se),

E

cansar(-se) *<aquela lenga-lenga encheu todo mundo> <este serviço enche> <encheu-se daquela conversa e partiu>* □ *pron.fig.* **6** (prep. *de*) ser tomado por *<e.-se de coragem>*

enchimento (en.chi.men.to) *s.m.* **1** ato de encher (-se) ou seu efeito *<o e. de um barril>* **2** o que enche alguma coisa; recheio *<use algodão como e. para a almofada>*

enchova (en.cho.va) /ô/ *s.f.* ZOO *B* grande peixe marinho, de dorso esverdeado, ventre branco, nadadeiras amareladas e peito com mancha escura; anchova

E

enchumaçar (en.chu.ma.çar) *v.* {mod. 1} *t.d.* pôr chumaço em ~ **enchumaçamento** *s.m.*

-ência *suf.* → **-ENÇA**

encíclica (en.cí.cli.ca) *s.f.* REL carta circular do papa sobre temas de fé, de moral, do culto e da disciplina da Igreja

enciclopédia (en.ci.clo.pé.dia) *s.f.* livro ou conjunto de livros de consulta sobre todas as áreas ou uma área específica do conhecimento humano *<tinha, em casa, uma e. de quinze volumes> <e. de animais>*

enciclopédico (en.ci.clo.pé.di.co) *adj.* **1** referente a enciclopédia **2** que contém muitos dos domínios do conhecimento humano **3** que possui amplos conhecimentos

enciclopedista (en.ci.clo.pe.dis.ta) *adj.2g.s.2g.* que(m) atua como autor ou colaborador de uma enciclopédia

encilhar (en.ci.lhar) *v.* {mod. 1} *t.d.* pôr cilha ou arreio em (cavalgadura) ↺ desencilhar ~ **encilhador** *adj.s.m.* - **encilhamento** *s.m.*

encimar (en.ci.mar) *v.* {mod. 1} *t.d.* **1** pôr em cima de *<fez um brasão para e. a fachada>* **2** estar acima de *<a prateleira encimava o altar>*

encistar (en.cis.tar) *v.* {mod. 1} *t.d.,int. e pron.* formar ou criar cisto *<a espinha do seu rosto encistou(-se)>*

enclausurar (en.clau.su.rar) *v.* {mod. 1} *t.d. e pron.* **1** pôr(-se) em clausura **2** afastar(-se) de qualquer convívio; isolar(-se) ~ **enclausuramento** *s.m.*

enclave (en.cla.ve) ou **encrave** (en.cra.ve) *s.m.* território ou terreno no interior de outro

ênclise (ên.cli.se) *s.f.* GRAM colocação de pronome pessoal átono depois do verbo (p.ex., *diga-me, contei-lhe, ouviram-no*) ☞ cf. *mesóclise, próclise*

enclítico (en.clí.ti.co) *adj.* GRAM em que ocorre ênclise *<pronome e.>*

encoberto (en.co.ber.to) *adj.* **1** que está oculto ↺ aparente **2** que está disfarçado **3** coberto de nuvens *<céu e.>* ↺ aberto

encobrir (en.co.brir) *v.* {mod. 28} *t.d.* **1** impedir de ser visto; ocultar *<um véu encobria seu rosto>* ↺ expor **2** não deixar ser percebido; disfarçar *<encobre as manchas da pele com maquiagem>* ↺ evidenciar **3** manter em segredo; guardar *<ela sempre encobriu a idade> <encobriu suas opiniões fortes>* ↺ revelar □ *int. e pron.* **4** encher-se de nuvens; nublar ◉ GRAM/USO part.: *encoberto* ~ **encobrimento** *s.m.*

encolerizar (en.co.le.ri.zar) *v.* {mod. 1} *t.d. e pron.* (fazer) sentir cólera, ira; irritar(-se) *<e. os eleitores> <o cão encolerizou-se>* ↺ acalmar(-se)

encolha (en.co.lha) /ô/ *s.f.* encolhimento ▣ **na e.** *infrm.* **1** em segredo *<saíram na e.>* **2** de modo a não aparecer

encolher (en.co.lher) *v.* {mod. 8} *t.d.,int. e pron.* **1** (fazer) diminuir de dimensão, de tamanho; contrair(-se) *<e. as pernas> <a camisa encolheu> <o gato encolheu-se para passar por trás da poltrona>* □ *t.d.* **2** fazer recuar; recolher *<e. a barriga>* □ *pron.* **3** enroscar-se em si mesmo, por sentir frio, medo etc. **4** sentir-se humilhado ~ **encolhido** *adj.*

encolhimento (en.co.lhi.men.to) *s.m.* **1** ato de encolher(-se) ou seu efeito ↺ desencolhimento **2** timidez, retraimento ↺ desembaraço

encomenda (en.co.men.da) *s.f.* **1** pedido de compra ou de prestação de um serviço **2** o que foi pedido *<trouxe a e. na manhã seguinte>*

encomendação (en.co.men.da.ção) [pl.: *-ões*] *s.f.* recomendação, advertência ▣ **e. do corpo** LITUR entre os católicos, oração por um defunto, feita antes do enterro

encomendar (en.co.men.dar) *v.* {mod. 1} *t.d.i.* **1** (prep. *a*) pedir a (alguém) que faça ou entregue (serviço, compra etc.) *<e. um armário ao carpinteiro>* □ *t.d.* REL **2** orar pela salvação de (corpo ou alma de um morto) *<encomendaram o corpo do pároco>* □ *t.d.i. e pron.* **3** (prep. *a*) dar(-se) em confiança; consagrar (-se) *<encomendou sua alma a Deus> <encomendou-se à proteção da rainha> <e. o filho à avó>*

encômio (en.cô.mio) *s.m.* discurso elogioso; louvor ~ **encomiar** *v.t.d.*

encompridar (en.com.pri.dar) *v.* {mod. 1} *t.d.* **1** tornar mais comprido *<e. um vestido>* ↺ encurtar **2** aumentar a duração de; aumentar *<encompridou a introdução para dar tempo de todos chegarem>* ↺ abreviar

encontradiço (en.con.tra.di.ço) *adj.* fácil de encontrar

encontrão (en.con.trão) [pl.: *-ões*] *s.m.* choque físico; esbarrão, topada

encontrar (en.con.trar) *v.* {mod. 1} *t.d.* **1** ficar frente a frente com (algo que se procurava ou não); achar *<encontrei a carteira!>* **2** *fig.* passar a conhecer ou a ter consciência de; descobrir *<e. a verdade> <fez as contas e encontrou o número exato>* **3** *fig.* alcançar (condição que se procura) *<e. a sabedoria>* □ *t.d. e pron.* **4** ir de encontro a; chocar-se *<a flecha encontrou o alvo> <as motocicletas se encontraram em alta velocidade>* □ *t.d.,t.d.i. e pron.* **5** (prep. *com*) ir ao encontro de (alguém) *<saiu para e. (com) o noivo> <encontrou-se com o pai no aeroporto>* □ *pron.* **6** estar em certo lugar, condição, situação ou estado; achar-se, situar-se *<no tórax encontram-se os pulmões e o coração> <o país encontrava-se sob domínio estrangeiro>* **7** *fig.* estar equilibrado, satisfeito consigo mesmo *<mudou de carreira e finalmente se encontrou>*

encontro (en.con.tro) *s.m.* **1** reunião combinada ou casual *<marcaram um e. no sábado>* **2** congresso *<o segundo e. de poetas será em outubro>* **3** competição, disputa *<o e. decisivo entre os dois candidatos será no dia das eleições>* **4** choque, colisão, encontrão **5** confluência de rios *<o e. do Tapajós com o Amazonas>* ▼ ***encontros*** *s.m.pl.* **6** conjunto dos ombros ▣ **e. consonantal** LING sequência de duas ou mais consoantes na mesma palavra; pode pertencer a uma sílaba ou a sílabas diferentes (p.ex.: livro, blusa, apto, digno) • **ao e. de 1** em busca de *<foram ao e. do sucesso>* **2** em favor de *<suas ideias vêm ao e. das minhas>* • **de e. a 1** no sentido oposto *<caminhavam de*

e. à multidão> **2** contra *<infelizmente, o resultado veio de e. ao que a pesquisa prometia>*

encorajar (en.co.ra.jar) *v.* {mod. 1} *t.d.,t.d.i. e pron.* (prep. *a*) [fazer] tomar coragem, ânimo; incentivar (-se) *<tentaram encorajá-lo> <encorajou-o a fazer o filme> <encorajou-se e partiu para a batalha>* ↺ acovardar(-se); desanimar **~ encorajamento** *s.m.*

encordoamento (en.cor.do.a.men.to) *s.m.* **1** colocação de cordas em instrumento musical, raquete etc. **2** o conjunto das cordas colocadas *<comprou um novo e. para a guitarra>* **~ encordoar** *v.t.d.*

encorpar (en.cor.par) *v.* {mod. 1} *int.* **1** desenvolver o corpo; crescer *<o cachorro encorpou após completar um ano> <esse menino nunca irá e.>* □ *t.d.* **2** tornar mais grosso ou maior *<e. um papel, um texto>* ↺ desencorpar **~ encorpado** *adj.* **- encorpamento** *s.m.*

encosta (en.cos.ta) *s.f.* declive de montanha; costa, vertente

encostado (en.cos.ta.do) *adj.* **1** que se apoia em alguma coisa ↺ desencostado **2** situado junto a alguma coisa *<havia uma casa e. à loja>* **3** *B infrm.* que não gosta de trabalhar; que não se esforça ■ *adj.s.m.* **4** que(m) vive às custas de outro

encostar (en.cos.tar) *v.* {mod. 1} *t.d.,t.d.i. e pron.* **1** (prep. *a, em, sobre*) dar ou buscar apoio em; arrimar (-se) *<e. a escada (no muro)> <e.-se à parede>* **2** (prep. *a, em, para*) pôr junto, lado a lado; aproximar(-se), tocar (-se) *<encostou as cadeiras> <encostou o rosto no dele> <encostaram-se para conversar>* □ *t.d.* **3** fechar sem trancar (porta, janela) **4** *fig.* deixar de lado; abandonar *<e. o trabalho, uma roupa velha>* **5** parar, estacionar (veículo) *<encoste o carro ali à direita>* □ *int. e pron.* **6** reclinar-se ou deitar-se para breve repouso *<encostou um pouco, após o almoço, e acabou dormindo> <encostou-se para tirar uma soneca>* □ *pron. B* **7** aproveitar-se do esforço alheio *<gosta de e.-se no sócio>*

encosto (en.cos.to) /ô/ *s.m.* **1** lugar ou objeto em que se pode apoiar *<usou a mesa como e. para a bolsa>* **2** espaldar *<o e. da cadeira>* **3** REL *infrm.* espírito de pessoa morta que se presume colocar-se junto a alguém, prejudicando-lhe a vida

encouraçado (en.cou.ra.ça.do) *adj.* **1** protegido por couraça; couraçado *<animal e.>* **2** *fig.* fortemente defendido contra algum perigo ■ *s.m.* MAR **3** couraçado

encouraçar (en.cou.ra.çar) *v.* {mod. 1} *t.d.* **1** pôr couraças em (p.ex., navio); blindar □ *t.d. e pron. fig.* **2** (fazer) adquirir postura de forte defesa ou proteção

encovado (en.co.va.do) *adj.* **1** posto em cova ou buraco **2** diz-se dos olhos que parecem afundados nas órbitas **3** diz-se do rosto magro, abatido *<tinha as faces e.>*

encovar (en.co.var) *v.* {mod. 1} *t.d.* **1** pôr em cova; enterrar ↺ desenterrar □ *t.d. e pron.* **2** manter(-se) oculto; esconder(-se) *<encovou seus livros e seus pensamentos> <encovaram-se até o perigo passar>* ↺ mostrar(-se) □ *int. e pron.* **3** tornar-se encovado (o rosto ou olhos) *<com a doença, sua face encovou(-se)>* **~ encovamento** *s.m.*

encravado (en.cra.va.do) *adj.* **1** diz-se de unha que, ao crescer, penetra lateralmente na carne do dedo **2** fixado com prego(s); cravado **3** que está encaixado, embutido *<brilhante e. num anel>* **~ encravar** *v.t.d.bit. e pron.*

encravadura (en.cra.va.du.ra) *s.f.* **1** ato de encravar ou o seu efeito **2** VET ferimento causado na pata das cavalgaduras

encravar (en.cra.var) *v.* {mod. 1} *t.d. e t.d.i.* **1** (prep. *em*) fixar (prego, cravo etc.) em; cravar, pregar *<e. o prego (na parede)>* ↺ desencravar □ *t.d. e pron. p.ext.* **2** (fazer) penetrar; cravar(-se) ↺ desencravar(-se) □ *t.d.i.* **3** (prep. *em*) embutir (pedra preciosa etc.) em joia; engastar *<e. diamante num anel>* □ *int.* **4** entrar na carne *<a unha do pé encravou>* □ *pron.* **5** estar no interior de *<o bilhete encravou-se na fresta da mesa>* **~ encravamento** *s.m.*

encrave (en.cra.ve) *s.m.* → ***ENCLAVE***

encravo (en.cra.vo) *s.m.* **1** machucado em pata de cavalo, burro etc. produzido por má colocação da ferradura **2** *fig.* dificuldade

encrenca (en.cren.ca) *s.f. B infrm.* **1** situação difícil ou perigosa *<sem querer, meteu o irmão numa enorme e.>* **2** briga, confusão *<deu a maior e. no fim da festa>* **~ encrenqueiro** *adj.s.m.*

encrencar (en.cren.car) *v.* {mod. 1} *t.d. e pron.* **1** tornar(-se) complicado (situação) ↺ resolver (-se) **2** colocar(-se) em dificuldade, em embaraço *<armava intrigas para e. o sócio> <encrencou-se todo depois da falência>* □ *t.i. e int.* **3** (prep. *com*) criar confusão, tumulto *<encrencou com o vizinho sem nenhum motivo> <aquele sujeito gosta de e.>* □ *int.* **4** enguiçar *<o ônibus encrencou e teve de voltar para a garagem>*

encrespar (en.cres.par) *v.* {mod. 1} *t.d. e pron.* **1** tornar(-se) crespo, eriçado, ondulado *<e. os cabelos>* ↺ alisar(-se) **2** agitar(-se) [o mar, as ondas etc.] □ *pron.* **3** ser tomado por grande irritação; alterar-se *<encrespou-se ao ver o trabalho incompleto>* ↺ serenar **~ encrespação** *s.f.* **- encrespamento** *s.m.*

encruar (en.cru.ar) *v.* {mod. 1} *t.d.* **1** endurecer (algo quase cozido) □ *t.d. e pron.* **2** tornar(-se) cruel, insensível; empedernir(-se) *<a falta de amor encruou seu coração>* ↺ sensibilizar(-se) □ *int.* **3** deixar de ter seguimento; estagnar *<os acordos para encerrar a greve encruaram>* ↺ prosseguir **~ encruamento** *s.m.*

encruzilhada (en.cru.zi.lha.da) *s.f.* **1** ponto em que dois caminhos ou ruas se cruzam **2** *fig.* momento em que uma decisão deve ser tomada

encubar (en.cu.bar) *v.* {mod. 1} *t.d.* recolher em cuba ou vasilha *<e. as claras dos ovos>* ☞ cf. *incubar* **~ encubação** *s.f.*

encucar (en.cu.car) *v.* {mod. 1} *int.* **1** pôr uma ideia fixa na cabeça □ *t.d.,t.i. e int.* **2** (prep. *com*) (fazer) ficar desconfiado, cismado; intrigar *<aquele* e-mail *encucou nosso pai> <encuquei com seu namorado> <ele encuca à toa>* **~ encucação** *s.f.*

encurralar (en.cur.ra.lar) *v.* {mod. 1} *t.d.* **1** meter no curral **2** cercar, sem possibilitar fuga a *<encurralaram os assaltantes>* □ *t.d. e pron.* **3** meter(-se) em lugar, ger. estreito, sem saída ou com a saída bloqueada *<encurralou o galo> <encurralaram-se no beco>* **~ encurralamento** *s.m.*

encurtar (en.cur.tar) *v.* {mod. 1} *t.d.* **1** tornar curto *<e. a saia>* ↺ encompridar **2** fazer menor; reduzir, diminuir *<e. um texto> <e. o tempo da apresentação>* ↺ aumentar, encompridar ~ **encurtador** *adj.s.m.* - **encurtamento** *s.m.*

encurvar (en.cur.var) *v.* {mod. 1} *t.d.,int. e pron.* **1** tornar (-se) curvo; arquear(-se) *<o vento encurvou a haste> <o galho encurvou> <o ramo encurvou-se>* ↺ endireitar (-se) **2** *fig.* humilhar(-se), sujeitar(-se) *<e. os empregados> <esse cão não se encurva> <encurvaram-se por medo de perder o trabalho>* □ *t.d.* **3** pôr de face para baixo; emborcar *<e. uma tigela>* ↺ desvirar ~ **encurvamento** *s.m.*

endecha (en.de.cha) /ê/ *s.f.* LIT **1** poema sobre assunto melancólico **2** *p.ext.* poema ou canção fúnebre

endemia (en.de.mi.a) *s.f.* MED doença infecciosa que recorre em população e/ou região específicas *<na Amazônia e em certas regiões da África, a malária é uma e.>* ☞ cf. *epidemia* ~ **endêmico** *adj.*

endemoniar (en.de.mo.ni.ar) *v.* {mod. 1} *t.d.* **1** pôr o demônio no corpo de □ *t.d. e pron.* **2** (fazer) ficar enfurecido; encolerizar(-se) ↺ acalmar(-se) ~ **endemoniamento** *s.m.*

endereçar (en.de.re.çar) *v.* {mod. 1} *t.d.* **1** pôr endereço em *<e. uma carta>* □ *t.d.i.* **2** (prep. *a*) enviar, encaminhar *<endereçou uma carta ao instituto> <endereçou algumas palavras ao amigo>* □ *pron.* **3** (prep. *a*) dirigir a palavra a *<endereçou-se ao professor com alegria>* ~ **endereçamento** *s.m.*

endereço (en.de.re.ço) /ê/ *s.m.* **1** conjunto de dados que permite localizar um imóvel **2** residência *<sempre morou naquele e.>* **3** inscrição do nome e residência em envelope; sobrescrito **4** INF número ou nome que identifica um registro, uma posição ou um dispositivo de memória ▣ **e. de correio eletrônico** INF conjunto de caracteres que identifica um usuário, permitindo que receba mensagens de correio eletrônico pela internet

endeusar (en.deu.sar) *v.* {mod. 1} *t.d. e pron.* **1** atribuir(-se) dotes divinos **2** considerar(-se) com excessiva admiração; idolatrar(-se) *<endeusa as atitudes do filho> <endeusa os atores de novela>* ↺ odiar(-se) □ *pron.* **3** mostrar-se orgulhoso, presunçoso ↺ humilhar-se ~ **endeusamento** *s.m.*

endiabrado (en.di.a.bra.do) *adj.* **1** diabólico **2** *p.ext.* que é vivo, muito esperto **3** *p.ext.* traquinas, levado ~ **endiabrar** *v.t.d. e pron.*

endinheirado (en.di.nhei.ra.do) *adj.* que tem muito dinheiro; rico ↺ pobre ~ **endinheirar** *v.t.d. e pron.*

endireitar (en.di.rei.tar) *v.* {mod. 1} *t.d. e pron.* **1** pôr(-se) direito (algo torto, dobrado, desviado etc.); desentortar(-se) *<e. as costas> <e. os quadros na parede> <com o vento, o galho endireitou-se>* ↺ entortar(-se) □ *t.d. e int.* **2** corrigir(-se), emendar (-se) *<a mãe endireitou a letra da menina que escrevia> <começou traçando mal as linhas, mas depois endireitou>* □ *pron.* **3** tomar o bom caminho; encaminhar-se *<cometeu muitas loucuras, mas afinal endireitou-se>* ↺ desvirtuar-se ~ **endireitamento** *s.m.*

endívia (en.dí.via) ou **endiva** (en.di.va) *s.f.* BOT planta de folhas comestíveis, com um tom claro de verde e sabor amargo

endividar (en.di.vi.dar) *v.* {mod. 1} *t.d. e pron.* (levar a) contrair dívida *<endividou a prefeitura com gastos descontrolados> <endividava-se cada vez mais>* ~ **endividamento** *s.m.*

endo- *pref.* 'movimento para dentro': *endócrino, endoscopia*

endocárdio (en.do.cár.dio) *s.m.* ANAT membrana que recobre o interior do miocárdio e limita as cavidades do coração ~ **endocárdico** *adj.*

endocardite (en.do.car.di.te) *s.f.* MED inflamação do endocárdio

endocarpo (en.do.car.po) *s.m.* BOT camada mais interna do pericarpo dos frutos, que fica em contato com a(s) semente(s) ☞ cf. *epicarpo, mesocarpo* e *pericarpo*

endócrino (en.dó.cri.no) *adj.* MED **1** que produz secreções distribuídas pelo corpo por meio da corrente sanguínea (diz-se de glândula) **2** relativo ou semelhante a essa glândula ou a essas secreções *<tumor e.>*

endocrinologia (en.do.cri.no.lo.gi.a) *s.f.* MED estudo e tratamento das glândulas endócrinas ~ **endocrinológico** *adj.* - **endocrinologista** *adj.2g.s.2g.*

endodontia (en.do.don.ti.a) *s.f.* ODONT tratamento das doenças e lesões que afetam a polpa, a raiz dentária e o tecido que a cerca ~ **endodôntico** *adj.* - **endodontista** *adj.2g.s.2g.* - **endodontite** *s.f.*

endoenças (en.do.en.ças) *s.f.pl.* REL solenidades católicas que se realizam na Quinta-Feira Santa

endógamo (en.dó.ga.mo) *adj.s.m.* que(m) só se casa com membros de sua classe ou tribo, para conservar a nobreza ou a raça ☞ cf. *exógamo* ~ **endogamia** *s.f.* - **endogâmico** *adj.*

endógeno (en.dó.ge.no) *adj.* originado ou desenvolvido no interior do organismo ou sistema, ou por fatores internos *<infecção e.>* ↺ exógeno

endoidecer (en.doi.de.cer) *v.* {mod. 8} *t.d. e int.* (fazer) ficar doido, maluco; enlouquecer *<o choro do bebê endoideceu a mãe> <pensou que iria e. durante a reforma da casa>* ~ **endoidecimento** *s.m.*

endométrio (en.do.mé.trio) *s.m.* ANAT mucosa que recobre a parede interna do útero

endomorfina (en.do.mor.fi.na) *s.f.* BIOQ endorfina

endoplasma (en.do.plas.ma) *s.m.* BIO parte interna do citoplasma que envolve o núcleo ~ **endoplasmático** *adj.* - **endoplásmico** *adj.*

endorfina (en.dor.fi.na) *s.f.* BIOQ proteína com fortes propriedades analgésicas, presente no cérebro; endomorfina

endoscopia (en.dos.co.pi.a) *s.f.* MED exame visual de órgãos e cavidades do corpo por meio de endoscópio ~ **endoscópico** *adj.*

endoscópio (en.dos.có.pio) *s.m.* MED tubo óptico us. para visualização do interior de um órgão oco ou cavidade

endosmose (en.dos.mo.se) *s.f.* FÍS fluxo no interior de um sistema contendo dois fluidos de densidades diferentes separados por uma membrana ↺ exosmose ~ **endosmótico** *adj.*

endosperma (en.dos.per.ma) *s.m.* BOT tecido nutritivo presente nas sementes da maioria das angiospermas

endossar (en.dos.sar) *v.* {mod. 1} *t.d. e t.d.i.* **1** (prep. *a, para*) fazer endosso de (cheque, título) em favor de *<endossou o título para o amigo>* ◻ *t.d.i.* **2** (prep. *a*) passar, transferir *<endossou ao pai a tarefa>* ◻ *t.d. fig.* **3** dar apoio, solidariedade a *<e. uma ideia>* ~ **endossante** *adj.2g.s.2g.*

endosso (en.dos.so) /ô/ *s.m.* **1** declaração no verso de título de crédito que o transfere a outrem **2** *fig.* aprovação, apoio *<deu seu e. à compra de novos equipamentos>*

endovenoso (en.do.ve.no.so) /ô/ [pl. e fem.: /ó/] *adj.* MED intravenoso

endurecer (en.du.re.cer) *v.* {mod. 8} *t.d.,int. e pron.* **1** tornar(-se) duro, rijo, resistente *<o sorvete endureceu a calda quente> <o barro endurecia(-se) com o passar do tempo>* ↺ amolecer **2** tornar(-se) cruel ou insensível *<as decepções endureceram o coração da moça> <foi um soldado que (se) endureceu cedo>* ↺ sensibilizar(-se) ~ **endurecido** *adj.* - **endurecimento** *s.m.*

enduro (en.du.ro) *s.m.* ESP em motociclismo e automobilismo, competição de resistência em terrenos acidentados

ene (e.ne) *s.m.* nome da letra *n*

eneágono (e.ne.á.go.no) *s.m.* GEOM polígono de nove lados ~ **eneagonal** *adj.2g.*

enegésimo (e.ne.gé.si.mo) *n.ord.* enésimo

enegrecer (e.ne.gre.cer) *v.* {mod. 8} *t.d.,int. e pron.* **1** (fazer) adquirir cor negra ou tonalidades escuras *<a umidade do quarto enegreceu as paredes> <com a chuva, o vale enegrecia> <o papel enegreceu-se ao contato com o fogo>* ◻ *t.d. fig.* **2** desmoralizar, difamar *<e. a reputação do adversário>* ↺ valorizar ~ **enegrecimento** *s.m.*

Enem (E.nem) *s.m.* sigla de Exame Nacional do Ensino Médio

êneo (ê.neo) *adj.* de ou próprio de bronze

enequim (e.ne.quim) [pl.: *-ins*] *s.m.* ZOO *B* anequim

energética (e.ner.gé.ti.ca) *s.f.* FÍS parte da ciência que se dedica aos assuntos ligados à energia

energia (e.ner.gi.a) *s.f.* **1** FÍS capacidade de trabalho de um corpo, de uma substância ou de um sistema físico **2** *fig.* vigor físico *<gastou toda sua e. na maratona> <criança cheia de e.>* ↺ prostração **3** eletricidade, luz *<não viu o programa porque faltou e.>* ▣ **e. nuclear** ou **atômica** FÍS aquela liberada com a fusão ou fissão do núcleo do átomo ~ **energético** *adj.*

enérgico (e.nér.gi.co) *adj.* **1** efetuado com ou caracterizado pelo vigor físico *<empurrão e.>* ↺ fraco **2** que demonstra firmeza *<um caráter e.>* ↺ frágil **3** duro, severo *<foi e. com o filho>* ↺ brando

energúmeno (e.ner.gú.me.no) *s.m.* **1** pessoa possessa, desequilibrada, desvairada **2** *fig. infrm.* indivíduo ignorante; imbecil ~ **energumênico** *adj.*

enervante (e.ner.van.te) *adj.2g.* que irrita ou aborrece, que deixa nervoso *<ruído e.>* ↺ calmante

enervar (e.ner.var) *v.* {mod. 1} *t.d.,int. e pron.* **1** tornar(-se) nervoso; impacientar(-se), irritar(-se) *<o final da novela enervou muitos telespectadores> <falta de sono enerva> <não vá e.-se com ele, por favor>* ↺ acalmar(-se) ◻ *t.d. e pron.* **2** (fazer) perder o vigor (físico, moral ou mental); enfraquecer(-se) ↺ fortalecer(-se) ☞ cf. *inervar*

enésimo (e.né.si.mo) *n.ord.* **1** (o) que, numa sequência, ocupa a posição do número *n*; enegésimo *<sentou na e. fila>* ■ *n.frac.* **2** (o) que corresponde a cada uma das n partes iguais em que pode ser dividido um todo *<compareceu apenas um enésimo da turma>* ■ *adj.* **3** diz-se de um número indefinidamente grande *<vou dizer pela enésima vez: silêncio!>*

enevoar (e.ne.vo.ar) *v.* {mod. 1} *t.d. e pron.* **1** cobrir (-se) com névoa; cerrar *<o mau tempo enevoou o vale> <os picos enevoaram-se>* ◻ *t.d.* **2** *p.ext.* tornar sombrio; escurecer *<nuvens enevoavam a manhã>* ↺ clarear **3** *fig.* deixar sem brilho; embaciar *<lágrimas enevoavam seu olhar>*

enfadar (en.fa.dar) *v.* {mod. 1} *t.d. e pron.* **1** (fazer) sentir tédio; enfastiar(-se) *<o longo discurso enfadou o público> <enfadava-se com filmes românticos>* ↺ desenfadar(-se) **2** (fazer) sentir incômodo; perturbar(-se), importunar(-se) *<o barulho do vizinho, à noite, enfadava a família inteira> <enfadava-se com aquele tumulto>* ↺ alegrar(-se)

enfado (en.fa.do) *s.m.* **1** sensação de tédio ↺ desenfado **2** aborrecimento, zanga

enfadonho (en.fa.do.nho) *adj.* **1** monótono, cansativo *<assunto e.>* ↺ estimulante **2** que aborrece *<achou o programa e. e voltou para casa>* ↺ divertido

enfaixar (en.fai.xar) *v.* {mod. 1} *t.d.* envolver ou atar com faixa(s) *<enfaixou o braço>* ↺ desenfaixar

enfarar (en.fa.rar) *v.* {mod. 1} *t.d. e pron.* entediar(-se), enfadar(-se) ↺ desenfadar(-se) ~ **enfaramento** *s.m.*

enfardadeira (en.far.da.dei.ra) *s.f.* máquina de juntar palha ou feno em pequenos feixes ou fardos

enfardar (en.far.dar) *v.* {mod. 1} *t.d.* **1** formar fardo(s); empacotar *<e. capim>* ↺ desenfardar **2** pôr em farnel *<enfardaram mantimentos para a viagem>*

enfarinhar (en.fa.ri.nhar) *v.* {mod. 1} *t.d.* **1** cobrir com farinha **2** reduzir a farinha ou pó *<enfarinhou o biscoito e misturou-o ao leite>*

enfaro (en.fa.ro) *s.m.* **1** enfado ↺ interesse **2** enjoo, asco

enfarpelar (en.far.pe.lar) *v.* {mod. 1} *t.d. e pron.* vestir(-se) com roupa nova ou reservada para ocasiões especiais *<enfarpelou o filho para a festa da vizinha> <enfarpelou-se todo e foi visitar a noiva>*

enfarte (en.far.te) *s.m.* → ***INFARTO***

enfarto (en.far.to) *s.m.* → ***INFARTO***

ênfase (ên.fa.se) *s.f.* **1** vigor na fala ou expressão **2** *p.ext.* destaque, realce *<o texto dá ê. ao aspecto social>*

enfastiar (en.fas.ti.ar) *v.* {mod. 1} *t.d.,int. e pron.* **1** causar ou sentir fastio **2** (fazer) sentir tédio; entediar (-se) *<a longa apresentação enfastiou a plateia> <aquela conversa enfastiava> <enfastiava-se com reuniões daquele tipo>* ↺ distrair(-se) **3** (fazer) ficar aborrecido; importunar(-se) *<o forte barulho o enfastiava> <essa demora enfastia> <enfastiávamo-nos com a falta de notícias>* ↺ alegrar(-se) ~ **enfastiamento** *s.m.*

enfático (en.fá.ti.co) *adj.* em que há ênfase; veemente, vigoroso *<comentário e.>*

enfatiotar (en.fa.ti.o.tar) *v.* {mod. 1} *t.d. e pron.* vestir (-se) com muito capricho *<enfatiotaram a pequena criança> <enfatiotou-se para o casamento>*

E

enfatizar (en.fa.ti.zar) *v.* {mod. 1} *t.d.* dar destaque especial a; ressaltar, salientar *<a pesquisa enfatizava a queda na taxa de analfabetismo>* ~ **enfatização** *s.f.*

enfatuar (en.fa.tu.ar) *v.* {mod. 1} *t.d. e pron.* (fazer) ficar vaidoso, presunçoso *<enfatuam-se de haver conquistado a medalha>* ↺ humilhar(-se)

enfear (en.fe.ar) *v.* {mod. 5} *t.d. e pron.* tornar(-se) feio *<as cores fortes enfeavam o ambiente> <a jovem enfeou-se com excesso de maquiagem>* ↺ embelezar(-se)

enfeitar (en.fei.tar) *v.* {mod. 1} *t.d.,t.d.i. e pron.* **1** (prep. *com, de*) colocar enfeites (em); adornar(-se) *<e. o quarto (com flores)> <enfeitaram-se para o baile>* □ *t.d.* **2** dar aparência agradável a; embelezar *<enfeitara o cabelo com fitas>* ↺ enfear □ *int. e pron.* **3** adquirir boa aparência ou beleza *<a menina enfeitou-se com o passar dos anos>* ↺ enfear ~ **enfeitado** *adj.*

enfeite (en.fei.te) *s.m.* detalhe que decora ou embeleza; adorno, ornato

enfeitiçar (en.fei.ti.çar) *v.* {mod. 1} *t.d.* **1** lançar feitiço sobre *<a bruxa enfeitiçou o menino, transformando-o numa rã>* □ *t.d. e pron.* **2** envolver(-se) por algo sedutor; encantar(-se) *<a dançarina enfeitiçou-o> <enfeitiçou-se pelo jogador de futebol>* ~ **enfeitiçamento** *s.m.*

enfeixar (en.fei.xar) *v.* {mod. 1} *t.d.* **1** prender em feixe(s) *<o homem enfeixou o capim>* **2** colocar junto (coisas soltas); reunir *<enfeixou seus poemas e colocou-os debaixo do braço>* ~ **enfeixamento** *s.m.*

enfermagem (en.fer.ma.gem) [pl.: *-ens*] *s.f.* **1** a função de cuidar de enfermos **2** o conjunto de serviços de enfermaria

enfermar (en.fer.mar) *v.* {mod. 1} *t.d. e int.* (fazer) ficar doente *<o vento frio enfermou o bebê> <saiu de cabelo molhado no frio e enfermou>* ↺ sarar

enfermaria (en.fer.ma.ri.a) *s.f.* local destinado ao tratamento de pessoas doentes

enfermeiro (en.fer.mei.ro) *s.m.* **1** profissional que se formou em enfermagem e/ou trabalha nesse setor **2** *p.ext. infrm.* quem cuida de enfermos

enfermiço (en.fer.mi.ço) *adj.* que está sempre doente

enfermidade (en.fer.mi.da.de) *s.f.* doença

enfermo (en.fer.mo) /ê/ *adj.s.m.* **1** doente ↺ são, curado ■ *adj. p.ext.* **2** frágil, debilitado *<sentia-se e. com o calor>*

enferrujar (en.fer.ru.jar) *v.* {mod. 1} *t.d.,int. e pron.* **1** cobrir(-se) de ferrugem; oxidar(-se) *<a maresia enferrujou o portão> <a chave enferrujou (-se)>* ↺ desenferrujar **2** *fig. infrm.* (fazer) perder a mobilidade; parar *<o reumatismo enferrujou seus movimentos> <por falta de exercício suas pernas enferrujaram(-se)>* □ *int. e pron. fig.* **3** perder em qualidade; piorar *<seu inglês enferrujou(-se)>* ~ **enferrujamento** *s.m.*

enfestado (en.fes.ta.do) *adj.* **1** dobrado ao meio, no sentido da largura (diz-se de tecido) **2** *p.ext. infrm.* com largura dupla (diz-se de tecido) ~ **enfestar** *v.t.d.*

enfezado (en.fe.za.do) *adj.* **1** cheio de raiva, aborrecimento ou birra; irritado *<ficar e. com uma piadinha>* ↺ calmo, manso **2** de gênio temperamental *<ele é um cara e.>* ↺ tranquilo **3** que não se desenvolveu; raquítico ↺ grande, robusto ~ **enfezar** *v.t.d.,int. e pron.*

enfiada (en.fi.a.da) *s.f.* **1** série de coisas enfiadas em linha, corda etc. *<uma e. de bandeiras>* **2** *p.ext.* série de coisas em fila *<uma e. de patos>* **3** *fig.* sequência de fatos, ações etc. ▣ **de e. 1** um após o outro; de forma consecutiva *<os convidados chegaram de e.>* **2** FUTB goleada *<o time ganhou de e.>*

enfiar (en.fi.ar) *v.* {mod. 1} *t.d.* **1** fazer entrar (fio) em orifício *<e. linha na agulha>* **2** pôr em fio (pérolas, contas etc.) **3** empurrar para dentro ou através de; introduzir *<e. a chave na porta>* ↺ tirar □ *t.d. e t.d.i.* **4** (prep. *em*) pôr (roupa, calçado) em; vestir, calçar *<enfiou as calças e saiu> <brinca de e. várias roupas nas bonecas>* □ *int. e pron. fig.* **5** tomar a direção de, entrar; meter-se *<e.(-se) pelo mato>* □ *t.d.i.* **6** bater em ou malhar (alguém ou algo) com *<João teve que e. a mão no assaltante>* ~ **enfiação** *s.f.* - **enfiamento** *s.m.*

enfileiramento (en.fi.lei.ra.men.to) *s.m.* organização em filas; alinhamento *<e. de carros no pátio>*

enfileirar (en.fi.lei.rar) *v.* {mod. 1} *t.d. e pron.* pôr (-se) em fila; alinhar(-se) *<enfileirou os copos na beira da mesa> <enfileiraram-se para pegar os brindes>* ↺ desalinhar(-se)

enfim (en.fim) *adv.* por fim, finalmente *<e., sós> <até que e. você trouxe os livros>*

enfisema (en.fi.se.ma) *s.m.* MED presença de ar ou gás nas fendas do tecido de um órgão ▣ **e. pulmonar** MED aumento dessas fendas na ramificação dos brônquios ~ **enfisemático** *adj.* - **enfisematoso** *adj.*

enfocar (en.fo.car) *v.* {mod. 1} *t.d.* **1** pôr em foco *<o diretor enfocou os olhos da atriz>* ↺ desfocar **2** voltar a atenção para (assunto, questão etc.); salientar *<enfocaram o aumento dos impostos>* ~ **enfocação** *s.f.*

enfoque (en.fo.que) *s.m.* modo de focalizar um assunto; ponto de vista *<seu e. divergia dos demais>*

enforcar (en.for.car) *v.* {mod. 1} *t.d. e pron.* **1** suspender(-se) pelo pescoço por uma corda pendente de forca ou local alto, causando ou sofrendo morte por estrangulamento □ *t.d.* **2** asfixiar, apertando o pescoço; estrangular *<no fim do filme, o herói enforcou o vilão>* **3** *B infrm.* faltar ao trabalho ou à escola em (dia útil entre fim de semana e feriado ou entre dois feriados) *<enforcaram a sexta-feira>* ~ **enforcado** *adj.s.m.* - **enforcamento** *s.m.*

enfraquecer (en.fra.que.cer) *v.* {mod. 8} *t.d.,int. e pron.* **1** (fazer) perder as forças, ficando fraco; debilitar (-se) *<a gripe enfraqueceu-o> <a chama da fogueira enfraquecia(-se) aos poucos>* ↺ fortalecer(-se) □ *t.d. e int.* **2** (fazer) perder a intensidade; atenuar(-se) *<o excesso de luz enfraquece as cores dos tecidos> <o medicamento enfraqueceu com o tempo>* ↺ intensificar(-se)

enfraquecimento (en.fra.que.ci.men.to) *s.m.* **1** perda de intensidade ou força ↺ fortalecimento **2** desânimo ↺ ânimo

enfrear (en.fre.ar) *v.* {mod. 5} *t.d.* **1** pôr freio em (animal) *<e. uma égua>* □ *t.d. e int.* **2** parar (veículo, máquina) com freio; travar, brecar *<precisou e. (o carro) de repente>* □ *t.d. e pron. fig.* **3** conter(-se), reprimir(-se) *<e. a vontade> <enfreia-se com facilidade>* ↺ liberar(-se)

enfrentamento (en.fren.ta.men.to) *s.m.* **1** oposição, polêmica **2** briga, luta

enfrentar (en.fren.tar) *v.* {mod. 1} *t.d. e pron.* **1** encarar frente a frente; arrostar *<enfrentou o adversário sem medo> <enfrenta-se com o perigo diariamente>* **2** pôr(-se) em confronto, conflito; atacar(-se) *<enfrentaram o inimigo até a derrota final> <as gangues enfrentam-se nos bairros>* **3** travar disputa esportiva (com) *<o Brasil enfrentou o Uruguai>* □ *t.d.,int. e pron.* **4** estar ou pôr(-se) defronte a; defrontar *<enfrentava a escrivaninha um armário antigo> <enfrentavam(-se), no jardim, duas enormes mangueiras>* □ *t.d.* **5** passar por, viver (problemas, desafios etc.) *<enfrentou duas provas no mesmo dia>*

enfronhar (en.fro.nhar) *v.* {mod. 1} *t.d.* **1** pôr em fronha *<e. travesseiros>* □ *t.d.i. e pron.* **2** (prep. *em*) tornar(-se) ciente, versado num assunto; aprofundar (-se) *<e. os herdeiros nos negócios> <e.-se em medicina>*

enfumaçar (en.fu.ma.çar) *v.* {mod. 1} *t.d. e pron.* encher(-se) de fumaça

enfunar (en.fu.nar) *v.* {mod. 1} *t.d.,int. e pron.* MAR encher(-se) de vento (vela, pano etc.) *<a ventania enfunou todas as velas da embarcação> <com a brisa leve, a vela nem (se) enfunava>* ~ **enfunação** *s.f.*

enfunilar (en.fu.ni.lar) *v.* {mod. 1} *t.d.* **1** fazer passar por funil *<e. azeite>* □ *t.d. e pron.* **2** afunilar(-se)

enfurecer (en.fu.re.cer) *v.* {mod. 8} *t.d.,int. e pron.* **1** (fazer) ficar furioso; irar(-se), zangar(-se) *<as notas do filho enfureceram-na> <ele agora passou a e.(-se) à toa>* ↺ acalmar(-se) □ *pron. fig.* **2** ficar agitado, revolto (o mar) ↺ serenar

enfurecimento (en.fu.re.ci.men.to) *s.m.* cólera, fúria

enfurnar (en.fur.nar) *v.* {mod. 1} *t.d.,t.d.i. e pron.* **1** esconder(-se) em furna, em cova; entocar(-se) *<o barulho assustou e enfurnou a caça> <com a chegada dos cães, a raposa enfurnou-se>* ↺ desentocar(-se) **2** (prep. *em*) pôr(-se) em local seguro ou isolado; esconder (-se) *<e. os livros (no armário)> <e.-se no escritório>*

engabelar (en.ga.be.lar) *v.* → ***ENGAMBELAR***

engaiolar (en.gai.o.lar) *v.* {mod. 1} *t.d.* **1** prender em gaiola *<e. porquinhos-da-índia>* **2** *B infrm.* pôr na cadeia; prender ↺ libertar □ *pron. fig.* **3** afastar-se do convívio social; isolar-se *<engaiolou-se para escrever um livro>* ~ **engaiolado** *adj.* - **engaiolamento** *s.m.*

engajar (en.ga.jar) *v.* {mod. 1} *t.d. e pron.* **1** comprometer(-se) por contrato ↺ desengajar(-se) **2** alistar(-se) no serviço militar □ *pron. fig.* **3** (prep. *em*) empenhar-se, dedicar-se a (tarefa, ideia, causa etc.) *<sempre se engaja em campanhas contra a fome>* ~ **engajamento** *s.m.*

engalanar (en.ga.la.nar) *v.* {mod. 1} *t.d.,t.d.i. e pron.* (prep. *para*) enfeitar(-se) com gala, pompa *<engalanaram a casa (para as bodas)> <engalanou-se para a formatura do irmão>*

engalfinhar-se (en.gal.fi.nhar-se) *v.* {mod. 1} *pron.* **1** (prep. *com*) atracar-se em luta corporal (com) *<engalfinharam-se no pátio>* ↺ separar-se **2** (prep. *com*) ter discussão acirrada (com) *<engalfinhou-se com o namorado e saiu da sala chorando>*

engambelar (en.gam.be.lar) ou **engabelar** (en.ga.be.lar) *v.* {mod. 1} *t.d.* enganar com astúcia, usando conversa sedutora, falsas promessas

enganação (en.ga.na.ção) [pl.: *-ões*] *s.f.* mentira, engodo

enganador (en.ga.na.dor) /ô/ [pl.: *-es*] *adj.s.m.* **1** que(m) engana **2** (o) que induz ao erro *<visão e. dos fatos>*

enganar (en.ga.nar) *v.* {mod. 1} *t.d.,int. e pron.* **1** (fazer) crer em algo que não é verdadeiro; mentir *<sempre tenta e. o patrão> <enganou-os no preço> <as aparências enganam>* □ *t.d. e pron.* **2** (fazer) ter falsa impressão; iludir(-se) *<a miragem enganou os peregrinos> <meus ouvidos enganaram-se quanto à afinação do instrumento>* □ *t.d.* **3** fazer trapaça contra *<enganou todos os jogadores e venceu a partida>* **4** dar alívio a; abrandar *<e. o frio com bebida quente>* **5** causar decepção a *<apesar da propaganda, o produto enganou os consumidores>* **6** ser infiel a (cônjuge, companheiro) □ *pron.* **7** cometer engano; errar, equivocar-se *<e.-se na resposta>* ↺ acertar

enganchar (en.gan.char) *v.* {mod. 1} *t.d.,int. e pron.* **1** agarrar(-se) com gancho *<o guindaste enganchou a carga e a levou até o navio> <o balde enganchou(-se) no fundo do poço>* ↺ desenganchar □ *t.i.,t.d.i. e pron.* **2** (prep. *em*) prender(-se) em, ligar(-se) a *<e. o pé no bueiro> <e.(-se) no pescoço do pai>* □ *t.d.* **3** dar aspecto de gancho a *<e. a mão>*

engano (en.ga.no) *s.m.* **1** erro causado por descuido ou fraude; falha *<cometeu um e. na soma> <atendeu ao telefone e era e.>* **2** erro de avaliação; equívoco *<contratá-lo foi um e.>* ↺ acerto **3** ilusão, devaneio *<pensou haver escutado seu nome, mas foi e.>*

enganoso (en.ga.no.so) /ô/ [pl. e fem.: /ó/] *adj.* **1** falso, enganador *<perceberam suas intenções e.>* ↺ honesto **2** próprio para enganar *<propaganda e.>* ↺ confiável **3** ilusório *<a esperança por vezes revela-se um sonho e.>* ↺ real

engarrafamento (en.gar.ra.fa.men.to) *s.m.* **1** acondicionamento em garrafa *<na visita à fábrica, pôde ver o e. do refrigerante>* **2** obstrução do trânsito por excesso de veículos; congestionamento

engarrafar (en.gar.ra.far) *v.* {mod. 1} *t.d.* **1** pôr em garrafa(s) ↺ desengarrafar □ *t.d. e int.* **2** impedir a locomoção de veículos, pessoas por (certo lugar) ou ficar parado em vias, portos etc. *<um acidente engarrafou a ponte>*

engasgar (en.gas.gar) *v.* {mod. 1} *t.d.,int. e pron.* **1** (fazer) ficar engasgado, entalado; sufocar *<uma espinha de peixe engasgou-a> <crianças e velhos engasgam(-se) facilmente>* □ *t.d. e int.* **2** (fazer) ficar travado ou não funcionar bem (máquina, motor) *<combustível adulterado costuma e. motor> <a máquina engasgou na hora da impressão>* □ *t.d. e pron. fig.* **3** (fazer) ficar sem fala; embatucar *<na sua vez de falar, o nervosismo engasgou-o> <a timidez fê-lo e.-se>* ~ **engasgamento** *s.m.*

engasgo (en.gas.go) *s.m.* **1** asfixia causada pela presença de corpo estranho na garganta **2** embaraço que impede a fala

engastar (en.gas.tar) *v.* {mod. 1} *t.d. e t.d.i.* **1** (prep. *em*) embutir (pedraria) em metal; encravar *<e. uma pérola (no anel)>* ↺ desengastar □ *t.d.,t.i. e pron. p.ext.* **2** (prep. *em*) encaixar(-se), inserir(-se) *<madeiras claras engastam(-se) em outras mais escuras>* ~ **engastador** *adj.s.m.*

E

engaste (en.gas.te) *s.m.* **1** parte da joia em que se fixa a pedra preciosa **2** enfeite embutido *<anel com e. em ouro>*

engatar (en.ga.tar) *v.* {mod. 1} *t.d. e t.d.i.* **1** (prep. *a*, *em*) ligar, prender por engate ou gancho *<e. vagões (à locomotiva)>* ↺desengatar □ *t.d. e pron.* **2** prender (-se) num lugar sem querer; enroscar(-se) *<e. a perna no fio> <o fio engatou-se na perna>* ↺desengatar (-se) □ *t.d.* **3** engrenar (marcha de veículo) *<engatou primeira e começou a subir a ladeira>* ↺desengatar **4** *fig.* emendar, encadear *<e. trabalhos>*

engate (en.ga.te) *s.m.* peça ou conjunto de peças us. para unir coisas entre si (p.ex.: veículos, vagões de um trem etc.)

engatilhar (en.ga.ti.lhar) *v.* {mod. 1} *t.d.* **1** armar gatilho de (arma de fogo) para disparar ↺desengatilhar **2** *fig.* deixar pronto; preparar *<engatilhou muitas questões para apresentar ao conferencista>*

engatinhar (en.ga.ti.nhar) *v.* {mod. 1} *int.* **1** mover-se apoiando-se sobre as mãos e os joelhos *<começou a e. com sete meses>* □ *t.i. fig.* **2** (prep. *em*) ser principiante em *<apenas engatinhava na profissão quando decidiu mudar de carreira>*

engavetar (en.ga.ve.tar) *v.* {mod. 1} *t.d.* **1** pôr dentro de gaveta *<e. meias>* **2** *B* deixar parado (documento, processo etc.) *<engavetou o processo do funcionário durante um ano>* □ *int. e pron.* **3** numa colisão, meter-se um dentro do outro ou encaixar-se (carro ou vagão) *<cinco carros engavetaram(-se), durante o temporal>* **~engavetamento** *s.m.*

engazopar (en.ga.zo.par) *v.* {mod. 1} *t.d.* **1** fazer cair em erro, engano; iludir *<engazopou o cunhado e foi à praia sozinho>* **2** pôr na cadeia; prender ↺libertar **~engazopamento** *s.m.*

engelhar (en.ge.lhar) *v.* {mod. 1} *t.d., int. e pron.* **1** (fazer) criar pregas, dobras; amassar(-se) *<a seca engelha a vegetação> <depois de molhado, o vestido engelhou(-se)>* ↺desamassar(-se) **2** criar ruga (em); enrugar(-se) *<a água engelhou a ponta dos dedos> <as mãos engelham(-se) com o passar dos anos>* ↺alisar(-se) **3** secar, murchar (o vegetal)

engendrar (en.gen.drar) *v.* {mod. 1} *t.d.* **1** dar existência a; formar, gerar *<e. flores no deserto>* **2** criar na imaginação; inventar *<e. pretextos para faltar ao encontro>* □ *t.d. e pron.* **3** (fazer) surgir aparentemente do nada; produzir(-se) *<e. projetos de casas populares> <engendram-se várias soluções práticas para o problema>* **~engendração** *s.f.*

engenhar (en.ge.nhar) *v.* {mod. 1} *t.d.* **1** criar na imaginação; inventar *<e. novidades>* **2** arquitetar, ger. em segredo; tramar *<engenharam uma pequena revolta>* **3** construir segundo projeto; fabricar *<e. máquinas>*

engenharia (en.ge.nha.ri.a) *s.f.* **1** ciência que se dedica a transformar os recursos da natureza em benefício do ser humano **2** ENG formação, ciência e ofício de engenheiro *<e. civil> <e. elétrica>* **3** *fig.* criação ou construção elaborada *<penteado de e. complicada>* ▣ **e. ambiental** ramo da engenharia que desenvolve tecnologia específica para estudar e combater a poluição e deterioração do meio ambiente • **e. genética** GEN alteração experimental da constituição genética de um indivíduo, para fins médicos ou industriais

engenheiro (en.ge.nhei.ro) *s.m.* indivíduo que se diplomou em engenharia

engenho (en.ge.nho) *s.m.* **1** capacidade de criar com arte e técnica *<foi preciso muito e. para conceber essa torre>* **2** algo assim criado; produção, realização *<esse avanço tecnológico é e. de cérebros bem dotados>* **3** máquina, aparelho *<comprou um e. para cortar grama>* **4** *B* fazenda onde se planta cana e se fabricam açúcar, álcool, aguardente etc.

engenhoca (en.ge.nho.ca) *s.f. infrm.* máquina improvisada, precária

engenhoso (en.ge.nho.so) /ô/ [pl. e fem.: /ó/] *adj.* **1** criativo, inventivo *<solução e.>* **2** bem-feito *<costura e.>* **~engenhosidade** *s.f.*

engessar (en.ges.sar) *v.* {mod. 1} *t.d.* **1** cobrir de gesso **2** branquear com gesso *<e. as paredes>* **3** imobilizar com gesso (região com fratura) *<engessou o braço ontem e já está brincando>* **~engessadura** *s.f.*

englobar (en.glo.bar) *v.* {mod. 1} *t.d. e pron.* juntar ou incluir num todo; reunir(-se) *<este painel engloba todos os países do mundo> <este tema não se engloba aos outros>* **~englobação** *s.f.* - **englobamento** *s.m.*

-engo *suf.* 'relação, pertinência': *mulherengo*

engodo (en.go.do) /ô/ *s.m.* **1** isca para atrair animais **2** *p.ext.* artifício para atrair e enganar; chamariz **~engodar** *v.t.d.*

engolir (en.go.lir) *v.* {mod. 28} *t.d.* **1** levar (bolo alimentar) da boca ao estômago; deglutir **2** comer sem mastigar; devorar *<estava com muita fome e engoliu a comida>* **3** *fig.* fazer sumir *<o furacão engoliu as casas>* **4** *fig.* não deixar manifestar-se; conter *<e. o choro, as palavras>* ↺liberar **5** *fig.* ser forçado a tolerar; aturar *<e. um desaforo>* **6** *fig.* aceitar como verdadeiro; acreditar *<não engoli sua desculpa>*

engomar (en.go.mar) *v.* {mod. 1} *t.d.* **1** pôr goma em (tecido, peça de roupa) e passar a ferro **2** *p.ext.* passar (roupa) a ferro **~engomadura** *s.f.* - **engomagem** *s.f.*

engonço (en.gon.ço) *s.m.* dobradiça

engorda (en.gor.da) *s.f.* **1** ato ou efeito de engordar; ceva *<ali se faz a e. do gado>* **2** conjunto de medidas para ganhar ou fazer ganhar peso *<precisou fazer um regime de e. após a viagem>*

engordar (en.gor.dar) *v.* {mod. 1} *t.d. e int.* **1** tornar (-se) gordo *<o distúrbio glandular engordou-o> <engordou de tanto comer macarrão>* ↺emagrecer **2** (fazer) aumentar de peso, tornando-se gordo ou não *<o bebê, afinal, engordou>* ↺emagrecer **3** *fig.* (fazer) crescer; ampliar(-se) *<conseguiu e. a poupança> <sua satisfação só engorda>* ↺diminuir

engordurar (en.gor.du.rar) *v.* {mod. 1} *t.d. e pron.* **1** encher(-se) ou sujar(-se) de gordura *<e.(-se) o fogão>* ↺desengordurar(-se) □ *t.d.* **2** untar com gordura *<e. a assadeira>* **~engordurado** *adj.* - **engorduramento** *s.m.*

engraçado (en.gra.ça.do) *adj.* que faz rir; divertido ↺sério

engraçamento (en.gra.ça.men.to) *s.m.* **1** simpatia, galanteio **2** *infrm.* atitude de atrevimento, ousadia *<não permite e. com ela>* ↺respeito

engraçar (en.gra.çar) *v.* {mod. 1} *t.d.* **1** dar graça a *<usou umas frases mais longas para e. o texto>* **2** tornar mais belo; embelezar *<o batom engraçou seus lábios>* ↺ enfear □ *t.i.* **3** (prep. *com*) ter simpatia por *<engraçou logo com a nova vizinha>* ↺ antipatizar □ *pron.* **4** (prep. *com*) agir de forma inconveniente, indevida; desrespeitar *<tentou se e. com a moça e foi expulso da festa>* ↺ respeitar

engradado (en.gra.da.do) *adj.* **1** provido ou em forma de grade ■ *s.m.* **2** *B* caixa própria para transporte de garrafas, pequenos animais etc.

engrandecer (en.gran.de.cer) *v.* {mod. 8} *t.d. e pron.* **1** (fazer) crescer fisicamente; aumentar *<e.(-se) uma obra>* ↺ diminuir **2** (fazer) crescer em dignidade, fama etc.; valorizar(-se) *<o estudo engrandece nosso intelecto> <as boas ações nos engrandecem>* ↺ desvalorizar(-se) ~ **engrandecimento** *s.m.*

engravatar (en.gra.va.tar) *v.* {mod. 1} *t.d. e pron.* pôr gravata (em)

engravidar (en.gra.vi.dar) *v.* {mod. 1} *t.d.,t.i. e int.* (prep. *de*) tornar(-se) grávido; emprenhar(-se) *<como não conseguisse e. a mulher, ele procurou auxílio médico>*

engraxar (en.gra.xar) *v.* {mod. 1} *t.d.* **1** untar com graxa (peças, engrenagens etc.) *<e. as dobradiças da porta do carro>* **2** polir com graxa (sapatos, bolsas etc.) *<e. bolsas e cintos>* ~ **engraxador** *adj.s.m.* - **engraxamento** *s.m.*

engraxataria (en.gra.xa.ta.ri.a) *s.f.* local onde se engraxam sapatos e outras peças de couro

engraxate (en.gra.xa.te) *s.2g.* quem trabalha engraxando sapatos

engrenagem (en.gre.na.gem) [pl.: *-ens*] *s.f.* **1** grupo de peças dentadas que imprimem movimento a eixos de máquina, motor etc. **2** *fig.* conjunto de atividades e rotinas administrativas de uma empresa, instituição etc. *<ainda não conhece bem a e. da empresa>*

engrenar (en.gre.nar) *v.* {mod. 1} *t.d.,t.d.i.,int. e pron.* **1** (prep. *em*) ajustar(-se) [dente da roda] com (os de outra roda ou peça tb. dentada), de modo que, girando uma, a outra tb. gire *<e. os dentes da corrente no eixo da roda da bicicleta> <a roda grande do engenho precisa e.(-se) melhor>* □ *t.d.* **2** fazer as engrenagens da marcha do veículo encaixarem nas do eixo do motor, engatando (uma marcha) *<e. a ré>* **3** engatar marcha de (veículo) *<e. o carro>* **4** *fig.* dar início a; começar *<e. um namoro>*

engrolar (en.gro.lar) *v.* {mod. 1} *t.d.,int. e pron.* **1** (deixar) ficar meio cru, mal-assado ou cozido *<infelizmente, engrolou as coxas do frango> <com a pressa o assado engrolou(-se)>* □ *t.d.* **2** *infrm.* falar de modo imperfeito, confuso *<engrolou a língua, fingindo falar inglês>* **3** *fig.* deixar incompleto, imperfeito (dito, resposta etc.) *<engrolou duas palavras e considerou respondida a questão>* **4** mentir para; enganar *<engrolou a mãe, dizendo que ia dormir na casa da amiga>* ~ **engrolador** *adj.s.m.*

engrossar (en.gros.sar) *v.* {mod. 1} *t.d.,int. e pron. fig. B infrm.* **1** tornar(-se) grosso ou mais grosso; espessar(-se) *<engrossava o molho com farinha de trigo> <quanto mais tempo no fogo, mais engrossa(-se) o caldo>* **2** fazer adquirir ou adquirir mais volume; tornar(-se) mais corpulento, mais gordo *<ginástica engrossa as pernas> <notou a gravidez da mulher ao ver sua cintura e.(-se)>* **3** (fazer) ficar mais forte, numeroso *<o degelo engrossa as águas dos rios> <engrossava(-se) cada vez mais o temporal>* **4** tornar(-se) [o tom, a voz] mais grave *<a adolescência engrossa a fala dos meninos> <quanto mais o tom de voz do pai engrossava(-se), mais ele tremia>* □ *t.i. e int. fig. B infrm.* **5** (prep. *com*) ser rude com; destratar *<quando está zangado, engrossa (com todos)>* ~ **engrossador** *adj.s.m.* - **engrossamento** *s.m.*

engrupir (en.gru.pir) *v.* {mod. 24} *t.d.* enganar, iludir

enguia (en.gui.a) *s.f.* ZOO nome comum a diversos peixes de água doce, de corpo alongado como o de uma cobra

enguiçar (en.gui.çar) *v.* {mod. 1} *t.d. e int.* **1** (fazer) funcionar mal ou parar de funcionar; quebrar *<enguiçou a moto porque engatou a marcha errada> <que péssimo lugar para o carro e.>* □ *t.i. e int. fig.* **2** (prep. *com*) brigar, implicar *<enguiçou com o vestido e não quis usar> <depois da confusão, as duas enguiçaram>*

E

enguiço (en.gui.ço) *s.m.* **1** mau funcionamento de máquina, engrenagem etc. ↺ desenguiço **2** *fig.* mau-olhado, feitiço *<que azar, parece até e.!>*

engulhar (en.gu.lhar) *v.* {mod. 1} *t.d. e int.* **1** causar ou sentir ânsia de vômito; nausear *<o balanço do barco engulhou o menino> <doente, engulha ao sentir cheiro de comida>* **2** causar ou sentir nojo, asco; enojar(-se) *<as lambidas do cachorro em seu rosto engulhavam-na> <engulhava só de sentir aquele perfume>* ~ **engulhamento** *s.m.*

engulho (en.gu.lho) *s.m.* **1** ânsia de vômito **2** asco, repugnância ~ **engulhento** *adj.* - **engulhoso** *adj.*

-enho *suf.* 'origem': *costa-riquenho, panamenho*

enigma (e.nig.ma) *s.m.* **1** fala ou texto incompreensível ou ambíguo *<o mestre manifestava-se por enigmas>* **2** RECR pergunta que exige resposta ou solução criativa; adivinha **3** *p.ext.* algo ou alguém difícil de decifrar *<a expressão em seu rosto era um e.>*

enigmático (e.nig.má.ti.co) *adj.* **1** que contém enigma(s); misterioso, difícil de decifrar *<cumprimentou-o com um sorriso e.>* ↺ claro **2** de compreensão difícil; ambíguo, obscuro *<frases e.>* ↺ compreensível, explícito

enjambrar (en.jam.brar) *v.* {mod. 1} *int.* **1** entortar (a madeira) devido ao calor ou à umidade; empenar ↺ desempenar **2** sair do prumo; entortar ↺ endireitar □ *pron. B* **3** ficar sem movimento por estar fora da posição; emperrar *<a roda enjambrou-se>*

enjaulamento (en.jau.la.men.to) *s.m.* **1** aprisionamento de fera(s) em jaula **2** *p.ext.* encarceramento, prisão

enjaular (en.jau.lar) *v.* {mod. 1} *t.d.* **1** prender (animal) na jaula **2** *fig. infrm.* pôr na cadeia; aprisionar ↺ libertar □ *pron.* **3** afastar-se do convívio social; isolar-se *<após a viuvez, enjalou-se por algum tempo>*

enjeitamento (en.jei.ta.men.to) *s.m.* **1** abandono, rejeição ↺ acolhida **2** recusa em aceitar; repúdio *<quem teria sido o responsável pelo seu e. no time?>* ↺ aceitação

enjeitar (en.jei.tar) *v.* {mod. 1} *t.d.* **1** não querer; rejeitar, recusar *<e. um presente>* ↺ aceitar **2** abandonar (filho) **3** não estar de acordo com; reprovar *<a ciência enjeita as soluções que não foram comprovadas>* ↺ aprovar ~ **enjeitado** *adj.*

enjoado (en.jo.a.do) *adj.* **1** com enjoo *<o passeio de barco deixou-o e.>* **2** *fig.* que causa enfado; entediante *<música e.>* ↺ agradável **3** *fig.* com muito cansaço; aborrecido *<e. da cidade, mudou-se>* ↺ satisfeito **4** *fig.* que tem sempre mau humor; antipático *<não adianta tentar animá-lo, é um sujeito e.>* ↺ simpático

enjoar (en.jo.ar) *v.* {mod. 1} *t.d. e int.* **1** (fazer) sentir ânsia de vômito; nausear *<balanço de navio não enjoa marinheiro> <cheiro de gasolina enjoa>* □ *t.d. e t.i. fig.* **2** (prep. *de*) causar ou sentir aversão, nojo por; repugnar *<excesso de atenção enjoa-o> <eles não enjoam do puxa-saquismo dos subalternos>* **3** (prep. *de*) causar ou sentir tédio, fastio por; enfastiar *<filmes longos enjoam-no> <enjoou logo da cidade pequena>*

enjoativo (en.jo.a.ti.vo) *adj.* que provoca enjoo

enjoo (en.jo.o) /ô/ *s.m.* **1** ânsia de vômito **2** *fig.* aborrecimento, enfado *<discursos longos lhe dão e.>* **3** *fig.* sentimento de repugnância; aversão *<tanta falsidade causou-lhe e.>*

enlaçar (en.la.çar) *v.* {mod. 1} *t.d.,t.d.i. e pron.* **1** (prep. *a*) prender(-se) com laços (a); atar(-se) *<enlaçou a saia> <enlaçaram-se à árvore>* **2** (prep. *com, em, por*) envolver(-se) com os braços; abraçar(-se) *<enlaçou-a (pela cintura)> <enlaçaram-se e saíram dançando>* □ *t.d. e pron. fig.* **3** ligar(-se) por aliança, vínculo moral; unir(-se) *<o luto enlaçou as famílias> <sobrenomes ilustres enlaçaram-se com o casamento>* ↺ separar(-se) □ *t.i.,t.d.i. e pron.* **4** (prep. *a, com*) [fazer] ter relação, conexão com; vincular(-se) *<este fato enlaça(-se) com o outro>* ↺ desvincular(-se) ~ **enlaçado** *adj.* - **enlaçamento** *s.m.*

enlace (en.la.ce) *s.m.* **1** ato de enlaçar ou o seu efeito ↺ desenlace **2** *p.ext.* abraço **3** harmonização, união ↺ desunião **4** o vínculo dessa união; elo, ligação

enlamear (en.la.me.ar) *v.* {mod. 5} *t.d. e pron.* **1** sujar (-se) ou cobrir(-se) de lama *<as patas do cão enlamearam o piso>* **2** *fig.* manchar(-se) [honra, imagem etc.] *<não apoiar o funcionário injustiçado enlameou toda a equipe>* **3** *fig.* (fazer) perder a boa reputação; desmoralizar(-se) *<ao e. o colega, enlameou-se também>*

enlanguescer (en.lan.gues.cer) *v.* {mod. 8} *int. e pron.* **1** perder as forças; definhar(-se) ↺ fortalecer(-se) **2** abater(-se), entristecer(-se) ↺ animar(-se)

enlatar (en.la.tar) *v.* {mod. 1} *t.d.* pôr ou conservar em lata

enlear (en.le.ar) *v.* {mod. 5} *t.d.* **1** atar, amarrar *<enleou os cabelos para fazer uma trança>* □ *t.d.,t.d.i. e pron.* **2** (prep. *em*) envolver(-se), enredar(-se) *<quis e. o amigo (na trama)> <e.-se na questão>* □ *t.d. e pron.* **3** (fazer) sofrer confusão, embaraço; perturbar(-se) *<os assuntos do coração sempre a enlearam> <enleia-se com facilidade>*

enleio (en.lei.o) *s.m.* **1** tira ou fita que amarra; atilho **2** *fig.* tudo que prende; envolvimento, enredamento **3** embaraço, indecisão *<em seu e., entregou a prova antes de terminá-la>* **4** encanto forte; atrativo

enlevar (en.le.var) *v.* {mod. 1} *t.d. e pron.* (fazer) sentir enlevo; encantar(-se), extasiar(-se) *<um bom espetáculo enleva o público> <e.-se com a ida a um museu>* ~ **enlevação** *s.f.* - **enlevamento** *s.m.*

enlevo (en.le.vo) /ê/ *s.m.* deleite; êxtase ↺ desprazer

enlodar (en.lo.dar) *v. t.d. e pron.* **1** sujar(-se), cobrir (-se) de lodo; enlamear(-se) **2** *fig.* manchar a honra de (alguém ou de si próprio) ~ **enlodado** *adj.*

enlouquecer (en.lou.que.cer) *v.* {mod. 8} *t.d. e int.* (fazer) perder o uso da razão; endoidecer *<a morte do filho enlouqueceu-o> <não aguentou a pressão no trabalho e enlouqueceu>*

enlouquecimento (en.lou.que.ci.men.to) *s.m.* desvario, loucura ↺ sanidade

enluarado (en.lu.a.ra.do) *adj.* iluminado pelo luar ~ **enluarar** *v.t.d.,int. e pron.*

enlutamento (en.lu.ta.men.to) *s.m.* tristeza, pesar

enlutar (en.lu.tar) *v.* {mod. 1} *t.d. e pron.* **1** cobrir (-se) de luto *<o terremoto enlutou o país> <a família enlutou-se com a morte do patriarca>* **2** *fig.* (fazer) sofrer grande tristeza; consternar(-se) *<o mau comportamento do filho enluta os pais> <seu coração enluta-se ante a visão da miséria>* ↺ alegrar(-se)

-eno *suf.* 'relação, origem': *terreno, chileno*

enobrecer (e.no.bre.cer) *v.* {mod. 8} *t.d. e pron.* **1** tornar(-se) nobre por diploma ou alvará de nobreza; nobilitar(-se) **2** *p.ext.* tornar(-se) famoso, ilustre; engrandecer(-se) *<publicações que só enobrecem o autor> <enobrece-se à medida que as pessoas conhecem sua arte>* **3** tornar(-se) mais digno e superior; dignificar(-se) *<boas ações enobrecem o indivíduo> <viu o filho e.-se em um trabalho produtivo>* ~ **enobrecedor** *adj.s.m.* - **enobrecimento** *s.m.*

enodoar (e.no.do.ar) *v.* {mod. 1} *t.d. e pron.* **1** cobrir (-se) de manchas; sujar(-se) *<enodoou toda a roupa> <caiu numa poça e enodoou-se>* ↺ limpar(-se) **2** *fig.* (fazer) perder a honra, a reputação; desonrar(-se) *<o príncipe desonesto enodoara o nome da família>* ↺ dignificar(-se) ~ **enodoado** *adj.*

enojar (e.no.jar) *v.* {mod. 1} *t.d. e pron.* **1** (fazer) sentir nojo, asco *<falta de higiene sempre o enoja> <enojava-se com o cheiro da fritura>* **2** (fazer) ter aborrecimento, desprazer com; aborrecer(-se) *<sua voz enoja-o> <e.-se do marido>* **3** (fazer) sentir repulsa, aversão *<mesquinharias enojavam-no> <e.-se ao ouvir mentiras>* ~ **enojado** *adj.* - **enojamento** *s.m.*

enorme (e.nor.me) *adj.2g.* **1** muito grande, imenso ↺ mínimo **2** *fig.* de grande importância *<e. responsabilidade>*

enormidade (e.nor.mi.da.de) *s.f.* excesso de tamanho, extensão etc. *<esse texto é uma e.>*

enoveladeira (e.no.ve.la.dei.ra) *s.f.* máquina us. para enovelar

enovelar (e.no.ve.lar) *v.* {mod. 1} *t.d. e pron.* **1** enrolar(-se) [fio de lã, linha etc.] formando novelo ↺ desenovelar(-se) **2** tornar(-se) confuso; complicar (-se) *<não conseguia chegar ao fim sem e. a história> <a história enovelou-se no final>*

enquadrar (en.qua.drar) *v.* {mod. 1} *t.d.* **1** pôr em moldura *<e. um desenho>* ↺ desenquadrar **2** rodear como faz uma moldura; cercar *<uma linda trepadeira enquadrava a varanda>* **3** dar forma quadrada a *<e. tecido para fazer almofada>* **4** *B infrm.* ter como parte integrante; conter *<este capítulo enquadra diversos itens sobre a saúde pública>* **5** FOT dispor e limitar (a imagem) no visor da câmara **6** *B gír.* deter para averiguações *<e. um marginal>* **7** *B gír.* castigar, punir □ *t.i. e int.* **8** (prep. *com*) estar em harmonia; combinar, adequar(-se) *<a paisagem enquadrava com a tranquilidade do lugar> <a palavra não se enquadrou bem no contexto>* ↺ destoar ~ **enquadramento** *s.m.* - **enquadrável** *adj.2g*

enquanto (en.quan.to) *conj.temp.* **1** durante o tempo que *<pensa nas férias e. trabalha>* ■ *conj.prop.* **2** à medida que *<cansava-se, e. subia>* ▣ **por e.** por agora *<por e., não há motivo para preocupações>*

enquete (en.que.te) *s.f.* pesquisa de opinião; sondagem

enquistar (en.quis.tar) *v.* {mod. 1} *t.d.,int. e pron.* encistar

enrabichar (en.ra.bi.char) *v.* {mod. 1} *t.d.* **1** dar forma de rabicho a □ *t.d. e pron. infrm.* **2** (prep. *por*) [fazer] ficar enamorado; apaixonar(-se) *<tentou enrabichá-lo> <enrabichou-se pela dentista>* ~ **enrabichamento** *s.m.*

enraivar (en.rai.var) *v.* {mod. 1} *t.d.,int. e pron.* enraivecer

enraivecer (en.rai.ve.cer) *v.* {mod. 8} *t.d.,int. e pron.* (fazer) sentir raiva; irar(-se), encolerizar(-se) *<este barulho está enraivecendo toda a vizinhança> <ele (se) enraivece por qualquer coisa>* ↺ acalmar(-se)

enraizar (en.ra.i.zar) *v.* {mod. 2} *t.d.,int. e pron.* **1** fixar(-se) pela raiz (o vegetal) **2** *fig.* fixar(-se) em algum local; radicar(-se) *<há cidades que atraem e enraízam imigrantes> <enraizou(-se) rápido porque conhecia a língua local>* **3** *fig.* (fazer) adquirir (hábito, costume) *<é importante e. o hábito da leitura> <o bom costume é difícil de e.(-se)>* ↺ desenraizar(-se) ~ **enraizamento** *s.m.*

enrascada (en.ras.ca.da) *s.f.* aperto ('dificuldade'), encrenca

enrascar (en.ras.car) *v.* {mod. 1} *t.d.* **1** prender na rede *<e. peixes>* ↺ desenrascar **2** *fig.* levar a erro; enganar *<deu uma informação errada e enrascou o colega>* □ *t.d. e pron. fig.* **3** pôr(-se) em dificuldade; complicar (-se) *<enrascou o irmão por causa de uma bicicleta> <enrasca-se sempre ao fazer contas>* ↺ desenrascar(-se)

enredar (en.re.dar) *v.* {mod. 1} *t.d. e pron.* **1** prender (-se) em rede *<jogou a rede junto à praia e só enredou lixo> <as sardinhas lutaram para não se e.>* ↺ desenredar □ *t.d.* **2** tecer como rede; entretecer *<e. a palha>* **3** *fig.* enganar, iludir *<enredou os avós e saiu com o namorado>* □ *t.d. e int. fig.* **4** armar intrigas (para); intrigar, indispor *<e. os vizinhos> <só observa para e.>* □ *t.d.,t.d.i. e pron.* **5** (prep. *com, em*) (fazer) sofrer dificuldade; complicar(-se) *<o professor enredou os alunos (com palavras difíceis)> <a negociação enredou-se bem na hora da assinatura do contrato>* ~ **enredador** *adj.s.m.* - **enredamento** *s.m.*

enredeiro (en.re.dei.ro) *adj.s.m.* que(m) faz intriga; fofoqueiro, intrigante

enredo (en.re.do) /ê/ *s.m.* **1** sucessão de acontecimentos de história, novela, conto etc.; trama *<muito bom o e. desse livro>* **2** episódio complicado, confuso; segredo **3** intriga, mexerico *<fazer e. na vizinhança>*

enregelar (en.re.ge.lar) *v.* {mod. 1} *t.d.,int. e pron.* **1** tornar(-se) muito frio; congelar(-se) *<a neve enregelou seus pés> <as plantas enregelam(-se) no inverno>* **2** *fig.* (fazer) perder o entusiasmo; desanimar(-se) *<após assistir ao primeiro capítulo da novela, seu ânimo enregelou(-se)>* ↺ animar(-se) **3** *fig.* (fazer) sentir muito medo; apavorar(-se) *<o urro do tigre enregelou os caçadores>*

enricar (en.ri.car) *v.* {mod. 1} *t.d.,int. e pron.* enriquecer

enrijar (en.ri.jar) *v.* {mod. 1} *t.d.,int. e pron.* enrijecer

enrijecer (en.ri.je.cer) *v.* {mod. 8} *t.d.,int. e pron.* **1** tornar(-se) rijo, duro; endurecer(-se) *<a doença enrijeceu sua musculatura>* ↺ amolecer(-se) **2** *fig.* tornar(-se) forte moralmente; fortalecer(-se) *<a tragédia enrijeceu-a> <na guerra, os homens enrijecem>* ↺ enfraquecer(-se)

enriquecer (en.ri.que.cer) *v.* {mod. 8} *t.d. e int.* **1** tornar(-se) rico *<conseguiu e. a família com esforço e dedicação ao trabalho> <enriqueceu vendendo terrenos>* ↺ empobrecer □ *t.d.,int. e pron. fig.* **2** tornar(-se) maior e melhor; desenvolver(-se) *<seu vocabulário enriqueceu(-se) com a leitura>*

enriquecimento (en.ri.que.ci.men.to) *s.m.* **1** acumulação ou obtenção de riquezas ↺ empobrecimento **2** melhoria, aperfeiçoamento

enrodilhar (en.ro.di.lhar) *v.* {mod. 1} *t.d.,int. e pron.* (fazer) tomar forma de rodilha; enrolar(-se), torcer (-se) *<e. um guardanapo> <quando a cobra vai dar o bote, enrodilha(-se)> <a planta enrodilhou-se no tronco da árvore>* ↺ desenrolar(-se)

enrolado (en.ro.la.do) *adj.* **1** em forma de rolo *<tapete e.>* ↺ esticado, liso **2** posto em volta de algo; enroscado *<galhos e. no fio provocaram a queda de energia>* ↺ desenrolado **3** coberto com um invólucro *<traga a faca e., para não machucar ninguém>* **4** atrapalhado, confuso *<bom marceneiro, mas um pouco e.>*

enrolador (en.ro.la.dor) /ô/ [pl.: *-es*] *adj.s.m.* **1** (o) que dobra em rolo ou espiral **2** *B infrm.* que(m) gosta de enganar; tapeador

enrolamento (en.ro.la.men.to) *s.m.* ELETR conjunto de fios enrolados numa bobina ou num motor que, em um circuito elétrico, tem a função de indutor; bobina

enrolar (en.ro.lar) *v.* {mod. 1} *t.d. e pron.* **1** (fazer) adquirir forma de rolo ou espiral; enroscar(-se) *<e. um rocambole> <seus cabelos enrolam(-se) quando molhados>* ↺ desenrolar(-se) **2** *fig. B infrm.* (fazer) ficar atrapalhado; confundir(-se) *<a pressa em terminar o serviço enrolou-a mais ainda> <enrolou-se na hora de convidá-la para sair>* □ *t.d.,t.d.i. e pron.* **3** (prep. *em*) (fazer) ficar em volta de; enroscar(-se) *<e. a planta na viga> <a planta enrolou-se na viga>* **4** (prep. *em*) cobrir(-se) [com invólucro]; envolver(-se), embrulhar(-se) *<pôs o fumo de rolo na palha e enrolou um cigarro> <enrolou o filho (na manta) para protegê-lo da chuva> <com frio, enrolou-se no cobertor>* □ *t.d.* **5** *fig. B infrm.* levar a engano, erro; engambelar **6** *fig. B infrm.* usar artifícios para adiar ou retardar decisão, tarefa etc.; embromar *<está enrolando a noiva há dez anos, não pensa em se casar>*

enroscar (en.ros.car) *v.* {mod. 1} *t.d. e pron.* **1** (fazer) ficar em volta de; enrolar(-se) *<o jardineiro enroscou o maracujá> <a roseira enroscou-se na cerca e subiu florida>* **2** *fig.* (fazer) ter dificuldade, resistência; atrapalhar(-se) *<acho que enroscaram o processo de propósito> <ele se enroscou na hora de prestar contas>* □ *t.d.* **3** torcer à maneira de rosca *<e. um lençol>* **4** dar movimento espiral a *<e. parafusos>* □ *pron.* **5** curvar o corpo, pondo joelhos e braços até o peito; encolher-se ~ **enroscado** *adj.* - **enroscamento** *s.m.*

enrosco (en.ros.co) /ô/ *s.m.* **1** ato de enroscar **2** *B infrm.* situação difícil *<meteu-se num enrosco ao mentir para os pais>*

enroupar (en.rou.par) *v.* {mod. 1} *t.d. e pron.* **1** pôr roupa (em); vestir ↺ despir(-se) **2** agasalhar(-se)

enrouquecer (en.rou.que.cer) *v.* {mod. 8} *t.d. e int.* (fazer) ficar rouco *<água gelada costuma enrouquecê-la> <o cantor enrouqueceu>* ~ **enrouquecimento** *s.m.*

E

enrubescer (en.ru.bes.<u>cer</u>) *v.* {mod. 8} *t.d.,int. e pron.* **1** tornar(-se) rubro; avermelhar(-se) *<no pôr do sol, a paisagem enrubesce(-se)>* **2** corar (pele, rosto etc.) *<os elogios enrubesceram-na> <ele sempre enrubesce de vergonha>* ~ **enrubescido** *adj.* - **enrubescimento** *s.m.*

enrugado (en.ru.<u>ga</u>.do) *adj.* cheio de rugas ou de pregas *<cara e.> <lençol e.>*

enrugar (en.ru.<u>gar</u>) *v.* {mod. 1} *t.d.,int. e pron.* **1** deixar ou ficar com rugas, pregas; encarquilhar(-se) *<a idade enrugou as mãos da velha senhora> <seu rosto enrugou(-se) cedo>* **2** (fazer) ficar amassado; amarrotar(-se) *<enrugou a saia ao dobrá-la> <a camisa enrugou(-se) dentro da mala>* ~ **enrugamento** *s.m.*

enrustido (en.rus.<u>ti</u>.do) *adj.* *B infrm.* **1** escondido *<atitude e.>* **2** *infrm.* que não se expõe (diz-se de pessoa); dissimulado, introvertido ↺ extrovertido ■ *adj.s.m.* *B infrm.* **3** (homossexual) que não se assume

enrustir (en.rus.<u>tir</u>) *v.* {mod. 24} *t.d.* tornar oculto; esconder ↺ expor, mostrar ~ **enruste** *s.m.*

ensaboadela (en.sa.bo.a.<u>de</u>.la) *s.f.* ligeira ensaboada

ensaboar (en.sa.bo.<u>ar</u>) *v.* {mod. 1} *t.d. e pron.* **1** lavar(-se) com sabão *<ensaboou bem as mãos> <após ensaboar-se, a água do chuveiro acabou>* □ *t.d. fig.* **2** ralhar com; repreender *<ensaboou o filho quando viu as notas baixas>* ~ **ensaboada** *s.f.* - **ensaboamento** *s.m.*

ensacador (en.sa.ca.<u>dor</u>) /ô/ [pl.: *-es*] *adj.s.m.* (aparelho) us. para ensacar

ensacar (en.sa.<u>car</u>) *v.* {mod. 1} *t.d.* pôr em saca ou saco *<e. batatas>* ↺ desensacar ~ **ensacagem** *s.f.* - **ensacamento** *s.m.* - **ensaque** *s.m.*

ensaiar (en.sai.<u>ar</u>) *v.* {mod. 1} *t.d.* **1** pôr à prova; testar **2** *fig.* ter intenção de; tentar *<e. uma reação>* **3** fazer (movimento, ação) repetidas vezes; treinar *<o time ensaiou a jogada de ataque várias vezes>* **4** repetir (texto, fala, música) até decorar ou interpretar bem

ensaio (en.<u>sai</u>.o) *s.m.* **1** prova para verificação do desempenho de algo; teste *<fase de e. do foguete>* **2** primeira tentativa, experiência *<ele fez um e. no mundo da moda>* **3** em qualquer espetáculo (teatro, balé, música etc.), montagem experimental a portas fechadas que vale como sessão preparatória à estreia para o público *<e. de uma ópera, de um concerto, de um balé>* **4** livre estudo sobre um tema específico *<escreveu um e. sobre a violência> <e. fotográfico sobre bebês>* ▣ **e. geral** montagem completa e última antes da estreia de um espetáculo

ensaísta (en.sa.<u>ís</u>.ta) *adj.2g.s.2g.* que(m) escreve ensaio ('estudo')

ensancha (en.<u>san</u>.cha) *s.f.* **1** VEST tecido que se deixa sobrar na roupa, para posterior alargamento ☞ mais us. no pl. **2** *p.ext.* GRÁF pedaço de papel, cartolina etc. que sobra para apara posterior **3** *p.ext.* confiança, liberdade *<não dá e. a ninguém>*

ensanchar (en.san.<u>char</u>) *v.* {mod. 1} *t.d.* **1** alargar usando a(s) ensancha(s) *<engordou e precisou e. a saia>* □ *t.d. e pron. fig.* **2** dilatar(-se), estender(-se) *<sua atitude só vai e. a diferença entre vocês> <o estômago ensancha-se facilmente>*

ensandecer (en.san.de.<u>cer</u>) *v.* {mod. 8} *t.d. e int.* **1** tornar(-se) tolo, idiota; apatetar(-se) *<a morte da mulher ensandeceu-o> <ensandeceu ainda novo>* **2** (fazer) perder o uso da razão; enlouquecer *<as drogas ensandeceram-no>* ~ **ensandecimento** *s.m.*

ensanguentar (en.san.guen.<u>tar</u>) /gü/ *v.* {mod. 1} *t.d. e pron.* cobrir(-se) ou manchar(-se) de sangue *<o corte ensanguentou sua camisa> <os pontos romperam e seu pé ensanguentou-se>* ~ **ensanguentado** *adj.*

ensarilhar (en.sa.ri.<u>lhar</u>) *v.* {mod. 1} *t.d.* **1** enrolar (fio) em sarilho ('artefato') *<e. lã>* **2** pôr (armas) de pé no chão, apoiando umas nas outras pela baioneta, formando um sarilho ('grupo de armas') □ *t.d. e pron. fig.* **3** envolver(-se), emaranhar(-se) *<o vento ensarilhava os cabelos da moça> <com a força das ondas, as redes dos pescadores ensarilharam-se>*

-ense *suf.* 'relação, origem': *cearense, circense, parisiense*

enseada (en.se.<u>a</u>.da) *s.f.* GEO pequena baía de mar, lago ou rio, que serve de porto a embarcações; angra

ensebado (en.se.<u>ba</u>.do) *adj.* **1** coberto de sebo *<couro e.>* **2** manchado de gordura; engordurado *<avental e.>* **3** *fig. N.E. pej.* muito gordo

ensebar (en.se.<u>bar</u>) *v.* {mod. 1} *t.d. e pron.* **1** passar sebo (em) *<e. uma sela>* **2** *p.ext.* (fazer) ficar sujo; sujar(-se) *<o excesso de fritura ensebou o fogão> <ensebou-se todo ao mexer no motor do carro>* ↺ limpar(-se) □ *int. fig.* **3** usar de manhas para atrasar ou dificultar uma tarefa, decisão etc.; remanchar *<deixe de e., vamos logo com isso!>* ~ **ensebamento** *s.m.*

ensejar (en.se.<u>jar</u>) *v.* {mod. 1} *t.d. e t.d.i.* **1** (prep. *a*) tornar possível para; proporcionar *<a herança ensejou a compra da casa> <o dia de verão ensejou-lhes um piquenique>* ↺ impossibilitar □ *t.d.* **2** esperar oportunidade de; almejar, querer *<todos ensejavam que a festa começasse>* **3** tentar, experimentar *<ensejou os primeiros passos>* □ *pron.* **4** surgir ocasião de; apresentar-se *<uma imensa tarefa ensejava-se aos alunos>*

ensejo (en.<u>se</u>.jo) /ê/ *s.m.* ocasião favorável; oportunidade

ensiforme (en.si.<u>for</u>.me) *adj.2g.* em forma de espada *<folha e.>*

ensilagem (en.si.<u>la</u>.gem) [pl.: *-ens*] *s.f.* *B* prática agrícola de guarda e conservação de cereais em silos

ensilar (en.si.<u>lar</u>) *v.* {mod. 1} *t.d.* armazenar (cereais, forragem) em silos ~ **ensilamento** *s.m.*

ensimesmado (en.si.mes.<u>ma</u>.do) *adj.* voltado para dentro de si mesmo; retraído ↺ comunicativo ~ **ensimesmar-se** *v.pron.*

ensinamento (en.si.na.<u>men</u>.to) *s.m.* **1** transmissão de conhecimentos; ensino *<lembrava com saudades dos e. do avô>* **2** conjunto de ideias a serem transmitidas; doutrina *<os e. de uma religião, de um partido>* **3** *p.ext.* experiência adquirida na prática; exemplo *<ele aprendeu esse e. com muitos anos de experiência>*

ensinar (en.si.<u>nar</u>) *v.* {mod. 1} *t.d. e t.d.i.* **1** (prep. *a*) passar conhecimentos teóricos ou práticos sobre (algo) [a alguém] *<ensina violão (ao filho)>* **2** (prep. *a*) tornar conhecido, familiar a *<a idade vai e.(-lhe) o valor da vida>* **3** (prep. *a*) mostrar com precisão; indicar *<ensinou (a eles) o rumo a tomar>* **4** (prep. *a*) treinar em (animal) [uma habilidade]; adestrar *<e. cavalo (a saltar)>*

ensino (en.si.no) *s.m.* **1** transferência e/ou troca de conhecimentos; instrução *<estabelecimento de e.>* **2** conjunto dos sistemas adequados e necessários a essa transferência e/ou troca *<reforma do e.>* **3** conjunto de métodos e estratégias us. nessa transmissão *<e. tradicional>* **4** transmissão dos princípios da vida em sociedade; educação **5** lição, experiência, ensinamento *<o e. pode ser praticado de vários modos>* **6** ofício de professor; magistério *<o e. é sua vocação>* ▣ **e. básico** conjunto formado pela educação infantil, o ensino fundamental e o ensino médio • **e. fundamental** *B* ensino ministrado em dois ciclos, de nove anos: o primeiro ciclo, do primeiro ao quinto ano, para jovens de 6 a 10 anos, e o segundo, do sexto ao nono ano, para crianças de 11 a 14 anos • **e. médio** *B* período de três anos subsequentes ao ensino fundamental, para jovens de 15 a 17 anos • **e. superior** curso universitário; graduação • **e. supletivo** curso compacto para suprir escolaridade incompleta de adultos

ensolarado (en.so.la.ra.do) *adj.* iluminado pelo sol; luminoso *<nasceu numa manhã e.>* ↺nublado

ensombrado (en.som.bra.do) *adj.* **1** coberto de sombra; sombreado *<rua e.>* **2** *fig.* triste *<rosto e.>* ↺alegre

ensombrar (en.som.brar) *v.* {mod. 1} *t.d. e pron.* **1** cobrir(-se) de sombra *<a noite ensombra a praça> <viu o céu e.-se>* **2** *fig.* (fazer) sentir ou mostrar tristeza; entristecer(-se) *<a angústia ensombrava-lhe o rosto> <ensombrou-se ao ver o filho doente>* ↺alegrar(-se)

ensopado (en.so.pa.do) *adj.* **1** muito molhado; encharcado *<roupas e.>* ↺seco ■ *s.m.* CUL **2** prato de carne (de boi, frango ou peixe) picada com muito molho e legumes

ensopar (en.so.par) *v.* {mod. 1} *t.d.* **1** fazer ficar como sopa **2** CUL preparar (carne, peixe etc.) refogando em temperos e cozinhando a fogo lento em água □ *t.d. e pron.* **3** molhar(-se) muito; encharcar(-se) *<a chuva forte ensopou sua roupa> <seu rosto ensopou-se de lágrimas>* ↺secar(-se) ~**ensopamento** *s.m.*

ensurdecedor (en.sur.de.ce.dor) /ô/ [pl.: *-es*] *adj.s.m.* **1** (o) que faz ensurdecer **2** (o) que produz ruído alto e estrondoso *<soltou um grito e.>*

ensurdecer (en.sur.de.cer) *v.* {mod. 8} *t.d. e int.* **1** (fazer) perder a audição *<o excesso de barulho em seu trabalho está ensurdecendo-o aos poucos> <ensurdeceu ainda jovem>* □ *t.d.* **2** diminuir o ruído de; abafar *<o tapete ensurdeceu o saltitar dos dançarinos>*

ensurdecimento (en.sur.de.ci.men.to) *s.m.* **1** ação de ensurdecer ou seu efeito **2** perda ou diminuição da audição; surdez

entablamento (en.ta.bla.men.to) *s.m.* ARQ conjunto de molduras horizontais que servem de arremate superior de uma fachada

entabuar (en.ta.bu.ar) *v.* {mod. 1} *t.d.* **1** forrar com tábuas □ *pron.fig.* **2** ficar duro como tábua; endurecer ~**entabuamento** *s.m.*

entabular (en.ta.bu.lar) *v.* {mod. 1} *t.d.* **1** forrar com tábuas; entabuar **2** pôr em ordem **3** iniciar, começar (negociação, conversa etc.) *<não demorou a e. relações com a nova vizinhança>* ↺acabar ~**entabulamento** *s.m.*

entaipar (en.tai.par) *v.* {mod. 1} *t.d.* **1** fechar, cercar com tapumes *<e. um terreno>* □ *t.d. e pron.* *fig.* **2** isolar(-se) em cárcere; enclausurar(-se) ↺libertar(-se)

entalar (en.ta.lar) *v.* {mod. 1} *t.d.* **1** imobilizar com tala(s) *<e. braço quebrado>* ↺desentalar □ *t.d.,int. e pron.* **2** (fazer) entrar em local estreito e apertado *<este cão sempre entala a cabeça na grade> <o passageiro entalou(-se) na roleta do ônibus>* **3** *fig.* pôr(-se) em situação difícil; encalacrar(-se) *<entalou(-se) com uma grande dívida>* □ *t.d. e pron.* **4** (fazer) ficar com a garganta obstruída *<a farofa entalou-a> <pessoas idosas podem e.-se facilmente>* ~**entalação** *s.f.*

entalhador (en.ta.lha.dor) /ô/ [pl.: *-es*] *adj.s.m.* **1** (o) que entalha madeira ■ *s.m.* **2** ART.PLÁST escultor ou gravador em madeira

entalhar (en.ta.lhar) *v.* {mod. 1} *t.d.* **1** abrir cortes em (peças de madeira ou outro material); gravar *<e. imagem, matriz>* **2** ART.PLÁST esculpir (figura, ornato etc.) em madeira ou material similar ~**entalhadura** *s.f.* - **entalhamento** *s.m.*

entalhe (en.ta.lhe) *s.m.* **1** corte, ranhura esp. em madeira; entalho **2** ART.PLÁST obra de arte em madeira, pedra etc.; talha

entalho (en.ta.lho) *s.m.* entalhe ('corte')

entanto (en.tan.to) *adv.* **1** nesse meio-tempo *<viajou, e. nasceu sua neta>* ■ *conj.advrs.* **2** mas, porém, contudo *<quis gritar, e. a voz não saía>* ▣ **no e.** contudo, todavia *<precisava estudar, no e. adormeceu>*

então (en.tão) *adv.* **1** em momento passado ou futuro *<foi e. que resolveu falar a verdade> <o e. presidente resolveu/resolverá essa questão>* **2** em tal caso *<o vizinho é sensato, e. não vai haver briga>* **3** em final de diálogo *<e. até amanhã>* ■ *conj.concl.* **4** logo, assim sendo, por isso, consequentemente *<e. vamos resolver logo a questão> <precisa sair cedo hoje, e. madrugou no trabalho>* ■ *interj.* **5** voz que expressa espanto *<e., será verdade?>*

-entar *suf.* 'transformação': *ensanguentar, movimentar*

entardecer (en.tar.de.cer) *v.* {mod. 8} *int.* **1** ir caindo a tarde ■ *s.m.* **2** o cair da tarde *<chegará ao e.>* ☞ como s.m., pl.: *entardeceres* ◉ GRAM/USO verbo impessoal, exceto quando fig.

-ente *suf.* equivalente a *-nte*

ente (en.te) *s.m.* **1** o que existe ou se supõe existir; ser **2** o ser humano; pessoa *<e. querido>*

enteado (en.te.a.do) *s.m.* filho de união anterior de um dos cônjuges, em relação ao padrasto ou à madrasta

entediado (en.te.di.a.do) *adj.* cheio de tédio; aborrecido *<já estava e. com aquela discussão>*

entediar (en.te.di.ar) *v.* {mod. 1} *t.d. e pron.* (fazer) sentir tédio; enfadar(-se), aborrecer(-se) ↺divertir(-se)

entendedor (en.ten.de.dor) /ô/ [pl.: *-es*] *adj.s.m.* **1** que(m) entende; conhecedor *<era um e. dos mistérios da culinária>* **2** (indivíduo) inteligente, preparado

entender (en.ten.der) *v.* {mod. 8} *t.d.* **1** apreender pela inteligência; compreender *<entendeu todas as explicações>* **2** ter conhecimento de; saber *<e. química>* ↺desconhecer **3** captar pela audição; ouvir *<não conseguia e. o professor por causa da bagunça>* **4** tirar como conclusão; deduzir *<pela aparência alegre da mãe, entendeu que tudo estava bem>* **5** decidir, após reflexão; considerar *<entenderam que*

E

era melhor ficar> □ *t.i.* **6** (prep. *de*) ter habilidade ou experiência em *<de cozinha ela entende>* □ *pron.* **7** entrar em acordo com; avir-se *<ele se entende bem com o chefe>* ↺ desavir-se ■ *s.m.* **8** entendimento ('faculdade') ☞ como s.m., pl: *entenderes*

entendido (en.ten.di.do) *adj.* **1** que se acertou; combinado *<hora e.>* **2** compreendido *<ordens e.>* ↺ desentendido ■ *adj.s.m.* **3** que(m) tem conhecimento; especialista *<era e. em mecânica>*

E

entendimento (en.ten.di.men.to) *s.m.* **1** capacidade de compreensão; discernimento *<não tem e. para certas coisas>* **2** faculdade de avaliação e julgamento; juízo, opinião *<no meu e. ele é um ótimo cantor>* **3** ajuste entre partes; acordo *<chegaram finalmente a um e.>* **4** harmonia de ideias *<e. entre irmãos>*

enterite (en.te.ri.te) *s.f.* MED inflamação do intestino

enternecedor (en.ter.ne.ce.dor) /ô/ [pl.: *-es*] *adj.s.m.* **1** (o) que abranda *<um carinho e.>* **2** (o) que sensibiliza, provoca compaixão *<palavras e.>*

enternecer (en.ter.ne.cer) *v.* {mod. 8} *t.d. e pron.* **1** (fazer) ficar terno, amoroso *<a visão dos filhos sempre a enternece>* *<enternecia-se ao ouvir as doces promessas de amor>* ↺ embrutecer(-se) **2** tornar(-se) sensível; sensibilizar(-se) *<o abraço apertado do pai enterneceu--a>* ↺ empedernir(-se) ~ **enternecimento** *s.m.*

enterobactéria (en.te.ro.bac.té.ria) *s.f.* MICRBIO nome comum a bactérias encontradas no solo ou em água, algumas causadoras de doenças

enterologia (en.te.ro.lo.gi.a) *s.f.* ANAT estudo do intestino e de suas funções ~ **enterologista** *adj.2g.s.2g.*

enterovírus (en.te.ro.ví.rus) *s.m.2n.* MICRBIO grupo de vírus, ger. presentes no intestino, causadores de doenças respiratórias ou da poliomielite nos humanos e da febre aftosa nos animais

enterrar (en.ter.rar) *v.* {mod. 1} *t.d.* **1** pôr sob a terra; soterrar *<e. um baú>* ↺ desenterrar **2** pôr em túmulo; sepultar ↺ exumar **3** *p.ext.* manter fora do alcance de outrem; esconder *<enterrou as cartas do ex-namorado>* ↺ expor **4** *fig.* continuar a viver depois da morte de *<enterrou dois maridos>* **5** *fig.* estar presente ao sepultamento de **6** *fig.* pôr um fim a; encerrar *<vamos e. esse assunto>* ↺ iniciar **7** enfiar (algo) bem fundo em; cravar *<e. a faca no chão>* **8** levar à ruína, à derrota; destruir *<com más decisões, enterrou a empresa da família>* □ *pron.* **9** dedicar-se, empenhar-se *<e.-se nos estudos>* ~ **enterrado** *adj.* - **enterramento** *s.m.*

enterro (en.ter.ro) /ê/ *s.m.* **1** colocação de um cadáver embaixo da terra ↺ exumação **2** cortejo fúnebre; funeral

entesar (en.te.sar) *v.* {mod. 1} *t.d.,int. e pron.* **1** tornar (-se) tenso, teso; retesar(-se) *<o medo entesou seus membros>* *<entesa(-se) quando entra em água fria>* □ *t.d.* **2** deixar reto; esticar *<e. uma corda>* ↺ afrouxar **3** deixar duro; endurecer *<a chuva entesou o couro>* ↺ amolecer □ *t.i.* **4** (prep. *em*) insistir, teimar *<entesou em sair com toda a chuva>* ↺ desistir ~ **entesamento** *s.m.*

entibiar (en.ti.bi.ar) *v.* {mod. 1} *t.d.,int. e pron.* **1** (fazer) ficar tíbio, frouxo; enfraquecer(-se) *<a paixão costuma e. os homens>* *<entibiou(-se) ante as lágrimas do pai>* ↺ fortalecer(-se) □ *pron.* **2** ficar sem força, entusiasmo; desanimar *<após fracassar na segunda tentativa, entibiou-se>* ↺ animar-se

enticar (en.ti.car) *v.* {mod. 1} *t.i. e pron.* **1** (prep. *com*) entrar em discussão com (alguém); brigar *<um cara que entica com todo mundo>* *<esses dois se enticam sem parar>* □ *t.i.* **2** implicar com (alguém ou algo); aborrecer *<pare de e. com sua tia>* □ *int. e pron.* **3** teimar, obstinar-se *<quando ele (se) entica e resolve sair, não tem jeito>*

entidade (en.ti.da.de) *s.f.* **1** o que constitui a essência de um ser ou coisa **2** *p.ext.* ser humano; ente **3** *p.ext.* pessoa de grande importância *<é uma e. nacional>* **4** instituição, sociedade, pessoa jurídica *<e. privada>* *<e. beneficente>* **5** REL *B* ser espiritual que é objeto de culto (freq. us. para deuses e mitos afro-brasileiros, p.ex., orixás)

-ento *suf.* 'abundância': *barrento, calorento, corpulento, sonolento*

entoação (en.to.a.ção) [pl.: *-ões*] *s.f.* **1** MÚS ação de se dar tom à música que se quer tocar ou cantar **2** modulação na voz de quem fala, lê, recita ou canta; entonação *<lia o poema com uma e. triste>* **3** MÚS canto a uma ou mais vozes *<e. de cantigas de roda>*

entoar (en.to.ar) *v.* {mod. 1} *t.d.* **1** enunciar em voz alta *<e. um louvor>* **2** MÚS cantar (música, melodia) **3** MÚS dar o tom para se cantar ou tocar instrumento **4** declamar, recitar ~ **entoador** *adj.s.m.*

entocar (en.to.car) *v.* {mod. 1} *t.d. e pron.* **1** pôr(-se) em toca; encafuar(-se) *<o cachorro entocou a caça>* *<o tatu entocou-se>* ↺ desentocar(-se) □ *pron. fig.* **2** pôr-se em lugar isolado, reservado; esconder-se *<entocou-se em seu quarto>* ~ **entocamento** *s.m.*

entojado (en.to.ja.do) *adj.* **1** que se entojou **2** *MG SP PR pej.* muito presunçoso ou vaidoso

entojar (en.to.jar) *v.* {mod. 1} *t.d. e pron.* **1** (fazer) sentir asco, nojo; enojar(-se) **2** causar ou sentir aborrecimento; importunar(-se) ~ **entojamento** *s.m.*

entojo (en.to.jo) /ô/ *s.m.* **1** sensação de repugnância; enjoo, nojo **2** *p.ext.* desejo extravagante de algumas mulheres grávidas

entomofilia (en.to.mo.fi.li.a) *s.f.* BOT transporte, por inseto, do pólen de uma flor a outra, criando condições para a polinização

entomologia (en.to.mo.lo.gi.a) *s.f.* ZOO parte da zoologia que estuda os insetos ~ **entomológico** *adj.* - **entomologista** *adj.2g.s.2g.*

entomólogo (en.to.mó.lo.go) *s.m.* especialista em entomologia

entonação (en.to.na.ção) [pl.: *-ões*] *s.f.* modulação de voz na fala ou no canto *<deu a notícia com uma e. alegre>*

entono (en.to.no) *s.m.* **1** sentimento de superioridade em relação ao outro; altivez ↺ submissão **2** orgulho excessivo; presunção ↺ humildade

entontecer (en.ton.te.cer) *v.* {mod. 8} *t.d.,int. e pron.* **1** (fazer) ter tontura, vertigem *<aquele odor forte entonteceu-o>* *<entontecia(-se) quando levantava muito rápido>* **2** tornar(-se) tolo, idiota; apatetar(-se) *<o acúmulo de trabalho entontecia aquele funcionário>* **3** ensandecer, enlouquecer ~ **entontecimento** *s.m.*

entornar (en.tor.nar) *v.* {mod. 1} *t.d.* **1** virar (algo) despejando seu conteúdo *<entornou uma xícara de café>* **2** despejar (líquidos, grãos, miudezas etc.) *<entornou açúcar na mesa>* □ *t.d. e int.* **3** lançar(-se) para fora; derramar(-se) *<de tanto encher a garrafa, ela entornou o suco> <o leite em fervura entorna(-se)>* **4** *infrm.* ingerir (bebida alcoólica) em demasia

entorpecente (en.tor.pe.cen.te) *adj.2g.s.m.* **1** (o) que entorpece **2** (droga, substância, medicamento) que provoca entorpecimento, dependência e danos físicos e/ou psíquicos

entorpecer (en.tor.pe.cer) *v.* {mod. 8} *t.d.,int. e pron.* **1** (fazer) ficar em estado de adormecimento, exaustão, desânimo ou prostração *<dois comprimidos entorpeceram a senhora> <entorpeceu(-se) de tanto beber>* **2** (fazer) perder a energia, o vigor; debilitar (-se) *<o uso contínuo do medicamento entorpeceu o paciente> <tantas foram as noites sem dormir que (se) entorpeceu>* ↺ fortalecer(-se) **~ entorpecido** *adj.*

entorpecimento (en.tor.pe.ci.men.to) *s.m.* **1** adormecimento de parte do corpo *<e. causado pelo frio>* **2** *fig.* falta de vigor; desânimo ↺ ânimo

entorse (en.tor.se) *s.f.* MED lesão dos tendões de uma articulação causada por torção brusca

entortar (en.tor.tar) *v.* {mod. 1} *t.d.,int. e pron.* **1** tornar(-se) torto; empenar(-se) *<a umidade entortou a madeira> <com o calor, a porta entortou(-se)>* ↺ desentortar(-se) □ *t.d. e pron.* **2** (fazer) sair do eixo; curvar(-se), inclinar(-se) *<e. a cabeça> <entortou-se todo para ler as letras miúdas>* □ *int. e pron. infrm.* **3** ingerir muita bebida alcoólica; embebedar-se

entrada (en.tra.da) *s.f.* **1** ação de passar de fora para dentro ou seu efeito *<e. do trem na estação>* ↺ saída **2** local por onde se entra *<encontre-me na e. do museu>* ↺ saída **3** ação de se penetrar em algo ou seu efeito *<e. do prego na parede>* ↺ saída **4** possibilidade de admissão em local, instituição etc. *<e. proibida para menores> <e. na faculdade>* ↺ saída **5** *B* bilhete que permite o acesso a determinado local *<e. de teatro>* **6** primeiro pagamento de uma conta *<deu metade de e. e dividirá o restante em prestações>* **7** o primeiro prato de uma refeição **8** começo, início *<e. da primavera>* **9** palavra, locução etc. que é objeto de descrição em dicionários, enciclopédias etc. **10** HIST no período colonial, expedição que partia do litoral para explorar o interior do Brasil, aprisionar indígenas e buscar ouro, prata e pedras preciosas ☞ mais us. no plural **11** INF inclusão de dados num computador ▼ ***entradas*** *s.f.pl.* **12** partes da frente da cabeça onde faltam cabelos ▣ **e. franca** ingresso grátis • **dar e. 1** DIR iniciar processo administrativo, legal etc., através de ofício, petição etc. **2** MÚS comandar (maestro, regente etc.) o início de interpretação de uma peça musical

entra e sai (en.tra e sai) *s.m.2n. B* movimentação contínua de entrada e saída; vaivém

entrançar (en.tran.çar) *v.* {mod. 1} *t.d.* **1** fazer trança em □ *t.d.,t.d.i. e pron.* **2** (prep. *com*) juntar(-se), metendo (-se) uns por entre os outros; entrelaçar(-se) *<e. palhas> <e. fitas brancas (com azuis)> <e.-se uma trepadeira>*

entranha (en.tra.nha) *s.f.* **1** cada víscera do abdome ou do tórax **2** conjunto dessas vísceras ☞ mais us. no pl. **3** ventre materno ☞ mais us. no pl. **4** *fig.* as partes mais profundas; profundezas *<as e. da terra>* ☞ mais us. no pl.

entranhado (en.tra.nha.do) *adj.* **1** introduzido com força; cravado *<ao passar pela cerca, cuidado com o arame e.>* **2** que se estabeleceu profundamente; arraigado *<coração e. de alegria>*

entranhar (en.tra.nhar) *v.* {mod. 1} *t.d.i. e pron.* **1** (prep. *em*) (fazer) penetrar a fundo *<e. o arpão no tubarão> <a raiz entranhou-se na terra>* □ *t.d.i. e pron.* **2** *fig.* (prep. *em*) estabelecer(-se) de forma profunda; arraigar (-se) *<e.(-se) a saudade no peito>* ↺ desarraigar(-se) **3** (fazer) avançar para dentro de; embrenhar(-se) *<e. a tropa na mata> <e.-se na mata>* **~ entranhável** *adj.2g.*

entrante (en.tran.te) *adj.2g.* que entra ou que está por entrar, por começar *<ano e.>*

entrar (en.trar) *v.* {mod. 1} *t.d.,t.i. e int.* **1** (prep. *em, por*) ir ou vir para dentro *<entrou em casa correndo> <fez fila para e. no cinema> <hesitou antes de e.>* □ *t.i. e int.* **2** (prep. *com*) ter começo; iniciar-se *<março entrou (com chuvas)>* □ *t.i.* **3** (prep. *em, por*) passar através de; penetrar *<as águas entram pelo solo>* **4** *fig.* (prep. *em*) tomar parte em; envolver-se *<e. em confusão>* **5** (prep. *em, para*) começar a participar de (atividade, experiência, grupo etc.) *<entrou para a família em junho> <e. na política>* **6** (prep. *com*) prestar ajuda (p.ex., financeira); contribuir *<e. com grande quantia para a compra>* **7** (prep. *em*) atingir, alcançar (ponto, idade, cifra, período etc.) *<já entramos na última parte do texto> <ela já entrou nos 60>* **8** (prep. *em*) fazer parte de *<não entra açúcar nesse bolo>* **9** DIR (prep. *com*) interpor, apresentar (recurso, ação, pedido etc.) **10** *B infrm.* (prep. *em*) comer ou beber muito *<logo entrou no sorvete>* □ *int.* **11** INF acessar (arquivo, programa, *site*) ▣ **e. bem** *B infrm.* sair-se mal *<e. bem na prova>*

entravar (en.tra.var) *v.* {mod. 1} *t.d.* **1** pôr entrave em; atravancar **2** impossibilitar o movimento de; travar *<o calço entravou a roda>* ↺ liberar **3** tornar irrealizável, impossível; impedir *<entravaram o projeto de novo>* ↺ viabilizar

entrave (en.tra.ve) *s.m.* o que dificulta ou impede uma ação; obstáculo

entre- ou **inter-** *pref.* **1** 'posição no meio': *entrelinha, intermediário* **2** 'reciprocidade': *entreolhar-se, interação*

entre (en.tre) *prep.* **1** a meio de (dois espaços, dois tempos, duas situações etc.) *<o livro estava e. a estante e a mesa> <e. o verão e o outono> <viveu e. agir e pensar>* **2** através de *<passou por e. as cortinas>* **3** no interior de *<perdia a noção de tempo e. os muros do quartel>* **4** cerca de, perto de *<levei e. duas e três horas para chegar>* **5** no meio de *<sentiu-se surdo e. tantos gritos>* **6** junto de *<e. os seus, ficava feliz>* **7** como escolha, preferência *<e. os dois caminhos, optou pelo segundo>*

entreaberto (en.tre.a.ber.to) *adj.* um pouco aberto *<deixe a porta e., para entrar luz>* ⊙ GRAM/USO part. de *entreabrir*

entreabrir (en.tre.a.brir) *v.* {mod. 24} *t.d. e pron.* **1** abrir(-se) um pouco *<e.(-se) uma cortina> <e. a boca>* □ *int. e pron.* **2** começar a desabrochar *<entreabriram (-se) os primeiros botões de violeta>* ⊙ GRAM/USO part.: *entreaberto*

entreato (en.tre.a.to) *s.m.* **1** TEAT intervalo entre os atos de um espetáculo **2** MÚS TEAT pequena representação dramática ou musical executada nesse intervalo; interlúdio

entrecasca (en.tre.cas.ca) *s.f.* a parte mais interna da casca da árvore; entrecasco

E

entrecasco (en.tre.cas.co) *s.m.* **1** parte superior do casco dos animais **2** entrecasca

entrecerrar (en.tre.cer.rar) *v.* {mod. 1} *t.d. e pron.* fechar(-se) parcialmente <*e. os olhos*>

entrechocar (en.tre.cho.car) *v.* {mod. 1} *t.d. e pron.* **1** bater(-se) fisicamente (um contra o outro) <*e. bolas de gude*> <*os caminhões entrechocaram-se no meio da ponte*> □ *pron. fig.* **2** estar em oposição ou contradição <*as duas teorias entrechocavam-se*>

E

entrechoque (en.tre.cho.que) *s.m.* **1** choque, colisão entre dois seres ou coisas **2** *fig.* oposição, confronto <*e. entre duas gerações*>

entrecortar (en.tre.cor.tar) *v.* {mod. 1} *t.d.* **1** cortar em forma de cruz <*e. um tecido*> **2** cortar em diversos lugares **3** *fig.* interromper, parar em intervalos <*os soluços entrecortavam o discurso*> □ *pron.* **4** cortar-se de modo recíproco; cruzar-se <*as luzes do espetáculo entrecortavam-se*>

entrecruzar-se (en.tre.cru.zar-se) *v.* {mod. 1} *pron.* cruzar-se em vários sentidos <*caminhos que se entrecruzam*>

entrefechar (en.tre.fe.char) *v.* {mod. 1} *t.d. e pron.* fechar(-se) um pouco; entrecerrar(-se)

entrefolha (en.tre.fo.lha) /ô/ *s.f.* GRÁF folha em branco intercalada a folhas impressas

entrega (en.tre.ga) *s.f.* **1** ação de entregar <*e. das compras*> **2** o que foi adquirido ou se recebeu <*a e. era grande*> **3** transferência (de coisa, direito, obrigação etc.); cessão <*e. de bens*> ↺ recebimento **4** rendição, capitulação <*a e. do inimigo levou horas*> **5** denúncia, revelação <*e. dos comparsas à polícia*> **6** dedicação integral <*a e. do professor aos alunos*> ↺ negligência

entregador (en.tre.ga.dor) /ô/ [pl.: *-es*] *adj.s.m.* **1** que(m) faz entregas <*trabalha como e. de uma farmácia*> **2** que(m) é traiçoeiro, desleal; traidor

entregar (en.tre.gar) *v.* {mod. 1} *t.d. e t.d.i.* **1** (prep. *a*) passar às mãos ou à posse de; dar <*e. uma encomenda*> <*e. diplomas aos alunos*> ↺ tomar **2** (prep. *a*) fazer denúncia de; delatar <*entregou o comparsa (ao delegado)*> □ *t.d.i. e pron.* **3** (prep. *a*) pôr(-se) sob os cuidados de; confiar(-se) <*antes de viajar, entregou os filhos à irmã*> <*e.-se nas mãos dos médicos*> □ *pron.* **4** dar-se por vencido; render-se **5** (prep. *a*) deixar-se dominar; render-se <*e.-se ao vício*> ↺ vencer **6** doar (-se), dedicar(-se) <*um bom médico entrega-se aos seus pacientes*> ⊛ GRAM/USO part.: *entregado, entregue*; ver QUADRO DE PARTICÍPIOS DUPLOS nas pp. iniciais

entregue (en.tre.gue) *adj.* **1** posto nas mãos ou na posse de ↺ recebido **2** que foi levado a local de entrega <*encomenda e.*> **3** que foi recebido **4** dedicado, devotado <*e. a seu trabalho*> **5** absorto em <*e. a pensamentos alegres*> **6** *B* sem forças; cansado, fraco <*ao fim do dia, estava e.*> ⊛ GRAM/USO part. de *entregar*

entreguerras (en.tre.guer.ras) *s.m.2n.* **1** período de paz entre duas guerras **1.1** HIST período de tempo entre a Primeira e a Segunda Guerra Mundial

entreguismo (en.tre.guis.mo) *s.m. B pej.* entrega de recursos naturais da nação para exploração por capital internacional ~ **entreguista** *adj.2g.s.2g.*

entrelaçado (en.tre.la.ça.do) *adj.* **1** preso, enlaçado um no outro <*papel com corações e.*> **2** embaralhado, mesclado <*tecido com desenhos e.*> ■ *s.m.* **3** conjunto de coisas cruzadas, enlaçadas ou presas entre si

entrelaçar (en.tre.la.çar) *v.* {mod. 1} *t.d.,t.d.i. e pron.* **1** (prep. *com*) juntar(-se), metendo(-se) uns por entre os outros; intercalar(-se) <*e. cordões*> <*e. fitas azuis com brancas*> <*trepadeiras que se entrelaçam*> **2** *fig.* (prep. *com*) juntar(-se), embaralhando; misturar(-se) <*um forte zumbido entrelaçava os sons*> <*e. alegrias com tristezas*> <*as vozes entrelaçavam-se de tal forma que não podíamos identificá-las*> ↺ separar(-se) ~ **entrelaçamento** *s.m.* - **entrelace** *s.m.*

entrelinha (en.tre.li.nha) *s.f.* **1** espaço entre duas linhas escritas **2** o que se escreve nesse espaço ▼ ***entrelinhas*** *s.f.pl.* **3** *fig.* numa mensagem, o que está subentendido ou oculto <*ler nas e.*>

entrelinhar (en.tre.li.nhar) *v.* {mod. 1} *t.d.* **1** escrever em entrelinhas **2** pôr entrelinhas em **3** traduzir, comentar (texto) ou pôr notas nas entrelinhas

entreluzir (en.tre.lu.zir) *v.* {mod. 24} *int.* **1** começar a irradiar luz, brilho <*a primeira estrela já entreluzia*> **2** brilhar sem força ou com intervalos ☞ nestas acp., só us. nas 3ªs p., exceto quando fig. □ *int. e pron.* **3** deixar-se entrever; mostrar-se de forma incompleta

entremanhã (en.tre.ma.nhã) *s.f.* primeira claridade da manhã; alvorada ↺ ocaso

entremear (en.tre.me.ar) *v.* {mod. 5} *t.d.,t.d.i.,int. e pron.* (prep. *com*) pôr(-se) ou estar no meio (de); intercalar (-se), interpor(-se) <*e. fios*> <*entremeava o riso com o choro*> <*e.-se com os adversários*> ~ **entremeado** *adj.*

entremeio (en.tre.mei.o) *s.m.* **1** espaço, coisa, tempo etc. que se encontra entre dois limites; intervalo **2** faixa bordada ou rendada entre duas peças lisas (de roupa, de fita etc.)

entrementes (en.tre.men.tes) *adv.* nesse meio--tempo; nesse ínterim <*a mulher costurava, e., lá fora, a criança brincava*>

entrenó (en.tre.nó) *s.m.* BOT parte do caule situada entre dois nós

entreolhar-se (en.tre.o.lhar-se) *v.* {mod. 1} *pron.* olhar--se de forma recíproca <*entreolharam-se e sorriram*>

entreouvir (en.tre.ou.vir) *v.* {mod. 28} *t.d.* ouvir parcialmente, de forma vaga, confusa

entreposto (en.tre.pos.to) /ô/ [pl.: /ó/] *s.m.* **1** grande depósito de mercadorias a serem vendidas, exportadas etc., ou que aguardam liberação da alfândega **2** armazém onde são guardadas ou vendidas somente mercadorias de uma companhia ou de um governo **3** centro de comércio internacional; empório

entressafra (en.tres.sa.fra) *s.f.* período entre duas safras de um produto

entressola (en.tres.so.la) *s.f.* peça entre a sola e a palmilha de um calçado

entretanto (en.tre.tan.to) *conj.advrs.* **1** contudo; todavia <*acordou cedo, e. atrasou-se para sair*> ■ *adv.* **2** nesse meio-tempo <*a professora saiu e ele ficou, e., cuidando da turma*>

entretecer (en.tre.te.cer) *v.* {mod. 8} *t.d. e pron.* **1** tecer, pondo(-se) [ramos, fios etc.] uns entre os outros; entrelaçar(-se) <*e. ornatos*> <*vistosas ramagens entreteciam-se no jardim*> □ *t.d.i.* **2** (prep. *em*) pôr no meio de; intercalar, introduzir *<entreteceu vários tópicos em seu discurso>*

entretela (en.tre.te.la) *s.f.* tecido grosso colocado entre o forro e o tecido de uma roupa

entretempo (en.tre.tem.po) *s.m.* tempo intermediário; ínterim

entretenimento (en.tre.te.ni.men.to) *s.m.* **1** ato de distrair(-se) **2** o que distrai; divertimento

entreter (en.tre.ter) *v.* {mod. 16} *t.d.* **1** desviar a atenção de; distrair *<entreteve o rapaz enquanto sua filha se arrumava>* □ *t.d.,t.d.i. e pron.* **2** (prep. *com*) ocupar(-se) de forma prazerosa; divertir(-se) *<bons livros entretêm as crianças> <entretinha os sobrinhos com jogos de mímica> <entretinha-se jogando vôlei>*

entretítulo (en.tre.tí.tu.lo) *s.m.* JOR cada um dos títulos que introduzem os vários blocos de uma matéria; intertítulo

entrevado (en.tre.va.do) *adj.s.m.* que(m) não se pode mover; paralítico

[1]**entrevar** (en.tre.var) *v.* {mod. 1} *t.d.,int. e pron.* (fazer) paralisar ou ter dificuldade de mover as articulações (de) *<o acidente entrevou o rapaz> <sem motivo aparente, a gata entrevou(-se)>* ◉ORIGEM alt. de *entravar*

[2]**entrevar** (en.tre.var) *v.* {mod. 1} *t.d. e pron.* cobrir(-se) de trevas; escurecer(-se) *<a noite entreva as florestas> <o céu entrevou-se>* ↺ clarear ◉ORIGEM *en- + treva + ²-ar*

entrever (en.tre.ver) *v.* {mod. 12} *t.d.* **1** ver com dificuldade, de forma confusa ou rapidamente *<por uma fresta, entrevia o movimento da rua>* **2** sentir antes; pressentir *<entreviu o sucesso>* □ *pron.* **3** encontrar-se rapidamente; avistar-se *<depois de muito tempo, entreviram-se na rua>*

entrevero (en.tre.ve.ro) /ê/ *s.m.* **1** *B* discordância violenta; desentendimento *<teve alguns e. com o irmão>* **2** *RS* desordem entre pessoas, animais, objetos

entrevista (en.tre.vis.ta) *s.f.* **1** encontro combinado para esclarecimentos, opiniões etc. *<após a mudança nos estatutos do clube, marcou uma e. com o presidente>* **2** coleta de declarações de alguém, tomadas por jornalista para divulgação através dos meios de comunicação *<fazer uma e. com o ator>* **3** *p.ext.* essas declarações assim obtidas *<sua e. foi publicada ontem>* ~ **entrevistado** *adj.s.m.* - **entrevistador** *adj.s.m.* - **entrevistar** *v.t.d. e pron.*

entrincheiramento (en.trin.chei.ra.men.to) *s.m.* **1** ato ou efeito de entrincheirar(-se); fortificação **2** série de trincheiras

entrincheirar (en.trin.chei.rar) *v.* {mod. 1} *t.d. e pron.* proteger(-se) com trincheiras, barricadas *<entrincheiraram todas as entradas da cidade> <entrincheirou-se no sopé da montanha>*

entristecer (en.tris.te.cer) *v.* {mod. 8} *t.d.,int. e pron.* tornar(-se) triste; magoar(-se), afligir(-se) *<a falta do filho entristece-o> <pensou no antigo amor e entristeceu> <entristeceu-se sem saber o porquê>* ↺ alegrar(-se) ~ **entristecedor** *adj.s.m.* - **entristecimento** *s.m.*

entronar (en.tro.nar) *v.* {mod. 1} *t.d.,t.d.i. e pron.* (prep. *em*) entronizar

entroncado (en.tron.ca.do) *adj.* **1** que criou tronco *<mata de árvores e.>* **2** *fig.* corpulento *<homem e.>*

entroncamento (en.tron.ca.men.to) *s.m.* **1** ponto de junção de duas ou mais coisas (canos, galhos, fios etc.) *<e. de tubulação>* **2** confluência de duas vias ou caminhos *<o acidente no e. envolveu três carros>*

entroncar (en.tron.car) *v.* {mod. 1} *int. e pron.* **1** formar, adquirir tronco *<essa árvore não demora a e.(-se)>* **2** reunir-se (caminho, vias férreas etc.); convergir *<a sua rua entronca(-se) com esta>*

entronizar (en.tro.ni.zar) *v.* {mod. 1} *t.d. e pron.* **1** elevar(-se) ao trono *<e.(-se) uma rainha>* □ *t.d.* **2** *fig.* tornar elevado, sublime; enaltecer *<aquele técnico entronizava a união do time>* ↺ desrespeitar **3** pôr (imagem) em altar *<entronizaram o são Jorge doado pela comunidade>* □ *t.d.i.* **4** (prep. *em*) colocar, introduzir *<e. a alegria em sua vida>* ~ **entronização** *s.f.*

entropia (en.tro.pi.a) *s.f.* **1** FÍS num sistema termodinâmico, grandeza que permite avaliar a degradação da energia desse sistema [símb.: *S*] **2** medida da variação ou desordem em qualquer sistema

entrosar (en.tro.sar) *v.* {mod. 1} *t.d.,t.d.i.,int. e pron.* **1** (prep. *em*) ajustar (peça, parte de mecanismo) [em espaço, peça, lugar preparado para recebê-la]; encaixar(-se) *<e. o protetor da corrente da bicicleta (na corrente)> <a roda do moinho poderia e.(-se) melhor>* □ *t.d. e pron.* **2** acomodar(-se) a ambiente, situação; adaptar(-se) *<o professor não mediu esforços para e. os novos alunos> <entrosaram-se bem no projeto>* □ *t.d.i. e pron.* **3** (prep. *com*) [fazer] ter amizade com; relacionar(-se) *<a mãe procurava e. o filho com os novos vizinhos> <não fez questão de e.-se com a família da noiva>* ↺ desentrosar ~ **entrosado** *adj.* - **entrosamento** *s.m.*

entrouxar (en.trou.xar) *v.* {mod. 1} *t.d.* **1** fazer trouxa de *<entrouxou suas roupas e saiu de casa>* **2** pôr em envoltório, formando pacote; embalar *<e. mercadorias>* ↺ desembalar □ *t.d. e pron.* **3** agasalhar(-se) bem *<e. o bebê> <entrouxou-se para suportar o frio>*

entrudo (en.tru.do) *s.m.* HIST antiga brincadeira carnavalesca em que os foliões jogavam água, perfume, farinha etc. uns nos outros ☞ inicial por vezes maiúsc.

entubar (en.tu.bar) *v.* {mod. 1} *t.d.* **1** introduzir tubo em ou por *<e. uma draga>* **2** MED pôr tubo em canal ou cavidade de (paciente) **3** ESP *B* surfar num tubo formado por (onda) *<entubou uma onda perfeita>*

entulhar (en.tu.lhar) *v.* {mod. 1} *t.d.* **1** armazenar (grãos, frutos etc.) em tulha □ *t.d. e t.d.i.* **2** (prep. *de*) encher demais; abarrotar *<entulhou a geladeira (de frutas e legumes)>* ↺ esvaziar

entulho (en.tu.lho) *s.m.* **1** restos de construção (areia, terra, madeira etc.) us. para encher ou nivelar terreno, vala etc. **2** qualquer coisa sem valor ou serventia **3** *B infrm.* alimento que dá consistência a um prato, como os legumes de uma sopa, a farofa que recheia aves etc.

entupir (en.tu.pir) *v.* {mod. 29} *t.d. e int.* **1** impedir a passagem de algo (por); obstruir(-se) *<as folhas entupiram o cano> <o vaso entupiu>* ↺ desentupir □ *t.d. e pron.* **2** (fazer) ficar cheio ou lotado; abarrotar(-se) *<a multidão entupia a praça> <entupiram-se de doces>* ↺ esvaziar(-se) ~ **entupimento** *s.m.*

enturmar (en.tur.mar) *v.* {mod. 1} *t.d.,t.d.i. e pron.* **1** (prep. *com*) [fazer] participar de turma, grupo de amigos <*fez o possível para e. a namorada (com seus amigos)*> □ *pron. infrm.* **2** fazer amizade com; entrosar-se <*enturmava-se com a maior facilidade*>

enturvar (en.tur.var) *v.* {mod. 1} *t.d. e pron.* **1** tornar (-se) turvo, escuro <*nuvens negras enturvaram o céu*> <*e.-se o dia*> ↺ clarear **2** *fig.* (fazer) perder a clareza; confundir(-se) <*o excesso de detalhes enturvou o texto*> <*seu pensamento enturvou-se*> ~ **enturvação** *s.f.*

E

entusiasmar (en.tu.si.as.mar) *v.* {mod. 1} *t.d. e pron.* **1** encher(-se) de entusiasmo; encantar(-se), arrebatar(-se) <*entusiasmaram-se com o projeto*> **2** (fazer) ter ânimo, coragem; encorajar(-se), animar(-se) <*a chegada da chuva entusiasmou os agricultores*> ↺ desanimar(-se) ~ **entusiasmado** *adj.*

entusiasmo (en.tu.si.as.mo) *s.m.* **1** estado de exaltação da alma do poeta ou do artista **2** alegria, júbilo <*recebeu a notícia com e.*> **3** admiração, arrebatamento <*o e. da plateia durante o show*> **4** gosto ou paixão por alguém ou algo <*falava com e. dos amigos*> ~ **entusiástico** *adj.*

entusiasta (en.tu.si.as.ta) *adj.2g.s.2g.* **1** (o) que se entusiasma **2** (o) que é tomado de admiração por alguém ou algo <*é um e. do cinema francês*>

enumeração (e.nu.me.ra.ção) [pl.: *-ões*] *s.f.* **1** especificação de coisas uma por uma **2** listagem, relação metódica <*e. de fatos*> **3** contagem numérica, conta

enumerar (e.nu.me.rar) *v.* {mod. 1} *t.d.* **1** indicar um a um <*tantos são os seus amigos que mal pode enumerá-los*> □ *t.d. e t.d.i.* **2** (prep. *a*) fazer lista de; especificar, relacionar <*a secretária enumerou os compromissos do dia*> <*pediu ao corretor que (lhe) enumerasse os problemas da casa*>

enunciação (e.nun.ci.a.ção) [pl.: *-ões*] *s.f.* **1** expressão, declaração, oral ou escrita **2** LING ato individual de uso da língua pelo falante em comunicação

[1]**enunciado** (e.nun.ci.a.do) *s.m.* **1** exposição de uma afirmação a ser definida, explicada ou demonstrada <*prestem atenção ao e. da questão*> **2** LING parte de um discurso oral ou escrito ◉ ORIGEM do lat. *enuntiātum,i* 'id.'

[2]**enunciado** (e.nun.ci.a.do) *adj.* declarado; expresso ◉ ORIGEM do lat. *enuntiātus,a,um* 'id.'

enunciar (e.nun.ci.ar) *v.* {mod. 1} *t.d. e t.d.i.* (prep. *a*) expor, exprimir por escrito ou oralmente (pensamentos, ideias etc.) [a] <*enunciava seus pensamentos de maneira clara e direta*> <*o professor enunciou vários princípios matemáticos (aos alunos)*> ~ **enunciativo** *adj.*

envaidecer (en.vai.de.cer) *v.* {mod. 8} *t.d. e pron.* tornar (-se) vaidoso, orgulhoso; vangloriar(-se) <*o ótimo desempenho do filho envaidecia o pai*> <*envaidecia-se de suas proezas*> ↺ envergonhar(-se) ~ **envaidecimento** *s.m.*

envasilhar (en.va.si.lhar) *v.* {mod. 1} *t.d.* pôr em vasilha, tonel, garrafa etc. ~ **envasilhamento** *s.m.*

envelhecer (en.ve.lhe.cer) *v.* {mod. 8} *t.d. e int.* **1** tornar(-se) velho **2** (fazer) tomar aspecto de velho, idoso, antigo <*o excesso de sol envelhece a pele*> <*envelheceu dez anos devido à doença*> ↺ rejuvenescer **3** *fig.* (fazer) perder o viço, o brilho, o colorido <*o tempo envelheceu as cores da aquarela*> <*a prata envelheceu*> ↺ avivar **4** *fig.* tornar(-se) antiquado, desusado <*esse filme envelheceu*> ~ **envelhecimento** *s.m.*

envelope (en.ve.lo.pe) *s.m.* invólucro us. para enviar ou guardar carta, documento etc.; sobrecarta ~ **envelopar** *v.t.d.*

envenenar (en.ve.ne.nar) *v.* {mod. 1} *t.d.* **1** pôr veneno em <*o rei envenenou a água da rainha*> **2** infectar com veneno; contaminar <*o lixo da fábrica envenenou os rios*> **3** *fig.* ser prejudicial para; estragar <*e. uma amizade*> **4** *fig.* dar mau sentido a; deturpar <*e. atos, palavras*> □ *t.d. e pron.* **5** (fazer) absorver substância tóxica; intoxicar(-se) <*o agrotóxico envenenou o agricultor*> <*envenenou-se ao lidar com aquele produto químico*> **6** dar ou tomar veneno para matar(-se) <*os adversários tentaram e. o político*> <*o pobre rapaz envenenou-se*> ~ **envenenamento** *s.m.*

enveredar (en.ve.re.dar) *v.* {mod. 1} *t.i.* **1** (prep. *para, por*) tomar um caminho; dirigir-se <*e. por uma via*> <*e. para a avenida*> **2** (prep. *para, por*) ir apressadamente a um lugar <*e. pelo parque à procura do filho*>

envergadura (en.ver.ga.du.ra) *s.f.* **1** distância entre as extremidades das duas asas abertas de uma ave **2** distância máxima entre as extremidades das asas de um avião **3** *fig.* capacidade intelectual; talento <*profissional com e.*> ↺ inaptidão **4** *fig.* importância, valor <*projeto de grande e.*> ↺ insignificância

[1]**envergar** (en.ver.gar) *v.* {mod. 1} *t.d.* **1** cobrir com vergas **2** *fig. infrm.* usar roupa ou veste; trajar <*envergava um terno escuro*> ◉ ORIGEM *en-* + *verga* + [2]*-ar* ~ **envergamento** *s.m.*

[2]**envergar** (en.ver.gar) *v.* {mod. 1} *t.d.,int. e pron.* tornar(-se) curvo; arquear(-se) <*o vento forte enverga as árvores*> <*esse cano envergou*> <*endireite essas costas, não se envergue*> ↺ endireitar(-se) ◉ ORIGEM *en-* + *vergar*

envergonhar (en.ver.go.nhar) *v.* {mod. 1} *t.d. e pron.* **1** (fazer) ter vergonha, timidez; acanhar(-se) ↺ desinibir(-se) □ *t.d.* **2** comprometer (honra, reputação, memória etc.); desonrar ↺ honrar

envernizar (en.ver.ni.zar) *v.* {mod. 1} *t.d.* **1** cobrir com verniz **2** dar lustre, brilho a; polir ↺ embaçar ~ **envernizamento** *s.m.*

envesgar (en.ves.gar) *v.* {mod. 1} *t.d.* **1** dirigir (os olhos) para um ponto, entortando-os □ *t.d. e int.* **2** tornar(-se) vesgo <*a primeira cirurgia, malfeita, envesgou-o*> <*envesgou quando ainda era criança*>

enviado (en.vi.a.do) *adj.* **1** que se enviou, que se remeteu ↺ recebido **2** que se conduziu ■ *s.m.* **3** portador, mensageiro **4** indivíduo credenciado para missões diplomáticas ▣ **e. especial** jornalista que viaja para cobrir certo evento ☞ cf. *correspondente*

enviar (en.vi.ar) *v.* {mod. 1} *t.d. e t.d.i.* **1** (prep. *a*) fazer seguir (algo) [para o endereço de alguém]; remeter <*e. cartas (ao prefeito)*> □ *t.d.i.* **2** (prep. *a, para*) fazer chegar a; mandar, encaminhar <*envie a ele minhas lembranças*>

envidar (en.vi.dar) *v.* {mod. 1} *t.d.* **1** empregar com empenho (recursos, iniciativas etc.) <*e. todos os recursos necessários*> □ *pron.* **2** (prep. *em, para*) dedicar-se com afinco; empenhar-se <*envidou-se em provar sua capacidade*> □ *t.d. e t.d.i.* **3** (prep. *a*) desafiar a aceitar (aposta, jogo) <*fez a aposta e envidou os adversários (a acompanharem-no)*> ~ **envide** *s.m.*

envidilha (en.vi.di.lha) *s.f. infrm.* parte do cordão umbilical que fica ligada à placenta

envidraçar (en.vi.dra.çar) *v.* {mod. 1} *t.d.* **1** cobrir de vidros ou pôr vidro(s) em □ *t.d. e pron. fig.* **2** (fazer) perder o brilho; embaciar(-se) *<lágrimas envidraçavam seus olhos> <seu olhar envidraçava-se aos poucos>* ↺ brilhar ~ **envidraçado** *adj.* - **envidraçamento** *s.m.*

enviesar (en.vi.e.sar) *v.* {mod. 1} *t.d.* **1** pôr, dobrar ou cortar em posição oblíqua *<enviesou os móveis da sala> <e. um tecido>* **2** entortar (os olhos); envesgar ~ **enviesado** *adj.* - **enviesamento** *s.m.*

envilecer (en.vi.le.cer) *v.* {mod. 8} *t.d.,int. e pron.* **1** tornar(-se) vil, desprezível; rebaixar(-se) *<suas atitudes envileciam a reputação da família> <envilecia(-se) a cada pequeno fracasso>* ↺ enobrecer(-se) **2** baixar de preço; baratear *<a oferta excessiva no mercado envileceu o produto> <a taxa do ouro envileceu(-se)>* ↺ encarecer

envio (en.vi.o) *s.m.* ato ou efeito de enviar; remessa, expedição

enviuvar (en.vi.u.var) *v.* {mod. 2} *t.d. e int.* tornar (-se) viúvo

envolta (en.vol.ta) /ô/ *s.f.* confusão, desordem ↺ ordem ▣ **de e.** de modo confuso

envolto (en.vol.to) /ô/ *adj.* **1** que se cobriu; tapado **2** que se embrulhou; embalado *<bebê e. em manta>* **3** preso ou ligado em volta; cingido *<filho e. num abraço>* **4** que está cercado *<caso e. em mistério>* **5** que se comprometeu *<pessoa e. em um projeto>* **6** que está encoberto; turvo *<lua e.>* ↺ exposto

envoltório (en.vol.tó.rio) *s.m.* tudo que serve para envolver; invólucro

envolver (en.vol.ver) *v.* {mod. 8} *t.d. e pron.* **1** cobrir (-se) com invólucro; enrolar(-se) *<envolveu o filho (na manta)> <envolveu-se no cobertor>* ↺ desenrolar (-se) **2** manter(-se) escondido; encobrir(-se) □ *t.d. e t.d.i.* **3** (prep. *com*) fazer embrulho de; embalar *<e. o presente (com papel de seda)>* ↺ desembrulhar **4** (prep. *com, em*) estar, ficar ou dispor em volta de; cercar *<envolveu a filha (num longo abraço)> <envolveu a casa com pomares>* □ *t.d.,t.d.i. e pron.* **5** (prep. *em*) [fazer] tomar parte em (situação, embaraço etc.); meter(-se) *<a falência envolveu toda a família> <envolveram-no na trapaça> <detestava e.-se em brigas>* □ *t.d.* **6** conter em si; encerrar, incluir *<o livro envolvia assuntos polêmicos>* **7** implicar, importar *<o projeto envolve muitos investimentos>* **8** tomar conta de; dominar *<o silêncio envolveu a sala>* □ *pron.* **9** pôr-se fora de perigo ou embaraço; proteger-se *<preferiu e.-se em total silêncio>* **10** (prep. *com*) ligar-se a (alguém) amorosa e/ou sexualmente *<envolveu-se tanto com o rapaz que já não podia viver sem ele>* ◉ GRAM/USO part.: *envolvido, envolto*; ver QUADRO DE PARTICÍPIOS DUPLOS nas pp. iniciais ~ **envolvente** *adj.2g.*

envolvimento (en.vol.vi.men.to) *s.m.* **1** ato ou efeito de envolver(-se) **2** *fig.* relacionamento (esp. amoroso); caso

enxada (en.xa.da) *s.f.* ferramenta constituída de lâmina e cabo, us. para capinar ou revolver a terra, misturar argamassas etc. ~ **enxadada** *s.f.*

enxadão (en.xa.dão) [pl.: *-ões*] *s.m.* ferramenta que funciona tanto como enxada quanto como picareta, us. para cavar terra dura, arrancar pedras etc.

enxadrezar (en.xa.dre.zar) *v.* {mod. 1} *t.d.* dividir em quadrados, dispondo em forma de xadrez

enxadrismo (en.xa.dris.mo) *s.m.* ESP arte, técnica do jogo de xadrez ~ **enxadrístico** *adj.*

enxadrista (en.xa.dris.ta) *adj.2g.* ESP **1** relativo a enxadrismo ou ao jogo de xadrez ■ *s.2g.* ESP **2** jogador de xadrez

enxaguar (en.xa.guar) *v.* {mod. 3} *t.d.* **1** lavar superficialmente **2** passar em segunda água para tirar o sabão

enxágue (en.xá.gue) /gü/ *s.m.* **1** lavagem rápida **2** segunda lavagem, para retirar o sabão

enxame (en.xa.me) *s.m.* **1** conjunto de abelhas de uma colmeia **2** *fig.* grande quantidade *<recebeu um e. de reclamações>*

enxamear (en.xa.me.ar) *v.* {mod. 5} *t.d.* **1** pôr (abelhas) na colmeia □ *int.* **2** formar enxame *<as abelhas enxamearam>* □ *int. e pron. fig.* **3** existir ou andar em grande número; fervilhar *<todas as manhãs, crianças enxameavam(-se) ali>*

enxaqueca (en.xa.que.ca) /ê/ *s.f.* MED dor de cabeça violenta e periódica, acompanhada de náuseas e vômitos

enxergar (en.xer.gar) *v.* {mod. 1} *t.d. e int.* **1** perceber pela visão; ver *<e. alguém ao longe> <com tanta neblina, nada podia e.>* □ *t.d.* **2** ver sem exatidão; divisar *<da janela, enxergava a multidão>* **3** dar-se conta de; reparar, notar *<e. um erro>* **4** sentir ou perceber por antecipação; prever *<e. o futuro>* □ *pron. infrm.* **5** reconhecer as próprias limitações e defeitos e/ou a inconveniência de sua conduta ou ação *<aquele pirralho não se enxerga!>*

enxerido (en.xe.ri.do) *adj.s.m.* *B* que(m) se intromete no que não é da sua conta; intrometido, abelhudo

enxerir-se (en.xe.rir-se) *v.* {mod. 28} *pron.* tomar parte em ou opinar sobre assuntos alheios; intrometer-se ~ **enxerimento** *s.m.*

enxertar (en.xer.tar) *v.* {mod. 1} *t.d. e t.d.i.* **1** (prep. *em*) fazer enxerto de (algo) [em] *<e. uma planta> <o médico teve de e. pele da coxa no braço>* □ *t.d.i. e pron.* **2** (prep. *em*) juntar(-se), inserir(-se) *<enxertou vários agradecimentos no discurso> <fez de tudo para e.-se naquela família ilustre>* ↺ retirar(-se) □ *t.d.* **3** fazer inseminação em; fecundar *<e. uma vaca>* ~ **enxertadeira** *s.f.* - **enxertador** *adj.s.m.*

enxerto (en.xer.to) /ê/ *s.m.* **1** técnica que se caracteriza pela inserção de um broto ou ramo de uma planta em outra, para que se desenvolva como na planta que o originou **2** a planta enxertada **3** MED transferência esp. de células ou de tecido de um local para outro do corpo de um mesmo indivíduo ou de um indivíduo para outro ~ **enxertia** *s.f.*

enxó (en.xó) *s.f.* instrumento composto de chapa de aço cortante e cabo curvo, us. para desbastar madeira

enxofre (en.xo.fre) /ô/ *s.m.* QUÍM elemento químico us. como matéria-prima de pólvora, fósforos de segurança, fungicidas etc. [símb.: *S*] ☞ cf. *tabela periódica* (no fim do dicionário)

enxotar (en.xo.tar) *v.* {mod. 1} *t.d.* **1** afastar com empurrões, gritos, pancadas; afugentar *<enxotou as moscas>* **2** retirar de um lugar; expulsar *<a torcida enxotou os torcedores bagunceiros>* ~ **enxotamento** *s.m.*

E

enxoval (en.xo.val) [pl.: *-ais*] *s.m.* conjunto de roupas e objetos para recém-casados, recém-nascidos, viajantes etc.

enxovalhar (en.xo.va.lhar) *v.* {mod. 1} *t.d. e pron.* **1** (fazer) ficar sujo; emporcalhar(-se) *<a chuva enxovalhou as roupas do varal> <a menina enxovalhou-se de tinta>* ↺ limpar(-se) **2** *fig.* desonrar(-se) [reputação, nome etc.] *<após o péssimo negócio, seu nome enxovalhou-se>* ↺ dignificar(-se) **3** (fazer) ficar amassado; amarrotar(-se) *<enxovalhou as folhas do caderno> <na mala, o vestido enxovalhou-se todo>* ↺ desamassar(-se) □ *t.d. fig.* **4** dirigir insultos a; ofender *<enxovalhou o funcionário, chamando-o de incompetente>*

enxovia (en.xo.vi.a) *s.f.* **1** cárcere subterrâneo, úmido e escuro, onde se mantinham presos perigosos **2** *fig.* quarto, recinto insalubre, escuro e sujo

enxugar (en.xu.gar) *v.* {mod. 1} *t.d.,int. e pron.* **1** (fazer) perder a umidade; secar(-se) *<o sol enxugou a terra> <a roupa enxugou(-se) rapidamente>* □ *t.d.* **2** *fig.* eliminar o que está excessivo ou é desnecessário em *<e. um texto>* **3** interromper (lágrimas, choro etc.) ◉ GRAM/USO part.: *enxugado, enxuto*; ver QUADRO DE PARTICÍPIOS DUPLOS nas pp. iniciais ~ **enxugamento** *s.m.*

enxúndia (en.xún.dia) *s.f.* gordura animal, esp. a de porco e aves; banha ~ **enxundioso** *adj.*

enxurrada (en.xur.ra.da) *s.f.* **1** grande volume de águas de chuva; enxurro **2** *fig.* grande quantidade *<e. de pessoas>*

enxuto (en.xu.to) *adj.* **1** que não está mais molhado ou úmido; seco **2** sem lágrimas *<rosto e.>* **3** *fig.* elegante, sem excessos ou redundâncias *<discurso e.>* ↺ prolixo **4** *fig.* que não é gordo nem magro (diz-se de pessoa) ◉ GRAM/USO part. de *enxugar*

enzima (en.zi.ma) *s.f.* BIOQ proteína orgânica capaz de acelerar reações químicas em seres vivos ~ **enzimático** *adj.* - **enzímico** *adj.*

-eo *suf.* 'relação': *férreo, ósseo, térreo*

eoceno (e.o.ce.no) *s.m.* **1** GEOL segunda época do período terciário, entre o Paleoceno e o Oligoceno, em que prossegue a expansão dos mamíferos ☞ inicial maiúsc. ■ *adj.* **2** dessa época

eólico (e.ó.li.co) *adj.* relativo ao vento; eólio

éolo (é.o.lo) *s.m. frm.* vento forte ☞ inicial por vezes maiúsc.

epêntese (e.pên.te.se) *s.f.* FON intercalação de fonema(s) no interior de um vocábulo, para, p.ex., facilitar a pronúncia (port.ant. *feo* > *feio*) ~ **epentético** *adj.*

epi- *pref.* 'posição superior': *epicentro, epiderme*

epicarpo (e.pi.car.po) *s.m.* BOT camada mais externa dos frutos, desconsiderando as sementes ☞ cf. *mesocarpo, endocarpo* e *pericarpo* ~ **epicárpico** *adj.*

epiceno (e.pi.ce.no) *adj.s.m.* GRAM (substantivo) que possui um só gênero gramatical para designar um e outro sexo de animal (p.ex.: *a onça, o jacaré*) ☞ cf. *comum de dois* e *sobrecomum*

epicentro (e.pi.cen.tro) *s.m.* **1** GEOL ponto da superfície da Terra atingido mais intensamente e em primeiro lugar pelas ondas produzidas por um terremoto **2** *fig. infrm.* ponto central *<o e. de um problema>* ~ **epicêntrico** *adj.*

épico (é.pi.co) *adj.* **1** relativo a ou próprio de feitos heroicos ou de heróis *<poema é.>* **2** *fig.* fantástico, grandioso *<uma festa é.>*

epicurismo (e.pi.cu.ris.mo) *s.m.* doutrina filosófica que identifica o bem com o prazer, encontrado na prática da virtude e na cultura espiritual ☞ cf. *hedonismo* ~ **epicurista** *adj.2g.s.2g.*

epidemia (e.pi.de.mi.a) *s.f.* MED surto de doença infecciosa em uma população e/ou região ☞ cf. *endemia* ~ **epidêmico** *adj.*

epiderme (e.pi.der.me) *s.f.* ANAT **1** camada externa da pele **2** pele humana, cútis ~ **epidérmico** *adj.*

epididimite (e.pi.di.di.mi.te) *s.f.* MED inflamação do epidídimo, ger. de origem infecciosa

epidídimo (e.pi.dí.di.mo) *s.m.* ANAT canal longo e microscópico situado na parte superior de cada testículo

epifania (e.pi.fa.ni.a) *s.f.* **1** REL comemoração da adoração dos Reis Magos ao Menino Jesus, comemorada em 6 de janeiro; dia de Reis ☞ inicial ger. maiúsc. **2** REL aparecimento ou manifestação divina **3** *p.ext.* manifestação ou percepção da natureza ou do significado essencial de uma coisa *<enquanto pensava sobre sua carreira, teve uma e.>*

epifauna (e.pi.fau.na) *s.f.* ECO fauna que vive na parte mais profunda do mar ou oceano

epífito (e.pí.fi.to) *adj.s.m.* BOT (planta) que vive sobre outra planta, usando-a apenas como suporte, sem retirar nutrimento (p.ex., as bromélias em árvores)

epigástrio (e.pi.gás.trio) *s.m.* ANAT parte superior do abdome ~ **epigástrico** *adj.*

epiglote (e.pi.glo.te) *s.f.* ANAT válvula triangular situada na parte superior da laringe, que fecha a glote durante a deglutição ~ **epiglótico** *adj.*

epígrafe (e.pí.gra.fe) *s.f.* **1** inscrição em monumento, estátua etc. **2** citação curta, fragmento de texto colocado no início de um livro, capítulo etc. ~ **epigrafar** *v.t.d. e t.d.pred.*

epigrama (e.pi.gra.ma) *s.m.* **1** LIT pequeno poema satírico, que traz um pensamento malicioso; sátira **2** provérbio picante e irônico ~ **epigramático** *adj.*

epilepsia (e.pi.lep.si.a) *s.f.* MED PSIQ distúrbio neurológico caracterizado por ataques convulsivos com perda da consciência

epiléptico (e.pi.lép.ti.co) ou **epilético** (e.pi.lé.ti.co) *adj.* **1** relativo a epilepsia ■ *adj.s.m.* **2** que(m) sofre de epilepsia

epílogo (e.pí.lo.go) *s.m.* **1** LIT desfecho de uma peça literária em que ger. se faz a recapitulação e o resumo da ação ↺ prefácio **2** TEAT ato ou cena final de uma peça teatral ↺ prólogo **3** *p.ext.* a parte final de um evento ~ **epilogar** *v.t.d.*

episcopado (e.pis.co.pa.do) *s.m.* REL **1** cargo ou função de bispo **2** período de exercício desse cargo **3** conjunto de paróquias sob a autoridade de um bispo **4** conjunto dos bispos

episcopal (e.pis.co.pal) [pl.: *-ais*] *adj.2g.* relativo a ou pertencente a bispo

episódico (e.pi.só.di.co) *adj.* **1** relativo a episódio **2** acidental, ocasional *<encontros e.>*

episódio (e.pi.só.dio) *s.m.* 1 acontecimento, evento *<quero esquecer este e.>* 2 RÁD TV capítulo de obra em série

epistemologia (e.pis.te.mo.lo.gi.a) *s.f.* FIL teoria do conhecimento ~ **epistemológico** *adj.*

epístola (e.pís.to.la) *s.f.* 1 REL cada uma das cartas dos apóstolos de Cristo aos fiéis ☞ inicial maiúsc. 2 REL texto extraído dessas cartas, lido ou cantado durante a missa ☞ inicial maiúsc. 3 *p.ext.* carta, correspondência ◉ COL epistolário ~ **epistolar** *adj.2g. v.t.d. e int.*

epistolário (e.pis.to.lá.rio) *s.m.* 1 coleção de epístolas 2 REL livro que inclui as epístolas recitadas ou cantadas nas missas

epitáfio (e.pi.tá.fio) *s.m.* inscrição em túmulo ~ **epitafista** *s.2g.*

epitélio (e.pi.té.lio) *s.m.* 1 MED tecido que reveste superfícies internas e externas do corpo, e também executa funções secretoras, sensoriais e de absorção 2 BOT a epiderme de certas estruturas ou órgãos vegetais ~ **epitelial** *adj.2g.*

epíteto (e.pí.te.to) *s.m.* 1 palavra ou frase que qualifica algo ou alguém 2 apelido, cognome ~ **epitético** *adj.*

epítome (e.pí.to.me) *s.m.* 1 resumo dos pontos mais importantes de teoria, ciência, doutrina etc., destinado esp. ao uso escolar 2 o que serve de modelo *<Noel Rosa é o e. do compositor de samba>*

epizootia (e.pi.zo.o.ti.a) *s.f.* VET epidemia que ataca muitos animais ao mesmo tempo e na mesma região ~ **epizoótico** *adj.*

época (é.po.ca) *s.f.* 1 período marcado por fatos importantes do ponto de vista econômico, político, cultural etc.; era *<a é. dos descobrimentos>* 2 qualquer período dentro de uma sequência de mudanças no tempo; fase *<é. da puberdade>* 3 ocasião em que se vive ou que algo acontece *<na é. do seu casamento>* 4 estação do ano em que se está *<frutas da é.>*

epopeia (e.po.pei.a) /éi/ *s.f.* 1 LIT poema épico 2 *fig.* conjunto de ações heroicas e fabulosas *<sua mudança para a capital foi uma verdadeira e.>*

epopeico (e.po.pei.co) /éi/ *adj.* 1 relativo a epopeia *<poema e., herói e.>* 2 *fig.* épico, grandioso *<luta e.>*

epóxi (e.pó.xi) /cs/ *s.m.* QUÍM nome comum de resinas us. como revestimento, adesivo etc. ☞ us. tb. como apositivo: *tintas epóxi*

épsilo (ép.si.lo) *s.m.* nome da quinta letra do alfabeto grego (ε, E)

equação (e.qua.ção) [pl.: *-ões*] *s.f.* 1 MAT igualdade entre duas expressões matemáticas 2 redução de um problema complicado a pontos simples e claros, para facilitar a obtenção de uma solução ~ **equacional** *adj.2g.*

equacionar (e.qua.cio.nar) *v.* {mod. 1} *t.d.* 1 organizar (dados de problema, questão) para dar uma solução *<a Secretaria de Obras equacionou os problemas causados pelas enchentes>* 2 estabelecer (solução, resolução) após organizar os dados de um problema *<após estudo, o consultor equacionou soluções para os problemas da empresa>* □ *t.d.i.* 3 (prep. *com*) associar, equilibrar *<e. seus anseios com os da família>* ~ **equacionamento** *s.m.*

equador (e.qua.dor) /ô/ [pl.: *-es*] *s.m.* GEO círculo máximo imaginário do globo terrestre, cujo plano é perpendicular ao eixo dos polos e divide a Terra em dois hemisférios, o norte e o sul

equalização (e.qua.li.za.ção) [pl.: *-ões*] *s.f.* ELETRÔN atenuação da distorção num sinal de certa faixa de frequências sonoras

equalizador (e.qua.li.za.dor) /ô/ [pl.: *-es*] *adj.s.m.* (dispositivo) que equilibra as distorções de certas frequências sonoras

equalizar (e.qua.li.zar) *v.* {mod. 1} *t.d.* 1 tornar uniforme, igual; uniformizar ↺ diferenciar 2 ELETRÔN realizar a equalização eletrônica de

equânime (e.quâ.ni.me) *adj.* 1 moderado, equilibrado *<atitude e.>* ↺ desequilibrado 2 justo; imparcial, neutro *<juiz e.>* ↺ injusto ~ **equanimidade** *s.f.*

equatorial (e.qua.to.ri.al) [pl.: *-ais*] *adj.2g.* 1 relativo ou pertencente a ou próprio do equador *<fauna e.>* 2 localizado no equador *<região e.>*

equatoriano (e.qua.to.ri.a.no) *adj.* 1 do Equador (América do Sul) ■ *s.m.* 2 natural ou habitante desse país

equestre (e.ques.tre) /qü/ *adj.2g.* relativo a cavalo, cavalaria ou equitação *<torneio e.>*

equiângulo (e.qui.ân.gu.lo) /qü/ *adj.* GEOM que tem ângulos iguais (diz-se de figura geométrica) ↺ inequiângulo

equidade (e.qui.da.de) /qü *ou* qu/ *s.f.* 1 justiça natural; imparcialidade *<e. de um julgamento>* ↺ parcialidade 2 igualdade, equivalência *<e. de direitos>*

equídeo (e.quí.deo) /qü/ *s.m.* ZOO 1 espécime dos equídeos, família de mamíferos que inclui cavalos, jumentos e zebras ■ *adj.* 2 relativo a essa família

equidistante (e.qui.dis.tan.te) /qü/ *adj.2g.* que tem a mesma distância (diz-se de coisa, linha etc.) ~ **equidistância** *s.f.* - **equidistar** *v.t.i. e int.*

equilátero (e.qui.lá.te.ro) /qü *ou* qu/ *adj.* GEOM que tem os lados iguais (diz-se de figura geométrica) *<triângulo e.>* ~ **equilateral** *adj.2g.*

equilibrar (e.qui.li.brar) *v.* {mod. 1} *t.d. e pron.* 1 pôr(-se) ou manter(-se) em posição estável ou nivelada *<era capaz de e. duas pilhas de pratos> <equilibrava-se no alto da escada>* ↺ desequilibrar(-se) 2 tornar(-se) harmonioso, proporcional; harmonizar(-se) *<esforçava-se por e. seu temperamento> <é difícil o interesse do patrão e.-se com o do empregado>* ↺ desequilibrar(-se) □ *t.d. e t.d.i.* 3 (prep. *com*) fazer (coisas opostas) terem valor similar; compensar, igualar *<e. o trabalho com o divertimento>* ~ **equilibrado** *adj.*

equilíbrio (e.qui.lí.brio) *s.m.* 1 posição estável de um corpo; aprumo *<perdeu o e. e caiu>* ↺ desequilíbrio 2 igualdade entre forças opostas *<e. entre adversários>* ↺ desigualdade 3 distribuição harmoniosa *<e. das cores de um quadro>* ↺ desarmonia 4 *fig.* estado do que não se altera; estabilidade *<e. de preços>* ↺ mudança 5 *fig.* autocontrole, comedimento *<e. emocional>* ↺ descontrole

equilibrista (e.qui.li.bris.ta) *adj.2g.s.2g.* (artista) que faz exibições de equilíbrio acrobático ~ **equilibrismo** *s.m.*

equimose (e.qui.mo.se) *s.f.* MED mancha na pele resultante de hemorragia ~ **equimótico** *adj.*

equino (e.qui.no) /qü/ *adj.* 1 relativo a cavalo 2 relativo a equídeos ■ *s.m.* ZOO 3 espécime dos equídeos

E

equinocial (e.qui.no.ci.al) [pl.: *-ais*] *adj.2g.* **1** relativo a ou próprio do equinócio **2** relativo a ou próprio do clima ou das regiões situadas na linha do equador <*França e.*>

equinócio (e.qui.nó.cio) *s.m.* ASTR época do ano em que o Sol passa sobre o equador, fazendo com que o dia e a noite tenham a mesma duração ☞ cf. *solstício*

equinodermo (e.qui.no.der.mo) *s.m.* ZOO **1** espécime dos equinodermos, ramo de animais invertebrados marinhos, de corpo coberto por espinhos, que inclui as estrelas-do-mar e os ouriços-do-mar ■ *adj.* **2** relativo a esse ramo

equinoide (e.qui.noi.de) /ói/ *s.m.* ZOO **1** espécime dos equinoides, classe de animais invertebrados marinhos, conhecidos como ouriços-do-mar, de corpo redondo, dotado de espinhos móveis ■ *adj.2g.* **2** relativo a essa classe

equipagem (e.qui.pa.gem) [pl.: *-ens*] *s.f.* **1** tripulação de navio, avião etc. **2** conjunto de empregados, viaturas etc. <*e. do presidente*>

equipamento (e.qui.pa.men.to) *s.m.* conjunto dos apetrechos necessários para se realizar um trabalho <*e. de fotografia*> <*capacete faz parte do e. de segurança do motociclista*>

equipar (e.qui.par) *v.* {mod. 1} *t.d. e pron.* prover (-se) do que é necessário ou útil para certo fim ou para o funcionamento de; aparelhar(-se) <*o novo diretor equipou o hospital*> <*equipou-se com roupas apropriadas e escalou a montanha*>

equiparação (e.qui.pa.ra.ção) [pl.: *-ões*] *s.f.* ato ou efeito de equiparar(-se), de igualar(-se) <*e. salarial*> ↺ distinção

equiparar (e.qui.pa.rar) *v.* {mod. 1} *t.d.,t.d.i. e pron.* **1** (prep. *a*, *com*, *em*) comparar (pessoas, objetos, ideias etc.), considerando-os idênticos ou de mesmo valor ou significado; igualar(-se) <*o exame final serviu para e. os dois candidatos (em aptidões)*> <*equiparava o pai aos maiores escritores*> <*equiparava-se ao vizinho atlético*> ↺ distinguir(-se) □ *t.d. e t.d.i.* **2** (prep. *a*, *com*) conceder a (pessoas, entidades etc.) vantagens que outros já possuem <*e. empresas*> <*equiparou os funcionários municipais aos estaduais*> ~ **equiparável** *adj.2g.*

equipe (e.qui.pe) *s.f.* **1** grupo de pessoas que se dedicam à realização de um mesmo trabalho **2** time esportivo <*e. de natação*>

equitação (e.qui.ta.ção) [pl.: *-ões*] *s.f.* ESP esporte, técnica ou exercício de andar a cavalo

equitativo (e.qui.ta.ti.vo) /qü *ou* qu/ *adj.* imparcial, justo <*divisão e.*> ↺ injusto

equivalente (e.qui.va.len.te) *adj.2g.* de mesmo valor, peso, força etc.; correspondente <*uma moeda de um real é e. a duas moedas de cinquenta centavos*> <*essas sacolas têm pesos e.*>

equivaler (e.qui.va.ler) *v.* {mod. 10} *t.d. e pron.* ser idêntico no peso, na força, no valor etc. <*os dois escritores equivalem-se*> ~ **equivalência** *s.f.*

equivocar (e.qui.vo.car) *v.* {mod. 1} *t.d.i. e pron.* **1** (prep. *com*) ter impressão errada de; confundir(-se) <*equivocava preposições com advérbios*> <*equivocou-se com a moça, tomando-a por outra*> □ *pron.* **2** cometer engano; errar <*equivocara-se na resposta*> ↺ acertar ~ **equivocado** *adj.*

equívoco (e.quí.vo.co) *adj.* **1** que pode ter mais de um sentido; ambíguo <*resposta e.*> ↺ inequívoco **2** dúbio, duvidoso <*passado e.*> ↺ inequívoco **3** que é difícil de classificar <*cabelos de cor e.*> ↺ preciso ■ *s.m.* **4** engano, confusão <*raiva causada por um e.*> ↺ acerto **5** interpretação ambígua <*palavras que dão margem a e.*>

-er *term.* de verbos da 2ª conjugação: *crescer, poder, ter*

Er QUÍM símbolo de *érbio*

era (e.ra) *s.f.* **1** período de tempo a partir do qual se contam os anos e que se inicia por uma data memorável <*a e. cristã*> **2** início de uma nova ordem <*a e. da informática*> **3** época histórica <*a e. napoleônica*> ☞ cf. *hera* ▣ **e. cristã** a que começa com o nascimento de Jesus Cristo ☞ inicial por vezes maiúsc.

erário (e.rá.rio) *s.m.* ECON o dinheiro e os bens do Estado; tesouro, fazenda

érbio (ér.bio) *s.m.* QUÍM elemento químico us. em reatores nucleares e *laser* [símb.: *Er*] ☞ cf. *tabela periódica* (no fim do dicionário)

e-reader (e-read.er) [ing.; pl.: *e-readers*] *s.m.* INF aparelho portátil para leitura de *e-books* ⇒ pronuncia-se i rider

ereção (e.re.ção) [pl.: *-ões*] *s.f.* **1** ato de construir uma estátua, um monumento etc., ou seu efeito ↺ demolição **2** estabelecimento, criação ↺ extinção **3** levantamento ou endurecimento do pênis

eréctil (e.réc.til) [pl.: *-eis*] *adj.2g.* → ***ERÉTIL***

erecto (e.rec.to) *adj.* → ***ERETO***

eremita (e.re.mi.ta) *s.2g.* quem, por penitência ou vontade própria, vive sozinho em local isolado; ermitão ~ **eremítico** *adj.*

eremitério (e.re.mi.té.rio) *s.m.* **1** lugar onde vivem eremitas **2** *p.ext.* lugar isolado, silencioso

éreo (é.reo) *adj.* **1** feito ou recoberto de bronze, cobre ou latão **2** que tem a cor do bronze

erétil (e.ré.til) [pl.: *-eis*] ou **eréctil** (e.réc.til) [pl.: *-eis*] *adj.2g.* capaz de levantar-se e de manter-se erguido <*braços e., ponte e.*>

eretizontídeo (e.re.ti.zon.tí.deo) *s.m.* ZOO **1** espécime dos eretizontídeos, família de roedores americanos, que vivem em árvores, conhecidos como ouriços--cacheiros ■ *adj.* **2** relativo a essa família

ereto (e.re.to) ou **erecto** (e.rec.to) *adj.* que se mantém erguido, levantado <*corria com a cabeça e.*> <*corpo e.*> ↺ abaixado, inclinado ◉ GRAM/USO part. de *erigir*

ergometria (er.go.me.tri.a) *s.f.* medição do trabalho muscular ~ **ergométrico** *adj.*

ergômetro (er.gô.me.tro) *s.m.* aparelho que mede o trabalho desenvolvido por um músculo ou grupo de músculos

ergonomia (er.go.no.mi.a) *s.f.* BIO ENG estudo das relações entre homem e máquina, visando a racionalização e a melhoria das condições de trabalho ~ **ergonômico** *adj.*

erguer (er.guer) *v.* {mod. 8} *t.d.* **1** pôr em lugar alto ou mais alto; levantar <*e. uma prateleira*> ↺ baixar **2** fazer (construção); construir <*ergueram a casa em menos de um mês*> **3** pôr em posição vertical <*e. a cabeça*> ↺ abaixar **4** voltar para cima (o olhar) **5** fazer mais forte (voz, tom); altear <*nunca erga sua voz* para mim> ↺ baixar □ *pron.* **6** ficar de pé; levantar-se *<ergueu-se depressa da cadeira>* **7** surgir, aparecer *<o Sol se erguia sobre o pico>* ↺ sumir ~ **erguimento** *s.m.*

-eria *suf.* 'local, estabelecimento': *leiteria, sorveteria*

eriçar (e.ri.çar) *v.* {mod. 1} *t.d. e pron.* tornar(-se) arrepiado; ouriçar(-se) *<eriçou os cabelos> <os pelos dos braços eriçaram-se de repente>* ~ **eriçamento** *s.m.*

erigir (e.ri.gir) *v.* {mod. 24} *t.d.* **1** pôr na vertical; aprumar *<e. um mastro>* ↺ deitar **2** fazer (obra, construção); construir, erguer *<e. uma estátua>* ↺ derrubar **3** pôr no alto; erguer *<os pescadores erigiram o barco>* ↺ baixar **4** criar, fundar *<e. um império>* ↺ extinguir ◉ GRAM/USO part.: *erigido, ereto*; ver QUADRO DE PARTICÍPIOS DUPLOS nas pp. iniciais

-erio *suf.* 'quantidade': *vozerio*

erisipela (e.ri.si.pe.la) *s.f.* MED doença infecciosa caracterizada por uma inflamação da pele

eritema (e.ri.te.ma) *s.m.* MED vermelhidão da pele, devido à dilatação de capilares ~ **eritematoso** *adj.*

eritrócito (e.ri.tró.ci.to) *s.m.* BIO MED hemácia

ermida (er.mi.da) *s.f.* **1** capela em lugar isolado **2** pequena igreja

ermitão (er.mi.tão) [pl.: *-ões, -ãos, -ães*; fem.: *ermitã, ermitoa*] *s.m.* **1** eremita **2** religioso que cuida de uma ermida

ermo (er.mo) /ê/ *adj.s.m.* (lugar) desabitado, deserto

erógeno (e.ró.ge.no) *adj.* que provoca excitação sexual

erosão (e.ro.são) [pl.: *-ões*] *s.f.* GEOL desgaste do solo por agentes externos como vento, chuva etc. ~ **erodir** *v.t.d.* - **erosivo** *adj.*

erótico (e.ró.ti.co) *adj.* que provoca ou descreve o amor ou o desejo sexual *<filme e.>* ~ **erotismo** *s.m.*

erradicar (er.ra.di.car) *v.* {mod. 1} *t.d. e t.d.i.* **1** (prep. *de*) arrancar pela raiz; desarraigar *<e. o mato (do quintal)>* **2** (prep. *de*) eliminar, extirpar *<e. uma doença> <erradicou do espírito os piores sentimentos>* ~ **erradicação** *s.f.*

erradio (er.ra.di.o) *adj.s.m.* **1** (o) que vagueia; errante **2** (o) que está perdido; desnorteado

errado (er.ra.do) *adj.* **1** que contém ou apresenta erro(s) *<resposta e., conta e.>* ↺ certo, correto **2** que não segue a direção apropriada *<caminho e.>* ↺ certo, apropriado **3** que é resultado de erro, de equívoco; inadequado, inconveniente *<pegou o ônibus e.>* ↺ certo, adequado

errante (er.ran.te) *adj.2g.* **1** que anda sem rumo; erradio ↺ fixo **2** que não tem residência fixa

errar (er.rar) *v.* {mod. 1} *t.d.,t.i. e int.* **1** (prep. *em*) incorrer em erro, engano; falhar, equivocar-se *<errou todas as questões e foi reprovado> <nunca errava em questões filosóficas> <aquele homem errou>* ↺ acertar □ *t.d.* **2** deixar de acertar em *<e. o alvo>* □ *t.i. e int.* **3** (prep. *em, por*) andar sem rumo; vagar *<e. pelas ruas>*

errata (er.ra.ta) *s.f.* listagem dos erros de uma publicação e suas correções

erre (er.re) *s.m.* nome da letra *r*

erro (er.ro) /ê/ *s.m.* **1** julgamento falso; engano *<foi um e. contratá-lo>* ↺ acerto **2** incorreção; inexatidão *<cometeu um e. na soma>* ↺ precisão **3** desvio do caminho considerado correto, apropriado *<ele aprendeu com seus e.>* ↺ correção

errôneo (er.rô.neo) *adj.* **1** que contém erro ↺ certo, correto **2** que não corresponde à verdade *<argumento e.>* ↺ legítimo, verdadeiro

erudição (e.ru.di.ção) [pl.: *-ões*] *s.f.* conhecimento amplo e variado, adquirido esp. por meio de leitura e estudo ↺ ignorância

eruditismo (e.ru.di.tis.mo) *s.m.* **1** ostentação de conhecimento erudito **2** mania de erudição

erudito (e.ru.di.to) *adj.s.m.* (o) que tem ou demonstra erudição

erupção (e.rup.ção) [pl.: *-ões*] *s.f.* **1** saída súbita e violenta **2** MED aparecimento de bolhas ou espinhas na pele e mucosas *<e. de brotoejas, de aftas>* **3** GEOL emissão de lavas de um vulcão ~ **eruptivo** *adj.*

erva (er.va) *s.f.* **1** BOT planta pequena sem caule que se reproduz através de sementes **2** BOT qualquer planta venenosa que ocorre nas pastagens **3** BOT hortaliça **4** BOT mate ('planta') **5** *infrm.* dinheiro **6** *infrm.* maconha ▣ **e. daninha 1** BOT erva que nasce e se espalha em plantações sem ter sido semeada **2** *fig.* o que prejudica *<ele era uma e. daninha no grupo>* ~ **ervateiro** *adj.s.m* - **ervoso** *adj.*

erva-babosa (er.va-ba.bo.sa) [pl.: *ervas-babosas*] *s.f.* BOT aloé

erva-cidreira (er.va-ci.drei.ra) [pl.: *ervas-cidreiras*] *s.f.* BOT erva aromática us. como antiespasmódico e calmante

erva-de-passarinho (er.va-de-pas.sa.ri.nho) [pl.: *ervas-de-passarinho*] *s.f.* BOT planta parasita disseminada pelos pássaros

erva-doce (er.va-do.ce) [pl.: *ervas-doces*] *s.f.* BOT **1** anis **2** funcho

erval (er.val) [pl.: *-ais*] *s.m.* conjunto de plantas, ou área por ele coberta, em que há predomínio da erva-mate

erva-mate (er.va-ma.te) [pl.: *ervas-mate* e *ervas-mates*] *s.f.* BOT **1** árvore da América do Sul, de até 10 m, cujas folhas, depois de torradas, são us. em chás e infusões; mate ('planta') **2** a folha dessa árvore, us. no preparo do chimarrão e do chá-mate, bebida de propriedades estimulantes e diuréticas

ervanário (er.va.ná.rio) *s.m.* **1** local de venda de ervas e plantas medicinais ■ *adj.s.m.* **2** que(m) conhece plantas medicinais

ervilha (er.vi.lha) *s.f.* BOT **1** planta leguminosa com vagens alongadas, ger. verdes, e sementes esféricas **2** a vagem e a semente dessa planta, us. na alimentação humana *<fazia uma deliciosa sopa de e.>* ◉ COL ervilhal

es- *pref.* 'movimento para fora': *escorrer*

Es QUÍM símbolo de *einstêinio*

ES sigla do Estado do Espírito Santo

-ês *suf.* 'relação, origem': *montês, português*

esbaforido (es.ba.fo.ri.do) *adj.* **1** que tem dificuldade para respirar; ofegante **2** que está com pressa; apressado

esbaforir-se (es.ba.fo.rir-se) *v.* {mod. 24} *pron.* ficar ofegante ~ **esbaforido** *adj.*

esbagaçar (es.ba.ga.çar) *v.* {mod. 1} *t.d.* fazer em bagaços ou em pedaços; despedaçar *<e. uma furta>*

esbanjar (es.ban.jar) *v.* {mod. 1} *t.d.* **1** gastar em excesso; desperdiçar *<e. dinheiro> <e. água>* ↺ poupar **2** *fig.* ter muito, de sobra *<ele esbanjava simpatia>* **~esbanjador** *adj.s.m.* - **esbanjamento** *s.m.*

esbarrão (es.bar.rão) [pl.: *-ões*] *s.m.* choque físico casual de uma pessoa em outra(s) ou em algo; encontrão

esbarrar (es.bar.rar) *v.* {mod. 1} *t.i.* **1** (prep. *contra*, *em*) chocar-se fisicamente, ger. por acaso, com *<esbarrou na moça que vinha em sentido contrário>* **2** (prep. *com*) encontrar (alguém), por acaso *<esbarrei com meu irmão ontem>*

esbater (es.ba.ter) *v.* {mod. 8} *t.d.* **1** ART.PLÁST dar relevo a *<fez uso de uma nova técnica para e. os objetos do quadro>* **2** tornar mais tênue; suavizar *<está muito forte essa cor; quero que esbatam o verde dessa parede>*

esbeiçar (es.bei.çar) *v.* {mod. 1} *t.d.* **1** extrair os bordos, as margens de; desbeiçar *<e. as bordas da tigela>* □ *t.i.* **2** (prep. *com*) avançar até certo ponto *<o pequeno lago esbeiçava com a lagoa>* □ *pron.* **3** tombar ou descair (beiços ou bordos) *<com o tempo, esbeiçou-se o anel que formava a boca do poço>*

esbelto (es.bel.to) *adj.* **1** que apresenta formas elegantes e graciosas ↺ deselegante **2** que tem corpo esguio ↺ gorducho **~esbeltez** *s.f.* - **esbelteza** *s.f.*

esboçar (es.bo.çar) *v.* {mod. 1} *t.d.* **1** desenhar os contornos de; delinear *<esboçou um retrato da família>* **2** planejar, projetar *<e. um plano>* **3** mostrar de modo sutil; insinuar *<esboçou um gesto de aprovação>*

esboço (es.bo.ço) /ô/ *s.m.* **1** conjunto dos traços iniciais de um desenho ou obra de arte **2** estado inicial de qualquer trabalho ou obra *<até o momento, só tinha o e. do filme>* **3** ação interrompida logo em seu começo *<teve um e. de reação, mas foi logo atingido>* **4** figura sem definição, pouco clara **5** resumo, síntese *<fizeram um rápido e. dos acontecimentos>*

esbodegar (es.bo.de.gar) *v.* {mod. 1} *t.d.* **1** causar dano(s) a; estragar *<os garotos esbodegaram o brinquedo em meia hora>* **2** *B infrm.* gastar sem controle; esbanjar *<esbodegou o salário num jogo de pôquer>* ↺ poupar □ *pron.infrm.* **3** tornar-se desleixado; relaxar *<esbodegou-se depois do divórcio>* **4** *PB* ficar irritado; irar-se **5** *S.E. S.* cansar-se, esgotar-se *<meteu-se a correr dois quilômetros e esbodegou-se todo>* ↺ descansar

esbofetear (es.bo.fe.te.ar) *v.* {mod. 5} *t.d.* dar bofetada em **~esbofeteamento** *s.m.*

esbórnia (es.bór.nia) *s.f.* **1** farra **2** orgia sexual

esboroar (es.bo.ro.ar) *v.* {mod. 1} *t.d.,int. e pron.* reduzir(-se) a pedaços, a pó; desfazer(-se) *<o tornado esboroou a torre> <a construção esboroou(-se) em segundos>* **~esboroamento** *s.m.* - **esboroo** *s.m.*

esborrachar (es.bor.ra.char) *v.* {mod. 1} *t.d.* **1** estourar ou arrebentar, apertando ou achatando *<pegou o chinelo e esborrachou a barata>* **2** dar golpe(s) em; bater *<e. o nariz do adversário>* □ *pron.* **3** levar um tombo; cair *<esborrachou-se no chão da portaria>*

esborrifar (es.bor.ri.far) *v.* {mod. 1} *t.d. e pron.* borrifar **~esborrifo** *s.m.*

esbranquiçado (es.bran.qui.ça.do) *adj.* **1** de cor semelhante ao branco *<tinha os cabelos e.>* **2** diz-se dessa cor *<louça de cor e.>* **3** pouco colorido; desbotado *<faces e.>*

esbrasear (es.bra.se.ar) *v.* {mod. 5} *t.d.,int. e pron.* **1** (fazer) ficar em brasa; esquentar(-se) *<o sol forte vai e. os campos> <a lareira esbraseia(-se), espalhando calor>* **2** tornar(-se) corado; ruborizar(-se) *<a corrida esbraseou seus rostos> <com o calor, suas bochechas esbraseavam(-se)>* □ *int.* **3** ficar vermelho como a brasa *<ao pôr do sol, as nuvens esbraseiam>* ↺ empalidecer

esbravejar (es.bra.ve.jar) *v.* {mod. 1} *t.i.* **1** (prep. *contra*) gritar com raiva, ira contra; vociferar *<de sua janela, esbravejavam contra os governantes>* □ *t.d.* **2** pronunciar com irritação, ira *<esbravejava os piores palavrões>* □ *int.* **3** tornar-se furioso, bravo *<cerrando os punhos, esbravejou> <a ventania esbravejava>*

esbregue (es.bre.gue) *s.m. B infrm.* repreensão; bronca *<quebrou o prato e levou um e. da mãe>*

esbrugar (es.bru.gar) *v.* → ***ESBURGAR***

esbugalhar (es.bu.ga.lhar) *v.* {mod. 1} *t.d.* abrir muito (os olhos) **~esbugalhado** *adj.*

esbulho (es.bu.lho) *s.m.* DIR ato pelo qual uma pessoa é privada de coisa de que tenha propriedade ou posse; espoliação, usurpação

esburacar (es.bu.ra.car) *v.* {mod. 1} *t.d. e pron.* encher(-se) de buracos **~esburacado** *adj.*

esburgar (es.bur.gar) ou **esbrugar** (es.bru.gar) *v.* {mod. 1} *t.d.* **1** tirar casca ou crosta de; descascar, raspar *<e. um abacaxi> <e. a camada de ferrugem>* **2** separar (osso) da carne; descarnar

escabeche (es.ca.be.che) *s.m.* CUL molho à base de tomate e temperos refogados, próprio para peixe frito

escabelo (es.ca.be.lo) /ê/ *s.m.* banco para apoio dos pés

escabichar (es.ca.bi.char) *v.* {mod. 1} *t.d.* **1** examinar ou investigar com paciência, cuidado *<escabichou a gaveta diversas vezes> <e. documentos>* **2** limpar (ger. dente) com dedo, palito

escabicida (es.ca.bi.ci.da) *adj.2g.s.m.* (substância) us. contra ácaros que provocam sarna

escabiose (es.ca.bi.o.se) *s.f.* MED sarna **~escabioso** *adj.* - **escabiótico** *adj.*

escabreado (es.ca.bre.a.do) *adj.* **1** desconfiado *<cachorro e., não se aproxima de ninguém>* **2** que se zangou; mal-humorado **3** que demonstra timidez; encabulado *<crianças e.>* **~escabrear** *v.t.d.*

escabroso (es.ca.bro.so) /ô/ [pl. e fem.: /ó/] *adj.* **1** que não é liso; áspero **2** que oferece dificuldades; árduo *<trabalho e.>* ↺ fácil **3** indecente, indecoroso *<história e.>* ↺ decente **~escabrosidade** *s.f.*

escada (es.ca.da) *s.f.* **1** série de degraus por onde se pode subir ou descer **2** *p.ext.* qualquer coisa que se assemelha a uma escada ou se usa como tal **3** *fig.* meio pelo qual alguém pode obter o que deseja *<as ligações com o chefe foram a e. para o cargo que ocupa>* ▣ **e. rolante** escada em que os degraus sobem e descem sem parar, movidos por um mecanismo próprio

escadaria (es.ca.da.ri.a) *s.f.* escada longa, ger. larga

escafandrista (es.ca.fan.dris.ta) *s.2g.* mergulhador que usa escafandro

escafandro (es.ca.fan.dro) *s.m.* roupa impermeável, totalmente fechada, provida de aparelho respiratório, própria para mergulhos demorados e profundos

escafeder-se (es.ca.fe.der-se) *v.* {mod. 8} *pron. infrm.* fugir com pressa; safar-se *<ao perceber a chegada do inspetor, escafedeu-se>*

escala (es.ca.la) *s.f.* **1** relação entre as proporções de uma representação e as do objeto representado *<e. de um mapa>* **2** porto ou lugar determinado em que transportes coletivos param para abastecimento, embarque ou desembarque de carga ou passageiros etc. *<conseguiu um voo sem escalas>* **3** *p.ext.* o tempo dessa parada **4** tabela de horários de trabalho *<mudaram a e. dos porteiros>* **5** série de graus ou níveis, dispostos segundo a importância de cada um *<e. de valores>* *<as réguas têm uma e. numerada>* **6** MÚS organização de sons em sequência **7** FÍS graduação de um instrumento de medida ▣ **e. Celsius** FÍS escala de temperatura baseada em dois pontos fixos: o de fusão do gelo e o de ebulição da água, aos quais se atribuem os valores 0 e 100, respectivamente, estando ambos sob pressão de uma atmosfera ☞ cf. *Celsius* na parte enciclopédica • **e. cromática** MÚS escala formada por semitons • **e. de Richter** escala que mede o grau de intensidade dos tremores de terra • **e. Fahrenheit** escala de temperatura us. em países de língua inglesa baseada em dois pontos fixos: o de fusão e o de ebulição da água, aos quais se atribuem os valores 32 e 212, respectivamente ☞ cf. *Fahrenheit* na parte enciclopédica

escalada (es.ca.la.da) *s.f.* **1** subida a um lugar íngreme **2** aumento progressivo *<e. de preços>* ↺ declínio **3** intensificação de uma atividade hostil

escalafobético (es.ca.la.fo.bé.ti.co) *adj.* **1** que se comporta de forma excêntrica, extravagante ↺ normal, ordinário **2** sem jeito ou elegância; desengonçado ↺ elegante

escalão (es.ca.lão) [pl.: *-ões*] *s.m.* **1** cada um dos pontos, níveis ou graus que se sucedem em uma série progressiva; categoria **2** *fig.* escala hierárquica *<funcionários do primeiro e.>*

[1]**escalar** (es.ca.lar) *v.* {mod. 1} *t.d.* **1** subir (montanha ou elevação íngreme) **2** chegar a (um lugar) usando escada ou afim **3** atingir níveis mais altos por degraus ou etapas; escalonar *<e. um posto no ministério>* **4** *B* designar (alguém) para atividade, tarefa *<escalou dois representantes para conversar com o diretor>* **5** selecionar (indivíduo, equipes etc.) *<e. time, elenco>* ◉ ORIGEM *escala* 'escada' + [2]*-ar* ~ **escalação** *s.f.*

[2]**escalar** (es.ca.lar) [pl.: *-es*] *adj.2g.* **1** cuja representação se faz por meio de escala ('relação entre proporções') *<distância e.>* **2** FÍS que pode ser caracterizado apenas pela sua magnitude, independente de sua direção, como, p.ex., temperatura, massa etc. (diz-se de grandeza) ◉ ORIGEM do lat. *scalāris,e* 'de degraus, de escadaria'

escalavrar (es.ca.la.vrar) *v.* {mod. 1} *t.d. e pron.* **1** causar ou sofrer esfoladuras, arranhões; esfolar (-se) *<escalavrou o peito quando subia na árvore>* *<escalavraram-se ao caírem da bicicleta>* ▫ *t.d.* **2** danificar (revestimentos, parede etc.)

escaldante (es.cal.dan.te) *adj.2g.* que aquece em excesso *<sol e.>* ↺ refrescante

escalda-pés (es.cal.da-pés) *s.m.2n.* banho que se dá nos pés com água quente

escaldar (es.cal.dar) *v.* {mod. 1} *t.d.* **1** queimar com líquido quente ou vapor **2** pôr em água muito quente *<escaldou a couve-flor antes de servi-la>* **3** passar muito calor a *<a febre escaldava seu rosto>* **4** ressecar *<o sol escalda o solo>* ▫ *int.* **5** tornar-se muito quente ou febril ▫ *pron.* **6** sofrer queimadura; queimar-se

escaleno (es.ca.le.no) *adj.* GEOM que tem os lados desiguais (diz-se de triângulo)

escaler (es.ca.ler) [pl.: *-es*] *s.m.* barco movido a remo, vela ou motor, us. para pequenos serviços de transporte, reconhecimento etc.

escalonar (es.ca.lo.nar) *v.* {mod. 1} *t.d.* **1** dispor (tropas) umas por trás das outras, para que uma dê suporte à outra **2** atingir níveis mais altos por degraus ou etapas; escalar *<e. o aumento do imposto>*

escalope (es.ca.lo.pe) *s.m.* CUL fatia fina de filé cortada na transversal

[1]**escalpelar** (es.cal.pe.lar) *v.* {mod. 1} *t.d.* **1** cortar ou dissecar com escalpelo **2** *fig.* examinar em detalhes ◉ ORIGEM *escalpelo* + [2]*-ar*

[2]**escalpelar** (es.cal.pe.lar) *v.* {mod. 1} *t.d.* retirar a pele que cobre o crânio de; escalpar ◉ ORIGEM duv., talvez do cruzamento de *escalpar* com *pelar*

escalpelo (es.cal.pe.lo) /ê/ *s.m.* bisturi de um ou dois gumes, us. para dissecações anatômicas

escalpo (es.cal.po) *s.m.* o couro cabeludo arrancado do crânio ~ **escalpar** *v.t.d.*

escama (es.ca.ma) *s.f.* **1** ANAT ZOO cada lâmina ou placa que cobre a pele de peixes e répteis **2** MED pequena lâmina de pele que se desprende espontaneamente

[1]**escamado** (es.ca.ma.do) *s.m.* ZOO **1** espécime dos escamados, ordem de répteis que possuem o corpo coberto de escamas ou placas, incluindo as serpentes e lagartos ■ *adj.* **2** relativo a essa ordem ou a esse espécime ◉ ORIGEM do lat.cien. *Squamata*, do lat. *squamātus,a,um* 'que tem escamas'

[2]**escamado** (es.ca.ma.do) *adj.* que ficou sem escamas *<peixe e.>* ◉ ORIGEM part. de *escamar*

escamar (es.ca.mar) *v.* {mod. 1} *t.d. e pron.* retirar ou perder (escamas, crosta etc.) *<e. um peixe>* *<com a doença, seu corpo escamou-se>* ~ **escamação** *s.f.* - **escamador** *adj.s.m.*

escambo (es.cam.bo) *s.m.* **1** troca de mercadorias ou serviços sem uso de moeda **2** *p.ext.* qualquer troca

escamoso (es.ca.mo.so) /ô/ [pl. e fem.: /ó/] *adj.* cheio ou coberto de escamas

escamoteação (es.ca.mo.te.a.ção) [pl.: *-ões*] *s.f.* **1** ato de escamotear **2** furto ou roubo praticado com habilidade

escamotear (es.ca.mo.te.ar) *v.* {mod. 5} *t.d.* **1** fazer sumir sem ninguém perceber; esconder *<o mágico escamoteou o lenço>* **2** furtar habilmente *<escamoteou a carteira do banqueiro>* **3** encobrir, disfarçar *<a imprensa escamoteou o verdadeiro significado do fato>* ▫ *pron.* **4** escapar, fugir *<com a chegada da polícia, escamoteou-se>*

E

escâncara (es.cân.ca.ra) *s.f.* estado do que está à vista ▣ **às e.** à vista de todos

escancarar (es.can.ca.rar) *v.* {mod. 1} *t.d. e pron.* **1** abrir(-se) muito ou completamente *<escancarou os olhos de espanto> <a janela escancarou-se de repente>* □ *t.d.* **2** pôr à mostra, tornando conhecido, público; expor *<e. a roubalheira>* ↺ esconder **~ escancarado** *adj.*

escanchar (es.can.char) *v.* {mod. 1} *t.d.* **1** separar ao meio □ *t.d. e pron.* **2** montar a cavalo ou sentar-se sobre algo à maneira de quem monta; escarranchar(-se)

escandalizar (es.can.da.li.zar) *v.* {mod. 1} *t.d. e int.* **1** ferir os bons costumes, a moral (de); chocar, indignar *<a negociata escandalizou a população> <seu intuito é apenas e.>* □ *t.d. e pron.* **2** (fazer) ficar ofendido; melindrar(-se) *<aquelas palavras escandalizaram seus ouvidos> <escandalizou-se com as acusações do colega>* **~ escandalizante** *adj.2g.*

escândalo (es.cân.da.lo) *s.m.* **1** ato ou fato que contraria e ofende sentimentos, crenças ou convenções *<a roupa que escolheu para a cerimônia foi um e.>* **2** fato revoltante *<a miséria crescente é um e.>* **3** tumulto, desordem *<fez um e. quando foi barrado na porta do show>*

escandaloso (es.can.da.lo.so) /ô/ [pl. e fem.: /ó/] *adj.* **1** que causa escândalo, confusão ou desordem *<comportamento e.>* ↺ discreto **2** que ofende; indecoroso, indecente *<decote e.> <atitutes e.>* ↺ decente **3** que revolta; deplorável *<vive numa sujeira e.>*

escandinavo (es.can.di.na.vo) *s.m.* **1** natural ou habitante da península da Escandinávia (Dinamarca, Finlândia, Suécia, Noruega, Islândia) **2** LING língua do ramo germânico que compreende o antigo nórdico, o sueco, o norueguês, o dinamarquês e o islandês; nórdico ■ *adj.* **3** relativo a esse indivíduo, península ou língua

escândio (es.cân.dio) *s.m.* QUÍM elemento químico com alto ponto de fusão, us. na construção aeroespacial [símb.: *Sc*] ☞ cf. *tabela periódica* (no fim do dicionário)

escandir (es.can.dir) *v.* {mod. 24} *t.d.* **1** medir (versos) contando suas sílabas **2** pronunciar (palavra, frase) destacando as sílabas ◉ GRAM/USO verbo defectivo

escanear (es.ca.ne.ar) *v.* {mod. 5} *t.d.* INF converter com escâner (foto, página impressa etc.) para a forma digital

escâner (es.câ.ner) [pl.: *-es*] *s.m.* equipamento que converte imagens, páginas impressas etc. em dados digitalizados

escangalhar (es.can.ga.lhar) *v.* {mod. 1} *t.d.,int. e pron.* **1** (fazer) parar de funcionar ou não funcionar bem; enguiçar, quebrar *<o garoto escangalhou o rádio ao sacudi-lo demais> <o motor do carro escangalhou(-se) numa simples derrapagem>* ↺ consertar **2** deixar ou ficar totalmente destruído; arruinar(-se) *<escangalharam o brinquedo ao jogá-lo contra a parede> <o carro rolou a ribanceira e escangalhou(-se)>* **~ escangalhado** *adj.*

escanhoar (es.ca.nho.ar) *v.* {mod. 1} *t.d. e pron.* barbear(-se) com perfeição, cortando bem rente a barba e deixando a pele bem lisa

escaninho (es.ca.ni.nho) *s.m.* pequeno compartimento, secreto ou não, em cofres, gavetas, armários etc. *<deixou o trabalho no e. do professor>*

escanteio (es.can.tei.o) *s.m.* FUTB *B* **1** falta em que um jogador lança a bola para fora do campo pela linha de fundo defendida por sua equipe; córner **2** cobrança dessa falta; córner ▣ **chutar para e.** *fig. B infrm.* pôr de lado *<chutou o namorado para e.>*

escapada (es.ca.pa.da) *s.f.* **1** fuga precipitada e às escondidas **2** ausência breve *<deu uma e., mas voltou à sala antes que percebessem>*

escapadela (es.ca.pa.de.la) *s.f.* escapada

escapamento (es.ca.pa.men.to) *s.m.* **1** vazamento *<e. de gás>* **2** cano ou orifício pelo qual gases são expelidos *<seu carro estava com problemas no e.>* **3** *p.ext.* saída dos gases provenientes da combustão dos motores de explosão

escapar (es.ca.par) *v.* {mod. 1} *t.i.* **1** (prep. *de*) ficar livre de (situação perigosa, desagradável etc.); livrar-se, safar-se *<escapou do perigo saindo pela janela>* **2** (prep. *a*) não ser percebido ou compreendido *<certos detalhes escaparam à investigação policial> <o principal significado daquele olhar escapou à sua mente>* **3** (prep. *de*) fugir ao controle ou domínio de *<o livro escapou de suas mãos e caiu> <a situação escapou de seu controle>* **4** (prep. *a*) deixar de lembrar-se; esquecer *<as respostas escaparam-lhe>* □ *t.i. e int.* **5** (prep. *de*) pôr-se em fuga; fugir *<e. da prisão> <o preso escapou ontem>* □ *int.* **6** manter-se vivo; salvar-se *<o carro capotou, mas o motorista conseguir e.>*

escapatória (es.ca.pa.tó.ria) *s.f.* o que se apresenta para justificar descumprimento de dever, promessa, compromisso etc.; desculpa, pretexto

escape (es.ca.pe) *s.m.* **1** escapamento **2** ação de livrar(-se) de perigo; escapadela

escapismo (es.ca.pis.mo) *s.m.* tendência para fugir à realidade ou à rotina **~ escapista** *adj.2g.s.2g.*

escapo (es.ca.po) *s.m.* dispositivo que regula os movimentos de um relógio

escápula (es.cá.pu.la) *s.f.* ANAT osso triangular, antes denominado *omoplata*, que forma a parte posterior do ombro **~ escapulal** *adj.2g.* **- escapular** *adj.2g.*

escapulário (es.ca.pu.lá.rio) *s.m.* **1** faixa de tecido que frades e freiras de algumas ordens religiosas usam pendentes sobre o peito **2** pedaços de pano bento, com imagem, orações etc., unidos por cordão ou cadarço, que devotos trazem junto ao peito e as costas; bentinho

escapulida (es.ca.pu.li.da) *s.f.* escapadela

escapulir (es.ca.pu.lir) *v.* {mod. 29} *t.i.,int. e pron.* **1** (prep. *de*) pôr-se em fuga; escapar *<e. da prisão> <o cavalo escapuliu(-se)>* □ *t.d. fig.* **2** surgir, mostrar-se por descuido *<deixou e. o segredo>*

escara (es.ca.ra) *s.f.* **1** MED ferida na pele que acomete os doentes acamados, esp. nas regiões de apoio do corpo **2** *p.ext.* qualquer crosta que se forma sobre uma superfície

escarafunchar (es.ca.ra.fun.char) *v.* {mod. 1} *t.d.* **1** limpar com dedo, palito etc. **2** procurar, examinar com insistência e/ou paciência *<escarafunchou a vida do namorado da filha>* **3** remexer, ger. à procura de algo; fuçar *<e. uma gaveta>* **~ escarafunchador** *adj.s.m.*

escaramuça (es.ca.ra.mu.ça) *s.f.* **1** luta de pequenas proporções **2** qualquer briga, combate ou conflito **~ escaramuçar** *v.t.i. e int.*

escaravelho (es.ca.ra.ve.lho) /ê/ *s.m.* ZOO **1** nome comum a besouros com corpo robusto, oval ou alongado, de tamanho, cor e hábitos variados, que se alimentam de esterco ou matéria vegetal em decomposição **2** nome comum a diversos besouros cujos ovos e larvas se alimentam de bolas de excremento de herbívoros

escarcéu (es.car.céu) *s.m.* **1** grande onda; vagalhão **2** *fig.* ato de exagerar ou levar muito a sério coisas sem importância *<fez o maior e. ao saber da separação do irmão>* **3** *fig.* gritaria; confusão

escarear (es.ca.re.ar) *v.* {mod. 5} *t.d.* **1** alargar (furo, abertura) para enfiar prego ou parafuso **2** enfiar (prego, parafuso) até a cabeça ficar no nível da peça em que se introduz ~ **escareador** *adj.s.m.*

escarificar (es.ca.ri.fi.car) *v.* {mod. 1} *t.d.* **1** fazer cortes mais ou menos leves em (uma superfície) *<em algumas tribos africanas, é comum e. a pele>* *<e. a casca de uma seringueira>* **2** revolver superficialmente (o solo) ~ **escarificação** *s.f.* - **escarificador** *adj.s.m.*

escarioso (es.ca.ri.o.so) /ô/ [pl. e fem.: /ó/] *adj.* que tem escaras, cascas ou cicatrizes

escarlate (es.car.la.te) *s.m.* **1** cor vermelha muito viva ■ *adj.2g.* **2** que apresenta essa cor *<mancha e.>* **3** diz-se dessa cor *<a cor e.>*

escarlatina (es.car.la.ti.na) *s.f.* MED doença infectocontagiosa caracterizada por febre alta, manchas vermelhas na pele e descamação ~ **escarlatinal** *adj.2g.*

escarmentar (es.car.men.tar) *v.* {mod. 1} *t.d.* **1** castigar, punir com rigor *<escarmentaram os meliantes>* **2** repreender de modo enérgico, firme *<e. alunos bagunceiros>* □ *int. e pron.* **3** ficar advertido por castigo ou prejuízo recebido, para não se expor de novo a ele

escarnar (es.car.nar) *v.* {mod. 1} *t.d.* **1** retirar a carne de (osso); descarnar **2** raspar a carne de (pele) antes da curtição

escarnecer (es.car.ne.cer) *v.* {mod. 8} *t.d. e t.i.* (prep. *de*) tratar ou considerar com zombaria; troçar *<seus próprios amigos o escarneceram>* *<escarnecia das ideias do irmão>* ~ **escarnecimento** *s.m.*

escarninho (es.car.ni.nho) *adj.* zombeteiro, sarcástico

escárnio (es.cár.nio) *s.m.* **1** o que é feito ou dito com intenção de provocar riso; zombaria **2** manifestação de desdém ou menosprezo ↺ respeito

escarola (es.ca.ro.la) *s.f.* BOT variedade de chicória, com folhas menos onduladas e recortadas

escarpa (es.car.pa) *s.f.* declive muito forte de terreno

escarpado (es.car.pa.do) *adj.* que tem escarpa; íngreme *<terreno e.>* ↺ plano

escarradeira (es.car.ra.dei.ra) *s.f.* recipiente onde se escarra ou cospe

escarranchar (es.car.ran.char) *v.* {mod. 1} *t.d. e pron.* abrir (as pernas) em demasia, sentando-se sobre algo; escanchar(-se) *<escarranchou-se no braço do sofá>*

escarrapachar (es.car.ra.pa.char) *v.* {mod. 1} *t.d. e pron.* **1** abrir (as pernas) em demasia, sentando-se sobre algo; escarranchar(-se) □ *pron.* **2** cair de bruços e ao comprido; estatelar-se *<e.-se no chão>* **3** sentar-se à vontade, sem compostura *<sente direito, sem se e.>*

escarrar (es.car.rar) *v.* {mod. 1} *t.d. e int.* expelir (escarro, sangue etc.) pela boca

escarro (es.car.ro) *s.m.* secreção vinda da traqueia, brônquios ou pulmões ~ **escarradela** *s.f.*

escassear (es.cas.se.ar) *v.* {mod. 5} *int.* **1** fazer-se escasso; rarear, faltar *<os recursos escasseavam>* ↺ abundar □ *t.d. e t.d.i.* **2** (prep. *a*) dar com moderação; poupar *<o alfaiate não escasseou o tecido>* *<não escasseia favores a seus protegidos>*

escassez (es.cas.sez) /ê/ [pl.: *-es*] *s.f.* falta, privação, carência ↺ abundância

escasso (es.cas.so) *adj.* **1** de que há pouco *<bebida e.>* ↺ abundante **2** que é desprovido de algo *<e. de inteligência>* ↺ provido **3** de pouca intensidade; fraco *<luz e.>* ↺ intenso ~ **escassamente** adv.

[1]**escatologia** (es.ca.to.lo.gi.a) *s.f.* doutrina que trata em tom profético ou apocalíptico do destino final do homem e do mundo ◉ ORIGEM do gr. *éskhatos,ē,on* 'extremo, último' ~ **escatológico** *adj.*

[2]**escatologia** (es.ca.to.lo.gi.a) *s.f.* **1** tratado sobre os excrementos **2** ato ou fato de mencionar excrementos e imundícies afins em expressões, escritos etc. ◉ ORIGEM do gr. *skṓr, skatós* 'excremento' ~ **escatológico** *adj.*

escavação (es.ca.va.ção) [pl.: *-ões*] *s.f.* **1** ato de escavar ou seu efeito **2** buraco em um terreno

escavadeira (es.ca.va.dei.ra) *s.f.* máquina de escavar ou remover terra

escavar (es.ca.var) *v.* {mod. 1} *t.d. e pron.* **1** abrir ou criar cavidade ou escavação em (algum lugar); tirar terra de *<escavou o terreno>* *<com a chuva, o terreno escavou-se>* □ *t.d.* **2** tornar côncavo, oco *<e. um tronco>* **3** *fig.* fazer investigação, pesquisa minuciosa *<escavou o assunto até chegar a uma conclusão>*

escaveirado (es.ca.vei.ra.do) *adj.* **1** semelhante a uma caveira **2** que tem o rosto muito magro ↺ rechonchudo

esclarecer (es.cla.re.cer) *v.* {mod. 8} *t.d.* **1** tornar compreensível; elucidar *<o jardineiro esclareceu o mistério>* ↺ complicar □ *t.d.,int. e pron.* **2** tornar(-se) claro; iluminar(-se) *<a luz da lua esclarecia o salão>* *<só pelas quatro horas a noite começou a e.>* *<o horizonte se esclarecia aos poucos>* ↺ escurecer □ *t.d. e pron.* **3** tornar(-se) mais instruído *<procurava e. o espírito dos filhos>* *<comprava livros para melhor e.-se>* □ *t.d. e t.d.i.* **4** (prep. *a, sobre*) prestar informação, explicação (sobre algo) [a alguém] *<esclareceu os alunos (sobre o sentido do ensino)>* ~ **esclarecedor** *adj.s.m.*

esclarecido (es.cla.re.ci.do) *adj.* **1** que foi explicado ↺ confuso **2** dotado de conhecimentos *<tratava-se de um senhor muito e.>* ↺ inculto

esclarecimento (es.cla.re.ci.men.to) *s.m.* **1** ato ou efeito de explicar o sentido de; elucidação **2** ato ou efeito de tornar mais claro, iluminar **3** informação esclarecedora; explicação, informe *<prestou esclarecimentos sobre o caso>* **4** conjunto de conhecimentos; ilustração, instrução ↺ ignorância

escleractíneo (es.cle.rac.tí.neo) *s.m.* BIO **1** espécime dos escleractíneos, ordem de animais invertebrados marinhos, que inclui os corais e as anêmonas-do-mar, de corpo em forma de medusa, tb. conhecido como coral-pétreo ■ *adj.* **2** relativo a essa ordem

esclerênquima (es.cle.rên.qui.ma) *s.m.* ANAT BOT tecido vegetal, composto de células com paredes duras, que dá rigidez ao caule, raiz e semente ☞ cf. *colênquima*

esclerosado (es.cle.ro.sa.do) *adj.* que passou por processo de esclerose

esclerose (es.cle.ro.se) *s.f.* MED endurecimento patológico de tecido em um órgão, que ocorre em várias estruturas como nervos, pulmões etc. ▣ **e. múltipla** MED doença do sistema nervoso central caracterizada por esclerose em placas no cérebro e medula espinhal que pode causar paralisia, tremores, perda da fala etc. ~ **esclerosamento** *s.m.*

esclerótica (es.cle.ró.ti.ca) *s.f.* tecido externo branco e fibroso do globo ocular, tb. chamado branco do olho

E

-esco /ê/ *suf.* 'relação, semelhança': *grotesco, parentesco*

escoadouro (es.co.a.dou.ro) *s.m.* cano ou vala que dá saída a líquidos, dejetos etc.

escoamento (es.co.a.men.to) *s.m.* **1** ato de escoar **2** plano inclinado por onde as águas ou outros líquidos escoam

escoar (es.co.ar) *v.* {mod. 1} *t.d., int. e pron.* **1** (fazer) escorrer, fluir devagar *<a mulher escoou o resto do leite> <o sangue escoava(-se) pouco a pouco>* ◻ *t.d.* **2** dar vazão, saída a *<e. mercadorias>* **3** *p.ext. B* fazer andar, fluir (o trânsito) ◻ *int. e pron.* **4** ficar para trás (horas, minutos etc.); passar *<as horas escoavam(-se)>*

escoicear (es.coi.ce.ar) *v.* {mod. 5} *t.d. e int.* **1** dar coice(s) [em] *<a mula escoiceou a cerca do curral> <o cavalo escoiceava sem parar>* **2** *fig.* tratar mal, com brutalidade

escoimar (es.coi.mar) *v.* {mod. 1} *t.d.* **1** livrar de coima, pena ↺ acoimar, punir ◻ *t.d.i.* **2** (prep. *de*) limpar, livrar de (sujeira, falha etc.) *<e. a água das impurezas> <e. o texto das redundâncias>* ◻ *pron.* **3** (prep. *de*) ficar livre de; escapar *<e.-se de um erro>*

escol (es.col) [pl.: *-óis*] *s.m.* o que é considerado o melhor, o mais ilustre numa sociedade ou grupo

escola (es.co.la) *s.f.* **1** estabelecimento de ensino *<estuda em e. bilíngue>* **2** prédio em que este estabelecimento funciona *<fizeram obras na e.>* **3** doutrina, teoria ou tendência de estilo ou pensamento *<e. de Freud>* **4** conjunto de pessoas que segue um sistema de pensamento, uma doutrina, um princípio estético etc. **5** determinado conjunto de princípios seguido por artistas *<e. clássica>* **6** o que é adequado para transmitir conhecimento, experiência *<auxiliar o pai foi uma boa e. para seus futuros empregos>* ▣ **e. de samba** agremiação de sambistas, passistas, compositores etc. que desfila no carnaval • **fazer e.** estabelecer princípios ou organizar processos que depois são seguidos por muita gente *<meu tio fez e. no campo da pesquisa histórica>*

escolado (es.co.la.do) *adj.* *infrm.* **1** esperto, sabido ↺ ingênuo **2** que conhece a vida; experiente ↺ inexperiente

escola-modelo (es.co.la-mo.de.lo) [pl.: *escolas-modelo* e *escolas-modelos*] *s.f.* estabelecimento de ensino organizado de maneira exemplar, com métodos pedagógicos que se distinguem pela excelência

escolar (es.co.lar) [pl.: *-es*] *adj.2g.* **1** relativo a escola *<período e.>* **2** utilizado na escola *<material e.>* ■ *s.2g.* **3** estudante

escolaridade (es.co.la.ri.da.de) *s.f.* **1** aprendizado ou atividade escolar **2** rendimento escolar de um aluno ou de um grupo de alunos

escolarizar (es.co.la.ri.zar) *v.* {mod. 1} *t.d.* fazer passar por aprendizado em escola ~ **escolarização** *s.f.*

escolástica (es.co.lás.ti.ca) *s.f.* FIL REL **1** pensamento cristão da Idade Média baseado na tentativa de conciliação entre fé e razão **2** qualquer filosofia elaborada em função de uma doutrina religiosa ~ **escolasticismo** *s.m.* - **escolástico** *adj.*

escolha (es.co.lha) /ô/ *s.f.* **1** preferência que se dá a alguma coisa que está entre outras; predileção, opção **2** eleição *<a e. do candidato nos decepcionou>*

escolher (es.co.lher) *v.* {mod. 8} *t.d.* **1** manifestar preferência por; eleger, preferir *<e. o campo para viver>* **2** fazer seleção de; selecionar *<e. os melhores grãos>* ◻ *t.i. e t.d.i.* **3** (prep. *entre*) fazer opção entre (duas ou mais pessoas ou coisas) *<e. entre várias alternativas> <entre as duas atletas, escolheu a mais alta>* ~ **escolhido** *adj.*

escolho (es.co.lho) /ô/ [pl.: /ó/] *s.m.* **1** recife à flor da água; abrolho ☞ mais us. no pl. **2** GEO pequena ilha rochosa

escoliose (es.co.li.o.se) *s.f.* MED curvatura lateral da coluna vertebral ☞ cf. *cifose* e *lordose*

escolta (es.col.ta) *s.f.* **1** grupo de pessoas, tropa, veículos etc. destacados para acompanhar e proteger algo ou alguém *<e. presidencial>* **2** *p.ext.* pessoas ou grupo de pessoas que acompanham outra(s); comitiva *<fez parte da e. do noivo>*

escoltar (es.col.tar) *v.* {mod. 1} *t.d.* **1** seguir junto de (alguém ou algo), dando proteção **2** ir junto de; acompanhar

escombros (es.com.bros) *s.m.pl.* entulho, destroços *<os bombeiros retiraram os e. da casa>*

esconde-esconde (es.con.de-es.con.de) *s.m.2n.* RECR brincadeira em que uma criança deve encontrar as outras que estão escondidas

esconder (es.con.der) *v.* {mod. 8} *t.d. e pron.* **1** pôr (-se) em lugar no qual não pode ser visto; ocultar (-se) *<escondeu os óculos do avô> <escondeu-se no sótão>* ↺ mostrar(-se), expor(-se) ◻ *t.d.* **2** manter em segredo; guardar *<escondia seus verdadeiros sentimentos>* ↺ revelar **3** não deixar ser percebido; encobrir *<dançava para e. a tristeza>* ↺ evidenciar ◉ GRAM/USO part.: *escondido, escuso*; ver QUADRO DE PARTICÍPIOS DUPLOS nas pp. iniciais

esconderijo (es.con.de.ri.jo) *s.m.* local onde se esconde alguém ou algo

escondidas (es.con.di.das) *s.f.pl.* ◗ usado em: **às e.** de maneira oculta; às ocultas *<saiu às e.>*

esconjurar (es.con.ju.rar) *v.* {mod. 1} *t.d.* **1** afastar com exorcismo (diabo, espíritos maus etc.); exorcizar **2** *p.ext.* fazer desaparecer (males, azares etc.) por meio de prece, reza etc. *<um pensamento positivo esconjura maus agouros>* **3** lançar maldição a *<louco, esconjurava sombras>* ↺ abençoar ◻ *t.d.i.* **4** (prep. *a*) ordenar, mandar *<esconjurou-o a sair>* **5** (prep. *a*) pedir, suplicar *<esconjurou a todos que seguissem as normas>* ◻ *pron.* **6** lamentar-se *<nada fazia, vivia a e.-se>* ~ **esconjurativo** *adj.* - **esconjuratório** *adj.*

esconjuro (es.con.ju.ro) *s.m.* **1** conjuro **2** exorcismo

[1]**esconso** (es.con.so) *adj.* **1** inclinado; oblíquo ↺ plano ■ *s.m.* **2** ângulo, quina, canto ◉ ORIGEM do

fr.ant. *escoinçon* (mod. *écoinçon*) 'cantoneira, pedra que forma o ângulo do vão de janela ou porta'

[2]**esconso** (es.con.so) *adj.* **1** escondido, oculto *<desapareceu por caminhos e.>* ↺ exposto ■ *s.m.* **2** retiro, recanto *<ocultou-se nos e. de um convento>* ◉ ORIGEM do lat. *absconsum,i* 'escondido'

escopeta (es.co.pe.ta) /ê/ *s.f.* pequena espingarda, leve e de cano curto

escopo (es.co.po) /ô/ *s.m.* **1** ponto em que se mira; alvo **2** intenção; objetivo

escopro (es.co.pro) /ô/ *s.m.* **1** ferramenta para talhar pedra ou madeira **2** instrumento cirúrgico cortante, us. em operações nos ossos

escora (es.co.ra) *s.f.* **1** peça de apoio; esteio *<utilizaram três e. para sustentar o muro>* **2** *fig.* o que ampara, que dá arrimo

escoramento (es.co.ra.men.to) *s.m.* conjunto de escoras que visa impedir que uma parede ou construção desabe

escorar (es.co.rar) *v.* {mod. 1} *t.d.* **1** segurar com escora(s); arrimar □ *t.d.,t.d.i. e pron.* **2** (prep. *em*) buscar apoio, para manter o equilíbrio, não cair; apoiar(-se) *<e. um ancião> <e.(-se) no muro para não cair>* □ *pron.* **3** amparar-se para não ficar desprotegido *<escorou-se na mãe até conseguir um emprego>*

escorbuto (es.cor.bu.to) *s.m.* MED doença aguda ou crônica que provoca hemorragias, alteração das gengivas e queda da resistência a infecções, causada por falta de vitamina C

escorchar (es.cor.char) *v.* {mod. 1} *t.d.* **1** tirar a casca de; descascar **2** retirar o revestimento externo de (animal, planta etc.) **3** desmanchar, desarrumar *<o vento escorchou o buquê de flores>* **4** cobrar preços abusivos a *<e. o freguês>* ~ **escorchamento** *s.m.*

escorço (es.cor.ço) /ô/ *s.m.* **1** ART.PLÁST reprodução, em desenho ou pintura, de qualquer objeto em proporções menores **2** figura em miniatura **3** *fig.* síntese, resumo

escore (es.co.re) *s.m.* resultado de uma competição expresso em números; contagem, placar

escória (es.có.ria) *s.f.* **1** resíduo resultante da fusão de certas matérias **2** *fig.* coisa ou indivíduo reles, desprezível

escoriação (es.co.ri.a.ção) [pl.: *-ões*] *s.f.* ferimento superficial; esfoladura *<felizmente, teve apenas escoriações>* ~ **escoriar** *v.t.d. e pron.*

escorpiano (es.cor.pi.a.no) *adj.s.m.* **1** ASTRL que(m) é do signo de Escorpião ■ *adj.* **2** relativo ao signo de Escorpião

escorpião (es.cor.pi.ão) [pl.: *-ões*] *s.m.* **1** ZOO nome comum a aracnídeos com um par de pinças dianteiras e a parte posterior do abdome estreita e terminada em ferrão, por vezes provido de veneno **2** a oitava constelação zodiacal, situada entre Libra e Sagitário ☞ inicial maiúsc. **3** ASTRL o oitavo signo do zodíaco (de 23 de outubro a 21 de novembro) ☞ inicial maiúsc. **4** ASTRL escorpiano *<dizem que e. não combina comigo>*

escorraçar (es.cor.ra.çar) *v.* {mod. 1} *t.d.* expulsar com violência e/ou desprezo; enxotar *<com um grito, escorraçou os cães>*

escorredor (es.cor.re.dor) /ô/ [pl.: *-es*] *s.m.* utensílio de cozinha us. para escorrer a água de arroz, macarrão etc.

escorrega (es.cor.re.ga) *s.m.* RECR brinquedo em plano inclinado no qual crianças deslizam sentadas ou deitadas; escorregador

escorregadela (es.cor.re.ga.de.la) *s.f. infrm.* **1** ato de escorregar **2** *fig. infrm.* erro, engano *<estava indo bem, mas deu uma e. no fim da apresentação>*

escorregadio (es.cor.re.ga.di.o) *adj.* em que se escorrega facilmente *<piso e.>*

escorregador (es.cor.re.ga.dor) /ô/ [pl.: *-es*] *adj.* **1** que escorrega ■ *s.m.* **2** RECR escorrega

escorregão (es.cor.re.gão) [pl.: *-ões*] *s.m.* desequilíbrio ou tombo após escorregar

escorregar (es.cor.re.gar) *v.* {mod. 1} *int.* **1** deslizar sob a pressão do próprio peso **2** ser deslizante *<o chão molhado escorrega>* □ *t.i. e int.fig.* **3** (prep. *em*) cometer erro, falta (em); errar, falhar *<e. na ortografia> <escorregou ao mentir>* ↺ acertar

escorreito (es.cor.rei.to) *adj.* **1** que não tem defeito, falha ou lesão ↺ imperfeito **2** correto *<escreve um português e.>* **3** de boa aparência ↺ deselegante

escorrer (es.cor.rer) *v.* {mod. 8} *t.d. e int.* **1** (fazer) correr, deslizar (líquido) *<escorreu a água da panela>* □ *t.d.* **2** retirar de (algo) o líquido, fazendo-o escoar *<e. a salada>* **3** deixar sair; derramar *<a ferida escorria pus>* □ *int.* **4** cair, pender *<a blusa escorria dos ombros>* **5** brotar em gotas ou correr em fios *<o suor escorria pelo seu rosto>* ~ **escorrimento** *s.m.*

escorrido (es.cor.ri.do) *adj.* **1** que escorreu **2** liso, sem ondulações *<cabelos e.>*

escoteirismo (es.co.tei.ris.mo) *s.m.* → *ESCOTISMO*

escoteiro (es.co.tei.ro) *s.m.* membro do escotismo

escotilha (es.co.ti.lha) *s.f.* MAR abertura no convés de embarcações para passagem de ar, luz, pessoal ou carga

escotismo (es.co.tis.mo) ou **escoteirismo** (es.co.tei.ris.mo) *s.m.* movimento pelo aprimoramento moral e físico de crianças e adolescentes, criado pelo inglês Baden-Powell ☞ cf. *Baden-Powell* na parte enciclopédica

escova (es.co.va) /ô/ *s.f.* **1** utensílio com filamentos mais ou menos rígidos, us. para pentear, alisar, limpar etc. **2** modelagem do penteado com escova redonda e secador manual *<fez e. para ir ao casamento>* ▣ **e. de dente** escova própria para limpar os dentes

escovão (es.co.vão) [pl.: *-ões*] *s.m.* escova grande, us. para lustrar o chão

escovar (es.co.var) *v.* {mod. 1} *t.d.* **1** usar escova em (para pentear, limpar, lustrar etc.) *<e. dentes, cabelos, roupa>* **2** *fig.* repreender com firmeza **3** *fig.* dar pancadas em; bater, surrar ~ **escovação** *s.f.*

escravatura (es.cra.va.tu.ra) *s.f.* **1** sistema social e econômico baseado na exploração de escravos; escravidão **2** comércio de escravos

escravidão (es.cra.vi.dão) [pl.: *-ões*] *s.f.* **1** condição de escravo; servidão **2** escravatura

escravismo (es.cra.vis.mo) *s.m.* **1** prática da escravidão **2** sistema socioeconômico apoiado na escravidão; escravatura

E

escravista (es.cra.vis.ta) *adj.2g.s.2g.* que(m) pratica ou apoia a escravidão <*sistema e.*>

escravizar (es.cra.vi.zar) *v.* {mod. 1} *t.d.* **1** tornar escravo ↺ alforriar, libertar **2** ter poder moral sobre; oprimir, dominar <*escraviza os membros da própria família*> **3** *fig.* causar fascínio em; encantar <*os movimentos de sua dança escravizam a plateia*> □ *t.d. e t.d.i. fig.* **4** (prep. *a*) tornar dependente de; submeter <*o preconceito escraviza o homem (a falsas certezas)*> ~ **escravizante** *adj.2g.*

escravo (es.cra.vo) *adj.s.m.* **1** que(m) é privado da liberdade e pertence a um dono **2** *p.ext.* que(m) está submisso a algo ou alguém <*era e. das vontades da esposa*> ■ *adj.* **3** que é próprio de escravo, de pessoa submissa a um poder ou a um senhor <*trabalho e.*>

escravocrata (es.cra.vo.cra.ta) *adj.2g.s.2g.* **1** que(m) é a favor da escravatura ■ *adj.2g.* **2** em que há escravidão <*países e.*>

escrete (es.cre.te) *s.m.* ESP time escalado para competição, torneio etc.; seleção

escrevente (es.cre.ven.te) *adj.2g.s.2g.* **1** (profissional) que copia o que outro escreveu ou ditou; escriturário **2** DIR em cartórios, diz-se de ou funcionário subordinado ao titular; ajudante de escrivão

escrever (es.cre.ver) *v.* {mod. 8} *t.d.* **1** representar por sinais gráficos (pensamento, ideia etc.); redigir <*e. uma mensagem*> **2** riscar sobre uma superfície (palavras, frases, letras, caracteres etc.) <*escreveu 'eu te amo' na agenda*> **3** inscrever, gravar <*e. uma frase na lápide*> □ *t.d. e int.* **4** criar (obra escrita); redigir, compor <*e. um romance*> <*costuma e. diariamente*> □ *int.* **5** ser escritor <*mudou-se para o campo para e.*> □ *t.i. e t.d.i.* **6** (prep. *a, para*) enviar (carta, bilhete etc.) a <*escreveu algumas linhas para o aniversariante*> ◉ GRAM/USO part.: *escrito*

escrevinhar (es.cre.vi.nhar) *v.* {mod. 1} *t.d. e int.* **1** escrever (tolices, coisas sem interesse) por incapacidade ou por brincadeira <*escrevinha bobagens a manhã toda*> <*ele vive lendo e escrevinhando*> □ *int.* **2** escrever mal as letras; rabiscar ~ **escrevinhador** *s.m.*

escriba (es.cri.ba) *s.m.* **1** profissional que copiava manuscritos ou escrevia textos ditados; copista ■ *s.2g.* **2** *infrm.* aquele que escreve mal; escrevinhador

escrínio (es.crí.nio) *s.m.* **1** porta-joias **2** escrivaninha

escrita (es.cri.ta) *s.f.* **1** ato de escrever ou o seu efeito **2** representação do pensamento e de palavras por meio de sinais gráficos **3** alfabeto <*e. chinesa*> **4** sistema de símbolos gráficos ou de outra natureza us. para representar algo <*e. musical*> **5** caligrafia **6** *fig. infrm.* o que constitui ou aparenta constituir uma rotina <*o time quer quebrar a e. de perder fora de casa*>

escrito (es.cri.to) *adj.s.m.* **1** (o) que está expresso pela escrita <*literatura e.*> <*entregou seus e. a uma editora*> ↺ oral ■ *s.m.* **2** comunicação feita por meio de escrita; bilhete ◉ GRAM/USO part. de *escrever*

escritor (es.cri.tor) /ô/ [pl.: *-es*] *adj.s.m.* autor de obras literárias, científicas etc.

escritório (es.cri.tó.rio) *s.m.* **1** cômodo destinado ao trabalho intelectual; gabinete **2** sala ou conjunto de salas em que se administram negócios, se recebem clientes etc.

escritura (es.cri.tu.ra) *s.f.* **1** documento escrito de um ato jurídico <*a e. de compra de um imóvel*> **2** método de traçar ou desenhar os caracteres; escrita **3** REL a Bíblia ☞ nesta acp., inicial maiúsc.; mais us. no pl. ~ **escriturístico** *adj.*

escriturar (es.cri.tu.rar) *v.* {mod. 1} *t.d.* **1** anotar de modo organizado, sistemático (contas comerciais) **2** escrever ou lavrar (documento autêntico) <*e. um contrato*> **3** fazer a escritura de

escriturário (es.cri.tu.rá.rio) *s.m.* **1** auxiliar de escritório **2** escrevente **3** DIR o encarregado da escrituração de registros ou expediente em repartição pública

escrivaninha (es.cri.va.ni.nha) *s.f.* móvel apropriado para escrever ou para atividades de escritório; secretária

escrivão (es.cri.vão) [pl.: *-ães*; fem.: *escrivã*] *s.m.* DIR titular de cartório ou ofício que escreve ou subscreve autos, termos de processo, atas e outros documentos de fé pública

escroque (es.cro.que) *s.m.* quem usa de meios fraudulentos para se apropriar de bens alheios

escrotidão (es.cro.ti.dão) [pl.: *-ões*] *s.f. B gros.* palavra que se usa para descrever maus comportamentos ou atitudes, tais como o egoísmo, a desonestidade, a presunção, a covardia, a violência etc., ou para falar de algumas características, como a feiura

escroto (es.cro.to) /ô/ *s.m.* ANAT **1** bolsa que contém os testículos e os canais chamados *epidídimos* ■ *adj. B gros.* **2** que tem má qualidade ou má aparência; reles, mal-ajambrado <*uma roupa e.*> ■ *adj.s.m. B gros.* **3** que ou quem é mau, não confiável, mesquinho, mal-educado, negligente, egoísta etc. ~ **escrotal** *adj.2g*

escrúpulo (es.crú.pu.lo) *s.m.* senso moral <*era um homem sem e.*>

escrupuloso (es.cru.pu.lo.so) /ô/ [pl. e fem.: /ó/] *adj.* **1** que tem escrúpulos; exigente, rigoroso <*e. em excesso, pensava demais antes de agir*> ↺ irresponsável **2** que é atento a detalhes; cuidadoso, meticuloso <*era um indivíduo e. no trato de seus negócios*> ↺ desleixado ~ **escrupulosidade** *s.f.*

escrutar (es.cru.tar) *v.* {mod. 1} *t.d.* investigar com cuidado e em detalhes

escrutinar (es.cru.ti.nar) *v.* {mod. 1} *t.d. e int.* **1** verificar, apurar (votos, números, resultados de uma votação) □ *t.d.* **2** examinar com atenção e minúcia, a fim de descobrir, perceber, conhecer; esquadrinhar <*o candidato escrutinou a atuação dos adversários*> ~ **escrutinação** *s.f.* - **escrutinador** *adj.s.m.*

escrutínio (es.cru.tí.nio) *s.m.* **1** votação em que se utiliza urna **2** urna na qual os votos são recolhidos **3** apuração dos votos **4** exame minucioso

escudar (es.cu.dar) *v.* {mod. 1} *t.d. e pron.* **1** proteger (-se) com escudo □ *t.d. e t.d.i.* **2** (prep. *contra*) defender, proteger (de ameaça, perigo) <*não podia e. aquelas ideias*> <*escudava o rapaz contra possíveis agressões*> □ *pron.* **3** (prep. *em*) encontrar apoio em; respaldar-se <*escudara-se nos textos do professor*>

escudeiro (es.cu.dei.ro) *s.m.* **1** na Idade Média, pajem que acompanhava um cavaleiro e carregava seu escudo **2** *fig.* aquele que acompanha e protege alguém <*era o fiel e. de sua irmã caçula*>

escuderia (es.cu.de.ri.a) *s.f.* organização proprietária de carros de corrida que possui equipe de pilotos e de técnicos para trabalhar com esses veículos <*trabalhava para uma e. italiana*>

escudo (es.cu.do) *s.m.* **1** arma de defesa, presa ao braço, us. contra golpes de lança e espada **2** *fig.* proteção, defesa <*sua família era seu e.*> **3** peça em que se representam armas nacionais, municipais, clubes, agremiações etc. ou brasões de nobreza <*trazia na carteira o e. de seu time*> **4** moeda de Portugal (até 1º de janeiro de 2002) ☞ cf. *euro*

esculachar (es.cu.la.char) *v.* {mod. 1} *t.d.* **1** bater em; espancar, surrar ↺ apanhar **2** tratar de modo deselegante, rude; maltratar <*esculachou a equipe visitante*> **3** repreender ou censurar de modo áspero, rude **4** tornar ridículo; desmoralizar, avacalhar <*e. o discurso do adversário*> ↺ respeitar **5** causar danos a; destruir <*e. o trabalho do grupo*> ~ **esculacho** *s.m.*

esculhambação (es.cu.lham.ba.ção) [pl.: *-ões*] *s.f. infrm.* **1** repreensão ou censura rude **2** estado de desordem; confusão, bagunça <*aquela sala era uma e.*> ↺ organização

esculhambar (es.cu.lham.bar) *v.* {mod. 1} *t.d.* **1** repreender ou criticar de modo rude, ofensivo <*o crítico esculhambou a peça*> **2** deixar desordenado; desarrumar <*esculhambaram a casa dos amigos*> ↺ arrumar **3** causar dano a; estragar <*esculhambou o motor com a freada brusca*> ↺ consertar

esculpir (es.cul.pir) *v.* {mod. 24} *t.d. e t.d.i.* **1** (prep. *em*) gravar (figura, ornamento etc.) em pedra, madeira, argila etc. <*esculpia rostos (em mármore)*> **2** *fig.* deixar marcado; imprimir <*aquele gesto esculpiu sua memória*> <*o sofrimento esculpira um ar cansado em seu rosto*> □ *int.* **3** ser escultor <*aos 20 anos começou a e.*>

escultor (es.cul.tor) /ô/ [pl.: *-es*] *s.m.* artista que faz esculturas

escultura (es.cul.tu.ra) *s.f.* **1** ART.PLÁST obra de arte em madeira, pedra, metal etc., em três dimensões **2** ART.PLÁST a arte de esculpir **3** *fig.* pessoa ou coisa de formas perfeitas ou de grande beleza

escultural (es.cul.tu.ral) [pl.: *-ais*] *adj.2g.* **1** de escultura **2** de formas ideais, perfeitas <*corpo e.*>

escuma (es.cu.ma) *s.f.* **1** espuma ('conjunto de bolhas') **2** ralé

escumadeira (es.cu.ma.dei.ra) ou **espumadeira** (es.pu.ma.dei.ra) *s.f.* concha rasa com orifícios e cabo longo, us. para retirar espuma dos líquidos

escumilha (es.cu.mi.lha) *s.f.* **1** tecido fino e transparente, de lã ou seda **2** chumbo miúdo us. para caçar pássaros

escuna (es.cu.na) *s.f.* MAR embarcação de dois mastros

escuras (es.cu.ras) *s.f.pl.* ▸ usado em: **às e.** **1** sem luz <*com a chuva, a casa ficou às e.*> **2** sem conhecimento do assunto <*sem as informações da equipe, prosseguia às e.*> **3** de forma oculta <*não se pode confiar nele, só age às e.*>

escurecer (es.cu.re.cer) *v.* {mod. 8} *t.d.,int. e pron.* **1** (fazer) ficar sem luz ou com menos luz <*apagou todas as luzes para e. a sala*> <*o quarto escureceu(-se)*> ↺ iluminar(-se) **2** tornar(-se) nublado; anuviar(-se) <*a nuvem negra escureceu a tarde*> <*a vista escureceu-se*> ↺ clarear(-se) **3** tornar(-se) escuro; enegrecer(-se) <*a tinta escureceu seus cabelos*> <*o anel de prata escureceu(-se)*> □ *int.* **4** cair a noite; anoitecer ☞ nesta acp., é impessoal, exceto quando fig. ◉ GRAM/USO part.: *escurecido, escuro*; ver QUADRO DE PARTICÍPIOS DUPLOS nas pp. iniciais ~ **escurecimento** *s.m.*

escuridão (es.cu.ri.dão) [pl.: *-ões*] *s.f.* **1** ausência de luz; escuro, pretume <*embrenhou-se na e. da mata*> ↺ claridade **2** *fig.* grande tristeza <*após a derrota, o super-herói perdia-se na e. de sua alma*> ↺ alegria **3** *fig.* ignorância <*não se informava, vivia em total e.*> ↺ conhecimento

escuro (es.cu.ro) *s.m.* **1** escuridão ↺ claridade ■ *adj.s.m.* **2** (lugar) com pouca ou nenhuma luz <*sala e.*> <*ler no e.*> **3** (indivíduo) negro, mulato ou amulatado ■ *adj.* **4** de cor negra ou semelhante a ela <*casaco e.*> ↺ claro **5** *fig.* triste, melancólico <*uma época e.*> ↺ alegre **6** *fig.* sombrio, tenebroso <*possuía uma mente e.*> ~ **escurecimento** *s.m.*

escusa (es.cu.sa) *s.f.* **1** ato ou efeito de escusar(-se) **2** desculpa, evasiva

escusar (es.cu.sar) *v.* {mod. 1} *t.d.* **1** perdoar, desculpar <*e. uma falha, uma pessoa*> **2** tornar dispensável; prescindir <*para dizer o que queria, escusou qualquer introdução*> □ *t.d. e pron.* **3** servir(-se) de justificativa; explicar(-se) <*o engarrafamento escusa o seu atraso*> <*escusou-se, alegando a perna quebrada*> □ *pron.* **4** pedir desculpas, perdão <*não foi convincente ao escusar-se*> **5** (prep. *a*) recusar-se, negar-se <*escusava-se a dar explicações*> ↺ dispor-se ◉ GRAM/USO part.: *escusado, escuso*; ver QUADRO DE PARTICÍPIOS DUPLOS nas pp. iniciais ~ **escusatório** *s.m.*

escuso (es.cu.so) *adj.* **1** escondido, oculto ↺ visível **2** suspeito, misterioso <*negócios e.*> ↺ legítimo

escuta (es.cu.ta) *s.f.* **1** ação de escutar <*a e. era dificultada pelas interferências*> **2** lugar onde se escuta <*o som sai pela e. do aparelho*> ▣ **e. telefônica** sistema eletrônico pelo qual se ouvem e/ou gravam, de forma clandestina, conversas telefônicas

escutar (es.cu.tar) *v.* {mod. 1} *t.d. e int.* **1** estar consciente do que ouve <*o pai fala, o filho só escuta*> <*a criança escutava o barulho do mar e sorria*> **2** perceber pelo sentido da audição; ouvir <*escutou a campainha*> <*fale mais alto, ele não escuta muito bem*> □ *t.d.* **3** dar atenção a <*e. as queixas*> <*e. os conselhos dos pais*>

esdrúxulo (es.drú.xu.lo) *adj. infrm.* fora dos padrões; esquisito, extravagante <*roupas e.*> ↺ normal, ordinário

esfacelar (es.fa.ce.lar) *v.* {mod. 1} *t.d. e pron.* **1** fazer(-se) em pedaços; destruir(-se) <*a batida esfacelou o carro*> <*o barco esfacelou-se nas rochas*> **2** (fazer) ter gangrena; gangrenar(-se) <*e. a mão ferida*> <*o ferimento esfacelou-se*> □ *pron. fig.* **3** deteriorar-se, desfazer-se (instituições, privilégios etc.) <*o sistema de saúde esfacelou-se*> ~ **esfacelamento** *s.m.*

esfaimado (es.fai.ma.do) *adj.* esfomeado, faminto ↺ satisfeito

esfalfar (es.fal.far) *v.* {mod. 1} *t.d. e pron.* cansar(-se) muito; extenuar(-se) <*a lavoura esfalfa os trabalhadores*> <*esfalfou-se correndo*> ↺ descansar ~ **esfalfação** *s.f.* - **esfalfamento** *s.m.* - **esfalfante** *adj.2g.*

esfaquear (es.fa.que.ar) *v.* {mod. 5} *t.d.* dar golpe(s) de faca em ~ **esfaqueamento** *s.m.*

E

esfarelar (es.fa.re.lar) *v.* {mod. 1} *t.d. e pron.* **1** reduzir(-se) a farelos, migalhas; esfarinhar(-se) *<esfarelou o bolo com os dedos> <as páginas do livro esfarelaram-se>* □ *t.d. fig.* **2** fazer em pedaços; esfacelar *<queria e. o crânio do inimigo>* ~ **esfarelamento** *s.m.*

esfarelento (es.fa.re.len.to) *adj.* **1** que esfarela fácil **2** de aspecto semelhante ao do farelo

esfarrapado (es.far.ra.pa.do) *adj.* **1** reduzido a farrapos; rasgado *<camisola e.>* **2** *B* que não tem lógica ou não parece provável *<desculpa e.>* ■ *adj.s.m.* **3** que(m) tem as roupas em farrapos

esfarrapar (es.far.ra.par) *v.* {mod. 1} *t.d. e pron.* **1** reduzir(-se) a farrapos; rasgar(-se) *<a máquina de lavar esfarrapou a saia> <o lençol, com o uso, esfarrapou-se>* □ *t.d.* **2** fazer rasgos em; cortar *<e. uma toalha>*

esfenoide (es.fe.noi.de) /ói/ *s.m.* ANAT osso situado na base do crânio ~ **esfenoidal** *adj.2g.*

esfera (es.fe.ra) *s.f.* **1** GEOM sólido formado por uma superfície fechada, cujos pontos estão a uma mesma distância de um ponto central em seu interior **2** corpo sólido completamente redondo em toda sua extensão; bola, globo **3** setor em que se exerce determinada atividade; área *<tem grande influência na e. das artes>* **4** meio social *<conhecia bem sua e. de relações>* ~ **esfericidade** *s.f.*

esférico (es.fé.ri.co) *adj.* que tem forma de esfera

esferográfica (es.fe.ro.grá.fi.ca) *s.f.* caneta cuja ponta é uma pequena esfera de metal que gira em todas as direções

esfiapar (es.fi.a.par) *v.* {mod. 1} *t.d.,int. e pron.* reduzir (-se) a fiapos; desfiar(-se) *<o arame farpado esfiapou sua camisa> <o tecido esfiapou(-se) com o tempo>*

esfíncter (es.fínc.ter) [pl.: *esfíncteres* ou *esfinctéres*] *s.m.* ANAT estrutura muscular que fecha e abre orifícios ou canais do corpo *<e. anal>* ~ **esfincteral** *adj.2g.* - **esfinctérico** *adj.*

esfinge (es.fin.ge) *s.f.* **1** MIT figura com cabeça humana e corpo de leão, que devorava os viajantes que não decifravam seus enigmas **2** *fig.* pessoa enigmática ~ **esfingético** *adj.* - **esfíngico** *adj.*

esfirra (es.fir.ra) *s.f.* CUL *B* espécie de pastel de forno recheado de carne moída, queijo ou verdura temperada

esfoguear (es.fo.gue.ar) *v.* {mod. 5} *t.d. e pron.* afoguear

esfola (es.fo.la) *s.f.* esfoladura

esfoladela (es.fo.la.de.la) *s.f.* esfoladura

esfolado (es.fo.la.do) *adj.* **1** que se arranhou; escoriado *<joelho e.>* **2** que teve a pele arrancada **3** *fig.* zangado, furioso **4** *fig. CE* ousado, sem-vergonha ■ *s.m.* **5** boneco em três dimensões e sem pele, us. para estudo da anatomia humana

esfoladura (es.fo.la.du.ra) *s.f.* **1** retirada da pele ou do couro *<depois da e., levou o coelho para a panela>* **2** ferida de raspão; arranhão *<o menino caiu da mesa e ficou com uma e. no braço>*

esfolar (es.fo.lar) *v.* {mod. 1} *t.d.* **1** tirar a pele de *<e. um animal>* **2** *fig. infrm.* cobrar preços abusivos a *<aquele supermercado esfolava sua clientela>* □ *t.d. e pron.* **3** ferir(-se) superficialmente na pele; arranhar (-se) *<e. o braço> <caiu da bicicleta e esfolou-se todo>* ~ **esfolador** *adj.s.m.* - **esfolamento** *s.m.*

esfolhada (es.fo.lha.da) *s.f.* ação de tirar ou perder folhas ou pétalas; desfolhação

esfoliar (es.fo.li.ar) *v.* {mod. 1} *t.d.* separar por lâminas ou escamas a superfície de *<e. a pele>* ~ **esfoliação** *s.f.* - **esfoliativo** *adj.*

esfomeado (es.fo.me.a.do) *adj.s.m.* que(m) tem muita fome ↺ inapetente

esfomear (es.fo.me.ar) *v.* {mod. 5} *t.d.* **1** provocar fome em *<a caminhada esfomeou os rapazes>* **2** provocar grande apetite em *<a torta esfomeou o garoto>* **3** privar de alimento, causando fome em *<e. um preso como castigo>*

esforçado (es.for.ça.do) *adj.s.m.* **1** (aquele) que demonstra grande dedicação e energia na realização de suas tarefas **2** *pej.* (aquele) que, apesar de pouco inteligente ou apto, esforça-se para realizar suas tarefas de forma satisfatória

esforçar (es.for.çar) *v.* {mod. 1} *t.d.* **1** pôr força, vigor em *<esforçou a voz, mas desafinou>* ↺ enfraquecer □ *t.d. e pron.* **2** encher(-se) de coragem; animar(-se) *<procurou e. o amigo, tentando tirá-lo do desânimo> <era um homem que não se esforçava>* ↺ desanimar (-se) □ *pron.* **3** (prep. *para*) aplicar o máximo de capacidade, energia, força em; empenhar-se *<esforçava-se para encontrar uma saída> <ela não se esforçou o suficiente para passar de ano>*

esforço (es.for.ço) /ô/ [pl.: /ó/] *s.m.* **1** intensificação de força, atividade, vontade *<fez e. para arrombar a porta> <foi com e. que conseguiu o emprego>* **2** empenho, zelo *<fizeram grandes e. para recuperar as casas abandonadas>* ↺ descuido **3** coragem, valentia *<enfrentou o agressor com grande e.>* ↺ covardia

esfrangalhar (es.fran.ga.lhar) *v.* {mod. 1} *t.d. e pron.* reduzir(-se) a frangalhos; rasgar(-se), esfarrapar(-se)

esfrega (es.fre.ga) *s.f.* **1** esfregação **2** repreensão severa, descompostura *<passou uma e. no filho por mentir>* ↺ elogio **3** surra ('espancamento') **4** trabalho cansativo

esfregão (es.fre.gão) [pl.: *-ões*] *s.m.* pano, esponja etc., us. para esfregar

esfregar (es.fre.gar) *v.* {mod. 1} *t.d. e t.d.i.* **1** (prep. *em*) passar diversas vezes um corpo sobre (outro), estando aquele ou ambos em movimento, para dar calor, lustrar, limpar etc.; friccionar, roçar *<e. os olhos, e. o chão> <e. uma mão na outra>* □ *pron.* **2** *gros.* roçar-se com volúpia, desejo ~ **esfregação** *s.f.*

esfriar (es.fri.ar) *v.* {mod. 1} *t.d.,int. e pron.* **1** (fazer) ficar com baixa temperatura *<o ar gelado esfriou a sopa> <o tempo esfriou> <esfriaram-se as folhas>* ↺ esquentar, aquecer(-se) **2** *fig.* tornar(-se) insensível; empedernir(-se) *<o sofrimento esfriara seu coração> <sentiu que seu coração esfriava(-se)>* ↺ sensibilizar (-se) **3** *fig.* (fazer) perder o ânimo, a intensidade; desanimar(-se) *<a resposta negativa da mulher esfriou seu ardor> <sentindo a tarefa além de suas forças, esfriou(-se)>* ↺ animar(-se) ~ **esfriamento** *s.m.*

esfumaçar (es.fu.ma.çar) *v.* {mod. 1} *t.d.* **1** espalhar fumaça em *<esfumaçaram o palco>* **2** enegrecer com fumaça *<o fogão esfumaçou a parede>* **3** secar (alimento) expondo à fumaça; defumar **4** pintar, dando aparência de fumaça *<e. o ruge>* □ *pron.* **5** desaparecer, sumir *<esfumaçou-se no mundo>*

esfumar (es.fu.mar) *v.* {mod. 1} *t.d.* **1** desenhar com carvão ou esfuminho *<ele sabia e. um quadro>* **2** escurecer com fumo ou fumaça; esfumaçar □ *pron. fig.* **3** sumir pouco a pouco; desfazer-se *<certas lembranças se esfumam com facilidade>* ~ **esfumação** *s.f.*

esfuminho (es.fu.mi.nho) *s.m.* ART.PLÁST rolo de pelica, papel ou feltro us. para atenuar o contraste de cor de desenhos a lápis ou a carvão

esfuziante (es.fu.zi.an.te) *adj.2g.* **1** que esfuzia ou sibila *<vento e.>* **2** radiante, cheio de alegria *<menina e.>* ↺ desgostoso

esfuziar (es.fu.zi.ar) *v.* {mod. 1} *int.* **1** zunir como balas num tiroteio **2** soprar com força (o vento) □ *t.d. fig.* **3** lançar, atirar *<e. um comentário irônico>*

esgalgado (es.gal.ga.do) *adj.* **1** esguio como um galgo ↺ corpulento **2** comprido e estreito

esgalhar (es.ga.lhar) *v.* {mod. 1} *int. e pron.* **1** espalhar-se em ramos, galhos *<as árvores esgalham(-se)>* □ *t.d.* **2** retirar os galhos, ramos de (planta); desgalhar *<resolveram e. as árvores da rua>*

esganado (es.ga.na.do) *adj.* **1** que sofreu estrangulamento **2** apegado a dinheiro; sovina ↺ esbanjador **3** que come muito; comilão, esfomeado

esganar (es.ga.nar) *v.* {mod. 1} *t.d.* matar por sufocação, apertando o pescoço de; estrangular

esganiçar (es.ga.ni.çar) *v.* {mod. 1} *t.d.* **1** tornar (a voz) estridente, como um ganido de cão *<esganiçava a voz quando brigava com as crianças>* □ *pron.* **2** cantar ou falar alto e em tom agudo *<esganiçou-se para alcançar a nota>* ~ **esganiçado** *adj.* - **esganiçamento** *s.m.*

esgar (es.gar) [pl.: *-es*] *s.m.* careta, trejeito do rosto

esgaravatador (es.ga.ra.va.ta.dor) /ô/ [pl.: *-es*] *adj.s.m.* **1** (palito) us. para limpar os dentes **2** (instrumento) us. para remexer brasas no fogo **3** (instrumento) us. para limpar armas

esgaravatar (es.ga.ra.va.tar) ou **esgravatar** (es.gra.va.tar) *v.* {mod. 1} *t.d.* **1** limpar com dedo, palito (nariz, dentes, ouvidos) *<esgaravatava os dentes ainda na mesa de jantar>* **2** remexer ou avivar com o esgaravatador ('instrumento') *<e. as cinzas da lareira>*

esgarçar (es.gar.çar) *v.* {mod. 1} *t.d.,int. e pron.* **1** rasgar(-se) [o tecido] pelo afastamento dos fios; desfiar(-se) *<esgarçou o lenço ao esticá-lo> <a fronha esgarçou(-se)>* □ *int. e pron.* **2** reduzir-se a fragmentos; desfazer-se *<sobre a montanha, as nuvens esgarçavam(-se)>*

esgarrar (es.gar.rar) *v.* {mod. 1} *int. e pron.* **1** desviar-se do rumo, do caminho (esp. embarcação) *<sem que esperassem, o navio esgarrou(-se)>* **2** seguir o mau caminho, agindo mal; corromper-se *<ia bem na vida, de repente esgarrou(-se)>* ↺ regenerar-se □ *t.i.* **3** (prep. *de*) desviar-se, separar-se *<e. da manada>*

esgazear (es.ga.ze.ar) *v.* {mod. 5} *t.d.* **1** dar (ao olhar) expressão inquieta ou de loucura, ger. virando os olhos para mostrar apenas a parte branca **2** ART.PLÁST deixar desbotada (a cor de um quadro)

esgoelar (es.go.e.lar) *v.* {mod. 1} *t.d.,int. e pron.* **1** falar muito alto; gritar *<esgoelava palavrões em plena rua> <pare de e.(-se) à toa>* □ *t.d.* **2** esganar, estrangular ~ **esgoelamento** *s.m.*

esgotamento (es.go.ta.men.to) *s.m.* **1** ato ou efeito de esgotar(-se) **2** grande cansaço; exaustão ↺ disposição, força

esgotar (es.go.tar) *v.* {mod. 1} *t.d.,int. e pron.* **1** tirar ou esvaziar(-se) até a última gota; secar(-se) *<e. a água de uma cisterna> <a fonte esgotou(-se)>* **2** gastar(-se) inteiramente; exaurir(-se) *<e. o solo> <as reservas econômicas do país esgotaram(-se)>* **3** vender ou distribuir (algo) até a última peça *<e. os ingressos para o cinema> <a edição esgotou(-se)>* **4** tornar(-se) exausto; extenuar(-se) *<e. as forças> <esse trabalho esgota> <esgotou-se de tanto fazer exercícios>* ↺ descansar □ *t.d.* **5** tratar a fundo (tema, questão etc.) *<depois de duas horas esgotaram o assunto>* □ *pron.* **6** chegar ao fim; terminar *<o tempo de jogo esgotou-se>* ~ **esgotável** *adj.2g.*

esgoto (es.go.to) /ô/ *s.m.* **1** cano ou abertura pela qual se escoam líquidos ou dejetos **2** canalização subterrânea para recolher e escoar a água da chuva, resíduos líquidos e dejetos

esgravatar (es.gra.va.tar) *v.* → ***ESGARAVATAR***

esgrima (es.gri.ma) *s.f.* ESP arte de manejar armas brancas (florete, espada, sabre etc.) ~ **esgrimista** *s.2g.*

esgrimir (es.gri.mir) *v.* {mod. 24} *t.d. e int.* **1** praticar a esgrima com (espada, florete, sabre etc.) *<os irmãos esgrimiam muito bem (os seus floretes)>* □ *t.i.* **2** (prep. *contra*) travar combate contra; lutar *<e. contra a corrupção>* ↺ defender

esgueirar (es.guei.rar) *v.* {mod. 1} *pron.* **1** (prep. *de, para, por*) sair ou afastar-se com cuidado, sem ser visto; escapulir *<a mulher esgueirou-se pela porta lateral>* □ *t.d.* **2** desviar com cautela, discrição *<e. o olhar>*

esguelha (es.gue.lha) /ê/ *s.f.* través, viés ▣ **de e.** de lado, de soslaio *<olhou de e. para o rapaz e saiu>*

esguichar (es.gui.char) *v.* {mod. 1} *t.d. e int.* expelir ou sair com força (líquido) por abertura estreita; jorrar *<a torneira esguicha água> <o sangue esguichou>* ~ **esguichada** *s.f.* - **esguichamento** *s.m.*

esguicho (es.gui.cho) *s.m.* **1** ação de esguichar ou seu efeito **2** jato de um líquido *<e. de água, de tinta>* **3** peça em mangueira ou tubo para fazer esguichar um líquido

esguio (es.gui.o) *adj.* **1** longo e estreito *<o relógio tinha ponteiros e.>* **2** alto e magro; esbelto *<garota e.>* ↺ atarracado

eslavo (es.la.vo) *s.m.* **1** indivíduo dos eslavos, antigo grupo de povos da Europa central e oriental, cujos descendentes atuais incluem russos, poloneses, tchecos, eslovacos, búlgaros etc. **2** LING conjunto de línguas faladas por esses povos ■ *adj.* **3** relativo a esse indivíduo, esses povos ou essas línguas ~ **eslávico** *adj.*

esmaecer (es.ma.e.cer) *v.* {mod. 8} *int.* **1** perder a cor; desbotar *<as cores do tapete não esmaeciam>* **2** perder a luminosidade; apagar-se *<a luz do corredor esmaecia devagar>* **3** perder o vigor; enfraquecer *<após tantos anos, as recordações já esmaeciam>* ↺ fortalecer, avivar-se **4** desmaiar, desfalecer *<tonto, foi esmaecendo aos poucos e, afinal, caiu>*

esmaecimento (es.ma.e.ci.men.to) *s.m.* **1** perda da cor, da luminosidade ↺ brilho **2** enfraquecimento ↺ fortalecimento **3** desmaio

E

esmagador (es.ma.ga.dor) /ô/ [pl.: *-es*] *adj.s.m.* **1** (o) que esmaga ■ *adj.* **2** que oprime; tirânico *<um regime político e.>* **3** que não admite contestação; que não se discute *<argumentos e.>* ↺ contestável

esmagar (es.ma.gar) *v.* {mod. 1} *t.d.* **1** deformar por compressão ou choque, a ponto de achatar ou arrebentar *<e. uvas para fazer vinho> <esmagou a boneca de pano da prima>* **2** *fig.* destruir ou anular por completo *<e. uma rebelião>* **3** *fig.* provocar ansiedade, angústia; afligir *<a emoção o esmagava>* **4** *fig.* conseguir grande vitória ou vantagem sobre; triunfar *<esmagamos o outro time>* **5** *fig.* dominar com brutalidade, autoritarismo; oprimir *<no decorrer da história houve impérios que esmagaram países>* ~ **esmagamento** *s.m.*

esmaltação (es.mal.ta.ção) [pl.: *-ões*] *s.f.* esmaltagem

esmaltagem (es.mal.ta.gem) [pl.: *-ens*] *s.f.* aplicação de verniz

esmaltar (es.mal.tar) *v.* {mod. 1} *t.d.* **1** cobrir ou ornar de esmalte *<esmaltou as unhas> <e. panelas>* □ *t.d. e pron.* **2** enfeitar(-se), adornar(-se) **3** assumir várias cores; matizar(-se) ~ **esmaltado** *adj.* - **esmaltador** *adj.s.m.*

esmalte (es.mal.te) *s.m.* **1** substância líquida, transparente ou de cor opaca, que, depois de seca, dá aspecto brilhante à superfície em que foi aplicada **2** a camada mais externa dos dentes ☞ cf. *dentina*

esmeralda (es.me.ral.da) *s.f.* **1** pedra preciosa de cor verde ■ *adj.2g.2n.* **2** que tem essa cor *<casaco e.>* **3** diz-se dessa cor *<blusa de cor e.>*

esmeraldino (es.me.ral.di.no) *adj.* da cor da esmeralda

esmerar (es.me.rar) *v.* {mod. 1} *t.d.* **1** mostrar esmero em; apurar, aperfeiçoar *<e. a técnica de pintura>* ↺ descuidar □ *pron.* **2** (prep. *em, para, por*) aplicar-se para fazer o melhor; caprichar *<esmerava-se para fazer uma boa prova>*

esmeril (es.me.ril) [pl.: *-is*] *s.m.* **1** pedra us. para afiar lâminas **2** substância abrasiva us. para polir metais, pedras preciosas etc.

esmerilar (es.me.ri.lar) ou **esmerilhar** (es.me.ri.lhar) *v.* {mod. 1} *t.d.* **1** polir com esmeril **2** tornar fosco, usando o esmeril **3** fazer pesquisa, investigação *<tiveram de e. o assunto antes de dar a aula>* **4** aperfeiçoar, apurar *<e. sua técnica de violão>* ~ **esmerilação/esmerilhação** *s.f.*

esmero (es.me.ro) /ê/ *s.m.* **1** grande cuidado em qualquer tarefa *<vestiu-se com muito e.>* ↺ descuido **2** apuro, perfeição *<era evidente o e. do trabalho>* ↺ desleixo

esmigalhar (es.mi.ga.lhar) *v.* {mod. 1} *t.d. e pron.* **1** reduzir(-se) a migalhas; esfarelar(-se) *<e. o pão> <deixou cair o pacote e os biscoitos esmigalharam-se>* **2** reduzir(-se) a fragmentos; despedaçar(-se) *<e. um prato> <o vidro esmigalhou-se com a pancada>* □ *t.d.* **3** comprimir até achatar; esmagar

esmiuçamento (es.mi.u.ça.men.to) *s.m.* **1** quebra em pequenos pedaços **2** *fig.* análise ou explicação detalhada

esmiuçar (es.mi.u.çar) *v.* {mod. 2} *t.d.* **1** desfazer em pedaços miúdos; fragmentar *<esmiuçou a empada à procura de uma azeitona>* **2** transformar em pó; pulverizar *<esmiuçou os biscoitos e misturou com manteiga>* **3** analisar profundamente; esquadrinhar *<o repórter esmiuçou a vida da atriz>* □ *t.d.i.* **4** (prep. *a, para*) explicar em detalhes; destrinchar *<esmiuçou o texto para os alunos>*

esmo (es.mo) /ê/ *s.m.* cálculo sem rigor, apenas aproximado ▣ **a e. 1** ao acaso *<andou a e.>* **2** sem fundamento *<falava a e.>*

esmola (es.mo.la) *s.f.* o que se dá aos necessitados para ajudá-los; caridade

esmolambado (es.mo.lam.ba.do) *adj.s.m.* que(m) está em molambos, em farrapos; maltrapilho

esmolar (es.mo.lar) *v.* {mod. 1} *t.d.,t.d.i. e int.* (prep. *a, para*) dar ou pedir esmola (a) *<esmolou (aos mais pobres) tudo que tinha> <ninguém deveria precisar e. para viver>*

esmorecer (es.mo.re.cer) *v.* {mod. 8} *t.d. e int.* **1** (fazer) ficar sem ânimo, sem forças; enfraquecer, desanimar *<a derrota esmoreceu a equipe> <lutou sem e.>* ↺ fortalecer, animar □ *int.* **2** diminuir de intensidade (luz, cores, som etc.) *<o brilho inicial esmoreceu> <de tanto ficar ao sol, as cores da tela esmoreceram>* ↺ intensificar-se **3** perder os sentidos; desmaiar *<esmoreceu de repente>*

esmorecimento (es.mo.re.ci.men.to) *s.m.* **1** desalento, desânimo ↺ vigor **2** desmaio **3** perda de brilho ↺ luminosidade

esmurrar (es.mur.rar) *v.* {mod. 1} *t.d.* **1** dar murros em; espancar *<com raiva, esmurrou a parede>* **2** *fig.* golpear, maltratar

esnobar (es.no.bar) *v.* {mod. 1} *int.* **1** agir com esnobismo □ *t.d.* **2** mostrar menosprezo por; depreciar, desprezar *<esnobou os fãs e entrou rápido no carro>* ↺ valorizar ~ **esnobação** *s.f.*

esnobe (es.no.be) *adj.2g.* **1** em que há esnobismo *<esquecer dos velhos amigos foi uma atitude e.>* ↺ humilde ■ *adj.2g.s.2g.* **2** que(m) demonstra esnobismo *<era uma mulher e.> <o clube era frequentado por esnobes>*

esnobismo (es.no.bis.mo) *s.m.* atitude de quem despreza os mais humildes ou assume ares de superioridade em relação a tudo

esofagiano (e.so.fa.gi.a.no) *adj.* referente ou pertencente ao esôfago

esofagite (e.so.fa.gi.te) *s.f.* MED inflamação do esôfago

esôfago (e.sô.fa.go) *s.m.* ANAT canal formado por músculos e membranas que liga a faringe ao estômago ~ **esofágico** *adj.*

esotérico (e.so.té.ri.co) *adj.* **1** que é ensinado apenas aos iniciados **2** que se baseia ou acredita em fenômenos sobrenaturais *<crenças e.> <pessoa e.>* **3** *fig.* compreensível apenas por poucos *<um fato e.>* ☞ cf. *exotérico*

esoterismo (e.so.te.ris.mo) *s.m.* **1** atitude doutrinária segundo a qual certos conhecimentos só devem ser comunicados a um pequeno número de iniciados **2** doutrina ou prática baseada em fenômenos sobrenaturais **3** *fig.* caráter de uma obra enigmática ☞ cf. *exoterismo*

espaçar (es.pa.çar) *v.* {mod. 1} *t.d.* **1** criar espaços entre; intervalar *<espaçou as cadeiras da sala>* **2** impor adiamento a; retardar *<e. uma resolução>* ↺ antecipar **3** tornar menos frequente; rarear *<e. as visitas>* ↺ amiudar ~ **espaçamento** *s.m.*

espacejar (es.pa.ce.jar) *v.* {mod. 1} *t.d.* abrir espaço entre (esp. letras, palavras, linhas) ~ **espacejamento** *s.m.*

espacial (es.pa.ci.al) [pl.: *-ais*] *adj.2g.* que existe no espaço ou que se estende pelo espaço *<nave e.>*

espaço (es.pa.ço) *s.m.* **1** distância entre dois pontos ou duas linhas **2** extensão limitada em uma, duas ou três dimensões *<o e. da cozinha era pequeno> <não há e. para todos no auditório>* **3** a extensão que compreende o sistema solar, as galáxias, as estrelas; o Universo **4** cabimento, oportunidade *<não havia e. ali para aquele tipo de comportamento>* **5** período ou intervalo de tempo *<não se viram por um e. de dois anos>* ▣ **e. aéreo 1** DIR espaço acima de uma nação e considerado como de sua jurisdição; aeroespaço **2** AER em um país, o espaço destinado ao lançamento e controle de mísseis, foguetes e satélites artificiais; aeroespaço

espaçonave (es.pa.ço.na.ve) *s.f.* nave us. em viagens pelo cosmos; nave espacial

espaçoso (es.pa.ço.so) /ô/ [pl. e fem.: /ó/] *adj.* **1** que tem muito espaço; amplo, extenso *<apartamento e.>* ↺ pequeno **2** *B infrm.* que não respeita os limites entre as pessoas, que usa o que é alheio como se fosse seu; abusado *<que rapaz e.!>*

espaçotemporal (es.pa.ço.tem.po.ral) [pl.: *-ais*] *adj.2g.* relativo a espaço e tempo

espada (es.pa.da) *s.f.* **1** arma branca com lâmina comprida, pontiaguda e dotada de uma pequena empunhadura ▼ ***espadas*** *s.f.pl.* **2** RECR um dos quatro naipes do baralho, representado por uma figura preta em forma de ponta de lança ◉ GRAM/USO aum.irreg.: *espadagão*; dim.irreg.: *espadim*

espadachim (es.pa.da.chim) [pl.: *-ins*] *s.m.* **1** aquele que luta com espada **2** *fig.* aquele que briga muito; valentão ↺ covarde

espada-de-são-jorge (es.pa.da-de-são-jor.ge) [pl.: *espadas-de-são-jorge*] *s.f.* BOT planta ornamental de folhas verdes longas com faixas amarelas e flores aromáticas

espadana (es.pa.da.na) *s.f.* **1** objeto em forma de espada **2** labareda, língua de fogo **3** nadadeira de peixe

espadaúdo (es.pa.da.ú.do) *adj.* que tem ombros largos

espádua (es.pá.dua) *s.f.* ANAT *infrm.* **1** escápula **2** ombro

espaguete (es.pa.gue.te) *s.m.* macarrão de fio fino sem furo

espairecer (es.pai.re.cer) *v.* {mod. 8} *t.d.,t.d.i.,int. e pron.* (prep. *de, em, por*) livrar(-se) de preocupação, repousando a mente; distrair(-se) *<queria viajar para e. a cabeça (das preocupações)> <e. a vista numa bela paisagem> <andava pelo bosque para e.(-se)>* ~ **espairecimento** *s.m.*

espaldar (es.pal.dar) [pl.: *-es*] *s.m.* as costas da cadeira, sofá etc.; encosto

espalhafato (es.pa.lha.fa.to) *s.m.* **1** estardalhaço *<fez o maior e. ao ver os jogadores>* ↺ calma **2** ostentação exagerada *<qual o motivo de tanto e.?>* ↺ discrição

espalhafatoso (es.pa.lha.fa.to.so) /ô/ [pl. e fem.: /ó/] *adj.* **1** que faz espalhafato ↺ silencioso **2** que chama a atenção pelas atitudes sem moderação ↺ discreto

espalhar (es.pa.lhar) *v.* {mod. 1} *t.d. e pron.* **1** lançar (-se) em várias direções; dispersar(-se) *<o vento espalhou a poeira> <o prato caiu e a comida se espalhou pelo chão>* ↺ concentrar(-se) **2** tornar(-se) público; propagar(-se) *<e. um boato> <a notícia espalhou-se>* □ *t.d. e t.d.i.* **3** (prep. *em*) fazer alastrar, expandir-se; proliferar *<a epidemia espalhou o medo (no povo)>* □ *pron. fig.* **4** pôr-se à vontade *<e.-se na cama>* ~ **espalhado** *adj.*

espalmar (es.pal.mar) *v.* {mod. 1} *t.d.* **1** abrir (a mão) estendendo os dedos **2** tornar plano e aberto; alisar *<e. a massa para pôr o recheio>* **3** estender, abrir (p.ex., as asas) ↺ encolher **4** segurar ou aparar na palma da mão *<o goleiro espalmou a bola>*

espanador (es.pa.na.dor) /ô/ [pl.: *-es*] *s.m.* utensílio com penas ou tiras de pano macio presas num cabo, us. para espanar

espanar (es.pa.nar) *v.* {mod. 1} *t.d.* tirar o pó de ~ **espanação** *s.f.* - **espanadela** *s.f.*

espancar (es.pan.car) *v.* {mod. 1} *t.d.* dar pancadas em; surrar, bater ↺ apanhar ~ **espancamento** *s.m.*

espanhol (es.pa.nhol) [pl.: *-óis*] *adj.* **1** da Espanha ■ *s.m.* **2** natural ou habitante desse país **3** LING a língua espanhola

espantadiço (es.pan.ta.di.ço) *adj.* que se espanta com facilidade

espantado (es.pan.ta.do) *adj.* **1** que se espantou ou assustou *<ficaram e. com o barulho dos fogos>* **2** que se surpreendeu ou se admirou com algo *<estava e. com o talento da sobrinha>* **3** *B infrm.* que chama a atenção pelo excesso; berrante, chamativo *<aquele casaco tinha uma cor muito e.>*

espantalho (es.pan.ta.lho) *s.m.* **1** objeto, ger. boneco, us. para espantar aves que atacam as plantações **2** *fig.* pessoa malvestida

espantar (es.pan.tar) *v.* {mod. 1} *t.d. e pron.* **1** (fazer) sentir medo; assustar(-se) *<o trovão espantou as crianças> <espantou-se ao ver a sombra do cachorro>* **2** encher(-se) de admiração, surpresa; surpreender(-se) *<espanta-o a coragem do amigo> <espantou-se com o tamanho do livro>* □ *t.d.* **3** pôr para longe; afugentar, enxotar *<e. o sono, e. as visitas>*

espanto (es.pan.to) *s.m.* **1** susto, medo **2** acontecimento surpreendente *<seu sucesso causou e. na turma>*

espantoso (es.pan.to.so) /ô/ [pl. e fem.: /ó/] *adj.* **1** que assusta *<uma notícia e.>* **2** que causa admiração *<o dinheiro arrecadado foi e.>* **3** que causa estranheza *<fecharem o clube foi uma decisão e.>*

esparadrapo (es.pa.ra.dra.po) *s.m.* tira com uma face aderente us. para proteger e segurar curativos

espargir (es.par.gir) ou **esparzir** (es.par.zir) *v.* {mod. 24} *t.d. e t.d.i.* (prep. *sobre*) espalhar em gotículas (um líquido); borrifar, salpicar *<e. água (sobre as plantas)>* ◉ GRAM/USO part. de *espargir*: *espargido*, *esparso*; ver QUADRO DE PARTICÍPIOS DUPLOS nas pp. iniciais

esparramar (es.par.ra.mar) *v.* {mod. 1} *t.d.,t.d.i.,int. e pron.* **1** (prep. *em, por, sobre*) lançar(-se) em várias direções; espalhar(-se) *<e. os livros (sobre a mesa)> <a multidão (se) esparramava pela praça>* ↺ concentrar (-se) □ *t.d.,t.d.i. e pron.* **2** (prep. *em, por, sobre*) entornar, derramar *<e. sopa (na mesa)> <o balde virou e a água esparramou-se>* □ *pron.* **3** cair estendido, deitado; estatelar-se **4** *B infrm.* pôr-se à vontade, em atitude largada; espalhar-se *<e.-se no sofá>* ~ **esparramação** *s.f.*

esparrame (es.par.ra.me) ou **esparramo** (es.par.ra.mo) *s.m.* **1** dispersão ↺ concentração **2** exagero *<preparou um e. de comida>* **3** confusão ↺ ordem

esparrela (es.par.re.la) *s.f.* **1** uma armadilha de caça **2** *fig.* cilada, ardil *<armar uma e. para alguém>* ▣ **cair na e.** deixar-se enganar

esparso (es.par.so) *adj.* **1** solto, disperso *<nuvens e.>* ↺ concentrado **2** *fig.* que foi divulgado; vulgarizado *<ideias e.>* ◉ GRAM/USO part. de *espargir*

E

espartano (es.par.ta.no) *adj.* **1** de Esparta (Grécia) **2** *fig.* austero, rigoroso (como os antigos cidadãos de Esparta) *<vivia em um regime e.>* ↺ indulgente ■ *s.m.* **3** natural ou habitante daquela cidade grega

espartilho (es.par.ti.lho) *s.m.* VEST cinta feminina us. para comprimir e modelar a cintura

esparzir (es.par.zir) *v.* → *ESPARGIR*

espasmo (es.pas.mo) *s.m.* MED contração involuntária de um ou vários músculos ↺ relaxamento

espasmódico (es.pas.mó.di.co) *adj.* que tem características de um espasmo *<dores e.>* *<movimentos e.>*

espatifar (es.pa.ti.far) *v.* {mod. 1} *t.d. e pron.* **1** reduzir(-se) a fragmentos; despedaçar(-se) *<espatifou o vaso>* *<o barco espatifou-se nas pedras>* □ *pron.* **2** levar um tombo; estatelar-se *<tropeçou e espatifou-se na escada>*

espátula (es.pá.tu.la) *s.f.* **1** instrumento com extremidade larga e achatada, us. para amassar, espalhar massa, raspar etc. *<usou uma e. para alisar a massa do bolo>* **2** faca sem fio, us. para abrir envelopes, folhas de livro etc.

espaventar (es.pa.ven.tar) *v.* {mod. 1} *t.d. e pron.* **1** (fazer) levar um susto; espantar(-se) *<o assobio espaventou a caça>* *<os pássaros espaventaram-se>* □ *pron.* **2** ostentar luxo, pompa; engalanar-se *<vive com conforto sem e.-se>* *<espaventou-se para a festa>* **3** demonstrar orgulho; envaidecer-se *<espaventou-se todo com o sucesso do filho>*

espavento (es.pa.ven.to) *s.m.* **1** espanto **2** ostentação ↺ discrição

espaventoso (es.pa.ven.to.so) /ô/ [pl. e fem.: /ó/] *adj.* **1** que assusta **2** que chama a atenção; espalhafatoso ↺ discreto **3** cheio de orgulho ↺ humilde

espavorir (es.pa.vo.rir) *v.* {mod. 24} *t.d. e pron.* (fazer) sentir medo, pavor; aterrorizar(-se) *<o tiroteio espavoriu os moradores>* *<os animais espavoriram-se com o som forte do canhão>* ◉ GRAM/USO verbo defectivo

especar (es.pe.car) *v.* {mod. 1} *t.d.* **1** sustentar com espeque; escorar *<e. o telhado, a barraca>* □ *t.d. e pron.* **2** (fazer) ter firmeza, estabilidade, dividindo o peso com; apoiar(-se) *<e. o corpo no muro>* *<e.-se na parede>* □ *int. e pron.* **3** parar de repente; estacar *<o cavalo especou(-se) de repente>* ↺ mover-se

especial (es.pe.ci.al) [pl.: *-ais*] *adj.2g.* **1** que tem função, propósito ou aplicação particular *<atendimento e. para gestantes>* **2** exclusivo para determinado indivíduo ou grupo *<ônibus e.>* *<cheque e.>* ↺ ordinário **3** fora do comum, excelente *<recebemos tratamento e.>* ↺ corriqueiro

especialidade (es.pe.ci.a.li.da.de) *s.f.* **1** característica do que é especial **2** comida que destaca alguém ou algum lugar *<a e. da casa são os peixes>* **3** ramo profissional; interesse particular *<sua e. é a pediatria>*

especialista (es.pe.ci.a.lis.ta) *adj.2g.s.2g.* **1** que(m) possui habilidade ou conhecimento especial num assunto ou numa atividade *<contrataram um (técnico) e. para refazer a instalação elétrica>* ↺ leigo **2** *infrm.* pessoa que repete determinado modo de agir *<era e. em comentários indiscretos>*

especialização (es.pe.ci.a.li.za.ção) [pl.: *-ões*] *s.f.* **1** ação, processo ou efeito de especializar(-se) **2** atividade, profissão, ramo do conhecimento que uma pessoa domina *<e. em literatura>*

especializar (es.pe.ci.a.li.zar) *v.* {mod. 1} *t.d. e pron.* **1** tornar(-se) especial; distinguir(-se) *<o que o especializa é a maneira como combina as cores>* ↺ banalizar(-se) □ *pron.* **2** (prep. *em*) tornar-se especialista *<especializou-se em oftalmologia>* **~ especializado** *adj.*

especialmente (es.pe.ci.al.men.te) *adv.* **1** em particular, de modo especial; principalmente, sobretudo *<gosto e. de bananas>* **2** de modo específico; especificamente *<falou e. sobre seu último livro>* **3** de modo incomum *<ela é e. inteligente>*

especiaria (es.pe.ci.a.ri.a) *s.f.* CUL substância vegetal com propriedades aromáticas us. na culinária (p.ex., canela, cravo, pimenta-do-reino etc.)

espécie (es.pé.cie) *s.f.* **1** classe de seres ou coisas de mesma natureza *<objetos da mesma e.>* **2** caso particular de algo genérico; tipo, variedade *<celular é uma e. de telefone portátil>* **3** BIO categoria taxonômica abaixo do gênero, cujos indivíduos têm estruturas semelhantes entre si e com seus progenitores e se cruzam gerando descendentes férteis ▣ **causar e.** surpreender *<o novo filme causou e.>* • **em e.** em dinheiro vivo *<pagar em e.>*

especificação (es.pe.ci.fi.ca.ção) [pl.: *-ões*] *s.f.* descrição minuciosa

especificamente (es.pe.ci.fi.ca.men.te) *adv.* de modo específico, em particular; especialmente, exclusivamente *<sala destinada e. para leitura>*

especificar (es.pe.ci.fi.car) *v.* {mod. 1} *t.d.* **1** determinar a espécie de; classificar *<o pesquisador especificou a planta coletada>* **2** ser o traço específico de; caracterizar *<o cabelo verde especifica esse personagem>* **3** indicar com exatidão; precisar *<ela não especificou que tecido devo comprar>* **4** descrever ou explicar com minúcias; detalhar *<e. todos os casos utilizados como exemplos>* **5** dar instruções minuciosas e precisas; esclarecer, informar *<e. o que os candidatos devem fazer>*

especificativo (es.pe.ci.fi.ca.ti.vo) *adj.* que especifica ou contém especificação

específico (es.pe.cí.fi.co) *adj.* **1** próprio de uma espécie *<latir é característica e. dos cães>* ↺ genérico **2** restrito a um caso; exclusivo, particular *<solução e. para este problema>* ↺ geral **~ especificidade** *s.f.*

espécime (es.pé.ci.me) ou **espécimen** (es.pé.ci.men) [pl.: *espécimens* e *especímenes*] *s.m.* **1** BIO qualquer indivíduo de uma espécie **2** exemplo, amostra

especioso (es.pe.ci.o.so) /ô/ [pl. e fem.: /ó/] *adj.* **1** de aparência falsa; ilusório, enganador *<argumentos e.>* **2** belo, formoso *<moças e.>* ↺ feio **~ especiosidade** *s.f.*

espectador (es.pec.ta.dor) /ô/ [pl.: *-es*] *s.m.* **1** quem assiste a um espetáculo **2** quem presencia um fato; testemunha ☞ cf. *expectador* ◉ COL plateia, público

espectro (es.pec.tro) *s.m.* **1** fantasma **2** recordação obsessiva *<o e. do passado>* **3** FÍS conjunto das ondas de diferentes tamanhos que compõem uma radiação composta ⊡ **e. solar** imagem com as cores do arco--íris resultante da decomposição da luz solar através de um prisma

especulação (es.pe.cu.la.ção) [pl.: *-ões*] *s.f.* **1** estudo teórico; conjectura *<e. filosófica>* **2** ECON transação financeira que busca lucros altos com as oscilações do mercado

[1]**especular** (es.pe.cu.lar) *v.* {mod. 1} *t.i. e int.* **1** (prep. *sobre*) estudar em detalhes, do ponto de vista teórico; pesquisar *<depois de muito especular (sobre a cura da doença), os cientistas desenvolveram uma vacina>* □ *t.d.* **2** buscar informações sobre; pesquisar *<e. preços>* **3** pensar sobre (algo) sem base em fatos concretos *<especulam se ela fugiu de casa>* □ *t.i.* **4** (prep. *sobre*) buscar entender pela razão; refletir *<e. sobre uma questão>* **5** ECON (prep. *com*) negociar para lucrar com as oscilações do mercado *<e. com papéis da dívida pública>* □ *int.* **6** *pej.* prender-se à teoria, sem atuar na prática *<enquanto uns especulam, outros preferem agir>* ◉ ORIGEM do lat. *speculāre* 'observar do alto, seguir com os olhos'

[2]**especular** (es.pe.cu.lar) [pl.: *-es*] *adj.2g.* **1** de ou com espelho(s) **2** que reflete como um espelho *<superfície e.>* **3** invertido como a imagem do espelho *<movimento e.>* ◉ ORIGEM do lat. *speculāris,e* 'do espelho, transparente'

especulativo (es.pe.cu.la.ti.vo) *adj.* **1** que investiga teoricamente *<trabalho e.>* ↺ prático **2** que busca o conhecimento *<mente e.>* **3** ECON com caráter de especulação comercial ou financeira

espéculo (es.pé.cu.lo) *s.m.* MED instrumento que dilata cavidades do corpo (vagina, ânus etc.) para serem examinadas

espedaçar (es.pe.da.çar) *v.* {mod. 1} *t.d. e pron.* despedaçar

espeleologia (es.pe.le.o.lo.gi.a) *s.f.* exploração e estudo de grutas e cavernas ~ **espeleológico** *adj.* - **espeleologista** *adj.2g.s.2g.* - **espeleólogo** *s.m.*

espelhar (es.pe.lhar) *v.* {mod. 1} *t.d.* **1** refletir como um espelho *<a janela espelhou seu rosto>* **2** polir, lustrar *<e. a prata>* **3** revestir com espelhos □ *pron.* **4** ficar refletido em espelho ou algo semelhante *<a Lua espelhava-se no rio>* **5** *fig.* (prep. *em*) tomar como exemplo; inspirar-se *<espelha-se no irmão mais velho>* ~ **espelhamento** *s.m.*

espelho (es.pe.lho) /ê/ *s.m.* **1** FÍS superfície polida que reflete a luz **2** vidro polido metalizado que reflete a luz e a imagem das coisas e pessoas *<passa batom sem se olhar no e.>* **3** *fig.* parcela representativa de algo; amostra *<estes jovens são o e. da sua geração>* ~ **espelharia** *s.f.*

espelunca (es.pe.lun.ca) *s.f.* lugar mal frequentado, sujo, sem conforto *<almoçava numa e.>*

espeque (es.pe.que) *s.m.* **1** peça com que se escora algo **2** *fig.* apoio, amparo ↺ desamparo

espera (es.pe.ra) *s.f.* **1** ato de esperar ou seu efeito *<a e. foi longa>* **2** demora, atraso *<quer a resposta agora, sem e.>* ↺ antecipação **3** esperança, expectativa **4** *p.ext.* tocaia *<ficaram à e. toda a noite>*

espera-marido (es.pe.ra-ma.ri.do) [pl.: *espera-maridos*] *s.m.* CUL *B* doce de ovos com calda de açúcar queimado

esperança (es.pe.ran.ça) *s.f.* **1** sentimento de possível realização daquilo que se deseja *<nunca perca as e.>* ↺ desesperança **2** confiança; fé *<tinha e. de que conseguiria comprar a casa>* ↺ descrença **3** aquilo ou aquele de que se espera algo *<sem a chave, o porteiro era nossa e. de entrar no prédio>* **4** REL segunda das três virtudes teologais, pela qual o cristão espera que Deus lhe conceda a felicidade eterna e procura os meios de alcançá-la ☞ cf. *fé* e *caridade* **5** ZOO denominação de certos insetos de cor verde, como o grilo

esperançar (es.pe.ran.çar) *v.* {mod. 1} *t.d. e pron.* (fazer) ter esperança; animar(-se) *<a chegada do avião esperançou as vítimas da enchente>* *<quando passava uma nuvem, os agricultores esperançavam-se em vão>* ↺ desanimar(-se) ~ **esperançado** *adj.s.m.*

esperançoso (es.pe.ran.ço.so) /ô/ [pl. e fem.: /ó/] *adj.s.m.* **1** que(m) tem esperança **2** (o) que dá esperança

esperantista (es.pe.ran.tis.ta) *adj.2g.* **1** referente a esperanto ■ *adj.2g.s.2g.* **2** falante de e/ou especialista em esperanto

esperanto (es.pe.ran.to) *s.m.* língua artificial, criada (1887) para ser us. como língua de comunicação internacional

esperar (es.pe.rar) *v.* {mod. 1} *t.d.,t.i. e int.* **1** (prep. *em, por*) não agir, mover-se etc. até acontecer algo que se tem por certo, provável, desejável; aguardar *<e. a volta do filho para sair>* *<esperou (por) horas>* ↺ desistir **2** (prep. *em*) ter esperança (em); contar, confiar *<e. um milagre>* *<e. em Deus>* *<coragem, é preciso e.>* □ *t.d. e t.i.* **3** (prep. *por*) contar com a realização de; torcer *<espero que fique bom>* *<e. pela recuperação do pai>* □ *t.d.* **4** estar destinado a; reservar-se *<bom futuro o espera>* **5** considerar provável; supor *<não esperava essa reação>* **6** ser gestante *<ela espera gêmeos>*

esperdiçar (es.per.di.çar) *v.* {mod. 1} *t.d.* desperdiçar *<não se deve e. comida>*

esperma (es.per.ma) *s.m.* líquido que contém os espermatozoides e é produzido pelas glândulas reprodutoras masculinas; sêmen

espermacete (es.per.ma.ce.te) *s.m.* QUÍM gordura extraída da cabeça de baleias, us. em cremes, velas, cosméticos etc.

espermático (es.per.má.ti.co) *adj.* **1** relativo a esperma **2** relativo a espermatozoide **3** relativo a semente

espermatozoide (es.per.ma.to.zoi.de) /ói/ *s.m.* BIO célula reprodutora masculina ~ **espermatozoico** *adj.*

espermicida (es.per.mi.ci.da) *adj.2g.s.m.* FARM (substância) que destrói espermatozoides

espernear (es.per.ne.ar) *v.* {mod. 5} *int.* **1** agitar repetida e violentamente as pernas *<ergueu o menino, que esperneava>* □ *t.i. e int.* **2** (prep. *contra*) opor-se a; reclamar *<todos espernearam contra a venda da empresa>* *<não adianta e., vai ter de fazer os deveres>*

esperneio (es.per.nei.o) *s.m.* **1** agitação violenta das pernas **2** *fig.* insubordinação, reclamação

espertalhão (es.per.ta.lhão) [pl.: *-ões*] *adj.s.m.* *pej.* que(m) age por meios pouco honestos

E

E

esperteza (es.per.te.za) /ê/ *s.f.* **1** característica de quem é esperto **2** ação ou método de quem é esperto **3** ação desonesta para conseguir algo; astúcia, malandragem

esperto (es.per.to) *adj.* **1** desperto ↺ adormecido **2** que percebe tudo; atento, vigilante *<bebê e.>* ↺ desatento **3** *fig.* perspicaz, inteligente *<era um aluno e., mas preguiçoso>* ↺ tolo **4** que age com rapidez e eficiência ■ *adj.s.m.* **5** espertalhão ☞ cf. *experto*

espessar (es.pes.sar) *v.* {mod. 1} *t.d.,int. e pron.* **1** tornar(-se) espesso, grosso; encorpar *<e. o creme> <o mingau espessou(-se) de repente>* ↺ rarefazer(-se) **2** tornar(-se) denso, compacto, maciço *<o mato espessa ali na frente> <a vegetação espessou(-se)>* **3** tornar(-se) volumoso, basto *<e. a barba> <seus cabelos espessaram (-se) durante a gravidez>* ~ **espessamento** *s.m.*

espesso (es.pes.so) /ê/ *adj.* **1** que tem espessura considerável; grosso *<vidro e.>* ↺ fino **2** que tem consistência pastosa *<molho e.>* ↺ ralo **3** de grande densidade, volumoso *<cabeleira e.>* ↺ escasso ~ **espessidão** *s.f.*

espessura (es.pes.su.ra) *s.f.* **1** característica do que é espesso; grossura *<veja a e. dessa tábua>* **2** medida de grossura *<a parede tem 20 centímetros de e.>* **3** consistência *<a e. do xarope>* **4** ajuntamento que forma um todo compacto

espetacular (es.pe.ta.cu.lar) [pl.: *-es*] *adj.2g.* **1** relativo a espetáculo *<a fala e. da atriz foi aplaudida pelo público>* ↺ discreto **2** *B infrm.* ótimo, sensacional *<um gol e.>* ↺ péssimo

espetáculo (es.pe.tá.cu.lo) *s.m.* **1** aquilo que chama e prende a atenção **2** qualquer apresentação pública, p.ex., de teatro, canto, dança *<e. circense>* **3** *B infrm.* algo mais interessante, bom, bonito e/ou vistoso do que o habitual *<o jogo foi um e.>* **4** *p.ext. infrm.* cena escandalosa *<a discussão virou um e.>*

espetaculoso (es.pe.ta.cu.lo.so) /ô/ [pl. e fem.: /ó/] *adj.* **1** que chama muito a atenção; espalhafatoso *<a decoração da sala era e.>* ↺ sóbrio **2** que tem pompa, aparato; grandioso *<um casamento e.>* ↺ discreto **3** dado a cenas ridículas, escandalosas *<família e.>* ↺ comedido ~ **espetaculosidade** *s.f.*

espetada (es.pe.ta.da) *s.f.* golpe dado com espeto ou outro objeto perfurante

espetar (es.pe.tar) *v.* {mod. 1} *t.d. e t.d.i.* **1** (prep. *em*) introduzir ponta afiada de (algo) em; enfiar, cravar *<e. estacas (no canteiro)> <e. a faca no inimigo>* **2** (prep. *em*) prender ou pendurar com alfinete, grampo etc. *<quem espetou este aviso aqui?> <espetou uma flor no cabelo>* □ *t.d.* **3** enfiar, trespassar *<e. a carne>* **4** pegar com espeto ou similar *<e. um bolinho>* **5** *MA* deixar de comparecer a *<espetou a aula hoje>* □ *t.d. e pron.* **6** ferir(-se) com algo pontiagudo *<espetou-se com a agulha>* □ *t.d. e int.* **7** causar dor ou incômodo na pele; pinicar *<esse tecido espeta (o corpo)>* □ *int. e pron. infrm.* **8** tornar-se duro e com tendência a ficar na vertical; eriçar(-se) *<o pelo do cachorro espetou(-se) todo>* ~ **espetadela** *s.f.*

espetinho (es.pe.ti.nho) *s.m.* **1** espeto pequeno **2** CUL série de cubos de carne, queijo etc., enfiados numa haste e assados; brochete

espeto (es.pe.to) /ê/ *s.m.* **1** haste fina e pontiaguda, de metal ou madeira, us. para assar carnes, peixes etc. **2** *p.ext.* pessoa alta e magra **3** *fig. infrm.* chatice, contratempo *<esse menino é um e., não para de reclamar>*

espevitar (es.pe.vi.tar) *v.* {mod. 1} *t.d.* **1** cortar ou puxar (pavio, mecha etc.), para avivar a chama **2** *fig.* estimular, avivar (pessoas, sentimentos etc.) *<e. a memória>* □ *pron.* **3** tornar-se petulante; atrever-se *<se a turma se e. muito, deixe todos de castigo>* **4** ficar agressivo; exaltar-se *<espevitou-se toda quando o pai a proibiu de sair>* □ *t.d. e pron. B infrm.* **5** (fazer) ficar irrequieto, animado; assanhar(-se) *<o barulho espevitou o menino que quase dormia> <espevitou-se com a passagem do bloco carnavalesco>* ↺ acalmar(-se)

espezinhar (es.pe.zi.nhar) *v.* {mod. 1} *t.d.* **1** pisar repetidamente; pisotear *<e. as plantas>* **2** *fig.* tratar com desprezo e/ou com crueldade ~ **espezinhamento** *s.m.*

[1]**espia** (es.pi.a) *s.2g.* **1** espião **2** vigia ◉ ORIGEM do it. *spia* 'id.'

[2]**espia** (es.pi.a) *s.f.* MAR cabo us. para amarrar uma embarcação a outra, ao cais, a uma boia etc. ◉ ORIGEM regr. de [2]*espiar*

espiada (es.pi.a.da) *s.f.* ação de espiar; olhada *<dê uma e. no feijão, por favor>*

espiadela (es.pi.a.de.la) *s.f.* olhada rápida; espiada *<deu uma e. no jornal e saiu>*

espião (es.pi.ão) [pl.: *-ões*; fem.: *espiã*] *s.m.* **1** pessoa que vigia secretamente algo ou alguém **2** pessoa encarregada de missão secreta; agente secreto ■ *adj.* **3** que faz espionagem

[1]**espiar** (es.pi.ar) *v.* {mod. 1} *t.d.* **1** observar às escondidas; espreitar *<por trás da porta, os meninos espiavam (o palhaço)>* **2** observar em segredo para obter informações; espionar **3** *B* olhar, ver *<gosta de ficar espiando as pessoas que passam na rua>* ☞ cf. *expiar* ◉ ORIGEM duv., talvez do gót. *spaíhôn*

[2]**espiar** (es.pi.ar) *v.* {mod. 1} *t.d.* prender (ferro, navio) com espia ('cabo') ☞ cf. *expiar* ◉ ORIGEM duv.,talvez do ing. (to) *spin* 'tecer, fiar'

espicaçar (es.pi.ca.çar) *v.* {mod. 1} *t.d.* **1** bicar várias vezes e em muitos lugares *<o galo espicaçou o pato>* **2** *p.ext.* furar repetidamente *<e. o pernil para temperá-lo>* **3** *fig.* despertar, estimular *<seu ar misterioso espicaçou nossa curiosidade>* **4** impor mágoa, sofrimento a; afligir ~ **espicaçamento** *s.m.*

espichar (es.pi.char) *v.* {mod. 1} *t.d.* **1** tornar mais longo; alongar *<e. um elástico>* ↺ encurtar **2** estender, esticar (corda, fio etc.) □ *t.d. e int.* **3** (fazer) perder as ondulações; alisar *<e. os cabelos> <tinha cabelos encaracolados, depois eles espicharam>* ↺ encrespar (-se) □ *int.* **4** ficar mais alto; crescer *<como esse menino espichou!>* **5** *infrm.* morrer □ *pron.* **6** deitar relaxadamente; refestelar-se *<e.-se no sofá>*

espiciforme (es.pi.ci.for.me) *adj.2g.* BOT em forma de espiga

espiga (es.pi.ga) *s.f.* **1** BOT no milho, arroz, trigo etc., o final da haste, que contém os grãos **2** BOT tipo de inflorescência em que as flores cobrem um eixo central **3** *fig. infrm.* aborrecimento, maçada ↺ divertimento **4** *fig. infrm.* adversidade, contratempo *<que e., a oficina está fechada>* ↺ vantagem

espigão (es.pi.gão) [pl.: *-ões*] *s.m.* **1** haste pontiaguda **2** parte mais elevada de uma serra ou de um muro **3** ARQ ângulo formado pelo encontro das águas do telhado **4** *infrm.* arranha-céu

espigar (es.pi.gar) *v.* {mod. 1} *t.d. e int.* **1** (fazer) criar espigas (milho, trigo) *<a chuva que caiu espigou o milho> <o trigo já espigou>* **2** *infrm.* (fazer) crescer, ficar alto *<a alimentação reforçada espigou o rapaz> <a garota espigou de repente>*

espigueiro (es.pi.guei.ro) *s.m.* local para guardar espigas de milho

espinafração (es.pi.na.fra.ção) [pl.: *-ões*] *s.f.* repreensão severa, descompostura

espinafrar (es.pi.na.frar) *v.* {mod. 1} *t.d. B infrm.* **1** repreender de modo severo, duro *<quando soube da reprovação, espinafrou o neto>* **2** falar muito mal de; criticar, desmoralizar *<o crítico espinafrou o espetáculo>*

espinafre (es.pi.na.fre) *s.m.* BOT planta nativa da Ásia, de folhas comestíveis, rica em ferro

espinescente (es.pi.nes.cen.te) *adj.2g.* BOT que toma forma ou apresenta espinho(s) *<caule e.>*

espingarda (es.pin.gar.da) *s.f.* arma de fogo de cano longo, com uma coronha que se apoia no ombro; rifle

espinha (es.pi.nha) *s.f.* **1** ANAT coluna vertebral **2** osso fino dos peixes **3** MED erupção na pele, esp. no rosto **4** *fig. infrm.* dificuldade, embaraço ↺ ajuda ▣ **e. dorsal** **1** ANAT coluna vertebral **2** *fig.* ideia central de algo, o núcleo

espinhaço (es.pi.nha.ço) *s.m.* **1** coluna vertebral *<o gado estava tão magro que se via seu e.>* **2** *p.ext. infrm.* costas, dorso *<carregava a mala no e.>* **3** GEO cordilheira

espinhal (es.pi.nhal) [pl.: *-ais*] *adj.2g.* referente ou semelhante à espinha vertebral

espinhar (es.pi.nhar) *v.* {mod. 1} *t.d. e pron.* **1** ferir (-se) ou picar(-se) com espinho *<enquanto brincavam espinhou a irmã> <espinhou-se todo no mato>* **2** *fig. infrm.* (fazer) ficar irritado; zangar(-se) *<nossas brincadeiras espinhavam o pobre homem> <espinhou-se com as piadas>* □ *t.d. e int.* **3** causar leve dor ou incômodo na pele (de); pinicar *<a grama está espinhando nossos pés> <esta lã espinha>*

espinheiro (es.pi.nhei.ro) *s.m.* BOT arbusto espinhoso nativo da Amazônia cujos frutos, folhas e casca têm uso medicinal e como condimento

espinhento (es.pi.nhen.to) *adj.* **1** que tem espinhos ou espinhas *<grama e.> <rosto e.>* **2** que espeta *<cobertor e.>*

espinho (es.pi.nho) *s.m.* **1** BOT estrutura vegetal dura e pontiaguda que resulta da modificação de um ramo, folha, raiz etc., a qual, se arrancada, destrói o tecido subjacente ☞ cf. *acúleo* **2** ANAT ZOO cerda que reveste o corpo de alguns animais, como o ouriço-do-mar ou o porco-espinho **3** *infrm.* situação difícil, embaraçosa

espinhoso (es.pi.nho.so) /ô/ [pl. e fem.: /ó/] *adj.* **1** coberto de espinhos *<caule e.>* **2** *fig.* difícil, árduo *<foi uma tarefa e.>* ↺ fácil **3** embaraçoso, constrangedor

espiniforme (es.pi.ni.for.me) *adj.2g.* que tem forma de espinho

espinotear (es.pi.no.te.ar) *v.* {mod. 5} *int.* **1** dar pinotes *<este cavalo espinoteia muito>* **2** agitar pernas e braços; debater-se *<ao entrar na piscina a criança começou a e.>* **3** externar revolta ou raiva; esbravejar *<estavam espinoteando em vão>*

espionagem (es.pi.o.na.gem) [pl.: *-ens*] *s.f.* **1** ato de espionar ou seu efeito **2** atividade de espião

espionar (es.pi.o.nar) *v.* {mod. 1} *t.d.* **1** vigiar secretamente, como espião, para colher informações sobre *<e. os inimigos>* **2** *p.ext.* observar às escondidas; vigiar *<e. os namorados> <e. treinamento do time adversário>*

espira (es.pi.ra) *s.f.* cada volta da espiral ou da rosca do parafuso

espiral (es.pi.ral) [pl.: *-ais*] *s.f.* **1** linha curva que circula um ponto, afastando-se (ou aproximando-se) gradualmente dele **2** qualquer forma que lembre uma espiral *<espirais de fumaça>* **3** cada volta da espiral; espira **4** *fig.* processo ascendente difícil ou impossível de deter *<e. inflacionária>* ■ *adj.2g.* **5** da espiral ou que tem a forma da espiral

E

espiralar (es.pi.ra.lar) *v.* {mod. 1} *t.d.,int. e pron.* (fazer) tomar forma de espiral *<e. um arame> <o caule espiralou(-se)>* ~ **espiralado** *adj.*

espirilo (es.pi.ri.lo) *s.m.* BIO bactéria alongada e espiralada

espírita (es.pí.ri.ta) *adj.2g.* **1** referente ao espiritismo ■ *adj.2g.s.2g.* REL **2** que(m) é adepto ou pratica espiritismo; espiritista

espiriteira (es.pi.ri.tei.ra) *s.f. B* espécie de lamparina a álcool

espiritismo (es.pi.ri.tis.mo) *s.m.* REL doutrina religiosa baseada na imortalidade da alma, na reencarnação e na transmissão de ensinamentos por espíritos mais aprimorados de pessoas mortas, que se comunicam com os vivos esp. através dos médiuns

espiritista (es.pi.ri.tis.ta) *adj.2g.s.2g.* REL espírita

espírito (es.pí.ri.to) *s.m.* **1** REL parte imaterial do ser humano; alma ↺ matéria, carne **2** REL para o espiritismo, parte imaterial do ser que viveu na Terra ou em outros mundos, fora do seu envoltório material **3** ser imaterial, fantasma **4** mente, pensamento *<estaremos aí em e.>* **5** traço, característica, índole *<o e. da época> <e. empreendedor>* **6** sentido, significado *<não entender o e. da coisa>* **7** bebida alcoólica ▣ **e. de porco** *B infrm.* quem atrapalha ou piora uma situação, às vezes de propósito • **e. esportivo** virtude de quem sabe perder e é elegante ao ganhar; esportiva *<perdeu, mas manteve o e. esportivo e parabenizou o adversário>* • **E. Santo** REL na doutrina cristã, terceira pessoa da Trindade, entendida como aquele que procede eternamente do Pai para o Filho, e do Filho para o Pai

espírito-santense (es.pí.ri.to-san.ten.se) [pl.: *espírito-santenses*] *adj.2g.* **1** do Espírito Santo ■ *s.2g.* **2** natural ou habitante desse estado

espiritual (es.pi.ri.tu.al) [pl.: *-ais*] *adj.2g.* **1** próprio do espírito **2** semelhante ao espírito; imaterial ↺ material **3** sobrenatural, místico ↺ terreno

espiritualidade (es.pi.ri.tu.a.li.da.de) *s.f.* **1** característica do que tem ou revela atividade religiosa ou mística; religiosidade ↺ materialismo **2** comportamento de alguém ou de algo devotado aos valores e prazeres não materiais; vida espiritual

espiritualismo (es.pi.ri.tu.a.lis.mo) *s.m.* FIL doutrina que considera o espírito como manifestação real, superior e anterior à matéria

espiritualista (es.pi.ri.tu.a.lis.ta) *adj.2g.* **1** relativo a espiritualismo ■ *adj.2g.s.2g.* **2** que(m) crê no espiritualismo

espiritualizar (es.pi.ri.tu.a.li.zar) *v.* {mod. 1} *t.d. e pron.* **1** converter(-se) em espírito ↺ materializar(-se) **2** despir(-se) do que é material, assumindo feição espiritual, elevada *<e. os sentimentos> <seu amor espiritualizou-se>* ◻ *t.d.* **3** atribuir espírito, alma a *<e. as árvores, os fenômenos naturais>* ~ **espiritualização** *s.f.*

espirituoso (es.pi.ri.tu.o.so) /ô/ [pl. e fem.: /ó/] *adj.* **1** que é sutil, preciso e provocador do riso *<comentários e.>* **2** inteligente, culto

espirógrafo (es.pi.ró.gra.fo) *s.m.* MED aparelho que registra os movimentos respiratórios ~ **espirográfico** *adj.*

espirometria (es.pi.ro.me.tri.a) *s.f.* medição da capacidade respiratória do indivíduo

espirômetro (es.pi.rô.me.tro) *s.m.* aparelho que faz a espirometria

espiroqueta (es.pi.ro.que.ta) /ê/ *s.f.* ou **espiroqueto** (es.pi.ro.que.to) /ê/ *s.m.* BIO tipo de bactéria de corpo flexível e espiralado ~ **espiroquético** *adj.*

espirradeira (es.pir.ra.dei.ra) *s.f.* BOT arbusto venenoso, com folhas em forma de ponta de lança, flores róseas e por vezes brancas, cultivado como ornamental

espirrar (es.pir.rar) *v.* {mod. 1} *t.d. e int.* **1** (fazer) esguichar com força *<a ferida espirrou sangue> <a água espirrava para todos os lados>* ◻ *int.* **2** dar espirro ('expulsão') *<a criança espirrou>*

espirro (es.pir.ro) *s.m.* **1** expulsão brusca e sonora do ar pela boca e pelo nariz, provocada por irritação da mucosa nasal **2** esguicho, borrifo (de líquido) *<um e. de água>*

esplanada (es.pla.na.da) *s.f.* **1** terreno plano e extenso em frente a um edifício **2** qualquer local alto e plano; planalto, chapada

esplêndido (es.plên.di.do) *adj.* **1** luminoso ↺ obscuro **2** grandioso *<a e. decoração do salão de festas>* ↺ humilde **3** muito bom, excelente *<fizeram uma apresentação e.!>* ↺ banal

esplendor (es.plen.dor) /ô/ [pl.: *-es*] *s.m.* **1** brilho intenso *<o e. do sol>* ↺ escuridão **2** característica do que é grandioso; pompa, opulência *<o e. de um palácio>* ↺ simplicidade ~ **esplendoroso** *adj.*

espocar (es.po.car) *v.* {mod. 1} *int.* dar estouros; estalar, pipocar *<fogos espocavam ao longe>*

espoco (es.po.co) /ô/ *s.m.* estouro

espojar-se (es.po.jar-se) *v.* {mod. 1} *pron.* **1** deitar-se e rolar no chão, remexendo-se; revolver-se *<os porcos espojavam-se na lama>* ◻ *t.d. e pron.* **2** (fazer) cair no chão *<o lutador espojou o adversário> <o menino gosta de se e. na lama>* ◻ *t.d.* **3** reduzir a pó; pulverizar *<o tempo espojou os monumentos>*

espoleta (es.po.le.ta) /ê/ *s.f.* **1** artefato que serve para inflamar a carga de pólvora em armas de fogo **2** *fig. B infrm.* pessoa irrequieta *<seu filho é uma e.>*

espoliação (es.po.li.a.ção) [pl.: *-ões*] *s.f.* DIR privação de bens ou direitos legítimos por fraude ou violência; esbulho

espoliar (es.po.li.ar) *v.* {mod. 1} *t.d. e t.d.i.* (prep. *de*) privar (alguém) [de bens ou direitos] por meios ilícitos, ilegítimos ou violentos *<e. um indivíduo (de seus pertences)>* ~ **espoliador** *adj.s.m.*

espólio (es.pó.lio) *s.m.* **1** produto de um roubo, de uma pilhagem **2** DIR conjunto dos bens deixados por alguém ao morrer

esponja (es.pon.ja) *s.f.* **1** ZOO tipo de animal marinho de corpo poroso **2** esqueleto poroso e absorvente desses animais, ou sua imitação, us. em limpeza e banho **3** *infrm.* beberrão *<esse rapaz é uma verdadeira e.>* ~ **esponjosidade** *s.f.*

esponjoso (es.pon.jo.so) /ô/ [pl. e fem.: /ó/] *adj.* **1** que tem aparência de esponja **2** que tem consistência de esponja **3** que absorve ou incha como esponja

esponsais (es.pon.sais) *s.m.pl.* noivado

esponsal (es.pon.sal) [pl.: *-ais*] *adj.2g.* relativo a esposos

espontaneamente (es.pon.ta.ne.a.men.te) *adv.* **1** com naturalidade, com sinceridade *<comportou-se e. diante do novo diretor>* ↺ com afetação **2** por vontade própria, sem constrangimento *<ofereceu ajuda e.>* **3** por meios naturais, sem interferência externa *<o abscesso rompeu-se e.> <as avencas brotaram e.>*

espontâneo (es.pon.tâ.neo) *adj.* **1** que se faz por si mesmo, sem ser provocado *<reação e.>* **2** sem elementos ensaiados ou estudados *<palavras e.>* ~ **espontaneidade** *s.f.*

espontar (es.pon.tar) *v.* {mod. 1} *t.d.* **1** aparar as pontas ou extremidades de *<e. a barba, e. galhos>* ◻ *int.* **2** começar a aparecer; despontar *<o sol já espontava>*

espora (es.po.ra) *s.f.* **1** peça de metal com ponta(s) que se prende ao calcanhar do calçado, us. para incitar o cavalo **2** *fig.* incitamento, estímulo ↺ desestímulo

esporada (es.po.ra.da) *s.f.* **1** toque de espora **2** *fig.* estimulação, incitamento

esporadicamente (es.po.ra.di.ca.men.te) *adv.* de modo esporádico; a intervalos irregulares *<viam-se e.>* ↺ frequentemente

esporádico (es.po.rá.di.co) *adj.* **1** que ocorre poucas vezes; raro *<falta de luz e.>* ↺ numeroso **2** acidental, casual *<um ator de aparições e. na TV>* ↺ proposital

esporão (es.po.rão) [pl.: *-ões*] *s.m.* **1** ANAT ZOO saliência dura no pé dos galos **2** CONSTR reforço externo de paredes, muros etc.

esporear (es.po.re.ar) *v.* {mod. 5} *t.d.* **1** espetar com espora ◻ *t.d. e t.d.i. fig.* **2** (prep. *a*) estimular, instigar *<esporeou-o a continuar na disputa>*

esporo (es.po.ro) *s.m.* BIO célula reprodutora produzida por plantas e alguns microrganismos capaz de germinar sozinha ou após fusão com outro esporo ~ **esporulação** *s.f.*

esporra (es.por.ra) *s.f. gros.* esperma

esporrar (es.por.rar) *v. int. gros.* expelir esporra ~ **esporrada** *s.f.*

esporrento (es.por.ren.to) *adj. infrm.* que faz muito barulho, causa muita agitação

esporro (es.por.ro) /ô/ *s.m. gros.* **1** forte repreensão; descompostura, bronca, esbregue *<dar um e. em alguém>* **2** grande barulho *<aquele motor faz um e. danado>*

esporte (es.por.te) *s.m.* **1** ESP atividade física regular, que envolve treinamento metódico e respeito a certas regras; desporto *<praticar e. faz bem à saúde>* **2** essa atividade; desporto *<a ginástica é o e. preferido da minha irmã>* **3** ESP cada um dos jogos que têm regras específicas (futebol, natação, tênis etc.) ou o conjunto deles; desporto *<o e. educa>* **4** *fig.* atividade lúdica; passatempo *<aposentado, trabalha por e.>* ■ *adj.2g.2n.* VEST **5** não convencional (diz-se de roupa); informal *<camisas e.>* ▣ **e. fino** VEST não formal, porém fino, elegante (diz-se de traje para sair) *<não é necessário gravata, o traje será e. fino>*

esportista (es.por.tis.ta) *adj.2g.s.2g.* que(m) pratica ou aprecia esporte; desportista

esportiva (es.por.ti.va) *s.f. infrm.* respeito às regras do esporte, sabendo ganhar e perder com elegância ▣ **levar na e.** ter espírito esportivo *<levou na e. as gozações dos colegas>*

esportivo (es.por.ti.vo) *adj.* **1** relativo a esporte; desportivo *<atividades e.>* **2** *p.ext.* bem-disposto, bem-humorado *<todos gostam de seu temperamento e.>* **3** *p.ext.* informal *<moda e.>* ~ **esportividade** *s.f.*

esposa (es.po.sa) /ô/ *s.f.* a mulher, em relação à pessoa com quem se casou no civil e/ou no religioso, ou com quem convive como casada; mulher ('companheira conjugal')

esposar (es.po.sar) *v.* {mod. 1} *t.d.,t.d.i. e pron.* **1** (prep. *com*) unir(-se) por matrimônio; casar(-se) *<o padre esposou-os em longa cerimônia> <o juiz esposou a moça com o estrangeiro> <esposaram-se ontem>* □ *t.d.* **2** assumir ou defender (causa, doutrina, ideias etc.) *<e. a causa dos desvalidos>*

esposo (es.po.so) /ô/ *s.m.* homem em relação à pessoa com quem se casou no civil e/ou no religioso, ou com quem convive como casado; marido

espraiar (es.prai.ar) *v.* {mod. 1} *t.d.,int. e pron.* **1** derramar(-se) pela praia, pelas margens *<o rio espraiou as suas águas> <a água espraiou pelas ruas da cidade> <o riacho espraiou-se>* □ *t.d. e pron.* **2** lançar(-se) para todos os lados; espalhar(-se) *<o sol espraiava o seu calor> <a luz espraiava-se pelos aposentos>* **3** *fig.* prolongar-se em (assunto, tema, questão etc.) *<o orador espraiou demais o seu discurso> <a música espraia-se na repetição de seus temas>* □ *t.d. fig.* **4** deixar de lado (preocupação, problema etc.) *<e. as preocupações>*

espreguiçadeira (es.pre.gui.ça.dei.ra) *s.f.* cadeira reclinável com apoio para os pés

espreguiçar (es.pre.gui.çar) *v.* {mod. 1} *t.d.,int. e pron.* esticar (os membros) de modo preguiçoso; alongar(-se) *<e. as pernas> <é bom e. antes de levantar> <o filhote espreguiçou-se e voltou a dormir>* ~ **espreguiçamento** *s.m.*

espreita (es.prei.ta) *s.f.* vigilância, tocaia ▣ **à e. 1** olhando com atenção, para descobrir algo; de vigia *<está sempre à e.>* **2** investigando, em busca de algo; à espera *<está à e. de um meio de pedir aumento>*

espreitar (es.prei.tar) *v.* {mod. 1} *t.d. e int.* **1** observar em segredo e com atenção; vigiar *<e. a caça> <passou horas espreitando, até o animal sair da toca>* **2** esperar às escondidas para atacar; tocaiar *<o ladrão espreitou o porteiro e o rendeu> <a polícia ficou espreitando até o bandido aparecer>* □ *t.d.* **3** olhar com atenção *<e. alguma movimentação na rua escura>* **4** ficar alerta, esperando (ocasião, chance etc.) *<espreitava uma chance para falar com a moça>*

espremedor (es.pre.me.dor) /ô/ [pl.: *-res*] *adj.s.m.* (utensílio) que serve para espremer (algo) *<e. de alho>*

espremer (es.pre.mer) *v.* {mod. 8} *t.d.* **1** apertar para extrair suco, líquido etc. de *<e. uma laranja>* **2** *fig.* interrogar à exaustão, ameaçando ou coagindo **3** *fig.* reduzir o tamanho de (figura, texto) para caber num dado espaço *<esprema um pouco que cabe tudo numa página>* □ *t.d. e pron.* **4** exercer pressão sobre ou sofrer pressão; apertar(-se), comprimir(-se) *<a moça e sua mochila grande espremiam o passageiro ao seu lado> <as pessoas espremiam-se dentro do ônibus>* ~ **espremido** *adj.*

espritado (es.pri.ta.do) *adj. N.E. infrm.* **1** valentão, destemido **2** cheio de raiva; enfurecido

espuma (es.pu.ma) *s.f.* **1** conjunto de bolhas formado na superfície de um líquido, quando agitado, fermentado ou fervido; escuma *<e. de sabão> <e. do mar>* **2** baba espumosa ~ **espumoso** *adj.*

espumadeira (es.pu.ma.dei.ra) *s.f.* → ***ESCUMADEIRA***

espumante (es.pu.man.te) *adj.2g.* **1** que forma ou lança espuma *<sabonete e.> <cratera e.>* **2** *p.ext.* furioso, raivoso *<o deputado estava e. após perder a votação>* ■ *adj.2g.s.m.* **3** (o) que produz pequenas bolhas de ar que fervilham (diz-se de vinho) *<o champanhe é um (vinho) espumante>*

espumar (es.pu.mar) *v.* {mod. 1} *int.* **1** produzir espuma *<o leite espuma quando ferve>* **2** cobrir de espuma *<e. o cabelo com xampu>* **3** *fig.* mostrar-se furioso; exaltar-se *<ela espumou de raiva>* ↺ acalmar-se

espúrio (es.pú.rio) *adj.* **1** não genuíno, falsificado *<remédio e.>* **2** ilegítimo *<filho e.>* **3** ilegal, desonesto *<comércio e.>* ~ **espuriedade** *s.f.*

esquadra (es.qua.dra) *s.f.* **1** MAR conjunto de navios de guerra **2** MIL seção de uma companhia de infantaria **3** ESP esquadrão

esquadrão (es.qua.drão) [pl.: *-ões*] *s.m.* **1** MAR grupo de navios de guerra menor que uma esquadra **2** MIL seção de um regimento de cavalaria **3** ESP equipe, esquadra *<a seleção enfrentará o e. sueco>* **4** *p.ext.* grupo de pessoas com interesse ou objetivo comum *<formaram um e. de limpeza e saíram pelas ruas do bairro>*

esquadrejar (es.qua.dre.jar) *v.* {mod. 1} *t.d.* cortar algo em ângulo reto ~ **esquadrejamento** *s.m.*

esquadria (es.qua.dri.a) *s.f.* **1** ângulo reto **2** instrumento para medir ângulos **3** acabamento de metal, alumínio etc. em portas e janelas

esquadrilha (es.qua.dri.lha) *s.f.* AER grupo de duas ou mais aeronaves, reunidas para realizar uma operação

esquadrinhar (es.qua.dri.nhar) *v.* {mod. 1} *t.d.* procurar ou examinar com atenção, em detalhes; escarafunchar *<esquadrinhou todo o castelo à procura do tesouro>* ~ **esquadrinhamento** *s.m.*

esquadro (es.qua.dro) *s.m.* **1** instrumento em forma de triângulo retângulo us. para medir ângulos e traçar linhas perpendiculares **2** instrumento em forma de L us. por pedreiros, carpinteiros e serralheiros para medir, cortar ou conferir esquadrias

esquálido (es.quá.li.do) *adj.* **1** magro, desnutrido, lívido *<o doente chegou e.>* **2** imundo, desarrumado *<cabeleira e.>* ~ **esqualidez** *s.f.*

E

esquartejar (es.quar.te.jar) *v.* {mod. 1} *t.d.* **1** partir em quartos **2** cortar em pedaços ou postas; retalhar ~ **esquartejamento** *s.m.*

esquecer (es.que.cer) *v.* {mod. 8} *t.d. e pron.* **1** (prep. *de*) perder a lembrança de, não pensar em; olvidar *<e. o passado> <e.-se da sua terra natal>* ↺ lembrar (-se) □ *t.d.,t.d.i. e pron.* **2** (prep. *de*) deixar escapar da memória, não se lembrar de *<ela esqueceu o livro que me havia prometido> <esqueceu do vestido que queria comprar> <e.-se de uma reunião>* □ *t.d.i.* **3** (prep. *em, sob, sobre*) não levar consigo por distração, pressa etc. *<e. o guarda-chuva no cinema>* □ *t.d.* **4** deixar de lado; abandonar *<e. cigarro, dietas>* **5** desdenhar, desprezar *<mudou-se e esqueceu os amigos>*

esquecido (es.que.ci.do) *adj.* **1** que se esqueceu *<livros e. na estante>* **2** que tem memória ruim, que se esquece frequentemente *<a avó está muito e.>*

esquecimento (es.que.ci.men.to) *s.m.* **1** ato de esquecer ou o seu efeito; olvido *<esse cantor vai cair no e.> <não falou com ele por e.>* **2** falta ou perda de memória *<o e. é natural na velhice>* ↺ lembrança **3** omissão de alguém ou de algo *<e. de nomes de convidados numa festa>*

esqueite (es.quei.te) *s.m. B* **1** RECR pequena prancha, ger. de madeira, com dois eixos com duas rodas cada, sobre a qual alguém se equilibra, se desloca e faz manobras **2** ESP o esporte praticado com essa prancha ~ **esqueitista** *adj.2g.s.2g.*

esquelético (es.que.lé.ti.co) *adj.* **1** relativo a esqueleto **2** *fig.* tão magro que o contorno dos ossos é visível ↺ gordo

esqueleto (es.que.le.to) /ê/ *s.m.* **1** conjunto de ossos que sustenta o corpo dos animais vertebrados **2** arcabouço, estrutura de um edifício **3** *p.ext.* conjunto dos traços gerais de uma obra; esboço *<o e. de um projeto>* **4** *pej.* pessoa muito magra

esquema (es.que.ma) *s.m.* **1** representação gráfica simples e funcional de objeto, processo etc. *<e. de um motor>* **2** exposição das ideias gerais de obra literária, projeto etc. **3** sistema de gestão ou funcionamento *<e. de uma empresa>* **4** *B infrm.* plano *<e. para conciliar dois trabalhos>*

esquemático (es.que.má.ti.co) *adj.* **1** relativo ou pertencente a esquema **2** muito simplificado, sem detalhes; sintético, resumido *<desenho e.>* ↺ ampliado, desenvolvido **3** realizado conforme um esquema *<procedimento e.>*

esquematizar (es.que.ma.ti.zar) *v.* {mod. 1} *t.d.* **1** representar por um esquema **2** fazer esboço de; delinear *<e. um mural>* **3** definir o plano geral de; planejar *<e. uma campanha>* ~ **esquematização** *s.f.*

esquentamento (es.quen.ta.men.to) *s.m.* **1** fato de esquentar ou de se esquentar **2** MED *gros.* blenorragia; gonorreia

esquentar (es.quen.tar) *v.* {mod. 1} *t.d.,int. e pron.* **1** tornar(-se) quente ou mais quente; aquecer(-se) *<e. água> <a sopa já esquentou> <venha e.-se aqui perto da lareira>* ↺ esfriar(-se) □ *t.d. e pron.* **2** pôr muita roupa (em); enroupar(-se) **3** *fig.* (fazer) ficar nervoso; irritar(-se) *<o comentário maldoso esquentou o rapaz> <esquenta-se por qualquer bobagem>* □ *t.d. e int. fig.* **4** tornar(-se) mais grave, agressivo; acirrar *<seu discurso esquentou ainda mais os ânimos> <a briga esquentou>* **5** (fazer) ficar mais movimentado, alegre; animar *<essa orquestra vai e. o baile> <a festa só esquentará depois das onze horas>* ↺ esfriar □ *int. fig. B infrm.* **6** ficar preocupado, angustiado; afligir-se *<não esquenta, vai dar tudo certo>* ↺ tranquilizar-se

esquerda (es.quer.da) /ê/ *s.f.* **1** a mão esquerda *<escreve com a e.>* ↺ destra **2** *p.ext.* o lado esquerdo *<os carros vêm da e.>* ↺ direita **3** POL conjunto dos partidos políticos que se opõem aos conservadores ↺ direita **4** POL conjunto de indivíduos ou instituições que apoia tais partidos ↺ direita ▼ ***esquerdas*** *s.f.pl.* POL **5** as diversas correntes políticas trabalhistas, socialistas e comunistas

esquerdismo (es.quer.dis.mo) *s.m.* POL posicionamento, partido ou militância política de esquerda

esquerdista (es.quer.dis.ta) *adj.2g.s.2g.* POL que(m) é militante de algum partido político de esquerda ou simpatiza com o seu ideário

esquerdo (es.quer.do) /ê/ *adj.* **1** do lado do corpo em que fica o coração; sinistro ↺ direito **2** situado à esquerda de quem vê *<janela e.>* ↺ direito **3** hábil com a mão esquerda; canhoto ↺ destro **4** *fig.* desajeitado, canhestro ↺ habilidoso **5** *fig.* de má vontade; atravessado *<olhar e. para o adversário>*

esquete (es.que.te) *s.m.* RÁD TEAT TV no teatro e em programas de rádio e televisão, cena rápida, ger. humorística

esqui (es.qui) *s.m.* **1** RECR prancha estreita us. nos pés para deslizar sobre a neve ou a água **2** ESP o esporte praticado com essa prancha ~ **esquiação** *s.f.* - **esquiador** *adj.s.m.* - **esquiar** *v.int.*

esquife (es.qui.fe) *s.m.* caixão de defunto; féretro

esquilo (es.qui.lo) *s.m.* ZOO nome comum a roedores, de cauda longa e peluda, que vivem nas árvores e se alimentam de sementes e castanhas ☞ cf. *caxinguelê*

esquimó (es.qui.mó) *s.2g.* **1** natural ou habitante das regiões árticas da Groenlândia, do Canadá e do Alasca ■ *s.m.* **2** LING cada uma das duas línguas faladas pelos esquimós, povo que habita essa região ■ *adj.2g.* **3** relativo à língua, aos indivíduos ou à cultura desse povo

esquina (es.qui.na) *s.f.* **1** ângulo formado pelo encontro de duas vias (ruas, avenidas etc.) **2** lugar perto desse ângulo *<houve um acidente na e.>* **3** *p.ext.* qualquer lugar, canto *<o assunto era comentado nas e.>* **4** ângulo saliente *<a e. do muro>*

esquisitice (es.qui.si.ti.ce) *s.f.* **1** extravagância, excentricidade *<está impressionado com a e. do cunhado>* ↺ discrição **2** coisa ou fato estranho, diferente *<viu muita e. na sua viagem>*

esquisito (es.qui.si.to) *adj.* **1** raro, precioso *<aroma e.>* ↺ comum **2** *p.ext.* estranho, exótico *<bater palmas para a comida é um costume e.>* ↺ comum **3** estranho, diferente, anormal *<conheci uma pessoa muito e.>* ↺ normal **4** que tem um aspecto feio ou desagradável *<que bicho e.!>* **5** difícil de explicar; inexplicável *<desaparecimento e. de joias>* ↺ compreensível

esquistossomo (es.quis.tos.so.mo) *s.m.* ZOO verme causador da esquistossomose

esquistossomose (es.quis.tos.so.mo.se) *s.f.* MED doença parasitária tropical caracterizada pelo aumento anormal do fígado e do baço

esquiva (es.qui.va) *s.f.* **1** abaixamento ou desvio do corpo para evitar um golpe **2** *fig.* ação de evitar algo ou alguém indesejável

esquivar (es.qui.var) *v.* {mod. 1} *t.d. e pron.* **1** (prep. *a*) ficar distante, livre de (pessoa ou coisa desagradável); evitar *<e. os trabalhos aborrecidos> <e.-se a um encontro>* □ *pron.* **2** (prep. *a*) afastar-se disfarçadamente; escapar *<esquivou-se (aos convidados) antes de ser visto>* **3** (prep. *de*) recusar-se, negar-se a *<esquiva-se de pagar a multa>*

esquivo (es.qui.vo) *adj.* **1** que evita o contato com o outro; arredio ↺ sociável **2** que se intimida com estranhos; arisco *<criança e.> <animal e.>* ↺ extrovertido **3** cujo convívio é difícil, rude; intratável *<pessoa e.>* ↺ simpático

esquizofrenia (es.qui.zo.fre.ni.a) *s.f.* PSIQ doença mental que faz que a pessoa se torne incapaz de relacionar seus pensamentos e sentimentos com a realidade à sua volta, ger. se afastando do trato social e tendo delírios, alucinações etc. ~ **esquizofrênico** *adj.s.m.*

essa (es.sa) *s.f.* **1** estrado de ataúde; catafalco **2** túmulo honorário; cenotáfio

esse (es.se) /é/ *s.m.* nome da letra *s*

esse (es.se) /ê/ [fem.: *essa* /é/] *pron.dem.* designa pessoa ou coisa próxima daquele com quem se fala e, no tempo, a que foi mencionada anteriormente, num passado não muito distante

essência (es.sên.cia) *s.f.* **1** conjunto de características que dão uma identidade a um ser ou coisa **2** a ideia central *<a e. de uma teoria>* **3** óleo aromático extraído de certos vegetais *<o bolo leva e. de baunilha> <seu perfume era uma e. de rosas>*

essencial (es.sen.ci.al) [pl.: *-ais*] *adj.2g.* **1** que é próprio de algo ou alguém *<a generosidade é sua qualidade e.>* **2** básico, fundamental *<questões e. do problema>* ↺ acessório **3** necessário, indispensável *<condições e. para a realização da obra>* ↺ dispensável **4** da natureza da essência *<óleos e.>* ■ *s.m.* **5** a coisa principal *<o e. é o trabalho>* ~ **essencialidade** *s.f.*

estabanado (es.ta.ba.na.do) *adj.* **1** agitado, extravagante no modo de ser e de se expressar *<falava alto e fazia gestos e.>* **2** *p.ext.* descuidado, desajeitado *<é e. desde criança>* ↺ cuidadoso

estabelecer (es.ta.be.le.cer) *v.* {mod. 8} *t.d.* **1** pôr em vigor; instituir, instaurar *<e. leis, disciplina>* **2** indicar com precisão; determinar *<estabeleceu a causa da explosão>* **3** marcar, fixar *<e. um prazo>* □ *t.d. e pron.* **4** tornar(-se) efetivo, regular; estabilizar (-se) *<e. uma rotina> <uma correspondência de anos se estabeleceu entre os dois>* **5** abrir ou instalar(-se) [sede, loja, indústria etc.] *<estabeleceu um negócio por conta própria> <estabeleceram-se na capital>* □ *pron.* **6** fixar residência; morar *<e.-se no campo>* **7** adquirir segurança, estabilidade; firmar-se *<e.-se no novo emprego>* ~ **estabelecido** *adj.*

estabelecimento (es.ta.be.le.ci.men.to) *s.m.* **1** ato de instituir algo; abertura, fundação *<o e. de sindicatos>* ↺ encerramento **2** ação de pôr em vigor; instauração *<e. de um novo método educacional>* **3** instituição pública ou particular *<e. de ensino conceituado>* **4** casa comercial

estabilidade (es.ta.bi.li.da.de) *s.f.* **1** firmeza, imobilidade *<escada sem e.>* ↺ infixidez **2** estado de equilíbrio *<e. emocional>* ↺ instabilidade **3** DIR garantia de permanência no emprego de servidor público habilitado em concurso ↺ instabilidade

estabilizador (es.ta.bi.li.za.dor) /ô/ [pl.: *-es*] *s.m.* ELETR **1** dispositivo capaz de equilibrar a tensão de uma corrente elétrica ■ *adj.* **2** que estabiliza, equilibra *<barra e.>*

estabilizar (es.ta.bi.li.zar) *v.* {mod. 1} *t.d.,int. e pron.* (fazer) ter estabilidade, equilíbrio; firmar(-se) *<e. a moeda> <com o emprego, sua vida estabilizou(-se)>* ↺ desestabilizar(-se) ~ **estabilização** *s.f.*

estábulo (es.tá.bu.lo) *s.m.* abrigo para o gado ~ **estabular** *adj.2g.*

estaca (es.ta.ca) *s.f.* peça alongada de madeira, aço etc., que se crava no solo para diversos usos (p.ex., a sustentação de uma planta, a fundação de uma construção etc.)

estação (es.ta.ção) [pl.: *-ões*] *s.f.* **1** parada de trens, ônibus etc. **2** centro transmissor de rádio ou TV **3** cada uma das quatro divisões climáticas do ano (primavera, verão, outono e inverno) **4** período, época *<a e. das flores>* **5** conjunto de instalações em local favorável à terapia, ao descanso etc. *<esquiar numa e. de inverno>* **6** REL cada parada feita ante cada um dos 14 quadros que compõem a Via-Sacra ▣ **e. de águas 1** cidade com fontes de água mineral de uso medicinal **2** temporada que ali se passa • **e. elevatória** estação de água ou esgoto em que o líquido é bombeado para um reservatório localizado acima do terreno circundante • **e. espacial** laboratório espacial mantido em órbita por longo período • **e. meteorológica** MET **1** local de onde são feitas observações sobre os fenômenos atmosféricos; posto meteorológico **2** *p.ext.* conjunto de aparelhos aí instalados para esse fim ~ **estacional** *adj.2g.*

estacar (es.ta.car) *v.* {mod. 1} *t.d. e int.* **1** (fazer) parar de repente *<e. o passo> <o veículo estacou ao beirar o precipício>* □ *int.* **2** ficar imóvel, por perplexidade; paralisar(-se) *<estacou, assustada, ao ver a casa em chamas>* □ *t.d.* **3** sustentar com estacas; escorar *<e. o muro>*

estacionamento (es.ta.cio.na.men.to) *s.m.* **1** ato de estacionar *<bateu o carro numa árvore na hora do e.>* **2** local para estacionar veículos

estacionar (es.ta.cio.nar) *v.* {mod. 1} *t.d. e int.* **1** parar (veículo) por certo tempo, em local adequado ou não *<não havia lugar para e. o ônibus> <dirigia bem, mas não sabia e.>* □ *int.* **2** deixar de crescer, aumentar, evoluir; estagnar *<a população estacionou> <a infecção estacionou>* ↺ desenvolver-se

estacionário (es.ta.cio.ná.rio) *adj.* **1** imóvel, parado ↺ móvel **2** que não evolui *<país e.>* **3** que não se agrava nem melhora *<doença e.>* ■ *s.m.* **4** o responsável por uma estação meteorológica

estada (es.ta.da) *s.f.* permanência em algum lugar *<teve um boa e. na cidade>*

estadia (es.ta.di.a) *s.f.* **1** permanência por tempo limitado *<teve uma agradável e. em Recife>* **2** MAR DIR prazo dado para carga e descarga de um navio em um porto

estádio (es.tá.dio) *s.m.* ESP campo para jogos e provas esportivas, com instalações destinadas ao público

E

estadista (es.ta.dis.ta) *s.2g.* governante e político de atuação notável

estado (es.ta.do) *s.m.* **1** conjunto de condições em que os seres e/ou as coisas se encontram *<construção em e. de deterioração> <seu coração estava em bom e.>* **2** país soberano, com estrutura e organização política próprias ☞ inicial maiúsc. **3** o conjunto das instituições públicas de um país ☞ inicial maiúsc. **4** divisão territorial e administrativa de certos países *<e. do Acre, do Piauí>* ▣ **e. civil** condição familiar de um indivíduo (solteiro, casado, viúvo, separado, divorciado e desquitado) • **E. de bem-estar social** POL ECON Estado que garante um padrão mínimo de vida ao conjunto dos cidadãos através da oferta de serviços de educação, saúde, transporte, habitação etc. • **e. de sítio** POL medida que dá ao governo poderes excepcionais, suspendendo as garantias constitucionais ~ **estadualização** *s.f.*

estado-maior (es.ta.do-mai.or) [pl.: *estados-maiores*] *s.m.* **1** MIL grupo dos oficiais militares que assessoram um comandante **2** *fig.* conjunto dos indivíduos importantes de um grupo, profissão etc. *<o e. da economia brasileira>*

estadual (es.ta.du.al) [pl.: *-ais*] *adj.2g.* relativo ou pertencente a qualquer estado de uma federação *<escola e.> <campeonato e. de futebol>*

estadunidense (es.ta.du.ni.den.se) *adj.2g.* **1** dos Estados Unidos da América (América do Norte); norte-americano ■ *s.2g.* **2** natural ou habitante desse país; norte-americano

estafa (es.ta.fa) *s.f.* extremo cansaço; esgotamento ~ **estafante** *adj.2g.* - **estafar** *v.t.d.,int. e pron.*

estafermo (es.ta.fer.mo) /ê/ *s.m. infrm. pej.* **1** pessoa boba; palerma **2** pessoa ou coisa que atrapalha os movimentos de alguém ou de algo; estorvo **3** pessoa feia, mal-ajambrada

estafeta (es.ta.fe.ta) /ê/ *s.2g.* **1** entregador de telegramas **2** mensageiro **3** funcionário que distribui a correspondência; carteiro

estafilococo (es.ta.fi.lo.co.co) /ó/ *s.m.* BIO bactéria que causa várias infecções, como septicemia, erupção de vários furúnculos etc. ~ **estafilocócico** *adj.*

estagflação (es.tag.fla.ção) [pl.: *-ões*] *s.f.* ECON fenômeno caracterizado pelo aumento da taxa de desemprego junto com o aumento contínuo de preços ~ **estagflacionário** *adj.*

estagiar (es.ta.gi.ar) *v.* {mod. 1} *int.* fazer estágio ('período')

estagiário (es.ta.gi.á.rio) *adj.* **1** relativo a estágio *<período e.>* ■ *adj.s.m.* **2** (aquele) que faz estágio

estágio (es.tá.gio) *s.m.* **1** fase, etapa *<o e. de um projeto>* **2** período de prática que precede a contratação ou a graduação em certas profissões

estagnação (es.tag.na.ção) [pl.: *-ões*] *s.f.* **1** estado do que se encontra estagnado, sem fluir *<a e. da lagoa>* ↺ fluição **2** falta de progresso, de movimento, de atividade; paralisação *<a e. de uma empresa>* ↺ avanço, progresso

estagnar (es.tag.nar) *v.* {mod. 1} *t.d. e int.* **1** (fazer) parar de fluir; estancar(-se) *<e. o sangue de uma ferida> <a água da chuva estagnou, formando enormes poças>* **2** *fig.* (fazer) deixar de progredir; paralisar(-se) *<a falta de verbas estagnou a construção> <a doença estagnou>* ↺ avançar, evoluir ~ **estagnado** *adj.*

estaiado (es.tai.a.do) *adj.* sustentado por cabos *<mastreação e.> <ponte e.>*

estalactite (es.ta.lac.ti.te) *s.f.* MINER formação calcária que pende do teto das cavernas ou subterrâneos ~ **estalactítico** *adj.*

estalagem (es.ta.la.gem) [pl.: *-ens*] *s.f.* pousada para viajantes; albergue, hospedaria ~ **estalajadeiro** *s.m.*

estalagmite (es.ta.lag.mi.te) *s.f.* MINER formação calcária que se eleva do solo de uma cavidade ou caverna ~ **estalagmítico** *adj.*

estalão (es.ta.lão) [pl.: *-ões*] *s.m.* padrão (de medida, de valor etc.) *<mulher alta, pelo e. normal>*

estalar (es.ta.lar) *v.* {mod. 1} *t.d. e int.* **1** produzir estalido ou ruído (em) *<e. a língua, os dedos> <os gravetos na fogueira começaram a e.>* □ *t.d.* **2** fazer em pedaços; quebrar *<e. nozes>* **3** *B* fritar (ovo) com a clara e a gema juntas e inteiriças; estrelar □ *int.* **4** ficar com fendas; rachar *<o prato estalou>* **5** latejar, pulsar *<sua cabeça estalava de dor>* ~ **estalada** *s.f.* - **estalado** *adj.* - **estalador** *adj.s.m.*

estaleiro (es.ta.lei.ro) *s.m.* local para construção e/ou reparo de navios

estalido (es.ta.li.do) *s.m.* **1** som breve, seco, de menor intensidade do que a de um estalo *<e. do fogo>* **2** ruído forte e súbito; estrondo *<o e. de uma trovoada>*

estalo (es.ta.lo) *s.m.* **1** som seco produzido por um corpo que vibra, racha ou se parte *<ouviu o e. do vidro se quebrando> <gostava de dar estalos com a língua>* **2** ruído produzido pelo deslocamento ou atrito de uma articulação no corpo *<sentiu um e. no joelho>* **3** crepitação de madeira ou carvão queimando **4** ruído forte e repentino; estrondo *<o e. de uma pancada>* **5** *fig. B infrm.* súbita compreensão ou solução de um problema *<ter um e.>* ▣ **de e.** *fig.* de repente *<pôs-se a chorar de e.>*

estame (es.ta.me) *s.m.* BOT órgão masculino das flores, no qual se encontram os grãos de pólen ☞ cf. *pistilo*

estampa (es.tam.pa) *s.f.* **1** figura impressa em papel, tecido, couro etc. **2** ilustração, gravura *<livro de estampas>* **3** *fig.* aparência física *<um rapaz de bela e.>* ◉ GRAM/USO dim.irreg. *estampilha*

estampado (es.tam.pa.do) *adj.* **1** que se estampou; gravado **2** impresso tipograficamente; publicado *<artigos e. numa revista>* **3** em evidência; patente, visível *<alegria e. no olhar>* ■ *adj.s.m.* **4** (tecido) com estampas ('figura') *<prefere os tecidos e. aos lisos> <comprou um e. de seda>* ■ *s.m.* **5** conjunto dessas estampas; estamparia, padrão *<gostou muito do e. da colcha>*

estampagem (es.tam.pa.gem) [pl.: *-ens*] *s.f.* **1** impressão de estampas sobre papel, tecido, couro etc. **2** modelagem de peças por processos de prensagem e corte

estampar (es.tam.par) *v.* {mod. 1} *t.d.* **1** imprimir, gravar ou reproduzir desenhos, imagens ou letras sobre (papel, tecido, metal etc.) *<e. uma camiseta>* **2** publicar com destaque; alardear *<e. uma notícia no jornal>* □ *t.d.i. e pron.* **3** (prep. *em*) mostrar(-se), retratar (-se) *<e. a alegria no rosto> <a dor se estampou nela>*

estamparia (es.tam.pa.ri.a) *s.f.* **1** fábrica, oficina, depósito ou loja de estampas **2** padrão decorativo de um tecido; estampado *<não gosto dessa e.; prefiro o tecido com bolas>*

estampido (es.tam.pi.do) *s.m.* som forte, explosivo e seco de um trovão, tiro etc.

estampilha (es.tam.pi.lha) *s.f.* **1** pequena figura impressa **2** selo fiscal ou de documento ◉ GRAM/USO dim.irreg. de *estampa*

estancar (es.tan.car) *v.* {mod. 1} *t.d.,int. e pron.* **1** (fazer) parar de correr (líquido) *<e. uma hemorragia> <as lágrimas afinal estancaram(-se)>* **2** esvaziar(-se) até a última gota; secar(-se) *<e. a água de uma caixa> <a fonte estancou(-se)>* **3** *fig.* (fazer) ter fim; parar *<e. a inflação> <o desenvolvimento industrial estancou(-se)>* □ *int.* **4** parar de repente; estacar *<avistou o guarda e estancou>* ~ **estancamento** *s.m.*

estância (es.tân.cia) *s.f.* **1** lugar onde se passa uma temporada, de férias, em tratamento etc.; estação *<viajaram para uma e. na serra>* **2** moradia, habitação **3** *S.* grande propriedade rural **4** depósito onde são vendidas madeiras de construção, lenha e carvão etc. ▣ **e. hidromineral** *MG* estação de águas

estancieiro (es.tan.ci.ei.ro) *s.m.* **1** proprietário de fazenda **2** dono de estância de madeiras

estandardizar (es.tan.dar.di.zar) *v.* {mod. 1} *t.d. e pron.* padronizar ~ **estandardização** *s.f.*

estandarte (es.tan.dar.te) *s.m.* **1** bandeira de nação, corporação, clube etc. **2** *fig.* símbolo, lema *<o e. da revolução>* **3** indivíduo que serve de guia

estande (es.tan.de) *s.m.* **1** em exposição ou feira, compartimento de cada expositor **2** recinto fechado para o tiro ao alvo

estanho (es.ta.nho) *s.m.* **1** QUÍM elemento químico us. em ligas de bronze e cobre, de chumbo e solda comum, de lata e ferro etc. [símb.: *Sn*] **2** liga formada com esse elemento **3** objeto feito com essa liga ☞ cf. *tabela periódica* (no fim do dicionário) ~ **estânico** *adj.*

estanque (es.tan.que) *adj.2g.* **1** que não deixa entrar água; tapado *<caixa e.>* ↺ permeável **2** que não corre; estagnado *<açude e.>* ↺ corrente **3** enxuto, seco *<poço e.>* ■ *s.m.* **4** processo de secar a água de uma embarcação e tapar os furos

estante (es.tan.te) *s.f.* **1** móvel com prateleiras superpostas em que se colocam livros, papéis etc. **2** MÚS suporte para partituras

estapafúrdio (es.ta.pa.fúr.dio) *adj.* **1** excêntrico, bizarro *<cena, pessoa e.>* **2** que não é lógico; incoerente *<informação e.>* ↺ sensato

estapear (es.ta.pe.ar) *v.* {mod. 5} *t.d.* dar tapas em; bater

estaquear (es.ta.que.ar) *v.* {mod. 5} *t.d.* **1** sustentar com estacas *<e. um muro>* **2** bater com estaca em **3** *B* firmar estacas na vertical para construir (cerca) **4** marcar (terreno) com estacas

estar (es.tar) *v.* {mod. 7} *pred.* **1** (prep. *de, com*) ter ou apresentar provisoriamente (certa condição física, emocional, material, profissional etc.) *<estava muito magra> <ele está de diretor substituto> <estou com frio>* **2** (prep. *em*) encontrar-se (em certa posição momentânea) *<e. sentado> <e. em terceiro lugar>* □ *t.i.* **3** (prep. *em*) marcar presença em; ir, visitar, comparecer *<estive na festa>* **4** (prep. *em*) fazer parte de; pertencer *<isso não estava nos nossos planos>* **5** (prep. *em*) consistir, residir *<a diferença está na qualidade>* **6** (prep. *para*) ter disposição ou inclinação para *<não estava para brincadeiras>* ☞ nesta acp., ger. us. em orações negativas **7** (prep. *de*) encontrar-se em processo de, prestes a *<e. de saída>* **8** (prep. *em*) encontrar-se (em certo momento ou lugar) de forma transitória *<estamos numa época difícil> <e. em casa>* **9** (prep. *com*) ter a companhia de *<a criança está com a avó>* **10** (prep. *com*) manter relação conjugal ou sexual com **11** (prep. *a*) ficar situado em; localizar-se *<São Paulo está a 400 km do Rio>* **12** (prep. *para*) ter características que possibilitem relação com (outra coisa ou pessoa) *<25 está para 50 como 500 está para 1.000>* **13** (prep. *a, em*) ter ou atingir (certa quantidade, preço, medida etc.) *<a população está em 30 mil habitantes> <as peras estão a R$ 3,00 o quilo>* ◉ GRAM/USO como v.auxiliar: **a)** us. com particípio, indica voz passiva: '*está feito*'; **b)** us. com infinitivo ou gerúndio, indica ação contínua: '*está a fazer*', '*está fazendo*' ▣ **e. a fim de** *B infrm.* **1** ter vontade de, estar disposto a *<estavam a fim de ir ao cinema>* **2** ter intenções amorosas em relação a *<estava a fim da nova vizinha>* • **e. por fora** *B infrm.* não dominar um assunto; não ter conhecimento de determinado incidente, evento etc. • **não e. nem aí (para)** *B infrm.* não dar a mínima importância; não se importar *<não está nem aí para o que dizem dele>*

estardalhaço (es.tar.da.lha.ço) *s.m. infrm.* **1** manifestação ruidosa; barulheira *<fizeram um e. quando o cantor apareceu no palco>* ↺ silêncio **2** *fig.* ostentação feita de forma ruidosa *<essa conquista boba não era motivo para tanto e.>*

estarrecedor (es.tar.re.ce.dor) /ô/ [pl.: *-es*] *adj.* **1** que causa espanto, assombro; surpreendente *<o desfecho do romance foi e.>* ↺ previsível **2** que causa horror; terrível, assustador *<um acidente e.>*

estarrecer (es.tar.re.cer) *v.* {mod. 8} *t.d.,int. e pron.* (fazer) ter grande susto ou sentir pavor; espantar(-se), aterrorizar(-se) *<a condição da rua após o temporal estarreceu-a> <a situação desses animais é de e.> <estarreceu(-se) com as confissões da mulher>* ↺ acalmar(-se) ~ **estarrecimento** *s.m.*

estarrecido (es.tar.re.ci.do) *adj.* **1** apavorado, horrorizado *<ficar e. com as cenas de guerra na TV>* **2** espantado, perplexo *<ficar e. com o preço cobrado pelo sanduíche>*

estatal (es.ta.tal) [pl.: *-ais*] *adj.2g.* **1** relativo ou pertencente ao Estado ('país soberano') ■ *s.f.* **2** empresa estatal

estatelar (es.ta.te.lar) *v.* {mod. 1} *t.d. e pron.* **1** (fazer) cair estendido *<esbarrou no prato e estatelou-o no chão> <tropeçou e estatelou-se (na calçada)>* **2** (fazer) ficar perplexo, atônito; estarrecer(-se) *<a demissão estatelou-o> <estatelou-se com a notícia do acidente>*

estática (es.tá.ti.ca) *s.f.* **1** FÍS em mecânica, estudo das propriedades de corpos em equilíbrio quando sob a ação de forças **2** RÁD em aparelhos de rádio, ruídos causados pela eletricidade atmosférica

estático (es.tá.ti.co) *adj.* **1** sem movimento; parado, imóvel ↺ móvel **2** sem desenvolvimento; paralisado *<nação e.>* ↺ próspero **3** FÍS que, sob as forças aplicadas, se encontra em equilíbrio (diz-se de propriedade ou processo) ↺ dinâmico ☞ cf. *extático*

estatina (es.ta.ti.na) *s.f.* FARM cada um dos compostos us. em medicamentos para controlar os níveis de colesterol no sangue

[1]estatismo (es.ta.tis.mo) *s.m.* imobilismo, inércia ◉ ORIGEM *estático* sob a f. rad. *estat-* + *-ismo*

E

[2]estatismo (es.ta.tis.mo) *s.m.* POL sistema em que o Estado participa das atividades econômicas do país, atuando como empresário na produção industrial e de serviços ◉ ORIGEM rad. *estato-*, do lat. *stătus,us* 'Estado' +*-ismo*

estatística (es.ta.tís.ti.ca) *s.f.* MAT ramo da matemática que trata da coleta, análise, interpretação e apresentação de dados numéricos ~ **estatístico** *adj.s.m.*

estatizante (es.ta.ti.zan.te) *adj.2g.* que gera ou tende a gerar o controle estatal sobre a economia *<governo e.>*

estatizar (es.ta.ti.zar) *v.* {mod. 1} *t.d.* **1** pôr sob o domínio do Estado **2** tornar pertencente ao Estado *<e. o setor de transportes>* ~ **estatização** *s.f.*

estátua (es.tá.tua) *s.f.* **1** ART.PLÁST escultura em três dimensões, representando pessoa, animal ou ser mítico **2** *fig.* pessoa com belas formas e porte **3** *fig. pej.* indivíduo sem vivacidade ◉ GRAM/USO dim. irreg.: *estatueta* ◉ COL estatuaria, galeria

estatuaria (es.ta.tu.a.ri.a) *s.f.* **1** coleção de estátuas **2** conjunto de estátuas de um monumento, de um período histórico, de um estilo etc.

estatuária (es.ta.tu.á.ria) *s.f.* arte de criar estátuas

estatuário (es.ta.tu.á.rio) *adj.* **1** relativo a estátua ou a estatuária ■ *adj.s.m.* **2** (artista) que cria estátuas

estatueta (es.ta.tu.e.ta) /ê/ *s.f.* pequena estátua

estatuir (es.ta.tu.ir) *v.* {mod. 26} *t.d.* **1** determinar por estatuto, lei etc.; decretar *<o governo estatuiu novo valor para o salário mínimo>* **2** pôr em vigor; estabelecer *<o jornal estatuiu normas de redação> <o diretor estatuiu que os feriados seriam descontados>*

estatura (es.ta.tu.ra) *s.f.* **1** altura de um indivíduo *<os jogadores de basquete têm e. alta>* **2** *fig.* importância, valor *<um homem de grande e. política>*

estatuto (es.ta.tu.to) *s.m.* conjunto de regras de organização e funcionamento de uma instituição, órgão, estabelecimento, empresa pública ou privada ▣ **e. da criança e do adolescente** conjunto de normas jurídicas que protegem a criança e o adolescente, zelando por seus direitos humanos [sigla: *ECA*] ~ **estatutário** *adj.*

estável (es.tá.vel) [pl.: *-eis*] *adj.2g.* **1** firme, seguro *<mesa e.>* ↺ instável **2** que não varia; inalterável *<humor, temperatura e.>* ↺ variável **3** que dura muito; duradouro *<paz e.>* ↺ transitório **4** que tem garantia de permanecer no emprego *<funcionário e.>* **5** FÍS em que se restaurou o equilíbrio, após rápida perturbação (diz-se de sistema) ↺ instável

este (es.te) *s.m.* **1** GEO MET direção em que nasce o sol, à direita de quem olha para o norte; leste, oriente ↺ oeste **2** na rosa dos ventos, ponto cardeal que marca essa direção [símb.: *E*]; leste ■ *adj.2g.s.m.* **3** leste ('região') [abrev.: *E.*] ■ *adj.2g.* **4** que se situa ou segue na direção leste (acp. 1 e 2)

este (es.te) /ê/ [fem.: *esta* /é/] *pron.dem.* designa pessoa ou coisa próxima daquele que fala, no espaço, no tempo ou no discurso *<e. copo aqui é meu> <voltará e. semana> <vi e. aviso: proibido pescar>*

estear (es.te.ar) *v.* {mod. 5} *t.d.* **1** segurar com esteios; escorar *<e. um poste, uma planta>* □ *t.d. e pron. fig.* **2** (prep. *em*) amparar(-se), proteger(-se) *<esteara a filha nos momentos difíceis> <esteou-se nos amigos>* ↺ desamparar(-se) □ *t.d.i. e pron. fig.* **3** (prep. *em*) basear(-se), fundamentar(-se) *<esteia seus argumentos em princípios controversos> <esteou-se nos documentos encontrados para defender-se>*

esteio (es.tei.o) *s.m.* **1** peça de madeira, metal, ferro etc. com a qual se firma ou escora algo **2** *fig.* arrimo, amparo *<os avós são seu e.>* ↺ desproteção

[1]esteira (es.tei.ra) *s.f.* **1** tecido de junco, palha etc., us. para forrar o chão **2** *p.ext.* tapete feito desse tecido **3** tapete rolante que transporta bagagem, mercadorias etc., esp. a bordo **4** aparelho de ginástica que contém um tapete que rola de forma contínua, usado para exercícios de caminhada ou corrida ◉ ORIGEM do esp. *estera* 'id.' ◉ COL esteirame

[2]esteira (es.tei.ra) *s.f.* **1** MAR rastro de espuma deixado na água por embarcação **2** *p.ext.* trilha, vestígio *<caminhou mata adentro na e. dos cavalos>* ◉ ORIGEM do lat. *aestuarĭa*, pl. de *aestuarĭum,ii* 'espaço que o mar deixa descoberto na vazante etc.'

esteiro (es.tei.ro) *s.m.* **1** braço de rio ou de mar que avança na terra; estuário **2** terreno pantanoso próximo a rios, lagos ou lagoas

estelar (es.te.lar) [pl.: *-es*] *adj.2g.* relativo a estrelas *<mapa e.>*

estelionatário (es.te.li.o.na.tá.rio) *s.m.* indivíduo que pratica um estelionato

estelionato (es.te.li.o.na.to) *s.m.* DIR fraude praticada por alguém visando obter vantagem ilegal em prejuízo alheio

estêncil (es.tên.cil) [pl.: *-eis*] *s.m.* folha de papel com perfurações us. de matriz para a impressão por mimeógrafo

estender (es.ten.der) *v.* {mod. 8} *t.d. e pron.* **1** expandir(-se) no tempo ou no espaço; prolongar (-se) *<resolveram e. a viagem> <o país estendeu seus domínios com as invasões> <o baile estendeu-se noite adentro>* **2** tornar(-se) maior, mais amplo; engrandecer *<os estudos estenderam seu conhecimento geral> <seu sucesso estendeu-se ao longo dos anos>* ↺ diminuir □ *t.d.* **3** abrir totalmente; desdobrar, desenrolar *<e. o lençol>* **4** alongar (corpo ou parte dele); espichar *<espreguiçou, estendendo os braços>* **5** pendurar (roupa) em corda, varal etc. para secar □ *t.d.i.* **6** (prep. *a*) apresentar, entregar (algo) a *<estendeu-lhe uma cadeira>* □ *t.d.i. e pron.* **7** (prep. *a*) [fazer] ter valia para; aplicar(-se) *<a diretora estendeu a nova norma a todas as turmas> <a medida não se estende aos aposentados>* □ *pron.* **8** (prep. *em*) demorar muito em qualquer atividade *<o diretor estendeu-se na filmagem da última cena>* **9** (prep. *em*) deitar-se, esticar-se *<cansado, entendeu-se na cama e dormiu>* ~ **estendido** *adj.*

estenodatilografia (es.te.no.da.ti.lo.gra.fi.a) ou **estenodactilografia** (es.te.no.dac.ti.lo.gra.fi.a) *s.f.* sistema de escrita abreviada que combina a estenografia e a datilografia; estenodactilografia ~ **estenodatilógrafo/estenodactilógrafo** *s.m.*

estenografia (es.te.no.gra.fi.a) *s.f.* técnica de escrita abreviada que permite anotação das palavras com a mesma rapidez com que são ditas; taquigrafia ~ **estenografar** *v.t.d.* - **estenográfico** *adj.* - **estenógrafo** *s.m.*

estentor (es.ten.tor) /ô/ [pl.: *-es*] *s.m.* **1** indivíduo de voz possante **2** *p.ext.* voz muito forte

[1]**estepe** (es.te.pe) *s.f.* GEO **1** vegetação rasteira, que ocorre em ambiente seco, caracterizada por tufos afastados, deixando o solo descoberto **2** planície árida e calcária com essa vegetação ◉ ORIGEM do ing. *step* 'id.'

[2]**estepe** (es.te.pe) *s.m.* *B* pneu sobressalente ◉ ORIGEM desc.

[3]**estepe** (es.te.pe) *s.m.* exercício aeróbico que consiste em subir e descer repetidas vezes uma pequena plataforma ◉ ORIGEM do ing. *step* 'passo; degrau'

éster (és.ter) [pl.: *-res*] *s.m.* QUÍM classe de compostos orgânicos derivados da reação de ácido com álcool

estercar (es.ter.car) *v.* {mod. 1} *t.d.* **1** adubar (a terra) com esterco □ *int.* **2** defecar (animal)

esterçar (es.ter.çar) *v.* {mod. 1} *t.d.* girar (volante) à esquerda e à direita

esterco (es.ter.co) /ê/ *s.m.* **1** excremento de animal **2** matéria orgânica vegetal us. para adubar a terra; estrume ~ **esterqueiro** *adj.s.m.*

estéreo (es.té.reo) *s.m.* **1** aparelho de som que utiliza a técnica da estereofonia ■ *adj.* **2** estereofônico

estereofonia (es.te.re.o.fo.ni.a) *s.f.* FÍS técnica de gravação e reprodução de sons que usa dois canais para dois ou mais alto-falantes

estereofônico (es.te.re.o.fô.ni.co) *adj.* relativo à estereofonia; estéreo

estereotipar (es.te.re.o.ti.par) *v.* {mod. 1} *t.d.* **1** GRÁF imprimir usando estereótipo **2** atribuir ideia ou imagem preconcebida e generalizante a *<e. o consumidor>* □ *t.d. e pron.* **3** mostrar(-se) sempre inalterável, fixo *<e. um cumprimento> <o discurso político estereotipou-se>* ↺ modificar(-se) ~ **estereotipado** *adj.*

estereotipia (es.te.re.o.ti.pi.a) *s.f.* GRÁF **1** reprodução de uma forma /ô/ de composição tipográfica, obtida por meio de uma matriz na qual se molda o metal líquido **2** chapa ou clichê obtidos por esse processo

estereótipo (es.te.re.ó.ti.po) *s.m.* **1** GRÁF chapa ou placa com caracteres fixos em relevo, us. em impressão **2** imagem preconcebida de alguém ou algo, baseada num modelo ou numa generalização

estéril (es.té.ril) [pl.: *-eis*] *adj.2g.* **1** que não dá frutos; árido *<terreno e.>* ↺ fértil **2** livre de germes; asséptico *<ambiente e.>* ↺ infectado **3** *fig.* sem criatividade *<autor e.>* ↺ criativo **4** *fig.* improdutivo, inútil *<discurso e.>* ↺ eficaz ■ *adj.2g.s.2g.* **5** que(m) não gera filhos ~ **esterilidade** *s.f.*

esterilizador (es.te.ri.li.za.dor) /ô/ [pl.: *-es*] *adj.s.m.* (aparelho) us. na esterilização de objetos ou ambientes

esterilizar (es.te.ri.li.zar) *v.* {mod. 1} *t.d. e pron.* **1** tornar(-se) improdutivo (solo, planta) **2** tornar(-se) incapaz de procriar (pessoa, animal) □ *t.d.* **3** livrar de germes; limpar *<e. a água> <e. instrumentos cirúrgicos>* ↺ infectar ~ **esterilização** *s.f.* - **esterilizante** *adj.2g.s.2g.*

esterno (es.ter.no) *s.m.* ANAT osso achatado que, no ser humano, se articula com as primeiras sete costelas e com a clavícula ☞ cf. *externo* ~ **esternal** *adj.2g.*

esteroide (es.te.roi.de) /ói/ *adj.2g.s.m.* BIOQ (composto orgânico) que exerce funções metabólicas e hormonais no organismo

esterol (es.te.rol) [pl.: *-óis*] *s.m.* BIOQ tipo de álcool que desempenha funções fisiológicas nos organismos vegetais e animais

esterqueira (es.ter.quei.ra) *s.f.* **1** depósito de esterco **2** *p.ext.* coisa ou lugar sujo

estertor (es.ter.tor) /ô/ [pl.: *-es*] *s.m.* MED respiração ruidosa, esp. dos moribundos ~ **estertorante** *adj.2g.* - **estertoroso** *adj.*

estertorar (es.ter.to.rar) *v.* {mod. 1} *int.* **1** emitir respiração ruidosa (moribundo); agonizar **2** respirar com dificuldade; ofegar

esteta (es.te.ta) *s.2g.* **1** pessoa que cultua o belo **2** FIL especialista em estética

estética (es.té.ti.ca) *s.f.* **1** FIL estudo do belo e da beleza artística **2** harmonia das formas e/ou das cores; beleza *<cuidar da e.>* **3** atividade profissional que trata da beleza física de uma pessoa *<clínica de e.>*

esteticismo (es.te.ti.cis.mo) *s.m.* **1** FIL doutrina dos princípios da estética ('estudo') **2** devoção à beleza ou ao cultivo das artes

esteticista (es.te.ti.cis.ta) *adj.2g.* **1** relativo ao esteticismo ■ *adj.2g.s.2g.* **2** *B* especialista em tratamentos de beleza (limpeza de pele, maquiagem etc.)

estético (es.té.ti.co) *adj.* **1** relativo à estética, ao estudo e conceituação do belo **2** que indica bom gosto; atraente *<combinação e. de cores>* **3** que visa ao embelezamento de um indivíduo *<cirurgia e.>*

estetoscópio (es.te.tos.có.pio) *s.m.* instrumento médico us. na escuta de ruídos internos do organismo ~ **estetoscopia** *s.f.* - **estetoscópico** *adj.*

estévia (es.té.via) *s.f.* BOT planta das Américas us. na produção de adoçantes

estiagem (es.ti.a.gem) [pl.: *-ens*] *s.f.* **1** cessação ou falta de chuvas; seca ↺ enchente **2** nível mais baixo das águas de um rio, canal etc.

estiar (es.ti.ar) *v.* {mod. 1} *int.* **1** tornar-se seco (tempo) **2** parar de chover *<depois de duas horas, estiou>* ~ **estiada** *s.f.*

estibordo (es.ti.bor.do) *s.m.* MAR boreste ☞ cf. *bombordo e boreste*

esticada (es.ti.ca.da) *s.f.* *B* **1** ato de esticar ou seu efeito **2** *infrm.* prolongamento de diversão, viagem etc. em outros locais *<deram uma e. depois da festa>*

esticar (es.ti.car) *v.* {mod. 1} *t.d.* **1** tornar rijo, puxando com força; estirar *<e. um fio>* **2** pôr reto; endireitar *<e. o corpo>* **3** tirar rugas ou pregas de; alisar *<e. o lençol>* ↺ enrugar, amarrotar □ *t.d. e pron.* **4** distender a musculatura (de); alongar(-se) *<e. os braços>*

<levantou-se e se esticou devagar> **5** *fig.* tornar(-se) maior o tempo de; prolongar(-se) *<e. um prazo> <o debate se esticou por horas>* □ *int.* **6** ficar mais longo ou mais largo *<malha estica>* **7** *fig. infrm.* prolongar um divertimento, passeio etc., dando-lhe continuação em outro local *<sair da festa e e. na boate>* **8** *infrm.* morrer, falecer □ *pron.* **9** (prep. *em*, *sob*, *sobre*) deitar-se, estender-se *<esticou-se após o almoço> <esticou-se no sofá e dormiu>* ~ **esticado** *adj.* - **esticamento** *s.m.*

estigma (es.tig.ma) *s.m.* **1** marca ou cicatriz deixada por ferida **2** sinal natural no corpo **3** *fig.* o que é considerado indigno; desonra *<o divórcio já não é mais considerado um e.>* ↺ dignidade **4** BOT parte do gineceu provida de substância açucarada e pegajosa que recolhe o pólen

estigmatizar (es.tig.ma.ti.zar) *v.* {mod. 1} *t.d.* **1** censurar, marcar negativamente (alguém) *<a doença estigmatizou-o>* □ *t.d. e t.d.pred. fig.* **2** (prep. *de*) condenar, tachar *<tende a e. os políticos> <estigmatizou o proprietário de desonesto>* ~ **estigmático** *adj.* - **estigmatização** *s.f.*

estilete (es.ti.le.te) /ê/ *s.m.* **1** punhal de lâmina fina **2** objeto com lâmina protegida por plástico, us. para cortar papelão, borracha etc. **3** BOT parte do pistilo entre o ovário e o estigma

estilhaçar (es.ti.lha.çar) *v.* {mod. 1} *t.d.,int. e pron.* reduzir(-se) a estilhaços ou pedaços; despedaçar(-se) *<a pedrada estilhaçou o vidro> <algumas casas estilhaçaram(-se) com o terremoto>*

estilhaço (es.ti.lha.ço) *s.m.* fragmento de vidro, madeira etc., após impacto violento ou explosão

estilingue (es.ti.lin.gue) *s.m.* RECR forquilha munida de elástico, us. para atirar pedras; atiradeira, bodoque

estilista (es.ti.lis.ta) *adj.2g.s.2g.* **1** que(m) escreve com estilo elegante, requintado **2** desenhista de moda

estilística (es.ti.lís.ti.ca) *s.f.* **1** a arte de escrever de forma apurada, elegante **2** LING disciplina que estuda os recursos expressivos que individualizam os estilos de uma língua, de uma obra escrita etc. ~ **estilístico** *adj.*

estilizado (es.ti.li.za.do) *adj.* **1** a que se deu forma estética diferente do original *<desfilou com uma fantasia e. de soldado>* **2** representado por meio de símbolos *<um tapete com figuras humanas e.>*

estilizar (es.ti.li.zar) *v.* {mod. 1} *t.d.* **1** dar estilo ou estética diferente a *<e. um traje típico>* **2** representar por meio de símbolos *<o quadro estiliza a miséria>* ~ **estilização** *s.f.*

estilo (es.ti.lo) *s.m.* **1** maneira particular de se expressar, de se vestir, de viver etc. *<essa blusa não combina com meu e.> <nunca fui a esse e. de festa>* **2** elegância *<pessoa sem e.>* ↺ deselegância **3** conjunto de características formais, que identificam uma obra, um artista etc. *<o e. do cineasta é inconfundível>* **4** haste com que os antigos escreviam em tábuas cobertas de cera

estima (es.ti.ma) *s.f.* **1** sentimento de carinho ou de apreço; afeição, afeto *<sua bondade despertava a e. de todos>* ↺ desestima **2** estimativa

estimado (es.ti.ma.do) *adj.* **1** sobre o qual se fez cálculo aproximado; considerado, presumido *<resultado e.> <avaliação e. de lucros>* **2** que é alvo de estima, afeição *<parente e.>*

estimar (es.ti.mar) *v.* {mod. 1} *t.d.* **1** avaliar, calcular aproximadamente *<é difícil e. o tempo que isso levará>* **2** ter prazer em; gostar *<estima a companhia dos primos>* ↺ detestar **3** pensar, julgar com base em evidências *<estima que a concorrência será grande>* **4** fazer votos de; desejar *<estimo suas melhoras>* □ *t.d. e pron.* **5** dar(-se) valor; prezar(-se) *<estima, acima de tudo, a honestidade> <um homem que se estima mede a consequência de seus atos>* ↺ desvalorizar(-se) ~ **estimável** *adj.2g.*

estimativa (es.ti.ma.ti.va) *s.f.* avaliação ou cálculo aproximado; estima, estimação *<fez uma e. das despesas com a obra>*

estimativo (es.ti.ma.ti.vo) *adj.* **1** relativo a estima, apreço *<objeto de valor e.>* **2** que constitui uma estimativa; sobre o qual se fez avaliação aproximada *<custo e.>* **3** presumido com base em evidências *<reflexões e. sobre a economia nacional>*

estimulante (es.ti.mu.lan.te) *adj.2g.s.m.* **1** (o) que incentiva, encoraja *<um debate e.>* **2** FISL (substância, comida etc.) que ativa função orgânica ou psíquica de um organismo *<remédio com propriedades e.> <a cafeína é um e.>*

estimular (es.ti.mu.lar) *v.* {mod. 1} *t.d. e t.d.i.* **1** (prep. *a*) dar incentivo, ânimo, coragem a; incitar, animar *<e. novos talentos> <a vitória estimulou-os a prosseguir>* ↺ desanimar, desestimular □ *t.d.* **2** ajudar a criar, realizar ou intensificar (algo); impulsionar *<medida para e. o progresso> <remédio para e. o apetite>* ~ **estimulação** *s.f.* - **estimulado** *adj.*

estímulo (es.tí.mu.lo) *s.m.* **1** aquilo que incita à atividade; incentivo *<aluno precisa de e.>* ↺ desencorajamento **2** FISL aquilo que provoca uma reação em um órgão receptor ou tecido excitável *<e. olfativo>*

estio (es.ti.o) *s.m.* **1** verão **2** *fig.* a idade madura

estiolamento (es.ti.o.la.men.to) *s.m.* **1** BOT desenvolvimento anormal dos vegetais por causa da ausência de luz, ger. com descoramento e definhamento dos tecidos **2** FISL debilitação e descoramento de um indivíduo, por falta de contato suficiente com luz e ar puro **3** *p.ext.* fraqueza, definhamento

estiolar (es.ti.o.lar) *v.* {mod. 1} *t.d.,int. e pron.* **1** BOT FISL provocar ou sofrer estiolamento ('desenvolvimento', 'debilitação') □ *pron. fig.* **2** ficar mais fraco; debilitar-se *<sua criatividade estiolou-se>* ↺ fortalecer-se

estipêndio (es.ti.pên.dio) *s.m.* salário, remuneração ~ **estipendiar** *v.t.d.*

estipular (es.ti.pu.lar) *v.* {mod. 1} *t.d.* **1** DIR ajustar por meio de contrato jurídico; firmar □ *t.d. e t.d.i.* **2** (prep. *a*) prescrever com precisão; determinar *<e. um prazo (a alguém)>* ~ **estipulação** *s.f.*

estirada (es.ti.ra.da) *s.f.* **1** caminhada longa **2** longa distância de um ponto a outro *<da casa à escola era uma e.>* ▣ **de uma e.** sem interrupção *<leu o livro de uma e.>*

estiramento (es.ti.ra.men.to) *s.m.* **1** ato ou efeito de estirar(-se) **2** MED distensão

estirão (es.ti.rão) [pl.: *-ões*] *s.m.* estirada

estirar (es.ti.rar) *v.* {mod. 1} *t.d.* **1** tornar rijo, puxando com força; esticar *<e. uma corda>* **2** alongar (corpo ou parte dele) *<estirou as pernas para relaxar>* **3** distender (músculo, ligamento etc.) *<estirou a panturrilha>* □ *pron.* **4** (prep. *em*, *sobre*) deitar-se *<estiraram-se sobre a grama>*

estirpe (es.tir.pe) *s.f.* **1** linhagem; genealogia *<pertencia à e. de um grande poeta>* ↺ descendência **2** origem, raça *<família de e. italiana>* **3** categoria, classe *<um pintor da e. de Portinari>* **4** classe, condição social *<família de alta e.>*

estiva (es.ti.va) *s.f.* MAR **1** processo de carregamento e descarregamento de uma embarcação **2** *B* conjunto de estivadores de um porto **3** carga pesada colocada em primeiro lugar nos porões dos navios

estivador (es.ti.va.dor) /ô/ [pl.: *-es*] *adj.s.m.* que(m) carrega e descarrega navios

estival (es.ti.val) [pl.: *-ais*] *adj.2g.* relativo a ou próprio do verão *<temperatura e.>*

estocada (es.to.ca.da) *s.f.* **1** golpe dado com estoque ou com ponta da espada **2** *fig.* forte crítica, ataque *<levou uma e. do coreógrafo>* ↺ elogio

estocagem (es.to.ca.gem) [pl.: *-ens*] *s.f. B* ato de formar [2]estoque; armazenamento

[1]**estocar** (es.to.car) *v.* {mod. 1} *t.d.* guardar (mercadoria) para venda, exportação, consumo futuro; armazenar ◉ ORIGEM [2]*estoque* + [2]*-ar*

[2]**estocar** (es.to.car) *v.* {mod. 1} *t.d.* ferir com [1]estoque ou qualquer objeto perfurante ◉ ORIGEM [1]*estoque* + [2]*-ar*

estofado (es.to.fa.do) *adj.* **1** acolchoado e forrado de tecido *<comprou cadeiras e.>* ■ *s.m.* **2** tecido ou revestimento grosso, encorpado **3** conjunto de sofá e cadeiras acolchoado e forrado de tecido ☞ nesta acp., tb. us. no pl.

estofador (es.to.fa.dor) /ô/ [pl.: *-es*] *adj.s.m.* profissional que estofa móveis

estofamento (es.to.fa.men.to) *s.m.* **1** revestimento com tecido e enchimento com estofo *<precisou trocar o e. dos bancos do carro>* **2** material (algodão, espuma etc.) us. para estofar sofás, colchões etc.; estofo ☞ cf. *estufamento*

estofar (es.to.far) *v.* {mod. 1} *t.d.* **1** cobrir com estofo ('tecido'); forrar **2** guarnecer com estofo ('enchimento'); acolchoar

estofo (es.to.fo) /ô/ *s.m.* **1** tecido us. em decoração, como tapete, para cobrir assentos etc. **2** enchimento (de algodão, seda, espuma etc.) para estofados

estoicismo (es.toi.cis.mo) *s.m.* **1** FIL doutrina filosófica que faz da virtude a verdadeira felicidade e que prega a indiferença em relação ao prazer, à paixão e à dor **2** *p.ext.* rigidez moral ↺ flexibilidade **3** *p.ext.* resignação *<enfrentou a tragédia com e.>*

estoico (es.toi.co) /ói/ *adj.* **1** relativo ao estoicismo ■ *adj.s.m.* **2** FIL adepto do estoicismo **3** (aquele) que é rígido, firme em seus princípios; severo ↺ flexível, indulgente

estojo (es.to.jo) /ô/ *s.m.* pequena caixa com formato apropriado ao objeto que acomoda, guarda e protege *<e. de óculos, de canetas>*

estola (es.to.la) *s.f.* **1** faixa larga de lã ou seda us. sobre a veste dos padres **2** VEST tipo de xale us. pelas mulheres no pescoço ou sobre os ombros

estomacal (es.to.ma.cal) [pl.: *-ais*] *adj.2g.* **1** relativo ou pertencente ao estômago *<dores e.>* *<região e.>* **2** benéfico para o estômago *<chá e.>*

estômago (es.tô.ma.go) *s.m.* **1** ANAT órgão oco do tubo digestivo no qual os alimentos são pré-digeridos e esterilizados antes de serem enviados ao intestino **2** *fig.* capacidade de suportar situações desagradáveis; paciência *<é preciso ter e. para aguentá-lo>*

estomatite (es.to.ma.ti.te) *s.f.* MED qualquer inflamação da mucosa da boca

estonteante (es.ton.te.an.te) *adj.2g.* **1** que atordoa, que faz perder o juízo; atordoante *<uma barulheira e.>* ↺ calmante **2** que causa grande deslumbramento; extraordinário, fascinante *<uma beleza e.>*

estontear (es.ton.te.ar) *v.* {mod. 5} *t.d.,int. e pron.* **1** (fazer) ficar desnorteado, tonto; atordoar(-se) *<a gritaria dos torcedores estonteou-a>* *<a pressa estonteia>* *<estonteou-se com a luz dos holofotes>* **2** *fig.* deslumbrar(-se), maravilhar(-se) *<o mágico estonteou a plateia com seus truques>* *<estontearam-se com a apresentação dos dançarinos>* ~ **estonteamento** *s.m.*

estopa (es.to.pa) /ô/ *s.f.* massa de fios têxteis não aproveitados na tecelagem e us. ger. em limpeza de motores de automóveis

estopim (es.to.pim) [pl.: *-ins*] *s.m.* **1** fio encharcado de substância inflamável que transmite fogo a uma carga de explosivos **2** *fig.* evento que provoca uma série de acontecimentos *<a briga no ônibus foi o e. do acidente>*

[1]**estoque** (es.to.que) *s.m.* **1** espada reta com fio não cortante cuja ponta causa ferimentos **2** qualquer objeto transformado em instrumento pontiagudo e cortante ◉ ORIGEM do fr.ant. *estoc* 'id.' ~ **estoquear** *v.t.d. e int.*

[2]**estoque** (es.to.que) *s.m.* **1** quantidade de mercadoria armazenada ou disponível para consumo, venda, exportação etc. **2** lugar onde essa mercadoria é armazenada *<temos mais borrachas no e.>* ◉ ORIGEM do ing. *stock* 'id.'

estoquista (es.to.quis.ta) *adj.2g.s.2g.* **1** que(m) armazena mercadorias **2** encarregado de registrar o estoque ou organizar as mercadorias armazenadas em uma casa comercial

estornar (es.tor.nar) *v.* {mod. 1} *t.d.* lançar (um valor) como crédito para compensar débito errado e vice-versa *<o banco estornou a taxa cobrada duas vezes>*

estorno (es.tor.no) /ô/ *s.m.* **1** correção em um lançamento indevido de crédito ou débito em conta-corrente, livro de contabilidade etc. **2** o valor desse lançamento

estorricar (es.tor.ri.car) ou **esturricar** (es.tur.ri.car) *v.* {mod. 1} *t.d. e int.* **1** (deixar) secar demais, quase queimando *<o sol estorricou a colheita>* *<apagou o fogo para evitar que o arroz estorricasse>* **2** *p.ext.* queimar muito; torrar *<aquele sol forte estorricou sua pele>* *<estorricaram-se na praia>* ~ **estorricamento** *s.m.*

estorvar (es.tor.var) *v.* {mod. 1} *t.d.* **1** tornar impossível; frustrar, impedir *<as brigas familiares estorvaram a conversa com os pais>* ↺ viabilizar **2** causar problemas, obstáculos a; dificultar *<e. os objetivos de alguém>* ↺ facilitar **3** importunar, perturbar *<as buzinas estorvavam os moradores>* ~ **estorvamento** *s.m.*

estorvilho (es.tor.vi.lho) *s.m.* **1** pequeno estorvo **2** transtorno, dificuldade

estorvo (es.tor.vo) /ô/ *s.m.* **1** dificuldade, embaraço, obstáculo *<foi um e. chegar aqui a pé>* ↺ ajuda **2** pessoa ou fato que causa aborrecimento *<essa moça é um e., só chega na hora do almoço>* ↺ deleite ◉ GRAM/USO dim.irreg.: *estorvilho*

estou-fraca (es.tou-fra.ca) *s.f.2n.* ZOO galinha-d'angola

E

estourado (es.tou.ra.do) *adj.* **1** que estourou; rebentado *<pneu e.>* **2** *fig.* que alcançou seu limite *<orçamento, paciência e.>* **3** *fig.* que perde a paciência com facilidade (diz-se de indivíduo) **4** *B infrm.* exausto, sem forças físicas

estourar (es.tou.rar) *v.* {mod. 1} *t.d. e int.* **1** rebentar com grande estrondo; explodir **2** romper, com barulho ou não *<e. balões> <a bolha estourou>* □ *int.* **3** *fig.* fazer sucesso *<a música afinal estourou>* **4** *fig.* surgir de repente; irromper *<a rebelião estourou ontem>* **5** latejar de dor *<sua cabeça estourava>* **6** *fig. B* dispersar-se (bando de animais) de forma rápida e confusa □ *t.d.* **7** fazer romper por pressão externa (como de som ou barulho alto, vento contínuo) *<um barulho de e. os tímpanos>* **8** *fig.* gastar até ultrapassar o limite de (conta, orçamento etc.) *<e. o limite do cartão de crédito>* **9** *B infrm.* entrar violentamente (a polícia) em (lugar ilegal), para fazê-lo parar de funcionar *<e. um cativeiro>* □ *t.d. e pron.* **10** (fazer) sofrer lesão grave; machucar(-se) *<o jogador estourou o joelho> <estourou-se todo no acidente>* **11** fazer(-se) em pedaços; destruir(-se), quebrar(-se) *<o carro perdeu a direção e estourou o muro da casa> <o caminhão estourou-se na queda>* **12** *B infrm.* cansar (-se) muito; esgotar(-se) *<aquele projeto estourava-o> <estoura-se no serviço>* ↺ descansar

estouro (es.tou.ro) *s.m.* **1** estrondo ger. violento, vindo de algo que arrebenta; explosão *<e. de uma bomba>* **2** *fig.* manifestação de raiva **3** *B infrm.* pessoa, coisa ou fato espetacular *<esse filme é um e.>* **4** *B infrm.* dispersão de animais ou de uma multidão em pânico *<o e. da boiada>* ↺ concentração

estouvado (es.tou.va.do) *adj.s.m.* **1** que(m) age sem pensar **2** que(m) é imprudente, leviano ↺ prudente **3** (o) que é brincalhão ~ **estouvamento** *s.m.*

estovaína (es.to.va.i.na) *s.f.* FARM substância us. como anestésico local

estrábico (es.trá.bi.co) *adj.s.m.* que ou aquele que sofre de estrabismo; caolho

estrabismo (es.tra.bis.mo) *s.m.* MED desvio de um dos olhos da direção correta

estraçalhar (es.tra.ça.lhar) *v.* {mod. 1} *t.d. e pron.* **1** fazer em pedaços, ger. com certa fúria; despedaçar *<a águia estraçalhou a presa> <os exércitos estraçalharam-se>* □ *t.d. fig.* **2** deixar mal; abater, arrasar *<a reprovação estraçalhou o garoto>* ↺ alegrar □ *int. fig. infrm.* **3** ter um desempenho muito além do esperado *<hoje, o baterista estraçalhou>* ~ **estraçalhamento** *s.m.*

estrada (es.tra.da) *s.f.* **1** caminho destinado ao trânsito de pessoas, animais e veículos **2** *fig.* meio de alcançar determinado objetivo *<buscar a e. da felicidade>* ⊙ COL rede, viação ▣ **e. de ferro** *B* sistema de transporte sobre trilhos; ferrovia • **e. de rodagem** *B* via destinada ao tráfego de veículos sobre rodas; rodovia

estradeiro (es.tra.dei.ro) *adj.s.m. B* **1** (o) que tem boa disposição para andar; andarilho **2** *fig.* (o) que age com esperteza, astúcia

estrado (es.tra.do) *s.m.* **1** plataforma baixa us. para altear o piso e destacar pessoa ou coisa *<o professor ficava sobre um e.>* **2** armação, ger. em formato similar a uma grade, em que se apoia o colchão da cama

estragar (es.tra.gar) *v.* {mod. 1} *t.d.,int. e pron.* **1** (fazer) ficar em mau estado; deteriorar(-se), danificar(-se) *<as chuvas frequentes estragaram a madeira> <sem refrigeração, a comida estragou(-se)>* ↺ conservar(-se) **2** (fazer) perder o bom funcionamento ou a utilidade; avariar(-se) *<o mau uso do aparelho acabou por estragá-lo> <com o tempo, o dispositivo estragou(-se)>* ↺ consertar □ *t.d. e pron.* **3** *fig.* destruir(-se) moralmente; corromper(-se) *<os maus hábitos estragam a juventude> <estragou-se com o consumo excessivo de álcool>* ↺ regenerar(-se) □ *t.d.* **4** causar problemas para a realização de; atrapalhar *<a chuva vai e. a festa>* ~ **estragado** *adj.*

estrago (es.tra.go) *s.m.* **1** ato de estragar ou seu efeito **2** dano, avaria de algo *<e. no telhado>* ↺ conserto **3** prejuízo, perda *<os e. da enchente>*

estrambótico (es.tram.bó.ti.co) *adj. infrm.* **1** diferente em todos os sentidos; excêntrico ↺ habitual **2** que causa certa repugnância ou aversão; ridículo *<estilo e.>* ~ **estrambotismo** *s.m.*

estrangeirado (es.tran.gei.ra.do) *adj.* que fala e age como um indivíduo estrangeiro

estrangeirismo (es.tran.gei.ris.mo) *s.m.* LING palavra ou expressão estrangeira us. num texto em língua própria do país

estrangeiro (es.tran.gei.ro) *adj.s.m.* **1** (o) que é ou vem de outro país *<filme e.>* ↺ nacional **2** *fig.* (o) que é estranho à terra em que se encontra; forasteiro *<costumes e.>* ↺ nativo ■ *s.m.* **3** o conjunto dos países em geral, menos aquele em que se nasce *<viveu anos no e.>*

estrangular (es.tran.gu.lar) *v.* {mod. 1} *t.d.* **1** matar (alguém) impedindo sua respiração ao apertar-lhe o pescoço; esganar **2** apertar, comprimir *<sentia a luva, justa demais, e. o pulso>* **3** *fig.* conter, reprimir (emoção, sentimento forte) *<e. um gemido> <e. uma revolta>* □ *t.d. e pron.* **4** (fazer) perder a respiração; asfixiar(-se) ~ **estrangulamento** *s.m.*

estranhar (es.tra.nhar) *v.* {mod. 1} *t.d.* **1** considerar fora do comum, diferente ou anormal *<estranhou a falta de ônibus>* **2** sentir-se incomodado com (nova realidade) *<todos estranharam a mudança no horário das aulas>* ↺ adaptar-se □ *pron.* **3** indispor-se, brigar *<os cães estranharam-se>* ~ **estranhamento** *s.m.*

estranho (es.tra.nho) *adj.s.m.* **1** (o) que é esquisito, extraordinário ↺ comum **2** (o) que é de fora, estrangeiro ↺ nacional ■ *adj.* **3** desconhecido, novo *<cultura e.>* ↺ conhecido **4** que foge aos padrões sociais *<o e. comportamento dos jovens>* ↺ comum **5** que não faz parte de algo *<item e. ao programa do partido>* **6** misterioso, enigmático *<crime e.>* **7** que foge ao convívio ↺ sociável ~ **estranheza** *s.f.*

estratagema (es.tra.ta.ge.ma) *s.m.* **1** ardil us. em guerras para enganar o inimigo **2** plano, esquema etc. para atingir determinado objetivo *<e. econômico, político>* **3** qualquer ato ardiloso

estratégia (es.tra.té.gia) *s.f.* **1** MIL planejamento de operações de guerra **2** *p.ext.* planejamento de uma ação para conseguir um resultado *<traçaram uma e. para fugir do engarrafamento>* **3** *p.ext.* ardil engenhoso ~ **estratégico** *adj.* - **estrategista** *adj.2g.s.2g.*

estratificar (es.tra.ti.fi.car) *v.* {mod. 1} *t.d. e pron.* **1** dispor(-se) em camadas ou estratos □ *pron.* **2** manter-se em certo ponto ou estado; estagnar *<as relações se estratificaram>* ↺ alterar-se, mudar ~ **estratificação** *s.f.* - **estratificado** *adj.*

estrato (es.tra.to) *s.m.* **1** GEOL cada camada de rocha estratificada **2** *p.ext.* qualquer camada *<a matemática era apenas um e. do seu vasto conhecimento>* **3** MET nuvem acinzentada que se apresenta como um véu contínuo **4** SOC conjunto de indivíduos com características sociais semelhantes *<o e. menos favorecido da população>*

estrato-cirro (es.tra.to-ci.ro) [pl.: *estratos-cirros*] *s.m.* MET cirro-estrato

estrato-cúmulo (es.tra.to-cú.mu.lo) [pl.: *estratos--cúmulos*] *s.m.* MET massa contínua e escura de nuvens ou conjunto de finas camadas nebulosas localizadas, em geral, a 2.000 m de altitude; cúmulo-estrato

estrato-nimbo (es.tra.to-nim.bo) [pl.: *estratos--nimbos*] *s.m.* MET nimbo-estrato

estratosfera (es.tra.tos.fe.ra) *s.f.* **1** FÍS camada da atmosfera terrestre situada aprox. entre 11 km e 50 km de altitude **2** *fig.* lugar muito alto, fora do alcance *<a inflação jogou os preços para a e.>* ~ **estratosférico** *adj.*

-estre *suf.* 'relação': *campestre*

estreante (es.tre.an.te) *adj.2g.s.2g.* que ou aquele que estreia; iniciante, principiante

estrear (es.tre.ar) *v.* {mod. 5} *t.d.* **1** usar ou fazer funcionar pela primeira vez; inaugurar *<estrearam a torradeira nova>* **2** dar início a; começar ↺ terminar □ *int.* **3** desempenhar função pela primeira vez *<e. como ator>* □ *t.d. e int.* **4** exibir(-se) ao público pela primeira vez *<a companhia estreou uma nova peça> <o filme estreará amanhã>*

estrebaria (es.tre.ba.ri.a) *s.f.* local onde ficam os cavalos e os arreios; cavalariça

estrebuchar (es.tre.bu.char) *v.* {mod. 1} *int. e pron.* agitar-se como em convulsão, contraindo o corpo, os membros, mexendo-se muito; debater-se *<doente, vivia estrebuchando> <estrebuchou-se antes de cair>* ~ **estrebuchamento** *s.m.*

estreia (es.trei.a) /éi/ *s.f.* **1** início de uma atividade ou período ger. importante *<sua e. na profissão>* **2** a primeira vez que um artista ou grupo artístico se apresenta **3** a primeira apresentação de *show*, filme etc. **4** a primeira obra de escritor, artista etc. *<seu livro de e. não fez muito sucesso>* **5** *p.ext.* a primeira vez que se usa ou se faz alguma coisa *<e. de uma roupa>*

estreitamento (es.trei.ta.men.to) *s.m.* **1** ato, processo ou efeito de estreitar *<com a obra, a rua sofreu um e.>* **2** *fig.* redução, corte gradativo de algo *<e. de despesas>* **3** *fig.* consolidação de processo já iniciado; fortalecimento *<e. de relações>*

estreitar (es.trei.tar) *v.* {mod. 1} *t.d.,int. e pron.* **1** tornar(-se) estreito, diminuindo em espaço, largura, área etc. *<as mesas na calçada estreitaram muito a rua> <mais adiante, o rio (se) estreita>* **2** tornar(-se) menor; diminuir, encolher *<os trens rápidos estreitaram a distância entre as cidades> <depois de lavada, a roupa estreitou-se>* ↺ aumentar **3** tornar(-se) mais íntimo; aproximar(-se) *<e. laços de amizade> <suas relações estreitaram(-se)>* ↺ afastar(-se) □ *t.d.* **4** apertar contra si; abraçar ~ **estreitado** *adj.*

estreiteza (es.trei.te.za) /ê/ *s.f.* **1** falta de espaço ou de largura, altura, área etc.; aperto **2** privação, escassez *<e. de recursos>* ↺ abundância, fartura **3** grande intimidade; familiaridade, convivência *<nas ocasiões sociais, a e. entre aquelas famílias se confirmava>* ↺ distanciamento

estreito (es.trei.to) *adj.* **1** com pouco espaço *<caminho e.>* ↺ largo **2** apertado, de pouca folga *<saia e.>* ↺ folgado **3** reduzido, restrito, selecionado *<um e. círculo de relações>* ↺ amplo **4** próximo, íntimo *<parentes e.>* ↺ distante **5** *fig.* de pouca visão *<cérebro e.>* **6** *fig.* difícil, penoso, árduo *<tempos e.>* ↺ fácil ■ *s.m.* **7** canal natural de pequena largura que une dois mares ou duas partes de um mar **8** desfiladeiro ~ **estreitura** *s.f.*

estrela (es.tre.la) /ê/ *s.f.* **1** ASTR astro com luz própria, cujo deslocamento é quase imperceptível ao observador na Terra **2** *fig.* sorte, destino *<nasceu com boa e.>* **3** *p.ext.* figura ou imagem de cinco pontas que representa uma estrela *<desenhou várias e. em seu caderno>* **4** *fig.* pessoa célebre em alguma atividade **5** artista principal ou de renome **6** *fig.* pessoa ou ideia pela qual alguém se norteia; guia *<a fé era sua e.>* ▣ **e. cadente** ASTR meteoro ('rastro luminoso') • **e. da manhã** *infrm.* o planeta Vênus; estrela-d'alva • **e. da tarde** *infrm.* o planeta Vênus; estrela-d'alva • **e. polar** a estrela do hemisfério norte para a qual aponta o eixo da Terra; tramontana

estrela-d'alva (es.tre.la-d'al.va) [pl.: *estrelas-d'alva*] *s.f.* *infrm.* o planeta Vênus; estrela da manhã, estrela da tarde

estrela de davi (es.tre.la de da.vi) [pl.: *estrelas de davi*] *s.f.* REL estrela de seis pontas, formada por dois triângulos superpostos, que simboliza o judaísmo; signo de salomão

estrelado (es.tre.la.do) *adj.* **1** coberto de estrelas *<céu e.>* **2** que tem uma mancha branca na testa (diz-se de cavalo ou boi) **3** frito com a clara e a gema juntas e inteiras (diz-se de ovo); estalado **4** *B* em que trabalham astros e/ou estrelas (diz-se de filme, peça etc.)

estrela-do-mar (es.tre.la-do-mar) [pl.: *estrelas-do--mar*] *s.f.* ZOO animal marinho em forma de estrela, predador de animais invertebrados e peixes

estrelar (es.tre.lar) *v.* {mod. 1} *t.d.* **1** fritar (ovos) com clara e gema juntas e inteiriças; estalar **2** *B* atuar em papel principal de (filme, peça etc.); protagonizar □ *t.d.,int. e pron.* **3** encher(-se) de estrelas ou enfeites semelhantes a estrelas *<o artesão estrelou a peça com lindos ornatos> <naquela noite, o céu estrelava> <os canteiros estrelavam-se de flores>*

estrelato (es.tre.la.to) *s.m.* *B* o apogeu de uma carreira artística; fama *<atingiu o e. aos 19 anos>* ↺ anonimato

estrelismo (es.tre.lis.mo) *s.m.* *B* comportamento de quem exige ser tratado como uma estrela ('pessoa célebre', 'artista de renome')

estrema (es.tre.ma) *s.f.* **1** limite de propriedades no campo **2** parte que delimita; ponta *<andou à e. da cidade>* **3** limite de algo; fim ☞ cf. *extrema*

estremado (es.tre.ma.do) *adj.* **1** que teve seus limites fixados; abalizado *<terras e.>* **2** que foi separado *<selos e. pelo colecionador>* **3** *fig.* que ganhou destaque *<integridade e.>* ☞ cf. *extremado*

estremadura (es.tre.ma.du.ra) *s.f.* **1** linha de demarcação de país ou terreno **2** região localizada na parte limite de um país

estreme (es.tre.me) *adj.2g.* **1** caracterizado pela pureza; puro *<ar, vinho e.>* ↺ impuro **2** *fig.* que não se mistura a outra (diz-se de língua) *<falava um alemão e.>*

estremecer (es.tre.me.cer) *v.* {mod. 8} *t.d. e int.* **1** (fazer) sofrer rápido tremor físico *<o tremor de terra estremeceu os alicerces das construções> <a terra estremeceu>* **2** *fig.* (fazer) sofrer abalo ou golpe; abalar(-se) *<o boato estremeceu as bases do governo> <com as novas medidas, o comércio estremeceu>* □ *int.* **3** ter um calafrio, tremer de modo súbito e rápido, por medo, susto etc.

estremecimento (es.tre.me.ci.men.to) *s.m.* ato ou efeito de estremecer

estremunhar (es.tre.mu.nhar) *v.* {mod. 1} *t.d.,int. e pron. infrm.* **1** (fazer) despertar de repente *<o barulho dos latidos o estremunhou> <levantou, estremunhando (-se) ainda cheio de sono>* □ *pron.* **2** ficar desorientado; atordoar-se *<estremunhava-se com tantas tarefas a cumprir>* ~ **estremunhamento** *s.m.*

estrênuo (es.trê.nuo) *adj.* **1** destemido, corajoso ↺ covarde **2** cuidadoso, zeloso ↺ relapso **3** que denota persistência

estrepar (es.tre.par) *v.* {mod. 1} *t.d.* **1** munir de estrepes *<e. um muro>* □ *t.d. e pron.* **2** ferir(-se) com estrepes *<os cacos estreparam as mãos das crianças> <estrepou-se com aqueles pregos>* □ *pron.* **3** *B infrm.* (prep. *em*) não ter bom desempenho, sair-se mal *<estudou pouco e se estrepou nas provas>* ~ **estrepada** *s.f.*

estrepe (es.tre.pe) *s.m.* **1** ponta aguda de algo *<e. de uma lança>* **2** estaca pontiaguda, cravada no chão como armadilha para inimigos **3** *fig.* situação difícil; embaraço ▼ ***estrepes*** *s.m.pl.* **4** cacos de vidro, pregos etc. em cima dos muros para impedir que sejam escalados

estrepitante (es.tre.pi.tan.te) *adj.2g.* que produz estrépito, barulho; barulhento

estrepitar (es.tre.pi.tar) *v.* {mod. 1} *int.* soar com grande barulho; estrondar

estrépito (es.tré.pi.to) *s.m.* **1** rumor alto de vozes; algazarra ↺ silêncio **2** ruído estrondoso; barulho **3** *fig.* grande pompa; ostentação ↺ simplicidade

estrepitoso (es.tre.pi.to.so) /ô/ [pl. e fem.: /ó/] *adj.* que faz barulho; ruidoso ↺ silencioso

estrepolia (es.tre.po.li.a) ou **estripulia** (es.tri.pu.li.a) *s.f. B infrm.* **1** travessura **2** grande balbúrdia; confusão ↺ ordem

estreptococo (es.trep.to.co.co) /ó/ *s.m.* BIO gênero de bactérias causadoras de várias doenças, como pneumonia, meningite, impetigo etc. ~ **estreptocócico** *adj.*

estreptomicina (es.trep.to.mi.ci.na) *s.f.* FARM antibiótico us. contra certos tipos de germes e no tratamento da tuberculose

estressado (es.tres.sa.do) *adj.s.m.* que ou quem está sob estresse; alterado, perturbado ↺ equilibrado, tranquilo

estresse (es.tres.se) *s.m.* MED estado de perturbação causado por um conjunto de reações do organismo humano na busca de adaptação a agressões de ordem física, psíquica etc. ~ **estressante** *adj.2g.* - **estressar** *v.t.d. e pron.* - **estressor** *adj.s.m.*

estria (es.tri.a) *s.f.* sulco ou traço na superfície de um corpo *<de tanto engordar e emagrecer ficou com estrias no abdômen>*

estriar (es.tri.ar) *v.* {mod. 1} *t.d.* **1** fazer ou abrir estrias em **2** *p.ext.* traçar em (superfície) linhas paralelas ~ **estriamento** *s.m.*

estribar (es.tri.bar) *v.* {mod. 1} *t.d.,int. e pron.* **1** firmar(-se) nos estribos *<e. um pé de cada vez> <montando em pelo, não tinha como e.(-se)>* □ *t.d.i. e pron.* **2** (prep. *em*) ter como fundamento; basear(-se) *<em que teoria estribou ele o seu argumento?> <sua vitória estribava-se na desgraça dos outros>*

estribeira (es.tri.bei.ra) *s.f.* estribo us. quando se monta ▣ **perder as e.** *fig. infrm.* entrar em desespero; descontrolar-se

estribilho (es.tri.bi.lho) *s.m.* LIT MÚS refrão

estribo (es.tri.bo) *s.m.* **1** peça presa de cada lado da sela, na qual o cavaleiro firma o pé **2** degrau de certos automóveis e de bondes, trens, carroças etc. **3** artefato us. para apoiar os pés, em muitas máquinas **4** ANAT o menor e mais interno dos ossos da orelha

estricnina (es.tric.ni.na) *s.f.* QUÍM substância extraída de planta, us. como estimulante nervoso ou como veneno

estridente (es.tri.den.te) *adj.2g.* **1** que tem som agudo e penetrante *<voz e.>* ↺ suave **2** que causa ruído; ruidoso ↺ silencioso ~ **estridência** *s.f.*

estridor (es.tri.dor) /ô/ [pl.: *-es*] *s.m.* **1** barulho desagradável; estrondo **2** ruído áspero; zumbido *<e. do vento>*

estridulação (es.tri.du.la.ção) [pl.: *-ões*] *s.f.* **1** ruído agudo, estridente, produzido esp. por alguns insetos *<e. das cigarras>* **2** MED som áspero produzido na respiração com problema

estridulante (es.tri.du.lan.te) *adj.2g.* agudo, penetrante, estridente (diz-se de som)

estridular (es.tri.du.lar) *v.* {mod. 1} *int.* emitir seu som estridente (cigarra, grilo) ☞ só us. nas 3as p., exceto quando fig.

estrídulo (es.trí.du.lo) *adj.s.m.* (o) que tem som agudo, ruidoso, penetrante *<voz e.> <ouviram um e. e correram para a porta>*

estrige (es.tri.ge) *s.f.* **1** ZOO *frm.* coruja **2** em certas lendas orientais, vampiro com traços de mulher e cadela **3** *p.ext. frm.* bruxa, feiticeira

estrilar (es.tri.lar) *v.* {mod. 1} *int.* **1** produzir ou emitir som estrídulo *<o grilo estrilou>* **2** emitir seu som característico (grilo e insetos afins) ☞ nesta acp., só us. nas 3as p., exceto quando fig. **3** *B infrm.* protestar, esbravejar *<os alunos estrilaram, mas a direção não voltou atrás>*

estrilo (es.tri.lo) *s.m.* **1** som ou grito estridente **2** *B infrm.* revolta, protesto, reclamação

estripar (es.tri.par) *v.* {mod. 1} *t.d.* **1** retirar a(s) tripa(s) de *<o cozinheiro estripou o porco>* **2** rasgar o ventre de *<o leão estripou a presa>* **3** fazer matança, carnificina ~ **estripação** *s.f.* - **estripador** *adj.s.m.*

estripulia (es.tri.pu.li.a) *s.f.* → ***ESTREPOLIA***

estrito (es.tri.to) *adj.* **1** restrito, rigoroso, ger. sem ampliação, extensão ou analogia *<sentido e.> <interpretação e. dos fatos>* ↺ amplo **2** que obriga rigorosa observância; inflexível *<voto e. de silêncio>* ↺ flexível **3** absoluto, completo *<manter em e. segredo>* ↺ relativo

estro (es.tro) *s.m.* **1** BIO cio dos animais **2** inspiração, imaginação, gênio criador *<o e. de Luiz Gonzaga>*

estroboscópio (es.tro.bos.có.pio) *s.m.* aparelho us. para medir a velocidade de um movimento cíclico, que faz com que este pareça ter sido retardado ou interrompido ~ **estroboscopia** *s.f.* - **estroboscópico** *adj.*

estrofe (es.tro.fe) *s.f.* LIT grupo determinado de versos num poema ou texto lírico ~ **estrófico** *adj.*

estrogênio (es.tro.gê.nio) *s.m.* BIOQ nome comum a hormônios relacionados ao controle da ovulação e ao desenvolvimento de características femininas

estrogonofe (es.tro.go.no.fe) *s.m.* CUL carne ensopada em molho com creme de leite e cogumelos

estroina (es.troi.na) /ói/ *adj.2g.s.2g. infrm.* **1** que(m) é leviano, irresponsável ↺ responsável **2** que(m) gasta muito dinheiro ↺ poupador ~ **estroinice** *s.f.*

estrompar (es.trom.par) *v.* {mod. 1} *t.d. e pron.* **1** gastar(-se) em função do tempo, do uso etc.; deteriorar (-se) *<andei tanto que estrompei os meus sapatos> <os calçados se estromparam>* **2** cansar(-se) muito; extenuar(-se) *<aquela tarefa estrompava-o> <estrompava-se com todas aquelas encomendas>* ↺ descansar

estrôncio (es.trôn.cio) *s.m.* QUÍM elemento químico, com um isótopo radiativo artificial, us. no tratamento dos olhos e em baterias atômicas [símb.: *Sr*] ☞ cf. *tabela periódica* (no fim do dicionário)

estrondar (es.tron.dar) ou **estrondear** (es.tron.de.ar) *v.* {mod. 1} *int.* fazer grande ruído; estrepitar *<vários trovões estrondaram>*

estrondo (es.tron.do) *s.m.* **1** som alto e forte **2** mobilização de pessoas em torno de algo; agitação *<o fato causou e. na cidade>* **3** *fig.* luxo, pompa *<a festa foi um e.>*

estrondoso (es.tron.do.so) /ô/ [pl. e fem.: /ó/] *adj.* **1** barulhento ↺ silencioso **2** grandioso, luxuoso ↺ humilde, simples

estropiar (es.tro.pi.ar) *v.* {mod. 1} *t.d. e pron.* **1** cortar algum membro (de); mutilar(-se) □ *t.d.* **2** cansar muito; esgotar *<o trabalho pesado estropiou-o>* **3** desfigurar (obra, música, leitura etc.), executando-a mal *<esse pianista estropiou o concerto>* **4** *fig.* tirar o essencial a; mutilar *<e. uma notícia, um discurso>* ~ **estropiamento** *s.m.*

estropício (es.tro.pí.cio) ou **estrupício** (es.tru.pí.cio) *s.m.* **1** prejuízo, estrago **2** grande ruído; barulho **3** *B* confusão, briga *<todos viram o e. na saída da escola>* **4** *B pej.* asneira, burrice *<isso foi um enorme e.>* **5** *B pej.* falta de senso; despropósito *<sua ideia é um e.>* **6** *B pej.* coisa ou pessoa digna de reprovação

estrugido (es.tru.gi.do) *adj.* **1** vibrante, sonoro *<um som e.>* ■ *s.m.* **2** estrondo **3** chiado, zumbido ~ **estrugimento** *s.m.* - **estrugir** *v.t.d. e int.*

estrumar (es.tru.mar) *v.* {mod. 1} *t.d.* **1** fertilizar (solo) com estrume *<e. a plantação>* **2** depositar (lixo, sujeira) em □ *int.* **3** fazer estrumeira ~ **estrumação** *s.f.*

estrume (es.tru.me) *s.m.* esterco, adubo

estrumeira (es.tru.mei.ra) *s.f.* local onde se deposita estrume para fertilização do solo

estrupício (es.tru.pí.cio) *s.m. infrm.* → ***ESTROPÍCIO***

estrutura (es.tru.tu.ra) *s.f.* **1** organização das diferentes partes ou aspectos de uma forma, padrão ou sistema *<e. dos genes> <e. da sociedade>* **2** algo construído ou organizado *<o novo museu é uma impressionante e.>* **3** CONSTR armação; arcabouço *<o prédio está só na e., ainda demorará a ficar pronto>* **4** maneira de pensar, trabalhar ou organizar algo; método *<uma e. sólida é fundamental para começarmos a pesquisa>* **5** *fig.* constituição emocional *<não teve e. para superar a morte da esposa>* ~ **estrutural** *adj.2g.*

estruturalismo (es.tru.tu.ra.lis.mo) *s.m.* **1** corrente de pensamento comum a várias ciências humanas (antropologia, filosofia, psicologia etc.) que procura definir os feitos humanos como um conjunto organizado que pode ser traduzido em modelos matemáticos **2** LING teoria que considera a língua um conjunto autônomo e estruturado, no qual as relações definem os termos nos diversos níveis (fonêmico, morfológico, frasal) ~ **estruturalista** *adj.2g.s.2g.*

estruturar (es.tru.tu.rar) *v.* {mod. 1} *t.d.* **1** organizar as partes que compõem a estrutura de *<e. uma edificação> <e. um romance>* **2** *p.ext.* elaborar com cuidado e em detalhes *<o partido estruturou a campanha política do candidato>* □ *pron.* **3** adquirir solidez, segurança *<era preciso e.-se para pedi-la em casamento>* ~ **estruturação** *s.f.*

estuário (es.tu.á.rio) *s.m.* **1** larga foz de um rio **2** braço de mar formado pela desembocadura de um rio

estucador (es.tu.ca.dor) /ô/ [pl.: *-es*] *adj.s.m.* (profissional) que faz revestimentos ou trabalhos com estuque

estucar (es.tu.car) *v.* {mod. 1} *t.d.* revestir (superfície) com estuque *<e. uma parede>* ~ **estucamento** *s.m.*

estudante (es.tu.dan.te) *adj.2g.s.2g.* (indivíduo) que frequenta regularmente algum curso *<ela é e. de química> <os e. fizeram uma fila na pátio>*

estudantil (es.tu.dan.til) [pl.: *-is*] *adj.2g.* de estudante

estudar (es.tu.dar) *v.* {mod. 1} *t.d. e int.* **1** aplicar o espírito, a inteligência e a memória para aprender (habilidade, técnica, ciência etc.) *<estuda novas técnicas de pintura > <prefere e. a brincar>* **2** frequentar aulas, cursos (de); cursar *<estudam juntos desde o primeiro ano>* □ *t.d.* **3** tentar compreender pela reflexão; refletir *<e. um caso>* **4** fixar pela memória; decorar **5** observar ou examinar com atenção, cuidado *<e. propostas, possibilidades>* □ *int.* **6** ser estudante *<não trabalha ainda, apenas e.>*

estúdio (es.tú.dio) *s.m.* **1** oficina de artesãos ou artistas; ateliê *<encontrou-se com o artista em seu e.>* **2** recinto equipado para gravações, filmagens etc. *<e. de TV>* **3** gabinete de trabalho *<transformou um dos quartos em um e.>*

estudioso (es.tu.di.o.so) /ô/ [pl. e fem.: /ó/] *adj.s.m.* **1** que(m) é interessado ou especializado em um assunto; especialista *<é um e. da literatura>* ↺ leigo **2** que(m) estuda muito *<seu filho é muito e.>*

estudo (es.tu.do) *s.m.* **1** uso da inteligência e da memória para aprender **2** observação, exame minucioso de algo ou alguém; análise *<reservou a manhã para o e. dos pedidos>* **3** trabalho, projeto que antecede a execução de uma obra artística, científica etc. *<os e. para a construção da rodovia>* ☞ mais us. no pl. **4** obra sobre tema pesquisado *<seu e. sobre os colibris foi publicado>*

estufa (es.tu.fa) *s.f.* **1** local envidraçado e aquecido, us. para o cultivo de certas plantas e flores **2** *p.ext.* qualquer local muito quente *<a sala de aula era uma e.>* **3** aparelho destinado à secagem (de tintas ou outros produtos) ou à esterilização de instrumentos **4** parte do fogão, perto do forno, que recebe calor indireto **5** aquecedor para recintos fechados

estufagem (es.tu.fa.gem) [pl.: *-ens*] *s.f.* estufamento

estufamento (es.tu.fa.men.to) *s.m.* **1** ato de estufar ou o seu efeito **2** colocação ou aquecimento em estufa *<e. dos instrumentos cirúrgicos>* **3** inchação ↺ esvaziamento ☞ cf. *estofamento*

[1]**estufar** (es.tu.far) *v.* {mod. 1} *t.d.* **1** pôr em estufa ('local') **2** aquecer em estufa ('aparelho') **3** assar (carne) em fogo brando ◉ ORIGEM do it. *stufare* 'secar'

[2]**estufar** (es.tu.far) *v.* {mod. 1} *t.d. e int.* **1** tornar(-se) cheio, volumoso, esp. com ar; inchar(-se) *<e. o peito> <com tantos papéis, a bolsa estufou>* ▫ *pron.* **2** ficar orgulhoso, arrogante *<estufou-se ao saber do primeiro lugar>* ◉ ORIGEM *es-* + [1]*tufar*

estugar (es.tu.gar) *v.* {mod. 1} *t.d.* **1** tornar mais rápido (o passo); apressar **2** instigar, incitar *<o jóquei estugava o cavalo>*

estultice (es.tul.ti.ce) ou **estultícia** (es.tul.tí.cia) *s.f.* estupidez, tolice ↺ sagacidade

estulto (es.tul.to) *adj.* estúpido, tolo ↺ esperto

estupefação (es.tu.pe.fa.ção) [pl.: *-ões*] *s.f.* **1** MED entorpecimento, paralisia temporária em certa parte do corpo **2** *fig.* espanto diante do inesperado; admiração, perplexidade

estupefaciente (es.tu.pe.fa.ci.en.te) *adj.2g.s.2g.* entorpecente *<substância e.>*

estupefato (es.tu.pe.fa.to) ou **estupefacto** (es.tu.pe.fac.to) *adj.* **1** MED entorpecido **2** *fig.* admirado, perplexo *<ficou e. com a novidade>*

estupefazer (es.tu.pe.fa.zer) *v.* {mod. 14} *t.d.* **1** causar inércia, imobilidade em; entorpecer *<a forte pancada estupefez sua mão>* **2** *fig.* causar grande espanto; surpreender *<essa revelação irá e. o público>* ◉ GRAM/USO part.: *estupefeito*

estupendo (es.tu.pen.do) *adj.* **1** que causa assombro, admiração; maravilhoso, extraordinário *<um espetáculo e.>* ↺ banal **2** que causa espanto pelo tamanho; descomunal ↺ diminuto

estupidez (es.tu.pi.dez) /ê/ [pl.: *-es*] *s.f.* **1** asneira, tolice **2** *B* indelicadeza, grosseria ↺ gentileza

estupidificar (es.tu.pi.di.fi.car) *v.* {mod. 1} *t.d. e pron.* (fazer) perder a inteligência, ficar estúpido; emburrecer *<dizem que a televisão estupidifica as crianças>* ~ **estupidificação** *s.f.*

estúpido (es.tú.pi.do) *adj.s.m.* **1** que(m) não é inteligente ↺ sagaz **2** que(m) é indelicado ↺ gentil

estupor (es.tu.por) /ô/ [pl.: *-es*] *s.m.* **1** MED estado de inconsciência profunda, com desaparecimento da sensibilidade e da capacidade de movimento **2** *fig.* imobilidade súbita diante de algo inesperado; espanto *<a visão do pai causou-lhe e.>* **3** *pej.* pessoa feia **4** *pej.* pessoa de más qualidades *<casou-se com um e.>*

estuporar (es.tu.po.rar) *v.* {mod. 1} *t.d. e pron.* **1** (fazer) cair em estupor *<a febre estuporou-o> <estuporaram-se com aquelas notícias tristes>* ▫ *t.d. fig.* **2** causar danos a; estragar **3** causar assombro, surpresa; espantar *<seu súbito aparecimento estuporou-a>* ▫ *pron.* **4** *infrm.* esforçar-se muito; empenhar-se *<e.-se para cuidar dos filhos>* **5** *fig.* cansar-se muito; exaurir-se *<estuporava-se corrigindo provas>* ~ **estuporado** *adj.*

estupro (es.tu.pro) *s.m.* crime de obrigar alguém a ter relações sexuais por meio de violência ou ameaça; violação ~ **estuprador** *adj.s.m.* - **estuprar** *v.t.d.*

estuque (es.tu.que) *s.m.* **1** CONSTR argamassa à base de pó de mármore, gesso, cal fina e areia, us. para cobrir paredes e tetos e fazer ornamentos **2** *p.ext.* qualquer ornamento feito com essa argamassa

esturjão (es.tur.jão) [pl.: *-ões*] *s.m.* ZOO peixe sem escamas, encontrado no hemisfério norte, de cuja ova se faz o caviar

esturrar (es.tur.rar) *v.* {mod. 1} *t.d.,int. e pron.* **1** secar(-se) até quase queimar; estorricar(-se) *<e. os biscoitos> <a massa esturrou-se no forno>* ▫ *int. B* **2** rosnar, urrar **3** falar baixo, com mau humor; resmungar *<esturrou a noite toda>*

esturricar (es.tur.ri.car) *v.* → ***ESTORRICAR***

esvaecer (es.va.e.cer) *v.* {mod. 8} *t.d.,int. e pron.* **1** (fazer) sumir; extinguir(-se), desfazer(-se) *<o luar esvaeceu a escuridão> <afinal, esvaeceu-se a antiga raiva>* ↺ aparecer **2** tornar(-se) orgulhoso; envaidecer(-se) *<a conquista do campeonato esvaecia os torcedores>* **3** (fazer) perder as forças; enfraquecer(-se) ↺ fortalecer(-se) **4** (fazer) perder o ânimo; esmorecer *<ao ver o trabalho que tinha pela frente, esvaeceu> <esvaeceu-se, sem coragem de enfrentar a notícia>* ↺ animar(-se) ▫ *pron.* **5** perder a cor; desbotar *<o vermelho da blusa esvaeceu>* **6** perder a intensidade; diminuir ↺ intensificar-se ~ **esvaecimento** *s.m.*

esvair (es.va.ir) *v.* {mod. 25} *t.d. e pron.* **1** (fazer) desaparecer, evaporar; dissipar(-se) *<o incenso esvaía o ar abafado do quarto> <o perfume das flores esvaía-se por todo o caminho>* ▫ *pron.* **2** *fig.* ter fim; desaparecer *<o sonho esvaiu-se>* **3** perder os sentidos; desmaiar **4** *fig.* (prep. *em*) esgotar-se, desfazer-se *<e.-se em lágrimas>* **5** passar com rapidez (o tempo)

esvanecer (es.va.ne.cer) *v.* {mod. 8} *t.d.,int. e pron.* desvanecer ~ **esvanecimento** *s.m.*

esvaziar (es.va.zi.ar) *v.* {mod. 1} *t.d.* **1** retirar o conteúdo de *<e. um pote>* ↺ encher **2** *p.ext.* tirar (algo) de um continente *<esvazie o resto de leite>* ▫ *t.d. e pron.* **3** (deixar) ficar sem ninguém; desocupar *<e. a sala> <o ônibus esvaziou-se>* ↺ ocupar **4** (fazer) perder a importância, a utilidade, o sentido *<sua afirmação esvaziou-se>* ~ **esvaziamento** *s.m.*

esverdeado (es.ver.de.a.do) *adj.* **1** que tem o verde na sua composição (diz-se de cor) **1.1** *p.ext.* pálido, macilento *<tez e.>* **2** diz-se dessa cor *<a cor e. do lençol>* ■ *s.m.* **3** a cor esverdeada *<há diversos tons de e.>*

esverdear (es.ver.de.ar) *v.* {mod. 5} *t.d.,int. e pron.* tornar(-se) da cor verde ou semelhante a ela *<a chuva esverdeou os campos> <com a umidade a parede esverdeou> <com a luz, seus olhos esverdeiam-se>* ~ **esverdeamento** *s.m.*

esvoaçar (es.vo.a.çar) *v.* {mod. 1} *int. e pron.* **1** mover asas para voar **2** agitar-se ao vento *<bandeiras esvoaçavam(-se)>* ~ **esvoaçante** *adj.2g.s.2g.*

esvurmar (es.vur.mar) *v.* {mod. 1} *t.d. e int.* **1** espremer o pus de *<e. uma espinha>* **2** formar ou expelir pus; supurar *<o corte na perna esvurmou (um líquido amarelado)>* **3** *p.ext.* expelir, expulsar *<tossiu até e. o caroço>* **4** *fig.* fazer dura crítica a *<os editores esvurmaram o artigo do jornalista>*

ET *s.m.* sigla de ***EXTRATERRESTRE*** ('o que vem de fora da Terra')

-eta /ê/ *suf.* 'diminuição': *lingueta, saleta*

eta (e.ta) *s.m.* sétima letra do alfabeto grego (η, H)

eta (e.ta) /ê/, **eta-ferro** (e.ta-fer.ro) /ê-é/ ou **eta--pau** (e.ta-pau) /ê/ *interj. B infrm.* exprime alegria ou espanto; eita

eta-ferro (e.ta-fer.ro) /ê-é/ *interj.* → ***ETA***

etano (e.ta.no) *s.m.* QUÍM gás incolor e inodoro, presente no gás natural, us. em petroquímica

etanol (e.ta.nol) [pl.: *-óis*] *s.m.* QUÍM álcool que tem dois átomos de carbono nas moléculas; álcool etílico

etapa (e.ta.pa) *s.f.* **1** cada uma das fases sucessivas de algo em desenvolvimento; estágio *<uma e. vencida>* **2** *p.ext.* distância que se vence em um percurso *<passou pela segunda e. da competição>*

eta-pau (e.ta-pau) /ê/ *interj. N.E.* → ***ETA***

etário (e.tá.rio) *adj.* relativo a idade *<crianças da mesma faixa e.>*

etc. abrev. de *et cetera*

et cetera (et ce.te.ra) [lat.] *loc.conj.* e outras coisas, e assim por diante (us. para encerrar enumeração) [abrev.: *etc.*] ⇒ pronuncia-se et sétera

-ete /ê/ *suf.* 'diminuição': *diabrete, lembrete*

éter (é.ter) [pl.: *éteres*] *s.m.* **1** o espaço celeste **2** QUÍM líquido volátil inflamável, us. como antisséptico, solvente e antigamente como anestésico; éter etílico **3** QUÍM qualquer dos vários compostos orgânicos com um átomo de oxigênio ligado a dois átomos de carbono ▣ **é. etílico** QUÍM éter ('líquido')

etéreo (e.té.reo) *adj.* **1** próprio do éter **2** *fig.* que eleva o espírito; sublime *<música e.>* **3** *fig.* que pertence à esfera celestial; divino

eternidade (e.ter.ni.da.de) *s.f.* **1** característica do que é eterno **2** duração sem princípio nem fim *<seremos amigos por toda a e.>* **3** *p.ext.* tempo muito longo *<a peça durou uma e.>* **4** condição do que existe fora do tempo **5** REL para a alma, período sem fim após a morte do corpo; imortalidade

eternizar (e.ter.ni.zar) *v.* {mod. 1} *t.d. e pron.* **1** tornar(-se) eterno; perpetuar(-se) *<sua obra eternizou sua vida> <com a estátua, sua memória eternizou-se>* **2** *fig.* (fazer) prolongar-se, durar muito; perpetuar(-se) *<os novos acontecimentos eternizaram a discussão> <sua doença eternizava-se>* **3** *fig.* (fazer) adquirir fama eterna; imortalizar(-se) *<feitos que eternizaram nomes> <uma beleza que se eternizou nas telas do cinema>*

eterno (e.ter.no) *adj.* **1** que dura para sempre *<felicidade e.>* ↺ fugaz **2** *fig.* imortal, inesquecível *<ideias e.>* ↺ passageiro **3** *fig.* imutável *<padrões e. de eficiência>* ■ *s.m.* **4** REL Deus ☞ inicial maiúsc. ~ **eternamente** *adv.*

ética (é.ti.ca) *s.f.* **1** conjunto de preceitos sobre o que é moralmente certo ou errado **2** FIL parte da filosofia dedicada aos princípios que orientam o comportamento humano

ético (é.ti.co) *adj.* relativo a ética, a moral *<comportamento é.>*

etílico (e.tí.li.co) *adj.* **1** provocado pelo álcool; alcoólico *<delírios e.>* **2** QUÍM que contém em cada uma de suas moléculas dois átomos de carbono, seis de hidrogênio e um de oxigênio *<álcool e.>*

étimo (é.ti.mo) *s.m.* LING **1** vocábulo de que se originou outra palavra **2** palavra ou elemento (morfema) a partir de que se formaram, por composição ou derivação, certos grupos de palavras

etimologia (e.ti.mo.lo.gi.a) *s.f.* LING **1** estudo da origem e da evolução das palavras **2** ramo da linguística que se dedica a esse estudo ~ **etimológico** *adj.*

etimologista (e.ti.mo.lo.gis.ta) *adj.2g.s.2g.* especialista em etimologia

etimólogo (e.ti.mó.lo.go) *s.m.* etimologista (subst.)

etiologia (e.ti.o.lo.gi.a) *s.f.* **1** estudo das origens de um fenômeno **2** MED causa de uma doença **3** MED estudo das causas das doenças ~ **etiológico** *adj.*

etiqueta (e.ti.que.ta) /ê/ *s.f.* **1** conjunto de normas de conduta social **2** rótulo, adesivo etc. com características e/ou informações referentes ao objeto que os contém *<e. da roupa, da caixa de biscoitos>* ▣ **de e.** caro, de luxo *<roupas de e.>*

etiquetar (e.ti.que.tar) *v.* {mod. 1} *t.d.* pôr etiqueta em *<etiquetou os produtos assim que chegaram>* ~ **etiquetagem** *s.f.*

etmoide (et.moi.de) /ói/ *adj.2g.s.m.* ANAT (osso do crânio) situado atrás do nariz, entre as órbitas oculares ~ **etmoidal** *adj.2g.* - **etmóideo/etmoídeo** *adj.*

etnia (et.ni.a) *s.f.* grupo de indivíduos com língua, crenças, origens e maneiras de agir comuns ☞ cf. *tribo*

étnico (ét.ni.co) *adj.* **1** relativo a etnia **2** pertencente ou próprio de um povo, esp. de um grupo caracterizado por cultura específica *<música é.> <comida é.>*

etnocentrismo (et.no.cen.tris.mo) *s.m.* tendência a considerar o seu grupo étnico, nação ou nacionalidade como mais importante do que os demais ~ **etnocêntrico** *adj.*

etnografia (et.no.gra.fi.a) *s.f.* estudo descritivo das sociedades humanas ~ **etnográfico** *adj.* - **etnógrafo** *s.m.*

etnologia (et.no.lo.gi.a) *s.f.* ramo da antropologia que se dedica ao estudo analítico e comparativo das culturas ~ **etnológico** *adj.* - **etnologista** *adj.2g.s.2g.* - **etnólogo** *s.m.*

etnônimo (et.nô.ni.mo) *s.m.* nome que designa tribo, etnia, raça, povo, nação ▣ **e. brasílico** cada um dos vocábulos que designam os grupos indígenas brasileiros

-eto /ê/ *suf.* **1** 'diminuição': *folheto, galeto* **2** 'sal' (em produtos químicos): *cloreto*

etologia (e.to.lo.gi.a) *s.f.* BIO estudo do comportamento animal ~ **etologista** *adj.2g.s.2g.* - **etólogo** *s.m.*

etos (e.tos) *s.m.2n.* conjunto dos costumes e hábitos característicos de um determinado indivíduo, grupo, época ou região

etrusco (e.trus.co) *s.m.* **1** natural ou habitante da Etrúria, antiga província italiana (atual Toscana) **2** LING a língua falada nessa província ■ *adj.* **3** relativo a esse indivíduo, província ou língua

eu- ou **ev-** *pref.* 'bem, bom': *eufemismo, eufonia, evangelho*

-eu ou **-éu** *suf.* 'origem, nacionalidade': *europeu, ilhéu*

eu *pron.p.* **1** representa a 1ª p.sing. e é us. por aquele que fala ou escreve para referir-se a si mesmo *<eu vou sair>* ■ *s.m.* **2** a individualidade do ser humano **3** *p.ext.* forma assumida por uma personalidade num dado momento *<meu eu antigo não existe mais>*

Eu QUÍM símbolo de *európio*

eucalipto (eu.ca.lip.to) *s.m.* **1** BOT árvore grande, de crescimento rápido, us. em reflorestamento e para extração de madeira para lenha, produção de óleo e celulose **2** óleo dessa planta, com uso em farmácia e medicina

eucaliptol (eu.ca.lip.tol) [pl.: *-óis*] *s.m.* substância medicinal encontrada no eucalipto

eucarionte (eu.ca.ri.on.te) *adj.2g.s.m.* BIO (o) que possui núcleo definido por membrana *<organismo e.> <célula e.>* ☞ cf. *procarionte*

eucaristia (eu.ca.ris.ti.a) *s.f.* LITUR **1** no catolicismo, sacramento em que o pão e o vinho se convertem no corpo e sangue de Cristo **2** a celebração desse sacramento **3** a hóstia consagrada **4** ação de graças ☞ em todas as acp., inicial freq. maiúscula ~ **eucarístico** *adj.*

eufemismo (eu.fe.mis.mo) *s.m.* GRAM expressão que suaviza uma ideia desagradável, grosseira ou indecente *<chamá-lo de deselegante foi e., ele é grosseiro mesmo>* ~ **eufêmico** *adj.* - **eufemístico** *adj.*

eufonia (eu.fo.ni.a) *s.f.* GRAM combinação de sons harmônicos e agradáveis aos ouvidos ☞ cf. *cacofonia* ~ **eufônico** *adj.*

euforia (eu.fo.ri.a) *s.f.* alegria intensa e repentina; exaltação *<o retorno do filho causou uma enorme e. na família>* ↺ desolação

eufórico (eu.fó.ri.co) *adj.* entusiasmado por algum motivo; animado *<estavam e. com a viagem>* ↺ desanimado, desolado

eugenia (eu.ge.ni.a) *s.f.* teoria que busca o aperfeiçoamento da espécie humana, pela seleção genética e controle da reprodução ~ **eugênico** *adj.* - **eugenista** *adj.2g.s.2g.*

eulalia (eu.la.li.a) *s.f.* modo agradável de falar

eunuco (eu.nu.co) *s.m.* **1** homem castrado que vigiava as mulheres do harém **2** *p.ext.* homem impotente ■ *adj.* **3** privado dos órgãos sexuais reprodutores; castrado

eureca (eu.re.ca) *interj.* heureca

euro (eu.ro) *s.m.* ECON **1** moeda ('meio') única dos países da União Europeia, us. para transações financeiras desde 1º de janeiro de 1999 **2** a cédula e a moeda ('peça') que substituíram as antigas moedas desses países, a partir de 1º de janeiro de 2002

eurodólar (eu.ro.dó.lar) [pl.: *-es*] *s.m.* ECON dólar americano depositado ou investido em bancos europeus

europeizar (eu.ro.pei.zar) *v.* {mod. 2} *t.d. e pron.* dar ou tomar aspecto ou característica própria dos povos, culturas, línguas da Europa *<e. a culinária>*

europeu (eu.ro.peu) [fem.: *europeia /éi/*] *adj.* **1** da Europa ■ *s.m.* **2** natural ou habitante desse continente

európio (eu.ró.pio) *s.m.* QUÍM elemento químico us. em aparelhos de TV e reatores nucleares [símb.: *Eu*] ☞ cf. *tabela periódica* (no fim do dicionário)

eurritmia (eur.rit.mi.a) *s.f.* **1** combinação harmoniosa de proporções, linhas, cores e/ou sons **2** MED regularidade da pulsação ↺ arritmia

eutanásia (eu.ta.ná.sia) *s.f.* **1** ato de proporcionar morte sem sofrimento a doente incurável vítima de dores insuportáveis **2** DIR direito de matar ou morrer por tal razão

ev- *pref.* → **EU-**

evacuação (e.va.cu.a.ção) [pl.: *-ões*] *s.f.* **1** ato ou efeito de evacuar, de esvaziar em *<e. de um trem>* **2** dejeção natural ou artificial de matéria orgânica **2.1** dejeção de matéria fecal dos organismos; defecação, excreção **3** *p.ext.* a matéria evacuada resultante dessa dejeção

evacuar (e.va.cu.ar) *v.* {mod. 1} *t.d.* **1** sair de (um lugar), deixando-o vazio; desocupar *<sem energia, foi preciso e. o vagão do metrô>* □ *int.* **2** expelir fezes; defecar

evadir (e.va.dir) *v.* {mod. 24} *t.d. e pron.* **1** esquivar-se a dizer e/ou fazer (algo); evitar *<e. um compromisso> <e.-se a uma resposta>* □ *pron.* **2** fugir do cárcere, da prisão *<mais da metade dos presos conseguiu e.-se>* **3** desaparecer, sumir-se *<depois da briga, fechou a porta de casa e evadiu-se>*

evangelho (e.van.ge.lho) *s.m.* **1** REL a doutrina cristã, contida no Novo Testamento **2** REL cada um dos quatro primeiros livros do Novo Testamento ☞ nas acp. 1 e 2, inicial maiúsc. **3** conjunto de princípios; dogma *<aquele manual era o e. da empresa>*

evangelicalismo (e.van.ge.li.ca.lis.mo) *s.m.* REL movimento teológico e conjunto de doutrinas ou valores e crenças dos evangélicos

evangélico (e.van.gé.li.co) *adj.* **1** relativo ao Evangelho *<ensinamento e.>* **2** relativo às diversas Igrejas e correntes protestantes que seguem esp. os Evangelhos ('livros') ■ *adj.s.m.* **3** indivíduo que segue uma dessas correntes protestantes

evangelismo (e.van.ge.lis.mo) *s.m.* REL sistema moral ou religioso baseado no Evangelho ('doutrina')

evangelista (e.van.ge.lis.ta) *s.m.* REL **1** autor de cada um dos livros do Evangelho ■ *adj.2g.s.2g.* **2** que(m) evangeliza; evangelizador **3** que(m) segue alguma religião protestante

evangelizar (e.van.ge.li.zar) *v.* {mod. 1} *t.d.* **1** converter (alguém) à religião, pregando o Evangelho *<os colonizadores procuraram e. os índios>* **2** pregar (doutrina ou ideia) *<e. ideias filosóficas contemporâneas>* ~ **evangelização** *s.f.* - **evangelizador** *adj.s.m.*

evaporação (e.va.po.ra.ção) [pl.: *-ões*] *s.f.* **1** FÍS passagem de um estado líquido para um estado de vapor **2** *fig.* desaparecimento de algo

evaporar (e.va.po.rar) *v.* {mod. 1} *t.d.,int. e pron.* **1** transformar(-se) [líquido] em vapor *<e. a água do mar para obter sal> <os perfumes mal vedados acabam evaporando> <evaporou-se o álcool>* **2** *fig.* (fazer) deixar de existir, de manifestar-se; sumir *<ele evaporou as últimas chances de um bom negócio> <nas mãos dele o dinheiro evapora(-se) rápido>*

evaporativo (e.va.po.ra.ti.vo) *adj.* que provoca evaporação

evasão (e.va.são) [pl.: *-ões*] *s.f.* **1** fuga, escapada *<e. da cadeia>* ↺ permanência **2** *fig.* argumentação cheia de subterfúgios; pretexto *<vá direto ao ponto, não me venha com evasões>* ▣ **e. escolar** grande quantidade de alunos que abandona a escola antes de concluir o curso • **e. fiscal** DIR desvio da renda ou sonegação de impostos

evasiva (e.va.si.va) *s.f.* frase de sentido vago, desculpa ardilosa; subterfúgio *<respondia com e. às perguntas da mãe>*

evasivo (e.va.si.vo) *adj.* **1** que usa de subterfúgios ou manobras *<é difícil responder a argumentos e.>* **2** ilusório; indireto ↺ categórico

evento (e.ven.to) *s.m.* **1** acontecimento; fenômeno *<calor tão forte nessa época do ano é um e. incomum>* **2** *B* festa, espetáculo etc. com objetivos institucionais, comunitários, promocionais

eventual (e.ven.tu.al) [pl.: *-ais*] *adj.2g.* **1** que pode ocorrer ou não; casual ↺ previsto **2** que ocorre algumas vezes; ocasional *<foram reuniões e.>* ↺ frequente

eventualidade (e.ven.tu.a.li.da.de) *s.f.* acontecimento inesperado; acaso

eventualmente (e.ven.tu.al.men.te) *adv.* expressa uma possibilidade, uma hipótese; porventura, talvez, possivelmente *<há livros aqui que e. podem interessar-lhe>*

evidência (e.vi.dên.cia) *s.f.* **1** aquilo que não dá margem a dúvidas *<a e. de uma boa explicação>* **2** destaque, realce *<este autor está em e.>* **3** o que indica a ocorrência de algo; sinal *<evidências de um crime>*

evidenciar (e.vi.den.ci.ar) *v.* {mod. 1} *t.d. e pron.* **1** tornar(-se) claro, evidente; comprovar, demonstrar *<aquelas fotos evidenciaram o crime> <a verdade evidenciava-se com tal declaração>* ↺ esconder, disfarçar **2** destacar(-se), realçar(-se) *<o belo trabalho evidenciou aquele aluno> <evidenciou-se com as observações ditas em sala de aula>*

evidente (e.vi.den.te) *adj.2g.* que não dá margem à dúvida; claro, manifesto *<verdades e.>* ↺ duvidoso

eviscerar (e.vis.ce.rar) *v.* {mod. 1} *t.d.* retirar tripas, vísceras a; estripar *<e. um porco>* ~ **evisceração** *s.f.*

evitar (e.vi.tar) *v.* {mod. 1} *t.d.* **1** manter-se livre, distante de (algo ou alguém ger. desagradável, perigoso); esquivar-se *<após o incidente, evitou encontrar o síndico>* **2** não permitir a concretização de; impedir *<e. um acidente>*

evocar (e.vo.car) *v.* {mod. 1} *t.d.* **1** chamar (algo, ger. sobrenatural), fazendo com que apareça *<evocou todos os santos que conhecia para ajudá-lo naquela hora>* **2** trazer à lembrança; relembrar *<saudoso, evocava a infância com frequência>* ~ **evocação** *s.f.*

evolar-se (e.vo.lar-se) *v.* {mod. 1} *pron.* **1** elevar-se como se voasse *<o sussurro do casal evolava-se por entre as árvores>* **2** exalar, espalhar-se (aroma, odor) *<após a chuva evola-se o cheiro da terra molhada>* **3** desaparecer, esvair *<a grande dor que sentia evolou-se>*

evolução (e.vo.lu.ção) [pl.: *-ões*] *s.f.* **1** desenvolvimento gradual *<e. da tecnologia> <e. de uma doença>* **2** movimentação harmônica (em ginástica, dança, desfile etc.) **3** BIO teoria segundo a qual as espécies se modificam ao longo do tempo pela ação de mutações e da seleção natural ☞ nesta acp., cf. *darwinismo*

evolucionar (e.vo.lu.cio.nar) *v.* {mod. 1} *int.* evoluir ~ **evolucionário** *adj.*

evolucionismo (e.vo.lu.cio.nis.mo) *s.m.* BIO qualquer teoria fundada na noção de evolução das espécies, esp. a dos seres vivos ~ **evolucionista** *adj.2g.s.2g.*

evoluir (e.vo.lu.ir) *v.* {mod. 26} *t.i. e int.* **1** (prep. *em, para*) passar por processo gradual de desenvolvimento; desenvolver-se, progredir *<todos os seres vivos evoluíram (para novas formas)>* ↺ regredir **2** (prep. *para*) passar por transformação; modificar-se *<a doença evoluiu (para uma forma mais branda)>* ↺ conservar-se **3** (prep. *em, sobre*) executar evolução ('movimentação') *<o avião evoluiu sobre a montanha, depois desapareceu> <a escola de samba evoluía na avenida>*

evolver (e.vol.ver) *v.* {mod. 8} *int.* desenvolver-se aos poucos; evoluir ~ **evolvente** *adj.2g.*

evulsão (e.vul.são) [pl.: *-ões*] *s.f.* MED avulsão ~ **evulsivo** *adj.*

ex- *pref.* **1** 'movimento para fora': *excluir, exportar* **2** 'que não exerce mais': *ex-namorado, ex-marido, ex-presidente*

exa- /z,cs,gz/ *pref.* do SI, simbolizado por *E*, um trilião (de vezes a unidade indicada) *<exatonelada = um trilião de toneladas [na nomenclatura da numeração, mesmo que um quintilião]>* ☞ adotado na 15ª Conferência Geral de Pesos e Medidas, em 1975

exação (e.xa.ção) /z/ [pl.: *-ões*] *s.f.* **1** DIR cobrança de impostos, taxas etc. **2** realização de algo com exatidão, capricho ou pontualidade *<completar um trabalho com e.>*

exacerbação (e.xa.cer.ba.ção) /z/ [pl.: *-ões*] *s.f.* **1** aumento, intensificação *<houve uma e. de maus sentimentos naquela ocasião>* ↺ decréscimo **2** exasperação, irritação ↺ calma

exacerbar (e.xa.cer.bar) /z/ *v.* {mod. 1} *t.d. e pron.* **1** tornar(-se) mais violento, áspero ou cruel *<e.(-se) uma disputa>* **2** tornar(-se) mais intenso; avivar(-se), agravar(-se) *<e.(-se) uma doença>* □ *t.d.* **3** deixar nervoso, irritado; exasperar ~ **exacerbado** *adj.*

exagerar (e.xa.ge.rar) /z/ *v.* {mod. 1} *t.d.,t.i. e int.* **1** (prep. *em*) fazer ou dizer (algo) com excesso; exceder-se *<falseou a verdade, exagerando os fatos> <exagerou na quantidade de exercícios> <duvidou da história, pois achou que o narrador exagerava>* ↺ comedir(-se) □ *t.d.* **2** atribuir proporções ou qualidades maiores do que as reais; aumentar *<exagerava a importância daquele primeiro encontro>* ~ **exageração** *s.f.* - **exagerado** *adj.*

exagero (e.xa.ge.ro) /z...ê/ *s.m.* **1** aumento; excesso ↺ contenção **2** qualquer coisa de proporção além do normal ou do razoável; exorbitância *<encher o prato deste jeito é um exagero!> <tirando os exageros, até que a história é boa>* ~ **exageradamente** *adv.*

exalar (e.xa.lar) /z/ *v.* {mod. 1} *t.d.,t.i. e pron.* **1** (prep. *de*) espalhar(-se) [vapor, perfume, líquido etc.]; emanar *<a flor exalava bom odor> <o cheiro exalava(-se) da panela>* **2** (prep. *em*) (deixar) sair livremente; soltar(-se) *<e. um suspiro> <um sopro exalava(-se) da sua boca>* □ *pron.* **3** virar vapor; evaporar *<o éter facilmente se exala>* □ *t.d. fig.* **4** deixar surgir; mani-

E

festar <*exalava raiva por todos os poros*> ↺ disfarçar ~ **exalação** *s.f.* - **exalante** *adj.2g.*

exaltação (e.xal.ta.ção) /z/ [pl.: *-ões*] *s.f.* **1** ato de glorificar, de exaltar <*e. dos méritos da obra*> **2** estado de arrebatamento; deslumbramento <*e. amorosa*> **3** estado de irritação ou raiva <*dominado por intensa e., agrediu os provocadores*> ↺ calma

exaltado (e.xal.ta.do) /z/ *adj.* **1** que está excitado, estimulado <*a notícia deixou-o e.*> **2** que é dominado por fanatismo ou paixão <*torcedor e.*> ■ *adj.s.m.* **3** que ou aquele que se irrita, que se encoleriza com facilidade <*as insinuações o deixaram e.*> <*os e. foram postos para fora*> ↺ calmo, tranquilo

E

exaltar (e.xal.tar) /z/ *v.* {mod. 1} *t.d.* **1** tornar grandioso, elevado; engrandecer <*e. o nome de alguém*> **2** causar entusiasmo ou delírio; arrebatar <*a banda exaltou a multidão*> □ *t.d. e pron.* **3** (fazer) atingir alto grau de energia, atividade ou intensidade <*a febre exaltava seu delírio*> <*os ânimos se exaltaram*> **4** (fazer) ficar irritado; enfurecer(-se) <*qualquer imprevisto o exalta*> <*tenha paciência, não se exalte*> ↺ acalmar(-se)

exame (e.xa.me) /z/ *s.m.* **1** investigação ou pesquisa minuciosa <*e. de um local*> <*e. de consciência*> <*e. médico*> **2** teste, prova <*foi reprovado no e. de português*> **3** análise clínica ou de laboratório <*o médico pediu que fizesse um e. de sangue*> ▣ **e. nacional do ensino médio** prova organizada pelo governo cujo resultado pode ser aproveitado pelas universidades [sigla: *Enem*]

examinar (e.xa.mi.nar) /z/ *v.* {mod. 1} *t.d.* **1** observar, investigar ou avaliar em detalhes, com atenção; analisar **2** submeter a exame médico, escolar etc. ~ **examinador** *adj.s.m.*

exangue (e.xan.gue) /z/ *adj.2g.* **1** que ficou sem sangue **2** debilitado, fraco <*ao final do dia sentia-se e.*> ↺ vigoroso

exânime (e.xâ.ni.me) /z/ *adj.2g.* **1** desmaiado, desfalecido **2** que parece estar morto

exantema (e.xan.te.ma) /z, cz *ou* gz/ *s.f.* MED lesão cutânea que ocorre em doenças agudas como sarampo e escarlatina

exarar (e.xa.rar) /z/ *v.* {mod. 1} *t.d.* **1** entalhar, gravar <*e. o nome na árvore*> **2** registrar por escrito; lavrar <*o chefe exarou um novo despacho*> ~ **exaração** *s.f.*

exasperação (e.xas.pe.ra.ção) /z/ [pl.: *-ões*] *s.f.* **1** irritação, exacerbação ↺ tranquilidade **2** agravamento, intensificação

exasperar (e.xas.pe.rar) /z/ *v.* {mod. 1} *t.d. e pron.* **1** (fazer) ficar colérico; irritar(-se) <*a ofensa exasperou o escritor*> <*exasperou-se logo que chegou*> ↺ acalmar(-se) **2** tornar(-se) mais intenso, forte; intensificar(-se) <*o esforço exasperou o cansaço que sentia*> <*a dor exasperou-se durante a noite*> ↺ enfraquecer ~ **exasperadamente** *adv.* - **exasperador** *adj.s.m.* - **exasperante** *adj.2g.*

exatamente (e.xa.ta.men.te) /z/ *adv.* **1** com rigor, com exatidão; nem mais nem menos <*o que você pretende e.?*> **2** na expressão da palavra <*não é e. tolo, mas também não é brilhante*> **3** us. para confirmar algo dito anteriormente <*– Saímos às duas horas? – E.*>

exatidão (e.xa.ti.dão) /z/ [pl.: *-ões*] *s.f.* **1** característica do que é exato; precisão **2** perfeita correção <*calculou o tempo de viagem com e.*>

exato (e.xa.to) /z/ *adj.* **1** que não contém erro; correto <*resultado e.*> ↺ incorreto **2** que tem grande rigor ou precisão <*medida e.*> ↺ impreciso **3** pontual

exaurir (e.xau.rir) /z/ *v.* {mod. 24} *t.d. e pron.* **1** esgotar(-se), gastar(-se) totalmente <*e.(-se) o líquido de uma garrafa*> **2** tornar(-se) cansado, exausto; esgotar(-se) <*o excesso de atividades exauriu-o*> <*exauria-se em múltiplas tarefas*> ◉ GRAM/USO part.: *exaurido, exausto*; ver QUADRO DE PARTICÍPIOS DUPLOS nas pp. iniciais

exaustão (e.xaus.tão) /z/ [pl.: *-ões*] *s.f.* esgotamento; cansaço extremo ↺ disposição, vigor

exaustivo (e.xaus.ti.vo) /z/ *adj.* **1** que esgota; que abrange até os mínimos detalhes <*fizeram uma pesquisa e.*> **2** muito cansativo <*trabalho e.*>

exausto (e.xaus.to) /z/ *adj.* muito cansado, exaurido ↺ descansado

exaustor (e.xaus.tor) /z...ô/ [pl.: *-es*] *adj.s.m.* (aparelho) que aspira e/ou renova o ar de um recinto fechado

exceção (ex.ce.ção) [pl.: *-ões*] *s.f.* **1** desvio da regra geral <*a entrada do cachorro naquela casa foi uma e.*> ↺ regra **2** exclusão <*com e. da filha, todos viajaram*> ↺ inclusão

excedente (ex.ce.den.te) *adj.2g.s.m.* (o) que excede ou sobra

exceder (ex.ce.der) *v.* {mod. 8} *t.d.,t.i.,t.d.i. e pron.* **1** (prep. *a, em*) ser superior a (em valor, peso, tamanho, talento, força etc.); ultrapassar(-se), superar(-se) <*o peso da bagagem excedeu (a)o limite*> <*e. os colegas (em gramática)*> <*em seu último livro, conseguiu e.-se*> □ *pron.* **2** (prep. *em*) ir além do que é natural, conveniente; desmedir-se <*excedeu-se na sobremesa*> ↺ comedir-se **3** ficar irritado; exaltar-se <*discutia com calma, sem e.-se*> **4** (prep. *em*) caprichar, esmerar-se <*e.-se na linguagem*> ~ **excedência** *s.f.*

excelência (ex.ce.lên.cia) *s.f.* **1** virtude do que é excelente <*a e. de um texto*> **2** tratamento dado a pessoas de alta posição social [abrev.: *Ex.ª*, ger. ligado aos pronomes *sua* e *vossa*] ▣ **por e.** acima de tudo <*era um conquistador por e.*>

excelente (ex.ce.len.te) *adj.2g.* muito bom; de ótima qualidade <*e. pessoa*> <*livro e.*> ↺ péssimo

excelentíssimo (ex.ce.len.tís.si.mo) *adj.* tratamento dado a pessoas de alta hierarquia social [abrev.: *Ex.ᵐᵃ*] ☞ inicial maiúsc. ◉ GRAM/USO sup.abs.sint. de *excelente*

exceler (ex.ce.ler) *v.* {mod. 8} *t.i. e int.* (prep. *em*) destacar-se muito (em certa qualidade, dote, ofício etc.) <*além de brilhar na política, exceleu na arte da amizade*> <*obras de arte que excelem*>

excelso (ex.cel.so) *adj.* **1** sublime, elevado <*pensamentos e.*> ↺ inferior **2** ilustre, digno de louvor <*personalidade e.*> **3** admirável, excelente ↺ detestável ~ **excelsitude** *s.f.*

excêntrico (ex.cên.tri.co) *adj.* **1** que se desvia do centro **2** GEOM que não tem o mesmo centro (círculo, ângulo etc.) ↺ concêntrico ■ *adj.s.m.* **3** *fig.* que(m) é extravagante ou original <*roupas e.*> <*personalidade e.*> ↺ banal, corriqueiro ~ **excentricidade** *s.f.*

excepcional (ex.cep.cio.nal) [pl.: *-ais*] *adj.2g.* **1** que constitui exceção <*tivemos uma parada e. no forneci-*

mento de água> ↺ regular **2** incomum; extraordinário ↺ habitual ■ *adj.2g.s.2g.* **3** portador de deficiência física, mental ou sensorial

excepcionalidade (ex.cep.cio.na.li.da.de) *s.f.* qualidade do que é excepcional

excerto (ex.cer.to) /ê/ *s.m.* trecho, fragmento *<usou apenas dois e. do poema em seu trabalho>*

excessivo (ex.ces.si.vo) *adj.* **1** que excede, que sobra **2** exagerado, desmedido *<calor e.>* ↺ moderado

excesso (ex.ces.so) *s.m.* **1** sobra ↺ falta **2** o que passa da medida; exagero *<e. de palavras>* **3** ação descontrolada; desmando *<cometer excessos>* ↺ contenção ☞ nesta acp., mais us. no pl.

exceto (ex.ce.to) *prep.* à exclusão de; salvo *<todos saíram, e. o diretor>* ↺ inclusive

excetuar (ex.ce.tu.ar) *v.* {mod. 1} *t.d.,t.d.i. e pron.* (prep. *de*) deixar(-se) de fora, livre de; isentar(-se), excluir (-se) *<excetuou do castigo os que chegaram na hora>* *<ao dizer que os homens são os culpados, nunca se excetua>* ↺ incluir(-se) ~ **excetuação** *s.f.* - **excetuado** *adj.*

excipiente (ex.ci.pi.en.te) *s.m.* FARM substância neutra us. como veículo para medicamentos

excitação (ex.ci.ta.ção) [pl.: *-ões*] *s.f.* **1** estímulo, entusiasmo *<a e. do prêmio levava-o a prosseguir>* **2** desejo sexual **3** incitação, instigação *<e. dos ânimos>*

excitamento (ex.ci.ta.men.to) *s.m.* excitação

excitante (ex.ci.tan.te) *adj.2g.* **1** que excita ■ *adj.2g.s.m.* **2** (o) que estimula, anima *<bebida e.>* ↺ calmante

excitar (ex.ci.tar) *v.* {mod. 1} *t.d. e pron.* **1** (fazer) ter reação física ou psicológica; estimular(-se), instigar (-se) *<e.(-se) o apetite, a imaginação>* **2** (fazer) sentir cólera, irritação; exaltar(-se) *<excitou o irmão com provocações até fazê-lo brigar>* *<excitara-se demais durante a discussão e agora passava mal>* **3** (fazer) sentir desejo sexual *<excitava-se só em pensar no namorado>* ~ **excitado** *adj.*

excitável (ex.ci.tá.vel) [pl.: *-eis*] *adj.2g.* **1** que se pode excitar **2** que se excita facilmente ~ **excitabilidade** *s.f.*

exclamação (ex.cla.ma.ção) [pl.: *-ões*] *s.f.* **1** grito de surpresa, alegria, raiva etc. **2** GRAM ponto de exclamação

exclamar (ex.cla.mar) *v.* {mod. 1} *t.d. e int.* dizer (algo) com espanto, alegria, admiração etc., por meio de exclamação *<Que maravilha!, exclamou o homem>* ~ **exclamativo** *adj.* - **exclamatório** *adj.*

excluir (ex.clu.ir) *v.* {mod. 26} *t.d.* **1** ser incompatível com *<o amor exclui a violência>* ↺ combinar **2** pôr de lado; afastar *<este pedido exclui os demais>* ↺ incluir □ *t.d.i.* **3** (prep. *de*) retirar (algo, alguém) [de um conjunto, um todo]; eliminar *<e. alguém da lista da festa>* ↺ incluir **4** (prep. *de*) fazer perder a posse de; privar *<excluíram-no da herança>* □ *pron.* **5** (prep. *de*) retirar-se, isentar-se *<excluiu-se da decisão>* ◉ GRAM/USO part.: *excluído, excluso*; ver QUADRO DE PARTICÍPIOS DUPLOS nas pp. iniciais ~ **excludente** *adj.2g.*

exclusão (ex.clu.são) [pl.: *-ões*] *s.f.* **1** eliminação *<a e. dos nomes já foi feita>* ↺ inclusão **2** afastamento, expulsão *<e. do quadro de sócios>* ↺ admissão

exclusivamente (ex.clu.si.va.men.te) *adv.* **1** de maneira específica; apenas, tão somente *<trabalha e. pela manhã>* **2** por privilégio privado; somente, apenas *<ônibus com assentos e. para idosos>* **3** à parte, em separado *<os outros receberam a bolsa, mas vocês foram citados e.>*

exclusive (ex.clu.si.ve) *adv.* excetuado, sem inclusão *<conhece todos os alunos, e. o que sempre chega atrasado>* ↺ inclusive

exclusivismo (ex.clu.si.vis.mo) *s.m.* sistema ou prática de excluir sistematicamente os outros e as opiniões contrárias às suas; individualismo

exclusivista (ex.clu.si.vis.ta) *adj.2g.* **1** próprio do exclusivismo ■ *adj.2g.s.2g.* **2** que(m) procede com exclusivismo; individualista **3** que(m) se mostra inflexível; intransigente ↺ tolerante, transigente

exclusivo (ex.clu.si.vo) *adj.* **1** que exclui, que elimina **2** privativo, particular *<entrada e. para funcionários>* ~ **exclusividade** *s.f.*

excogitar (ex.co.gi.tar) *v.* {mod. 1} *t.d.* **1** imaginar, inventar *<excogitavam estratégias para ganhar a competição>* **2** examinar ou pesquisar com atenção *<excogitava o que a mulher havia deixado por escrito>* □ *int.* **3** recolher-se em reflexões *<sentava-se sob uma árvore e ficava horas a e.>* ~ **excogitação** *s.f.* - **excogitador** *adj.s.m.*

excomungado (ex.co.mun.ga.do) *adj.s.m.* **1** que(m) sofreu excomunhão **2** *fig.* amaldiçoado ↺ abençoado, bendito

excomungar (ex.co.mun.gar) *v.* {mod. 1} *t.d.* **1** expulsar (um membro) da Igreja católica *<a Igreja excomungou o padre herético>* **2** *fig.* lançar praga a; amaldiçoar *<o general excomungou todos os inimigos>* ↺ abençoar **3** *fig.* condenar, reprovar *<a crítica excomungou o escritor>* ↺ aprovar, apoiar ~ **excomungação** *s.f.*

excomunhão (ex.co.mu.nhão) [pl.: *-ões*] *s.f.* REL penalidade da Igreja católica que exclui alguém da totalidade ou de parte dos bens espirituais comuns aos fiéis

excreção (ex.cre.ção) [pl.: *-ões*] *s.f.* **1** eliminação de resíduos pelo organismo **2** matéria excretada; excremento

excremento (ex.cre.men.to) *s.m.* **1** matéria sólida ou líquida excretada pelo organismo humano ou animal; excreção **2** fezes **3** *fig.* pessoa ou coisa desprezível

excrescência (ex.cres.cên.cia) *s.f.* **1** ponto que se eleva acima da superfície; saliência *<uma e. no terreno>* ↺ depressão **2** *fig.* excesso *<os acréscimos sugeridos para a obra são uma e.>* **3** MED tumor na superfície de um órgão

excretar (ex.cre.tar) *v.* {mod. 1} *t.d.* expelir do corpo por via natural; secretar ~ **excretório** *adj.*

excretor (ex.cre.tor) /ô/ [pl.: *-es*] ou **excretório** (ex.cre.tó.ri.o) *adj.* que excreta, expele *<canal e.>*

excursão (ex.cur.são) [pl.: *-ões*] *s.f.* viagem ou passeio recreativo ou de estudo, ger. em grupo e com guia ~ **excursionar** *v.int.*

excursionismo (ex.cur.sio.nis.mo) *s.m.* exercício, prática ou gosto de fazer excursões

excursionista (ex.cur.sio.nis.ta) *adj.2g.s.2g.* que(m) faz excursões de recreio ou de estudo

execração (e.xe.cra.ção) /z/ [pl.: *-ões*] *s.f.* **1** ódio profundo; abominação *<sua declaração provocou um sentimento de e. em toda a turma>* ↺ adoração **2** maldição, praga ↺ bênção

execrar (e.xe.crar) /z/ *v.* {mod. 1} *t.d. e pron.* **1** ter ódio, aversão a (alguém ou si mesmo); detestar(-se) *<execra*

pessoas intolerantes> *<arrependido, execrava-se por ter gritado com a mãe>* ↺ adorar(-se) □ *t.d.* **2** desejar mal a; amaldiçoar ~ **execrado** *adj.* - **execrador** *adj. s.m.*

execrável (e.xe.crá.vel) /z/ [pl.: *-eis*] *adj.2g.* que pode ou deve ser execrado; detestável ↺ admirável

execução (e.xe.cu.ção) /z/ [pl.: *-ões*] *s.f.* **1** realização *<a e. de uma obra>* **2** cumprimento de uma lei ou mandado judicial **3** interpretação de música *<a bela e. de uma sonata>* **4** cumprimento de pena de morte

executar (e.xe.cu.tar) /z/ *v.* {mod. 1} *t.d.* **1** levar a efeito; realizar, fazer *<e. um plano, uma obra, um trabalho>* **2** representar, interpretar (papel) *<os atores executaram bem seus personagens>* **3** tirar a vida de; matar *<executaram o condenado ao final do filme>* **4** cantar, tocar (música) *<a orquestra executou um belo concerto>* **5** DIR obrigar a pagar por ação judicial *<e. um devedor>* **6** INF processar (rotina ou programa de computador) ~ **executante** *adj.2g.* - **executável** *adj.2g.*

executiva (e.xe.cu.ti.va) /z/ *s.f.* comissão executiva

executivo (e.xe.cu.ti.vo) /z/ *adj.* **1** que executa, realiza; executor **2** que executa ou faz cumprir leis, regulamentos, normas ■ *s.m.* **3** o poder executivo ☞ tb. us. com inicial maiúsc. **4** alto funcionário de uma empresa

executor (e.xe.cu.tor) /z...ô/ [pl.: *-es*] *adj.s.m.* **1** que(m) executa *<não tem ideias muito boas, mas é um ótimo e.>* ■ *s.m.* **2** [1]carrasco

exegese (e.xe.ge.se) /z/ *s.f.* **1** explicação ou interpretação crítica de texto ou palavra **2** interpretação de obra literária, artística etc. *<fizeram uma e. do romance em sala de aula>* ~ **exegético** *adj.*

exegeta (e.xe.ge.ta) /z/ *s.2g.* aquele faz exegese; comentarista, intérprete

exegética (e.xe.gé.ti.ca) /z/ *s.f.* ramo da teologia que se dedica à interpretação e explicação da Bíblia

exemplar (e.xem.plar) /z/ [pl.: *-es*] *adj.2g.* **1** que serve de modelo *<texto e. do estilo romântico>* *<aluno e.>* **2** que serve de lição *<castigo e.>* ■ *s.m.* **3** unidade (de uma edição, coleção etc.) *<comprou um e. da nova edição do dicionário>* **4** indivíduo (de uma mesma espécie animal, vegetal ou mineral) *<esse felino é um e. das florestas africanas>* ~ **exemplaridade** *s.f.*

exemplário (e.xem.plá.rio) /z/ *s.m.* conjunto de exemplos

exemplificação (e.xem.pli.fi.ca.ção) /z/ [pl.: *-ões*] *s.f.* **1** ato ou efeito de exemplificar **2** porção de palavras ou frases que se mencionam para demonstrar alguma coisa; esclarecimento por meio de exemplos *<expôs sua tese com rica e.>*

exemplificar (e.xem.pli.fi.car) /z/ *v.* {mod. 1} *t.d. e t.d.i.* **1** (prep. *com*) explicar, provar com exemplos *<e. uma lição>* *<exemplificou uma teoria com outra>* **2** (prep. *com*) prover de exemplos *<exemplificou o trabalho (com ilustrações)>*

exemplo (e.xem.plo) /z/ *s.m.* **1** o que pode ou deve ser imitado; modelo *<siga o e. de seu pai>* **2** fato que pode servir de lição *<o aluno premiado foi e. para a turma>* **3** fato us. para ilustrar ou esclarecer algo *<meu sobrinho é um e. do que estou dizendo>* **4** frase ou passagem de um autor, citada para confirmar uma opinião, reforçar uma regra ou demonstrar uma verdade ◉ COL exemplário ▣ **por e.** expressão que antecede uma frase ilustrativa da ideia ou conceito antes mencionado [abrev.: *p.ex.*] *<sairemos, por e., eu e você>*

exéquias (e.xé.quias) /z/ *s.f.pl.* cerimônias ou honras fúnebres ~ **exequial** *adj.2g.*

exequível (e.xe.quí.vel) /z...qü/ [pl.: *-eis*] *adj.2g.* que pode ou deve ser executado; realizável ~ **exequibilidade** *s.f.*

exercer (e.xer.cer) /z/ *v.* {mod. 8} *t.d.* **1** realizar as tarefas, obrigações inerentes a (cargo, ofício, função etc.) *<e. o magistério, um ofício>* **2** executar, desempenhar, cumprir *<e. as funções de mãe e de profissional>* □ *t.d.i.* **3** (prep. *sobre, em*) fazer sentir, ser atingido por (ideia, sentimento, estado de espírito etc.) *<e. influência sobre o filho>*

exercício (e.xer.cí.cio) /z/ *s.m.* **1** treinamento *<e. de canto>* **2** desempenho de função, profissão etc. *<o e. da medicina, da edição de textos>* **3** trabalho escolar *<nunca fazia os e. de matemática>* **4** atividade física *<fazia exercícios pela manhã>* **5** em administração, período entre dois balanços ('verificação') ou orçamentos *<o e. do próximo ano exigirá maior esforço da empresa>*

exercitar (e.xer.ci.tar) /z/ *v.* {mod. 1} *t.d.* **1** exercer (uma prática) com regularidade *<e. uma profissão>* **2** pôr em ação, fazendo valer *<e. os próprios direitos>* □ *t.d.,t.d.i. e pron.* **3** (prep. *em*) (fazer) adquirir força, habilidade, perícia etc. (em algo) com exercícios *<e. o corpo e a mente>* *<e. alunos no uso da crase>* *<exercita-se na academia>*

exército (e.xér.ci.to) /z/ *s.m.* **1** MIL força armada terrestre de uma nação ☞ inicial maiúsc. **2** MIL grupo de tropas em combate **3** *fig.* multidão *<foi cercado por um e. de jornalistas>*

exibição (e.xi.bi.ção) /z/ [pl.: *-ões*] *s.f.* **1** apresentação, mostra *<houve uma e. de slides após a palestra>* **2** projeção de filme ou representação de espetáculo artístico **3** ostentação *<e. de riqueza>*

exibicionismo (e.xi.bi.cio.nis.mo) /z/ *s.m.* PSIQ **1** mania de exibir-se *<vestiu-se daquele jeito por puro e.>* **2** mania doentia de exibir as partes sexuais ~ **exibicionista** *adj.2g.s.2g.*

exibido (e.xi.bi.do) /z/ *adj.* **1** que foi exposto ou mostrado ■ *adj.s.m.* **2** (aquele) que procura insistentemente chamar atenção sobre si *<desprezo as pessoas e.>* *<o orador não passa de um e.>* ↺ discreto

exibir (e.xi.bir) /z/ *v.* {mod. 24} *t.d. e t.d.i.* **1** (prep. *a*) tornar visível ou perceptível intencionalmente; mostrar, patentear *<e. documentos (ao advogado)>* ↺ esconder, ocultar □ *t.d. e pron.* **2** mostrar(-se) com vaidade, arrogância; ostentar *<o professor não parava de e. erudição>* *<é muito inteligente, mas detesta e.-se>* **3** mostrar(-se) em ou ao público; apresentar(-se) *<os cinemas exibem poucos filmes antigos>* *<a atriz exibia-se para a imensa plateia>*

exigência (e.xi.gên.cia) /z/ *s.f.* **1** o que se reclama como necessário à satisfação de necessidades ou desejos *<e. básicas para uma vida decente>* **2** pedido urgente ou impertinente *<era uma pessoa desagradável, cheia de exigências>* **3** determinação; imposição *<a única e. era que o prazo fosse cumprido>*

exigente (e.xi.gen.te) /z/ *adj.2g.* **1** que exige, que pede com insistência <*ser muito e. com os funcionários*> **2** difícil de satisfazer <*gosto e.*>

exigir (e.xi.gir) /z/ *v.* {mod. 24} *t.d. e t.d.i.* **1** (prep. *de*) reclamar em função de direito legítimo ou suposto <*e. satisfações*> <*exigiu explicações do sobrinho*> **2** (prep. *a, de*) pedir em tom autoritário; cobrar <*exigiu desculpas ao subordinado*> <*exigiu a prova do crime*> □ *t.d.i.* **3** (prep. *a*) determinar por ordem ou intimação; impor <*exigiu-lhe completo silêncio*> □ *t.d.* **4** ter necessidade de; demandar, requerer <*seu estado exige cuidados*> ↺ dispensar **5** impor determinação de; estabelecer <*minha consciência exige isso*>

exíguo (e.xí.guo) /z/ *adj.* **1** pequeno, apertado <*sala e.*> ↺ amplo **2** insuficiente <*não se conformava com o salário e.*> ↺ farto ~ **exiguidade** *s.f.*

exilado (e.xi.la.do) /z/ *adj.s.m.* que ou quem se exilou ou foi exilado; que ou quem vive no exílio; expatriado, desterrado

exilar (e.xi.lar) /z/ *v.* {mod. 1} *t.d. e pron.* **1** expulsar ou sair da pátria; desterrar(-se) <*e. adversários políticos*> <*desgostoso com a política do país, exilou-se no estrangeiro*> ↺ repatriar(-se) **2** *fig.* manter(-se) distante; isolar(-se) <*o temperamento o exilou*> <*exilou-se na roça por longos anos*>

exílio (e.xí.lio) /z/ *s.m.* **1** afastamento forçado ou voluntário da terra natal; degredo, desterro ↺ repatriação **2** *p.ext.* lugar onde vive o exilado **3** *fig.* isolamento do convívio social

exímio (e.xí.mio) /z/ *adj.* eficiente; habilidoso <*é um e. nadador*>

eximir (e.xi.mir) /z/ *v.* {mod. 24} *t.d.,t.d.i. e pron.* **1** (prep. *de*) tornar(-se) isento, livre; dispensar(-se), livrar(-se) <*a nova lei eximiu muitos contribuintes (do pagamento de impostos)*> <*e.-se de uma obrigação*> □ *pron.* **2** (prep. *de*) escapar, esquivar-se <*eximiu-se de um grande desastre*>

existência (e.xis.tên.cia) /z/ *s.f.* **1** o fato de existir ou viver <*a e. de um documento*> <*a e. da espécie humana*> ↺ inexistência **2** a forma de viver <*tinham uma e. confortável*> **3** presença <*há indícios da e. de mais relíquias no local*> ↺ ausência **4** período de tempo; duração <*esse casamento não terá uma e. longa*> ~ **existencial** *adj.2g.*

existencialismo (e.xis.ten.ci.a.lis.mo) /z/ *s.m.* FIL filosofia pela qual o homem é livre e responsável pela sua existência ~ **existencialista** *adj.2g.s.2g.*

existir (e.xis.tir) /z/ *v.* {mod. 24} *int.* estar presente, ter vida (no mundo real, na imaginação, por certo tempo etc.); haver, viver ~ **existente** *adj.2g.s.2g.*

êxito (ê.xi.to) /z/ *s.m.* **1** bom resultado <*todos apreciaram o ê. do trabalho*> ↺ fracasso **2** consequência, efeito <*esforçou-se muito, mas não teve bom ê.*>

exo- /z/ *pref.* 'posição exterior': *exoesqueleto, exosfera*

êxodo (ê.xo.do) /z/ *s.m.* emigração de todo um povo ou saída de pessoas em massa <*o ê. rural*> ↺ imigração

exoesqueleto (e.xo.es.que.le.to) /z...ê/ *s.m.* ANAT ZOO esqueleto externo (de crustáceos, insetos etc.)

exogamia (e.xo.ga.mi.a) /z/ *s.f.* ANTRPOL casamento entre membros de famílias, clãs ou tribos diferentes

~ **exogâmico** *adj.*

exógamo (e.xó.ga.mo) /z/ *adj.s.m.* que(m) contrai casamento fora de sua aldeia, clã ou família ☞ cf. *endógamo*

exógeno (e.xó.ge.no) /z/ *adj.* que provém do exterior (de organismo ou sistema); que tem causas externas ↺ endógeno

exoneração (e.xo.ne.ra.ção) /z/ [pl.: *-ões*] *s.f.* **1** dispensa de emprego ou trabalho; demissão ↺ admissão, contratação **2** dispensa de ônus ou despesa

exonerar (e.xo.ne.rar) /z/ *v.* {mod. 1} *t.d.,t.d.i. e pron.* **1** (prep. *de*) dispensar(-se) [de cargo, função etc.]; destituir(-se) <*antes que o exonerassem (de suas funções), ele se exonerou*> ↺ empregar(-se) □ *t.d.i. e pron.* **2** (prep. *de*) [deixar] ficar sem ônus de; isentar(-se) <*exonerou o funcionário da obrigação de trabalhar diariamente*> <*e.-se de uma responsabilidade*> ↺ onerar

exoplaneta (e.xo.pla.ne.ta) /z/ *s.m.* ASTR planeta que orbita uma estrela fora do nosso sistema solar

exorbitância (e.xor.bi.tân.cia) /z/ *s.f.* **1** excesso, exagero <*comprou uma e. de livros*> ↺ insignificância **2** preço muito alto <*o jantar foi uma e.*> ↺ ninharia

exorbitante (e.xor.bi.tan.te) /z/ *adj.2g.* que ultrapassa o limite justo, aceitável; abusivo, excessivo <*preços e.*> ↺ justo, moderado

exorbitar (e.xor.bi.tar) /z/ *v.* {mod. 1} *t.i. e int.* **1** (prep. *de*) desviar-se de ou exceder (norma ou limites justos, razoáveis); extrapolar <*era ríspido, mas jamais exorbitou dos critérios de justiça*> <*mais uma vez ele exorbitou*> □ *t.d. e int.* **2** (fazer) sair da órbita

exorcismar (e.xor.cis.mar) /z/ *v.* {mod. 1} *t.d.* exorcizar

exorcismo (e.xor.cis.mo) /z/ *s.m.* ritual religioso para afastar o demônio e outros espíritos malignos; conjuro, esconjuro ~ **exorcista** *adj.2g.s.2g.*

exorcizar (e.xor.ci.zar) /z/ *v.* {mod. 1} *t.d.* **1** fazer sair (demônio, espírito mau) de um corpo por meio de rituais religiosos; esconjurar, exorcismar **2** expulsar demônio ou espírito maligno de <*e. um possesso*>

exórdio (e.xór.dio) /z/ *s.m.* **1** o início de um discurso; preâmbulo **2** *p.ext.* o que vem no começo ↺ conclusão ~ **exordial** *adj.2g.* - **exordiar** *v.t.d.*

exortar (e.xor.tar) /z/ *v.* {mod. 1} *t.d.* **1** dar estímulo a; animar, incentivar <*aos gritos, exortou o time*> □ *t.d.i.* **2** (prep. *a*) induzir (alguém) a (fazer ou pensar algo); persuadir <*exortava os jovens a estudarem seu próprio país*> ~ **exortação** *s.f.* - **exortador** *adj.s.m.*

exosfera (e.xos.fe.ra) /z/ *s.f.* camada mais externa da atmosfera de um planeta ~ **exosférico** *adj.*

exosmose (e.xos.mo.se) /z/ *s.f.* FÍS fluxo do interior para o exterior de um recipiente através de uma membrana que separa dois fluidos de densidades diferentes ↺ endosmose

exotérico (e.xo.té.ri.co) /z/ *adj.* **1** que pode ser ensinado ao grande público e não apenas a um grupo reduzido (diz-se de doutrina filosófica ou religiosa) **2** comum, trivial ↺ raro ☞ cf. *esotérico*

exoterismo (e.xo.te.ris.mo) /z/ *s.m.* doutrina, religião, crença, prática exotérica ☞ cf. *esoterismo*

exótico (e.xó.ti.co) /z/ *adj.* **1** que não é do país em que ocorre; estrangeiro *<planta e.>* ↺ autóctone **2** esquisito, extravagante *<tinha costumes bastante e.>* ↺ comum ~ **exotismo** *s.m.*

expandir (ex.pan.dir) *v.* {mod. 24} *t.d. e pron.* **1** aumentar as dimensões de (um corpo); dilatar(-se), inflar(-se) *<o vento expandia as cortinas> <as velas do barco expandiram-se>* ↺ contrair(-se) **2** tornar(-se) maior, mais amplo; estender(-se), ampliar(-se) *<e. limites> <as fronteiras expandiam-se>* **3** expor(-se) abertamente (sentimentos, emoções etc.); desabafar *<por fim, pôde e. as mágoas> <falava muito, expandindo-se com toda a liberdade>* **4** tornar(-se) muito conhecido; difundir(-se) *<expandia ideias revolucionárias> <poucas dessas doutrinas expandiram-se>* ~ **expansibilidade** *s.f.* - **expansível** *adj.2g.*

expansão (ex.pan.são) [pl.: *-ões*] *s.f.* **1** aumento de tamanho ou quantidade ↺ redução **2** dilatação, inchaço *<e. da matéria sólida>* ↺ contração **3** expressão aberta de sentimentos; desabafo **4** difusão, divulgação *<e. de uma teoria>* ↺ ocultação

expansionismo (ex.pan.sio.nis.mo) *s.m.* ECON POL política (de um país, empresa etc.) de aumentar seus domínios ~ **expansionista** *adj.2g.s.2g.*

expansivo (ex.pan.si.vo) *adj.* comunicativo, extrovertido ↺ introvertido ~ **expansividade** *s.f.*

expatriação (ex.pa.tri.a.ção) [pl.: *-ões*] *s.f.* desterro, deportação

expatriamento (ex.pa.tri.a.men.to) *s.m.* expatriação

expatriar (ex.pa.tri.ar) *v.* {mod. 1} *t.d. e pron.* expulsar ou sair da pátria; desterrar(-se) *<o governo expatriou muitos artistas> <expatriaram-se antes de serem presos>* ↺ repatriar(-se) ~ **expatriado** *adj.s.m.*

expectador (ex.pec.ta.dor) /ô/ [pl.: *-es*] *adj.s.m.* que(m) tem ou está na expectativa ☞ cf. *espectador*

expectante (ex.pec.tan.te) *adj.2g.* que espera, observando

expectativa (ex.pec.ta.ti.va) *s.f.* espera fundada em probabilidade ou promessa *<estava cansada de criar falsas e.>*

expectorante (ex.pec.to.ran.te) *adj.2g.s.m.* (medicamento) que facilita a saída de secreções por via respiratória *<xarope e.> <receitou-lhe um e.>*

expectorar (ex.pec.to.rar) *v.* {mod. 1} *t.d. e int.* expelir pela boca (secreção dos pulmões e das vias respiratórias) ~ **expectoração** *s.f.*

expedição (ex.pe.di.ção) [pl.: *-ões*] *s.f.* **1** remessa, envio *<e. de uma carta>* **2** grupo que viaja para estudo ou pesquisa de uma região

expedicionário (ex.pe.di.cio.ná.rio) *adj.* **1** relativo a expedição (grupo) ■ *adj.s.m.* **2** que(m) participa de expedição ■ *s.m.* **3** MIL soldado da Força Expedicionária Brasileira (FEB) ☞ nesta acp, cf. *Força Expedicionária Brasileira* na parte enciclopédica

expediente (ex.pe.di.en.te) *s.m.* **1** meio para resolver uma dificuldade; artifício *<adotou um bom e. para evitar o plantão no fim de semana>* **2** desembaraço na maneira de agir e se expressar; desenvoltura *<era muito ativo, tinha e.>* **3** horário de funcionamento de estabelecimentos, escritórios etc. *<o e. encerrava às seis da tarde>* **4** horário de trabalho *<no dia 30 faremos meio e.>*

expedir (ex.pe.dir) *v.* {mod. 28} *t.d. e t.d.i.* **1** (prep. *a, para*) enviar para o destino; despachar *<expediu sua última mensagem> <expediu ontem um telegrama para o tio>* **2** (prep. *a, para*) fazer seguir com certo objetivo; mandar *<e. um emissário> <expediu-lhe sua reivindicação>* □ *t.d.* **3** emitir, despachar *<e. um parecer>* **4** fazer a publicação oficial de; promulgar *<e. decretos>* □ *t.d.i. e pron.* **5** (prep. *de*) tornar(-se) livre de; desembaraçar(-se) *<afinal, conseguiu expedi-lo do último de seus problemas> <expediu-se de tudo que o incomodava>* ~ **expedidor** *adj.s.m.*

expedito (ex.pe.di.to) *adj.* que desempenha tarefas ou resolve problemas com presteza, rapidez; ativo, despachado ↺ lento

expelir (ex.pe.lir) *v.* {mod. 28} *t.d.* **1** lançar para fora, ger. com violência; expulsar *<e. gases>* **2** arremessar a distância (projéteis, balas etc.) *<o engenho expelia pedras, lançando-as sobre o inimigo> <a metralhadora expeliu uma chuva de balas>* **3** *fig.* proferir com energia, agressividade *<e. injúrias>* ◉ GRAM/USO part.: *expelido, expulso*; ver QUADRO DE PARTICÍPIOS DUPLOS nas pp. iniciais

expender (ex.pen.der) *v.* {mod. 8} *t.d. e t.d.i.* **1** (prep. *a*) expor ou explicar em detalhes; esmiuçar *<expendeu suas ideias (a um animado público)>* □ *t.d.* **2** despender, gastar *<expendeu grandes quantias em sua viagem>*

expensas (ex.pen.sas) *s.f.pl.* ▸ usado em: **às e. de** à custa de; por conta de *<vive às e. dos amigos>*

experiência (ex.pe.ri.ên.cia) *s.f.* **1** saber adquirido com exercício, treino *<atleta de muita e.>* ↺ inexperiência **2** conhecimento adquirido de maneira espontânea; prática *<ganhou e. observando o pai>* ↺ inexperiência **3** tentativa; experimento *<quando criança, fazia experiências com balões>*

experiente (ex.pe.ri.en.te) *adj.2g.s.2g.* que(m) tem experiência, conhecimento das coisas ↺ inexperiente

experimental (ex.pe.ri.men.tal) [pl.: *-ais*] *adj.2g.* relativo a ou baseado em experiência *<projeto e.> <tratamento e.>*

experimentar (ex.pe.ri.men.tar) *v.* {mod. 1} *t.d.* **1** submeter à prova, teste; testar, ensaiar *<e. nova substância>* **2** pôr em prática (algo novo, diferente etc.); tentar *<e. um novo método>* **3** pôr no corpo (roupa, calçado) para ver como assenta; provar *<experimentou muitos vestidos até escolher o que ia usar>* **4** sentir, sofrer, vivenciar *<e. um desgosto>* ~ **experimentação** *s.f.*

experimento (ex.pe.ri.men.to) *s.m.* teste para descobrir ou verificar algum fenômeno; tentativa

expert (ex.pert) [fr.; pl.: *experts*] *adj.2g.* ver **EXPERTO** ⇒ pronuncia-se ecspér

experto (ex.per.to) *adj.s.m.* especialista, perito *<e. em literatura japonesa>* ↺ leigo ☞ cf. *esperto*

expiação (ex.pi.a.ção) [pl.: *-ões*] *s.f.* **1** purificação de crimes ou faltas cometidas **2** REL sofrimento que compensa uma culpa ou pecado; penitência

expiar (ex.pi.ar) *v.* {mod. 1} *t.d.* **1** reparar (crime, culpa) cumprindo pena ou castigo; pagar **2** sofrer as consequências de (algo malfeito ou errado) *<expia, na solidão, a*

vida descontrolada de outrora> □ *pron.* **3** purificar-se (de crimes, pecados etc.) <*passa horas rezando, expiando-se de pequenas faltas*> ☞ cf. *espiar* ~ **expiatório** *adj.*

expiração (ex.pi.ra.ção) [pl.: *-ões*] *s.f.* **1** ato ou efeito de expirar **2** saída de ar dos pulmões ↺ inspiração

expirante (ex.pi.ran.te) *adj.2g.* **1** moribundo **2** que está perto do fim

expirar (ex.pi.rar) *v.* {mod. 1} *t.d.* **1** expelir (o ar) dos pulmões ↺ inspirar **2** soltar de si; exalar <*as flores expiram fragrância*> □ *int.* **3** morrer **4** *fig.* chegar ao fim; terminar <*o prazo expira hoje*> ↺ começar ~ **expiratório** *adj.*

explanar (ex.pla.nar) *v.* {mod. 1} *t.d.* **1** explicar em detalhes, tornando fácil de entender; esclarecer <*e. um texto*> ↺ complicar **2** expor, relatar minuciosamente <*e. motivos*> <*e. um incidente*> ~ **explanação** *s.f.* - **explanador** *adj.s.m.* - **explanatório** *adj.*

expletivo (ex.ple.ti.vo) *adj.* **1** que serve para completar ■ *adj.s.m.* **2** GRAM (palavra) us. apenas para realçar outra, como, por exemplo, a palavra *só* em *olha só o que aconteceu*

explicação (ex.pli.ca.ção) [pl.: *-ões*] *s.f.* **1** ação de tornar claro e inteligível; esclarecimento, explanação <*e. de um texto*> ↺ obscurecimento **2** razão ou motivo (de algo) <*ato sem e.*> **3** lição dada a aluno <*ouviu a e. de português*> **4** reparação de uma ofensa; desagravo <*sua atitude exigia uma e.*>

explicar (ex.pli.car) *v.* {mod. 1} *t.d. e t.d.i.* **1** (prep. *a*) tornar claro, compreensível (algo obscuro, ambíguo, desconhecido); esclarecer <*e. um enigma*> <*e. o trabalho ao iniciante*> **2** (prep. *a*) fazer conhecer a origem ou o motivo de <*e. um costume (aos visitantes)*> **3** (prep. *a*) dar aula; ensinar <*e. matemática (aos mais novos)*> □ *t.d. e pron.* **4** dar a razão de seus atos ou palavras; justificar(-se) <*era difícil e. uma falta tão grave*> <*o ministro foi ao Congresso e.-se*> ~ **explicador** *adj.s.m.* - **explicativo** *adj.* - **explicável** *adj.2g.*

explicativa (ex.pli.ca.ti.va) *s.f.* GRAM ver ***CONJUNÇÃO EXPLICATIVA***

explicitar (ex.pli.ci.tar) *v.* {mod. 1} *t.d. e t.d.i.* (prep. *a*) tornar(-se) explícito, claro, sem ambiguidades; esclarecer <*explicitou (ao público) os motivos que o levaram a apoiar esse candidato*> ~ **explicitação** *s.f.*

explícito (ex.plí.ci.to) *adj.* expresso claramente, sem deixar dúvidas <*resposta e.*> ↺ implícito, ambíguo

explodir (ex.plo.dir) *v.* {mod. 24} *t.d. e int.* **1** causar ou sofrer explosão; estourar <*a bomba explodiu*> <*usaram dinamite para e. o cofre*> □ *t.i. e int.* **2** *fig.* (prep. *em*) manifestar-se de modo súbito e intenso <*a plateia explodiu em vaias*> <*gargalhadas explodiram*>

exploração (ex.plo.ra.ção) [pl.: *-ões*] *s.f.* **1** estudo ou pesquisa mais ou menos intensiva de região, território etc. ou seu aproveitamento para a produção de alguma forma de riqueza **2** análise, exame, pesquisa <*e. de uma biblioteca*> **3** ato de tirar partido de (situação, oportunidade etc.) <*e. do sexo pela publicidade*> **4** abuso da boa-fé ou da situação especial de alguém

explorar (ex.plo.rar) *v.* {mod. 1} *t.d.* **1** percorrer (região, território etc.) para estudar, pesquisar, conhecer <*e. os caminhos que levam à aldeia*> **2** efetuar estudos em; examinar, analisar **3** tirar proveito ou vantagem de; aproveitar-se <*explorou os parentes e ficou com a maior parte da herança*> **4** abusar da boa-fé de; enganar <*e. os mais ingênuos*> ~ **explorador** *adj.s.m.* - **exploratório** *adj.* - **explorável** *adj.2g.*

explosão (ex.plo.são) [pl.: *-ões*] *s.f.* **1** rompimento súbito, violento e ruidoso de um corpo sólido <*e. de uma bomba*> **2** *fig.* manifestação súbita e intensa <*e. de alegria, de raiva*> ↺ contenção

explosivo (ex.plo.si.vo) *adj.s.m.* **1** (substância) capaz de explodir ou de produzir explosão <*carregava (artefatos) explosivos na mochila*> ■ *adj.* **2** relativo a explosão <*a força e. de uma mina submarina*> **3** *fig.* sem moderação, exaltado <*temperamento e.*>

expoente (ex.po.en.te) *s.m.* **1** aquele que expõe **2** representante notável na sua classe, profissão etc. <*era um e. em astronomia*> **3** MAT número alceado que indica a quantidade de vezes pela qual outro número (dito *base*) é multiplicado por si mesmo (p.ex., 12^7)

expor (ex.por) *v.* {mod. 23} *t.d., t.d.i. e pron.* **1** (prep. *a*) pôr(-se) à vista ou em exibição; mostrar(-se) <*e. obras de arte*> <*expôs as mercadorias ao público*> <*os políticos gostam de e.-se para atrair votos*> ↺ esconder(-se) □ *t.d.i. e pron.* **2** (prep. *a*) sujeitar(-se) à ação de <*e. o corpo ao sol*> <*e.-se a radiações*> □ *t.d. e t.d.i.* **3** (prep. *a*) tornar conhecido; apresentar, contar <*expôs suas razões (ao advogado)*> ↺ esconder **4** (prep. *a*) deixar evidente; revelar <*o rosto expunha (ao inimigo) seu cansaço*> ↺ disfarçar, esconder **5** (prep. *a*) tornar compreensível; explicar <*expôs seu método (aos iniciantes)*> ↺ complicar **6** (prep. *a*) pôr à disposição; oferecer <*quando lhe baterem numa face, exponha a outra*> □ *pron.* **7** correr riscos; aventurar-se <*expôs-se ao perigo pra resgatar o cachorro*> ◉ GRAM/USO part.: *exposto* ~ **exposto** *adj.s.m.*

exportação (ex.por.ta.ção) [pl.: *-ões*] *s.f.* **1** venda ou envio de produtos para fora do país, estado, cidade <*e. de laranjas, petróleo etc.*> ↺ importação **2** o conjunto do que é exportado <*a e. do município é baixa*>

exportador (ex.por.ta.dor) /ô/ [pl.: *-es*] *adj.s.m.* que ou aquele que exporta ↺ importador

exportar (ex.por.tar) *v.* {mod. 1} *t.d., t.d.i. e int.* **1** (prep. *para*) vender (produto) enviando-o para fora do lugar (país, estado etc.) que o produziu <*e. café (para a Europa)*> <*deveriam e. mais e importar menos*> ↺ importar **2** (prep. *para*) enviar (ideias, pessoas etc.) para fora do lugar (país, estado etc.) a que pertencem <*e. cultura (para outros estados)*> ↺ importar □ *t.d.* **3** INF *B* enviar (dados) de um aplicativo para outro

exposição (ex.po.si.ção) [pl.: *-ões*] *s.f.* **1** ação de expor, de colocar à vista <*e. de quadros*> <*e. de motivos*> ↺ ocultação **2** conjunto de objetos expostos para visitação **3** *p.ext.* o local onde esses objetos ficam expostos <*a e. reuniu grande público*> **4** apresentação organizada de um assunto <*fez uma e. de seu ponto de vista*> ~ **expositivo** *adj.*

expositor (ex.po.si.tor) /ô/ [pl.: *-es*] *adj.s.m.* **1** (o) que expõe ■ *s.m.* **2** autor que apresenta seu trabalho numa exposição pública

expressamente (ex.pres.sa.men.te) *adv.* **1** por meio de palavras precisas; de maneira clara <*declarou e. não ter dinheiro para viajar*> **2** com uma finalidade definida; com um único objetivo <*foi a Brasília e. para falar com o ministro*> **3** sem que se admita contestação ou questionamento <*é e. proibida a entrada de animais*>

E

expressão (ex.pres.são) [pl.: *-ões*] *s.f.* **1** manifestação de pensamento, sentimentos por meio de palavra, gesto, fisionomia, arte etc. *<e. triste> <e. artística>* **2** sentença, frase ou dito *<uma típica e. baiana>* **3** animação, energia *<rosto sem e.>* ↺ apatia **4** MAT fórmula algébrica que representa um valor ▣ **e. idiomática** LING locução ou frase comum numa determinada língua, cujo significado não corresponde ao das palavras que a compõem e não pode ser entendido ao pé da letra

expressar (ex.pres.sar) *v.* {mod. 1} *t.d.,t.d.i. e pron.* (prep. *a*) exprimir ◉ GRAM/USO part.: *expressado, expresso*; ver QUADRO DE PARTICÍPIOS DUPLOS nas pp. iniciais ~ **expressável** *adj.2g.*

expressionismo (ex.pres.sio.nis.mo) *s.m.* ART.PLÁST CINE MÚS movimento artístico que procura retratar as sensações que os objetos e eventos despertam no artista ~ **expressionista** *adj.2g.s.2g.*

expressivo (ex.pres.si.vo) *adj.* **1** que exprime bem uma ideia ou sentimento *<era um orador e.>* **2** que tem vivacidade *<olhar e.>* ↺ inexpressivo ~ **expressividade** *s.f.*

expresso (ex.pres.so) *adj.* **1** manifesto, explícito *<vontade e.>* ↺ implícito **2** que não admite objeções *<ordens e.>* ↺ discutível **3** rápido, sem demora *<correspondência e.>* ■ *adj.s.m.* **4** (trem, ônibus etc.) rápido ou direto ◉ GRAM/USO part. de *expressar* e *exprimir*

exprimir (ex.pri.mir) *v.* {mod. 24} *t.d.,t.d.i. e pron.* **1** (prep. *a, em*) manifestar(-se) por palavras, gestos ou atitudes *<e. uma ideia> <como e. ao professor a gratidão que sentia?> <exprimia-se em termos vagos>* □ *t.d. e pron.* **2** (prep. *em*) (deixar) ficar evidente; revelar(-se) *<um olhar que exprimia tristeza> <a alegria que se exprime em seus gestos>* ↺ esconder (-se), disfarçar(-se) □ *t.d.* **3** ser símbolo ou expressão de; representar *<aquela paisagem exprimia toda a harmonia da natureza>* ◉ GRAM/USO part.: *exprimido, expresso* /é/; ver QUADRO DE PARTICÍPIOS DUPLOS nas pp. iniciais ~ **exprimível** *adj.2g.*

exprobrar (ex.pro.brar) ou **exprobar** (ex.pro.bar) *v.* {mod. 1} *t.d. e t.d.i.* (prep. *a*) censurar, repreender, criticar *<exprobrou a conduta do companheiro> <exprobrava ao amigo o exagero de suas reações>* ↺ aprovar ~ **exprobração/exprobação** *s.f.* - **exprobratório/exprobatório** *adj.*

expropriação (ex.pro.pri.a.ção) [pl.: *-ões*] *s.f.* **1** ato ou efeito de expropriar **2** a coisa expropriada

expropriar (ex.pro.pri.ar) *v.* {mod. 1} *t.d. e t.d.i.* DIR (prep. *a, de*) retirar a propriedade ou posse (de alguém) por conveniência ou necessidade pública *<o governo expropriou(-lhe) os apartamentos> <a prefeitura expropriou-o de seus imóveis>* ~ **expropriador** *adj.s.m.*

expugnar (ex.pug.nar) *v.* {mod. 1} *t.d.* **1** conquistar à força, pelas armas *<e. uma base inimiga>* **2** *p.ext.* derrotar, vencer ↺ perder ~ **expugnação** *s.f.* - **expugnável** *adj.2g.*

expulsão (ex.pul.são) [pl.: *-ões*] *s.f.* **1** ação de expulsar ou seu efeito **2** retirada forçada de *<e. dos invasores>* ↺ acolhida ~ **expulsivo** *adj.*

expulsar (ex.pul.sar) *v.* {mod. 1} *t.d.* **1** retirar de um lugar, por castigo ou em obediência a regra ou norma; enxotar *<e. o aluno da sala>* **2** lançar para fora; expelir ◉ GRAM/USO part.: *expulsado, expulso*; ver QUADRO DE PARTICÍPIOS DUPLOS nas pp. iniciais

expulso (ex.pul.so) *adj.* posto para fora ◉ GRAM/USO part. de *expulsar* e de *expelir*

expurgar (ex.pur.gar) *v.* {mod. 1} *t.d.* **1** deixar puro; limpar *<e. uma ferida>* □ *t.d. e t.d.i.* **2** *fig.* (prep. *de*) deixar livre (do que é nocivo, imoral) *<queria e. o partido (dos maus políticos)>* □ *t.d.,t.d.i. e pron.* **3** (prep. *de*) [deixar] ficar sem erros; corrigir(-se) *<o tempo expurgou suas falhas> <e. um texto de seus erros> <o estilo do escritor expurgou-se aos poucos>* ~ **expurgação** *s.f.* - **expurgador** *adj.s.m.* - **expurgamento** *s.m.* - **expurgatório** *adj.*

expurgo (ex.pur.go) *s.m.* ato de expurgar ou seu efeito; expurgação

exsudação (ex.su.da.ção) /essu/ [pl.: *-ões*] *s.f.* líquido de consistência viscosa que sai em forma de gotas pelos poros de plantas ou animais

exsudar (ex.su.dar) /essu/ *v.* {mod. 1} *t.d. e int.* expelir ou sair em forma de gotas

exsudato (ex.su.da.to) /essu/ *s.m.* MED líquido com alto teor de proteína resultante de um processo inflamatório

êxtase (êx.ta.se) *s.m.* **1** sentimento de falta de controle pessoal e da razão ↺ desencantamento **2** transe místico *<a meditação levou-a ao ê.>*

extasiar (ex.ta.si.ar) *v.* {mod. 1} *t.d. e pron.* (fazer) cair em êxtase; arrebatar(-se), maravilhar(-se) *<a natureza o extasiava> <extasiou-se com o concerto>* ~ **extasiado** *adj.*

extático (ex.tá.ti.co) *adj.* caído em ou causado por êxtase; encantado, maravilhado *<emoção e.>* ☞ cf. *estático*

extemporâneo (ex.tem.po.râ.neo) *adj.* **1** que ocorre fora do tempo desejável ou apropriado *<comentários e.>* ↺ oportuno **2** que não é característico do tempo em que ocorre *<um fato e.>* ~ **extemporaneidade** *s.f.*

extensão (ex.ten.são) [pl.: *-ões*] *s.f.* **1** ato de estender ou seu efeito **2** tamanho, dimensão *<a e. de um terreno>* **3** duração *<a e. da vida humana>* **4** alcance, importância *<desconhecia a e. do problema>* **5** MÚS intervalo entre o som mais grave e o mais agudo alcançado por uma voz ou um instrumento **6** aparelho telefônico ligado à mesma linha de outro *<preferiu ligar da e. do quarto>*

extensivo (ex.ten.si.vo) *adj.* **1** que se aplica ou que é válido para um maior número de pessoas, objetos ou casos *<convite e. a todos>* **2** extenso, amplo *<usou a palavra em sentido e.>* ↺ restrito ~ **extensível** *adj.2g.*

extenso (ex.ten.so) *adj.* **1** amplo, espaçoso *<terraço e.>* ↺ pequeno **2** muito comprido *<um corredor e. levava ao banheiro>* ↺ curto **3** de longa duração *<filme e.>* ↺ breve ▣ **por e.** não abreviado, por inteiro *<escreve tudo por e.>*

extensor (ex.ten.sor) /ô/ [pl.: *-es*] *adj.s.m.* (o) que estende ou serve para estender *<precisou de um e. para pendurar a rede no gancho>*

extenuação (ex.te.nu.a.ção) [pl.: *-ões*] *s.f.* grande diminuição da força, do vigor; debilidade, fadiga ↺ energia

extenuar (ex.te.nu.ar) *v.* {mod. 1} *t.d. e pron.* **1** tornar(-se) muito fraco; debilitar(-se) *<o trabalho o extenuou> <extenuou-se antes da linha de chegada>* ↺ fortalecer(-se) **2** cansar(-se) demais; esgotar(-se) *<a viagem os extenuou>* ↺ descansar □ *t.d. fig.* **3** gastar, exaurir (bens, fortuna etc.) ~ **extenuante** *adj.2g.*

exterior (ex.te.ri.or) /ô/ [pl.: *-es*] *adj.2g.* **1** que está fora *<realidade e.>* ↺ interior **2** que envolve países estrangeiros; internacional *<política e.>* ↺ nacional ■ *s.m.* **3** a parte externa de algo *<o e. da caixa>* ↺ interior **4** aparência *<valorizava demais o e. dos homens>* **5** país estrangeiro *<fez estudos no e.>* ~ **exterioridade** *s.f.*

exteriorizar (ex.te.ri.o.ri.zar) *v.* {mod. 1} *t.d. e pron.* tornar(-se) exterior, conhecido, perceptível (ideia, opinião, emoção etc.); revelar(-se) *<exteriorizou rapidamente suas opiniões> <seus medos exteriorizaram-se em lágrimas>* ↺ ocultar(-se) ~ **exteriorização** *s.f.*

exterminação (ex.ter.mi.na.ção) [pl.: *-ões*] *s.f.* extermínio

exterminar (ex.ter.mi.nar) *v.* {mod. 1} *t.d.* **1** destruir de forma cruel, matando; eliminar *<o exército de super-heróis exterminou os extraterrestres>* **2** fazer desaparecer; acabar, extinguir *<e. baratas>* **3** expulsar de território, região etc.; banir *<e. o traidor do país>* ~ **exterminador** *adj.s.m.*

extermínio (ex.ter.mí.nio) *s.m.* ato de exterminar ou seu efeito; exterminação

externa (ex.ter.na) *s.f.* CINE TV gravação ou filmagem feita fora de estúdio

externar (ex.ter.nar) *v.* {mod. 1} *t.d. e pron.* exteriorizar ~ **externação** *s.f.*

externato (ex.ter.na.to) *s.m.* colégio em que estudam apenas alunos externos

externo (ex.ter.no) *adj.* **1** que está ou vem do lado de fora *<pintura e.>* ↺ interno ■ *adj.s.m.* **2** (aluno) que não mora no colégio ☞ cf. *esterno*

extinção (ex.tin.ção) [pl.: *-ões*] *s.f.* **1** ato de extinguir ou seu efeito ↺ restauração **2** BIO desaparecimento definitivo de uma espécie *<estava preocupado com a e. de pássaros>* ↺ origem ~ **extintivo** *adj.*

extinguir (ex.tin.guir) *v.* {mod. 24} *t.d. e pron.* **1** apagar (-se) [fogo] **2** (fazer) ter fim, desaparecer por completo; acabar(-se) *<e. uma praga>* □ *pron.* **3** perder a vida; morrer □ *t.d.* **4** pagar, saldar (débito, dívida) **5** abolir a validade de; revogar *<e. uma lei>* ↺ validar ◉ GRAM/USO part.: *extinguido, extinto*; ver QUADRO DE PARTICÍPIOS DUPLOS nas pp. iniciais ~ **extinguível** *adj.2g.*

extinto (ex.tin.to) *adj.* **1** que se extinguiu ■ *s.m.* **2** pessoa já falecida; morto ◉ GRAM/USO part.irreg. de *extinguir*

extintor (ex.tin.tor) /ô/ [pl.: *-es*] *adj.s.m.* **1** (o) que extingue ■ *s.m.* **2** dispositivo portátil para combater incêndios

extirpar (ex.tir.par) *v.* {mod. 1} *t.d.* **1** arrancar pela raiz *<e. o mato>* **2** remover (cisto, cancro etc.) **3** *fig.* eliminar, destruir *<e. vícios>* ~ **extirpação** *s.f.* - **extirpador** *adj.s.m.* - **extirpamento** *s.m.* - **extirpável** *adj.2g.*

extorquir (ex.tor.quir) *v.* {mod. 24} *t.d. e t.d.i.* (prep. *de*) obter por violência, ameaça ou ardil *<extorquiu todo o dinheiro (do ex-sócio)>* ◉ GRAM/USO verbo defectivo

extorsão (ex.tor.são) [pl.: *-ões*] *s.f.* **1** ato criminoso de se obter algo mediante violência, ameaça ou ardil **2** imposto excessivo ~ **extorsionário** *adj.s.m.*

extorsivo (ex.tor.si.vo) *adj.* **1** em que há extorsão **2** diz-se do preço mais alto do que a média do mercado ou muito alto em relação ao que a maioria dos consumidores pode pagar ↺ moderado

extra- *pref.* **1** 'posição exterior': *extrajudicial, extraterreno* **2** 'excesso': *extrassensível*

extra (ex.tra) /é ou ê/ *adj.2g.* **1** fora dos padrões normais; extraordinário *<uma dose e.> <um jogo e.>* ↺ ordinário **2** de alta qualidade *<manteiga e.>* ↺ ruim ■ *adj.2g.s.2g.* **3** (tarefa, pagamento, funcionário etc.) adicional, suplementar *<trabalho e. aos sábados> <o pagamento saiu de manhã, mas o e. só à tarde>* ■ *s.2g.* CINE TEAT TV **4** figurante

extração (ex.tra.ção) [pl.: *-ões*] *s.f.* **1** retirada de algo de dentro de *<e. do látex da seringueira> <e. de petróleo>* **2** MED operação para retirar ou arrancar algo do organismo *<e. de um tumor>* **3** sorteio dos números de loteria ~ **extrativo** *adj.*

extraclasse (ex.tra.clas.se) *adj.2g.* que se faz fora da sala de aula *<atividade e.>*

extraconjugal (ex.tra.con.ju.gal) [pl.: *-ais*] *adj.2g.* que se realiza fora do casamento; extramatrimonial *<filho e.>*

extracurricular (ex.tra.cur.ri.cu.lar) [pl.: *-es*] *adj.2g.* que não faz parte do currículo escolar normal *<teve de fazer duas matérias extracurriculares além das comuns>*

extraditar (ex.tra.di.tar) *v.* {mod. 1} *t.d.* entregar (acusado, criminoso, refugiado etc.) a um governo estrangeiro que o exige por meios judiciais ~ **extradição** *s.f.*

extraescolar (ex.tra.es.co.lar) [pl.: *-es*] *adj.2g.* que não pertence à escola

extragaláctico (ex.tra.ga.lác.ti.co) *adj.* ASTR que se origina ou se situa fora da Via Láctea

extrair (ex.tra.ir) *v.* {mod. 25} *t.d. e t.d.i.* **1** (prep. *de*) tirar de dentro de onde estava; retirar *<extraiu o suco (do limão)> <extraiu um trecho do poema para citá-lo em sua aula>* ↺ colocar **2** retirar por operação cirúrgica *<e. um dente> <e. uma bala do corpo>* **3** puxar para fora com força; arrancar *<e. um parafuso> <e. um prego da parede>* ↺ enterrar, cravar **4** retirar (minério) da terra ou de jazida *<extraiu duas toneladas de prata (da montanha)>* □ *t.d.* **5** MAT calcular (a raiz de um número) ◉ GRAM/USO part.: *extraído, extrato*; ver QUADRO DE PARTICÍPIOS DUPLOS nas pp. iniciais

extrajudicial (ex.tra.ju.di.ci.al) [pl.: *-ais*] *adj.2g.* DIR que não ocorre por vias judiciais ~ **extrajudiciário** *adj.*

extramatrimonial (ex.tra.ma.tri.mo.ni.al) [pl.: *-ais*] *adj.2g.* extraconjugal

extramuros (ex.tra.mu.ros) *adv.* fora dos muros ou limites (de uma cidade, vila etc.)

extraoficial (ex.tra.o.fi.ci.al) [pl.: *-ais*] *adj.2g.* **1** que não provém de autoridade oficial *<informação e.>* **2** que não pertence aos negócios públicos

extraordinário (ex.tra.or.di.ná.rio) *adj.* **1** que não é ordinário; que foge do habitual *<acontecimento e.> <despesas e.>* ↺ ordinário, corriqueiro **2** excepcional, notável *<aluno e.>* ↺ medíocre **3** estranho, esquisito *<suas manias o tornavam um ser e.>* ↺ normal **4** digno de grande admiração *<histórias e.>* **5** que foi encarregado de tarefa especial *<ministro e.>* ■ *s.m.* **6** aquilo que não é habitual *<não queria o comum, queria o e.>* **7** despesa além do usual

extrapolar (ex.tra.po.lar) *v.* {mod. 1} *t.d. e int.* **1** generalizar com base em dados parciais *<e. tendências atuais para construir uma imagem do futuro> <discutir com ele é desagradável porque extrapola sempre>* **2** ir além de (norma ou limites estabelecidos, justos); exorbitar

E

<as despesas do mês extrapolaram o salário> <quando perde a cabeça, ele extrapola> ~ **extrapolação** *s.f.*

extrassensível (ex.tras.sen.sí.vel) [pl.: *-eis*] *adj.2g.* **1** muito sensível **2** extrassensorial

extrassensorial (ex.tras.sen.so.ri.al) [pl.: *-ais*] *adj.2g.* que não é percebido pelos órgãos dos sentidos ou está além dos limites da percepção normal

extraterreno (ex.tra.ter.re.no) *adj.s.m.* (o) que existe fora da Terra *<vida e.>*

extraterrestre (ex.tra.ter.res.tre) *adj.2g.s.2g.* (o) que é ou vem de fora da Terra *<visitantes e.>*

extraterritorial (ex.tra.ter.ri.to.ri.al) [pl.: *-ais*] *adj.2g.* que está fora de um território ~ **extraterritorialidade** *s.f.*

extrativismo (ex.tra.ti.vis.mo) *s.m.* extração de produtos naturais para fins comerciais ou industriais ~ **extrativista** *adj.2g.*

extrato (ex.tra.to) *s.m.* **1** coisa extraída de outra **2** trecho tirado de um texto **3** preparação solúvel e concentrada obtida de um alimento *<e. de tomate>* **4** perfume concentrado, essência *<e. de lavanda>* **5** QUÍM solução que contém os principais constituintes de uma matéria complexa

extrauterino (ex.tra.u.te.ri.no) *adj.* que está ou ocorre fora do útero *<gravidez e.>*

extravagância (ex.tra.va.gân.cia) *s.f.* **1** o que escapa às normas do bom senso, do equilíbrio emocional, do bom gosto; excentricidade *<ela se veste com e.>* **2** desperdício dos próprios bens; dissipação *<arruinou a vida com extravagâncias>*

extravagante (ex.tra.va.gan.te) *adj.2g.s.2g.* **1** (o) que escapa às normas do bom senso; excêntrico *<ideias e.>* ↺ comum **2** que(m) gasta em excesso; esbanjador ↺ econômico

extravasar (ex.tra.va.sar) *v.* {mod. 1} *t.d.,int. e pron.* **1** (fazer) derramar pelas bordas (um líquido); transbordar *<a fervura extravasou parte da água> <o leite fervido extravasou(-se)>* **2** (fazer) sair dos limites, do espaço ou dos canais naturais *<o entupimento extravasou a água> <com a cheia, o rio extravasou(-se)>* **3** tornar(-se) manifesto, perceptível; revelar(-se) *<aos gritos, o homem extravasava suas mágoas> <ao fim do dia, a raiva (se) extravasara>* ↺ esconder(-se) ~ **extravasamento** *s.m.* - **extravasão** *s.f.*

extraviar (ex.tra.vi.ar) *v.* {mod. 1} *t.d. e pron.* **1** (fazer) sair do caminho certo; desviar(-se) *<a tempestade extraviou o barco> <extraviou-se no emaranhado das ruas>* **2** (fazer) sumir; perder(-se) *<os carregadores extraviaram a bagagem> <a correspondência extraviou-se>* **3** *fig.* desencaminhar(-se), perverter(-se) *<certas propagandas podem extraviar a juventude> <um rapaz que se extraviou devido às más companhias>* □ *t.d.* **4** desviar de modo fraudulento; roubar *<e. dinheiro, documentos>*

extravio (ex.tra.vi.o) *s.m.* **1** perda do caminho, da direção **2** desaparecimento, sumiço ↺ aparecimento **3** desvio fraudulento de algo; roubo **4** corrupção moral; perversão

extrema (ex.tre.ma) *s.f.* **1** o ponto mais distante que se pode alcançar com a vista **2** FUTB cada uma das zonas laterais do campo, à direita e à esquerda, por onde atuam os extremas, tb. chamados pontas ☞ cf. *estrema* ■ *s.2g.* FUTB **3** cada um dos dois jogadores que atuam ofensivamente pelas laterais do campo; ponta

extremado (ex.tre.ma.do) *adj.* **1** radical, apaixonado, extremo *<ideias, atos e.>* **2** fora do comum; excepcional *<amor e. pela leitura>* ☞ cf. *estremado*

extremamente (ex.tre.ma.men.te) *adv.* em alto grau de intensidade *<foi um encontro e. agradável> <caso e. grave>*

extrema-unção (ex.tre.ma-un.ção) [pl.: *extremas--unções*] *s.f.* REL sacramento católico pelo qual os moribundos são ungidos com santos óleos; unção dos enfermos

extremidade (ex.tre.mi.da.de) *s.f.* **1** parte final, ponta *<a e. do dedo> <a e. de um vestido>* **2** parte em que começa ou termina algo; extremo *<nadou de uma e. à outra da piscina>*

extremismo (ex.tre.mis.mo) *s.m.* POL doutrina que prega o uso de medidas extremas na resolução de problemas ~ **extremista** *adj.2g.s.2g.*

extremo (ex.tre.mo) *adj.* **1** no ponto mais afastado *<fronteira e. do território>* ↺ próximo **2** no ponto máximo ou em mais alto grau *<esforço e.>* ■ *s.m.* **3** ponto mais distante; extremidade *<foi ao e. do campo e voltou em menos de um minuto>* ▼ ***extremos*** *s.m.pl.* **4** carinhos excessivos *<não poupa e. a seus filhos>* **5** *fig.* últimos recursos *<a ministra foi a e. na defesa das novas medidas econômicas>*

extremosa (ex.tre.mo.sa) *s.f.* BOT árvore ornamental com flores de pétalas crespas dispostas em cachos

extremoso (ex.tre.mo.so) /ô/ [pl. e fem.: /ó/] *adj.* **1** carinhoso demais *<era um pai e.>* ↺ frio **2** desmedido, exagerado *<cuidado e. com o filho>* ↺ comedido

extrínseco (ex.trín.se.co) *adj.* **1** que não é essencial a algo; externo *<causas e. a uma doença>* ↺ intrínseco **2** que é convencional ou fictício; que não tem valor por si próprio *<valor e. de uma moeda>* ↺ intrínseco

extroversão (ex.tro.ver.são) [pl.: *-ões*] *s.f.* atitude de quem tem facilidade de manter contato com outras pessoas e de se adaptar ao mundo exterior ↺ introversão

extroverter-se (ex.tro.ver.ter-se) *v.* {mod. 8} *pron.* tornar-se extrovertido ↺ introverter-se

extrovertido (ex.tro.ver.ti.do) *adj.s.m.* que(m) age com extroversão ↺ introvertido

exu (e.xu) *s.m.* REL *B* entidade venerada, ou considerada maléfica, em alguns cultos religiosos afro-brasileiros como o candomblé e a umbanda

exuberância (e.xu.be.rân.cia) /z/ *s.f.* **1** fartura ou excesso *<e. de formas, e. vocabular>* ↺ escassez **2** *fig.* entusiasmo, vivacidade *<manifestava seus sentimentos com e.>* ↺ apatia

exuberante (e.xu.be.ran.te) /z/ *adj.2g.* **1** em que há abundância; rico *<vegetação e.>* ↺ escasso **2** *fig.* cheio de viço ou ânimo *<espírito e.>* ↺ apático

exultar (e.xul.tar) /z/ *v.* {mod. 1} *int.* sentir e mostrar alegria intensa; regozijar-se *<com a boa notícia, todos exultaram>* ↺ entristecer ~ **exultação** *s.f.* - **exultante** *adj.2g.*

exumar (e.xu.mar) /z/ *v.* {mod. 1} *t.d.* retirar (cadáver) de sepultura; desenterrar ~ **exumação** *s.f.*

ex-voto (ex-vo.to) [pl.: *ex-votos*] *s.m.* objeto exposto em capela ou igreja para agradecer uma graça recebida

-ez ou **-eza** /ê/ *suf.* 'qualidade': *beleza, limpeza, mesquinhez, nudez*

a b c d e **f** g h i j k l m n o p q r s t u v w x y z

Ff

f *s.m.* **1** sexta letra do nosso alfabeto, consoante ■ *n.ord. (adj.2g.2n.)* **2** diz-se do sexto elemento de uma série *<casa F> <item 1f>* ☞ empr. após um substantivo ou numeral ◉ GRAM/USO na acp. s.m., pl.: *ff*

F **1** FÍS símbolo de *Fahrenheit* **2** QUÍM símbolo de *flúor*

fá *s.m.* MÚS quarta nota da escala musical

fã *s.2g.* **1** grande admirador de artistas, desportistas etc. **2** *p.ext.* quem tem afeição ou interesse por alguém ou algo *<fã da professora> <fã de surfe>* ↺ antipatizante

FAB *s.f.* sigla de Força Aérea Brasileira ☞ cf. *FAB* na parte enciclopédica

fábrica (fá.bri.ca) *s.f.* **1** local onde se transforma a matéria-prima em produto para o mercado *<f. de tecidos>* **2** *p.ext.* conjunto formado pelas instalações, pela maquinaria e pelos operários desse local *<a f. está em greve>* **3** *p.ext.* lugar onde se cria ou se desenvolve algo; origem *<essa escola é uma f. de talentos>*

fabricante (fa.bri.can.te) *s.2g.* pessoa ou empresa que dirige ou é proprietária de fábrica *<f. de automóveis> <f. de cerveja>*

fabricar (fa.bri.car) *v.* {mod. 1} *t.d.* **1** produzir a partir de matérias-primas *<f. sapatos de couro>* **2** executar a construção de; construir, edificar *<f. um monumento>* **3** criar na mente; inventar, maquinar *<de nada adiantou ele f. astúcias>* **4** *fig.* ser a causa de; provocar *<fabricou sua própria ruína>* ~ **fabricação** *s.f.* - **fabricador** *adj.s.m.*

fabril (fa.bril) [pl.: *-is*] *adj.2g.* **1** relativo a fábrica ou a fabricação *<operário f.>* **2** relativo à indústria que manufatura produtos *<a indústria f. de papel>*

fábula (fá.bu.la) *s.f.* **1** curta narrativa que contém uma lição moral ☞ cf. *apólogo* **2** *p.ext.* fato inventado; invencionice *<essa história é pura f.>* ↺ realidade **3** *B infrm.* muito dinheiro *<aquele carro custa uma f.>* ◉ COL fabulário

[1]**fabular** (fa.bu.lar) *v.* {mod. 1} *t.d.* **1** dar caráter de fábula a (fato, evento, história) □ *int.* **2** escrever ou contar fábulas □ *t.d. e int.* **3** criar ou relatar falsamente; inventar ◉ ORIGEM do lat. *fabulāre* 'falar, conversar' ~ **fabulação** *s.f.* - **fabulador** *adj.s.m.*

[2]**fabular** (fa.bu.lar) [pl.: *-es*] *adj.2g.* relativo a fábula; lendário ◉ ORIGEM do lat. *fabulāris,e* 'fabuloso, falso'

fabulário (fa.bu.lá.rio) *s.m.* LIT **1** coleção de fábulas **2** livro de fábulas

fabulista (fa.bu.lis.ta) *adj.2g.s.2g.* **1** que(m) é autor ou narrador de fábulas **2** *p.ext.* que(m) tem hábito de mentir

fabuloso (fa.bu.lo.so) /ô/ [pl. e fem.: /ó/] *adj.* **1** relativo a fábula **2** relativo a mitologia e a lenda *<o unicórnio é um animal f.>* **3** que tem caráter admirável, apesar de real *<preços f.>* **4** excelente, fantástico *<um filme f.>* ↺ péssimo

faca (fa.ca) *s.f.* instrumento composto de lâmina cortante presa a um cabo ▣ **f. de dois gumes** ação ou coisa que tanto pode beneficiar quanto prejudicar • **entrar na f.** *infrm.* passar por uma operação cirúrgica • **ter** ou **estar com a f. e o queijo na mão** ter todos os meios para impor a própria vontade

facada (fa.ca.da) *s.f.* **1** golpe ou ferida por faca **2** *fig.* agressão, ofensa **3** *fig. infrm.* pedido de dinheiro a alguém

façanha (fa.ça.nha) *s.f.* **1** ato heroico; proeza *<as f. dos três mosqueteiros>* **2** ação imprudente, escandalosa ou brincalhona *<sua última f. revoltou a vizinhança>* ~ **façanhoso** *adj.* - **façanhudo** *adj.*

facão (fa.cão) [pl.: *-ões*] *s.m.* instrumento semelhante à faca, porém maior

facção (fac.ção) [pl.: *-ões*] *s.f.* **1** parte divergente de grupo ou partido *<guerra de f. internas>* **2** partido político

faccionar (fac.cio.nar) *v.* {mod. 1} *t.d. e pron.* **1** (prep. *em*) dividir(-se) em facções ou grupos dissidentes *<os insatisfeitos faccionaram o partido> <o grupo faccionou-se em três blocos>* **2** incitar ou promover motim; rebelar(-se) *<f. uma tropa> <a tripulação do navio faccionou-se>* ~ **faccionário** *adj.s.m.*

F

faccioso (fac.ci.o.so) /ô/ [pl. e fem.: /ó/] *adj.s.m.* **1** (o) que exerce alguma ação violenta ou subversiva **2** que(m) é tendencioso, parcial ~ **facciosidade** *s.f.* - **facciosismo** *s.m.*

face (fa.ce) *s.f.* **1** ANAT região da cabeça composta pela testa, olhos, nariz, boca, queixo e bochechas, e delimitada pelo couro cabeludo, as orelhas e o pescoço **2** cada uma das duas partes laterais dessa região, abaixo dos olhos e ao lado do nariz *<levou um tapa na f. esquerda>* **3** *p.ext.* aparência ou expressão; semblante *<f. altiva>* **4** lado externo de algo plano; fachada *<a f. do armário>* **5** *fig.* cada um dos aspectos de algo ou de alguém *<f. de um problema>* *<f. da personalidade>* ▣ **f. a f.** (com) diante de (alguém ou algo); cara a cara, frente a frente *<sentaram-se f. a f.>* *<postou-se f. a f. com o inimigo>*

facear (fa.ce.ar) *v.* {mod. 5} *t.d.* **1** fazer faces ou lados em *<f. um tronco>* **2** estar ou mostrar-se à frente de *<um grande painel faceava o muro do edifício>* □ *t.d. e t.i.* **3** (prep. *com*) ficar em frente a *<o teatro faceava (com) a praça>* ~ **faceado** *adj.*

faceiro (fa.cei.ro) *adj.* **1** que gosta de se enfeitar; elegante ↺ desarrumado **2** *B* que demonstra satisfação; contente ↺ infeliz ~ **faceirice** *s.f.*

faceta (fa.ce.ta) /ê/ *s.f.* **1** face ou superfície plana e pequena de um objeto *<f. de um cristal>* **2** *fig.* aspecto peculiar de alguém ou algo *<estudou o caso em todas as suas f.>*

facetar (fa.ce.tar) *v.* {mod. 1} *t.d.* fazer facetas em; lapidar *<f. uma esmeralda>*

fachada (fa.cha.da) *s.f.* **1** qualquer dos lados de um edifício, ger. o da frente **2** *fig.* aparência de alguém ou algo **3** *fig. infrm.* expressão do rosto

facho (fa.cho) *s.m.* **1** archote que se acende para iluminar ou sinalizar **2** *fig.* o que atua como um guia *<o f. do saber>* **3** *fig.* o que acende paixões *<o f. da revolta>*

fácil (fá.cil) [pl.: *-eis*] *adj.2g.* **1** que se faz ou obtém sem dificuldade *<técnica f.>* ↺ difícil, trabalhoso **2** que se compreende sem esforço; claro *<assunto f.>* ↺ difícil, confuso **3** *pej.* sem profundidade; banal *<música f.>* ↺ profundo **4** sem artificialismo; espontâneo *<diálogo f.>* ↺ artificial **5** que tem temperamento dócil; brando *<pessoa f.>* ↺ difícil **6** sem preocupação; tranquilo *<vida f.>* ↺ difícil ■ *adv.* **7** sem dificuldade ou esforço *<encontrar f. um produto>* ↺ dificilmente **8** sem grandes motivos *<essa louça quebra f.>* ↺ dificilmente ● GRAM/USO sup.abs.sint.: *facílimo, facilíssimo*

facilidade (fa.ci.li.da.de) *s.f.* **1** característica do que é fácil; ausência de dificuldade *<tarefa de grande f.>* ↺ complexidade **2** aptidão, dom *<f. para dançar>* ↺ inaptidão **3** demonstração de perícia; destreza *<cumpre ordens com f.>* ↺ dificuldade **4** oportunidade, possibilidade *<tem f. para viajar>*

facilitar (fa.ci.li.tar) *v.* {mod. 1} *t.d. e t.d.i.* **1** (prep. *a*) tornar fácil ou possível *<f. a digestão>* *<f. o pagamento>* *<o computador facilitou-lhe a redação do livro>* ↺ dificultar □ *t.d.* **2** apresentar como fácil ou mais fácil do que é *<f. o conteúdo da aula>* □ *t.d.i.* **3** (prep. *a*) pôr à disposição; disponibilizar *<a biblioteca facilitou ao tradutor enciclopédias para consulta>* □ *int.* **4** agir com imprudência; descuidar-se *<o perigo anda à solta, não convém f.>* ↺ cuidar-se, prevenir-se ~ **facilitação** *s.f.*

facilmente (fa.cil.men.te) *adv.* **1** de modo fácil, sem esforço; com facilidade *<venceu o jogo f.>* **2** sem reflexão; cegamente *<aceita f. as mentiras do sócio>* **3** sem motivo relevante; por qualquer coisa *<irrita-se f.>*

facínora (fa.cí.no.ra) *adj.2g.s.2g.* (indivíduo) que comete crime com crueldade ou perversidade

fã-clube (fã-clu.be) [pl.: *fã-clubes*] *s.m.* **1** grupo organizado de fãs de um artista, desportista etc. **2** *p.ext.* grupo de admiradores de alguém ou algo

fac-símile (fac-sí.mi.le) [pl.: *fac-símiles*] *s.m.* **1** reprodução de um texto ou imagem por meios fotomecânicos **2** aparelho que realiza essa reprodução

factível (fac.tí.vel) [pl.: *-eis*] *adj.2g.* que pode acontecer ou ser feito; exequível ↺ infactível, irrealizável ~ **factibilidade** *s.f.*

factoide (fac.toi.de) /ói/ *s.m.* informação falsa ou não comprovada ou notícia forjada que se aceita como verdadeira em consequência de sua repetida divulgação pela imprensa

factótum (fac.tó.tum) [pl.: *-uns*] *s.m.* **1** pessoa incumbida de todos os afazeres de outra **2** *p.ext.* pessoa muito necessária, que não se pode dispensar

factual (fac.tu.al) [pl.: *-ais*] ou **fatual** (fa.tu.al) [pl.: *-ais*] *adj.2g.* **1** que tem existência ou veracidade constatada; verdadeiro, real *<dados f.>* ↺ falso **2** que se apoia nos fatos, sem buscar interpretá-los *<jornalismo f.>*

faculdade (fa.cul.da.de) *s.f.* **1** possibilidade, natural ou adquirida, de fazer qualquer coisa; capacidade *<f. de falar>* ↺ incapacidade **2** aptidão natural; dom *<f. de encantar as pessoas>* ↺ inaptidão **3** propriedade de uma substância *<cafeína tem a f. de tirar o sono>* **4** licença ou permissão que se dá a alguém *<f. para dispor dos bens>* ↺ desautorização **5** instituição de ensino superior *<f. de Letras>* ▼ ***faculdades*** *s.f.pl.* **6** recursos materiais; posses *<vive de acordo com suas f.>*

facultar (fa.cul.tar) *v.* {mod. 1} *t.d. e t.d.i.* **1** (prep. *a*) dar permissão a; autorizar *<a proprietária facultou(-lhes) a entrada no prédio>* ↺ proibir, vetar **2** (prep. *a*) dar oportunidade; oferecer, ensejar *<a proximidade faculta a convivência>* *<a lei faculta preferência aos idosos>*

facultativo (fa.cul.ta.ti.vo) *adj.* **1** que dá um direito ou poder **2** que permite a escolha; opcional *<exame f.>* ↺ obrigatório

facúndia (fa.cún.dia) *s.f.* aptidão para discursar; eloquência

facundo (fa.cun.do) *adj.* que sabe falar bem; eloquente, loquaz

fada (fa.da) *s.f.* **1** ser imaginário do sexo feminino com poderes mágicos **2** *fig.* mulher de extraordinária beleza, encanto e habilidades

fadado (fa.da.do) *adj.* antecipadamente destinado; predestinado *<ser f. ao sucesso>* ~ **fadar** *v.t.d. e t.d.i.*

fadário (fa.dá.rio) *s.m.* **1** destino fixado por um poder sobrenatural **2** vida trabalhosa e difícil

fadiga (fa.di.ga) *s.f.* **1** sensação de fraqueza devido a esforço físico; cansaço **2** trabalho cansativo; lida

fadigar (fa.di.gar) *v.* → ***FATIGAR***

fadista (fa.dis.ta) *adj.2g.s.2g.* que(m) canta e/ou toca fados

fado (fa.do) *s.m.* **1** destino; sorte *<seu f. já foi traçado>* **2** MÚS canção popular de Portugal, freq. de caráter lamentoso, acompanhada por guitarra portuguesa

fagócito (fa.gó.ci.to) *s.m.* BIO célula que engloba e digere outras células ou qualquer material estranho ao organismo

fagocitose (fa.go.ci.to.se) *s.f.* BIO ingestão e destruição de partículas sólidas, como as bactérias, pelos fagócitos, a fim de proteger o organismo contra infecções

fagote (fa.go.te) *s.m.* MÚS instrumento de sopro, com tubo em forma de cone, longo e dobrado, e palheta dupla ~ **fagotista** *adj.2g.s.2g.*

fagueiro (fa.guei.ro) *adj.* **1** meigo, carinhoso *<voz f.>* ↺ rude **2** agradável, ameno *<luar f.>* ↺ desagradável **3** contente, satisfeito *<saiu f. para a festa>*

fagulha (fa.gu.lha) *s.f.* faísca que se solta de um corpo em brasa; centelha ~ **fagulhar** *v.int.* - **fagulhento** *adj.*

Fahrenheit (Fahr.en.heit) *adj.2g.2n.* FÍS relativo a ou medido de acordo com a escala Fahrenheit [de medida de temperatura], em que a água congela em 32° e ferve em 212° [símb.: *F*] ☞ cf. *Fahrenheit* na parte enciclopédica

faiança (fai.an.ça) *s.f.* louça de barro coberta por um esmalte opaco misturado com estanho

faina (fai.na) *s.f.* **1** trabalho de que participa a tripulação de um navio **2** *fig.* qualquer trabalho árduo e prolongado ↺ ócio

faisão (fai.são) [pl.: *-ões*; fem.: *faisoa* e *faisã*] *s.m.* ZOO ave nativa da Ásia, cujos machos têm plumagem brilhante e cauda muito longa ◉ VOZ v.: assobiar; subst.: assobio

faísca (fa.ís.ca) *s.f.* **1** fragmento luminoso que sai de um corpo em brasa ou em atrito com outro; fagulha, centelha **2** raio ('descarga')

faiscar (fa.is.car) *v.* {mod. 1} *t.d. e int.* **1** lançar (faíscas, centelhas, clarões) *<a lâmpada explodiu, faiscando (uma centelha)>* **2** *p.ext.* expelir como faíscas; cintilar, brilhar *<os olhos faiscavam um brilho de esperança>* *<o anel faiscava no dedo dela>* ~ **faiscação** *s.f.* - **faiscante** *adj.2g.*

faixa (fai.xa) *s.f.* **1** cinta de tecido, couro etc. us. para rodear a cintura **2** tira de tecido que indica pela cor o grau de habilidade de um lutador *<ele é f. preta de judô>* **3** listra, tira ou fita largas *<f. presidencial>* **4** atadura, ligadura *<saiu do hospital com faixas na cabeça>* **5** pedaço longo e estreito de terra **6** qualquer coisa que lembra a forma de uma tira ou listra *<f. de luz>* **7** MÚS cada uma das composições musicais gravadas em um disco **8** parte determinada; porção *<uma f. da juventude>* **9** intervalo entre dois limites (de idade, salário etc.) *<o filme não é adequado para essa f. etária>* **10** *B* na via urbana, espaço destinado ao trânsito de determinados veículos *<f. preferencial para ônibus>* **11** *B* parte da rua destinada à travessia de pedestres, ciclistas etc.

fajuto (fa.ju.to) ou **farjuto** (far.ju.to) *adj.* *B infrm.* **1** de má qualidade; malfeito *<relógio f.>* ↺ bem-feito **2** falso, falsificado *<vinho f.>* ↺ autêntico **3** em quem não se pode confiar ↺ confiável

fala (fa.la) *s.f.* **1** ato ou efeito de falar; faculdade ou ação humana de expressar-se por meio de uma linguagem articulada **2** modo de exprimir-se próprio de um povo, de uma área geográfica; linguajar, linguagem, falar *<f. gaúcha>* **3** mensagem feita em público; discurso *<a f. do ministro foi brilhante>* **4** cada trecho de um texto dito por um ator *<a atriz já decorou suas f.>*

falação (fa.la.ção) [pl.: *-ões*] *s.f.* **1** fala, discurso **2** ruído de muitas vozes; falatório ↺ silêncio **3** *B infrm.* uso excessivo de palavras para dizer coisas pouco importantes; discurseira

falácia (fa.lá.cia) *s.f.* **1** afirmação inverídica **2** raciocínio enganoso ~ **falacioso** *adj.*

falado (fa.la.do) *adj.* **1** que já foi dito; citado *<o assunto f. foi tema da palestra>* **2** afamado, famoso *<espetáculo muito f.>* ↺ desconhecido **3** que tem como meio de comunicação a fala *<cinema f.>* ↺ mudo **4** de quem se fala mal *<moças f.>*

falador (fa.la.dor) /ô/ [pl.: *-res*; fem.: *faladora* e *faladeira*] *adj.s.m.* **1** (o) que fala muito ↺ caladão **2** *B* (o) que fala mal dos outros; indiscreto, maledicente

falange (fa.lan.ge) *s.f.* **1** grupo grande de pessoas; legião, multidão **2** *B infrm.* grupo marginal que pratica crimes **3** ANAT cada osso dos dedos e dos artelhos ▣ **f. distal** ANAT a terceira falange, aquela em que se situa a unha, anteriormente denominada *falangeta* ou *metafalange* • **f. medial** ANAT a segunda falange ou falange média, anteriormente denominada *falanginha* ou *mesofalange* • **f. proximal** ANAT a primeira falange, a que se articula com o metacarpo

falangeta (fa.lan.ge.ta) /ê/ *s.f.* ANAT ver ***FALANGE DISTAL***

falanginha (fa.lan.gi.nha) *s.f.* ANAT ver ***FALANGE MEDIAL***

falante (fa.lan.te) *adj.2g.* **1** que fala **2** *B infrm.* que gosta muito de falar; desinibido, extrovertido ↺ calado, introvertido ■ *s.2g.* **3** pessoa capaz de usar uma língua *<os f. do português>*

falar (fa.lar) *v.* {mod. 1} *t.d.,t.d.i.,t.i. e int.* **1** (prep. *a, com, sobre*) expressar(-se) por meio de palavras; dizer, declarar *<falou a verdade (aos pais)>* *<em resposta, falou rapidamente (sobre o acontecido)>* *<por favor, fale comigo>* □ *t.d.,t.i. e int.* **2** (prep. *a, com, de*) expor pensamentos; discorrer, conversar, discursar *<falaram trivialidades>* *<passava horas, falando de seus sonhos>* *<no momento, recuso-me a f.>* □ *t.d.* **3** saber exprimir-se em (certo idioma) *<f. inglês>* □ *t.i.* **4** (prep. *de*) dizer mal de *<fala até da própria mãe>* ■ *s.m.* **5** ação humana de emitir palavras **6** variedade de uma língua que predomina numa região, camada social etc.; linguajar ☞ como s.m., pl. *-es*

falastrão (fa.las.trão) [pl.: *-ões*; fem.: *falastrona*] *adj.s.m.* que(m) fala muito e comete indiscrições

falatório (fa.la.tó.rio) *s.m.* **1** ruído de muitas vozes **2** conversa sobre coisa sem importância **3** boato infundado **4** discurso comprido e chato **5** recinto separado por grades, no qual pessoas enclausuradas ou presas falam com as visitas

falaz (fa.laz) [pl.: *-es*] *adj.2g.* **1** que engana; fraudador ↺ honesto **2** que ilude; ilusório ↺ real ◉ GRAM/USO sup.abs.sint.: *falacíssimo*

falcão (fal.cão) [pl.: *-ões*] *s.m.* ZOO ave de rapina, de bico curvo e garras afiadas, com hábitos diurnos ◉ VOZ v.: gritar; subst.: grito

falcatrua (fal.ca.tru.a) *s.f.* artimanha para enganar; fraude

falconídeo (fal.co.ní.deo) *s.m.* ZOO **1** espécime dos falconídeos, família de aves cosmopolitas, como os gaviões e águias, de tamanho variado, bico curvo e garras afiadas ■ *adj.* **2** relativo a essa família

falconiforme (fal.co.ni.for.me) *s.m.* ZOO **1** espécime dos falconiformes, ordem de aves de rapina, representadas pelos gaviões, águias, falcões e afins ■ *adj.2g.* **2** relativo a essa ordem

falecer (fa.le.cer) *v.* {mod. 8} *int.* perder a vida; morrer

falecido (fa.le.ci.do) *adj.s.m.* (aquele) que faleceu; morto

falecimento (fa.le.ci.men.to) *s.m.* morte, óbito ↺ nascimento

falência (fa.lên.cia) *s.f.* **1** situação do comerciante que não pode pagar suas dívidas; bancarrota, quebra **2** carência, falta *<f. de recursos>* ↺ abundância **3** MED incapacidade de funcionar normalmente *<f. dos rins>*

F

falésia (fa.lé.sia) *s.f.* GEOL rocha alta e íngreme à beira-mar

falha (fa.lha) *s.f.* **1** fenda em uma superfície *<f. no rochedo>* **2** *fig.* defeito físico ou moral *<f. de fabricação> <f. de caráter>* ↺ perfeição **3** interrupção de funcionamento ou de continuidade *<f. no motor>* **4** omissão, lacuna *<f. no regulamento>*

falhar (fa.lhar) *v.* {mod. 1} *t.d. e int.* **1** não acertar; errar *<falhei o alvo> <o tiro falhou>* □ *int.* **2** não funcionar ou funcionar mal *<confie, nosso serviço não falha>* **3** não acontecer como o esperado ou não acontecer *<nossos planos falharam>* **4** dar em falso; resvalar *<na escuridão, os pés falharam>* □ *t.d.* **5** fazer fenda em; fender, rachar *<f. uma pedra>* □ *t.i.* **6** (prep. *a*) deixar de fazer ou cumprir *<f. a um compromisso>* **7** (prep. *a*) não atender às expectativas de *<corrija-me se a memória me f.>*

falho (fa.lho) *adj.* **1** que tem falha *<barba f.>* ↺ cheio **2** carente, desprovido *<texto f. de clareza>* ↺ provido

falir (fa.lir) *v.* {mod. 24} *int.* **1** suspender os pagamentos aos credores por não poder cumpri-los; quebrar **2** não ter sucesso; fracassar **3** perder as forças; desmaiar ◉ GRAM/USO verbo defectivo

falível (fa.lí.vel) [pl.: *-eis*] *adj.2g.* que pode falhar; sujeito a erro ↺ infalível ◉ GRAM/USO sup.abs.sint.: *falibilíssimo* ~ **falibilidade** *s.f.*

falo (fa.lo) *s.m.* **1** a representação figurada do pênis, que antigamente foi venerado como símbolo da virilidade e fecundidade **2** *p.ext.* pênis ~ **fálico** *adj.*

falsário (fal.sá.rio) *adj.s.m.* falsificador de qualquer coisa, esp. documentos, dinheiro e assinaturas

falsear (fal.se.ar) *v.* {mod. 5} *t.d.* **1** tornar falso; falsificar *<f. os fatos>* **2** deturpar, distorcer (ideias, declarações) **3** enganar, trair *<falseou o sócio>* **4** dar a (voz) tom de falsete □ *int.* **5** pisar em falso; resvalar *<o pé falseou>* ~ **falseamento** *s.m.*

falseta (fal.se.ta) /ê/ *s.f.* *B infrm.* ato desleal; traição

falsete (fal.se.te) /ê/ *s.m.* **1** tom de voz mais agudo que o habitual, que permite, p.ex., aos homens alcançar registros de vozes femininas **2** *p.ext.* indivíduo que canta nesse tom ~ **falsetear** *v.t.d.*

falsidade (fal.si.da.de) *s.f.* **1** característica do que é falso *<ficou clara a f. do documento>* ↺ autenticidade **2** mentira, calúnia *<suas alegações são pura f.>* ↺ verdade **3** fingimento, hipocrisia ↺ sinceridade **4** tendência para enganar; deslealdade ↺ lealdade

falsificado (fal.si.fi.ca.do) *adj.* constituído por falsificação; adulterado *<passaporte f.>*

falsificar (fal.si.fi.car) *v.* {mod. 1} *t.d.* **1** imitar (algo) fazendo-o passar por verdadeiro; contrafazer *<f. dinheiro> <f. um quadro>* **2** adulterar a composição de *<f. bebidas>* **3** dar falsa interpretação a; desvirtuar *<f. a história>* ~ **falsificação** *s.f.* - **falsificador** *adj.s.m.*

falso (fal.so) *adj.* **1** contrário à verdade ou à realidade *<ideias f.>* ↺ verdadeiro **2** em que há mentira, fingimento *<f. juramento>* ↺ verdadeiro **3** que não é verdadeiro; fictício *<nome f.>* **4** que é feito à semelhança ou à imitação do verdadeiro; falsificado *<dinheiro f.>* ↺ autêntico **5** aparente, simulado *<a caixa do mágico tinha um fundo f.>* ↺ real ■ *s.m.* **6** quem é fingido **7** o que não é verdadeiro *<é difícil distinguir o f. do verdadeiro>* **8** *infrm.* mentira, calúnia ■ *adv.* **9** com falsidade *<jurar f.>* ▣ **em f. 1** sem precisão, sem firmeza *<pisar em f.> <o golpe passou em f.>* **2** inutilmente, em vão, à toa *<aquela jogada foi um passo em f.>*

falta (fal.ta) *s.f.* **1** carência de algo considerado necessário *<f. de ar> <f. de ânimo>* ↺ abundância **2** fato de não estar num lugar onde se poderia ou deveria estar; ausência *<lamentamos a sua f.> <o aluno tem de justificar as f.>* ↺ presença **3** imperfeição moral; pecado *<mentira é uma f. grave>* ↺ virtude **4** erro, infração *<f. gramatical>* ↺ acerto **5** ESP transgressão das regras de um jogo ou esporte; infração ▣ **sem f.** infalivelmente *<chegarei cedo sem f.>*

faltar (fal.tar) *v.* {mod. 1} *t.i. e int.* **1** (prep. *a*) não existir (algo necessário ou esperado) *<falta comida aos necessitados> <faltam funcionários capacitados>* **2** (prep. *a*) desaparecer, morrer *<o pai faltou-lhe cedo> <o sustento da família faltou>* **3** (prep. *a, com*) deixar de fazer ou de cumprir; falhar *<f. a uma promessa> <prometi que o faria e não faltarei>* **4** (prep. *a*) deixar de ir; não comparecer *<f. à aula> <faltou no dia da prova>* ↺ comparecer □ *t.i.* **5** (prep. *a*) deixar de socorrer *<um médico não pode f. aos que a ele recorrem>* □ *int.* **6** ser necessário (para completar algo) *<faltam duas horas para a saída>*

falto (fal.to) *adj.* **1** que tem falta de algo; necessitado *<terra f. de água>* **2** que não tem; desprovido *<f. de compaixão pelos outros>*

faltoso (fal.to.so) /ô/ [pl. e fem.: /ó/] *adj.* **1** que cometeu falta; culpado **2** que deixa de comparecer *<aluno f.>* ↺ presente

fama (fa.ma) *s.f.* **1** notoriedade, celebridade *<todo artista quer alcançar a f.>* ↺ anonimato **2** reputação que se tem de alguém ou de algo *<tem f. de honesto>*

famélico (fa.mé.li.co) *adj.* que tem muita fome; faminto

famigerado (fa.mi.ge.ra.do) *adj.* **1** que tem má fama *<f. contraventor>* **2** célebre, notável

família (fa.mí.lia) *s.f.* **1** grupo de pessoas que vivem juntas, formado esp. por pai, mãe e filhos **2** grupo de pessoas ligadas entre si pelo casamento ou qualquer parentesco **3** *fig.* grupo de pessoas unidas por crenças, interesses ou origem comum *<uma f. espiritual>* **4** *fig.* grupo de seres ou coisas com características comuns *<objetos da mesma f.>* **5** BIO na classificação dos seres vivos, categoria que agrupa um ou mais gêneros ou tribos, relacionados segundo a história da evolução e distintos dos outros por características marcantes **6** *MG PR RS MT* filho ou filha (entre as pessoas do interior) *<Isa tem seis f. em casa>* ◉ COL clã ~ **familial** *adj.2g.*

familiar (fa.mi.li.ar) [pl.: *-es*] *adj.2g.* **1** que é da família; íntimo *<ambiente f.>* ↺ estranho **2** conhecido, habitual <*voz f.*> ↺ desconhecido **3** sem afetação; simples <*estilo f.*> ↺ formal ■ *s.2g.* **4** pessoa da família

familiaridade (fa.mi.li.a.ri.da.de) *s.f.* **1** qualidade ou característica do que é familiar **2** intimidade, falta de cerimônia **3** conhecimento sobre determinado assunto <*ela é argentina, mas tem f. com a língua portuguesa*>

familiarizar (fa.mi.li.a.ri.zar) *v.* {mod. 1} *t.d.i. e pron.* **1** (prep. *com*) tornar(-se) íntimo, familiar; relacionar(-se) <*um amigo comum tratou de familiarizá-lo com o nosso grupo*> <*em pouco tempo, familiarizou-se conosco*> **2** (prep. *com*) habituar(-se), acostumar(-se) <*a humildade familiarizou-o com a disciplina*> <*f.-se com uma língua estrangeira*> ↺ desacostumar(-se) □ *t.d. fig.* **3** tornar conhecido; difundir <*f. o uso dos computadores*> **~ familiarização** *s.f.* - **familiarizável** *adj.2g.*

faminto (fa.min.to) *adj.s.m.* (o) que tem muita fome; esfomeado

famoso (fa.mo.so) /ô/ [pl. e fem.: /ó/] *adj.* **1** que tem fama; renomado ↺ obscuro **2** fora do comum; excepcional <*aquela foi a f. estreia do cantor*> ↺ comum

fanar (fa.nar) *v.* {mod. 1} *t.d. e pron.* (fazer) perder o frescor, o viço; murchar(-se) <*a falta de claridade fanou as flores*> <*as verduras fanaram-se com o calor*>

fanático (fa.ná.ti.co) *adj.s.m.* **1** que(m) se acredita inspirado pelo espírito divino **2** *p.ext.* que(m) adere cegamente a uma ideia ou religião **3** que(m) tem paixão ou admiração excessiva por alguém ou algo <*ele é (um torcedor) f. pelo Palmeiras*> **~ fanatizar** *v.t.d. e pron.*

fanatismo (fa.na.tis.mo) *s.m.* **1** zelo religioso obsessivo **2** *p.ext.* adesão cega a um sistema ou doutrina **3** paixão ou admiração extrema ↺ indiferença

fanchona (fan.cho.na) *s.f. gros. pej.* mulher lésbica ou com características masculinas

fandango (fan.dan.go) *s.m.* **1** DNÇ *B* baile popular; festa animada, com danças **2** DNÇ MÚS música, dança e canto espanhóis de origem árabe, acompanhados de guitarra e castanholas

fanfarra (fan.far.ra) *s.f.* MÚS banda formada por músicos que tocam instrumentos de metal e de sopro

fanfarrão (fan.far.rão) [pl.: *-ões*; fem.: *fanfarrona*] *adj.s.m.* (o) que alardeia a coragem que não tem ↺ tímido **~ fanfarrice** *s.f.* - **fanfarronada** *s.f.* - **fanfarronice** *s.f.*

fanho (fa.nho) *adj.* que fala ou parece falar pelo nariz; fanhoso

fanhoso (fa.nho.so) /ô/ [pl. e fem.: /ó/] *adj.* **1** que fala ou parece falar pelo nariz; fanho **2** diz-se da voz de quem fala desse modo

faniquito (fa.ni.qui.to) *s.m. infrm.* crise nervosa sem gravidade; chilique

fantasia (fan.ta.si.a) *s.f.* **1** capacidade de criar pela imaginação **2** obra criada pela imaginação <*livro com as f. de Monteiro Lobato*> **3** *fig.* coisa puramente ideal ou ficcional <*vive em um mundo de f.*> ↺ realidade **4** *B* traje us. no carnaval ou em festas especiais, que representa objetos, figuras históricas, imaginárias etc. **5** *B* bijuteria

fantasiar (fan.ta.si.ar) *v.* {mod. 1} *t.d.* **1** criar na mente; imaginar, sonhar □ *t.d.pred. e pron.* **2** (prep. *de*) vestir(-se) com fantasia <*fantasiou a filha de princesa oriental*> <*fantasiou-se de pirata*>

fantasioso (fan.ta.si.o.so) /ô/ [pl. e fem.: /ó/] *adj.* **1** que tem imaginação ou fantasia <*escritor f.*> ↺ realista **2** que tem pouca ou nenhuma relação com a realidade; imaginoso <*o livro era bom, mas muito f.*> ↺ factual

fantasista (fan.ta.sis.ta) *adj.2g.s.2g.* **1** que(m) obedece aos caprichos da própria imaginação **2** *p.ext.* que(m) revela imaginação em excesso; imaginoso ↺ realista

fantasma (fan.tas.ma) *s.m.* **1** aparição de pessoa morta ou de sua alma; assombração, espectro **2** *p.ext.* algo que cria terror por ser horrendo, medonho <*o f. da guerra*> **3** *fig. joc.* pessoa muito magra e/ou muito branca **4** *fig.* ideia fixa presente na mente de alguém <*sofria com seus f. interiores*> **5** segunda imagem que aparece ao lado da imagem principal de um televisor

fantasmagórico (fan.tas.ma.gó.ri.co) *adj.* **1** relativo a fantasma <*visões f.*> **2** ilusório, imaginário ↺ real

fantástico (fan.tás.ti.co) *adj.s.m.* **1** (o) que existe só na imaginação ↺ real ■ *adj.* **2** extraordinário, prodigioso <*talento f.*> ↺ comum **3** falso, inventado <*alegações f.*> ↺ verdadeiro **4** diz-se de obras literárias, cinematográficas etc. que tratam os elementos sobrenaturais com naturalidade <*romance f.*>

fantoche (fan.to.che) *s.m.* **1** boneco com a cabeça ger. de massa e corpo formado por roupa, por onde o operador coloca a mão para movimentá-lo; mamulengo **2** *fig. pej.* indivíduo que se deixa manipular; títere

fanzine (fan.zi.ne) *s.m.* revista para fãs, esp. sobre ficção científica, música e cinema

faqueiro (fa.quei.ro) *s.m.* **1** jogo completo de talheres do mesmo material e marca **2** estojo para talheres, esp. facas **3** quem fabrica facas

faquir (fa.quir) [pl.: *-es*] *s.m.* **1** indivíduo muçulmano ou hindu que busca a perfeição espiritual a partir do autocontrole sobre os sentidos **2** indivíduo que publicamente se submete a jejum rigoroso e duras provas de sofrimento físico sem dar sinais de sensibilidade **~ faquirismo** *s.m.*

farândola (fa.rân.do.la) *s.f.* **1** DNÇ dança provençal em que pares se movimentam em filas **2** grupo de maltrapilhos **3** bando de indivíduos de má fama; corja, súcia

faraó (fa.ra.ó) *s.m.* HIST título dos reis do antigo Egito

faraônico (fa.ra.ô.ni.co) *adj.* **1** relativo aos faraós ou a sua época **2** *fig.* grandioso, suntuoso, monumental <*obra f.*> ↺ singelo

farda (far.da) *s.f.* **1** uniforme us. por militares, escolares etc.; fardamento **2** *fig.* a vida militar <*largou a f. para trabalhar com o pai*> ◉ COL fardamento

fardamento (far.da.men.to) *s.m.* **1** farda **2** conjunto de fardas

fardão (far.dão) [pl.: *-ões*] *s.m.* **1** uniforme de gala dos militares **2** veste simbólica us. pelos membros da Academia Brasileira de Letras ☞ cf. *ABL* na parte enciclopédica

fardar (far.dar) *v.* {mod. 1} *t.d. e pron.* vestir(-se) com farda

fardeta (far.de.ta) /ê/ *s.f.* farda us. por soldados em serviço interno ou faxina

fardo (far.do) *s.m.* **1** carga volumosa e pesada que se destina ao transporte **2** pacote, embrulho **3** *fig.* aquilo que é difícil ou duro de suportar <*o filho doente era um f.*>

F

farejar (fa.re.jar) *v.* {mod. 1} *t.d. e int.* **1** seguir levado pelo faro ou pelo cheiro <*f. uma presa*> <*os cães farejavam por toda parte*> □ *t.d.* **2** sentir o cheiro de <*farejou o bolo de longe*> **3** *fig.* procurar a partir de indícios; investigar <*f. uma pista*> **4** *fig.* sentir como possível, real; pressentir <*farejou perigo no ar*>

farelo (fa.re.lo) *s.m.* **1** parte mais grossa da farinha de trigo, que permanece depois da peneirada **2** conjunto dos resíduos grossos dos cereais moídos **3** pequenino pedaço de alimento; migalha <*deixou cair farelos de bolo no chão*> **4** *fig.* coisa sem importância; ninharia ~ **fareláceo** *adj.* - **farelento** *adj.*

F

farfalhada (far.fa.lha.da) *s.f.* **1** sucessão rápida de sons indistintos **2** barulho de vozes ↺ silêncio **3** ostentação exagerada de algo que não se tem; bazófia ↺ simplicidade

farfalhar (far.fa.lhar) *v.* {mod. 1} *int.* **1** produzir sons rápidos e indistintos <*as folhas farfalham ao vento*> **2** *fig.* falar muito e rapidamente ~ **farfalhante** *adj.2g.*

farináceo (fa.ri.ná.ceo) *adj.* **1** relativo a ou da natureza da farinha **2** que tem aparência ou consistência de farinha ■ *s.m.* **3** alimento constituído de algum tipo de farinha <*comia farináceos no café da manhã*>

faringe (fa.rin.ge) *s.f.* ANAT canal muscular e fibroso que vai do fundo da boca à laringe e ao esôfago ~ **faríngeo** *adj.* - **faringiano** *adj.* - **faríngico** *adj.*

faringite (fa.rin.gi.te) *s.f.* MED inflamação da faringe

farinha (fa.ri.nha) *s.f.* pó obtido pela moagem de certos cereais, sementes e raízes <*f. de trigo, de mandioca, de milho*> ▣ **f. de rosca** *B* pão torrado e reduzido a farinha com diversos usos culinários ~ **farinhento** *adj.* - **farinhoso** *adj.*

farinheira (fa.ri.nhei.ra) *s.f.* recipiente para farinha us. durante as refeições

farisaico (fa.ri.sai.co) *adj.* **1** relativo a fariseu **2** *fig.* hipócrita, fingido ↺ sincero

farisaísmo (fa.ri.sa.ís.mo) *s.m.* **1** doutrina, prática e caráter dos fariseus **2** *fig.* hipocrisia, fingimento ↺ sinceridade

fariseu (fa.ri.seu) [fem.: fariseia /éi/] *s.m.* **1** membro de um grupo judaico que vivia na estrita observância dos preceitos religiosos **2** *p.ext.* pessoa que segue rigorosamente as formalidades de uma religião **3** *pej.* pessoa orgulhosa e hipócrita

farjuto (far.ju.to) *adj.* → ***FAJUTO***

farmacêutico (far.ma.cêu.ti.co) *adj.* **1** relativo a farmácia ('parte da farmacologia') <*produtos f.*> <*indústria f.*> ■ *s.m.* **2** profissional responsável pela farmácia

farmácia (far.má.cia) *s.f.* **1** FARM parte da farmacologia que trata das classificações e propriedades químicas de substâncias us. em medicamentos **2** local de venda de medicamentos, produtos de higiene, perfumaria etc.; drogaria **3** profissão do farmacêutico **4** local onde são preparados e/ou guardados os medicamentos em hospitais, ambulatórios etc. **5** conjunto de produtos para primeiros socorros, que se tem em casa, colégio etc.

fármaco (fár.ma.co) *s.m.* FARM produto ou preparado farmacêutico

farmacologia (far.ma.co.lo.gi.a) *s.f.* MED ramo da medicina que estuda as classificações e as propriedades químicas dos medicamentos ~ **farmacológico** *adj.* - **farmacologista** *adj.2g.s.2g.* - **farmacólogo** *s.m.*

farmacopeia (far.ma.co.pei.a) /éi/ *s.f.* **1** arte de preparar medicamentos ou livro que a ensina **2** coleção ou catálogo de receitas e fórmulas de drogas e medicamentos

farnel (far.nel) [pl.: *-éis*] *s.m.* **1** saco com as provisões de uma jornada **2** conjunto dos víveres para uma viagem

faro (fa.ro) *s.m.* **1** olfato dos animais **2** *fig.* capacidade de intuir; intuição, instinto <*tem f. para os grandes negócios*>

faroeste (fa.ro.es.te) *s.m.* **1** CINE LIT gênero de filme ou livro inspirado no oeste norte-americano, com cenas de luta e tiroteio; bangue-bangue **2** lugar onde ocorrem muitos crimes, tiroteios etc.

farofa (fa.ro.fa) *s.f.* **1** farinha de mandioca frita na manteiga ou na gordura, ger. enriquecida com outros ingredientes **2** *fig.* bravata, pretensão

farofeiro (fa.ro.fei.ro) *adj.s.m.* **1** que(m) é muito pretensioso, arrogante ↺ tímido **2** *B joc.* que(m) leva comida para a praia, ger. frango assado e farofa

farol (fa.rol) [pl.: *-óis*] *s.m.* **1** torre construída junto ao mar, com foco de luz para orientar navios e aviões à noite **2** cada lanterna dianteira de um veículo **3** *SP* sinal luminoso de trânsito; sinaleira, semáforo **4** *fig.* o que dirige ou lidera; guia <*f. intelectual*> **5** *fig. infrm.* falsa aparência com que se procura seduzir os outros; presunção, arrogância <*ele só sabe fazer f.*> ◉ GRAM/USO dim.irreg.: *farolim, farolete*

faroleiro (fa.ro.lei.ro) *adj.s.m.* **1** que(m) é encarregado de vigiar o farol **2** *B* que(m) gosta de contar vantagens

farolete (fa.ro.le.te) /ê/ *s.m.* **1** pequeno farol **2** cada um dos pequenos faróis dianteiros e traseiros de um veículo, us. para marcar presença em situações de pouca visibilidade ◉ GRAM/USO dim.irreg. de *farol*

farpa (far.pa) *s.f.* **1** pequena lasca que penetra na pele ou na carne por acidente **2** ponta penetrante, em forma de ângulo agudo **3** *fig.* crítica mordaz; sarcasmo <*são colegas, mas vivem trocando farpas*>

farpado (far.pa.do) *adj.* que tem farpas <*arame f.*> ~ **farpar** *v.t.d. e pron.*

farpear (far.pe.ar) *v.* {mod. 5} *t.d.* **1** ferir com farpa(s) ou arpão <*farpeou um peixe grande*> **2** *fig.* dirigir crítica a; alfinetar <*os debatedores farpeavam o mediador*> **3** enfiar (toureiro) bandarilhas em (touro)

farpela (far.pe.la) *s.f.* **1** vestimenta, roupa **2** roupa gasta, imprestável; trapo **3** ponta curva da agulha de crochê

farra (far.ra) *s.f.* **1** festa ruidosa, com danças, cantos e bebidas **2** *B infrm.* gozação ou brincadeira sobre alguém ou algo <*falei só de f.*> ~ **farrear** *v.int.* - **farrista** *adj.2g.s.2g.*

farrapo (far.ra.po) *s.m.* **1** roupa ou pano muito gasto, roto; trapo **2** HIST nome que os governistas davam aos rebeldes republicanos do Rio Grande do Sul durante a Guerra dos Farrapos (1835-1845) ☞ cf. *Farrapos* na parte enciclopédica

farroupilha (far.rou.pi.lha) *s.2g.* **1** indivíduo maltrapilho, roto ■ *adj.2g.s.2g.* HIST **2** (rebelde) da Guerra dos Farrapos (1835-1845), no Rio Grande do Sul ☞ cf. *Farrapos* na parte enciclopédica

farsa (far.sa) *s.f.* **1** TEAT pequena peça teatral cômica, popular **2** *fig.* mentira ardilosa; embuste <*os suspeitos confessaram a f.*> ~ **farsista** *adj.2g.s.2g.*

farsante (far.san.te) *s.2g.* TEAT **1** ator ou atriz de farsa teatral ■ *adj.2g.s.2g.* **2** (indivíduo) trapaceiro, enganador **3** que(m) vive gracejando; brincalhão ↺ sóbrio

fartar (far.tar) *v.* {mod. 1} *t.d.,t.d.i. e pron.* **1** (prep. *de*) encher(-se), abarrotar(-se) *<fartaram o convidado (de bons vinhos)> <fartaram-se até não aguentar mais>* ◻ *t.d. e pron.* **2** (prep. *de*) satisfazer a fome ou a sede de; saciar *<a sopa irá fartá-los> <fartaram-se de peixe>* **3** *fig.* (prep. *de*) (fazer) sentir aborrecimento ou tédio; cansar(-se) *<a conversa fartava-o> <fartou-se de ouvir asneiras>* ◻ *t.d.* **4** saciar (a fome ou a sede) *<o pão fartou sua fome>* **5** *fig.* satisfazer (desejos, paixões etc.) *<rápido fartou sua sede de vingança>* ◉ GRAM/USO part.: *fartado, farto*; ver QUADRO DE PARTICÍPIOS DUPLOS nas pp. iniciais ~ **fartação** *s.f.* - **fartamente** *adv.*

farto (far.to) *adj.* **1** que se saciou; satisfeito *<não queria mais comer, estava f.>* **2** que se apresenta em grande quantidade; abundante *<refeição f.>* **3** que se encontra cheio ou repleto de inúmeras coisas *<geladeira f.>* **4** que se enfastiou ou aborreceu *<a discussão o deixou f.>*

fartura (far.tu.ra) *s.f.* quantidade mais do que suficiente; abundância ↺ carência

fascículo (fas.cí.cu.lo) *s.m.* **1** cada caderno ou folheto de uma obra maior e que vai sendo publicada em partes avulsas ou como encarte de jornais, revistas etc. **2** pequeno feixe ~ **fascicular** *adj.2g.*

fascinação (fas.ci.na.ção) [pl.: *-ões*] *s.f.* **1** fascínio **2** forte atração por alguém ou por algo

fascinante (fas.ci.nan.te) *adj.2g.* que causa ou provoca fascínio

fascinar (fas.ci.nar) *v.* {mod. 1} *t.d.* **1** dominar com o olhar *<o animal fascinava o menino com seus olhos brilhantes>* ◻ *t.d. e int.* **2** atrair, seduzir de modo irresistível; encantar *<papai gosta de contar como mamãe o fascinou> <uma música que fascina>* ~ **fascinado** *adj.*

fascínio (fas.cí.nio) *s.m.* **1** poder de exercer forte atração *<o f. de seu olhar misterioso>* **2** sensação de deslumbramento, de encanto *<o espetáculo causou f. na plateia>* ↺ tédio

fascismo (fas.cis.mo) *s.m.* HIST POL regime político nacionalista e antidemocrático, que faz prevalecer os conceitos de nação e raça sobre os valores individuais, como o estabelecido pelo ditador Benito Mussolini na Itália, em 1922 ☞ cf. *Mussolini* na parte enciclopédica

fascista (fas.cis.ta) *adj.2g.* **1** próprio do fascismo, relacionado com o fascismo ■ *s.2g.* **2** pessoa ligada ao fascismo ou simpatizante desse regime político

fase (fa.se) *s.f.* **1** cada um dos estados de algo em evolução ou em mudança *<as f. de uma doença> <a produção do filme está em f. final>* **2** período com características próprias *<a infância é a melhor f. da vida>* **3** ASTR cada um dos aspectos que apresentam a Lua e os planetas a um observador terrestre, conforme são iluminados pelo Sol

faseolar (fa.se.o.lar) [pl.: *-es*] *adj.2g.* que tem a forma do feijão (p.ex., o rim)

fashion (fash.ion) [ing.] *adj.2g.2n.* de acordo com a moda do momento, com aquilo que se considera elegante, de bom gosto, moderno *<sapatos f.> <cor f.>* ⇒ pronuncia-se fexion

fasianídeo (fa.si.a.ní.deo) *s.m.* ZOO **1** espécime dos fasianídeos, família de aves de bico curto, pés adaptados para ciscar e correr, como são os faisões, pavões e afins ■ *adj.* **2** relativo a essa família

fasmídeo (fas.mí.deo) *s.m.* ZOO **1** espécime dos fasmídeos, família de insetos com aparência de galhos ou folhas, cujas espécies podem chegar a 30 cm ■ *adj.* **2** relativo a essa família

fast-food [ing.] *s.m.* **1** refeição preparada e servida com rapidez, como hambúrgueres, batatas fritas etc. **2** estabelecimento que vende tal gênero de refeição ◉ GRAM/USO em ing., invariável; em port. corrente, pl.: *fast-foods* ⇒ pronuncia-se fést fud

fastidioso (fas.ti.di.o.so) /ô/ [pl. e fem.: /ó/] *adj.* **1** que causa fastio; enfadonho, maçante ↺ agradável **2** que demonstra tédio ou aborrecimento; aborrecido, rabugento ↺ gentil

fastio (fas.ti.o) *s.m.* **1** falta de apetite ↺ fome **2** sentimento de repugnância ou de aversão ↺ atração **3** aborrecimento, tédio ↺ deleite

fastuoso (fas.tu.o.so) /ô/ [pl. e fem.: /ó/] *adj.* que exibe fausto; aparatoso, pomposo ↺ despojado, simples

fatal (fa.tal) [pl.: *-ais*] *adj.2g.* **1** que não se pode evitar *<por mais que jogássemos bem, a derrota era f.>* ↺ casual **2** que mata; funesto, mortal *<tiro f.>* **3** que é desastroso, nefasto *<decisão f.>* ↺ benéfico **4** que não se pode prorrogar *<prazo f.>* ↺ adiável

fatalidade (fa.ta.li.da.de) *s.f.* **1** destino inevitável; fatalismo *<aceitou a doença como uma f.>* **2** acontecimento cruel; desgraça *<a queda do avião foi uma f.>*

fatalismo (fa.ta.lis.mo) *s.m.* atitude ou doutrina segundo a qual os acontecimentos são fixados com antecedência pelo destino ~ **fatalista** *adj.2g.s.2g.*

fatia (fa.ti.a) *s.f.* **1** pedaço cortado de um alimento *<f. de bolo> <f. de abacaxi>* **2** *p.ext.* parcela de um todo *<a empresa conquistou uma grande f. do mercado>* ◉ GRAM/USO aum.irreg.: *fatacaz* ▣ **f. de parida** *N. N.E.* [2]rabanada ~ **fatiar** *v.t.d.*

fatídico (fa.tí.di.co) *adj.* **1** que revela o que o destino decidiu; profético **2** que leva à desgraça; trágico *<dia f.>*

fatigar (fa.ti.gar) ou **fadigar** (fa.di.gar) *v.* {mod. 1} *t.d. e pron.* **1** (fazer) sentir fadiga; cansar(-se) *<a viagem fatigou-o> <fatiga-se arrumando a casa>* **2** (fazer) sentir tédio, enfado; aborrecer(-se) *<essas desculpas me fatigam> <fatigamo-nos com tantas promessas>* ~ **fatigante** *adj.2g.*

fatiota (fa.ti.o.ta) *s.f.* traje, vestuário

[1]**fato** (fa.to) *s.m.* **1** ação ou coisa feita, ou em processo de realização *<fatos recentes>* **2** o que acontece por causas naturais ou não; ocorrência *<lamentou o f.>* **3** algo cuja existência pode ser constatada de modo indiscutível *<o controle da poliomielite é um f.>* ◉ ORIGEM do lat. *factum,i* 'feito, ação, façanha, empresa' ▣ **de f.** realmente, com efeito, na verdade *<de f., você tem razão>*

[2]**fato** (fa.to) *s.m.* **1** roupa ou conjunto de roupas; indumentária **2** vísceras de animais; miúdos **3** bando, quadrilha ◉ ORIGEM duv., talvez do esp. *hato* 'roupa, porção de gado, provisão que toca a cada um'

[3]**fato** (fa.to) *s.m.* pequeno rebanho, esp. de cabras ◉ ORIGEM duv., talvez do ár. *hatu* 'cardume'

fator (fa.tor) /ô/ [pl.: *-es*] *s.m.* **1** elemento que concorre para um resultado *<trabalho e capital são f. do crescimento de um país>* **2** aquele que faz algo **3** MAT número submetido à operação de multiplicação

fatoração (fa.to.ra.ção) [pl.: *-ões*] *s.f.* MAT decomposição de um número através de divisões sucessivas até se chegar ao número um ~ **fatorar** *v.t.d.*

fatual (fa.tu.al) [pl.: *-ais*] *adj.2g.* → ***FACTUAL***

fátuo (fá.tuo) *adj.* **1** aquele que se acha muito bom; vaidoso, presunçoso ↺ humilde **2** tolo, insensato ↺ sensato **3** que permanece por pouco tempo; fugaz, transitório *<amores f.>* ↺ duradouro ~ **fatuidade** *s.f.*

fatura (fa.tu.ra) *s.f.* nota de venda de mercadorias ou serviços relacionando tipo, quantidade, preço etc., que ger. serve de meio de pagamento ▣ **liquidar a f.** *B infrm.* **1** resolver uma obrigação, um compromisso **2** concluir um negócio, uma tarefa

F

faturamento (fa.tu.ra.men.to) *s.m.* **1** emissão de faturas **2** total dos valores de venda de uma empresa em dado período

faturar (fa.tu.rar) *v.* {mod. 1} *t.d.* **1** fazer a fatura de (mercadoria vendida) **2** incluir na fatura (uma mercadoria) □ *int. fig. B infrm.* **3** ganhar dinheiro

fauna (fau.na) *s.f.* **1** a vida animal **2** BIO conjunto de espécies animais de uma área, época ou meio ambiente específico *<a f. da Amazônia>*

fauno (fau.no) *s.m.* MIT ser mitológico (metade homem, metade animal), com pés de cabra e chifres, que vivia nos bosques e protegia os rebanhos

fausto (faus.to) *adj.* **1** que é feliz; ditoso, venturoso ↺ azarado ■ *s.m.* **2** luxo, ostentação ↺ modéstia

faustoso (faus.to.so) /ô/ [pl. e fem.: /ó/] *adj.* luxuoso, pomposo, imponente ↺ modesto

fava (fa.va) *s.f.* BOT **1** planta que produz vagens verdes, comestíveis, muito nutritivas e com propriedades medicinais **2** fruto e semente dessa planta; feijão ▣ **f. contadas** *fig.* coisa que certamente ocorrerá *<a sua aprovação já são f. contadas>* • **mandar às favas** *infrm.* livrar-se de alguém ou algo que importuna ou atrapalha *<mande às f. esse vendedor>*

favela (fa.ve.la) *s.f. B* conjunto de moradias precárias, situado ger. em morros, onde vive a população de baixa renda dos centros urbanos ~ **favelizar** *v.t.d. e pron.*

favelado (fa.ve.la.do) *adj.s.m. B* que(m) mora em favela

favo (fa.vo) *s.m.* alvéolo ou conjunto de alvéolos em que as abelhas depositam o mel ⊙ COL favaria

favor (fa.vor) /ô/ [pl.: *-es*] *s.m.* **1** algo que se faz para alguém sem obrigação; obséquio *<fizeram o f. de nos hospedar em casa>* ↺ desfavor **2** benefício que se dá a alguém; proveito *<trabalhava em f. do pai>* ↺ malefício, prejuízo ▣ **a f. de** ou **em f. de 1** para o benefício de; em proveito de *<fazia leis em f. do povo>* **2** favorável a *<sou a f. dessa decisão>* • **por f.** expressa um pedido feito com polidez *<por f., pode me dar uma informação?>*

favorável (fa.vo.rá.vel) [pl.: *-eis*] *adj.2g.* **1** que favorece ou auxilia *<o professor foi f. ao aluno>* ↺ desfavorável **2** propício ou conveniente *<terreno f. ao plantio de café>* ↺ adverso **3** que traz vantagens *<um contrato f. ao trabalhador>* ↺ desvantajoso **4** que está de acordo *<pai f. ao namoro da filha>* ↺ contrário

favorecer (fa.vo.re.cer) *v.* {mod. 8} *t.d.* **1** ser em favor de; beneficiar, ajudar *<faz de tudo para f. os outros>* ↺ prejudicar **2** dar proteção especial a *<o treinador favoreceu o sobrinho na escalação do time>* **3** dar mais certeza ou intensidade a; intensificar *<as caretas do paciente favoreceram as suspeitas do médico>* **4** realçar o mérito ou as qualidades de *<favoreceu o amigo omitindo os defeitos dele>* **5** criar condições para; concorrer, contribuir *<f. a disseminação de uma epidemia>* **6** prestar favor a; obsequiar *<favoreceu o amigo, emprestando-lhe dinheiro>* □ *pron.* **7** (prep. *com, de, para*) tirar proveito de; beneficiar-se *<f.-se de informações sigilosas>* ~ **favorecimento** *s.m.*

favoritismo (fa.vo.ri.tis.mo) *s.m.* **1** preferência que se dá ao favorito **2** sistema (p.ex., político, administrativo) que concede favores ou privilégios por influência, amizade etc., sem consideração de competência, merecimento e honestidade

favorito (fa.vo.ri.to) *adj.* **1** que agrada mais; preferido, predileto *<qual é sua comida f.?>* ■ *adj.s.m.* **2** (indivíduo) que goza da proteção de alguém poderoso *<era o (funcionário) f. do departamento>* **3** ESP (concorrente) que tem mais chances de vencer uma competição esportiva *<o enxadrista f. era o polonês>* *<o boxeador sul-americano era o f.>*

fax /cs/ *s.m.2n.* TEL **1** transmissão e reprodução de imagem de impressos, desenhos etc., por telefone ou rádio **2** aparelho que realiza essa operação **3** a reprodução obtida por esse sistema ⊙ GRAM/USO admite-se tb. o pl. *faxes*

faxina (fa.xi.na) *s.f.* **1** serviço completo de limpeza; limpeza geral *<mandou fazer uma f. na casa>* **2** feixe de ramos ou de paus, que serve para entulhar fossos e para outros usos militares ~ **faxinar** *v.t.d.*

faxineiro (fa.xi.nei.ro) *s.m.* pessoa que faz serviços de faxina, de limpeza completa

fax-modem (fax-mo.dem) [ing.] *s.m.* INF TEL *modem* que possibilita, num computador, a transmissão e a recepção de material gráfico, do computador para um aparelho de fax, ou vice-versa, por meio de sinais enviados por linha telefônica ⊙ GRAM/USO pl.: *fax-modems* ⇒ pronuncia-se facs môudem

faz de conta (faz de con.ta) *s.m.2n.* mundo da imaginação, da fantasia *<histórias de faz de conta>* ↺ realidade

fazenda (fa.zen.da) *s.f.* **1** grande propriedade rural com lavoura ou criação de gado **2** qualquer pano ou tecido **3** conjunto dos bens do Estado *<f. pública>* **4** parte da administração pública que gerencia as finanças públicas e implementa as políticas econômicas *<Ministério da F.>* ☞ nesta acp., tb. us. com inicial maiúsc.

fazendário (fa.zen.dá.rio) *adj.* relativo a finanças do Estado

fazendeiro (fa.zen.dei.ro) *adj.s.m.* **1** que(m) é dono de fazenda ('grande propriedade') **2** que(m) cultiva ou administra a própria fazenda ('grande propriedade') ou de outrem ■ *adj.* **3** relativo a fazenda ('grande propriedade') *<hábitos f.>*

fazer (fa.zer) *v.* {mod. 14} *t.d.* **1** montar ou dar forma a (objeto, produto, obra etc.) a partir de materiais diversos; construir, confeccionar, fabricar *<f. uma casa>* *<f. um automóvel>* *<f. um vestido>* **2** levar a efeito; cumprir, executar, realizar *<f. um trabalho bem-feito>* *<ela já fez o dever de casa>* **3** realizar (apresentações, espetáculos) ou representar (papel) *<resolveram f.* Romeu e Julieta*>* *<ele fez um magnífico rei Artur>* **4** preparar us. ingredientes diversos *<f. um bolo>* *<f. um*

café> **5** dar existência a; criar *<Deus fez o homem à sua imagem>* **6** estabelecer, instituir *<f. uma lei, um pacto>* **7** equivaler a; ser *<1.000 m fazem 1 km>* **8** formar, constituir *<as cores fazem um conjunto harmonioso>* **9** exercer (atividade) seguidamente; trabalhar em ou cursar *<ela faz Geografia> <– Que é que ele faz? É médico?>* **10** produzir por atividade intelectual ou artística; criar, compor *<f. um poema, uma canção>* **11** percorrer (trajeto, distância) *<fiz a estrada em três horas> <fizemos 10 km a pé>* **12** *B* pôr em ordem; arrumar *<f. a cama> <f. as malas>* **13** cuidar de; embelezar, arrumar *<f. as unhas> <f. o cabelo>* **14** celebrar (aniversário, data significativa) *<ela fez 16 anos ontem>* **15** passar (tempo); haver *<já faz duas horas que ela partiu>* ☞ nesta acp., é impessoal **16** denotar (fenômeno atmosférico) *<faz frio>* ☞ nesta acp., é impessoal □ *t.d. e t.d.i.* **17** (prep. *a*) ser a causa, o agente de; provocar, ocasionar *<este motor faz muito barulho> <fez um escândalo ao vê-la> <o ditador fez muito mal ao país>* □ *t.d.i.* **18** (prep. *de*) empregar, usar *<fez da astúcia sua melhor arma>* **19** (prep. *a*) oferecer, prestar (favor, serviço etc.) a *<f. uma doação (a um orfanato)>* □ *t.d. e pron.* **20** (prep. *de*) dar a aparência de; fingir *<faz que não escuta> <f.-se de vítima>* □ *t.d. e t.d.pred.* **21** ser a causa de se tornar ou ficar (de certo modo) *<a oportunidade faz o ladrão> <o uso do cachimbo faz a boca torta>* □ *t.d.pred. e t.i.pred.* **22** (prep. *de*) transformar, tornar *<quis fazê-la sua mulher> <f. do filho um herói>* □ *pron.* **23** *infrm.* agir livremente, sem impedimentos *<de madrugada, ela se fez na cozinha>* **24** (prep. *em*) ficar reduzido a *<f.-se em pedaços, em farrapos>* ◉ GRAM/USO part.: *feito* ▣ **f. por onde** **1** esforçar-se por *<fez por onde conseguir o emprego>* **2** merecer ~ **fazedor** *adj.s.m.* - **fazimento** *s.m.*

faz-tudo (faz-tu.do) *s.2g.2n.* **1** pessoa com muitas funções ou ofícios **2** indivíduo que conserta diversos objetos de uso doméstico **3** loja onde tais objetos são consertados

Fe QUÍM símbolo de *ferro*

fé *s.f.* **1** confiança absoluta (em alguém ou em algo); crédito *<ele tem fé no médico>* ↺ descrédito **2** sistema de crenças religiosas; religião *<fé cristã>* ↺ ceticismo **3** comprovação, testemunho *<em f. do que dizia, deu a documentação>* ↺ negação **4** REL a primeira das três virtudes teologais, pela qual o homem adere livremente às verdades reveladas por Deus ☞ cf. *caridade* e *esperança* ▣ **fé pública** DIR crédito que deve ser dado aos documentos vindos de uma autoridade pública em virtude da função exercida, concedendo a lei presunção de que tais documentos são verdadeiros

FEB *s.f.* sigla de Força Expedicionária Brasileira ☞ cf. *FEB* na parte enciclopédica

febre (fe.bre) *s.f.* **1** MED elevação da temperatura corporal acima de 37° C; pirexia **2** *fig.* ânsia de possuir *<f. de poder>* **3** *fig.* grande entusiasmo (por algo ou alguém); exaltação *<f. de poder> <f. de paixão>* **4** *fig.* moda, mania *<o forró é a nova f.>* ◉ GRAM/USO dim. irreg.: *febrícula* ▣ **f. aftosa** MED doença contagiosa de bois e porcos, provocada por vírus e caracterizada por aftas, febre e lesões purulentas na pele ☞ tb. se diz apenas *aftosa* • **f. amarela** MED doença infecciosa tropical, causada por vírus transmitido por certos mosquitos, e caracterizada por febre, dores abdominais e musculares, icterícia e vômitos com sangue • **f. reumática** MED doença observada ger. em crianças, que surge após uma faringite ou amigdalite não tratada, e que se caracteriza por inflamação das articulações e febre alta, levando mais tarde a lesões no coração • **f. tifoide** MED doença infecciosa transmitida pela água ou por alimentos contaminados por excrementos humanos infectados, e caracterizada por febre alta, prostração e diarreia ~ **febrento** *adj.s.m.*

febrícula (fe.brí.cu.la) *s.f.* febre baixa ◉ GRAM/USO dim.irreg. de *febre*

febrífugo (fe.brí.fu.go) *adj.s.m.* FARM (substância) que combate a febre; antipirético

febril (fe.bril) [pl.: *-is*] *adj.2g.* **1** relativo a ou próprio de febre; pirético *<estado f.>* **2** que tem febre *<ancião f.>* **3** *fig.* cheio de paixão; apaixonado *<uma f. declaração de amor>* ↺ frio

F

fecal (fe.cal) [pl.: *-ais*] *adj.2g.* relativo a fezes ou da natureza das fezes *<bolo f.>*

fechado (fe.cha.do) *adj.* **1** que não está aberto; impedido, obstruído *<túnel f.>* ↺ aberto, desimpedido **2** afastado do exterior; encerrado, guardado *<f. no quarto> <f. num cofre>* **3** cuja entrada é restrita ou proibida *<concerto f.>* **4** que fala pouco ou nada sobre si mesmo; reservado *<foi uma criança muito f.>* ↺ aberto, expansivo **5** compacto, denso (diz-se de vegetação) *<mata f.>* **6** que está nublado ou chuvoso (diz-se de tempo) ↺ aberto, claro **7** que faz um ângulo agudo (diz-se de curva)

fechadura (fe.cha.du.ra) *s.f.* peça de metal que tranca portas, janelas, gavetas etc., por meio de lingueta movida com chave

fechamento (fe.cha.men.to) *s.m.* **1** ato ou efeito de fechar **2** conclusão de um negócio **3** término da composição de um jornal, revista etc., antes da impressão

fechar (fe.char) *v.* {mod. 1} *t.d.* **1** tapar a abertura de *<f. um buraco>* ↺ abrir **2** impedir o acesso a ou o trânsito por; bloquear *<f. uma rua>* ↺ desbloquear **3** tomar a dianteira de (veículo) de maneira arriscada; cortar *<o caminhão fechou a moto>* **4** INF encerrar o acesso a (arquivo, programa etc.) *<fechou o arquivo e foi almoçar>* □ *t.d. e pron.* **5** unir duas ou mais partes de, impedindo que passe ar, luz etc. ou juntando o que está cortado, separado; cerrar(-se) *<f. os portões, os lábios, um corte> <com o vento, a janela fechou-se>* ↺ abrir(-se) **6** pôr(-se) em recinto trancado; encerrar (-se) *<f. valores dentro de um cofre> <f.-se em casa>* □ *t.i. e int.* **7** (prep. *para*) na sinalização de trânsito, passar de verde para vermelha a cor do semáforo, impedindo o avanço de veículos *<o sinal fechou (para os automóveis)>* □ *int. e pron.* **8** cicatrizar (ferida, machucado etc.) □ *t.d. e int.* **9** (fazer) ter fim; concluir(-se), terminar(-se) *<fechou o sermão magistralmente> <a conferência fechou em meio aos aplausos>* **10** (fazer) parar de funcionar, provisoriamente ou não *<o fiscal fechou o restaurante> <o banco fecha às 16 horas>* ↺ reabrir □ *pron. fig.* **11** ensimesmar-se, retrair-se *<f.-se e não falar com ninguém>*

fecho (fe.cho) /ê/ *s.m.* **1** qualquer peça us. para fechar algo *<f. da porta> <f. da saia>* **2** *fig.* parte final; conclusão, fim *<o f. da sinfonia é lindo>* ↺ abertura ▣ **f. ecler** *B* fecho com dentes metálicos que se encaixam, us. em roupas, bolsas, malas etc.; zíper

fécula (fé.cu.la) *s.f.* amido extraído de batata, mandioca etc., sob forma de farinha

F

feculento (fe.cu.len.to) *adj.* **1** que contém fécula **2** que deposita sedimentos ou fezes (diz-se de líquido)

fecundação (fe.cun.da.ção) [pl.: *-ões*] *s.f.* ato ou efeito de fecundar(-se)

fecundar (fe.cun.dar) *v.* {mod. 1} *t.d.* **1** entrar ou pôr (o espermatozoide) em contato com o óvulo, gerando uma vida <*f. um óvulo*> **2** fazer (a mulher, a fêmea) gerar um novo ser; engravidar **3** *fig.* tornar criativo, inventivo; estimular <*f. a imaginação*> **4** *fig.* dar incentivo a; fomentar <*f. as artes*> □ *t.d. e pron.* **5** tornar(-se) capaz de produzir (terra, solo); fertilizar (-se) <*as chuvas fecundam a terra*> <*o solo fecundou-se com as chuvas*> ~ **fecundado** *adj.* - **fecundante** *adj.2g.*

fecundidade (fe.cun.di.da.de) *s.f.* **1** qualidade ou condição do que é fértil; fertilidade <*a f. de uma terra*> ↺ esterilidade **2** *fig.* capacidade criativa; inspiração <*f. da mente infantil*>

fecundo (fe.cun.do) *adj.* **1** que pode gerar, produzir; produtivo, fértil <*terra f.*> ↺ improdutivo **2** *fig.* que dá muitos e grandes resultados; profícuo <*empreendimento f.*> ↺ infrutífero **3** *fig.* que se distingue pela habilidade intelectual para criar; criativo, imaginativo <*criança f.*>

fedegoso (fe.de.go.so) /ô/ [pl. e fem.: /ó/] *s.m.* BOT **1** nome comum de arbustos, alguns medicinais, de flores amarelas, ger. de odor desagradável ■ *adj.* **2** que tem mau cheiro; fétido ↺ cheiroso ◉ COL fedegosal

fedelho (fe.de.lho) /ê/ *s.m.* **1** criança ou jovem de pouca idade **2** rapaz que tem comportamento infantil <*tem 20 anos, mas é um f.*> ~ **fedelhice** *s.f.*

fedentina (fe.den.ti.na) *s.f.* fedor

feder (fe.der) *v.* {mod. 8} *int.* **1** exalar mau cheiro <*a carne podre fedia*> □ *t.i.* **2** (prep. *a*) exalar forte cheiro de <*chegou fedendo a cigarro*> **3** *fig. infrm.* (prep. *a*) parecer, indicar <*isso fede a falcatrua*> ▣ **não f. nem cheirar** não apresentar nenhuma característica marcante; ser medíocre <*um jogador que não fede nem cheira*>

federação (fe.de.ra.ção) [pl.: *-ões*] *s.f.* **1** união de Estados independentes sob um governo central soberano **2** *p.ext.* associação que reúne várias sociedades, sindicatos etc. sob uma autoridade comum e com o mesmo objetivo <*f. de indústrias*> ~ **federativo** *adj.*

federal (fe.de.ral) [pl.: *-ais*] *adj.2g.* **1** relativo ou pertencente à União <*colégio f.*> **2** *fig. B gír.* muito grande, fora do comum <*briga f.*>

federalismo (fe.de.ra.lis.mo) *s.m.* POL sistema de governo em que estados autônomos se reúnem para formar uma nação ~ **federalista** *adj.2g.s.2g.*

federalizar (fe.de.ra.li.zar) *v.* {mod. 1} *t.d.* transformar em bem ou serviço do Estado; tornar federal <*f. uma escola do município*> ~ **federalização** *s.f.* - **federalizado** *adj.*

federar (fe.de.rar) *v.* {mod. 1} *t.d. e pron.* associar (-se) ou reunir(-se) em federação

fedor (fe.dor) /ô/ [pl.: *-es*] *s.m.* mau cheiro; fedentina ↺ perfume

fedorento (fe.do.ren.to) *adj.* que cheira mal; que tem fedor; fétido

feedback (feed.back) [ing.; pl.: *feedbacks*] *s.m.* **1** reação a um estímulo; efeito retroativo **2** COMN informação que o emissor obtém da reação do receptor à sua mensagem, e que serve para avaliar os resultados da transmissão **3** INF retroalimentação ⇒ pronuncia-se fidbec

feérico (fe.é.ri.co) *adj.* **1** pertencente ao mundo das fadas **2** luxuoso, deslumbrante <*decoração f.*> **3** que turva a vista por excesso de luz ou brilho; ofuscante <*iluminação f.*>

feição (fei.ção) [pl.: *-ões*] *s.f.* **1** aparência exterior; aspecto, forma <*roupa da mesma f. que a sua*> **2** *fig.* modo de agir <*trabalhar à sua f.*> **3** *fig.* propriedade que determina a natureza de algo; qualidade <*a honestidade é sua f. principal*> ↺ defeito **4** *fig.* bom humor ▼ ***feições*** *s.f.pl.* **5** traços da fisionomia; semblante, rosto <*tem as f. delicadas*>

feijão (fei.jão) [pl.: *-ões*] *s.m.* **1** BOT vagem de sementes comestíveis, fruto do feijoeiro **2** CUL essa semente cozida e temperada, misturada, ou não, com carnes, legumes etc., us. como alimento

feijão com arroz (fei.jão com ar.roz) [pl.: *feijões com arroz*] *s.m. B infrm.* o que é simples, comum, rotineiro <*no trabalho ele fazia mais do que o feijão com arroz*>

feijão-fradinho (fei.jão-fra.di.nho) [pl.: *feijões-fradinhos* e *feijões-fradinho*] *s.m.* **1** BOT planta cujo fruto é uma vagem comprida e fina, de sementes comestíveis **2** semente dessa planta, de cor creme e um ponto preto, us. em ensopados e, esp. no Brasil, em saladas, no acarajé, abará etc.

feijoada (fei.jo.a.da) *s.f.* CUL *B* prato da cozinha brasileira feito com feijão temperado e cozido com carne de porco salgada, carne-seca, linguiça etc.

feijoal (fei.jo.al) [pl.: *-ais*] *s.m.* grande concentração de feijoeiros em determinada área

feijoeiro (fei.jo.ei.ro) *s.m.* BOT planta nativa da América do Sul, com inúmeras variedades, cujas vagens contêm sementes (*feijão*) ricas em proteínas, us. na alimentação humana, após secagem e cozimento, e tb. em farinha e como forragem ◉ COL feijoal

feio (fei.o) *adj.* **1** que não tem beleza; disforme <*rosto f.*> ↺ belo, bonito **2** *fig.* que inspira desprezo, nojo, vergonha; desonesto <*ação f.*> ↺ belo, bonito **3** *fig.* difícil de suportar <*momento f.*> ↺ tranquilo **4** *fig.* grave, sério <*acidente f.*> **5** chuvoso ou ventoso; ruim (diz-se de tempo) ↺ bom ■ *s.m.* **6** indivíduo sem beleza <*quem ama o f. belo lhe parece*> ↺ belo **7** comportamento desabonador <*o f. foi ele ter fugido*> ↺ bonito ■ *adv.* **8** de maneira vergonhosa <*dormiu f. na aula*> ~ **fealdade** *s.f.* - **feioso** *adj.s.m.*

feira (fei.ra) *s.f.* **1** mercado público onde se comercia em dias ou épocas determinadas **2** exposição competitiva (p.ex., de gado, equídeos etc.) ou para a exibição de novos produtos <*f. de mangas-largas*> <*f. de moda*> **3** o que se compra em feira livre <*fazer a f.*> **4** termo que compõe o nome dos dias da semana, menos sábado e domingo **5** *fig.* desordem barulhenta; algazarra <*a aula estava uma f.*> ▣ **f. livre** *B* local de venda de produtos hortigranjeiros, frutas, pescados etc., ger. ao ar livre e em dias certos da semana

feirante (fei.ran.te) *adj.2g.* **1** relativo a feira ■ *s.2g.* **2** vendedor de feira

feita (fei.ta) *s.f.* ocasião, oportunidade, vez <*uma f. saiu de casa e não voltou*> <*desta f. conseguirá passar no vestibular*>

feitiçaria (fei.ti.ça.ri.a) *s.f.* obra de feiticeiro; feitiço, bruxaria

feiticeiro (fei.ti.cei.ro) *adj.s.m.* (o) que faz feitiços *<foi procurar um (rapaz) f.>*

feitiço (fei.ti.ço) *s.m.* **1** uso de forças mágicas para adivinhação e/ou com intenções maléficas **2** efeito dessas ações; bruxaria, mandinga **3** *fig.* atração irresistível; encantamento, magia *<ele tinha um f. que atraía todos os olhares>*

feitio (fei.ti.o) *s.m.* **1** aparência de um ser ou coisa; formato, forma *<roupas de vários f.>* **2** modo de atuação; jeito, maneira *<o seu f. de agir é diferente>* **3** temperamento, caráter *<mentir não é do seu f.>* **4** execução a cargo de artífice ou artista (esp. alfaiate ou costureira) *<ela deu o pano, e a costureira, o f.>*

[1]**feito** (fei.to) *s.m.* **1** ato de fazer ou aquilo que se fez **2** ato de heroísmo; façanha *<os heróis e seus f.>* **3** propósito, objetivo, intento *<nosso f. é ser feliz>* ◉ ORIGEM do lat. *făctum,ī* 'feito, ação, façanha'

[2]**feito** (fei.to) *adj.* **1** que se treinou; adestrado *<espírito f. nas lutas políticas>* **2** amadurecido, maduro *<um homem f.>* ↺ imaturo **3** pronto para ser utilizado ou consumido *<prato f.>* **4** REL iniciado (no candomblé, umbanda e seitas afins) ■ *conj.comp.* *B* **5** como, tal qual *<trabalha f. burro de carga>* ◉ ORIGEM do lat. *făctus,a,um* 'feito, executado, obrado, criado, produzido' ▣ **bem f.** expressa satisfação com uma penalização, um insucesso, um mal, contratempo, ou suas consequências, sofridos por alguém que realizou algo que se julga errado, perigoso ou insensato *<tirou zero? bem f.!, não estudou!>* ☞ cf. *bem-feito* e *benfeito*

feitor (fei.tor) /ô/ [pl.: *-es*] *adj.s.m.* **1** (o) que faz, executa ou fabrica **2** (pessoa) que administra bens alheios; gestor ■ *s.m.* **3** capataz, supervisor de trabalhadores

feitoria (fei.to.ri.a) *s.f.* **1** administração ou cargo de feitor **2** HIST no Brasil colonial, posto de mercadorias, provido tb. de soldados e armamentos, para a defesa da colônia **3** conjunto dessas mercadorias

feitura (fei.tu.ra) *s.f.* **1** ato ou processo de fazer; elaboração *<a f. de um projeto, de um jantar, de um livro>* **2** o que se fez; obra, produção, produto

feiura (fei.u.ra) *s.f.* característica do que é ou de quem é feio

feixe (fei.xe) *s.m.* **1** conjunto de objetos unidos; braçada *<f. de lenha, de espigas>* **2** *fig.* grande porção de algo *<um f. de asneiras>* **3** conjunto de raios luminosos *<f. de luz>* **4** ANAT grupo de fibras nervosas ou musculares

fel [pl.: *féis* e *feles*] *s.m.* **1** líquido amarelo-esverdeado segregado pelo fígado; bílis **2** *p.ext.* sabor amargo *<o f. do remédio>* **3** *fig.* mau humor; azedume *<ressentido, destila seu f.>* ↺ alegria **4** *fig.* ressentimento, rancor *<o f. minou a amizade>*

felação (fe.la.ção) [pl.: *-ções*] *s.f.* ação de excitar o pênis com a boca

feldspato (felds.pa.to) *s.m.* MINER grupo de silicatos de sódio, potássio, cálcio, presente em todos os tipos de rochas, esp. nas ígneas, e constituinte de 60% da crosta terrestre ~ **feldspático** *adj.*

felicidade (fe.li.ci.da.de) *s.f.* **1** qualidade ou estado de feliz; satisfação, contentamento ↺ infelicidade, tristeza, descontentamento **2** boa fortuna; sorte *<para sua f., escapou ileso do acidente>* ↺ azar **3** bom êxito; sucesso *<f. na escolha da profissão>* ↺ fracasso ▼ *felicidades* *s.f.pl.* **4** congratulações, felicitações

felicitar (fe.li.ci.tar) *v.* {mod. 1} *t.d.* **1** tornar feliz; alegrar ↺ entristecer **2** dar os parabéns a; congratular, cumprimentar ~ **felicitação** *s.f.* - **felicitado** *adj.*

felídeo (fe.lí.deo) *s.m.* ZOO **1** espécime dos felídeos, família de mamíferos carnívoros, como o tigre, o gato, o leão, a onça-pintada etc., adaptados para saltar ■ *adj.* **2** relativo a essa família

felino (fe.li.no) *s.m.* ZOO **1** animal da família dos felídeos, como o gato, a onça-pintada, o leão etc. ■ *adj.* **2** relativo ou semelhante aos felídeos **3** *p.ext.* ágil; ligeiro *<menino f.>* ↺ lento

feliz (fe.liz) [pl.: *-es*] *adj.2g.* **1** favorecido pela sorte; venturoso *<f. no casamento>* ↺ azarado **2** contente, satisfeito *<ficou f. com tudo que conseguiu>* ↺ infeliz **3** que deu bom resultado; auspicioso *<o filme teve um final f.>* ↺ desfavorável **4** próspero, rico *<com o prêmio, teria uma vida f.>* ↺ miserável **5** bem lembrado ou imaginado *<uma f. escolha de palavras>* ↺ indevido **6** abençoado, bendito, protegido *<f. os eleitos do Senhor>* ↺ maldito ◉ GRAM/USO sup.abs.sint.: *felicíssimo*

felizardo (fe.li.zar.do) *s.m.* indivíduo muito feliz, com muita sorte; sortudo ↺ azarado

felonia (fe.lo.ni.a) *s.f.* **1** revolta do vassalo contra o senhor feudal **2** ato desleal; traição **3** procedimento cruel; maldade

felpa (fel.pa) /ê/ *s.f.* **1** tecido felpudo de lã ou algodão **2** fio levantado em tecidos; felpo **3** *p.ext.* penugem de aves e animais **4** *B infrm.* farpa ~ **felpudo** *adj.*

felpo (fel.po) /ê/ *s.m.* felpa ('fio')

feltro (fel.tro) /ê/ *s.m.* tecido de lã ou pelo, obtido através da ação do calor, umidade, substâncias químicas e pressão, us. na fabricação de chapéus, chinelos etc.

fêmea (fê.mea) *s.f.* **1** ser humano ou animal do sexo feminino *<a f. do cão é a cadela>* ↺ macho **2** qualquer peça com furo ou concavidade em que se encaixa outra (o macho)

fêmeo (fê.meo) *adj.* **1** relativo a ou próprio do sexo feminino *<gado fêmeo>* *<jacaré fêmeo>* **2** diz-se de qualquer objeto que se ajusta a outro, que nele penetra (o macho) *<tomada fêmea>*

feminilidade (fe.mi.ni.li.da.de) *s.f.* qualidade ou caráter de mulher; atitude feminina

feminino (fe.mi.ni.no) *adj.* **1** relativo a fêmea ou a mulher **2** referente ao sexo caracterizado pelo ovário nos animais e nas plantas; fêmeo ■ *adj.s.m.* GRAM **3** (gênero gramatical) que se opõe ao masculino (e ao neutro, em certos idiomas) ↺ masculino

feminismo (fe.mi.nis.mo) *s.m.* doutrina ou movimento em favor da ampliação e valorização do papel e dos direitos das mulheres na sociedade ~ **feminista** *adj.2g.s.2g.*

femoral (fe.mo.ral) [pl.: *-ais*] *adj.2g.* relativo ao ou próprio do fêmur *<bíceps f.>*

fêmur (fê.mur) [pl.: *-es*] *s.m.* ANAT osso longo da coxa, que se articula com o quadril e com a tíbia e a patela

fenda (fen.da) *s.f.* qualquer abertura estreita e alongada *<o tremor abriu uma f. na parede>*

fender (fen.der) *v.* {mod. 8} *t.d. e pron.* **1** (fazer) ficar com fenda(s); rachar(-se) <*com o machado ia fendendo a madeira*> <*a parede fendeu-se após o terremoto*> **2** separar(-se) em partes <*um passadiço fendia os prédios*> <*as nuvens fenderam-se, mostrando o Sol*> ◻ *t.d. fig.* **3** sulcar, atravessar <*o navio fendia as ondas*> ~ **fendimento** *s.m.*

fenecer (fe.ne.cer) *v.* {mod. 8} *int.* **1** ter fim; acabar, extinguir-se <*feneceram as últimas esperanças*> **2** passar a tom mais fraco; desbotar <*o rosado do seu rosto feneceu após o verão*> **3** murchar (planta) **4** perder a vida; morrer ~ **fenecimento** *s.m.*

F

fenício (fe.ní.cio) *s.m.* **1** HIST natural ou habitante da antiga Fenícia, região litorânea da atual Síria **2** antiga língua falada nesse país ■ *adj.* **3** relativo a Fenícia, seu povo e sua língua

fênix (fê.nix) *s.f.2n.* **1** MIT ave fabulosa que, depois de viver cerca de 300 anos, se deixava queimar para renascer das próprias cinzas **2** *fig.* pessoa rara, especial

feno (fe.no) *s.m.* AGR planta ceifada e seca, us. como forragem

fenol (fe.nol) [pl.: *-óis*] *s.m.* QUÍM ácido us. esp. em medicina como desinfetante, anestésico e antisséptico, e tb. na fabricação de resinas ~ **fenólico** *adj.*

fenomenal (fe.no.me.nal) [pl.: *-ais*] *adj.2g.* **1** que tem a natureza ou o modo de ser de um fenômeno <*acontecimento f.*> **2** *fig.* excepcional, admirável <*festa f.*> ↺ banal

fenômeno (fe.nô.me.no) *s.m.* **1** qualquer fato observável na natureza **2** *p.ext.* fato de interesse científico **3** acontecimento raro e surpreendente **4** *p.ext.* indivíduo de qualidade rara <*um f. da música*>

fenótipo (fe.nó.ti.po) *s.m.* GEN conjunto das características de um indivíduo, determinado pela interação do seu genótipo com o ambiente ~ **fenotípico** *adj.*

feofícea (fe.o.fí.cea) *s.f.* BOT espécime das feofíceas, classe de algas marinhas de cor parda, abundantes nas águas frias do hemisfério norte; alga parda

fera (fe.ra) *s.f.* **1** animal feroz **2** *fig.* indivíduo cruel **3** *fig.* indivíduo muito severo <*esse professor é uma f.*> ↺ tolerante ■ *adj.2g.s.2g.* **4** (pessoa) exímia no que faz <*um jogador f.*> <*só há feras no exame*>

feraz (fe.raz) [pl.: *-es*] *adj.2g.* muito produtivo ou abundante; fecundo, fértil <*terra f.*> ↺ improdutivo ~ **feracidade** *s.f.*

féretro (fé.re.tro) *s.m.* caixão de defunto; ataúde

féria (fé.ria) *s.f.* **1** remuneração diária de operário; salário **2** no comércio, o dinheiro apurado nas vendas do dia ▼ ***férias*** *s.f.pl.* **3** período para descanso de estudantes, pessoas empregadas etc.

feriado (fe.ri.a.do) *adj.s.m.* diz-se de ou dia de repouso determinado por lei ou religião

ferida (fe.ri.da) *s.f.* **1** lesão provocada por corte ou golpe; ferimento **2** *fig.* o que causa sofrimento; dor, mágoa ↺ felicidade ~ **feridento** *adj.s.m.*

ferimento (fe.ri.men.to) *s.m.* **1** ato ou efeito de ferir (-se) **2** ferida, machucado

ferino (fe.ri.no) *adj.* **1** pertencente ou relativo a fera; feroz, selvagem <*luta f.*> **2** sem piedade; cruel, desumano <*atitude f.*> ↺ bondoso **3** *fig.* que fere, mortifica; ofensivo <*comentário f.*> ↺ elogioso

ferir (fe.rir) *v.* {mod. 28} *t.d. e pron.* **1** causar ou sofrer lesão por pancada, golpe ou impacto; machucar(-se) <*f. o joelho*> <*feriu-se na queda*> **2** (fazer) ter sofrimento, sentir tristeza; magoar(-se) <*uma ingratidão que a feria*> <*feria-se, vendo o amigo sofrer*> ◻ *t.d.* **3** fazer soar (instrumento ou parte dele); tanger <*f. as cordas do violão*> **4** causar sensação desagradável; incomodar <*o ruído feria seus ouvidos*> **5** *fig.* ir contra; violar, contrariar <*f. os interesses da maioria*>

fermentação (fer.men.ta.ção) [pl.: *-ões*] *s.f.* **1** transformação química de substâncias orgânicas causada por enzimas **2** efervescência gasosa devida a essa transformação **3** *fig.* agitação, comoção ↺ apatia ~ **fermentativo** *adj.*

fermentar (fer.men.tar) *v.* {mod. 1} *t.d.* **1** produzir fermentação em; levedar <*f. o pão*> ◻ *int.* **2** decompor--se por fermentação; levedar <*o açúcar fermenta*> ◻ *t.d. e int. fig.* **3** excitar(-se), agitar(-se) <*f. sentimentos negativos*> <*terríveis ideias fermentam na cabeça dele*>

fermento (fer.men.to) *s.m.* **1** agente (uma enzima, um organismo) capaz de provocar a fermentação **2** massa de farinha azeda que provoca a fermentação em outra massa <*f. para pão*>

férmio (fér.mio) *s.m.* QUÍM elemento químico artificial radioativo [símb.: *Fm*] ☞ cf. *tabela periódica* (no fim do dicionário)

ferocidade (fe.ro.ci.da.de) *s.f.* **1** característica do que é feroz **2** caráter cruel ↺ bondade **3** extrema violência

ferormônio (fe.ror.mô.nio) ou **feromônio** (fe.ro.mô.nio) *s.m.* BIOQ substância secretada esp. por insetos e mamíferos, com funções de atração sexual, demarcação de trilhas e comunicação entre indivíduos

feroz (fe.roz) [pl.: *-es*] *adj.2g.* **1** que tem instinto de fera; selvagem <*animal f.*> **2** *fig.* cruel, perverso ↺ bondoso **3** *fig.* que mostra força; violento <*ventania f.*> ↺ fraco

ferrabrás (fer.ra.brás) [pl.: *ferrabrases*] *adj.2g.s.2g.* **1** que(m) conta bravatas **2** que(m) é um falso valentão

ferrador (fer.ra.dor) /ô/ [pl.: *-es*] *adj.s.m.* **1** que(m), por ofício, coloca ferradura em animais **2** que(m) marca animais com ferrete

ferradura (fer.ra.du.ra) *s.f.* **1** semicírculo de ferro com o qual se calçam os cascos de cavalgaduras **2** *p.ext.* qualquer peça em forma de semicírculo

ferrageiro (fer.ra.gei.ro) *s.m.* negociante de ferragens

ferragem (fer.ra.gem) [pl.: *-ens*] *s.f.* **1** cada uma das peças de ferro que integram uma estrutura, uma máquina, um objeto **2** colocação de ferraduras em animais ◉ COL ferraria

ferragista (fer.ra.gis.ta) *s.2g.* *B* ferrageiro

ferramenta (fer.ra.men.ta) *s.f.* **1** utensílio que auxilia a execução de um trabalho artesanal ou mecânico <*guardou o martelo com as outras f.*> **2** *p.ext.* qualquer instrumento necessário à prática profissional <*o livro é uma f. do professor*> **3** *fig.* meio para alcançar um resultado <*a liberdade é a f. da democracia*> ~ **ferramenteiro** *s.m.*

ferrão (fer.rão) [pl.: *-ões*] *s.m.* **1** ponta aguda de ferro **2** ANAT ZOO órgão pontiagudo de certos insetos, us. em ataque ou defesa; acúleo, aguilhão

ferrar (fer.rar) *v.* {mod. 1} *t.d.* **1** pregar ferro em ou chapear de ferro <*mandou f. a embarcação para* o combate> 2 pôr ferrão na extremidade de <f. uma bengala> 3 pôr ferradura em <tornou a f. seu cavalo de estimação> 4 marcar com ferro quente (esp. animal) □ *t.i. fig.* 5 render-se totalmente a; entregar-se <f. no sono> □ *t.d.i. e pron.* 6 (prep. *em*) cravar(-se), enterrar (-se) <f. as garras na presa> <as garras ferraram-se nele> □ *t.d. e pron. B infrm.* 7 deixar ou ficar mal, sem saída; prejudicar(-se) <desta vez ele ferrou mesmo o sujeito> <quem se ferrou com isso fui eu> ~ **ferrado** *adj.*

ferraria (fer.ra.ri.a) *s.f.* 1 conjunto de ferragens 2 fábrica de ferragens 3 oficina ou loja de ferreiro

ferreiro (fer.rei.ro) *s.m.* artesão que trabalha com ferro

ferrenho (fer.re.nho) *adj.* 1 semelhante ao ferro 2 *fig.* que é implacável, duro <ditadura f.> 3 *fig.* que persiste; obstinado <adversário f.>

férreo (fér.reo) *adj.* 1 de ferro <armadura f.> 2 que contém ferro <rio de água f.> 3 *fig.* que não cede; inflexível <vontade f.> ↺ flexível 4 *fig.* que traz a marca da maldade; cruel, desumano <vingança f.>

ferrete (fer.re.te) /ê/ *s.m.* 1 instrumento de ferro us. para marcar gado, escravos e criminosos 2 a marca deixada por esse instrumento

ferro (fer.ro) *s.m.* 1 QUÍM elemento químico metálico abundante na natureza, us. em diversas aplicações, como em construções, máquinas, veículos, ferramentas [símb.: *Fe*] ☞ cf. *tabela periódica* (no fim do dicionário) 2 *p.ext.* instrumento ou utensílio feito com esse metal <f. de soldar> ▼ ***ferros*** *s.m.pl.* 3 algemas, grilhões <puseram os presos a f.> ▣ **f. de passar** aparelho de base triangular que se aquece para alisar esp. tecidos • **f. elétrico** ferro de passar roupa aquecido por eletricidade • **f. fundido** QUÍM liga de ferro e carbono, em que o teor deste é maior do que no aço • **a f. e a fogo** ou **a f. e fogo** *fig.* 1 com meios violentos de coação, como armas, explosivos etc. <pôr a cidade sitiada a f. e fogo> 2 por todos os meios possíveis <era preciso impor a f. e fogo a sua autoridade> • **de f.** *fig.* que lembra o ferro pela dureza, resistência etc. <saúde de f.> • **lançar f.** MAR ancorar, fundear • **levantar f.** MAR içar a âncora • **malhar em f. frio** *fig.* perder o tempo ou o trabalho <tentar convencê-lo é malhar em f. frio> • **não ser de f.** não se mostrar indiferente (a algo) <vou relaxar, porque eu não sou de f.> ~ **ferrífero** *adj.*

ferroada (fer.ro.a.da) *s.f.* 1 picada com ferrão <f. de abelha> 2 *p.ext.* dor como a de uma picada 3 *fig.* censura sarcástica e incisiva

ferroar (fer.ro.ar) *v.* {mod. 1} *t.d. e int.* 1 picar com ferrão; aguilhoar <um marimbondo ferroou meu braço> <as abelhas ferroam para se defender> □ *t.d. fig.* 2 atormentar, irritar ↺ tranquilizar

ferro-gusa (fer.ro-gu.sa) [pl.: *ferros-gusa* e *ferros-gusas*] *s.m.* ferro que é retirado do alto-forno com grande proporção de carbono e diversas impurezas; gusa

ferrolho (fer.ro.lho) /ô/ *s.m.* pequena tranca corrediça, us. para fechar portas e janelas

ferromodelismo (fer.ro.mo.de.lis.mo) *s.m.* 1 técnica de projetar e construir modelos reduzidos de trens 2 passatempo que consiste em manipular esses modelos

ferro-velho (fer.ro-ve.lho) [pl.: *ferros-velhos*] *s.m.* 1 objeto metálico velho que pode ser refundido e reutilizado 2 local que serve para depósito e comércio desse material

ferrovia (fer.ro.vi.a) *s.f.* 1 sistema de transporte constituído de trilhos de ferro por onde transitam trens 2 empresa que administra e explora esse sistema

ferroviário (fer.ro.vi.á.rio) *adj.* 1 relativo a ferrovia 2 feito por ferrovia (diz-se de transporte) ■ *adj.s.m.* 3 que(m) trabalha em ferrovia

ferrugem (fer.ru.gem) [pl.: *-ens*] *s.f.* substância de cor vermelho-alaranjada causada pela corrosão do ferro exposto ao ar e à umidade ~ **ferrugento** *adj.* - **ferruginoso** *adj.*

ferryboat (fer.ry.boat) [ing.; pl.: *ferryboats*] *s.m.* balsa para travessia de veículos e pessoas em pequenas distâncias ⇒ pronuncia-se férribout

fértil (fér.til) [pl.: *-eis*] *adj.2g.* 1 que produz muito; fecundo <imaginação f.> <solo f.> ↺ infértil, improdutivo 2 que se apresenta em abundância; farto ↺ escasso 3 capaz de reproduzir-se <mulher f.> ↺ estéril ~ **fertilidade** *s.f.*

fertilização (fer.ti.li.za.ção) [pl.: *-ões*] *s.f.* 1 ato ou efeito de fertilizar(-se) 2 BIO junção das células reprodutoras feminina e masculina; fecundação

fertilizante (fer.ti.li.zan.te) *adj.2g.s.m.* (substância) que nutre o solo, tornando-o fértil ↺ esterilizante

fertilizar (fer.ti.li.zar) *v.* {mod. 1} *t.d.,int. e pron.* 1 tornar(-se) fértil, produtivo <o adubo fertiliza o solo> <com técnicas modernas, as terras rapidamente (se) fertilizam> □ *t.d.* 2 fecundar (óvulo, mulher, fêmea) ~ **fertilizador** *adj.s.m.*

fervedouro (fer.ve.dou.ro) *s.m.* 1 movimento como o da ebulição de um líquido 2 *p.ext.* ajuntamento, aglomeração <um f. de mosquitos> 3 *p.ext.* grande agitação; tumulto <queria fugir daquele f. e ir para casa> ↺ calma

fervendo (fer.ven.do) *adj.2g.2n.* que ferve; fervente <água f.>

ferventar (fer.ven.tar) *v.* {mod. 1} *t.d.* ferver rapidamente; aferventar <f. legumes>

fervente (fer.ven.te) *adj.2g.* 1 que ferve, que está em processo de fervura; fervendo <derramou água f. sobre o pó de café> 2 *fig.* que vibra; ardente <discussão f.> 3 *fig.* que mostra ardor (diz-se de emoção, sentimento etc.); ardoroso

ferver (fer.ver) *v.* {mod. 8} *t.d. e int.* 1 (fazer) entrar em estado de ebulição <f. o leite> <a água está fervendo> □ *t.d.* 2 cozer ou esterilizar dentro de líquido em ebulição <ferveu os legumes, antes de servi-los> <f. fraldas de pano> □ *int.* 3 agitar-se como líquido em ebulição <nervoso, sentia o sangue f.> 4 *fig.* excitar-se, animar-se <a escola ferve com a festa junina> 5 *fig.* estar em quantidade; fervilhar <ferviam ideias na sua cabeça> ↺ rarear

fervido (fer.vi.do) *adj.* que (se) ferveu <só bebemos água f.> <legumes f.>

férvido (fér.vi.do) *adj.* 1 extremamente quente; ardente ↺ frio 2 *fig.* ardoroso, arrebatado <amor f.> ↺ frio 3 em que há cuidado extremado; zeloso <pai f.> ↺ indiferente

fervilhar (fer.vi.lhar) *v.* {mod. 1} *int.* 1 estar em ebulição; ferver <a sopa chegou à mesa fervilhando> 2 *fig.* estar em quantidade; abundar <as flores fervilham no jardim> ↺ rarear 3 *fig.* agitar-se, mover-se muito; pulular <naquela casa, os mosquitos fervilhavam> □ *t.i. fig.* 4 (prep. *de*) estar repleto de <a rua fervilhava de gente> ~ **fervilhamento** *s.m.* - **fervilhante** *adj.2g.*

fervor (fer.vor) /ô/ [pl.: *-res*] *s.m.* **1** estado do que ferve; fervura **2** intensidade de sentimentos <*paixão de grande f.*> **3** intenso sentimento religioso; grande fé <*rezar com f.*> **4** cuidado extremoso; dedicação, zelo ~ **fervoroso** *adj.*

fervura (fer.vu.ra) *s.f.* **1** estado ou condição de um líquido que ferve; ebulição, efervescência **2** *fig.* excitação, agitação de ânimo ▣ **botar água na f.** *infrm.* diminuir o ardor, o entusiasmo de alguém

festa (fes.ta) *s.f.* **1** reunião recreativa ou comemorativa, em espaço público ou privado <*f. de aniversário*> **1.1** REL festividade religiosa e/ou popular, ger. consagrada à celebração de um santo ou que comemora alguma data importante para uma comunidade religiosa <*f. de santo Antônio*> <*f. da Páscoa*> **2** *fig.* sensação de prazer; alegria <*o retorno de papai foi uma f.*> **3** afago, carícia <*gosta de fazer f. na orelha do cãozinho*> ☞ nesta acp., mais us. no pl.

festança (fes.tan.ça) *s.f.* **1** festa de grandes proporções; festão **2** festa muito animada; festão

[1]**festão** (fes.tão) [pl.: *-ões*] *s.m.* arranjo decorativo ger. em arco com flores e fitas; grinalda ◉ ORIGEM fr. *feston* 'id.'

[2]**festão** (fes.tão) [pl.: *-ões*] *s.m.* festança ◉ ORIGEM festa + [1]-ão

festeiro (fes.tei.ro) *adj.s.m.* **1** que(m) organiza ou gosta de frequentar festas ■ *adj.* **2** que afaga, faz carinho

festejar (fes.te.jar) *v.* {mod. 1} *t.d. e int.* **1** comemorar com festa; celebrar <*f. um aniversário*> <*os vizinhos viviam a f.*> □ *t.d.* **2** louvar, aplaudir (alguém ou algo, esp. querido e/ou esperado) <*o público festejou a aparição do cantor*> ~ **festejador** *adj.s.m.*

festejo (fes.te.jo) /ê/ *s.m.* **1** ato ou efeito de festejar **2** festa **3** gesto carinhoso; carícia **4** galanteio

festim (fes.tim) [pl.: *-ins*] *s.m.* **1** festa particular ou em família **2** banquete **3** cartucho sem bala <*a solenidade teve até tiros de f.*>

festival (fes.ti.val) [pl.: *-ais*] *s.m.* **1** grande festa **2** evento artístico periódico, por vezes competitivo <*f. de teatro*> **3** *p.ext. infrm.* grande quantidade, série ou sequência <*f. de besteiras*> ↺ escassez

festividade (fes.ti.vi.da.de) *s.f.* **1** grande festa; festival **2** festa religiosa ou cívica **3** grande alegria

festivo (fes.ti.vo) *adj.* **1** relativo a festa <*música f.*> **2** em que há alegria, contentamento <*encontro f.*> ↺ maçante; triste

fetiche (fe.ti.che) *s.m.* **1** objeto ou escultura a que se atribui poder mágico **2** PSIC atração muito forte por certo objeto, atividade ou parte do corpo humano, como meio de sentir um prazer (sexual, por exemplo)

fetichismo (fe.ti.chis.mo) *s.m.* **1** culto ou veneração de fetiche **2** PSIC deslocamento do interesse sexual para algum objeto ou parte do corpo usualmente desprovidos de conotação erótica ~ **fetichista** *adj.2g.s.2g.*

fétido (fé.ti.do) *adj.* que cheira mal; fedorento ↺ cheiroso, perfumado ~ **fetidez** *s.f.*

feto (fe.to) *s.m.* **1** MED na espécie humana, ser em desenvolvimento no útero após o final do terceiro mês **2** ZOO embrião de qualquer animal vivíparo, esp. dos vertebrados terrestres, depois que adquire as formas de sua espécie **3** *fig.* início, germe de qualquer coisa que pode desenvolver-se ~ **fetal** *adj.2g.*

feudal (feu.dal) [pl.: *-ais*] *adj.2g.* relativo a feudo ou a feudalismo

feudalismo (feu.da.lis.mo) *s.m.* HIST **1** organização social e econômica baseada nos feudos **2** época feudal

feudatário (feu.da.tá.rio) *adj.s.m.* **1** (pessoa) que possui um feudo concedido pelo senhor feudal; vassalo ■ *adj.* **2** feudal **3** *fig.* em que há relação de dependência; subordinado

feudo (feu.do) *s.m.* **1** HIST na Idade Média, terra concedida pelo senhor feudal ao vassalo em troca de serviços e tributos **2** direito sobre essa terra **3** tributo pago pelo vassalo ao senhor feudal **4** *p.ext.* zona de influência <*f. eleitoral*>

fevereiro (fe.ve.rei.ro) *s.m.* segundo mês do ano no calendário gregoriano, composto de 28 dias, a não ser nos anos bissextos, quando passa a ter 29 dias

fezes (fe.zes) *s.f.pl.* **1** resíduos de alimentos expelidos do organismo pelo ânus depois da digestão **2** quaisquer resíduos imprestáveis; borra <*f. do vinho*>

FGTS *s.m.* sigla de Fundo de Garantia do Tempo de Serviço

FGV *s.f.* sigla de Fundação Getúlio Vargas

fiação (fi.a.ção) [pl.: *-ões*] *s.f.* **1** transformação de fibras têxteis em fio **2** conjunto de fios ou cabos de uma instalação elétrica <*f. de uma casa*>

fiacre (fi.a.cre) *s.m.* antiga carruagem de aluguel, ger. puxada por um só cavalo

fiada (fi.a.da) *s.f.* **1** conjunto de fios (de lã, de linha etc.) **2** série de coisas ligadas por um fio <*f. de peixes*> **3** fileira de tijolos

fiado (fi.a.do) *adj.* **1** que se fiou; confiado <*f. na promessa do amigo*> **2** comprado ou vendido para ser pago posteriormente <*já estás com cinco picolés f.*> ■ *adv.* **3** sob promessa de pagamento posterior <*seu Manuel não vende f.*>

fiador (fi.a.dor) /ô/ [pl.: *-es*] *adj.s.m.* **1** que(m) se responsabiliza por uma obrigação de outra pessoa **2** que(m) assume o pagamento de uma dívida, se o devedor não pagar

fiambre (fi.am.bre) *s.m.* CUL carne (ger. presunto) que se come fria

fiança (fi.an.ça) *s.f.* **1** garantia (ger. pecuniária) que uma pessoa dá ao cumprimento da obrigação de outra; aval, penhor **2** DIR quantia paga pelo réu para que possa defender-se em liberdade

fiandeiro (fi.an.dei.ro) *s.m.* aquele que tem por ofício [2]fiar

fiapo (fi.a.po) *s.m.* fio muito fino e curto

[1]**fiar** (fi.ar) *v.* {mod. 1} *t.d.* **1** ser o fiador de; abonar <*a família sempre o fiava*> □ *t.d.,t.i.,t.d.i. e pron.* **2** (prep. *em*) ter fé; acreditar, confiar <*fio que não se atrasará de novo*> <*fiou na discrição de todos*> <*fiava suas últimas esperanças no filho*> <*não se fiava na palavra dele*> □ *t.d.i.* **3** (prep. *a*) entregar sob confiança; confiar <*fiou os bens ao amigo antes de partir*> □ *t.d.,t.i. e t.d.i.* **4** (prep. *a*) vender para

receber o pagamento posteriormente; vender fiado *<f. mercadorias> <o dono do armazém fiou (um quilo de feijão) ao meu pai> <a quitanda da esquina não fia>* ◉ ORIGEM de um lat. **fidare* 'confiar'

[2]**fiar** (fi.ar) *v.* {mod. 1} *t.d.* **1** transformar em fio *<f. a lã>* **2** trançar fios de **3** confeccionar (tecido, trama) com fios *<f. um xale>* **4** *fig.* tramar, criar (algo ger. negativo) *<f. intrigas>* ◉ ORIGEM do lat. *filāre* 'fazer em fio, entrelaçar fios'

fiasco (fi.as.co) *s.m.* mau êxito; fracasso *<a estreia da peça foi um f.>* ↺ sucesso

fibra (fi.bra) *s.f.* **1** filamento encontrado em tecido animal ou vegetal, ou em algumas substâncias minerais **2** estrutura sintética semelhante a esses filamentos naturais **3** *fig.* força de vontade; firmeza de caráter ↺ indecisão ▣ **f. alimentar** BIOQ qualquer substância de origem vegetal não digerida pelas enzimas digestivas humanas, e que contribui para o bom funcionamento do intestino • **f. de vidro** material us. como isolante térmico • **f. óptica** fibra, us. na confecção de cabos de transmissão, capaz de transmitir luz a longas distâncias com baixo índice de refração

fibrila (fi.bri.la) *s.f.* fibra muito fina e curta

fibrilação (fi.bri.la.ção) [pl.: *-ões*] *s.f.* MED série de contrações rápidas e desordenadas das fibras musculares, esp. as do coração ~ **fibrilar** *v.int.*

fibroide (fi.broi.de) /ói/ *adj.2g.* **1** semelhante a fibra **2** que tem fibra(s) *<tumor f.>*

fibroma (fi.bro.ma) *s.m.* MED tumor benigno constituído de tecido fibroso

fibromialgia (fi.bro.mi.al.gi.a) *s.f.* MED síndrome de dor difusa que ocorre nos tecidos fibroso e muscular de diferentes partes do corpo, esp. das mulheres

fibrose (fi.bro.se) *s.f.* MED formação anormal de tecido fibroso

fibroso (fi.bro.so) /ô/ [pl. e fem.: /ó/] *adj.* **1** referente ou semelhante a fibra **2** constituído ou cheio de fibras

fíbula (fí.bu.la) *s.f.* ANAT o menor e mais externo osso da perna, antes denominado *perônio*

-ficar ou **-ificar** *suf.* 'transformação': *fortificar, simplificar*

ficar (fi.car) *v.* {mod. 1} *pred.* **1** manter-se em certo estado, condição, posição; permanecer, continuar *<f. sentado, de braços cruzados> <f. solteiro>* **2** assumir certa condição, estado, posição *<ficou feliz ao vê-la> <ficou de pé quando ela entrou>* **3** ser considerado como *<mesmo inocente, ficou como culpado>* ◻ *int.* **4** manter-se vivo, existente apesar do tempo ou das condições adversas; persistir; restar *<a paixão voa, a amizade fica> <depois da guerra, só ficou ela da família>* **5** parar, estacionar, deter-se *<o cavalo ficou e o vaqueiro caiu>* ↺ mover-se ◻ *t.i.* **6** (prep. *em*) manter-se em, não sair de (em certo lugar); continuar *<f. em casa> <o gosto bom ficou na boca>* **7** (prep. *em*) situar-se, localizar-se *<o prédio fica na rua Alice>* **8** (prep. *entre*) conservar-se em segredo *<isso fica entre nós>* **9** (prep. *em*) não ir além de; limitar-se *<o jogo ficou no zero a zero>* ↺ ultrapassar **10** (prep. *para*) ser adiado, transferido *<a reunião ficou para amanhã>* **11** (prep. *para*) pertencer, caber *<o troféu ficou para o Brasil>* **12** (prep. *com*) tomar posse de; apoderar-se *<f. com o prejuízo, com as sobras>* **13** (prep. *de*) assumir compromisso de; comprometer-se *<fiquei de visitá-la hoje>* **14** (prep. *com*) ser acometido, atacado por (doença) *<f. com sarampo>* ◻ *t.i. e int.* **15** (prep. *a, para*) ser o resto, vestígio de; restar, sobrar *<da herança pouco ficou (para nós)>* **16** *B infrm.* (prep. *com*) manter envolvimento amoroso por pouco tempo (com), sem compromisso de estabilidade ou fidelidade amorosa *<fiquei com ele na festa de ontem>*

ficção (fic.ção) [pl.: *-ões*] *s.f.* **1** ato de fingir ou seu efeito **2** produto da imaginação **3** história inventada (em literatura, cinema etc.) **4** conto, novela ou romance construído a partir de elementos imaginários e/ ou elementos da realidade inseridos num contexto imaginário; narrativa ▣ **f. científica** CINE LIT TV história baseada em progressos científicos imaginários ~ **ficcional** *adj.* - **ficcionista** *adj.2g.s.2g.*

ficha (fi.cha) *s.f.* **1** RECR em jogo, peça que marca ou paga os pontos *<apostar todas as f.>* **2** cartão para anotar ou catalogar *<organizou a palestra em fichas>* **3** o conjunto das informações contidas nesse cartão **4** *infrm.* conjunto dos dados pessoais de alguém *<ter f. limpa>* ▣ **cair a f.** *B infrm.* entender de repente algo que não havia percebido ou que estava obscuro *<ele passou no concurso, mas a f. ainda não caiu>*

fichar (fi.char) *v.* {mod. 1} *t.d.* **1** registrar (anotações, notas etc.) em fichas **2** *B* anotar em fichas os dados de (alguém) *<f. clientes> <f. um suspeito>* **3** destacar de (livro, documento etc.) aspectos mais importantes; resumir ~ **fichamento** *s.m.*

fichário (fi.chá.rio) *s.m.* **1** grupo de fichas **2** móvel ou caixa onde se guardam fichas classificadas **3** caderno de folhas removíveis

fictício (fic.tí.cio) *adj.* **1** relativo a ou próprio de ficção *<caráter f. de um texto>* **2** em que há fingimento; enganoso, ilusório *<animação f.>* ↺ autêntico **3** criado pela imaginação; fantasioso ↺ real

fícus (fí.cus) *s.m.2n.* BOT nome comum a diversas plantas, cultivadas para diferentes finalidades (pela madeira, pelo fruto, para fins ornamentais etc.)

fidalgo (fi.dal.go) *adj.s.m.* **1** que(m) tem título de nobreza ↺ plebeu **2** *pej.* que(m) age com arrogância e pretensão ↺ humilde ■ *adj.* **3** que demonstra nobreza, generosidade *<gesto f.>* ↺ egoísta, mesquinho

fidalguia (fi.dal.gui.a) *s.f.* **1** condição de fidalgo **2** caráter nobre e generoso **3** grupo social constituído pelos fidalgos, a classe dos fidalgos ↺ plebe, ralé

fidedigno (fi.de.dig.no) *adj.* digno de fé, confiança; verdadeiro *<baseou a pesquisa em fontes f.>* ↺ falso ~ **fidedignidade** *s.f.*

fidelidade (fi.de.li.da.de) *s.f.* **1** qualidade ou característica de quem ou do que é fiel **2** precisão de detalhes; exatidão *<recontar uma história com f.>* ↺ imprecisão **3** cumprimento dos compromissos assumidos *<f. partidária>* ↺ deslealdade **4** nível de perfeição com que um aparelho eletrônico reproduz sons, imagens etc. *<aparelho de som de alta f.>*

fidelizar (fi.de.li.zar) *v.* {mod. 1} *t.d.* tornar (cliente) fiel a produto, serviço etc.

fidúcia (fi.dú.cia) *s.f.* **1** confiança, segurança ↺ hesitação **2** *p.ext. pej.* comportamento presunçoso ↺ modéstia ~ **fiducial** *adj.2g.* - **fiduciário** *adj.s.m.*

fieira (fi.ei.ra) *s.f.* **1** linha, fio, barbante **2** grupo de coisas enfiadas em cordão <*f. de pérolas*> **3** fio de pião **4** aparelho que transforma metal em fio

[1]**fiel** (fi.el) [pl.: *-éis*] *adj.2g.* **1** que corresponde à confiança nele depositada <*funcionário f.*> ↺ desleal **2** exato, verdadeiro <*retrato f. da realidade*> ↺ falso **3** que se mostra constante <*cliente f.*> ↺ ocasional ■ *adj.2g.s.2g.* **4** que(m) segue os princípios de determinada religião ↺ infiel ⊙ GRAM/USO sup.abs.sint.: *fidelíssimo* ⊙ ORIGEM do lat. *fidēlis,e* 'fiel, leal, sincero' ⊙ COL rebanho

[2]**fiel** (fi.el) [pl.: *-éis*] *s.m.* ponteiro que marca o equilíbrio da balança; fiel da balança ⊙ ORIGEM duv., talvez do esp. *fiel* 'id.' ▣ **f. da balança 1** [2]fiel **2** *fig.* aquilo que serve de guia, que norteia pensamentos e ações <*a palavra do vovô é o f. da balança na família*>

FIESP *s.f.* sigla de Federação das Indústrias do Estado de São Paulo

Fifa (Fi.fa) [fr.] *s.f.* sigla de *Fédération Internationale de Football Association* (Federação Internacional de Futebol Associado)

figa (fi.ga) *s.f.* amuleto em forma de mão fechada, com o polegar entre o médio e o indicador ▣ **fazer f.** afastar a má sorte fazendo com as próprias mãos um sinal em forma desse objeto

figadal (fi.ga.dal) [pl.: *-ais*] *adj.2g.* **1** relativo a fígado **2** *fig.* por quem se nutre ódio ou rancor; visceral, mortal <*inimigo f.*>

fígado (fí.ga.do) *s.m.* ANAT glândula volumosa, responsável pela secreção de bílis e por outras importantes funções fisiológicas

figo (fi.go) *s.m.* BOT infrutescência carnosa da figueira, de cor verde-arroxeada ~ **figueira** *s.f.*

figura (fi.gu.ra) *s.f.* **1** forma exterior de um corpo <*desenhar a f. de um homem*> **2** GEOM qualquer espaço determinado por pontos, linhas, superfícies <*o quadrado é uma f. plana*> **3** representação visual; ilustração, estampa <*livro com muitas f.*> **4** *fig.* pessoa importante ou curiosa ou incomum ▣ **f. de linguagem** GRAM forma de exprimir o pensamento para torná-lo mais incisivo, comovente, original, fugindo da maneira usual da comunicação • **f. de palavra** GRAM recurso linguístico que está relacionado com a mudança de sentido das palavras (p.ex., a *metáfora*, a *metonímia* etc.) • **f. de ritmo** MÚS sinal gráfico que indica a duração de uma nota musical ou de uma pausa • **f. de sintaxe** GRAM figura pela qual a construção da frase, a fim de criar um efeito de estilo, foge ao padrão gramatical tradicional (p.ex, o *pleonasmo* etc.) • **ser uma f.** *B infrm.* ter uma personalidade curiosa; ser uma pessoa extraordinária, incomum

figuraça (fi.gu.ra.ça) *s.f. B infrm.* pessoa incomum pelo modo de se comportar, vestir etc.

figuração (fi.gu.ra.ção) [pl.: *-ões*] *s.f.* **1** representação exterior de uma forma **2** CINE TEAT TV papel de figurante **3** *p.ext.* presença sem participação ativa <*na reunião dos diretores, ele só fez f.*>

figurado (fi.gu.ra.do) *adj.* **1** representado por uma figura <*um brasão com leões f.*> **2** GRAM que usa de metáfora, metonímia etc. para se exprimir (diz-se de sentido, linguagem ou estilo) <*céu em sentido f. significa local de harmonia*>

figurante (fi.gu.ran.te) *adj.2g.s.2g.* CINE TEAT TV (personagem) secundário, ger. sem texto numa encenação de teatro, cinema ou televisão; extra

figurão (fi.gu.rão) [pl.: *-ões*] *s.m. infrm.* pessoa importante, notável

figurar (fi.gu.rar) *v.* {mod. 1} *t.d.* **1** traçar a imagem de <*f. uma árvore*> **2** simbolizar, significar <*a balança figura a Justiça*> **3** dar mostras de; indicar, aparentar <*aquele relacionamento figura solidez*> □ *t.i.* **4** (prep. *entre*) fazer parte de; constar <*figura entre os mais notáveis escritores*> **5** (prep. *em*) ter participação em; atuar <*infelizmente, a atriz não pode f. no filme*>

figurativo (fi.gu.ra.ti.vo) *adj.* **1** que representa por imagem ou símbolo **2** que prioriza a representação das formas visíveis da natureza (diz-se de arte) ↺ abstrato ■ *adj.s.m.* **3** que(m) segue os princípios da arte figurativa

figurinha (fi.gu.ri.nha) *s.f.* **1** estampa para coleções, ger. para formar álbuns **2** *infrm.* pessoa curiosa, incomum

figurino (fi.gu.ri.no) *s.m.* **1** VEST desenho ou modelo de indumentária, ger. confeccionado por costureiros renomados **2** vestuário, traje **3** revista de moda ~ **figurinista** *s.2g.*

fila (fi.la) *s.f.* série de pessoas ou coisas dispostas umas atrás das outras ou lado a lado; fileira ▣ **f. indiana** fila de pessoas ordenadas umas atrás das outras

filamento (fi.la.men.to) *s.m.* **1** fio finíssimo **2** BIO estrutura vegetal ou animal alongada **3** ELETR fio que incandesce com eletricidade <*f. de uma lâmpada*> ~ **filamentar** *adj.2g.* - **filamentoso** *adj.*

filantropia (fi.lan.tro.pi.a) *s.f.* **1** amor à humanidade ↺ misantropia **2** esforço na promoção do bem-estar de outras pessoas **3** qualquer ação dessa natureza ~ **filantrópico** *adj.*

filantropo (fi.lan.tro.po) /ô/ *adj.s.m.* **1** que(m) ama a humanidade ↺ misantropo **2** (pessoa) que pratica filantropia ↺ egoísta

filão (fi.lão) [pl.: *-ões*] *s.m.* **1** GEOL depósito mineral que ocorre em fendas de uma rocha; veeiro **2** parte da mina em que se encontra o minério; veio **3** *fig.* fonte generosa de informações, vantagens, lucros etc. <*o folclore é um generoso f. para os compositores*> <*a cultura da soja é um f. que continua a crescer*>

[1]**filar** (fi.lar) *v.* {mod. 1} *int.* **1** sair em retirada; fugir □ *t.d. B infrm.* **2** seguir (alguém) de modo suspeito **3** observar ocultamente; espreitar, vigiar ⊙ ORIGEM do fr. *filer* 'dar forma de fio, correr em fio'

[2]**filar** (fi.lar) *v.* {mod. 1} *t.d.* **1** segurar com força; agarrar <*filou-a pela blusa*> **2** *B infrm.* conseguir de graça <*f. o almoço na casa dos pais*> □ *t.d. e t.d.i. B infrm.* **3** (prep. *de*) pedir para não ter de comprar <*vivia filando cigarros (dos amigos)*> □ *t.d. e pron.* **4** (prep. *a*) agarrar-se a (presa) fortemente com os dentes <*com um salto, o cão filou o assaltante*> <*o cão filou-se à perna do carteiro*> ⊙ ORIGEM alt. do port. ant. *filhar* 'conquistar, tomar' ~ **filante** *adj.2g.s.2g.*

[3]**filar** (fi.lar) *v.* {mod. 1} *t.d.* instigar (um cão) para ataque, perseguição ⊙ ORIGEM do lat. *fibulāre* ou *fiblāre* 'prender com fivela'

filária (fi.lá.ria) *s.f.* ZOO nome comum aos vermes nematódeos, parasitas dos gânglios linfáticos e do tecido subcutâneo de mamíferos, incluindo o homem

filariose (fi.la.ri.o.se) *s.f.* MED doença causada por vermes chamados filária, caracterizada por reação inflamatória e obstrução dos vasos linfáticos

filarmônica (fi.lar.mô.ni.ca) *s.f.* MÚS **1** sociedade musical **2** orquestra sinfônica ~ **filarmônico** *adj.*

filatelia (fi.la.te.li.a) *s.f.* **1** estudo dos selos postais **2** atividade de colecionar esses selos ~ **filatélico** *adj.* - **filatelismo** *s.m.* - **filatelista** *s.2g.*

filé (fi.lé) *s.m.* **1** fatia de carne vermelha ou branca sem osso ou espinha **2** filé-mignon **3** trabalho artesanal feito com linha, na forma de fina rede ou renda

fileira (fi.lei.ra) *s.f.* fila

filé-mignon (fi.lé-mi.gnon) [pl.: *filés-mignons*] *s.m.* **1** parte macia da ponta do lombo do boi **2** *fig.* a melhor parte de qualquer coisa

filete (fi.le.te) /ê/ *s.m.* **1** fio ou friso estreito <*f. de água*> <*encadernação com f. dourados*> **2** BOT haste do estame que sustenta a antera

filho (fi.lho) *s.m.* **1** pessoa do sexo masculino em relação aos seus pais **2** pessoa que descende de determinada família, grupo social etc.; descendente <*f. dos primeiros habitantes das Américas*> ↺ ascendente **3** o que é originário ou resultado de determinadas forças ou influências <*f. da sorte*> <*f. da guerra*> **4** REL no cristianismo, segunda pessoa da Trindade, entendida como aquele que é gerado pelo Pai desde a eternidade ☞ inicial maiúsc. ◉ COL prole ~ **filharada** *s.f.*

filhó (fi.lhó) ou **filhós** (fi.lhós) [pl.: *-eses*] *s.2g.* CUL biscoito ou bolinho de farinha e ovos, frito e passado em açúcar e canela

filho da mãe (fi.lho da mãe) [pl.: *filhos da mãe*] *s.m.* *infrm.* filho da puta

filho da puta (fi.lho da pu.ta) [pl.: *filhos da puta*] *s.m. gros.* pessoa não confiável, traiçoeira, desonesta etc.; filho da mãe ☞ pode ser empr. ironicamente como elogio ou em linguagem afetiva, com o que perde o caráter pejorativo

filho-família (fi.lho-fa.mí.lia) [pl.: *filhos-família* e *filhos-famílias*] ou **filho-famílias** (fi.lho-fa.mí.lias) [pl.: *filhos-famílias*] *s.m.* **1** filho que, por ser ainda menor, se encontra sob o pátrio poder **2** filho de família rica

filhós (fi.lhós) [pl.: *-eses*] *s.2g.* → ***FILHÓ***

filhote (fi.lho.te) *s.m.* **1** cria de animal **2** *B infrm.* indivíduo protegido por outro <*f. do diretor*> ◉ COL ninhada

filhotismo (fi.lho.tis.mo) *s.m.* concessão de privilégios por amizade, parentesco etc.; favoritismo

filiação (fi.li.a.ção) [pl.: *-ões*] *s.f.* **1** elo de parentesco dos filhos em relação aos pais **2** série de pessoas que descendem de um mesmo ancestral; descendência ↺ ascendência **3** ingresso, vinculação (em partido, clube etc.) <*f. partidária*> ↺ desfiliação

filial (fi.li.al) [pl.: *-ais*] *adj.2g.* **1** próprio de filho <*amor f.*> ■ *s.f.* **2** casa comercial subordinada à matriz

filiar (fi.li.ar) *v.* {mod. 1} *t.d.* **1** reconhecer legalmente como filho □ *t.d.i. e pron.* **2** (prep. *a*) agregar(-se) como sócio ou membro a (clube, sociedade etc.) <*o clube filiou novos sócios ao seu quadro*> <*f.-se a um partido político*> **3** *fig.* (prep. *a*) vincular(-se), ligar(-se) a <*filiou sua conduta aos princípios da ética*> <*seus argumentos se filiam a ideias deterministas*>

filiforme (fi.li.for.me) *adj.2g.* em forma de fio

filigrana (fi.li.gra.na) *s.f.* **1** trama delicada com fios de ouro ou prata entrelaçados **2** marca-d'água **3** *fig.* detalhe insignificante <*narrativa com muitas f.*>

filisteu (fi.lis.teu) [fem.: *filisteia* /éi/] *adj.* **1** da Filisteia (Palestina) ■ *s.m.* **2** povo inimigo dos hebreus que habitava essa região **3** *pej.* pessoa inculta e apegada a questões materiais

filmadora (fil.ma.do.ra) /ô/ *s.f.* máquina us. para filmar; câmara cinematográfica

filmar (fil.mar) *v.* {mod. 1} *t.d. e int.* **1** registrar em filme ou fazer um filme; rodar, gravar <*f. um documentário*> <*não lhes permitiu f. no* show> □ *t.d.* **2** passar para cinema, vídeo etc. (trabalho artístico de outra natureza, ger. literário) <*f.* Dom Casmurro, *de Machado de Assis*> **3** *B infrm.* observar com atenção, de perto; vigiar <*f. os movimentos da esposa*> ~ **filmador** *adj.s.m.* - **filmagem** *s.f.*

filme (fil.me) *s.m.* **1** CINE FOT película revestida por emulsão sensível à luz, us. para fixar imagens fotográficas **2** CINE sequência de imagens registradas em filme cinematográfico ▣ **f. cinematográfico** CINE filme us. em equipamento especial para registro, edição e exibição de imagens em movimento

filmoteca (fil.mo.te.ca) *s.f.* coleção e/ou arquivo de filmes, microfilmes etc.

filo (fi.lo) *s.m.* BIO categoria taxonômica que agrupa classes relacionadas

filó (fi.ló) *s.m.* tecido leve us. em véus, saias de balé etc.; tule

filogenia (fi.lo.ge.ni.a) *s.f.* BIO história da evolução de uma espécie ou de um grupo taxonômico

filologia (fi.lo.lo.gi.a) *s.f.* **1** estudo amplo da língua e de seus documentos **2** verificação científica da autenticidade de textos através da comparação de manuscritos e edições ~ **filológico** *adj.*

filólogo (fi.ló.lo.go) *s.m.* estudioso ou conhecedor de filologia

filosofar (fi.lo.so.far) *v.* {mod. 1} *int.* **1** pensar ou falar sobre filosofia □ *t.i.* **2** (prep. *sobre*) pensar ou falar de modo abrangente e metódico <*f. sobre o amor*> ~ **filosofante** *adj.2g.*

filosofia (fi.lo.so.fi.a) *s.f.* **1** conjunto de estudos teóricos que procuram explicar a realidade e os valores humanos **2** doutrina, teoria <*f. dos negócios*> **3** *p.ext.* sabedoria ~ **filosofal** *adj.2g.*

filosófico (fi.lo.só.fi.co) *adj.* relativo a filosofia ou filósofo (subst.) <*sistema f.*>

filósofo (fi.ló.so.fo) *adj.s.m.* que(m) se dedica à filosofia <*f. profissional*>

filtrar (fil.trar) *v.* {mod. 1} *t.d.,int. e pron.* **1** (fazer) passar por filtro, para retirar corpos sólidos, impurezas ou moderar a intensidade; coar <*f. a água*> <*o mel levou dias para f.(-se)*> □ *t.d.,t.i. e pron.* **2** (prep. *por*) (deixar) passar (calor, som, ondas de luz) moderando a intensidade <*as nuvens filtravam os raios do Sol*> <*a conversa filtrava pela parede*> <*a chuva filtra-se pelas telhas*> □ *t.d.* **3** impedir a passagem de; reter

<este protetor solar filtra os raios ultravioleta> □ *t.d. e t.d.i.* **4** (prep. *de*) controlar, retendo o essencial ou o desejado; selecionar *<f. informações> <f. os bons candidatos daqueles despreparados>* ~ **filtração** *s.f.* - **filtragem** *s.f.* - **filtrável** *adj.2g.*

[1]filtro (fil.tro) *s.m.* **1** aparelho ou material poroso us. para separar um fluido (líquido ou gás) das matérias que nele se encontram em suspensão ou misturadas **2** dispositivo, provido de [2]vela, us. para filtrar a água destinada ao consumo doméstico ◉ ORIGEM do fr. *filtre* 'aparelho através do qual se passa um líquido para livrá-lo de partículas sólidas' ▣ **f. de linha** ELETRÔN dispositivo, provido de tomadas, que atenua oscilações da tensão elétrica que alimenta um aparelho *<ligue o computador no f. de linha>* • **f. solar** substância (creme, loção) us. para proteger a pele dos efeitos nocivos dos raios do Sol

F

[2]filtro (fil.tro) *s.m.* poção mágica que desperta o amor na pessoa que a bebe; amavio ◉ ORIGEM do lat. *philtrum,i* 'id.'

fim [pl.: *fins*] *s.m.* **1** momento ou ponto em que algo acaba *<f. da rua>* ↺ início **2** encerramento do curso de uma ação, atividade, história etc.; conclusão, desfecho *<f. do romance>* ↺ introdução **3** desaparecimento, ruína, queda *<f. de um império>* **4** o que se busca alcançar; objetivo, finalidade *<sua visita tem como f. agradecer-nos>* ▣ **f. de semana** tempo entre a noite de sexta-feira e a manhã de segunda-feira • **f. de mundo** ou **f. do mundo** **1** lugar longe, de difícil acesso e pouco habitado; cafundó **2** grande transtorno ou calamidade *<se ele for reprovado, vai ser o f. do mundo>* • **a f. de** **1** com a finalidade de; para *<escreve a f. de consolar a amiga>* **2** *infrm.* com interesse amoroso por *<fiquei a f. dele desde que o conheci>* ☞ cf. *afim* • **por f.** **1** por último *<por f., passaram os cadetes encerrando o desfile>* **2** após muito tempo ou esforço; finalmente *<por f., conseguiram a aprovação no concurso>* **3** us., num discurso oral ou escrito, para introduzir um último tópico, argumento etc.; finalmente *<por f., vamos ao cerne da questão>* • **sem f.** que não acaba; interminável *<tristeza sem f.>* ☞ cf. *sem-fim*

fímbria (fím.bria) *s.f.* **1** parte que delimita; beira, orla *<à f. da mata se escondiam as cascavéis>* **2** aplique de fios entrelaçados; franja ~ **fimbriar** *v.t.d.*

fimose (fi.mo.se) *s.f.* MED estreitamento da abertura da pele que cobre a glande do pênis

final (fi.nal) [pl.: *-ais*] *adj.2g.* **1** que está no fim *<acordes f. de uma música>* ↺ inicial **2** que conclui ou arremata *<frase f. de um discurso>* ↺ introdutório **3** último, derradeiro *<instantes f.>* ↺ primeiro ■ *s.m.* **4** última parte; fim *<o f. do mês>* ↺ início **5** desenlace, conclusão *<o f. do livro>* ↺ princípio ■ *s.f.* **6** último jogo ou prova (de competição); finalíssima *<acabaram os ingressos para a f. do campeonato>*

finalidade (fi.na.li.da.de) *s.f.* aquilo que se procura ou propõe; objetivo, propósito, fim

finalíssima (fi.na.lís.si.ma) *s.f.* final ('último jogo ou prova')

finalista (fi.na.lis.ta) *adj.2g.s.2g.* que(m) se classifica para disputar uma final

finalizar (fi.na.li.zar) *v.* {mod. 1} *t.d.,int. e pron.* **1** (fazer) ter fim; acabar, concluir(-se) *<depois de meses, conseguiu f. a empreitada> <o ano finalizou(-se), renovando as esperanças>* ↺ começar □ *t.d. e int.* ESP **2** no futebol, concluir (uma jogada) movendo a bola na direção do gol; arrematar *<o centroavante tem de finalizar (as jogadas) muito bem>* ~ **finalização** *s.f.*

finalmente (fi.nal.men.te) *adv.* **1** por último *<calça, blusa e f. as meias>* **2** ao fim de grande esforço ou do que parece longo tempo; por fim *<f. conseguiu falar com ela>* **3** us., num discurso oral ou escrito, para introduzir um último tópico, argumento, questão; por fim *<agora, f., falarei sobre a reforma>*

finanças (fi.nan.ças) *s.f.pl.* **1** recursos em dinheiro, títulos etc. *<as f. da família estão bem>* **2** conjunto de receitas e despesas, esp. as do Estado ~ **financeiro** *adj.s.m.*

financeira (fi.nan.cei.ra) *s.f.* ECON *B* empresa de crédito e financiamento

financiamento (fi.nan.cia.men.to) *s.m.* **1** ação ou efeito de financiar; concessão de uma dada quantia para cobrir os gastos de alguma coisa; custeio **2** essa quantia *<o colégio conseguiu um f. de 100 mil reais para obras>* **3** concessão de prazo para pagamento de dívida

financiar (fi.nan.ci.ar) *v.* {mod. 1} *t.d.* **1** pagar os gastos de; custear, bancar *<financiou os estudos do sobrinho>* □ *t.d.i.* **2** (prep. *a*) conceder (valor, recursos) para custear algo *<o governo financiou 20 mil reais a cada desabrigado>*

financista (fi.nan.cis.ta) *adj.2g.s.2g.* **1** especialista em finanças **2** que(m) é responsável pelas finanças de uma empresa, instituição etc.

finar (fi.nar) *v.* {mod. 1} *pron.* **1** (prep. *de*) perder as forças; definhar *<f.-se de saudades>* **2** morrer, falecer □ *int.* **3** ter fim; acabar *<as esperanças finaram>* ~ **finado** *adj.s.m.* - **finamento** *s.m.*

finca-pé (fin.ca-pé) [pl.: *finca-pés*] *s.m.* determinação, firmeza de opinião ▣ **fazer f.** manter-se firme em uma decisão ou opinião; obstinar-se

fincar (fin.car) *v.* {mod. 1} *t.d.,t.d.i. e pron.* **1** (prep. *em*) introduzir(-se) para dar ou ter firmeza; cravar(-se), enterrar(-se) *<f. estacas> <f. o prego na parede> <fincou-se no atoleiro>* □ *t.d.i.* **2** (prep. *em*) apoiar com força *<f. os cotovelos na mesa>* □ *pron.* **3** ficar firme, imóvel; parar □ *t.d.i. e pron. fig.* **4** (prep. *em*) firmar(-se) de modo definitivo e profundo em; arraigar(-se) *<fincava suas esperanças em ilusões> <a ideia de vingança fincara-se em seu espírito>*

findar (fin.dar) *v.* {mod. 1} *t.d.,int. e pron.* **1** (fazer) ter fim; acabar *<parece que jamais conseguiremos f. esse trabalho> <uma amizade que jamais (se) findaria>* ↺ começar □ *t.i.* **2** (prep. *em*) ter como consequência; resultar *<o desleixo findou em fracasso>* ◉ GRAM/USO part.: *findado*, *findo*; ver QUADRO DE PARTICÍPIOS DUPLOS nas pp. iniciais ~ **findável** *adj.2g.*

fineza (fi.ne.za) /ê/ *s.f.* **1** qualidade ou característica do que é fino ou delgado ↺ grossura **2** *fig.* elegância, graça *<a f. de postura>* ↺ deselegância **3** *fig.* sinal de amizade ou de cortesia *<ela me atendeu com f.>* ↺ grosseria **4** *fig.* perfeição, excelência, beleza *<f. de traços no rosto>* ↺ imperfeição

fingido (fin.gi.do) *adj.* **1** que tenta fazer parecer que é verdade, sem ser real; simulado, hipócrita *<gentileza f.>* ■ *adj.s.m.* **2** que(m) finge; hipócrita

fingimento (fin.gi.men.to) *s.m.* **1** ato ou efeito de esconder um sentimento, uma intenção, uma ideia **2** falta de sinceridade ou de correspondência com a verdade; falsidade, hipocrisia

fingir (fin.gir) *v.* {mod. 24} *t.d.,t.d.pred. e pron.* **1** (prep. *de*) fazer parecer real (algo falso ou inexistente); simular *<f. entusiasmo>* *<finge que gostou da comida>* *<f.(-se) de bobo>* □ *t.d.* **2** fazer de conta; imaginar *<gostava de f. que era um cavaleiro medieval>* □ *int.* **3** ocultar sentimento, intenção, pensamento; dissimular *<fingia, para não magoar a mãe>* ~ **fingidor** *adj.s.m.*

fininha (fi.ni.nha) *s.f.* MED *infrm.* **1** *N.E.* tuberculose **2** *CE* diarreia

finito (fi.ni.to) *adj.* que tem fim ou limite *<a vida é f.>* ↺ infinito

fino (fi.no) *adj.* **1** de pequeno diâmetro, largura ou espessura *<tronco f.>* *<fatia f.>* ↺ grosso **2** afiado, agudo *<ponta f.>* ↺ rombudo **3** de pequeno volume *<chuva f.>* **4** *fig.* marcado pela elegância *<mulher de porte f.>* ↺ deselegante **5** agudo, estridente (diz-se de som ou voz) ↺ grave, grosso **6** *fig.* que revela delicadeza; amável, refinado *<maneiras f.>* ↺ grosseiro **7** *fig.* de ótima qualidade *<doces f.>*

finório (fi.nó.rio) *adj.s.m.* (indivíduo) que se faz de ingênuo para obter vantagens; espertalhão ↺ tolo

finta (fin.ta) *s.f.* **1** ação que visa enganar; logro **2** *p.ext.* ESP drible ~ **fintar** *v.t.d. e int.*

finura (fi.nu.ra) *s.f.* **1** qualidade ou característica do que é fino, delgado, estreito *<f. de uma lâmina>* ↺ grossura **2** *fig.* qualidade ou característica do que é delicado, leve; sutileza **3** educação, gentileza, cortesia *<tem a f. de um diplomata>* ↺ grosseria **4** *fig.* habilidade para dissimular ou para perceber trama ardilosa; astúcia, esperteza ↺ ingenuidade **5** procedimento malicioso; ardil

fio (fi.o) *s.m.* **1** fibra natural ou sintética, de forma cilíndrica, flexível, delgada *<f. de seda>* *<f. de cabelo>* **2** cabo metálico flexível que transporta eletricidade **3** *infrm.* lado afiado; gume *<f. da espada>* **4** *fig.* encadeamento, série *<perdeu o f. da narrativa>* **5** *fig.* o que é tênue, sem resistência *<um f. de vida>* ⊙ COL fiação; fiada ⊡ **f. dental 1** ODONT fio resistente us. para limpar os dentes **2** calça de biquíni em que a parte de trás é uma fita muito estreita • **a fio** sem interrupção *<estudar semanas a f.>* • **de f. a pavio** do começo ao fim • **por um f.** por pouco *<escapou do acidente por um f.>*

fiorde (fi.or.de) *s.m.* GEO golfo sinuoso e profundo entre montanhas escarpadas, típico dos países nórdicos

FIRJAN (FIR.JAN) *s.f.* sigla de Federação das Indústrias do Estado do Rio de Janeiro

firma (fir.ma) *s.f.* **1** nome de uma pessoa escrito por ela mesma; assinatura *<é preciso reconhecer a f. nestes documentos>* **2** nome jurídico adotado por uma sociedade para suas atividades comerciais; razão social **3** estabelecimento que se dedica a atividades com fins lucrativos; empresa *<f. de exportação>*

firmamento (fir.ma.men.to) *s.m.* espaço celeste visível; céu

firmar (fir.mar) *v.* {mod. 1} *t.d.,t.d.i. e pron.* **1** (prep. *em*) tornar(-se) firme, estável; fixar(-se) *<f. estacas (no solo)>* *<a árvore custou a f.-se>* **2** (prep. *em*) encostar(-se), apoiar(-se) *<f. o corpo (na parede)>* *<f.-se na bengala para levantar>* **3** (prep. *em*) ter como fundamento; basear(-se), fundamentar(-se) *<f. uma opinião (em fatos)>* *<tudo o que diz se firma em sólidos conhecimentos>* □ *t.d.* **4** estabelecer, instituir *<f. jurisprudência>* **5** realizar, ajustar (pacto, acordo) **6** pôr firma em; assinar *<f. uma procuração>* □ *pron. fig.* **7** tornar-se reconhecido como *<firmou-se como boa dentista>* □ *int.* **8** ficar firme, estável (o tempo) *<depois da chuvarada, o tempo firmou>*

firme (fir.me) *adj.2g.* **1** que está seguro ou bem apoiado; fixo *<bancos f. no solo>* ↺ móvel **2** que não cede com facilidade (diz-se de solo, terreno); sólido *<terra f.>* **3** sem flacidez; rijo *<músculos f.>* ↺ flácido **4** sem alteração; constante *<tempo f.>* ↺ instável **5** com energia ou determinação; seguro, decidido *<passos f.>* ↺ vacilante **6** que não se deixa influenciar; inabalável *<uma f. resolução>* ■ *adv.* **7** com firmeza *<aguentou f. todos os problemas>*

firmeza (fir.me.za) *s.f.* **1** característica do que é firme, seguro; estabilidade, segurança *<a f. de uma ponte de pedra>* *<senti f. nesse cara>* ↺ fraqueza, insegurança **2** firme capacidade de decidir; resolução ↺ indecisão **3** característica do que é persistente, determinado; constância ↺ inconstância

firula (fi.ru.la) *s.f.* *B infrm.* **1** linguagem rebuscada para dizer algo simples ou raciocínio evasivo **2** FUTB exibição de domínio da bola por um jogador

fiscal (fis.cal) [pl.: *-ais*] *adj.2g.* **1** relativo a fisco *<nota f.>* ■ *s.2g.* **2** funcionário do fisco ou da alfândega **3** quem fiscaliza

fiscalizar (fis.ca.li.zar) *v.* {mod. 1} *t.d.* **1** verificar se (algo) está-se realizando como previsto *<f. uma obra>* **2** *p.ext.* observar atentamente; controlar, vigiar *<f. as contas>* *<f. os passos dos filhos>* □ *int.* **3** trabalhar como fiscal ~ **fiscalização** *s.f.* - **fiscalizador** *adj.s.m.*

fisco (fis.co) *s.m.* conjunto dos órgãos públicos que taxam, fiscalizam e cobram impostos

fiseterídeo (fi.se.te.rí.deo) *s.m.* ZOO **1** espécime dos fiseterídeos, família de baleias dentadas, que ocorre em todos os mares e que inclui o cachalote ■ *adj.* **2** relativo a essa família

fisga (fis.ga) *s.f.* **1** tipo de arpão **2** ponta de anzol ou arpão **3** abertura estreita e alongada; fenda

fisgada (fis.ga.da) *s.f.* **1** puxão rápido com vara ou linha de pesca **2** *infrm.* dor aguda e rápida; pontada

fisgar (fis.gar) *v.* {mod. 1} *t.d.* **1** capturar (peixe) com anzol ou arpão **2** *p.ext.* agarrar, prender (quem fugia) *<f. os assaltantes>* **3** *fig. infrm.* perceber rapidamente; pegar *<f. o sentido de uma piada>* **4** *fig. B infrm.* despertar paixão, amor em; conquistar *<f. um marido>*

física (fí.si.ca) *s.f.* ciência que estuda as leis e propriedades da matéria e da energia que controlam os fenômenos da natureza ⊡ **f. nuclear** ramo da física que estuda as propriedades e as interações dos núcleos atômicos com outros núcleos atômicos e com campos externos, bem como a geração de energia através da fissão e da fusão nuclear

fisicamente (fi.si.ca.men.te) *adv.* **1** pelas leis da física *<não dá para explicar f. esse fenômeno>* **2** em pessoa; em carne e osso *<esteve aqui sim, f. presente>*

físico (fí.si.co) *adj.* **1** que diz respeito à física *<propriedades f. dos minerais>* **2** relativo ao corpo *<educação f.>* ↺ espiritual ■ *s.m.* **3** especialista em física **4** conjunto das características externas do corpo; constituição *<menino de f. franzino>*

F

físico-química (fí.si.co-quí.mi.ca) [pl.: *físico-químicas*] ou **fisioquímica** (fi.si.o.quí.mi.ca) *s.f.* FISQUÍM ciência que utiliza métodos da física e da química para estudar as propriedades de um sistema ~ **físico-químico/fisioquímico** *adj.s.m.*

fisiculturismo (fi.si.cul.tu.ris.mo) *s.m.* desenvolvimento do volume muscular com exercícios e dieta alimentar ~ **fisiculturista** *adj.2g.s.2g.*

fisiologia (fi.si.o.lo.gi.a) *s.f.* BIO MED estudo das funções e do funcionamento normal dos seres vivos ~ **fisiologista** *adj.2g.s.2g.*

fisiológico (fi.sio.ló.gi.co) *adj.* relativo a fisiologia *<a doença causou-lhe distúrbios f.>*

F

fisiologismo (fi.si.o.lo.gis.mo) *s.m.* POL *B pej.* prática que condiciona o apoio político à obtenção de vantagens, favores etc.

fisionomia (fi.si.o.no.mi.a) *s.f.* **1** expressão facial; semblante *<bela f.> <f. triste>* **2** *fig.* aspecto próprio (de objeto, situação etc.) ~ **fisionômico** *adj.*

fisioquímica (fi.si.o.quí.mi.ca) *s.f.* → ***FÍSICO-QUÍMICA***

fisioterapeuta (fi.sio.te.ra.peu.ta) *s.2g.* MED profissional que se dedica ao estudo e à prática da fisioterapia

fisioterapia (fi.si.o.te.ra.pi.a) *s.f.* MED especialidade paramédica que emprega agentes físicos (água doce ou salgada, sol, calor, eletricidade etc.), massagens e exercícios no tratamento de doenças ~ **fisioterápico** *adj.*

fissão (fis.são) [pl.: *-ões*] *s.f.* ato de fender ou o seu efeito; cisão, separação ▣ **f. nuclear** FÍS reação em que o núcleo de um átomo se divide e que resulta em forte liberação de energia; cisão nuclear

fissura (fis.su.ra) *s.f.* **1** pequena abertura longitudinal em um corpo; fenda, rachadura *<f. óssea> <o deslizamento provocou fissuras nas casas>* **2** *infrm.* forte anseio ou apego; paixão *<ele tem f. por esportes>* ~ **fissuração** *s.f.* - **fissurar** *v.t.d.*

fístula (fís.tu.la) *s.f.* MED canal anormal entre partes internas do corpo ou entre seu interior e a pele

[1]fita (fi.ta) *s.f.* **1** tira estreita de tecido, us. para enfeitar ou amarrar **2** tira fina e estreita de materiais e aplicações diversos *<f. corretiva> <f. isolante>* **3** filme cinematográfico *<vimos uma f. de faroeste>* ◉ ORIGEM duv., talvez do lat. *vitta,ae* 'faixa, fita' ▣ **f. magnética** tira magnetizada, longa, estreita e flexível, us. para gravar sons e/ou imagens

[2]fita (fi.ta) *s.f.* ação que visa enganar ou impressionar; fingimento *<esse choro é só f.>* ◉ ORIGEM do lat. *ficta* 'fingimento'

fitar (fi.tar) *v.* {mod. 1} *t.d. e t.d.i.* **1** (prep. *em*) fixar (os olhos) em; olhar *<fitou-o sem medo> <f. o olhar na paisagem>* □ *pron.* **2** olhar-se mutuamente *<os noivos fitavam-se enlevados>* □ *t.d.* **3** manter (as orelhas) erguidas e imóveis *<o cão fitou as orelhas, farejando o ar>*

fitilho (fi.ti.lho) *s.m.* fita muito fina us. em adornos

fitness (fit.ness) [ing.] *s.m.2n.* boa condição física ⇒ pronuncia-se fitnes

[1]fito (fi.to) *adj.* que se fitou; fixo, cravado *<olhos f. na televisão>* ◉ ORIGEM do lat. *fictus* 'id.'

[2]fito (fi.to) *s.m.* **1** ponto de mira para tiro, flechada; alvo **2** *fig.* objetivo, propósito *<estudou com o f. de passar em primeiro lugar>* ◉ ORIGEM regr. de *fitar*

fitogênese (fi.to.gê.ne.se) *s.f.* BOT origem, evolução e desenvolvimento das plantas

fitogeografia (fi.to.ge.o.gra.fi.a) *s.f.* BOT estudo da distribuição geográfica das plantas

fitologia (fi.to.lo.gi.a) *s.f.* BOT botânica ~ **fitólogo** *s.m.*

fitoplâncton (fi.to.plânc.ton) [pl.: *fitoplânctones*, (B) *fitoplânctons*] *s.m.* plâncton vegetal

fitoterapia (fi.to.te.ra.pi.a) *s.f.* MED tratamento ou prevenção de doenças por meio do uso de plantas ~ **fitoterápico** *adj.*

fiúza (fi.ú.za) *s.f.* segurança quanto à veracidade de algo; confiança ↺ desconfiança, descrédito

fivela (fi.ve.la) *s.f.* **1** peça ger. metálica que ata cintos, correias etc. **2** *B* prendedor de cabelos

fixação (fi.xa.ção) /cs/ [pl.: *-ões*] *s.f.* **1** ação de prender ou colar *<f. de cartazes>* **2** firmeza, estabilidade ↺ desestabilidade **3** determinação, indicação precisa *<a f. dos horários>* **4** *fig.* grande interesse; atração *<tem f. por ler>* ↺ desinteresse

fixar (fi.xar) /cs/ *v.* {mod. 1} *t.d. e t.d.i.* **1** (prep. *em*) deixar preso, colado a; pregar *<f. cartazes> <f. um quadro na parede>* **2** *p.ext.* (prep. *em*) reter na memória; guardar *<ele é bom para f. nomes e datas> <fixara em seu espírito a bondade materna>* **3** (prep. *a*) determinar (norma, data, prazo etc.) *<fixou normas rigorosas aos alunos recalcitrantes>* □ *t.d.,t.d.i. e pron.* **4** tornar(-se) firme, estável; firmar(-se) *<f. uma empresa (no exterior)>* **5** (prep. *em*) deter(-se) [o olhar] com insistência em; fitar *<f. a vista (no jornal)> <f.-se na luz para não dormir>* **6** estabelecer residência (para); assentar(-se) *<f. o sem-teto (em casas novas)> <f.-se no subúrbio>* □ *pron. fig.* **7** (prep. *em*) apegar-se com obstinação a (ideia, sentimento etc.) *<f.-se numa ideia>* ◉ GRAM/USO part.: *fixado, fixo*; ver QUADRO DE PARTICÍPIOS DUPLOS nas pp. iniciais ~ **fixador** *adj.s.m.* - **fixidade** *s.f.* - **fixidez** *s.f.*

fixo (fi.xo) /cs/ *adj.* **1** colocado ou atado com firmeza *<pregos f. na parede>* ↺ solto **2** que permanece sempre no mesmo lugar; imóvel *<olhar para um ponto f. no céu>* ↺ móvel **3** *fig.* estável, seguro *<emprego f.>* ↺ instável

flácido (flá.ci.do) *adj.* **1** sem firmeza; mole *<corpo f.>* ↺ rijo **2** *fig.* que demonstra suavidade, doçura; lânguido *<gesto f.> <olhar f.>* ↺ bruto ~ **flacidez** *s.f.*

flagelar (fla.ge.lar) *v.* {mod. 1} *t.d. e pron.* **1** bater (-se) com flagelo; açoitar(-se) **2** *fig.* submeter(-se) a punição moral ou física; castigar(-se)

flagelo (fla.ge.lo) *s.m.* **1** instrumento com uma ou várias tiras de couro presas a um cabo, us. para espancar; açoite, chicote **2** *p.ext.* punição física; castigo, tortura ↺ prêmio **3** *p.ext.* grande desgraça pessoal ou coletiva; calamidade *<o f. da fome>* **4** BIO filamento longo, importante para a locomoção de diversas células ~ **flagelação** *s.f.*

flagra (fla.gra) *s.m.* *B infrm.* flagrante

flagrante (fla.gran.te) *adj.2g.* **1** visto ou registrado no momento em que foi realizado *<foi pego em f. delito>* **2** que não pode ser contestado; evidente *<injustiça f.>* ↺ duvidoso ■ *s.m.* **3** ação registrada no momento da ocorrência **4** comprovação ou documentação desta ação *<o policial registrou o f. do crime>* ~ **flagrar** *v.t.d. e int.*

flagrar (fla.grar) *v.* realizar o flagrante de *<o guarda flagrou o punguista no ato>*

flama (fla.ma) *s.f.* **1** labareda, chama **2** *p.ext.* calor forte; ardor ↺ apatia ◉ GRAM/USO dim.irreg. *flâmula*

flamar (fla.mar) *v.* {mod. 1} *t.d.* esterilizar (utensílios, instrumentos) com chamas, ger. produzidas pela queima do álcool; flambar

flambar (flam.bar) *v.* {mod. 1} *t.d.* **1** flamar **2** CUL borrifar com bebida alcoólica (certas comidas) e atear-lhe fogo ~ **flambagem** *s.f.*

flamboaiã (flam.bo.ai.ã) ou **flambuaiã** (flam.bu.ai.ã) *s.m.* BOT árvore com até 15 m, com flores vermelhas ou alaranjadas, cultivada como ornamental, esp. em espaços públicos

flamejar (fla.me.jar) *v.* {mod. 1} *int.* **1** lançar chamas; arder *<a fogueira flamejava, aquecendo a todos>* **2** brilhar intensa e rapidamente; cintilar **3** *fig.* lançar como se fosse chama *<seu olhar flamejava ódio>* ◉ GRAM/USO só us. nas 3as p., exceto quando fig. ~ **flamejante** *adj.2g.*

flamengo (fla.men.go) *adj.* **1** de Flandres, região que inclui parte da França, da Holanda e da Bélgica ■ *s.m.* **2** natural ou habitante dessa região **3** língua dessa região

flamingo (fla.min.go) *s.m.* ZOO ave de plumagem rosa-clara semelhante à garça

flâmula (flâ.mu.la) *s.f.* **1** pequena chama **2** bandeirola estreita e pontuda, us. esp. em embarcações, como sinalização ou adorno; galhardete **3** *p.ext.* bandeira ◉ GRAM/USO dim.irreg. de *flama*

flanar (fla.nar) *v.* {mod. 1} *int.* andar à toa, sem rumo; vagar

flanco (flan.co) *s.m.* **1** parte lateral, lado **2** ANAT cada lado do corpo do ombro ao quadril

flandres (flan.dres) *s.m.2n.* folha de flandres

flanela (fla.ne.la) *s.f.* tecido felpudo leve, de lã ou algodão

flanelinha (fla.ne.li.nha) *s.f.* **1** pequena flanela ■ *s.2g. RJ infrm.* **2** guardador de automóveis, ger. clandestino, encontrado esp. nas ruas das grandes cidades

flanquear (flan.que.ar) *v.* {mod. 5} *t.d.* **1** fortificar os lados de (torre, fortaleza etc.) **2** investir de flanco contra; atacar de lado **3** passar, andar ou estar ao lado de; ladear *<árvores bonitas flanqueiam o córrego>*

flape (fla.pe) *s.m.* AER parte móvel da asa do avião

flash [ing.; pl.: *flashes*] *s.m.* **1** FOT clarão instantâneo produzido para fotografar onde há pouca luz **2** FOT aparelho que produz esse clarão **3** *p.ext.* CINE TV imagem ou cena muito breve **4** TV notícia curta, ger. urgente ⇒ pronuncia-se fléch

flashback (flash.back) [ing.; pl.: *flashbacks*] *s.m.* **1** CINE LIT TEAT intercalação, numa narrativa, de um evento anterior à sequência cronológica dos fatos apresentados **2** esse evento **3** lembrança, memória ⇒ pronuncia-se fléchbec

flato (fla.to) *s.m.* **1** flatulência **2** *fig.* desejo forte; anseio ↺ indiferença **3** *fig.* chilique, faniquito

flatulência (fla.tu.lên.cia) *s.f.* **1** emissão de gases pelo ânus; flato, peido, pum **2** *fig.* falta de modéstia; vaidade, flato ↺ humildade ~ **flatulento** *adj.*

flauta (flau.ta) *s.f.* MÚS instrumento de sopro feito de um tubo oco com furos ▣ **levar na f.** *infrm.* não levar a sério *<leva os estudos na f.>*

flautear (flau.te.ar) *v.* {mod. 5} *int.* **1** tocar flauta **2** *B* viver sem ocupação, ficar à toa; vadiar □ *t.i. B infrm.* **3** (prep. *de*) caçoar, zombar □ *t.d. B infrm.* **4** enganar, iludir

flautim (flau.tim) [pl.: *-ins*] *s.m.* MÚS pequena flauta de som agudo

flautista (flau.tis.ta) *adj.2g.s.2g.* MÚS que(m) toca flauta

flavonoide (fla.vo.noi.de) /ói/ *s.m.* QUÍM cada uma das substâncias encontradas em certas plantas cítricas e us. como tônico circulatório

flébil (flé.bil) [pl.: *-eis*] *adj.2g.* **1** que chora ou que é semelhante a um choro; choroso, lacrimoso ↺ alegre **2** sem força ou vigor; frágil, débil ↺ forte

flebite (fle.bi.te) *s.f.* MED inflamação da parede de uma veia

flecha (fle.cha) *s.f.* **1** haste de ponta afiada que se arremessa de um arco ou de uma besta; seta **2** qualquer objeto que tenha essa forma; seta

flechada (fle.cha.da) *s.f.* disparo ou ferimento de flecha

flechar (fle.char) *v.* {mod. 1} *t.d.* **1** acertar com a flecha *<flechou a ave mortalmente>* **2** *fig.* magoar ou satirizar com palavras duras, cruéis *<ele flechou o balconista impiedosamente>* □ *t.d. e t.i.* **3** *B* (prep. *sobre*) ir rapidamente em direção a; correr *<o pássaro flechou os ares>* *<f. sobre o inimigo>*

flecheiro (fle.chei.ro) *s.m.* **1** aquele que dispara flechas **2** nos exércitos antigos, soldado que fazia uso de arco e flecha

flectir (flec.tir) *v.* → ***FLETIR***

fleimão (flei.mão) [pl.: *-ões*] ou **flegmão** (fleg.mão) [pl.: *-ões*] *s.m.* MED inflamação de tecidos, com formação de úlcera ou tumor

flerte (fler.te) /ê/ *s.m.* namoro inconsequente; namorico ~ **flertar** *v.t.i. e int.*

fletir (fle.tir) ou **flectir** (flec.tir) *v.* {mod. 28} *t.d.* dispor em curva, flexão; dobrar, curvar, flexionar *<f. os joelhos>* ↺ esticar

fleuma (fleu.ma) ou **fleugma** (fleug.ma) *s.f.* controle emocional; frieza ~ **fleumático** *adj.*

flexão (fle.xão) /cs/ [pl.: *-ões*] *s.f.* **1** ação de dobrar (-se) **2** ANAT movimento que consiste em dobrar uma parte de um membro sobre outra **3** GRAM variação morfológica de uma palavra para designar caso, número, pessoa etc. ~ **flexivo** *adj.*

flexibilizar (fle.xi.bi.li.zar) /cs/ *v.* {mod. 1} *t.d. e pron.* tornar(-se) flexível, menos rígido ~ **flexibilização** *s.f.*

flexionar (fle.xio.nar) /cs/ *v.* {mod. 1} *t.d. e pron.* **1** (fazer) ficar dobrado, curvado; flectir(-se) *<f. os braços>* *<flexionou-se para amarrar os sapatos>* ↺ esticar(-se) **2** GRAM (fazer) assumir flexão ('variação') *<f. um verbo>* *<em português, os adjetivos se flexionam>*

flexível (fle.xí.vel) /cs/ [pl.: *-eis*] *adj.2g.* **1** fácil de dobrar ou curvar; maleável ↺ duro **2** *fig.* que se acomoda facilmente às circunstâncias; dócil, tolerante, maleável *<um caráter f.>* ↺ inflexível ~ **flexibilidade** *s.f.*

fliperama (fli.pe.ra.ma) *s.m.* **1** jogo eletrônico em máquina acionada por ficha **2** *p.ext.* casa comercial que oferece jogos desse tipo

floco (flo.co) *s.m.* **1** partícula de neve **2** tufo de lã ou pelo **3** partícula de cereais, chocolate etc. ◉ GRAM/USO dim.irreg.: *flóculo*

flóculo (fló.cu.lo) *s.m.* pequeno floco ◉ GRAM/USO dim.irreg. de *floco*

flor /ô/ [pl.: *-es*] *s.f.* **1** BOT órgão das plantas responsável pela reprodução, ger. colorido e perfumado **2** *fig.* a melhor parte *<a fina f. do samba>* ↺ escória **3** *fig.* tempo de esplendor *<na f. da idade>* ▣ **à f. de** à superfície de *<à f. da pele>* ~ **flóreo** *adj.*

flora (flo.ra) *s.f.* BOT **1** a vida vegetal **2** vegetação própria de uma região ou época ~ **florístico** *adj.*

floração (flo.ra.ção) *s.f.* BOT período que vai desde a abertura do botão até a flor morrer; florescência

floral (flo.ral) [pl.: *-ais*] *adj.2g.* **1** relativo a flor **2** composto só de flores *<arranjo f.>* ■ *s.m.* **3** substância extraída de flores us. como tratamento alternativo na harmonização de problemas emocionais ◉ GRAM/USO como s.m., mais us. no pl.

florão (flo.rão) [pl.: *-ões*] *s.m.* **1** ornato que imita ou reproduz flores **1.1** ornato floral circular em tetos, abóbadas etc. **2** *fig.* bem ou qualidade de grande valor; preciosidade *<Brasil, f. da América>*

flor de lis (flor de lis) [pl.: *flores de lis*] *s.f.* emblema da realeza francesa, us. em brasões ☞ cf. *flor-de-lis*

flor-de-lis (flor-de-lis) [pl.: *flores-de-lis*] *s.f.* BOT planta e sua flor vermelha, cultivada como ornamental ☞ cf. *flor de lis*

florear (flo.re.ar) *v.* {mod. 5} *t.d. e int.* **1** (fazer) brotar flores (em); florescer *<a primavera chegou para f. os jardins>* *<os campos florearam da noite para o dia>* □ *t.d.* **2** enfeitar com flores *<floreou a casa para receber os convidados>* **3** *fig.* enfeitar, embelezar *<f. a letra, o discurso>* **4** *fig.* narrar com exagero ou com mentiras; fantasiar *<f. uma história>* **5** manejar bem (arma branca) *<f. uma espada>* ~ **floreio** *s.m.*

floreira (flo.rei.ra) *s.f.* **1** vaso, jarra ou outro receptáculo para flores **2** vendedora de flores; florista

florentino (flo.ren.ti.no) *adj.* **1** de Florença (Itália) ■ *s.m.* **2** natural ou habitante dessa cidade

florescência (flo.res.cên.ci.a) *s.f.* BOT **1** abertura dos botões das flores **2** floração

florescente (flo.res.cen.te) *adj.2g.* **1** que está em pleno desenvolvimento; próspero *<economia f.>* **2** que floresce; em flor *<canteiros f.>*

florescer (flo.res.cer) *v.* {mod. 8} *t.d. e int.* **1** cobrir(-se) de flores *<o sol chegara, florescendo a natureza>* *<os pessegueiros floresceram>* □ *int. fig.* **2** tornar-se próspero; desenvolver-se *<a civilização floresceu durante a baixa Idade Média>* ↺ estagnar ~ **florescimento** *s.m.*

floresta (flo.res.ta) *s.f.* **1** aglomeração densa e extensa de árvores **2** *fig.* grande quantidade de coisas dispostas de modo desordenado; amontoado *<perdeu-se na f. de processos>* ~ **florestal** *adj.2g.* - **florestamento** *s.m.*

florete (flo.re.te) /ê/ *s.m.* arma branca de lâmina comprida e flexível, us. em esgrima ~ **floretear** *v.t.d. e int.*

florianopolitano (flo.ri.a.no.po.li.ta.no) *adj.* **1** de Florianópolis (SC) ■ *s.m.* **2** natural ou habitante dessa capital

floricultura (flo.ri.cul.tu.ra) *s.f.* **1** cultivo de flores **2** loja que vende flores ~ **floricultor** *adj.s.m.*

florífero (flo.rí.fe.ro) *adj.* que produz flores

florir (flo.rir) *v.* {mod. 24} *int.* **1** cobrir de flores; florescer *<a natureza floriu esplendidamente>* **2** brilhar, despontar *<um sorriso floriu nos seus lábios>* □ *t.d.* **3** enfeitar com flores; florear *<f. o túmulo de um ente querido>* **4** *fig.* adornar, enfeitar *<um lindo colar floria o seu pescoço>* □ *t.i.* **5** (prep. *de*) nascer, brotar *<tais ideias só podiam f. dele>* ◉ GRAM/USO verbo defectivo ~ **florido** *adj.*

florista (flo.ris.ta) *s.2g.* quem produz ou vende flores

fluente (flu.en.te) *adj.2g.* **1** que corre ou flui bem **2** *fig.* fácil, espontâneo *<seu inglês é f.>* ~ **fluência** *s.f.*

fluidez (flu.i.dez) /ê/ [pl.: *-es*] *s.f.* **1** propriedade do que flui *<a f. das águas de um rio>* **2** *fig.* característica do que é natural, espontâneo *<discursar com f.>*

fluido (flui.do) *adj.s.m.* **1** (substância) capaz de fluir ou se expandir como líquido ou gás ■ *adj.* **2** *fig.* fluente ('fácil') ~ **fluídico** *adj.* - **fluidificar** *v.t.d. e pron.*

fluir (flu.ir) *v.* {mod. 26} *t.i. e int.* **1** (prep. *de, para, por*) correr com abundância ou em fio (líquido) *<a água fluía de uma generosa fonte>* *<o rio fluía mansamente>* □ *int.* **2** passar, decorrer (o tempo) **3** estar sem engarrafamentos, retenções (o trânsito) **4** *fig.* ter bom andamento, correr bem *<assim o trabalho vai f.>* □ *t.i. fig.* **5** (prep. *de*) ter origem; derivar *<que resultados irão f. dessa decisão?>* ~ **fluição** *s.f.*

fluminense (flu.mi.nen.se) *s.2g.* **1** natural ou habitante do Rio de Janeiro ■ *adj.2g.* **2** relativo a esse estado ☞ cf. *carioca* **3** relativo a rio; fluvial

flúor (flú.or) *s.m.* QUÍM elemento químico que comumente se acrescenta à água e a produtos dentifrícios para prevenir a cárie dentária [símb.: *F*] ☞ cf. *tabela periódica* (no fim do dicionário) ~ **fluoração** *s.f.* - **fluorar** *v.t.d.*

fluorescência (flu.o.res.cên.cia) *s.f.* FÍS luminescência que cessa quase imediatamente depois de removida a fonte de radiação ~ **fluorescente** *adj.2g.* - **fluorescer** *v.int.*

flutuação (flu.tu.a.ção) [pl.: *-ões*] *s.f.* **1** permanência na superfície líquida **2** movimento do que flutua **3** *fig.* incerteza, indecisão *<f. de opiniões>* ↺ certeza

flutuador (flu.tu.a.dor) /ô/ [pl.: *-es*] *adj.s.m.* **1** (o) que flutua ■ *s.m.* **2** flutuante

flutuante (flu.tu.an.te) *adj.2g.* **1** que flutua **2** *fig.* indeciso, inconstante *<temperamento f.>* ↺ estável ■ *s.m.* **3** plataforma que boia entre a embarcação e o cais, para facilitar o embarque e desembarque de passageiros; flutuador

flutuar (flu.tu.ar) *v.* {mod. 1} *int.* **1** manter-se à superfície de um líquido; boiar **2** estar em suspensão no ar; pairar *<a pipa flutua ao vento>* **3** agitar-se ao vento; tremer *<as bandeiras flutuavam nos mastros>* **4** variar (moeda) em sua cotação

fluvial (flu.vi.al) [pl.: *-ais*] *adj.2g.* **1** relativo a ou próprio de rio *<águas f.>* *<navegação f.>* **2** que vive nos rios *<peixes f.>*

fluxo (flu.xo) /cs/ *s.m.* **1** movimento contínuo de algo que segue um curso *<f. de sangue, de carros>* **2** *fig.* sucessão dos acontecimentos *<o f. da história>* ▣ **f. de caixa** ECON movimentação de entradas e saídas de dinheiro no caixa de uma empresa ou instituição governamental

Fm QUÍM símbolo de *férmio*

FM ELETRÔN símbolo de *frequência modulada*

FMI *s.m.* sigla de Fundo Monetário Internacional

F

fobia (fo.bi.a) *s.f.* aversão ou medo doentio *<f. de luz, de altura>* ~ **fóbico** *adj.s.m.*

[1]**foca** (fo.ca) *s.f.* ZOO mamífero aquático, carnívoro, habitante dos mares frios, com nadadeiras, orelhas externas ausentes, cauda curta e uma grossa camada de gordura sob a pele ◉ ORIGEM do lat. *phōca,ae* 'id.'

[2]**foca** (fo.ca) *s.2g. B infrm.* jornalista pouco experiente ◉ ORIGEM duv., talvez ligado a [1]*foca*

focalizar (fo.ca.li.zar) *v.* {mod. 1} *t.d.* **1** pôr em foco; focar *<f. um objeto antes de fotografá-lo>* **2** *fig.* dar destaque a; salientar, evidenciar *<o livro focaliza a vida das baleias>* ~ **focalização** *s.f.*

focar (fo.car) *v.* {mod. 1} *t.d.* focalizar ~ **focagem** *s.f.*

focinheira (fo.ci.nhei.ra) *s.f.* **1** correia que se coloca em torno da cabeça e do focinho do animal **2** focinho

focinho (fo.ci.nho) *s.m.* **1** em certos animais, a parte anterior da cabeça, formada pelas ventas e mandíbulas; fuça **2** *infrm.* a cara, o rosto humano

foco (fo.co) *s.m.* **1** FÍS qualquer ponto para o qual converge, ou do qual diverge, um feixe de ondas eletromagnéticas ou sonoras **2** FÍS o ponto para o qual converge, ou do qual diverge, um feixe de raios luminosos paralelos, após atravessar uma lente **3** *fig.* ponto para o qual converge alguma coisa *<ser o f. das atenções>* **4** *fig.* ponto central de onde provém alguma coisa; centro *<o f. da revolta>* **5** FOT CINE ponto em que a imagem está mais precisa *<a câmera já está em f., é só apertar o botão>* *<você saiu fora de f. nesta foto>* **6** MED ponto principal onde se localiza uma doença e de onde esta se propaga *<f. dentário>* *<f. epidêmico>* ~ **focal** *adj.2g.s.m.*

foda (fo.da) *s.f. gros.* **1** ato sexual; cópula ■ *s.m. gros.* **2** aquilo que se suporta com dificuldade; dureza *<o f. é correr neste calor>* ▣ **ser f.** *gros.* ser coisa difícil de suportar *<esperar na fila é f.>*

fodido (fo.di.do) *adj.s.m. gros.* (o) que está em situação muito ruim *<a empresa está f.>* *<perdeu o emprego, e todos o chamam de f.>* ▣ **f. e mal pago** *B gros.* muito fodido

fofo (fo.fo) /ô/ *adj.* **1** que cede à pressão; macio *<travesseiro f.>* ↺ duro **2** inchado, estufado *<blusa de mangas f.>* ↺ murcho **3** *B infrm.* que encanta pelo aspecto bonito e gracioso *<criança f.>* ↺ feio ~ **fofura** *s.f.*

fofoca (fo.fo.ca) *s.f. B infrm.* **1** comentário maldoso sobre a vida alheia; mexerico **2** afirmação sem bases concretas; especulação ◉ COL fofocada, fofocagem ~ **fofocar** *v.t.i.int.*

fofoqueiro (fo.fo.quei.ro) *adj.s.m. B infrm.* que(m) faz fofoca; mexeriqueiro

fogacho (fo.ga.cho) *s.m.* **1** pequena labareda **2** *fig.* sensação de quentura na face, por forte emoção ou mal físico

fogão (fo.gão) [pl.: *-ões*] *s.m.* aparelho us. para cozinhar ou esquentar alimentos ao fogo

fogareiro (fo.ga.rei.ro) *s.m.* pequeno fogão portátil de uma ou duas bocas

fogaréu (fo.ga.réu) *s.m.* material inflamável que se acende para iluminar um lugar ou caminho; archote, tocha

fogo (fo.go) /ô/ [pl.: /ó/] *s.m.* **1** combustão com emissão de calor e luz; chama **2** incêndio *<o f. devastou a floresta>* **3** *fig.* ardor; entusiasmo **4** tiro de arma de fogo *<atravessou a fronteira sob f. intenso>* **5** *B infrm.* bebedeira, pileque ■ *interj.* **6** ordem para disparar **7** aviso de incêndio ▼ ***fogos*** *s.m.pl.* **8** explosivos de uso ger. comemorativo ▣ **f. de artifício** explosivo de efeito ornamental us. em festas • **f. de palha** *fig.* entusiasmo passageiro

fogo-apagou (fo.go-a.pa.gou) *s.f.2n.* ZOO rolinha com asas e dorso levemente avermelhados e laterais da cauda brancas, cujo canto lembra seu nome

fogo-fátuo (fo.go-fá.tuo) [pl.: *fogos-fátuos*] *s.m.* **1** luz visível à noite, devida à combustão de gases provenientes da decomposição de matérias orgânicas; boitatá **2** *fig.* glória passageira

fogo-selvagem (fo.go-sel.va.gem) [pl.: *fogos-selvagens*] *s.m.* MED doença que provoca bolhas na pele que doem ao se romper

fogoso (fo.go.so) /ô/ [pl. e fem.: /ó/] *adj.* **1** que tem fogo; ardente **2** *fig.* cheio de ardor; arrebatado *<pessoa de natureza f.>* *<discurso f.>* **3** *fig.* com muito desejo sexual **4** *fig.* pouco domesticado; irrequieto *<cavalo f.>* ~ **fogosidade** *s.f.*

fogueira (fo.guei.ra) *s.f.* **1** pilha de lenha ou outro material em que se ateia fogo **2** fogo, lume **3** *fig. infrm.* situação difícil ou embaraçosa

foguete (fo.gue.te) /ê/ *s.m.* **1** cartucho com pólvora que estoura no ar; rojão **2** elemento propulsor us. em projéteis, mísseis, espaçonaves etc. **3** veículo espacial impelido por esse propulsor

fogueteiro (fo.gue.tei.ro) *s.m.* **1** fabricante de fogos e rojões **2** *fig.* contador de vantagem

foguetório (fo.gue.tó.rio) *s.m.* detonação de muitos fogos ou rojões

foguista (fo.guis.ta) *s.2g.* encarregado da fornalha em máquinas a vapor

foice (foi.ce) *s.f.* ferramenta com uma lâmina curva presa a um cabo, us. para ceifar ~ **foiçar** *v.t.d.*

fojo (fo.jo) /ô/ [pl.: /ó/] *s.m.* cova tapada por galhos us. como armadilha

folclore (fol.clo.re) *s.m.* **1** conjunto de tradições, artes, conhecimentos e crenças populares de um povo ou grupo transmitidos oralmente; cultura popular **2** *p.ext.* coisa fantasiosa *<suas conversas com o diretor eram puro f.>* **3** *p.ext. infrm.* conjunto de histórias ou episódios pitorescos *<já fazemos parte do f. do bairro>* ~ **folclórico** *adj.*

folclorismo (fol.clo.ris.mo) *s.m.* **1** ciência ou estudo do folclore **2** *pej.* informação mentirosa ou sem embasamento científico

folclorista (fol.clo.ris.ta) *s.2g.* especialista em folclore

fôlder (fôl.der) [pl.: *fôlderes*] *s.m.* pequeno impresso constituído de uma só folha de papel com uma ou mais dobras; folheto *<f. publicitário>*

fole (fo.le) *s.m.* **1** artefato que produz vento ao ser contraído e expandido **2** MÚS tipo de acordeão

fôlego (fô.le.go) *s.m.* **1** movimento de aspirar e expelir o ar pelas vias respiratórias; respiração **2** capacidade de reter ar nos pulmões *<ao mergulhar, demonstrava ter muito f.>* **3** *fig.* ânimo, disposição

F

folga (fol.ga) *s.f.* **1** espaço de tempo durante o qual se interrompe uma atividade ou trabalho; descanso, pausa *<hoje não tive f. nem para almoçar>* ↺ trabalho **2** tempo destinado ao repouso e ao lazer *<f. semanal>* **3** *fig. B* falta de ocupação; ócio ↺ atividade **4** sobra de pano; desaperto *<a saia precisa de uma f. nos quadris>* **5** *B infrm.* atrevimento, insolência, abuso *<é muita f. dele, falar comigo desse jeito>* ↺ respeito

folgado (fol.ga.do) *adj.* **1** livre de tarefas, de deveres; descansado *<depois que as provas acabaram, está bem mais f.>* **2** que não está ajustado; largo *<vestido f.>* **3** que não requer muito esforço; fácil *<um trabalho f.> <uma vida f.>* ■ *s.m. B infrm.* **4** que(m) é muito confiado; atrevido, metido **5** que(m) foge do trabalho, das obrigações ou dos deveres

folgança (fol.gan.ça) *s.f.* **1** descanso, folga **2** brincadeira, divertimento **3** *p.ext.* festa, folguedo

folgar (fol.gar) *v.* {mod. 1} *t.d.,t.d.i. e int.* **1** (prep. *de*) ter folga ou dar folga a; descansar *<f. o corpo cansado> <folgava o filho das tarefas domésticas> <f. aos domingos>* □ *t.d.* **2** tornar menos apertado; afrouxar *<f. o cinto>* ↺ apertar **3** tornar menos árduo; facilitar *<o uso de computadores folgou o trabalho no escritório>* ↺ dificultar □ *t.i. e int. B infrm.* **4** (prep. *com*) portar-se de modo insolente, desrespeitoso *<não folgue (comigo), não!>*

folgazão (fol.ga.zão) [pl.: *-ãos, -ões*; fem.: *folgazã, folgazona*] *adj.s.m.* que(m) tem bom gênio, que gosta de se divertir; brincalhão ↺ sério, triste

folguedo (fol.gue.do) /ê/ *s.m.* **1** brincadeira, divertimento **2** festa ou dança popular de cunho folclórico ou religioso

folha (fo.lha) /ô/ *s.f.* **1** BOT cada uma das partes ger. planas e de cor verde de uma planta ou árvore, que nascem presas aos galhos ou ramos **2** papel retangular de determinado tamanho *<escreveu a carta numa f. pautada>* **3** *p.ext.* cada um dos elementos que compõem um livro, bloco, caderno, jornal etc. **4** enumeração dos funcionários de uma instituição e de seus respectivos vencimentos **5** peça plana e fina; chapa, lâmina ▣ **f. corrida** certidão que atesta a ausência de antecedentes criminais • **f. de rosto** folha de abertura de um livro na qual se apresentam informações essenciais sobre a obra, como título, autor, editora etc. • **novo em f.** **1** que ainda não foi us.; sem uso **2** em perfeito estado, como se fosse novo *<a lanternagem deixou o carro novo em f.>*

folha de flandres (fo.lha de flan.dres) [pl.: *folhas de flandres*] *s.f.* chapa de ferro fina, coberta por uma camada de estanho; lata

folhado (fo.lha.do) *adj.* **1** que tem muitas folhas *<as árvores estão f. outra vez>* **2** com a forma de folha ■ *adj.s.m.* CUL **3** (doce ou salgado) formado por várias camadas finas de massa de farinha de trigo; folheado

folhagem (fo.lha.gem) [pl.: *-ens*] *s.f.* **1** conjunto das folhas de uma planta ou dos ramos de uma árvore **2** enfeite com tema de folhas

folhar (fo.lhar) *v.* {mod. 1} *t.d. e int.* **1** encher(-se) de folhas *<a primavera folhou as árvores> <as árvores já folharam novamente>* **2** CUL deixar ou ficar folhado (doce, salgado) □ *t.d.* **3** folhear ('revestir') **4** enfeitar com folhas

folheado (fo.lhe.a.do) *adj.s.m.* CUL folhado

folhear (fo.lhe.ar) *v.* {mod. 5} *t.d.* **1** revestir com lâminas de madeira, metal, fórmica etc.; folhar *<f. uma mesa>* **2** passar rapidamente as folhas de (revistas, livros, jornais etc.) **3** ler rapidamente, sem muita atenção *<só deu tempo de f. o jornal>* □ *t.d. e t.d.i.* **4** (prep. *a*) passar por um banho de metal (joia, ornamento etc.) *<f. anéis (a ouro)>*

folhetim (fo.lhe.tim) [pl.: *-ins*] *s.m.* **1** LIT texto literário, ger. impresso na parte inferior da página de um jornal **2** LIT novela ou romance publicado em fragmentos ou capítulos **3** *pej.* obra literária considerada de pouco valor ~ **folhetinesco** *adj.* - **folhetinista** *adj.2g.s.2g.*

folheto (fo.lhe.to) /ê/ *s.m.* **1** obra impressa de poucas páginas **2** fôlder **3** prospecto

folhinha (fo.lhi.nha) *s.f.* calendário impresso numa única folha ou em folhas destacáveis

folhoso (fo.lho.so) /ô/ [pl. e fem.: /ó/] *adj.* **1** cheio de folhas; folhudo, frondoso ■ *s.m.* ANAT ZOO **2** terceira divisão do estômago dos ruminantes; omaso

folhudo (fo.lhu.do) *adj.* **1** folhoso **2** com muitas folhas juntas *<alface f.>*

folia (fo.li.a) *s.f.* brincadeira; farra

foliáceo (fo.li.á.ceo) *adj.* **1** relativo ou semelhante a folha **2** feito de folhas

folia de reis (fo.li.a de reis) [pl.: *folias de reis*] *s.f.* FOLC **1** grupo festeiro que passa de casa em casa nas vésperas do dia de Reis, cantando e dançando, recolhendo dinheiro para a festa dos Reis Magos **2** essa festa

folião (fo.li.ão) [pl.: *-ões*; fem.: *foliona*] *adj.s.m.* **1** que(m) brinca carnaval **2** *p.ext.* que(m) gosta de festas

folículo (fo.lí.cu.lo) *s.m.* ANAT nome dado a cavidades em forma de saco *<f. piloso>*

folíolo (fo.lí.o.lo) *s.m.* **1** folha pequena **2** BOT cada uma das divisões de uma folha composta

follow-up (fol.low-up) [ing.] *s.m.* **1** acompanhamento de um processo após a execução da etapa inicial **2** COMN fase seguinte à do lançamento de um projeto, em que resultados são monitorados ⇒ pronuncia-se fólou ap

fome (fo.me) *s.f.* **1** sensação causada pela necessidade de comer **2** carência alimentar; subalimentação *<passar f.>* **3** *p.ext.* escassez, falta de alimentos; miséria *<uma época de f.>* **4** *fig.* desejo intenso de adquirir algo; avidez, sede *<f. de conhecimentos> <f. de diversão>*

fomentar (fo.men.tar) *v.* {mod. 1} *t.d.* **1** proporcionar o desenvolvimento, o progresso de; estimular *<f. a agricultura>* **2** *fig.* provocar, instigar (reação, sentimentos) *<f. o ódio>* **3** friccionar (a pele) com líquido aquecido para fins curativos ~ **fomentação** *s.f.* - **fomentador** *adj.s.m.*

fomento (fo.men.to) *s.m.* **1** ação ou efeito de promover o desenvolvimento; estímulo *<política de f. ao teatro>* **2** fricção de remédio sobre a pele **3** o remédio us. para tal fricção

fonação (fo.na.ção) [pl.: *-ões*] *s.f.* **1** ato ou processo pelo qual o aparelho fonador produz a voz **2** FON LING ato de emitir linguagem articulada; fala

fonado (fo.na.do) *adj.* feito por telefone *<telegrama f.>*

fonador (fo.na.dor) /ô/ [pl.: *-es*] *adj.* que produz voz; que produz os sons da fala *<órgãos f.>*

fone (fo.ne) *s.m.* peça do telefone que se leva ao ouvido e que contém tb. o microfone ▣ **f. de ouvido** ELETRÔN par de alto-falantes que se põe nos ouvidos para ouvir música

fonema (fo.ne.ma) *s.m.* FON menor unidade sonora de uma língua com valor distintivo ~ **fonêmico** *adj.*

fonética (fo.né.ti.ca) *s.f.* LING estudo dos sons da fala de uma língua ~ **foneticista** *s.2g.*

fonético (fo.né.ti.co) *adj.* **1** referente à fonética ou aos sons da fala de uma língua **2** que representa os fonemas ou sílabas de uma língua (diz-se de alfabeto ou sistema de escrita)

foniatria (fo.ni.a.tri.a) *s.f.* MED estudo e tratamento dos distúrbios da fala e das anomalias do aparelho fonador ~ **foniatra** *s.2g.*

fônico (fô.ni.co) *adj.* **1** relativo a som; sonoro, acústico **2** FON relativo a som da fala; vocal **3** LING que representa os sons da fala (diz-se de alfabeto); fonético

fonoaudiologia (fo.no.au.dio.lo.gi.a) *s.f.* especialidade que visa ao estudo, à recuperação e à prevenção de distúrbios da linguagem ~ **fonoaudiólogo** *s.m.*

fonografia (fo.no.gra.fi.a) *s.f.* FÍS **1** representação gráfica das vibrações sonoras **2** gravação ou reprodução de sons ~ **fonográfico** *adj.*

fonógrafo (fo.nó.gra.fo) *s.m.* aparelho que reproduz sons pela vibração de uma agulha sobre os sulcos de um disco

fonograma (fo.no.gra.ma) *s.m.* **1** representação gráfica de um som **2** telegrama transmitido por via telefônica

fonologia (fo.no.lo.gi.a) *s.f.* LING estudo dos fonemas de uma língua ~ **fonológico** *adj.* - **fonologista** *adj.2g.s.2g.* - **fonólogo** *s.m.*

fonoteca (fo.no.te.ca) *s.f.* **1** coleção de documentos sonoros (discos, fitas etc.) **2** local onde se conserva essa coleção

fontanela (fon.ta.ne.la) *s.f.* ANAT espaço membranoso ainda não calcificado entre os ossos do crânio dos bebês; moleira

[1]**fonte** (fon.te) *s.f.* **1** nascente de água; mina **2** *p.ext.* procedência, origem *<a violência é f. de angústias>* **3** *fig.* aquilo que dá origem *<f. de inspiração>* **4** bica; chafariz **5** *fig.* algo que brota em abundância **6** *fig.* motivo, razão *<o atraso é uma f. de reclamações>* **7** *fig.* a procedência de uma notícia *<isso veio de f. segura>* **8** ANAT parte lateral da cabeça entre os olhos e as orelhas; têmpora **9** texto ou documento original **10** FÍS sistema, substância ou aparelho que fornece calor, luz ou energia ◉ ORIGEM do lat. *fons,fontis* 'fonte, nascente, manancial de água' ▣ **f. de alimentação** ELETR qualquer circuito capaz de produzir energia elétrica

[2]**fonte** (fon.te) *s.f.* GRÁF conjunto de caracteres tipográficos composto de sinais do mesmo tamanho e estilo ◉ ORIGEM do ing. *font* 'id.'

fora (fo.ra) *adv.* **1** na parte exterior de *<tem alguém aí f.>* **2** em outro local que não o habitual *<prefere comer f.>* **3** em outro país *<mudou muito no tempo que ficou f.>* **4** no lixo *<joguei f. as fotos velhas>* **5** ao longo de; afora *<pela vida f.>* ■ *prep.* **6** com exceção de *<voltaram todos, f. os dois irmãos>* **7** além de *<f. a família, muitos amigos também o apoiaram>* ■ *interj.* **8** exclamação que exprime ordem para sair ■ *s.m.* **9** *infrm.* gafe, inconveniência *<faltar à festa foi um f. terrível>* **10** demonstração de desconhecimento *<quando fala de poesia, só dá f.>* **11** recusa, rejeição *<nunca se recuperou do f. que levou da noiva>* ▣ **dar o f.** *infrm.* sair; fugir

fora da lei (fo.ra da lei) *adj.2g.2n.s.2g.2n.* criminoso, malfeitor

foragido (fo.ra.gi.do) *adj.s.m.* **1** que(m) escapou; fugitivo **2** que(m) vive escondido ou clandestino, por ser procurado pela justiça ou para escapar de perseguição ~ **foragir-se** *v.pron.*

forasteiro (fo.ras.tei.ro) *adj.s.m.* (o) que é estranho à terra onde se encontra ↺ nativo

forca (for.ca) /ô/ *s.f.* **1** instrumento de execução por estrangulamento que consiste em uma corda que se prende ao pescoço do condenado **2** *p.ext.* pena de morte por estrangulamento *<foi condenado à f.>* **3** local da execução; cadafalso

força (for.ça) /ô/ *s.f.* **1** vigor físico *<Hércules era famoso por sua f.>* ↺ fraqueza **2** energia moral; firmeza *<f. de vontade>* **3** violência, coerção *<levei-o ao médico à f.>* **4** o que se impõe; autoridade *<a f. da lei, de um argumento>* **5** energia elétrica **6** causa, motivo *<por f. das circunstâncias>* **7** FÍS ação que modifica o estado de repouso ou movimento de um corpo **8** MIL conjunto de tropas, navios ou aeronaves *<f. aérea>* ▼ ***forças*** *s.f.pl.* **9** tropas, exército *<as f. do norte chegariam logo>* **10** indivíduos ou grupos poderosos *<f. contrárias à reforma>* ▣ **F. Aérea** MIL Aeronáutica • **f. centrífuga** FÍS força que age sobre um corpo, afastando-o de um centro de rotação • **f. centrípeta** FÍS força que mantém um objeto em movimento circular, atraindo-o para o centro da rotação • **f. de trabalho** população economicamente ativa • **f. motriz** FÍS aquela que é produzida por um motor• **forças armadas** o exército, a marinha e a aeronáutica de um país ☞ iniciais freq. maiúsc.

forcado (for.ca.do) *s.m.* garfo us. para lidar com capim, feno etc.

forçado (for.ça.do) *adj.* **1** obrigado, pressionado *<trabalhos f.>* ↺ voluntário **2** artificial, fingido *<sorriso f.>* ↺ espontâneo

forçar (for.çar) *v.* {mod. 1} *t.d.* **1** aplicar força a (algo) para movê-lo, girá-lo, abri-lo etc. *<f. a porta>* *<f. uma tranca>* **2** obter pela força *<f. passagem>* **3** estuprar, violentar **4** *fig.* impor esforço excessivo a; sobrecarregar ↺ aliviar **5** *fig.* fazer de forma falsa; fingir *<f. um sorriso>* **6** *fig.* fazer o necessário para que (algo) ocorra; tramar *<f. um encontro>* ◻ *t.d.i. e pron.* **7** (prep. *a*) impor(-se) pela força ou por pressão moral; obrigar(-se) *<a intimação força-o a comparecer ao tribunal>* *<f.-se a estudar>*

força-tarefa (for.ça-ta.re.fa) [pl.: *forças-tarefa* e *forças-tarefas*] *s.f.* grupamento temporário chefiado por um único líder visando atingir um objetivo definido *<organizaram uma f. para combater a violência>*

forcejar (for.ce.jar) *v.* {mod. 1} *t.i. e int.* **1** (prep. *por*) fazer força para; esforçar-se *<forcejava por abrir caminho em meio à multidão>* *<apesar de muito f., não conseguiu desatolar o carro>* **2** (prep. *contra*) lutar, resistir *<f. contra o vento>* *<continue a f., que ainda há uma saída>*

fórceps (fór.ceps) *s.m.2n.* **1** MED instrumento cirúrgico em forma de pinça us., em partos difíceis, para extrair a criança do útero **2** ODONT boticão

forçoso (for.ço.so) /ô/ [pl. e fem.: /ó/] *adj.* que não se pode evitar *<tinha f. razões para sair>*

foreiro (fo.rei.ro) *adj.* (o) que é sujeito a pagamento de foro ('imposto') *<terreno f.>*

forense (fo.ren.se) *adj.2g.* relativo aos tribunais e à justiça; judicial

forja (for.ja) *s.f.* **1** oficina onde se fundem e se modelam metais; fundição, ferraria **2** conjunto dos instrumentos de um ferreiro

forjador (for.ja.dor) /ô/ [pl.: *-es*] *adj.s.m.* **1** (o) que forja; ferreiro **2** *fig.* mentiroso

forjar (for.jar) *v.* {mod. 1} *t.d.* **1** trabalhar (metal) na forja **2** modelar, fabricar na forja *<f. uma espada>* **3** *fig.* inventar, criar *<f. uma nova palavra>* **4** *fig.* elaborar artificialmente, com mentiras; inventar *<f. um álibi>* ~ **forjadura** *s.f.* - **forjamento** *s.m.*

forma (for.ma) /ó/ *s.f.* **1** configuração física dos seres e das coisas; formato, feitio *<a f. da mesa> <a f. humana>* **2** estado físico de um corpo, de uma substância *<f. sólida>* **3** ser ou objeto indefinido *<naquela escuridão, só via formas>* **4** maneira, método *<encontrou uma f. de terminar a tarefa>* **5** tipo, variedade *<uma nova f. do vírus>* **6** condição física *<está em ótima f.>* **7** fila, alinhamento *<os alunos entraram em f.>*

forma (for.ma) /ô/ ou **fôrma** (fôr.ma) *s.f.* **1** modelo oco ou vazado us. para reproduzir uma forma /ó/; molde **2** vasilha us. para assar bolos, pudins etc. ◉ GRAM/USO o Acordo Ortográfico de 1990 passou a aceitar a dupla grafia, acentuada ou não

formação (for.ma.ção) [pl.: *-ões*] *s.f.* **1** criação, constituição *<f. do universo>* **2** posicionamento, ordenamento *<tropas em f.>* **3** conjunto dos cursos concluídos e graus obtidos por uma pessoa *<f. universitária>* **4** maneira como uma pessoa é criada; educação *<vê-se que teve excelente f.>*

formal (for.mal) [pl.: *-ais*] *adj.2g.* **1** relativo a forma /ó/ *<aspectos f. de um poema>* **2** que não deixa dúvidas; claro, preciso *<um desmentido f.>* **3** solene; oficial *<a formatura é uma festa f.>* ↺ informal **4** convencional; não espontâneo *<gestos, palavras f.>* ↺ descontraído **5** feito em estabelecimento de ensino, cumprindo os programas acadêmicos *<educação f.>* ↺ informal

formalidade (for.ma.li.da.de) *s.f.* **1** ato que uma pessoa é obrigada a cumprir de determinada forma *<f. administrativas>* **2** norma de conduta *<no exterior, procure não ferir nenhuma f.>* **3** ato que se deve cumprir mas ao qual não se dá importância *<cumprimentava-o por mera f.>* **4** comportamento formal; etiqueta ↺ espontaneidade, naturalidade

formalismo (for.ma.lis.mo) *s.m.* **1** qualidade ou característica do que é formal *<o f. de uma cerimônia>* **2** obediência a regras, preceitos, métodos *<o f. dos textos científicos>* ~ **formalista** *adj.2g.s.2g.*

formalizar (for.ma.li.zar) *v.* {mod. 1} *t.d.* **1** criar normas, modelos, procedimentos padronizados *<f. o atendimento aos clientes>* **2** fazer de acordo com fórmulas, regras, convenções etc.; oficializar *<f. um contrato> <f. o noivado>* ~ **formalização** *s.f.*

formando (for.man.do) *adj.s.m.* que ou aquele que está prestes a se formar em colégio, faculdade etc. *<os (alunos) f. serão homenageados>*

formão (for.mão) [pl.: *-ões*] *s.m.* ferramenta manual, com uma extremidade embutida num cabo e a outra chata e cortante, us. para talhar madeira

formar (for.mar) *v.* {mod. 1} *t.d. e pron.* **1** dar forma a ou tomar forma (de) *<as nuvens formavam cabritos> <em poucas semanas o bebê já se forma no ventre da mãe>* **2** (prep. *em*) dar ou receber educação formal, concedendo ou recebendo o respectivo diploma *<essa universidade forma bons engenheiros> <f.-se advogado> <f.-se em medicina>* **3** criar(-se), constituir(-se), originar(-se) *<f. facções rivais> <o grupo formou-se com os dissidentes>* **4** produzir(-se), fazer(-se) *<o frio formou gelo no lago> <o gelo formou-se devido ao frio>* ◻ *t.d.* **5** desenvolver aos poucos; elaborar *<f. opinião, juízo>* ◻ *t.d.,int. e pron.* **6** dispor(-se) em fila; alinhar(-se) *<f. as tropas> <a divisão formara(-se) para a revista>* ↺ desalinhar(-se) ~ **formador** *adj.s.m.*

formatação (for.ma.ta.ção) [pl.: *-ões*] *s.f.* INF **1** adaptação de um conjunto de dados a determinado padrão *<f. de arquivos>* **2** preparação de um meio magnético para recebimento de dados *<f. de disquetes e* CDs*>*

formatar (for.ma.tar) *v.* {mod. 1} *t.d.* INF **1** estabelecer a disposição geral dos dados em (*drive*, arquivo etc.) **2** preparar (disquetes, *CDs* etc.) para receber dados

formato (for.ma.to) *s.m.* **1** configuração física; forma *<o bolo tinha um f. redondo>* **2** dimensões de um impresso (livro, jornal etc.) **3** INF padrão magnético criado por quem faz uma formatação (p.ex., de um arquivo, impressora etc.)

formatura (for.ma.tu.ra) *s.f.* **1** conclusão de um curso **2** festa ou cerimônia que marca a conclusão de um curso

fórmica (fór.mi.ca) *s.f.* placa laminada de plástico fenólico us. para revestir paredes, móveis e afins ☞ marca registrada (Fórmica) que passou a designar o seu gênero

formicida (for.mi.ci.da) *adj.2g.s.m.* B (preparado) que mata formigas

formidável (for.mi.dá.vel) [pl.: *-eis*] *adj.2g.* **1** que desperta admiração; magnífico, admirável ↺ banal **2** que ultrapassa as dimensões normais; gigantesco, colossal ↺ ínfimo **3** *infrm.* muito bom, excelente ↺ péssimo

formiga (for.mi.ga) *s.f.* **1** ZOO pequeno inseto que vive em sociedades organizadas, compostas por rainhas, machos e operárias **2** *fig.* pessoa econômica e/ou trabalhadora **3** *fig.* pessoa que gosta muito de doces ◉ COL colônia, formigueiro

formigamento (for.mi.ga.men.to) *s.m.* **1** sensação de picadas numa região do corpo, ger. provocada por má circulação do sangue **2** *p.ext.* qualquer sensação de coceira na pele **3** *fig.* desejo compulsivo *<sentia um f. na língua que o obrigava a falar>*

formigar (for.mi.gar) *v.* {mod. 1} *int.* **1** ter formigamento ('sensação') *<a perna está formigando>* **2** trabalhar sem descanso *<enquanto houvesse luz, os camponeses formigavam nos campos>* ◻ *t.i. e int.* **3** (prep. *de*) ter ou existir em abundância; fervilhar *<as bananas formigavam de moscas> <do alto via a multidão formigando nas ruas>* ~ **formigação** *s.f.* - **formigante** *adj.2g.*

formigueiro (for.mi.guei.ro) *s.m.* **1** habitação de formigas, ger. na terra ou em velhos tocos ou troncos de árvores **2** grande quantidade de formigas **3** *fig.* lugar por onde passa ou está reunido um grande número de pessoas <*aquela avenida é um f.*>

formol (for.mol) [pl.: *-óis*] *s.m.* QUÍM solução aquosa us. como desinfetante e antisséptico

formoso (for.mo.so) /ô/ [pl. e fem.: /ó/] *adj.* de forma ou aparência agradável; belo ↺ feio

formosura (for.mo.su.ra) *s.f.* **1** qualidade ou característica do que é formoso; beleza ↺ feiura **2** pessoa ou coisa bonita

fórmula (fór.mu.la) *s.f.* **1** expressão de uma regra, princípio ou preceito <*as f. dos ritos religiosos*> **2** descrição científica sob forma de símbolos e figuras <*f. matemática*> **3** palavra ou expressão consagrada pelo uso e imposta por regras de etiqueta, convenções etc. <*f. de cortesia*> **4** *p.ext.* frase feita; lugar-comum <*não tem imaginação, só repete f. já testadas*> **5** modo de proceder; método <*não há f. garantida para o sucesso*> **6** FARM QUÍM representação das proporções dos diversos componentes de uma substância ou mistura <*f. da água*> <*f. de um medicamento*>

formular (for.mu.lar) *v.* {mod. 1} *t.d.* **1** redigir como fórmula <*f. leis*> **2** expor com precisão <*f. um diagnóstico, um parecer*> **3** receitar, prescrever (medicamento) ~ **formulação** *s.f.*

formulário (for.mu.lá.rio) *s.m.* modelo impresso com lacunas a serem preenchidas pelo interessado, para fazer pedidos, prestar declarações etc.

fornada (for.na.da) *s.f.* **1** quantidade de pães assados juntos, no mesmo forno **2** conjunto de coisas assadas de uma só vez <*uma f. de tijolos*> **3** *fig. infrm.* porção de coisas feitas de uma só vez

fornalha (for.na.lha) *s.f.* **1** grande forno que existe nas forjas ('oficina') **2** compartimento em que há brasa, lenha queimando ou outro combustível; forno <*a f. da locomotiva, do barco a vapor*> **3** *fig.* lugar muito quente <*no verão, a casa vira uma f.*> ~ **fornalheiro** *s.m.*

fornecedor (for.ne.ce.dor) /ô/ [pl.: *-es*] *adj.s.m.* **1** (o) que fornece algo **2** (o) que abastece regularmente (alguém) com algum produto <*está devendo aos f.*> <*companhia f. de gás*> **3** (o) que é fonte; produtor <*(animais) f. de lã*>

fornecer (for.ne.cer) *v.* {mod. 8} *t.d. e t.d.i.* **1** (prep. *a*) prover, abastecer <*f. mercadorias (às lojas)*> **2** (prep. *a*) pôr à disposição de; proporcionar <*f. informações (aos turistas)*> □ *t.d.* **3** gerar, produzir <*o reator fornece energia atômica*> **4** ser fonte ou matéria-prima para <*a cana fornece açúcar*> ~ **fornecimento** *s.m.*

fornicar (for.ni.car) *v.* {mod. 1} *t.d.,t.i. e int.* (prep. *com*) ter relações sexuais (com); copular ~ **fornicação** *s.f.* - **fornicador** *adj.s.m.*

fornir (for.nir) *v.* {mod. 24} *t.d.i.* **1** (prep. *de*) fazer suprimento de; abastecer <*f. a casa de víveres*> □ *t.d.* **2** tornar espesso, encorpado <*a chuva ajudou a f. as hortaliças*> **3** tornar robusto, nutrido; fortalecer <*com essas papinhas, está fornindo a criança*> ↺ enfraquecer ◉ GRAM/USO verbo defectivo ~ **fornido** *adj.*

forno (for.no) /ô/ [pl.: /ó/] *s.m.* **1** compartimento aquecido internamente us. para cozer, assar, secar **2** fornalha ('compartimento') **3** parte do fogão onde se assam os alimentos ▣ **f. de micro-ondas** aquele que prepara alimentos com rapidez, usando a radiação de ondas eletromagnéticas; micro-ondas

foro (fo.ro) /ô *ou* ó/ *s.m.* **1** HIST praça pública nas antigas cidades romanas onde se realizavam as assembleias populares e os magistrados julgavam as causas **2** *p.ext.* lugar onde se discutem os assuntos públicos; tribuna **3** local onde se processa a justiça; tribunal **4** imposto sobre imóvel ▣ **f. íntimo** julgamento segundo a própria consciência

forquilha (for.qui.lha) *s.f.* **1** ramo de árvore ou arbusto bifurcado, com o formato aproximado da letra Y **2** *p.ext.* qualquer objeto com esse formato **3** forcado de três pontas para remexer palha ou mato

forra (for.ra) *s.f. B infrm.* represália, vingança ▣ **ir à f.** levar a efeito uma vingança; desforrar-se, vingar-se

forração (for.ra.ção) [pl.: *-ões*] *s.f.* **1** ato de cobrir com [2]forro ou o seu efeito **2** tecido para forro de roupa, sofá etc.

forragem (for.ra.gem) [pl.: *-ens*] *s.f.* toda planta ou parte de planta us. para alimentar o gado ~ **forrageiro** *adj.s.m.*

[1]**forrar** (for.rar) *v.* {mod. 1} *t.d. e t.d.i.* **1** (prep. *de*) tornar livre; libertar, alforriar <*f. escravos*> <*f. um refém de seus algozes*> ↺ prender, escravizar □ *t.d.* **2** juntar (recursos, esp. dinheiro); poupar **3** evitar, impedir <*f. injustiças*> ↺ permitir □ *pron.* **4** (prep. *de*) tirar a forra; desforrar-se <*f.-se de prejuízos*> ◉ ORIGEM [1]*forro* + *-ar*

[2]**forrar** (for.rar) *v.* {mod. 1} *t.d. e t.d.i.* **1** (prep. *com*) pôr forro no interior de (algo), para proteger ou aumentar a espessura <*forrou a saia (com cetim)*> **2** (prep. *com*) revestir a parte externa de <*um grosso tapete forrava o chão*> <*forrou a cúpula com um rico tecido*> □ *pron.* **3** (prep. *de*) ficar coberto de; encher-se <*neste período, o lago forra-se de vitórias-régias*> **4** *fig. infrm.* ganhar dinheiro ◉ ORIGEM duv., talvez do cat. ant. *folrar/forrar* ~ **forrado** *adj.*

forreta (for.re.ta) /ê/ *s.2g. infrm.* avarento, mesquinho

[1]**forro** (for.ro) /ô/ *adj.* alforriado, liberto <*escravo f.*> ◉ ORIGEM do ár. *hurr* 'id.'

[2]**forro** (for.ro) /ô/ *s.m.* **1** qualquer material que sirva para encher ou revestir a parte interna de algo **2** revestimento externo de estofados, poltronas, paredes etc. **3** revestimento interno de teto **4** vão entre o teto e o telhado de uma edificação ◉ ORIGEM duv., talvez regr. de [2]*forrar*

forró (for.ró) *s.m.* **1** baile popular com música nordestina **2** esse gênero de música ~ **forrozeiro** *s.m.*

forrobodó (for.ro.bo.dó) *s.m. infrm.* **1** baile popular **2** confusão, tumulto

fortalecer (for.ta.le.cer) *v.* {mod. 8} *t.d. e pron.* **1** tornar(-se) [mais] forte; fortificar(-se) <*a ginástica fortalece os músculos*> <*o amor se fortalece com a ausência*> ↺ enfraquecer **2** tornar(-se) mais eficaz, poderoso <*f. a economia nacional*> <*o partido fortaleceu-se sob a nova presidência*> **3** prover(-se) com meios de defesa, armamentos etc. <*f. as fronteiras do país*> <*as tropas inimigas se fortaleceram*> □ *t.d.* **4** dar coragem a; animar <*o apoio dos amigos fortaleceu-a*> ↺ esmorecer **5** dar mais peso, força a <*f. um argumento*> ~ **fortalecido** *adj.* - **fortalecimento** *s.m.*

F

fortaleza (for.ta.le.za) /ê/ *s.f.* **1** qualidade ou característica de forte; força, vigor ↺ fraqueza **2** *fig.* força moral; firmeza *<demonstrou grande f. na adversidade>* ↺ fraqueza **3** lugar fortificado para defesa de uma cidade, uma região etc.; forte **4** *fig.* o que resiste a ações ou influências exteriores *<a f. das suas ideias>*

fortalezense (for.ta.le.zen.se) *adj.2g.* **1** de Fortaleza (CE) ■ *s.2g.* **2** natural ou habitante dessa capital

forte (for.te) *adj.2g.* **1** que tem grande força física e/ou orgânica *<homem f.> <pulmões f.>* **2** que resiste; resistente *<corda f.> <f. união>* ↺ fraco, instável **3** poderoso *<regime político f.>* **4** corpulento; gordo ↺ franzino **5** intenso *<dor f.> <sol f.> <emoções f.>* ↺ suave **6** que tem possibilidade de vencer *<era uma candidatura f.>* **7** de valor; de peso *<ainda exercia f. influência sobre o filho>* **8** que causa impacto por ser muito realista, grosseiro, obsceno etc. *<cenas f.> <piada f.>* **9** alto e claro (diz-se de som) *<tem a voz f.> <essa campainha é muito f.>* **10** que conhece bem determinado assunto *<aluno f. em ciências>* **11** nutritivo, alimentício *<sopa f.>* ↺ fraco **12** de alto teor alcoólico (bebida) ■ *s.m.* **13** fortaleza ('lugar fortificado') **14** aspecto ou ponto em que alguém ou algo sobressai *<esta cena é o f. da peça> <seu f. é matemática>* ■ *s.2g.* **15** pessoa dotada de força moral *<a velha tia era a f. na família>* ■ *adv.* **16** com força, fortemente *<ventava f.>* ~ **fortemente** *adv.*

fortificação (for.ti.fi.ca.ção) [pl.: *-ões*] *s.f.* **1** ato de fortificar(-se) **2** construção destinada a defender uma praça, cidade etc.; fortaleza

fortificante (for.ti.fi.can.te) *adj.2g.s.m.* **1** (o) que aumenta ou restitui as forças *<caldo f.> <o caldo de mocotó é um bom f.>* **2** (medicamento) que restaura as forças

fortificar (for.ti.fi.car) *v.* {mod. 1} *t.d. e pron.* **1** tornar (-se) [mais] forte; fortalecer(-se) *<o remédio fortificou seu organismo> <o partido fortificou-se depois das eleições>* **2** munir(-se) com meios de defesa *<f. um lugar estratégico> <muros foram erguidos, e a área fortificou-se>* ~ **fortificador** *adj.s.m.*

fortim (for.tim) [pl.: *-ins*] *s.m.* pequena fortificação ('construção')

fortuito (for.tui.to) *adj.* que acontece por acaso; casual *<encontro f.>* ~ **fortuitamente** *adv.*

fortuna (for.tu.na) *s.f.* **1** grande soma de dinheiro *<ganhou uma f. na loteria>* ↺ bagatela **2** boa sorte; êxito ↺ revés **3** destino

fórum (fó.rum) [pl.: *-uns*] *s.m.* **1** edifício que abriga o Poder Judiciário, onde funcionam os magistrados ou os tribunais **2** reunião, congresso, conferência para debate de um tema *<f. de medicina>* **3** foro ('praça pública', 'tribuna', 'tribunal')

fosco (fos.co) /ô/ *adj.* **1** que não tem brilho *<pintura f.>* ↺ brilhante **2** que não é translúcido; opaco *<vidro f.>* ↺ transparente

fosfato (fos.fa.to) *s.m.* QUÍM sal do ácido fosfórico

fosforescência (fos.fo.res.cên.cia) *s.f.* **1** propriedade que certos organismos vegetais ou animais têm de emitir luz na escuridão **2** brilho, esplendor *<a f. das estrelas>* ~ **fosforescente** *adj.2g.* - **fosforescer** *v.int.*

fosfórico (fos.fó.ri.co) *adj.* **1** que contém fósforo ('elemento químico') **2** que brilha como o fósforo em chama

fósforo (fós.fo.ro) *s.m.* **1** QUÍM elemento químico us. na fabricação de fósforos de segurança, bombas incendiárias e na pirotecnia [símb.: *P*] ☞ cf. *tabela periódica* (no fim do dicionário) **2** palito cuja cabeça é revestida de material que se inflama por atrito ou fricção em superfície áspera

fossa (fos.sa) *s.f.* **1** cavidade natural ou artificial no solo; buraco, cova **2** cavidade ou grande caixa subterrânea em que são despejados e acumulados dejetos **3** ANAT qualquer depressão ou canal do corpo humano ou dos animais *<f. nasais>* **4** *infrm.* estado de quem se encontra deprimido, triste *<estar na f.>* ↺ alegria

fóssil (fós.sil) [pl.: *-eis*] *s.m.* **1** vestígio petrificado de seres vivos que habitaram a Terra em tempos remotos ■ *adj.2g.* **2** pertencente a períodos geológicos anteriores *<espécie f.>* ■ *adj.2g.s.m.* **3** *fig. pej.* (o) que é antiquado, superado *<ideias f.> <esse diretor é um f.>* ↺ vanguardista

fossilizar (fos.si.li.zar) *v.* {mod. 1} *t.d. e pron.* **1** tornar (-se) fóssil *<a resina fossilizou o inseto> <florestas inteiras fossilizaram-se>* **2** *fig. infrm.* tornar(-se) ultrapassado, antiquado *<f. certas rotinas> <a prática médica da sangria fossilizou-se>* □ *pron. fig.* **3** deixar de se desenvolver; estagnar ↺ progredir ~ **fossilização** *s.f.*

fosso (fos.so) /ô/ [pl.: /ó/] *s.m.* **1** cova, fossa **2** escavação em torno de uma fortificação us. para dificultar ataques inimigos **3** vala para canalizar água

fotelétrico (fo.te.lé.tri.co) *adj.* → ***FOTOELÉTRICO***

foto (fo.to) *s.f.* fotografia ('imagem')

fotocélula (fo.to.cé.lu.la) *s.f.* ELETRÔN célula fotoelétrica

fotocomposição (fo.to.com.po.si.ção) [pl.: *-ões*] *s.f.* GRÁF **1** processo de composição que usa técnicas fotográficas ou eletrônicas **2** a composição assim obtida **3** trabalho em fotocompositora ~ **fotocompositor** *adj.s.m.*

fotocompositora (fo.to.com.po.si.to.ra) /ô/ *s.f.* GRÁF **1** equipamento de fotocomposição **2** oficina ou estúdio de fotocomposição

fotocópia (fo.to.có.pia) *s.f.* GRÁF **1** processo de reprodução rápida de documentos por meio de fotografia **2** a cópia resultante desse processo ☞ cf. *xerox* ~ **fotocopiar** *v.t.d.* - **fotocopista** *adj.2g.s.2g.*

fotocopiadora (fo.to.co.pi.a.do.ra) /ô/ *s.f.* GRÁF máquina que faz fotocópias

fotoelétrico (fo.to.e.lé.tri.co) ou **fotelétrico** (fo.te.lé.tri.co) *adj.* que transforma energia luminosa em elétrica *<célula f.>*

fotofobia (fo.to.fo.bi.a) *s.f.* MED aversão à luz causada por certas doenças oculares ou neurológicas ~ **fotofóbico** *adj.* - **fotófobo** *adj.s.m.*

fotogênico (fo.to.gê.ni.co) *adj.* que aparece bem em fotografia, filme etc. ~ **fotogenia** *s.f.*

fotografar (fo.to.gra.far) *v.* {mod. 1} *t.d.* **1** reproduzir por fotografia (pessoa, objeto, paisagem etc.) □ *int.* **2** sair (bem ou mal) em uma fotografia

fotografia (fo.to.gra.fi.a) *s.f.* **1** processo de obter imagens sobre superfícies sensíveis à ação da luz **2** imagem obtida por esse processo; retrato, foto ~ **fotográfico** *adj.*

fotógrafo (fo.tó.gra.fo) *s.m.* pessoa que se dedica à fotografia como amador ou como profissão

fotograma (fo.to.gra.ma) *s.m.* **1** CINE cada impressão fotográfica ou quadro de um filme cinematográfico **2** FOT cada imagem de um filme (negativo ou *slide*)

fotolito (fo.to.li.to) *s.m.* GRÁF **1** pedra ou placa de metal com imagem fotográfica para impressão **2** filme para reprodução de texto ou de ilustração us. na gravação de chapa para impressão ~ **fotolitar** *v.t.d.*

fotomecânico (fo.to.me.câ.ni.co) *adj.* GRÁF que usa a fotografia para obtenção de matriz destinada à impressão por meio mecânico

fotometria (fo.to.me.tri.a) *s.f.* campo da óptica que trata da medição das propriedades da luz, esp. de sua intensidade

fotômetro (fo.tô.me.tro) *s.m.* ÓPT instrumento para medir a intensidade de uma fonte luminosa

fotomontagem (fo.to.mon.ta.gem) [pl.: *-ens*] *s.f.* FOT **1** técnica de reunir duas ou mais imagens para compor uma nova **2** imagem que resulta dessa técnica

fotonovela (fo.to.no.ve.la) *s.f.* história apresentada em sequência de fotografias, acompanhada de pequenos textos ou diálogos

fotorreportagem (fo.tor.re.por.ta.gem) [pl.: *-ens*] *s.f.* reportagem baseada em registros fotográficos ~ **fotorrepórter** *s.2g.*

fotossensibilidade (fo.tos.sen.si.bi.li.da.de) *s.f.* MED sensibilidade anormal da pele à ação dos raios solares ~ **fotossensível** *adj.2g.*

fotossensível (fo.tos.sen.sí.vel) [pl.: *-eis*] *adj.2g.* FÍS sensível às radiações luminosas, esp. à luz *<película f.>*

fotossíntese (fo.tos.sín.te.se) *s.f.* BIO processo químico pelo qual plantas clorofiladas e diversas espécies de bactérias sintetizam substâncias orgânicas a partir do gás carbônico da atmosfera e da água, utilizando a luz como fonte de energia ~ **fotossintético** *adj.*

fototeca (fo.to.te.ca) *s.f.* **1** coleção de fotografias **2** local onde essas fotografias são armazenadas

fototerapia (fo.to.te.ra.pi.a) *s.f.* MED método terapêutico baseado em banhos de luz (esp. luz solar, raios infravermelhos e ultravioleta) ~ **fototerápico** *adj.*

fototropia (fo.to.tro.pi.a) *s.f.* BIO BOT fototropismo

fototropismo (fo.to.tro.pis.mo) *s.m.* BIO mudança de orientação de organismos fixos ou de suas partes, determinada pelo estímulo da luz *<o f. da flor do girassol>* ~ **fototrópico** *adj.*

fovismo (fo.vis.mo) *s.m.* ART.PLÁST movimento artístico do início do sXX, caracterizado pelo uso de cores vibrantes e livre tratamento da forma ~ **fovista** *adj.2g.s.2g.*

foz [pl.: *-es*] *s.f.* ponto onde um rio deságua ↺ nascente

Fr QUÍM símbolo de *frâncio*

fração (fra.ção) [pl.: *-ões*] *s.f.* **1** parte de um todo **2** MAT uma ou mais partes em que se dividiu a unidade **3** MAT representação numérica (p.ex. 3/4, 1/3) que indica o quociente de dois números ▣ **f. decimal** MAT fração própria cujo denominador é dez ou uma potência inteira de dez • **f. imprópria** MAT aquela cujo numerador é maior que o denominador • **f. ordinária** MAT fração cujo denominador não é uma potência de dez • **f. própria** MAT aquela cujo numerador é menor que o denominador

fracassar (fra.cas.sar) *v.* {mod. 1} *t.i. e int.* (prep. *em*) não ter êxito; falhar *<o atleta fracassou (na tentativa de bater novo recorde)>* ↺ conseguir

fracasso (fra.cas.so) *s.m.* falta de êxito; insucesso ↺ sucesso

fracionar (fra.cio.nar) *v.* {mod. 1} *t.d.,t.d.i. e pron.* (prep. *em*) dividir(-se) em frações, partes; partir(-se), fragmentar(-se) *<divergências fracionaram o partido (em várias correntes)> <para sobreviver, a empresa foi obrigada a f.-se>* ~ **fracionamento** *s.m.*

fracionário (fra.cio.ná.rio) *adj.* que é composto de fração *<número f.>*

fraco (fra.co) *adj.* **1** que não tem força, ou que tem pouca força ↺ forte **2** que tem pouca resistência *<corda f.>* **3** que cede facilmente; que tem pouca autoridade *<um pai f. com os filhos>* **4** insuficiente; medíocre *<um texto f.> <um governo f.>* **5** pouco intenso *<luz f.> <voz f.>* **6** cuja carga elétrica está baixa (diz-se de pilha, bateria) ■ *adj.s.m.* **7** que(m) não tem força moral, determinação *<foi f. na hora da decisão> <os f. não batalham>* ■ *s.m.* **8** indivíduo sem defesa; desvalido *<sempre defende os f.>* **9** gosto, inclinação *<tem um f. por doces>*

fractal (frac.tal) [pl.: *-ais*] *s.m.* MAT **1** estrutura geométrica cujas propriedades ger. se repetem em qualquer escala **2** *p.ext.* objeto ou desenho representativo dessa estrutura ■ *adj.2g.* **3** relativo a essa estrutura, objeto ou desenho

frade (fra.de) [fem.: *freira*] *s.m.* membro de ordem religiosa; frei ~ **fradesco** *adj.*

fragata (fra.ga.ta) *s.f.* MAR navio de guerra us. esp. no combate a submarinos, maior do que a corveta e menor do que o cruzador

frágil (frá.gil) [pl.: *-eis*] *adj.2g.* **1** que enguiça ou quebra facilmente *<mecanismo f.> <copos f.>* ↺ resistente **2** fraco, debilitado *<criança f.>* ↺ forte, robusto **3** *fig.* precário, instável *<um relacionamento muito f.>* ↺ forte, firme ◉ GRAM/USO sup.abs.sint. *fragílimo, fragilíssimo* ~ **fragilidade** *s.f.*

fragilizar (fra.gi.li.zar) *v.* {mod. 1} *t.d. e pron.* tornar (-se) [mais] frágil; enfraquecer ↺ fortalecer

fragmentar (frag.men.tar) *v.* {mod. 1} *t.d. e pron.* fazer(-se) em fragmentos, pedaços; partir(-se) ~ **fragmentação** *s.f.*

fragmentário (frag.men.tá.rio) *adj.* **1** próprio de fragmento **2** em fragmentos; incompleto *<ideias f.>*

fragmento (frag.men.to) *s.m.* **1** pedaço de algo que se quebrou, cortou etc. *<os f. do copo> <um f. de osso>* **2** parte de um todo; fração *<dali, via-se um f. do céu>* **3** trecho extraído de obra literária *<a professora leu para a turma um f. de Fernando Pessoa>*

fragor (fra.gor) /ô/ [pl.: *-res*] *s.m.* barulho muito forte; estrondo *<o f. das ondas>*

fragoroso (fra.go.ro.so) /ô/ [pl. e fem.: /ó/] *adj.* **1** ruidoso, estrondoso *<ondas f.>* **2** *fig.* que tem forte repercussão; extraordinário *<sofreram uma f. derrota>*

fragrância (fra.grân.cia) *s.f.* aroma; perfume ~ **fragrante** *adj.2g.*

frajola (fra.jo.la) *adj.2g.s.2g.* B *infrm.* que(m) anda elegante, bem vestido

F

fralda (fral.da) *s.f.* **1** VEST acessório de algodão ou material descartável, absorvente, us. em bebês ou adultos enfermos para colher fezes e urina **2** VEST a parte inferior da camisa **3** base de monte, serra etc.; sopé, aba ↺ cume

fraldário (fral.dá.rio) *s.m.* local reservado para a troca de fraldas de crianças em centros comerciais, praias etc.

framboesa (fram.bo.e.sa) /ê/ *s.f.* BOT fruto da framboeseira, vermelho e aromático, muito us. em geleias

framboeseira (fram.bo.e.sei.ra) *s.f.* BOT arbusto nativo do hemisfério norte, de caule ereto e com pequenos frutos vermelhos, aromáticos e comestíveis

F

framboeseiro (fram.bo.e.sei.ro) *s.m.* framboeseira

francamente (fran.ca.men.te) *adv.* **1** de maneira aberta, honesta; com franqueza; diretamente, sinceramente *<falou f. sobre o que o incomodava>* **2** expressa reprovação ou profundo descontentamento *<– Você continua deitado – F.!>*

francês (fran.cês) [pl.: *-eses*] *adj.* **1** da França (Europa) ■ *s.m.* **2** natural ou habitante desse país **3** LING língua oficial da França, Bélgica, Mônaco, Luxemburgo, Suíça e Canadá, entre outros países

francesismo (fran.ce.sis.mo) *s.m.* **1** LING palavra, locução ou construção própria da língua francesa ou dela proveniente; galicismo **2** imitação de costumes franceses

frâncio (frân.cio) *s.m.* QUÍM elemento químico da família dos alcalinos [símb.: *Fr*] ☞ cf. *tabela periódica* (no fim do dicionário)

franciscano (fran.cis.ca.no) *adj.s.m.* **1** (religioso) da ordem de São Francisco de Assis ☞ cf. *Francisco de Assis* na parte enciclopédica ■ *adj.* **2** relativo ou pertencente a essa ordem religiosa **3** *infrm.* que atinge níveis extremos (diz-se de pobreza, miséria)

franco (fran.co) *s.m.* **1** indivíduo dos francos, povo germânico que invadiu a Gália nos sIII e IV ■ *adj.* **2** relativo a esse povo **3** sincero, leal ↺ falso **4** espontâneo *<sorriso f.>* ↺ forçado **5** livre de pagamento de impostos, tributos etc. *<entrada f.> <zona f.>* ↺ pago **6** livre de obstáculos; desimpedido *<passagem f.>* ↺ proibido **7** que demonstra firmeza, determinação *<uma voz f.>* ↺ indeciso

franco-atirador (fran.co-a.ti.ra.dor) [pl.: *franco-atiradores*] *adj.s.m.* **1** (soldado) que não faz parte de uma tropa regular; guerrilheiro **2** *p.ext.* que(m) trabalha por algum objetivo sem estar ligado a um grupo ou organização

frangalho (fran.ga.lho) *s.m.* **1** farrapo, trapo **2** *fig.* pessoa ou coisa que se mostra acabada *<a doença deixou-o um f.>*

frango (fran.go) *s.m.* **1** filhote de galinha já desenvolvido, mas não adulto **2** prato feito com essa ave *<comeu f. guisado no almoço>* **3** ESP *infrm.* bola fácil de defender que o goleiro deixa entrar no gol ◉ GRAM/USO dim.irreg.: *frangote*

frangote (fran.go.te) *s.m.* **1** frango pequeno **2** *fig.* rapaz novo ◉ GRAM/USO dim.irreg. de *frango*

franja (fran.ja) *s.f.* **1** ornamento formado por fios ou tiras pendentes da orla de um tecido **2** qualquer coisa que se assemelhe a esse ornamento **3** parte do cabelo que cai sobre a testa ~ **franjado** *adj.* - **franjar** *v.t.d.*

franquear (fran.que.ar) *v.* {mod. 5} *t.d.* e *t.d.i.* **1** (prep. *a*) tornar franco, livre; liberar, permitir *<o carcereiro franqueou a fuga de vários presidiários> <f. a entrada (ao público)>* ↺ proibir ▫ *t.d.* **2** isentar de impostos *<o governo franqueou a importação de feijão>* **3** conceder franquia ('licença') a *<a empresa de laticínios franqueou várias lojas na região>* **4** pagar o porte de (remessa postal) ▫ *t.d.i.* **5** (prep. *a*) permitir o acesso a *<franqueou a casa de praia aos amigos>* **6** (prep. *a*) fazer conhecer; revelar *<franqueou ao colega os mais íntimos sentimentos>* ↺ esconder ~ **franqueado** *adj.s.m.*

franqueza (fran.que.za) /ê/ *s.f.* qualidade ou característica de franco; sinceridade ↺ hipocrisia

franquia (fran.qui.a) *s.f.* **1** isenção de certos deveres, encargos etc. **2** licença dada por uma empresa a um indivíduo ou grupo para comercializar ou representar seus bens ou serviços, mediante o pagamento de *royalties* e o cumprimento de determinadas condições **3** estabelecimento que funciona sob essa licença **4** no contrato de seguro, dedução que a seguradora faz no pagamento do valor do prejuízo de um acidente

franzino (fran.zi.no) *adj.* pouco encorpado, miúdo *<corpo f.> <menina f.>* ↺ robusto

franzir (fran.zir) *v.* {mod. 24} *t.d.* **1** formar pregas em (tecido) ▫ *t.d.* e *pron.* **2** dobrar(-se) com pregas, vincos; amarrotar(-se) *<franziu a cortina para deixar entrar a luz> <com o uso, o estofo franziu-se>* ↺ esticar(-se) **3** contrair(-se) [lábios, sobrancelhas etc.], formando vincos; enrugar(-se) ~ **franzido** *adj.s.m.* - **franzimento** *s.m.*

fraque (fra.que) *s.m.* VEST casaco masculino curto na frente e com abas longas atrás, us. em ocasiões solenes

fraquear (fra.que.ar) *v.* {mod. 5} *int.* fraquejar

fraquejar (fra.que.jar) *v.* {mod. 1} *int.* **1** perder o vigor, a força; enfraquecer ↺ fortalecer-se **2** perder a coragem, o ânimo ↺ encorajar-se **3** soltar (a galinha-d'angola) o seu canto ~ **fraquejamento** *s.m.*

fraqueza (fra.que.za) /ê/ *s.f.* **1** falta de vigor físico ↺ força **2** desânimo; abatimento ↺ disposição **3** ponto fraco; vício *<sua f. é o jogo>*

frasal (fra.sal) [pl.: *-ais*] *adj.2g.* relativo ou pertencente a frase

frascário (fras.cá.rio) *adj.s.m.* libertino, devasso ↺ casto ~ **frascaria** *s.f.*

frasco (fras.co) *s.m.* recipiente us. para guardar líquidos, pós, pílulas etc. *<f. de perfume>* ◉ COL frascaria

frase (fra.se) *s.f.* **1** GRAM construção, com uma ou mais palavras, com sentido completo **2** MÚS ideia musical com sentido completo, delimitada por uma cadência ('encadeamento')

fraseado (fra.se.a.do) *adj.* **1** que está disposto em frases ■ *s.m.* **2** conjunto de palavras *<não conseguíamos entender aquele f. todo>* **3** maneira própria de dizer ou escrever algo *<um escritor de f. primoroso>* **4** MÚS maneira de expor ou interpretar cada frase de uma composição musical

frasear (fra.se.ar) *v.* {mod. 5} *t.d.* e *int.* dispor (ideias) em frases *<f. com rigor um pensamento> <é um escritor que fraseia com elegância>*

fraseologia (fra.se.o.lo.gi.a) *s.f.* GRAM **1** parte da gramática que se dedica ao estudo da frase **2** conjunto das construções mais características de uma língua ou de um autor *<a f. de Raul Pompeia>* **3** frase ou expressão cujo sentido ger. não é literal; expressão idiomática

frasqueira (fras.quei.ra) *s.f.* pequena maleta para transportar objetos e frascos de toalete

fraternal (fra.ter.nal) [pl.: *-ais*] *adj.2g.* **1** próprio de irmão; fraterno *<amor f.>* **2** que demonstra afeição, caridade ou cordialidade *<gesto f.>*

fraternidade (fra.ter.ni.da.de) *s.f.* **1** laço de parentesco entre irmãos **2** união, afeto entre irmãos **3** amor ao próximo

fraternizar (fra.ter.ni.zar) *v.* {mod. 1} *t.d. e pron.* **1** unir(-se) como irmãos, em amizade fraterna; confraternizar(-se) *<f. os diferentes povos> <fraternizaram-se, lutando pelos mesmos ideais>* ◻ *t.i.* **2** (prep. *com*) partilhar das ideias ou convicções de *<isolava-se por não f. com seu grupo social>*

fraterno (fra.ter.no) *adj.* **1** relativo ou pertencente a irmãos; fraternal *<vínculo f.>* **2** afetuoso, amigável, cordial

fratricídio (fra.tri.cí.dio) *s.m.* assassinato do próprio irmão ou irmã ~ **fratricida** *adj.2g.s.2g.*

fratura (fra.tu.ra) *s.f.* **1** rompimento ou quebra **2** MED ruptura de um osso, dente ou cartilagem dura

fraturar (fra.tu.rar) *v.* {mod. 1} *t.d.,int. e pron.* **1** partir(-se), romper(-se) [osso, cartilagem dura ou dente] *<f. o fêmur> <a bacia fraturou(-se) em dois lugares>* **2** partir(-se) o osso de (membro) *<na queda, fraturou o pé> <a cabeça fraturou(-se) gravemente>* ◻ *t.d.* **3** produzir rachadura em; fender

fraudar (frau.dar) *v.* {mod. 1} *t.d.* **1** realizar fraude contra; lesar, defraudar *<os jurados fraudaram os resultados da competição>* **2** agir de má-fé, fazendo crer no que é falso; iludir, enganar *<fraudou a própria família>* **3** fazer contrabando de *<f. bebidas>* ◻ *t.d. e t.d.i.* **4** (prep. *em*) privar por meio de fraude; defraudar *<fraudou o cliente (no custo do material)>* ~ **fraudador** *adj.s.m.*

fraudatório (frau.da.tó.rio) *adj.* que envolve fraude; fraudulento

fraude (frau.de) *s.f.* **1** artifício para enganar; logro *<f. fiscal>* **2** falsificação de marcas ou produtos, documentos etc.

fraudulento (frau.du.len.to) *adj.* **1** feito por meio de fraude *<negócio f.>* ↺ honesto **2** que procura obter proveito por meio de fraude *<empresa f.>*

freada (fre.a.da) *s.f.* ato ou efeito de frear

frear (fre.ar) *v.* {mod. 5} *t.d. e int.* **1** mover(-se) mais devagar ou parar (veículo), por meio de freio; brecar *<freou o carro a tempo de evitar a colisão> <o ônibus freou bruscamente>* ◻ *t.d. fig.* **2** impedir ou moderar a evolução de; conter *<f. a inflação>* **3** conter, controlar (ímpeto, sentimento etc.) *<f. o choro>* ↺ liberar

freático (fre.á.ti.co) *adj.* diz-se de lençol de água subterrâneo não muito profundo

frechal (fre.chal) [pl.: *-ais*] *s.m.* CONSTR cada uma das vigas horizontais sobre as quais se erguem as fachadas de cada pavimento

freelance (free.lance) [ing.; pl.: *freelances*] *adj.2g.s.2g.* **1** (trabalho avulso) feito sem vínculo de emprego; frila ■ *s.2g.* **2** pessoa que trabalha por conta própria e ganha por trabalho apresentado; *freelancer* ⇒ pronuncia-se frilence

freelancer (free.lanc.er) [ing.; pl.: *freelancers*] *s.2g.* *freelance* ('pessoa') ⇒ pronuncia-se friléncer

freezer (freez.er) [ing.; pl.: *freezers*] *s.m.* congelador ⇒ pronuncia-se frizer

frege (fre.ge) *s.m. B infrm.* **1** discussão, gritaria **2** desordem, bagunça

freguês (fre.guês) [pl.: *-eses*] *s.m.* pessoa que costuma fazer compras em um mesmo lugar, de um mesmo comerciante ou usar os serviços do(s) mesmo(s) estabelecimento(s) *<só comprava carnes no açougue de que era f.> <era f. daquele restaurante>* ◉ COL freguesia

F

freguesia (fre.gue.si.a) *s.f.* **1** conjunto das pessoas que utilizam um mesmo bem ou serviço profissional; clientela *<médico de grande f.>* **2** população de uma paróquia

frei [fem.: *sóror*] *s.m.* frade

freio (frei.o) *s.m.* **1** qualquer dispositivo us. para conter ou moderar um movimento *<freio de automóvel>* **2** *fig.* o que limita a continuidade de algo *<pôr um f. nas loucuras do sobrinho>*

freira (frei.ra) *s.f.* mulher que fez votos religiosos ◉ GRAM/USO fem. de *frade*

freixo (frei.xo) *s.m.* BOT árvore nativa da Europa e do sudoeste da Ásia, cuja madeira é us. em raquetes de tênis e tacos de polo, bilhar e críquete

fremente (fre.men.te) *adj.2g.* **1** agitado, trêmulo *<mar f.>* ↺ sereno **2** apaixonado, vibrante *<discurso f.>*

fremir (fre.mir) *v.* {mod. 24} *int.* **1** soar ruidosamente *<após a tempestade, o mar ainda fremia>* ◻ *t.d. e int.* **2** agitar(-se) levemente *<o vento fremia as velas do navio> <no bosque, as folhagens fremiam>* ◻ *t.d.* **3** emitir (som estrondoso) *<f. um grito de dor>* ◉ GRAM/USO verbo defectivo

frêmito (frê.mi.to) *s.m.* **1** ruído, rumor *<f. dos trovões>* **2** movimento que produz ligeiro ruído; sussurro, murmúrio *<um f. de asas> <o f. da folhagem>* **3** *fig.* leve tremor; arrepio *<sentiu um f. em sua espinha>*

frenagem (fre.na.gem) [pl.: *-ens*] *s.f.* **1** ato de pôr freio em algo ou o seu efeito **2** ato de frear um veículo ou o seu efeito; freada ~ **frenar** *v.t.d.,int. e pron.*

frenesi (fre.ne.si) *s.m.* **1** agitação violenta; desvario *<a chegada do ídolo gerou f. entre os fãs>* **2** exaltação, arroubo de sentimentos *<um f. tomou conta do orador>*

frenético (fre.né.ti.co) *adj.* **1** que está em frenesi; exaltado **2** agitado, inquieto *<dança f.>* ↺ tranquilo

frente (fren.te) *s.f.* **1** parte anterior de algo *<a f. do carro>* ↺ traseira **2** linha avançada de um exército *<f. de batalha>* ↺ retaguarda **3** vista, presença *<aconteceu à nossa f.>* ↺ costas **4** lugar dianteiro *<a fileira da f.>* **5** coalizão de partidos políticos e/ou forças da sociedade civil **6** MET superfície de contato de duas massas de ar convergentes e de temperaturas diferentes *<f. fria>* ▣ **f. a f.** um diante do outro *<encontraram-se f. a f.>* • **f. de trabalho** oportunidade de emprego criada pelo poder público • **à f. 1** adiante, em seguida *<pegou um dos formulários e passou o restante à f.>* **2** na direção dos olhos *<pôs o papel à f. e não conseguiu ler nada>* **3** na posição dianteira *<combinamos que ele ia à f.>* • **à f. de 1** em posição dianteira em relação a; na frente de *<o padre seguia à f. da procissão>* **2** em posição anterior no tempo; antes de, na frente de *<João chegou à f. de Pedro>* **3** *fig.* na posição de vanguarda; ao comando, na frente de *<os jovens estão à f. das maiores mudanças>* • **de f. 1** em posição frontal *<posou de f. para o fotógrafo>* **2** *fig.* sem medo ou vergonha; destemidamente *<olhava os adversários de f.>* • **de f. para** com a parte anterior voltada em direção a *<a casa fica de f. para o mar>* • **em f. 1** em posição frontal; defronte, por diante *<a loja tinha em f. um grande letreiro>* **2** em linha reta, sem mudar o curso *<siga em f., e sairá na rua desejada>* • **em f. de** ou **em f. a** em posição frontal; diante de, de frente de *<o mercado fica em f. da padaria>* • **fazer f. a** enfrentar • **na f. de 1** na presença de, na vista de *<não quero chorar na f. dela>* **2** à frente de • **pela f. 1** na presença de alguém *<não gosto de fofoca, digo as coisas pela f.>* **2** de um momento ou ponto em diante; adiante *<temos toda a vida pela f.>* *<com raiva, quebrou o que viu pela f.>*

frentista (fren.tis.ta) *adj.2g.s.2g.* que(m) se ocupa do atendimento ao público nos postos de gasolina

frequência (fre.quên.cia) /qü/ *s.f.* **1** ato de frequentar *<f. às aulas>* **2** número ou tipo de pessoas que comparecem a um lugar *<o problema do bar é a f.>* **3** repetição de um fato ou ação *<a f. dos assaltos nesse bairro>* **4** período de tempo entre duas edições sucessivas de uma mesma publicação; periodicidade *<a f. de uma revista>* **5** FÍS medida da vibração de onda sonora ou de rádio ▣ **f. modulada** ELETRÔN na transmissão de um sinal por uma onda eletromagnética, frequência variável desta onda [símb.: *FM*]

frequentar (fre.quen.tar) /qü/ *v.* {mod. 1} *t.d.* **1** visitar com frequência (algum lugar) *<f. a biblioteca>* *<f. festas de amigos>* **2** viver na intimidade de; conviver *<f. a alta sociedade>* **3** comparecer com regularidade a (aula, curso, escola) ~ **frequentador** *adj.s.m.*

frequente (fre.quen.te) /qü/ *adj.2g.* que se repete muitas vezes *<visitas f.>* *<chuvas f.>* ↺ raro

fresca (fres.ca) /ê/ *s.f.* brisa agradável que sopra ao cair da tarde

fresco (fres.co) /ê/ *adj.* **1** ligeiramente frio *<noite f.>* **2** bem arejado *<casa f.>* ↺ abafado **3** *fig.* leve *<roupa f.>* ↺ quente **4** de boa aparência; viçoso *<legumes f.>* **5** que causa impressão de frescor *<hálito f.>* **6** *fig.* que se divulgou há pouco tempo; recente *<notícias f.>* ↺ velho **7** preparado há pouco tempo (diz-se de alimento) ■ *adj.s.m. infrm. pej.* **8** (homem, rapaz) que apresenta modos femininos; afeminado

frescobol (fres.co.bol) [pl.: *-óis*] *s.m.* ESP *B* jogo praticado ao ar livre, com duas raquetes de madeira e uma bola de borracha

frescor (fres.cor) /ô/ [pl.: *-es*] *s.m.* **1** característica do que é fresco, agradável *<o f. de uma brisa>* **2** *fig.* vigor ou beleza jovem; viço *<o f. dos botões de rosa>* *<o f. da juventude>*

frescura (fres.cu.ra) *s.f.* **1** sensação de contato com alguma coisa fresca **2** *fig.* vigor juvenil; viço, frescor **3** *infrm.* comportamento reservado, moralista **4** *infrm.* atitude de quem se ofende com facilidade; melindre ▣ **cheio de f.** *B infrm.* cheio de melindres; cheio de dedos

fressura (fres.su.ra) *s.f.* conjunto de vísceras de um animal

fresta (fres.ta) *s.f.* abertura estreita que permite a passagem de luz e ar; fenda

frete (fre.te) *s.m.* **1** taxa para o transporte de algo **2** carga transportada **3** aluguel de um meio de transporte ~ **fretar** *v.t.d.*

freudiano (freu.di.a.no) /frói/ *adj.* **1** relativo a Sigmund Freud, ou a suas teorias psicanalíticas ☞ cf. *Freud* na parte enciclopédica ■ *adj.s.m.* PSICN **2** (o) que segue essas teorias

frevo (fre.vo) /ê/ *s.m.* MÚS **1** dança pernambucana em que os dançarinos, freq. com sombrinhas coloridas, executam frenéticos movimentos de pernas **2** gênero musical que a acompanha **3** composição desse gênero

fria (fri.a) *s.f. gír.* situação difícil ou embaraçosa *<entrar numa f.>*

friagem (fri.a.gem) [pl.: *-ens*] *s.f.* **1** baixa temperatura ↺ calor **2** queda de temperatura provocada por frentes frias

frialdade (fri.al.da.de) *s.f.* **1** estado ou característica do que é frio *<a f. do vento no inverno>* **2** *fig.* indiferença, insensibilidade, frieza *<demonstrar f. numa relação>*

friamente (fri.a.men.te) *adv.* **1** sem demonstrar emoção ou afeto; com frieza, com indiferença **2** sem se deixar influenciar pelas emoções; com a razão; logicamente *<em meio à crise, conseguiu analisar f. as soluções possíveis>*

fricção (fric.ção) [pl.: *-ões*] *s.f.* **1** ação de friccionar **2** atrito resultante de dois corpos que se esfregam **3** ação de massagear vigorosamente uma parte do corpo **4** medicamento oleoso que se aplica sobre a pele; linimento

friccionar (fric.cio.nar) *v.* {mod. 1} *t.d. e t.d.i.* (prep. *em*) passar repetidamente um corpo sobre (outro), estando aquele ou ambos em movimento; esfregar *<friccionava a perna a fim de acabar com a cãibra>* *<friccionou álcool nas mãos>*

fricote (fri.co.te) *s.m. B infrm.* **1** chilique, faniquito **2** lamentação sem motivo sério; manha ~ **fricoteiro** *adj.s.m.*

frieira (fri.ei.ra) *s.f.* MED **1** inflamação da pele causada pelo frio **2** doença entre os dedos dos pés causada por fungos; pé de atleta

frieza (fri.e.za) /ê/ *s.f.* **1** estado ou característica do que é frio **2** ausência de calor humano; indiferença, insensibilidade

frigideira (fri.gi.dei.ra) *s.f.* **1** utensílio de cozinha us. para frituras **2** CUL fritada

frigidez (fri.gi.dez) /ê/ [pl.: *-es*] *s.f.* **1** característica do que é frio ↺ calor, quentura **2** *fig.* ausência de desejo sexual

frígido (frí.gi.do) *adj.* **1** com baixa temperatura; frio **2** *fig.* que não se envolve ou não deixa transparecer nenhum sentimento **3** *fig.* que não tem desejo sexual

frigir (fri.gir) *v.* {mod. 29} *t.d.* cozer ou ser cozido (alimento) em substância oleosa, como manteiga, azeite; fritar ◉ GRAM/USO part.: *frigido, frito;* ver QUADRO DE PARTICÍPIOS DUPLOS nas pp. iniciais ▣ **no f. dos ovos** *fig.* no fim de tudo, afinal de contas

frigobar (fri.go.bar) [pl.: *-es*] *s.m. B* pequena geladeira de quarto de hotel, hospital etc.

frigorífico (fri.go.rí.fi.co) *adj.* **1** que produz frio **2** adaptado para transporte de carga a baixas temperaturas *<caminhão f.>* ■ *adj.s.m.* **3** (câmara) que estoca alimentos a baixas temperaturas ■ *s.m.* **4** empresa que trabalha com carnes congeladas

frila (fri.la) *s.m. infrm.* ver ***FREELANCE*** ('trabalho avulso')

frincha (frin.cha) *s.f.* fresta, fenda

frio (fri.o) *adj.* **1** que tem ou em que há baixa temperatura *<água f.> <país f.>* ↺ quente **2** que não conserva calor *<o linho é um tecido f.>* **3** *fig.* calmo *<cabeça f.>* ↺ quente **4** *fig.* indiferente; insensível ↺ caloroso **5** *B gír.* falso, forjado *<o automóvel tinha chapa f.>* ↺ autêntico ■ *s.m.* **6** temperatura baixa da atmosfera ou do ambiente ↺ calor **7** sensação causada pela falta de calor *<tremia de f.>* ↺ calor **8** *fig.* indiferença; insensibilidade ↺ ardor ▼ ***frios*** *s.m.pl.* **9** produtos conservados ou defumados, esp. carnes, que se comem frios

friorento (fri.o.ren.to) *adj.* **1** que tem muita sensibilidade ao frio *<minha avó é muito f.>* ↺ calorento **2** em que faz frio *<uma varanda f.>* ↺ calorento

frisa (fri.sa) *s.f.* em teatros, camarote próximo ao nível da plateia

[1]**frisar** (fri.sar) *v.* {mod. 1} *t.d.,int. e pron.* **1** tornar(-se) rugoso, enrugado; enrugar(-se), franzir(-se) *<preocupado, frisava a testa repetidamente> <a superfície da água frisou(-se)>* ↺ alisar(-se) □ *t.d. e pron.* **2** (fazer) ficar crespo, ondulado (o cabelo) ◉ ORIGEM *frisa* 'lã rústica' + [2]*-ar* ~ **frisador** *adj.s.m.* - **frisagem** *s.f.*

[2]**frisar** (fri.sar) *v.* {mod. 1} *t.d.* **1** pôr friso em **2** *fig.* tornar saliente, relevante; ressaltar *<f. uma palavra dentro da frase>* ◉ ORIGEM *friso* + [2]*-ar*

friso (fri.so) *s.m.* **1** barra ou faixa pintada ou esculpida em uma parede **2** qualquer enfeite em forma de faixa ou barra

frisson (fris.son) [fr.; pl.: *frissons*] *s.m.* **1** arrepio por causa de frio ou forte emoção; calafrio **2** *fig.* vibração; frenesi *<a notícia causou um f. na turma>* ⇒ pronuncia-se frisson

fritada (fri.ta.da) *s.f.* CUL espécie de omelete com recheio especial; frigideira

fritar (fri.tar) *v.* {mod. 1} *t.d. e int.* cozer ou ser cozido (alimento) em substância oleosa, como manteiga, azeite; frigir ◉ GRAM/USO part.: *fritado, frito*; ver QUADRO DE PARTICÍPIOS DUPLOS nas pp. iniciais

fritas (fri.tas) *s.f.pl. B* batatas fritas *<filé com f.>*

frito (fri.to) *adj.* **1** cozido em frigideira *<ovo f.>* **2** *fig. infrm.* que está em situação difícil, em apuros ◉ GRAM/USO part. irregular de *fritar* e *frigir*

fritura (fri.tu.ra) *s.f.* **1** ação de fritar **2** qualquer alimento frito

friúra (fri.ú.ra) *s.f.* estado do que é ou está frio

frívolo (frí.vo.lo) *adj.s.m.* **1** que(m) se ocupa com coisas superficiais ou sem importância; fútil, leviano ↺ sério ■ *adj.* **2** que tem pouca importância; superficial *<palavras f.>* ↺ profundo ~ **frivolidade** *s.f.*

fronde (fron.de) *s.f.* conjunto de folhas (e ramos) de uma árvore ☞ cf. *copa* ('topo de árvore') ◉ GRAM/USO dim.irreg.: *frôndula*

frondoso (fron.do.so) /ô/ [pl. e fem.: /ó/] *adj.* **1** que tem fronde abundante *<árvores f.>* **2** *fig.* que gera muitos resultados ou possibilidades *<pesquisa f.>* ↺ infrutífero

fronha (fro.nha) *s.f.* capa com que se envolve o travesseiro

frontal (fron.tal) [pl.: *-ais*] *adj.2g.* **1** de frente *<parede f.>* **2** da fronte *<músculo f., nervo f.>* **3** *fig.* dito ou feito abertamente; direto, franco *<resposta f.>* ■ *adj.2g.s.m.* ANAT **4** (osso) da fronte ■ *s.m.* **5** fachada de um edifício

frontão (fron.tão) [pl.: *-ões*] *s.m.* ARQ conjunto arquitetônico ou ornato triangular que encima fachadas ou decora portas, janelas, nichos etc.

frontaria (fron.ta.ri.a) *s.f.* **1** frente principal de um edifício **2** fortificação situada na fronteira

fronte (fron.te) *s.f.* **1** ANAT parte da face anterior do crânio formada pelo osso frontal e situada entre as sobrancelhas e o couro cabeludo; testa **2** *p.ext.* a face de uma pessoa **3** a parte mais avançada de algo; dianteira *<a f. de um exército>* ↺ retaguarda, traseira

fronteira (fron.tei.ra) *s.f.* **1** linha que demarca uma região ou território, estabelecendo a sua extensão **2** linha que separa dois territórios ou países **3** *fig.* ponto extremo de algo abstrato *<a f. da decência>* **4** *fig.* limite entre dois estados, situações etc. *<a f. da morte>*

fronteiriço (fron.tei.ri.ço) *adj.* **1** que vive ou está na fronteira **2** *fig.* que se acha no limite de alguma coisa ■ *adj.s.m.* **3** (o) que nasce na fronteira

fronteiro (fron.tei.ro) *adj.* **1** situado à frente de *<prédio f. com a loja>* **2** próximo *<casa f. à praça>* **3** que fica ou vive na fronteira

frontispício (fron.tis.pí.cio) *s.m.* **1** ARQ fachada principal de um edifício **2** BIBLIO GRÁF página impressa inicial de um livro, que inclui os elementos de identificação da obra (nome do autor, título, local e data de publicação, nome do editor comercial etc.)

frost free [ing.] *loc.adj.* que impede a formação de cristais de gelo *<geladeira f.>* ⇒ pronuncia-se fróst fri

frota (fro.ta) *s.f.* **1** conjunto de navios de guerra ou de outra finalidade especificada (mercante, pesqueira etc.) **2** *p.ext.* conjunto de veículos que pertencem a uma firma ou a um único dono *<f. de táxis, de ônibus>*

frouxo (frou.xo) *adj.* **1** folgado, solto *<vestido f., nó f.>* ↺ apertado **2** enfraquecido *<ficou com as pernas f.>* ↺ forte ■ *adj.s.m. infrm.* **3** covarde, medroso ↺ valente ~ **frouxidão** *s.f.*

fru-fru (fru-fru) [pl.: *fru-frus*] *s.m.* ruído do roçar de roupa ou papel ~ **frufrulhar** *v.int.*

frugal (fru.gal) [pl.: *-ais*] *adj.2g.* **1** de fácil digestão; leve *<refeição f.>* ↺ pesado **2** moderado na alimentação *<pessoas f.>* ↺ voraz **3** *fig.* que se apresenta com moderação; sóbrio, simples *<beleza f.>* ~ **frugalidade** *s.f.*

frugívoro (fru.gí.vo.ro) ou **frutívoro** (fru.tí.vo.ro) *adj.s.m.* (o) que se alimenta de frutos

fruir (fru.ir) *v.* {mod. 26} *t.d. e t.i.* (prep. *de*) usufruir; desfrutar *<f. as vantagens do cargo> <f. dos bens>* ~ **fruição** *s.f.* - **fruitivo** *adj.*

frustração (frus.tra.ção) [pl.: *-ões*] *s.f.* **1** ação ou efeito de frustrar(-se) **2** decepção, desapontamento

F

frustrar (frus.trar) *v.* {mod. 1} *t.d. e pron.* **1** (fazer) falhar; anular(-se) *<fez o possível para f. os planos dos revoltosos>* *<nossos projetos frustraram-se>* **2** não corresponder à expectativa (de); decepcionar(-se) *<o resultado das eleições frustrou parte da população>* *<o aluno frustrou-se com a nota da prova>* ~ **frustrador** *adj.s.m.* - **frustrante** *adj.2g.*

fruta (fru.ta) *s.f.* BOT fruto ou infrutescência comestíveis, freq. carnosos ou suculentos, doces ou ácidos

fruta-de-conde (fru.ta-de-con.de) [pl.: *frutas-de-conde*] ou **fruta-do-conde** (fru.ta-do-con.de) [pl.: *frutas-do-conde*] *s.f.* BOT fruta de polpa branca, macia e doce, cheia de sementes pretas; anona, ata, pinha

F

fruta-pão (fru.ta-pão) [pl.: *frutas-pão* e *frutas-pães*] *s.f.* BOT **1** fruto oval grande, de casca verde ou amarelada, cuja polpa lembra a consistência e sabor do pão fresco, e que se come assada ou cozida **2** a árvore desse fruto

fruteira (fru.tei.ra) *s.f.* **1** recipiente para colocar frutas; fruteiro **2** árvore frutífera

fruteiro (fru.tei.ro) *adj.s.m.* **1** (o) que gosta de frutos **2** que(m) vende frutas ■ *s.m.* **3** fruteira ('recipiente')

fruticultura (fru.ti.cul.tu.ra) *s.f.* cultivo de árvores frutíferas ~ **fruticultor** *adj.s.m.*

frutífero (fru.tí.fe.ro) *adj.* **1** que produz frutos, esp. os comestíveis *<árvore f.>* **2** *fig.* que produz resultados positivos; proveitoso *<conversa f.>* ↺ infrutífero

frutificar (fru.ti.fi.car) *v.* {mod. 1} *int.* **1** dar fruto(s) **2** *fig.* produzir resultados vantajosos *<um esforço que frutifica>* □ *t.d. fig.* **3** ter como consequência; resultar *<a caridade frutifica o bem comum>* ~ **frutificação** *s.f.*

frutívoro (fru.tí.vo.ro) *adj.s.m.* → ***FRUGÍVORO***

fruto (fru.to) *s.m.* **1** BOT órgão gerado pelos vegetais que produzem flor, e que contém as sementes **2** BOT fruta **3** *fig.* filho, cria **4** *fig.* resultado final de um trabalho; produto de algum esforço *<o sucesso era f. de sua dedicação>* ▣ **frutos da terra** produtos fornecidos pela terra para alimentação do homem • **frutos do mar** produtos comestíveis extraídos do mar (crustáceos, moluscos e outros pequenos animais), com a exceção dos peixes

frutose (fru.to.se) *s.f.* açúcar encontrado no mel, no néctar e nas frutas

frutuoso (fru.tu.o.so) /ô/ [pl. e fem.: /ó/] *adj.* **1** que produz muitos frutos **2** *fig.* que produz bons resultados; proveitoso

fubá (fu.bá) *s.m.* farinha de milho ou de arroz

fubeca (fu.be.ca) *s.f. B infrm.* **1** agressão física contra alguém; surra **2** pito, repreensão **3** fracasso **4** RECR *GO* bola de gude

fubecada (fu.be.ca.da) *s.f. B infrm.* **1** fubeca **2** pancada, batida

fuça (fu.ça) *s.f.* **1** focinho **2** *pej.* rosto, cara ☞ mais us. no pl.

fuçar (fu.çar) *v.* {mod. 1} *t.d. e int.* **1** revolver com o focinho (a terra, algo no chão) *<os porcos fuçavam a plantação>* *<inquietos, os animais não paravam de f.>* □ *t.d. fig.* **2** remexer à procura de algo; escarafunchar *<fuçava as gavetas atrás dos documentos perdidos>* **3** investigar (algo alheio); bisbilhotar *<f. a vida dos outros>* ~ **fuçador** *adj.s.m.*

fúcsia (fúc.sia) *s.f.* BOT **1** nome comum a arbustos e árvores com flores grandes, coloridas e vistosas, de alto valor ornamental ■ *s.m.* **2** tom de cor-de-rosa próximo ao magenta ■ *adj.2g.2n.* **3** dessa cor *<blusa f.>*

fuga (fu.ga) *s.f.* **1** ato ou efeito de sair de um lugar às pressas ou ocultamente, para evitar um perigo ou uma situação opressiva *<f. de um cativeiro>* ↺ permanência **2** *fig.* recurso para evitar uma dificuldade ou uma obrigação *<a bebida era uma f. para ele>* **3** MÚS forma de composição em que um mesmo tema é repetido sucessivamente por várias vozes ou instrumentos

fugaz (fu.gaz) [pl.: *-es*] *adj.2g.* **1** rápido, ligeiro ↺ lento **2** *fig.* que dura muito pouco; passageiro *<alegria f.>* ↺ duradouro ~ **fugacidade** *s.f.*

fugida (fu.gi.da) *s.f.* **1** escapada, fuga **2** *B* ausência breve *<deu uma f. ao banco e já volta>*

fugidio (fu.gi.di.o) *adj.* **1** habituado a fugir **2** *fig.* fugaz, efêmero ↺ duradouro **3** *fig.* não sociável; arisco *<uma criança f.>* ↺ expansivo

fugir (fu.gir) *v.* {mod. 29} *t.i.* **1** (prep. *a*, *de*) desviar-se para ficar livre de (situação ou pessoa perigosa, ameaçadora, desagradável etc.); escapar *<f. à tentação>* *<f. da perseguição do inimigo>* □ *t.i. e int.* **2** (prep. *de*) retirar-se de, deixar (local, região etc.), ger. às pressas *<mesmo cercado, conseguiu f.>* *<f. do país>* □ *int.* **3** afastar-se do campo de visão; desaparecer *<distante, o navio fugia devagar>* **4** decorrer rapidamente (o tempo)

fugitivo (fu.gi.ti.vo) *adj.s.m.* **1** que(m) fugiu ■ *adj.* **2** fugaz, efêmero *<as formas f. das nuvens>*

fuinha (fu.i.nha) *s.f.* ZOO **1** pequeno mamífero carnívoro, de corpo longo e patas curtas, pelo grisalho e mancha branca no peito e garganta ■ *s.2g. infrm.* **2** pessoa magra

fujão (fu.jão) [pl.: *-ões*; fem.: *fujona*] *adj.s.m.* (o) que foge constantemente

fulano (fu.la.no) *s.m. infrm.* pessoa cujo nome se desconhece ou não se quer dizer ◉ GRAM/USO empr. ger. antes de *beltrano* e de *sicrano*; o uso do dim. *fulaninho* tem valor pej.

fulcro (ful.cro) *s.m.* **1** ponto de apoio; base **2** a parte essencial ou mais importante *<o f. de uma questão>*

fuleiro (fu.lei.ro) *adj.s.m.* **1** (o) que não é confiável **2** (o) que é medíocre e sem valor; ordinário **3** (o) que demonstra mau gosto; cafona ↺ elegante

fúlgido (fúl.gi.do) *adj.* que possui brilho; resplandecente

fulgir (ful.gir) *v.* {mod. 24} *t.d. e int.* **1** (fazer) lançar ou refletir luz; resplandecer, brilhar *<a luz bateu nos cristais, fulgindo-os>* *<o sol fulgia esplendidamente>* □ *int. fig.* **2** tornar-se singular, único; sobressair *<sua beleza fulgia nos salões da sociedade>* ~ **fulgência** *s.f.* - **fulgente** *adj.2g.*

fulgor (ful.gor) /ô/ [pl.: *-es*] *s.m.* brilho, luminosidade *<o f. do metal>* ↺ opacidade

fulgurar (ful.gu.rar) *v.* {mod. 1} *int.* **1** lançar ou refletir luz, brilho intenso; resplandecer *<o metal fulgurava>* **2** cintilar, relampejar

fuligem (fu.li.gem) [pl.: *-ens*] *s.f.* matéria preta em forma de diminutas partículas, proveniente da queima de um combustível que se desprende e adere aos canos de chaminés e a superfícies em geral

fuliginoso (fu.li.gi.no.so) /ô/ [pl. e fem.: /ó/] *adj.* que contém fuligem ~ **fuliginosidade** *s.f.*

fulminar (ful.mi.nar) *v.* {mod. 1} *t.d. e int.* **1** lançar (raios) *<sobre suas cabeças, os céus fulminavam (raios)>* □ *t.d.* **2** destruir com raio ou efeito semelhante; aniquilar *<um raio fulminou o ipê> <um tornado fulminou a pequena aldeia>* **3** *fig.* derrubar fisicamente *<um possante soco de esquerda fulminou o pugilista>* **4** *fig.* ferir emocional ou moralmente *<a traição fulminou--o>* **5** *fig.* matar rapidamente *<um infarto fulminou o professor>* **6** *fig.* deixar sem ação; estarrecer, paralisar *<sua fala firme fulminou-o>* □ *int.* **7** *fig.* emitir luz intensa; brilhar *<fulminava na sua mão a espada justiceira>* ~ **fulminação** *s.f.* - **fulminante** *adj.2g.*

fulo (fu.lo) *adj. infrm.* muito zangado; furioso *<f. de raiva>* ↺ tranquilo

fulvo (ful.vo) *s.m.* **1** cor amarela, alaranjada ou dourada ■ *adj.* **2** dessa cor *<vestido f.>* **3** diz-se dessa cor *<a cor f.>*

fumaça (fu.ma.ça) *s.f.* vapor resultante de um corpo em chamas

fumaçar (fu.ma.çar) *v.* {mod. 1} *int.* **1** produzir fumaça; fumegar *<a comida fumaçava nas panelas de barro>* **2** *B infrm.* mostrar-se furioso ↺ acalmar-se □ *t.d.* **3** encher de fumaça *<o incenso fumaçava o altar>* **4** *fig.* ofuscar, turvar (os olhos, a visão)

fumacê (fu.ma.cê) *s.m. B infrm.* **1** fumaça em excesso **2** veículo que pulveriza inseticida, us. no combate a mosquitos

fumaceira (fu.ma.cei.ra) *s.f.* grande quantidade de fumaça

fumacento (fu.ma.cen.to) *adj.* **1** que solta grande quantidade de fumaça *<locomotiva f.>* **2** em que há fumaça *<ambiente f.>*

fumante (fu.man.te) *adj.2g.s.2g.* que(m) tem o hábito de fumar

fumar (fu.mar) *v.* {mod. 1} *t.d. e int.* **1** aspirar e expirar a fumaça de (cigarro, cachimbo etc.); pitar *<fuma quatro cigarros por dia> <parou de f. há um ano>* □ *t.d.* **2** defumar *<f. o queijo>* □ *int. fig.* **3** mostrar-se colérico; enraivecer-se *<o velho fumava com as extravagâncias do filho>* ↺ acalmar-se

fumegante (fu.me.gan.te) *adj.2g.* **1** que fumega **2** *p.ext.* muito quente *<asfalto f.>*

fumegar (fu.me.gar) *v.* {mod. 1} *int.* **1** lançar fumaça; fumaçar *<de longe, já via a chaminé fumegando>* **2** produzir espuma; espumar *<o vinho fumegava>* □ *t.d.* **3** lançar de si; exalar *<o assado fumegava bom odor>*

fumeiro (fu.mei.ro) *s.m.* local onde os alimentos são defumados

fumicultura (fu.mi.cul.tu.ra) *s.f.* **1** cultivo de fumo **2** conjunto de técnicas desse cultivo ~ **fumicultor** *adj.s.m.*

fumigar (fu.mi.gar) *v.* {mod. 1} *t.d.* **1** lançar vapor, fumaça, gás etc. em **2** expor à fumaça, esp. para desinfetar; defumar *<o entupimento da chaminé fumigou todo o ambiente>*

fumo (fu.mo) *s.m.* **1** produto gasoso que se desprende dos corpos em combustão; fumaça **2** preparado vegetal que se faz queimar em cigarros, cachimbos etc. **3** folha de plantas preparada para fumar, mascar ou cheirar **4** *fig.* hábito de fumar **5** *B infrm.* maconha

Funai (Fu.nai) *s.f.* sigla de Fundação Nacional do Índio

funambulesco (fu.nam.bu.les.co) /ê/ *adj.* **1** relativo a funâmbulo **2** *fig.* extravagante, excêntrico ↺ normal

funâmbulo (fu.nâm.bu.lo) *s.m.* **1** equilibrista que anda na corda bamba ou arame **2** *fig.* indivíduo que muda facilmente de opinião ou partido ~ **funambulismo** *s.m.*

F

Funarte (Fu.nar.te) *s.f.* sigla de Fundação Nacional das Artes

função (fun.ção) [pl.: *-ões*] *s.f.* **1** obrigação a cumprir, papel a desempenhar *<tinha a f. de mediador>* **2** uso a que se destina algo *<ferramenta com várias f.>* **3** emprego **4** ofício, profissão *<f. de encanador>* **5** espetáculo **6** MAT qualquer correspondência entre dois ou mais conjuntos **7** GRAM papel que cada um dos elementos gramaticais desempenha dentro da frase *<f. de sujeito>* ⊡ **em f. de** de acordo com, em conformidade com, em resultado de *<foi promovido em f. do próprio desempenho>*

funcho (fun.cho) *s.m.* BOT erva aromática cultivada como condimento e por suas propriedades medicinais, esp. como calmante do estômago; erva-doce ◉ COL funchal

funcional (fun.cio.nal) [pl.: *-ais*] *adj.2g.* **1** relativo a função **2** que atende a uma função ou a um fim prático *<móvel, utensílio f.>* **3** *p.ext.* prático, utilitário *<esta luminária é muito f.>* ↺ ornamental **4** relativo a ou próprio de funcionários públicos *<gratificação f.>* ~ **funcionalidade** *s.f.*

funcionalismo (fun.cio.na.lis.mo) *s.m.* conjunto dos funcionários públicos

funcionar (fun.cio.nar) *v.* {mod. 1} *int.* **1** estar em atividade *<no verão, o comércio funciona até mais tarde>* **2** ter bom desempenho, realizando com regularidade e eficiência tarefas e funções para as quais foi desenvolvido ou preparado *<o relógio funciona há 50 anos>* **3** *fig.* dar bons resultados, ter êxito *<as providências não funcionaram>* ↺ falhar ~ **funcionamento** *s.m.*

funcionário (fun.cio.ná.rio) *s.m.* pessoa que tem ocupação permanente e remunerada; empregado ⊡ **f. público** quem exerce cargo ou função em instituição do governo *<fez concurso para o município e virou f. público>*

fundação (fun.da.ção) [pl.: *-ões*] *s.f.* **1** base subterrânea sobre a qual se constroem edificações; alicerce **2** *fig.* ponto de partida para a organização e funcionamento de uma instituição, entidade etc. *<fundação da revista, do clube>* **3** criação de uma instituição privada ou do Estado que visa o interesse público e o benefício da coletividade **4** essa instituição

fundador (fun.da.dor) /ô/ [pl.: *-es*] *adj.s.m.* **1** que(m) estabelece o princípio de algo; iniciador *<esses são os (membros) f. da nossa associação>* **2** que(m) dá origem; criador, iniciador *<Camões é considerado o (gênio) f. do português moderno>*

fundamental (fun.da.men.tal) [pl.: *-ais*] *adj.2g.* **1** que serve de fundamento, de base **2** *fig.* básico, indispensável *<sua participação é f.>* ↺ dispensável

fundamentalismo (fun.da.men.ta.lis.mo) *s.m.* **1** movimento religioso conservador que acha que se deve seguir fielmente o que está escrito nos textos sagrados (Bíblia, Alcorão etc.) **2** a doutrina desse movimento **3** *p.ext.* qualquer corrente, atitude ou movimento conservador que enfatiza a obediência rigorosa a um conjunto de princípios básicos ~ **fundamentalista** *adj.2g.s.2g.*

fundamentar (fun.da.men.tar) *v.* {mod. 1} *t.d.* **1** fazer os fundamentos ou alicerces de *<f. um edifício>* □ *t.d.,t.d.i. e pron.* **2** (prep. *em*) apoiar(-se) em fundamentos; fundar(-se), justificar(-se) *<a promotoria soube f. as acusações (em provas irrefutáveis)> <argumentos que se fundamentam em premissas falsas>* ~ **fundamentação** *s.f.* - **fundamentado** *adj.*

fundamento (fun.da.men.to) *s.m.* **1** base, apoio principal **2** *fig.* causa, motivo *<apoiou-se em f. justos para a decisão>* **3** explicação para fatos, acontecimentos etc. *<a história deve ter f.>* **4** demonstração da autenticidade de algo; prova *<acusações sem f.>* ▼ ***fundamentos*** *s.m.pl.* **5** princípios básicos de uma ciência, arte etc.

fundão (fun.dão) [pl.: *-ões*] *s.m.* **1** parte mais funda do leito de um rio; pego **2** abismo, precipício **3** *fig.* local isolado, distante

fundar (fun.dar) *v.* {mod. 1} *t.d.* **1** assentar as fundações de (construção) **2** *fig.* dar início, existência a; criar, instituir *<f. um partido político>* □ *pron.* **3** firmar-se, assentar-se *<o prédio se funda sobre grossos pilotis>* □ *t.d.i. e pron.* **4** (prep. *em*) tomar como base ou ser a base de; fundamentar(-se) *<fundava suas esperanças em pouquíssima coisa> <eram palavras que se fundavam em opiniões de terceiros>*

fundear (fun.de.ar) *v.* {mod. 5} *t.d. e int.* **1** lançar âncora de (embarcação); ancorar □ *int.* **2** tocar no ou ir ao fundo

Fundeb (Fun.deb) *s.m.* sigla de Fundo de Manutenção e Desenvolvimento da Educação

fundiário (fun.di.á.rio) *adj.* relativo a terras; agrário

fundição (fun.di.ção) [pl.: *-ões*] *s.f.* **1** derretimento (esp. de metais) **2** local onde se fundem metais **3** *p.ext.* metal fundido

fundilho (fun.di.lho) *s.m.* parte do assento em calça, cueca etc. ☞ mais us. no pl.

fundir (fun.dir) *v.* {mod. 24} *t.d. e pron.* **1** tornar (-se) líquido (esp. metal); derreter(-se) *<f. (-se) a prata>* □ *t.d.* **2** trabalhar o elemento fundido; vazar, moldar *<f. uma estátua>* □ *t.d.,t.d.i. e pron.* **3** (prep. *em*) unir (várias coisas) [em um todo, grupo]; juntar(-se), misturar(-se) *<os dois fazendeiros resolveram f. suas terras (numa só fazenda)> <fundiram-se as vozes num clamor geral>* ~ **fundente** *adj.2g.* - **fundidor** *adj.s.m.*

fundível (fun.dí.vel) [pl.: *-eis*] *adj.2g.* que pode fundir(-se); fusível

fundo (fun.do) *adj.* **1** com profundidade *<poço f.> <águas f.>* ↺ raso **2** cavado; metido para dentro *<prato f.>* ↺ raso **3** *fig.* que vem do íntimo; muito sentido *<suspiros f.>* ■ *adv.* **4** profundamente *<respirar f.>* ■ *s.m.* **5** leito ('canal') de rio, mar etc. **6** o lado oposto à abertura de entrada *<o f. da garrafa, da caverna, da sala>* **7** o lugar mais recuado *<o f. do vale> <o f. de uma imagem>* ↺ frente **8** *fig.* âmago, essência *<agradecia do f. do coração>* **9** a extremidade da agulha que contém o orifício **10** recurso financeiro ☞ nesta acp., tb. us. no pl. ▣ **f. do poço** *fig.* situação (financeira, emocional etc.) precária, ou de difícil resolução *<o casamento chegou ao f. do poço>* • **F. Monetário Internacional** órgão da ONU para cooperação monetária entre países [abrev.: *FMI*]

fundura (fun.du.ra) *s.f.* distância vertical da superfície ao fundo ou horizontal de fora para dentro; profundidade

fúnebre (fú.ne.bre) *adj.2g.* **1** relativo a morte, enterro etc. *<aviso f.>* **2** *fig.* que anuncia a ideia de morte; funéreo *<preto e amarelo fazem uma combinação f.>* ↺ alegre **3** *fig.* que inspira sentimentos tristes; sombrio, funéreo *<melodia f.>* ↺ alegre

funeral (fu.ne.ral) [pl.: *-ais*] *s.m.* conjunto das cerimônias de sepultamento; mortualha

funerária (fu.ne.rá.ria) *s.f.* empresa especializada em funerais

funerário (fu.ne.rá.rio) *adj.* relativo a morte, enterro, mortos etc.

funéreo (fu.né.reo) *adj.* fúnebre ('que anuncia', 'que inspira')

funesto (fu.nes.to) *adj.* **1** que causa a morte; fatal *<doença f.>* **2** *p.ext.* que evoca a morte; sinistro *<pensamentos f.>* ↺ alegre **3** *p.ext.* que causa danos; desastroso *<uma política f.>* ↺ benéfico

fungar (fun.gar) *v.* {mod. 1} *t.d. e int.* **1** aspirar (ar, secreção, rapé etc.) pelo nariz fazendo ruído *<f. o cheiro da sopa> <o resfriado o fazia f. sem parar>* □ *int.* **2** respirar de modo entrecortado, esp. durante choro *<a criança fungava, as lágrimas escorriam pelo rosto>*

fungicida (fun.gi.ci.da) *adj.2g.s.m.* (substância) que combate fungos

fungível (fun.gí.vel) [pl.: *-eis*] *adj.2g.* DIR **1** que se gasta após o uso **2** *p.ext.* que pode ser substituído por outra coisa de mesma espécie, qualidade, quantidade ou valor *<bens f.>*

fungo (fun.go) *s.m.* BIO nome comum a organismos parasitas, sem clorofila, como os mofos e os cogumelos

funicular (fu.ni.cu.lar) [pl.: *-es*] *adj.2g.* **1** em forma de corda ou cordão **2** feito de ou movido por cordas ■ *adj.2g.s.2g.* **3** (sistema de transporte) tracionado por cabos movidos por motor estacionário ■ *s.m.* **4** veículo pertencente a esse sistema

funículo (fu.ní.cu.lo) *s.m.* cordão ou corda pequena

funil (fu.nil) [pl.: *-is*] *s.m.* utensílio em forma de cone terminado por um tubo, us. para despejar líquidos em recipientes de boca estreita

funilaria (fu.ni.la.ri.a) *s.f.* **1** local onde se fabricam e/ou vendem funis e/ou peças de folha de flandres **2** técnica de fabricar tais objetos

funileiro (fu.ni.lei.ro) *s.m.* **1** fabricante de funis **2** quem trabalha com folha de flandres; latoeiro

funk [ing.] *s.m.* MÚS **1** tipo de música americana de origem negra com ritmos sincopados e em compasso binário ■ *adj.2g.2n.* **2** relativo a essa música <*bailes f.*> ⇒ pronuncia-se fank

fura-bolo (fu.ra-bo.lo) *s.m.* ou **fura-bolos** (fu.ra-bo.los) *s.m.2n. infrm.* o dedo indicador

furacão (fu.ra.cão) [pl.: *-ões*] *s.m.* MET **1** ciclone com ventos fortíssimos, comum na América Central, Flórida e nos oceanos Pacífico e Atlântico norte **2** *fig.* o que produz efeito negativo e destruidor <*a notícia foi um f. em nossas vidas*>

furada (fu.ra.da) *s.f. B* GÍR. **1** coisa que não dá certo ou acarreta prejuízo, aborrecimento etc.; roubada **2** ESP fato de um jogador não acertar a bola

furadeira (fu.ra.dei.ra) *s.f.* ferramenta para furar madeira, metal, pedra etc.

furador (fu.ra.dor) /ô/ [pl.: *-es*] *adj.s.m.* **1** (o) que fura ■ *s.m.* **2** utensílio para fazer furos em papel, pano etc.

[1]**furão** (fu.rão) [pl.: *-ões*; fem.: *furoa*] *s.m.* **1** ZOO doninha **2** *infrm.* repórter sagaz, que se antecipa aos outros ■ *adj.s.m. infrm.* **3** penetra ◉ ORIGEM do lat. *fūro,ōnis* 'mamífero carnívoro'

[2]**furão** (fu.rão) [pl.: *-ões*] *s.m.* **1** grande buraco **2** instrumento us. para fazer buracos ■ *adj.s.m. B infrm.* **3** que(m) falta a compromisso ◉ ORIGEM rad. do v. *furar* sob a f. *fur-* + *-ão*

furar (fu.rar) *v.* {mod. 1} *t.d.* **1** abrir furo, buraco em **2** fazer (algo) na terra, na pedra, abrindo nela uma cavidade; cavar <*f. um poço*> **3** passar através de; varar <*o sol furava as nuvens*> □ *t.d. e int. fig.* **4** não ter êxito ou desempenho esperado; frustrar, falhar <*um imprevisto furou os seus negócios*> <*aquele negócio acabou furando*>

furgão (fur.gão) [pl.: *-ões*] *s.m.* pequeno caminhão fechado, us. para transporte de cargas não muito pesadas

fúria (fú.ria) *s.f.* **1** grande raiva; cólera, furor ↺ calma **2** ímpeto muito forte; entusiasmo, furor <*consumia livros com f.*> ↺ frieza **3** força, poderio, furor <*a f. das ondas*> ↺ fraqueza **4** *p.ext.* pessoa fora de si <*ficou uma f. com a derrota*>

furibundo (fu.ri.bun.do) *adj.* furioso ↺ tranquilo

furioso (fu.ri.o.so) /ô/ [pl. e fem.: /ó/] *adj.* **1** com fúria; cheio de raiva ou indignação <*estava f. com o diretor*> ↺ sereno **2** impetuoso, violento <*vontade f., amor f.*>

furna (fur.na) *s.f.* caverna, gruta

furo (fu.ro) *s.m.* **1** abertura feita por objeto pontiagudo; orifício **2** *fig. B* notícia importante dada por algum órgão de imprensa antes dos demais <*f. de reportagem*>

furor (fu.ror) /ô/ [pl.: *-es*] *s.m.* fúria, raiva ▪ **causar f.** agradar muito; ter sucesso <*o espetáculo causou f. na cidade*>

furta-cor (fur.ta-cor) *s.m.* **1** cor que se altera conforme a luz projetada sobre ela ■ *adj.2g.2n.* **2** dessa cor <*blusa f.*> ◉ GRAM/USO pl. do s.m. *furta-cores*

furtar (fur.tar) *v.* {mod. 1} *t.d. e t.d.i.* **1** (prep. *a, de*) apossar-se de (coisa alheia); roubar <*furtaram todo o dinheiro do cofre*> <*quando criança, furtava ao vizinho suas melhores laranjas*> **2** (prep. *a, de*) fazer passar como seu (ideia, trabalho de outrem) <*o mestre furtou a pesquisa (a seu aluno)*> □ *t.d.,t.d.i. e pron.* **3** (prep. *a*) (fazer) ficar livre de (algo desagradável); fugir, evitar <*furtou o corpo (ao golpe fatal)*> <*modestamente, furtava-se aos elogios*>

furtivo (fur.ti.vo) *adj.* **1** discreto, rápido <*sorriso f.*> ↺ manifesto **2** que procura passar despercebido; oculto <*paixão f. pelo professor*> **3** sem licença oficial; clandestino <*trazia um embrulho f. na mala*> ↺ lícito

furto (fur.to) *s.m.* **1** ação de furtar; roubo <*f. de veículos*> **2** *p.ext.* o que foi furtado

furúnculo (fu.rún.cu.lo) *s.m.* MED infecção bacteriana na pele que provoca um nódulo inflamado e doloroso ~ **furuncular** *adj.2g.* - **furunculose** *s.f.*

fusa (fu.sa) *s.f.* MÚS **1** figura de ritmo que equivale à metade da semicolcheia **2** seu símbolo (𝅘𝅥𝅰)

fusão (fu.são) [pl.: *-ões*] *s.f.* **1** ato ou efeito de fundir (-se) **2** FÍS passagem de uma substância ou mistura do estado sólido para o líquido ↺ solidificação **3** FÍS qualquer transformação em líquido pela ação do calor **4** DIR reunião de duas ou mais firmas ou sociedades para a formação de uma nova ↺ separação **5** *fig.* união decorrente de combinação ou interpenetração de seres e coisas; agregação ↺ divisão ▪ **f. nuclear** FÍS reação nuclear em que núcleos atômicos se fundem formando um outro mais pesado, porém de massa menor que a soma das massas iniciais, sendo a diferença liberada sob forma de energia

fusca ® (fus.ca) *s.m. B infrm.* antigo automóvel Volkswagen de 1.200 ou 1.300 cilindradas ☞ inicial por vezes maiúsc.

fusco (fus.co) *adj.* escuro, pardo <*gado f.*> ↺ claro

fuselagem (fu.se.la.gem) [pl.: *-ens*] *s.f.* corpo principal do avião, onde se fixam as asas

fusibilidade (fu.si.bi.li.da.de) *s.f.* propriedade ou característica do que se funde <*a f. do ouro*>

fusível (fu.sí.vel) [pl.: *-eis*] *adj.2g.* **1** fundível ■ *s.m.* ELETR **2** peça de segurança colocada num circuito elétrico, que se funde e corta a corrente quando há sobrecarga

fuso (fu.so) *s.m.* **1** pequena peça de madeira, roliça, pontiaguda nas extremidades, us. para fiar, torcer e enrolar o fio de trabalhos feitos na roca **2** peça na qual se enrola a corda do relógio ▪ **f. horário** cada uma das 24 faixas de 15° em que se divide longitudinalmente a superfície terrestre e dentro da qual a hora é a mesma ~ **fusiforme** *adj.2g.*

fusologia (fu.so.lo.gi.a) *s.f.* ASTR estudo de foguetes, mísseis etc. ~ **fusólogo** *adj.s.m.*

fustão (fus.tão) [pl.: *-ões*] *s.m.* tecido de algodão, linho, seda ou lã, encorpado, com o avesso liso e o direito em relevo

fustigar (fus.ti.gar) *v.* {mod. 1} *t.d.* **1** bater com vara; açoitar <*o peão pôs-se a f. o cavalo*> **2** *fig.* fazer mal a; maltratar <*o remorso fustigava-o*> **3** *fig.* incitar, estimular ~ **fustigação** *s.f.* - **fustigante** *adj.2g.*

futebol (fu.te.bol) [pl.: *-óis*] *s.m.* ESP jogo disputado em dois tempos de 45 minutos por duas equipes de 11 jogadores, que, sem usar braços e mãos (com exceção dos goleiros dentro da sua área), devem fazer entrar uma bola no gol do adversário ▪ **f. de botão** RECR jogo disputado sobre uma mesa ou tabuleiro, por duas pessoas, que reproduz as regras do futebol e utiliza 20 botões para representar as duas equipes e caixas de fósforos ou similares para os dois goleiros • **f. de salão** ESP futebol de quadra, com regras próprias, disputado por duas equipes de cinco jogadores; futsal • **f. totó** RECR jogo de bola disputado por duas pessoas numa caixa com 22 bonecos (dois times) acionados por varetas que os mantêm em suspensão; pebolim

futebolista (fu.te.bo.lis.ta) *adj.2g.s.2g.* **1** jogador de futebol **2** aficionado por futebol

futevôlei (fu.te.vô.lei) *s.m.* ESP *B* esporte, jogado ger. na praia, em que os jogadores devem fazer a bola passar sobre a rede, usando pernas, pés, tronco e cabeça

F

fútil (fú.til) [pl.: *-eis*] *adj.2g.s.2g.* **1** (o) que não tem importância; insignificante, superficial ↺ importante **2** que(m) não inspira confiança; leviano ↺ responsável ~ **futilidade** *s.f.*

futrica (fu.tri.ca) *s.f. infrm.* fofoca, intriga ~ **futriqueiro** *adj.s.m.* - **futriquice** *s.f.*

futricar (fu.tri.car) *v.* {mod. 1} *int. infrm.* **1** trapacear nos negócios *<ele futrica quando vende para turistas>* **2** fazer futrica; fuxicar, fofocar □ *t.d. e int. infrm.* **3** agir para prejudicar; atrapalhar *<f. um negócio> <tanto futricou que o projeto não avançou>* □ *t.d. B infrm.* **4** provocar de modo impertinente; importunar

futsal (fut.sal) [pl.: *-ais*] *s.m.* ESP futebol de salão

futucar (fu.tu.car) *v.* {mod. 1} *t.d.* **1** introduzir o dedo ou objeto em (cavidade, orifício etc.); cutucar *<f. a orelha>* **2** sacudir levemente; cutucar *<futucou o amigo indiscreto>* **3** fuxicar ('mexer')

futurismo (fu.tu.ris.mo) *s.m.* movimento artístico do início do sXX que exalta a mudança, a velocidade, a máquina, as multidões e rejeita esp. o individualismo e o sentimentalismo da arte anterior a ele ☞ inicial maiúsc.

futurista (fu.tu.ris.ta) *adj.2g.* **1** que sugere o futuro *<ideias f.>* **2** fora do comum; extravagante, excêntrico *<uma moda de roupa f.>* **3** relacionado com o Futurismo

futuro (fu.tu.ro) *s.m.* **1** tempo que virá ↺ passado **2** conjunto de fatos relacionados a esse tempo; destino *<nunca pensa no f.>* ■ *adj.* **3** que pertence a esse tempo *<gerações f.> <f. presidente>*

futurologia (fu.tu.ro.lo.gi.a) *s.f.* estudo que trata das possibilidades futuras, levando em conta tendências manifestadas no presente ~ **futurólogo** *s.m.*

futuroso (fu.tu.ro.so) /ô/ [pl. e fem.: /ó/] *adj.* que tem bom futuro; promissor

fuxicar (fu.xi.car) *v.* {mod. 1} *t.d. e int. infrm.* **1** mexer intencionalmente em (algo), ger. causando desordem; remexer *<fuxicou todas as gavetas> <o gato passava o dia fuxicando>* □ *int. infrm.* **2** fazer intriga; futricar, fofocar □ *t.d. infrm.* **3** tocar em; bulir, mexer *<só fala fuxicando os outros>* **4** costurar com pontos largos; alinhavar

fuxico (fu.xi.co) *s.m. infrm.* **1** fofoca, mexerico **2** intromissão, indiscrição **3** *B* remendo malfeito **4** *B* saquinho de pano redondo e franzido, que depois é achatado, com a boca para cima, e unido a outros, us. em bolsas, roupas, colchas etc.

fuxiqueiro (fu.xi.quei.ro) *adj.s.m. B infrm.* que(m) faz intrigas; fofoqueiro

fuzarca (fu.zar.ca) *s.f. B infrm.* **1** farra, folia **2** *p.ext.* bagunça, desordem ~ **fuzarquear** *v.int.*

fuzil (fu.zil) [pl.: *-is*] *s.m.* arma de fogo portátil de cano comprido

fuzilar (fu.zi.lar) *v.* {mod. 1} *t.d.* **1** matar com fuzil ou outra arma de fogo **2** *fig.* assediar com muitas perguntas, impropérios etc.; importunar □ *t.d. e int.* **3** lançar de si (reflexos de luz) *<o malho do forjador fuzila chispas coruscantes> <o aço da espada fuzilava com grande ameaço>* ~ **fuzilamento** *s.m.*

fuzilaria (fu.zi.la.ri.a) *s.f.* grande quantidade de tiros simultâneos de fuzil ou de qualquer arma de fogo; tiroteio

fuzileiro (fu.zi.lei.ro) *s.m.* soldado armado de fuzil ▪ **f. naval** MAR membro da infantaria da marinha de guerra

fuzuê (fu.zu.ê) *s.m. B infrm.* **1** folia coletiva, festança **2** *p.ext.* briga, confusão ↺ ordem

a b c d e f **g** h i j k l m n o p q r s t u v w x y z

Gg

g *s.m.* **1** sétima letra do nosso alfabeto, consoante ■ *n.ord. (adj.2g.2n.)* **2** diz-se do sétimo elemento de uma série *<casa G> <item 1g>* ☞ empr. após um substantivo ou numeral ▲ **3** símbolo de [2]*grama* ◉ GRAM/USO na acp. s.m., pl.: *gg*

Ga QUÍM símbolo de *gálio*

gabar (ga.bar) *v.* {mod. 1} *pron.* **1** (prep. *de*) promover ou anunciar os próprios méritos e conquistas, reais ou falsos; vangloriar-se *<gaba-se de sua inteligência>* □ *t.d.* **2** enaltecer as qualidades de; louvar ↺ criticar ~ **gabação** *s.f.* - **gabo** *s.m.*

gabardina (ga.bar.di.na) ou **gabardine** (ga.bar.di.ne) *s.f.* **1** pano de lã ou algodão, tecido em diagonal, us. na confecção de roupas **2** VEST capa de chuva feita desse tecido impermeabilizado

gabaritar (ga.ba.ri.tar) *v.* {mod. 1} *t.d.* acertar todas as questões de (prova, avaliação)

gabarito (ga.ba.ri.to) *s.m.* **1** medida ou molde padrão a ser us. em obras, móveis, peças de roupa etc. **2** limite de altura imposto a edificações em certas áreas **3** *B* tabela com as respostas corretas de um exame, prova etc. **4** *fig. B* classe, categoria *<inteligência de alto g.>*

gabarola (ga.ba.ro.la) *adj.2g.s.2g.* que(m) se gaba dos próprios feitos ~ **gabarolice** *s.f.*

gabinete (ga.bi.ne.te) /ê/ *s.m.* **1** saleta isolada, para diversos usos **2** sala onde se trabalha; escritório *<a reunião foi no g. do diretor>* **3** sala de trabalho dos ministros de Estado **4** conjunto de ministros de Estado; ministério *<o presidente apresentou seu novo g. aos jornalistas>* **5** equipe de funcionários de um chefe de Estado, de um prefeito etc.

gabiru (ga.bi.ru) *adj.s.m. infrm.* **1** que(m) age com esperteza; malandro **2** que(m) é alegre, brincalhão; travesso **3** que(m) vive do dinheiro que ganha no jogo **4** conquistador de mulheres; mulherengo

gadama (ga.da.ma) *s.f. TO C.-O.* muito gado reunido; rebanho, manada

gadanha (ga.da.nha) *s.f.* **1** colher grande de cabo comprido e concha funda **2** foice de cabo comprido; gadanho

gadanhar (ga.da.nhar) *v.* {mod. 1} *t.d.* **1** cortar (feno) com gadanha **2** arranhar com as unhas ou gadanho ('ancinho') **3** agarrar com força, firmeza *<g. o braço de alguém>*

gadanho (ga.da.nho) *s.m.* **1** garra de ave de rapina **2** *p.ext. B infrm.* unha, dedo, mão **3** espécie de ancinho com grandes dentes de ferro **4** gadanha ('foice')

gadídeo (ga.dí.deo) *s.m.* ZOO **1** espécime dos gadídeos, família de peixes que inclui o bacalhau e o hadoque, espécies de grande valor comercial ■ *adj.* **2** relativo a essa família

gado (ga.do) *s.m.* conjunto de animais quadrúpedes domesticados (carneiros, cavalos, bois, cabritos etc.) criados para serem negociados ou para uso do dono; rebanho

gadolínio (ga.do.lí.nio) *s.m.* QUÍM elemento químico us. como absorvedor de nêutrons em reatores nucleares, em materiais fluorescentes etc. [símb.: *Gd*] ☞ cf. *tabela periódica* (no fim do dicionário)

gaélico (ga.é.li.co) *s.m.* LING **1** grupo de línguas faladas pelo povo celta da Grã-Bretanha ou Irlanda, cujas línguas modernas são o irlandês e o escocês ■ *adj.* **2** relativo a esse povo ou à sua língua

gafanhoto (ga.fa.nho.to) /ô/ *s.m.* ZOO nome comum a diversos insetos terrestres, com longas pernas traseiras, us. para saltar, e que atacam plantações ◉ VOZ v.: ziziar; subst.: ziziamento, zizio

gafe (ga.fe) *s.f.* ato e/ou palavra involuntária, impensada, indiscreta, desastrada

gafieira (ga.fi.ei.ra) *s.f. B* **1** baile popular, com orquestra ao vivo **2** local onde ocorre esse baile

gaforina (ga.fo.ri.na) *s.f.* **1** cabelo em desalinho **2** topete ('tufo de cabelos')

gagá (ga.gá) *adj.2g.s.2g.* (indivíduo) que apresenta debilidade mental e/ou física em virtude da idade avançada; caduco

gago (ga.go) *adj.s.m.* que(m) gagueja; tartamudo

gagueira (ga.guei.ra) *s.f.* MED perturbação da fala, caracterizada por repetição de certas sílabas e/ou paradas involuntárias no início das palavras

gaguejar (ga.gue.jar) *v.* {mod. 1} *t.d. e int.* **1** falar (algo) repetindo, interrompendo ou prolongando sílabas, palavras, letras; tartamudear *<g. uma desculpa> <tentava responder, mas só conseguia g.>* □ *int.* **2** exprimir-se de maneira hesitante; vacilar *<durante o interrogatório apenas gaguejou>* ~ **gaguejo** *s.m.*

G

gaiacol (gai.a.col) [pl.: *-óis*] *s.m.* → **GUAIACOL**

gaiatete (gai.a.te.te) /ê/ *s.m.* **1** pequeno gaiato **2** gaiato petulante ◉ GRAM/USO dim.irreg. de *gaiato*

gaiato (gai.a.to) *adj.s.m.* **1** (menino) travesso e vadio **2** (indivíduo) alegre e brincalhão ■ *adj.* **3** que diverte; cômico *<história g.> <um sujeito g.>* ◉ GRAM/USO dim. irreg.: *gaiatete* ▣ **entrar de g.** *B infrm.* dar-se mal, ser enganado *<ingênuo, entrou de g. na confusão das provas roubadas>* ~ **gaiatice** *s.f.*

gaijin (gai.jin) [pl.: *-ins*] *s.2g.* nome que os primeiros imigrantes do Japão davam aos brasileiros

[1]**gaio** (gai.o) *adj.* **1** que revela alegria; jovial ↺ melancólico **2** de espírito sagaz; esperto ↺ tolo **3** diz-se do verde-claro e vivo ◉ ORIGEM duv., talvez do fr. *gai* 'jovial, alegre'

[2]**gaio** (gai.o) *s.m.* ZOO ave da família das gralhas e corvos, encontrada no Velho Mundo, do tamanho de uma pomba, e plumagem marrom-avermelhada com asas e cauda negras ◉ ORIGEM do lat.tar. *gāius* 'id.' ◉ VOZ v. e subst.: berrar, chilrear, crocitar, estridular, grasnar

gaiola (gai.o.la) *s.f.* **1** armação de arame ou madeira us. para manter pássaros presos **2** prisão para feras; jaula **3** *B* barco fluvial a vapor com varandas, us. ger. para transporte de passageiros **4** *fig. infrm.* prisão

gaipapa (gai.pa.pa) *s.f.* ZOO a fêmea do gaturamo

gaita (gai.ta) *s.f.* **1** MÚS pequeno instrumento de sopro que se toca fazendo-o correr por entre os lábios; harmônica **2** *B infrm.* dinheiro

gaitada (gai.ta.da) *s.f. N. N.E. MG GO infrm.* risada ruidosa; gargalhada

gaita de foles (gai.ta de fo.les) [pl.: *gaitas de foles*] *s.f.* MÚS instrumento de sopro formado por um saco que se enche de ar, munido de tubos com palhetas e orifícios que se tampam com os dedos, para se produzir sons como de gaita

gaiteiro (gai.tei.ro) *s.m.* **1** tocador de gaita ■ *adj.* **2** folião, festeiro ↺ sério **3** vistoso, chamativo ↺ discreto

gaivota (gai.vo.ta) *s.f.* ZOO ave marinha praiana, de plumagem ger. branca e com os dedos dos pés unidos por membranas ◉ VOZ v. e subst.: cantar, chiar, crocitar, guinchar, piar, pipilar; subst.: grito, pio

gajo (ga.jo) *s.m. infrm.* pessoa cujo nome não se conhece ou se quer omitir; fulano

[1]**gala** (ga.la) *s.f.* **1** VEST traje us. em ocasiões solenes **2** festa solene *<baile de g.>* **3** grande luxo, riqueza ↺ simplicidade **4** vaidade exagerada ↺ modéstia **5** festa nacional ◉ ORIGEM duv., talvez do it. *gala* 'elegância, pompa'

[2]**gala** (ga.la) *s.f.* galadura ◉ ORIGEM regr. de *galar*

galã (ga.lã) *s.m.* **1** homem belo, elegante, atraente **2** CINE RÁD TEAT TV personagem ou ator que representa heróis românticos

galáctico (ga.lác.ti.co) *adj.* relativo a galáxia

galadura (ga.la.du.ra) *s.f.* **1** fecundação da fêmea **2** mancha na gema do ovo fecundado; gala

galalau (ga.la.lau) *s.m. B infrm.* rapaz ou homem grande, alto

galalite (ga.la.li.te) *s.f.* material plástico derivado da caseína *<botões de g.>* ☞ marca registrada *Galalithe*, que passou a designar o seu gênero

galantaria (ga.lan.ta.ri.a) ou **galanteria** (ga.lan.te.ri.a) *s.f.* **1** ato de cortejar ou seu efeito; galanteio **2** coisa ou pessoa galante **3** atitude de graça e gentileza ↺ deselegância

galante (ga.lan.te) *adj.2g.* **1** que se destaca pela elegância, discrição etc. ↺ deselegante **2** amável com as mulheres ↺ descortês **3** que revela certa malícia; picante *<história g.>* ■ *s.2g.* **4** quem faz galanteios *<era um talentoso g.>*

galantear (ga.lan.te.ar) *v.* {mod. 5} *t.d. e int.* **1** cercar de atenções e amabilidades; cortejar *<galanteava as damas do palácio> <é um mestre na arte de g.>* □ *t.d.* **2** pôr adornos em; enfeitar *<galanteia a filha com fitas e bordados>* ~ **galanteador** *adj.s.m.*

galanteio (ga.lan.tei.o) *s.m.* elogio sedutor; galantaria, corte

galanteria (ga.lan.te.ri.a) *s.f.* → **GALANTARIA**

galanteza (ga.lan.te.za) /ê/ *s.f.* **1** elegância, discrição, graça **2** amabilidade, delicadeza para com as damas ↺ descortesia

[1]**galão** (ga.lão) [pl.: *-ões*] *s.m.* **1** tira de tecido bordado us. como enfeite, arremate etc. **2** tira dourada aplicada em fardas que indica a patente militar ◉ ORIGEM do fr. *galon* 'id.'

[2]**galão** (ga.lão) [pl.: *-ões*] *s.m.* **1** medida de capacidade para líquidos e cereais, equivalente a aprox. 4 litros *<um g. de tinta>* **2** recipiente grande para líquidos *<levou a água em um g.>* ◉ ORIGEM do ing. *gallon* 'medida de capacidade'

galar (ga.lar) *v.* {mod. 1} *t.d.* fecundar (ave) [a fêmea]

galardão (ga.lar.dão) [pl.: *-ões*] *s.m.* **1** recompensa por serviço valioso ↺ castigo **2** *fig.* prêmio, homenagem ↺ punição

galardoar (ga.lar.do.ar) *v.* {mod. 1} *t.d.* dar prêmio ou galardão a, por serviço ou merecimento; premiar, recompensar

galáxia (ga.lá.xia) /cs/ *s.f.* ASTR **1** a Via Láctea ☞ inicial por vezes maiúsc. **2** sistema isolado no espaço cósmico, com estrelas, planetas, nebulosas, poeira, gases etc.

galé (ga.lé) *s.f.* HIST MAR **1** antiga embarcação comprida e estreita, movida a velas e remos, us. desde a Antiguidade grega até os fins do século XVIII ▼ **galés** *s.f.pl.* 2 pena dos condenados a remar nessa embarcação

galeão (ga.le.ão) [pl.: *-ões*] *s.m.* MAR antiga embarcação a vela com quatro mastros, armada, us. no transporte de cargas valiosas *<os piratas atacaram um g. espanhol>*

galego (ga.le.go) /ê/ *s.m.* **1** natural ou habitante da Galiza (Espanha) **2** LING língua românica, muito próxima do português, falada nessa região **3** *infrm.* estrangeiro, esp. louro **4** *B pej.* português, esp. o de mais baixo nível de cultura ☞ esta acp. resulta de antigo preconceito português contra estrangeiros, que no Brasil gerou outro preconceito, desta vez contra os próprios portugueses ■ *adj.* **5** relativo a essa região da Espanha e à língua ali falada

galena (ga.le.na) *s.f.* **1** MINER mineral de chumbo, que ger. contém prata **2** aparelho primitivo de rádio que capta apenas emissões muito próximas

galeota (ga.le.o.ta) *s.f.* MAR **1** galé de no máximo 20 remos **2** barco comprido a remo, ger. us. para recreação

galera (ga.le.ra) *s.f.* **1** MAR antiga embarcação de guerra; galé **2** *B infrm.* qualquer grupo afim; turma *<saiu com a g. do vôlei>*

galeria (ga.le.ri.a) *s.f.* **1** ARQ corredor largo e comprido com amplas janelas ou teto envidraçado **2** *p.ext.* local para exposição e venda de obras de arte *<g. de pinturas, de esculturas>* **3** *p.ext.* coleção de obras de arte *<em sua sala, possui uma bela g. de miniaturas de marfim>* **4** *fig.* coleção de personalidades, ger. célebres *<a g. dos personagens de Monteiro Lobato>* **5** duto subterrâneo para esgoto e águas pluviais **6** corredor escavado debaixo da terra para exploração de minérios **7** passagem escavada no solo por animais como tatus, formigas etc. **8** passagem que une uma rua a outra através de um edifício **9** pequeno centro comercial **10** nos teatros, conjunto de assentos situados no piso mais elevado *<comprou ingressos para a g.>* ☞ tb. us. no pl. **11** o público que aí se acha instalado ☞ tb. us. no pl.

galeto (ga.le.to) /ê/ *s.m. B* **1** frango novo, assado no espeto **2** estabelecimento onde se serve esse prato

galgar (gal.gar) *v.* {mod. 1} *t.d.* **1** andar, correr rápido e a grandes passadas *<de um salto, galgou a distância e separou-se da multidão>* **2** andar por; percorrer *<galgou todo o sertão brasileiro>* **3** subir, trepar *<g. um muro>* **4** saltar por cima; transpor, pular *<num segundo, galgou os três lances de escada>* **5** *fig.* transpor, superar *<g. etapas>* **6** atingir, alcançar *<já galgou os 40 anos>*

galgo (gal.go) *s.m.* ZOO cão ágil, veloz, de pelagem curta, pernas compridas e corpo magro

galhada (ga.lha.da) *s.f.* **1** par de chifres dos ruminantes **2** ramagem de árvores

galhardete (ga.lhar.de.te) /ê/ *s.m.* **1** MAR bandeira us. para sinalização **2** bandeira para enfeite de ruas ou de edifícios em ocasiões festivas **3** bandeira de pequenas dimensões

galhardia (ga.lhar.di.a) *s.f.* **1** garbo, elegância ↺ deselegância **2** *fig.* generosidade de alma ↺ mesquinharia **3** *fig.* bravura, coragem *<comportou-se com g. diante da ameaça>* ↺ covardia ~ **galhardo** *adj.*

galheiro (ga.lhei.ro) *adj.s.m.* ZOO *B* (veado) de chifres grandes

galheta (ga.lhe.ta) /ê/ *s.f.* **1** frasco para servir azeite ou vinagre **2** cada vaso com água ou vinho us. na missa **3** instrumento de vidro us. em laboratórios químicos

galheteiro (ga.lhe.tei.ro) *s.m.* suporte para frascos de azeite, vinagre etc., us. sobre a mesa de refeição

galho (ga.lho) *s.m.* **1** ramo de árvore ou arbusto **2** *B infrm.* biscate **3** *B infrm.* confusão, briga *<o vizinho briguento causou um g. danado>* **4** *B infrm.* situação difícil *<ter que enfrentar um g.>* ◉ COL galhada ▣ **quebrar um g.** *B infrm.* ajudar a resolver uma dificuldade *<ele quebrou um g. ao aceitar ser síndico>*

galhofa (ga.lho.fa) *s.f.* **1** gracejo, brincadeira **2** zombaria explícita; deboche ↺ respeito ~ **galhofeiro** *adj.s.m.*

galhofar (ga.lho.far) *v.* {mod. 1} *t.i. e int.* **1** (prep. *de*) zombar explicitamente de; debochar *<galhofa de tudo e de todos>* *<sua reação diante de ameaças é g.>* ↺ respeitar □ *int.* **2** andar na farra; farrear *<ele já cansou de g.>*

galhudo (ga.lhu.do) *adj.* **1** com muitos galhos *<uma árvore g.>* **2** dotado de chifres *<cervo g.>* ■ *adj.s.m. infrm.* **3** *pej.* (homem) traído pela mulher ou namorada; cornudo

galicismo (ga.li.cis.mo) *s.m.* LING palavra ou expressão francesa us. em outra língua; francesismo

galileu (ga.li.leu) [fem.: *galileia* /éi/] *adj.* **1** da Galileia, região norte da Palestina ■ *s.m.* **2** natural ou habitante dessa região

galináceo (ga.li.ná.ceo) *s.m.* ZOO **1** espécime dos galináceos, ordem de aves de bico pequeno, como galinhas, perus e faisões ■ *adj.* **2** relativo a essa ordem

galinha (ga.li.nha) *s.f.* ZOO **1** fêmea do galo ■ *adj. 2g.s.2g. B pej.* **2** que(m) varia de parceiros amorosos com frequência **3** que(m) é covarde, medroso ◉ VOZ v.: cacarejar; subst.: cacarejo, piado ▣ **g. à cabidela** ou **de cabidela** CUL cabidela de galinha

galinha-d'angola (ga.li.nha-d'an.go.la) [pl.: *galinhas-d'angola*] *s.f.* ZOO galinha de plumagem cinzenta com pintas brancas, cabeça sem penas, muito colorida e dotada de uma crista óssea dorsal, que, quando pia, parece dizer 'tô fraca'; estou-fraca ◉ VOZ v.: fraquejar

galinheiro (ga.li.nhei.ro) *s.m.* **1** cercado onde se criam galinhas **2** *infrm.* nos teatros, última série de assentos, ger. localizada no pavimento superior; poleiro

galinicultura (ga.li.ni.cul.tu.ra) *s.f.* criação de galinhas ~ **galinicultor** *adj.s.m.*

gálio (gá.lio) *s.m.* QUÍM elemento químico us. em transístores, memórias de computador, telas de TV etc. [símb.: *Ga*] ☞ cf. *tabela periódica* (no fim do dicionário)

galo (ga.lo) [fem.: *galinha*] *s.m.* **1** ZOO ave de bico pequeno, crista vermelha e carnuda, asas curtas e largas, e rabo com longas penas coloridas, ger. erguidas em forma de arco **2** *infrm.* calombo causado por pancada na cabeça ◉ VOZ v.: cacarejar, cantar, cocoricar; subst.: cacarejo, canto

galocha (ga.lo.cha) *s.f.* VEST revestimento de borracha que se usava por cima dos sapatos ou das botas, para protegê-los da água

galopante (ga.lo.pan.te) *adj.2g.* **1** que galopa **2** *fig.* que se desenvolve rapidamente *<inflação g.>*

galopar (ga.lo.par) *v.* {mod. 1} *int.* **1** andar a galope; correr *<aquele cavalo não anda, só galopa>* **2** *fig.* cavalgar o animal que anda a galope *<o rapaz galopava sorrindo>* □ *t.d. p.ext.* **3** percorrer (distância, espaço) montando animal a galope ~ **galopador** *adj.s.m.*

galope (ga.lo.pe) *s.m.* o passo mais rápido dos quadrúpedes, esp. de cavalos *<o animal tem um belo g.>* ▣ **a g.** *fig. infrm.* com andar apressado *<o médico saiu a g.>*

galpão (gal.pão) [pl.: *-ões*] *s.m.* construção coberta, ger. us. como depósito, abrigo para maquinaria etc.

galvanizar (gal.va.ni.zar) *v.* {mod. 1} *t.d.* **1** recobrir (um metal) com outro para evitar oxidação **2** estimular por ação de corrente elétrica *<g. músculos>* ~ **galvanização** *s.f.* - **galvanizador** *adj.s.m.*

gama (ga.ma) *s.m.* **1** terceira letra do alfabeto grego (γ, Γ) ■ *s.f.* **2** *fig.* série, variedade de coisas, ideias, sensações etc. *<g. de emoções> <apresentou uma sortida g. de cores>*

gamado (ga.ma.do) *adj. B infrm.* apaixonado

gamão (ga.mão) [pl.: *-ões*] *s.m.* RECR **1** jogo de dados, disputado por dois jogadores, cujo objetivo é avançar as peças sobre um tabuleiro com dois grupos de seis casas triangulares **2** tabuleiro em que se disputa esse jogo

gamar (ga.mar) *v.* {mod. 1} *t.i. e int. infrm.* (prep. *por*) ficar encantado; apaixonar-se *<já nas primeiras páginas gamou pelo livro> <viu a garota e gamou no mesmo instante>* ~ **gamação** *s.f.*

gambá (gam.bá) *s.2g.* **1** ZOO pequeno mamífero de pelagem preta, vermelha ou cinza, de hábitos noturnos, cujas fêmeas têm uma bolsa (marsúpio) para carregar e alimentar os filhotes; sariguê **2** *B infrm.* ébrio, beberrão ↺ sóbrio ◉ voz v. e subst.: regougar

gambiarra (gam.bi.ar.ra) *s.f.* **1** ELETR extensão elétrica de fio comprido, com uma lâmpada na extremidade, que pode ser movida para diversos locais dentro de certa área **2** *B infrm.* extensão puxada para furtar energia elétrica; gato **3** *B infrm.* série de lâmpadas ou refletores de iluminação **4** *B gír.* coisa malfeita ou feita sem capricho **5** *B gír.* recurso popular, criativo, para resolver algum problema *<não encontrou o gancho para a rede e fez uma g.>*

gambira (gam.bi.ra) *s.f. TO B C.-O. infrm.* **1** compra e venda ou barganha **1.1** *pej.* negócio escuso ~ **gambirar** *v.t.d. e int.* - **gambireiro** *s.m.*

[1]***game*** [ing.; pl.: *games*] *s.m.* ESP no jogo de tênis, cada uma das subdivisões (ger. seis) de um *set* ◉ ORIGEM do ing. *game* 'jogo' ⇒ pronuncia-se guêime

[2]***game*** [it.; pl.: *games*] *s.m.* RECR *video game* ◉ ORIGEM red. de *video game* ⇒ pronuncia-se gueime

gamela (ga.me.la) *s.f.* vasilha de madeira ou barro com diversos usos

gameleira (ga.me.lei.ra) *s.f.* BOT nome comum a árvores cuja madeira é us. para a confecção de gamelas e objetos domésticos

gameta (ga.me.ta) /ê/ *s.m.* BIO célula reprodutora masculina ou feminina ~ **gamético** *adj.*

gametângio (ga.me.tân.gio) *s.m.* BIO célula que produz gametas

gana (ga.na) *s.f.* **1** grande apetite de algo *<g. de comer pastéis>* ↺ fastio **2** impulso, ímpeto *<tive ganas de derrubar o portão>* ☞ freq. us. no pl. **3** desejo de fazer mal a alguém; ódio ↺ amor

ganância (ga.nân.cia) *s.f.* **1** desejo ou ambição de ganho, de lucro **2** *fig.* ganho ilícito; usura ~ **ganancioso** *adj.*

gancho (gan.cho) *s.m.* **1** haste recurvada us. para suspender pesos ou pendurar objetos **2** VEST *B* parte da calça em que se unem as duas pernas **3** *B* descanso do aparelho telefônico *<pôr o fone no g.>* **4** ESP no boxe, soco que vem de baixo para cima, em uma trajetória similar a um gancho ('haste recurvada') *<foi nocauteado com um g. de direita>* **5** *B infrm.* recurso (ger. um acontecimento inesperado ou curioso) us. para prender a atenção do espectador, leitor, ouvinte etc. **6** *B infrm.* oportunidade, pretexto, brecha *<esperou um g. no debate para dar sua opinião>*

gandaia (gan.dai.a) *s.f.* **1** malandragem, ócio **2** *fig.* vida de farrista; orgia *<vivia na g.>* ~ **gandaieiro** *adj.s.m.*

gandaiar (gan.dai.ar) *v.* {mod. 1} *int.* **1** *fig.* levar vida desregrada, com maus costumes; farrear **2** *fig.* perder a seriedade, o comedimento; desmoralizar-se ↺ conter-se

gandula (gan.du.la) *s.2g.* FUTB *B* indivíduo que pega e devolve a bola quando esta sai de campo

ganga (gan.ga) *s.f.* **1** MINER parte que não se pode aproveitar de uma jazida ou filão **2** *p.ext.* conjunto de resíduos ou restos que não podem ser aproveitados

gangético (gan.gé.ti.co) *adj.* relativo ao rio Ganges (Índia) ou às terras que o margeiam

gânglio (gân.glio) *s.m.* ANAT corpo arredondado de tamanho e estrutura variável; nodo, nódulo ▣ **g. linfático** ANAT pequeno corpo situado no trajeto de vasos linfáticos, responsável pelas defesas do organismo • **g. nervoso** ANAT pequeno tumor no trajeto de um nervo ~ **ganglionar** *adj.2g.*

gangorra (gan.gor.ra) /ô/ *s.f.* RECR *B* aparelho para diversão infantil formado por uma prancha apoiada sobre um eixo central, cujas extremidades se elevam, uma de cada vez, pelo impulso dos pés das crianças nelas sentadas

gangrena (gan.gre.na) *s.f.* **1** MED morte e apodrecimento dos tecidos em qualquer parte do organismo **2** *fig.* o que produz destruição ou degradação *<a corrupção é a g. da sociedade>* ~ **gangrenar** *v.t.d.,int. e pron.*

gângster (gângs.ter) [pl.: *-es*] *s.m.* **1** membro do crime organizado **2** *fig.* indivíduo inescrupuloso e perigoso ~ **gangsterismo** *s.m.*

gangue (gan.gue) *s.f.* **1** bando de bandidos; quadrilha **2** *p.ext. B infrm.* turma, ger. de jovens; patota

ganha-pão (ga.nha-pão) [pl.: *ganha-pães*] *s.m.* trabalho ou instrumento de trabalho que garante a subsistência *<a flauta era seu g.>*

ganhar (ga.nhar) *v.* {mod. 1} *t.d. e t.d.i.* **1** (prep. *de*) receber por merecimento, trabalho ou sorte *<ganhou*

um par de tênis (do pai)> **2** *B infrm.* (prep. *de*) ser atingido por; receber, levar *<ganhou um beijo do amigo> <g. um tapa>* ↺ dar □ *t.d.* **3** tomar conta de; apoderar-se *<o sono ganhou o doente>* **4** passar a ter; adquirir *<g. saúde, fama>* ↺ perder **5** deixar de gastar (tempo); economizar *<seguindo pelo atalho, ganhou algumas horas>* **6** trazer de volta; recuperar *<quer g. o tempo que perdeu>* **7** *infrm.* conquistar, seduzir *<g. uma garota>* **8** dar à luz (uma criança); parir □ *t.d. e int.* **9** sair vitorioso (em); vencer *<o promotor ganhou a causa> <o time da casa ganhou>* ↺ perder ◉ GRAM/USO part.: *ganhado*, *ganho*; ver QUADRO DE PARTICÍPIOS DUPLOS nas pp. iniciais ~ **ganhador** *adj.s.m.*

ganho (ga.nho) *adj.* **1** que se ganhou ■ *s.m.* **2** aquilo que se ganhou; lucro *<os g. do mês não compensaram os gastos>* ↺ perda **3** *B infrm.* roubo, furto ◉ GRAM/USO part.irreg. de *ganhar*

ganido (ga.ni.do) *s.m.* **1** grito de dor dos cães ou como o deles **2** *fig.* voz aguda, estridente

ganir (ga.nir) *v.* {mod. 24} *int.* gemer (o cão), de dor, medo, sofrimento ◉ GRAM/USO **a)** só us. nas 3ªs p., exceto quando fig.; **b)** verbo defectivo

ganso (gan.so) *s.m.* ZOO ave com plumagem branca ou cinza e pescoço comprido, com espécies selvagens e uma doméstica, que é criada para consumo de sua carne e fígado ◉ VOZ v.: grasnar; subst.: grasnido

ganzá (gan.zá) *s.m.* MÚS cilindro de metal contendo sementes ou seixos us. como chocalho

garagem (ga.ra.gem) [pl.: *-ens*] *s.f.* **1** lugar destinado a abrigar automóveis **2** oficina onde se consertam automóveis

garagista (ga.ra.gis.ta) *s.2g.* *B* dono ou encarregado de garagem

garanhão (ga.ra.nhão) [pl.: *-ões*] *adj.s.m.* **1** ZOO (cavalo) destinado à reprodução **2** *fig.* (homem) mulherengo

garantia (ga.ran.ti.a) *s.f.* **1** ato ou palavra que assegura o cumprimento de uma obrigação, promessa etc. **2** *p.ext.* documento que assegura a autenticidade ou a boa qualidade de um produto ou serviço **3** *p.ext.* período em que vigora esse documento ▣ **garantias constitucionais** DIR direitos, privilégios que a Constituição de um país confere aos cidadãos

garantir (ga.ran.tir) *v.* {mod. 24} *t.d.* **1** assumir a responsabilidade por; afiançar *<g. um pagamento, uma entrega>* **2** obrigar-se por compromisso; prometer, jurar *<garantiu que chegaria cedo>* □ *t.d. e t.d.i.* **3** (prep. *a*) tornar seguro, válido; assegurar *<a legislação do país garante o direito de greve (aos trabalhadores)>* **4** (prep. *a*) afirmar (algo) com certeza, segurança, dando-o como certo; asseverar *<garanto(-lhe) que tudo dará certo>* ~ **garantidor** *adj.s.m.*

garapa (ga.ra.pa) *s.f.* *B* **1** caldo da cana-de-açúcar **2** qualquer bebida açucarada

garatuja (ga.ra.tu.ja) *s.f.* **1** desenho ou letra malfeitos, pouco ou nada inteligíveis ☞ mais us. no pl. **2** trejeito do rosto ou corpo; careta ~ **garatujar** *v.t.d. e int.*

garbo (gar.bo) *s.m.* **1** elegância na figura e no porte ↺ desalinho **2** brio, dignidade ↺ indignidade **3** distinção, perfeição ↺ defeito

garboso (gar.bo.so) /ô/ [pl. e fem.: /ó/] *adj.* que tem elegância, distinção, garbo ↺ deselegante ~ **garbosidade** *s.f.*

garça (gar.ça) *s.f.* ZOO ave de pernas e dedos compridos, pescoço fino, bico longo e pontiagudo, que vive em pântanos ou charcos e se alimenta basicamente de peixes ◉ VOZ v.: gazear, grasnar; subst.: gazeio

garção (gar.ção) [pl.: *-ões*; fem.: *garçonete*] *s.m.* garçom

garçom (gar.çom) [pl.: *-ons*; fem.: *garçonete*] *s.m.* empregado que serve as pessoas em restaurantes, cafés, festas etc.

garçonete (gar.ço.ne.te) *s.f.* mulher que serve as pessoas em restaurantes, cafés, festas etc.

gardênia (gar.dê.nia) *s.f.* BOT arbusto de flores grandes e aromáticas, cultivado como ornamental, medicinal e pelas madeiras e frutos de que se extraem tinturas

G

gare (ga.re) *s.f.* estação de estrada de ferro

garfada (gar.fa.da) *s.f.* **1** porção de comida contida em um garfo **2** golpe com garfo **3** *B infrm.* furto, roubo *<aquele empréstimo foi uma g. em seu orçamento>*

garfar (gar.far) *v.* {mod. 1} *t.d.* **1** pegar, espetar com o garfo ('talher') **2** revolver com garfo ('instrumento') **3** *fig. gír.* roubar, lesar, prejudicar *<na divisão da herança, garfaram a velha tia> <o juiz garfou o meu time>*

garfo (gar.fo) *s.m.* **1** talher de dois ou mais dentes que serve para espetar e levar o alimento à boca **2** instrumento da lavoura com essa forma; forcado **3** *B* pente com essa forma, próprio para eriçar cabelo muito crespo

gargalhada (gar.ga.lha.da) *s.f.* risada forte, barulhenta e longa ~ **gargalhar** *v.int.*

gargalo (gar.ga.lo) *s.m.* **1** parte superior de uma garrafa, vasilha etc. com abertura estreita **2** *fig.* qualquer passagem muito estreita (de corredor, túnel etc.) *<as obras transformaram a saída do túnel em um g.>*

garganta (gar.gan.ta) *s.f.* **1** ANAT parte interna do pescoço, por onde os alimentos passam da boca para o estômago **2** ANAT conjunto da laringe e da faringe **3** *p.ext.* a voz *<cantor de forte g.>* **4** *fig.* bravata, mentira *<disse que podia tudo, mas era pura g.>* **5** GEO passagem estreita, ladeada por duas montanhas; desfiladeiro ■ *adj.2g.s.2g.* **6** *infrm.* que(m) conta vantagem; fanfarrão *<não acredite nele, é o maior g.>* ▣ **limpar a g.** tirar o pigarro; pigarrear • **molhar a g.** *B infrm.* ingerir bebida alcoólica • **não passar pela g.** *fig. infrm.* ser insuportável, inaceitável *<esse aumento de preços não passa pela g. de ninguém>*

gargantear (gar.gan.te.ar) *v.* {mod. 5} *t.d. e int.* **1** variar tons com rapidez ao cantar *<g. um solfejo> <a soprano garganteava com perfeição>* □ *int.* **2** emitir trinados; gorjear ☞ nesta acp., só us. nas 3ªs p., exceto quando fig. **3** *B* contar vantagens; vangloriar-se ~ **garganteador** *adj.s.m.*

garganteio (gar.gan.tei.o) *s.m.* som melodioso; gorjeio, trinado

gargantilha (gar.gan.ti.lha) *s.f.* colar ou ornato que é us. em torno do pescoço

gargarejo (gar.ga.re.jo) /ê/ *s.m.* **1** movimento de agitação de um líquido na garganta **2** líquido us. nesse movimento *<g. de água e sal>* **3** *infrm.* a primeira fila de um teatro, auditório etc. ~ **gargarejar** *v.t.d. e int.*

gárgula (gár.gu.la) *s.f.* **1** ARQ parte saliente das calhas de telhados, que se destina a escoar águas da chuva para longe das paredes, antigamente ornada com figuras monstruosas de animais ou pessoas **2** *p.ext.* essa escultura de figura monstruosa us. como elemento decorativo

gari (ga.ri) *s.2g. B* varredor de rua

garimpagem (ga.rim.pa.gem) [pl.: *-ns*] *s.f. B* **1** exploração artesanal de minerais preciosos com instrumentos rudimentares **2** *fig.* pesquisa minuciosa de palavras, textos etc.

garimpar (ga.rim.par) *v.* {mod. 1} *t.d. e int.* **1** extrair (metais, pedras preciosas), explorando garimpo *<g. ouro>* *<vive de g.>* □ *t.d. fig.* **2** procurar ou selecionar com cuidado, minúcia *<garimpava exemplos nos dicionários>* ~ **garimpeiro** *s.m.*

garimpo (ga.rim.po) *s.m. B* **1** lugar onde se exploram minerais preciosos **2** atividade, prática ou ofício de garimpeiro

garnisé (gar.ni.sé) *adj.2g.s.2g.* **1** ZOO diz-se de ou galo de porte pequeno, pertencente a diversas raças **2** *fig. B infrm.* (indivíduo) pequeno e franzino, muito brigão

garoa (ga.ro.a) /ô/ *s.f. B* chuva miúda e contínua; chuvisco ~ **garoar** *v.int.* - **garoento** *adj.*

garotada (ga.ro.ta.da) *s.f.* grupo de garotos

garotice (ga.ro.ti.ce) *s.f.* **1** vida de garoto **2** atitude de garoto; criancice

garoto (ga.ro.to) /ô/ *s.m.* criança do sexo masculino; menino ◉ COL garotada ▣ **g. de programa** jovem que se prostitui

garoupa (ga.rou.pa) *s.f.* ZOO peixe marinho, de hábitos costeiros, encontrado sobre fundos rochosos ou de areia, apreciado como alimento

garra (gar.ra) *s.f.* **1** ANAT ZOO unha comprida, curva e pontiaguda de certas aves e animais *<as g. do urso>* **2** *p.ext.* qualquer objeto com forma semelhante a essa, us. para prender, agarrar algo **3** *fig.* força de vontade, disposição *<vencerá a corrida, pois tem muita g.>* ↺ preguiça **4** *fig.* tirania, domínio *<as g. da lei>*

garrafa (gar.ra.fa) *s.f.* **1** recipiente de gargalo e boca estreita us. para conter líquidos **2** a quantidade de líquido contido nesse recipiente *<bebe duas g. de água por dia>* ◉ COL garrafaria, garrafeira

garrafada (gar.ra.fa.da) *s.f. infrm.* **1** *B* beberagem vendida como remédio por curandeiros **2** o conteúdo líquido de uma garrafa **3** golpe dado com garrafa

garrafal (gar.ra.fal) [pl.: *-ais*] *adj.2g.* **1** que tem forma de garrafa **2** *fig.* grande e legível (diz-se de tipo de letra) *<a manchete estava em letras g.>*

garrafão (gar.ra.fão) [pl.: *-ões*] *s.m.* **1** grande garrafa bojuda, com ou sem alça, ger. envolvida em palha ou vime **2** ESP no basquete, área sob a tabela, na qual o atacante não pode permanecer por mais de três segundos

garrafaria (gar.ra.fa.ri.a) *s.f.* garrafeira ('coleção', 'lugar')

garrafeira (gar.ra.fei.ra) *s.f.* **1** coleção de garrafas **2** lugar para guardar e envelhecer vinhos engarrafados **3** mulher que negocia com garrafas

garrafeiro (gar.ra.fei.ro) *s.m. B* **1** quem recolhe e/ou compra garrafas usadas **2** recipiente para guardar garrafas

garrancho (gar.ran.cho) *s.m. B* letra mal traçada, ilegível ~ **garranchento** *adj.*

garrido (gar.ri.do) *adj.* **1** que tem graça; elegante **2** muito enfeitado ↺ simples **3** *fig.* vivo, alegre, animado *<cores g.>* **4** *fig.* que atrai atenções; vistoso *<monumento g.>* ↺ discreto

[1]**garrote** (gar.ro.te) *s.m.* **1** torniquete ou faixa us. para estancar hemorragia **2** pequeno pedaço de pau us. para apertar a corda nos estrangulamentos de condenados ◉ ORIGEM do fr. *garrot* 'cacete; pedaço de madeira numa corda, para apertá-la'

[2]**garrote** (gar.ro.te) *s.m.* ZOO bezerro de dois a quatro anos de idade ◉ ORIGEM duv., talvez do fr. *garrot* 'parte saliente do dorso de um quadrúpede'

garrucha (gar.ru.cha) *s.f. B* pistola que se carrega pela boca; bacamarte

garupa (ga.ru.pa) *s.f.* **1** a anca dos animais de quatro patas **2** *p.ext.* lugar atrás do assento de bicicleta, motocicleta etc.

gás *s.m.* **1** FÍS substância fluida capaz de se expandir, ocupando todo o recipiente que a contém **2** *fig. infrm.* capacidade para suportar esforços; vigor *<ao final da prova, o corredor estava sem g.>* ↺ fraqueza **3** *fig. infrm.* entusiasmo, exaltação *<chegou em casa cheio de g.>* ↺ desânimo ▼ ***gases*** *s.m.pl.* **4** mistura, no tubo digestivo, de ar engolido e produtos voláteis da fermentação ▣ **g. carbônico** QUÍM substância (CO_2), gasosa, incolor, inodora, produzida pela respiração e pela queima de substâncias que contêm carbono, encontrada na atmosfera de muitos planetas; dióxido de carbono • **g. natural** gás encontrado em jazidas subterrâneas, associado ou não ao petróleo bruto • **g. nobre** QUÍM qualquer um dos seguintes gases: hélio, neônio, argônio, criptônio, xenônio e radônio • **g. pobre** QUÍM gás combustível, com alto teor de monóxido de carbono e hidrogênio, bastante us. como combustível industrial barato

gaseificar (ga.se.i.fi.car) *v.* {mod. 1} *t.d. e pron.* **1** (fazer) passar ao estado gasoso □ *t.d.* **2** acrescentar gás a *<g. uma bebida>* ~ **gaseificação** *s.f.*

gaseoduto (ga.se.o.du.to) *s.m.* gasoduto

gasguita (gas.gui.ta) *adj.2g.s.2g.* **1** *B* que ou quem tem voz esganiçada ou fala muito alto *<pessoa g.>* **2** *N.E.* que ou aquele que grita ou chora alto *<criança g.>*

gasoduto (ga.so.du.to) *s.m.* canalização de gases naturais ou derivados de petróleo; gaseoduto

gasogênio (ga.so.gê.nio) *s.m.* **1** aparelho que transforma carvão vegetal ou madeira em gás pobre, por meio de combustão incompleta **2** o gás combustível assim produzido, empr. como substituto da gasolina

gasolina (ga.so.li.na) *s.f.* QUÍM destilado do petróleo us. como combustível

gasômetro (ga.sô.me.tro) *s.m.* **1** aparelho que mede a quantidade de gás numa mistura **2** reservatório de gás a ser distribuído para iluminação ou combustão **3** fábrica de gás

gasoso (ga.so.so) /ô/ [pl. e fem.: /ó/] *adj.* que se apresenta no estado de gás; que contém gás *<bebida g.>*

gasparinho (gas.pa.ri.nho) ou **gasparino** (gas.pa.ri.no) *s.m.* *B* a menor fração de um bilhete de loteria

gastar (gas.tar) *v.* {mod. 1} *t.d.,t.d.i. e int.* **1** (prep. *em*) fazer despesas (com); despender *<gasta muito dinheiro (em roupas)>* *<gastava sem fazer excessos>* ◻ *t.d. e pron.* **2** (fazer) sofrer desgaste por atrito; consumir(-se) *<g. (-se) a sola do sapato>* **3** (fazer) perder as forças, o vigor; enfraquecer(-se) *<o tempo gasta nossa resistência>* *<viu aos poucos sua saúde g.-se>* ↺ fortalecer(-se) ◻ *t.d. e t.d.i.* **4** (prep. *em, para*) fazer uso de; consumir; empregar, aplicar *<é um carro que gasta muita gasolina>* *<só gastou meia hora para fazer o trabalho>* *<gastou muito tempo no percurso>* ◉ GRAM/USO part.: *gastado, gasto*; ver QUADRO DE PARTICÍPIOS DUPLOS nas pp. iniciais ~ **gastador** *adj.s.m.* - **gastança** *s.f.*

gasto (gas.to) *adj.* **1** que se gastou; gastado *<dinheiro bem g.>* **2** desperdiçado *<o dinheiro foi todo g. em bobagens>* **3** que se estragou; deteriorado *<roupas g.>* ↺ conservado **4** *fig.* que se encontra fraco, debilitado *<a dor a transformou numa pessoa g.>* ↺ forte ■ *s.m.* **5** ato de gastar ou seu efeito; consumo **6** despesa; dispêndio **7** deterioração pelo tempo, pelo uso; desgaste *<o g. de um carro>* ◉ GRAM/USO part.irreg. de *gastar*

gastralgia (gas.tral.gi.a) *s.f.* MED dor no estômago

gastrenterite (gas.tren.te.ri.te) ou **gastroenterite** (gas.tro.en.te.ri.te) *s.f.* MED inflamação da mucosa do estômago e dos intestinos

gastrenterologia (gas.tren.te.ro.lo.gi.a) ou **gastroenterologia** (gas.tro.en.te.ro.lo.gi.a) *s.f.* MED especialidade médica que se dedica ao estudo do sistema digestivo e de suas doenças ~ **gastrenterologista/gastroenterologista** *adj.2g.s.2g.*

gástrico (gás.tri.co) *adj.* relativo a estômago

gastrintestinal (gas.trin.tes.ti.nal) [pl.: *-ais*] ou **gastrointestinal** (gas.tro.in.tes.ti.nal) [pl.: *-ais*] *adj.2g.* relativo a estômago e a intestinos

gastrite (gas.tri.te) *s.f.* MED inflamação da mucosa do estômago

gastroenterite (gas.tro.en.te.ri.te) *s.f.* → ***GASTRENTERITE***

gastroenterologia (gas.tro.en.te.ro.lo.gi.a) *s.f.* → ***GASTRENTEROLOGIA***

gastrointestinal (gas.tro.in.tes.ti.nal) [pl.: *-ais*] *adj.2g.* → ***GASTRINTESTINAL***

gastronomia (gas.tro.no.mi.a) *s.f.* **1** prática e conhecimentos da arte culinária **2** o prazer de apreciar pratos finos ~ **gastronômico** *adj.* - **gastrônomo** *s.m.*

gastrópode (gas.tró.po.de) *s.m.* **1** ZOO espécime dos gastrópodes, grande classe de moluscos, que inclui os caracóis, os caramujos e as lesmas, encontrados na água doce, salgada ou em ambientes terrestres ■ *adj.2g.* **2** relativo a essa classe

gastroscopia (gas.tros.co.pi.a) *s.f.* MED exame que permite explorar a mucosa do tubo digestivo (do esôfago ao duodeno) por meio de aparelhos

gastura (gas.tu.ra) *s.f.* *B infrm.* **1** azia **2** sensação de vazio ou de bolo no estômago

gata (ga.ta) *s.f.* **1** a fêmea do gato **2** *infrm.* mulher jovem muito atraente **3** namorada

gatarrão (ga.tar.rão) [pl.: *-ões*] *s.m.* gato de tamanho grande *<aquele g. não podia ser um filhote!>* ◉ GRAM/USO aum.irreg. de *gato*

gatilho (ga.ti.lho) *s.m.* **1** em arma de fogo, pequena peça que dispara o tiro **2** peça de metal que funciona como alavanca **3** *p.ext.* qualquer coisa que, à maneira de um gatilho, faz disparar um processo ou uma reação *<a última discussão foi o g. para a demissão>*

gatimanho (ga.ti.ma.nho) *s.m.* **1** sinal feito com as mãos **2** gesticulação ridícula; trejeito **3** garatuja, rabisco ◉ GRAM/USO mais us. no pl.

gatimonha (ga.ti.mo.nha) *s.f.* gatimanho

gato (ga.to) *s.m.* **1** ZOO pequeno mamífero carnívoro, doméstico, da família dos felídeos **2** *fig.* indivíduo ligeiro, esperto *<é um g. para roubar>* **3** *infrm.* rapaz ou homem muito atraente **4** *B infrm.* ligação irregular para furtar energia elétrica ◉ GRAM/USO aum.irreg.: *gatarrão* ◉ VOZ v.: miar, ronronar; subst.: miado, miau

gato-do-mato (ga.to-do-ma.to) [pl.: *gatos-do-mato*] *s.m.* ZOO felídeo de pequeno porte, ameaçado de extinção pela caça indiscriminada e pelo desmatamento

gato-pingado (ga.to-pin.ga.do) [pl.: *gatos-pingados*] *s.m.* *infrm.* cada um dos poucos presentes a reunião, espetáculo etc. *<na plateia havia meia dúzia de gatos-pingados>* ☞ mais us. no pl.

gato-sapato (ga.to-sa.pa.to) [pl.: *gatos-sapatos*] *s.m.* algo desprezível ▣ **fazer de g.** **1** tratar (alguém) mal ou com desprezo **2** fazer de (alguém) o que se quer

gatunagem (ga.tu.na.gem) [pl.: *-ens*] *s.f.* **1** ato de roubar **2** conjunto de gatunos **3** *p.ext.* a vida de gatuno; vadiagem

gatunar (ga.tu.nar) *v.* {mod. 1} *t.d. e int.* **1** agir como gatuno (contra); roubar *<gatunou o sócio e fugiu com o dinheiro>* *<foi preso por g.>* ◻ *int.* **2** levar vida desregrada, com maus costumes; gandaiar

gatuno (ga.tu.no) *adj.s.m.* que(m) furta; ladrão ~ **gatunice** *s.f.*

gaturamo (ga.tu.ra.mo) [fem.: *gaipapa*] *s.m.* ZOO pássaro de cauda curta, bico curto e grosso, dorso azul ou verde-escuro, com abdome ger. amarelo vivo ◉ VOZ v.: gemer

gauchesco (ga.u.ches.co) /ê/ *adj.* relativo a gaúcho ('habitante do Rio Grande do Sul') *<trajes g.>*

gaúcho (ga.ú.cho) *adj.s.m.* **1** diz-se de ou o habitante da zona rural do Rio Grande do Sul e, por extensão, de todo o estado ■ *s.m.* **2** o habitante da zona rural (pampas) do Uruguai e da Argentina, que se dedica à criação de gado **3** bom cavaleiro ■ *adj.* **4** do Rio Grande do Sul; rio-grandense-do-sul, sul-rio-grandense ◉ COL gauchada

gaudério (gau.dé.rio) *s.m.* **1** *N.E.* vadio, malandro ↺ trabalhador **2** *RS* cão sem dono, que acompanha qualquer pessoa **3** *p.ext.* *RS* indivíduo sem abrigo, sem pouso certo

gáudio (gáu.dio) *s.m.* **1** alegria extremada; júbilo ↺ tristeza **2** *p.ext.* brincadeira, folia

gaulês (gau.lês) [pl.: *-eses*] *s.m.* HIST **1** indivíduo dos gauleses, povo celta que habitava a Gália, antigo país no território da França atual, que foi conquistado pelos

G

romanos **2** LING língua céltica falada pelos antigos gauleses **3** *p.ext.* indivíduo nascido na França ■ *adj.* **4** relativo ou pertencente à Gália, aos gauleses ou à sua língua <*divindades g.*> <*poetas g.*> **5** *p.ext.* relativo a ou próprio da França e dos franceses

gávea (gá.vea) *s.f.* MAR plataforma circular situada no alto do mastro de um navio

gaveta (ga.ve.ta) /ê/ *s.f.* compartimento encaixado num móvel (cômoda, mesa etc.), que desliza para dentro e para fora

gaveteiro (ga.ve.tei.ro) *s.m.* suporte para gavetas

gavial (ga.vi.al) [pl.: *-ais*] *s.m.* ZOO réptil que habita as bacias de rios da Índia; com até 6,5 m de comprimento e focinho muito longo e fino, se alimenta esp. de peixes

G

gavião (ga.vi.ão) [pl.: *-ões*; fem.: *gaviã, gavioa*] *s.m.* **1** ave de rapina, de bico curvo e garras afiadas, cosmopolita, que ger. se alimenta de presas vivas ou de animais mortos **2** LING língua falada pelos gaviões, povo indígena que vive em Rondônia ■ *adj.2g.s.2g.* **3** (indivíduo) dos gaviões ◉ VOZ da acp.1: v.: crocitar

gavinha (ga.vi.nha) *s.f.* BOT estrutura fina como um fio, por meio da qual as plantas se ligam a outras ou a corpos vizinhos

gay [ing.; pl.: *gays*] *adj.2g.s.2g.* *infrm.* homossexual ⇒ pronuncia-se guêi

gaze (ga.ze) *s.f.* **1** tecido de algodão de trama aberta us. em curativos, ataduras etc. **2** tecido fino e transparente, de seda ou algodão

[1]**gazear** (ga.ze.ar) *v.* {mod. 5} *t.d. e int.* ausentar-se de (aulas, escola, trabalho) para vadiar ◉ ORIGEM duv., talvez ligado a *gazetear* ~ **gazeador** *adj.s.m.*

[2]**gazear** (ga.ze.ar) *v.* {mod. 5} *int.* soltar a voz (a garça, a andorinha etc.) ◉ GRAM/USO só us. nas 3as p., exceto quando fig. ◉ ORIGEM duv., talvez de origem onomatopaica

[1]**gazeio** (ga.zei.o) *s.m.* gazeta, vadiação ◉ ORIGEM regr. de [1]*gazear*

[2]**gazeio** (ga.zei.o) *s.m.* voz de certas aves, como a garça, a andorinha etc. ◉ ORIGEM regr. de [2]*gazear*

gazela (ga.ze.la) *s.f.* ZOO pequeno antílope, de origem africana e asiática, de pernas longas, corpo esbelto e chifres espiralados ◉ VOZ v.: balir; subst.: balido

[1]**gazeta** (ga.ze.ta) /ê/ *s.f.* publicação periódica especializada, ger. em formato de tabloide <*g. de esportes*> ◉ ORIGEM do it. *gazzeta* 'jornal'

[2]**gazeta** (ga.ze.ta) /ê/ *s.f.* falta à aula ou ao serviço para vadiar <*fez g. e foi à praia*> ◉ ORIGEM desc.

gazetear (ga.ze.te.ar) *v.* {mod. 5} *t.d. e int.* não comparecer a (aulas, escola, trabalho) para passear, vadiar <*g. a escola*> <*foi reprovado porque gazeteou muito*>

[1]**gazeteiro** (ga.ze.tei.ro) *adj.s.m.* **1** que(m) escreve em gazeta ('publicação') **2** que(m) espalha notícias infundadas; mentiroso ◉ ORIGEM [1]*gazeta* + *-eiro*

[2]**gazeteiro** (ga.ze.tei.ro) *adj.s.m.* *B* que(m) costuma gazetear ◉ ORIGEM [2]*gazeta* + *-eiro*

gazua (ga.zu.a) *s.f.* ferro curvo us. para arrombar fechaduras

GB INF símbolo de *gigabyte*

Gd QUÍM símbolo de *gadolínio*

Ge QUÍM símbolo de *germânio*

gê *s.m.* nome da letra *g*

geada (ge.a.da) *s.f.* **1** fina camada branca formada por orvalho congelado **2** formação dessa camada <*houve g. essa madrugada*>

gear (ge.ar) *v.* {mod. 5} *int.* cair ou formar-se geada ◉ GRAM/USO verbo impessoal, exceto quando fig.

geconídeo (ge.co.ní.deo) *s.m.* ZOO **1** espécime dos geconídeos, família cosmopolita de pequenos lagartos, conhecidos ger. como lagartixas ■ *adj.* **2** relativo a essa família

geena (ge.e.na) *s.f.* **1** local de suplício eterno pelo fogo; inferno **2** *p.ext.* tormento, tortura

gêiser (gêi.ser) [pl.: *gêiseres*] *s.m.* fonte termal que lança jatos de água fervendo ou de vapor, vindos do solo, em intervalos regulares

gel [pl.: *géis* e *geles*] *s.m.* **1** QUÍM substância de consistência intermediária entre o sólido ('maciço') e o líquido ('substância'), de aspecto elástico e relativa resistência **2** substância gelatinosa us. como fixador de cabelo

geladeira (ge.la.dei.ra) *s.f.* *B* móvel com um dispositivo produtor de frio, isolado para não alterar a temperatura, us. para conservar alimentos e outros itens; refrigerador

gelado (ge.la.do) *adj.* **1** que se converteu em gelo; congelado **2** que ficou muito frio por causa da baixa temperatura <*água g.*> **3** que causa sensação de frio <*vento g.*> **4** *p.ext.* com forte sensação de frio <*pés g.*> **5** *fig.* paralisado, petrificado <*ficou g. ao receber a notícia*>

gelar (ge.lar) *v.* {mod. 1} *t.d.,int. e pron.* **1** converter (-se) em gelo; congelar(-se) <*a queda de temperatura gelou o lago*> <*a água no tanque gelou(-se)*> ↺ derreter(-se) □ *t.d. e int.* **2** tornar(-se) muito frio; esfriar(-se) <*é preciso g. os refrigerantes*> <*essa geladeira não gela bem*> ↺ esquentar(-se) **3** endurecer por causa do frio; solidificar(-se) <*a noite fria gelou a terra*> <*os brotos gelaram*> ↺ derreter **4** *fig.* paralisar (-se) por espanto ou medo; petrificar(-se) <*aquelas revelações gelaram a moça*> <*ao ver a onda, gelou*>

gelatina (ge.la.ti.na) *s.f.* **1** QUÍM proteína com aspecto de geleia us. na fabricação de alimentos, filtros, plásticos etc. **2** CUL doce feito com essa substância **3** FOT TEAT folha de papel celofane colorido colocada sobre refletores para produzir efeitos na iluminação de palco, filmagens etc. ~ **gelatinizar** *v.t.d. e pron.* - **gelatinoso** *adj.*

geleia (ge.lei.a) /éi/ *s.f.* doce pastoso feito de frutas cozidas em calda de açúcar

geleira (ge.lei.ra) *s.f.* GEOL acúmulo de gelo que desce das montanhas para as encostas e vales ou recobre grandes áreas territoriais

gelha (ge.lha) /ê/ *s.f.* **1** grão de cereal com defeito na formação, cuja película é enrugada **2** *p.ext.* ruga na pele, esp. do rosto

gélido (gé.li.do) *adj.* *frm.* **1** muito frio; gelado <*temperatura g.*> ↺ quente **2** *fig.* insensível, frio <*olhar g.*> ↺ ardente **3** *fig.* paralisado, petrificado <*g. de terror*>

gelo (ge.lo) /ê/ *s.m.* **1** água ou outro líquido solidificado pela ação do frio **2** *fig.* frio intenso <*que g. está hoje!*> ↺ calor **3** *fig.* frieza de sentimentos; insensibilidade <*é um g. com os filhos*> **4** *fig.* ausência de cordialidade ou simpatia; reserva <*afinal, o g. rompeu-se entre eles*> **5** a cor da água congelada ■ *adj.2g.2n.* **6** que tem essa cor <*calças gelo*> **7** diz-se dessa cor <*cor g.*> ▼ ***gelos*** *s.m.pl.* **8** GEOL grandes extensões geladas; geleira ▣ **dar um g.** *B infrm.* evitar (alguém), por ofensa, ressentimento etc. causado <*deram um g. no colega malcriado*> • **quebrar o g. 1** diminuir o frio, ger. da água **2** *fig.* iniciar conversa, para acabar com silêncio constrangedor <*perguntou-lhe as horas, só para quebrar o g.*>

gelo-seco (ge.lo-se.co) [pl.: *gelos-secos*] *s.m.* gás carbônico em estado sólido, us. em refrigeração

gelosia (ge.lo.si.a) *s.f.* ARQ grade de ripas que protege janelas, portas e sacadas do calor, da luz etc.

gema (ge.ma) *s.f.* **1** parte amarela do ovo das aves e dos répteis **2** BOT saliência no caule ou ramos de uma planta capaz de originar novos órgãos ou novo indivíduo; botão, broto **3** pedra preciosa ▣ **da g.** genuíno; puro <*ela é carioca da g.*>

gemada (ge.ma.da) *s.f.* CUL porção de gemas de ovo batidas, ger. com açúcar e leite quente

gemedeira (ge.me.dei.ra) *s.f.* **1** som alto de gemidos **2** *p.ext.* lamúria, lamentação

gêmeo (gê.meo) *adj.s.m.* **1** (cada um dos filhos) que nasceu do mesmo parto ■ *adj.* **2** diz-se de cada um dos frutos do mesmo ramo **3** *p.ext.* igual ou muito semelhante <*almas g.*> ↺ diferente ▼ ***gêmeos*** *s.m.pl.* **4** ASTRL terceira constelação zodiacal, situada entre Touro e Câncer ☞ inicial maiúsc. **5** ASTRL terceiro signo do zodíaco (de 21 de maio a 21 de junho) ☞ inicial maiúsc. **6** ASTRL geminiano <*vi na revista que a cantora é g.*>

gemer (ge.mer) *v.* {mod. 8} *int.* **1** emitir sons lentos, chorosos <*a criança sentia dores e gemia*> **2** soltar a voz (algumas aves, p.ex. a ema) **3** emitir ruído lento e monótono; ranger <*o portão gemeu mais uma vez*> ☞ nestas duas acp., só us. nas 3as p., exceto quando fig. □ *t.d.* **4** dizer ou cantar em tom melancólico <*os cantores gemiam uma canção de amor*> ~ **gemedor** *adj.s.m.*

gemido (ge.mi.do) *s.m.* **1** voz chorosa de dor física ou moral ↺ alegria **2** lamentação, queixa **3** canto de certas aves **4** som triste de alguns instrumentos musicais <*o g. da viola*>

geminado (ge.mi.na.do) *adj.* **1** que se apresenta ligado; duplicado <*janelas g.*> **2** diz-se de cada uma de duas casas encostadas uma na outra, ger. com uma parede comum às duas **3** BOT que se dispõe aos pares (diz-se de órgão ou vegetal) <*flores g.*>

geminar (ge.mi.nar) *v.* {mod. 1} *t.d.* **1** duplicar **2** agrupar em par, ligando; conjugar

geminiano (ge.mi.ni.a.no) *adj.s.m.* **1** ASTRL que(m) é do signo de Gêmeos ■ *adj.* **2** relativo a esse signo

genciana (gen.ci.a.na) *s.f.* BOT planta ornamental, cultivada tb. pelo uso medicinal de suas raízes, ou para a produção de tintura, extraída de suas flores

gencianácea (gen.ci.a.ná.cea) *s.f.* BOT espécime das gencianáceas, família de muitas ervas e alguns arbustos, cultivados como ornamentais, como medicinais ou pelas madeiras ~ **gencianáceo** *adj.*

gene (ge.ne) *s.m.* GEN unidade hereditária e genética do cromossomo que determina as características físicas e funcionais de um indivíduo

genealogia (ge.ne.a.lo.gi.a) *s.f.* **1** estudo que estabelece a origem de um indivíduo ou de uma família **2** conjunto de antepassados segundo uma linha de filiação ↺ descendência **3** *p.ext.* estirpe, linhagem **4** *fig.* procedência, origem <*a g. da dança*> ~ **genealógico** *adj.* - **genealogista** *adj.2g.s.2g.*

genebra (ge.ne.bra) *s.f.* aguardente de cereais aromatizada

general (ge.ne.ral) [pl.: *-ais*] *s.m.* MIL *B* **1** no Exército, denominação comum a general de exército, general de divisão e general de brigada, os três mais altos postos logo abaixo de marechal **2** oficial que detém uma dessas patentes

generalato (ge.ne.ra.la.to) ou **generalado** (ge.ne.ra.la.do) *s.m.* MIL o posto de general

general de brigada (ge.ne.ral de bri.ga.da) [pl.: *generais de brigada*] *s.m.* MIL **1** no Exército, posto que se situa logo abaixo do de general de divisão e imediatamente acima do de coronel ☞ cf. *general* **2** oficial que detém esse posto

general de divisão (ge.ne.ral de di.vi.são) [pl.: *generais de divisão*] *s.m.* MIL **1** no Exército, posto que se situa logo abaixo do de general de exército e imediatamente acima do de general de brigada ☞ cf. *general* **2** oficial que detém esse posto

general de exército (ge.ne.ral de e.xér.ci.to) [pl.: *generais de exército*] *s.m.* MIL **1** posto que se situa imediatamente abaixo do de marechal e imediatamente acima do de general de divisão ☞ cf. *general* **2** oficial que detém esse posto

generalidade (ge.ne.ra.li.da.de) *s.f.* **1** característica do que abrange uma totalidade de coisas ou do que é considerado em toda a sua extensão <*a g. de uma teoria*> **2** a maior parte <*na g. dos casos, isso não acontece*> ▼ ***generalidades*** *s.f.pl.* **3** princípios gerais; rudimentos **4** considerações sem ligação direta ao tema tratado <*deixemos as g. e tratemos do que interessa*>

[1]**generalíssimo** (ge.ne.ra.lís.si.mo) *adj.* extremamente geral ◉ GRAM/USO sup.abs.sint. de geral ◉ ORIGEM do lat. *generalissimus,a,um* 'id.'

[2]**generalíssimo** (ge.ne.ra.lís.si.mo) *s.m.* comandante supremo de um exército ◉ ORIGEM *general* + *-íssimo*

generalização (ge.ne.ra.li.za.ção) [pl.: *-ões*] *s.f.* **1** vulgarização (de um uso, costume, método etc.) <*a g. das redes sociais*> **2** ação de estender os resultados da observação de alguns casos ao conjunto dos casos possíveis <*conclusão tirada a partir de falsas g.*> **3** afirmação, lei, princípio, proposição de caráter geral

generalizar (ge.ne.ra.li.zar) *v.* {mod. 1} *t.d.,t.d.i. e pron.* (prep. *a*) tornar(-se) geral, comum a muitas pessoas, situações ou em muitos locais; propagar(-se), universalizar(-se) <*o alarme generalizou o pânico na multidão*> <*generalizou as críticas a todos os funcionários do setor*> <*o uso do celular generalizou-se*> ↺ particularizar(-se) ~ **generalizado** *adj.* - **generalizador** *adj.* - **generalizante** *adj.2g.*

G

generativo (ge.ne.ra.ti.vo) *adj.* **1** relativo a geração **2** que tem a propriedade de gerar

genericamente (ge.ne.ri.ca.men.te) *adv.* **1** num sentido geral, mais abrangente **2** em termos vagos, imprecisos *<todos esses foram g. chamados de malucos>*

genérico (ge.né.ri.co) *adj.* **1** relativo a gênero *<características g. da arquitetura moderna>* **2** que abrange várias coisas; geral *<um conceito g.>* ↺ específico **3** tratado em termos vagos, imprecisos *<deu uma explicação g. dos fatos>* ■ *s.m.* **4** medicamento genérico

gênero (gê.ne.ro) *s.m.* **1** conjunto de espécies com a mesma origem ou as mesmas particularidades **2** *p.ext.* tipo, classe; estilo *<gosta desse g. de roupas>* **3** conjunto de características comuns de obras artísticas, literárias, cinematográficas etc. *<g. cubista, g. épico>* **4** GRAM categoria que classifica os nomes e os pronomes em masculino, feminino e neutro **5** BIO na classificação dos seres vivos, subdivisão da família, categoria que agrupa espécies relacionadas segundo a história da evolução e que se distinguem das outras por diferenças marcantes ▼ ***gêneros*** *s.m.pl.* **6** mercadorias, esp. agrícolas e comestíveis; víveres *<g. alimentícios>*

generosidade (ge.ne.ro.si.da.de) *s.f.* **1** virtude daquele que se dispõe a sacrificar os próprios interesses em benefício de outro; magnanimidade ↺ egoísmo **2** ato de bondade *<teve a g. de socorrer a idosa>* ↺ maldade **3** atitude de quem é generoso, pródigo *<dar com g.>*

generoso (ge.ne.ro.so) /ô/ [pl. e fem.: /ó/] *adj.* **1** que gosta de dar; bondoso ↺ egoísta **2** de caráter e sentimentos nobres ↺ mesquinho **3** com fartura *<uma porção g. de arroz>* ↺ minguado **4** que dá mais do que se espera ou é normal *<gesto g.>* ↺ avarento **5** fértil, fecundo (diz-se de solo) ↺ estéril

gênese (gê.ne.se) *s.f.* **1** origem e desenvolvimento dos seres *<a g. das espécies>* **2** *p.ext.* conjunto de fatos ou elementos que contribuem para produzir algo *<a g. de uma canção>* ■ *s.m.* **3** REL o primeiro livro da Bíblia, em que se acha descrita a criação do mundo ☞ inicial maiúsc. ~ **genesíaco** *adj.* - **genésico** *adj.*

genética (ge.né.ti.ca) *s.f.* BIO MED ciência que estuda a hereditariedade, bem como a estrutura e as funções dos genes ~ **geneticamente** *adv.* - **geneticista** *adj.2g.s.2g.*

genético (ge.né.ti.co) *adj.* **1** relativo a gênese **2** relativo a genética e a gene

gengibre (gen.gi.bre) *s.m.* BOT **1** erva cujo rizoma aromático é us. em xaropes, chás e na alimentação **2** o rizoma dessa erva

gengiva (gen.gi.va) *s.f.* ANAT tecido da mucosa bucal que envolve parte dos dentes e da maxila ~ **gengival** *adj.2g.*

gengivite (gen.gi.vi.te) *s.f.* MED inflamação da gengiva

genial (ge.ni.al) [pl.: *-ais*] *adj.2g.* **1** de extraordinária capacidade intelectual *<artista g.>* ↺ medíocre **2** *B infrm.* ótimo, formidável *<uma viagem g.>* ↺ péssimo ~ **genialidade** *s.f.*

gênio (gê.nio) *s.m.* **1** ser sobrenatural dotado de poderes mágicos *<o g. da lâmpada>* **2** aptidão natural para algo; dom *<ter g. para os negócios>* ↺ inaptidão **3** extraordinária capacidade intelectual, criativa ↺ estupidez **4** pessoa que tem essa capacidade **5** temperamento; humor *<homem de g. calmo>*

genioso (ge.ni.o.so) /ô/ [pl. e fem.: /ó/] *adj.* que se irrita com facilidade ↺ calmo

genital (ge.ni.tal) [pl.: *-ais*] *adj.2g.* **1** que se destina à procriação (diz-se de órgão) ▼ ***genitais*** *s.m.pl.* **2** os órgãos destinados à procriação

genitália (ge.ni.tá.lia) *s.f.* ANAT conjunto dos órgãos sexuais

genitor (ge.ni.tor) /ô/ [pl.: *-es*; fem.: *genitora*] *s.m.* ser que gera outro; pai, progenitor

genocida (ge.no.ci.da) *adj.2g.* **1** relativo a genocídio ■ *adj.2g.s.2g.* **2** que(m) pratica ou ordena um genocídio

genocídio (ge.no.cí.dio) *s.m.* crime contra a humanidade, que consiste no extermínio de uma comunidade, grupo étnico, racial ou religioso

genoma (ge.no.ma) *s.m.* GEN conjunto de todos os genes de uma espécie de ser vivo

genótipo (ge.nó.ti.po) *s.m.* GEN composição genética de um indivíduo ~ **genotípico** *adj.*

genro (gen.ro) [fem.: *nora*] *s.m.* o marido da filha, em relação aos pais desta

gentalha (gen.ta.lha) *s.f. pej.* conjunto das pessoas pertencentes às camadas mais baixas da sociedade; ralé ↺ elite

gente (gen.te) *s.f.* **1** multidão de pessoas; povo *<toda aquela g. aguarda atendimento>* **2** o conjunto de habitantes de uma região, país etc.; povo *<a g. do Sul>* **3** o ser humano *<o diabo em figura de g.>* **4** *B* grupo de pessoas com mesmo interesse, profissão, trabalho etc. *<g. do mundo empresarial>* **5** *B* a família *<vocês são minha g.>* **6** número indeterminado de pessoas *<havia pouca g. na festa>*

gentil (gen.til) [pl.: *-is*] *adj.2g.* **1** *fig.* delicado, amável *<recebeu uma carta gentil da loja>* ↺ grosseiro **2** *fig.* agradável, aprazível *<voz g.>* ↺ desagradável **3** de boa linhagem; nobre *<filho de g. senhora>* ↺ plebeu ◉ GRAM/USO sup.abs.sint.: *gentílimo*, *gentilíssimo*

gentileza (gen.ti.le.za) /ê/ *s.f.* **1** delicadeza, amabilidade, cortesia *<g. de gestos>* ↺ grosseria, indelicadeza **2** ação nobre ou amiga *<teve a g. de ceder o lugar>* **3** us. para falar da qualidade de quem é ou do que é gentil *<ele é a g. em pessoa>*

gentil-homem (gen.til-ho.mem) [pl.: *gentis-homens*] *s.m.* homem nobre e distinto

gentílico (gen.tí.li.co) *adj.s.m.* **1** GRAM LING (nome) que designa o lugar em que alguém nasceu, habita ou de onde vem *<o (nome) g. do Brasil é brasileiro>* ■ *adj.* **2** relativo a gentio; pagão *<religiões g.>* **3** não civilizado, selvagem

gentilidade (gen.ti.li.da.de) *s.f.* paganismo

gentílimo (gen.tí.li.mo) *adj.* gentilíssimo ◉ GRAM/USO sup.abs.sint. de *gentil*

gentilíssimo (gen.ti.lís.si.mo) *adj.* muito gentil; gentílimo ◉ GRAM/USO sup.abs.sint. de *gentil*

gentinha (gen.ti.nha) *s.f. pej.* **1** indivíduo de baixa condição social, econômica e/ou cultural **2** pessoa mesquinha, dada a intrigas **3** conjunto de pessoas com tais características

gentio (gen.ti.o) *adj.s.m.* **1** que(m) não foi batizado; pagão **2** que(m) não é civilizado, selvagem

genuflexão (ge.nu.fle.xão) /cs/ [pl.: *-ões*] *s.f.* ação de ajoelhar-se ~ **genuflectir** *v.t.d. e int.*

genuflexo (ge.nu.fle.xo) /cs/ *adj.* que ajoelhou; ajoelhado

genuflexório (ge.nu.fle.xó.rio) /cs/ *s.m.* nas capelas e oratórios, móvel com apoio para os braços e o livro de orações, onde se reza ajoelhado

genuíno (ge.nu.í.no) *adj.* **1** próprio, exato *<o sentido g. de uma palavra>* ↺ inexato **2** legítimo, verdadeiro *<um quadro g. de Portinari>* ↺ falso **3** sincero, franco (diz-se de pessoa, ou da expressão de sentimento ou pensamento) *<amizade g.>* ↺ insincero **4** sem alteração em sua fórmula; puro *<perfume g.>* ↺ adulterado ~ **genuidade** *s.f.*

geocêntrico (ge.o.cên.tri.co) *adj.* ASTR **1** relativo ao centro da Terra **2** que tem o centro da Terra como ponto de referência (diz-se de qualquer sistema ou construção matemática) ☞ cf. *heliocêntrico*

geocentrismo (ge.o.cen.tris.mo) *s.m.* antiga teoria que afirmava que a Terra era o centro do sistema planetário em torno da qual todos os astros girariam ☞ cf. *heliocentrismo*

geodesia (ge.o.de.si.a) ou **geodésia** (ge.o.dé.sia) *s.f.* GEOL **1** subdivisão da geofísica que se ocupa da forma e das dimensões da Terra **2** arte ou técnica de medição e divisão das terras ~ **geodésico** *adj.*

geofagia (ge.o.fa.gi.a) *s.f.* MED mania de comer terra ou barro ~ **geófago** *adj.s.m.*

geofísica (ge.o.fí.si.ca) *s.f.* GEOL parte da geologia que estuda os fenômenos físicos que afetam a Terra, tais como gravidade, magnetismo etc. ~ **geofísico** *adj.s.m.*

geografia (ge.o.gra.fi.a) *s.f.* **1** ciência que estuda a Terra e seus fenômenos físicos, biológicos e humanos ☞ inicial por vezes maiúsc. **2** conjunto das características geográficas de uma região *<a g. da Amazônia>* **3** *p.ext.* descrição da superfície de outro planeta ou satélite *<a g. de Marte>* **4** *fig.* aspecto ou arranjo das partes de um conjunto; configuração, conformação *<a g. da alma humana>* *<a g. da cultura pernambucana>* ~ **geográfico** *adj.* - **geógrafo** *s.m.*

geoide (ge.oi.de) /ói/ *s.m.* GEOL volume geométrico esférico, mas achatado nos polos, como a forma da Terra

geologia (ge.o.lo.gi.a) *s.f.* GEOL **1** ciência que estuda a origem, história, vida e estrutura da Terra através de sua formação rochosa **2** conjunto de terrenos, rochas e fenômenos de que trata essa ciência *<a g. do maciço Atlântico>* **3** *p.ext.* estudo de formações rochosas de qualquer corpo celeste ~ **geológico** *adj.* - **geólogo** *s.m.*

geômetra (ge.ô.me.tra) *s.2g.* especialista em geometria

geometria (ge.o.me.tri.a) *s.f.* GEOM parte da matemática que investiga o espaço e as formas que podem ocupá-lo

geométrico (ge.o.mé.tri.co) *adj.* **1** relativo a geometria ↺ irregular **3** que apresenta traçados ou motivos retilíneos ou curvilíneos (linhas retas ou curvas, círculos, quadrados etc.) *<vestido com desenhos g.>*

geopolítica (ge.o.po.lí.ti.ca) *s.f.* estudo da influência dos fatores econômicos, geográficos e demográficos sobre a política de um Estado ~ **geopolítico** *adj.*

geosfera (ge.os.fe.ra) *s.f.* GEOL a parte sólida da Terra

geoso (ge.o.so) /ô/ [pl. e fem.: /ó/] *adj.* em que há geada

geotecnologia (ge.o.tec.no.lo.gi.a) *s.f.* tecnologia que emprega conhecimentos de engenharia e geologia

geração (ge.ra.ção) [pl.: *-ões*] *s.f.* **1** produção, formação *<a g. de um filme>* **2** procriação, concepção *<g. de filhos>* **3** *p.ext.* grau de filiação em linha direta *<do avô ao neto há duas g.>* **4** *p.ext.* descendência *<Sam, Cam e Jafé são a g. de Noé>* ↺ ascendência **5** *p.ext.* espaço de tempo (cerca de 25 anos) que separa cada grau de filiação *<eu e meu tio somos de g. diferentes>* **6** *p.ext.* conjunto de pessoas que têm mais ou menos a mesma idade *<só sai com pessoas da sua g.>* **7** *fig.* cada uma das fases sucessivas que assinalam mudança decisiva numa técnica em evolução *<um piloto da g. dos supersônicos>* ▣ **de última g.** que é a última palavra em técnica *<computadores de última g.>*

gerador (ge.ra.dor) /ô/ [pl.: *-es*] *adj.s.m.* **1** que ou o que gera, produz ou procria *<indústrias g. de emprego>* ■ *s.m.* **2** ELETR aparelho que transforma energia mecânica em elétrica

geral (ge.ral) [pl.: *-ais*] *adj.2g.* **1** que abrange a totalidade ou a maioria de um conjunto **2** relativo às características universais, genéricas *<princípio g.>* ↺ restrito **3** tratado de forma superficial, sem se ater a detalhes; vago, impreciso *<visão g. do ocorrido>* ↺ exato ■ *s.m.* **4** comum, usual ↺ extraordinário ■ *s.f.* **5** em estádios, circos, teatros etc., conjunto dos lugares mais baratos ◉ GRAM/USO sup.abs.sint.: *generalíssimo* ▣ **em g.** na maior parte das vezes, geralmente *<em g., acorda cedo>*

geralmente (ge.ral.men.te) *adv.* **1** de modo genérico *<falo g., não caso a caso>* **2** na maior parte das vezes; pela maioria das pessoas; em geral *<g. não saímos à noite>* *<seus livros eram g. bem-aceitos>*

gerânio (ge.râ.nio) *s.m.* BOT gênero de plantas de flores brancas, róseas ou violeta, cultivadas como ornamentais

gerar (ge.rar) *v.* {mod. 1} *t.d.* **1** dar existência ou origem a *<g. filhos>* ↺ extinguir **2** ser a causa ou a origem de; criar, produzir *<g. eletricidade>* □ *pron.* **3** adquirir existência; nascer *<flores geram-se na lama>* ~ **gerativo** *adj.*

geratriz (ge.ra.triz) [pl.: *-es*] *s.f.* **1** a que gera, origina **2** GEOM curva que, ao mover-se, origina uma superfície **3** GEOM reta que gera a superfície de um cone

gerência (ge.rên.cia) *s.f.* **1** ato de gerir ou seu efeito; gerenciamento *<g. doméstica>* *<g. comercial>* **2** função de gerente; administração, gestão **3** escritório onde o gerente exerce suas funções ~ **gerencial** *adj.2g.*

gerenciar (ge.ren.ci.ar) *v.* {mod. 1} *t.d.* **1** dirigir (empresa, serviço etc.) na condição de gerente; administrar **2** INF organizar automaticamente (grupo de operações) ~ **gerenciamento** *s.m.*

gerente (ge.ren.te) *adj.2g.s.2g.* que(m) administra negócios, bens ou serviços

gergelim (ger.ge.lim) [pl.: *-ins*] *s.m.* BOT planta originária de regiões tropicais e sua semente, oleosa e comestível

geriatra (ge.ri.a.tra) *s.2g.* MED especialista em geriatria

geriatria (ge.ri.a.tri.a) *s.f.* MED especialidade médica que trata das doenças ligadas ao envelhecimento ~ **geriátrico** *adj.*

geringonça (ge.rin.gon.ça) *s.f.* coisa malfeita, de estrutura frágil e funcionamento precário *<isso não é um carro, é uma g.!>*

gerir (ge.rir) *v.* {mod. 28} *t.d.* exercer mando, ter poder de decisão sobre; administrar, dirigir *<g. o departamento de compras>*

G

germânico (ger.mâ.ni.co) *adj.* **1** da antiga Germânia, território que equivale, aproximadamente, à atual Alemanha **2** relativo às regiões de língua e civilização alemãs ■ *s.m.* **3** natural ou habitante daquela antiga região **4** LING ramo linguístico que compreende, entre outras línguas, o sueco, o alemão, o inglês e o holandês

germânio (ger.mâ.nio) *s.m.* QUÍM elemento químico us. como semicondutor em transistores, díodos etc. [símb.: *Ge*] ☞ cf. *tabela periódica* (no fim do dicionário)

germanismo (ger.ma.nis.mo) *s.m.* **1** construção própria da língua alemã **2** imitação ou admiração de modos e costumes alemães

germanista (ger.ma.nis.ta) *adj.2g.* **1** relativo a germanismo ■ *adj.2g.s.2g.* **2** especialista na língua ou na cultura germânica **3** que(m) tem afinidade com o germanismo

germanizar (ger.ma.ni.zar) *v.* {mod. 1} *t.d. e pron.* dar ou tomar aspecto ou característica própria do povo, da cultura, da língua alemã *<tantos turistas alemães acabarão por g. a uma parte da cidade>* *<germanizou-se após morar três meses em Berlim>* ~ **germanização** *s.f.*

germano (ger.ma.no) *adj.s.m.* **1** (povo) da antiga Germânia (região da Europa Central) **2** alemão

germe (ger.me) ou **gérmen** (gér.men) [pl.: *germens* e *gérmenes*] *s.m.* BIO **1** estágio inicial do desenvolvimento de um organismo; embrião **2** microrganismo que causa doença; micróbio

germicida (ger.mi.ci.da) *adj.2g.s.m.* (substância) que mata germes ('microrganismo')

germinal (ger.mi.nal) [pl.: *-ais*] *adj.2g.* **1** BIO relativo a germe **2** *fig.* que se acha no início do desenvolvimento *<ideias g.>*

germinar (ger.mi.nar) *v.* {mod. 1} *int.* **1** começar a desenvolver-se (semente, bulbo etc.); brotar *<o feijão germinava>* □ *t.d. e int. fig.* **2** (fazer) ter origem ou progresso; gerar, desenvolver(-se) *<g. o amor entre os filhos>* *<a paz jamais vai g. ali>* ~ **germinação** *s.f.* - **germinativo** *adj.*

gerontocracia (ge.ron.to.cra.ci.a) *s.f.* **1** governo exercido por anciãos **2** grupo social dominante constituído por idosos ~ **gerontocrata** *s.2g.* - **gerontocrático** *adj.*

gerontologia (ge.ron.to.lo.gi.a) *s.f.* MED estudo dos fenômenos relacionados ao envelhecimento humano ~ **gerontológico** *adj.* - **gerontologista** *adj.2g.s.2g.*

gerúndio (ge.rún.dio) *s.m.* GRAM uma das formas nominais do verbo, formada, no port., pelo sufixo *-ndo* (p.ex., *olhando*)

gesso (ges.so) /ê/ *s.m.* **1** massa calcária us. em moldagens, rebaixamento de tetos, imobilização de fraturas etc. **2** *p.ext.* qualquer objeto moldado com essa massa

gestação (ges.ta.ção) [pl.: *-ões*] *s.f.* **1** período entre a concepção e o parto *<a g. de um elefante dura mais de 20 meses>* **2** *fig.* fase de elaboração *<o plano ainda estava em g.>*

gestante (ges.tan.te) *adj.2g.* **1** que carrega o embrião **2** em gestação ■ *s.f.* **3** mulher grávida

gestão (ges.tão) [pl.: *-ões*] *s.f.* **1** administração **2** mandato político *<essa é a segunda g. do prefeito>* ▣ **g. ambiental** ECO condução e controle do uso de recursos naturais, com o objetivo de evitar, reduzir ou eliminar os danos ou problemas causados ao meio ambiente por ações humanas

gestar (ges.tar) *v.* {mod 1} *t.d.* **1** formar e sustentar (um filho) no próprio organismo **2** *fig.* planejar e criar (algo) *<g. uma ideia>*

gestatório (ges.ta.tó.rio) *adj.* **1** referente a gestação *<período g.>* **2** *p.ext.* que pode ser conduzido ou transportado

gesticular (ges.ti.cu.lar) *v.* {mod. 1} *int.* **1** fazer gestos, esp. ao falar *<gesticulava muito quando era pequeno>* □ *t.d. e int.* **2** expressar(-se) por gestos, mímica; acenar *<do outro lado da rua, o amigo gesticulava uma saudação>* *<respondeu à pergunta apenas gesticulando>* ~ **gesticulação** *s.f.* - **gesticulador** *adj.s.m.*

gesto (ges.to) *s.m.* **1** movimento do corpo, esp. mãos, braços e cabeça, para exprimir algo **2** maneira de se manifestar; atitude, ação *<g. nobre>*

giba (gi.ba) *s.f.* corcunda

gibão (gi.bão) [pl.: *-ões*] *s.m.* VEST **1** casaco curto **2** *B* casaco de couro us. pelos vaqueiros

gibi (gi.bi) *s.m.* *B infrm.* **1** revista em quadrinhos **2** menino negro ▣ **não estar no g.** *B infrm.* ser fora do comum *<fez uma viagem que não estava no g.>*

giga- *pref.* **1** do *SI*, simbolizado por *G*, mil milhões (de vezes a unidade indicada) *<gigagrama = mil milhões de gramas* [em numeração, mesmo que um bilião]*>* **2** *fig.* INF para múltiplos binários, equivale a 2^{30} (1.073.741.824), valor freq. arredondado para um bilhão *<gigabaite, gigabite>*

gigabaite (gi.ga.bai.te) *s.m.* INF aport. de *gigabyte*

gigabit (giga.bit) [ing.; pl.: *gigabits*] *s.m.* INF múltiplo do *bit*, que vale 1.024 *megabits* [símb.: *Gb*] ⇒ pronuncia-se gigabit

gigabite (gi.ga.bi.te) *s.m.* INF aport. de *gigabit*

gigabyte (giga.byte) [ing.; pl.: *gigabytes*] *s.m.* INF múltiplo do *byte*, que vale 1.024 *megabytes* [símb.: *GB*] ⇒ pronuncia-se gigabait

gigante (gi.gan.te) *s.m.* **1** ser imaginário de tamanho descomunal **2** *p.ext.* homem muito alto e/ou muito corpulento ↺ anão **3** *fig.* homem notável *<um g. das artes>* ■ *adj.2g.* **4** grande em excesso *<sorvete g.>*

gigantesco (gi.gan.tes.co) /ê/ *adj.* **1** enorme, imenso *<há um buraco g. no meio da rua>* ↺ miúdo **2** *fig.*

admirável, grandioso *<o filme fez um sucesso g.>* ↺ ordinário

gigantismo (gi.gan.tis.mo) *s.m.* crescimento incomum de qualquer ser animal ou vegetal

gigolô (gi.go.lô) *s.m.* homem que é sustentado por sua amante ou que vive de mulher(es) prostituída(s); rufião

gilete (gi.le.te) *s.f.* lâmina de barbear descartável ☞ marca registrada (*Gillette*) que passou a designar seu gênero

gim [pl.: *-ins*] *s.m.* aguardente de cereais

gimnosperma (gim.nos.per.ma) *s.f.* BOT espécime das gimnospermas, subdivisão do reino vegetal, cujas plantas têm sementes expostas, como o pinheiro ☞ cf. *angiosperma*

ginasial (gi.na.si.al) [pl.: *-ais*] *adj.2g.* relativo a ginásio

ginásio (gi.ná.sio) *s.m.* **1** grande área fechada com quadra(s) de esportes e/ou aparelhos de ginástica **2** antigo curso equivalente ao segundo ciclo do ensino fundamental

ginasta (gi.nas.ta) *s.2g.* quem pratica ginástica

ginástica (gi.nás.ti.ca) *s.f.* **1** exercício físico que visa fortalecer e/ou dar maior elasticidade ao corpo **2** *fig.* esforço excessivo *<fez g. para realizar todos os compromissos>* ▣ **g. aeróbica** método de condicionamento físico que ativa as funções circulatória e respiratória do organismo por meio de exercícios ou esportes rápidos, que aumentam o consumo de oxigênio • **g. artística** modalidade de ginástica olímpica com exercícios distintos para homens (cavalo com alças, salto sobre a mesa, barra fixa, barras paralelas, argolas, exercícios de solo) e mulheres (exercícios de solo, salto sobre a mesa, paralelas assimétricas e trave de equilíbrio) • **g. rítmica** método cujos exercícios se integram à música, objetivando a harmonização dos movimentos, praticado, em competições, por mulheres, freq. em grupos de cinco, com movimentos coreografados e com aparelhos (bolas, fitas, cordas, arcos e maças) ~ **ginástico** *adj.*

gincana (gin.ca.na) *s.f.* RECR competição entre equipes que devem responder a perguntas e cumprir tarefas

gineceu (gi.ne.ceu) *s.m.* BOT órgão feminino das flores, constituído de ovário, estilete e estigma ☞ cf. *androceu*

ginecologia (gi.ne.co.lo.gi.a) *s.f.* MED especialidade médica que cuida do aparelho reprodutor feminino ~ **ginecológico** *adj.*

ginecologista (gi.ne.co.lo.gis.ta) *adj.2g.s.2g.* MED (aquele) que se especializa no estudo e na prática da ginecologia

ginete (gi.ne.te) /ê/ *s.m.* **1** cavaleiro hábil **2** cavalo de raça adestrado

ginga (gin.ga) *s.f.* molejo, requebro de corpo *<quer aprender a dançar, mas não tem g.>*

gingar (gin.gar) *v.* {mod. 1} *t.d. e int.* **1** andar, correr, dançar etc., balançando de um lado para o outro (o corpo, os quadris ou a cauda) *<o pato anda gingando o rabo>* *<no samba, não ser boa passista é não saber g.>* **2** ~ **gingação** *s.f.* - **gingado** *adj.s.m.*

ginja (gin.ja) *s.f.* BOT fruto semelhante à cereja, ger. de sabor agridoce ou ácido, e esp. us. em doces, refrescos e bebidas

ginjeira (gin.jei.ra) *s.f.* BOT árvore de flores brancas que produz a ginja

gípseo (gíp.seo) *adj.* fabricado com gesso

gira (gi.ra) *adj.2g.s.2g.* *B infrm.* que(m) é amalucado ↺ sensato

girafa (gi.ra.fa) *s.f.* **1** ZOO mamífero africano de pescoço muito longo e corpo amarelo com manchas avermelhadas ou castanhas **2** *pej.* indivíduo muito alto e/ou de pescoço comprido ◉ voz v. e subst.: relinchar

girândola (gi.rân.do.la) *s.f.* peça onde se encaixam foguetes para estourarem juntos

girar (gi.rar) *v.* {mod. 1} *t.d. e int.* **1** mover(-se) em torno de um eixo; rodar *<a criança pegou a varinha e girou-a no ar>* *<a Terra gira>* □ *t.d.* **2** estar em torno de; circundar *<o muro gira todo o jardim>* □ *t.i.* **3** *fig.* (prep. *sobre*) concentrar-se em torno de; realizar-se *<a conversa girou sobre assuntos vagos>* **4** (prep. *em, entre, por*) andar de um lado para outro; circular *<girava pela sala gritando contra tudo e todos>* □ *int.* **5** dar um passeio sem rumo certo ~ **girante** *adj.2g.*

girassol (gi.ras.sol) [pl.: *-óis*] *s.m.* BOT planta, de até 3 m de altura, e a sua flor amarela, cultivada como ornamental e para extração de óleo comestível

giratório (gi.ra.tó.rio) *adj.* que gira

gíria (gí.ria) *s.f.* LING vocabulário informal e próprio de um grupo social *<g. de torcedores de futebol>* *<g. adolescente>*

girino (gi.ri.no) *s.m.* ZOO larva dos anuros, como sapo, rã, perereca

¹giro (gi.ro) *s.m.* **1** movimento giratório em torno de um centro **2** ECON circulação de moeda ou títulos de crédito ◉ ORIGEM do lat. *gīrus,i* 'volta, circuito'

²giro (gi.ro) *s.m.* *infrm.* passeio curto *<foi dar um g. pela cidade>* ◉ ORIGEM regr. de *girar*

giroscópio (gi.ros.có.pio) *s.m.* dispositivo orientador us. em navegação ~ **giroscópico** *adj.*

giz [pl.: *-es*] *s.m.* bastão feito com pó de calcário, us. para riscar em quadro-negro, tecido etc.

glabro (gla.bro) *adj.* sem pelo, barba ou penugem *<rosto g.>* *<folha g.>* ↺ barbado, peludo, piloso

glacê (gla.cê) ou **glace** (gla.ce) *s.m.* CUL cobertura para bolos e doces feita com clara de ovo e açúcar batidos

glaciação (gla.ci.a.ção) [pl.: *-ões*] *s.f.* **1** transformação em gelo; congelamento **2** GEOL ação das geleiras na superfície da Terra

glacial (gla.ci.al) [pl.: *-ais*] *adj.2g.* **1** relativo a gelo **2** frio como gelo; gélido *<inverno g.>* ↺ quente **3** *fig.* que demonstra indiferença; impassível, frio *<um ser humano g.>* ↺ amistoso; emotivo

glaciário (gla.ci.á.rio) *adj.* **1** do gelo ou das geleiras **2** GEOL relativo à época glacial tb. chamada plistocena

gladiador (gla.di.a.dor) /ô/ [pl.: *-es*] *s.m.* na Roma antiga, lutador que combatia contra outros lutadores e feras

G

gládio (glá.dio) *s.m.* **1** espada curta de dois gumes **2** *p.ext.* luta, combate **3** *fig.* força física ou moral; poder

glamoroso (gla.mo.ro.so) /ô/ [pl. e fem.: /ó/] *adj.* que tem *glamour*; sedutor, atraente

glamour (gla.mour) [ing.] *s.m.* encanto pessoal; magnetismo ◉ GRAM/USO essa palavra ger. não se usa no pl.; pronúncia corrente em port.: glamur ⇒ pronuncia-se glêmur

glande (glan.de) *s.f.* **1** BOT fruto do carvalho; bolota **2** ANAT cabeça do pênis

glândula (glân.du.la) *s.f.* ANAT célula, tecido ou órgão que produz substâncias que são us. em outra parte do organismo (secreção) ou eliminadas (excreção) *<saliva, suor e lágrima são produzidos por glândulas>* ▣ **g. mamária** ANAT mama

G

glandular (glan.du.lar) [pl.: *-es*] *adj.2g.* **1** relativo a glândula **2** que tem forma de glândula

glaucoma (glau.co.ma) *s.m.* MED doença caracterizada pelo aumento da pressão no interior do olho, podendo causar perda de visão

glaucomatoso (glau.co.ma.to.so) /ô/ [pl. e fem.: /ó/] *adj.s.m.* MED (o) que sofre de glaucoma

gleba (gle.ba) *s.f.* **1** terreno adequado ao cultivo **2** terreno que contém minério

glicemia (gli.ce.mi.a) *s.f.* MED taxa de glicose no sangue

glicerina (gli.ce.ri.na) *s.f.* QUÍM substância obtida como subproduto da fabricação de sabão, us. como emoliente, solvente etc.

glicídio (gli.cí.dio) *s.m.* QUÍM composto orgânico constituído de carbono, hidrogênio e oxigênio

glicose (gli.co.se) *s.f.* QUÍM açúcar presente no sangue e em plantas, e que se constitui na principal fonte de energia para os organismos vivos

global (glo.bal) [pl.: *-ais*] *adj.2g.* **1** relativo ao globo terrestre; mundial *<poluição g.>* **2** considerado por inteiro *<política g.> <análise g. da obra de um autor>* ↺ parcial ~ **globalidade** *s.f.*

globalização (glo.ba.li.za.ção) [pl.: *-ões*] *s.f.* **1** reunião num todo **2** planetarização **3** ECON processo de internacionalização dos mercados produtores e consumidores

globalizar (glo.ba.li.zar) *v.* {mod. 1} *t.d. e pron.* **1** reunir(-se) [elementos] num todo ou abordá-los em conjunto *<g. as reivindicações> <a discussão demorou a g.-se>* **2** tornar geral em alcance ou aplicação; universalizar(-se) *<g. uma medida socioeconômica>* **3** ECON (fazer) sofrer globalização ('processo') *<nem todos os países globalizaram suas economias> <muitas empresas prosperaram após globalizarem-se>*

globo (glo.bo) /ô/ *s.m.* **1** qualquer coisa de forma esférica ou redonda *<g. ocular>* **2** a Terra ◉ GRAM/USO dim.irreg.: *glóbulo* ~ **globoso** *adj.*

globular (glo.bu.lar) [pl.: *-es*] *adj.2g.* **1** que tem forma de globo **2** relativo a glóbulo

globulina (glo.bu.li.na) *s.f.* BIOQ qualquer das várias proteínas globulares presentes em tecidos animais e vegetais

glóbulo (gló.bu.lo) *s.m.* **1** pequeno globo **2** BIOQ elemento em suspensão em líquidos orgânicos, como sangue, linfa ou leite ◉ GRAM/USO dim.irreg. de *globo* ▣ **g. branco** leucócito • **g. vermelho** hemácia

glória (gló.ria) *s.f.* **1** fama obtida por qualidades ou grandes feitos; celebridade **2** *p.ext.* pessoa ou obra famosa; motivo de orgulho *<esse atleta é uma g. nacional>* **3** honra, orgulho *<formou-se em medicina, para a g. da família>* **4** grande beleza; esplendor *<nem a rainha, em toda a sua g., se vestiu como um deles>* ↺ simplicidade **5** REL beatitude celeste *<a eterna g.>*

gloriar (glo.ri.ar) *v.* {mod. 1} *t.d. e pron.* **1** cobrir(-se) de glória *<gloriaram os vencedores> <gloriou-se ao passar no concurso>* □ *pron.* **2** (prep. *de*) expressar orgulho exagerado de si mesmo; gabar-se *<gloriava-se de conhecer o mundo inteiro>* **3** (prep. *em*) concentrar sua glória em *<g.-se nos filhos>*

glorificar (glo.ri.fi.car) *v.* {mod. 1} *t.d. e pron.* **1** cobrir (-se) de glória; notabilizar(-se) *<g. os revolucionários> <glorificou-se em sua luta pelos direitos humanos>* □ *t.d.* **2** proclamar a glória de; exaltar, celebrar *<g. o passado>* □ *pron.* **3** (prep. *com, de*) exprimir orgulho excessivo de si mesmo; gabar-se *<glorificava-se de falar quatro línguas>* ~ **glorificação** *s.f.* - **glorificante** *adj.2g.*

glorioso (glo.ri.o.so) /ô/ [pl. e fem.: /ó/] *adj.* **1** coberto de glória; célebre, vencedor *<lutador g.>* **2** que dá glória; honroso *<um feito g.>* **3** digno de louvor; ilustre, notável *<a g. história de um país>* **4** que tem esplendor; radiante, luminoso *<uma manhã g.> <um rosto g.>*

glosa (glo.sa) *s.f.* **1** nota explicativa *<o texto estava cheio de glosas nas margens>* **2** parecer negativo; desaprovação ↺ elogio **3** LIT poema cujas estrofes se encerram com um verso do mote ~ **glosador** *adj.s.m.*

glosar (glo.sar) *v.* {mod. 1} *t.d.* **1** explicar por glosa ('nota') **2** criticar, censurar ↺ elogiar **3** eliminar ou rejeitar (parte de texto, conta) **4** LIT desenvolver (mote) em verso

glossário (glos.sá.rio) *s.m.* **1** vocabulário de termos de uma área específica *<g. de botânica>* **2** pequeno dicionário que, dentro de um livro, esclarece sobre termos nele usados ~ **glossarista** *adj.2g.s.2g.*

glote (glo.te) *s.f.* ANAT abertura triangular na parte mais estreita da laringe ~ **glótico** *adj.*

GLS sigla de *Gays*, Lésbicas e Simpatizantes, us. para indicar os locais de convivência do público *gay* e de pessoas que os apoiam

glutão (glu.tão) [pl.: *-ões*; fem.: *glutona*] *adj.s.m.* que(m) come demais; guloso, comilão

glúten (glú.ten) [pl.: *glutens* e *glútenes*] *s.m.* substância viscosa extraída de cereais, depois de eliminado o amido

glúteo (glú.teo) *s.m.* ANAT **1** cada um dos três músculos de cada nádega ■ *adj.* ANAT **2** próprio das nádegas

glutinoso (glu.ti.no.so) /ô/ [pl. e fem.: /ó/] *adj.* **1** que contém glúten ou é semelhante a ele *<alimento g.>* **2** que gruda; viscoso *<substância g.>*

glutonaria (glu.to.na.ri.a) *s.f.* voracidade por comer

gnomo (gno.mo) *s.m.* anão lendário, feio, de idade indefinida, que guarda tesouros no interior da Terra

gnose (gno.se) *s.f.* **1** ciência, sabedoria **2** FIL REL conhecimento esotérico da verdade espiritual ~ **gnosiologia** *s.f.*

gnosticismo (gnos.ti.cis.mo) *s.m.* FIL REL doutrina, esp. de diversas seitas dos primeiros séculos do cristianismo, que acreditava que o caminho da libertação estava na gnose ('conhecimento') ~ **gnóstico** *adj.s.m.*

gnu *s.m.* ZOO antílope africano cuja cabeça se assemelha à dos bois

GO sigla do Estado de Goiás

godê (go.dê) *s.m.* **1** corte de tecido em que a parte inferior é mais larga do que a superior ■ *adj.2g.* **2** diz-se de roupa cortada dessa maneira *<saia g.>*

godo (go.do) /ô/ *adj.s.m.* (indivíduo) dos godos, antigo povo germânico ☞ cf. *ostrogodo, visigodo*

goela (go.e.la) *s.f.* garganta

gofrar (go.frar) *v.* {mod. 1} *t.d.* marcar em relevo (papel, pano, couro etc.), sem usar ouro nem tinta, com texturas, desenhos, ornatos diversos ~ **gofrado** *adj.* - **gofragem** *s.f.*

gogo (go.go) /ô/ *s.m.* **1** baba espessa que sai da boca de aves, esp. das galinhas **2** VET verminose que provoca essa baba ~ **gogoso** *adj.* - **goguento** *adj.*

gogó (go.gó) *s.m.* *B infrm.* **1** pomo de adão **2** falsa promessa; mentira *<o discurso dele é puro g.>*

gói *s.2g.* entre os judeus, indivíduo que não é de origem judaica

goiaba (goi.a.ba) *s.f.* BOT fruta da goiabeira de polpa branca ou rosada

goiabada (goi.a.ba.da) *s.f.* CUL doce de goiaba em pasta ou com consistência de corte

goiabal (goi.a.bal) [pl.: *-ais*] *s.m.* grande concentração de goiabeiras

goiabeira (goi.a.bei.ra) *s.f.* BOT arbusto ou árvore pequena nativa de regiões tropicais das Américas cujo fruto é a goiaba ◉ COL goiabal

goianiense (goi.a.ni.en.se) *adj.2g.* **1** de Goiânia (GO) ■ *s.2g.* **2** natural ou habitante dessa capital

goiano (goi.a.no) *adj.* **1** de Goiás ■ *s.m.* **2** natural ou habitante desse estado

goiva (goi.va) *s.f.* ferramenta utilizada para talhar madeira, metal ou pedra ~ **goivar** *v.t.d.*

gol /ô/ [pl.: *gols, goles* e *gois*] *s.m.* ESP **1** espaço entre três traves, duas verticais e uma horizontal, onde fica presa uma rede e deve entrar a bola para marcar ponto em jogos de futebol, polo etc. *<chutou forte em direção ao g.>* **2** ponto feito quando a bola transpõe esse espaço; tento

gola (go.la) *s.f.* VEST parte da roupa junto ao pescoço ou que o circunda

gole (go.le) *s.m.* cada porção de líquido engolida de uma vez *<tomou dois g. de café e saiu>*

goleada (go.le.a.da) *s.f.* ESP *B* vitória com ampla diferença de gols

goleador (go.le.a.dor) /ô/ [pl.: *-es*] *adj.s.m.* *B* (jogador ou time) que faz muitos gols numa partida ou campeonato

golear (go.le.ar) *v.* {mod. 5} *t.d. e int.* vencer com muitos gols a mais *<ganhar não era suficiente, precisavam g. (o adversário)>*

goleiro (go.lei.ro) *s.m.* ESP jogador que defende o gol

golfada (gol.fa.da) *s.f.* **1** vômito **2** porção de líquido que sai em jatos **3** jato de vento; sopro

golfar (gol.far) *v.* {mod. 1} *t.d. e int.* **1** (fazer) sair ou correr em golfadas; jorrar *<golfava água da torneira>* **2** expelir golfadas (de); vomitar *<g. sangue> <o bebê golfou>* □ *t.d.* **3** emitir em abundância; expedir *<o sol golfava luz> <a locomotiva golfava flocos de fumaça>*

golfe (gol.fe) /ô/ *s.m.* ESP jogo em que, com um taco, se lança uma pequena bola maciça, fazendo-a entrar, com o menor número possível de tacadas, em buracos distribuídos num campo extenso ~ **golfista** *s.2g.*

golfinho (gol.fi.nho) *s.m.* **1** ZOO mamífero marinho de focinho alongado; delfim **2** ESP variação de nado borboleta em que o nadador com pernas e pés juntos imita os movimentos desse mamífero

golfo (gol.fo) /ô/ *s.m.* GEO porção larga de mar que avança pela terra

golpe (gol.pe) *s.m.* **1** movimento forte, rápido, inesperado *<deu um g. contra a porta>* **2** choque, contusão *<mostrou marcas dos g. no seu corpo>* **3** *p.ext.* ferimento com corte **4** *fig.* manobra desleal; estratagema *<deu um g. no sócio e fugiu com o dinheiro>* **5** *fig.* acontecimento infeliz; desgraça, choque *<a perda do filho foi um g. para o pobre velho>* ▣ **g. de ar** vento, corrente de ar • **g. de Estado** POL tomada do poder pela força • **g. do baú** casamento por interesse financeiro ~ **golpeamento** *s.m.*

golpear (gol.pe.ar) *v.* {mod. 5} *t.d.* **1** aplicar socos, pancadas em; bater *<g. o peito do lutador>* ↺ apanhar **2** ferir a golpes de instrumento cortante *<golpeou o rosto da vítima com uma navalha> <golpeou-se nos pulsos>* **3** *fig.* causar sofrimento, aflição a; angustiar ↺ tranquilizar

golpista (gol.pis.ta) *adj.2g.s.2g.* **1** POL que(m) é favorável ou se envolve em golpe de Estado **2** enganador, vigarista

goma (go.ma) *s.f.* **1** BOT secreção viscosa expelida de certos vegetais **2** *B* polvilho de mandioca us. na feitura de tapiocas, mingaus, bolos etc. **3** *B* preparado de amido para encorpar a roupa e deixá-la esticada **4** *B* massa feita de água e farinha de trigo, us. para colar papel, cartão etc. **5** *fig.* *B* elogio de si mesmo; presunção ▣ **g. de mascar** pastilha açucarada e de vários sabores, que permite mastigação prolongada; chicle, chiclete

goma-arábica (go.ma-a.rá.bi.ca) [pl.: *gomas-arábicas*] *s.f.* QUÍM resina extraída de certas árvores africanas, us. na indústria farmacêutica e alimentícia e na fabricação de cola do mesmo nome

goma-laca (go.ma-la.ca) [pl.: *gomas-lacas* e *gomas-laca*] *s.f.* laca

gomar (go.mar) *v.* {mod. 1} *t.d.* passar goma ('preparado') em; engomar

gomo (go.mo) *s.m.* **1** cada divisão natural, em forma de meia-lua, da polpa da laranja, limão etc. **2** qualquer coisa que se assemelhe a essa forma *<saia em gomos> <os g. de um paraquedas>* **3** BOT parte entre dois nós da cana, do bambu etc.

[1]**gomoso** (go.mo.so) /ô/ [pl. e fem.: /ó/] *adj.* **1** que produz goma *<planta g.>* **2** de consistência semelhante à da goma; viscoso *<líquido g.>* ◉ ORIGEM *goma* + *-oso*

^{2}**gomoso** (go.mo.so) /ô/ [pl. e fem.: /ó/] *adj.* disposto em ou que tem forma de gomos ◉ ORIGEM *gomo* + *-oso*

gônada (gô.na.da) *s.f.* ANAT nome genérico das glândulas sexuais que produzem os gametas

gôndola (gôn.do.la) *s.f.* **1** barco típico de Veneza (Itália), de fundo chato, comprido, estreito e impulsionado por um único remo na popa **2** nos supermercados, estantes onde ficam expostas as mercadorias à venda

gondoleiro (gon.do.lei.ro) *s.m.* condutor de gôndola

gongo (gon.go) *s.m.* MÚS instrumento de percussão constituído por um grande disco de metal que se toca com uma pesada baqueta acolchoada na ponta

gongorismo (gon.go.ris.mo) *s.m.* LIT estilo marcado pelo uso de metáforas, palavras eruditas e referências clássicas ~ **gongórico** *adj.*

G

gonococia (go.no.co.ci.a) *s.f.* MED blenorragia ~ **gonocócico** *adj.*

gonococo (go.no.co.co) *s.m.* BIO bactéria causadora da gonorreia

gonorreia (go.nor.rei.a) /éi/ *s.f.* MED *infrm.* blenorragia ~ **gonorreico** *adj.*

gonzo (gon.zo) *s.m.* dobradiça

gorar (go.rar) *v.* {mod. 1} *t.d. e int.* **1** impedir ou não ocorrer a incubação (de ovo) *<a falta de calor gorou os ovos>* *<os ovos goraram>* **2** *fig.* (fazer) fracassar antes mesmo de iniciar; frustrar(-se) *<g. um plano>* *<a festa gorou>* □ *int.* **3** estragar, apodrecer (ovo) *<jogue fora os ovos que goraram>* ~ **gorado** *adj.*

gordo (gor.do) /ô/ *adj.* **1** que tem gordura; obeso *<rapaz g.>* ↺ magro, esbelto **2** que contém gordura na composição; gorduroso, oleoso *<carne g.>* ↺ magro **3** grande; volumoso *<carregava um livro g.>* ■ *s.m.* **4** quem tem excesso de peso

gorducho (gor.du.cho) *adj.s.m.* que(m) é um pouco gordo

gordura (gor.du.ra) *s.f.* **1** substância oleosa, animal e vegetal, us. na alimentação humana e de amplo uso industrial *<usaram g. vegetal para fritar o ovo>* **2** tecido adiposo dos animais *<tire a g. da carne antes de cozinhá-la>* **3** obesidade ↺ magreza

gorduroso (gor.du.ro.so) /ô/ [pl. e fem.: /ó/] *adj.* **1** relativo a gordura **2** que tem excesso de gordura *<carne g.>* **3** oleoso, pegajoso *<pele g.>* *<mãos g.>*

gorgolejar (gor.go.le.jar) *v.* {mod. 1} *t.d. e int.* **1** beber pelo gargalo, de uma só vez, fazendo ruído por deixar o ar entrar na garrafa *<gorgolejou imensa quantidade de vinho>* *<gorgolejavam sem soltar a garrafa da boca>* □ *int.* **2** soltar a voz (esp. peru, perdigão) ☞ nesta acp., só us. nas 3as p., exceto quando fig. □ *t.d.* **3** soltar (líquido) aos poucos, em golfadas *<o cano arrebentado gorgolejava água na rua>*

gorgolejo (gor.go.le.jo) /ê/ *s.m.* **1** ruído de algo gorgolejando **2** voz característica de alguns animais (como o peru, o perdigão etc.)

gorgomilo (gor.go.mi.lo) *s.m.* *infrm.* entrada do esôfago e laringe; goela ☞ tb. us. no pl.

gorgorão (gor.go.rão) [pl.: *-ões*] *s.m.* **1** tecido encorpado de seda com relevos formando finos cordões, us. em cortinas, estofados, roupas etc. **2** fita desse tecido

gorgulho (gor.gu.lho) *s.m.* ZOO caruncho ('besouros')

gorila (go.ri.la) *s.m.* **1** ZOO grande macaco antropoide africano que vive esp. no chão e em bando **2** *fig. pej.* segurança ('indivíduo')

gorjear (gor.je.ar) *v.* {mod. 5} *int.* emitir som melodioso (ave canora); cantar ◉ GRAM/USO só us. nas 3as p., exceto quando fig.

gorjeio (gor.jei.o) *s.m.* trinado ('som melodioso')

gorjeta (gor.je.ta) /ê/ *s.f.* pequena gratificação em dinheiro a quem prestou algum serviço; propina

goro (go.ro) /ô/ *adj.* **1** podre, gorado (diz-se de ovo) ↺ bom **2** *fig.* que falhou, que não deu certo

gororoba (go.ro.ro.ba) *s.f.* *infrm.* **1** comida, boia **2** comida malfeita

gorro (gor.ro) /ô/ *s.m.* VEST cobertura de cabeça, de tecido mole, maleável, ajustado à cabeça e sem aba *<comprou um g. de lã>*

gosma (gos.ma) *s.f.* **1** mucosidade viscosa expelida pela boca de alguns animais; gogo *<a lagarta solta uma g. quando se move>* **2** *p.ext.* qualquer substância viscosa *<o arroz parecia uma g.>*

gosmento (gos.men.to) *adj.* que tem gosma ou consistência de gosma *<cabelo g.>* *<macarrão g.>*

gospel (gos.pel) [ing.] *s.m.* MÚS canto característico dos cultos evangélicos da comunidade negra norte-americana ◉ GRAM/USO tb. se usa como adj.2g.2n.: música *gospel*, cantos *gospel* ⇒ pronuncia-se góspel

gostar (gos.tar) *v.* {mod. 1} *t.i.* **1** (prep. *de*) achar saboroso; apreciar *<g. de camarão>* ↺ detestar **2** (prep. *de*) achar agradável, prazeroso *<g. de música, de uma cidade>* ↺ detestar **3** (prep. *de*) nutrir amor, amizade ou simpatia por; amar, estimar *<g. dos pais>* ↺ odiar **4** (prep. *de*) ser compatível com *<avencas não gostam de vento>* **5** (prep. *de*) julgar bom; aprovar *<o editor gostou da capa>* **6** (prep. *de*) ter hábito ou mania de; costumar *<g. de falar alto>* □ *pron.* **7** sentir amizade, simpatia ou amor mútuos *<eles se gostam muito>*

gosto (gos.to) /ô/ *s.m.* **1** paladar ('sentido') *<ter g. apurado>* **2** sabor *<g. de maçã>* **3** desejo de comer; apetite *<comer com g.>* **4** preferência pessoal *<seus g. não combinam com os meus>* **5** estilo, maneira *<escrevia ao g. romântico>* ▣ **bom g.** preferência que revela refinamento, elegância • **mau g. 1** preferência que revela falta de refinamento **2** vulgaridade, grosseria *<piada de mau g.>*

gostoso (gos.to.so) /ô/ [pl. e fem.: /ó/] *adj.* **1** de bom sabor *<comida g.>* ↺ insosso **2** que dá ou mostra prazer *<brisa g.>* *<risada g.>* **3** *fig. infrm.* atraente, sensual

gostosura (gos.to.su.ra) *s.f.* **1** iguaria saborosa; guloseima, pitéu *<comemos muitas g. no jantar>* **2** *infrm.* prazer, deleite *<essa praia está uma g.>*

gota (go.ta) /ô/ *s.f.* **1** pequena porção de líquido que cai em forma de minúscula pera; pingo *<gotas de chuva>* **2** *fig.* porção mínima de qualquer coisa *<uma g. de esperança>* **3** MED doença que causa dores nas articulações ◉ GRAM/USO dim.irreg.: *gotícula*

goteira (go.tei.ra) *s.f.* **1** calha por onde escorre a água da chuva **2** brecha no teto por onde pinga água **3** a água que pinga dessa maneira

gotejar (go.te.jar) *v.* {mod. 1} *t.d. e int.* **1** (deixar) cair ou brotar em gotas; pingar *<g. duas gotas do remédio>* *<a torneira está gotejando>* □ *int.* **2** chuviscar ☞ nesta acp., só us. nas 3as p., exceto quando fig. ~ **gotejamento** *s.m.* - **gotejante** *adj.2g.*

gótico (gó.ti.co) *adj.s.m.* ARQ ART.PLÁST HIST diz-se de ou estilo artístico e arquitetônico que predominou na Europa entre os sXII e XVI, notável esp. pela construção de catedrais, com arcos e abóbodas ogivais

gotícula (go.tí.cu.la) *s.f.* gota minúscula ◉ GRAM/USO dim.irreg. de *gota*

goto (go.to) /ô/ *s.m.* ANAT *infrm.* glote ▣ **cair no g.** causar engasgo ao ser engolido

gourmet (gour.met) [fr.; pl.: *gourmets*] *s.m.* quem conhece e aprecia bons pratos e vinhos ⇒ pronuncia--se gurmê

governador (go.ver.na.dor) /ô/ [pl.: *-es*] *adj.s.m.* **1** que(m) governa **2** DIR POL no Brasil, governante eleito de um estado da federação

governamental (go.ver.na.men.tal) [pl.: *-ais*] *adj.2g.* referente a governo

governanta (go.ver.nan.ta) *s.f.* **1** mulher contratada para administrar uma casa **2** mulher contratada numa casa de família para cuidar da educação de crianças

governante (go.ver.nan.te) *adj.2g.s.2g.* que(m) governa

governar (go.ver.nar) *v.* {mod. 1} *t.d. e int.* **1** controlar a formulação e a administração da política (em); dirigir *<g. estado, país>* **2** ter poder de decisão (sobre); administrar *<g. casa, empresa>* □ *t.d.* **3** influenciar muito as ações, a conduta de; conduzir *<g. a opinião pública>* **4** controlar velocidade e direção de (montaria, veículo, máquina) □ *pron.* **5** tratar de seus próprios negócios e interesses *<é preciso saber g.-se>* **6** (prep. *por*) orientar-se, regular-se *<g.-se pela educação que recebeu em casa>* ~ **governabilidade** *s.f.* - **governável** *adj.2g.*

governismo (go.ver.nis.mo) *s.m.* POL **1** exercício autoritário do poder **2** ideologia e prática dos governistas

governista (go.ver.nis.ta) *adj.2g.s.2g.* POL que(m) apoia o governo *<partidos g.>*

governo (go.ver.no) /ê/ *s.m.* **1** administração, chefia *<o g. de uma empresa>* **2** o poder executivo **3** regime político *<g. parlamentarista>* **4** permanência de um governante no cargo; gestão, mandato *<no seu g., o país prosperou>* **5** direção, rumo *<veículo sem g.>*

gozação (go.za.ção) [pl.: *-ões*] *s.f. infrm.* gracejo que se faz sobre algo ou alguém; zombaria, chacota *<seu comentário era pura g.>*

gozado (go.za.do) *adj.* **1** que se aproveitou, desfrutou *<férias g.>* **2** *infrm.* que causa riso; divertido, engraçado *<filme g.>*

gozador (go.za.dor) /ô/ [pl.: *-es*] *adj.s.m.* brincalhão, gracejador *<era um (cara) g.>*

gozar (go.zar) *v.* {mod. 1} *t.d. e t.i.* **1** (prep. *de*) possuir ou utilizar (algo prazeroso ou salutar); desfrutar, aproveitar *<g. as férias>* *<goza de boa saúde>* □ *int.* *B* **2** atingir o orgasmo na relação sexual □ *t.d.,t.i. e int.* *B infrm.* **3** (prep. *com*) rir de ou fazer graça às custas de; caçoar, debochar *<é um brincalhão, goza todo mundo>* *<você não está falando sério, está gozando (comigo), não é?>*

gozo (go.zo) /ô/ *s.m.* **1** ação de gozar **2** estado de satisfação; prazer *<g. materiais>* *<g. espirituais>* **3** posse ou uso de uma coisa *<o g. de um direito>* **4** *B* orgasmo

gozoso (go.zo.so) /ô/ [pl. e fem.: /ó/] *adj.* **1** em que há satisfação **2** que denota prazer; contente

graça (gra.ça) *s.f.* **1** dádiva ou favor *<solicitar uma g.>* **2** nome de batismo *<qual é a sua g.?>* **3** leveza de formas ou modos; elegância *<dançou com muita g.>* **4** ação engraçada ou divertida *<ficou encantado com as g. dos netos>* **5** REL favor ou benefício concedido por Deus a um fiel, com ou sem a interferência de um santo *<pedir uma g. ao santo de sua devoção>* ▼ ***graças*** *s.f.pl.* **6** agradecimento *<dar g. a Deus>* ▣ • **cair nas g. de** conquistar a simpatia ou proteção de *<caiu logo nas g. da sogra>* • **de g.** sem pagar *<entrou de g. no teatro>* • **graças a** por causa de, com o auxílio de *<escapou de perder o ano g. aos amigos>* • **sem g.** desinteressante, aborrecido *<pessoa sem g.>*

gracejar (gra.ce.jar) *v.* {mod. 1} *int.* **1** dizer coisas engraçadas *<ela está sempre gracejando>* □ *t.d. e t.i.* **2** (prep. *com*) falar por brincadeira ou zombaria (com); gozar *<g. uma tolice>* *<gosta de g. com os amigos>* □ *t.i.* **3** (prep. *com*) fazer graça à custa de; zombar *<não se deve g. com os defeitos das pessoas>* ~ **gracejador** *adj.s.m.*

gracejo (gra.ce.jo) /ê/ *s.m.* dito engraçado, espirituoso ou irônico

grácil (grá.cil) [pl.: *-eis*] *adj.2g.* **1** fino, delicado *<corpo g.>* ↺ abrutalhado **2** elegante, gracioso *<movimento g.>* ~ **gracilidade** *s.f.*

gracioso (gra.ci.o.so) /ô/ [pl. e fem.: /ó/] *adj.* **1** que tem encanto, delicadeza ↺ deselegante **2** engraçado, jovial *<comentário g.>* ↺ sério **3** gratuito, grátis *<os serviços foram g.>* ↺ pago **4** que concede graças, favores *<Sua g. Majestade, nosso imperador>* ~ **graciosidade** *s.f.*

graçola (gra.ço.la) *s.f. infrm.* piada ou dito de mau gosto

gradação (gra.da.ção) [pl.: *-ões*] *s.f.* mudança ou passagem gradual *<g. do vermelho ao amarelo>*

gradativo (gra.da.ti.vo) *adj.* que aumenta ou diminui pouco a pouco *<melhora g.>* ↺ brusco

grade (gra.de) *s.f.* **1** armação de barras paralelas ou cruzadas para proteger ou vedar *<após a invasão, puseram grades na janela>* **2** *p.ext.* traçado de linhas verticais e horizontais com espaçamento uniforme **3** quadro esquemático que resume um conjunto de informações *<g. de horários>* **4** MÚS partitura ('material gráfico') ▣ **atrás das g.** na prisão

gradeamento (gra.de.a.men.to) ou **gradeado** (gra.de.a.do) *s.m.* conjunto de grades para vedar parques, pátios, janelas

gradear (gra.de.ar) *v.* {mod. 5} *t.d.* fechar, cercar ou enfeitar com grades *<g. a casa>*

gradil (gra.dil) [pl.: *-is*] *s.m.* grade baixa; cerca

grado (gra.do) *s.m.* vontade, desejo ▣ **de bom g.** com boa vontade *<de bom g., deixou que a criança se sentasse>*

graduação (gra.du.a.ção) [pl.: *-ões*] *s.f.* **1** disposição em graus; gradação *<a g. de um termômetro>* **2** posição na hierarquia social; classe, categoria **3** curso universitário; faculdade *<está fazendo g. em psicologia>* **4** conclusão desse curso; formatura

gradual (gra.du.al) [pl.: *-ais*] *adj.2g.* **1** que cresce ou diminui por grau *<febre g.> <aumento g. de salário>* **2** que se dá passo a passo; gradativo *<mudanças g.>*

graduar (gra.du.ar) *v.* {mod. 1} *t.d.* **1** dividir em ou marcar os graus *<g. uma régua>* **2** aumentar ou diminuir de forma progressiva a quantidade ou intensidade de; dosar *<g. a luz, a chama>* **3** adaptar (objeto) às características dos usuários *<g. o encosto da poltrona>* **4** dispor em graus, por certos critérios; classificar *<g. os trabalhos do concurso>* **5** MIL nas forças armadas, conferir grau honorífico a □ *t.d. e pron.* **6** conferir ou receber grau de ensino superior; diplomar(-se) *<a primeira turma graduou 25 estudantes> <graduou-se ontem (em geografia)>* ~ **graduador** *adj.s.m.*

G

grafar (gra.far) *v.* {mod. 1} *t.d.* **1** representar (linguagem) por sinais gráficos; escrever **2** escrever (palavra), optando por certa grafia *<g. Luiz com z>*

grafia (gra.fi.a) *s.f.* GRAM LING **1** representação escrita de uma palavra **2** cada uma das formas com que se pode grafar um termo (inclusive as consideradas incorretas) *<a g. desse nome é complicada>*

gráfica (grá.fi.ca) *s.f.* local onde se fazem trabalhos impressos; tipografia

gráfico (grá.fi.co) *adj.* **1** relativo a ou representado por linhas, figuras, letras, sinais *<estampa g.>* **2** relativo às artes gráficas *<trabalhos g. especializados>* ■ *s.m.* **3** esquema visual de dados; diagrama *<este g. apresenta o lucro da empresa no ano>* **4** quem trabalha em gráfica

grã-finagem (grã-fi.na.gem) [pl.: *grã-finagens*] ou **granfinagem** (gran.fi.na.gem) [pl.: *-ens*] *s.f.* o grupo dos grã-finos, a alta sociedade

grã-fino (grã-fi.no) [pl.: *grã-finos*] ou **granfino** (gran.fi.no) *adj.s.m.* **1** que(m) vive com luxo ■ *adj.* **2** relativo a esse modo de vida ◉ COL grã-finagem/granfinagem

grafita (gra.fi.ta) *s.f.* QUÍM variedade de carbono, us. na fabricação de lápis, elétrodos e como lubrificante

^{1}**grafitar** (gra.fi.tar) *v.* {mod. 1} *t.d.* transformar em grafita *<g. carbono>* ◉ ORIGEM *grafita* + ^{2}*-ar*

^{2}**grafitar** (gra.fi.tar) *v.* {mod. 1} *t.d.* fazer ^{2}grafite em *<g. um muro>* ☞ cf. *pichar* ◉ ORIGEM ^{2}*grafite* + ^{2}*-ar*

^{1}**grafite** (gra.fi.te) *s.f.* bastão de grafita us. em lápis e lapiseiras ◉ ORIGEM do al. *Graphit* 'grafita'

^{2}**grafite** (gra.fi.te) *s.m.* escrito ou desenho artístico sobre rochas, paredes, monumentos etc., ger. feito com tinta *spray* ☞ cf. *pichação* ◉ ORIGEM do it. *graffitto* 'desenho ou escrita feita sobre pedra'

grafiteiro (gra.fi.tei.ro) *s.m.* quem faz grafites ('escrito ou desenho')

grafologia (gra.fo.lo.gi.a) *s.f.* **1** estudo geral da escrita e seus sistemas **2** estudo da caligrafia de uma pessoa para investigar sua personalidade ~ **grafológico** *adj.* - **grafologista** *s.2g.* - **grafólogo** *s.m.*

gralha (gra.lha) *s.f.* **1** ZOO ave da família dos corvídeos que vive em bando e tem voz estridente **2** *p.ext.* pessoa que fala muito; faladeira ◉ VOZ v.: crocitar, gralhar; subst.: grasnada

gralhar (gra.lhar) *v.* {mod. 1} *int.* **1** soltar a voz (p.ex., a gralha) ☞ só us. nas 3as p., exceto quando fig. **2** *fig.* falar muito; tagarelar □ *t.d. e int. fig.* **3** falar de modo confuso, com má dicção *<ele gralhou (umas desculpas) e saiu>*

^{1}**grama** (gra.ma) *s.f.* BOT erva gramínea cultivada para cobrir jardins ou como forragem ◉ ORIGEM de um lat. **gramma* 'id.'

^{2}**grama** (gra.ma) *s.m.* FÍS unidade de medida de massa, equivalente a 0,001 kg [símb.: *g*] ◉ ORIGEM do gr. *grámma,atos* 'sinal gravado, letra'

gramado (gra.ma.do) *adj.s.m.* **1** (terreno) coberto de grama ■ *s.m.* ESP *B* **2** campo de futebol

^{1}**gramar** (gra.mar) *v.* {mod. 1} *t.d. infrm.* **1** ser atingido por (pancada, surra etc.) *<gramou uns tapas nas costas>* **2** *fig.* sofrer, aturar (mal físico ou moral) *<gramou a derrota sem reclamar>* **3** *B* caminhar, andar (certa distância, caminho etc.) *<ele teve que g. um bom pedaço até a sua casa>* ◉ ORIGEM desc.

^{2}**gramar** (gra.mar) *v.* {mod. 1} *t.d.* cobrir de grama (terreno, jardim etc.) ◉ ORIGEM ^{1}*grama* + ^{2}*-ar*

gramática (gra.má.ti.ca) *s.f.* **1** LING estudo e descrição de como uma língua funciona e das regras que a fazem funcionar *<alguns acham a g. do inglês difícil>* **2** GRAM conjunto de regras que determinam o uso considerado correto de uma língua *<a g. não recomenda dizer "nós vai">* **3** livro que contém essas regras

gramatical (gra.ma.ti.cal) [pl.: *-ais*] *adj.2g.* **1** referente a gramática *<ensino g.>* **2** próprio da estrutura de uma língua *<construção g.>* ↺ agramatical

gramático (gra.má.ti.co) *s.m.* quem estuda ou escreve gramática

gramínea (gra.mí.nea) *s.f.* BOT espécime das gramíneas, família de plantas ger. perenes (como as gramas), lenhosas e arbóreas (como os bambus), de distribuição mundial, com várias espécies cultivadas para a alimentação, como o trigo, o arroz e o milho, e inúmeras cultivadas para forragem ou para construção, mobiliário etc. ~ **gramíneo** *adj.*

gramofone (gra.mo.fo.ne) *s.m.* antigo aparelho para reproduzir sons gravados em discos de vinil

grampeador (gram.pe.a.dor) /ô/ [pl.: *-es*] *s.m.* aparelho para grampear papéis

grampear (gram.pe.ar) *v.* {mod. 5} *t.d.* **1** prender com grampos **2** *B infrm.* interceptar com grampo as ligações de (linha telefônica, pessoa, instituição) ~ **grampação** *s.f.* - **grampagem** *s.f.* - **grampeamento** *s.m.*

grampo (gram.po) *s.m.* **1** haste que aperta ou segura peças nas quais se trabalha **2** peça de ferro que une dois blocos de pedra numa construção **3** peça metálica fina us. para prender folhas de papel **4** *B* prendedor de cabelo feito de arame dobrado **5** *B infrm.* dispositivo para escuta secreta de ligações telefônicas

grana (gra.na) *s.f. B infrm.* dinheiro

granada (gra.na.da) *s.f.* **1** bomba portátil que pode conter explosivo ou componentes químicos **2** MINER pedra de cor avermelhada escura us. como adorno e na fabricação de relógios

grande (gran.de) *adj.2g.* **1** de dimensões ou quantidade acima da média *<carro g.> <g. fortuna>* **2** intenso, excessivo *<g. sofrimento>* **3** crescido, adulto *<os filhos já são g.>* **4** notável, eminente *<um g. arquiteto>* ↺ desconhecido **5** principal, primordial *<seu g. objetivo é ser rico>* ↺ secundário ■ *s.2g.* **6** pessoa rica, influente **7** empresa que se destaca num setor ◉ GRAM/USO comp.super.: *maior*; comp.inf.: *menor*; sup.abs.sint.: *grandíssimo, grandessíssimo, máximo*

grandessíssimo (gran.des.sís.si.mo) *adj.* no mais alto grau; grandíssimo *<um g. pilantra>* ◉ GRAM/USO sup.abs.sint. de *grande*

grandeza (gran.de.za) /ê/ *s.f.* **1** característica do que é grande; amplidão, extensão *<a g. da floresta amazônica>* **2** nobreza de sentimentos *<g. de espírito>* **3** MAT o que pode sofrer variação e ser medido *<a g. de um ângulo>*

grandiloquência (gran.di.lo.quên.cia) /qü/ *s.f.* modo pomposo e rebuscado de se expressar ~ **grandiloquente** *adj.2g.*

grandíloquo (gran.dí.lo.quo) *adj.* **1** que se expressa com grandiloquência; grandiloquente **2** que se caracteriza pela grandiloquência; grandiloquente

grandioso (gran.di.o.so) /ô/ [pl. e fem.: /ó/] *adj.* **1** muito grande; gigantesco *<um bolo g. de três andares>* **2** extraordinário *<promessas g.>* **3** nobre, distinto *<estilo g.>* ~ **grandiosidade** *s.f.*

grandíssimo (gran.dís.si.mo) *adj.* grandessíssimo ◉ GRAM/USO sup.abs.sint. de *grande*

granel (gra.nel) [pl.: *-éis*] *s.m.* celeiro ▣ **a g. 1** sem embalagem ou acondicionamento (diz-se de mercadoria) *<compro biscoito a g.>* **2** em grande quantidade

granfinagem (gran.fi.na.gem) [pl.: *-ens*] *s.f.* → ***GRÃ-FINAGEM***

granfino (gran.fi.no) *adj.s.m.* → ***GRÃ-FINO***

graniforme (gra.ni.for.me) *adj.2g.* em forma de grão ('partícula')

granito (gra.ni.to) *s.m.* MINER rocha de textura granular, composta de quartzo, feldspato alcalino e micas ~ **granítico** *adj.*

granívoro (gra.ní.vo.ro) *adj.* que come grãos e sementes *<pássaro g.>*

granizo (gra.ni.zo) *s.m.* **1** precipitação atmosférica na forma de pequenos fragmentos de gelo; saraiva **2** esse fragmento *<o g. derreteu na grama>*

granja (gran.ja) *s.f.* pequena propriedade rural em que se explora uma atividade agrícola, ger. criação de aves

granjear (gran.je.ar) *v.* {mod. 5} *t.d. e t.d.i.* **1** (prep. *a, para*) obter com esforço, trabalho; conseguir *<g. distinções> <com as vendas, ele granjeava o sustento necessário à família>* **2** (prep. *a, para*) receber por merecimento; conquistar, atrair *<g. amigos> <o seu modo franco granjeou-lhe a confiança do diretor>* □ *t.d.* **3** cultivar (a terra) ~ **granjeador** *adj.s.m.*

granjeio (gran.jei.o) *s.m.* **1** cultivo da terra **2** colheita de produtos agrícolas **3** *fig.* lucro, ganho de qualquer trabalho

granjeiro (gran.jei.ro) *s.m.* dono ou empregado de granja

granulado (gra.nu.la.do) *adj.* **1** reduzido a grânulos *<chocolate g.>* ■ *adj.s.m.* **2** (substância) que se apresenta sob a forma de grânulos

[1]**granular** (gra.nu.lar) *v.* {mod. 1} *t.d.* **1** dar forma de grânulos a *<g. o chumbo>* **2** reduzir a grânulos; fragmentar *<g. comprimidos>* ◉ ORIGEM *grânulo* + [2]*-ar* ~ **granulação** *s.f.* - **granulagem** *s.f.*

[2]**granular** (gra.nu.lar) [pl.: *-es*] *adj.2g.* **1** em forma de grânulos **2** formado por grânulos ou grãos *<massa g.>* ◉ ORIGEM *grânulo* + [1]*-ar*

grânulo (grâ.nu.lo) *s.m.* pequeno grão ◉ GRAM/USO dim.irreg. de *grão*

granuloso (gra.nu.lo.so) /ô/ [pl. e fem.: /ó/] *adj.* **1** que tem grânulos *<mingau g.>* **2** de superfície áspera *<tapete g.>* ~ **granulosidade** *s.f.*

[1]**grão** [pl.: *-ãos*] *s.m.* **1** BOT fruto ou semente de certos cereais e plantas, como o milho, o feijão, o trigo etc. **2** partícula *<g. de areia>* **3** *fig.* pequena parcela de algo *<havia um g. de inveja em suas palavras>* ◉ ORIGEM do lat. *grānum,i* 'grão, semente'

[2]**grão** [pl.: *-ãos*; fem.: *grã*] *adj.* grande ◉ ORIGEM f. apocopada de *grande*

grão-de-bico (grão-de-bi.co) [pl.: *grãos-de-bico*] *s.m.* BOT **1** planta leguminosa de vagens cilíndricas e sementes amarelas arredondadas **2** a semente dessa planta, us. na alimentação humana

grão-ducado (grão-du.ca.do) [pl.: *grão-ducados*] *s.m.* país governado por grão-duque

grão-duque (grão-du.que) [pl.: *grão-duques*; fem.: *grã-duquesa*] *s.m.* título dado a alguns príncipes soberanos, esp. aos da família imperial da Rússia e da Áustria

grão-mestre (grão-mes.tre) [pl.: *grão-mestres*] *s.m.* **1** antigo chefe de ordem religiosa ou de cavalaria **2** presidente de loja maçônica

grão-vizir (grão-vi.zir) [pl.: *grão-vizires*] *s.m.* o primeiro-ministro do Império Otomano

grasnada (gras.na.da) *s.f.* **1** conjunto de vozes próprio de aves (corvos, águias, patos etc.) **2** *fig.* falatório confuso; balbúrdia

grasnar (gras.nar) {mod. 1} ou **grasnir** (gras.nir) {mod. 24} *v. int.* **1** emitir som (corvos e abutres); corvejar **2** *p.ext.* soltar a voz (qualquer animal) ☞ nestas acp., só us. nas 3as p., exceto quando fig. □ *t.d. e int. fig.* **3** falar alto, em tom desagradável *<as moças grasnavam sem parar>* ~ **grasnado** *s.m.* - **grasnido** *s.m.*

grassar (gras.sar) *v.* {mod. 1} *int.* **1** multiplicar-se por reprodução; propagar-se, espalhar-se *<um novo tipo de virose grassa na cidade>* **2** tornar-se popular ou público; popularizar-se, difundir-se *<a moda da minissaia grassou rapidamente>* ◉ GRAM/USO só us. nas 3as p.

gratidão (gra.ti.dão) [pl.: *-ões*] *s.f.* modo de se comportar de quem é grato; reconhecimento por auxílio ou benefício recebido ↺ ingratidão

G

gratificação (gra.ti.fi.ca.ção) [pl.: *-ões*] *s.f.* **1** pagamento adicional por gratidão ou como prêmio por trabalho bem executado *<deu uma g. aos funcionários no fim do ano>* **2** gorjeta *<o garçom recebeu uma boa g.>* **3** satisfação interior; alegria *<ajuda a família para g. pessoal>*

gratificante (gra.ti.fi.can.te) *adj.2g.* que dá satisfação interior *<trabalho g.>*

gratificar (gra.ti.fi.car) *v.* {mod. 1} *t.d. e t.d.i.* **1** (prep. *com, por*) conceder (benefício, favor), como retribuição ou recompensa; premiar *<gratificou o assistente (pelo serviço extra)> <gratificou-a com um belo jantar>* **2** (prep. *com*) conceder (remuneração adicional) [a] *<gratificou os funcionários (com dois salários mínimos)>* **3** (prep. *por*) parabenizar, felicitar *<gratificou-o pela promoção>* □ *t.d. e int.* **4** (fazer) sentir prazer, satisfação interior *<o carinho do filho gratificava-a> <o esporte gratifica>* □ *t.i.* **5** (prep. *a*) mostrar gratidão; agradecer *<g. àqueles que nos auxiliam>*

G

grátis (grá.tis) *adj.2g.2n.* **1** de graça; gratuito *<entrada g.>* ↺ pago ■ *adv.* **2** de graça; gratuitamente *<ali come-se g.>*

grato (gra.to) *adj.* **1** agradecido *<eram g. pela ajuda>* **2** agradável *<as fotografias lhe trouxeram g. recordações>* ↺ desagradável

gratuidade (gra.tu.i.da.de) *s.f.* **1** condição ou estado do que é oferecido de graça **2** condição do que é espontâneo ou sem justificação

gratuito (gra.tui.to) *adj.* **1** de graça; grátis *<lanche g.>* ↺ pago **2** sem motivo ou justificativa *<ofensa g.>* ~ **gratuitamente** *adv.*

gratular (gra.tu.lar) *v.* {mod. 1} *t.d.* **1** dar parabéns a; felicitar **2** manifestar gratidão a; agradecer

grau *s.m.* **1** cada fase ou ponto de uma progressão *<o g. de uma doença> <g. de poluição>* **2** *fig.* categoria, classe *<escritor do mais alto g.> <g. de conhecimento, de dificuldade>* **3** *B* distância entre gerações de parentes *<primos de segundo g.>* **4** nota, conceito *<tirou g. 6 na prova>* **5** cada uma das fases do período de instrução *<primeiro g.> <segundo g.>* **6** título acadêmico *<g. de bacharel em letras>* **7** unidade de medida de capacidade visual *<cinco g. de miopia> <óculos de g.>* **8** unidade de medida do teor de álcool em uma mistura *<essa cerveja é forte, tem 8,4 g.>* **9** FÍS unidade de medida de temperatura [símb.: °] *<febre de 38 g.>* **10** FÍS unidade de intensidade relativa de um fenômeno (p.ex., um terremoto) avaliada numa escala de medida **11** GEOM unidade de medida de um ângulo ou de um arco de círculo [símb.: °] **12** GRAM LING indicação de comparação (de igualdade, inferioridade e superioridade) entre dois termos, e da noção de superlativo (relativo ou absoluto) nos adjetivos e advérbios **13** MED gravidade relativa da lesão provocada por uma queimadura **14** MÚS sucessão ascendente das notas que compõem uma escala ▣ **g. Celsius** cada grau da escala Celsius de medida de temperatura [símb.: *°C*] ☞ cf. *Celsius* na parte enciclopédica • **g. centígrado** centígrado • **g. Fahrenheit** cada grau da escala Fahrenheit de medida da temperatura [símb.: *°F*] ☞ cf. *Fahrenheit* na parte enciclopédica • **primeiro g.** ver ***ENSINO FUNDAMENTAL*** • **segundo g.** ver ***ENSINO MÉDIO***

graúdo (gra.ú.do) *adj.* **1** crescido *<criança g.>* **2** de grande porte; considerável *<despesa g.>* ■ *adj.s.m.* **3** que(m) é influente, poderoso *<funcionário g.>*

graúna (gra.ú.na) *s.f.* ZOO **1** grande ave negra, com penas do pescoço em forma de gola, bico negro e cauda comprida, que é parasita de ninhos de outras aves como o chupim e o corrupião **2** melro

gravação (gra.va.ção) [pl.: *-ões*] *s.f.* **1** registro de som e/ou imagem em um suporte (ger. disco ou fita) **2** o som ou a imagem assim gravados

gravador (gra.va.dor) /ô/ [pl.: *-es*] *s.m.* **1** aparelho de gravação e reprodução sonora **2** ART.PLÁST artista que faz gravura ■ *adj.* **3** que grava

¹gravar (gra.var) *v.* {mod. 1} *t.d.* **1** causar opressão, dano a; prejudicar *<medidas que gravam os menos favorecidos> <g. a população com excesso de impostos>* **2** sobrecarregar com taxas, impostos *<g. o cigarro>* ◉ ORIGEM do lat. *gravāre* 'pesar sobre, sobrecarregar'

²gravar (gra.var) *v.* {mod. 1} *t.d.* **1** ART.PLÁST traçar (figura, caracteres) em metal, madeira, pedra etc., com instrumento cortante ou reagente químico, ger. criando matriz para cópias **2** *fig.* conservar na mente; memorizar **3** INF *B* transferir (dados) para um meio de armazenamento, para recuperá-los depois; salvar **4** registrar (sons, imagens) em disco, vídeo etc. □ *t.d. e pron.* **5** *fig.* tornar(-se) perpétuo; conservar(-se) *<essas decisões gravarão seu nome na história> <imagens da vida em família que se gravam na infância>* ◉ ORIGEM do fr. *graver* 'fazer risca nos cabelos, fazer entalhes em superfície dura'

gravata (gra.va.ta) *s.f.* **1** VEST acessório de pano atado sob o colarinho **2** *B* golpe sufocante em que o agressor passa o braço em volta do pescoço da vítima, apertando-o

gravatá (gra.va.tá) *s.m.* BOT tipo de bromélia

gravata-borboleta (gra.va.ta-bor.bo.le.ta) [pl.: *gravatas-borboletas* e *gravatas-borboleta*] *s.f.* VEST gravata cujo laço forma duas pontas achatadas, de mesmo tamanho, que lembram as asas de uma borboleta

gravataria (gra.va.ta.ri.a) *s.f.* estabelecimento onde se fabricam ou vendem gravatas

grave (gra.ve) *adj.2g.s.m.* **1** MÚS (nota) situada no registro inferior de certos instrumentos ou da voz de certos cantores; baixo ↺ agudo **2** GRAM que indica a crase (diz-se do acento gráfico) ■ *adj.2g.* **3** extremamente sério, preocupante (diz-se de situação, acontecimento etc.) *<acidente g.>* **4** de efeito muito penoso; doloroso *<o juiz fez a g. comunicação à família>* **5** de grande intensidade; profundo *<g. desgosto>* **6** que é circunspecto, sisudo, sério (diz-se de pessoa, expressão, comportamento) ↺ frívolo

graveto (gra.ve.to) /ê/ *s.m.* **1** pedaço de madeira fino e curto **2** galho fino de árvore ou arbusto

gravidade (gra.vi.da.de) *s.f.* **1** seriedade *<a g. de uma acusação, de uma doença>* **2** FÍS força de atração que a massa da Terra, da Lua ou de um planeta exerce sobre um corpo colocado sobre sua superfície, em seu interior ou em sua vizinhança

gravidez (gra.vi.dez) /ê/ [pl.: *-es*] *s.f.* estado resultante da fecundação de um óvulo pelo espermatozoide, e que envolve o desenvolvimento, no útero, do feto gerado ~ **grávida** *s.f.* - **grávido** *adj.*

graviola (gra.vi.o.la) *s.f.* BOT **1** árvore de até 10 m, com grandes frutos verde-escuros de casca grossa com saliências e um espinho na ponta, e polpa branca comestível; anona **2** o fruto dessa árvore

gravitação (gra.vi.ta.ção) [pl.: *-ões*] *s.f.* **1** ato de gravitar **2** FÍS atração mútua que os corpos exercem uns sobre os outros ~ **gravitacional** *adj.2g.*

gravitar (gra.vi.tar) *v.* {mod. 1} *int.* **1** FÍS mover-se em torno de um centro de atração **2** *fig.* ter como objetivo principal; concentrar-se *<sua vida gravita em torno dos filhos>*

gravura (gra.vu.ra) *s.f.* ART.PLÁST **1** impressão feita a partir de matriz de madeira, metal ou pedra **2** estampa assim obtida

graxa (gra.xa) *s.f.* **1** pasta us. para lustrar couro *<um pouco de g. e os sapatos ficaram como novos>* **2** QUÍM substância de origem vegetal ou animal, us. na indústria alimentícia, farmacêutica, de velas, sabões e lubrificantes

graxo (gra.xo) *adj.* que tem gordura; gorduroso

greco-latino (gre.co-la.ti.no) [pl.: *greco-latinos*] *adj.* **1** greco-romano **2** comum ao grego e ao latim ou aos gregos e aos latinos

greco-romano (gre.co-ro.ma.no) [pl.: *greco-romanos*] *adj.* comum a Grécia e Roma ou aos gregos e romanos *<civilização g.>*

grega (gre.ga) /ê/ *s.f.* **1** ARQ ornato geométrico, us. esp. em frisos e barras **2** *B* fita bordada ou estampada, us. como enfeite ou acabamento em roupas, cortinas etc.; galão

gregário (gre.gá.rio) *adj.* que vive em bando *<animal g.>* ↺ solitário

grego (gre.go) /ê/ *s.m.* **1** natural ou habitante da Grécia **2** LING a língua falada na Grécia e seu alfabeto **3** *fig. infrm.* coisa difícil de entender *<química, para mim, é g.>* ■ *adj.* **4** relativo a esse país, povo, língua e alfabeto

gregoriano (gre.go.ri.a.no) *adj.* HIST REL relativo aos papas Gregório I e XIII ☞ cf. *canto gregoriano* e *calendário gregoriano*

grelha (gre.lha) /é/ *s.f.* grade de ferro, que se põe sobre brasas, para assar carnes, peixes etc.

grelhado (gre.lha.do) *adj.* **1** assado ou tostado na grelha ou na chapa *<bife g.>* **2** munido de grelha ou estrutura similar *<a tampa g. de um bueiro>*

grelhar (gre.lhar) *v.* {mod. 1} *t.d.* assar, tostar (alimento) em grelha, chapa *<g. frango>* *<g. legumes>*

grelo (gre.lo) /ê/ *s.m.* **1** BOT broto de planta **2** *gros.* clitóris ~ **grelar** *v.int.*

grêmio (grê.mio) *s.m.* grupo de pessoas organizadas em torno de um objetivo político, cultural, social, religioso, esportivo etc.; sociedade, agremiação

grená (gre.ná) *s.m.* **1** a cor avermelhada escura da granada ('pedra') ■ *adj.2g.2n.* **2** dessa cor *<blusas grená>* **3** diz-se dessa cor *<a cor g.>*

grenha (gre.nha) *s.f.* cabelo emaranhado

greta (gre.ta) /ê/ *s.f.* **1** fenda na terra causada pelo calor **2** qualquer rachadura estreita em uma superfície; fenda

gretar (gre.tar) *v.* {mod. 1} *t.d.,int. e pron.* **1** abrir fenda (em); rachar *<o frio greta a pele>* *<o solo greta (-se) com a geada>* □ *int. e pron. fig.* **2** apresentar deficiências; falhar *<conforme sua fala prosseguia, sua argumentação gretava(-se)>*

greve (gre.ve) *s.f.* **1** interrupção voluntária e coletiva do trabalho pelos funcionários, para obtenção de benefícios materiais e/ou sociais *<g. por melhores salários>* ☞ cf. *locaute* **2** interrupção temporária e coletiva de qualquer atividade, em protesto contra determinado ato ou situação *<g. de estudantes>*

grevista (gre.vis.ta) *adj.2g.s.2g.* que(m) faz greve

grid [ing.; pl.: *grids*] *s.m.* ESP posição de largada dos carros nas corridas ⇒ pronuncia-se grid

grifar (gri.far) *v.* {mod. 1} *t.d.* **1** pôr (texto, palavra, letra) em itálico **2** marcar (letras, palavras etc.), ger. sublinhando, para chamar a atenção; destacar **3** pronunciar com destaque; enfatizar *<em seu discurso, grifou os dados mais recentes>*

grife (gri.fe) *s.f.* nome ou marca própria de um fabricante ou um criador *<roupas de g.>*

[1]**grifo** (gri.fo) *s.m.* MIT animal fabuloso, com cabeça e asas de águia e corpo de leão ◉ ORIGEM do lat. *gryphus* ou *grypus,i* 'id.'

[2]**grifo** (gri.fo) *s.m.* itálico ('letra') ◉ ORIGEM do antr. Francesco *Griffo*, ourives bolonhês

grilagem (gri.la.gem) [pl.: *-ens*] *s.f.* apropriação ilegal de terras por meio de documentação falsa

grilar (gri.lar) *v.* {mod. 1} *t.d.* **1** falsificar títulos de (terra) □ *t.d.,int. e pron. B gír.* **2** (fazer) ficar chateado, cismado; preocupar(-se), aborrecer(-se) *<essas últimas notícias grilaram todos nós>* *<ele se grilou com as coisas que o amigo andava falando>* ~ **grilado** *adj.*

grileiro (gri.lei.ro) *s.m.* quem se apodera de terras alheias, utilizando falsas escrituras de propriedade

grilhão (gri.lhão) [pl.: *-ões*] *s.m.* **1** corrente grossa de argolas de metal **2** corrente de ferro us. para prender as pernas de condenados **3** *fig.* elo invisível que prende; laço *<os g. da tirania>*

grilo (gri.lo) *s.m.* **1** ZOO inseto saltador, de coloração escura, cujo macho produz som através de aparelho formado pelas nervuras das asas anteriores **2** *gír.* preocupação *<ficava cheio de g. antes de tomar uma decisão>* **3** *gír.* problema, situação complicada

grimpa (grim.pa) *s.f.* **1** lâmina móvel de cata-vento que, no alto das torres, casas etc., indica a direção do vento **2** *p.ext.* o cume de qualquer coisa *<a g. da montanha, de um prédio>*

[1]**grimpar** (grim.par) *v.* {mod. 1} *t.d.,t.d.i. e int.* **1** (prep. *a, até, em, para, por*) subir em (elevação) usando pés e mãos; trepar, escalar *<g. a serra>* *<grimpou nas árvores>* *<agarrou-se à pedra e começou a g.>* □ *int.* **2** responder com insolência, atrevimento *<descontentes, não paravam de g.>* ◉ ORIGEM do fr. *grimper* 'id.'

[2]**grimpar** (grim.par) *v.* {mod. 1} *t.d. e int.* travar, enguiçar (mecanismo ou motor) esp. por falta de lubrificação; gripar ◉ ORIGEM do fr. *gripper* 'agarrar sutilmente, furtar, enganchar, bater de leve'

grinalda (gri.nal.da) *s.f.* coroa de flores, pedrarias etc.; guirlanda

G

gringo (grin.go) *s.m. B infrm.* indivíduo estrangeiro

gripado (gri.pa.do) *adj.* doente de gripe

[1]**gripar** (gri.par) *v.* {mod. 1} *t.d. e pron.* (fazer) ficar com gripe *<o inverno gripou muita gente>* *<se pegar chuva, vai g.-se>* ◉ ORIGEM *gripe* + [2]*-ar*

[2]**gripar** (gri.par) *v.* {mod. 1} *t.d. e int.* [2]grimpar

gripe (gri.pe) *s.f.* MED doença causada por vírus, de fácil contágio, que leva a um estado de abatimento geral, acompanhado de febre, tosse, dores etc. ~ **gripal** *adj.2g.*

gris [pl.: *-es*] *s.m.* **1** tom de cinza ■ *adj.2g.* **2** desse tom *<terno g.>*

grisalho (gri.sa.lho) *adj.* **1** mesclado de fios brancos (diz-se de cabelo, barba etc.) *<bigode g.>* **2** que tem o cabelo mesclado de fios brancos *<um homem g.>*

G

grita (gri.ta) *s.f.* alarido, gritaria

gritalhão (gri.ta.lhão) [pl.: *-ões*; fem.: *gritalhona*] *adj.s.m.* (o) que grita muito

gritante (gri.tan.te) *adj.2g.* **1** que grita **2** que causa indignação *<injustiça g.>* **3** *fig.* chamativo, berrante *<cor g.>*

gritar (gri.tar) *v.* {mod. 1} *t.d.,t.d.i.,t.i. e int.* **1** (prep. *a, para, com*) falar com tom de voz muito alto; berrar *<gritou que não aceitava>* *<gritou para os alunos que parassem com a bagunça>* *<arrependeu-se de g. com o guarda>* *<não falava, só conseguia g.>* ↺ sussurrar □ *t.i.* **2** (prep. *por*) chamar aos berros *<g. por socorro>* **3** (prep. *por*) pedir com vigor; clamar *<gritavam por uma ajuda que não vinha>* □ *int.* **4** dar gritos; berrar **5** soltar a voz (certos animais) ☞ nesta acp., só us. nas 3as p., exceto quando fig.

gritaria (gri.ta.ri.a) *s.f.* **1** sequência de gritos **2** ruído confuso de muitas vozes ao mesmo tempo; barulho, falatório

grito (gri.to) *s.m.* **1** emissão forte de voz *<o g. dos vendedores>* *<g. de dor, de alegria>* **2** *fig.* protesto; queixa *<de nada adiantaram os g. dos moradores>* ~ **gritador** *adj.s.m.*

grogue (gro.gue) *adj.2g.* tonto como um bêbado

[1]**grosa** (gro.sa) *s.f.* conjunto de 12 dúzias *<uma g. de canetas>* ◉ ORIGEM duv., talvez, do it. *grossa* 'id.'

[2]**grosa** (gro.sa) *s.f.* lima grossa de ferro ou aço, us. ger. para desbastar madeira, ferro, ou o casco de cavalgaduras ◉ ORIGEM desc.

groselha (gro.se.lha) *s.f.* BOT **1** fruto da groselheira, redondo e vermelho, us. no preparo de geleias, xaropes etc. **2** groselheira

groselheira (gro.se.lhei.ra) *s.f.* BOT pequeno arbusto, cultivado pelos seus frutos; groselha

grosseiro (gros.sei.ro) *adj.s.m.* **1** que(m) é indelicado, rude *<homem g.>* *<resposta g.>* ↺ gentil ■ *adj.* **2** malfeito *<imitação g.>* ↺ caprichado **3** indecente, obsceno *<piada g.>*

grosseria (gros.se.ri.a) *s.f.* **1** caráter, propriedade do que é grosseiro **2** expressão ou gesto que denotam ausência de cortesia, de civilidade, de educação; indelicadeza *<sair sem se despedir foi uma g.>* ↺ educação, elegância

grosso (gros.so) /ô/ [pl. e fem.: /ó/] *adj.* **1** de grande volume, espessura ou diâmetro *<tronco g.>* ↺ fino **2** consistente, denso *<caldo g.>* **3** *fig.* de grande repercussão *<um g. escândalo>* **4** rouco, grave (voz) ↺ fino **5** *fig.* malfeito, mal-acabado *<costura g.>* **6** áspero *<tecido g.>* ■ *adj.s.m. B infrm.* **7** que(m) é indelicado *<pessoa g.>* ↺ delicado ■ *s.m.* **8** a maior parte *<o g. da turma fez boa prova>*

grossura (gros.su.ra) *s.f.* **1** grande volume, espessura ou diâmetro **2** *infrm.* grosseria ↺ delicadeza **3** em certos sólidos, a dimensão entre a superfície anterior e a posterior *<meça a g. dessa tábua, por favor>*

grota (gro.ta) *s.f.* GEO **1** cavidade em encosta provocada pela chuva ou, em ribanceira de rio, por enchente **2** *B* vale entre dois montes ◉ GRAM/USO aum.irreg. *grotão*

grotão (gro.tão) [pl.: *-ões*] *s.m.* **1** grande grota **2** GEO depressão muito grande do solo, que aparece em encostas íngremes

grotesco (gro.tes.co) /ê/ *adj.s.m.* (o) que é esquisito, disforme ou ridículo *<situação g.>* *<desenho g.>*

grou [fem.: *grua*] *s.m.* ZOO grande ave pernalta, de pescoço longo, cabeça sem penas, bico reto e plumagem branca, cinza ou marrom ◉ VOZ v.: grulhar

[1]**grua** (gru.a) *s.f.* ZOO fêmea do grou ◉ ORIGEM *grou*, sob a f.rad. *gru-* + *-a* (desin. de fem.)

[2]**grua** (gru.a) *s.f.* **1** guindaste **2** CINE TV guindaste us. em filmagens, que se movimenta em todas as direções, com uma plataforma em sua extremidade onde ficam a câmera, seu operador e o diretor ◉ ORIGEM do fr. *grue* 'id.'

grudar (gru.dar) *v.* {mod. 1} *t.d.,t.d.i.,int. e pron.* **1** (prep. *em*) unir(-se) [uma coisa] (a outra ou a uma superfície) com grude, cola; colar(-se) *<g. figurinhas (no álbum)>* *<usou uma boa cola e tudo grudou bem>* *<desse jeito, os cacos vão g.-se>* □ *t.d.,t.d.i. e pron.* **2** (prep. *a, contra, em*) pôr ou ficar junto de uma superfície *<g. o rosto (contra o vidro)>* *<o suor grudou(-se) no seu rosto>* □ *int.* **3** ter propriedade adesiva; colar *<andava pela casa e sentia que a resina ainda grudava>* **4** *infrm.* ser aceito, bem acolhido; colar *<essa desculpa tem que g.>* □ *t.i. B* **5** (prep. *em*) ficar junto, no encalço de (alguém), sem se afastar *<g. no namorado>*

grude (gru.de) *s.m.* **1** cola forte, goma **2** *B infrm.* comida ruim; gororoba

grudento (gru.den.to) *adj.* **1** que gruda; pegajoso, viscoso *<chão g.>* ■ *adj.s.m.* **2** *fig.* (o) que não larga de outrem, (o) que está insistentemente buscando companhia *<mas que pessoa g.!>*

grugulejar (gru.gu.le.jar) ou **grugrulejar** (gru.gru.le.jar) *v.* {mod. 1} *int.* emitir som (o peru) ◉ GRAM/USO só us. nas 3as p., exceto quando fig.

grumete (gru.me.te) /ê *ou* é/ *s.m.* MAR marinheiro de menor graduação na armada

grumixama (gru.mi.xa.ma) *s.f.* BOT **1** pequena fruta roxa de polpa gelatinosa e doce **2** a árvore dessa fruta; grumixameira

grumixameira (gru.mi.xa.mei.ra) *s.f.* BOT árvore nativa do sudeste do Brasil, de casca aromática e frutos roxos, comestíveis; grumixama

grumo (gru.mo) *s.m.* **1** grão minúsculo *<o mingau ficou com grumos>* **2** monte de pequenos grãos ou partículas **3** coágulo pequeno ~ **grumoso** *adj.*

gruna (gru.na) *s.f.* **1** *BA* escavação feita por garimpeiros **2** *TO BA* depressão formada pelas águas nas ribanceiras de certos rios

grunhido (gru.nhi.do) *s.m.* **1** voz de porco ou de javali **2** *fig.* reclamação, resmungo

grunhir (gru.nhir) *v.* {mod. 24} *int.* **1** soltar grunhidos (p.ex., porco, javali) ☞ nesta acp., só us. nas 3as p., exceto quando fig. ▫ *t.d. e int. fig.* **2** falar baixo, com mau humor; resmungar ~ **grunhidela** *s.f.*

grupamento (gru.pa.men.to) *s.m.* **1** condição do que se acha reunido em grupo **2** reunião temporária de duas ou mais unidades militares, operacionais ou administrativas *<g. marítimo>*

grupar (gru.par) *v.* {mod. 1} *t.d. e pron.* juntar(-se) em grupo(s); agrupar(-se) *<g. as cartas> <a turma grupou-se no canto do pátio>*

grupelho (gru.pe.lho) /ê/ *s.m. pej.* grupo pequeno ou insignificante ◉ GRAM/USO dim.irreg. de *grupo*

grupiara (gru.pi.a.ra) ou **gupiara** (gu.pi.a.ra) *s.f.* *B* depósito de cascalho em local alto, acima do nível das águas

grupo (gru.po) *s.m.* **1** reunião de coisas ou pessoas num todo *<g. de crianças, de casas>* ↺ indivíduo, unidade **2** conjunto de pessoas ou coisas com características, interesses comuns *<g. familiar>* **3** *B* conjunto de salas num prédio comercial ◉ GRAM/USO dim.irreg.: *grupelho* ~ **grupal** *adj.2g.*

gruta (gru.ta) *s.f.* caverna

guabiroba (gua.bi.ro.ba) *s.f.* BIO **1** nome de diversas árvores e arbustos de frutos comestíveis **2** o fruto dessas plantas

guabiru (gua.bi.ru) *s.m.* **1** ZOO roedor encontrado em todo o mundo, com até 20 cm de comprimento, pelo das costas escuro e partes inferiores claras, que vive em lugares secos, ger. no interior de casas **2** *fig.* ladrão, gatuno

guache (gua.che) *s.m.* **1** tinta de consistência pastosa, opaca, diluída em água ou misturada com goma ou mel **2** ART.PLÁST pintura com essa tinta

guacho (gua.cho) ou **guaxo** (gua.xo) *adj.s.m.* **1** (animal) que não é criado pela própria mãe **2** (criança) que não é amamentada com leite materno ■ *adj.* **3** que foi posto para fora do seu ninho ou colocado em outro (diz-se de ovo)

guaco (gua.co) *s.m.* BOT trepadeira cujo caule e folhas são us. como antirreumáticos e contra picadas de cobras, e cujas flores tb. têm usos medicinais

guaiaco (guai.a.co) ou **guáiaco** (guái.a.co) *s.m.* **1** BOT árvore de madeira resinosa, muito dura e impermeável **2** a resina, de uso medicinal, obtida pelo aquecimento da madeira dessa árvore

guaiacol (guai.a.col) [pl.: *-óis*] ou **gaiacol** (gai.a.col) [pl.: *-óis*] *s.m.* FARM substância us. esp. em medicina como expectorante

guaiamu (guai.a.mu) ou **guaiamum** (guai.a.mum) [pl.: *-uns*] *s.m.* ZOO grande caranguejo de carapaça azul, que vive em lugares lamacentos, próximo ao mar

guajajara (gua.ja.ja.ra) *s.2g.* **1** indivíduo pertencente ao grupo indígena dos guajajaras, que habita o centro-norte do Maranhão ■ *adj.2g.* **2** relativo a esse indivíduo ou grupo

guampa (guam.pa) *s.f.* **1** ANAT ZOO chifre **2** copo feito de chifre

guanaco (gua.na.co) *s.m.* ZOO tipo de lhama de face escura, dorso marrom e pernas brancas

guandu (guan.du) ou **guando** (guan.do) *s.m.* BOT **1** arbusto cultivado esp. pelas sementes comestíveis e de uso medicinal **2** semente desse arbusto, ger. esférica e amarela

guapeca (gua.pe.ca), **guaipeca** (guai.pe.ca) ou **guapeva** (gua.pe.va) *s.2g.* *S. infrm.* cão pequeno vira-lata

guapo (gua.po) *adj.* **1** corajoso, ousado ↺ covarde **2** elegante, bonito ↺ feio

[1]**guará** (gua.rá) *s.2g.* ZOO grande ave dos mangues, de plumagem vermelha e bico curvado, que se alimenta de caranguejos, caramujos e insetos ◉ ORIGEM do tupi *gwa'ra* 'id.'

[2]**guará** (gua.rá) *s.m.* ZOO tipo de lobo de pelagem laranja-avermelhada, ponta do focinho e extremidade das patas negras, cauda curta e branca; lobo-guará ◉ ORIGEM do tupi *agwa'ra* 'id.'

guaraná (gua.ra.ná) *s.m.* **1** BOT arbusto amazônico de cujas sementes se fazem pasta, xarope, pó e refrigerante **2** BOT a semente desse arbusto **3** a pasta, xarope ou pó dessas sementes **4** o refrigerante feito com esse pó ou xarope

guarani (gua.ra.ni) *s.2g.* **1** indivíduo dos guaranis, povo indígena que vive no Paraguai, Bolívia e sul do Brasil ■ *s.m.* **2** LING a língua falada por esse povo **3** meio através do qual são efetuadas transações monetárias no Paraguai **4** a cédula e a moeda us. nessas transações ■ *adj.2g.* **5** relativo a esse indivíduo, povo ou língua ~ **guaranítico** *adj.*

guarda (guar.da) *s.f.* **1** vigilância, cuidado *<a g. de um prisioneiro>* **2** dever de zelar por; custódia *<recebeu a g. do sobrinho>* **3** grupo que vigia e zela pela segurança de um lugar ou alguém *<a g. do quartel>* **4** *fig.* algo que oferece proteção, amparo **5** ESP posição de defesa em esgrima, boxe etc. *<baixar a g.>* ↺ ataque ■ *s.2g.* **6** profissional que vigia e defende determinado local; vigia, guardião *<g. de trânsito, de banco>* ▣ **velha g.** nome dado aos mais antigos num grupo ou numa atividade *<a velha g. de uma escola de samba> <jogadores da velha g.>*

guarda-chaves (guar.da-cha.ves) *s.m.2n.* ferroviário que manobra as chaves em desvios e ramais de trilhos

guarda-chuva (guar.da-chu.va) [pl.: *guarda-chuvas*] *s.m.* armação de varetas flexíveis, coberta por tecido impermeável, us. para proteger da chuva ou do sol; chapéu, chapéu de chuva, guarda-sol

guarda-comida (guar.da-co.mi.da) [pl.: *guarda-comidas*] *s.m.* móvel para guardar comidas

guarda-costas (guar.da-cos.tas) *s.m.2n.* **1** pessoa que acompanha outra para protegê-la de agressões ou assédio ■ *adj.2g.2n.s.m.2n.* **2** MAR (navio) destinado a defender as águas costeiras e combater o contrabando

guardador (guar.da.dor) /ô/ [pl.: *-es*] *adj.s.m.* **1** (aquele) que guarda ■ *s.m.* **2** quem vigia automóveis estacionados nas ruas; flanelinha

guarda-florestal (guar.da-flo.res.tal) [pl.: *guardas-florestais*] *s.m.* funcionário encarregado de zelar pela conservação de uma floresta ou parte dela

guarda-freios (guar.da-frei.os) *s.m.2n.* empregado de estrada de ferro que vistoria e manobra os freios do trem

guarda-livros (guar.da-li.vros) *s.2g.2n.* empregado responsável pelos registros da contabilidade de empresas, comércio etc.

guarda-louça (guar.da-lou.ça) [pl.: *guarda-louças*] *s.m.* móvel ou prateleira em que se guarda louça

G

guarda-marinha (guar.da-ma.ri.nha) [pl.: *guardas-marinha, guarda-marinhas* e *guardas-marinhas*] *s.m.* MAR graduação de praça especial, aluno da Escola Naval, ou profissional admitido nos quadros da Marinha, imediatamente antes de ser promovido ao oficialato ☞ cf. *aspirante a guarda-marinha*

guardamento (guar.da.men.to) *s.m.* **1** ação de guardar algo **2** *PR* ação de velar uma pessoa que morreu; velório

guarda-mor (guar.da-mor) [pl.: *guardas-mores*] *s.m.* título oficial do chefe da alfândega nos portos

guardamoria (guar.da.mo.ri.a) *s.f.* **1** cargo de guarda-mor **2** repartição dirigida pelo guarda-mor da alfândega

guarda-móveis (guar.da-mó.veis) *s.m.2n.* estabelecimento que guarda móveis, mediante pagamento

guardanapo (guar.da.na.po) *s.m.* pequena toalha, de pano ou papel, us. à mesa para limpar os lábios e proteger a roupa

guarda-noturno (guar.da-no.tur.no) [pl.: *guardas-noturnos*] *s.m.* guarda contratado para vigiar propriedades particulares durante a noite

guarda-pó (guar.da-pó) [pl.: *guarda-pós*] *s.m.* VEST casaco comprido, de tecido leve, que se veste por cima da roupa para resguardá-la de pó e sujeira ☞ cf. *jaleco*

guardar (guar.dar) *v.* {mod. 1} *t.d.* e *t.d.i.* **1** (prep. *de*) vigiar para defender, proteger *<g. as fronteiras (de ataques inimigos)>* **2** (prep. *para, a*) pôr à parte; reservar *<guardei para você um pouco da comida que sobrou de ontem>* **3** pôr no lugar apropriado *<g. a roupa (no armário)>* **4** (prep. *para*) manter suspenso; adiar *<vamos g. esses projetos (para um momento mais oportuno)>* □ *t.d.* **5** tomar conta de; zelar *<g. os rebanhos>* ↺ abandonar **6** acondicionar para conservar em bom estado *<guarde bem esses biscoitos>* **7** manter em seu poder; preservar, conservar *<guarda cópias das cartas que envia>* **8** reter na memória; lembrar, memorizar *<nunca conseguiu g. o nome dos alunos>* ↺ esquecer **9** deixar de pronunciar, comunicar, expressar; ocultar *<g. um segredo>* ↺ revelar **10** ter em si; encerrar, conter *<o mar ainda guarda muitos tesouros>* **11** não deixar (certo lugar); permanecer *<g. o leito do filho>* **12** manter constante (atitude, ânimo etc.); conservar *<g. silêncio>* **13** cumprir, observar *<g. a lei, os dias santos>* □ *pron.* **14** (prep. *de*) pôr-se em guarda; precaver-se *<guarda-te dos amigos de última hora>* **15** proteger-se de esforços; preservar-se *<vou g.-me para esta noite, sei que a festa vai ser boa>*

guarda-roupa (guar.da-rou.pa) [pl.: *guarda-roupas*] *s.m.* **1** armário us. para guardar roupas **2** VEST o conjunto das roupas de alguém *<renovou seu g. de verão>*

guarda-sol (guar.da-sol) [pl.: *guarda-sóis*] *s.m.* **1** tipo de guarda-chuva, grande, fixado na areia da praia ou em mesas, us. como proteção contra o sol; chapéu de sol **2** guarda-chuva

guardião (guar.di.ão) [pl.: *-ões* e *-ães*; fem.: *guardiã*] *s.m.* indivíduo que defende ou conserva algo ou alguém; protetor

guariba (gua.ri.ba) *s.2g.* ZOO nome comum dado a certos macacos da América do Sul; bugio

guarida (gua.ri.da) *s.f.* **1** toca de feras **2** *fig.* algo que oferece proteção; abrigo, refúgio ↺ desamparo **3** guarita

guarita (gua.ri.ta) *s.f.* casinhola ou torre us. para abrigar sentinelas; guarida

guarnecer (guar.ne.cer) *v.* {mod. 8} *t.d.* e *t.d.i.* **1** (prep. *de*) prover (de algo necessário, útil); abastecer *<g. (de livros) uma biblioteca>* □ *t.d.* **2** pôr forças militares em; fortalecer *<g. uma posição ameaçada>* **3** adornar, enfeitar *<g. um vestido>* **4** caiar (parede) depois de pôr reboco ~ **guarnecedor** *adj.s.m.*

guarnição (guar.ni.ção) [pl.: *-ões*] *s.f.* **1** o que protege **2** MIL conjunto de tropas militares sediadas em um local **3** MAR a tripulação de um navio **4** o punho e a parte da espada que protege a mão **5** enfeite, ornato **6** CUL *B* em uma refeição, acompanhamento do prato principal

guasca (guas.ca) *s.f.* *RS* **1** correia de couro cru ■ *s.2g.* *RS* **2** habitante do interior; matuto ☞ pode ser *pej.* ■ *adj.2g.s.2g.* *RS* **3** rio-grandense-do-sul, gaúcho **4** diz-se de ou homem valente

guatemalense (gua.te.ma.len.se) *adj.2g.s.2g.* guatemalteco

guatemalteco (gua.te.mal.te.co) *adj.* **1** da Guatemala (América Central) ■ *s.m.* **2** natural ou habitante desse país

guaxinim (gua.xi.nim) [pl.: *-ins*] *s.m.* ZOO pequeno mamífero carnívoro, de pelo cinza-escuro, com pernas, face e listas da cauda negros, que vive próximo a brejos e mangues

guaxo (gua.xo) *adj.s.m.* → ***GUACHO***

gude (gu.de) *s.m.* RECR **1** jogo com bolinhas de vidro cujo objetivo é fazê-las entrar em três buracos dispostos em linha reta **2** a bolinha us. nesse jogo

guedelha (gue.de.lha) /ê/ *s.f.* **1** cabelo comprido e despenteado **2** madeixa

gueixa (guei.xa) *s.f.* japonesa treinada em dança, canto e conversação para entreter fregueses homens em casas de chá, banquetes etc.

guelra (guel.ra) *s.f.* ANAT ZOO brânquia

guenzo (guen.zo) *adj.* **1** *B* muito magro; adoentado **2** *CE RS* que não está reto; torto *<cerca g.>*

guepardo (gue.par.do) *s.m.* ZOO grande felino da África e Ásia, esguio, de pernas longas, cabeça pequena

e pelo amarelo-claro com pintas pretas, considerado o mais veloz entre os animais terrestres

guerra (guer.ra) *s.f.* **1** luta armada entre nações ou entre partidos ou etnias ↺ paz **2** qualquer combate com ou sem armas; conflito **3** disputa acirrada; hostilidade *<g. entre famílias>* ↺ harmonia **4** combate a qualquer coisa a que se atribua valor nocivo *<g. às drogas>* ▣ **g. bacteriológica** BIO MIL guerra em que se empregam microrganismos vivos ou suas toxinas como arma de destruição; guerra biológica • **g. biológica** BIO MIL guerra bacteriológica • **g. civil** conflito travado entre cidadãos de um mesmo país • **g. de nervos** esforço para irritar o adversário com ações, atitudes ou notícias, deixando-o inquieto e diminuindo seu espírito de luta e resistência • **g. fria** estado de hostilidade internacional em que não são us. armamentos • **g. química** guerra em que se empregam substâncias químicas nocivas à vida

guerrear (guer.re.ar) *v.* {mod. 5} *t.d. e int.* **1** travar guerra (com); combater *<os gauleses guerrearam os bretões com sucesso> <g. sem recursos é arriscado>* □ *t.d. p.ext.* **2** opor-se a; hostilizar *<g. ideologias contrárias às suas>* ↺ aceitar ~ **guerreador** *adj.s.m.*

guerreiro (guer.rei.ro) *adj.* **1** referente a guerra **2** *fig.* que tem inclinação para o combate *<espírito g.>* ↺ pacato ■ *adj.s.m.* **3** (o) que se empenha para conseguir o que quer; batalhador ↺ indolente

guerrilha (guer.ri.lha) *s.f.* **1** luta armada que se caracteriza por ações descontínuas, emboscadas etc., efetuada por pequenos grupos **2** grupo de combatentes que adota essa luta ~ **guerrilhar** *v.int.*

guerrilheiro (guer.ri.lhei.ro) *adj.* **1** relativo a ou próprio de guerrilha *<atos g.> <organização g.>* ■ *s.m.* **2** aquele que combate numa guerrilha

gueto (gue.to) /ê/ *s.m.* **1** HIST em algumas cidades europeias, bairro onde os judeus eram obrigados a residir **2** *p.ext.* bairro onde, por imposição econômica e/ou racial, são confinadas certas minorias

guia (gui.a) *s.f.* **1** documento que autoriza o recebimento ou transporte de mercadorias **2** formulário com que se fazem recolhimentos às repartições arrecadadoras do Estado *<g. de imposto>* **3** autorização, permissão *<g. para internação num hospital>* **4** coleira **5** *B* o meio-fio das calçadas **6** REL *B* colar de contas com cores que representam os orixás ou entidades espirituais **7** dispositivo (como régua, linha, aro, presilha, esquadro) para orientar ou regular o movimento de uma máquina, ferramenta etc. ■ *s.2g.* **8** pessoa que conduz outra(s) *<g. de cegos>* **9** pessoa que acompanha turistas, viajantes etc. *<g. de excursão, de museu>* **10** o que serve de modelo *<os clássicos são o meu g.>* ■ *s.m.* **11** manual de instruções **12** livro com indicações sobre uma cidade **13** REL *B* cada uma das divindades africanas cultuadas na umbanda

guianense (gui.a.nen.se) *adj.2g.* **1** da Guiana, anteriormente Guiana Inglesa, ou da Guiana Francesa (América do Sul) ■ *s.2g.* **2** natural ou habitante desses países

guião (gui.ão) [pl.: *-ões* e *-ães*] *s.m.* **1** estandarte que vai à frente nas procissões **2** MIL estandarte que se levava na frente das tropas **3** MIL soldado que o carregava **4** guidão

guiar (gui.ar) *v.* {mod. 1} *t.d. e t.d.i.* **1** (prep. *a*, *para*, *por*) acompanhar, mostrando o caminho ou servindo de cicerone; orientar, conduzir *<g. um turista> <g. o menino para casa>* □ *t.d.* **2** dar proteção a; amparar *<Deus o guie>* ↺ abandonar **3** fazer seguir certa direção; controlar *<g. o escoamento das águas>* □ *pron.* **4** tomar certo caminho; conduzir-se *<guiou-se pela posição das estrelas>* □ *t.d.i. fig.* **5** (prep. *em*) ajudar, aconselhar a (escolher diretriz intelectual ou moral); orientar(-se) *<g. alguém na escolha de uma carreira>* □ *t.d. e int.* **6** comandar (veículo, animal), fazendo-o tomar certo rumo *<g. automóvel> <ele guia muito bem>* ~ **guiador** *adj.s.m.*

guichê (gui.chê) *s.m.* pequena abertura em porta, parede etc. para atendimento ao público

guidão (gui.dão) [pl.: *-ões*] ou **guidom** (gui.dom) [pl.: *-ons*] *s.m.* barra com punhos que comanda a roda dianteira de bicicletas, motos etc.

guilhotina (gui.lho.ti.na) *s.f.* **1** instrumento composto de uma pesada lâmina que desliza por duas hastes verticais, us. para decapitar condenados à morte **2** cortadora de papel

guilhotinar (gui.lho.ti.nar) *v.* {mod. 1} *t.d.* decepar com guilhotina a cabeça de

guimba (guim.ba) *s.f. infrm.* o que restou de um cigarro, charuto etc. já fumado

guinada (gui.na.da) *s.f.* **1** MAR mudança brusca de direção de um navio **2** *p.ext.* mudança súbita e radical num movimento, num comportamento, numa situação *<a nova diretoria deu uma g. na empresa>* ~ **guinar** *v.t.d. e int.*

[1]guinchar (guin.char) *v.* {mod. 1} *int.* soltar guinchos (p.ex., o porco); grunhir ◉ GRAM/USO só us. nas 3as p., exceto quando fig. ◉ ORIGEM [1]*guincho* + [2]*-ar*

[2]guinchar (guin.char) *v.* {mod. 1} *t.d.* içar, puxar ou arrastar com guincho *<g. um carro>* ◉ ORIGEM [2]*guincho* + [2]*-ar*

[1]guincho (guin.cho) *s.m.* som agudo produzido por pessoas, animais etc. ◉ ORIGEM onomatopaica

[2]guincho (guin.cho) *s.m.* **1** guindaste **2** máquina us. para suspender cabos, amarras etc. **3** *B* veículo com guindaste us. para rebocar carros enguiçados; reboque ◉ ORIGEM do ing. *winch* 'guincho'

guindar (guin.dar) *v.* {mod. 1} *t.d.* **1** deslocar de baixo para cima; levantar ↺ baixar □ *t.d.,t.d.i. e pron.* **2** (prep. *a*) alçar(-se) [a posição elevada, de destaque] *<aos poucos foi guindando todos os postos da carreira> <guindaram o diretor ao cargo de presidente da companhia> <com muito custo, conseguiu g.-se à posição que desejava>* ~ **guindagem** *s.f.*

guindaste (guin.das.te) *s.m.* máquina us. para erguer ou deslocar volumes muito pesados

guirlanda (guir.lan.da) *s.f.* grinalda

guisa (gui.sa) *s.f.* maneira, modo ▣ **à g. de** à maneira de *<usava uma corda à g. de cinto>*

guisado (gui.sa.do) *adj.s.m.* CUL (alimento) que se prepara ensopando ou refogando *<um g. de legumes> <carne g.>*

guisar (gui.sar) *v.* {mod. 1} *t.d.* CUL preparar (alimento), ensopando ou refogando *<g. frango>*

G

guitarra (gui.tar.ra) *s.f.* MÚS instrumento de cordas dedilháveis, semelhante ao violão ▣ **g. elétrica** MÚS guitarra cujos sons são transmitidos a um amplificador por meio de um dispositivo eletrônico colocado sob as cordas ~ **guitarrista** *s.2g.*

guizo (gui.zo) *s.m.* esfera oca de metal com pequenas bolas de ferro dentro, que, ao ser agitada, produz som

gula (gu.la) *s.f.* **1** vício de comer e beber em excesso **2** atração forte por doces e iguarias finas; gulodice

gulodice (gu.lo.di.ce) *s.f.* **1** gula ('atração') *<já não tinha fome, comia por g.>* **2** guloseima

guloseima (gu.lo.sei.ma) *s.f.* doce ou iguaria apetitosa; gulodice *<foi direto para a mesa das g. e pegou dois brigadeiros>*

G

guloso (gu.lo.so) /ô/ [pl. e fem.: /ó/] *adj.s.m.* **1** (o) que se sente atraído por guloseimas **2** (o) que tem o vício da gula **3** que(m) quer avidamente possuir sempre mais, ambicioso

gume (gu.me) *s.m.* lado afiado de faca, navalha etc.

gupiara (gu.pi.a.ra) *s.f.* → ***GRUPIARA***

guri (gu.ri) [fem.: *guria*] *s.m.* menino, criança

guru (gu.ru) *s.m.* **1** na Índia, mestre espiritual ou líder de seita religiosa **2** *p.ext.* mestre influente, respeitado ■ *s.2g.* *B* **3** quem orienta ou aconselha

gurupés (gu.ru.pés) *s.m.2n.* MAR mastro colocado no bico de proa dos veleiros, apontado para a frente

gusa (gu.sa) *s.m.* ferro-gusa

gustação (gus.ta.ção) [pl.: *-ões*] *s.f.* **1** prova de bebida ou comida em pequenas quantidades para aguçar o paladar **2** paladar ('sentido')

gustativo (gus.ta.ti.vo) *adj.* que diz respeito a gosto, a paladar *<papilas g.>*

guta-percha (gu.ta-per.cha) [pl.: *guta-perchas* e *gutas-perchas*] *s.f.* BOT látex extraído de várias árvores, semelhante à balata e à borracha, us. como isolante elétrico, adesivo dentário e na fabricação de instrumentos cirúrgicos e bolas de golfe

gutífero (gu.tí.fe.ro) *adj.* que deixa cair gotas

gutural (gu.tu.ral) [pl.: *-ais*] *adj.2g.* **1** relativo à garganta **2** rouco, grave (som) *<voz g.>* ~ **guturalidade** *s.f.* - **guturalizar** *v.t.d.*

Hh

h *s.m.* **1** oitava letra do nosso alfabeto ■ *n.ord. (adj.2g.2n.)* **2** diz-se do oitavo elemento de uma série *<casa H> <item 1h>* ☞ empr. após um substantivo ou numeral ▲ **3** símbolo de *hora* ◉ GRAM/USO **a)** na acp. s.m., pl.: *hh*; **b)** por não representar fonema algum na língua portuguesa, não se classifica nem como consoante, nem como vogal; **c)** participa da formação de dígrafos: *ch*, *nh* e *lh*

H QUÍM símbolo de *hidrogênio*

ha símbolo de *hectare*

hã *interj.* indica surpresa, admiração

habeas corpus (ha.beas cor.pus) [lat.] *loc.subst.* DIR ação judicial com o objetivo de proteger o direito de liberdade de locomoção retirado ou ameaçado por ato resultante de abuso de autoridade ⇒ pronuncia-se abeas córpus

hábil (há.bil) [pl.: *-eis*] *adj.2g.* **1** apto para fazer algo bem *<h. cozinheira> <cirurgião h.>* ↺ desastrado **2** que resolve situações de maneira apropriada; astuto, esperto *<foi h. em conversar com a turma>* **3** ágil, rápido *<dedos h.>* ↺ lento **4** que atende ao estabelecido por lei, regulamento etc. *<terminou o trabalho em tempo h.>*

habilidade (ha.bi.li.da.de) *s.f.* **1** bom conhecimento, mestria *<ele tem h. em carpintaria>* **2** aptidão para resolver problemas ou para agir como deve *<teve h. para sair-se bem na discussão>* **3** agilidade, rapidez, destreza *<ele faz mágicas com grande h. das mãos>*

habilidoso (ha.bi.li.do.so) /ô/ [pl. e fem.: /ó/] *adj.* que é jeitoso, hábil *<motorista h.>*

habilitação (ha.bi.li.ta.ção) [pl.: *-ões*] *s.f.* **1** documento ou título que torna (alguém) legalmente capaz de exercer uma atividade *<h. para lecionar, para dirigir>* **2** aptidão, capacidade *<não tinha h. para levar o negócio adiante>* ↺ inaptidão

habilitar (ha.bi.li.tar) *v.* {mod. 1} *t.d.* **1** tornar muito eficiente, hábil *<não sabia cozinhar, a necessidade habilitou-a>* **2** INF tornar ativo (um dispositivo) *<h. a senha do usuário>* □ *t.d.i. e pron.* **3** (prep. *para*) munir(-se) de conhecimentos, tornando(-se) apto para (serviço, função etc.); capacitar(-se) *<os professores habilitaram a turma para o vestibular> <h.-se para uma profissão>* ↺ desabilitar(-se) **4** (prep. *a*) preparar(-se), dispor(-se) *<a experiência habilitou-o a suportar as decepções> <h.-se para a adversidade>* □ *pron.* **5** (prep. *a*) pôr-se à diposição de *<habilitou-se a guiar os colegas novos>*

habitação (ha.bi.ta.ção) [pl.: *-ões*] *s.f.* lugar onde se mora; moradia ~ **habitacional** *adj.2g.*

habitante (ha.bi.tan.te) *adj.2g.s.2g.* morador, residente *<h. de São Paulo>* ◉ COL população

habitar (ha.bi.tar) *v.* {mod. 1} *t.d. e t.i.* **1** ocupar como residência; morar *<h. uma casa velha> <habita em um bairro chique>* **2** ter como *habitat* **3** *fig.* (prep. *em*) estar presente; permanecer *<tal ideia habita sua mente> <o ódio habita em seu coração>* □ *t.d.* **4** prover de habitantes; povoar, ocupar *<imigrantes habitaram a terra recém-descoberta>* ~ **habitabilidade** *s.f.*

habitat (ha.bi.tat) [lat.] *s.m.2n.* **1** ECO ambiente natural em que vive ou se desenvolve um animal ou uma planta **2** ANTRPOL GEO conjunto de condições de organização e povoamento pelo homem do meio em que vive *<h. urbano>* **3** *p.ext.* local onde algo é ger. encontrado ou onde alguém se sente em seu ambiente ideal *<encontrou seu h. no novo trabalho>* ⇒ pronuncia-se abitat

hábitat (há.bi.tat) [pl.: *hábitats*] *s.m.* *habitat*

habite-se (ha.bi.te-se) *s.m.2n.* autorização de órgão municipal para o uso de prédio recém-construído ou reformado

hábito (há.bi.to) *s.m.* **1** modo usual de ser ou agir; costume *<h. rígidos> <homem preso a velhos h.>* **2** uso ou ação repetida que leva ao conhecimento ou prática *<o h. de escrever>* **3** roupa de religioso *<h. sacerdotal> <o h. das freiras>*

habitual (ha.bi.tu.al) [pl.: *-ais*] *adj.2g.* comum; frequente *<os h. passeios com o cão>* ↺ extraordinário ~ **habitualmente** *adv.*

habituar (ha.bi.tu.ar) *v.* {mod. 1} *t.d.i. e pron.* (prep. *a*) [fazer] adquirir (uma aptidão ou um modo de agir, sentir, pensar); acostumar(-se) *<h. uma criança ao estudo> <habituei-me ao clima da região>* ↺ desabituar(-se) ~ **habituação** *s.f.* - **habitualidade** *s.f.*

hacker (hack.er) [ing.; pl.: *hackers*] *s.m.* INF ver ***CIBERPIRATA*** ⇒ pronuncia-se réquer

hadoque (ha.do.que) *s.m.* ZOO peixe do Atlântico Norte semelhante ao bacalhau, que possui uma linha lateral negra e uma mancha escura atrás das brânquias

H

háfnio (háf.nio) *s.m.* QUÍM elemento químico us. em reatores nucleares, elétrodos, vidros especiais etc. [símb.: *Hf*] ☞ cf. *tabela periódica* (no fim do dicionário)

hagiografia (ha.gi.o.gra.fi.a) *s.f.* biografia ou estudo sobre biografia de santos ~ **hagiográfico** *adj.* - **hagiógrafo** *s.m.*

haicai (hai.cai) *s.m.* LIT forma de poesia japonesa surgida no sXVI, composta de três versos, com cinco, sete e cinco sílabas, respectivamente

haitiano (hai.ti.a.no) *adj.* **1** relativo ao Haiti (América Central) ■ *s.m.* **2** natural ou habitante dessa ilha

haliêutica (ha.li.êu.ti.ca) *s.f.* a arte da pesca ~ **haliêutico** *adj.*

hálito (há.li.to) *s.m.* **1** o odor da boca **2** o ar que sai pela boca durante a expiração

halitose (ha.li.to.se) *s.f.* MED odor desagradável na boca, mau hálito

hall [ing.; pl.: *halls*] *s.m.* saguão ('sala') ⇒ pronuncia-se ról

halloween (hal.low.een) [ing.] *s.m.* RECR festa celebrada a 31 de outubro, originalmente em alguns países anglo-americanos, durante a qual crianças percorrem a vizinhança fantasiadas de bruxas, monstros etc., recolhendo guloseimas e fazendo travessuras ⇒ pronuncia-se relouin

halo (ha.lo) *s.m.* **1** aro de luz em volta do Sol ou da Lua **2** auréola ('círculo') **3** *fig.* brilho que provém de alguém ou algo *<via-se em seu rosto um h. de glória>*

halogênico (ha.lo.gê.ni.co) *adj.* semelhante a ou derivado de halogênio

halogênio (ha.lo.gê.nio) *s.m.* QUÍM designação dada aos elementos químicos flúor, cloro, iodo, bromo e astatínio ☞ cf. *tabela periódica* (no fim do dicionário) ~ **halogenação** *s.f.*

haltere (hal.te.re) ou **halter** (hal.ter) [pl.: *-es*] *s.m.* ESP par de esferas ou discos de metal, ligados por barra tb. de metal, us. em exercícios, demonstrações ou competições de levantamento de peso

halterofilia (hal.te.ro.fi.li.a) *s.f.* ESP halterofilismo

halterofilismo (hal.te.ro.fi.lis.mo) *s.m.* ESP prática esportiva ou competitiva de levantamento de peso ~ **halterofilista** *adj.2g.s.2g.*

hambúrguer (ham.búr.guer) [pl.: *-es*] *s.m.* CUL **1** bife redondo de carne moída compactada com temperos **2** sanduíche feito com esse bife

hamster (ham.ster) [ing.; pl.: *hamsters*] *s.m.* ZOO roedor pequeno, encontrado no mundo todo como animal de estimação ou us. como cobaia ⇒ pronuncia-se ramster

handebol (han.de.bol) [pl.: *-óis*] *s.m.* ESP jogo em que duas equipes de sete jogadores cada uma tentam, usando apenas as mãos, colocar a bola no gol do adversário, defendido pelo goleiro, único que pode usar tb. os pés

hangar (han.gar) [pl.: *-es*] *s.m.* galpão ou abrigo fechado para aviões

hanseníase (han.se.ní.a.se) *s.f.* MED doença infecciosa crônica causada por bacilo, contagiosa por contato íntimo e prolongado, que se inicia com pequenas manchas claras na pele, sem sensibilidade; lepra, morfeia ~ **hanseniano** *adj.s.m.*

haraquiri (ha.ra.qui.ri) *s.m.* suicídio ritual japonês, praticado esp. por guerreiros e nobres, em que se rasga o ventre com uma faca ou sabre

haras (ha.ras) *s.m.2n.* local de criação ou treinamento de cavalos

hard disk [ing.] *loc.subst.* INF ver ***DISCO RÍGIDO*** [abrev.: *HD*] ⇒ pronuncia-se rard disk

hardware (hard.ware) [ing.; pl.: *hardwares*] *s.m.* INF a parte física de um computador (material eletrônico, monitor, periféricos, placas etc.) ⇒ pronuncia-se rarduer

harém (ha.rém) [pl.: *-ens*] *s.m.* **1** conjunto de aposentos, na casa de um sultão ('imperador') muçulmano, destinado à habitação das mulheres **2** grupo constituído por esposas, concubinas, parentes femininas e criadas que habitam esses aposentos

harmonia (har.mo.ni.a) *s.f.* **1** combinação perfeita entre coisas ou seres distintos *<a cortina estava em h. com os quadros> <o casal vivia em h., sempre conversando>* ↺ desacordo **2** paz ↺ conflito **3** MÚS combinação de sons que acompanham uma melodia ~ **harmônico** *adj.s.m.*

harmônica (har.mô.ni.ca) *s.f.* MÚS gaita

harmônio (har.mô.nio) *s.m.* MÚS instrumento musical semelhante ao órgão, de teclados e foles acionados por pedais

harmonioso (har.mo.ni.o.so) /ô/ [pl. e fem.: /ó/] *adj.* **1** que tem harmonia ou que está em harmonia *<um jardim h.> <decoração h.>* **2** que se mostra agradável ao ouvido ou à vista *<voz h.> <movimentos h.>*

harmonizar (har.mo.ni.zar) *v.* {mod. 1} *t.d.,t.d.i.,t.i.,int. e pron.* (prep. *com*) pôr(-se) ou estar em harmonia, acordo *<h. diferentes interesses> <conseguia h. a profissão com as tarefas domésticas> <o seu pensamento harmonizava com o meu> <naquela sala, tudo harmonizava> <seus interesses jamais se harmonizam com os da turma>* ~ **harmonização** *s.f.*

harpa (har.pa) *s.f.* MÚS grande instrumento de cordas dedilháveis estendidas, presas em duas partes de uma moldura triangular de madeira, atualmente dotado de pedais ~ **harpista** *adj.2g.s.2g.*

harpejar (har.pe.jar) *v.* {mod. 1} *t.d. e int.* MÚS tocar (na) harpa ☞ cf. *arpejar*

harpia (har.pi.a) *s.f.* **1** ZOO um dos maiores gaviões brasileiros e a mais forte ave de rapina, que ocorre no México e América do Sul **2** MIT na mitologia grega, monstro com cabeça de mulher, corpo de pássaro e garras afiadas

hashtag (hash.tag) [ing.] *s.2g* INF palavra precedida de cerquilha (#), us. esp. nas mídias sociais e em blogues, para identificar ou buscar assuntos de interesse ⇒ pronuncia-se réch tég

hássio (hás.sio) *s.m.* QUÍM elemento químico artificial, anteriormente denominado *unniloctium* [símb.: *Hs*] ☞ cf. *tabela periódica* (no fim do dicionário)

hasta (has.ta) *s.f.* **1** lança **2** leilão ◼ **h. pública** DIR venda de bens em leilão, promovida pelo poder público

haste (has.te) *s.f.* **1** pau ou ferro reto e longo em que se encrava ou apoia algo *<o guarda-chuva está com uma h. quebrada>* **2** caule, talo *<rosa com h. longa>* **3** pau de bandeira; mastro

hastear (has.te.ar) *v.* {mod. 5} *t.d.* **1** fazer subir em ou prender ao topo de haste, mastro etc.; içar *<hastearam a bandeira logo cedo>* □ *t.d. e pron.* **2** erguer(-se), levantar(-se) *<o pavão hasteou a cauda> <sua espada hasteava-se sobre as demais>* ~ **hasteamento** *s.m.*

haurir (hau.rir) *v.* {mod. 24} *t.d.* **1** retirar de onde estava; extrair **2** consumir por completo; esvaziar *<h. copos e mais copos de leite>* **3** aspirar, inalar *<h. o ar das montanhas>* □ *t.d.i.* **4** (prep. *de*) retirar de onde estava; extrair *<hauriu as melhores pedras preciosas daquela terra>*

hausto (haus.to) *s.m.* **1** ato de haurir ou o seu efeito **2** porção de ar inalada em aspiração longa e profunda *<h. de um perfume>* **3** porção de bebida ingerida de uma só vez; gole, trago *<um h. de água>*

havaiano (ha.vai.a.no) *adj.* **1** relativo ao Havaí (Oceania) ■ *s.m.* **2** natural ou habitante desse arquipélago americano

havana (ha.va.na) *s.m.* **1** charuto de tabaco cubano **2** tabaco cultivado em Cuba **3** a cor castanho-clara desse tabaco ■ *adj.2g.2n.* **4** dessa cor *<casaco h.>* **5** diz-se dessa cor *<a cor h. de um sapato>*

havanês (ha.va.nês) [pl.: *-eses*] *adj.* **1** relativo a Havana (Cuba) ■ *s.m.* **2** natural ou habitante dessa capital

haver (ha.ver) *v.* {mod. 13} *t.d.* **1** ter existência material ou espiritual; existir *<há mais copos no armário>* **2** estar ou encontrar-se concretamente em certo lugar ou situação *<há alguém batendo à porta>* **3** estar à disposição para uso ou serviço *<há comida para todos>* **4** passar (o tempo); fazer *<há cinco anos deixei de fumar>* **5** ser ou tornar-se realidade no tempo e no espaço; acontecer, realizar-se *<não houve reunião>* ☞ nestas acp., é impessoal □ *pron.* **6** ter certa conduta; portar-se *<como h.-se na festa?>* **7** dar conta de; sair-se *<houve-se bem na prova>* **8** (prep. *com*) andar às voltas com; lidar *<h.-se com complicações>* **9** (prep. *com*) prestar contas a; avir-se *<o traidor vai h.-se comigo>* ■ *s.m.* **10** em contabilidade, o que se tem a receber; crédito ▼ ***haveres*** *s.m.pl.* **11** bens, posses, patrimônio

haxixe (ha.xi.xe) *s.m.* droga de efeito entorpecente feita com a resina dos cachos de flores do cânhamo

HD [ing.; pl.: *HDs*] *s.m.* INF abrev. de *hard disk* ⇒ pronuncia-se *correntemente* aga dê

He QUÍM símbolo de *hélio*

headphone (head.phone) [ing.] *s.m.* ver ***AUDIOFONE*** ⇒ pronuncia-se redfoun

hebdomadário (heb.do.ma.dá.rio) *adj.* **1** relativo a semana; semanal ■ *s.m.* **2** publicação semanal; semanário

hebraico (he.brai.co) *adj.* **1** relativo aos hebreus; hebreu **2** relativo à língua falada pelos hebreus ■ *s.m.* **3** indivíduo dos hebreus; hebreu **4** LING língua falada por esse povo e atual língua oficial de Israel

hebreu (he.breu) [fem.: *hebreia /éi/*] *adj.* **1** relativo aos hebreus, povo semita monoteísta da Antiguidade ■ *s.m.* **2** indivíduo desse povo **3** LING língua falada por esse povo; hebraico

hecatombe (he.ca.tom.be) *s.f.* **1** massacre de um grande número de pessoas; carnificina **2** *p.ext.* calamidade, desgraça

hectare (hec.ta.re) *s.m.* medida agrária equivalente a 10.000 m^2 [símb.: *ha*]

hectograma (hec.to.gra.ma) *s.m.* unidade de medida de massa equivalente a cem gramas [símb.: *hg*]

hectolitro (hec.to.li.tro) *s.m.* unidade de medida de volume equivalente a cem litros [símb.: *hl*]

hectômetro (hec.tô.me.tro) *s.m.* unidade de medida de comprimento equivalente a cem metros [símb.: *hm*]

hediondo (he.di.on.do) *adj.* **1** que apresenta deformidade; repugnante ↺ formoso **2** *fig.* que provoca indignação moral *<crime h.>* **3** depravado, imundo *<vida h.>* ↺ decente, digno ~ **hediondez** *s.f.*

hedonismo (he.do.nis.mo) *s.m.* **1** FIL doutrina que prega o prazer e a felicidade como bens supremos ☞ cf. *epicurismo* **2** *p.ext.* dedicação ao prazer como estilo de vida ~ **hedonista** *adj.2g.s.2g.*

hegemonia (he.ge.mo.ni.a) *s.f.* **1** poder dominador de uma cidade, país, povo etc. sobre outros **2** *p.ext.* liderança, predominância *<a h. dos franceses na culinária>* ~ **hegemônico** *adj.*

hégira (hé.gi.ra) *s.f.* **1** HIST fuga de Maomé de Meca para Medina ☞ cf. *Maomé* na parte enciclopédica **2** HIST era maometana iniciada nessa data **3** *fig.* fuga

hein ou **hem** *interj.* **1** expressa dúvida em relação a algo que não se ouviu bem ou não se entendeu, equivalente a "o quê?" **2** expressa espanto ou indignação, com o sentido de "é isso mesmo?!" **3** us. para ratificar o que foi dito, com o sentido de "não é verdade?" *<sempre cantando, h.?>*

helênico (he.lê.ni.co) *adj.* **1** relativo à Grécia antiga ■ *s.m.* **2** seu natural ou habitante ~ **helenístico** *adj.*

helenismo (he.le.nis.mo) *s.m.* **1** LING palavra ou construção da língua grega **2** a civilização grega **3** apego aos costumes e pensamento da Grécia antiga

helenista (he.le.nis.ta) *adj.2g.s.2g.* que(m) estuda a língua e/ou a civilização da Grécia antiga

heleno (he.le.no) *adj.* **1** relativo ao povo que deu origem ao povo grego **2** relativo à Grécia moderna ■ *s.m.* **3** indivíduo do povo heleno **4** natural ou habitante da Grécia moderna

H

hélice (hé.li.ce) *s.f.* **1** GEOM curva traçada sobre um cilindro ou um cone, pela rotação de um ponto que corta suas retas num ângulo oblíquo constante **2** *p.ext.* qualquer coisa de forma espiralada **3** AER peça giratória de sustentação ou propulsão de aeronaves, acionada por motor e constituída por várias pás **4** MAR peça giratória dotada de pás, us. para propulsão de embarcação, torpedo, etc. **5** peça similar us. em ventiladores

helicicultura (he.li.ci.cul.tu.ra) *s.f.* criação de caracóis, esp. os comestíveis ~ **helicicultor** *adj.s.m.*

helicoidal (he.li.coi.dal) [pl.: *-ais*] *adj.2g.* em forma de ou semelhante a hélice; helicoide

helicoide (he.li.coi.de) /ói/ *adj.2g.* helicoidal

helicóptero (he.li.cóp.te.ro) *s.m.* AER aeronave que sobe na vertical, mantém-se no ar e se desloca por meio do giro de hélices horizontais

H

hélio (hé.lio) *s.m.* QUÍM gás nobre us. para inflar balões, na refrigeração de reatores nucleares, em anúncios luminosos etc. [símb.: *He*] ☞ cf. *tabela periódica* (no fim do dicionário)

heliocêntrico (he.lio.cên.tri.co) *adj.* ASTR **1** relativo ao centro do Sol **2** que tem o Sol como centro **3** relativo ou pertencente a sistema que tem o Sol como origem ☞ cf. *geocêntrico*

heliocentrismo (he.lio.cen.tris.mo) *s.m.* ASTR sistema cosmológico que considera o Sol como o centro do universo ☞ cf. *geocentrismo*

heliotropia (he.lio.tro.pi.a) *s.f.* BIO heliotropismo

heliotropismo (he.lio.tro.pis.mo) *s.m.* BIO movimento de uma planta na direção da luz do Sol

heliporto (he.li.por.to) /ô/ [pl.: /ó/] *s.m.* local para pouso e decolagem de helicópteros

helmintíase (hel.min.tí.a.se) *s.f.* MED doença parasitária produzida pela presença de helmintos no organismo humano ou animal

helminto (hel.min.to) *s.m.* ZOO nome comum a várias espécies de vermes parasitas que vivem no interior de outro organismo

helmintologia (hel.min.to.lo.gi.a) *s.f.* BIO **1** ramo da zoologia que estuda os vermes em geral **2** ramo da parasitologia, ecologia ou zoologia que estuda os vermes que vivem no interior de outros organismos

hem *interj.* → **HEIN**

hemácia (he.má.cia) *s.f.* BIO célula sanguínea que transporta oxigênio e gás carbônico; eritrócito, glóbulo vermelho

hemático (he.má.ti.co) *adj.* relativo a sangue

hematita (he.ma.ti.ta) *s.f.* MINER importante minério de ferro, de cor cinza ou preta, us. como gema ('pedra'), abrasivo e pigmento

hematófago (he.ma.tó.fa.go) *adj.s.m.* ZOO (animal) que se alimenta de sangue ~ **hematofagia** *s.f.*

hematologia (he.ma.to.lo.gi.a) *s.f.* MED estudo do sangue, medula e gânglios linfáticos ~ **hematológico** *adj.* - **hematologista** *adj.2g.s.2g.*

hematoma (he.ma.to.ma) *s.m.* MED acúmulo de sangue em um órgão ou tecido após uma hemorragia

hematose (he.ma.to.se) *s.f.* BIO MED transformação do sangue venoso em arterial, por meio de oxigenação nos pulmões

hemeroteca (he.me.ro.te.ca) *s.f.* **1** setor das bibliotecas em que ficam coleções de jornais, revistas, periódicos e livros em série **2** conjunto de revistas, jornais etc.

hemiciclo (he.mi.ci.clo) *s.m.* **1** semicírculo **2** ARQ anfiteatro com essa forma

hemiplegia (he.mi.ple.gi.a) *s.f.* MED paralisia de um dos lados do corpo ~ **hemiplégico** *adj.s.m.*

hemíptero (he.míp.te.ro) *s.m.* ZOO **1** espécime dos hemípteros, ordem de insetos com aparelho bucal próprio para para picar ou sugar, como os percevejos ■ *adj.* **2** relativo a essa ordem

hemisfério (he.mis.fé.rio) *s.m.* **1** GEOM cada metade de uma esfera **2** GEO cada metade da Terra resultante da divisão pela linha do equador ~ **hemisférico** *adj.*

hemocentro (he.mo.cen.tro) *s.m.* banco de sangue

hemodiálise (he.mo.di.á.li.se) *s.f.* MED método de purificação do sangue por meio de uma máquina que funciona como um rim artificial

hemodinâmica (he.mo.di.nâ.mi.ca) *s.f.* MED parte da fisiologia que estuda as leis que regulam a circulação do sangue nos vasos ~ **hemodinâmico** *adj.*

hemofilia (he.mo.fi.li.a) *s.f.* MED doença hereditária caracterizada pela dificuldade de coagulação do sangue ~ **hemofílico** *adj.s.m.*

hemoglobina (he.mo.glo.bi.na) *s.f.* BIOQ proteína existente nas hemácias e no plasma, e que transporta oxigênio para as células

hemoptise (he.mop.ti.se) *s.f.* MED expectoração de sangue, comum na tuberculose pulmonar

hemorragia (he.mor.ra.gi.a) *s.f.* MED escoamento de sangue fora dos vasos sanguíneos ~ **hemorrágico** *adj.*

hemorroida (he.mor.roi.da) /ói/ *s.f.* ANAT cada uma das varizes no ânus ou no reto ☞ mais us. no pl. ~ **hemorroidal** *adj.2g.*

hemóstase (he.mós.ta.se) *s.f.* MED ação de deter uma hemorragia ou o seu efeito; hemostasia

hemostasia (he.mos.ta.si.a) *s.f.* MED hemóstase

hemostático (he.mos.tá.ti.co) *adj.s.m.* (medicamento) que detém hemorragias; anti-hemorrágico

hena (he.na) *s.f.* **1** BOT arbusto africano de cuja casca e folhas se prepara tintura castanho-avermelhada us. para tingir cabelos **2** essa tintura

Henê ® (He.nê) *s.m.* produto das folhas de hena secas e trituradas, us. como tintura e/ou alisador para cabelos

heparina (he.pa.ri.na) *s.f.* QUÍM substância anticoagulante natural, presente esp. no fígado

hepático (he.pá.ti.co) *adj.* **1** próprio do fígado *<cólica h.>* ■ *adj.s.m.* **2** que(m) sofre do fígado

hepatite (he.pa.ti.te) *s.f.* MED inflamação do fígado

hepatologia (he.pa.to.lo.gi.a) *s.f.* MED especialidade dedicada ao estudo do fígado e tratamento de suas doenças ~ **hepatologista** *adj.s.m.*

heptacampeão (hep.ta.cam.pe.ão) [pl.: *-ões*; fem.: *-ã*] *adj.s.m.* que ou aquele que é ou foi sete vezes campeão no mesmo torneio ou campeonato

heptaedro (hep.ta.e.dro) *s.m.* GEOM poliedro de sete faces

heptano (hep.ta.no) *s.m.* QUÍM hidrocarboneto saturado contido no petróleo e us. como solvente

heptassílabo (hep.tas.sí.la.bo) *adj.s.m.* (o) que tem sete sílabas; septissílabo *<verso h.>*

hera (he.ra) *s.f.* nome comum dado a trepadeiras muito cultivadas como ornamentais, algumas us. para o revestimento de muros e paredes ☞ cf. *era*

heráldica (he.rál.di.ca) *s.f.* arte, estudo e criação de brasões ('escudo') ~ **heráldico** *adj.s.m.*

herança (he.ran.ça) *s.f.* **1** patrimônio deixado por alguém ao morrer **2** GEN o que se transmite por hereditariedade *<o daltonismo foi h. paterna>* **3** *fig.* o que se recebe por hereditariedade ou tradição *<a honestidade foi sua maior h.>*

herbáceo (her.bá.ceo) *adj.* relativo ou semelhante a erva

herbanário (her.ba.ná.rio) *s.m.* **1** local onde se vendem ervas medicinais **2** quem cultiva ou vende ervas medicinais

herbário (her.bá.rio) *s.m.* **1** coleção de plantas secas para estudo científico **2** local que guarda essa coleção

herbicida (her.bi.ci.da) *adj.2g.s.m.* (substância) que mata ervas daninhas

herbívoro (her.bí.vo.ro) *adj.s.m.* que ou o que se alimenta de vegetais *<a girafa é um animal h.>*

herborista (her.bo.ris.ta) *adj.2g.s.2g.* que(m) cultiva ou vende ervas medicinais

hercúleo (her.cú.leo) *adj.* **1** relativo a Hércules ☞ cf. *Hércules* na parte enciclopédica **2** muito forte, muito vigoroso **3** que exige muito esforço *<trabalho h.>*

hércules (hér.cu.les) *s.m.2n.* indivíduo muito forte ☞ cf. *Hércules* na parte enciclopédica

herdade (her.da.de) *s.f.* grande propriedade rural; fazenda

herdar (her.dar) *v.* {mod. 1} *t.d. e t.d.i.* **1** (prep. *de*) receber (algo) [de alguém], após sua morte, por sucessão ou legado *<herdou uma casa (do tio)>* **2** (prep. *de*) receber (dos ancestrais) [caracteres genéticos, morais] *<h. os olhos paternos> <h. da mãe a teimosia>* ▫ *t.d.i. p.ext.* **3** (prep. *de*) passar a usar, a gozar, a ter *<este tapete herdei de um vizinho>*

herdeiro (her.dei.ro) *s.m.* **1** DIR quem recebe herança **2** cada um dos filhos de um pai e uma mãe **3** pessoa que passa a ter ou sofrer algo, por transmissão, doação ou força das contingências *<h. das más administrações anteriores>*

hereditariedade (he.re.di.ta.ri.e.da.de) *s.f.* **1** condição ou característica do que é hereditário **1.1** transmissão de qualidades físicas e morais dos pais aos seus descendentes **2** GEN conjunto de processos biológicos que resultam na transmissão de caracteres de uma geração às outras por meio de genes

hereditário (he.re.di.tá.rio) *adj.* **1** transmitido por direito de sucessão *<cargo h.> <bens h.>* **2** GEN transmitido por genes *<característica h.> <doenças h.>*

herege (he.re.ge) *adj.2g.s.2g.* **1** REL que(m) comete uma heresia **2** que(m) não tem respeito ou consideração para com as crenças religiosas alheias

heresia (he.re.si.a) *s.f.* **1** REL doutrina contrária ao que a Igreja define como verdade de fé **2** desrespeito a uma religião ou doutrina **3** *fig.* absurdo, disparate *<uma h. científica>* ~ **herético** *adj.s.m.*

hermafrodita (her.ma.fro.di.ta) *adj.2g.s.2g.* **1** BIO (organismo, indivíduo) dotado de órgãos reprodutores dos dois sexos; andrógino, bissexual **2** BOT (flor) que apresenta androceu e gineceu

hermafroditismo (her.ma.fro.di.tis.mo) *s.m.* BIO presença de órgãos reprodutores e/ou de caracteres secundários dos dois sexos num mesmo indivíduo

hermético (her.mé.ti.co) *adj.* **1** difícil de entender; obscuro *<texto h.>* ↺ claro **2** completamente vedado *<embalagem h.>*

hermetismo (her.me.tis.mo) *s.m.* condição do que é difícil de entender e/ou interpretar

hérnia (hér.nia) *s.f.* MED massa formada por um órgão (ou parte de órgão) que sai por um orifício, natural ou acidental, da cavidade que o contém ▣ **h. de disco** MED deslocamento de um disco entre as vértebras, comprimindo a raiz nervosa • **h. estrangulada** hérnia intestinal com bloqueio da circulação sanguínea e da passagem das fezes

herói (he.rói) [fem.: *heroína*] *s.m.* **1** homem notável por suas realizações ou sua bravura **2** *p.ext.* indivíduo que suporta sofrimentos ou que arrisca a vida em benefício de outrem **3** *p.ext.* pessoa que, por ser homenageada ou por qualquer motivo, se distingue ou é centro de atenções *<o cachorro foi o h. da festa> <o h. da bagunça foi o mais tímido entre todos>* **4** personagem principal de uma obra de literatura, dramaturgia etc. ~ **heroificar** *v.t.d.*

heroico (he.roi.co) /ói/ *adj.* **1** característico de herói **2** que revela heroísmo *<ato h.>*

[1]**heroína** (he.ro.í.na) *s.f.* **1** mulher notável por suas realizações ou sua bravura **2** *p.ext.* mulher que suporta sofrimentos ou que arrisca a vida em benefício de outrem **3** mulher apresentada como principal personagem de uma obra de literatura, dramaturgia etc. ◉ GRAM/USO fem. de *herói* ◉ ORIGEM do lat. *heroina,ae* 'id.'

[2]**heroína** (he.ro.í.na) *s.f.* QUÍM alcaloide derivado da morfina, com propriedades narcóticas e analgésicas (sua utilização causa dependência fisiológica) ◉ ORIGEM do al. *Heroin*, marca comercial

heroísmo (he.ro.ís.mo) *s.m.* virtude, atitude ou feito de herói

herpes (her.pes) *s.m.2n.* MED doença inflamatória causada por vírus, caracterizada por grupos de bolhas na pele

herpes-zóster (her.pes-zós.ter) [pl.: *herpes-zósteres*] *s.m.* MED inflamação de gânglios nervosos do crânio ou coluna, associada ao surgimento de bolhas na pele ou nas mucosas e dores nevrálgicas

herpético (her.pé.ti.co) *adj.* **1** relativo a herpes ■ *adj.s.m.* **2** MED que(m) tem herpes

hertz *s.m.2n.* FÍS unidade de frequência, equivalente à frequência de um fenômeno periódico com duração de um segundo [símb.: *Hz*] ~ **hertziano** *adj.*

hesitação (he.si.ta.ção) [pl.: *-ões*] *s.f.* **1** ato ou efeito de ficar indeciso sobre o que se deve fazer, dizer, pensar **2** estado de quem hesita; indecisão, perplexidade ↺ certeza, decisão

hesitar (he.si.tar) *v.* {mod. 1} *t.i. e int.* **1** (prep. *entre*) ficar indeciso (entre duas ou mais opções); vacilar *<h. entre o bem e o mal>* *<não hesite; faça o que deve fazer>* ↺ decidir ◻ *t.d. e t.i.* **2** (prep. *em*) não estar seguro para; vacilar *<hesitou castigar o filho travesso>* *<hesitou em aceitar suas desculpas>* ~ **hesitante** *adj.2g.*

heterodoxo (he.te.ro.do.xo) /cs/ *adj.* que contraria padrões, dogmas ou princípios vigentes *<raciocínio h.>* ☞ cf. *ortodoxo* ~ **heterodoxia** *s.f.*

heterófono (he.te.ró.fo.no) *adj.s.m.* GRAM (palavra) de grafia igual a outra, mas de pronúncia diferente (p.ex., *acordo* subst. e *acordo*, do v. acordar) ☞ cf. *homófono* e *homógrafo* ~ **heterofonia** *s.f.* - **heterofônico** *adj.*

heterogêneo (he.te.ro.gê.neo) *adj.* **1** de natureza desigual ou variada ↺ homogêneo **2** que não tem unidade, não é uniforme *<turma h.>* ↺ homogêneo ~ **heterogeneidade** *s.f.*

H

heteromasturbação (he.te.ro.mas.tur.ba.ção) *s.f.* masturbação que um indivíduo pratica em outro ↺ automasturbação

heteronímia (he.te.ro.ní.mia) *s.f.* **1** GRAM estudo ou teoria sobre os heterônimos **2** conjunto de heterônimos **3** GRAM LING relação entre os vocábulos que opõem categorias gramaticais distintas por meio de palavras diferentes, em lugar de fazê-lo por meio de flexão (como a indicação do gênero em *bode* e *cabra*)

heterônimo (he.te.rô.ni.mo) *s.m.* **1** autor que publica algo sob o nome verdadeiro de outro **2** LIT nome inventado por um autor para assinar obras suas e que designa alguém com qualidades e tendências diferentes das desse autor ☞ cf. *pseudônimo* e *homônimo* ■ *adj.s.m.* **3** GRAM LING (vocábulo) que mantém com outro relação de heteronímia

heterossexual (he.te.ros.se.xu.al) /cs/ [pl.: *-ais*] *adj.2g.* **1** diz-se da relação sexual entre pessoas de sexo oposto ↺ homossexual ■ *adj.2g.s.2g.* **2** que(m) sente atração sexual por alguém do sexo oposto ↺ homossexual

heterossexualidade (he.te.ros.se.xu.a.li.da.de) /cs/ *s.f.* heterossexualismo ↺ homossexualidade

heterossexualismo (he.te.ros.se.xu.a.lis.mo) /cs/ *s.m.* atração sexual por alguém do sexo oposto ↺ homossexualismo

heterotrófico (he.te.ro.tró.fi.co) *adj.* BIO que é incapaz de produzir o próprio alimento e se nutre de outros seres vivos (diz-se de organismo) ~ **heterotrofia** *s.f.* - **heterotrofismo** *s.m.* - **heterótrofo** *adj.s.m.*

heureca (heu.re.ca) *interj.* expressão us. ao se encontrar a solução de um problema difícil; eureca

heurística (heu.rís.ti.ca) *s.f.* **1** arte e método das descobertas, inventos etc. **2** HIST ramo dedicado à pesquisa de fontes e documentos ~ **heurístico** *adj.*

hexa (he.xa) /z, cs *ou* gz/ *adj.2g.2n.s.2g.2n.* red. de ***HEXACAMPEÃO*** e ***HEXACAMPEONATO***

hexacampeão (he.xa.cam.pe.ão) /z, cs *ou* gz/ [pl.: *-ões*; fem.: *-ã*] *adj.s.m.* que ou aquele que é ou foi seis vezes campeão numa mesma competição, torneio ou campeonato ☞ tb. se diz apenas *hexa* ~ **hexacampeonato** *s.m.*

hexaedro (he.xa.e.dro) /z, cs *ou* gz/ *s.m.* GEOM poliedro de seis faces

hexagonal (he.xa.go.nal) /z, cs *ou* gz/ [pl.: *-ais*] *adj.2g.* GEOM que tem seis ângulos e seis lados

hexágono (he.xá.go.no) /z, cs *ou* gz/ *s.m.* GEOM polígono de seis lados

hexagrama (he.xa.gra.ma) /z, cs *ou* gs/ *s.m.* **1** conjunto de seis letras ou sinais **2** estrela de seis pontas, formada por dois triângulos equiláteros superpostos

Hf QUÍM símbolo de *háfnio*

hg símbolo de *hectograma*

Hg QUÍM símbolo de *mercúrio*

hiato (hi.a.to) *s.m.* **1** falta, lacuna *<há alguns h. no depoimento>* **2** ANAT fenda dentro do organismo **3** GRAM separação silábica de vogais vizinhas, p.ex. em *frio*, *saúde* ☞ cf. *ditongo* e *tritongo* ~ **hiatal** *adj.2g.*

hibernação (hi.ber.na.ção) [pl.: *-ões*] *s.f.* **1** BIO estado de inatividade parcial e de redução metabólica extrema que ocorre em certos animais durante invernos rigorosos **2** ato de abrigar-se (esp. animais) durante o inverno

hibernar (hi.ber.nar) *v.* {mod. 1} *int.* **1** ficar em hibernação ('estado') ☞ nesta acp., só us. nas 3as p., exceto quando fig. **2** *fig. infrm.* ficar parado ou dormir por longo tempo

hibisco (hi.bis.co) *s.m.* BOT nome comum a plantas e arbustos com flores coloridas e vistosas e folhas denteadas, cultivados como ornamentais e por seus usos medicinais

híbrido (hí.bri.do) *adj.s.m.* **1** BIO (animal ou vegetal) nascido do cruzamento de espécies distintas ■ *adj.* **2** misturado ↺ puro ~ **hibridismo** *s.m.*

hidra (hi.dra) *s.f.* **1** ZOO pequeno animal de água doce, de corpo cilíndrico com tentáculos numa extremidade, us. para capturar alimento **2** ASTR constelação, com formato de uma serpente, que se estende pelos hemisférios norte e sul ☞ inicial maiúsc.

hidramático (hi.dra.má.ti.co) *adj.* ENG MEC **1** acionado automaticamente por sistema hidráulico (diz-se de câmbio de carro) **2** que tem esse tipo de câmbio (diz-se de automóvel)

hidrante (hi.dran.te) *s.m.* *B* válvula de saída de água, ger. em estruturas de ferro, nas calçadas, onde se liga mangueira us. para combater incêndio

hidratante (hi.dra.tan.te) *adj.2g.s.2g.* **1** (o) que hidrata *<creme h.>* ■ *s.m.* **2** produto us. para hidratar a pele

hidratar (hi.dra.tar) *v.* {mod. 1} *t.d. e pron.* **1** tratar (-se) com água ou hidrato, compensando perdas líquidas *<o primeiro cuidado é h. esses meninos>* *<hidrate-se bem, para combater esse resfriado>* **2** converter(-se) em hidrato *<h. um composto químico>* *<uma substância que se hidrata facilmente>* **3** impregnar(-se) de água; molhar(-se) *<h. a área a ser cultivada>* *<os solos não se hidratam por igual>* ↺ secar **4** (fazer) perder o ressecamento (pele, cabelo), restituindo ou conservando sua umidade *<h. os cabelos>* *<há peles que se hidratam mais facilmente>* ~ **hidratação** *s.f.*

hidrato (hi.dra.to) *s.m.* QUÍM composto formado pela união de moléculas de água com outra substância

hidráulica (hi.dráu.li.ca) *s.f.* FÍS estudo do escoamento de líquidos, esp. água, aplicado à engenharia

hidráulico (hi.dráu.li.co) *adj.* **1** que funciona ou se movimenta por meio de líquido, esp. água, sob pressão *<direção h.>* **2** relativo a hidráulica *<engenheiro h.>*

hidravião (hi.dra.vi.ão) [pl.: *-ões*] *s.m.* → ***HIDROAVIÃO***

hidrelétrica (hi.dre.lé.tri.ca) ou **hidroelétrica** (hi.dro.e.lé.tri.ca) *s.f.* ENG usina ou empresa que converte energia hidráulica em eletricidade

hidrelétrico (hi.dre.lé.tri.co) ou **hidroelétrico** (hi.dro.e.lé.tri.co) *adj.* **1** que gera eletricidade através da força da água *<usina h.>* **2** diz-se da eletricidade assim gerada

hidroavião (hi.dro.a.vi.ão) [pl.: *-ões*] ou **hidravião** (hi.dra.vi.ão) [pl.: *-ões*] *s.m.* AER MAR avião que pode pousar na água e dela decolar

hidrocarboneto (hi.dro.car.bo.ne.to) /ê/ *s.m.* QUÍM composto formado apenas por carbono e hidrogênio

hidrocarbônico (hi.dro.car.bô.ni.co) *adj.* referente a hidrocarboneto

hidroelétrica (hi.dro.e.lé.tri.ca) *s.f.* → ***HIDRELÉTRICA***

hidroelétrico (hi.dro.e.lé.tri.co) *adj.* → ***HIDRELÉTRICO***

hidrófilo (hi.dró.fi.lo) *adj.* **1** que gosta de ou vive na água **2** que absorve água *<algodão h.>*

hidrofobia (hi.dro.fo.bi.a) *s.f.* **1** VET raiva ('doença') **2** PSIQ aversão patológica aos líquidos ~ **hidrófobo** *adj.s.m.*

hidrogênio (hi.dro.gê.nio) *s.m.* QUÍM o elemento químico mais abundante no universo, us. como combustível em maçaricos, na fabricação de produtos industriais (como amônia, metanol) etc. [símb.: *H*] ☞ cf. *tabela periódica* (no fim do dicionário) ~ **hidrogenar** *v.t.d. e pron.*

hidrografia (hi.dro.gra.fi.a) *s.f.* **1** conjunto dos mares, rios, lagos etc. de uma região **2** GEO estudo e descrição desse conjunto ~ **hidrográfico** *adj.* - **hidrógrafo** *s.m.*

hidrólise (hi.dró.li.se) *s.f.* QUÍM reação de decomposição ou alteração de uma substância pela água ~ **hidrolisar** *v.t.d. e pron.* - **hidrolítico** *adj.*

hidromassagem (hi.dro.mas.sa.gem) [pl.: *-ens*] *s.f.* massagem com jatos de água ~ **hidromassagista** *adj.2g.s.2g.*

hidrometria (hi.dro.me.tri.a) *s.f.* FÍS estudo da medição da velocidade e energia de líquidos em movimento

hidrômetro (hi.drô.me.tro) *s.m.* ENG MEC aparelho que mede o consumo de água em imóveis

hidromineral (hi.dro.mi.ne.ral) [pl.: *-ais*] *adj.2g.* relativo às águas minerais

hidroplanador (hi.dro.pla.na.dor) /ô/ [pl.: *-ẹs*] *adj.s.m.* diz-se de ou planador que pousa na água por estar equipado com flutuadores

hidroponia (hi.dro.po.ni.a) *s.f.* hidropônica

hidropônica (hi.dro.pô.ni.ca) *s.f.* cultura de plantas sem terra, em água com nutrientes minerais; hidroponia ~ **hidropônico** *adj.*

hidrose (hi.dro.se) *s.f.* produção e eliminação de suor

hidrosfera (hi.dros.fe.ra) *s.f.* GEOL conjunto das partes líquidas que cobrem parcialmente a superfície da Terra ~ **hidrosférico** *adj.*

hidroterapia (hi.dro.te.ra.pi.a) *s.f.* MED tratamento com banhos, compressas, loções etc. ~ **hidroterápico** *adj.*

hidrovia (hi.dro.vi.a) *s.f.* via de transporte e comunicações por mar, rios, lagos etc.; aquavia

hidroviário (hi.dro.vi.á.rio) *adj.* **1** que diz respeito a hidrovia **2** feito por hidrovia *<transporte h.>*

hidróxido (hi.dró.xi.do) /cs/ *s.m.* QUÍM nome genérico das bases que contêm hidroxila

hidroxila (hi.dro.xi.la) /cs/ *s.f.* QUÍM radical (OH) composto por um átomo de oxigênio e outro de hidrogênio

hiena (hi.e.na) *s.f.* nome comum a mamíferos carnívoros da África e sul da Ásia, com patas traseiras menores que as dianteiras, que se alimentam de animais mortos

hierarquia (hi.e.rar.qui.a) *s.f.* **1** escala de autoridade num grupo, classe etc. *<h. militar, eclesiástica>* **2** *fig.* classificação, crescente ou decrescente, segundo uma escala de valor, de grandeza ou de importância *<h. de necessidades>*

H

hierárquico (hi.e.rár.qui.co) *adj.* que diz respeito a hierarquia

hierarquizar (hi.e.rar.qui.zar) *v.* {mod. 1} *t.d.* organizar conforme uma hierarquia ~ **hierarquização** *s.f.*

hieróglifo (hi.e.ró.gli.fo) ou **hieroglifo** (hi.e.ro.gli.fo) *s.m.* **1** figura ou signo us. na escrita do antigo Egito **2** *fig.* símbolo ou escrita enigmática ~ **hieroglífico** *adj.*

hierosolimita (hi.e.ro.so.li.mi.ta) *adj.2g.* **1** de Jerusalém (Israel) ■ *s.2g.* **2** natural ou habitante dessa cidade

hierosolimitano (hi.e.ro.so.li.mi.ta.no) *adj.s.m.* hierosolimita

hífen (hí.fen) [pl.: *hífenes* e *(B) hifens*] *s.m.* GRAM sinal [-] us. para unir os elementos de palavras compostas, verbos e pronomes átonos e separar sílabas em final de linha; traço de união

hifenizar (hi.fe.ni.zar) *v.* {mod. 1} *t.d.* escrever (palavra) com hífen *<não hifenize a palavra* predeterminar*>* ~ **hifenização** *s.f.*

higiene (hi.gi.e.ne) *s.f.* **1** MED ramo da medicina que visa preservar a saúde e estabelecer normas para prevenção de doenças **2** cuidado em manter o corpo e o ambiente sempre limpos; limpeza, asseio ↺ imundície ~ **higienista** *s.2g.*

higiênico (hi.gi.ê.ni.co) *adj.* **1** relativo a higiene **2** que tem ou revela asseio; limpo

higienizar (hi.gi.e.ni.zar) *v.* {mod. 1} *t.d.* deixar limpo, saudável; sanear *<h. os quartos do hospital>*

higrometria (hi.gro.me.tri.a) *s.f.* FÍS estudo e medição da umidade do ar ~ **higrométrico** *adj.*

higrômetro (hi.grô.me.tro) *s.m.* FÍS instrumento para medir a umidade de gases ou do ar

hilariante (hi.la.ri.an.te) *adj.2g.* que provoca muito riso; hilário *<uma piada h.>*

hilário (hi.lá.rio) *adj.* **1** que provoca o riso; divertido, engraçado *<situação h.>* **2** alegre, contente ~ **hilaridade** *s.f.*

hileia (hi.lei.a) /éi/ *s.f.* BOT **1** nome dado à floresta equatorial amazônica por Alexander von Humboldt, naturalista alemão, e Aimé Bonpland, naturalista francês ☞ ver *Humboldt* na parte enciclopédica **2** a Amazônia brasileira ~ **hileiano/hileano** *adj.*

hímen (hí.men) [pl.: *hímenes* e *(B) himens*] *s.m.* ANAT membrana que fecha parcialmente o orifício vaginal externo

himeneu (hi.me.neu) *s.m.* **1** casamento, matrimônio **2** festa de casamento

hinário (hi.ná.rio) *s.m.* **1** coletânea de hinos religiosos **2** coleção de hinos

hindu (hin.du) *adj.2g.s.2g.* **1** indiano **2** seguidor do hinduísmo; hinduísta ■ *adj.2g.* **3** próprio do hinduísmo *<filosofia h.>*

hinduísmo (hin.du.ís.mo) *s.m.* FIL REL religião da maioria dos povos da Índia, caracterizada por um pluralismo de cultos, deuses e seitas ~ **hinduísta** *adj.2g.s.2g.*

hino (hi.no) *s.m.* **1** canto solene que celebra Deus ou a pátria **2** canto ou poema lírico que expressa alegria ao celebrar alguém ou algo

H

hiper- *pref.* 'excesso; superioridade': *hipermercado, hipertensão, hipertrofia*

hiperalimentação (hi.pe.ra.li.men.ta.ção) [pl.: *-ões*] *s.f.* alimentação excessiva

hiperatividade (hi.pe.ra.ti.vi.da.de) *s.f.* **1** excesso de atividade **2** PSIQ atividade excessiva, volúvel, que se apresenta em várias psicoses

hiperativo (hi.pe.ra.ti.vo) *adj.* **1** ativo em excesso **2** próprio ou relativo a hiperatividade ■ *adj.s.m.* **3** PSIQ que ou aquele que sofre de hiperatividade

hiperbárico (hi.per.bá.ri.co) *adj.* FÍS **1** superior à pressão atmosférica *<pressão h.>* **2** que utiliza um ou mais gases, ger. o oxigênio, sob uma pressão superior à normal *<câmara h.>*

hipérbato (hi.pér.ba.to) *s.m.* GRAM inversão da ordem natural das palavras de uma oração (p.ex., *na escada subiu a criança*, em vez de *a criança subiu na escada*)

hipérbole (hi.pér.bo.le) *s.f.* **1** GRAM realce expressivo que resulta do exagero de um significado (p.ex., *morrer de rir*) **2** GEOM curva geométrica cuja diferença das distâncias de cada um dos seus pontos a dois pontos fixos é constante ~ **hiperbólico** *adj.*

hipercalórico (hi.per.ca.ló.ri.co) *adj.* de alto teor calórico (diz-se de alimento) ↺ hipocalórico

hiperdocumento (hi.per.do.cu.men.to) *s.m.* INF documento de hipermídia que faz uso de *links*, permitindo ao usuário que pesquisa uma informação ter acesso imediato a outra

hiperemotividade (hi.pe.re.mo.ti.vi.da.de) *s.f.* reação emocional muito intensa; excesso de emotividade ~ **hiperemotivo** *adj.s.m.*

hiperestesia (hi.pe.res.te.si.a) *s.f.* MED sensibilidade excessiva e anormal a qualquer estímulo ↺ anestesia

hiperglicemia (hi.per.gli.ce.mi.a) *s.f.* MED excesso de glicose no sangue

hiperinflação (hi.pe.rin.fla.ção) [pl.: *-ões*] *s.f.* ECON inflação alta e sem controle ~ **hiperinflacionário** *adj.*

hipermercado (hi.per.mer.ca.do) *s.m.* grande supermercado que tb. vende eletrodomésticos, móveis etc.

hipermetropia (hi.per.me.tro.pi.a) *s.f.* MED defeito da visão que causa dificuldade para enxergar de perto ☞ cf. *miopia* ~ **hipermetrope** *adj.2g.s.2g.*

hipermídia (hi.per.mí.dia) *s.f.* INF sistema de exibição de informações no computador que dá acesso a certos documentos a partir de *links* que acionam outros documentos

hipertensão (hi.per.ten.são) [pl.: *-ões*] *s.f.* MED aumento anormal da pressão arterial

hipertenso (hi.per.ten.so) *adj.s.m.* MED (aquele) que sofre de hipertensão

hipertermia (hi.per.ter.mi.a) *s.f.* MED elevação da temperatura do corpo a um nível que pode comprometer suas funções ↺ hipotermia

hipertexto (hi.per.tex.to) /ê/ *s.m.* **1** apresentação de informações escritas, organizadas de modo que o leitor possa ter acesso a elas sem seguir encadeamento linear único **2** INF apresentação de informações em um monitor de vídeo, na qual um elemento destacado, quando acionado, provoca a exibição de um novo hipertexto com informações relativas ao referido elemento

hipertrofia (hi.per.tro.fi.a) *s.f.* MED crescimento excessivo de um órgão ou parte dele ~ **hipertrofiar** *v.t.d. e pron.* - **hipertrófico** *adj.*

hip-hop [ing.] *s.m.2n.* movimento cultural da juventude pobre dos Estados Unidos (esp. negros e hispânicos) que se manifesta de formas artísticas variadas (música, dança, *rap*, grafites etc.) e que se espalhou por outros países ⇒ pronuncia-se rip róp

hípico (hí.pi.co) *adj.* **1** relativo a hipismo **2** relativo a cavalo

hipismo (hi.pis.mo) *s.m.* **1** ESP conjunto de esportes praticados a cavalo (saltos, equitação) **2** corrida de cavalos; turfe ~ **hipista** *adj.2g.s.2g.*

hipnose (hip.no.se) *s.f.* **1** PSIC estado semelhante ao sono, gerado por indução, no qual o indivíduo obedece às sugestões do hipnotizador **2** *fig.* estado de passividade, sonolência

hipnótico (hip.nó.ti.co) *adj.* **1** relativo à hipnose **2** *fig.* magnético, fascinante *<filme h.>* ■ *adj.s.m.* **3** FARM (droga) que provoca sono; sonífero

hipnotismo (hip.no.tis.mo) *s.m.* **1** conjunto de técnicas us. para provocar a hipnose **2** ciência que trata dos fenômenos hipnóticos **3** *fig.* arte de atrair, fascinar

hipnotizar (hip.no.ti.zar) *v.* {mod. 1} *t.d.* **1** provocar a hipnose em **2** *fig.* submeter (alguém) ao seu encanto, tirando-lhe o raciocínio e a ação; encantar *<a moça hipnotizou-o>* ~ **hipnotização** *s.f.* - **hipnotizador** *adj.s.m.*

hipo- *pref.* 'escassez': *hipoglicemia, hipotermia*

hipoalergênico (hi.po.a.ler.gê.ni.co) *adj.s.m.* FARM (substância) que provoca poucas reações alérgicas *<creme h.>*

hipocalórico (hi.po.ca.ló.ri.co) *adj.* que tem poucas calorias (diz-se de alimento) ↺ hipercalórico

hipocampo (hi.po.cam.po) *s.m.* **1** ZOO cavalo-marinho **2** MIT animal fabuloso com corpo de cavalo e cauda de peixe que é representado puxando a carruagem de Posêidon ☞ cf. *Posêidon* na parte enciclopédica

hipocondria (hi.po.con.dri.a) *s.f.* PSIQ preocupação obsessiva com o próprio estado de saúde, freq. acompanhada de sintomas que não podem ser atribuídos a nenhuma doença orgânica ~ **hipocondríaco** *adj.s.m.*

hipocrisia (hi.po.cri.si.a) *s.f.* ato de esconder os verdadeiros sentimentos, intenções; fingimento, falsidade ↺ sinceridade

hipócrita (hi.pó.cri.ta) *adj.2g.s.2g.* **1** que ou aquele que faz uso de hipocrisia ■ *adj.2g.* **2** que contém hipocrisia *<elogio h.>*

hipoderme (hi.po.der.me) *s.f.* ANAT denominação substituída por *tela subcutânea*

hipodérmico (hi.po.dér.mi.co) *adj.* **1** que pertence à hipoderme; subcutâneo *<gordura h.>* **2** que se aplica por sob a pele *<injeção h.>*

hipódromo (hi.pó.dro.mo) *s.m.* local para corrida de cavalos

hipófise (hi.pó.fi.se) *s.f.* ANAT FISL glândula endócrina de funções múltiplas, entre as quais regular as atividades das glândulas tireoide e suprarrenal; pituitária ~ **hipofisário** *adj.*

hipoglicemia (hi.po.gli.ce.mi.a) *s.f.* MED diminuição da quantidade normal de glicose no sangue ~ **hipoglicêmico** *adj.*

hipopotamídeo (hi.po.po.ta.mí.deo) *s.m.* ZOO **1** espécime dos hipopotamídeos, família de grandes mamíferos herbívoros africanos, que compreende os hipopótamos ■ *adj.* **2** relativo a essa família

hipopótamo (hi.po.pó.ta.mo) *s.m.* **1** ZOO grande mamífero herbívoro, africano, encontrado ger. em rios e lagos, de focinho largo, boca grande e corpo em forma de barril **2** *fig.* indivíduo gordo *<voltou das férias um h.>* ~ **hipopotâmico** *adj.*

hipotálamo (hi.po.tá.la.mo) *s.m.* ANAT região do cérebro que regula o sono, o apetite, a temperatura corporal etc. ~ **hipotalâmico** *adj.*

hipoteca (hi.po.te.ca) *s.f.* **1** oferecimento de um bem, ger. imóvel, como garantia na tomada de um empréstimo **2** a dívida resultante desse ato ~ **hipotecário** *adj.*

hipotecar (hi.po.te.car) *v.* {mod. 1} *t.d. e t.d.i.* **1** (prep. *a*) dar (um bem) como garantia de pagamento (a credor), sem transferir título ou posse *<hipotecou todos os seus bens> <hipotecou sua casa a um banco>* □ *t.d. fig.* **2** comprometer, empenhar *<ao assumir tal compromisso, hipotecou seu futuro>* □ *t.d.i. fig.* **3** (prep. *a*) assegurar, garantir *<h. solidariedade aos amigos>*

hipotenusa (hi.po.te.nu.sa) *s.f.* GEOM o lado de um triângulo retângulo oposto ao ângulo reto

hipotermia (hi.po.ter.mi.a) *s.f.* MED grande diminuição da temperatura normal do corpo ↺ hipertermia ~ **hipotérmico** *adj.*

hipótese (hi.pó.te.se) *s.f.* **1** aquilo que é possível que se verifique ou aconteça, tendo em vista certas circunstâncias; suposição *<pelas nuvens, a h. é de chuva>* **2** acontecimento tomado como incerto; eventualidade *<na h. de chover, o passeio será adiado>* **3** teoria provisória e provável, mas ainda não demonstrada *<há diversas h. sobre o que causou o buraco na rua>*

hipotético (hi.po.té.ti.co) *adj.* **1** que contém hipótese; suposto *<problema h.>* **2** baseado em suposição; duvidoso, incerto *<ganhos h.>* ↺ certo

hirsuto (hir.su.to) *adj.* **1** provido de pelos ou cabelos longos, duros e grossos **2** arrepiado, espetado (diz-se de pelo ou cabelo) *<barba h.>*

hirto (hir.to) *adj.* **1** sem flexibilidade; teso *<tecido h.>* ↺ maleável **2** completamente imóvel *<o susto deixou-o h.>* **3** que se eriçou, que se espetou (diz-se de pelos ou cabelos)

hirudíneo (hi.ru.dí.neo) *s.m.* ZOO **1** espécime dos hirudíneos, classe de animais invertebrados, hermafroditas, que compreende as sanguessugas ■ *adj.* **2** relativo a essa classe

hirundinídeo (hi.run.di.ní.deo) *s.m.* ZOO **1** espécime dos hirundinídeos, família de aves cosmopolitas, vulgarmente conhecidas como andorinhas, que vivem em bandos e que se alimentam de insetos, ger. capturados em voo ■ *adj.* **2** relativo a essa família

hispânico (his.pâ.ni.co) *adj.* **1** da antiga Hispânia, nome dado pelos romanos à península Ibérica **2** da Espanha; espanhol ■ *s.m.* **3** natural ou habitante da Hispânia **4** natural ou habitante da Espanha; espanhol ■ *adj.s.m.* **5** latino-americano morador nos E.U.A.

hispanizar (his.pa.ni.zar) *v.* {mod. 1} *t.d. e pron.* dar ou tomar aspecto ou característica própria do povo, da cultura, da língua da Espanha *<h. a pronúncia das palavras>* ~ **hispanização** *s.f.*

hispano-americano (his.pa.no-a.me.ri.ca.no) [pl.: *hispano-americanos*] *adj.* **1** pertencente à América de língua espanhola **2** relativo à Espanha e à América ■ *adj.s.m.* **3** (indivíduo) de origem espanhola e americana

histamina (his.ta.mi.na) *s.f.* **1** amina liberada pelas células do sistema imunológico durante reações alérgicas, causadora de inchaço e coceira **2** FARM forma sintética e comercializada dessa substância, us. principalmente no diagnóstico de funções gástricas e circulatórias

histerectomia (his.te.rec.to.mi.a) *s.f.* MED remoção cirúrgica do útero ou de parte dele

histeria (his.te.ri.a) *s.f.* **1** PSICN doença nervosa caracterizada por convulsões **2** comportamento marcado por excessiva emotividade ou por terror *<a chegada do time provocou uma h. coletiva>* ~ **histérico** *adj.s.m.*

histerismo (his.te.ris.mo) *s.m.* **1** predisposição à histeria **2** manifestação de descontrole emocional, freq. acompanhada por gritos

histeroscópio (his.te.ros.có.pio) *s.m.* MED tubo com iluminação que permite o exame visual direto da cavidade uterina

histologia (his.to.lo.gi.a) *s.f.* BIO MED estudo da estrutura microscópica, da composição e da função dos tecidos vivos

história (his.tó.ria) *s.f.* **1** conjunto de conhecimentos relativos ao passado da humanidade, segundo o lugar, a época, o ponto de vista escolhido *<h. americana>* ☞ inicial freq. maiúsc. **2** tratado ou resumo desses conhecimentos **3** ciência que estuda eventos passados com referência a um povo, país, período ou indivíduo específico *<professor de H.>* ☞ inicial freq. maiúsc. **4** conjunto de dados sobre indivíduo, coisa, arte etc. *<h. da música> <a h. de uma família>* **5** a evolução da humanidade ao longo de seu passado e presente ☞ inicial freq. maiúsc. **6** narração de eventos fictícios ou não; narrativa, estória *<a h. de um filme, de um livro>* ◉ GRAM/USO dim.irreg.: *historieta* ▣ **h. da carochinha** conto popular com elementos fantásticos • **h. em quadrinhos** sequência de desenhos, ger.

com diálogos em balões, que contam uma história; quadrinhos • **h. natural** estudo e descrição dos seres existentes na natureza

historiador (his.to.ri.a.dor) /ô/ [pl.: *-es*] *adj.s.m.* **1** que(m) se especializou em ou que(m) escreve sobre história ('ciência'); historiógrafo **2** que(m) narra um acontecimento ou conta histórias

historiar (his.to.ri.ar) *v.* {mod. 1} *t.d.* **1** fazer o relato histórico de *<este autor historiou as guerras mundiais>* □ *t.d. e t.d.i.* **2** (prep. *a, para*) narrar, contar *<h. um fato (para alguém)>*

historicismo (his.to.ri.cis.mo) *s.m.* **1** caráter do que realmente aconteceu no passado; historicidade **2** FIL conjunto de doutrinas filosóficas que consideram a história como princípio explicativo dos valores e dos elementos da cultura humana ~ **historicista** *adj.2g.s.2g.*

H

histórico (his.tó.ri.co) *adj.* **1** relativo a evolução da humanidade *<transformações h.>* **2** célebre, importante *<momento h.>* ↺ insignificante **3** *p.ext.* digno de ser lembrado; memorável *<um gol h.>* **4** que existiu; real *<uma figura h. e não lendária>* ↺ fictício ~ **historicidade** *s.f.*

histórico-social (his.tó.ri.co-so.ci.al) [pl.: *histórico-sociais*] *adj.2g.* relativo a fatores sociais e históricos

historieta (his.to.ri.e.ta) /ê/ *s.f.* **1** história curta **2** pequeno relato de fato curioso ou engraçado *<contou mais uma vez a h. dos gatos fujões>* ◉ GRAM/USO dim. irreg. de *história*

historiógrafo (his.to.ri.ó.gra.fo) *s.m.* **1** escritor oficial da história de seu tempo **2** autor de trabalhos históricos ~ **historiografia** *s.f.*

histrião (his.tri.ão) [pl.: *-ões*] *s.m.* **1** HIST TEAT entre os antigos romanos, comediante que representava farsas; bufão **2** *p.ext.* TEAT comediante, cômico **3** *fig.* indivíduo palhaço, ridículo ~ **histriônico** *adj.*

histricídeo (his.tri.cí.deo) *s.m.* ZOO **1** espécime dos histricídeos, família de grandes mamíferos roedores, que compreende os porcos-espinhos ■ *adj.* **2** relativo a essa família

hitita (hi.ti.ta) *s.2g.* **1** indivíduo dos hititas, povo da Antiguidade que habitou a Ásia Menor por volta de 1900 a.C. ■ *s.m.* **2** LING língua falada por esse povo ■ *adj.2g.* **3** relativo a esse povo e a sua língua

hitlerismo (hi.tle.ris.mo) *s.m.* POL doutrina política e social de Adolf Hitler (1889-1945); nazismo ☞ cf. *Hitler* na parte enciclopédica ~ **hitlerista** *adj.2g.s.2g.*

HIV [ing.] *s.m.* sigla de *vírus da imunodeficiência humana*, causador da AIDS

hl símbolo de *hectolitro*

hm símbolo de *hectômetro*

Ho QUÍM símbolo de *hólmio*

hobby (hob.by) [ing.; pl.: *hobbies*] *s.m.* passatempo ⇒ pronuncia-se róbi

hodierno (ho.di.er.no) *adj.* dos dias de hoje; atual, moderno

hodômetro (ho.dô.me.tro) *s.m.* instrumento que indica distâncias percorridas por veículos ou pedestres

hoje (ho.je) /ô/ *adv.* **1** o dia em que se está *<vou passear h.>* **2** atualmente *<h. não mais se usa tal palavra>*

holandês (ho.lan.dês) [pl.: *-es*] *adj.* **1** da Holanda (Europa) ■ *s.m.* **2** natural ou habitante desse país **3** LING a língua oficial desse país

holerite (ho.le.ri.te) *s.m.* *B* contracheque

holismo (ho.lis.mo) *s.m.* no campo das ciências humanas e naturais, abordagem que prioriza o entendimento integral dos fenômenos ~ **holista** *adj.2g.s.2g.* - **holístico** *adj.*

holmiense (hol.mi.en.se) *adj.2g.* **1** de Estocolmo (Suécia) ■ *s.2g.* **2** natural ou habitante dessa capital

hólmio (hól.mio) *s.m.* QUÍM elemento químico da família dos lantanídeos [símb.: *Ho*] ☞ cf. *tabela periódica* (no fim do dicionário)

holocausto (ho.lo.caus.to) *s.m.* **1** entre os antigos hebreus, sacrifício em que se queimava a vítima **2** *p.ext.* sacrifício, expiação **3** HIST massacre de judeus nos campos de concentração alemães durante a Segunda Guerra Mundial ☞ nesta acp., inicial maiúsc.

holoceno (ho.lo.ce.no) *s.m.* **1** GEOL última e mais recente época do período quaternário, posterior ao Plistoceno, em que as geleiras se limitam às regiões polares e a civilização humana se desenvolve ☞ inicial maiúsc. ■ *adj.* **2** dessa época

holofote (ho.lo.fo.te) *s.m.* foco de luz intenso, esp. us. para iluminar objetos a distância

holografia (ho.lo.gra.fi.a) *s.f.* ÓPT técnica de gravação de hologramas

holograma (ho.lo.gra.ma) *s.m.* ÓPT fotografia que produz uma imagem tridimensional, obtida por *laser*

holoturoide (ho.lo.tu.roi.de) /ói/ *s.m.* ZOO **1** espécime dos holoturoides, classe que compreende os pepinos--do-mar ■ *adj.2g.* **2** relativo a essa classe

hombridade (hom.bri.da.de) *s.f.* **1** ar viril, másculo **2** *fig.* dignidade; honradez *<comportou-se com extrema h.>* **3** coragem *<enfrentou os problemas com h.>* ↺ covardia

homem (ho.mem) [pl.: *-ens*; fem.: *mulher*] *s.m.* **1** ZOO mamífero primata dotado de inteligência e de linguagem articulada **2** a humanidade ☞ inicial freq. maiúsc. **3** ser humano do sexo masculino **4** esse ser na idade adulta *<já está um h.!>* **5** *fig.* indivíduo corajoso, viril *<foi h. o bastante para defender as crianças>* **6** pessoa da confiança de alguém *<não sai sem seus h.>* **7** marido, amante

homem-rã (ho.mem-rã) [pl.: *homens-rã* e *homens-rãs*] *s.m.* mergulhador profissional que realiza resgates, explorações científicas ou militares etc.

homem-sanduíche (ho.mem-san.du.í.che) [pl.: *homens-sanduíches* e *homens-sanduíche*] *s.m.* quem faz publicidade ambulante pelas ruas, carregando dois cartazes presos ao ombro, um à frente e outro às costas

homenagear (ho.me.na.ge.ar) *v.* {mod. 5} *t.d.* fazer homenagem a; exaltar, laurear

homenagem (ho.me.na.gem) [pl.: *-ens*] *s.f.* expressão ou ato público como mostra de admiração e respeito por alguém

homenzarrão (ho.men.zar.rão) [pl.: *-ões*] *s.m.* homem grande

homeopata (ho.me.o.pa.ta) *adj.2g.s.2g.* (profissional) que se especializa no estudo e na prática da homeopatia *<só consulta h.>* *<veterinário h.>*

homeopatia (ho.me.o.pa.ti.a) *s.f.* MED método de tratamento que consiste em dar a um doente, sob forma diluída e dinamizada, uma substância que, em doses elevadas, é capaz de produzir num indivíduo sadio sinais e sintomas semelhantes aos da doença que se quer combater ☞ cf. *alopatia* ~ **homeopático** *adj.*

homeotermo (ho.meo.ter.mo) *adj.s.m.* ZOO (animal) que possui temperatura constante ↺ pecilotermo ~ **homeotermia** *s.f.* - **homeotérmico** *adj.*

home page [ing.; pl.: *home pages*] *loc.subst.* INF página principal, de abertura de um *site* ⇒ pronuncia-se rom pêidge

homérico (ho.mé.ri.co) *adj.* **1** relativo a Homero, poeta épico que teria vivido na Grécia no séc.VI a.C. **2** *fig.* extraordinário, fantástico *<festa h.>* **3** *fig.* grandioso, enorme *<mentiras h.>*

home theater (home the.ater) [ing.] *loc.subst.* sistema de entretenimento para uso doméstico normalmente composto por televisão grande e aparelhos de reprodução de imagem e de som ⇒ pronuncia-se rom tiater

homicida (ho.mi.ci.da) *adj.2g.s.2g.* **1** que(m) pratica homicídio ■ *adj.2g.* **2** que causa a morte *<guerra, impulso h.>* **3** us. para matar *<mãos h.>*

homicídio (ho.mi.cí.dio) *s.m.* DIR crime que consiste em tirar a vida de outra pessoa; assassinato

homilia (ho.mi.li.a) *s.f.* **1** LITUR comentário sobre o trecho do Evangelho lido durante a missa **2** *pej.* discurso moralizante, longo e cansativo ~ **homiliar** *v.int.*

hominídeo (ho.mi.ní.deo) *s.m.* ZOO **1** espécime dos hominídeos, família de primatas que inclui os macacos, o homem e seus ancestrais, que apresentam cérebro grande e desenvolvido, e face capaz de expressar emoção ■ *adj.* **2** relativo a essa família

homiziar (ho.mi.zi.ar) *v.* {mod. 1} *t.d. e pron.* **1** esconder(-se) da ação da justiça *<h. um criminoso>* *<o bando homiziou-se numa velha casa abandonada>* **2** *fig.* esconder(-se), encobrir(-se) *<as sombras ajudavam a h. o baú>* *<cansado do mundo, homiziou-se numa cidade do interior>* ↺ revelar(-se) ~ **homizio** *s.m.*

homoafetivo (ho.mo.a.fe.ti.vo) *adj.* **1** referente a uniões homossexuais *<direito h.>* ■ *s.m.* **2** homossexual

homofobia (ho.mo.fo.bi.a) *s.f.* aversão à homossexualidade e a homossexual

homófono (ho.mó.fo.no) *adj.s.m.* GRAM (vocábulo) que tem a mesma pronúncia que outro, mas sentido e grafia diferentes (p.ex., *censo* e *senso*) ☞ cf. *heterófono* ~ **homofonia** *s.f.* - **homofônico** *adj.*

homogeneizar (ho.mo.ge.nei.zar) *v.* {mod. 2} *t.d. e pron.* **1** tornar(-se) homogêneo, semelhante a; igualar (-se) *<com a troca de jogadores, homogeneizaram os times>* *<a turma homogeneizou-se com a entrada de mais meninas>* □ *t.d.* **2** misturar elementos para fazer (um todo coerente) *<h. a massa do bolo>* ~ **homogeneização** *s.f.*

homogêneo (ho.mo.gê.neo) *adj.* **1** que possui natureza, estrutura, função etc. semelhante ou igual *<conjunto h.>* ↺ heterogêneo **2** que apresenta grande unidade, adesão entre seus elementos *<uma mistura h.>* **3** que é formado de uma única substância *<usou uma peça h. de madeira para esculpir>* ↺ heterogêneo ~ **homogeneidade** *s.f.*

homógrafo (ho.mó.gra.fo) *adj.s.m.* GRAM **1** (vocábulo) com pronúncia e significado diferentes de outro, mas com a mesma grafia (p.ex., *transtorno* /ô/ (s.m.) e *transtorno* [fl. transtornar]) ☞ cf. *heterófono* **2** (vocábulo) com pronúncia e grafia idênticas às de outro, mas com significado diferente (p.ex., cabo 'fio' e cabo 'militar') ~ **homografia** *s.f.* - **homográfico** *adj.*

homologar (ho.mo.lo.gar) *v.* {mod. 1} *t.d.* **1** DIR tornar oficial (autoridade judicial ou administrativa) [uma decisão, ato, resolução etc.] *<h. um testamento>* **2** *p.ext.* reconhecer de forma oficial *<h. um recorde>* **3** *p.ext.* reconhecer como legítimo; validar *<h. a sugestão dos funcionários>* ~ **homologação** *s.f.* - **homologatório** *adj.*

homologia (ho.mo.lo.gi.a) *s.f.* BIO semelhança de origem e estrutura entre órgãos ou partes de organismos diversos ~ **homólogo** *adj.*

homonímia (ho.mo.ní.mia) *s.f.* **1** identidade de nome entre pessoas, cidades etc. **2** conjunto de homônimos **3** GRAM LING relação de identidade de pronúncia, de grafia, ou de ambas, entre palavras

homonímico (ho.mo.ní.mi.co) *adj.* relativo a homonímia ou a homônimo

homônimo (ho.mô.ni.mo) *adj.s.m.* **1** (o) que tem o mesmo nome *<há uma cidade americana h. da capital francesa>* **2** GRAM LING (vocábulo) que tem a mesma pronúncia ou grafia que outro, mas significado diferente ☞ cf. *heterônimo* ◉ COL homonímia

homóptero (ho.móp.te.ro) *s.m.* **1** ZOO espécime dos homópteros, ordem de insetos terrestres, sugadores de seiva, como, p.ex., as cigarras ■ *adj.* **2** relativo a essa ordem

homossexual (ho.mos.se.xu.al) /cs/ [pl.: *-ais*] *adj.2g.* **1** diz-se da relação sexual entre pessoas do mesmo sexo ↺ heterossexual ■ *adj.2g.s.2g.* **2** que(m) sente atração sexual por alguém do mesmo sexo ↺ heterossexual

homossexualidade (ho.mos.se.xu.a.li.da.de) /cs/ *s.f.* homossexualismo ↺ heterossexualidade

homossexualismo (ho.mos.se.xu.a.lis.mo) /cs/ *s.m.* atração sexual entre pessoas do mesmo sexo ↺ heterossexualismo

hondurenho (hon.du.re.nho) *adj.* **1** de Honduras (América Central) ■ *s.m.* **2** natural ou habitante desse país

honestamente (ho.nes.ta.men.te) *adv.* **1** de modo honrado, honesto *<enriqueceu h.>* **2** em verdade; francamente *<h., não sei de onde isso saiu>*

honesto (ho.nes.to) *adj.* **1** que age ou se enquadra dentro das regras de uma ética socialmente aceita *<pessoa h.>* *<negócio h.>* **2** honrado, digno *<alma h.>* **3** em que há seriedade; consciencioso *<pensamento h.>* **4** satisfatório, conveniente, razoável *<comida h.>* ~ **honestidade** *s.f.*

honorário (ho.no.rá.rio) *adj.* **1** que tem direito às honras, mas não ao exercício das funções *<presidente h.>* **2** que dá prestígio e honra, mas nenhum benefício material *<cargo h.>* ▼ ***honorários*** *s.m.pl.* DIR **3** vencimentos pagos a profissionais liberais (médicos, advogados etc.); proventos

honorável (ho.no.rá.vel) [pl.: *-eis*] *adj.2g.* digno de consideração, de respeito *<renunciar ao cargo foi uma atitude h.>* ↺ indigno ~ **honorabilidade** *s.f.*

H

honorífico (ho.no.rí.fi.co) *adj.* que traz consideração, respeito, sem vantagem material ou poder real *<cargo h.>*

honra (hon.ra) *s.f.* **1** sentimento de dignidade e honestidade moral **2** marca de distinção; homenagem *<lugar de h.>* **3** graça, privilégio *<dê-me a h. de acompanhá-la>* **4** castidade sexual da mulher *<guardião da h. da irmã>* **5** motivo de admiração, de glória *<uma h. reservada aos heróis>* ↺ desonra **6** função ou lugar de destaque numa escala hierárquica *<guarda de h.>* ▼ ***honras*** *s.f.pl.* **7** manifestações de respeito pela conduta de alguém *<o piloto foi merecedor de todas as h.>* **8** título ou cargo honorífico *<as altas h. de corporação militar>* ▣ **fazer as h.** receber (alguém) com especial atenção *<o filho mais velho fez as h. da casa>*

honradez (hon.ra.dez) /ê/ [pl.: *-es*] *s.f.* **1** honestidade, dignidade **2** pudor, castidade, esp. da mulher

honrado (hon.ra.do) *adj.* **1** que é conforme aos princípios de honradez; honesto, digno, íntegro *<um político h.>* **2** tratado com honra, com deferência, com respeito *<sentiu-se h. com a recepção>* **3** que, por suas qualidades morais socialmente aceitas, se destaca dos demais; distinto, ilustre *<um médico h.>* **4** que denota virtuosidade; casto *<uma família h.>*

honrar (hon.rar) *v.* {mod. 1} *t.d.* **1** dar crédito ou merecimento a *<foi um homem que honrou seu país>* **2** exaltar, glorificar *<h. o nome de sua família>* ↺ denegrir **3** manter-se fiel a (compromisso, promessa); cumprir **4** pagar, quitar (dívida) □ *t.d. e pron.* **5** tornar(-se) digno, nobre; engrandecer(-se) *<a generosidade do chefe muito o honrou> <honrou-se ao perdoar quem lhe causara mal>* **6** (fazer) sentir orgulho; orgulhar(-se) *<as atenções que recebia honravam o velho escritor> <honra-se em tê-lo a seu lado>* ↺ envergonhar(-se)

honraria (hon.ra.ri.a) *s.f.* **1** distinção num cargo **2** manifestação honrosa *<foi recebido com honrarias>* ◉ GRAM/USO nas duas acp., mais us. no pl.

honroso (hon.ro.so) /ô/ [pl. e fem.: /ó/] *adj.* **1** que enobrece, dignifica (diz-se esp. de gesto, atitude, dito) *<reconhecer os próprios erros é uma atitude h.>* **2** em que há respeito, consideração *<homenagem h.>* **3** honesto, sério ↺ desonesto **4** digno, decente *<uma saída h.>* ↺ indigno

hóquei (hó.quei) *s.m.* ESP jogo entre duas equipes, em gelo ou grama, em que um disco (gelo) ou bola (grama) deve ser impelido por bastões curvados na extremidade

hora (ho.ra) *s.f.* **1** segmento de tempo equivalente a 60 minutos [abrev.: *h*] **2** momento determinado do dia *<são duas h. em ponto>* **3** cada uma das pancadas ou badaladas dos relógios *<contou as h. dadas pelo relógio da sala>* **4** distância medida a partir do tempo gasto em locomoção *<a casa fica a três h. daqui>* **5** momento fixado para a realização de algo; horário *<esperava que o trem chegasse na h.>* **6** momento importante, muito esperado, privilegiado, ideal *<cada um tem a sua h.>* **7** ocasião, momento oportuno *<não é h. de reclamações>* ☞ cf. *ora* ▼ ***horas*** *s.f.pl.* **8** muito tempo *<ficar h. no banho>* ▣ **h. extra 1** período de tempo além do expediente normal **2** pagamento recebido por esse tempo de trabalho ☞ nesta acp., mais us. no pl. • **h. H 1** MIL hora referência em que terá início uma operação militar específica **2** *p.ext.* o momento oportuno • **em cima da h.** nos últimos instantes *<chegou em cima da h. do* show*>* • **fazer h.** ocupar o tempo enquanto se espera por alguém ou algo *<fez h. na livraria>* • **fazer h. com** *B infrm.* zombar de alguém *<deixe de fazer h. com a minha cara e conte o que aconteceu>* • **pela h. da morte** *infrm.* muito caro (diz-se de mercadoria)

horário (ho.rá.rio) *s.m.* **1** regulamento das horas e/ou dos dias de certos serviços ou atividades *<confira o h. do médico, por favor>* **2** tabela em que se registra esse regulamento *<quadro de horários>* **3** hora normal, prefixada *<o avião está no h.>* ■ *adj.* **4** relativo a horas(s) *<carga h.>* **5** que pode ser medido por hora ou que se percorre num intervalo de uma hora *<à velocidade de 80 km h.>* ▣ **h. de verão** horário adiantado em uma hora para aproveitar a duração maior da claridade diurna no verão • **h. nobre** RÁD TV período de maior audiência dos meios de comunicação de massa, cujos anúncios de publicidade têm os mais altos preços

horda (hor.da) *s.f.* **1** tribo de nômades **2** bando de desordeiros **3** *p.ext.* grupo grande de pessoas; multidão

horista (ho.ris.ta) *adj.2g.s.2g.* DIR *B* (empregado) que tem o salário computado em horas e não em dias

horizontal (ho.ri.zon.tal) [pl.: *-ais*] *adj.2g.* **1** situado em, relativo ou paralelo ao horizonte **2** que está estendido, deitado, nivelado *<desenhou um traço h.>* ■ *s.f.* **3** reta paralela ao horizonte ↺ vertical **4** *infrm.* posição de quem se encontra deitado ou reclinado *<o gato estava na h.>* ↺ vertical ~ **horizontalidade** *s.f.* - **horizontalizar** *v.t.d. e pron.*

horizonte (ho.ri.zon.te) *s.m.* **1** linha circular que limita o campo visual e na qual a terra ou o mar parecem unir-se ao céu **2** *p.ext.* campo de visibilidade de uma pessoa ao ar livre *<um h. amplo>* **3** *fig.* quadro geográfico, social, cultural que limita as ações ou aspirações de uma pessoa *<para ampliar seus h. veio para a cidade grande>* ☞ mais us. no pl. **4** dimensão do futuro de alguém ou de algo; perspectiva *<pessoa sem h.>* ☞ mais us. no pl. **5** *fig.* domínio circunscrito a uma área do saber, do pensamento ou de uma atividade do ser humano *<o h. das artes>* ☞ tb. us. no pl.

hormônio (hor.mô.nio) *s.m.* BIOQ substância química produzida pelos animais, que exerce um efeito fisiológico específico sobre o corpo

horóscopo (ho.rós.co.po) *s.m.* ASTRL **1** desenho da posição relativa dos astros no momento do nascimento de uma pessoa; mapa astral **2** previsão astrológica sobre a vida de alguém baseada nesse mapa *<lê seu h. todos os dias>*

horrendo (hor.ren.do) *adj.* **1** que apavora *<cena h.>* **2** muito feio; pavoroso *<vestido h.>* ↺ bonito **3** cruel, hediondo *<crime h.>* **4** que inspira aversão; abominável *<atitude h.>* ↺ louvável **5** excessivo, intolerável *<calor h.>* ↺ suportável

horribilíssimo (hor.ri.bi.lís.si.mo) *adj.* extremamente horrível ◉ GRAM/USO sup.abs.sint. de *horrível*

horripilante (hor.ri.pi.lan.te) *adj.2g.* **1** que provoca calafrio; arrepiante *<vento h.>* **2** que inspira medo; horrendo, pavoroso *<noite h.>*

horripilar (hor.ri.pi.lar) *v.* {mod. 1} *t.d. e pron.* **1** (fazer) sentir arrepios, calafrios; arrepiar(-se) *<raspar a unha na mesa horripila seus cabelos> <horripilava-se*

H

de frio> **2** (fazer) sentir horror, pavor; aterrorizar(-se) *<este filme horripila os espectadores> <horripilava-se ao ver uma aranha>* ~ **horripilação** *s.f.*

horrível (hor.rí.vel) [pl.: *-eis*] *adj.2g.* **1** muito ruim ou desagradável *<ideia h.>* **2** medonho, horrendo *<feições h.>* ↺ lindo **3** malvado, cruel, horrendo *<que pessoa h.!>* ↺ bondoso ◉ GRAM/USO sup.abs.sint.: *horribilíssimo*

horror (hor.ror) /ô/ [pl.: *-es*] *s.m.* **1** sentimento de nojo, aversão, ódio *<tinha h. a cobras>* **2** sentimento de profundo incômodo ou receio; medo, pavor *<h. ao escuro>* ↺ atração **3** crueldade *<o h. da tortura>* ▼ ***horrores*** *s.m.pl.* **4** coisas aterrorizantes, trágicas, macabras, violentas *<os h. da guerra>* **5** atos criminosos, repugnantes *<cometia h. em nome da lei>*

horrorizar (hor.ro.ri.zar) *v.* {mod. 1} *t.d.,int. e pron.* encher(-se) de horror, pânico; aterrorizar(-se) *<uma onda de crimes horroriza a cidade> <os preços das mercadorias estão de h.> <impossível não se h. diante de atitude tão cruel>*

horroroso (hor.ro.ro.so) /ô/ [pl. e fem.: /ó/] *adj.* **1** relativo a horror **2** horrendo **3** muito ruim ou desagradável; horrível *<comida com sabor h.>* ↺ ótimo

horta (hor.ta) *s.f.* terreno em que são cultivados esp. hortaliças e legumes ~ **hortense** *adj.2g.*

hortaliça (hor.ta.li.ça) *s.f.* erva ou legume cultivado em hortas e us. na alimentação

hortelã (hor.te.lã) *s.f.* **1** BOT erva aromática de sabor refrescante e cultivada como condimento; menta **2** a essência dessa erva. us. no preparo de xaropes, pastilhas etc., por suas propriedades aromáticas e medicinais

hortelão (hor.te.lão) [pl.: *-ões, -ãos*; fem.: *horteloa*] *s.m.* indivíduo que cuida de horta

hortênsia (hor.tên.sia) *s.f.* BOT pequeno arbusto de flores brancas, azuis ou róseas, mundialmente cultivado como ornamental

horticultor (hor.ti.cul.tor) /ô/ [pl.: *-es*] *adj.s.m.* (aquele) que se dedica a horticultura

horticultura (hor.ti.cul.tu.ra) *s.f.* arte ou técnica de cultivar hortas e jardins

hortifrutigranjeiro (hor.ti.fru.ti.gran.jei.ro) *adj.s.m. B* **1** (produto) de hortas, pomares e granjas ■ *adj.* **2** relativo a atividades exercidas em hortas, pomares e granjas

hortigranjeiro (hor.ti.gran.jei.ro) *adj.s.m.* **1** (produto) de hortas e granjas ■ *adj.* **2** relativo a atividades exercidas em hortas e granjas

horto (hor.to) /ô/ *s.m.* **1** área de cultivo de plantas ornamentais **2** terreno onde se cultivam plantas para experiência, distribuição, venda etc., em geral pertencente ao Estado *<h. municipal, florestal>*

hosana (ho.sa.na) *s.m.* **1** REL hino cantado nas cerimônias católicas no domingo que antecede a Semana Santa, chamado domingo do Ramos **2** REL ramo bento distribuído aos fiéis nesse domingo **3** cântico de louvor

hospedagem (hos.pe.da.gem) [pl.: *-ens*] *s.f.* **1** acolhimento de pessoas, com ou sem pagamento; abrigo **2** hospedaria

hospedar (hos.pe.dar) *v.* {mod. 1} *t.d. e pron.* dar ou receber hospedagem ou abrigo; alojar(-se) *<hospedou parentes durante o verão> <prefere h.-se em hotéis grandes>*

hospedaria (hos.pe.da.ri.a) *s.f.* estabelecimento onde se recebem hóspedes ger. mediante pagamento

hóspede (hós.pe.de) *s.2g.* indivíduo que se acomoda durante certo tempo em casa alheia, hotel etc.

hospedeiro (hos.pe.dei.ro) *adj.s.m.* **1** (o) que hospeda **2** ECO (organismo) que abriga e/ou nutre outro organismo, parasita ou não **3** MED (organismo) que recebeu um transplante de tecido ou órgão ■ *s.m.* **4** aquele que dá hospedagem ↺ hóspede **5** dono de hospedaria

hospício (hos.pí.cio) *s.m.* **1** hospital de alienados; manicômio **2** abrigo gratuito a pessoas pobres ou doentes; asilo

hospital (hos.pi.tal) [pl.: *-ais*] *s.m.* estabelecimento para internação e tratamento de doentes ou feridos

hospitalar (hos.pi.ta.lar) [pl.: *-es*] *adj.2g.* relativo a hospital ou a hospício

hospitaleiro (hos.pi.ta.lei.ro) *adj.s.m.* **1** que(m) oferece hospedagem por bondade ou caridade ■ *adj.* **2** que dá boa hospitalidade; acolhedor *<terra h.>* ↺ inóspito

hospitalidade (hos.pi.ta.li.da.de) *s.f.* comportamento cordial e de boa acolhida para com amigos, convidados ou pessoas em geral

hospitalizar (hos.pi.ta.li.zar) *v.* {mod. 1} *t.d. e pron.* (fazer) entrar como paciente em hospital; internar (-se) *<tiveram de h. o pai> <hospitalizou-se ontem>* ~ **hospitalização** *s.f.*

hoste (hos.te) *s.f.* **1** MIL força armada; tropa, exército **2** *fig.* bando, multidão

hóstia (hós.tia) *s.f.* REL no catolicismo, pequena rodela muito fina de pão sem fermento consagrada pelo padre e oferecida aos fiéis na comunhão

hostil (hos.til) [pl.: *-is*] *adj.2g.* **1** que manifesta inimizade *<multidão h.>* **2** que revela agressividade; intimidador *<falava aos outros de modo h.>* ↺ amável **3** pouco acolhedor *<recepção h.>* ↺ caloroso **4** adversário, contrário, desfavorável *<jornal h. ao governo>*

hostilidade (hos.ti.li.da.de) *s.f.* **1** comportamento pouco amistoso ou violento contra pessoas ou ideias *<nas reuniões de família, não conseguia disfarçar sua h.>* **2** ato hostil, de rivalidade, agressivo *<condenaram a h. entre os lutadores>* **3** POL MIL conjunto de operações de guerra ou que a antecedem (mais us. no pl.) *<as h. entre a Argentina e a Inglaterra>*

hostilização (hos.ti.li.za.ção) [pl.: *-ões*] *s.f.* ato ou efeito de hostilizar(-se); provocação

hostilizar (hos.ti.li.zar) *v.* {mod. 1} *t.d. e pron.* **1** tratar(-se) com agressividade ou inimizade; agredir (-se) *<nas ruas, o povo hostilizava as forças policiais> <são duas nações que se vêm hostilizando há décadas>* □ *t.d.* **2** não tratar bem, acolher mal *<metade dos funcionários hostilizaram o novo diretor>* **3** fazer guerra a, lutar contra *<a atual administração hostiliza os camelôs>*

hotel (ho.tel) [pl.: *-éis*] *s.m.* estabelecimento que fornece quartos, apartamentos, suítes mobiliados e, ger., refeições, entretenimentos e outros serviços

hotelaria (ho.te.la.ri.a) *s.f.* **1** rede de hotéis **2** setor de atividade que trata da exploração de hotéis *<escola de h.> <trabalha com h.>*

hoteleiro (ho.te.lei.ro) *s.m.* **1** proprietário ou gerente de hotel ■ *adj.* **2** relativo a hotel *<ramo h.>*

HPV [ing.] *s.m.* sigla de *papilomavírus humano*

Hs QUÍM símbolo de *hássio*

HTML [ing.] *s.m.* INF linguagem us. para criar documentos na internet com texto, imagem, som, vídeo e *links*

hulha (hu.lha) *s.f.* GEOL espécie de carvão mineral

hulheira (hu.lhei.ra) *s.f.* jazida ou mina de hulha

humanidade (hu.ma.ni.da.de) *s.f.* **1** conjunto de características específicas à natureza humana **2** sentimento de bondade e compaixão para com os semelhantes ↺ crueldade **3** o conjunto dos seres humanos ▼ ***humanidades*** *s.f.pl.* **4** estudos de literatura, história, filosofia

humanismo (hu.ma.nis.mo) *s.m.* corrente filosófica renascentista e inspirada na civilização greco-romana, que valorizava um maior conhecimento da cultura e da natureza humana

humanista (hu.ma.nis.ta) *adj.2g.* **1** referente a humanismo ■ *adj.2g.s.2g.* **2** simpatizante ou adepto do humanismo **3** que(m) é versado em humanidades

humanístico (hu.ma.nís.ti.co) *adj.* relativo a humanismo ou a humanista

humanitário (hu.ma.ni.tá.rio) *adj.s.m.* que(m) se dedica aos interesses da humanidade e à melhoria da condição humana ↺ egoísta

humanitarismo (hu.ma.ni.ta.ris.mo) *s.m.* **1** caridade, filantropia **2** amor à humanidade; solidariedade ↺ egoísmo

humanizar (hu.ma.ni.zar) *v.* {mod. 1} *t.d. e pron.* **1** (fazer) adquirir condição humana *<a fábula humaniza os animais>* *<quando o feitiço foi desfeito o sapo humanizou-se>* **2** tornar(-se) benévolo, tolerável, sensível *<h. um trabalho>* *<a cidade se humanizou com a criação de novos parques>* **3** tornar(-se) mais sociável, tratável; socializar(-se) *<h. um selvagem>* *<ele se humanizou na convivência de seus novos amigos>* ↺ embrutecer(-se)

humano (hu.ma.no) *adj.* **1** próprio do homem *<virtudes h.>* **2** composto por homens *<a raça h.>* **3** que mostra piedade, indulgência, compreensão *<patrão h.>* ↺ desalmado **4** que não é divino ■ *s.m.* **5** o homem ☞ nesta acp., mais us. no pl.

humificar (hu.mi.fi.car) *v.* {mod. 1} *t.d. e pron.* converter(-se) em humo *<processos químicos que humificam a matéria orgânica do solo>* *<resíduos vegetais que se humificam>* ~ **humificação** *s.f.*

humildade (hu.mil.da.de) *s.f.* **1** comportamento de quem não se sente superior, de quem não é orgulhoso **2** consciência das próprias limitações; modéstia ↺ arrogância **3** ausência de luxo; simplicidade *<vestia-se com h.>*

humilde (hu.mil.de) *adj.2g.* **1** que reconhece suas próprias limitações *<jogador h.>* **2** modesto, simples *<o verdadeiro sábio é h.>* ↺ arrogante **3** que expressa submissão *<modos h.>* ↺ desobediente **4** de pouca importância ou brilho; simples, sóbrio *<decoração h.>* ■ *adj.2g.s.2g.* **5** que(m) é desprovido de bens materiais ↺ rico

humilhação (hu.mi.lha.ção) [pl.: *-ões*] *s.f.* **1** submissão, falta de ânimo **2** rebaixamento moral *<não suportou a h. das duas derrotas>*

humilhante (hu.mi.lhan.te) *adj.2g.* que humilha; degradante

humilhar (hu.mi.lhar) *v.* {mod. 1} *t.d. e pron.* **1** (fazer) perder o valor, tratando(-se) com menosprezo, desdém; rebaixar(-se) *<h. um homem>* *<humilhou-se para voltar ao time>* ↺ valorizar(-se) **2** tornar(-se) humilde *<a falência humilhou-o>* ~ **humilhado** *adj.*

humo (hu.mo) *s.m.* ECO → ***HÚMUS***

humor (hu.mor) /ô/ [pl.: *-es*] *s.m.* **1** estado de espírito; temperamento *<rapaz de bom h.>* *<o passeio dependerá do h. de seu pai>* **2** graça, comicidade *<filme de h.>* ↺ seriedade **3** MED nome de vários fluidos existentes no corpo (bílis, sangue, linfa etc.)

humorismo (hu.mo.ris.mo) *s.m.* qualidade do que ou de quem é capaz de se expressar de forma cômica ou irônica ~ **humorístico** *adj.*

humorista (hu.mo.ris.ta) *adj.2g.s.2g.* que(m) manifesta humor no que diz, escreve, desenha etc.; que(m) é capaz de divertir os outros

húmus (hú.mus) *s.m.2n.* ou **humo** (hu.mo) *s.m.* ECO parte superior do solo composta de muita matéria orgânica, em sua maior parte vegetal, decomposta ou em decomposição

húngaro (hún.ga.ro) *s.m.* **1** natural ou habitante da Hungria (Europa) **2** LING idioma falado nesse país ■ *adj.* **3** relativo a esse país e a seu idioma

huno (hu.no) *adj.s.m.* (indivíduo) dos hunos, povo bárbaro e nômade da Ásia central

hurra (hur.ra) *interj.* expressa saudação, entusiasmo, felicitação, vitória; viva

hyperlink (hiper.link) [ing.] *s.m.* INTERN ver ***LINK*** ⇒ pronuncia-se raiper link

Hz símbolo de *hertz*

H

i *s.m.* **1** nona letra do nosso alfabeto, vogal ■ *n.ord.* *(adj.2g.2n.)* **2** diz-se do nono elemento de uma série *<casa I> <item 1i>* ☞ empr. após um substantivo ou numeral ◉ GRAM/USO na acp. s.m., pl.: *ii*

I QUÍM símbolo de *iodo*

[1]i- *pref.* → [1]*IN-*

[2]i- *pref.* → [2]*IN-*

-ia *suf.* **1** 'cargo, estabelecimento': *chefia, delegacia* **2** 'área de saber': *geografia, ortopedia, psicologia* **3** 'propriedade': *alegria*

iaiá (ia.iá) *s.f.* *B* tratamento que se dava às meninas e às moças, no tempo da escravidão; nhá

ialorixá (i.a.lo.ri.xá) *s.f.* REL *B* no candomblé, mulher responsável pela direção espiritual, administração do terreiro e pelo culto aos orixás; mãe de santo

ianomâmi (i.a.no.mâ.mi) *s.2g.* **1** indígena pertencente aos ianomâmis, povo indígena que habita a Venezuela e o nordeste da Amazônia ■ *s.m.* **2** língua falada por esse povo ■ *adj.2g.* **3** relativo a esse povo e a sua língua

ianque (i.an.que) *adj.2g.* **1** relativo aos Estados Unidos da América, à Nova Inglaterra (região dos Estados Unidos da América) ou ao norte dos Estados Unidos ■ *s.2g.* **2** natural ou habitante desse país ou dessas regiões

iara (i.a.ra) *s.f.* FOLC *B* mãe-d'água ('sereia')

iate (i.a.te) *s.m.* embarcação a vela ou a motor, para recreação ou regata, ger. de proa fina e médio porte

iatismo (i.a.tis.mo) *s.m.* esporte ou recreação com iate ~ **iatista** *adj.2g.s.2g.*

iavé (i.a.vé) *s.m.* → *JAVÉ*

Ibama (I.ba.ma) *s.m.* sigla de Instituto Brasileiro do Meio Ambiente e dos Recursos Naturais Renováveis

ibérico (i.bé.ri.co) *adj.* **1** da península Ibérica (Portugal e Espanha); ibero ■ *s.m.* **2** natural ou habitante dessa região

ibero (i.be.ro) *adj.* **1** da península Ibérica; ibérico ■ *s.m.* **2** indivíduo dos iberos, antigos habitantes da Ibéria; ibérico ☞ cf. *Ibéria* na parte enciclopédica **3** língua falada por esse povo

ibero-americano (i.be.ro-a.me.ri.ca.no) [pl.: *ibero--americanos*] *adj.s.m.* (indivíduo) dos povos americanos colonizados pelos países da península Ibérica

IBGE *s.m.* sigla de Instituto Brasileiro de Geografia e Estatística

ibidem (i.bi.dem) [lat.] *adv.* aí mesmo; no mesmo lugar (empr. em citações, com o sentido de 'na mesma obra, capítulo ou página') [abrev.: *ib.*] ⇒ pronuncia-se ibidem

ibope (i.bo.pe) *s.m.* **1** resultado de pesquisa de opinião pública us. em propaganda ou na venda de produtos **2** índice de audiência **3** *p.ext.* *infrm.* prestígio ◉ GRAM/USO caso de sigla (de Instituto Brasileiro de Opinião Pública e Estatística) que passou a ser empr. como palavra da língua comum

-icar *suf.* 'repetição, pouca intensidade': *namoricar, bebericar*

içar (i.çar) *v.* {mod. 1} *t.d.* **1** puxar para cima; levantar *<i. uma âncora>* ↺ baixar □ *t.d.* e *pron.* *fig.* **2** (fazer) subir; elevar(-se) *<i. uma pipa> <icei-me para dentro de um ônibus>* ↺ descer ~ **içamento** *s.m.*

-ice *suf.* 'qualidade, modo de ser': *chatice, criancice, tolice*

iceberg (ice.berg) [ing.; pl.: *icebergs*] *s.m.* grande massa de gelo flutuante que se desprendeu de uma geleira polar ⇒ pronuncia-se aisberg

-icho *suf.* 'diminuição': *rabicho*

-ície *suf.* 'qualidade, modo de ser': *calvície, planície*

-ício *suf.* 'relação': *alimentício, patrício*

ICMS *s.m.* ECON sigla de *imposto sobre circulação de mercadorias e serviços*

-ico *suf.* 'diminuição': *burrico, namorico*

-́ico *suf.* 'relação': *básico, biológico, cirúrgico, eufórico, mágico*

-iço *suf.* 'passividade': *movediço, quebradiço*

ícone (í.co.ne) *s.m.* **1** nas igrejas orientais, representação de um santo ou cena sagrada em pintura sobre madeira, ger. recoberta de um metal precioso e pedrarias **2** *fig.* pessoa ou coisa que simboliza seu grupo, seu tempo etc. *<Picasso é o í. da pintura abstrata>* **3** símbolo feito para lembrar determinada coisa (p.ex., o desenho de uma faca e um garfo cruzados indica a proximidade de um restaurante) **4** em sistema operacional ou programa de computador com interface gráfica, figura que representa objeto, operação ou *link*

iconoclasta (i.co.no.clas.ta) *adj.2g.s.2g.* **1** que(m) destrói imagens sagradas ou se opõe à sua veneração **2** que(m) destrói obras de arte, monumentos etc. **3** que(m) se opõe a qualquer tradição ou crença estabelecida ~ **iconoclasmo** *s.m.* - **iconoclastia** *s.f.*

iconografia (i.co.no.gra.fi.a) *s.f.* **1** estudo e descrição de representações figuradas **2** tratado descritivo de imagens, pinturas, medalhas etc. **3** conjunto de ilustrações de obra ou gênero de arte, de artista, de período artístico *<i. cristã>* ◉ COL iconoteca ~ **iconográfico** *adj.* - **iconógrafo** *s.m.*

iconoscópio (i.co.nos.có.pio) *s.m.* ELETRÔN tubo de raios us. em televisão, que converte uma imagem óptica numa sequência de impulsos elétricos

icosaedro (i.co.sa.e.dro) *s.m.* GEOM poliedro de 20 faces

icoságono (i.co.sá.go.no) *s.m.* GEOM polígono de 20 lados

icterícia (ic.te.rí.cia) *s.f.* MED coloração amarelada da pele e olhos resultante de presença anormal de bílis no sangue ~ **ictérico** *adj.*

ictiologia (ic.ti.o.lo.gi.a) *s.f.* ZOO parte da zoologia que estuda os peixes ~ **ictiológico** *adj.* - **ictiologista** *adj.2g.s.2g.*

-ida *suf.* 'ação ou resultado da ação': *mordida, saída*

ida (i.da) *s.f.* **1** movimento de ir-se; partida ↺ volta **2** trajeto que termina onde ou quando tem início o retorno ao ponto de partida *<a volta cansou mais do que a i.>* ↺ vinda

-idade *suf.* equivale a *-dade*

idade (i.da.de) *s.f.* **1** o tempo de vida decorrido desde o nascimento até uma determinada data **2** duração total da vida *<a média de i. do brasileiro>* **3** época; tempo *<a i. juvenil, escolar>* **4** período marcado por fato ou descoberta importante, ou por um grau de evolução; era **5** período histórico ou pré-histórico ▣ **I. Média** HIST período da História que se estende da queda do Império Romano, no sV, até a queda de Constantinopla (1453) • **terceira i.** último terço da vida; velhice

ideal (i.de.al) [pl.: *-ais*] *adj.2g.* **1** que só existe no pensamento *<uma paisagem i.>* ↺ real **2** perfeito, maravilhoso *<vida i.>* ↺ imperfeito ■ *s.m.* **3** alvo da mais alta aspiração *<seu i. é paz e amor>* **4** perfeição suprema *<um i. de beleza>* **5** a solução perfeita *<o i. seria irmos todos juntos>* ~ **idealidade** *s.f.*

idealismo (i.de.a.lis.mo) *s.m.* **1** FIL teoria filosófica que reduz o mundo ao pensamento e às suas representações ↺ realismo **2** atitude de espírito ou tipo de caráter em que prevalecem os sentimentos e a busca por ideais ↺ materialismo **3** teoria ou prática artística que defende o valor maior da imaginação sobre a cópia fiel da natureza ↺ realismo

idealista (i.de.a.lis.ta) *adj.2g.* **1** relativo a idealismo ('teoria filosófica') ↺ realista ■ *adj.2g.s.2g.* **2** partidário do idealismo ('teoria filosófica') ↺ realista **3** que(m) age movido por ideais ↺ realista **4** que(m) põe os ideais à frente das considerações práticas ~ **idealístico** *adj.*

idealizar (i.de.a.li.zar) *v.* {mod. 1} *t.d. e pron.* **1** imaginar(-se) de maneira ideal *<um pintor que idealiza os modelos>* *<idealiza-se ao falar de si mesma>* □ *t.d.* **2** criar na mente; imaginar, fantasiar *<idealizava um futuro diferente para os filhos>* **3** planejar, projetar *<i. uma campanha publicitária>* ~ **idealização** *s.f.*

idear (i.de.ar) *v.* {mod. 5} *t.d.* **1** criar na imaginação; idealizar, fantasiar **2** planejar, projetar ~ **ideação** *s.f.*

ideário (i.de.á.rio) *s.m.* conjunto das ideias principais de um autor, de uma doutrina, movimento, agremiação, partido etc.

ideia (i.dei.a) /éi/ *s.f.* **1** representação mental de algo **2** conhecimento, informação, noção *<não tenho i. do horário do passeio>* **3** plano, propósito *<ia sair, mas mudei de i.>* **4** descoberta, invenção *<ela teve uma boa i. para o presente do professor>* **5** mente, pensamento *<o plano não lhe sai da i.>* **6** *B infrm.* cabeça ▣ **i. fixa** ideia repetitiva e obsessiva que se mantém na mente de uma pessoa, podendo fazê-la perder o senso de realidade ▼ ***ideias*** *s.f.pl.* **7** conjunto de opiniões *<i. avançadas>*

idem (i.dem) [lat.] *pron.dem.* o mesmo [abrev.: *id.*] ⇒ pronuncia-se idem

idêntico (i.dên.ti.co) *adj.* **1** que em nada difere de outro ou de outros *<gêmeos i.>* ↺ diferente **2** imutável, inalterável *<sentimentos que continuam i.>* ↺ inconstante **3** análogo, semelhante *<agilidade i. à dos macacos>* ↺ diferente

identidade (i.den.ti.da.de) *s.f.* **1** conjunto das características próprias e exclusivas de um indivíduo **2** consciência da própria personalidade *<crise de i.>* **3** o que faz que uma coisa seja da mesma natureza que outra *<i. de pensamentos>* ↺ diferença **4** estado do que fica sempre igual *<a i. das impressões digitais revelaram o assassino>* ↺ diferença **5** documento de identificação

identificação (i.den.ti.fi.ca.ção) [pl.: *-ões*] *s.f.* **1** ato ou efeito de identificar(-se) **2** documento comprobatório de identidade

identificar (i.den.ti.fi.car) *v.* {mod. 1} *t.d.,t.d.i. e pron.* **1** (prep. *a, com*) tornar(-se) idêntico a; igualar(-se) *<a morte identifica pobres e ricos>* *<foi infeliz até desistir de i. o real ao ideal>* *<o filho identificou-se com o pai>* □ *t.d.* **2** determinar a identidade de; reconhecer *<i. um cadáver>* **3** tornar conhecido *<o modo de vestir identifica o turista>* □ *pron.* **4** comprovar a própria identidade **5** (prep. *com*) partilhar das ideias ou sentimentos (de) *<i.-se com o conservadorismo>*

ideograma (i.de.o.gra.ma) *s.m.* **1** imagem que representa uma ideia ou um objeto e não uma letra ou som **2** sinal que exprime o conceito e não os sons da palavra que representa esse conceito

ideologia (i.de.o.lo.gi.a) *s.f.* **1** ciência das ideias **2** conjunto de ideias, crenças, tradições, princípios e mitos, sustentados por um indivíduo ou grupo social, de uma época, de uma sociedade ~ **ideológico** *adj.* - **ideólogo** *s.m.*

idílico (i.dí.li.co) *adj.* **1** relativo a idílio **2** *p.ext.* fantasioso, sonhador ↺ real ☞ cf. *edílico*

idílio (i.dí.lio) *s.m.* **1** LIT poema lírico com temas ligados ao campo **2** amor terno e delicado **3** relação entre namorados **4** produto da fantasia; devaneio, utopia ↺ realidade

idioma (i.di.o.ma) *s.m.* a língua de um povo ou de uma comunidade

idiomático (i.di.o.má.ti.co) *adj.* peculiar a determinado idioma *<expressão i.>*

idiomatismo (i.di.o.ma.tis.mo) *s.m.* LING idiotismo ('construção')

idiossincrasia (i.di.os.sin.cra.si.a) *s.f.* **1** MED predisposição particular do organismo que faz com que um indivíduo reaja de maneira pessoal a alimentos, medicamentos etc. **2** comportamento peculiar de um indivíduo ou de um grupo ~ **idiossincrásico** *adj.* - **idiossincrático** *adj.*

idiota (i.di.o.ta) *adj.2g.s.2g.* **1** que(m) não tem inteligência ou bom senso; tolo, estúpido ↺ inteligente ■ *adj.2g.* **2** sem interesse, sem sentido *<livro, trabalho i.>* ↺ interessante ~ **idiotizar** *v.t.d.,int. e pron.*

idiotice (i.di.o.ti.ce) *s.f.* pensamento, ação, frase ou coisa estúpida, pouco inteligente, tola

idiotismo (i.di.o.tis.mo) *s.m.* **1** comportamento de pessoa idiota **2** LING construção peculiar a uma determinada língua, que não se encontra na maioria dos outros idiomas; idiomatismo

ido (i.do) *adj.* **1** que foi ou se foi; passado ▼ ***idos*** *s.m.pl.* **2** tempos passados *<nos i. de 1930>*

idolatrar (i.do.la.trar) *v.* {mod. 1} *t.d.* **1** prestar culto a; adorar □ *t.d. e pron. fig.* **2** amar(-se), admirar(-se) com exagero *<é um filho que idolatra os pais> <aquela mulher se idolatra>* ~ **idólatra** *adj.2g.s.2g.*

idolatria (i.do.la.tri.a) *s.f.* **1** culto que se presta a ídolos ↺ desadoração **2** *fig.* admiração excessiva ↺ indiferença ~ **idolátrico** *adj.*

ídolo (í.do.lo) *s.m.* **1** imagem adorada como se fosse a própria divindade **2** *fig.* pessoa ou coisa intensamente admirada

idôneo (i.dô.neo) *adj.* **1** adequado, que convém perfeitamente *<elementos i. para formar uma opinião>* ↺ inapropriado **2** confiável, honesto *<fiador i.>* ↺ suspeito **3** apto, capaz *<pessoa i.>* ↺ incompetente ~ **idoneidade** *s.f.*

idoso (i.do.so) /ô/ [pl. e fem.: /ó/] *adj.s.m.* (pessoa) que tem muitos anos de vida; velho, ancião ↺ jovem

-ificar *suf.* → ***-FICAR***

igapó (i.ga.pó) *s.m.* AMAZ região da floresta amazônica que permanece alagada mesmo na estiagem dos rios ◉ COL igapozal

igarapé (i.ga.ra.pé) *s.m.* AMAZ **1** riacho que nasce na mata e desemboca num rio **2** canal estreito e navegável, situado entre duas ilhas de rio ou entre uma ilha de rio e a terra firme

iglu (i.glu) *s.m.* habitação feita de blocos de gelo pelos esquimós

ignaro (ig.na.ro) *adj.* **1** ignorante, inculto *<pessoas i.>* ↺ culto **2** desconhecedor *<i. da verdade>* ↺ conhecedor **3** não mais lembrado, esquecido *<i. das passadas mudanças>* **4** que não é conhecido; ignorado *<índios i.>* ■ *adj.s.m.* **5** que(m) é estúpido, idiota

ígneo (íg.neo) *adj.* **1** relativo a fogo *<características í.>* **2** que é de fogo ou semelhante a ele *<cabelo í.>* **3** produzido ou resultante da ação do fogo **4** *fig.* ardente, entusiasmado *<temperamento í.>* ↺ frio **5** GEOL diz-se de rocha ou mineral formado pela solidificação do magma; magmático

ignição (ig.ni.ção) [pl.: *-ões*] *s.f.* **1** processo ou meio que inflama material combustível **2** estado de substâncias em combustão

ignóbil (ig.nó.bil) [pl.: *-eis*] *adj.2g.* **1** de caráter vil, baixo *<bandido i.>* ↺ nobre **2** que causa repugnância; hediondo *<quadro i.>* ~ **ignobilidade** *s.f.*

ignomínia (ig.no.mí.nia) *s.f.* **1** grande desonra infligida por um julgamento público *<o pobre homem se viu exposto à i.>* **2** ação que desonra, envergonha, ou o seu efeito

ignominioso (ig.no.mi.ni.o.so) /ô/ [pl. e fem.: /ó/] *adj.* **1** que causa desonra *<castigo i.>* ↺ glorioso **2** que provoca horror, vergonha *<a miséria é i.>*

ignorância (ig.no.rân.cia) *s.f.* **1** estado daquele que ignora algo *<afogou-se por i. do perigo>* ↺ conhecimento **2** estado daquele que não tem conhecimentos, cultura ↺ instrução **3** grosseria, incivilidade *<tratou as visitas com i.>* ↺ delicadeza

ignorante (ig.no.ran.te) *adj.2g.s.2g.* **1** que(m) desconhece a existência de algo ↺ conhecedor **2** que(m) não tem instrução *<ser (uma pessoa) i. para ocupar o cargo>* ↺ erudito **3** mal-educado, grosseiro ↺ civilizado

ignorar (ig.no.rar) *v.* {mod. 1} *t.d.* **1** não ter conhecimento de; desconhecer *<ignoro quem seja ela>* ↺ saber **2** não levar em conta; desconsiderar *<ignorou minha opinião>* **3** não saber por falta de experiência, prática *<i. uma técnica nova>* **4** ser destituído de; não ter *<boa alma, ignora o ódio>* ↺ possuir **5** tratar com indiferença; desprezar *<i. o vizinho>*

ignoto (ig.no.to) /ó *ou* ô/ *adj.s.m.* (o) que é desconhecido ↺ conhecido

IGP-M *s.m.* sigla de índice geral de preços do mercado

igreja (i.gre.ja) /ê/ *s.f.* **1** prédio ou espaço no qual se realizam cerimônias religiosas **2** cada grupo religioso dentro do cristianismo (p.ex., evangélicos, católicos, batistas) que segue seu próprio credo, suas liturgias, seu corpo de ministros, sacerdotes ☞ inicial maiúsc. **3** a autoridade eclesiástica *<o governo ouvirá o pronunciamento da I.>* ☞ inicial maiúsc. **4** *fig.* grupo ou área de atividade na qual se partilha uma mesma opinião ou estilo *<esses dois políticos não se pautam pela mesma i.>*

igual (i.gual) [pl.: *-ais*] *adj.2g.* **1** que, numa comparação, não apresenta diferença quantitativa ou qualitativa *<dividir em partes i.>* *<combater com armas i.>* ↺ diferente **2** equivalente; uniforme *<os dias transcorriam i.>* ↺ diferente **3** plano, liso *<superfície i.>* ↺ irregular ■ *s.2g.* **4** indivíduo da mesma categoria, nível *<buscar a companhia dos seus i.>* ■ *adv.* **5** sem distinção, da mesma forma *<ele trata todo mundo i.>* ▣ **de i. para i.** como se fosse do mesmo nível social, hierárquico etc. *<ele fala com os grandes figurões de i. a i.>* • **sem i.** único em seu gênero; singular, ímpar *<vivem numa felicidade sem i.>*

igualar (i.gua.lar) *v.* {mod. 1} *t.d.,t.d.i. e pron.* **1** (prep. *a*) tornar(-se) igual em quantidade ou qualidade; equiparar(-se) *<i. equações>* *<i. a oferta à procura>* *<após as chuvas, a safra do milho igualou-se às dos últimos anos>* □ *t.d.,t.i.,t.d.i. e pron.* **2** (prep. *a*, *com*, *em*) tornar(-se) igual qualitativamente; ombrear(-se), nivelar(se) *<a morte iguala todos os homens>* *<nenhum outro aluno na sala lhe igualava em inteligência>* *<o destino o igualou com os que o perseguiam>* *<as duas irmãs se igualam em beleza>* □ *t.d.* **3** tornar plano, liso; nivelar *<i. uma superfície>* ~ **igualação** *s.f.*

igualdade (i.gual.da.de) *s.f.* **1** fato de não apresentar diferença quantitativa *<i. de salário>* ↺ diferença **2** MAT relação existente entre duas grandezas iguais ↺ desigualdade **3** característica do que é proporcional, uniforme, equivalente *<i. de oportunidades>* **4** princípio segundo o qual todos os homens são submetidos à lei e gozam dos mesmos direitos e obrigações **5** estado de uma superfície plana *<i. de um terreno>* ↺ desnivelamento

igualha (i.gua.lha) *s.f.* identidade de posição social ou na maneira de ser *<o patife encontra um comparsa de sua i.>*

igualitarismo (i.gua.li.ta.ris.mo) *s.m.* teoria que sustenta a igualdade absoluta entre as pessoas ~ **igualitário** *adj.s.m.* - **igualitarista** *adj.2g.s.2g.*

iguana (i.gua.na) *s.f.* ZOO nome comum de lagartos encontrados do México ao Brasil, conhecidos como camaleões

iguanídeo (i.gua.ní.deo) *s.m.* ZOO **1** espécime dos iguanídeos, família de lagartos, terrestres, arborícolas ou marinhos, ger. com longas pernas, cristas dorsais e barbelas ■ *adj.* **2** relativo a essa família

iguaria (i.gua.ri.a) *s.f.* **1** comida delicada e/ou apetitosa **2** *p.ext.* qualquer comida preparada ◉ COL bufê

ih *interj.* exprime espanto, ironia, admiração ou sensação de perigo *<ih! lá vem ele!>*

iídiche (i.í.di.che) *adj.s.m.* LING (língua germânica) da comunidade judaica da Europa oriental e central

-il *suf.* 'relação': *febril, servil*

ilação (i.la.ção) [pl.: *-ões*] *s.f.* ato ou efeito de chegar a uma conclusão; inferência, dedução

ilativo (i.la.ti.vo) *adj.* que vem por intuição (diz-se do conhecimento)

ilegal (i.le.gal) [pl.: *-ais*] *adj.2g.* que é contrário às leis; ilícito ↺ legal, lícito

ilegalidade (i.le.ga.li.da.de) *s.f.* **1** característica do que é contrário às leis *<a i. de um contrato>* **2** estado ou situação de quem viola as disposições da lei *<viver na i.>* **3** ato que infringe as leis *<a cobrança de juros muito altos é uma i.>*

ilegítimo (i.le.gí.ti.mo) *adj.* **1** que não satisfaz as condições legais ↺ legítimo **2** sem justificativa *<tese i.>* ↺ legítimo ■ *adj.s.m.* **3** (filho) bastardo ↺ legítimo ~ **ilegitimidade** *s.f.*

ilegível (i.le.gí.vel) [pl.: *-eis*] *adj.2g.* que não se pode ler ou que é de difícil leitura *<letra i.>* *<texto i.>* ↺ legível ~ **ilegibilidade** *s.f.*

íleo (í.leo) *s.m.* ANAT parte terminal do intestino delgado, localizada entre o jejuno e a primeira porção do intestino grosso

ileso (i.le.so) /é *ou* ê/ *adj.* sem lesão ou ferimento *<sair i. de um acidente>* ↺ leso

iletrado (i.le.tra.do) *adj.s.m.* **1** que(m) não tem cultura literária ↺ letrado **2** que(m) não sabe ler nem escrever; analfabeto ↺ alfabetizado

ilha (i.lha) *s.f.* **1** GEO porção de terra cercada de água **2** *B* calçada us. para proteção aos pedestres e para separar as mãos de direção do trânsito ◉ GRAM/USO dim.irreg.: *ilhota* e *ilhéu* ◉ COL arquipélago

ilhado (i.lha.do) *adj.* que se ilhou; isolado *<ilhados pela cheia, os animais refugiaram-se nos montes>*

-ilhar *suf.* 'repetição, pouca intensidade': *dedilhar*

ilhar (i.lhar) *v.* {mod. 1} *t.d. e pron.* (fazer) ficar incomunicável, distante do mundo, como uma ilha; isolar(-se) *<a enchente ilhou a população ribeirinha>* *<ilhou-se num mosteiro>*

ilharga (i.lhar.ga) *s.f.* cada um dos lados do corpo humano por cima dos quadris ☞ freq. empr. no pl.

ilhéu (i.lhéu) *s.2g.* **1** pequena ilha **2** rochedo no meio do mar ■ *adj.* **3** relativo a ilha; insular, insulano ■ *s.m.* **4** natural ou habitante de ilha; insular, insulano ☞ nesta acp., fem.: *ilhoa* ◉ GRAM/USO dim. irreg. de *ilha*

-ilho *suf.* 'diminuição': *espartilho, vidrilho*

ilhó (i.lhó) *s.2g.* **1** orifício por onde se enfia cordão ou fita **2** aro, ger. de metal, para debruar esse orifício

ilhós (i.lhós) *s.2g.2n.* ilhó ◉ GRAM/USO tb. aceita o pl. *ilhoses*

ilhota (i.lho.ta) *s.f.* pequena ilha; ilhéu ◉ GRAM/USO dim.irreg. de *ilha*

ilíaco (i.lí.a.co) *s.m.* ANAT **1** ver *osso do quadril* ■ *adj.* **2** relativo a ou próprio desse osso **3** relativo à bacia, aos flancos

ilibar (i.li.bar) *v.* {mod. 1} *t.d.* **1** tornar puro, sem mancha; purificar **2** restituir a estima de; reabilitar *<i. um rapaz injustamente acusado>* ~ **ilibação** *s.f.*

ilícito (i.lí.ci.to) *adj.* **1** proibido, ilegal *<usar de meios i.>* ↺ lícito ■ *s.m.* **2** o que não é legal ou moral *<o i. penal>* ↺ lícito

ilicitude (i.li.ci.tu.de) *s.f.* ato ilegal; ilícito

ilimitado (i.li.mi.ta.do) *adj.* **1** sem limite(s) ou que parece não tê-lo(s) ↺ limitado **2** que não pode ou é difícil de ser calculado *<reservas i.>* **3** cujo término não foi fixado *<greve por prazo i.>* ↺ definido

ilógico (i.ló.gi.co) *adj.* que não tem lógica; absurdo ↺ lógico ~ **ilogicidade** *s.f.* - **ilogismo** *s.m.*

iludir (i.lu.dir) *v.* {mod. 24} *t.d. e pron.* **1** (fazer) cair em ilusão; enganar(-se) *<i. os sentidos> <preferia i.-se a aceitar a realidade>* **2** (fazer) sentir frustração; decepcionar(-se) *<a moça iludiu a boa-fé do rapaz> <é um homem que não se ilude>* □ *t.d.* **3** usar truques para não cumprir; burlar *<i. a lei>* **4** tornar mais suportável ou mais brando; amenizar *<tenta i. o calor com muitos banhos>*

iluminação (i.lu.mi.na.ção) [pl.: *-ões*] *s.f.* **1** irradiação de luz que torna algo claro ou visível *<i. natural> <as velas forneciam i. ao ambiente>* **2** abastecimento de luz em recinto, rua etc. *<viela sem i.>* **3** CINE TEAT TV técnica de iluminar um cenário ou um ambiente qualquer de modo a criar neste, por meio de variações e efeitos de luz, o clima adequado à cena **4** *fig.* conjunto de conhecimentos; saber ↺ ignorância **5** *fig.* inspiração que esclarece algo que era de difícil compreensão *<em súbita i., encontrou a solução que buscava>*

iluminado (i.lu.mi.na.do) *adj.* **1** que se iluminou; que recebe ou recebeu luz ou iluminação *<recinto i.>* **2** *fig.* dotado de saber, de conhecimentos; instruído *<mentes i.>*

iluminador (i.lu.mi.na.dor) /ô/ [pl.: *-es*] *adj.s.m.* **1** (o) que ilumina *<foco i.> <i. de texto>* **2** CINE TEAT TV especialista em iluminação

iluminar (i.lu.mi.nar) *v.* {mod. 1} *t.d. e pron.* **1** encher (-se) de luz, tornando(-se) claro *<relâmpagos iluminavam o horizonte> <acendeu a lâmpada, e a sala iluminou-se>* **2** ornamentar com luzes ou aparecer iluminado *<iluminaram a praça magnificamente> <a roda-gigante iluminou-se de repente>* **3** *fig.* tornar(-se) instruído, esclarecido; ilustrar(-se) *<i. os alunos era a única ambição do professor> <sua mente iluminou-se por meio da leitura>* **4** *fig.* (fazer) ficar claro como a luz; abrilhantar(-se) *<sua presença iluminava a casa> <seu semblante iluminou-se ao vê-la>*

iluminismo (i.lu.mi.nis.mo) *s.m.* FIL movimento intelectual do sXVIII, caracterizado pela centralidade da ciência e da racionalidade ☞ inicial maiúsc. ~ **iluminista** *adj.2g.s.2g.*

iluminura (i.lu.mi.nu.ra) *s.f.* **1** arte medieval de ilustrar manuscritos e livros com desenhos, arabescos, miniaturas etc. de cores vivas **2** a pintura assim realizada

ilusão (i.lu.são) [pl.: *-ões*] *s.f.* **1** conceito, imagem ou representação que não corresponde à realidade, formados na imaginação ou causados por engano dos sentidos **2** produto da imaginação; devaneio *<achou ter ouvido sua voz, mas foi i.>* **3** efeito artístico que dá a impressão de realidade *<espetáculo de i.>* **4** logro, mentira ↺ verdade **5** decepção, desilusão *<i. amorosa>*

ilusionismo (i.lu.sio.nis.mo) *s.m.* arte de criar ilusão por meio de artifícios e truques; prestidigitação

ilusionista (i.lu.sio.nis.ta) *adj.2g.s.2g.* (aquele) que faz truques de prestidigitação, que pratica o ilusionismo

ilusório (i.lu.só.rio) *adj.* **1** que produz ilusão ou tende a iludir; enganoso *<esperança i.>* ↺ verdadeiro **2** que se situa no nível do sonho; irreal, falso ↺ real

ilustração (i.lus.tra.ção) [pl.: *-ões*] *s.f.* **1** desenho, gravura, imagem que acompanha um texto, livro etc. **2** conjunto de conhecimentos; instrução, saber *<professor de grande i.>* ↺ desconhecimento **3** qualidade do que é ilustre; renome *<mestres citados por sua i.>* ↺ obscuridade **4** esclarecimento por meio de explicações; comentário *<usar um exemplo como recurso de i.>*

ilustrador (i.lus.tra.dor) /ô/ [pl.: *-es*] *adj.* **1** que serve de ilustração; ilustrativo *<gráfico i.>* ■ *adj.s.m.* **2** (artista) que faz ilustrações (desenhos, estampas etc.) para textos

ilustrar (i.lus.trar) *v.* {mod. 1} *t.d.* **1** fazer ilustrações para (livro, texto etc.) **2** tornar compreensível; explicar *<i. uma teoria>* **3** servir de exemplo; demonstrar *<esse filme ilustra uma bela história de vida>* □ *t.d. e pron.* **4** (fazer) adquirir glória, celebridade; glorificar(-se) *<o ânimo no combate ilustra os soldados> <o capitão ilustrou-se em batalhas memoráveis>* **5** transmitir ou adquirir conhecimentos; instruir(-se) *<programas educativos ilustram as crianças> <ilustra-se com a leitura diária>* ↺ emburrecer

ilustrativo (i.lus.tra.ti.vo) *adj.* **1** que adorna texto com figura *<informação i.>* **2** elucidativo, esclarecedor *<texto i.>*

ilustre (i.lus.tre) *adj.2g.* **1** que se distingue pelo brilhantismo; célebre *<cientista i.>* ↺ desacreditado **2** conhecido, famoso *<pianista i.>* ↺ obscuro **3** fidalgo, nobre *<família i.>* ◉ GRAM/USO sup.abs.sint.: *ilustríssimo*

ilustríssimo (i.lus.trís.si.mo) *adj.* **1** muito ilustre **2** tratamento cerimonioso, esp. em cartas [abrev.: *Ilmo.* ou *Il.*^{mo}] ☞ inicial maiúsc. ◉ GRAM/USO sup.abs. sint. de *ilustre*

[1]**im-** *pref.* → [1]*IN-*

[2]**im-** *pref.* → [2]*IN-*

-im *suf.* 'diminuição': *folhetim, selim*

imã (i.mã) ou **imame** (i.ma.me) *s.m.* **1** sacerdote muçulmano que dirige as preces numa mesquita **2** título de certos soberanos muçulmanos, esp. do Iêmen

ímã (í.mã) *s.m.* material capaz de atrair o ferro e outras substâncias metálicas; magneto

imaculado (i.ma.cu.la.do) *adj.* **1** que não tem pecado ↺ maculado **2** puro, inocente *<candura i.>* ↺ impuro **3** sem mancha; limpo ↺ sujo

imagem (i.ma.gem) [pl.: *-ens*] *s.f.* **1** representação visível de um ser ou objeto por meios artísticos ou técnicos *<i. desenhada, gravada, esculpida>* **2** cena, quadro *<i. urbanas>* **3** reprodução visual por reflexo *<i. no espelho>* **4** *fig.* réplica, retrato *<é a i. do pai>* **5** *fig.* conceito de que uma pessoa goza junto a outras *<teve a i. abalada pelo escândalo>* ◉ COL iconografia, iconoteca

imaginação (i.ma.gi.na.ção) [pl.: *-ões*] *s.f.* **1** faculdade que a mente possui de representar imagens **2** faculdade de criar a partir da combinação de ideias; criatividade *<a i. do cientista>* **3** *p.ext.* criação artística *<a fabulosa i. de Machado de Assis>* **4** obra criada pela fantasia; mentira *<aquela história é pura i.>* ↺ verdade

imaginar (i.ma.gi.nar) *v.* {mod. 1} *t.d.* **1** formar (imagem mental) a partir de algo que não está presente ou não é real; inventar *<i. a travessia do oceano>* □ *t.d. e pron.* **2** representar(-se) na mente; visualizar (-se) *<i. um vestido descrito> <i.-se na pele de outrem>* □ *t.d.,t.d.pred. e pron.* **3** ter certa ideia sobre; julgar(-se), presumir(-se) *<i. que tudo será melhor> <imaginava-o um bom homem> <i.-se superior a todos>*

I

imaginária (i.ma.gi.ná.ria) *s.f.* **1** conjunto de figuras, de imagens **2** estudo tipológico das imagens religiosas de santos e cenas bíblicas

imaginário (i.ma.gi.ná.rio) *adj.* **1** que não é real; fictício *<perigo i.>* ↺ verdadeiro ■ *s.m.* **2** o que pertence ao domínio da imaginação **3** reunião de características e símbolos da vida de um povo, uma nação etc. *<o i. brasileiro é muito rico>*

imaginativo (i.ma.gi.na.ti.vo) *adj.s.m.* **1** que(m) tem muita imaginação ■ *adj.* **2** que devaneia; sonhador

imaginoso (i.ma.gi.no.so) /ô/ [pl. e fem.: /ó/] *adj.s.m.* **1** que(m) tem muita imaginação; imaginativo ■ *adj.* **2** repleto de imagens fantasiosas ou poéticas *<relato i.>* ↺ real **3** fabuloso, inverossímil *<história i.>* ↺ acreditável

imago (i.ma.go) *s.m.* ZOO fase adulta ou estágio reprodutor de um inseto

imame (i.ma.me) *s.m.* → ***IMÃ***

I

imanente (i.ma.nen.te) *adj.2g.* que está inseparavelmente contido na natureza de um ser, de uma experiência ou de um conceito; inerente ↺ extrínseco cf. *emanente* ~ ***imanência*** *s.f.*

imantar (i.man.tar) *v.* {mod. 1} *t.d.* conferir a (metal) propriedades do ímã; magnetizar ~ **imantação** *s.f.*

imarcescível (i.mar.ces.cí.vel) [pl.: *-eis*] *adj.2g.* **1** que não perde o viço, o frescor *<flor i.>* **2** *fig.* impossível de se corromper; incorruptível, inalterável *<amor i.>* ~ **imarcescibilidade** *s.f.*

imaterial (i.ma.te.ri.al) [pl.: *-ais*] *adj.2g.s.m.* (o) que não é material, que não tem existência palpável ↺ material ~ **imaterialidade** *s.f.* - **imaterializar** *v.t.d. e pron.*

imaterialismo (i.ma.te.ri.a.lis.mo) *s.m.* FIL teoria filosófica que nega a existência da matéria e reduz a realidade aos espíritos e suas representações ~ **imaterialista** *adj.2g.s.2g.*

imaturidade (i.ma.tu.ri.da.de) *s.f.* **1** falta de maturidade **2** *p.ext.* característica atribuída a pessoa adulta de quem se espera um comportamento mais maduro

imaturo (i.ma.tu.ro) *adj.* **1** que não está amadurecido *<fruto i.>* ↺ maduro **2** precoce, prematuro *<feto i.>* ↺ tardio ■ *adj.s.m.* **3** que(m) não demonstra maturidade psicológica ou que(m) a demonstra em grau menor do que o esperado ↺ maduro

imbatível (im.ba.tí.vel) [pl.: *-eis*] *adj.2g.* que não se pode derrotar; invencível ↺ vencível

imbaúba (im.ba.ú.ba) *s.f.* → ***EMBAÚBA***

imbecil (im.be.cil) [pl.: *-is*] *adj.2g.s.2g.* que(m) tem inteligência curta ou pouco juízo; idiota, tolo ~ **imbecilidade** *s.f.*

imbecilizar (im.be.ci.li.zar) *v.* {mod. 1} *t.d. e pron.* (fazer) ficar imbecil

imberbe (im.ber.be) *adj.2g.s.2g.* **1** (o) que não tem barba ↺ barbado **2** jovem, iniciante ↺ maduro

imbricar (im.bri.car) *v.* {mod. 1} *t.d. e pron.* (prep. *em*) dispor(-se) [coisas] de maneira que fiquem parcialmente superpostas ~ **imbricação** *s.f.*

imbu (im.bu) *s.m.* → ***UMBU***

imbuia (im.bui.a) *s.f.* BOT árvore brasileira de até 30 m, cuja madeira é us. na marcenaria de luxo

imbuir (im.bu.ir) *v.* {mod. 26} *t.d.i. e pron.* **1** (prep. *em*) (fazer) ficar embebido de (líquido, perfume); impregnar(-se) *<i. compressas em água morna> <i.-se em perfumes>* □ *t.d.i. e pron. fig.* **2** (prep. *de*) [fazer] ser tomado por (ideia, sentimento); infundir(-se) *<imbuiu-o de ideias patrióticas> <i.-se da própria dignidade>*

imbuzeiro (im.bu.zei.ro) *s.m.* → ***UMBUZEIRO***

imediação (i.me.di.a.ção) [pl.: *-ões*] *s.f.* **1** fato ou ato de ser ou estar próximo a; proximidade ↺ distância **2** cercania, redondeza *<saiu para conhecer as i. da nova casa>* ☞ nesta acp., mais us. no pl.

imediatamente (i.me.di.a.ta.men.te) *adv.* **1** sem perda de tempo ou sem demora; de imediato *<venha cá i.>* **2** no mesmo instante *<reconheci-a i.>* **3** sem mediação de espaço *<estava sentado i. depois dela>*

imediatismo (i.me.di.a.tis.mo) *s.m.* **1** tendência a proceder de maneira direta, sem rodeios **2** tendência a agir visando a uma vantagem imediata, sem considerar as consequências ~ **imediatista** *adj.2g.s.2g.*

imediato (i.me.di.a.to) *adj.* **1** sem intermediário; direto *<contato i.>* ↺ mediato **2** que acontece sem intervalo; instantâneo *<resposta i.>* ↺ demorado **3** seguinte, contíguo (no espaço e no tempo) *<mudou-se para o assento i.> <partiu no dia i.>* ↺ anterior ■ *s.m.* **4** funcionário de categoria logo abaixo da do chefe

imemorável (i.me.mo.rá.vel) [pl.: *-eis*] *adj.2g.* de que não há, não pode ou não deve haver memória; imemorial ↺ memorável

imemorial (i.me.mo.ri.al) [pl.: *-ais*] *adj.2g.* **1** de que não há memória por ser muito antigo *<tempos i.>* **2** imemorável

imensidade (i.men.si.da.de) *s.f.* **1** grandeza ou extensão ilimitada; imensidão, vastidão *<a i. do mar>* **2** número imenso; imensidão, infinidade *<uma i. de peixes marinhos>* ↺ escassez

imensidão (i.men.si.dão) [pl.: *-ões*] *s.f.* imensidade

imenso (i.men.so) *adj.* **1** impossível de medir ou contar; desmedido *<multidão i.>* ↺ limitado **2** de grande tamanho; enorme *<quadros i.>* ↺ mínimo **3** de grande extensão; vasto *<oceano i.>* ↺ pequeno **4** em grande número; inúmero *<ter i. oportunidades>* **5** extraordinário, profundo *<teve um prazer i. em conhecê-la>* **6** *fig.* que causa espanto; fantástico *<talento i.>* ↺ comum **7** impossível de precisar ou definir; colossal *<saudade i.>*

imensurável (i.men.su.rá.vel) [pl.: *-eis*] *adj.2g.* que não se pode medir; ilimitado, incomensurável ↺ insignificante

imerecido (i.me.re.ci.do) *adj.* não merecido; injusto *<homenagem i.>* ↺ justo

imergir (i.mer.gir) *v.* {mod. 24} *t.d.,t.i.,t.d.i. e pron.* **1** (fazer) ficar total ou parcialmente coberto por (um líquido); mergulhar, afundar(-se), submergir *<i. o dedo inflamado (numa solução de iodo)> <i.(-se) lentamente no mar>* ↺ emergir □ *t.i. e pron. fig.* **2** entrar em; introduzir-se *<i.(-se) na mata cerrada>* ↺ emergir ◉ GRAM/USO part.: *imergido, imerso* /é/; ver QUADRO DE PARTICÍPIOS DUPLOS nas pp. iniciais ~ **imergente** *adj.2g.*

imersão (i.mer.são) [pl.: *-ões*] *s.f.* ato ou efeito de afundar em líquido; submersão ↺ emersão

imerso (i.mer.so) *adj.* **1** mergulhado, afundado, submerso ↺ emerso **2** *fig.* completamente absorvido *<estar i. nos pensamentos>* ⊛ GRAM/USO part. de *imergir*

imigração (i.mi.gra.ção) [pl.: *-ões*] *s.f.* **1** entrada de estrangeiros em um país, para trabalhar e/ou fixar residência, permanentemente ou não **2** estabelecimento de indivíduos em cidade, estado ou região de seu próprio país, que não a sua de origem **3** conjunto de indivíduos que imigram **4** o fluxo desses indivíduos *<época de intensa i.>* ☞ cf. *migração* e *emigração*

imigrante (i.mi.gran.te) *adj.2g.s.2g.* que(m) imigra ou imigrou ☞ cf. *migrante* e *emigrante*

imigrar (i.mi.grar) *v.* {mod. 1} *int.* **1** ir viver em país estrangeiro **2** *p.ext.* fixar residência em cidade, estado ou região de seu país, que não a sua de origem ☞ cf. *migrar* e *emigrar*

imigratório (i.mi.gra.tó.rio) *adj.* relativo a imigração ou a imigrante

iminência (i.mi.nên.cia) *s.f.* condição ou característica do que ocorrerá sem adiamento *<a i. de uma avalanche>* ☞ cf. *eminência*

iminente (i.mi.nen.te) *adj.2g.* que está prestes a ocorrer; próximo *<desabamento i.>* ☞ cf. *eminente*

imiscível (i.mis.cí.vel) [pl.: *-eis*] *adj.2g.* que não se mistura *<óleo e água são i.>* ↺ miscível

imiscuir-se (i.mis.cu.ir-se) *v.* {mod. 26} *pron.* **1** (prep. *em*) tomar parte ou dar opinião em (o que não lhe diz respeito); intrometer-se *<i.-se na vida dos outros>* **2** (prep. *em*) ligar-se intimamente; misturar-se *<i.-se na multidão>* ~ **imiscuição** *s.f.*

imitação (i.mi.ta.ção) [pl.: *-ões*] *s.f.* **1** reprodução exata de algo; imagem **2** cópia malfeita ou falsificada **3** plágio de obra artística, literária ou musical **4** representação das características de alguém *<fazer a i. de Grande Otelo>*

imitar (i.mi.tar) *v.* {mod. 1} *t.d.* **1** reproduzir ou tentar reproduzir fielmente (o que já existe ou suas características); arremedar, copiar *<i. um sotaque>* **2** ter como exemplo; copiar *<o aprendiz imita o mestre>* **3** produzir uma cópia de (algo) fazendo-a passar por verdadeira; falsificar *<i. uma assinatura>* **4** ter aparência de; assemelhar-se *<tecido imitando couro>* ~ **imitativo** *adj.* - **imitável** *adj.2g.*

IML *s.m.* sigla de Instituto Médico Legal

imobiliária (i.mo.bi.li.á.ria) *s.f. B* empresa que constrói, negocia com imóveis e/ou administra seu aluguel

imobiliário (i.mo.bi.li.á.rio) *adj.* **1** relativo a imóveis ■ *adj.s.m.* **2** (bem) imóvel por natureza ou por disposição legal ☞ mais us. no pl.

imobilidade (i.mo.bi.li.da.de) *s.f.* **1** ausência de movimento; inércia *<diante do perigo sua reação foi a i.>* ↺ mobilidade **2** *fig.* condição do que não muda *<o defeito do orador foi sua i. em um só assunto>* ↺ transformação **3** *fig.* impassibilidade, serenidade ↺ intranquilidade

imobilismo (i.mo.bi.lis.mo) *s.m.* **1** repúdio ao progresso **2** *p.ext.* atitude muito conservadora ~ **imobilista** *adj.2g.s.2g.*

imobilizar (i.mo.bi.li.zar) *v.* {mod. 1} *t.d. e pron.* **1** impedir ou cessar de se mover; parar *<o corte de energia imobilizou as máquinas>* *<sem gasolina, o motor imobilizou-se>* **2** (fazer) parar de progredir; estacionar, estagnar *<a corrupção pode i. um país>* *<a cidade se imobilizou quando a fábrica foi fechada>* □ *t.d.* **3** impedir a liberdade de movimentos de *<o lutador imobilizou o oponente>* **4** reduzir ou eliminar, para fins terapêuticos, o movimento de (corpo ou parte dele) *<levou o primo ao hospital para i. o braço luxado>* ~ **imobilização** *s.f.*

imoderação (i.mo.de.ra.ção) [pl.: *-ões*] *s.f.* falta de moderação; exagero ↺ comedimento

imodéstia (i.mo.dés.tia) *s.f.* **1** falta de simplicidade, de discrição ↺ modéstia **2** *p.ext.* vaidade, orgulho ↺ modéstia **3** *p.ext.* ausência de pudor ↺ decência ~ **imodesto** *adj.*

imolação (i.mo.la.ção) [pl.: *-ões*] *s.f.* **1** morte em sacrifício a uma divindade **2** *p.ext.* chacina, carnificina **3** *fig.* ato de sacrificar-se; renúncia ↺ egoísmo

I

imolar (i.mo.lar) *v.* {mod. 1} *t.d.,t.i.,t.d.i. e pron.* **1** (prep. *a*) matar em sacrifício à divindade *<i. uma vítima (aos ídolos)>* *<i. a divindades imaginárias>* *<Cristo imolou-se ao Pai>* □ *t.d.* **2** *p.ext.* sacrificar matando; massacrar *<a guerra imola inocentes>* □ *t.d.i. e pron. fig.* **3** (prep. *a*) renunciar a (algo) em benefício de; sacrificar(-se) *<imolou todos os interesses à causa do partido>* *<preferiu i.-se a ver a ruína da pessoa amada>*

imoral (i.mo.ral) [pl.: *-ais*] *adj.2g.* **1** contrário à moral *<livro i.>* *<conduta i.>* ■ *adj.2g.s.2g.* **2** (indivíduo) contrário à moral, às regras de conduta **3** *p.ext.* (o) que é contrário ao pudor, à decência; libertino, indecente ☞ cf. *amoral*

imoralidade (i.mo.ra.li.da.de) *s.f.* **1** coisa ou ato que contraria os bons costumes, a moral **2** violação ao pudor; indecência ↺ decência **3** prática de atos considerados corruptos ↺ moralidade

imorredouro (i.mor.re.dou.ro) *adj.* **1** que não morre; eterno, imortal ↺ mortal **2** *p.ext.* muito duradouro; constante *<a experiência i. de um bom livro>* ↺ inconstante **3** cuja lembrança é permanente *<exemplo i.>*

imortal (i.mor.tal) [pl.: *-ais*] *adj.2g.* **1** que não está sujeito à morte; perpétuo, eterno *<alma i.>* ↺ mortal **2** cuja lembrança sobreviverá, através dos tempos; imorredouro *<a obra i. de Fernando Pessoa>* ↺ imemorável ■ *s.2g.* **3** membro da Academia Brasileira de Letras ▼ ***imortais*** *s.2g.pl.* **4** os deuses do paganismo ~ **imortalidade** *s.f.*

imortalizar (i.mor.ta.li.zar) *v.* {mod. 1} *t.d.* **1** tornar imortal □ *t.d. e pron.* **2** (fazer) ficar marcado na memória dos homens; eternizar(-se) *<uma obra que imortaliza seu autor>* *<o Grito do Ipiranga imortalizou-se na história do Brasil>* ~ **imortalização** *s.f.*

imóvel (i.mó.vel) [pl.: *-eis*] *adj.2g.* **1** sem movimento; parado ↺ móvel **2** *fig.* que não muda; firme, inabalável *<i. mesmo em face dos piores riscos>* ↺ abalado ■ *s.m.* **3** bem fixo, que não se pode transportar (p.ex., terra, casa etc.) **4** *p.ext.* qualquer edificação

impaciência (im.pa.ci.ên.cia) *s.f.* **1** pressa em atingir algum objetivo; sofreguidão *<i. para chegar ao*

trabalho> ↺ calma **2** desassossego que impede o repouso; intranquilidade ↺ calma **3** estado de irritação; aborrecimento *<não aguento mais a sua i.>* ↺ paciência ☞ nesta acp., tb. us. no pl.

impacientar (im.pa.ci.en.tar) *v.* {mod. 1} *t.d. e pron.* (fazer) perder a paciência; irritar(-se) *<a longa espera impacienta os espectadores> <a mãe impacientava-se com a algazarra das crianças>* ↺ acalmar(-se)

impaciente (im.pa.ci.en.te) *adj.2g.* **1** que não se conforma em esperar *<i., saiu da fila antes de chegar a sua vez>* ↺ paciente **2** que se movimenta muito, que demonstra inquietação; inquieto, agitado *<alunos i.>* ↺ calmo **3** que se queixa ou se irrita à toa; rabugento *<seu pai já está velho e i.>* ↺ bem-humorado **~ impacientemente** *adv.*

impacto (im.pac.to) *s.m.* **1** colisão entre dois ou mais corpos; choque *<foi terrível o i. dos aviões>* **2** *fig.* impressão ou efeito fortes deixados por ação ou acontecimento *<sua morte teve forte i. na família>* **3** influência sobre alguém ou algo *<a queda do dólar teve i. no investimento>*

impagável (im.pa.gá.vel) [pl.: *-eis*] *adj.2g.* **1** que não se pode ou não se deve pagar *<dívida i.>* ↺ pagável **2** *fig.* inestimável, precioso *<conselhos i.>* ↺ ordinário **3** *fig.* muito engraçado *<um sujeito i.>*

impalpável (im.pal.pá.vel) [pl.: *-eis*] *adj.2g.s.m.* **1** (o) que não se pode apalpar **2** *p.ext.* (o) que não tem existência material; abstrato ↺ concreto **~ impalpabilidade** *s.f.*

impaludismo (im.pa.lu.dis.mo) *s.m.* MED malária

ímpar (ím.par) [pl.: *-es*] *adj.2g.s.m.* **1** (número) não divisível por dois ↺ par ■ *adj.2g.* **2** diz-se do elemento que, numa série, ocupa a posição de um número que não é par *<casa í.>* ↺ par **3** *fig.* que não tem par, único *<a bondade é í.>* **~ imparidade** *s.f.*

imparcial (im.par.ci.al) [pl.: *-ais*] *adj.2g.* **1** que não toma partido ao julgar *<juiz i.>* ↺ parcial **2** que não sacrifica a verdade ou a justiça por considerações particulares *<jornalismo i.>* ↺ parcial **~ imparcialidade** *s.f.*

impasse (im.pas.se) *s.m.* **1** situação aparentemente sem solução favorável *<as negociações chegaram a um i.>* **2** *p.ext.* embaraço, empecilho ↺ desimpedimento

impassível (im.pas.sí.vel) [pl.: *-eis*] *adj.2g.* **1** que não é passível de sofrer *<i. frente às dificuldades>* ↺ perturbado **2** que não tem ou não demonstra emoção, sentimento ou perturbação; imperturbável *<i. ao sofrimento alheio>* ↺ sensível **~ impassibilidade** *s.f.*

impatriótico (im.pa.tri.ó.ti.co) *adj.* que(m) não tem patriotismo ↺ patriótico

impávido (im.pá.vi.do) *adj.* corajoso, destemido, intrépido ↺ medroso **~ impavidez** *s.f.*

impeachment (im.peach.ment) [ing.; pl.: *impeachments*] *s.m.* **1** processo que apura denúncias de grave delito ou má conduta no exercício de função de altos funcionários do governo **2** a destituição do cargo resultante desse processo ⇒ pronuncia-se impitchment

impecável (im.pe.cá.vel) [pl.: *-eis*] *adj.2g.* **1** feito com muito cuidado, com perfeição *<desempenho i.>* ↺ malfeito **2** sem defeitos *<pessoa i.>* **~ impecabilidade** *s.f.*

impedimento (im.pe.di.men.to) *s.m.* **1** ato de impedir ou seu efeito *<i. de acesso>* **2** o que impede; obstáculo, estorvo *<ser i. para o início da cerimônia>* **3** circunstância legal que impossibilita a execução de um ato ou o exercício de uma função *<em seu i. o assessor imediato substituiu-o>* **4** FUTB falta cometida por um jogador de futebol que se encontra à frente da linha da bola e, ao receber um passe no campo de ataque, tem diante de si apenas um adversário, ger. o goleiro **5** ver ***IMPEACHMENT***

impedir (im.pe.dir) *v.* {mod. 28} *t.d. e t.d.i.* **1** (prep. *de*) tornar difícil ou impossível a ação de; dificultar, estorvar *<fizeram tudo para i. a assinatura do contrato> <o calor impedia-a de dormir>* ↺ facilitar **2** (prep. *de*) não permitir; proibir *<a família quis i. o casamento> <o que a impede de falar?>* ↺ deixar □ *t.d.* **3** bloquear, obstruir *<a árvore impedia o caminho>* ↺ liberar

impelir (im.pe.lir) *v.* {mod. 28} *t.d.* **1** fazer avançar à força; empurrar *<o vento impele o barco>* **2** lançar com força; atirar *<o arco impele a flecha>* □ *t.d. e t.d.i. fig.* **3** (prep. *a*) dar incentivo a; estimular *<impelia-o uma confiança cega> <o sofrimento impeliu-o a produzir grandes obras>* □ *t.d.i.* **4** (prep. *a*) forçar (alguém) [a fazer ou não algo]; coagir, obrigar *<dificuldades insuperáveis impeliram-no a renunciar>*

impenetrável (im.pe.ne.trá.vel) [pl.: *-eis*] *adj.2g.* **1** que não pode ser penetrado *<escudo i.>* **2** que não dá acesso ou que não permite a passagem *<reduto i.>* ↺ penetrável **3** *fig.* que não se pode compreender ou explicar *<raciocínio i.>* ↺ compreensível **4** *fig.* reservado, introvertido *<um rapaz calado e i.>* ↺ extrovertido **5** *fig.* insensível, frio *<coração i.>* ↺ caloroso **~ impenetrabilidade** *s.f.*

impenitência (im.pe.ni.tên.cia) *s.f.* **1** falta de arrependimento ↺ arrependimento **2** *p.ext.* persistência no erro

impenitente (im.pe.ni.ten.te) *adj.2g.* **1** que não mostra arrependimento ↺ arrependido **2** *p.ext.* que persiste no erro

impensado (im.pen.sa.do) *adj.* **1** em que não se pensou *<gesto i.>* ↺ refletido **2** que não se espera ou prevê; imprevisto *<efeito i.>* ↺ previsto

impensável (im.pen.sá.vel) [pl.: *-eis*] *adj.2g.* impossível de pensar; inimaginável, inconcebível *<matar o próprio filho é i.>*

imperador (im.pe.ra.dor) /ô/ [pl.: *-es*; fem.: *imperatriz*] *s.m.* monarca supremo de um império

imperar (im.pe.rar) *v.* {mod. 1} *int.* **1** exercer poder supremo; reinar *<D. Pedro II imperava com bom senso e moderação>* **2** ser predominante; dominar, prevalecer *<lá impera a alegria>* **~ imperante** *adj.2g.*

imperativo (im.pe.ra.ti.vo) *adj.* **1** autoritário; categórico *<tom i.>* **2** *p.ext.* que se impõe sem discussão possível; contundente *<força i. de seu argumento>* ↺ discutível **3** GRAM que indica ordem, pedido etc. (diz-se de modo verbal) ■ *s.m.* **4** ordem, mando, imposição **5** aquilo que se impõe por dever ou necessidade *<um i. de honra>* **6** GRAM modo imperativo

imperatriz (im.pe.ra.triz) [pl.: *-es*] *s.f.* **1** mulher que governa um império **2** esposa de imperador

imperceptível (im.per.cep.tí.vel) [pl.: *-eis*] *adj.2g.* **1** que não se pode perceber pelos sentidos *<ruído i.>* ↺ perceptível **2** *p.ext.* de pouca importância, insignificante *<erro i.>* ↺ importante **3** *fig.* difícil de apreender; sutil *<ironia i.>* ↺ perceptível ~ **imperceptibilidade** *s.f.* - **imperceptivelmente** *adv.*

imperdível (im.per.dí.vel) [pl.: *-eis*] *adj.2g.* **1** impossível de perder *<eleição i.>* **2** que não se pode deixar de ver, ter, sentir etc. *<um filme i.>*

imperdoável (im.per.do.á.vel) [pl.: *-eis*] *adj.2g.* que não se deve ou pode perdoar *<erro i.>*

imperecível (im.pe.re.cí.vel) [pl.: *-eis*] *adj.2g.* **1** que não perece; eterno, imortal ↺ efêmero **2** que dura muito tempo; duradouro *<lembrança i.>* ↺ passageiro

imperfeição (im.per.fei.ção) [pl.: *-ões*] *s.f.* **1** estado ou condição do que não é perfeito *<o mundo é cheio de imperfeições>* ↺ perfeição **2** defeito, falha *<uma saia com i. de corte>*

imperfeito (im.per.fei.to) *adj.* **1** que não está acabado; incompleto, inconcluso *<formação i.>* ↺ completo **2** defeituoso, malfeito, incorreto *<trabalho i.>* ↺ perfeito ■ *adj.s.m.* **3** GRAM (conjunto de tempos verbais) que indica, no passado, uma ação em processo de realização, incompleta

imperial (im.pe.ri.al) [pl.: *-ais*] *adj.2g.* **1** próprio de imperador, imperatriz ou império **2** *fig.* que apresenta magnificência; de qualidade superior; luxuoso *<recepção i.> <suíte i.>*

imperialismo (im.pe.ri.a.lis.mo) *s.m.* **1** governo ou autoridade em que a nação é um império **2** política de expansão e domínio econômico, político e cultural de uma nação sobre outras ~ **imperialista** *adj.2g.s.2g.*

imperícia (im.pe.rí.cia) *s.f.* falta de habilidade, experiência, competência ↺ perícia

império (im.pé.rio) *s.m.* **1** poder ou autoridade de um imperador ou de uma imperatriz **2** forma de governo monárquico, cujo soberano é o imperador ou a imperatriz **3** a nação assim governada e seus habitantes **4** unidade política que abarca vários territórios ou povos sob uma única autoridade soberana *<i. romano> <i. britânico>* **5** *p.ext.* autoridade, comando *<houve tempo em que os ingleses tinham o i. dos mares>* **6** *fig.* nação de grande porte *<o i. americano>* **7** *p.ext.* grande grupo econômico comandado por uma única pessoa física ou jurídica *<i. financeiro>*

imperioso (im.pe.ri.o.so) /ô/ [pl. e fem.: /ó/] *adj.* **1** que exige obediência; autoritário *<tom i.>* ↺ humilde **2** que demonstra arrogância; altivo, orgulhoso ↺ humilde **3** *fig.* muito forte, irresistível *<desejo i.>* **4** *fig.* urgente, premente *<pedido i.>* ~ **imperiosidade** *s.f.*

imperito (im.pe.ri.to) *adj.s.m.* **1** que(m) não sabe; ignorante ↺ conhecedor **2** que(m) é inábil ou imperfeito na sua profissão ou numa atividade ↺ perito **3** que(m) não tem prática ou vivência ↺ perito

impermeabilizante (im.per.me.a.bi.li.zan.te) *adj.2g.s.m.* (substância ou revestimento) us. para tornar uma superfície impermeável

impermeabilizar (im.per.me.a.bi.li.zar) *v.* {mod. 1} *t.d.* tornar impermeável (tecido, superfície etc.) ~ **impermeabilização** *s.f.*

impermeável (im.per.me.á.vel) [pl.: *-eis*] *adj.2g.* **1** impossível de ser penetrado por líquidos *<solo i.>* ↺ permeável **2** tratado para não ser atravessado pela água (diz-se, p.ex., de um tecido); impermeabilizado *<sofá com capa i.>* ↺ permeável **3** *fig.* que não se deixa penetrar; fechado *<homem i. a opiniões alheias>* ↺ aberto ~ **impermeabilidade** *s.f.*

imperscrutável (im.pers.cru.tá.vel) [pl.: *-eis*] *adj.2g.* que não se pode examinar ou investigar *<são i. os desígnios divinos>*

impersistente (im.per.sis.ten.te) *adj.2g.* que não tem persistência; inconstante ↺ constante, perseverante ~ **impersistência** *s.f.*

impertinência (im.per.ti.nên.cia) *s.f.* **1** atitude importuna; inconveniência ↺ consideração **2** falta de respeito; atrevimento, insolência ↺ respeito

impertinente (im.per.ti.nen.te) *adj.2g.* **1** que não se refere àquilo que se acha em questão; descabido *<pergunta i.>* ↺ apropriado ■ *adj.2g.s.2g.* **2** (o) que causa incômodo, desconforto *<uma dor i.>* **3** que(m) fala ou age de maneira desrespeitosa; atrevido *<passageiro i.>* ↺ respeitoso **4** que(m) demonstra mau gênio ou mau humor; rabugento ↺ simpático

imperturbável (im.per.tur.bá.vel) [pl.: *-eis*] *adj.2g.* **1** que não se perturba ↺ perturbável **2** que nada pode comover ou agitar; impassível ↺ perturbável ~ **imperturbabilidade** *s.f.*

impessoal (im.pes.so.al) [pl.: *-ais*] *adj.2g.* **1** que não pertence nem se refere a uma pessoa em particular *<regras i.>* ↺ pessoal **2** que não tem nenhum traço pessoal ou particular *<julgamento i.>* ↺ pessoal **3** GRAM que não possui sujeito (diz-se de frase, oração etc.) ~ **impessoalidade** *s.f.* - **impessoalizar** *v.t.d. e pron.*

impetigo (im.pe.ti.go) *s.m.* MED doença de pele contagiosa, causada por bactérias e caracterizada pela formação de pequenas pústulas que se alastram

ímpeto (ím.pe.to) *s.m.* **1** movimento repentino; impulso *<num í., ele se pôs de pé>* **2** força súbita e intensa; violência *<o í. das chamas>* ↺ fraqueza **3** *fig.* arrebatamento, entusiasmo *<o í. das paixões>* ↺ apatia **4** *fig.* poder de ação; dinamismo, energia *<o í. da juventude>* ↺ apatia

impetrar (im.pe.trar) *v.* {mod. 1} *t.d. e t.d.i.* **1** (prep. *a*) pedir de modo humilde e intenso; implorar *<jamais impetrara o seu perdão> <impetrava a Deus que o socorresse>* □ *t.d.* **2** requerer, solicitar (providência judicial) *<i. um* habeas corpus*>* ~ **impetração** *s.f.*

impetuoso (im.pe.tu.o.so) /ô/ [pl. e fem.: /ó/] *adj.* **1** que se move com rapidez e violência *<vento i.>* ↺ calmo **2** que revela ardor, violência *<comportamento i.>* ↺ calmo **3** que age de modo irrefletido; impulsivo *<jovem i.>* ↺ cuidadoso **4** *fig.* impossível de conter; fogoso *<paixão i.>* ↺ contido **5** *fig.* que se irrita facilmente; exaltado *<temperamento i.>* ↺ sereno ~ **impetuosidade** *s.f.*

impiedade (im.pi.e.da.de) *s.f.* **1** falta de respeito ao que é sagrado ↺ piedade **2** expressão dessa falta de respeito; blasfêmia, sacrilégio *<cometer impiedades>* ↺ piedade **3** ausência de compaixão; crueldade, desumanidade ↺ bondade

impiedoso (im.pi.e.do.so) /ô/ [pl. e fem.: /ó/] *adj.* **1** sem compaixão; desumano ↺ bondoso **2** difícil de suportar; duro *<destino i.>* ↺ agradável

impigem (im.pi.gem) [pl.: *-ens*] ou **impingem** (im.pin.gem) [pl.: *-ens*] *s.f.* MED nome vulgar de várias doenças de pele

impingir (im.pin.gir) *v.* {mod. 24} *t.d.i.* **1** (prep. *em*) dar com força; aplicar *<i. um tapa no enxerido>* **2** (prep. *a*) obrigar a aceitar (o que não deseja); impor *<impingiu uma rifa aos amigos>* **3** (prep. *a*) fazer (alguém) tomar (uma coisa por outra); enganar *<i. aos incautos gato por lebre>* **4** (prep. *a*) induzir a crer (no que não é verdade) *<impingiu uma desculpa esfarrapada ao patrão>*

impio (im.pi.o) *adj.s.m.* que(m) é desumano, cruel, bárbaro ↺ bondoso ◉ GRAM/USO sup.abs.sint.: *impiíssimo*

ímpio (ím.pio) *adj.s.m.* **1** que(m) não tem fé ou que(m) tem desprezo pela religião ↺ religioso **2** *p.ext.* que(m) ofende o que merece respeito ↺ respeitoso ■ *adj.* **3** que demonstra impiedade ◉ GRAM/USO sup.abs. sint.: *impiíssimo*

implacável (im.pla.cá.vel) [pl.: *-eis*] *adj.2g.* **1** que não é possível abrandar; inexorável *<fúria i.>* ↺ brando **2** incapaz de perdoar *<justiceiro i.>* ↺ piedoso **3** que não pode ser alterado; inflexível *<lógica i.>* ↺ flexível ~ **implacabilidade** *s.f.*

implantar (im.plan.tar) *v.* {mod. 1} *t.d.,t.d.i. e pron.* **1** (prep. *em*) plantar(-se) [uma coisa] em outra; enraizar(-se) *<a árvore finalmente implantou as raízes (no solo)>* *<grandes pés de bromélias implantavam-se entre as pedras>* **2** promover a inserção e o desenvolvimento (de); estabelecer(-se) *<i. um regime político>* *<os árabes por séculos implantaram-se na península Ibérica>* □ *t.d. e t.d.i.* **3** (prep. *em*) fazer implante de *<i. um dente (na arcada superior)>* ~ **implantação** *s.f.*

implante (im.plan.te) *s.m.* **1** ato de implantar(-se) ou seu efeito; implantação, introdução **2** MED material inserido ou enxertado em um corpo *<i. de cabelos>*

implementar (im.ple.men.tar) *v.* {mod. 1} *t.d.* **1** suprir de implementos **2** pôr em prática (um plano, projeto etc.) ~ **implementação** *s.f.*

implemento (im.ple.men.to) *s.m.* **1** o que é necessário para a execução de algo *<os implementos para desenho>* ☞ mais us. no pl. **2** *fig.* cumprimento de algo firmado anteriormente *<i. de lei, de contrato>*

implicação (im.pli.ca.ção) [pl.: *-ões*] *s.f.* **1** ato de implicar(-se) ou o seu efeito **2** o que se subentende *<sua oferta contém muito mais implicações do que aparenta>* **3** ordenação em sequência; encadeamento *<o bairro tem uma i. de ruas bem distribuídas>* **4** envolvimento, comprometimento *<i. em processo judicial>* **5** consequência; inferência *<o novo cargo traz novas i. para sua carreira>* **6** implicância (má vontade) ↺ simpatia

implicância (im.pli.cân.cia) *s.f.* **1** ato de implicar (-se) ou seu efeito **2** má vontade; birra, implicação ↺ simpatia **3** ato ou efeito de importunar com intuito de provocação; impertinência

implicante (im.pli.can.te) *adj.2g.s.2g.* **1** (o) que envolve contradição ou contrariedade **2** *infrm.* que(m) gosta de provocar aborrecimentos, de criar problemas ou de brigar

implicar (im.pli.car) *v.* {mod. 1} *t.d.i. e pron.* **1** (prep. *em*) [fazer] tomar parte em (situação, embaraço etc.); envolver(-se) *<o depoimento que prestou implicava-o na fraude>* *<ao dar ajuda ao assassino, implicou-se no crime>* □ *t.d. e pron.* **2** confundir(-se), embaraçar(-se) *<as notícias implicaram seu raciocínio>* *<i.-se com dúvidas>* □ *t.d.* **3** ter como consequência; acarretar *<uma decisão que poderia i. prejuízos futuros>* **4** dar a entender; presumir *<todos os passos do criminoso implicavam premeditação>* **5** tornar necessário; requerer, demandar *<o combate à corrupção implica a adoção de medidas drásticas>* ↺ dispensar □ *t.i.* **6** (prep. *com*) demonstrar antipatia ou prevenção contra; hostilizar *<i. com alguém sem motivo>* **7** (prep. *com*) tratar mal; aborrecer, importunar *<i. com os irmãozinhos>*

implícito (im.plí.ci.to) *adj.* que está subentendido *<cláusula i.>* ↺ explícito

implodir (im.plo.dir) *v.* {mod. 24} *t.d. e int.* provocar ou sofrer implosão *<a prefeitura implodiu o velho estádio de futebol>* *<o prédio implodiu em poucos segundos>*

implorar (im.plo.rar) *v.* {mod. 1} *t.d.,t.d.i. e int.* (prep. *a*) pedir com humildade e insistência; rogar *<i. ajuda>* *<implorou à mulher que o perdoasse>* *<se pedir não basta, então implore>* ~ **imploração** *s.f.*

implosão (im.plo.são) [pl.: *-ões*] *s.f.* série de explosões sucessivas cujo desmoronamento por elas causado tende a concentrar-se num ponto central ~ **implosivo** *adj.*

implume (im.plu.me) *adj.2g.* que não tem penas ou plumas *<ave i.>*

impolítico (im.po.lí.ti.co) *adj.* **1** em sentido oposto à política correta *<guerra i.>* ↺ político **2** que carece de habilidade *<declarações i.>* ↺ habilidoso **3** *fig.* que revela incivilidade; descortês ↺ polido ~ **impolítica** *s.f.*

impoluto (im.po.lu.to) *adj.* **1** puro, sem mancha *<branco i.>* ↺ manchado **2** *fig.* honesto, virtuoso ↺ imoral

imponderado (im.pon.de.ra.do) *adj.* irrefletido, precipitado *<palavras i.>* ↺ ponderado

imponderável (im.pon.de.rá.vel) [pl.: *-eis*] *adj.2g.* **1** que não se pode pesar *<partículas i.>* ↺ ponderável **2** *fig.* que não pode ser avaliado; impalpável *<argumentos i.>* ↺ ponderável ■ *adj.2g.s.m.* **3** (o) que não pode ser previsto *<fatores i.>* *<o i. de uma eleição>* ↺ ponderável ~ **imponderabilidade** *s.f.*

imponente (im.po.nen.te) *adj.2g.* **1** que causa admiração; majestoso *<uma vista i.>* ↺ insignificante **2** que impõe respeito, autoridade *<personalidade i.>* **3** arrogante, altivo *<ar i.>* ↺ humilde ~ **imponência** *s.f.*

impontual (im.pon.tu.al) [pl.: *-ais*] *adj.2g.* que não é pontual ↺ pontual

impontualidade (im.pon.tu.a.li.da.de) *s.f.* falta de pontualidade ↺ pontualidade

impopular (im.po.pu.lar) [pl.: *-es*] *adj.2g.* **1** que vai contra o desejo e as expectativas do povo *<medidas i.>* ↺ popular **2** que não agrada; antipático *<atriz i.>* ↺ popular ☞ cf. *antipopular* ~ **impopularidade** *s.f.*

impor (im.por) *v.* {mod. 23} *t.d.,t.d.i. e pron.* **1** (prep. *a*) tornar obrigatório ou indispensável (para); forçar (-se) <*i. uma obrigação*> <*o professor impôs um novo regime de trabalho aos alunos*> <*ela se impôs pesadas tarefas*> **2** (prep. *a*) [fazer] ser reconhecido, aceito, respeitado <*i. uma opinião (ao opositor)*> <*i.-se como professor*> ◻ *t.d. e t.d.i.* **3** (prep. *a*) fazer que apresente ao espírito (ideia, sentimento); inspirar <*i. admiração*> <*a sua figura impunha respeito a todos*> ◻ *t.d.i.* **4** (prep. *a*) conferir, dar <*impôs-lhe o nome do avô*> ◉ GRAM/USO part.: *imposto*

importação (im.por.ta.ção) [pl.: *-ões*] *s.f.* **1** entrada de produtos de outro estado, município ou região ↺ exportação **2** o conjunto desses produtos ↺ exportação

importador (im.por.ta.dor) /ô/ [pl.: *-es*] *adj.s.m.* (o) que traz produtos de outro país, estado ou município ou os revende

importadora (im.por.ta.do.ra) /ô/ *s.f. B* **1** empresa que faz importações **2** *infrm.* loja que comercializa produtos importados

importância (im.por.tân.cia) *s.f.* **1** qualidade ou característica do que é importante; valor, mérito <*obra de grande i.*> ↺ insignificância **2** prestígio, influência <*o cargo lhe confere i.*> ↺ descrédito **3** quantia ou valor em dinheiro <*levei a i. em notas de dez*>

importante (im.por.tan.te) *adj.2g.* **1** que tem grande valor <*contribuição i.*> ↺ insignificante **2** digno de consideração por ter autoridade, influência, prestígio <*pessoa i.*> ↺ desprestigiado **3** *B* necessário, básico, fundamental <*a higiene é i.*> ↺ dispensável **4** *B* curioso, interessante <*um detalhe i.*> ↺ desinteressante ■ *s.m.* **5** o que é essencial

importar (im.por.tar) *v.* {mod. 1} *t.d. e t.i.* **1** (prep. *em*) ter como resultado; causar, implicar <*a dissidência de uns poucos importou a discórdia geral*> <*as provocações do colega importaram numa briga lamentável*> ◻ *t.d.* **2** trazer em si; envolver <*o trabalho importa desafio*> ◻ *t.i.* **3** (prep. *em*) atingir (certa quantia) <*o total dos gastos importou em mil reais*> ◻ *t.i. e int.* **4** (prep. *para*) ter utilidade, proveito ou valor; interessar <*importa(-me) saber o que está acontecendo*> ◻ *pron.* **5** (prep. *com*) dar importância a <*não se importa com nada*> ◻ *t.d. e int.* **6** trazer de outro país, estado ou município <*i. mercadorias*> <*o governo queria i. menos e exportar mais*> ↺ exportar

importunar (im.por.tu.nar) *v.* {mod. 1} *t.d.* **1** molestar com pedidos insistentes <*vive importunando o amigo para que lhe consiga emprego*> **2** causar transtorno a; perturbar <*o telefone tocava a toda hora, importunando-o*> ◻ *t.d. e pron.* **3** enfadar(-se) pela insistência; aborrecer(-se) <*importunava-o o barulho das buzinas dos carros*> <*importunou-se com o ruído alto*> ~ **importunação** *s.f.*

imposição (im.po.si.ção) [pl.: *-ões*] *s.f.* **1** ação de impor, de obrigar alguém a fazer algo **2** ordem a que se tem que obedecer <*i. do pai*>

impositivo (im.po.si.ti.vo) *adj.* **1** que (se) impõe **2** que não se pode dispensar; necessário <*medidas i.*> **3** que demonstra arrogância; dominador <*personalidade i.*>

impossibilidade (im.pos.si.bi.li.da.de) *s.f.* característica do que não pode ser feito ou do que não pode acontecer <*é uma i. agradar a todos*> ↺ possibilidade

impossibilitar (im.pos.si.bi.li.tar) *v.* {mod. 1} *t.d.* **1** tornar impossível; impedir ↺ possibilitar ◻ *t.d.,t.d.i. e pron.* **2** (prep. *de*) tornar(-se) incapaz, inapto de; incapacitar(-se)

impossível (im.pos.sí.vel) [pl.: *-eis*] *adj.2g.s.m.* **1** (o) que não pode ser, existir ou acontecer <*é i. nascer um cavalo de uma galinha*> <*pedir o i.*> ↺ possível **2** (o) que é difícil de realizar ou conseguir <*nosso time conquistou uma vitória i.*> <*o i. às vezes acontece*> ↺ possível ■ *adj.2g.* **3** que não se combina com a realidade <*sonho i.*> ↺ possível **4** que se opõe à razão e ao bom senso; extravagante <*aventura i.*> **5** cuja realidade é difícil de suportar <*a vida tornou-se i. nesta cidade*> **6** *fig. B infrm.* teimoso, rebelde, levado <*criança i.*> ↺ obediente

impostar (im.pos.tar) *v.* {mod. 1} *t.d.* dar (o ator, o cantor etc.) colocação apropriada para (a voz), emitindo o som de forma clara e audível; empostar

impostergável (im.pos.ter.gá.vel) [pl.: *-eis*] *adj.2g.* que não se pode adiar; inadiável <*prazo i.*>

I

imposto (im.pos.to) /ô/ [pl. e fem.: /ó/] *adj.* **1** que se impôs; colocado ■ *s.m.* ECON **2** contribuição monetária paga ao Estado us. para a manutenção de suas atividades; tributo ◙ **i. de renda** ECON imposto cobrado pelo governo federal pela aquisição de renda [sigla: *IR*] • **i. direto** ECON imposto cobrado sobre a renda ou o patrimônio de pessoas ou empresas (p.ex., o imposto de renda) • **i. indireto** ECON imposto cobrado sobre transações (p.ex., o imposto sobre produtos industrializados) • **i. predial e territorial urbano** ECON imposto municipal pago pelo proprietário de bens imóveis urbanos [sigla: *IPTU*] • **i. sobre circulação de mercadorias e serviços** ECON imposto cobrado pelos estados e municípios sobre a compra e venda de mercadorias [sigla: *ICMS*] • **i. sobre operações financeiras** ECON imposto cobrado sobre operações de crédito, seguro, câmbio ou relativas a títulos e valores mobiliários [sigla: *IOF*] • **i. sobre produtos industrializados** ECON imposto cobrado pelo governo federal sobre o valor de produtos que passem por modificações industriais [sigla: *IPI*] • **i. sobre serviços** ECON imposto municipal cobrado sobre o valor de qualquer serviço prestado por empresa ou profissional autônomo [sigla: *ISS*] • **i. territorial rural** ECON imposto cobrado pelo governo federal pela propriedade de imóvel rural [sigla: *ITR*]

impostor (im.pos.tor) /ô/ [pl.: *-es*] *adj.s.m.* **1** que(m) se faz passar por outro **2** que(m) se aproveita da confiança do outro para enganar; mentiroso ↺ leal **3** que(m) não mostra seus verdadeiros sentimentos; fingido ↺ verdadeiro

impostura (im.pos.tu.ra) *s.f.* **1** ação de impostor **2** *p.ext.* mentira ardilosa; fraude, embuste **3** *p.ext.* característica do que é hipócrita; falsidade, fingimento

impotência (im.po.tên.cia) *s.f.* **1** falta de poder, de força ou de meios para realizar algo; impossibilidade <*i. para resolver um problema*> ↺ capacidade **2** incapacidade de realizar o ato sexual, no caso dos homens

impotente (im.po.ten.te) *adj.2g.s.m.* **1** (o) que não tem poder, força, meios para fazer algo **2** (indivíduo) sem potência sexual

impraticável (im.pra.ti.cá.vel) [pl.: *-eis*] *adj.2g.* **1** que não se pode pôr em prática ou em execução <*projeto i.*> ↺ executável **2** por onde não se pode ou é muito difícil passar (diz-se de caminho, estrada, rua ou rio) ↺ transitável ~ **impraticabilidade** *s.f.*

imprecar (im.pre.car) *v.* {mod. 1} *t.d.i.* **1** (prep. *a*) pedir a (Deus ou divindades) que recaia sobre alguém (males ou bens) <*imprecava aos céus que mandassem uma chuva benfazeja*> □ *t.d. e t.d.i.* **2** (prep. *a*) pedir com insistência; rogar <*a sua liberdade era tudo que imprecava*> <*imprecou às autoridades que lhe concedessem o direito de defesa*> □ *t.d.,t.i. e int.* **3** (prep. *contra*) rogar pragas a; praguejar <*"que os raios te fulminem", imprecou o desgraçado*> <*i. contra tudo e contra todos*> <*de tanto imprecares, o mal acaba voltando-se contra ti*> ~ **imprecação** *s.f.*

imprecisão (im.pre.ci.são) [pl.: *-ões*] *s.f.* caráter do que é impreciso; falta de precisão

impreciso (im.pre.ci.so) *adj.* **1** em que falta rigor, precisão <*descrição i.*> ↺ preciso **2** em que falta nitidez; vago, inexato <*lembranças i.*> ↺ nítido

I

impregnado (im.preg.na.do) *adj.* **1** que se impregnou; embebido, encharcado <*lenço i. de perfume*> **2** que se introduziu de forma gradual; infiltrado <*sala i. de cheiro de cigarro*> **3** *fig.* profundamente influenciado; imbuído <*i. de bons pensamentos*>

impregnar (im.preg.nar) *v.* {mod. 1} *t.d.,t.d.i. e pron.* **1** (prep. *de*) fazer(-se) penetrar (um corpo) de líquido; embeber(-se) <*uma chuva fina impregnava a terra*> <*i. de água uma esponja*> <*a madeira se impregnou de óleo*> **2** (prep. *de*) introduzir(-se) de forma gradual em; infiltrar(-se) <*um forte perfume impregnava a atmosfera*> <*i. o ambiente de fumaça*> <*impregnara-se do perfume da amada*> **3** *fig.* influenciar(-se) profundamente; imbuir(-se) <*o ódio foi impregnando-o (da ideia de vingança)*> <*impregnava-se de sentimentos novos*> ~ **impregnação** *s.f.*

imprensa (im.pren.sa) *s.f.* **1** JOR conjunto dos meios de divulgação de informação jornalística **2** JOR conjunto das publicações periódicas de um determinado lugar ou gênero <*i. esportiva*> **3** JOR *B* conjunto de jornalistas que fazem a cobertura de um evento <*lugar reservado para a i.*> **4** GRÁF máquina us. para imprimir e estampar; prelo, prensa

imprensar (im.pren.sar) *v.* {mod. 1} *t.d.* **1** apertar na prensa **2** *p.ext. infrm.* apertar muito <*a porta, ao fechar-se, imprensou-lhe o dedo*> **3** *fig. B infrm.* exigir de (alguém) atitude, decisão; pressionar <*imprensamos o impostor e ele desistiu de continuar mentindo*>

imprescindível (im.pres.cin.dí.vel) [pl.: *-eis*] *adj.2g.* que não se pode dispensar; indispensável ↺ dispensável

imprescritível (im.pres.cri.tí.vel) [pl.: *-eis*] *adj.2g.* que não prescreve <*crime i.*>

impressão (im.pres.são) [pl.: *-ões*] *s.f.* **1** ação de um corpo sobre outro **2** *p.ext.* a marca deixada por essa ação **3** *fig.* estado físico ou psicológico decorrente da influência de elementos externos <*não teve uma boa i. do ambiente*> **4** influência que fato, pessoa ou coisa exerce em alguém **5** ação de reproduzir letras, imagens etc. sobre um suporte de papel **6** *p.ext.* processo de transferência de sinais de um suporte para outro, sem que haja contato entre ambos <*i. a laser*> **7** *fig.* noção ou opinião vaga; palpite <*ter a i. de que algo não vai dar certo*> **8** *fig.* ponto de vista, opinião, comentário acerca de algo, fruto de um pensamento e/ou um sentimento <*qual é sua primeira i.?*> ☞ nesta acp., tb. us. no pl.

impressionante (im.pres.sio.nan.te) *adj.2g.* que impressiona <*um espetáculo i.*>

impressionar (im.pres.sio.nar) *v.* {mod. 1} *t.d.,int. e pron.* **1** causar ou receber impressão psicológica; abalar(-se) <*a doença do amigo impressionou-o muito*> <*a boa aparência impressiona favoravelmente*> <*impressiona-se com cenas de terror*> **2** chamar positivamente a atenção (de), deixando boa impressão <*impressionou-o o desempenho dos atores*> <*detalhe que impressiona à primeira vista*> <*impressionou-se com a paisagem exuberante*> □ *t.d.* **3** causar impressão material em <*o ferro quente impressionou o linho*>

impressionismo (im.pres.sio.nis.mo) *s.m.* movimento artístico, esp. na pintura, do final do sXIX, que valoriza impressões pessoais e sensoriais no lugar da realidade objetiva ~ **impressionista** *adj.2g.s.2g.*

impresso (im.pres.so) *adj.* **1** que se imprimiu <*dizeres i.*> <*saiu i. no* Diário Oficial> ■ *s.m.* **2** qualquer obra impressa (livro, folheto etc.) **3** formulário ◉ GRAM/USO part. de *imprimir*

impressor (im.pres.sor) /ô/ [pl.: *-es*] *adj.s.m.* **1** (o) que imprime **2** GRÁF (operário) que trabalha com o prelo **3** GRÁF que(m) é proprietário de oficina gráfica

impressora (im.pres.so.ra) /ô/ *s.f.* **1** máquina que imprime; prensa, prelo **2** INF dispositivo que reproduz, em papel ou outro meio, textos e imagens gerados por computador

imprestável (im.pres.tá.vel) [pl.: *-eis*] *adj.2g.* **1** que não tem utilidade; inútil ↺ útil ■ *adj.2g.s.2g.* **2** que(m) não é prestativo <*um criado i.*> <*trata-se de um i.*> ↺ atencioso ~ **imprestabilidade** *s.f.*

impreterível (im.pre.te.rí.vel) [pl.: *-eis*] *adj.2g.* **1** que não pode deixar de ser executado <*ordem i.*> ↺ desnecessário **2** que não pode ser ultrapassado (diz-se de prazo) ↺ adiável

imprevidência (im.pre.vi.dên.cia) *s.f.* falta de previsão; descuido ↺ cuidado

imprevidente (im.pre.vi.den.te) *adj.2g.s.2g.* descuidado, imprudente ↺ cauteloso

imprevisível (im.pre.vi.sí.vel) [pl.: *-eis*] *adj.2g.* **1** que não se pode prever <*um resultado i.*> ↺ previsível **2** eventual, casual <*circunstâncias i.*> ↺ usual ~ **imprevisibilidade** *s.f.*

imprevisto (im.pre.vis.to) *adj.s.m.* (o) que não foi previsto; inesperado ↺ esperado

imprimir (im.pri.mir) *v.* {mod. 24} *t.d. e pron.* **1** marcar ou ficar marcado (sinal, figura etc.) sobre algo, por meio de pressão <*i. com o sinete as próprias iniciais*> <*os passos imprimiam-se na areia*> □ *t.d.* **2** reproduzir (dizeres e/ou imagens) em um ou mais exemplares, marcando-os em papel ou outra superfície por meio de pressão exercida por máquina apropriada <*i. um cartão de visitas*> <*i. um jornal*> **3** publicar, divulgar <*i. na íntegra uma entrevista*> **4** reproduzir (dados ou arquivos de computador) em papel, ou suporte similar, por meio de impressora □ *t.d. e t.d.i. fig.* **5** (prep.

em) fazer penetrar; infundir, incutir *<sua presença imprime respeito> <ao mestre cabe i. bons exemplos em seus alunos>* □ *t.d.i. fig.* **6** (prep. *a*) dar certa feição a; comunicar, conferir *<i. modernidade a um recinto>* **7** (prep. *a*) comunicar (força, movimento) a *<i. velocidade a um veículo>* ◉ GRAM/USO part.: *imprimido, impresso* /é/; ver QUADRO DE PARTICÍPIOS DUPLOS nas pp. iniciais

improbidade (im.pro.bi.da.de) *s.f.* **1** falta de probidade; desonestidade ↺ honestidade **2** ação má; perversidade ↺ bondade

ímprobo (ím.pro.bo) *adj.s.m.* **1** que(m) não é probo, íntegro; desonesto ↺ íntegro ■ *adj.* **2** árduo, difícil *<trabalho í.>* ↺ fácil

improcedência (im.pro.ce.dên.cia) *s.f.* falta de justificação ou fundamento *<i. de uma denúncia>*

improcedente (im.pro.ce.den.te) *adj.2g.* **1** que não tem fundamento *<queixa i.>* ↺ convincente **2** que não tem lógica *<argumentos i.>* ↺ coerente

improdutivo (im.pro.du.ti.vo) *adj.* **1** que não produz; estéril *<terras i.>* ↺ fértil **2** que não dá resultado *<negócio i.>* ↺ vantajoso ~ **improdutividade** *s.f.*

improferível (im.pro.fe.rí.vel) [pl.: *-eis*] *adj.2g.* que não se pode ou deve proferir *<palavras i.>*

improfícuo (im.pro.fí.cuo) *adj.* **1** de que não resulta o que se esperava; inútil *<esforço i.>* ↺ profícuo **2** que não teve êxito; fracassado, vão ↺ proveitoso ~ **improficuidade** *s.f.*

impropério (im.pro.pé.rio) *s.m.* **1** ofensa proferida contra alguém; ultraje, insulto ↺ retratação **2** repreensão ↺ elogio

impróprio (im.pró.prio) *adj.* **1** que não serve para determinado uso; inadequado *<utensílio i.> <calçado i.>* ↺ adequado **2** não recomendável *<filme i. para menores>* ↺ apropriado **3** incorreto ↺ exato ~ **impropriedade** *s.f.*

improvável (im.pro.vá.vel) [pl.: *-eis*] *adj.2g.* **1** com pouca chance de ocorrer *<acontecimento i.>* ↺ garantido **2** que não se pode provar *<afirmação i.>* ↺ comprovável ~ **improbabilidade** *s.f.*

improvisar (im.pro.vi.sar) *v.* {mod. 1} *t.d.* **1** fazer, organizar às pressas *<i. um jantar>* **2** criar (objeto) com os recursos disponíveis *<improvisou um brinquedo com palitos de fósforos>* □ *t.d. e int.* **3** compor, falar na hora, sem preparo prévio *<i. um discurso> <sentou-se ao piano e pôs-se a i.>* □ *pron.* **4** desempenhar, por má-fé ou necessidade, papel ou função para que não se está habilitado *<na emergência, o atendente teve que i.-se em enfermeiro>* ~ **improvisação** *s.f.*

improviso (im.pro.vi.so) *s.m.* **1** o que é dito ou feito sem preparação *<recitou um i. em homenagem ao aniversariante>* ■ *adj.* **2** que se improvisou; repentino, imprevisto ↺ planejado ▣ **de i.** sem preparo prévio *<falar de i.>*

imprudência (im.pru.dên.cia) *s.f.* **1** falta de prudência; descuido ↺ cautela **2** ato ou dito imprudente *<cometer i. no trânsito>*

imprudente (im.pru.den.te) *adj.2g.s.2g.* que(m) não é prudente; descuidado ↺ cuidadoso, cauteloso

impúbere (im.pú.be.re) *adj.2g.s.2g.* **1** que(m) não chegou à puberdade ↺ púbere **2** DIR (menor) que não responde legalmente por seus atos ~ **impuberdade** *s.f.* - **impubescente** *adj.2g.s.2g.*

impudência (im.pu.dên.cia) *s.f.* **1** falta de vergonha, de pudor **2** ato ou dito impudente ↺ respeito

impudente (im.pu.den.te) *adj.2g.s.2g.* (o) que não tem pudor, vergonha ↺ pudico

impudico (im.pu.di.co) *adj.s.m.* que(m) não tem pudor ↺ pudico ~ **impudicícia** *s.f.*

impudor (im.pu.dor) /ô/ [pl.: *-es*] *s.m.* falta de pudor; impudência

impugnação (im.pug.na.ção) [pl.: *-ões*] *s.f.* ato de impugnar ou seu efeito; contestação, oposição *<i. de uma eleição>* ↺ aquiescência

impugnar (im.pug.nar) *v.* {mod. 1} *t.d.* **1** ser contrário a; opor-se, lutar *<i. uma ordem>* **2** contestar a validade de; refutar *<i. o resultado de uma votação>* ~ **impugnante** *adj.2g.s.2g.*

impulsionar (im.pul.sio.nar) *v.* {mod. 1} *t.d.* **1** fazer mover-se para a frente; empurrar, impelir *<i. um balanço>* □ *t.d. e t.d.i. fig.* **2** (prep. *a*) dar incentivo a; estimular, motivar *<i. as ciências>* ↺ desestimular ~ **impulsão** *s.f.*

impulsivo (im.pul.si.vo) *adj.* **1** que dá impulso ■ *adj.s.m.* **2** que(m) age por impulso, sem refletir ↺ ponderado

impulso (im.pul.so) *s.m.* **1** ato de impelir **2** força que aciona o movimento de um corpo **3** *fig.* estímulo que motiva o dinamismo de uma atividade; incentivo ↺ desestímulo **4** PSIC necessidade repentina e incontrolável de realizar uma ação ~ **impulsor** *adj.s.m.*

impune (im.pu.ne) *adj.2g.* sem punição *<crime i.> <delinquentes i.>* ↺ punido

impunidade (im.pu.ni.da.de) *s.f.* falta de punição

impureza (im.pu.re.za) /ê/ *s.f.* **1** falta de pureza **2** ausência de limpeza ↺ limpeza **3** aquilo que, por ser de natureza diversa, altera a pureza de uma substância *<tirar as i. do ouro>* **4** *fig.* falta de pudor, de castidade ↺ recato

impuro (im.pu.ro) *adj.* **1** que não é puro *<água i.>* ↺ puro **2** que contém sujeira *<ar i.>* ↺ limpo ■ *adj.s.m.* **3** que(m) é moralmente corrompido; impudico, devasso ↺ recatado

imputar (im.pu.tar) *v.* {mod. 1} *t.d.i.* **1** (prep. *a*) considerar responsável por (algo censurável); acusar *<imputaram ao réu crimes que jamais cometera>* **2** (prep. *a*) considerar causador, autor ou possuidor de; atribuir *<imputaram ao seu dinamismo o êxito do empreendimento>* □ *t.d.pred.* **3** classificar, qualificar *<imputaram como brilhante sua atuação no palco>* ~ **imputação** *s.f.* - **imputável** *adj.2g.*

imundice (i.mun.di.ce) *s.f.* imundícia

imundícia (i.mun.dí.cia) ou **imundície** (i.mun.dí.cie) *s.f.* **1** falta de limpeza ↺ asseio **2** sujeira, lixo

imundo (i.mun.do) *adj.* **1** cuja falta de limpeza causa repugnância *<acomodações i.>* ↺ limpo **2** que não respeita as regras do decoro; indecente *<um livro i.>* ↺ casto

imune (i.mu.ne) *adj.2g.* **1** que não se deixa atingir *<i. às más influências>* **2** resistente a agentes que causam doenças

imunidade (i.mu.ni.da.de) *s.f.* **1** conjunto das defesas de um organismo contra agentes que causam doenças **2** DIR privilégio concedido a uma pessoa durante o exercício de um cargo *<i. parlamentar>*

imunizar (i.mu.ni.zar) *v.* {mod. 1} *t.d. e t.d.i.* **1** (prep. *contra*) deixar imune a agentes patogênicos, doença infecciosa <*i. a população por meio de uma vacina*> <*i. uma criança contra a paralisia infantil*> □ *t.d.i. e pron. fig.* **2** (prep. *contra, de*) (fazer) ficar insensível a; proteger(-se) <*a experiência imunizou-o contra os aproveitadores*> <*imunizou-se enfim contra as agressões dos covardes*> ~ **imunização** *s.f.*

imunodeficiência (i.mu.no.de.fi.ci.ên.cia) *s.f.* MED diminuição da capacidade de defesa de um organismo

imunodeficiente (i.mu.no.de.fi.ci.en.te) *adj.2g.s.2g.* que(m) tem imunodeficiência

imunoglobulina (i.mu.no.glo.bu.li.na) *s.f.* BIOQ anticorpo do soro sanguíneo

imunologia (i.mu.no.lo.gi.a) *s.f.* MED estudo da imunidade dos organismos e sua aplicação na prevenção e tratamento de doenças ~ **imunológico** *adj.*

imunossistema (i.mu.nos.sis.te.ma) *s.m.* FISL mecanismo de imunização do organismo; sistema imunitário ~ **imunossistêmico** *adj.*

I

imunoterapia (i.mu.no.te.ra.pi.a) *s.f.* MED tratamento em que se estimula a imunidade do paciente

imutável (i.mu.tá.vel) [pl.: *-eis*] *adj.2g.* que não é passível de mudança; permanente, constante ↺ mutável, temporário ~ **imutabilidade** *s.f.*

[1]**in-**, [1]**i-** ou [1]**im-** *pref.* 'movimento para dentro': *imigrar, implantar, implosão, incursão, ingerir, irromper* ◉ ORIGEM do pref.lat. *in-* 'aproximação'

[2]**in-**, [2]**i-** ou [2]**im-** *pref.* 'negação': *ilegal, imperdoável, impossível, inativo, indiscreto, irracional* ◉ ORIGEM do pref.lat. *in-* 'privação, negação'

In QUÍM símbolo de [2]*índio*

inabalável (i.na.ba.lá.vel) [pl.: *-eis*] *adj.2g.* **1** fortemente apoiado; firme <*rocha i.*> ↺ instável **2** *fig.* que não cede; categórico <*decisão i.*> ↺ hesitante

inábil (i.ná.bil) [pl.: *-eis*] *adj.2g.* **1** que não tem habilidade ou destreza ↺ habilidoso **2** DIR que não está apto a realizar negócio com validade jurídica; incapaz ↺ capaz ~ **inabilidade** *s.f.*

inabilitar (i.na.bi.li.tar) *v.* {mod. 1} *t.d.,t.d.i. e pron.* **1** (prep. *para*) (fazer) ficar inábil, inapto para; incapacitar (-se) <*o acidente inabilitou-o*> <*os pés chatos inabilitaram-no para o serviço militar*> <*por descumprimento de prazo, inabilitou-se para o concurso*> ↺ habilitar(-se) □ *t.d.* **2** (prep. *em*) não aprovar em concurso, prova etc.; reprovar <*a banca examinadora inabilitou-o em História*>

inabitado (i.na.bi.ta.do) *adj.* não habitado; despovoado, deserto <*terras i.*> ↺ habitado

inabitável (i.na.bi.tá.vel) [pl.: *-eis*] *adj.2g.* não habitável; sem condições de ser habitado

inacabado (i.na.ca.ba.do) *adj.* que não está ou não foi acabado <*obra i.*> ↺ acabado

inação (i.na.ção) [pl.: *-ões*] *s.f.* **1** ausência de ação; inércia ↺ ação **2** *p.ext.* falta de decisão; hesitação ↺ definição **3** *fig.* fraqueza de ânimo, de energia ↺ vigor

inaceitável (i.na.cei.tá.vel) [pl.: *-eis*] *adj.2g.* que não se pode ou não se deve aceitar, admitir

inacessível (i.na.ces.sí.vel) [pl.: *-eis*] *adj.2g.* **1** que não oferece acesso <*pico i.*> **2** que não é possível entender; incompreensível <*tais conceitos são i. para mim*> **3** com quem é difícil entrar em acordo; intratável <*pessoa i.*> ↺ tratável ~ **inacessibilidade** *s.f.*

inacreditável (i.na.cre.di.tá.vel) [pl.: *-eis*] *adj.2g.* **1** que não merece crédito <*história i.*> ↺ verossímil **2** que não se pode explicar <*prazer i.*> **3** exagerado, desmedido <*beleza i.*> ↺ banal

inadequado (i.na.de.qua.do) *adj.* que não se adequou; impróprio, inconveniente ↺ adequado ~ **inadequação** *s.f.* - **inadequável** *adj.2g.*

inadiável (i.na.di.á.vel) [pl.: *-eis*] *adj.2g.* que não é possível ser adiado ↺ adiável

inadimplência (i.na.dim.plên.cia) *s.f.* DIR não cumprimento de uma obrigação ↺ adimplência

inadimplente (i.na.dim.plen.te) *adj.2g.s.2g.* **1** DIR que(m) não cumpre um contrato **2** *p.ext.* que(m) não paga suas dívidas

inadmissível (i.nad.mis.sí.vel) [pl.: *-eis*] *adj.2g.* que não se pode admitir; inaceitável

inadmitir (i.nad.mi.tir) *v.* {mod. 24} *t.d.* não admitir; proibir, vedar <*i. a entrada de alunos sem uniforme*> ↺ admitir, autorizar

inadvertência (i.nad.ver.tên.cia) *s.f.* falta de atenção, de cuidado; distração, descuido ↺ cuidado

inafiançável (i.na.fi.an.çá.vel) [pl.: *-eis*] *adj.2g.* **1** que não se pode afirmar com certeza **2** que não é passível de confiança **3** DIR que não admite liberdade por fiança <*crime i.*>

inalação (i.na.la.ção) [pl.: *-ões*] *s.f.* **1** absorção por inspiração **2** MED absorção de substâncias medicinais por via respiratória

inalador (i.na.la.dor) /ô/ [pl.: *-es*] *adj.* **1** que inala ■ *s.m.* **2** MED equipamento para se fazer inalação

inalante (i.na.lan.te) *adj.2g.* **1** que inala ou é inalado ■ *adj.2g.s.m.* **2** (medicamento) us. em inalações

inalar (i.na.lar) *v.* {mod. 1} *t.d.* absorver pelas vias respiratórias; aspirar <*i. gases tóxicos*>

inalienar (i.na.li.e.nar) *v.* {mod. 1} *t.d.* tornar indisponível para venda ou cessão <*i. uma propriedade*> ~ **inalienação** *s.f.*

inalienável (i.na.li.e.ná.vel) [pl.: *-eis*] *adj.2g.* que não pode ser vendido ou cedido <*bens i.*> ↺ alienável ~ **inalienabilidade** *s.f.*

inalterável (i.nal.te.rá.vel) [pl.: *-eis*] *adj.2g.* **1** que não se pode alterar ↺ alterável **2** *fig.* que não se deixa perturbar; impassível <*tem um humor i.*> ↺ inconstante

inane (i.na.ne) *adj.2g.* **1** sem conteúdo; vazio <*de mãos i.*> ↺ cheio **2** *fig.* sem utilidade; fútil, vão <*palavras i.*> ↺ importante ~ **inanidade** *s.f.*

inanição (i.na.ni.ção) [pl.: *-ões*] *s.f.* **1** estado ou condição de inane **2** MED enfraquecimento extremo por falta de alimentação

inanimado (i.na.ni.ma.do) *adj.* **1** que não tem ânimo ↺ animado **2** sem vida <*matéria i.*> ↺ vivo **3** sem movimento; inerte <*brinquedo i.*> ↺ dinâmico **4** desmaiado, desfalecido ↺ consciente

inapelável (i.na.pe.lá.vel) [pl.: *-eis*] *adj.2g.* DIR contra o que não há recurso, apelação <*sentença i.*>

inapetência (i.na.pe.tên.cia) *s.f.* ausência de apetite ↺ apetite

inapetente (i.na.pe.ten.te) *adj.2g.* que não tem apetite

inaplicável (i.na.pli.cá.vel) [pl.: *-eis*] *adj.2g.* que não se pode aplicar <*teoria i.*> ↺ aplicável **~ inaplicabilidade** *s.f.*

inapreensível (i.na.pre.en.sí.vel) [pl.: *-eis*] *adj.2g.* que não se pode apreender; incompreensível ↺ apreensível

inaproveitável (i.na.pro.vei.tá.vel) [pl.: *-eis*] *adj.2g.* que não pode ser aproveitado; imprestável ↺ aproveitável

inaptidão (i.nap.ti.dão) [pl.: *-ões*] *s.f.* falta de aptidão, de habilidade ↺ aptidão

inapto (i.nap.to) *adj.* sem aptidão <*candidato i.*> ↺ apto

inarrável (i.nar.rá.vel) [pl.: *-eis*] *adj.2g.* inenarrável

inarredável (i.nar.re.dá.vel) [pl.: *-eis*] *adj.2g.* **1** que não se pode arredar; irremovível <*dificuldades i.*> ↺ instável **2** *B* de que não é possível arredar-se ou afastar-se <*convicções i.*>

inatacável (i.na.ta.cá.vel) [pl.: *-eis*] *adj.2g.* **1** que não se pode atacar ↺ vulnerável **2** que não pode ser contestado <*raciocínio i.*> ↺ contestável

inatingível (i.na.tin.gí.vel) [pl.: *-eis*] *adj.2g.* que não se pode atingir; inalcançável <*metas i.*> ↺ atingível

inatividade (i.na.ti.vi.da.de) *s.f.* **1** falta de atividade; inércia ↺ agitação **2** impossibilidade de agir, de trabalhar **3** licença ou aposentadoria

inativo (i.na.ti.vo) *adj.* **1** que não tem atividade ou não está ativo <*vulcão i.*> <*fábrica i.*> ↺ ativo ■ *adj.s.m.* **2** (pessoa) que recebe aposentadoria ↺ ativo

inato (i.na.to) *adj.* que nasce com o indivíduo <*talento i.*> ↺ assimilado

inaudito (i.nau.di.to) *adj.* **1** de que nunca se ouviu falar **2** fora do comum; extraordinário <*violência i.*> ↺ banal

inaudível (i.nau.dí.vel) [pl.: *-eis*] *adj.2g.* impossível de ouvir ↺ audível

inauguração (i.nau.gu.ra.ção) [pl.: *-ões*] *s.f.* **1** cerimônia pela qual se entrega ao público uma obra <*i. de uma ponte*> **2** primeira apresentação; estreia <*i. do espetáculo*> ↺ encerramento **3** o primeiro momento de existência; início <*i. do novo regime*> ↺ desfecho

inaugural (i.nau.gu.ral) [pl.: *-ais*] *adj.2g.* **1** relativo a inauguração <*cerimônia i.*> **2** que dá início a; inicial <*aula i.*> ↺ final

inaugurar (i.nau.gu.rar) *v.* {mod. 1} *t.d.* **1** entregar ao público oficialmente (prédios, monumentos etc.) **2** usar pela primeira vez; estrear <*i. um vestido*> □ *t.d. e pron.* **3** (fazer) ter início; começar <*os filmes sonoros inauguraram uma nova época para o cinema*> <*a democracia inaugura-se na Grécia antiga*> ↺ terminar

inavegável (i.na.ve.gá.vel) [pl.: *-eis*] *adj.2g.* que não se pode navegar <*águas i.*> ↺ navegável

inca (in.ca) *adj.2g.s.2g.* HIST (indivíduo) dos incas, tribo indígena, originária do Peru, que dominava os Andes na época da conquista espanhola **~ incaico** *adj.* **- incásico** *adj.*

incabível (in.ca.bí.vel) [pl.: *-eis*] *adj.2g.* sem cabimento; inaceitável ↺ cabível

incalculável (in.cal.cu.lá.vel) [pl.: *-eis*] *adj.2g.* **1** que não se pode calcular, avaliar <*bondade i.*> ↺ estimável **2** tão numeroso que não se pode contar <*patrimônio i.*> ↺ computável

incandescência (in.can.des.cên.cia) *s.f.* **1** estado ou condição de incandescente **2** FÍS emissão, por parte de um corpo aquecido, de radiação visível **3** *fig.* excitação, exaltação

incandescente (in.can.des.cen.te) *adj.2g.* **1** que está em brasa; candente <*carvão i.*> **2** *fig.* muito excitado; exaltado, ardente <*corações i.*> ↺ frio

incandescer (in.can.des.cer) *v.* {mod. 8} *t.d. e pron.* **1** pôr(-se) em brasa <*i.(-se) o carvão*> **2** *fig.* tornar(-se) irritado; exaltar(-se) ↺ acalmar(-se)

incansável (in.can.sá.vel) [pl.: *-eis*] *adj.2g.* **1** que nunca se cansa <*corredor i.*> ↺ cansável **2** constante, assíduo <*i. na luta contra a injustiça*> ↺ ausente

incapacidade (in.ca.pa.ci.da.de) *s.f.* falta de capacidade

incapacitar (in.ca.pa.ci.tar) *v.* {mod. 1} *t.d.,t.d.i. e pron.* (prep. *para*) tornar(-se) incapaz, inapto para; inabilitar(-se) <*o excesso de timidez incapacita-o (para a liderança)*> <*depois do acidente, incapacitou-se para competir*> **~ incapacitação** *s.f.*

incapaz (in.ca.paz) [pl.: *-es*] *adj.2g.* **1** que não é capaz **2** que não se permite proceder de determinada maneira <*i. de mentir*> **3** que tem impedimento; impedido, inabilitado <*a enxaqueca deixou-o i. de trabalhar*> ■ *adj.2g.s.2g.* **4** (indivíduo) sem competência ↺ competente **5** (pessoa) judicialmente privada de certos direitos ou obrigações ↺ capaz

incauto (in.cau.to) *adj.s.m.* **1** que(m) não tem cautela; imprudente ↺ precavido **2** que(m) não tem malícia; ingênuo ↺ desconfiado

incender (in.cen.der) *v.* {mod. 8} *t.d. e pron.* (fazer) ficar em chamas; incendiar(-se)

incendiar (in.cen.di.ar) *v.* {mod. 5} *t.d. e pron.* **1** (fazer) ficar em chamas; inflamar(-se) <*os cangaceiros percorriam o sertão incendiando vilarejos*> <*a queda do balão fez que a mata se incendiasse*> **2** avermelhar(-se) como se pegasse fogo; ruborizar(-se) <*a febre incendiou as faces da criança*> <*a cidade incendiava-se sob o sol forte*> **3** *fig.* tornar(-se) vivo, caloroso; excitar(-se), animar(-se) <*a discussão incendiava os ânimos*> <*à medida que falava, seu discurso incendiava-se*>

incendiário (in.cen.di.á.rio) *adj.* **1** que provoca incêndio <*bomba i.*> **2** que tem compulsão para atear incêndios <*maníaco i.*> **3** *fig.* capaz de inflamar os ânimos, de incitar à revolta <*declarações i.*> ■ *s.m.* **4** pessoa que tem compulsão para provocar incêndios; piromaníaco

incêndio (in.cên.dio) *s.m.* **1** grande quantidade de fogo **2** *fig.* conflito violento; revolta, sublevação ↺ serenidade **3** *fig.* o que se propaga rapidamente

incensar (in.cen.sar) *v.* {mod. 1} *t.d.* **1** defumar ou perfumar com incenso **2** *p.ext.* dar cheiro agradável a; perfumar <*as flores nas jarras incensavam a sala*> **3** *fig.* adular, bajular <*os poderosos sempre encontram quem os incense*>

incensário (in.cen.sá.rio) *s.m.* incensório

I

incenso (in.cen.so) *s.m.* resina aromática que, ao ser queimada, desprende forte odor

incensório (in.cen.só.rio) *s.m.* recipiente para queimar incenso em cerimônias religiosas; incensário

incensurável (in.cen.su.rá.vel) [pl.: *-eis*] *adj.2g.* **1** que não se pode ou não se deve censurar ↺ censurável **2** sem falha; irrepreensível <*caráter i.*> ↺ condenável

incentivar (in.cen.ti.var) *v.* {mod. 1} *t.d. e t.d.i.* **1** (prep. *a*) dar incentivo a; encorajar, estimular <*i. jovens artistas*> <*o sucesso incentivou-os (a trabalhar)*> □ *pron.* **2** (prep. *a*) criar ânimo ou vontade de; decidir-se <*vendo a irmã em apuros, incentivou-se a entrar na briga*>

incentivo (in.cen.ti.vo) *s.m.* o que dá ânimo, estímulo ↺ desencorajamento

incerteza (in.cer.te.za) /ê/ *s.f.* **1** estado ou caráter do que é incerto **2** falta de certeza; dúvida, hesitação, indecisão ↺ certeza, decisão

I

incerto (in.cer.to) *adj.* **1** que inspira dúvida ou tem diferentes interpretações <*resultado i.*> <*resposta i.*> ↺ preciso **2** sujeito a mudança <*tempo i.*> <*negócio i.*> ↺ estável ☞ cf. *inserto*

incessante (in.ces.san.te) *adj.2g.* que não tem interrupção; contínuo <*chuva i.*> ↺ descontínuo

incesto (in.ces.to) *s.m.* relação sexual entre parentes cujo casamento a lei, a moral ou a religião proíbe ou condena

incestuoso (in.ces.tu.o.so) /ô/ [pl. e fem.: /ó/] *adj.* **1** próprio de ou que envolve incesto <*relacionamento i.*> **2** proveniente de incesto <*filho i.*> ■ *adj.s.m.* **3** que(m) praticou incesto

inchação (in.cha.ção) [pl.: *-ões*] *s.f.* **1** aumento de volume; dilatação ↺ desinchação **2** tumor, edema **3** *fig.* arrogância, vaidade ↺ modéstia

inchaço (in.cha.ço) *s.m.* **1** tumor, edema, inchação **2** *fig.* arrogância, vaidade

inchado (in.cha.do) *adj.* **1** que se inchou; aumentado em volume <*estou com o dedo i.*> **2** que se enfunou; pando, inflado <*o iate navegava de velas i.*> **3** *fig.* que demonstra orgulho ou arrogância; orgulhoso, vaidoso **4** *B* ainda não maduro de todo; de vez <*goiaba i.*>

inchar (in.char) *v.* {mod. 1} *t.d.,int. e pron.* **1** (fazer) aumentar de volume; dilatar(-se), intumescer(-se) <*a respiração inchava seu peito ritmadamente*> <*os pés incharam(-se)*> ↺ desinchar(-se) **2** *fig.* encher(-se) de orgulho, de vaidade; envaidecer(-se) <*o sucesso do filho inchava-o*> <*o velho inchou(-se) ouvindo tantos elogios*> ~ **inchamento** *s.m.*

incidência (in.ci.dên.cia) *s.f.* **1** ato de acontecer; ocorrência <*a i. de gripes no inverno*> **2** ato de atingir algo <*a i. de raios solares sobre a Terra*> **3** ato de incidir ou recair <*a i. de impostos sobre pessoas físicas*>

incidental (in.ci.den.tal) [pl.: *-ais*] *adj.2g.* **1** que tem caráter acessório, secundário <*elementos i.*> ↺ essencial **2** que acontece de forma imprevisível <*circunstâncias i.*> ↺ previsível

incidente (in.ci.den.te) *s.m.* **1** evento que ocorre paralelamente a outro principal **2** acontecimento imprevisto, ger. inconveniente ■ *adj.2g.* **3** que incide **4** que tem caráter acessório, secundário <*causas i.*>

incidir (in.ci.dir) *v.* {mod. 24} *t.i.* **1** (prep. *sobre*) refletir-se sobre; cair, bater <*a luz incidia sobre o quadro*> **2** (prep. *sobre*) pesar sobre; recair <*sobre a classe assalariada incide a maior carga de impostos*> **3** (prep. *em*) ter efeitos sobre; afetar, atingir <*há doenças que costumam i. nos bebês*> **4** (prep. *em*) ocorrer o acento, a ênfase em (certa sílaba, palavra); recair **5** (prep. *em*) cometer (erro, infração); incorrer

incinerar (in.ci.ne.rar) *v.* {mod. 1} *t.d.* queimar, reduzindo a cinzas ~ **incinerador** *adj.s.m.*

incipiente (in.ci.pi.en.te) *adj.2g.* que está no começo ↺ final ☞ cf. *insipiente* ~ **incipiência** *s.f.*

incisão (in.ci.são) [pl.: *-ões*] *s.f.* **1** talho feito com instrumento cortante **2** MED corte cirúrgico feito com bisturi

incisivo (in.ci.si.vo) *adj.* **1** próprio para cortar **2** *fig.* que produz uma sensação forte ou intensa <*perfume i.*> ↺ fraco **3** *fig.* que se faz notar pelo caráter bem marcado e definido <*ordem i.*> ↺ vago ■ *s.m.* ODONT **4** cada um dos dentes chatos e cortantes, em número de quatro em cada maxilar, divididos em centrais e laterais, que permitem a captura e o corte dos alimentos

inciso (in.ci.so) *adj.* **1** cortado com a parte afiada de um objeto ■ *s.m.* DIR **2** subdivisão de um artigo de lei

incitação (in.ci.ta.ção) [pl.: *-ões*] *s.f.* **1** ato ou efeito de incitar(-se); estímulo, instigação ↺ desencorajamento **2** desafio, provocação

incitar (in.ci.tar) *v.* {mod. 1} *t.d. e t.d.i.* **1** (prep. *a*) dar força, estímulo a (alguém) [para realizar algo]; instigar, impelir <*era uma curiosidade que o incitava (a constantes buscas)*> □ *t.d.* **2** lançar desafio ou provocação a; açular <*i. um cão*> **3** ser causa ou motivo de; provocar, suscitar <*sua desgraça incitava a compaixão de todos*> ~ **incitador** *adj.s.m.* - **incitamento** *s.m.*

incivil (in.ci.vil) [pl.: *-is*] *adj.2g.* que não tem civilidade; grosseiro, indelicado

incivilidade (in.ci.vi.li.da.de) *s.f.* **1** falta de civilidade; grosseria, indelicadeza **2** comportamento incivil; grosseria

incivilizado (in.ci.vi.li.za.do) *adj.* sem civilidade; inculto, grosseiro ↺ civilizado

inclemente (in.cle.men.te) *adj.2g.* **1** que é muito severo ↺ condescendente **2** que causa sofrimento, infelicidade ↺ benevolente **3** *fig.* difícil de ser suportado <*calor i.*> ↺ brando ~ **inclemência** *s.f.*

inclinação (in.cli.na.ção) [pl.: *-ões*] *s.f.* **1** posição oblíqua em relação a outro plano <*i. acentuada de uma ladeira*> **2** *fig.* aptidão natural de uma pessoa; tendência, propensão <*ter i. para matemática*> ↺ desinteresse

inclinar (in.cli.nar) *v.* {mod. 1} *t.d. e pron.* **1** dispor (-se) ou estar enviesado em relação a um plano; curvar (-se), envergar(-se) <*i. o corpo*> <*os troncos das árvores inclinavam-se em meio à ventania*> □ *pron.* **2** dobrar o corpo para baixo; curvar-se □ *t.d.i. e pron.* **3** (prep. *a*) tornar(-se) propenso a; predispor <*vamos incliná-lo a votar conosco*> <*inclinamo-nos a acreditar no que andam falando*> ~ **inclinado** *adj.*

incluir (in.clu.ir) *v.* {mod. 26} *t.d.i. e pron.* **1** (prep. *em, entre*) fazer que seja parte de (grupo, lista, todo etc.); inserir(-se) <*ele incluiu o meu nome na lista de candidatos*> <*não quero i.-me entre os faltosos*> ↺ excluir □ *t.d.* **2** conter em si; compreender, abranger <*a coleção inclui obras de diferentes épocas*> **3** trazer em si; implicar, envolver *<isso não inclui nenhum compromisso de sua parte>* ◉ GRAM/USO part.: *incluído, incluso*; ver QUADRO DE PARTICÍPIOS DUPLOS nas pp. iniciais

inclusão (in.clu.são) [pl.: *-ões*] *s.f.* introdução de uma coisa em outra, de alguém em um grupo etc.; inserção *<i. de uma carta num envelope> <i. de um nome em uma lista>* ↺ exclusão

inclusive (in.clu.si.ve) *adv.* **1** com a inclusão de *<estudaremos até o capítulo 5, i.>* ↺ exceto, exclusive **2** até; até mesmo *<é uma situação delicada, i. perigosa>*

inclusivo (in.clu.si.vo) *adj.* **1** que inclui ou pode incluir ↺ exclusivo **2** que abrange, compreende ↺ exclusivo

incluso (in.clu.so) *adj.* que está incluído ◉ GRAM/USO part. de *incluir*

incoercível (in.co.er.cí.vel) [pl.: *-eis*] *adj.2g.* que não se pode coagir, conter ou reprimir ↺ coercível ~ **incoercibilidade** *s.f.*

incoerência (in.co.e.rên.cia) *s.f.* **1** falta de coerência, lógica, nexo ↺ coerência **2** ato, procedimento incoerente

incoerente (in.co.e.ren.te) *adj.2g.* **1** cujas partes não têm conexão ↺ conexo **2** que não forma um conjunto racional *<fala i.>* ↺ lógico

incógnita (in.cóg.ni.ta) *s.f.* **1** MAT valor a ser determinado na solução de uma equação ou de um problema **2** *p.ext.* aquilo que se desconhece e se busca saber; enigma

incógnito (in.cóg.ni.to) *adj.s.m.* **1** (indivíduo) que não quer ser reconhecido ↺ conhecido **2** (o) que é desconhecido ↺ ignorado

incognoscível (in.cog.nos.cí.vel) [pl.: *-eis*] *adj.2g.* que não se pode conhecer ~ **incognoscibilidade** *s.f.*

incolor (in.co.lor) /ô/ [pl.: *-es*] *adj.2g.* **1** que não tem cor *<a água é i.>* **2** *fig.* sem característica marcante *<voz i.>* ↺ expressivo

incólume (in.có.lu.me) *adj.2g.* **1** sem lesão ou ferimento *<voltou i. da batalha>* **2** que permanece igual; inalterado *<saiu do negócio com a reputação i.>* ↺ alterado

incombustível (in.com.bus.tí.vel) [pl.: *-eis*] *adj.2g.* que não entra em combustão ↺ combustível ~ **incombustibilidade** *s.f.*

incomensurável (in.co.men.su.rá.vel) [pl.: *-eis*] *adj.2g.* que não se pode medir ou avaliar ↺ mensurável ~ **incomensurabilidade** *s.f.*

incomodar (in.co.mo.dar) *v.* {mod. 1} *t.d.,int. e pron.* **1** (fazer) sentir incômodo, físico ou não; indispor, importunar *<incomodavam-no os sapatos apertados> <a luminosidade excessiva incomoda> <incomodou-se com o balanço do navio>* **2** (fazer) sentir desgosto, irritação; aborrecer(-se) *<as críticas injustas incomodaram-na bastante> <incomodava-se com o que via a sua volta>* ~ **incomodação** *s.f.*

incômodo (in.cô.mo.do) *adj.* **1** que não é confortável *<cadeira i.>* ↺ cômodo **2** que provoca mal-estar *<calor i.>* **3** que constrange, dificulta, embaraça; embaraçoso *<situação i.>* ↺ conveniente **4** que aborrece *<pedido i.>* ↺ agradável ■ *s.m.* **5** *infrm.* menstruação **6** embaraço, dificuldade

incomparável (in.com.pa.rá.vel) [pl.: *-eis*] *adj.2g.* **1** que não se pode comparar ↺ comparável **2** que não tem equivalente; único, excepcional *<ator i.>* ↺ comum

incompatibilizar (in.com.pa.ti.bi.li.zar) *v.* {mod. 1} *t.d.i. e pron.* **1** (prep. *com*) tornar(-se) incompatível; desarmonizar(-se) *<sua atividade atual o incompatibiliza com cargos públicos> <há cargos que se incompatibilizam>* ↺ compatibilizar(-se) □ *t.d.,t.d.i. e pron.* **2** (prep. *com*) pôr(-se) em discórdia com; indispor(-se) *<questões sobre terras incompatibilizaram os fazendeiros da região> <sua prepotência incompatibilizou-o com a vizinhança> <os noivos incompatibilizaram-se com a família>* ↺ reconciliar (-se) ~ **incompatibilização** *s.f.*

incompatível (in.com.pa.tí.vel) [pl.: *-eis*] *adj.2g.* **1** que não pode coexistir *<métodos i.>* ↺ compatível **2** que não se harmoniza; inconciliável *<pessoas i.>* ↺ conciliável ~ **incompatibilidade** *s.f.*

incompetência (in.com.pe.tên.cia) *s.f.* **1** falta de competência, habilidade, aptidão ↺ competência **2** DIR impedimento legal para julgar certos litígios judiciais ↺ competência

incompetente (in.com.pe.ten.te) *adj.2g.s.2g.* que(m) não tem aptidão, capacidade, habilidade; incapaz ↺ competente

incompleto (in.com.ple.to) *adj.* **1** que não chegou ao fim; inconcluso *<obra i.>* ↺ concluso **2** a que falta uma parte, um pedaço *<descrição i.>* ↺ inteiro **3** *fig.* que não é perfeito *<felicidade i.>* ↺ pleno ~ **incompletude** *s.f.*

incompreendido (in.com.pre.en.di.do) *adj.s.m.* que(m) não foi suficientemente entendido, reconhecido, valorizado ↺ compreendido

incompreensão (in.com.pre.en.são) [pl.: *-ões*] *s.f.* falta de compreensão ↺ compreensão

incompreensível (in.com.pre.en.sí.vel) [pl.: *-eis*] *adj.2g.* que é impossível ou difícil de entender *<atitude i.> <escrita i.>* ↺ inteligível, explicável

incompreensivo (in.com.pre.en.si.vo) *adj.* **1** que revela falta de compreensão, entendimento *<comentário i.>* ↺ compreensivo **2** que não pode ou não tenta compreender o outro; intransigente, intolerante *<pais i.>* ↺ compreensivo

incomum (in.co.mum) [pl.: *-uns*] *adj.2g.* não comum; raro; especial *<comportamento i.>* ↺ vulgar, banal

incomunicável (in.co.mu.ni.cá.vel) [pl.: *-eis*] *adj.2g.* **1** que não mantém contato ou comunicação *<preso i.> <recinto i.>* **2** que não pode ser expresso *<pensamento i.>* ↺ exprimível **3** que não pode ser transferido *<direitos i.>* ~ **incomunicabilidade** *s.f.*

incomutável (in.co.mu.tá.vel) [pl.: *-eis*] *adj.2g.* que não se pode mudar, trocar ou substituir *<mercadorias i.> <pena i.>* ↺ comutável ~ **incomutabilidade** *s.f.*

inconcebível (in.con.ce.bí.vel) [pl.: *-eis*] *adj.2g.* **1** que não se pode conceber, compreender, explicar ↺ admissível, concebível **2** *p.ext.* que surpreende, causa espanto ou admiração *<é i. viver nessa região tão gelada>* ↺ comum

inconciliável (in.con.ci.li.á.vel) [pl.: *-eis*] *adj.2g.* que não se pode conciliar *<temperamentos i.>* ↺ conciliável

inconcludente (in.con.clu.den.te) *adj.2g.* que não leva à conclusão *<investigações i.>* ↺ concludente

inconclusivo (in.con.clu.si.vo) *adj.* não conclusivo *<relatório i.>* ↺ conclusivo

inconcluso (in.con.clu.so) *adj.* não concluído; inacabado ↺ concluso

incondicional (in.con.di.cio.nal) [pl.: *-ais*] *adj.2g.* que não depende de condições *<amizade i.>* ↺ condicional ~ **incondicionalidade** *s.f.* - **incondicionalismo** *s.m.*

inconfessável (in.con.fes.sá.vel) [pl.: *-eis*] *adj.2g.* que não se pode ou não se deve confessar, dizer, declarar *<desejos i.>* ↺ confessável

inconfidência (in.con.fi.dên.cia) *s.f.* **1** deslealdade, esp. para com o Estado ou um governante ↺ fidelidade **2** quebra de segredo ↺ sigilo

inconfidente (in.con.fi.den.te) *adj.2g.* **1** que vaza informações, divulga segredos ↺ discreto **2** que não tem fidelidade; traidor ↺ leal ■ *adj.2g.s.2g.* **3** que(m) é desleal ao Estado ou governante **4** participante da Inconfidência Mineira ☞ cf. *Inconfidência Mineira* na parte enciclopédica

inconformidade (in.con.for.mi.da.de) *s.f.* **1** falta de acordo, de entendimento ↺ conformidade **2** falta de resignação, de submissão ↺ obediência

inconformismo (in.con.for.mis.mo) *s.m.* tendência ou atitude de não acatar passivamente imposições, situações incômodas ou desfavoráveis ↺ conformismo ~ **inconformista** *adj.2g.s.2g.*

inconfundível (in.con.fun.dí.vel) [pl.: *-eis*] *adj.2g.* que não se pode confundir ↺ confundível

incongruência (in.con.gru.ên.cia) *s.f.* ausência de congruência, de concordância, harmonia, adequação etc. *<seus argumentos apresentam várias i.>* ↺ congruência

incongruente (in.con.gru.en.te) *adj.2g.* **1** que não está de acordo *<projeto i. com a realidade>* ↺ compatível **2** impróprio, inadequado ou sem propósito *<observação i.>* ↺ conveniente **3** de raciocínio disparatado, ilógico *<indivíduo i.>* ↺ sensato

inconho (in.co.nho) *adj.* **1** que nasce acoplado a outro (diz-se de fruto) ↺ separado **2** *fig.* que está muito ligado a outro ser ou coisa *<amigos i.>*

inconjugável (in.con.ju.gá.vel) [pl.: *-eis*] *adj.2g.* que não se pode conjugar ↺ conjugável

inconsciência (in.cons.ci.ên.cia) *s.f.* **1** falta, perda ou alteração de consciência ↺ consciência **2** ausência de lucidez, senso crítico **3** falta de moral ou de justiça

inconsciente (in.cons.ci.en.te) *adj.2g.* **1** sem consciência *<caiu i. no chão>* **2** automático, maquinal, involuntário *<gesto i.>* ■ *adj.2g.s.2g.* **3** irresponsável, leviano ■ *s.m.* **4** PSIC parte recalcada da mente que aflora apenas em sonho, surto etc. ☞ cf. *consciente* e *subconsciente* ~ **inconscientemente** *adv.*

inconsequência (in.con.se.quên.cia) /qü/ *s.f.* **1** falta de consequência; incoerência **2** falta de reflexão ou de responsabilidade; irresponsabilidade, leviandade **3** falta de lógica, de nexo, no pensamento, nas palavras, na conduta; incoerência, incongruência

inconsequente (in.con.se.quen.te) /qü/ *adj.2g.* **1** que não tem lógica *<raciocínio i.>* ↺ coerente **2** sem ponderação *<caráter i.>* ↺ prudente ■ *adj.2g.s.2g.* **3** irresponsável, leviano ↺ responsável **4** contraditório ↺ conforme

inconsistência (in.con.sis.tên.cia) *s.f.* **1** falta de consistência *<a i. de um material>* ↺ consistência **2** falta de lógica, de nexo; incoerência *<i. de uma obra>* ↺ coerência **3** *fig.* falta de firmeza moral nas opiniões, atitudes etc. ↺ firmeza ~ **inconsistente** *adj.2g.*

inconsolável (in.con.so.lá.vel) [pl.: *-eis*] *adj.2g.* **1** que não se pode consolar *<perda i.>* ↺ consolável **2** *p.ext.* muito triste; desesperado *<mãe i.>* ↺ alegre

inconspícuo (in.cons.pí.cuo) *adj.* difícil de ver ou notar *<características i.>* ↺ conspícuo

inconstância (in.cons.tân.cia) *s.f.* falta de constância ↺ persistência

inconstante (in.cons.tan.te) *adj.2g.* **1** que está sujeito a mudanças; variável *<chuvas i.>* *<temperamento i.>* ↺ constante **2** volúvel, instável *<ele é i. no amor>* ↺ fiel

inconstitucional (in.cons.ti.tu.cio.nal) [pl.: *-ais*] *adj.2g.* que descumpre a Constituição *<medidas i.>* ↺ constitucional ~ **inconstitucionalidade** *s.f.*

inconsútil (in.con.sú.til) [pl.: *-eis*] *adj.2g.* que não tem costura ou emenda *<túnica i.>*

incontável (in.con.tá.vel) [pl.: *-eis*] *adj.2g.* **1** que é numeroso demais para ser contado ↺ calculável, contável **2** que não se pode relatar ↺ narrável

incontestável (in.con.tes.tá.vel) [pl.: *-eis*] *adj.2g.* que não se pode contestar *<decisão i.>* ↺ contestável ~ **incontestabilidade** *s.f.*

inconteste (in.con.tes.te) *adj.2g.* **1** que não se põe em dúvida *<verdade i.>* ↺ conteste **2** que não está de acordo com outras afirmações ↺ conteste

incontido (in.con.ti.do) *adj.* não contido; irreprimido *<saudade i.>* ↺ contido

incontinência (in.con.ti.nên.cia) *s.f.* **1** falta de comedimento, de moderação *<i. afetiva>* *<i. verbal>* ↺ continência **2** MED incapacidade de controlar a bexiga ou os intestinos *<i. urinária>*

[1]**incontinente** (in.con.ti.nen.te) *adj.2g.s.2g.* que(m) não tem controle ou moderação ↺ continente ◉ ORIGEM do lat. *incontĭnens,entis* 'que não retém'

[2]**incontinente** (in.con.ti.nen.te) *adv.* sem demora, imediatamente *<responder i. à solicitação do juiz>* ◉ ORIGEM do sintagma adv. do lat.tar. *in continenti* 'id.'

incontrolável (in.con.tro.lá.vel) [pl.: *-eis*] *adj.2g.* que não se pode controlar ↺ controlável

incontroverso (in.con.tro.ver.so) *adj.* que não admite controvérsia; indiscutível ↺ controverso

inconveniência (in.con.ve.ni.ên.cia) *s.f.* **1** falta de conveniência ↺ conveniência **2** ausência de conformidade; inadequação *<a i. de uma decisão>* ↺ pertinência **3** indelicadeza, grosseria *<a i. de suas maneiras desagrada a todos>* ↺ delicadeza

inconveniente (in.con.ve.ni.en.te) *adj.2g.* **1** impróprio, inadequado *<palavras i.>* ↺ conveniente **2** que não respeita o decoro; indecente *<comportamento i.>* ↺ recatado **3** que não traz vantagem *<negócio i.>* ↺ vantajoso ■ *s.m.* **4** dificuldade, obstáculo ↺ facilidade **5** desvantagem, prejuízo ↺ vantagem

inconversível (in.con.ver.sí.vel) [pl.: *-eis*] ou **inconvertível** (in.con.ver.tí.vel) [pl.: *-eis*] *adj.2g.* que não se pode converter, trocar *<moeda i.>* ~ **inconversibilidade/inconvertibilidade** *s.f.*

incorporação (in.cor.po.ra.ção) [pl.: *-ões*] *s.f.* **1** ato de incorporar(-se) ou seu efeito **2** anexação, inserção *<i. de*

um país a outro> **3** acolhimento como parte integrante <*i. de novos costumes em uma sociedade*> ↺ desincorporação **4** *B* construção de imóvel com participação financeira de condôminos **5** REL *B* manifestação de um espírito no corpo de alguém ↺ desincorporação

incorporador (in.cor.po.ra.dor) /ô/ [pl.: *-es*] *adj.s.m.* **1** (o) que incorpora **2** *B* que(m) administra uma incorporação imobiliária

incorporadora (in.cor.po.ra.do.ra) /ô/ *s.f.* *B* empresa que promove ou administra a construção de imóveis (prédios de apartamentos, conjuntos de residências etc.)

incorporar (in.cor.po.rar) *v.* {mod. 1} *t.d.,t.d.i. e pron.* **1** (prep. *a, em*) integrar(-se) um elemento a (um conjunto); inserir(-se), juntar(-se) <*i. dois territórios*> <*i. um parágrafo (num capítulo)*> <*a bela arquitetura incorpora-se perfeitamente à paisagem*> □ *t.d. e pron.* **2** REL dar ou tomar corpo; revestir(-se) de uma forma material <*i. um espírito*> <*diziam que o próprio demo se incorporava nele*> □ *t.d.* *B* **3** construir (p.ex., edifício) em regime de condomínio □ *t.d. e t.d.i.* **4** (prep. *a*) anexar (lucros retidos, nova empresa etc.) a (capital de uma empresa) <*i. um fundo de reserva*> <*o diretor decidiu i. os lucros ao capital da empresa*>

incorpóreo (in.cor.pó.reo) *adj.* **1** que não tem corpo, que não é constituído de matéria; imaterial <*os anjos são seres i.*> ↺ corpóreo **2** *p.ext.* que não é percebido pelos sentidos; etéreo

incorreção (in.cor.re.ção) [pl.: *-ões*] *s.f.* **1** falta de exatidão; falha, erro ↺ acerto **2** desonestidade, deslealdade ↺ honestidade **3** inconveniência, indelicadeza <*i. à mesa*> ↺ delicadeza

incorrer (in.cor.rer) *v.* {mod. 8} *t.i.* **1** (prep. *em*) ficar incluído, comprometido ou envolvido em (algo ger. desagradável); incidir <*i. em erro*> **2** (prep. *em*) levar a efeito; realizar <*i. em atos de heroísmo*> **3** (prep. *em*) estar sujeito a; incidir <*i. nas penas da lei*> ↺ livrar-se ◉ GRAM/USO part.: *incorrido, incurso*; ver QUADRO DE PARTICÍPIOS DUPLOS nas pp. iniciais

incorreto (in.cor.re.to) *adj.* **1** inexato, errado <*exercício i.*> **2** impróprio, inadequado <*traje i.*> ↺ adequado **3** desonesto, desleal <*i. nos negócios*> ↺ honesto

incorrigível (in.cor.ri.gí.vel) [pl.: *-eis*] *adj.2g.* **1** que não se pode corrigir ↺ corrigível **2** que persiste, não se corrige <*estupidez i.*> ↺ curável ■ *adj.2g.s.2g.* **3** que(m) persiste em seus erros, defeitos etc.

incorruptível (in.cor.rup.tí.vel) [pl.: *-eis*] *adj.2g.* **1** que não se deteriora <*metal i.*> **2** que não se deixa corromper, subornar ↺ corruptível

incorrupto (in.cor.rup.to) *adj.* **1** que não se decompôs <*cadáver i.*> ↺ corrupto **2** que não se deixou corromper, subornar

Incra (In.cra) *s.m.* sigla de Instituto Nacional de Colonização e Reforma Agrária

incredulidade (in.cre.du.li.da.de) *s.f.* **1** falta de fé; descrença **2** desconfiança, ceticismo ↺ credulidade

incrédulo (in.cré.du.lo) *adj.s.m.* **1** que(m) é difícil de ser persuadido ou convencido; céptico ↺ crédulo **2** que(m) não tem fé religiosa ↺ crente

incrementar (in.cre.men.tar) *v.* {mod. 1} *t.d. e pron.* **1** tornar(-se) maior, mais desenvolvido <*queremos i. nosso negócio*> <*a participação popular tem de i.-se*> □ *t.d.* *B infrm.* **2** provocar animação, excitação; esquentar <*i. uma festa*> **3** tornar mais elaborado, diferente, rico <*i. um prato*> <*i. uma moto*> ~ **incrementação** *s.f.*

incremento (in.cre.men.to) *s.m.* **1** aumento discreto numa quantidade ↺ diminuição **2** desenvolvimento, crescimento ↺ redução

incriminação (in.cri.mi.na.ção) [pl.: *-ões*] *s.f.* **1** acusação de crime **2** interpretação de algo como crime ↺ descriminação

incriminar (in.cri.mi.nar) *v.* {mod. 1} *t.d. e t.d.i.* **1** (prep. *de*) atribuir um crime a; acusar <*havia provas suficientes para incriminá-lo*> <*incriminaram-no de vários furtos*> □ *pron.* **2** (prep. *com, em, por*) deixar evidente a própria culpa <*incriminou-se em suas respostas*>

incriticável (in.cri.ti.cá.vel) [pl.: *-eis*] *adj.2g.* que não se pode criticar; está acima de qualquer crítica ↺ criticável

incrível (in.crí.vel) [pl.: *-eis*] *adj.2g.s.m.* **1** (aquilo) em que não se pode crer <*notícia i.*> <*o i. também acontece*> ↺ admissível ■ *adj.2g.* **2** de caráter extraordinário <*trabalho i.*> ↺ corriqueiro **3** fora do comum; extravagante, excêntrico ↺ usual ◉ GRAM/USO na acep. adj., sup.abs.sint.: *incredibilíssimo*

incrustação (in.crus.ta.ção) [pl.: *-ões*] *s.f.* **1** formação de crosta **2** material incrustado **3** adorno inserido, embutido numa peça <*bracelete com incrustações de diamante*>

incrustar (in.crus.tar) *v.* {mod. 1} *t.d.* **1** revestir de crosta, depósito etc.; cobrir <*a fuligem incrustou a parede*> **2** enfeitar (objeto), embutindo fragmentos de madeira, pedras etc. □ *pron.* **3** aderir fortemente a; implantar-se <*belas bromélias incrustavam-se na rocha*> **4** *fig.* (prep. *em*) ficar fixo, marcado; gravar-se <*a cena pavorosa se incrustou na memória dela*> ~ **incrustado** *adj.*

incubação (in.cu.ba.ção) [pl.: *-ões*] *s.f.* **1** ato ou efeito de incubar ovos natural ou artificialmente **2** MED período de instalação de um agente infeccioso num organismo até o surgimento dos primeiros sinais da doença **3** *fig.* período de elaboração, preparação de um acontecimento, uma obra etc.

incubadeira (in.cu.ba.dei.ra) *s.f.* incubadora

incubadora (in.cu.ba.do.ra) /ô/ *s.f.* **1** pequena câmara oxigenada, com temperatura e umidade controladas, us. para abrigar recém-nascidos prematuros **2** chocadeira

incubar (in.cu.bar) *v.* {mod. 1} *t.d. e int.* **1** chocar (ovos) □ *t.d.* **2** manter (ovos, embriões etc.), ger. em incubadora, sob condições controladas favoráveis ao seu desenvolvimento **3** ter em estado latente (uma doença) **4** *fig.* planejar, arquitetar <*i. uma tramoia*> ☞ cf. *encubar*

inculcar (in.cul.car) *v.* {mod. 1} *t.d. e t.d.i.* **1** (prep. *em*) repetir muito (algo), para gravá-lo no espírito (de alguém) <*i. uma opinião (nos filhos)*> **2** (prep. *a*) recomendar, indicar, aconselhar <*a propaganda tenta i. novos produtos (aos consumidores)*> □ *t.d.* **3** deixar evidente; revelar <*os olhos úmidos inculcavam a sua dor*> ↺ esconder

inculpabilidade (in.cul.pa.bi.li.da.de) *s.f.* **1** ausência de culpabilidade ↺ culpabilidade **1.1** DIR fato de alguém não poder ser acusado de um delito por falta de indícios incriminatórios

inculpar (in.cul.par) *v.* {mod. 1} *t.d.,t.d.pred.,t.d.i. e pron.* (prep. *de*) atribuir(-se) culpa a; acusar(-se), incriminar(-se) *<os jurados inculparam o acusado> <inculparam-no de desonesto> <para salvar meu amigo, acabei inculpando-me>* ↺ inocentar(-se)

inculpável (in.cul.pá.vel) [pl.: *-eis*] *adj.2g.* que não se pode culpar ↺ culpável

incultivável (in.cul.ti.vá.vel) [pl.: *-eis*] *adj.2g.* **1** não cultivável; improdutivo *<solo i.>* ↺ cultivável **2** *fig.* que não se consegue desenvolver *<inteligência i.>*

inculto (in.cul.to) *adj.* **1** não cultivado ↺ cultivado ■ *adj.s.m. fig.* **2** que(m) não tem instrução ou erudição ↺ instruído, erudito

incultura (in.cul.tu.ra) *s.f.* **1** ausência de cultivo ↺ cultivo **2** *fig.* ausência de instrução, de erudição ↺ instrução, erudição

incumbência (in.cum.bên.cia) *s.f.* **1** atribuição de encargo ou responsabilidade ↺ desincumbência **2** dever decorrente dessa atribuição

incumbir (in.cum.bir) *v.* {mod. 24} *t.d.i. e pron.* **1** (prep. *a, de*) dar ou tomar encargo, tarefa, responsabilidade; encarregar(-se) *<i. o irmão de olhar a casa> <i. ao irmão o cuidado do filho> <o tempo incumbe-se de apagar as mágoas>* ↺ desobrigar(-se) ▫ *t.i.* **2** (prep. *a*) ser da competência de; caber *<incumbe a você resolver o problema>*

incumprimento (in.cum.pri.men.to) *s.m.* ato ou efeito de não cumprir algo; não cumprimento de uma ordem, lei, dever etc. *<i. de uma promessa>* ↺ cumprimento, realização

incurável (in.cu.rá.vel) [pl.: *-eis*] *adj.2g.* **1** que não tem cura *<doença i.> <paciente i.>* ↺ curável **2** *fig.* incorrigível *<vício i.>* ↺ corrigível

incúria (in.cú.ria) *s.f.* **1** desleixo, descuido ↺ empenho **2** falta de iniciativa ↺ ação

incursão (in.cur.são) [pl.: *-ões*] *s.f.* **1** invasão militar em território estrangeiro **2** passeio, viagem **3** passagem rápida por um lugar *<fizemos uma i. pelo centro da cidade>*

incursionar (in.cur.sio.nar) *v.* {mod. 1} *t.i.* (prep. *por*) promover incursão em (território, área etc.) *<i. pela selva>*

incurso (in.cur.so) *adj.* **1** que incorreu em determinada situação *<vive i. em confusões>* **2** DIR que está sujeito às penalidades previstas em lei ◉ GRAM/USO part. de *incorrer*

incutir (in.cu.tir) *v.* {mod. 24} *t.d.i.* **1** (prep. *em*) fazer penetrar no ânimo de; introduzir *<as escolas devem i. nos alunos o espírito de civilidade>* ▫ *t.d. e t.d.i.* **2** (prep. *a*) fazer que surja (sentimento, pensamento etc.) [em]; inspirar, despertar *<um profissional que incute respeito> <a tempestade incutiu pânico à população>*

indagação (in.da.ga.ção) [pl.: *-ões*] *s.f.* **1** pergunta, interrogação **2** devassa, busca **3** pesquisa, investigação

indagar (in.da.gar) *v.* {mod. 1} *t.d. e t.d.i.* (prep. *a, de*) fazer pergunta(s) [a alguém] sobre; interrogar, perguntar *<resolvi i. os motivos de sua saída> <i. do amigo que novidades trazia> <indaguei-lhe se voltaria>*

indagativo (in.da.ga.ti.vo) *adj.* **1** que é próprio para indagar *<técnicas i.>* **2** que exprime indagação *<olhar i.>*

indagatório (in.da.ga.tó.rio) *adj.* indagativo

indaiá (in.dai.á) *s.f.* BOT palmeira nativa do Brasil, de frutos amarelos e de polpa comestível

indébito (in.dé.bi.to) *adj.* **1** que foi pago sem ser devido **2** que não é merecido; injusto *<castigo i.>* **3** que não se justifica, não tem razão de ser; improcedente *<reclamação i.>*

indecência (in.de.cên.cia) *s.f.* **1** falta de decência ↺ decência **2** violação ao pudor; obscenidade ↺ recato **3** falta de respeito, de consideração ↺ conveniência ☞ cf. *indeiscência*

indecente (in.de.cen.te) *adj.2g.* **1** que não está de acordo com os padrões morais e éticos da sociedade *<não aceitaremos esta proposta i.>* **2** que fere o pudor, a moral, os bons costumes; obsceno, licencioso *<gesto i.>*

indecifrável (in.de.ci.frá.vel) [pl.: *-eis*] *adj.2g.* **1** impossível ou muito difícil de ser decifrado *<enigma i.>* ↺ decifrável **2** muito difícil de compreender ou explicar; enigmático *<mulher i.>* ↺ compreensível

indecisão (in.de.ci.são) [pl.: *-ões*] *s.f.* **1** falta de ação; hesitação ↺ resolução **2** indeterminação, indefinição *<a i. de um negócio>* ↺ determinação

indeciso (in.de.ci.so) *adj.s.m.* **1** que(m) é incapaz de tomar uma decisão ■ *adj.* **2** indeterminado, incerto *<a batalha permanece i.>* ↺ definido **3** que traduz irresolução, hesitação *<caráter i.>* ↺ decidido **4** vago, indistinto *<uma cor i.>* ↺ nítido

indeclinável (in.de.cli.ná.vel) [pl.: *-eis*] *adj.2g.* que não se pode recusar *<convite i.>* ↺ dispensável ~ **indeclinabilidade** *s.f.*

indecomponível (in.de.com.po.ní.vel) [pl.: *-eis*] *adj.2g.* que não pode ser decomposto ↺ divisível ~ **indecomponibilidade** *s.f.*

indecoroso (in.de.co.ro.so) /ô/ [pl. e fem.: /ó/] *adj.* **1** que agride a moral ↺ decente **2** *fig.* aviltante, vergonhoso *<salário i.>* ↺ honroso

indefectível (in.de.fec.tí.vel) [pl.: *-eis*] *adj.2g.* **1** que não falha ↺ incerto **2** eterno, duradouro *<o i. amor de mãe>* ↺ breve

indeferir (in.de.fe.rir) *v.* {mod. 28} *t.d.* decidir desfavoravelmente a (pedido, requisição etc.); negar ↺ deferir ~ **indeferimento** *s.m.*

indefeso (in.de.fe.so) /ê/ *adj.* sem defesa ↺ protegido

indefinição (in.de.fi.ni.ção) [pl.: *-ões*] *s.f.* **1** ausência de indicação do verdadeiro sentido; indecisão ↺ definição **2** ausência de nitidez ou de exatidão *<i. de foco em fotografia>*

indefinido (in.de.fi.ni.do) *adj.* **1** não determinado; inexato *<espaço i.>* ↺ preciso **2** que não revela solução; indeciso *<eleição i.>* ↺ decidido **3** GRAM que se refere a algo ou alguém que se menciona no discurso pela primeira vez, ou cuja identidade não se deseja indicar (diz-se de certo grupo de artigos e de pronomes)

indeiscência (in.deis.cên.cia) *s.f.* BOT fenômeno em que um órgão vegetal não se abre naturalmente ao alcançar a maturação ☞ cf. *indecência* ~ **indeiscente** *adj.2g.*

indelével (in.de.lé.vel) [pl.: *-eis*] *adj.2g.* **1** que é durável, permanente *<lembrança i.>* ↺ efêmero **2** que não se pode suprimir, apagar, eliminar *<mancha i.>* ↺ eliminável

indelicadeza (in.de.li.ca.de.za) /ê/ *s.f.* **1** falta de cuidado, de cortesia ↺ gentileza **2** ação ou dito indelicado ↺ delicadeza

indelicado (in.de.li.ca.do) *adj.* **1** que demonstra falta de cuidado, de cortesia ↺ gentil **2** que não é próprio, adequado; inconveniente, constrangedor ↺ conveniente

indene (in.de.ne) ou **indemne** (in.dem.ne) *adj.2g.* **1** livre de prejuízo ↺ lesado **2** indenizado, recompensado ~ **indenidade/indemnidade** *s.f.*

indenização (in.de.ni.za.ção) [pl.: *-ões*] *s.f.* aquilo que se concede ou se obtém como reparação de um prejuízo; recompensa, restituição

indenizar (in.de.ni.zar) *v.* {mod. 1} *t.d.,t.d.i. e pron.* (prep. *de*) dar ou receber compensação, reparação por (perda, gasto, prejuízo, demissão etc.); compensar (-se) *<é necessário que o indenizem (da perda de seu patrimônio)>* *<os fazendeiros estão procurando i.-se dos prejuízos causados pela seca>*

independência (in.de.pen.dên.cia) *s.f.* **1** estado daquele que goza de autonomia, de liberdade com relação a alguém ou alguma coisa *<i. individual>* *<i. econômica>* ↺ dependência **2** autonomia política; soberania nacional; libertação *<hoje comemoramos a i. do Brasil>* **3** *fig.* fortuna, riqueza *<trabalhou muito para conseguir sua i.>*

independente (in.de.pen.den.te) *adj.2g.* **1** que não depende de nada nem de ninguém *<levar uma vida i.>* ↺ dependente **2** autônomo, soberano *<governo i.>* ↺ submisso **3** que não está subordinado a nada nem a ninguém ↺ subordinado **4** que não tem compromisso com nenhuma ideia preestabelecida *<pensamento i.>*

independer (in.de.pen.der) *v.* {mod. 8} *t.i.* (prep. *de*) não ter vínculo com ou estar sujeito a *<sua dedicação ao trabalho independe do seu estado de ânimo>* ↺ depender

indescritível (in.des.cri.tí.vel) [pl.: *-eis*] *adj.2g.* difícil ou impossível de ser descrito

indesculpável (in.des.cul.pá.vel) [pl.: *-eis*] *adj.2g.* que não se pode ou não se deve desculpar *<ofensa i.>* ↺ desculpável

indesejável (in.de.se.já.vel) [pl.: *-eis*] *adj.2g.* **1** que não se pode ou não se deve desejar *<acontecimento i.>* ■ *adj.2g.s.2g.* **2** (indivíduo) cuja presença é inconveniente

indestrutível (in.des.tru.tí.vel) [pl.: *-eis*] *adj.2g.* **1** que não se pode destruir ↺ destrutível **2** *fig.* firme, imutável *<amor i.>* ↺ alterável

indeterminação (in.de.ter.mi.na.ção) [pl.: *-ões*] *s.f.* **1** ausência de definição; imprecisão ↺ clareza **2** incerteza, indecisão ↺ firmeza

indeterminado (in.de.ter.mi.na.do) *adj.* não definido com clareza; impreciso, vago *<fronteira i.>* *<prazo i.>* ↺ definido

indeterminar (in.de.ter.mi.nar) *v.* {mod. 1} *t.d.* tornar vago, impreciso ↺ definir

indevassável (in.de.vas.sá.vel) [pl.: *-eis*] *adj.2g.* que não se pode devassar, observar

indevido (in.de.vi.do) *adj.* **1** de que não se tem obrigação *<pagamento i.>* **2** contrário à razão ou aos usos e regras; impróprio, inconveniente *<reclamação i.>* **3** não merecido; injusto *<elogios i.>*

índex (ín.dex) /cs/ *adj.2g.2n.s.m.2n.* ANAT **1** (dedo) indicador ■ *s.m.2n.* **2** índice **3** lista oficial de livros cuja leitura era proibida pela Igreja católica romana

indexar (in.de.xar) /cs/ *v.* {mod. 1} *t.d.* **1** organizar em forma de índice *<i. palavras>* **2** colocar índice em *<i. um livro>* **3** reavaliar por um índice financeiro *<i. um contrato de aluguel>* ~ **indexação** *s.f.*

indez (in.dez) /ê/ [pl.: *-es*] *adj.2g.s.m.* (ovo) que se deixa no ninho como chamariz para a galinha fazer a postura

indiano (in.di.a.no) *adj.* **1** da Índia ■ *s.m.* **2** natural ou habitante desse país

indicação (in.di.ca.ção) [pl.: *-ões*] *s.f.* ato ou efeito de indicar; recomendação, sugestão, revelação

indicador (in.di.ca.dor) /ô/ [pl.: *-es*] *adj.s.m.* **1** (o) que indica; indicativo **2** ANAT (dedo da mão) entre o polegar e o médio *<dedo i.>* *<machucou o i.>*

indicar (in.di.car) *v.* {mod. 1} *t.d.* **1** mostrar os benefícios de (tratamento, remédio); receitar **2** dar a conhecer, por meio de traços, sinais, indícios; revelar *<i. um caminho>* □ *t.d. e t.d.i.* **3** (prep. *a*) fazer que seja visto por gestos, sinais, símbolos; mostrar *<sem nenhuma discrição, indicou os artistas que passavam>* *<i. um objeto a alguém>* **4** (prep. *a*) dar sugestão de; recomendar *<poderia i.(-nos) um bom médico?>* **5** (prep. *a*) informar (alguém) sobre (algo); instruir, orientar *<coube ao sargento i. as tarefas a serem executadas>* *<o manual do candidato indica aos concorrentes as datas das provas>* □ *t.d.,t.d.pred. e t.d.i.* **6** (prep. *para*) apontar como preferencial ou ideal para; eleger *<o juiz indicou os jurados>* *<indicou o avô paterno como o mais querido>* *<costumava i. familiares para os cargos de confiança>* ~ **indicado** *adj.*

indicativo (in.di.ca.ti.vo) *adj.s.m.* **1** (o) que indica; indicador ■ *adj.* GRAM **2** que apresenta a ação, o estado ou o processo como real (diz-se de modo verbal) [p.ex., *ela canta bem*] ■ *s.m.* GRAM **3** modo indicativo

índice (ín.di.ce) *s.m.* **1** o que indica algo; indício, sinal *<aquele choro foi í. de nervosismo>* **2** numa publicação, lista alfabética dos temas e nomes citados, indicando a página em que são encontrados ☞ cf. *sumário* **3** catálogo, rol *<í. de publicações>* **4** MAT em raiz algébrica, número que aparece na parte superior à esquerda do radical e indica o grau da raiz **5** número obtido pela média aritmética de um conjunto de valores *<í. de aproveitamento dos alunos>* **6** ECON número usado para indicar a variação num conjunto de valores ao longo de um período de tempo *<í. de preços>*

indiciado (in.di.ci.a.do) *adj.* **1** percebido por indícios ■ *adj.s.m.* DIR **2** que ou aquele que foi declarado culpado de infração ou delito *<os cidadãos i. aguardarão a sentença final>* *<um dos i. já fugiu do país>*

indiciar (in.di.ci.ar) *v.* {mod. 1} *t.d.* **1** fornecer indício(s) de; revelar, evidenciar *<seu sorriso indiciava aprovação>* ↺ esconder **2** submeter a inquérito policial ou administrativo *<i. um suspeito>* ~ **indiciamento** *s.m.*

indício (in.dí.cio) *s.m.* **1** o que indica a provável existência de algo; sinal *<indícios de melhora>* **2** marca, vestígio *<a mancha era um i. do acidente>*

índico (ín.di.co) *adj.* relativo ao oceano Índico

indiferença (in.di.fe.ren.ça) *s.f.* **1** falta de interesse ou sensibilidade *<i. pelos problemas alheios>* ↺ atenção **2** despreocupação, desprendimento *<via a fortuna do pai com i.>* ↺ apego

I

indiferente (in.di.fe.ren.te) *adj.2g.* **1** que não demonstra preferência ↺ simpatizante **2** que não suscita interesse; banal ↺ estimulante ■ *adj.2g.s.2g.* **3** insensível ↺ sensível **4** que(m) não se deixa afetar ↺ entusiasmado ~ **indiferentismo** *s.m.* - **indiferentista** *adj.2g.s.2g.*

indígena (in.dí.ge.na) *s.2g.* **1** ^{1}índio ■ *adj.2g.* **2** relativo a ou próprio de índio ■ *adj.2g.s.2g.* **3** (natural) do local ou país onde habita; nativo ☞ cf. *alienígena* ~ **indigenato** *s.m.*

indigência (in.di.gên.cia) *s.f.* situação de extrema necessidade material; miséria, penúria ↺ fartura

indigenismo (in.di.ge.nis.mo) *s.m.* **1** política de proteção e apoio ao indígena e à sua cultura **2** *B* estudo ou conhecimento sobre o indígena brasileiro

indigente (in.di.gen.te) *adj.2g.s.2g.* (aquele) que vive em indigência, sem condições de suprir suas próprias necessidades; miserável, necessitado, pobre

indigestão (in.di.ges.tão) [pl.: *-ões*] *s.f.* **1** má digestão **2** o efeito da má digestão, manifesto por dor abdominal, náusea e/ou vômito

indigesto (in.di.ges.to) *adj.* **1** difícil de digerir ou que provoca indigestão *<refeição i.>* **2** *fig.* difícil de compreender *<texto i.>* **3** *fig.* que aborrece; cansativo *<peça i.>*

indignação (in.dig.na.ção) [pl.: *-ões*] *s.f.* **1** revolta diante de injustiça ou afronta ↺ resignação **2** *p.ext.* raiva, exasperação ↺ serenidade

indignar (in.dig.nar) *v.* {mod. 1} *t.d. e pron.* (fazer) sentir indignação; irritar(-se), revoltar(-se) *<o atraso do trem indignou os passageiros> <ele se indignou com as falsas acusações>* ↺ resignar(-se)

indignidade (in.dig.ni.da.de) *s.f.* **1** ação indigna; desonra, baixeza ↺ nobreza **2** desumanidade, crueldade ↺ bondade

indigno (in.dig.no) *adj.s.m.* **1** que(m) não tem dignidade ↺ digno ■ *adj.* **2** não merecedor *<i. de confiança>* **3** *fig.* impróprio, inconveniente ↺ oportuno

índigo (ín.di.go) *s.m.* **1** forte tonalidade de azul **2** QUÍM anil

^{1}**índio** (ín.dio) *s.m.* **1** habitante das Américas antes da colonização europeia; indígena **2** quem é originário de um grupo indígena descendente destes habitantes ◉ ORIGEM do top. *Índia*

^{2}**índio** (ín.dio) *s.m.* QUÍM elemento químico us. em semicondutores, na indústria nuclear etc. [símb.: *In*] ☞ cf. *tabela periódica* (no fim do dicionário) ◉ ORIGEM do lat.cien. *Indium*

indireta (in.di.re.ta) *s.f.* observação ambígua us. em lugar de algo que não se quer declarar abertamente

indireto (in.di.re.to) *adj.* **1** que não é em linha reta, que faz voltas *<caminho i.>* ↺ reto **2** *fig.* que se exprime de modo disfarçado *<pergunta i.>* ↺ direto **3** *fig.* feito por desvio(s) *<raciocínio i.>* ↺ direto

indisciplina (in.dis.ci.pli.na) *s.f.* falta de disciplina; desobediência, insubordinação ↺ disciplina, obediência

indiscreto (in.dis.cre.to) *adj.s.m.* **1** que(m) revela o que deveria ser mantido em segredo ↺ discreto, reservado **2** que(m) manifesta curiosidade excessiva; intrometido ↺ discreto, retraído

indiscrição (in.dis.cri.ção) [pl.: *-ões*] *s.f.* **1** atitude ou fala indiscreta, fora de propósito; impropriedade, inconveniência ↺ discrição **2** revelação de segredo; inconfidência *<cuidado para não cometer nenhuma i. durante o jantar>* **3** curiosidade excessiva e inconveniente *<seu maior defeito é a i.>*

indiscriminado (in.dis.cri.mi.na.do) *adj.* **1** feito sem método ou coerência *<contratar colaboradores de modo i.>* **2** indistinto, desordenado, misturado *<uso i. de remédios>* ↺ controlado ~ **indiscriminação** *s.f.*

indiscutível (in.dis.cu.tí.vel) [pl.: *-eis*] *adj.2g.* que não se discute ou não se pode discutir; incontestável

indispensável (in.dis.pen.sá.vel) [pl.: *-eis*] *adj.2g.* **1** necessário ou obrigatório *<documentos i. para o negócio>* ↺ facultativo **2** que não pode faltar por ser parte integrante do hábito; inevitável *<as i. compras de Natal>* ■ *adj.2g.s.m.* **3** (o) que é necessário *<conhecimento i.> <o i. para sobreviver>* ↺ supérfluo ~ **indispensabilidade** *s.f.*

indisposição (in.dis.po.si.ção) [pl.: *-ões*] *s.f.* **1** falta de vontade *<i. para trabalhar>* ↺ ânimo **2** mal-estar *<uma i. de estômago>* **3** *fig.* falta de entendimento; briga ↺ conciliação ~ **indispor** *v.t.d.,t.i. e pron.*

indisposto (in.dis.pos.to) /ô/ [pl. e fem.: /ó/] *adj.* **1** que se encontra com indisposição física; adoentado ↺ disposto **2** irritado com (alguém ou algo); contrariado, mal-humorado

indissolúvel (in.dis.so.lú.vel) [pl.: *-eis*] *adj.2g.* que não se pode dissolver, desfazer *<união i.>* ~ **indissolubilidade** *s.f.*

indistinto (in.dis.tin.to) *adj.* **1** sem definição; vago *<imagem i.>* ↺ perceptível **2** que não se distingue dos demais; comum

inditoso (in.di.to.so) /ô/ [pl. e fem.: /ó/] *adj.s.m.* desafortunado, infeliz ↺ feliz, venturoso

individual (in.di.vi.du.al) [pl.: *-ais*] *adj.2g.* **1** próprio do indivíduo *<liberdade i.>* **2** relativo a um único ser, objeto ou situação *<armário i.>* ↺ coletivo **3** especial, único *<estilo i.>* ↺ geral

individualidade (in.di.vi.du.a.li.da.de) *s.f.* **1** característica do que é individual; singularidade *<i. genética>* **2** conjunto de atributos que diferencia um indivíduo ou uma coisa; identidade

individualismo (in.di.vi.du.a.lis.mo) *s.m.* **1** tendência a considerar apenas os valores e os interesses individuais **2** egoísmo ~ **individualista** *adj.2g.s.2g.*

individualização (in.di.vi.du.a.li.za.ção) [pl.: *-ões*] *s.f.* **1** ação ou efeito de individualizar(-se) **2** processo pelo qual um organismo, esp. um indivíduo, se torna diferente de todos os outros

individualizar (in.di.vi.du.a.li.zar) *v.* {mod. 1} *t.d. e pron.* **1** (fazer) adquirir caracteres distintivos; distinguir(-se), individuar(-se) *<retiraram-lhe tudo que o individualizava> <uma nação nova que cada vez mais se individualiza>* □ *t.d.* **2** adaptar às necessidades particulares de um indivíduo; particularizar

individuar (in.di.vi.du.ar) *v.* {mod. 1} *t.d.* **1** expor ou narrar com detalhes □ *t.d. e pron.* **2** individualizar(-se)

indivíduo (in.di.ví.duo) *s.m.* **1** todo ser em relação à sua espécie **2** alguém em relação a uma coletividade *<deveres do i.>* **3** ser pertencente à espécie humana *<i. idoso>*

indivisível (in.di.vi.sí.vel) [pl.: *-eis*] *adj.2g.s.m.* (o) que não se pode dividir ↺ divisível ~ **indivisibilidade** *s.f.*

indizível (in.di.zí.vel) [pl.: *-eis*] *adj.2g.* **1** que não pode ou não deve ser expresso em palavras <*prazer i.*> ↺ dizível **2** que foge ao comum; extraordinário <*beleza i.*> ↺ banal

indócil (in.dó.cil) [pl.: *-eis*] *adj.2g.* **1** difícil de disciplinar; rebelde <*criança i.*> ↺ submisso **2** ansioso, impaciente ↺ tranquilo ~ **indocilidade** *s.f.*

indo-europeu (in.do-eu.ro.peu) [pl.: *indo-europeus*; fem.: *indo-europeia*] *adj.s.m.* **1** (indivíduo) de povos antigos que migraram da Ásia central para a Pérsia, a península da Índia e a Europa no final do período neolítico ■ *s.m.* **2** tronco linguístico que abrange línguas da Europa e de parte da Índia ■ *adj.* **3** relativo a esse tronco ou língua

índole (ín.do.le) *s.f.* **1** caráter, temperamento <*í. amável*> **2** *fig.* conjunto de características; tipo específico <*a í. de um trabalho*>

indolente (in.do.len.te) *adj.2g.s.2g.* **1** que age de modo preguiçoso; lento ↺ dinâmico **2** apático, indiferente ↺ sensível ~ **indolência** *s.f.*

indolor (in.do.lor) /ô/ [pl.: *-es*] *adj.2g.* **1** que não causa dor **2** *fig.* realizado com facilidade; suave <*decisão i.*>

indômito (in.dô.mi.to) *adj.* **1** não domesticado ↺ amansado **2** que não se deixa dominar; indominável ↺ subjugado

indonésio (in.do.né.sio) *adj.* **1** da Indonésia (Ásia) ■ *s.m.* **2** natural ou habitante desse arquipélago

indubitável (in.du.bi.tá.vel) [pl.: *-eis*] *adj.2g.* que não deixa dúvida; incontestável ↺ discutível

indução (in.du.ção) [pl.: *-ões*] *s.f.* **1** forma de raciocínio que se baseia em casos particulares para chegar a uma proposição geral, indo dos efeitos à causa ☞ cf. *dedução* **2** incentivo, estímulo <*i. ao crime*> **3** MED processo de medicação para estimular o trabalho de parto

indulgência (in.dul.gên.cia) *s.f.* **1** disposição para perdoar; misericórdia ↺ severidade **2** desculpa, perdão ↺ condenação **3** ausência de rigor; benevolência ↺ intransigência **4** REL no catolicismo, remissão total ou parcial das penas temporais correspondentes aos pecados perdoados, que se obtém por mediação da Igreja

indulgente (in.dul.gen.te) *adj.2g.s.2g.* **1** (aquele) que tem disposição para desculpar ou perdoar; tolerante **2** (aquele) que se mostra favoravelmente disposto na apreciação de trabalhos ou atos de outrem <*crítico i.*> <*aplausos de uma plateia de i.*> ↺ severo ■ *adj.2g.* **3** que manifesta indulgência, clemência <*o réu recebeu uma sentença i.*>

indultar (in.dul.tar) *v.* {mod. 1} *t.d.* **1** conceder indulto a <*i. presos*> □ *t.d.,t.d.i. e pron.* **2** (prep. *de*) relevar (erro, falha) [de]; desculpar(-se), perdoar(-se) <*i. os ladrões de galinha*> <*indultá-lo das infrações*> <*i.-se dos erros do passado*>

indulto (in.dul.to) *s.m.* DIR **1** perdão, redução ou dispensa de uma pena **2** decreto pelo qual se consegue esse perdão

indumentária (in.du.men.tá.ria) *s.f.* **1** conjunto de vestimentas us. em determinada época, local, cultura etc. **2** arte relacionada ao vestuário **3** o que alguém veste; roupa ~ **indumentário** *adj.*

indústria (in.dús.tria) *s.f.* **1** habilidade para realizar algo; destreza **2** *p.ext.* capacidade de criar, inventar; engenho **3** conjunto de atividades econômicas que transformam a matéria-prima em bens de consumo e de produção <*i. mineradora*> **4** empresa que se dedica a essas atividades <*i. de sapatos*> **5** fábrica ▣ **i. de base** ou **pesada** conjunto de indústrias que produzem determinada matéria-prima ou que a submete a uma primeira transformação, como, p.ex., a produção de equipamentos, alimentando os demais setores • **i. de consumo** ou **leve** conjunto das indústrias que fabricam bens de consumo, como alimentos, vestuário, eletrodomésticos etc. • **i. de transformação** aquela que transforma matéria-prima em produtos intermediários ou em bens de consumo

industrial (in.dus.tri.al) [pl.: *-ais*] *adj.2g.* **1** referente a ou produzido por indústria **2** em que há indústrias <*cidade i.*> ■ *s.2g.* **3** proprietário ou administrador de indústria

industrializar (in.dus.tri.a.li.zar) *v.* {mod. 1} *t.d. e pron.* **1** aplicar técnicas, procedimentos industriais (a) **2** desenvolver(-se) [economia de cidade, região ou país] com base na indústria □ *t.d.* **3** usar como matéria-prima industrial <*i. a lã*> ~ **industrialização** *s.f.* - **industrializado** *adj.*

industriário (in.dus.tri.á.rio) *s.m.* *B* funcionário de indústria; operário

industrioso (in.dus.tri.o.so) /ô/ [pl. e fem.: /ó/] *adj.* **1** ativo, trabalhador <*a abelha é um inseto i.*> ↺ moroso **2** feito com engenho; cuidadoso <*bordado i.*> ↺ grosseiro

indutivo (in.du.ti.vo) *adj.* **1** que parte de um indução <*método i.*> ↺ dedutivo **2** que resulta de uma indução <*conclusão i.*>

induto (in.du.to) *adj. frm.* conduzido para; induzido ◉ GRAM/USO part. de *induzir*

indutor (in.du.tor) /ô/ [pl.: *-es*] *adj.s.m.* que(m) induz; instigador <*proposta i.*> <*i. de grande força*>

induzir (in.du.zir) *v.* {mod. 24} *t.d. e t.d.i.* **1** (prep. *em*) despertar (sensação, impressão) em (alguém); inspirar <*i. entusiasmo (nos alunos)*> □ *t.d.* **2** concluir por raciocínio lógico; deduzir <*comparando várias regras, induziu uma norma mais abrangente*> □ *t.d.i.* **3** (prep. *a*) dar força a (alguém) para (fazer algo); incitar, estimular <*induziu o amigo à prática da solidariedade*> **4** (prep. *a*) fazer cair ou incorrer em (erro, pecado etc.); compelir ◉ GRAM/USO part.: *induzido, induto*; ver QUADRO DE PARTICÍPIOS DUPLOS nas pp. iniciais

inebriar (i.ne.bri.ar) *v.* {mod. 1} *t.d.,int. e pron.* **1** entontecer por ingestão de substâncias ou ação de seus vapores, fumos <*os vapores do álcool inebriaram-no*> <*um perfume que inebria*> <*i.-se cheirando éter*> **2** *fig.* (prep. *com*) (fazer) sentir enlevo, êxtase; arrebatar (-se) <*a presença da amada inebriava-o*> <*a música inebria*> <*i.-se com o sucesso*>

inédito (i.né.di.to) *adj.* **1** que não foi impresso ou publicado <*obra i.*> <*autor i.*> **2** sem precedentes; novo <*fato i.*> ↺ trivial ~ **ineditismo** *s.m.*

inefável (i.ne.fá.vel) [pl.: *-eis*] *adj.2g.* **1** que não se pode descrever por causa de sua grandeza, poder, beleza etc. <*paisagem i.*> **2** *p.ext.* que causa grande prazer; encantador ↺ desagradável ~ **inefabilidade** *s.f.*

ineficaz (i.ne.fi.caz) [pl.: *-es*] *adj.2g.* 1 que não produz o efeito desejado; inoperante *<tratamento i.>* ↺ eficiente 2 sem resultado; inútil *<pensamento i.>* ~ **ineficácia** *s.f.*

ineficiente (i.ne.fi.ci.en.te) *adj.2g.* 1 não eficiente; imprestável ↺ útil 2 que não funciona; inoperante *<remédio i.>* ↺ eficaz ~ **ineficiência** *s.f.*

inegável (i.ne.gá.vel) [pl.: *-eis*] *adj.2g.* impossível de negar; óbvio *<provas i.>* ↺ discutível

inelegível (i.ne.le.gí.vel) [pl.: *-eis*] *adj.2g.* que não se pode eleger ↺ elegível

inelutável (i.ne.lu.tá.vel) [pl.: *-eis*] *adj.2g.* 1 contra o que não se pode lutar; fatal *<destino i.>* 2 que não se pode contestar; certo *<evidência i.>* ↺ incerto

inenarrável (i.ne.nar.rá.vel) [pl.: *-eis*] *adj.2g.* 1 que não pode ser narrado; inarrável ↺ banal 2 inacreditável, incrível

inépcia (i.nép.cia) *s.f.* 1 falta de inteligência ↺ sagacidade 2 incapacidade, incompetência ↺ vocação 3 DIR característica de petição, queixa ou denúncia que é rejeitada pelo juiz por não atender às exigências legais

inepto (i.nep.to) *adj.s.m.* 1 que(m) tem falta de aptidão ↺ capaz 2 que(m) tem pouca ou nenhuma inteligência; idiota, imbecil ↺ astuto, sagaz

inequiângulo (i.ne.qui.ân.gu.lo) /qü/ *adj.* GEOM que tem os ângulos desiguais entre si (diz-se de figura geométrica) ↺ equiângulo

inequívoco (i.ne.quí.vo.co) *adj.* sem ambiguidade; claro ↺ dúbio

inércia (i.nér.cia) *s.f.* 1 FÍS resistência que a matéria oferece à aceleração 2 *fig.* apatia; indolência ↺ vivacidade ~ **inercial** *adj.2g.*

inerente (i.ne.ren.te) *adj.2g.* que existe como característica essencial de alguém ou algo *<função i. ao cargo>* ↺ independente ~ **inerência** *s.f.*

inerme (i.ner.me) *adj.2g.* sem armas; indefeso ↺ protegido

inerte (i.ner.te) *adj.2g.* 1 sem atividade ou movimento próprios; imóvel *<os braços pendem i.>* 2 *fig.* desprovido de energia física ou moral; abatido, apático, prostrado ↺ agitado, inquieto

inervar (i.ner.var) *v.* {mod. 1} *t.d.* dotar de nervos (parte do organismo) ☞ cf. *enervar* ~ **inervação** *s.f.*

inescrupuloso (i.nes.cru.pu.lo.so) /ô/ [pl. e fem.: /ó/] *adj.* que não tem escrúpulos

inesgotável (i.nes.go.tá.vel) [pl.: *-eis*] *adj.2g.* 1 que não se esgota *<fonte i.>* ↺ esgotável 2 que se manifesta de forma incessante e sempre renovada *<amor i.>* *<curiosidade i.>* ~ **inesgotabilidade** *s.f.*

inesperado (i.nes.pe.ra.do) *adj.s.m.* 1 (o) que surpreende ↺ esperado 2 (o) que muda repentinamente ↺ previsto

inesquecível (i.nes.que.cí.vel) [pl.: *-eis*] *adj.2g.* impossível de esquecer; inolvidável

inestimável (i.nes.ti.má.vel) [pl.: *-eis*] *adj.2g.* 1 que não pode ser avaliado *<fortuna i.>* ↺ calculável 2 digno de grande estima ou consideração *<amizade i.>* ↺ comum

inevidente (i.ne.vi.den.te) *adj.2g.* sem evidência, não explícito ↺ evidente ~ **inevidência** *s.f.*

inevitável (i.ne.vi.tá.vel) [pl.: *-eis*] *adj.2g.s.m.* (o) que não se pode evitar, impedir *<encontro i.>* *<não conseguirão fugir ao i.>*

inexato (i.ne.xa.to) /z/ *adj.* 1 errado, falso *<cálculo i.>* ↺ correto 2 impreciso ↺ exato ~ **inexatidão** *s.f.*

inexequível (i.ne.xe.quí.vel) /z...qü/ [pl.: *-eis*] *adj.2g.* que não pode ser executado ou cumprido *<trabalho i.>* ↺ realizável ~ **inexequibilidade** *s.f.*

inexistência (i.ne.xis.tên.cia) /z/ *s.f.* ausência do que se supunha existir; falta *<i. de alimentos>* ↺ existência ~ **inexistente** *adj.2g.*

inexistir (i.ne.xis.tir) /z/ *v.* {mod. 24} *int.* não ter existência concreta *<inexistem provas de que houve crime>* ↺ haver, existir

inexorável (i.ne.xo.rá.vel) /z/ [pl.: *-eis*] *adj.2g.* 1 que não se abala com súplicas ou pedidos; inflexível, implacável ↺ condescendente 2 cujo rigor não pode ser amenizado *<leis i.>* ↺ brando 3 fatal, inevitável *<destino i.>* ↺ evitável ~ **inexorabilidade** *s.f.*

inexperiência (i.nex.pe.ri.ên.cia) *s.f.* 1 falta de experiência, de prática; imperícia ↺ experiência 2 ausência de malícia; ingenuidade ↺ esperteza

inexperiente (i.nex.pe.ri.en.te) *adj.2g.s.2g.* 1 que(m) não tem a experiência ou a prática de algo 2 (aquele) que é ingênuo, simples *<a boa-fé é típica de pessoas i.>* *<os i. fazem a alegria dos vigaristas>*

inexplicável (i.nex.pli.cá.vel) [pl.: *-eis*] *adj.2g.s.m.* (o) que é difícil ou impossível de ser explicado ↺ simples

inexplorado (i.nex.plo.ra.do) *adj.* que não foi explorado; desconhecido *<terras i.>* ↺ explorado

inexpressável (i.nex.pres.sá.vel) [pl.: *-eis*] *adj.2g.* que não pode ser expresso; inexprimível

inexpressivo (i.nex.pres.si.vo) *adj.* 1 sem expressão, vivacidade *<rosto i.>* ↺ animado 2 sem importância *<autor i.>* ↺ significativo

inexprimível (i.nex.pri.mí.vel) [pl.: *-eis*] *adj.2g.* 1 que não se pode exprimir; indizível, inexpressável 2 *fig.* que seduz, encanta *<paisagem i.>* ↺ detestável

inexpugnável (i.nex.pug.ná.vel) [pl.: *-eis*] *adj.2g.* 1 que não se pode conquistar pela força *<fortaleza i.>* ↺ conquistável 2 *fig.* que resiste a qualquer ataque *<moral i.>* ~ **inexpugnabilidade** *s.f.*

inextinguível (i.nex.tin.guí.vel) [pl.: *-eis*] *adj.2g.* impossível de se extinguir, destruir *<sentimento i.>*

inextricável (i.nex.tri.cá.vel) [pl.: *-eis*] ou **inextrincável** (i.nex.trin.cá.vel) [pl.: *-eis*] *adj.2g.* 1 que não se pode desembaraçar ou dissociar *<nó i.>* 2 confuso, intrincado *<negócios, problemas i.>* ↺ fácil

infalível (in.fa.lí.vel) [pl.: *-eis*] *adj.2g.* 1 que não erra nem se engana *<intuição i.>* ↺ duvidoso 2 que sempre ocorre como esperado *<uma dica i.>* ↺ inesperado ~ **infalibilidade** *s.f.*

infamar (in.fa.mar) *v.* {mod. 1} *t.d.,int. e pron.* 1 tornar(-se) infame, baixo; desonrar(-se) *<o homicídio infama para sempre quem o comete>* *<certos atos infamam como uma condenação>* *<infamou-se traindo a confiança dos amigos>* ↺ enobrecer(-se) □ *t.d.* 2 atribuir atitudes desprezíveis a; difamar *<um candidato que só sabe i. os outros>* □ *t.d. e pron.* 3 (fazer) perder a estima, a boa reputação; desacreditar(-se)

<*i. um governo*> <*ele se infama com a mesquinhez dos seus atos*> ~ **infamação** *s.f.*

infame (in.fa.me) *adj.2g.s.2g.* **1** que(m) tem má fama, que(m) está desonrado ↺ prestigiado **2** que(m) é vil, desprezível ↺ nobre ■ *adj.2g.* **3** relativo a pessoa infame <*ato i.*> **4** que causa repulsa ou desprezo <*piada i.*>

infâmia (in.fâ.mia) *s.f.* **1** o que fere a honra, o nome de alguém, de uma instituição etc. <*não levarei em consideração as i. que foram publicadas contra mim*> **2** atitude vergonhosa, vil <*quantas i. são cometidas em nome de uma falsa moral*>

infância (in.fân.cia) *s.f.* **1** período da vida humana que vai do nascimento ao início da adolescência **2** *fig.* começo, nascimento de algo <*a i. do mundo*>

infantaria (in.fan.ta.ri.a) *s.f.* força militar que combate a pé

[1]**infante** (in.fan.te) [fem.: *infanta*] *s.m.* em Portugal e Espanha, filho de reis que não herda o trono ◉ ORIGEM do lat. *infans,āntis* 'que não fala, que tem pouca idade'

[2]**infante** (in.fan.te) *s.m.* soldado de infantaria ◉ ORIGEM do it. *fante* 'id.'

infanticídio (in.fan.ti.cí.dio) *s.m.* assassinato de criança ~ **infanticida** *adj.2g.s.2g.*

infantil (in.fan.til) [pl.: *-is*] *adj.2g.* **1** próprio de criança ou da infância <*reação i.*> **2** apropriado às crianças <*literatura i.*> **3** próprio de alguém que se comporta como criança; tolo <*comentário i.*> ~ **infantilidade** *s.f.*

infantilismo (in.fan.ti.lis.mo) *s.m.* MED persistência anormal de características infantis morfológicas, sexuais ou psicológicas no adulto

infantilizar (in.fan.ti.li.zar) *v.* {mod. 1} *t.d. e pron.* **1** (fazer) parecer criança <*os avós fazem tudo para infantilizar o menino*> <*quando está perto dos pais ele se infantiliza*> □ *t.d.* **2** dar caráter infantil a <*i. uma peça teatral*>

infantojuvenil (in.fan.to.ju.ve.nil) [pl.: *-is*] *adj.2g.* relativo à infância e à juventude

infarto (in.far.to), **enfarte** (en.far.te), **enfarto** (en.far.to) ou **infarte** (in.far.te) *s.m.* MED **1** necrose da região de um órgão produzida pela parada súbita da circulação arterial **2** necrose de parte do miocárdio devido à obstrução de uma artéria coronária; infarto do miocárdio ▣ **i. do coração** *infrm.* infarto (acp. 2) • **i. do miocárdio** MED infarto (acp. 2) ~ **infartar** *v.t.d. e int.*

infatigável (in.fa.ti.gá.vel) [pl.: *-eis*] *adj.2g.* **1** que não sente fadiga <*nadador i.*> **2** constante, persistente <*cuidados i.*> ~ **infatigabilidade** *s.f.*

infausto (in.faus.to) *adj.* **1** infeliz ↺ feliz **2** *p.ext.* que traz desgraça; azarado ↺ propício

infecção (in.fec.ção) [pl.: *-ões*] ou **infeção** (in.fe.ção) [pl.: *-ões*] *s.f.* MED doença causada pela presença e pelo desenvolvimento de micróbios no organismo ↺ desinfecção

infeccionar (in.fec.cio.nar) ou **infecionar** (in.fe.cio.nar) *v.* {mod. 1} *t.d.* **1** tornar impuro pela introdução de elementos nocivos ou infecciosos; contaminar <*a carne estragada infeccionava o ambiente*> □ *t.d.,int. e pron.* **2** causar ou sofrer infecção <*as más condições de higiene infeccionaram o ferimento*> <*o corte no dedo infeccionou*> <*infeccionou-se por uma transfusão de sangue*>

infeccioso (in.fec.ci.o.so) /ô/ [pl. e fem.: /ó/] *adj.* **1** que resulta de infecção <*doença i.*> **2** que causa infecção <*germe i.*>

infectar (in.fec.tar) ou **infetar** (in.fe.tar) *v.* {mod. 1} *t.d.,int. e pron.* **1** contaminar(-se) com doença ou com seu agente; infeccionar(-se) <*o vírus infectou o sistema nervoso*> <*a ferida infectou(-se)*> □ *t.d.* **2** transferir ou instalar vírus de computador em (arquivo, sistema etc.) ◉ GRAM/USO part.: *infectado, infecto*; ver QUADRO DE PARTICÍPIOS DUPLOS nas pp. iniciais ~ **infectante** *adj.2g.*

infecto (in.fec.to) *adj.* **1** que tem ou causa infecção **2** fedorento e/ou imundo <*sala i.*> ↺ perfumado **3** *fig.* que contraria a moral; repugnante <*atos i.*> ↺ admirável

infectocontagioso (in.fec.to.con.ta.gi.o.so) /ô/ [pl. e fem.: /ó/] ou **infetocontagioso** (in.fe.to.con.ta.gi.o.so) *adj.* que causa infecção e se transmite por contágio

infecundo (in.fe.cun.do) *adj.* **1** que produz pouco ou nada; estéril, improdutivo <*terras i.*> ↺ fecundo **2** *fig.* inútil, improdutivo <*esforço i.*> ↺ válido ~ **infecundidade** *s.f.*

infelicidade (in.fe.li.ci.da.de) *s.f.* **1** estado do que é ou está infeliz ↺ felicidade **2** acontecimento que tem consequências desastrosas; calamidade, catástrofe, desastre <*perder o prazo da inscrição foi uma i.*>

infeliz (in.fe.liz) [pl.: *-es*] *adj.2g.s.2g.* **1** que(m) não é feliz; descontente ↺ feliz **2** que(m) não foi favorecido pelas circunstâncias; desgraçado ↺ afortunado ■ *adj.2g.* **3** desastrado, inadequado <*palpite i.*> ↺ conveniente

infenso (in.fen.so) *adj.* **1** que é contrário, hostil <*um comandante i. a sugestão de subordinados*> ↺ favorável **2** tomado de irritação; furioso, irado ↺ sossegado

inferência (in.fe.rên.cia) *s.f.* ação ou efeito de inferir; conclusão, indução

inferior (in.fe.ri.or) /ô/ [pl.: *-es*] *adj.2g.* **1** que está abaixo ou por baixo de <*prateleira i.*> ↺ superior **2** de menor valor ou qualidade <*preço i. a 100 reais*> <*produto i.*> ↺ superior ■ *adj.2g.s.2g.* **3** subalterno ↺ superior

inferioridade (in.fe.ri.o.ri.da.de) *s.f.* **1** situação ou posição inferior **2** condição de quem é ou do que é inferior **3** sentimento de ser menos importante ou de valer menos que outros

inferiorizar (in.fe.ri.o.ri.zar) *v.* {mod. 1} *t.d. e pron.* diminuir o valor, a importância (de); rebaixar(-se) <*o líder não deve i. os subordinados*> <*ele se inferioriza no trato com os colegas*> ↺ valorizar(-se) ~ **inferiorização** *s.f.*

inferir (in.fe.rir) *v.* {mod. 28} *t.d. e t.d.i.* (prep. *de*) concluir pelo raciocínio, a partir de fatos, sinais; deduzir <*conseguiu i. uma prova (de poucos indícios)*>

infernizar (in.fer.ni.zar) *v.* {mod. 1} *t.d.* **1** tornar ruim como o inferno; atormentar <*a falta de água inferniza a vida durante o verão*> **2** *p.ext.* provocar impaciência, irritação em; aborrecer

inferno (in.fer.no) *s.m.* **1** para os cristãos, lugar em que ficam as almas dos pecadores após a morte ☞ inicial ger. maiúsc. **2** *fig.* tormento, suplício <*aquela viagem foi um i.*>

I

infértil (in.fér.til) [pl.: *-eis*] *adj.2g.* **1** que não é fértil; estéril, infecundo *<solo i.>* ↺ fértil **2** *fig.* que produz pouco ou nada; infrutífero *<imaginação i.> <ideia i.>* ↺ fértil

infertilizar (in.fer.ti.li.zar) *v.* {mod. 1} *t.d. e pron.* tornar(-se) infértil, infecundo; esterilizar(-se)

infestação (in.fes.ta.ção) [pl.: *-ões*] *s.f.* **1** ato ou efeito de infestar **2** MED qualquer infecção por parasitas como piolhos, vermes etc., que se instalam na superfície ou dentro de um órgão

infestar (in.fes.tar) *v.* {mod. 1} *t.d.* **1** multiplicar-se causando danos a *<ervas daninhas infestam os canteiros>* **2** MED causar infestação em *<piolhos infestaram a cabeça do menino>* **3** percorrer praticando atos de hostilidade, violência; assolar *<bandidos infestam aquela comunidade>* ~ **infestado** *adj.*

infetar (in.fe.tar) *v.* {mod. 1} *t.d. e pron.* → ***INFECTAR***

infetocontagioso (in.fe.to.con.ta.gi.o.so) *adj.* → ***INFECTOCONTAGIOSO***

I

infidelidade (in.fi.de.li.da.de) *s.f.* falta de respeito, de fidelidade àquilo com que se deveria estar comprometido *<i. amorosa> <i. partidária>* ↺ fidelidade

infiel (in.fi.el) [pl.: *-éis*] *adj.2g.s.2g.* que(m) não é fiel; traidor ↺ fiel

infiltrado (in.fil.tra.do) *adj.* **1** que se infiltrou ■ *adj.s.m.* **2** (aquele) que se infiltrou numa organização inimiga; espião

infiltrar (in.fil.trar) *v.* {mod. 1} *t.d. e pron.* **1** penetrar (um líquido) através de (um corpo sólido) *<a água infiltrou a laje> <não deixe o óleo i.-se nas engrenagens>* □ *t.d.i. e pron.* **2** (prep. *em*) (fazer) entrar devagar ou em segredo *<i. policiais na quadrilha> <os espiões infiltraram-se no palácio>* **3** (prep. *em*) incutir, insinuar *<i. o civismo nos jovens> <infiltrou-se neles o repúdio à injustiça>*

ínfimo (ín.fi.mo) *adj.s.m.* (o) que é muito pequeno ou sem valor ↺ máximo

infindável (in.fin.dá.vel) [pl.: *-eis*] *adj.2g.* que não pode ter fim ou parece não ter fim ↺ passageiro

infindo (in.fin.do) *adj.* que não tem fim; ilimitado ↺ limitado

infinidade (in.fi.ni.da.de) *s.f.* **1** característica do que é infinito **2** grande quantidade ou número *<uma i. de perguntas>*

infinitesimal (in.fi.ni.te.si.mal) [pl.: *-ais*] *adj.2g.* muito pequeno; ínfimo *<doses i.>* ↺ gigantesco

infinitivo (in.fi.ni.ti.vo) *s.m.* GRAM forma nominal do verbo que exprime ação ou estado, mas que é neutra quanto às categorias gramaticais de tempo, modo, aspecto, número, pessoa ☞ é a forma que representa o verbo e em que este figura nas entradas de verbetes, nos dicionários ◉ GRAM/USO tb. adj. ▣ **i. impessoal** GRAM o infinitivo que não se flexiona quanto a pessoa ou número • **i. pessoal** GRAM o infinitivo flexionado que recebe as desinências de número e pessoa

infinito (in.fi.ni.to) *adj.s.m.* **1** (o) que não tem limite ou fim *<tempo i.> <a fé lhe abriu a alma para o i.>* ↺ finito ■ *adj.* **2** que não se pode medir ou contar *<uma planície i.>*

[1]**infixo** (in.fi.xo) /cs/ *adj.* não fixo; móvel ◉ ORIGEM [2]*in-* + *fixo*

[2]**infixo** (in.fi.xo) /cs/ *s.m.* GRAM elemento acrescentado ao meio de uma palavra (entre a raiz e o sufixo) para formar outra ☞ cf. *prefixo* e *sufixo* ◉ ORIGEM do lat. *infixus,a,um*, 'espetado, metido à força'

inflação (in.fla.ção) [pl.: *-ões*] *s.f.* ECON desequilíbrio econômico caracterizado pela alta de preços e pela desvalorização da moeda ☞ cf. *deflação* ~ **inflacionário** *adj.*

inflacionar (in.fla.cio.nar) *v.* {mod. 1} *t.d.* **1** promover inflação em **2** causar a desvalorização de (moeda) por emissão excessiva **3** oferecer a (mercado) mais do que este pode absorver *<i. o mercado de trabalho>*

inflamação (in.fla.ma.ção) [pl.: *-ões*] *s.f.* **1** ação pela qual uma matéria combustível se inflama; combustão **2** MED reação orgânica a estímulo nocivo, caracterizada por dor, rubor, calor e acúmulo de líquido nos tecidos **3** *fig.* entusiasmo; exaltação

inflamar (in.fla.mar) *v.* {mod. 1} *t.d. e pron.* **1** (fazer) pegar fogo; queimar(-se) *<o calor intenso inflamou parte da floresta> <a primeira coisa a i.-se no incêndio foi a estante de livros>* **2** (fazer) ficar ruborizado (rosto, face); corar *<a alegria inflamou o rosto da moça> <as bochechas dele inflamaram-se de vergonha>* **3** *fig.* excitar(-se), exaltar(-se) *<i. os ânimos> <i.-se ao ouvir um desaforo>* □ *t.d.,int. e pron.* MED **4** (fazer) sofrer inflamação *<a pancada inflamou o seu joelho> <o corte inflamou(-se)>* ~ **inflamatório** *adj.*

inflamável (in.fla.má.vel) [pl.: *-eis*] *adj.2g.s.m.* (substância) que pega fogo facilmente ~ **inflamabilidade** *s.f.*

inflar (in.flar) *v.* {mod. 1} *t.d.,int. e pron.* **1** inchar (-se) com ar, vento, gás *<i. um balão> <o barco partirá quando as velas i.> <suas narinas se inflavam de raiva>* **2** encher(-se) de orgulho, vaidade; envaidecer(-se) ~ **inflável** *adj.2g.*

inflexão (in.fle.xão) /cs/ [pl.: *-ões*] *s.f.* **1** curva, dobra **2** GRAM determinada entonação na pronúncia de uma frase

inflexível (in.fle.xí.vel) /cs/ [pl.: *-eis*] *adj.2g.* **1** que não se curva ↺ flexível **2** que resiste às influências e tentativas de persuasão *<juiz i.>* ↺ suscetível **3** *fig.* que não se adapta a circunstâncias novas ou diferentes ↺ tolerante ~ **inflexibilidade** *s.f.*

infligir (in.fli.gir) *v.* {mod. 24} *t.d.i.* **1** (prep. *a*) impor, aplicar (pena, castigo etc.) a *<i. multas aos infratores>* **2** (prep. *a*) causar, produzir (algo desagradável) a *<a seca infligiu prejuízo ao agricultor>* **3** (prep. *a*) obrigar a suportar (algo prejudicial, penoso ou doloroso) *<infligiu-lhe meia hora de reclamações>* ☞ cf. *infringir*

inflorescência (in.flo.res.cên.cia) *s.f.* BOT estrutura da qual crescem as flores de algumas plantas

influência (in.flu.ên.cia) *s.f.* **1** poder de interferência de uma pessoa ou coisa sobre outra *<a i. árabe na culinária brasileira> <a i. da Lua nas marés>* **2** autoridade, prestígio *<pessoa de grande i.>*

influenciar (in.flu.en.ci.ar) *v.* {mod. 1} *t.d. e pron.* **1** exercer ação psicológica, domínio ou ascendência sobre ou ser atingido por isso *<um homem capaz de i. governos e nações> <é uma pessoa que se influencia facilmente>* **2** (fazer) sofrer uma mudança física ou intelectual *<a Lua influencia as marés> <dentro do clã as famílias se influenciam mutuamente>*

influente (in.flu.en.te) *adj.2g.* **1** que influi ■ *adj.2g.s.2g.* **2** que ou quem exerce influência **2.1** (aquele) que tem poder, autoridade ou prestígio

influir (in.flu.ir) *v.* {mod. 26} *t.d. e t.d.i.* **1** (prep. *em*) fazer penetrar no ânimo (de); incutir, inspirar *<a cidade despovoada influi solidão e tristeza> <palavras encorajadoras que influíram novo alento nas tropas>* □ *t.i.* **2** (prep. *em*) exercer influência em ou sobre; influenciar *<o exemplo do professor influi no caráter do aluno>*

influxo (in.flu.xo) /cs/ *s.m.* **1** ato de influir ou o seu efeito **2** *fig.* convergência; abundância *<i. de riquezas, de ideias>* ↺ carência **3** cheia da maré; preamar ↺ refluxo

informação (in.for.ma.ção) [pl.: *-ões*] *s.f.* **1** conhecimento obtido por investigação ou instrução; informe, notícia **2** conjunto de conhecimentos sobre determinado assunto *<a i. acerca do projeto é insuficiente>* **3** conjunto de atividades de coleta e difusão de notícias junto ao público *<liberdade de i.>*

informal (in.for.mal) [pl.: *-ais*] *adj.2g.* **1** sem cerimônia; descontraído *<roupa i.> <linguagem i.>* ↺ formal **2** que se faz sem contrato ou carteira de trabalho assinada (diz-se de trabalho, atividade, economia etc.) ~ **informalidade** *s.f.*

informante (in.for.man.te) *adj.2g.s.2g.* que(m) dá informações *<i. da polícia>*

informar (in.for.mar) *v.* {mod. 1} *t.d.i. e pron.* **1** (prep. *de, a*) [fazer] saber, tomar conhecimento de; cientificar(-se), avisar *<i. o candidato do resultado> <i. aos alunos a data da prova> <informe-se melhor antes de ir>* □ *t.d.* **2** dar instrução a; ensinar *<os pais devem i. os filhos>* □ *t.d. e int.* **3** dar notícia ou informação (a) *<o jornal deve i. os leitores> <o jornalista deve i. com imparcialidade>*

informática (in.for.má.ti.ca) *s.f.* ciência e técnica de tratar a informação por meio do uso de computadores e demais dispositivos de processamento de dados ~ **informático** *adj.*

informativo (in.for.ma.ti.vo) *adj.* **1** que se destina a informar ou a noticiar *<texto i.>* ■ *s.m.* **2** publicação periódica em que predomina o caráter informativo; boletim

informatizar (in.for.ma.ti.zar) *v.* {mod. 1} *t.d.* **1** aplicar os métodos e recursos da informática a *<i. a produção de livros>* **2** prover (local, instituição) com sistemas de computador *<i. uma escola>* ~ **informatização** *s.f.*

[1]**informe** (in.for.me) *adj.2g.* **1** sem forma definida *<massa i.>* **2** vago, incerto *<ideias i.>* ◉ ORIGEM do lat. *infōrmis,e* 'id.'

[2]**informe** (in.for.me) *s.m.* notícia ou aviso breve ◉ ORIGEM do v. *informar*

infortúnio (in.for.tú.nio) *s.m.* má sorte; infelicidade ~ **infortunar** *v.t.d.*

infra- *pref.* 'posição abaixo ou inferior': *infraestrutura, infravermelho*

infração (in.fra.ção) [pl.: *-ões*] *s.f.* **1** desobediência a regras **2** DIR ato ilegal

Infraero (In.fra.e.ro) *s.f.* sigla de Empresa Brasileira de Infraestrutura Aeroportuária

infraestrutura (in.fra.es.tru.tu.ra) *s.f.* **1** suporte, ger. invisível, que é base indispensável à edificação, à manutenção ou ao funcionamento de uma estrutura ↺ superestrutura **2** sistema de serviços públicos de uma cidade (p.ex., esgoto, água, iluminação, gás canalizado)

infrator (in.fra.tor) /ô/ [pl.: *-es*] *adj.s.m.* (o) que desobedece a leis; transgressor

infravermelho (in.fra.ver.me.lho) /ê/ *s.m.* **1** radiação eletromagnética us. em medicina, fotografia etc. ■ *adj.* **2** diz-se dessa radiação

infrene (in.fre.ne) *adj.2g.* **1** sem freio ↺ freado **2** *fig.* descontrolado; desordenado ↺ contido

infringir (in.frin.gir) *v.* {mod. 24} *t.d.* não seguir determinações de (lei, norma etc.); transgredir, desrespeitar ↺ obedecer ☞ cf. *infligir* ~ **infringência** *s.f.*

infrutescência (in.fru.tes.cên.cia) *s.f.* BOT fruto formado unido a uma inflorescência, como o abacaxi, a jaca etc. ~ **infrutescente** *adj.2g.*

infrutífero (in.fru.tí.fe.ro) *adj.* **1** que não produz frutos ↺ frutífero **2** *fig.* que não dá resultados; inútil *<pesquisa i.>* ↺ proveitoso

infundado (in.fun.da.do) *adj.* sem fundamento ('base', 'motivo') *<críticas i.>* ↺ fundamentado

infundir (in.fun.dir) *v.* {mod. 24} *t.d.i.* **1** (prep. *em*) deixar cair (líquido) em; derramar *<i. água num recipiente>* □ *t.d.* **2** pôr de infusão *<i. raízes, folhas>* □ *t.d. e t.d.i.* **3** (prep. *a*) fazer que (ideia, sentimento) se apresente ao espírito por associação de ideias; inspirar *<i. coragem aos medrosos>* □ *pron.* **4** introduzir-se, penetrar *<o cupim infundiu-se no tronco>*

infusão (in.fu.são) [pl.: *-ões*] *s.f.* **1** processo de extrair propriedades medicamentosas ou alimentícias de uma substância, mergulhando-a em água fervente **2** a solução assim obtida *<bebeu uma i. de boldo>* ~ **infuso** *adj.s.m.*

infusível (in.fu.sí.vel) [pl.: *-eis*] *adj.2g.* que não se pode fundir ~ **infusibilidade** *s.f.*

ingá (in.gá) *s.m.* BOT **1** nome comum a árvores e arbustos nativos das Américas, cultivados como ornamentais ou pela polpa doce dos frutos, em forma de vagem; ingazeira, ingazeiro **2** o fruto dessas árvores

ingazeira (in.ga.zei.ra) *s.f.* ou **ingazeiro** (in.ga.zei.ro) *s.m.* BOT ingá ('árvore')

ingênuo (in.gê.nuo) *adj.s.m.* que(m) é puro, sem malícia *<pessoa i.> <olhar i.>* ↺ malicioso ~ **ingenuidade** *s.f.*

ingerência (in.ge.rên.cia) *s.f.* interferência, intromissão

ingerir (in.ge.rir) *v.* {mod. 28} *t.d.* **1** introduzir no organismo através da boca; engolir *<só consegue i. líquidos>* □ *pron.* **2** (prep. *em*) tomar partido em; intervir, intrometer-se *<i.-se na vida dos outros>*

ingestão (in.ges.tão) [pl.: *-ões*] *s.f.* ato de ingerir; deglutição

inglês (in.glês) [pl.: *-eses*] *adj.* **1** da Inglaterra (Europa) ■ *s.m.* **2** natural ou habitante desse país **3** LING língua oficial de vários Estados, como Inglaterra, Estados Unidos, Austrália, Nova Zelândia, Canadá (ao lado do francês) e de várias ex-colônias inglesas na América e na África

inglório (in.gló.rio) *adj.* sem glória; ignorado *<esforço i.>* ↺ famoso

ingratidão (in.gra.ti.dão) [pl.: *-ões*] *s.f.* falta de gratidão, de reconhecimento por benefício recebido ↺ gratidão

I

ingrato (in.gra.to) *adj.s.m.* **1** que(m) não reconhece nem retribui benefício recebido ↺ grato ■ *adj.* **2** árduo, penoso *<tarefa i.>* ↺ fácil **3** que não compensa o trabalho despendido *<natureza i.>* ↺ frutífero

ingrediente (in.gre.di.en.te) *s.m.* componente de preparado ou mistura *<os i. de um bolo> <os i. de uma vingança>*

íngreme (ín.gre.me) *adj.2g.* muito inclinado em relação ao plano horizontal *<moramos numa rua í.>* ↺ plano

ingressar (in.gres.sar) *v.* {mod. 1} *t.i.* **1** (prep. *em*) passar do exterior para o interior de; entrar *<i. no país clandestinamente>* **2** (prep. *em*) passar a fazer parte de *<i. num clube>*

ingresso (in.gres.so) *s.m.* **1** acesso, entrada **2** *B* bilhete de entrada em concerto, jogo etc.

íngua (ín.gua) *s.f.* MED **1** inflamação ou inchação do gânglio linfático inguinal **2** *p.ext.* inchação de gânglio na axila, pescoço etc.

I

inguinal (in.gui.nal) [pl.: *-ais*] *adj.2g.* referente a ou próprio da virilha

ingurgitar (in.gur.gi.tar) *v.* {mod. 1} *t.d.* **1** encher até transbordar *<i. um barril>* **2** comer com voracidade e em grande quantidade; devorar □ *pron.* **3** comer demais; empanturrar-se □ *int. e pron.* **4** aumentar de volume; inchar *<a fúria fez i.(-se) as veias do pescoço>* □ *t.d. e pron.* MED **5** obstruir(-se) [vaso ou ducto excretor]

inhaca (i.nha.ca) *s.f.* *B infrm.* fedor exalado por pessoa ou animal

inhambu (i.nham.bu) *s.m.* ZOO ave de corpo robusto, pernas grossas e quase sem cauda; nambu

inhame (i.nha.me) *s.m.* BOT **1** tubérculo cinzento comestível **2** planta desse tubérculo

-inhar *suf.* 'repetição, pouca intensidade': *escrevinhar*

-inho *suf.* **1** 'diminuição': *aviãozinho, carrinho* **2** 'afetividade': *avozinho, queridinho*

inibição (i.ni.bi.ção) [pl.: *-ões*] *s.f.* **1** condição mental ou emocional que dificulta iniciar ou dar prosseguimento a uma ação; timidez **2** bloqueio ou retardamento de um processo químico ou fisiológico ↺ desimpedimento

inibido (i.ni.bi.do) *adj.* **1** que se inibiu ■ *adj.s.m.* **2** que(m) apresenta inibição; introvertido, tímido ↺ extrovertido, desinibido

inibir (i.ni.bir) *v.* {mod. 24} *t.d.,t.d.i. e pron.* **1** (prep. *de*) tolher(-se), esp. por impedimentos psicológicos ou controles sociais; acanhar(-se) *<a gagueira o inibe (de falar)> <muito tímido, inibe-se diante de uma plateia>* □ *t.d.* **2** impedir o funcionamento de *<i. o sistema vascular>* **3** bloquear, impedir *<o remédio inibe a ação do vírus>* ↺ desbloquear □ *t.d.i.* **4** (prep. *a*) proibir, vetar *<i. aos estrangeiros o exercício pleno da cidadania>* ↺ permitir ~ **inibidor** *adj.s.m.*

iniciação (i.ni.ci.a.ção) [pl.: *-ões*] *s.f.* **1** participação em alguma experiência misteriosa ou desconhecida **2** admissão como membro de seita ou sociedade ger. secreta **3** ritual de ingresso nessa seita ou sociedade **4** recebimento das primeiras noções de uma prática, ciência ou religião **5** ANTRPOL conjunto de cerimônias que elevam ou modificam o *status* social do membro de um grupo ou sociedade

iniciado (i.ni.ci.a.do) *adj.s.m.* **1** que(m) se converteu a seita, culto etc. **2** que(m) se instruiu em saber, prática etc.

inicial (i.ni.ci.al) [pl.: *-ais*] *adj.2g.* **1** que está no início, na origem de *<fase i.> <impulso i.>* ■ *s.f.* **2** a primeira letra de uma palavra **3** a letra que inicia o prenome e/ou o(s) sobrenome(s) de uma pessoa *<marcava os cadernos com suas i.>*

inicializar (i.ni.ci.a.li.zar) *v.* {mod. 1} *t.d.* INF **1** pôr em funcionamento (computador, periférico); iniciar **2** carregar ou abrir (programa); iniciar ~ **inicialização** *s.f.*

inicialmente (i.ni.ci.al.men.te) *adv.* no começo, a princípio; primeiramente

iniciante (i.ni.ci.an.te) *adj.2g.* **1** que inicia; iniciador ■ *adj.2g.s.2g.* **2** (aquele) que está começando a adquirir a experiência ou a prática de algo; principiante, novato

iniciar (i.ni.ci.ar) *v.* {mod. 1} *t.d. e pron.* **1** [fazer] ter início; começar, principiar(-se) *<i. um trabalho> <espero que este ano se inicie melhor que o passado>* □ *t.d.i. e pron.* **2** (prep. *em*) [fazer] adquirir os primeiros conhecimentos de (certa técnica, arte ou saber); instruir(-se) *<i. alguém na pintura> <i.-se em matemática>* **3** (prep. *em*) pôr(-se) a par de segredos e práticas de (seita ou sociedade secreta) *<i. alguém nos mistérios da maçonaria> <i.-se no culto de uma divindade>* □ *t.d.* INF **4** pôr em funcionamento (computador ou periférico) **5** carregar ou abrir (programa)

iniciativa (i.ni.ci.a.ti.va) *s.f.* ação ou ânimo empreendedor *<pessoa de i.> <a i. de organizar o trabalho>*

início (i.ní.cio) *s.m.* primeira parte de; começo ↺ fim

inigualável (i.ni.gua.lá.vel) [pl.: *-eis*] *adj.2g.* que não tem igual; incomparável ↺ comum

iniludível (i.ni.lu.dí.vel) [pl.: *-eis*] *adj.2g.* **1** que não admite dúvida; evidente **2** que não se pode enganar

inimaginável (i.ni.ma.gi.ná.vel) [pl.: *-eis*] *adj.2g.* que não se pode imaginar; surpreendente, incrível *<solução i.>*

inimigo (i.ni.mi.go) *adj.* **1** que está em oposição; contrário *<sorte i.> <canhões i.>* ■ *s.m.* **2** o que tem ódio a alguém ou algo *<ele é meu i.>* **3** adversário militar, político etc. ↺ aliado **4** quem sente aversão a algo *<i. do trabalho>* ↺ amigo **5** o que se opõe a algo *<a pressa é i. da perfeição>* ↺ amigo

inimitável (i.ni.mi.tá.vel) [pl.: *-eis*] *adj.2g.* que não pode ser imitado ↺ imitável

inimizade (i.ni.mi.za.de) *s.f.* falta de amizade ↺ afeição, amizade

inimizar (i.ni.mi.zar) *v.* {mod. 1} *t.d.,t.d.i. e pron.* (prep. *com*) tornar(-se) inimigo de; indispor(-se), desavir(-se) *<um mal-entendido inimizou-os para sempre> <um professor prepotente inimizou o aluno com a gramática> <desde o primeiro dia de trabalho, inimizou-se com os colegas>* ↺ reconciliar(-se)

ininteligível (i.nin.te.li.gí.vel) [pl.: *-eis*] *adj.2g.* que não se entende *<letra i.>* ↺ inteligível

ininterrupto (i.nin.ter.rup.to) *adj.* sem interrupção; contínuo, constante ↺ intermitente, interrompido

iníquo (i.ní.quo) *adj.* **1** desigual, injusto *<julgamento i.> <juízes i.>* ↺ justo **2** mau, perverso ↺ piedoso ~ **iniquidade** *s.f.*

injeção (in.je.ção) [pl.: *-ões*] *s.f.* **1** ação de injetar sob pressão uma substância no organismo com o auxílio de seringa e agulha, sonda ou cânula **2** *p.ext.* essa substância *<i. de analgésico>*

injetar (in.je.tar) *v.* {mod. 1} *t.d. e t.d.i.* **1** (prep. *em*) introduzir sob pressão (uma substância) em *<i. soro (na veia)>* ◻ *t.d. e pron.* **2** corar devido ao afluxo de sangue ◻ *t.d.i. fig.* **3** (prep. *em*) investir, aplicar (dinheiro) em (projeto, empreendimento) ~ **injetor** *adj.s.m.*

injetável (in.je.tá.vel) [pl.: *-eis*] *adj.2g.* que deve ser administrado por injeção (diz-se de medicamento ou produto)

injunção (in.jun.ção) [pl.: *-ões*] *s.f.* **1** ordem precisa e formal **2** imposição, pressão *<i. social>*

injúria (in.jú.ria) *s.f.* ato ou dito que ofende alguém; insulto, ofensa ↺ elogio

injuriar (in.ju.ri.ar) *v.* {mod. 1} *t.d.* **1** dirigir insulto, injúria a; ofender **2** tornar infame; desonrar *<é uma revelação que injuria a memória de seu pai>* ↺ enobrecer **3** causar estrago, dano ou lesão a; danificar *<i. a pintura da parede>* ↺ consertar ◻ *pron. B infrm.* **4** irritar-se, zangar-se ↺ acalmar-se ~ **injuriador** *adj.s.m.* - **injurioso** *adj.*

injustiça (in.jus.ti.ça) *s.f.* **1** falta de justiça ↺ justiça **2** ato ou decisão contrária à justiça *<cometer i.>*

injustiçado (in.jus.ti.ça.do) *adj.s.m.* (o) que sofreu injustiça

injustificável (in.jus.ti.fi.cá.vel) [pl.: *-eis*] *adj.2g.* que não pode ser justificado *<demissão i.>*

injusto (in.jus.to) *adj.s.m.* **1** que(m) não procede com justiça; parcial *<castigo i.>* *<os i. não serão perdoados>* ↺ justo, imparcial ■ *adj.* **2** que não está em conformidade com a justiça *<decisão i.>* ↺ correto **3** que não tem fundamento *<i. indignação>*

Inmetro (In.me.tro) *s.m.* sigla de Instituto Nacional de Metrologia, Normalização e Qualidade Industrial

-ino *suf.* **1** 'origem': *marroquino* **2** 'semelhança': *cristalino* **3** 'diminuição': *pequenino*

inocência (i.no.cên.cia) *s.f.* **1** ausência de culpa **2** ingenuidade, pureza

inocentar (i.no.cen.tar) *v.* {mod. 1} *t.d. e pron.* tornar (-se) ou considerar(-se) inocente *<i. um réu>* *<conseguiu i.-se de todas as acusações>*

inocente (i.no.cen.te) *adj.2g.s.2g.* **1** que(m) não cometeu ato ilegal ↺ culpado **2** que(m) é ingênuo, puro ■ *adj.2g.* **3** que não faz mal, que não causa efeito *<bebida i.>* **4** sem malícia *<conversa i.>*

inocular (i.no.cu.lar) *v.* {mod. 1} *t.d.i.* MED **1** (prep. *em*) introduzir (agente de uma doença) em (organismo), com finalidade preventiva, curativa ou experimental *<o pesquisador vai i. o vírus numa cobaia>* ◻ *t.d.i. e pron.* **2** (prep. *em*) (fazer) entrar; introduzir(-se) *<a aranha inocula veneno em suas presas>* *<vermes inocularam-se em seu organismo>* ~ **inoculação** *s.f.*

inócuo (i.nó.cuo) *adj.* **1** que não é prejudicial; inofensivo *<substância i.>* **2** que não produz o efeito desejado *<medidas i.>* ~ **inocuidade** *s.f.*

inodoro (i.no.do.ro) *adj.* que não tem cheiro

inofensivo (i.no.fen.si.vo) *adj.* que não ofende, não faz mal nem traz más consequências *<animal i.>* *<experiência i.>* ↺ nocivo

inolvidável (i.nol.vi.dá.vel) [pl.: *-eis*] *adj.2g.* inesquecível

inominável (i.no.mi.ná.vel) [pl.: *-eis*] *adj.2g.* **1** que não pode ser designado por um nome **2** *pej.* horrível; revoltante *<um espetáculo i.>* ↺ magnífico

inoperante (i.no.pe.ran.te) *adj.2g.* que não funciona; ineficaz ↺ operante ~ **inoperância** *s.f.*

inopinado (i.no.pi.na.do) *adj.* inesperado, imprevisto ↺ previsto

inoportuno (i.no.por.tu.no) *adj.* não oportuno; inconveniente *<visita i.>* ↺ oportuno

inorgânico (i.nor.gâ.ni.co) *adj.* **1** não orgânico; mineral **2** sem vida; inanimado **3** QUÍM relativo à química dos minerais ☞ cf. *orgânico*

inóspito (i.nós.pi.to) *adj.* **1** em que não se pode viver; inabitável *<clima i.>* **2** que acolhe mal ↺ acolhedor

inovação (i.no.va.ção) [pl.: *-ões*] *s.f.* **1** concepção, proposição e/ou realização de algo novo ↺ manutenção **2** coisa nova; novidade

inovar (i.no.var) *v.* {mod. 1} *t.d.* **1** tornar novo; renovar *<i. a pintura da casa>* **2** fazer (algo) de modo diferente do que era feito antes *<um artista que inovou a pintura de sua época>* ~ **inovador** *adj.s.m.*

inoxidável (i.no.xi.dá.vel) /cs/ [pl.: *-eis*] *adj.2g.* que não enferruja ↺ oxidável

input (in.put) [ing.] *s.m.* **1** energia ou sinal que alimenta aparelho elétrico ou eletrônico **2** INF informação dada ao computador ◉ GRAM/USO em ing., invariável ⇒ pronuncia-se input

inqualificável (in.qua.li.fi.cá.vel) [pl.: *-eis*] *adj.2g.* **1** impossível de ser qualificado *<um tom de verde i.>* **2** vil, revoltante *<ação i.>*

inquebrantável (in.que.bran.tá.vel) [pl.: *-eis*] *adj.2g.* que não se quebranta; inabalável *<vontade i.>* ↺ transitório

inquérito (in.qué.ri.to) *s.m.* conjunto de atos que visam apurar a verdade de fatos alegados; investigação, sindicância

inquestionável (in.ques.tio.ná.vel) [pl.: *-eis*] *adj.2g.* que não se pode questionar; indiscutível ↺ discutível

inquietação (in.qui.e.ta.ção) [pl.: *-ões*] *s.f.* **1** agitação, desassossego ↺ tranquilidade **2** nervosismo, preocupação ↺ despreocupação

inquietar (in.qui.e.tar) *v.* {mod. 1} *t.d. e pron.* (fazer) perder o sossego mental, moral; perturbar(-se) *<uma estranha ideia o inquietava>* *<não vale a pena i.-se com isso>* ↺ tranquilizar(-se) ◉ GRAM/USO part.: *inquietado, inquieto*; ver QUADRO DE PARTICÍPIOS DUPLOS nas pp. iniciais ~ **inquietante** *adj.2g.*

inquieto (in.qui.e.to) *adj.* **1** que se move sem parar; agitado *<mar i.>* *<menina i.>* ↺ quieto **2** que demonstra preocupação *<sono i.>* ↺ tranquilo **3** angustiado, ansioso *<i. com a situação da empresa>* ↺ calmo

inquietude (in.qui.e.tu.de) *s.f.* inquietação

inquilinato (in.qui.li.na.to) *s.m.* **1** condição de inquilino **2** conjunto de direitos e deveres dessa condição *<lei do i.>* **3** conjunto de inquilinos

inquilino (in.qui.li.no) *s.m.* quem mora em imóvel alugado; locatário ↺ senhorio, locador

inquirição (in.qui.ri.ção) [pl.: *-ões*] *s.f.* averiguação minuciosa; inquisição

inquirir (in.qui.rir) *v.* {mod. 24} *t.d. e t.d.i.* **1** (prep. *de, sobre*) fazer perguntas a (alguém) [sobre algo]; interrogar, indagar *<liberou a testemunha depois de inquiri-la> <encontrando o amigo, inquiriu-o sobre a sua saúde>* **2** (prep. *de, sobre*) procurar informações sobre; pesquisar *<inquirindo velhos documentos, conseguiu descobrir a verdade> <temos que i. melhor das (ou sobre as) causas de sua doença>* ~ **inquiridor** *adj.s.m.*

inquisição (in.qui.si.ção) [pl.: *-ões*] *s.f.* **1** inquirição **2** tribunal católico medieval que investigava e julgava indivíduos acusados de crimes contra a fé católica ☞ nesta acp., inicial ger. maiúsc. ~ **inquisidor** *adj.s.m.* - **inquisitorial** *adj.2g.*

inquisitivo (in.qui.si.ti.vo) *adj.* **1** relativo a inquisição *<processo i.>* **2** que inquire, interroga; interrogativo *<olhar i.>*

insaciável (in.sa.ci.á.vel) [pl.: *-eis*] *adj.2g.* **1** que não se farta ou satisfaz *<apetite i.>* ■ *adj.2g.s.2g.* **2** que(m) é muito ambicioso, ávido ~ **insaciabilidade** *s.f.*

insalubre (in.sa.lu.bre) *adj.2g.* que não é bom para a saúde *<ambiente i.> <água i.>* ↺ salutar ~ **insalubridade** *s.f.*

insanável (in.sa.ná.vel) [pl.: *-eis*] *adj.2g.* **1** que não pode ser sanado; incurável **2** *fig.* que não tem conserto; irremediável *<prejuízo i.>* **3** *fig.* que não pode ser superado ou derrotado; intransponível *<miséria i.>*

insanidade (in.sa.ni.da.de) *s.f.* **1** qualidade ou característica de insano; loucura, demência ↺ sanidade **2** desatino, desvario *<não cometa essa i.!>* ↺ equilíbrio

insano (in.sa.no) *adj.s.m.* **1** (o) que não apresenta sanidade; louco **2** que(m) age como um louco; insensato, irresponsável ↺ ajuizado ■ *adj.* **3** que excede; demasiado, excessivo *<calor i.>*

insatisfação (in.sa.tis.fa.ção) [pl.: *-ões*] *s.f.* falta de satisfação; descontentamento, desprazer, contrariedade ↺ satisfação, contentamento

insaturado (in.sa.tu.ra.do) *adj.* QUÍM diz-se de composto orgânico com ligações múltiplas ☞ cf. *saturado*

insciência (ins.ci.ên.cia) *s.f.* ausência de conhecimento ou habilidade ↺ saber, habilidade ~ **insciente** *adj.2g.*

inscrever (ins.cre.ver) *v.* {mod. 8} *t.d. e t.d.i.* **1** (prep. *em*) gravar (palavras ou sinais) na pedra, em metal etc., para registro duradouro *<i. um nome (na aliança)>* **2** (prep. *em, entre*) pôr por escrito; escrever *<i. um lembrete à margem do texto> <i. um adendo entre as linhas>* □ *t.d.i. e pron.* **3** *fig.* (prep. *em*) (fazer) ficar marcado através dos tempos; eternizar(-se) *<i. na lembrança as palavras de um amigo> <por seus feitos, inscreveu-se na memória dos povos>* **4** (fazer) constar em ou participar de lista, registro, grupo, concurso, missão etc. *<a escola inscreveu 17 alunos (no concurso)> <i.-se numa competição>* ◉ GRAM/USO part.: *inscrito*

inscrição (ins.cri.ção) [pl.: *-ões*] *s.f.* **1** texto gravado em estátua, medalha etc.; epígrafe **2** frase decorativa ou informativa escrita em prédios ou monumentos **3** desenho ou símbolo primitivo gravado ou pintado em rocha, caverna etc. **4** inclusão de algo ou alguém em registro, lista etc. *<i. na aula de arte> <i. no concurso>*

inscrito (ins.cri.to) *adj.* **1** que se gravou; insculpido, gravado *<sinais misteriosos i. na rocha>* **2** que foi escrito; grafado, traçado *<palavras i. nas ruínas de um templo>* ■ *adj.s.m.* **3** que(m) foi incluído em lista (de candidatos a concursos, provas, competições etc.) *<os (candidatos) i. devem comparecer dia 15>*

insculpir (ins.cul.pir) *v.* {mod. 24} *t.d.* gravar em madeira, pedra etc.; inscrever, entalhar

insegurança (in.se.gu.ran.ça) *s.f.* **1** falta de garantia, proteção, estabilidade etc. ↺ segurança **2** falta de confiança em si mesmo ↺ determinação

inseguro (in.se.gu.ro) *adj.* **1** não seguro; perigoso, arriscado *<escada i.>* **2** que não tem estabilidade; sem garantia; instável, incerto *<emprego i.>* ↺ estável **3** sem confiança em si mesmo; tímido, medroso *<mostrou-se i. durante a apresentação>* **4** que tem dificuldade para tomar resoluções; vacilante *<chefe i.>*

inseminação (in.se.mi.na.ção) [pl.: *-ões*] *s.f.* **1** introdução de sêmen no útero **2** BIO processo pelo qual o espermatozoide entra em contato com o óvulo; fecundação ▣ **i. artificial** MED introdução do esperma nas vias genitais femininas por meio de aparelhos ~ **inseminar** *v.t.d.*

insensato (in.sen.sa.to) *adj.* **1** sem bom senso; absurdo, ilógico *<atos i.>* ↺ coerente ■ *adj.s.m.* **2** que(m) não está em seu juízo; delirante ↺ ajuizado, sensato ~ **insensatez** *s.f.*

insensibilidade (in.sen.si.bi.li.da.de) *s.f.* **1** característica do que é insensível a estímulos físicos ↺ sensibilidade **2** indiferença a certos valores e realidades *<i. ao frio>* **3** incapacidade de se emocionar ↺ sensibilidade

insensibilizar (in.sen.si.bi.li.zar) *v.* {mod. 1} *t.d.* **1** tirar a sensibilidade de; anestesiar *<i. uma área do corpo com anestesia local>* □ *t.d. e pron.* **2** (prep. *a*) tornar(-se) frio, indiferente; empedernir(-se) *<a própria vida encarregou-se de insensibilizá-lo> <i.-se ao sofrimento>* ↺ sensibilizar(-se)

insensível (in.sen.sí.vel) [pl.: *-eis*] *adj.2g.* **1** que não reage a estímulos físicos *<i. ao frio>* **2** que não pode ser sentido ou percebido; insignificante *<diferença i.>* **3** que ocorre gradativamente *<mudanças i.>* ■ *adj.2g.s.2g.* **4** que(m) é incapaz de emocionar-se *<i. à dor alheia> <ele é um i. à música>* ↺ emotivo, sensível

insepulto (in.se.pul.to) *adj.* não sepultado *<cadáver i.>* ↺ sepulto

inserção (in.ser.ção) [pl.: *-ões*] *s.f.* inclusão, introdução de uma coisa em outra ↺ retirada

inserir (in.se.rir) *v.* {mod. 28} *t.d.i.* **1** (prep. *em*) fazer entrar; introduzir *<i. a chave na fechadura>* **2** *p.ext.* (prep. *em*) fazer integrar, ser parte de; introduzir, incluir *<i. uma cláusula no contrato>* □ *pron.* **3** implantar-se, fixar-se *<os dentes inserem-se nos maxilares>* ◉ GRAM/USO part.: *inserido, inserto* /é/ (este pouco us.); ver QUADRO DE PARTICÍPIOS DUPLOS nas pp. iniciais

inserto (in.ser.to) *adj.* que se inseriu; introduzido, incluído ☞ cf. *incerto* ◉ GRAM/USO part. de *inserir*

inseticida (in.se.ti.ci.da) *adj.2g.s.m.* (substância) que serve para matar insetos

insetívoro (in.se.tí.vo.ro) *adj.s.m.* (ser vivo) que se alimenta de insetos

inseto (in.se.to) *s.m.* ZOO **1** pequeno animal invertebrado, com cabeça, tórax e abdome bem definidos, três pares de pernas, dois pares de asas e um par de antenas, p.ex., besouro, abelha

insídia (in.sí.dia) *s.f.* **1** cilada, emboscada **2** falta de lealdade; traição

insidioso (in.si.di.o.so) /ô/ [pl. e fem.: /ó/] *adj.* que prepara ciladas; enganador, traiçoeiro ↺ leal

insigne (in.sig.ne) *adj.2g.* famoso, ilustre ↺ desconhecido

insígnia (in.síg.nia) *s.f.* sinal distintivo de poder, posto, classe etc.; emblema, divisa *<i. militar>*

insignificância (in.sig.ni.fi.cân.cia) *s.f.* **1** coisa sem importância *<não se aborreça com tais i.>* **2** quantia muito pequena; ninharia, bagatela *<essas meias me custaram uma i.>*

insignificante (in.sig.ni.fi.can.te) *adj.2g.s.2g.* que(m) não tem valor nem importância *<alteração i.> <ele se tornou um (homem) i.>* ↺ importante

insincero (in.sin.ce.ro) *adj.* que não é sincero; falso, fingido ~ **insinceridade** *s.f.*

insinuação (in.si.nu.a.ção) [pl.: *-ões*] *s.f.* **1** ato de dar a entender algo sem expressá-lo claramente; indireta **2** provocação ou advertência disfarçada *<fez uma dissimulada i. pelo esquecimento do aniversário>*

insinuante (in.si.nu.an.te) *adj.2g.* **1** que desperta simpatia e admiração; sedutor ↺ repugnante **2** persuasivo, convincente *<político i.>*

insinuar (in.si.nu.ar) *v.* {mod. 1} *t.d.i. e pron.* **1** (prep. *em, entre, por*) introduzir(-se) num lugar, devagar e com cautela; infiltrar(-se) *<conseguiu i. os dedos na fresta e arrombou a janela> <o rio insinua-se pela terra adentro>* □ *t.d.,t.d.i. e pron.* **2** *fig.* (prep. *em*) (fazer) penetrar de forma gradual e sutil no espírito (de) *<i. uma doutrina (nos pupilos)> <a dúvida começava a i.-se em sua mente>* □ *t.d.* **3** deixar que se perceba (algo) sem expressar claramente; sugerir *<i. uma acusação>* □ *pron. B infrm.* **4** demonstrar interesse por alguém *<vive a i.-se para o vizinho>*

insípido (in.sí.pi.do) *adj.* **1** que não tem sabor *<comida i.>* **2** *fig.* monótono, sem graça *<conversa i.>* ↺ estimulante ~ **insipidez** *s.f.*

insipiente (in.si.pi.en.te) *adj.2g.* **1** ignorante ↺ sapiente **2** imprudente ↺ cuidadoso ☞ cf. *incipiente* ~ **insipiência** *s.f.*

insistência (in.sis.tên.cia) *s.f.* ato ou efeito de insistir; persistência, perseverança

insistente (in.sis.ten.te) *adj.2g.* **1** que não desiste ↺ desistente **2** repetido *<telefonemas i.>* ↺ intermitente **3** que se prolonga no tempo *<chuva i.>* ↺ breve

insistir (in.sis.tir) *v.* {mod. 24} *t.i. e int.* (prep. *com, em*) perseverar em (o que faz, diz ou pede); persistir, teimar *<insistiu com a mãe para que o deixasse ir ao jogo> <tanto insistiu na bilheteria que acabou conseguindo um ingresso>* ↺ desistir

insociável (in.so.ci.á.vel) [pl.: *-eis*] *adj.2g.* **1** que foge ao convívio social ↺ sociável **2** de difícil convivência ↺ simpático **3** indelicado, grosseiro ↺ amável ~ **insociabilidade** *s.f.*

insofismável (in.so.fis.má.vel) [pl.: *-eis*] *adj.2g.* que não se pode deturpar por sofismas; indiscutível, incontestável ↺ questionável

insofrido (in.so.fri.do) *adj.* **1** que pouco ou nada sofre ou sofreu ↺ sofrido **2** que não se contém; irrequieto ↺ paciente

insolação (in.so.la.ção) [pl.: *-ões*] *s.f.* MED mal causado por excesso de exposição ao sol

insolência (in.so.lên.cia) *s.f.* **1** falta de respeito; atrevimento ↺ respeito **2** desconsideração, desprezo ↺ apreço **3** arrogância ↺ humildade

insolente (in.so.len.te) *adj.2g.* **1** desrespeitoso no que diz ou nas atitudes que toma; atrevido, malcriado *<aluno i. com os professores>* **2** que trata os demais como inferiores; arrogante *<patrão i.>*

insólito (in.só.li.to) *adj.* **1** não habitual; incomum ↺ comum **2** contrário à tradição e às regras *<comportamento i.>* ↺ tradicional

insolúvel (in.so.lú.vel) [pl.: *-eis*] *adj.2g.* **1** que não se dissolve *<substância i.>* ↺ solúvel **2** *fig.* que não tem solução *<mistério i.>* ↺ solucionável ~ **insolubilidade** *s.f.*

insolvente (in.sol.ven.te) *adj.2g.s.2g.* que(m) não pode pagar o que deve; inadimplente ↺ solvente ~ **insolvência** *s.f.*

insondável (in.son.dá.vel) [pl.: *-eis*] *adj.2g.* **1** impossível de sondar **2** *fig.* que não se pode explicar; incompreensível *<motivos i.>* **3** de que não se pode encontrar o fundo ou o limite *<abismo i.>*

insone (in.so.ne) *adj.2g.s.2g.* **1** que(m) não dorme, que(m) não tem sono ■ *adj.2g.* **2** passado em claro, sem dormir *<noites i.>*

insônia (in.sô.nia) *s.f.* falta de sono; incapacidade de dormir adequadamente

insopitável (in.so.pi.tá.vel) [pl.: *-eis*] *adj.2g.* que não pode ser controlado *<alegria i.>*

insosso (in.sos.so) /ô/ *adj.* **1** que não tem sal ou o tem em pouca quantidade *<comida i.>* **2** *fig.* sem graça; monótono *<conversa i.>*

inspeção (ins.pe.ção) [pl.: *-ões*] *s.f.* **1** ato ou efeito de inspecionar; exame, vistoria *<proceder a uma i. nos bares e lanchonetes>* **2** fiscalização, supervisão *<as autoridades vão fazer uma i. no aeroporto>*

inspecionar (ins.pe.cio.nar) *v.* {mod. 1} *t.d.* **1** examinar (algo) para verificar seu estado ou funcionamento; vistoriar *<i. uma obra> <i. um quartel>* **2** observar com grande atenção *<inspecionou gaveta por gaveta>*

inspetor (ins.pe.tor) /ô/ [pl.: *-es*] *s.m.* pessoa que faz inspeção ~ **inspetoria** *s.f.*

inspiração (ins.pi.ra.ção) [pl.: *-ões*] *s.f.* **1** ato de fazer entrar ar nos pulmões ↺ expiração **2** *fig.* entusiasmo criador *<o mar é i. para vários compositores>*

inspirar (ins.pi.rar) *v.* {mod. 1} *t.d. e int.* **1** introduzir (ar) nos pulmões ↺ expirar □ *t.d.,t.d.i. e pron.* **2** (prep. *a*) fornecer ou receber estímulo, ideia, influência, sugestão (para) *<a tristeza inspira alguns poetas> <o crime inspirou ao juiz uma sentença sem precedentes> <muitos artistas inspiraram-se na mitologia grega>* □ *t.d. e t.d.i.* **3** (prep. *a*) fazer surgir (pensamento, sentimento) por associação de ideias; sugerir, despertar *<uma hipótese que inspira terror> <o desejo de vingança inspirou-lhe maus pensamentos>* ~ **inspirador** *adj.* - **inspiratório** *adj.*

INSS *s.m.* sigla de Instituto Nacional do Seguro Social

instabilidade (ins.ta.bi.li.da.de) *s.f.* falta de solidez, firmeza, constância *<i. de uma cadeira> <i. de humor>* ↺ estabilidade

instalação (ins.ta.la.ção) [pl.: *-ões*] *s.f.* **1** montagem de peças ou mecanismos **2** colocação de redes elétrica, hidráulica, de sistema de segurança etc. **3** ART.PLÁST obra de arte em que o espectador pode participar de forma ativa

instalar (ins.ta.lar) *v.* {mod. 1} *t.d.i. e pron.* **1** (prep. *em*) dar ou tomar posse de (dignidade, cargo) *<a presidência instalou-o nas funções de conselheiro> <com festa, o novo diretor instalou-se no cargo>* □ *t.d. e pron.* **2** colocar(-se) num lugar, em caráter duradouro *<i. a estátua no jardim> <há tempos instalou-se aqui>* **3** (fazer) ocupar lugar, assento etc. com comodidade; acomodar(-se) *<i. o amigo na rede> <logo instalou-se no ônibus>* □ *t.d.* **4** montar (móvel, equipamento etc.) para funcionar *<i. um ar-condicionado>*

I

instância (ins.tân.cia) *s.f.* **1** ato de solicitar de forma insistente **2** área de interesse; âmbito *<a i. da moral>* **3** DIR cada um dos tribunais hierarquicamente organizados que sucessivamente conhecem da causa e proferem decisão *<juiz de primeira i.>* ▣ **em última i.** como último recurso *<só vai apelar para o pai em última i.>*

instantâneo (ins.tan.tâ.neo) *adj.* **1** que se dá num rápido intervalo de tempo; imediato *<a vaia foi forte e i.> <resposta i.>* ↺ prolongado **2** que se prepara rapidamente *<macarrão i.>* ~ **instantaneidade** *s.f.*

instante (ins.tan.te) *s.m.* **1** espaço curto de tempo *<saiu por um i.>* **2** ponto determinado do tempo; momento *<difícil saber em que i. paramos>* ■ *adj.2g.* **3** insistente *<pedidos i.>*

instar (ins.tar) *v.* {mod. 1} *t.d.,t.d.i.,t.i. e int.* **1** (prep. *a, para, por*) pedir com insistência; insistir *<ele instava a presença de todos que o apoiaram> <instei-lhe que atendesse às nossas súplicas> <sem que eu lhe instasse, prontamente me atendeu> <apesar das negativas, ele continuou instando (por justiça)>* □ *t.i.* **2** (prep. *contra*) manifestar discordância ou desaprovação; questionar *<i. contra uma proposta>* □ *int.* **3** ser necessário; urgir *<insta que socorramos os desabrigados>*

instaurar (ins.tau.rar) *v.* {mod. 1} *t.d.* **1** dar início a (algo que não existia); instituir *<i. uma moda>* **2** declarar o início de (algo), ger. com solenidade; abrir, inaugurar *<i. os trabalhos da assembleia>* ~ **instauração** *s.f.*

instável (ins.tá.vel) [pl.: *-eis*] *adj.2g.* **1** que não tem estabilidade *<equilíbrio i.> <a estante está i.>* ↺ estável **2** que não é constante; variável *<tempo i.> <saúde i.>* ↺ permanente **3** que não é seguro, garantido *<trabalho i.>* ↺ estável

instigação (ins.ti.ga.ção) [pl.: *-ões*] *s.f.* ação de instigar ou o seu efeito; indução, estímulo

instigar (ins.ti.gar) *v.* {mod. 1} *t.d. e t.d.i.* **1** (prep. *a*) estimular (pessoa, grupo) [a fazer algo]; induzir, incitar *<tanto o instigaram, que acabou contando a verdade> <i. alguém a cometer um crime>* **2** (prep. *a*) incentivar (pessoa, cão etc.) [a atacar ou portar-se de modo agressivo]; açular *<a plateia instigava os lutadores> <i. um cão a morder>* ~ **instigante** *adj.2g.*

instilar (ins.ti.lar) *v.* {mod. 1} *t.d.i.* **1** (prep. *em*) introduzir gota a gota (um líquido) em; injetar *<a cobra instilou seu veneno na presa>* □ *t.d.i. e pron. fig.* **2** (prep. *em*) (fazer) penetrar progressivamente (ideia, sentimento) [em]; insinuar(-se) *<dias nublados instilavam melancolia na sua alma> <uma desconfiança instilava-se em seu coração>* ~ **instilação** *s.f.*

instintivo (ins.tin.ti.vo) *adj.* **1** referente a instinto **2** guiado pelo instinto *<reação i.>* ~ **instintividade** *s.f.*

instinto (ins.tin.to) *s.m.* **1** impulso interior que faz um animal executar inconscientemente atos adequados às necessidades de sobrevivência *<i. de nutrição> <i. sexual>* **2** capacidade de sentir, pressentir, que determina certa maneira de pensar ou agir; intuição

institucionalizar (ins.ti.tu.cio.na.li.zar) *v.* {mod. 1} *t.d. e pron.* (fazer) adquirir caráter de instituição; oficializar(-se), arraigar(-se) *<o carioca institucionalizou o churrasco de fim de semana> <a gorjeta institucionalizou-se em muitos lugares>* ~ **institucionalização** *s.f.*

instituição (ins.ti.tu.i.ção) [pl.: *-ões*] *s.f.* **1** criação ('ação de conceber'), estabelecimento *<a i. dos Jogos Olímpicos>* ↺ encerramento **2** entidade, esp. com fins sociais *<i. de caridade>* **3** cada um dos costumes ou estruturas sociais que vigoram num determinado Estado ou povo *<a i. da família>* **4** *fig. joc.* mau costume que já está arraigado *<sonegar impostos é quase uma i. nacional>* ▼ ***instituições*** *s.f.pl.* **5** estruturas cujas leis e valores regem a sociedade *<ninguém pode ficar acima das i.>*

instituir (ins.ti.tu.ir) *v.* {mod. 26} *t.d.* **1** dar início a; estabelecer, fundar *<i. um tribunal>* **2** marcar, fixar (data, prazo etc.) □ *t.d.pred. e pron.* **3** atribuir(-se) missão, tarefa, etc.; nomear(-se) *<Jesus instituiu são Pedro (como) chefe da Igreja> <ele se instituiu árbitro das ações alheias>* □ *t.d.pred.* **4** designar como herdeiro; constituir *<instituiu o neto como seu único herdeiro>*

instituto (ins.ti.tu.to) *s.m.* organização cultural, artística, científica etc., pública ou privada *<I. de Educação> <I. dos Arquitetos do Brasil>*

instrução (ins.tru.ção) [pl.: *-ões*] *s.f.* **1** conhecimento, saber *<pessoa de muita i.>* ↺ ignorância **2** educação formal, obtida em estabelecimento de ensino *<i. fundamental> <i. superior>* **3** explicação de como usar algo *<manual de instruções>* **4** determinação de como agir *<foram dadas as i. para começar a obra>*

instruído (ins.tru.í.do) *adj.* que se instruiu; culto, sabido ↺ inculto

instruir (ins.tru.ir) *v.* {mod. 26} *t.d.,int. e pron.* **1** transmitir ou adquirir conhecimentos *<i. a juventude> <o cinema e a televisão podem i.> <instruía-se com boas leituras>* □ *t.d.i. e pron.* **2** (prep. *de, sobre*) dar ou obter esclarecimento, informação sobre; orientar(-se) *<a bula instrui o consumidor sobre os efeitos colaterais do medicamento> <instruíram-no das consequências do seu ato> <temos de nos i. sobre o roteiro da viagem>* □ *t.d.i.* **3** (prep. *a*) dar orientações ou ordens a (alguém) [para realizar certa ação] *<os pais instruem os filhos a não mentir>* □ *t.d.* DIR **4** preparar (processo, causa) para que possa ser julgado

instrumentador (ins.tru.men.ta.dor) /ô/ [pl.: *-es*] *adj.s.m.* **1** que(m) passa os instrumentos e outros materiais ao cirurgião **2** MÚS que(m) instrumenta uma música, partitura etc.

instrumentar (ins.tru.men.tar) *v.* {mod. 1} *t.d.* **1** equipar com instrumentos **2** *B* passar às mãos de (cirurgião ou auxiliar) o material requerido durante a cirurgia □ *t.d. e int.* MÚS **3** determinar os instrumentos para execução de (peça musical) **4** escrever para cada instrumento (sua parte em composição musical)

instrumentista (ins.tru.men.tis.ta) *adj.2g.s.2g.* MÚS **1** que(m) toca um instrumento **2** que(m) compõe música instrumental

instrumento (ins.tru.men.to) *s.m.* **1** objeto us. para executar algo; apetrecho, ferramenta *<i. de trabalho> <i. musical>* **2** *fig.* recurso utilizado como intermediário para se chegar a um resultado **3** DIR documento escrito que formaliza e serve de prova ao ato jurídico **4** MÚS objeto ou aparelho destinado a produzir sons musicais ▣ **i. de cordas** MÚS cada um dos instrumentos musicais dotados de cordas, que podem ser friccionadas (violino, viola, violoncelo, contrabaixo), dedilhadas (harpa, alaúde, guitarra, violão) ou acionadas por teclados (piano, cravo) • **i. de percussão** MÚS cada um dos instrumentos musicais que soam quando percutidos, sacudidos, raspados ou friccionados (tímpano, xilofone, tambor, pandeiro, cuíca etc.) • **i. de sopro** MÚS cada um dos instrumentos musicais dotados de um tubo (cilíndrico, reto ou recurvado: flauta, oboé, trombone) em cujo interior se sopra ou injeta ar que, ao vibrar, produz o som ~ **instrumentação** *s.f.* - **instrumental** *adj.2g.*

instrutivo (ins.tru.ti.vo) *adj.* **1** próprio para ensinar a fazer algo *<documentário i.>* **2** que serve para educar; educativo *<palestras i.>*

instrutor (ins.tru.tor) /ô/ [pl.: *-es*] *adj.s.m.* (pessoa) que instrui, que ensina, que adestra *<i. de equitação>*

insubmisso (in.sub.mis.so) *adj.s.m.* que(m) não se submete ↺ submisso ~ **insubmissão** *s.f.*

insubordinação (in.su.bor.di.na.ção) [pl.: *-ões*] *s.f.* **1** falta de subordinação; desobediência **2** revolta, rebelião ~ **insubordinar** *v.t.d. e pron.*

insubordinado (in.su.bor.di.na.do) *adj.s.m.* (aquele) que se caracteriza por uma atitude de desobediência, de independência *<soldados i.> <punição para os i.>*

insubstituível (in.subs.ti.tu.í.vel) [pl.: *-eis*] *adj.2g.* que não pode ser substituído; único

insucesso (in.su.ces.so) *s.m.* mau resultado; fracasso ↺ sucesso

insuficiência (in.su.fi.ci.ên.cia) *s.f.* **1** falta, carência *<i. de recursos>* **2** MED incapacidade de um órgão para exercer plenamente suas funções normais *<i. renal>*

insuficiente (in.su.fi.ci.en.te) *adj.2g.* que não basta ou satisfaz *<claridade i.> <notas i. para ser aprovado>*

insuflar (in.su.flar) *v.* {mod. 1} *t.d.i.* **1** (prep. *em*) introduzir (ar ou outro gás) por meio de sopro *<i. ar na fornalha>* **2** *fig.* fazer surgir (ideia, sentimento etc.) em (alguém); inspirar, despertar *<i. ânimo no amigo>* □ *t.d.* **3** introduzir ar ou outro gás em; encher, inflar *<i. um balão>* □ *t.d. e t.d.i. fig.* **4** (prep. *contra*) despertar (insatisfação ou revolta) de (outras pessoas); instigar, açular *<i. os operários (contra os patrões)>* ~ **insuflação** *s.f.*

ínsula (ín.su.la) *s.f.* GEO ilha

insulano (in.su.la.no) *adj.* **1** relativo a ilha; insular ■ *adj.s.m.* **2** que(m) habita ou é natural de uma ilha; ilhéu

[1]**insular** (in.su.lar) [pl.: *-es*] *adj.2g.* **1** relativo ou pertencente a ilha *<hábitos i.>* **2** próprio de ou formado por ilhas *<Cuba é um país i.>* ■ *s.2g.* **3** natural ou habitante de ilha; insulano, ilhéu ◉ ORIGEM do lat. *insulāris,e* 'de ilha, relativo a ilha'

[2]**insular** (in.su.lar) *v.* {mod. 1} *t.d. e pron.* **1** tornar(-se) incomunicável como uma ilha; isolar(-se) **2** afastar (-se) do convívio social; isolar(-se) ◉ ORIGEM *ínsula* + [2]*-ar* ~ **insulamento** *s.m.*

insulina (in.su.li.na) *s.f.* BIOQ hormônio secretado pelo pâncreas, com importante função no metabolismo dos carboidratos no sangue ~ **insulínico** *adj.*

insultar (in.sul.tar) *v.* {mod. 1} *t.d.* proferir palavras ou ter comportamento que atinge gravemente a dignidade, a honra de; afrontar, ofender

insulto (in.sul.to) *s.m.* palavra, atitude ou gesto que atinge a dignidade ou a honra de alguém ↺ elogio ~ **insultuoso** *adj.*

insumo (in.su.mo) *s.m.* ECON cada um dos elementos (matéria-prima, equipamentos, capital, horas de trabalho etc.) necessários para produzir mercadorias ou serviços

insuperável (in.su.pe.rá.vel) [pl.: *-eis*] *adj.2g.* **1** que não é possível superar *<recorde i.>* **2** que não se pode vencer; invencível *<dificuldades i.>*

insuportável (in.su.por.tá.vel) [pl.: *-eis*] *adj.2g.* difícil ou impossível de suportar *<dor i.> <pessoa i.>*

insurgência (in.sur.gên.cia) *s.f.* ato ou efeito de insurgir(-se); insurreição, rebelião ~ **insurgente** *adj.2g.*

insurgir (in.sur.gir) *v.* {mod. 24} *t.d. e pron.* revoltar (-se) contra poder estabelecido; sublevar(-se) *<ordens contraditórias insurgiram as tropas> <alguns estados insurgiram-se contra a União>* ◉ GRAM/USO part.: *insurgido, insurreto*; ver QUADRO DE PARTICÍPIOS DUPLOS nas pp. iniciais

insurrecto (in.sur.rec.to) *adj.s.m.* → ***INSURRETO***

insurreição (in.sur.rei.ção) [pl.: *-ões*] *s.f.* rebelião, revolta ~ **insurrecional** *adj.2g.*

insurreto (in.sur.re.to) ou **insurrecto** (in.sur.rec.to) *adj.s.m.* que(m) se rebela contra algo

insuspeito (in.sus.pei.to) *adj.* **1** não suspeito **2** que merece confiança *<testemunho i.>* **3** imparcial, neutro *<opinião i.>* ↺ parcial

insustentável (in.sus.ten.tá.vel) [pl.: *-eis*] *adj.2g.* **1** que não se pode sustentar, defender *<padrão de vida i.>* **2** insuportável *<relação i.>* ↺ tolerável **3** sem fundamento *<opinião i.>* ↺ consistente

intacto (in.tac.to) ou **intato** (in.ta.to) *adj.* **1** que não foi tocado, mexido **2** que não sofreu dano *<o prédio ficou i. após o tremor>*

intangível (in.tan.gí.vel) [pl.: *-eis*] *adj.2g.* **1** que não se pode tanger, tocar, pegar **2** que não se pode perceber pelo tato; impalpável ~ **intangibilidade** *s.f.*

-inte *suf.* equivale a *-nte*

íntegra (ín.te.gra) *s.f.* **1** conjunto de todas as partes; totalidade **2** texto completo (de lei, discurso etc.)

integração (in.te.gra.ção) [pl.: *-ões*] *s.f.* **1** inclusão de um ou mais elementos num conjunto **2** SOC ação, processo ou resultado de assimilar indivíduos de origem estrangeira a uma comunidade, formando um único corpo social

integral (in.te.gral) [pl.: *-ais*] *adj.2g.* **1** que não sofreu diminuição ou restrição; total, completo *<posse i.> <poder i.> <edição i. das obras de um autor>* ↺ parcial **2** com todas as propriedades originais (diz-se de alimento) *<arroz i.> <trigo i.>*

integralismo (in.te.gra.lis.mo) *s.m.* movimento político brasileiro de base fascista, fundado em 1932 e extinto em 1937 ~ **integralista** *adj.2g.s.2g.*

integralizar (in.te.gra.li.zar) *v.* {mod. 1} *t.d. e pron.* tornar(-se) inteiro, integral; completar(-se) ~ **integralização** *s.f.*

integrante (in.te.gran.te) *s.f.* GRAM ver ***CONJUNÇÃO INTEGRANTE***

integrar (in.te.grar) *v.* {mod. 1} *t.d. e pron.* **1** incluir (-se) em (conjunto, grupo), formando um todo coerente; incorporar(-se) *<uma empresa que integra diferentes ramos de atividades> <a arquitetura integrava-se perfeitamente à paisagem>* □ *t.d.i. e pron.* **2** (prep. *a*) (fazer) sentir-se parte de (grupo, coletividade); adaptar(-se) *<é preciso i. o novo aluno ao grupo> <demorou a i.-se à vida do bairro>* □ *pron.* **3** unir-se, formando um todo harmonioso; completar-se *<uma obra em que os opostos se integram harmoniosamente>* ~ **integrado** *adj.*

integridade (in.te.gri.da.de) *s.f.* **1** característica do que está inteiro; inteireza ↺ incompletude **2** estado do que não foi atingido ou agredido *<i. física> <i. das funções>* **3** *fig.* honestidade, retidão *<pessoa da maior i.>* ↺ desonestidade

íntegro (ín.te.gro) *adj.* **1** completo, inteiro ↺ incompleto **2** *fig.* honesto, honrado ↺ desonesto

inteiramente (in.tei.ra.men.te) *adv.* **1** na sua totalidade *<um conto i. escrito numa noite>* **2** de modo completo *<ele era i. ingênuo>*

inteirar (in.tei.rar) *v.* {mod. 1} *t.d.* **1** tornar inteiro ou completo; completar *<i. uma quantia para comprar um presente>* **2** completar, perfazer *<a reforma da casa já inteirou um mês>* □ *t.d.i. e pron.* **3** (prep. *de*) tornar(-se) ciente de; informar(-se) *<o engenheiro inteirou os moradores do perigo que ameaçava o edifício> <inteirei-me da catástrofe pelos jornais>* ~ **inteiração** *s.f.*

inteireza (in.tei.re.za) /ê/ *s.f.* **1** qualidade ou característica daquilo a que não falta nenhuma parte **2** *fig.* retidão de caráter, honestidade

inteiriço (in.tei.ri.ço) *adj.* que não tem emenda, junta etc. *<peça i.>* ↺ emendado

inteiro (in.tei.ro) *adj.* **1** que apresenta todas as partes que lhe são próprias; completo, total *<um bolo i.> <um ano i.>* **2** que não está quebrado, fragmentado ou deteriorado *<não sobrou um prato i.>* **3** que não tem separação, que se constitui de uma única peça; inteiriço *<um casaco de corte i.>* **4** *fig.* ilimitado, absoluto *<i. autonomia>* ↺ parcial ■ *adj.s.m.* MAT **5** (número) que não tem frações ▣ **por i.** totalmente, completamente *<raspou a cabeça por i.>*

intelecção (in.te.lec.ção) [pl.: *-ões*] *s.f.* compreensão, entendimento

intelectivo (in.te.lec.ti.vo) *adj.* referente ao intelecto; intelectual, mental

intelecto (in.te.lec.to) *s.m.* capacidade de compreender; inteligência

intelectual (in.te.lec.tu.al) [pl.: *-ais*] *adj.2g.* **1** do intelecto; mental *<esforço i.>* ■ *adj.2g.s.2g.* **2** que(m) se dedica a atividades que requerem um emprego intelectual considerável **3** que(m) domina um campo de conhecimento intelectual ou tem muita cultura geral; erudito ~ **intelectualização** *s.f.*

intelectualidade (in.te.lec.tu.a.li.da.de) *s.f.* **1** natureza de intelectual **2** inteligência **3** conjunto de intelectuais de certo lugar, país etc.

intelectualismo (in.te.lec.tu.a.lis.mo) *s.m.* tendência a privilegiar a inteligência e as faculdades intelectuais; racionalidade ~ **intelectualista** *adj.2g.s.2g.*

intelectualizar (in.te.lec.tu.a.li.zar) *v.* {mod. 1} *t.d.* **1** dar forma ou conteúdo racional, intelectual a *<i. um sentimento>* □ *t.d. e pron.* **2** tornar(-se) um intelectual *<o hábito da leitura intelectualizou-os> <antes de i.-se, parecia mais espontâneo>*

inteligência (in.te.li.gên.cia) *s.f.* **1** capacidade de aprender e compreender **2** *fig.* indivíduo de muito saber; sumidade *<o congresso reuniu as grandes i. do país>* **3** sagacidade, perspicácia ▣ **i. artificial** INF ramo da informática que visa dotar os computadores da capacidade de simular certos aspectos da inteligência humana

inteligente (in.te.li.gen.te) *adj.2g.s.2g.* **1** (o) que demonstra inteligência *<plano i.> <prefiro a companhia dos i.>* **2** que(m) possui mais inteligência que a média das pessoas

inteligível (in.te.li.gí.vel) [pl.: *-eis*] *adj.2g.* que se entende; claro *<mensagem i.>* ↺ ininteligível ~ **inteligibilidade** *s.f.*

intemerato (in.te.me.ra.to) *adj.* não corrompido; puro *<jovens i. e idealistas>* ↺ corrupto

intemperança (in.tem.pe.ran.ça) *s.f.* falta de moderação; descomedimento ↺ temperança ~ **intemperado** *adj.*

intempérie (in.tem.pé.rie) *s.f.* **1** qualquer fenômeno climático extremo, como vento forte, temporal, seca, nevasca etc. *<a lavoura foi castigada pelas i.>* **2** *fig.* acontecimento infeliz; desgraça, catástrofe ~ **intempérico** *adj.*

intempestivo (in.tem.pes.ti.vo) *adj.* **1** que ocorre em ocasião imprópria; inoportuno *<visita i.>* **2** súbito, imprevisto *<morte i.>* ~ **intempestividade** *s.f.*

intemporal (in.tem.po.ral) [pl.: *-ais*] *adj.2g.* **1** que não varia em função do tempo *<verdade i.>* ↺ mutável, passageiro **2** que está fora de uma dada realidade *<sonho vago e i.>*

intenção (in.ten.ção) [pl.: *-ões*] *s.f.* o que se pretende fazer ou alcançar; propósito, plano, desejo ▣ **segunda i.** pensamento, ideia que a pessoa oculta e é o verdadeiro motivo da ação que pretende ☞ freq. us. no pl.

intencional (in.ten.cio.nal) [pl.: *-ais*] *adj.2g.* **1** relativo a intenção **2** que é feito de propósito; deliberado *<delito i.>* ↺ involuntário ~ **intencionalidade** *s.f.* - **intencionalmente** *adv.*

intencionar (in.ten.cio.nar) *v.* {mod. 1} *t.d.* ter a intenção de; pretender, planejar ↺ desistir

intendência (in.ten.dên.cia) *s.f.* **1** direção de bens ou negócios importantes; administração, gestão **2** função pública de ordem administrativa **3** local para o exercício dessa atividade **4** MIL serviço administrativo nas forças armadas

intendente (in.ten.den.te) *adj.2g.s.2g.* **1** que(m) tem poderes para dirigir, governar; administrador **2** MIL (funcionário ou oficial das forças armadas) que é encarregado de questões administrativas e materiais ■ *s.m.* *B* **3** antigo chefe do poder municipal

intensidade (in.ten.si.da.de) *s.f.* característica do que é intenso; força, vigor

intensificar (in.ten.si.fi.car) *v.* {mod. 1} *t.d. e pron.* tornar(-se) mais forte, mais intenso; exacerbar(-se), avivar(-se) *<i. as buscas> <intensificaram-se os combates>* ↺ aliviar(-se) ~ **intensificação** *s.f.*

intensivo (in.ten.si.vo) *adj.* **1** que tem intensidade; vigoroso **2** que busca eficiência com um esforço contínuo e de curta duração (diz-se de atividade) *<propaganda i.> <curso i.>*

intenso (in.ten.so) *adj.* **1** que se manifesta com força; impetuoso, vigoroso *<chuva i.> <dor i.>* **2** que ultrapassa a medida habitual; excessivo *<trabalho i.>* ~ **intensamente** *adv.*

intentar (in.ten.tar) *v.* {mod. 1} *t.d.* **1** ter intenção de; planejar, pretender *<a sua mente malévola intentava planos assustadores>* ↺ desistir **2** esforçar-se por; diligenciar, tentar *<intentou de todas as maneiras convencer os jurados>* **3** pôr em execução; empreender *<intentou várias extravagâncias e pagou caro por elas>* **4** DIR propor, formular em juízo *<i. uma ação de despejo>*

intento (in.ten.to) *s.m.* o que se pretende fazer; intenção, objetivo

intentona (in.ten.to.na) *s.f.* **1** plano insensato **2** conspiração para motim

inter- *pref.* → ENTRE-

interação (in.te.ra.ção) [pl.: *-ões*] *s.f.* influência ou ação mútua entre coisas e/ou seres *<i. do coração e dos pulmões> <i. do indivíduo com a sociedade>*

interagir (in.te.ra.gir) *v.* {mod. 24} *t.i.* **1** (prep. *com*) agir afetando e sendo afetado por outro(s) *<ela é uma criança que interage bem com adultos>* □ *t.i. e int.* **2** ter diálogo, comunicação (com outro) em dada situação; relacionar-se *<a gerência deve interagir mais com os funcionários> <o bebê e a mãe interagem de forma complexa>*

interativo (in.te.ra.ti.vo) *adj.* **1** em que ocorre interação **2** COMN que permite ao receptor interagir com o emissor *<programas i. de vídeo>* ☞ cf. *iterativo* ~ **interatividade** *s.f.*

intercalar (in.ter.ca.lar) *v.* {mod. 1} *t.d. e pron.* pôr(-se) de permeio; interpor(-se) *<i. um poema entre os parágrafos>* ~ **intercalação** *s.f.* - **intercalado** *adj.*

intercambiar (in.ter.cam.bi.ar) *v.* {mod. 1} *t.d. e t.d.i.* (prep. *com*) fazer intercâmbio de; permutar, trocar *<i. alunos (com outras universidades)>* ~ **intercambiamento** *s.m.*

intercâmbio (in.ter.câm.bio) *s.m.* **1** troca, permuta **2** relação recíproca entre países *<i. acadêmico>*

interceder (in.ter.ce.der) *v.* {mod. 8} *t.i. e int.* (prep. *a, por*) intervir em favor de; pedir, rogar *<intercedeu pelo colega ao diretor> <a situação requeria que ela intercedesse>*

interceptação (in.ter.cep.ta.ção) [pl.: *-ões*] *s.f.* **1** obstrução *<i. de uma estrada>* **2** apreensão, de surpresa, do que é enviado a outrem *<i. de correspondência>*

interceptar (in.ter.cep.tar) *v.* {mod. 1} *t.d.* **1** interromper o curso de; deter, parar *<i. mísseis> <as persianas interceptam os raios solares>* **2** impossibilitar o funcionamento de (ligação, comunicação etc.); cortar **3** captar ou apreender (aquilo que é dirigido a outrem)

intercessão (in.ter.ces.são) [pl.: *-ões*] *s.f.* pedido a favor de algo ou alguém; intervenção *<sua i. junto ao diretor foi decisiva>* ☞ cf. *interseção*

intercessor (in.ter.ces.sor) /ô/ [pl.: *-es*] *adj.s.m.* que(m) intercede

intercomunicar-se (in.ter.co.mu.ni.car-se) *v.* {mod. 1} *pron.* comunicar-se reciprocamente *<os irmãos se intercomunicavam por* e-mail*>* ~ **intercomunicação** *s.f.*

interconexão (in.ter.co.ne.xão) /cs/ [pl.: *-ões*] *s.f.* ligação, relação entre duas ou mais coisas, entre dois ou mais fenômenos, sistemas etc.

intercontinental (in.ter.con.ti.nen.tal) [pl.: *-ais*] *adj.2g.* **1** que fica ou ocorre entre continentes *<mar i.> <comércio i.>* **2** que se faz de um continente a outro *<voo i.>*

intercorrer (in.ter.cor.rer) *v.* {mod. 8} *int.* **1** decorrer (o tempo) entre dois fatos *<poucos anos intercorreram entre a graduação e o doutorado>* **2** ocorrer no curso de outro fato, ou logo após ele; sobrevir *<intercorreram novos contratempos>*

intercostal (in.ter.cos.tal) [pl.: *-ais*] *adj.2g.* localizado entre as costelas

intercurso (in.ter.cur.so) *s.m.* conexão ou relacionamento entre pessoas ou grupos

interdependência (in.ter.de.pen.dên.cia) *s.f.* dependência mútua ~ **interdependente** *adj.2g.* - **interdepender** *v.int.*

interdição (in.ter.di.ção) [pl.: *-ões*] *s.f.* **1** proibição que impede o funcionamento de um estabelecimento ou o uso de uma área *<i. do bar> <i. da estrada>* **2** privação judicial do direito de um indivíduo de dispor de seus bens ou praticar qualquer ato jurídico

interdisciplinar (in.ter.dis.ci.pli.nar) [pl.: *-es*] *adj.2g.* **1** que estabelece relações entre duas ou mais disciplinas ou ramos de conhecimento **2** que é comum a duas ou mais disciplinas

interditar (in.ter.di.tar) *v.* {mod. 1} *t.d.* **1** impedir ou proibir o funcionamento ou a utilização de, ou o acesso a *<i. um parque de diversões> <i. uma rua>* **2** impedir a locomoção de *<os policiais interditaram o caminhão na fronteira>*

[1]**interdito** (in.ter.di.to) *adj.* **1** proibido, interditado ■ *adj.s.m.* DIR **2** que(m) sofreu privação de seus direitos ◉ ORIGEM do lat. *interdictus,a,um* 'proibido, vedado'

[2]**interdito** (in.ter.di.to) *s.m.* DIR ordem ou mandado judicial proibindo a prática ou realização de certo ato referente a pessoa ou coisa ou protegendo um direito individual ◉ ORIGEM do lat. *interdictum,i* 'ordem de proibição'

interessante (in.te.res.san.te) *adj.2g.* **1** que desperta interesse, que motiva <*assunto i.*> **2** que se revela útil, que traz vantagem material, financeira etc. <*proposta i.*> **3** diz-se do estado da mulher grávida ■ *adj.2g.s.m.* **4** que ou aquilo que é digno de atenção; curioso <*sua reação foi bastante i.*> <*o i. é que o romance era autobiográfico*>

interessar (in.te.res.sar) *v.* {mod. 1} *t.i.* **1** (prep. *a*) ter interesse, importância ou utilidade para; importar <*esse assunto não interessa a ninguém*> **2** (prep. *a*) dizer respeito a; concernir <*a segurança pública é uma questão que interessa a toda a população*> □ *t.d. e t.i.* **3** (prep. *a*) provocar interesse, curiosidade (em); cativar <*um livro que interessa (a) adultos e crianças*> ↺ desinteressar □ *pron.* **4** (prep. *por*) ter a atenção em, atração por <*hoje não se interessa mais por futebol*> <*interessou-se imediatamente pela moça*> ↺ desinteressar-se

interesse (in.te.res.se) /ê/ *s.m.* **1** o que é importante, útil ou vantajoso <*serviço de i. público*> **2** simpatia ou curiosidade por algo ou alguém <*ouvi-lo com i.*> **3** importância dada a algo <*assunto de grande i.*> <*tinha i. na saúde do primo*> **4** apego ao que traz vantagem pessoal; cobiça <*só age por i.*> **5** ECON lucro decorrente dos juros produzidos pelo capital investido

interesseiro (in.te.res.sei.ro) *adj.s.m.* **1** que(m) finge simpatia visando apenas seus próprios interesses ■ *adj.* **2** inspirado ou feito por interesse ('vantagem pessoal') <*casamento i.*>

interestadual (in.te.res.ta.du.al) [pl.: *-ais*] *adj.2g.* **1** que fica ou ocorre entre estados <*campeonato i.*> **2** que liga dois ou mais estados <*rodovia i.*> **3** que se faz de um estado a outro <*viagem i.*>

interestelar (in.te.res.te.lar) [pl.: *-es*] *adj.2g.* que fica ou ocorre entre as estrelas

interface (in.ter.fa.ce) *s.f.* **1** elemento que propicia ligação física ou lógica entre dois sistemas ou partes de um sistema que não se conectam diretamente **2** área de interação de duas ciências, dois departamentos etc. **3** INF fronteira compartilhada por dois dispositivos, sistemas ou programas de computação que trocam dados e sinais **4** INF meio pelo qual o usuário interage com um programa ou sistema operacional <*i. gráfica*> ~ **interfacial** *adj.2g.*

interferência (in.ter.fe.rên.cia) *s.f.* **1** intervenção, intromissão **2** TEL energia indesejada que afeta a recepção de sinais desejados **3** TEL ruído na recepção desses sinais ~ **interferente** *adj.2g.*

interferir (in.ter.fe.rir) *v.* {mod. 28} *t.i.* **1** (prep. *em*) tomar parte em (questão, briga etc.) para influir sobre o seu desenvolvimento; intervir <*pediu à família que não interferisse em seu casamento*> **2** (prep. *em*) misturar-se alterando a estrutura, as características ou o andamento de <*as experiências negativas interferem nas suas decisões*>

interfonar (in.ter.fo.nar) *v.* {mod. 1} *t.i.* (prep. *para*) comunicar-se por meio do interfone com

interfone (in.ter.fo.ne) *s.m.* aparelho telefônico de comunicação interna em prédios, escritórios etc. ☞ marca registrada (*Interphone*) que passou a designar seu gênero

intergaláctico (in.ter.ga.lác.ti.co) *adj.* que ocorre entre as galáxias

intergovernamental (in.ter.go.ver.na.men.tal) [pl.: *-ais*] *adj.2g.* que ocorre ou existe entre dois ou mais governos ou governadores

ínterim (ín.te.rim) [pl.: *-ins*] *s.m.* intervalo de tempo entre dois fatos <*nesse í., os convidados chegaram*>

interino (in.te.ri.no) *adj.* **1** provisório, temporário <*cargo i.*> ↺ definitivo ■ *adj.s.m.* **2** que(m) ocupa cargo público provisoriamente, na ausência do titular ~ **interinidade** *s.f.*

interior (in.te.ri.or) /ô/ [pl.: *-es*] *adj.2g.* **1** da parte de dentro; interno <*espaço i.*> <*pátio i.*> ↺ exterior **2** relativo a uma nação ou que nela se desenvolve <*comércio i.*> **3** relativo à alma, ao espírito <*conflito i.*> ■ *s.m.* **4** a parte interna de algo <*o i. de um armário, de uma igreja*> ↺ exterior **5** o íntimo de uma pessoa <*sofria em seu i.*> **6** região do país afastada do litoral **7** região do estado que se situa fora das capitais ↺ capital **8** o que se refere à administração ou aos negócios do Estado <*ministro do I.*> ↺ exterior ☞ inicial maiúsc. **9** TV cena que se filma em recinto fechado ~ **interioridade** *s.f.*

interiorano (in.te.ri.o.ra.no) *adj.s.m.* que(m) é do interior do país

interiorizar (in.te.ri.o.ri.zar) *v.* {mod. 1} *t.d.* **1** trazer para dentro de si; assimilar, internalizar <*i. crenças paternas*> □ *t.d.i.* **2** (prep. *em*) fazer penetrar no ânimo de; incutir, infundir <*interiorizou nos filhos a importância do respeito ao próximo*> ~ **interiorização** *s.f.*

interjeição (in.ter.jei.ção) [pl.: *-ões*] *s.f.* GRAM palavra invariável ou locução que funciona como uma frase que exprime emoção, ordem, apelo ou descreve um ruído (p.ex.: *psiu!*, *ai!*) ~ **interjetivo** *adj.*

interligar (in.ter.li.gar) *v.* {mod. 1} *t.d. e pron.* ligar(-se) entre si (duas ou mais coisas); conectar(-se), unir(-se) <*o destino interligou aquelas duas vidas*> <*as diferentes partes se interligavam, formando um todo coeso*> ↺ desligar(-se) ~ **interligação** *s.f.* - **interligado** *adj.*

interlocução (in.ter.lo.cu.ção) [pl.: *-ões*] *s.f.* conversa entre duas ou mais pessoas

interlocutor (in.ter.lo.cu.tor) /ô/ [pl.: *-es*] *s.m.* **1** cada um dos participantes de uma conversa **2** a pessoa com quem se conversa

interlúdio (in.ter.lú.dio) *s.m.* **1** MÚS composição instrumental executada entre as partes de uma música, peça, rito etc. **2** entreato ('pequena representação')

intermediar (in.ter.me.di.ar) *v.* {mod. 5} *t.d.* **1** existir, situar-se entre <*muitos fatos intermediaram esses dois anos*> **2** pôr de permeio; entremear, intercalar <*i. fios de algodão*> **3** servir de intermediário em; mediar <*i. uma trégua entre os oponentes*> ~ **intermediação** *s.f.*

intermediário (in.ter.me.di.á.rio) *adj.* **1** que está entre dois <*grau i.*> <*espaço i.*> ■ *s.m.* **2** negociante que atua entre o produtor e o consumidor

intermédio (in.ter.mé.dio) *adj.* **1** que está entre; intermediário ■ *s.m.* **2** interferência que favorece a obtenção de algo <*conseguiu o trabalho por meu i.*> **3** MÚS TEAT pequena representação dramática ou musical executada entre os atos de uma ópera

interminável (in.ter.mi.ná.vel) [pl.: *-eis*] *adj.2g.* **1** que não se pode terminar <*obra i. por falta de dinheiro*> **2** que parece não ter fim; demorado; infinito, enorme <*discussão i.*> <*terras i.*>

I

intermitência (in.ter.mi.tên.cia) *s.f.* interrupção temporária; intervalo

intermitente (in.ter.mi.ten.te) *adj.2g.* em que ocorrem interrupções; que cessa e recomeça por intervalos *<trovoadas i.> <febre i.>*

intermunicipal (in.ter.mu.ni.ci.pal) [pl.: *-ais*] *adj.2g.* **1** que fica, existe ou ocorre entre municípios **2** que vai de um município a outro *<ônibus i.>*

internacional (in.ter.na.cio.nal) [pl.: *-ais*] *adj.2g.* **1** que diz respeito a duas ou mais nações *<interesse i.> <política i.> <comércio i.>* **2** conhecido em vários países *<artista i.>* ~ **internacionalidade** *s.f.*

internacionalismo (in.ter.na.cio.na.lis.mo) *s.m.* **1** relação de intercâmbio entre nações **2** doutrina oposta ao nacionalismo ~ **internacionalista** *adj.2g.s.2g.*

internacionalizar (in.ter.na.cio.na.li.zar) *v.* {mod. 1} *t.d. e pron.* **1** tornar(-se) internacional *<i. a economia de um país> <internacionalizou-se ao passar muitos anos no exterior>* □ *t.d.* **2** difundir por várias nações; universalizar *<i. a rapadura>* ~ **internacionalização** *s.f.*

internalizar (in.ter.na.li.zar) *v.* {mod. 1} *t.d.* adotar inconscientemente como próprios (ideias, práticas, valores de outra pessoa ou da sociedade); interiorizar

internar (in.ter.nar) *v.* {mod. 1} *t.d. e pron.* **1** levar ou ir para asilo, internato, casa de saúde □ *t.d.* **2** obrigar a viver em local diferente do habitual, com proibição de sair; confinar *<i. os traidores numa ilha>* □ *int. e pron.* **3** (prep. *em*) meter-se pelo interior de; embrenhar-se *<i.(-se) na mata>* ~ **internação** *s.f.* - **internamento** *s.m.*

internato (in.ter.na.to) *s.m.* **1** estabelecimento de ensino em que os alunos tb. moram; pensionato ↺ externato **2** instituição que fornece asilo e educação aos necessitados; patronato

internauta (in.ter.nau.ta) *s.2g.* usuário da internet

internet (in.ter.net) *s.f.* INF TEL rede mundial de computadores, formada por uma reunião de redes interconectadas utilizando protocolos de comunicação padronizados, que fornece informações e ferramentas de comunicação para seus usuários ☞ inicial por vezes maiúsc. ☞ cf. *web*

interno (in.ter.no) *adj.* **1** que fica do lado de dentro *<bolso i.>* ↺ externo **2** que está dentro dos limites de uma área; interior *<pátio i.>* ↺ externo **3** que existe ou que ocorre dentro de algo ou alguém *<regulamento i.> <hemorragia i.>* **4** relativo ao Estado *<política i.>* **5** relativo ao âmago; íntimo *<luta i.>* ■ *adj.s.m.* **6** (aluno) que mora na escola em que estuda

interpelar (in.ter.pe.lar) *v.* {mod. 1} *t.d.i.* **1** (prep. *sobre*) dirigir-se a (alguém) com pergunta ou pedido de explicação *<interpelou-o sobre sua atitude omissa>* □ *t.d.* **2** intimar a prestar declarações, esclarecimentos, em tribunais, cortes etc. ~ **interpelação** *s.f.*

interpenetrar-se (in.ter.pe.ne.trar-se) *v.* {mod. 1} *pron.* penetrar-se mutuamente; misturar-se *<no processo criativo, as ideias se interpenetram>* ~ **interpenetração** *s.f.*

interpessoal (in.ter.pes.so.al) [pl.: *-ais*] *adj.2g.* que ocorre entre pessoas

interplanetário (in.ter.pla.ne.tá.rio) *adj.* que está ou ocorre entre planetas *<viagem i.>*

interpolar (in.ter.po.lar) *v.* {mod. 1} *t.d.* **1** inserir (palavras ou frases) em texto, para completá-lo ou restaurá-lo **2** alterar (texto) introduzindo palavras ou frases novas **3** fazer cessar; interromper *<i. uma rebelião>* □ *t.d.i. e pron.* **4** (prep. *com*) revezar(-se), repetida e regularmente; alternar(-se) ~ **interpolação** *s.f.*

interpor (in.ter.por) *v.* {mod. 23} *t.d.i. e pron.* **1** (prep. *entre*) colocar(-se) [coisa ou pessoa] entre duas outras *<i. o quadro entre as estantes> <i.-se entre o policial e o réu>* □ *pron.* **2** (prep. *entre*) intervir como mediador *<interpôs-se entre os dois adversários>* □ *t.d.,t.d.i. e pron.* **3** (prep. *a, em*) apresentar(-se) como obstáculo a; opor(-se) *<i. objeções (aos argumentos de alguém)> <fatos que se interpuseram no caminho de suas aspirações>* □ *t.d.* DIR **4** dar entrada em (recurso) ◉ GRAM/USO part.: *interposto* ~ **interposição** *s.f.*

interpretação (in.ter.pre.ta.ção) [pl.: *-ões*] *s.f.* **1** determinação do significado de algo **2** entendimento ou julgamento pessoal **3** tradução **4** CINE TEAT TV ato de representar papéis em espetáculos teatrais, cinematográficos etc.; representação **5** MÚS execução de uma peça musical **6** MÚS o aspecto pessoal dessa execução

interpretar (in.ter.pre.tar) *v.* {mod. 1} *t.d.* **1** determinar o significado de (texto, lei etc.) **2** adivinhar o significado de (algo) por indução *<i. sonhos> <i. um olhar>* **3** representar (personagem, obra ou autor) *<i. Julieta> <i. Shakespeare>* **4** tocar ou cantar (obra musical) □ *t.d. e t.d.pred.* **5** dar certo sentido a; entender *<não soube i. as ordens superiores> <interpretou aquele afastamento como rejeição>*

intérprete (in.tér.pre.te) *s.2g.* **1** o que interpreta, esclarece, comenta **2** tradutor **3** TV indivíduo que representa um personagem **4** MÚS aquele que toca ou canta uma peça musical

inter-racial (in.ter-ra.ci.al) [pl.: *inter-raciais*] *adj.2g.* que envolve diferentes raças *<casamento i.>*

interregno (in.ter.reg.no) *s.m.* **1** intervalo entre dois reinados, sem rei hereditário ou eletivo **2** *fig.* interrupção momentânea; intervalo

inter-relação (in.ter-re.la.ção) [pl.: *inter-relações*] *s.f.* relação mútua *<i. entre diferentes setores da economia>* ~ **inter-relativo** *adj.*

inter-relacionar (in.ter-re.la.cio.nar) *v.* {mod. 1} *t.d. e pron.* (prep. *com*) estabelecer relação entre ou ter relação mútua *<i. misericórdia e justiça> <ideias que se inter-relacionam>* ~ **inter-relacionado** *adj.* - **inter-relacionamento** *s.m.*

interrogação (in.ter.ro.ga.ção) [pl.: *-ões*] *s.f.* **1** ato de interrogar ou o seu efeito **2** gesto ou sinal interrogativo *<havia uma i. em seu rosto>* **3** dúvida, incerteza *<o futuro é sempre uma i.>* ↺ convicção **4** GRAM ponto de interrogação

interrogar (in.ter.ro.gar) *v.* {mod. 1} *t.d.,t.d.i. e pron.* **1** (prep. *acerca de, sobre*) fazer perguntas (a alguém ou a si mesmo); indagar(-se), perguntar(-se) *<o menino sabia que seria interrogado> <interrogou-me acerca do episódio> <interrogou-se sobre a retidão de seus atos>* □ *t.d. e t.d.i.* **2** (prep. *sobre*) apresentar questões a; arguir, examinar *<interrogou o aluno (sobre a Segunda Guerra)>* □ *t.d.* **3** submeter a interrogatório *<o juiz interrogou o acusado>*

interrogativo (in.ter.ro.ga.ti.vo) *adj.* **1** que indica interrogação *<sua conversa tem um tom i.>* **2** GRAM que serve para formular uma pergunta *<pronome i.>* **3** GRAM que contém interrogação *<frase i.>*

interrogatório (in.ter.ro.ga.tó.rio) *s.m.* **1** momento em que a autoridade pergunta ao réu sobre sua identidade e fatos relacionados à acusação que lhe é feita **2** o conjunto dessas perguntas ■ *adj.* **3** que indica interrogação *<gesto i.>*

interromper (in.ter.rom.per) *v.* {mod. 8} *t.d.* **1** pôr fim a; acabar *<i. um tratamento>* ↺ iniciar **2** quebrar temporariamente a continuidade de; suspender, parar *<interrompeu o curso por motivo de viagem>* ↺ continuar **3** cortar o discurso, a fala de *<não interrompa o palestrante>* ◉ GRAM/USO part.: *interrompido*, *interrupto*; ver QUADRO DE PARTICÍPIOS DUPLOS nas pp. iniciais ~ **interrupto** *adj.*

interrupção (in.ter.rup.ção) [pl.: *-ões*] *s.f.* **1** ato de dar fim a algo ou o seu efeito; encerramento; parada *<i. do projeto>* ↺ prosseguimento **2** intervalo, pausa *<prosseguimos após breve i.>* ↺ continuação

interruptor (in.ter.rup.tor) /ô/ [pl.: *-es*] *s.m.* ELETR **1** dispositivo que interrompe e restabelece uma passagem, esp. a de um sinal num circuito elétrico ou eletrônico; comutador ■ *adj.* **2** que interrompe

interseção (in.ter.se.ção) [pl.: *-ções*] ou **intersecção** (in.ter.sec.ção) [pl.: *-ões*] *s.f.* **1** encontro de duas linhas ou dois planos que se cortam; cruzamento *<i. das ruas>* **2** MAT operação pela qual se obtém o conjunto formado pelos elementos comuns a dois outros conjuntos **3** *p.ext.* MAT o conjunto desses elementos comuns ☞ cf. *intercessão* ~ **intersecional** *adj.2g.*

interstício (in.ters.tí.cio) *s.m.* **1** pequeno espaço entre as partes de um todo ou entre duas coisas contíguas *<interstícios entre os dedos dos pés>* **2** fenda, greta *<os i. de uma madeira>* ~ **intersticial** *adj.2g.*

intertítulo (in.ter.tí.tu.lo) *s.m.* JOR entretítulo

interurbano (in.te.rur.ba.no) *adj.* **1** que vai de uma cidade a outra *<transporte i.>* ■ *adj.s.m.* **2** (telefonema) entre duas cidades

[1]**intervalar** (in.ter.va.lar) *v.* {mod. 1} *t.d.* **1** arrumar deixando espaços entre *<i. as carteiras da sala de aula>* □ *t.d.i.* **2** (prep. *com*, *de*) revezar, repetida e regularmente; alternar *<i. a parte do cantor de trechos declamados>* ◉ ORIGEM do lat. *intervallāre* 'separar por intervalos'

[2]**intervalar** (in.ter.va.lar) [pl.: *-es*] *adj.2g.* situado no intervalo entre duas coisas, momentos etc. ◉ ORIGEM *intervalo* + [1]*-ar*

intervalo (in.ter.va.lo) *s.m.* **1** espaço entre dois pontos, coisas etc. **2** lapso de tempo entre épocas, datas, fatos etc. **3** interrupção temporária; pausa *<fizemos um lanche no i. da partida>* ↺ continuidade **4** MÚS diferença de altura ('frequência') entre notas musicais

intervenção (in.ter.ven.ção) [pl.: *-ões*] *s.f.* **1** interferência de um indivíduo ou instituição em negócios de outrem **2** interferência do Estado em domínio fora de sua competência para, p.ex., apuração de irregularidades em empresas, bancos etc. **3** violação da soberania de um Estado independente pela intromissão de outro em seus assuntos internos ou negócios externos **4** ação ou fato de emitir opinião em um debate, uma discussão etc. ▣ **i. cirúrgica** MED cirurgia ('tratamento')

intervencionismo (in.ter.ven.cio.nis.mo) *s.m.* **1** tendência para intervir **2** ECON interferência governamental na economia do país **3** POL interferência de um país nas questões internas de outro ~ **intervencionista** *adj.2g.s.2g.*

interventor (in.ter.ven.tor) /ô/ [pl.: *-es*] *adj.s.m.* **1** que(m) intervém **2** que(m) é representante do governo numa intervenção

intervertebral (in.ter.ver.te.bral) [pl.: *-ais*] *adj.2g.* que se situa entre as vértebras *<disco i.>*

intervir (in.ter.vir) *v.* {mod. 31} *t.i.* **1** (prep. *em*) participar de (matéria, questão etc.) com intenção de influir no seu desenvolvimento; interferir *<a professora não intervém nas decisões do grupo>* **2** (prep. *em*) usar autoridade, poder de controle sobre *<o governo intervém na determinação das taxas de juros>* □ *int.* **3** ocorrer de modo inesperado; sobrevir

intervocálico (in.ter.vo.cá.li.co) *adj.* situado entre duas vogais *<consoante i.>*

intestino (in.tes.ti.no) *adj.* **1** que ocorre no interior do corpo, de um corpo social, da alma; interno, íntimo *<desavenças i. numa firma>* **2** entre cidadãos da mesma nação (diz-se de guerra, luta etc.) *<conflitos i.>* ■ *s.m.* ANAT **3** parte do tubo digestivo que vai do estômago ao ânus ▣ **i. delgado** ANAT parte inicial do intestino, que vai do piloro ao ceco • **i. grosso** ANAT parte final do intestino, que vai do ceco ao ânus ~ **intestinal** *adj.2g.*

intimação (in.ti.ma.ção) [pl.: *-ões*] *s.f.* **1** ato de intimar ou ser intimado, ou o seu efeito **2** DIR ato pelo qual se notifica determinada pessoa dos termos ou atos de um processo

intimar (in.ti.mar) *v.* {mod. 1} *t.d.i.* **1** (prep. *a*) determinar de forma impositiva; ordenar, mandar *<intimou às tropas que não recuassem>* *<intimou o preso a entregar a arma>* □ *t.d.* DIR **2** convocar mediante notificação judicial

intimativa (in.ti.ma.ti.va) *s.f.* frase ou gesto autoritário

intimativo (in.ti.ma.ti.vo) *adj.* próprio para intimar; enérgico, autoritário

intimidade (in.ti.mi.da.de) *s.f.* **1** vida particular; privacidade *<poucos partilham da i. do presidente>* **2** familiaridade, proximidade; convivência fraterna; ausência de cerimônia *<ser tratado com i. pelos colegas>* ↺ cerimônia **3** ambiente onde se tem privacidade, tranquilidade *<ela desenha na i. do seu ateliê>* **4** domínio, controle *<Jorge tem i. com o computador>* ▼ ***intimidades*** *s.f.pl.* **5** gestos ou palavras que caracterizam um comportamento atrevido; abusos *<não gosto de i. comigo>* **6** sentimentos e pensamentos íntimos *<confiar i. a uma amiga>*

intimidador (in.ti.mi.da.dor) /ô/ [pl.: *-es*] *adj.s.m.* (o) que intimida

intimidar (in.ti.mi.dar) *v.* {mod. 1} *t.d. e pron.* **1** (fazer) sentir receio, temor; amedrontar(-se) *<intimida os subalternos com seu autoritarismo>* *<não se intimidou com as provocações do adversário>* ↺ encorajar(-se) **2** (fazer) sentir constrangimento, timidez; inibir(-se) *<intimida-o falar em público>*

I

<intimida-se numa roda de estranhos> ↺ desinibir (-se) ~ **intimidação** *s.f.*

íntimo (in.ti.mo) *adj.* **1** que constitui a essência de algo *<a razão í. das coisas>* **2** que existe no âmago de alguém *<desejo í.>* **3** a quem se é muito ligado; próximo, chegado *<amigo í.>* **4** que trata de assuntos pessoais; privado, particular *<correspondência í.>* ■ *s.m.* **5** o que há de mais profundo na alma, na mente *<não sei o que lhe vai no í.>* **6** quem pertence à intimidade ou ao círculo de confiança de alguém *<festa só para os í.>* ~ **intimamente** *adv.*

intimorato (in.ti.mo.ra.to) *adj.* que não sente temor; destemido, valente ↺ covarde, medroso, timorato

intitular (in.ti.tu.lar) *v.* {mod. 1} *t.d.,t.d.pred. e pron.* (prep. *de*) dar(-se) nome ou título de; denominar(-se) *<intitularam Santos Dumont (de) Pai da Aviação>* *<intitula-se defensor dos pobres>* ~ **intitulação** *s.f.*

intocável (in.to.cá.vel) [pl.: *-eis*] *adj.2g.* **1** em que não se pode tocar; intangível ■ *adj.2g.s.2g.* **2** que(m) é inatacável, por gozar de prestígio ou proteção ↺ desfavorecido

intolerância (in.to.le.rân.cia) *s.f.* tendência a não suportar ou condenar o que desagrada nas opiniões, atitudes etc. alheias; intransigência ↺ tolerância ~ **intolerante** *adj.2g.s.2g.*

intolerável (in.to.le.rá.vel) [pl.: *-eis*] *adj.2g.* que não pode ser tolerado *<dor i.>* *<abusos i.>* ↺ tolerável

intoxicação (in.to.xi.ca.ção) /cs/ [pl.: *-ões*] *s.f.* ato ou efeito de intoxicar(-se); envenenamento

intoxicar (in.to.xi.car) /cs/ *v.* {mod. 1} *t.d. e pron.* (fazer) absorver substância tóxica; envenenar(-se) *<a carne de porco intoxicou a família toda>* *<intoxicou-se por causa dos mexilhões>*

intra- *pref.* 'posição interior': *intravenoso*

intracelular (in.tra.ce.lu.lar) [pl.: *-es*] *adj.2g.* que se situa ou ocorre no interior da(s) célula(s)

intraduzível (in.tra.du.zí.vel) [pl.: *-eis*] *adj.2g.* **1** que não se pode traduzir ou verter *<um texto i.>* **2** que não se pode exprimir *<sentimentos i.>*

intragável (in.tra.gá.vel) [pl.: *-eis*] *adj.2g.* **1** que não se pode ou é ruim de tragar *<comida i.>* **2** *fig. pej.* de personalidade, temperamento etc. desagradáveis *<pessoa i.>* ↺ agradável

intranet (in.tra.net) *s.f.* INF rede de computadores restrita a uma empresa ou organização, que utiliza os programas e protocolos da internet

intranquilidade (in.tran.qui.li.da.de) /qü/ *s.f.* falta de tranquilidade

intranquilizar (in.tran.qui.li.zar) /qü/ *v.* {mod. 1} *t.d. e pron.* tornar(-se) intranquilo, aflito; inquietar(-se) *<a falta de notícias nos intranquiliza>* *<deixou de i.-se ao saber que os filhos estavam bem>* ↺ tranquilizar(-se) ~ **intranquilizador** *adj.s.m.*

intranquilo (in.tran.qui.lo) /qü/ *adj.* que não é ou não está tranquilo ↺ tranquilo

intransferível (in.trans.fe.rí.vel) [pl.: *-eis*] *adj.2g.* que não pode ser transferido; intransmissível *<bens i.>*

intransigência (in.tran.si.gên.cia) /zi/ *s.f.* **1** falta de compreensão; intolerância ↺ compreensão **2** austeridade, rigidez ↺ liberalidade

intransigente (in.tran.si.gen.te) /zi/ *adj.2g.s.2g.* **1** que(m) não faz concessão; inflexível, intolerante ↺ tolerante **2** que(m) é austero, rígido na observância de seus princípios ↺ flexível

intransitável (in.tran.si.tá.vel) /zi/ [pl.: *-eis*] *adj.2g.* **1** por onde não se consegue transitar, passar; impraticável *<a lama deixou a estrada i.>* **2** proibido ao trânsito

intransitivo (in.tran.si.ti.vo) /zi/ *adj.* **1** que não se pode transmitir ou passar a outrem; intransmissível ■ *adj.s.m.* **2** GRAM (diz-se de ou verbo) que não requer complemento (p.ex.: *o menino caiu*)

intransmissível (in.trans.mis.sí.vel) [pl.: *-eis*] *adj.2g.* que não se pode passar a outrem; intransferível, intransitivo *<direito i.>* ↺ transmissível

intransponível (in.trans.po.ní.vel) [pl.: *-eis*] *adj.2g.* que não se pode transpor *<barreira i.>* ↺ transponível

intratável (in.tra.tá.vel) [pl.: *-eis*] *adj.2g.* **1** que não se pode tratar *<doença i.>* **2** que não sabe conviver *<pessoa i.>* ↺ sociável ■ *adj.2g.s.2g.* **3** (pessoa) de difícil convivência ~ **intratabilidade** *s.f.*

intravenoso (in.tra.ve.no.so) /ô/ [pl. e fem.: /ó/] *adj.* MED **1** relativo ao interior da veia; endovenoso **2** que se aplica no interior da veia; endovenoso *<medicação i.>*

intrépido (in.tré.pi.do) *adj.s.m.* que(m) não tem medo; corajoso ↺ medroso ~ **intrepidez** *s.f.*

intriga (in.tri.ga) *s.f.* **1** cumplicidade para prejudicar alguém; armadilha, cilada **2** mexerico, fofoca **3** conjunto de fatos imaginados pelo autor de uma peça, romance, roteiro etc.; enredo

intrigante (in.tri.gan.te) *adj.2g.s.2g.* **1** que(m) faz intriga ↺ discreto ■ *adj.2g.* **2** que desperta a curiosidade; surpreendente

intrigar (in.tri.gar) *v.* {mod. 1} *t.d.,t.d.i. e pron.* **1** (prep. *com*) (fazer) criar inimizade, através de intrigas; indispor(-se) *<vive a i. os colegas (com o professor)>* *<intrigou-se com a mulher do irmão>* □ *t.d. e pron.* **2** (prep. *com*) (fazer) ficar curioso, surpreso, desconfiado *<aquelas palavras intrigaram seu interlocutor>* *<intrigou-se com o desaparecimento das chaves>*

intrincar (in.trin.car) *v.* {mod. 1} *t.d. e pron.* **1** tornar (-se) emaranhado; embaraçar(-se) *<i. os fios da meada>* *<intrincou-se o novelo de lã>* ↺ desemaranhar(-se) **2** tornar(-se) confuso, complexo; complicar(-se) *<essas revelações intrincaram a questão>* *<o caso intrincou-se>* ↺ simplificar

intrínseco (in.trín.se.co) *adj.* **1** que faz parte da essência de algo *<argumentos i. à questão>* ↺ extrínseco **2** que é real; que tem importância por si próprio *<objeto com valor i.>*

intro- *pref.* 'movimento para dentro': *intrometer, introvertido*

introdução (in.tro.du.ção) [pl.: *-ões*] *s.f.* **1** ato ou efeito de introduzir(-se) **2** parte inicial, esp. de texto ou peça musical ~ **introdutivo** *adj.*

introdutor (in.tro.du.tor) /ô/ [pl.: *-es*] *adj.s.m.* **1** (o) que introduz **2** (aquele) que emprega ou difunde pela primeira vez uma ideia, uma inovação etc.

introdutório (in.tro.du.tó.rio) *adj.* que serve de introdução *<o livro tem breves notas i.>*

I

introduzir (in.tro.du.zir) *v.* {mod. 24} *t.d.* **1** fazer penetrar; enfiar, inserir *<i. uma chave na fechadura>* ↺ retirar **2** fazer inclusão de; inserir *<i. palavras no texto>* **3** dar início a; abrir, começar *<tentou i. o assunto>* □ *t.d.i. e pron.* **4** (prep. *em*) dirigir(-se) para dentro de *<i. o visitante na sala> <o germe introduziu-se no organismo>* **5** (prep. *em*) (fazer) ser admitido em grupo, sociedade etc. *<i. o amigo no clube> <tenta i.-se na sociedade local>*

introito (in.troi.to) /ói/ *s.m.* **1** começo, princípio ↺ desfecho **2** LITUR oração que inicia a missa

introjeção (in.tro.je.ção) [pl.: *-ões*] *s.f.* PSICN processo inconsciente de incorporar atitudes e ideias alheias ~ **introjetar** *v.t.d.*

intrometer (in.tro.me.ter) *v.* {mod. 8} *t.d.i. e pron.* **1** (prep. *em, entre, por*) pôr(-se) no meio de ou em meio a *<i. as caixas entre os móveis> <i.-se na multidão>* □ *pron.* **2** (prep. *em*) tomar parte ou dar opinião em (assunto alheio); ingerir-se *<i.-se na vida de alguém>* ~ **intrometimento** *s.m.*

intrometido (in.tro.me.ti.do) *adj.* **1** que se intrometeu ■ *adj.s.m.* **2** que(m) se intromete no que não é da sua conta ↺ discreto

intromissão (in.tro.mis.são) [pl.: *-ões*] *s.f.* **1** colocação de uma coisa no meio de outra(s); intercalação **2** participação não requisitada ou não permitida

introspecção (in.tros.pec.ção) [pl.: *-ões*] *s.f.* reflexão sobre seus próprios sentimentos, experiências etc.

introspectivo (in.tros.pec.ti.vo) *adj.* **1** em que se faz introspecção **2** de caráter reflexivo, voltado para si próprio

introversão (in.tro.ver.são) [pl.: *-ões*] *s.f.* atitude do indivíduo que dirige sua energia psíquica para o interior, e parece fechado, crítico e contido ↺ extroversão

introverter (in.tro.ver.ter) *v.* {mod. 8} *t.d. e pron.* **1** voltar(-se) para dentro *<i. as abas de um chapéu> <as folhas introverteram-se com um leve toque>* □ *pron. fig.* **2** fechar-se ao mundo exterior; ensimesmar-se

introvertido (in.tro.ver.ti.do) *adj.s.m.* que(m) é voltado para dentro; retraído ↺ expansivo, extrovertido

intrujão (in.tru.jão) [pl.: *-ões*; fem.: *intrujona*] *adj.s.m.* impostor, trapaceiro

intrujar (in.tru.jar) *v.* {mod. 1} *t.d.* **1** enganar com astúcia e falsidade; lograr, iludir **2** entender, compreender □ *int.* **3** contar mentiras

intrujice (in.tru.ji.ce) *s.f.* fraude, trapaça

intruso (in.tru.so) *adj.s.m.* que(m) ocupa lugar, cargo etc. sem ter direito a eles ~ **intrusão** *s.f.*

intuição (in.tu.i.ção) [pl.: *-ões*] *s.f.* capacidade de perceber ou pressentir coisas, independentemente de raciocínio ou análise

intuir (in.tu.ir) *v.* {mod. 26} *t.d.* perceber, deduzir ou concluir por intuição, sem recorrer ao raciocínio *<i. uma verdade> <intuiu que seriam bons amigos>*

intuitivo (in.tu.i.ti.vo) *adj.* **1** relativo a intuição *<capacidade i.>* **2** percebido, sentido ou pressentido por intuição *<tinha uma compreensão i. da natureza humana>* **3** que tem intuição *<uma pessoa i.> <ter um espírito muito i.>*

intuito (in.tui.to) *s.m.* objetivo, finalidade *<trabalhava muito com o i. de enriquecer>*

intumescência (in.tu.mes.cên.cia) *s.f.* **1** aumento de volume **2** inchação, tumefação ~ **intumescente** *adj.2g.*

intumescer (in.tu.mes.cer) *v.* {mod. 8} *t.d.,int. e pron.* aumentar de volume; inchar(-se), dilatar(-se) *<o soco intumesceu o rosto do garoto> <as artérias intumesceram(-se)>* ~ **intumescimento** *s.m.*

inturgescer (in.tur.ges.cer) *v.* {mod. 8} *t.d.,int. e pron.* intumescer ~ **inturgescência** *s.f.*

inúbil (i.nú.bil) [pl.: *-eis*] *adj.2g.* **1** que não tem idade para casar ↺ núbil **2** que se encontra na menoridade legal

inumano (i.nu.ma.no) *adj.* **1** cruel, desumano ↺ bondoso **2** que não pertence ou parece não pertencer à condição humana; divino ↺ terreno ~ **inumanidade** *s.f.*

inumar (i.nu.mar) *v.* {mod. 1} *t.d.* enterrar, sepultar (cadáver) ↺ exumar ~ **inumação** *s.f.*

inumerável (i.nu.me.rá.vel) [pl.: *-eis*] *adj.2g.* **1** que não se pode numerar ou contar; inúmero *<estrelas i.>* **2** *p.ext.* abundante, copioso ↺ escasso

inúmero (i.nú.me.ro) *adj.* inumerável

inundação (i.nun.da.ção) [pl.: *-ões*] *s.f.* grande alagamento ou aumento do volume de águas, em consequência de chuvas, subida de maré etc.; enchente, cheia

inundar (i.nun.dar) *v.* {mod. 1} *t.d. e pron.* **1** cobrir(-se) de água; alagar(-se) *<as fortes chuvas inundaram as ruas da cidade> <pela primeira vez, o canavial inundou-se>* **2** *fig.* (prep. *de*) alastrar(-se) ganhando espaços; espalhar(-se) *<à noite, o cheiro dos jasmins inunda os ares> <os campos inundaram-se de luz>* □ *t.d.,t.d.i. e pron.* **3** (prep. *de*) molhar(-se) completamente; banhar(-se) *<o molho inundou a toalha da mesa> <inundou de lágrimas o ombro da amiga> <i.-se de suor>* □ *int.* **4** verter água pela borda; transbordar *<o rio inundou>* ~ **inundante** *adj.2g.*

inusitado (i.nu.si.ta.do) *adj.* não usual; incomum ↺ corriqueiro

inútil (i.nú.til) [pl.: *-eis*] *adj.2g.s.2g.* que(m) não serve para nada *<objeto i.> <esforço i.> <seu sobrinho é um i.>* ~ **inutilmente** *adv.*

inutilidade (i.nu.ti.li.da.de) *s.f.* **1** ausência de utilidade **2** gesto, ato, comportamento etc. que não acarreta frutos, resultados *<percebeu a i. de continuar tentando>*

inutilizar (i.nu.ti.li.zar) *v.* {mod. 1} *t.d. e pron.* tornar(-se) inútil, incapaz, imprestável ~ **inutilização** *s.f.*

invadir (in.va.dir) *v.* {mod. 24} *t.d.* **1** entrar em (certo lugar) e ocupá-lo pela força; tomar, conquistar *<i. um território>* **2** *fig.* tomar conta de; alastrar-se, dominar *<uma moda que invadiu o país>*

invaginação (in.va.gi.na.ção) [pl.: *-ões*] *s.f.* **1** BIO penetração de parte de uma estrutura orgânica em outra do mesmo indivíduo **2** MED penetração de segmento de um órgão dentro de outro segmento do mesmo órgão, como ocorre com as várias partes do intestino ~ **invaginante** *adj.2g.* - **invaginar** *v.t.d. e pron.*

invalidar (in.va.li.dar) *v.* {mod. 1} *t.d. e pron.* **1** (fazer) perder a validade; anular(-se) *<i. uma eleição> <decobriram um segundo testamento, e o primeiro invalidou-se>* ↺ validar(-se) **2** tornar(-se) inapto para exercer um cargo ou desempenhar certas funções

<uma queda o invalidou> <depois do desastre, o homem invalidou-se para sempre> □ *t.d.* **3** fazer perder o crédito; desabonar *<seus atos invalidam suas palavras>* ↺ valorizar ~ **invalidação** *s.f.*

invalidez (in.va.li.dez) /ê/ [pl.: *-es*] *s.f.* incapacidade física ou mental que impossibilita o exercício de atividade profissional

inválido (in.vá.li.do) *adj.* **1** que não tem valor; nulo *<concurso i.>* ↺ válido ■ *adj.s.m.* **2** que(m), por mal físico ou mental, não pode levar uma vida ativa

invariável (in.va.ri.á.vel) [pl.: *-eis*] *adj.2g.* **1** que não varia; estável **2** GRAM que não admite flexão ('variação morfológica'), como, p.ex., as preposições e as conjunções ~ **invariabilidade** *s.f.*

invasão (in.va.são) [pl.: *-ões*] *s.f.* **1** ato ou efeito de invadir **2** *fig.* difusão, propagação de largo alcance *<uma i. de ideias exóticas>*

invasivo (in.va.si.vo) *adj.* **1** BIO MED que invade ou tem capacidade para invadir *<tumor i.>* **2** MED que envolve penetração num organismo ou em parte dele (por incisão ou inserção de um instrumento) *<a cirurgia é um tratamento i.>*

invasor (in.va.sor) /ô/ [pl.: *-es*] *adj.s.m.* (o) que invade

invectiva (in.vec.ti.va) *s.f.* palavra ou série de palavras ofensivas e violentas contra alguém ou algo

inveja (in.ve.ja) *s.f.* **1** desejo de possuir o que é de outrem **2** *p.ext.* o objeto desse desejo **3** desgosto com o sucesso alheio

invejar (in.ve.jar) *v.* {mod. 1} *t.d.* **1** ter inveja de *<i. os ricos>* **2** desejar muito; cobiçar *<i. a casa do vizinho>*

invejoso (in.ve.jo.so) /ô/ [pl. e fem.: /ó/] *adj.s.m.* que(m) sente inveja ou revela, em seus gestos, palavras etc., inveja em relação a outrem *<olhar i.> <quero distância dos i.>*

invenção (in.ven.ção) [pl.: *-ões*] *s.f.* **1** capacidade criativa; inventividade *<mostra muita i. em tudo o que faz>* **2** *p.ext.* coisa criada; invento, descoberta *<o papel é uma grande i.>* **3** *fig.* coisa imaginada que se dá como verdadeira; invencionice, mentira *<essa conversa é uma i. para trouxas>* ↺ verdade

invencionice (in.ven.cio.ni.ce) *s.f.* história falsa; mentira

invencível (in.ven.cí.vel) [pl.: *-eis*] *adj.2g.* **1** que não se pode vencer **2** que não se pode conter; irresistível *<paixão i.>* ~ **invencibilidade** *s.f.*

invendável (in.ven.dá.vel) [pl.: *-eis*] *adj.2g.* difícil ou impossível de vender; invendível

invendível (in.ven.dí.vel) [pl.: *-eis*] *adj.2g.* invendável

inventar (in.ven.tar) *v.* {mod. 1} *t.d.* **1** ser o primeiro a ter ideia de ou encontrar (algo ainda não conhecido, imaginado); descobrir, criar *<os chineses inventaram a pólvora>* **2** elaborar mentalmente; pensar, arquitetar *<i. uma maneira de resolver o problema>* **3** ter como verdadeiro, existente (o que não existe); fantasiar **4** *B* transmitir como verdadeiro (o que não o é); mentir *<i. defeitos alheios>* □ *t.i.* **5** (prep. *de*) cismar, teimar, insistir *<agora inventou de rapar a cabeça>*

inventariante (in.ven.ta.ri.an.te) *adj.2g.s.2g.* que(m) é responsável por listar, administrar e dividir os bens de uma herança

inventariar (in.ven.ta.ri.ar) *v.* {mod. 1} *t.d.* **1** fazer o inventário de (bens) **2** fazer relação de; catalogar, listar *<i. os potenciais clientes da nova loja>* **3** *fig.* descrever, enumerar em detalhes; minuciar *<junto aos netos, inventariou todas as aventuras de sua vida>*

inventário (in.ven.tá.rio) *s.m.* **1** descrição detalhada do patrimônio de pessoa falecida **2** levantamento minucioso; rol, lista *<o i. dos monumentos artísticos da cidade>*

inventiva (in.ven.ti.va) *s.f.* imaginação criativa; inventividade

inventividade (in.ven.ti.vi.da.de) *s.f.* qualidade ou característica do que é inventivo; inventiva, criatividade

inventivo (in.ven.ti.vo) *adj.* **1** que produz coisas ou ideias originais *<escritor i.>* **2** que é produto da imaginação, da criatividade *<trabalho i.>*

invento (in.ven.to) *s.m.* invenção

inventor (in.ven.tor) /ô/ [pl.: *-es*] *adj.s.m.* (aquele) que, por sua engenhosidade, estudo, inventividade, cria ou criou algo novo, original

inverdade (in.ver.da.de) *s.f.* o que não é verdadeiro; falsidade, mentira ↺ verdade

[1]invernada (in.ver.na.da) *s.f.* **1** inverno rigoroso **2** *B* época de chuvas contínuas ◉ ORIGEM *inverno* + *-ada*

[2]invernada (in.ver.na.da) *s.f.* *B S.* pasto extenso, cercado de obstáculos, destinado ao descanso e à engorda de animais ◉ ORIGEM fem. substv. de *invernado*, part. de *invernar*

invernar (in.ver.nar) *v.* {mod. 1} *int.* **1** passar o inverno *<i. em terras estrangeiras>* **2** haver inverno *<no mês que vem, começa a i.>* **3** *p.ext.* fazer tempo frio, chuvoso □ *t.d. e int.* **4** (fazer) ficar em descanso ou a engordar em invernada *<i. os animais para vendê-los aos frigoríficos> <os animais recuperam suas forças depois de i.>*

inverno (in.ver.no) *s.m.* estação mais fria do ano, entre o outono e a primavera ~ **invernal** *adj.2g.* - **invernoso** *adj.*

inverossímil (in.ve.ros.sí.mil) [pl.: *-eis*] *adj.2g.* que não parece verdadeiro ou provável *<uma história i.>* ~ **inverossimilhança** *s.f.*

inversor (in.ver.sor) /ô/ [pl.: *-es*] *adj.s.m.* ELETR (dispositivo) que transforma a corrente elétrica contínua em alternada

invertebrado (in.ver.te.bra.do) *s.m.* ZOO **1** espécime dos invertebrados, divisão do reino animal que inclui todas as formas, com exceção dos vertebrados ■ *adj.* **2** relativo a esse espécime **3** sem coluna vertebral **4** *fig.* a que falta vigor, vitalidade; fraco

inverter (in.ver.ter) *v.* {mod. 8} *t.d. e pron.* **1** virar(-se), voltar(-se) ao contrário, em sentido oposto ao natural *<i. a mão de uma rua> <no segundo ato da peça, os papéis se inverteram>* □ *t.d.* **2** dispor em ordem diferente da natural ou mais comum *<i. a ordem das palavras>* ◉ GRAM/USO part.: *invertido*, *inverso*; ver QUADRO DE PARTICÍPIOS DUPLOS nas pp. iniciais ~ **inversão** *s.f.*

invés (in.vés) [pl.: *inveses*] *s.m.* lado oposto; contrário; avesso ▣ **ao i.** ao contrário, às avessas *<pentear o cabelo ao i., para secá-lo>* • **ao i. de** ao inverso de, ao contrário de *<ser alto ao i. de baixo> <era um governante piedoso ao i. de cruel>* ☞ cf. *em vez de*

investida (in.ves.ti.da) *s.f.* **1** ataque agressivo; assalto **2** *p.ext.* abordagem amorosa e/ou sexual **3** ato de atirar-se com ímpeto ou o seu efeito *<a i. das ondas sobre o rochedo>* **4** *fig.* tentativa, ensaio

investidor (in.ves.ti.dor) /ô/ [pl.: *-es*] *adj.s.m.* **1** (o) que investe **2** ECON (pessoa física ou jurídica) que aplica recursos na compra de ações e títulos negociados no mercado de capitais

investidura (in.ves.ti.du.ra) *s.f.* **1** ato de dar posse a pessoa em um cargo ou dignidade **2** *p.ext.* a cerimônia de posse dessa pessoa **3** *p.ext.* esse cargo ou dignidade

investigador (in.ves.ti.ga.dor) /ô/ [pl.: *-es*] *adj.s.m.* **1** (o) que investiga ■ *s.m. B* **2** agente de polícia responsável por investigação

investigar (in.ves.ti.gar) *v.* {mod. 1} *t.d.* **1** seguir os vestígios, as pistas de **2** fazer diligências para descobrir *<i. o motivo de um crime>* **3** procurar descobrir (algo), com exame e observação minuciosos; pesquisar *<i. a causa de uma doença>* ~ **investigação** *s.f.* - **investigativo** *adj.*

investimento (in.ves.ti.men.to) *s.m.* **1** ato ou efeito de investir **2** *fig.* aplicação de recursos, tempo, esforço etc. a fim de obter algo *<seu maior i. tem sido na própria carreira>* **3** ECON emprego de capital em determinado negócio ou empresa visando à obtenção de lucros

investir (in.ves.tir) *v.* {mod. 28} *t.d.,t.i. e pron.* **1** (prep. *contra*) atirar-se com ímpeto contra; atacar *<as tropas investiram (contra) o inimigo> <provocados, investiram-se contra os adversários>* □ *t.d.i. e t.d.pred.* **2** (prep. *em*) conferir (cargo, responsabilidade, dignidade) a; nomear *<investiram o mais votado na presidência> <investiram-no rei>* □ *pron.* **3** (prep. *em*) tomar posse de *<o império investiu-se no domínio de vasto território>* □ *t.i. e t.d.i.* **4** (prep. *em*) empregar (recursos, tempo, esforço etc.) em (algo), esperando obter sucesso *<o plano falhou porque não investimos em recursos humanos> <investiu tempo e dinheiro no talento do filho>* **5** (prep. *em*) fazer (investimento financeiro) em; aplicar

inveterado (in.ve.te.ra.do) *adj.* **1** bastante antigo *<companheiros i.>* ↺ recente **2** radicado firmemente; arraigado *<tendência i.>* ↺ passageiro **3** que tem fixado dentro de si um modo de ser, um hábito (diz-se de pessoa) *<fumante i.>* ~ **inveterar** *v.t.d. e pron.*

inviabilizar (in.vi.a.bi.li.zar) *v.* {mod. 1} *t.d.* tornar impossível a realização, a execução de; impossibilitar ↺ viabilizar, possibilitar

inviável (in.vi.á.vel) [pl.: *-eis*] *adj.2g.* que não se pode realizar *<tarefa i.>* ↺ possível ~ **inviabilidade** *s.f.*

invicto (in.vic.to) *adj.* **1** que nunca foi vencido **2** que não se pode vencer; invencível

ínvio (ín.vio) *adj.* **1** sem vias, caminhos *<floresta í.>* **2** em que não se pode transitar; intransitável *<caminhos í.>* ↺ transitável

inviolável (in.vi.o.lá.vel) [pl.: *-eis*] *adj.2g.* que não se pode ou não se deve violar *<a correspondência é i.>* ~ **inviolabilidade** *s.f.*

invisível (in.vi.sí.vel) [pl.: *-eis*] *adj.2g.* **1** que, por sua natureza, não é visível *<o ar é i.>* **2** que não pode ser percebido pelos sentidos *<forças i.>* **3** não visível a olho nu, por ser muitíssimo pequeno ou fino *<microrganismos i.>* **4** que não se deixa conhecer *<ameaça i.>* ■ *s.m.* **5** aquilo que é ou se mostra invisível ~ **invisibilidade** *s.f.*

in vitro (in vi.tro) [lat.] *loc.adv.* fora do organismo vivo, em tubo de ensaio *<experimentos feitos* in vitro*>* ⇒ pronuncia-se in vitro

invocado (in.vo.ca.do) *adj. B infrm.* **1** que desconfia de alguém ou de algo; cismado, preocupado **2** que tem raiva; irritado ↺ calmo

invocar (in.vo.car) *v.* {mod. 1} *t.d.* **1** pedir a proteção de (ger. seres ou forças divinas, sobrenaturais) *<i. os santos>* **2** pedir auxílio, assistência a; recorrer *<i. a ajuda dos amigos>* **3** *B infrm.* causar irritação a; provocar, enervar *<sua conversa mole invoca qualquer um>* ↺ acalmar **4** *B infrm.* deixar curioso, desconfiado; intrigar *<ele o invocou quando evitou o assunto do relógio roubado>* **5** alegar a seu favor *<i. testemunhos>* □ *t.i. e pron. infrm.* **6** (prep. *com*) não simpatizar com; antipatizar *<invocou(-se) com a cara dele logo de saída>* ~ **invocação** *s.f.*

involução (in.vo.lu.ção) [pl.: *-ões*] *s.f.* **1** movimento de regressão, de retrocesso ↺ evolução **2** MED condição de um órgão que se encontra voltado para dentro **3** MED retorno de um órgão dilatado às suas dimensões normais *<i. do útero após a gravidez>* ~ **involutivo** *adj.*

invólucro (in.vó.lu.cro) *s.m.* coisa que envolve, cobre; cobertura, envoltório

involuir (in.vo.lu.ir) *v.* {mod. 26} *int.* sofrer involução; regredir, diminuir ↺ avançar, evoluir

involuntário (in.vo.lun.tá.rio) *adj.* **1** que se realiza contra a vontade ou independente dela; espontâneo *<reação i.>* ↺ voluntário **2** forçado, obrigado *<um personagem i. de uma história>* ↺ voluntário

invulgar (in.vul.gar) [pl.: *-es*] *adj.2g.* que não é comum; especial, raro ↺ vulgar

invulnerável (in.vul.ne.rá.vel) [pl.: *-eis*] *adj.2g.* **1** que fisicamente não pode ser ferido *<herói i.> <corpo i.>* **2** que, pelo seu caráter ou conduta, está acima de qualquer ataque ou crítica *<não é uma pessoa i., tem os seus pontos fracos>* **3** que não se deixa atingir ou que não cede a certas vantagens *<i. às ofensas> <i. ao suborno>* **4** que não se pode discutir; irrefutável *<argumentos i.>* ~ **invulnerabilidade** *s.f.*

-io *suf.* **1** 'estado ou modo de ser': *escorregadio, sombrio* **2** 'reunião, coleção': *casario, mulherio*

iódico (i.ó.di.co) *adj.s.m.* (ácido) us. como desinfetante

iodo (i.o.do) /ô/ *s.m.* QUÍM elemento químico cuja tintura tem propriedades antissépticas e cujo isótopo radioativo[131] é us. no tratamento de doenças da tireoide [símb.: *I*] ☞ cf. *tabela periódica* (no fim do dicionário)

IOF *s.m.* sigla de *imposto sobre operações financeiras*

ioga (i.o.ga) /ó *ou* ô/ *s.f.* **1** conjunto de exercícios físicos e respiratórios praticados de acordo com ensinamentos filosóficos indianos ■ *adj.2g.* **2** diz-se desse conjunto de exercícios

iogue (i.o.gue) *adj.2g.* **1** relativo a ioga ■ *s.2g.* **2** indivíduo praticante da ioga

iogurte (i.o.gur.te) *s.m.* alimento, ger. industrializado, cremoso e composto de leite coalhado por bactérias

[1]**ioiô** (io.iô) [fem.: *iaiá*] *s.m.* *B* tratamento dado ao patrão ou proprietário pelos escravos e seus descendentes; nhô, nhonhô ◉ ORIGEM alteração de *senhor*

[2]**ioiô** (io.iô) *s.m.* RECR brinquedo de mão, redondo, que vai e volta enrolado em um fio, composto de dois discos unidos ☞ marca registrada (ing. *yoyo*) que passou a designar seu gênero ◉ ORIGEM do ing. *yo-yo* 'id.'

íon (í.on) [pl.: *iones*, (*B*) *íons*] *s.m.* FISQUÍM átomo ou grupo atômico que ganhou ou perdeu elétron(s) ~ **iônico** *adj.* - **ionizar** *v.t.d.*

ionosfera (i.o.nos.fe.ra) *s.f.* GEO camada superior da atmosfera terrestre, situada entre 50 km e 700 km de altitude ~ **ionosférico** *adj.*

iorubá (i.o.ru.bá) ou **ioruba** (i.o.ru.ba) *s.2g.* **1** indivíduo dos iorubás, povo africano da Nigéria, República de Benin e da República do Togo, trazido para o Brasil, esp. para a Bahia, onde exerceu forte domínio social e religioso sobre outros grupos tb. escravizados ■ *s.m.* **2** língua falada por esse povo ■ *adj.2g.* **3** relativo a esse povo, sua língua e cultura

IPC *s.m.* sigla de índice de preços ao consumidor

ipê (i.pê) ou **ipé** (i.pé) *s.m.* BOT **1** nome comum a várias árvores, consideradas um símbolo do Brasil, de flores amarelas, róseas ou brancas e madeira ger. nobre e resistente **2** a madeira dessas árvores

ipecacuanha (i.pe.ca.cu.a.nha) *s.f.* BOT planta nativa do Brasil, cujas raízes medicinais combatem a disenteria e são expectorantes

IPI *s.m.* sigla de *imposto sobre produtos industrializados*

ípsilon (íp.si.lon) [pl.: *ipsílones*, (*B*) *ípsilons*] ou **ipsilone** (ip.si.lo.ne) *s.m.* **1** nome da letra *y* **2** vigésima letra do alfabeto grego (*υ*, *Υ*)

ipsis litteris (ip.sis lit.te.ris) [lat.] *loc.adv.* nos mesmos termos; tal como está escrito ⇒ pronuncia-se ipsis literis

IPTU *s.m.* sigla de *imposto predial e territorial urbano*

IPVA *s.m.* sigla de imposto sobre a propriedade de veículos automotores

iquebana (i.que.ba.na) *s.f.* **1** arte da composição floral japonesa **2** arranjo floral feito segundo as regras de um dos estilos dessa arte

-ir *term.* de verbos da 3ª conjugação: *abrir, partir, sorrir*

ir *v. t.i.,int. e pron.* **1** (prep. *a, até, de, para*) deslocar-se de um lugar a outro *<fomos ao teatro a pé>* *<fui sem pressa, caminhando a seu lado>* *<foi-se, margeando o rio>* □ *t.i. e pron.* **2** (prep. *a, para*) deslocar-se a um lugar com ou sem o propósito de lá ficar ou de demorar-se *<ir à rua>* *<ir para a fazenda>* *<e lá se foi ela de avião para a Argentina>* □ *t.i.* **3** (prep. *a*) apresentar-se em determinado lugar pessoalmente; comparecer *<não foi à conferência por estar acamado>* **4** (prep. *a, até, para*) possibilitar a ida de um lugar a outro; conduzir *<todos os caminhos vão a Roma>* **5** (prep. *em, para*) ser conduzido *<foi para a emergência do hospital>* **6** (prep. *para*) ser aplicado em *<parte do dinheiro irá para a caridade>* **7** (prep. *para*) perfazer ou haver decorrido um número estimado, aproximado de (dias, meses, anos etc.) *<vai para 10 anos que o perdi de vista>* **8** (prep. *com, por*) optar por, dar apoio ou sujeitar-se a *<ir com a opinião da maioria>* **9** sentir alguma afinidade por; simpatizar *<não vou com aquele sujeito>* □ *int. e pron.* **10** (prep. *de*) deixar algum lugar; sair de algum lugar; partir *<foi(-se) e não se despediu>* *<foi-se dali rapidamente>* **11** *fig.* morrer *<homenageamos aqui os que (se) foram antes de nós>* □ *t.i. e int.* **12** (prep. *para*) seguir ou ser despachado por algum meio de comunicação *<o ofício irá nesta tarde para o gabinete do ministro>* *<a última encomenda irá às 20 horas>* **13** (prep. *a*) chegar (a determinado ponto, índice ou limite); atingir *<os juros foram a 15 % ao mês>* □ *pron.* **14** deixar de manifestar-se ou de existir; dissipar-se, desaparecer *<com o tempo, foi-se toda a sua fortuna>* *<foi-se o verão>* □ *int.* **15** estender-se (no tempo); prolongar-se *<a conversa foi pela madrugada adentro>* □ *pred.* **16** apresentar-se (em determinada condição física, emocional, material); passar, estar *<seus negócios vão bem>* *<como vai teu irmão?>* **17** ocorrer de modo determinado *<tudo vai bem com eles>* **18** ter determinado desempenho; sair-se *<infelizmente, ela foi mal na entrevista>* ▣ **ir atrás de** deixar-se levar por; confiar *<não vá atrás dessa corriola>* • **ir levando** *B infrm.* deixar correr a vida, sem projetos nem preocupações • **ir longe** justificar expectativas de sucesso *<esse menino vai longe!>* • **ir(-se) embora** retirar-se, ausentar-se; partir • **ou vai, ou racha** *infrm.* expressa determinação de levar algo até o fim, custe o que custar *<já esperamos muito para decidir; agora ou vai, ou racha>*

Ir QUÍM símbolo de *irídio*

IR *s.m.* sigla de *imposto de renda*

ira (i.ra) *s.f.* **1** intenso sentimento de ódio, de rancor; fúria, cólera **2** *p.ext.* a manifestação desse sentimento **3** *p.ext.* vingança, punição *<atrair a i. divina>* ↺ perdão

iraniano (i.ra.ni.a.no) *s.m.* **1** natural ou habitante do Irã (Ásia) **2** língua falada nesse país ■ *adj.* **3** relativo a esse país e a sua língua

irar (i.rar) *v.* {mod. 1} *t.d. e pron.* causar ou ter ira; enfurecer(-se) ↺ acalmar(-se)

irascível (i.ras.cí.vel) [pl.: *-eis*] *adj.2g.s.2g.* que(m) se irrita facilmente ou que(m) freq. demonstra raiva ↺ pacato ~ **irascibilidade** *s.f.*

iridácea (i.ri.dá.cea) *s.f.* BOT espécime das iridáceas, família de ervas cultivadas como tempero (como o açafrão), para extração de tinturas ou como ornamentais ~ **iridáceo** *adj.*

iridescente (i.ri.des.cen.te) *adj.2g.* que tem ou reflete as cores do arco-íris

irídio (i.rí.dio) *s.m.* QUÍM elemento químico us. em liga para aumentar a dureza da platina, em catalisadores, contatos elétricos etc. [símb.: *Ir*] ☞ cf. *tabela periódica* (no fim do dicionário)

iridologia (i.ri.do.lo.gi.a) *s.f.* MED método de diagnóstico de problemas orgânicos pelo exame da íris ~ **iridologista** *adj.2g.s.2g.* - **iridólogo** *s.m.*

íris (í.ris) *s.f.2n.* ANAT **1** membrana pigmentada do olho, na qual fica a pupila ■ *s.2g.2n.* **2** o espectro solar **3** halo de luz que aparece ao redor de certos objetos **4** variedade de pedra preciosa

irlandês (ir.lan.dês) [pl.: *-eses*] *adj.* **1** da República da Irlanda ou da Irlanda do Norte (Reino Unido) ■ *s.m.* **2** natural ou habitante desse país **3** a língua oficial desse país

irmã (ir.mã) *s.f.* **1** aquela que, em relação a outro, é filha do mesmo pai e/ou da mesma mãe **2** *fig.* amiga íntima e dedicada **3** *p.ext.* membro de confraria ou irmandade **4** membro de congregação religiosa feminina

irmanar (ir.ma.nar) *v.* {mod. 1} *t.d.,t.i. e pron.* **1** (prep. *a, com, em*) unir(-se) como irmãos *<a solidariedade irmana os aflitos> <sua força irmana com a do adversário> <i.-se na dor>* **2** (prep. *a, com, em*) tornar(-se) semelhante, igual a; unir(-se), ligar(-se) *<um livro que irmana suspense e humor> <a beleza de Júlia irmana com a da mãe> <inteligência e destreza irmanam-se naquele jogador>* ~ **irmanação** *s.f.*

irmandade (ir.man.da.de) *s.f.* **1** parentesco entre irmãos **2** *fig.* igualdade, afinidade *<i. de opiniões>* ↺ diferença **3** amizade afetuosa e íntima entre pessoas; fraternidade **4** associação religiosa **5** *p.ext.* confederação, agremiação *<i. dos amigos da boa mesa>*

irmão (ir.mão) [pl.: *-ãos*; fem.: *irmã*] *s.m.* **1** aquele que, em relação a outro, é filho do mesmo pai e/ou da mesma mãe ☞ cf. *meio-irmão* **2** *fig.* amigo íntimo e dedicado **3** *p.ext.* membro de confraria ou irmandade **4** *p.ext. infrm.* companheiro, camarada (us. na presença do interlocutor) *<que é isso, i.?>* **5** frade ■ *adj.s.m.* **6** (o) que, em relação a outro (pessoa, animal ou coisa), mostra semelhança na forma, origem, disposição etc. *<almas i.> <esses dois quadros são i.>*

ironia (i.ro.ni.a) *s.f.* **1** modo de expressão da língua em que há um contraste proposital entre o que se diz e o que se pensa **2** zombaria, escárnio, sarcasmo *<tratou-a com i.>* ↺ consideração **3** *fig.* fato que não combina com o que era esperado *<i. do destino>*

irônico (i.rô.ni.co) *adj.* **1** que demonstra ironia **2** zombeteiro, sarcástico

ironizar (i.ro.ni.zar) *v.* {mod. 1} *t.d.* **1** afirmar ou tratar com ironia *<era um autor que ironizava seu próprio texto> <i. uma personalidade da TV>* □ *int.* **2** fazer ironia

irracional (ir.ra.cio.nal) [pl.: *-ais*] *adj.2g.* **1** que não pertence ao domínio da razão, nem provém do raciocínio; ilógico *<hipótese i.>* ↺ lógico **2** que contraria a clareza mental ou o bom senso; insensato *<teimosia i.>* ↺ razoável **3** MAT cuja incógnita está dentro de um sinal de raiz ou tem expoente fracionário (diz-se de equação) **4** MAT incapaz de ser expresso exatamente como a razão entre dois números inteiros (diz-se de número) ■ *adj.2g.s.m.* **5** que não tem raciocínio *<animal i.>* ~ **irracionalidade** *s.f.*

irradiante (ir.ra.di.an.te) *adj.2g.* **1** que se propaga **2** *fig.* brilhante, fulgurante, luminoso *<olhar i.>* ↺ sombrio **3** *fig.* muito alegre, comunicativo *<moça i.>* ↺ triste

irradiar (ir.ra.di.ar) *v.* {mod. 1} *t.d.,int. e pron.* **1** (prep. *por, sobre*) emitir (luz, calor etc.), em sentido centrífugo; propagar(-se), espalhar(-se) *<o sol irradiava os seus raios> <era verão e um forte calor irradiava(-se) pela tarde>* **2** *fig.* manifestar(-se) [sensação, sentimento] de maneira intensa, forte *<olhos que irradiam tristeza> <naquela cidade, a felicidade irradia> <a dor irradiou-se por todo o corpo>* □ *t.d.* **3** tornar muito conhecido (ideias, opiniões etc.); propagar, difundir *<i. uma doutrina>* **4** transmitir pelo rádio *<i. um jogo de futebol>* ~ **irradiação** *s.f.*

irreal (ir.re.al) [pl.: *-ais*] *adj.2g.s.m.* (o) que não é real ou parece fora da realidade; fantástico, imaginário ↺ real ~ **irrealidade** *s.f.* - **irrealismo** *s.m.*

irrealizável (ir.re.a.li.zá.vel) [pl.: *-eis*] *adj.2g.* que não pode ser realizado

irreconciliável (ir.re.con.ci.li.á.vel) [pl.: *-eis*] *adj.2g.* que não se pode reconciliar *<inimigos i.>* ↺ reconciliável

irreconhecível (ir.re.co.nhe.cí.vel) [pl.: *-eis*] *adj.2g.* impossível de ser reconhecido por estar muito alterado ou desfigurado ↺ reconhecível

irrecuperável (ir.re.cu.pe.rá.vel) [pl.: *-eis*] *adj.2g.* que não pode ser recuperado; perdido

irrecusável (ir.re.cu.sá.vel) [pl.: *-eis*] *adj.2g.* **1** que não se pode recusar ↺ recusável **2** que não se pode contestar; incontestável, irrefutável *<provas i.>* ↺ contestável

irredutível (ir.re.du.tí.vel) [pl.: *-eis*] *adj.2g.* **1** que não se pode reduzir *<valor i.>* ↺ reduzível **2** que não se pode dividir; indecomponível *<fração i.>* ↺ divisível **3** *fig.* que não se deixa convencer; inflexível *<indivíduo i. em suas ideias>* ↺ flexível ~ **irredutibilidade** *s.f.*

irreduzível (ir.re.du.zí.vel) [pl.: *-eis*] *adj.2g.* irredutível ↺ reduzível

irrefletido (ir.re.fle.ti.do) *adj.* **1** que não faz reflexão *<homem i.>* ↺ prudente **2** que não foi precedido de reflexão *<gesto i.>* ↺ pensado

irreflexão (ir.re.fle.xão) /cs/ [pl.: *-ões*] *s.f.* **1** falta de reflexão; imprudência *<momento de i.>* ↺ prudência **2** ato ou dito irrefletido; descuido *<aquela sua i. causou um sério acidente>* ↺ cuidado

irrefutável (ir.re.fu.tá.vel) [pl.: *-eis*] *adj.2g.* que não se pode refutar; incontestável ↺ refutável

irregular (ir.re.gu.lar) [pl.: *-es*] *adj.2g.* **1** que não tem regularidade, que não é simétrico ou uniforme *<piso i.>* ↺ regular **2** que contraria as leis *<transporte i.>* ↺ legal **3** que ofende a harmonia e o bom gosto; desproporcionado *<feições i.>* ↺ harmonioso **4** intermitente, alternado *<frequência i. às aulas>* ↺ constante **5** inconstante, volúvel *<caráter i.>* ↺ constante ~ **irregularidade** *s.f.*

irrelevância (ir.re.le.vân.cia) *s.f.* qualidade ou característica do que não tem importância ↺ relevância ~ **irrelevante** *adj.2g.*

irremediável (ir.re.me.di.á.vel) [pl.: *-eis*] *adj.2g.* **1** que não tem solução *<erro i.>* ↺ sanável **2** que não pode deixar de acontecer; inevitável *<a morte é i.>* ↺ evitável

irreparável (ir.re.pa.rá.vel) [pl.: *-eis*] *adj.2g.* que não se pode reparar, recuperar ou suprir *<prejuízo i.> <perda i.>* ↺ reparável ~ **irreparabilidade** *s.f.*

irrepreensível (ir.re.pre.en.sí.vel) [pl.: *-eis*] *adj.2g.* **1** que não se pode censurar *<um administrador i.>* ↺ censurável **2** sem nenhuma falha; perfeito *<elegância i.>* ↺ malfeito ~ **irrepreensibilidade** *s.f.*

irrequieto (ir.re.qui.e.to) *adj.* **1** que não consegue manter-se imóvel; agitado *<criança i.>* ↺ quieto **2** que se agita sem cessar; turbulento *<mar i.>* ↺ calmo **3** *fig.* que se caracteriza por ter vivacidade *<espírito i.>* ~ **irrequietação** *s.f.*

irresistível (ir.re.sis.tí.vel) [pl.: *-eis*] *adj.2g.* **1** a que não se pode resistir **2** contra o qual é impossível lutar; invencível *<força i.>* ↺ vencível **3** que não se consegue frear ou controlar *<vontade i.>* ↺ controlável **4** sedutoramente encantador *<uma atriz i.>* ↺ repulsivo

irresoluto (ir.re.so.lu.to) *adj.* **1** que não teve solução *<problema i.>* ↺ solucionado ■ *adj.s.m.* **2** que(m) dificilmente se decide; indeciso *<caráter i.>* *<os i. não devem receber cargos de chefia>* ~ **irresolução** *s.f.*

irresponsável (ir.res.pon.sá.vel) [pl.: *-eis*] *adj.2g.* **1** que não é responsável ■ *adj.2g.s.2g.* **2** DIR que(m) não pode ser responsabilizado ou não está obrigado a responder pelos seus atos **3** que(m) age sem pensar ↺ responsável ~ **irresponsabilidade** *s.f.*

irrestrito (ir.res.tri.to) *adj.* que não tem restrição; amplo, ilimitado *<acesso i.>* ↺ restrito

irretorquível (ir.re.tor.quí.vel) [pl.: *-eis*] *adj.2g.* **1** que não tem resposta possível **2** que não se pode contradizer *<argumento i.>*

irreverência (ir.re.ve.rên.cia) *s.f.* **1** falta de respeito ↺ consideração **2** ato ou dito irreverente *<são famosas as suas i.>* ↺ respeito

irreverente (ir.re.ve.ren.te) *adj.2g.* **1** que manifesta falta de respeito; desrespeitoso **2** que trata com ironia ou comicidade o que se considera sério *<humor i.>* ■ *s.2g.* **3** pessoa irreverente

irreversível (ir.re.ver.sí.vel) [pl.: *-eis*] *adj.2g.* **1** de que não é possível inverter o sentido, a direção, o desenvolvimento *<processo i.>* **2** QUÍM que prossegue até o final sem ser limitada pela reação inversa (diz-se de reação) ~ **irreversibilidade** *s.f.*

irrevogável (ir.re.vo.gá.vel) [pl.: *-eis*] *adj.2g.* que não se pode anular, apagar, revogar, desfazer *<tratado i.>* ↺ revogável ~ **irrevogabilidade** *s.f.*

irrigação (ir.ri.ga.ção) [pl.: *-ões*] *s.f.* **1** ação de molhar; banho, rega **2** AGR técnica de canalização de água para rega artificial

irrigar (ir.ri.gar) *v.* {mod. 1} *t.d.* **1** molhar com água ou outro líquido; banhar **2** molhar por processos não naturais; regar *<i. a terra para plantio>* **3** MED conduzir líquido (esp. sangue e linfa) para uma área do corpo ~ **irrigatório** *adj.*

irrisão (ir.ri.são) [pl.: *-ões*] *s.f.* **1** ato de rir desdenhosamente; zombaria **2** *p.ext.* o que é alvo desse ato

irrisório (ir.ri.só.rio) *adj.* **1** em que há irrisão, zombaria *<dito i.>* **2** de pouca ou nenhuma importância *<salário i.>* ↺ significativo

irritação (ir.ri.ta.ção) [pl.: *-ões*] *s.f.* **1** nervosismo ou ira contida ↺ calma **2** MED inflamação ligeira de um tecido ou órgão

irritadiço (ir.ri.ta.di.ço) *adj.* que se irrita com facilidade ↺ calmo

irritado (ir.ri.ta.do) *adj.* **1** que sente ou demonstra uma raiva contida *<continua i. com os amigos por não terem ido à festa>* **2** que demonstra irritação *<respondeu com voz i.>* **3** que apresenta sinais de inflamação ou certas formas de erupções (diz-se de parte do organismo) *<o calor excessivo deixou sua pele i.>*

irritar (ir.ri.tar) *v.* {mod. 1} *t.d. e pron.* **1** (fazer) ficar nervoso, quase colérico; enervar(-se) *<irrita os pais ver os filhos em más companhias>* *<irritava-se por ter de sair na chuva>* ↺ acalmar(-se) **2** inflamar(-se) ligeiramente, provocando ou não dor ou desconforto *<a poluição irrita os olhos>* *<suas narinas se irritavam com o cheiro do enxofre>* □ *t.d.* **3** tornar mais intenso, violento; exacerbar *<fez isso para i. os ânimos>* ~ **irritabilidade** *s.f.* - **irritante** *adj.2g.*

irromper (ir.rom.per) *v.* {mod. 8} *int.* **1** entrar ou brotar com ímpeto, com violência; invadir *<irromperam na sala famintos>* **2** aparecer ou acontecer de repente, de surpresa; surgir *<o sol irrompeu no horizonte>* ~ **irrompimento** *s.m.*

isca (is.ca) *s.f.* **1** chamariz que se põe no anzol para atrair e capturar peixes **2** *fig.* aquilo que atrai e seduz uma pessoa **3** CUL prato feito com tiras fritas de fígado de boi

-iscar *suf.* 'repetição, pouca intensidade': *chuviscar*

isenção (i.sen.ção) [pl.: *-ões*] *s.f.* **1** estado ou condição de dispensado, desobrigado, isento *<i. do serviço militar>* ↺ obrigação **2** condição do que é justo, neutro *<julgar com i.>* ↺ parcialidade **3** nobreza ou independência de caráter; dignidade ↺ indignidade **4** *fig.* desdém, desprezo *<tratou a irmã com i.>* ↺ atenção

isentar (i.sen.tar) *v.* {mod. 1} *t.d.i. e pron.* (prep. *de*) deixar ou ficar livre, isento de; dispensar(-se) *<a lei isentou-o de pagar imposto>* *<isentei-me de qualquer compromisso>* ↺ obrigar(-se) ◉ GRAM/USO part.: *isentado, isento*; ver QUADRO DE PARTICÍPIOS DUPLOS nas pp. iniciais

isento (i.sen.to) *adj.* **1** dispensado, desobrigado *<contribuinte i. de impostos>* ↺ obrigado **2** a que falta; desprovido *<pessoa i. de preconceitos>* ↺ repleto **3** imparcial, neutro **4** que não se deixa seduzir, cativar ◉ GRAM/USO part. de *isentar*

islã (is.lã), **islame** (is.la.me) ou **islão** (is.lão) *s.m.* **1** REL o islamismo **2** o grupo das nações modernas que têm o islamismo como religião dominante **3** a civilização que se ergueu sobre a base da fé islâmica ☞ em todas as acps., inicial maiúsc.

islamismo (is.la.mis.mo) *s.m.* REL religião caracterizada pela crença em um só deus, fundada pelo profeta árabe Maomé (570 ou 580-632); maometismo ☞ cf. *Maomé* na parte enciclopédica ~ **islâmico** *adj.* - **islamita** *adj.2g.s.2g.*

islamização (is.la.mi.za.ção) [pl.: *-ões*] *s.f.* **1** conversão ao islamismo **2** assimilação de aspecto ou característica própria do povo, da cultura, da língua islâmica ~ **islamizar** *v.t.d. e pron.*

islão (is.lão) *s.m.* → ***ISLÃ***

-ismo *suf.* **1** 'doutrina, teoria': *mercantilismo, socialismo* **2** 'atividade, prática esportiva': *ciclismo, montanhismo* **3** 'qualidade': *brasileirismo, heroísmo* **4** 'estado patológico': *alcoolismo, paludismo*

isóbaro (i.só.ba.ro) *adj.s.m.* FÍS (cada um dos nuclídeos) que tem o mesmo número de massa, mas números atômicos distintos

isogamia (i.so.ga.mi.a) *s.f.* **1** casamento com pessoa do mesmo grupo social, econômico ou religioso **2** BIO reprodução sexuada que envolve dois gametas idênticos na formação do ovo

isolacionismo (i.so.la.cio.nis.mo) *s.m.* POL doutrina política ou econômica de isolamento de um país em relação ao cenário internacional ~ **isolacionista** *adj.2g.s.2g.*

isolador (i.so.la.dor) /ô/ [pl.: *-es*] *adj.s.m.* **1** (o) que isola **2** ELETR (peça) cuja função, num circuito elétrico ou eletrônico, é dar suporte e isolar eletricamente um condutor

isolamento (i.so.la.men.to) *s.m.* **1** estado da pessoa que vive isolada; reclusão **2** ato de aplicar um isolante a um objeto

isolante (i.so.lan.te) *adj.2g.s.m.* **1** (material) que não conduz ou conduz muito pouca corrente elétrica, calor, ondas sonoras etc. ■ *adj.2g.* **2** que isola; isolador

isolar (i.so.lar) *v.* {mod. 1} *t.d.,t.d.i. e pron.* **1** (prep. *de*) pôr(-se) à parte, em sentido material, intelectual ou espiritual; separar(-se) *<i. um dote> <sua surdez o isolava do mundo> <resolvi i.-me por uns tempos no campo>* □ *t.d.* *B* **2** estabelecer um cordão de isolamento em volta de *<i. uma cidade>* **3** aplicar um isolante a *<i. uma parede>* **4** extrair, separar *<i. um vírus>* ~ **isolado** *adj.*

isonomia (i.so.no.mi.a) *s.f.* **1** estado dos que são governados pelas mesmas leis **2** DIR princípio constitucional que garante igualdade para todos perante a lei ~ **isonômico** *adj.*

isopor ® (i.so.por) /ô/ [pl.: *-es*] *s.m.* **1** material leve (poliestireno) us. em embalagens e como isolante térmico **2** *p.ext.* qualquer objeto feito com esse material *<comprei um i. novo para o gelo>*

isóptero (i.sóp.te.ro) *s.m.* ZOO **1** espécime dos isópteros, ordem de insetos vulgarmente conhecidos por cupins, que vivem em colônias ■ *adj.* **2** relativo a essa ordem

isósceles (i.sós.ce.les) *adj.2g.2n.* GEOM que tem dois lados iguais (diz-se de triângulo ou de trapézio)

isótopo (i.só.to.po) *adj.s.m.* FÍS **1** diz-se de ou cada um de dois ou mais átomos de um mesmo elemento, cujo núcleo atômico tem o mesmo número de prótons, mas número de nêutrons diferente ■ *s.m.* FÍS **2** nuclídeo ~ **isotopia** *s.f.* - **isotópico** *adj.*

isqueiro (is.quei.ro) *s.m.* objeto munido de pederneira que, ao ser acionado, acende um pequena chama *<acendeu um cigarro com o i.>*

isquemia (is.que.mi.a) *s.f.* MED falta de irrigação sanguínea numa parte do organismo *<i. cerebral>* ~ **isquêmico** *adj.*

israelense (is.ra.e.len.se) *adj.2g.* **1** de Israel (Ásia) ■ *s.2g.* **2** natural ou habitante desse país

israelita (is.ra.e.li.ta) *s.2g.* **1** natural ou habitante do antigo reino hebreu de Israel ■ *adj.2g.* **2** relativo a esse indivíduo ou povo **3** relativo à religião do povo hebreu e dos seus descendentes *<ritual i.>*

ISS *s.m.* sigla de *imposto sobre serviços*

issei (is.sei) *adj.2g.s.2g.* (japonês) que deixa o Japão para viver no continente americano ☞ cf. *nissei* e *sansei*

isso (is.so) *pron.dem.* **1** indica algo próximo de quem ouve; essa(s) coisa(s) *<pegue i. aí do teu lado>* ■ *interj.* **2** mostra aprovação *<i.! estude bastante!>*

-ista *suf.* **1** 'seguidor, partidário': *corporativista, governista* **2** 'profissão, ocupação': *dentista, tenista* **3** 'origem': *nortista*

istmo (ist.mo) *s.m.* **1** GEO estreita faixa de terra que liga uma península a um continente ou separa dois mares **2** ANAT porção estreita de tecido que liga estruturas ou cavidades maiores ~ **ístmico** *adj.*

isto (is.to) *pron.dem.* indica algo próximo de quem fala ou escreve; esta(s) coisa(s) *<quero i. aqui>*

-ita *suf.* **1** 'origem, relação': *israelita* **2** 'mineral': *grafita*

italiano (i.ta.li.a.no) *adj.* **1** da Itália (Europa) ■ *s.m.* **2** natural ou habitante desse país **3** LING língua falada na Itália, na República de San Marino e na Suíça italiana

itálico (i.tá.li.co) *adj.* **1** da Itália (Europa) **2** GRÁF diz-se de letra inclinada, ger. à direita, us. como realce ■ *s.m.* **3** natural ou habitante desse país **4** GRÁF essa letra

itaoca (i.ta.o.ca) *s.f.* *B* caverna

itapeba (i.ta.pe.ba) ou **itapeva** (i.ta.pe.va) *s.f.* *N.* recife de pedras que acompanha as margens de um rio

-itar *suf.* 'repetição, pouca intensidade': *saltitar*

-ite *suf.* **1** 'inflamação': *apendicite* **2** 'fóssil': *amonite*

item (i.tem) [pl.: *-ens*] *s.m.* **1** cada um dos artigos ou incisos de um contrato, regulamento etc. **2** artigo ou unidade de algo numa enumeração, relato, lista etc. *<compramos cinco i. no supermercado>*

iterativo (i.te.ra.ti.vo) *adj.* repetido, feito mais de uma vez; frequente ↺ ocasional ☞ cf. *interativo* ~ **iteração** *s.f.* - **iterar** *v.t.d.*

itérbio (i.tér.bio) *s.m.* QUÍM elemento químico us. em *lasers* e raios X [símb.: *Yb*] ☞ cf. *tabela periódica* (no fim do dicionário)

itinerante (i.ti.ne.ran.te) *adj.2g.s.2g.* **1** (aquele) que viaja, que se desloca *<família i.> <os i. partiram ao amanhecer>* ■ *adj.2g.* **2** que se exerce com deslocamentos sucessivos de lugar em lugar (diz-se de atividade) *<teatro i.>*

itinerário (i.ti.ne.rá.rio) *s.m.* **1** descrição de viagem; roteiro **2** caminho a percorrer ou percorrido; percurso ■ *adj.* **3** relativo a estradas, a caminhos *<medições i.>*

-ito *suf.* **1** 'diminuição': *cabrito, cãozito, pequenito* **2** 'sal': *sulfito* **3** 'rocha': *granito*

itororó (i.to.ro.ró) *s.m.* *B* pequena cachoeira

ITR *s.m.* sigla de *imposto territorial rural*

ítrio (í.trio) *s.m.* QUÍM elemento químico us. em liga com cobalto para fabricação de ímãs permanentes e tb. em reatores nucleares e semicondutores [símb.: *Y*] ☞ cf. *tabela periódica* (no fim do dicionário)

-itude *suf.* 'estado ou modo de ser': *atitude, plenitude*

-ível *suf.* equivalente a *-VEL*

-ivo *suf.* 'agente': *coercivo, corrosivo, descritivo, pensativo*

ixe (i.xe) *interj.* *B infrm.* indica ironia, desprezo, surpresa etc.

-izar *suf.* 'transformação': *civilizar, realizar*

I

a b c d e f g h i j k l m n o p q r s t u v w x y z

j *s.m.* **1** décima letra do nosso alfabeto, consoante ■ *n.ord. (adj.2g.2n.)* **2** diz-se do décimo elemento de uma série *<casa J> <item 1j>* ☞ empr. após um substantivo ou numeral ◉ GRAM/USO na acp. s.m., pl.: *jj*

já *adv.* **1** imediatamente *<saia já daqui>* **2** por antecipação; desde logo, então *<se chover, já ficam desculpados por não vir>* **3** logo, em pouco tempo *<saiu dizendo que voltava já>* **4** antes; de forma antecipada *<uma cena já vista>* **5** em parte; até *<já não se importava de ser demitido>* **6** neste instante; agora *<já cheguei>* ▣ **já que** uma vez que *<já que os juros abaixaram, vamos às compras>*

[1]**jabá** (ja.bá) *s.2g.* charque ◉ ORIGEM duv., talvez do iorubá *jabajaba* 'carne batida'

[2]**jabá** (ja.bá) *s.m. B infrm.* jabaculê ◉ ORIGEM duv., talvez red. de *jabaculê*

jabaculê (ja.ba.cu.lê) *s.m. B infrm.* **1** dinheiro ou coisa us. para corromper alguém *<oferecer um j. para sua música tocar no rádio>* **2** *p.ext.* qualquer dinheiro recebido ou a receber

jabiru (ja.bi.ru) *s.m.* ZOO jaburu ('nome comum')

jaborandi (ja.bo.ran.di) *s.m.* BOT nome comum a várias plantas de cujas folhas são extraídas substâncias medicinais

jabota (ja.bo.ta) *s.f.* ZOO *B* fêmea do jabuti

jaburu (ja.bu.ru) *s.m. B* **1** ZOO nome comum a grandes aves de pescoço e pernas compridas, ger. com bico negro, longo e forte, encontradas em grandes rios, lagoas e pantanais; jabiru **2** *pej.* indivíduo feio, esquisito, tristonho ◉ VOZ v.: gritar; subst.: grito

jabuti (ja.bu.ti) *s.2g.* **1** indígena pertencente aos jabutis, grupo indígena que habita o Sul de Rondônia ■ *adj.2g.* **2** relativo a esse indígena e a seu grupo ■ *s.m.* **3** língua falada por esse grupo **4** ZOO réptil terrestre, de carapaça alta, pernas curtas e tubulares, e movimentos lentos ◉ GRAM/USO na acp. ZOO, fem.: *jabota*

jabuticaba (ja.bu.ti.ca.ba) *s.f.* BOT **1** fruto preto e redondo da jabuticabeira **2** jabuticabeira

jabuticabal (ja.bu.ti.ca.bal) [pl.: *-ais*] *s.m. B* grande plantação de jabuticabeiras

jabuticabeira (ja.bu.ti.ca.bei.ra) *s.f.* BOT árvore nativa do Brasil, de tronco liso, sobre o qual nascem seus frutos comestíveis, as jabuticabas ◉ COL jabuticabal

jaca (ja.ca) *s.f.* BOT **1** fruto da jaqueira, enorme e pesado, com casca feita de pequenos cones e gomos amarelados, viscosos e doces **2** jaqueira

jacá (ja.cá) *s.m.* cesto de taquara ou cipó us. no transporte de cargas, preso ao lombo de animais

jaça (ja.ça) *s.f.* **1** mancha ou falha em pedras preciosas **2** *fig.* falha, mancha (p.ex., na reputação) *<homem de caráter sem j.>*

jaçanã (ja.ça.nã) *s.f.* ZOO *B* ave de plumagem negra com manto castanho, bico amarelo e vermelho, de pernas altas, dedos longos e abertos, adaptados ao movimento sobre plantas aquáticas

jacarandá (ja.ca.ran.dá) *s.m.* BOT nome comum a várias árvores brasileiras de madeira nobre, freq. dura e escura

jacaré (ja.ca.ré) *s.m.* ZOO réptil de até 6 m, com rabo comprido, focinho largo e chato, encontrado nos rios e pântanos das Américas do Norte e do Sul, e com muitas espécies no Brasil

jacente (ja.cen.te) *adj.2g.* **1** estendido em posição horizontal *<estátua j.>* ↺ levantado **2** sem movimento; imóvel **3** situado em determinado local *<terras j. entre montanhas>* ■ *s.m.* **4** MAR banco de areia ou rochedo que dificulta a navegação ☞ mais us. no pl.

jacinto (ja.cin.to) *s.m.* BOT planta que simboliza a tristeza, cultivada como ornamental e pela essência aromática, us. em perfumes

jacobinismo (ja.co.bi.nis.mo) *s.m.* **1** HIST doutrina, ideias ou partido dos jacobinos ('membro') **2** *p.ext. pej.* extremismo revolucionário; radicalismo **3** *B pej.* sentimento de hostilidade contra o que é estrangeiro

jacobino (ja.co.bi.no) *s.m.* **1** HIST membro de partido político revolucionário francês durante a Revolução Francesa (1789-1799) ☞ cf. *Revolução Francesa* na parte enciclopédica **2** *p.ext.* político contrário ao enfraquecimento do Estado **3** *B pej.* nacionalista radical; xenófobo ■ *adj.* **4** relativo ou pertencente a esse partido e a esse político

jactância (jac.tân.cia) *s.f.* **1** arrogância, vaidade ↺ humildade **2** pretensão de bravura ou altos méritos e conquistas

jactanciar-se (jac.tan.ci.ar-se) *v.* {mod. 1} *pron.* (prep. *de*) expressar orgulho exagerado de si ou dos próprios ou supostos méritos e conquistas; vangloriar-se *<jactancia-se de ter namorado a menina mais bonita da escola>*

jactar-se (jac.tar-se) *v.* {mod. 1} *pron.* (prep. *de*) jactanciar-se

J

jacuba (ja.cu.ba) *s.f.* CUL *N. N.E.* **1** papa ou refresco de farinha de mandioca adoçada **2** café quente engrossado com farinha de mandioca

jaculatória (ja.cu.la.tó.ria) *s.f.* REL oração breve e fervorosa

jacutinga (ja.cu.tin.ga) *s.f.* ZOO grande ave típica de matas de altitude do sudeste brasileiro, ameaçada de extinção, com plumagem negra brilhante e branca, e papada larga e vermelha

jade (ja.de) *s.m.* MINER mineral duro, esverdeado, us. como pedra preciosa e em objetos decorativos

jaez (ja.ez) /ê/ [pl.: *-es*] *s.m.* **1** conjunto dos arreios de um animal de carga ou de tração **2** *fig.* conjunto de traços ou características *<artistas do mesmo j.>* ~ **jaezar** *v.t.d. e pron.*

jaguar (ja.guar) [pl.: *-es*] *s.m.* ZOO onça-pintada ◉ voz v.: rugir; subst.: rugido

jaguatirica (ja.gua.ti.ri.ca) *s.f.* ZOO *B* felino de porte médio, pelagem amarela e branca com manchas pretas, que vive em florestas e alimenta-se de pequenos vertebrados ◉ voz v.: rugir; subst.: rugido

jagunço (ja.gun.ço) *s.m.* **1** *B* homem violento contratado como guarda-costas de fazendeiro, senhor de engenho, político etc. **2** HIST seguidor de Antônio Conselheiro (1828-1897) ☞ cf. *Antônio Conselheiro* na parte enciclopédica

jaleco (ja.le.co) *s.m.* VEST guarda-pó curto us. por médicos, dentistas etc. ☞ cf. *guarda-pó*

jamaicano (ja.mai.ca.no) *adj.* **1** da Jamaica (América Central) ■ *s.m.* **2** natural ou habitante desse país

jamais (ja.mais) *adv.* **1** nunca *<j. se viu algo assim>* **2** de modo algum *<j. me peça tal coisa>*

jamanta (ja.man.ta) *s.f.* *B* **1** ZOO arraia de águas tropicais, com até 6,5 m de comprimento, de cabeça achatada **2** grande caminhão para cargas pesadas; carreta

jambeiro (jam.bei.ro) *s.m.* BOT árvore que produz jambo

jambo (jam.bo) *s.m.* BOT **1** árvore muito cultivada em várias regiões tropicais, como ornamental, e esp. pelos frutos comestíveis; jambeiro **2** fruto aromático, suculento e um pouco ácido dessa árvore ■ *adj.2g.2n.* **3** cuja cor lembra a desse fruto ou cuja tez é bem morena

jambolão (jam.bo.lão) [pl.: *-ões*] *s.m.* BOT jamelão

jambu (jam.bu) *s.m.* BOT erva nativa do Brasil (do AMAZ ao RJ), que se consome em saladas ou cozida, tem a propriedade de provocar sensação de formigamento na boca e é us. como analgésico em odontologia

jamegão (ja.me.gão) [pl.: *-ões*] *s.m.* *B infrm.* assinatura, firma

jamelão (ja.me.lão) [pl.: *-ões*] *s.m.* árvore cuja casca contém tanino, a madeira é us. como lenha, e seus pequenos frutos roxos são apreciados como comestíveis; jambolão

janaína (ja.na.í.na) *s.f.* REL uma das denominações de Iemanjá ☞ inicial maiúsc.

jandaia (jan.dai.a) *s.f.* ZOO ave brasileira, com cerca de 31 cm de comprimento, bico negro e plumagem laranja, amarela e verde ◉ voz v.: grasnar; subst.: grasnada

janeiro (ja.nei.ro) *s.m.* o primeiro mês do ano no calendário gregoriano, composto de 31 dias

janela (ja.ne.la) *s.f.* **1** abertura em paredes ou no corpo de um veículo para dar passagem a luz e ar **2** INF quadro na tela dentro do qual se pode processar um documento, uma planilha, um banco de dados ou qualquer outra tarefa específica

jangada (jan.ga.da) *s.f.* **1** balsa de pesca feita de paus roliços, mastro e vela **2** prancha flutuante para transportar carga, salvar náufragos etc.

jangadeiro (jan.ga.dei.ro) *s.m.* *B* **1** dono ou condutor de jangada **2** barco de pesca semelhante à jangada

jângal (jân.gal) [pl.: *jângales*] ou **jângala** (jân.ga.la) *s.m.* floresta selvagem, mata densa

jangalamaste (jan.ga.la.mas.te), **jangalamarte** (jan.ga.la.mar.te) ou **joão-galamarte** (jo.ão-ga.la.mar.te) *s.m.* RECR *CE RN PB PE* gangorra

janota (ja.no.ta) *adj.2g.s.2g.* **1** que(m) se mostra afetado no vestir *<o mais j. do escritório sujou sua roupa>* **2** *p.ext.* que(m) chama a atenção pela elegância

janta (jan.ta) *s.f.* *infrm.* o jantar

jantar (jan.tar) *v.* {mod. 1} *t.d. e int.* **1** comer (o jantar) *<jantou frango com batatas> <venha para casa, é hora de jantar>* □ *t.d. fig. infrm.* **2** levar vantagem sobre; superar *<jantou o adversário>* ■ *s.m.* **3** refeição feita no final do dia **4** conjunto dos pratos que compõem essa refeição ☞ como s.m., pl.: *-es*

japiim (ja.pi.im) [pl.: *-ins*] ou **japim** (ja.pim) [pl.: *-ins*] *s.m.* ZOO nome comum a diversas aves amazônicas, de porte médio e coloração negra e amarela ou vermelha, que constroem ninhos pendentes em forma de bolsa

japona (ja.po.na) *s.f.* VEST casaco de lã grossa, ger. azul e com feitio de jaquetão

japonês (ja.po.nês) [pl.: *japoneses*] *s.m.* **1** natural ou habitante do Japão (Ásia) **2** LING língua oficial desse país ■ *adj.* **3** relativo a esse país e a sua língua *<culinária j.>*

jaqueira (ja.quei.ra) *s.f.* BOT árvore nativa da Ásia e muito cultivada no Brasil pelos grandes frutos de polpa comestível, amarela, doce e viscosa; jaca ◉ COL jaqueiral

jaqueiral (ja.quei.ral) [pl.: *-ais*] *s.f.* BOT grande concentração de jaqueiras

jaqueta (ja.que.ta) /ê/ *s.f.* VEST casaco curto, aberto à frente, que vai até a altura da cintura ou pouco abaixo

jaquetão (ja.que.tão) [pl.: *-ões*] *s.m.* VEST paletó transpassado na frente com quatro ou seis botões

jararaca (ja.ra.ra.ca) *s.f.* **1** ZOO nome comum a diversas serpentes sul-americanas, muito venenosas, com cabeça triangular, em forma de lança, e cauda afilada **2** *infrm.* pessoa má, traiçoeira ou geniosa

jararacuçu (ja.ra.ra.cu.çu) *s.2g.* ZOO serpente venenosa de até 2 m de comprimento e coloração dorsal variável entre cinza, rosa, amarelo, marrom ou preto, com manchas triangulares marrom-escuras; surucucu, surucutinga

jarda (jar.da) *s.f.* medida inglesa de comprimento equivalente a 91 cm [símb.: *yd*]

jardim (jar.dim) [pl.: *-ins*] *s.m.* terreno no qual se cultivam plantas ornamentais, arbustos, flores ◉ GRAM/USO dim.irreg.: *jardinete* ▣ **j. botânico** grande terreno aberto à visitação pública, no qual se cultivam plantas nativas e exóticas para estudo • **j. zoológico** parque com animais das mais diversas espécies e origens, aberto à visitação pública; zoo

jardim de infância (jar.dim de in.fân.cia) [pl.: *jardins de infância*] *s.m.* escola para crianças menores de seis anos

jardim de inverno (jar.dim de in.ver.no) [pl.: *jardins de inverno*] *s.m.* varanda envidraçada, us. para cultivo de plantas sensíveis ou como lugar de lazer

jardinagem (jar.di.na.gem) [pl.: *-ens*] *s.f.* arte de cultivar e manter um jardim ~ **jardinar** *v.t.d. e int.*

jardineira (jar.di.nei.ra) *s.f.* **1** mulher que cuida de jardim **2** recipiente estreito e comprido us. para o cultivo de plantas ornamentais ou flores **3** *B* ônibus aberto com bancos paralelos **4** CUL prato composto de diversos legumes picados, ger. acompanhados de carne **5** VEST modelo de roupa com peitilho costurado à cintura e alças *<o uniforme das crianças era uma j. azul e camiseta branca>*

jardineiro (jar.di.nei.ro) *s.m.* quem cuida de jardins

jargão (jar.gão) [pl.: *-ões*] *s.m.* LING linguagem própria de certos grupos ou profissionais

jarina (ja.ri.na) *s.f.* BOT *B* palmeira nativa da Amazônia cuja semente é us. no fabrico de botões, dados e pequenos objetos

jaritataca (ja.ri.ta.ta.ca) *s.f.* ZOO *B* mamífero carnívoro de corpo negro, com cauda e duas faixas dorsais brancas, que se defende esguichando líquido fedorento produzido pelas glândulas anais; cangambá

jarra (jar.ra) *s.f.* **1** recipiente com asa e bico para se colocar água, suco etc. **2** o conteúdo desse recipiente *<tomar uma j. de suco>* **3** vaso para flores

jarrete (jar.re.te) /ê/ *s.m.* **1** ANAT parte da perna que se situa atrás da articulação do joelho **2** ANAT ZOO nervo ou tendão da perna dos bois e cavalos

jarro (jar.ro) *s.m.* **1** vaso alto, ger. com asa e bico, em que se põe água, vinho etc. **2** o conteúdo desse vaso *<tomar um j. de água>* **3** vaso para conter flores ou para decoração *<ganhou um j. de cerâmica>*

jasmim (jas.mim) [pl.: *-ins*] *s.m.* BOT **1** nome comum de plantas cultivadas como ornamentais, com flores us. para aromatizar chá e para extração de óleo us. em perfumaria **2** a flor dessas plantas ~ **jasmineiro** *s.m.*

jaspe (jas.pe) *s.m.* MINER variedade de pedra quartzo colorida us. como ornamental

jato (ja.to) *s.m.* **1** esguicho forte de gás, líquido, luz etc. que, sob pressão, passa em alta velocidade por buraco pequeno **2** esse gás, líquido, luz etc.

jatobá (ja.to.bá) *s.m.* BOT grande árvore de frutos comestíveis cuja madeira é us. em construção civil e naval e de que se extrai resina conhecida como copal

[1]**jaú** (ja.ú) *s.m.* ZOO peixe ósseo, considerado um dos maiores de água doce do Brasil, de coloração parda e ventre esbranquiçado, que, quando fisgado, é capaz de arrastar a embarcação por quilômetros ◉ ORIGEM do tupi *yaú* 'id.'

[2]**jaú** (ja.ú) *s.m.* CONSTR andaime us. em trabalhos externos, esp. em grandes alturas ◉ ORIGEM de *Jahu*, nome de um hidroavião

jaula (jau.la) *s.f.* **1** prisão com barras de ferro, esp. para feras; gaiola **2** *p.ext. infrm.* qualquer prisão ou cárcere

javali (ja.va.li) [fem.: *javalina*] *s.m.* ZOO porco selvagem de pelo cinza e áspero e grandes presas ◉ VOZ v.: grunhir, roncar, rosnar; subst.: grunhido, ronco

javé (ja.vé) ou **iavé** (i.a.vé) *s.m.* REL Jeová ☞ inicial maiúsc.

jazer (ja.zer) *v.* {mod. 8} *int. e pred.* **1** estar deitado quase imóvel *<há dias jaz (doente)>* □ *int.* **2** estar ou parecer morto *<terminada a batalha, muitos corpos jaziam>* **3** estar enterrado *<diversos artistas aqui jazem>* □ *pred.* **4** *fig.* permanecer, persistir (em determinado estado ou condição); continuar *<a população jazia atrasada, longe do progresso>* □ *int.* **4.1** *p.ext.* encontrar-se quieto, calmo *<a floresta jaz após a tempestade da véspera>*

jazida (ja.zi.da) *s.f.* GEOL depósito, no solo ou subsolo, de qualquer produto mineral ou fóssil com valor econômico; mina *<j. de ouro>*

jazigo (ja.zi.go) *s.m.* **1** lugar onde se enterram os cadáveres; sepultura **2** monumento funerário us. como sepultura para um ou mais mortos

jazz [ing.] *s.m.* MÚS música moderna de origem negro-americana, muito difundida após a guerra de 1914-1918, caracterizada pelo improviso e pelo suingue ◉ GRAM/USO esta pal. ordinariamente não se emprega no pl. ⇒ pronuncia-se djéz

jê *s.m.* LING **1** família linguística do tronco macro-jê, falada por vários grupos indígenas do centro-sul brasileiro ■ *adj.2g.* **2** relativo a essa família

jeans [ing.] *s.m.2n.* **1** tecido de algodão durável, de trama grossa, como o brim, ger. de tom azul **2** VEST calças ou qualquer roupa feita com esse tecido ■ *adj.2g.2n.* **3** feito desse tecido *<jaqueta j.>* ⇒ pronuncia-se djins

J

jeca (je.ca) *s.2g.* *B* **1** jeca-tatu ■ *adj.2g.* **2** que mora na roça; caipira **3** *p.ext.* que revela falta de refinamento; cafona

jeca-tatu (je.ca-ta.tu) [pl.: *jecas-tatus*] *s.m.* *B* habitante do interior rural brasileiro, esp. da região centro-sul; jeca, caipira, matuto

jegue (je.gue) *s.m.* ZOO *B* jumento

jeira (jei.ra) *s.f.* **1** área que pode ser lavrada em um dia por uma junta de bois **2** extensão agrária que varia de 19 a 36 hectares

jeito (jei.to) *s.m.* **1** forma particular; maneira, modo *<melhor varrer desse j.>* **2** aparência externa; aspecto *<não gostei do j. dessa saia>* **3** modo de ser, de atuar, de apresentar-se; caráter *<ele tem um j. grosseiro>* **4** disposição natural; aptidão *<ter j. para a música>* ↺ inaptidão **5** ligeiro movimento; gesto *<assentiu com um j. de cabeça>* **6** torção em músculo ou tendão *<dar um j. no pé>* **7** *B infrm.* arrumação, arranjo *<mudou o j. dos móveis>* ↺ desarrumação **8** capacidade de ter seus defeitos ou falhas corrigidos; emenda, solução *<esse menino não tem mais j.>* ⊡ **com j. 1** com cautela *<antes sonde o terreno, vá com j.>* **2** *fig.* de modo delicado, cuidadoso *<procure ser diplomático, fale com j.>* • **dar um j.** *B* arrumar melhor *<afinal, deu um j. no cabelo>* • **sem j.** com vergonha ou embaraço; acanhado *<ficou sem j. com os elogios do professor>*

jeitoso (jei.to.so) /ô/ [pl. e fem.: /ó/] *adj.* **1** apto, capaz, habilidoso *<carpinteiro j.>* ↺ inábil **2** cuja aparência é bela; atraente *<rapaz j.>* ↺ desgracioso **3** adequado, apropriado *<um apartamento j.>* ↺ inadequado

jeje (je.je) *s.2g.* **1** indivíduo dos jejes, povo que habita o Togo, Gana, Benin e regiões vizinhas, representado entre os escravos africanos trazidos para o Brasil **2** LING língua falada esp. em Togo e Gana ■ *adj.2g.* **3** relativo a esse indivíduo, povo ou língua

jejuar (je.ju.ar) *v.* {mod. 1} *int.* abster-se de alimentos durante certo período, por razões religiosas ou recomendação médica ~**jejuador** *adj.s.m.*

jejum (je.jum) [pl.: *-uns*] *s.m.* **1** privação parcial ou total de alimento durante um certo tempo **2** *p.ext.* estado de quem não come desde o dia anterior *<acordou e saiu em j.>* **3** *fig.* abstinência ou privação física, moral ou intelectual *<j. de exercícios>*

jejuno (je.ju.no) *adj.* **1** que está em jejum **2** que não sabe; ignorante ↺ sábio ■ *s.m.* **3** ANAT porção do intestino delgado entre o duodeno e o íleo

jenipapeiro (je.ni.pa.pei.ro) *s.m.* BOT árvore tropical das Américas, de madeira de qualidade, cuja casca contém tanino e cujo fruto (o jenipapo) é comestível e us. na produção de tinta preta

jenipapo (je.ni.pa.po) *s.m.* BOT **1** fruto do jenipapeiro, com polpa aromática de que se fazem doces, xaropes, bebidas etc., e de que se extrai tinta preta, us. pelos indígenas **2** jenipapeiro

jeová (je.o.vá) *s.m.* REL Deus, no Antigo Testamento; Iavé, Javé ☞ inicial maiúsc.

jequitibá (je.qui.ti.bá) *s.m.* BOT nome comum a diversas árvores ger. de grande porte e madeira útil

jereré (je.re.ré) *s.m.* **1** aparelho de pesca de cabo longo, us. ger. para apanhar crustáceos e peixes miúdos **2** *B infrm.* sarna ■ *s.2g.* **3** pessoa maçante

jerico (je.ri.co) *s.m.* **1** ZOO jumento **2** *fig.* indivíduo pouco inteligente ◉ COL jericada ◉ VOZ v.: zurrar

jerimum (je.ri.mum) [pl.: *-uns*] *s.m.* BOT *B* abóbora ('fruto') ~**jerimunzeiro** *s.m.*

jérsei (jér.sei) *s.m.* tecido de malha (de lã, seda, algodão ou fio sintético) maleável e escorregadio

jesuíta (je.su.í.ta) *adj.2g.s.m.* REL (membro) da ordem católica Companhia de Jesus, fundada em 1540 ~**jesuítico** *adj.*

jetom (je.tom) [pl.: *-ons*] *s.m.* remuneração dada aos membros de um colegiado por sessão a que comparecem

jet ski ® (jet.ski) [ing.; pl.: *jet skis*] *loc.subst.* ESP veículo aquático, concebido como uma espécie de motocicleta, que se desloca sobre esquis, us. em competições esportivas e como lazer ⇒ pronuncia-se jét ski

jia (ji.a) *s.f.* ZOO *B* rã

jiboia (ji.boi.a) /ói/ *s.f.* **1** ZOO grande serpente não venenosa, de dorso amarelo, castanho ou cinza, com manchas ovais avermelhadas, que mata suas presas por estrangulamento **2** BOT planta cultivada como trepadeira que, devido ao grande crescimento, pode sufocar as árvores nas quais se apoia

jiboiar (ji.boi.ar) *v.* {mod. 1} *t.d. e int.* digerir (farta refeição) repousando *<passou a tarde jiboiando o almoço>* *<comeu muito e foi j.>*

jiló (ji.ló) *s.m.* BOT planta cujos frutos, comestíveis, têm sabor amargo e propriedades tônicas

jinjibirra (jin.ji.bir.ra) *s.f.* **1** espécie de cerveja de gengibre e outros ingredientes **2** cachaça

jipe (ji.pe) *s.m.* pequeno veículo de tração nas quatro rodas, próprio para terrenos acidentados

jirau (ji.rau) *s.m.* *B* **1** estrado de madeira us. como cama, depósito de utensílios domésticos etc. **2** armação de madeira sobre a qual se constrói uma casa para evitar umidade **3** ARQ piso construído a meia altura de um recinto e do qual cobre uma parte da área *<pôs a mesa de jantar sobre o j. da sala>*

jiu-jítsu (jiu-jít.su) *s.m.2n.* método japonês de defesa pessoal que envolve movimentos de destreza e habilidade, e técnicas de chutes, joelhadas e imobilizações

joalheiro (jo.a.lhei.ro) *s.m.* **1** pessoa que fabrica, conserta e/ou vende joias ■ *adj.* **2** relativo a joia *<comércio j.>*

joalheria (jo.a.lhe.ri.a) *s.f.* ofício, arte ou estabelecimento de joalheiro

joanete (jo.a.ne.te) /ê/ *s.m.* MED bolsa serosa recoberta de pele que se forma na articulação do dedo grande do pé, ger. causada pela compressão do sapato

joaninha (jo.a.ni.nha) *s.f.* **1** ZOO nome comum de pequenos besouros, de corpo redondo, convexo, com desenhos variados, considerados úteis por se alimentarem de parasitas de plantas **2** *infrm.* alfinete de fralda

joanino (jo.a.ni.no) *adj.* relativo a João, Joana, a alguns reis de nome João ou a São João

joão-de-barro (jo.ão-de-bar.ro) [pl.: *joões-de-barro*] *s.m.* ZOO *B* nome comum de aves que constroem ninho de barro em forma de forno

joão-galamarte (jo.ão-ga.la.mar.te) *s.m.* → ***JANGALAMASTE*** ◉ GRAM/USO pl.: *joões-galamarte*

joão-ninguém (jo.ão-nin.guém) [pl.: *joões-ninguém*] *s.m.* indivíduo sem importância, sem peso social ou poder econômico; borra-botas

joão-pestana (jo.ão-pes.ta.na) [pl.: *joões-pestanas*] *s.m. infrm.* vontade de dormir; sono

joça (jo.ça) *s.f. B infrm.* **1** coisa ordinária, ruim ou malfeita, ou que se pensa ser complicada *<esta torneira é uma j.> <não sei mexer com essa j. de computador>* **2** qualquer coisa desconhecida *<pra que serve essa j.?>*

jocoso (jo.co.so) /ô/ [pl. e fem.: /ó/] *adj.* que provoca o riso; engraçado, de brincadeira ↺ chato ~ **jocosidade** *s.f.*

joeira (jo.ei.ra) *s.f.* peneira para separar o trigo do joio e de outras sementes com que está misturado

joeiradora (jo.ei.ra.do.ra) /ô/ *s.f.* máquina us. para joeirar os grãos de trigo

joeirar (jo.ei.rar) *v.* {mod. 1} *t.d.* **1** passar (o trigo) pela joeira **2** *p.ext.* passar (qualquer cereal ou produto) pela peneira; peneirar *<j. a cevada>* **3** *fig.* fazer seleção em, separando o bom do mau; escolher *<j. os candidatos ao emprego>* ~ **joeiramento** *s.m.*

joeireiro (jo.ei.rei.ro) *s.m.* **1** fabricante de joeiras **2** quem executa a operação de joeirar

joelhada (jo.e.lha.da) *s.f.* pancada aplicada com o joelho

joelheira (jo.e.lhei.ra) *s.f.* peça de tecido elástico ou de couro que protege o joelho (de jogadores, dançarinos, cavalos etc.)

joelho (jo.e.lho) /ê/ *s.m.* **1** ANAT região exterior da perna que corresponde a sua articulação com a coxa **2** *p.ext.* parte da roupa que corresponde a essa região do corpo *<a calça rasgou no j.>*

jogada (jo.ga.da) *s.f.* **1** cada lance de um jogo *<o gol surgiu de uma j. excelente>* **2** *fig.* negócio bem elaborado, que envolve riscos, e cuja finalidade é obter grandes lucros e vantagens *<o casamento secreto foi uma j. de* marketing*>*

jogador (jo.ga.dor) /ô/ [pl.: *-res*] *adj.s.m.* **1** que ou aquele que joga *<mulheres j. > <um bom j. de xadrez>* **2** que ou aquele que tem por profissão jogar *<peça ao seu irmão j. um autógrafo para mim> <alguns j. de basquete ganham muito bem>* **3** que ou aquele que tem o vício do jogo (de azar) *<meu amigo j. precisa de ajuda> <era um j. compulsivo>*

jogar (jo.gar) *v.* {mod. 1} *t.d. e int.* **1** divertir-se, entreter-se com (um jogo qualquer) **2** praticar (esporte, ger. de equipe) *<j. tênis, futebol> <eles jogam bem>* **3** mover(-se) de um para outro lado; agitar (-se), oscilar *<enquanto andava, jogava os cabelos>* □ *t.d. e t.d.i.* **4** (prep. *em*) apostar (algo) [em jogo de azar] *<j. na loteria>* **5** (prep. *em*) deslocar pelo ar até certo ponto, usando força muscular ou alguma arma; atirar, arremessar *<jogou uma pedra (no lago)>* □ *t.i. e t.d.i.* **6** (prep. *em*) apostar em (certo número, certo bicho etc.) nos jogos de azar *<j. na vaca> <jogou suas economias na loteria>* □ *int.* **7** ter vício do jogo □ *t.d. fig.* **8** expor à sorte; arriscar □ *t.i. fig.* **9** (prep. *em*) fazer opção por; investir, apostar □ *pron.* **10** deixar-se cair; saltar, pular *<jogou-se na piscina>* ▣ **j. fora 1** pôr no lixo **2** desperdiçar, perder *<j. fora uma boa chance>*

jogatina (jo.ga.ti.na) *s.f.* **1** vício do jogo **2** atividade de jogo intensa e prolongada, esp. de jogos de azar (com baralho, dados etc.)

jogo (jo.go) /ô/ [pl.: /ó/] *s.m.* **1** nome comum a certas atividades cuja natureza ou finalidade é recreativa; diversão, entretenimento **2** competição física ou mental sujeita a uma regra *<j. de cartas, de xadrez, de tênis>* **3** atuação de um jogador *<fazer um bom j.>* **4** instrumento ou equipamento us. para jogar *<faltam peças no meu j. de damas>* **5** conjunto de objetos de mesma natureza ou de uso afim *<j. de cama>* **6** *pej.* esquema ou manobra ilegal ou de correção questionável; manha ▣ **j. de azar** aquele que depende só ou mais da sorte que de habilidade ou cálculo do jogador • **j. de cintura** *B infrm.* **1** elasticidade física e destreza de jogador **2** *fig.* flexibilidade na solução de problemas • **j. de damas** RECR damas • **j. do bicho** *B* modalidade ilegal de loteria popular em que se aposta no nome de um animal; bicho

jogo da velha (jo.go da ve.lha) [pl.: *jogos da velha*] *s.m.* jogo em que cada um de dois jogadores, um por vez, marca um sinal (O ou X) em alguma das nove casas de uma figura em forma de grade, com o objetivo de alinhar uma série ininterrupta de três casas com o seu sinal

jogral (jo.gral) [pl.: *-ais*] *s.m.* **1** trovador medieval dos palácios e praças públicas **2** *B* cada um de um grupo que declama textos literários em coro, alternando canto e fala, partes individuais e coletivas **3** *B* poema ou texto interpretado dessa forma ~ **jogralesco** *adj.*

joguete (jo.gue.te) /ê/ *s.m.* **1** objeto para brincar ou brincadeira; brinquedo **2** *fig.* objeto de zombaria **3** *fig.* pessoa que se deixa manipular *<era um j. na mão do ex-marido>*

joia (joi.a) /ói/ *s.f.* **1** objeto de metal precioso finamente trabalhado, us. como acessório de vestuário, adorno de pescoço, orelhas etc. **2** *fig.* pessoa ou coisa muito boa e querida *<a neta era sua j.>* ■ *adj.2g. B infrm.* **3** muito bom

joio (joi.o) /ô/ *s.m.* **1** BOT planta daninha às plantações, esp. às de trigo, por seus frutos serem infestados de fungos; cizânia **2** BOT a semente dessa planta **3** *p.ext.* pessoa, coisa ou fenômeno prejudicial ao meio em que vive

jojoba (jo.jo.ba) *s.f.* BOT arbusto de cuja semente se extrai óleo us. em cosméticos, rações, fertilizantes etc.

jojoca (jo.jo.ca) *s.f. PR infrm.* soluço

jongo (jon.go) *s.m.* dança de roda de origem africana do tipo batuque ou samba; caxambu

jônico (jô.ni.co) *adj.s.m.* jônio

jônio (jô.nio) *s.m.* **1** natural ou habitante da Jônia, antiga colônia grega **2** LING dialeto do grego antigo falado nessa região ■ *adj.* **3** relativo a essa região e a seu dialeto

jóquei (jó.quei) [fem.: *joqueta*] *s.m.* cavaleiro que monta cavalos de corridas; ginete

jordaniano (jor.da.ni.a.no) *adj.* **1** da Jordânia (Ásia) ■ *s.m.* **2** natural ou habitante desse país

jornada (jor.na.da) *s.f.* **1** trajeto percorrido num dia **2** caminhada; viagem <*a j. foi cansativa*> **3** duração diária de trabalho <*uma j. de seis horas*> **4** dia assinalado por algum acontecimento ou circunstância notável <*j. de luta*> **5** esforço para superar obstáculos ou dificuldades <*uma j. cívica inesquecível*>

jornal (jor.nal) [pl.: *-ais*] *s.m.* **1** publicação diária, com notícias, entrevistas etc.; gazeta, periódico **2** *p.ext.* qualquer periódico <*o j. de uma associação*> **3** RÁD TV noticiário de tv, rádio <*só assiste ao j. da noite*> • COL hemeroteca

jornaleiro (jor.na.lei.ro) *s.m.* quem trabalha em venda de jornais

jornalismo (jor.na.lis.mo) *s.m.* **1** atividade profissional que coleta, investiga, analisa e transmite informações da atualidade, através de jornal, revista, rádio, televisão etc. **2** conjunto dos jornais ou dos jornalistas; imprensa ~ **jornalístico** *adj.*

jornalista (jor.na.lis.ta) *adj.2g.s.2g.* profissional do jornalismo

jorrar (jor.rar) *v.* {mod. 1} *t.d.,t.i. e int.* **1** (prep. *de*) lançar ou sair com jato forte (líquido); brotar <*a ferida jorrava sangue*> <*o petróleo jorrava (do poço)*> □ *t.i. fig.* **2** (prep. *de*) fluir com abundância; emanar <*muitas ideias jorram de sua mente*> □ *t.d. fig.* **3** externar, emitir <*ela jorra otimismo*>

jorro (jor.ro) /ô/ *s.m.* **1** jato forte de um líquido <*um j. de água*> **2** *p.ext.* porção de líquido que sai de uma só vez <*j. de vômito*> **3** emissão súbita e intensa de raios luminosos ~ **jorramento** *s.m.*

jota (jo.ta) *s.m.* o nome da letra *j*

joule (jou.le) /jau *ou* ju/ *s.m.* FÍS unidade de medida de energia definida como o trabalho realizado por uma força com grandeza de um newton quando o ponto em que a força é aplicada se desloca um metro na direção da força [símb.: *J*]

jovem (jo.vem) [pl.: *-ens*] *adj.2g.s.2g.* **1** que(m) está na juventude, período de vida entre a infância e a idade adulta; adolescente **2** que(m) mantém o vigor e o frescor da juventude ■ *adj.2g.* **3** próprio da juventude <*moda j.*> **4** que tem pouca idade ou pouco tempo de existência <*j. trabalhador*> <*empresa j.*> ↺ antigo • GRAM/USO nas acp. adj., sup.abs.sint.: *juveníssimo*

jovial (jo.vi.al) [pl.: *-ais*] *adj.2g.* **1** que tem e mostra alegria; contente <*é uma pessoa j. e criativa*> ↺ infeliz **2** que tem graça; espirituoso <*conversa j.*> ~ jovialidade *s.f.*

joystick (joy.stick) [ing.; pl.: *joysticks*] *s.m.* INF em jogos de computador e vídeo, dispositivo com alavancas e botões para controle de movimentos na tela ⇒ pronuncia-se djóistic

JPEG [ing.] *s.m.* INF tipo de arquivo de imagens baseado em um método de compressão de dados; JPG ⇒ pronuncia-se correntemente jóta pég

JPG [ing.] *s.m.* INF ***JPEG*** ⇒ pronuncia-se correntemente jóta pê gê

juá (ju.á) *s.m.* BOT **1** árvore da caatinga, de fruto comestível e medicinal; juazeiro **2** fruto amarelo dessa árvore, de casca amarga, us. contra febre

juazeiro (ju.a.zei.ro) *s.m.* BOT juá ('árvore')

juba (ju.ba) *s.f.* **1** crina de leão **2** *p.ext.* vasta cabeleira <*vá pentear essa j.!*>

[1]jubilar (ju.bi.lar) *v.* {mod. 1} *t.d.,int. e pron.* **1** (fazer) sentir intensa alegria ou contentamento; regozijar(-se) <*o reencontro com velhos amigos jubilou-a*> <*o país inteiro jubilou(-se) com a vitória da seleção*> □ *t.d. e pron.* **2** aposentar(-se) do serviço público ou magistério <*o prefeito jubilou-o por tempo de serviço*> <*jubilou-se após 35 anos de magistério*> □ *t.d.* **3** retirar de (alguém) o direito à matrícula em curso, instituição <*a universidade jubilou o aluno que faltou todas as aulas*> • ORIGEM do lat. *jubilāre* 'dar gritos de alegria' ~ **jubilação** *s.f.*

[2]jubilar (ju.bi.lar) [pl.: *-es*] *adj.2g.* referente a jubileu <*festa j.*> • ORIGEM *jubil(eu)* + [1]*-ar*

jubileu (ju.bi.leu) *s.m.* **1** entre os antigos hebreus, solenidade pública celebrada a cada 50 anos, quando as dívidas e penas eram perdoadas e os escravos libertos **2** entre os católicos, perdão papal concedido a intervalos regulares e, por vezes, em data especial **3** festa de aniversário de 50 anos <*o j. de um casamento*> <*o j. da fundação de uma cidade*>

júbilo (jú.bi.lo) *s.m.* extrema alegria ↺ tristeza ~ **jubiloso** *adj.*

juçara (ju.ça.ra) *s.f.* BOT palmeira com palmito de excelente qualidade e cuja seiva é us. na produção de álcool e tb. para estancar o sangue e secar feridas

jucundo (ju.cun.do) *adj.* **1** que mostra alegria; feliz, jovial <*olhar j.*> ↺ triste **2** agradável, aprazível <*clima j.*> <*dias j.*> ↺ desagradável ~ **jucundidade** *s.f.*

judaicidade (ju.da.i.ci.da.de) *s.f.* judeidade

judaico (ju.dai.co) *adj.* relativo a judeus ou a judaísmo; judeu <*culinária j.*>

judaísmo (ju.da.ís.mo) *s.m.* REL **1** religião que crê na existência de um único deus e nas leis escritas no Antigo Testamento **2** a religião, a civilização e a cultura judaicas **3** o conjunto dos indivíduos que professam essa religião

judaizar (ju.da.i.zar) *v.* {mod. 2} *t.d. e int.* (fazer) seguir religião, práticas, preceitos judaicos

judas (ju.das) *s.m.2n. pej.* **1** pessoa que trai a confiança de outra; traidor **2** boneco que se malha e queima no Sábado de Aleluia **3** pessoa malvestida

judeidade (ju.de.i.da.de) *s.f.* o conjunto dos judeus, das instituições, tradições, patrimônio espiritual e cultural judaicos; judaicidade

judeu (ju.deu) [fem.: *judia*] *adj.s.m.* **1** (natural ou habitante) da Judeia, região da Palestina (Oriente Médio) **2** (indivíduo) nascido de mãe judia ou de pais judeus **3** REL que(m) segue a religião e/ou a tradição judaica; israelita, hebreu **4** *pej.* (indivíduo) avarento ☞ esta acp. preconceituosa resulta de certas atividades ligadas a dinheiro, proibidas aos cristãos na Idade Média, mas não aos judeus ■ *adj.* **5** judaico • COL judaicidade, judeidade

judiação (ju.di.a.ção) [pl.: *-ões*] *s.f. fig. pej.* ato de maltratar alguém, física ou moralmente ☞ esta acp. preconceituosa resulta de antiga tradição antissemita de origem europeia

judiar (ju.di.ar) *v.* {mod. 1} *int.* **1** seguir a religião e lei judaicas; judaizar □ *t.i. pej.* **2** (prep. *com*) tratar

com escárnio; zombar <*judiava com os repetentes*> ↺ respeitar **3** (prep. *de*) causar sofrimento físico ou moral a; maltratar <*judiava dele provocando-lhe ciúmes*> ☞ estas duas acp. preconceituosas resultam de antiga tradição antissemita de origem europeia

judiaria (ju.di.a.ri.a) *s.f.* **1** grande número de judeus **2** *fig. pej.* ato de maltratar alguém, física ou moralmente ☞ esta acp. preconceituosa resulta de antiga tradição antissemita de origem europeia

judicatura (ju.di.ca.tu.ra) *s.f.* DIR **1** função, ofício ou dignidade de juiz; magistratura **2** o poder judiciário **3** *B* o corpo de juízes de um país; magistratura

judicial (ju.di.ci.al) [pl.: *-ais*] *adj.2g.* DIR **1** relativo a juízo, a tribunais ou que se processa em juízo **2** judiciário

judiciário (ju.di.ci.á.rio) *adj.* DIR **1** relativo à organização da justiça ou a juiz; judicial ■ *s.m.* DIR **2** o poder da justiça e de juiz <*juízes e desembargadores são membros do j.*> ☞ nesta acp., tb. us. com inicial maiúsc.

judicioso (ju.di.ci.o.so) /ô/ [pl. e fem.: /ó/] *adj.* **1** inteligente e justo em seus julgamentos **2** acertado, sensato <*decisão j.*> ↺ imprudente **3** *fig.* sério, crítico <*tom j.*> ↺ maroto

judô (ju.dô) *s.m.* ESP luta corporal baseada nos fundamentos do antigo jiu-jítsu

judoca (ju.do.ca) *s.2g.* ESP *B* quem pratica judô

juglandácea (ju.glan.dá.cea) *s.f.* BOT espécime das juglandáceas, família de árvores e arbustos aromáticos, cultivados como ornamentais, pela madeira e por seus frutos com sementes comestíveis, como a noz e a pecã ~ **juglandáceo** *adj.*

jugo (ju.go) *s.m.* **1** canga de bois **2** *p.ext.* parelha de bois **3** *fig.* sujeição imposta pela força ou autoridade; opressão <*vivia sob o j. da empresa*>

jugular (ju.gu.lar) [pl.: *-es*] *s.f.* ANAT **1** nome comum a quatro veias do pescoço que levam o sangue da cabeça ou do braço para o coração ■ *adj.2g.* **2** relativo à região do pescoço acima da clavícula

juiz (ju.iz) [pl.: *-es*; fem.: *juíza*] *s.m.* **1** DIR quem tem autoridade pública e poder para julgar, na qualidade de administrador da Justiça do Estado **2** *p.ext.* quem tem poder de julgar <*foi j. em um concurso de beleza*> **3** *p.ext.* ESP quem é encarregado de constatar faltas e aplicar o regulamento de um jogo esportivo; árbitro ◉ COL magistratura, tribunal ▣ **j. de direito** DIR aquele que é togado e administra a justiça em primeira instância • **j. de fato** DIR cidadão escolhido para compor o tribunal do júri e que julga segundo a prova dos autos e segundo o direito

juizado (ju.i.za.do) *s.m.* DIR **1** cargo ou função de juiz **2** local de trabalho de juiz

juízo (ju.í.zo) *s.m.* **1** ato ou processo de avaliar os seres e as coisas, ou o seu efeito <*falta j. a esse profissional*> **2** faculdade intelectual que avalia com correção, discernimento, bom senso ↺ loucura **3** opinião sobre alguém ou algo; avaliação, parecer <*fizeram mau j. do rapaz porque falou palavrão*> **4** *infrm.* mente, pensamento <*não me sai do j. aquela pobre figura*> **5** DIR órgão do poder judiciário em que o juiz ou o tribunal exercem suas atribuições

jujuba (ju.ju.ba) *s.f.* **1** BOT nome comum a árvores cultivadas por suas folhagens vistosas e frutos comestíveis, de uso medicinal **2** BOT o fruto dessas árvores **3** CUL *B* pequena guloseima feita de açúcar, amido, essência e corante; bala de goma

jujútsu (ju.jút.su) *s.m.* jiu-jítsu

julgamento (jul.ga.men.to) *s.m.* **1** DIR a sentença de um juiz, de um tribunal **2** DIR audiência de um tribunal perante o juiz **3** juízo, parecer <*fazia j. precipitados*>

julgar (jul.gar) *v.* {mod. 1} *t.d.* **1** DIR tomar decisão sobre (algo), na qualidade de juiz <*j. um processo*> **2** decidir, após reflexão; considerar <*julgou que o melhor era desistir*> □ *t.d. e t.d.pred.* **3** DIR pronunciar sentença (a); sentenciar <*j. um criminoso*> <*o júri o julgou inocente*> **4** emitir parecer, opinião sobre; avaliar, considerar <*j. um escritor*> <*a história ainda o julgará merecedor dos prêmios que deixou de receber*> □ *t.d.,t.d.pred. e pron.* **5** ter certa ideia, opinião sobre (si ou outrem); supor(-se), considerar(-se) <*julgou que receberia uma resposta afirmativa*> <*julgaram o resultado injusto*> <*julgava-se muito inteligente*> ~ **julgador** *adj.s.m.*

julho (ju.lho) *s.m.* o sétimo mês do ano no calendário gregoriano, composto de 31 dias

juliana (ju.li.a.na) *s.f.* CUL sopa que se prepara com legumes picados e ervas

[1]**juliano** (ju.li.a.no) *adj.* relativo a Júlio César e à sua época (101 a.C.- 44 a.C.) <*calendário j.*> ☞ cf. *Júlio César* na parte enciclopédica ◉ ORIGEM do lat. *juliānus,a,um* 'relativo a Júlio César'

[2]**juliano** (ju.li.a.no) *adj.* feito com legumes e ervas cortados em pequenos pedaços <*sopa j.*> ◉ ORIGEM duv., talvez do antr. *Júlia* + *-ano*

jumento (ju.men.to) *s.m.* **1** ZOO animal mamífero semelhante ao cavalo, mas ger. de menor tamanho e orelhas mais longas, com pelagem cinza ou marrom; asno, burro, jegue, jerico **2** *fig. infrm.* indivíduo pouco inteligente ↺ gênio **3** *fig. infrm.* indivíduo muito grosseiro ◉ COL récua ◉ VOZ v.: zurrar; subst.: zurro

junção (jun.ção) [pl.: *-ões*] *s.f.* **1** reunião de seres ou coisas (concretas ou abstratas) ↺ desunião **2** ponto em que duas ou mais coisas coincidem ou se juntam; confluência <*j. de caminhos*>

juncar (jun.car) *v.* {mod. 1} *t.d.* **1** cobrir com junco **2** cobrir de ramos, flores, folhas <*as folhas caídas juncavam o chão do pátio*> **3** estar espalhado ou espalhar em quantidade sobre <*conchas juncavam a beira da praia*>

junco (jun.co) *s.m.* BOT nome de várias plantas nativas de regiões úmidas, algumas cultivadas como ornamentais ou para extração de fibras, us. em objetos de decoração, móveis etc.

jungir (jun.gir) *v.* {mod. 24} *t.d. e t.d.i.* **1** (prep. *a*) promover a junção de; unir, ligar <*j. ideias desconexas*> <*j. a teoria à prática*> ↺ separar **2** (prep. *a*) emparelhar (animais) por meio do jugo <*j. cavalos*> <*j. os bois ao arado*> **3** (prep. *a*) submeter através da força; subjugar, dominar <*j. nações*> ◉ GRAM/USO part.: *jungido, junto*; ver QUADRO DE PARTICÍPIOS DUPLOS nas pp. iniciais

junho (ju.nho) *s.m.* o sexto mês do ano no calendário gregoriano, composto de 30 dias

junino (ju.ni.no) *adj. B* relativo ao mês de junho ou ao que se realiza nesse mês *<festas j.>*

júnior (jú.ni.or) [pl.: *juniores* /ô/] *adj.s.m.* **1** que(m) é mais jovem em relação a outro ↺ sênior **2** que(m) é iniciante em certa profissão ou atividade *<engenheiro j.>* ↺ sênior ■ *s.m.* **3** o mais jovem de dois parentes homônimos **4** ESP atleta com idade ger. entre 17 e 19 anos ↺ sênior

junquilho (jun.qui.lho) *s.m.* BOT planta de flores amarelo-douradas, muito perfumadas, nativa da Europa e cultivada como ornamental

junta (jun.ta) *s.f.* **1** ação de unir entre si, de forma natural, caminhos, rios etc., ou, de forma artificial, peças, barras etc., ou o seu efeito ↺ separação **2** ponto em que duas ou mais coisas se unem; confluência *<encontraram-se na j. das ruas>* **3** conjunto de dois animais, esp. de carga; par, parelha *<uma j. de bois>* **4** articulação de dois ossos *<sentia muita dor nas j.>* **5** reunião de pessoas com determinada missão; assembleia, comissão *<j. médica>*

juntada (jun.ta.da) *s.f.* DIR ato judicial que anexa ao processo petições, laudos, provas etc.

J

juntar (jun.tar) *v.* {mod. 1} *t.d.,t.d.i.,int. e pron.* **1** (prep. *a, com*) pôr(-se) junto; reunir(-se), unir(-se) *<j. o gado> <j. os estudantes de uma escola com os estudantes de outra> <na vida, é preciso j. e não separar> <juntam-se nos fins de semana>* □ *t.d.i.* **2** (prep. *a*) acrescentar, adicionar *<junte um pouco de água a essa mistura>* □ *t.d.* **3** recolher, apanhar *<j. as frutas caídas do pé>* **4** colecionar *<j. selos>* **5** acumular *<j. dinheiro>* □ *int. e pron. B* **6** casar-se sem registro legal; amigar-se *< no carnaval decidiram j.-se> <não oficializaram o casamento, juntaram-se>* ◉ GRAM/USO part.: *juntado, junto*; ver QUADRO DE PARTICÍPIOS DUPLOS nas pp. iniciais ~ **juntura** *s.f.*

junto (jun.to) *adj.* **1** posto em contato físico com algo ou alguém; unido *<pés j.>* ↺ afastado **2** próximo, chegado *<os carros estão j.>* ↺ distante **3** em companhia de; reunido, unido *<viviam juntos na casa dos primos>* ↺ disperso **4** adicionado, somado *<tinha mais dinheiro do que seus irmãos j.>* ■ *adv.* **5** juntamente *<saíram j. com a mãe>* **6** ao lado; perto *<chegou j. ao pai>* ↺ longe ◉ GRAM/USO part. de *juntar* e de *jungir*

júpiter (jú.pi.ter) *s.m.* ASTR nome do quinto e maior planeta do sistema solar ☞ inicial maiúsc.; cf. *Júpiter* na parte enciclopédica

jura (ju.ra) *s.f.* **1** ato de jurar; juramento *<fez juras de amor à noiva>* **2** praga, maldição

jurado (ju.ra.do) *s.m.* **1** membro do tribunal de júri ou de um júri de premiação *<os j. absolveram o réu> <os j. conferiram o prêmio maior a um estreante>* ■ *adj.* **2** de que se prestou juramento *<decisão j.>* **3** *B* ameaçado de agressão ou morte

juramentar (ju.ra.men.tar) *v.* {mod. 1} *t.d.* **1** tomar juramento de *<j. uma testemunha>* **2** obrigar a realizar juramento *<juramentou o suspeito para induzi-lo a falar a verdade>* **3** declarar ou revelar sob juramento *<juramentaram sua versão do fato>*

juramento (ju.ra.men.to) *s.m.* **1** afirmação ou promessa solene pela qual alguém se obriga a dizer a verdade **2** fórmula us. para jurar **3** compromisso solene; promessa *<esqueceu o j. e contou o segredo>*

jurar (ju.rar) *v.* {mod. 1} *t.d. e t.d.i.* **1** (prep. *a*) assegurar, declarar ou prometer sob juramento *<jurou estar inocente> <jurou-lhe ser a última vez que chegava tarde>* **2** (prep. *a*) afirmar com certeza; afiançar, asseverar *<ele jurou (para o pai) que não seria enganado outra vez>* □ *int.* **3** prestar ou proferir juramento *<é um homem que jura e cumpre>* □ *t.d.* **4** chamar, invocar (nome sagrado) *<j. o nome de Deus em vão>* □ *t.i.* **5** (prep. *contra*) dirigir pragas a; praguejar *<j. contra o destino>*

jurássico (ju.rás.si.co) *s.m.* GEOL **1** segundo período geológico da era Mesozoica, entre o Triássico e o Cretáceo, caracterizado pelo surgimento de animais de transição entre répteis e aves ☞ inicial maiúsc. ■ *adj.* **2** desse período **3** *infrm.* muito antigo; ultrapassado *<esse celular é j.>*

jurema (ju.re.ma) *s.f.* **1** BOT árvore nativa do Brasil, de caule tortuoso, casca malhada, cuja madeira é us. em marcenaria e obras internas **2** *B* bebida preparada com a casca, raiz ou fruto dessa planta, us. como alucinógeno em rituais religiosos

júri (jú.ri) *s.m.* **1** DIR tribunal formado por juiz e cidadãos previamente selecionados **2** comissão julgadora em concursos, mostras competitivas etc.

jurídico (ju.rí.di.co) *adj.* **1** relativo a direito **2** que se faz por via da justiça; lícito, legal ↺ ilícito ~ **juridicidade** *s.f.*

jurisconsulto (ju.ris.con.sul.to) *s.m.* DIR jurista que dá consultas e pareceres

jurisdição (ju.ris.di.ção) [pl.: *-ões*] *s.f.* **1** poder legal de um Estado para editar leis e ministrar a justiça **2** poder legal de certas pessoas e órgãos de administrar a justiça **3** território no qual uma autoridade exerce o poder judiciário **4** *fig.* campo de atuação, de trabalho, de domínio etc. de alguém, de uma instituição etc.; alçada *<este assunto está fora da minha j.>* ~ **jurisdicional** *adj.2g.*

jurisprudência (ju.ris.pru.dên.cia) *s.f.* DIR **1** ciência do direito e das leis **2** conjunto das decisões e interpretações das leis feitas pelos tribunais superiores, adaptando as normas aos fatos ~ **jurisprudencial** *adj.2g.*

jurista (ju.ris.ta) *s.2g.* DIR especialista em direito que dá consultas e pareceres; jurisconsulto

juriti (ju.ri.ti) *s.f. B* ave de plumagem marrom, da família das pombas e rolas, de canto agradável ◉ voz v: arrulhar; subst.: arrulho

juro (ju.ro) *s.m.* **1** quantia cobrada sobre empréstimo, crediário etc. **2** renda ou rendimento de capital investido **3** *fig.* prêmio, recompensa *<os j. de uma boa ação>* ◉ GRAM/USO em todas as acps., mais us. no pl.

jurubeba (ju.ru.be.ba) *s.f.* BOT nome comum a várias plantas cujas raízes e frutos amargos são us. contra a icterícia e a febre

jurupari (ju.ru.pa.ri) *s.m.* **1** entidade sobrenatural indígena presente nos rituais de iniciação masculina **2** REL entre missionários católicos do séc. XVI, o diabo

jururu (ju.ru.ru) *adj.2g. B* **1** que perdeu a alegria; triste, melancólico ↺ alegre **2** diminuído no poder, na força ou no ânimo ↺ animado

jus *s.m.* direito legal para impor medida, procedimento etc. ▣ **fazer j. a 1** dar o direito a **2** ser merecedor de algo *<fez j. ao aumento de salário>*

jusante (ju.san.te) *s.f.* **1** maré baixa; vazante da maré **2** o sentido da correnteza num curso de água (da nascente para a foz) ▣ **a j.** para onde correm as águas de um rio ↺ a montante

justa- *pref.* 'posição ao lado': *justapor*

justa (jus.ta) *s.f.* **1** na Idade Média, disputa entre dois cavaleiros armados de lanças; torneio **2** *p.ext.* competição, disputa em qualquer área

justapor (jus.ta.por) /ô/ *v.* {mod. 23} *t.d.,t.d.i. e pron.* (prep. *a*) pôr(-se) junto, próximo (a) *<j. papéis> <j. o verde ao vermelho> <essas cores, quando se justapõem, intensificam-se>* ◉ GRAM/USO part.: *justaposto* ~ **justaposto** *adj.*

justaposição (jus.ta.po.si.ção) [pl.: *-ões*] *s.f.* **1** situação de vizinhança ou proximidade entre duas coisas, sem que nada as separe; aposição *<houve uma j. de falas, e ninguém ouviu o diretor>* **2** GRAM reunião de palavras distintas em uma única nova palavra, sem perda fonética (p.ex.: *madrepérola*) ☞ cf. *aglutinação* e *composição*

justar (jus.tar) *v.* {mod. 1} *int.* entrar em justa; lutar, combater

justiça (jus.ti.ça) *s.f.* **1** princípio e atitude que consiste no respeito aos direitos de cada um e na atribuição daquilo que é devido a cada pessoa ↺ injustiça **2** aplicação do direito e das leis nas resoluções de brigas, atribuição de penas etc. *<a j. é lenta, mas funciona>* **3** conjunto de órgãos e jurisdições do poder judiciário *<entregar o caso à J.>* ☞ nesta acp., inicial ger. maiúsc. ▣ **fazer j. pelas próprias mãos** tomar a si a função de julgar e punir, que deveria caber à Justiça; vingar-se

justiçar (jus.ti.çar) *v.* {mod. 1} *t.d.* punir com tortura ou com morte

justiceiro (jus.ti.cei.ro) *adj.s.m.* **1** que(m) luta pela justiça **2** que(m) se acha no direito de fazer justiça pelas próprias mãos ■ *adj.* **3** severo e implacável na aplicação da lei

justificar (jus.ti.fi.car) *v.* {mod. 1} *t.d. e pron.* **1** provar a inocência (de); explicar(-se) *<suas ações justificam-no> <justificou-se demolindo, uma a uma, as acusações>* **2** provar em juízo *<j. uma acusação> <j.-se herdeiro>* **3** tornar(-se) ou ser justo, necessário, cabível; legitimar (-se) *<isso explica mas não justifica sua atitude> <sua brutalidade não se justifica>* □ *t.d.* **4** dar fundamento a; explicar *<a prefeitura precisa j. seus gastos> <j. uma teoria>* **5** GRÁF compor (as linhas de um texto) na mesma medida, com alinhamento à esquerda e à direita □ *pron.* **6** dar as razões válidas para o próprio comportamento, para os próprios atos *<agora, que o pior já passou, terá que se j. aos pais>* ~ **justificação** *s.f.*

justificativa (jus.ti.fi.ca.ti.va) *s.f.* causa, prova ou documento que comprova a verdade de um fato, de uma afirmação ou a justiça de uma ação

justificável (jus.ti.fi.cá.vel) [pl.: *-eis*] *adj.2g.* que pode ser justificado *<atitude j.>*

justo (jus.to) *adj.* **1** que está em conformidade com a justiça *<sociedade j.>* ↺ injusto **2** que respeita o direito de cada indivíduo, a lei *<decisão j.>* ↺ injusto **3** que tem grande rigor; preciso, exato *<balança j.>* **4** que se apoia em boas razões; legítimo *<j. indignação>* **5** que se ajusta bem; apertado, estreito *<saia j.>* ↺ frouxo ■ *s.m.* **6** quem age pelas normas da justiça e da moral *<dormir o sono dos j.>* ■ *adv.* **7** justamente *<ele é j. a pessoa de que preciso>* **8** no momento preciso *<j. quando íamos sair, ele chegou>* ~ **justeza** *s.f.*

J

juta (ju.ta) *s.f.* **1** BOT nome comum a plantas cultivadas para produção de fibras us. na indústria têxtil **2** o tecido feito com essa fibra

juvenil (ju.ve.nil) [pl.: *-is*] *adj.2g.* **1** relativo a juventude **2** que tem características próprias da juventude; jovem *<comportamento j.>* ↺ senil **3** constituído por jovens e adolescentes ou que a eles se destina *<campeonato j.> <literatura j.>* ~ **juvenilidade** *s.f.*

juveníssimo (ju.ve.nís.si.mo) *adj.* muito jovem ◉ GRAM/USO sup.abs.sint. de *jovem*

juventude (ju.ven.tu.de) *s.f.* **1** período da vida do ser humano entre a infância e o desenvolvimento pleno de seu organismo; mocidade **2** o conjunto das pessoas jovens; mocidade *<a j. brasileira>* **3** *fig.* caráter do que revela frescor, brilho *<a j. de espírito>*

Kk

k *s.m.* **1** 11ª letra do nosso alfabeto, consoante ☞ us. em símbolos internacionais, em abreviaturas universalmente consagradas, em termos estrangeiros, em etnônimos brasílicos e em derivados de nomes próprios dos quais consta essa letra ■ *n.ord. (adj.2g.2n.)* **2** diz-se do 11º elemento de uma série *<casa K> <item 1k>* ☞ empr. após um substantivo ou numeral ◉ GRAM/USO na acp. s.m., pl.: *kk*

K **1** símbolo de *kelvin* **2** símbolo de *potássio*

kafkiano (kaf.ki.a.no) *adj.* **1** relativo ao escritor Franz Kafka ou a sua obra ☞ cf. *Kafka* na parte enciclopédica **2** cujo absurdo sugere a atmosfera da obra de Kafka (diz-se de situação, obra artística etc.) ■ *s.m.* **3** estudioso ou admirador da obra de Kafka

karaoke (ka.ra.o.ke) [jap.] *s.m.* ver ***CARAOQUÊ***

kardecismo (kar.de.cis.mo) *s.m.* REL doutrina formulada por Allan Kardec que pretende explicar, de uma perspectiva cristã, a reencarnação do espírito ☞ cf. *espiritismo*; cf. *Kardec* na parte enciclopédica

kardecista (kar.de.cis.ta) *adj.2g.* **1** relativo a Allan Kardec (1804-1869, escritor francês) ou ao kardecismo **2** que segue o kardecismo ■ *s.2g.* REL **3** adepto ou seguidor dessa doutrina

kart [ing.; pl.: *karts*] *s.m.* carro de corrida de pequenas dimensões ⇒ pronuncia-se cart ~ **kartódromo** *s.m.*

kb INF símbolo de *kilobit*

kB INF símbolo de *kilobyte*

Kelvin (Kel.vin) *s.m.* FÍS unidade de temperatura no Sistema Internacional de medidas, na qual o zero corresponde ao *zero absoluto* (-273,16° na escala Celsius) [símb.: *K*]

ketchup (ketch.up) [ing.] *s.m.* molho de tomate temperado, levemente adocicado ◉ GRAM/USO em ing., invariável ⇒ pronuncia-se quétxâp

Kevlar ® [ing.] *s.m.* fibra de aramida ⇒ pronuncia-se quévlar

kg FÍS símbolo de *quilograma*

kHz FÍS símbolo de *quilo-hertz*

kibutz (ki.butz) [heb.] *s.m.* pequena comunidade israelense economicamente autônoma, em que os meios de produção e a administração são coletivos ◉ GRAM/USO em heb., pl.: *kibutzim* ⇒ pronuncia-se quibuts

kilobit (ki.lo.bit) [ing.; pl.: *kilobits*] *s.m.* INF múltiplo do *bit*, que vale 1.024 *bits* [símb.: *kb*] ⇒ pronuncia-se kilobit

kilobyte (ki.lo.by.te) [ing.; pl.: *kilobytes*] *s.m.* INF múltiplo do *byte*, que vale 1.024 *bytes* [símb.: *kB*] ⇒ pronuncia-se kilobait

kit [ing.; pl.: *kits*] *s.m.* **1** conjunto de peças que atendem juntas a um mesmo fim <k. *de primeiros socorros*> **2** *p.ext.* estojo que abriga esse conjunto ⇒ pronuncia-se quit

kitesurf (kite.surf) [ing.] *s.m.* ESP modalidade de surfe em que a pessoa se desloca em pé sobre uma prancha com encaixes para os pés, puxada pelo vento por uma espécie de paraquedas quadrangular ⇒ pronuncia-se caite sârf

kiwi (ki.wi) [ing.; pl.: *kiwis*] *s.m.* BOT fruta oval de casca peluda fina e marrom, polpa verde e pequenas sementes pretas ⇒ pronuncia-se quiui

kl símbolo de *quilolitro*

km símbolo de *quilômetro*

know-how [ing.] *s.m.* **1** conhecimento de normas e procedimentos necessários à realização de função ou tarefa **2** *p.ext.* habilidade adquirida pela experiência; saber prático ◉ GRAM/USO em ing,. invariável ⇒ pronuncia-se nôu rau

kosher (ko.sher) [iídiche] *adj.2g.2n.* **1** que é permitido pela lei judaica (diz-se de alimento) **2** que se comporta de acordo com a lei judaica *<pessoa* k.*>* ⇒ pronuncia-se côxer

Kr QUÍM símbolo de *criptônio*

krav maga ® (krav ma.ga) [heb.; pl.: *kravot maga*] *s.m.* modalidade de luta desenvolvida em Israel, cujos golpes visam pontos vitais do corpo do adversário (p.ex., olhos, testículos etc.), de forma a deixá-lo fora de combate o tempo suficiente para a fuga ou a chegada de auxílio ⇒ pronuncia-se kra maga

krill [ing.] *s.m.* ZOO designação de crustáceos marinhos semelhantes a pequenos camarões, abundantes em águas frias, que constituem importante alimento para as baleias ⇒ pronuncia-se cril

kW QUÍM símbolo de *quilowatt*

kWh FÍS símbolo de *quilowatt-hora*

l *s.m.* **1** 12ª letra do nosso alfabetto, consoante ■ *n.ord. (adj.2g.2n.)* **2** diz-se do 12º elemento de uma série *<casa L> <item 1l>* ☞ empr. após um subst. ou numeral ▲ **3** símbolo de *litro* ◉ GRAM/USO na acp. s.m., pl.: *ll*

L. abreviatura de *leste* ou *este* ('região')

La QUÍM símbolo de *lantânio*

¹lá *adv.* **1** naquele lugar; ali *<lá, os costumes são outros>* ↺ aqui **2** em tempo afastado (passado ou futuro) *<até lá, tudo pode mudar>* ↺ agora ◉ ORIGEM do port. arcaico *alá*

²lá *s.m.* MÚS sexta nota da escala musical ◉ ORIGEM do it. *la* 'id.'

lã *s.f.* **1** pelo espesso, frisado e macio que cobre o corpo de certos animais (carneiro, alpaca etc.) **2** tecido feito desse pelo

labareda (la.ba.re.da) /ê/ *s.f.* grande chama; língua de fogo

lábaro (lá.ba.ro) *s.m. frm.* bandeira, estandarte

labéu (la.béu) *s.m.* mancha na reputação de alguém; desonra ↺ glória

lábia (lá.bia) *s.f.* manha, ardil, esp. conversa para convencer e persuadir

labial (la.bi.al) [pl.: *-ais*] *adj.2g.* relativo aos lábios

lábil (lá.bil) [pl.: *-eis*] *adj.2g.* **1** que desliza facilmente **2** variável ou adaptável *<o rosto l. de um ator>* ↺ permanente ~ **labilidade** *s.f.*

lábio (lá.bio) *s.m.* **1** ANAT cada uma das duas partes carnudas que formam o contorno externo da boca **2** ANAT cada uma das dobras que circundam a vulva **3** MED cada um dos rebordos de uma ferida ▣ **l. leporino** MED deformação congênita caracterizada por uma fenda entre o lábio superior e a base do nariz

¹labioso (la.bi.o.so) /ô/ [pl. e fem.: /ó/] *adj.* que tem lábios grandes; beiçudo ◉ ORIGEM do lat. *labiōsus,a,um* 'id.'

²labioso (la.bi.o.so) /ô/ [pl. e fem.: /ó/] *adj.* cheio de lábia ◉ ORIGEM *lábia* + *-oso*

labiríntico (la.bi.rín.ti.co) *adj.* **1** referente a ou que lembra um labirinto **2** ANAT relativo ao labirinto da orelha **3** *fig.* difícil, complexo ↺ compreensível

labirintite (la.bi.rin.ti.te) *s.f.* MED inflamação do labirinto

labirinto (la.bi.rin.to) *s.m.* **1** construção constituída de vários caminhos entrecruzados, alguns deles sem saída **2** *p.ext.* qualquer estrutura constituída de muitos elementos cuja ordenação é difícil de compreender *<l. de leis e procedimentos>* **3** ANAT sistema de canais e cavidades que formam a orelha interna **4** *B* crivo ('bordado')

labor (la.bor) /ô/ [pl.: *-es*] *s.m.* trabalho, esp. tarefa árdua e demorada ☞ cf. *lavor*

laborar (la.bo.rar) *v.* {mod. 1} *int.* **1** trabalhar muito, com esforço e perseverança; labutar ◻ *t.d.* **2** cultivar (a terra) com os instrumentos agrícolas; lavrar ◻ *t.i.* **3** (prep. *em*) incorrer, incidir em (erro, engano) ~ **laboração** *s.f.*

laboratório (la.bo.ra.tó.rio) *s.m.* **1** local com instalações e aparelhagem necessários para análises ou experiências (clínicas, industriais, químicas etc.) *<l. fotográfico>* **2** *p.ext.* lugar com equipamento próprio para pesquisas e experiências *<l. de artes plásticas> <l. de línguas>* ~ **laboratorial** *adj.2g.* - **laboratorista** *adj.2g.s.2g.*

laborioso (la.bo.ri.o.so) /ô/ [pl. e fem.: /ó/] *adj.* **1** que trabalha duramente *<povo l.>* ↺ malandro **2** árduo, penoso *<tarefa l.>* ↺ simples ~ **laboriosidade** *s.f.*

labrego (la.bre.go) /ê/ *adj.s.m.* **1** (homem) rude; camponês **2** *pej.* (homem) ignorante **3** *pej.* (homem) malcriado, estúpido ↺ gentil

labro (la.bro) *s.m.* ANAT lábio superior dos mamíferos

labuta (la.bu.ta) *s.f.* **1** trabalho árduo e penoso **2** *p.ext.* qualquer forma de trabalho

labutar (la.bu.tar) *v.* {mod. 1} *int.* trabalhar muito, com esforço e perseverança; laborar ~ **labutador** *adj.s.m.*

laca (la.ca) *s.f.* **1** resina extraída de certas árvores da China e do Japão; goma-laca **2** verniz, preto ou vermelho, preparado a partir dessa resina **3** material ou obra revestida com esse verniz

laçada (la.ça.da) *s.f.* **1** nó fácil de desatar **2** em tricô e crochê, alça que se forma antes da execução do ponto

laçador (la.ça.dor) /ô/ [pl.: *-es*] *adj.s.m. B* que(m) é hábil para laçar bois, cavalos etc. em movimento

lacaio (la.cai.o) *s.m.* **1** criado que acompanha o amo **2** *fig. pej.* homem que se humilha para obter vantagens

laçar (la.çar) *v.* {mod. 1} *t.d.* **1** fazer laço em; atar, apertar *<l. a gravata>* **2** prender com laço *<l. um cavalo>* ~ **laçamento** *s.m.*

laçaria (la.ça.ri.a) *s.f.* enfeite com laços

laçarote (la.ça.ro.te) *s.m.* grande laço

lacerante (la.ce.ran.te) *adj.2g.* **1** que faz em pedaços; dilacerante *<arma l.>* **2** *fig.* que causa muita dor

lacerar (la.ce.rar) *v.* {mod. 1} *t.d. e pron.* dilacerar(-se) ~ **laceração** *s.f.*

laço (la.ço) *s.m.* **1** nó, com uma, duas ou mais alças, que se desata facilmente **2** corda com nó corredio em uma das pontas para apanhar animais em movimento **3** *fig.* união, vínculo *<l. matrimonial> <l. político>* **4** *fig.* estratagema para enganar alguém; cilada *<cair no l.>*

L

lacônico (la.cô.ni.co) *adj.* que se exprime com poucas palavras *<resposta l.>* ↺ prolixo

laconismo (la.co.nis.mo) *s.m.* maneira de exprimir-se por poucas palavras; concisão, brevidade

lacraia (la.crai.a) *s.f.* ZOO nome comum a vários animais invertebrados de corpo segmentado, com 15 ou mais pares de patas, duas antenas e ferrão venenoso debaixo da cabeça; centopeia, lacrau

lacrainha (la.cra.i.nha) *s.f.* ZOO nome comum a certos animais invertebrados de hábitos noturnos que se alimentam de matéria orgânica em decomposição e cujas antenas lembram uma pequena tesoura

lacrar (la.crar) *v.* {mod. 1} *t.d.* **1** selar ou fechar com lacre *<l. uma correspondência>* **2** *p.ext.* fechar completamente; vedar **3** *B* autenticar (placa de automóvel) com selo de chumbo ~ **lacração** *s.f.*

lacrau (la.crau) *s.m.* ZOO lacraia

lacre (la.cre) *s.m.* **1** resina us. para selar ou fechar cartas, frascos etc. **2** *p.ext.* qualquer material us. para garantir que um produto não foi previamente aberto

lacrimal (la.cri.mal) [pl.: *-ais*] *adj.2g.* que produz ou conduz lágrimas *<canal l.> <glândula l.>*

lacrimar (la.cri.mar) *v.* {mod. 1} *int.* verter lágrimas; chorar

lacrimejar (la.cri.me.jar) *v.* {mod. 1} *int.* **1** encher-se (os olhos) de lágrimas **2** verter lágrimas por irritação ocular **3** *fig.* chorar sem motivo, repetidamente e com poucas lágrimas; choramingar ~ **lacrimejante** *adj.2g.*

lacrimoso (lac.ri.mo.so) /ô/ [pl. e fem.: /ó/] *adj.* **1** que chora; choroso *<olhos l.>* **2** que demonstra aflição *<gritos l.>*

lactação (lac.ta.ção) [pl.: *-ões*] *s.f.* **1** ato de amamentar **2** período após o parto no qual se forma o leite

lactante (lac.tan.te) *adj.2g.* **1** que dá ou produz leite ■ *s.f.* **2** mulher que amamenta ☞ cf. *lactente*

lactar (lac.tar) *v.* {mod. 1} *t.d.* dar de mamar a; amamentar

lactente (lac.ten.te) *adj.2g.s.2g.* (bebê ou filhote) que mama ☞ cf. *lactante*

lácteo (lác.teo) ou **láteo** (lá.teo) *adj.* **1** relativo a leite **2** semelhante ao leite **3** que tem ou produz leite

lactescente (lac.tes.cen.te) *adj.2g.* **1** BOT que tem látex *<árvore l.>* **2** que tem cor, aspecto, consistência de leite; leitoso ~ **lactescência** *s.f.*

lactífero (lac.tí.fe.ro) *adj.* que produz ou conduz leite ou substância leitosa

lactose (lac.to.se) *s.f.* QUÍM substância existente no leite, us. como nutriente, esp. para crianças

lacuna (la.cu.na) *s.f.* espaço vazio, concreto ou imaginário; falha, falta *<l. entre duas mesas> <há uma l. na sua vida profissional>* ~ **lacunar** *adj.2g.* - **lacunoso** *adj.*

lacustre (la.cus.tre) *adj.2g.* relativo a lago *<fauna l.> <cidade l.>*

ladainha (la.da.i.nha) *s.f.* **1** REL prece litúrgica formada por curtas invocações alternadas com respostas repetitivas; litania **2** *p.ext.* fala tediosa por ser longa e repetitiva

ladear (la.de.ar) *v.* {mod. 5} *t.d.* **1** acompanhar ou seguir ao lado de *<na reta de chegada, o azarão passou a l. o favorito>* **2** estar situado próximo a *<duas velas ladeiam o oratório>* **3** fazer o contorno de; desviar *<l. um obstáculo>* **4** *fig.* não tratar diretamente de (assunto, situação); esquivar-se *<mostrava-se hesitante, ladeando o assunto principal>* □ *int.* **5** andar (o cavalo) para os lados, de viés ~ **ladeamento** *s.m.*

ladeira (la.dei.ra) *s.f.* rua ou caminho íngreme

ladino (la.di.no) *adj.s.m.* **1** que(m) revela inteligência; esperto ↺ tolo **2** que(m) é cheio de manhas e astúcias; espertalhão ↺ honesto ~ **ladinice** *s.f.*

lado (la.do) *s.m.* **1** parte direita ou esquerda de algo **2** cada uma das faces de um sólido *<os l. do paralelepípedo>* **3** parte lateral de algo em relação ao centro e à outra parte *<estavam do outro l. do rio>* **4** a posição que se opõe a outra; partido, facção *<cada l. tem suas próprias ideias>* **5** aspecto, ângulo *<é preciso examinar todos os l. da questão>* **6** linha de parentesco *<são parentes pelo l. paterno>* ▣ **l. a l.** junto um do outro; ombro a ombro • **olhar de l.** olhar com desdém • **pôr de l.** abandonar, desconsiderar *<pôs de l. aquela ideia absurda>*

ladra (la.dra) *s.f.* mulher que rouba ◉ GRAM/USO fem. irreg. de *ladrão*

ladrado (la.dra.do) *s.m.* → *LADRIDO*

ladrador (la.dra.dor) /ô/ [pl.: *-es*] *adj.s.m.* **1** (animal) que ladra, que late **2** *fig. infrm.* que(m) fala mal dos outros

ladrão (la.drão) [pl.: *-ões*; fem.: *ladra*, *ladrona*, *ladroa*] *adj.s.m.* **1** (aquele) que rouba ■ *s.m.* **2** abertura para escoar automaticamente a água excedente de um reservatório

ladrar (la.drar) *v.* {mod. 1} *int.* **1** dar latidos; latir ☞ nesta acp., só us. nas 3as p., exceto quando fig. □ *t.d.* **2** proferir violentamente (injúrias, ofensas)

ladrido (la.dri.do) ou **ladrado** (la.dra.do) *s.m.* latido

ladrilhador (la.dri.lha.dor) /ô/ [pl.: *-es*] *adj.s.m.* (o) que assenta ladrilhos

ladrilheiro (la.dri.lhei.ro) *s.m.* quem produz ou assenta ladrilhos

ladrilho (la.dri.lho) *s.m.* placa de cerâmica, barro cozido, cimento etc. us. para revestir pavimentos ou paredes ~ **ladrilhar** *v.t.d.*

ladroagem (la.dro.a.gem) [pl.: *-ens*] *s.f.* roubo, furto; ladroeira, ladroíce

ladroeira (la.dro.ei.ra) *s.f.* ladroagem

ladroíce (la.dro.í.ce) *s.f.* ladroagem

lagamar (la.ga.mar) [pl.: *-es*] *s.m.* **1** cova no mar ou em rio **2** lagoa de água salgada **3** parte abrigada de uma baía

lagar (la.gar) [pl.: *-es*] *s.m.* **1** oficina equipada para espremer uvas, azeitonas etc. **2** tanque us. nessa oficina

lagareiro (la.ga.rei.ro) *adj.* **1** referente a lagar ■ *s.m.* **2** dono ou empregado de lagar **3** *infrm.* pessoa com roupas muito sujas

lagarta (la.gar.ta) *s.f.* ZOO nome comum às larvas de borboleta e de mariposa

lagartear (la.gar.te.ar) *v.* {mod. 5} *int.* aquecer-se ao sol, como um lagarto

lagartixa (la.gar.ti.xa) *s.f.* ZOO nome comum a diversos pequenos lagartos que comem insetos e possuem dedos adesivos que lhes permitem subir em paredes etc.

lagarto (la.gar.to) *s.m.* **1** ZOO nome comum a répteis de corpo alongado, cauda comprida de ponta afunilada e pernas curtas **2** *B* corte de carne bovina próprio para assar

lago (la.go) *s.m.* **1** GEO extensão de água doce, salobra ou salgada, de forma e profundidade variáveis, confinada numa depressão do solo e cercada de terra por todos os lados ☞ cf. *lagoa* e *laguna* **2** tanque ornamental em jardim

lagoa (la.go.a) /ô/ *s.f.* GEO depressão do solo cheia de água salgada, salobra ou doce, cuja extensão e profundidade são menores que as dos lagos ☞ cf. *laguna*

lagoeiro (la.go.ei.ro) *s.m.* **1** água de chuva empoçada num terreno **2** local alagado

lagosta (la.gos.ta) /ô/ *s.f.* ZOO grande crustáceo marinho comestível que vive em buracos e fendas de rochas e corais

lagostim (la.gos.tim) [pl.: *-ins*] *s.m.* ZOO crustáceo semelhante à lagosta, mas sem antenas

lágrima (lá.gri.ma) *s.f.* **1** secreção incolor e salgada produzida por glândulas no canto dos olhos que umidifica a conjuntiva e a córnea **2** *fig.* quantidade muito pequena de um líquido; gota ▣ **lágrimas de crocodilo** choro fingido, hipócrita

laguna (la.gu.na) *s.f.* GEO **1** braço de mar pouco profundo entre bancos de areia ou ilhas, na foz de certos rios **2** depressão do solo próxima ao litoral, que confina água salgada ou salobra e tem ligação com o oceano ☞ cf. *lagoa* e *lago* **3** lagoa de água salgada cercada por recife de coral

laia (lai.a) *s.f. pej.* conjunto de características; feitio *<não me dou com gente da sua l.>*

laicizar (lai.ci.zar) *v.* {mod. 1} *t.d.* **1** tornar laico **2** tirar a influência religiosa de (uma instituição) ~ **laicização** *s.f.*

laico (lai.co) *adj.s.m.* que(m) não pertence ao clero nem a uma ordem religiosa; leigo ~ **laicidade** *s.f.*

laivo (lai.vo) *s.m.* **1** mancha, nódoa ▼ ***laivos*** *s.m.pl.* **2** noções básicas **3** vestígios

laje (la.je) *s.f.* CONSTR **1** placa de concreto armado que funciona como pavimento e teto de uma construção **2** placa plana, de material duro, us. para revestir pisos ou paredes ~ **lajeamento** *s.m.* - **lajear** *v.t.d.*

lajeado (la.je.a.do) *adj.s.m.* **1** (superfície) coberta com lajes ■ *s.m.* **2** pavimento estruturado com lajes de cimento armado **3** regato de leito rochoso

lajedo (la.je.do) /ê/ *s.m.* **1** lajeado ('pavimento') **2** *AL BA PE* afloramento de rochas à superfície do solo

lajota (la.jo.ta) *s.f.* pequena laje us. para revestir pisos

[1]**lama** (la.ma) *s.f.* **1** mistura pastosa de argila e água; lodo **2** *fig.* degradação, aviltamento *<sua reputação está na l.>* ◉ ORIGEM do lat. *lāma,ae* 'lodo' ~ **lamaceira** *s.f.* - **lamaceiro** *s.m.*

[2]**lama** (la.ma) *s.m.* REL sacerdote budista entre os mongóis e os tibetanos ◉ ORIGEM do tibetano *blama* 'id.'

lamaçal (la.ma.çal) [pl.: *-ais*] *s.m.* **1** lugar onde há muita lama **2** pântano

lamacento (la.ma.cen.to) *adj.* **1** em que há muita lama *<estrada l.>* **2** semelhante a lama *<barro l.>*

lambada (lam.ba.da) *s.f.* **1** pancada, golpe **2** *B* chicotada **3** *B infrm.* dose de bebida alcoólica tomada de uma só vez **4** *fig.* repreensão, descompostura ↺ elogio **5** certa música e dança de ritmo muito vivo

lambança (lam.ban.ça) *s.f.* **1** algo que se pode lamber e comer **2** *fig. B* algo feito sem capricho

lambão (lam.bão) [pl.: *-ões*; fem.: *lambona*] *adj.s.m.* **1** que(m) se lambuza quando come **2** *fig. B* que(m) executa suas tarefas sem capricho

lambari (lam.ba.ri) *s.m.* ZOO pequeno peixe comestível muito comum nos rios brasileiros

lambe-lambe (lam.be-lam.be) [pl.: *lambe-lambes*] *s.m. B infrm.* fotógrafo ambulante

lamber (lam.ber) *v.* {mod. 8} *t.d. e pron.* **1** passar a língua sobre *<depois de comer, lambeu as pontas dos dedos>* *<os gatos têm o hábito de se l.>* □ *t.d.* **2** *fig.* tocar levemente; roçar, acariciar *<uma brisa lambia as folhas das árvores>* **3** *fig.* destruir, arrasar *<o incêndio lambeu a casa>* **4** comer com voracidade; devorar **5** *fig. B infrm.* lisonjear muito, de modo servil; bajular □ *int. B* **6** pegar fogo (o balão) ~ **lambidela** *s.f.*

lambida (lam.bi.da) *s.f.* ação ou efeito de lamber; lambidela

lambiscar (lam.bis.car) *v.* {mod. 1} *t.d. e int.* comer pouco, sem apetite; beliscar *<l. uns salgadinhos>* *<na festa, preferiu ficar lambiscando>* ~ **lambiscação** *s.f.*

lambisgoia (lam.bis.goi.a) /ói/ *s.2g.* **1** pessoa (esp. mulher) magra, sem graça e antipática **2** pessoa (esp. mulher) pretensiosa

lambreta (lam.bre.ta) /ê/ *s.f.* **1** espécie de motocicleta com rodas pequenas em que é possível juntar as pernas à frente do assento; motoneta **2** ZOO amêijoa ~ **lambretista** *adj.2g.s.2g.*

lambri (lam.bri), **lambril** (lam.bril) [pl.: *-is*] ou **lambrim** (lam.brim) [pl.: *-ins*] *s.m.* ARQ revestimento interno de parede (de madeira, mármore, estuque) em forma de placas ou painéis

L

lambugem (lam.bu.gem) [pl.: *-ens*] ou **lambujem** (lam.bu.jem) [pl.: *-ens*] *s.f.* **1** resto de comida deixada nos pratos **2** *B* lambuja

lambuja (lam.bu.ja) *s.f. B* **1** lucro ou vantagem em jogo, aposta ou negócio **2** o que se dá ou ganha além do estipulado *<levou dois cadernos e uma lapiseira de l.>*

lambujem (lam.bu.jem) [pl.: *-ens*] *s.f.* → **LAMBUGEM**

lambuzar (lam.bu.zar) *v.* {mod. 1} *t.d. e pron.* **1** (prep. *de*) sujar(-se), esp. com comida *<lambuzou a camisa com* ketchup*>* *<l.-se de sorvete>* □ *t.d.* **2** deixar mancha de gordura em; engordurar

lameira (la.mei.ra) *s.f.* ou **lameiro** (la.mei.ro) *s.m.* **1** lamaçal ('muita lama') **2** terra cultivada na vazante do rio

lameiro (la.mei.ro) *s.m.* → **LAMEIRA**

lamela (la.me.la) *s.f.* lâmina muito fina

lamentação (la.men.ta.ção) [pl.: *-ões*] *s.f.* **1** queixume prolongado que exprime grande pesar **2** fala triste **3** canto forte e prolongado que narra um episódio infeliz; canto fúnebre

lamentar (la.men.tar) *v.* {mod. 1} *t.d. e pron.* **1** (prep. *de*) exprimir(-se) chorando, entre gemidos, gritos ou lamentação *<l. a partida do filho>* *<l.-se de sua sorte>* □ *pron.* **2** (prep. *de*) mostrar descontentamento, desgosto por; queixar-se, lastimar-se

lamentável (la.men.tá.vel) [pl.: *-eis*] *adj.2g.* **1** que merece ser lamentado por causar dor, infelicidade *<os l. incidentes abalaram a todos>* **2** *p.ext. pej.* que merece ser lamentado por ser medíocre; desprezível *<uma obra l.>*

lamento (la.men.to) *s.m.* **1** lamentação **2** choro, pranto ~ **lamentoso** *adj.*

lâmina (lâ.mi.na) *s.f.* **1** placa de metal, ou de outra matéria dura, muito fina **2** *p.ext.* pequena placa de vidro us. para observação em microscópio **3** *p.ext.* parte achatada de um objeto cortante

laminação (la.mi.na.ção) *s.f.* redução de um bloco de metal a lâminas

laminado (la.mi.na.do) *s.m.* **1** semelhante a uma lâmina **2** dividido em ou composto de ou reduzido a lâminas **3** obtido pelo processo de laminação (diz-se de chapa de metal) *<papel l.>*

[1]**laminar** (la.mi.nar) [pl.: *-es*] *adj.2g.* dotado de lâminas ◉ ORIGEM de *lâmina* + [1]*-ar*

[2]**laminar** (la.mi.nar) *v.* {mod. 1} *t.d.* **1** reduzir (um metal) a lâmina **2** *p.ext.* diminuir a espessura de **3** revestir as duas faces de (algo) com material transparente ◉ ORIGEM de *lâmina* + [2]*-ar*

lâmpada (lâm.pa.da) *s.f.* **1** recipiente que produz luz através de uma chama alimentada por líquido ou gás combustível contido no seu interior **2** qualquer recipiente com aparato para produzir luz artificialmente por diferentes processos físico-químicos *<l. fluorescente>* *<l. incandescente>* **3** *p.ext.* qualquer aparelho composto de fonte luminosa e suporte *<l. de cabeceira>*

lampadário (lam.pa.dá.rio) *s.m.* lustre com muitas lâmpadas

lamparina (lam.pa.ri.na) *s.f.* pequena lâmpada em que um disco de madeira com pavio no centro boia em azeite, querosene etc.

lampeiro (lam.pei.ro) *adj.* **1** que se dá pressa em fazer ou dizer algo; apressado ↺ lento **2** que gesticula muito, fala alto, não tem cerimônia; espevitado, atrevido ↺ respeitoso

lampejar (lam.pe.jar) *v.* {mod. 1} *int.* **1** emitir brilho ou clarão momentâneo **2** lançar faíscas; faiscar □ *t.d.* **3** emitir, irradiar *<l. clarões>* ~ **lampejante** *adj.2g.*

lampejo (lam.pe.jo) /ê/ *s.m.* **1** clarão momentâneo **2** faísca, centelha **3** *fig.* manifestação súbita e brilhante de inteligência

lampião (lam.pi.ão) [pl.: *-ões*] *s.m.* grande lanterna elétrica ou a combustível, portátil ou fixa em um teto, esquina ou parede

lampreia (lam.prei.a) /éi *ou* êi/ *s.f.* ZOO peixe de boca circular e desprovido de maxilas, encontrado em águas frias

lamúria (la.mú.ria) *s.f.* queixa, lamentação interminável ~ **lamuriento** *adj.s.m.*

lamuriar (la.mu.ri.ar) *v.* {mod. 1} *t.d.,int. e pron.* exprimir(-se) em tom de lamúria; lastimar(-se), queixar-se *<ele lamuriava coisas a que ninguém dava atenção>* *<encontrei-o lamuriando(-se) da solidão>* ~ **lamuriante** *adj.2g.*

lança (lan.ça) *s.f.* arma constituída de uma longa haste que termina por uma peça pontiaguda de metal, osso etc., para ser arremessada ou empunhada

lança-chamas (lan.ça-cha.mas) *s.m.2n.* engenho de combate que lança líquido inflamado sobre o inimigo

lançadeira (lan.ça.dei.ra) *s.f.* **1** peça do tear que faz passar os fios da trama pelos da urdidura **2** numa máquina de costura, peça que contém o fio que entra pelo lado avesso da costura

lançador (lan.ça.dor) /ô/ [pl.: *-es*] *adj.s.m.* **1** (o) que lança, arremessa **2** que(m) faz lances num leilão

lançamento (lan.ça.men.to) *s.m.* **1** projeção, movimento para diante **2** introdução de novo produto no mercado *<l. de um livro>* **3** o produto lançado **4** ESP arremesso; jogada, passe *<l. de disco>* *<l. da bola>*

lança-perfume (lan.ça-per.fu.me) [pl.: *lança-perfumes*] *s.m.* **1** recipiente com éter perfumado que se esguicha sobre os foliões em festejos carnavalescos **2** o conteúdo desse recipiente

lançar (lan.çar) *v.* {mod. 1} *t.d.* **1** impulsionar através do espaço, ger. visando a um alvo, com o uso de força muscular, arma ou aparelho especial; arremessar, jogar *<l. dardos>* *<l. projéteis>* **2** pôr em voga; iniciar *<l. uma moda>* **3** mostrar pela primeira vez, pôr no mercado (novo produto, filme etc.) **4** *fig.* disseminar, semear *<l. confusão, discórdia>* **5** emitir com força; soltar *<l. gritos, injúrias>* **6** emitir, exalar, expelir *<o sol lança seus primeiros raios>* **7** deixar escorrer; despejar, entornar *<l. água na fervura>* **8** registrar, gravar (débitos, créditos, haveres) □ *t.d. e pron.* **9** (prep. *a*) (fazer) partir com ímpeto em certa direção; precipitar(-se), atirar(-se) *<entediado, lançou fora o livro que lia>* *<as forças inimigas se lançaram ao ataque>* **10** divulgar as qualidades e os méritos de *<l. um escritor>* *<l.-se como atriz>* □ *t.d.i. e pron.* **11** (prep. *em*) (fazer) participar de (algo), com ousadia; arriscar(-se), atirar(-se) *<lançou a empresa numa louca empreitada>* *<l.-se em um negócio>* □ *pron.* **12** (prep. *a*) dar-se inteiramente a; entregar-se *<l.-se ao trabalho>* ~ **lançadura** *s.f.*

lance (lan.ce) *s.m.* **1** período que compõe um processo; etapa **2** ESP arremesso ou jogada; lanço **3** preço oferecido num leilão; lanço **4** *B infrm.* o que acontece, aconteceu ou pode acontecer; episódio, fato

lanceador (lan.ce.a.dor) /ô/ [pl.: *-es*] *adj.s.m.* (o) que golpeia com lança

lancear (lan.ce.ar) *v.* {mod. 5} *t.d. e pron.* **1** ferir(-se), golpear(-se) com lança *<l. um animal> <lanceavam-se ferozmente>* ◻ *t.d. fig.* **2** infligir amargura a; torturar *<a mágoa lanceava seu coração>* **3** provocar estímulo em; incitar, instigar *<lanceava o lutador para que reagisse>*

lanceio (lan.cei.o) *s.m.* RECR *CE* volteio de pipa no ar

lanceta (lan.ce.ta) /ê/ *s.f.* curta lâmina cirúrgica, pontuda e afiada nas duas laterais

lancetar (lan.ce.tar) *v.* {mod. 1} *t.d.* **1** cortar ou abrir com lanceta *<l. um abscesso>* **2** *p.ext.* ferir com arma branca; cortar

lancha (lan.cha) *s.f.* pequena embarcação movida a motor

lanchar (lan.char) *v.* {mod. 1} *int.* **1** fazer lanche ◻ *t.d.* **2** comer como lanche *<l. um sanduíche>*

lanche (lan.che) *s.m.* **1** refeição ligeira entre o almoço e o jantar; merenda **2** *p.ext.* qualquer refeição ligeira

lancheira (lan.chei.ra) *s.f.* maleta para carregar lanche; merendeira

lanchonete (lan.cho.ne.te) *s.f. B* local onde são servidos lanches, ger. num balcão

lancinante (lan.ci.nan.te) *adj.2g.* **1** que se faz sentir por pontadas, picadas, fisgadas internas *<dor l.>* **2** que atormenta, tortura ou importuna de maneira persistente; pungente, cruciante *<remorsos l.>*

lancinar (lan.ci.nar) *v.* {mod. 1} *int.* **1** fazer-se sentir por pontadas, fisgadas *<a ferida lancinava>* ◻ *t.d.* **2** causar dores intensas a *<um furúnculo lancina-o há dias>* **3** *fig.* atormentar de maneira persistente; afligir *<lancina-o a preocupação com as dívidas>*

lanço (lan.ço) *s.m.* **1** lançamento, arremesso **2** preço oferecido num leilão; lance **3** ardil para se atingir um objetivo; estratagema **4** ESP arremesso ou jogada; lance **5** parte de uma escada compreendida entre dois andares de um edifício **6** cada um dos lados de uma rua ou de um corredor

langanho (lan.ga.nho) *s.m. B* **1** carne de má qualidade **2** *infrm.* coisa pegajosa, repugnante

langor (lan.gor) /ô/ [pl.: *-es*] *s.m.* languidez ~ **langoroso** *adj.*

languescer (lan.gues.cer) *v.* {mod. 8} *int.* **1** perder a vitalidade; definhar ↺ fortalecer-se **2** ficar lânguido; abater-se, entristecer-se ↺ alegrar-se **3** assumir expressão doce ou sensual

languidez (lan.gui.dez) /ê/ [pl.: *-es*] *s.f.* **1** diminuição do ânimo, do vigor ↺ entusiasmo **2** *fig.* doçura, brandura ↺ aspereza **3** *fig.* sensualidade ↺ pureza **4** *fig.* morbidez

lânguido (lân.gui.do) *adj.* **1** em estado de abatimento, de grande fraqueza física e psicológica ↺ vigoroso **2** que evoca ternura, doçura **3** voluptuoso, sensual **4** mórbido, doentio ↺ saudável

lanhar (la.nhar) *v.* {mod. 1} *t.d. e pron.* **1** (fazer) ficar com lanhos; cortar(-se), ferir(-se) *<l. o braço> <desesperada, lanhava-se com as próprias unhas>* **2** *fig.* (fazer) sentir inquietação, angústia; afligir(-se), magoar(-se) *<a derrota lanhou os brios do exército> <lanhou-se ao confiar num mentiroso>* ↺ alegrar(-se); acalmar(-se) ◻ *t.d.* **3** golpear com chicote; chicotear

lanho (la.nho) *s.m.* **1** ferimento feito com instrumento cortante; corte **2** marca de chicotada na pele **3** *B* carne cortada em tiras

lan house [ing.] *loc.subst.* estabelecimento comercial provido de computadores com acesso à internet e a uma rede local ⇒ pronuncia-se lan raus

lanífero (la.ní.fe.ro) *adj.* lanígero

lanifício (la.ni.fí.cio) *s.m.* **1** fabricação de lã **2** fábrica que produz fios ou tecidos de lã **3** tecido, mercadoria de lã

lanígero (la.ní.ge.ro) *adj.* **1** que produz lã; lanífero **2** provido de lã; lanífero

lanolina (la.no.li.na) *s.f.* QUÍM gordura extraída da lã de carneiro, us. como base de pomadas e cosméticos

lanoso (la.no.so) /ô/ [pl. e fem.: /ó/] *adj.* **1** relativo a lã **2** que tem muita lã *<cordeirinho l.>* **3** semelhante a lã *<cabeleira l.>* ~ **lanosidade** *s.f.*

lantanídeo (lan.ta.ní.deo) *s.m.* QUÍM **1** qualquer elemento da família dos lantanídeos, que na *tabela periódica* vai de lantânio a lutécio ■ *adj.* **2** relativo a essa família ☞ cf. *tabela periódica* (no fim do dicionário)

lantânio (lan.tâ.nio) *s.m.* QUÍM elemento químico us. em certos isqueiros, dispositivos eletrônicos etc. [símb.: *La*] ☞ cf. *tabela periódica* (no fim do dicionário)

lantejoula (lan.te.jou.la) ou **lentejoula** (len.te.jou.la) *s.f.* pequena lâmina circular cintilante, us. para enfeitar tecidos

lanterna (lan.ter.na) *s.f.* **1** aparelho, portátil ou fixo, com uma caixa transparente na qual se encontra uma fonte luminosa **2** aparelho portátil que contém uma lâmpada acesa por pilha(s) **3** em veículo, dispositivo de iluminação us. para transmitir código de sinalização **4** a parte superior do farol ■ *s.2g.* **5** lanterninha

lanternagem (lan.ter.na.gem) [pl.: *-ens*] *s.f. B* conserto da lataria de automóveis

lanterneiro (lan.ter.nei.ro) *s.m.* **1** fabricante de lanternas **2** aquele que carrega lanterna nas procissões **3** quem faz lanternagem

lanterninha (lan.ter.ni.nha) *s.2g.* **1** aquele que, munido de lanterna, indica os lugares em cinemas, teatros etc.; lanterna **2** *fig.* o último colocado em competições; lanterna

lanudo (la.nu.do) *adj.* lanoso

lanugem (la.nu.gem) [pl.: *-ens*] *s.f.* **1** penugem que, nos adolescentes, antecede a barba; buço **2** BOT camada de pelos macios que revestem um órgão ou parte de uma planta

lapa (la.pa) *s.f.* cavidade ou gruta que aparece na encosta de uma rocha

láparo (lá.pa.ro) *s.m.* ZOO **1** filhote de coelho; caçapo **2** macho da lebre até completar três anos

laparoscopia (la.pa.ros.co.pi.a) *s.f.* MED exame com endoscópio da cavidade abdominal e seu conteúdo

laparotomia (la.pa.ro.to.mi.a) *s.f.* MED abertura cirúrgica da cavidade abdominal

L

lapela (la.pe.la) *s.f.* parte da frente e superior de um casaco, voltada para fora

lapidação (la.pi.da.ção) [pl.: *-ões*] *s.f.* operação de cortar, formar, facetar e polir pedras preciosas

[1]**lapidar** (la.pi.dar) [pl.: *-es*] *adj.2g.* **1** relativo a lápides ou pedras **2** gravado em pedra (diz-se de inscrição) **3** *fig.* perfeito, primoroso *<frase l.>* ◉ ORIGEM do lat. *lapidāris,e* 'relativo a pedra'

[2]**lapidar** (la.pi.dar) *v.* {mod. 1} *t.d.* **1** atacar ou matar com pedras; apedrejar **2** submeter à lapidação (pedra bruta) **3** *fig.* tornar apresentável, melhor; aperfeiçoar, burilar *<l. uma redação>* ◉ ORIGEM do lat. *lapidāre* 'cobrir de pedras' ~ **lapidado** *adj.* - **lapidador** *adj.s.m.*

lapidaria (la.pi.da.ri.a) *s.f.* **1** arte ou indústria de lapidação de pedras preciosas **2** oficina na qual se faz lapidação

lapidário (la.pi.dá.rio) *adj.* **1** relativo a inscrições feitas em lápides ■ *s.m.* **2** quem lapida e/ou vende pedras preciosas **3** instrumento próprio para polir pedras preciosas, joias etc.

lápide (lá.pi.de) *s.f.* **1** laje que cobre o túmulo **2** pedra com inscrição comemorativa ou em homenagem a alguém

lapinha (la.pi.nha) *s.f.* **1** pequena lapa **2** *B* presépio armado para as festas de Natal e de Reis

lápis (lá.pis) *s.m.2n.* cilindro de madeira com grafite em seu interior, us. para escrever, marcar ou desenhar ▣ **l. de cor** lápis cujo miolo é constituído de argila colorida e grafite

lapiseira (la.pi.sei.ra) *s.f.* instrumento us. para escrever, semelhante ao lápis, com dispositivo que permite esconder ou pôr à mostra o grafite

lápis-lazúli (lá.pis-la.zú.li) [pl.: *lápis-lazúlis*] *s.m.* pedra de cor azul opaca, apreciada na indústria de joias e bijuterias

lapso (lap.so) *s.m.* **1** intervalo de tempo **2** erro cometido por descuido ou falha de memória

laptop [ing.; pl.: *laptops*] *s.m.* INF computador portátil, com monitor de vídeo integrado, ger. de cristal líquido, e dimensões compatíveis para ser us. no colo de um operador sentado ⇒ pronuncia-se leptap

laquê (la.quê) *s.m.* produto que se borrifa sobre os cabelos para fixar o penteado

laqueador (la.que.a.dor) /ô/ [pl.: *-es*] *adj.s.m.* (o) que faz laqueadura

laqueadura (la.que.a.du.ra) *s.f.* MED ligamento de estruturas ocas do organismo (artérias, veias etc.)

[1]**laquear** (la.que.ar) *v.* {mod. 5} *t.d.* ligar (estruturas ocas como artérias, veias), definitivamente ou não, ger. por meio de fios ◉ ORIGEM do lat. *laqueāre* 'atar, prender, estrangular'

[2]**laquear** (la.que.ar) *v.* {mod. 5} *t.d.* **1** pintar, revestir com laca **2** *p.ext.* pintar com tinta de esmalte ou verniz *<l. uma escrivaninha>* ◉ ORIGEM *laca* + *-ear* ~ **laqueação** *s.f.*

[3]**laquear** (la.que.ar) *v.* {mod. 5} *t.d.* vaporizar laquê sobre (os cabelos) ◉ ORIGEM *laquê* + [2]*-ar*

lar [pl.: *-es*] *s.m.* **1** local onde se acende o fogo na cozinha **2** *p.ext.* moradia familiar **3** *p.ext.* a família **4** *fig.* a pátria

laranja (la.ran.ja) *s.f.* BOT **1** fruto arredondado, dividido em gomos, de cor entre o amarelo e o vermelho, e de sabor cítrico ■ *s.m.* **2** a cor desse fruto **3** *infrm.* indivíduo que cede seu nome para ser usado em negócios ilícitos; testa de ferro ■ *adj.2g.2n.* **4** que tem a cor da laranja *<almofadas laranja>* **5** diz-se dessa cor

laranja-cravo (la.ran.ja-cra.vo) [pl.: *laranjas-cravo* e *laranjas-cravos*] *s.f.* BOT tangerina

laranjada (la.ran.ja.da) *s.f.* refresco de laranja

laranjal (la.ran.jal) [pl.: *-ais*] *s.m.* grande concentração de laranjeiras em determinada área

laranjeira (la.ran.jei.ra) *s.f.* BOT árvore que produz a laranja ◉ COL laranjal

larápio (la.rá.pio) *s.m.* ladrão ~ **larapiar** *v.t.d.*

lardear (lar.de.ar) *v.* {mod. 5} *t.d.* **1** enfiar pedaços de toucinho em (peça de carne, p.ex.) **2** *p.ext.* passar através de; perfurar *<a espada lardeou seu corpo>* ◻ *t.d.i. fig.* **3** (prep. *em*) pôr (algo) de permeio em; entremear *<l. pitorescos casos na conversa>*

lareira (la.rei.ra) *s.f.* vão próximo da parte inferior de uma chaminé e no qual se acende fogo para aquecer um ambiente

largada (lar.ga.da) *s.f.* **1** ato de partir, de sair de um local; partida, saída **2** ato de dar o arranque, o impulso de partida em uma corrida, competição (atlética, automobilística etc.) *<os pilotos aguardam o sinal para dar a l.>* **3** ESP no voleibol, lance em que o atacante realiza o movimento da cortada e, no último instante, detém o braço, tocando a bola suavemente com a ponta dos dedos e colocando-a no campo adversário

largar (lar.gar) *v.* {mod. 1} *t.d.* **1** deixar escapar das mãos; soltar *<l. a coleira do cão>* ↺ segurar **2** segurar com menos força; afrouxar *<l. as rédeas do cavalo>* **3** deixar sair; soltar, lançar *<a chaminé largava fumaça>* **4** deixar ir ou fugir; soltar *<largue a criança e a deixe brincar!>* ↺ prender **5** deixar por distração, pressa; esquecer *<l. o guarda-chuva no táxi>* **6** deixar de estar junto de; separar-se *<na festa, não largou a mãe>* **7** projetar de si; emitir, soltar *<l. uma risada>* **8** desistir conscientemente de; abandonar *<l. a faculdade>* ◻ *t.d. e int.* **9** sair de (trabalho, serviço) após cumprir horário, tarefa *<a que horas você larga (o trabalho)?>* ◻ *t.i.* **10** (prep. *de*) não prosseguir com (ação, atitude etc.); parar, interromper *<largue de ser bobo, rapaz>* ↺ retomar ◻ *t.i.,int. e pron.* **11** ir embora de; partir *<há tempos largaram(-se) [de lá]>*

largo (lar.go) *adj.* **1** extenso no sentido transversal *<costas l.> <fenda l.>* ↺ estreito **2** amplo, extenso *<l. sorriso>* ↺ pequeno **3** farto, abundante *<l. almoço>* ↺ modesto **4** longo, prolongado *<l. ausência>* ↺ breve **5** vasto, abrangente *<l. experiência>* ↺ reduzido ■ *s.m.* **6** largura *<a sala tem cinco metros de l.>* **7** praça ('área urbanizada') ▣ **ao l. de** longe de *<manter-se ao l. das disputas>*

largueza (lar.gue.za) /ê/ *s.f.* **1** propriedade ou qualidade do que é largo; largura *<a l. do estreito de Magalhães no polo sul>* **2** *fig.* generosidade *<l. de contribuições>* ↺ egoísmo **3** *fig.* abundância, fartura *<l. de recursos para o ensino>* ↺ escassez

largura (lar.gu.ra) *s.f.* **1** dimensão perpendicular à altura ou ao comprimento **2** qualidade ou característica de largo

laringe (la.rin.ge) *s.f.* ANAT parte superior da traqueia, na qual se localizam as cordas vocais ~ **laríngeo** *adj.* - **laringiano** *adj.*

laringite (la.rin.gi.te) *s.f.* MED inflamação da mucosa da laringe

laringologia (la.rin.go.lo.gi.a) *s.f.* MED **1** ramo da medicina que estuda a laringe **2** especialidade médica que diagnostica e trata de doenças da laringe ~ **laringológico** *adj.* - **laringologista** *adj.2g.s.2g.*

larva (lar.va) *s.f.* ZOO estágio imaturo, independente e móvel, do ciclo de vida de alguns peixes, anfíbios e da maioria dos invertebrados

larval (lar.val) [pl.: *-ais*] ou **larvar** (lar.var) [pl.: *-es*] *adj.2g.* que diz respeito a larva

larvário (lar.vá.rio) *adj.* **1** larval ■ *s.m.* **2** abrigo ou ninho fabricado por larva de inseto

lasanha (la.sa.nha) *s.f.* CUL **1** massa comestível, feita com farinha de trigo, ovos e sal, que se corta em tiras largas **2** o prato feito com essa massa

lasca (las.ca) *s.f.* **1** estilhaço de madeira, pedra ou metal **2** *p.ext.* porção mínima de alguma coisa *<serviu--se de uma l. de queijo>*

lascado (las.ca.do) *adj.* **1** que se lascou ou quebrou em lascas *<xícara l.>* **2** aberto em fenda *<paletó l.>* **3** *N.E. infrm.* muito bom ou muito ruim *<um frevo l.> <dor de dente l.>* **4** *N.E. infrm.* arruinado, perdido *<o cabra apostou e agora está l.>* ■ *adv.* **5** em alta velocidade, em disparada *<saíram lascado fugindo da chuva>*

lascar (las.car) *v.* {mod. 1} *t.d.,int. e pron.* **1** tirar lasca(s) de, ou quebrar(-se) em lascas *<os cupins lascaram as prateleiras> <a xícara lascou(-se)>* □ *int. e pron.* □ *t.d. e t.d.i. fig. infrm.* **2** (prep. *em*) aplicar, assentar *<lascou um tapa na cara dela>* □ *t.d. fig. infrm.* **3** dizer (alguma coisa) de repente *<lascou um palavrão>* □ *pron. fig. B infrm.* **4** sair-se mal, não ter sucesso *<l.-se na prova>*

lascívia (las.cí.via) *s.f.* sensualidade exagerada; luxúria

lascivo (las.ci.vo) *adj.s.m.* **1** que(m) é propenso aos prazeres do sexo ■ *adj.* **2** que manifesta sensualidade *<decote l.>* ↺ casto

[1]***laser*** ® (la.ser) [ing.; pl.: *lasers*] *s.m.* ESP pequeno veleiro para lazer e regata, com casco de fibra de vidro e um único mastro ◉ ORIGEM ing. *Laser* 'id.', marca registrada da empresa que o fabrica ⇒ pronuncia-se lêizer

[2]***laser*** (la.ser) [ing.; pl.: *lasers*] *s.m.* aparelho que produz radiação eletromagnética e que tem múltiplas aplicações na indústria, medicina, engenharia ◉ ORIGEM ing. *laser* (1960), acrônimo do ing. *light amplification by stimulated emission of radiation* (amplificação de luz por emissão estimulada de radiação) ⇒ pronuncia-se lêizer

lassidão (las.si.dão) [pl.: *-ões*] *s.f.* **1** cansaço, fadiga ↺ vigor **2** desinteresse, tédio ↺ alegria

lasso (las.so) *adj.* **1** cansado, fatigado **2** que não está devidamente amarrado; frouxo *<fio l.>* ↺ apertado **3** dilatado, distendido *<estômago l.>* ↺ contraído **4** *fig.* de maus costumes; devasso ↺ decoroso

lástima (lás.ti.ma) *s.f.* **1** sentimento de pena **2** lamentação interminável; lamúria **3** avesso da fortuna; desgraça

lastimar (las.ti.mar) *v.* {mod. 1} *t.d.* **1** manifestar pesar por; lamentar **2** sentir pena de; condoer-se □ *t.d. e pron.* **3** causar ou sentir dor, sofrimento; afligir(-se) ↺ tranquilizar(-se) □ *pron.* **4** mostrar descontentamento, desgosto por; queixar-se, lamentar-se

lastimável (las.ti.má.vel) [pl.: *-eis*] *adj.2g.* que é digno de lástima *<esta rua se encontra num estado l.>*

lastimoso (las.ti.mo.so) /ô/ [pl. e fem.: /ó/] *adj.* **1** que provoca um sentimento de lástima, pena *<vimos a l. cena de muitas crianças desamparadas>* **2** que manifesta lástima, tristeza *<pranto l.>*

lastrar (las.trar) *v.* {mod. 1} *t.d.* **1** pôr peso em (embarcação) **2** *p.ext.* acrescentar peso a (algo), para torná-lo mais firme *<l. um caminhão>* □ *int. fig.* **3** lançar-se em muitas direções; alastrar-se *<a doença lastrou>*

lastro (las.tro) *s.m.* **1** peso us. em porões de navio para lhe dar estabilidade **2** *p.ext.* qualquer peso para manter algo submerso **3** base sólida que legitima ou autoriza alguma coisa; fundamento *<sua teoria tem l. religioso>* **4** ECON depósito em ouro que serve como garantia ao papel-moeda

lata (la.ta) *s.f.* **1** folha de flandres **2** recipiente feito desse material

latada (la.ta.da) *s.f.* grade de ripas us. para sustentar parreiras, trepadeiras etc.

latagão (la.ta.gão) [pl.: *-ões*; fem.: *latagona*] *s.m. infrm.* homem jovem, robusto e alto

latão (la.tão) [pl.: *-ões*] *s.m.* liga de cobre e zinco, us. para fabricar diversos objetos (p.ex., bacias, tachos etc.)

lataria (la.ta.ri.a) *s.f. B* **1** grande quantidade de latas **2** *p.ext.* conjunto de conservas alimentícias enlatadas **3** *p.ext.* carroceria de automóvel

látego (lá.te.go) *s.m.* **1** correia ou corda própria para açoitar; chicote, açoite **2** *fig.* pena ou punição que se inflige a pessoa ou animal; castigo ↺ recompensa **3** *fig.* aquilo que incita à atividade, à realização de algo; estímulo ↺ desestímulo

latejar (la.te.jar) *v.* {mod. 1} *int.* dilatar-se e contrair--se ritmicamente; palpitar, pulsar *<a enxaqueca fazia a sua cabeça l.>* ~ **latejante** *adj.2g.*

latente (la.ten.te) *adj.2g.* que está presente, mas sem manifestação visível ou perceptível *<perigo l.> <sentimento l.>* ↺ manifesto ~ **latência** *s.f.*

láteo (lá.teo) *adj.* → ***LÁCTEO***

lateral (la.te.ral) [pl.: *-ais*] *adj.2g.* **1** relativo a lado *<dimensão l.>* **2** que se situa ao lado *<entrada l.>* **3** *fig.* que fica à margem; secundário, acessório *<considerações l.>* ↺ fundamental ■ *s.f.* ESP **4** linha que representa o comprimento do campo ou quadra ■ *s.m.* ESP **5** no futebol, jogador que atua nas proximidades dessa linha; ala ~ **lateralidade** *s.f.*

látex (lá.tex) /cs/ *s.m.2n.* BOT substância líquida, espessa e ger. leitosa, presente em algumas plantas, e que é matéria-prima da borracha

laticínio (la.ti.cí.nio) *s.m.* alimento derivado do leite

latido (la.ti.do) *s.m.* **1** ação de latir **2** voz do cão; ladrado, ladrido

latifundiário (la.ti.fun.di.á.rio) *adj.* **1** relativo a latifúndio *<terras l.>* ■ *s.m.* **2** proprietário de latifúndio

latifúndio (la.ti.fún.dio) *s.m.* grande propriedade rural com áreas não cultivadas e/ou onde se pratica alguma cultura não dispendiosa

latim (la.tim) [pl.: *-ins*] *s.m.* **1** LING língua indo-europeia falada no Império Romano e modernamente conservada na nomenclatura científica e como língua oficial da Igreja católica ☞ cf. *Império Romano* na parte enciclopédica **2** *fig. infrm.* aquilo que é difícil de se entender

latinismo (la.ti.nis.mo) *s.m.* LING palavra ou expressão própria da língua latina ou dela proveniente

latinista (la.ti.nis.ta) *adj.2g.s.2g.* que(m) é estudioso da língua e literatura latinas

latinizar (la.ti.ni.zar) *v.* {mod. 1} *t.d.* **1** dar forma latina a (texto, palavra etc.) **2** traduzir para o latim □ *t.d. e pron.* **3** tornar(-se) conforme com ideias, costumes dos latinos ou com os ritos e as doutrinas da Igreja católica romana ~ **latinização** *s.f.*

latino (la.ti.no) *adj.* **1** relativo ao latim ou aos povos cujas línguas derivam do latim **2** do Lácio, antiga região da Itália ■ *s.m.* **3** natural ou habitante dessa região ■ *adj.s.m.* **4** diz-se de ou cada um dos indivíduos ou povos da Europa e da América falantes de línguas neolatinas

latino-americano (la.ti.no-a.me.ri.ca.no) [pl.: *latino--americanos*] *adj.s.m.* (natural ou habitante) de qualquer um dos países da América de língua neolatina

latir (la.tir) *v.* {mod. 24} *int.* soltar latidos (o cão); ladrar ◉ GRAM/USO só us. nas 3as p., exceto quando fig.

latitude (la.ti.tu.de) *s.f.* distância, medida em graus, que separa do equador um ponto do globo terrestre ☞ cf. *longitude* ~ **latitudinal** adj.2g.

L

lato (la.to) *adj.* de grande amplitude; não restrito *<sentido l. de uma palavra>* ↺ restrito

latoaria (la.to.a.ri.a) *s.f.* **1** loja em que se vendem latas, objetos de latão, de folha de flandres etc. **2** oficina ou ofício de latoeiro

latoeiro (la.to.ei.ro) *s.m.* indivíduo que trabalha ou vende objetos de lata ou de latão; funileiro

latrina (la.tri.na) *s.f.* **1** vaso sanitário **2** local reservado que contém um vaso sanitário ou outro aparato para recolher dejeções

latrocínio (la.tro.cí.nio) *s.m.* DIR roubo à mão armada, seguido de morte ou de graves lesões corporais da vítima

lauda (lau.da) *s.f.* **1** cada lado de uma folha de papel **2** cada uma das folhas escritas (manuscritas, datilografadas ou produzidas em computador) apenas em uma face do papel, que integra texto destinado a publicação ou difusão por TV ou rádio

láudano (láu.da.no) *s.m.* **1** FARM sedativo feito de ópio **2** *fig.* algo que alivia

laudatório (lau.da.tó.rio) *adj.* que louva ou contém louvor *<discurso l.>* ↺ depreciativo

laudo (lau.do) *s.m.* texto que contém parecer de um especialista *<l. médico> <l. pericial>*

láurea (láu.rea) *s.f.* ou **laurel** (lau.rel) [pl.: *-éis*] *s.m.* **1** coroa de louros **2** prêmio concedido em reconhecimento a um mérito

laurear (lau.re.ar) *v.* {mod. 5} *t.d.* **1** colocar coroa de louros em **2** premiar por mérito; galardoar **3** *p.ext.* conceder prêmio a; recompensar *<a vitória laureou seu esforço>* **4** *fig.* render homenagem a; exaltar *<o público laureava o seu cantor preferido>*

laurel (lau.rel) [pl.: *-éis*] *s.m.* → ***LÁUREA***

laurêncio (lau.rên.cio) *s.m.* QUÍM elemento químico da família dos actiniídeos [Símb.: *Lr*] ☞ cf. *tabela periódica* (no fim do dicionário)

lauto (lau.to) *adj.* farto, abundante, magnífico *<l. banquete>* ↺ escasso

lava (la.va) *s.f.* **1** magma expelido de um vulcão em erupção **2** essa substância depois de fria e solidificada

lavabo (la.va.bo) *s.m.* **1** local para lavar as mãos **2** pequeno cômodo provido de pia e vaso sanitário

lavadeira (la.va.dei.ra) *s.f.* **1** mulher que lava roupa **2** máquina us. na lavagem de lãs **3** *p.ext. pej.* mulher grosseira de condição modesta **4** ZOO libélula

lavadora (la.va.do.ra) /ô/ *s.f.* máquina automática de lavar roupa ou louça

lavadouro (la.va.dou.ro) *s.m.* **1** tanque us. para lavar roupa **2** pedra sobre a qual se ensaboa a roupa

lavagem (la.va.gem) [pl.: *-ens*] *s.f.* **1** limpeza pela ação de líquido, esp. água **2** introdução de água num órgão (intestino, estômago etc.) para remover corpos estranhos ou substâncias nocivas **3** comida para porcos ▣ **l. a seco** limpeza de roupas utilizando produtos químicos, sem adição de água • **l. cerebral** processo de coerção psicológica que leva uma pessoa a adotar ideias e comportamentos contrários aos seus • **l. de dinheiro** operação que simula uma origem lícita para dinheiro oriundo de atividades criminosas

lava-louça (la.va-lou.ça) [pl.: *lava-louças*] *s.2g.* ou **lava-louças** (la.va-lou.ças) *s.2g.2n.* eletrodoméstico para lavagem e secagem de louça e outros utensílios de cozinha

lavanda (la.van.da) *s.f.* **1** BOT alfazema **2** essência extraída dessa planta **3** água-de-colônia feita com essa essência **4** pequena taça com água e limão para lavar os dedos durante ou após a refeição

lavanderia (la.van.de.ri.a) *s.f.* estabelecimento ou local da casa em que se lavam e passam roupas

lava-pés (la.va-pés) *s.m.2n.* **1** REL cerimônia católica na qual o sacerdote reproduz a cena de Jesus lavando os pés dos apóstolos **2** ZOO pequena formiga cuja ferroada é dolorosa

lavar (la.var) *v.* {mod. 1} *t.d.* **1** limpar (algo) por ação de um líquido, esp. água *<l. as mãos> <l. roupas>* **2** cercar ou passar junto de; banhar *<rios bravios lavam a cidade>* **3** tornar (cor) mais suave, misturando com água; diluir ↺ concentrar **4** *fig.* tornar legal (dinheiro ilícito) por meio de fraude □ *t.d. e pron.* **5** dar ou tomar banho; banhar(-se) *<lavou o bebê com todo o carinho> <vá l.-se antes de comer>* □ *t.d.,t.d.i. e pron. fig.* **6** livrar(-se) de manchas morais; purificar(-se) *<o arrependimento irá lavá-lo (dos erros cometidos)> <l.-se de uma calúnia>* □ *t.d. e int.* **7** trabalhar como lavadeira

lavatório (la.va.tó.rio) *s.m.* **1** móvel com bacia e jarro ou pia para lavar as mãos e o rosto **2** banheiro com pia; lavabo

lavor (la.vor) /ô/ [pl.: *-es*] *s.m.* trabalho, esp. artesanal ☞ cf. *labor* ~ **lavorar** *v.t.d.*

lavoura (la.vou.ra) *s.f.* **1** o cultivo da terra; lavra *<dedicar-se à l.>* **2** *fig.* a terra cultivada; lavra, lavradio *<é dono de uma bela l.>*

lavra (la.vra) *s.f.* **1** lavoura **2** extração de metais **3** local de onde se extrai metal ou pedras preciosas

lavradio (la.vra.di.o) *adj.* **1** bom para a lavoura *<terreno l.>* ■ *s.m.* **2** lavoura ('terra cultivada')

lavrador (la.vra.dor) /ô/ [pl.: *-es*] *adj.s.m.* que(m) trabalha na lavoura

lavragem (la.vra.gem) [pl.: *-ens*] *s.f.* **1** lavoura ('terra cultivada') **2** trabalho artesanal em madeira

lavrar (la.vrar) *v.* {mod. 1} *t.d.* **1** revolver e sulcar (a terra), preparando-a para o cultivo; arar **2** fazer lavores ou ornatos em (metal, couro, peça etc.) **3** [2]lapidar (pedra bruta) **4** *fig.* gastar, corroer *<as intempéries haviam lavrado os rochedos>* **5** DIR ordenar por escrito; decretar *<l. uma sentença>* **6** fazer registro escrito de (ata, escritura etc.); redigir **7** expressar por escrito ou verbalmente *<l. um protesto>*

lavratura (la.vra.tu.ra) *s.f.* DIR ação de lavrar (ata, escritura, documento etc.)

laxante (la.xan.te) ou **laxativo** (la.xa.ti.vo) *adj.2g.* **1** que afrouxa, dilata ↺ redutor ■ *adj.2g.s.m.* FARM **2** (medicamento) que trata a prisão de ventre

laxar (la.xar) *v.* {mod. 1} *t.d.* **1** deixar laxo, frouxo; afrouxar ↺ apertar **2** *fig.* tirar a energia de; enfraquecer *<l. os ânimos>* ↺ fortalecer □ *t.d. e pron.* **3** (deixar) correr livremente o conteúdo de (esp. intestino); soltar(-se) *<um medicamento para l. os intestinos>* *<seus intestinos laxaram-se com as mudanças na alimentação>*

laxativo (la.xa.ti.vo) *adj.s.m.* → *LAXANTE*

laxo (la.xo) *adj.* **1** não esticado; frouxo ↺ apertado **2** *fig.* sem vigor; fraco, franzino

layout (lay.out) [ing.] *s.m.* ver *LEIAUTE* ⇒ pronuncia-se leiaute

lazarento (la.za.ren.to) *adj.s.m.* **1** que(m) tem lepra **2** que(m) possui muitas feridas, chagas

lazareto (la.za.re.to) /ê/ *s.m.* **1** hospital para leprosos; leprosário **2** local onde os suspeitos de doenças contagiosas ficam de quarentena

lázaro (lá.za.ro) *s.m.* **1** leproso **2** quem tem feridas ■ *adj.s.m.* **3** que(m) vive em extrema pobreza; desgraçado, miserável ↺ afortunado

lazeira (la.zei.ra) *s.f.* **1** azar ↺ sorte **2** hanseníase, lepra **3** carência alimentar; fome, subnutrição **4** estado de prostração, moleza; preguiça **5** vantagem sobre algo, alguém ou prazo estipulado *<ganhou a corrida com enorme l.>* ~ **lazeirento** *adj.*

lazer (la.zer) /ê/ [pl.: *-es*] *s.m.* **1** tempo que se aproveita para recreação **2** atividade que se pratica nesse tempo **3** *p.ext.* descanso, repouso

lb FÍS símbolo de *libra*

leal (le.al) [pl.: *-ais*] *adj.2g.* **1** honesto, íntegro ↺ desleal **2** responsável com os compromissos assumidos; fiel ↺ descumpridor

lealdade (le.al.da.de) *s.f.* fidelidade ou respeito aos compromissos assumidos

leão (le.ão) [pl.: *-ões*; fem.: *leoa*] *s.m.* **1** ZOO felino de grande porte, cauda longa e juba, que vive em savanas e campos de arbustos e caça grandes mamíferos **2** *fig.* homem valente ↺ covarde **3** *B infrm.* órgão responsável pela arrecadação do imposto de renda **4** ASTR quinta constelação zodiacal, situada entre Câncer e Virgem ☞ inicial maiúsc. **5** ASTRL quinto signo do zodíaco (de 22 de julho a 22 de agosto) ☞ inicial maiúsc. **6** ASTRL leonino *<ele é l. de agosto>*

leão de chácara (le.ão de chá.ca.ra) [pl.: *leões de chácara*] *s.m. infrm.* segurança de boates, casas de diversão etc.

leão-marinho (le.ão-ma.ri.nho) [pl.: *leões-marinhos*] *s.m.* ZOO mamífero marinho, com pequenas orelhas externas, nadadeiras que auxiliam a locomoção terrestre e cauda curta; lobo-marinho

lebre (le.bre) *s.f.* ZOO mamífero semelhante ao coelho, porém maior e mais veloz ◉ GRAM/USO masc.: *lebrão* ▣ **levantar a l.** suscitar uma questão

lechia (le.chi.a) ou **lichia** (li.chi.a) *s.f.* BOT fruto, cujo arilo branco e doce é comestível, da árvore de mesmo nome

lecionar (le.cio.nar) *v.* {mod. 1} *t.d. e t.d.i.* **1** (prep. *a*) ministrar lição de (matéria, disciplina); ensinar *<l. estatística (a estudantes de psicologia)>* □ *int.* **2** exercer o magistério *<meu pai leciona há 30 anos>*

lecitina (le.ci.ti.na) *s.f.* BIOQ certo lipídio presente em determinados tecidos animais e vegetais

LED [ing.] *s.m.* dispositivo constituído por um díodo que emite luz ⇒ pronuncia-se léd

ledo (le.do) /ê/ *adj.* contente, risonho ↺ desolado, tristonho

legação (le.ga.ção) [pl.: *-ões*] *s.f.* **1** cargo de [2]legado **2** residência ou local de trabalho do [2]legado

[1]**legado** (le.ga.do) *s.m.* **1** doação que é discriminada em testamento **2** *fig.* o que é transmitido às gerações que se seguem; herança *<o l. moral de Joaquim Nabuco>* ◉ ORIGEM do lat. *legātum,ī* 'id.'

[2]**legado** (le.ga.do) *adj.s.m.* que(m) é enviado por um governo para representá-lo em outro Estado ◉ ORIGEM do lat. *legātus,ī* 'embaixador'

legal (le.gal) [pl.: *-ais*] *adj.2g.* **1** definido por lei ou de acordo com ela *<dispositivo l.>* ↺ ilegal **2** *B* gír. palavra que atribui qualidade positiva *<pessoa l.>* *<dica l.>* *<decisão l.>* *<história l.>*

legalidade (le.ga.li.da.de) *s.f.* **1** conformidade com a lei ↺ ilegalidade **2** conjunto das determinações constantes das leis ↺ ilegalidade

legalizar (le.ga.li.zar) *v.* {mod. 1} *t.d.* **1** certificar a verdade de (assinatura, ato); autenticar **2** munir com o que é indispensável ou suficiente para a legalidade; legitimar *<l. o jogo do bicho>* ~ **legalização** *s.f.*

legar (le.gar) *v.* {mod. 1} *t.d.i.* **1** (prep. *a*) deixar como herança a *<legou a um primo a direção da firma>* **2** *fig.* (prep. *a*) transmitir, passar *<l. bons exemplos aos filhos>* □ *t.d.* **3** enviar (alguém) em caráter oficial

legatário (le.ga.tá.rio) *s.m.* aquele a quem se deixou um [1]legado

legenda (le.gen.da) *s.f.* **1** história da vida de um santo **2** narração fabulosa; lenda **3** letreiro, rótulo **4** texto explicativo que acompanha gravuras, mapas etc. **5** letreiro sobreposto à imagem de um filme estrangeiro, traduzindo a fala dos personagens

legendário (le.gen.dá.rio) *adj.* **1** relativo a legendas ('vida de um santo') **2** fabuloso; lendário ↺ real ■ *s.m.* **3** coletânea de legendas ('vida de um santo')

legião (le.gi.ão) [pl.: *-ões*] *s.f.* **1** MIL entre os antigos romanos, grande unidade do exército, com infantaria e cavalaria **2** MIL divisão de qualquer exército **3** MIL regimento de voluntários, esp. estrangeiros, a serviço de um país **4** *fig.* grande número de pessoas ou coisas **5** associação política, assistencial etc.

legibilidade (le.gi.bi.li.da.de) *s.f.* **1** clareza (de letra) para leitura **2** característica do que se lê com facilidade

legionário (le.gio.ná.rio) *adj.* **1** pertencente a legião ■ *s.m.* **2** soldado de uma legião do exército

legislação (le.gis.la.ção) [pl.: *-ões*] *s.f.* **1** conjunto das leis que regulam algo **2** conjunto de leis do sistema jurídico de um país ou de determinado campo de atividades *<a l. brasileira> <l. fiscal>* ~ **legislatório** *adj.*

legislar (le.gis.lar) *v.* {mod. 1} *t.d. e int.* formular, estabelecer (leis, regras, princípios); determinar *<l. uma matéria> <só ao Congresso cabe l.>* ~ **legislador** *adj.s.m.*

legislativo (le.gis.la.ti.vo) *adj.* **1** que faz as leis ■ *s.m.* **2** o poder legislativo ☞ tb. us. com inicial maiúsc.

legislatura (le.gis.la.tu.ra) *s.f.* **1** tempo de mandato dos legisladores e das assembleias legislativas **2** conjunto de poderes a que se atribui a faculdade de legislar *<a Câmara dos Deputados e o Senado compõem a l. brasileira>* **3** sessão do poder legislativo

legista (le.gis.ta) *adj.2g.s.2g.* **1** DIR especialista em leis **2** MED especialista em medicina legal; médico-legista

legítima (le.gí.ti.ma) *adj.* DIR parte da herança destinada, por lei, aos herdeiros necessários, descendentes ou ascendentes, e correspondente à metade dos bens do espólio

legitimar (le.gi.ti.mar) *v.* {mod. 1} *t.d. e pron.* **1** tornar (-se) conforme com a lei; legalizar *<l. um título de propriedade> <a sua candidatura ainda precisa l.-se>* □ *t.d.* **2** DIR reconhecer (filho) como legítimo **3** reconhecer como autêntico, verdadeiro; autenticar *<o timbre da presidência legitima o documento>* **4** admitir como legítimo, justo, razoável; justificar *<as descobertas posteriores legitimaram suas suspeitas>* ~ **legitimação** *s.f.*

legítimo (le.gí.ti.mo) *adj.* **1** que está amparado em lei *<autoridade l.>* ↺ ilegal **2** explicado pelo bom senso, pela razão; justo *<motivos l.>* ↺ ilógico **3** verdadeiro, sem alterações; autêntico *<um quadro l.>* ↺ falso **4** concebido no matrimônio (diz-se de filho) ↺ ilegítimo, adulterino ~ **legitimidade** *s.f.*

legível (le.gí.vel) [pl.: *-eis*] *adj.2g.* que se lê com facilidade ◉ GRAM/USO sup.abs.sint.: *legibilíssimo*

Lego ® (Le.go) *s.m.* RECR brinquedo de armar feito de pequenas peças plásticas de encaixe que permitem criar variadíssimas formas

legorne (le.gor.ne) *adj.2g.s.2g.* **1** diz-se de ou raça de galinha poedeira ■ *s.2g.* **2** essa galinha

légua (lé.gua) *s.f.* medida de distância equivalente, no Brasil, a 6.600 metros ▣ **a léguas** a grande distância; longe *<a casa fica a léguas daqui>*

legume (le.gu.me) *s.m.* BOT **1** qualquer um dos diferentes frutos e raízes us. na alimentação humana, como a abóbora, o pepino, o tomate, a cenoura, a batata e a beterraba *<sopa de legumes> <comprou verduras e legumes na feira>* **2** fruto característico das leguminosas; vagem

leguminosa (le.gu.mi.no.sa) *s.f.* BOT espécime das leguminosas, família de plantas cujos frutos são vagens, favas etc.

lei *s.f.* **1** regra prescrita por autoridade soberana **2** conjunto de regras resultantes dos costumes, tradições e convenções de determinada época ou cultura *<as l. da moda>* **3** aquilo que se impõe ao homem por sua razão, consciência ou por determinadas condições ou circunstâncias *<as l. do destino>* **4** expressão que define as relações constantes entre os fenômenos naturais *<as l. da física>* **5** regra ou relação constante entre fenômenos humanos *<l. da oferta e da procura>* **6** fórmula abstrata ou concreta do que é certo ou concordante com padrão estabelecido; norma, regra *<as l. da gramática>* ▣ **l. da oferta e da procura** ECON princípio que rege o preço dos produtos no mercado, segundo a tendência que tem um produto de subir de preço quando a sua procura é maior do que a oferta e de baixar de preço quando ocorre o contrário • **l. da selva** *B* lei estabelecida pelo mais forte, que impõe a sua vontade aos mais fracos • **l. de talião** DIR pena de talião • **l. do cão** *infrm.* regime extremamente duro, desumano • **l. maior** ou **magna** DIR a constituição de um país • **l. seca** **1** disposição legal que proíbe temporariamente a venda de bebidas alcoólicas *<nas eleições, é preciso respeitar a l. seca>* **2** *B* lei que estabelece penalidades para quem é flagrado ao dirigir veículo após consumir bebidas alcoólicas

leiaute (lei.au.te) *s.m.* GRÁF esboço ou projeto de um anúncio ou de qualquer obra gráfica etc. ~ **leiautar** *v.t.d.* - **leiautista** *s.2g.*

leigo (lei.go) *adj.s.m.* **1** laico **2** que(m) não é perito em determinado assunto, profissão etc. ↺ profissional ~ **leiguice** *s.f.*

leilão (lei.lão) [pl.: *-ões*] *s.m.* venda pública de imóveis, terrenos, objetos a quem oferecer maior lance ('preço'); hasta ~ **leiloamento** *s.m.*

leiloar (lei.lo.ar) *v.* {mod. 1} *t.d.* **1** colocar ou vender em leilão **2** apregoar em leilão

leiloeiro (lei.lo.ei.ro) *s.m.* **1** quem organiza leilões **2** quem apregoa em leilões

leira (lei.ra) *s.f.* **1** canteiro para receber sementes e mudas **2** pequeno campo cultivado

leishmaniose (leish.ma.ni.o.se) *s.f.* MED infecção causada por um gênero de protozoários, parasita de tecidos de vertebrados, que, em suas várias formas, pode provocar lesões na boca, nariz e faringe, ou febre, anemia, aumento do baço e do fígado; transmitida ao homem pela picada de certos mosquitos

leitão (lei.tão) [pl.: *-ões*; fem.: *leitoa*] *s.m.* **1** porco novo **2** prato preparado com esse porco *<l. assado>* ◉ COL alfeire, leitegada, vara ◉ VOZ v. e subst.: *bacorejar* e *grunhir*

leite (lei.te) *s.m.* **1** líquido secretado pelas glândulas mamárias das mulheres e fêmeas dos mamíferos **2** leite de alguns mamíferos domésticos (esp. da vaca) destinado à alimentação humana **3** seiva branca encontrada em certas plantas e frutos **4** *p.ext.* líquido com a aparência do leite *<l. de magnésia>*

leitegada (lei.te.ga.da) *s.f.* ninhada de leitões

leiteira (lei.tei.ra) *s.f.* **1** vasilha em que se serve leite **2** panela us. para ferver leite

leiteiro (lei.tei.ro) *adj.* **1** produtor de leite *<vaca l.> <fazenda l.>* **2** que transporta leite *<caminhão l.>* ■ *s.m.* **3** quem vende ou entrega leite

leiteria (lei.te.ri.a) *s.f.* **1** estabelecimento em que o leite recebe tratamento para consumo ou para fabricação de derivados **2** local especializado na venda de leite e derivados **3** pequeno restaurante que serve refeições ligeiras, ger. à base de laticínios (coalhada, queijos etc.)

leito (lei.to) *s.m.* **1** cama **2** solo do fundo de um rio, riacho etc. **3** superfície ou camada que serve de base *<o l. de uma estrada>*

leitor (lei.tor) /ô/ [pl.: *-es*] *adj.s.m.* **1** que(m) lê para si mesmo, mentalmente, ou para alguém, em voz alta **2** que(m) tem o hábito de ler **3** (aparelho) que lê códigos, sinais, dados microfilmados etc.

leitoso (lei.to.so) /ô/ [pl. e fem.: */ó/*] *adj.* **1** relativo a leite; lácteo **2** que tem a cor e/ou o aspecto do leite

leitura (lei.tu.ra) *s.f.* **1** o ato ou o hábito de ler **2** o que se lê **3** *fig.* maneira de compreender um texto, uma mensagem, um fato *<sua l. do filme foi limitada>* **4** o ato de decifrar qualquer notação ou o seu resultado *<l. de um termômetro, de uma partitura>*

lema (le.ma) *s.m.* norma ou frase, ger. curta, que resume um ideal; emblema, divisa ~ **lemático** *adj.*

lembrança (lem.bran.ça) *s.f.* **1** memória; recordação *<seu rosto não me sai da l.>* **2** aquilo que vem à mente como resultado de experiências vividas; reminiscência *<guarda boas l. da infância>* **3** o que se oferece como presente; mimo ▼ ***lembranças*** *s.f.pl.* **4** expressão de amizade; cumprimentos *<dê l. a seus pais>*

lembrar (lem.brar) *v.* {mod. 1} *t.d.,t.d.i. e pron.* **1** (prep. *a, de*) trazer à memória (de); recordar(-se) *<conversavam lembrando os tempos passados> <lembrou ao amigo a antiga promessa> <lembro-me do João com saudade>* ↺ esquecer(-se) □ *t.d. e t.d.i.* **2** (prep. *a*) fazer surgir na mente por associação de ideias; sugerir *<um gosto que lembrava o das amoras> <tudo na casa lembrava a Lia o avô>* □ *t.d.i.* **3** (prep. *de*) advertir sobre (o que vai ou pode ocorrer); prevenir *<o juiz lembrou a testemunha de que seria punida se mentisse>* **4** (prep. *a*) mandar lembranças; recomendar *<quando encontrar o Pedro, lembre-nos a ele>*

lembrete (lem.bre.te) /ê/ *s.m.* **1** papel com anotação sobre algo que não deve ser esquecido **2** *p.ext.* o conteúdo dessa anotação **3** qualquer recurso us. com essa finalidade *<deixe a chave ali, como l. para fechar a porta>*

leme (le.me) *s.m.* **1** equipamento instalado na popa de barcos e na cauda de aviões para determinar sua direção **2** *fig.* condução de negócios, empresa, situação; governo, direção *<o cunhado assumiu o l. dos negócios da família>*

lêmure (lê.mu.re) *s.m.* ZOO nome comum a diversos primatas africanos da família dos lemurídeos, esguios, de pelagem densa e macia, e de cauda e focinho longos

lêmure-voador (lê.mu.re-vo.a.dor) [pl.: *lêmures-voadores*] *s.m.* ZOO nome comum a mamíferos noturnos e arborícolas, encontrados nas florestas tropicais da Ásia, cujos membros são ligados por uma prega de pele, o que lhes permite planar

lemurídeo (le.mu.rí.deo) *s.m.* ZOO **1** espécime dos lemurídeos, família de primatas que compreende os lêmures, noturnos e arborícolas, de focinho comprido, dedos com garras ou unhas achatadas, cauda longa e pelagem grossa ■ *adj.* **2** relativo a essa família

lenço (len.ço) *s.m.* pedaço de tecido us. para assoar o nariz, enxugar o suor do rosto etc. e/ou ornar ou proteger a cabeça e o pescoço ▣ **l. de papel** lenço retangular descartável e esterilizado, feito de papel fino e macio, que se usa para assoar o nariz, remover maquiagem etc.

lençol (len.çol) [pl.: *-óis*] *s.m.* **1** peça retangular de tecido que se usa para forrar o colchão e/ou para servir de coberta **2** grande extensão natural de água, petróleo etc. existente no subsolo **3** FUTB lance em que o jogador chuta a bola por cima do adversário e a recupera logo em seguida ▣ **l. freático** lençol de água subterrâneo, em nível pouco profundo, que pode ser explorado por poços

lenda (len.da) *s.f.* **1** narrativa fantástica **2** narrativa popular vista como fato histórico, mas sem comprovação **3** pessoa ou coisa que inspira uma dessas narrativas *<esse jogador é uma l.>* **4** o tema dessa narrativa *<a l. dos seus gols>*

lendário (len.dá.rio) *adj.* **1** que diz respeito a lenda; legendário **2** fictício, legendário ↺ real **3** muito conhecido; célebre *<uma trajetória l.>* ↺ desconhecido

lêndea (lên.dea) *s.f.* ZOO ovo do piolho, que adere à base dos cabelos ou dos pelos

lenga-lenga (len.ga-len.ga) [pl.: *lenga-lengas*] *s.f.* conversa ou narrativa enfadonha; ladainha

lenha (le.nha) *s.f.* **1** pedaço de madeira us. como combustível **2** *fig. B* gír. coisa difícil, problemática *<subir essa ladeira é l.>*

lenhador (le.nha.dor) /ô/ [pl.: *-es*] *adj.s.m.* **1** (o) que colhe ou racha troncos para fazer lenha **2** derrubador profissional de árvores; madeireiro *<os l. do Canadá>*

lenho (le.nho) *s.m.* **1** BOT tecido, em certos vegetais, responsável pelo aumento da espessura e rigidez dos caules **2** tronco ou peça grossa de madeira **3** tronco de árvore cortado, sem galhos ou folhas

lenhoso (le.nho.so) /ô/ [pl. e fem.: */ó/*] *adj.* **1** semelhante a madeira; lígneo **2** BOT que tem os tecidos enrijecidos (diz-se de planta, vaso etc.)

lenimento (le.ni.men.to) *s.m.* **1** o que alivia ou suaviza **2** medicamento para aliviar dores

lenir (le.nir) *v.* {mod. 24} *t.d.* tornar mais fácil de suportar; aliviar, suavizar ↺ intensificar ◉ GRAM/USO verbo defectivo

lenitivo (le.ni.ti.vo) *adj.s.m.* **1** (medicamento) que alivia dores **2** *p.ext.* (o) que traz conforto, alívio

lenocínio (le.no.cí.nio) *s.m.* ação de explorar, estimular ou favorecer a prostituição

[1]**lente** (len.te) *s.f.* **1** corpo transparente, de superfície ou superfícies curvas, que aumenta, diminui ou torna mais nítido o que é visto através dele *<l. de aumento> <preciso limpar as l. dos meus óculos>* **2** ANAT corpo transparente em forma de lente, na parte anterior do olho; cristalino ◉ GRAM/USO dim.irreg.: *lentícula* ◉ ORIGEM do lat. *lens,lentis* 'lentilha (planta)' ▣ **l. de contato** pequena lente que cobre a região da córnea, us. para corrigir a visão ~ **lenticular** *adj.2g.*

[2]**lente** (len.te) *s.2g.* professor universitário ◉ ORIGEM do lat. *legens,entis* 'o que lê'

lentejoula (len.te.jou.la) *s.f.* → ***LANTEJOULA***

lentidão (len.ti.dão) [pl.: *-ões*] *s.f.* **1** qualidade ou característica do que é lento **2** falta de agilidade, de rapidez; morosidade ↺ ligeireza

L

lentilha (len.ti.lha) *s.f.* **1** planta leguminosa com vagens curtas, contendo uma ou duas sementes em forma de disco **2** essa semente, us. como alimento

lentivírus (len.ti.ví.rus) *s.m.2n.* MICRBIO família de vírus, como o HIV, responsáveis por doenças de evolução lenta que atingem esp. o sistema nervoso central e o sistema imunológico

-lento *suf.* equivale a *-ento*

lento (len.to) *adj.* **1** a que falta rapidez e/ou agilidade; vagaroso *<carro l.> <passos l.>* ↺ veloz **2** que se prolonga no tempo; demorado *<digestão l.>* ↺ rápido **3** pausado, espaçado *<pulso l.> <ritmo cardíaco l.>* **4** sem agilidade física ou mental ↺ ativo

leoa (le.o.a) /ô/ *s.m.* **1** fêmea do leão **2** *fig.* mulher que demonstra garra, que defende seus objetivos com determinação

leonino (le.o.ni.no) *adj.* **1** relativo ou semelhante a leão, digno de sua imagem *<força l.>* **2** *fig.* injusto, tendencioso *<uma divisão l.>* ■ *adj.s.m.* **3** ASTRL que(m) é do signo de Leão

leopardo (le.o.par.do) *s.m.* **1** ZOO grande felino encontrado na África e Ásia, de pelo amarelado, com manchas negras de forma e tamanho variados **2** *p.ext.* a pele desse felino

lépido (lé.pi.do) *adj.* **1** que aparenta jovialidade, alegria ↺ melancólico **2** que demonstra agilidade; ligeiro ↺ lento ~ **lepidez** *s.f.*

lepidóptero (le.pi.dóp.te.ro) *s.m.* **1** ZOO espécime dos lepidópteros, ordem de insetos que apresentam quatro asas cobertas de escamas e peças bucais adaptadas para sucção (p.ex., as borboletas e mariposas) ■ *adj.* **2** relativo a essa ordem ou a esse espécime

leporino (le.po.ri.no) *adj.* relativo a lebre ☞ cf. *lábio leporino*, no verbete *lábio*

lepra (le.pra) *s.f.* MED hanseníase

leprosário (le.pro.sá.rio) *s.m.* local destinado ao tratamento de pessoas com lepra

leproso (le.pro.so) /ô/ [pl. e fem.: /ó/] *adj.* **1** relativo a lepra ■ *adj.s.m.* **2** que(m) tem lepra

leptospirose (lep.tos.pi.ro.se) *s.f.* MED infecção causada por uma bactéria, ger. devido ao contato com a urina de ratos infectados, que provoca febre, dores musculares e amarelecimento da pele

leque (le.que) *s.m.* **1** abano manual feito de material leve, ger. em forma de semicírculo, que abre e fecha **2** *p.ext.* qualquer coisa com a forma de um leque aberto *<l. de cartas>* **3** *fig.* conjunto, série de coisas *<um l. de opções>*

ler *v.* {mod. 11} *t.d. e int.* **1** percorrer com a vista ou com os dedos, no caso de texto em braille, (texto, palavra etc.), interpretando-o, decifrando-o, falando em voz alta ou não *<l. o jornal> <leu um livro em braille> <aprendeu a l. cedo>* □ *t.i. e t.d.i.* **2** (prep. *a*, *para*) enunciar em voz alta (um escrito) *<l. (histórias) para os filhos>* □ *t.d.* **3** examinar, estudar (conteúdo de texto, obra etc.) *<l. as próprias anotações antes da prova>* **4** interpretar, compreender (ideia, conceito etc.) *<há mais de uma maneira de l. um filósofo>* **5** *fig.* perceber a partir de indícios; deduzir *<leu meu pensamento sem que eu dissesse nada>* **6** *fig.* predizer por meio de presságios; adivinhar *<l. a sorte de alguém> <l. o futuro>* **7** decifrar, reconhecer (informação) por mecanismo de leitura próprio *<comprei uma máquina para l. códigos de barras>* ~ **ledor** *adj.s.m.*

lerdeza (ler.de.za) /ê/ *s.f.* característica do que apresenta movimentos retardados ou lentos ↺ agilidade

lerdo (ler.do) *adj.* **1** que se movimenta com dificuldade; lento, vagaroso ↺ rápido **2** tolo, estúpido ↺ esperto

lero-lero (le.ro-le.ro) [pl.: *lero-leros*] *s.m. infrm.* conversa que não leva a nada

lesão (le.são) [pl.: *-ões*] *s.f.* **1** MED dano corporal causado por golpe, traumatismo ou doença *<l. pulmonar> <o acidentado tinha lesões na cabeça> <o herpes provoca lesões dolorosas na pele>* **2** DIR prejuízo sofrido por alguém, em virtude de erros na análise do contrato ou devido a elementos circunstanciais **3** DIR em direito penal, ofensa, dano à integridade física de alguém **4** qualquer dano ou prejuízo moral ou material

lesa-pátria (le.sa-pá.tri.a) [pl.: *lesas-pátrias*] *s.m.* crime de lesa-pátria

lesar (le.sar) *v.* {mod. 1} *t.d. e pron.* **1** (fazer) sofrer lesão física; ferir(-se) *<a faca lesou a mão do açougueiro> <lesou-se gravemente no acidente>* **2** (fazer) sofrer lesão moral; prejudicar(-se) *<procurava l. a reputação do adversário> <lesou-se com as infâmias lançadas>* □ *t.d.* **3** violar (direito, lei etc.) **4** cometer fraude contra; roubar *<l. o fisco>*

lesbianismo (les.bi.a.nis.mo) *s.m.* homossexualismo feminino

lésbica (lés.bi.ca) *s.f.* mulher homossexual

lésbico (lés.bi.co) *adj.* **1** diz-se de relações homossexuais entre mulheres **2** homossexual (diz-se de mulher)

leseira (le.sei.ra) *s.f.* falta de energia, de ânimo, de disposição, esp. para agir; moleza, preguiça, indolência ↺ animação, ânimo

lesionar (le.sio.nar) *v.* {mod. 1} *t.d. e pron.* causar ou sofrer lesão física; lesar(-se), ferir(-se)

lesivo (le.si.vo) *adj.* **1** que causa lesão física ou moral **2** que prejudica *<contrato l. aos cofres públicos>*

lesma (les.ma) /ê/ *s.f.* **1** ZOO pequeno molusco terrestre, encontrado em lugares úmidos, com ou sem concha ■ *s.2g. fig.* **2** pessoa lenta de raciocínio e ação

lesma-do-mar (les.ma-do-mar) [pl.: *lesmas-do-mar*] *s.f.* ZOO molusco marinho, com corpo de cores vistosas e concha, que respira ger. por brânquias secundárias, situadas ao redor do ânus

leso (le.so) /é/ *adj.* **1** que sofreu lesão física, moral ou material **2** *fig.* atordoado, desnorteado ↺ equilibrado ■ *adj.s.m.* **3** que(m) age como tolo ↺ ajuizado

leso-patriotismo (le.so-pa.tri.o.tis.mo) [pl.: *lesos-patriotismos*] *s.m.* crime de leso-patriotismo

leste (les.te) *s.m.* **1** direção em que nasce o Sol, à direita de quem olha para o norte; este, nascente, oriente ■ *adj.2g.s.m.* **2** GEO que ou o que se situa a leste (diz-se de região ou conjunto de regiões) [abrev.: *L.*] **3** (vento) que sopra dessa direção ■ *adj.2g.* **4** que se situa ou segue na direção leste (acp. 1 e 2)

lesto (les.to) /é/ *adj.* **1** que se move com agilidade e velocidade ↺ lento **2** que rapidamente encontra saída para as dificuldades; esperto ↺ estúpido ■ *adv.* **3** de maneira ágil *<saltou l. do ônibus>* ↺ lentamente

letal (le.tal) [pl.: *-ais*] *adj.2g.* **1** que acarreta morte ou se refere a ela *<doença l.> <arma l.>* **2** que prejudica de modo irremediável *<medidas l. para a nação>* ~ **letalidade** *s.f.*

letargia (le.tar.gi.a) *s.f.* **1** estado de profunda e prolongada inconsciência; letargo **2** *p.ext.* apatia, desinteresse ~ **letárgico** *adj.*

letargo (le.tar.go) *s.m.* letargia

letivo (le.ti.vo) *adj.* relativo a aula, ensino ou em que há aulas *<ano l.>*

letra (le.tra) /ê/ *s.f.* **1** cada um dos sinais gráficos que representam os fonemas na língua escrita **2** este sinal, em relação a sua forma, cor etc. *<l. maiúscula>* **3** maneira pela qual cada pessoa representa este sinal; caligrafia *<ter boa l.>* **4** o texto de uma canção, hino etc. ▼ ***letras*** *s.f.pl.* **5** conjunto de conhecimentos adquiridos pelo estudo; saber *<homem de poucas l.>* **6** conjunto de conhecimentos sobre gramática, literatura, linguística etc. *<faculdade de L.>* ☞ inicial ger. maiúsc. **7** a literatura em geral *<ele é a glória das l. nacionais>* ▣ **l. de câmbio** ordem de pagamento em que uma pessoa ordena que outra pague certa quantia, em local e data especificados, a uma terceira • **l. de fôrma** ou **de imprensa** letra maiúscula manuscrita em estilo de caráter tipográfico *<preencha o formulário com l. de fôrma>* • **l. garrafal** caráter muito grande e legível • **l. maiúscula** letra de tamanho maior e formato próprio, de mesmo som de sua correspondente minúscula, ger. us. em início de frases e de nomes próprios e para destacar certas palavras • **l. minúscula** letra de tamanho menor em relação a sua correspondente maiúscula e de formato próprio, us. nos textos em geral

letrado (le.tra.do) *adj.s.m.* **1** que(m) possui cultura; instruído **2** que(m) possui profundo conhecimento literário; literato

letreiro (le.trei.ro) *s.m.* inscrição informativa em letras grandes

letrista (le.tris.ta) *adj.2g.s.2g.* **1** que(m) compõe a letra que acompanha uma melodia **2** especialista em desenho de letras ('sinal gráfico')

léu *s.m.* ◗ usado em: **ao l.** à toa *<andava ao l., sem pensar em nada>*

leucemia (leu.ce.mi.a) *s.f.* MED aumento descontrolado, canceroso, do número de células dos glóbulos brancos normais na medula óssea e no sangue ~ **leucêmico** *adj.*

leucócito (leu.có.ci.to) *s.m.* BIO célula branca ou incolor, encontrada no sangue e na linfa, que participa dos processos de defesa do organismo; glóbulo branco ~ **leucocitário** *adj.* - **leucocítico** *adj.*

leva (le.va) *s.f.* **1** recrutamento militar **2** ajuntamento ou grupo de pessoas **3** *p.ext.* lote, grupo de coisas *<a primeira l. de cartas acaba de chegar>*

levada (le.va.da) *s.f.* **1** ato ou efeito de levar **2** torrente de água que se desvia de um rio para mover moinhos, irrigar terrenos etc. **3** construção de terra, pedra etc. para represar as águas dos rios e utilizá-las no abastecimento, na agricultura etc.; barragem **4** sulco pelo qual corre a água

levadiço (le.va.di.ço) *adj.* que se pode abaixar ou levantar por meio de contrapesos, cabos etc. *<ponte l.>*

levado (le.va.do) *adj.s.m.* *infrm.* irrequieto, travesso *<menino l.>* ↺ quieto

leva e traz (le.va e traz) *s.2g.2n.* pessoa fofoqueira

levantador (le.van.ta.dor) /ô/ [pl.: *-es*] *adj.s.m.* **1** que(m) levanta **2** ESP que(m), no jogo de vôlei, tem a função de levantar a bola para que outro jogador da sua equipe corte

levantamento (le.van.ta.men.to) *s.m.* **1** ação de pôr na vertical ou em pé *<l. de um pilar>* **2** aumento, acréscimo na quantidade, valor etc. **3** rebelião, insubordinação **4** pesquisa, estatística *<l. dos verbos do texto>* **5** sondagem, investigação breve *<l. de preços>* **6** ESP no vôlei, lançamento da bola para uma cortada

levantar (le.van.tar) *v.* {mod. 1} *t.d. e pron.* **1** pôr(-se) de pé, em posição vertical *<l. um poste> <l.-se da cama ainda de madrugada>* **2** *fig.* (fazer) sair de situação precária, problemática **3** *fig.* provocar ou fazer rebelião; sublevar(-se), amotinar(-se) ◻ *t.d.,t.d.i.,int. e pron.* **4** (prep. *a, de, para, sobre*) (fazer) sair de um plano a outro, mais alto; elevar(-se), erguer(-se) *<l. os braços (ao céu)> <ela não consegue l. aquela cadeira do chão> <o aeróstato levantou(-se) acima dos telhados>* ↺ baixar(-se) ◻ *pron.* **5** sair do sono; acordar, despertar *<sempre se levanta cedo>* ↺ dormir ◻ *t.d.,int. e pron.* **6** (fazer) subir para o ar, espalhando-se *<o tropel levantou muita poeira> <com essa ventania, a areia vai l.(-se)>* ◻ *t.d.* **7** dar mais altura a; aumentar *<l. uma mureta>* ↺ diminuir **8** fazer (obra, construção); construir, erguer *<l. um prédio>* **9** *fig.* elevar a grau superior; engrandecer *<preciso l. o debate>* ↺ diminuir **10** *fig.* dar origem a; provocar *<a questão levantou discussões>* **11** *fig.* estimular à atividade, animação, vida, alegria *<cores quentes levantam o quadro>* **12** listar como resultado de pesquisa *<l. informações>* **13** *fig.* obter, arrecadar (quantia, valores etc.) ◻ *t.d. e int.* **14** aumentar de volume, intensidade, tom etc. *<l. a voz> <assado, o suflê levanta>*

[1]**levante** (le.van.te) *s.m.* ponto do horizonte em que o Sol nasce; nascente, oriente, leste ◉ ORIGEM do it. *levante* 'id.', do v. *levare* 'alçar, erguer'

[2]**levante** (le.van.te) *s.m.* revolta, motim ◉ ORIGEM regr. de *levantar*

levar (le.var) *v.* {mod. 1} *t.d. e t.d.i.* **1** (prep. *a, para*) transportar (a determinado lugar); carregar, conduzir *<l. a criança nos ombros> <o ônibus levou-o à cidade> <levou a encomenda para a casa do cliente>* **2** *p.ext.* (prep. *a, para*) ser portador de (algo) para entregar; trazer *<levava uma carta de apresentação (para o empregador)> <levou(-lhes) boas notícias>* **3** (prep. *para*) fazer uso de (tempo); consumir, demorar *<levou a noite toda gemendo> <levou horas para se vestir>* **4** (prep. *com*) fazer-se acompanhar de; trazer consigo *<a carreata levava mais de 50 carros> <a comitiva do presidente levou (consigo) muitos jornalistas>* ◻ *t.d.i.* **5** (prep. *a, para*) servir de meio de transporte *<o duto levava água à cidade>* **6** (prep. *de*) afastar (de determinado local); retirar *<levou dali o desordeiro>* **7** (prep. *a*) fazer tomar certo rumo; mover (em certa direção) *<l. a mão à boca>* **8** (prep. *em, sob, sobre*) usar como roupa, acessório ou enfeite; vestir, trazer *<levava na cabeça um arco>* **9** (prep. *a*) fazer passar de um estado a outro ou agir de determinada maneira; impelir, induzir *<a miséria levou-o à loucura>* **10** (prep. *a*) conduzir usando influência, talento, habilidade etc. *<o craque levou o time à vitória>* **11** (prep. *a, até*) fazer ou permitir chegar *<o governo levou energia elétrica à*

L

população rural> □ *t.i. e t.d.i.* **12** (prep. *a*, *para*) servir de comunicação com, dar acesso a; conduzir *<este caminho (os) leva diretamente à casa>* □ *t.d.* **13** fazer desprender-se; arrancar *<a ventania leva as roupas do varal>* **14** ter capacidade para; conter, comportar *<o tanque leva uns 50 litros>* **15** dirigir, conduzir (veículo) **16** ser alvo de (determinada ação, física ou não, de alguém) *<l. um tapa> <l. uma bronca>* **17** ter na lembrança, na memória *<levava saudades ao partir>* **18** *fig.* carregar o peso de; sofrer *<levou toda a responsabilidade pelo erro sem ter culpa>* **19** fazer seguir adiante; tocar *<levou o projeto sozinho>* **20** ficar com (mercadoria) por aquisição, consignação etc. *<confirmou ao vendedor que levaria os casacos>* **21** considerar, tomar *<leva tudo na brincadeira> <levou o caso a sério>* **22** obter como recompensa, favor ou por sorte; ganhar *<levou sozinho o prêmio da loteria>* **23** apossar-se de (coisa alheia); roubar, furtar *<o assaltante levou meu relógio>* **24** fazer desaparecer *<só o passar dos anos leva uma grande decepção>* **25** exigir, por ser necessário ou essencial; requerer *<este bolo leva meia dúzia de ovos>* **26** ter em si; conter *<o documento leva a assinatura do diretor>* **27** passar, viver *<levava uma vida sossegada>* **28** pôr fim à vida de; matar, ceifar *<um acidente levou seu melhor amigo>* **29** exibir, apresentar (espetáculo, filme, peça teatral) *<aquele cinema está levando um filme de Chaplin>* □ *t.d.i. e pron.* **30** (prep. *a*, *por*) dominar ou ser dominado por *<as injustiças levaram-no à ação> <l.-se pela pressa>* □ *t.i.* **31** (prep. *a*) ter como consequência; conduzir, resultar *<a imprudência leva a acidentes>* □ *t.d.pred.* **32** manter (-se) (em determinado lugar ou posição, de determinado jeito etc.); trazer *<levava a cabeça empinada>* ▣ **l. a mal** tomar em mau sentido, ofender-se *<levou a mal a brincadeira do colega>*

leve (le.ve) *adj.* **1** de pouco peso *<embrulho l.>* ↺ pesado **2** que exerce pouca pressão *<um l. toque>* ↺ forte **3** que se move com desembaraço; ágil *<dançarina l.>* **4** de pouca consistência ou densidade *<l. nevoeiro>* ↺ denso **5** de fácil digestão *<refeição l.>* ↺ pesado **6** com pouca espessura (diz-se de tecido) ↺ grosso **7** fácil de executar *<trabalho l.>* ↺ cansativo **8** *fig.* superficial, ligeiro *<conversa l.> <sorriso l.>* **9** *fig.* agradável, divertido *<espetáculo l.>* **10** *fig.* livre de pressão; aliviado *<cabeça l.>* ↺ angustiado ▣ **de l.** quase sem tocar, sem exercer pressão *<passou a mão de l. no pelo do bichano>* ~ **levemente** *adv.*

levedar (le.ve.dar) *v.* {mod. 1} *t.d.*, *int. e pron.* (fazer) fermentar, aumentar, crescer *<l. a massa para fazer o pão> <o pão está (se) levedando>* ~ **levedação** *s.f.*

levedo (le.ve.do) /ê/ ou **lêvedo** (lê.ve.do) *s.m.* levedura

levedura (le.ve.du.ra) *s.f.* **1** fermento **2** BIO fungo responsável por muitos dos processos de fermentação us. na alimentação, como a panificação e a produção de bebidas alcoólicas; levedo, lêvedo

leveza (le.ve.za) /ê/ *s.f.* **1** característica do que possui pouco peso **2** *fig.* delicadeza, singeleza *<a l. de seus gestos>*

leviandade (le.vi.an.da.de) *s.f.* **1** falta de seriedade **2** comportamento insensato *<ninguém mais tolera suas l.>*

leviano (le.vi.a.no) *adj.s.m.* **1** que(m) julga ou procede irresponsavelmente ↺ cuidadoso ■ *adj.* **2** que denota falta de seriedade e/ou precipitação *<comentário l.>* ↺ prudente

leviatã (le.vi.a.tã) *s.m.* **1** monstro marinho, representação do Mal ☞ inicial freq. maiúsc. **2** *p.ext.* qualquer ser ou coisa imensa e/ou de aparência monstruosa

levitar (le.vi.tar) *v.* {mod. 1} *int.* erguer-se acima do solo sem sustentação visível ~ **levitação** *s.f.*

léxico (lé.xi.co) /cs/ *s.m.* **1** o repertório total de palavras existentes numa determinada língua **2** dicionário **3** relação das palavras us. por um autor, um grupo social etc.; vocabulário ~ **lexical** *adj.2g.*

lexicografia (le.xi.co.gra.fi.a) /cs/ *s.f.* **1** técnica de elaboração de dicionários **2** *p.ext.* LING o trabalho de elaboração de dicionários, vocabulários e afins ~ **lexicografar** *v.t.d. e int.* - **lexicográfico** *adj.* - **lexicógrafo** *s.m.*

lexicologia (le.xi.co.lo.gi.a) /cs/ *s.f.* LING parte da linguística que estuda as palavras, seus significados, sua origem e sua formação e estrutura ~ **lexicológico** *adj.* - **lexicólogo** *s.m.*

lexiologia (le.xio.lo.gi.a) /cs/ *s.f.* LING lexicologia

LGBT *sigla* de Lésbicas, *Gays*, Bissexuais, Travestis, Transexuais e Transgêneros, us. para identificar orientações sexuais minoritárias e manifestações de identidades de gênero que não correspondem ao sexo registrado no nascimento

lha *contr.* dos complementos verbais de terceira pessoa singular e de assunto feminino e singular (pessoa, coisa); isto, isso ou aquilo para ele ou ela *<fez para ele essa poesia e sussurrou-lha ao ouvido (= sussurou-a ao ouvido dele)> <compôs para o filho uma canção e cantou-lha à noite (= cantou-a para ele)>* ◉ GRAM/USO ver *lho*

lhama (lha.ma) *s.2g.* ZOO ruminante andino de pescoço longo e fino, cabeça pequena, focinho delgado, pés com apenas dois dedos e pelagem longa e lanosa

lhaneza (lha.ne.za) /ê/ *s.f.* qualidade característica do que é lhano, afável; candura, singeleza ↺ afetação

lhano (lha.no) *adj.* **1** sincero, franco ↺ falso **2** em que há simplicidade, naturalidade ↺ afetado ■ *s.m.* GEO **3** planície extensa de vegetação herbácea, no norte da América do Sul ☞ mais us. no pl.

lhe *pron.p.* **1** da 3ª p.sing., caso oblíquo, com função de objeto indireto, equivalente a: **1.1** a ele, a ela, ao senhor, à senhora, a V. Sª etc. *<eu lhe disse tudo>* **1.2** dele, dela, do senhor etc. *<nós lhe retiramos os privilégios>* **1.3** nele, nela, no senhor etc. *<aplicou-lhe um golpe>* **1.4** para ele, para ela, para o senhor etc. *<comprei-lhe balas>*

lho *contr.* dos complementos verbais direto (de terceira pessoa) e indireto (de terceira pessoa [a ele, a ela] ou de segunda pessoa [a você, ao senhor, a Vossa Excelência]) *<se V. Exª quiser seu carro, trar-lho-ei aqui> <antes que o irmão pedisse o livro, resolveu devolver-lho>* ◉ GRAM/USO **a)** fem.: *lha*; pl.: *lhos*, *lhas*; **b)** no Brasil, *lho*, *lha*, *lhos*, *lhas* empregam-se hoje muito pouco na língua corrente e mesmo na linguagem literária elaborada

Li QUÍM símbolo de *lítio*

liame (li.a.me) *s.m.* o que liga ou prende; ligação, vínculo

liana (li.a.na) *s.f.* BOT cipó

libação (li.ba.ção) [pl.: *-ões*] *s.f.* **1** ato de aspergir um líquido como oferenda a uma divindade **2** esse líquido **3** ato de beber por prazer ou para brindar ▼ ***libações*** *s.f.pl.* **4** a bebida tomada por prazer ou para brindar

L

libanês (li.ba.<u>nês</u>) [pl.: *-eses*] *adj.* **1** relativo ao Líbano (Ásia) ■ *s.m.* **2** natural ou habitante desse país

libar (li.<u>bar</u>) *v.* {mod. 1} *int.* **1** fazer libações em honra de divindade □ *t.d.* **2** sorver o conteúdo de; beber **3** absorver por sucção; sugar *<as abelhas libavam o néctar das flores>* **4** *fig.* experimentar (algo prazeroso); gozar *<l. os prazeres da vida do campo>*

libelo (li.<u>be</u>.lo) *s.m.* **1** DIR apresentação, oral ou escrita, de uma acusação **2** escrito, ger. curto, difamatório ou satírico ~ **libelista** *adj.2g.s.2g.*

libélula (li.<u>bé</u>.lu.la) *s.f.* ZOO inseto de abdome longo e estreito, quatro asas alongadas, transparentes, que se alimenta de insetos e outros organismos; lavadeira

líber (<u>lí</u>.ber) [pl.: *líberes*] *s.m.* ANAT BOT nos vegetais, tecido condutor de água, sais minerais e compostos orgânicos

liberação (li.be.ra.<u>ção</u>) [pl.: *-ões*] *s.f.* **1** libertação ↺ prisão **2** quitação de dívida ou dispensa de obrigação ou compromisso ↺ obrigação **3** DIR libertação de condenado, após cumprimento de pena ↺ prisão **4** cancelamento das restrições legais ao uso e/ou circulação de certas mercadorias ~ **liberado** *adj.*

liberal (li.be.<u>ral</u>) [pl.: *-ais*] *adj.2g.* **1** que gosta de dar; generoso ↺ mesquinho **2** progressista ↺ conservador **3** em que os profissionais não possuem vinculação hierárquica e exercem atividade ger. técnica e intelectual (diz-se de profissão de nível superior) ■ *adj.2g.s.2g.* **4** que(m) é adepto do liberalismo ~ **liberalidade** *s.f.*

liberalismo (li.be.ra.<u>lis</u>.mo) *s.m.* doutrina política e econômica a favor da livre iniciativa e contra a intervenção do Estado na economia ~ **liberalista** *adj.2g.s.2g.*

liberalizar (li.be.ra.li.<u>zar</u>) *v.* {mod. 1} *t.d. e t.d.i.* **1** (prep. *a*) distribuir em grande quantidade; prodigalizar *<l. favores (aos conhecidos)>* □ *t.d. e pron.* **2** tornar(-se) liberal ou mais liberal *<l. o regulamento>* *<liberalizou-se em questões de opinião>* □ *pron.* **3** tornar-se adepto do liberalismo ~ **liberalização** *s.f.*

liberar (li.be.<u>rar</u>) *v.* {mod. 1} *t.d.,t.d.i. e pron.* **1** (prep. *de*) deixar ou ficar dispensado (de obrigação, compromisso, dívida); isentar(-se) *<não é possível liberá-lo agora>* *<o juiz liberou o acusado de qualquer culpa>* *<l.-se de uma promessa>* ↺ obrigar(-se) **2** (prep. *de*) tornar(-se) livre de; libertar(-se) *<l. as energias retidas>* *<o psiquiatra liberou-o de suas angústias>* *<liberou-se do passado pelas próprias forças>* ↺ aprisionar(-se) □ *t.d.* **3** dar autorização para; permitir *<l. o ingresso de espectadores em trajes esportivos>* ↺ proibir **4** tornar disponível, viável, usável; desbloquear *<l. recursos>* ↺ bloquear **5** lançar de si; soltar, emitir *<a carcaça liberava um odor nauseabundo>*

liberdade (li.ber.<u>da</u>.de) *s.f.* **1** direito de expressar qualquer opinião e agir como quiser; independência ↺ dependência, submissão **2** *p.ext.* licença, permissão *<você tem l. para sair>* **3** condição de não ser prisioneiro ou escravo ↺ cativeiro, escravidão **4** atrevimento, intimidade *<tomei a l. de telefonar-lhe>* ↺ respeito ▣ **l. condicional** DIR liberdade provisória a que um condenado tem direito, após cumprir parte da sentença

líbero (<u>lí</u>.be.ro) *s.m.* ESP **1** no futebol, função tática de jogador que, sem posição fixa no campo, pode corrigir eventuais falhas de seus companheiros na defesa e no ataque **2** no vôlei, jogador especializado em passe e defesa, que atua no fundo de quadra substituindo outro jogador, sendo impedido de sacar, atacar ou bloquear

libertação (li.ber.ta.<u>ção</u>) *s.f.* ação de dar liberdade (a alguém ou a algo) ou de libertar-se a si mesmo

libertador (li.ber.ta.<u>dor</u>) /ô/ [pl.: *-es*] *adj.s.m.* que ou o que liberta, que concede a liberdade

libertar (li.ber.<u>tar</u>) *v.* {mod. 1} *t.d.,t.d.i. e pron.* **1** (prep. *de*) soltar(-se) da prisão ou do cativeiro; pôr(-se) em liberdade *<l. um prisioneiro>* *<o policial libertou a criança das mãos do assaltante>* *<os reféns conseguiram l.-se>* ↺ prender(-se) **2** (prep. *de*) tornar (-se) livre, independente *<l. -se um país (da ocupação estrangeira)>* *<a colônia l.se da metrópole>* **3** (prep. *de*) desembaraçar(-se) [de obstáculo, perturbação]; livrar(-se) *<l. (de culpa) a consciência>* *<l.-se de um compromisso>* ◉ GRAM/USO part.: *libertado, liberto*; ver QUADRO DE PARTICÍPIOS DUPLOS nas pp. iniciais

libertário (li.ber.<u>tá</u>.rio) *adj.s.m.* **1** partidário da liberdade absoluta **2** anarquista

libertinagem (li.ber.ti.<u>na</u>.gem) [pl.: *-ens*] *s.f.* conduta de quem se entrega exageradamente a prazeres sexuais ↺ recato

libertino (li.ber.<u>ti</u>.no) *adj.s.m.* **1** depravado, devasso ↺ recatado ■ *adj.* **2** *fig.* que não tem disciplina, que se descuida dos deveres e obrigações *<temperamento l.>* ↺ responsável

liberto (li.<u>ber</u>.to) *adj.* **1** posto em liberdade; livre, solto ■ *adj.s.m.* **2** (escravo) alforriado ◉ GRAM/USO part. de *libertar*

libidinagem (li.bi.di.<u>na</u>.gem) [pl.: *-ens*] *s.f.* **1** procura incontrolada de satisfações sexuais **2** comportamento próprio de quem é lascivo, sensual ↺ recato

libidinoso (li.bi.di.<u>no</u>.so) /ô/ [pl. e fem.: /ó/] *adj.* **1** relativo ao prazer ou ao apetite sexual ■ *adj.s.m.* **2** que(m) tem desejos sexuais intensos e constantes

libido (li.<u>bi</u>.do) *s.f.* apetite sexual; desejo

libra (<u>li</u>.bra) *s.f.* **1** FÍS unidade de massa us. no sistema inglês de pesos e medidas equivalente a 453,60 gramas (símb.: *lb*) **2** ECON meio pelo qual são efetuadas transações monetárias em Chipre, Egito, Líbano, Malta, Síria e Sudão **3** ECON a cédula e a moeda us. nessas transações **4** sétima constelação zodiacal, situada entre Leão e Escorpião; Balança ☞ inicial maiúsc. **5** ASTRL sétimo signo do zodíaco (de 23 de setembro a 22 de outubro); Balança ☞ inicial maiúsc. **6** ASTRL libriano *<você é l. como eu?>* ▣ **l. esterlina** ECON **1** meio pelo qual são efetuadas transações monetárias na Grã-Bretanha **2** cédula e moeda us. nessas transações

librar (li.<u>brar</u>) *v.* {mod. 1} *t.d.i. e pron. fig.* **1** (prep. *em, sobre*) suspender(-se), pondo(-se) em equilíbrio *<l. o corpo sobre as asas>* *<a águia librava-se nos ares>* **2** (prep. *em*) basear(-se), fundamentar(-se) *<l. o sucesso no trabalho>* *<l.-se no certo e fugir do duvidoso>*

Libras (<u>Li</u>.bras) *s.f.* sigla de língua brasileira de sinais

libré (li.<u>bré</u>) *s.m.* uniforme com galões e botões distintivos us. pelos criados de casas nobres

libreto (li.<u>bre</u>.to) /ê/ *s.m.* MÚS **1** texto de ópera, oratório ou cantata **2** *p.ext.* o livro com esse texto

libriano (li.bri.<u>a</u>.no) *adj.s.m.* **1** ASTRL que(m) é do signo de Libra ■ *adj.* **2** relativo ao signo de Libra

liça (li.ça) *s.f.* **1** arena destinada a torneios e combates **2** *fig.* briga, disputa

lição (li.ção) [pl.: *-ões*] *s.f.* **1** tema de aula **2** tarefa escolar **3** o ensino de uma matéria durante determinado espaço de tempo; aula *<lições de piano>* **4** *fig.* exemplo dado por uma pessoa a outra ou obtido por experiência própria *<o mau resultado serviu-lhe de l.>* **5** *fig.* repreensão, castigo

licença (li.cen.ça) *s.f.* **1** consentimento; autorização ↺ proibição **2** o certificado que documenta esta autorização *<l. para filmar na rua>* **3** permissão para ausentar-se do serviço **4** prazo durante o qual a pessoa está autorizada a faltar ao serviço *<no momento, estou de l.>*

licenciado (li.cen.ci.a.do) *adj.s.m.* **1** que(m) obteve a licenciatura ■ *adj.* **2** que tem licença para exercer uma atividade **3** que está devidamente autorizado a ausentar-se do trabalho (diz-se de funcionário)

licenciamento (li.cen.ci.a.men.to) *s.m.* concessão de licença *<l. de um carro>*

licenciar (li.cen.ci.ar) *v.* {mod. 1} *t.d. e pron.* **1** conceder ou obter licença; dispensar *<l. soldados>* *<l.-se por doença>* **2** conceder ou adquirir a licenciatura *<a faculdade licencia 50 alunos por ano>* *<l.-se em História>*

licenciatura (li.cen.ci.a.tu.ra) *s.f.* grau universitário que dá direito a lecionar para o segundo segmento do ensino fundamental e para o ensino médio; licenciamento

licencioso (li.cen.ci.o.so) /ô/ [pl. e fem.: /ó/] *adj.s.m.* **1** que(m) abusa da liberdade; indisciplinado **2** sensual, libidinoso **3** que(m) agride a decência; indecente, depravado ~ **licenciosidade** *s.f.*

liceu (li.ceu) *s.m.* estabelecimento de ensino médio e/ou profissionalizante

lichia (li.chi.a) *s.f.* → *LECHIA*

licitação (li.ci.ta.ção) [pl.: *-ões*] *s.f.* **1** oferta de um lance em leilão **2** ato de pôr em leilão ou o seu efeito *<a venda dos bens será feita por l.>* **3** escolha, por concorrência, de fornecedores de produtos ou serviços para órgãos públicos

licitar (li.ci.tar) *v.* {mod. 1} *int.* **1** dar lanço em leilão ou hasta pública □ *t.d.* **2** pôr em leilão ou em concorrência pública *<l. uma biblioteca>* **3** selecionar (o poder público) proposta para (fornecimento de bens ou prestação de serviços) *<l. a construção de uma usina hidrelétrica>*

lícito (lí.ci.to) *adj.s.m.* **1** DIR (o) que a lei permite **2** (o) que é justo ou permitido ■ *adj.* **3** passível de se admitir; justificável *<é l. supor que ele diz a verdade>* ~ **licitude** *s.f.*

liço (li.ço) *s.m.* cada um dos fios de arame suspensos do tear, por onde passam os fios da tecelagem

licor (li.cor) /ô/ [pl.: *-es*] *s.m.* bebida alcoólica, espessa, doce, preparada por destilação, maceração ou pela adição de essências

licoreira (li.co.rei.ra) *s.f.* ou **licoreiro** (li.co.rei.ro) *s.m.* garrafa ou frasco próprio para servir licor

licoroso (li.co.ro.so) /ô/ [pl. e fem.: /ó/] *adj.* que tem as características do licor, esp. a consistência espessa e açucarada *<vinho l.>*

lida (li.da) *s.f.* trabalho duro; labuta, lide

lidador (li.da.dor) /ô/ [pl.: *-es*] *adj.s.m.* **1** lutador, combatente ↺ pacificador **2** trabalhador, labutador

lidar (li.dar) *v.* {mod. 1} *int.* **1** lutar em batalha, duelo; combater **2** trabalhar muito, com esforço e perseverança; labutar □ *t.i.* **3** (prep. *com*) ter contato, convivência com; tratar *<l. com o público>* *<l. com ferramentas>*

¹lide (li.de) *s.f.* lida ◉ ORIGEM do lat. *lis,litis* 'rixa, disputa'

²lide (li.de) *s.m.* JOR parágrafo que apresenta os principais tópicos de um texto jornalístico ◉ ORIGEM do ing. *lead* 'liderança; exemplo; seção introdutória de uma reportagem'

líder (lí.der) *s.2g.* **1** indivíduo que tem autoridade para comandar ou coordenar outros *<l. de um grupo>* *<l. de uma banda>* **2** parlamentar que representa a bancada de um partido ou do governo **3** indivíduo ou equipe que ocupa o primeiro lugar numa competição *<l. do campeonato>* **4** quem atrai seguidores *<l. espiritual>*

liderança (li.de.ran.ça) *s.f.* **1** função, posição ou característica de líder; autoridade **2** pessoa que possui esse espírito ou pessoa(s) que exerce(m) essa autoridade *<a l. de um sindicato>*

liderar (li.de.rar) *v.* {mod. 1} *t.d.* **1** proceder como ou ter a função de líder *<l. uma equipe>* **2** ocupar a posição de líder *<l. as estatísticas>*

lídimo (lí.di.mo) *adj.* reconhecido como autêntico, verdadeiro ↺ falso

liga (li.ga) *s.f.* **1** aliança ou união entre pessoas para atingir um fim comum **2** nome genérico de associações, agremiações etc. *<l. das pequenas editoras>* **3** tira elástica que aperta a boca da meia e/ou da meia-calça **4** QUÍM união de vários metais com ou sem elementos não metálicos, com propriedades diferentes dos seus constituintes **5** QUÍM o metal composto que resulta dessa ação

ligação (li.ga.ção) [pl.: *-ões*] *s.f.* **1** união entre duas ou mais coisas ou pessoas **2** o que serve para unir *<o istmo é a l. da península com o continente>* **3** vínculo, união entre pessoas; afinidade de sentimentos *<l. de amizade>* *<há uma l. muito forte entre eles>* **4** *B* relação amorosa **5** comunicação estabelecida por telefone; telefonema *<l. interurbana>* **6** ELETR reunião de dois ou mais condutores em determinado ponto **7** QUÍM força atrativa que une átomos em moléculas

ligadura (li.ga.du.ra) *s.f.* **1** ação de apertar um laço, uma tira de pano etc., em volta de uma parte do corpo **2** aquilo com que se realiza essa ação; bandagem, atadura **3** MED cirurgia que fecha, por meio de um fio, veias e canais; laqueadura

ligamento (li.ga.men.to) *s.m.* **1** união ou combinação de elementos **2** o que serve para fazer essa união **3** ANAT feixe fibroso que liga os ossos articulados ou que mantém os órgãos nas respectivas posições

ligar (li.gar) *v.* {mod. 1} *t.d. e t.d.i.* **1** (prep. *a*, *com*) promover a coesão das partes de um todo, ou impedir que se desprendam ou movimentem, por meio de laço ou ligadura; unir, prender *<com um pedaço de corda, ligou as ripas de madeira>* *<o detetive ligou-os com algemas um ao outro>* ↺ separar **2** (prep. *a*) pôr em contato (o que está separado); reunir, juntar *<l. as pontas>* *<l. o plugue à tomada>* ↺ desligar **3** (prep. *a*, *com*) pôr em comunicação *<o rádio e a TV ligam os mais distantes pontos do país>* *<a estrada que liga o mar à montanha>* **4** *fig.* (prep. *a*) aproximar por relação lógica, de seme-

L

lhança, de continuidade, de dependência; associar *<l. fatos, ideias> <l. a causa à consequência>* □ *t.d.* **5** dar coesão, homogeneidade a (mistura ou preparado) *<usou maisena para l. o molho>* **6** MED realizar a ligadura de; laquear **7** pôr em funcionamento; acionar *<l. o rádio> <l. o motor do carro>* □ *t.d. e pron.* **8** (fazer) ficar junto por vínculo moral, afetivo; unir(-se) *<as afinidades ligam as pessoas> <ligaram-se pelo matrimônio>* ↺ afastar(-se) □ *t.d.,t.d.i.,int. e pron.* **9** (prep. *com*) unir (-se), formando um todo; misturar(-se), combinar (-se) *<l. metais> <l. o ouro com a prata> <metais que não (se) ligam>* ↺ separar(-se) □ *t.i.* **10** *B* (prep. *para*) comunicar-se pelo telefone com; telefonar *<l. para os pais>* **11** (prep. *para*) dar importância, atenção para; interessar-se *<não ligue pra isso>*

ligeireza (li.gei.re.za) /ê/ *s.f.* facilidade e rapidez de movimentos, de pensamento *<l. de mãos> <o candidato mostrou l. nas respostas>* ↺ lentidão

ligeiro (li.gei.ro) *adj.* **1** com velocidade acelerada; rápido *<passo l.>* ↺ lento **2** que se move com facilidade; ágil ↺ vagaroso **3** que dura pouco *<uma visita l.>* ↺ longo **4** que mal se vê, ouve, nota ou sente *<um l. gemido> <um l. tremor>* ↺ forte **5** que se toma rapidamente e é de fácil digestão *<refeição l.>* ~ **ligeirice** *s.f.*

light [ing.] *adj.2g.2n.* **1** de valor calórico comparativamente mais baixo ou feito com outro adoçante que não açúcar *<maionese l.> <refrigerante l.>* **2** de conteúdo alcoólico mais baixo *<cerveja l.>* **3** cuja composição é supostamente menos nociva, em comparação com outras *<refeição l.> <cigarros l.>* ⇒ pronuncia-se laite

lígneo (líg.neo) *adj.* lenhoso

lignina (lig.ni.na) *s.f.* BIOQ substância responsável pela rigidez da parede celular vegetal, que constitui, com a celulose, a maior parte da madeira de árvores e arbustos

lignito (lig.ni.to) ou **linhito** (li.nhi.to) *s.m.* GEOL carvão fóssil

lilás (li.lás) [pl.: *lilases*] ou **lilá** (li.lá) *s.m.* **1** BOT arbusto nativo da Europa, de flores arroxeadas aromáticas, cultivado como ornamental e para uso em perfumaria **2** tom claro de roxo ■ *adj.2g.* **3** que tem a cor lilás *<roupa l.>* **4** diz-se dessa cor

liliácea (li.li.á.cea) *s.f.* BOT espécime das liliáceas, família de plantas nativas do hemisfério norte, mundialmente cultivadas como ornamentais, medicinais ou para alimentação ~ **liliáceo** *adj.*

liliputiano (li.li.pu.ti.a.no) *adj.s.m.* **1** relativo a Liliput ou o habitante, de apenas seis polegadas, desta ilha do romance *Viagens de Gulliver*, de Jonathan Swift ☞ cf. *Swift* na parte enciclopédica ■ *adj.* **2** *p.ext.* muito pequeno **3** *fig.* mesquinho, medíocre *<espírito l.>*

[1]**lima** (li.ma) *s.f.* ferramenta de lâmina metálica que, por fricção, desbasta ou serra um metal ou outro material duro ◉ ORIGEM do lat. *lima,ae* 'id.'

[2]**lima** (li.ma) *s.f.* BOT fruta semelhante à laranja, de casca fina amarelo-clara e polpa esverdeada, ligeiramente amarga; lima-da-pérsia ◉ ORIGEM do ár. *limâ* 'nome de unidade do coletivo *lim*'

lima-da-pérsia (li.ma-da-pér.sia) [pl.: *limas-da--pérsia*] *s.f.* BOT [2]lima

limalha (li.ma.lha) *s.f.* conjunto de partículas de metal limado *<l. de ferro, de ouro etc.>*

limão (li.mão) [pl.: *-ões*] *s.m.* BOT **1** fruta esférica, de casca e polpa verdes, sabor azedo, rica em vitamina C ■ *adj.2g.2n.* **2** que tem a cor dessa fruta **3** diz-se dessa cor

limar (li.mar) *v.* {mod. 1} *t.d.* **1** serrar, polir ou desgastar com [1]lima *<l. o ferro> <l. as unhas>* **2** *fig.* tornar melhor ou perfeito; aprimorar *<l. o caráter>* ↺ piorar ~ **limadura** *s.f.* - **limagem** *s.f.*

limbo (lim.bo) *s.m.* **1** REL no catolicismo, lugar ou estado das almas das crianças que morreram sem receber o batismo **2** *fig.* estado de indecisão ou esquecimento *<o projeto está no l.>* **3** *fig.* borda, extremidade

limeira (li.mei.ra) *s.f.* BOT árvore da [2]lima

limenho (li.me.nho) *adj.* **1** de Lima, Peru ■ *s.m.* **2** natural ou habitante dessa capital

limiar (li.mi.ar) [pl.: *-es*] *s.m.* **1** laje, peça de madeira ou de outro material sobre a qual se põe a parte da porta que fica ao nível do solo; soleira **2** *fig.* primeiro momento; começo, início *<o l. de uma nova era>*

liminar (li.mi.nar) [pl.: *-es*] *adj.2g.* **1** que é o início de alguma coisa *<notas l.>* **2** que se refere a, está situado ou constitui um limite ou ponto de passagem ■ *adj.2g.s.f.* **3** DIR (medida) que precede o objeto principal da ação

limitação (li.mi.ta.ção) [pl.: *-ões*] *s.f.* **1** fixação de limites; demarcação **2** *fig.* ação de restringir a certos limites ou o seu efeito; restrição, contenção *<l. de gastos>* ↺ liberação **3** *fig.* imperfeição, insuficiência *<ele conhece suas limitações>* ☞ nesta acp., freq. us. no pl.

limitado (li.mi.ta.do) *adj.* **1** que tem limites, que é pouco extenso *<dimensões l.>* ↺ limitado **2** reduzido a certos limites; restrito *<poderes l.>* ↺ irrestrito **3** com insuficiente habilidade ou capacidade *<jogador l.>*

limitar (li.mi.tar) *v.* {mod. 1} *t.d.* **1** determinar ou ser o(s) limite(s) de *<a cerca limita o terreno>* **2** determinar o número, a quantidade de *<l. os integrantes da assembleia>* □ *t.i. e pron.* **3** (prep. *com*) fazer fronteira com; confinar *<o Equador limita(-se) com a Colômbia e o Peru>* □ *t.d. e t.d.i. fig.* **4** (prep. *a*) determinar o limite que não se deve ultrapassar; restringir *<não l. a liberdade de imprensa> <l. a cordialidade a um cumprimento seco>* □ *pron.* **5** (prep. *a*) dar-se por satisfeito; contentar-se **6** (prep. *a*) não ir além de; circunscrever-se *<seus conhecimentos de matemática limitam-se às quatro operações>* ~ **limitante** *adj.2g.*

limitativo (li.mi.ta.ti.vo) *adj.* que serve de limite

limite (li.mi.te) *s.m.* **1** linha que determina uma extensão espacial ou que separa duas extensões; raia *<os l. do terreno>* **2** *fig.* linha que marca o fim de uma extensão espacial ou temporal *<andou até o l. da praia> <entregou o trabalho no l. do prazo>* **3** o que determina os contornos de um domínio abstrato *<l. de um dever> <l. da tolerância>* **4** *fig.* limitação ('imperfeição') ☞ freq. us. no pl.

limítrofe (li.mí.tro.fe) *adj.2g.* **1** que está ou vive nos limites de uma extensão, de uma região etc. *<países l.>* **2** *fig.* muito próximo, vizinho *<comportamento l. do delinquente>*

limnologia (lim.no.lo.gi.a) *s.f.* ECO estudo científico das extensões de água doce (como lagos, pântanos etc.) ~ **limnológico** *adj.* - **limnologista** *adj.2g.s.2g.* - **limnólogo** *s.m.*

L

limo (li.mo) *s.m.* **1** colônia de algas azuis e/ou verdes que, em lugares muito úmidos, formam tapetes sobre o solo e as pedras **2** lama, lodo

limoeiro (li.mo.ei.ro) *s.m.* BOT pequena árvore, de ramos curtos e espinhosos, que produz o limão ⊙ COL limoal

limonada (li.mo.na.da) *s.f.* refresco de limão

limoso (li.mo.so) /ô/ [pl. e fem.: /ó/] *adj.* **1** que contém ou apresenta limo **2** lamacento, lodoso ~ **limosidade** *s.f.*

limpa (lim.pa) *s.f.* **1** ato de limpar ou seu efeito **2** *p.ext. gír.* roubo completo

limpadela (lim.pa.de.la) *s.f.* limpeza superficial *<deu uma l. no teclado>*

limpador (lim.pa.dor) /ô/ [pl.: *-es*] *adj.s.m.* **1** que(m) limpa **2** (aparelho ou produto) us. em limpeza ▣ **l. de para-brisa** par de varetas de metal, munidas de borracha, que limpa a parte exterior do para-brisa de veículo

limpar (lim.par) *v.* {mod. 1} *t.d.,t.d.i. e int.* **1** (prep. *de*) deixar ou ficar sem sujeiras, impurezas, manchas etc.; tornar(-se) limpo *<l. as ruas> <l. as paredes da fuligem> <limpou-se com água-de-colônia>* ↺ sujar(-se) □ *t.d.* **2** *p.ext.* desinfetar *<l. um ferimento>* **3** remover de (recipiente, lugar) o que sobra ou atrapalha *<l. o prato>* **4** tornar límpido, claro (o céu, o tempo); desanuviar **5** *B infrm.* roubar, levando tudo *<o assaltante limpou a velhinha>* **6** *B infrm.* reduzir a zero (soma de dinheiro, conta); esgotar *<despesas inesperadas limparam nossas economias>* □ *t.d.,t.d.i. e pron. fig.* **7** (prep. *de*) livrar (-se) de manchas morais; redimir(-se) *<o sofrimento limpa a alma> <era uma dor que o limpava dos crimes passados> <procurava l.-se de sua culpa>* ⊙ GRAM/USO part.: *limpado, limpo*; ver QUADRO DE PARTICÍPIOS DUPLOS nas pp. iniciais ~ **limpamento** *s.m*

limpa-trilhos (lim.pa-tri.lhos) *s.m.2n. B* chapa ou grade dianteira das locomotivas que serve para desviar obstáculos que estejam sobre os trilhos

limpeza (lim.pe.za) /ê/ *s.f.* **1** retirada de sujeira; asseio ↺ sujeira **2** *fig.* ato de livrar do que fere a moral; purgação, purificação *<l. dos pecados>*

limpidez (lim.pi.dez) /ê/ [pl.: *-es*] *s.f.* qualidade, estado ou condição de límpido; transparência, nitidez *<l. da água, do céu>* ↺ opacidade

límpido (lím.pi.do) *adj.* **1** claro, transparente *<águas l.>* **2** *p.ext.* que tem som puro *<notas l. da flauta>*

limpo (lim.po) *adj.* **1** sem sujeira; asseado ↺ sujo **2** sem mistura; puro *<feijão l.>* **3** *fig.* isento de culpa; honesto *<consciência l.>* **4** sem nuvens; claro *<horizonte l.>* **5** *fig. infrm.* diz-se de importância em dinheiro da qual nada foi deduzido *<recebeu três mil reais limpos>* **6** *B gír.* livre de problemas ou complicações ⊙ GRAM/USO part. de *limpar*

limusine (li.mu.si.ne) *s.f.* carro de passeio luxuoso com cabine de motorista e lugar para seis passageiros

lincar (lin.car) *v.* {mod. 1} *t.d. e t.d.i.* INF (prep. *a*) criar um *link* para *<l. as páginas de um* website*> <l. uma imagem a um texto>*

lince (lin.ce) *s.m.* ZOO felino selvagem de cauda curta e tufos de pelos nas orelhas

linchamento (lin.cha.men.to) *s.m.* execução sumária por um grupo, sem direito a julgamento

linchar (lin.char) *v.* {mod. 1} *t.d.* matar ou torturar (criminoso ou suspeito), sem julgamento regular e por decisão coletiva ~ **linchador** *adj.s.m.*

lindamente (lin.da.men.te) *adv.* de modo ou com aspecto lindo *<ele canta l.> <surgiu l. num vestido longo>*

lindeza (lin.de.za) /ê/ *s.f.* **1** grande beleza ↺ feiura **2** *p.ext.* pessoa ou coisa linda e/ou perfeita *<a pintura ficou uma l.>*

lindo (lin.do) *adj.* **1** muito bonito *<saia l.> <homem l.>* ↺ feio **2** que dá prazer de se ver, ouvir etc. *<um l. quadro> <um l. gesto> <uma l. canção>* ↺ desagradável

lineamento (li.ne.a.men.to) *s.m.* traço, linha, contorno, ou o ato de produzi-los

linear (li.ne.ar) [pl.: *-es*] *adj.2g.* **1** relativo a linha ('traço contínuo') **2** que se assemelha a uma linha *<caminho l.> <folhas l.>* **3** *fig.* sem desvios, sem digressões; direto *<narrativa l.> <pensamento l.>* ~ **linearidade** *s.f.*

líneo (lí.neo) *adj.* de ou relativo a linho

linfa (lin.fa) *s.f.* BIOQ líquido orgânico originado do sangue, composto de proteínas e lipídios, que circula nos vasos linfáticos e transporta glóbulos brancos

linfático (lin.fá.ti.co) *adj.* que contém ou conduz a linfa *<gânglio l.> <vaso l.>*

linfócito (lin.fó.ci.to) *s.m.* BIO leucócito originado na medula óssea e encontrado esp. na linfa ~ **linfocitário** *adj.*

linfoide (lin.foi.de) /ói/ *adj.2g.* **1** relativo ou semelhante a linfa **2** que constitui o tecido dos gânglios linfáticos

linfoma (lin.fo.ma) *s.m.* MED tumor (benigno ou maligno) de tecido linfoide

lingerie (lin.ge.rie) [fr.; pl.: *lingeries*] *s.f.* roupa íntima feminina ⇒ pronuncia-se lãjerri

lingote (lin.go.te) *s.m.* barra de metal fundido ~ **lingotamento** *s.m.*

língua (lín.gua) *s.f.* **1** ANAT órgão muscular, situado na boca e na faringe, responsável pelo paladar e auxiliar na mastigação, na deglutição e na produção de sons **2** LING conjunto das palavras e das regras que as combinam, us. por uma comunidade linguística como principal meio de comunicação e de expressão, falado ou escrito **3** o idioma nacional ▣ **l. de cultura** LING língua dos povos que desenvolveram uma civilização marcada por grande cultura e nessa língua produziram sua literatura • **l. de fogo** chama alongada; labareda • **l. materna** ou **nativa** LING a primeira língua aprendida por uma pessoa na infância, ger. a de sua mãe • **l. negra** mancha escura a céu aberto na areia das margens de praias, lagos, lagoas etc., composta de águas poluídas de chuva ou de rios • **l. padrão** variante de uma língua que é prestigiada pela comunidade falante e que suprarregionalmente se torna o meio unificado de comunicação, us. na mídia, no ensino etc. ☞ tb. se diz apenas *padrão* • **dar com a l. nos dentes** *fig. infrm.* cometer uma indiscrição ao falar; contar o que não devia • **dobrar a l.** *fig.* **1** voltar atrás no que disse **2** *B infrm.* falar com respeito; pôr-se em seu lugar • **na ponta da l.** *fig.* **1** muito bem estudado e aprendido *<entrou na prova com a matéria na ponta da l.>* **2** bem decorado *<sabia o poema inteiro, na ponta da l.>* **3** de pronto, de imediato *<ela tem sempre uma resposta na ponta da l.>* ~ **lingual** *adj.2g.*

língua de sogra (lín.gua de so.gra) [pl.: *línguas de sogra*] *s.f.* B apito acoplado a um tubo de papel enroscado, que, ao ser soprado, se desenrola emitindo som

linguado (lin.gua.do) *s.m.* ZOO peixe pardo com pequenas manchas escuras e brancas, de corpo oval e achatado, com uma única nadadeira nas costas e os dois olhos do mesmo lado

linguagem (lin.gua.gem) [pl.: *-ens*] *s.f.* **1** LING conjunto das palavras e dos métodos de combiná-las usado e compreendido por uma comunidade **2** capacidade de expressão, esp. verbal **3** meio sistemático de expressão de ideias ou sentimentos com o uso de marcas, sinais ou gestos convencionados *<l. corporal>* **4** maneira de expressar-se própria de um grupo social, profissional etc.; jargão *<l. técnica> <l. científica>* **5** qualquer sistema de símbolos e sinais; código *<l. de computador>* **6** meio de comunicação próprio de uma espécie animal *<l. das abelhas> <l. das baleias>* **7** LING linguajar

linguajar (lin.gua.jar) [pl.: *-es*] *s.m.* modo de falar de um grupo, indivíduo, região etc.; linguagem *<l. carioca>*

linguarudo (lin.gua.ru.do) *adj.s.m.* que(m) fala demais; tagarela ↺ discreto

lingueta (lin.gue.ta) /güê/ *s.f.* **1** objeto, peça com o formato de uma pequena língua **2** peça móvel da fechadura que impede a abertura de porta, gaveta etc. **3** pequena aba, nos sapatos, situada na altura do peito do pé

linguiça (lin.gui.ça) /gü/ *s.f.* tripa recheada de carne, esp. de porco ▣ **encher l.** *fig. infrm.* falar ou escrever muito, sem ir direto ao assunto

linguista (lin.guis.ta) /gü/ *adj.2g.s.2g.* especialista em linguística

linguística (lin.guís.ti.ca) /gü/ *s.f.* ciência que estuda a linguagem humana, a estrutura das línguas e sua origem, desenvolvimento e evolução

linguístico (lin.guís.ti.co) /gü/ *adj.* **1** relativo a linguística *<teoria l.> <estudos l.>* **2** relativo à língua como meio de comunicação, base cultural ou identidade étnica *<fato l.> <a unidade l. do Brasil>*

linha (li.nha) *s.f.* **1** fio de fibras torcidas us. em costuras, bordados etc. **2** corda fina us. para atar; barbante **3** fio metálico para transmissões telefônicas ou telegráficas **4** fio de qualquer material, inclusive metálico, munido de anzol na ponta, que se usa para pescar **5** sistema de fios ou de cabos para transmissão de energia elétrica **6** traço contínuo *<desenhou uma l. no chão>* **7** via férrea **8** sistema de transporte e seu itinerário *<l. de ônibus>* **9** conjunto de caracteres dispostos de um lado a outro de coluna ou página *<leia apenas a primeira l.>* **10** fila; fileira *<a tropa formou em l.>* **11** *fig.* conjunto de regras que se devem observar; diretriz, orientação *<não aceita a l. do partido>* **12** apuro, requinte de maneiras *<pessoa de l.>* ▣ **l. cruzada 1** interferência em ligação telefônica **2** mistura de conversas gerada por essa interferência • **l. de crédito** ECON compromisso que um banco assume de dar crédito a um cliente até um limite prefixado • **l. de fundo** ESP em esportes de equipe, linha que estabelece os limites de comprimento, de um e de outro lado, do campo onde se realiza o jogo • **l. de montagem** sistema de organização em indústria ou fábrica de modo que o produto passe por operações consecutivas, em linha direta, até ficar pronto para comercialização • **l. do tempo** desenho que representa a passagem do tempo, com alguns fatos destacados em uma linha • **andar na l.** *fig. infrm.* proceder, agir como os outros esperam ou desejam • **entrar na l.** *fig. infrm.* aceitar regras disciplinadoras; tomar juízo • **perder a l.** *fig.* **1** perder a compostura **2** perder a esbelteza; engordar • **sair de l.** deixar de ser produzido (peça, equipamento etc.)

linhaça (li.nha.ça) *s.f.* BOT semente do linho

linhada (li.nha.da) *s.f.* **1** linha de pesca **2** ato de lançar o anzol ou o seu efeito **3** ato de espiar rapidamente e uma vez; espiadela

linha-dura (li.nha-du.ra) *adj.2g.2n.s.2g.* **1** partidário de regime autoritário ☞ pl. s.2g.: *linhas-duras* ■ *adj.2g.2n.* **2** próprio desse regime

linhagem (li.nha.gem) [pl.: *-ens*] *s.f.* **1** série de gerações; genealogia, estirpe **2** *fig.* classe, condição social **3** MICRBIO população homogênea de organismos com características definidas, criada para fins experimentais; cepa

linhito (li.nhi.to) *s.m.* → ***LIGNITO***

linho (li.nho) *s.m.* **1** BOT erva cultivada esp. pelas fibras, us. na confecção de tecidos e papel **2** tecido leve feito dessa fibra

linhol (li.nhol) [pl.: *-óis*] *s.m.* fio grosso us. para costurar sapatos

linifício (li.ni.fí.cio) *s.m.* **1** arte de manufaturar o linho **2** peça em linho

linimento (li.ni.men.to) *s.m.* **1** medicamento oleoso us. em fricções sobre a pele **2** *fig.* o que acalma *<seu sorriso era um l.>*

link [ing.; pl.: *links*] *s.m.* INF em hiperdocumentos, trecho em destaque ou elemento gráfico que, acionado ger. por um clique de *mouse*, exibe imediatamente um novo hiperdocumento ⇒ pronuncia-se link

linóleo (li.nó.leo) *s.m.* tecido plastificado com óleo de linhaça, ger. us. para tapete

linotipia (li.no.ti.pi.a) *s.f.* GRÁF **1** técnica de composição e impressão por linotipo **2** trabalho feito com essa técnica **3** lugar onde se trabalha com linotipo

linotipo (li.no.ti.po) *s.f.* GRÁF máquina de composição mecânica que funde cada linha de caracteres num bloco ☞ marca registrada *Linotype*, que passou a designar o seu gênero ~ **linotipista** *s.2g.*

liofilização (li.o.fi.li.za.ção) [pl.: *-ões*] *s.f.* QUÍM processo de secagem com baixa temperatura, esp. para conservação ~ **liofilizar** *v.t.d.*

lipídio (li.pí.dio) *s.m.* BIOQ molécula orgânica, insolúvel em água, um dos principais componentes da estrutura das células, cuja função é armazenar energia

lipoaspiração (li.po.as.pi.ra.ção) [pl.: *-ões*] *s.f.* MED processo de extração de gorduras superficiais do corpo humano, por punção e aspiração a vácuo

lipoescultura (li.po.es.cul.tu.ra) *s.f.* MED remodelação de certas partes do corpo humano por aspiração e injeção da própria gordura, inserção de implantes etc.

lipoide (li.poi.de) /ói/ *adj.2g.* semelhante a gordura

lipoma (li.po.ma) *s.m.* MED tumor benigno formado por hipertrofia do tecido adiposo ~ **lipomatoso** *adj.*

L

liquefação (li.que.fa.ção) /qu *ou* qü/ [pl.: *-ões*] *s.f.* FÍS passagem do estado gasoso para o líquido

liquefazer (li.que.fa.zer) /qu *ou* qü/ *v.* {mod. 14} *t.d. e pron.* **1** reduzir(-se) a líquido; derreter(-se), fundir (-se) *<l.(-se) um metal>* ↺ solidificar(-se) **2** (fazer) passar do estado gasoso ao líquido; condensar(-se) *<l.(-se) o vapor de água>*

liquefeito (li.que.fei.to) /qu *ou* qü/ *adj.* que passou por liquefação *<gás l.>*

líquen (lí.quen) [pl.: *líquenes, (B) liquens*] *s.m.* BOT vegetal formado pela associação simbiótica de uma alga e um fungo

liquidação (li.qui.da.ção) /qu *ou* qü/ [pl.: *-ões*] *s.f.* **1** ato ou efeito de liquidar(-se) **2** venda de mercadorias a preços mais baixos que o normal para acabar com o estoque **3** pagamento total de uma soma ou conta *<l. de uma dívida>* **4** DIR série de operações a que uma empresa se submete, a fim de pagar suas dívidas e encerrar suas atividades

liquidante (li.qui.dan.te) /qu *ou* qü/ *adj.2g.s.2g.* **1** DIR que(m) é encarregado de proceder à liquidação de uma sociedade civil ou comercial ■ *adj.* **2** conclusivo, decisivo *<raciocínio l.>* ↺ inconclusivo

liquidar (li.qui.dar) /qu *ou* qü/ *v.* {mod. 1} *t.d.* **1** apurar e acertar (conta) **2** ficar livre de (conta, dívida, obrigação); saldar, quitar **3** DIR encerrar a atividade comercial de (firma, empresa) **4** *B* vender a preços reduzidos; queimar *<l. o estoque das roupas de inverno>* **5** *fig.* pôr fim a (algo), de maneira enérgica e definitiva *<liquidou a concorrência ao seu negócio>* **6** *infrm.* consumir rapidamente; devorar *<liquidou a pizza sozinho>* **7** *fig.* exterminar, aniquilar *<um produto eficaz para l. insetos>* □ *t.d. e pron.* **8** matar(-se)

liquidez (li.qui.dez) /qu *ou* qü...ê/ [pl.: *-es*] *s.f.* **1** qualidade ou condição de uma substância em estado líquido **2** disponibilidade de dinheiro em caixa e/ou de títulos, promissórias etc. que podem converter-se imediatamente em dinheiro **3** propriedade do que é facilmente negociável e conversível em dinheiro vivo, como bens, títulos e ações *<imóveis nessa área têm boa l.>*

liquidificador (li.qui.di.fi.ca.dor) /qu *ou* qü...ô/ [pl.: *-es*] *s.m.* **1** eletrodoméstico composto de um recipiente com uma hélice de pás cortantes no fundo que mói e mistura alimentos ■ *adj.* **2** que liquidifica

liquidificar (li.qui.di.fi.car) /qu *ou* qü/ *v.* {mod. 1} *t.d.* fazer passar a estado líquido ou pastoso ou misturar (alimento) utilizando um liquidificador

líquido (lí.qui.do) /qu *ou* qü/ *adj.* **1** diz-se do estado da matéria intermediário entre os estados sólido e gasoso *<a água é l.>* **2** que flui ou corre como água *<cera l.>* **3** que se encontra em estado de fusão *<metal l.>* **4** que não dá margem a dúvida *<vitória l. e certa>* ↺ duvidoso **5** diz-se do peso de determinado item, excluindo-se o peso de seu recipiente ou embalagem **6** diz-se de soma ou quantia que resulta após dedução de encargos ou despesas *<salário l.>* ↺ bruto ■ *s.m.* **7** substância em estado líquido **8** qualquer líquido próprio para beber *<dieta de líquidos>* ▣ **l. amniótico** líquido da cavidade amniótica que protege o feto contra choques e perda de umidade

lira (li.ra) *s.f.* MÚS antigo instrumento de cordas dedilháveis presas em armação de madeira em forma de U

lirial (li.ri.al) [pl.: *-ais*] *adj.2g.* **1** da cor do lírio **2** branco e puro como o lírio

lírica (lí.ri.ca) *s.f.* LIT **1** poesia que expressa sentimentos e pensamentos íntimos *<excelente autor de líricas>* **2** conjunto de obras líricas *<a l. de Manuel Bandeira>*

lírico (lí.ri.co) *adj.* **1** pertencente ou relativo à lira ou à lírica *<canto l.> <poema l.>* **2** que cultiva a lírica *<poeta l.>* **3** diz-se de gênero poético ou musical dedicado à expressão de sentimentos e pensamentos íntimos **4** relativo a ópera *<temporada l. do Teatro Municipal> <cantor l.>*

lírio (lí.rio) *s.m.* BOT **1** flor ger. branca e muito perfumada, cultivada como ornamental; lis **2** sua planta ◉ COL lirial

lirismo (li.ris.mo) *s.m.* LIT tendência artística, esp. literária, que privilegia a subjetividade e a revelação do estado de alma do autor

lis *s.m.* lírio ('flor')

lisboeta (lis.bo.e.ta) /ê/ *adj.2g.* **1** de Lisboa, Portugal ■ *s.2g.* **2** natural ou habitante dessa capital

liso (li.so) *adj.* **1** sem aspereza ou saliências *<mármore l.> <asfalto l.>* **2** sem ondulações (cabelo, pelo etc.) **3** sem enfeite ou estampa *<tecido l.>* ■ *adj.s.m.* **4** *B infrm.* que(m) está sem dinheiro

lisonja (li.son.ja) *s.f.* adulação, elogio exagerado ↺ crítica

lisonjear (li.son.je.ar) *v.* {mod. 5} *t.d. e pron.* **1** envaidecer(-se) com lisonjas, elogios; orgulhar(-se) *<a homenagem dos colegas lisonjeou-o> <a atriz lisonjeou-se com os aplausos>* □ *t.d.* **2** enaltecer com exagero, para ter favores, privilégios etc.; adular *<não perde oportunidades de l. seus superiores>* **3** dar prazer a; satisfazer, deleitar *<o belo entardecer lisonjeava nossos olhos>* ~ **lisonjeador** *adj.s.m.*

lisonjeiro (li.son.jei.ro) *adj.* **1** que lisonjeia, que envaidece; lisonjeador *<palavras l.>* **2** agradável, aprazível *<lembranças l.>* ↺ desagradável **3** que tem boas perspectivas; prometedor *<os resultados dos exames foram bastante l.>* ↺ desanimador **4** que exprime aprovação; favorável *<poucos recebem tratamento l. do mestre>* ↺ desfavorável ■ *adj.s.m.* **5** que(m) lisonjeia; adulador

lisossoma (li.sos.so.ma) ou **lisossomo** (li.sos.so.mo) *s.m.* BIO organela citoplasmática, em forma de bolha, com enzimas que atuam na digestão intracelular

lista (lis.ta) *s.f.* **1** série de nomes de pessoas ou coisas; listagem, inventário, relação, rol *<l. de compras> <l. de aprovados>* **2** listra ▣ **l. negra 1** lista de pessoas, instituições etc. boicotadas por um grupo, sociedade, país, por ações contrárias aos seus interesses **2** *fig.* conjunto de pessoas com as quais se evita qualquer contato *<o cunhado está em sua l. negra>*

listagem (lis.ta.gem) [pl.: *-ens*] *s.f.* **1** ato de listar **2** lista, relação **3** INF relatório de computador sob forma impressa

listar (lis.tar) *v.* {mod. 1} *t.d.* inscrever em uma lista; arrolar, relacionar *<l. todas as despesas do mês>* ~ **listado** *adj.*

listra (lis.tra) *s.f.* traço vertical ou horizontal em uma superfície; lista *<camisa de listras pretas e brancas>*

listrar (lis.trar) *v.* {mod. 1} *t.d.* dotar de listras ~ **listrado** *adj.*

lisura (li.su.ra) *s.f.* **1** característica do que é liso, plano *<l. de mármore polido>* ↺ aspereza **2** *fig.* integridade de caráter, honestidade *<agir com l.>* ↺ desonestidade

litania (li.ta.ni.a) *s.f.* REL ladainha

liteira (li.tei.ra) *s.f.* cadeira coberta e fechada, us. como meio de transporte, sustentada por duas varas e carregada por dois homens ou dois animais de carga

literal (li.te.ral) [pl.: *-ais*] *adj.2g.* **1** que reproduz exatamente determinado texto ou trecho *<citação l.>* ↺ livre **2** conforme o significado das palavras, por oposição ao seu sentido figurado; exato, rigoroso *<sentido l.>* ↺ figurado ~ **literalidade** *s.f.*

literário (li.te.rá.rio) *adj.* **1** relativo a literatura *<obra l.> <gêneros l.>* **2** que revela aptidão, inclinação para a literatura *<talento l.>*

literato (li.te.ra.to) *adj.s.m.* que(m) escreve ou estuda obras literárias

literatura (li.te.ra.tu.ra) *s.f.* **1** arte da utilização estética da linguagem, esp. a escrita **2** conjunto de obras literárias pertencentes a um país, época etc. *<l. brasileira>* **3** bibliografia sobre determinado assunto *<l. médica>* **4** disciplina escolar constituída de estudos de obras literárias *<professor de l.>* **5** *pej.* série de palavras vazias, de caráter artificial ou superficial *<tudo que dizia não passava de l.>* ▣ **l. de cordel 1** literatura popular (esp. novelas e poesias), de impressão barata, exposta à venda em cordéis **2** *p.ext.* pequeno livro contendo esse material ☞ tb. se diz apenas [2]*cordel*

[1]**lítico** (lí.ti.co) *adj.* relativo a pedra *<sítio l.>* ◉ ORIGEM do gr. *lithikós,ḗ,ón* 'id.'

[2]**lítico** (lí.ti.co) *adj.* relativo a lítio ◉ ORIGEM do rad. *lit-* + *-ico*

litigar (li.ti.gar) *v.* {mod. 1} *t.d.* **1** iniciar litígio sobre *<l. uma herança>* □ *t.i. e int.* **2** (prep. *com, contra*) entrar em disputa com; contender, lutar *<l. contra os aproveitadores> <as duas facções litigam há anos>* ~ **litigante** *adj.2g.s.2g.*

litígio (li.tí.gio) *s.m.* **1** DIR ação ou controvérsia judicial **2** *fig.* conflito de interesses ↺ concordância ~ **litigioso** *adj.*

lítio (lí.tio) *s.m.* QUÍM elemento químico alcalino us. em baterias, ligas metálicas etc. [símb.: *Li*] ☞ cf. *tabela periódica* (no fim do dicionário)

litografia (li.to.gra.fi.a) *s.f.* GRÁF **1** sistema de reprodução de um escrito ou desenho cuja matriz é de pedra ou metal **2** produto dessa reprodução; litogravura **3** oficina em que essa reprodução acontece ~ **litográfico** *adj.*

litogravura (li.to.gra.vu.ra) *s.f.* GRÁF litografia ('produto')

litologia (li.to.lo.gi.a) *s.f.* GEOL **1** petrologia **2** descrição das rochas ~ **litológico** *adj.* - **litologista** *s.2g.* - **litólogo** *s.m.*

litoral (li.to.ral) [pl.: *-ais*] *s.m.* **1** faixa de terra à beira-mar; costa ■ *adj.2g.* **2** litorâneo

litorâneo (li.to.râ.neo) *adj.* que pertence a ou se situa à beira-mar *<região l.>*

[1]**litorina** (li.to.ri.na) *s.f.* ZOO nome comum a moluscos marinhos encontrados em costões rochosos e em manguezais ◉ ORIGEM do lat. *littus* ou *litus,ŏris* 'praia, litoral'

[2]**litorina** (li.to.ri.na) *s.f.* *B* trem com motor próprio; automotriz ◉ ORIGEM do it. *littorina* 'id.'

litosfera (li.tos.fe.ra) *s.f.* GEOL camada exterior sólida da superfície da Terra, com uma espessura de 50 km a 200 km ☞ cf. *barisfera* e *pirosfera* ~ **litosférico** *adj.*

litrácea (li.trá.cea) *s.f.* BOT espécime das litráceas, família de plantas cultivadas como ornamentais, para a extração de tinturas (como, p.ex., a hena) ou pela madeira ~ **litráceo** *adj.*

litro (li.tro) *s.m.* **1** unidade de medida de capacidade que equivale a um decímetro cúbico [símb.: *l*] **2** quantidade de líquido que cabe nessa medida *<um l. de leite>* **3** recipiente com essa capacidade ou quantidade equivalente a 1 litro

liturgia (li.tur.gi.a) *s.f.* REL **1** conjunto dos elementos e práticas do culto público de uma igreja ou comunidade religiosa *<l. da missa> <l. do candomblé>* **2** rito us. na realização de cada um dos ofícios e sacramentos *<l. eucarística>* ~ **litúrgico** *adj.*

lividez (li.vi.dez) /ê/ [pl.: *-es*] *s.f.* estado do que é lívido; palidez

lívido (lí.vi.do) *adj.* **1** de cor esverdeada, azulada ou acinzentada, causada por contusão, frio etc. **2** *p.ext.* muito pálido *<l. de medo>*

livrar (li.vrar) *v.* {mod. 1} *t.d.,t.d.i. e pron.* **1** (prep. *de*) (fazer) ficar em liberdade; libertar(-se) *<o juiz mandou l. o suspeito (da prisão)> <o detento iludiu o guarda e se livrou>* ↺ prender(-se) □ *t.d.i. e pron.* **2** (prep. *de*) pôr(-se) a salvo de (situação difícil, perigosa, incômoda); proteger(-se) *<livrou a criança do atropelamento> <com diplomacia, o país livrou-se da guerra>* ◉ GRAM/USO part.: *livrado, livre*; ver QUADRO DE PARTICÍPIOS DUPLOS nas pp. iniciais ~ **livramento** *s.m.*

livraria (li.vra.ri.a) *s.f.* estabelecimento em que se vendem livros

livre (li.vre) *adj.2g.* **1** que tem liberdade de pensar, de agir *<seres l. para escolher entre o bem e o mal>* **2** que não tem condição servil *<trabalhadores l.>* ↺ escravo **3** que goza de seus direitos civis *<cidadão l.>* **4** que recuperou a liberdade; solto *<eram prisioneiros, hoje são homens l.>* ↺ preso **5** absolvido *<está l., após o julgamento>* ↺ condenado **6** que goza de independência política *<país l.>* ↺ dependente **7** sem restrições, controle ou limitações *<imprensa l.>* ↺ censurado **8** desocupado, vago *<táxi l.>* ↺ ocupado **9** que se pode mover à vontade; solto *<mãos l.>* ↺ preso **10** que não apresenta obstáculos, impedimentos; disponível *<uma área l.>* ↺ obstruído **11** não envolvido em relacionamento amoroso *<pessoa l.>* ↺ comprometido **12** desprovido, isento *<l. de medo, de preconceitos>* ↺ provido **13** desregrado, indecoroso *<modos l.>* ↺ comedido **14** cuja forma não é fixada, imposta por antecipação *<a redação terá tema l.>* ↺ imposto **15** que não segue literalmente o original *<tradução l.>* **16** isento, dispensado de pagamento *<l. de impostos>* ↺ obrigado ◉ GRAM/USO sup.abs.sint.: *libérrimo, livríssimo*; part.irreg. de *livrar*

livre-arbítrio (li.vre-ar.bí.trio) [pl.: *livres-arbítrios*] *s.m.* possibilidade de escolha em função da própria vontade, sem qualquer condicionamento, motivo ou causa determinante

livreco (li.vre.co) *s.m.* **1** pequeno livro **2** *pej.* livro ruim ou sem importância ◉ GRAM/USO dim.irreg. de *livro*

L

livre-docência (li.vre-do.cên.cia) [pl.: *livres-docências*] *s.f.* *B* **1** exame de habilitação para uma das últimas fases do magistério de nível superior **2** título ou cargo de livre-docente **3** atividade exercida por livre-docente

livre-docente (li.vre-do.cen.te) [pl.: *livres-docentes (subst.)* e *livre-docentes (adj.)*] *adj.2g.s.2g.* (professor) qualificado em concurso de livre-docência

livreiro (li.vrei.ro) *adj.s.m.* **1** que(m) tem livraria ou vende livros ■ *adj.* **2** relativo à produção de livros *<mercado l.>*

livre-pensador (li.vre-pen.sa.dor) /ô/ [pl.: *livres-pensadores (subst.)* e *livre-pensadores (adj.)*] *adj.s.m.* (pessoa) cujas opiniões a respeito da religiosidade são formadas com base na sua razão, sem reconhecer nenhuma autoridade

livresco (li.vres.co) /ê/ *adj.* **1** relativo a livros; livreiro **2** que provém unicamente dos livros e não da experiência *<cultura l.>*

livro (li.vro) *s.m.* **1** conjunto de várias folhas escritas que, encadernadas, formam um volume **2** obra literária, científica ou de qualquer outro tipo publicada em volume impresso ou em outro suporte (*PDF*, *CD-ROM* etc.) **3** caderno de registros, anotações, esp. comerciais *<l. contábil>* ◉ COL acervo, biblioteca, coleção

livro-caixa (li.vro-cai.xa) [pl.: *livros-caixas* e *livros-caixa*] *s.m.* ECON livro em que se registram a entrada e a saída de dinheiro

lixa (li.xa) *s.f.* **1** papel com camada abrasiva us. para polir madeira, metal etc. **2** ZOO peixe cuja pele muito áspera é us. para polir madeiras ou metais

lixão (li.xão) [pl.: *-ões*] *s.m.* área em que se deposita lixo a céu aberto ☞ cf. *aterro sanitário*, no verbete *aterro*

lixar (li.xar) *v.* {mod. 1} *t.d.* **1** desbastar ou polir com lixa (p.ex., madeira, unhas) □ *pron.* *B* *infrm.* **2** (prep. *para*) não dar importância, atenção a *<está se lixando para as notas baixas>* ↺ importar-se

lixeira (li.xei.ra) *s.f.* **1** recipiente em que se junta o lixo das casas, ruas, praças e vias públicas; lixo **2** canal que percorre verticalmente um prédio de apartamentos, recebendo o lixo de cada andar **3** *p.ext.* lugar muito sujo

lixeiro (li.xei.ro) *s.m.* *B* profissional encarregado de recolher e conduzir o lixo para locais apropriados

lixívia (li.xí.via) *s.f.* QUÍM solução de cinzas vegetais ou de soda us. para clarear roupa; barrela

lixo (li.xo) *s.m.* **1** objeto sem valor ou utilidade, ou resto de trabalhos domésticos, industriais etc. que se joga fora **2** lixeira **3** sujeira, imundície **4** *fig. pej.* coisa ou pessoa sem valor, utilidade, importância

lo *pron.p.* **1** oblíquo objetivo dir. da 3ª p.sing. masc., empregado a seguir às formas verbais terminadas em *r*, *s* ou *z* *<tentei contatá-la>* *<qui-lo>* *<fi-lo>*; usa-se tb. posposto ao adv. *eis* *<ei-la que surge!>* [flex.: *la*, *los*, *las*] ■ *pron.dem.* **2** neutro; *o*, *isso*, *aquilo* (ainda hoje empr. nos mesmos casos citados na acp. 1) *<quanto ao movimento dos adversários, ei-lo aqui minuciado>*

loa (lo.a) /ô/ *s.f.* **1** discurso elogioso a alguém ou algo **2** canto ou versos louvando um santo ▼ ***loas*** *s.f.pl.* **3** mentiras ou bravatas *<foi seduzido por l.>*

lobby (lob.by) [ing.; pl.: *lobbies*] *s.m.* ver ***LÓBI*** ⇒ pronuncia-se lóbi

lóbi (ló.bi) *s.m.* **1** amplo salão na entrada de hotéis, teatros etc. **2** pressão sobre políticos e poderes públicos exercida por grupo que luta por seus princípios e interesses **3** grupo organizado que faz essa pressão

lobisomem (lo.bi.so.mem) [pl.: *-ens*] *s.m.* FOLC homem transformado em lobo em noites de lua cheia, como castigo de seus malefícios, e que vagueia pela noite até encontrar quem o faça sangrar para que seu encanto seja quebrado

lobista (lo.bis.ta) *s.2g.* **1** quem faz lóbi ('pressão') ■ *adj.2g.* **2** relativo a lóbi ('pressão', 'grupo')

lobo (lo.bo) /ó/ *s.m.* ANAT **1** parte de um órgão, esp. do cérebro, pulmões e glândulas, delimitada por sulco, fissura etc. **2** parte inferior, pendente e mole da orelha ◉ GRAM/USO dim.irreg.: *lóbulo*

lobo (lo.bo) /ô/ [fem.: /ô/] *s.m.* ZOO grande mamífero carnívoro da fam. dos canídeos, que vive em grupos de cerca de sete indivíduos, de pelagem longa, ger. cinzenta no dorso e esbranquiçada nas partes inferiores ◉ GRAM/USO dim.irreg.: *lobacho*, *lobato*; aum.irreg.: *lobaz* ◉ COL alcateia ◉ VOZ v.: uivar, ulular; subst.: uivo

lobo do mar (lo.bo do mar) [pl.: *lobos do mar*] *s.m.* marinheiro experiente ☞ cf. *lobo-do-mar*

lobo-do-mar (lo.bo-do-mar) [pl.: *lobos-do-mar*] *s.m.* ZOO peixe ósseo, marinho, com cerca de 2,50 m de comprimento ☞ cf. *lobo do mar*

lobo-guará (lo.bo-gua.rá) [pl.: *lobos-guará* e *lobos-guarás*] *s.m.* ZOO ²guará

lobo-marinho (lo.bo-ma.ri.nho) [pl.: *lobos-marinhos*] *s.m.* ZOO leão-marinho

lôbrego (lô.bre.go) *adj.* **1** em que há pouca ou nenhuma claridade; escuro, sombrio *<quarto l.>* ↺ claro **2** *p.ext.* de aspecto triste; funesto ↺ alegre **3** *fig.* que causa pavor; assustador *<cena l.>*

lobrigar (lo.bri.gar) *v.* {mod. 1} *t.d.* **1** enxergar com dificuldade; entrever *<lobrigamos o atalho por entre os arbustos>* **2** ver por acaso; topar **3** *fig.* tomar consciência de; notar *<afinal lobrigou as intenções do farsante>*

lobular (lo.bu.lar) [pl.: *-es*] *adj.2g.* **1** relativo a lóbulo **2** dividido em pequenas partes

lóbulo (ló.bu.lo) *s.m.* **1** pequeno lobo /ó/ **2** parte pendente e mole da orelha; lobo ◉ GRAM/USO dim. irreg. de *lobo* /ó/ ~ **lobuloso** *adj.*

locação (lo.ca.ção) [pl.: *-ões*] *s.f.* **1** contrato pelo uso e gozo de bem móvel ou imóvel mediante pagamento; aluguel **2** CINE TV lugar fora do estúdio de televisão ou de cinema em que são filmadas cenas externas

locador (lo.ca.dor) /ô/ [pl.: *-es*] *adj.s.m.* que(m) cede a outro (o locatário) o uso e gozo de bem móvel ou imóvel, num contrato de locação

locadora (lo.ca.do.ra) /ô/ *s.f.* loja ou empresa que cede algum bem por aluguel *<l. de DVDs>* *<l. de veículos>*

local (lo.cal) [pl.: *-ais*] *s.m.* **1** área ou região não especificada; lugar **2** área de limites definidos; lugar *<um l. úmido>* **3** área, cidade, edifício etc. que constitui um ponto de referência, o centro de um acontecimento, ou que é us. para uma finalidade *<o l. de uma reunião>* *<l. de nascimento>* ■ *s.f.* **4** notícia sobre determinada localidade,

L

dada por jornal da mesma área ■ *adj.2g.* **5** relativo a certo lugar ou ao lugar em que se vive *<comunidade l.>*

localidade (lo.ca.li.da.de) *s.f.* **1** lugar determinado ou limitado *<há casos de dengue em várias l.>* **2** povoação, lugarejo *<mora numa l. aqui perto>*

localização (lo.ca.li.za.ção) [pl.: *-ões*] *s.f.* **1** determinação do lugar onde pessoa ou coisa está *<l. do filho pelo celular>* **2** local onde se encontra algo *<a l. da casa é ótima>*

localizar (lo.ca.li.zar) *v.* {mod. 1} *t.d.* **1** definir o paradeiro ou posição de *<localizou o filho pelo celular>* **2** *p.ext.* detectar, identificar *<l. a origem do problema>* ◻ *t.d.i. e pron.* **3** (prep. *em*) (fazer) ficar em determinado local; posicionar(-se), colocar(-se) *<l. os desabrigados em escolas> <quer l.-se perto do palco>* ◻ *pron.* **4** estar situado; ficar *<a empresa localiza-se no Brasil>*

loção (lo.ção) [pl.: *-ões*] *s.f.* líquido us. para tratar ou limpar a pele e o couro cabeludo

locar (lo.car) *v.* {mod. 1} *t.d.* **1** conceder por certo tempo, mediante pagamento, o uso de; alugar **2** determinar o local de; localizar **3** marcar com estacas o local de (uma construção) ou o eixo de (estrada)

locatário (lo.ca.tá.rio) *adj.s.m.* que(m) paga aluguel ↺ locador

locaute (lo.cau.te) *s.m.* fechamento de fábrica, pelos donos, para forçar um acordo, ger. salarial, com os empregados ☞ cf. *greve*

locomoção (lo.co.mo.ção) [pl.: *-ões*] *s.f.* deslocamento de um lugar para outro; ato ou efeito de locomover-se ~ **locomotivo** *adj.*

locomotiva (lo.co.mo.ti.va) *s.f.* **1** veículo automotor que corre sobre trilhos e serve para puxar os vagões de trem **2** *B infrm.* pessoa que lidera, anima ou promove qualquer atividade com regularidade

locomotividade (lo.co.mo.ti.vi.da.de) *s.f.* capacidade de se locomover

locomotor (lo.co.mo.tor) /ô/ [pl.: *-es*; fem.: *locomotora* e *locomotriz*] *adj.* **1** relativo a locomoção *<a faculdade l. dos animais>* **2** que serve ou contribui para efetuar a locomoção *<força l.>*

locomover-se (lo.co.mo.ver-se) *v.* {mod. 8} *pron.* ir de um ponto ou lugar a outro; deslocar-se *<o guepardo é um animal que se locomove rapidamente>*

locução (lo.cu.ção) [pl.: *-ões*] *s.f.* **1** GRAM conjunto de palavras com significado conjunto próprio e função gramatical única *<l. substantiva> <l. conjuntiva> <l. prepositiva>* **2** modo de pronunciar palavras; dicção **3** em um roteiro de cinema, rádio ou TV, indicação das partes a serem ditas pelo locutor

locupletação (lo.cu.ple.ta.ção) [pl.: *-ões*] *s.f.* **1** ato de ficar rico; enriquecimento ↺ empobrecimento **2** ação de aumentar o patrimônio próprio em detrimento de alguém **3** o resultado dessa ação **4** enchimento, acumulação *<l. dos cofres públicos>* ↺ esvaziamento

locupletar (lo.cu.ple.tar) *v.* {mod. 1} *t.d. e pron.* **1** tornar(-se) rico; enriquecer ↺ empobrecer **2** (prep. *de*) tornar(-se) cheio, repleto; encher(-se), abarrotar(-se) *<a campanha locupletou os cofres da instituição> <os anfitriões locupletaram-na de gentilezas>* ↺ esvaziar

locutor (lo.cu.tor) /ô/ [pl.: *-res*] *adj.s.m.* que(m) narra ou diz texto, faz entrevistas, descreve acontecimentos etc. em programa de rádio e TV *<l. de futebol>*

lodaçal (lo.da.çal) [pl.: *-ais*] *s.m.* **1** lugar cheio de lodo; atoleiro, lamaçal **2** *fig.* lugar degenerado, decadente **3** *fig.* vida desregrada, de perdição

lodo (lo.do) /ô/ *s.m.* **1** depósito de terra e matéria orgânica no fundo das águas do mar, rios, lagos etc. **2** *fig.* baixeza, degradação

lodoso (lo.do.so) /ô/ [pl. e fem.: /ó/] *adj.* **1** que tem lodo ou lama **2** *p.ext.* sujo, emporcalhado *<aspecto l. de uma bota>* ↺ limpo

logaritmo (lo.ga.rit.mo) *s.m.* MAT expoente a que se deve elevar um número tomado como base para se obter outro número ~ **logarítmico** *adj.*

lógica (ló.gi.ca) *s.f.* **1** FIL estudo filosófico das formas do pensamento (dedução, indução, hipótese, inferência etc.) e do raciocínio, considerados como condição para o conhecimento **2** *p.ext.* forma de encadeamento, ordenação *<a l. de um projeto>* **3** forma de raciocínio *<a l. das crianças>* **4** razão de ser; coerência, fundamento *<seu argumento tem l.>* ↺ incoerência

logicamente (lo.gi.ca.men.te) *adv.* **1** de modo lógico **2** com bom senso; racionalmente *<no auge da discussão, não pudemos pensar l.>* **3** sem dúvida *<l., escolheremos os melhores profissionais>*

lógico (ló.gi.co) *adj.* **1** conforme os princípios da lógica *<pensamento l.>* ↺ ilógico **2** *p.ext.* cujo raciocínio é rigoroso, coerente, acertado *<critério l.>* ↺ absurdo **3** conforme o bom senso, a razão; justo, racional *<atitude l.>* ↺ irracional **4** que resulta do encadeamento natural das coisas; consequente *<a hipótese é o encadeamento l. da experimentação>* ■ *adj.s.m.* **5** que(m) estuda a lógica ■ *adv. infrm.* **6** evidentemente, obviamente *<ele, l., não imaginou tanta confusão>*

log in [ing.] ou ***log on*** [ing.] *loc.subst.* INF **1** conjunto de procedimentos para início de conexão com o sistema informatizado ou dispositivo periférico **2** informação de identificação pessoal que se dá a um computador para que ele reconheça o usuário ⊛ GRAM/USO tb. se escreve *login, log-in; logon, log-on* ⇒ pronuncia-se loguin; logon

logística (lo.gís.ti.ca) *s.f.* administração e organização dos detalhes de uma operação, p.ex., militar

logo (lo.go) *adv.* **1** imediatamente *<chamem l. um médico>* **2** mais tarde, em futuro próximo *<vai chegar l.>* **3** justamente *<l. agora que comecei a estudar eles chegam!>* ■ *conj.concl.* **4** portanto, por isso *<é desatento, l. não pode dirigir>* ⊡ **l. que** assim que; tão logo *<l. que chegue, telefonará>*

log off [ing.] *loc.subst.* INF conjunto de procedimentos que encerram uma sessão de processamento em computador ⊛ GRAM/USO tb. se grafa *log-off* e *logoff* ⇒ pronuncia-se logof

logogrifo (lo.go.gri.fo) *s.m.* **1** charada que consiste na adivinhação de várias palavras formadas pelas mesmas letras (p.ex., a partir de *casto*, formar-se *tasco* ou *tosca*) **2** *p.ext.* linguagem obscura ~ **logogrífico** *adj.*

logomarca (lo.go.mar.ca) *s.f.* **1** conjunto formado pela representação gráfica do nome de determinada marca, em letras de traçado específico, fixo e característico (logotipo) e seu símbolo visual **2** representação visual de qualquer marca

L

log on [ing.] *loc.subst.* → ***LOG IN*** ⇒ pronuncia-se logon

logorreia (lo.gor.rei.a) /éi/ *s.f.* **1** compulsão doentia por falar **2** *pej.* profusão de frases sem sentido e/ou inúteis

logotipia (lo.go.ti.pi.a) *s.f.* GRÁF sistema de composição tipográfica em que se usam logotipos ~ **logotípico** *adj.*

logotipo (lo.go.ti.po) *s.m.* GRÁF símbolo formado pela combinação especial de um grupo de letras que serve à identificação de uma empresa, produto, marca etc.

logradouro (lo.gra.dou.ro) *s.m.* lugar público, como praças, jardins, passeios etc.

lograr (lo.grar) *v.* {mod. 1} *t.d.* **1** conseguir, alcançar (algo que é direito ou desejo) *<l. o objetivo sonhado>* **2** fazer bom uso, ter prazer com (algo conquistado); desfrutar, usufruir *<por fim, conseguiu l. certa paz de espírito>* **3** enganar com artimanhas; iludir □ *t.d. e pron.* **4** tirar proveito, vantagem (de); aproveitar(-se) *<l. os lucros do trabalho alheio> <l.-se da posição do pai para obter favores>* □ *int.* **5** ter o resultado esperado; funcionar *<o plano logrou>* ↺ falhar

logro (lo.gro) /ô/ *s.m.* **1** ato ou efeito de lograr **2** manobra, artifício com que se ilude ou engana alguém

[1]**loiro** (loi.ro) *adj.s.m.* → [1]***LOURO***

[2]**loiro** (loi.ro) *s.m.* → [2]***LOURO***

loja (lo.ja) *s.f.* casa comercial em que se expõem e se vendem mercadorias

L

lojista (lo.jis.ta) *adj.2g.* **1** relativo a comércio feito em loja *<organização l.>* ■ *adj.2g.s.2g.* **2** que(m) é proprietário de loja comercial e trabalha com comércio realizado em loja *<comércio l.> <acordo entre lojistas>*

lomba (lom.ba) *s.f.* **1** cume arredondado de colina, serra, monte, montanha ↺ sopé **2** parte mais alta do telhado; cumeeira **3** pequeno monte de areia ou terra formado pelo vento **4** ladeira, declive

[1]**lombada** (lom.ba.da) *s.f.* **1** ladeira **2** quebra-molas ◉ ORIGEM *lomba* + *-ada*

[2]**lombada** (lom.ba.da) *s.f.* BIBLIO parte do livro oposta ao corte das folhas, que traz o título da obra, o nome do autor etc.; dorso ◉ ORIGEM *lombo* + *-ada*

lombar (lom.bar) [pl.: *-es*] *adj.2g.* **1** relativo a lombo **2** que se situa na parte posterior do abdome e compreende cinco vértebras e a massa muscular a sua volta (diz-se de região corporal) **3** relativo a essa região

lombardo (lom.bar.do) *s.m.* **1** natural ou habitante da Lombardia (Itália) **2** LING dialeto falado nessa região ■ *adj.* **3** relativo a essa região e a seu dialeto

lombeira (lom.bei.ra) *s.f.* *infrm.* preguiça física; moleza, indolência ↺ disposição

lombilho (lom.bi.lho) *s.m.* *B* **1** músculo lombar de animal quadrúpede **2** tipo de arreio

lombo (lom.bo) *s.m.* **1** *infrm.* cada uma das regiões situadas de um lado e do outro da coluna vertebral, abaixo ou após as costelas **2** *p.ext. B joc.* conjunto das nádegas; bunda **3** carne dos animais de corte localizada na região lombar

lombriga (lom.bri.ga) *s.f.* ZOO verme amarelado, de corpo delgado com forma cilíndrica, cosmopolita, que parasita o intestino do homem, porco e carneiro

lombrigueiro (lom.bri.guei.ro) *s.m.* *B* medicamento us. para expelir lombrigas, esp. o que contém óleo de rícino

lombudo (lom.bu.do) *adj.* que tem lombo grande

lona (lo.na) *s.f.* tecido resistente us. em sacos, toldos, tendas ou aquele que recebe tratamento com látex e é us. na fabricação de pneus, freios etc. ⊡ **na (última) l.** *fig. B infrm.* **1** gasto, velho **2** sem recursos *<preciso de emprego, pois estou na l.>*

londrino (lon.dri.no) *adj.* **1** de Londres, Inglaterra ■ *s.m.* **2** natural ou habitante dessa capital

longa-metragem (lon.ga-me.tra.gem) [pl.: *longas--metragens*] *s.m.* CINE filme com duração mínima de 70 minutos

longarina (lon.ga.ri.na) *s.f.* CONSTR ENG viga estrutural disposta segundo o comprimento de uma ponte, chassi de carro, asa de avião etc.

longe (lon.ge) *adv.* **1** a uma grande distância no espaço e/ou no tempo *<morar l.> <as férias estão l.>* ↺ perto ■ *adj.2g.* **2** muito afastado *<terra l.> <tempo l.>* ↺ próximo ■ *s.m.* **3** ponto que se encontra distante no espaço ou no tempo *<os cavalos sumiram ao l. da serra> <saudade dos l. da infância>* ☞ freq. us. no pl.

longevidade (lon.ge.vi.da.de) *s.f.* **1** duração da vida mais longa que o comum **2** *p.ext.* durabilidade de qualquer coisa (concreta ou abstrata) *<a l. do metal> <a l. das religiões>*

longevo (lon.ge.vo) /é/ *adj.* **1** de idade avançada; idoso ↺ jovem **2** *frm.* duradouro (diz-se de instituição, ideia etc.) ↺ novo

longilíneo (lon.gi.lí.neo) *adj.* alongado, delgado *<pescoço l.>* ↺ curto

longínquo (lon.gín.quo) *adj.* **1** que está longe no espaço ou no tempo *<países l.> <passado l.>* ↺ próximo **2** *fig.* que se mostra ausente, desligado *<olhar l.>* ↺ atento **3** *fig.* leve, ligeiro *<tem l. semelhança com o irmão>*

longitude (lon.gi.tu.de) *s.f.* distância, medida em graus, que separa um ponto do globo terrestre de uma linha imaginária que vai de um polo ao outro, passando pelo meridiano de Greenwich ☞ cf. *latitude*

longitudinal (lon.gi.tu.di.nal) [pl.: *-ais*] *adj.2g.* **1** relativo a ou próprio da longitude *<ponto l.>* **2** cujo sentido é o mesmo do comprimento de algo *<corte l. de uma árvore>*

longo (lon.go) *adj.* **1** de grande comprimento; comprido, extenso *<estrada l.>* ↺ curto **2** que dura muito tempo *<uma l. espera>* ↺ breve ⊡ **ao l. de 1** no sentido da maior extensão ou do comprimento *<ao l. da calçada, os camelôs apregoavam suas mercadorias> <os braços pendiam ao l. do corpo>* **2** durante, no decurso de *<nunca vira um caso desses ao l. da carreira> <ao l. dos séculos>*

lonjura (lon.ju.ra) *s.f.* grande distância

lontra (lon.tra) *s.f.* ZOO mamífero carnívoro aquático com pelagem densa, marrom-escura no dorso e esbranquiçada nas partes inferiores, cuja cauda achatada na extremidade o auxilia na natação

loquacidade (lo.qua.ci.da.de) *s.f.* **1** facilidade de discursar; eloquência **2** fato de se falar muito; tagarelice ↺ mutismo

loquaz (lo.quaz) [pl.: *-es*] *adj.2g.* **1** que fala muito; tagarela ↺ calado **2** *p.ext.* que fala com facilidade **3** *fig.* que produz ruído ↺ silencioso ◉ GRAM/USO sup. abs.sint.: *loquacíssimo*

lorantácea (lo.ran.tá.cea) *s.f.* BOT espécime das lorantáceas, família da ordem de plantas que extraem minerais de outras para viver, muitas delas conhecidas como erva-de-passarinho; freq. prejudicam as culturas ~ **lorantáceo** *adj.*

lorde (lor.de) *s.m.* **1** título inglês de nobreza que significa senhor **2** indivíduo que tem esse título ↺ plebeu ■ *adj.s.m.* **3** *infrm.* (aquele) que vive com ostentação ↺ simples ■ *adj.2g. B infrm.* **4** que denota elegância; vistoso ↺ simples

lordose (lor.do.se) *s.f.* **1** ANAT convexidade anterior, normal, da coluna vertebral na região lombar **2** MED acentuação excessiva de tal convexidade ☞ cf. *cifose* e *escoliose*

loricariídeo (lo.ri.ca.ri.í.deo) *s.m.* ZOO **1** espécime dos loricariídeos, família de peixes ósseos, fluviais, representados pelos cascudos ■ *adj.* **2** relativo a esse espécime e a essa família

loro (lo.ro) /ô/ *s.m.* correia dupla us. para sustentar o estribo das cavalgaduras ☞ cf. *louro*

lorota (lo.ro.ta) *s.f. B infrm.* **1** dito mentiroso **2** conversa fiada ◉ COL lorotagem

loroteiro (lo.ro.tei.ro) *adj.s.m. B infrm.* que(m) mente muito

lorpa (lor.pa) /ô/ *adj.2g.s.2g.* **1** que(m) não tem inteligência ou bom senso; idiota **2** grosseiro, boçal ↺ gentil ~ **lorpice** *s.f.*

losango (lo.san.go) *s.m.* GEOM quadrilátero plano cujos lados são iguais e que tem dois ângulos agudos e dois obtusos; rombo ~ **losângico** *adj.*

losangular (lo.san.gu.lar) [pl.: *-es*] *adj.2g.* referente a losango ou que apresenta o seu formato; losângico

losna (los.na) *s.f.* BOT absinto ('erva')

[1]**lotação** (lo.ta.ção) [pl.: *-ões*] *s.f.* **1** soma total de pessoas ou de coisas reunidas para algum fim **2** *p.ext.* capacidade máxima de um lugar *<a l. do teatro é de 500 pessoas>* ◉ ORIGEM *lotar* + *-ção*

[2]**lotação** (lo.ta.ção) [pl.: *-ões*] *s.m. B* pequeno ônibus us. como transporte coletivo ◉ ORIGEM red. de *autolotação* 'id.'

lotar (lo.tar) *v.* {mod. 1} *t.d.* **1** calcular a [1]lotação ('soma') de *<l. o público de um jogo de basquete>* **2** dividir em lotes; lotear □ *t.d.i.* **3** (prep. *em*) colocar (funcionário) em certo setor, órgão etc. *<l. professores em escolas novas>* □ *t.d.,t.d.i. e int.* **4** (prep. *com, de*) encher completamente os lugares de (veículo ou recinto) *<por pouco não lotavam o teatro> <l. a saca com as compras da feira> <o estádio lotou completamente>* ~ **lotador** *adj.s.m.*

lote (lo.te) *s.m.* **1** parte de um todo que se divide **2** *B* terreno que resulta de loteamento ou desmembramento **3** determinada quantidade de objetos ou coisas, em geral da mesma natureza, valor ou qualidade *<l. de seis limões, de café>*

loteamento (lo.te.a.men.to) *s.m. B* **1** divisão de terreno em lotes **2** o projeto dessa divisão

lotear (lo.te.ar) *v.* {mod. 5} *t.d.* dividir (terra, imóvel etc.) em lote, ger. para venda

loteca (lo.te.ca) *s.f. B infrm.* loteria esportiva

loteria (lo.te.ri.a) *s.f.* **1** jogo de azar em que bilhetes numerados ou combinações de números são contemplados, por sorteio, com prêmios em dinheiro **2** estabelecimento onde se vendem bilhetes de loterias e se fazem apostas; casa lotérica, lotérica **3** *fig.* acontecimento que apenas depende da sorte ▣ **l. esportiva** *B* concurso oficial ligado aos resultados dos jogos de futebol ~ **lotérico** *adj.*

lotérica (lo.té.ri.ca) *s.f. B* casa lotérica; loteria

[1]**loto** (lo.to) /ó/ *s.m.* BOT lótus ◉ ORIGEM do lat. *lōtus* ou *lōtos,i* 'id.'

[2]**loto** (lo.to) /ó/ *s.f. B* loteria oficial que premia o acertador de um total de dezenas sorteadas ◉ ORIGEM red. de *loteria*

loto (lo.to) /ô/ *s.m.* RECR bingo ('jogo de azar'); víspora

lótus (ló.tus) *s.m.2n.* BOT **1** nome comum a algumas plantas de rizomas e sementes comestíveis e tb. cultivadas como ornamentais pelas belas flores coloridas **2** a flor dessas plantas

louça (lou.ça) *s.f.* **1** produto de cerâmica us. na fabricação de objetos domésticos *<maçaneta de l.>* **2** conjunto de pratos, xícaras etc. de cerâmica us. para servir comida, chá, café; aparelho **3** cada uma dessas peças ◉ COL serviço

louco (lou.co) *adj.s.m.* **1** (aquele) cujo comportamento ou raciocínio mostra alterações doentias das faculdades mentais **2** que(m) tem um comportamento pouco razoável ou desajustado ■ *adj.* **3** de aparência estranha, anormal *<olhar l.>* ↺ normal **4** dominado por paixão intensa ou forte sentimento *<l. por música>* ↺ indiferente **5** absurdo, disparatado *<história l.>* ↺ coerente **6** que vai contra o esperado, razoável ou prudente *<aventura l.>* ↺ ponderado **7** descontrolado *<carro l.>* ↺ controlado **8** fora do comum; extraordinário, colossal *<fazer um sucesso l.>* ↺ comum

loucura (lou.cu.ra) *s.f.* **1** MED distúrbio da mente do indivíduo que o afasta de seus métodos habituais de pensar, sentir e agir ↺ saúde **2** perda da razão ↺ juízo **3** *p.ext.* paixão por alguém ou algo *<ter l. pelo filho>* ↺ desinteresse **4** *p.ext.* ato ou fala despropositada, imprudente ou insensata ↺ sensatez **5** *p.ext.* caráter de tudo que foge ao convencional, ao previsto, à rotina *<os preços estão uma l.> <a festa será uma l.>*

louquear (lou.que.ar) *v. int. PR* **1** cometer imprudências, loucuras *<desatento, ele já começou a l.>* **2** fazer travessuras

louquice (lou.qui.ce) *s.f.* ato ou dito louco; doidice

loureiro (lou.rei.ro) *s.m.* BOT árvore de até 20 m, nativa do Mediterrâneo, cujas folhas (o louro) são mundialmente us. como condimento e para extração de óleo essencial

[1]**louro** (lou.ro) ou [1]**loiro** (loi.ro) *s.m.* **1** BOT o loureiro **2** BOT a folha dessa árvore, muito us. como condimento **3** a cor amarelo-tostada ou entre o dourado e o castanho-claro **4** indivíduo que tem o cabelo com essa tonalidade ☞ cf. *loro* ■ *adj.* **5** que tem a cor amarelo-tostada ou entre o dourado e o castanho-claro (diz-se esp. de cabelo) **6** diz-se dessa cor *<a cor l.>* ◉ ORIGEM do lat. *laūrus,i* ou us 'loureiro, coroa de louros, vitória, palma'

L

[2]**louro** (lou.ro) ou [2]**loiro** (loi.ro) *s.m.* papagaio ('ave') ☞ cf. *loro* ◉ ORIGEM duv., talvez do maori *nori* 'id.'

lousa (lou.sa) *s.f.* **1** quadro-negro **2** laje ou placa de pedra que cobre uma sepultura

louva-a-deus (lou.va-a-deus) *s.m.2n.* ZOO nome comum a insetos tropicais, predadores, de peculiar hábito de manter as patas dianteiras levantadas e unidas, como se estivessem rezando

louvação (lou.va.ção) [pl.: *-ões*] *s.f.* **1** louvor ('homenagem', 'elogio', 'adulação', 'agradecimento') **2** elevação à condição de sagrado; glorificação <*receber a l. do papa*>

louvamento (lou.va.men.to) *s.m.* louvor

louvaminha (lou.va.mi.nha) *s.f.* elogio excessivo; adulação

louvar (lou.var) *v.* {mod. 1} *t.d. e pron.* **1** (prep. *por*) enaltecer(-se) com palavras, louvores; elogiar(-se) <*l. os pais*> <*louvava-se pelo bom êxito de seus empreendimentos*> ↺ criticar **2** declarar(-se) digno de aprovação; aplaudir(-se) <*l. uma proposta*> <*louvou-se pelo acerto de sua decisão*> □ *t.d.* **3** exaltar como bendito; bendizer <*l. o nome de Deus*> ↺ maldizer ~ **louvador** *adj.s.m.*

louvor (lou.vor) /ô/ [pl.: *-es*] *s.m.* **1** reconhecimento de distinção; homenagem ↺ censura **2** exaltação dos méritos de alguém; elogio ↺ censura **3** adulação, bajulação ↺ crítica **4** demonstração de gratidão; agradecimento ↺ ingratidão **5** recebimento de apoio, proteção; bênção

Lr QUÍM símbolo de *laurêncio*

Lu QUÍM símbolo de *lutécio*

lua (lu.a) *s.f.* **1** ASTR satélite natural da Terra ☞ inicial maiúsc. **2** ASTR qualquer satélite natural <*as l. de Júpiter*> **3** *fig.* o espaço de um mês, contado de acordo com as fases da Lua <*na próxima l. vamos viajar*> ▣ **l. artificial** ASTR satélite artificial • **l. cheia** ASTR fase em que a Lua mostra à Terra a sua face inteiramente iluminada pelo Sol; plenilúnio • **l. crescente** ASTR Lua entre as fases nova e cheia, quando sua parte visível está gradativamente aumentando • **l. minguante** ASTR Lua entre as fases cheia e nova, quando sua parte visível está gradativamente diminuindo • **l. nova** ASTR fase em que a Lua tem a sua face obscura voltada para a Terra • **estar de l.** estar de mau humor

lua de mel (lu.a de mel) [pl.: *luas de mel*] *s.f.* **1** início da vida comum de recém-casados **2** *fig.* qualquer período vivido com entusiasmo e em clima de bom entendimento <*a lua de mel entre os dois partidos acabou*>

luar (lu.ar) [pl.: *-es*] *s.m.* a claridade da Lua

luarento (lu.a.ren.to) *adj.* em que há luar <*noite, jardim l.*>

luau (lu.au) *s.m.* festa informal que se realiza na praia, com música ao vivo, dança, bebidas etc.

lubricidade (lu.bri.ci.da.de) *s.f.* **1** falta de aderência <*era fácil escorregar devido à l. da trilha*> **2** *fig.* sensualidade exagerada; excitação ↺ recato

lúbrico (lú.bri.co) *adj.* **1** úmido **2** escorregadio, liso **3** *fig.* que tem luxúria; lascivo, sensual ↺ casto

lubrificante (lu.bri.fi.can.te) *adj.2g.s.m.* (substância) us. para lubrificar

lubrificar (lu.bri.fi.car) *v.* {mod. 1} *t.d. e pron.* **1** (fazer) ficar úmido, escorregadio; umedecer(-se) □ *t.d.* **2** aplicar óleo, graxa em (máquina, aparelho etc.), para reduzir o atrito ~ **lubrificação** *s.f.*

lucarna (lu.car.na) *s.f.* **1** abertura no telhado para deixar entrar luz e ar no sótão; lucerna, luzerna **2** fresta na parede para entrar luz; lucerna, luzerna

lucerna (lu.cer.na) *s.f.* **1** armação com várias lâmpadas; candelabro **2** lucarna

lúcido (lú.ci.do) *adj.* **1** que se manifesta com luz e brilho; brilhante ↺ sombrio **2** que deixa passar a luz; transparente ↺ opaco **3** *fig.* de espírito agudo; consciente, inteligente ↺ idiota **4** *fig.* bem expresso e bem formulado; coerente <*l. argumento*> ↺ confuso **5** que está na posse de suas faculdades mentais; consciente <*vovô permaneceu l. até o último dia de vida*> ~ **lucidez** *s.f.*

lúcifer (lú.ci.fer) [pl.: *lucíferes*] *s.m.* o diabo ☞ inicial ger. maiúsc. ~ **luciferino** *adj.*

luciferismo (lu.ci.fe.ris.mo) *s.m.* seita ou doutrina dos adoradores do Diabo; magia negra ~ **luciferista** *adj.2g.s.2g.*

lucrar (lu.crar) *v.* {mod. 1} *t.d.,t.i. e int.* (prep. *com*) obter (benefício material, moral, intelectual) [de empreendimento, situação]; ganhar, beneficiar-se <*lucrara apenas alguns trocados*> <*ele foi o único a l. com o negócio*> <*se aplicasse na bolsa, sairia lucrando*> <*sempre lucrou muito, ouvindo suas memórias de professor*>

lucrativo (lu.cra.ti.vo) *adj.* **1** em que há lucro <*comércio l.*> ↺ prejudicial **2** de que se tira proveito; útil <*tarde l.*> ↺ inútil

lucro (lu.cro) *s.m.* **1** qualquer benefício (material, intelectual ou moral) que se pode tirar de alguma coisa ↺ prejuízo **2** ganho comercial; dividendo <*esta empresa dá muito l.*> ↺ prejuízo

lucubração (lu.cu.bra.ção) [pl.: *-ões*] *s.f.* elucubração

lucubrar (lu.cu.brar) *v.* {mod. 1} *t.d. e int.* elucubrar

ludibriar (lu.di.bri.ar) *v.* {mod. 1} *t.d. e pron.* **1** (fazer) acreditar no que não é verdadeiro; enganar, iludir <*o candidato ludibriou seus eleitores*> <*ludibriou-se por paixão*> □ *t.d.* **2** ridicularizar com gestos, palavras etc.; caçoar

ludíbrio (lu.dí.brio) *s.m.* **1** ato de enganar ou o seu efeito **2** brincadeira maldosa; logro, zombaria ↺ respeito **3** objeto de zombaria <*seu novo corte de cabelo virou o l. da garotada*>

ludibrioso (lu.di.bri.o.so) /ô/ [pl. e fem.: /ó/] *adj.s.m.* que(m) utiliza artifícios para enganar outros

lúdico (lú.di.co) *adj.* relativo a jogo, brinquedo <*atividades l.*> ~ **ludismo** *s.m.*

lues (lu.es) *s.f.2n.* MED sífilis

lufada (lu.fa.da) *s.f.* **1** vento forte, rápido; rajada ↺ calmaria **2** raio de luz súbito **3** *fig.* algo que irrompe subitamente <*teve uma l. de sorte*>

lufa-lufa (lu.fa-lu.fa) [pl.: *lufa-lufas*] *s.f. infrm.* agitação e pressa; afã, corre-corre

lugar (lu.gar) [pl.: *-es*] *s.m.* **1** parte de um espaço (país, cidade, região) <*em que l. ele nasceu?*> **2** parte do espaço que alguém ou algo ocupa ou poderia ocupar <*o teu l. é este*> <*o l. dos talheres é ali*> **3** posição relativa

L

numa série, colocação ou escala *<ficar em primeiro l. num concurso>* **4** assento ou espaço em que uma pessoa se põe como passageiro ou espectador *<l. no teatro>* **5** *fig.* cargo, emprego *<conseguir o l. de professor>* **6** *fig.* momento oportuno; hora, ocasião *<não tinham mais l. para conversar>* ▣ **em l. de** em vez de; em troca *<em l. de agir, ficou esperando por você>*

lugar-comum (lu.gar-co.mum) [pl.: *lugares-comuns*] *s.m.* ideia, frase ou dito sem originalidade, que todos repetem *<um l. de mau gosto>*

lugarejo (lu.ga.re.jo) /ê/ *s.m.* vilarejo, povoado

lugar-tenente (lu.gar-te.nen.te) [pl.: *lugares-tenentes*] *s.2g.* pessoa que substitui outra provisoriamente

lúgubre (lú.gu.bre) *adj.2g.* **1** relativo a morte, a funerais; fúnebre, macabro **2** *p.ext.* sombrio, triste *<canção l.>* ↺ alegre **3** *p.ext.* que inspira pavor; sinistro *<casarão l.>* ~ **lugubridade** *s.f.*

lula (lu.la) *s.f.* ZOO molusco de corpo alongado, com dez braços, sendo dois deles us. para obter alimento; calamar

lumbagem (lum.ba.gem) [pl.: *-ens*] *s.f. infrm.* lumbago

lumbago (lum.ba.go) *s.m.* MED **1** dor lombar aguda **2** ciática ~ **lumbágico** *adj.*

lumbricida (lum.bri.ci.da) *adj.2g.s.m.* (substância, medicamento) que mata lombrigas

lume (lu.me) *s.m.* **1** calor e luz produzidos pela combustão; fogo **2** *p.ext.* brilho, claridade *<o l. das estrelas>* **3** candeeiro, vela, tocha *<sem eletricidade, usavam vários l. nas paredes>* **4** *fig.* luz refletida por um corpo; brilho *<o l. de seus olhos>* **5** *fig.* demonstração de capacidade excepcional; brilhantismo *<sobressaía pelo l. de suas ideias>*

luminar (lu.mi.nar) [pl.: *-es*] *adj.2g.* **1** que espalha luz ■ *s.m.* **2** *fig.* pessoa de grande ilustração ou saber

luminária (lu.mi.ná.ria) *s.f.* **1** qualquer aparelho que ilumina ou fica iluminado, ger. decorativo **2** *fig.* pessoa de grande ilustração ou saber

luminescência (lu.mi.nes.cên.cia) *s.f.* FISQUÍM emissão de luz por um corpo sem variação da temperatura deste ~ **luminescente** *adj.2g.*

luminosidade (lu.mi.no.si.da.de) *s.f.* **1** propriedade de emitir ou de refletir luz **2** claridade ou brilho **3** coisa luminosa *<avistou uma l. no meio da floresta>*

luminoso (lu.mi.no.so) /ô/ [pl. e fem.: /ó/] *adj.* **1** que emite, difunde, espalha luz *<astro l.>* ↺ apagado **2** em que há luz; iluminado *<quarto l.>* ↺ sombrio **3** *fig.* que demonstra inteligência; arguto ↺ tolo **4** *fig.* fácil de entender; claro *<estilo de escrever l.>* ↺ obscuro **5** *fig.* que encanta; belo ↺ feio ■ *s.m.* **6** anúncio de rua que é iluminado, para ser visto à noite

lunação (lu.na.ção) [pl.: *-ões*] *s.f.* **1** período de tempo entre duas luas novas seguidas **2** sucessão das fases da Lua

lunar (lu.nar) [pl.: *-es*] *adj.2g.* relativo a, pertencente a, próprio de ou que lembra a Lua

lunário (lu.ná.rio) *s.m.* calendário baseado nas fases da Lua

lunático (lu.ná.ti.co) *adj.* **1** influenciado pela Lua *<temperamento l.>* ■ *adj.s.m.* **2** que(m) vive fora da realidade ↺ realista

lundu (lun.du) ou **lundum** (lun.dum) [pl.: *-uns*] *s.m.* *B* **1** dança de salão de origem africana, com forte apelo sensual, em moda no Brasil a partir do fim do sXVIII **2** a música que acompanha essa dança

luneta (lu.ne.ta) /ê/ *s.f.* ÓPT instrumento cilíndrico com lente de aumento us. para ver à distância; óculo, telescópio

luniforme (lu.ni.for.me) *adj.2g.* **1** que tem a forma da Lua **2** em forma de meia-lua

lupa (lu.pa) *s.f.* ÓPT lente que transmite uma imagem aumentada dos objetos

lupanar (lu.pa.nar) [pl.: *-es*] *s.m.* prostíbulo, bordel

lupino (lu.pi.no) *adj.* relativo a ou próprio de lobo

lúpulo (lú.pu.lo) *s.m.* BOT planta trepadeira, cujas flores já eram us. no sIX na fabricação de cerveja, dando-lhe o gosto amargo típico

lúpus (lú.pus) *s.m.2n.* MED inflamação crônica da pele, caracterizada por ulcerações ou manchas

lura (lu.ra) *s.f.* **1** toca de certos animais (esp. o coelho) **2** *p.ext.* qualquer buraco; cova

lúrido (lú.ri.do) *adj.* **1** sem cor; lívido, pálido ↺ corado **2** *fig. frm.* negro ou escuro, sombrio *<imagens l.>* ↺ claro

lusco-fusco (lus.co-fus.co) [pl.: *lusco-fuscos*] *s.m.* momento do amanhecer ou do anoitecer, quando há pouca luz e falta de nitidez das formas e cores

lusíada (lu.sí.a.da) *adj.2g.s.2g.* (o) que tem origem portuguesa

lusitanidade (lu.si.ta.ni.da.de) *s.f.* **1** caráter próprio do que ou de quem é português **2** amor a Portugal **3** o conjunto dos portugueses

lusitanismo (lu.si.ta.nis.mo) *s.m.* **1** modo de falar ou escrever próprio da língua portuguesa **2** *p.ext.* palavra ou expressão própria do português de Portugal **3** *p.ext.* hábito ou tendência de imitar os portugueses

lusitano (lu.si.ta.no) *adj.* **1** de Portugal; luso ■ *s.m.* **2** natural ou habitante desse país; luso

luso (lu.so) *adj.s.m.* lusitano

luso-brasileiro (lu.so-bra.si.lei.ro) [pl.: *luso-brasileiros*] *adj.* **1** relativo a Brasil e Portugal ■ *adj.s.m.* **2** (pessoa) de origem portuguesa e brasileira

lusofonia (lu.so.fo.ni.a) *s.f.* **1** conjunto das pessoas que falam o português **2** conjunto de países que têm o português como língua oficial ou dominante [A lusofonia abrange, além de Portugal, os países de colonização portuguesa, a saber: Brasil, Moçambique, Angola, Cabo Verde, Guiné-Bissau, São Tomé e Príncipe; abrange ainda as variedades faladas por parte da população de Goa, Damão e Macau na Ásia, e ainda a variedade do Timor na Oceania.] ~ **lusófono** *adj.s.m.*

lustral (lus.tral) [pl.: *-ais*] *adj.2g.* **1** que purifica, invoca proteção, livra de culpas (diz-se de água, fogo etc.) **2** que é us. para celebrar o batismo na religião cristã (diz-se de água)

lustrar (lus.trar) *v.* {mod. 1} *t.d.* **1** fazer adquirir lustre ou brilho; polir *<l. os móveis>* **2** *p.ext.* encerar, engraxar *<l. os sapatos>* **3** *p.ext.* aplicar verniz em; envernizar *<l. uma moldura>* ~ **lustrador** *adj.s.m.*

[1]lustre (lus.tre) *s.m.* **1** brilho ou polimento de um objeto **2** *fig.* brilho irradiado pela beleza, pelo mérito, pela fama; honra, glória ◉ ORIGEM duv., talvez do it. *lustro* 'id.'

[2]lustre (lus.tre) *s.m.* grande castiçal suspenso do teto; candelabro ◉ ORIGEM do fr. *lustre* 'id.'

[1]lustro (lus.tro) *s.m.* período de cinco anos; quinquênio ◉ ORIGEM do lat. *lūstrum,i* 'cerimônia de purificação realizada de cinco em cinco anos; período de cinco anos'

[2]lustro (lus.tro) *s.m.* brilho natural ou artificial; polimento ◉ ORIGEM do it. *lustro* 'clarão'

lustroso (lus.tro.so) /ô/ [pl. e fem.: /ó/] *adj.* **1** cheio de brilho; brilhoso, luzidio **2** *fig.* notável por seus feitos, saberes; ilustre ↺ obscuro **3** *fig.* que tem pompa, esplendor *<desceram a avenida em l. parada>*

luta (lu.ta) *s.f.* **1** combate esportivo em que dois adversários se enfrentam corpo a corpo **2** conflito, guerra, refrega **3** *fig.* oposição firme ou violenta de ideias, interesses, doutrinas *<l. de classes>* ↺ acordo **4** *fig.* esforço para vencer obstáculos ou dificuldades *<l. contra o fumo>*

lutador (lu.ta.dor) /ô/ [pl.: *-es*] *adj.s.m.* **1** (atleta) que luta corpo a corpo com um adversário **2** *p.ext.* (indivíduo) que está sempre pronto a defender alguém ou uma causa

lutar (lu.tar) *v.* {mod. 1} *t.i. e int.* **1** (prep. *com*, *contra*) enfrentar em corpo a corpo (adversário), esp. para vencer em combate esportivo *<lutava com um adversário de físico avantajado>* *<os dois lutaram até cair>* **2** (prep. *com*) enfrentar(-se) com ou sem armas; brigar *<da tribuna, lutava contra o próprio irmão>* *<os dois exércitos haveriam de l. até o fim>* □ *t.d. e int.* **3** praticar (luta) para exercitar-se ou como profissional *<l. judô>* □ *int.* **4** esforçar-se para superar, vencer, conseguir algo □ *t.i. fig.* **5** (prep. *por*) brigar ou agir em favor de; batalhar *<l. pela justiça>*

lutécio (lu.té.cio) *s.m.* QUÍM elemento químico us. em tecnologia nuclear [símb.: *Lu*] ☞ cf. *tabela periódica* (no fim do dicionário)

luteranismo (lu.te.ra.nis.mo) *s.m.* REL o conjunto das ideias e doutrinas religiosas de Martinho Lutero (1483-1546) ☞ cf. *Lutero* na parte enciclopédica ~ **luterano** *adj.s.m.*

lutjanídeo (lut.ja.ní.deo) *s.m.* ZOO **1** espécime dos lutjanídeos, família de peixes ósseos, de muitas espécies com valor comercial, com corpo alongado e cabeça triangular ■ *adj.* **2** relativo a esse espécime e a essa família

luto (lu.to) *s.m.* **1** sentimento de tristeza profunda causado pela morte de alguém ↺ alegria **2** período de tempo em que se manifestam certos sinais desse sentimento **3** *p.ext.* roupa, ger. preta, que exprime esse sentimento

lutulento (lu.tu.len.to) *adj.* **1** cheio de lodo; lamacento **2** *fig.* que ofende (diz-se esp. de discurso) ~ **lutulência** *s.f.*

lutuoso (lu.tu.o.so) /ô/ [pl. e fem.: /ó/] *adj.* **1** vestido de luto **2** *fig.* fúnebre, triste ↺ alegre

luva (lu.va) *s.f.* **1** peça do vestuário que enfeita, protege etc. as mãos ☞ mais empr. no pl. **2** peça de ferro, plástico etc., us. para ligar tubos e canos ▼ ***luvas*** *s.f.pl.* *B* **3** quantia extra que o locador cobra do locatário na assinatura de contrato

luxação (lu.xa.ção) [pl.: *-ões*] *s.f.* MED deslocamento de osso com relação ao seu ponto de articulação normal

luxar (lu.xar) *v.* {mod. 1} *t.d.* produzir luxação em; deslocar *<l. o cotovelo>* ~ **luxado** *adj.*

luxento (lu.xen.to) *adj.* *B* **1** que se veste com luxo ↺ despojado **2** *fig.* exigente, detalhista *<professor l.>* ↺ negligente **3** *fig.* que se ofende facilmente; melindroso ↺ insensível

luxo (lu.xo) *s.m.* **1** modo de viver em que há uso e ostentação de bens caros e supérfluos ↺ modéstia **2** bem ou prazer caro e supérfluo *<carro não é l.>* ↺ necessário **3** grande quantidade, abundância *<um l. de vegetação>* ↺ miséria **4** *B* recusa de algo por afetação ou cerimônia *<deixa de l. e senta!>* **5** *B* exigência de pessoa mimada

luxuoso (lu.xu.o.so) /ô/ [pl. e fem.: /ó/] *adj.* **1** que tem luxo; caro, requintado ↺ humilde **2** em grande quantidade; abundante, farto *<livro com l. bibliografia>* ↺ escasso ~ **luxuosidade** *s.f.*

luxúria (lu.xú.ria) *s.f.* **1** viço, abundância das plantas **2** interesse incansável por prazeres carnais; lascívia ↺ castidade

luxuriante (lu.xu.ri.an.te) *adj.2g.* **1** que se desenvolve com abundância e vigor *<vegetação l.>* **2** opulento, esplêndido *<cabeleira l.>*

luxuriar (lu.xu.ri.ar) *v.* {mod. 1} *int.* **1** desenvolver-se com vigor, viço; vicejar **2** abandonar-se à luxúria

luxurioso (lu.xu.ri.o.so) /ô/ [pl. e fem.: /ó/] *adj.* **1** luxuriante **2** que incita a sexualidade; sensual *<sorriso l.>* ↺ pudico ■ *adj.s.m.* **3** (indivíduo) que se entrega sem moderação aos prazeres da carne

luz [pl.: *-es*] *s.f.* **1** radiação eletromagnética à qual o olho humano é sensível **2** claridade emitida ou refletida *<l. do sol, da lua>* **3** qualquer objeto us. para iluminar (lâmpada, vela etc.) **4** energia elétrica *<faltou l. no bairro>* **5** clarão, brilho *<a l. dos metais>* *<a l. dos olhos>* **6** *fig.* esclarecimento, informação *<lançar l. sobre uma questão>* **7** *fig.* faculdade de perceber as coisas; inteligência ☞ freq. us. no pl. **8** *fig.* ilustração; saber *<pessoa de muita l.>* **9** conhecimento público *<a imprensa trouxe à l. fatos terríveis>* ◉ COL luzerna ▣ **dar à l.** **1** parir (um filho) **2** *fig.* publicar (uma obra), terminar (um trabalho) etc.

luzeiro (lu.zei.ro) *s.m.* **1** intensa claridade; clarão, brilho ↺ escuridão **2** aquilo que irradia luz **3** *fig.* pessoa ilustre; luminar

luzente (lu.zen.te) *adj.2g.* que brilha ↺ fosco

luzerna (lu.zer.na) *s.f.* **1** luz muito intensa; clarão ↺ treva **2** conjunto de muitas luzes **3** lucarna

luzidio (lu.zi.di.o) *adj.* brilhante, lustroso ↺ embaçado

luzir (lu.zir) *v.* {mod. 24} *int.* emitir ou refletir luz; brilhar ~ **luzimento** *s.m.*

Lycra ® (Ly.cra) [ing.] *s.f.2n.* fibra elástica sintética, us. na confecção de maiôs, cintas, calças etc. ⇒ pronuncia-se laicra

L

Mm

m *s.m.* **1** 13ª letra do nosso alfabeto, consoante ■ *n.ord. (adj.2g.2n.)* **2** diz-se do 13º elemento de uma série *<casa M> <item 1m>* ☞ empr. após um substantivo ou numeral ▲ **3** símbolo de *metro* ◉ GRAM/USO na acp. s.m., pl.: *mm*

M símbolo do número 1.000, em algarismos romanos

MA sigla do Estado do Maranhão

maca (ma.ca) *s.f.* **1** lona retangular estendida sobre uma armação, us. para transportar doentes, feridos ou mortos **2** cama de rodas para transporte de doentes, esp. em hospitais, ambulâncias etc.

maça (ma.ça) *s.f.* **1** clava **2** pilão us. para calçar ruas com pedras **3** objeto em forma de garrafa de gargalo comprido, us. para malabarismos

maçã (ma.çã) *s.f.* BOT fruta de casca fina vermelha ou verde, polpa esbranquiçada e caroços pequenos ▣ **m. do rosto** parte saliente da face, abaixo dos olhos

macabro (ma.ca.bro) *adj.* **1** que tem a morte como tema *<uma comédia m.>* **2** que traz a ideia de morte ou de mortos; fúnebre **3** *p.ext.* que causa horror *<fotos m. do acidente>* ~ **macabrear** *v.int.*

macaca (ma.ca.ca) *s.f.* **1** ZOO a fêmea do macaco **2** *gír.* má sorte, infelicidade ↺ sorte ▣ **estar com a m.** *infrm.* estar irritadiço, inquieto *<esse menino hoje está com a m.>*

macacada (ma.ca.ca.da) *s.f.* **1** bando de macacos **2** *B joc.* grupo de amigos

macacão (ma.ca.cão) [pl.: *-ões*] *s.m.* VEST *B* **1** roupa de trabalho inteiriça e folgada, de tecido grosso, us. esp. por operários **1.1** traje adaptado ao uso de tripulação de aeronave militar **2** *p.ext.* traje informal, de feitio semelhante

macaco (ma.ca.co) *s.m.* **1** ZOO nome comum a mamíferos da ordem dos primatas, com exceção do homem e dos lêmures **2** *fig. pej.* indivíduo que copia os atos e maneiras de outras pessoas; imitador **3** MEC aparelho para levantar cargas pesadas, esp. automóveis, a uma pequena altura **4** RECR *B* ***AMARELINHA*** ◉ COL macacada ◉ VOZ v. : assobiar, chiar, guinchar; subst.: grito, guincho

maçada (ma.ça.da) *s.f. infrm.* situação ou coisa enfadonha, que aborrece

macadame (ma.ca.da.me) *s.m.* **1** revestimento de ruas e estradas com uma mistura de brita, breu e areia **2** *p.ext.* essa mistura

macadâmia (ma.ca.dâ.mia) *s.f.* BOT **1** árvore de até 10 m, nativa da Austrália, de flores brancas ou róseas e sementes comestíveis **2** a semente dessa árvore

macadamizar (ma.ca.da.mi.zar) *v.* {mod. 1} *t.d.* calçar (estrada, rua) com macadame ~ **macadamização** *s.f.*

maçador (ma.ça.dor) /ô/ [pl.: *-es*] *adj.s.m.* maçante

macambúzio (ma.cam.bú.zio) *adj.s.m.* que(m) se mostra triste, silencioso, sisudo *<ficou m. depois da repreensão do professor>* ↺ risonho

maçaneta (ma.ça.ne.ta) /ê/ *s.f.* peça que se gira ou move para abrir portas e janelas

maçante (ma.çan.te) *adj.2g.s.2g.* que ou aquele que aborrece; chato, maçador *<filme m.>* ↺ interessante

macapaense (ma.ca.pa.en.se) *adj.2g.* **1** de Macapá (AP) ■ *s.2g.* **2** natural ou habitante dessa capital

macaquear (ma.ca.que.ar) *v.* {mod. 5} *t.d.* imitar com graça ou zombaria; arremedar *<macaqueava todos os colegas>* ~ **macaqueação** *s.f.* - **macaqueador** *adj.s.m.*

macaquice (ma.ca.qui.ce) *s.f.* **1** ato de macaquear ou o seu efeito; macaqueação **2** postura ou gesto ridículo

maçar (ma.çar) *v.* {mod. 1} *t.d.* **1** golpear com maça ou maço **2** *p.ext.* bater muito; surrar □ *t.d. e int. fig.* **3** molestar com conversa repetitiva, assunto sem interesse etc.; enfadar, importunar *<maçou o vizinho> <pessoas muito egocêntricas sempre maçam>*

maçaranduba (ma.ça.ran.du.ba) *s.f.* BOT árvore de até 35 m, nativa do Brasil, de madeira vermelha e dura, us. em obras externas, estacas, vigas e mastros

maçarico (ma.ça.ri.co) *s.m.* **1** aparelho que emite uma chama, us. para soldar e fundir metais **2** ZOO nome comum a várias espécies de aves aquáticas, algumas migratórias, com os dedos dos pés unidos por membranas

maçaroca (ma.ça.ro.ca) *s.f.* **1** fio torcido e enrolado no fuso da roca **2** *p.ext.* espiga de milho **3** *p.ext.* emaranhado de fios, pelos, cabelos etc. **4** *infrm.* grande quantidade *<m. de papéis para organizar>*

macarrão (ma.car.rão) [pl.: *-ões*] *s.m.* **1** massa comestível de farinha de trigo em forma de longos cilindros finos **2** *B* essa massa com outros feitios e dimensões

macarronada (ma.car.ro.na.da) *s.f.* CUL prato à base de macarrão, ger. com molho, queijo, carne etc.

macarrônico (ma.car.rô.ni.co) *adj.* mal escrito ou mal falado (diz-se de idioma) *<conversava com as visitas em seu inglês m.>*

macarthismo (ma.car.this.mo) ou **mccarthismo** (mc.car.this.mo) *s.m.* **1** HIST POL prática política que se caracteriza pela intolerância, notadamente anticomunista, inspirada no movimento dirigido pelo senador Joseph Raymond McCarthy (1909-1957), durante os anos 1950, nos E.U.A. **2** *fig.* prática de formular acusações e fazer insinuações sem provas, comparável à que caracterizou o movimento macarthista ~ **macarthista/mccarthista** *adj.2g.s.2g.*

M

macaxeira (ma.ca.xei.ra) *s.f.* BOT *N. N.E.* aipim ('raiz') ◉ COL macaxeiral

macaxeiral (ma.ca.xei.ral) [pl.: *-ais*] *s.m.* grande concentração de macaxeiras

macedônio (ma.ce.dô.nio) *adj.* **1** da Macedônia, Grécia ■ *s.m.* **2** natural ou habitante dessa província **3** LING língua eslava, reconhecida como língua oficial da Macedônia e falada em parte da Grécia

macega (ma.ce.ga) *s.f.* BOT tipo de erva daninha que nasce em terras cultivadas ◉ COL macegal

maceió (ma.cei.ó) *s.m.* *N.E.* lagoeiro que se forma no litoral por causa das marés e das águas pluviais

maceioense (ma.cei.o.en.se) *adj.2g.* **1** de Maceió (AL) ■ *s.2g.* **2** natural ou habitante dessa capital

macela (ma.ce.la) *s.f.* BOT erva aromática de pequenas flores amarelas, us. para enchimento de almofadas e travesseiros

macerar (ma.ce.rar) *v.* {mod. 1} *t.d.* **1** QUÍM expor (corpo ou substância) à ação de um líquido para impregná-lo com seu princípio ativo *<fazer perfume macerando flores>* **2** amassar (algo) para extrair seu suco *<m. maçãs>* □ *int.* **3** ficar longo tempo em meio líquido ou úmido *<as passas maceraram alguns dias antes de serem retiradas do licor>* □ *t.d. e pron. fig.* **4** REL infligir(-se) sofrimentos por penitência ou para elevação espiritual; torturar(-se) *<m. o corpo para salvar a alma> <macerava-se ao despertar e ao dormir>* □ *pron.* **5** sentir angústia, aflição; atormentar-se *<a razão de tanto m.-se tinha já pouca importância>* ~ **maceração** *s.f.*

macérrimo (ma.cér.ri.mo) *adj.* magro demais; magérrimo, magríssimo ◉ GRAM/USO sup.abs.sint. de *magro*

maceta (ma.ce.ta) /ê/ *s.f.* **1** martelo de cabo curto, us. por pedreiros **2** cilindro us. para triturar e desfazer torrões de tintas

macetar (ma.ce.tar) *v.* {mod. 1} *t.d.* golpear com maceta

macete (ma.ce.te) /ê/ *s.m.* *B infrm.* artifício, truque *<descobriu um m. para o bolo não solar>* ~ **macetear** *v.t.d e int.*

machadada (ma.cha.da.da) *s.f.* golpe de machado

machadiano (ma.cha.di.a.no) *adj.* **1** relativo ao escritor Machado de Assis ou à sua obra ☞ cf. *Assis, Joaquim Maria Machado* na parte enciclopédica ■ *adj.s.m.* **2** admirador ou estudioso da obra desse escritor

machadinha (ma.cha.di.nha) *s.f.* pequeno machado

machado (ma.cha.do) *s.m.* instrumento de cabo de madeira e lâmina, us. para rachar lenha

macha-fêmea (ma.cha-fê.mea) [pl.: *machas-fêmeas*] *s.f.* tipo de dobradiça de duas peças articuladas que se encaixam

machão (ma.chão) [pl.: *-ões*] *adj.s.m.* (homem) que alardeia a sua virilidade

machismo (ma.chis.mo) *s.m.* **1** *infrm.* atitude de machão **2** comportamento que tende a negar à mulher os direitos concedidos ao homem ~ **machista** *adj.2g.s.2g.*

macho (ma.cho) *s.m.* **1** ZOO animal do sexo masculino ↺ fêmea **2** ser humano do sexo masculino; homem **3** peça saliente que se encaixa em outra côncava (a fêmea) ■ *adj.* **4** relativo a ou próprio do sexo masculino

machucado (ma.chu.ca.do) *s.m.* **1** ferimento superficial, contusão ■ *adj.* **2** que sofreu lesão física; ferido *<perna m.>* **3** enrugado, amarrotado *<tecido m.>* ↺ esticado **4** *fig.* magoado, triste *<tinha o coração m.>*

machucadura (ma.chu.ca.du.ra) *s.f.* ferida, machucado

machucar (ma.chu.car) *v.* {mod. 1} *t.d.* **1** deformar (um corpo) com golpes violentos ou por forte compressão; esmagar *<m. um inseto>* **2** tornar enrugado por compressão; amassar, amarrotar *<sem perceber, machucava o lenço que tinha nas mãos>* □ *t.d. e pron. B* **3** causar ou sofrer lesão por pancada, golpe ou impacto; ferir(-se) *<m. a perna> <machucou-se quando descascava a laranja>* **4** *fig.* (fazer) ter sofrimento moral, emocional; magoar(-se), torturar(-se) *<a mentira machucava sua consciência> <por que se m. com tal pensamento?>* □ *pron. B infrm.* **5** sair-se mal; dançar, danar-se

maciço (ma.ci.ço) *adj.* **1** feito de matéria compacta, sem partes ocas *<anel de ouro m.>* **2** *p.ext.* de componentes bem unidos; denso *<floresta m.>* **3** *fig.* dado, feito ou produzido em grande quantidade *<propaganda m.>* ■ *s.m.* **4** GEOL grupo de montanhas que formam um bloco contínuo **5** massa, agrupamento ou corpo de grandes proporções

macieira (ma.ci.ei.ra) *s.f.* BOT árvore da maçã

maciez (ma.ci.ez) /ê/ [pl.: *-es*] ou **macieza** (ma.ci.e.za) /ê/ *s.f.* característica do que é macio *<a m. de um tecido>*

macilento (ma.ci.len.to) *adj.* **1** magro ↺ corpulento **2** sem viço; pálido *<faces m.>* ↺ corado

macio (ma.ci.o) *adj.* **1** que cede à pressão; mole, tenro *<colchão m.> <carne m.>* ↺ duro **2** sem aspereza ou rugosidade; liso, aveludado *<pele m.>*

maciota (ma.ci.o.ta) *s.f.* suavidade ▣ **na m.** *gír.* **1** sem grande esforço; de forma lenta e sutil <*conquistou a vaga na m.*> **2** sem complicações; tranquilamente

maço (ma.ço) *s.m.* **1** martelo de madeira us. por escultores, entalhadores etc. **2** monte ou pacote de coisas atadas ou em um invólucro <*m. de cigarros, de dinheiro*>

maçom (ma.çom) [pl.: *-ons*] *s.m.* membro da maçonaria

maçonaria (ma.ço.na.ri.a) *s.f.* sociedade semissecreta que pratica a fraternidade e a filantropia entre seus membros

maconha (ma.co.nha) *s.f.* droga de efeito entorpecente feita das folhas e flores secas de um tipo de cânhamo

maconheiro (ma.co.nhei.ro) *adj.s.m.* (indivíduo) que vende ou consome maconha

maçônico (ma.çô.ni.co) *adj.* próprio da maçonaria <*templo m.*>

macramê (ma.cra.mê) *s.m.* trabalho manual em que se faz um trançado com nós em uma corda grossa ou barbante

má-criação (má-cri.a.ção) [pl.: *más-criações*] *s.f.* → ***MALCRIAÇÃO***

macro (ma.cro) *s.2g.* INF sequência programada de comandos que executa automaticamente tarefas rotineiras

macróbio (ma.cró.bio) *adj.s.m.* **1** que(m) é muito velho ↺ jovem ■ *adj.* **2** que existe há muito tempo

macrobiótica (ma.cro.bi.ó.ti.ca) *s.f.* conjunto de prescrições dietéticas japonesas, desenvolvidas a partir de conceitos filosóficos de equilíbrio *yin* e *yang* ~ **macrobiótico** *adj.*

macrocefalia (ma.cro.ce.fa.li.a) *s.f.* desenvolvimento excessivo do volume do crânio ~ **macrocefálico** *adj.*

macrocéfalo (ma.cro.cé.fa.lo) *adj.s.m.* ANAT que(m) tem cabeça grande ou volumosa de modo desproporcional <*cão m.*> ~ **macrocefálico** *adj.*

macrocósmico (ma.cro.cós.mi.co) *adj.* **1** próprio do macrocosmo **2** *p.ext.* considerado por inteiro; global <*uma avaliação m.*>

macrocosmo (ma.cro.cos.mo) *s.m.* **1** FIL o universo, em relação ao ser humano **2** qualquer organismo considerado como um mundo em si mesmo **3** SOC um conjunto, em relação aos elementos (indivíduos, grupos) que o constituem ☞ cf. *microcosmo*

macroeconomia (ma.cro.e.co.no.mi.a) *s.f.* ECON ramo da economia que estuda, em escala global, os fenômenos econômicos e sua distribuição numa estrutura ou setor ~ **macroeconômico** *adj.*

macro-jê (ma.cro-jê) [pl.: *macro-jês*] *s.m.* **1** LING tronco linguístico que abrange nove famílias vivas de línguas indígenas ■ *s.2g.* **2** indígena pertencente a qualquer grupo falante do macro-jê ■ *adj.2g.* **3** relativo a esse indígena, grupo ou língua ☞ cf. *tupi*

macromolécula (ma.cro.mo.lé.cu.la) *s.f.* QUÍM molécula de grandes dimensões (p.ex., proteínas, polímeros etc.) ~ **macromolecular** *adj.2g.*

macroscópico (ma.cros.có.pi.co) *adj.* visível a olho nu <*um exame m. do ferimento*>

macuco (ma.cu.co) *s.m.* ZOO ave de grande porte, dorso escuro e ventre cinza-claro, que ocorre em florestas do Brasil oriental

maçudo (ma.çu.do) *adj.* **1** de consistência dura, de difícil digestão <*bolo m.*> **2** *fig.* que aborrece; maçante <*uma história m.*>

mácula (má.cu.la) *s.f.* **1** marca de sujeira; mancha **2** *fig.* o que traz desonra a uma reputação; mancha <*esse ato será uma eterna m. em sua vida*>

macular (ma.cu.lar) *v.* {mod. 1} *t.d. e pron.* **1** (fazer) ficar com mancha; sujar(-se), enodoar(-se) <*o suco maculou a toalha branca*> <*o lençol maculou-se de suor*> **2** *fig.* comprometer(-se) por algo vil, desonroso; infamar(-se), manchar(-se) <*m. o nome da família*> <*não imaginaram que ele se maculasse por tão pouco*> ↺ engrandecer(-se) ~ **maculado** *adj.*

maculelê (ma.cu.le.lê) *s.m.* FOLC dança popular ao som de tambores que imita uma luta com bastões de madeira

macumba (ma.cum.ba) *s.f.* *B* **1** REL nome genérico dado aos cultos afro-brasileiros em geral e a seus rituais **2** REL oferenda deixada esp. nas encruzilhadas; despacho **3** *p.ext.* feitiço

macumbeiro (ma.cum.bei.ro) *adj.s.m.* **1** REL praticante de macumba ou frequentador assíduo de terreiros **2** *p.ext.* (aquele) que realiza feitiços; feiticeiro

madama (ma.da.ma) *s.f.* madame

madame (ma.da.me) *s.f.* **1** mulher adulta, casada ou solteira; dama, senhora **2** *B infrm.* dona de casa **3** *B infrm.* esposa

madeira (ma.dei.ra) *s.f.* **1** matéria sólida que constitui o tronco e os galhos das árvores **2** essa matéria seca e cortada, us. como material de construção, combustível etc. ▼ ***madeiras*** *s.f.pl.* **3** MÚS numa orquestra, os instrumentos de sopro feitos, em sua origem, de madeira, com som mais suave que os metais (p.ex., flauta, clarineta, oboé, fagote) ▣ **m. de lei** madeira resistente, de qualidade

madeirame (ma.dei.ra.me) *s.m.* conjunto de madeiras ou estrutura de madeira <*precisou trocar o m. do telhado da varanda*>

madeiramento (ma.dei.ra.men.to) *s.m.* CONSTR conjunto de madeiras, esp. o us. na estrutura de uma construção

madeireira (ma.dei.rei.ra) *s.f.* empresa que explora a madeira para fins industriais e/ou comerciais

madeireiro (ma.dei.rei.ro) *adj.s.m.* **1** que(m) negocia com madeira **2** que(m) trabalha numa madeireira ■ *adj.* **3** relativo ao comércio ou à indústria de madeiras

madeiro (ma.dei.ro) *s.m.* peça de madeira grossa e resistente

madeixa (ma.dei.xa) *s.f.* **1** porção de lã, algodão etc. que pode ser enovelada **2** feixe de cabelos da cabeça, encaracolados ou trançados

madona (ma.do.na) *s.f.* representação de Nossa Senhora em pintura, gravura ou escultura

madorna (ma.dor.na) *s.f.* modorra

madraço (ma.dra.ço) *adj.s.m.* preguiçoso ~ **madracice** *s.f.*

madras (ma.dras) *s.m.2n.* tecido de algodão, de cores diversas, cujo padrão é ger. de xadrezes ou listras

M

madrasta (ma.dras.ta) *s.f.* **1** mulher em relação aos filhos de casamento anterior do marido ■ *adj.* **2** *fig.* má, ingrata *<sorte m.>* ◉ GRAM/USO masc.: *padrasto*

madre (ma.dre) *s.f.* **1** freira **2** ARQ viga sobre a qual se assentam os barrotes ◉ GRAM/USO masc.: *padre*

madrepérola (ma.dre.pé.ro.la) *s.f.* substância calcária, brilhante e colorida que constitui a camada mais interna da concha de certos moluscos; nácar

madressilva (ma.dres.sil.va) *s.f.* BOT trepadeira nativa da Europa e da Ásia, de flores aromáticas amareladas e frutos ovais vermelhos, cultivada como ornamental

madrigal (ma.dri.gal) [pl.: *-ais*] *s.m.* **1** LIT pequeno poema que exprime um pensamento terno e galante, destinado ger. a ser musicado, comum entre os s.XIV e XVI **2** MÚS composição vocal polifônica renascentista **~ madrigalesco** *adj.* - **madrigálico** *adj.*

madrigalista (ma.dri.ga.lis.ta) *adj.2g.s.2g.* que(m) é autor de madrigais

madrilenho (ma.dri.le.nho) ou **madrileno** (ma.dri.le.no) *adj.* **1** de Madri, Espanha ■ *s.m.* **2** natural ou habitante dessa capital

madrinha (ma.dri.nha) *s.f.* **1** testemunha especial em batizado, crisma ou casamento **2** *p.ext.* mulher que ajuda ou protege uma pessoa, apresentando-a em certos meios *<teve uma m. para auxiliá-lo na carreira>* **3** *p.ext.* mulher chamada para inaugurar, nomear ou representar algo *<uma famosa cantora foi m. desse grupo>* ◉ GRAM/USO masc.: *padrinho*

madrugada (ma.dru.ga.da) *s.f.* **1** período entre zero hora e o alvorecer **2** aurora

madrugar (ma.dru.gar) *v.* {mod. 1} *int.* **1** levantar-se muito cedo **2** *p.ext.* fazer algo antes do tempo próprio **3** *p.ext.* ser um dos primeiros a aparecer num lugar *<para ser atendido pelo médico, teve de m.>* **~ madrugador** *adj.s.m.*

madurar (ma.du.rar) *v.* {mod. 1} *t.d.,int. e pron.* desenvolver(-se) plenamente (esp. fruto); amadurecer *<o sol madura os frutos> <essa banana vai demorar para m.(-se)>*

madureza (ma.du.re.za) /ê/ *s.f.* **1** estado do que está maduro **2** *fig.* sensatez, maturidade

maduro (ma.du.ro) *adj.* **1** que atingiu seu desenvolvimento completo *<o melão está m.>* **2** que já não é moço **3** *fig.* bem refletido, ponderado *<uma decisão m.>*

mãe *s.f.* **1** mulher ou fêmea que deu à luz um ser **2** mulher ou fêmea que cria ou criou outro ser **3** *fig.* o que dá origem a; fonte *<a intolerância é a m. das guerras>* ◉ GRAM/USO masc.: *pai*

mãe-benta (mãe-ben.ta) [pl.: *mães-bentas*] *s.f.* CUL pequeno bolo que se assa em forminhas e cuja massa se faz ger. com farinha de trigo ou de arroz, gordura (manteiga ou margarina), ovos, açúcar e coco

mãe-d'água (mãe-d'á.gua) [pl.: *mães-d'água*] *s.f.* **1** *B* na mitologia indígena, sereia dos rios e dos lagos; iara, uiara **2** REL *B* um dos epítetos de Iemanjá, cuja representação popular tb. é a da sereia europeia **3** fonte ou mina de água

mãe de santo (mãe de san.to) [pl.: *mães de santo*] *s.f.* REL *B* no candomblé e na umbanda, mulher que dirige espiritual e administrativamente o terreiro, sendo responsável pelo culto aos orixás e entidades afins; ialorixá ◉ GRAM/USO masc.: *pai de santo*

maestria (ma.es.tri.a) *s.f.* mestria

maestrina (ma.es.tri.na) *s.f.* mulher que dirige orquestra, coro ou banda

maestro (ma.es.tro) [fem.: *maestrina*] *s.m.* quem rege orquestra, banda, coro etc.

má-fé (má-fé) [pl.: *más-fés*] *s.f.* intenção de prejudicar; deslealdade, fraude ↺ boa-fé

máfia (má.fia) *s.f.* qualquer associação que usa métodos desonestos para impor seus interesses ou controlar uma atividade *<a m. das empresas de ônibus>*

mafioso (ma.fi.o.so) /ô/ [pl. e fem.: /ó/] *adj.* **1** relativo a máfia ■ *adj.s.m.* **2** que(m) pertence à máfia *<o filme tratava de uma organização m.> <comércio dominado por m.>*

má-formação (má-for.ma.ção) [pl.: *más-formações*] *s.f.* MED defeito congênito ou hereditário na formação de parte do corpo; malformação

mafuá (ma.fu.á) *s.m.* *RJ* **1** parque de diversões ou feira de jogos, esp. os com transmissão de música ruidosa nos alto-falantes **2** *p.ext. infrm.* ausência de ordem, de arrumação; bagunça, confusão **3** *infrm.* baile popular

magano (ma.ga.no) *adj.s.m.* **1** que(m) faz troças; brincalhão **2** *pej.* que(m) é pouco escrupuloso

magarefe (ma.ga.re.fe) *s.m.* **1** açougueiro **2** *p.ext. pej.* mau médico, esp. mau cirurgião

magazine (ma.ga.zi.ne) *s.m.* **1** grande loja de artigos variados **2** *B* revista ilustrada, que trata de assuntos diversos **3** FOT recipiente à prova de luz que contém o filme virgem nas máquinas fotográficas

magenta (ma.gen.ta) *s.f.* **1** violeta-púrpura **2** cor-de-rosa forte e vivo, tendente ao púrpura; fúcsia ■ *adj.2g.2n.* **3** que apresenta essa cor *<saia m.>* **4** diz-se dessa cor *<uma blusa de cor m.>*

magérrimo (ma.gér.ri.mo) *adj.* magríssimo, macérrimo ◉ GRAM/USO sup.abs.sint. de *magro*

magia (ma.gi.a) *s.f.* **1** arte, ciência ou prática de produzir, por meios ocultos, fenômenos inexplicáveis ou que parecem inexplicáveis **2** *p.ext.* o efeito dessa arte, ciência ou prática **3** *fig.* fascínio, encanto *<m. das cores, das palavras>* **4** ilusionismo, mágica *<foram a um espetáculo de m.>* ▣ **m. branca** a que ajuda a proteger as pessoas de forças malignas, da má sorte ou de um inimigo • **m. negra** prática mágica cuja intenção é causar danos, como destruir ou ferir outrem

magiar (ma.gi.ar) [pl.: *-es*] *adj.2g.s.2g.* húngaro

mágica (má.gi.ca) *s.f.* **1** magia **2** ilusão fantástica por meio de truque; ilusionismo, magia *<fazia m. em festas>*

mágico (má.gi.co) *adj.* **1** relativo a magia *<palavras m.>* ■ *adj.s.m.* **2** (o) que não tem explicação racional; fantástico **3** (o) que seduz; encantador *<momento m.>* ■ *s.m.* **4** indivíduo que realiza mágicas; ilusionista

magistério (ma.gis.té.rio) *s.m.* **1** cargo ou ofício de professor **2** o exercício desse cargo ou ofício **3** classe dos professores

magistrado (ma.gis.tra.do) *s.m.* **1** indivíduo com poder para julgar e ordenar, que participa da administração política ou integra o governo político de um estado **2** DIR autoridade judiciária; membro do poder judiciário ◉ COL magistratura

magistral (ma.gis.tral) [pl.: *-ais*] *adj.2g.* **1** relativo a mestre **2** *fig.* próprio ou digno de mestre; perfeito *<a interpretação do ator foi m.>* ~ **magistralidade** *s.f.*

magistratura (ma.gis.tra.tu.ra) *s.f.* DIR **1** cargo ou função de magistrado **2** duração desse cargo **3** a classe dos magistrados

magma (mag.ma) *s.m.* GEOL **1** massa mineral em estado de fusão, encontrada muito abaixo da superfície terrestre **2** rocha que se forma dessa massa resfriada

magmático (mag.má.ti.co) *adj.* formado de magma solidificado (diz-se de rocha ou mineral)

magnânimo (mag.nâ.ni.mo) *adj.* nobre, generoso *<rei m.> <ato m.>* ↺ mesquinho ~ **magnanimidade** *s.f.*

magnata (mag.na.ta) *s.2g.* indivíduo muito rico e poderoso

magnésia (mag.né.sia) *s.f.* QUÍM óxido de magnésio us. em isqueiros, refletores de instrumentos ópticos e tb. em medicina, esp. como laxante e antiácido

magnésio (mag.né.sio) *s.m.* QUÍM elemento químico us. em ligas leves na fabricação de automóveis, aviões, em lâmpadas de *flash*, fogos de artifício etc. [símb.: *Mg*] ☞ cf. *tabela periódica* (no fim do dicionário)

magnético (mag.né.ti.co) *adj.* **1** de magneto ou magnetismo **2** capaz de atrair o ferro **3** *fig.* que exerce atração; encantador, fascinante *<olhar m.>*

magnetismo (mag.ne.tis.mo) *s.m.* **1** FÍS poder de algumas substâncias, esp. o ferro, de atrair outras **2** *fig.* forte poder de atração exercido por alguém; fascínio, sedução

magnetizar (mag.ne.ti.zar) *v.* {mod. 1} *t.d.* **1** transmitir a (um corpo, esp. metal) as propriedades do magnetismo; imantar *<m. ferro>* **2** *fig.* exercer forte atração sobre; fascinar *<a banda magnetizava a plateia>* **3** *fig.* ter grande poder sobre; dominar ~ **magnetização** *s.f.* - **magnetizador** *adj.s.m.*

magneto (mag.ne.to) *s.m.* ímã

magnificar (mag.ni.fi.car) *v.* {mod. 1} *t.d. e pron.* **1** engrandecer(-se) com louvor, com honras; enaltecer (-se) *<não se cansam de m. os feitos do conquistador> <os santos magnificavam-se diante dos pecadores>* □ *t.d.* **2** tornar maior; ampliar, aumentar *<m. defeitos em vez de qualidades>* ↺ reduzir ~ **magnificação** *s.f.* - **magnificatório** *adj.*

magnificente (mag.ni.fi.cen.te) *adj.2g.* **1** suntuoso, rico *<salões m.>* ↺ simples **2** generoso, magnânimo ~ **magnificência** *s.f.*

magnífico (mag.ní.fi.co) *adj.* **1** farto, grandioso *<jantar m.>* **2** de extrema beleza *<dia m.>* **3** excelente *<criança m.> <livro m.>* **4** diz-se de reitor de universidade, em linguagem cerimoniosa

magniloquência (mag.ni.lo.quên.cia) /qü/ *s.f.* linguagem ou estilo pomposo ~ **magniloquente** *adj.2g.*

magnitude (mag.ni.tu.de) *s.f.* grandeza, importância *<um empreendimento de tamanha m. não pode ser abandonado>* ↺ mediocridade

magno (mag.no) *adj.* **1** muito importante ↺ insignificante **2** qualificativo que se dá a certos personagens célebres *<Carlos M.>*

magnólia (mag.nó.lia) *s.f.* BOT flor vistosa, de cores variadas e perfume suave, e sua árvore, muito cultivada como ornamental

magnoliófita (mag.no.li.ó.fi.ta) *s.f.* BOT angiosperma

mago (ma.go) *s.m.* **1** sacerdote da antiga Média e Pérsia, estudioso dos astros **2** *p.ext.* quem realiza magia, feitiçaria; bruxo

mágoa (má.goa) *s.f.* **1** desgosto recolhido; amargura ↺ alegria **2** rancor, ressentimento *<não guarda m. do incidente>*

magoar (ma.go.ar) *v.* {mod. 1} *t.d. e pron.* **1** (fazer) sentir dor física, devido a contusão, machucado; ferir (-se) *<m. um braço> <magoou-se ao cair>* **2** *fig.* inspirar ou sentir compaixão; comover(-se) *<magoou-o ver o desamparo do amigo> <magoou-se pela miséria dos meninos>* □ *t.d.,int. e pron.* **3** *fig.* (fazer) sentir mágoa, desgosto; ofender(-se) *<seu silêncio magoou-nos mais que um provável adeus> <a ingratidão magoa> <m.-se sem causa aparente>* ~ **magoado** *adj.*

magote (ma.go.te) *s.m.* grande quantidade de pessoas ou de coisas; montoeira

magrelo (ma.gre.lo) *adj.s.m.* magricela

magreza (ma.gre.za) /ê/ *s.f.* característica daquele ou daquilo que é magro

magricela (ma.gri.ce.la) *adj.2g.s.2g.* que(m) é muito magro; magrelo

magríssimo (ma.grís.si.mo) *adj.* macérrimo ◉ GRAM/USO sup.abs.sint. de *magro*

magro (ma.gro) *adj.s.m.* **1** (o) que tem pouca ou nenhuma gordura *<carne m.> <ele é um magro com grande apetotite>* ■ *adj.* **2** *fig.* escasso, insignificante *<salário m.>* ◉ GRAM/USO sup.abs.sint.: *macérrimo, magérrimo, magríssimo*

maia (mai.a) *s.2g.* **1** indivíduo dos maias, povo indígena pré-colombiano, ainda existente, que vive na América Central, conhecido por seu alto grau de civilização ■ *s.m.* **2** LING a língua falada por esse povo ■ *adj.2g.* **3** relativo a esse indivíduo, povo ou língua

maio (mai.o) *s.m.* o quinto mês do ano no calendário gregoriano, composto de 31 dias

maiô (mai.ô) *s.m.* VEST traje de banho feminino que cobre o tronco com apenas uma peça

maionese (mai.o.ne.se) *s.f.* CUL molho frio feito de gemas de ovos batidas com óleo ou azeite e temperos

maior (mai.or) [pl.: *-es*] *adj.2g.* **1** que supera outro em número, grandeza, extensão, intensidade, duração, importância, excelência *<esse quarto é maior que o nosso>* ☞ comp.super. de *grande* **2** que está com mais de (determinada idade) *<filme para maiores de 14 anos>* **3** máximo ☞ sup.abs.sint. de *grande* ■ *adj.2g.s.2g.* **4** que(m) chegou à maioridade; maior de idade *<só tira carteira de motorista quem já é m.>* ▣ **m. de idade** aquele que atingiu a maioridade legal *<indivíduos m. de idade devem ter CPF> <permitido apenas para os m. de idade>* • **m. de todos** *infrm.* dedo médio

maioral (mai.o.ral) [pl.: *-ais*] *s.m.* **1** líder, chefe **2** *fig.* o melhor de todos *<era um dos m. da literatura brasileira>*

M

maioria (mai.o.ri.a) *s.f.* **1** a maior parte ou número de *<a m. da turma faltou> <a m. da população alimenta-se mal>* ↺ minoria **2** em pleito eleitoral ou em qualquer votação, o número de votos que dá vitória a uma pessoa ou grupo de pessoas *<ganhou por m. arrasadora> <aprovado por m.>* **3** grupo que, numa assembleia, reúne o maior número de votos *<o governo não conta com a m. no Senado>*

maioridade (mai.o.ri.da.de) *s.f.* DIR idade em que a pessoa é considerada legalmente capaz e responsável ↺ menoridade

mais *adv.* **1** em maior grau, quantidade etc. *<precisa estudar m.>* **2** exprime interrupção ou limite, quando acompanhado de negação *<não quer m. voltar> <o fato não é m. segredo>* ■ *pron.ind.* **3** em maior quantidade, número etc. *<precisamos de m. livros>* ■ *conj.adt.* **4** indica ligação ou adição; e *<ele m. o outro vieram> <guardou as fotos m. as cartas>* ■ *s.m.* **5** MAT sinal de adição (+) **6** o restante *<esqueceu-se de tudo o m.>* ▣ **m. ou menos** aproximadamente, cerca de *<havia m. ou menos trinta pessoas na sala>*

maisena (mai.se.na) *s.f.* farinha de amido de milho us. em mingaus, biscoitos etc. ☞ grafado com *z* como marca registrada ou nome comercial, *Maizena*

mais-que-perfeito (mais-que-per.fei.to) [pl.: *mais-que-perfeitos*] *adj.s.m.* GRAM (tempo verbal) que indica uma ação anterior a outra já passada

mais-valia (mais-va.li.a) [pl.: *mais-valias*] *s.f.* ECON **1** na teoria marxista, lucro resultante da diferença entre o que o capitalista paga pela mão de obra e o valor que cobra pela mercadoria **2** *B* aumento do valor de um bem por melhoria ou benfeitoria que lhe foi introduzida

M

maitaca (mai.ta.ca) ou **maritaca** (ma.ri.ta.ca) *s.f.* **1** ZOO pequeno papagaio colorido e barulhento **2** *infrm.* pessoa tagarela

maître (maî.tre) [fr.; pl.: *maîtres*] *s.m.* chefe dos garçons ⇒ pronuncia-se métr

maiúscula (mai.ús.cu.la) *s.f.* letra maiúscula *<escreveu seu nome em maiúsculas>*

maiúsculo (mai.ús.cu.lo) *adj.* **1** de tamanho maior, formato próprio, us., p.ex., no início de períodos, de nomes próprios, para dar destaque a certas palavras etc. (diz-se de letra do alfabeto); capitular **2** *fig.* de grande importância, de qualidades superiores; extraordinário *<um pintor m.>*

majestade (ma.jes.ta.de) *s.f.* **1** grandeza, imponência *<a m. de seu andar>* ↺ simplicidade **2** aspecto solene, que infunde respeito *<a m. da filosofia grega>* ↺ humildade **3** título de soberano *<Vossa M. viajará hoje à noite>* ☞ inicial maiúsc.

majestático (ma.jes.tá.ti.co) *adj.* **1** próprio de majestade ('soberano') **2** sublime, majestoso *<obra m.>*

majestoso (ma.jes.to.so) /ô/ [pl. e fem.: /ó/] *adj.* **1** que tem majestade **2** altivo, grandioso *<olhar m.>* ↺ modesto

major (ma.jor) [pl.: *-es*] *s.m.* MIL **1** posto militar abaixo de tenente-coronel e acima de capitão **2** oficial nesse posto

majoração (ma.jo.ra.ção) [pl.: *-ões*] *s.f.* aumento *<m. no preço dos combustíveis>* ↺ redução

majorar (ma.jo.rar) *v.* {mod. 1} *t.d.* aumentar o valor de *<m. impostos>* ↺ reduzir

major-brigadeiro (ma.jor-bri.ga.dei.ro) [pl.: *majores-brigadeiros*] *s.m.* AER **1** posto que se situa logo abaixo do de tenente-brigadeiro e imediatamente acima do de brigadeiro do ar **2** oficial que ocupa esse posto

majoritário (ma.jo.ri.tá.rio) *adj.* **1** relativo a maioria *<partido m.>* ↺ minoritário ■ *adj.s.m.* **2** que(m) pertence à maioria de um grupo *<sócios m.>*

mal *adv.* **1** de maneira imperfeita, incorreta ou que deixa a desejar *<fala m.> <informou-se m.> <as reformas vão m.>* **2** pouco, rapidamente *<m. tocou na comida>* **3** de modo indelicado *<responde m. aos clientes>* **4** de modo algum; jamais *<m. sabia que seria demitido>* ■ *s.m.* **5** o que é prejudicial, nocivo *<a poluição é um m. das metrópoles>* **6** desgraça, calamidade *<muitos m. se abateram sobre a família>* **7** doença *<sofria de um m. incurável>* **8** o que há de errado com algo ou alguém *<seu m. é falar demais>* **9** qualquer coisa má, negativa ■ *conj.temp.* **10** assim que, logo que *<m. saiu, começou a chover>* ◉ GRAM/USO pl. do s.m.: *males* ▣ **m. de Alzheimer** MED doença em que o cérebro e o corpo da pessoa vão aos poucos deixando de funcionar do modo adequado • **m. de Parkinson** MED doença neurológica que causa lentidão e tremores • **m. e porcamente** *infrm.* sem cuidado ou competência *<varreu a casa m. e porcamente>* • **cortar o m. pela raiz** eliminar tudo o que prejudica ou incomoda

mala (ma.la) *s.f.* **1** saco grande de couro, lona etc. ou espécie de caixa com alça, para levar roupas e objetos de uso pessoal em viagem **2** saco resistente, ger. trancado, us. pelos correios, bancos etc. para transporte de documentos ■ *s.2g.* *B gír.* **3** indivíduo maçante, chato; mala sem alça *<esse cara é um m.>* ◉ GRAM/USO dim.irreg.: *maleta*, *malote* ▣ **m. direta** **1** comunicação de uma empresa com seus clientes habituais ou potenciais, por meio de impressos ou *e-mails* **2** relação com o nome e endereço desses clientes • **m. sem alça** *B joc.* indivíduo inconveniente, maçante; mala • **de m. e cuia** de maneira total, com todos os seus pertences *<chegou de m. e cuia>*

malabar (ma.la.bar) [pl.: *-es*] *adj.2g.* diz-se de espetáculo em que artistas circenses equilibram objetos, lançando-os para o alto e recolhendo-os, ou executando mágicas e outras artes manuais *<jogos m.>*

malabarista (ma.la.ba.ris.ta) *adj.2g.s.2g.* **1** (artista) que movimenta e equilibra objetos, ger. em circos **2** *fig.* que(m) é hábil em contornar situações difíceis *<era preciso ser um m. para coordenar aquela equipe>* ~ **malabarismo** *s.m.*

mal-acabado (mal-a.ca.ba.do) [pl.: *mal-acabados*] *adj.* **1** a que falta capricho; malfeito, imperfeito *<roupa m.> <trabalho m.>* ↺ bem-acabado **2** *p.ext.* *B* de má aparência; feio *<um sujeito m.>*

malacacheta (ma.la.ca.che.ta) /ê/ *s.f.* MINER mica branca

mal-acostumado (mal-a.cos.tu.ma.do) *adj.* que se acostumou mal por ter recebido mimos e facilidades demais na vida

mal-afortunado (mal-a.for.tu.na.do) [pl.: *mal-afortunados*] *adj.s.m.* que(m) é desgraçado, infeliz ↺ afortunado

mal-agradecido (mal-a.gra.de.ci.do) [pl.: *mal--agradecidos*] *adj.s.m.* que(m) não reconhece ajuda recebida; ingrato ↺ grato

malagueta (ma.la.gue.ta) /ê/ *s.f.* pimenta-malagueta

malaio (ma.lai.o) *adj.s.m.* **1** malásio ■ *s.m.* LING **2** língua falada na península de Malaca, Cingapura e na costa das ilhas indonésias

mal-ajambrado (mal-a.jam.bra.do) [pl.: *mal-ajambrados*] *adj.* **1** de aparência desagradável; com má apresentação <*embrulho m.*> **2** que se trata mal, sem capricho ou elegância (diz-se de pessoa) <*anda sempre m.*>

mal-amanhado (mal-a.ma.nha.do) [pl.: *mal-amanhados*] *adj.* com má apresentação, de aparência desagradável; desajeitado <*um embrulho muito m.*>

malandragem (ma.lan.dra.gem) [pl.: *-ens*] *s.f.* **1** dito, gesto ou ato de malandro; malandrice **2** *infrm.* esperteza, manha <*usou de muita m. para conquistar o cargo*> ↺ inocência **3** conjunto de malandros **4** vadiagem, ociosidade <*passa os dias na maior m.*> ↺ trabalho

malandrar (ma.lan.drar) *v.* {mod. 1} *int.* **1** viver como malandro **2** ficar ocioso; vadiar

malandrice (ma.lan.dri.ce) *s.f.* malandragem ('dito, gesto')

malandro (ma.lan.dro) *adj.s.m.* **1** que(m) não trabalha; vagabundo, vadio ↺ trabalhador **2** preguiçoso, indolente ↺ ativo **3** *B* que(m) é astuto, esperto ↺ tolo ◉ COL malandragem

mal-apessoado (mal-a.pes.so.a.do) [pl.: *mal-apessoados*] *adj.* que tem má aparência (diz-se de pessoa) ↺ bem-apessoado

malar (ma.lar) [pl.: *-es*] *s.m.* ANAT **1** cada um dos dois ossos sob as bochechas ■ *adj.2g.* **2** relativo a esses ossos ou às maçãs do rosto

malária (ma.lá.ria) *s.f.* MED doença causada pela presença de parasitas no sangue, transmitida pela picada de um tipo de mosquito, e caracterizada por calafrios e febre periódicos; impaludismo, paludismo ~ **malárico** *adj.*

mal-arranjado (mal-ar.ran.ja.do) [pl.: *mal-arranjados*] *adj.* desordenado; desarrumado ↺ alinhado

malásio (ma.lá.sio) *adj.* **1** da Malásia ■ *s.m.* **2** natural ou habitante dessa federação asiática; malaio

mal-assombrado (mal-as.som.bra.do) [pl.: *mal--assombrados*] *adj.* *B* diz-se de lugar supostamente visitado por assombrações e fantasmas

mal-aventurado (mal-a.ven.tu.ra.do) [pl.: *mal--aventurados*] *adj.s.m.* desgraçado, infeliz

malbaratar (mal.ba.ra.tar) *v.* {mod. 1} *t.d.* **1** vender a preço baixo, com prejuízo **2** gastar sem medida (patrimônio, dinheiro); esbanjar ↺ poupar □ *t.d. e t.d.i. fig.* **3** (prep. *em*) utilizar, aplicar mal; desperdiçar <*malbaratava seu talento (em filmes malfeitos)*>

malcheiroso (mal.chei.ro.so) *adj.* que cheira mal; fedorento ↺ cheiroso

malcriação (mal.cri.a.ção) [pl.: *-ões*] ou **má-criação** (má-cri.a.ção) [pl.: *más-criações*] *s.f.* ato ou palavra grosseira; grosseria, indelicadeza

malcriado (mal.cri.a.do) *adj.s.m.* que(m) é grosseiro, impertinente

maldade (mal.da.de) *s.f.* **1** característica ou ato de quem é mau ↺ bondade **2** ação prejudicial e mal--intencionada <*fazer m. com os animais*> **3** malícia <*comentou com m. o espetáculo*>

maldar (mal.dar) *v.* {mod. 1} *t.d. e t.i.* **1** (prep. *de*) formar mau juízo de ou interpretar com maldade <*m. as palavras de alguém*> <*m. do vizinho*> □ *t.d.* **2** ter ou formar na mente (mau juízo) <*maldou que ela mentia*>

maldição (mal.di.ção) [pl.: *-ões*] *s.f.* **1** praga lançada contra algo ou alguém **2** *p.ext.* palavra ou conjunto de palavras que revela a vontade de que algo ruim aconteça a alguém ou a algo; praga **3** castigo divino

maldito (mal.di.to) *adj.s.m.* **1** que(m) sofreu maldição; amaldiçoado <*dinheiro m.*> ↺ bendito **2** malvado, perverso ↺ bondoso

maldizente (mal.di.zen.te) *adj.2g.s.2g.* maledicente

maldizer (mal.di.zer) *v.* {mod. 15} *t.d.* **1** dirigir maldições, pragas a; amaldiçoar <*maldizia a nova namorada de seu ex-noivo*> ↺ abençoar **2** falar mal de; difamar <*m. os vizinhos*> ↺ bendizer □ *t.i.* **3** (prep. *de*) lastimar-se acerca de; reclamar <*m. da sorte*> ◉ GRAM/USO part.: *maldito*

maldoso (mal.do.so) /ô/ [pl. e fem.: /ó/] *adj.* **1** mau, desumano ↺ bondoso **2** malicioso <*comentaristas m. deturparam a entrevista*>

malê (ma.lê) *s.2g.* **1** nome que se dava esp. na Bahia a negros trazidos do noroeste da África ■ *adj.2g.* **2** relativo a malê ou ao seu grupo <*ritos m.*>

malear (ma.le.ar) *v.* {mod. 5} *t.d.* **1** transformar em lâmina (metal) **2** bater com martelo em; malhar <*m. o ferro*> **3** *fig.* tornar dócil, flexível; suavizar, abrandar <*m. o temperamento*>

maleável (ma.le.á.vel) [pl.: *-eis*] *adj.2g.* flexível ~ **maleabilidade** *s.f.*

maledicência (ma.le.di.cên.cia) *s.f.* calúnia, difamação ↺ elogio

maledicente (ma.le.di.cen.te) *adj.2g.s.2g.* que(m) fala mal dos outros; maldizente, má-língua

mal-educado (mal-e.du.ca.do) [pl.: *mal-educados*] *adj.s.m.* malcriado, grosseiro

malefício (ma.le.fí.cio) *s.m.* **1** dano, prejuízo ↺ benefício **2** feitiço contra alguém

maléfico (ma.lé.fi.co) *adj.* **1** que provoca dano, prejuízo <*os efeitos m. do álcool*> ↺ benéfico **2** que faz o mal; malvado <*personagem m.*> ↺ bom ◉ GRAM/USO sup.abs.sint.: *maleficentíssimo*

maleiro (ma.lei.ro) *s.m.* **1** local para guardar malas **2** fabricante ou vendedor de malas

maleita (ma.lei.ta) *s.f.* MED malária ~ **maleitoso** *adj.s.m.*

mal e mal (mal e mal) *adv.* *B* escassamente; de modo sofrível <*alimentava-se mal e mal*>

mal-encarado (mal-en.ca.ra.do) [pl.: *mal-encarados*] *adj.s.m.* **1** que(m) é carrancudo ↺ simpático **2** que(m) tem aparência suspeita

mal-entendido (mal-en.ten.di.do) [pl.: *mal-entendidos*] *s.m.* **1** equívoco, engano <*tudo não passou de um m.*> **2** briga, desentendimento <*os m. na família só aumentam*> ↺ harmonia ■ *adj.* **3** interpretado de forma errada <*o texto foi m.*>

maléolo (ma.lé.o.lo) *s.m.* ANAT cada um dos dois ossos arredondados que ficam de ambos os lados da articulação do tornozelo ~ **maleolar** *adj.2g.*

mal-estar (mal-es.tar) [pl.: *mal-estares*] *s.m.* **1** incômodo físico que não chega a ser doença **2** estado de inquietação, desassossego ↺ despreocupação **3** embaraço, constrangimento *<sua insistência gerou m. entre os presentes>*

maleta (ma.le.ta) /ê/ *s.f.* pequena mala ◉ GRAM/USO dim.irreg. de *mala*

malevolência (ma.le.vo.lên.cia) *s.f.* má vontade, antipatia ↺ benevolência

malevolente (ma.le.vo.len.te) *adj.2g.* **1** de má índole; mau **2** que tem ou demonstra desejo de ferir, de prejudicar; malicioso, mal-intencionado

malévolo (ma.lé.vo.lo) *adj.* muito mau; malvado ↺ benévolo

malfadado (mal.fa.da.do) *adj.s.m.* que(m) tem má sorte; desgraçado ↺ afortunado

malfadar (mal.fa.dar) *v.* {mod. 1} *t.d.* **1** prever desgraças para; malsinar *<m. o futuro da empresa>* **2** tornar infeliz; desgraçar ↺ afortunar

malfalado (mal.fa.la.do) *adj.* de que(m) se fala mal *<espetáculo m.>* ☞ cf. *mal falado* 'falado com imperfeição' (p.ex., *português mal falado*)

malfazejo (mal.fa.ze.jo) /ê/ *adj.s.m.* que(m) gosta de fazer o mal; malvado ↺ benfazejo

M

malfeito (mal.fei.to) *adj.* **1** realizado sem cuidado ou competência *<desenho m.>* ↺ bem-feito **2** que tem configuração má ou defeituosa *<orelhas m.>* ↺ perfeito ■ *s.m.* **3** delito ou crime **4** qualquer comportamento reprovável ou o seu efeito **5** coisa que causa prejuízo, que é ruim *<o m. já aconteceu, só nos resta corrigi-lo>*

malfeitor (mal.fei.tor) /ô/ [pl.: *-es*] *adj.s.m.* que(m) comete crimes ou atos condenáveis; bandido

malfeitoria (mal.fei.to.ri.a) *s.f.* **1** o que é nocivo; malefício **2** crime, delito

malformação (mal.for.ma.ção) [pl.: *-ões*] *s.f.* MED má-formação

malgrado (mal.gra.do) *prep.* apesar de *<trocou de carro, m. os conselhos contrários do irmão>*

[1]**malha** (ma.lha) *s.f.* **1** cada um dos nós, voltas etc. de fio que se entrelaçam para formar um tecido *<as m. do tricô>* **2** o tecido maleável formado por esse entrelaçamento **3** roupa feita desse tecido *<calças de m.>* **4** *fig.* o que envolve; enredo, trama *<caiu nas m. da justiça>* **5** conjunto de vias que, por sua estrutura, lembra uma rede *<m. rodoviária, ferroviária>* ◉ ORIGEM do fr. *maille* 'laçada, anel'

[2]**malha** (ma.lha) *s.f.* sinal natural, de cor diferente na pele ou no pelo dos animais; mancha ◉ ORIGEM do lat. *macŭla,ae* 'mancha, nódoa'

[3]**malha** (ma.lha) *s.f.* malhada ◉ ORIGEM do v. *malhar* 'bater com o malho'

malhação (ma.lha.ção) [pl.: *-ões*] *s.f.* **1** ato de bater com malho ou o seu efeito **2** *p.ext.* surra, espancamento **3** *fig. B infrm.* zombaria **4** *fig. B infrm.* crítica severa; mordacidade ↺ elogio **5** *B infrm.* exercício ou ginástica vigorosos; musculação

malhada (ma.lha.da) *s.f.* pancada com malho

[1]**malhado** (ma.lha.do) *adj.* **1** batido com malho **2** que levou uma surra **3** *fig.* alvo de piada, de zombaria **4** *B gír.* adulterado com misturas (diz-se de droga, combustível etc.) **5** *B infrm.* que tem o físico moldado por ginástica, musculação ◉ ORIGEM part. de *malhar* ('bater com malho')

[2]**malhado** (ma.lha.do) *adj.* que tem malhas ou manchas; manchado, pintado *<cavalo m.>* ◉ ORIGEM [2]*malha* + *-ado*

malhar (ma.lhar) *v.* {mod. 1} *t.d.* **1** bater com malho, martelo em *<m. o ferro>* **2** *fig. infrm.* falar mal de; criticar, maldizer *<m. os colegas>* ↺ elogiar □ *t.d. e t.i.* **3** (prep. *em*) castigar fisicamente; surrar *<m. o judas>* *<o boxeador treinava malhando num saco>* □ *t.d. e int. fig. B infrm.* **4** exercitar (o corpo ou partes dele) para fortalecer a musculatura e emagrecer *<m. os braços>* *<conserva-se em forma malhando duas horas por dia>*

malharia (ma.lha.ri.a) *s.f.* **1** confecção ou loja de tecidos ou roupas de malha **2** fábrica de malha

malho (ma.lho) *s.m.* **1** martelo pesado para bater ferro **2** *fig. infrm.* crítica negativa, ataque veemente *<metia o m. no patrão>*

mal-humorado (mal-hu.mo.ra.do) [pl.: *mal-humorados*] *adj.* aborrecido, irritado ↺ bem-humorado

malícia (ma.lí.cia) *s.f.* **1** fala, intenção ou interpretação maldosa, picante **2** habilidade para enganar; esperteza, astúcia ↺ tolice

maliciar (ma.li.ci.ar) *v.* {mod. 1} *t.d. e t.i.* **1** (prep. *de*) conferir a, interpretar com malícia *<nunca maliciou as palavras do colega>* **2** (prep. *de*) realizar julgamento negativo de; maldar *<m. de tudo>* □ *t.d. p.ext.* **3** desconfiar, suspeitar *<o sindicato maliciou a proposta>*

malicioso (ma.li.ci.o.so) /ô/ [pl. e fem.: /ó/] *adj.* **1** em que há malícia *<comportamento m.>* ■ *adj.s.m.* **2** que(m) tem ou age com esperteza, astúcia ↺ ingênuo

maligno (ma.lig.no) *adj.* **1** que tem tendência para o mal **2** que anuncia desgraças; funesto *<muitos viam cometas como um sinal m.>* **3** MED que ocorre na forma grave e pode levar à morte (diz-se de formas de doença ou de tumores) ~ **malignidade** *s.f.*

má-língua (má-lín.gua) [pl.: *más-línguas*] *s.f.* **1** hábito de falar mal de tudo e de todos ■ *adj.2g.s.2g.* **2** maledicente

mal-intencionado (mal-in.ten.cio.na.do) [pl.: *mal-intencionados*] *adj.s.m.* que(m) pretende fazer mal, prejudicar ↺ bem-intencionado

malíssimo (ma.lís.si.mo) *adj.* muito mau ◉ GRAM/USO sup.abs.sint. de *mau*

maljeitoso (mal.jei.to.so) /ô/ [pl. e fem.: /ó/] *adj.* sem jeito; desastrado, inábil ↺ jeitoso

malmequer (mal.me.quer) [pl.: *-es*] *s.m.* BOT bem-me-quer

malnascido (mal.nas.ci.do) *adj.* **1** nascido com má sorte **2** pobre

maloca (ma.lo.ca) *s.f.* **1** casa indígena **2** casa muito pobre e rústica; choupana, barracão

malograr (ma.lo.grar) *v.* {mod. 1} *t.d.* **1** provocar danos a; danificar *<as chuvas fortes malograram a plantação>* □ *t.d. e pron.* **2** (fazer) não ter êxito, sucesso; frustrar(-se), fracassar *<a desconfiança malogrou as negociações> <malograram-se todos os esforços>*

malogro (ma.lo.gro) /ô/ *s.m.* falta de sucesso; fracasso ↺ êxito

malote (ma.lo.te) *s.m.* **1** pequena mala; maleta **2** serviço de entrega rápida de correspondência, documentos bancários etc. **3** saco que transporta esses documentos, correspondência etc. ◉ GRAM/USO dim. irreg. de *mala*

mal-ouvido (mal-ou.vi.do) [pl.: *mal-ouvidos*] *adj.s.m. B infrm.* que ou aquele que não segue conselhos ou não lhes dá atenção; desobediente

malparado (mal.pa.ra.do) *adj.* em má situação *<projeto m.>*

malpassado (mal.pas.sa.do) *adj.* pouco cozido ou frito (esp. carne) *<só come filé m.>*

malquerença (mal.que.ren.ça) *s.f.* inimizade, hostilidade ↺ afeto **~ malquerente** *adj.2g.s.2g.*

malquerer (mal.que.rer) *v.* {mod. 18} *t.d.* **1** desejar mal a ou não gostar de *<m. a sogra>* ■ *s.m.* **2** malquerença ◉ GRAM/USO part.: *malquerido, malquisto*; ver QUADRO DE PARTICÍPIOS DUPLOS nas pp. iniciais; pl. do subst.: *malquereres*

malquistar (mal.quis.tar) *v.* {mod. 1} *t.d.,t.d.i.,int. e pron.* (prep. *com*) tornar(-se) malquisto (de); inimizar (-se), indispor(-se) *<até então amigos, malquistou--os a rivalidade profissional> <as ideias que defendia malquistaram-no com o chefe> <querendo agradar a todos, evitava a sinceridade que malquista> <inconveniente, malquistou-se com a família>* ↺ reconciliar(-se) ◉ GRAM/USO part. *malquisto*

malquisto (mal.quis.to) *adj.* **1** que tem inimigos ↺ querido **2** que tem má fama, má reputação *<um ator m.>* ↺ considerado ◉ GRAM/USO part. de *malquistar* e *malquerer*

malsão (mal.são) [pl.: *-ãos*; fem.: *malsã*] *adj.* **1** nocivo à saúde; doentio *<ar m.>* ↺ sadio **2** de saúde precária; mal curado *<paciente m.>* **3** *fig.* que faz mal, nocivo *<curiosidades m.>*

malsim (mal.sim) [pl.: *-ins*] *s.2g.* **1** informante pago pela polícia para denunciar contrabandos ou ações ilegais **2** *p.ext.* espião, delator

malsinação (mal.si.na.ção) [pl.: *-ões*] *s.f.* acusação, denúncia

[1]**malsinar** (mal.si.nar) *v.* {mod. 1} *t.d.* **1** revelar, denunciar (o que se queria encobrir) ↺ esconder **2** interpretar mal ou deformar o sentido de; deturpar *<malsinaram a declaração do síndico>* **3** considerar mau ou censurável; reprovar *<m. uma situação>* ↺ aprovar ◉ ORIGEM de *malsim* sob a f. rad. *malsin-* + *-ar*

[2]**malsinar** (mal.si.nar) *v.* {mod. 1} *t.d.* **1** trazer má sorte, ruína a; arruinar *<as bebedeiras malsinaram seu casamento>* **2** prever infelicidade, azar a; malfadar *<desde o início, malsinara a solução>* ◉ ORIGEM de *mal-* + *sinar* (do lat. *signāre* 'pôr marca em')

malsoante (mal.so.an.te) *adj.2g.* desagradável ao ouvido; malsonante *<voz m.> <campainha m.>*

malsonante (mal.so.nan.te) *adj.2g.* malsoante

malsucedido (mal.su.ce.di.do) *adj.* que teve mal resultado; fracassado *<empreendimento m.>* ↺ bem--sucedido

malta (mal.ta) *s.f.* bando de pessoas de má fama e/ou má índole; corja, súcia

malte (mal.te) *s.m.* cevada germinada de modo artificial e seca, us. na fabricação de cervejas e outros alimentos **~ maltado** *adj.*

malthusianismo (mal.thu.si.a.nis.mo) *s.m.* doutrina de Thomas Malthus, economista e demógrafo inglês, que prega a limitação de nascimentos, em virtude da diferença entre o crescimento do número de pessoas e o da produção de alimentos ☞ cf. *Malthus* na parte enciclopédica **~ malthusianista** *adj.2g.s.2g.*

malthusiano (mal.thu.si.a.no) *adj.s.m.* adepto ou seguidor das ideias de Thomas Malthus ou do malthusianismo ☞ cf. *Malthus* na parte enciclopédica

maltrapilho (mal.tra.pi.lho) *adj.s.m.* que(m) anda esfarrapado

maltratar (mal.tra.tar) *v.* {mod. 1} *t.d.* **1** tratar com aspereza, grosseria; destratar *<m. os funcionários>* **2** dar golpe(s) violento(s) em; bater *<ondas maltratavam a murada>* **3** causar lesão física em; machucar *<recebeu uma multa por m. seus cães>* **4** danificar, arruinar, esp. por mau uso *<maltrataram muito o carro>*

maluco (ma.lu.co) *adj.s.m.* **1** que(m) sofre de distúrbios mentais; louco ↺ são **2** *p.ext.* que(m) é dado a esquisitices; excêntrico *<uma família m.>* **3** *p.ext.* que(m) age sem juízo ou seriedade; imprudente, inconsequente *<aquela viagem era coisa de m.>* ↺ prudente

malungo (ma.lun.go) *s.m.* **1** HIST nome pelo qual se chamavam os escravos vindos da África no mesmo navio **2** camarada, parceiro

maluqueira (ma.lu.quei.ra) *s.f.* maluquice

maluquice (ma.lu.qui.ce) *s.f.* **1** atitude de maluco; maluqueira **2** falta de discernimento; absurdo, maluqueira *<desfazer-se da casa é m.>* ↺ sensatez

malva (mal.va) *s.f.* BOT nome comum às plantas da família das malváceas, ricas em mucilagem, cultivadas como ornamentais, como alimento ou pelas propriedades medicinais

malvácea (mal.vá.cea) *s.f.* BOT espécime das malváceas, família de ervas, arbustos e árvores, cultivadas em jardins, como vários hibiscos, pelas fibras, como o algodão, e tb. para alimentação, como o quiabo **~ malváceo** *adj.*

malvadeza (mal.va.de.za) /ê/ *s.f.* **1** ato de quem é malvado **2** comportamento de pessoa malvada; crueldade ↺ bondade

malvado (mal.va.do) *adj.s.m.* que(m) pratica ou é capaz de praticar crueldades; mau, cruel ↺ bondoso **~ malvadez** *s.f.*

malversação (mal.ver.sa.ção) [pl.: *-ões*] *s.f.* **1** má administração **2** desvio de verbas **3** falta grave no exercício de um cargo

malvestido (mal.ves.ti.do) *adj.s.m. pej.* que ou aquele que se veste sem cuidado, sem elegância

malvisto (mal.vis.to) *adj.* que tem má fama; malquisto *<depois do gol)e, ficou m. pelos amigos>* ↺ respeitado

mama (ma.ma) *s.f.* ANAT órgão glandular dos mamíferos, normalmente atrofiado no macho e, na fêmea, capaz de produzir leite

mamadeira (ma.ma.dei.ra) *s.f.* recipiente de vidro ou plástico com chupeta ou bico de borracha, us. para dar leite a crianças ou animais

mamãe (ma.mãe) *s.f.* tratamento carinhoso dado à mãe

mamangaba (ma.man.ga.ba) ou **mamangava** (ma.man.ga.va) *s.f.* ZOO abelha grande, com abdome largo e com pelos, ger. negra e amarela

mamão (ma.mão) [pl.: *-ões*] *s.m.* BOT fruta de casca e polpa alaranjadas com muitas sementes pequenas e pretas; papaia

mamar (ma.mar) *v.* {mod. 1} *t.d.,t.i. e int.* **1** (prep. *em*) sugar (leite) de mama, teta ou (conteúdo) de mamadeira *<mamou todo o leite> <m. no peito> <aos sete meses parou de m.>* □ *t.d.,t.i. e t.d.i. fig. B infrm.* **2** (prep. *em*) lucrar indevidamente (com empresa ou administração pública) *<foram presos por mamarem a verba destinada à educação> <mamou (quantias fabulosas) nos cofres do Estado>*

mamário (ma.má.rio) *adj.* relativo a mama

mamata (ma.ma.ta) *s.f. infrm.* ganho desonesto; negociata

mambembe (mam.bem.be) *s.m.* **1** grupo teatral ger. amador e itinerante ■ *adj.2g. B pej.* **2** de má qualidade; ordinário *<móvel m.> <atuação m.>*

mambira (mam.bi.ra) *adj.2g.s.2g. RS pej.* **1** que ou quem é do interior, bronco ■ *s.2g.* ZOO *AMAZ* **2** tamanduá pequeno

mambo (mam.bo) *s.m.* DNÇ MÚS música e dança cubanas com base na rumba

mameluco (ma.me.lu.co) *s.m.* **1** *B* filho de índio com branco ou de branco com caboclo **2** HIST membro de antiga milícia turco-egípcia

mamífero (ma.mí.fe.ro) *adj.s.m.* (espécime) dos mamíferos, classe de animais vertebrados, possuidores de glândulas mamárias, corpo ger. coberto por pelos, coração com quatro câmaras, pulmões grandes e elásticos, cavidades torácica e abdominal separadas por um diafragma e fecundação interna

mamilo (ma.mi.lo) *s.m.* **1** ANAT o bico da mama, do peito **2** o que tem forma de mamilo ~ **mamilar** *adj.2g.*

maminha (ma.mi.nha) *s.f.* **1** bico do peito; mamilo **2** parte mais macia da alcatra

mamoeiro (ma.mo.ei.ro) *s.m.* BOT árvore do mamão

mamografia (ma.mo.gra.fi.a) *s.f.* radiografia de mama

mamona (ma.mo.na) *s.f.* BOT **1** fruto de cuja semente se extrai óleo de rícino **2** mamoneira

mamoneira (ma.mo.nei.ra) *s.f.* BOT arbusto da mamona

mamoplastia (ma.mo.plas.ti.a) *s.f.* MED cirurgia plástica na mama; mastoplastia

mamulengo (ma.mu.len.go) *s.m. N.E.* fantoche ('boneco')

mamute (ma.mu.te) *s.m.* ZOO elefante pré-histórico, munido de presas longas e curvadas para cima e para trás e corpo revestido por longos pelos

maná (ma.ná) *s.m.* **1** alimento que, segundo a Bíblia, foi miraculosamente fornecido aos hebreus em sua travessia do deserto **2** *p.ext.* alimento delicioso **3** *fig.* alimento espiritual de origem divina; o que consola a alma

manacá (ma.na.cá) *s.m.* BOT arbusto ornamental, de flores aromáticas roxas, róseas e brancas

manada (ma.na.da) *s.f.* rebanho de gado

managuenho (ma.na.gue.nho) /gü/ *adj.s.m.* managuense

managuense (ma.na.guen.se) /gü/ *adj.2g.* **1** de Manágua, Nicarágua ■ *s.2g.* **2** natural ou habitante dessa capital

manancial (ma.nan.ci.al) [pl.: *-ais*] *s.m.* **1** nascente de água; fonte **2** *fig.* princípio ou fonte de algo *<um m. de ideias>* ■ *adj.2g.* **3** que flui ou jorra sem cessar *<torrente m.>*

manápula (ma.ná.pu.la) *s.f.* manopla ('mão')

manar (ma.nar) *v.* {mod. 1} *t.d.,t.i. e int.* (prep. *de*) (fazer) correr ou fluir em abundância ou incessantemente (líquido ou gás); brotar, jorrar *<numerosas nascentes manando água cristalina> <lágrimas manavam de seus olhos> <com a seca, as fontes deixaram de m.>*

manauara (ma.nau.a.ra) *adj.2g.s.2g.* manauense

manauense (ma.nau.en.se) *adj.2g.* **1** de Manaus (AM) ■ *s.2g.* **2** natural ou habitante dessa capital

mancada (man.ca.da) *s.f. infrm.* **1** ato de mancar ou o seu efeito **2** *fig. B infrm.* atitude, comportamento com resultado insatisfatório ou negativo; falha, erro *<sair sem documentos foi uma enorme m.>* **3** *fig. B* ato ou fala inoportuna; gafe, inconveniência *<errar o nome do sogro foi uma m.>*

mancal (man.cal) [pl.: *-ais*] *s.m.* **1** dobradiça **2** peça com rebaixamento cilíndrico ou esférico onde se encaixa a ponta do eixo de uma máquina

mancar (man.car) *v.* {mod. 1} *t.i. e int.* **1** (prep. *de*) caminhar apoiando-se mais em uma das pernas; coxear *<aquela moça manca (da perna direita)>* □ *pron. fig. B infrm.* **2** perceber a inconveniência ou o caráter impróprio de sua conduta ou ação *<foram tantas as críticas que ele afinal se mancou e apagou o cigarro>*

mancebia (man.ce.bi.a) *s.f.* estado de quem vive junto sem casar-se

mancebo (man.ce.bo) /ê/ *s.m.* rapaz

mancha (man.cha) *s.f.* **1** marca deixada por sujeira; nódoa **2** mudança de coloração na pele de pessoas ou no pelo de animais *<tinha uma m. branca no ombro>* **3** ART.PLÁST cada toque de tinta aplicado a um quadro; pincelada **4** GRÁF parte impressa de uma página, por oposição às margens **5** *fig.* desonra, mácula *<o plágio deixou uma m. em seu currículo>* ▣ **m. roxa** mancha na pele resultante de hemorragia; equimose

manchão (man.chão) [pl.: *-ões*] *s.m. B* **1** mancha no terreno onde há diamante de aluvião **2** *infrm.* remendo improvisado em pneu furado

manchar (man.char) *v.* {mod. 1} *t.d.,t.d.i. e pron.* **1** (prep. *de*) (fazer) ficar com mancha; sujar(-se) *<o aluno manchou (de chocolate) a página do dever> <conhecemos um mecânico que não se mancha de graxa>* ↺ limpar(-se) □ *t.d. e pron.* **2** *fig.* comprometer(-se) por algo vil, desonroso; infamar(-se), desonrar(-se) *<m. sua trajetória na firma> <manchou-se por uma bobagem>* ~ **manchado** *adj.*

mancheia (man.chei.a) *s.f.* quantidade que cabe na mão; punhado

manchete (man.che.te) *s.f.* **1** JOR título destacado, em jornal ou revista, de reportagem importante **2** ESP no voleibol, defesa ou passe com braços estendidos e mãos juntas

manco (man.co) *adj.s.m.* (o) que manca; coxo

mancomunar (man.co.mu.nar) *v.* {mod. 1} *t.d.,t.d.i. e pron.* (prep. *com*) juntar(-se) [a outrem] para a realização de (algo ger. desonesto); conluiar(-se) *<mancomunaram um golpe bem-sucedido> <m. com os vizinhos a deposição do síndico> <os partidos da oposição resolveram m.-se>* ~ **mancomunação** *s.f.*

mandacaru (man.da.ca.ru) *s.m.* BOT grande cacto da caatinga

mandachuva (man.da.chu.va) *s.2g.* *B infrm.* indivíduo influente; chefe, líder

mandado (man.da.do) *s.m.* **1** incumbência, missão **2** DIR ordem escrita de autoridade pública determinando o cumprimento de algum ato *<m. de busca>* ■ *adj.* **3** que se mandou; enviado

mandamento (man.da.men.to) *s.m.* **1** ordem de autoridade **2** REL no judaísmo e cristianismo, cada um dos dez preceitos enviados ao povo hebreu e aos quais os crentes estão obrigados a obedecer ☞ mais us. no pl.

mandante (man.dan.te) *adj.2g.s.2g.* **1** que(m) manda **2** que(m) induz a certos atos ■ *s.2g.* **3** quem autoriza alguém a agir em seu nome ☞ cf. *mandatário*

mandão (man.dão) [pl.: *-ões*; fem.: *mandona*] *adj.s.m.* que(m) gosta de mandar

mandar (man.dar) *v.* {mod. 1} *t.d.,t.d.i. e pron.* **1** (prep. *a*) exigir, como autoridade superior, que se cumpra (algo); ordenar *<a sentença mandava que a criança fosse restituída aos verdadeiros pais> <fez o que lhe mandaram> <ele não pede, manda>* □ *t.d. e t.d.i.* **2** (prep. *a*) mostrar como desejado, aconselhável; recomendar *<siga o que (lhe) manda o coração>* **3** (prep. *a*, *para*) fazer chegar a; enviar, encaminhar *<já mandaram a encomenda ao seu primo?>* □ *t.d.,t.i. e int.* **4** (prep. *em*) exercer poder, autoridade, domínio sobre *<o rei tudo manda> <ele pensa que pode m. em tudo e em todos> <os vencidos de ontem estão hoje a m.>* □ *pron.* *B infrm.* **5** dirigir-se a (certo lugar); ir *<m.-se para casa>* **6** ir embora; partir, fugir *<fez as malas e se mandou do apartamento>*

mandarim (man.da.rim) [pl.: *-ins*] *s.m.* **1** alto funcionário do antigo império chinês **2** LING o principal dialeto da língua chinesa, tomado como língua oficial da China

mandatário (man.da.tá.rio) *s.m.* **1** DIR quem recebe mandato ou procuração para agir em nome de outro **2** quem age em nome e por ordem de alguém ☞ cf. *mandante*

mandato (man.da.to) *s.m.* **1** aquilo de que se está encarregado; incumbência **2** poder concedido ou autorizado; procuração **3** poder dado pelo povo ao político eleito para que o represente no governo ou nas assembleias legislativas **4** *p.ext.* período de desempenho de um cargo eleitoral *<o deputado não chegou ao fim do m.>*

mandíbula (man.dí.bu.la) *s.f.* ANAT osso da cabeça em forma de ferradura, antes denominado *maxilar inferior*, onde ficam os dentes inferiores ~ **mandibular** *adj.2g.*

mandil (man.dil) [pl.: *-is*] *s.m.* **1** pano de limpeza **2** avental de cozinheiro

mandinga (man.din.ga) *s.f.* feitiço, bruxaria ~ **mandingueiro** *adj.s.m.*

mandioca (man.di.o.ca) *s.f.* BOT **1** arbusto cultivado pelas raízes, muito semelhantes às do aipim, embora sejam ger. mais venenosas e freq. us. apenas para a produção de farinha de mandioca e ração animal **2** raiz dessa planta ◉ COL mandiocal

mandiocal (man.di.o.cal) [pl.: *-ais*] *s.m.* *B* grande plantação de mandiocas

mandioquinha (man.di.o.qui.nha) *s.f.* BOT batata-baroa

mando (man.do) *s.m.* **1** direito ou poder de mandar; autoridade, poderio **2** ordem, determinação *<por m. da justiça>* **3** comando militar

mandraca (man.dra.ca) *s.f.* *B* **1** bruxaria, feitiçaria **2** beberagem us. para enfeitiçar

mandrião (man.dri.ão) [pl.: *-ões*; fem.: *mandriona*] *adj.s.m.* que(m) se mostra preguiçoso para trabalhar ou estudar; indolente ↺ trabalhador

mandriar (man.dri.ar) *v.* {mod. 1} *int.* ficar ocioso, não trabalhar ou estudar por preguiça; vadiar

[1]**mandril** (man.dril) [pl.: *-is*] *s.m.* ZOO grande macaco africano, de cauda curta, pelagem esverdeada e machos de focinho vermelho e azul ◉ ORIGEM do ing. *mandrill* 'id.'

[2]**mandril** (man.dril) [pl.: *-is*] *s.m.* **1** ferramenta mecânica que calibra e retifica furos **2** dispositivo que agarra ferramenta ou peça a ser trabalhada ◉ ORIGEM do fr. *mandrin* 'eixo de ferro sobre o qual gira uma máquina'

manducar (man.du.car) *v.* {mod. 1} *t.d. e int.* ingerir alimento; comer, mastigar *<enquanto falava, ia manducando os bolinhos a sua frente> <engoliu o que tinha na boca e parou por um instante de m.>* ~ **manducação** *s.f.*

mané (ma.né) *s.m.* *infrm. pej.* **1** indivíduo pouco inteligente; bobo, tolo ↺ sabido **2** desleixado, negligente

maneio (ma.nei.o) *s.m.* **1** ação de trabalhar, mover com as mãos; manejo **2** trabalho manual; manejo **3** *fig.* administração, gestão de algo; direção, gerência *<o m. de uma escola>*

maneira (ma.nei.ra) *s.f.* **1** forma própria de ser ou de agir *<m. de andar, de comer>* **2** qualidade, variedade *<frutas e verduras de todas as m.>* **3** método ou processo de realizar algo; meio *<tinha mil m. de escapar à obrigação>* **4** arranjo, disposição *<móveis colocados de outra m.>* **5** oportunidade, possibilidade *<não houve m. de chegar ao fim da corrida>* ▼ ***maneiras*** *s.f.pl.* **6** modo habitual de falar, de agir em sociedade *<homem de m. distintas>* **7** comportamento educado *<pessoa sem m.>* ▣ **boas m.** boa educação, refinamento

maneirar (ma.nei.rar) *v.* {mod. 1} *t.d.* **1** conter ou resolver com habilidade (situação difícil, embaraçosa) *<maneire os gastos com roupas>* □ *int.* **2** agir com moderação, calma *<não se afobe, aqui é preciso m.>* □ *t.d. e int.* **3** tornar(-se) mais suave; abrandar, melhorar *<o instrutor resolveu m. a exigência nas avaliações>* *<o calor, afinal, maneirou>* ↺ intensificar(-se)

maneirismo (ma.nei.ris.mo) *s.m.* **1** ART.PLÁST HIST LIT estilo e movimento artísticos europeus do sXVI **2** abuso de certos recursos artísticos e literários **3** *fig.* afetação nos modos de falar, no estilo ↺ naturalidade ~ **maneirista** *adj.2g.s.2g.*

maneiro (ma.nei.ro) *adj.* **1** cujo manejo ou uso não oferece dificuldade ou esforço *<máquina m.>* **2** *B* que se move com facilidade, ligeireza (diz-se de pessoa) *<ciclista m.>* **3** que costuma vir comer na mão *<pássaro m.>* ↺ feroz **4** *B gír.* palavra que qualifica pessoas ou coisas com atributos positivos; bonito, bom, correto, capaz etc. *<um vestido m.>* *<uma irmã m.>* *<uma atitude m.>* *<um artesão m.>*

maneiro-pau (ma.nei.ro-pau) [pl.: *maneiros-paus*] *s.m.* → ***MINEIRO-PAU***

maneiroso (ma.nei.ro.so) /ô/ [pl. e fem.: /ó/] *adj.* educado, gentil ↺ grosseiro

manejar (ma.ne.jar) *v.* {mod. 1} *t.d.* **1** mover, controlar com a(s) mão(s); manobrar, manusear *<m. uma lança>* *<m. a bicicleta>* **2** *fig.* ter autoridade, poder sobre; manipular, dirigir *<o imperador maneja seus súditos>* **3** *fig.* praticar com facilidade; dominar *<m. uma técnica>* *<m. cálculos>* ~ **manejador** *adj.s.m.*

manejo (ma.ne.jo) /ê/ *s.m.* **1** uso de algo com auxílio das mãos; maneio, manuseio *<m. de uma máquina>* **2** exercício, desempenho *<m. de uma arte>* **3** *fig.* direção, governo *<vacila no m. de seus comandados>* **4** ECO gestão do ambiente e de seus recursos, de modo que seu uso possa ser constante, sem redução num futuro indefinido

manequim (ma.ne.quim) [pl.: *-ins*] *s.m.* **1** boneco de forma humana us. por costureiros, escultores etc. **2** *p.ext.* medida padrão para roupa; tamanho *<usar m. 40>* **3** *fig. pej.* indivíduo sem vontade própria ■ *s.2g.* **4** pessoa que exibe ao público modelos de costureiros ou posa para revistas de modas

maneta (ma.ne.ta) /ê/ *adj.2g.s.2g.* que(m) não tem um braço ou mão

[1]**manga** (man.ga) *s.f.* **1** VEST parte da roupa sobre o braço **2** objeto tubular que envolve qualquer coisa para proteger ou isolar *<m. do lampião>* ◉ GRAM/USO aum.: *mangão, mangona* ◉ ORIGEM do lat. *manĭca,ae* 'parte da roupa'

[2]**manga** (man.ga) *s.f.* BOT fruto da mangueira, suculento e doce, de polpa carnosa, ger. amarelada ◉ ORIGEM do malaiala (língua falada no Sudoeste da Índia) *manga* 'id.'

mangá (man.gá) *s.m.* estilo de desenho usado nas histórias em quadrinhos japonesas

mangaba (man.ga.ba) *s.f.* BOT fruto da mangabeira, comestível e us. no fabrico de bebidas e sorvetes

mangabal (man.ga.bal) [pl.: *-ais*] *s.f.* BOT grande concentração de mangabeiras; mangabeiral

mangabeira (man.ga.bei.ra) *s.f.* BOT árvore comum em cerrados e no litoral nordestino brasileiro que fornece frutos comestíveis, conhecidos como mangaba, e o látex, us. na fabricação de borracha rosada; mangaba ◉ COL mangabal, mangabeiral

mangabeiral (man.ga.bei.ral) [pl.: *-ais*] *s.f.* BOT mangabal

manga-d'água (man.ga-d'á.gua) [pl.: *mangas-d'água*] *s.f.* tromba-d'água ('fenômeno meteorológico')

manga-larga (man.ga-lar.ga) [pl.: *mangas-largas*] *s.2g.* **1** ZOO raça de cavalo marchador, resultante do cruzamento de um puro-sangue com égua ■ *adj.2g.* **2** relativo a essa raça

manganês (man.ga.nês) *s.m.* QUÍM elemento químico us. em trilhos de trem que necessitam de aços de grande dureza, em resistências elétricas de precisão etc. [símb.: *Mn*] ☞ cf. *tabela periódica* (no fim do dicionário) ◉ GRAM/USO esta pal. ordinariamente não se emprega no pl.

mangar (man.gar) *v.* {mod. 1} *t.i. e int.* (prep. *de*) expor ao ridículo, com atos ou palavras maliciosas ou irônicas, ger. fingindo seriedade; debochar, caçoar *<divertia-se mangando dos irmãos menores>*

manguaça (man.gua.ça) *s.f. SP infrm.* bebida alcoólica, esp. cachaça

mangue (man.gue) *s.m.* BOT **1** nome comum a diversas árvores que vivem em uma lama negra alcançada pelas marés, munidas de pontos acima da superfície, verticais e aéreos, que servem à respiração **2** floresta em que predomina esse tipo de árvore, junto a praias, à foz de rios, lagoas etc.; manguezal

[1]**mangueira** (man.guei.ra) *s.f.* BOT árvore frondosa que fornece a manga ◉ ORIGEM [2]*manga* + *-eira*

[2]**mangueira** (man.guei.ra) *s.f.* tubo flexível que conduz líquidos ou gases; borracha *<adora tomar banho de m.!>* ◉ ORIGEM [1]*manga* + *-eira*

manguezal (man.gue.zal) [pl.: *-ais*] *s.m.* BOT **1** mangue ('floresta') **2** GEO área dessa vegetação

manha (ma.nha) *s.f.* **1** talento para realizar algo; desenvoltura, destreza ↺ inaptidão **2** habilidade de enganar; astúcia, esperteza *<a m. dos políticos>* **3** procedimento astuto; artimanha *<ninguém mais cai nas m. dele>* ☞ freq. us. no pl. **4** mania, temperamento, vício *<cuidado com as m. desse cavalo!>* **5** *infrm.* processo particular e eficaz para se alcançar um objetivo *<pegou a m. do exercício?>* **6** *B* choro de criança sem motivo ou como forma de chantagem; birra

manhã (ma.nhã) *s.f.* **1** parte do dia que vai do nascer do sol ao meio-dia **2** amanhecer, madrugada **3** *fig.* começo, início *<a m. de uma existência>* ↺ fim

manhoso (ma.nho.so) /ô/ [pl. e fem.: /ó/] *adj.* **1** que tem habilidade para realizar algo; talentoso ↺ desajeitado **2** hábil para enganar; ardiloso ↺ ingênuo **3** que tem manias, vícios (diz-se de pessoa ou animal) **4** que chora sem motivo (diz-se esp. de criança) ■ *s.m.* ZOO *B* **5** besouro negro, de ampla distribuição no Brasil, uma das principais pragas do feijão

mania (ma.ni.a) *s.f.* **1** costume esquisito, peculiar; excentricidade *<m. de dormir do lado direito>* **2** gosto excessivo; paixão *<m. de esportes>* **3** alvo desse gosto *<futebol é a sua m.>* **4** costume nocivo, prejudicial; vício *<pegou a m. de mentir>*

maníaco (ma.ní.a.co) *adj.s.m.* (aquele) que é obcecado por (algo) *<m. por limpeza>*

maniatar (ma.ni.a.tar) *v.* {mod. 1} *t.d.* → MANIETAR

maniçoba (ma.ni.ço.ba) *s.f.* **1** BOT planta nativa do Brasil, cujo caule produz látex que petrifica em contato com o ar, exalando mau cheiro, e cujas raízes são venenosas **2** CUL *B* prato de origem indígena, feito com folhas de mandioca moídas e cozidas por muito tempo, a que se juntam ger. carnes e temperos variados [ocorre esp. no Pará, mas tb. no Nordeste do Brasil (Sergipe e Bahia)] ◉ COL maniçobal

maniçobal (ma.ni.ço.bal) [pl.: *-ais*] *s.m.* BOT *B* grande plantação de maniçobas

manicômio (ma.ni.cô.mio) *s.m.* local para internação e tratamento de loucos; hospício

manícula (ma.ní.cu.la) *s.f.* **1** cada um dos membros anteriores dos mamíferos **2** meia luva que protege as mãos dos sapateiros **3** *B* peça para transmitir movimento de rotação a uma roda, eixo etc., por ação manual; manivela

manicure (ma.ni.cu.re) *s.2g.* ou **manicuro** (ma.ni.cu.ro) [fem.: *manicura*] *s.m.* indivíduo que limpa e embeleza mãos e unhas

manietar (ma.ni.e.tar) ou **maniatar** (ma.ni.a.tar) *v.* {mod. 1} *t.d.* **1** amarrar as mãos de *<manietaram os reféns>* **2** tolher os movimentos de; imobilizar, prender ↺ soltar **3** *fig.* privar da liberdade; subjugar *<m. as atitudes dos filhos>*

manifestação (ma.ni.fes.ta.ção) [pl.: *-ões*] *s.f.* **1** ato de revelar um pensamento, ideia etc.; expressão *<m. de um desejo>* **2** declaração, pronunciamento público *<m. a favor de uma candidatura>* **3** grupo de pessoas reunidas para reivindicar algo *<m. pela paz>* **4** REL *B* incorporação de uma deidade, entidade ou orixá etc. no corpo de um iniciado ou médium

manifestante (ma.ni.fes.tan.te) *adj.2g.s.2g.* **1** que(m) se manifesta **2** que(m) participa de manifestação

manifestar (ma.ni.fes.tar) *v.* {mod. 1} *t.d. e t.d.i.* **1** (prep. *a*) tornar manifesto ou público; declarar *<m. uma intenção>* *<manifestou aos presentes que não se candidataria>* □ *pron.* **2** (prep. *contra, sobre*) dar declaração, opinião sobre algo; pronunciar-se *<a imprensa pouco se manifestou sobre os vazamentos de óleo>* □ *t.d. e pron.* **3** (fazer) dar marcas, sinais de sua presença; evidenciar(-se), revelar(-se) *<m. dor, alegria>* *<a doença manifestava-se em diversos pontos do país>* ↺ esconder(-se) ◉ GRAM/USO part.: *manifestado, manifesto*; ver QUADRO DE PARTICÍPIOS DUPLOS nas pp. iniciais

manifesto (ma.ni.fes.to) *s.m.* **1** declaração pública de opinião, motivo, tendência etc. ■ *adj.* **2** impossível de ser oculto ou dissimulado; claro, evidente *<desejo m.>* ↺ secreto

manilha (ma.ni.lha) *s.f.* tubo largo e curto, feito de cerâmica, concreto ou aço, us. para canalizar águas, esgotos etc.

maninho (ma.ni.nho) *adj.* **1** estéril, infecundo *<terra m.>* ↺ fértil **2** que se desenvolve sem cultivo; bravo, silvestre *<pinheiro m.>* ■ *s.m.* **3** terreno aberto e improdutivo; descampado

manipresto (ma.ni.pres.to) *adj.* ágil com as mãos; prestímano

manipular (ma.ni.pu.lar) *v.* {mod. 1} *t.d.* **1** preparar, acionar ou controlar com as mãos; manejar *<m. ingredientes para um bolo>* **2** *fig.* influenciar para seguir comportamento e interesses que não os próprios; controlar *<manipulou as crianças para irem ao cinema e não à praia>* **3** *p.ext.* adulterar, falsificar *<m. notas, pontuação>* **~ manipulação** *s.f.*

manirroto (ma.nir.ro.to) /ô/ *adj.s.m.* que(m) gasta muito; perdulário

manivela (ma.ni.ve.la) *s.f.* peça de máquina que, com rotação manual, aciona eixo, roda etc.; manícula

manjado (man.ja.do) *adj.* *B* *infrm.* muito conhecido; banal ↺ extraordinário

manjar (man.jar) *v.* {mod. 1} *t.d.* *infrm.* **1** observar a evolução ou ação de; espionar *<o menino vem manjando os hábitos do cachorro há muito tempo>* **2** captar propósito ou motivo de; perceber *<manjaram logo o motivo da reunião>* □ *t.d. e t.d.i.* *infrm.* **3** (prep. *de*) ter conhecimento(s) sobre; saber *<um matemático que manja pintura moderna>* *<pouco manja de culinária>* ■ *s.m.* **4** o que serve de alimento ao homem **5** comida sofisticada e apetitosa; iguaria **6** *fig.* o que alimenta e deleita o espírito *<esse concerto é um m.>* **7** CUL manjar-branco ◉ GRAM/USO pl. do s.m.: *manjares*

manjar-branco (man.jar-bran.co) [pl.: *manjares-brancos*] *s.m.* CUL tipo de pudim feito com leite de coco, ger. acompanhado de calda caramelada e/ou ameixa preta; manjar

manjedoura (man.je.dou.ra) *s.f.* tabuleiro para comida dos animais na estrebaria

manjericão (man.je.ri.cão) [pl.: *-ões*] *s.m.* BOT erva cheirosa cultivada como ornamental e esp. como condimento

manjerona (man.je.ro.na) *s.f.* erva nativa do Mediterrâneo, de caule avermelhado, us. como tempero, pelas propriedades medicinais e pelo óleo essencial, us. em perfumaria

manjuba (man.ju.ba) *s.f.* ZOO nome comum a diversos peixes ósseos, de grande valor comercial, que possuem boca inferior larga e uma saliência na parte anterior da cabeça

mano (ma.no) *s.m.* *infrm.* **1** irmão **2** amigo, camarada, colega

manobra (ma.no.bra) *s.f.* **1** ação de fazer algo funcionar à mão **2** acomodação de veículo em garagem ou vaga **3** *fig.* série de atitudes ou ações realizadas para se alcançar um objetivo *<fez muitas m. para comprar o terreno>* **4** *fig.* artimanha, astúcia *<as m. de um político>*

manobrar (ma.no.brar) *v.* {mod. 1} *t.d.* **1** usar ou acionar com as mãos (instrumento, aparelho); manipular *<adorava m. equipamentos eletrônicos>* **2** realizar movimento com; mover *<manobrava a espada muito bem>* **3** *fig.* dar orientação a; conduzir, dirigir *<m. a própria vida>* **4** *fig.* influenciar a opinião ou a vontade de outrem, agindo por meios hábeis; manipular *<m. o eleitorado, uma assembleia>* □ *t.d. e int.* *B* **5** movimentar (veículo, esp. carro), conjugando avanços e recuos para estacioná-lo *<deixe que o garagista manobre o carro>* *<teve dificuldades para m.>*

manobreiro (ma.no.brei.ro) *s.m.* **1** quem faz manobras **2** *B* pessoa que manobra automóveis em estacionamento ou garagem; manobrista **3** indivíduo experiente na manobra de embarcações; manobrista

manobrista (ma.no.bris.ta) *adj.2g.s.2g.* manobreiro ('pessoa que manobra' e 'indivíduo experiente')

manometria (ma.no.me.tri.a) *s.f.* FÍS medição das pressões dos fluidos ou técnica de realizá-la

manométrico (ma.no.mé.tri.co) *adj.* referente a manometria ou a manômetro

manômetro (ma.nô.me.tro) *s.m.* FÍS instrumento que mede a pressão de fluidos

manopla (ma.no.pla) *s.f.* **1** luva de ferro us. nas armaduras de guerra **2** *infrm.* mão muito grande; manápula ◉ GRAM/USO aum.irreg. de *mão*

manqueira (man.quei.ra) *s.f.* **1** marcha irregular, em pessoa ou animal, esp. cavalgadura **2** VET *B* doença que deixa bois e cavalos mancos

manquejar (man.que.jar) *v.* {mod. 1} *int.* **1** caminhar apoiando-se mais em uma das pernas; mancar □ *t.i. e int.* **2** *fig.* (prep. *em*) ter faltas, defeitos; falhar *<o novo redator manquejava na colocação dos pronomes> <quando postos à prova, seus conhecimentos teóricos manquejam>*

mansão (man.são) [pl.: *-ões*] *s.f.* casa grande e luxuosa

mansarda (man.sar.da) *s.f.* **1** ARQ tipo de telhado em que cada vertente é quebrada em dois caimentos **2** ARQ água-furtada **3** *p.ext.* morada miserável

mansidão (man.si.dão) [pl.: *-ões*] *s.f.* **1** suavidade, brandura *<a m. de sua fala envolvia a todos>* ↺ dureza **2** ausência de agitação, de pressa; serenidade *<a m. do mar>*

mansinho (man.si.nho) *adj.* muito manso ▣ **de m.** **1** com calma, aos poucos; devagar *<de m., ia entrando na conversa, até se tornar o centro das atenções>* **2** sem fazer ruído; sorrateiramente *<chegou de m., para não chamar atenção>*

manso (man.so) *adj.* **1** de gênio bom; dócil, pacato *<é um menino m.>* **2** em estado de tranquilidade; calmo ↺ agitado **3** sereno, silencioso *<riacho m.>* **4** que se domesticou *<cavalo m.>* ↺ bravo, feroz

mansuetude (man.su.e.tu.de) *s.f.* serenidade, mansidão ↺ agitação ~ **mansueto** *adj.*

manta (man.ta) *s.f.* **1** cobertor de cama **2** VEST certo agasalho ger. de lã **3** pano de lã sobre a sela de montaria **4** *B* acumulação de detritos vegetais no solo de florestas **5** *B infrm.* dano ou perda, esp. financeira; prejuízo *<levar m.>* **6** *B* pedaço de carne verde do peito ou da costela da rês

manteiga (man.tei.ga) *s.f.* **1** pasta gordurosa obtida da nata do leite batida **2** substância gordurosa de certas plantas *<m. de amendoim>*

manteigueira (man.tei.guei.ra) *s.f.* recipiente us. para servir manteiga

mantelete (man.te.le.te) /ê/ *s.m.* **1** capa até os joelhos, aberta na frente, sem manga e com abertura para os braços, us. por bispos e outros membros da Igreja **2** VEST capa curta feminina us. por cima do vestido, como enfeite ou para proteger do frio

mantenedor (man.te.ne.dor) /ô/ [pl.: *-es*] *adj.s.m.* **1** que(m) mantém, sustenta; mantedor **2** defensor, protetor

manter (man.ter) *v.* {mod. 16} *t.d.,t.d.pred. e pron.* **1** (fazer) ficar em certo estado, posição ou situação ou permanecer como antes, inalterado; conservar (-se) *<m. a cabeça fora da água> <manteve-o preso por anos a fio> <m.-se imóvel> <m.-se de pé>* □ *t.d.* **2** fazer valer por dever moral ou obrigação; cumprir *<m. a palavra, uma promessa>* **3** conservar firme; respeitar, sustentar *<m. uma opinião>* ↺ mudar □ *t.d. e pron.* **4** (prep. *de*) prover(-se) do necessário para sobreviver; sustentar(-se) *<os pais o mantiveram até que se formasse> <desde a adolescência suas irmãs se mantêm> <mantinha-se de aluguéis de imóveis>*

manteúdo (man.te.ú.do) *adj.* **1** cujas despesas são pagas por outro; sustentado **2** *B* gordo, mesmo com menos ração ou com a idade avançada (diz-se de animal)

mantídeo (man.tí.deo) *s.m.* **1** ZOO espécime dos mantídeos, família de insetos terrestres e predadores, da ordem dos mantódeos, esp. distribuídos nas regiões quentes do globo ■ *adj.* **2** relativo a essa família

mantilha (man.ti.lha) *s.f.* VEST **1** faixa larga e comprida de tecido, muito us. pelas espanholas, que cobre a cabeça e cai sobre os ombros **2** véu feminino **3** manta grossa us. pelas mulheres sobre a cabeça e parte do corpo

mantimento (man.ti.men.to) *s.m.* conjunto de gêneros alimentícios; víveres ☞ freq. us. no pl. ◉ COL despensa, farnel, provisão

manto (man.to) *s.m.* **1** VEST capa longa presa ao ombro, us. por reis, príncipes etc. **2** VEST roupa de algumas religiosas **3** *p.ext.* o que cobre; revestimento **4** *fig.* disfarce, véu *<era uma malvada sob o m. de bondade>* ▣ **m. terrestre** GEOL parte do globo terrestre situada entre a litosfera e o núcleo

mantô (man.tô) *s.m.* VEST casaco longo feminino us. sobre outra roupa

mantódeo (man.tó.deo) *s.m.* **1** ZOO espécime dos mantódeos, ordem de insetos esp. tropicais, que reúne os vulgarmente conhecidos como *louva-a-deus* ■ *adj.* **2** relativo a essa ordem

mantra (man.tra) *s.m.* REL sílaba, palavra ou verso repetido por budistas e hinduístas enquanto meditam

[1]**manual** (ma.nu.al) [pl.: *-ais*] *adj.2g.* **1** relativo a mão *<atividade m.>* **2** que se executa sem a intervenção de uma máquina *<trabalho m.>* ◉ ORIGEM do lat. *manuālis,e* 'de mão'

[2]**manual** (ma.nu.al) [pl.: *-ais*] *s.m.* livro pequeno que contém as noções de uma matéria, técnica, uso de um produto etc. *<leia o m. antes de instalar a máquina>* ◉ ORIGEM do lat. *manuāle,is* 'id.'

manuelino (ma.nu.e.li.no) *adj.* relativo a D. Manuel I de Portugal (1469-1521) ou à sua época

manufatura (ma.nu.fa.tu.ra) *s.f.* **1** atividade que se faz em máquina caseira ou manualmente, ou o seu resultado *<a m. indígena>* **2** estabelecimento industrial mecanizado; fábrica *<trabalhar em uma m. de tecidos>* **3** fabricação de produtos nesse estabelecimento; indústria *<a m. da seda>* **4** esse produto; artefato *<essa m. é bela>*

manufaturar (ma.nu.fa.tu.rar) *v.* {mod. 1} *t.d.* **1** produzir manualmente ou em máquina caseira <*saiu mais barato comprar os produtos do que manufaturá-los*> **2** produzir em manufatura; fabricar ~ **manufaturado** *adj.s.m.*

manufatureiro (ma.nu.fa.tu.rei.ro) *adj.* relativo a manufatura

manuscrever (ma.nus.cre.ver) *v.* {mod. 8} *t.d.* escrever à mão ◉ GRAM/USO part.: *manuscrito*

manuscrito (ma.nus.cri.to) *s.m.* **1** obra escrita ou copiada à mão **2** *p.ext.* versão original de um texto antes de ser editado <*seus manuscritos foram revistos pela sobrinha*> **3** caráter ('letra') que imita a escrita manual ■ *adj.* **4** diz-se dessa obra, dessa versão ou desse caráter ◉ GRAM/USO part. de *manuscrever*

manuseamento (ma.nu.se.a.men.to) *s.m.* manuseio

manusear (ma.nu.se.ar) *v.* {mod. 5} *t.d.* **1** pegar (algo) remexendo-o na mão, apalpando-o <*m. talheres*> **2** usar, mover, controlar com as mãos; manejar <*manuseia bem os pincéis*> **3** virar (páginas de livro, revista), sem aprofundar-se na leitura; folhear

manuseio (ma.nu.sei.o) *s.m.* **1** uso de algo servindo-se das mãos; manejo **2** observação rápida de livro, revista etc.; folheada

manutenção (ma.nu.ten.ção) [pl.: *-ões*] *s.f.* **1** ato de preservar algo em determinado estado <*m. da paz*> **2** sustento, suporte <*m. de uma família*> ↺ desamparo **3** ação de administrar; gerenciamento <*a m. dos negócios da família*> **4** ato de manter algo em bom estado <*m. odontológica, de máquinas*>

manzorra (man.zor.ra) /ô/ *s.f.* mão muito grande; manopla ◉ GRAM/USO aum.irreg. de *mão*

mão [pl.: *mãos*] *s.f.* **1** ANAT extremidade do braço, articulada com o antebraço pelo punho e terminada pelos dedos, que serve ao tato, para apanhar, segurar ou arranhar **2** qualquer coisa que tenha forma ou funções semelhantes **3** unidade de medida igual a um palmo **4** *B* quantidade que uma mão pode conter; punhado <*uma m. de milho*> **5** *B* camada de tinta ou cal; demão <*essa parede ainda levará duas m.*> **6** *B* sentido em que os veículos devem circular **7** *B* marca pessoal; envolvimento <*percebe-se aqui a m. de um conhecedor*> **8** *B* domínio, controle, cuidado <*o trabalho passou às m. do grupo rival*> **9** RECR *B* rodada completa que se joga cada vez que se dão as cartas num jogo de baralho **10** RECR composição das cartas recebidas no jogo <*receber uma boa m.*> ◉ GRAM/USO aum.irreg.: *manzorra, manopla* ▣ **m. dupla** regime de trânsito que admite a passagem de veículos em dois sentidos • **m. na roda** *B infrm.* ajuda que chega na hora certa • **m. única** *B* regime de trânsito que só permite a passagem de veículos num único sentido • **abrir m. de** desistir de uma vontade, intenção ou direito • **à m. 1** ao alcance da mão; próximo <*usou a caneta que estava à m.*> **2** com a mão; manualmente <*fez todo o trabalho à m.*> • **à m. armada** usando arma, esp. de fogo <*assalto à m. armada*> • **a quatro m.** feito por duas pessoas <*música tocada a quatro m.*> • **dar uma m. a** *B infrm.* ajudar • **de segunda m. 1** não diretamente da fábrica, do fabricante ou da loja <*comprou um carro de segunda m.*> **2** já anteriormente sabido ou divulgado <*notícias de segunda m.*> • **em boas m.** confiado à pessoa correta, capaz e de confiança • **em m.(s) 1** palavras usadas no subscrito de cartas que, em vez de mandadas pelo correio, são entregues pessoalmente ao destinatário (abrevia-se: E. M.) **2** expedida dessa forma <*chegou uma carta em m. para Leo*> • **em primeira m. 1** diretamente da fábrica, do fabricante, da loja **2** com prioridade, antes de ser divulgado ou sabido por outro <*soube do casamento em primeira m.*> • **fora de m.** em lugar de difícil acesso, afastado ou incômodo de ir; longe

mão-aberta (mão-a.ber.ta) [pl.: *mãos-abertas*] *s.2g. B* quem é generoso ou gastador ↺ avarento, pão-duro

mão-boba (mão-bo.ba) [pl.: *mãos-bobas*] *s.f.* **1** toque dissimulado no corpo de alguém com propósito libidinoso <*tire essa m. da minha perna!*> **2** gesto de quem tenta roubar sem ser percebido ■ *s.m.* **3** indivíduo que pratica esse(s) gesto(s)

mão-cheia (mão-chei.a) [pl.: *mãos-cheias*] *s.f.* punhado, mancheia ▣ **de m.** excelente

mão de obra (mão de o.bra) [pl.: *mãos de obra*] *s.f.* **1** ação de trabalhar na realização de algo; serviço <*a mão de obra no acabamento destacou-se pela perfeição*> **2** o custo desse trabalho <*mão de obra barata*> **3** conjunto de assalariados, esp. dos trabalhadores manuais <*escassez de mão de obra*> **4** *B infrm.* tarefa ou trabalho complicado, que requer intenso esforço <*corrigir redação é uma mão de obra*>

mão de vaca (mão de va.ca) [pl.: *mãos de vaca*] *s.2g. B infrm.* **1** pessoa avarenta; pão-duro ↺ mão-aberta ■ *s.f.* **2** mocotó

mão-furada (mão-fu.ra.da) [pl.: *mãos-furadas*] *adj.2g.s.2g. B infrm.* que(m) gasta muito; perdulário

maometano (ma.o.me.ta.no) *adj.s.m.* REL **1** seguidor da doutrina pregada por Maomé; islamita, muçulmano ■ *adj.* **2** relativo a Maomé ou à religião por ele fundada, o islamismo ☞ cf. *Maomé* na parte enciclopédica

maometismo (ma.o.me.tis.mo) *s.m.* REL islamismo

maori (ma.o.ri) *s.2g.* **1** indivíduo dos maoris, população da Nova Zelândia, descendente esp. de negros polinésios ■ *s.m.* **2** LING língua polinésia falada por esse povo ■ *adj.2g.* **3** relativo a esse indivíduo, a esse povo e a sua língua

mãozada (mão.za.da) *s.f. infrm.* **1** punhado de coisas <*uma m. de lápis e canetas*> **2** golpe dado com as mãos

mãozudo (mão.zu.do) *adj.* de mãos grandes, malfeitas

mapa (ma.pa) *s.m.* **1** representação gráfica, reduzida e plana, de um lugar na superfície terrestre **2** *p.ext.* representação plana de dados numéricos, estruturas; tabela, quadro <*m. do desemprego*> **3** *B infrm.* área de observação, de conhecimento, de atuação etc. <*sumiram do m. após o sucesso*> ◉ COL atlas, mapoteca ▣ **m. astral** ASTRL horóscopo ('desenho')

mapa-múndi (ma.pa-mún.di) [pl.: *mapas-múndi*] *s.m.* mapa de todo o globo terrestre

mapear (ma.pe.ar) *v.* {mod. 5} *t.d.* fazer o mapa de <*m. um país*> <*m. o melhor caminho para chegar ao centro*> ~ **mapeamento** *s.m.*

M

mapoteca (ma.po.te.ca) *s.f.* **1** coleção de mapas, cartas geográficas, históricas etc. **2** local que classifica e guarda essa coleção

maquete (ma.que.te) ou **maqueta** (ma.que.ta) /ê/ *s.f.* ARQ ENG representação reduzida e tridimensional de obra arquitetônica ou de engenharia, de escultura, de cenário cinematográfico etc.

maquiagem (ma.qui.a.gem) [pl.: *-ens*] ou **maquilagem** (ma.qui.la.gem) [pl.: *-ens*] *s.f.* **1** conjunto de produtos cosméticos us. para maquiar **2** o efeito produzido por esses cosméticos *<sua m. estava linda>* **3** *fig.* ato de modificar algo, superficialmente, para melhorar-lhe o aspecto *<fez uma m. no texto, mas a melhora foi pequena>*

maquiar (ma.qui.ar) ou **maquilar** (ma.qui.lar) *v.* {mod. 1} *t.d. e pron.* **1** aplicar(-se) batom, sombra e/ou outros cosméticos para embelezamento, disfarce ou fins teatrais, artísticos □ *t.d. fig.* **2** alterar (algo) de modo superficial para torná-lo mais atraente **3** alterar para encobrir uma realidade que se quer ocultar; mascarar

maquiavélico (ma.qui.a.vé.li.co) *adj.* **1** relativo a maquiavelismo **2** *pej.* que faz uso de ardis; falso, traiçoeiro ↺ sincero **3** *pej.* mal-intencionado, desleal ↺ fiel, leal

maquiavelismo (ma.qui.a.ve.lis.mo) *s.m.* **1** doutrina política de Maquiavel em que o fim justifica os meios ☞ cf. *Maquiavel* na parte enciclopédica **2** *fig.* conduta desleal, traiçoeira

M

maquilagem (ma.qui.la.gem) [pl.: *-ens*] *s.f.* → ***MAQUIAGEM***

maquilar (ma.qui.lar) *v.* {mod. 1} *t.d. e pron.* → ***MAQUIAR***

máquina (má.qui.na) *s.f.* **1** aparelho com mecanismo que transforma ou transmite energia ou movimento **2** esse mecanismo **3** instrumento, utensílio *<m. de calcular>* ▣ **m. datilográfica** ou **de escrever** máquina constituída de caracteres móveis ligados a teclas, que permite imprimir letras e símbolos diretamente no papel

máquina-ferramenta (má.qui.na-fer.ra.men.ta) [pl.: *máquinas-ferramenta* e *máquinas-ferramentas*] *s.f.* ENG MEC máquina que serve para dar acabamento à matéria-prima, acionando um conjunto de ferramentas movido mecanicamente

maquinal (ma.qui.nal) [pl.: *-ais*] *adj.2g.* **1** relativo a máquinas **2** *fig.* involuntário; automático *<reação m.> <movimento m.>*

maquinar (ma.qui.nar) *v.* {mod. 1} *t.d. e t.d.i.* **1** (prep. *contra*) planejar em segredo a execução de (ações danosas) para atingir (outrem); tramar *<m. (contra alguém) uma vingança>* □ *t.i.* **2** (prep. *contra*) fazer conluio para prejudicar (outrem); conspirar *<o movimento maquinou contra o governo>* □ *t.d.* **3** traçar planos para; projetar *<maquinavam meios de evitar a falência da empresa>* ~ **maquinação** *s.f.*

maquinaria (ma.qui.na.ri.a) *s.f.* conjunto de máquinas utilizadas em um trabalho

maquinário (ma.qui.ná.rio) *s.m.* *B* m.q. ***MAQUINARIA***

maquinismo (ma.qui.nis.mo) *s.m.* **1** mecanismo **2** conjunto de máquinas; maquinaria

maquinista (ma.qui.nis.ta) *adj.2g.s.2g.* que(m) constrói ou conduz máquinas, esp. locomotivas

mar [pl.: *-es*] *s.m.* **1** grande extensão de água salgada que ocupa a maior parte da superfície terrestre; oceano **2** extensão de água salgada de dimensões relativamente limitadas *<m. continental>* ▣ **m. de rosas** *fig.* época feliz, tranquila

marabá (ma.ra.bá) *s.2g.* *B* mestiço de índio com branco, esp. francês

maraca (ma.ra.ca) ou **maracá** (ma.ra.cá) *s.m.* MÚS **1** chocalho indígena feito de cabaça seca, us. em cerimônias religiosas e guerreiras **2** instrumento rítmico que acompanha certas músicas e danças, como a rumba, o baião

maracanã (ma.ra.ca.nã) *s.m.* ZOO certo tipo de ave da família dos papagaios

maracatu (ma.ra.ca.tu) *s.m.* **1** DNÇ dança pernambucana em que os participantes, ao som de tambores, seguem em cortejo a rainha do bloco, que empunha num bastão uma boneca enfeitada **2** MÚS música, ritmo específico e canto dessa dança, acompanhados de percussão

maracujá (ma.ra.cu.já) *s.m.* BOT **1** planta trepadeira cujo fruto amarelo possui propriedades calmantes; maracujazeiro **2** o fruto dessa planta

maracujazeiro (ma.ra.cu.ja.zei.ro) *s.m.* BOT a planta do maracujá ('fruto')

maracutaia (ma.ra.cu.tai.a) *s.f.* *B infrm.* fraude, negócio suspeito

marafona (ma.ra.fo.na) *s.f.* **1** boneca de pano sem rosto **2** *infrm.* prostituta

maragato (ma.ra.ga.to) *s.m.* HIST *RS* **1** partidário do movimento federalista que, em 1893, inspirou a revolução sob chefia de Silveira Martins contra o partido então dominante, que tinha à frente Júlio de Castilhos **2** membro do Partido Libertador que, em 1923, se opôs à política de Antônio Augusto Borges de Medeiros, governador do Rio Grande do Sul

marajá (ma.ra.já) [fem.: *marani*] *s.m.* **1** título dado a soberanos na Índia **2** *B infrm. pej.* funcionário público com salário exorbitante **3** *B infrm.* indivíduo que vive de forma abastada, cheia de regalias

marajoara (ma.ra.jo.a.ra) *adj.2g.* **1** da ilha de Marajó (PA) **2** que possui o estilo de ornamentação inspirado nos motivos indígenas dessa ilha *<cerâmica m.>* ■ *s.2g.* **3** natural ou habitante dessa ilha

maranhense (ma.ra.nhen.se) *adj.2g.* **1** do Maranhão ■ *s.2g.* **2** natural ou habitante desse estado

marani (ma.ra.ni) *s.f.* a esposa de marajá

marantácea (ma.ran.tá.cea) *s.f.* BOT espécime das marantáceas, família de ervas cultivadas como ornamentais e para a produção de fibras, cera etc. ~ **marantáceo** *adj.*

marasmo (ma.ras.mo) *s.m.* **1** falta de atividade; estagnação *<essa tarde está um m.>* **2** falta de ânimo, de coragem

maratona (ma.ra.to.na) *s.f.* **1** ESP prova de corrida a pé, de longo percurso (cerca de 42 km) **2** *fig.* qualquer competição que exija grande resistência *<seus avós, quando jovens, participaram de uma m. de dança> <fez uma m. de provas para ingressar na faculdade>* **3** *fig.* atividade longa e intensa *<a decisão do júri saiu depois de uma m. de oito horas>*

maratonista (ma.ra.to.nis.ta) *adj.2g.s.2g.* ESP atleta que participa de maratonas

maravilha (ma.ra.vi.lha) *s.f.* **1** o que desperta grande admiração por sua beleza ou perfeição **2** aquele ou aquilo que é admirável, extraordinário **3** BOT erva comestível cultivada como ornamental, por suas vistosas flores ou por suas raízes que contêm propriedades medicinais ■ *s.m.* **4** cor magenta, característica das flores de certas variedades dessa planta ■ *adj.2g.* **5** que tem essa cor *<esmalte m.>* **6** diz-se dessa cor *<a cor m.>*

maravilhar (ma.ra.vi.lhar) *v.* {mod. 1} *t.d.,t.d.i.,int. e pron.* (prep. *com*, *de*) (fazer) sentir deslumbramento, admiração; extasiar(-se), encantar(-se) *<o pianista maravilhou a plateia (com seu talento)> <essas pinturas maravilham> <maravilharam-se da beleza das praias>* **~ maravilhado** *adj.*

maravilhoso (ma.ra.vi.lho.so) /ô/ [pl. e fem.: /ó/] *adj.* **1** que provoca grande admiração, fascínio *<um discurso m.>* **2** marcado pela perfeição *<um desfile m.>* ■ *adj.s.m.* **3** (o) que é extraordinário, sobrenatural *<a lâmpada m. de Aladin> <o m. nos contos de fadas>*

marca (mar.ca) *s.f.* **1** sinal que distingue, assinala *<fazer uma m. nos textos já lidos>* **2** sinal na pele de uma pessoa ou no pelo de um animal *<m. de vacina>* **3** desenho, inscrição, símbolo etc. que indica categoria, propriedade, origem *<a m. de um fabricante>* **4** categoria, qualidade *<roupa de m.>* **5** estilo pessoal *<a elegância é a sua m.>* **6** impressão pessoal *<lembranças que deixaram m. em mim>* ▣ **m. registrada** DIR marca (nome e símbolo) de uma empresa, produto etc., cuja exclusividade é legalmente garantida por meio de registro em órgãos competentes [símb.: ®]

marcação (mar.ca.ção) [pl.: *-ões*] *s.f.* **1** ato ou efeito de marcar **2** ESP perseguição que visa dificultar ou impedir as jogadas do adversário *<o técnico pediu que o atacante auxiliasse na m.>* **3** CINE TEAT TV definição dos movimentos, posições e atitudes dos atores durante a representação, feita pelo diretor **4** *infrm.* implicância, perseguição *<o chefe está de m. comigo>*

marca-d'água (mar.ca-d'á.gua) [pl.: *marcas-d'água*] *s.f.* GRÁF imagem impressa em papel que só é visível contra a luz; filigrana

marcador (mar.ca.dor) /ô/ [pl.: *-es*] *s.m.* **1** quem ou o que marca os pontos conquistados em um jogo ou competição **2** ESP quadro no qual se assinalam esses pontos; o conjunto desses pontos; placar **3** ESP em esportes coletivos, indivíduo que marca o adversário, para dificultar-lhe ou impedir-lhe as jogadas **4** objeto de espessura fina e comprimento maior que a largura (p. ex., tira, fita, fitilho, cordão etc.), preso à lombada ou solto, us. para marcar a página desejada num livro; registro ■ *adj.* **5** que marca ▣ **m. de textos** marca-texto

marcante (mar.can.te) *adj.2g.* **1** que deixa forte impressão ou lembrança *<férias m.>* **2** que se sobressai, se destaca *<fisionomia m.>*

marca-passo (mar.ca-pas.so) [pl.: *marca-passos*] *s.m.* aparelho que se implanta no peito e que envia impulsos elétricos aos músculos do coração, regulando suas pulsações

marcar (mar.car) *v.* {mod. 1} *t.d.* **1** pôr marca, número, etiqueta etc. em (algo), para identificação *<m. os produtos em liquidação>* **2** deixar sinal visível em *<a doença marcou seu rosto>* **3** delimitar com marca; demarcar *<m. um terreno>* **4** indicar, registrar *<o relógio marca meio-dia>* **5** ESP registrar, anotar (falta, infração etc.) *<o juiz não marcou o pênalti>* **6** estabelecer com precisão; definir, determinar *<não conseguiu m. sua real função>* **7** acompanhar com gestos ou sons (ritmo, compasso) *<marcava o tempo batendo os dedos na mesa>* **8** *B* observar as ações e o comportamento de; vigiar *<marcava de perto a namorada> <a polícia marcou o assaltante até prendê-lo>* **9** ESP ficar junto de (adversário), para atrapalhar suas jogadas **10** *fig.* ser traço(s) distintivo(s) de; caracterizar, distinguir *<a seriedade marca o trabalho dessa empresa>* □ *t.d.,t.d.i. e int.* **11** (prep. *com*) fixar tempo, prazo etc. para a realização de; combinar *<m. um encontro (com o advogado)>* □ *t.d. e int.* **12** *fig.* deixar impressão no sentimento, no espírito de *<esse filme marcou sua vida> <há histórias que marcam>* **13** ESP fazer (gol) *<marcou três gols na partida> <estava há cinco jogos sem m.>* **~ marcadamente** *adv.*

marca-texto (mar.ca-tex.to) [pl.: *marca-textos*] *s.m.* caneta com ponta grossa e porosa, em geral de cor fosforescente, us. para marcar palavras, frases ou passagens num texto; marcador de texto

marcenaria (mar.ce.na.ri.a) *s.f.* **1** trabalho de marceneiro **2** oficina de marceneiro

marceneiro (mar.ce.nei.ro) *s.m.* artesão ou operário que trabalha com madeira, na fabricação de móveis e objetos decorativos

marcha (mar.cha) *s.f.* **1** caminhada a pé **2** modo de andar **3** ESP exercício para efeitos de competição em que o atleta deve caminhar mantendo sempre o contato com o solo, assim, um pé só pode se levantar após o outro ter-se apoiado no chão **4** MEC cada um dos ajustes mecânicos que permitem regular a velocidade de automóvel, bicicletas etc. **5** MÚS gênero musical alegre e de andamento simples, us. em cortejos, desfiles etc. ▣ **m. a ré 1** MEC marcha que permite que o carro se mova para trás **2** *fig. infrm.* movimento de recuo *<foi preciso dar uma m. a ré no projeto>*

marchand [fr.; pl.: *marchands*] *s.2g.* negociante de obras de arte, esp. quadros ⇒ pronuncia-se marchã

marchar (mar.char) *v.* {mod. 1} *int.* **1** caminhar com passos ritmados **2** andar, caminhar □ *t.i. fig.* **3** (prep. *para*) evoluir, progredir *<m. para uma solução>* **~ marchador** *adj.s.m.*

marchetaria (mar.che.ta.ri.a) *s.f.* **1** arte de incrustar recortes de madeira, marfim etc. em obras de marcenaria, formando mosaico **2** a obra resultante desse trabalho **~ marchetar** *v.t.d.i.* - **marcheteiro** *s.m.*

marchinha (mar.chi.nha) *s.f.* MÚS marcha

marcial (mar.ci.al) [pl.: *-ais*] *adj.2g.* **1** relativo a guerra *<corte m.>* **2** relativo a militares ou guerreiros *<luta m.>*

marciano (mar.ci.a.no) *adj.* **1** relativo ao planeta Marte ■ *s.m.* **2** suposto habitante desse planeta

marco (mar.co) *s.m.* **1** sinal de demarcação ou limite territorial **2** *fig.* qualquer acontecimento marcante *<o nascimento do filho foi um m. em sua vida>*

março (mar.ço) *s.m.* o terceiro mês do ano no calendário gregoriano, composto de 31 dias

[1]maré (ma.ré) *s.f.* **1** movimento de elevação e de abaixamento das águas do mar **2** *fig.* momento, fase ou oportunidade positivos ou negativos *<m. de sorte>* **3** movimento dos acontecimentos *<ir de acordo com a m.>* ◉ ORIGEM do fr. *marée* 'movimento de oscilação das águas do mar' ▣ **m. alta** elevação máxima do nível do mar, na enchente da maré • **m. baixa** período em que a maré atinge seu nível mínimo • **remar contra a m.** ir contra a opinião geral

[2]maré (ma.ré) *s.f.* RECR *MG GO* ***AMARELINHA*** ◉ ORIGEM duv., talvez redução de *marela*

marear (ma.re.ar) *v.* {mod. 5} *t.d. e int.* **1** (fazer) sentir enjoo, esp. a bordo de embarcação *<o balanço do barco mareou-a> <fez a travessia sem m.>* □ *t.d.,int. e pron.* **2** (fazer) perder o brilho; deslustrar(-se), embaçar(-se) *<a maresia mareou as panelas> <as lágrimas marearam seus os olhos> <exposta à umidade, a prata mareia(-se)>*

marechal (ma.re.chal) [pl.: *-ais*] *s.m.* MIL **1** o mais alto posto do Exército **2** oficial que detém esse posto

marechalado (ma.re.cha.la.do) ou **marechalato** (ma.re.cha.la.to) *s.m.* MIL cargo de marechal

marechal do ar (ma.re.chal do ar) [pl.: *marechais do ar*] *s.m.* AER **1** o mais alto posto na hierarquia da Força Aérea **2** oficial que detém esse posto

maré-cheia (maré-cheia) [pl.: *marés-cheias*] *s.f.* maré alta

marejar (ma.re.jar) *v.* {mod. 1} *t.d. e int.* **1** (deixar) sair (líquido) em gotas, borbulhas ou fios; verter *<a seringueira marejava o seu látex> <o líquido marejou um pouco e parou>* □ *pron.* **2** encher-se de lágrimas *<seus olhos marejaram-se>*

marela (ma.re.la) *s.f.* RECR *B* m.q. ***AMARELINHA***

maremoto (ma.re.mo.to) *s.m.* agitação marítima violenta causada por tremores de terra ou fortíssimo vendaval

maresia (ma.re.si.a) *s.f.* **1** forte odor que vem do mar **2** ação oxidante da água do mar ou de sua evaporação

marfim (mar.fim) [pl.: *-ins*] *s.m.* material resistente e branco das presas do elefante, us. na confecção de joias, esculturas etc.

margarida (mar.ga.ri.da) *s.f.* BOT **1** planta cultivada como ornamental, por suas flores de pétalas brancas, amarelas ou alaranjadas e miolo bem amarelo **2** a flor dessa planta

margarina (mar.ga.ri.na) *s.f.* produto semelhante à manteiga composto principalmente de óleos vegetais hidrogenados

margear (mar.ge.ar) *v.* {mod. 5} *t.d.* **1** ir pela margem ou ao longo de; marginar *<a estrada margeia o rio>* **2** situar-se à margem de; marginar *<policiais enfileirados margeavam o canal>* **3** fazer margem em (papel)

margem (mar.gem) [pl.: *-ens*] *s.f.* **1** espaço situado no contorno externo de algo; borda, periferia *<as m. de um bosque>* ☞ freq. us. no pl. **2** faixa de terra que ladeia um rio, lago etc.; beira, borda *<o hotel ficava à m. de um lago>* **3** espaço branco em volta da página de um impresso *<faça as anotações na m. da folha>* **4** grau de diferença admissível em relação a um padrão, a uma medida *<calculou a vantagem com uma pequena m. de erro> <a m. de tolerância para o atraso no pagamento é de sete dias>* ▣ **à m.** *fig.* de fora; de lado *<pôr à m.>* • **à m. de** *fig.* **1** sem participação em *<viver à m. da lei>* **2** sem entrar no mérito *<à m. de quaisquer considerações>*

marginal (mar.gi.nal) [pl.: *-ais*] *adj.2g.* **1** relativo à margem ou nela feito **2** situado no limite, na periferia *<bairros m.>* ■ *adj.2g.s.2g.* **3** (aquele) que vive à margem da sociedade e da lei *<prender os m.> <levar uma vida m.>*

marginalidade (mar.gi.na.li.da.de) *s.f.* **1** condição de marginal **2** posição marginal em relação a uma forma social

marginalizar (mar.gi.na.li.zar) *v.* {mod. 1} *t.d.* **1** impedir a participação de (alguém) em grupo, meio social, vida pública etc. *<eles marginalizavam pessoas nascidas em outras cidades>* □ *pron.* **2** tornar-se um marginal ~ **marginalização** *s.f.*

marginar (mar.gi.nar) *v.* {mod. 1} *t.d.* **1** seguir pela margem de; margear **2** estar ao longo da margem de; margear **3** fazer anotações na margem de (manuscrito, livro etc.)

maria (ma.ri.a) *s.f.* denominação de pessoa comum indeterminada (p.ex., em *maria vai com as outras*)

maria-chiquinha (ma.ri.a-chi.qui.nha) [pl.: *marias-chiquinhas*] *s.f.* *B infrm.* penteado em que o cabelo é repartido, do alto à nuca, em duas mechas que são amarradas cada uma delas com elástico ou fita

maria-fumaça (ma.ri.a-fu.ma.ça) [pl.: *marias-fumaças*] *s.f.* trem puxado por uma locomotiva a vapor

maria-mole (ma.ri.a-mo.le) [pl.: *marias-moles*] *s.f.* CUL doce de consistência esponjosa à base de claras, gelatina e açúcar

mariano (ma.ri.a.no) *adj.* relativo à Virgem Maria ou ao seu culto ~ **marianismo** *s.m.*

maria-sem-vergonha (ma.ri.a-sem-ver.go.nha) [pl.: *marias-sem-vergonha*] *s.f.* planta que cresce espontaneamente nas matas úmidas e sua flor, ger. de cores vistosas

maria vai com as outras (ma.ri.a vai com as ou.tras) *s.2g.2n.* *infrm.* pessoa que facilmente se deixa influenciar pelos outros

maricas (ma.ri.cas) *adj.2g.2n.s.m.2n.* *infrm. pej.* **1** (homem) com trejeitos femininos; efeminado **2** covarde

marido (ma.ri.do) *s.m.* homem em relação à pessoa com quem se casou no civil e/ou no religioso, ou com quem convive como casado; esposo

marimba (ma.rim.ba) *s.f.* MÚS instrumento constituído por placas de madeira que formam um teclado, percutidas por duas baquetas, tendo cabaças como ressoadores

marimbondo (ma.rim.bon.do) *s.m.* ZOO inseto semelhante à vespa dotado de ferrão

marina (ma.ri.na) *s.f.* conjunto de instalações para guarda e manutenção de pequenas e médias embarcações

marinada (ma.ri.na.da) *s.f.* CUL salmoura ou molho condimentado para conservar, temperar ou amaciar carnes

marinha (ma.ri.nha) *s.f.* **1** MAR força armada marítima nacional ☞ inicial maiúsc. **2** MAR o conjunto de navios de guerra **3** local onde se produz sal por evaporação de água salgada; salina **4** ART.PLÁST pintura de paisagem marítima

marinheiro (ma.ri.nhei.ro) *s.m.* **1** quem serve à Marinha ('força armada') **2** quem trabalha a bordo de navio, embarcações etc. ◉ COL taifa

marinho (ma.ri.nho) *adj.* **1** do mar ou próprio dele **2** que habita ou tem sua origem no mar <*algas m.*>

mariola (ma.ri.o.la) *s.f.* CUL tablete de doce de banana ou goiaba embrulhado em papel celofane

marionete (ma.ri.o.ne.te) *s.f.* **1** boneco manipulado por cordéis; títere **2** *p.ext. pej.* pessoa sem personalidade, que se deixa manipular <*o filho era uma m. em suas mãos*>

mariposa (ma.ri.po.sa) /ô/ *s.f.* ZOO inseto da família das borboletas, de hábitos noturnos

marisco (ma.ris.co) *s.m.* ZOO invertebrado marinho comestível como o camarão, o mexilhão etc. ~ **mariscar** *v.t.d. e int.*

marista (ma.ris.ta) *adj.2g.s.2g.* que(m) é membro de uma das várias congregações religiosas devotadas à Virgem Maria

maritaca (ma.ri.ta.ca) *s.f.* → ***MAITACA***

marital (ma.ri.tal) [pl.: *-ais*] *adj.2g.* **1** relativo a marido <*deveres m.*> **2** relativo a casamento <*relações m.*>

marítimo (ma.rí.ti.mo) *adj.* **1** marinho **2** relativo à Marinha; naval **3** que se faz por ou acontece no mar <*viagem m.*> <*batalha m.*> ■ *s.m.* **4** marinheiro

marketing (mar.ket.ing) [ing.] *s.m.2n.* **1** conjunto de estratégias empresariais que visam adequar seus produtos, serviços etc. às necessidades e preferências do mercado consumidor <*planejar o* m. *do produto a ser lançado no mercado*> **2** *p.ext.* conjunto de ações que visam influenciar o público quanto a determinada ideia, instituição, marca, pessoa, produto, serviço etc. <m. *pessoal*> ◉ GRAM/USO em ing., invariável ⇒ pronuncia-se marquetin

marmanjo (mar.man.jo) *s.m. infrm.* **1** homem adulto **2** rapaz robusto

marmelada (mar.me.la.da) *s.f.* **1** CUL doce de marmelo de consistência pastosa **2** *infrm.* combinação prévia e desonesta a respeito do resultado de uma partida de futebol, de um concurso, de uma concorrência **3** *infrm.* negócio desonesto

marmeleiro (mar.me.lei.ro) *s.m.* BOT árvore com ramos em forma de varas, cujos frutos amarelos, os marmelos, são us. no preparo de doces e compotas, e as sementes us. para combater a diarreia; marmelo

marmelo (mar.me.lo) *s.m.* BOT **1** fruto amarelo us. em doces, compotas etc. **2** marmeleiro

marmita (mar.mi.ta) *s.f.* **1** recipiente em que se transporta a própria refeição <*esquentar a m. no trabalho*> **2** o conteúdo desse recipiente <*minha m. hoje está deliciosa*>

marmiteiro (mar.mi.tei.ro) *s.m. B* **1** indivíduo que entrega marmitas em domicílio **2** indivíduo que leva sua própria comida para o trabalho

marmoraria (mar.mo.ra.ri.a) *s.f.* **1** oficina onde se produzem peças de mármore **2** estabelecimento que comercializa essas peças

mármore (már.mo.re) *s.m.* GEOL pedra calcária dura us. em escultura e arquitetura ~ **marmóreo** *adj.*

marmorista (mar.mo.ris.ta) *adj.2g.s.2g.* **1** que ou quem corta e/ou pole mármore **2** que ou quem faz esculturas em mármore

marmota (mar.mo.ta) *s.f.* ZOO pequeno roedor do hemisfério norte, que hiberna durante muitos meses e vive em buracos

marola (ma.ro.la) *s.f.* **1** ondulação natural da água do mar **2** pequena onda **3** *fig. B* alvoroço, agitação

maromba (ma.rom.ba) *s.f.* **1** vara us. por equilibrista na corda bamba **2** *B infrm.* musculação, esp. quando praticada com pesos ~ **marombar** *v.int.*

maroto (ma.ro.to) /ô/ *adj.s.m.* que(m) demonstra malícia, esperteza <*aluno m.*> <*resposta m.*> ~ **marotagem** *s.f.* - **maroteira** *s.f.* - **marotice** *s.f.* - **marotismo** *s.m.*

marquês (mar.quês) [pl.: *-eses*; fem.: *marquesa*] *s.m.* **1** título de nobreza abaixo de duque e acima de conde **2** aquele que possui esse título

marquesado (mar.que.sa.do) *s.m.* o título de marquês

marquise (mar.qui.se) *s.f.* ARQ pequena laje saliente na fachada externa de edifício e que serve de abrigo para os pedestres

marra (mar.ra) *s.f.* **1** martelo us. para quebrar pedras; marrão **2** coragem, disposição <*enfrentou o problema com muita m.*> ▣ **na m.** *infrm.* **1** com violência <*abriu passagem na m.*> **2** a qualquer preço <*queria entrar no camarim na m.*>

[1]**marrão** (mar.rão) [pl.: *-ões*] *s.m.* ZOO filhote de porco desmamado ◉ ORIGEM do ár. *muḥarram* 'coisa proibida', por causa da proibição, no islamismo, da ingestão da carne de porco

[2]**marrão** (mar.rão) [pl.: *-ões*] *s.m.* grande martelo de ferro próprio para quebrar pedra e derrubar paredes ◉ ORIGEM *marra* + *-ão*

marrar (mar.rar) *v.* {mod. 1} *t.d. e int.* **1** atingir com os chifres <*o boi marra a cerca de madeira*> <*o animal pulava, rugia, marrava*> □ *t.d. e t.i.* **2** *p.ext.* (prep. *com*) bater com a cabeça <*marrava um com outro*> □ *t.d.* **3** bater com o marrão ('martelo') ~ **marrada** *s.f.*

marrecão (mar.re.cão) [pl.: *-ões*] *s.m.* **1** ZOO marreco grande **2** *RS* gandula

marreco (mar.re.co) *s.m.* ZOO ave aquática da família dos patos, mas de menor porte

marreta (mar.re.ta) /ê/ *s.f.* martelo de ferro com cabo longo

marretada (mar.re.ta.da) *s.f.* pancada com marreta

marretar (mar.re.tar) *v.* {mod. 1} *t.d. e int.* **1** bater com marreta (em) <*m. pedras, paredes*> <*passou o dia marretando*> □ *t.d. fig.* **2** bater muito em; espancar, surrar <*logo no início da luta marretou o adversário*> ↺ apanhar **3** *fig.* falar mal de; criticar, atacar <*marretou o trabalho do escritor estreante*> ↺ elogiar

marreteiro (mar.re.tei.ro) *s.m. infrm.* **1** *AC* vendedor ambulante dos rios **2** *SP* camelô

marrom (mar.rom) [pl.: *-ons*] *adj.2g.s.m.* castanho

marroquino (mar.ro.qui.no) *adj.* **1** de Marrocos (África) ■ *s.m.* **2** natural ou habitante desse país

M

marselhês (mar.se.lhês) [pl.: *-es*] *adj.* **1** de Marselha (França) ■ *s.m.* **2** natural ou habitante dessa cidade

marsupial (mar.su.pi.al) [pl.: *-ais*] *s.m.* **1** ZOO espécime dos marsupiais, ordem de mamíferos, como os gambás, cangurus, coalas etc., cujas fêmeas são dotadas de marsúpio ■ *adj.2g.* **2** relativo a essa ordem de mamíferos **3** que tem forma de bolsa

marsúpio (mar.sú.pio) *s.m.* ANAT ZOO bolsa abdominal na qual os filhotes marsupiais recém-nascidos terminam o seu desenvolvimento

marta (mar.ta) *s.f.* **1** ZOO pequeno mamífero carnívoro das florestas do hemisfério norte, de pelagem sedosa, muito valorizada no comércio de peles **2** a pele desse animal

marte (mar.te) *s.m.* ASTR nome do quarto planeta do sistema solar, a partir do Sol ☞ inicial maiúsc.; cf. *Marte* na parte enciclopédica

martelada (mar.te.la.da) *s.f.* golpe dado com martelo

martelar (mar.te.lar) *v.* {mod. 1} *t.d. e int.* **1** bater com martelo (em); malhar *<m. ferro>* *<não tinha força para m.>* **2** *p.ext.* (fazer) tocar com força *<martelava o piano>* *<os sinos martelavam>* □ *t.d. p.ext.* **3** dar repetidos golpes em; surrar *<martelou o estômago do adversário até derrubá-lo>* □ *t.d. e t.i.* **4** *fig.* (prep. *em*) trazer ou vir com insistência (ideia, pensamento) à cabeça, ao espírito; dizer e repetir muitas vezes *<martelava as mesmas recomendações todos os dias>* *<aquela ideia absurda ficava martelando em sua cabeça>* □ *int.* **5** soltar a voz (a araponga) ~ **martelação** *s.f.*

M

martelo (mar.te.lo) *s.m.* **1** ferramenta provida de uma cabeça de material duro, presa a um cabo, us. para bater, quebrar, e esp. cravar e tirar pregos **2** ANAT pequeno osso, semelhante a essa ferramenta, situado na orelha média

martim-pescador (mar.tim-pes.ca.dor) [pl.: *martins-pescadores*] *s.m.* ZOO ave aquática de bico grande, pescoço curto, que se alimenta basicamente de peixes

martinete (mar.ti.ne.te) /ê/ *s.m.* grande martelo us. para malhar aço ou ferro a frio

mártir (már.tir) [pl.: *-es*] *s.2g.* **1** REL pessoa que morre em defesa da fé cristã ☞ cf. *confessor* ('pessoa') **2** *p.ext.* aquele que se sacrifica ou morre por um ideal

martírio (mar.tí.rio) *s.m.* **1** tormento ou suplício sofrido por alguém **2** grande sofrimento *<o forte calor era um m. para o rapaz>*

martirizar (mar.ti.ri.zar) *v.* {mod. 1} *t.d.* **1** infligir martírio a; torturar *<na Roma antiga, os governantes martirizaram muitos cristãos>* □ *t.d. e pron.* **2** (fazer) sentir aflição, angústia; atormentar(-se) *<as atividades do filho a martirizavam>* *<martirizava-se por não poder pagar suas dívidas>* ↺ tranquilizar(-se)

maruim (ma.ru.im) [pl.: *-ins*], **maruí** (ma.ru.í) ou **meruim** (me.ru.im) [pl.: *-ins*] *s.m.* ZOO mosquito de 1 a 2 mm comum nos manguezais, cujas fêmeas transmistem, por meio de picadas dolorosas, a filariose

marujada (ma.ru.ja.da) *s.f.* **1** a gente do mar **2** agrupamento de marujos

marujo (ma.ru.jo) *s.m.* homem do mar; marinheiro

marulhar (ma.ru.lhar) *v.* {mod. 1} *int. e pron.* **1** agitar-se, formar ondas (o mar) **2** agitar-se, produzindo marulho (as ondas) *<as águas marulhavam(-se) junto às pedras>* **3** soar como as ondas

marulho (ma.ru.lho) *s.m.* **1** movimento permanente das ondas do mar **2** o ruído característico desse movimento

marxismo (mar.xis.mo) /cs/ *s.m.* ECON FIL SOC POL teoria econômico-filosófica de crítica ao capitalismo elaborada por Marx e Engels ☞ cf. *Marx* e *Engels* na parte enciclopédica ~ **marxista** *adj.2g.s.2g.*

marzipã (mar.zi.pã) *s.m.* CUL doce de pasta de amêndoas, ovos e açúcar

mas *conj.advrs.* exprime ressalva, restrição; contudo, todavia

mascar (mas.car) *v.* {mod. 1} *t.d.* **1** mastigar sem engolir *<m. chiclete>* □ *int.* **2** triturar tabaco com os dentes

máscara (más.ca.ra) *s.f.* **1** peça us. sobre o rosto como disfarce ou proteção *<m. de carnaval>* *<m. de dormir>* *<m. de apicultor>* **2** peça de pano retangular que médicos, dentistas e enfermeiros utilizam para cobrir a boca e o nariz em salas de operação, berçários etc., para prevenir contágios e infecções **3** dispositivo para inalação us. sobre boca e nariz *<m. de oxigênio>* **4** preparado cosmético ou medicinal para o rosto *<fez uma m. de pepino para acalmar a pele>* **5** fisionomia; expressão facial *<a m. desse ator é impressionante>* **6** *fig.* falsa aparência *<nunca nos enganou com aquela m. de virtude>* **7** área da cara de um animal (p.ex., em torno dos olhos) que se distingue por ser de cor mais escura

mascarar (mas.ca.rar) *v.* {mod. 1} *t.d.,t.d.pred. e pron.* **1** (prep. *de*) disfarçar(-se) com máscara *<m. todas as crianças>* *<mascarou o menino de super-herói>* *<mascarou-se de pirata>* □ *t.d. e pron. fig.* **2** mostrar(-se) sob aparência enganadora; camuflar(-se), disfarçar(-se) *<mascarando-se de bancário, entrou na sala do cofre>* ↺ revelar(-se)

mascate (mas.ca.te) *s.m.* *B* vendedor que oferece seus produtos de porta em porta ~ **mascatear** *v.t.d. e int.*

mascavo (mas.ca.vo) *adj.* não refinado (diz-se de açúcar)

mascote (mas.co.te) *s.f.* **1** pessoa, animal ou coisa considerado como capaz de trazer sorte **2** pessoa ou animal de estimação *<a m. do time>*

masculinidade (mas.cu.li.ni.da.de) *s.f.* traço próprio do que é ou de quem é viril, másculo

masculino (mas.cu.li.no) *adj.* **1** relativo a macho ou a homem ↺ feminino **2** *fig.* que tem por característica a virilidade, a força *<bravura m.>* ■ *adj.s.m.* **3** GRAM LING (gênero gramatical) que se opõe ao feminino, nas línguas com dois gêneros, e ao feminino e ao neutro, em línguas com três gêneros ↺ feminino ~ **masculinizar** *v.t.d. e pron.*

másculo (más.cu.lo) *adj.* que demonstra qualidades próprias do homem; viril *<porte m.>* ↺ afeminado

masmorra (mas.mor.ra) /ô/ *s.f.* calabouço

masoquismo (ma.so.quis.mo) *s.m.* **1** PSIQ distúrbio em que o indivíduo só obtém prazer sexual se for submetido a humilhações e sofrimentos físicos **2** *p.ext.* atitude de quem busca obter prazer a partir do seu próprio sofrimento físico ou moral

masoquista (ma.so.quis.ta) *adj.2g.* **1** relativo a ou próprio do masoquismo *<tendências m.>* ■ *adj.2g.s.2g.* **2** PSIQ diz-se de ou pessoa cujo prazer sexual está ligado à dor física, ao sofrimento, à humilhação **3** *p.ext.* diz-se de ou pessoa que busca o sofrimento, a humilhação, ou que neles se satisfaz

massa (mas.sa) *s.f.* **1** conjunto de tamanho considerável, constituído de matéria sólida ou pastosa, ger. de forma indefinida **2** conjunto de elementos, ger. da mesma natureza, que formam um aglomerado *<m. de montanhas>* **3** quantidade considerável de um fluido *<m. de ar, de água>* **4** substância pastosa, mais ou menos coesa, preparada para finalidades diversas *<m. de tomate> <m. de pedreiro>* **5** mistura comestível de farinha com água, óleo etc.; macarrão **6** FÍS grandeza que indica a quantidade de matéria de um corpo [símb.: *m*] **7** *fig.* maior camada da população; povo *<transporte de m.>* **8** *fig.* multidão *<abrir os portões para dar passagem à m.>* ■ *adj.2g.* **9** *N.E. infrm.* que atrai (diz-se de pessoa); muito bom **10** *BA MG infrm.* muito bom ou especial; bacana, excelente ▣ **m. cinzenta** cérebro; inteligência • **em m.** em grande escala *<vacinação em m.>*

massacrar (mas.sa.crar) *v.* {mod. 1} *t.d.* **1** matar de modo cruel, esp. em massa; trucidar *<os colonizadores massacraram os indígenas>* **2** *B* levar ao cansaço; estafar, extenuar *<trabalho em excesso massacra (qualquer um)>* **3** *fig.* vencer ou superar de maneira esmagadora *<o time reserva massacrou o titular>* □ *t.d. e t.d.i. fig. B* **4** (prep. *com*) causar incômodo, tédio a; aborrecer *<o longo discurso do orador massacrou a plateia> <massacrou o público com sua apresentação>* **5** (prep. *com*) criar situação embaraçosa, aflitiva, penosa, vergonhosa a; humilhar, oprimir *<massacrava os filhos (com exigências absurdas)>*

massacre (mas.sa.cre) *s.m.* **1** matança com crueldade; chacina **2** *fig.* humilhação, opressão *<o interrogatório foi um m.>*

massagem (mas.sa.gem) [pl.: *-ens*] *s.f.* manipulação metódica do corpo ou de partes dele, com objetivos terapêuticos ou estéticos ~ **massagear** *v.t.d.,int. e pron.*

massagista (mas.sa.gis.ta) *adj.2g.s.2g.* que(m) faz massagens

massapê (mas.sa.pê) ou **massapé** (mas.sa.pé) *s.m.* terra de cor escura, argilosa e fértil

masseter (mas.se.ter) /tér/ [pl.: *-es*] *s.m.* ANAT cada um dos dois músculos us. na mastigação ~ **massetérico** *adj.* - **masseterino** *adj.*

massificação (mas.si.fi.ca.ção) [pl.: *-ões*] *s.f.* **1** processo pelo qual valores e produtos freq. restritos a grupos de elite tornam-se consumíveis por toda a sociedade *<m. da pintura moderna>* **2** padronização de gostos, hábitos, opiniões, valores etc., ger. pelos meios de comunicação de massa ~ **massificar** *v.t.d. e pron.*

massivo (mas.si.vo) *adj.* LING que não pode ser contado, calculado (diz-se de substantivo), como, p.ex., *amor, audácia, ouro, cloro*

massudo (mas.su.do) *adj.* **1** que tem aspecto ou consistência semelhante à da massa **2** *fig.* encorpado, pesado, grosso *<pão m.> <mingau m.>*

mastectomia (mas.tec.to.mi.a) *s.f.* MED remoção total ou parcial da mama

masterização (mas.te.ri.za.ção) [pl.: *-ões*] *s.f.* **1** ELETRÔN INF COMN produção de uma cópia matriz **2** prensagem de discos fonográficos

mastigar (mas.ti.gar) *v.* {mod. 1} *t.d.* **1** triturar com os dentes □ *t.d. e int.* **2** *fig.* dizer com pouca clareza; resmungar *<mastigou uma declaração que ninguém entendeu> <falava baixinho, mastigava, mas não dizia nada>* ~ **mastigação** *s.f.* - **mastigatório** *adj.s.m.*

mastim (mas.tim) [pl.: *-ins*] *s.m.* ZOO cão de guarda, esp. para gado

mastite (mas.ti.te) *s.f.* MED inflamação da mama

mastodonte (mas.to.don.te) *s.m.* **1** ZOO mamífero pré-histórico semelhante ao elefante atual, porém mais corpulento e mais baixo e dotado de dois pares de presas **2** *fig.* objeto de proporções bastante avantajadas *<aquele armário era um m.>* ~ **mastodôntico** *adj.*

mastoplastia (mas.to.plas.ti.a) *s.f.* MED mamoplastia

mastrear (mas.tre.ar) *v.* {mod. 5} *t.d.* pôr mastro em (embarcação) ~ **mastreação** *s.f.*

mastro (mas.tro) *s.m.* **1** MAR cilindro longo e fino que sustenta vela, antenas etc. em embarcações **2** essa peça us. para içar bandeiras

mastruço (mas.tru.ço) *s.m.* BOT erva cultivada por suas propriedades medicinais

mastruz (mas.truz) [pl.: *-es*] *s.m.* BOT mastruço

masturbação (mas.tur.ba.ção) [pl.: *-ões*] *s.f.* ato de masturbar alguém ou a si próprio ~ **masturbador** *adj.s.m.*

masturbar (mas.tur.bar) *v.* {mod. 1} *t.d. e pron.* friccionar os órgãos genitais para sentir prazer sexual

mata (ma.ta) *s.f.* **1** área coberta de plantas nativas *<embrenhar-se na m.>* **2** conjunto de árvores que cobre uma vasta área; floresta *<a m. atlântica>* **3** grande quantidade de árvores da mesma espécie *<m. de araucárias>* ▣ **m. atlântica** BOT formação florestal que ocorre nas encostas da serra do mar e da Zona da Mata nordestina e nas baixadas litorâneas contíguas

mata-borrão (ma.ta-bor.rão) [pl.: *mata-borrões*] *s.m.* papel us. para absorver excesso de tinta de escrever fresca ou outros líquidos

mata-burro (ma.ta-bur.ro) [pl.: *mata-burros*] *s.m.* pequena ponte de tábuas espaçadas us. para impedir a passagem de animais, esp. gado e cavalos

matacão (ma.ta.cão) [pl.: *matacães*] *s.m.* **1** GEOL bloco de rocha maciço e arredondado **2** *fig.* grande naco ou pedaço *<um m. de carne>*

matado (ma.ta.do) *adj. infrm.* feito de qualquer maneira; mal-acabado ↺ bem-feito ◉ GRAM/USO part. de *matar*

matadouro (ma.ta.dou.ro) *s.m.* **1** local para abater gado; abatedouro **2** *fig.* lugar insalubre

matagal (ma.ta.gal) [pl.: *-ais*] *s.m.* **1** mata densa e emaranhada **2** área coberta de mato

mata-mata (ma.ta-ma.ta) [pl.: *matas-matas* e *mata-matas*] *s.m. B* **1** RECR jogo com bolas de gude em que o jogador precisa atingir a bola de um adversário para ter o direito de apossar-se dela **2** ESP em certos campeonatos e torneios, jogo ou fase de jogos em que o time perdedor é eliminado da competição ☞ tb. us. como adj.: *confronto mata-mata*

matamatá (ma.ta.ma.tá) *s.m.* *B* **1** BOT grande árvore amazônica, de madeira nobre, pesada e forte **2** ZOO réptil amazônico da família dos cágados, de pescoço longo com franjas laterais e cabeça achatada e triangular, terminada em um focinho muito fino

matança (ma.tan.ça) *s.f.* **1** assassinato de muitas pessoas; chacina **2** abate de animais para consumo

mata-piolho (ma.ta-pi.o.lho) /ô/ [pl.: *mata-piolhos*] *s.m. infrm.* o dedo polegar da mão

matar (ma.tar) *v.* {mod. 1} *t.d. e int.* **1** tirar intencionalmente a vida de; assassinar **2** tirar a vida de (animais); abater **3** contribuir para a morte de; extinguir □ *pron.* **4** tirar a própria vida; suicidar-se **5** *fig.* fazer tudo por; sacrificar-se *<m.-se pelos filhos>* **6** *fig.* cansar-se muito; extenuar-se *<m.-se de estudar, de trabalhar>* ↺ descansar □ *t.d.* **7** causar grande prejuízo ou dano a; arruinar, destruir *<a geada matou a produção>* **8** fazer às pressas, sem cuidado *<a costureira matou trabalho no vestido>* **9** destruir o efeito, a qualidade de; ofuscar *<o roxo matou as outras cores>* **10** fazer desaparecer; extinguir *<a distância matou o amor>* **11** saciar, satisfazer (fome, sede) **12** passar (o tempo) improdutivamente **13** *B infrm.* faltar a (colégio, aula, trabalho) **14** resolver, decifrar (problemas, charadas etc.) **15** ESP amortecer o impacto de (bola), para dominá-la ● GRAM/USO part.: *matado, morto*; ver QUADRO DE PARTICÍPIOS DUPLOS nas pp. iniciais ▣ **de m. 1** muito ruim, duro de suportar, de péssima qualidade *<o filme era de m., ele saiu antes do fim da sessão>* **2** magnífico, esplêndido *<ela faz um doce de jaca de m.!>*

mate (ma.te) *s.m.* **1** BOT planta cujas folhas são us. no preparo do chimarrão; erva-mate **2** chá com propriedades tônicas, estimulantes e diuréticas, feito da infusão de suas folhas, depois de torradas; chá-mate ~ **matear** *v. int.*

mateiro (ma.tei.ro) *s.m.* **1** *B* indivíduo que, por sua grande vivência em matas cerradas, trabalha como guia para outras pessoas ■ *adj.* **2** que vive no mato *<animal m.>*

matemática (ma.te.má.ti.ca) *s.f.* **1** ciência que estuda objetos abstratos (números, figuras e funções) e as relações existentes entre eles *<graduado em m.>* **2** o ensino dessa ciência *<aula de m.>* ~ **matematicidade** *s.f.*

matemático (ma.te.má.ti.co) *adj.* **1** relativo a matemática **2** que tem a precisão da matemática *<certeza m.>* ■ *s.m.* **3** indivíduo especializado em matemática

matéria (ma.té.ria) *s.f.* **1** substância sólida, líquida ou gasosa da qual são formados todos os corpos que ocupam um lugar no espaço **2** assunto, tema *<demoraram a entrar na m. da reunião>* **3** disciplina ('ramo do conhecimento') *<geografia é sua m. preferida>* **4** conteúdo específico de um objeto de ensino *<ditar a m. da prova>* **5** JOR texto jornalístico *<a m. sobre o festival saiu, está na página dois>* **6** corpo, carne *<o homem é espírito e matéria>* ↺ espírito ▣ **m. plástica** material sintético, que pode ser moldado, us. na fabricação de utensílios; plástico

material (ma.te.ri.al) [pl.: *-ais*] *adj.2g.* **1** feito de ou próprio de matéria **2** que é percebido de forma concreta *<como obter uma manifestação m. da fé?>* ↺ espiritual **3** que é constituído de bens tangíveis, esp. dinheiro *<bens m.>* *<vantagens m.>* ■ *s.m.* **4** conjunto de utensílios, apetrechos us. em um serviço qualquer *<m. escolar>* **5** aquilo do que é feito algo *<que m. foi utilizado nessa escultura?>*

materialidade (ma.te.ri.a.li.da.de) *s.f.* **1** qualidade do que é matéria, não espírito *<a m. do universo, do homem>* **2** *fig.* tendência a não se interessar por coisas cuja compreensão exija sensibilidade, finura de espírito *<ignorava a poesia, era um homem voltado para a m.>*

materialismo (ma.te.ri.a.lis.mo) *s.m.* **1** FIL doutrina que acredita que a matéria é capaz de explicar todos os fenômenos naturais, sociais e mentais **2** comportamento de uma pessoa (ou sociedade) que dá mais importância aos bens, valores e prazeres materiais ↺ espiritualismo, idealismo ~ **materialista** *adj.*

materializar (ma.te.ri.a.li.zar) *v.* {mod. 1} *t.d. e pron.* (fazer) tomar consistência, materialidade, ser realidade; concretizar(-se) *<m. um sonho>* *<seus projetos jamais se materializaram>* ~ **materialização** *s.f.*

matéria-prima (ma.té.ria-pri.ma) [pl.: *matérias-primas*] *s.f.* matéria bruta com que se fabrica ou elabora algo *<petróleo é a m. do plástico, da gasolina e de outros produtos>*

maternal (ma.ter.nal) [pl.: *-ais*] *adj.2g.* **1** relativo a mãe ou próprio dela; materno *<amor m.>* ■ *adj.2g.s.m.* **2** diz-se de ou m.q. ***CRECHE*** ('escola')

maternidade (ma.ter.ni.da.de) *s.f.* **1** laço de parentesco que une a mãe a seu(s) filho(s) **2** hospital ou setor hospitalar destinado ao atendimento obstétrico

materno (ma.ter.no) *adj.* **1** próprio de mãe **2** por parte de mãe (parentesco) *<avós m.>* **3** que foi aprendido na infância, no país em que nasceu (língua, idioma) *<francês era sua língua m.>*

matilha (ma.ti.lha) *s.f.* **1** grupo de cães **2** *fig.* agrupamento de vadios; corja

matina (ma.ti.na) *s.f.* **1** madrugada ▼ ***matinas*** *s.f.pl.* REL **2** cânticos realizados durante a missa da madrugada

matinada (ma.ti.na.da) *s.f.* **1** alvorada; madrugada **2** canto das matinas **3** algazarra

matinal (ma.ti.nal) [pl.: *-ais*] *adj.2g.* próprio da manhã *<refeição m.>*

matinê (ma.ti.nê) *s.f.* festa, filme etc. realizados à tarde

matiz (ma.tiz) [pl.: *-es*] *s.m.* **1** colorido obtido da mistura de várias cores num todo **2** gradação de uma cor ou cores; tonalidade *<o tecido tinha vários m. de verde>* **3** *fig.* gradação delicada, sutil

matizar (ma.ti.zar) *v.* {mod. 1} *t.d.* **1** misturar, combinar, graduar cores em **2** enfeitar, adornar *<a variedade de cores matizava o jardim>* □ *t.d. e pron.* **3** pintar (-se) de diversas cores *<o outono chegou matizando a folhagem>* *<céu e mar se matizavam com os mesmos tons>* ~ **matização** *s.f.*

mato (ma.to) *s.m.* **1** vegetação que nasce espontaneamente e sem serventia **2** área coberta por essa vegetação **3** lugar fora da cidade; interior, roça *<saiu da cidade e foi viver no m.>* ▣ **botar no m.** *N.E.* jogar, botar fora • **no m. sem cachorro** em situação difícil, sem ajuda • **ser m.** existir em grande quantidade *<banana lá em casa é m.>*

mato-grossense (ma.to-gros.sen.se) [pl.: *mato--grossenses*] *adj.2g.* **1** do Mato Grosso ■ *s.2g.* **2** natural ou habitante desse estado

mato-grossense-do-sul (ma.to-gros.sen.se-do-sul) [pl.: *mato-grossenses-do-sul*] *adj.2g.* **1** do Mato Grosso do Sul ■ *s.2g.* **2** natural ou habitante desse estado; sul-mato-grossense

matraca (ma.tra.ca) *s.f.* **1** MÚS instrumento de percussão constituído de uma peça de madeira com uma plaqueta ou argola que se agita em torno de um eixo, fazendo muito barulho **2** *fig. infrm.* quem fala demais

matraquear (ma.tra.que.ar) *v.* {mod. 5} *int.* **1** tocar matraca; matracar **2** falar muito, sem refletir; tagarelar

matreiro (ma.trei.ro) *adj.* astuto, esperto, malandro ↺ ingênuo ~ **matreirice** *s.f.*

matriarca (ma.tri.ar.ca) *s.f.* mulher que governa família, tribo, clã etc. ◉ GRAM/USO masc.: *patriarca* ~ **matriarcal** *adj.2g.*

matriarcado (ma.tri.ar.ca.do) *s.m.* SOC regime social em que a autoridade é exercida pelas mulheres

matricida (ma.tri.ci.da) *s.2g.* quem comete matricídio

matricídio (ma.tri.cí.dio) *s.m.* assassinato da própria mãe

matrícula (ma.trí.cu.la) *s.f.* inscrição de algo ou alguém em escola, clube, curso, concurso etc. ~ **matricular** *v.t.d. e pron.*

matrimônio (ma.tri.mô.nio) *s.m.* **1** instituição social da união reconhecida por lei entre duas pessoas; casamento *<contratar m.>* *<dissolução do m.>* **2** estado ou condição resultante dessa união; relação de pessoas casadas entre si; casamento *<as alegrias do m.>* **3** sacramento indissolúvel da Igreja católica; casamento ('união') ~ **matrimonial** *adj.2g.*

mátrio (má.trio) *adj.* relativo a mãe

matriz (ma.triz) [pl.: *-es*] *s.f.* **1** útero **2** *fig.* lugar onde algo é gerado e/ou criado *<essa garagem foi a m. da banda>* *<sua resposta foi a m. da revolta>* **3** molde para reprodução de uma peça **4** estabelecimento onde funciona a direção central de uma empresa **5** GRÁF chapa ou lâmina em que se gravam letras e imagens para serem reproduzidas por impressão **6** MAT arranjo de elementos matemáticos dispostos num quadro retangular de *m* linhas e *n* colunas ■ *adj.2g.* **7** que é fonte ou origem *<língua m.>* **8** que tem grande relevância; primordial, básico *<o ânimo m. de todo o nosso entusiasmo>* ↺ secundário

matrona (ma.tro.na) *s.f.* senhora respeitável e corpulenta ~ **matronal** *adj.2g.*

maturar (ma.tu.rar) *v.* {mod. 1} *t.d.,int. e pron.* desenvolver(-se) plenamente; amadurecer(-se) *<o calor maturou a banana>* *<as frutas maturaram>* ~ **maturação** *s.f.*

maturativo (ma.tu.ra.ti.vo) *adj.* **1** que favorece a maturação ■ *adj.s.m.* **2** FARM (medicamento) que ajuda a maturar e expelir abscesso

maturi (ma.tu.ri) *s.m. N.E.* a castanha do caju ainda verde

maturidade (ma.tu.ri.da.de) *s.f.* **1** estado ou condição de adulto *<não tinha m. para formar uma família>* ↺ imaturidade **2** período da vida entre a juventude e a velhice **3** estado de desenvolvimento completo *<m. da medicina>*

matusalém (ma.tu.sa.lém) [pl.: *-ens*] *s.m.* homem muito velho ↺ jovem

matusquela (ma.tus.que.la) *adj.2g.s.2g. B infrm.* maluco

matutar (ma.tu.tar) *v.* {mod. 1} *int.* **1** pensar demoradamente sobre algo; refletir □ *t.d.* **2** traçar diretrizes para; planejar *<m. um plano>* ~ **matutação** *s.f.*

matutino (ma.tu.ti.no) *adj.* **1** que diz respeito a manhã; matinal *<caminhada m.>* ■ *adj.s.m.* **2** (jornal) que sai de manhã

matuto (ma.tu.to) *adj.s.m.* **1** que(m) vive no campo ↺ urbano **2** *B* que(m) não tem instrução **3** *B infrm.* que(m) é dotado de esperteza ~ **matutagem** *s.f.* - **matutice** *s.f.*

mau [fem.: *má*] *adj.* **1** que pratica o mal ou revela maldade; impiedoso, cruel *<homem m.>* *<expressão m.>* ↺ bom **2** que prejudica *<m. conselho>* ↺ bom **3** que é de qualidade inferior *<m. cozinheiro>* ↺ eficiente **4** que causa mal-estar *<m. momentos>* *<m. cheiro>* ↺ agradável ■ *s.m.* **5** quem pratica o mal *<no filme, os m. foram punidos>* **6** o diabo ☞ cf. *mal* ◉ GRAM/USO comp.super.: *pior*; sup.abs.sint.: *malíssimo* e *péssimo*

mau-caráter (mau-ca.rá.ter) [pl.: *maus-caracteres*] *adj.2g.s.2g. B infrm.* que(m) é capaz de atos traiçoeiros; canalha ~ **mau-caratismo** *s.m.*

mau-olhado (mau-o.lha.do) [pl.: *maus-olhados*] *s.m.* **1** olhar com suposto poder de causar infortúnio *<pôr m. em alguém>* **2** o suposto efeito de tal olhar *<um m. fez a planta morrer>*

mauricinho (mau.ri.ci.nho) *s.m. infrm.* rapaz que capricha nas roupas e se comporta de modo convencional ☞ pode ser pej.

máuser (máu.ser) [pl.: *máuseres*] *s.f.* **1** tipo de fuzil alemão **2** certo modelo de pistola automática

mausoléu (mau.so.léu) *s.m.* monumento funerário suntuoso

maus-tratos (maus-tra.tos) *s.m.pl.* DIR crime de submeter alguém a castigo, trabalho excessivo e/ou alguma privação

mavioso (ma.vi.o.so) /ô/ [pl. e fem.: /ó/] *adj.* **1** agradável aos ouvidos; melodioso *<canto m.>* **2** terno, afetuoso *<temperamento m.>* ↺ grosseiro **3** suave, delicado *<cores m.>* ~ **maviosidade** *s.f.*

maxidesvalorização (ma.xi.des.va.lo.ri.za.ção) /cs/ [pl.: *-ões*] *s.f.* ECON forte baixa do valor de uma moeda

maxila (ma.xi.la) /cs/ *s.f.* ANAT **1** cada um dos dois ossos que formam a arcada dentária superior **2** estrutura, antes denominada *maxilar superior*, formada por esses dois ossos

maxilar (ma.xi.lar) /cs/ [pl.: *-es*] *adj.* ANAT referente a maxila ▣ • **m. inferior** denominação substituída por *mandíbula* • **m. superior** denominação substituída por *maxila*

máxima (má.xi.ma) /ss *ou* cs/ *s.f.* **1** princípio de conduta; preceito *<sua m. era a de jamais esforçar-se à toa>* **2** provérbio *<citava máximas durante as aulas>*

máxime (má.xi.me) /cs/ *adv.* principalmente

maximizar (ma.xi.mi.zar) /ss *ou* cs/ *v.* {mod. 1} *t.d.* 1 dar valor mais alto a 2 dar mais valor ou importância a <*m. índices econômicos*> ↺desvalorizar 3 *p.ext.* atribuir valor exagerado, não justificável; superestimar <*os amigos maximizaram sua participação nos acontecimentos*> ↺subestimar ~**maximização** *s.f.*

máximo (má.xi.mo) /ss *ou* cs/ *adj.s.m.* (o) que atingiu seu mais alto grau ou sua maior quantidade <*atingiu o m. de sua produção*> ↺mínimo ◉GRAM/USO sup.abs. sint. de *grande* ▣ **no m.** na melhor das hipóteses <*no m., chegarão para o jantar*>

[1]**maxixe** (ma.xi.xe) *s.m.* BOT fruto comestível do maxixeiro ◉ORIGEM do quimb. *maxixe* 'id.'

[2]**maxixe** (ma.xi.xe) *s.m.* 1 DNÇ dança urbana brasileira que esteve na moda no início do sXIX 2 MÚS a música dessa dança, de compasso binário e andamento rápido ◉ORIGEM de *Maxixe*, apelido de um boêmio carioca a quem se atribui a invenção da dança

[1]**maxixeiro** (ma.xi.xei.ro) *s.m.* BOT planta nativa da América Central, de flores pequenas e frutos comestíveis em forma de ovo ◉ORIGEM [1]*maxixe* + *-eiro*

[2]**maxixeiro** (ma.xi.xei.ro) *adj.s.m.* que(m) dança o [2]maxixe ◉ORIGEM [2]*maxixe* + *-eiro*

mazela (ma.ze.la) *s.f.* 1 chaga, ferida 2 *p.ext.* doença, moléstia 3 *fig.* aflição, desgosto ↺contentamento ~**mazelar** *v.t.d.* - **mazelento** *adj.*

mazurca (ma.zur.ca) *s.f.* DNÇ MÚS certa música e dança polonesa

M

Mb símbolo de *megabit*

MB símbolo de *megabyte*

mccarthismo (mc.car.this.mo) *s.m.* → ***MACARTHISMO***

Md símbolo de *mendelévio*

MDF *s.m.* tipo de aglomerado resistente us. na confecção de móveis, divisórias etc., constituído por fibras de madeira e resinas sintéticas unidas por um processo de alta temperatura e pressão

me *pron.p.* da 1ª p.s., caso oblíquo, com função de objeto direto ou objeto indireto, equivalente a: *a mim, perante mim, de mim, em mim, para mim*

meação (me.a.ção) [pl.: *-ões*] *s.f.* divisão em duas partes

meada (me.a.da) *s.f.* 1 fio longo enrolado várias vezes, sem ficar muito apertado 2 *fig.* confusão, desordem ↺ordem

meado (me.a.do) *adj.s.m.* (o) que está no meio ou perto dele <*nasceu em meados do século XX*> ◉GRAM/USO como s.m., mais us. no pl.

meandro (me.an.dro) *s.m.* 1 caminho sinuoso 2 *fig.* volteio, desvio; complexidade <*os m. dos pensamentos, do raciocínio, dos sonhos*>

mear (me.ar) *v.* {mod. 5} *t.d.* 1 dividir em duas partes iguais; mediar □ *int. e pron.* 2 chegar ao meio <*meava (-se) o mês, e nenhum pagamento ainda fora feito*>

meato (me.a.to) *s.m.* 1 abertura externa de um canal 2 *fig.* via, caminho

MEC *s.m.* sigla de Ministério da Educação

mecânica (me.câ.ni.ca) *s.f.* 1 FÍS ramo da física que estuda a ação de forças no movimento e equilíbrio dos corpos 2 *p.ext.* mecanismo ('conjunto de elementos')

mecânico (me.câ.ni.co) *adj.* 1 relativo a mecânica 2 acionado por máquina ou mecanismo <*brinquedo m.*> 3 *fig.* automático, maquinal <*gestos m.*> ↺consciente ■ *s.m.* 4 quem monta e conserta máquinas <*m. de automóveis*>

mecanismo (me.ca.nis.mo) *s.m.* 1 conjunto de duas ou mais peças combinadas para pôr em movimento uma máquina <*m. de um relógio*> 2 *p.ext.* conjunto de elementos envolvidos no funcionamento de qualquer estrutura ou sistema; mecânica <*m. cerebral*> <*m. administrativo*>

mecanizar (me.ca.ni.zar) *v.* {mod. 1} *t.d.* 1 equipar com máquina □ *t.d. e pron.fig.* 2 tornar(-se) semelhante à máquina; automatizar(-se) <*a rotina mecanizou seus atos*> <*m.-se com o trabalho*> ~**mecanização** *s.f.*

mecanografia (me.ca.no.gra.fi.a) *s.f.* utilização de máquinas em serviços de escritório (estenografia, cálculo, classificação etc.) ~**mecanográfico** *adj.* - **mecanógrafo** *s.m.*

mecenas (me.ce.nas) *s.m.2n.* pessoa rica que patrocina artistas, estudiosos etc.

mecenato (me.ce.na.to) *s.m.* 1 condição de mecenas 2 patrocínio <*o m. ajuda muitos artistas*>

mecha (me.cha) *s.f.* 1 feixe de fios torcidos, impregnado de combustível para se acender; pavio 2 feixe de cabelos; madeixa 3 porção de cabelos que se destaca do todo <*m. de cabelo branco*> 4 estopim de bomba

mechar (me.char) *v.* {mod. 1} *t.d.* 1 atear fogo, com mecha, a <*m. um canhão*> 2 pintar mechas, fazer reflexo em (cabelos)

mecônio (me.cô.nio) *s.m.* primeira evacuação do bebê

medalha (me.da.lha) *s.f.* 1 pequena peça metálica com emblema celebrativo 2 peça de metal que é dada como prêmio; comenda ~**medalhar** *v.t.d.*

medalhão (me.da.lhão) [pl.: *-ões*] *s.m.* 1 caixinha redonda ou oval, trabalhada como joia, que se usa pendurada em colar 2 *fig.* pessoa importante; profissional de destaque <*não é nenhum m., mas é um bom médico*> 3 ARQ baixo-relevo oval 4 CUL fatia alta e redonda de carne

medalhário (me.da.lhá.rio) *s.m.* medalheiro

medalheiro (me.da.lhei.ro) *s.m.* 1 móvel com tampo de vidro para guardar e expor medalhas 2 fabricante de medalhas

média (mé.dia) *s.f.* 1 valor intermediário em relação a dois extremos <*inteligência acima da m.*> 2 quantidade mínima de pontos necessários para ser admitido ou aprovado em escola, concurso etc. <*a m. para passar de ano em muitas escolas é sete*> 3 CUL *B* xícara de café com leite ▣ **m. aritmética** MAT quociente da soma de *n* valores por *n* • **fazer m.** *B infrm.* tentar agradar visando proveito próprio

mediação (me.di.a.ção) [pl.: *-ões*] *s.f.* ato de servir de intermediário entre pessoas ou grupos

mediador (me.di.a.dor) /ô/ [pl.: *-es*] *adj.s.m.* 1 que(m) intervém ou concilia 2 que(m) dirige discussão em grupo; moderador

medial (me.di.al) [pl.: *-ais*] *adj.2g.* que está no meio; central, intermediário

mediana (me.di.a.na) *s.f.* GEOM segmento de reta que liga o vértice de um triângulo retângulo ao ponto central do lado oposto

mediano (me.di.a.no) *adj.* que se situa entre dois extremos *<aluno m.> <pessoa de virtudes m.>* ~ **mediania** *s.f.*

mediante (me.di.an.te) *prep.* **1** por meio de *<m. seu pedido, espero ser atendido>* **2** a troco de, em troca de *<foi solto m. fiança>*

mediar (me.di.ar) *v.* {mod. 5} *t.d.* **1** repartir em duas partes iguais; mear **2** intervir na qualidade de mediador

mediato (me.di.a.to) *adj.* não imediato *<consequência m.>*

mediatriz (me.di.a.triz) [pl.: *-es*] *s.f.* GEOM reta perpendicular a outra, que a corta no ponto central

medicação (me.di.ca.ção) [pl.: *-ões*] *s.f.* **1** emprego de medicamentos ou de outros processos curativos, de acordo com determinada indicação ou orientação **2** *fig.* o conjunto desses medicamentos *<m. oral>*

medicamento (me.di.ca.men.to) *s.m.* substância ou preparado terapêutico; remédio ▣ **m. genérico** aquele sem marca comercial, designado por seu princípio ativo ~ **medicamentoso** *adj.*

medição (me.di.ção) [pl.: *-ões*] *s.f.* ato ou efeito de medir; medida

medicar (me.di.car) *v.* {mod. 1} *t.d. e pron.* tratar (-se) com medicamentos *<assim que chegou, medicou as crianças> <m.-se contra gripe>*

medicina (me.di.ci.na) *s.f.* ciência ou arte do diagnóstico e tratamento de doenças e ferimentos, e da preservação da saúde ▣ **m. legal** especialidade médica que aplica conhecimentos médicos na resolução de questões jurídicas

medicinal (me.di.ci.nal) [pl.: *-ais*] *adj.2g.* **1** relativo a medicina *<conhecimentos m.>* **2** que tem propriedade de curar; terapêutico *<erva m.>*

[1]**médico** (mé.di.co) *s.m.* profissional formado em medicina ◉ ORIGEM do lat. *medĭcus,i* 'médico, cirurgião'

[2]**médico** (mé.di.co) *adj.* referente a medicina *<exame m.>* ◉ ORIGEM do lat. *medĭcus,a,um* 'de médico, medicinal'

médico-legal (mé.di.co-le.gal) [pl.: *médico-legais*] *adj.2g.* relativo a medicina legal

médico-legista (mé.di.co-le.gis.ta) *adj.2g.s.m.* que(m) é especialista em medicina legal ☞ cf. *legista* ◉ GRAM/USO como adj., pl.: *médico-legistas*; como s.m., pl.: *médicos-legistas* e fem.: *médica-legista*

medida (me.di.da) *s.f.* **1** avaliação comparativa de grandeza; medição **2** FÍS quantidade ou tamanho padrão us. para avaliar uma grandeza da mesma espécie *<m. de comprimento>* **3** dimensão *<m. de uma sala>* **4** *fig.* dimensão ou quantidade considerada como útil, desejável *<a justa m. da educação>* **5** meio utilizado para atingir um fim; providência *<m. de urgência>* ▣ **m. provisória** DIR POL ato exclusivo do presidente da República, com força de lei, sem a participação do Poder Legislativo, considerando o caráter de urgência e relevância [sigla: *MP*] ☞ inic. por vezes maiúsc. • **à m. que** à proporção que *<tudo melhorava à m. que o tempo passava>* • **encher as m.** irritar demais *<encheu as m. de todos na festa>* • **na m. em que** porque, desde que, na mesma proporção que *<na m. em que convivemos com os cães, aprendemos a lidar com eles>* • **não ser de meias m.** ser firme

medidor (me.di.dor) /ô/ [pl.: *-es*] *adj.s.m.* **1** que(m) mede, toma medidas **2** que ou o que serve para medir (diz-se de instrumento, mecanismo etc.); contador *<o ponteiro m. de gasolina> <o m. dos relógios de gás>*

medieval (me.di.e.val) [pl.: *-ais*] *adj.2g.* da ou próprio da Idade Média

médio (mé.dio) *adj.* **1** entre dois extremos *<as camadas m. da atmosfera>* **2** de posição ou condição intermediária *<m. empresas> <empresa de m. porte>* **3** resultante de uma média estatística ou aritmética *<temperatura m.>* ■ *adj.s.m.* **4** (dedo da mão) entre o indicador e o anelar

medíocre (me.dí.o.cre) *adj.2g.s.2g.* **1** (o) que é de qualidade média *<condição m.>* **2** *pej.* (o) que tem pouco mérito *<texto m.>* ↺ extraordinário ~ **mediocrizar** *v.t.d. e pron.*

mediocridade (me.di.o.cri.da.de) *s.f.* falta de qualidade, de valor, de mérito; insignificância *<a falta de recursos não justifica a m. desse filme>*

medir (me.dir) *v.* {mod. 28} *t.d.,t.d.i. e int.* **1** (prep. *com*) avaliar, determinar tamanho, peso etc. de (algo) com instrumento ou utensílio próprio ou algo us. como padrão; mensurar *<m. uma área (com trena)> <quanto ele mede?>* □ *t.d.* **2** ter por medida (certa extensão, altura etc.) *<esta torre mede 36 m de altura>* **3** *p.ext.* servir de medida para *<seu rubor media bem seu embaraço>* **4** contar as sílabas de (verso); escandir **5** avaliar a importância, o efeito de; ponderar, pesar *<m. as consequências de seu ato>* **6** *fig.* usar com moderação; refrear, conter *<meça suas palavras!>* ↺ liberar **7** *fig.* aferir por testes; avaliar *<m. a inteligência, a aptidão>* □ *pron.* **8** (prep. *com*) entrar em competição com; rivalizar *<não me meço com esse tipo de gente>*

meditabundo (me.di.ta.bun.do) *adj.* **1** mergulhado em pensamentos **2** que sofre de melancolia, tristeza ↺ alegre

meditação (me.di.ta.ção) [pl.: *-ões*] *s.f.* **1** ação de pensar com cuidado sobre um assunto **2** exercício de concentração mental

meditar (me.di.tar) *v.* {mod. 1} *t.d.* **1** estudar profundamente; ponderar *<isolava-se para m. filmes clássicos>* **2** preparar em detalhes, longamente; planejar *<m. um projeto>* □ *t.d.,t.i. e int.* **3** (prep. *em, sobre*) pensar por longo tempo sobre; refletir *<antes de dar a resposta, pediu tempo para meditá-la> <sofre enquanto medita sobre seu passado> <sentava-se quieto, parecendo m.>*

mediterrâneo (me.di.ter.râ.neo) *adj.* **1** do mar Mediterrâneo ■ *adj.s.m.* **2** que(m) é das regiões banhadas por esse mar ~ **mediterrânico** *adj.*

médium (mé.di.um) [pl.: *-uns*] *s.2g.* REL segundo o espiritismo, pessoa capaz de se comunicar com os espíritos

mediunidade (me.di.u.ni.da.de) *s.f.* capacidade de comunicação de um médium

medo (me.do) *s.m.* perturbação psicológica diante de ameaça ou perigo, real ou imaginário *<o m. do fracasso paralisou o time> <tinha muito m. de barata>* ↺ coragem

M

medonho (me.do.nho) *adj.* que causa medo ou repulsa; horripilante

[1]medrar (me.drar) *v.* {mod. 1} *t.d. e int.* **1** (fazer) crescer, desenvolver-se (vegetais) ↺ murchar **2** *fig.* (fazer) ficar maior e/ou melhor; prosperar *<apesar das dificuldades, eles medraram>* ↺ regredir ▫ *int. fig.* **3** ganhar corpo; aumentar, desenvolver-se *<seu rancor medrava>* ↺ definhar ◉ ORIGEM do esp. *medrar* 'id.'

[2]medrar (me.drar) *v.* {mod. 1} *int. infrm.* sentir medo; apavorar-se *<ao ver a bola, o goleiro medrou>* ◉ ORIGEM de *medo* sob a f. *medr-* + [2]*-ar*

medroso (me.dro.so) /ô/ [pl. e fem.: /ó/] *adj.* que tem medo; que se assusta facilmente ↺ corajoso

medula (me.du.la) *s.f.* BIO **1** a parte interior ou profunda de uma estrutura animal ou vegetal **2** *fig.* a parte mais interna ou central; âmago *<defensor dos animais até a m.>* ▣ **m. espinhal** ANAT parte do sistema nervoso situada na coluna vertebral e composta de células e fibras nervosas ~ **medular** *adj.2g.*

medusa (me.du.sa) *s.f.* ZOO certo tipo de cnidários, de corpo gelatinoso e em forma de sino, com tentáculos na margem

meeiro (me.ei.ro) *adj.* **1** que pode ou tem de ser dividido ao meio *<bens m.>* ■ *adj.s.m.* **2** DIR que(m) possui metade de um bem **3** (agricultor) que reparte o que planta com o dono da terra

mefistofélico (me.fis.to.fé.li.co) *adj.* diabólico, maldoso *<expressão m.>* *<atitude m.>*

M

mega- *pref.* **1** do SI, simbolizado por *M*, um milhão (de vezes a unidade indicada) *<megagrama = um milhão de gramas>* ☞ adotado na 11ª Conferência Internacional de Pesos e Medidas, em 1960 **2** INF para múltiplos binários, equivale a 2^{20} (1.048.576), valor freq. arredondado para um milhão <megabyte>

megabit (mega.bit) [ing.; pl.: *megabits*] *s.m.* INF múltiplo do *bit*, que vale 1.024 *kilobits* [símb.: *Mb*] ⇒ pronuncia-se mégabit

megabyte (mega.byte) [ing.; pl.: *megabytes*] *s.m.* INF múltiplo do *byte*, que vale 1.024 *kilobytes* [símb.: *MB*] ⇒ pronuncia-se mégabait

megafone (me.ga.fo.ne) *s.m.* amplificador para voz em forma de cone ~ **megafônico** *adj.*

megagrama (me.ga.gra.ma) *s.m.* FÍS unidade de medida de massa que denota um milhão de gramas ou uma tonelada

mega-hertz (me.ga-hertz) *s.m.2n.* FÍS unidade de frequência igual a 1 milhão de hertz [símb.: *MHz*]

megálito (me.gá.li.to) *s.m.* pedra bruta us. em monumentos pré-históricos ~ **megalítico** *adj.*

megalomania (me.ga.lo.ma.ni.a) *s.f.* **1** PSIC desordem mental caracterizada por sentimento de grandeza ou onipotência **2** predileção por tudo que seja grandioso ou majestoso ↺ simplicidade ~ **megalomaníaco** *adj.s.m.* - **megalômano** *adj.s.m.*

megalópole (me.ga.ló.po.le) *s.f.* **1** grande metrópole **2** região que engloba uma metrópole e cidades periféricas

meganha (me.ga.nha) *s.m. B infrm.* policial

megaton (me.ga.ton) [pl.: *megatones* e *(B) megatons*] *s.m.* FÍS **1** unidade de massa igual a 1 milhão de toneladas **2** unidade de medida do poder de explosão de armas nucleares

megawatt (me.ga.watt) *s.m.* ELETR FÍS unidade de medida igual a 1 milhão de watts [símb.: *MW*]

megera (me.ge.ra) *s.f.* **1** mulher má **2** mãe desnaturada

[1]meia (mei.a) *s.f.* **1** VEST peça de tecido que calça o pé e parte da perna **2** tecido de malha de algodão com que se faz essa e outras peças do vestuário *<camisa de m.>* ◉ ORIGEM redução de *meia-calça* ▣ **m. elástica** meia compressora us. contra varizes

[2]meia (mei.a) *n.card.* meia dúzia; seis ◉ ORIGEM redução de *meia dúzia*

meia-água (mei.a-á.gua) [pl.: *meias-águas*] *s.f.* CONSTR **1** telhado formado de apenas um plano **2** moradia com tal telhado

meia-armador (mei.a-ar.ma.dor) /ô/ [pl.: *meias-armadores*] *s.m.* FUTB *B* armador ('jogador')

meia-calça (mei.a-cal.ça) [pl.: *meias-calças*] *s.f.* meia feminina que vai dos pés à cintura

meia-direita (mei.a-di.rei.ta) [pl.: *meias-direitas*] *s.2g.* FUTB **1** jogador que atua no meio-campo, pela direita ■ *s.f.* FUTB **2** essa posição

meia-entrada (mei.a-en.tra.da) [pl.: *meias-entradas*] *s.f.* ingresso para espetáculos (cinema, teatro etc.) vendido pela metade do preço, ger. para menores, estudantes e idosos

meia-esquerda (mei.a-es.quer.da) [pl.: *meias-esquerdas*] *s.2g.* FUTB **1** jogador que atua no meio-campo, pela esquerda ■ *s.f.* FUTB **2** essa posição

meia-estação (mei.a-es.ta.ção) [pl.: *meias-estações*] *s.f.* **1** o outono ou a primavera **2** *B* época de temperatura amena, nem muito quente, nem muito fria ▣ **de m.** apropriado para meia-estação (falando-se de roupas) *<um vestido de m., um casaco de m.>*

meia-idade (mei.a-i.da.de) [pl.: *meias-idades*] *s.f.* fase entre a maturidade e a velhice

meia-irmã (mei.a-ir.mã) [pl.: *meias-irmãs*] *s.f.* irmã só por parte de pai ou de mãe

meia-lua (mei.a-lu.a) [pl.: *meias-luas*] *s.f.* **1** ASTR aspecto da Lua quando está no quarto minguante ou no quarto crescente **2** qualquer coisa em forma de semicírculo *<arrumaram as cadeiras em m.>*

meia-luz (mei.a-luz) [pl.: *meias-luzes*] *s.f.* luz fraca; penumbra

meia-noite (mei.a-noi.te) [pl.: *meias-noites*] *s.f.* a 24ª hora do dia, divisória entre a noite e a madrugada

meia-sola (mei.a-so.la) [pl.: *meias-solas*] *s.f.* **1** remendo na metade anterior da sola do calçado **2** *fig.* qualquer conserto improvisado ou precário *<fez uma m. no cano e esperou pelo bombeiro>*

meia-tigela (mei.a-ti.ge.la) [pl.: *meias-tigelas*] *s.f.* ◗ usado em: **de m.** sem importância, de pouco valor; medíocre *<uma empresa de m.>*

meia-tinta (mei.a-tin.ta) [pl.: *meias-tintas*] *s.f.* **1** tonalidade intermediária entre o claro e o escuro de uma cor **2** *fig.* dissimulação, fingimento *<era difícil acreditar no que dizia, respondia tudo com meias-tintas>*

meia-vida (mei.a-vi.da) [pl.: *meias-vidas*] *s.f.* FÍS tempo necessário para que a radioatividade de uma substância seja reduzida à metade

meia-volta (mei.a-vol.ta) [pl.: *meias-voltas*] *s.f.* mudança completa de direção; volta de 180º

meigo (mei.go) *adj.* **1** dotado de sentimentos gentis *<criança m.>* ↺ ríspido **2** que causa impressão agradável *<semblante m.>* ↺ rude ~ **meiguice** *s.f.*

meio (mei.o) *n.frac.* **1** metade de um; metade de uma unidade ou de uma totalidade *<m. quilo> <m. garrafa>* ■ *adj.* **2** mediano, médio *<mulher de m. altura>* **3** pouco intenso *<m. sorriso> <m. temperatura>* ↺ intenso ■ *s.m.* **4** ponto equidistante entre extremos; metade *<chegou ao m. do caminho> <m. da tarde, do ano>* **5** o centro de um espaço *<o m. da roda>* **6** método, plano, modo *<não há m. de sair>* **7** grupo que se frequenta ou em que se vive *<m. familiar> <m. intelectual>* **8** meio ambiente **9** procedimento que permite realizar algo *<usou todos os m. possíveis> <m. de transporte>* **10** FÍS região espacial que contém ou não matéria e na qual ocorrem fenômenos físicos ■ *adv.* **11** um tanto, um pouco, parcialmente *<acordou m. triste>* ▼ **meios** *s.m.pl.* **12** recursos financeiros ▣ **m. ambiente** conjunto de fatores físicos, biológicos e químicos que cerca os seres vivos, influenciando-os e sendo influenciado por eles • **m. a m.** em duas partes iguais *<rachar as despesas m. a m.>* • **em m. a 1** no decorrer de; durante *<em m. à discussão, levantou-se e saiu>* **2** tendo ao redor de si *<cresceu em m. a luxos>* • **pelo m.** sem conclusão; pela metade *<deixou o livro pelo m.>*

meio-campo (mei.o-cam.po) [pl.: *meios-campos*] *s.m.* FUTB **1** área em torno da linha que divide o campo de futebol ao meio **2** jogador que atua nessa área

meio de campo (mei.o de cam.po) [pl.: *meios de campo*] *s.m.* FUTB meio-campo

meio-dia (mei.o-di.a) [pl.: *meios-dias*] *s.m.* a 12ª hora do dia, divisória entre a manhã e a tarde

meio-fio (mei.o-fi.o) [pl.: *meios-fios*] *s.m.* fileira de pedras que arremata a calçada ao longo da rua

meio-irmão (mei.o-ir.mão) [pl.: *meios-irmãos*; fem.: *meia-irmã*] *s.m.* irmão só por parte de pai ou de mãe

meiose (mei.o.se) *s.f.* BIO série de divisões celulares durante a geração dos gametas, da qual resultam quatro células com um cromossomo de cada par da célula original

meio-tempo (mei.o-tem.po) [pl.: *meios-tempos*] *s.m.* intervalo entre dois momentos; ínterim ▣ **nesse m.** enquanto isso

meio-termo (mei.o-ter.mo) [pl.: *meios-termos*] *s.m.* **1** o que está a meia distância entre dois extremos *<a nova proposta era um m. entre as duas anteriores>* **2** *fig.* equilíbrio, comedimento *<é difícil para ela achar o m. no vestir>*

meio-tom (mei.o-tom) [pl.: *meios-tons*] *s.m.* **1** tonalidade intermediária de uma cor **2** gradação de cores; matiz **3** som pouco audível; murmúrio *<uma conversa em m.>*

meirinho (mei.ri.nho) *s.m.* antigo funcionário da Justiça

meitnério (meit.né.rio) *s.m.* QUÍM elemento químico artificial, antes denominado *unnilennium* [símb.: *Mt*] ☞ cf. *tabela periódica* (no fim do dicionário)

mel [pl.: *méis* e *meles*] *s.m.* **1** líquido doce e viscoso produzido pelas abelhas com o néctar das flores **2** *fig. N.E.* sangue *<assim que a faca entrou, o m. escorreu>* ▣ **m. de engenho** *N.E.* [2]melado

melaço (me.la.ço) *s.m.* **1** resíduo de consistência viscosa resultante da fabricação do açúcar **2** *fig.* qualquer substância viscosa e muito doce

[1]**melado** (me.la.do) *adj.* **1** adoçado com mel ou rapadura **2** *p.ext.* doce demais **3** *p.ext. B* sujo e pegajoso *<sua mãos estavam m.>* ◉ ORIGEM part. de *melar*

[2]**melado** (me.la.do) *s.m.* calda espessa e escura obtida do caldo da cana-de-açúcar, com que se faz a rapadura ◉ ORIGEM de *mel* + *-ado*

melamina (me.la.mi.na) *s.f.* QUÍM substância us. em resinas sintéticas para revestimentos ☞ cf. *melanina*

melancia (me.lan.ci.a) *s.f.* BOT **1** planta de caule rasteiro que produz fruto grande de casca verde, polpa vermelha e muitas sementes **2** esse fruto

melancolia (me.lan.co.li.a) *s.f.* estado de profunda tristeza; depressão ↺ euforia

melancólico (me.lan.có.li.co) *adj.* **1** que, por temperamento, é dado à melancolia, à tristeza; triste, sombrio **2** que exprime ou provoca melancolia *<música m.>*

melanésio (me.la.né.sio) *adj.* **1** da Melanésia (Oceania) ■ *s.m.* **2** natural ou habitante desse arquipélago **3** LING grupo de línguas e dialetos falados nessa região

melanina (me.la.ni.na) *s.f.* BIOQ cada uma das diversas proteínas de cor marrom ou preta, encontrada como pigmento em vegetais e animais ☞ cf. *melamina*

melanoma (me.la.no.ma) *s.m.* MED tumor de pele caracterizado por pigmentação escura

melão (me.lão) [pl.: *-ões*] *s.m.* BOT **1** meloeiro **2** fruto do meloeiro, de casca dura, de cor verde ou amarela, com polpa suculenta e comestível

melar (me.lar) *v.* {mod. 1} *t.d.* **1** adoçar ou cobrir com mel ou muito açúcar □ *t.d. e pron.* **2** sujar(-se) com mel ou substância melosa; lambuzar(-se) *<o sorvete escorria melando-lhe a mão> <a criançada comia e se melava>* □ *int.* **3** produzir mel (a colmeia) □ *t.d. e int. fig. B infrm.* **4** (fazer) não ter êxito; falhar *<a chuva melou nosso programa> <se o seu plano melou, a culpa não foi de ninguém>*

melé (me.lé) *s.m. infrm.* **1** *MA CE AL* curinga (carta de baralho) **2** *B* cachaça

meleca (me.le.ca) *s.f. B infrm.* **1** secreção nasal úmida ou seca **2** *fig.* coisa de má qualidade; porcaria *<o filme foi uma m.>*

[1]**melena** (me.le.na) *s.f.* **1** parte da crina que cai sobre a testa do cavalo **2** *p.ext.* mecha de cabelo **3** *p.ext.* cabeleira longa ◉ ORIGEM do esp. *melena* 'cabeleira que cai sobre os olhos'

[2]**melena** (me.le.na) *s.f.* MED presença de sangue enegrecido nas fezes, causada por hemorragia do estômago ou do intestino ◉ ORIGEM do gr. *mélaina,ainēs* 'negro'

melhor (me.lhor) *adj.2g.* **1** que é superior (em qualidade, caráter, valor etc.) ao que lhe é comparado *<uma pessoa m. que a outra>* ↺ pior ■ *s.m.* **2** o que é superior a tudo ou todos *<nem sempre os m. vencem>* **3** o que é mais sensato *<o m. é pararmos agora>* ■ *s.f.* **4** vantagem, prêmio, vitória ■ *adv.* **5** de modo mais perfeito, mais satisfatório *<comer m.>* **6** de forma mais agradável, mais confortável *<vivem m. agora>* ↺ pior **7** com mais saúde *<está m. hoje>* ↺ pior ◉ GRAM/USO como adj., comp.super. de *bom*; como adv., comp.super. de *bem*; plural do adj. e subst., *melhores* ▣ **ir desta para a m.** *fig. infrm.* morrer • **levar a m.** vencer, dominar • **no m. da festa** *infrm.* quando menos se esperava; no melhor momento *<no m. da festa, a luz apagou>*

melhora (me.lho.ra) *s.f.* **1** recuperação de mal físico; melhoria ↺ piora **2** condição mais vantajosa, mais satisfatória **3** benfeitoria, melhoramento *<houve m. visíveis no bairro>*

melhoramento (me.lho.ra.men.to) *s.m.* **1** benfeitoria; melhoria **2** progresso, desenvolvimento; melhoria

melhorar (me.lho.rar) *v.* {mod. 1} *t.d.,t.i. e int.* **1** (prep. *de, em*) mudar para estado, situação ou condição melhor *<m. um lugar> <m. de sorte> <m. na vida> <com o novo administrador, a empresa melhorou>* ↺ piorar □ *t.d. e int.* **2** (fazer) adquirir melhor estado de saúde *<a nova medicação melhorou muito sua saúde> <depois que cresceu, sua asma melhorou>*

melhoria (me.lho.ri.a) *s.f.* **1** melhora ('recuperação', 'condição') **2** melhoramento

meliante (me.li.an.te) *s.2g.* malandro, vadio

melífero (me.lí.fe.ro) *adj.* **1** que produz mel *<abelha m.>* **2** próprio de mel, que tem características de mel

melificar (me.li.fi.car) *v.* {mod. 1} *int.* **1** fabricar mel □ *t.d.* **2** adoçar com mel *<m. o chá>* **3** *fig.* deixar doce como mel ~ **melificação** *s.f.*

melífluo (me.lí.fluo) *adj.* **1** que flui como mel **2** que tem a doçura do mel *<fruta m.>* ↺ amargo **3** *fig.* que causa uma impressão agradável; harmonioso *<voz m.> <maneiras m.>* ↺ desagradável **4** *fig. pej.* que revela doçura hipócrita

melindrar (me.lin.drar) *v.* {mod. 1} *t.d. e pron.* deixar ou sentir-se ferido no amor-próprio, ofendido; magoar(-se) *<não pretendia melindrá-lo> <uma pessoa que facilmente se melindra>*

melindre (me.lin.dre) *s.m.* **1** pudor, escrúpulo **2** facilidade para se ofender *<m. de criança mimada>* **3** civilidade, cortesia *<elogiaram seus m. e sua educação>*

melindrosa (me.lin.dro.sa) *s.f.* **1** nos anos de 1920, mulher chique, vestida no rigor da moda **2** VEST o traje característico dessas mulheres, de cintura baixa e longas franjas, hoje us. como fantasia de carnaval

melindroso (me.lin.dro.so) /ô/ [pl. e fem.: /ó/] *adj.* **1** que provoca ou em que há certa dificuldade; embaraçoso, complicado *<operação m.>* **2** que envolve risco; arriscado, perigoso *<cirurgia m.>* **3** cheio de suscetibilidade; escrupuloso *<ter um espírito m.>* ■ *adj.s.m.* **4** que(m) se ofende ou choca com facilidade **5** (indivíduo) de atitudes afetadas

melodia (me.lo.di.a) *s.f.* **1** sequência de notas que formam uma frase musical **2** música ou canção *<aprendeu duas novas m.>* ~ **melódico** *adj.*

melodioso (me.lo.di.o.so) /ô/ [pl. e fem.: /ó/] *adj.* que produz sons doces, suaves, agradáveis aos ouvidos; harmonioso *<canto m.>*

melodrama (me.lo.dra.ma) *s.m.* **1** TEAT obra dramática com acompanhamento musical **2** TV drama popular caracterizado por sentimentos exagerados ~ **melodramático** *adj.* - **melodramatizar** *v.t.d.*

meloeiro (me.lo.ei.ro) *s.m.* BOT planta rasteira que produz o melão

melômano (me.lô.ma.no) *adj.s.m.* que(m) sente atração exagerada por música ~ **melomania** *s.f.* - **melomaníaco** *adj.s.m.*

melopeia (me.lo.pei.a) /éi/ *s.f.* **1** cantiga de melodia simples e monótona **2** a música de certas obras para declamação

meloso (me.lo.so) /ô/ [pl. e fem.: /ó/] *adj.* **1** que tem aspecto ou sabor de mel *<calda m.>* **2** *fig.* sentimental demais *<filme m.>*

melro (mel.ro) [fem.: *melra* e *mélroa*] *s.m.* ZOO ave canora, com até 25,5 cm de comprimento e plumagem negra brilhante, com penas estreitas e pontudas na cabeça; chupim, graúna ◉ VOZ v. e subst.: assobiar, cantar, chilrear, gorjear, trinar; subst.: assobio, canto, trilo, trinado

mélroa (mél.roa) *s.f.* ZOO fêmea do melro

membrana (mem.bra.na) *s.f.* **1** ANAT camada fina de tecido que reveste órgão, cavidade etc. **2** pele curtida dos animais; couro

membranoso (mem.bra.no.so) /ô/ [pl. e fem.: /ó/] *adj.* que possui ou apresenta membrana

membro (mem.bro) *s.m.* **1** ANAT cada um dos quatro apêndices do tronco do homem e de outros animais, us. para andar, pegar etc. **2** participante de grupo, organização etc. *<m. de uma comissão>*

memento (me.men.to) *s.m.* **1** marca ou nota para trazer algo à lembrança **2** caderneta us. para anotar o que se deseja lembrar

memorando (me.mo.ran.do) *s.m.* nota ou comunicação breve por escrito

memorar (me.mo.rar) *v.* {mod. 1} *t.d.* **1** trazer à ou conservar na memória; recordar ↺ esquecer **2** fazer festa em honra de (fato, pessoa etc.); comemorar

memorável (me.mo.rá.vel) [pl.: *-eis*] *adj.2g.* **1** que não pode ou não deve ser esquecido *<evento m.>* **2** célebre ↺ desconhecido

memória (me.mó.ria) *s.f.* **1** capacidade de lembrar *<perder a m.>* **2** recordação de algo passado *<tenho boas m. daqueles tempos>* **3** INF dispositivo que pode receber, conservar e restituir dados ▼ ***memórias*** *s.f.pl.* **4** relato escrito que alguém faz de acontecimentos históricos vividos por si mesmo ou sobre sua própria vida; memorial ▣ **m. permanente** INF ver ***ROM*** • **m. volátil** INF ver ***RAM***

memorial (me.mo.ri.al) [pl.: *-ais*] *s.m.* **1** relato de memórias **2** relato de fatos profissionais marcantes **3** ARQ monumento comemorativo *<ergueram um m. ao ex-presidente>*

M

memorialista (me.mo.ri.a.lis.ta) *adj.2g.s.2g.* **1** que(m) escreve memórias ■ *adj.2g.* **2** que tem caráter de memória *<escritos m.>*

memorizar (me.mo.ri.zar) *v.* {mod. 1} *t.d.* **1** trazer à mente; lembrar, recordar ↺ esquecer **2** fixar na memória; decorar ↺ esquecer ~ **memorização** *s.f.*

menarca (me.nar.ca) *s.f.* BIO MED primeiro fluxo menstrual de uma mulher

menção (men.ção) [pl.: *-ões*] *s.f.* **1** citação, referência *<na crítica, houve apenas duas m. ao diretor do filme>* **2** gesto que mostra intenção de realizar algo

menchevique (men.che.vi.que) *adj.2g.s.2g.* HIST POL menchevista

menchevista (men.che.vis.ta) *adj.2g.s.2g.* HIST POL (membro) da antiga ala direita do Partido Comunista russo ☞ cf. *bolchevista*

mencionar (men.cio.nar) *v.* {mod. 1} *t.d.* **1** fazer alusão, referência a; citar *<o diretor mencionou os nomes de todos os alunos>* □ *t.d. e t.d.i.* **2** (prep. *a*) dar a conhecer por escrito ou oralmente; dizer, relatar *<mencionei (a ele) o meu desagrado>*

mendaz (men.daz) [pl.: *-es*] *adj.2g.* **1** mentiroso, hipócrita ↺ franco **2** traiçoeiro, desleal ↺ fiel ~ **mendacidade** *s.f.*

mendelévio (men.de.lé.vio) *s.m.* QUÍM elemento químico radioativo artificial [símb: *Md*] ☞ cf. *tabela periódica* (no fim do dicionário)

mendicância (men.di.cân.cia) *s.f.* **1** condição de quem mendiga **2** ato de mendigar ou seu efeito **3** grupo de mendigos ~ **mendicante** *adj.2g.s.2g.*

mendigar (men.di.gar) *v.* {mod. 1} *t.d.,t.i. e int.* **1** (prep. *a, de*) pedir (como) esmola, por caridade *<m. dinheiro (dos passantes)> <viu-se obrigado a m.>* □ *t.d. e t.d.i. p.ext.* **2** (prep. *a*) solicitar com insistência, humildemente; implorar *<m. atenção> <m. votos aos eleitores>*

mendigo (men.di.go) *s.m.* aquele que sobrevive de esmolas ◉ COL mendicância

menear (me.ne.ar) *v.* {mod. 5} *t.d. e pron.* **1** mover (-se) de um lado para outro; balançar(-se) *<o vento meneava as cortinas> <as folhas meneavam-se>* **2** balançar(-se) [o corpo ou partes dele]; rebolar(-se) *<m. os braços, os quadris> <as cabeças meneavam-se em sinal de concordância>* □ *t.d.* **3** controlar, mover com as mãos; manejar *<meneava muito bem a espada>*

meneio (me.nei.o) *s.m.* **1** movimento oscilatório **2** movimento do corpo ou de alguma parte dele *<m. graciosos de quadril>*

menestrel (me.nes.trel) [pl.: *-éis*] *s.m.* LIT MÚS na Idade Média, músico e declamador de poemas

menina (me.ni.na) *s.f.* criança ou adolescente do sexo feminino; garota *<ela teve uma m.> <colégio de meninas>*

meninada (me.ni.na.da) *s.f.* criançada

menina do olho (me.ni.na do o.lho) [pl.: *meninas do olho*] *s.f. infrm.* pupila ('orifício') ☞ cf. *menina dos olhos*

menina dos olhos (me.ni.na dos o.lhos) [pl.: *meninas dos olhos*] *s.f. infrm.* pessoa ou coisa esp. querida, estimada *<a biblioteca era sua menina dos olhos>* ☞ cf. *menina do olho*

menina-moça (me.ni.na-mo.ça) [pl.: *meninas-moças*] *s.f.* menina no início da adolescência

meninge (me.nin.ge) *s.f.* ANAT cada uma das membranas que envolvem o encéfalo e a medula espinhal ~ **meníngeo** *adj.*

meningite (me.nin.gi.te) *s.f.* MED inflamação das meninges

meningococo (me.nin.go.co.co) *s.m.* BIO bactéria que causa meningite ~ **meningocócico** *adj.*

meninice (me.ni.ni.ce) *s.f.* infância

menino (me.ni.no) *s.m.* criança do sexo masculino; garoto

menir (me.nir) [pl.: *-es*] *s.m.* monumento de pedra bruta alongada e fixada em posição vertical ao solo

menisco (me.nis.co) *s.m.* ANAT cartilagem fibrosa, em forma de meia-lua, presente entre os ossos de algumas articulações

menopausa (me.no.pau.sa) *s.f.* BIO MED interrupção progressiva dos ciclos menstruais da mulher

menor (me.nor) [pl.: *-es*] *adj.2g.* **1** que é inferior a outro em número, grandeza, intensidade, duração, importância, na avaliação de méritos e qualidades etc. *<tamanho m.> <um mal m.> <uma área de m. população>* ↺ maior ■ *adj.2g.s.2g.* **2** que(m) ainda não chegou à maioridade *<filme proibido para menores>* ↺ maior ◉ GRAM/USO comp.super. de *pequeno*; comp.inf. de *grande*

menorá (me.no.rá) *s.f.* candelabro de sete braços us. em cultos judaicos

menoridade (me.no.ri.da.de) *s.f.* período de vida em que o indivíduo ainda não atingiu a maioridade legal; minoridade ↺ maioridade

menorragia (me.nor.ra.gi.a) *s.f.* MED grande aumento da quantidade do fluxo menstrual

menorreia (me.nor.rei.a) /éi/ *s.f.* BIO MED o fluxo normal da menstruação

menos (me.nos) *pron.ind.* **1** expressa número, quantidade inferior de alguma coisa *<pedimos mais legumes e m. carne>* ■ *adv.* **2** em quantidade ou intensidade menor *<quanto mais pensa, m. age>* ↺ mais ■ *s.m.* **3** o mínimo *<isso é m. do que ele poderia dizer sobre o assunto>* **4** MAT o sinal negativo (–) ■ *prep.* **5** exceto *<todos comeram, m. os que chegaram tarde>* ↺ inclusive ▣ **a m.** em quantidade menor *<ganhei duas balas a m.>* • **a m. que** a não ser que *<a m. que chova, sairemos>* • **ao m.** no mínimo; pelo menos *<compre ao m. duas dúzias de ovos>* • **pelo m.** ao menos

menoscabar (me.nos.ca.bar) *v.* {mod. 1} *t.d.* **1** deixar incompleto ou imperfeito □ *t.d. e pron. fig.* **2** diminuir a importância, o valor, as qualidades de (alguém, algo ou si mesmo); depreciar(-se) *<m. o talento de um poeta> <menoscaba-se por ser tão fraco>* ↺ valorizar(-se) **3** (fazer) perder o bom nome, a honra etc.; infamar(-se) *<m. um governo> <difícil de acreditar que ela se menoscabasse por tão pouco>* ↺ dignificar(-se)

menoscabo (me.nos.ca.bo) *s.m.* **1** diminuição da importância, do valor, da qualidade; desdém, desprezo, menosprezo **2** rebaixamento moral; aviltamento, descrédito ↺ elogio, louvor

menosprezar (me.nos.pre.zar) *v.* {mod. 1} *t.d. e pron.* **1** diminuir o valor, a qualidade de (alguém, algo ou si mesmo); depreciar(-se) *<m. a capacidade de alguém>* *<menosprezou-se ao perceber o fracasso>* ↺ valorizar(-se) **2** considerar(-se) como sem interesse, sem valor ou indigno de estima; desdenhar(-se) *<m. a orientação dos pais>* *<menospreza-se por ser tão fraco>* ↺ valorizar(-se)

menosprezo (me.nos.pre.zo) /ê/ *s.m.* **1** falta de estima, apreço ou consideração; desdém, desconsideração *<tratou-a com imenso m.>* **2** desvalorização da qualidade, da importância; depreciação **3** sentimento de repulsa; desprezo ↺ consideração

mensageiro (men.sa.gei.ro) *adj.s.m.* **1** (o) que leva e traz mensagens **2** (o) que anuncia ou pressagia *<o céu foi coberto por nuvens m. de tempestades>* *<era um m. de esperança para aquele sofrido povo>* ■ *s.m.* **3** indivíduo que leva encomendas, mensagens etc.; portador

mensagem (men.sa.gem) [pl.: *-ens*] *s.f.* **1** comunicação breve que transmite uma informação a alguém **2** comunicado de uma autoridade *<m. do presidente ao Congresso>* **3** pensamento, valores, ideais transmitidos por pessoa, instituição, doutrina, textos, obras de arte etc. *<m. do cristianismo>* *<m. de Gandhi>* *<que mensagens o filme transmite?>*

mensal (men.sal) [pl.: *-ais*] *adj.2g.* **1** que ocorre a cada mês *<publicação m.>* **2** que se faz uma vez por mês *<encontro m.>*

mensalidade (men.sa.li.da.de) *s.f.* importância paga ou recebida uma vez por mês

mensalista (men.sa.lis.ta) *adj.2g.s.2g.* que(m) recebe remuneração mensal

mensário (men.sá.rio) *s.m.* publicação periódica mensal

menstruação (mens.tru.a.ção) [pl.: *-ões*] *s.f.* BIO MED fluxo de sangue e restos da mucosa do útero eliminados através da vagina pelas mulheres, a partir da adolescência até a menopausa, se não estiverem grávidas; mênstruo

menstrual (mens.tru.al) [pl.: *-ais*] *adj.* relativo a menstruação *<cólica m.>*

menstruar (mens.tru.ar) *v.* {mod. 1} *int.* **1** expelir o fluxo menstrual pela primeira vez *<a menina menstruou aos 12 anos>* **2** ter o fluxo menstrual *<ela menstrua a cada 28 dias>*

mênstruo (mêns.truo) *s.m.* BIO MED menstruação

mensurar (men.su.rar) *v.* {mod. 1} *t.d.* **1** determinar as dimensões de; medir *<m. um terreno>* **2** ter por medida (certa extensão, altura etc.); medir *<a estátua mensura três metros>* **3** dar ritmo a; compassar *<mensurou o passo para acompanhá-lo>* **~ mensuração** *s.f.* - **mensurável** *adj.2g.*

menta (men.ta) *s.f.* BOT hortelã ('erva aromática')

mental (men.tal) [pl.: *-ais*] *adj.2g.* próprio da mente **~ mentalmente** *adv.*

mentalidade (men.ta.li.da.de) *s.f.* **1** o que caracteriza os processos e as atividades da mente **2** conjunto de crenças, maneiras de pensar etc. próprias de um indivíduo ou um grupo

-mente *suf.* 'maneira, modo': *completamente, rapidamente*

M

mente (men.te) *s.f.* **1** sistema que reúne os processos de aquisição de conhecimento do ser humano; inteligência, intelectualidade **2** memória, lembrança *<fatos que ficam na m.>* ▣ **ter em m.** ter como objetivo *<tinha em m. fazer uma grande festa>*

mentecapto (men.te.cap.to) *adj.s.m.* **1** louco, alienado **2** que(m) não tem inteligência; tolo, idiota

mentir (men.tir) *v.* {mod. 28} *t.d.,t.d.i.,t.i. e int.* **1** (prep. *a, para*) afirmar a (alguém) ser verdadeiro (o que se sabe ser falso) *<m. a idade>* *<m. ao pai>* *<tem por hábito m.>* □ *t.i. e int.* **2** (prep. *a*) dissimular a verdade (a), induzindo ao erro; enganar, iludir *<o espelho lhe mentia>* *<seu coração mentia>*

mentira (men.ti.ra) *s.f.* **1** afirmação de algo não verdadeiro para enganar ou iludir alguém *<sua história estava cheia de mentiras>* ↺ verdade **2** o que tem aparência de real; ilusão *<a felicidade é uma m.>* ↺ realidade **3** *B infrm.* pequena mancha branca nas unhas

mentiroso (men.ti.ro.so) /ô/ [pl. e fem.: /ó/] *adj.s.m.* **1** que(m) conta mentiras ■ *adj.* **2** baseado em mentiras; falso *<acusação m.>* ↺ honesta **3** que dá falsa ideia da realidade; fingido *<história m.>* ↺ franco

-mento *suf.* 'ação ou resultado da ação': *desenvolvimento, orçamento, revestimento*

mentol (men.tol) *s.m.* QUÍM substância presente na essência de hortelã us. em licores, cigarros, pastilhas contra tosse etc.

mentolado (men.to.la.do) *adj.* preparado com mentol

mentor (men.tor) /ô/ [pl.: *-es*] *s.m.* pessoa que atua como conselheiro intelectual

menu (me.nu) *s.m.* **1** cardápio **2** *p.ext.* conjunto de elementos que compõem um todo; rol, lista **3** INF lista de opções ou entradas postas à disposição do usuário de um computador

mequetrefe (me.que.tre.fe) *s.m. infrm.* **1** indivíduo que se intromete em assuntos alheios **2** indivíduo mau-caráter; patife **3** indivíduo insignificante, sem importância

mercadejar (mer.ca.de.jar) *v.* {mod. 1} *t.d.,t.d.i.,t.i. e int.* (prep. *com*) fazer transações comerciais [de certo produto, bem] (com fornecedores, clientes etc.); negociar, comerciar *<mercadeja vinhos (com os mercados locais)>* *<mercadejava com grandes supermercados>* *<passou a vida a m.>*

mercado (mer.ca.do) *s.m.* **1** lugar público onde se comercializam produtos, esp. alimentos **2** ECON relação estabelecida entre a oferta e a procura de mercadorias *<economia de m.>* *<preço de m.>* **3** ECON área geográfica ou porção da sociedade que consome determinado produto ou serviço *<o m. da lã>* *<o m. do ouro>* ▣ **m. de capitais** ECON conjunto de instituições financeiras e bolsas de valores que negociam ações, títulos, fundos etc. • **m. de trabalho** nível de oferta e procura de emprego em determinada região, país etc. • **m. negro** venda clandestina de produtos • **m. paralelo** ECON mercado cujas operações com títulos e moeda não são regulamentadas, nem fiscalizadas pelo governo ou instituições financeiras oficiais

mercador (mer.ca.dor) /ô/ [pl.: *-es*] *adj.s.m.* que(m) compra para revender; negociante

mercadoria (mer.ca.do.ri.a) *s.f.* qualquer produto que possa ser comercializado

mercante (mer.can.te) *adj.2g.* relativo a comércio

mercantil (mer.can.til) [pl.: *-is*] *adj.2g.* **1** relativo a comércio de mercadorias **2** que se dedica ao comércio **~ mercantilidade** *s.f.* **- mercantilizar** *v.t.d.,t.i.,int. e pron.*

mercantilismo (mer.can.ti.lis.mo) *s.m.* **1** predomínio do interesse comercial, do lucro **2** ECON prática econômica, vigente nos s.XVI e XVII, em que a riqueza dos Estados baseava-se no acúmulo de metais preciosos **~ mercantilista** *adj.2g.s.2g.*

mercar (mer.car) *v.* {mod. 1} *t.d.* **1** comprar (algo) para vender; comerciar **2** *B* apregoar (gêneros, mercadorias) para vender □ *t.d. e t.d.i.* **3** (prep. *de*) adquirir pagando em dinheiro; comprar *<gostaria de economizar, mas acabo sempre mercando umas bugigangas> <mercou do feirante apenas algumas frutas>*

mercê (mer.cê) *s.f.* benefício que alguém concede a outro ▣ **à m. de 1** na total dependência de *<estar à m. da vontade do rei>* **2** ao capricho de *<o balão voa à m. do vento>* • **vossa m.** forma de tratamento dada a pessoas que não tinham senhoria e às quais não se tratava por tu; vosmecê, vossemecê

mercearia (mer.ce.a.ri.a) *s.f.* **1** armazém ('estabelecimento comercial') **2** o que é vendido nesse armazém

merceeiro (mer.ce.ei.ro) *s.m.* proprietário de mercearia

mercenário (mer.ce.ná.rio) *adj.s.m.* **1** (aquele) que trabalha em troca de um preço ajustado **2** que(m) age por interesse financeiro ou vantagem material

merceologia (mer.ce.o.lo.gi.a) *s.f.* ciência comercial que trata das leis de compra e venda

Mercosul (Mer.co.sul) *s.m.* ECON POL sigla de Mercado Comum do Sul, organização internacional criada em 1991, constituída por Argentina, Brasil, Paraguai e Uruguai visando políticas de integração econômica e comercial entre esses países, e tendo como associados Chile, Bolívia, Colômbia, Equador, Peru e Venezuela ☞ inicial maiúsc.

mercúrio (mer.cú.rio) *s.m.* **1** QUÍM elemento químico us. em termômetros, lâmpadas fluorescentes, na separação do ouro de areias auríferas etc. [símb.: *Hg*] ☞ cf. *tabela periódica* (no fim do dicionário) **2** ASTR nome do planeta mais próximo do Sol ☞ inicial maiúsc.; cf. *Mercúrio* na parte enciclopédica

mercuriocromo (mer.cu.rio.cro.mo) ou **mercurocromo** (mer.cu.ro.cro.mo) *s.m.* FARM antisséptico local e bactericida de cor vermelha

merda (mer.da) *s.f. gros.* **1** cocô, fezes ■ *s.2g. gros. pej.* **2** coisa sem valor; porcaria **3** pessoa desprezível ■ *interj. gros.* **4** exprime raiva, desprezo, impaciência, irritação, decepção, indignação, desespero

merecer (me.re.cer) *v.* {mod. 8} *t.d.* **1** estar, por suas qualidades ou conduta, no direito de obter (algo bom, vantajoso) ou sujeito a passar por (algo desfavorável) *<m. elogios, críticas, castigo>* **2** ter condições desejadas ou necessárias para *<a carta não merece resposta> <sua fala não merece crédito>* **~ merecedor** *adj.s.m.*

merecido (me.re.ci.do) *adj.* **1** que se mereceu, a que se fez jus *<deram-lhe a m. recompensa> <teve o castigo m.>* ■ *s.m.* **2** o que se mereceu; retribuição, paga *<bem feito, teve o m.!>*

merecimento (me.re.ci.men.to) *s.m.* **1** aquilo que torna alguém ou algo digno de receber prêmio ou castigo **2** aquilo que há de bom, vantajoso, admirável ou recomendável em alguém ou algo *<o livro tem algum m.>* **3** caráter, qualidade de quem, pelo valor, dotes morais e/ou intelectuais, é digno de reconhecimento; capacidade, talento *<conquistou o cargo por puro m.>*

merenda (me.ren.da) *s.f.* **1** refeição ligeira entre o almoço e o jantar; lanche **2** lanche escolar **~ merendar** *v.t.d. e int.*

merendeira (me.ren.dei.ra) *s.f.* **1** lancheira **2** *B* funcionária de escola que prepara e/ou serve merendas

[1]merengue (me.ren.gue) *s.m.* CUL creme de claras de ovos batidas com açúcar ◉ ORIGEM do castelhano *merengue* 'id.'

[2]merengue (me.ren.gue) *s.m.* DNÇ MÚS certa dança e sua música originárias da República Dominicana ◉ ORIGEM do hispano-americano *merengue* 'id.'

meretrício (me.re.trí.cio) *s.m.* **1** atividade de meretriz **2** conjunto de meretrizes

meretriz (me.re.triz) [pl.: *-es*] *s.f.* prostituta ◉ COL meretrício

mergulhador (mer.gu.lha.dor) /ô/ [pl.: *-es*] *adj.s.m.* que(m), munido ou não de equipamento especial, mergulha para pescar, praticar pesca submarina, trabalhar embaixo da água etc.

mergulhão (mer.gu.lhão) [pl.: *-ões*] *s.m.* ZOO nome comum a diversas aves que mergulham para se alimentar

mergulhar (mer.gu.lhar) *v.* {mod. 1} *t.d.i.* **1** (prep. *em*) fazer entrar parcial ou totalmente num líquido; imergir, afundar *<m. a blusa na tintura>* ↺ emergir **2** *p.ext.* (prep. *em*) fazer penetrar em lugar; enfiar *<m. a mão no bolso>* □ *int. e pron.* **3** afundar-se inteiramente na água *<as ondas levantaram-no mais uma vez, e ele mergulhou> <os golfinhos vinham à tona e mergulhavam(-se), todos ao mesmo tempo>* □ *int.* **4** praticar atividade submarina (p.ex., pesca, pesquisa) □ *t.i.* **5** (prep. *em, sobre*) cair, descer de forma rápida e não prevista *<o avião mergulhou sobre a terra>* **6** *fig.* (prep. *em*) entregar-se inteiramente a (atividade, tarefa) *<m. no trabalho>* **7** *fig.* (prep. *em*) render-se, entregar-se *<m. no vício>*

mergulho (mer.gu.lho) *s.m.* ato ou efeito de mergulhar(-se)

meridiano (me.ri.di.a.no) *s.m.* **1** ASTR no globo terrestre, linha imaginária que une pontos do eixo norte-sul **2** MED em acupuntura, cada uma das linhas que ligam os diferentes pontos anatômicos ■ *adj.* **3** relativo ao meio-dia ▣ **m. de Greenwich** ASTR aquele cuja longitude é, por convenção, igual a zero, a partir do qual são avaliados todos os outros; meridiano-origem

meridiano-origem (me.ri.di.a.no-o.ri.gem) [pl.: *meridianos-origens* e *meridianos-origem*] *s.m.* meridiano de Greenwich

meridional (me.ri.dio.nal) [pl.: *-ais*] *adj.2g.* situado no ou voltado para o sul *<hemisfério m.>* ↺ setentrional

merino (me.ri.no) ou **merinó** (me.ri.nó) *s.m.* **1** ZOO raça de carneiro originária da Espanha **2** carneiro dessa raça ou a lã por ele fornecida **3** tecido feito dessa lã *<um casaco de m.>*

M

meritíssimo (me.ri.tís.si.mo) *adj.* de grande mérito; digníssimo ◉ GRAM/USO com inicial maiúsc., quando for empregado como tratamento dispensado a juízes em geral e auditores da Justiça Militar [abrev.: *MM.*]

mérito (mé.ri.to) *s.m.* **1** qualidade de algo ou alguém que merece apreço, respeito, admiração **2** DIR num processo, a questão central que orienta uma decisão judicial ou administrativa

meritório (me.ri.tó.rio) *adj.* em que há mérito ↺ indigno

merluza (mer.lu.za) *s.f.* ZOO nome comum a vários peixes marinhos de corpo alongado e achatado, cuja carne é apreciada na culinária

mero (me.ro) *adj.* **1** sem mistura; puro *<m. raciocínio matemático>* **2** que não tem atributos especiais; simples *<um m. soldado>*

merreca (mer.re.ca) *s.f. infrm.* quantia, valor ou quantidade muito pequena *<ela trabalha muito mas ganha uma m.>*

meruim (me.ru.im) [pl.: *-ins*] *s.m.* → ***MARUIM***

mês [pl.: *meses*] *s.m.* **1** cada uma das 12 divisões do ano **2** período de 30 dias seguidos *<partirão daqui a um m.>*

mesa (me.sa) /ê/ *s.f.* **1** móvel de superfície plana apoiada em um ou mais pés, us. para se comer, escrever, jogar etc. **2** conjunto de objetos us. no serviço de uma refeição *<pôr, tirar a m.>* **3** grupo que dirige uma assembleia, uma reunião etc. *<a m. era formada por dois diretores e um supervisor>* **4** em certos jogos de azar, o conjunto de apostas de cada rodada ▣ **virar a m.** *B infrm.* mudar as regras de algo a seu favor

mesada (me.sa.da) *s.f.* quantia que se dá ou recebe a cada mês

mesa de cabeceira (me.sa de ca.be.cei.ra) [pl.: *mesas de cabeceira*] *s.f.* mesinha colocada junto à cabeceira da cama; criado-mudo

mesa-redonda (me.sa-re.don.da) [pl.: *mesas-redondas*] *s.f.* conferência em que todos os participantes têm igual importância

mesário (me.sá.rio) *s.m. B* membro de uma seção eleitoral

mesa-tenista (me.sa-te.nis.ta) [pl.: *mesa-tenistas*] *adj.2g.s.2g.* ESP jogador de tênis de mesa

mescla (mes.cla) *s.f.* resultado de uma mistura ou combinação de vários elementos *<m. de várias raças>* *<m. de azul com amarelo>*

mesclar (mes.clar) *v.* {mod. 1} *t.d.,t.d.i. e pron.* **1** (prep. *a, com, de, em*) [fazer] sofrer combinação, fusão; misturar(-se) *<o grande império mesclou povos e culturas vizinhas>* *<mesclou o estilo clássico com o moderno na decoração da casa>* *<mesclaram-se nela sentimentos diversos>* ↺ separar(-se) □ *t.d.i.* **2** (prep. *a, de*) integrar (um ou mais elementos) [a outro(s)]; incorporar, unir *<mesclou o texto de citações>* ~ **mesclado** *adj.*

mesencéfalo (me.sen.cé.fa.lo) *s.m.* ANAT parte do cérebro derivada da porção medial das três vesículas cerebrais primárias do embrião dos vertebrados

meseta (me.se.ta) /ê/ *s.f.* GEO planalto limitado por escarpas

mesmice (mes.mi.ce) *s.f.* monotonia, pasmaceira

mesmo (mes.mo) /ê/ *adj.* **1** idêntico, igual *<fez o m. pedido que eu>* ↺ diferente **2** em pessoa *<ela m. afirmou isso>* **3** dito, mencionado *<chegou em abril e no m. mês viajou novamente>* ■ *s.m.* **4** a mesma coisa *<nos dias seguintes, sucedeu o m.>* ↺ contrário ■ *adv.* **5** com precisão, exatamente *<saiu agora m.>* **6** inclusive, também *<m. os amigos o abandonaram>* **7** de fato, realmente *<foi m. um mau negócio>* ▣ **m. que** ainda que, embora *<m. que chova, vamos sair>* • **dar no m.** ser igual

mesocarpo (me.so.car.po) *s.m.* **1** ANAT série inferior de ossos do esqueleto do pulso **2** BOT parte média do pericarpo dos frutos; polpa ☞ cf. *epicarpo, endocarpo*

mesóclise (me.só.cli.se) *s.f.* GRAM intercalação de pronome átono dentro do verbo, p.ex., *dir-lhe-ei* ☞ a mesóclise é raramente usada no português brasileiro atual; cf. *ênclise, próclise* ~ **mesoclítico** *adj.*

mesofalange (me.so.fa.lan.ge) *s.f.* ANAT denominação substituída por *falange medial*

mesolítico (me.so.lí.ti.co) *s.m.* GEOL **1** período da pré-história entre o Paleolítico e o Neolítico, caracterizado pela mudança de clima glacial para pós-glacial e substituição das estepes por prados e bosques, época em que teve início a economia produtiva ☞ inicial maiúsc. ■ *adj.* **2** relativo a esse período

mesologia (me.so.lo.gi.a) *s.f.* BIO ecologia ~ **mesológico** *adj.*

mesopotâmico (me.so.po.tâ.mi.co) *s.m.* **1** natural ou habitante da Mesopotâmia, região do atual Iraque, onde correm os rios Tigre e Eufrates ■ *adj.* **2** dessa região ~ **mesopotâmio** *adj.s.m.*

mesosfera (me.sos.fe.ra) *s.f.* **1** GEOL FÍS camada da atmosfera terrestre situada entre 32 km e 80 km acima da superfície da Terra, na qual a temperatura diminui à medida que a altitude aumenta **2** GEOL camada do interior da Terra entre a litosfera e o núcleo central ~ **mesosférico** *adj.*

mesoterapia (me.so.te.ra.pi.a) *s.f.* MED injeção de medicamentos em doses mínimas, o mais próximo possível do local da dor ou da doença ~ **mesoterápico** *adj.*

mesozoico (me.so.zoi.co) /ói/ *s.m.* **1** GEOL era geológica situada entre o Paleozoico e o Cenozoico, caracterizada pela preponderância de répteis, pelo aparecimento das aves e de algumas espécies de mamíferos ☞ inicial maiúsc. ■ *adj.* **2** dessa era

mesquinharia (mes.qui.nha.ri.a) *s.f.* **1** ato de pessoa sovina, mesquinha; avareza ↺ generosidade **2** aquilo que é insignificante, fútil *<importa-se com mesquinharias, esquecendo o necessário>* **3** caráter de quem tem estreiteza de espírito e de visão ↺ generosidade

mesquinho (mes.qui.nho) *adj.s.m.* **1** (o) que é apegado em excesso aos bens materiais ↺ generoso ■ *adj.* **2** desprezível, insignificante *<gesto m.>* ↺ farto **3** de pouco mérito; medíocre ↺ extraordinário ~ **mesquinhez** *s.f.* - **mesquinheza** *s.f.*

mesquita (mes.qui.ta) *s.f.* templo em que se reúnem os muçulmanos para exercer seu culto

messiânico (mes.si.â.ni.co) *adj.* **1** REL relativo ao Messias **2** relativo a qualquer movimento que pregue a salvação da humanidade por intermédio de um messias

messias (mes.si.as) *s.m.2n.* **1** REL para os judeus, aquele que virá para salvar o seu povo ☞ inicial maiúsc. **2** REL para os cristãos, Jesus Cristo ☞ inicial maiúsc. **3** *p.ext.* alguém esperado como libertador, salvador

mestiçagem (mes.ti.ça.gem) [pl.: *-ens*] *s.f.* **1** cruzamento entre pessoas com características (cor de pele, p.ex.) ou de grupos humanos diferentes; miscigenação *<a m. entre brancos e indígenas deu os nossos caboclos>* **2** cruzamento de raças diferentes de animais *<a m. de cães policiais com cães de caça>*

mestiçar (mes.ti.çar) *v.* {mod. 1} *t.d.,t.d.i. e pron.* **1** (prep. *com*) cruzar(-se) [um indivíduo] com [outro de raça diversa], procriando filhotes mestiços; miscigenar(-se) *<m. raças de cavalos> <m. uma raça de cão com outra> <essas duas raças de gatos mestiçaram-se>* □ *t.d.i. e pron.* **2** cruzar(-se) [um ser humano] com [outro tipologicamente diferente] *<m. negros com indígenas gerou os nossos cafuzos> <brancos e indígenas mestiçaram-se no Brasil, dando origem aos caboclos>*

mestiço (mes.ti.ço) *adj.s.m.* **1** (indivíduo) nascido de pais que têm características físicas hereditárias (cor da pele, formato da cabeça, tipo de cabelo etc.) diferentes **2** (animal) nascido de cruzamento de espécies diferentes *<carneiro m.>*

mestrado (mes.tra.do) *s.m.* **1** grau universitário obtido após a licenciatura ou o bacharelado **2** curso de pós-graduação que possibilita a obtenção desse grau *<faz m. em história>*

mestrando (mes.tran.do) *s.m.* aluno que cursa um mestrado ou que está para receber o grau de mestre

mestre (mes.tre) [fem.: *mestra*] *s.m.* **1** professor **2** quem é dotado de excepcional capacidade, saber ou talento *<um m. da música>* **3** quem concluiu o mestrado ■ *adj.* **4** que é o mais importante; principal *<viga mestra>* ↺ secundário **5** que serve de base, de guia *<desenho m. de uma obra>*

mestre-cuca (mes.tre-cu.ca) [pl.: *mestres-cucas*] *s.m. infrm.* cozinheiro hábil em seu ofício

mestre de armas (mes.tre de ar.mas) [pl.: *mestres de armas*] *s.m.* instrutor de esgrima

mestre de cerimônias (mes.tre de ce.ri.mô.nias) [pl.: *mestres de cerimônias*] *s.m.* pessoa encarregada de organizar recepções e receber os convidados

mestre de obras (mes.tre de o.bras) [pl.: *mestres de obras*] *s.m.* pessoa encarregada de orientar e fiscalizar os operários de uma obra

mestre-sala (mes.tre-sa.la) [pl.: *mestres-salas*] *s.m.* nas escolas de samba, o par da porta-bandeira

mestria (mes.tri.a) *s.f.* **1** profundo conhecimento sobre algo ↺ ignorância **2** facilidade e habilidade na execução de algo; perícia ↺ incompetência

mesura (me.su.ra) *s.f.* reverência

mesurar (me.su.rar) *v.* {mod. 1} *t.d.* **1** fazer mesuras a; cortejar □ *pron.* **2** (prep. *em*) agir com moderação; controlar-se *<m.-se nas despesas>*

meta- *pref.* **1** 'mudança': *metabolismo, metamorfose* **2** 'além de': *metafísica*

meta (me.ta) *s.f.* **1** objetivo, intento *<sua m. era cursar medicina>* **2** ESP gol ('espaço')

metabolismo (me.ta.bo.lis.mo) *s.m.* BIO num organismo vivo, conjunto das transformações pelas quais passam as substâncias que o constituem; fenômenos químicos que transformam matéria em energia ~ **metabólico** *adj.*

metabolizar (me.ta.bo.li.zar) *v.* {mod. 1} *t.d.* fazer o metabolismo de

metacarpo (me.ta.car.po) *s.m.* ANAT a parte da mão entre o carpo e os dedos ~ **metacarpiano** *adj.* - **metacárpico** *adj.*

metade (me.ta.de) *s.f.* **1** cada uma das duas partes iguais de um todo *<as duas m. da maçã> <a m. de 4 é 2>* **2** meio ('ponto equidistante') *<foi até a m. do caminho>*

metafalange (me.ta.fa.lan.ge) *s.f.* ANAT denominação substituída por *falange distal*

metafísica (me.ta.fí.si.ca) *s.f.* FIL parte da filosofia que trata da natureza fundamental da realidade e do ser

metafísico (me.ta.fí.si.co) *adj.s.m.* **1** especialista em ou relativo a metafísica ■ *adj.* **2** que transcende a natureza física das coisas

metáfora (me.tá.fo.ra) *s.f.* GRAM recurso estilístico que consiste na transposição do sentido objetivo de uma palavra a um outro figurado, através de uma comparação implícita (p.ex.: ele é um *leão*, para significar forte, corajoso etc.) ~ **metafórico** *adj.* - **metaforizar** *v.t.d. e int.*

metal (me.tal) [pl.: *-ais*] *s.m.* **1** QUÍM elemento químico bom condutor de calor e eletricidade **2** *fig.* timbre penetrante (de voz ou instrumento) ▼ ***metais*** *s.m.pl.* **3** MÚS conjunto dos instrumentos de sopro feitos de metal (p.ex., trompa, trompete, trombone, saxofone), utilizados em orquestras, bandas etc. *<os m. desta orquestra são incomparáveis> <o cantor de roque incluiu um naipe de m. na sua banda>* ▣ **m. alcalino** QUÍM metal de valência 1, elemento do grupo I da tabela periódica, que, combinado com oxigênio, produz álcali; alcalino ☞ cf. *tabela periódica* (no fim do dicionário) • **m. alcalinoterroso** QUÍM qualquer metal cujo óxido é um alcalinoterroso; alcalinoterroso • **m. nobre** aquele que se não oxida à temperatura comum • **vil m.** *fig.* dinheiro

metal-branco (me.tal-bran.co) [pl.: *metais-brancos*] *s.m.* [2]alpaca

metálico (me.tá.li.co) *adj.* **1** de metal *<caneca m.>* **2** que parece metal *<cor m.>* **3** cuja sonoridade lembra a do metal *<voz m.>*

metalizar (me.ta.li.zar) *v.* {mod. 1} *t.d.* **1** tornar puro (um metal) **2** transformar em metal **3** revestir de metal **4** dar o aspecto do metal ~ **metalização** *s.f.* - **metalizado** *adj.*

metalografia (me.ta.lo.gra.fi.a) *s.f.* **1** MINER estudo dos metais **2** estudo da estrutura e propriedades dos metais e de suas ligas ~ **metalográfico** *adj.*

metalomecânica (me.ta.lo.me.câ.ni.ca) *s.f.* ramo da metalurgia que se ocupa de materiais metálicos projetados para obter desempenho ótimo em serviço ~ **metalomecânico** *adj.s.m.*

metalurgia (me.ta.lur.gi.a) *s.f.* **1** técnica de extrair metais dos minerais **2** arte de purificar e trabalhar os metais

metalúrgica (me.ta.lúr.gi.ca) *s.f.* *B* oficina especializada em metalurgia

metalúrgico (me.ta.lúr.gi.co) *adj.* **1** relativo a metalurgia ■ *adj.s.m.* **2** (indivíduo) que trabalha em metalurgia

metamerização (me.ta.me.ri.za.ção) [pl.: *-ões*] *s.f.* ANAT ZOO divisão do corpo dos vermes e artrópodes em segmentos mais ou menos idênticos ~ **metamerizar** *v.t.d. e pron.*

metâmero (me.tâ.me.ro) *s.m.* ANAT ZOO cada um dos segmentos do corpo dos animais metamerizados

metamorfose (me.ta.mor.fo.se) *s.f.* **1** BIO mudança de forma, estrutura e hábitos que ocorre durante o ciclo de vida de certos animais, p.ex., a transformação da lagarta em borboleta **2** *fig.* mudança completa de uma pessoa ou coisa *<passou por uma inesperada m. após a viuvez>*

metamorfosear (me.ta.mor.fo.se.ar) *v.* {mod. 5} *t.d.,t.d.i. e pron.* (prep. *em*) mudar(-se), alterando a natureza, a forma, o caráter etc.; transformar(-se) *<o sucesso metamorfoseou a cantora>* *<m. cobre em ouro>* *<a lagarta se metamorfoseia em borboleta>* *<metamorfoseou-se depois de enriquecer>*

metano (me.ta.no) *s.m.* QUÍM hidrocarboneto incolor e inodoro, encontrado no gás natural, carvão etc., us. em petroquímica e como combustível

metanol (me.ta.nol) [pl.: *-óis*] *s.m.* QUÍM álcool líquido, inflamável, venenoso, us. como solvente, ou para retardar e impedir o congelamento nos automóveis, combustível de aviões etc.; álcool metílico

metástase (me.tás.ta.se) *s.f.* MED deslocamento de vírus, bactérias, parasitas e esp. células cancerosas de um órgão para outro

metatarso (me.ta.tar.so) *s.m.* ANAT osso longo do pé formado pelo conjunto de cinco ossos ~ **metatarsiano** *adj.* - **metatársico** *adj.*

metátese (me.tá.te.se) *s.f.* FON LING troca de posição de fonemas ou sílabas dentro de um vocábulo; p.ex.: *depedrar* por *depredar*

metazoário (me.ta.zo.á.rio) *s.m.* ZOO **1** animal pluricelular, que tem o corpo composto de células diferenciadas em tecidos e órgãos ■ *adj.* **2** relativo a esse tipo de animal

metediço (me.te.di.ço) *adj.* que se intromete onde não deve; intrometido ↺ discreto

metempsicose (me.temp.si.co.se) *s.f.* **1** REL reencarnação **2** FIL REL doutrina que a professa

meteórico (me.te.ó.ri.co) *adj.* **1** relativo a meteoro **2** *fig.* brilhante, mas de curta duração *<sucesso m.>*

meteorito (me.te.o.ri.to) *s.m.* ASTR fragmento de meteoro que atinge a atmosfera ou a superfície da Terra ~ **meteorístico** *adj.*

meteoro (me.te.o.ro) *s.m.* **1** qualquer fenômeno que ocorre na atmosfera terrestre, como o vento, o arco-íris etc. **2** rastro luminoso resultante do atrito de uma partícula de matéria com os gases da atmosfera terrestre; estrela cadente **3** *fig.* aparição brilhante e fugaz

meteorologia (me.te.o.ro.lo.gi.a) *s.f.* MET estudo dos fenômenos atmosféricos, cuja análise permite a previsão do tempo ~ **meteorológico** *adj.*

meteorologista (me.te.o.ro.lo.gis.ta) *adj.2g.s.2g.* especialista em meteorologia

meter (me.ter) *v.* {mod. 8} *t.d.i.* **1** (prep. *em*) fazer entrar; enfiar, introduzir *<m. o livro na pasta>* ↺ retirar **2** (prep. *em*) fazer constar de; incluir, inserir *<meteu-o na lista>* ↺ retirar **3** *fig.* (prep. *em*) fazer participar de; envolver *<m. o amigo em confusão>* ↺ excluir □ *t.d. e pron.* **4** pôr(-se) em lugar para ficar oculto; esconder(-se) *<não sei onde meteram as chaves>* *<o menino meteu-se no porão>* □ *t.d.i. e pron.* **5** (prep. *entre*) colocar(-se) entre; interpor(-se) *<meteu o quadro entre os móveis>* *<meteu-se entre os brigões>* **6** (prep. *em*) (fazer) ficar em algum lugar; internar; recolher(-se) *<m. o filho no quarto>* *<m.-se no banheiro>* □ *pron.* **7** (prep. *com*) unir-se a (indivíduo ou grupo) para certo fim; envolver-se *<meteram-se com um grupo de investidores estrangeiros>* **8** (prep. *com*) provocar, desafiar *<não se meta com o vizinho>* **9** (prep. *em*) tomar parte ou dar opinião em (assunto alheio); intrometer-se *<adora m.-se na vida dos outros>* □ *t.d. e t.d.i.* **10** (prep. *a, em*) fazer surgir (sentimentos, pensamentos) [em]; causar, inspirar *<era pobre de m. pena>* *<a solidão metia medo nos animais>* □ *t.i. e int.* **11** *gros.* (prep. *em*) praticar ato sexual

meticuloso (me.ti.cu.lo.so) /ô/ [pl. e fem.: /ó/] *adj.* **1** que tem escrúpulos **2** atento aos detalhes; minucioso *<pesquisa m.>* *<funcionário m.>* ↺ displicente **3** que demonstra precaução; cauteloso ↺ descuidado ~ **meticulosidade** *s.f.*

metido (me.ti.do) *adj.s.m.* *B* **1** que(m) tenta passar pelo que não é; presunçoso *<não sabe nada, mas é m.>* ↺ modesto **2** que(m) se mete no que não lhe diz respeito; intrometido ↺ discreto ~ **metidez** *s.f.* - **metideza** *s.f.*

metílico (me.tí.li.co) *adj.* QUÍM que contém em cada uma de suas moléculas 4 átomos de carbono, 3 de hidrogênio e 1 de oxigênio *<álcool m.>*

metodicamente (me.to.di.ca.men.te) *adv.* **1** de acordo com um método, uma lógica, uma ordem *<analisar m. um gênero botânico>* **2** com minúcia, com escrúpulo *<examinar m. os autos do processo>* **3** com exata regularidade *<frequenta m. os cultos da igreja>*

metódico (me.tó.di.co) *adj.* **1** que procede com método *<pessoa m.>* **2** em que há método *<trabalho m.>*

metodismo (me.to.dis.mo) *s.m.* REL doutrina protestante e evangélica fundada no sXVIII, dentro da Igreja anglicana, que tem a Bíblia como regra da fé e da prática

metodista (me.to.dis.ta) *adj.2g.* **1** relativo a metodismo ■ *adj.2g.s.2g.* **2** adepto dessa doutrina

metodizar (me.to.di.zar) *v.* {mod. 1} *t.d.* tornar metódico; ordenar, sistematizar ~ **metodização** *s.f.*

método (mé.to.do) *s.m.* **1** procedimento, técnica ou meio para se atingir um objetivo *<há mais de um m. para executar o trabalho>* **2** processo organizado de ensino, pesquisa, apresentação etc. *<foi alfabetizado por um m. moderno>* **3** *p.ext.* livro, apostila etc. que apresenta esse processo *<m. de redação>* **4** modo de agir *<achou um m. de economizar>* **5** *fig.* maneira sensata de agir; cautela *<trabalha com m.>* ↺ precipitação

metodologia (me.to.do.lo.gi.a) *s.f.* conjunto de métodos, princípios e regras empregados por uma atividade ou disciplina ~ **metodológico** *adj.*

metonímia (me.to.ní.mia) *s.f.* GRAM figura de linguagem que consiste em usar uma palavra fora de seu contexto semântico habitual, por haver uma relação objetiva, de contiguidade, material ou conceitual, de seu conteúdo com o do referente ocasionalmente pensado, tomando, p.ex., a matéria pelo objeto (*ouro* por *dinheiro*), o autor pela obra (ler *Camões* por ler *a obra de Camões*) etc. ~ **metonímico** *adj.*

metragem (me.tra.gem) [pl.: *-ens*] *s.f.* **1** medição em metros **2** quantidade de metros

metralha (me.tra.lha) *s.f.* **1** conjunto de pequenas balas, pedaços de ferro velho, pregos etc. us. como carga de armas **2** chuva de balas *<o navio dos piratas foi alvo de intensa m.>* **3** som de metralhadora atirando

metralhadora (me.tra.lha.do.ra) /ô/ *s.f.* arma de fogo automática que dispara de forma rápida e contínua

metralhar (me.tra.lhar) *v.* {mod. 1} *t.d.* **1** dar tiros de metralhadora contra **2** abrir fogo intenso contra **3** *fig.* *B* fazer muitas perguntas rápidas a (alguém), sem dar-lhe tempo de responder

métrica (mé.tri.ca) *s.f.* LIT o conjunto das regras de medida, ritmo e organização de versos, estrofes e poemas

métrico (mé.tri.co) *adj.* **1** relativo a metro ou a sistema de medidas que tem por base o metro **2** relativo a métrica

metrificar (me.tri.fi.car) *v.* {mod. 1} *t.d. e int.* pôr em ou compor versos medidos *<m. uma crônica>* *<é muito eficiente em m.>* ~ **metrificação** *s.f.*

metrite (me.tri.te) *s.f.* MED inflamação do útero

metro (me.tro) *s.m.* **1** FÍS unidade de medida de comprimento [símb.: *m*] **2** vara ou fita us. para medir o comprimento de algo **3** LIT medida que estabelece a quantidade de sílabas de um verso

metrô (me.trô) *s.m.* sistema de transporte urbano subterrâneo realizado por trens elétricos

metrologia (me.tro.lo.gi.a) *s.f.* ciência dos pesos e medidas ~ **metrológico** *adj.* - **metrologista** *s.2g.*

metrônomo (me.trô.no.mo) *s.m.* MÚS instrumento inventado no sXIX para estabelecer um padrão fixo para os andamentos musicais

metrópole (me.tró.po.le) *s.f.* **1** capital ou cidade principal de uma província ou estado **2** *p.ext.* qualquer cidade grande ou importante **3** uma nação em relação a suas colônias ou territórios ultramarinos

metropolitano (me.tro.po.li.ta.no) *adj.* relativo a, próprio de, ou que tem aspecto de metrópole *<hábitos m.>* *<capital m.>*

metrossexual (me.tros.se.xu.al) /cs/ [pl.: *-ais*] *adj.2g.* **1** relativo a ou que revela metrossexualidade ■ *adj.2g.s.m.* **2** diz-se de homem extremamente vaidoso, que gasta tempo e somas consideráveis de dinheiro com a aparência e seu estilo de vida

metrossexualidade (me.tros.se.xu.a.li.da.de) /cs/ *s.f.* condição, caráter de metrossexual

metroviário (me.tro.vi.á.rio) *adj.s.m.* (funcionário) do metrô

meu *pron.pos.* determina um substantivo (coisa ou pessoa) relacionado à pessoa que fala, significando o que pertence ou diz respeito a ela *<este é m. irmão>* *<o livro é m.>* *<m. trem sai às três>* ◉ GRAM/USO empr. tb. como interjeição, expressando camaradagem: *que prazer em vê-lo, m.!* ▣ **os m.** a família, os amigos da pessoa que fala

mexediço (me.xe.di.ço) *adj.* que se mexe muito ↺ quieto

mexe-mexe (me.xe-me.xe) [pl.: *mexes-mexes* e *mexe-mexes*] *s.m.* RECR jogo em que os participantes usam pequenas peças que representam as letras do alfabeto para formar palavras que se dispõem num tabuleiro; a contagem de pontos leva em conta o número de peças utilizadas e a posição das palavras no tabuleiro

mexer (me.xer) *v.* {mod. 8} *t.d.* **1** agitar o conteúdo de (algo), com a ajuda de colher, varinha etc., para misturá-lo, cozinhá-lo etc. *<m. a sopa>* □ *t.d.,int. e pron.* **2** pôr(-se) em movimento, tirando ou saindo da posição original; mover(-se) *<mexa o guidão>* *<o pêndulo mexe sem parar>* *<chamou-os, mas ninguém se mexeu>* □ *t.i.* **3** (prep. *em*) pôr as mãos em, movendo, revirando **4** (prep. *em*) fazer modificações em; alterar *<m. num texto, num time>* ↺ conservar **5** (prep. *com*) importunar com brincadeiras, gracejos ou provocações *<ela é zangada, não mexe com ela>* **6** (prep. *com*) ter como ocupação profissional; lidar, trabalhar *<ele mexe com construção>* **7** (prep. *com*) dedicar-se a (algo), por interesse, lazer etc.

mexerica (me.xe.ri.ca) *s.f.* BOT tangerina

mexerico (me.xe.ri.co) *s.m.* fofoca, intriga ~ **mexericar** *v.t.d. e int.*

M

mexeriqueiro (me.xe.ri.quei.ro) *adj.s.m.* (aquele) que é dado a fazer mexericos

mexicano (me.xi.ca.no) *adj.* **1** do México (América do Norte) ■ *s.m.* **2** natural ou habitante desse país

mexida (me.xi.da) *s.f.* ausência de arrumação, de organização; desordem, confusão

mexido (me.xi.do) *s.m.* CUL **1** prato com sobras de comida já feita e ger. com farinha de mandioca **2** feijão ou carne picada misturados na panela com farinha de mandioca ■ *adj.* **3** que se mexeu ou misturou *<ovos m.>*

mexilhão (me.xi.lhão) [pl.: *-ões*] *s.m.* ZOO nome comum a moluscos de duas conchas ovaladas e escuras; são ger. comestíveis e vivem fixos a pedras, cascos de navios etc.

mezanino (me.za.ni.no) *s.m.* ARQ **1** andar intermediário, pouco elevado, entre dois pavimentos altos **2** andar mais baixo, construído no pé-direito de um andar principal, com acesso apenas pelo interior do recinto

mezinha (me.zi.nha) *s.f.* *infrm.* remédio caseiro

mg símbolo de *miligrama*

Mg QUÍM símbolo de *magnésio*

MG sigla do Estado de Minas Gerais

MHz símbolo de *mega-hertz*

[1]mi *s.m.* MÚS terceira nota da escala musical ◉ ORIGEM do it. *mi* 'id.'

[2]mi *s.m.* nome da décima segunda letra do alfabeto grego (μ, Μ) ◉ ORIGEM do gr. *mu* 'id.'

miado (mi.a.do) *s.m.* **1** ato de miar ou o seu efeito **2** a voz do gato

miar (mi.ar) *v.* {mod. 1} *int.* dar miado(s) ◉ GRAM/USO só us. nas 3ªs p., exceto quando fig.

miasma (mi.as.ma) *s.m.* **1** mau odor que exala de animais ou vegetais em decomposição **2** *fig.* sensação de ansiedade ou dificuldade de respirar; asfixia, mal-estar

miasmático (mi.as.má.ti.co) *adj.* que produz miasmas *<terreno m.>*

miau (mi.au) *s.m. infrm.* **1** onomatopeia da voz do gato **2** gato, em linguagem infantil

mica (mi.ca) *s.f.* MINER mineral brilhante e transparente, que se fende em lâminas finas, us. como isolante ou em objetos ornamentais

micado (mi.ca.do) *s.m.* título do imperador do Japão

micagem (mi.ca.gem) [pl.: *-ens*] *s.f.* **1** careta ou gesto próprios de mico **2** gesticulação ridícula

miçanga (mi.çan.ga) *s.f.* pequena conta colorida de massa de vidro *<usava um colar de miçangas>*

micar (mi.car) *v. int. B infrm.* **1** não ter êxito; gorar, fracassar *<nossa esperança de tirar o prêmio micou>* **2** perder o valor ou passar a ser de difícil aceitação

micareta (mi.ca.re.ta) /ê/ *s.f.* festa carnavalesca fora da época tradicional

micção (mic.ção) [pl.: *-ões*] *s.f.* BIO MED ato de urinar ou o seu efeito ~ **miccional** *adj.2g.*

micélio (mi.cé.lio) *s.m.* BIO talo da maioria das espécies de fungos, composto de filamentos sem clorofila

michê (mi.chê) *s.m.* **1** quantia paga a quem se prostitui **2** ato de prostituir-se

[1]**mico** (mi.co) *s.m.* ZOO nome comum aos macacos pequenos, da família dos calitriquídeos, de cauda longa e não preênsil, pelo macio e denso, que vivem em pequenos grupos e se alimentam esp. de insetos e frutas ◉ ORIGEM do esp. *mico* 'macaco de cauda larga'

[2]**mico** (mi.co) *s.m.* **1** mico-preto **2** *fig.* situação embaraçosa, vexame ◉ ORIGEM red. de *mico-preto* ▣ **pagar m.** *B infrm.* passar vergonha

mico-leão (mi.co-le.ão) [pl.: *micos-leão* e *micos-leões*] *s.m.* ZOO sagui da mata atlântica, de pelo dourado sedoso e brilhante; mico-leão-dourado

mico-leão-dourado (mi.co-le.ão-dou.ra.do) [pl.: *micos-leão-dourados* e *micos-leões-dourados*] *s.m.* ZOO mico-leão

micologia (mi.co.lo.gi.a) *s.f.* BIO ramo da microbiologia que estuda os fungos e cogumelos ~ **micológico** *adj.* - **micólogo** *adj.s.m.*

mico-preto ® (mi.co-pre.to) [pl.: *micos-pretos*] *s.m.* RECR **1** jogo infantil de cartas com figuras de animais, cujo objetivo é formar pares (macho e fêmea) até sobrar, na mão do perdedor, a carta com um macaquinho preto, sem par; [2]mico **2** a carta que tem o desenho do mico-preto

micose (mi.co.se) *s.f.* MED infecção causada por fungo ~ **micótico** *adj.*

micreiro (mi.crei.ro) *s.m. B infrm.* usuário fanático de microcomputador

micr(o)- *pref.* do *SI*, simbolizado por μ, um milionésimo (da unidade indicada logo a seguir) *<micromilímetro>* ☞ adotado na 11ª Conferência Internacional de Pesos e Medidas, em 1960

micro (mi.cro) *s.m.* INF red. de microcomputador

micróbio (mi.cró.bio) *s.m.* BIO **1** qualquer organismo muito pequeno, esp. bactéria, protozoário ou fungo patogênico **2** nome comum a microrganismos que causam doenças em animais ~ **microbial** *adj.2g.* - **microbiano** *adj.*

microbiologia (mi.cro.bi.o.lo.gi.a) *s.f.* especialidade biomédica que estuda os microrganismos responsáveis por doenças infecciosas ~ **microbiologista** *adj.2g.s.2g.*

microchip (mi.cro.chip) [ing.; pl.: *microchips*] *s.m.* microprocessador ⇒ pronuncia-se maicrotchip

microcircuito (mi.cro.cir.cui.to) *s.m.* ELETRÔN ver ***CIRCUITO INTEGRADO***

microcirurgia (mi.cro.ci.rur.gi.a) *s.f.* cirurgia realizada com o auxílio de microscópio especial

microcomputador (mi.cro.com.pu.ta.dor) /ô/ [pl.: *-es*] *s.m.* INF computador no qual o processamento de dados é realizado por um microprocessador; micro, computador pessoal

microcosmo (mi.cro.cos.mo) *s.m.* **1** mundo pequenino **2** o homem considerado como um pequeno universo, uma imagem reduzida do mundo **3** pequena sociedade *<o m. intelectual da cidade>* ☞ cf. *macrocosmo* ~ **microcósmico** *adj.*

microeconomia (mi.cro.e.co.no.mi.a) *s.f.* ECON estudo do comportamento de agentes econômicos individuais (consumidores, empresas comerciais, trabalhadores etc.) e sua atuação no mercado

microeletrônica (mi.cro.e.le.trô.ni.ca) *s.f.* ELETRÔN ramo da eletrônica que se dedica a miniaturizar circuitos e componentes eletrônicos ~ **microeletrônico** *adj.*

microempresa (mi.cro.em.pre.sa) *s.f.* ECON empresa de pequeno porte cuja renda anual e as atividades exercidas são determinadas por legislação específica ~ **microempresarial** *adj.2g.* - **microempresário** *s.m.*

microfibra (mi.cro.fi.bra) *s.f.* fibra têxtil sintética muito fina, us. esp. na confecção de roupas

microfilme (mi.cro.fil.me) *s.m.* FOT cópia reduzida de documentos, figuras etc. em filme fotográfico ~ **microfilmagem** *s.f.* - **microfilmar** *v.t.d.*

microfone (mi.cro.fo.ne) *s.m.* aparelho que transforma a energia sonora em energia elétrica, esp. com a finalidade de transmitir ou gravar sons ~ **microfônico** *adj.*

microfonia (mi.cro.fo.ni.a) *s.f.* ELETRÔN ruído em um alto-falante causado por vibração mecânica dos componentes eletrônicos

micrômetro (mi.crô.me.tro) *s.m.* **1** unidade de medida de comprimento equivalente à milionésima parte do metro [símb.: *μm*] **2** instrumento para medir distâncias, espessuras e ângulos diminutos ~ **micrométrico** *adj.*

mícron (mí.cron) [pl.: *mícrones* e *(B) mícrons*] *s.m.* unidade correspondente à milésima parte do milímetro

micronésio (mi.cro.né.sio) *adj.* **1** da Micronésia (Oceania) ■ *s.m.* **2** natural ou habitante desse arquipélago

micro-onda (mi.cro-on.da) [pl.: *micro-ondas*] *s.f.* FÍS radiação eletromagnética de altíssima frequência

micro-ondas (mi.cro-on.das) *s.m.2n.* forno de micro-ondas

micro-ônibus (mi.cro-ô.ni.bus) *s.m.2n. B* veículo de transporte coletivo menor que o ônibus

micro-organismo (mi.cro-or.ga.nis.mo) *s.m.* → *MICRORGANISMO*

microprocessador (mi.cro.pro.ces.sa.dor) /ô/ [pl.: *-es*] *s.m.* INF unidade central de processamento de dados de um microcomputador

microrganismo (mi.cror.ga.nis.mo) ou **micro-organismo** (mi.cro-or.ga.nis.mo) *s.m.* BIO organismo de tamanho microscópico; micróbio

microrregião (mi.cror.re.gi.ão) [pl.: *-ões*] *s.f.* GEO subdivisão de uma região geográfica natural **~ microrregional** *adj.2g.*

microscópico (mi.cros.có.pi.co) *adj.* **1** relativo a microscopia ou a microscópio <*estudos m.*> **2** que se realiza com o auxílio do microscópio <*intervenção m.*> **3** visível somente por meio do microscópio <*organismos m.*> **4** *fig.* muito pequeno; minúsculo

microscópio (mi.cros.có.pio) *s.m.* instrumento óptico us. para observação de seres e objetos muito pequenos

micrótomo (mi.cró.to.mo) *s.m.* instrumento para cortar tecidos e fragmentos de órgãos em lâminas extremamente finas, us. em análise microscópica

microzoário (mi.cro.zo.á.rio) *s.m.* ZOO qualquer animal microscópico

mictório (mic.tó.rio) *s.m.* **1** lugar próprio para urinar ■ *adj.* **2** que faz urinar; diurético

micuim (mi.cu.im) [pl.: *-ins*] ou **mucuim** (mu.cu.im) [pl.: *-ins*] *s.m.* ZOO nome comum a ácaros quase microscópicos, confundidos ger. com carrapatos, cuja picada causa terrível coceira

mídia (mí.dia) *s.f.* **1** conjunto dos meios de comunicação de massa (jornal, rádio, televisão etc.) **2** em agência de publicidade, setor que planeja a veiculação de anúncios, filmes, cartazes etc.

migalha (mi.ga.lha) *s.f.* **1** fragmento mínimo de alimento ▼ ***migalhas*** *s.f.pl.* **2** o conjunto do que não foi aproveitado; sobras, restos <*deixaram-lhe as m. da fortuna*>

migração (mi.gra.ção) [pl.: *-ões*] *s.f.* **1** movimento de entrada ou saída de indivíduos em países diferentes ou dentro de um mesmo país ☞ cf. *emigração* e *imigração* **2** ECO viagem periódica de animais de uma região para outra, ger. por questões ambientais

migrante (mi.gran.te) *adj.2g.s.2g.* (o) que migra ☞ cf. *emigrante* e *imigrante*

migrar (mi.grar) *v.* {mod. 1} *t.i. e int.* (prep. *de, para*) mudar de uma região para outra, de um país para outro <*m. para o sul*> <*no inverno, muitas aves migram*> ☞ cf. *emigar* e *imigrar*

migratório (mi.gra.tó.rio) *adj.* **1** relativo a migração **2** que realiza migração (diz-se de animal)

miiologia (mi.i.o.lo.gi.a) *s.f.* estudo ou descrição das moscas **~ miiológico** *adj.*

mijar (mi.jar) *v.* {mod. 1} *int. e pron.* **1** verter urina, de forma voluntária ou involuntária; urinar(-se) <*mijou-se ao ver o adversário*> □ *t.d.* **2** *p.ext.* verter qualquer líquido <*o cano furado mijava água*> **~ mijada** *s.f.*

mijo (mi.jo) *s.m. infrm.* urina

mil *n.card.* **1** cem dezenas **2** diz-se desse número <*ofício de número m.*> **3** diz-se do milésimo elemento de uma série <*ofício m.*> **4** que equivale a essa quantidade (diz-se de medida ou do que é contável) <*prédio de m. moradores*> **5** *p.ext.* sem conta; inumerável <*repetiu a história umas m. vezes*> ■ *s.m.* **6** representação gráfica desse número <*o m. da inscrição estava legível*> ☞ em algarismos arábicos, *1.000*; em algarismos romanos, *M* ▣ **a m.** muito animado <*comprou a passagem e está a m.*>

milagre (mi.la.gre) *s.m.* **1** acontecimento inexplicável pelas leis da natureza **2** acontecimento admirável, estupendo <*m. da medicina*> <*é um m. que tenha passado de ano*>

milagreiro (mi.la.grei.ro) *adj.s.m.* **1** que(m) se diz capaz de fazer milagres **2** que(m) acredita em milagres

milagroso (mi.la.gro.so) /ô/ [pl. e fem.: /ó/] *adj.* **1** que realiza milagres **2** fora do comum; extraordinário, maravilhoso <*o time teve uma recuperação m.*>

milanesa (mi.la.ne.sa) /ê/ *s.f.* ◗ usado em: **à m.** CUL (alimento) passado em ovo e farinha de rosca e depois frito <*bife à m.*> <*couve-flor à m.*>

milenar (mi.le.nar) [pl.: *-es*] *adj.2g.* que tem mil anos ou mais <*cultura m.*> **~ milenário** *adj.s.m.*

milênio (mi.lê.nio) *s.m.* período de mil anos

milésimo (mi.lé.si.mo) *n.ord.* **1** (o) que, numa sequência, ocupa a posição número mil <*a m. reunião*> ■ *n.frac.* **2** (o) que é mil vezes menor que a unidade <*isto hoje vale um m. do que valia*>

mil-folhas (mil-fo.lhas) *s.m.2n.* CUL doce de massa folhada entremeada de recheio cremoso

milha (mi.lha) *s.f.* unidade inglesa de medida de distância terrestre equivalente a 1.609 m ▣ **m. marítima** unidade de distância marítima equivalente a 1.852 m

milhagem (mi.lha.gem) [pl.: *-ens*] *s.f.* contagem de milhas

milhão (mi.lhão) [pl.: *-ões*] *n.card.* **1** mil vezes mil (10^6) ■ *s.m. p.ext.* **2** grande quantidade <*contou a piada um m. de vezes*> ▼ ***milhões*** *s.m.pl.* **3** quantia muito elevada de dinheiro <*aplicou m. na bolsa de valores*>

milhar (mi.lhar) [pl.: *-es*] *s.m.* **1** mil unidades ▼ ***milhares*** *s.m.pl.* **2** quantidade indeterminada <*fez m. de recomendações*>

milharal (mi.lha.ral) [pl.: *-ais*] *s.m.* grande concentração de pés de milho

milheiro (mi.lhei.ro) *s.m.* grupo de mil unidades iguais <*um m. de galinhas*>

milho (mi.lho) *s.m.* BOT **1** erva de até 3 m, com folhas em forma de lança, cujos frutos comestíveis são grãos amarelados presos em espigas cilíndricas **2** esse grão ◉ COL milharal

mili- *pref.* do *SI*, símbolo *m*, 'um milésimo' (da unidade indicada) <*miligrama*>

milícia (mi.lí.cia) *s.f.* **1** conjunto de tropas de um país **2** qualquer organização de cidadãos armados **~ miliciano** *adj.s.m.*

milico (mi.li.co) *s.m. B pej.* [1]militar

miligrama (mi.li.gra.ma) *s.m.* FÍS unidade de medida de massa equivalente à milésima parte do grama [símb.: *mg*]

M

mililitro (mi.li.li.tro) *s.m.* FÍS unidade de medida de volume equivalente à milésima parte do litro [símb.: *ml*]

milímetro (mi.lí.me.tro) *s.m.* FÍS unidade de medida de comprimento equivalente à milésima parte do metro [símb.: *mm*]

milionário (mi.li.o.ná.rio) *adj.s.m.* **1** (o) que é muito rico **2** (o) que encerra um grande valor *<proposta m.>*

milionésimo (mi.li.o.né.si.mo) *n.ord.* **1** (o) que, numa sequência, ocupa a posição número 1.000.000 ■ *n.frac.* **2** (o) que é um milhão de vezes menor que a unidade *<levou um m. de segundo>*

militante (mi.li.tan.te) *adj.2g.s.2g.* **1** que(m) defende ativamente uma causa **2** que(m) adere a um partido, instituição etc. ~ **militância** *s.f.*

[1]**militar** (mi.li.tar) [pl.: *-es*] *adj.2g.* **1** relativo a guerra, a soldado e a Exército **2** relativo às forças armadas ■ *s.m.* **3** soldado ou oficial das forças armadas ◉ ORIGEM do lat. *militāris,e* 'de guerra, de soldado'

[2]**militar** (mi.li.tar) *v.* {mod. 1} *int.* **1** seguir carreira nas forças armadas □ *t.i. e int.* **2** (prep. *contra, por*) participar de guerra; lutar *<m. com bravura (contra o invasor)>* □ *t.i.* **3** (prep. *por*) lutar a favor de uma ideia ou causa *<m. pela liberdade de imprensa>* ◉ ORIGEM do lat. *militāre* 'ser soldado, servir ao Exército'

militarismo (mi.li.ta.ris.mo) *s.m.* **1** MIL POL sistema político em que prevalece o poder dos militares **2** doutrina dos partidários desse sistema **3** tendência a fortalecer as forças armadas e solucionar os conflitos internacionais pela guerra ~ **militarista** *adj.2g.s.2g.*

militarizar (mi.li.ta.ri.zar) *v.* {mod. 1} *t.d. e pron.* **1** (fazer) adquirir feição, caráter militar *<a diretoria militarizou as normas da empresa> <o antigo desfile popular, com o tempo, militarizou-se>* **2** dotar de armas e outros recursos militares *<militarizam jovens para combater nas guerrilhas> <militarizaram-se para enfrentar os inimigos>*

milk-shake [ing.; pl.: *milk-shakes*] *s.m.* CUL leite batido com sorvete ⇒ pronuncia-se milc xêic

milonga (mi.lon.ga) *s.f.* MÚS DNÇ canto e dança populares da Argentina e Uruguai do final do sXIX ~ **milongueiro** *adj.s.m.*

mil-réis (mil-réis) *s.m.2n.* ECON **1** unidade monetária brasileira até 1942 **2** a cédula us. nas transações monetárias nessa época

mim *pron.p.* forma oblíqua tônica do pronome pessoal reto da 1ª p.s. *eu*, sempre regido de preposição (quando precedido de *com* é substituído pela forma *migo*) *<veio a m.> <entre m. e você> <guardo-o comigo>*

mimado (mi.ma.do) *adj.* **1** tratado com mimo **2** *pej.* estragado por mimos excessivos *<uma criança m., cheia de vontades>*

mimar (mi.mar) *v.* {mod. 1} *t.d.* **1** tratar com carinho **2** fazer todas as vontades de; paparicar

mimeógrafo (mi.me.ó.gra.fo) *s.m.* equipamento que faz cópias a partir de matriz perfurada (estêncil) presa em torno de uma pequena bobina que recebe tinta por dentro ~ **mimeografar** *v.t.d.* - **mimeografia** *s.f.*

mimetismo (mi.me.tis.mo) *s.m.* **1** ECO fenômeno pelo qual alguns animais assumem a cor e o aspecto do meio em que estão **2** *fig.* processo pelo qual um ser se ajusta a uma nova situação; adaptação *<m. político>* ~ **mimético** *adj.* - **mimetizar** *v.t.d. e pron.*

mímica (mí.mi.ca) *s.f.* arte ou ato de se expressar por gestos; pantomima ~ **mímico** *adj.s.m.*

[1]**mimo** (mi.mo) *s.m.* **1** atenção especial de alguém a outrem; agrado, carinho *<enchia-o de mimos>* **2** objeto que se dá a alguém; presente **3** pessoa ou coisa delicada *<um m. de criança>* ◉ ORIGEM criação expressiva

[2]**mimo** (mi.mo) *s.m.* TEAT ator de pantomima ◉ ORIGEM do lat. *mīmus,i* 'id.'

mimosear (mi.mo.se.ar) *v.* {mod. 5} *t.d. e t.d.i.* **1** (prep. *com*) dar presente a; presentear *<mimoseia os netos (com chocolates)>* □ *t.d.* **2** tratar com delicadezas, agrados; mimar

mimoso (mi.mo.so) /ô/ [pl. e fem.: /ó/] *adj.* **1** delicado, sensível *<criança m.>* ↺ grosseiro **2** de beleza suave; gracioso *<vestido m.>*

min abreviatura de *minuto*

mina (mi.na) *s.f.* **1** GEOL jazida **2** escavação na terra para a extração de minérios, carvão, água etc. *<m. de ouro>* **3** MIL carga explosiva camuflada, us. em terra ou no mar **4** nascente de água, fonte

minar (mi.nar) *v.* {mod. 1} *t.d.* **1** abrir mina(s) em busca de minerais ou de água **2** abrir cavidades, túneis em *<m. o subsolo>* **3** colocar explosivos em □ *t.d. e int. fig.* **4** sair ou deixar sair (líquido, radiação etc.); jorrar, escorrer *<a janela minava uma luz suave> <da parede minava água>* **5** deteriorar(-se) aos poucos; consumir(-se) *<a traição minou o amor> <a fé do pastor minou>*

minarete (mi.na.re.te) /ê/ *s.m.* ARQ torre alta e fina das mesquitas

MinC *s.m.* sigla de Ministério da Cultura

mindinho (min.di.nho) *adj.s.m.* *infrm.* mínimo ('dedo da mão')

[1]**mineiro** (mi.nei.ro) *adj.* **1** relativo a mina ('escavação') ■ *s.m.* **2** operário que trabalha em minas ◉ ORIGEM do fr. *minière* 'terreno de onde se extraem metais'

[2]**mineiro** (mi.nei.ro) *adj.* **1** de Minas Gerais ■ *s.m.* **2** natural ou habitante desse estado ◉ ORIGEM do top. *Minas* Gerais + *-eiro*

mineiro-pau (mi.nei.ro-pau) [pl.: *mineiros-paus*] ou **maneiro-pau** (ma.nei.ro-pau) [pl.: *maneiros-paus*] *s.m.* DNÇ MÚS *N.E. MG RJ* dança de roda, ritmada com o bater dos bastões dos participantes uns nos outros, o que corresponde a uma saudação

mineração (mi.ne.ra.ção) [pl.: *-ões*] *s.f.* **1** trabalho de extração do minério **2** depuração do minério extraído das minas

mineral (mi.ne.ral) [pl.: *-ais*] *adj.2g.* **1** relativo aos minerais *<reino m.>* **2** inorgânico ■ *s.m.* **3** GEOL material sólido natural, inorgânico, que constitui a litosfera ~ **mineralidade** *s.f.* - **mineralização** *s.f.* - **mineralizar** *v.t.d. e pron.*

mineralogia (mi.ne.ra.lo.gi.a) *s.f.* ciência que estuda os minerais ~ **mineralógico** *adj.*

minerar (mi.ne.rar) *v.* {mod. 1} *t.d. e int.* extrair de mina (minério, pedra ou metal de valor) ou explorá-la *<m. ouro> <hoje começaram a m.>* ~ **minerador** *adj.s.m.*

M

minério (mi.né.rio) *s.m.* MINER mineral que pode ser trabalhado para extração de uma ou mais substâncias economicamente úteis

minestrone (mi.nes.tro.ne) *s.m.* CUL sopa com arroz ou macarrão e verduras ou legumes picados

mingau (min.gau) *s.m.* **1** CUL papa de leite engrossada com cereais ou farinhas variadas **2** *p.ext.* qualquer substância com a consistência dessa papa

míngua (mín.gua) *s.f.* **1** carência de algo; escassez ↺ excesso **2** pobreza extrema; penúria ↺ riqueza

minguar (min.guar) *v.* {mod. 3} *t.d. e int.* **1** tornar (-se) menor ou menos abundante; diminuir *<fizeram de tudo para m. nossas esperanças> <a água do poço está minguando>* ↺ aumentar □ *int.* **2** passar (a Lua) de cheia a nova *<a Lua começa a m.>* □ *t.i. e int.* **3** (prep. *a*) não existir ou existir em pequena quantidade; faltar *<minguam-lhe qualidades para esse cargo> <queria iniciar a obra, mas minguam os recursos>* ~ **minguado** *adj.* - **minguante** *adj.2g.*

minha (mi.nha) *pron.pos.* **1** determina um substantivo (coisa ou pessoa) do gênero feminino que pertence à, é parte de, está relacionado com a 1ª p.sing. (eu) *<m. filha> <m. casa>* ■ *s.f.* **2** minha opinião, minha posição ☞ empr. nas locuções *estar na m.*, *ficar na m.* ◉ GRAM/USO fem. de *meu* ▣ **m. nossa** *B infrm.* interjeição que exprime espanto, assombro; *<minha Nossa Senhora!>* • **entrar na m.** *B infrm.* aderir a, simpatizar com meu modo de ser *<mal me viu, ela entrou na m.>*

minhoca (mi.nho.ca) *s.f.* ZOO verme alongado que escava túneis e galerias na terra

míni (mí.ni) *s.2g.* red. de alguns substantivos antecedidos do pref. *mini-* (p.ex., *minidicionário*, *minissaia*) ◉ GRAM/USO us. tb. como adj., p.ex.: *um vestido m.*

miniatura (mi.ni.a.tu.ra) *s.f.* qualquer coisa em tamanho reduzido *<uma m. da torre de Londres> <um cavalo em m.>* ~ **miniaturista** *adj.2g.s.2g.* - **miniaturizar** *v.t.d.*

minicomputador (mi.ni.com.pu.ta.dor) [pl.: *-es*] *s.m.* computador de capacidade entre a dos microcomputadores e a dos computadores de grande porte, para ser us. por vários usuários (por meio de terminais), ou como servidor de uma rede de computadores

minidicionário (mi.ni.di.cio.ná.rio) *s.m.* dicionário de tamanho reduzido

minienciclopédia (mi.ni.en.ci.clo.pé.dia) *s.f.* pequena enciclopédia

minifundiário (mi.ni.fun.di.á.ri.o) *s.m.* **1** proprietário de um minifúndio ■ *adj.* **2** relativo ou pertencente a minifúndio

minifúndio (mi.ni.fún.dio) *s.m.* pequena propriedade rural

mínima (mí.ni.ma) *s.f.* MÚS **1** figura de ritmo que equivale à metade da semibreve **2** seu símbolo (𝅗𝅥)

minimalismo (mi.ni.ma.lis.mo) *s.m.* ART.PLÁST LIT MÚS técnica ou estilo caracterizado por extrema concisão e simplicidade, que utiliza um número reduzido de elementos ou temas valorizados pela sua repetição ~ **minimalista** *adj.2g.s.2g.*

minimizar (mi.ni.mi.zar) *v.* {mod. 1} *t.d.* **1** tornar mínimo *<m. o consumo de água>* ↺ maximizar **2** reduzir em comprimento, volume etc. *<m. o tamanho da letra>* ↺ aumentar **3** *fig.* dar menos valor, importância do que o devido; subestimar ↺ superestimar ~ **minimização** *s.f.*

mínimo (mí.ni.mo) *adj.* **1** muito pequeno **2** menor que todos os demais ■ *adj.s.m.* **3** (o) menor valor ou esforço admitido ou praticado *<salário m.> <o m. que se esperava era o perdão>* **4** (dedo da mão) que sucede o anelar; mindinho ◉ GRAM/USO sup.abs. sint. de *pequeno*

minissaia (mi.nis.sai.a) *s.f.* VEST saia muito curta

minissérie (mi.nis.sé.rie) *s.f.* TV novela ou filme seriado, ger. de no mínimo dois e no máximo 25 capítulos

ministério (mi.nis.té.rio) *s.m.* **1** ocupação exercida por alguém; cargo, função **2** cargo ou função de ministro de Estado e seu tempo de exercício **3** conjunto de ministros; gabinete **4** prédio onde trabalham o ministro e seus auxiliares ▣ **M. Público** DIR instituição de função independente e autônoma, defensora dos interesses da sociedade e da ordem jurídica [sigla: *MP*] ~ **ministerial** *adj.2g.*

ministrar (mi.nis.trar) *v.* {mod. 1} *t.d. e t.d.i.* **1** (prep. *a*) passar para o domínio de; dar, fornecer *<m. informações (aos candidatos)>* **2** (prep. *a*) determinar o uso de (líquido, remédio, tratamento etc.) [a pessoa ou animal]; administrar *<m. os remédios (aos doentes)>* **3** (prep. *a*) efetuar (culto ou sacramento religioso) *<m. a extrema-unção (a um moribundo)>* **4** (prep. *a*) dar (aula, palestra, curso etc.) [a] ~ **ministrante** *adj.2g.s.2g.*

ministro (mi.nis.tro) *s.m.* **1** chefe de ministério *<m. da Educação>* **2** categoria diplomática abaixo da de embaixador **3** pastor protestante **4** DIR *B* designação comum aos juízes de qualquer corte suprema do país *<m. do Supremo Tribunal Federal>* ◉ COL ministério, gabinete

minorar (mi.no.rar) *v.* {mod. 1} *t.d. e int.* **1** tornar (-se) menor; reduzir(-se) *<é preciso m. o gasto de energia> <o desperdício minorou>* ↺ aumentar **2** tornar(-se) menos intenso; suavizar(-se) *<remédio para m. a dor> <a saudade minorou>* ↺ intensificar (-se) ~ **minoração** *s.f.*

minoria (mi.no.ri.a) *s.f.* **1** inferioridade numérica *<os meninos eram m. na turma>* **2** SOC subgrupo de uma sociedade que, por ser diferente do grupo maior ou dominante, é alvo de discriminação e preconceito

minoridade (mi.no.ri.da.de) *s.f.* menoridade

minoritário (mi.no.ri.tá.rio) *adj.* **1** relativo a minoria ↺ majoritário **2** que está em minoria *<partido m.>*

minuano (mi.nu.a.no) *s.m.* vento forte, frio e seco, que sopra no Rio Grande do Sul depois das chuvas de inverno

minúcia (mi.nú.cia) *s.f.* detalhe, pormenor *<contou a história com todas as m.>*

minuciar (mi.nu.ci.ar) *v.* {mod. 1} *t.d.* relatar com detalhes; pormenorizar

minucioso (mi.nu.ci.o.so) /ô/ [pl. e fem.: /ó/] *adj.* **1** repleto de detalhes *<pesquisa m.>* ↺ superficial **2** que faz tudo com atenção e cuidado; meticuloso *<pessoa m.>* ↺ displicente ~ **minuciosidade** *s.f.*

minudência (mi.nu.dên.cia) *s.f.* **1** minúcia **2** *p.ext.* exame atento

minuendo (mi.nu.en.do) *s.m.* MAT diminuendo ('número')

minueto (mi.nu.e.to) /ê/ *s.m.* **1** DNÇ MÚS dança da aristocracia francesa surgida no sXVII e a música que a acompanha **2** MÚS composição musical com as características dessa música que integra suítes e sinfonias

minúscula (mi.nús.cu.la) *s.f.* letra minúscula

minúsculo (mi.nús.cu.lo) *adj.* **1** muito pequeno; mínimo *<toalha com desenhos m.>* ↺ imenso **2** *p.ext.* sem importância ou valor; insignificante *<auxílio m.>*

[1]**minuta** (mi.nu.ta) *s.f.* rascunho ◉ ORIGEM do lat. medv. *minūta (scriptura)* 'antigos borrões escritos com letra muito pequena'

[2]**minuta** (mi.nu.ta) *s.f.* prato preparado na hora, de acordo com o pedido do freguês ◉ ORIGEM da loc. fr. *a la minute* 'no mesmo instante' ▣ **à m.** feito na hora *<atendimento à m.>*

minutar (mi.nu.tar) *v.* {mod. 1} *t.d.* escrever ou ditar [1]minuta de *<m. uma proposta>*

minuto (mi.nu.to) *s.m.* **1** FÍS unidade de medida de tempo equivalente a 60 segundos [abrev.: *min*] **2** GEOM unidade de medida de ângulo ou arco equivalente à 60ª parte do grau [símb.: ′]

miocárdio (mi.o.cár.dio) *s.m.* ANAT músculo do coração com funcionamento autônomo e involuntário, que assegura a circulação do sangue

miocardite (mi.o.car.di.te) *s.f.* MED inflamação do miocárdio ~ **miocardítico** *adj.*

mioceno (mi.o.ce.no) *s.m.* GEOL **1** quarta época do período terciário, entre o Oligoceno e o Plioceno, marcada pelo grande desenvolvimento dos primatas ☞ inicial maiúsc. ■ *adj.* **2** dessa época

miolo (mi.o.lo) /ô/ [pl.: /ó/] *s.m.* **1** a parte de dentro do pão e de alguns frutos **2** o conteúdo da coluna vertebral ou dos ossos longos; medula, tutano **3** *infrm.* o cérebro ☞ mais us. no pl. **4** o conjunto de cadernos ou folhas que compõem um livro, revista etc., excluindo a capa

miologia (mi.o.lo.gi.a) *s.f.* ANAT estudo dos músculos ~ **miológico** *adj.*

mioma (mi.o.ma) *s.m.* MED tumor formado a partir de tecidos musculares

míope (mí.o.pe) *adj.2g.s.2g.* (aquele) que sofre de miopia

miopia (mi.o.pi.a) *s.f.* MED deficiência visual em que os raios luminosos formam o foco antes da retina, dificultando a visão de objetos distantes do observador ☞ cf. *hipermetropia*

miosótis (mi.o.só.tis) *s.2g.2n.* BOT nome comum a ervas da fam. das boragináceas, com flores pequenas que mudam de róseas para azuis, ger. cultivadas como ornamentais

mira (mi.ra) *s.f.* **1** habilidade em acertar um alvo; pontaria **2** *fig.* o que se pretende alcançar; objetivo, intuito **3** pequena saliência externa na extremidade do cano das armas de fogo, us. para direcionar a pontaria

mirabolante (mi.ra.bo.lan.te) *adj.2g.* **1** vistoso em excesso; espalhafatoso ↺ discreto **2** *B* extravagante; delirante *<ideias m.>* ↺ comum

miraculoso (mi.ra.cu.lo.so) /ô/ [pl. e fem.: /ó/] *adj.* **1** que realiza milagres; milagroso **2** fora do comum; maravilhoso, milagroso ↺ banal

mirada (mi.ra.da) *s.f.* ação de mirar, de olhar *<lançar uma m. à paisagem>*

miragem (mi.ra.gem) [pl.: *-ens*] *s.f.* **1** efeito óptico frequente nos desertos, produzido pela reflexão da luz solar, que cria a aparência de uma poça de água ou de um espelho em que objetos distantes são vistos invertidamente **2** *fig.* falsa realidade; ilusão

miramar (mi.ra.mar) [pl.: *-es*] *s.m.* mirante voltado para o mar

mirante (mi.ran.te) *s.m.* **1** local elevado de onde se tem uma vista panorâmica **2** pequena construção isolada com vista panorâmica

mirar (mi.rar) *v.* {mod. 1} *t.d.* **1** fixar os olhos em; fitar, olhar *<m. as estrelas>* **2** dirigir a vista para; olhar *<mirou a porta>* □ *t.d.,t.i. e int.* **3** (prep. *em*) fazer pontaria para (um alvo); apontar *<mirou a presa> <m. no alvo> <está aprendendo a m.>* □ *pron.* **4** olhar a própria imagem refletida *<diante do espelho, mirou-se orgulhosa>*

miríade (mi.rí.a.de) ou **miríada** (mi.rí.a.da) *s.f.* quantidade indeterminada, mas considerada imensa *<m. de estrelas>*

miriápode (mi.ri.á.po.de) *s.m.* ZOO **1** invertebrado de corpo alongado, com muitas patas, sem diferenciação entre o tórax e o abdome, e cabeça provida de um par de antenas (p.ex., lacraias, centopeias, embuás etc.) ■ *adj.2g.* **2** relativo a esse invertebrado

mirim (mi.rim) [pl.: *-ins*] *adj.2g.* **1** pequeno *<lagoa m.>* **2** que ainda é criança *<cantor m.>* **3** de criança *<clube m.>*

mirmecofagídeo (mir.me.co.fa.gí.deo) *s.m.* ZOO **1** espécime dos mirmecofagídeos, família de mamíferos desdentados, de dedos com garras longas e fortes us. para cavar, conhecidos vulgarm. como tamanduás ■ *adj.* **2** relativo a essa família

mirra (mir.ra) *s.f.* BOT **1** árvore cuja casca expele, em forma de gotas, uma resina aromática us. em incensos, unguentos etc. **2** essa resina

mirrado (mir.ra.do) *adj.* pouco desenvolvido ou pequeno *<vegetação m.> <salário m.>*

mirrar (mir.rar) *v.* {mod. 1} *t.d.* **1** preparar (algo) com essência de mirra □ *t.d. e int. fig.* **2** tornar(-se) seco ou murcho; ressecar *<o sol forte mirra as plantas> <as flores mirraram>* **3** (fazer) ficar fraco, magro, abatido; definhar *<a doença o mirrou> <ela já estava mirrando de tristeza>* □ *int. fig.* **4** emagrecer muito

misantropia (mi.san.tro.pi.a) *s.f.* **1** ódio à humanidade ↺ filantropia **2** *p.ext.* falta de sociabilidade ↺ cordialidade ~ **misantrópico** *adj.*

misantropo (mi.san.tro.po) /ô/ *adj.2g.s.m.* (aquele) que odeia a humanidade ou sente aversão às pessoas ↺ filantropo

miscelânea (mis.ce.lâ.nea) *s.f.* **1** reunião de textos literários variados e freq. de autores diversos numa mesma obra **2** *p.ext.* mistura de várias coisas *<guarda uma m. de objetos na gaveta> <o discurso foi uma m. difícil de entender>*

miscigenação (mis.ci.ge.na.ção) [pl.: *-ões*] *s.f.* casamento ou coabitação entre indivíduos de diferentes grupos raciais; mestiçagem ~ **miscigenado** *adj.* - **miscigenar** *v.t.d.,t.d.i. e pron.*

miscível (mis.cí.vel) [pl.: *-eis*] *adj.2g.* que se pode misturar <*água e vinho são m.*> ↺ imiscível

miserabilidade (mi.se.ra.bi.li.da.de) *s.f.* estado ou condição do que é miserável

miserável (mi.se.rá.vel) [pl.: *-eis*] *adj.2g.s.2g.* **1** que(m) é digno de piedade ↺ afortunado **2** que(m) vive em extrema pobreza ↺ milionário **3** *p.ext.* avarento ↺ mão-aberta **4** *pej.* desprezível; patife ■ *adj.2g.* **5** muito pobre <*povoado m.*> ↺ rico **6** muito pequeno; ínfimo <*recebeu uma quantia m. pelo trabalho*>

miséria (mi.sé.ria) *s.f.* **1** situação ou estado de grande sofrimento **2** falta total de meios de subsistência ↺ opulência **3** característica do que é mesquinho; avareza, sovinice **4** quantia muito pequena; ninharia <*pagam uma m. aos empregados*> ↺ fortuna

misericórdia (mi.se.ri.cór.dia) *s.f.* **1** solidariedade em relação a dor ou sofrimento alheios; compaixão ↺ indiferença **2** perdão, clemência ↺ castigo

misericordioso (mi.se.ri.cor.di.o.so) /ô/ [pl. e fem.: /ó/] *adj.s.m.* (aquele) que tem ou revela misericórdia; bondoso, piedoso, caridoso <*pedir auxílio às almas m.*> <*os m. serão perdoados*>

mísero (mí.se.ro) *adj.* **1** muito pobre; miserável ↺ rico **2** *fig.* pobre de ideias ou sem inteligência <*um m. artigo de jornal*> **3** muito reduzido; insignificante <*m. recompensa pelo enorme esforço*> ↺ farto

misógino (mi.só.gi.no) *adj.s.m.* que(m) tem aversão às mulheres ~ **misoginia** *s.f.*

misoneísmo (mi.so.ne.ís.mo) *s.m.* aversão ou desconfiança em relação ao que é novo ~ **misoneísta** *adj.2g.s.2g.*

miss [ing.; pl.: *misses*] *s.f.* **1** participante de concurso de beleza <M. *Pernambuco*> **2** *p.ext.* moça que obteve a preferência dos jurados em relação a alguma qualidade <M. *Simpatia*> ☞ inicial maiúsc. quando us. como título ⇒ pronuncia-se mis

missa (mis.sa) *s.f.* **1** REL na Igreja católica, celebração da Eucaristia **2** MÚS composição musical ou cântico feito sobre o texto da missa

missal (mis.sal) [pl.: *-ais*] *s.m.* REL livro que contém as principais partes da missa e sua ordenação

missão (mis.são) [pl.: *-ões*] *s.f.* **1** incumbência, encargo <*deram-lhe a m. de organizar a festa*> **2** comissão ou conjunto de pessoas a quem se confere uma tarefa <*m. da Anistia Internacional*> **3** dever a cumprir, obrigação <*m. paterna*> **4** REL conjunto de padres missionários **5** *p.ext.* casa ou povoado onde vivem e/ou trabalham os missionários e, às vezes, seus alunos <*m. jesuíticas*>

míssil (mís.sil) [pl.: *-eis*] *s.m.* projétil de longo alcance, ger. equipado com bomba, que se lança para alcançar um alvo

missionário (mis.sio.ná.rio) *s.m.* **1** quem se dedica a pregar uma religião e a trabalhar para a conversão de alguém à sua fé ■ *adj.* **2** relativo a missão **3** relativo a catequese <*trabalho m.*>

missiva (mis.si.va) *s.f.* carta ('mensagem') ~ **missivista** *adj.2g.s.2g.*

mister (mis.ter) /é/ [pl.: *-es*] *s.m.* ocupação; profissão <*esse pintor era o melhor em seu m.*> ▣ **ser m.** ser necessário, ser indispensável

mistério (mis.té.rio) *s.m.* **1** REL verdade religiosa só conhecida através de revelação e não compreendida totalmente **2** *fig.* o que não se consegue compreender, explicar ou desvendar <*o m. do desaparecimento das joias*> <*filme de m.*> **3** segredo

misterioso (mis.te.ri.o.so) /ô/ [pl. e fem.: /ó/] *adj.* **1** que contém mistério; enigmático, inexplicável, obscuro **2** que não se entende, sem clareza; confuso, impenetrável, incompreensível <*chegaram a uma conclusão m.*> **3** que cerca de segredo o que faz; desconfiado, cauteloso <*homem m.*>

mística (mís.ti.ca) *s.f.* **1** estudo do que é divino, espiritual **2** vida religiosa ou contemplativa; misticismo **3** fervor religioso **4** *p.ext.* conteúdo de uma causa, instituição etc., ou a aura de perfeição e verdade que as cerca, despertando respeito e devotamento <*a m. da psicanálise*> <*a m. da camisa da seleção*>

misticismo (mis.ti.cis.mo) *s.m.* **1** atitude filosófica ou religiosa que busca a união íntima e direta do homem com a divindade **2** tendência para incorporar ensinamentos religiosos a sua forma de pensar; religiosidade **3** inclinação para acreditar em forças e entes sobrenaturais, sem levar em conta explicações racionais e científicas; credulidade

místico (mís.ti.co) *adj.* **1** que crê intensamente numa doutrina religiosa e a ela se dedica quase integralmente (diz-se de indivíduo); devoto **2** relativo à vida espiritual e contemplativa **3** próprio do ambiente religioso, devoto, espiritual <*a atmosfera m. do templo*> ■ *adj.s.m.* **4** (aquele) que tem tendência a crer no sobrenatural e na interferência deste na sua vida **5** (aquele) que é religioso, que tem o lado espiritual muito desenvolvido

mistificar (mis.ti.fi.car) *v.* {mod. 1} *t.d.* **1** fazer crer em mentira ou algo falso; enganar, iludir <*saiu pelo interior mistificando as pessoas ingênuas*> **2** dar caráter místico a <*m. a vitória*> ~ **mistificação** *s.f.*

misto (mis.to) *adj.* **1** constituído de elementos diferentes; misturado <*um CD m., com canções de vários compositores*> ↺ separado **2** que admite alunos de ambos os sexos <*escola m.*> **3** que transporta cargas e passageiros (diz-se de trem) **4** ECON que é em parte estatal, em parte pertencente a investidores privados (diz-se de empresa) <*empresa de economia m.*> **5** MAT que tem uma parte inteira e outra fracionária (diz-se de número) ■ *s.m.* **6** conjunto composto de elementos diferentes e/ou opostos; mistura <*sentiu um m. de alegria e surpresa*> <*o cardápio é um m. de comida brasileira e mexicana*> **7** CUL *B* sanduíche de queijo e presunto

misto-quente (mis.to-quen.te) [pl.: *mistos-quentes*] *s.m.* CUL *B* sanduíche feito de duas fatias de pão com recheio de queijo e presunto e aquecido na chapa

mistura (mis.tu.ra) *s.f.* **1** reunião de coisas diversas e/ou opostas; misto <*m. de cimento com areia*> ↺ separação **2** cruzamento de tipos (humanos) ou de raças (animais) diferentes; miscigenação <*os vira-latas são fruto de uma m. de raças*> <*os zambos provieram de uma m. de negros com índios*>

M

misturada (mis.tu.ra.da) *s.f.* **1** mistura confusa de coisas **2** essa mistura

misturador (mis.tu.ra.dor) /ô/ [pl.: *-es*] *adj.* **1** que mistura ■ *s.m.* **2** utensílio que serve para misturar substâncias

misturar (mis.tu.rar) *v.* {mod. 1} *t.d.,t.d.i. e pron.* **1** (prep. *a, com*) juntar(-se) intimamente (coisas diferentes) de modo que as unidades de uma se interponham entre as das outras; mesclar(-se) *<m. água e vinho> <m. as claras ao açúcar> <água e azeite não se misturam>* ↺ separar(-se) **2** (prep. *a, com*) colocar(-se) junto de modo desordenado (coisas distintas); baralhar(-se) *<misturou as cartas do baralho> <m. alhos com bugalhos> <política e religião não se misturam>* ↺ separar(-se) □ *t.d.* **3** mexer (algo) para integrar bem os ingredientes *<m. bem as tintas>* □ *t.d. e pron.* **4** (prep. *com*) cruzar(-se) com indivíduo de raça, espécie ou etnia diferente *<misturou gado de várias raças> <o europeu misturou-se com os índios e africanos>* ◉ GRAM/USO part.: *misturado, misto*; ver QUADRO DE PARTICÍPIOS DUPLOS nas pp. iniciais

mitificar (mi.ti.fi.car) *v.* {mod. 1} *t.d.* **1** transformar em mito *<m. um personagem histórico>* **2** *fig.* atribuir qualidades exageradas a (coisa ou pessoa), mascarando a realidade *<m. a política educacional>* ~ **mitificação** *s.f.*

mitigar (mi.ti.gar) *v.* {mod. 1} *t.d. e pron.* tornar(-se) mais suave (ger. dor, sofrimento etc.); aplacar(-se) *<m. a sede>* ↺ intensificar(-se) ~ **mitigação** *s.f.*

mito (mi.to) *s.m.* **1** relato fantástico protagonizado por seres de caráter divino ou heroico que encarnam as forças da natureza ou os aspectos gerais da condição humana; lenda, fábula *<os m. da Grécia antiga> <m. indígenas da criação do mundo>* **2** crença ou tradição popular que surge em torno de algo ou alguém *<o m. do padre Cícero>* **3** *fig.* uma noção falsa ou não comprovada *<o m. do detetive infalível> <a perseguição que sofre não passa de um m.>* ◉ COL mitologia ~ **mítico** *adj.*

mitocôndria (mi.to.côn.dria) *s.f.* BIO organela longa e arredondada, encontrada fora do núcleo da célula, que produz energia através da respiração celular e é rica em gorduras, enzimas e proteínas

mitologia (mi.to.lo.gi.a) *s.f.* **1** conjunto dos mitos de determinado povo *<m. grega> <m. celta>* **2** estudo dos mitos, sua origem e significação ~ **mitológico** *adj.*

mitólogo (mi.tó.lo.go) *s.m.* quem estuda mitos

mitomania (mi.to.ma.ni.a) *s.f.* PSIC tendência doentia para mentir ~ **mitomaníaco** *adj.s.m.* - **mitômano** *adj.s.m.*

mitônimo (mi.tô.ni.mo) *s.m.* nome próprio de um deus, herói etc. da mitologia

mitose (mi.to.se) *s.f.* GEN divisão celular que resulta na formação de duas células geneticamente idênticas à original

mitra (mi.tra) *s.f.* **1** REL VEST chapéu alto e largo, mais fino no alto, formado por duas metades iguais paralelas e separadas por um espaço, com duas fitas que caem sobre as espáduas, us. pelo papa, bispos, arcebispos e cardeais nas solenidades mais importantes **2** REL título e cargo de bispo ~ **mitrado** *adj.*

mitral (mi.tral) [pl.: *-ais*] *adj.2g.* com a forma da mitra

mitridatismo (mi.tri.da.tis.mo) *s.m.* MED imunidade contra venenos adquirida pela ingestão progressiva de pequenas doses deles ~ **mitridatização** *s.f.* - **mitridatizar** *v.t.d. e pron.*

miudeza (mi.u.de.za) /ê/ *s.f.* **1** o que é miúdo **2** minúcia, detalhe *<percebeu miudezas no texto que ninguém havia notado>* ↺ generalidade **3** rigor, atenção no que se faz ▼ ***miudezas*** *s.f.pl.* **4** pormenores, detalhes sem importância *<não perca tempo com m.>* **5** artigos miúdos, sem valor; bugigangas

miúdo (mi.ú.do) *adj.* **1** muito pequeno **2** frequente, amiudado ▼ ***miúdos*** *s.m.pl.* **3** vísceras de animal us. como alimento ▣ **trocar em m.** explicar em detalhes (algo)

mixa (mi.xa) *adj.2g. B gír.* **1** de pouca importância **2** sem valor

mixagem (mi.xa.gem) /cs/ [pl.: *-ens*] *s.f.* CINE FONO processo de combinação, numa mesma fita, de sinais sonoros de diferentes fontes

mixar (mi.xar) *v.* {mod. 1} *int.* **1** não dar certo; gorar *<o mau tempo fez m. o passeio>* **2** perder a intensidade; enfraquecer *<a animação mixou>* ↺ intensificar-se

mixar (mi.xar) /cs/ *v.* {mod. 1} *t.d.* fazer a mixagem de

mixaria (mi.xa.ri.a) *s.f. B gír.* **1** coisa sem valor **2** quantia muito pequena de dinheiro; ninharia *<pagou uma m. pelo carro>* ↺ exorbitância

mixórdia (mi.xór.dia) *s.f.* **1** mistura confusa de coisas *<não sei como você consegue trabalhar no meio dessa m.>* ↺ ordem **2** situação ou fato atrapalhado; desentendimento *<ele causou uma m. na família>*

mixotrófico (mi.xo.tró.fi.co) /cs/ *adj.* BIO que se nutre de forma simultânea ou alternada de modo autotrófico e heterotrófico ~ **mixotrofia** *s.f.* - **mixótrofo** *adj.*

mixuruca (mi.xu.ru.ca) *adj.2g. B gír.* **1** sem importância *<discurso m.>* **2** sem valor ou qualidade *<roupa m.> <casa m.>*

MJ *s.m.* sigla de Ministério da Justiça

ml símbolo de *mililitro*

mm símbolo de *milímetro*

MMA *s.m.* sigla de Ministério do Meio Ambiente

Mn QUÍM símbolo de *manganês*

mnemônica (mne.mô.ni.ca) *s.f.* técnica para desenvolver a memória por meio de processos de combinação e associação de ideias

mnemônico (mne.mô.ni.co) *adj.* **1** relativo a memória **2** que ajuda a reter na memória *<processos m. para decorar um texto>*

mo *contr.* do pron. pessoal oblíquo *me* com o pron. pessoal oblíquo ou pron. demonstrativo *o*, que junta numa mesma palavra o objeto direto e o objeto indireto representados por esses pronomes (p.ex., *não encontro meu livro; você já mo devolveu?* [= 'já o devolveu a mim?']; *– A lavadeira trouxe as camisas. – Deixa-mas no meu quarto, por favor.* [= 'deixa-as para mim no meu quarto']) ◉ GRAM/USO **a)** fem.: *ma*; pl.: *mos, mas*; **b)** no Brasil, os pronomes combinados *mo, ma, mos, mas* têm hoje um emprego relativamente pequeno na língua corrente e tb. no uso literário

Mo QUÍM símbolo de *molibdênio*

mó *s.f.* **1** pedra de moinho us. para triturar os grãos **2** pedra para afiar instrumentos cortantes

moagem (mo.a.gem) [pl.: *-ens*] *s.f.* ato de moer; moedura

móbil (mó.bil) [pl.: *-eis*] *adj.2g.* **1** que pode se mover ■ *s.m.* **2** o que faz alguém realizar uma ação; causa, motivo *<o m. do compositor ao criar a ópera>*

móbile (mó.bi.le) *s.m.* **1** ART.PLÁST escultura formada de elementos individuais, suspensos por fios, que se movem com o vento **2** enfeite de madeira, plástico, papel etc., feito de maneira semelhante a essa escultura *<pendurou um m. de bichinhos no quarto do bebê>*

mobilhar (mo.bi.lhar) *v.* {mod. 1} *t.d.* → ***MOBILIAR***

mobília (mo.bí.lia) *s.f.* conjunto de móveis de uma casa, aposento etc.

mobiliar (mo.bi.li.ar) ou **mobilhar** (mo.bi.lhar) *v.* {mod. 1} *t.d.* prover (casa, sala, quarto etc.) de móveis

mobiliário (mo.bi.li.á.rio) *adj.* **1** DIR relativo aos bens móveis *<propriedades m.> <crédito m.>* **2** relativo a mobília ■ *s.m.* **3** mobília **4** conjunto de móveis de um estilo, período ou autor *<m. Império> <o m. de um renomado arquiteto>* ▣ **m. urbano** conjunto de artefatos utilitários, como bancos, lixeiras, postes etc., de lazer ou de valor decorativo fixados nas áreas públicas da cidade

mobilidade (mo.bi.li.da.de) *s.f.* **1** característica do que é móvel ou capaz de se movimentar **2** facilidade para andar, dançar, saltar etc. *<os exercícios lhe deram mais m.>*

mobilizar (mo.bi.li.zar) *v.* {mod. 1} *t.d. e pron.* **1** pôr (-se) em movimento **2** pôr(-se) em ação (conjunto de pessoas) para tarefa, campanha etc. *<mobilizou todos os funcionários da saúde no combate à epidemia> <os moradores mobilizaram-se para acelerar a obra da rua>* □ *t.d.* **3** chamar para participar de atividade social, política *<antes de decretar a greve, é necessário m. os operários>* **4** MIL preparar (tropas) para a guerra **~ mobilização** *s.f.*

moca (mo.ca) *s.m.* **1** café árabe de qualidade superior **2** *p.ext.* bebida feita com esse café

moça (mo.ça) /ô/ *s.f.* **1** pessoa jovem, do sexo feminino; jovem **2** menina que entra na puberdade e que já menstrua **3** mulher já madura, mas não velha **4** mulher virgem **5** palavra que se usa para uma vendedora de loja, recepcionista ou qualquer funcionária de banco, repartição etc.

moçada (mo.ça.da) *s.f.* *B infrm.* grupo de moças e moços; juventude

moçambicano (mo.çam.bi.ca.no) *adj.* **1** de Moçambique (África) ■ *s.m.* **2** natural ou habitante desse país

mocambo (mo.cam.bo) *s.m.* habitação desconfortável e precária; cabana

moção (mo.ção) [pl.: *-ões*] *s.f.* proposição, em uma assembleia, relativa ao estudo de uma questão ou a qualquer incidente que surja nessa assembleia

moçárabe (mo.çá.ra.be) *adj.2g.s.2g.* **1** (cristão) que vivia nas terras conquistadas pelos muçulmanos no sul da península Ibérica e que sofreu a influência da cultura destes **2** (o) que descende desse cristão hispânico

mocassim (mo.cas.sim) [pl.: *-ins*] *s.m.* VEST calçado sem salto, de couro macio

mocetão (mo.ce.tão) [pl.: *-ões*; fem.: *mocetona*] *s.m.* rapaz forte e vistoso

mochila (mo.chi.la) *s.f.* bolsa com alças para ser carregada nas costas

[1]**mocho** (mo.cho) /ô/ *adj.* **1** a que falta algum membro (diz-se de animal) **2** desprovido de chifres, ou com os chifres aparados *<vaca m.>* ◉ ORIGEM duv., talvez do esp. *mocho* 'mutilado, sem chifres'

[2]**mocho** (mo.cho) /ô/ *s.m.* nome comum às corujas que não possuem penachos ou tufos de penas na cabeça ◉ ORIGEM duv., talvez ligada a [1]*mocho*

mocidade (mo.ci.da.de) *s.f.* juventude

mocinho (mo.ci.nho) *s.m.* *B* herói de filmes ou histórias de aventura

moço (mo.ço) /ô/ *adj.s.m.* (homem) jovem ◉ GRAM/USO aum.irreg.: *mocetão* ◉ COL moçada

mocorongo (mo.co.ron.go) *s.m.* *ES RJ SP pej.* pessoa de pouca instrução e modos simples

mocoró (mo.co.ro.ró) *s.m.* CUL *MA CE* caldo grosso do caju, fermentado

mocotó (mo.co.tó) *s.m.* pata de boi sem o casco, us. na alimentação; mão de vaca, chambaril

mocreia (mo.crei.a) /éi/ *s.f.* *infrm. pej.* mulher muito feia e/ou velha

moda (mo.da) *s.f.* **1** estilo predominante no modo de vestir, viver, falar etc. *<m. masculina> <voltou a m. da lambreta>* **2** arte de produzir e confeccionar modelos do vestuário masculino e feminino **3** MÚS nome genérico de canção, canto, música de salão ou folclórica, portuguesa ▣ **m. de viola** MÚS canção rural brasileira, com texto narrativo e acompanhada de viola

modal (mo.dal) [pl.: *-ais*] *adj.2g.* relativo a modo ou modalidade

modalidade (mo.da.li.da.de) *s.f.* forma particular de alguma coisa *<uma m. de dança> <m. de escrita>*

mode (mo.de) *prep.* *TO B N.E. SP SC MG C.-O. infrm.* **1** para, a fim de *<só vai lá m. agradar a mãe>* **2** por causa de *<era ele sim m. o jeito de falar>* ▣ **pra m.** a fim de *<fui até lá pra m. falar com ela>*

[1]**modelar** (mo.de.lar) [pl.: *-es*] *adj.2g.* perfeito para servir de modelo; exemplar ◉ ORIGEM *modelo* + [1]*-ar*

[2]**modelar** (mo.de.lar) *v.* {mod. 1} *t.d.* **1** fazer o molde de *<m. uma peça de cerâmica> <m. um vestido>* **2** dar forma ou contorno a; moldar **3** destacar os contornos de *<a calça modelava seu corpo>* □ *t.d.i. e pron. fig.* **4** (prep. *por*) estabelecer (conduta, hábitos etc.) segundo certa orientação ou exemplo; moldar(-se) *<modelou sua concepção de vida pela do grande filósofo> <modelou-se pelos ensinamentos dos pais>* ◉ ORIGEM *modelo* + [2]*-ar* **~ modelação** *s.f.* - **modelagem** *s.f.*

modelo (mo.de.lo) /ê/ *s.m.* **1** aquilo que serve para ser reproduzido **2** representação em escala reduzida de objeto, obra de arquitetura etc.; maquete *<m. de um navio>* **3** aparelho oco ou vazado, us. para reproduzir peças, formas etc.; molde **4** *p.ext.* a peça ou forma reproduzida **5** tipo particular de determinado produto *<novo m. de geladeira>* **6** coisa ou pessoa que serve de imagem, forma ou padrão a ser imitado, ou como fonte de inspiração *<seu padrasto foi um ótimo m.>* ■ *s.2g.* **7** pessoa que posa para pintores, escultores, fotógrafos etc. **8** manequim ('pessoa')

M

modem (mo.dem) [ing.; pl.: *modems*] *s.m.* INF TEL dispositivo utilizado para transmitir dados entre computadores através de linha telefônica comum ⇒ pronuncia-se môudem

moderação (mo.de.ra.ção) [pl.: *-ões*] *s.f.* **1** ato ou efeito de moderar(-se) **2** afastamento de todo e qualquer excesso

moderador (mo.de.ra.dor) /ô/ [pl.: *-es*] *adj.s.m.* mediador

moderar (mo.de.rar) *v.* {mod. 1} *t.d.* **1** adequar a limites justos ou convenientes, mantendo sob controle; conter, regular ↺ descontrolar **2** tornar menos intenso, instável; refrear *<m. seus impulsos>* ↺ descontrolar □ *pron.* **3** manter o autocontrole; comedir-se *<m.-se na bebida>* ↺ desmedir-se **~ moderadamente** *adv.* **· moderado** *adj.*

modernismo (mo.der.nis.mo) *s.m.* **1** gosto pelo que é moderno **2** ART.PLÁST ARQ LIT designação genérica de vários movimentos artísticos e literários surgidos no fim do sXIX e no sXX que romperam com os padrões estéticos da arte tradicional ☞ nesta acp., inicial maiúsc. **~ modernista** *adj.2g.s.2g.*

modernizar (mo.der.ni.zar) *v.* {mod. 1} *t.d. e pron.* (fazer) acompanhar a evolução, as tendências, a tecnologia, as necessidades do mundo atual *<m. um país> <os pais tiveram que se m. para entender os filhos>* **~ modernização** *s.f.*

moderno (mo.der.no) *adj.* **1** relativo à época em que se vive; atual ↺ ultrapassado **2** relativo ao período da história mundial, esp. europeia, que se inicia no fim da Idade Média e termina com a Revolução Francesa (1789) *<História m.>* **3** novo, recente *<teoria m.>* **4** avançado, inovador *<ideias m.>* ↺ conservador **5** que está na moda *<só usa roupas m.>* **~ modernidade** *s.f.*

modéstia (mo.dés.tia) *s.f.* **1** falta de vaidade; humildade ↺ afetação **2** comedimento, moderação ↺ exagero

modesto (mo.des.to) *adj.* **1** dotado de modéstia ↺ vaidoso **2** não luxuoso; simples *<um restaurante m.>* **3** que demonstra pobreza *<habitações m.>* **4** de baixa posição em determinado meio profissional *<um m. professor, recém-formado>*

módico (mó.di.co) *adj.* **1** em pouca quantidade; escasso *<seus bens eram m.>* **2** cujo valor é baixo *<cobrou um preço m. pelo serviço>* ↺ caro **3** não exagerado; moderado *<ambições m.>* ↺ excessivo

modificar (mo.di.fi.car) *v.* {mod. 1} *t.d. e pron.* **1** (fazer) sofrer mudança; alterar(-se), transformar(-se) *<m. um texto> <a substância modifica-se sob certas condições>* ↺ conservar(-se) □ *t.d.* GRAM **2** precisar ou alterar o sentido de *<o adjetivo modifica o substantivo>* **~ modificação** *s.f.* **· modificado** *adj.* **· modificador** *adj.s.m.*

modinha (mo.di.nha) *s.f.* MÚS tipo de canção urbana portuguesa e brasileira, surgida no sXVIII, com temática espirituosa e/ou amorosa, popularizada no século seguinte, acompanhada esp. por violão

modismo (mo.dis.mo) *s.m.* uso ou moda de caráter passageiro

modista (mo.dis.ta) *s.2g.* quem desenha e confecciona roupa feminina ou dirige um ateliê de costura para mulheres

modo (mo.do) *s.m.* **1** maneira ou forma particular de ser ou portar-se *<reagiu de m. inesperado> <m. brusco de falar>* **2** jeito possível ou preferido de realizar algo *<de que m. se liga este aparelho?>* **3** possibilidade, condição *<não houve m. de convencê-lo>* **4** GRAM forma verbal que expressa a intenção de quem fala em relação ao enunciado **5** MÚS maneira como se dispõem os intervalos de tom e meio-tom numa escala ▼ ***modos*** *s.m.pl.* **6** boa educação, comedimento *<tenha m., menino!>* ▣ **m. imperativo** GRAM modo verbal que indica ordem, pedido, estímulo etc. • **m. indicativo** GRAM modo verbal que expressa a ação ou o estado indicado pelo verbo como um fato real • **m. subjuntivo** GRAM modo verbal que expressa a ação ou estado indicado pelo verbo como um fato irreal, ou possível ou desejado, ou emite um julgamento sobre o fato real

modorra (mo.dor.ra) /ô/ *s.f.* **1** sonolência causada por certos tipos de doença **2** *p.ext.* moleza, preguiça ↺ disposição **~ modorrento** *adj.*

modulação (mo.du.la.ção) [pl.: *-ões*] *s.f.* **1** variação na altura ou na intensidade da voz **2** FÍS processo no qual uma variação na amplitude, frequência, intensidade ou fase de um sinal transmitido por ondulações implica mudança correspondente em outro **3** MÚS passagem de um tom a outro

[1]**modular** (mo.du.lar) *v.* {mod. 1} *t.d.* **1** ARQ construir usando módulos **2** variar a altura ou a intensidade de (voz) □ *t.d. e int.* **3** tocar, cantar ou dizer de forma harmoniosa *<m. um bolero> <m. versos> <o rouxinol modula>* □ *int.* **4** MÚS passar de um tom para outro ◉ ORIGEM do lat. *modulāre* 'regular, dar ritmo, cantar'

[2]**modular** (mo.du.lar) [pl.: *-es*] *adj.2g.* relativo a módulo ◉ ORIGEM *módulo* + [1]*-ar*

módulo (mó.du.lo) *s.m.* **1** unidade de mobília, material de construção etc. planejada para compor-se com outra **2** parte autônoma e destacável de espaçonave *<m. lunar>*

moeda (mo.e.da) *s.f.* **1** peça de metal cunhada por instituição governamental que representa o valor do objeto trocado por ela **2** ECON meio pelo qual são feitas as transações comerciais; dinheiro

moedeiro (mo.e.dei.ro) *s.m.* **1** indivíduo que fabrica moedas **2** porta-moedas

moedura (mo.e.du.ra) *s.f.* **1** moagem **2** porção de grão, cana etc. que se mói de cada vez

moela (mo.e.la) *s.f.* **1** parte posterior do estômago de diversos animais, cuja função é a de triturar o alimento **2** CUL comida preparada com moela de aves, esp. galinha

moenda (mo.en.da) *s.f.* **1** aparelho ou conjunto de peças us. para moer ou espremer certos produtos **2** ato de moer grãos, azeitonas, cana-de-açúcar etc. **~ moendeiro** *s.m.*

moer (mo.er) *v.* {mod. 9} *t.d.* **1** reduzir a pó; triturar *<m. cereais>* **2** espremer para extrair o suco *<m. cana-de-açúcar>* □ *t.d. e pron.* **3** reduzir(-se) a pequenos pedaços; fragmentar(-se) *<m. nozes> <os ossos do animal moeram-se entre as rodas do caminhão>* **4** (fazer) sentir extremo cansaço; extenuar(-se) *<a tensão moía seu corpo> <moeu-se de carregar tanto peso>* **5** (fazer) sentir angústia, tormento; afligir(-se) *<o abandono em que viviam as crianças moía seu coração> <m.-se com dor, com saudades>* ↺ tranquilizar(-se) **~ moedor** *adj.s.m.*

mofa (mo.fa) *s.f.* troça, zombaria ↺ seriedade

[1]**mofar** (mo.far) *v.* {mod. 1} *t.i.* (prep. *de*) expor ao ridículo; zombar, caçoar ◉ ORIGEM vocábulo de origem talvez onomatopaica

[2]**mofar** (mo.far) *v.* {mod. 1} *t.d. e int.* **1** encher de mofo ou criar mofo □ *int. infrm.* **2** esperar muito *<ficou mofando na porta do cinema>* **3** ficar em situação ruim, sem que se possa revertê-la *<mofou anos no presídio, por erro da Justiça>* ◉ ORIGEM *mofo* + [2]*-ar*

mofino (mo.fi.no) *adj.* **1** que não é feliz; desgraçado **2** em que há má sorte, desgraça *<destino m.>* **3** avarento, sovina ↺ generoso **4** que incomoda; importuno ↺ agradável **5** de pequenas dimensões; estreito (diz-se de espaço) *<cozinha m.>*

mofo (mo.fo) /ô/ *s.m.* BIO nome comum a vários fungos que causam a decomposição de alimentos, frutas e produtos de origem vegetal; bolor ~ **mofado** *adj.* - **mofento** *adj.*

mogno (mog.no) *s.m.* BOT **1** árvore de madeira nobre de tom avermelhado, us., p.ex., na fabricação de móveis **2** a madeira dessa árvore; acaju

moído (mo.í.do) *adj.* **1** que se moeu; triturado *<trigo m.> <cana m.>* **2** em extremo estado de fadiga; exausto *<acordou com o corpo m.>*

moinho (mo.i.nho) *s.m.* **1** máquina para moer grãos de cereais composta de duas mós colocadas uma sobre a outra, movidas pelo vento, água ou motor **2** *p.ext.* construção em que fica instalada essa máquina **3** *p.ext.* máquina de triturar qualquer coisa

moita (moi.ta) *s.f.* BOT porção de arbustos ou plantas rasteiras ▣ **na m.** *infrm.* **1** na espreita **2** em silêncio *<sabia de tudo, mas ficou na m.>* **3** às escondidas *<organizaram a festa na m.>*

mol [pl.: *mols* e *moles*] *s.m.* FISQUÍM massa molecular de uma substância expressa em gramas

mola (mo.la) *s.f.* peça espiralada e elástica que reage quando estendida, comprimida ou vergada

molambo (mo.lam.bo) ou **mulambo** (mu.lam.bo) *s.m.* **1** farrapo **2** roupa velha e/ou em mau estado ~ **molambento** *adj.* - **mulambento** *adj.*

molar (mo.lar) [pl.: *-es*] *adj.2g.s.m.* ODONT (dente) próprio para moer

moldagem (mol.da.gem) [pl.: *-ens*] *s.f.* **1** confecção de um molde ('modelo oco') **2** conformação de uma substância à forma de um molde ('modelo oco')

moldar (mol.dar) *v.* {mod. 1} *t.d.* **1** fazer o molde de *<m. uma figura>* **2** criar escultura dando formas, contorno a (barro, cera etc.); modelar **3** destacar os contornos de; modelar *<a saia justa molda seu corpo>* □ *t.d. e pron.* **4** (fazer) adquirir certa feição, traços, com base em algo; regular(-se) *<um escritor que soube m. bem seu estilo> <moldou-se pelos bons exemplos>* □ *t.d.i. e pron.* **5** (prep. *a*) pôr(-se) em acordo, harmonia com; adaptar(-se) *<o convívio moldou-a às manias do marido> <com o tempo, moldou-se àquela rotina>* ~ **moldável** *adj.2g.*

molde (mol.de) *s.m.* **1** modelo oco ou vazado us. para reproduzir uma forma /ó/; forma /ô/ **2** peça confeccionada com esse modelo e us. como matriz para a reprodução de outras; fôrma /ô/

moldura (mol.du.ra) *s.f.* peça que contorna e adorna quadros, gravuras, fotografias etc. ~ **moldurar** *v.t.d.* - **moldureiro** *s.m.*

mole (mo.le) *adj.2g.* **1** que não oferece resistência; macio *<colchão m.>* ↺ compacto **2** *fig.* sem vigor, sem firmeza *<a gripe deixou-o m.>* ↺ vigoroso **3** que faz coisas sem empenho; preguiçoso ↺ dinâmico **4** *infrm.* fácil, sem dificuldade *<a prova foi m.>* ↺ difícil ■ *adv.* **5** *infrm.* facilmente *<ganhou m. o último jogo>* ↺ dificilmente ▣ **dar m.** *B infrm.* **1** ser complacente, tolerante *<deu m. para os cachorros, eles avançaram na comida>* **2** dar confiança (a flerte); flertar; dar bola **3** agir sem cautela; descuidar--se; dar sopa *<deu m. no meio da multidão e teve a carteira roubada>*

molecada (mo.le.ca.da) ou **molecagem** (mo.le.ca.gem) [pl.: *-ens*] *s.f.* **1** bando de moleques **2** ato de moleque; travessura, brincadeira **3** *pej.* atrevimento, grosseria ou malfeito

molécula (mo.lé.cu.la) *s.f.* QUÍM a menor porção de uma substância que mantém todas as propriedades da substância e pode compor-se de um ou mais átomos ~ **molecular** *adj.2g.*

moleira (mo.lei.ra) *s.f.* ANAT espaço membranoso ainda não calcificado entre os ossos do crânio dos bebês; fontanela

moleirão (mo.lei.rão) [pl.: *-ões*] *adj.s.m.* preguiçoso

moleiro (mo.lei.ro) *s.m.* quem possui moinho ou nele trabalha

molejo (mo.le.jo) /ê/ *s.m.* **1** funcionamento das molas de um aparelho **2** *infrm.* balanço, ginga

molenga (mo.len.ga) *adj.2g.s.2g.* **1** preguiçoso, indolente **2** que(m) não tem firmeza, resolução; covarde ↺ corajoso

moleque (mo.le.que) *s.m. B* **1** garoto de pouca idade **2** garoto levado **3** brincalhão **4** pessoa atrevida, mal--educada ◉ COL molecada, molecagem

molestar (mo.les.tar) *v.* {mod. 1} *t.d. e pron.* **1** (fazer) sentir mágoa, desgosto; ofender(-se) *<aquele ato injusto molestou toda a turma> <molestou-se com os comentários a seu respeito>* **2** (fazer) ter enfado ou aborrecimento; importunar(-se) *<o vizinho molestava-o com reclamações> <o público molestou-se com o longo discurso do palestrante>* □ *t.d.* **3** causar desassossego a; inquietar *<as preocupações com a família molestam a avó>* ↺ tranquilizar **4** forçar aproximação sexual com ~ **molestador** *adj.s.m.*

moléstia (mo.lés.tia) *s.f.* doença

molesto (mo.les.to) *adj.* **1** que causa moléstia; nocivo *<clima m.>* **2** que causa incômodo, que aborrece ↺ agradável **3** trabalhoso, árduo *<ofício m.>*

moletom (mo.le.tom) [pl.: *-ons*] *s.m.* **1** tecido macio e quente de algodão ou lã **2** VEST roupa desse tecido

moleza (mo.le.za) /ê/ *s.f.* **1** característica do que é mole **2** *fig.* falta de vigor físico *<sente muita m. nas pernas>* **3** *fig.* falta de empenho, de atividade *<deixe de m., homem!>* **4** *fig. gír.* aquilo que não requer esforço, diligência; facilidade *<a prova foi uma m.!>*

molhadela (mo.lha.de.la) *s.f.* ato de molhar rapidamente *<deu só uma m. no pano>*

molhado (mo.lha.do) *adj.* **1** umedecido ou encharcado em água ou outro líquido *<casaco m.> <cabelos m.>* ↺ seco ▾ ***molhados*** *s.m.pl.* **2** mercadorias líquidas (azeite, vinho etc.) vendidas em mercearias

molhar (mo.lhar) *v.* {mod. 1} *t.d. e t.d.i.* **1** (prep. *em*) mergulhar em, banhar, cobrir ou borrifar com qualquer líquido *<m. as plantas> <m. os pés (no mar)> <gosta de m. o pão no café>* □ *t.d.* **2** deixar úmido; umedecer *<as lágrimas molharam sua face>* □ *pron.* **3** receber ou derramar líquido sobre si *<molhou-se lavando louça>*

molhe (mo.lhe) *s.m.* paredão em um porto marítimo que protege as embarcações das ondas do mar; quebra-mar

molheira (mo.lhei.ra) *s.f.* recipiente para servir molho ('caldo')

molho (mo.lho) /ó/ *s.m.* conjunto de coisas reunidas; penca *<m. de chaves>*

molho (mo.lho) /ô/ *s.m.* **1** CUL caldo com que se tempera ou que acompanha um prato *<m. de tomate> <m. para salada>* **2** líquido em que se deixa mergulhado algo ▣ **m. de soja** CUL molho marrom escuro, fermentado e salgado, muito us. na cozinha chinesa, japonesa e indiana, preparado com grãos de soja, ou com esses grãos mais farinha de trigo torrada • **de m. 1** imerso em água ou qualquer outro líquido, por determinado tempo *<pôs a roupa branca de m. em água sanitária> <deixou o feijão de m.>* **2** *fig.* acamado, em razão de doença, fratura etc. *<por causa da catapora, ficou de m. uma semana>*

M

molibdênio (mo.lib.dê.nio) *s.m.* QUÍM elemento químico de grande resistência à corrosão, us. em aços e ligas [símb.: *Mo*] ☞ cf. *tabela periódica* (no fim do dicionário)

molinete (mo.li.ne.te) /ê/ *s.m.* **1** borboleta ('dispositivo') **2** espécie de bobina que se prende ao caniço para enrolar a linha

moloide (mo.loi.de) /ói/ *adj.2g.s.2g.* *B* molenga

molusco (mo.lus.co) *s.m.* ZOO espécime dos moluscos, filo de animais invertebrados de corpo mole, às vezes, dotados de concha

momentâneo (mo.men.tâ.neo) *adj.* **1** que dura apenas um momento; rápido *<dor m.>* ↺ demorado **2** passageiro, transitório *<tinha lapsos m. de memória>* ↺ permanente

momento (mo.men.to) *s.m.* **1** breve espaço de tempo; instante **2** ponto determinado do tempo; ocasião *<naquele m., chegaram os filhos>* **3** tempo presente *<no m., trabalho na Justiça>* **4** situação, circunstância *<m. difíceis>*

momentoso (mo.men.to.so) /ô/ [pl. e fem.: /ó/] *adj.* sério, grave *<problema m.>*

momice (mo.mi.ce) *s.f.* gesticulação ou postura burlesca; careta

momo (mo.mo) *s.m.* **1** na Idade Média, encenação curta que satirizava os costumes **2** o ator que fazia essa encenação **3** rei do carnaval ☞ nesta acp. inicial maiúsc.

monacal (mo.na.cal) [pl.: *-ais*] *adj.2g.* monástico

monarca (mo.nar.ca) *s.m.* soberano, rei

monarquia (mo.nar.qui.a) *s.f.* POL **1** forma de governo em que o chefe de Estado é um monarca, com título de rei ou rainha **2** *p.ext.* Estado que possui essa forma de governo ~ **monarquismo** *s.m.* - **monarquista** *adj.2g.s.2g.*

monárquico (mo.nár.qui.co) *adj.* **1** relativo ou pertencente à monarquia ■ *adj.s.m.* **2** POL partidário da monarquia

monastério (mo.nas.té.rio) *s.m.* mosteiro

monástico (mo.nás.ti.co) *adj.* relativo a monge ou mosteiro; monacal

monção (mon.ção) [pl.: *-ões*] *s.f.* **1** MET vento do sudoeste da Ásia que sopra do continente para o mar no inverno e do mar para o continente no verão, acarretando fortes transformações climáticas **2** *fig.* ocasião favorável **3** HIST *B* nome dado às expedições fluviais das capitanias de São Paulo e Mato Grosso, nos sXVIII e XIX

monera (mo.ne.ra) *s.f.* BIO nome comum a organismos, de uma única célula, de vida livre ou parasitas, mais conhecidos como bactérias

monetário (mo.ne.tá.rio) *adj.* relativo à moeda ('meio') *<transações m.>*

monge (mon.ge) [fem.: *monja*] *s.m.* REL religioso que vive num mosteiro

mongol (mon.gol) [pl.: *-óis*] *adj.2g.* **1** da Mongólia (Ásia) ■ *s.2g.* **2** natural ou habitante desse país ■ *s.m.* **3** LING a língua desse país, falada tb. na Mongólia Interior (região da China)

mongolismo (mon.go.lis.mo) *s.m.* GEN MED síndrome de Down

mongoloide (mon.go.loi.de) /ói/ *adj.2g.s.2g.* GEN MED (pessoa) que sofre de mongolismo

monitor (mo.ni.tor) /ô/ [pl.: *-es*] *s.m.* **1** aluno que auxilia o professor nas aulas *<m. de educação física>* **2** INF periférico que exibe dados gerados pelo computador **3** MED aparelho eletrônico que controla os sinais vitais de doentes

monitorar (mo.ni.to.rar) *v.* {mod. 1} *t.d.* **1** exercer controle ou vigilância constante sobre *<o governo monitora os preços dos remédios>* **2** rastrear, medir e/ou analisar continuamente (dados científicos, biológicos etc.) *<o aparelho monitora a contaminação radioativa desta área>* **3** RÁD TV verificar a qualidade do som, imagens etc. de (um programa) **4** atuar como monitor em *<m. uma turma>*

monitório (mo.ni.tó.rio) *adj.* que aconselha ou repreende

monitorizar (mo.ni.to.ri.zar) *v.* {mod. 1} *t.d.* monitorar

monja (mon.ja) *s.f.* religiosa que vive num mosteiro

monjolo (mon.jo.lo) /ô/ *s.m.* *B* engenho rudimentar movido a água, para pilar milho ou descascar café

mono (mo.no) *s.m.* ZOO nome comum aos macacos, esp. aos primatas antropoides

monobloco (mo.no.blo.co) *adj.s.m.* (o) que é fabricado num só bloco *<chassi m.>*

monociclo (mo.no.ci.clo) *s.m.* veículo de uma roda, hoje só us. ger. em espetáculos circenses

monocórdio (mo.no.cór.dio) *s.m.* **1** MÚS instrumento musical de uma só corda ■ *adj.* **2** MÚS de uma só corda **3** *fig.* monótono, enfadonho

monocotilédone (mo.no.co.ti.lé.do.ne) *adj.2g.* BOT monocotiledôneo

monocotiledônea (mo.no.co.ti.le.dô.nea) *s.f.* BOT espécime das monocotiledôneas, classe de plantas angiospermas cujo embrião tem um só cotilédone

monocotiledôneo (mo.no.co.ti.le.dô.neo) *adj.* BOT que tem um só cotilédone (diz-se de planta); monocotilédone

monocromático (mo.no.cro.má.ti.co) *adj.* de uma só cor

monocular (mo.no.cu.lar) [pl.: *-es*] *adj.2g.* relativo a um único olho <*visão m.*>

monóculo (mo.nó.cu.lo) *s.m.* óculo para um só olho

monocultura (mo.no.cul.tu.ra) *s.f.* cultura de um só produto agrícola ↺ policultura ~ **monocultor** *adj.s.m.*

monofobia (mo.no.fo.bi.a) *s.f.* MED medo doentio da solidão ~ **monófobo** *adj.s.m.*

monogamia (mo.no.ga.mi.a) *s.f.* regime or costume em que o homem ou a mulher pode ter apenas um cônjuge, enquanto se mantiver vigente o seu casamento ☞ cf. *bigamia, poligamia* ~ **monogâmico** *adj.* - **monógamo** *adj.s.m.*

monografia (mo.no.gra.fi.a) *s.f.* trabalho escrito que relata estudo minucioso acerca de determinado assunto ~ **monográfico** *adj.*

monograma (mo.no.gra.ma) *s.m.* entrelaçamento das letras iniciais de um nome, us. em emblemas, brasões etc. <*havia m. bordados nas toalhas de banho do casal*> ~ **monogramático** *adj.*

monolíngue (mo.no.lín.gue) /gü/ *adj.2g.* **1** que trata de ou envolve só uma língua <*dicionário m.*> ■ *adj.2g.s.2g.* LING **2** que(m) fala e entende uma única língua

monólito (mo.nó.li.to) *s.m.* **1** pedra de grandes dimensões **2** monumento feito de um único bloco de pedra ~ **monolítico** *adj.*

monólogo (mo.nó.lo.go) *s.m.* **1** TEAT cena em que o personagem está só e fala consigo mesmo ou se dirigindo ao público **2** TEAT peça escrita para um único personagem e encenada por um único ator **3** ação de falar consigo próprio; solilóquio ~ **monologar** *v.t.d. e int.*

monomania (mo.no.ma.ni.a) *s.f.* **1** MED pensamento obsessivo numa única coisa **2** *p.ext.* ideia fixa ~ **monomaníaco** *adj.s.m.*

monômero (mo.nô.me.ro) *s.m.* QUÍM molécula que pode combinar-se com outras moléculas do mesmo tipo para formar um polímero

monômio (mo.nô.mio) *s.m.* MAT expressão matemática de um único termo que não envolve, portanto, as operações de soma ou subtração

monomotor (mo.no.mo.tor) /ô/ [pl.: *-es*] *adj.s.m.* (veículo) de um só motor

mononucleose (mo.no.nu.cle.o.se) *s.f.* MED aumento exagerado de leucócitos de apenas um núcleo no sangue

monoplano (mo.no.pla.no) *adj.s.m.* AER (aeroplano) que tem apenas uma asa de cada lado

monopólio (mo.no.pó.lio) *s.m.* **1** ECON privilégio para explorar com exclusividade alguma atividade <*aquela empresa tem o m. da venda de combustíveis*> **2** posse exclusiva, propriedade de um só

monopolizar (mo.no.po.li.zar) *v.* {mod. 1} *t.d.* **1** ECON fazer ou ter o monopólio de <*m. a produção de máscaras de carnaval*> **2** *fig.* tomar exclusivamente para si; centralizar <*monopolizou a atenção dos convidados*> ~ **monopolização** *s.f.*

monossílabo (mo.nos.sí.la.bo) *adj.s.m.* GRAM LING (vocábulo) de uma só sílaba ~ **monossilábico** *adj.*

monoteísmo (mo.no.te.ís.mo) *s.m.* REL doutrina religiosa que professa a existência de uma única divindade ↺ politeísmo ~ **monoteísta** *adj.2g.s.2g.* - **monoteístico** *adj.*

monotonia (mo.no.to.ni.a) *s.f.* **1** uniformidade de tom <*m. de ritmo*> **2** *p.ext.* ausência de variedade em qualquer coisa <*m. na paisagem*> <*m. de cores*> ↺ diversidade

monótono (mo.nó.to.no) *adj.* **1** que apresenta continuamente o mesmo tom <*cantiga m.*> **2** que, pela ausência de novidade, se mostra enfadonho, maçante <*exercíos m.*> ↺ variado

monotremado (mo.no.tre.ma.do) *s.m.* ZOO espécime dos monotremados, ordem de mamíferos primitivos, como o ornitorrinco, que apresentam algumas características de aves e répteis, como a produção de ovos com casca

monotrilho (mo.no.tri.lho) *adj.s.m.* (trem) que trafega em ferrovia de um só trilho de rolamento

monousuário (mo.no.u.su.á.rio) *adj.s.m.* que ou o que só é utilizado a cada vez por um usuário (diz-se, ger., de programa de informática, sistema operacional, estação de serviço)

monóxido (mo.nó.xi.do) /cs/ *s.m.* QUÍM óxido que contém um átomo de oxigênio ▣ **m. de carbono** QUÍM gás venenoso encontrado esp. em minas e na descarga dos automóveis

monsenhor (mon.se.nhor) [pl.: *-es*] *s.m.* **1** título honorífico concedido pelo papa a alguns sacerdotes **2** BOT crisântemo ~ **monsenhorado** *s.m.*

monstrengo (mons.tren.go) ou **mostrengo** (mos.tren.go) *adj.s.m.* **1** (criatura inumana) de aspecto assustador, como um monstro **2** *p.ext.* (qualquer coisa) cuja natureza seja contrária à normalidade **3** *p.ext.* que(m) é deformado ou muito feio

monstro (mons.tro) *s.m.* **1** ser fantástico de aspecto ameaçador **2** ser ou coisa de constituição imperfeita; aberração, deformidade ↺ perfeição **3** *p.ext.* pessoa perversa ~ **monstruosidade** *s.f.*

monstruoso (mons.tru.o.so) /ô/ [pl. e fem.: /ó/] *adj.* **1** que possui o aspecto de um monstro **2** que não é humano; abominável <*crime m.*> ~ **monstruosidade** *s.f.*

monta (mon.ta) *s.f.* **1** soma, montante de uma conta **2** o custo de algo **3** *fig.* importância, valor <*incidente de pouca m.*>

montadora (mon.ta.do.ra) /ô/ *s.f.* *B* tipo de fábrica que monta seu produto final com peças produzidas por outras fábricas <*m. de automóveis*>

montagem (mon.ta.gem) [pl.: *-ens*] *s.f.* **1** junção das peças de um dispositivo ou mecanismo para que ele funcione **2** CINE seleção, ordenação e união das cenas de filmagem para formar o filme **3** TEAT encenação de uma peça teatral

montanha (mon.ta.nha) *s.f.* **1** GEO alta elevação natural da superfície da terra **2** GEO cadeia com várias dessas elevações; serra **3** *fig.* grande quantidade *<havia uma m. de pessoas na praça>* **~ montanhesco** *adj.*

montanha-russa (mon.ta.nha-rus.sa) [pl.: *montanhas--russas*] *s.f.* RECR brinquedo de parques de diversões composto de um longo trilho que percorre várias subidas, descidas e curvas, pelo qual passa uma fileira de vagões em alta velocidade

montanhês (mon.ta.nhês) [pl.: *-es*] *adj.s.m.* relativo a montanha ou aquele que habita as montanhas

montanhismo (mon.ta.nhis.mo) *s.m.* ESP esporte que consiste em escalar montanhas, picos etc.; alpinismo **~ montanhista** *adj.2g.s.2g.*

montanhoso (mon.ta.nho.so) /ô/ [pl. e fem.: /ó/] *adj.* **1** formado, composto por muitas montanhas *<região m.>* **2** cuja superfície é desigual; escarpado, acidentado *<terreno m.>*

montante (mon.tan.te) *adj.2g.* **1** que se eleva, que sobe *<maré m.>* ■ *s.m.* **2** soma, importância ▣ **a m.** no sentido contrário ao que corre um rio; em direção à nascente ↺ a jusante

montão (mon.tão) [pl.: *-ões*] *s.m.* **1** grande monte ('elevação') **2** *fig.* grande quantidade *<um m. de tarefas a fazer>*

montar (mon.tar) *v.* {mod. 1} *t.d.i.* **1** (prep. *em, sobre*) pôr(-se) em cima de; sobrepor(-se) *<m. os cotovelos sobre os joelhos> <m. na moto>* ↺ descer □ *t.d. e int.* **2** cavalgar, como profissão ou não *<em seus passeios, montava sempre a mesma égua> <monta muito bem>* □ *t.d.,t.i. e int.* **3** (prep. *em*) pôr(-se) sobre (animal); cavalgar *<só queria m. (em) animais ariscos> <a criança montou em um pônei> <adorava m.>* □ *t.i. e int.* **4** (prep. *a*) elevar-se no espaço; subir *<o balão montou a mil metros> <as águias montam mais alto que os outros pássaros>* □ *t.d.* **5** pôr em condições de funcionar ou ser usado; instalar, armar *<m. um autorama>* **6** juntar as diversas partes de; encaixar *<m. um quebra-cabeça>* **7** abrir (comércio, indústria etc.) *<montou uma papelaria>* **8** pôr em prática (evento, acontecimento); realizar *<m. uma festa de casamento>* **9** encenar (espetáculo teatral) **~ montador** *adj.s.m.*

montaria (mon.ta.ri.a) *s.f.* cavalgadura ('animal')

monte (mon.te) *s.m.* **1** GEO elevação de uma superfície em relação ao espaço à sua volta **2** *p.ext.* porção de coisas amontoadas *<m. de lixo>* **3** *fig.* grande quantidade *<tinha um m. de coisas para fazer antes de viajar> <trouxeram um m. de bebidas>* ◉ GRAM/USO dim.irreg.: *montículo*

montepio (mon.te.pi.o) *s.m.* **1** instituição que tem por objetivo dar a seus associados assistência em caso de doença e pensão aos seus dependentes em caso de morte **2** essa pensão

montês (mon.tês) [pl.: *-eses*] *adj.* relativo a monte ou montanha; montesinho, montesino ☞ tb. us. como adj.2g., p.ex., *cabra-montês*

montesinho (mon.te.si.nho) *adj.* montês

montesino (mon.te.si.no) *adj.* montês

montículo (mon.tí.cu.lo) *s.m.* **1** GEO pequeno monte **2** pequena quantidade de qualquer coisa amontoada *<um m. de arroz>* ◉ GRAM/USO dim.irreg. de *monte*

montoeira (mon.to.ei.ra) *s.f.* grande quantidade *<uma m. de problemas>*

monturo (mon.tu.ro) *s.m.* **1** local onde se deposita lixo **2** monte de lixo

monumental (mo.nu.men.tal) [pl.: *-ais*] *adj.2g.* **1** de grande dimensão *<palácio m.>* ↺ pequeno **2** admirável por ser singular, excepcional *<um concerto m.>* ↺ comum **~ monumentalidade** *s.f.*

monumento (mo.nu.men.to) *s.m.* **1** obra construída em homenagem a alguém ou a um fato histórico *<m. aos mortos na guerra>* **2** construção majestosa *<esse teatro é um m.!>*

moqueca (mo.que.ca) *s.f.* CUL *B* ensopado, ger. de peixe ou frutos do mar, feito com cebolas, pimentões, tomates e temperos

mor [pl.: *mores*] *adj.* red. de *maior* ◉ GRAM/USO us. ger. com hífen após substantivos (p.ex., *capitão-mor*)

mora (mo.ra) *s.f.* **1** demora, atraso ↺ pontualidade **2** prorrogação de um prazo para pagamento ou restituição de qualquer dívida **3** ECON quantia que se paga a mais em uma dívida pelo não cumprimento do prazo estabelecido para sua quitação

morada (mo.ra.da) *s.f.* moradia, habitação

moradia (mo.ra.di.a) *s.f.* lugar onde se mora; habitação, morada

morador (mo.ra.dor) /ô/ [pl.: *-es*] *adj.s.m.* (o) que mora ou habita determinado local; habitante, residente

moral (mo.ral) [pl.: *-ais*] *s.f.* **1** conjunto de regras de conduta desejáveis num grupo social *<m. burguesa>* **2** ensinamento que se tira de uma obra, fábula etc. *<entendeu a m. da história?>* ■ *s.m.* **3** estado de espírito; ânimo, determinação ↺ desânimo ■ *adj.2g.* **4** relativo à moral *<contos m.>* ↺ imoral **~ moralmente** *adv.*

moralidade (mo.ra.li.da.de) *s.f.* **1** conjunto de princípios morais **2** conduta que segue esses princípios

moralismo (mo.ra.lis.mo) *s.m.* atitude que considera os valores morais acima dos demais **~ moralista** *adj.2g.s.2g.*

moralizar (mo.ra.li.zar) *v.* {mod. 1} *t.d.* **1** tornar conforme os preceitos da moral *<m. as ações>* □ *t.d. e pron.* **2** dotar(-se) de valores morais *<um diretor exemplar moraliza a escola> <moralizava-se com aquelas atitudes irrepreensíveis>* □ *int.* **3** discorrer publicamente sobre a moral *<onde quer que estivesse, não perdia a oportunidade de m.>* **~ moralização** *s.f.* - **moralizante** *adj.2g.*

moranga (mo.ran.ga) *s.f.* BOT certa variedade de abóbora

morango (mo.ran.go) *s.m.* BOT fruto vermelho, carnoso e comestível do morangueiro

morangueiro (mo.ran.guei.ro) *s.m.* BOT nome comum a diversas ervas rasteiras com folhas de extremidade denteada que produzem o morango, cuja comercialização restringe-se a poucas espécies

morar (mo.rar) *v.* {mod. 1} *int.* **1** ocupar como residência; habitar, residir *<m. numa fazenda>* □ *t.i.* **2** (prep. *com*) compartilhar moradia com; viver, coabitar *<mora com os pais>* **3** *B gír.* (prep. *em*) entender, compreender *<não morou naquilo que o chefe disse>*

moratória (mo.ra.tó.ria) *s.f.* DIR adiamento do prazo de vencimento de uma dívida concedido por tribunal ou autoridade competente

moratório (mo.ra.tó.rio) *adj.* **1** relativo a moratória **2** em que há demora ou adiamento

morbidez (mor.bi.dez) /ê/ [pl.: *-es*] *s.f.* **1** qualidade ou estado do que é mórbido **2** abatimento físico e/ou psíquico

mórbido (mór.bi.do) *adj.* **1** que apresenta alguma doença; doentio, enfermo ↺ sadio **2** que causa doença ou moléstia *<vício m.>* **3** que demonstra falta de equilíbrio psíquico *<caráter m.>* **4** em que há perversão *<curiosidade m.>* *<literatura m.>*

morcego (mor.ce.go) /ê/ *s.m.* ZOO mamífero noturno voador, possui asas com membranas e se pendura de cabeça para baixo, preso pelos pés

morcela (mor.ce.la) *s.f.* CUL tipo de chouriço feito com sangue e miúdos de porco

mordaça (mor.da.ça) *s.f.* **1** tira de pano ou de outro material us. para tapar a boca de alguém para que não grite ou fale **2** focinheira ('correia')

mordaz (mor.daz) [pl.: *-es*] *adj.2g.* **1** sarcástico, maldoso *<comentário m.>* **2** de sabor ácido, picante *<tempero m.>* ~ **mordacidade** *s.f.*

mordedura (mor.de.du.ra) *s.f.* **1** ato ou efeito de morder, de cravar os dentes em; dentada **2** marca deixada pela ação de morder; mordida

mordente (mor.den.te) *adj.2g.* **1** que morde **2** que provoca corrosão *<substância m.>* **3** que provoca excitação *<olhares m.>* ■ *s.m.* **4** substância que fixa certos corantes a fibras têxteis

morder (mor.der) *v.* {mod. 8} *t.d.* **1** comprimir repetidas vezes utilizando os dentes; mastigar *<m. uma maçã>* **2** cortar ou ferir com os dentes *<m. os lábios>* *<como não tinha tesoura, mordeu a fita>* **3** picar ou ferir (insetos) *<os mosquitos morderam seu braço>* **4** destruir aos poucos; corroer *<a ferrugem mordia o banco do jardim>* **5** *B infrm.* pedir dinheiro emprestado a *<aproveitava aquelas ocasiões para m. os pais>* □ *t.d. e int.* **6** dar dentadas *<o cachorro mordeu minha perna>* *<cuidado com aquele cão, ele morde!>* □ *t.d. e pron. fig.* **7** (fazer) ficar aborrecido, aflito; atormentar(-se), consumir(-se) *<os acontecimentos fúnebres mordiam-no>* *<mordia-se com aquela situação>* ↺ tranquilizar(-se)

mordida (mor.di.da) *s.f.* **1** ato ou efeito de morder, de cravar os dentes em; dentada **2** *infrm.* pequena quantidade de algo, obtida em uma dentada; bocado, pedaço *<posso dar uma m. no seu sanduíche?>* **3** *B infrm.* ato de pedir dinheiro a outrem, esp. a pessoa conhecida ou da família; facada

mordido (mor.di.do) *adj.* **1** apertado com os dentes *<pão m.>* **2** marcado por dentada *<voltou para casa com o braço todo m.>* **3** *fig.* tomado por (um forte sentimento) *<estar m. de inveja>*

mordiscar (mor.dis.car) *v.* {mod. 1} *t.d.* dar pequenas e repetidas mordidas em *<mordiscou o bolo>*

mordomia (mor.do.mi.a) *s.f. B* **1** regalia de que se desfruta sem empregar nenhum esforço *<vivia cheio de mordomias>* **2** benefício de que gozam certos funcionários ou servidores públicos, não extensivo aos demais

mordomo (mor.do.mo) *s.m.* empregado que administra uma casa

moreno (mo.re.no) *adj.s.m.* **1** (indivíduo) com tom de pele escura, entre o negro e o mulato **2** (indivíduo) branco de tez mais escura ou queimada de sol **3** (indivíduo) cuja cor do cabelo varia de castanho-escuro a preto *<teve uma filha loura e uma m.>*

morfeia (mor.fei.a) /éi/ *s.f.* MED hanseníase

morfema (mor.fe.ma) *s.m.* LING menor unidade com significado gramatical ou semântico em que se pode segmentar uma palavra ~ **morfêmico** *adj.*

morfético (mor.fé.ti.co) *adj.s.m.* relativo a morfeia ou aquele que a apresenta

morfina (mor.fi.na) *s.f.* FARM substância obtida do ópio e que tem efeitos sedativos analgésicos

morfologia (mor.fo.lo.gi.a) *s.f.* **1** BIO estudo das formas e estruturas de um órgão ou de um ser vivo **2** GRAM LING estudo da formação e flexões das palavras ~ **morfológico** *adj.*

morgado (mor.ga.do) *s.m.* **1** herança destinada apenas ao filho mais velho **2** filho mais velho beneficiado por essa herança **3** *p.ext.* o filho mais velho ou filho único

morgue (mor.gue) *s.m.* necrotério

moribundo (mo.ri.bun.do) *adj.s.m.* que(m) está prestes a morrer

morigerar (mo.ri.ge.rar) *v.* {mod. 1} *t.d. e pron.* (fazer) adquirir boa educação, bons costumes; educar(-se) *<é preciso m. os jovens>* *<morigera-se com a leitura de livros clássicos>*

morim (mo.rim) [pl.: *-ins*] *s.m.* tecido de algodão, fino e branco

moringa (mo.rin.ga) *s.f.* vaso de barro para guardar água e mantê-la fresca; talha

mormaceira (mor.ma.cei.ra) *s.f.* mormaço intenso

mormaço (mor.ma.ço) *s.m.* **1** ar aquecido e úmido, abafado **2** luz de sol encoberto que queima a pele ~ **mormacento** *adj.*

mormente (mor.men.te) *adv.* principalmente, sobretudo

mormo (mor.mo) /ô/ *s.m.* VET doença que ataca cavalos e felinos, causando-lhes rinite

mórmon (mór.mon) [pl.: *mórmones* e *(B) mórmons*] *adj.2g.s.2g.* (seguidor) do mormonismo; mormonista

mormonismo (mor.mo.nis.mo) *s.m.* REL doutrina protestante, fundada nos E.U.A. por Joseph Smith (1805-1844) e disseminada por outros países, que, entre outras coisas, admite a poligamia ~ **mormonista** *adj.2g.s.2g.*

morno (mor.no) /ô/ *adj.* **1** pouco quente *<gosta de leite m.>* **2** *fig.* monótono; sem graça *<mantinham um relacionamento m.>*

moroso (mo.ro.so) /ô/ [pl. e fem.: /ó/] *adj.* **1** demorado, lento ↺ rápido **2** trabalhoso *<tarefa m.>* ↺ fácil ~ **morosidade** *s.f.*

morrer (mor.rer) *v.* {mod. 8} *int.* **1** perder a vida; falecer ↺ nascer **2** *fig.* deixar de existir; extinguir-se, acabar *<suas ilusões morreram>* **3** parar de funcionar (motor, mecanismo, veículo etc.) *<o carro morreu>* **4**

fig. não chegar a acontecer; interromper-se <*a resposta ao insulto morreu em sua garganta*> ◻ *t.i. fig.* **5** (prep. *de*) experimentar com intensidade (dor física ou moral, sentimento, indisposição etc.) <*m. de dor*> <*m. de saudade*> **6** (prep. *para*) renunciar, renegar a <*traída, morreu para o amor*> **7** *infrm.* (prep. *em*) gastar (certa quantia) para fazer pagamento, quitar dívida <*morreu em dez reais para estacionar*> ◉ GRAM/USO part.: *morrido, morto*; ver QUADRO DE PARTICÍPIOS DUPLOS nas pp. iniciais

morrinha (mor.ri.nha) *s.f. B* **1** mau cheiro; inhaca ■ *adj.2g.s.2g. B infrm.* **2** (sujeito) maçante ~ **morrinhento** *adj.*

morro (mor.ro) /ô/ *s.m.* **1** GEO monte não muito alto **2** *B* favela

morsa (mor.sa) *s.f.* ZOO grande mamífero marinho do polo Norte, de pele grossa, com pelos esparsos e duas grandes presas superiores

mortadela (mor.ta.de.la) *s.f.* CUL embutido de grande diâmetro feito de carne defumada de boi e de porco

mortal (mor.tal) [pl.: *-ais*] *adj.2g.* **1** sujeito à morte <*os homens são m.*> ↺ imortal **2** que mata; letal <*golpe m.*> **3** que deseja a morte, a destruição de outrem (diz-se de pessoa) <*inimigo m.*> **4** que não se pode aplacar <*ódio m.*> **5** *fig.* que causa extremo sofrimento <*tristeza m.*> ■ *s.m.* **6** o ser humano <*os deuses e os m.*>

mortalha (mor.ta.lha) *s.f.* pano ou veste com que se envolve o cadáver ~ **amortalhar** *v.t.d.*

mortalidade (mor.ta.li.da.de) *s.f.* **1** condição de quem é mortal **2** requisito do que causa a morte <*a m. de um golpe*> **3** número de seres (homens, animais) de uma população que morrem em época ou local determinados <*a m. por violência assola as grandes cidades*>

mortandade (mor.tan.da.de) *s.f.* **1** assassinato de muitas pessoas; morticínio **2** grande número de mortes <*houve nova m. de peixes na lagoa*>

morte (mor.te) *s.f.* **1** o fim da vida ↺ nascimento **2** término de qualquer coisa <*a m. de uma civilização*> <*a m. de sua fama*> ↺ origem **3** *fig.* grande angústia <*foi uma m. viajar sem seus filhos*> ↺ alegria

morteiro (mor.tei.ro) *s.m.* **1** canhão curto e largo do qual são lançadas pequenas bombas **2** certo tipo de fogo de artifício

morticínio (mor.ti.cí.nio) *s.m.* mortandade ('assassinato')

mortiço (mor.ti.ço) *adj.* **1** próximo do fim, da morte **2** sem brilho <*luz m. da madrugada*> ↺ brilhante

mortífero (mor.tí.fe.ro) *adj.* que provoca a morte; letal

mortificar (mor.ti.fi.car) *v.* {mod. 1} *t.d. e pron.* **1** impor penitência(s) a (o corpo próprio ou alheio); castigar(-se), torturar(-se) <*o pai mortificava seu corpo com golpes de correia*> <*o noviço mortificava-se na tentativa de resistir aos desejos da carne*> **2** (fazer) ficar em estado de torpor; amortecer(-se), entorpecer(-se) <*o frio excessivo mortificou suas mãos*> <*mortificava-se com aqueles apertados sapatos*> **3** *fig.* (fazer) sofrer grande desgosto, aflição; atormentar(-se) <*os últimos acontecimentos mortificaram-lhe a alma*> <*mortificava-se com a situação dos vizinhos*> **4** cansar(-se) ao extremo; extenuar(-se) <*eram duras tarefas que o mortificavam*> <*mortificava-se com aquele trabalho pesado*> ◻ *t.d.* **5** extinguir a vida de (órgão, tecido etc.) <*a doença mortificou seu fígado*> ~ **mortificação** *s.f.* - **mortificante** *adj.2g.*

morto (mor.to) /ô/ *adj.* **1** sem vida ↺ vivo **2** sem movimento; paralisado <*cérebro m.*> ↺ ativo **3** falto de movimento, de atividade ger. por estar desprovido de gente <*era um bairro m.*> **4** *fig.* extremamente cansado; exausto <*não saiu pois estava m.*> **5** que não tem curso, que não tem existência (diz-se de língua) <*o latim é uma língua m.*> ■ *s.m.* **6** cadáver, defunto **7** RECR em certos jogos de baralho, conjunto de cartas que deve ser usado por quem primeiro se desfizer das próprias cartas ◉ GRAM/USO part. de *matar* e *morrer* ▣ **m. de** em grau intenso <*m. de fome, de cansaço*> • **nem m.** sob nenhuma condição, de jeito nenhum <*não viaja de avião nem m.*>

morto-vivo (mor.to-vi.vo) [pl.: *mortos-vivos*] *s.m.* **1** pessoa que está prestes a morrer **2** *p.ext.* indivíduo inerte, sem vivacidade

mortualha (mor.tu.a.lha) *s.f.* **1** funeral **2** grande quantidade de cadáveres

mortuário (mor.tu.á.rio) *adj.* relativo à morte ou aos mortos; fúnebre <*câmara m.*>

morubixaba (mo.ru.bi.xa.ba) *s.m. B* cacique ('chefe')

[1]**mosaico** (mo.sai.co) *s.m.* **1** ART.PLÁST ARQ obra feita pela justaposição de pequenas peças coloridas cimentadas numa superfície, formando um desenho ou uma imagem **2** *fig.* qualquer trabalho composto de diversas partes <*a colcha é um m. de estampas diferentes*> ◉ ORIGEM do it. *mosaico* 'id.'

[2]**mosaico** (mo.sai.co) *adj.* REL relativo ao Moisés bíblico <*as leis m.*> ◉ ORIGEM do fr. *mosaïque* 'id.'

mosca (mos.ca) /ô/ *s.f.* **1** ZOO designação comum a diversos insetos de duas asas **2** ponto negro no centro do alvo de exercício de tiro **3** tufo de barba abaixo do lábio inferior ▣ **acertar na m.** *fig.* acertar com precisão, em cheio <*acertou na m. com seu comentário*> • **às moscas 1** *infrm.* abandonado, esquecido <*o menino estava entregue às m.*> **2** vazio, desocupado <*esse bar vive às m.*> • **comer m.** *infrm.* bobear <*comeu m. e perdeu o último ônibus*>

moscar (mos.car) *v.* {mod. 1} *int. infrm.* **1** deixar de perceber ou entender algo **2** deixar-se enganar; bobear

moscardo (mos.car.do) *s.m.* ZOO mosca grande

moscatel (mos.ca.tel) [pl.: *-éis*] *adj.2g.* **1** variedade de uva doce ■ *s.m.* **2** vinho feito com essa uva

mosca-varejeira (mos.ca-va.re.jei.ra) [pl.: *moscas-varejeiras*] *s.f.* ZOO nome comum a diversas moscas que depositam os ovos na carne viva ou morta de vertebrados ou substâncias orgânicas em decomposição

moscovita (mos.co.vi.ta) *adj.2g.* **1** de Moscou (Rússia) ■ *s.2g.* **2** natural ou habitante dessa cidade

mosquetão (mos.que.tão) [pl.: *-ões*] *s.m.* elo de metal, com abertura móvel, que une algo a uma corrente, tira, corda etc.

mosquete (mos.que.te) /ê/ *s.m.* antiga arma de fogo, semelhante a uma espingarda

mosqueteiro (mos.que.tei.ro) *s.m.* HIST nobre que, no sXVII, fazia a guarda do rei da França armado de mosquete

M

mosquiteiro (mos.qui.tei.ro) *s.m.* cortina de filó que circunda uma cama para proteger contra mosquitos

mosquito (mos.qui.to) *s.m.* ZOO nome comum a diversos insetos alados de pequeno tamanho, que se alimentam de sangue

mossa (mos.sa) *s.f.* **1** afundamento num objeto resultante de pancada **2** *fig.* abalo, comoção *<isso já não me faz m.>* **3** *RS* corte ou sinal feito na orelha de uma rês

mostarda (mos.tar.da) *s.f.* **1** BOT planta anual de folhas comestíveis e cujas sementes servem de condimento; mostardeira **2** BOT a semente dessa planta **3** CUL pasta feita do pó dessas sementes

mostardeira (mos.tar.dei.ra) *s.f.* BOT mostarda

mosteiro (mos.tei.ro) *s.m.* habitação na qual vivem, ger. em comunidade, pessoas que cumprem votos religiosos; monastério

mosto (mos.to) /ô/ *s.m.* **1** na fabricação do vinho, sumo de uvas, antes de passar pela fermentação **2** na fabricação da cerveja, líquido resultante da fervura do cereal de base, ger. a cevada, que será submetido a fermentação

mostra (mos.tra) *s.f.* **1** apresentação ou exposição, ger. de caráter artístico ou documental *<m. de cultura popular>* **2** sinal, indício *<isso é apenas m. do que virá>* **3** parte de um todo; amostra *<trouxe uma m. do seu trabalho>* ▼ ***mostras*** *s.f.pl.* **4** gestos; ares ▣ **dar mostra(s) de** manifestar com clareza alguma coisa; demonstrar *<ao fim do dia, deu m. de cansaço>*

mostrador (mos.tra.dor) /ô/ [pl.: *-es*] *adj.s.m.* **1** (o) que mostra, indica ■ *s.m.* **2** parte do relógio onde se leem as horas **3** pequeno painel eletrônico onde são exibidas informações sobre o funcionamento de um aparelho

mostrar (mos.trar) *v.* {mod. 1} *t.d.,t.d.i. e pron.* **1** (prep. *a*) oferecer(-se) à vista de; exibir(-se) *<o programa mostrava a atriz ainda jovem> <mostrou-lhes a tapeçaria que comprara> <viúva, não saía de casa, não se mostrava>* ↺ esconder(-se) □ *t.d. e t.d.i.* **2** (prep. *a*) tornar indubitável, evidente; provar, demonstrar *<o resultado mostra que ele estava certo> <a diminuição nas vendas mostrava (a todos) que era preciso caprichar na propaganda>* **3** (prep. *a*) dar a conhecer; expor, divulgar *<mostrou as falhas do projeto (ao chefe)>* ↺ ocultar □ *t.d.* **4** fazer perceptível por sinais ou indícios; indicar *<as pesadas nuvens mostram que a chuva cairá em breve>*

mostrengo (mos.tren.go) *adj.s.m.* → ***MONSTRENGO***

mostruário (mos.tru.á.rio) *s.m.* **1** vitrine **2** balcão, caixa, pasta etc. onde se colocam amostras de mercadorias

mote (mo.te) *s.m.* **1** LIT estrofe inicial que resume o tema desenvolvido no poema **2** LIT citação tomada como ponto de partida de um capítulo ou de uma obra literária; epígrafe **3** dito satírico **4** assunto, tema *<o m. de uma conversa>*

motejo (mo.te.jo) /ê/ *s.m.* comentário com intuito de provocar riso ~ **motejador** *adj.s.m.* - **motejar** *v.t.d.,t.i. e int.*

motel (mo.tel) [pl.: *-éis*] *s.m.* hotel de beira de estrada ou que aluga quartos para encontros amorosos

motilidade (mo.ti.li.da.de) *s.f.* capacidade de mover (-se) ↺ imobilidade

motim (mo.tim) [pl.: *-ins*] *s.m.* movimento que demonstra rebeldia contra uma autoridade; rebelião

motivação (mo.ti.va.ção) [pl.: *-ões*] *s.f.* **1** ato ou efeito de motivar **2** motivo, causa

motivar (mo.ti.var) *v.* {mod. 1} *t.d.* **1** dar motivo a; causar, provocar *<o óleo na pista motivou o acidente>* **2** apresentar como motivo ou causa de; alegar *<para reduzir o número dos empregados, motivaram contenção de despesas>* □ *t.d. e t.d.i.* **3** (prep. *a*) ser motivação para; estimular, impulsionar *<a hora e a temperatura motivavam uma boa caminhada> <o cheiro forte motivou a turma a sair da sala>* □ *t.d. e int.* **4** prender a atenção de; interessar *<um filme que motiva todas as idades> <só fala dessas coisas que não motivam>* ~ **motivador** *adj.s.m.*

motivo (mo.ti.vo) *s.m.* **1** causa, razão *<problemas familiares eram o m. de sua tristeza>* **2** o que se busca alcançar; objetivo, finalidade *<seu m. era voltar ao ringue>* **3** ART.PLÁST LIT tema ou ideia principal e/ou recorrente que constitui um padrão numa obra de arte **4** MÚS fragmento melódico ou rítmico que caracteriza o tema de uma composição e está presente em todo seu desenvolvimento

moto (mo.to) *s.f.* red. de motocicleta

motobói (mo.to.bói) ou ***motoboy*** (mo.to.boy) *s.m.* motociclista que faz entregas

motoca (mo.to.ca) *s.f.* *B infrm.* motocicleta

motocicleta (mo.to.ci.cle.ta) *s.f.* veículo motorizado de duas rodas; moto

motociclismo (mo.to.ci.clis.mo) *s.m.* ESP esporte das corridas de motocicleta

motociclista (mo.to.ci.clis.ta) *adj.2g.s.2g.* **1** que(m) dirige motocicleta **2** ESP que(m) pratica motociclismo

motociclo (mo.to.ci.clo) *s.m.* nome genérico das bicicletas providas de pequenos motores

moto-contínuo (mo.to-con.tí.nuo) [pl.: *motos-contínuos*] *s.m.* FÍS movimento de um mecanismo imaginário que, após iniciado, continuaria por tempo indefinido

motocross (moto.cross) [ing.] *s.m.* ESP prova de motocicletas realizada num circuito fechado com piso de terra muito acidentado ⇒ pronuncia-se mouto crós

motonáutica (mo.to.náu.ti.ca) *s.f.* ESP esporte praticado com embarcações de alta velocidade ~ **motonáutico** *adj.*

motoneta (mo.to.ne.ta) /ê/ *s.f.* lambreta

motoqueiro (mo.to.quei.ro) *s.m.* motociclista

motor (mo.tor) /ô/ [pl.: *-es*] *s.m.* **1** máquina que produz força para acionar um mecanismo ■ *adj.s.m.* **2** (o) que move ou gera movimento *<energia m.>* **3** *fig.* (o) que incentiva, promove *<interage tanto que se tornou um m. social>* ⊙ GRAM/USO como adj., fem.: *motriz* ou *motora* ▣ **m. de arranque** ENG MEC aparelho elétrico que impulsiona o motor principal de um automóvel • **m. de combustão interna** ENG MEC motor impulsionado por explosões do combustível dentro de cilindros fechados; motor de explosão • **m. de explosão** ENG MEC motor de combustão interna

motorista (mo.to.ris.ta) *adj.2g.s.2g.* que(m) conduz veículo motorizado (p.ex., automóvel)

M

motorizar (mo.to.ri.zar) *v.* {mod. 1} *t.d.* **1** instalar motor em □ *t.d. e pron.* **2** (fazer) passar a deslocar-se em veículo motorizado *<m. a equipe de entrega>* *<m.-se para trabalhar>* ~ **motorização** *s.f.*

motorneiro (mo.tor.nei.ro) *s.m.* condutor de bonde

motosserra (mo.tos.ser.ra) *s.f.* máquina elétrica de serrar, us. para cortar madeira, árvores etc.

mototáxi (mo.to.tá.xi) /cs/ *s.m.* **1** serviço de táxi operado em motocicleta **2** motocicleta ou motociclista que faz esse serviço

motricidade (mo.tri.ci.da.de) *s.f.* **1** o que uma força motriz gera **2** BIO MED conjunto de funções nervosas e musculares que permite os movimentos voluntários ou automáticos do corpo

motriz (mo.triz) [pl.: *-es*] *s.f.* o que move ou gera movimento ☞ cf. *motor* (adj.)

mouco (mou.co) *adj.s.m.* que(m) não ouve ou ouve muito pouco ~ **mouquice** *s.f.* - **mouquidão** *s.f.*

mourão (mou.rão) [pl.: *-ões*] *s.m.* **1** estaca vertical grossa na qual se fixam varas ou arames de uma cerca **2** *B* estaca onde se amarram reses

mourejar (mou.re.jar) *v.* {mod. 1} *int.* trabalhar muito, sem descanso (como um mouro)

mourisco (mou.ris.co) *adj.* relativo aos ou próprio dos mouros

mouro (mou.ro) *adj.s.m.* **1** (habitante) da Mauritânia (África) **2** HIST (indivíduo) do povo árabe que ocupou a península Ibérica entre os sVIII e XV **3** que(m) trabalha muito

M

mouse [ing.; pl.: *mouses*] *s.m.* INF dispositivo manual que controla a posição do cursor sobre a tela e é capaz de selecionar ícones, opções no menu do programa etc. ⇒ pronuncia-se maus

movediço (mo.ve.di.ço) *adj.* **1** que se move muito ou com facilidade *<dunas m.>* ↺ imóvel **2** *fig.* que muda rapidamente *<opinião m.>* ↺ constante

móvel (mó.vel) [pl.: *-eis*] *adj.2g.* **1** que se move ou pode ser movido *<gaveteiro m.>* ■ *s.m.* **2** objeto móvel que se põe num cômodo para auxiliar a habitação ou o trabalho (p.ex., mesa, cama, armário)

movelaria (mo.ve.la.ri.a) *s.f.* **1** loja que fabrica ou vende móveis **2** loja onde se consertam móveis

moveleiro (mo.ve.lei.ro) *s.m.* fabricante ou vendedor de móveis

mover (mo.ver) *v.* {mod. 8} *t.d. e pron.* **1** pôr(-se) em ação, em movimento; mexer(-se) *<não consegue m. o pulso engessado>* *<já não pode m.-se com a mesma agilidade>* ↺ parar **2** (fazer) ir de um lugar para outro; deslocar(-se) *<moveu a cadeira para perto da janela>* *<move-se com lentidão>* □ *t.d.* **3** fazer funcionar; movimentar *<um pequeno empurrão moveu o carrinho>* **4** *fig.* provocar compaixão em; comover *<nem com a morte, o tirano moveria o povo>* □ *pron.* **5** determinar-se a agir, a fazer algo; mexer-se *<impossível esperar, mova-se!>* □ *t.d.,t.i.,t.d.i. e pron. fig.* **6** (prep. *a*) provocar ou ter (certa ação ou reação física ou psicológica); induzir, mobilizar, levar *<é bela a causa que os move>* *<a solidão moveu-o a casar>* *<m.-se a deixar a bebida>* ~ **movedor** *adj.s.m.*

movimentação (mo.vi.men.ta.ção) [pl.: *-ões*] *s.f.* **1** ato de movimentar(-se) ou o seu efeito; movimento **2** *infrm.* agitação desordenada; alvoroço ↺ calmaria

movimentar (mo.vi.men.tar) *v.* {mod. 1} *t.d. e pron.* **1** pôr(-se) em ação, movimento; mexer(-se) *<mal pode m. o corpo>* *<movimentava-se com leveza>* **2** imprimir(-se) ânimo, vida, vigor etc.; animar(-se) *<pássaros movimentaram a paisagem>* *<a ciência movimentou-se com a nova descoberta>* ↺ desanimar (-se) □ *t.d.* **3** fazer funcionar; mover *<a eletricidade movimenta a circulação da água>*

movimento (mo.vi.men.to) *s.m.* **1** movimentação **2** agitação, atividade *<sua loja está em uma rua de muito m.>* ↺ quietude **3** *p.ext.* atividade (artística, política, filosófica etc.) promovida por um grupo de pessoas *<m. pacifista>* *<m. contra o tabagismo>* *<m. romântico>* **4** MÚS cada parte de uma composição musical

moviola (mo.vi.o.la) *s.f.* CINE equipamento com que se editam filmes de cinema

mozarela (mo.za.re.la) *s.f.* queijo de consistência macia e sabor suave

MP *s.m.* **1** sigla de *Ministério Público* ■ *s.f.* **2** sigla de *medida provisória*

MP3 ® [ing.] *s.m.* ELETRÔN formato patenteado de codificação digital de áudio, us. para armazenamento de músicas, voz e sons em geral

MPB *s.f.* sigla de música popular brasileira

MRE *s.m.* sigla de Ministério das Relações Exteriores

MS sigla do Estado do Mato Grosso do Sul

MST *s.m.* acrônimo de Movimento dos Sem-Terra (trabalhadores rurais)

Mt QUÍM símbolo de *meitnério*

MT sigla do Estado do Mato Grosso

mu *s.m.* ZOO burro ('animal estéril')

muamba (mu.am.ba) *s.f.* **1** roubo ou furto de mercadorias nos portos **2** mercadoria contrabandeada; contrabando

muambeiro (mu.am.bei.ro) *s.m.* indivíduo que se dedica ao comércio de mercadorias contrabandeadas

muar (mu.ar) [pl.: *-es*] *s.m.* ZOO **1** burro ('animal estéril') ■ *adj.2g.* **2** relativo a muar, burro *<gado m.>*

mucama (mu.ca.ma) ou **mucamba** (mu.cam.ba) *s.f.* escrava negra, ger. jovem, que fazia os serviços domésticos

mucilagem (mu.ci.la.gem) [pl.: *-ens*] *s.f.* BOT substância vegetal viscosa rica em proteína

muco (mu.co) *s.m.* secreção viscosa que lubrifica e protege as membranas mucosas ~ **mucosidade** *s.f.* - **mucoso** *adj.*

mucosa (mu.co.sa) *s.f.* ANAT membrana que reveste certas cavidades do organismo abertas ao exterior e é lubrificada por muco ~ **mucosal** *adj.2g.*

muçu (mu.çu) *s.m.* → ***MUÇUM***

mucuim (mu.cu.im) [pl.: *-ins*] *s.m.* → ***MICUIM***

muçulmano (mu.çul.ma.no) *adj.s.m.* REL que(m) segue o islamismo; maometano, islamita

muçum (mu.çum) [pl.: *-ums*] ou **muçu** (mu.çu) *s.m.* ZOO peixe de corpo alongado e sem escamas que ocorre em águas doces da América do Sul

muda (mu.da) *s.f.* **1** BIO renovação periódica de pelo, pele etc. em certos animais **2** a época dessa renovação **3** BOT planta jovem que se leva de um viveiro para ser plantada em local definitivo **4** peça de vestuário us. para trocar por outra *<na bolsa, levava apenas uma m. de roupa>*

mudança (mu.dan.ça) *s.f.* ato ou efeito de mudar(-se)

mudar (mu.dar) *v.* {mod. 1} *t.d. e int.* **1** (fazer) sair de condição ou estado natural em que se encontrava; alterar(-se), transformar(-se), modificar(-se) *<o calor muda a eficácia da fórmula> <o efeito da substância muda no calor>* ↺ conservar(-se) **2** (fazer) ficar com características parcial ou totalmente diferentes; modificar(-se), transformar(-se) *<mudou o texto para ser publicado> <casou-se e não mudou nada>* ↺ manter(-se) □ *t.d.,t.d.i.,t.i.,int. e pron.* **3** (prep. *de*, *para*) transferir(-se) para outro local *<m. os quadros da parede> <mudou as enfermeiras (da emergência) para a enfermaria> <a vizinha de cima mudou (para a casa da filha)> <queriam m.(-se) para a cidade>* □ *t.i.* **4** (prep. *de*) deixar uma coisa por (outra); trocar *<m. de conversa, de cidade>* □ *t.d.* **5** modificar as características de; desfigurar, deturpar *<um recorte irresponsável acabou mudando as palavras do mestre>* **6** retirar da posição original ou daquela em que estava; remover *<mudou a cama e o quarto ficou melhor>*

mudez (mu.dez) /ê/ [pl.: *-es*] *s.f.* **1** estado ou condição de quem é incapaz de falar **2** fato de alguém se recusar a falar *<ouviu tudo em completa m.>* **3** *fig.* ausência ou cessação de ruídos *<a m. de um deserto>*

mudo (mu.do) *adj.s.m.* **1** incapaz de falar por deficiência congênita ou adquirida ☞ nesta acp., a palavra pode ser ofensiva ■ *adj.* **2** que não quer falar, explicar, emitir sua opinião em determinada circunstância *<ouviu m. as acusações>* **3** sem expressão por palavras ou por sons *<homenagem m.>*

mugido (mu.gi.do) *s.m.* voz dos bovídeos

mugir (mu.gir) *v. int.* **1** soltar mugidos (bovídeo) **2** *fig.* emitir som semelhante a mugido

mui *adv.* red. de *muito* ◉ GRAM/USO mais empr. antes de adj. e adv.

muiraquitã (mui.ra.qui.tã) *s.m. AMAZ* amuleto da região Amazônica, ger. de pedra verde, em forma de animais (rã, peixe, tartaruga etc.) ou pessoas

muito (mui.to) *pron.ind.* **1** em grande quantidade *<a poluição vem acabando com m. manguezais>* ↺ pouco ■ *adv.* **2** em abundância *<produzimos m.> <m. rico>* ↺ pouco ■ *s.m.* **3** grande quantidade *<encontrou m. do que queria>*

mula (mu.la) *s.f.* ZOO fêmea do mulo

mulá (mu.lá) *s.m.* REL título de autoridades religiosas islâmicas, esp. doutores da lei do Alcorão

mulambo (mu.lam.bo) *s.m.* → ***MOLAMBO***

mula sem cabeça (mu.la sem ca.be.ça) [pl.: *mulas sem cabeça*] *s.f. B* **1** assombração que toma a forma de uma mula sem cabeça e galopa em noites de sexta-feira **2** concubina de padre

mulato (mu.la.to) *adj.s.m.* **1** (pessoa) mestiça de branco e negro **2** (pessoa) que tem a cor da pele escura

muleta (mu.le.ta) /ê/ *s.f.* bastão comprido com um apoio, us. por quem tem dificuldade para andar

mulher (mu.lher) [pl.: *-es*] *s.f.* **1** ser humano do sexo feminino **2** esse ser na idade adulta **3** companheira conjugal; esposa ◉ COL mulherio

mulherengo (mu.lhe.ren.go) *adj.s.m. infrm.* (homem) que costuma paquerar muitas mulheres

mulheril (mu.lhe.ril) [pl.: *-is*] *adj.2g.* **1** relativo a ou próprio de mulher **2** delicado em excesso; afeminado *<gestos m.>*

mulherio (mu.lhe.ri.o) *s.m.* grupo de mulheres

mulo (mu.lo) *s.m.* ZOO burro ('animal estéril')

multa (mul.ta) *s.f.* **1** DIR quantia em dinheiro que se paga como pena por uma infração **2** *p.ext.* documento que comprova essa punição *<recebeu duas m. pelo correio>* ~ **multar** *v.t.d. e t.i.*

multicelular (mul.ti.ce.lu.lar) [pl.: *-es*] *adj.2g.* BIO composto de várias células; pluricelular

multicolorir (mul.ti.co.lo.rir) *v. t.d. e pron.* dar ou adquirir cores variadas *<a primavera multicoloriu nosso jardim> <o inverno no sul multicoloriu-se de tons de branco>*

multicor (mul.ti.cor) /ô/ [pl.: *-es*] ou **multicolor** (mul.ti.co.lor) /ô/ [pl.: *-es*] *adj.2g.* de muitas cores; policromo *<uma colcha m.>*

multidão (mul.ti.dão) [pl.: *-ões*] *s.f.* **1** grande quantidade de pessoas **2** *p.ext.* grande quantidade de qualquer coisa *<guardava uma m. de cartas>*

multidimensional (mul.ti.di.men.sio.nal) [pl.: *-ais*] *adj.2g.* **1** que possui mais de três dimensões (diz-se de espaço) **2** com capacidade de abranger, tratar dos múltiplos aspectos de (algo) *<projeto m.>* ~ **multidimensionalidade** *s.f.*

multifário (mul.ti.fá.rio) *adj.* que se apresenta de muitos modos e maneiras *<os m. interesses da juventude>*

multiforme (mul.ti.for.me) *adj.2g.* com muitas formas

multifuncional (mul.ti.fun.ci.o.nal) [pl.: *-ais*] *adj.2g.* **1** que tem variadas funções; polivalente *<a sala m. de um clube>* **2** que realiza sozinho várias funções *<aparelho m.>* ~ **multifuncionalidade** *s.f.*

multilateral (mul.ti.la.te.ral) [pl.: *-ais*] *adj.2g.* **1** GEOM com muitos lados **2** ECON que se realiza entre duas ou mais nações ou partes de um contrato *<acordo m.> <comércio m.>*

multilíngue (mul.ti.lín.gue) /gü/ *adj.2g.* **1** que é escrito ou falado em muitas línguas *<filme m.>* **2** que fala muitas línguas *<tradutora m.>*

multimídia (mul.ti.mí.dia) *s.f.* INF técnica para apresentar informações que mescla texto, som, imagens fixas e animadas

multimilionário (mul.ti.mi.li.o.ná.rio) *adj.s.m.* que(m) é muitas vezes milionário

multinacional (mul.ti.na.cio.nal) [pl.: *-ais*] *adj.2g.* **1** relativo a vários países *<tecnologia m.>* ■ *adj.2g.s.f.* **2** (empresa ou organização) que produz em vários países *<trabalha em uma (firma) m.>*

multipartidarismo (mul.ti.par.ti.da.ris.mo) *s.m.* POL pluripartidarismo ~ **multipartidário** *adj.*

multiplicação (mul.ti.pli.ca.ção) [pl.: *-ões*] *s.f.* **1** ação de multiplicar(-se) ou o seu efeito **2** MAT operação aritmética us. para somar um número a ele mesmo tantas vezes quanto o valor de outro número ↺ divisão **3** aumento significativo da quantidade de *<com o passar do tempo, observamos a m. dos buracos na rua>* ↺ diminuição **4** BIO reprodução assexual de seres vivos ~ **multiplicativo** *adj.* - **multiplicável** *adj.2g.*

multiplicador (mul.ti.pli.ca.dor) /ô/ [pl.: *-es*] *adj.s.m.* **1** (o) que multiplica ■ *s.m.* MAT **2** na operação de multiplicação, o número de vezes que outro número é somado

multiplicando (mul.ti.pli.can.do) *s.m.* MAT na operação de multiplicação, o número que é somado repetidas vezes

multiplicar (mul.ti.pli.car) *v.* {mod. 1} *t.d.* **1** aumentar muito a quantidade de *<nas férias, multiplicou suas idas ao cinema>* **2** produzir, render em quantidade *<esta terra vai m. o trigo>* □ *int. e pron.* **3** produzir seres da mesma espécie; proliferar *<ah, se dinheiro multiplicasse como coelhos...> <sua família multiplicou-se rapidamente>* □ *t.d. e pron.* **4** espalhar(-se), propagar(-se) *<as flores multiplicavam seu perfume> <a luz multiplicava-se no ambiente>* □ *t.d.,t.d.i. e int.* MAT **5** (prep. *por*) repetir (um número) tantas vezes quantas forem as unidades de (outro número) *<tente m. duas matrizes> <m. 5 por 6> <já sabe m.>* ↺ dividir

multiplicativo (mul.ti.pli.ca.ti.vo) *adj.* **1** que expressa a operação de multiplicação (diz-se de sinal) *<vezes é o sinal m.>* **2** que representa uma multiplicação (p.ex., em *duplo, triplo, quádruplo* etc.) *<numeral m.>* ◉ GRAM/USO *os numerais multiplicativos*, tb. chamados só *multiplicativos* – exceto [1]*simples* e *dobro* – apresentam uma série de nomes us. com adjetivos conexos: duplo: dúplice, triplo: tríplice, quádruplo: quadrúplice, quíntuplo: quintúplice etc.; em português, os números expressos em potenciação (p.ex., 15, 15^2, 15^3, 15^4 etc.) são ditos quinze, quinze ao quadrado, quinze ao cubo, mas, daí em diante, quinze à quarta potência, quinze à quinta potência etc., isto é, salvo para com quadrado e cubo, são expressos com ordinais ou mesmo cardinais, quando estes são muito altos (p. ex., 15^{57} = "quinze elevado à quinquagésima sétima potência" ou "quinze elevado à potência cinquenta e sete" ou "quinze elevado a cinquenta e sete")

multíplice (mul.tí.pli.ce) *adj.2g.* múltiplo *<cultura m.>*

multiplicidade (mul.ti.pli.ci.da.de) *s.f.* **1** caráter do que é múltiplo **2** o que apresenta grande número ou variedade de (algo); diversidade, variedade *<a m. de sabores de sorvete deixou-o confuso>*

múltiplo (múl.ti.plo) *adj.* **1** que se manifesta de várias maneiras; multíplice *<m. oportunidades>* ■ *s.m.* MAT **2** número que pode ser dividido exatamente por outro *<4 é m. de 2>*

multiprocessador (mul.ti.pro.ces.sa.dor) /ô/ [pl.: *-es*] *s.m.* **1** INF computador em que duas ou mais unidades centrais de processamento funcionam ao mesmo tempo, compartilhando memória, dispositivos de entrada e saída etc. **2** processador de alimentos

multiprocessamento (mul.ti.pro.ces.sa.men.to) *s.m.* INF compartilhamento dos recursos de um multiprocessador

multiúso (mul.ti.ú.so) *adj.2g.2n.* voltado para muitos usos *<salas multiúso>*

multiusuário (mul.ti.u.su.á.rio) *adj.s.m.* (o) que permite a utilização simultânea de mais de um usuário (diz-se, ger., de programa informático, sistema operacional)

múmia (mú.mia) *s.f.* **1** cadáver que foi embalsamado **2** cadáver que não se decompõe por ter sofrido processo natural de dessecação **3** *fig. pej.* indivíduo velho e muito magro **4** *fig. pej.* indivíduo sem energia

mumificar (mu.mi.fi.car) *v.* {mod. 1} *t.d.* **1** transformar em múmia; embalsamar *<mumificaram o cadáver de seu gato>* □ *t.d.,int. e pron.* **2** *p.ext.* MED tornar(-se) morto, duro, seco; endurecer *<a diabetes contribuiu para m. as artérias> <o miocárdio já mumificou(-se), precisa ser operado com urgência>* **3** *fig.* deixar ou ficar sem ação, apático □ *t.d. e pron. fig.* **4** tornar(-se) antiquado, ultrapassado *<a vida atual mumificou as conversas pessoais?> <sem contato com os jovens, suas ideias mumificaram-se>* ↺ modernizar(-se) ~ **mumificação** *s.f.*

mundana (mun.da.na) *s.f.* prostituta

mundano (mun.da.no) *adj.* **1** relativo ao mundo material, terreno ↺ espiritual **2** que se satisfaz com bens e prazeres materiais ~ **mundaneidade** *s.f.*

mundão (mun.dão) [pl.: *-ões*] *s.m. B infrm.* **1** mundo grande **2** grande quantidade; mundaréu *<um m. de gente estava lá>* **3** grande extensão de terra

mundaréu (mun.da.réu) *s.m. B* mundão ('grande quantidade')

mundial (mun.di.al) [pl.: *-ais*] *adj.2g.* **1** relativo ao mundo inteiro; universal *<crise m.> <campeonato m.>* ■ *s.m.* **2** ESP campeonato de que participam várias nações *<terminou hoje o m. de natação>*

mundície (mun.dí.cie) ou **mundícia** (mun.dí.cia) *s.f. B infrm.* limpeza, asseio ↺ imundície

mundo (mun.do) *s.m.* **1** o planeta Terra **2** o universo **3** o gênero humano *<o m. quer a paz>* **4** *fig.* conjunto de pessoas, coisas ou conceitos com propriedades comuns *<o m. do cinema>* **5** *fig. B* grande quantidade; mundaréu *<comprou um m. de toalhas de mesa>* ▣ **mundos e fundos** grande quantidade; muitos recursos, oferecimentos etc. *<moveu mundos e fundos para empregar o sobrinho>* • **no m. da lua** completamente alheio ao que se passa em redor *<nada ouviu, parecia estar no m. da lua>* • **Novo M.** o continente americano • **Primeiro M.** conjunto de países formado pelas nações capitalistas avançadas • **ser do outro m.** ser incomum; extraordinário, excepcional *<esse sorvete é do outro m.>* • **Terceiro M.** conjunto de países economicamente subdesenvolvidos ou em desenvolvimento • **todo (o) m.** todas as pessoas *<todo m. quer ser feliz>* • **Velho M.** o conjunto dos continentes europeu, asiático e africano

mungir (mun.gir) *v.* {mod. 24} *t.d.* extrair o leite das tetas de (certos animais); ordenhar

munguzá (mun.gu.zá) ou **mungunzá** (mun.gun.zá) *s.m.* CUL espécie de mingau feito de milho branco com leite de coco; canjica

munheca (mu.nhe.ca) *s.f.* ANAT junção da mão com o antebraço; pulso

M

munição (mu.ni.ção) [pl.: *-ões*] *s.f.* **1** conjunto de cartuchos, projéteis, balas etc. us. para carregar armamentos **2** MIL provisão ('estoque') para missões bélicas, combates etc.

municiar (mu.ni.ci.ar) *v.* {mod. 1} *t.d.* municionar

municionar (mu.ni.cio.nar) *v.* {mod. 1} *t.d.* **1** prover de munição; munir, armar *<m. as tropas>* **2** prover de (o que é necessário ou útil); abastecer *<solicitaram grande quantidade de comida para m. a despensa do cargueiro>*

municipal (mu.ni.ci.pal) [pl.: *-ais*] *adj.2g.* relativo a ou próprio de município *<vias m.>*

municipalidade (mu.ni.ci.pa.li.da.de) *s.f.* **1** Câmara Municipal **2** município ('unidade territorial e administrativa')

municipalismo (mu.ni.ci.pa.lis.mo) *s.m.* sistema administrativo que privilegia os municípios **~ municipalista** *adj.2g.s.2g.*

munícipe (mu.ní.ci.pe) *adj.2g.s.2g.* (cidadão) de um município

município (mu.ni.cí.pio) *s.m.* **1** unidade territorial e administrativa governada pelo prefeito e pela Câmara Municipal; municipalidade **2** conjunto de moradores desse território *<aquele m. votou contra o candidato da situação>*

munificência (mu.ni.fi.cên.cia) *s.f.* generosidade, benevolência ↺ avareza **~ munificente** *adj.2g.*

munir (mu.nir) *v.* {mod. 24} *t.d.* **1** prover de munição, de meios de defesa; armar *<o rei resolveu m. o castelo>* □ *t.d.i. e pron.* **2** (prep. *de*) fornecer ou passar a ter, contar com (o que for necessário, útil); prover(-se), abastecer(-se) *<muniu-a de documentos contra a empresa que processava> <a comissão muniu-se de provas que condenavam o suspeito>*

muque (mu.que) *s.m.* *B infrm.* **1** músculo desenvolvido por exercícios físicos constantes, esp. o bíceps **2** *fig.* força bruta ▣ **a m.** com violência *<tentou convencê-lo a m.>*

muquirana (mu.qui.ra.na) *s.f.* ZOO *B* **1** piolho ■ *adj.2g.s.2g.* *B infrm. pej.* **2** avarento, pão-duro ↺ esbanjador **3** (indivíduo) enfadonho, maçante

mural (mu.ral) [pl.: *-ais*] *adj.2g.* **1** relativo a muro ou parede **2** que se afixa a muro ou parede como meio de divulgação de informações visuais *<quadro m.> <jornal m.>* ■ *s.m.* **3** ART.PLÁST pintura realizada sobre muro ou parede **4** quadro de avisos; quadro mural *<coloque seu anúncio no m.>*

muralha (mu.ra.lha) *s.f.* **1** muro extenso, alto e espesso, us. para proteger fortalezas, cidades etc. **2** *p.ext.* qualquer muro alto

murar (mu.rar) *v.* {mod. 1} *t.d.* **1** construir muros em torno ou ao longo de (terreno, casa etc.), para defesa e/ou demarcação de propriedade **2** servir de muro a *<uma cerca viva murava o quintal>* **~ muramento** *s.m.*

murchar (mur.char) *v.* {mod. 1} *t.d.,int. e pron.* **1** (fazer) perder a vida, o viço (plantas, flores etc.) *<o forte calor murchou suas plantas> <as rosas que ganhou murcharam logo> <as flores murcharam-se no verão>* **2** *fig.* (fazer) perder o ânimo, o vigor, a energia; enfraquecer(-se) *<as notícias murcharam-lhe o ânimo> <a paixão tende a m.(-se) após uma longa convivência>* ↺ fortalecer(-se) **3** (fazer) diminuir de volume (algo inflado, dilatado); desinchar(-se) *<o pneu dianteiro murchou>* ◉ GRAM/USO part.: *murchado, murcho*; ver QUADRO DE PARTICÍPIOS DUPLOS nas pp. iniciais

murcho (mur.cho) *adj.* **1** sem viço ou força *<flores m.> <sorriso m.>* ↺ vibrante **2** de conteúdo esvaziado *<pneu m.>* ↺ cheio **~ murchidão** *s.f.*

mureta (mu.re.ta) /ê/ *s.f.* muro baixo

murici (mu.ri.ci) ou **muruci** (mu.ru.ci) *s.m.* BOT **1** nome comum a árvores e arbustos de frutos comestíveis pequenos e arredondados **2** esse fruto

muriçoca (mu.ri.ço.ca) *s.f.* ZOO *N.E.* MG mosquito

murmurar (mur.mu.rar) *v.* {mod. 1} *t.d. e int.* **1** produzir (som breve e baixo) *<a brisa parecia m. um breve suspiro> <as águas corriam ligeiras murmurando>* □ *t.d. e t.d.i.* **2** (prep. *a*) dizer em tom baixo; sussurrar *<murmurou algumas desculpas após reconhecer seu erro> <murmurava-lhe confidências>* **~ murmuração** *s.f.* **- murmurante** *adj.2g.*

murmurejar (mur.mu.re.jar) *v.* {mod. 1} *int.* **1** causar murmúrio; murmurar □ *t.d.* **2** dizer em voz baixa; sussurrar *<m. segredos>*

murmurinho (mur.mu.ri.nho) *s.m.* som baixo e confuso de várias pessoas conversando ao mesmo tempo

murmúrio (mur.mú.rio) *s.m.* **1** ruído incessante das ondas, de água corrente, da brisa nas folhas etc. **2** voz de pessoa falando baixo; sussurro *<ouviu um m. vindo da sala de jantar>* ↺ grito **~ murmurejante** *adj.2g.*

muro (mu.ro) *s.m.* CONSTR parede que cerca uma área para protegê-la ou separá-la de outra ▣ **m. de arrimo** CONSTR muro resistente, ger. de alvenaria, que se destina a sustentar a terra, evitando a erosão e/ou a queda de barreiras

murro (mur.ro) *s.m.* soco

muruci (mu.ru.ci) *s.m.* → ***MURICI***

musa (mu.sa) *s.f.* MIT **1** cada uma das nove divindades gregas que orientavam as artes **2** *p.ext.* qualquer ser ou divindade que inspira as artes *<sua amada era a sua m.>*

musácea (mu.sá.cea) *s.f.* BOT espécime das musáceas, família de plantas monocotiledôneas, cultivadas como ornamentais, bem como por seus frutos e fibras **~ musáceo** *adj.*

muscicapídeo (mus.ci.ca.pí.deo) *s.m.* ZOO **1** espécime dos muscicapídeos, grande família de aves que inclui, entre outras, os papa-moscas do Velho Mundo e os sabiás ■ *adj.* **2** relativo a essa família de aves

musculação (mus.cu.la.ção) [pl.: *-ões*] *s.f.* **1** conjunto dos movimentos musculares *<necessidade de aprimorar a m.>* **2** conjunto de exercícios com pesos e aparelhos para fortalecer os músculos *<fazia m. em uma academia perto de casa>* **3** a prática desses exercícios

muscular (mus.cu.lar) [pl.: *-es*] *adj.2g.* relativo a músculo *<dor m.>*

musculatura (mus.cu.la.tu.ra) *s.f.* **1** conjunto dos músculos do corpo **2** *fig.* força muscular; músculo

M

músculo (mús.cu.lo) *s.m.* **1** ANAT órgão constituído de fibras que se contraem e se alongam produzindo movimento e resistência a forças externas **2** *fig.* musculatura <*adorava exibir seus m.*>

musculoso (mus.cu.lo.so) /ô/ [pl. e fem.: /ó/] *adj.* **1** que tem músculos bem desenvolvidos <*pernas m.*> ↺ flácido **2** *p.ext.* muito forte; robusto <*rapaz m.*> ↺ fraco

museologia (mu.se.o.lo.gi.a) *s.f.* ciência que cuida da conservação, classificação e apresentação dos acervos de museus ~ **museológico** *adj.* - **museologista** *s.2g.* - **museólogo** *s.m.*

museu (mu.seu) *s.m.* **1** instituição responsável por coletar, conservar, estudar e expor objetos de valor artístico ou histórico **2** local onde tais objetos são expostos

musgo (mus.go) *s.m.* BOT planta briófita que cresce em forma de tapete sobre pedras, árvores, solo e tb. locais repletos de água ~ **musgoso** *adj.* - **musguento** *adj.*

música (mú.si.ca) *s.f.* **1** MÚS arte de combinar os sons de forma harmoniosa **2** MÚS o produto dessa combinação <*seu avô era autor de belas m.*> **3** notação escrita de uma composição musical; partitura <*aprendeu a ler m. na escola*> **4** *p.ext.* sequência de sons ou informações agradáveis <*aquela sentença do juiz foi m. para meus ouvidos*> ▣ **m. de câmara** MÚS música para pequeno número de executantes • **dançar conforme a m.** *fig. infrm.* **1** agir segundo as circunstâncias e não de acordo com qualquer princípio pessoal <*para evitar aborrecimentos, apenas dançava conforme a m.*> **2** agir sob influência ou mando de outrem <*nessa empresa todos devem dançar conforme a m.*>

musical (mu.si.cal) [pl.: *-ais*] *adj.2g.* **1** que diz respeito a música <*instrumento m.*> **2** que tem vocação para música <*tem um filho muito m.*> ■ *adj.2g.s.m.* **3** (espetáculo) que é cantado e dançado <*foi a um* show *m.*> <*era fã dos m. brasileiros*>

musicalidade (mu.si.ca.li.da.de) *s.f.* talento ou sensibilidade para criar, executar ou apreciar música

musicar (mu.si.car) *v.* {mod. 1} *t.d.* **1** colocar música em, transformar em música <*m. poemas*> □ *int.* **2** compor música

musicista (mu.si.cis.ta) *adj.2g.s.2g.* MÚS que(m) compõe, executa ou estuda música; profissional da música

músico (mú.si.co) *adj.* **1** relativo a música; musical ■ *s.m.* **2** quem exerce atividades ligadas à música **3** pessoa que toca um instrumento num conjunto musical; instrumentista ◉ COL banda, orquestra

musicomania (mu.si.co.ma.ni.a) *s.f.* paixão pela música; melomania ~ **musicômano** *adj.s.m.*

musse (mus.se) *s.f.* **1** CUL iguaria gelada, doce ou salgada, preparada com claras em neve para dar-lhe consistência espumosa **2** substância espumosa us. para modelar penteados

musselina (mus.se.li.na) *s.f.* tecido leve e transparente, de algodão

mutação (mu.ta.ção) [pl.: *-ões*] *s.f.* **1** mudança, transformação **2** tendência a mudar de ideia; inconstância **3** GEN alteração súbita de características genéticas, sem relação com os ascendentes, mas que pode ser herdada pelos descendentes ~ **mutatório** *adj.*

mutagênese (mu.ta.gê.ne.se) *s.f.* GEN processo que gera uma mutação; mutagenia

mutagenia (mu.ta.ge.ni.a) *s.f.* GEN mutagênese ~ **mutagênico** *adj.*

mutante (mu.tan.te) *adj.2g.s.2g.* GEN (organismo, célula ou gene) que sofreu uma mutação

mutável (mu.tá.vel) [pl.: *-eis*] *adj.2g.* **1** sujeito a mudança ↺ constante **2** GEN que pode sofrer mutação (diz-se de gene) ↺ imutável ~ **mutabilidade** *s.f.*

mutilação (mu.ti.la.ção) [pl.: *-ões*] *s.f.* **1** ato ou efeito de mutilar(-se); corte **2** amputação de alguma parte do corpo **3** *fig.* supressão ou corte de algo, arruinando ou descaracterizando <*o autor não aceitou a m. feita em seu texto*>

mutilar (mu.ti.lar) *v.* {mod. 1} *t.d. e pron.* **1** cortar algum membro ou parte(s) do corpo (de) <*a explosão do rojão mutilou seus dedos*> <*ao m.-se com a tesoura de podar, perdeu dois dedos do pé*> □ *t.d.* **2** *fig.* causar estrago a; danificar, deteriorar <*o bom aluno não mutila os livros*> ↺ conservar **3** *fig.* suprimir parte de; cortar, truncar <*sofreu ao ver o diretor m. seu discurso*> ~ **mutilado** *adj.*

mutirão (mu.ti.rão) [pl.: *-ões*] *s.m.* **1** entre trabalhadores do campo, auxílio gratuito por ocasião do plantio ou da colheita; muxirão **2** *p.ext.* serviço coletivo e gratuito para a execução de um trabalho que beneficie a comunidade <*foi feito um m. para reformar as casas afetadas pela enchente*>

mutismo (mu.tis.mo) *s.m.* **1** condição ou estado de mudo; mudez **2** PSIC ausência da fala sem causa orgânica

mutreta (mu.tre.ta) /ê/ *s.f.* *B infrm.* trapaça, ardil

mutualismo (mu.tu.a.lis.mo) *s.m.* ECO tipo de associação de dois organismos de espécies diferentes, na qual ambos são beneficiados, resultando freq. em dependência mútua

mutuar (mu.tu.ar) *v.* {mod. 1} *t.d.* **1** dar e receber de forma recíproca; trocar □ *t.d. e t.d.i.* **2** (prep. *com*) dar ou tomar por empréstimo <*costuma m. dinheiro (com o tio)*> ~ **mutuação** *s.f.*

mutuário (mu.tu.á.rio) *s.m.* DIR aquele que recebeu algo por empréstimo

mutuca (mu.tu.ca) *s.f.* ZOO nome comum a moscas grandes cujas fêmeas se alimentam de sangue; butuca

mútuo (mú.tuo) *adj.* recíproco <*auxílio m.*> ~ **mutualidade** *s.f.*

muvuca (mu.vu.ca) *s.f.* *B infrm.* **1** grande aglomeração de pessoas <*não foi ao* show *com medo da m.*> **2** grande confusão; tumulto <*o desfile foi a maior m.*>

muxinga (mu.xin.ga) *s.f.* *B* chicote

muxirão (mu.xi.rão) [pl.: *-ões*] *s.m.* mutirão

muxoxo (mu.xo.xo) /ô/ *s.m.* *B* **1** beijo leve; beijoca **2** som feito com a boca que demonstra enfado ou desdém <*ao fim da explicação soltou um m.*>

MW símbolo de *megawatt*

n *s.m.* **1** 14ª letra do nosso alfabeto, consoante ■ *n.ord.* *(adj.2g.2n.)* **2** diz-se do 14º elemento de uma série *<casa N>* *<item 1n>* ☞ empr. após um substantivo ou numeral ■ *n.card.* **3** qualquer número inteiro indeterminado **4** *p.ext. infrm.* qualquer quantidade indefinida *<isso foi explicado n vezes>* ◉ GRAM/USO na acp. s.m., pl.: *nn*

N **1** símbolo de *norte* (na rosa dos ventos) **2** símbolo de *newton* **3** símbolo de *nitrogênio*

N. abreviatura de *Norte* ('região')

Na QUÍM símbolo de *sódio*

nababesco (na.ba.bes.co) /ê/ *adj.* **1** relativo a, ou próprio de nababo **2** que apresenta luxo, fausto; ostentoso

nababo (na.ba.bo) *s.m.* **1** príncipe ou governador de província na Índia entre os sXVI e XIX **2** *p.ext.* indivíduo muito rico que vive cercado de luxo ~ **nababesco** *adj.*

nabo (na.bo) *s.m.* BOT **1** planta de raiz comestível, roxa ou branca **2** essa raiz ~ **nabal** *s.m.*

nação (na.ção) [pl.: *-ões*] *s.f.* **1** agrupamento político autônomo que ocupa território com limites definidos e cujos membros possuem laços étnicos, históricos, linguísticos etc. e vivem sob um governo único *<a economia da n. está abalada>* **2** esse território; país *<n. brasileira>* **3** as pessoas que vivem nesse território *<o ministro falou à n.>* **4** grupo de pessoas unido por crença, origem, costume, afinidade etc. *<a n. nagô>* *<a n. tupi>*

nácar (ná.car) [pl.: *-es*] *s.m.* **1** madrepérola **2** cor ou tom rosado *<o n. de seus lábios>*

nacarado (na.ca.ra.do) *adj.* **1** que tem o brilho ou a aparência do nácar **2** que contém nácar **3** que tem a cor rosada

nacela (na.ce.la) ou **nacele** (na.ce.le) *s.f.* **1** estrutura, em forma de cesta ou barca, em um balão ou dirigível, para transporte de tripulantes, passageiros, carga etc. **2** AER assento do piloto de aeronave protegido por cobertura

nacional (na.cio.nal) [pl.: *-ais*] *adj.2g.* **1** de determinada nação ('agrupamento') *<cantores n.>* *<carros n.>* **2** que representa a pátria *<emblema n.>* **3** que abrange a totalidade da nação *<o discurso foi transmitido em cadeia n.>* ■ *s.m.* **4** o natural de um país

nacionalidade (na.cio.na.li.da.de) *s.f.* **1** conjunto de traços que distinguem uma nação **2** país de origem **3** condição do cidadão de um país, natural ou naturalizado

nacionalismo (na.cio.na.lis.mo) *s.m.* **1** doutrina que reconhece o Estado nacional como ideal de organização política **2** preferência pelo que é próprio da nação a que se pertence, glorificação de suas características e valores tradicionais ↺ antinacionalismo

nacionalista (na.cio.na.lis.ta) *adj.2g.* **1** relativo a nacionalismo *<tendências n.>* ■ *adj.2g.s.2g.* **2** adepto do nacionalismo *<político n.>* *<n. convicto>*

nacionalizar (na.cio.na.li.zar) *v.* {mod. 1} *t.d. e pron.* **1** (fazer) ter ou adquirir caráter, feição nacional *<n. uma tecnologia>* *<a arte brasileira nacionalizou-se com o movimento modernista>* **2** conceder a ou obter (estrangeiro) direitos iguais aos cidadãos nativos de um país; naturalizar(-se) □ *t.d.* **3** pôr sob controle ou propriedade do Estado (empresa, serviço); estatizar ~ **nacionalização** *s.f.*

nacional-socialismo (na.cio.nal-so.ci.a.lis.mo) [pl.: *nacional-socialismos*] *s.m.* POL nazismo ~ **nacional-socialista** *adj.2g.s.2g.*

naco (na.co) *s.m.* pedaço (de algo) *<um n. de pão>*

nada (na.da) *pron.ind.* **1** coisa nenhuma *<passei o dia sem fazer n.>* ■ *adv.* **2** de modo nenhum *<não é n. bobo>* ■ *s.m.* **3** a não existência *<não viemos do n.>* **4** o vazio *<passou o dia olhando para o n.>* **5** pouca coisa; ninharia *<brigaram por um n.>*

nadadeira (na.da.dei.ra) *s.f.* **1** ANAT ZOO órgão de locomoção dos animais aquáticos **2** pé de pato

nadar (na.dar) *v.* {mod. 1} *int.* **1** mover-se na água por impulso e recursos próprios (como braços e pernas, nadadeiras etc.) *<aprendi a n. muito cedo>* **2** flutuar sobre um líquido; boiar *<na água nadava muito lixo>* □ *t.d.* **3** percorrer a nado *<nadar um riacho de uma margem a outra>* **4** praticar, executar (certo tipo de nado) *<n. borboleta>* □ *t.i. fig.* **5** (prep. *em*) ter em abundância (esp. bens, dinheiro) *<um banqueiro que nada em dinheiro>* ~ **nadador** *adj.s.m.*

nádega (ná.de.ga) *s.f.* cada uma das duas partes carnosas da região posterior da bacia humana *<tomou uma injeção na n. esquerda>*

nadir (na.dir) [pl.: *-es*] *s.m.* **1** ponto da esfera celeste que se situa na vertical do observador, diretamente sob seus pés ↺ zênite **2** ASTR direção vertical orientada para o centro da Terra ~ **nadiral** *adj.2g.*

nado (na.do) *s.m.* **1** prática da natação **2** ESP cada uma das modalidades em natação ▣ **n. borboleta** ESP estilo em que os braços se projetam para fora da água, lembrando asas abertas • **n. *crawl*** ESP nado com batimento contínuo das pernas e rotação alternada dos braços • **n. de costas** ESP nado com o corpo reto, de barriga para cima, girando os braços para trás e batendo os pés • **n. de peito** ESP estilo em que as mãos são atiradas para a frente, saindo do peito, e depois trazidas de volta, com uma ação simétrica das pernas, lembrando o nado de uma rã • **n. livre** ESP **1** qualquer estilo **2** nado *crawl* • **n. sincronizado** ESP série de movimentos sincronizados de um ou mais nadadores, ger. com acompanhamento musical

nafta (naf.ta) *s.f.* QUÍM derivado líquido do petróleo us. como matéria-prima na petroquímica

Nafta (Naf.ta) *s.m.* tratado de integração econômica assinado pelos E.U.A. e Canadá em 1988 ao qual o México aderiu em 1992

naftaleno (naf.ta.le.no) *s.m.* QUÍM hidrocarboneto aromático, muito us. como repelente de insetos, esp. traças ☞ cf. *naftalina*

naftalina ® (naf.ta.li.na) *s.f.* QUÍM nome comercial do naftaleno ☞ inicial maiúsc.; cf. *naftaleno*

nagô (na.gô) *s.2g.* **1** negro escravizado falante da língua iorubá **2** LING a língua iorubá ■ *adj.2g.* **3** relativo a esses negros ou a sua língua

náiade (nái.a.de) ou **náiada** (nái.a.da) *s.f.* MIT ninfa das fontes e dos rios ☞ inicial por vezes maiúsc.

náilon (nái.lon) [pl.: *náilones* e *(B) náilons*] *s.m.* **1** forma aportuguesada de *nylon*, marca registrada de materiais sintéticos de poliamida, us. na confecção de fibras, tecidos, plásticos etc. **2** tecido ou fibra feito com esses materiais

naipe (nai.pe) *s.m.* **1** RECR desenho que distingue cada um dos quatro grupos do baralho (ouros, copas, paus, espadas) **2** RECR conjunto de cartas de um baralho com o mesmo desenho *<separou todo o n. de paus>* **3** MÚS num conjunto, os executantes do mesmo tipo de instrumento ou com a mesma classificação vocal *<n. de cordas> <n. de sopranos>*

naja (na.ja) *s.f.* ZOO serpente muito venenosa, encontrada na Ásia e África, que quando excitada expande a pele logo abaixo da cabeça

nambiquara (nam.bi.qua.ra) *s.2g.* **1** indivíduo dos nambiquaras, grupo indígena que habita o oeste de Mato Grosso e o sul de Rondônia; nhambiquara ■ *s.m.* **2** língua falada por esse grupo; nhambiquara ■ *adj.2g.* **3** relativo a esse indivíduo, grupo ou língua; nhambiquara

nambu (nam.bu) *s.m.* ZOO inhambu

namorada (na.mo.ra.da) *s.f.* aquela que namora com alguém

namorado (na.mo.ra.do) *s.m.* **1** aquele que mantém um relacionamento amoroso estável com alguém **2** ZOO peixe marinho com até 1 m de comprimento, dorso pardo e ventre claro, com pintas esbranquiçadas no corpo

namorador (na.mo.ra.dor) /ô/ [pl.: *-es*] *adj.s.m.* que(m) namora muito, com pessoas diferentes

namorar (na.mo.rar) *v.* {mod. 1} *t.d.,t.i. e int.* **1** (prep. *com*) manter relacionamento amoroso estável (com) *<namorou-o pelas afinidades que tinham> <foi muito feliz quando namorava com ela> <namoraram desde mocinhos>* □ *t.d.* **2** buscar inspirar amor em; cortejar **3** *fig.* desejar muito possuir; cobiçar *<estava de dieta e vivia namorando os doces da padaria>*

namorico (na.mo.ri.co) *s.m.* namoro rápido e inconsequente ~ **namoricar** *v.t.d. e int.*

namoro (na.mo.ro) /ô/ *s.m.* relação entre namorados

nanar (na.nar) *v.* {mod. 1} *int. l.inf.* dormir ↺ acordar

nanico (na.ni.co) *adj.s.m.* **1** (o) que tem a aparência de um anão ■ *adj.* **2** *p.ext.* pequeno, acanhado *<texto n.>* **3** *infrm.* de pouca expressão *<empresa n.>*

nanismo (na.nis.mo) *s.m.* MED anomalia que interrompe prematuramente o processo de crescimento

nano- *pref.* do SI, simbolizado por *n*, 'milésimo milionésimo' (na nomenclatura tradicional brasileira *bilionésimo*) da unidade indicada *<nanograma = um milésimo milionésimo do grama>* ☞ adotado na 11ª Conferência Geral de Pesos e Medidas, de 1960

nanômetro (na.nô.me.tro) *s.m.* FÍS unidade de comprimento equivalente à bilionésima parte de um metro, ou 10^{-9} m [símb.: *nm*] ~ **nanométrico** *adj.*

nanotecnologia (na.no.tec.no.lo.gi.a) *s.f.* tecnologia que trabalha em escala nanométrica, aplicada freq. à produção de circuitos e dispositivos eletrônicos com as dimensões de átomos ou moléculas

nanquim (nan.quim) [pl.: *-ins*] *s.m.* tinta preta para desenho, escrita etc.

não *adv.* **1** indica negação *<n. vou jantar> <– Quer um café? – Não, obrigado.>* ■ *s.m.* **2** negativa enfática, recusa *<ouviu um sonoro n.>* ◉ GRAM/USO como s.m., pl.: *nãos*

não me toques (não me to.ques) *s.m.2n. B infrm.* disposição para se ressentir de coisas insignificantes; sensibilidade excessiva *<ela é cheia de não me toques>*

napa (na.pa) *s.f.* pelica fina e macia, de cores variadas, feita de pele de carneiro

napoleônico (na.po.le.ô.ni.co) *adj.* relativo a Napoleão Bonaparte, imperador da França ☞ cf. *Napoleão I* na parte enciclopédica

napolitano (na.po.li.ta.no) *adj.* **1** de Nápoles (Itália) ■ *s.m.* **2** natural ou habitante dessa cidade

naquele (na.que.le) /ê/ *contr.* da preposição *em* com o pron. demonstrativo *aquele* *<as provas estão n. pasta verde>* *<ele mora n. prédio da esquina>* *<n. tempo, não havia eletricidade>* ◉ GRAM/USO fem. *naquela*; pl.: *naqueles, naquelas*

naquilo (na.qui.lo) *contr.* da preposição *em* com o pron. demonstrativo *aquilo* *<pensei n. que ela disse ontem>* *<apoiou o pé n. que parece uma caixa>*

narcisismo (nar.ci.sis.mo) *s.m.* amor pela própria imagem ↺ modéstia

narcisista (nar.ci.sis.ta) *adj.2g.s.2g.* que(m) é apaixonado por si mesmo, esp. pela própria imagem

narciso (nar.ci.so) *s.m.* **1** BOT flor amarela grande e perfumada, cultivada como ornamental **2** homem muito vaidoso ↺ humilde

narcose (nar.co.se) *s.f.* MED estado de estupor provocado por narcótico ou outro agente químico

narcótico (nar.có.ti.co) *adj.s.m.* **1** (o) que produz entorpecimento e inconsciência **2** *fig.* (o) que aborrece, faz dormir *<esse filme é um n.!>* ■ *s.m.* **3** droga entorpecente

narcotizante (nar.co.ti.zan.te) *adj.2g.* que narcotiza

narcotizar (nar.co.ti.zar) *v.* {mod. 1} *t.d.* **1** aplicar narcótico em **2** provocar narcose em **3** *p.ext.* causar entorpecimento ou sono em *<a bebida narcotizou-o>* **4** *fig.* tornar insensível; endurecer ↺ sensibilizar **5** *fig.* causar enfado a; entediar ↺ entusiasmar

narcotraficante (nar.co.tra.fi.can.te) *adj.2g.s.2g.* (traficante) de drogas

narcotráfico (nar.co.trá.fi.co) *s.m.* tráfico de drogas

narigada (na.ri.ga.da) *s.f.* pancada com o nariz

narigão (na.ri.gão) [pl.: *-ões*] *s.m.* **1** nariz muito grande ■ *adj.s.m.* **2** *p.ext.* que(m) tem o nariz muito grande; narigudo ◉ GRAM/USO aum.irreg. de *nariz*

narigudo (na.ri.gu.do) *adj.s.m.* que(m) tem o nariz muito grande; narigão

narina (na.ri.na) *s.f.* ANAT cada uma das duas aberturas da face inferior do nariz, no homem, e da fossa nasal, em certos animais

nariz (na.riz) [pl.: *-es*] *s.m.* **1** ANAT órgão do olfato, que constitui a parte inicial das vias respiratórias **2** *p.ext.* olfato *<tem um bom n. para perfumes>* **3** *p.ext.* narina *<vivia com o dedo no n.>* **4** extremidade da frente de uma aeronave ◉ GRAM/USO aum.irreg.: *narigão* ▣ **meter o n. em** intrometer-se em (alguma coisa) *<adora meter o n. onde não é chamado>* • **torcer o n.** mostrar desaprovação ou desagrado com relação a algo *<torceu o n. ao saber da viagem>*

narração (nar.ra.ção) [pl.: *-ões*] *s.f.* **1** exposição oral ou escrita de um fato ou de uma série de fatos **2** em filmes, documentários, peças etc., fala que acompanha, comenta ou explica uma sequência de imagens

narrador (nar.ra.dor) /ô/ [pl.: *-es*] *adj.s.m.* (aquele) que narra, conta, relata

narrar (nar.rar) *v.* {mod. 1} *t.d.* e *t.d.i.* (prep. *a*) expor por escrito ou oralmente (fato, acontecimento); contar, relatar *<narrou o episódio com grande precisão>* *<narrou (ao amigo) os seus sentimentos conflitantes>* ~ **narrável** *adj.2g.*

narrativa (nar.ra.ti.va) *s.f.* **1** narração ('exposição') **2** conto, história **3** ficção ('conto, novela')

narrativo (nar.ra.ti.vo) *adj.* relacionado com narração ou em forma de narração *<gênero n.>* *<pintura n.>*

nasal (na.sal) [pl.: *-ais*] *adj.2g.* **1** relativo a nariz ■ *adj.2g.s.2g.* **2** (som ou voz) modificado pelo nariz ~ **nasalidade** *s.f.*

nasalar (na.sa.lar) *v.* {mod. 1} *t.d.* e *pron.* nasalizar ~ **nasalado** *adj.*

nasalizar (na.sa.li.zar) *v.* {mod. 1} *t.d.* e *pron.* tornar (-se) nasal (som, palavra, a voz etc.) ~ **nasalização** *s.f.* - **nasalizado** *adj.*

nascedouro (nas.ce.dou.ro) *adj.* **1** que deverá nascer ■ *s.m.* **2** lugar onde nasce alguém ou alguma coisa *<o n. de um rio>*

nascença (nas.cen.ça) *s.f.* nascimento

nascente (nas.cen.te) *s.f.* **1** ponto onde nasce um curso de água ↺ foz ■ *s.m.* **2** leste ('direção') ↺ poente ■ *adj.2g.* **3** que nasce, que começa a ter existência **4** *fig.* que começa a se formar *<o n. interesse por novos autores>*

nascer (nas.cer) *v.* {mod. 8} *int.* **1** vir ao mundo saindo do ventre materno *<n. de parto normal>* ↺ morrer **2** começar a crescer, a brotar *<a planta nasceu e cresceu depressa>* **3** dar sinal de sua presença; surgir *<ao longe via o sol n.>* **4** passar a existir; surgir *<a invenção nasceu por acaso>* ↺ extinguir-se □ *t.i.* **5** (prep. *de*) ter origem em; provir, derivar *<era uma coragem que nascia do medo>* **6** (prep. *de*) ser descendente de *<n. de pais amorosos>* **7** (prep. *para*) estar destinado a ou ter aptidão para *<nasceu para dançar>* ◉ GRAM/USO part.: *nascido, nato*; ver QUADRO DE PARTICÍPIOS DUPLOS nas pp. iniciais

nascimento (nas.ci.men.to) *s.m.* **1** ato de nascer; nascença ↺ morte **2** *fig.* começo ou princípio de algo; nascença ↺ fim

nascituro (nas.ci.tu.ro) *adj.s.m.* (o) que está para nascer

nata (na.ta) *s.f.* **1** camada gordurosa do leite que se forma à superfície, us. para fazer manteiga, doces etc. **2** *fig.* a camada de maior poder ou prestígio num grupo; elite *<pertencem à n. do futebol mundial>* ↺ ralé

natação (na.ta.ção) [pl.: *-ões*] *s.f.* **1** ação, exercício ou esporte de nadar **2** meio de locomoção dos animais que vivem na água

natal (na.tal) [pl.: *-ais*] *adj.2g.* **1** onde ocorreu o nascimento de alguém ou algo *<cidade n.>* **2** relativo ao nascimento; natalício ■ *s.m.* **3** REL festa do nascimento de Jesus Cristo, celebrada no dia 25 de dezembro ☞ inicial maiúsc. nesta acp.; cf. *Jesus Cristo* na parte enciclopédica

natalense (na.ta.len.se) *adj.2g.* **1** de Natal (RN) ■ *s.2g.* **2** natural ou habitante dessa capital

natalício (na.ta.lí.cio) *adj.* **1** relativo ao dia do nascimento *<data n.>* **2** referente ao nascimento *<estado n.>* ■ *s.m.* **3** o dia do nascimento *<festejar um n.>*

N

natalidade (na.ta.li.da.de) *s.f.* relação entre o número de nascimentos e o total da população num dado lugar, em certo período de tempo

natalino (na.ta.li.no) *adj.* relativo ao ou próprio do Natal *<período n.> <decoração n.>*

natatório (na.ta.tó.ri.o) *adj.* **1** relativo a natação **2** que serve para nadar *<a bexiga n. de alguns peixes>*

natimorto (na.ti.mor.to) /ô/ [pl. e fem.: /ó/] *adj.s.m.* (feto) que nasceu morto

natividade (na.ti.vi.da.de) *s.f.* nascimento (esp. de Jesus Cristo e dos santos)

nativismo (na.ti.vis.mo) *s.m.* **1** atitude ou política de favorecer os habitantes nativos contra os imigrantes **2** aversão a estrangeiros; xenofobia **3** revivescência, conservação e propagação de culturas nativas contra a aculturação **~ nativista** *adj.2g.s.2g.*

nativo (na.ti.vo) *s.m.* **1** indígena **2** nascido em determinado lugar *<os n. de Sergipe>* **3** indivíduo nascido sob determinado signo zodiacal *<n. de Peixes>* ■ *adj.* **4** que constitui a origem de algo ou de alguém *<país n.>* **5** relativo a indígena **6** que é natural de determinado lugar *<animal n. da África> <vegetação n.>*

nato (na.to) *adj.* **1** que nasceu **2** de nascença *<era um brasileiro n.>*

natural (na.tu.ral) [pl.: *-ais*] *adj.2g.* **1** da natureza **2** espontâneo *<crescimento n. das plantas> <gestos n.>* ↺ artificial **3** que acontece segundo a ordem regular das coisas *<consequência n. de um fato>* **4** cultivado ou preparado sem a adição de produtos tóxicos (diz-se de frutas, legumes, alimentos etc.) **5** *p.ext.* que vende ou serve essas mercadorias (diz-se de estabelecimento) *<restaurante n.> <loja de produtos n.>* ■ *adj.s.m.* **6** que(m) nasce em certo lugar *<o pai era (homem) n. do Paraná>*

naturalidade (na.tu.ra.li.da.de) *s.f.* **1** qualidade, estado ou condição do que é natural **2** ausência de fingimento ou artificialidade *<a n. de um ator>* ↺ afetação **3** local de nascimento *<ser de n. baiana>*

naturalismo (na.tu.ra.lis.mo) *s.m.* **1** estado do que é produzido pela natureza **2** estilo artístico e literário que retrata a realidade com a máxima objetividade **~ naturalista** *adj.2g.s.2g.*

naturalização (na.tu.ra.li.za.ção) [pl.: *-ões*] *s.f.* concessão de cidadania a estrangeiro

naturalizar (na.tu.ra.li.zar) *v.* {mod. 1} *t.d. e pron.* **1** conceder a ou obter (um estrangeiro) os mesmos direitos dos cidadãos nativos de um país □ *t.d.* **2** passar a ter como próprio; adotar *<vivendo em Madri, naturalizou hábitos espanhóis>*

natureba (na.tu.re.ba) *adj.2g.s.2g.* *B infrm.* praticante da alimentação natural

natureza (na.tu.re.za) /ê/ *s.f.* **1** conjunto dos seres do Universo **2** conjunto de elementos (mares, montanhas, árvores, animais etc.) do mundo natural **3** índole; caráter *<ele é de n. pacífica>*

natureza-morta (na.tu.re.za-mor.ta) [pl.: *naturezas-mortas*] *s.f.* ART.PLÁST **1** gênero de pintura em que se representam coisas ou seres inanimados **2** quadro desse gênero

naturismo (na.tu.ris.mo) *s.m.* **1** valorização dos agentes da natureza, esp. como meios terapêuticos **2** filosofia de vida que recomenda um maior contato com a natureza (vida ao ar livre, alimentos naturais, nudismo etc.) **~ naturista** *adj.2g.s.2g.*

nau *s.f.* **1** antigo navio de grande porte **2** *frm.* qualquer embarcação

naufragar (nau.fra.gar) *v.* {mod. 1} *t.d. e int.* **1** (fazer) ir ao fundo (embarcação) em virtude de acidente; afundar *<a tempestade naufragou o navio> <o pequeno barco naufragou em meio à borrasca>* □ *int.* **2** ser vítima de naufrágio **3** *fig.* sofrer revés, não ter sucesso; fracassar

naufrágio (nau.frá.gio) *s.m.* **1** ato de naufragar ou o seu efeito **2** *fig.* fracasso, insucesso

náufrago (náu.fra.go) *s.m.* vítima de naufrágio

náusea (náu.sea) *s.f.* **1** tontura e enjoo sentidos em viagem por terra, mar ou ar **2** *p.ext.* qualquer enjoo **3** *fig.* repugnância, aversão ↺ atração

nauseabundo (nau.se.a.bun.do) *adj.* **1** que causa náuseas; nauseante *<cheiro n.>* **2** que provoca nojo; repugnante ↺ atraente

nauseante (nau.se.an.te) *adj.2g.* nauseabundo

nausear (nau.se.ar) *v.* {mod. 5} *t.d.,int. e pron.* (fazer) sentir ânsia de vômito; enjoar *<o balanço do barco a nauseava> <nauseia(-se) quando viaja de avião>*

nauta (nau.ta) *s.m.* navegante

náutica (náu.ti.ca) *s.f.* ciência e técnica de navegar; navegação

náutico (náu.ti.co) *s.m.* **1** aquele que exerce a profissão de conduzir embarcação no mar ■ *adj.* **2** relativo a marinheiro **3** que se refere a atividade, publicação etc. de navegação marítima *<esporte n.>*

nautimodelismo (nau.ti.mo.de.lis.mo) *s.m.* **1** técnica de projetar e construir modelos reduzidos de embarcações **2** passatempo que se dedica a essa atividade **~ nautimodelista** *adj.2g.s.2g.*

naval (na.val) [pl.: *-ais*] *adj.2g.* **1** relativo a marinha, esp. a Marinha de Guerra *<escola n.> <ofícios n.>* **2** relativo a navegação, embarcação, esquadra *<combate n.>* **3** pertencente à Marinha de Guerra *<estratégia n.>* **4** relativo a construção de navios *<engenharia n.>*

navalha (na.va.lha) *s.f.* instrumento de corte, dobrável, cujo cabo serve tb. de estojo para a lâmina

navalhada (na.va.lha.da) *s.f.* **1** golpe com navalha **2** o corte feito por esse golpe

nave (na.ve) *s.f.* **1** *frm.* embarcação, nau **2** ARQ espaço central que atravessa a igreja até o presbitério ▣ **n. espacial** veículo, tripulado ou não, us. em viagens espaciais; astronave

navegação (na.ve.ga.ção) [pl.: *-ões*] *s.f.* **1** ação de navegar; viagem pelas águas **2** náutica

navegador (na.ve.ga.dor) /ô/ [pl.: *-es*] *adj.s.m.* **1** (o) que navega ■ *s.m.* INF **2** programa que permite a usuário da internet consultar páginas de hipertexto e ter acesso a todos os recursos dessa rede de computadores

navegante (na.ve.gan.te) *s.2g.* **1** quem anda embarcado, quem navega; nauta, marinheiro ■ *adj.2g.* **2** que sabe navegar **3** relativo a nauta, a marinheiro

navegar (na.ve.<u>gar</u>) *v.* {mod. 1} *t.d. e int.* **1** percorrer (mar, rio, águas etc.) em embarcação ou aeronave *<n. mares bravios> <n. pelo rio Amazonas>* **2** *p.ext.* viajar por (atmosfera, espaço) ▫ *int. fig.* INF **3** consultar sequencialmente diversos hipertextos, acionando os *links* neles contidos para passar de um para outro *<n. na* web*>*

navegável (na.ve.<u>gá</u>.vel) [pl.: *-eis*] *adj.2g.* que pode ser navegado *<rio n.>* ~ **navegabilidade** *s.f.*

navio (na.<u>vi</u>.o) *s.m.* embarcação de grande porte ◉ COL frota ▣ **n. cargueiro** o que transporta cargas • **n. negreiro** HIST navio que transportava escravos negros • **n. quebra-gelos** navio us. para abrir caminho em águas congeladas • **ficar a ver navios** *infrm.* não obter o que se esperava *<todos foram ao passeio, mas Joana ficou a ver navios>*

navio-baleeiro (na.vi.o-ba.le.<u>ei</u>.ro) [pl.: *navios-baleeiros*] *s.m.* navio equipado para pesca de baleias; baleeiro

navio-escola (na.vi.o-es.<u>co</u>.la) [pl.: *navios-escola*] *s.m.* navio destinado à aprendizagem de praças especiais (aspirantes e guardas-marinhas) e de alunos de escola mercante

navio-petroleiro (na.vi.o-pe.tro.<u>lei</u>.ro) [pl.: *navios-petroleiros*] *s.m.* navio que transporta petróleo e derivados; petroleiro

navio-tanque (na.vi.o-<u>tan</u>.que) [pl.: *navios-tanque* e *navios-tanques*] *s.m.* navio destinado ao transporte de líquidos, ger. água ou combustíveis

nazareno (na.za.<u>re</u>.no) *adj.* **1** de Nazaré (Israel) ■ *s.m.* **2** natural ou habitante dessa cidade **3** epíteto de Jesus Cristo ☞ inicial maiúsc. nesta acp.; cf. *Jesus Cristo* na parte enciclopédica

nazifascista (na.zi.fas.<u>cis</u>.ta) *adj.2g.* **1** relativo ao fascismo e ao nazismo, conjuntamente ■ *adj.2g.s.2g.* **2** adepto ou simpatizante do fascismo e do nazismo ~ **nazifascismo** *s.m.*

nazismo (na.<u>zis</u>.mo) *s.m.* POL movimento político e social alemão, fundado por Adolph Hitler (1889-1945), de caráter revolucionário e totalitário, fascista e antissemita; hitlerismo, nacional-socialismo ☞ cf. *Hitler* na parte enciclopédica ~ **nazista** *adj.2g.s.2g.*

Nb QUÍM símbolo de *nióbio*

Nd QUÍM símbolo de *neodímio*

Ne QUÍM símbolo de *neônio*

NE símbolo de *nordeste* (na rosa dos ventos)

N.E. abrev. de *nordeste* ('região')

né *adv.* contr. de *não é*

neblina (ne.<u>bli</u>.na) *s.f.* nevoeiro

neblinar (ne.bli.<u>nar</u>) *v.* {mod. 1} *int.* **1** *B* chuviscar **2** *B* cair cerração; enevoar-se ☞ nestas acp., é impessoal, exceto quando fig. **3** turvar, escurecer (a vista)

nebulização (ne.bu.li.za.<u>ção</u>) [pl.: *-ões*] *s.f.* **1** conversão de líquido em vapor **2** MED tratamento por inalação de substâncias medicamentosas

nebulizador (ne.bu.li.za.<u>dor</u>) /ô/ [pl.: *-es*] *s.m.* **1** dispositivo que converte líquidos em gotículas minúsculas; atomizador ■ *adj.* **2** que nebuliza; atomizador

nebulizar (ne.bu.li.<u>zar</u>) *v.* {mod. 1} *t.d.* **1** converter (líquido) em vapor **2** fazer nebulização em *<n. um paciente>*

nebulosa (ne.bu.<u>lo</u>.sa) *s.f.* ASTR nuvem de matéria interestelar que pode apresentar-se difusa ou obscura

nebulosidade (ne.bu.lo.si.<u>da</u>.de) *s.f.* **1** estado ou condição de nebuloso **2** *fig.* ausência de clareza de expressão, de precisão em frase, texto, discurso etc. **3** MET gotículas de água em suspensão na atmosfera, formando nuvem

nebuloso (ne.bu.<u>lo</u>.so) /ô/ [pl. e fem.: /ó/] *adj.* **1** coberto de nuvens **2** *p.ext.* sem definição; indistinto *<imagens n.>* ↺ nítido **3** *fig.* difícil de entender *<fatos n.>* ↺ claro

neca (<u>ne</u>.ca) ou **necas** (<u>ne</u>.cas) *adv. infrm.* **1** não *<– Você recebeu aumento? – Neca!>* ■ *pron.ind.* **2** nada, coisa nenhuma *<ela não disse n.>* ▣ **n.** ou **necas de pitibiriba** *infrm.* absolutamente nada

necedade (ne.ce.<u>da</u>.de) *s.f.* **1** ignorância, nescidade **2** dito ou ato ilógico; disparate, nescidade

nécessaire (né.ces.sai.re) [fr.; pl.: *nécessaires*] *s.m.* bolsa ou maleta us. ger. para guardar objetos de uso pessoal ⇒ pronuncia-se nessessér

necessário (ne.ces.<u>sá</u>.rio) *adj.* **1** aquilo de que se tem necessidade; indispensável; essencial *<o sono é n.>* ↺ desnecessário **2** que se não pode evitar; inevitável, forçoso *<mudar de casa foi a solução n.>*

necessidade (ne.ces.si.<u>da</u>.de) *s.f.* **1** o que não se pode evitar *<dormir é uma n.>* **2** o que é útil ou inevitável *<sentiu n. de mais um casaco>* **3** compulsão física, psicológica ou moral *<tem n. de aparecer>* **4** exigência *<n. básicas para uma vida digna>* **5** pobreza; miséria *<vamos ajudar a quem passa necessidades>* ↺ riqueza

necessitado (ne.ces.si.<u>ta</u>.do) *adj.s.m.* **1** que ou quem necessita (de algo); carente, precisado *<ele está n. de afeto>* **2** que ou quem não dispõe do mínimo necessário para sobreviver; indigente, pobre, miserável

necessitar (ne.ces.si.<u>tar</u>) *v.* {mod. 1} *t.d. e t.i.* **1** (prep. *de*) ter necessidade ou obrigação de; precisar *<necessita (de) mais alguma coisa da loja>* ↺ dispensar **2** reclamar por direito legítimo ou suposto; exigir, requerer *<boas escolas necessitam (de) bons professores>*

necrófago (ne.<u>cró</u>.fa.go) *adj.s.m.* (o) que se alimenta de cadáveres ~ **necrofagia** *s.f.*

necrofilia (ne.cro.fi.<u>li</u>.a) *s.f.* PSIQ atração sexual por cadáveres ~ **necrófilo** *adj.s.m.*

necrologia (ne.cro.lo.<u>gi</u>.a) *s.f.* **1** relação de óbitos; necrológio **2** conjunto de notícias sobre óbitos

necrológio (ne.cro.<u>ló</u>.gio) *s.m.* **1** necrologia ('relação') **2** elogio oral ou escrito sobre pessoa falecida

necromancia (ne.cro.man.<u>ci</u>.a) *s.f.* **1** arte de adivinhar o futuro invocando os mortos **2** prática dessa arte **3** *p.ext.* bruxaria ~ **necromante** *s.2g.*

necrópole (ne.<u>cró</u>.po.le) *s.f.* cemitério

necropsia (ne.crop.<u>si</u>.a) *s.f.* MED autópsia ◉ GRAM/USO uso mais corrente: *necrópsia* ~ **necrópsico** *adj.*

necrose (ne.cro.se) *s.f.* MED morte de tecido orgânico ~ **necrosar** *v.t.d. e int.* - **necrótico** *adj.*

necrotério (ne.cro.té.rio) *s.m.* local para autópsia ou identificação de cadáveres; morgue

néctar (néc.tar) [pl.: *-es*] *s.m.* **1** na Grécia antiga, bebida dos deuses do Olimpo **2** BOT líquido adocicado que certos vegetais segregam e a partir do qual as abelhas fazem o mel **3** *p.ext.* qualquer bebida deliciosa

nectarina (nec.ta.ri.na) *s.f.* BOT tipo de pêssego de polpa macia e casca sem pelos

nefando (ne.fan.do) *adj.* **1** abominável; detestável *<crime n.>* ↺ admirável **2** malvado, perverso *<caráter n.>* ↺ bondoso **3** que revela desprezo pela religião ↺ devoto **4** moralmente degradado; degenerado ↺ decente

nefasto (ne.fas.to) *adj.* **1** que pode trazer dano; nocivo *<o poder n. do dinheiro>* ↺ benéfico **2** que traz a ideia de morte; funesto *<símbolos n.>* ↺ alegre

nefralgia (ne.fral.gi.a) *s.f.* MED dor nos rins ou na região renal ~ **nefrálgico** *adj.*

nefrite (ne.fri.te) *s.f.* MED inflamação dos rins ~ **nefrítico** *adj.s.m.*

nefrologia (ne.fro.lo.gi.a) *s.f.* parte da medicina que se dedica ao estudo da fisiologia e das doenças dos rins ~ **nefrológico** *adj.* - **nefrologista** *s.2g.* - **nefrólogo** *s.m.*

nefrose (ne.fro.se) *s.f.* MED doença renal degenerativa

negaça (ne.ga.ça) *s.f.* **1** o que é us. para despertar o interesse; atrativo, isca ↺ desestímulo **2** falsa promessa; engano **3** recusa afetada e/ou cerimoniosa; luxo

negação (ne.ga.ção) [pl.: *-ões*] *s.f.* **1** ato de dizer não ou seu efeito ↺ afirmação **2** o que se nega; negativa **3** enunciado por meio do qual se nega uma proposição afirmativa anterior **4** recusa, rejeição *<n. de um sentimento>* ↺ aceitação **5** pessoa sem vocação ou habilidade *<era uma n. para as artes>* ↺ inclinação

negacear (ne.ga.ce.ar) *v.* {mod. 5} *int.* **1** fazer negaça(s) □ *t.d.* **2** seduzir por meio de negaças; atrair **3** não conceder; negar, recusar **4** ludibriar, enganar

negar (ne.gar) *v.* {mod. 1} *t.d. e t.d.i.* **1** (prep. *a*) afirmar que não *<n. sua culpa (ao juiz)>* ↺ confirmar **2** (prep. *a*) recusar-se a admitir; contestar *<negou (-lhe) o valor da vitória>* **3** (prep. *a*) não conceder ou permitir *<n. pão (a quem pede)>* □ *t.d.* **4** demonstrar rejeição por; repudiar **5** deixar de lado; abandonar *<n. os princípios>* ↺ resgatar **6** declarar que não é verdade; desmentir ↺ confirmar □ *pron.* **7** (prep. *a*) não querer, não se sujeitar; recusar-se *<n.-se a sair>* ~ **negável** *adj.2g.*

negativa (ne.ga.ti.va) *s.f.* **1** recusa ↺ aprovação **2** resposta contrária; negação ↺ afirmativa

negativismo (ne.ga.ti.vis.mo) *s.m.* atitude sistemática de negação ou de oposição ~ **negativista** *adj.2g.s.2g.*

negativo (ne.ga.ti.vo) *adj.* **1** que exprime negação ou recusa *<resposta n.>* **2** nulo, sem efeito **3** contrário ao que se espera *<sistema de trabalho n.>* **4** MAT menor que zero (diz-se de número, grau etc.), representado pelo sinal – *<-5 é um número n.> <a temperatura era de dois graus n.>* ■ *adj.s.m.* **5** (imagem fotográfica) em que os claros e escuros são o contrário dos do objeto fotografado ☞ cf. *positivo* ~ **negatividade** *s.f.*

negligência (ne.gli.gên.cia) *s.f.* **1** falta de cuidado ou atenção; desleixo ↺ capricho **2** indiferença, desinteresse ↺ interesse

negligenciar (ne.gli.gen.ci.ar) *v.* {mod. 1} *t.d. e pron.* tratar(-se) com negligência; descuidar(-se) *<a mãe nunca deve n. os filhos> <agora está feliz e não se negligencia mais>* ↺ cuidar(-se)

negligente (ne.gli.gen.te) *adj.2g.s.2g.* que(m) demonstra negligência; descuidado, desleixado ↺ zeloso

nego (ne.go) /ê/ *s.m. B infrm.* **1** pessoa que tem a pele escura; negro **2** pessoa indeterminada; indivíduo

negociação (ne.go.ci.a.ção) [pl.: *-ões*] *s.f.* **1** ato ou efeito de negociar **2** *fig.* entendimento sobre tema polêmico ou controverso

negociante (ne.go.ci.an.te) *s.2g.* indivíduo que faz negócios; comerciante

negociar (ne.go.ci.ar) *v.* {mod. 1} *t.d.,t.d.i.,t.i. e int.* **1** (prep. *com*) fazer transação comercial de (mercadoria, serviço) [com pessoa, empresa]; comerciar *<n. (com o fazendeiro) a compra do terreno> <n. com o exterior> <depois de aposentado, passou a n.>* **2** (prep. *com*) firmar, discutir (acordo, contrato etc.) [com pessoa, instituição etc.] *<o exército aliado negociou a trégua (com o inimigo)> <resolveu n. com seu maior desafeto> <os diplomatas têm de saber n.>* ~ **negociador** *adj.s.m.*

negociata (ne.go.ci.a.ta) *s.f.* negócio irregular, em que ger. há trapaça; mamata

negócio (ne.gó.cio) *s.m.* **1** transação comercial **2** *p.ext. B* local onde se realiza essa transação; loja, empresa *<abriu um n. em outro bairro>* **3** *B infrm.* algo de que não se sabe ou não se lembra o nome; coisa qualquer *<esbarrei num n.> <falavam sobre uns n. estranhos>*

negreiro (ne.grei.ro) *adj.s.m.* **1** diz-se de ou traficante de escravos ■ *adj.* **2** que transporta escravos (diz-se de embarcação) *<navio n.>*

negrejar (ne.gre.jar) *v.* {mod. 1} *int.* ser, parecer ou tornar-se negro ~ **negrejante** *adj.2g.*

negríssimo (ne.grís.si.mo) *adj.* de tonalidade negra muito escura; nigérrimo ◉ GRAM/USO sup. absol. sint. de *negro*

negrito (ne.gri.to) *s.m.* GRÁF tipo de letra de traços mais grossos, us. para realçar as palavras

negritude (ne.gri.tu.de) *s.f.* **1** ideologia dos indivíduos negros e crioulos **2** sentimento de orgulho racial e conscientização do valor e riqueza cultural dos negros

negro (ne.gro) /ê/ *adj.s.m.* **1** (indivíduo) que tem a pele escura ■ *s.m.* **2** a cor preta ■ *adj.* **3** dessa cor *<estátua n.>* **4** diz-se dessa cor *<a cor n.>* ◉ GRAM/USO como adj., sup.abs.sint.: *negríssimo* e *nigérrimo*

negroide (ne.groi.de) /ói/ *adj.2g.s.2g.* (indivíduo) que apresenta traços característicos dos negros

nele (ne.le) /ê/ [pl.: *neles*; fem.: *nela*] *contr.* GRAM em ('dentro de', 'a respeito de' etc.) algo ou alguém, já citado, cujo nome foi substituído pelo pron. p. *ele* *<o médico quer que confiem n.>*

N

nelore (ne.lo.re) *adj.2g.s.m.* ZOO **1** diz-se de ou certa raça de gado zebu ■ *s.2g.* ZOO **2** espécime desse gado

nem *conj.adt.* **1** e não <*não dormiu n. saiu*> **2** e sem <*ficou sem pai n. mãe*> **3** e nunca <*nunca saiu do país n. de sua cidade*> ■ *adv.* **4** não <*n. pense em voltar*> ▣ **n. que** mesmo que; ainda que <*não vou, n. que o mundo caia*> • **que n.** do mesmo modo que; como <*anda que n. um pato*>

nematelminte (ne.ma.tel.min.te) *s.m.* ZOO **1** espécime dos nematelmintes, classe de vermes asquelmintos ■ *adj.2g.* **2** relativo a esse espécime ou classe

nematódeo (ne.ma.tó.deo) *s.m.* ZOO **1** espécime dos nematódeos, filo de vermes alongados e cilíndricos, que podem viver livres em ambientes aquáticos ou no solo, ou como parasitas de vegetais e animais ■ *adj.* **2** relativo a esse espécime ou filo

neném (ne.ném) [pl.: *-éns*] *s.2g.* *B* criança de colo; bebê, nenê

nenhum (ne.nhum) [pl.: *-uns*] *pron.ind.* **1** nem um <*n. mulher faria isso*> <*n. dos alunos compareceu*> **2** us. para designar indivíduo, lugar ou coisa indeterminada; qualquer <*saiu antes que n. outro chegasse*>

nenhures (ne.nhu.res) *adv.* em parte alguma; em nenhum lugar

nênia (nê.nia) *s.f.* canção fúnebre

nenúfar (ne.nú.far) [pl.: *nenúfares*] *s.m.* BOT planta aquática de flores grandes e folhas redondas e chatas

neoclassicismo (neo.clas.si.cis.mo) *s.m.* movimento artístico e literário do sXVIII que defendia o retorno aos ideais e modelos do Classicismo ☞ inicial ger. maiúsc. ~ **neoclássico** *adj.s.m.*

neodímio (ne.o.dí.mio) *s.m.* QUÍM elemento químico us. em aparelhos eletrônicos, *laser*, na coloração de vidros etc. [símb.: *Nd*] ☞ cf. *tabela periódica* (no fim do dicionário)

neófito (ne.ó.fi.to) *s.m.* **1** quem vai ou acabou de ser batizado **2** *p.ext.* novato; principiante ↺ veterano

neolatino (neo.la.ti.no) *adj.s.m.* LING **1** derivado do latim (diz-se de língua, família linguística, dialeto etc.) ■ *adj.* **2** pertencente a uma língua derivada do latim ou que dela se utiliza <*uma palavra n.*> <*as nações n.*> **3** escrito em latim moderno ou no latim científico <*literatura n.*>

neoliberalismo (neo.li.be.ra.lis.mo) *s.m.* ECON doutrina que defende a liberdade de mercado e restringe a intervenção do Estado sobre a economia ~ **neoliberal** *adj.2g.s.2g.*

neolítico (ne.o.lí.ti.co) *s.m.* **1** período mais recente da pré-história, posterior ao Mesolítico, caracterizado pelo uso de artefatos de pedra polida ☞ inicial maiúsc. ■ *adj.* **2** relativo a esse período

neologismo (neo.lo.gis.mo) *s.m.* **1** uso de novas palavras na língua **2** atribuição de novos sentidos a palavras já existentes **3** palavra nova ou sentido novo de uma palavra <*texto cheio de n.*> ~ **neologista** *adj.2g.s.2g.*

neomicina (ne.o.mi.ci.na) *s.f.* FARM antibiótico us. contra germes cutâneos e intestinais

neon (ne.on) [pl.: *neones* e *(B) neons*] ou **néon** (né.on) [pl.: *néones* e *(B) néons*] *s.m.* **1** QUÍM neônio **2** letreiro luminoso que utiliza o gás neônio

neonatal (neo.na.tal) [pl.: *-ais*] *adj.2g.* **1** relativo a neonato **2** que ocorre nas quatro primeiras semanas de vida ou que as afeta (diz-se de mortalidade, doenças etc.)

neonato (ne.o.na.to) *adj.s.m.* diz-se de ou bebê considerado desde o dia de seu nascimento até o 28º dia de vida

neônio (ne.ô.nio) *s.m.* QUÍM elemento químico da família dos gases nobres, us. em tubos elétricos de anúncios luminosos e em aparelhos como *laser*, televisão etc.; neon, néon [símb.: *Ne*] ☞ cf. *tabela periódica* (no fim do dicionário)

neopentecostalismo (neo.pen.te.cos.ta.lis.mo) *s.m.* REL movimento teológico que congrega Igrejas e comunidades oriundas do pentecostalismo e de algumas Igrejas cristãs tradicionais (presbiterianos, p.ex.)

neoplasia (ne.o.pla.si.a) *s.f.* MED processo patológico que resulta no desenvolvimento de um tumor

neoplasma (ne.o.plas.ma) *s.m.* MED tumor

neozelandês (neo.ze.lan.dês) [pl.: *-eses*] *adj.* **1** da Nova Zelândia (Oceania) ■ *s.m.* **2** natural ou habitante desse país

nepotismo (ne.po.tis.mo) *s.m.* favorecimento a parentes ou amigos, esp. de quem ocupa cargo público

nerd [ing.] *s.m.* *pej.* pessoa convencional e desinteressante ou obsessivamente estudiosa, obcecada por máquinas e técnicas ⇒ pronuncia-se nêrd

nereida (ne.rei.da) *s.f.* MIT cada uma das ninfas do mar

nervo (ner.vo) /ê/ *s.m.* **1** ANAT cordão cilíndrico esbranquiçado, formado por fibras motoras e sensitivas, que conduz impulsos de uma parte do corpo para outra **2** *fig.* o que suporta os estímulos físicos ou externos e as tensões interiores da personalidade (tb. us. no pl.) <*ela tem n. frágeis*> ▣ **nervos à flor da pele** *fig.* sensibilidade extrema • **nervos de aço** *fig.* resistência psicológica; coragem ~ **nerval** *adj.2g.*

nervosismo (ner.vo.sis.mo) *s.m.* **1** excesso de emotividade; excitação <*o n. dos atores era evidente*> **2** estado de excitação psíquica, de agitação, irritabilidade; ansiedade <*precisou de calmantes para controlar seu n.*>

nervoso (ner.vo.so) /ô/ [pl. e fem.: /ó/] *adj.* **1** relativo a nervo; neural **2** onde há nervo(s) ■ *adj.s.m.* **3** (o) que está com o sistema nervoso desequilibrado **4** (o) que está agitado, tenso ↺ calmo

nervura (ner.vu.ra) *s.f.* **1** faixa estreita e saliente numa superfície plana <*a carteira velha estava cheia de nervuras*> **2** BOT cada um dos feixes de tecido vascular que percorrem as folhas, ou outros órgãos foliáceos **3** ANAT ZOO cada uma das saliências espessas da asa dos insetos, que dão sustentação à membrana que a constitui

nescidade (nes.ci.da.de) *s.f.* necedade

néscio (nés.cio) *adj.s.m.* **1** que(m) não tem conhecimento; ignorante ↺ esperto **2** que(m) não tem aptidão ou competência; incapaz ↺ competente **3** (o) que não tem sentido ou coerência; absurdo ↺ lógico

N

nesga (nes.ga) /ê/ *s.f.* **1** pedaço de pano triangular que se costura entre duas partes de um tecido para aumentar sua largura **2** *fig.* espaço ou faixa com este formato *<a sala recebia apenas uma n. de sol>* **3** abertura estreita, ger. alongada; fresta

nêspera (nês.pe.ra) *s.f.* BOT variedade de ameixa de casca e polpa amareladas

nesse (nes.se) *contr.* da preposição *em* com o pron. demonstrativo masculino *esse <n. caso, prefiro até nem ir lá>* ◉ GRAM/USO fem. *nessa* /é/; pl.: *nesses* /ê/, *nessas* /é/

neste (nes.te) /ê/ *contr.* da preposição *em* com o pron. demonstrativo masculino *este <n. bolo faltou manteiga>* ◉ GRAM/USO fem. *nesta* /é/; pl.: *nestes* /ê/, *nestas* /é/

netbook (net.book) [ing.; pl.: *netbooks*] *s.m.* INF tipo de computador portátil menor, menos poderoso, mais leve e barato que o *notebook* ⇒ pronuncia-se nétbuk

neto (ne.to) *s.m.* filho de filho ou filha, em relação aos avós

netúnio (ne.tú.nio) *s.m.* QUÍM elemento químico artificial da família dos gases nobres, us. em detectores de nêutrons [símb.: *Np*] ☞ cf. *tabela periódica* (no fim do dicionário)

netuno (ne.tu.no) *s.m.* ASTR nome do oitavo planeta do sistema solar ☞ inicial maiúsc.; cf. *Netuno* na parte enciclopédica

neural (neu.ral) [pl.: *-ais*] *adj.2g.* relativo aos nervos; nervoso

neurastenia (neu.ras.te.ni.a) *s.f.* MED **1** perda geral do interesse, estado de inatividade ou extrema fadiga mental e física **2** pessimismo; azedume

neurastênico (neu.ras.tê.ni.co) *adj.* **1** relativo a neurastenia ■ *adj.s.m.* **2** (aquele) que sofre de neurastenia **3** *p.ext. infrm.* (aquele) que se enraivece com facilidade

neurite (neu.ri.te) *s.f.* MED inflamação de um ou vários nervos; nevrite

neurocirurgia (neu.ro.ci.rur.gi.a) *s.f.* MED ramo da cirurgia que se dedica ao tratamento das doenças do sistema nervoso

neurocirurgião (neu.ro.ci.rur.gi.ão) [pl.: *-ões* e *-ães*; fem.: *neurocirurgiã*] *s.m.* MED cirurgião que pratica a neurocirurgia

neurodegenerativo (neu.ro.de.ge.ne.ra.ti.vo) *adj.* que provoca degeneração neurológica *<doença n.>*

neurologia (neu.ro.lo.gi.a) *s.f.* MED especialidade que trata do sistema nervoso **~ neurológico** *adj.* - **neurologista** *adj.2g.s.2g.*

neurônio (neu.rô.nio) *s.m.* BIO célula nervosa, e seus prolongamentos, responsável pela condução de mensagens do e para o cérebro

neurose (neu.ro.se) *s.f.* PSIQ distúrbio psíquico que causa medos e preocupações sem motivo aparente, mas sem perda de referência da realidade ☞ cf. *psicose*

neurótico (neu.ró.ti.co) *adj.s.m.* **1** (aquele) que sofre de neurose ■ *adj.* **2** próprio de ou relativo a neurose *<comportamento n.>*

neurotransmissor (neu.ro.trans.mis.sor) /ô/ [pl.: *-es*] *adj.s.m.* BIOQ (molécula) responsável pela transmissão do impulso nervoso

neutral (neu.tral) [pl.: *-ais*] *adj.2g.s.2g.* **1** que(m) não participa de nenhuma das opiniões ou facções em conflito **2** que(m) julga com imparcialidade

neutralidade (neu.tra.li.da.de) *s.f.* **1** condição daquele que permanece neutro **2** imparcialidade, objetividade

neutralizar (neu.tra.li.zar) *v.* {mod. 1} *t.d. e pron.* **1** tornar(-se) ou declarar(-se) imparcial *<n.(-se) um país em meio à guerra generalizada>* **2** (fazer) perder a força, a serventia, o valor; anular(-se) *<n. um ataque inimigo> <sua força neutralizou-se>* **~ neutralização** *s.f.*

neutro (neu.tro) *adj.* **1** que não escolhe um dos lados em disputa ou em contradição; que não toma partido; neutral **2** que é objetivo; imparcial, neutral *<avaliação n.>* ↺ parcial **3** sem tonalidade ou colorido forte *<vestia uma camisa de cor n.>* ↺ definido **4** QUÍM que não é ácido nem básico *<pH n.> <sabão n.>* ■ *adj.s.m.* **5** LING (gênero gramatical) que se opõe ao feminino e ao masculino **6** (nação) cujo território é respeitado pelos países em guerra **7** ELETR (condutor, polo de tomada) ligado à terra *<por segurança, instalei uma tomada com um (polo) n.>*

nêutron (nêu.tron) [pl.: *nêutrones* e *(B) nêutrons*] *s.m.* FÍS partícula de carga elétrica nula constituinte do núcleo atômico

nevada (ne.va.da) *s.f.* **1** a neve que caiu **2** formação ou queda de neve

nevar (ne.var) *v.* {mod. 1} *int.* cair neve ◉ GRAM/USO verbo impessoal, exceto quando fig.

nevasca (ne.vas.ca) *s.f.* tempestade de neve

neve (ne.ve) *s.f.* **1** precipitação de cristais de gelo formados pelo congelamento do vapor de água suspenso na atmosfera **2** *p.ext.* floco ou conjunto de flocos desses cristais que caem sobre a terra **~ nevoso** *adj.*

névoa (né.voa) *s.f.* vapor atmosférico menos denso que a cerração; neblina **~ nevoento** *adj.*

nevoeiro (ne.vo.ei.ro) *s.m.* névoa baixa e fechada; neblina

nevralgia (ne.vral.gi.a) *s.f.* MED dor no trajeto de um nervo ou de uma de suas raízes **~ nevrálgico** *adj.*

nevrite (ne.vri.te) *s.f.* MED neurite

newton (new.ton) /niu/ [pl.: *newtones* e *(B) newtons*] *s.m.* FÍS unidade de força [símb.: *N*]

nexo (ne.xo) /cs/ *s.m.* **1** junção entre duas ou mais coisas; ligação, vínculo **2** ligação entre situações, acontecimentos ou ideias; coerência ↺ incoerência

nhá *s.f.* tratamento que se dava às meninas e às moças, no tempo da escravidão; iaiá

nhambiquara (nham.bi.qua.ra) *adj.2g.s.2g.s.m.* nambiquara

nheengatu (nhe.en.ga.tu) *s.m.* língua desenvolvida a partir do tupinambá, falada ao longo de todo o vale amazônico brasileiro até a fronteira com o Peru, na Colômbia e na Venezuela

N

nhe-nhe-nhem (nhe-nhe-nhem) [pl.: *nhe-nhe-nhens*] ou **nhem-nhem-nhem** (nhem-nhem-nhem) [pl.: *nhem-nhem-nhens*] *s.m. B infrm.* **1** resmungo, rabugice **2** conversa repetitiva

nhô ou **nhonhô** (nho.nhô) *s.m.* tratamento dado ao patrão ou proprietário pelos escravos e seus descendentes, esp. no tempo da escravidão; ioiô

nhoque (nho.que) *s.m.* CUL **1** massa de batata e farinha de trigo cortada em pedaços arredondados **2** prato feito com essa massa

Ni QUÍM símbolo de *níquel*

nica (ni.ca) *s.f.* **1** impertinência; mau humor ↺ simpatia **2** coisa supérflua; futilidade **3** coisa sem importância; ninharia ↺ exagero

nicaraguense (ni.ca.ra.guen.se) /gü/ *adj.2g.* **1** da Nicarágua (América Central) ■ *s.2g.* **2** natural ou habitante desse país

nicho (ni.cho) *s.m.* **1** vão em parede ou muro onde se colocam estátuas, imagens **2** *p.ext.* mercado especializado que ger. oferece novas oportunidades de negócios *<a empresa de calçados assegurou o seu n. há 10 anos>* ▣ **n. ecológico** área específica dentro de um *habitat* ocupado por um organismo

nicolau (ni.co.lau) *s.m. SC* Papai Noel

nicótico (ni.có.ti.co) *adj.* relativo a fumo; nicotínico

nicotina (ni.co.ti.na) *s.f.* substância encontrada no tabaco, muito us. em veterinária como vermífugo e inseticida ~ **nicotínico** *adj.*

nidação (ni.da.ção) [pl.: *-ões*] *s.f.* BIO fixação do óvulo fecundado à parede do útero

nidificar (ni.di.fi.car) *v.* {mod. 1} *int.* fazer ninho *<as pombas nidificaram no telhado>* ◉ GRAM/USO só us. nas 3ªs p., exceto quando fig. ~ **nidificação** *s.f.*

nigeriano (ni.ge.ri.a.no) *adj.* **1** da Nigéria (África) ■ *s.m.* **2** natural ou habitante desse país

nigerino (ni.ge.ri.no) *adj.* **1** da República do Níger (África) **2** relativo ao rio Níger (África), ou às regiões por onde ele corre ■ *s.m.* **3** natural ou habitante da República do Níger

nigérrimo (ni.gér.ri.mo) *adj.* negríssimo ◉ GRAM/USO sup.absol.sint. de *negro*

nigromancia (ni.gro.man.ci.a) *s.f.* necromancia ~ **nigromante** *s.2g.*

niilismo (ni.i.lis.mo) *s.m.* **1** incredulidade total ↺ credulidade, confiança **2** FIL doutrina que nega as verdades morais e a hierarquia de valores ~ **niilista** *adj.2g.s.2g.*

nimbo (nim.bo) *s.m.* **1** MET nuvem espessa e cinzenta, de baixa altitude, que facilmente se desfaz em chuva ou neve **2** auréola

nimbo-cúmulo (nim.bo-cú.mu.lo) [pl.: *nimbos-cúmulos*] *s.m.* MET cúmulo-nimbo

nimbo-estrato (nim.bo-es.tra.to) [pl.: *nimbos-estratos*] *s.m.* MET nuvem de chuva da cor do chumbo, de massa espessa e forma mal definida; estrato-nimbo

nímio (ní.mio) *adj.* excessivo, exagerado ↺ reduzido

ninar (ni.nar) *v.* {mod. 1} *t.d.* **1** fazer dormir, ger. ao som de cantigas; acalentar □ *int.* **2** cair no sono (criança); dormir

ninfa (nin.fa) *s.f.* na mitologia grega, divindade que habitava os rios, fontes, bosques, montes e prados

ninfeta (nin.fe.ta) /ê/ *s.f.* menina adolescente de físico atraente e atitudes provocativas

ninfomania (nin.fo.ma.ni.a) *s.f.* PSIQ desejo sexual exagerado nas mulheres ~ **ninfomaníaco** *adj.* - **ninfômano** *adj.*

ninguém (nin.guém) *pron.ind.* **1** nenhuma pessoa *<n. gostou do bolo>* ■ *s.m.* **2** indivíduo de pouca ou nenhuma importância *<aqui ele é um n.>*

ninhada (ni.nha.da) *s.f.* **1** conjunto dos filhotes de aves em um ninho **2** total de filhotes paridos por um animal de uma só vez

ninharia (ni.nha.ri.a) *s.f.* coisa insignificante; bagatela ↺ exagero

ninho (ni.nho) *s.m.* **1** construção feita pelas aves para pôr os ovos e criar os filhotes **2** lugar onde os animais e seus filhotes se recolhem e dormem **3** *p.ext.* o lar

ninja (nin.ja) *s.2g.* praticante de arte marcial especializada em movimentos rápidos e dissimulados

nióbio (ni.ó.bio) *s.m.* QUÍM elemento químico us. em aços e ligas metálicas de grande dureza e estabilidade térmica e tb. em cápsulas espaciais, mísseis, foguetes, reatores nucleares e semicondutores [símb.: *Nb*] ☞ cf. *tabela periódica* (no fim do dicionário)

nipônico (ni.pô.ni.co) *adj.* **1** relativo ao Japão (Ásia); japonês ■ *s.m.* **2** natural ou habitante desse país; japonês

níquel (ní.quel) [pl.: *-eis*] *s.m.* **1** QUÍM elemento químico us. em moedas, aços etc. [símb.: *Ni*] ☞ cf. *tabela periódica* (no fim do dicionário) **2** a moeda ('peça') feita com esse metal **3** *infrm.* dinheiro

niquelar (ni.que.lar) *v.* {mod. 1} *t.d.* **1** cobrir com níquel **2** dar aspecto semelhante ao níquel a ~ **niquelagem** *s.f.*

nirvana (nir.va.na) *s.m.* **1** REL no budismo, estado de serenidade e felicidade plena alcançado pela supressão do desejo e da consciência individual **2** *fig.* lugar ou estado de plena quietude e ausência de sofrimento *<cada vez que cantava, atingia o n.>*

nissei (nis.sei) *adj.2g.s.2g.* que(m) é filho de pais japoneses nascido na América ☞ cf. *issei* e *sansei*

nisso (nis.so) *contr.* **1** da preposição *em* com o pron. indefinido *isso* *<n. eu acho que ela está certa>* ■ *adv. B* **2** naquele ou nesse instante; de repente, nisto *<começou a chover; n., um forte trovão ouviu-se bem perto>*

nisto (nis.to) *contr.* **1** da preposição *em* com o pron. demonstrativo *isto* *<ninguém toca n. enquanto eu estiver fora>* ■ *adv.* **2** naquele ou nesse momento; então *<n. ela virou-se para mim e sorriu>*

niteroiense (ni.te.roi.en.se) *adj.2g.* **1** de Niterói (RJ) ■ *s.2g.* **2** natural ou habitante dessa cidade

nítido (ní.ti.do) *adj.* **1** em que há clareza, transparência *<visão n.>* ↺ opaco **2** de fácil compreensão *<uma exposição n. dos problemas da empresa>* ↺ incompreensível ~ **nitidez** *s.f.*

nitrato (ni.tra.to) *s.m.* QUÍM sal do ácido nítrico ou ânion dele derivado

N

nitrogênio (ni.tro.gê.nio) *s.m.* QUÍM elemento químico incolor, gasoso e inodoro, encontrado na atmosfera [símb.: *N*] ☞ cf. *tabela periódica* (no fim do dicionário)

nitroglicerina (ni.tro.gli.ce.ri.na) *s.f.* QUÍM substância de propriedades explosivas e ação vasodilatadora, us. na fabricação da dinamite e na farmacologia

nível (ní.vel) [pl.: *-eis*] *s.m.* **1** instrumento para verificar se uma superfície está exatamente na horizontal **2** grau de elevação de uma linha ou de um plano em relação a um plano horizontal; altura *<o n. da água do reservatório está baixo>* **3** *fig.* altura relativa numa escala de valores; grau **4** *p.ext.* categoria, classe, competência *<ele não tinha n. para o cargo>* **5** cada uma das subdivisões do ensino escolar *<n. médio> <professor de n. superior>* ▣ **em n.** perfeitamente horizontal

nivelamento (ni.ve.la.men.to) *s.m.* **1** eliminação de desníveis *<n. de um terreno>* **2** equiparação *<n. dos salários>*

nivelar (ni.ve.lar) *v.* {mod. 1} *t.d.* **1** retirar as irregularidades de (superfície); aplanar *<n. um terreno>* □ *t.d.,t.i. e t.d.i.* **2** (prep. *com*) pôr ou estar no mesmo nível que (outra coisa); igualar(-se) *<n. a casa e a rua> <o terreno nivela com a rua> <n. o terreno com a rua>* □ *t.d.,t.d.i. e pron. fig.* **3** (prep. *a*, *com*) tornar (-se) igual a (outros) quanto a altura, capacidade etc.; equiparar(-se) *<n. os alunos no domínio da matemática> <a imprensa o nivelou aos piores criminosos> <n.-se aos competidores em preparo físico>* ~ **nivelação** *s.f.* - **nivelado** *adj.*

níveo (ní.veo) *adj.* **1** relativo a neve **2** da cor da neve; branco

nm FÍS símbolo de *nanômetro*

[1]no [pl.: *nos*; fem.: *na*] *contr.* **1** dentro de, junto de, sobre etc., algo conhecido e definido *<entrou no carro> <parou no sinal>* **2** a respeito de, no interior de, junto de, em cima de etc. algo ou alguém mencionado em outra oração *<anotei no meu caderno e Joana no dela> <o presidente discursou na sua própria língua> <ele cedeu seu apartamento ao irmão e ficou no meu>* ◉ GRAM/USO contr. da prep. *em* com o art.def. *o*

[2]no [pl.: *nos*; fem.: *na*] *pron.p.* o (pron.p. oblíquo objetivo direto da 3ª p.sing.), empr. a seguir às formas verbais terminadas em ditongos nasais *<quanto aos pratos, põe-nos todos na mesa> <as suas incoerências indispõem-no com o eleitorado>*

No QUÍM símbolo de *nobélio*

N.O. abrev. de *noroeste* ('região')

nó *s.m.* **1** entrelaçamento de duas extremidades a fim de uni-las, marcá-las ou encurtá-las **2** laçada que se faz em qualquer ponto de uma corda, barbante, linha etc. **3** cada um dos pontos de junção dos ramos de uma árvore **4** a articulação das falanges dos dedos *<deu duas batidas com os nós dos dedos>* **5** unidade de velocidade de embarcação **6** *fig.* o mais importante num assunto, problema etc.; cerne *<o n. da questão>* ▣ **n. cego** entrelaçamento de extremidades que não se consegue desfazer • **n. górdio** empecilho aparentemente insuperável; dificuldade que parece não ter solução ~ **nodal** *adj.2g.*

nobélio (no.bé.lio) *s.m.* QUÍM elemento químico artificial da família dos actiniídeos [símb.: *No*] ☞ cf. *tabela periódica* (no fim do dicionário)

nobiliário (no.bi.li.á.rio) *adj.* **1** relativo à nobreza *<título n.>* ■ *s.m.* **2** registro das famílias nobres de um país; nobiliarquia

nobiliarquia (no.bi.li.ar.qui.a) *s.f.* **1** estudo das origens e da história das famílias nobres, seus nomes de família, brasões etc. **2** livro, registro ou tratado sobre esse assunto; nobiliário ~ **nobiliárquico** *adj.*

nobilitar (no.bi.li.tar) *v.* {mod. 1} *t.d.* **1** conceder título de nobreza a *<o rei nobilitou muitos súditos>* **2** manifestar consideração especial por; distinguir *<sua visita nobilita nossa humilde casa>* □ *t.d. e pron. fig.* **3** tornar(-se) nobre, digno; engrandecer(-se) *<as provações o nobilitaram> <nobilitou-se ao arrepender-se dos erros>* ↺ aviltar(-se) **4** tornar(-se) notável, ilustre; celebrizar(-se) *<suas façanhas o nobilitaram> <o herói nobilitou-se na guerra contra os hunos>* ~ **nobilitação** *s.f.* - **nobilitador** *adj.s.m.*

nobre (no.bre) *adj.2g.s.2g.* **1** (o) que se refere ou pertence à nobreza *<família n.> <conhecia alguns n. britânicos>* ↺ plebeu ■ *adj.2g.* **2** que merece respeito por seus méritos; digno, ilustre ↺ indigno **3** generoso, magnânimo *<sentimentos n.>* ↺ mesquinho

nobreak (no.break) [ing.] *s.m.* INF dispositivo alimentado a bateria, capaz de fornecer energia elétrica a um sistema por um certo tempo, em situações de emergência ⇒ pronuncia-se noubreic

nobreza (no.bre.za) /ê/ *s.f.* **1** qualidade do que ou de quem é nobre **2** classe dos nobres; aristocracia ↺ plebe **3** grandeza de caráter; generosidade ↺ infâmia, mesquinhez

noção (no.ção) [pl.: *-ões*] *s.f.* **1** conhecimento básico e imediato; consciência *<n. de cidadania>* **2** ideia que se tem sobre algo *<não tem n. de como dirigir um carro>* **3** ponto de vista, ideia *<sua n. de favor é muito particular>* ~ **nocional** *adj.2g.*

nocaute (no.cau.te) *s.m.* **1** ESP no boxe, fim de luta quando um dos lutadores permanece caído por, no mínimo, dez segundos **2** *p.ext.* derrota fragorosa; surra ~ **nocautear** *v.t.d.*

nocividade (no.ci.vi.da.de) *s.f.* característica do que é nocivo

nocivo (no.ci.vo) *adj.* que causa dano; prejudicial

noctâmbulo (noc.tâm.bu.lo) *adj.s.m.* **1** sonâmbulo **2** (o) que vaga à noite ~ **noctambulismo** *s.m.*

noctívago (noc.tí.va.go) *adj.s.m.* → ***NOTÍVAGO***

nodo (no.do) /ó/ *s.m.* **1** ANAT gânglio **2** MED tumor duro em volta de articulação óssea

nódoa (nó.doa) *s.f.* **1** pequeno sinal de cor diferente numa superfície de cor uniforme; mancha *<está com uma n. de vinho na camisa>* **2** *fig.* ação ou fato desonroso e que prejudica a reputação de uma pessoa; mancha, mácula

nodoso (no.do.so) /ô/ [pl. e fem.: /ó/] *adj.* que possui nós *<dedos n.> <caule n.>*

nódulo (nó.du.lo) *s.m.* **1** ANAT pequeno nodo; gânglio **2** pequeno nó ~ **nodular** *adj.2g.* - **noduloso** *adj.*

nogueira (no.guei.ra) *s.f.* BOT **1** árvore de até 25 m, com madeira de ótima qualidade e frutos de semente comestível, a noz **2** madeira retirada dessa árvore *<um móvel de n.>* ◉ COL nogueiral

nogueiral (no.guei.ral) [pl.: *-ais*] *s.m.* grande concentração de nogueiras em determinada área

noitada (noi.ta.da) *s.f.* **1** espaço de tempo de uma noite **2** divertimento que dura toda a noite ou que termina muito tarde

noite (noi.te) *s.f.* **1** tempo que transcorre entre o poente e o nascer do sol **2** *p.ext.* ausência de luz; escuridão ↺ luz **3** vida noturna, esp. as atividades ligadas à diversão, como bares, restaurantes, espetáculos, cinemas, que funcionam à noite ▣ **n. alta** ou **alta n.** hora avançada da noite; madrugada • **n. e dia** a todas as horas, constantemente, sem parar; dia e noite • **da n. para o dia** de repente, com grande rapidez *<da n. para o dia surgiu uma cidade no sertão>* • **de n.** ou **à n.** no período noturno; durante a noite • **passar a n. em claro** ou **em branco** passar a noite sem dormir; virar a noite • **virar a n.** passar a noite em claro

noiva (noi.va) *s.f.* parceira do noivo; mulher que vai se casar

noivado (noi.va.do) *s.m.* **1** compromisso de casamento de um homem com uma mulher **2** período de tempo em que uma pessoa permanece noiva de outra

noivar (noi.var) *v.* {mod. 1} *t.i. e int.* (prep. *com*) assumir compromisso de casar-se (com) *<o infante irá noivar (com a prima) no fim do ano>*

noivo (noi.vo) *adj.* **1** que está para casar ■ *s.m.* **2** homem que está para casar ▼ ***noivos*** *s.m.pl.* **3** o casal no dia de seu casamento

nojento (no.jen.to) *adj.* **1** que provoca nojo, repugnância ↺ atraente **2** que sente nojo de tudo, que facilmente se enoja (diz-se de indivíduo) *<que criança n.! não come quase nada>* **3** *infrm.* que se julga o maioral; seboso, convencido *<a promoção deixou-o mais n. ainda>*

nojo (no.jo) /ô/ *s.m.* **1** sentimento de repulsa que algo desperta num indivíduo *<n. de barata> <seus métodos dão n.>* **2** *p.ext.* algo que provoca esse sentimento *<o banheiro era um n.>* ~ **nojeira** *s.f.*

no-lo *contr.* do pron. pessoal oblíquo átono *nos* com o pron. demonstrativo e pron. oblíquo objeto direto *lo* (= *o*), com assimilação do *s* ao *l* *<o testemunho, ele no-lo dará no momento oportuno>* ◉ GRAM/USO **a)** fem.: *no-la*; pl.: *no-los, no-las* ; **b)** no Brasil, tais pronomes combinados hoje já não têm uso na língua corrente, nem mesmo na linguagem literária

nômade (nô.ma.de) *adj.2g.s.2g.* **1** (indivíduo) de povos errantes, sem habitação fixa ↺ sedentário **2** (o) que vive mudando de lugar ~ **nomadismo** *s.m.*

nome (no.me) *s.m.* **1** palavra ou locução com que se designam pessoas, coisas ou animais **2** antropônimo dado a uma criança ao nascer, no batismo ou em outra ocasião especial; nome de batismo, prenome **3** fama, reputação *<ter um n. a zelar>* **4** indivíduo que se destaca em algum campo de atividade *<os grandes n. da literatura>* **5** título *<o n. de um filme>* **6** GRAM designativo genérico de substantivo e adjetivo ▣ **n. de batismo** nome (acp. 2) • **n. de família** palavra que designa as pessoas de uma família; sobrenome • **n. de guerra** apelido; pseudônimo • **n. feio** palavra obscena ou ofensiva; palavrão *<aqui nesta cerimônia não se diz n. feio>* • **dar n. aos bois** *infrm.* dizer claramente (nomes de pessoas ou algo que estava apenas sendo insinuado) • **de n. 1** que tem o nome de; chamado *<uma moça de n. Maria>* **2** célebre, importante *<um cantor de n.>* • **em n. de** no lugar de, em representação de (alguém) *<apresentou-se em n. do irmão>*

nomeadamente (no.me.a.da.men.te) *adv.* **1** pela designação do nome; nominalmente *<apontou os culpados n.>* **2** particularmente, especificamente *<educação e segurança foram n. declaradas como prioridade do governo>*

nomear (no.me.ar) *v.* {mod. 5} *t.d.* **1** designar pelo nome; chamar *<alguém o nomeava pelo alto-falante>* **2** citar o nome de; mencionar *<o investigador irá n. os mandantes do crime>* □ *t.d.pred.* **3** dar nome a; chamar, denominar *<nomeou-o Pedro>* □ *t.d.,t.d.pred. e t.d.i.* **4** (prep. *para, por*) fazer a indicação de (alguém) para (posto, cargo etc.); designar *<o governador já nomeou seu secretariado> <nomeou-o (para) seu assessor> <nomeou o primeiro colocado para o cargo>* ↺ destituir □ *t.d.pred. e pron.* **5** atribuir(-se) qualidade ou característica; considerar(-se) *<nomeou-o traidor> <n.-se o salvador do povo>* ~ **nomeação** *s.f.*

nomenclatura (no.men.cla.tu.ra) *s.f.* **1** conjunto de termos específicos de uma ciência, arte ou técnica, apresentado segundo uma classificação metódica; terminologia *<n. médica>* **2** lista, nominata, catálogo **2.1** relação das entradas de um dicionário

nominal (no.mi.nal) [pl.: *-ais*] *adj.2g.* **1** relativo a nome **2** que não existe realmente, só como nome *<foi mantido apenas com função n.>* **3** passado no nome de alguém (diz-se de cheque, título de crédito) ☞ cf. *ao portador* **4** GRAM que modifica nomes (substantivos e adjetivos) *<flexão n. de gênero e número>* **5** ECON diz-se de valor não corrigido inscrito em moeda, título, ação, salário etc., em oposição ao preço de mercado ~ **nominalidade** *s.f.*

nominata (no.mi.na.ta) *s.f.* lista, relação de nomes ou palavras; nomenclatura

nominativo (no.mi.na.ti.vo) *adj.* **1** que denomina, que contém nome(s) **2** nominal (diz-se de cheque, título de crédito)

nonaedro (no.na.e.dro) *s.m.* GEOM poliedro de nove faces

nonagenário (no.na.ge.ná.rio) *adj.s.m.* (o) que está na casa dos 90 anos de idade

nonagésimo (no.na.gé.si.mo) *n.ord.* **1** (o) que, numa sequência, ocupa a posição número 90 ■ *n.frac.* **2** (o) que é 90 vezes menor que a unidade

nonato (no.na.to) *adj.* **1** que não chegou a nascer ■ *adj.s.m.* **2** (criança) nascida por meio de operação cesariana **3** (animal) encontrado no ventre da mãe, depois da morte desta

nongentésimo (non.gen.té.si.mo) *n.ord.* **1** (o) que, numa sequência, ocupa a posição número 900 ■ *n.frac.* **2** (o) que é 900 vezes menor que a unidade

noningentésimo (no.nin.gen.té.si.mo) *n.ord.* **1** nongentésimo ■ *n.frac.* **2** nongentésimo

nono (no.no) *n.ord.* **1** (o) que ocupa a posição número nove ■ *n.frac.* **2** (o) que é nove vezes menor que a unidade

nonsense (non.sense) [ing.] *s.m.2n.* palavra ou ação sem sentido ou coerência; disparate ⇒ pronuncia-se nansens

nônuplo (nô.nu.plo) *n.mult.* (o) que contém nove vezes a mesma quantidade

[1]**nora** (no.ra) *s.f.* a mulher do filho, em relação aos pais deste ◉ GRAM/USO masc.: *genro* ◉ ORIGEM lat.vulg. **nura,ae* pelo lat.cl. *nurus,us* 'id.'

[2]**nora** (no.ra) *s.f.* aparelho para tirar água de poços ou cisternas, composto de uma roda que faz girar a corda a que estão presas caçambas ◉ ORIGEM ár. *nāḤūra* 'id.'

nordeste (nor.des.te) *s.m.* **1** direção a meio entre o norte e o leste **2** na rosa dos ventos, ponto colateral que marca essa direção [símb.: *NE*] ■ *adj.2g.s.m.* **3** (o) que se situa a nordeste (diz-se de região ou conjunto de regiões) [abrev.: *N.E.*] **3.1** diz-se de ou região brasileira que compreende os estados do Maranhão, Piauí, Ceará, Rio Grande do Norte, Paraíba, Pernambuco, Alagoas, Sergipe e Bahia [abrev.: *N.E.*] ☞ inicial maiúsc. **4** (vento) que sopra dessa direção ■ *adj.2g.* **5** que se situa ou segue na direção nordeste (acp. 1 e 2)

nordestino (nor.des.ti.no) *adj.* **1** do nordeste brasileiro ■ *s.m.* **2** natural ou habitante dessa região

nórdico (nór.di.co) *adj.* **1** relativo aos países do norte da Europa (Dinamarca, Finlândia, Islândia, Noruega e Suécia) ■ *s.m.* **2** natural ou habitante desses países **3** LING escandinavo

norma (nor.ma) *s.f.* **1** o que regula atos ou procedimentos; regra, padrão **2** o que se usa como base para avaliação ou realização de algo; modelo

normal (nor.mal) [pl.: *-ais*] *adj.2g.* **1** de acordo com as normas **2** que é habitual; comum ↺ diferente **3** diz-se de curso ou escola de nível médio que forma professores para as primeiras séries do ensino fundamental ■ *s.m.* **4** esse curso ou escola ~ **normalidade** *s.f.*

normalista (nor.ma.lis.ta) *adj.2g.s.2g.* que(m) cursa ou cursou o curso normal

normalizar (nor.ma.li.zar) *v.* {mod. 1} *t.d. e pron.* **1** (fazer) voltar ao estado normal, à ordem; regularizar (-se) *<n. o acesso à autoestrada> <com as obras, o trânsito ainda não se normalizou>* ↺ desordenar(-se) □ *t.d.* **2** estabelecer norma(s) para; regulamentar *<n. as operações bancárias>* ~ **normalização** *s.f.*

normalmente (nor.mal.men.te) *adv.* **1** de maneira regular, normal *<ao passar por ele, procure agir n.>* **2** na maior parte das vezes; em geral, habitualmente *<o jantar, n., é servido às oito>*

normando (nor.man.do) *s.m.* **1** natural ou habitante da Normandia (França) **2** o dialeto falado nessa região ■ *adj.* **3** relativo a essa região, habitante ou dialeto

normativo (nor.ma.ti.vo) *adj.* **1** relativo a norma **2** que serve de norma *<princípios n.>* **3** que estabelece normas ou padrões de comportamento; que determina o que é correto, bom etc. *<tratado n.>*

normatizar (nor.ma.ti.zar) *v.* {mod. 1} *t.d.* **1** criar normas, regras para; regulamentar **2** submeter a regras; regular

noroeste (no.ro.es.te) *s.m.* **1** direção a meio entre o norte e o oeste **2** na rosa dos ventos, ponto colateral que marca essa direção [símb.: *NW*] ■ *adj.2g.s.m.* **3** que ou o que se situa a noroeste (diz-se de região ou conjunto de regiões) [abrev.: *N.O.*] **4** (vento) que sopra dessa direção ■ *adj.2g.* **5** que se situa ou segue na direção noroeste (acp. 1 e 2)

norovírus (no.ro.ví.rus) *s.m.2n.* BIO grupo de vírus transmitidos por água e alimentos contaminados que podem causar gastroenterites agudas em seres humanos, acompanhadas de diarreia e vômitos

nortada (nor.ta.da) *s.f.* vento frio que sopra do norte

norte (nor.te) *s.m.* **1** direção à esquerda de quem se volta para o nascente **2** na rosa dos ventos, ponto cardeal que marca essa direção [símb.: *N*] **3** *fig.* rumo, direção ■ *adj.2g.s.m.* **4** (o) que se situa a norte (diz-se de região ou conjunto de regiões) [abrev.: *N.*] *<o n. de Portugal> <a região n. do país>* **4.1** diz-se de ou região brasileira que compreende os estados do Pará, Tocantins, Amazonas, Amapá, Roraima, Acre e Rondônia [abrev.: *N.*] ☞ inicial maiúsc. **5** (vento) que sopra dessa direção ■ *adj.2g.* **6** que se situa ou segue na direção norte (acp. 1 e 2) *<latitude n.>* ▣ **n. magnético** GEO direção do ponto de encontro das linhas magnéticas terrestres; difere em ângulo da direção do norte verdadeiro, cujo valor varia de local para local e com o passar do tempo

norte-americano (nor.te-a.me.ri.ca.no) [pl.: *norte-americanos*] *adj.* **1** dos Estados Unidos da América **2** relativo à América do Norte ■ *s.m.* **3** natural ou habitante dos Estados Unidos da América **4** natural ou habitante da América do Norte *<os canadenses e esquimós são n.>*

nortear (nor.te.ar) *v.* {mod. 5} *t.d.* **1** encaminhar em direção ao norte *<n. um navio>* □ *t.d. e pron. fig.* **2** dar ou tomar certa direção moral, intelectual etc.; orientar(-se) *<a segurança da família norteia as suas iniciativas> <norteia-se na vida pelos ensinamentos paternos>* ~ **norteador** *adj.s.m.* - **norteamento** *s.m.*

norte-rio-grandense (nor.te-ri.o-gran.den.se) [pl.: *norte-rio-grandenses*] *adj.2g.s.2g.* rio-grandense-do-norte

nortista (nor.tis.ta) *adj.2g.* **1** do norte (de um país, região etc.) **1.1** da região norte do Brasil ■ *adj.2g.s.2g.* **2** que(m) é natural ou habitante do norte **2.1** que(m) é natural ou habitante do norte do Brasil

nos *pron.p.* **1** da 1ª p. do pl., com função de objeto direto ou objeto indireto, equivalente a: *a nós* (*ele* nos *vê com alegria; deram-*nos *muita alegria*), *em nós* (*elas* nos *insuflaram amor*), *para nós* (*comprou-*nos *presentes*) e *de nós* (*nada* nos *exigiram*) **2** reflexivo: *nós* nos *ferimos* (= cada um a si próprio) **3** recíproco: *nós* nos *acusamos* (= um ao outro) **4** com alguns verbos, indica a voz passiva: *nós* nos *penteamos sempre com o mesmo cabeleireiro* (= somos penteados por)

nós *pron.p.* representa a 1ª p.pl. e é us. para referir-se a si mesmo e a mais alguém

nosocômio (no.so.cô.mio) *s.m.* hospital

nosofobia (no.so.fo.bi.a) *s.f.* PSIQ medo exagerado de adoecer ~ **nosofóbico** *adj.* - **nosófobo** *s.m.*

nossa (nos.sa) *interj.* expressa espanto ou admiração *<minha n.> <n. senhora!>*

nosso (nos.so) *pron.pos.* **1** que nos pertence *<n. casa> <n. país>* ■ *s.m.* **2** aquilo que nos pertence, que nos cabe *<cuide do seu que cuidaremos do n.>* ◉ GRAM/USO fem.: *nossa*; pl.: *nossos, nossas* ▣ **os n.** os nossos parentes, a nossa família, os nossos patrícios etc. *<passamos o Natal com os n.>*

nostalgia (nos.tal.gi.a) *s.f.* **1** saudade da terra natal **2** *p.ext.* desejo de se voltar ao passado **3** *p.ext.* tristeza sem causa definida

nostálgico (nos.tál.gi.co) *adj.* **1** em que há nostalgia; que demonstra nostalgia; melancólico, triste *<música n.>* ■ *adj.s.m.* **2** (aquele) que sente nostalgia

nota (no.ta) *s.f.* **1** anotação que acompanha um texto **2** atenção, conhecimento *<um trabalho digno de n.>* **3** papel-moeda; cédula **4** *infrm.* importância ('quantia') alta *<a televisão custou uma n.>* **5** resultado numérico de uma avaliação *<tirei n. 10 na prova>* **6** MÚS sinal musical convencionado que representa um som **7** comprovante de despesa efetuada *<peça a n. ao garçom>* **8** notícia breve e concisa *<o caso mereceu uma n. no jornal>* ▣ **n. promissória** DIR ECON documento que atesta a promessa de pagamento que uma pessoa faz em favor de outra que lhe emprestou uma quantia

notabilizar (no.ta.bi.li.zar) *v.* {mod. 1} *t.d. e pron.* tornar(-se) notável, célebre; distinguir(-se) *<Ayrton Senna notabilizou o país> <o escritor notabilizou-se com seu último livro>*

notação (no.ta.ção) [pl.: *-ões*] *s.f.* representação convencional por meio de notas, símbolos etc. ~ **notacional** *adj.2g.*

notar (no.tar) *v.* {mod. 1} *t.d.* **1** pôr nota em; marcar **2** fazer notas em; anotar *<n. a agenda de compromissos>* **3** tomar conhecimento de (algo ou alguém), fixando nele a vista ou a atenção; reparar *<não notamos a presença dele na festa>* **4** dizer, comentar *<todos notaram o seu palavreado chulo>* □ *t.d. e t.d.i.* **5** (prep. *a*) fazer ver; advertir *<notei(-lhe) que redigira o nome de forma errada>* **6** (prep. *a*) apontar criticando; censurar *<notei(-lhe) algumas falhas na redação>*

notário (no.tá.rio) *s.m.* tabelião ~ **notariado** *s.m.*

notável (no.tá.vel) [pl.: *-eis*] *adj.2g.* **1** digno de nota, atenção *<uma escultura n.>* ↺ imperceptível **2** extraordinário; de grande vulto *<obtivemos resultados n.>* ↺ insignificante **3** renomado, ilustre *<n. cientista>* ↺ desconhecido ◉ GRAM/USO sup.abs.sint.: *notabilíssimo* ~ **notabilidade** *s.f.*

notebook (note.book) [ing.; pl.: *notebooks*] *s.m.* INF espécie de *laptop* com dimensões próximas às de um livro de tamanho médio ⇒ pronuncia-se noutbuk

notícia (no.tí.cia) *s.f.* **1** informação a respeito de algo; novidade *<trago boas n.>* **2** relato de fatos veiculado em jornais, revistas etc. ◉ COL noticiário ~ **noticioso** *adj.*

noticiar (no.ti.ci.ar) *v.* {mod. 1} *t.d. e t.d.i.* **1** (prep. *a*) fazer tomar ciência de (notícia); notificar, anunciar *<a firma noticiou a sua falência> <noticiou aos amigos o nascimento de seu filho>* □ *t.d.* **2** transmitir pela imprensa falada e escrita; divulgar *<os jornalistas noticiaram a lista dos convocados da seleção>* ~ **noticiador** *adj.s.m.*

noticiário (no.ti.ci.á.rio) *s.m.* JOR **1** conjunto de notícias sobre determinado assunto *<n. esportivo>* **2** em radiojornalismo e telejornalismo, apresentação das notícias relevantes do dia, da semana etc., por jornalistas em programas ao vivo ou previamente gravados *<não perco o n. da noite>* ~ **noticiarista** *adj.2g.s.2g.*

noticioso (no.ti.ci.o.so) [pl. e fem.: /ó/] *adj.* **1** relativo a ou que contém notícia(s) *<informe n.>* **2** que fornece muitas notícias *<um jornal n.>* ■ *s.m.* COMN *B* **3** programa radiofônico ou televisivo de transmissão de notícias *<ela não perde o n. das 10:00h>*

notificar (no.ti.fi.car) *v.* {mod. 1} *t.d. e t.d.i.* (prep. *a*, *de*) fazer tomar conhecimento de (notícia, informe, ordem judicial etc.); comunicar *<o secretário notificou (à imprensa) a demissão do ministro> <a direção notificou os funcionários do corte de pessoal>* ~ **notificação** *s.f.* - **notificador** *adj.s.m.*

notívago (no.tí.va.go) ou **noctívago** (noc.tí.va.go) *adj.s.m.* **1** (o) que tem hábitos noturnos *<o biólogo foi em busca dos (animais) notívagos>* **2** que(m) aprecia a noite, a vida noturna

notocorda (no.to.cor.da) *s.f.* ANAT ZOO bastão dorsal flexível que dá origem ao eixo primitivo do embrião de animais cordados

notoriedade (no.to.ri.e.da.de) *s.f.* **1** atributo de quem é ou do que é famoso, tem renome ↺ obscuridade **2** indivíduo de reconhecido saber; celebridade ↺ nulidade

notório (no.tó.rio) *adj.* evidente; conhecido por todos ↺ ignorado

noturno (no.tur.no) *adj.* **1** referente à noite **2** que se realiza durante a noite ↺ diurno

nova (no.va) *s.f.* notícia recente; novidade

nova-delhense (no.va-de.lhen.se) [pl.: *nova-delhenses*] *adj.2g.* **1** de Nova Delhi (Índia) ■ *s.2g.* **2** natural ou habitante dessa capital

nova-iorquino (no.va-ior.qui.no) [pl.: *nova-iorquinos*] *adj.* **1** de Nova York (E.U.A.) ■ *s.m.* **2** natural ou habitante dessa cidade ou desse estado

novamente (no.va.men.te) *adv.* de novo, mais uma vez *<vamos dançar n.?>*

novato (no.va.to) *adj.* **1** inexperiente; sem vivência ↺ experiente ■ *s.m.* **2** aprendiz, principiante **3** calouro, esp. de universidade ↺ veterano

nove (no.ve) *n.card.* **1** oito mais um **2** diz-se desse número *<cartões de número n.>* **3** diz-se do nono elemento de uma série *<dia n.>* **4** que equivale a essa quantidade (diz-se de medida ou do que é contável) *<tenho n. pares de sapatos>* ■ *s.m.* **5** representação gráfica desse número *<no exame de vista, não pôde ler o n.>* ☞ em algarismos arábicos, *9*; em algarismos romanos, *IX* ▣ **noves fora** *B infrm.* subtração de nove, ou de múltiplo de nove, do total ou das parcelas de uma operação matemática

novecentos (no.ve.cen.tos) *n.card.* **1** oitocentos mais cem **2** diz-se desse número *<memorando de número n.>* **3** diz-se do noningentésimo elemento de uma série *<ofício n.> <cadeira n.>* **4** que equivale a essa quantidade (diz-se de medida ou do que é contável) *<um terreno de n. metros quadrados> <houve mani-*

N

festação de n. pessoas> ■ *s.m.2n.* **5** representação gráfica desse número *<no número de inscrição o n. estava ilegível>* ☞ em algarismos arábicos, *900*; em algarismos romanos, *CM* ⊙ GRAM/USO seguido do conectivo *e* antes das dezenas e unidades, forma os numerais cardinais entre 900 e 1000

novel (no.vel) [pl.: *-éis*] *adj.2g.s.2g.* **1** (aquele) que é novo, jovem ↺ maduro **2** que(m) tem pouca experiência; principiante ↺ experiente

novela (no.ve.la) *s.f.* **1** LIT narrativa breve, maior que um conto e menor que um romance **2** TV RÁD trama encenada em capítulos **3** história, caso extenso e cheio de peripécias *<sua viagem a Bonito foi uma n.>* **4** *infrm.* situação complicada e de difícil solução *<as brigas do casal já viraram n.>*

noveleiro (no.ve.lei.ro) *adj.s.m.* **1** que(m) tem o hábito de acompanhar novelas **2** *pej.* (aquele) que escreve novelas, ger. de qualidade duvidosa

novelesco (no.ve.les.co) /ê/ *adj.* relativo ou próprio de novela

novelista (no.ve.lis.ta) *adj.2g.s.2g.* que(m) escreve novelas

novelo (no.ve.lo) /ê/ *s.m.* bola feita de fio têxtil enrolado

novembro (no.vem.bro) *s.m.* décimo primeiro mês do ano no calendário gregoriano, composto de 30 dias

novena (no.ve.na) *s.f.* **1** série de orações feita durante nove dias consecutivos **2** *p.ext.* qualquer período de nove dias ~ **novenal** *adj.2g.*

novênio (no.vê.nio) *s.m.* período de nove anos

noventa (no.ven.ta) *n.card.* **1** oitenta mais dez **2** diz-se desse número *<memorando número n.>* **3** diz-se do nonagésimo elemento de uma série *<anos n.> <capítulo n.>* **4** que equivale a essa quantidade (diz-se de medida ou do que é contável) *<construíram um arranha-céu de n. metros>* ■ *s.m.* **5** representação gráfica desse número ☞ em algarismos arábicos, *90*; em algarismos romanos, *XC* ⊙ GRAM/USO seguido do conectivo e antes das unidades, forma os numerais cardinais entre 90 e 100

noviciado (no.vi.ci.a.do) *s.m.* REL **1** aprendizado inicial de um noviço em ordem religiosa **2** o tempo de duração desse aprendizado ~ **noviciar** *v.int.*

noviço (no.vi.ço) *adj.s.m.* **1** que(m) se prepara para ingressar na vida religiosa **2** iniciante, novato ↺ veterano ■ *adj.* **3** inexperiente, ingênuo ↺ experiente ~ **noviciário** *adj.*

novidade (no.vi.da.de) *s.f.* **1** condição do que é novo **2** notícia recente *<oi, quais são as n.?>* **3** inovação, renovação *<não quero novidades aqui na firma>* ~ **novidadeiro** *adj.s.m.*

novidadeiro (no.vi.da.dei.ro) *adj.s.m.* que ou quem gosta de contar novidades ou fofocas

novilho (no.vi.lho) *s.m.* boi novo; bezerro

novilúnio (no.vi.lú.nio) *s.m.* **1** a Lua nova **2** período da Lua nova

novo (no.vo) /ô/ [pl. e fem.: /ó/] *adj.* **1** jovem; de pouca idade *<um homem n. ainda, mas grisalho>* ↺ velho **2** que ainda não foi usado *<saia n.>* **3** que se encontra no início de um ciclo, de um processo *<ano n.>* **4** inexperiente, novato *<funcionário n.>* ↺ experiente **5** que apareceu pela primeira vez; inédito *<n. fórmula>* ↺ tradicional ■ *adj.s.m.* **6** (o) que é recente, moderno *<gostou do n. filme> <vovó tem dificuldades com o n.>* ↺ antigo ▣ **de n.** novamente

novo-rico (no.vo-ri.co) [pl.: *novos-ricos*] *s.m.* **1** pessoa de origem simples que enriqueceu recentemente **2** *pej.* pessoa que ostenta excessivamente sua riqueza recém-adquirida

noz [pl.: *-es*] *s.f.* **1** fruto da nogueira, oleoso e de casca dura **2** BOT nome geral para frutos secos de apenas uma semente

noz-de-cola (noz-de-co.la) [pl.: *nozes-de-cola*] *s.f.* BOT semente que contém alcaloides como a cafeína, us. como tônico e em refrigerantes, esp. em sua forma sintética; cola

noz-moscada (noz-mos.ca.da) [pl.: *nozes-moscadas*] *s.f.* **1** BOT árvore nativa da Indonésia, cuja semente é us. como condimento **2** o condimento feito dessa semente

noz-vômica (noz-vô.mi.ca) [pl.: *nozes-vômicas*] *s.f.* BOT árvore de cujas cascas e sementes são extraídos alcaloides tóxicos como a estricnina

Np QUÍM símbolo de *netúnio*

-nte *suf.* 'agente': *estudante, crescente, pedinte*

nu *adj.* **1** sem roupa; desnudo ↺ vestido **2** descoberto, exposto *<o vestido deixava as costas n.>* ↺ coberto **3** sem disfarce; evidente *<verdade n.>* **4** desguarnecido, desprovido *<despensa n.>* ↺ abastecido ■ *s.m.* **5** nudez *<admirar o nu artístico>* ▣ **n. e cru** sem rodeios; com toda a franqueza • **pôr a n.** fazer ficar ou ficar evidente

nuance (nu.an.ce) ou **nuança** (nu.an.ça) *s.f.* **1** gradação de cor; matiz, tonalidade **2** diferença sutil; detalhe ~ **nuançar** *v.t.d.*

nubente (nu.ben.te) *adj.2g.s.2g.* que(m) está prestes a contrair matrimônio

núbil (nú.bil) [pl.: *-eis*] *adj.2g.* que já está pronto e com idade para casar (diz-se esp. de mulher) ~ **nubilidade** *s.f.*

nublado (nu.bla.do) *adj.* **1** cheio de nuvens *<céu n.>* ↺ claro **2** *fig.* em que há tristeza, melancolia *<semblante n.>* **3** *fig.* em que não há clareza; incompreensível *<raciocínio n.>*

nublar (nu.blar) *v.* {mod. 1} *t.d. e pron.* **1** cobrir(-se) de nuvens; anuviar(-se) ↺ desanuviar(-se) **2** *fig.* (fazer) ficar turvo, embaçado ou escuro *<a poeira nublou a visão de todos> <seus olhos nublaram-se de lágrimas>* **3** *fig.* tornar(-se) triste, calado, desanimado *<as notícias nublaram seu dia> <suas feições nublavam-se de preocupação>* ↺ animar(-se)

nuca (nu.ca) *s.f.* ANAT a parte de trás do pescoço

nuciforme (nu.ci.for.me) *adj.2g.* que tem a forma de uma noz

nuclear (nu.cle.ar) [pl.: *-es*] *adj.2g.* **1** relativo a núcleo **2** FÍS em que se processam as reações à fissão do núcleo atômico (usina, bomba, etc.) *<energia n.>* ~ **nuclearização** *s.f.*

núcleo (nú.cleo) *s.m.* **1** parte ou ponto central de alguma estrutura *<n. de uma empresa>* **2** a parte essencial de algo *<vamos nos ater ao n. do problema>* **3** ASTR num cometa, a parte central de constituição sólida, densa e luminosa ◉ GRAM/USO dim.irreg.: *nucléolo* ▣ **n. atômico** FÍS parte de um átomo constituída de prótons e nêutrons, onde se concentra a maior parte da massa do átomo e cuja carga, definida pelo número de prótons, é positiva

nucléolo (nu.clé.o.lo) *s.m.* **1** pequeno núcleo **2** GEN estrutura presente no interior do núcleo, composta de ADN, proteína e ARN ribossômico ◉ GRAM/USO dim.irreg. de *núcleo*

nuclídeo (nu.clí.deo) *s.m.* FÍS espécie de átomo caracterizado pelo número de nêutrons em seu núcleo atômico e pelo número atômico; denominado, impropriamente, de isótopo

nudez (nu.dez) /ê/ [pl.: *-es (pouco usado)*] *s.f.* estado ou condição do que está ou vive nu

nudismo (nu.dis.mo) *s.m.* **1** concepção de vida que defende que as pessoas vivam despidas, em permanente contato com a natureza **2** prática dessa concepção de vida *<frequentar praias de n.>* ~ **nudista** *adj.2g.s.2.g*

nulidade (nu.li.da.de) *s.f.* **1** condição do que é nulo, inexistente *<a n. de uma ajuda prometida>* **2** indivíduo a quem faltam talentos, cultura, renome; incapaz *<ele é uma n. em mecânica>* ↺ genialidade

nulíparo (nu.lí.pa.ro) *adj.s.m.* (o) que nunca pariu *<o fazendeiro vendeu a (vaca) n.>*

nulo (nu.lo) *adj.* **1** igual a zero *<valor n.>* **2** sem valor ou utilidade *<esforço n.>* ↺ útil **3** sem validade *<contrato n.>* ↺ válido **4** inexistente, nenhum *<sua sensibilidade é n.>*

[1]**num** *contr.* **1** no interior de *<ponha isto n. frasco fechado>* **2** em algo indeterminado *<n. dia de primavera vamos nos encontrar>* **3** em algo que é mencionado pela primeira vez ou já foi mencionado em outra oração *<n. país distante vivia um rei> <cedeu o apê ao irmão e ficou n. que o sogro lhe deu>* ◉ GRAM/USO fem.: *numa*; pl.: *nuns, numas* ◉ ORIGEM contr. da prep. *em* com *um* (artigo ou numeral)

[2]**num** *adv. infrm.* **NÃO** *<ele num quis vir, não>* ◉ ORIGEM alt. de *não*

nume (nu.me) *s.m.* **1** divindade **2** *fig.* inspiração poética vinda do poder divino

numeração (nu.me.ra.ção) [pl.: *-ões*] *s.f.* **1** ação de numerar **2** sequência de números que marcam as páginas de um livro etc.

numerador (nu.me.ra.dor) /ô/ [pl.: *-es*] *adj.s.m.* **1** (o) que numera ■ *s.m.* MAT **2** termo sobre o traço de fração que indica quantas partes se tomaram do todo

numeral (nu.me.ral) [pl.: *-ais*] *adj.2g.* **1** relativo a número **2** que representa ou indica um número ■ *s.m.* GRAM **3** classe de palavras que indica uma quantidade exata de pessoas ou coisas, ou lugar que elas ocupam numa série

numerar (nu.me.rar) *v.* {mod. 1} *t.d.* **1** pôr número em *<n. páginas>* **2** dispor em ordem numérica *<n. os assentos do cinema>* **3** verificar ou dar a quantidade de; quantificar *<a escola numerou os alunos aprovados>* **4** expor de forma metódica; enumerar *<o advogado numerou as vantagens do acordo>* ~ **numerável** *adj.2g.*

numerário (nu.me.rá.rio) *s.m.* **1** dinheiro em espécie; dinheiro vivo ■ *adj.* **2** relativo a dinheiro

numérico (nu.mé.ri.co) *adj.* **1** relativo aos números *<operação n.>* **2** que indica número *<placa n. de velocidade máxima>* **3** que é expresso por números *<código n.> <senhas n.>*

número (nú.me.ro) *s.m.* **1** cada membro do sistema numérico us. para contar, medir, avaliar etc. *<o três é n. ímpar>* **2** expressão de quantidade *<os policiais estavam em maior n.>* **3** quantidade certa *<qual o n. de candidatos?>* **4** cálculo *<ser bom com os n.>* **5** quórum *<não houve n. para iniciarmos a votação>* **6** exemplar de publicação periódica *<perdi o último n. da revista>* **7** quadro de um *show* de variedades *<incluiremos mais dois n. no espetáculo>* **8** GRAM flexão gramatical que indica o singular e o plural dos substantivos, adjetivos, verbos, pronomes, artigos e alguns numerais ▣ **n. atômico** FÍS número de prótons presentes no núcleo atômico e que, em um átomo neutro, é igual ao número de elétrons • **sem n.** difícil de calcular; inumerável

numerologia (nu.me.ro.lo.gi.a) *s.f.* estudo da influência oculta dos números no destino das pessoas ~ **numerológico** *adj.* - **numerologista** *s.2g.* - **numerólogo** *s.m.*

numeroso (nu.me.ro.so) /ô/ [pl. e fem.: /ó/] *adj.* em grande número ~ **numerosidade** *s.f.*

numismata (nu.mis.ma.ta) *s.2g.* especialista em numismática

numismática (nu.mis.má.ti.ca) *s.f.* ciência cujo objeto de estudo são as moedas e as medalhas ~ **numismático** *adj.*

nunca (nun.ca) *adv.* **1** em nenhum tempo; jamais *<morreu sem n. realizar seu grande sonho>* **2** em nenhuma circunstância *<os fins n. justificam os meios>* **3** alguma vez, em algum tempo passado *<quem n. se arrependeu de uma decisão?>* ▣ **n. mais 1** em nenhuma ocasião futura *<n. mais nos veremos>* **2** refere-se a um longo período iniciado no passado e que perdura até hoje *<n. mais viajei>*

nunciatura (nun.ci.a.tu.ra) *s.f.* **1** ofício, função de núncio **2** a residência do núncio **3** local onde o núncio exerce seu cargo

núncio (nún.cio) *s.m.* **1** representante diplomático da Igreja católica **2** mensageiro

nuncupação (nun.cu.pa.ção) [pl.: *-ões*] *s.f.* DIR testamento que é feito oralmente

núpcias (núp.cias) *s.f.pl.* **1** casamento **2** a cerimônia do casamento **3** o contrato de casamento ~ **nupcial** *adj.2g.*

nutrição (nu.tri.ção) [pl.: *-ões*] *s.f.* **1** BIO conjunto de processos de ingestão, digestão e absorção de alimentos **2** alimento; fonte de sustento **3** nutricionismo *<formou-se em n.>* ~ **nutricional** *adj.2g.*

nutricionismo (nu.tri.cio.nis.mo) *s.m.* estudo das necessidades alimentares dos seres humanos e animais, e dos problemas relativos à nutrição

nutricionista (nu.tri.ci.o.nis.ta) *adj.2g.* **1** que diz respeito ao nutricionismo ■ *adj.2g.s.2g.* **2** diz-se de ou especialista em nutricionismo

N

nutrido (nu.tri.do) *adj.* **1** provido de alimento; alimentado **2** corpulento, robusto ↺ fraco, magro

nutriente (nu.tri.en.te) *s.m.* **1** substância que nutre o organismo ↺ desnutriente ■ *adj.2g.* **2** que nutre, alimenta; nutritivo

nutrir (nu.trir) *v.* {mod. 24} *t.d.,t.d.i. e pron.* **1** (prep. *com, de*) prover(-se) de substâncias necessárias ao metabolismo; alimentar(-se) *<eles não têm como n. os filhos>* *<nutre as plantas com adubo enriquecido>* *<nutre-se de carnes brancas e vegetais>* □ *t.d. fig.* **2** alimentar em si (sentimento, ideia etc.); cultivar *<n. uma esperança>* □ *pron. fig.* **3** ter sustento; manter-se *<o amor nutre-se do respeito>* ~ **nutrimento** *s.m.*

nutritivo (nu.tri.ti.vo) *adj.* que tem a propriedade de nutrir, de alimentar; alimentício

nutriz (nu.triz) [pl.: *-es*] *s.f. frm.* **1** mulher que amamenta; ama de leite ■ *adj.* **2** *fig.* que alimenta

nuvem (nu.vem) [pl.: *-ens*] *s.f.* **1** condensação visível de vapor d'água na atmosfera **2** porção suspensa de partículas de pó, gases etc. **3** grande porção de insetos voando **4** *fig.* melancolia, tristeza *<havia uma n. em sua expressão>* **5** escurecimento passageiro da vista

NW símbolo de *noroeste* (na rosa dos ventos)

nylon ® (ny.lon) [ing.] *s.m.* ver ***NÁILON*** ⇒ pronuncia-se nai.lon

Oo

o /ó *ou* ô/ *s.m.* **1** 15ª letra do nosso alfabeto, vogal ■ *n.ord. (adj.2g.2n.)* **2** diz-se do 15º elemento de uma série *<casa O> <item 1o>* ☞ empr. após um substantivo ou numeral **3** tipo sanguíneo *<você tem sangue O positivo>* ☞ ger. maiúscula ◉ GRAM/USO na acp. s.m., pl.: *oo*

o /ô/ *art.def.* **1** indica o gênero (masc.) e o número (sing.) do substantivo a que se refere *<o pato>* **2** define ou especifica, por circunstância ou contexto, esse substantivo ou seu equivalente *<não ponha o pé aí>* ■ *pron.dem.* **3** aquele, aquilo, isso, isto *<não foi este livro que pedi, o que quero tem capa verde>* ■ *pron.p.* **4** refere-se à 3ª p.sing. e funciona como complemento *<não o vi hoje>*

O. abrev. de *oeste* ('região')

O QUÍM símbolo de *oxigênio*

o- ou **ob-** *pref.* **1** 'movimento para a frente': *oblongo* **2** 'oposição': *opor*, *ob-rogar*

ó *interj.* us. para chamar ou interpelar alguém *<ó menino, venha cá>*

OAB *s.f.* sigla de Ordem dos Advogados do Brasil

oásis (o.á.sis) *s.m.2n.* **1** pequena região fértil, com vegetação e água, em pleno deserto **2** *fig.* coisa, local ou situação agradável em um meio hostil ou numa sequência de situações desagradáveis *<a casa na serra era seu o.>*

ob- *pref.* → *o-*

oba (o.ba) /ô/ *interj.* *B* **1** expressa alegria, admiração *<oba! sorvete!>* **2** *infrm.* us. como forma de saudação *<oba! como vai?>*

obcecado (ob.ce.ca.do) *adj.* **1** sem discernimento *<não percebe os erros do marido; está o.>* ↺ sensato **2** teimoso, obstinado *<sempre foi o. quanto a não usar guarda-chuva>*

obcecar (ob.ce.car) *v.* {mod. 1} *t.d.* **1** causar ideia fixa a *<a ideia de passar em primeiro lugar obcecava o estudante>* **2** privar do discernimento (o espírito, a inteligência); perturbar *<a paixão obcecou-o>* **3** tornar cego; cegar **~ obcecação** *s.f.*

obedecer (o.be.de.cer) *v.* {mod. 8} *t.i.* **1** (prep. *a*) submeter-se à vontade ou às determinações de *<o. aos pais>* **2** (prep. *a*) agir ou estar de acordo com *<sua escrita obedece às leis do discurso>* **3** (prep. *a*) deixar-se levar por (incitação ou sentimento); atender, ceder *<o. ao chamado da natureza>* ↺ resistir **4** (prep. *a*) estar sujeito a *<os animais obedecem aos instintos>*

obediência (o.be.di.ên.cia) *s.f.* **1** ato de obedecer ou o seu efeito ↺ desobediência **2** submissão completa *<os vassalos deviam o. aos senhores>*

obediente (o.be.di.en.te) *adj.2g.* **1** que obedece *<filhos o.>* ↺ desobediente **2** extremamente dócil; submisso *<cães o.>* ↺ indócil

obelisco (o.be.lis.co) *s.m.* monumento alongado, de base quadrada, que diminui de modo progressivo e forma no alto uma pirâmide

obesidade (o.be.si.da.de) *s.f.* estado de quem é obeso, de quem é demasiado gordo

obeso (o.be.so) /ê/ *adj.s.m.* que(m) tem gordura em excesso

óbice (ó.bi.ce) *s.m.* obstáculo; empecilho

óbito (ó.bi.to) *s.m.* falecimento

obituário (o.bi.tu.á.rio) *s.m.* **1** registro de óbitos **2** nota(s) de falecimento publicada(s) em jornais ■ *adj.* **3** relativo a óbito

objeção (ob.je.ção) [pl.: *-ões*] *s.f.* **1** argumento apresentado em oposição a outro antes enunciado ↺ concordância **2** dificuldade; obstáculo *<a obra seguiu sem o.>*

objetar (ob.je.tar) *v.* {mod. 1} *t.d. e t.d.i.* **1** (prep. *a*) apresentar (argumento, alegação etc.) em sentido contrário *<objetou(-lhe) que estava viajando no dia do crime>* □ *t.i.* **2** (prep. *a*) mostrar-se contrário a; opor-se *<o. a um argumento>* ↺ apoiar

objetiva (ob.je.ti.va) *s.f.* **1** FOT peça da parte anterior do aparelho fotográfico que se compõe de um conjunto de lentes e de uma armação fixadora **2** ÓPT lente ou conjunto de lentes que forma uma imagem de um objeto

objetivar (ob.je.ti.var) *v.* {mod. 1} *t.d.* **1** dar existência, expressão material a (noção abstrata, sentimento, ideal); concretizar *<um bom ator sabe o. as sensações> <a linguagem objetiva o pensamento>* **2** ter como objetivo, como fim; pretender *<o movimento objetivava o aumento das linhas de ônibus>* ~ **objetivação** *s.f.*

objetividade (ob.je.ti.vi.da.de) *s.f.* **1** representação fiel da coisa observada ou estudada *<a o. da ciência>* **2** característica de quem ou daquilo que não foge do objetivo *<a o. de um orador> <falar com o. sobre política>* ↺ subjetividade **3** ausência de interferência de sentimentos, opiniões pessoais; imparcialidade *<faltou o. para avaliar o caso>* ↺ subjetividade **4** modo rápido de agir, sem perda de tempo *<ele tem a o. dos bons motoristas>*

objetivo (ob.je.ti.vo) *s.m.* **1** o que se quer alcançar; propósito *<seu o. era viajar uma vez por ano>* ■ *adj.* **2** sem rodeios; direto *<texto o.>* ↺ evasivo **3** livre de interesses ou opiniões pessoais *<julgamento o.>* ↺ subjetivo

objeto (ob.je.to) *s.m.* **1** coisa material que pode ser percebida pelos sentidos **2** coisa mental ou física para a qual se dirige o pensamento, um sentimento ou uma ação *<o o. do desejo> <o. de preocupação, de pesquisa>* **3** assunto; tema **4** motivo, causa *<o o. da discórdia>* **5** coisa, mercadoria *<vendem-se o. variados>* **6** GRAM o complemento dos verbos transitivos ▣ **o. direto** GRAM complemento verbal ger. não preposicionado • **o. indireto** GRAM complemento verbal preposicionado

O

oblação (o.bla.ção) [pl.: *-ões*] *s.f.* **1** REL oferenda a Deus ou aos santos **2** qualquer coisa que se ofereça

[1]**oblato** (o.bla.to) *s.m.* leigo que se oferece para servir em ordem religiosa ◉ ORIGEM do lat. *oblātus,i* 'id.'

[2]**oblato** (o.bla.to) *adj.* achatado nos polos ◉ ORIGEM do lat.cien. *oblatus* 'levado para frente, alongado'

oblíquo (o.blí.quo) *adj.* **1** que não é perpendicular nem paralelo **2** *fig.* que disfarça os sentimentos; dissimulado ↺ sincero **3** GRAM LING diz-se dos pron. pessoais que exercem a função de complemento ou adjunto (*o, a, lhe, me, te, se, nos, vos, mim, ti, si, comigo, contigo, consigo, conosco, convosco*) ~ **obliquidade** *s.f.*

obliteração (o.bli.te.ra.ção) [pl.: *-ões*] *s.f.* **1** ato de obliterar(-se) **2** destruição, eliminação **3** esquecimento, olvido *<o. de um problema>* ↺ lembrança, recordação **4** fechamento, obstrução *<o. de uma artéria>*

obliterar (o.bli.te.rar) *v.* {mod. 1} *t.d. e pron.* **1** (fazer) desaparecer aos poucos; apagar(-se) *<o vento obliterava as pegadas na areia> <com o passar do tempo, o texto obliterou-se>* **2** levar a ou ficar no esquecimento; perder(-se) *<aprender história não nos deixa o. os erros do passado> <as línguas indígenas foram-se obliterando durante a colonização>* **3** fechar-se ou fechar a cavidade de; obstruir(-se) *<a gordura pode o. os vasos sanguíneos> <o cano obliterou-se>*

oblongo (ob.lon.go) *adj.* cujo comprimento é maior que a largura; alongado

obnubilar (ob.nu.bi.lar) *v.* {mod. 1} *t.d. e pron.* **1** tornar(-se) obscuro; escurecer(-se) *<o moralismo obnubila uma visão mais crítica do mundo atual> <o céu obnubilou-se>* ↺ clarear(-se) □ *t.d.* MED **2** deixar com perturbação da consciência, ofuscando a vista e obscurecendo o pensamento ~ **obnubilação** *s.f.*

oboé (o.bo.é) *s.m.* MÚS instrumento de sopro de madeira, com palheta dupla e tubo cônico

oboísta (o.bo.ís.ta) *adj.2g.s.2g.* MÚS que(m) toca oboé

óbolo (ó.bo.lo) *s.m.* esmola

obra (o.bra) *s.f.* **1** resultado de um trabalho, de uma ação *<as leis são o. dos homens>* **2** conjunto de trabalhos realizados por um artista, escritor ou cientista *<a o. de Machado de Assis>* **3** edificação em construção *<trabalha em uma o. no centro>* **4** reparação ou remodelação *<fechado para o.> <a casa precisa de o.>* ☞ freq. us. no pl.

obra-prima (o.bra-pri.ma) [pl.: *obras-primas*] *s.f.* **1** a obra considerada excepcional de um artista, época, estilo etc. *<o. de Camões> <o. do Surrealismo>* **2** o que é perfeito em seu gênero *<seu discurso foi uma o.>*

obrar (o.brar) *v.* {mod. 1} *t.d.* **1** produzir por meio de uma ação; fazer, realizar **2** construir, fabricar ↺ destruir **3** planejar, tramar *<o. um crime>* □ *int.* **4** exercer um ofício; trabalhar **5** realizar uma ação; agir, atuar *<deveríamos o. mais e falar menos>* **6** defecar

obreiro (o.brei.ro) *adj.s.m.* operário; trabalhador

obrigação (o.bri.ga.ção) [pl.: *-ões*] *s.f.* **1** fato de estar obrigado a cumprir algo; imposição *<votar é o. do cidadão>* **2** o que se tornou necessidade; dever, compromisso *<é sua o. terminar o trabalho>* **3** ofício, tarefa

obrigado (o.bri.ga.do) *adj.* **1** imposto por lei ou pelo uso; obrigatório **2** grato, reconhecido, agradecido *<ela disse: obrigada por tantas gentilezas!>* **3** forçado pelas circunstâncias; compelido *<sentiram-se o. a comparecer ao evento>*

obrigar (o.bri.gar) *v.* {mod. 1} *t.d. e t.d.i.* **1** (prep. *a*) sujeitar, submeter a (imposição legal ou moral) *<a lei obriga-o a pagar pensão (ao filho)>* □ *t.d.i. e pron.* **2** (prep. *a*) impor(-se) pela força, por pressão moral ou necessidade a (fazer ou não fazer algo); forçar(-se) *<ele obrigou o irmão a sair>* □ *t.d.* **3** dar como fiança; empenhar *<o. as joias> <o. a palavra>* □ *pron.* **4** (prep. *a*) assumir um compromisso *<o.-se a dormir cedo>*

obrigatório (o.bri.ga.tó.rio) *adj.* **1** que envolve obrigação *<uso o. de capacete>* ↺ opcional **2** indispensável *<em viagens longas, é o. uma parada em lugar com chuveiros>* ↺ desnecessário ~ **obrigatoriedade** *s.f.*

ob-rogar (ob-ro.gar) *v.* {mod. 1} *int.* invalidar uma lei apresentando outra ~ **ob-rogação** *s.f.*

obscenidade (obs.ce.ni.da.de) *s.f.* **1** o que fere as regras da moral, do decoro *<esse desperdício de dinheiro é uma o.>* **2** ato ou dito obsceno, indecente **3** caráter do que é obsceno; indecência

obsceno (obs.ce.no) *adj.* **1** contrário ao pudor, esp. em relação à sexualidade ↺ pudico **2** que fala ou escreve coisas obscenas

obscurantismo (obs.cu.ran.tis.mo) *s.m.* **1** falta de instrução; ignorância ↺ conhecimento **2** doutrina que se opõe à divulgação de conhecimentos entre as classes populares **~ obscurantista** *adj.2g.s.2g.*

obscurecer (obs.cu.re.cer) *v.* {mod. 8} *t.d.,int. e pron.* **1** (fazer) ficar com pouca luz ou sem luz; escurecer(-se) *<as cortinas obscureceram a sala> <o dia obscureceu (-se) de repente>* ↺ clarear **2** tornar(-se) difícil de compreender; complicar(-se) **3** tornar(-se) sombrio, triste; anuviar(-se) *<lágrimas obscureciam os seus olhos> <assim que o viu seu sorriso obscureceu (-se)>* **4** (fazer) perder a honra, a reputação; macular (-se) ↺ dignificar(-se) □ *t.d.* **5** privar da razão, do discernimento (o espírito, a inteligência); obcecar **6** disfarçar ou esconder cobrindo *<o. uma mancha>* **~ obscurecido** *adj.* - **obscurecimento** *s.m.*

obscuro (obs.cu.ro) *adj.* **1** escuro; sombrio ↺ claro **2** difícil de compreender ou explicar; confuso *<raciocínio o.>* ↺ fácil **3** que não se tornou conhecido; ignorado *<autor o.>* ↺ famoso **~ obscuridade** *s.f.*

obsedar (ob.se.dar) *v.* {mod. 1} *t.d.* **1** importunar com insistência, esp. para obter favor; molestar **2** deixar com ideia fixa em; obcecar **~ obsedante** *adj.2g.*

obsequiar (ob.se.qui.ar) /z/ *v.* {mod. 1} *t.d.* **1** prestar favores a; favorecer **2** dar presentes a; presentear

obséquio (ob.sé.quio) /z/ *s.m.* favor; gentileza

obsequioso (ob.se.qui.o.so) /zê...ô/ [pl. e fem.: /ó/] *adj.* **1** que gosta ou tem o hábito de ajudar, de prestar um favor; solícito **2** que exagera na polidez, no respeito ou nos agrados para com alguém ↺ antipático **~ obsequiosidade** *s.f.*

observação (ob.ser.va.ção) [pl.: *-ões*] *s.f.* **1** comentário *<não consegue ouvir sem fazer observações>* **2** ação de considerar as coisas com atenção **3** obediência a uma regra ou lei; observância *<o. às regras da dieta>* ↺ desobediência

observador (ob.ser.va.dor) /ô/ [pl.: *-es*] *adj.s.m.* **1** (o) que observa ou examina ■ *adj.* **2** atento, minucioso *<comentário o.>*

observância (ob.ser.vân.cia) *s.f.* cumprimento fiel; observação ('obediência') *<o. às normas da cerimônia>*

observar (ob.ser.var) *v.* {mod. 1} *t.d. e pron.* **1** olhar(-se) com atenção, com aplicação; estudar (-se) *<da janela, observava as crianças no jardim> <observaram-se como se fossem dois estranhos>* □ *t.d.* **2** considerar buscando chegar a julgamento; examinar, analisar *<observou que a filha tinha adquirido o vício de mentir>* **3** chegar a uma conclusão após exame, análise; constatar, verificar *<observaram que os alunos atrasados eram os que moravam mais perto>* **4** olhar às escondidas; espiar *<observava as meninas pelo muro>* **5** seguir determinações ou preceitos de; obedecer *<o. todas as normas de uma religião>* □ *t.d.i.* **6** (prep. *a*) fazer atentar para; advertir *<observou à banca que o gabarito continha várias respostas erradas>*

observatório (ob.ser.va.tó.rio) *s.m.* **1** instituição de observação astronômica, meteorológica etc. **2** edifício equipado para essa observação

obsessão (ob.ses.são) [pl.: *-ões*] *s.f.* ideia fixa

obsessivo (ob.ses.si.vo) *adj.* **1** próprio da obsessão *<personalidade o.>* ■ *adj.s.m.* **2** que(m) tem obsessão *<age como um o.>*

obsoleto (ob.so.le.to) /é *ou* ê/ *adj.* **1** que já não se usa; arcaico *<termo o.>* ↺ atual **2** fora de moda; ultrapassado *<modelo o. de chapéu>* ↺ moderno

obstáculo (obs.tá.cu.lo) *s.m.* **1** o que impede ou atrapalha o movimento de algo ou alguém **2** ESP cada uma das barreiras, fabricadas ou naturais, dispostas ao longo de uma pista de corridas

obstante (obs.tan.te) *adj.2g.* que impede ⊡ **não o.** apesar de, a despeito de *<não o. o cansaço, prosseguia a caminhada>*

obstar (obs.tar) *v.* {mod. 1} *t.d.* **1** criar embaraço ao servir de obstáculo a; impedir, atrapalhar *<um assalto obstou sua viagem>* ↺ ajudar, viabilizar □ *t.i.* **2** (prep. *a*) mostrar posição contrária a; opor-se *<procurava o. a preconceitos de toda ordem>* ↺ apoiar

obstetra (obs.te.tra) *adj.2g.s.2g.* que(m) se especializou em obstetrícia

obstetrícia (obs.te.trí.cia) *s.f.* MED ramo da medicina que trata da gravidez e do parto

obstétrico (obs.té.tri.co) ou **obstetrício** (obs.te.trí.cio) *adj.* referente à obstetrícia

obstinação (obs.ti.na.ção) [pl.: *-ões*] *s.f.* **1** apego excessivo às próprias ideias, resoluções e atitudes; persistência *<tinha a o. própria de sua idade>* **2** comportamento que indica esse apego; teimosia

obstinado (obs.ti.na.do) *adj.* persistente; teimoso ↺ flexível

obstinar (obs.ti.nar) *v.* {mod. 1} *t.d.* **1** tornar obstinado □ *pron.* **2** insistir com firmeza numa ideia, resolução, empresa *<o.-se na luta>*

obstrução (obs.tru.ção) [pl.: *-ões*] *s.f.* **1** ação ou efeito de obstruir(-se); bloqueio ↺ abertura, desobstrução **2** ESP infração em que o jogador de um time impede, com o corpo, a progressão do adversário **3** MED bloqueio ou entupimento que dificulta a circulação de sólidos ou líquidos no organismo *<o. intestinal, o. nasal>* ↺ desobstrução

obstruir (obs.tru.ir) *v.* {mod. 26} *t.d. e pron.* **1** (fazer) ficar fechado, vedado; tapar(-se), entupir(-se) *<o. veias> <as artérias obstruíram-se>* ↺ desobstruir(-se) □ *t.d.* **2** pôr obstáculo à passagem ou circulação de; atravancar *<uma árvore obstruiu o caminho>* **3** criar problemas, empecilhos a; dificultar, atrapalhar *<o corte na verba obstruirá a realização do congresso>* ↺ viabilizar

obtemperar (ob.tem.pe.rar) *v.* {mod. 1} *t.d. e t.d.i.* **1** (prep. *a*) argumentar com humildade e moderação; ponderar *<obtemperou(-lhe) que seria mais prudente ficar em casa>* □ *t.i.* **2** (prep. *a*) obedecer, submeter-se *<os militares não obtemperavam mais ao comando>*

obtenção (ob.ten.ção) [pl.: *-ões*] *s.f.* aquisição, consecução *<com a o. do diploma, pôde fazer o concurso>*

obter (ob.ter) *v.* {mod. 16} *t.d. e t.d.i.* **1** (prep. *para*) vir a ter (para si ou outrem) [resultado, objetivo etc. buscado ou não]; ganhar, conseguir *<o. favores> <obteve-lhe um emprego>* ↺ perder □ *t.d.* **2** atingir, alcançar, receber (certo número, quantia, pontuação etc.) *<obteve uma nota excelente em português>*

O

obturação (ob.tu.ra.ção) [pl.: *-ões*] *s.f.* fechamento de cavidade dentária resultante de cárie

obturar (ob.tu.rar) *v.* {mod. 1} *t.d.* **1** fechar totalmente (abertura, conduto); tapar **2** fechar cavidade de (dente ou osso)

obtuso (ob.tu.so) *adj.* **1** GEOM que tem mais de 90º e menos de 180º (diz-se de ângulo) **2** rombudo na ponta *<lápis o.>* ↺ pontiagudo **3** *fig. pej.* pouco inteligente *<menino o.>* ↺ arguto ~ **obtusidade** *s.f.*

obumbrar (o.bum.brar) *v.* {mod. 1} *t.d. e pron.* **1** tornar(-se) sombrio, escuro; escurecer(-se) ↺ clarear **2** *fig.* perturbar(-se) [a mente, os sentidos] ↺ desanuviar(-se)

obus (o.bus) [pl.: *-es*] *s.m.* **1** peça de artilharia com a qual se atiram bombas, granadas etc. **2** o projétil lançado por essa peça

obviar (ob.vi.ar) *v.* {mod. 1} *t.d. e t.i.* **1** (prep. *a*) impedir a ocorrência ou a concretização de; evitar *<o. (a) um dano>* **2** (prep. *a*) atenuar os efeitos de; remediar *<o. (a) um desalento>* □ *t.i.* **3** (prep. *a*) ter posição contrária a; opor-se *<o. aos excessos da propaganda>*

obviedade (ob.vi.e.da.de) *s.f.* coisa óbvia, evidente

óbvio (ób.vio) *adj.* fácil de descobrir, ver ou entender; claro, evidente *<era ó. que seu tempo acabara>* ↺ obscuro

-oca *suf.* 'diminuição': *beijoca*

oca (o.ca) *s.f.* cabana indígena feita de troncos e fibras vegetais

ocara (o.ca.ra) *s.f.* praça no centro de aldeia indígena

ocarina (o.ca.ri.na) *s.f.* MÚS instrumento arredondado de sopro, ger. de barro ou pedra, com oito orifícios, quatro de cada lado

ocasião (o.ca.si.ão) [pl.: *-ões*] *s.f.* **1** circunstância favorável para a realização de algo *<ainda não encontrou o. para pedir o aumento>* **2** instante, momento *<na o. não percebeu o engano>*

ocasional (o.ca.sio.nal) [pl.: *-ais*] *adj.2g.* que acontece por acaso; casual *<encontro o.>*

ocasionar (o.ca.sio.nar) *v.* {mod. 1} *t.d. e t.d.i.* **1** (prep. *a*) ser causa de; motivar, provocar *<a preocupação com o filho ocasionou sua insônia> <o barulho forte ocasionou à criança problemas de audição>* □ *t.d.i.* **2** (prep. *a*) oferecer a oportunidade de; proporcionar *<ocasionou aos convidados uma bela festa>* □ *pron.* **3** acontecer, ocorrer *<a ele ocasionou-se a oportunidade de desfazer o mal-entendido>* ~ **ocasionador** *adj.s.m.*

ocaso (o.ca.so) *s.m.* **1** o lado do horizonte em que o Sol se põe; oeste ↺ nascente **2** *fig.* decadência *<o o. de um império>* ↺ ascensão

occipício (oc.ci.pí.cio) *s.m.* ANAT parte inferior e posterior da cabeça

occipital (oc.ci.pi.tal) [pl.: *-ais*] *adj.s.m.* ANAT (osso) da parte inferior e posterior da cabeça

oceânico (o.ce.â.ni.co) *adj.* **1** relativo a oceano; oceâneo **2** que vive no oceano *<fauna o.>*

oceano (o.ce.a.no) *s.m.* **1** grande extensão de água salgada que cobre a maior parte da Terra; mar **2** cada parte dessa extensão de água que cobre uma superfície determinada (Pacífico, Atlântico, Índico, Glacial Ártico, Glacial Antártico) ~ **oceâneo** *adj.*

oceanografia (o.ce.a.no.gra.fi.a) *s.f.* BIO estudo das profundezas oceânicas e do meio marinho ~ **oceanográfico** *adj.* - **oceanógrafo** *s.m.*

ocidental (o.ci.den.tal) [pl.: *-ais*] *adj.2g.* **1** do ou situado no Ocidente *<cidades o.> <música o.>* ■ *adj.2g.s.2g.* **2** natural ou habitante do Ocidente

ocidentalizar (o.ci.den.ta.li.zar) *v.* {mod. 1} *t.d. e pron.* dar ou tomar aspecto ou característica própria dos povos, culturas, línguas ocidentais ~ **ocidentalização** *s.f.*

ocidente (o.ci.den.te) *s.m.* **1** lado do horizonte em que o Sol se põe; ocaso **2** região situada a oeste **2.1** conjunto de regiões e países localizados na parte oeste do nosso planeta *<Europa e Américas estão no O.>* ☞ inicial maiúsc. **3** oeste ('região')

ócio (ó.cio) *s.m.* **1** interrupção do trabalho; folga **2** falta de ocupação; ociosidade ↺ ação **3** preguiça; indolência ↺ ânimo

ociosidade (o.ci.o.si.da.de) *s.f.* ócio ('falta de ocupação', 'preguiça') ↺ ação, trabalho

ocioso (o.ci.o.so) /ô/ [pl. e fem.: /ó/] *adj.* **1** em que há ócio; livre, vago *<vida o.>* ↺ ocupado **2** sem resultados positivos; improdutivo *<passa horas em conversas o.>* ↺ útil ■ *adj.s.m.* **3** que(m) está sem trabalho ou ocupação **4** preguiçoso

oclusão (o.clu.são) [pl.: *-ões*] *s.f.* **1** ato de fechar ou o seu efeito; fechamento ↺ abertura **2** MED bloqueio ou entupimento em qualquer dos condutos do organismo

ocluso (o.clu.so) *adj.* que está fechado ↺ aberto ~ **oclusivo** *adj.*

oco (o.co) /ô/ *adj.* **1** vazio por dentro *<tronco o.>* **2** *fig.* desprovido de sentido; fútil *<discurso o.>*

ocorrência (o.cor.rên.cia) *s.f.* **1** o que ocorre; acontecimento **2** circunstância, ocasião *<uma o. feliz>*

ocorrer (o.cor.rer) *v.* {mod. 8} *t.i. e int.* **1** (prep. *a, com*) ser ou tornar-se realidade; acontecer, suceder *<o hospital responsabilizou-se pelo que ocorreu ao paciente> <faz dez anos que o acidente ocorreu>* **2** (prep. *a*) aparecer à memória ou ao pensamento *<de repente, ocorreu-lhe uma ideia>* □ *int.* **3** revelar-se de repente; sobrevir *<quando tudo parecia controlado, ocorreram novos vazamentos>*

ocra (o.cra) *adj.2g.2n.s.f.* *desus.* ocre

ocre (o.cre) *s.m.* **1** argila com colorido entre o amarelo e o vermelho **2** a cor dessa argila ■ *adj.2g.2n.* **3** dessa cor *<saia o.>* **4** diz-se dessa cor *<a cor o.>*

octaedro (oc.ta.e.dro) *s.m.* GEOM poliedro de oito faces

octana (oc.ta.na) *s.f.* QUÍM octano

octanagem (oc.ta.na.gem) [pl.: *-ens*] *s.f.* QUÍM índice que mede a qualidade da gasolina

octano (oc.ta.no) *s.m.* QUÍM hidrocarboneto presente no petróleo, incolor e inodoro, us. como solvente

octeto (oc.te.to) /ê/ *s.m.* MÚS **1** grupo de oito cantores ou instrumentistas **2** composição para oito executantes

octingentésimo (oc.tin.gen.té.si.mo) *n.ord.* **1** (o) que, numa sequência, ocupa a posição número 800 ■ *n.frac.* **2** (o) que é 800 vezes menor que a unidade

octogenário (oc.to.ge.ná.rio) *adj.s.m.* (aquele) que está na casa dos 80 anos de idade

octogésimo (oc.to.gé.si.mo) *n.ord.* **1** (o) que, numa sequência, ocupa a posição número 80 ■ *n.frac.* **2** (o) que é 80 vezes menor que a unidade

octogonal (oc.to.go.nal) [pl.: *-ais*] *adj.2g.* GEOM **1** formado por oito ângulos e oito lados; octógono **2** que tem o formato de um octógono; oitavado

octógono (oc.tó.go.no) *s.m.* GEOM polígono de oito lados

octópode (oc.tó.po.de) *adj.2g.* **1** ANAT ZOO que tem oito pés ou oito braços ▼ ***octópodes*** *s.m.pl.* **2** ZOO ordem de moluscos conhecidos como polvos

óctuplo (óc.tu.plo) *n.mult.* (o) que contém oito vezes a mesma quantidade **~ octuplicar** *v.t.d.,int. e pron.*

[1]**ocular** (o.cu.lar) [pl.: *-es*] *adj.2g.* relativo a olho ◉ ORIGEM do lat. *oculāris,e* 'id.'

[2]**ocular** (o.cu.lar) [pl.: *-es*] *s.f.* ÓPT componente de um sistema óptico através do qual se observa a imagem formada por uma objetiva ◉ ORIGEM fem. substv. de [1]*ocular*

oculista (o.cu.lis.ta) *adj.2g.s.2g.* MED oftalmologista

óculo (ó.cu.lo) *s.m.* **1** qualquer instrumento composto de lentes que auxiliam a visão ☞ cf. *óculos* **2** ÓPT luneta **3** objeto de forma circular, ger. vazado ou provido de vidro *<o ó. do relógio>*

óculos (ó.cu.los) *s.m.pl.* armação, sustentada sobre o nariz, com duas lentes postas à frente dos olhos para corrigir ou proteger a visão *<onde estão meus ó.?>*

ocultar (o.cul.tar) *v.* {mod. 1} *t.d.,t.d.i. e pron.* **1** (prep. *de*) não (se) deixar ver; encobrir(-se), esconder(-se) *<vamos o. dela a viagem que faremos> <o gato ocultou-se embaixo do sofá>* ↺ mostrar(-se) ◻ *t.d. e t.d.i.* **2** (prep. *de*) não deixar ser percebido, notado; disfarçar, dissimular *<o. sentimentos> <ocultou de todos o fato>* ↺ revelar ◉ GRAM/USO part.: *ocultado, oculto*; ver QUADRO DE PARTICÍPIOS DUPLOS nas pp. iniciais **~ ocultação** *s.f.*

ocultas (o.cul.tas) *s.f.pl.* ▸ usado em: **às ocultas** às escondidas

ocultismo (o.cul.tis.mo) *s.m.* **1** estudo da ação ou influência dos poderes sobrenaturais **2** a crença nesses poderes **~ ocultista** *adj.2g.s.2g.*

oculto (o.cul.to) *adj.* **1** escondido, encoberto ↺ aparente **2** desconhecido, inexplorado *<amigo o.> <as regiões o. do planeta>* ↺ conhecido **3** GRAM diz-se de sujeito que não está expresso na oração, mas pode ser identificado pela desinência verbal (p.ex.: *viajaremos amanhã*) **4** misterioso, sobrenatural *<ciências o.>*

ocupação (o.cu.pa.ção) /ô/ [pl.: *-ões*] *s.f.* **1** ato de invadir uma propriedade *<poucos reclamaram da o. da fazenda>* **2** atividade ou trabalho principal de uma pessoa **3** DIR modo de aquisição da propriedade de coisa móvel sem dono ou abandonada; apropriação

ocupacional (o.cu.pa.cio.nal) [pl.: *-ais*] *adj.2g.* referente a trabalho, a ocupação *<riscos o.>*

ocupado (o.cu.pa.do) *adj.* **1** que tem muito o que fazer **2** que não está disponível *<cargo o.> <linha o.>* ↺ livre

ocupante (o.cu.pan.te) *adj.2g.s.2g.* **1** que(m) ocupa *<o o. desse assento ainda não chegou>* **2** que(m) se encontra na posse de terras públicas **3** (pessoa) que se apodera de coisa abandonada ou ainda não apropriada

ocupar (o.cu.par) *v.* {mod. 1} *t.d.* **1** tornar cheio, sem deixar espaço vazio; preencher *<três pessoas ocupavam o banco>* **2** preencher (uma vaga, uma posição etc.) *<o. um cargo> <o. o primeiro lugar>* **3** encontrar-se em (um lugar) *<posso ocupar esse assento?>* **4** instalar-se pela força ou sem autorização em; tomar *<o. uma terra improdutiva>* **5** fazer uso de; utilizar, empregar *<o. o tempo com algo útil>* **6** gastar, consumir (uma extensão de tempo) *<a reunião ocupou toda a manhã>* **7** fazer parte de; constar *<vários discursos ocuparam a festa>* ◻ *t.d. e pron.* **8** (fazer) trabalhar na execução de tarefas, atividades *<não pode ver o filho à toa que quer ocupá-lo> <precisa o.-se imediatamente>* ◻ *pron.* **9** (prep. *de*) entregar-se, dedicar-se *<nas festas, ocupa-se da decoração>* **10** (prep. *de*) ter por objeto; tratar *<a Linguística ocupa-se da linguagem>*

odalisca (o.da.lis.ca) *s.f.* **1** no Império Otomano, empregada escrava a serviço das mulheres num harém **2** concubina do harém de um sultão, paxá etc.

ode (o.de) *s.f.* LIT poema lírico composto de estrofes de versos com medida igual, ger. em tom alegre e entusiasmado

odiar (o.di.ar) *v.* {mod. 5} *t.d. e pron.* sentir aversão, raiva por (algo, alguém, a si próprio ou um ao outro); detestar(-se) *<odeia filmes de ação> <o. o chefe> <odiou-se por não ter sabido responder na hora> <apesar de serem irmãos, odeiam-se>* ↺ adorar (-se), amar(-se)

odiento (o.di.en.to) *adj.* **1** que mostra ódio; odioso *<expressão o.>* **2** que guarda ódio, rancor *<personalidade o.>* **3** detestável *<apresentação o.>*

ódio (ó.dio) *s.m.* **1** raiva, rancor ↺ amor **2** repugnância, aversão *<tem ó. a viagens longas>* ↺ atração

odioso (o.di.o.so) /ô/ [pl. e fem.: /ó/] *adj.* **1** que provoca ódio; detestável *<um crime o.>* ↺ adorável **2** desagradável; repulsivo *<uma risada o.>* ↺ agradável **~ odiosidade** *s.f.*

odisseia (o.dis.sei.a) /éi/ *s.f.* **1** viagem longa, cheia de aventuras **2** série de acontecimentos extraordinários e inesperados *<sua passagem pela empresa foi uma o.>*

odômetro (o.dô.me.tro) *s.m.* → ***HODÔMETRO***

odontologia (o.don.to.lo.gi.a) *s.f.* MED ramo da medicina que se dedica ao estudo e tratamento dos dentes **~ odontológico** *adj.*

odontologista (o.don.to.lo.gis.ta) *adj.2g.s.2g.* (profissional) que trata dos dentes; dentista

odontólogo (o.don.tó.lo.go) *s.m.* odontologista (subst.)

odor (o.dor) /ô/[pl.: *-es*] *s.m.* **1** cheiro ('impressão') **2** cheiro suave e agradável; aroma *<o. de rosas>*

odorante (o.do.ran.te) *adj.2g.* que exala odor agradável ↺ fedorento

O

odorífero (o.do.rí.fe.ro) *adj.* odorante

odre (o.dre) /ô/ *s.m.* saco feito de pele de animal us. para transportar líquidos

oeste (o.es.te) *s.m.* **1** direção em que o Sol se põe, à esquerda de quem olha para o norte; poente, ocidente [símb.: *W*] ↺ leste ■ *adj.2g.s.m.* **2** GEO diz-se de ou região, ou conjunto de regiões, que se situa a oeste [abrev.: *O.*] **3** (vento) que sopra dessa direção

ofegar (o.fe.gar) *v.* {mod. 1} *int.* respirar com dificuldade, fazendo ruído e num ritmo curto; arfar **~ ofegante** *adj.2g.*

ofender (o.fen.der) *v.* {mod. 8} *t.d.* **1** causar dificuldade, desconforto a; incomodar *<o Sol ofendia seus olhos>* **2** provocar desgosto, raiva ou vergonha em; magoar, desagradar *<a resposta malcriada ofendeu-o muito>* **3** violar as regras ou preceitos de; contrariar *<seus atos ofendem a moral>* □ *pron.* **4** (prep. *com, de*) sentir-se atingido em seu amor-próprio, sua honra; magoar-se, ferir-se *<ofendeu-se com o insulto>* *<ofenderam-se do desprezo alheio>* □ *t.d. e pron.* **5** causar ou sofrer lesão; ferir(-se), machucar(-se) *<o tiro ofendeu-o seriamente>* **~ ofendido** *adj.*

ofensa (o.fen.sa) *s.f.* **1** palavra ou ato que atinge alguém na sua honra; injúria, ultraje **2** falta de respeito; desacato *<para ele, atrasar-se para as refeições era uma o. grave>* ↺ consideração

ofensiva (o.fen.si.va) *s.f.* **1** ação ou sucessão de atos ou operações visando ao ataque *<o time, afinal, partiu para a o.>* ↺ defesa, defensiva **2** atitude de ataque; posição de quem está para atacar *<é difícil conversar se você está sempre na o.>*

ofensivo (o.fen.si.vo) *adj.* **1** que causa dano moral; que magoa *<palavras o.>* ↺ benéfico **2** que é próprio do ataque; agressivo *<atitude o.>* ↺ defensivo

ofensor (o.fen.sor) /ô/ [pl.: *-es*] *adj.s.m.* (o) que ofende

oferecer (o.fe.re.cer) *v.* {mod. 8} *t.d. e t.d.i.* **1** (prep. *a*) dar de presente (a); presentear *<ofereceu um fogão (aos noivos)>* **2** (prep. *a, para*) mostrar ou propor para que seja aceito ou não *<o. ajuda>* *<já ofereci café (para as visitas)>* *<o. acordo a grevistas>* **3** (prep. *a*) tornar disponível (a); proporcionar, dar *<seu texto ofereceu(-nos) boas ideias>* **4** (prep. *a, para, por*) propor (alguma coisa) em contrapartida de (outra coisa) *<ofereceu uma recompensa (para quem achasse o cão)>* *<ofereceu dez mil pelo carro>* □ *t.d.i.* **5** (prep. *a, para*) dedicar *<o. um livro, uma música a alguém>* **6** (prep. *a*) apresentar-se aos sentidos ou ao espírito; expor, exibir *<a corrupção nos governos oferecia um triste espetáculo à nação>* □ *t.d.,t.d.i. e pron.* **7** (prep. *a, para*) pôr(-se) à disposição, a serviço (de); dispor(-se) *<o. a casa (aos amigos)>* *<o.-se para ajudar>* □ *t.d.* **8** apresentar sem proteção; expor, dar *<foi atacado e decidiu o. a outra face>* □ *pron.* **9** (prep. *a*) apresentar-se diante de; surgir *<não era a primeira vez que um bom casamento se oferecia a ela>* **10** vir à memória ou ao pensamento; ocorrer, mostrar-se *<nenhuma ideia se me oferecia>* **~ oferecimento** *s.m.*

oferenda (o.fe.ren.da) *s.f.* **1** coisa que se oferece; presente **2** oferta a divindades

oferta (o.fer.ta) *s.f.* **1** o que é oferecido **2** presente; dádiva **3** ECON quantidade de bens ou de serviço que se oferece no mercado **4** redução no preço de uma mercadoria em relação ao anterior ou ao do mercado *<este vestido está em o.>* **5** preço ou lance proposto por quem compra ou troca *<faça uma o. ao proprietário>* **~ ofertante** *adj.2g.s.2g.*

ofertar (o.fer.tar) *v.* {mod. 1} *t.d.,t.d.i. e pron.* (prep. *a*) pôr(-se) à disposição de, como oferta ou doação; oferecer(-se)

ofertório (o.fer.tó.rio) *s.m.* **1** LITUR parte da missa em que se oferece o pão e o vinho a Deus **2** LITUR composição ou cântico sobre o texto dessa parte da missa **3** *p.ext.* objeto ofertado; oferenda

office boy (of.fice boy) [ing.; pl.: *office boys*] *loc.subst.* bói ⇒ **pronuncia-se** ófici bói

off-line (off-li.ne) [ing.] *adv.* INF **1** sem conexão a um computador associado ■ *adj.2g.2n.* INF **2** que não está conectado a um computador ou que não pode ser us. em um dado momento (diz-se de sistema, equipamento ou dispositivo) **3** que não pode ser acessado por um computador, num determinado momento (diz-se de dado ou de arquivo) ⇒ **pronuncia-se** of laine

oficial (o.fi.ci.al) [pl.: *-ais*] *adj.2g.* **1** feito pelo governo ou por uma autoridade *<ato o.>* *<nota o.>* **2** que faz parte do governo ou o representa **3** formal, solene *<fizeram o anúncio o. do casamento>* ↺ informal ■ *s.m.* **4** militar das forças armadas ou da polícia com grau de comando e graduação superior à de aspirante (no Exército, Aeronáutica e Polícia Militar) ou de guarda-marinha (na Marinha de Guerra) **5** empregado, administrativo ou judicial, encarregado de fazer intimações, citações etc.

oficialato (o.fi.ci.a.la.to) *s.m.* cargo, função ou título de oficial ('militar')

oficial-general (o.fi.ci.al-ge.ne.ral) [pl.: *oficiais-generais*] *s.2g.* MIL AER MAR oficial de grau hierárquico superior a coronel (no Exército ou na Aeronáutica) ou a capitão de mar e guerra (na Marinha de Guerra)

oficializar (o.fi.ci.a.li.zar) *v.* {mod. 1} *t.d.* dar caráter oficial a *<o. o casamento>* **~ oficialização** *s.f.*

oficiante (o.fi.ci.an.te) *adj.2g.s.2g.* REL (clérigo) que oficia nas igrejas

oficiar (o.fi.ci.ar) *v.* {mod. 1} *int.* REL **1** celebrar ofício divino ou eclesiástico □ *t.d.* REL **2** celebrar (a missa)

oficina (o.fi.ci.na) *s.f.* **1** lugar onde se fabrica ou conserta algo **2** lugar onde se consertam automóveis **3** seminário ou curso intensivo de curta duração *<o. de canto>*

ofício (o.fí.cio) *s.m.* **1** qualquer atividade especializada de trabalho; ocupação, profissão *<o. de tradutor, de carpinteiro, de professor>* **2** função de que alguém se encarrega *<um o. burocrático>* **3** REL conjunto das orações de um dia **4** REL cerimônia religiosa; missa **5** comunicação entre autoridades do serviço público, ou de autoridades a particulares, ou de inferiores a superiores hierárquicos *<já leram o o. do diretor?>* **6** cartório ('repartição')

oficioso (o.fi.ci.o.so) /ô/ [pl. e fem.: /ó/] *adj.* **1** que não tem caráter oficial, mas vem de alguma autoridade *<informação o.>* **2** atencioso; prestativo

ofidiário (o.fi.di.á.rio) *s.m.* serpentário

ofídio (o.fí.dio) *s.m.* ZOO **1** cobra ■ *adj.* **2** semelhante à cobra ~ **ofídico** *adj.*

ofsete (of.se.te) *adj.2g.s.m.* (impressão litográfica) em que a imagem é gravada por sistema fotomecânico numa chapa de metal, transferida para um cilindro revestido de borracha e, deste, para a folha de papel

oftálmico (of.tál.mi.co) *adj.* relativo ao(s) olho(s) *<medicamento o.>*

oftalmologia (of.tal.mo.lo.gi.a) *s.f.* MED ramo da medicina que estuda e trata das doenças e deficiências dos olhos ~ **oftalmológico** *adj.*

oftalmologista (of.tal.mo.lo.gis.ta) *adj.2g.s.2g.* MED especialista em oftalmologia; oculista

ofuscar (o.fus.car) *v.* {mod. 1} *t.d.* **1** impedir que seja visto; ocultar, encobrir *<nuvens escuras ofuscavam o sol>* ↺ mostrar **2** turvar a vista de *<a luz era tão forte que nos ofuscava>* **3** tornar menos visível, claro; empanar *<sua beleza ofuscava a das outras>* ◻ *t.d. e pron. fig.* **4** tornar(-se) turvo, obscuro; toldar(-se) *<a ganância ofuscou-lhe a razão>* *<com a chuva, o céu ofuscou-se>* ◻ *pron.* **5** perder brilho, valor, prestígio *<fez grandes filmes na década de 1940, mas ofuscou-se logo após>*

ogiva (o.gi.va) *s.f.* **1** ARQ figura característica do estilo gótico, formada pelo cruzamento de duas curvas que se encontram e formam um ângulo mais ou menos agudo na parte superior **2** *p.ext.* parte afilada de um projétil cilíndrico ~ **ogival** *adj.2g.*

ogro (o.gro) /ô/ [fem.: *ogra*] *s.m.* gigante lendário, de aspecto assustador, que come carne humana

ogum (o.gum) [pl.: *-uns*] *s.m.* REL orixá masculino que se manifesta na forma de um guerreiro ☞ inicial maiúsc.

oh *interj.* expressa surpresa, alegria, dor, decepção, repreensão

ohm *s.m.* ELETR FÍS unidade de medida de resistência elétrica no Sistema Internacional [símb.: Ω]

oi *interj.* *B* us. como saudação ou resposta a um chamado

oitão (oi.tão) [pl.: *-ões*] ou **outão** (ou.tão) [pl.: *-ões*] *s.m.* CONSTR cada uma das paredes laterais de um edifício

oitava (oi.ta.va) *s.f.* **1** uma das oito partes iguais em que se pode dividir uma unidade **2** MÚS intervalo que abrange oito notas de uma escala de tons e semitons **3** MÚS sinal que indica que o trecho melódico deve ser executado uma oitava acima ou abaixo

oitava de final (oi.ta.va de fi.nal) [pl.: *oitavas de final*] *s.f.* ESP em torneios, rodada em que 16 times disputam entre si, em oito jogos, a classificação para a fase seguinte, as quartas de final ☞ mais us. no pl.

oitavado (oi.ta.va.do) *adj.* **1** GEOM com oito faces (diz-se de polígono) **2** MÚS à distância de uma oitava

oitavo (oi.ta.vo) *n.ord.* **1** (o) que ocupa, numa sequência, a posição número oito ■ *n.frac.* **2** (o) que é oito vezes menor que a unidade

oitenta (oi.ten.ta) *n.card.* **1** setenta mais dez **2** diz-se desse número *<pasta número o.>* **3** diz-se do octogésimo elemento de uma série *<anos o.>* *<capítulo o.>* **4** que equivale a essa quantidade (diz-se de medida ou do que é contável) *<fez uma festa para o. convidados>* ■ *s.m.* **5** representação gráfica desse número ☞ em algarismos arábicos, *80*; em algarismos romanos, *LXXX* ◉ GRAM/USO seguido do conectivo *e* antes das unidades, forma os numerais cardinais entre 80 e 90

oiti (oi.ti) *s.m.* BOT árvore nativa do Brasil, de folhas alongadas, flores brancas e fruto com polpa farinácea comestível

oiticica (oi.ti.ci.ca) *s.f.* BOT árvore cujas sementes são ricas em óleo, próprio para tintas e vernizes

oitiva (oi.ti.va) *s.f.* ato de ouvir; audição *<vamos debater o assunto depois da o. de todos os líderes da associação>* ▣ **de o.** por ter ouvido *<conhece-o de o.>*

oito (oi.to) *n.card.* **1** sete mais um **2** diz-se desse número *<cartões de número o.>* **3** diz-se do oitavo elemento de uma série *<dia o.>* **4** que equivale a essa quantidade (diz-se de medida ou do que é contável) *<retirou o. palavras do texto>* ■ *s.m.* **5** representação gráfica desse número *<no exame de vista, não pôde ler o o.>* ☞ em algarismos arábicos, *8*; em algarismos romanos, *VIII*

oitocentos (oi.to.cen.tos) *n.card.* **1** setecentos mais cem **2** diz-se desse número *<memorando de número o.>* **3** diz-se do octingentésimo elemento de uma série *<ofício o.>* *<cadeira o.>* **4** que equivale a essa quantidade (diz-se de medida ou do que é contável) *<um terreno de o. metros quadrados>* *<uma reunião com o. pessoas presentes>* ■ *s.m.2n.* **5** representação gráfica desse número *<o o. do número de inscrição estava ilegível>* ☞ em algarismos arábicos, *800*; em algarismos romanos, *DCCC* ◉ GRAM/USO seguido do conectivo *e* antes das dezenas e unidades, forma os numerais cardinais entre 800 e 900

ojeriza (o.je.ri.za) *s.f.* aversão, antipatia ↺ atração ~ **ojerizar** *v.t.d.*

-ola *suf.* 'diminuição': *bandeirola, criançola, marola*

ola (o.la) [esp.; pl.: *olas*] *s.f.* nos estádios, coreografia em que os torcedores sentam e levantam, movimentando os braços para cima, imitando ondas do mar ⇒ pronuncia-se ôla

olá (o.lá) *interj.* us. como saudação ou para chamar alguém

olaria (o.la.ri.a) *s.f.* **1** fábrica de peças de cerâmica, tijolos, telhas etc. **2** técnica de fabricar objetos de argila *<curso de o.>*

olé (o.lé) *s.m.* **1** FUTB série de dribles ou passes que humilha o adversário **2** *fig.* qualquer jogada ou ato que humilhe ou desconcerte alguém *<levou um tremendo o. do primo>* ■ *interj.* **3** expressa satisfação e entusiasmo por essa série de jogadas

oleado (o.le.a.do) *adj.* **1** que se untou ou cobriu de óleo ■ *s.m.* **2** encerado ('lona')

oleaginoso (o.le.a.gi.no.so) /ô/ [pl. e fem.: /ó/] *adj.* que contém óleo

olear (o.le.ar) *v.* {mod. 5} *t.d.* **1** passar óleo em; untar **2** embeber em óleo

oleicultura (o.le.i.cul.tu.ra) *s.f.* **1** produção, tratamento e conservação do azeite **2** cultivo de oliveiras ~ **oleicultor** *adj.s.m.*

O

oleiro (o.lei.ro) *s.m.* quem trabalha em olaria

olente (o.len.te) *adj.2g.* cheiroso; odorante ↺ fedorento

óleo (ó.leo) *s.m.* **1** substância líquida gordurosa de origem mineral, animal ou vegetal **2** petróleo ▣ **ó. de fígado de bacalhau** FARM óleo extraído do fígado de bacalhau e que possui as vitaminas A e D • **ó. de rícino** QUÍM óleo vegetal extraído das sementes da mamoneira, us. como purgante, lubrificante, na preservação de couro e na fabricação de tintas, vernizes, cosméticos etc. • **ó. essencial** FARM qualquer óleo obtido de vegetais e que ger. é us. em perfumaria

oleoduto (o.le.o.du.to) *s.m.* tubo para conduzir petróleo e seus derivados líquidos

oleoso (o.le.o.so) /ô/ [pl. e fem.: /ó/] *adj.* **1** que tem óleo ou está coberto de óleo *<ferragens o.> <águas o.>* **2** engordurado, ensebado *<pele o.>* ~ **oleosidade** *s.f.*

olfativo (ol.fa.ti.vo) *adj.* próprio do olfato

olfato (ol.fa.to) *s.m.* **1** sentido por meio do qual se distinguem os cheiros **2** faro

olhada (o.lha.da) *s.f.* ação de olhar; espiada

olhadela (o.lha.de.la) *s.f.* ato de olhar rapidamente e só uma vez; espiada

olhar (o.lhar) *v.* {mod. 1} *t.d.,t.i.,int. e pron.* **1** (prep. *em, para*) dirigir os olhos a ou fixá-los em (algo, alguém, si mesmo ou mutuamente); fitar(-se) *<olhou todos os vestidos> <olhe para os lados antes de atravessar> <saiu sem se o. no espelho> <olharam-se de relance>* □ *int.* **2** aplicar o sentido da visão *<não prove nada sem o. bem>* □ *t.d. e t.i.* **3** (prep. *para*) realizar a análise, a avaliação de; examinar *<o jogador olhava as cartas uma a uma> <olhava para o seu rosto, tentando adivinhar o que sentia>* □ *t.d.* **4** buscar informação em; consultar *<teve de o. o dicionário>* **5** fazer leitura superficial de; folhear *<olhou o jornal antes de dormir>* **6** prestar atenção a; reparar *<olhe bem os riscos de seus atos>* **7** tomar conta de; cuidar *<o. o irmão caçula>* ■ *s.m.* **8** ação ou maneira de olhar *<ignorou os o.> <tem um o. triste>* **9** *p.ext.* forma de interpretar *<tem um o. conservador sobre a questão>* ◉ GRAM/USO como s.m.: pl. *olhares* ~ **olhada** *s.f.*

olheira (o.lhei.ra) *s.f.* semicírculo escuro debaixo dos olhos ☞ mais us. no pl.

olheiro (o.lhei.ro) *s.m.* quem é pago para observar determinada atividade e fornecer informações *<a seleção de futebol contratou um o.>*

olho (o.lho) /ô/ [pl.: /ó/] *s.m.* **1** ANAT órgão da visão; nos vertebrados, par esférico, situado na órbita craniana **2** *p.ext.* o conjunto das estruturas ao redor da órbita: sobrancelhas, cílios, pálpebras **3** *fig.* percepção ou apreciação intelectual ou estética *<tem um bom o. para roupas>* **4** *fig.* atenção, vigilância *<não tirou os o. do filho>* **5** pequeno orifício; furo **6** BOT broto das plantas **7** JOR entretítulo ou pequeno trecho destacado de matéria ▣ **o. grande** *infrm.* desejo forte de possuir alguma coisa de outrem; inveja *<não ponha o. grande no meu lanche!>* • **o. mágico** dispositivo circular, com uma lente, que se embute nas portas para se ver de dentro para fora, sem ser visto • **o. por o., dente por dente** vingança correspondente ao dano sofrido • **abrir o o.** ter cuidado; observar • **a o. nu** sem auxílio de instrumentos ópticos *<viu o cometa a o. nu>* • **a o. vistos** de forma evidente *<crescia a o. vistos>* • **custar os o. da cara** ser demasiado caro • **não pregar os o.** passar a noite em claro • **pôr no o. da rua** demitir • **saltar aos o.** ser fácil de perceber ou compreender *<a mentira saltava aos o.>* • **ter o o. maior que a barriga** *infrm.* ser guloso • **ver com bons o.** estar favorável a *<via com bons o. o casamento do irmão>*

olho-d'água (o.lho-d'á.gua) [pl.: *olhos-d'água*] *s.m.* nascente de água no solo

olho de boi (o.lho de boi) [pl.: *olhos de boi*] *s.m.* CONSTR claraboia ☞ cf. *olho-de-boi*

olho-de-boi (o.lho-de-boi) [pl.: *olhos-de-boi*] *s.m.* BOT *B* semente de uma trepadeira lenhosa de mesmo nome, us. como amuleto contra inveja e mau-olhado ☞ cf. *olho de boi*

olho de gato (o.lho de ga.to) [pl.: *olhos de gato*] *s.m.* *B infrm.* cada um dos dispositivos, instalados ao longo de estradas de rodagem, que refletem a luz de faróis de automóveis; catadióptrico

olho de sogra (o.lho de so.gra) [pl.: *olhos de sogra*] *s.m.* CUL *B* doce feito com ameixa seca semiaberta recheada com doce de ovos e coco

oligarquia (o.li.gar.qui.a) *s.f.* POL **1** regime político em que o poder é exercido por um pequeno grupo de pessoas de um mesmo partido, classe ou família **2** *p.ext.* predomínio de um pequeno grupo no poder, esp. para governar em interesse próprio ~ **oligarca** *s.2g.* - **oligárquico** *adj.* - **oligarquizar** *v.t.d.*

oligoceno (o.li.go.ce.no) *s.m.* GEOL **1** terceira época do período terciário, entre o Eoceno e o Mioceno, em que surgem os primeiros macacos antropoides ☞ inicial maiúsc. ■ *adj.* **2** dessa época

oligofrenia (o.li.go.fre.ni.a) *s.f.* PSIQ deficiência do desenvolvimento mental, congênita ou adquirida, que compromete sobretudo o comportamento intelectual ~ **oligofrênico** *adj.s.m.*

oligopólio (o.li.go.pó.lio) *s.m.* ECON situação em que um pequeno grupo de empresas detém o controle da maior parcela do mercado

olimpíada (o.lim.pí.a.da) *s.f.* HIST **1** na Grécia antiga, período de quatro anos entre duas competições esportivas ▼ ***olimpíadas*** *s.f.pl.* ESP **2** competição esportiva internacional, realizada de quatro em quatro anos, cada vez em um país diferente

olímpico (o.lím.pi.co) *adj.* **1** do Olimpo **2** referente às olimpíadas *<jogos o.> <atleta o.>* **3** *fig.* de aspecto grandioso, sublime *<uma obra o.>*

olimpo (o.lim.po) *s.m.* **1** HIST MIT na Grécia antiga, morada dos deuses ou o conjunto dos deuses ☞ inicial maiúsc. **2** *fig.* lugar onde reina a felicidade; paraíso

oliva (o.li.va) *s.f.* BOT **1** oliveira **2** fruto da oliveira; azeitona ■ *s.m.* **3** a cor verde da oliva ('fruto'); azeitona, verde-oliva ■ *adj.2g.2n.* **4** que tem essa cor; azeitona *<uniformes o.>* **5** diz-se dessa cor; azeitona *<a cor o.>*

oliveira (o.li.vei.ra) *s.f.* BOT árvore de folhas verde-acinzentadas, flores brancas em cachos e cujos frutos, as azeitonas, são comestíveis; oliva ◉ COL oliveiral

oliveiral (o.li.vei.ral) [pl.: *-ais*] *s.m.* grande plantação de oliveiras

olivicultura (o.li.vi.cul.tu.ra) *s.f.* BOT cultivo de oliveiras ~ **olivicultor** *adj.s.m.*

olor (o.lor) /ô/ [pl.: *-es*] *s.m.* aroma; fragrância *<o. de terra molhada>* ~ **oloroso** *adj.*

olorum (o.lo.rum) [pl.: *-uns*] *s.m.* REL ente divino abstrato, eterno, onipotente, criador do mundo e cuja manifestação é o firmamento ☞ inicial maiúsc.

olvidar (ol.vi.dar) *v.* {mod. 1} *t.d. e pron.* (prep. *de*) perder a memória, a lembrança de; esquecer(-se) *<o. o passado> <o.-se de um compromisso>* ↺ lembrar(-se) ~ **olvidável** *adj.2g.*

olvido (ol.vi.do) *s.m. frm.* esquecimento ☞ cf. *ouvido*

omaso (o.ma.so) *s.m.* ANAT ZOO terceira divisão do estômago dos ruminantes; folhoso

ombrear (om.bre.ar) *v.* {mod. 5} *t.d.* **1** pôr ou levar no ombro *<o. um cantil>* □ *t.i. e pron.* **2** (prep. *com*) estar em condições de igualdade com; equiparar(-se) *<ele ombreia(-se) com os melhores profissionais da área>* **3** (prep. *com, em*) entrar ou estar em competição com; rivalizar(-se) *<ombreiam(-se) na prática de esportes> <o. com o irmão em beleza>*

ombreira (om.brei.ra) *s.f.* **1** VEST enchimento que estrutura os ombros em paletós, casacos etc. **2** peça vertical nos lados do vão de portas e janelas, que dá sustentação às vergas; alizar, umbral

ombro (om.bro) *s.m.* ANAT região em que a parte superior do braço se articula com o tronco ▣ **o. a o.** um junto ao outro; lado a lado *<cruzaram a linha de chegada o. a o.>* • **dar de ombros** não se importar ou fazer pouco de algo *<ouviu as reclamações, deu de ombros e saiu>*

ombudsman (om.buds.man) [sueco] *s.2g.* profissional, em instituição pública ou privada, encarregado de receber e investigar reclamações de cidadãos, estudantes, consumidores etc. ⇒ pronuncia-se ombidsman

OMC *s.f.* sigla de *Organização Mundial do Comércio*

ômega (ô.me.ga) *s.m.* vigésima quarta e última letra do alfabeto grego (ω, Ω)

omelete (o.me.le.te) *s.2g.* CUL fritada de ovos batidos, com temperos ou freq. outros ingredientes, como queijo, presunto etc.

omeleteira (o.me.le.tei.ra) *s.f.* frigideira própria para fazer omeletes

ominoso (o.mi.no.so) /ô/ [pl. e fem.: /ó/] *adj.* **1** que anuncia ou traz desventura, infelicidade; agourento ↺ venturoso **2** que inspira ódio; detestável *<atitude o.>* ~ **ominosidade** *s.f.*

omissão (o.mis.são) [pl.: *-ões*] *s.f.* **1** ato de não mencionar (algo ou alguém) **2** o que não foi mencionado; falta, lacuna **3** falta de ação; inércia *<o. de socorro>* **4** falta de cuidado; negligência ↺ empenho

omissivo (o.mis.si.vo) *adj.* que envolve ou resulta de omissão

omisso (o.mis.so) *adj.* **1** que não se manifesta, que deixa de mencionar ou fazer algo *<político o.> <texto o.>* **2** que se esquece ou não faz o que deve; negligente *<funcionário o.>* ↺ atento ◉ GRAM/USO part. de *omitir*

omitir (o.mi.tir) *v.* {mod. 24} *pron.* **1** deixar de agir ou de manifestar-se quando necessário ou esperado *<omitiu-se na eleição>* □ *t.d. e t.d.i.* **2** (prep. *a*) deixar de mencionar, dizer ou escrever; esconder *<na carta, omitiu(-lhe) vários detalhes do incidente>* ↺ apresentar □ *t.d.* **3** deixar em esquecimento; preterir *<omitiram o nome do principal doador da campanha>* ↺ lembrar-se **4** deixar de lado; passar, pular *<omitiu dois capítulos da matéria ao preparar-se para o exame>* **5** tratar com descuido; negligenciar *<omitiu suas obrigações>* ◉ GRAM/USO part.: *omitido, omisso*; ver QUADRO DE PARTICÍPIOS DUPLOS nas pp. iniciais

omoplata (o.mo.pla.ta) *s.f.* ANAT denominação substituída por escápula

OMS *s.f.* sigla de *Organização Mundial da Saúde*

onanismo (o.na.nis.mo) *s.m.* automasturbação manual masculina

¹onça (on.ça) *s.f.* medida de peso inglesa, equivalente a 28,349 g ◉ ORIGEM do lat. *ūncia,ae* '1/12 da libra romana'

²onça (on.ça) *s.f.* **1** ZOO nome genérico dado a alguns felinos brasileiros de grande porte, esp. a onça-pintada **2** *fig. infrm.* indíviduo mal-humorado ou enfurecido *<ele ficou uma o. com a notícia>* ◉ ORIGEM do lat. vulg. *lyncea* 'felino de grande porte' ◉ VOZ v.: rugir; subst.: rugido

onça-parda (on.ça-par.da) [pl.: *onças-pardas*] *s.f.* ZOO suçuarana

onça-pintada (on.ça-pin.ta.da) [pl.: *onças-pintadas*] *s.f.* ZOO grande felino ameaçado de extinção, de pelo amarelo nas partes superiores, branco nas inferiores, e com manchas negras; jaguar ◉ VOZ v.: rugir; subst.: rugido

oncologia (on.co.lo.gi.a) *s.f.* MED ramo da medicina que se dedica ao estudo e tratamento de tumores ~ **oncológico** *adj.*

oncologista (on.co.lo.gis.ta) *adj.2g.s.2g.* especialista em oncologia; cancerologista

onda (on.da) *s.f.* **1** cada uma das elevações formadas nos mares, rios, lagos etc. pelos movimentos da água deslocada pelo vento, marés etc.; vaga **2** grande quantidade de líquido que aflui, se espalha ou derrama *<o. de suor>* **3** *p.ext.* grande afluência (de pessoas, animais etc. em movimento) *<deixavam o estádio em grandes o.>* **4** *fig.* movimento intenso; ímpeto *<o. progressista>* **5** FÍS perturbação periódica que se propaga num meio material ou no espaço *<o. sonora, o. de calor>* **6** *p.ext.* curva; ondulação *<uma o. de cabelo sobre a testa> <as o. da cortina>* **7** *B infrm.* moda, mania *<a o. das sandálias de plástico não passa>* **8** *infrm.* agitação **9** *B infrm.* algo formidável, um grande prazer *<o filme foi a maior o.>* **10** *B infrm.* artifício para enganar ou impressionar *<seu conhecimento é pura o.>* ▣ **onda de rádio** FÍS onda eletromagnética us. em radiotransmissão • **o. eletromagnética** FÍS onda originada pela variação de um campo magnético e que se propaga no vácuo com a velocidade da luz • **o. hertziana** FÍS onda de rádio • **ir na o.** *B infrm.* **1** fazer o que alguém faz ou manda; seguir **2** aproveitar a oportunidade *<ele saiu e eu fui na o.>* • **tirar (uma) o.** *B infrm.* agir, comportar-se de maneira pretensiosa ou brincalhona *<vive tirando o. comigo>* • **tirar (uma) o. de** *B infrm.* tomar ares de *<adora tirar o. de intelectual>*

onde (on.de) *adv.* **1** em que lugar *<o. está o livro?>* *<não sabe o. fica a rua>* ■ *pron.rel.* **2** em que *<a casa o. mora>*

ondear (on.de.ar) *v.* {mod. 5} *int. e pron.* **1** mover-se (água, mar), formando ondas *<o mar ondeava(-se)>* □ *t.i. e int.* **2** (prep. *entre, por*) propagar-se, espalhar-se em ondas *<um zumbido ondeava (pelo salão)>* **3** (prep. *entre, por*) fazer movimentos sinuosos; serpear *<uma serpente ondeia (pelo mato)>* □ *t.d.* **4** tornar rugoso, enrugado; frisar *<o. a testa>* □ *t.d. e pron.* **5** (fazer) ficar com anéis, ondas (o cabelo); frisar

ondulação (on.du.la.ção) [pl.: *-ões*] *s.f.* **1** formação ou movimento das ondas **2** movimento sinuoso, p.ex., de algo que se agita ao vento *<a o. de uma bandeira>* **3** série de saliências e depressões de uma superfície *<a o. de uma estrada>* **4** frisagem (dos cabelos) *<fazer o.>*

ondulado (on.du.la.do) *adj.* **1** que tem ondas; ondeado *<cabelo o.>* ↺ liso **2** disposto em ondas ou em curvas; sinuoso *<estrada o.>* **3** cuja superfície não é plana *<piso o.>*

ondular (on.du.lar) *v.* {mod. 1} *t.d.,int. e pron.* ondear ~ **ondulante** *adj.2g.*

onerar (o.ne.rar) *v.* {mod. 1} *t.d.,t.d.i. e pron.* **1** (prep. *com, de*) impor(-se) ônus, obrigação ou gastos (mais) pesados *<novas contratações onerariam desnecessariamente a empresa>* *<seria injusto onerá-lo com mais esta despesa>* *<o governo deve realizar as privatizações sem o.-se>* □ *t.d. e pron.* **2** (fazer) contrair dívidas; endividar(-se) *<as guerras mundiais oneraram inúmeros países>* *<onerou-se com a compra do carro>* □ *t.d.* **3** causar opressão, dano ou prejuízo a; oprimir *<certas medidas oneram os menos favorecidos>* **4** sobrecarregar com impostos, taxas *<o governo onerou os produtos importados>*

O

oneroso (o.ne.ro.so) /ô/ [pl. e fem.: /ó/] *adj.* **1** sujeito a ônus ou encargos *<contrato o.>* **2** que impõe grandes despesas; dispendioso *<uma doença o.>* *<plano de saúde o.>* ↺ barato **3** *fig.* que sufoca, oprime, molesta *<relacionamento o.>*

ONG *s.f.* sigla de *organização não governamental*

-onho *suf.* 'propriedade, abundância': *medonho, tristonho*

ônibus (ô.ni.bus) *s.m.2n.* veículo us. para o transporte coletivo de passageiros com rota predeterminada ◉ COL frota ▣ **ô. espacial** *B* nave espacial recuperável, tripulada

onicofagia (o.ni.co.fa.gi.a) *s.f.* hábito de roer as unhas ~ **onicófago** *s.m.*

onipotência (o.ni.po.tên.cia) *s.f.* **1** condição do que é onipotente, absoluto, todo-poderoso *<o. divina>* **2** *pej.* autoridade ou soberania extrema *<a o. de um patrão>*

onipotente (o.ni.po.ten.te) *adj.2g.* **1** que pode tudo, que é todo-poderoso **2** REL Deus, o Todo-Poderoso ☞ inicial maiúsc.

onipresente (o.ni.pre.sen.te) *adj.2g.* presente em toda parte; ubíquo ~ **onipresença** *s.f.*

onírico (o.ní.ri.co) *adj.* relativo a sonho

onisciente (o.nis.ci.en.te) *adj.2g.* que sabe tudo sobre todas as coisas ~ **onisciência** *s.f.*

onívoro (o.ní.vo.ro) *adj.s.m.* **1** (o) que come de tudo **2** ECO (o) que se alimenta de matéria vegetal e animal

ônix (ô.nix) /cs/ *s.m.2n.* MINER variedade de ágata com faixas retas e paralelas, de cores alternadas

on-line [ing.] ou ***online*** [ing.] *adj.2g.2n.* INF **1** conectado a um computador e pronto para uso (sistema, equipamento etc.) **2** disponível para acesso imediato (dado, arquivo) *<o relatório está o.>* ■ *adv.* **3** em conexão com (sistemas de processamento e/ou transmissão de dados) *<permaneceu o. até receber a resposta>* ⇒ pronuncia-se on lain

onomástica (o.no.más.ti.ca) *s.f.* **1** lista de nomes próprios **2** *p.ext.* livro que contém essa lista **3** LING estudo linguístico dos nomes próprios

onomástico (o.no.más.ti.co) *adj.* **1** referente aos nomes próprios ou ao seu estudo *<análise o. de uma obra>* **2** que contém nomes próprios (diz-se de índice)

onomatopaico (o.no.ma.to.pai.co) ou **onomatopeico** (o.no.ma.to.pei.co) /éi/ *adj.* relativo a, caracterizado por ou oriundo de onomatopeia

onomatopeia (o.no.ma.to.pei.a) /éi/ *s.f.* **1** LING GRAM vocábulo que procura imitar um som natural ou ruído, p.ex.: *miau, tique-taque* **2** LING o processo de formação desse vocábulo

onomatopeico (o.no.ma.to.pei.co) /éi/ *adj.* → ***ONOMATOPAICO***

ontem (on.tem) [pl.: *-ens*] *s.m.* **1** o dia imediatamente anterior àquele em que se está **2** passado mais ou menos recente *<gente de o.>* ■ *adv.* **3** nesse dia *<aconteceu o.>* **4** bem próximo no tempo *<parece que foi o. que nos conhecemos>* ▣ **de o. para hoje** *fig.* de maneira rápida ou inesperada *<decidiu viajar de o. para hoje>* • **para o.** com extrema urgência *<precisam desse trabalho para o.>*

ontologia (on.to.lo.gi.a) *s.f.* FIL parte da filosofia que estuda as propriedades mais gerais do ser, separadas de suas determinações particulares ~ **ontológico** *adj.*

ONU *s.f.* sigla de *organização das nações unidas* ☞ c.f. *ONU* na parte enciclopédica

ônus (ô.nus) *s.m.2n.* **1** o que sobrecarrega; peso **2** *fig.* dever, obrigação **3** *p.ext.* imposto ou encargo pesado

onze (on.ze) *n.card.* **1** dez mais um **2** diz-se desse número *<envelope número o.>* **3** diz-se do décimo primeiro elemento de uma série *<capítulo o.>* **4** que equivale a essa quantidade (diz-se de medida ou do que é contável) *<ficou entre os o. melhores jogadores do país>* ■ *s.m.* **5** representação gráfica desse número *<o 11 da frente da camisa era menor que o das costas>* ☞ em algarismos arábicos, *11*; em algarismos romanos, *XI* **6** FUTB conjunto de atletas que disputam uma partida pelo mesmo clube; time

opa (o.pa) /ô/ *interj.* **1** exprime surpresa, admiração **2** *infrm.* us. como forma de saudação *<o.! como vai?>*

opacidade (o.pa.ci.da.de) *s.f.* ausência de transparência *<a o. da cortina atrapalhava a visão>*

opaco (o.pa.co) *adj.* **1** que a luz não atravessa <*vidro o.*> **2** sem claridade; sombrio, escuro <*noite o.*>

opala (o.pa.la) *s.f.* **1** MINER pedra preciosa leitosa e azulada, que apresenta variedade de cores quando exposta à luz **2** tecido de algodão muito fino, quase transparente

opalescente (o.pa.les.cen.te) *adj.2g.* opalino

opalina (o.pa.li.na) *s.f.* vidro leitoso, ger. translúcido, us. em objetos decorativos

opalino (o.pa.li.no) *adj.* leitoso como a opala; opalescente **~ opalinidade** *s.f.*

opção (op.ção) [pl.: *-ões*] *s.f.* **1** o poder ou direito de escolher **2** *p.ext.* o que se escolheu; alternativa <*ficou com a segunda o.*>

opcional (op.cio.nal) [pl.: *-ais*] *adj.2g.* sujeito a opção; facultativo <*matéria o.*> ↺ obrigatório

ópera (ó.pe.ra) *s.f.* **1** MÚS TEAT obra dramática musicada composta de recitativos, árias, coro e, por vezes, balé, acompanhada de orquestra **2** teatro em que se representam óperas ou peças dramáticas musicadas <*a Ó. de Paris*>

operação (o.pe.ra.ção) [pl.: *-ões*] *s.f.* **1** conjunto dos meios para se produzir um efeito ou obter um resultado <*as o. do cérebro*> <*o. de trânsito*> **2** MED cirurgia ('tratamento') <*o. de hérnia*> **3** manobra militar **4** MAT cálculo matemático <*as quatro o. são soma, subtração, multiplicação e divisão*> **5** transação comercial

operação-padrão (o.pe.ra.ção-pa.drão) [pl.: *operações-padrões* e *operações-padrão*] *s.f.* ação executada por determinada categoria de trabalhadores, que consiste em diminuir o ritmo ou a jornada de trabalho como alerta aos patrões para uma possível greve

operacional (o.pe.ra.cio.nal) [pl.: *-ais*] *adj.2g.* **1** us. para produzir resultados <*métodos o.*> **2** pronto para utilização ou para funcionamento <*a fábrica já está em estágio o.*> **3** MIL apto a efetuar manobras militares

operador (o.pe.ra.dor) /ô/ [pl.: *-es*] *adj.s.m.* **1** (o) que opera ■ *s.m.* **2** o encarregado de fazer funcionar qualquer aparelho, sistema, técnica etc. <*o. de xerox, de betoneira*> <*o. de laboratório*> **3** cirurgião **4** quem faz operações comerciais ou financeiras <*o. de câmbio*>

operante (o.pe.ran.te) *adj.2g.* **1** que opera, trabalha **2** que produz efeito <*intervenção o.*> ↺ ineficaz

operar (o.pe.rar) *v.* {mod. 1} *t.i. e int.* **1** (prep. *em*) exercer ação, função, atividade ou ofício; agir, trabalhar <*os camelôs operam à vontade*> <*o. na bolsa de valores*> □ *t.d. e int.* **2** levar a (reação, efeito); produzir <*a fé opera milagres*> <*o remédio operou, e o menino curou-se*> **3** (fazer) funcionar, entrar em função ou atividade <*operava aquela máquina como um profissional*> <*a empresa estará operando em breve*> □ *t.d.,int. e pron.* **4** submeter(-se) a ou fazer cirurgia <*decidiu o. o paciente imediatamente*> <*aquele médico usa técnicas modernas para o.*> <*operou-se do apêndice*> □ *pron.* **5** realizar-se, acontecer, ocorrer <*uma grande mudança operou-se em seu temperamento*>

operária (o.pe.rá.ria) *s.f.* ZOO cada um dos membros da casta operária da colônia de cupins, abelhas e formigas, estéreis, responsáveis pela maioria das atividades da colônia

operariado (o.pe.ra.ri.a.do) *s.m.* a classe operária

[1]**operário** (o.pe.rá.rio) *s.m.* trabalhador em fábricas e indústrias, esp. o que exerce ocupação manual ou mecânica ◉ ORIGEM do lat. *operarĭus,ĭi* 'trabalhador'

[2]**operário** (o.pe.rá.rio) *adj.* **1** dos operários <*classe o.*> **2** ZOO relativo às operárias <*abelhas o.*> ◉ ORIGEM do lat. *operarĭus,a,um* 'de trabalho, relativo aos trabalhadores'

operatório (o.pe.ra.tó.rio) *adj.* **1** próprio de operação, esp. intervenção cirúrgica <*medicina o.*> <*campo o.*> **2** operante

opereta (o.pe.re.ta) /ê/ *s.f.* MÚS TEAT **1** gênero teatral musicado de caráter leve e cômico **2** pequena peça ou ópera desse gênero

operoso (o.pe.ro.so) /ô/ [pl. e fem.: /ó/] *adj.* **1** que produz <*funcionário o.*> ↺ improdutivo **2** de difícil execução; trabalhoso <*negócio o.*> **~ operosidade** *s.f.*

opiáceo (o.pi.á.ceo) *adj.* relativo ao ópio

opilação (o.pi.la.ção) [pl.: *-ões*] *s.f.* **1** obstrução, entupimento **2** bloqueio de uma abertura ou de um ducto natural <*o. do fígado*>

opilar (o.pi.lar) *v.* {mod. 1} *t.d.* **1** causar opilação a; entupir, obstruir □ *pron.* **2** sofrer de opilação

opimo (o.pi.mo) *adj.* rico; fértil <*terra o.*> <*herança o.*> ↺ estéril

opinar (o.pi.nar) *v.* {mod. 1} *t.i. e int.* **1** (prep. *sobre*) expor pensamento, parecer, opinião <*preferiu não o. sobre a venda da casa*> <*todos os presentes opinaram*> □ *t.d.* **2** ter certa opinião sobre; considerar, julgar <*opinaram que o melhor era desistir*> **~ opinante** *adj.2g.s.2g.*

opinativo (o.pi.na.ti.vo) *adj.* **1** baseado numa opinião <*consulta de caráter o.*> **2** incerto, discutível ↺ incontestável

opinião (o.pi.ni.ão) [pl.: *-ões*] *s.f.* **1** modo de pensar, de julgar; pensamento <*ter uma o. formada sobre o caso*> **2** avaliação, julgamento <*pediremos sua o.*> ▣ **o. pública** o acordo da totalidade, ou grande maioria, das opiniões de uma coletividade sobre questões de interesse geral

opiniático (o.pi.ni.á.ti.co) *adj.* opinioso

opinioso (o.pi.ni.o.so) /ô/ [pl. e fem.: /ó/] *adj.* **1** que defende ou se apega muito a suas opiniões; obstinado, teimoso **2** que manifesta opinião muito favorável sobre si próprio; presunçoso, orgulhoso

ópio (ó.pio) *s.m.* **1** FARM substância extraída da papoula, de ação analgésica, narcótica e hipnótica, us. na produção de morfina, heroína etc. **2** *fig.* o que provoca adormecimento, embrutecimento moral

opíparo (o.pí.pa.ro) *adj.* pomposo, suntuoso <*ambiente o.*> <*um banquete o.*> ↺ modesto

oponente (o.po.nen.te) *adj.2g.s.2g.* **1** (o) que age em sentido oposto; opositor <*o herói precisava liquidar seus o.*> **2** (o) que é contra alguém ou algo <*era um feroz o. do governo do estado*> ↺ parceiro

oponível (o.po.ní.vel) [pl.: *-eis*] *adj.2g.* **1** que se pode opor **2** que tem a propriedade de pôr-se em frente ou do lado contrário *<o polegar é o. aos demais dedos>* *<os primatas têm polegares o.>*

opor (o.por) *v.* {mod. 23} *t.d.i.* **1** (prep. *a*) colocar diante de, contra *<o. tanques à infantaria>* **2** (prep. *a*) colocar como antagonistas, adversários *<opôs meninos a meninas>* **3** (prep. *a*) apresentar (argumento, alegação etc.) em sentido contrário a; objetar *<opuseram mais de um parecer ao projeto>* □ *t.d.i. e pron.* **4** (prep. *a*) apresentar (ação, atitude etc.) para impedir ou combater (algo) *<o. resistência ao ataque>* *<opõe-se à violência>* □ *t.d. e t.d.i.* **5** (prep. *a*) pôr em contraste, comparação com; confrontar *<o. dois depoimentos>* *<o. o orgulho à humildade>* □ *pron.* **6** (prep. *a*) ser contrário a; obstar *<o.-se a preconceitos>* ↺ apoiar **7** (prep. *a*) mostrar resistência a *<opus-me à ordem de parar>* ↺ aceitar ◉ GRAM/USO part.: *oposto*

oportunidade (o.por.tu.ni.da.de) *s.f.* **1** ocasião favorável à realização de algo *<esperei muito por essa o.>* **2** momento, ocasião *<em outra o., faremos o convite>*

oportunista (o.por.tu.nis.ta) *adj.2g.s.2g.* **1** que(m) aproveita as oportunidades **2** que(m) se aproveita dos outros ou tira vantagens pessoais de uma circunstância ■ *adj.2g.* BIO **3** que só é capaz de infectar quando há baixa resistência do hospedeiro (diz-se de microrganismo) **4** diz-se de doença causada por esse microrganismo ~ **oportunismo** *s.m.*

oportuno (o.por.tu.no) *adj.* que se realiza a tempo, no momento adequado; conveniente *<palavras o.>* ↺ inoportuno

oposição (o.po.si.ção) [pl.: *-ões*] *s.f.* **1** caráter, estado ou condição do que se opõe, do que é oposto **2** contraste ('diferença') **3** POL conjunto dos partidos contrários ao governo ~ **opositivo** *adj.*

oposicionismo (o.po.si.cio.nis.mo) *s.m.* **1** oposição sistemática **2** POL facção política contrária ao governo ☞ cf. *situacionismo*

oposicionista (o.po.si.cio.nis.ta) *adj.2g.* **1** próprio do oposicionismo ■ *adj.2g.s.2g.* **2** que(m) sempre se opõe a qualquer coisa **3** POL partidário do oposicionismo ☞ cf. *situacionista*

opositor (o.po.si.tor) /ô/ [pl.: *-es*] *adj.s.m.* **1** que ou aquele que se opõe (a alguém, algo, a qualquer ato, disposição etc.) *<polegar o.>* **2** adversário; concorrente ↺ aliado

oposto (o.pos.to) /ô/ [pl. e fem.: /ó/] *adj.s.m.* (o) que é contrário, inverso *<caminharam em sentidos o.>*

opressão (o.pres.são) [pl.: *-ões*] *s.f.* **1** condição do que se encontra oprimido **2** aperto, compressão **3** sensação de falta de ar (por problemas físicos, psicológicos ou morais); abafamento, sufocamento *<a o. causada pela asma>* *<a zanga do diretor provocou o. nos alunos>* **4** sujeição imposta pela força ou autoridade; tirania, jugo *<a o. imposta pelos regimes ditatoriais>* ↺ liberdade **5** constrangimento ou pressão moral; coação *<a o. dos conquistadores gerou profundas mudanças naquele povo>* **6** humilhação, vexame *<ser acusado de roubo causou-lhe um profundo sentimento de o.>*

opressivo (o.pres.si.vo) *adj.* **1** que causa opressão ou serve para oprimir; oprimente, opressor *<encargos o.>* **1.1** autoritário, prepotente, tirânico *<governo o.>* ↺ benevolente, liberal **2** *fig.* que provoca sensação de abafamento; sufocante *<calor o.>*

opresso (o.pres.so) *adj. frm.* que sofreu ou sofre opressão; oprimido ◉ GRAM/USO part. de *oprimir*

opressor (o.pres.sor) /ô/ [pl.: *-es*] *adj.s.m.* (aquele) que oprime, que sujeita à opressão *<vício o.>* *<um o. na chefia da fábrica>*

oprimido (o.pri.mi.do) *adj.* **1** que sofreu ou sofre opressão **2** apertado, comprimido **3** dominado com violência; tiranizado *<um povo o.>* **4** atormentado, torturado *<um homem o. por seus medos>* **5** que experimenta sensação de falta de ar ■ *s.m.* **6** vítima de opressão

oprimir (o.pri.mir) *v.* {mod. 24} *t.d.* **1** sobrecarregar com grande peso **2** exercer pressão em; apertar, comprimir *<usou uma cinta para o. a barriga>* ↺ afrouxar **3** *fig.* causar aflição, tormento a; mortificar *<o notícia da demissão oprimiu-a>* ↺ tranquilizar **4** sujeitar a ônus, tributos, taxas etc.; onerar **5** dominar com brutalidade, autoritarismo; tiranizar ↺ libertar ◉ GRAM/USO part.: *oprimido*, *opresso*; ver QUADRO DE PARTICÍPIOS DUPLOS nas pp. iniciais ~ **oprimente** *adj.2g.*

opróbrio (o.pró.brio) *s.m.* **1** o que humilha, degrada; o que revela alto grau de baixeza *<o o. e a violência de seus crimes>* **2** desonra pública *<a exposição de seus erros o levou ao o.>* **3** afronta, desprezo

optar (op.tar) *v.* {mod. 1} *t.i. e int.* (prep. *entre*, *por*) decidir-se por (um ou mais elementos entre outros); escolher, preferir *<deveria o. entre duas possibilidades>* *<optou pelo vestido azul>* *<ele não quis o.>*

optativo (op.ta.ti.vo) *adj.* **1** que envolve opção *<fez um curso o. na faculdade>* ↺ obrigatório **2** que expressa vontade

óptica (óp.ti.ca) ou **ótica** (ó.ti.ca) *s.f.* **1** FÍS ÓPT parte da física que estuda as propriedades da luz e da visão **2** local onde se vendem óculos, lunetas etc. **3** modo de ver pessoal; ponto de vista *<sob esta ó., terei que concordar com você>*

óptico (óp.ti.co) *adj.* **1** relativo à óptica **2** relativo ou pertencente à visão ou aos olhos; ocular *<nervo ó.>* **3** que favorece a visão *<instrumento ó.>* ■ *s.m.* **4** ÓPT especialista em óptica **5** fabricante de instrumentos ópticos ☞ cf. *ótico*

optometria (op.to.me.tri.a) *s.f.* MED parte da oftalmologia que cuida dos problemas relacionados ao poder de resolução e amplitude da visão ~ **optometrista** *s.2g.*

opugnar (o.pug.nar) *v.* {mod. 1} *t.d.* **1** investir para conquistar; tomar *<as tropas opugnaram a praça inimiga>* **2** *p.ext.* lutar contra (teoria, ideia etc.); combater *<opugnava a atual política de empregos>* **3** *p.ext.* contestar com argumentos; refutar *<o. a tese de um adversário>*

opulência (o.pu.lên.cia) *s.f.* **1** luxo; pompa ↺ pobreza **2** *fig.* abundância, fartura ↺ escassez **3** grandeza, esplendor **4** *fig.* volume, corpulência *<a o. e a sensualidade femininas>*

O

opulento (o.pu.len.to) *adj.* **1** luxuoso, suntuoso *<ambiente o.>* ↺ simples **2** rico, abastado *<família o.>* ↺ pobre **3** abundante, farto *<um o. jantar>* ↺ escasso **4** corpulento, robusto ↺ franzino

opus (o.pus) [lat.] *s.m.* MÚS índice cronológico das publicações de um compositor [abrev.: *op.*] ⇒ pronuncia-se ópus

opúsculo (o.pús.cu.lo) *s.m.* pequeno livro sobre arte, literatura, ciência etc.; brochura

-or, -dor ou **-tor** *suf.* **1** 'agente': *agricultor, divisor, jogador, operador, tradutor* **2** 'característica': *amargor*

ora (o.ra) *adv.* **1** agora, neste momento *<as determinações da ortografia o. em vigor>* ■ *conj.adt.* **2** entretanto, além disso *<disse que avisaria se viesse, o., se não avisou é porque não vem>* ■ *conj.altv.* **3** umas vezes... outras vezes *<ora chora, ora ri>* ■ *interj.* **4** exprime impaciência, desconfiança *<o., não me amole!>* ☞ cf. *hora* ▣ **o. bolas** exprime desapontamento • **de o. em diante** daqui para a frente *<acordarei bem cedo de o. em diante>* • **por o.** por enquanto *<por o., vamos deixar a janela aberta>*

oração (o.ra.ção) [pl.: *-ões*] *s.f.* **1** reza, prece **2** GRAM frase, ou membro de frase, que contém um verbo ▣ **o. adjetiva** oração que expressa qualidade de um ser e equivale a um adjetivo • **o. coordenada** GRAM oração que vem em seguida e ligada a outra da mesma natureza, com ou sem conectivo (p.ex.: *Pedro estudou e passou de ano*; *o tempo passou, o outono chegou*) ☞ tb. se diz apenas *coordenada* • **o. principal** GRAM oração que possui subordinada(s) como parte(s) constituinte(s) que dela dependem ☞ tb. se diz apenas *principal* • **o. subordinada** GRAM oração que completa ou modifica um termo da oração que a antecede (p.ex.: espero *que você melhore*; saiu *quando eu chegava*; o livro *que comprei* é bom) ☞ tb. se diz apenas *subordinada*

oracional (o.ra.cio.nal) [pl.: *-ais*] *adj.2g.* GRAM que diz respeito ou equivale à oração

oracular (o.ra.cu.lar) [pl.: *-es*] *adj.2g.* relativo a, próprio de oráculo

oráculo (o.rá.cu.lo) *s.m.* **1** na Antiguidade, divindade que responde a consultas **2** *p.ext.* sacerdote que intermediava as consultas **3** *p.ext.* o local onde se realiza essa consulta **4** *p.ext.* a resposta a essa consulta *<receber oráculos>* **5** *fig.* opinião incontestável, infalível *<os o. da justiça>* **6** *fig.* pessoa de grande autoridade pelo saber

orador (o.ra.dor) /ô/ [pl.: *-es*] *adj.s.m.* **1** que(m) faz discursos **2** que(m) fala muito bem ou costuma falar em público

oral (o.ral) [pl.: *-ais*] *adj.2g.* **1** relativo à boca; bucal *<higiene o.>* **2** expresso de viva voz *<teste o.>* **3** que se transmite verbalmente *<tradições o.>* ~ **oralidade** *s.f.* - **oralmente** *adv.*

orangotango (o.ran.go.tan.go) *s.m.* ZOO grande primata antropoide de braços compridos e pelagem avermelhada longa e rala

orar (o.rar) *v.* {mod. 1} *t.d.,t.d.i.,t.i. e int.* **1** (prep. *a, por*) dizer em voz baixa (oração, súplicas) [a forças divinas]; rezar *<orou uma prece (ao seu santo protetor)> <o. pelos mortos> <costumava o. antes de dormir>* □ *int.* **2** falar em público; discursar

oratória (o.ra.tó.ria) *s.f.* conjunto de regras da arte de discursar

[1]**oratório** (o.ra.tó.rio) *s.m.* **1** pequeno armário em que ficam imagens e santos **2** local destinado às orações **3** MÚS composição ou poema vocal-instrumental de caráter dramático que utiliza, em grande parte, textos da Bíblia ◉ ORIGEM do lat. *oratorĭum,ĭi* 'oratório, pequena capela'

[2]**oratório** (o.ra.tó.rio) *adj.* relativo a oratória ou a orador *<talento o.>* ◉ ORIGEM do lat. *oratorĭus,a,um* 'relativo ao orador; oratório, de orador'

orbe (or.be) *s.m.* **1** globo, esfera **2** ASTR corpo celeste esférico, como um planeta, a Lua ou um satélite artificial com esse formato **3** campo de órbita de um corpo celeste

orbicular (or.bi.cu.lar) [pl.: *-es*] *adj.2g.* **1** esférico, globular **2** em forma de círculo

órbita (ór.bi.ta) *s.f.* **1** ASTR trajetória de um astro em torno de outro **2** *fig.* campo de ação; esfera *<seu pedido está fora da ó. desse setor>* **3** ANAT cavidade óssea facial em que se situa o olho ▣ **ó. terrestre** ASTR trajetória da Terra ao redor do Sol ~ **orbital** *adj.2g.*

orbitar (or.bi.tar) *v. t.d. e int.* movimentar-se em círculo *<a sonda espacial foi lançada para o. a Terra> <lançado, o bumerangue orbitou pelos ares>*

orbitário (or.bi.tá.rio) *adj.* relativo ou próprio da órbita, esp. da ocular

orca (or.ca) *s.f.* ZOO grande baleia de dorso negro e peito branco

orçamental (or.ça.men.tal) [pl.: *-ais*] *adj.2g.* orçamentário

orçamentário (or.ça.men.tá.rio) *adj.* **1** referente a orçamento; orçamental *<desequilíbrio o.>* **2** que fixa ou aprova o orçamento da União; orçamental *<lei. o.>*

orçamento (or.ça.men.to) *s.m.* **1** cálculo aproximado do custo de algo (obra, serviço etc.); estimativa **2** cálculo da receita e da despesa

orçar (or.çar) *v.* {mod. 1} *t.d.* **1** calcular ou estimar o preço, o valor de *<o. uma reforma>* □ *t.i.* **2** (prep. *a*) atingir ou ter aproximadamente (valor ou número) *<suas despesas mensais orçavam a 2 mil reais>*

ordeiro (or.dei.ro) *adj.* disciplinado, bem-comportado ↺ desordeiro

ordem (or.dem) [pl.: *-ens*] *s.f.* **1** disposição metódica das coisas; organização **2** boa arrumação *<manter o quarto em o.>* ↺ desordem **3** disciplina *<policiais foram chamados para manter a o.>* ↺ indisciplina **4** classe, categoria ou natureza de fatos relacionados a um domínio específico *<problemas de o. física>* **5** série, sequência *<responder seguindo a o. estabelecida>* **6** determinação de uma autoridade *<obedecer às o. do chefe>* **7** documento que autoriza a execução de uma ação *<o. de pagamento>* **8** REL sacramento da Igreja católica que autoriza o exercício de funções eclesiásticas **9** REL sociedade religiosa *<o. das Carmelitas>* **10** órgão congregador de profissionais liberais *<o. dos médicos>* **11** MAT

O

lugar ocupado pelo algarismo em um número *<o. das dezenas>* **12** BIO na classificação dos seres vivos, categoria que agrupa famílias relacionadas segundo a história da evolução e que se distinguem das outras por diferenças marcantes ▣ **o. do dia** conjunto de tarefas a serem cumpridas no dia • **estar às o.** estar à disposição (de)

ordenação (or.de.na.ção) [pl.: *-ões*] *s.f.* **1** distribuição metódica, organizada *<o. dos livros>* ↺ desarrumação **2** manifestação da vontade de alguém; determinação, ordem **3** REL cerimônia religiosa na qual se concede o direito de exercer funções eclesiásticas

ordenado (or.de.na.do) *s.m.* **1** salário ■ *adj.* **2** em ordem **3** que recebeu ordens sacras, que pertence a uma congregação religiosa

ordenança (or.de.nan.ça) *s.2g.* MIL soldado que está à disposição de um oficial

ordenar (or.de.nar) *v.* {mod. 1} *t.d.* **1** colocar (pessoas ou coisas) em certa ordem; arrumar, organizar *<ordenou os instrumentos de trabalho antes de sair>* *<o. os pensamentos>* □ *t.d.,t.d.i. e int.* **2** (prep. *a*) exigir como autoridade superior que se cumpra; mandar, determinar *<o juiz ordenou que o réu se sentasse>* *<ordenou ao filho que se retirasse do recinto>* *<ela não pede, ordena>* □ *t.d.,t.d.pred. e pron.* **3** dar ou receber o sacramento de ordem eclesiástica; sagrar *<o arcebispo ordenou um diácono>* *<ordenaram-no padre>* *<ordenou-se padre>*

ordenhar (or.de.nhar) *v.* {mod. 1} *t.d.* extrair leite espremendo as tetas de (certos animais); mungir ~ **ordenha** *s.f.*

ordinal (or.di.nal) [pl.: *-ais*] *adj.2g.* **1** relativo a ordem ■ *adj.2g.s.m.* **2** MAT (numeral) que indica a ordem de um elemento em relação a um conjunto ☞ cf. *cardinal*

ordinário (or.di.ná.rio) *adj.* **1** de má qualidade *<sapato o.>* **2** sem caráter *<pessoa o.>* ↺ honesto ■ *adj.s.m.* **3** (o) que é costumeiro, habitual *<um fato o.>* ↺ extraordinário

ordoviciano (or.do.vi.ci.a.no) *s.m.* GEOL **1** segundo período geológico da era paleozoica, entre o Cambriano e o Siluriano, marcado pelo desenvolvimento gradativo da fauna, que chega até os crustáceos ☞ inicial maiúsc. ■ *adj.* **2** desse período

orégano (o.ré.ga.no) ou **orégão** (o.ré.gão) [pl.: *-ões*] *s.m.* BOT erva aromática us. como condimento

orelha (o.re.lha) /ê/ *s.f.* **1** ANAT órgão da audição, anteriormente denominado ouvido **2** ANAT cada uma das duas conchas auditivas, cartilaginosas, situadas nas laterais da cabeça **3** BIBLIO cada uma das extremidades da sobrecapa de um livro virada para dentro **4** BIBLIO a informação contida nessa parte da sobrecapa ▣ **o. externa** ANAT aquela que é formada pela parte mais externa da orelha e o canal que conduz à membrana do tímpano ☞ denominação atual de *ouvido externo* • **o. interna** ANAT aquela que contém a porção óssea da orelha ☞ denominação atual de *ouvido interno* • **o. média** ANAT aquela que contém a cavidade do tímpano, separada da orelha externa apenas pela membrana do tímpano ☞ denominação atual de *ouvido médio* • **de o. em pé** de sobreaviso *<ficaram de o. em pé com a notícia da possível falta de luz>* • **puxar a o.** ralhar *<alguém tem de p. a orelha desse bagunceiro>*

orelhada (o.re.lha.da) *s.f.* pancada numa das orelhas ▣ **de o.** sem dominar o assunto *<esse é eletricista de o.>*

orelhão (o.re.lhão) [pl.: *-ões*] *s.m. infrm.* cabine de telefone público em forma de concha

orelhudo (o.re.lhu.do) *adj.* **1** com orelhas grandes **2** *pej.* burro, estúpido ↺ esperto

orexia (o.re.xi.a) /cs/ *s.f.* **1** desejo de comer; apetite **2** MED desejo irresistível de comer sem parar ↺ anorexia

orfanato (or.fa.na.to) *s.m.* asilo para crianças órfãs

orfandade (or.fan.da.de) *s.f.* **1** condição de quem é órfão **2** o conjunto dos órfãos **3** *fig.* desamparo *<o afastamento de seu orientador deixou-o na o.>*

órfão (ór.fão) [pl.: *-ãos*; fem.: *órfã*] *adj.s.m.* **1** que(m) perdeu o pai ou a mãe ou ambos ■ *adj.* **2** desprotegido; abandonado *<sentiu-se ó. ao mudar de país>* ◉ COL orfandade

orfeão (or.fe.ão) [pl.: *-ões*] *s.m.* MÚS **1** coro sem acompanhamento instrumental **2** coro escolar ~ **orfeônico** *adj.*

organdi (or.gan.di) *s.f.* tecido leve, transparente e engomado *<flores de o.>*

organela (or.ga.ne.la) *s.f.* BIO partícula limitada por membrana, presente em praticamente todas as células com núcleo tb. limitado por membrana

orgânico (or.gâ.ni.co) *adj.* **1** relativo a órgão **2** que possui uma estrutura organizada (diz-se de qualquer fundamento, análise, atividade, mecanismo etc.) **3** próprio ou derivado dos organismos vivos *<materiais o.>* **4** cultivado sem adição de produtos químicos, fertilizantes ou pesticidas *<alface o.>* *<lavoura o.>* **5** estrutural *<problemas o. de uma empresa>* **6** QUÍM relativo a compostos químicos que contêm cadeias ou anéis de carbono ligados a hidrogênio, oxigênio e nitrogênio *<química o.>* ☞ cf. *inorgânico*

organismo (or.ga.nis.mo) *s.m.* **1** BIO forma individual de vida, como um animal, uma planta, um fungo, uma bactéria **2** *p.ext.* conjunto de órgãos de um ser vivo *<o. humano>* **3** qualquer ser ou estrutura organizada **4** instituição de caráter político, social etc.; organização *<o. internacional de amparo à criança>*

organista (or.ga.nis.ta) *adj.2g.s.2g.* MÚS que(m) toca órgão

organização (or.ga.ni.za.ção) [pl.: *-ões*] *s.f.* **1** ordenação das partes de um todo; arrumação *<a o. em um livro de todo o material pesquisado>* *<você cuidará da o. da festa>* ↺ desorganização **2** modo de se organizar *<ficou ótima a o. das revistas>* **3** conformação, estrutura das partes que constituem um ser vivo **4** associação, entidade de cunho social, político, administrativo etc. *<filiou-se a uma o. dedicada à caridade>* ▣ **O. das Nações Unidas** entidade mundial criada em 1945, cujo objetivo primordial de defesa da paz é complementado pelo trabalho de agências (p.ex., a Unesco) especializadas em questões de desenvolvimento econômico, social e cultural, e pelas comissões econômicas regionais [sigla: *ONU*] • **O. do Tratado do Atlântico Norte** pacto firmado em 1949 pelos E.U.A., Canadá, Turquia e países da Europa ocidental, com o objetivo ostensivo de manter a segurança do Atlântico norte [sigla: *OTAN*] • **O. Mundial da Saúde** agência fundada em 1948, subordinada à Organização das Nações Unidas, coordena trabalhos para controlar epidemias e surtos de doença e patrocina programas de prevenção e tratamento [sigla: *OMS*] • **O. Mundial do Comércio** organização surgida em 1995 com a finalidade de supervisionar e regulamentar o comércio entre seus países membros, além de auxiliar nas negociações de acordos comerciais e resolução de conflitos [sigla: *OMC*] • **o. não governamental** aquela cujas atividades ou campo de atuação são públicos ou de interesse público, mas que é institucional ou financeiramente independente do governo ou das instituições ou empresas ligadas a ele [sigla: *ONG*] **~ organizacional** *adj.2g.*

organizador (or.ga.ni.za.dor) /ô/ [pl.: *-es*] *adj.s.m.* (o) que organiza, planeja

organizar (or.ga.ni.zar) *v.* {mod. 1} *t.d.* **1** dar certa ordem ou forma regular a (série de itens, um todo); arrumar, ordenar *<o. a louça>* **2** planejar e prover do necessário para a realização *<o. um desfile>* **3** juntar elementos, indivíduos para compor (grupo, todo); formar *<o. uma lista, um movimento>* □ *t.d. e pron.* **4** (fazer) adquirir certa estrutura, forma; estruturar (-se) *<organizaram a empresa de forma diferente> <o departamento foi-se organizando ao longo do tempo>* □ *pron.* **5** administrar de modo produtivo as atividades, o tempo *<falta a compromissos por não se o. direito>*

organograma (or.ga.no.gra.ma) *s.m.* gráfico que representa operações interdependentes

organza (or.gan.za) *s.f.* tecido fino, transparente, feito de fio de seda ou de fios sintéticos ☞ alt. da marca registrada *Lorganza*, que passou a designar o seu gênero

órgão (ór.gão) [pl.: *-ãos*] *s.m.* **1** ANAT parte do corpo ou de um organismo que desempenha uma ou mais funções específicas **2** MÚS instrumento musical com teclados, sopro e foles, us. esp. em igrejas **3** organização; entidade *<trabalha em um ó. do governo>*

orgasmo (or.gas.mo) *s.m.* clímax do prazer sexual **~ orgástico** *adj.*

orgia (or.gi.a) *s.f.* **1** festa que se caracteriza pela euforia, pelos excessos de bebida, desregramentos etc. **2** *fig.* abundância; profusão *<preparamos uma o. de doces>*

orgulhar (or.gu.lhar) *v.* {mod. 1} *t.d. e pron.* (prep. *de*) [fazer] sentir orgulho; envaidecer(-se), ufanar(-se) *<são filhos que orgulham quaisquer pais> <orgulhava-se de ter concluído o curso>*

orgulho (or.gu.lho) *s.m.* **1** sentimento de grande satisfação por algo *<ter o. do que conquistou>* **2** *pej.* excesso de amor-próprio; arrogância, soberba

orgulhoso (or.gu.lho.so) /ô/ [pl. e fem.: /ó/] *adj.* **1** que tem ou causa orgulho *<sua pesquisa proporcionou-lhe o. frutos>* **2** cheio de vaidade *<anda tão o. que chega a incomodar>* **3** arrogante ↺ humilde ■ *s.m.* **4** pessoa arrogante

orientação (o.ri.en.ta.ção) [pl.: *-ões*] *s.f.* **1** direção; localização *<ter senso de o.>* **2** posição, posicionamento de algo em relação a outros objetos *<o. da janela em direção ao nascer do Sol>* **3** regra, instrução *<sigam as o. do manual>* **4** modelo, guia *<ter os clássicos como o.>* **5** *fig.* tendência, propensão *<livros de o. socialista>*

orientador (o.ri.en.ta.dor) /ô/ [pl.: *-es*] *adj.s.m.* (aquele) que orienta, direciona; diretor, condutor *<um professor o.> <o o. de um projeto>*

oriental (o.ri.en.tal) [pl.: *-ais*] *adj.2g.* **1** relativo ao ou situado no Oriente *<países o.> <culinária o.>* ↺ ocidental ■ *adj.2g.s.2g.* **2** que(m) é natural ou habitante do Oriente ↺ ocidental

orientalizar (o.ri.en.ta.li.zar) *v.* {mod. 1} *t.d. e pron.* dar ou tomar aspecto ou característica própria dos povos, culturas, línguas orientais **~ orientalização** *s.f.*

orientar (o.ri.en.tar) *v.* {mod. 1} *t.d. e pron.* **1** dispor, ajustar ou posicionar-se com referência aos pontos cardeais *<o. a bússola> <olhou para o sol para o.-se>* **2** *p.ext.* (fazer) voltar-se em ou tomar certa direção; posicionar(-se) *<o. o motorista no sentido certo> <o.-se de frente para o templo>* **3** *fig.* (fazer) tomar certa direção moral, intelectual etc.; guiar(-se), nortear(-se) *<o. a opinião pública> <o.-se pela ética>* ↺ desorientar(-se)

oriente (o.ri.en.te) *s.m.* **1** direção em que nasce o Sol ↺ poente **2** região situada no hemisfério leste **2.1** conjunto de regiões e países localizados na parte leste do nosso planeta *<o continente asiático está no O.>* ☞ inicial maiúsc. **3** leste ('região')

orifício (o.ri.fí.cio) *s.m.* pequeno buraco, passagem ou abertura

origami (o.ri.ga.mi) [jap.; pl.: *origamis*] *s.m.* arte tradicional japonesa de dobrar papéis em forma de animais, objetos, flores etc. ⇒ pronuncia-se origami

origem (o.ri.gem) [pl.: *-ens*] *s.f.* **1** ponto de partida; começo *<vamos atacar a o. da crise>* **2** procedência; ascendência *<ser de o. portuguesa>* **3** causa; razão *<o ciúme foi a o. do problema>*

original (o.ri.gi.nal) [pl.: *-ais*] *adj.2g.* **1** originário; primitivo *<o projeto o. não saiu do papel>* **2** que nunca ocorreu; novo *<um disco só com canções o.>* **3** autêntico; de fábrica *<peças o.>* ■ *adj.2g.s.2g.* **4** (o) que é único *<paguei caro pelos o.> <a tela o. está no museu>* **5** (o) que é excepcional, fora dos padrões *<o o. na festa era a decoração> <roupas o.>* **~ originalidade** *s.f.* **- originalmente** *adv.*

originar (o.ri.gi.nar) *v.* {mod. 1} *t.d.* **1** dar origem a; iniciar *<este touro originou o rebanho>* ↺ extinguir **2** ser a causa de; provocar *<a sujeira origina doenças>* □ *pron.* **3** ter origem em, ser consequência de; proceder, derivar *<sua angústia originara-se do casamento malsucedido>* **~ originário** *adj.*

-ório *suf.* **1** 'relação': *compulsório, preparatório* **2** 'lugar': *consultório, dormitório*

oriundo (o.ri.un.do) *adj.* originário; natural *<brinquedo o. da China>*

orixá (o.ri.xá) *s.m.* REL cada uma das divindades cultuadas nas religiões de origem africana, freq. ancestrais divinos que se transformaram em rios, árvores, pedras etc. e que fazem a intermediação entre os homens e as forças naturais e sobrenaturais

orizicultura (o.ri.zi.cul.tu.ra) *s.f.* rizicultura

orla (or.la) *s.f.* **1** beirada *<a o. do tecido>* **2** beira, margem *<situava-se na o. da lagoa>* **3** arremate em objetos (em decoração em geral, no vestuário etc.); debrum **4** faixa de terra estreita e longa

orlar (or.lar) *v.* {mod. 1} *t.d.* **1** situar-se junto a ou acompanhar a orla de; cercar, margear *<orlou o terreno com pinheiros>* **2** dotar de orla; cercar, debruar *<franjas orlavam a colcha>*

ornamental (or.na.men.tal) [pl.: *-ais*] *adj.2g.* **1** relativo a ornamento ou ornato **2** cuja característica é tornar (algo) mais atraente, decorativo etc. *<plantas o.>*

ornamentar (or.na.men.tar) *v.* {mod. 1} *t.d. e pron.* **1** colocar(-se) ornato, enfeite; adornar(-se), decorar (-se) *<chamaram as crianças para o. a rua> <a moda é o.(-se) chão e paredes com tapeçarias>* ◻ *t.d. fig.* **2** tornar atraente, interessante, rico; abrilhantar *<crianças correndo ornamentavam o jardim>* **~ ornamentação** *s.f.*

ornamento (or.na.men.to) *s.m.* **1** enfeite, adorno **2** MÚS nota ou grupo de notas adicionadas a uma melodia

ornar (or.nar) *v.* {mod. 1} *t.d. e t.i.* (prep. *com, de*) ornamentar *<o. uma parede (com flores)>*

ornato (or.na.to) *s.m.* enfeite

ornitologia (or.ni.to.lo.gi.a) *s.f.* ZOO ramo da zoologia que estuda as aves **~ ornitológico** *adj.* - **ornitologista** *adj.2g.s.2g.* - **ornitólogo** *s.m.*

ornitorrinco (or.ni.tor.rin.co) *s.m.* ZOO mamífero aquático dotado de cauda como a do castor, bico como o dos patos e esporões venenosos nas patas traseiras

orófita (o.ró.fi.ta) *s.f.* BOT vegetal que habita as montanhas; orófito

orófito (o.ró.fi.to) *s.m.* BOT orófita

orquestra (or.ques.tra) *s.f.* MÚS **1** conjunto de músicos e de seus instrumentos **2** conjunto dos músicos que executam peça para concertos ▣ **o. sinfônica** grande orquestra composta de instrumentos de sopro, cordas e percussão **~ orquestral** *adj.2g.*

orquestração (or.ques.tra.ção) [pl.: *-ões*] *s.f.* **1** MÚS adaptação de uma melodia ou composição para orquestra **2** *fig.* articulação; planejamento *<o. de uma invasão>* **3** *fig.* ajuste de partes que parecem inconciliáveis; conciliação

orquestrar (or.ques.trar) *v.* {mod. 1} *t.d.* **1** MÚS compor ou adaptar (peça musical) para uma orquestra **2** *fig.* planejar a realização de (crime, trama, negócio etc.); tramar, organizar

orquidário (or.qui.dá.rio) *s.m.* estufa ('local') para orquídeas

orquídea (or.quí.dea) *s.f.* BOT **1** nome comum dado ao espécime das orquidáceas, família de plantas cultivadas esp. pelas suas belas flores **2** essa delicada e exótica flor de três pétalas e de colorido variado

-orra *suf.* 'aumento': *cabeçorra*

orra (or.ra) /ô/ ou **orre** (or.re) *interj. SP infrm.* exprime surpresa, espanto ou aborrecimento, zanga *<o., meu, que prazer!> <o., que saco!>*

-orro *suf.* 'aumento': *cabeçorro*

órtese (ór.te.se) *s.f.* MED qualquer aparelho externo us. para imobilizar ou auxiliar os movimentos dos braços e pernas ou da coluna vertebral ☞ cf. *prótese* **~ ortótico** *adj.*

ortodontia (or.to.don.ti.a) *s.f.* MED parte da odontologia que se dedica à prevenção e correção das imperfeições no alinhamento dos dentes **~ ortodôntico** *adj.*

ortodontista (or.to.don.tis.ta) *adj.2g.s.2g.* especialista em ortodontia

ortodoxo (or.to.do.xo) /cs/ *adj.s.m.* **1** pertencente às igrejas católicas, esp. as gregas e russas, que não seguem a liturgia latina **2** que(m) segue os princípios tradicionais de uma doutrina ↺ heterodoxo **3** que(m) não tolera o novo ou o diferente **~ ortodoxia** *s.f.*

ortoépia (or.to.é.pia) ou **ortoepia** (or.to.e.pi.a) *s.f.* GRAM correta pronúncia de uma palavra

ortografar (or.to.gra.far) *v.* {mod. 1} *t.d. e int.* escrever de acordo com as regras ortográficas

ortografia (or.to.gra.fi.a) *s.f.* GRAM **1** a escrita correta das palavras ↺ cacografia **2** representação escrita de uma palavra **~ ortográfico** *adj.*

ortomolecular (or.to.mo.le.cu.lar) [pl.: *-es*] *adj.2g.* MED que procura restaurar os níveis ideais de substâncias, como as vitaminas e os minerais, presentes no organismo (diz-se de ramo da medicina)

ortopedia (or.to.pe.di.a) *s.f.* MED ramo da medicina que se dedica ao tratamento do sistema locomotor e da coluna vertebral **~ ortopédico** *adj.*

ortopedista (or.to.pe.dis.ta) *adj.2g.s.2g.* especialista em ortopedia

ortotanásia (or.to.ta.ná.sia) *s.f.* **1** morte natural, normal **2** boa morte, supostamente sem sofrimento ↺ distanásia

orvalhar (or.va.lhar) *v.* {mod. 1} *t.d.,int. e pron.* **1** molhar(-se) com orvalho *<a névoa orvalhou a terra> <levantou o rosto, deixando-o o.(-se)>* ◻ *int.* **2** cair orvalho *<a temperatura fria fez o. durante toda a noite>* ☞ nesta acp., é impessoal, exceto quando fig. ◻ *t.d. p.ext.* **3** espalhar (líquido) em gotículas; borrifar *<a moça orvalhou água nas pétalas das rosas>*

orvalho (or.va.lho) *s.m.* **1** umidade atmosférica condensada que se deposita, em forma de gotinhas, sobre superfícies frias, pela manhã e à noite; relento **2** *p.ext.* chuva fina

Os QUÍM símbolo de *ósmio*

oscilação (os.ci.la.ção) [pl.: *-ões*] *s.f.* **1** ação ou efeito de oscilar; balanço *<a o. de um barco no mar>* **2** alternância, mudança intermitente *<a o. da pressão arterial>* **3** inconstância, instabilidade *<o. de humor>* ↺ constância **4** hesitação, vacilação *<demonstrava o. em suas decisões>* ↺ firmeza

oscilar (os.ci.lar) *v.* {mod. 1} *t.d.,int. e pron.* **1** mover (-se) de um para outro lado; balançar(-se) *<distraída, oscilava o berço> <o bambuzal oscila(-se), acompanhando o vento>* ◻ *t.i. e int.* **2** (prep. *a, de, entre, para*) mudar de estado; variar *<oscila de gorda a magra com a maior facilidade> <a cor de seus olhos oscila (entre azul e verde)>* ↺ conservar-se ◻ *int.* **3** sofrer abalo;

tremer *<os quadros oscilavam>* □ *t.i.* **4** (prep. *entre*) estar indeciso entre (duas ou mais opções); hesitar *<oscilava entre a viagem marítima e a terrestre>* ~ **oscilatório** *adj.*

osciloscópio (os.ci.los.có.pio) *s.m.* FÍS aparelho que permite avaliar e detectar oscilações

ósculo (ós.cu.lo) *s.m.* beijo ~ **osculação** *s.f.* - **osculador** *adj.s.m.* - **oscular** *v.t.d. e pron.* - **osculatório** *adj.*

-ose *suf.* 'patologia': *dermatose, tuberculose*

ósmio (ós.mio) *s.m.* QUÍM elemento químico us. na fabricação de pontas de caneta-tinteiro, vitrolas, catalisadores etc. [símb.: *Os*] ☞ cf *tabela periódica* (no fim do dicionário)

osmose (os.mo.se) *s.f.* BIO processo de difusão de um líquido ou gás através de uma membrana ▣ **por o.** *infrm.* por assimilação, num processo inconsciente *<aprender por o.>* ~ **osmótico** *adj.*

-oso ou **-uoso** *suf.* 'posse, abundância': *monstruoso, orgulhoso, virtuoso*

ossada (os.sa.da) *s.f.* **1** conjunto de ossos **2** esqueleto ou resto dele encontrado numa cova **3** conjunto dos ossos de um cadáver humano ou animal *<as o. do gado revelavam a gravidade da seca>* **4** *fig.* arcabouço, estrutura *<a o. do prédio>*

ossatura (os.sa.tu.ra) *s.f.* **1** esqueleto **2** *fig.* resistência psicológica; estrutura *<terá o. para suportar mais essa crise?>*

ósseo (ós.seo) *adj.* relativo a, da natureza do ou constituído por osso *<saliência ó.>* *<formação ó.>*

ossificar (os.si.fi.car) *v.* {mod. 1} *t.d.,int. e pron.* **1** transformar(-se) em osso **2** *fig.* tornar(-se) muito magro; definhar *<o trabalho excessivo ossificou-o>* *<com a nova dieta, ossificou(-se)>* ↺ engordar **3** *fig.* tornar-se duro, insensível; endurecer *<com as decepções da vida, ossificou(-se)>* ↺ sensibilizar(-se) ~ **ossificação** *s.f.*

osso (os.so) /ô/ [pl.: /ó/] *s.m.* ANAT cada uma das partes que formam o esqueleto dos vertebrados ◉ COL ossada ▣ **o. do quadril** ANAT osso que forma a cintura pélvica, anteriormente denominado *ilíaco* • **o. duro de roer** *infrm.* pessoa ou coisa difícil de suportar

ossuário (os.su.á.rio) *s.m.* local para depositar os ossos humanos extraídos da sepultura

ossudo (os.su.do) *adj.* **1** com muito osso **2** de ossos grandes e salientes **3** *fig.* muito magro *<foi um adolescente o.>*

osteíte (os.te.í.te) *s.f.* MED qualquer inflamação em tecidos ósseos

ostensivo (os.ten.si.vo) *adj.* **1** evidente *<policiamento o.>* ↺ oculto **2** em que há ou envolve ofensa; arrogante, prepotente *<desrespeito o.>* ↺ modesto **3** praticado de forma intencional *<indiferença o.>*

ostensório (os.ten.só.rio) *s.m.* REL vaso sagrado onde é exposta a hóstia consagrada para adoração dos fiéis; custódia

ostentação (os.ten.ta.ção) [pl.: *-ões*] *s.f.* **1** alarde de si ou de alguma coisa sua, ger. por orgulho ou vaidade ↺ modéstia **2** demonstração extravagante de riqueza ↺ simplicidade

ostentar (os.ten.tar) *v.* {mod. 1} *t.d. e pron.* exibir(-se) com luxo, alarde ou orgulho *<ostentava as últimas medalhas conquistadas>* *<as torres ostentavam-se, imponentes>*

ostentoso (os.ten.to.so) /ô/ [pl. e fem.: /ó/] *adj.* **1** feito com ostentação **2** pomposo, magnífico ↺ simples

osteomielite (os.te.o.mi.e.li.te) *s.f.* MED inflamação dos ossos longos como o fêmur, a tíbia ou da medula óssea

osteopata (os.te.o.pa.ta) *s.2g.* MED **1** especialista no tratamento de estados patológicos por meio de manipulações raquidianas e articulares **2** que(m) sofre de uma doença óssea

osteopatia (os.te.o.pa.ti.a) *s.f.* MED **1** doença óssea **2** prática terapêutica do osteopata ~ **osteopático** *adj.*

osteoporose (os.te.o.po.ro.se) *s.f.* MED fragilidade óssea acarretada pela diminuição progressiva da densidade dos ossos

ostra (os.tra) /ô/ *s.f.* ZOO molusco marinho comestível, sendo algumas de suas espécies cultivadas para a produção da pérola

ostracismo (os.tra.cis.mo) *s.m.* **1** POL afastamento das funções políticas, voluntário ou não **2** exclusão; banimento *<a sociedade condenou-o ao o.>*

ostrogodo (os.tro.go.do) /ô/ *adj.* **1** relativo à ramificação oriental dos godos, antigo povo germânico ■ *adj.s.m.* **2** (indivíduo) desse povo ☞ cf. *godo* e *visigodo*

[1]**-ota** *suf.* 'diminuição': *bolota, ilhota* ◉ ORIGEM fem. de *-ote*

[2]**-ota** *suf.* 'origem': *cipriota* ◉ ORIGEM do suf.gr. *-ōtes* 'natural de'

OTAN *s.f.* sigla de *Organização do Tratado do Atlântico Norte*

otário (o.tá.rio) *adj.s.m.* *infrm.* (indivíduo) tolo, ingênuo ↺ esperto

-ote *suf.* 'diminuição': *caixote, filhote, malote*

ótica (ó.ti.ca) *s.f.* → *ÓPTICA*

ótico (ó.ti.co) *adj.* MED relativo a orelha ('ouvido') ☞ cf. *óptico*

otimismo (o.ti.mis.mo) *s.m.* disposição para ver as coisas pelo lado bom e esperar sempre uma solução favorável, mesmo nas situações mais difíceis ↺ pessimismo

otimista (o.ti.mis.ta) *adj.2g.s.2g.* diz-se de ou pessoa que encara tudo pelo lado bom, que tem esperanças ↺ pessimista

otimizar (o.ti.mi.zar) *v.* {mod. 1} *t.d.* tirar o melhor rendimento de (algo), criando as condições mais favoráveis possíveis *<o. a produção>* ~ **otimização** *s.f.*

ótimo (ó.ti.mo) *adj.s.m.* **1** (o) que é o melhor possível; excelente *<é um livro ó.>* ■ *interj.* **2** exprime aprovação, agrado; muito bem, muito bom *<passou na prova? ótimo!>* ◉ GRAM/USO sup.abs.sint. de *bom*

otite (o.ti.te) *s.f.* MED inflamação do ouvido ~ **otítico** *adj.*

O

otomano (o.to.ma.no) *adj.* **1** relativo ao império turco dominado por Osman (1259-1326) e seus sucessores **2** relativo a esse imperador ■ *adj.s.m.* **3** que(m) descende de Osman ou pertence a sua dinastia **4** (habitante) desse império

otorrino (o.tor.ri.no) *adj.2g.s.2g.* red. de otorrinolaringologista

otorrinolaringologia (o.tor.ri.no.la.rin.go.lo.gi.a) *s.f.* MED especialidade médica que se dedica ao estudo e tratamento das doenças do ouvido, nariz e garganta

otorrinolaringologista (o.tor.ri.no.la.rin.go.lo.gis.ta) *adj.2g.s.2g.* especialista em otorrinolaringologia

ou *conj.altv.* **1** indica alternativa ou exclusão *<pode-se preenchê-lo a lápis ou a caneta>* **2** indica dúvida *<não sei se viajo hoje ou amanhã>* ■ *conj.explc.* **3** tb. dito, tb. denominado *<isso se chama aipim ou macaxeira>*

ouriçar (ou.ri.çar) *v.* {mod. 1} *t.d. e pron.* **1** dar ou adquirir semelhança com o ouriço; arrepiar(-se) *<a proximidade do gato ouriçou o cão> <o papagaio se ouriçava ao ouvir a campainha>* **2** *infrm.* deixar ou ficar nervoso, enfurecido; irritar(-se) *<as notas baixas ouriçaram os alunos> <ouriçou-se com a agressividade do colega>* ↺ acalmar(-se) **3** *B infrm.* (fazer) sofrer intensa agitação; movimentar(-se) *<chegou para o. a festa> <quando viu as meninas, ouriçou-se>* ~ **ouriçado** *adj.*

ouriço (ou.ri.ço) *s.m.* ZOO nome comum a diversos pequenos mamíferos com espinhos curtos e lisos no dorso e pelos nas partes inferiores

ouriço-cacheiro (ou.ri.ço-ca.chei.ro) [pl.: *ouriços-cacheiros*] *s.m.* ZOO roedor de até 40 cm, de corpo coberto por longos e pontudos espinhos, membros curtos e dedos com grandes garras curvas

ouriço-do-mar (ou.ri.ço-do-mar) [pl.: *ouriços-do-mar*] *s.m.* ZOO invertebrado de corpo redondo, coberto por espinhos usados para locomoção e defesa

ourives (ou.ri.ves) *s.m.2n.* artesão ou vendedor de objetos de ouro, prata, platina etc.

ourivesaria (ou.ri.ve.sa.ri.a) *s.f.* **1** ofício ou produto de ourives **2** oficina ou loja de ourives

ouro (ou.ro) *s.m.* **1** QUÍM elemento químico us. em joalheria, próteses dentárias, refletores de luz infravermelha, vidros coloridos, medicamentos etc. [símb.: *Au*] ☞ cf. *tabela periódica* (no fim do dicionário) **2** a cor amarela desse metal **3** dinheiro; riqueza **4** *p.ext.* qualquer moeda ou objeto valioso *<juntou muito o.>* ▼ ***ouros*** *s.m.pl.* RECR **5** um dos quatro naipes do baralho, representado por um losango vermelho ▣ **o. branco** liga de ouro (75%), níquel (17%), cobre (2,5%) e zinco (5,5%), us. em joalheria • **o. fino** ouro de 24 quilates • **de o.** *fig.* muito bom, excelente *<menino de o.>*

ouropel (ou.ro.pel) [pl.: *-éis*] *s.m.* **1** liga metálica de cobre, de cor amarela, que imita ouro **2** *fig.* brilho falso, luxo aparente

ousadia (ou.sa.di.a) *s.f.* **1** característica de quem é ousado; arrojo, coragem *<a o. de suas atitudes>* ↺ covardia **2** imprudência, temeridade *<sua o. no trânsito era criminosa>* ↺ cautela **3** audácia, atrevimento *<a o. do aluno com um professor>*

ousado (ou.sa.do) *adj.s.m.* **1** (indivíduo) destemido, corajoso ↺ medroso **2** (o) que não demonstra respeito pelos outros; atrevido, insolente ↺ educado

ousar (ou.sar) *v.* {mod. 1} *t.d. e t.i.* **1** (prep. *a*) fazer (algo) com coragem, audácia; atrever-se, arriscar-se *<ousou desafiar o inimigo, frente a frente> <o. (a) invadir a trincheira inimiga>* □ *t.d.* **2** tentar realizar (algo inusitado, difícil, diferente etc.); arriscar *<o. novas receitas culinárias> <o. outra carreira>*

outão (ou.tão) [pl.: *-ões*] *s.m.* → ***OITÃO***

outdoor (out.door) [ing.; pl.: *outdoors*] *s.m.* grande cartaz de propaganda exposto em vias públicas, ao ar livre ⇒ pronuncia-se autdór

outeiro (ou.tei.ro) *s.m.* pequeno monte; colina

outono (ou.to.no) *s.m.* **1** estação entre o verão e o inverno **2** *fig.* fase anterior à velhice; ocaso ~ **outonal** *adj.2g.*

outorga (ou.tor.ga) *s.f.* ato de outorgar ou o seu efeito

outorgar (ou.tor.gar) *v.* {mod. 1} *t.d.i.* **1** (prep. *a*) dar como favor; conceder *<o. anistia aos traidores>* ↺ retirar **2** (prep. *a*) conceder (poderes) a *<o povo outorgou um mandato ao senador>* **3** (prep. *a*) dar por direito; permitir *<o diploma outorga-lhe o poder de ensinar>* **4** (prep. *a*) atribuir, imputar *<o. à beleza seu sucesso>* □ *t.d. e t.i.* **5** (prep. *com*) pôr-se de acordo em relação a; concordar *<o. uma proposta> <não outorgamos com essa decisão>* □ *t.d.* DIR **6** declarar por escritura pública *<o. uma venda>*

output (out.put) [ing.; pl.: *outputs*] *s.m.* **1** ECON o resultado da combinação de vários fatores de produção **2** ELETR corrente, voltagem, potência ou sinal produzido por circuito ou aparelho elétrico ou eletrônico **3** INF processo de transferência de dados internos armazenados para um meio externo qualquer, p.ex.: papel, microfilme etc. ⇒ pronuncia-se autput

outrem (ou.trem) *pron.ind.* outro(s) indivíduo(s) *<não eram suas ideias, eram de o.>*

outro (ou.tro) *pron.ind.* **1** algo ou alguém não especificado anteriormente e que se contrapõe a algo ou alguém definido *<não este, mas sim o o.> <em o. tempos você não diria isso>* **2** indica o segundo entre dois *<um veio, o o. faltou>* **3** mais um *<quero o. pedaço de bolo>*

outrora (ou.tro.ra) *adv.* em tempos remotos *<um fato acontecido o.>*

outrossim (ou.tros.sim) *adv.* do mesmo modo, de maneira igual, também *<todos nós temos, o., motivo para comemorar>*

outubro (ou.tu.bro) *s.m.* o décimo mês do ano no calendário gregoriano, composto de 31 dias

ouvido (ou.vi.do) *s.m.* **1** sentido pelo qual se percebem os sons; audição *<tem um o. muito apurado>* **2** ANAT denominação substituída por orelha ('órgão da audição') ☞ cf. *olvido* **3** MÚS musicalidade *<tem excelente o.>* ▣ **o. externo** ANAT denominação substituída por *orelha externa* • **o. interno** ANAT denominação substituída por *orelha interna* • **o. médio** ANAT denominação substituída por *orelha média* • **dar ouvidos a** dar crédito a (o que se diz ou a quem o diz) *<é tolice dar ouvidos a ele>* • **de o.** **1** sem preparação ou estudo **2** MÚS sem utilização de cifras ou partitura *<tocava piano de o.>* • **fazer ouvidos de mercador** fingir que não ouve • **ser todo ouvidos** prestar total atenção

ouvidor (ou.vi.dor) /ô/ [pl.: *-es*] *adj.s.m.* **1** que(m) ouve; ouvinte ■ *s.m.* **2** HIST *B* no período colonial, magistrado que os donatários colocavam em suas capitanias **3** *p.ext.* HIST *B* antigo magistrado, com as funções do atual juiz de direito **4** funcionário de empresa pública ou privada que recebe e investiga reclamações de cidadãos, consumidores etc.

ouvinte (ou.vin.te) *adj.2g.s.2g.* **1** que(m) ouve **2** (aluno) que assiste a um curso sem estar matriculado *<assistiu um semestre como o. antes de fazer as provas para a faculdade>*

ouvir (ou.vir) *v.* {mod. 28} *t.d.* **1** perceber pelo sentido da audição; escutar *<o. música> <ouviu o que ele disse?>* **2** dar atenção a; atender, considerar *<ouviu os pedidos do povo>* ↺ desconsiderar **3** observar conselho, opinião de; obedecer, respeitar *<costuma o. os pais>* **4** tomar o depoimento de; inquirir *<o juiz ouviu as testemunhas>* □ *int.* **5** ter o sentido da audição; escutar

ova (o.va) *s.f.* conjunto dos ovos de um peixe, ger. ainda envolvidos pela membrana ovariana ☞ freq. us. no pl. ▣ **uma o.** de jeito nenhum *<sono, uma o.!>*

ovação (o.va.ção) [pl.: *-ões*] *s.f.* aclamação pública, aplausos destinados a alguém ou a algo

ovacionar (o.va.cio.nar) *v.* {mod. 1} *t.d.* fazer ovação a; aclamar, aplaudir

oval (o.val) [pl.: *-ais*] *adj.2g.* **1** que tem a forma do ovo *<uma mesa o.>* ■ *s.f.* **2** figura com essa forma **3** GEOM curva plana fechada, alongada e simétrica, p.ex., a elipse

ovar (o.var) *v.* {mod. 1} *int.* **1** pôr ovos **2** criar ovas ou ovos

ovário (o.vá.rio) *s.m.* **1** ANAT cada uma das glândulas do aparelho genital feminino, que libera os óvulos e secreta hormônios **2** BOT porção inferior e dilatada do pistilo, que contém um ou mais óvulos e dá origem ao fruto ~ **ovariano** *adj.*

ovelha (o.ve.lha) /ê/ *s.f.* **1** ZOO a fêmea do carneiro **2** *fig.* cada um dos membros de uma paróquia ou diocese em relação ao sacerdote local ▣ **o. negra** quem se destaca por suas más qualidades ou diferenças em relação aos demais

overdose (over.dose) [ing.; pl.: *overdoses*] *s.f.* **1** dose excessiva **2** dose tóxica ou mortal **3** *p.ext.* quantidade ou exposição excessiva a alguém ou a algo *<o. de doce> <o. de trabalho>* ⇒ pronuncia-se ouverdose

overloque (o.ver.lo.que) *s.m.* peça de máquina de costura que chuleia e corta as pontas que sobram de um tecido ~ **overloquista** *adj.2g.s.2g.*

ovino (o.vi.no) *adj.s.m.* (espécime) da família das ovelhas, carneiros ou cordeiros *<gado o.>*

ovinocultura (o.vi.no.cul.tu.ra) *s.f.* criação de ovinos, ger. para o uso do pelo na produção da lã, ou para obtenção de carne e gordura ~ **ovinocultor** *s.m.*

ovíparo (o.ví.pa.ro) *adj.s.m.* ZOO (animal) que produz ovos que se desenvolvem e eclodem fora do organismo materno ~ **oviparidade** *s.f.* - **oviparismo** *s.m.* cf. *vivíparo*

óvni (óv.ni) *s.m.* sigla da expressão objeto voador não identificado; disco voador

ovo (o.vo) /ô/ [pl.: /ó/] *s.m.* **1** BIO em alguns animais, como aves, répteis e peixes, óvulo fecundado expelido do corpo da mãe, com reservas alimentares e envoltórios protetores **2** BIO célula reprodutora feminina madura de animais e plantas **3** o óvulo das aves, esp. o das galinhas **4** *fig.* origem, princípio ▼ ***ovos*** *s.m.pl. infrm.* **5** os testículos ◉ COL ova ▣ **o. de colombo** *fig.* solução brilhante e inédita • **o. de Páscoa** chocolate fundido em forma de ovo, ger. recheado, que se come na Páscoa • **pisar em ovos** ser cauteloso

ovoide (o.voi.de) /ói/ *adj.2g.* de forma semelhante à do ovo

ovopositor (o.vo.po.si.tor) /ô/ [pl.: *-es*] *s.m.* ZOO genitália externa das fêmeas dos insetos, responsável pela colocação dos ovos ◉ GRAM/USO tb. us. como adj.

ovovivíparo (o.vo.vi.ví.pa.ro) *adj.s.m.* (animal) cujos ovos são incubados e eclodem dentro do organismo materno (diz-se esp. de alguns peixes, répteis e invertebrados) ~ **ovoviviparidade** *s.f.* cf. *vivíparo*

ovular (o.vu.lar) *v. int.* produzir óvulos *<as mulheres adultas ovulam todo mês>* ~ **ovulação** *s.f.*

óvulo (ó.vu.lo) *s.m.* **1** pequeno ovo **2** ANAT célula feminina de reprodução produzida pelo ovário **3** BOT célula sexual feminina das angiospermas e gimnospermas, envolvida por tecidos nutritivos e protetores

[1]**oxalá** (o.xa.lá) *interj.* que expressa desejo que determinado fato ocorra; queira Deus, tomara, assim seja *<o., os meninos cheguem cedo>* ◉ ORIGEM duv., talvez do ár. *in xã 'llāh* 'se Deus quiser'

[2]**oxalá** (o.xa.lá) *s.m.* REL *B* orixá da criação, da procriação, sincretizado com Jesus Cristo [cultuado em uma forma anciã e outra jovem] ☞ inicial maiúsc. ◉ ORIGEM ior. *oxala*, red. de *orixaala*, 'o grande orixá'

oxente (o.xen.te) *interj. N.E. infrm.* us. para exprimir estranheza ou espanto *<o., isso é coisa que se diga, rapaz?>*

oxidar (o.xi.dar) /cs/ *v.* {mod. 1} *t.d. e pron.* **1** combinar(-se) com oxigênio **2** *p.ext.* cobrir(-se) de ferrugem; enferrujar(-se) ↺ desenferrujar □ *t.d.* QUÍM **3** provocar perda de elétrons a (íon, molécula) ~ **oxidação** *s.f.* - **oxidante** *adj.2g.s.m.*

óxido (ó.xi.do) /cs/ *s.m.* QUÍM composto binário de oxigênio com um outro elemento ou grupo

oxigenação (o.xi.ge.na.ção) /cs/ [pl.: *-ões*] *s.f.* **1** ação ou efeito de oxigenar **2** capacidade de oxigenar-se, de receber oxigênio *<a o. dos pulmões pelo ar puro das montanhas>*

oxigenado (o.xi.ge.na.do) /cs/ *adj.* **1** combinado com oxigênio (diz-se de substância) **2** descolorado com água oxigenada *<pelos o.>* **3** suprido de ar puro *<ambiente o.>* **4** *p.ext.* revigorado, fortalecido *<após a decisão em seu favor sentiu-se o.>*

oxigenar (o.xi.ge.nar) /cs/ *v.* {mod. 1} *t.d.* **1** QUÍM combinar com oxigênio *<o. um composto>* **2** aumentar a capacidade de receber oxigênio **3** *infrm.* descolorir (cabelo, pelos) pela aplicação de água oxigenada **4** *fig.* estimular, fortalecer com uma lufada de ar puro

O

<mudanças ministeriais oxigenam as bases políticas do governo> □ *t.d. e pron. infrm.* **5** suprir(-se) de ar bom, puro *<anda pela praia, oxigenando os pulmões>* *<todos os anos, oxigena-se na montanha>*

oxigênio (o.xi.gê.nio) /cs/ *s.m.* QUÍM elemento químico mais abundante na crosta terrestre, indispensável à vida de animais e vegetais, us. como agente oxidante, como bactericida para purificação de águas e ar na forma de ozônio, como comburente etc. [símb.: *O*] ☞ cf. *tabela periódica* (no fim do dicionário)

oxítono (o.xí.to.no) /cs/ *adj.s.m.* GRAM (vocábulo) de duas ou mais sílabas cuja sílaba tônica é a última, p.ex. *café*, *procurar*

oxiúro (o.xi.ú.ro) /cs/ *s.m.* ZOO verme nematódeo, parasita do intestino do homem ~ **oxiuríase** *s.f.*

oxoce (o.xo.ce) ou **oxóssi** (o.xós.si) *s.m.* REL orixá iorubá ligado à caça ☞ inicial maiúsc.

oxum (o.xum) [pl.: *-uns*] *s.f.* REL orixá feminino cuja encarnação é a água doce em geral ☞ inicial maiúsc.

oxumaré (o.xu.ma.ré) ou **oxumarê** (o.xu.ma.rê) *s.m.* REL orixá mediador entre o céu e a terra, do qual o arco-íris é uma das manifestações

ozônio (o.zô.nio) *s.m.* QUÍM variedade do oxigênio formada na alta atmosfera, que serve de filtro de radiações ultravioleta nocivas aos seres vivos

ozonizar (o.zo.ni.zar) *v.* {mod. 1} *t.d.* **1** produzir ozônio em **2** combinar com ozônio *<o. a água>* ~ **ozonização** *s.f.*

O

a b c d e f g h i j k l m n o **p** q r s t u v w x y z

Pp

p *s.m.* **1** 16ª letra do nosso alfabeto, consoante ■ *n.ord.* *(adj.2g.2n.)* **2** diz-se do 16º elemento de uma série <*casa P*> <*item 1p*> ☞ empr. após um substantivo ou numeral ◉ GRAM/USO na acp. s.m., pl.: *pp*

P QUÍM símbolo de *fósforo* ('elemento químico')

Pa QUÍM símbolo de *protactínio*

PA sigla do Estado do Pará

pá *s.f.* **1** utensílio que consiste numa lâmina larga na extremidade de um cabo comprido, us. para cavar o solo, recolher lixo etc. **2** objeto largo e chato constituinte de um mecanismo giratório <*pá de uma turbina*> **3** carne bovina extraída da perna da rês **4** *B gír.* grande quantidade <*chegou uma pá de gente*> ▣ **da pá virada** *N.E. infrm.* diz-se do que é brincalhão ou desordeiro, que foge a certas convenções <*rapaz da p. virada*> • **pôr** ou **jogar uma pá de cal sobre** deixar de tratar de; dar por encerrado <*vamos pôr uma pá de cal sobre esse assunto*>

[1]**paca** (pa.ca) *s.f.* ZOO grande roedor noturno de rabo curto que vive perto de rios ◉ ORIGEM tupi *'paka* 'mamífero roedor'

[2]**paca** (pa.ca) *adv.* **1** *infrm.* muito, extremamente <*ele gostou p. do filme*> **2** em grande quantidade; à beça <*comeu p.*> ◉ ORIGEM alt. eufêmica de *pa(ra) ca(ralho)* ou *ca(cete)*; há tb. as f. *praca* e *pacas*

pacas (pa.cas) *adv.* [2]*paca*

pacato (pa.ca.to) *adj.s.m.* (o) que é tranquilo, pacífico ↺ agitado ~ **pacatez** *s.f.*

pachorra (pa.chor.ra) /ô/ *s.f.* **1** falta de pressa; lentidão ↺ rapidez **2** paciência excessiva

pachorrento (pa.chor.ren.to) *adj.* executado com ou que tem pachorra <*discurso p.*> <*funcionário p.*> ↺ impaciente

paciência (pa.ci.ên.cia) *s.f.* **1** capacidade para suportar dificuldades ↺ impaciência **2** calma para aguentar algo que demora ↺ impaciência **3** RECR jogo de cartas individual que consiste em formar sequências em ordem numérica

paciente (pa.ci.en.te) *adj.2g.* **1** que tem paciência ('capacidade para suportar', 'calma') ■ *s.2g.* **2** indivíduo que sofre algum mal físico ou psíquico, esp. aquele que se encontra sob cuidados médicos ■ *adj.2g.s.m.* GRAM **3** (aquele) que recebe a ação expressa pelo verbo ~ **pacientemente** *adv.*

pacificar (pa.ci.fi.car) *v.* {mod. 1} *t.d. e pron.* (fazer) ter ou voltar à paz; acalmar(-se), tranquilizar(-se) <*p. famílias em conflito*> <*os passageiros pacificaram-se quando o trem retomou a viagem*> ~ **pacificação** *s.f.*

pacífico (pa.cí.fi.co) *adj.s.m.* **1** (o) que é amigo da paz **2** que(m) é das regiões banhadas pelo oceano Pacífico <*ilhas p.*> ■ *adj.* **3** que se passa em atmosfera de paz <*protesto p.*> **4** que se aceita sem discussão; incontestável ↺ discutível **5** do oceano Pacífico ~ **pacificidade** *s.f.*

pacifismo (pa.ci.fis.mo) *s.m.* doutrina que defende a obtenção da paz universal através do desarmamento e de negociações pacíficas dos conflitos

pacifista (pa.ci.fis.ta) *adj.2g.* **1** que revela pacifismo ■ *adj.2g.s.2g.* **2** partidário do pacifismo

paço (pa.ço) *s.m.* palácio de rei ou de bispo ☞ cf. *passo*

pacoba (pa.co.ba) *s.f.* → ***PACOVA***

paçoca (pa.ço.ca) *s.f. B* **1** doce feito de amendoim torrado e moído com açúcar **2** prato feito de carne desfiada e socada com farinha de mandioca ou de milho

pacote (pa.co.te) *s.m.* **1** pequeno embrulho <*um p. de biscoitos*> **2** *fig. infrm.* série de medidas ou de leis com a finalidade de combater um problema <*o governo prepara um p. para incentivar o turismo*> **3** *fig.* conjunto de itens correlacionados <*p. de serviços de telecomunicação*>

pacova (pa.co.va) ou **pacoba** (pa.co.ba) *s.f.* **1** banana ('fruta') ■ *adj.2g.s.2g.* **2** *pej.* (pessoa) sem iniciativa; palerma

pacóvio (pa.có.vio) *adj.s.m.* que(m) é ingênuo, simplório ↺ ladino

pacto (pac.to) *s.m.* acordo, contrato

pactual (pac.tu.al) [pl.: *-ais*] *adj.2g.* referente a pacto

pactuar (pac.tu.ar) *v.* {mod. 1} *t.d.* **1** decidir em pacto; combinar *<p. direitos e obrigações>* □ *t.i.* **2** (prep. *com*) fazer pacto, aliança, acordo *<p. com os concorrentes>* **3** (prep. *com*) ser conivente ou tolerante com; compactuar *<não se deve p. com os corruptos>*

pactuário (pac.tu.á.rio) *adj.s.m.* que(m) pactua

pacu (pa.cu) *s.m.* ZOO nome comum a diversos peixes de dentição desenvolvida, encontrados em rios da América do Sul

padaria (pa.da.ri.a) *s.f.* estabelecimento comercial que fabrica e vende pães, biscoitos etc.; panificação

padecer (pa.de.cer) *v.* {mod. 8} *t.d.,t.i. e int.* **1** (prep. *de*) sofrer (mal, dor física ou moral) *<p. martírios> <p. de remorso> <há muito tempo ele padece na cama>* □ *t.d.* **2** suportar, aguentar (fome, sede, necessidades etc.) **3** permitir, comportar *<o parecer padece contestação>* ~ **padecedor** *adj.s.m.* - **padecimento** *s.m.*

padeiro (pa.dei.ro) *s.m.* **1** quem produz e/ou vende pão **2** proprietário de padaria **3** entregador de pães

padiola (pa.di.o.la) *s.f.* **1** maca em que se transportam doentes ou feridos **2** tabuleiro com quatro varas para carregar terra, pedra etc.

padioleiro (pa.di.o.lei.ro) *s.m.* carregador de padiola

[1]**padrão** (pa.drão) [pl.: *-ões*] *s.m.* **1** base para comparação *<p. métrico>* **2** modelo a ser imitado **3** grau de qualidade *<escola de alto p.>* **4** desenho decorativo em tecido ou noutro material; padronagem *<azulejo com p. azul>* ◉ ORIGEM lat. *patrōnus,i* 'patrono, protetor dos plebeus; advogado, defensor; *fig.* arrimo, apoio'

[2]**padrão** (pa.drão) [pl.: *-ões*] *s.m.* LING red. de língua padrão

padrasto (pa.dras.to) [fem.: *madrasta*] *s.m.* homem em relação aos filhos que sua mulher teve em casamento anterior

padre (pa.dre) [fem.: *madre*] *s.m.* sacerdote católico

padre-cura (pa.dre-cu.ra) [pl.: *padres-curas*] *s.m.* padre que cuida de uma paróquia

padre-nosso (pa.dre-nos.so) [pl.: *padre-nossos* e *padres-nossos*] *s.m.* REL pai-nosso

padrinho (pa.dri.nho) [fem.: *madrinha*] *s.m.* **1** homem que atua como testemunha em batismo, crisma, casamento **2** quem patrocina, financia; patrono ▼ ***padrinhos*** *s.m.pl.* **3** padrinho e madrinha *<Jonas e Marta serão nossos p. de casamento>*

padroeiro (pa.dro.ei.ro) *adj.s.m.* que(m) defende, protege *<santo p.> <são Sebastião é o p. da cidade do Rio de Janeiro>*

padronagem (pa.dro.na.gem) [pl.: *-ens*] *s.f.* [1]padrão ('desenho decorativo')

padronização (pa.dro.ni.za.ção) [pl.: *-ões*] *s.f.* **1** ação de padronizar **2** conjunto de modelos ou normas aprovados para a elaboração de um produto *<p. de rótulos de remédio>*

padronizar (pa.dro.ni.zar) *v.* {mod. 1} *t.d.* estabelecer o padrão de; uniformizar *<p. as esquadrias de um prédio>* ↺ diferenciar

paelha (pa.e.lha) /ê/ *s.f.* CUL prato de origem espanhola, à base de arroz, frutos do mar, carnes e vegetais temperados com açafrão

paetê (pa.e.tê) *s.m.* bordado feito com lantejoulas

paga (pa.ga) *s.f.* **1** pagamento **2** recompensa, compensação

pagadoria (pa.ga.do.ri.a) *s.f.* local em que se efetuam pagamentos

pagamento (pa.ga.men.to) *s.m.* **1** ação de pagar **2** salário ou retribuição por serviços prestados **3** restituição de quantia devida; reembolso *<p. de despesas comprovadas>*

paganismo (pa.ga.nis.mo) *s.m.* **1** o conjunto dos não batizados; gentilidade **2** religião em que se cultuam muitos deuses; gentilidade

paganizar (pa.ga.ni.zar) *v.* {mod. 1} *t.d. e pron.* **1** tornar(-se) pagão □ *int.* **2** agir como pagão

pagão (pa.gão) [pl.: *-ãos*; fem.: *pagã*] *adj.s.m.* **1** que(m) não foi batizado **2** seguidor de religião que não adota o batismo

pagar (pa.gar) *v.* {mod. 1} *t.d. e t.d.i.* **1** (prep. *a*) dar dinheiro (ou qualquer paga) em troca de serviço prestado; remunerar *<p. um funcionário> <pagou o serviço ao homem>* **2** (prep. *para*) dar dinheiro em troca de algo comprado ou consumido por si ou por outrem *<p. um almoço (para os colegas)>* **3** (prep. *a*) tornar quite (dívida, encargo) *<p. impostos> <pagou-lhe o empréstimo>* **4** (prep. *com*) compensar de maneira equivalente; retribuir *<p. uma visita> <p. com ódio uma traição>* □ *t.d.i.* **5** (prep. *com*) entregar (algo) para cobrir (despesa, débito, dívida) *<pagou a dívida com um terreno>* □ *t.d. e t.i.* **6** (prep. *por*) sofrer castigo ou penalidade por; padecer *<p. (por) vários pecados>* ◉ GRAM/USO part.: *pagado, pago*; ver QUADRO DE PARTICÍPIOS DUPLOS nas pp. iniciais

página (pá.gi.na) *s.f.* **1** cada lado de uma folha de papel escrita ou impressa **2** o texto nele contido **3** INF conjunto de informações reunidas num documento multimídia que são exibidas simultaneamente no vídeo do computador

paginação (pa.gi.na.ção) [pl.: *-ões*] *s.f.* **1** ação de paginar ou o seu efeito **2** ordem numérica das páginas **3** GRÁF composição gráfica da página de uma publicação; diagramação

paginador (pa.gi.na.dor) /ô/ [pl.: *-es*] *adj.s.m.* GRÁF encarregado de montar a página de uma publicação, de acordo com um projeto prévio

paginar (pa.gi.nar) *v.* {mod. 1} *t.d.* **1** numerar sequencialmente as páginas de *<p. um caderno>* **2** reunir e dispor graficamente as páginas de (livro, periódico etc.) **3** transformar em página (composição com títulos, gravuras etc.)

pago (pa.go) *adj.* **1** que se pagou **2** assalariado, remunerado *<empregado p.>* **3** dado em pagamento *<prestação p.>* **4** vingado, desforrado *<injúria p.>* ◉ GRAM/USO part. de *pagar*

pagode (pa.go.de) *s.m.* **1** ARQ templo ou monumento de certas regiões do Oriente **2** pândega **3** MÚS estilo de samba **4** reunião informal em que se toca esse estilo de música

pagodeiro (pa.go.dei.ro) *s.m.* **1** quem compõe ou interpreta pagode ('estilo de samba') **2** quem frequenta pagodes ('reunião')

pai [fem.: *mãe*] *s.m.* **1** homem que gerou outra pessoa; genitor **2** aquele que trata alguém com a dedicação de um genitor *<o p. dos pobres>* **3** REL primeira pessoa da Trindade, entendida como aquele que gera o Filho desde a eternidade ☞ inicial maiúsc. **4** autor, criador *<ele é o p. da ideia>* ▼ ***pais*** *s.m.pl.* **5** o pai e a mãe **6** genealogia, linhagem

pai de santo (pai de san.to) [pl.: *pais de santo*; fem.: *mãe de santo*] *s.m.* REL *B* chefe espiritual nos locais de culto de certas religiões afro-brasileiras, como umbanda, candomblé; babalorixá

pai de todos (pai de to.dos) [pl.: *pais de todos*] *s.m. infrm.* o dedo médio da mão

pai dos burros (pai dos bur.ros) [pl.: *pais dos burros*] *s.m. infrm.* dicionário

paina (pai.na) /ãi/ *s.f.* BOT fibra sedosa, semelhante ao algodão, que cobre as sementes de várias plantas, como a paineira

painço (pa.in.ço) *s.m.* BOT **1** tipo de gramínea cultivada como forragem e para a produção de farinha e de bebidas alcoólicas **2** o grão dessa planta

paineira (pai.nei.ra) *s.f.* BOT árvore grande, de tronco espinhoso e sementes cobertas por paina

[1]**painel** (pai.nel) [pl.: *-éis*] *s.m.* **1** trabalho artístico executado sobre quadro fino, ger. retangular, arrematado por uma moldura **2** placa divisória, us. em salas de exposições, museus etc. **3** quadro com os controles de uma máquina ◉ ORIGEM do esp. *painel* 'id.'

[2]**painel** (pai.nel) [pl.: *-éis*] *s.m.* **1** grupo de pessoas reunidas para debater um assunto **2** debate realizado por esse grupo ◉ ORIGEM do ing. *panel* 'grupo de pessoas reunidas para um debate'

pai-nosso (pai-nos.so) [pl.: *pai-nossos* e *pais-nossos*] *s.m.* oração católica iniciada com essas palavras ▣ **ensinar o p. ao vigário** pretender ensinar algo a alguém mais experiente ou competente

paio (pai.o) *s.m.* tipo de linguiça feita de carne de porco curada e defumada

paiol (pai.ol) [pl.: *-óis*] *s.m.* **1** depósito de pólvora e outras munições **2** *B* armazém para produtos agrícolas

pairar (pai.rar) *v.* {mod. 1} *int.* **1** sustentar-se no ar aparentando imobilidade *<o beija-flor pairava no ar>* **2** *fig.* estar ou ficar no alto **3** estar para acontecer; ameaçar □ *t.i.* **4** (prep. *entre*) estar indeciso; hesitar **5** (prep. *sobre*) pesar, recair *<paira sobre ela a desconfiança>*

país (pa.ís) *s.m.* **1** território de uma nação ('agrupamento') **2** conjunto de habitantes desse território **3** pátria, terra

paisagem (pai.sa.gem) [pl.: *-ens*] *s.f.* **1** espaço geográfico que o olhar alcança num lance; panorama, vista **2** pintura, gravura, fotografia etc. cujo tema principal é uma paisagem

paisagismo (pai.sa.gis.mo) *s.m.* **1** representação artística de paisagens **2** técnica de criação de parques e jardins de valor estético

paisagista (pai.sa.gis.ta) *adj.2g.s.2g.* que(m) se dedica ao paisagismo

paisagística (pai.sa.gís.ti.ca) *s.f.* arte do paisagista

paisagístico (pai.sa.gís.ti.co) *adj.* próprio de paisagem ou do paisagismo

paisana (pai.sa.na) *s.f.* ◗ usado em: **à p.** em traje civil (falando-se de militar)

paisano (pai.sa.no) *adj.s.m.* **1** que(m) não é militar **2** que(m) é compatriota

paixão (pai.xão) [pl.: *-ões*] *s.f.* **1** grande sofrimento; martírio *<p. de Cristo>* ↺ prazer **2** afeto ou entusiasmo muito intenso por algo ou alguém *<p. pelo futebol>* ↺ indiferença **3** o objeto desse afeto ou entusiasmo

paixonite (pai.xo.ni.te) *s.f. B infrm.* forte paixão amorosa

pajé (pa.jé) *s.m.* indivíduo responsável pelos rituais mágicos indígenas e a quem se atribuem poderes videntes e curadores

pajear (pa.je.ar) *v.* {mod. 5} *t.d.* **1** *B* tomar conta de (criança); vigiar **2** *p.ext.* servir com zelo excessivo; adular, mimar

pajelança (pa.je.lan.ça) *s.f. B* ritual indígena de cura e magia feito por pajé

pajem (pa.jem) [pl.: *-ens*] *s.m.* na Idade Média, rapaz nobre que acompanhava um rei, um senhor etc. para aprender o serviço das armas

pala (pa.la) *s.f.* **1** aba que protege os olhos da luz em bonés, quepes etc.; viseira **2** anteparo para proteger os olhos do excesso de claridade **3** parte adornada, abaixo do decote ou da gola de uma blusa

palacete (pa.la.ce.te) /ê/ *s.m.* **1** pequeno palácio **2** casa grande e luxuosa ◉ GRAM/USO dim.irreg. de *palácio*

palaciano (pa.la.ci.a.no) *adj.* **1** próprio de palácio ou de quem nele vive *<vida p.>* ■ *s.m.* **2** quem vive ou trabalha na corte; cortesão

palácio (pa.lá.cio) *s.m.* **1** moradia luxuosa de rei, governante etc. **2** *p.ext.* mansão suntuosa ↺ casebre **3** edifício suntuoso em que funciona sede de governo ou de serviço público *<P. da Justiça>* ☞ nesta acp., inicial ger. maiúsc.

paladar (pa.la.dar) [pl.: *-es*] *s.m.* **1** sentido por meio do qual se distinguem os sabores **2** ANAT palato

paladino (pa.la.di.no) *s.m.* **1** cada um dos cavaleiros do séquito de Carlos Magno **2** *fig.* grande e bravo defensor *<p. da justiça>*

paládio (pa.lá.dio) *s.m.* QUÍM elemento químico metálico, us. em diferentes ligas e em trabalhos de joalheria, prótese dentária etc. [símb.: *Pd*] ☞ cf. *tabela periódica* (no fim do dicionário)

palafita (pa.la.fi.ta) *s.f.* **1** conjunto de estacas que sustentam uma casa construída sobre a água ou um terreno alagadiço **2** casa construída sobre essas estacas

palanque (pa.lan.que) *s.m.* tablado para participantes ou espectadores de evento ao ar livre

palatal (pa.la.tal) [pl.: *-ais*] *adj.2g.* palatino

P

palatável (pa.la.tá.vel) [pl.: *-eis*] *adj.2g.* **1** saboroso *<comida p.>* ↺ insípido **2** *fig.* agradável ao espírito *<com a nova redação o texto tornou-se bastante p.>*

palatino (pa.la.ti.no) *adj.* relativo ao palato; palatal

palato (pa.la.to) *s.m.* ANAT parte superior da boca, que faz a divisão entre as cavidades oral e nasal; paladar

palavra (pa.la.vra) *s.f.* **1** unidade da língua, constituída de um ou mais fonemas, que se transcreve graficamente entre dois espaços em branco **2** sua representação gráfica **3** manifestação escrita ou verbal *<todos prestaram atenção à p. do orador>* ☞ tb. us. no pl. **4** *fig.* compromisso verbal *<todos acreditam na sua p.>* **5** *fig.* permissão para falar *<pedir a p.>* **6** *p.ext.* doutrina religiosa *<a p. dos apóstolos>* ▣ **p. de honra** declaração oral e solene de compromisso • **p. cruzadas** RECR jogo de palavras que se entrecruzam horizontal e verticalmente e que devem ser adivinhadas pelo jogador com base em definições ou sinônimos dados pelo autor • **cortar a p.** interromper a fala de alguém • **dar a p. 1** passar a palavra (a alguém) **2** comprometer-se • **medir as p.** falar com prudência • **tirar a p. da boca** antecipar-se em falar o que ia ser dito por (outra pessoa) • **última p. 1** resolução definitiva **2** o que há de mais moderno *<última p. em video game>*

palavrada (pa.la.vra.da) *s.f.* **1** dito ou ato arrogante; bravata **2** palavrão

palavrão (pa.la.vrão) [pl.: *-ões*] *s.m.* palavra obscena, grosseira; palavrada

palavreado (pa.la.vre.a.do) *s.m.* **1** conversa sem nexo ou valor; palavrório **2** lábia, ardil; palavrório

palavrear (pa.la.vre.ar) *v.* {mod. 5} *int.* **1** falar demais e sem pensar □ *t.i.* **2** (prep. *a*) dirigir a palavra a; falar *<o candidato palavreou ao eleitorado>* **3** (prep. *com*) trocar palavras, ideias; conversar *<durante a festa, palavreou longamente com o anfitrião>*

P

palavrório (pa.la.vró.rio) *s.m.* palavreado

palavroso (pa.la.vro.so) /ô/ [pl. e fem.: /ó/] *adj.* **1** que tem muitas palavras *<discurso p.>* ↺ resumido **2** que fala muito; falador ↺ tartamudo

palco (pal.co) *s.m.* **1** tablado ou estrado em que se apresentam espetáculos teatrais ou musicais **2** *fig.* a arte teatral *<ter grande talento para o p.>*

paleoceno (pa.le.o.ce.no) *s.m.* **1** primeira e mais antiga época do período terciário, anterior ao Eoceno, marcada pelo desenvolvimento dos mamíferos primitivos ☞ inicial maiúsc. ■ *adj.* **2** dessa época

paleografia (pa.le.o.gra.fi.a) *s.f.* estudo de antigas formas de escrita ~ **paleográfico** *adj.* - **paleógrafo** *s.m.*

paleolítico (pa.le.o.lí.ti.co) *s.m.* **1** período mais antigo da Pré-história, anterior ao Mesolítico, caracterizado pelo uso de armas e ferramentas feitas com pedras lascadas ☞ inicial maiúsc. ■ *adj.* **2** relativo a esse período

paleologia (pa.le.o.lo.gi.a) *s.f.* estudo de línguas antigas ~ **paleológico** *adj.*

paleólogo (pa.le.ó.lo.go) *adj.s.m.* que(m) é especialista em paleologia

paleontologia (pa.le.on.to.lo.gi.a) *s.f.* ciência que estuda formas de vida existentes em períodos geológicos passados, a partir dos seus fósseis ~ **paleontológico** *adj.* - **paleontólogo** *s.m.*

paleontologista (pa.le.on.to.lo.gis.ta) *adj.2g.s.2g.* especialista em paleontologia

paleozoico (pa.le.o.zoi.co) /ói/ *s.m.* **1** era geológica anterior ao Mesozoico, em que surgem os vermes, insetos, batráquios, répteis e peixes ☞ inicial maiúsc. ■ *adj.* **2** dessa era

palerma (pa.ler.ma) *adj.2g.s.2g.* bobo, imbecil ↺ esperto ~ **apalermar** *v.t.d. e pron.*

palermice (pa.ler.mi.ce) *s.f.* atitude de palerma ↺ esperteza

palestino (pa.les.ti.no) *adj.* **1** da Palestina (Oriente Médio) ■ *s.m.* **2** natural ou habitante dessa região

palestra (pa.les.tra) *s.f.* **1** conversa **2** exposição oral e formal sobre um tema

palestrador (pa.les.tra.dor) /ô/ [pl.: *-es*] *adj.s.m.* palestrante

palestrante (pa.les.tran.te) *adj.2g.s.2g.* que(m) dá palestra; palestrador

palestrar (pa.les.trar) *v.* {mod. 1} *t.i. e int.* **1** (prep. *com*) trocar palavras, ideias (com); conversar *<os passageiros palestravam com o comandante> <as visitas palestravam na sala>* □ *int.* **2** proferir palestra

paleta (pa.le.ta) /ê/ *s.f.* **1** lâmina oval e de madeira sobre a qual o pintor dispõe e mistura porções de tintas; palheta **2** *S. C.-O.* escápula de animal ou das pessoas

paletó (pa.le.tó) *s.m.* VEST casaco com bolsos externos, cujo comprimento alcança os quadris

palha (pa.lha) *s.f.* **1** tira seca da haste de gramíneas, esp. de cereais **2** tira seca e maleável de junco, vime etc. ▣ **p. de aço** emaranhado de fio de aço us. como esfregão • **não mexer uma p.** não fazer ou providenciar nada *<não mexeu uma p. para ajudar o amigo>*

palhaçada (pa.lha.ça.da) *s.f.* **1** atitude de palhaço **2** *pej.* acontecimento ridículo **3** conjunto de palhaços

palhaço (pa.lha.ço) *s.m.* **1** comediante de circo, que usa maquiagem e trajes extravagantes **2** *p.ext. pej.* pessoa ridícula ◉ COL palhaçada

palheiro (pa.lhei.ro) *s.m.* depósito de palha

[1]**palheta** (pa.lhe.ta) /ê/ *s.f.* **1** paleta de pintura **2** pá de hélice, ventilador etc. **3** MÚS pequena peça próxima à embocadura de certos instrumentos de sopro que vibra com a passagem do ar **4** MÚS pequena lâmina us. para tocar certos instrumentos de corda, como bandolim, cavaquinho etc. ◉ ORIGEM alt. de *paleta*

[2]**palheta** (pa.lhe.ta) /ê/ *s.m.* chapéu masculino feito de palha ◉ ORIGEM de *palha* + *-eta*

palhinha (pa.lhi.nha) *s.f.* tira bem fina de junco seco, us. em encostos e assentos de cadeiras

palhoça (pa.lho.ça) *s.f.* casa rústica coberta de palha

paliar (pa.li.ar) *v.* {mod. 1} *t.d.* **1** revestir de falsa aparência; disfarçar *<p. a miséria>* **2** tornar menos intenso; amenizar *<a prefeitura apenas paliou a difícil situação dos desabrigados>* ↺ intensificar **3** aliviar por um tempo; remediar *<p. a dor>* ~ **paliação** *s.f.*

paliativo (pa.li.a.ti.vo) *adj.s.m.* **1** (remédio ou tratamento) que abranda temporariamente uma doença *<medicamento p.> <essa terapia foi apenas um p.>* **2** *p.ext.* (medida) que atenua ou adia a solução de um problema *<diante do desastre ecológico, foram tomadas medidas p.> <a distribuição de alimentos foi um p. para a população>*

paliçada (pa.li.ça.da) *s.f.* **1** cerca de estacas pontudas **2** barreira defensiva feita com estacas alinhadas

palidez (pa.li.dez) /ê/ [pl.: *-es*] *s.f.* **1** descoramento da pele **2** *p.ext.* desbotamento de uma cor

pálido (pá.li.do) *adj.* **1** diz-se da pele descorada, esp. do rosto ↺ corado **2** de cor fraca *<sala de tom p.>* ↺ forte **3** *fig.* sem entusiasmo; inexpressivo *<p. manifestação de apoio>* ↺ expressivo

palimpsesto (pa.limp.ses.to) *s.m.* pergaminho cujo texto foi escrito em cima de outro que fora raspado

palíndromo (pa.lín.dro.mo) *s.m.* frase ou palavra que, lida de trás para a frente, mantém o mesmo sentido *<Raul ama luar>* ◉ GRAM/USO tb. us. como adj.

pálio (pá.lio) *s.m.* **1** manto antigo **2** espécie de dossel sustentado por varas, que cobre pessoa ou imagem venerada num cortejo **3** *fig.* grande luxo e suntuosidade

palitar (pa.li.tar) *v.* {mod. 1} *t.d.* limpar com palito (os dentes)

paliteiro (pa.li.tei.ro) *s.m.* recipiente para guardar palitos

palito (pa.li.to) *s.m.* **1** pequena haste pontuda, ger. de madeira, us. para limpar os dentes **2** haste pequena e fina *<p. de picolé>* **3** *fig.* pessoa muito magra

palma (pal.ma) *s.f.* **1** ANAT face interna da mão, entre o pulso e os dedos **2** batida das mãos, em sinal de elogio; aplauso ☞ mais us. no pl. **3** BOT palmeira **4** BOT folha de palmeira ▣ **ter na p. da mão** dominar *<tinha o chefe na p. da mão>*

palmada (pal.ma.da) *s.f.* golpe com a palma da mão

palmado (pal.ma.do) *adj.* em forma de mão aberta *<folha p.>*

palmar (pal.mar) [pl.: *-es*] *s.m.* **1** palmeiral ■ *adj.2g.* **2** relativo a palma **3** do tamanho de um palmo

palmatória (pal.ma.tó.ria) *s.f.* instrumento de madeira constituído de uma peça circular afixada a um cabo, com que se batia na palma da mão de uma pessoa, para castigá-la

palmear (pal.me.ar) *v.* {mod. 5} *t.d. e int.* **1** aplaudir com palmas *<ao final do concerto, o público palmeou (o pianista) por cinco minutos>* □ *t.d.* **2** *B* percorrer a pé, aos poucos; palmilhar *<p. o interior, o sertão>*

palmeira (pal.mei.ra) *s.f.* BOT nome comum às plantas de uma extensa família de árvores nativas de regiões tropicais, de tronco único, encimado por folhas em forma de penas; palma ◉ COL palmeiral

palmeiral (pal.mei.ral) [pl.: *-ais*] *s.m.* grande concentração de palmeiras em determinada área; palmar

palmense (pal.men.se) *adj.2g.* **1** de Palmas (TO) ■ *s.2g.* **2** natural ou habitante dessa capital

palmilha (pal.mi.lha) *s.f.* peça que reveste internamente a sola do sapato

palmilhar (pal.mi.lhar) *v.* {mod. 1} *t.d.* **1** percorrer a pé, aos poucos, com atenção; palmear *<palmilhou a cidade em busca de parentes>* **2** andar calcando com os pés *<p. a terra fofa>* **3** pôr palmilha em *<p. um calçado>* □ *int.* **4** andar a pé; caminhar

palmípede (pal.mí.pe.de) *adj.2g.s.m.* ZOO (ave) cujos dedos dos pés são unidos por membranas

palmital (pal.mi.tal) [pl.: *-ais*] *s.m.* grande concentração de palmitos ('palmeira') em determinada área

palmito (pal.mi.to) *s.m.* **1** gomo macio comestível tirado do caule de certas palmeiras **2** BOT palmeira que produz esse gomo comestível ◉ COL palmital

palmo (pal.mo) *s.m.* **1** distância entre a ponta do polegar e a do mínimo em mão aberta **2** antiga medida de comprimento igual a 22 cm

palpar (pal.par) *v.* {mod. 1} *t.d. e pron.* tocar(-se) com as mãos; tatear(-se), apalpar(-se) ~ **palpação** *s.f.*

palpável (pal.pá.vel) [pl.: *-eis*] *adj.2g.* **1** que se pode tocar; concreto ↺ intangível **2** *fig.* óbvio, evidente *<sucesso p.>*

pálpebra (pál.pe.bra) *s.f.* ANAT membrana móvel que cobre a parte dianteira do olho, protegendo-o ~ **palpebral** *adj.2g.*

palpitação (pal.pi.ta.ção) [pl.: *-ões*] *s.f.* **1** MED sensação de batimento acelerado do coração **2** movimentação, agitação

palpitante (pal.pi.tan.te) *adj.2g.* **1** que palpita **2** *fig.* muito interessante *<assunto p.>*

palpitar (pal.pi.tar) *v.* {mod. 1} *int.* **1** (fazer) sentir palpitações; bater, latejar, pulsar *<com medo, sentia o coração p.>* **2** *fig.* renovar-se, renascer *<com a nova paixão sentiu a vida p.>* **3** dar palpite(s)

palpite (pal.pi.te) *s.m.* **1** intuição, pressentimento **2** *infrm.* opinião de intrometido *<gosta de dar p. sobre tudo>*

palpiteiro (pal.pi.tei.ro) *adj.s.m.* *infrm.* que(m) costuma dar palpites ('opinião')

palpo (pal.po) *s.m.* ANAT ZOO apêndice das maxilas ou dos lábios de insetos ▣ **em palpos de aranha** em má situação

palrador (pal.ra.dor) /ô/ [pl.: *-es*] *adj.s.m.* que(m) é falador, tagarela

palrar (pal.rar) *v.* {mod. 1} ou **palrear** (pal.re.ar) *v.* {mod. 5} *int.* **1** articular sons incompreensíveis ou sem nexo **2** emitir sons (papagaio e outras aves), como a imitar a voz humana; chalrear ☞ nesta acp., só us. nas 3as p., exceto quando fig. **3** falar muito; tagarelar ~ **palração** *s.f.*

palrice (pal.ri.ce) *s.f.* costume de falar muito, tagarelar

palude (pa.lu.de) *s.m.* pântano

paludismo (pa.lu.dis.mo) *s.m.* MED malária

paludoso (pa.lu.do.so) /ô/ [pl. e fem.: /ó/] *adj.* que tem paludes; pantanoso *<região p.>*

palustre (pa.lus.tre) *adj.2g.* **1** próprio de pântano **2** encharcado, lodoso

pam- *pref.* pan-

pamonha (pa.mo.nha) *s.f.* **1** doce de milho verde moído, cozido e enrolado em sua palha ■ *adj.2g.s.2g.* **2** *pej.* (indivíduo) sem ação, preguiçoso ↺ dinâmico

pampa (pam.pa) *s.m.* **1** grande planície de vegetação rasteira, típica do Rio Grande do Sul, do Uruguai e da Argentina ☞ nesta acp. mais us. no pl. **2** GEO área dessa vegetação ■ *adj.2g.* **3** que tem parte do corpo de cor diferente daquela predominante (diz-se de cavalo) ▣ **à(s) p.(s)** *B infrm.* em grande quantidade ou intensidade; à beça *<corajoso à p.> <comida às p.>*

pampeiro (pam.pei.ro) *s.m.* **1** vento forte que sopra nos pampas da Argentina e atinge o Rio Grande do Sul ■ *adj.s.m.* **2** pampiano

pampiano (pam.pi.a.no) *adj.* **1** dos pampas; pampeiro ■ *s.m.* **2** natural ou habitante dessa região; pampeiro

pan- *pref.* todos, inteiridade, totalidade: *pandemia* ☞ também us. sob as formas *pam-*, *pant-* ou *panto-*

panaca (pa.na.ca) *adj.2g.s.2g.* *B pej.* ingênuo ou bobo demais ↺ esperto

panaceia (pa.na.cei.a) /éi/ *s.f.* **1** remédio que supostamente cura tudo **2** *fig.* o que se emprega para remediar dificuldades

panamá (pa.na.má) *s.m.* **1** tecido macio e encorpado, us. em roupas masculinas e femininas de verão **2** chapéu-panamá

panamenho (pa.na.me.nho) *adj.* **1** do Panamá (América Central) ■ *s.m.* **2** natural ou habitante desse país

pan-americanismo (pan-a.me.ri.ca.nis.mo) [pl.: *pan-americanismos*] *s.m.* doutrina que defende a aliança e cooperação entre todos os países das Américas

pan-americanista (pan-a.me.ri.ca.nis.ta) [pl.: *pan-americanistas*] *adj.2g.* **1** próprio do pan-americanismo ■ *adj.2g.s.2g.* **2** partidário do pan-americanismo

pan-americano (pan-a.me.ri.ca.no) [pl.: *pan-americanos*] *adj.* relativo a todos os países das Américas

panapaná (pa.na.pa.ná) *s.f.* bando de borboletas em migração

panarício (pa.na.rí.cio), **panariço** (pa.na.ri.ço) ou **panariz** (pa.na.riz) [pl.: *-es*] *s.m.* MED inflamação da pele em volta da unha

panca (pan.ca) *s.f.* **1** alavanca de madeira **2** *B infrm.* postura artificial; pose

pança (pan.ça) *s.f.* **1** nos ruminantes, cavidade inicial do estômago **2** *infrm.* barriga volumosa

pancada (pan.ca.da) *s.f.* **1** choque entre dois corpos **2** barulho de um corpo ao bater em outro **3** *infrm.* grande quantidade *<uma p. de cartas para responder>* ■ *adj.2g.* *B infrm.* **4** maluco, louco *<sujeito um tanto p.>* ↺ equilibrado, sensato

pancadaria (pan.ca.da.ri.a) *s.f.* **1** muitas pancadas; surra **2** briga generalizada em que os envolvidos trocam pancadas

pâncreas (pân.creas) *s.m.2n.* ANAT glândula secretora de insulina e enzimas digestivas

pancreático (pan.cre.á.ti.co) *adj.* **1** do pâncreas **2** secretado pelo pâncreas (diz-se de suco digestivo)

pançudo (pan.çu.do) *adj.s.m.* **1** *infrm.* que tem pança grande; barrigudo **2** *B pej.* (indivíduo) que vive à custa de outro

panda (pan.da) *s.m.* ZOO mamífero grande semelhante a um urso de pelagem branca e preta que come brotos e raízes de bambu

pandarecos (pan.da.re.cos) *s.m.pl.* cacos, destroços ▣ **em p.** *infrm.* **1** em mau estado; destruído *<bicicleta em p.>* **2** muito cansado; exausto

pândega (pân.de.ga) *s.f.* **1** festa ruidosa; festança **2** brincadeira

pândego (pân.de.go) *adj.s.m.* **1** quem frequenta pândegas; festeiro **2** alegre, brincalhão

pandeiro (pan.dei.ro) *s.m.* MÚS instrumento de percussão constituído de aro de madeira, com ou sem guizos a sua volta, coberto por uma membrana

pandemia (pan.de.mi.a) *s.f.* MED epidemia disseminada em extensa área geográfica ou em grande parte de uma população ~ **pandêmico** *adj.*

pandemônio (pan.de.mô.nio) *s.m.* mistura desordenada de pessoas ou coisas; confusão ↺ ordem

pando (pan.do) *adj.* **1** inchado, inflado *<ventre p.>* ↺ murcho **2** abaulado por causa do vento; inflado *<com as velas p., o barco zarpou>*

pandorga (pan.dor.ga) *s.f.* **1** música sem ritmo e ruidosa **2** *B* pipa, papagaio ■ *adj.2g.s.2g.* **3** que(m) é tolo, ingênuo

pane (pa.ne) *s.f.* falha no funcionamento do motor de automóvel, avião etc., que ger. provoca uma parada

panegírico (pa.ne.gí.ri.co) *s.m.* **1** discurso de elogio solene ■ *adj.* **2** que contém elogio; elogioso, laudatório *<discurso p.>*

paneiro (pa.nei.ro) *s.m.* tipiti ('cesto')

panela (pa.ne.la) *s.f.* **1** recipiente com cabo ou alças, us. para cozinhar alimentos **2** *infrm.* panelinha ▣ **p. de pressão** **1** panela com tampa hermética e válvula de segurança, us. para cozer alimentos rapidamente **2** *fig.* ambiente ou situação em que há grande tensão, causada por hostilidades entre pessoas ou grupos com interesses divergentes *<o escritório está uma p. de pressão>*

panelinha (pa.ne.li.nha) *s.f.* *infrm.* **1** grupo fechado **2** grupo que protege e reparte vantagens apenas entre seus membros

panetone (pa.ne.to.ne) *s.m.* CUL pão doce com frutas cristalizadas, originário da Itália

panfletar (pan.fle.tar) *v.* {mod. 1} *int.* fazer e/ou distribuir panfletos ~ **panfletagem** *s.f.*

panfletário (pan.fle.tá.rio) *adj.* **1** próprio de panfleto **2** que faz críticas contundentes *<livro p.>* **3** que defende radicalmente uma ideia ■ *s.m.* **4** autor de panfletos; panfletista

panfletista (pan.fle.tis.ta) *adj.2g.s.2g.* panfletário

panfleto (pan.fle.to) /ê/ *s.m.* **1** texto curto e veemente, impresso e distribuído em folha avulsa **2** folha avulsa que contém esse texto

pangaré (pan.ga.ré) *s.m.* *B* cavalo de má qualidade, ordinário

pangeia (pan.gei.a) /éi/ *s.f.* GEOL grande continente hipotético que teria se fragmentado e originado os continentes atuais ☞ inicial maiúsc.

pânico (pâ.ni.co) *s.m.* **1** susto ou medo sem fundamento **2** susto ou medo descontrolado de um indivíduo ou grupo ■ *adj.* **3** que assusta ou amedronta, sem motivo determinado *<medo p.>*

panificação (pa.ni.fi.ca.ção) [pl.: *-ões*] *s.f.* **1** produção de pão **2** *B* padaria

panificador (pa.ni.fi.ca.dor) /ô/ [pl.: *-es*] *adj.s.m.* (o) que faz pão

panificadora (pa.ni.fi.ca.do.ra) /ô/ *s.f. B* padaria

pano (pa.no) *s.m.* **1** qualquer tipo de tecido **2** qualquer pedaço de tecido, us. esp. para fins domésticos *<p. de chão, de prato>* ▣ **p. de fundo 1** TEAT tela ao fundo do palco que complementa o cenário **2** *fig.* contexto em que se desenrola uma ação • **p. quentes** providência para amenizar ou encobrir situação difícil *<quando a discussão começou, puseram logo p. quentes>* • **dar p. para manga** *infrm.* dar motivo para comentários • **por (de)baixo do p.** *infrm.* de maneira oculta; às escondidas

panorama (pa.no.ra.ma) *s.m.* **1** grande pintura circular que retrata uma paisagem como se observada do alto **2** *fig.* visão ampla, em todas as direções, de uma área extensa; paisagem **3** *fig.* apresentação abrangente sobre um assunto *<p. da literatura brasileira>*

panorâmica (pa.no.râ.mi.ca) *s.f.* **1** visão ampla, em todas as direções; panorama **2** estudo completo de determinada matéria; panorama **3** CINE TV movimento circular de uma câmera **4** CINE TV o plano filmado com esse movimento *<essa novela tem p. lindas>*

panorâmico (pa.no.râ.mi.co) *adj.* **1** relativo a panorama **2** que proporciona ampla vista *<janela p.> <tela p.>*

panqueca (pan.que.ca) *s.f.* CUL disco fino de massa que se cozinha numa chapa dos dois lados

pant- *pref.* pan-

pantagruélico (pan.ta.gru.é.li.co) *adj.* que evoca Pantagruel, personagem muito voraz *<fome p.>* ☞ cf. *Pantagruel* na parte enciclopédica

pantalonas (pan.ta.lo.nas) *s.f.pl.* calças compridas de bocas largas

pantanal (pan.ta.nal) [pl.: *-ais*] *s.m.* **1** pântano extenso **2** GEO maior planície inundável do planeta, com uma área de cerca de 120 mil km^2, abrange o S.O. de Mato Grosso, o O. de Mato Grosso do Sul e parte do Paraguai, um dos mais importantes ecossistemas do Brasil ☞ inicial maiúsc.

pantaneiro (pan.ta.nei.ro) *adj.* **1** próprio de pântano ou do Pantanal mato-grossense ■ *s.m.* **2** natural ou habitante do Pantanal mato-grossense

pântano (pân.ta.no) *s.m.* região de terras baixas e alagadiças, com águas paradas ~ **pantanoso** *adj.*

panteão (pan.te.ão) [pl.: *-ões*] *s.m.* **1** entre os antigos gregos e romanos, templo dedicado aos deuses **2** monumento que guarda restos mortais de heróis ou cidadãos ilustres de uma nação

panteísmo (pan.te.ís.mo) *s.m.* FIL doutrina filosófica que identifica Deus com os elementos e as leis da natureza ~ **panteísta** *adj.2g.s.2g.*

pantera (pan.te.ra) *s.f.* **1** ZOO nome comum a felinos de grande porte, como o leão, o leopardo, a onça etc. **2** ZOO pantera-negra **3** *fig. B infrm.* mulher bela, sensual ◉ COL alcateia ◉ VOZ v.: rosnar, rugir

pantera-negra (pan.te.ra-ne.gra) [pl.: *panteras-negras*] *s.f.* ZOO variedade de leopardo de pelagem negra; pantera

panto- *pref.* pan-

pantomima (pan.to.mi.ma) *s.f.* **1** TEAT representação teatral unicamente com movimentos corporais **2** *fig.* farsa, embuste ~ **pantomímico** *adj.*

pantomimeiro (pan.to.mi.mei.ro) *s.m.* ator que pratica a pantomima; pantomimo

pantomimo (pan.to.mi.mo) *s.m.* pantomimeiro

pantufa (pan.tu.fa) *s.f.* chinelo acolchoado para agasalhar o pé

panturrilha (pan.tur.ri.lha) *s.f.* ANAT músculo saliente na parte posterior da perna abaixo do joelho; barriga da perna; batata da perna

pão [pl.: *-ães*] *s.m.* **1** massa comestível de farinha, água e fermento assada no forno **2** *fig.* alimento, sustento *<é preciso garantir o p. da velhice>* ▣ **p. árabe** ou **sírio** pão sem fermento, redondo e oco, que ger. se recheia com diversos tipos de alimentos • **p. de fôrma** pão de massa menos densa, assado em fôrma semelhante a um paralelepípedo, cortado em fatias, e us. esp. para preparar sanduíches • **p. de queijo** CUL *B* petisco feito de polvilho de mandioca, queijo ralado, ovos, leite e manteiga, enrolado em bolinhas e assado no forno, original de Minas Gerais • **p. dormido** pão, ger. o francês, assado no dia anterior • **p. francês** pequeno pão de trigo de forma oblonga, a que o padeiro dá um talho na parte de cima antes de ir ao forno • **p., p., queijo, queijo** *infrm.* sem rodeios, às claras • **a p. e água** com pouquíssimos recursos; à míngua *<viver a p. e água>* • **comer o p. que o diabo amassou** passar muita dificuldade

pão de ló (pão de ló) [pl.: *pães de ló*] *s.m.* CUL bolo muito fofo preparado com farinha, ovos e açúcar

pão-duro (pão-du.ro) [pl.: *pães-duros*] *adj.2g.s.2g. B pej.* **1** que(m) é excessivamente econômico; avarento ↺ esbanjador ■ *s.m. B infrm.* **2** espátula com extremidade de borracha, us. para raspar massa do vasilhame em que foi misturada

[1]papa (pa.pa) [fem.: *papisa, papesa*] *s.m.* **1** REL chefe supremo da Igreja católica ☞ inicial freq. maiúsc. **2** *fig.* ás, craque *<é um p. em ortopedia>* ◉ ORIGEM do lat. *pāpa* ou *pāppa,ae* 'pai; amo; papa'

[2]papa (pa.pa) *s.f.* alimento de consistência pastosa feito de farinha cozida com leite ou água; mingau ◉ ORIGEM do lat. *pāpa,ae* 'palavra com que as crianças pedem comida' ▣ **não ter papas na língua** falar francamente

papada (pa.pa.da) *s.f.* acúmulo de gordura ou formação de pregas entre o queixo e o pescoço

papa-defunto (pa.pa-de.fun.to) [pl.: *papa-defuntos*] *s.2g.* ou **papa-defuntos** (pa.pa-de.fun.tos) *s.2g.2n.* indivíduo que trabalha em agência funerária; agente funerário

papado (pa.pa.do) *s.m.* **1** cargo de papa; pontificado **2** período de exercício desse cargo; pontificado

papa-fina (pa.pa-fi.na) [pl.: *papa-finas*] *adj.2g. infrm.* **1** de excelente qualidade ■ *adj.2g.s.2g.* **2** (pessoa) pretensiosa e ridícula

papagaiada (pa.pa.gai.a.da) *s.f.* **1** conjunto de papagaios ('aves') **2** *fig.* ato, atitude ou dito desajuizado e ridículo *<fazer caretas na aula é p.>*

papagaio (pa.pa.gai.o) *s.m.* **1** ZOO ave tropical da família dos psitacídeos, de plumagem verde e bico curvado para baixo, conhecida por imitar a voz humana **2** *fig.* quem repete, sem entender, o que lê ou ouve **3** *fig.* pessoa que fala muito; tagarela **4** pipa ('brinquedo')

papaguear (pa.pa.gue.ar) *v.* {mod. 5} *t.d.* **1** repetir sem ter consciência do que diz *<p. as lições de francês>* ◻ *int.* **2** falar muito, sem refletir; tagarelar

papai (pa.pai) *s.m.* pai, na linguagem infantil ▣ **P. Noel** velho lendário que traz presentes para as crianças no Natal

papaia (pa.pai.a) *s.m.* BOT mamão

papal (pa.pal) [pl.: *-ais*] *adj.2g.* próprio do [1]papa

papalvo (pa.pal.vo) *adj.s.m.* ingênuo, tolo ↺ astuto

papa-moscas (pa.pa-mos.cas) *s.f.2n.* ZOO **1** *B* nome comum a aranhas que caçam insetos através de saltos e que não constroem teias, embora façam abrigos de seda sob pedras **2** ave encontrada no Velho Mundo

papão (pa.pão) [pl.: *-ões*] *s.m.* FOLC bicho-papão

papar (pa.par) *v.* {mod. 1} *t.d. e int. infrm.* **1** ingerir (alimento); comer ◻ *t.d. infrm.* **2** ter êxito na busca de; conquistar *<o time papou mais um campeonato>* ↺ perder

paparicar (pa.pa.ri.car) *v.* {mod. 1} *t.d.* **1** tratar com zelo, cuidado excessivo; mimar *<vive a p. a filha>* ◻ *t.d. e int.* **2** comer pouco ou aos poucos *<passou horas paparicando (doces de amêndoas)>*

paparico (pa.pa.ri.co) *s.m.* **1** carícia, afago, presente dado a pessoa a quem se quer agradar **2** guloseima

papear (pa.pe.ar) *v.* {mod. 5} *t.i. e int.* **1** (prep. *com*) conversar informalmente; cavaquear ◻ *int.* **2** falar muito; tagarelar **3** emitir sons melodiosos (as aves); gorjear ☞ nesta acp., só us. nas 3as p., exceto quando fig.

papeira (pa.pei.ra) *s.f. infrm.* caxumba

papel (pa.pel) [pl.: *-éis*] *s.m.* **1** lâmina feita de fibra vegetal us. para escrever, desenhar, embrulhar etc. **2** folha de papel escrita; documento *<já providenciou os p. para o casamento?>* **3** personagem que cada ator ou atriz representa numa obra dramática *<tem um bom p. na novela>* **4** dever, função, obrigação *<é seu p. cuidar das crianças>* **5** papel-moeda **6** documento que representa determinado valor, p.ex., ação, título, nota promissória *<investir em papéis do governo>* ▣ **p. almaço 1** espécie de papel encorpado, próprio para escrever e para registros, livros de contabilidade etc. **2** formato peculiar desse papel, que costuma ser dobrado em forma de caderno e possui as medidas 32,5 cm x 22 cm • **p. celofane** celofane • **p. crepom** papel de seda enrugado; crepom • **p. de alumínio** folha muito fina de alumínio us. para embalar alimentos; papel-alumínio, papel laminado • **p. de parede** papel resistente, estampado, fabricado para forração de paredes e que se apresenta em rolos • **p. de seda** papel muito fino e flexível, ger. us. para proteger objetos frágeis • **p. higiênico** papel utilizado para a limpeza pessoal após o uso do banheiro • **p. laminado** papel de alumínio • **p. machê** massa moldável à base de papel e cola, us. na confecção de objetos • **p. pardo** papel de cor parda, de baixa qualidade, us. para embalagem • **p. vegetal** papel transparente, de boa resistência, empr. em decalques ou cópias • **de p. passado** de modo formal, oficial *<casar de p. passado>* • **ficar no p.** não se realizar o que foi escrito ou planejado *<aquele projeto ficou no p.>* • **pôr no p.** formalizar por escrito (contrato, compromisso etc.)

papelada (pa.pe.la.da) *s.f.* grande quantidade de papéis ou documentos

papel-alumínio (pa.pel-a.lu.mí.ni.o) [pl.: *papéis-alumínio*] *s.m.* papel de alumínio

papelão (pa.pe.lão) [pl.: *-ões*] *s.m.* **1** papel grosso e rígido, com que se fazem caixas, pastas etc. **2** *fig. infrm.* conduta ridícula, vergonhosa *<fez um p. na frente das visitas>*

papelaria (pa.pe.la.ri.a) *s.f.* loja onde se vendem papéis e material de escritório

papel-carbono (pa.pel-car.bo.no) [pl.: *papéis-carbono* e *papéis-carbonos*] *s.m.* papel fino coberto de pigmento numa das faces, us. para fazer cópias ou decalques; carbono

papeleiro (pa.pe.lei.ro) *s.m.* **1** dono de papelaria **2** quem fabrica papel ■ *adj.* **3** referente a papel

papeleta (pa.pe.le.ta) /ê/ *s.f.* **1** papel avulso **2** em hospitais, boletim médico sobre um doente

papel-moeda (pa.pel-mo.e.da) [pl.: *papéis-moeda* e *papéis-moedas*] *s.m.* dinheiro oficial de um país, impresso num papel especial; nota, cédula

papelote (pa.pe.lo.te) *s.m.* **1** pedaço de papel us. para ondular cabelo **2** *drg.* pequeno embrulho de papel contendo droga em pó

papel-toalha (pa.pel-to.a.lha) [pl.: *papéis-toalhas* e *papéis-toalha*] *s.m.* papel absorvente, us. para enxugar mãos e rosto, retirar o excesso de gordura em frituras, para limpeza em geral etc.

papelucho (pa.pe.lu.cho) *s.m. infrm.* pedaço de papel sem importância

papila (pa.pi.la) *s.f.* ANAT cada uma das pequenas proeminências cônicas, ger. sensoriais, formadas na pele e nas membranas mucosas pelas ramificações dos nervos e dos vasos *<p. gustativas>*

papilomavírus (pa.pi.lo.ma.ví.rus) *s.m.2n.* BIO vírus responsável por lesões cutâneas ou mucosas como verrugas e condilomas; há várias espécies que atacam o ser humano (sigla: *HPV*), e é esp. transmitido por via sexual

papiro (pa.pi.ro) *s.m.* **1** BOT erva de hastes longas, nativa da África e cultivada em vários países como ornamental **2** *p.ext.* na Antiguidade, folha para escrever confeccionada com as hastes dessa erva **3** *p.ext.* manuscrito feito sobre essa folha

papisa (pa.pi.sa) *s.f.* segundo a lenda, mulher que teria alcançado a dignidade de papa

papista (pa.pis.ta) *adj.2g.s.2g.* partidário do papa

papo (pa.po) *s.m.* **1** bolsa no esôfago das aves, us. para estocar temporariamente o alimento **2** *infrm.* tecido gorduroso e mole sob o queixo; papada **3** *infrm.* barriga, abdome **4** *infrm.* conversa, colóquio ▣ **p. furado** *infrm.* proposta ou promessa irrealizável ou que não se tem intenção de cumprir *<aquela explicação toda*

era p. furado> • **bater p.** *infrm.* conversar, dialogar *<passaram muito tempo batendo p.>* • **estar no p.** estar certo, assegurado *<a vitória está no p.>*

papoca (pa.po.ca) *s.f. N.E. infrm.* bolha de ar ou pus na pele; borbulha

papoco (pa.po.co) /ô/ *s.m. N. N.E. MG infrm.* barulho daquilo que estala, estoura, pipoca, explode

papo-firme (pa.po-fir.me) *adj.2g.s.2g. infrm.* que ou quem cumpre o que promete ↺ papo-furado ◉ GRAM/USO pl.: *papos-firmes*

papo-furado (pa.po-fu.ra.do) *adj.2g.s.2g. infrm. pej.* que ou quem é dado a não cumprir o que se dispõe a fazer, ou o que promete; conversa-fiada, furão, vacilão ↺ papo-firme ◉ GRAM/USO pl.: *papos-furados*

papoula (pa.pou.la) *s.f.* BOT erva cultivada por suas flores ornamentais ou por suas sementes, das quais se extrai óleo e ópio

páprica (pá.pri.ca) *s.f.* CUL condimento em pó, vermelho, feito de pimentões maduros e secos

papudo (pa.pu.do) *adj.* **1** de papo grande ■ *adj.s.m. infrm.* **2** que(m) tem conversa agradável **3** que(m) é dado a bravatas

paqueiro (pa.quei.ro) *adj.s.m.* **1** (cão) treinado para caçar pacas **2** (pessoa) que agencia trabalho para outra

paquera (pa.que.ra) *s.f. infrm.* **1** tentativa de namoro ■ *s.2g. infrm.* **2** indivíduo namorador

paquerador (pa.que.ra.dor) /ô/ [pl.: *-es*] *adj.s.m.* que(m) paquera muito

paquerar (pa.que.rar) *v.* {mod. 1} *t.d. e int.* mostrar interesse amoroso (por); azarar *<paquerou uma garota na praia> <passa as tardes paquerando em Ipanema>*

paquete (pa.que.te) /ê/ *s.m.* **1** navio a vapor que prestava serviço de correio e transportava mercadorias e passageiros **2** embarcação a vela do rio São Francisco **3** *N.E.* grande jangada que navega em alto-mar **4** *infrm.* menstruação

paquiderme (pa.qui.der.me) *adj.2g.s.m.* ZOO **1** (animal) de pele grossa, como elefante, rinoceronte etc. ■ *s.m. infrm.* **2** pessoa pouco inteligente ~ **paquidérmico** *adj.*

par [pl.: *-es*] *s.m.* **1** grupo de duas coisas ou seres semelhantes **2** casal **3** parceiro de dança executada em dupla **4** indivíduo de condição (social, profissional etc.) semelhante *<convidou seus p. para jantar>* ■ *adj.2g.* **5** semelhante, igual, parelho *<essa jarra é p. daquela>* ↺ diferente **6** divisível por dois (diz-se de número) ▣ **estar a p. de** estar bem informado sobre *<estou a p. de cada detalhe>* • **sem p.** com que não se pode comparar; único, singular *<um homem de coragem sem p.>*

para- *pref.* 'proximidade, ao lado de': *paraestatal, parafrasear, paranormal*

para (pa.ra) *prep.* **1** relaciona palavras por subordinação e exprime: **1.1** direção *<vou p. casa>* **1.2** proximidade; prestes a *<estou p. mudar de emprego>* **1.3** intenção; com intuito de *<ficou p. receber os cumprimentos>* **1.4** adequação *<música p. dançar>* **1.5** combate; contra *<remédio p. dor>* **1.6** em proveito de *<doação p. os pobres>* **1.7** duração *<provisões p. um mês>* **1.8** em equivalência com *<três está p. seis assim como seis p. doze>* **1.9** com *<ele é bom p. todos>* **1.10** propósito; finalidade *<dieta p. emagrecer>* ▣ **p. que** a fim de que

parabenizar (pa.ra.be.ni.zar) *v.* {mod. 1} *t.d. e t.d.i.* (prep. *por*) dar parabéns a; felicitar, congratular *<p. o patrão (pelo seu aniversário)>*

parabéns (pa.ra.béns) *s.m.pl.* palavras ou gestos que expressam elogios, felicitações ↺ pêsames, condolências

parábola (pa.rá.bo.la) *s.f.* **1** narrativa figurada que transmite um ensinamento moral **2** GEOM linha curva na qual cada ponto que a constitui apresenta distâncias iguais em relação a um ponto fixo e a uma reta fixa

parabólico (pa.ra.bó.li.co) *adj.* **1** que contém parábola ('narrativa') **2** em forma de parábola ('linha curva')

para-brisa (pa.ra-bri.sa) [pl.: *para-brisas*] *s.m.* vidro frontal de veículos, que protege o motorista esp. do vento

para-choque (pa.ra-cho.que) [pl.: *para-choques*] *s.m.* peça resistente colocada na frente e na traseira de veículos para amortecer choques

parada (pa.ra.da) *s.f.* **1** ação ou efeito de parar **2** interrupção, suspensão *<p. na rede de computadores>* ↺ continuação **3** local onde se para, esp. transporte público *<p. de ônibus>* **4** marcha, desfile militar **5** *B gír.* situação ou tarefa difícil *<a viagem vai ser uma p.>* ↺ moleza **6** *gír.* pessoa ou coisa atraente

paradeiro (pa.ra.dei.ro) *s.m.* lugar onde se encontra ou chegará uma pessoa ou coisa; destino *<desconhece o p. do primo>*

paradidático (pa.ra.di.dá.ti.co) *adj.* que, não sendo exatamente didático, é empr. com esse objetivo (diz-se de livro, material escolar etc.)

paradigma (pa.ra.dig.ma) *s.m.* **1** exemplo que serve como modelo; padrão **2** GRAM cada um dos esquemas formais em que se organizam as palavras nominais e verbais com as respectivas flexões ~ **paradigmático** *adj.*

paradisíaco (pa.ra.di.sí.a.co) *adj.* **1** do paraíso **2** encantador, muito agradável

parado (pa.ra.do) *adj.* **1** sem movimento; imóvel **2** *infrm.* sem iniciativa; apático ↺ ativo, esperto **3** *infrm.* desempregado *<aceita qualquer serviço, pois está p. há três meses>* ↺ empregado

paradoxal (pa.ra.do.xal) /cs/ [pl.: *-ais*] *adj.2g.* que contém paradoxo

paradoxo (pa.ra.do.xo) /cs/ *s.m.* **1** proposição ou opinião contrária ao comum **2** aparente falta de lógica ou nexo; contradição

paraense (pa.ra.en.se) *adj.2g.* **1** do Pará ■ *s.2g.* **2** natural ou habitante desse estado

paraestatal (pa.ra.es.ta.tal) [pl.: *-ais*] ou **parestatal** (pa.res.ta.tal) [pl.: *-ais*] *adj.2g.s.2g.* (entidade) que, designada pelo Estado, colabora na administração pública, sem pertencer a ela

parafernália (pa.ra.fer.ná.lia) *s.f.* **1** conjunto de objetos de uso pessoal **2** conjunto de apetrechos necessários a uma atividade *<p. de pescaria>*

parafimose (pa.ra.fi.mo.se) *s.f.* MED estrangulamento da glande do pênis causado por fimose

parafina (pa.ra.fi.na) *s.f.* QUÍM mistura de hidrocarbonetos saturados sólidos, us. em velas, impermeabilização, isolamento térmico etc. ~ **parafinação** *s.f.* - **parafinagem** *s.f.*

parafinar (pa.ra.fi.nar) *v.* {mod. 1} *t.d.* **1** cobrir de ou tratar com parafina **2** converter em parafina

paráfrase (pa.rá.fra.se) *s.f.* explicação ou interpretação de um texto com outras palavras

parafrasear (pa.ra.fra.se.ar) *v.* {mod. 5} *t.d.* **1** fazer paráfrase de **2** explicar por meio de paráfrase

parafusar (pa.ra.fu.sar) *v.* {mod. 1} *t.d.* aparafusar

parafuso (pa.ra.fu.so) *s.m.* espécie de prego com uma fenda na extremidade achatada e um relevo em espiral na haste ▣ **p. sem fim** parafuso cilíndrico cuja rosca engrena com os dentes de uma roda ou de uma cremalheira, imprimindo movimento de rotação • **entrar em p.** *infrm.* perder o juízo, a razão • **ter um p. a menos** *infrm.* ser meio desequilibrado mentalmente

paragem (pa.ra.gem) [pl.: *-ens*] *s.f.* **1** local onde se para; parada **2** local onde algo ou alguém pode ser encontrado *<costumes de outras p.>*

paragoge (pa.ra.go.ge) *s.f.* FON acréscimo de fonema(s) no final de uma palavra, sem alteração de significado. (fr. *chic* > port. *chique*; ing. *club* > port. *clube*) ~ **paragógico** *adj.*

parágrafo (pa.rá.gra.fo) *s.m.* **1** divisão de um texto escrito, indicada pela mudança de linha, composta de uma ou mais frases que mantêm maior relação de sentido entre si do que com o restante do texto **2** sinal (§) que subdivide textos de decretos, contratos etc. **3** *p.ext.* esses textos assim assinalados

paraguaio (pa.ra.guai.o) *adj.* **1** do Paraguai (América do Sul) ■ *s.m.* **2** natural ou habitante desse país

paraibano (pa.ra.i.ba.no) *adj.* **1** da Paraíba ■ *s.m.* **2** natural ou habitante desse estado

P

paraíso (pa.ra.í.so) *s.m.* **1** segundo o Antigo Testamento, jardim aprazível onde Deus colocou Adão e Eva ☞ inicial maiúsc. **2** *p.ext.* lugar bonito e muito agradável

paralalia (pa.ra.la.li.a) *s.f.* MED distúrbio da fala, caracterizado pela emissão de fonemas não desejados, ou mesmo pela impossibilidade de encontrar palavras que possam expressar uma ideia, um pensamento

para-lama (pa.ra-la.ma) [pl.: *para-lamas*] *s.m.* anteparo curvo sobre as rodas dos veículos para proteger contra respingos de lama

paralela (pa.ra.le.la) *s.f.* GEOM **1** cada uma de duas retas que, no mesmo plano, nunca se cortam ▼ ***paralelas*** *s.f.pl.* ESP **2** aparelho de ginástica com duas barras paralelas onde o atleta executa acrobacias

paralelepípedo (pa.ra.le.le.pí.pe.do) *s.m.* **1** GEOM sólido de seis lados cujas faces opostas são iguais e paralelas **2** pedra nesse formato us. em calçamento de ruas

paralelismo (pa.ra.le.lis.mo) *s.m.* **1** condição do que é ou está paralelo *<o p. de dois planos>* **2** semelhança entre duas coisas ou entre ideias e opiniões *<p. entre duas correntes de pensamento>*

paralelo (pa.ra.le.lo) *adj.* **1** diz-se de retas ou planos que estão sempre à mesma distância um do outro **2** *fig.* que age ou trabalha, de forma não oficial, colateralmente a outra instituição da mesma natureza *<mercado p.> <educação p.>* **3** que se desenvolve na mesma direção ou ao mesmo tempo *<evolução p.>* ■ *s.m.* **4** comparação, confronto *<fez um p. entre os dois espetáculos>*

paralelogramo (pa.ra.le.lo.gra.mo) *s.m.* GEOM quadrilátero cujos lados opostos são paralelos

paralimpíada (pa.ra.lim.pí.a.da) ou **paraolimpíada** (pa.ra.o.lim.pí.a.da) *s.f.* ESP competição com estrutura e objetivos inspirados nos das olimpíadas, destinada a atletas portadores de deficiência ☞ mais us. no pl. ~ **paralímpico** *adj.* - **paraolímpico** *adj.*

paralisação (pa.ra.li.sa.ção) [pl.: *-ões*] *s.f.* **1** ato ou efeito de paralisar(-se); parada **2** suspensão de uma atividade; interrupção *<a assembleia dos operários aprovou a p.>*

paralisar (pa.ra.li.sar) *v.* {mod. 1} *t.d. e pron.* **1** causar ou ter paralisia *<a doença paralisou-o da cintura para baixo> <sua mão paralisou-se com o choque elétrico>* □ *t.d.,int. e pron.* **2** (fazer) ficar sem ação, imóvel; entorpecer(-se) *<o medo paralisou o pobre rapaz> <ao final do espetáculo seus olhos paralisaram> <paralisou-se emocionado>* ↺ agir, mover-se □ *t.d.* **3** suspender o funcionamento de *<uma greve paralisou o metrô>* □ *int. e pron.* **4** (fazer) deixar de progredir; estagnar, estacionar *<a cidade paralisou-se com a falta de energia> <sem verbas, as obras da usina paralisaram>* ~ **paralisado** *adj.*

paralisia (pa.ra.li.si.a) *s.f.* **1** perda de movimento em determinadas partes do corpo *<p. facial>* **2** *fig.* falta de ação; marasmo ↺ disposição ▣ **p. infantil** MED doença infecciosa que ataca esp. crianças, causada por enterovírus, e que provoca febre, dor de cabeça, dores musculares e distúrbios gastrintestinais, seguidos de paralisia de um ou mais grupos musculares e atrofia; poliomielite

paralítico (pa.ra.lí.ti.co) *adj.s.m.* que(m) sofre de paralisia

paramédico (pa.ra.mé.di.co) *adj.s.m.* (profissional) que atua em certas áreas auxiliares da medicina, sem ser médico

paramentar (pa.ra.men.tar) *v.* {mod. 1} *t.d. e pron.* **1** vestir(-se) com paramento **2** adornar(-se), enfeitar(-se)

paramento (pa.ra.men.to) *s.m.* **1** adorno, ornamento ▼ ***paramentos*** *s.m.pl.* **2** vestes sacerdotais

parâmetro (pa.râ.me.tro) *s.m.* **1** elemento variável que entra na elaboração de um conjunto *<os p. da variação de temperatura>* **2** variável à qual se atribui um valor e por seu intermédio se definem outros valores ou funções num dado sistema ou caso *<o ritmo do pulso é um p. da função cardiovascular>* **3** característica diferencial passível de ser medida direta ou indiretamente **4** fator, critério *<p. curriculares>* **5** norma, padrão *<os p. da elegância>* **6** conjunto de características, especificações ☞ nesta acp., mais us. no pl. ~ **paramétrico** *adj.*

paramilitar (pa.ra.mi.li.tar) [pl.: *-es*] *adj.2g.* armado e treinado fora das forças oficiais de um país (diz-se de grupo)

páramo (pá.ra.mo) *s.m.* **1** planalto deserto **2** *fig.* céu, firmamento

paraná (pa.ra.ná) *s.m.* **1** braço de rio separado do curso principal por ilha(s) **2** canal entre dois rios

paranaense (pa.ra.na.en.se) *adj.2g.* **1** do Paraná ■ *s.2g.* **2** natural ou habitante desse estado

paraninfo (pa.ra.nin.fo) *s.m.* **1** título dado ao escolhido, ger. numa colação de grau, para ser homenageado pelos formandos **2** esse homenageado

paranismo (pa.ra.nis.mo) *s.m.* **1** movimento dos que prezam o Estado do Paraná e procuram preservar a sua cultura e tradições **2** LING palavra, locução ou acepção us. no Estado do Paraná ~ **paranista** *adj.2g.*

paranoia (pa.ra.noi.a) /ói/ *s.f.* PSIQ distúrbio psíquico marcado por ideias fixas de perseguição, traição etc. ~ **paranoico** *adj.s.m.*

paranormal (pa.ra.nor.mal) [pl.: *-ais*] *adj.2g.* **1** não explicável cientificamente; sobrenatural ■ *adj.2g.s.2g.* **2** que(m) tem supostos poderes extrassensoriais ~ **paranormalidade** *s.f.*

paraolimpíada (pa.ra.o.lim.pí.a.da) *s.f.* ESP → ***PARALIMPÍADA***

parapeito (pa.ra.pei.to) *s.m.* peça de mármore, madeira etc. na parte inferior de uma janela que serve para apoiar quem nela se debruça

parapente (pa.ra.pen.te) *s.m.* **1** aparelho esportivo, espécie de paraquedas com o qual se salta de uma elevação para descer planando **2** *p.ext.* esporte praticado com esse aparelho ~ **parapentista** *adj.2g.s.2g.*

paraplegia (pa.ra.ple.gi.a) *s.f.* MED paralisia da cintura para baixo

paraplégico (pa.ra.plé.gi.co) *adj.s.m.* (aquele) que sofre de paraplegia

parapsicologia (pa.ra.psi.co.lo.gi.a) *s.f.* ramo da psicologia que estuda fenômenos ditos paranormais, como a telepatia, a premonição etc. ~ **parapsicológico** *adj.* - **parapsicólogo** *s.m.*

paraquedas (pa.ra.que.das) *s.m.2n.* artefato dobrável em forma de guarda-chuva, com cordas que sustentam pessoas ou carga, us. para reduzir a velocidade da queda dos corpos ~ **paraquedismo** *s.m.* - **paraquedista** *adj.2g.s.2g.*

parar (pa.rar) *v.* {mod. 1} *t.d. e int.* **1** deter o progresso, o deslocamento, o movimento (de) *<parou a montaria, para descansá-la>* *<o carro em pane parou aqui na esquina>* ↺ mover(-se) □ *t.d.,t.i. e int.* **2** (prep. *com*) interromper, provisória ou definitivamente (atividade, operação, ocorrência, tarefa etc.) *<parou o trabalho e foi almoçar>* *<pare de se lamentar>* *<o filme parou por falta de energia>* □ *t.i. e int.* **3** (prep. *em*) não ir além (de) *<apresentou os palestrantes e parou (nisso)>* ↺ seguir □ *t.i.* **4** deixar-se ficar ou estar (em certo lugar) *<não para em casa>* **5** (prep. *em*) resumir-se, limitar-se a *<a função dos pais não para na educação dos filhos>* ☞ freq. us. com negativa

para-raios (pa.ra-rai.os) *s.m.2n.* aparelho constituído por uma haste metálica ligada à terra, us. para atrair as descargas elétricas da atmosfera, ger. colocado em lugares altos ou no topo dos edifícios

parasita (pa.ra.si.ta) *adj.2g.s.m.* ou **parasito** (pa.ra.si.to) *adj.s.m.* **1** BIO (organismo) que vive associado a outro do qual se beneficia e ao qual causa dano **2** *p.ext. pej.* (indivíduo) que vive à custa dos outros

parasitar (pa.ra.si.tar) *v.* {mod. 1} *t.d.* **1** nutrir-se à custa de (outro ser, animal ou planta) *<certos vermes parasitam o intestino das crianças>* **2** *infrm.* tirar proveito, viver à custa de; explorar *<vive de p. a família>*

parasitário (pa.ra.si.tá.rio) *adj.* **1** referente a parasita **2** causado por parasitas *<doença p.>*

parasitismo (pa.ra.si.tis.mo) *s.m.* **1** BIO tipo de associação de dois organismos de espécies diferentes em que um deles se beneficia, causando dano ao outro **2** MED doença causada por parasita ('organismo') **3** *p.ext. pej.* comportamento de parasita ('indivíduo')

parasito (pa.ra.si.to) *adj.s.m.* → ***PARASITA***

para-sol (pa.ra-sol) [pl.: *para-sóis*] *s.m.* nos automóveis, pala interna, móvel, que serve para proteger do sol os olhos de quem está no banco dianteiro

paratireoide (pa.ra.ti.re.oi.de) /ói/ *adj.2g.s.f.* ANAT diz-se de ou glândula endócrina situada atrás da tireoide, na altura do pescoço, que participa da regulação do cálcio e do fósforo no organismo

parboilização (par.boi.li.za.ção) [pl.: *-ões*] *s.f.* processo de imersão do arroz em água aquecida, para que o grão absorva nutrientes retidos na casca

parboilizado (par.boi.li.za.do) *adj.* submetido à parboilização *<arroz p.>*

parca (par.ca) *s.f.* VEST casaco que vai até o joelho, ger. impermeável, com capuz

parceiro (par.cei.ro) *s.m.* sócio, cúmplice, companheiro de dupla, esp. em jogo, dança, esportes

parcela (par.ce.la) *s.f.* **1** parte de um todo; pedaço **2** MAT cada elemento de uma soma

parcelamento (par.ce.la.men.to) *s.m.* ato, efeito ou modo de parcelar; divisão, fracionamento *<p. de uma dívida>*

parcelar (par.ce.lar) *v.* {mod. 1} *t.d. e t.d.i.* (prep. *em*) dividir (pagamento, compra, dívida etc.) [em parcelas] *<p. um débito (em 10 prestações)>*

parceria (par.ce.ri.a) *s.f.* **1** reunião de esforços com objetivo comum; sociedade **2** *B* conjunto de dois ou mais compositores populares *<uma p. de Tom e Vinícius>*

parcial (par.ci.al) [pl.: *-ais*] *adj.2g.* **1** que existe ou se faz em partes; incompleto *<resultado p.>* ↺ completo **2** que toma partido; tendencioso *<julgamento p.>* ↺ imparcial ~ **parcialidade** *s.f.* - **parcialmente** *adv.*

parcimônia (par.ci.mô.nia) *s.f.* **1** ação ou hábito de fazer economia ↺ esbanjamento **2** moderação, temperança

parcimonioso (par.ci.mo.ni.o.so) /ô/ [pl. e fem.: /ó/] *adj.* **1** que usa de parcimônia; comedido, moderado **2** que poupa; econômico *<p. nas despesas da casa>* ~ **parcimoniosamente** *adv.*

parco (par.co) *adj.* **1** que poupa; econômico ↺ gastador **2** moderado nas despesas e na alimentação ↺ descomedido **3** escasso, minguado *<p. recursos>* ↺ abundante

pardacento (par.da.cen.to) *adj.* **1** de cor tirante a pardo **2** diz-se dessa cor *<pelos p.>*

P

pardal (par.dal) [pl.: *-ais*; fem.: *pardaloca* e *pardoca*] *s.m.* ZOO ave parda de aprox. 15 cm de comprimento, tendo o macho bico e garganta negros

pardieiro (par.di.ei.ro) *s.m.* prédio velho, em mau estado

pardo (par.do) *adj.* **1** de cor entre amarelo e marrom, ou entre branco e preto **2** diz-se dessas cores *<tons p.>* ■ *s.m.* **3** a cor escura, entre o preto e o branco **4** indivíduo dessa cor

parecença (pa.re.cen.ça) *s.f.* qualidade de ser parecido; semelhança ↺ diferença

parecer (pa.re.cer) *v.* {mod. 8} *pred. e pron.* **1** (prep. *com*) ter o aspecto, a aparência de; assemelhar-se *<as nuvens parecem algodão> <p.-se com o pai> <as irmãs se parecem>* □ *pred.* **2** dar a impressão de; aparentar *<p. mais magra do que é>* □ *t.i.,t.i.pred. e int.* **3** (prep. *a*) apresentar-se (de certa forma) ao entendimento de; afigurar-se *<pareceu-lhe que já era tarde> <a ideia pareceu-me boa> <parece que o paciente está pior>* □ *int.* **4** ser provável *<parece que vai chover>* ■ *s.m.* **5** aparência, aspecto *<ladrões de mau p.>* **6** forma de pensar; opinião, julgamento *<não é este o meu p.>* **7** opinião de um especialista em resposta a consulta ☞ como *s.m.*, pl. *-es*

parecido (pa.re.ci.do) *adj.* que se parece; semelhante, análogo *<vestidos de feitio p.> <esses irmãos não são p.>*

paredão (pa.re.dão) [pl.: *-ões*] *s.m.* **1** encosta muito íngreme **2** muro muito alto; muralha **3** *infrm.* muro para execução por fuzilamento

parede (pa.re.de) /ê/ *s.f.* **1** obra, ger. de alvenaria, que veda e subdivide um prédio, casa etc. **2** o que isola ou divide um espaço *<paredes da estante, do armário>* **3** ANAT qualquer formação que limita um órgão, cavidade etc. *<p. do intestino, de uma célula>* **4** *fig.* greve ▣ **conversar com as p.** *fig.* falar sozinho, sem interlocutor • **encostar (alguém) à p.** *B infrm.* forçar (alguém) a falar ou fazer algo • **subir pelas p.** *fig.* enfurecer-se, ficar irritado

parede-meia (pa.re.de-mei.a) [pl.: *paredes-meias*] *s.f.* parede comum a dois prédios contíguos

parelha (pa.re.lha) /ê/ *s.f.* **1** par de animais, esp. de carga *<p. de bois>* **2** conjunto de dois indivíduos, animais ou objetos semelhantes

parelheiro (pa.re.lhei.ro) *s.m.* **1** cavalo adestrado para andar em parelhas **2** cavalo de corrida

parelho (pa.re.lho) /ê/ *adj.* **1** formado de partes iguais *<milho p.>* **2** parecido ou igual *<histórias p.>*

parente (pa.ren.te) *s.2g.* **1** pessoa ligada a outra por consanguinidade, afinidade ou adoção ■ *adj.2g.* **2** que tem parentesco **3** *fig.* similar, parecido *<não são ideias iguais, mas são p.>*

parenteral (pa.ren.te.ral) [pl.: *-ais*] *adj.2g.* MED que se faz por outra via que não a digestiva *<alimentação p.>*

parentesco (pa.ren.tes.co) /ê/ *s.m.* **1** relação de pessoas por vínculos consanguíneos ou matrimoniais **2** semelhança, analogia *<p. ideológico>*

parêntese (pa.rên.te.se) *s.m.* ou **parêntesis** (pa.rên.te.sis) *s.m.2n.* **1** palavra, frase ou período intercalados num texto para acrescentar informação adicional **2** cada um dos sinais de pontuação ( ) que delimitam essa frase ou período **3** *fig.* desvio do assunto; digressão

páreo (pá.reo) *s.m.* **1** cada uma das corridas de cavalos disputadas num dia de competição **2** o prêmio dessa corrida

parestatal (pa.res.ta.tal) [pl.: *-ais*] *adj.2g.s.2g.* → ***PARAESTATAL***

pargo (par.go) *s.m.* ZOO **1** peixe abundante no Espírito Santo cuja cor do dorso vai de rosado a avermelhado **2** *N.E.* vermelho (peixe)

pária (pá.ria) *s.2g.* **1** na Índia, indivíduo não pertencente a nenhuma casta, considerado impuro e desprezível **2** *p.ext.* pessoa à margem da sociedade

paridade (pa.ri.da.de) *s.f.* **1** propriedade do que é par; igualdade ↺ disparidade **2** igualdade salarial entre os mesmos níveis de carreira em profissões diferentes *<p. entre técnicos e pesquisadores>* ↺ disparidade

parietal (pa.ri.e.tal) [pl.: *-ais*] *adj.2g.* **1** referente a parede ■ *adj.2g.s.m.* **2** diz-se de ou cada um dos dois ossos laterais do crânio

parintintim (pa.rin.tin.tim) [pl.: *-ins*] *s.2g.* **1** indivíduo dos parintintins, povo indígena que habita o sudeste do Amazonas ■ *adj.2g.* **2** relativo a esse indivíduo ou povo

parir (pa.rir) *v.* {mod. 28} *t.d. e int.* **1** expulsar do útero, dar à luz □ *t.d. fig.* **2** criar, produzir (algo novo) *<acabou de p. o livro>*

parisiense (pa.ri.si.en.se) *adj.2g.* **1** de Paris, França ■ *s.2g.* **2** natural ou habitante dessa capital

Parkinson (Par.kin.son) [ing.] *s.m.* MED ver ***MAL DE PARKINSON*** ⇒ pronuncia-se parquinson

[1]**parlamentar** (par.la.men.tar) [pl.: *-es*] *adj.2g.s.2g.* (membro) do parlamento ◉ ORIGEM *parlamento* + [1]*-ar*

[2]**parlamentar** (par.la.men.tar) *v.* {mod. 1} *t.i. e int.* (prep. *com*) negociar, conversar em busca de um acordo ◉ ORIGEM *parlamento* + [2]*-ar*

parlamentarismo (par.la.men.ta.ris.mo) *s.m.* POL sistema de governo representativo, dirigido pelo parlamento através de gabinete ministerial ~ **parlamentarista** *adj.2g.s.2g.*

parlamento (par.la.men.to) *s.m.* corpo ou poder legislativo de uma nação

parlenda (par.len.da) *s.f.* **1** declamação poética para crianças, acompanhada por música **2** RECR rima infantil utilizada em brincadeiras ou como técnica de memorização (p.ex.: *Uni, duni, tê/ Salamê, minguê/ Um sorvete colorê/ O escolhido foi você!*)

parmesão (par.me.são) [pl.: *-ãos*] *adj.* **1** de Parma, Itália ■ *s.m.* **2** natural ou habitante dessa cidade ■ *adj.s.m.* **3** diz-se de ou queijo de massa dura, próprio para ser ralado, originário dessa cidade

parnasianismo (par.na.si.a.nis.mo) *s.m.* LIT escola poética do sXIX marcada pela objetividade e perfeição formal ☞ inicial maiúsc.

parnasiano (par.na.si.a.no) *adj.s.m.* (adepto) do Parnasianismo

parnaso (par.na.so) *s.m.* **1** a poesia **2** o conjunto dos poetas **3** coletânea de poesias de vários autores

paroara (pa.ro.a.ra) *s.2g.* *N.* nordestino que vive na Amazônia

pároco (pá.ro.co) *s.m.* padre responsável por uma paróquia

paródia (pa.ró.dia) *s.f.* imitação cômica de um texto, peça etc. ~ **parodiador** *adj.s.m.* - **parodista** *adj.2g.s.2g.*

parodiar (pa.ro.di.ar) *v.* {mod. 1} *t.d.* **1** fazer paródia de <*p.* Os Lusíadas> **2** imitar, arremedar

parolar (pa.ro.lar) *v.* {mod. 1} *t.i. e int.* **1** (prep. *com*) falar demais; tagarelar <*parola com qualquer pessoa*> <*parolou tanto que perdeu a hora*> □ *t.i.* **2** (prep. *com*) trocar palavras, ideias; conversar <*gosta de p. com os vizinhos*>

paronímia (pa.ro.ní.mia) *s.f.* GRAM **1** semelhança entre palavras, na forma e no som **2** estudo de ou teoria sobre parônimos **3** lista de parônimos

parônimo (pa.rô.ni.mo) *adj.s.m.* GRAM (palavra) quase igual a outra na forma e no som (p.ex.: *deferir*: *diferir*, *descrição*: *discrição*, *emigrar*: *imigrar* etc.)

paróquia (pa.ró.quia) *s.f.* **1** território eclesiástico correspondente à fração de uma diocese, sob a jurisdição de um pároco **2** a população subordinada a um pároco ~ **paroquial** *adj.2g.*

paroquiano (pa.ro.qui.a.no) *adj.s.m.* integrante de paróquia

parótida (pa.ró.ti.da) *s.f.* ANAT cada uma de duas grandes glândulas salivares, situada sob a orelha

parotidite (pa.ro.ti.di.te) *s.f.* MED inflamação da parótida; caxumba

paroxismo (pa.ro.xis.mo) /cs/ *s.m.* MED **1** momento de maior intensidade de uma dor ou acesso **2** auge de uma doença **3** convulsão

paroxítono (pa.ro.xí.to.no) /cs/ *adj.s.m.* GRAM (vocábulo) cuja sílaba tônica é a penúltima, p.ex. *casa*

parque (par.que) *s.m.* jardim público destinado ao lazer ▣ **p. de diversões** conjunto de equipamentos esp. criados para recreação de crianças e adultos, montados dentro de um terreno cercado • **p. gráfico** conjunto de empresas gráficas de uma companhia, cidade etc. • **p. industrial** conjunto de indústrias de um local <*o p. industrial do Sudeste*> • **p. nacional** área demarcada e protegida pelo poder público, rica em locais de interesse científico, educacional ou recreativo

parquímetro (par.quí.me.tro) *s.m.* aparelho acionado pela introdução de moedas, que marca o tempo de permanência dos carros nas vagas do estacionamento

parreira (par.rei.ra) *s.f.* BOT nome comum a certas trepadeiras, esp. a videira

parricídio (par.ri.cí.dio) *s.m.* assassinato do pai, da mãe ou de outro ascendente ~ **parricida** *adj.2g.s.2g.*

parrudo (par.ru.do) *adj.* forte, atarracado ↺ esguio

parte (par.te) *s.f.* **1** porção de um todo <*a p. inferior de um móvel*> <*sua tese tinha duas p.*> **2** área ou região não especificada <*leva o cão a qualquer p.*> **3** área determinada <*a fumaça vem da p. de trás da fábrica*> **4** papel a desempenhar; atribuição <*a p. do governo é cuidar da saúde, educação e segurança*> **5** DIR cada indivíduo que firma um contrato mútuo <*após a reunião, as p. constituíram a sociedade*> ◉ GRAM/USO dim. irreg.: *partícula* ▣ **à p.** separadamente, isoladamente <*falou-lhe à p. sobre a promoção*> ☞ cf. *aparte* • **da p. de** a mando ou pedido de <*a encomenda veio da p. do pai*> • **dar p. de** denunciar a, acusar, delatar • **tomar p. em** participar de

parteira (par.tei.ra) *s.f.* mulher que faz parto sem ser médica; aparadeira

parteiro (par.tei.ro) *adj.s.m.* diz-se de ou médico que faz partos

partejar (par.te.jar) *v.* {mod. 1} *t.d. e int.* **1** servir de parteira ou parteiro a <*partejou todas as grávidas da cidade*> <*partejava desde os 20 anos*> □ *int.* **2** dar à luz; parir <*sofreu longas horas até p.*>

partenogênese (par.te.no.gê.ne.se) *s.f.* BIO desenvolvimento de ser vivo a partir de um óvulo não fecundado

participante (par.ti.ci.pan.te) *adj.2g.s.2g.* que ou aquele que participa <*um professor p., que gosta de ensinar*> <*os p. do jogo devem vir com a camisa do time*>

participar (par.ti.ci.par) *v.* {mod. 1} *t.d. e t.d.i.* **1** (prep. *a*) fazer saber; comunicar, informar <*p. o novo endereço*> <*participaram a gravidez aos futuros avós*> □ *t.i.* **2** (prep. *de*, *em*) ter ou tomar parte em; compartilhar, partilhar <*p. das (ou nas) manifestações pela paz*> ~ **participação** *s.f.*

particípio (par.ti.cí.pio) *s.m.* GRAM uma das formas nominais do verbo, com características de substantivo, adjetivo ou verbo <*o p. de* amar *é* amado>

partícula (par.tí.cu.la) *s.f.* **1** parte muito pequena **2** corpo muito pequeno, corpúsculo <*p. orgânicas*> ▣ **p. apassivadora** a partícula *se* que indica voz passiva em frases em que o sujeito é paciente da ação verbal, como em *amolam-se facas*

particular (par.ti.cu.lar) [pl.: *-es*] *adj.2g.* **1** que é específico, peculiar <*o cheiro p. da gasolina*> **2** próprio ou de uso exclusivo de alguém; privativo <*praia p.*> **3** fora do comum <*inteligência p.*> **4** confidencial, íntimo <*conversa p.*> **5** que pertence ao indivíduo, por oposição ao que é do governo <*clínica p.*> <*empresa p.*> ■ *s.m.* **6** conversa íntima e reservada <*teve um p. com o irmão e contou seu problema*>

particularidade (par.ti.cu.la.ri.da.de) *s.f.* **1** característica do que é particular; traço especial **2** qualidade distintiva; peculiaridade <*a p. da sua inteligência é notável*> ↺ generalidade **3** detalhe, pormenor <*deixemos as p. e vamos ao essencial*> ↺ todo

particularizar (par.ti.cu.la.ri.zar) *v.* {mod. 1} *t.d.* **1** descrever em pormenores; detalhar <*p. os itens do programa*> **2** distinguir, individualizar <*o novo tratamento busca p. as necessidades de cada cliente*> ↺ generalizar □ *pron.* **3** revelar caracteres distintivos; singularizar-se ~ **particularização** *s.f.*

particularmente (par.ti.cu.lar.men.te) *adv.* **1** de maneira particular; pessoalmente <*p., não aprovo suas atitudes*> **2** de modo confidencial, reservado; intimamente <*vou contar-lhe a verdade p.*> **3** com maior destaque; principalmente <*as viagens encarecem p. na alta temporada*>

partida (par.ti.da) *s.f.* **1** ato de partir; saída ↺ chegada **2** em certos jogos, número de pontos necessários para que um dos parceiros vença <*p. de buraco*> **3** peleja esportiva; jogo <*p. de futebol, de basquete*> **4** remessa de mercadorias negociáveis <*uma p. de laranjas*>

P

partidário (par.ti.dá.rio) *adj.s.m.* **1** integrante ou simpatizante de um partido ↺ apartidário **2** seguidor ou simpatizante de ideia, crença etc. ■ *adj.* **3** relativo a partido político ◉ COL facção, partido

partidarismo (par.ti.da.ris.mo) *s.m.* parcialidade política; facciosismo

partido (par.ti.do) *adj.* **1** que se partiu; quebrado *<um cinzeiro p.>* ■ *s.m.* **2** organização política com ideais comuns que tenta chegar ao poder **3** pessoa casadoura, considerada segundo suas condições econômicas e/ou sociais *<ser um ótimo p.>* ▣ **tirar p. de** aproveitar-se de *<tira p. de sua posição hierárquica>* • **tomar o p. de** manifestar-se a favor de *<tomou o p. da filha>*

partido-alto (par.ti.do-al.to) [pl.: *partidos-altos*] *s.m.* MÚS tipo de samba em que os sambistas improvisam, ou dizem de memória, versos sobre um tema

partilha (par.ti.lha) *s.f.* **1** operação de dividir em partes *<p. de lucros>* **2** quota que cada um recebe nessa operação

partilhar (par.ti.lhar) *v.* {mod. 1} *t.d. e t.d.i.* **1** (prep. *entre*) dividir em partes; distribuir *<partilhou as roupas (entre os necessitados)>* □ *t.d.,t.i. e t.d.i.* **2** (prep. *de*, *com*) tomar ou ter parte em; participar, compartilhar *<p. alegrias (com os amigos)>* *<p. das mesmas ideias>* □ *t.d.i.* **3** (prep. *com*) usar junto com; compartilhar, dividir *<p. o quarto com a irmã>*

partir (par.tir) *v.* {mod. 24} *t.d. e pron.* **1** dividir(-se) em partes, pedaços *<partiu o pão e comeu-o com a sopa>* *<a guerra fez o país p.-se em dois territórios>* **2** (prep. *em*) fazer(-se) em pedaços; quebrar(-se) *<uma bolada partiu a janela da sala>* *<o cálice partiu-se em centenas de cacos>* □ *t.i.* **3** (prep. *de*) deixar um local; sair, ir *<partiu cedo de Brasília>* **4** (prep. *para*) pôr-se a caminho de; dirigir-se *<o navio partiu para a Europa>* **5** (prep. *de*) ter início, origem, fundamento em *<p. de uma premissa>* ↺ acabar **6** (prep. *para*) dar início a; lançar-se *<p. para uma longa viagem>* □ *int.* **7** perder a vida; morrer □ *t.d.i.* **8** (prep. *entre*) entregar parcela de (algo) a (diversos receptores); distribuir, repartir *<partiu os bens entre os filhos>* ▣ **a p. de 1** tendo como ponto de partida ou inicial (certo lugar, momento etc.) em diante *<a p. daqui, a estrada é de barro>* **2** levando em conta *<decidiu-se a p. de longas pesquisas>*

partitura (par.ti.tu.ra) *s.f.* MÚS **1** material gráfico contendo notação completa de uma composição musical **2** *p.ext.* qualquer folha de papel com notação musical

parto (par.to) *s.m.* **1** ato ou efeito de parir, de dar à luz **2** *fig.* tarefa ger. cansativa e difícil *<escrever este livro foi um p.>* ▣ **p. cesáreo** MED cesariana • **p. normal** MED o que ocorre pelas vias normais, ou seja, pela vagina

parturiente (par.tu.ri.en.te) *adj.2g.s.f.* (o) que está prestes a ou acabou de parir *<não conseguiram salvar o animal p.>* *<uma p. deu entrada na emergência do hospital>*

parvo (par.vo) *adj.s.m.* tolo, estúpido ↺ esperto ~ **parvoíce** *s.f.*

pascal (pas.cal) [pl.: *-ais*] ou **pascoal** (pas.co.al) [pl.: *-ais*] *adj.2g.* relativo à ou próprio da Páscoa

páscoa (pás.coa) *s.f.* REL **1** festa anual dos cristãos, comemorativa da ressurreição de Cristo ☞ inicial maiúsc. **2** ver ***PESSACH*** **3** comunhão coletiva celebrada em cumprimento ao preceito pascal *<p. dos professores>*

pascoal (pas.co.al) *adj.2g* ☞ **PASCAL**

Pasep (Pa.sep) *s.m.* sigla de Programa de Formação do Patrimônio do Servidor Público

pasmaceira (pas.ma.cei.ra) *s.f.* **1** estado ou situação caracterizada pela falta de interesse; apatia, marasmo ↺ ânimo ↺ agitação **2** monotomia ↺ agitação

pasmar (pas.mar) *v.* {mod. 1} *t.d.,t.i.,int. e pron.* (prep. *de*) (fazer) ficar admirado, surpreso; surpreender(-se), assombrar(-se) *<o entrevistado pasmou o público>* *<pasmaram de emoção>* *<a sua inteligência pasma>* *<pasmou-se com o espetáculo>* ◉ GRAM/USO part.: *pasmado*, *pasmo*; ver QUADRO DE PARTICÍPIOS DUPLOS nas pp. iniciais

[1]**pasmo** (pas.mo) *s.m.* sentimento de espanto; admiração, assombro ◉ ORIGEM do lat.tar. *pasmus* 'id.'

[2]**pasmo** (pas.mo) *adj.* tomado de assombro; admirado, espantado, pasmado *<ficou p. quando descobriu a verdade>* ◉ ORIGEM part.irreg. de *pasmar*

paspalhão (pas.pa.lhão) [pl.: *-ões*; fem.: *paspalhona*] *adj.s.m.* tolo, bobo ↺ esperto

paspalho (pas.pa.lho) *adj.s.m.* paspalhão

pasquim (pas.quim) [pl.: *-ins*] *s.m.* jornal ou folheto satírico

passa (pas.sa) *s.f.* fruta seca ao sol ou em estufa *<p. de uva, de banana>*

passada (pas.sa.da) *s.f.* **1** movimento feito com os pés para andar; passo **2** *B* visita rápida a algum lugar *<deu uma p. pela festa>*

passadeira (pas.sa.dei.ra) *s.f.* **1** tapete estreito e longo us. em corredor **2** *B* mulher cujo trabalho é passar roupa

passadiço (pas.sa.di.ço) *adj.* **1** que passa rapidamente; transitório ↺ definitivo ■ *s.m.* **2** passagem ou corredor de comunicação entre prédios, cômodos etc. **3** convés na parte superior de um navio **4** calçada

passadio (pas.sa.di.o) *s.m.* comida de todo dia *<lá em casa temos bom p.>*

passadismo (pas.sa.dis.mo) *s.m.* apego ao passado; saudosismo ~ **passadista** *adj.2g.s.2g.*

passado (pas.sa.do) *adj.* **1** que passou *<histórias p.>* **2** que acabou de passar; imediatamente anterior *<semana p.>* **3** que envelheceu ou perdeu a atualidade **4** muito amadurecido, quase podre *<as frutas estão p.>* **5** sem graça ou surpreendido com alguma coisa *<ficou p. com a decisão>* **6** alisado com ferro de passar *<paletó p.>* ↺ amarrotado ■ *s.m.* **7** o tempo que passou *<tem boas recordações do p.>* **8** história de uma pessoa, cidade, instituição etc. *<o glorioso p. da nação>*

passador (pas.sa.dor) /ô/ [pl.: *-es*] *s.m.* **1** cada uma das alças presas no cós de saia, calça etc., por onde se pode passar o cinto **2** utensílio de cozinha us. para espremer legumes, massas etc. **3** *B* pregador de cabelo ■ *adj.* **4** que passa

passa-fora (pas.sa-fo.ra) *interj.* **1** us. para enxotar animais ■ *s.m.* **2** repreensão vigorosa *<deu-lhe um p.>* ◉ GRAM/USO pl. do s.m.: *passa-foras*

passageiro (pas.sa.gei.ro) *adj.* **1** não permanente; transitório, efêmero *<chuva p.>* *<sentimento p.>*

P

↺ duradouro ■ *s.m.* **2** quem é transportado num veículo *<ônibus para 40 p.>*

passagem (pas.sa.gem) [pl.: *-ens*] *s.f.* **1** ato de passar ou seu efeito **2** local por onde se passa *<há uma p. por trás do prédio>* **3** bilhete de viagem *<já comprei as p. para Fortaleza>* **4** trecho de livro, peça etc. *<impressionou-se com uma p. do romance>* ▣ **p. de nível** parte de rua ou estrada que corta uma ferrovia no mesmo nível desta • **de p.** sem demora; sem se prolongar *<veio só de p.> <tratou do assunto de p.>*

passamanaria (pas.sa.ma.na.ri.a) *s.f.* trabalho com passamanes, seu comércio e indústria

passamane (pas.sa.ma.ne) *s.m.* bordado ou trançado de seda, prata ou ouro etc. us. em roupas, cortinas etc. ☞ mais us. no pl.

passamento (pas.sa.men.to) *s.m.* morte, óbito

passante (pas.san.te) *adj.2g.s.2g.* (pessoa) que passa; transeunte

passaporte (pas.sa.por.te) *s.m.* documento oficial que serve como identificação e permite o ingresso em países estrangeiros

passar (pas.sar) *v.* {mod. 1} *t.d. e t.i.* **1** (prep. *por*) deslocar-se através de; atravessar, transpor *<p. a estrada para chegar à fazenda> <passaram pela fronteira 20 pessoas>* **2** (prep. *por*) ir além de, deixar para trás; ultrapassar *<o carro passou o ônibus> <passou por nós apressada>* **3** (prep. *de*) ir além de ou ser superior a; exceder, ultrapassar *<seu desempenho passou o dela> <isso passa dos limites> <já passa da hora de ir>* **4** (prep. *para*) engatar, engrenar (marcha) *<estou aprendendo a p. as marchas do carro> <na subida, passou (para) a segunda marcha>* □ *t.d.i.* **5** (prep. *em, por*) espalhar ou fazer correr por uma superfície; aplicar, pôr *<p. tinta na parede> <p. a mão pela barba>* **6** (prep. *em*) fechar por meio de (algo) *<p. a chave na mala>* **7** (prep. *em, por*) envolver (algo) com; embrulhar, circundar *<passe um papel nesse presente> <passou o braço pela cintura dela>* **8** (prep. *para*) estabelecer como tarefa para *<p. dever para os alunos>* **9** (prep. *em*) tomar (pessoa, instituição) como alvo para; dirigir *<p. um carão na filha>* ↺ levar □ *t.d.* **10** mover (algo) deixando-o para trás *<p. as páginas de um livro>* **11** fazer, preparar, cozinhar *<p. um café, uns bifes>* **12** alisar (roupa) com ferro *<passou o paletó com capricho>* **13** usar (determinado tempo) fazendo algo *<p. dois anos estudando no exterior>* **14** tornar válido; fazer, emitir *<p. atestado de óbito> <p. um contrato no cartório>* **15** repetir para adquirir destreza, prática; estudar *<p. a tabuada> <p. a cena>* □ *t.d. e t.d.i.* **16** (prep. *a, para*) fazer chegar a; transportar, conduzir, levar *<a balsa passa os carros para o outro lado> <não pôde p.-lhe o material>* **17** (prep. *para*) fazer seguir (mensagem, notícia etc.); transmitir, enviar *<p. informação adiante> <p. um telegrama>* **18** (prep. *a, para*) dar (a alguém) [algo seu ou de que se ocupava]; entregar *<passe a jarra de refresco> <p. a palavra ao orador>* ↺ tomar **19** (prep. *a, para*) ceder mediante pagamento; vender *<p. bilhetes de loteria> <passou-lhe uma rifa>* **20** (prep. *a, para*) prescrever como medicamento; receitar *<o médico passou um calmante (para a paciente)>* □ *t.i. e t.d.i.* **21** (prep. *por*) mover(-se) para dentro de, transpondo; penetrar *<p. a linha pelo buraco> <a cobra passou pela fresta>* **22** (prep. *a, para*) mudar de um lugar para outro *<passou o senhor para a frente> <vamos p. para a frente> <passou da sala à cozinha>* **23** (prep. *a, para*) (fazer) tornar-se propriedade de (outrem, uma instituição etc.) *<a tela passou a novo proprietário> <p. os bens para a filha>* **24** (prep. *para*) transmitir(-se) por imitação, linha genética, contágio etc. *<a catapora passou para o irmão> <p. suas manias para os filhos>* **25** (prep. *por*) submeter(-se) à ação de *<p. por uma revista> <p. o suspeito pelo detetor de mentiras>* □ *t.i.* **26** (prep. *de, para*) movimentar, mover *<p. o telefone de um ouvido para outro>* **27** (prep. *em, por*) percorrer um lugar sem nele se deter *<passou pela cidade e seguiu para o norte>* **28** (prep. *para*) tornar-se parte de; entrar *<passou para a história como rei>* □ *int.* **29** esgotar-se, acabar (período, prazo) *<a data do pagamento já passou>* **30** mover-se em deslocação contínua *<viram o cometa p.>* **31** estar situado; localizar-se *<a estrada passa longe daqui>* **32** deixar de ocorrer ou manifestar-se; acabar *<o perigo passou>* ↺ começar **33** manter-se vivo ou bem, ger. sob condições ruins; aguentar *<passo com duas refeições por dia>* **34** ser transitório; acabar *<os governos passam, os líderes ficam>* ↺ permanecer **35** ser tolerável, desculpável *<você errou, mas desta vez passa>* **36** em alguns jogos, não participar de um lance ou deixar de jogar uma rodada *<jogue você, eu passo>* **37** surgir de repente e sumir rapidamente *<o vendaval passou deixando destruição>* □ *t.i. e int.* **38** (prep. *a*) deixar atividade, ocupação, estado etc. assumindo (outro); transitar *<passemos ao capítulo 2> <passou da leitura aos bocejos>* **39** (prep. *de, em*) ser aprovado ou promovido em exame, concurso etc. *<p. de ano> <poucos candidatos passaram (no vestibular)>* □ *pron.* **40** acontecer, ocorrer *<como tudo se passou?>* □ *t.d.,t.i. e int.* **41** (prep. *por*) viver ou estar em (certa situação ou condição) *<p. fome> <p. por maus momentos> <não passou bem hoje>* □ *int. e pron.* **42** transcorrer, decorrer (o tempo) *<passaram(-se) dois anos desde que ele partiu>* ▣ **p. bem 1** estar com boa saúde *<esteve doente, mas agora passa bem>* **2** ter boa acomodação, alimentação, tranquilidade etc. *<neste quartel os soldados passam bem>* **3** us. como fórmula para desejar bons votos a alguém *<até breve; p. bem>* • **p. para trás** *B infrm.* **1** obter vantagem que seria de outrem *<passou o colega para trás>* **2** agir de modo dissimulado; enganar *<p. para trás um rapaz ingênuo>* **3** trair (cônjuge, amigo, sócio etc.) • **não p. de** ser somente *<esse escândalo não passa de birra>*

P

passarada (pas.sa.ra.da) *s.f.* ou **passaredo** (pas.sa.re.do) /ê/ *s.m.* conjunto de pássaros

passarela (pas.sa.re.la) *s.f.* **1** ponte para pedestres, ger. sobre avenidas ou estradas **2** plataforma ('superfície') longa us. em desfiles de moda e concursos **3** *p.ext.* qualquer caminho, via, avenida us. para desfiles, exibições etc. *<a p. do samba>*

passarinheiro (pas.sa.ri.nhei.ro) *adj.s.m.* que(m) caça, cria ou vende pássaros

passarinho (pas.sa.ri.nho) *s.m.* pássaro pequeno

pássaro (pás.sa.ro) *s.m.* **1** toda ave pequena ou média com três dedos anteriores e um posterior **2** *infrm.* ave ◉ COL passarada

passatempo (pas.sa.tem.po) *s.m.* atividade que diverte; divertimento, diversão

passável (pas.sá.vel) [pl.: *-eis*] *adj.2g.* mais ou menos bom; razoável *<comida p.>*

passe (pas.se) *s.m.* **1** licença para passar de um lugar a outro **2** REL ato de passar as mãos por cima de pessoa que se pretende curar pela força mediúnica **3** ESP ato de passar a bola para um companheiro de equipe

passear (pas.se.ar) *v.* {mod. 5} *int.* **1** ir a algum lugar a lazer, para divertir-se, exercitar-se *<p. na praça>* ▫ *t.d.* **2** conduzir em passeio *<p. o cachorro>* ~ **passeador** *adj.s.m.*

passeata (pas.se.a.ta) *s.f.* **1** passeio rápido **2** *B* marcha coletiva para realizar protesto, reivindicação, manifestar apoio a uma causa etc.

passeio (pas.sei.o) *s.m.* **1** caminhada ou saída para lazer **2** praça ou jardim público **3** calçada ▣ **p. completo** roupa elegante e convencional, para mulheres, e terno e gravata, para homens

passinho (pas.si.nho) *s.m.* DNÇ dança originada em comunidades carentes e bairros populares do Rio de Janeiro RJ, executada ger. por rapazes adolescentes e caracterizada por movimentos improvisados que misturam passos de *break dancing*, samba, frevo etc.

passional (pas.sio.nal) [pl.: *-ais*] *adj.2g.* próprio de ou regido por paixão *<decisão p.>* ~ **passionalidade** *s.f.*

passista (pas.sis.ta) *adj.2g.s.2g.* que(m) dança frevo ou samba

passiva (pas.si.va) *s.f.* **1** falta de ação ou indolência *<ficar na p.>* **2** GRAM voz passiva (do verbo)

passível (pas.sí.vel) [pl.: *-eis*] *adj.2g.* sujeito a experimentar boas ou más sensações, a ser objeto de certas ações ou a penas *<p. de sofrimento> <ele é p. de transferência para outra filial> <ato p. de prisão>*

passivo (pas.si.vo) *adj.* **1** que sofre uma ação *<fumante p.>* **2** sem iniciativa; indiferente ↺ entusiasmado ■ *s.m.* ECON **3** conjunto de dívidas e obrigações de pessoa ou empresa ☞ cf. *ativo* ~ **passividade** *s.f.*

passo (pas.so) *s.m.* **1** ato de deslocar cada pé ao andar **2** *p.ext.* o espaço compreendido entre cada um desses deslocamentos *<a casa fica a dez p. da loja>* **3** *p.ext.* o som produzido por esse deslocamento *<ouviu passos e assustou-se>* **4** *p.ext.* modo de andar **5** movimento definido de dança **6** resolução, medida *<a viagem foi um p. decisivo em sua vida>* ☞ cf. *paço* ▣ **p. a p.** seguindo etapas sucessivas; gradualmente *<resolveu a questão p. a p.>* • **ao p. que 1** à medida que *<ficava mais gorda ao p. que envelhecia>* **2** enquanto *<era estudioso, ao p. que o irmão era malandro>*

pasta (pas.ta) *s.f.* **1** porção de matéria sólida ligada com substância líquida ou viscosa, e que se caracteriza por sua plasticidade *<p. de farinha> <p. de frango>* **2** bolsa retangular ou cartão dobrado, próprios para guardar papéis, documentos etc. **3** posto de ministro *<está atualmente na p. da Saúde>* **4** INF subdivisão de um disco ou de outro meio de armazenamento capaz de conter arquivos; diretório ▣ **p. de dentes** creme us. para limpar os dentes

pastagem (pas.ta.gem) [pl.: *-ens*] *s.f.* pasto

pastar (pas.tar) *v.* {mod. 1} *int.* **1** comer (boi, cavalo etc.) erva não ceifada ou vegetação rasteira **2** *fig.* não prosperar, não ter sucesso *<se não estudar, vai p.>*

[1]**pastel** (pas.tel) [pl.: *-éis*] *s.m.* **1** CUL massa de farinha de trigo, com recheio salgado ou doce, que se frita ou assa **2** *infrm.* indivíduo aborrecido **3** GRÁF erro tipográfico, mistura de letras ◉ ORIGEM do fr.ant. *pastel* (hoje *pâte*) 'bolo, bocado de massa'

[2]**pastel** (pas.tel) [pl.: *-éis*] *s.m.* **1** espécie de lápis de cor us. em desenhos e pinturas **2** processo de pintura a seco sobre tela, papel etc., muito empr. em paisagens e retratos **3** *p.ext.* obra realizada por esse processo ■ *adj.2g.2n.* **4** suave como a cor desse lápis *<azul p.>* **5** que apresenta essa cor *<saia p.>* ◉ ORIGEM do it. *pastello* 'processo de pintar com lápis de cores'

pastelão (pas.te.lão) [pl.: *-ões*] *s.m.* **1** CUL torta salgada de forno; empadão **2** CINE TEAT TV comédia com intensa movimentação de atores e tortas e pastelões mutuamente atirados

pastelaria (pas.te.la.ri.a) *s.f.* **1** conjunto de doces e salgados feitos com massas diversas e prontos para consumo **2** local onde se fabricam e/ou vendem esses produtos

pasteleiro (pas.te.lei.ro) *s.m.* pessoa que prepara e/ou vende pastéis de massa e afins

pasteurizado (pas.teu.ri.za.do) *adj.* **1** submetido à pasteurização *<leite p.>* **2** *infrm.* inexpressivo, padronizado (ideia, obra de arte etc.)

pasteurizar (pas.teu.ri.zar) *v.* {mod. 1} *t.d.* esterilizar (laticínios, bebidas e outros alimentos), expondo-os a temperaturas elevadas e resfriando-os rapidamente em seguida ~ **pasteurização** *s.f.*

pastiche (pas.ti.che) *s.m.* obra literária ou artística que imita outra

pastifício (pas.ti.fí.cio) *s.m.* indústria de massas alimentícias

pastilha (pas.ti.lha) *s.f.* **1** tipo de doce; bala **2** FARM massa de forma circular, comprimida e envolta em açúcar, com substâncias medicamentosas **3** CONSTR pequena peça de cerâmica ou vidro, ger. quadrada ou retangular, que reveste pisos e paredes

pasto (pas.to) *s.m.* vegetação ou local para pastar

pastor (pas.tor) /ô/ [pl.: *-es*] *adj.s.m.* **1** que(m) leva e vigia o gado no pasto **2** (cão) que protege rebanhos ■ *s.m.* **3** REL guia espiritual, esp. protestante

pastora (pas.to.ra) /ô/ *s.f.* **1** mulher que vigia o gado no campo **2** integrante do auto natalino dito pastoril **3** *B* cada uma das participantes tradicionais dos desfiles das escolas de samba; pastorinha

pastoral (pas.to.ral) [pl.: *-ais*] *s.f.* **1** circular ('texto') escrita por papa ou bispo ■ *adj.2g.* **2** próprio de pastor ('guia') **3** relativo a pastor de animais; pastoril **4** campestre

pastor-alemão (pas.tor-a.le.mão) [pl.: *pastores-alemães*] *s.m.* cão robusto, de grande porte, pelo preto e amarelado, orelhas pontiagudas, us. como rastreador, cão de guarda e guia para cegos

pastorear (pas.to.re.ar) *v.* {mod. 5} *t.d.* conduzir (o gado) ao pasto e/ou vigiá-lo

pastoreio (pas.to.rei.o) *s.m.* **1** atividade de pastor de animais **2** local de pastagem

pastoril (pas.to.ril) [pl.: *-is*] *adj.2g.* **1** próprio de pastor de animais e do pastoreio **2** relativo à vida e aos costumes do campo; campestre ■ *s.m.* **3** auto natalino **4** folguedo popular nordestino, orign. representação dramática para celebrar o nascimento de Jesus, em que as pastoras se dividem em dois cordões ('grupo de foliões'), um azul e outro encarnado

pastorinha (pas.to.ri.nha) *s.f.* cada uma das figurantes dos pastoris; pastora

pastoso (pas.to.so) /ô/ [pl. e fem.: /ó/] *adj.* **1** que parece pasta ('porção de matéria') **2** que tem consistência pegajosa

[1]**pata** (pa.ta) *s.f.* fêmea do pato ◉ ORIGEM de *pato* + *-a*

[2]**pata** (pa.ta) *s.f.* **1** pé e perna de animal **2** *p.ext. pej.* pé ou mão humana *<tire as p. da minha comida>* ◉ ORIGEM desc.

pataca (pa.ta.ca) *s.f.* antiga moeda de prata

patacoada (pa.ta.co.a.da) *s.f.* disparate, tolice

patada (pa.ta.da) *s.f.* **1** golpe com a pata **2** *infrm.* grosseria

patamar (pa.ta.mar) [pl.: *-es*] *s.m.* **1** parte larga no topo ou entre dois lances de escada **2** *fig.* nível destacado *<atingiu mais um p. em sua carreira>*

patativa (pa.ta.ti.va) *s.f.* ZOO ave de cerca de 10 cm de comprimento, penas cinzentas e abdome branco nos machos, e penas pardas nas fêmeas e filhotes, apreciada por seu canto melodioso

patavina (pa.ta.vi.na) *pron.ind.* coisa alguma; nada *<não entendi p. do filme>*

pataxó (pa.ta.xó) *s.2g.* **1** indivíduo dos pataxós, grupo indígena que habita a faixa costeira do sul da Bahia e o centro de Minas Gerais ■ *s.m.* **2** língua falada por esse grupo ■ *adj.2g.* **3** relativo a esse indivíduo, grupo ou língua

patchuli (pat.chu.li) *s.m.* **1** BOT erva nativa da Índia de cujas folhas se extrai óleo us. em perfumaria **2** o perfume feito desse óleo

patê (pa.tê) *s.m.* CUL pasta ('porção de matéria') temperada para passar em pão, torrada etc.

patela (pa.te.la) *s.f.* ANAT osso, antes denominado *rótula*, localizado na parte anterior do joelho

pátena (pá.te.na) ou **patena** (pa.te.na) *s.f.* REL pires metálico us. na missa para cobrir o cálice e colocar a hóstia

patente (pa.ten.te) *s.f.* **1** DIR título de propriedade e uso exclusivo de um invento, modelo, projeto etc. **2** título correspondente ao posto a que o militar ascende *<conquistou por mérito a nova p.>* **3** *B S.* vaso sanitário; latrina ■ *adj.2g.* **4** visível, óbvio *<seu desejo é p.>* ↺ oculto, latente

patentear (pa.ten.te.ar) *v.* {mod. 5} *t.d.,t.d.i. e pron.* **1** (prep. *a*) tornar(-se) manifesto, evidente; mostrar (-se), revelar(-se) *<eles patenteavam sua insatisfação>* *<patenteei meus objetivos ao chefe>* *<patentearam-se as qualidades do moço>* ↺ esconder(-se), ocultar(-se) □ *t.d.* **2** registrar com patente *<p. uma invenção>* □ *t.d. e t.d.i.* **3** (prep. *a*) fazer livre (a); liberar, abrir *<as autoridades patentearam as vias (à comitiva papal)>* ↺ bloquear

paternal (pa.ter.nal) [pl.: *-ais*] *adj.2g.* **1** de ou próprio de pai; paterno **2** *fig.* que demonstra bondade e compreensão *<tomou uma atitude p.>* ~ **paternalidade** *s.f.*

paternalismo (pa.ter.na.lis.mo) *s.m.* **1** regime fundado na autoridade paterna **2** prática protetora em relações de trabalho, política etc. ~ **paternalista** *adj.2g.s.2g.*

paternidade (pa.ter.ni.da.de) *s.f.* **1** condição de pai **2** *fig.* autoria intelectual de uma obra *<a p. de um projeto, de um livro>*

paterno (pa.ter.no) *adj.* **1** relativo ao pai ou próprio dele; paternal **2** relativo aos pais ou à pátria; pátrio

pateta (pa.te.ta) *adj.2g.s.2g.* **1** *pej.* que(m) é distraído **2** (indivíduo) tolo, idiota ~ **patetice** *s.f.*

patético (pa.té.ti.co) *adj.s.m.* (o) que provoca sentimento de piedade *<cena p.>* *<o p. de sua decisão>*

patibular (pa.ti.bu.lar) [pl.: *-es*] *adj.2g.* **1** próprio de patíbulo **2** *fig.* com aspecto sombrio ou de criminoso *<rosto p.>*

patíbulo (pa.tí.bu.lo) *s.m.* tablado para execução pública de condenados; cadafalso

patifaria (pa.ti.fa.ri.a) *s.f.* ato ou comportamento de patife; canalhice, cafajestagem ↺ decência, seriedade

patife (pa.ti.fe) *adj.s.m.* que(m) não tem vergonha nem escrúpulos; infame, canalha

patim (pa.tim) [pl.: *-ins*] *s.m.* calçado com rodas ou lâmina para deslizar no solo ou no gelo ☞ mais us. no pl.

pátina (pá.ti.na) *s.f.* **1** camada esverdeada na superfície do bronze ou do cobre **2** oxidação das tintas pela ação do tempo e da luz **3** técnica decorativa que imita essa oxidação **4** *fig.* envelhecimento *<a p. do tempo não afetou sua beleza>*

patinação (pa.ti.na.ção) [pl.: *-ões*] *s.f.* **1** ação de patinar ou o seu efeito **2** ESP modalidade esportiva em que se usam patins

patinador (pa.ti.na.dor) /ô/ [pl.: *-es*] *adj.s.m.* que(m) pratica a patinação

[1]**patinar** (pa.ti.nar) *v.* {mod. 1} *int.* deslocar-se sobre patins ◉ ORIGEM *patim* (com alt. *-m* > *-n-*) + *-ar*

[2]**patinar** (pa.ti.nar) *v.* {mod. 1} → ***PATINHAR***

patinete (pa.ti.ne.te) *s.m.* brinquedo constituído de uma tábua sobre duas rodas com guidom

patinhar (pa.ti.nhar) ou [2]**patinar** (pa.ti.nar) *v.* {mod. 1} *int.* **1** bater os pés ou as mãos na água *<as crianças patinhavam na piscina>* **2** locomover-se pisando (em água, lama etc.) *<patinharam na lama da estrada até chegar em casa>* **3** deslizar de maneira desgovernada; derrapar

patinho (pa.ti.nho) *s.m.* carne da parte interna da perna traseira do boi

pátio (pá.tio) *s.m.* área calçada, murada e descoberta dentro de prédio, casa etc.

pato (pa.to) *s.m.* **1** ZOO ave aquática de pés palmados e bico largo **2** *infrm.* indivíduo tolo, bobo ▣ **pagar o p.** sofrer as consequências de atos praticados por outra pessoa

patogenia (pa.to.ge.ni.a) *s.f.* estudo da origem ou evolução das doenças

patogênico (pa.to.gê.ni.co) *adj.* **1** relativo a patogenia *<condição p.>* **2** que pode causar doença *<microrganismo p.>*

P

patologia (pa.to.lo.gi.a) *s.f.* **1** MED estudo das doenças e alterações que elas provocam no organismo **2** MED o que constitui ou caracteriza determinada doença **3** *p.ext.* desvio em relação ao que é adequado ou considerado o estado normal de algo

patológico (pa.to.ló.gi.co) *adj.* **1** referente a patologia **2** mórbido, doentio *<seu ciúme é quase p.>*

patologista (pa.to.lo.gis.ta) *adj.2g.s.2g.* especialista em patologia

patota (pa.to.ta) *s.f. gír.* grupo de amigos; turma

patranha (pa.tra.nha) *s.f.* história falsa; mentira

patrão (pa.trão) [pl.: *-ões*; fem.: *patroa*] *s.m.* proprietário ou chefe de estabelecimento comercial, industrial etc., em relação aos seus subordinados; empregador

pátria (pá.tria) *s.f.* **1** país ou terra em que se nasce ou se vive **2** *p.ext.* local de origem de um grupo ou fato; domínio, reino *<o Brasil é a p. do carnaval>*

patriarca (pa.tri.ar.ca) [fem.: *matriarca*] *s.m.* homem que governa família, tribo, clã etc. ~ **patriarcal** *adj.2g.*

patriarcado (pa.tri.ar.ca.do) *s.m.* forma de organização social em que predomina a autoridade paterna

patricinha (pa.tri.ci.nha) *s.f.* moça que capricha nas roupas que veste e frequenta os lugares da moda ☞ pode ser pej.

patrício (pa.trí.cio) *adj.s.m.* **1** natural da mesma pátria (que outrem); conterrâneo **2** HIST (indivíduo) da antiga nobreza romana

patrimônio (pa.tri.mô.nio) *s.m.* **1** herança familiar **2** conjunto dos bens individuais ou familiares *<acumulou um grande p. com muito trabalho>* **3** DIR conjunto dos bens, direitos e obrigações economicamente pertencentes a uma pessoa ou a uma empresa **4** conjunto de bens naturais ou culturais de determinado lugar, região, país etc. *<p. histórico>* ~ **patrimonial** *adj.2g.*

P

pátrio (pá.trio) *adj.* **1** próprio de pátria *<símbolos p.>* **2** paterno *<p. poder>*

patriota (pa.tri.o.ta) *adj.2g.s.2g.* que(m) ama a sua pátria e/ou presta serviços a ela ↺ antipatriota, traidor

patriotada (pa.tri.o.ta.da) *s.f.* patriotismo exagerado; patriotice

patriotice (pa.tri.o.ti.ce) *s.f.* patriotada

patriótico (pa.tri.ó.ti.co) *adj.* **1** referente a patriotismo ou patriota *<sentimentos p.>* **2** que revela amor à pátria *<ato p.>*

patriotismo (pa.tri.o.tis.mo) *s.m.* **1** qualidade de quem é patriota **2** amor à pátria, lealdade para com o país

patroa (pa.tro.a) /ô/ *s.f.* **1** a mulher do patrão **2** dona de casa **3** mulher que dirige certos estabelecimentos ou serviços **4** *infrm.* mulher casada, em relação ao marido; esposa *<só como carne quando a p. me deixa>* ◉ GRAM/USO fem. de *patrão*

patrocinador (pa.tro.ci.na.dor) /ô/ [pl.: *-es*] *adj.s.m.* **1** (aquele) que patrocina **1.1** que ou quem (indivíduo ou empresa) assume os custos financeiros de um espetáculo, competição esportiva, programa de rádio ou televisão etc. com objetivos de publicidade de nome ou marca

patrocinar (pa.tro.ci.nar) *v.* {mod. 1} *t.d.* **1** conceder proteção a; amparar *<um parlamentar que gosta de p. projetos ecológicos>* **2** prover despesas, gastos de; financiar *<uma empresa que patrocina projetos culturais>* **3** *fig.* fazer surgir; ocasionar *<o acaso patrocinou nosso encontro>*

patrocínio (pa.tro.cí.nio) *s.m.* **1** auxílio, proteção **2** apoio financeiro

patronal (pa.tro.nal) [pl.: *-ais*] *adj.2g.* **1** próprio de patrão *<deveres p.>* **2** formado por patrões *<sindicato p.>*

patronato (pa.tro.na.to) *s.m.* **1** direito ou poder de patrão **2** classe dos patrões ou dos proprietários de empresas **3** instituição que abriga e educa menores pobres; pensionato

patronesse (pa.tro.nes.se) [fr.; pl.: *patronesses*] *s.f.* mulher que patrocina obras beneficentes ⇒ pronuncia-se patronés

patronímico (pa.tro.ní.mi.co) *adj.* denominação derivada do nome do pai ou de ascendente

patrono (pa.tro.no) *s.m.* **1** o que defende uma causa, ideia etc.; defensor, protetor *<o p. da luta abolicionista>* **2** tutor ou protetor de instituição, academia etc. *<o p. da cadeira 23 da Academia> <o p. do Exército>* **3** *p.ext.* indivíduo homenageado em cerimônias de formatura

patrulha (pa.tru.lha) *s.f.* **1** ronda ou reconhecimento da posição do inimigo; patrulhamento **2** grupo encarregado dessa função **3** *fig. B* cobrança de posições morais ou ideológicas; patrulhamento *<após a vitória, instalou-se uma constante p.>* **4** *p.ext. B* grupo político que faz essa cobrança

patrulhamento (pa.tru.lha.men.to) *s.m.* **1** patrulha ('ronda') **2** *fig. B* pressão por posições morais ou ideológicas; patrulha

patrulhar (pa.tru.lhar) *v.* {mod. 1} *t.d.* **1** proteger, vigiar ou rondar constantemente *<a polícia patrulha as estradas>* □ *t.d. e int.* **2** rondar em patrulha *<uma trinca de soldados patrulha aquela avenida> <a função do grupo era p. para impedir assaltos>* □ *t.d. fig. B* **3** cobrar conduta, posição ideológica, moral ou de ação; fiscalizar *<um pequeno grupo patrulha o partido>*

patrulheiro (pa.tru.lhei.ro) *s.m.* **1** indivíduo que patrulha **2** pequeno navio que patrulha águas próximas à costa

patuá (pa.tu.á) *s.m.* **1** saquinho de pano com oração ou relíquia benta us. em cordão, pendente do pescoço; bentinho **2** *fig.* qualquer objeto considerado como amuleto

patuleia (pa.tu.lei.a) /éi/ *s.f. pej.* classe social baixa; plebe, povo, ralé

patuscada (pa.tus.ca.da) *s.f.* festa informal com muita comida e bebida ~ **patuscar** *v.int.*

patusco (pa.tus.co) *adj.s.m.* **1** que(m) gosta de patuscadas **2** brincalhão ↺ sisudo **3** *pej.* excêntrico, ridículo

pau *s.m.* **1** pedaço de madeira **2** *p.ext.* qualquer pedaço de substância sólida semelhante a um pau *<canela em p.>* **3** haste, mastro *<p. de bandeira>* **4** *infrm.* surra *<levou um p. dos arruaceiros>* **5** *infrm.* reprovação em exame *<levou p. no vestibular> <tomar p. no concurso>* **6** *infrm.* unidade monetária *<o som custou 300 p.>* **7** *infrm. gros.* pênis ▼ ***paus*** *s.m.pl.* RECR **8** um dos quatro naipes do baralho, representado por um trevo preto de três folhas ▣ **p. a p.** de maneira equilibrada *<o jogo foi*

p. a p.> • **p. de *selfie*** extensor no qual se encaixa, p.ex., um celular, us. para capturar *selfies* com mais pessoas e a cena à volta • **p. para toda obra** pessoa ou coisa que serve para tudo • **levar p.** *B* ser reprovado num teste • **matar a p.** *B infrm.* agir, responder com grande propriedade e eficiência *<entrou no jogo e matou a p.>* • **meter o p. (em)** *B infrm.* **1** trabalhar com tenacidade *<meteu o p. e conseguiu construir a casa dos sonhos>* **2** gastar de maneira descontrolada; esbanjar *<meteu o p. na herança>* **3** falar muito mal de (algo ou alguém) *<meteu o p. no filme que viu>* • **mostrar com quantos p. se faz uma canoa** *B* dar um castigo, uma lição completa • **nem a p.** *B* de forma alguma

pau a pique (pau a pi.que) [pl.: *paus a pique*] *s.m.* parede feita de uma trama de ripas coberta com barro; taipa *<casa de pau a pique>*

pau-brasil (pau-bra.sil) [pl.: *paus-brasil* e *paus-brasis*] *s.m.* BOT árvore brasileira de cujo tronco se extrai tinta vermelha

pau-d'água (pau-d'á.gua) [pl.: *paus-d'água*] *s.m.* **1** BOT árvore de até 10 m, casca escura e fendida, folhas rígidas e flores amarelas, de cujo tronco se retira líquido semelhante à goma arábica **2** BOT árvore pequena de folhas verde-escuras em forma de lança, que se reproduz por segmentos de caule colocados em água **3** *B infrm.* bêbado

pau-d'arco (pau-d'ar.co) [pl.: *paus-d'arco*] *s.m.* BOT ipê

pau de arara (pau de a.ra.ra) [pl.: *paus de arara*] *s.m. B* **1** pau us. para transportar aves amarradas **2** caminhão que leva retirantes nordestinos **3** instrumento de tortura que consiste num pau roliço em que o torturado é pendurado pelos joelhos flexionados e tem seus pulsos atados aos tornozelos

pau de sebo (pau de se.bo) [pl.: *paus de sebo*] *s.m.* **1** disputa para buscar prêmios no alto de um mastro coberto de sebo ou qualquer substância escorregadia **2** esse mastro

pau-ferro (pau-fer.ro) [pl.: *paus-ferro* e *paus-ferros*] *s.m.* BOT árvore de tronco liso com manchas brancas, madeira muito dura, us. em arborização e pelas propriedades medicinais das raízes, casca e frutos

paul (pa.ul) [pl.: *pauis*] *s.m.* pântano

paulada (pau.la.da) *s.f.* golpe com pau ('madeira')

paulatino (pau.la.ti.no) *adj.* **1** feito em etapas *<processo p. de construção>* **2** feito devagar *<reaprendizagem p., depois da doença>* ↺ acelerado

pauliceia (pau.li.cei.a) /éi/ *s.f.* a cidade de São Paulo, capital do estado ☞ inicial ger. maiúsc.

paulista (pau.lis.ta) *adj.2g.* **1** de São Paulo ■ *s.2g.* **2** natural ou habitante desse estado

paulistano (pau.lis.ta.no) *adj.* **1** da cidade de São Paulo (SP) ■ *s.m.* **2** natural ou habitante dessa capital

pau-mandado (pau-man.da.do) [pl.: *paus-mandados*] *s.m.* quem faz servilmente tudo que lhe mandam, sem questionar

pau-marfim (pau-mar.fim) [pl.: *paus-marfim* e *paus-marfins*] *s.m.* BOT **1** árvore de até 30 m, cuja madeira clara e dura é us. em marcenaria e carpintaria **2** essa madeira *<móvel de p.>*

pauperismo (pau.pe.ris.mo) *s.m.* grande pobreza

pauperização (pau.pe.ri.za.ção) [pl.: *-ões*] *s.f.* empobrecimento ↺ enriquecimento ~ **pauperizar** *v.t.d. e pron.*

pausa (pau.sa) *s.f.* **1** suspensão temporária de ação ou som **2** falta de agilidade; lentidão *<andava com p. entre as estantes>* ↺ rapidez **3** MÚS silêncio entre notas musicais **4** MÚS figura que indica a duração desse silêncio

pausar (pau.sar) *v.* {mod. 1} *t.d. e int.* **1** dar pausa a ou fazer pausa; interromper; parar *<p. o filme>* *<cansado, logo pausou>* ↺ prosseguir □ *t.d.* **2** executar com lentidão; cadenciar *<p. a leitura>* ↺ acelerar

pauta (pau.ta) *s.f.* **1** série de linhas horizontais impressas numa folha de papel **2** cada uma dessas linhas **3** MÚS conjunto de linhas paralelas onde se escrevem as notas; pentagrama **4** enumeração de coisas; lista, rol *<a p. dos convidados>* *<a p. (dos assuntos) da reunião>* **5** roteiro dos assuntos a serem cobertos numa edição de jornal, programa de televisão etc.

pautar (pau.tar) *v.* {mod. 1} *t.d.* **1** traçar pauta em *<p. papel>* **2** pôr em pauta; relacionar *<p. as tarefas>* **3** controlar, moderar *<p. as despesas>* □ *t.d.i. e pron.* **4** (prep. *por*) regular(-se), orientar(-se) *<p. a vida pela ética>* *<p.-se por bons exemplos>*

pavana (pa.va.na) *s.f.* DNÇ MÚS **1** tipo de dança renascentista, de origem italiana, com andamento ('tempo') lento **2** composição instrumental com as características dessa dança

pavão (pa.vão) [pl.: *-ões*; fem.: *pavoa*] *s.m.* ZOO grande ave, semelhante a galinha, cujos machos têm longas penas caudais esverdeadas e com grandes manchas redondas, que se erguem em um leque vertical

pavê (pa.vê) *s.m.* CUL doce feito de camadas de biscoitos embebidos em alguma bebida licorosa e creme ou musse

pávido (pá.vi.do) *adj.* medroso, apavorado ↺ impávido

pavilhão (pa.vi.lhão) [pl.: *-ões*] *s.m.* **1** construção leve, ger. desmontável **2** prédio anexo de uma edificação principal **3** construção isolada que integra um conjunto de prédios **4** bandeira ('pano') **5** ANAT dilatação ou expansão na extremidade de um conduto ▣ **p. auricular** ANAT parte mais externa e cartilaginosa da orelha, em forma de concha; orelha

pavimentação (pa.vi.men.ta.ção) [pl.: *-ões*] *s.f.* **1** ato ou efeito de pavimentar **2** revestimento de estradas, ruas, pisos etc. *<a p. de uma rodovia>*

pavimentar (pa.vi.men.tar) *v.* {mod. 1} *t.d.* cobrir com pavimento (rua, estrada etc.) ~ **pavimentado** *adj.*

pavimento (pa.vi.men.to) *s.m.* **1** revestimento do solo; piso, assoalho **2** qualquer andar de uma edificação *<prédio com seis p.>*

pavio (pa.vi.o) *s.m.* mecha de vela ▣ **ter p. curto** *fig.* irritar-se com facilidade

pavonear (pa.vo.ne.ar) *v.* {mod. 5} *t.d. e pron.* **1** mostrar(-se) com ostentação, vaidade; exibir(-se) *<vaidoso, pavoneava suas medalhas>* *<adorava p.-se nas grandes recepções>* **2** enfeitar(-se), arrumar(-se) *<pavoneava os filhos para as festas>* *<pavoneava-se com roupas berrantes>* □ *pron.* **3** (prep. *de*) gabar-se, vangloriar-se

P

pavor (pa.vor) /ô/ [pl.: -*es*] *s.m.* medo ou susto muito grande <*tem p. de raios*> ↺ coragem

pavoroso (pa.vo.ro.so) /ô/ [pl. e fem.: /ó/] *adj.* que causa pavor <*chuva p.*> <*filme p.*>

pavuna (pa.vu.na) *s.f. S.* vale profundo e escarpado

paxá (pa.xá) *s.m.* **1** antigo título otomano **2** *infrm.* homem preguiçoso e que vive para ser servido ~ **paxalato** *s.m.*

pay-per-view [ing.] *s.m.* TV sistema de televisão cujas emissões são codificadas e recebidas apenas por assinantes com dispositivos decodificadores, que pagam por cada programa assistido ⇒ pronuncia-se pêi per viu

paz [pl.: *pazes*] *s.f.* **1** ausência de conflito <*tratado de p.*> <*a p. vigora naquela casa*> **2** calma, tranquilidade <*temos a consciência em p.*> <*a p. de um mosteiro*> **3** cessação total de hostilidades entre Estados; armistício, trégua <*os países beligerantes vão assinar a p.*> ▣ **fazer as p.** reconciliar-se com (alguém)

Pb QUÍM símbolo de *chumbo*

PB **1** sigla do Estado da Paraíba **2** REC.AV sigla de *preto e branco* ☞ tb. se usa *P&B* e *p&b*

PC [ing.; pl.: *PCs*] *s.m.* INF sigla, em inglês, *de computador pessoal* ⇒ pronuncia-se pici

Pd QUÍM símbolo de *paládio*

PDF [ing.] *s.m.* INF formato de arquivo us. para representar documentos, conservando suas características originais como gráficos, cores, formatações, tipos de letra etc. ⇒ pronuncia-se pi di éf, *corrente* pê dê éfe

PE sigla do Estado de Pernambuco

pé *s.m.* **1** ANAT extremidade do membro inferior humano **2** ANAT ZOO pata de animal **3** parte inferior que sustenta um objeto <*os pés da mesa*> **4** cada unidade de determinada planta <*um pé de alface*> **5** *fig.* estado de um negócio, situação etc. <*em que pé estão as negociações?*> **6** medida de comprimento correspondente a 12 polegadas e equivalente a 30,48 cm ▣ **pé ante pé** com cuidado, vagarosamente <*saiu pé ante pé*> • **pé na tábua** expressa estímulo a que se dirija, ande ou conclua uma atividade mais rapidamente • **a pé** caminhando <*não usa o carro, vai sempre a pé*> • **ao pé da letra** de modo literal; exatamente, literalmente <*seguiu as instruções ao pé da letra*> • **ao pé do ouvido** em segredo; murmurando <*contou-lhe a decisão ao pé do ouvido*> • **bater (o) pé** manifestar oposição; agir de maneira insistente • **cair de pé** ser vencido com dignidade • **com o pé atrás** *fig.* com reservas, desconfiadamente <*ouviu a proposta com o pé atrás*> • **com o pé direito** *fig.* com sorte <*acordou com o pé direito*> • **com o pé esquerdo** *fig.* com azar • **com o pé nas costas** *fig.* com muita facilidade <*fez o trabalho com o pé nas costas*> • **dar no pé** *infrm.* fugir, debandar • **dar pé** **1** ter menor profundidade (rio, mar, piscina etc.) que a altura da pessoa **2** ser possível <*estudar com esse barulho não dá p.*> • **de pé** ou **em pé** **1** em posição vertical **2** de acordo com o combinado <*o trabalho está de pé*> • **em pé de guerra** com os ânimos exaltados <*vizinhos em pé de guerra*> • **em pé de igualdade** no mesmo nível, de igual para igual • **ir num pé e voltar no outro** executar determinada tarefa com muita rapidez; não demorar • **jurar de pés juntos** afirmar convincentemente • **meter os pés pelas mãos** precipitar-se • **pegar no pé** *infrm.* incomodar com insistência <*tem sempre alguém pegando no meu pé*>

pê *s.m.* nome da letra *p* ▣ **pê da vida** *B gros. infrm.* puto da vida (tb. se grafa *p. da vida*)

[1]**peão** (pe.ão) [pl.: *-ões*; fem.: *peoa* e *peona* (da acp. 1)] *s.m.* **1** pessoa que anda a pé; pedestre **2** RECR nome de oito peças do jogo de xadrez e das peças do jogo de damas ◉ ORIGEM lat. medieval *pedo,ōnis* 'o que tem pés grandes' ☞ cf. *pião*

[2]**peão** (pe.ão) [pl.: *-ões*; fem.: *peoa* e *peona*] *s.m.* **1** amansador de animais **2** condutor da tropa de animais **3** auxiliar de boiadeiro **4** empregado no trabalho rural **5** trabalhador de estradas de rodagem, estradas de ferro e outras obras de engenharia civil **6** servente de obra **7** *RS* empregado doméstico de estância ◉ ORIGEM plat. *peón* 'serviçal de estância' ◉ COL peonada, peonagem ☞ cf. *pião*

P&B ou **p&b** REC.AV sigla de *preto e branco* ☞ tb. se usa *PB*

peba (pe.ba) *adj.2g. N.E. pej.* sem valor ou importância; reles, ordinário <*um vestido p.*>

pebado (pe.ba.do) *adj. CE infrm.* **1** que não se realizou conforme o esperado; frustrado **2** cuja condição financeira é má; sem dinheiro, lascado <*um cabra p.*>

pebolim (pe.bo.lim) [pl.: *-ins*] *s.m.* RECR futebol totó

PEC *s.f.* sigla de Proposta de Emenda Constitucional

pecã (pe.cã) *s.f.* BOT **1** árvore nativa dos E.U.A., cujo fruto é uma noz alongada, muito us. no preparo de tortas e bolos **2** o fruto dessa árvore

peça (pe.ça) *s.f.* **1** parte autônoma de um todo <*p. de madeira*> <*p. do vestuário*> <*p. de um motor*> **2** objeto com existência individual; exemplar <*uma p. de decoração*> **3** compartimento ou divisão de uma casa **4** obra teatral ou musical **5** *infrm.* engano; travessura <*pregaram-lhe uma boa p.*> **6** RECR pedra de jogo de tabuleiro **7** porção inteiriça de tecido **8** *fig. infrm.* pessoa incomum <*tio Paulo é uma p., vive contando piadas*>

pecado (pe.ca.do) *s.m.* **1** violação de preceito religioso **2** *p.ext.* desobediência a qualquer norma ou preceito; erro, falta <*dormir muito não é p.*>

pecador (pe.ca.dor) /ô/ [pl.: *-es*] *adj.s.m.* **1** (aquele) que comete pecado(s) **2** (pessoa) que possui defeitos, vícios **3** (indivíduo) que confessa os pecados; penitente

pecaminoso (pe.ca.mi.no.so) /ô/ [pl. e fem.: /ó/] *adj.* que envolve pecado <*pensamentos p.*>

pecar (pe.car) *v.* {mod. 1} *t.i. e int.* **1** (prep. *contra*) violar preceito religioso <*p. contra a castidade*> <*pecou gravemente, mas se arrependeu*> **2** *p.ext.* (prep. *contra*) cometer qualquer falta; errar <*p. contra os bons costumes*> <*peca muito na ortografia*> □ *t.i.* **3** (prep. *por*) ser censurável, condenável <*p. por ignorância*>

pecha (pe.cha) *s.f.* defeito moral; falha, imperfeição <*tem a p. de mentiroso*>

pechada (pe.cha.da) *s.f. RS* **1** encontrão ou batida <*uma p. entre dois carros*> **2** *infrm.* ato de pedir dinheiro a alguém

pechincha (pe.chin.cha) *s.f.* **1** algo muito barato <*essa blusa foi uma p.*> **2** negócio vantajoso ~ **pechincheiro** *adj.s.m.*

pechinchar (pe.chin.char) *v.* {mod. 1} *t.d.,t.i. e int.* **1** (prep. *em*) pedir redução do preço (de); barganhar *<p. o (no) preço> <sempre que fazia compras, pechinchava>* □ *t.d. e int.* **2** receber (vantagens, lucros etc.) sem esperar e/ou merecer *<pechinchou uns brindes muito bons> <não trabalhava, vivia de p.>*

pecilotermo (pe.ci.lo.ter.mo) *adj.s.m.* ZOO (animal) de temperatura variável, como os peixes, os anfíbios e os répteis ↺ homeotermo ~ **pecilotermia** *s.f.* - **pecilotérmico** *adj.*

pecíolo (pe.cí.o.lo) *s.m.* BOT segmento da folha que a prende ao ramo ou tronco

peçonha (pe.ço.nha) *s.f.* secreção venenosa de certos animais ~ **peçonhento** *adj.*

pectina (pec.ti.na) *s.f.* BIOQ substância presente nas paredes celulares de tecido vegetal, esp. em frutas cítricas, us. no preparo de geleias

pecuária (pe.cu.á.ria) *s.f.* atividade relacionada a todos os aspectos da criação de gado ~ **pecuário** *adj.* - **pecuarista** *adj.2g.s.2g.*

peculato (pe.cu.la.to) *s.m.* DIR roubo ou desvio de dinheiro público ou bem móvel por parte de funcionário que os administra ou guarda ~ **peculatário** *adj.s.m.*

peculiar (pe.cu.li.ar) [pl.: *-es*] *adj.2g.* **1** relativo a pecúlio **2** próprio de algo ou alguém; específico *<clima p.> <perfume p.>* ↺ genérico

peculiaridade (pe.cu.li.a.ri.da.de) *s.f.* característica distintiva; particularidade

pecúlio (pe.cú.lio) *s.m.* **1** reserva de dinheiro **2** conjunto de bens móveis e imóveis; patrimônio

pecúnia (pe.cú.nia) *s.f.* dinheiro

pecuniário (pe.cu.ni.á.rio) *adj.* **1** referente a dinheiro *<transação p.>* **2** representado em dinheiro *<reserva p.>*

pedaço (pe.da.ço) *s.m.* **1** porção de um sólido *<p. de queijo> <p. de arame>* **2** trecho de determinada obra; parte *<gostei mais deste p. do livro>* **3** trecho de caminho *<andou um bom p.>* **4** *fig.* experiência por que alguém passa *<passou um mau p. naquela viagem>* ▣ **aos p. 1** em fragmentos; despedaçado, partido **2** *fig.* muito cansado; exausto • **caindo aos p. 1** em péssimo estado de conservação *<o velho casarão estava caindo aos p.>* **2** exausto, sem forças *<cheguei ao fim da corrida caindo aos p.>* **3** envelhecido, acabado *<estava caindo aos p. quando decidiu parar de beber>*

pedágio (pe.dá.gio) *s.m.* **1** taxa cobrada de veículos pelo direito de passagem em estrada **2** posto de cobrança dessa taxa

pedagogia (pe.da.go.gi.a) *s.f.* **1** teoria e ciência do ensino **2** ofício de ensinar ~ **pedagógico** *adj.*

pedagogo (pe.da.go.go) /ô/ *s.m.* **1** o especialista em pedagogia **2** professor

pé-d'água (pé-d'á.gua) [pl.: *pés-d'água*] *s.m.* *B* chuva forte e de curta duração

pedal (pe.dal) [pl.: *-ais*] *s.m.* **1** peça que, em certas máquinas ou aparelhos, se aciona com o pé *<os p. de um piano> <atrapalha-se com os p. do automóvel>* **2** peça de bicicleta, na qual se assenta o pé a fim de impulsioná-la por movimentos circulares e alternados das pernas

pedalada (pe.da.la.da) *s.f.* cada impulso dado em pedal

pedalar (pe.da.lar) *v.* {mod. 1} *t.d. e int.* **1** mover pedal ou pedais (de máquina, instrumento, bicicleta) *<a garota pedalava a bicicleta com desenvoltura> <ouvia-se de longe a costureira pedalando>* □ *int.* **2** andar de bicicleta

pedalinho (pe.da.li.nho) *s.m.* pequena embarcação movida a pedais, us. ger. em lagoas, esp. para lazer

pedante (pe.dan.te) *adj.2g.s.2g.* **1** que(m) ostenta cultura, erudição **2** que(m) se expressa com termos e raciocínios difíceis **3** que(m) demonstra superioridade ~ **pedantice** *s.f.* - **pedantismo** *s.m.*

pé de atleta (pé de a.tle.ta) [pl.: *pés de atleta*] *s.m.* MED micose que ataca os pés, principalmente os dedos; frieira

pé de boi (pé de boi) [pl.: *pés de boi*] *s.m. infrm.* trabalhador esforçado, cumpridor de suas obrigações ↺ preguiçoso

pé de cabra (pé de ca.bra) [pl.: *pés de cabra*] *s.m.* alavanca de metal dotada de uma fenda em uma das extremidades, us. para arrancar pregos, arrombar portas etc.

pé de chinelo (pé de chi.ne.lo) [pl.: *pés de chinelo*] *adj.s.m. infrm.* **1** pobre, insignificante ■ *s.m.* **2** bandido pouco perigoso

pé de galinha (pé de ga.li.nha) [pl.: *pés de galinha*] *s.m.* ruga no canto externo do olho

pé-de-meia (pé-de-mei.a) [pl.: *pés-de-meia*] *s.m. infrm.* dinheiro economizado e reservado para qualquer eventualidade; economias

pé de moleque (pé de mo.le.que) [pl.: *pés de moleque*] *s.m.* **1** doce consistente feito com amendoim torrado e açúcar **2** calçamento de rua com pedras irregulares

pé de pato (pé de pa.to) [pl.: *pés de pato*] *s.m.* calçado de borracha, com a extremidade achatada, larga e flexível, us. por mergulhadores e nadadores para ganhar maior velocidade; nadadeira

pederastia (pe.de.ras.ti.a) *s.f.* **1** prática sexual entre um homem e um rapaz mais jovem **2** *p.ext.* homossexualismo masculino ~ **pederasta** *s.m.*

pederneira (pe.der.nei.ra) *s.f.* pedra que, em atrito com metal, produz faísca

pedestal (pe.des.tal) [pl.: *-ais*] *s.m.* base, suporte para estátua, coluna etc.

pedestre (pe.des.tre) *adj.2g.s.2g.* que(m) anda ou está a pé

pedestrianismo (pe.des.tri.a.nis.mo) *s.m.* ESP prática esportiva que consiste em longas caminhadas

pé de vento (pé de ven.to) [pl.: *pés de vento*] *s.m.* rajada de vento

pediatra (pe.di.a.tra) *s.2g.* médico especialista em pediatria

pediatria (pe.di.a.tri.a) *s.f.* MED ramo da medicina que estuda a criança e suas doenças ~ **pediátrico** *adj.*

pediculose (pe.di.cu.lo.se) *s.f.* MED infestação de piolhos

pedicure (pe.di.cu.re) *s.2g.* ou **pedicuro** (pe.di.cu.ro) [fem.: *pedicura*] *s.m.* profissional especializado no tratamento e embelezamento dos pés; calista

pedido (pe.di.do) *s.m.* **1** ação de pedir **2** o que se pede *<atender a um p.>* **3** ordem de compra *<daremos conta de todos os p.>*

pedigree (pe.di.gree) [ing.; pl.: *pedigrees*] *s.m.* **1** linhagem de um animal de raça **2** certificado que atesta essa linhagem ⇒ pronuncia-se pedigri

pedinte (pe.din.te) *adj.2g.s.2g.* **1** que(m) pede ■ *s.2g.* **2** mendigo

pedir (pe.dir) *v.* {mod. 28} *t.d.,t.d.i. e int.* **1** (prep. *a*) dirigir-se (a alguém) para que atenda (necessidade, vontade); solicitar *<p. (ao patrão) um aumento de salário> <pediu-lhe dinheiro emprestado> <tem o mau hábito de p.>* □ *t.d. e t.d.i.* **2** (prep. *a*) reclamar por ser direito legítimo ou suposto; exigir *<a população pede segurança> <a universidade pede aos vestibulandos o diploma do ensino médio>* □ *t.d.* **3** exigir, por ser necessário; requerer *<sua saúde pede cuidados>* ↺ dispensar □ *t.i.* **4** (prep. *por*) fazer solicitação a favor de; interceder *<p. pelos desempregados>*

pé-direito (pé-di.rei.to) [pl.: *pés-direitos*] *s.m.* altura entre o piso e o teto de um cômodo ou pavimento

pedofilia (pe.do.fi.li.a) *s.f.* PSIQ **1** perversão que leva um indivíduo adulto a se sentir sexualmente atraído esp. por crianças **2** prática de atos sexuais com crianças ~ **pedófilo** *adj.s.m.*

pedra (pe.dra) *s.f.* **1** matéria mineral sólida e dura **2** pedaço dessa matéria us. em construção etc. *<p. da calçada> <muro de p.>* **3** rochedo *<escalar até o alto da p.>* **4** *fig.* pedaço de qualquer substância dura *<a carne está uma p.>* **5** peça de certos jogos *<ganhou um estojo com pedras de dominó>* **6** lápide de túmulo ▣ **p. britada** brita • **p. de toque** pedra us. para avaliar pureza de ouro, prata etc. • **p. filosofal** fórmula que transformaria metal comum em ouro • **p. fundamental** CONSTR pedra (acp. 2) que sela uma urna contendo documentos do dia (jornais, moedas etc.) e que assinala, ger. com solenidade, o início da construção de uma obra importante • **p. lascada** pedra quebrada grosseiramente, us. como arma e ferramenta na era paleolítica • **p. polida** pedra trabalhada us. como arma e ferramenta na era neolítica • **p. preciosa** pedra rara, transparente ou translúcida, e que, lapidada, se emprega em joias e objetos de luxo; gema • **não deixar p. sobre p.** destruir completamente uma edificação, uma fortaleza, uma cidade etc. *<os bárbaros passaram pela aldeia e não deixaram p. sobre p.>* ~ **pedrento** *adj.* - **pedroso** *adj.*

P

pedrada (pe.dra.da) *s.f.* golpe com pedra

pedra-pomes (pe.dra-po.mes) [pl.: *pedras-pomes*] *s.f.* pedra us. para limpar e amaciar a pele

pedraria (pe.dra.ri.a) *s.f.* porção de pedras, esp. as preciosas

pedra-sabão (pe.dra-sa.bão) [pl.: *pedras-sabão* e pedras-sabões] *s.f. rocha de textura fibrosa, de coloração* esverdeada, muito us. em escultura

pedra-ume (pe.dra-u.me) [pl.: *pedras-ume* e *pedras--umes*] *s.f.* QUÍM nome comum dado ao sulfato de alumínio e potássio, us. na fabricação de corantes, papel, porcelana, purificação de água, clarificação de açúcar etc.

pedregoso (pe.dre.go.so) /ô/ [pl. e fem.: /ó/] *adj.* que tem muitas pedras *<terreno p.>*

pedregulho (pe.dre.gu.lho) *s.m.* **1** grande quantidade de pedras pequenas **2** pedra de grandes dimensões

pedreira (pe.drei.ra) *s.f.* **1** local de onde se extrai pedra **2** *fig. infrm.* tarefa árdua

pedreiro (pe.drei.ro) *s.m.* quem trabalha em construções, lidando com pedras, cimento, cal etc.

pedrês (pe.drês) [pl.: *-eses* /ê/] *adj.2g.s.2g.* (o) que é salpicado de branco e preto

pedúnculo (pe.dún.cu.lo) *s.m.* BOT haste que sustenta uma flor ou um cacho de flores, e posteriormente o(s) fruto(s)

pê-efe (pê-e.fe) [pl.: *pê-efes*] *s.m.* *B infrm.* refeição barata que já vem no prato; prato feito

pê-eme (pê-e.me) [pl.: *pê-emes*] *s.f.* **1** *B infrm.* a polícia militar *<quartel da p.>* ■ *s.2g.* **2** integrante dessa corporação; policial militar *<o p. prendeu o ladrão>*

pé-frio (pé-fri.o) [pl.: *pés-frios*] *s.2g.* *B infrm.* pessoa sem sorte ou que traz má sorte aos outros ↺ pé-quente

pega (pe.ga) *s.m.* *infrm.* **1** corrida não autorizada de automóveis em via pública **2** forte discussão ou briga

pegada (pe.ga.da) *s.f.* marca de pé ou pata no solo

pegadinha (pe.ga.di.nha) *s.f.* *infrm.* o ato ou o efeito de pôr alguém em situação embaraçosa a fim de provocar riso

pegador (pe.ga.dor) /ô/ [pl.: *-es*] *adj.s.m.* **1** (aquele) que pega **2** ESP no pugilismo e em esportes afins, diz-se de ou lutador acostumado a nocautear **3** namorador ■ *s.m.* **4** utensílio us. para pegar ou segurar algo *<p. de gelo>* **5** RECR esconde-esconde **6** RECR pique ('brincadeira')

pegajoso (pe.ga.jo.so) /ô/ [pl. e fem.: /ó/] *adj.* grudento, viscoso

pega-ladrão (pe.ga-la.drão) [pl.: *pega-ladrões*] *s.m.* dispositivo de segurança adaptado aos fechos de colares, pulseiras etc.

pega-pega (pe.ga-pe.ga) [pl.: *pega-pegas* e *pegas--pegas*] *s.m.* [1]pique ('brincadeira')

pegar (pe.gar) *v.* {mod. 1} *t.d.* **1** segurar ou recolher, com auxílio das mãos ou de algum objeto; apanhar *<pegue uma caneta e anote o que vou dizer> <pegou um pouco de feijão com a concha>* □ *t.d. e t.i.* **2** (prep. *em, por*) prender segurando; segurar *<o goleiro pegou dois pênaltis> <p. uma (ou numa) xícara> <p. pelo pé>* □ *t.i.,t.d.i. e pron.* **3** (prep. *a, em*) deixar ou ficar preso; fixar(-se), colar *<p. o papel à parede> <o feijão pegou na panela> <a roupa pegava-se ao corpo>* □ *int.* **4** lançar ou criar raízes *<a roseira finalmente pegou>* **5** estabilizar-se, vingar *<essa moda pegou> <a desculpa não pegou>* **6** começar a funcionar *<o carro demorou a p.>* ↺ parar **7** chegar ao trabalho *<p. cedo no serviço> <lá eu pego às 10h>* □ *t.i.* **8** (prep. *a*) começar, principiar *<de noite pegou a chover>* **9** (prep. *com*) ser contíguo, comunicar-se *<as plantações de café pegavam com as de soja>* □ *t.d.* **10** chegar junto de; alcançar, atingir *<a chuva pegou-os na estrada>* **11** viver, vivenciar *<não peguei a época dos bondes>* **12** chocar-se com; bater *<o carro pegou o ciclista>* **13** ir buscar; apanhar *<vou p. as chaves e já volto>* **14** assumir trabalho, obrigação

<vai p. esse serviço?> **15** ingressar em (ônibus, trem etc.) <vou p. a barca das nove> **16** ser condenado a; receber como pena <p. muitos anos de cadeia> **17** seguir, ir por (certo caminho ou direção) <p. um atalho para chegar mais rápido> **18** surpreender, encontrar <pegou-a roubando> **19** *B infrm.* deslocar-se para (um lugar, ger. a lazer); ir <p. uma praia> <p. um cinema> **20** compreender, entender <não pegou o sentido da piada> **21** abranger, incluir <a área de entrega não pega esse bairro> □ *t.d. e int.* **22** captar (sinal, som, imagem) <o rádio não pega a FM fora da cidade> <aqui o celular não pega> □ *t.d.,t.d.i.,int. e pron.* **23** (prep. *de, em*) adquirir ou transmitir(-se) [doença] por contágio <pegou uma gripe> <p. caxumba da (ou na) namorada> <um vírus que (se) pega facilmente> □ *pron.* **24** brigar, desentender-se <pegaram-se de (ou aos) socos> ↺ entender-se **25** (prep. *com*) pedir proteção a <em perigo, pega-se com seu santo> ◉ GRAM/USO part.: *pegado, pego*; ver QUADRO DE PARTICÍPIOS DUPLOS nas pp. iniciais

pega-rapaz (pe.ga-ra.paz) [pl.: *pega-rapazes*] *s.m.* anel de cabelo pegado à testa ou aos lados da face

pego (pe.go) /é/ *s.m.* **1** parte mais funda em rio, lago etc. **2** abismo no mar; pélago **3** caverna no fundo do mar

pegureiro (pe.gu.rei.ro) *adj.s.m.* **1** pastor de rebanhos ■ *s.m.* **2** cão pastor

peia (pei.a) *s.f.* **1** amarração para pés de animais **2** *fig.* entrave, obstáculo **3** chicote **4** *N.E. gros.* pênis

peidar (pei.dar) *v.* {mod. 1} *int. gros.* soltar peido(s)

peido (pei.do) *s.m. gros.* expulsão de gases do intestino pelo ânus; pum, traque

peita (pei.ta) *s.f.* **1** antigo imposto pago pelos que não eram nobres **2** presente oferecido como suborno **3** crime praticado por quem aceita esse presente

[1]**peitar** (pei.tar) *v.* {mod. 1} *t.d.* dar bem, dinheiro etc. a (alguém) para fazer algo ilícito; subornar ◉ ORIGEM do lat.vulg. *pactare* 'pagar tributo'

[2]**peitar** (pei.tar) *v.* {mod. 1} *t.d. fig.* enfrentar sem medo ↺ fugir ◉ ORIGEM *peito* + [2]*-ar*

peitaria (pei.ta.ri.a) *s.f.* conjunto de seios muito grandes

peitilho (pei.ti.lho) *s.m.* **1** o que reveste o peito **2** parte da roupa que cobre o peito

peito (pei.to) *s.m.* **1** ANAT região do tronco que vai do pescoço ao abdome; tórax **2** parte anterior, externa e superior do tórax **3** carne (do boi, frango etc.) dessa região **4** cada um dos seios femininos **5** *fig.* força moral; coração, ânimo <tem p. para aceitar o desafio> ▣ **p. do pé** dorso do pé • **de p. aberto** com franqueza; sinceramente • **do p.** muito querido; do coração <amigo do p.> • **meter os p.** fazer algo com empenho e dedicação • **no p. e na raça** *B infrm.* **1** de qualquer maneira, a qualquer preço **2** com firme disposição; energicamente

peitoral (pei.to.ral) [pl.: *-ais*] *adj.2g.* **1** relativo ou próprio de peito **2** diz-se de cada um dos músculos localizados na caixa torácica anterior

peitoril (pei.to.ril) [pl.: *-is*] *s.m.* parapeito

peitudo (pei.tu.do) *adj.s.m.* **1** (indivíduo) de peitos grandes ou musculosos **2** *fig.* corajoso, desafiador ↺ covarde

peixada (pei.xa.da) *s.f.* CUL ensopado de peixe

peixaria (pei.xa.ri.a) *s.f.* estabelecimento especializado na venda de peixes e demais frutos do mar

peixe (pei.xe) *s.m.* **1** ZOO animal vertebrado aquático, dotado de nadadeiras e brânquias **2** *infrm.* quem recebe privilégios por ser protegido de alguém <o secretário é p. do diretor> ▼ ***peixes*** *s.m.pl.* **3** décima segunda e última constelação zodiacal, situada entre Aquário e Áries ☞ inicial maiúsc. **4** ASTRL décimo segundo e último signo do zodíaco (de 20 de fevereiro a 20 de março) ☞ inicial maiúsc. **5** ASTRL pisciano <nasceu mais um p. na família> ◉ COL cardume

peixe-boi (pei.xe-boi) [pl.: *peixes-boi* e *peixes-bois*] *s.m.* ZOO grande mamífero aquático de corpo arredondado, cabeça pequena e cauda em forma de remo

peixe-elétrico (pei.xe-e.lé.tri.co) [pl.: *peixes-elétricos*] *s.m.* ZOO peixe que solta descargas elétricas para se defender; poraquê

peixe-espada (pei.xe-es.pa.da) [pl.: *peixes-espada* e *peixes-espadas*] *s.m.* ZOO peixe prateado de corpo alongado e pontiagudo, semelhante a uma espada

peixeira (pei.xei.ra) *s.f. N.E.* **1** faca us. para cortar peixe **2** facão curto us. como arma

peixeiro (pei.xei.ro) *s.m.* vendedor de peixe

peixe-voador (pei.xe-vo.a.dor) [pl.: *peixes-voadores*] *s.m.* ZOO peixe capaz de realizar voos curtos perto da superfície, para fugir de predadores

pejado (pe.ja.do) *adj.* **1** cheio, carregado, repleto <árvore p. de frutos> **2** que tem pejo, vergonha; envergonhado

pejar (pe.jar) *v.* {mod. 1} *t.d. e t.d.i.* **1** (prep. *com, de*) ocupar certo espaço ou volume; encher <p. o carro (de caixas)> □ *t.i. e pron.* **2** (prep. *a, de*) (fazer) ter pejo; envergonhar(-se) <as críticas pejaram-lhe> <p.-se de erros> ↺ desinibir(-se) □ *pron.* **3** (prep. *com*) ficar ressentido; magoar-se **4** (prep. *em*) ter receio; hesitar <não se pejou de revidar a ofensa> □ *t.d. e int.* **5** engravidar <o reprodutor já pejou várias vacas> <a vaca malhada finalmente pejou> ~ **pejamento** *s.m.*

pejo (pe.jo) /ê/ *s.m.* **1** vergonha, pudor ↺ descaramento **2** falta de traquejo social ↺ desembaraço

pejorativo (pe.jo.ra.ti.vo) *adj.* que exprime sentido negativo, depreciativo (diz-se de palavra, expressão etc.) ↺ elogioso

pela (pe.la) /é/ *s.f.* bola, esp. de borracha, us. em alguns jogos

pelada (pe.la.da) *s.f.* **1** jogo de futebol em campo improvisado **2** partida de futebol mal jogada

[1]**pelado** (pe.la.do) *adj.* sem pelo ou cabelo ◉ ORIGEM part. de [1]*pelar*

[2]**pelado** (pe.la.do) *adj.* **1** sem pele **2** sem casca **3** *infrm.* nu ↺ vestido ◉ ORIGEM part. de [2]*pelar*

pelagem (pe.la.gem) [pl.: *-ens*] *s.f.* conjunto de pelos de mamíferos

pelágico (pe.lá.gi.co) ou **pelágio** (pe.lá.gio) *adj.* **1** diz-se da região ocupada por todos os oceanos **2** que vive em alto-mar (diz-se de animal)

pélago (pé.la.go) *s.m.* **1** abismo oceânico **2** região marítima afastada do litoral; alto-mar

P

pelame (pe.la.me) *s.m.* **1** pelagem **2** coleção de peles ('agasalhos')

pelanca (pe.lan.ca) *s.f.* pele flácida e caída

pelancudo (pe.lan.cu.do) *adj.* cheio de pelanca

[1]**pelar** (pe.lar) *v.* {mod. 1} *t.d. e pron.* (fazer) ficar sem pelo ◉ ORIGEM do lat. *pilāre* 'tirar o pelo de'

[2]**pelar** (pe.lar) *v.* {mod. 1} *t.d. e pron.* **1** pôr(-se) nu; despir(-se) *<pelou a criança antes de mergulhá-la na banheira> <a banhista pelou-se na praia>* ↺ vestir(-se) **2** (fazer) ficar sem a pele ou a casca; descascar *<p. legumes> <sua mão pelou-se depois da queimadura>* □ *int.* **3** estar muito quente *<a sopa estava pelando>* □ *t.d. fig. infrm.* **4** tirar os pertences de, ger. de modo ilícito; depenar *<os assaltantes pelaram a vítima>* ◉ ORIGEM *pele* + [2]*-ar*

pele (pe.le) *s.f.* **1** ANAT órgão que reveste o corpo humano e o de certos vertebrados **2** esse órgão, esp. de certos animais de pelos abundantes e sedosos, us. como agasalho ou guarnição de peças do vestuário **3** casca de alguns frutos e legumes **4** *fig.* o próprio corpo *<sentiu na pele aquela injúria>* ◉ COL pelame ▣ **p. e osso** em extrema magreza *<o coitado é p. e osso>* • **cair na p. de** zombar, caçoar • **salvar a p.** livrar-se de responsabilidades *<tentou salvar a p., negando seu envolvimento no caso>* • **estar na p. de** ocupar a posição ou a situação de (outra pessoa) *<não queria estar na p. daquele miserável>*

pelego (pe.le.go) /ê/ *s.m. B* **1** pele do carneiro com a lã **2** essa pele us. sobre a sela **3** *pej.* trabalhador que age nos sindicatos contra os interesses de sua própria classe **4** *pej.* bajulador, capacho

peleja (pe.le.ja) /ê/ *s.f.* **1** luta, disputa **2** ESP disputa esportiva ~ **pelejador** *adj.s.m.* - **pelejar** *v.t.d.,t.i. e int.*

pelerine (pe.le.ri.ne) *s.f.* **1** tipo de capa comprida com aberturas para os braços **2** pequeno manto que cobre apenas a parte superior do corpo

peletaria (pe.le.ta.ri.a) ou **peleteria** (pe.le.te.ri.a) *s.f.* loja de casacos, estolas de peles etc.

pele-vermelha (pe.le-ver.me.lha) [pl.: *peles-vermelhas*] *adj.2g.s.2g.* (indivíduo) dos peles-vermelhas, nome comum a vários povos indígenas dos Estados Unidos da América

pelica (pe.li.ca) *s.f.* pele fina de animal preparada para a confecção de luvas, sapatos etc.

peliça (pe.li.ça) *s.f.* roupa ou colcha forrada de peles com pelos macios e abundantes

pelicaniforme (pe.li.ca.ni.for.me) *adj.2g.* que se parece com o pelicano

pelicano (pe.li.ca.no) *s.m.* ZOO ave aquática de grande porte, de bico grande e largo provido de uma bolsa para armazenar peixes

pelico (pe.li.co) *s.m. infrm.* membrana que envolve o feto; âmnio

película (pe.lí.cu.la) *s.f.* **1** camada de pele muito fina **2** membrana que envolve certos órgãos animais ou vegetais **3** CINE FOT fina camada de gelatina que reveste filmes **4** filme de cinema

pelo (pe.lo) *prep.* **1** contr. da antiga prep. *per* (*por*) com o antigo artigo definido *lo* (*o*) *<torço p. seu sucesso>* **2** contr. da antiga prep. *per* (*por*) com o antigo pron. dem. *lo* (*o*) *<chorar p. que sofrem>* ◉ GRAM/USO voc. de pronúncia átona

pelo (pe.lo) /ê/ *s.m.* **1** fio que cresce sobre a pele **2** pelagem **3** fio presente em certas plantas ◉ COL pelagem ▣ **em p.** sem arreios (diz-se de montaria) • **nu em p.** completamente despido, sem roupa

pelota (pe.lo.ta) *s.f.* **1** bola pequena; bolota **2** *B* qualquer objeto com a forma de pequena bola *<p. de algodão>* **3** *B* a bola de futebol

pelotão (pe.lo.tão) [pl.: *-ões*] *s.m.* **1** subdivisão de uma companhia de soldados **2** grande grupo de pessoas com a mesma atividade *<p. de fotógrafos>*

pelourinho (pe.lou.ri.nho) *s.m.* coluna de pedra ou madeira para castigo em praça pública

pelúcia (pe.lú.cia) *s.f.* tecido felpudo de um lado e liso de outro

peludo (pe.lu.do) *adj.* **1** que tem muitos pelos **2** coberto de pelos

pelve (pel.ve) *s.f.* ou **pélvis** (pél.vis) *s.f.2n.* ANAT bacia ('cavidade') ~ **pélvico** *adj.*

[1]**pena** (pe.na) *s.f.* **1** dó, compaixão **2** castigo, punição **3** desgraça, lástima ◉ ORIGEM do gr. *poinḗ,ês* 'id' ▣ **p. capital** castigo mortal • **p. de talião** DIR aplicação de castigo idêntico à ofensa ou dano causado; lei de talião

[2]**pena** (pe.na) *s.f.* **1** revestimento do corpo das aves **2** peça, ger. metálica, adaptada à caneta us. para escrever ou desenhar ◉ ORIGEM do lat. *penna,ae* 'asa (o que serve para voar)' ◉ COL plumagem

penacho (pe.na.cho) *s.m.* **1** feixe de penas que enfeita cabeça, chapéu etc. **2** tufo de penas que enfeita a cabeça ou a cauda de certos animais

penada (pe.na.da) *s.f.* **1** traço contínuo com caneta de pena **2** *fig.* conjunto de palavras escritas *<a sentença foi redigida com uma p.>* **3** *fig.* opinião, palpite *<dar uma p. sobre o problema>*

penado (pe.na.do) *adj.* com penas; emplumado

penal (pe.nal) [pl.: *-ais*] *adj.2g.* **1** relativo a penas judiciais *<sanções p.>* **2** relativo às leis judiciais *<código p.>* **3** que aplica penas judiciais *<disposições p.>*

penalidade (pe.na.li.da.de) *s.f.* **1** sistema de penas ditadas pela lei **2** pena, castigo *<p. prevista pela lei>*

penalizar (pe.na.li.zar) *v.* {mod. 1} *t.d. e pron.* **1** (fazer) sentir dó, pesar; condoer(-se) *<a doença da amiga penalizava-a> <penalizou-se com a morte do colega>* □ *t.d. B* **2** aplicar pena a; punir *<p. um réu>* ↺ anistiar **3** causar dano a; prejudicar *<a decisão irá p. a população>* ↺ favorecer ~ **penalização** *s.f.*

pênalti (pê.nal.ti) *s.m.* FUTB penalidade máxima aplicada contra uma equipe, por uma falta cometida na grande área, que consiste num tiro livre a 11 metros do gol, defendido apenas pelo goleiro

penar (pe.nar) *v.* {mod. 1} *t.d.,int. e pron.* **1** sentir (pena, aflição, dor); sofrer, padecer *<pena a dor da separação> <penam(-se) todos os que visitam aquela região miserável>* □ *t.d.* **2** sofrer as consequências de; expiar, pagar *<p. os pecados passados>* **3** impor pena(s) a; punir ■ *s.m.* **4** sofrimento físico ou moral ◉ GRAM/USO pl. do s.m.: *penares*

penca (pen.ca) *s.f.* **1** porção de frutos, flores etc. *<p. de bananas>* **2** *fig.* grande quantidade de algo *<convidou uma p. de amigos>*

pendão (pen.dão) [pl.: *-ões*] *s.m.* **1** bandeira ('peça de pano') **2** símbolo ou emblema de um grupo, doutrina etc.

pendência (pen.dên.cia) *s.f.* **1** questão ou causa não resolvida **2** duração de uma causa judicial

pendenga (pen.den.ga) *s.f.* desacordo de pontos de vista; desentendimento

pendente (pen.den.te) *adj.2g.* **1** que pende; pendurado *<luminária p.>* **2** dependente de alguma coisa; subordinado *<a compra do apartamento ainda está p.>* ■ *s.m.* **3** joia ou bijuteria que pende (p.ex., um brinco) ■ *s.f. RS* **4** declive de montanha; vertente

pender (pen.der) *v.* {mod. 8} *t.i. e int.* **1** (prep. *de*) estar suspenso ou pendurado *<o lustre pende do teto>* *<o corpo pendia>* **2** (prep. *de*) estar para cair ou desprender *<o quadro pendia da parede>* *<o muro pendia>* □ *t.d. e t.i.* **3** (prep. *para*) estar ou ficar em posição inclinada; descair *<p. o rosto>* *<as árvores pendiam para a direita>* □ *t.i.* **4** ter inclinação, preferência por; tender *<a moça pendia para a música>*

pendor (pen.dor) /ô/ [pl.: *-es*] *s.m.* **1** capacidade natural; inclinação, tendência ↺ inaptidão **2** aclive, declive, rampa

pendrive (pen.drive) [ing.; pl.: *pendrives*] *s.m.* INF dispositivo removível dotado de tecnologia de memória, leve e pequeno, us. para armazenamento de dados ⇒ pronuncia-se pendraiv

pendular (pen.du.lar) [pl.: *-es*] *adj.2g.* **1** próprio de pêndulo **2** que balança; oscilante

pêndulo (pên.du.lo) *s.m.* corpo pesado pendurado num ponto fixo, que oscila em movimentos de vaivém

pendurar (pen.du.rar) *v.* {mod. 1} *t.d. e t.d.i.* **1** (prep. *a, em*) suspender e fixar distante do chão (a prego, corda, gancho etc.); dependurar *<p. a toalha (no gancho)>* □ *t.d.* **2** *B infrm.* dar como garantia; penhorar *<pendurou as joias para pagar as contas>* **3** *B* deixar de pagar (conta, despesa) ↺ pagar □ *pron.* **4** (prep. *de*) estar suspenso; pender *<ramos penduram-se das sacadas>* **5** *fig. B* (prep. *em*) usar por muito tempo *<p.-se no telefone>* ↺ largar, deixar

penduricalho (pen.du.ri.ca.lho) ou **pendurucalho** (pen.du.ru.ca.lho) *s.m.* enfeite pendente; badulaque, balangandã

penedo (pe.ne.do) /ê/ *s.m.* rochedo, penhasco

peneira (pe.nei.ra) *s.f.* utensílio constituído de tela ou fios trançados us. para separar fragmentos maiores de menores

peneirar (pe.nei.rar) *v.* {mod. 1} *t.d.* **1** fazer passar pela peneira *<peneirou a farinha antes de preparar o bolo>* **2** *p.ext.* coar, filtrar *<peneirou o leite para retirar a nata>* **3** *fig.* fazer seleção de; escolher *<p. os candidatos>* □ *int. B* **4** cair chuva fina e rala ou chover pouco; chuviscar ~ **peneiração** *s.f.* - **peneiramento** *s.m.*

penetra (pe.ne.tra) *adj.2g.s.2g. infrm.* que(m) consegue entrar em festas, eventos etc. sem convite ou ingresso; furão

penetração (pe.ne.tra.ção) [pl.: *-ões*] *s.f.* **1** passagem para a parte interna de algo **2** capacidade de compreensão; sagacidade **3** capacidade de influenciar o pensamento ou os sentimentos de alguém ou um grupo *<campanha de grande p.>*

penetrante (pe.ne.tran.te) *adj.2g.* **1** que penetra *<instrumento p.>* **2** *fig.* muito forte, intenso *<odor p.>* **3** *fig.* doloroso, pungente *<um grito p.>*

penetrar (pe.ne.trar) *v.* {mod. 1} *t.d. e t.i.* **1** (prep. *em*) passar para dentro de; entrar *<p. o quarto>* *<conseguiu p. na caverna>* **2** (prep. *em*) passar através de; transpor *<a bala penetrou seu peito>* *<o sol penetrava no vidro>* **3** (prep. *em*) alcançar o íntimo de; infiltrar-se *<a alegria penetra (n)a alma>* □ *t.i.* **4** (prep. *em*) ir em direção ao interior de *<p. na selva>* ~ **penetrabilidade** *s.f.* - **penetrável** *adj.2g.*

penha (pe.nha) *s.f.* grande massa de rocha saliente e isolada; penhasco

penhasco (pe.nhas.co) *s.m.* grande rochedo escarpado

penhoar (pe.nho.ar) [pl.: *-es*] *s.m.* leve vestimenta feminina aberta na frente, us. ger. sobre camisola; robe

penhor (pe.nhor) /ô/ [pl.: *-es*] *s.m.* **1** depósito de um bem como garantia de pagamento de dívida **2** o bem que foi penhorado *<deixou o colar como p.>* **3** *fig.* garantia, segurança, prova

penhora (pe.nho.ra) *s.f.* **1** ato de penhorar ou o seu efeito **2** DIR apreensão de bem penhorado, por ordem judicial

penhorar (pe.nho.rar) *v.* {mod. 1} *t.d.* **1** efetuar a penhora de; tomar *<a justiça penhorou os seus bens>* **2** dar (algo material) como garantia de cumprimento de compromisso financeiro; empenhar *<p. as joias>* □ *t.d. e t.d.i.* **3** (prep. *a*) afiançar, garantir *<penhorou sua concordância com o projeto>* *<penhorou seu apoio aos emissários>* □ *t.d.,t.d.i. e pron.* **4** (prep. *a, de*) (fazer) sentir ou mostrar respeito, admiração ou gratidão *<a sinceridade do adversário penhorou-o>* *<a correção do amigo penhorou-lhe respeito>* *<penhorou-se dos conselhos do pai>*

peniano (pe.ni.a.no) *adj.* relativo a ou próprio do pênis

penicilina (pe.ni.ci.li.na) *s.f.* FARM denominação de um grupo de antibióticos obtidos a partir de certos fungos

penico (pe.ni.co) *s.m. infrm.* vaso portátil para se urinar e defecar; urinol, bacio ▣ **mijar fora do p.** *infrm.* comportar-se de modo inadequado; sair da linha

península (pe.nín.su.la) *s.f.* GEO terra cercada de água por todos os lados, exceto um, que se liga a uma porção maior de terra

peninsular (pe.nin.su.lar) [pl.: *-es*] *adj.2g.* **1** relativo a ou próprio de península ■ *s.2g.* **2** natural ou habitante de uma península

pênis (pê.nis) *s.m.2n.* ANAT órgão sexual masculino

penitência (pe.ni.tên.cia) *s.f.* **1** arrependimento ou tristeza por erro ou falta **2** REL arrependimento por ter cometido um pecado **3** REL confissão ('sacramento') **4** REL pena que o sacerdote impõe ao penitente para expiar os pecados cometidos **5** REL qualquer sofrimento, voluntário ou não, que se oferece a Deus como expiação dos pecados; mortificação

penitenciar (pe.ni.ten.ci.ar) *v.* {mod. 1} *t.d. e pron.* **1** (prep. *de, por*) impor(-se) penitência; punir(-se) *<p. o pecador>* *<penitenciou-se pelos erros cometidos>* □ *t.d.* **2** sofrer as consequências de (pecado, falta, crime); pagar

penitenciária (pe.ni.ten.ci.á.ria) *s.f.* local onde os condenados à reclusão cumprem as suas sentenças ~ **penitenciário** *adj.s.m.*

penitente (pe.ni.ten.te) *adj.2g.s.2g.* **1** que(m) se arrepende **2** que(m) faz penitência ↺ impenitente

penoso (pe.no.so) /ô/ [pl. e fem.: /ó/] *adj.* **1** que provoca sofrimento **2** árduo, difícil ↺ fácil

pensador (pen.sa.dor) /ô/ [pl.: *-es*] *adj.s.m.* que(m) pensa, reflete

pensamento (pen.sa.men.to) *s.m.* **1** ação ou faculdade de pensar **2** ideia, reflexão **3** mente, razão **4** conhecimento, inteligência <*a linguagem é uma das formas de expressar o p.*> **5** opinião, ponto de vista <*este é o meu p. sobre o assunto*> **6** modo de pensar <*procure acompanhar o meu p.*> **7** conjunto de ideias <*o p. de Sócrates*> **8** provérbio, máxima

pensante (pen.san.te) *adj.2g.* que pensa; que faz uso da razão ('raciocínio')

pensão (pen.são) [pl.: *-ões*] *s.f.* **1** renda paga a alguém regularmente <*p. por invalidez*> **2** fornecimento regular de comida a domicílio **3** hotel simples e familiar com refeições **4** restaurante que serve refeições, ger. almoço, a preços baixos

pensar (pen.sar) *v.* {mod. 1} *t.d.,t.i. e int.* **1** (prep. *em*) formar (ideias) na mente, submetendo a raciocínio; refletir, raciocinar <*pensei que corria perigo*> <*pensou nas suas palavras*> <*penso, logo existo*> □ *t.d. e t.i.* **2** (prep. *em*) determinar pela reflexão <*penso (n)o que fazer*> **3** (prep. *em*) ter como intenção; pretender <*pensava (em) partir amanhã*> ↺ desistir □ *t.i.* **4** (prep. *em*) puxar pela memória; lembrar-se <*pensava em muitos nomes, mas não lembrava o dela*> □ *t.d.* **5** ser de certa opinião; julgar, acreditar <*penso o contrário dele*>

pensativo (pen.sa.ti.vo) *adj.* **1** entregue a um pensamento **2** preocupado

pênsil (pên.sil) [pl.: *-eis*] *adj.2g.* pendurado, suspenso

pensionato (pen.sio.na.to) *s.m.* **1** colégio em que os alunos residem; internato **2** instituição de assistência que abriga e educa menores e/ou necessitados; patronato **3** casa que recebe hóspedes

pensionista (pen.sio.nis.ta) *adj.2g.s.2g.* **1** que(m) recebe pensão, esp. do Estado **2** que(m) mora em pensão

penso (pen.so) *adj.* **1** que pende; inclinado ■ *s.m.* **2** curativo

penta (pen.ta) *adj.2g.2n.s.2g.2n.* red. de ***PENTACAMPEÃO*** e ***PENTACAMPEONATO***

pentacampeão (pen.ta.cam.pe.ão) [pl.: *-ões*; fem.: *-ã*] *adj.s.m.* diz-se de ou atleta, equipe esportiva, clube etc. que foi campeão pela quinta vez em determinado tipo de competição ☞ tb. se diz apenas *penta* ~ **pentacampeonato** *s.m.*

pentaedro (pen.ta.e.dro) *s.m.* GEOM poliedro de cinco faces

pentágono (pen.tá.go.no) *s.m.* GEOM polígono de cinco lados ~ **pentagonal** *adj.2g.*

pentagrama (pen.ta.gra.ma) *s.m.* MÚS **1** pauta de cinco linhas paralelas e equidistantes em que se escrevem as notas musicais **2** GEOM estrela de cinco pontas feita pela união dos pontos de um pentágono regular e cinco triângulos isósceles

pentateuco (pen.ta.teu.co) *s.m.* REL torá ☞ inicial maiúsc.

pentatlo (pen.ta.tlo) *s.m.* ESP prova de atletismo que inclui corrida, arremesso de disco, salto, lançamento de dardo e luta ~ **pentatleta** *s.2g.*

pente (pen.te) *s.m.* **1** utensílio dotado de dentes ('ponta') us. para desembaraçar e arrumar os cabelos **2** em armas automáticas, local onde se encaixam as balas

penteadeira (pen.te.a.dei.ra) *s.f.* móvel, ger. de quarto, que consiste numa mesa com espelho e gavetas; toucador

penteado (pen.te.a.do) *adj.* **1** com os cabelos arrumados <*encontrou as crianças arrumadas e p.*> ↺ despenteado ■ *s.m.* **2** modo especial de arrumar os cabelos <*experimentar um novo p.*>

pentear (pen.te.ar) *v.* {mod. 5} *t.d.,int. e pron.* arrumar, esp. com pente, os cabelos (de) <*penteou os cabelos depois saiu*> <*sabia p. bem*> <*gastava um bom tempo penteando-se*>

pentecostalismo (pen.te.cos.ta.lis.mo) *s.m.* movimento religioso desenvolvido fora do protestantismo tradicional, que teve início em princípios do séc. XX nos E.U.A. e que valoriza esp. a união com o Espírito Santo; pentecostismo

pentecostes (pen.te.cos.tes) *s.m.2n.* REL **1** festa católica 50 dias após a Páscoa, que celebra a descida do Espírito Santo sobre os apóstolos **2** festa judaica em memória ao dia em que Moisés recebeu de Deus as tábuas da Lei ☞ em ambas as acp., inicial maiúsc.

pentecostismo (pen.te.cos.tis.mo) *s.m.* pentecostalismo

pente-fino (pen.te-fi.no) [pl.: *pentes-finos*] *s.m.* **1** pequeno pente cujos dentes são bem próximos uns dos outros, us. para tirar piolho, caspa etc. **2** *infrm.* exame minucioso e rigoroso

pentelhar (pen.te.lhar) *v.* {mod. 1} *t.d. e int. infrm. joc.* **1** causar aborrecimento ou tédio a; chatear <*esse sujeito pentelha todo mundo*> <*aquela mulher só vive pentelhando*> **2** exasperar por perseguir ou intrometer-se <*costumava p. a moça com propostas de casamento*> <*não para de correr atrás da moça, pentelhando*> ~ **pentelhação** *s.f.*

pentelho (pen.te.lho) /ê/ *s.m.* **1** pelo que nasce no púbis **2** *fig. infrm. pej.* pessoa que chateia as outras ◉ GRAM/USO fem. (só da acp. 2): *pentelha*

pentelhudo (pen.te.lhu.do) *adj. B gros.* que tem muitos pentelhos

penugem (pe.nu.gem) [pl.: *-ens*] *s.f.* **1** primeira plumagem de uma ave **2** camada de penas, pelos ou cabelos que nascem primeiro

penúltimo (pe.núl.ti.mo) *adj.s.m.* (o) que vem antes do último

penumbra (pe.num.bra) *s.f.* ponto de transição entre a luz e a sombra ~ **penumbrar** *v.t.d. e int.*

penúria (pe.nú.ria) *s.f.* **1** extrema pobreza ↺ opulência **2** *fig.* privação ou ausência daquilo que se considera necessário; escassez <*viviam na p. de informações*> ↺ fartura

peoa (pe.o.a) /ô/ ou **peona** (pe.o.na) /ô/ *s.f.* mulher que presta serviços pesados, braçais ◉ GRAM/USO fem. de *peão*

P

pepineiro (pe.pi.nei.ro) *s.m.* BOT erva cultivada pelos seus frutos alongados, de polpa clara e firme, os pepinos

pepino (pe.pi.no) *s.m.* **1** BOT fruto hortense verde e longo us. em salada e conserva **2** *infrm.* situação difícil de ser resolvida; problema, abacaxi

pepino-do-mar (pe.pi.no-do-mar) [pl.: *pepinos-do-mar*] *s.m.* ZOO animal invertebrado, encontrado sob a areia lodosa do fundo do mar e consumido como iguaria na culinária oriental

pepita (pe.pi.ta) *s.f.* fragmento de metal, esp. ouro, encontrado na natureza

pepsina (pep.si.na) *s.f.* BIOQ enzima presente no suco gástrico dos animais cordados

péptico (pép.ti.co) *adj.* **1** relativo a digestão **2** que auxilia a digestão **3** que se refere ao estômago <*úlcera p.*>

pequena (pe.que.na) *s.f. infrm.* **1** mulher muito jovem; moça **2** *B* aquela a quem se namora; namorada

pequenez (pe.que.nez) /ê/ [pl.: *-es*] ou **pequeneza** (pe.que.ne.za) /ê/ *s.f.* **1** característica do que é pequeno **2** *fig.* insignificância, mesquinharia <*a p. daquele ato deixou a moça chocada*> ↺ nobreza **3** *fig.* falta de valores morais ou intelectuais <*p. de caráter*> ↺ grandeza

pequenino (pe.que.ni.no) *adj.* muito pequeno

pequeno (pe.que.no) *adj.* **1** de tamanho ou volume reduzido <*cadeira p.*> <*embrulho p.*> ↺ grande **2** que tem pouco espaço <*cozinha p.*> **3** de quantidade reduzida <*jornal de p. tiragem*> **4** condensado, reduzido <*p. dicionário da língua portuguesa*> ↺ extenso **5** que tem estatura abaixo da média <*mulher p.*> **6** que está na infância <*gostava de jogar bola quando era p.*> **7** mesquinho <*sentimentos p.*> ↺ generoso **8** modesto; de pequena envergadura ('importância') <*p. comerciante*> ■ *s.m.* **9** menino ◉ GRAM/USO sup. abs.sint.: *pequeníssimo*, *mínimo*; comp.super.: *menor* ~ **pequeneza** *s.f.*

pé-quente (pé-quen.te) [pl.: *pés-quentes*] *adj.s.m.* que(m) tem sorte ↺ pé-frio

pequerrucho (pe.quer.ru.cho) *adj.s.m.* (menino) bem pequeno

pequi (pe.qui) *s.m.* BOT **1** árvore do cerrado brasileiro cuja madeira é us. em construção civil e naval, os frutos na fabricação de licor e as sementes e a polpa para extração de gordura **2** o fruto dessa árvore

pequinês (pe.qui.nês) [pl.: *-eses*] *adj.s.m.* **1** (natural ou habitante) de Pequim, China ■ *adj.* **2** diz-se de certa raça chinesa de cão de pequeno porte, de pelos longos e focinho achatado ■ *s.m.* **3** esse cão

per- *pref.* 'movimento através': *percorrer*, *perseguir*

per *prep. desus.* por

pera (pe.ra) /ê/ *s.f.* **1** BOT o fruto da pereira, macio e suculento, em forma de gota **2** pequena porção de barba crescida no queixo

peralta (pe.ral.ta) *adj.2g.s.2g.* (criança) travessa

peraltice (pe.ral.ti.ce) *s.f.* atitude ou comportamento de peralta; brincadeira, travessura

perambular (pe.ram.bu.lar) *v.* {mod. 1} *int.* andar à toa ou sem rumo; errar, vagar ~ **perambulação** *s.f.* - **perambulagem** *s.f.*

perante (pe.ran.te) *prep.* diante de <*ficou maravilhado p. aquela cena*>

pé-rapado (pé-ra.pa.do) [pl.: *pés-rapados*] *s.m. infrm.* indivíduo de condição social humilde

percal (per.cal) [pl.: *-ais*] *s.m.* tecido fino de algodão de trama bem fechada

percalço (per.cal.ço) *s.m.* **1** obstáculo, transtorno **2** vantagem, proveito obtido por meio de alguma atividade

per capita (per ca.pi.ta) [lat.] *loc.adj.* por ou para cada indivíduo <*renda* per capita> ⇒ pronuncia-se per capita

perceber (per.ce.ber) *v.* {mod. 8} *t.d.* **1** tomar conhecimento de (algo) por meio dos sentidos; sentir <*percebeu, pelo cheiro, que havia fumaça no quarto*> <*percebeu o som dos sinos ao longe*> **2** captar pela inteligência; compreender, entender <*não percebeu o significado da mensagem*> **3** descobrir por intuição ou perspicácia; notar, reparar <*percebia que o amigo não estava satisfeito a seu lado*> **4** receber (salário, rendimentos etc.) ~ **percebimento** *s.m.*

percebível (per.ce.bí.vel) [pl.: *-eis*] *adj.2g.* perceptível

percentagem (per.cen.ta.gem) [pl.: *-ens*] ou **porcentagem** (por.cen.ta.gem) [pl.: *-ens*] *s.f.* **1** proporção calculada sobre cem unidades de qualquer coisa [símb.: %] <*calcular a p. do lucro*> **2** pagamento, lucro, comissão expressa nessa proporção <*ganhou uma pequena p. na negociação*>

percentual (per.cen.tu.al) [pl.: *-ais*] *adj.2g.* **1** relativo a percentagem ■ *s.m.* **2** relação entre duas grandezas expressa em percentagem <*p. de gordura no sangue*>

percepção (per.cep.ção) [pl.: *-ões*] *s.f.* capacidade de apreender por meio dos sentidos ou da mente

perceptível (per.cep.tí.vel) [pl.: *-eis*] *adj.2g.* que pode ser percebido; que pode ser sentido, compreendido ou notado ↺ imperceptível ~ **perceptibilidade** *s.f.*

perceptivo (per.cep.ti.vo) *adj.* **1** da percepção **2** capaz de perceber ou de compreender com facilidade ↺ desatento ~ **perceptividade** *s.f.*

percevejo (per.ce.ve.jo) /ê/ *s.m.* **1** ZOO inseto de coloração verde que exala mau cheiro **2** prego curto de cabeça chata

perciforme (per.ci.for.me) *s.m.* ZOO **1** espécime dos perciformes, ordem de peixes ósseos, predominante em águas tropicais e subtropicais ■ *adj.* **2** relativo a essa ordem

percorrer (per.cor.rer) *v.* {mod. 8} *t.d.* **1** passar por ou através de <*p. o deserto, os mares, o espaço sideral*> **2** perfazer, completar (distância, caminho determinado) <*percorreu o trajeto em 24 horas*> **3** passar rapidamente a vista sobre <*costuma p. a seção de classificados*> **4** efetuar investigação; examinar <*percorreu todos os livros da biblioteca*>

percuciente (per.cu.ci.en.te) *adj.2g.* **1** que percute ou fere **2** que demonstra perspicácia <*fazia observações p.*> ↺ obtuso

percurso (per.cur.so) *s.m.* **1** ato ou efeito de percorrer **2** espaço percorrido; trajeto <*o p. do ônibus*> **3** ASTR deslocamento, movimento de um astro <*o p. de um cometa*>

P

percussão (per.cus.são) [pl.: *-ões*] *s.f.* **1** ato de percutir **2** MÚS conjunto dos instrumentos que compõem a seção rítmica de um conjunto ou orquestra **3** MED exame médico que consiste na aplicação de leves pancadas em certas áreas do corpo e na análise do som obtido

percussionista (per.cus.sio.nis.ta) *adj.2g.s.2g.* que(m) toca instrumento de percussão

percutir (per.cu.tir) *v.* {mod. 24} *t.d.* **1** tocar com força em; bater **2** produzir som batendo em (instrumento de percussão) *<p. um tambor>* □ *int.* **3** ter repercussão; ecoar *<o barulho percutiu no interior da casa>* ~ **percutidor** *adj.s.m.*

perda (per.da) *s.f.* **1** ato ou efeito de perder **2** privação de (algo que se possui ou de alguém com quem se convivia) *<p. do emprego> <o jornal sentiu a p. do melhor redator para a concorrência>* **3** *p.ext.* morte, falecimento *<sentiu muito a p. do pai>* **4** diminuição progressiva *<p. de velocidade> <p. da memória>*

perdão (per.dão) [pl.: *-ões*] *s.m.* **1** ato de perdoar uma pena, culpa, erro etc.; indulto ↺ condenação **2** ato pelo qual alguém é dispensado de cumprir uma obrigação ou um dever *<p. de uma dívida>* ■ *interj.* **3** forma delicada de se pedir desculpa ou licença para interromper algo

perdedor (per.de.dor) /ô/ [pl.: *-es*] *adj.s.m.* **1** (aquele) que perde **2** que(m) é derrotado em uma competição, em uma disputa *<o (time) p. foi eliminado do campeonato>* ↺ ganhador, vitorioso **3** que(m) não tem espírito de vencedor; que(m) costuma ser malsucedido; fracassado ↺ vencedor

perder (per.der) *v.* {mod. 10} *t.d.* **1** deixar de ter ou de sentir *<p. a casa> <p. a memória, o bom humor>* ↺ possuir; manter **2** não levar consigo, por esquecimento ou distração; deixar *<perdeu o guarda-chuva no táxi>* **3** fazer mau uso de; desperdiçar *<p. tempo>* ↺ economizar **4** não tirar proveito de; desperdiçar *<p. uma oportunidade>* ↺ aproveitar **5** não chegar a tempo de *<p. o trem, o encontro, a piada>* ↺ pegar **6** ficar com menos (quilos, gramas); emagrecer **7** sofrer desgaste ou diminuição *<p. sangue> <p. a criatividade>* ↺ aumentar **8** ver a morte de *<p. o pai>* □ *t.d.,t.i. e int.* **9** (prep. *de, para*) sofrer derrota (de) *<o time perdeu o jogo> <p. para o arquirrival> <a equipe não perde há dez jogos>* ↺ vencer □ *t.d. e int.* **10** sofrer prejuízo, deixando de usufruir (vantagens, privilégios etc.) *<p. os direitos> <o povo perdeu com a reforma>* □ *pron.* **11** sumir, desaparecer **12** corromper-se, desencaminhar-se ↺ regenerar-se **13** confundir-se, desorientar-se *<p.-se em meditações>*

perdição (per.di.ção) [pl.: *-ões*] *s.f.* **1** situação de fracasso, ruína ↺ triunfo **2** *infrm.* tentação irresistível *<doces são minha p.>* **3** desvio das crenças religiosas ↺ salvação

perdidamente (per.di.da.men.te) *adv.* **1** de forma desorientada, desnorteada *<andava p. pelas ruas>* **2** us. para exagerar o sentido de uma palavra ou expressão *<p. apaixonado>*

perdido (per.di.do) *adj.* **1** que se perdeu **2** desaparecido, sumido *<joia p.>* ↺ achado, encontrado **3** que desconhece o caminho *<estava p. na cidade>* **4** inútil, infrutífero *<um dia de trabalho p.>* **5** desgovernado, sem direção *<uma bala p.>* **6** extremamente apaixonado *<estava p. de amores pela namorada>* **7** sem esperança ou salvação *<ele é um caso p.>* **8** de comportamento imoral, reprovável *<era uma mulher p.>* ■ *s.m.* **9** o que se perdeu ou está sumido

perdigão (per.di.gão) [pl.: *-ões*; fem.: *perdiz*] *s.m.* ZOO o macho da perdiz, responsável pela chocagem dos ovos e pelos cuidados com os filhotes ◉ VOZ v.: gorgolejar; subst.: gorgolejo

perdigoto (per.di.go.to) /ô/ *s.m.* **1** filhote de perdiz **2** gotícula de saliva que alguém lança ao falar

perdigueiro (per.di.guei.ro) *adj.s.m.* (cão) que caça perdizes

perdiz (per.diz) [pl.: *-es*] *s.f.* ZOO ave com cerca de 35 cm de comprimento, de bico forte, plumagem parda com manchas escuras ◉ GRAM/USO masc.: perdigão ◉ VOZ v.: gorgolejar; subst.: gorgolejo

perdoar (per.do.ar) *v.* {mod. 1} *t.d.,t.d.i.,t.i. e int.* (prep. *a*) conceder perdão a (alguém) [por erro, pecado, crime, dívida etc.]; desculpar, relevar *<p. os inimigos> <antes de morrer, perdoou (a ofensa) ao irmão> <quem ama perdoa>*

perdulário (per.du.lá.rio) *adj.s.m.* que(m) gasta demais; esbanjador ↺ avarento ~ **perdularidade** *s.f.*

perdurar (per.du.rar) *v.* {mod. 1} *int.* **1** ter longa duração **2** seguir existindo; manter-se, permanecer *<a doutrina da Igreja católica perdura há mais de 2 mil anos>* ↺ extinguir-se ~ **perduração** *s.f.*

pereba (pe.re.ba) *s.f. infrm.* **1** lesão cutânea indefinida, ger. de mau aspecto **2** sarna **3** FUTB jogador ruim

perecer (pe.re.cer) *v.* {mod. 8} *int.* **1** morrer, esp. prematura ou violentamente *<centenas de pessoas pereceram no terremoto>* **2** ter fim; acabar *<as esperanças pereceram>* ↺ começar ~ **perecimento** *s.m.*

perecível (pe.re.cí.vel) [pl.: *-eis*] *adj.2g.* que está sujeito a estragar ou extinguir-se *<alimentos p.> <bens p.>* ↺ imperecível

peregrinação (pe.re.gri.na.ção) [pl.: *-ões*] *s.f.* **1** viagem a lugares santos **2** *fig. infrm.* longa e exaustiva jornada

peregrinar (pe.re.gri.nar) *v.* {mod. 1} *int.* **1** ir em romaria por lugares santos **2** andar por terras distantes; viajar

peregrino (pe.re.gri.no) *adj.s.m.* **1** que(m) faz peregrinação a lugares sagrados **2** que(m) vagueia por terras estrangeiras ◉ COL romaria

pereira (pe.rei.ra) *s.f.* BOT árvore cuja madeira é us. para teclas de piano, marchetaria etc., largamente cultivada, esp. pelo fruto, a pera

peremptório (pe.remp.tó.rio) *adj.* definitivo, categórico, decisivo *<entre as escolhas ele foi p.>* ↺ dúbio ~ **peremptoriedade** *s.f.*

perene (pe.re.ne) *adj.2g.* **1** eterno; perpétuo ↺ efêmero **2** duradouro ↺ passageiro **3** sem interrupção; contínuo ↺ interrompido ~ **perenidade** *s.f.* - **perenização** *s.f.* - **perenizar** *v.t.d. e pron.*

perereca (pe.re.re.ca) *s.f.* **1** ZOO anfíbio anuro dotado de grandes pernas traseiras e ventosas nos dedos **2** *B infrm. joc.* a vulva

perfazer (per.fa.zer) *v.* {mod. 14} *t.d.* **1** completar, totalizar (número, valor, quantia etc.) **2** acabar de fazer; concluir *<p. uma tarefa>* ↺ começar ~ **perfazimento** *s.m.*

P

perfeccionismo (per.fec.cio.nis.mo) *s.m.* busca obstinada da perfeição ~ **perfeccionista** *adj.2g.s.2g.*

perfectível (per.fec.tí.vel) [pl.: *-eis*] *adj.2g.* que pode ser aperfeiçoado ~ **perfectibilidade** *s.f.*

perfeição (per.fei.ção) [pl.: *-ões*] *s.f.* **1** ausência de defeito ↺ imperfeição **2** primor; excelência *<era uma p. de caráter> <uma pintura feita com p.>* **3** pessoa ou coisa perfeita

perfeitamente (per.fei.ta.men.te) *adv.* **1** de modo exato, com perfeição *<pintou p. aquela paisagem>* **2** inteiramente, completamente *<entendeu p. o que eu disse>* **3** us. para confirmar algo dito anteriormente *<– Entendeu minhas ordens? – P., madame>*

perfeito (per.fei.to) *adj.* **1** sem defeito ↺ imperfeito **2** impecável, irrepreensível *<marido p.>* **3** excelente, primoroso *<obra p.>*

perfídia (per.fí.dia) *s.f.* dito ou ação pérfida, desleal; cilada, falsidade ↺ verdade, lealdade

pérfido (pér.fi.do) *adj.* **1** desleal, traidor ↺ fiel, leal **2** enganador, traiçoeiro ↺ sincero

perfil (per.fil) [pl.: *-is*] *s.m.* **1** contorno de rosto, figura, objeto etc. visto de lado ou apenas por um dos lados **2** descrição básica e concisa *<fez um p. do fugitivo>*

perfilar (per.fi.lar) *v.* {mod. 1} *t.d.* **1** traçar, fazer o perfil de *<para o seu quadro, o pintor perfilou a bela modelo>* **2** pôr em fila (esp. soldados); enfileirar □ *t.d. e pron.* **3** colocar(-se) em aprumo; endireitar(-se) *<perfilou o corpo> <a tropa perfilou-se diante do comandante>*

perfilhar (per.fi.lhar) *v.* {mod. 1} *t.d.* **1** assumir legalmente como filho **2** defender, abraçar (ideia, teoria, princípio etc.) ~ **perfilhação** *s.f.* - **perfilhamento** *s.m.*

performance (per.for.man.ce) [ing.; pl.: *performances*] *s.f.* **1** atuação, desempenho **2** interpretação de ator em cinema, teatro ou televisão **3** índice que avalia o desempenho numa competição esportiva *<p. de um atleta, de um cavalo>* ⇒ pronuncia-se perfórmance

perfumaria (per.fu.ma.ri.a) *s.f.* **1** fábrica ou loja de perfumes **2** conjunto de perfumes **3** *B infrm.* coisa supérflua *<vá fundo na questão, esqueça a p.>*

perfume (per.fu.me) *s.m.* **1** cheiro agradável que exala de certos corpos, esp. de flores ↺ fedor **2** preparado aromático, ger. líquido, us. na pele, roupa etc. ⊙ COL perfumaria ~ **perfumar** *v.t.d. e pron.* - **perfumoso** *adj.*

perfumista (per.fu.mis.ta) *adj.2g.s.2g.* que(m) fabrica e/ou vende perfumes

perfunctório (per.func.tó.rio) *adj.* **1** que tem pouca utilidade; ligeiro, superficial *<conhecimentos vagos e p.>* ↺ útil **2** que se faz por rotina, em cumprimento de uma obrigação *<tarefa p.>*

perfuração (per.fu.ra.ção) [pl.: *-ões*] *s.f.* **1** abertura feita por objeto pontiagudo; furo **2** ação ou efeito de perfurar

perfuradora (per.fu.ra.do.ra) /ô/ *s.f. B* **1** aparelho us. para perfurar cartões, fichas etc. **2** máquina dotada de broca, us. para perfurar o solo; perfuratriz

perfurante (per.fu.ran.te) *adj.2g.* que perfura, que produz perfurações

perfurar (per.fu.rar) *v.* {mod. 1} *t.d.* **1** abrir furo(s) em; furar **2** fazer (algo) na terra, na pedra, abrindo nela uma cavidade; cavar *<p. poços>* ~ **perfurativo** *adj.*

perfuratriz (per.fu.ra.triz) [pl.: *-es*] *s.f.* perfuradora ('máquina')

pergaminho (per.ga.mi.nho) *s.m.* **1** pele de ovelha preparada para nela se escrever ou ser utilizada em encadernações **2** *p.ext.* documento feito com essa pele ou o que há nele escrito **3** *B* diploma de curso superior ▼ ***pergaminhos*** *s.m.pl. fig.* **4** títulos de nobreza

pergunta (per.gun.ta) *s.f.* **1** palavra ou frase com que se faz uma interrogação **2** questão que se submete a alguém de quem se espera solução *<p. de uma prova>* ⊙ COL questionário

perguntar (per.gun.tar) *v.* {mod. 1} *t.d. e t.d.i.* **1** (prep. *a*) propor (questão) [a alguém], pedindo sua solução *<p. (aos alunos) o motivo da revolta>* □ *t.i. e t.d.i.* **2** (prep. *a, por*) pedir, solicitar (informação) [a]; indagar *<p.-lhe a idade> <p. pelo fugitivo><p. a quem quer responder>* □ *pron.* **3** interrogar-se, buscando eliminar dúvidas ou hesitações *<exausto, perguntou-se se deveria continuar na corrida>* ~ **perguntador** *adj.s.m.*

peri- *pref.* 'em torno de': *pericárdio, perímetro*

periastro (pe.ri.as.tro) *s.m.* ASTR ponto de maior aproximação de um astro que gravita em torno de outro ↺ apoastro

pericárdio (pe.ri.cár.dio) *s.m.* ANAT membrana externa do coração ~ **pericárdico** *adj.* - **pericardino** *adj.*

pericarpo (pe.ri.car.po) *s.m.* BOT o fruto em si, excluindo as sementes ☞ cf. *epicarpo, mesocarpo, endocarpo* ~ **pericárpico** *adj.*

perícia (pe.rí.cia) *s.f.* **1** conhecimento adquirido pela experiência; mestria **2** habilidade, destreza ↺ imperícia **3** exame ou vistoria especializada **4** grupo de peritos que faz esse exame ~ **pericial** *adj.2g.*

periclitante (pe.ri.cli.tan.te) *adj.2g.* que se encontra em perigo ~ **periclitar** *v.int.*

periculosidade (pe.ri.cu.lo.si.da.de) *s.f.* **1** característica do que é perigoso **2** DIR conjunto de circunstâncias que indicam probabilidade de alguém praticar um crime

peridural (pe.ri.du.ral) [pl.: *-ais*] *adj.2g.* ANAT **1** situado entre a dura-máter e a vértebra (diz-se de espaço na coluna vertebral) **2** que se localiza ou que se faz em torno da dura-máter *<anestesia p.>*

periélio (pe.ri.é.lio) *s.m.* → ***PERI-HÉLIO***

periferia (pe.ri.fe.ri.a) *s.f.* **1** linha que delimita qualquer corpo ou superfície **2** zona afastada do centro da cidade; subúrbio

periférico (pe.ri.fé.ri.co) *adj.* **1** relativo a periferia ■ *s.m.* INF **2** dispositivo ou conjunto de dispositivos que não integra a unidade central de processamento de um computador *<comprou uma impressora e outros p.>*

perífrase (pe.rí.fra.se) *s.f.* LING frase ou expressão que exprime aquilo que poderia ser expresso por menor número de palavras; circunlóquio ~ **perifrasear** *v.t.d. e int.* - **perifrástico** *adj.*

perigeu (pe.ri.geu) *s.m.* ASTR ponto da órbita de um astro ou satélite em torno da Terra, no qual ele se encontra mais próximo desta ↺ apogeu

P

perigo (pe.ri.go) *s.m.* **1** situação em que a existência ou a integridade de pessoa, animal, objeto etc. se encontra ameaçada; risco *<sem o equipamento de segurança, expunham-se ao p.>* ↺ segurança **2** o que provoca essa situação *<o fumo é um p. para a saúde>* **3** consequência desastrosa; inconveniente *<os p. da ignorância>* ▣ **a p.** *gír.* **1** sem dinheiro **2** em situação de risco ~ **perigar** *v.int.*

perigoso (pe.ri.go.so) /ô/ [pl. e fem.: /ó/] *adj.* **1** em que existe perigo; arriscado *<estrada p.>* **2** que representa ou causa perigo *<arma p.>* **3** que demonstra periculosidade *<assaltante p.>*

peri-hélio (pe.ri-hé.lio) [pl.: *peri-hélios*] ou **periélio** (pe.ri.é.lio) *s.m.* ASTR ponto da órbita de um planeta mais próximo do Sol, em seu movimento de translação ↺ afélio

perímetro (pe.rí.me.tro) *s.m.* **1** GEO soma dos lados de uma figura plana **2** linha que delimita uma área ou região *<p. urbano>* ~ **perimetral** *adj.2g.* - **perimétrico** *adj.*

períneo (pe.rí.neo) *s.m.* ANAT região entre o ânus e os órgãos genitais ~ **perineal** *adj.2g.*

periódico (pe.ri.ó.di.co) *adj.* **1** que ocorre ou se repete em intervalos regulares *<o médico fazia visitas p. ao paciente>* ↺ irregular **2** que se apresenta em períodos fixos *<doença p.>* ■ *adj.s.m.* **3** diz-se de ou publicação (jornal, revista etc.) que aparece em intervalos fixos ou regulares ~ **periodicidade** *s.f.*

periodista (pe.ri.o.dis.ta) *adj.2g.s.2g.* (profissional) que escreve em periódicos

período (pe.rí.o.do) *s.m.* **1** qualquer espaço de tempo, determinado ou não **2** espaço de tempo que se destaca pela ocorrência de certos fatos ou fenômenos; época *<p. medieval>* **3** unidade fundamental na escala do tempo geológico mundial, hierarquicamente inferior a *era* e superior a *época* **4** GRAM frase que contém uma ou mais orações ▣ **p. composto** GRAM aquele que contém mais de uma oração (p.ex.: *tomou o café e pagou a conta*; *desejava que chegassem*) • **p. simples** GRAM aquele constituído de uma só oração (p.ex.: *a primavera chegou*) ~ **periodizar** *v.t.d.*

periodontia (pe.ri.o.don.ti.a) *s.f.* ODONT estudo e tratamento dos tecidos imediatamente próximos aos dentes ~ **periodontal** *adj.2g.* - **periodontista** *adj.2g.s.2g.*

periodontite (pe.ri.o.don.ti.te) *s.f.* ODONT doença do periodonto que causa inflamação das gengivas, degeneração óssea etc.

periodonto (pe.ri.o.don.to) *s.m.* ODONT tecido conjuntivo que fixa o dente ao seu alvéolo

peripatético (pe.ri.pa.té.ti.co) *adj.s.m.* **1** aristotélico ■ *adj.* **2** que se ensina passeando, como era o costume de Aristóteles ~ **peripatetismo** *s.m.*

peripécia (pe.ri.pé.cia) *s.f.* **1** acontecimento inesperado ou situação imprevista *<viagem cheia de p.>* **2** momento de uma narrativa, peça teatral, filme etc. que altera o curso dos acontecimentos, ger. de maneira inesperada

périplo (pé.ri.plo) *s.m.* **1** viagem em torno de um país, de um continente **2** *p.ext.* relato dessa viagem

periquito (pe.ri.qui.to) *s.m.* ZOO nome comum a diversas aves brasileiras da família dos psitacídeos, de tamanho menor do que o dos papagaios ◉ VOZ v.: chalrar; subst.: chalreio

periscópio (pe.ris.có.pio) *s.m.* ÓPT instrumento, us. esp. em submarinos, que permite a observação de objetos por cima de obstáculos ~ **periscópico** *adj.*

perissodátilo (pe.ris.so.dá.ti.lo) ou **perissodáctilo** (pe.ris.so.dác.ti.lo) *s.m.* ZOO **1** espécime dos perissodátilos, ordem de mamíferos com cascos, que inclui os cavalos, os rinocerontes e as antas ■ *adj.* **2** relativo a essa ordem de mamíferos

peristalse (pe.ris.tal.se) *s.f.* BIO peristaltismo

peristáltico (pe.ris.tál.ti.co) *adj.* BIO **1** relativo a peristaltismo **2** caracterizado por sucessivas ondas de relaxamento e contração dos músculos (diz-se de movimento)

peristaltismo (pe.ris.tal.tis.mo) *s.m.* BIO conjunto das contrações musculares dos órgãos ocos, provocando o avanço de seu conteúdo; peristalse

perito (pe.ri.to) *adj.s.m.* **1** especialista em um assunto ou atividade **2** que(m) é hábil em uma atividade **3** (técnico) nomeado judicialmente para perícia ('exame') ◉ COL perícia

peritônio (pe.ri.tô.nio) *s.m.* ANAT membrana que recobre as paredes do abdome e a superfície dos órgãos digestivos ~ **peritoneal** *adj.2g.*

peritonite (pe.ri.to.ni.te) *s.f.* MED inflamação do peritônio

perjurar (per.ju.rar) *v.* {mod. 1} *t.d.* **1** renunciar a (opinião, crença etc.) □ *int.* **2** quebrar juramento, promessa □ *t.i.* **3** (prep. *a*) jurar falsamente *<não perjure ao céu>*

perjúrio (per.jú.rio) *s.m.* **1** renúncia a opinião, crença etc. **2** falso juramento **3** DIR crime de falso testemunho ou de falsa acusação

perjuro (per.ju.ro) *adj.s.m.* que(m) falta a seu juramento

permacultura (per.ma.cul.tu.ra) *s.f.* sistema que busca aliar as práticas agrícolas tradicionais ao conhecimento científico e tecnológico, tendo como princípio básico a harmonia ecológica, social e financeira

permanecer (per.ma.ne.cer) *v.* {mod. 8} *pred.* **1** ficar do mesmo modo; continuar, conservar-se □ *int.* **2** seguir existindo; continuar *<todos morreram, ele permaneceu>* □ *t.i. e int.* **3** (prep. *em*) deixar-se ficar em certo lugar, por certo tempo; continuar *<partiria ontem, mas vai p. por três dias>* *<ainda permanece em Londres>* □ *t.i.* **4** (prep. *em*) insistir com firmeza; persistir *<permanece no seu intento>*

permanência (per.ma.nên.cia) *s.f.* **1** ato ou efeito de permanecer *<sua p. na prisão afetou-lhe a mente>* **2** constância, continuidade *<a p. em um propósito>* ↺ impermanência **3** permissão concedida a um estrangeiro para permanecer e trabalhar no país **4** demora num mesmo lugar; estada *<p. de uma semana em uma cidade>*

permanente (per.ma.nen.te) *adj.2g.* **1** que permanece no tempo; duradouro, estável ↺ passageiro **2** definitivo, final *<dentição p.>* ↺ provisório **3** que ocorre com constância ou com frequência *<dor p.>* ↺ intermitente **4** que tem estabilidade *<comissão p.>* ↺ provisório ■ *s.m. B* **5** arranjo ou penteado que deixa os cabelos ondulados **6** documento para entrada gratuita em *shows*, ônibus etc.

P

permear (per.me.ar) *v.* {mod. 5} *t.d.* **1** passar através de; penetrar *<um raio de luz permeava a escuridão>* **2** estar presente ao longo de *<a morte permeia a obra>* ◻ *t.i.* **3** (prep. *entre*) estar no meio; interpor-se *<milênios permeiam entre o arco e o míssil>* ◻ *pron.* **4** (prep. *com*) alternar-se, intercalar-se *<a alegria permeava-se com a tristeza>*

permeável (per.me.á.vel) [pl.: *-eis*] *adj.2g.* que deixa passar (líquidos, gases etc.) através de poros *<a divisória era p. ao som>* ↺ impermeável ~ **permeabilidade** *s.f.* - **permeabilizar** *v.t.d. e pron.*

permeio (per.mei.o) *adv.* ◗ usado em: **de p. 1** misturado no meio de *<ao pegar as camisas, vieram lenços de p.>* **2** nesse ínterim *<viajou muito e, de p., escreveu livros>* **3** no meio *<sentou-se diante dela, com a mesinha de p.>*

permiano (per.mi.a.no) *s.m.* **1** sexto e mais recente período geológico da era paleozoica, anterior ao Carbonífero, em que se desenvolveram os moluscos marinhos, batráquios, peixes e répteis ☞ inicial maiúsc. ■ *adj.* **2** desse período

permissão (per.mis.são) [pl.: *-ões*] *s.f.* ato ou efeito de permitir; autorização, consentimento ↺ proibição

permissivo (per.mis.si.vo) *adj.* **1** que envolve permissão **2** que desculpa certas falhas ou erros; tolerante *<atitude p.>* ↺ intolerante **3** a que falta firmeza ou controle *<costumes p.>* ↺ severo ~ **permissividade** *s.f.*

permitir (per.mi.tir) *v.* {mod. 24} *t.d. e t.d.i.* **1** (prep. *a*) dar liberdade, poder ou licença para; consentir *<a lei não permite a baderna> <o médico permitiu-lhe o café>* ↺ proibir **2** (prep. *a*) dar lugar, ocasião a; possibilitar *<sua rapidez permitiu a vitória>* ↺ impossibilitar ◻ *pron.* **3** tomar a liberdade de *<permitiu-se fazer uma queixa>*

permuta (per.mu.ta) *s.f.* **1** troca de coisas entre seus donos **2** *fig.* troca de informações, de ideias etc.

permutar (per.mu.tar) *v.* {mod. 1} *t.d. e t.d.i.* (prep. *por*) dar (uma coisa) [para receber outra]; trocar, substituir *<p. livros> <permutou um carro por um imóvel>* ~ **permutação** *s.f.*

perna (per.na) *s.f.* **1** ANAT cada um dos membros inferiores do corpo humano **2** ANAT parte de cada um dos membros inferiores dos humanos, situada entre o joelho e o tornozelo **3** ANAT ZOO cada membro de sustentação e locomoção dos vertebrados **4** parte da calça, curta ou comprida, que protege os membros inferiores do corpo humano *<sujou a p. direita da calça>* **5** qualquer peça comprida que se bifurca em ramos, linhas etc. *<as p. de um compasso>* **6** peça que sustenta certos objetos *<as p. da mesa>* **7** haste de qualquer letra *<a p. do L>* ◉ GRAM/USO aum.irreg.: *pernaça, pernaço* ▣ **p. artificial** ou **mecânica** MED aparelho de ortopedia destinado a substituir perna amputada • **p. de pau 1** cada uma de duas varas dotadas de estribos para os pés, sobre os quais acrobatas se equilibram para caminhar; anda **2** peça de madeira que substitui parte de perna amputada ☞ cf. *perna de pau* (s.2g.) • **bater p.** andar com intenção de espairecer; caminhar à toa • **passar a p. em** *B infrm.* trair a confiança de; dar um golpe em; enganar *<passou a p. no cunhado e ficou com seu dinheiro>*

pernada (per.na.da) *s.f.* **1** pancada com a perna **2** na natação, movimento das pernas **3** pequeno braço de rio **4** *B* longo percurso a pé

perna de pau (per.na de pau) [pl.: *pernas de pau*] *s.2g.* **1** pessoa a quem falta uma perna ou tem uma delas defeituosa; perneta **2** *B pej.* jogador de futebol de má qualidade **3** *pej.* pessoa desajeitada ou ineficiente ☞ cf. *perna de pau* (loc.subst.)

pernalta (per.nal.ta) *adj.2g.* ou **pernalto** (per.nal.to) *adj.* que tem pernas altas, compridas; pernalto *<ave p.>* ↺ pernicurto

pernambucano (per.nam.bu.ca.no) *adj.* **1** de Pernambuco ■ *s.m.* **2** natural ou habitante desse estado

perneira (per.nei.ra) *s.f.* proteção, ger. de couro, para as pernas

perneta (per.ne.ta) /ê/ *adj.2g.s.2g.* que(m) não tem uma perna ou que apresenta algum defeito físico em uma das pernas

pernicioso (per.ni.ci.o.so) /ô/ [pl. e fem.: /ó/] *adj.* que faz mal; nocivo ↺ benéfico ~ **perniciosidade** *s.f.*

pernicurto (per.ni.cur.to) *adj.* que tem as pernas curtas, pequenas ↺ pernalta

pernil (per.nil) [pl.: *-is*] *s.m. B* coxa de animal comestível, esp. de porco

pernilongo (per.ni.lon.go) *s.m.* mosquito ◉ voz v.: zumbir; subst.: zumbido

pernoitar (per.noi.tar) *v.* {mod. 1} *int.* passar a noite; dormir

pernoite (per.noi.te) *s.m.* ato ou efeito de pernoitar *<viajou cedo, após o p. na cidade>*

pernóstico (per.nós.ti.co) *adj.s.m.* **1** *infrm.* que(m) é afetado, pretensioso; pedante ↺ simples **2** *B* que(m) emprega termos não usuais, sem conhecê-los bem ~ **pernosticidade** *s.f.* - **pernosticismo** *s.m.*

peroba (pe.ro.ba) *s.f.* BOT nome comum a diversas árvores brasileiras de madeira nobre

peroba (pe.ro.ba) /ô/ *s.m. gros.* homem homossexual

pérola (pé.ro.la) *s.f.* **1** pequena esfera freq. branco-prateada, que se forma nas conchas de diversos moluscos **2** essa bolinha us. em objetos de adorno **3** a cor dessa esfera **4** *fig.* pessoa ou coisa formosa ou adorável ■ *adj.2g.2n.* **5** que tem essa cor *<sapatos pérola>* **6** diz-se dessa cor *<cor p.>*

perolar (pe.ro.lar) *v.* {mod. 1} *t.d.* dar formato ou aparência de pérola a

perolizar (pe.ro.li.zar) *v.* {mod. 1} *t.d.* perolar ~ **perolização** *s.f.*

perônio (pe.rô.nio) *s.m.* ANAT ver ***FÍBULA***

perpassar (per.pas.sar) *v.* {mod. 1} *t.i.* **1** (prep. *por*) passar perto ou ao longo de; atravessar *<p. pelo salão>* **2** (prep. *por*) fazer correr sobre; deslizar *<p. a mão pelos cabelos>* ◻ *int.* **3** avançar sem parar; passar *<o cortejo perpassava, lento>* **4** correr, passar (o tempo)

perpendicular (per.pen.di.cu.lar) [pl.: *-es*] *adj.2g.* GEOM **1** cuja interseção forma um ângulo reto (diz-se de retas ou planos) ■ *s.f.* **2** linha que forma um ângulo reto com outra linha ou plano ~ **perpendicularidade** *s.f.*

perpetrar (per.pe.trar) *v.* {mod. 1} *t.d.* cometer, praticar (ato imoral, crime, delito etc.) ~ **perpetração** *s.f.*

perpétua (per.pé.tua) *s.f.* BOT **1** planta ornamental, tb. com propriedades expectorantes, e de que se extrai matéria corante violeta **2** a flor dessa planta

perpetuar (per.pe.tu.ar) *v.* {mod. 1} *t.d. e pron.* **1** (fazer) durar muito ou para sempre; eternizar(-se) *<queríamos p. aquele momento> <os seres vivos não se perpetuam, morrem>* **2** (fazer) adquirir fama eterna; imortalizar(-se) **3** manter(-se) por reprodução ou geração *<os animais têm o instinto de p. a espécie> <os homens desejam p.-se>* ~ **perpetuação** *s.f.* - **perpetuidade** *s.f.*

perpétuo (per.pé.tuo) *adj.* **1** que dura para sempre; eterno *<só a justiça de Deus é p.>* ↺ finito **2** que não cessa nunca; contínuo *<movimento p.>* ↺ intervalado **3** que não se altera ↺ variável **4** vitalício *<cargo p.>* ↺ temporário

perplexidade (per.ple.xi.da.de) /cs/ *s.f.* estado de quem está perplexo; admiração, assombro, espanto ↺ impassibilidade, imperturbabilidade

perplexo (per.ple.xo) /cs/ *adj.* **1** que hesita ↺ decidido **2** tomado de espanto; atônito *<ficar p. diante de uma agressão>* ↺ indiferente

perquirir (per.qui.rir) *v.* {mod. 24} *t.d. e int.* investigar em detalhes, com atenção e rigor; esquadrinhar *<perquiria com insistência (os conflitos de sua própria alma)>* ~ **perquirição** *s.f.* - **perquisição** *s.f.*

perrengue (per.ren.gue) *adj.* **1** que se mostra sem ânimo, sem vontade de agir; desanimado *<estou p., sem ânimo para nada>* **2** *RS* diz-se de cavalo que sofre de manqueira ■ *s.m.* **3** situação complicada, difícil de ser resolvida *<estava passando o maior p., coitada>*

persa (per.sa) *adj.2g.* **1** da antiga Pérsia, atual Irã (Ásia) ■ *s.2g.* **2** natural ou habitante desse país ■ *s.m.* **3** idioma oficial desse país

P

perscrutar (pers.cru.tar) *v.* {mod. 1} *t.d.* **1** investigar em detalhes, com atenção e rigor *<p. os alfarrábios do mentor>* **2** tentar conhecer (segredos, mistérios etc.) *<p. a alma feminina>* ~ **perscrutação** *s.f.* - **perscrutável** *adj.2g.*

persecutório (per.se.cu.tó.rio) *adj.* em que há perseguição *<delírio p.>*

perseguição (per.se.gui.ção) [pl.: *-ões*] *s.f.* **1** ato ou efeito de perseguir **2** intolerância contra alguém ou um grupo social *<p. política>*

perseguir (per.se.guir) *v.* {mod. 28} *t.d.* **1** correr atrás de; seguir *<a polícia perseguiu o ladrão durante horas>* **2** incomodar, importunar *<perseguiam o ministro com pedidos de emprego>* ↺ agradar **3** impor castigo a; punir *<o partido perseguirá os facciosos>* **4** dominar com violência; oprimir *<p. minorias>* ↺ libertar **5** lutar para obter (conquistas, realizações etc.) ~ **perseguido** *adj.* - **perseguidor** *adj.s.m.*

perseverança (per.se.ve.ran.ça) *s.f.* característica de quem persevera; constância, persistência, tenacidade ↺ inconstância

perseverante (per.se.ve.ran.te) *adj.2g.* **1** que permanece firme *<público p., pois ficou atento por duas horas>* ↺ inconstante **2** que denota firmeza, perseverança *<pessoa p. em seus objetivos>* ↺ instável

perseverar (per.se.ve.rar) *v.* {mod. 1} *t.i. e int.* **1** (prep. *em*) ter constância, insistência, firmeza (em); persistir, insistir *<era um homem que perseverava (em seus objetivos)>* ↺ desistir □ *pred.* **2** continuar a ser ou estar; permanecer

persiana (per.si.a.na) *s.f.* tipo de cortina de placas fixas ou que se movem por meio de cordões

persignar-se (per.sig.nar-se) *v.* {mod. 1} *pron.* benzer-se, fazendo, com o polegar, três sinais em cruz: um na testa, outro na boca e o terceiro no peito ~ **persignação** *s.f.*

persistência (per.sis.tên.cia) *s.f.* **1** característica de quem é persistente, perseverante; constância, perseverança ↺ inconstância **2** condição do que persiste, perdura, continua *<a p. de uma enfermidade>* ↺ descontinuidade

persistente (per.sis.ten.te) *adj.2g.* **1** que insiste em permanecer ou dura sem interrupção; duradouro *<febre p.>* ↺ descontínuo, intervalado **2** que não desiste facilmente; perseverante *<aluno p.>* ↺ inconstante

persistir (per.sis.tir) *v.* {mod. 24} *t.i. e int.* **1** (prep. *em*) ter constância, firmeza, insistência; perseverar *<há os que persistem no erro> <a ignorância persiste>* ↺ desistir □ *pred.* **2** continuar a ser ou estar; permanecer *<os homens persistiam calados>*

personagem (per.so.na.gem) [pl.: *-ens*] *s.2g.* **1** pessoa notável; personalidade *<importante p. da nossa história>* **2** papel representado por um ator ou atriz de teatro ou filme **3** figura humana representada nas obras de arte **4** *p.ext.* cada uma das figuras humanas que participa das obras de ficção **5** *p.ext.* animal, planta, objeto etc. personificado que participa das obras de ficção

personalidade (per.so.na.li.da.de) *s.f.* **1** conjunto de traços morais distintivos de uma pessoa; caráter **2** qualidade essencial de uma pessoa; caráter, originalidade **3** aspecto que alguém assume e projeta em público; imagem **4** pessoa célebre

personalismo (per.so.na.lis.mo) *s.m.* **1** característica daquilo que é pessoal, subjetivo **2** conduta de quem tem a si próprio como ponto de referência de tudo o que ocorre a sua volta ~ **personalista** *adj.2g.s.2g.* - **personalístico** *adj.*

personalizar (per.so.na.li.zar) *v.* {mod. 1} *t.d.* **1** dar caráter pessoal a; particularizar *<ela personaliza todas as roupas que usa>* ↺ generalizar **2** conceder qualidades de pessoa a; personificar *<p. fenômenos da natureza>* ↺ coisificar ~ **personalização** *s.f.*

personal trainer (per.son.al train.er) [ing.; pl.: *personal trainers*] *loc.subst.* profissional formado em educação física responsável pela elaboração e acompanhamento de um programa de atividades físicas específico para cada indivíduo, e que orienta pessoalmente a execução dos exercícios programados ⇒ pronuncia-se personal treiner

personificar (per.so.ni.fi.car) *v.* {mod. 1} *t.d.* **1** atribuir características de pessoa a (animais, deuses etc.) **2** ser o modelo de; simbolizar *<Afrodite personifica o ideal de beleza grego>* □ *t.d. e t.d.i.* **3** (prep. *em*) tornar vivo, concreto; representar *<o encenador queria p. a morte> <o diretor personificou seus sentimentos na atriz>* ~ **personificação** *s.f.*

perspectiva (pers.pec.ti.va) *s.f.* **1** técnica de pintura ou desenho tridimensional que possibilita a ilusão de espessura e profundidade das figuras **2** a obra feita com essa técnica **3** vista ao longe, até onde os olhos alcançam *<do mirante, tem-se uma bela p. da cidade>* **4** ponto de vista *<na p. capitalista, o lucro é sagrado>* **5** sentimento de esperança; expectativa *<a p. de um novo amor>*

perspicácia (pers.pi.cá.cia) *s.f.* capacidade de compreensão rápida; percepção apurada; argúcia, esperteza ↺ estupidez, idiotice

perspicaz (pers.pi.caz) [pl.: *-es*] *adj.2g.* **1** que vê bem **2** *fig.* que tem agudeza de espírito; sagaz, inteligente ↺ obtuso

perspirante (pers.pi.ran.te) *adj.2g.* **1** que transpira *<estava p. ao final do exercício>* **2** que provoca transpiração *<atividade p.>*

perspirar (pers.pi.rar) *v.* {mod. 1} *int.* expelir suor pelos poros; suar, transpirar ~ **perspiração** *s.f.* - **perspiratório** *adj.*

persuadir (per.su.a.dir) *v.* {mod. 24} *t.d.,t.d.i. e pron.* **1** (prep. *de*) levar ou passar a acreditar ou aceitar; convencer(-se) *<conseguiu p. o amigo (a ocupar o cargo)> <persuadiu-se da veracidade daquelas palavras>* ↺ dissuadir(-se) **2** (prep. *a*) levar(-se) [a fazer algo]; induzir(-se), convencer(-se) *<vão tentar p. o presidente (a renunciar)> <persuadiu-se a fazer o acordo>* □ *t.d.* **3** levar a mudar de atitude; convencer *<nem o pai persuade aquele menino obstinado>*

persuasão (per.su.a.são) [pl.: *-ões*] *s.f.* **1** capacidade ou ação de convencer alguém a acreditar ou aceitar algo por meio de argumentação ↺ dissuasão **2** certeza fortemente estabelecida; convicção

persuasivo (per.su.a.si.vo) *adj.* capaz de persuadir ↺ dissuasivo

pertence (per.ten.ce) *s.m.* **1** aquilo que faz parte de alguma coisa **2** conjunto de objetos de uso pessoal ☞ nesta acp., mais us. no pl.

pertencente (per.ten.cen.te) *adj.2g.* **1** que faz parte de; que pertence a (alguém ou algo) **2** que diz respeito a alguma coisa; concernente, relativo

pertencer (per.ten.cer) *v.* {mod. 8} *t.i.* **1** (prep. *a*) ser propriedade de *<o livro pertence ao aluno>* **2** (prep. *a*) fazer parte de *<esta palavra pertence ao inglês>* **3** (prep. *a*) ser referente a; relacionar-se *<o fato relatado pertencia à história de Roma>* **4** (prep. *a*) ser merecido; caber *<o cargo pertencia ao mais eficiente>* **5** (prep. *a*) ser próprio, característico de *<a imaginação pertence ao homem>* **6** (prep. *a*) ser da obrigação ou responsabilidade de; competir *<tal dever pertence aos pais>*

pertinácia (per.ti.ná.cia) *s.f.* comportamento de quem é pertinaz; obstinação, perseverança, tenacidade ↺ inconstância

pertinaz (per.ti.naz) [pl.: *-es*] *adj.2g.* que demonstra persistência; perseverante ↺ desinteressado

pertinência (per.ti.nên.cia) *s.f.* **1** característica do que é pertinente, do que é apropriado; adequação, propriedade ↺ impropriedade, inadequação **2** relevância, importância ↺ insignificância, irrelevância

pertinente (per.ti.nen.te) *adj.2g.* **1** que se refere a determinada coisa *<assunto p. ao segundo capítulo>* **2** apropriado e relevante *<só faz observações p.>* ↺ irrelevante

perto (per.to) *adv.* **1** junto ou próximo *<a repartição fica p., estamos chegando lá>* ↺ longe **2** num futuro próximo *<o dia da viagem estava p.>* ↺ longe ■ *adj.2g.* **3** próximo, vizinho *<fomos a um bar p.>* ↺ distante ▣ **p. de 1** próximo de (no espaço ou no tempo) *<plantaram p. da casa> <está p. de nascer>* **2** em relação a; em comparação com *<a casa é pequena p. da antiga>* • **p. de** cerca de; aproximadamente *<esperou p. de duas horas>* • **de p. 1** a pequena distância *<viu-a de p.>* **2** de forma íntima ou profunda *<conhece-os de p.>*

perturbar (per.tur.bar) *v.* {mod. 1} *t.d. e pron.* **1** (fazer) sofrer agitação, desequilíbrio ou desordem; alterar(-se) *<os tremores de terra perturbaram a composição do solo> <o equilíbrio físico perturba-se frequentemente>* **2** (fazer) perder a serenidade, o controle; descontrolar(-se) *<as vaias perturbavam o orador> <perturbou-se quando foi ofendido pelo freguês>* ↺ conter(-se) **3** (fazer) sentir embaraço, vergonha; inibir(-se) *<suas piadas de mau gosto perturbavam os convidados> <perturbou-se ao ter seu físico elogiado>* ↺ desinibir(-se) **4** (fazer) sentir abatimento, tristeza; comover(-se) *<as imagens do acidente o perturbaram seriamente>* ↺ alegrar(-se) □ *t.d.* **5** criar impedimento ou obstáculo a; atrapalhar *<o imprevisto perturbou a execução da tarefa>* ↺ facilitar ~ **perturbação** *s.f.* - **perturbado** *adj.* - **perturbável** *adj.2g.*

peru (pe.ru) *s.m.* **1** ZOO grande ave doméstica de plumagem escura, cabeça nua e uma proeminência carnosa avermelhada no pescoço **2** CUL prato feito com sua carne *<comeu p. no jantar>* **3** *B infrm.* pênis ◉ voz v.: gorgolejar, grugulejar; subst.: gorgolejo, glu-glu

perua (pe.ru.a) *s.f.* **1** a fêmea do peru **2** *SP* caminhonete **3** *SP van* **4** *infrm.* mulher que se veste de modo afetado **5** *B infrm.* prostituta

peruano (pe.ru.a.no) *adj.* **1** do Peru, América do Sul ■ *s.m.* **2** natural ou habitante desse país

peruar (pe.ru.ar) *v.* {mod. 1} *t.d. e int. infrm.* **1** observar (um jogo) dando palpites, ger. inconvenientes *<p. aquela jogatina podia ser perigoso> <ele não jogava, mas peruava o tempo todo>* **2** observar com indiscrição; bisbilhotar **3** mostrar interesse amoroso (por); paquerar ~ **peruada** *s.f.*

peruca (pe.ru.ca) *s.f.* cabeleira postiça

perversão (per.ver.são) [pl.: *-ões*] *s.f.* **1** devassidão, depravação ↺ decência **2** fato de tornar-se mau e o seu efeito **3** mudança do estado normal; adulteração *<p. da audição>* ↺ conservação

perversidade (per.ver.si.da.de) *s.f.* **1** característica do que é ou de quem é perverso **2** ato perverso *<é p. maltratar os animais>* **3** índole ou caráter ruim *<a p. nasceu com ele>*

perverso (per.ver.so) *adj.s.m.* que(m) é cruel, malvado ↺ bondoso

perverter (per.ver.ter) *v.* {mod. 8} *t.d. e pron.* **1** tornar(-se) perverso; depravar(-se), corromper(-se) *<a má influência do tio perverteu o rapaz> <perverteram-se por falta de um ideal>* ↺ regenerar(-se) □ *t.d.* **2** efetuar alteração em; subverter *<influências bárbaras perverteram os costumes do país>* **3** dar mau sentido a; deturpar, distorcer *<tem tendência a p. tudo o que ouve>* ◉ GRAM/USO part.: *pervertido, perverso*; ver QUADRO DE PARTICÍPIOS DUPLOS nas pp. iniciais

pervertido (per.ver.ti.do) *adj.s.m.* (aquele) que se perverteu; depravado, corrupto ↺ puro

pesada (pe.sa.da) *s.f.* pesagem ▣ **da p.** *B infrm.* que desperta medo ou respeito

pesadelo (pe.sa.de.lo) /ê/ *s.m.* **1** sonho que causa aflição, medo ou pavor; sonho mau **2** *fig.* pessoa, coisa ou situação que incomoda *<o trabalho novo era um p.>*

pesado (pe.sa.do) *adj.* **1** que tem muito peso *<carga p.>* **2** que exige muita força física *<trabalho p.>* **3** *fig.* que envolve um clima de muita tensão *<ambiente p.>* **4** *fig.* que pode ofender ou escandalizar *<piada p.>* **5** *infrm.* de difícil digestão *<refeição p.>* **6** profundo, sem sobressaltos (diz-se de sono) *<sono p.>* ▣ **pegar no p.** executar trabalho árduo, cansativo

pesagem (pe.sa.gem) [pl.: *-ens*] *s.f.* ato de pesar e o seu efeito; pesada *<fizeram a p. dos carros antes da corrida>*

pêsames (pê.sa.mes) *s.m.pl.* manifestação de pesar por infelicidade ou mal de outro; condolências, sentimentos ↺ parabéns

pesar (pe.sar) *v.* {mod. 1} *t.d. e pron.* **1** determinar o peso de *<p. o queijo> <o garimpeiro pesou oito quilos de ouro> <pesou-se para ver se havia emagrecido>* □ *t.d.* **2** estimar, com as mãos, o peso de; sopesar *<pesou o embrulho e calculou que tivesse um quilo>* **3** examinar com atenção, em detalhes *<p. prós e contras>* **4** calcular por antecipação, com rigor; prever *<pesamos todos os passos que vamos dar>* □ *t.i.* **5** (prep. *em, sobre*) causar sentimento de opressão; oprimir *<o remorso sempre pesa sobre os culpados>* **6** (prep. *em*) atuar de modo decisivo; influenciar *<os conselhos do pai pesaram em sua decisão final>* **7** (prep. *a*) provocar tristeza, mágoa; desprazer *<pesavam-lhe agora os erros do passado>* ↺ alegrar □ *t.d. e int.* **8** ter (determinado peso) *<a garota pesava 60 quilos> <p. é propriedade dos corpos>* □ *int.* **9** ter muito peso *<a caixa não pesava, era fácil carregá-la>* ■ *s.m.* **10** forte tristeza; desolação *<foi com grande p. que compareceu ao funeral do amigo>* ↺ júbilo ☞ como s.m., pl. *-es* ▣ **apesar dos p.** apesar do que possa ou se possa ter contra; apesar de tudo *<o Rio, apesar dos p., continua uma bela cidade>* • **em que pese (a)** *B* **1** ainda que (tal coisa) pese, custe, doa, incomode (a alguém) *<em que pese aos governistas, votaremos contra>* **2** malgrado, apesar de, não obstante *<em que pesem as suas contradições, a melhor tese ainda é a dele>*

pesaroso (pe.sa.ro.so) /ô/ [pl. e fem.: /ó/] *adj.* **1** que tem pesar ou em que há pesar; triste **2** que se arrependeu; contrito

pesca (pes.ca) *s.f.* **1** ato de pescar; pescaria **2** arte ou técnica dos pescadores; pescaria **3** indústria dos pescadores; pescaria **4** aquilo que se pescou **5** *p.ext.* ato de retirar algo da água ▣ **p. submarina** ESP caça submarina

pescada (pes.ca.da) *s.f.* ZOO peixe prateado de esqueleto ósseo e carne branca e saborosa

pescado (pes.ca.do) *adj.* **1** que se pescou ■ *s.m.* **2** o que se pesca para comer

pescador (pes.ca.dor) /ô/ [pl.: *-es*] *adj.s.m.* **1** (o) que pesca *<ave pescadora> <no acampamento, fizemos as vezes de pescadores>* ■ *s.m.* **2** pessoa que pratica a pesca por profissão ou por lazer ■ *adj.* **3** relativo a pesca ou próprio para realizá-la; pesqueiro

pescar (pes.car) *v.* {mod. 1} *t.d. e int.* **1** apanhar ou tentar apanhar na água (peixes, crustáceos etc.) □ *t.d.* **2** apanhar na água por meio semelhante ao da pesca de peixes *<p. pérolas> <pescou um sapato no rio>* □ *t.d. e t.d.i.* **3** *B infrm.* (prep. *de*) ter compreensão de; entender *<pescou a ironia dele?>*

pescaria (pes.ca.ri.a) *s.f.* **1** ato ou tentativa de pescar e o seu efeito; pesca **2** técnica para pescar; pesca **3** grande quantidade de peixe

pescoção (pes.co.ção) [pl.: *-ões*] *s.m.* tapa ou empurrão, esp. no pescoço

pescoço (pes.co.ço) /ô/ *s.m.* **1** ANAT região entre o tronco e a cabeça **2** *p.ext.* gargalo de garrafa, pote etc. ▣ **salvar o p.** *fig.* **1** preservar a vida **2** preservar a reputação, o bom nome

peseta (pe.se.ta) /ê/ *s.f.* ECON **1** meio através do qual se efetuavam transações monetárias na Espanha **2** *p.ext.* a cédula e a moeda us. nessas transações

peso (pe.so) /ê/ *s.m.* **1** resultado da força da gravidade sobre os corpos **2** sólido us. para avaliar a massa ('grandeza') de um corpo na balança **3** *fig.* importância, valor *<o clube contratou um jogador de p.>* **4** *fig.* o que incomoda, perturba ou abate *<a fábrica foi um p. este mês>* **5** ECON meio através do qual são efetuadas transações monetárias na Argentina, Chile, Colômbia, Cuba, Filipinas, Guiné-Bissau, México, República Dominicana e Uruguai **6** ECON a cédula e a moeda us. nessas transações **7** ESP categoria de atleta, esp. lutador, classificado pelo peso ('resultado') **8** ESP esfera de metal us. para lançamentos *<competia em arremesso de p.>* ▣ **p. bruto** soma do peso do produto e de sua embalagem • **p. líquido** peso do produto sem o da embalagem • **dois p. e duas medidas** *fig.* avaliações, decisões etc. diferentes em circunstâncias iguais ou parecidas • **em p.** na totalidade *<a turma veio em p.>*

pespegar (pes.pe.gar) *v.* {mod. 1} *t.d. e t.d.i.* (prep. *em*) aplicar com violência ou energia *<pespegou um soco (no assaltante)> <foi rápido ao p. um beijo na moça>*

pesponto (pes.pon.to) *s.m.* acabamento externo de costura com pontos mais largos, feitos com linha da mesma cor do tecido ou não ~ **pespontar** *v.t.d.*

pesqueiro (pes.quei.ro) *adj.* **1** que se refere à pesca *<indústria p.>* **2** próprio para pescar *<navio p.>*

pesquisa (pes.qui.sa) *s.f.* **1** conjunto de atividades que têm por finalidade a descoberta de novos conhecimentos no domínio científico, literário, artístico etc. **2** investigação ou indagação minuciosa

pesquisar (pes.qui.sar) *v.* {mod. 1} *t.d.* **1** procurar com aplicação, com cuidado; investigar *<p. a origem de uma palavra>* **2** tomar informações sobre; averiguar *<p. a vida do suspeito>* ~ **pesquisador** *adj.s.m.*

pessach (pes.sach) [heb.] *s.m.* REL festa anual judaica que comemora a fuga dos hebreus do Egito; Páscoa ☞ inicial maiúsc. ⇒ pronuncia-se pêssar

pessegada (pes.se.ga.da) *s.f.* CUL doce de pêssego

pêssego (pês.se.go) *s.m.* BOT fruta amarela, de casca aveludada, com a polpa dura e um único caroço ~ **pessegueiro** *s.m.*

pessimismo (pes.si.mis.mo) *s.m.* tendência a esperar pelo pior ↺ otimismo

P

pessimista (pes.si.mis.ta) *adj.2g.s.2g.* diz-se de ou pessoa que vê tudo pelo lado mais desfavorável ↺ otimista

péssimo (pés.si.mo) *adj.* muito mau ou muito ruim ◉ GRAM/USO sup.abs.sint. de *mau*

pessoa (pes.so.a) /ô/ *s.f.* **1** ser humano; indivíduo **2** GRAM categoria gramatical, ligada esp. a verbos e pronomes, que mostra a relação de quem fala com o(s) participante(s) do acontecimento narrado ◉ COL grupo, pessoal ▣ **p. física** DIR indivíduo perante a lei • **p. jurídica** DIR instituição ou associação legalmente reconhecida e autorizada a funcionar

pessoal (pes.so.al) [pl.: *-ais*] *adj.2g.* **1** relativo a pessoa *<obrigações p.>* **2** que é próprio de cada pessoa *<convite p.>* **3** exclusivo de certa pessoa; individual *<talher para uso p.>* ↺ coletivo **4** particular, íntimo *<assunto p.>* ↺ geral **5** que representa pessoa gramatical (diz-se de pronome) ■ *s.m.* **6** conjunto de indivíduos reunidos por qualquer motivo *<o p. da limpeza chega às 22 horas> <estou com saudade do p. lá de casa>*

pessoalmente (pes.so.al.men.te) *adv.* **1** em pessoa *<desculpou-se p. com o amigo>* **2** de uma perspectiva pessoal; particularmente *<p., sou contra a pena de morte>*

pessoense (pes.so.en.se) *adj.2g.* **1** de João Pessoa (PB) ■ *s.2g.* **2** natural ou habitante dessa capital

pestana (pes.ta.na) *s.f.* **1** cada um dos pelos unidos das bordas das pálpebras, que protegem os olhos; cílio **2** MÚS em instrumentos de cordas dedilhadas, posição em que o indicador prende todas as cordas para modificar sua afinação ▣ **queimar as p.** *infrm.* estudar muito

pestanejar (pes.ta.ne.jar) *v.* {mod. 1} *int.* abrir e fechar os olhos rapidamente; piscar

peste (pes.te) *s.f.* **1** MED doença contagiosa transmitida pela pulga do rato **2** MED epidemia que provoca grande mortandade **3** *B infrm.* pessoa má ou criadora de problemas *<esse menino é uma p.>* ▣ **p. bubônica** MED forma mais conhecida da p., caracterizada por febre, calafrios, dor e ínguas com pus, esp. na virilha • **p. negra** MED nome dado na Europa do sXIV à forma pulmonar da p., caracterizada por hemorragias subcutâneas que formam manchas escurecidas • **da p.** *B infrm.* **1** de causar espanto ou pavor; terrível *<houve uma confusão da p.>* **2** diz-se de pessoa ou coisa muito má ou, ao contrário, ótima, excelente *<era um malvado da p.> <como era ruim aquela comida da p.> <era um vaqueiro bom da p>* ~ **pestear** *v.t.d. e int.*

pesticida (pes.ti.ci.da) *adj.2g.s.m.* (substância) que combate as pragas

pestífero (pes.tí.fe.ro) *adj.* **1** que causa peste **2** *fig.* que causa dano; nocivo ■ *adj.s.m.* **3** que(m) foi contaminado pela peste

pestilência (pes.ti.lên.cia) *s.f.* **1** doença contagiosa; peste **2** *fig.* mau cheiro; fedor ~ **pestilento** *adj.*

PET [ing.] *s.m.* material termoplástico us. em embalagens, tecidos etc. ◉ GRAM/USO tb. us. como adj.: *garrafas PET* ◉ ORIGEM sigla em ing. de *tereftalato de polietileno*

peta (pe.ta) /ê/ *s.f.* **1** mentira **2** CUL *N. N.E.* bolinho de mandioca **3** CUL *TO BA GO* biscoito de polvilho ▣ **ser p.** *GO infrm.* ser inútil *<foi p. toda a gritaria que ela fez>*

pétala (pé.ta.la) *s.f.* BOT cada peça, freq. colorida, presa ao centro da flor

petardo (pe.tar.do) *s.m.* **1** explosivo portátil para destruir obstáculos **2** *p.ext.* FUTB chute violento a gol

peteca (pe.te.ca) *s.f.* RECR brinquedo composto por uma pequena base arredondada, com penas espetadas, lançado para o ar por golpes com a palma da mão ▣ **deixar a p. cair** hesitar, vacilar

peteleco (pe.te.le.co) *s.m.* **1** pancada com a ponta do dedo da mão **2** *p.ext.* golpe dado com pouca força *<foi derrubado com um p.>*

petição (pe.ti.ção) [pl.: *-ões*] *s.f.* **1** pedido por escrito; requerimento **2** DIR formulação escrita de pedido, fundada no direito da pessoa, feita ao juiz competente ▣ **p. de princípio** falha lógica que consiste em considerar, como o ponto de partida de uma demonstração, o mesmo argumento que será provado • **em p. de miséria** em estado lastimável, miserável

petiscar (pe.tis.car) *v.* {mod. 1} *int.* **1** comer petisco □ *t.d. e int.* **2** comer pouco, só para provar ou saborear *<no almoço ele só petiscou (a salada)>*

petisco (pe.tis.co) *s.m.* quitute ger. aperitivo

petisqueira (pe.tis.quei.ra) *s.f.* **1** petisco **2** prato, tigela etc. para servir petiscos **3** restaurante **4** armário para guardar alimentos

petiz (pe.tiz) [pl.: *-es*] *s.m. infrm.* menino, garoto

petrecho (pe.tre.cho) /ê/ *s.m.* **1** instrumento de guerra (armas, munições etc.); apetrecho **2** utensílio, ferramenta; apetrecho ☞ em ambas as acp., mais us. no pl. ~ **petrechar** *v.t.d.*

pétreo (pé.treo) *adj.* **1** de pedra **2** *fig.* que demonstra insensibilidade; duro, desumano *<coração p.>*

petrificar (pe.tri.fi.car) *v.* {mod. 1} *t.d. e pron.* **1** transformar(-se) em pedra *<a baixa temperatura petrificou o líquido> <a sopa petrificou-se no congelador>* **2** *fig.* tornar(-se) duro, desumano, sem sensibilidade; empedernir(-se) *<a carga de sofrimento petrificou o coração da moça> <petrificou-se depois de perder toda a família>* ↺ sensibilizar(-se) **3** *p.ext.* tornar (-se) imóvel, por surpresa, medo; paralisar(-se) *<a terrível aparição petrificou o rosto do menino> <o grupo petrificou-se ao sentir que não havia saída>* ~ **petrificação** *s.f.* - **petrificado** *adj.*

Petrobras (Pe.tro.bras) *s.f.* sigla de Petróleo Brasileiro SA

petrografia (pe.tro.gra.fi.a) *s.f.* GEOL ramo da geologia que descreve e classifica as rochas ~ **petrográfico** *adj.* - **petrógrafo** *s.m.*

petroleiro (pe.tro.lei.ro) *adj.* **1** relativo a ou que produz petróleo ■ *s.m.* **2** quem trabalha na indústria de petróleo **3** MAR navio-petroleiro

petróleo (pe.tró.leo) *s.m.* QUÍM óleo natural escuro extraído de jazidas subterrâneas, de que se faz gasolina, parafina, querosene, solventes etc.

petrolífero (pe.tro.lí.fe.ro) *adj.* que contém ou produz petróleo *<região p.> <indústria p.>*

petrologia (pe.tro.lo.gi.a) *s.f.* GEOL ramo da geologia que estuda a origem, ocorrência, estrutura e história das rochas; litologia ~ **petrológico** *adj.*

petroquímica (pe.tro.quí.mi.ca) *s.f.* QUÍM ciência, técnica e indústria dos derivados de petróleo

petroquímico (pe.tro.quí.mi.co) *adj.* **1** relativo a petroquímica ■ *adj.s.m.* **2** especialista em petroquímica

petulância (pe.tu.lân.cia) *s.f.* atrevimento, insolência ↺ humildade

petulante (pe.tu.lan.te) *adj.2g.s.2g.* (aquele) que se atreve, é arrogante, desrespeitoso; abusado, atrevido, insolente ↺ comportado, respeitoso

petúnia (pe.tú.nia) *s.f.* BOT **1** flor roxa de corola afunilada **2** a planta dessa flor, muito cultivada como ornamental

pez /ê/ [pl.: *-es*] *s.m.* piche

pH *s.m.* QUÍM coeficiente de acidez ou alcalinidade de uma solução

pi *s.m.* **1** décima sexta letra do alfabeto grego (π, Π) **2** MAT número igual à razão entre o perímetro de uma circunferência e o seu diâmetro, de valor aproximado a 3,14 [símb.: π]

PI sigla do Estado do Piauí

pia (pi.a) *s.f.* bacia fixa na parede, ger. com água encanada, us. para lavar mãos, louça etc. ⊡ **p. batismal** amplo vaso de pedra em que se derrama água us. para batismos

piá (pi.á) *s.m.* **1** menino indígena **2** menino mestiço de índio com branco **3** *p.ext.* qualquer criança do sexo masculino; menino, guri

piaba (pi.a.ba) *s.f.* **1** ZOO peixe de rio com boca miúda e dentes fortes; piava **2** *PE* pequena quantia de dinheiro (ger. em jogo) **3** *PE* coisa de pouca importância

piaçaba (pi.a.ça.ba) ou **piaçava** (pi.a.ça.va) *s.f.* **1** BOT tipo de palmeira que produz fibra dura e flexível us. na confecção de vassouras e escovas **2** essa fibra **3** vassoura feita com essa fibra ~ **piaçabal** *s.m.* - **piaçaval** *s.m.*

piada (pi.a.da) *s.f.* **1** história curta de final surpreendente, contada para provocar risos; anedota **2** dito ou comentário engraçado *<fazia piadas sobre o chefe>* **3** piado, pio

piadista (pi.a.dis.ta) *adj.2g.s.2g.* que(m) conta piadas

piado (pi.a.do) *s.m.* voz de algumas aves, pio

pia-máter (pi.a-má.ter) [pl.: *pias-máteres*] *s.f.* ANAT a mais interna e vascularizada das três membranas que recobrem o cérebro e a medula espinhal ☞ cf. *aracnoide* e *dura-máter*

piamente (pi.a.men.te) *adv.* **1** de modo pio, com devoção; piedosamente **2** de modo sincero, verdadeiro *<acreditava p. na palavra do irmão>*

pianíssimo (pi.a.nís.si.mo) *s.m.* MÚS trecho musical executado suavemente, com pouquíssima sonoridade

pianista (pi.a.nis.ta) *adj.2g.s.2g.* que(m) toca piano

piano (pi.a.no) *s.m.* MÚS **1** instrumento de 88 teclas com cordas percutidas por martelos revestidos de feltro **2** trecho musical executado com pouca sonoridade

pianola ® (pi.a.no.la) *s.f.* MÚS piano mecânico, acionado por pedais, em que a notação da peça a ser executada vem em um rolo de papel perfurado

pião (pi.ão) [pl.: *-ões*] *s.m.* RECR brinquedo cônico, ger. de madeira, que gira sobre uma ponta metálica, desenrolando-se de um cordel ☞ cf. *peão*

piar (pi.ar) *v.* {mod. 1} *int.* dar pios ◉ GRAM/USO só us. nas 3as p., exceto quando fig.

piauiense (pi.au.i.en.se) *adj.2g.* **1** do Piauí ■ *s.2g.* **2** natural ou habitante desse estado

piava (pi.a.va) *s.f.* ZOO piaba

PIB *s.m.* ECON sigla de *produto interno bruto* ☞ cf. *PIB* na parte enciclopédica

pica (pi.ca) *s.f.* **1** uma lança antiga **2** *gros.* pênis

picada (pi.ca.da) *s.f.* **1** mordida de inseto, cobra etc. **2** ferida feita por objeto pontudo **3** atalho aberto na mata a golpes de facão ou foice

picadeiro (pi.ca.dei.ro) *s.m.* **1** área central e circular para exibição dos artistas num circo **2** local para treinamento de cavalos ou exercícios de equitação

picadinho (pi.ca.di.nho) *s.m.* CUL *B* ensopado de carne partida em pequenos pedaços

picanha (pi.ca.nha) *s.f.* **1** parte de trás da região lombar da rês **2** a carne dessa região

picante (pi.can.te) *adj.2g.* **1** diz-se de sabor que arde, queima; apimentado *<tempero p.>* **2** *fig.* malicioso, mordaz *<conversa p.>*

picão (pi.cão) [pl.: *-ões*] *s.m.* **1** tipo de picareta para lavrar a pedra **2** ferramenta de montanhista para apoio em fendas nas rochas **3** BOT erva com fins terapêuticos, us. em casos de hepatite, reumatismo e problemas na bexiga e rins **4** *gros.* homem dado a ter relações sexuais com muita frequência, ger. com mais de uma parceira

pica-pau (pi.ca-pau) [pl.: *pica-paus*] *s.m.* ZOO ave de bico forte e reto, us. para martelar a madeira em busca de insetos e abrir cavidades para fazer ninho

picape (pi.ca.pe) *s.f.* **1** carro com caçamba ('receptáculo') aberta atrás **2** caminhonete

picar (pi.car) *v.* {mod. 1} *t.d. e pron.* **1** ferir(-se), furar(-se) com objeto pontiagudo *<p. o dedo com a agulha> <picou-se ao usar o garfo>* □ *t.d.* **2** enfiar o ferrão em; aguilhoar *<a abelha picou o menino> <esses insetos picam muito>* **3** ferir com o bico; bicar *<o pássaro picou sua presa>* **4** causar sensação de ardor em; queimar *<a pimenta picava a língua>* **5** abrir pequenos furos em *<as traças picaram todos os livros da estante>* **6** reduzir a pequenos pedaços *<p. cebolas para o molho>* **7** *fig.* dar ânimo a; estimular *<a presença do pai na torcida picou o jovem jogador>* ↺ desanimar **8** *fig.* deixar irritado; espicaçar *<a crítica maldosa picou seu ânimo>* □ *t.d. e int.* **9** (fazer) sentir comichão; coçar, pinicar *<a alergia picava todo o seu corpo> <a sarna fazia seu corpo p.>*

picardia (pi.car.di.a) *s.f.* esperteza, malandragem, malícia

picaresco (pi.ca.res.co) /ê/ *adj.* **1** burlesco, ridículo **2** LIT diz-se do gênero literário em que se descreve o comportamento dos pícaros

picareta (pi.ca.re.ta) /ê/ *s.f.* **1** instrumento com cabo de madeira e uma peça de ferro com duas pontas us.

P

para escavar a terra, lavrar pedras etc. ■ *adj.2g.s.2g. infrm.* **2** vigarista, aproveitador

picaretagem (pi.ca.re.ta.gem) [pl.: *-ens*] *s.f. infrm.* ação moralmente condenável; armação, embuste **~ picaretar** *v.int.*

pícaro (pí.ca.ro) *adj.* **1** esperto, trapaceiro, ardiloso ■ *s.m.* LIT **2** personagem que vive de ardis e procura obter lucros e vantagens das classes sociais mais abastadas

piçarra (pi.çar.ra) *s.f.* GEOL rocha meio decomposta, misturada a areia e partículas que contêm ferro

píceo (pí.ceo) *adj.* semelhante ao pez

pichação (pi.cha.ção) [pl.: *-ões*] *s.f.* **1** aplicação de piche **2** assinatura estilizada ou rabisco feito em parede, fachada de prédio, estátua etc. ☞ cf. ^{2}*grafite* **3** *fig. infrm.* crítica áspera ou maldosa

pichar (pi.char) *v.* {mod. 1} *t.d.* **1** aplicar piche em *<p. a laje para impermeabilizá-la>* **2** rabiscar (dizeres, assinatura, nomes etc.) em muros, paredes, fachadas etc. **3** sujar (muros, fachadas etc.) fazendo pichações ☞ nas duas últimas acp., cf. ^{2}*grafitar* **4** *fig. infrm.* falar mal de; criticar, malhar **~ pichador** *adj.s.m.*

piche (pi.che) *s.m.* resina negra e pegajosa obtida da destilação do alcatrão ou da terebintina

picles (pi.cles) *s.m.pl.* CUL conjunto de legumes, esp. pepinos, conservados em salmoura ou em vinagre

pico (pi.co) *s.m.* **1** topo agudo de monte ou montanha **2** *p.ext.* ponto mais alto; auge *<teve o p. de febre à tarde>* **3** *B infrm.* injeção de entorpecente

picolé (pi.co.lé) *s.m.* sorvete solidificado, atravessado verticalmente por um pauzinho

picotar (pi.co.tar) *v.* {mod. 1} *t.d.* fazer picotes em; perfurar *<p. papéis>*

picote (pi.co.te) *s.m.* **1** conjunto de pequenas perfurações em folhas de papel a serem destacadas **2** margem denteada de papel, selos etc.

pictórico (pic.tó.ri.co) *adj.* relativo a pintura

picuá (pi.cu.á) *s.m.* **1** saco rústico para levar roupa, comida etc. **2** balaio, cesto

picuinha (pi.cu.i.nha) *s.f.* **1** dito picante; piada **2** pirraça, teimosia **3** hostilidade gratuita; implicância

picula (pi.cu.la) *s.f.* RECR pique ('brincadeira infantil')

picumã (pi.cu.mã) *s.f.* → ***PUCUMÃ***

pidão (pi.dão) [pl.: *-ões*] *adj.s.m.* que(m) vive pedindo tudo

piedade (pi.e.da.de) *s.f.* **1** solidariedade para com a dor alheia; compaixão **2** devoção, religiosidade

piedoso (pi.e.do.so) /ô/ [pl. e fem.: /ó/] *adj.* **1** que revela ou tem piedade, devoção; devoto, pio ↺ impiedoso, ímpio **2** que tem compaixão; compassivo ↺ desalmado, impiedoso, inclemente

piegas (pi.e.gas) *adj.2g.2n.s.2g.2n.* (aquele) cujo sentimentalismo beira o ridículo *<filme p.> <um homem p.>* **~ pieguismo** *s.m.*

pieguice (pi.e.gui.ce) *s.f.* sentimentalismo exagerado

píer (pí.er) [pl.: *-es*] *s.m.* construção que avança para o mar, perpendicular ao cais, us. como atracadouro ou lugar de passeio

piercing (pierc.ing) [ing.; pl.: *piercings*] *s.m.* **1** perfuração do corpo para colocação de enfeite, ger. de metal *<fazer um p.>* **2** esse enfeite *<um p. no umbigo>* ⇒ pronuncia-se pirsing

pierrô (pi.er.rô) *s.m.* **1** TEAT personagem da comédia italiana (sXVI e XVII), ingênuo e sentimental ☞ inicial maiúsc. **2** fantasia de carnaval inspirada nessa personagem

pifar (pi.far) *v.* {mod. 1} *int. B infrm.* **1** parar de funcionar; escangalhar, quebrar *<o ventilador pifou>* **2** não ter êxito; fracassar *<o projeto pifou>*

pífaro (pí.fa.ro) *s.m.* flauta simples, ger. com seis furos

pífio (pí.fio) *adj.* de pouco valor; reles

pigarrear (pi.gar.re.ar) *v.* {mod. 5} *int.* **1** tossir com pigarro **2** fazer força para livrar-se de pigarro

pigarro (pi.gar.ro) *s.m.* aderência de muco na garganta **~ pigarrento** *adj.*

pigmentação (pig.men.ta.ção) [pl.: *-ões*] *s.f.* **1** formação de pigmentos em um organismo **2** coloração obtida a partir de pigmentos

pigmento (pig.men.to) *s.m.* **1** QUÍM substância natural ou artificial que absorve, refrata e reflete os raios da luz que sobre ela incidem, e que é us. como corante **2** BIOQ substância que dá cor aos tecidos ou às células de um organismo *<cabelos negros têm p. negro>* **~ pigmentar** *v.t.d. e pron.*

pigmeu (pig.meu) [fem.: *pigmeia /éi/*] *s.m.* **1** indivíduo de certa etnia africana, de estatura inferior a 1,50 m ■ *adj.s.m.* **2** que(m) é muito baixo; anão ↺ gigante

pijama (pi.ja.ma) *s.m.* conjunto de calça e camisa de dormir

pilantra (pi.lan.tra) *adj.2g.s.2g. infrm.* que(m) é mau-caráter, trapaceiro, ardiloso

pilantragem (pi.lan.tra.gem) [pl.: *-ens*] *s.f.* ação ou comportamento de pilantra; vigarice

pilão (pi.lão) [pl.: *-ões*] *s.m.* utensílio us. para bater, amassar ou triturar

^{1}**pilar** (pi.lar) [pl.: *-es*] *s.m.* ARQ coluna sem ornamentos presente na estrutura de uma construção ◉ ORIGEM do esp. *pilar* 'id.'

^{2}**pilar** (pi.lar) *v.* {mod. 1} *t.d.* moer, pisar ou descascar no pilão ◉ ORIGEM do lat.tar. *pilāre* 'trabalhar com o pilão'

pilastra (pi.las.tra) *s.f.* ARQ ^{1}pilar decorativo

Pilates ® (Pi.la.tes) *s.m.2n.* método de alongamento, condicionamento e exercício físicos, com aparelhos próprios, que abrange o corpo uniformemente, fortalece a musculatura e aumenta a flexibilidade, promovendo tb. a prevenção de lesões e o alívio de dores crônicas, esp. da coluna vertebral

pileque (pi.le.que) *s.m. B* embriaguez, bebedeira

pilha (pi.lha) *s.f.* **1** porção de objetos dispostos uns sobre os outros; monte *<p. de livros>* **2** ELETR sistema que transforma energia química em elétrica *<o brinquedo funciona com quatro p.>* **3** *fig. B* pessoa nervosa, agitada *<ele está uma p.>*

pilhagem (pi.lha.gem) [pl.: *-ens*] *s.f.* roubo, saque

pilhar (pi.lhar) *v.* {mod. 1} *t.d.* **1** atacar e destruir, roubando de maneira avassaladora; saquear *<os invasores pilharam o vilarejo>* **2** apossar-se com violência de; furtar, roubar *<pilhou a bolsa da mulher>* **3** ter nas mãos; pegar (tb. fig.) *<conseguiu p. a promoção que desejava>* ↺ perder **4** surpreender surgindo de repente *<a polícia pilhou os contrabandistas na beira do cais>* □ *pron.* **5** achar-se, ficar em certo lugar ou estado *<quando se pilharam fora da casa, os ladrões fugiram no carro>*

pilhéria (pi.lhé.ria) *s.f.* gracejo, piada ~ **pilheriador** *adj.s.m.*

pilheriar (pi.lhe.ri.ar) *v.* {mod. 1} *t.i. e int.* (prep. *com, de*) fazer pilhéria; troçar, gracejar *<vive pilheriando de assuntos importantes> <ele tem talento para p.>*

piloro (pi.lo.ro) *s.m.* ANAT pequena abertura que faz a comunicação entre estômago e duodeno ~ **pilórico** *adj.*

pilosidade (pi.lo.si.da.de) *s.f.* **1** qualidade ou característica do que contém pelos **2** ANAT camada de pelos finos sobre a pele

piloso (pi.lo.so) /ô/ [pl. e fem.: /ó/] *adj.* que tem pelos; peludo

pilotar (pi.lo.tar) *v.* {mod. 1} *t.d.* conduzir, guiar como piloto (navio, avião, carro) ~ **pilotagem** *s.f.*

piloti (pi.lo.ti) *s.m.* ARQ cada coluna que sustenta um prédio, deixando o pavimento térreo livre

piloto (pi.lo.to) /ô/ *s.m.* **1** quem dirige navio ou avião **2** motorista de provas automobilísticas **3** capítulo inicial de programa de televisão **4** primeiro bico a ser aceso em aquecedores a gás

piloura (pi.lou.ra) *s.f.* *N.E. infrm.* **1** desmaio, vertigem **2** loucura ou ataque de loucura

pílula (pí.lu.la) *s.f.* FARM **1** medicamento em forma de bolinha ou confeito para ser engolido inteiro, ger. com auxílio de líquido; comprimido **2** pílula anticoncepcional

P

pimenta (pi.men.ta) *s.f.* **1** BOT nome comum a diversas plantas nativas da América tropical, muito cultivadas pelos frutos, us. como tempero picante **2** BOT fruto dessa planta **3** *fig. B* indivíduo irrequieto, travesso *<ele é uma p.>*

pimenta-do-reino (pi.men.ta-do-rei.no) [pl.: *pimentas-do-reino*] *s.f.* BOT **1** trepadeira nativa do sul da Índia e Sri Lanka, com frutos com uma única semente, mundialmente us. como condimento **2** esse fruto, us. seco ou moído

pimenta-malagueta (pi.men.ta-ma.la.gue.ta) [pl.: *pimentas-malaguetas*] *s.f.* BOT **1** arbusto pequeno, nativo de regiões tropicais da América, muito cultivado no Brasil, de folhas ovais e frutos vermelhos, picantes, us. como condimento **2** fruto desse arbusto

pimentão (pi.men.tão) [pl.: *-ões*] *s.m.* BOT **1** planta nativa do Chile, de frutos verdes ou vermelhos, comestíveis, mais longos do que largos **2** variedade desta planta, com frutos grandes, em forma de sino, levemente picantes e de cor verde, vermelha ou amarela

pimenteira (pi.men.tei.ra) *s.f.* BOT arbusto que dá pimenta

pimpão (pim.pão) [pl.: *-ões*] *adj.s.m.* que(m) é vaidoso ou afetado no vestir ↺ modesto ~ **pimponice** *s.f.*

pimpolho (pim.po.lho) /ô/ *s.m.* **1** BOT broto da videira **2** *fig.* criança pequena

pinacoteca (pi.na.co.te.ca) *s.f.* **1** coleção de quadros **2** museu de pintura

pináculo (pi.ná.cu.lo) *s.m.* **1** o ponto mais alto (de edifício, torre, montanha etc.) **2** *fig.* o grau mais alto; auge *<p. da fama>*

pinça (pin.ça) *s.f.* **1** peça constituída de duas hastes ligadas numa das extremidades, us. para arrancar ou segurar algo **2** ANAT ZOO garra de aracnídeos, esp. escorpiões, e crustáceos

pinçar (pin.çar) *v.* {mod. 1} *t.d.* **1** prender ou segurar com pinça **2** arrancar com pinça *<pinçou as sobrancelhas>* **3** *fig.* retirar dentre várias coisas; selecionar *<pinçou pérolas de humor no discurso do paraninfo>* ~ **pinçamento** *s.m.*

píncaro (pín.ca.ro) *s.m.* **1** o ponto mais elevado de um monte ou de uma construção ↺ sopé **2** *fig.* o grau mais elevado; auge *<o p. da glória>*

pincel (pin.cel) [pl.: *-éis*] *s.m.* utensílio com cabo e tufo de pelos us. para aplicar tinta, cola, cosméticos etc.

pincelada (pin.ce.la.da) *s.f.* **1** traço feito com pincel **2** *fig.* comentário ou explicação rápidos, superficiais, a respeito de algo

pincelar (pin.ce.lar) *v.* {mod. 1} *t.d.* pintar ou aplicar com pincel

pindaíba (pin.da.í.ba) *s.f.* *infrm.* falta de dinheiro; penúria *<vive na maior p.>*

pinga (pin.ga) *s.f.* *B infrm.* cachaça

pingado (pin.ga.do) *adj.s.m.* *infrm.* (café) a que se acrescenta um pouco de leite

pinga-pinga (pin.ga-pin.ga) [pl.: *pinga-pingas* e *pingas-pingas*] *adj.2g.s.m.* (o) que acontece aos poucos *<voo p.> <o p. dos meus rendimentos>*

pingar (pin.gar) *v.* {mod. 1} *t.d.,t.i. e int.* **1** (prep. *de*) derramar ou cair aos pingos; gotejar *<o nariz pingava sangue> <o suor está pingando (da testa)> <a água pingava (da torneira)>* □ *int.* **2** *fig.* render aos poucos, gradativamente *<o lucro vem pingando devagarinho>*

pingente (pin.gen.te) *s.m.* **1** objeto pequeno, pendente, ger. em forma de pingo **2** brinco pendente **3** *B* passageiro que viaja pendurado esp. em bondes e trens

pingo (pin.go) *s.m.* **1** partícula líquida ao cair; gota **2** *B* porção ínfima *<um p. de dinheiro>* ▣ **pôr os p. nos is** ou **ii** esclarecer uma situação dúbia, deixar as coisas claras

pinguço (pin.gu.ço) *adj.s.m.* *B infrm.* beberrão

pinguela (pin.gue.la) *s.f.* ponte tosca de madeira

pingue-pongue (pin.gue-pon.gue) [pl.: *pingue-pongues*] *s.m.* ESP RECR tênis de mesa

pinguim (pin.guim) /gü/ [pl.: *-ins*] *s.m.* ZOO ave marinha preta e branca, de pernas curtas, com nadadeiras e asas pequenas, que vive esp. na Antártica

pinha (pi.nha) *s.f.* BOT **1** fruto do pinheiro, ger. em forma de cone **2** fruta-de-conde; ata

pinhal (pi.nhal) [pl.: *-ais*] *s.m.* grande concentração de pinheiros em determinada área; pinheiral

pinhão (pi.nhão) [pl.: *-ões*] *s.m.* BOT semente comestível de pinheiros, esp. da araucária

pinheiral (pi.nhei.ral) [pl.: *-ais*] *s.m.* pinhal

pinheiro (pi.nhei.ro) *s.m.* BOT nome comum a árvores em forma de cone, de madeira útil, próprias de climas temperados ◉ COL pinhal, pinheiral

pinheiro-do-paraná (pi.nhei.ro-do-pa.ra.ná) [pl.: *pinheiros-do-paraná*] *s.m.* BOT araucária

pinho (pi.nho) *s.m.* **1** madeira do pinheiro **2** *p.ext.* *B infrm.* violão

pinicar (pi.ni.car) *v.* {mod. 1} *t.d. e int.* **1** causar comichão ou ardor em; picar *<os arbustos pinicaram sua pele>* *<sentia a pele p.>* □ *t.d.* **2** beliscar

pino (pi.no) *s.m.* **1** haste, ger. cilíndrica e metálica, que une ou articula peças **2** peça de madeira em forma de garrafa us. no boliche **3** ponto mais alto a que chega o sol; zênite ▣ **a p.** na vertical • **bater p.** *B* **1** sair (o automóvel) do ponto da regulagem do motor **2** *fig.* *infrm.* estar em más condições, físicas ou mentais

pinote (pi.no.te) *s.m.* **1** salto de cavalgadura ao dar coice **2** *p.ext.* pulo, pirueta ▣ **dar o p.** *B infrm.* escapulir, fugir ~ **pinotear** *v.int.*

pinta (pin.ta) *s.f.* **1** pequena mancha *<uma p. de sangue na blusa>* **2** sinal ou sarda **3** *B infrm.* sinal de algo que ainda não foi comprovado ou ainda não ocorreu *<pela p., o filme é ruim>* *<pela p. do céu, vai chover>*

pintado (pin.ta.do) *adj.* **1** que levou tinta *<casa p.>* **2** que tem cor ou cores; colorido *<forrou a gaveta com papel p.>* **3** com diversas pintas, sinais *<tinha o rosto p. de sardas>* **4** com maquiagem

pintalgar (pin.tal.gar) *v.* {mod. 1} *t.d.,t.d.i. e pron.* **1** (prep. *com, de*) pintar(-se) ou sujar(-se) com pingos coloridos *<as pinturas das crianças pintalgaram todo o chão>* *<p. de tinta uma camisa>* *<o pelo desses animais só se pintalga na fase adulta>* **2** pintar(-se) de cores variadas; sarapintar(-se) *<p. um tecido (de azul, rosa e verde)>* *<na primavera, a mata pintalgava-se de ipês>*

pintar (pin.tar) *v.* {mod. 1} *t.d.* **1** representar (figuras, imagens etc.) com traços, cores *<p. um retrato>* *<p. uma paisagem>* **2** cobrir com tinta *<p. uma parede>* **3** dar cores a; colorir *<os novos jardins pintaram o centro da cidade>* **4** *p.ext.* descrever, retratar *<o orador pintou a maldade que jazia no coração do réu>* □ *int.* **5** entregar-se à arte da pintura *<foi um artista que começou a p. cedo>* **6** ser pintor profissional **7** começar a surgir, ger. ao longe *<o barco pintou no horizonte>* **8** tornar-se visível; aparecer *<às vezes pintam cobras neste matagal>* ↺ sumir **9** *B gír.* comparecer, ir a um lugar *<se der, ela vai p. no bar>* **10** *B gír.* acontecer, ocorrer *<se ele aparece, pinta confusão>* **11** *B gír.* dar indícios de ser (bom ou mau); mostrar-se *<o projeto está pintando muito bem>* **12** exceder-se em brincadeiras ou diversões *<esses rapazes pintam demais>* □ *t.d. e pron.* **13** maquiar(-se) *<p. o rosto>* *<passou uma hora pintando-se>* ▣ **p. e bordar** *infrm.* fazer diabruras ou coisas extraordinárias; divertir-se muito *<pintou e bordou durante a festa>*

pintarroxo (pin.tar.ro.xo) /ô/ *s.m.* ZOO passáro de canto suave, de plumagem parda e avermelhada

pintassilgo (pin.tas.sil.go) *s.m.* ZOO pássaro de cabeça, pescoço, asas e cauda negros, dorso verde e lado inferior amarelo

pinto (pin.to) *s.m.* **1** filhote de galinha **2** *infrm.* pênis ▣ **ser p.** *B infrm.* não oferecer dificuldade *<correr 200 m é p.>*

pintor (pin.tor) /ô/ [pl.: *-es*] *s.m.* **1** quem se dedica à pintura artística **2** pessoa que pinta, ger. por ofício *<p. de paredes>*

pintura (pin.tu.ra) *s.f.* **1** revestimento de uma superfície com tinta *<a parede precisa de p. nova>* **2** arte e técnica de pintar *<aulas de p.>* **3** profissão de pintor **4** a obra pintada *<gosto das p. de Portinari>* **5** maquiagem *<saía sempre sem p.>*

[1]pio (pi.o) *adj.* **1** que demonstra piedade ou caridade; virtuoso **2** religioso ◉ ORIGEM do lat. *pĭus,a,um* 'que cumpre o dever; justo'

[2]pio (pi.o) *s.m.* voz de certas aves ◉ ORIGEM onomatopaica

piogênese (pi.o.gê.ne.se) *s.f.* MED piogenia

piogenia (pi.o.ge.ni.a) *s.f.* MED formação de pus; piogênese ~ **piogênico** *adj.*

piolhento (pi.o.lhen.to) *adj.* **1** propício à procriação de piolhos ■ *adj.s.m.* **2** (o) que tem piolhos **3** *p.ext.* *pej.* sujo, imundo

piolho (pi.o.lho) /ô/ *s.m.* ZOO inseto sem asas, com peças bucais sugadoras, que se alimenta de sangue de mamíferos, mesmo do homem; muquirana

pioneiro (pi.o.nei.ro) *adj.s.m.* **1** (o) que está entre os primeiros que penetram ou colonizam uma região; desbravador **2** *fig.* (o) que anuncia algo de novo ou se antecipa a algo ou alguém; precursor *<ato p.>* *<p. do cristianismo>* **3** (o) que antecipa uma pesquisa, progresso ou empreendimento; antecessor *<p. da bioenergética>* *<estudo p.>* ~ **pioneirismo** *s.m.*

pior (pi.or) [pl.: *-es*] *adj.2g.* **1** mais ruim, em comparação a outro *<este é seu p. livro>* ■ *s.m.* **2** o que é inferior a tudo o mais *<este arroz é o p.>* ■ *s.f.* **3** situação, condição pior ■ *adv.* **4** de forma mais incorreta ou insatisfatória *<vive p. que a filha>* **5** com menos saúde *<está p. hoje>* ◉ GRAM/USO comp.super. de *mau* ▣ **levar a p.** ser derrotado numa disputa ou conflito; perder • **mandar desta para a p.** matar • **na p.** *RJ* em má situação (financeira, emocional etc.) *<ele está na p.>*

piora (pi.o.ra) *s.f.* **1** ato ou efeito de piorar **2** alteração para pior ↺ melhora **3** agravamento de estado de saúde ↺ melhora

piorar (pi.o.rar) *v.* {mod. 1} *t.d. e int.* **1** mudar para pior; agravar(-se) *<a perda do emprego piorou a situação da família>* *<o desempenho da empresa piorou>* ↺ melhorar □ *int.* **2** ficar com o estado de saúde mais grave *<o paciente piorou nas últimas horas>* ↺ melhorar ~ **piorada** *s.f.*

piorra (pi.or.ra) /ô/ *s.f.* RECR espécie de pião feito de folha de flandres, que produz um assobio quando gira; zorra

piorreia (pi.or.rei.a) /éi/ *s.f.* MED escoamento de pus ~ **piorreico** *adj.*

pipa (pi.pa) *s.f.* **1** barril de madeira us. esp. para armazenar vinho **2** brinquedo formado por uma armação leve de varetas, recoberta de papel fino e presa a uma linha, que se empina no ar; papagaio

piparote (pi.pa.ro.te) *s.m.* peteleco

P

pipeta (pi.pe.ta) /ê/ *s.f.* tubo de vidro us. em laboratório para aspirar líquidos

pipi (pi.pi) *s.m. l.inf.* urina ▣ **fazer p.** *l.inf.* urinar

pipilar (pi.pi.lar) *v.* {mod. 1} *t.d. e int.* emitir pios (a ave); piar, pipiar *<ouvia as aves p. (um canto matinal)>* ◉ GRAM/USO só us. nas 3as p., exceto quando fig. ~ **pipilo** *s.m.*

pipoca (pi.po.ca) *s.f.* **1** grão de certo tipo de milho estourado com o calor **2** *infrm.* qualquer pequena erupção na pele

pipocar (pi.po.car) *v.* {mod. 1} *int.* **1** estourar como pipoca *<pipocaram espinhas no seu rosto>* **2** soar como pipoca estourando *<metralhadoras a p.>* **3** *fig. infrm.* aparecer de repente *<a notícia pipocou em toda parte>* **4** fazer borbulhas *<a sopa chegou à mesa pipocando>* **5** FUTB demonstrar medo (o jogador) de disputar uma jogada, de chutar ao gol etc.

pipoco (pi.po.co) /ô/ *s.m. N. N.E.* barulho daquilo que estala, estoura, pipoca, explode; papoco

pipoqueira (pi.po.quei.ra) *s.f.* máquina ou panela para fazer pipoca

pipoqueiro (pi.po.quei.ro) *s.m.* **1** vendedor de pipocas **2** FUTB *pej.* jogador que costuma pipocar

piprídeo (pi.prí.deo) *s.m.* ZOO **1** espécime dos piprídeos, família de pequenas aves de fêmeas verdes, cujos machos têm plumagem colorida e executam um tipo de movimento a fim de atrair as fêmeas ■ *adj.* **2** relativo a essa família de pássaros

[1]**pique** (pi.que) *s.m.* **1** antiga lança **2** *B* pequeno corte *<deu um p. na saia>* **3** RECR brincadeira infantil em que uma criança tem de tocar numa das outras que correm, antes que alcancem o ponto que as deixe a salvo; pega-pega **4** *p.ext.* esse ponto ◉ ORIGEM duv., talvez regr. de *picar* ▣ **ir a p. 1** MAR naufragar, afundar (embarcação) **2** *fig.* não dar certo; fracassar *<o projeto foi a p.>*

[2]**pique** (pi.que) *s.m.* **1** ponto mais elevado ou o grau mais alto; pico, auge *<o p. do calor foi no começo da tarde>* **2** corrida, correria *<saiu num p. louco atrás dela>* **3** grande disposição; entusiasmo, garra *<começamos as aulas no maior p.>* **4** movimentação intensa; agitação, tumulto *<saiu de carro na hora do p.>* ◉ ORIGEM ing. *peak* 'cume, ponta aguda'

piquenique (pi.que.ni.que) *s.m.* passeio com refeição ao ar livre, em que cada participante ger. contribui levando comida e/ou bebida

piquete (pi.que.te) /ê/ *s.m.* **1** guarda de honra em formaturas e desfiles **2** destacamento militar designado para serviços internos ou saídas de emergência **3** *B* grupo de trabalhadores que se coloca à porta de fábrica, empresa etc. em greve para impedir a entrada de outros

piquira (pi.qui.ra) *adj.2g.s.m. B* **1** (peixe) miúdo ■ *adj.2g.s.2g. B* **2** (égua, cavalo etc.) pequeno **3** *pej.* (pessoa) mirrada, insignificante

pira (pi.ra) *s.f.* **1** vaso em que arde um fogo simbólico *<p. olímpica>* **2** fogueira em que se queimavam cadáveres; pira funerária **3** *p.ext.* qualquer fogueira ▣ **p. funerária** pira (acp. 2)

piracema (pi.ra.ce.ma) *s.f. AMAZ* **1** migração de peixes para desova, no sentido das nascentes dos rios **2** a época dessa migração

pirado (pi.ra.do) *adj. B gír.* que pirou; louco, maluco

pirambeira (pi.ram.bei.ra) *s.f. B infrm.* **1** abismo, precipício **2** ladeira ou terreno muito íngreme

piramidal (pi.ra.mi.dal) [pl.: *-ais*] *adj.2g.* **1** relativo a pirâmide **2** em forma de pirâmide

pirâmide (pi.râ.mi.de) *s.f.* **1** GEOM poliedro cuja base é um polígono qualquer e as faces laterais são triângulos ligados a um só vértice **2** construção com essa forma *<as p. do Egito>*

piranha (pi.ra.nha) *s.f.* **1** ZOO peixe carnívoro de rio, com dentes numerosos e afiados **2** *B pej.* prostituta **3** *p.ext. B pej.* mulher que mantém relações sexuais com muitos parceiros

pirão (pi.rão) [pl.: *-ões*] *s.m.* CUL papa grossa de farinha de mandioca cozida

pirar (pi.rar) *v.* {mod. 1} *int.* **1** ficar maluco ou perturbado; enlouquecer, endoidecer □ *int. e pron.* **2** sair, escapar, fugir

pirarucu (pi.ra.ru.cu) *s.m.* ZOO maior peixe fluvial de escamas, de corpo cilíndrico pardo e avermelhado nas laterais

pirata (pi.ra.ta) *s.m.* **1** ladrão que pratica roubos em embarcações e povoações costeiras ■ *adj.2g.* **2** *p.ext.* copiado ilegalmente de uma obra anterior (fita, *CD* etc.) **3** *fig.* que opera de maneira clandestina (diz-se de estação de rádio ou de TV)

pirataria (pi.ra.ta.ri.a) *s.f.* **1** crime de violência cometido no mar contra embarcações, passageiros e cargas **2** ação de reproduzir ilegalmente, e com fins de comercialização, livros, gravações de som ou imagem, programas de informática etc., sem o devido pagamento de direitos autorais

piratear (pi.ra.te.ar) *v.* {mod. 5} *t.d. e int.* **1** saquear (navios e povoações costeiras) □ *t.d.* **2** *p.ext.* roubar, furtar **3** *p.ext.* fazer cópia de (p.ex., livro, *CD*), sem autorização do autor ou do detentor dos direitos legais □ *int.* **4** viver como pirata

pirenaico (pi.re.nai.co) *adj.* pireneu

pireneu (pi.re.neu) [fem.: *pireneia /éi/*] *adj.* **1** relativo aos Pireneus, cadeia de montanhas que se estende entre a França e a Espanha; pirenaico ■ *s.m.* **2** natural ou habitante dessa região

pires (pi.res) *s.m.2n.* pequeno prato sobre o qual se põe a xícara

pirético (pi.ré.ti.co) *adj.* relativo a ou próprio de febre; febril

pirex (pi.rex) /cs/ *s.m.2n.* qualquer recipiente de uso doméstico feito de vidro resistente ao calor, eletricidade e agentes químicos ☞ marca comercial (*Pyrex*) que passou a designar seu gênero ◉ GRAM/USO admite-se tb. o pl. *pirexes*

pirexia (pi.re.xi.a) /cs/ *s.f.* MED **1** febre **2** estado febril

piriforme (pi.ri.for.me) *adj.* com forma de pera

pirilampo (pi.ri.lam.po) *s.m.* ZOO vaga-lume

piripaque (pi.ri.pa.que) *s.m. B infrm.* chilique ou mal súbito

piriri (pi.ri.ri) *s.m. infrm.* diarreia

piroca (pi.ro.ca) *s.m. gros.* **1** pênis ■ *adj.2g. N.* **2** calvo, pelado **3** *pej.* avarento, sovina

pirofobia (pi.ro.fo.bi.a) *s.f.* pavor ao fogo ~ **pirófobo** *adj.s.m.*

piroga (pi.ro.ga) *s.f.* canoa indígena, cavada a fogo em tronco de árvore

pirogravura (pi.ro.gra.vu.ra) *s.f.* **1** arte de gravar com ponta incandescente **2** obra realizada dessa maneira

piromania (pi.ro.ma.ni.a) *s.f.* PSIQ tendência doentia de produzir incêndios ~ **piromaníaco** *adj.s.m.*

pirômetro (pi.rô.me.tro) *s.m.* aparelho para medir altas temperaturas

pirose (pi.ro.se) *s.f.* MED azia

pirosfera (pi.ros.fe.ra) *s.f.* camada sólida da superfície da Terra, abaixo da litosfera, constituída de magma ☞ cf. *barisfera* e *litosfera*

pirotecnia (pi.ro.tec.ni.a) *s.f.* técnica de usar fogos de artifício ou explosivos

pirotécnico (pi.ro.téc.ni.co) *adj.* **1** relativo a pirotecnia *<espetáculo p.>* ■ *s.m.* **2** quem fabrica ou vende fogos de artifício

pirraça (pir.ra.ça) *s.f.* teimosia; birra ~ **pirraçar** *v.t.d. e int.* - **pirraceiro** *adj.s.m.*

pirracento (pir.ra.cen.to) *adj.s.m.* que(m) faz pirraças; birrento *<criança p.> <o p. não para de implicar com o irmão>*

pirralho (pir.ra.lho) *s.m.* criança, guri

pirueta (pi.ru.e.ta) /ê/ *s.f.* **1** rodopio sobre um único pé **2** giro do cavalo sobre uma das patas dianteiras **3** cambalhota ~ **piruetar** *v.int.*

pirulito (pi.ru.li.to) *s.m.* bala enfiada na ponta de um palito

PIS *s.m.* sigla de plano de integração social

pisa (pi.sa) *s.f.* **1** maceração de uvas com os pés **2** operação de revolver com os pés as bagas de cacau secas ao sol, para lhes dar polimento **3** surra

pisada (pi.sa.da) *s.f.* **1** ação de pisar **1.1** ação de pisar fortemente sobre uma parte de um corpo, esp. sobre o pé de outrem; pisão *<uma p. deixou-o fora da partida>* **2** marca deixada ao pisar; pegada

pisadela (pi.sa.de.la) *s.f.* pisada rápida ou leve

pisadura (pi.sa.du.ra) *s.f.* **1** sinal ou vestígio de pisadas **2** contusão, machucado **3** ferida, chaga

pisão (pi.são) [pl.: *-ões*] *s.m.* pisada forte

pisar (pi.sar) *v.* {mod. 1} *t.d. e int.* **1** pôr os pés sobre *<p. a relva> <os soldados pisavam forte durante a parada>* **2** andar ou passar por cima (de) *<emocionou-se ao p. o gramado do Maracanã> <no escuro, não sabia onde pisava>* □ *t.d.* **3** moer com o pilão *<p. grãos de café>* **4** esmagar com os pés *<p. uvas>* **5** *fig.* tratar de modo rude ou com desprezo; espezinhar, maltratar *<pisa os companheiros porque se acha superior>* **6** causar lesão em; contundir *<pisaram-lhe as costas com uma vara>* □ *int. p.ext. B* **7** acelerar (veículo automotor) *<depois da curva, o motorista pisou fundo>* ~ **pisador** *adj.s.m.*

pisca-alerta (pis.ca-a.ler.ta) [pl.: *pisca-alertas*] *s.m.* dispositivo que aciona as lanternas dos veículos automóveis, fazendo-as acender e apagar intermitentemente

piscada (pis.ca.da) *s.f.* **1** ato ou efeito de piscar **2** sinal feito com um dos olhos, fechando-o e abrindo-o rapidamente; piscadela *<com uma p. conseguiu sua atenção>*

piscadela (pis.ca.de.la) *s.f.* piscada

pisca-pisca (pis.ca-pis.ca) [pl.: *pisca-piscas* e *piscas-piscas*] *s.m.* **1** farolete que acende e apaga rapidamente, indicando o rumo que o veículo vai tomar **2** luz de alerta que acende e apaga seguidamente

piscar (pis.car) *v.* {mod. 1} *t.d. e int.* **1** fechar e abrir rapidamente (os olhos) *<p. os olhos> <o vento o fazia p. sem parar>* □ *int.* **2** emitir pequenos brilhos de luz *<as estrelas piscavam no céu escuro>*

pisciano (pis.ci.a.no) *adj.s.m.* **1** ASTRL que(m) é do signo de Peixes ■ *adj.* **2** relativo ao signo de Peixes

piscicultura (pis.ci.cul.tu.ra) *s.f.* criação de peixes ~ **piscicultor** *adj.s.m.*

pisciforme (pis.ci.for.me) *adj.2g.* em forma de peixe

piscina (pis.ci.na) *s.f.* tanque apropriado para a natação e outros esportes aquáticos ▣ **p. olímpica** piscina com 50 m de comprimento e no mínimo 21 m de largura, utilizada em competições de natação

piscoso (pis.co.so) /ô/ [pl. e fem.: /ó/] *adj.* em que há abundância de peixes *<lago p.>* ~ **piscosidade** *s.f.*

piso (pi.so) *s.m.* **1** superfície pela qual se anda **2** revestimento dessa superfície *<p. de granito>* **3** o andar de um edifício; pavimento, andar ▣ **p. salarial** *B* ECON nível salarial mínimo estipulado para determinada classe de trabalhadores

pisotear (pi.so.te.ar) *v.* {mod. 5} *t.d.* **1** esmagar com os pés; calcar, pisar *<pisoteou as frutas>* **2** *fig.* desqualificar moralmente; humilhar ↺ valorizar ~ **pisoteio** *s.m.*

pista (pis.ta) *s.f.* **1** vestígio, rastro *<fugiu sem deixar pistas>* **2** *fig.* indicação; orientação *<a polícia não tinha nenhuma p.>* **3** caminho preparado para competições ou práticas desportivas **4** leito de rodovia ou rua por onde circulam os veículos *<saiu da p. para o acostamento>* **5** cada uma das faixas por onde circulam os veículos, de acordo com o sentido do trânsito *<a avenida tem quatro p.>* **6** faixa de decolagem e pouso de aeronaves **7** parte do salão destinada a danças

pistache (pis.ta.che) *s.m.* **1** semente comestível, us. tb. como condimento, esp. em sorvetes **2** BOT o arbusto cujo fruto contém essa semente

pistão (pis.tão) [pl.: *-ões*] *s.m.* → ***PISTOM***

pistilo (pis.ti.lo) *s.m.* BOT unidade do órgão feminino das flores, o gineceu, formado de ovário, estilete e estigma ☞ cf. *estame*

pistola (pis.to.la) *s.f.* **1** arma de fogo portátil **2** instrumento que, acionado por uma espécie de gatilho, é us. para lançar jatos de tinta, água etc.

pistolão (pis.to.lão) [pl.: *-ões*] *s.m. infrm.* **1** recomendação ou pedido de pessoa influente **2** quem faz essa recomendação ou pedido

pistoleiro (pis.to.lei.ro) *s.m.* **1** assassino profissional que usa arma de fogo **2** bandido

pistom (pis.tom) [pl.: *-ons*] ou **pistão** (pis.tão) [pl.: *-ões*] *s.m.* **1** êmbolo (de motor) **2** MÚS em certos instrumentos de sopro de metal, válvula que, ao ser acionada, diferencia as notas **3** MÚS trompete de pistons ~ **pistonista** *adj.2g.s.2g.*

[1]**pitada** (pi.ta.da) *s.f.* pequena porção de algo <*p. de sal*> ◉ ORIGEM desc.

[2]**pitada** (pi.ta.da) *s.f.* ato de fumar e o seu efeito <*deu uma p. no cachimbo*> ◉ ORIGEM fem. substv. de *pitado* (part. de *pitar*)

pitanga (pi.tan.ga) *s.f.* BOT pequena fruta vermelha, levemente azeda e perfumada, muito us. em doces e geleias

pitangueira (pi.tan.guei.ra) *s.f.* BOT árvore que dá pitanga

pitar (pi.tar) *v.* {mod. 1} *t.d. e int.* aspirar e expirar a fumaça de (cigarro, cachimbo etc.); fumar <*p. um cigarro*> <*ele gosta de p.*>

pitbói (pit.bói) *s.m. pej.* rapaz de temperamento agressivo, ger. praticante de algum tipo de luta, que promove arruaças e brigas

pit bull [ing.; pl.: *pit bulls*] *s.m.* **1** raça de cães obtida do cruzamento de diversas raças de *terrier* e caracterizada por sua agressividade, grande força física e poderosos maxilares **2** cão dessa raça ⇒ pronuncia-se pit bul

pitecantropo (pi.te.can.tro.po) /ô/ *s.m.* ANTRPOL antepassado do homem, de postura ereta e esqueleto pós-cranial desenvolvido, considerado o ancestral direto do homem moderno

piteira (pi.tei.ra) *s.f.* pequeno tubo oco, em cuja extremidade mais larga se adapta um cigarro ou charuto

pitéu (pi.téu) *s.m. infrm.* iguaria saborosa

piti (pi.ti) *s.m. infrm.* ataque nervoso ou histérico; chilique, faniquito <*dar um p.*> <*vai rolar um p.*>

pitibiriba (pi.ti.bi.ri.ba) *pron.ind. infrm.* nada, coisa nenhuma <*neca ou necas de pitibiriba*>

[1]**pito** (pi.to) *s.m.* cachimbo ◉ ORIGEM duv., talvez de um lat. *pittu*, ou de orig. africana

[2]**pito** (pi.to) *s.m. infrm.* repreensão, descompostura ◉ ORIGEM duv., talvez de orig. africana

pitoco (pi.to.co) /ô/ *s.m. infrm.* **1** objeto pequeno, ger. roliço e estreito **2** *N.E.* pedaço <*um p. de rapadura*>

pitomba (pi.tom.ba) *s.f.* BOT fruta ácida, redonda, de casca dura e fina e caroço grande, que dá em cachos

pitombeira (pi.tom.bei.ra) *s.f.* BOT árvore que dá pitomba

píton (pí.ton) [pl.: *pítones*, (B) *pítons*] *s.m.* **1** grande serpente **2** na Antiguidade, profeta

pitonisa (pi.to.ni.sa) *s.f.* **1** na Grécia antiga, a sacerdotisa de Apolo ☞ cf. *Apolo* na parte enciclopédica **2** profetisa

pitoresco (pi.to.res.co) /ê/ *adj.* **1** digno de ser pintado **2** que é notável por sua beleza ou originalidade

pit stop [ing.; pl.: *pit stops*] *loc.subst.* no automobilismo, lugar ou ocasião para reabastecimento, troca de pneus etc. ⇒ pronuncia-se pit stóp

pitu (pi.tu) *s.m.* ZOO camarão de água doce, brasileiro, que possui grandes pinças e chega a atingir cerca de 48 cm de comprimento e 300 g de peso bruto

pituíta (pi.tu.í.ta) *s.f.* **1** catarro **2** vômito viscoso

pituitária (pi.tu.i.tá.ria) *s.f.* ANAT FISL hipófise

pium (pi.um) [pl.: *-uns*] *s.m.* ZOO *AMAZ* pequeno mosquito negro; borrachudo

pivete (pi.ve.te) *s.m.* **1** menino crescido **2** *B infrm.* menino ladrão ou que trabalha para ladrões

pivô (pi.vô) *s.m.* **1** aquilo que sustenta; suporte **2** ODONT haste metálica us. para sustentar coroas nas raízes e incrustações de dentes **3** *fig.* causa principal <*o desfalque foi o p. da crise*> **4** ESP no basquete e no futebol de salão, atleta que joga freq. de costas para a meta adversária, para receber a bola e finalizar a jogada ou servir os outros jogadores de sua equipe

pixaco (pi.xa.co) *s.m. PR infrm.* cabelo crespo; pixaim

pixaim (pi.xa.im) [pl.: *-ins*] *adj.2g.s.m.* (cabelo) muito crespo

pixel (pi.xel) [ing.] *s.m.* INF ponto luminoso do monitor de vídeo que, juntamente com outros, forma as imagens na tela ◉ GRAM/USO pl.: *pixels* (ing.) ⇒ pronuncia-se pícsel

pixote (pi.xo.te) *s.2g.* **1** menino, criança **2** quem está começando; novato

pixurum (pi.xu.rum) [pl.: *-uns*] *s.m. PR RS* mutirão ('auxílio gratuito')

pizza (piz.za) [it.; pl.: *pizze*] *s.f.* CUL massa assada em forma de disco, coberta por molhos diversos, fatias de mozarela, tomate etc. ◉ GRAM/USO pl. corrente no Brasil: *pizzas* ⇒ pronuncia-se pitsa ▣ **acabar em p.** *fig. B infrm.* ficar sem punição (falta ou crime) ~ **pizzaria** *s.f.*

placa (pla.ca) *s.f.* **1** chapa mais ou menos espessa de material resistente **2** tabuleta com inscrição comemorativa gravada **3** chapa de metal colocada na dianteira e/ou traseira de um veículo, com o número do licenciamento; chapa **4** INF peça plana que contém os componentes eletrônicos de um computador

placa-mãe (pla.ca-mãe) [pl.: *placas-mãe* e *placas-mães*] *s.f.* INF placa principal de circuitos de um computador que contém a unidade central de processamento

placar (pla.car) [pl.: *-es*] *s.m.* **1** quadro no qual se registram os pontos em uma competição esportiva **2** o resultado dessa competição; escore <*o Flu ganhou o clássico pelo p. de 2 a 0*>

placebo (pla.ce.bo) /ê/ *s.m.* MED substância que não provoca efeito e que os médicos dão aos pacientes em lugar do remédio [Us. ger. para testar novas drogas.]

placenta (pla.cen.ta) *s.f.* BIO órgão vascular que une o feto à parede do útero materno ~ **placentário** *adj.*

placidez (pla.ci.dez) /ê/ [pl.: *-es*] *s.f.* estado ou característica do que ou de quem é plácido; calma, serenidade, tranquilidade <*a p. dos mares em época de poucos ventos*> ↺ agitação, fúria

plácido (plá.ci.do) *adj.* **1** sereno, tranquilo ↺ agitado **2** que tem ou revela paz; pacífico <*olhar p.*> ↺ agressivo

plaga (pla.ga) *s.f.* **1** região **2** extensão de terra

plagiar (pla.gi.ar) *v.* {mod. 1} *t.d.* **1** apresentar como de sua autoria (obra, trabalho de outro) **2** imitar, copiar (trabalho alheio) ~ **plagiador** *adj.s.m.*

plágio (plá.gio) *s.m.* **1** apresentação por alguém de obra literária, intelectual ou artística de outra pessoa como sendo de sua autoria **2** imitação

P

plaina (plai.na) *s.f.* ferramenta manual para aplainar e alisar madeira

planador (pla.na.dor) /ô/ [pl.: *-es*] *adj.s.m.* **1** (o) que plana ■ *s.m.* **2** aeronave capaz de se sustentar em voo livre sem motor ou mecanismo de propulsão

planalto (pla.nal.to) *s.m.* GEO superfície elevada e plana, ou com poucas ondulações; altiplano, chapada, platô

planar (pla.nar) *v.* {mod. 1} *int.* **1** voar (pássaro) sem mover as asas **2** voar (aeronave) só com as asas, sem usar motor

plâncton (plânc.ton) [pl.: *plânctones, (B) plânctons*] *s.m.* BIO conjunto de organismos que vivem nas águas doce, salobra e marinha, sendo transportados pelas correntezas

planejamento (pla.ne.ja.men.to) *s.m.* **1** elaboração de plano **2** programação, organização prévia

planejar (pla.ne.jar) *v.* {mod. 1} *t.d.* **1** elaborar o plano ou a planta de; projetar *<p. uma casa>* **2** organizar plano ou roteiro de; programar *<p. uma viagem>* **3** ter a intenção de; pretender *<planeja ir à praia>* ↺ desistir ~ **planejado** *adj.*

planeta (pla.ne.ta) /ê/ *s.m.* ASTR astro sem luz própria que gira em torno de uma estrela e reflete a sua luz *<o p. Terra gravita em torno do Sol>*

planeta-anão (pla.ne.ta-a.não) [pl.: *planetas-anões* e *planetas-anão*] *s.m.* ASTR corpo celeste menor que um planeta, que tb. orbita em torno do Sol e possui gravidade suficiente para assumir forma aproximadamente esférica, mas cuja órbita não é desimpedida (p.ex., Plutão)

planetário (pla.ne.tá.rio) *adj.* **1** relativo aos planetas **2** relativo a, pertencente a ou que abrange a Terra; global ■ *s.m.* **3** anfiteatro recoberto por uma cúpula em que se exibe a imagem do firmamento e das órbitas dos planetas

planetarização (pla.ne.ta.ri.za.ção) [pl.: *-ões*] *s.f.* propagação (de fenômeno local) no mundo inteiro; globalização *<a p. da bossa nova>*

planetoide (pla.ne.toi.de) /ói/ *s.m.* ASTR pequeno corpo celeste que gravita em torno do Sol; asteroide

plangente (plan.gen.te) *adj.2g.* **1** que chora **2** que se lastima; triste ↺ alegre ~ **plangência** *s.f.*

planger (plan.ger) *v.* {mod. 8} *t.d. e int.* **1** soar ou anunciar tristemente *<ao longe, os sinos plangiam (as 12 badaladas)>* □ *int.* **2** derramar lágrimas; chorar

planície (pla.ní.cie) *s.f.* GEO grande extensão de terreno plano; chapada, chã

planificar (pla.ni.fi.car) *v.* {mod. 1} *t.d.* **1** fazer plano, projeto ou roteiro para; planejar *<p. um sistema de vendas a domicílio>* **2** submeter a um plano *<p. a economia>* **3** projetar ou registrar em plano, em planta *<p. um território>*

planilha (pla.ni.lha) *s.f.* **1** folha em que se faz qualquer cálculo *<p. de custos>* **2** formulário impresso padronizado em que se registram informações, cálculos etc. ▣ **p. eletrônica** INF programa us. ger. para a elaboração de orçamentos, projeções etc., que organiza os dados em linhas e colunas e define suas relações por fórmulas

planisfério (pla.nis.fé.rio) *s.m.* **1** representação de um globo em uma superfície plana **2** mapa que representa toda a superfície terrestre ou celeste em um plano ~ **planisférico** *adj.*

plano (pla.no) *adj.s.m.* **1** (superfície) sem desníveis *<terreno p.>* *<ponha o carrinho no p.>* ■ *s.m.* **2** GEOM superfície (real ou imaginária) que contém integralmente a reta que passa por quaisquer dois de seus pontos **3** método para atingir um fim *<p. de fuga>* *<p. de voo>* **4** maneira de agir; procedimento *<p. de ação>* **5** intenção de fazer algo específico *<a chuva mudou seus p.>* *<tinha planos para o sábado>* ☞ nesta acp., mais us. no pl. **6** programa detalhado para o fornecimento de algum serviço *<p. de pensão, de previdência>* **7** *fig.* posição ou situação *<primeiro p. da cena>* *<a discussão ficou em segundo p.>* **8** *fig.* nível de existência, conhecimento ou desenvolvimento *<p. espiritual>* *<p. intelectual>* **9** CINE TV trecho filmado em uma única tomada, em que o afastamento e a aproximação da imagem são feitos pela posição da câmara

planta (plan.ta) *s.f.* **1** BIO nome comum dado aos organismos com clorofila e celulose em suas células; vegetal **2** ARQ desenho que representa a projeção horizontal de um objeto qualquer *<p. de uma casa>* ▣ **p. baixa** ARQ representação gráfica do corte horizontal de uma construção • **p. do pé** parte do pé que encosta no chão; sola do pé

plantação (plan.ta.ção) [pl.: *-ões*] *s.f.* **1** ato de plantar e o seu efeito; plantio **2** espaço de terreno plantado *<tinha uma bela p.>* **3** *p.ext.* o que se plantou *<a seca acabou com a p.>*

plantão (plan.tão) [pl.: *-ões*] *s.m.* **1** escala de serviço distribuído diariamente a um militar em sua própria companhia, caserna etc. **2** serviço noturno ou em horas, em hospitais, farmácias, redações de jornal etc. **3** pessoa que fica encarregada de tal serviço **4** período que dura esse serviço

¹plantar (plan.tar) *v.* {mod. 1} *t.d.,t.d.i. e int.* **1** (prep. *em*) introduzir (semente ou muda) na terra, para criar raízes e se desenvolver *<p. árvores (no jardim)>* *<gostava muito de p.>* □ *t.d.* **2** cultivar, semear *<p. trigo para sobreviver>* □ *t.d. e t.d.i. fig.* **3** fincar verticalmente em *<plantou estacas (no solo) para proteger a horta>* **4** (prep. *em*) fazer nascer, desenvolver-se *<p. cultura>* *<p. ideias nas mentes jovens>* □ *t.d.i.* **5** (prep. *em*) colocar, pôr *<p. uma cruz no local do acidente>* □ *pron. fig.* **6** ficar parado, estacionado *<p.-se na porta da sala>* ◉ ORIGEM do lat. *plantāre* 'plantar, semear' ~ **plantador** *adj.s.m.*

²plantar (plan.tar) [pl.: *-es*] *adj.2g.* relativo à planta de pé *<teve de tratar uma verruga p.>* ◉ ORIGEM do lat. *plantāris, e* 'id.'

plantel (plan.tel) [pl.: *-éis*] *s.m.* **1** grupo de animais de boa raça, ger. reservados para reprodução **2** *fig.* grupo de profissionais, esp. os mais capazes *<o time contava com um bom p.>*

plantio (plan.ti.o) *s.m.* **1** ação ou efeito de plantar **2** terreno plantado; plantação

plantonista (plan.to.nis.ta) *adj.2g.s.2g.* que(m) trabalha em regime de plantão *<foi operado de emergência pelo (médico) p.>*

planura (pla.nu.ra) *s.f.* **1** extensão de terreno plano **2** planície **3** planalto

plaqueta (pla.que.ta) /ê/ *s.f.* **1** pequena placa de metal **2** BIO elemento constituinte do sangue, com importante papel na coagulação **3** livro pequeno, de poucas páginas

plasma (plas.ma) *s.m.* **1** BIO porção líquida do sangue, na qual estão suspensas as hemácias, as plaquetas e outros componentes **2** FÍS substância gasosa fortemente ionizada e composta por elétrons e íons positivos livres, que constitui a matéria mais abundante no universo ~ **plasmático** *adj.* - **plásmico** *adj.*

plasmar (plas.mar) *v.* {mod. 1} *t.d.* **1** modelar em gesso, em barro etc. *<p. o busto de um benemérito>* □ *t.d. e pron. p.ext.* **2** dar ou tomar forma; modelar(-se), organizar(-se) *<aquela civilização plasmou grandes homens> <plasmou-se na figura materna>*

plasmódio (plas.mó.dio) *s.m.* BIO **1** massa de citoplasma celular provida de muitos núcleos **2** nome comum de parasitas das células intestinais e sanguíneas, incluindo o agente causador da malária

plastia (plas.ti.a) *s.f.* MED cirurgia reparadora ou restauradora de um órgão

[1]**plástica** (plás.ti.ca) *s.f.* **1** arte de modelar **2** forma do corpo de alguém *<uma modelo de p. impecável>* ◉ ORIGEM gr. *plastikḗ* 'arte de modelar'

[2]**plástica** (plás.ti.ca) *s.f.* MED cirurgia plástica ◉ ORIGEM red. de *cirurgia plástica*

plasticidade (plas.ti.ci.da.de) *s.f.* **1** característica do que é plástico, do que pode ser moldado, modelado **2** beleza artística *<a p. dos passos no balé>*

plástico (plás.ti.co) *adj.* **1** capaz de ser moldado ou modelado *<o barro é p.>* **2** capaz de dar forma ou de alterar uma forma *<cirurgia p.>* **3** artístico *<a beleza p. de uma cena>* **4** que se pode estirar ou comprimir sem se romper, quebrar ou deformar; flexível, maleável *<material p.>* ↺ duro **5** feito de matéria plástica *<jarra p.>* **6** artificial *<sorriso p.>* ↺ natural ■ *s.m.* **7** material flexível e aderente *<forrar com um p.>* **8** matéria plástica *<balde de p.>*

plastificar (plas.ti.fi.car) *v.* {mod. 1} *t.d.* cobrir com película plástica transparente (tecido, capa de livro, documento etc.) ~ **plastificação** *s.f.*

plataforma (pla.ta.for.ma) *s.f.* **1** superfície plana e horizontal, de nível mais alto que a área ao seu redor **2** estrutura de superfície plana sobre a qual podem ser assentados objetos pesados *<p. de petróleo>* **3** estrutura que se destina a facilitar o trânsito de pessoas *<p. de trem>* **4** rampa de lançamento de foguetes ou projéteis **5** *fig.* POL programa político, ideológico ou administrativo de um candidato a cargo eletivo

plátano (plá.ta.no) *s.m.* BOT árvore ornamental, nativa do hemisfério norte, cuja casca absorve poluentes atmosféricos

plateia (pla.tei.a) /éi/ *s.f.* **1** setor de um teatro, cinema etc. em que ficam sentados os espectadores **2** conjunto dos espectadores que ocupam esse espaço; público

platelminto (pla.tel.min.to) *s.m.* BIO **1** espécime dos platelmintos, ramo de animais que reúne vermes chatos parasitas ou de vida livre, sem sistema circulatório, que se locomovem através de cílios ■ *adj.* **2** relativo a esse ramo

platibanda (pla.ti.ban.da) *s.f.* ARQ **1** mureta construída na parte mais alta das paredes externas de uma construção, para proteger e ornamentar a fachada **2** muro ou grade metálica que limita um espaço

platina (pla.ti.na) *s.f.* QUÍM elemento químico us. em material cirúrgico e de laboratório, em joalheria, odontologia e como catalisador [símb.: *Pt*] ☞ cf. *tabela periódica* (no fim do dicionário)

platinado (pla.ti.na.do) *s.m.* **1** ELETR em motores a gasolina, dispositivo que interrompe a corrente que percorre um circuito elétrico **2** cor cinza-clara prateada da platina **3** coloração dos cabelos dessa cor ■ *adj.* **4** diz-se do cabelo dessa cor **5** coberto de platina

platinar (pla.ti.nar) *v.* {mod. 1} *t.d.* **1** cobrir de platina por processo eletroquímico **2** dar o tom da platina a *<p. os cabelos>*

platino (pla.ti.no) *adj.* **1** da região do rio da Prata (América do Sul) ■ *s.m.* **2** natural ou habitante dessa região

platô (pla.tô) *s.m.* GEO planalto ('superfície elevada e plana')

platônico (pla.tô.ni.co) *adj.* **1** relativo ao filósofo Platão ou ao seu pensamento ☞ cf. *Platão* na parte enciclopédica ■ *adj.s.m.* **2** adepto do platonismo **3** *p.ext.* que(m) é alheio a interesses ou prazeres materiais

platonismo (pla.to.nis.mo) *s.m.* **1** FIL doutrina do filósofo grego Platão (428 a.C.-348 ou 347 a.C.) e de seus seguidores ☞ cf. *Platão* na parte enciclopédica **2** *p.ext.* essência, natureza do amor platônico; castidade, idealidade **3** *fig.* amor a distância, freq. idealizado, não confessado

plausível (plau.sí.vel) [pl.: *-eis*] *adj.2g.* **1** que merece aplauso ou aprovação; louvável *<atitude p.>* ↺ condenável **2** que se pode admitir, aceitar; razoável *<justificativa p.>* ↺ inaceitável ~ **plausibilidade** *s.f.*

playback (play.back) [ing.; pl.: *playbacks*] *s.m.* **1** base musical antecipadamente gravada, us. por cantor para se apresentar em público sem banda ou orquestra **2** canto sincronizado com sons pré-gravados ⇒ pronuncia-se pleibéc

playboy (play.boy) [ing.; pl.: *playboys*] *s.m.* rapaz, ger. rico, solteiro e ocioso, cuja vida social e esportiva é intensa ⇒ pronuncia-se pleibói

playground (play.ground) [ing.; pl.: *playgrounds*] *s.m.* área de recreação infantil, ger. ao ar livre, com balanços e outros brinquedos ⇒ pronuncia-se pleigraund

plebe (ple.be) *s.f.* **1** entre os antigos romanos, classe popular da sociedade **2** *p.ext.* a classe social menos rica

plebeu (ple.beu) [fem.: *plebeia* /éi/] *adj.* **1** relativo a plebe ↺ fidalgo **2** *fig.* de qualidade ordinária; reles *<trajes p.>* ↺ elegante ■ *adj.s.m.* **3** que(m) pertence à plebe ↺ nobre ~ **plebeizar** *v.t.d. e pron.*

plebiscito (ple.bis.ci.to) *s.m.* consulta ao povo sobre questão específica, ger. por meio de votação do tipo *sim* ou *não*; referendo ~ **plebiscitário** *adj.*

plectógnato (plec.tóg.na.to) *s.m.* ZOO **1** espécime dos plectógnatos, ordem de peixes ósseos, como os baiacus, que possuem os dentes unidos em placa ■ *adj.* **2** relativo a essa ordem de peixes

P

plectro (plec.tro) *s.m.* MÚS pequena peça fina, feita de diferentes materiais, que serve para fazer soar as cordas; palheta

plêiada (plêi.a.da) ou **plêiade** (plêi.a.de) *s.f.* grupo de sábios, intelectuais ou de escritores famosos

pleitear (plei.te.ar) *v.* {mod. 5} *t.d.* **1** pedir em juízo; requerer *<pleiteou o despejo dos invasores>* **2** buscar conseguir; empenhar-se *<pleiteava um aumento de salário>* **3** concorrer, disputar *<p. uma vaga>* □ *t.d. e t.i.* **4** (prep. *contra*) mostrar-se a favor de; defender *<os filhos pleiteavam a ideia de vender a casa> <o sindicato pleiteava contra a demissão dos grevistas>* □ *t.i.* **5** (prep. *com*) competir, rivalizar *<aqueles cantores pleiteavam com os melhores do país>* ~ **pleiteador** *adj.s.m.* - **pleiteante** *adj.2g.s.2g.*

pleito (plei.to) *s.m.* **1** questão judicial; litígio **2** escolha, por voto, de pessoa para ocupar cargo, posto ou desempenhar certa função; eleição

plenário (ple.ná.rio) *s.m.* **1** o conjunto de membros de qualquer associação, reunidos em grande número numa assembleia **2** o local onde essa assembleia se reúne ■ *adj.* **3** que reúne grande número de membros *<seção p.>*

plenilúnio (ple.ni.lú.nio) *s.m.* ASTR lua cheia

plenipotência (ple.ni.po.tên.cia) *s.f.* poder pleno, absoluto

plenitude (ple.ni.tu.de) *s.f.* **1** estado do que está completo, inteiro ou pleno *<apesar da idade, mantém a p. das suas faculdades>* ↺ incompletude **2** estado do que se encontra no mais alto grau de intensidade *<estar na p. da força física>*

pleno (ple.no) *adj.* **1** cheio, repleto *<dia p. de alegria>* ↺ vazio **2** completo, inteiro *<avançou em p. escuridão>* ↺ parcial **3** que não apresenta restrições; absoluto *<felicidade p.>* ↺ relativo

pleonasmo (ple.o.nas.mo) *s.m.* LING emprego de uma ou várias palavras que repetem uma ideia já contida em palavras us. anteriormente, como em 'subir para cima'; redundância, tautologia ~ **pleonástico** *adj.*

plesiossauro (ple.si.os.sau.ro) *s.m.* ZOO espécime dos plesiossauros, subordem de répteis marinhos, extintos durante o Cretáceo, dotados de membros em forma de remo, adaptados para a natação, e pescoço curto ou muito longo ~ **plesiossáurico** *adj.*

pletora (ple.to.ra) *s.f.* **1** MED aumento de volume de sangue no organismo ↺ anemia **2** *fig.* superabundância ou excesso de qualquer coisa, que tem efeito nocivo *<o coitado tinha uma p. de feridas pelo corpo>* **3** *fig.* vitalidade que se manifesta no comportamento, nos atos etc.; exuberância *<p. de alegria>* ~ **pletórico** *adj.*

pleura (pleu.ra) *s.f.* ANAT membrana que recobre o pulmão ~ **pleural** *adj.2g.*

pleurisia (pleu.ri.si.a) *s.f.* MED inflamação da pleura, ger. de origem bacteriana

plêuston (plêus.ton) [pl.: *plêustones, (B) plêustons*] *s.m.* BIO conjunto dos organismos aquáticos que permanecem na superfície, boiando, com parte do corpo na água e parte exposta ao ar

plexo (ple.xo) /cs/ *s.m.* ANAT rede ou interconexão de nervos, vasos sanguíneos ou vasos linfáticos ▣ **p. solar** aquele que é situado na frente da artéria aorta e por trás do estômago

plioceno (pli.o.ce.no) *s.m.* **1** quinta e mais recente época do período terciário, posterior ao Mioceno, em que surgem os primeiros hominídeos ☞ inicial maiúsc. ■ *adj.* **2** dessa época

plissado (plis.sa.do) *adj.* **1** que tem dobras permanentes em toda a sua altura (diz-se de tecido ou peça de vestuário) ■ *s.m.* **2** plissê

plissê (plis.sê) *s.m.* série de pregas feitas numa peça de vestuário ou num tecido, ger. com máquina apropriada; plissado ~ **plissagem** *s.f.* - **plissar** *v.t.d.*

plistoceno (plis.to.ce.no) *s.m.* **1** primeira e mais antiga época do período quaternário, anterior ao Holoceno, em que ocorrem os dilúvios e glaciações e, na parte final, surge o homem com suas características atuais ☞ inicial maiúsc. ■ *adj.* **2** dessa época

plugar (plu.gar) *v.* {mod. 1} *t.d.* **1** ligar (aparelho elétrico) a uma tomada **2** conectar (equipamento periférico) a computador ~ **plugado** *adj.*

plugue (plu.gue) *s.m.* ELETR peça com um ou mais pinos que penetra na tomada, estabelecendo ligação elétrica

pluma (plu.ma) *s.f.* ANAT ZOO cada uma das penas que cobrem o corpo das aves, muito us. como adorno ⊙ COL plumagem

plumagem (plu.ma.gem) [pl.: *-ens*] *s.f.* conjunto das penas de uma ave

plúmbeo (plúm.beo) *adj.* **1** relativo ao chumbo **2** feito de chumbo ou da sua cor **3** *fig.* soturno, tristonho ↺ alegre

plural (plu.ral) [pl.: *-ais*] *adj.2g.* **1** que se refere a ou contém mais de um **2** *fig.* variado, múltiplo ↺ único ■ *adj.2g.s.m.* GRAM **3** (flexão) gramatical que indica mais de um ☞ cf. *singular* **4** (substantivo, artigo, adjetivo, pronome, verbo) que recebeu a terminação que indica flexão de número

pluralidade (plu.ra.li.da.de) *s.f.* **1** fato de existir em grande quantidade, de não ser único; multiplicidade, diversidade ↺ unidade **2** maioria *<eleito pela p. de opiniões>* ↺ minoria **3** característica de uma palavra que está no plural

pluralismo (plu.ra.lis.mo) *s.m.* **1** sistema que admite a existência, dentro de um grupo organizado, de opiniões políticas e religiosas e de comportamentos culturais e sociais diversos **2** doutrina que defende a pluralidade de partidos políticos em uma sociedade ~ **pluralista** *adj.2g.s.2g.*

pluralizar (plu.ra.li.zar) *v.* {mod. 1} *t.d.* **1** pôr ou usar no plural *<p. substantivos>* **2** fazer crescer em número; multiplicar **3** tornar variado; diversificar *<é preciso p. o debate>* ~ **pluralização** *s.f.*

plurianual (plu.ri.a.nu.al) [pl.: *-ais*] *adj.2g.* relativo a vários anos, ger. mais de três *<planejamento p.>*

pluricelular (plu.ri.ce.lu.lar) [pl.: *-es*] *adj.2g.* BIO composto de várias células; multicelular

pluridimensional (plu.ri.di.men.sio.nal) [pl.: *-ais*] *adj.2g.* **1** que possui mais de três dimensões (diz-se de espaço) **2** que abrange ou trata de múltiplos aspectos *<projeto p.>* ~ **pluridimensionalidade** *s.f.*

P

pluripartidarismo (plu.ri.par.ti.da.ris.mo) *s.m.* POL coexistência de vários partidos num sistema político; multipartidarismo ~ **pluripartidário** *adj.*

plutão (plu.tão) *s.m.* ASTR planeta-anão do sistema solar ☞ inicial maiúsc.; cf. *Plutão* na parte enciclopédica ~ **plutoniano** *adj.*

plutocracia (plu.to.cra.ci.a) *s.f.* **1** a influência ou o poder do dinheiro **2** exercício do poder ou do governo pelas classes mais abastadas da sociedade ~ **plutocrata** *s.2g.* - **plutocrático** *adj.*

plutônio (plu.tô.nio) *s.m.* QUÍM elemento químico artificial, us. em armas nucleares [símb.: *Pu*] ☞ cf. *tabela periódica* (no fim do dicionário)

pluvial (plu.vi.al) [pl.: *-ais*] *adj.2g.* relativo a chuva

pluviometria (plu.vio.me.tri.a) *s.f.* MET parte da climatologia que estuda a distribuição das chuvas em determinadas épocas e regiões

pluviométrico (plu.vi.o.mé.tri.co) *adj.* **1** relativo à ou próprio da pluviometria **2** que diz respeito à frequência das chuvas <*baixo índice p.*>

pluviômetro (plu.vi.ô.me.tro) *s.m.* MET instrumento que mede a quantidade de chuva que cai em determinado lugar ou época

pluvioso (plu.vi.o.so) /ô/ [pl. e fem.: /ó/] *adj.* **1** em que há chuva; chuvoso **2** *frm.* que traz ou anuncia a chuva

Pm QUÍM símbolo de *promécio*

PM *s.f.* sigla de Polícia Militar

PNB *s.m.* sigla de *produto nacional bruto* ☞ cf. *PNB* na parte enciclopédica

pneu *s.m.* **1** pneumático **2** *p.ext. B* gordura excessiva na cintura

pneumático (pneu.má.ti.co) *s.m.* **1** cobertura de borracha, cheia de ar comprimido, que reveste a roda de diversos veículos; pneu ■ *adj.* **2** relativo a ar **3** que funciona por meio da energia proveniente da compressão do ar (diz-se de aparelho)

pneumonia (pneu.mo.ni.a) *s.f.* MED inflamação nos pulmões provocada por bactéria ou vírus ~ **pneumônico** *adj.*

PNLD *s.m.* sigla de Programa Nacional do Livro Didático

Po QUÍM símbolo de [2]*polônio*

pó *s.m.* **1** terra seca reduzida a partículas muito finas que pairam no ar e sobre superfícies; poeira **2** qualquer substância sólida e seca reduzida a partículas muito finas <*chocolate em pó*> **3** *fig.* coisa insignificante, passageira <*não somos nada, somos pó*> **4** *B infrm.* cocaína

pô *interj. infrm.* exprime espanto, aborrecimento, desagrado, chatice, dor

pobre (po.bre) *adj.2g.s.2g.* **1** que(m) tem poucas posses ↺ rico ■ *adj.2g.* **2** que revela pobreza <*aspecto p.*> ↺ luxuoso **3** maldotado, pouco favorecido <*p. de imaginação*> ↺ rico **4** pouco produtivo, estéril <*terra p.*> ↺ rico **5** que inspira compaixão <*p. homem, perdeu tudo em dois dias*> ◉ GRAM/USO nas acp. adj., sup.abs. sint.: *paupérrimo, pobríssimo*; aum.irreg.: *pobretão* ~ **pobremente** *adv.*

pobre-diabo (po.bre-di.a.bo) [pl.: *pobres-diabos*] *s.m.* **1** indivíduo sem nenhuma importância **2** indivíduo fraco, inofensivo, sem personalidade **3** pessoa que inspira compaixão

pobretão (po.bre.tão) [pl.: *-ões*] *s.m.* indivíduo muito pobre

pobreza (po.bre.za) /ê/ *s.f.* **1** estado ou condição de pobre ↺ riqueza **2** carência do que é necessário à subsistência; penúria <*vivia na p.*> **3** a classe ou o conjunto dos pobres <*a p. é grande naquele país*> **4** *fig.* falta de qualidades, morais, éticas, culturais <*p. de talento*>

poça (po.ça) /ô *ou* ó/ *s.f.* depressão rasa de um terreno, com água

[1]**poção** (po.ção) [pl.: *-ões*] *s.f.* **1** medicamento líquido administrado por via oral **2** qualquer líquido que se pode beber ◉ ORIGEM do lat. *potio,ōnis* 'remédio; beberagem envenenada'

[2]**poção** (po.ção) [pl.: *-ões*] *s.m. B* lugar de maior profundidade em lago, rio etc.; poço ◉ ORIGEM *poço* + *-ão*

pochete (po.che.te) *s.f.* pequena bolsa que se leva a tiracolo ou presa à cintura

pocilga (po.cil.ga) *s.f.* **1** curral de porcos **2** *fig.* lugar imundo ou inteiramente desorganizado ◉ GRAM/USO aum.irreg.: *pocilhão*

pocilhão (po.ci.lhão) [pl.: *-ões*] *s.m.* pocilga grande ◉ GRAM/USO aum.irreg. de *pocilga*

poço (po.ço) /ô/ [pl.: *poços* /ó/] *s.m.* **1** grande buraco, ger. circular e murado, cavado na terra, a fim de atingir um lençol de água subterrâneo **2** grande buraco cavado para se extrair algo do subsolo <*p. de petróleo*> **3** o ponto mais fundo de um rio, lago etc.; poção ▣ **p. artesiano** aquele que é cavado perpendicularmente ao solo até atingir um lençol de água subterrâneo

poda (po.da) *s.f.* **1** corte de ramos de vegetais **2** *p.ext.* a época em que se costuma podar

podão (po.dão) [pl.: *-ões*] *s.m.* **1** foice de cabo curto, us. para cortar madeira, podar árvores etc. **2** tesoura us. para podar

podar (po.dar) *v.* {mod. 1} *t.d.* **1** cortar ramos de (plantas) **2** aparar (ramos, galhos etc.) **3** *fig.* impor limites a; cercear <*p. uma criança*> ~ **podador** *adj.s.m.*

pó de arroz (pó de ar.roz) [pl.: *pós de arroz*] *s.m.* pó finíssimo us. sobre a pele do rosto para absorver a gordura local e dar cor

pó de mico (pó de mi.co) *s.m. B* pó feito com os pelos da vagem de certas plantas e que causa coceira

poder (po.der) *v.* {mod. 17} *t.d.* **1** ter a possibilidade, a oportunidade de <*podemos falar ou nos calar*> **2** ter autorização para <*tem 18 anos, já pode dirigir*> **3** ser capaz, estar em condições de <*com esse barulho não posso ouvi-lo*> **4** correr risco de; expor-se <*se não se cuidar, pode cair*> **5** ter força física ou moral, energia, influência para; aguentar <*p. correr muito*> <*é médico, pode curá-lo*> □ *t.i.* **6** (prep. *com*) ter domínio, controle sobre; aguentar <*não pode com o filho*> ■ *s.m.* **7** direito ou capacidade de decidir, agir e ter voz de mando; autoridade ↺ submissão **8** governo de um país, de um Estado etc. <*p. monárquico*> **9** possibilidade de fazer certas coisas; capacidade, faculdade <*ter o p. de conquistar amizades*> ↺ impossibilidade **10** vigor, potência <*p. criador*> ↺ impotência **11** dominação, domínio *<o p. do pai sobre os filhos>* ↺ obediência **12** posse, jurisdição *<alguns bens estão em p. do marido>* **13** virtude de algo produzir determinado efeito; eficácia *<o p. da vitamina C já está comprovado>* **14** meio pelo qual se vence uma dificuldade, um embaraço; recurso *<usou todos os p. a seu alcance>* ▼ ***poderes*** *s.m.pl.* **15** permissões que uma pessoa ou entidade recebe de outra para agir em seu nome *<dar p. a um representante legal>* ▣ **p. aquisitivo** ou **de compra** ECON capacidade que tem um indivíduo, um grupo social, uma moeda etc. de adquirir bens e serviços • **p. executivo** POL aquele cuja função é executar as leis e exercer o governo e a administração dos negócios públicos; executivo ☞ tb. us. com inicial maiúsc. • **p. judiciário** POL aquele que determina e assegura a aplicação das leis que garantem os direitos de cada indivíduo; judiciário ☞ tb. us. com inicial maiúsc. • **p. legislativo** POL aquele responsável pela elaboração das leis que regem o país; legislativo ☞ tb. us. com inicial maiúsc. • **plenos p.** autoridade ilimitada para que se cumpra um trabalho, um negócio etc. *<o chefe me deu plenos p. para fechar o negócio>*

poderio (po.de.ri.o) *s.m.* **1** grande poder **2** direito de ordenar, de se fazer obedecer; autoridade, domínio ↺ obediência

poderoso (po.de.ro.so) /ô/ [pl. e fem.: /ó/] *adj.* **1** que tem força ou influência *<um senador muito p.>* ↺ fraco **2** que possui muitas riquezas; abastado *<empresário p.>* ↺ pobre **3** altamente colocado em sociedade, empresa etc. *<nome p. no meio artístico>* **4** que produz efeito impressionante; intenso, marcante *<arte p.>* ↺ inexpressivo ▼ ***poderosos*** *s.m.pl.* **5** indivíduos com grande poder ou influência em seu meio

pódio (pó.dio) *s.m.* **1** plataforma em que os primeiros colocados numa competição se apresentam ao público **2** MÚS plataforma sobre a qual o maestro rege a orquestra

podre (po.dre) /ô/ *adj.2g.* **1** em decomposição; deteriorado *<fruta p.> <carne p.>* ↺ fresco **2** *p.ext.* que cheira mal; fétido *<córrego p.>* ↺ perfumado **3** *fig.* que se perverteu **4** *fig. infrm.* dominado por grande cansaço; exausto ↺ descansado **5** CUL que tem consistência esfarelada, sem elasticidade (diz-se de massa) *<fez empadinhas com massa p.>* ■ *s.m.* **6** a parte estragada de algo **7** *fig.* o lado moralmente condenável de alguém ▼ ***podres*** *s.m.pl.* **8** defeitos, vícios *<os p. da vida teatral>* ▣ **p. de** em grau elevado; muitíssimo *<ela é p. de chique>*

podridão (po.dri.dão) [pl.: *-ões*] *s.f.* **1** estado do que está podre; apodrecimento, putrefação **2** *fig.* perda total ou falta de senso moral, de honestidade, de honra; corrupção, degeneração ↺ honra, nobreza, integridade

poedeira (po.e.dei.ra) *s.f.* fêmea de animal ovíparo, esp. a galinha, que já começou a dar ovos ou que põe muitos ovos ◉ GRAM/USO tb. us. como adj.: *galinha poedeira*

poedouro (po.e.dou.ro) *s.m.* **1** lugar onde as galinhas põem ovos **2** pedaço de tecido embebido em tinta e us. pelos pintores

poeira (po.ei.ra) *s.f.* **1** qualquer substância reduzida a pó muito fino **2** terra seca reduzida a pó ■ *adj.s.m.* **3** *B* (cinema) de baixa categoria ~ **poeirada** *s.f.* - **poeirento** *adj.*

poema (po.e.ma) *s.m.* **1** LIT composição em versos **2** algo que sugere um poema pela beleza, sensibilidade etc. *<aquela paisagem é um p.>* ◉ GRAM/USO dim. irreg.: *poemeto*

põe-mesa (põe-me.sa) *s.m.* ZOO *N.E.* louva-a-deus ◉ GRAM/USO pl.: *põe-mesas*

poemeto (po.e.me.to) /ê/ *s.m.* pequeno poema ◉ GRAM/USO dim.irreg. de *poema*

poente (po.en.te) *adj.2g.* **1** diz-se do Sol quando se encaminha para o ocaso ■ *s.m.* **2** oeste ('direção') ↺ leste **3** pôr do sol

poento (po.en.to) *adj.* que tem poeira; poeirento

poesia (po.e.si.a) *s.f.* **1** LIT arte de compor ou escrever versos **2** LIT gênero literário em forma de versos *<p. lírica, dramática>* **3** LIT pequena composição em verso; poema **4** *fig.* o que desperta o sentimento do belo ~ **poético** *adj.*

poeta (po.e.ta) *s.2g.* **1** escritor que compõe poesias **2** *fig.* aquele que é dado a devaneios ou é um idealista ◉ GRAM/USO **a)** aum.: *poetaço*; *(pej.) poetastro*; **b)** a palavra *poeta* pode ser us. para homens e mulheres, mas a língua tb. tem um fem. para ela: *poetisa* ◉ COL parnaso

poética (po.é.ti.ca) *s.f.* LIT **1** arte de fazer versos **2** teoria ou estudo sobre os vários tipos de versos **3** estudo ou tratado sobre a poesia ou a estética **4** conjunto de características próprias de um escritor, de uma época, de uma escola de poesia etc.

poetizar (po.e.ti.zar) *v.* {mod. 1} *t.d.* **1** tornar poético *<o autor poetizou suas memórias>* □ *int.* **2** fazer versos

pois *conj.explc.* **1** porque, visto que, já que *<está triste, p. recebeu más notícias>* **2** nesse caso, então *<ele bateu em você? P. reaja!>* ■ *conj.concl.* **3** por conseguinte, portanto *<está doente e não pode, p., trabalhar>* ■ *conj.advrs.* **4** porém, no entanto *<você está tranquilo? P. eu não>* ▣ **p. não** *B* **1** sim *<ao ouvir perguntar 'Posso passar?', logo respondi 'P. não'>* **2** expressão de gentileza que demonstra atitude solícita diante de um pedido *<P. não? Procura alguém?>* • **p. sim** *B* indica discordância ou sarcasmo *<Pensa que pode sair sozinho? P. sim>*

pol símbolo de *polegada*

polaco (po.la.co) *adj.s.m.* polonês

polaina (po.lai.na) *s.f.* VEST cada uma das peças do vestuário que protegem a parte inferior das pernas e a parte superior dos pés ☞ mais us. no pl.

polar (po.lar) [pl.: *-es*] *adj.2g.* **1** relativo ou pertencente aos polos, às extremidades da Terra **2** que se encontra perto das extremidades da Terra **3** de aspecto ou características opostas a outro ou outros *<posições, questões p.>* ■ *s.f.* **4** a estrela do hemisfério norte para a qual aponta o eixo da Terra

polarizar (po.la.ri.zar) *v.* {mod. 1} *t.d.* **1** ser ponto de convergência; atrair, concentrar *<Roma polariza a fé dos católicos>* ↺ dispersar □ *pron. fig.* **2** concentrar-se em um ou mais pontos, em duas ou mais posições opostas *<a discussão polarizou-se entre dois pontos de vista>* ~ **polarização** *s.f.*

polca (pol.ca) *s.f.* dança e música de andamento rápido do início do sXIX, originárias da Boêmia (região ocidental da República Tcheca)

P

pôlder (pôl.der) [pl.: *-es*] *s.m.* planície protegida por diques contra inundações, us. para a agricultura e moradia

poldro (pol.dro) *s.m.* cavalo novo; potro

polegada (po.le.ga.da) *s.f.* **1** medida de comprimento que tem mais ou menos a medida da segunda falange do dedo polegar, equivalendo a 2,75 cm **2** medida de comprimento inglesa equivalente a 25,4 mm [abrev.: *pol.*]

polegar (po.le.gar) [pl.: *-es*] *s.m.* ANAT **1** o primeiro e mais grosso dedo da mão ou do pé ■ *adj.2g.* **2** diz-se desse dedo *<dedo p.>*

poleiro (po.lei.ro) *s.m.* **1** vara na qual as aves pousam e dormem **2** *infrm.* nos teatros, camarote ou galeria da última ordem de assentos, geralmente elevados

polêmica (po.lê.mi.ca) *s.f.* **1** discussão sobre questão que suscita muitas divergências; controvérsia ↺ entendimento **2** *fig.* debate de ideias **~ polemista** *adj.2g.s.2g.*

polêmico (po.lê.mi.co) *adj.* que desperta ou é capaz de despertar polêmica; controverso *<tese p.>*

polemizar (po.le.mi.zar) *v.* {mod. 1} *t.i. e int.* (prep. *com*) travar polêmica *<Marcos tem talento para p. (com os adversários)>*

pólen (pó.len) [pl.: *polens*] *s.m.* BOT pó fino, freq. amarelo, contido nas flores e cuja função é a fecundação

polenta (po.len.ta) *s.f.* CUL pasta de fubá de milho cozido com água e sal

pole-position (po.le-po.si.tion) [ing.] *s.f.2n.* ESP **1** primeiro lugar da primeira fila, na largada de uma corrida de carros ■ *s.2g.* ESP **2** o piloto que está nesse lugar ⇒ pronuncia-se polipozichian

polia (po.li.a) *s.f.* roda que gira em torno de um eixo, pelo qual passa uma correia transmissora de movimento

poliamida (po.li.a.mi.da) *s.f.* QUÍM polímero com que se produzem fibras sintéticas us. em suturas cirúrgicas, na indústria têxtil etc.

poliandria (po.li.an.dri.a) *s.f.* estado de uma mulher casada com vários homens ao mesmo tempo **~ poliândrico** *adj.*

polichinelo (po.li.chi.ne.lo) *s.m.* **1** TEAT antigo personagem de teatro, corcunda, que representa um homem do povo, preguiçoso, mas astuto **2** *p.ext.* indivíduo sem dignidade; palhaço **3** *B* exercício de saltos num mesmo lugar em que o ginasta pula, abrindo braços e pernas, em conjunto, uma série de vezes

polícia (po.lí.cia) *s.f.* **1** corporação que engloba os órgãos destinados a assegurar a lei, a ordem, a moralidade e a segurança em uma sociedade **2** o conjunto de membros dessa corporação

policial (po.li.ci.al) [pl.: *-ais*] *adj.2g.* **1** relativo ou pertencente a polícia **2** que envolve ou trata de crimes *<romance p.>* ■ *s.2g.* **3** profissional que, trabalhando na polícia, zela pela manutenção da ordem, pela segurança etc.; polícia ◉ COL patrulha, quadrilha **~ policialesco** *adj.*

policiamento (po.li.ci.a.men.to) *s.m.* **1** ação ou efeito de policiar(-se) **2** guarda, ronda, vigilância para prevenção e combate ao crime *<p. ostensivo>*

policiar (po.li.ci.ar) *v.* {mod. 1} *t.d.* **1** vigiar ou fiscalizar, mantendo a ordem, pelo trabalho da polícia *<p. a cidade>* **2** vigiar com atenção; zelar *<em sua ausência, o sobrinho policiou o galinheiro>* □ *t.d. e pron. fig.* **3** não permitir que se manifeste; conter(-se), reprimir(-se) *<costuma p. sua agressividade>* *<policiava-se demais, perdendo a espontaneidade>*

policlínica (po.li.clí.ni.ca) *s.f.* hospital em que se tratam todos os tipos de doenças

policlínico (po.li.clí.ni.co) *s.m.* **1** clínico geral ■ *adj.* **2** relativo à clínica geral

policromia (po.li.cro.mi.a) *s.f.* **1** estado de um corpo ou objeto que apresenta várias cores **2** GRÁF processo de impressão que utiliza mais de três cores **3** GRÁF impresso obtido por esse processo

policromo (po.li.cro.mo) *adj.* que tem muitas cores; multicor

policultura (po.li.cul.tu.ra) *s.f.* cultura de diversos produtos agrícolas em uma mesma área ↺ monocultura **~ policultor** *adj.s.m.*

polidez (po.li.dez) /ê/ [pl.: *-es*] *s.f.* ato ou atitude gentil; cortesia, gentileza ↺ descortesia, grosseria, indelicadeza

polido (po.li.do) *adj.* **1** tornado lustroso por atrito; lustrado *<cobre p.>* **2** que está liso ou sem irregularidades *<madeira p.>* ↺ irregular **3** *fig.* que recebeu fina educação; cortês, atencioso ↺ rude

poliedro (po.li.e.dro) *s.m.* GEOM **1** sólido limitado por polígonos ■ *adj.s.m.* **2** (o) que tem muitas faces

poliéster (po.li.és.ter) [pl.: *-es*] *s.m.* **1** matéria sintética us. em tintas e vernizes, cobertura de superfícies e como fibra têxtil **2** conjunto de fios obtidos dessa matéria e us. em tecido *<camisa de p.>*

poliestireno (po.li.es.ti.re.no) *s.m.* QUÍM material us. em isolantes térmicos ou elétricos, objetos plásticos etc.

polietileno (po.li.e.ti.le.no) *s.m.* QUÍM material us. para isolamento em condutores de correntes elétricas, materiais de embalagem, tanques etc.

polifonia (po.li.fo.ni.a) *s.f.* **1** multiplicidade de sons **2** MÚS efeito que resulta do conjunto harmônico de instrumentos ou vozes simultâneos **~ polifônico** *adj.*

poligamia (po.li.ga.mi.a) *s.f.* união conjugal de uma pessoa com várias outras ☞ cf. *bigamia, monogamia* **~ polígamo** *adj.s.m.*

poliglota (po.li.glo.ta) *adj.2g.s.2g.* **1** que(m) sabe ou fala muitas línguas ■ *adj.2g.* **2** escrito em muitas línguas; poliglótico **~ poliglotismo** *s.m.*

poligonal (po.li.go.nal) [pl.: *-ais*] *adj.2g.* **1** que tem muitos ângulos **2** relativo a polígono

polígono (po.lí.go.no) *s.m.* GEOM qualquer figura plana formada pelo mesmo número de ângulos e lados

polígrafo (po.lí.gra.fo) *s.m.* **1** quem escreve sobre vários assuntos **2** máquina que produz várias cópias de um texto ao mesmo tempo **3** indivíduo que estuda ou que conhece muitas ciências

polimento (po.li.men.to) *s.m.* **1** lustro, brilho *<dar p. nos sapatos>* **2** *fig.* educação aprimorada; finura, refinamento

polimerização (po.li.me.ri.za.ção) [pl.: *-ões*] *s.f.* QUÍM reação química que combina moléculas pequenas em macromoléculas nas quais se encontram as estruturas moleculares originais ↺ despolimerização

polímero (po.lí.me.ro) *s.m.* QUÍM macromolécula formada pela união de substâncias simples

polimorfo (po.li.mor.fo) *adj.* **1** que é capaz de assumir diferentes formas *<espécie p.>* **2** que apresenta diferentes formas *<fruto p.>* ~ **polimorfismo** *s.m.*

polinésio (po.li.né.sio) *s.m.* **1** natural ou habitante do arquipélago que forma a Polinésia (Oceania) **2** grupo das línguas faladas nas regiões do Pacífico central e meridional ■ *adj.* **3** relativo a esse arquipélago e a esse grupo de línguas

polinização (po.li.ni.za.ção) [pl.: *-ões*] *s.f.* BOT fecundação das flores através do transporte do grão de pólen da antera para o estigma, feito naturalmente pelo vento, água ou insetos, e intencionalmente pelos humanos ~ **polinizar** *v.t.d. e int.*

polinômio (po.li.nô.mio) *s.m.* MAT expressão algébrica formada pela soma algébrica de monômios

pólio (pó.lio) *s.f.* MED poliomielite

poliomielite (po.lio.mi.e.li.te) *s.f.* MED **1** infecção na substância cinzenta da medula espinhal, causada por vírus **2** paralisia infantil

pólipo (pó.li.po) *s.m.* MED crescimento de tecido ou tumor que se desenvolve em uma membrana mucosa (p.ex., nariz, reto etc.) ~ **poliposo** *adj.*

polipodiácea (po.li.po.di.á.cea) *s.f.* BOT espécime das polipodiáceas, família de plantas cultivadas como ornamentais (p.ex., as samambaias), como alimento ou como medicinais ~ **polipodiáceo** *adj.*

poliporácea (po.li.po.rá.cea) *s.f.* BOT espécime das poliporáceas, família de fungos que se nutrem de matéria orgânica e são importantes causadores de doenças em árvores ~ **poliporáceo** *adj.*

polipropileno (po.li.pro.pi.le.no) *s.m.* QUÍM material us. na fabricação de filmes, fibras, embalagens etc.

polir (po.lir) *v.* {mod. 27} *t.d.* **1** tornar brilhante, por fricção; lustrar, brunir *<p. metais>* **2** aplicar verniz em; envernizar *<p. móveis>* **3** *fig.* tornar mais perfeito, refinado; aprimorar *<p. o estilo>* □ *t.d. e pron. fig.* **4** (fazer) adquirir educação, refinamento; civilizar(-se) *<p. os selvagens> <para frequentar o palácio, teve de p.-se>* ↺ embrutecer(-se) ~ **polidor** *adj.s.m.* - **polidura** *s.f.*

polirritmia (po.lir.rit.mi.a) *s.f.* MÚS superposição, no ritmo, de duas ou mais estruturas contrastantes ~ **polirrítmico** *adj.*

polissílabo (po.lis.sí.la.bo) *adj.s.m.* GRAM (palavra) composta por mais de três sílabas ~ **polissilábico** *adj.*

politécnica (po.li.téc.ni.ca) *s.f.* escola de artes ou esp. de ciências (freq. engenharia)

politécnico (po.li.téc.ni.co) *adj.* **1** que abrange várias artes ou ciências *<estudos p.>* **2** em que se estuda engenharia (diz-se de escola)

politeísmo (po.li.te.ís.mo) *s.m.* crença religiosa que admite mais de um deus ↺ monoteísmo ~ **politeísta** *adj.2g.s.2g.* - **politeístico** *adj.*

política (po.lí.ti.ca) *s.f.* **1** arte ou ciência da organização, direção e administração de nações, Estados **2** conjunto de princípios ou opiniões referentes ao Estado, ao poder **3** prática ou profissão de conduzir negócios políticos *<retirou-se da p.>* **4** modo de agir de uma pessoa ou entidade *<p. de contenção de despesas>* **5** *fig.* habilidade no agir e no tratar, tendo em vista a obtenção de algo *<usou de muita p. para conseguir o dinheiro>* **6** astúcia, diplomacia *<usar de bastante p. ao falar>* ~ **politicar** *v.int.*

politicagem (po.li.ti.ca.gem) [pl.: *-ens*] *s.f. pej.* **1** política de interesses pessoais ou de troca de favores **2** o conjunto dos políticos que se dedicam a essa política ~ **politiqueiro** *adj.s.m.*

politicalha (po.li.ti.ca.lha) *s.f. pej.* politicagem

político (po.lí.ti.co) *adj.* **1** relativo a política *<partido p.>* **2** relativo a negócios públicos *<agenda p.>* ↺ privado **3** que exerce influência administrativa em níveis federal, estadual, municipal etc. *<poder p.>* **4** relativo a cidadania *<direitos p.>* ■ *adj.s.m.* **5** que(m) trata ou se ocupa da política ↺ apolítico **6** que(m) revela polidez, diplomacia ↺ impolítico **7** que(m) revela diplomacia ou astúcia para conduzir acontecimentos ou pessoas ■ *s.m.* **8** aquele que exerce um cargo público ou atua indiretamente na política ◉ COL partido

político-social (po.lí.ti.co-so.ci.al) [pl.: *político-sociais*] *adj.2g.* que tem caráter político e social simultaneamente

politizar (po.li.ti.zar) *v.* {mod. 1} *t.d. e pron.* (fazer) adquirir consciência dos deveres e direitos do cidadão e da importância do pensamento e da ação política *<p. os camponeses> <politizou-se com leituras selecionadas>* ~ **politização** *s.f.*

poliuretano (po.li.u.re.ta.no) *s.m.* QUÍM matéria plástica sob forma de esponjas, resinas ou borrachas, us. como isolante térmico, acústico etc.

polivalente (po.li.va.len.te) *adj.2g.* **1** que apresenta múltiplos valores ou oferece várias possibilidades de emprego; multifuncional *<sala p.>* **2** que executa diferentes tarefas; versátil *<operário p.>* **3** que envolve vários campos de atividade *<universidade p.>* **4** MED que protege, combate ou produz efeitos contrários a diversos agentes (diz-se de medicamento, soro, vacina) ~ **polivalência** *s.f.*

polivinílico (po.li.vi.ní.li.co) *adj.* QUÍM que deriva do vinil (diz-se, p.ex., de resinas)

¹polo (po.lo) /ó/ *s.m.* **1** cada uma das extremidades do eixo imaginário em torno do qual a Terra parece dar uma volta completa, com a duração de 24 horas **2** cada uma das regiões glaciais que circundam essas extremidades **3** cada um dos pontos extremos de um corpo, de um objeto ou de um órgão oval *<p. magnético de um ímã>* **4** lugar, ponto oposto a outro **5** *fig.* o que orienta, dirige; guia **6** *fig.* aspecto oposto a outro **7** pessoa, ponto, área ou coisa que é centro de um interesse, um grupo de pessoas etc. *<p. petroquímico>* ◉ ORIGEM do lat. *polus,i* 'polo (do mundo); norte; estrela polar'

²polo (po.lo) /ó/ *s.m.* ESP jogo em que duas equipes de quatro jogadores a cavalo, em campo de grama, tentam marcar tentos batendo com um taco numa bola ◉ ORIGEM do ing. *polo* 'id.' ▣ **p. aquático** ESP jogo de bola semelhante ao handebol, disputado numa piscina

P

polonês (po.lo.nês) [pl.: *-eses*] *s.m.* **1** natural ou habitante da Polônia (Europa); polaco **2** língua indo-europeia falada nesse país; polaco ■ *adj.* **3** relativo a esse país e a sua língua; polaco

[1]**polônio** (po.lô.nio) *adj.s.m.* polonês ◉ ORIGEM do top. *Polônia*

[2]**polônio** (po.lô.nio) *s.m.* QUÍM elemento químico us. em baterias termonucleares de satélites etc. [símb.: *Po*] ☞ cf. *tabela periódica* (no fim do dicionário) ◉ ORIGEM do lat.cien. *polonium*

polpa (pol.pa) /ô/ *s.f.* **1** parte espessa, tenra e ger. comestível de vários tipos de frutos e raízes **2** carne sem osso nem gordura **3** massa, pasta *<p. do papel>* **4** *fig.* importância, valor *<trabalho de p.>* ↺ irrelevância ▣ **p. dentária** ODONT tecido com muitas veias e nervos, situado na cavidade central do dente, que assegura a nutrição, a sensibilidade e a defesa do dente ~ **polposo** *adj.*

polpudo (pol.pu.do) *adj.* **1** que tem muita polpa **2** que rende muitos lucros *<negócio p.>* ↺ desvantajoso **3** considerável, vultoso *<salário p.>* ↺ reduzido

poltrão (pol.trão) [pl.: *-ões*; fem.: *poltrona*] *adj.s.m.* medroso, covarde

poltrona (pol.tro.na) *s.f.* grande cadeira de braços, ger. estofada

polução (po.lu.ção) [pl.: *-ões*] *s.f.* **1** poluição **2** ejaculação involuntária de sêmen

poluente (po.lu.en.te) *adj.2g.s.m.* (o) que polui ↺ antipoluente

poluição (po.lu.i.ção) [pl.: *-ões*] *s.f.* **1** ato de poluir ↺ despoluição **2** degradação das características químicas ou físicas de um ecossistema *<p. da água>* **3** *fig.* consequência do ato de sujar, corromper, degradar, no sentido físico ou não *<p. cultural>* ▣ **p. sonora** excesso de barulho, de muitos sons ao mesmo tempo • **p. visual** excesso de informações visuais, como cartazes, anúncios, letreiros, placas num mesmo ambiente

poluir (po.lu.ir) *v.* {mod. 26} *t.d.* **1** tornar sujo, impuro, prejudicial à saúde; contaminar *<os detritos poluíram os rios>* □ *t.d. e pron. fig.* **2** corromper(-se), perverter(-se) *<seus maus pensamentos o poluíram>* *<poluiu-se em más companhias>* ↺ regenerar(-se) ~ **poluído** *adj.* - **poluidor** *adj.s.m.*

polvarinho (pol.va.ri.nho) *s.m.* → ***POLVORINHO***

polvilhar (pol.vi.lhar) *v.* {mod. 1} *t.d. e t.d.i.* (prep. *com, de*) espalhar (pó, farinha etc.) sobre; salpicar, pulverizar *<p. o bolo com açúcar>* *<polvilhou o rosto (de pó de arroz)>*

polvilho (pol.vi.lho) *s.m.* **1** fina farinha obtida da mandioca **2** pó muito fino ▾ ***polvilhos*** *s.m.pl.* **3** qualquer substância em pó us. em culinária, medicina etc.

polvo (pol.vo) /ô/ *s.m.* ZOO molusco comestível dotado de cabeça grande e oito braços providos de ventosas

pólvora (pól.vo.ra) *s.f.* mistura explosiva de enxofre, salitre e carvão

polvorinho (pol.vo.ri.nho) ou **polvarinho** (pol.va.ri.nho) *s.m.* frasco us. para levar pólvora à caça

polvorosa (pol.vo.ro.sa) *s.f.* ◗ usado em: **em p. 1** em grande agitação *<plateia em p.>* **2** em grande desorganização; bagunçado *<quarto em p.>*

pomada (po.ma.da) *s.f.* FARM preparado farmacêutico de uso externo, veiculado por substância gordurosa, us. como medicamento

pomar (po.mar) [pl.: *-es*] *s.m.* conjunto de muitas árvores frutíferas ou terreno em que elas são cultivadas

pomba (pom.ba) *s.f.* **1** ZOO ***POMBO*** **2** *N.E. gros.* o pênis **3** *S. C.-O. gros.* a vulva ■ *interj.* **4** demonstra admiração, espanto, irritação, surpresa etc. (tb. us. no pl.) *<pomba(s), que chatice!>*

pombajira (pom.ba.ji.ra) *s.f.* REL **1** um Exu-fêmea **2** líder da linha de Iemanjá ☞ inicial maiúsc.

pombal (pom.bal) [pl.: *-ais*] *s.m.* **1** lugar em que se criam ou se recolhem pombos **2** *B infrm.* construção cujo formato lembra esse lugar **3** *B pej.* conjunto de edificações populares

pombalino (pom.ba.li.no) *adj.* relativo ao primeiro marquês de Pombal (1699-1782) ou à sua época ☞ cf. *Pombal* na parte enciclopédica

pombo (pom.bo) *s.m.* ZOO ave de voo possante, bico coberto de cera na base, domesticada para servir de alimento e correio ◉ COL revoada ◉ VOZ v.: arrulhar; subst.: arrulho

pombo-correio (pom.bo-cor.rei.o) [pl.: *pombos-correios* e *pombos-correio*] *s.m.* **1** tipo de pombo us. no transporte de comunicações escritas **2** *fig.* indivíduo que leva informações ou mensagens de uma pessoa a outra; mensageiro

pomicultura (po.mi.cul.tu.ra) *s.f.* AGR cultura de árvores frutíferas ~ **pomicultor** *adj.s.m.*

pomo (po.mo) *s.m.* BOT tipo de fruto formado por parte carnosa, muito desenvolvida, que é a porção que se come, p.ex., na maçã, pera etc. ▣ **p. da discórdia** *fig.* pessoa, assunto, situação etc. que é o centro de discussão, briga, desentendimento *<o saco de balas tornou-se o p. da discórdia entre as crianças>*

pomo de adão (po.mo de a.dão) [pl.: *pomos de adão*] *s.m.* ANAT protuberância na parte frontal do pescoço do homem

pompa (pom.pa) *s.f.* grande luxo; esplendor ↺ simplicidade

pompom (pom.pom) [pl.: *-ons*] *s.m.* **1** pequena bola de fios de lã, seda etc., ger. us. como enfeite **2** objeto similar para aplicação de pó de arroz ou talco na pele

pomposo (pom.po.so) /ô/ [pl. e fem.: /ó/] *adj.* **1** que tem magnificência; grandioso, solene ↺ simples **2** a que se confere demasiada dignidade, solenidade *<discurso p.>*

pômulo (pô.mu.lo) *s.m.* ANAT osso que forma a parte mais saliente do rosto; maçã do rosto

poncã (pon.cã) *s.f.* AGR tipo de tangerina, grande e de casca frouxa, originária do Japão ◉ GRAM/USO tb. us. como adj.

ponche (pon.che) *s.m.* *B* **1** bebida feita com vinho, água e frutas picadas **2** *N.E.* bebida não alcoólica feita com frutas; refresco

poncheira (pon.chei.ra) *s.f.* recipiente em que se serve ponche

poncho (pon.cho) *s.m.* VEST tipo de capa quadrada de lã, com abertura que permite enfiá-la pela cabeça e apoiá-la nos ombros

ponderação (pon.de.ra.ção) [pl.: *-ões*] *s.f.* **1** ação de avaliar algo com cuidado ou o seu efeito **2** reflexão profunda sobre um assunto; meditação **3** qualidade de quem tem bom senso, prudência *<acreditar na p. de um professor>* ↺ imprudência **4** importância, gravidade *<assunto de grande p.>* ↺ irrelevância **5** justo equilíbrio das forças contrárias *<p. dos poderes>* ↺ desequilíbrio

ponderado (pon.de.ra.do) *adj.* **1** examinado atentamente; apreciado *<sugestão p.>* **2** levado em conta, considerado *<anotou as opiniões p.>* ↺ ignorado **3** equilibrado, sereno, calmo *<pai p.>* ↺ nervoso

ponderar (pon.de.rar) *v.* {mod. 1} *t.d.* **1** examinar com atenção e minúcia; avaliar *<p. as vantagens e as desvantagens>* **2** ter atenção sobre; considerar *<pondere bem a resposta do opositor antes de falar>* ◻ *t.d.* e *t.d.i.* **3** (prep. *a*) citar (fatos, argumentos) em defesa de uma causa; alegar *<ponderou à diretoria as razões de sua saída>* ◻ *t.i.* **4** (prep. *sobre*) pesar os prós e os contras; refletir *<é preciso p. sobre o assunto>* ~ **ponderabilidade** *s.f.* - **ponderável** *adj.2g.*

pônei (pô.nei) *s.m.* pequeno cavalo de várias raças, muito ágil, us. como animal de sela

pongídeo (pon.gí.deo) *s.m.* ZOO **1** espécime dos pongídeos, família de grandes macacos semelhantes aos humanos, que compreende os orangotangos, chimpanzés e gorilas, encontrados na África equatorial, Sumatra e Bornéu ◼ *adj.* **2** relativo a essa família de macacos

ponta (pon.ta) *s.f.* **1** qualquer extremidade de um objeto *<p. de sapato, de vestido>* **2** extremidade aguda e mais ou menos fina *<p. do nariz>* **3** primeira posição entre os competidores durante uma corrida; dianteira, frente ↺ retaguarda **4** o princípio ou o fim de uma série de coisas *<p. de uma linha>* **5** ponto em que duas ou mais retas se interceptam; vértice *<a p. de uma montanha>* **6** canto ou extremidade de um espaço *<p. da praia>* **7** canto ou esquina de algo que tem a extremidade em ângulo *<p. da mesa>* **8** pequena porção *<p. de sal>* **9** *fig.* pouca quantidade *<p. de febre>* **10** parte restante de um cigarro ou charuto já fumado; guimba **11** *fig.* papel de pouca relevância em teatro, cinema etc. **12** *fig.* *B* evidência, destaque *<escritor que está na p.>* **13** FUTB *B* cada uma das duas áreas laterais do campo, em direção à linha de fundo ◼ *s.2g.* FUTB **14** atacante que joga preferencialmente numa das pontas ▣ **aguentar** ou **segurar as p.** *B infrm.* esperar com paciência ou suportar situação difícil • **de p.** de excelente qualidade *<tecnologia de p.>* • **de p. a p.** do princípio ao fim *<o campeão liderou a corrida de p. a p.>* • **na p. da língua 1** com perfeito conhecimento; com domínio total *<saber a matéria na p. da língua>* **2** na iminência de ser dito *<ter sempre uma resposta na p. da língua>* • **na(s) p.(s) dos pés** silenciosa ou furtivamente; pé ante pé *<entrou no quarto na p. dos pés>*

ponta-cabeça (pon.ta-ca.be.ça) [pl.: *pontas-cabeças* e *pontas-cabeça*] *s.f.* ◗ usado em: **de p.** de cabeça para baixo *<cair de p. no chão>*

pontada (pon.ta.da) *s.f.* **1** golpe com a ponta de um objeto; estocada **2** *infrm.* dor aguda, mas de curta duração; fisgada

ponta de lança (pon.ta de lan.ça) [pl.: *pontas de lança*] *s.2g.* FUTB jogador de meio-campo que se aproxima dos atacantes

ponta-direita (pon.ta-di.rei.ta) [pl.: *pontas-direitas*] *s.2g.* FUTB jogador que ataca pela extrema direita

ponta-esquerda (pon.ta-es.quer.da) [pl.: *pontas-esquerdas*] *s.2g.* FUTB jogador que ataca pela extrema esquerda

pontal (pon.tal) [pl.: *-ais*] *s.m.* ponta de terra que penetra pelo mar ou rio

pontão (pon.tão) [pl.: *-ões*] *s.m.* **1** tipo de barca chata us. na construção de pontes flutuantes **2** plataforma flutuante que forma passagem

pontapé (pon.ta.pé) *s.m.* golpe com a ponta ou peito do pé; chute

pontaria (pon.ta.ri.a) *s.f.* **1** operação que consiste em se colocar uma arma de fogo na direção da linha de mira **2** *p.ext.* habilidade em acertar um alvo

ponte (pon.te) *s.f.* **1** construção que liga dois pontos separados por curso de água ou depressão de terreno **2** *fig.* qualquer elemento que estabelece ligação entre pessoas ou coisas **3** ODONT prótese dentária destinada a substituir a falta de um ou mais dentes ◉ GRAM/USO dim.irreg.: *pontícula*, *pontilhão* ▣ **p. pênsil** aquela cuja parte plana é sustentada por cabos ancorados

pontear (pon.te.ar) *v.* {mod. 5} *t.d.* **1** marcar (mapa, desenho etc.) com pontos; pontilhar **2** dedilhar (instrumento de corda) ~ **ponteio** *s.m.*

ponteira (pon.tei.ra) *s.f.* **1** peça de metal que reveste a parte inferior de bengalas, guarda-chuvas etc. **2** haste de aço, terminada em ponta, adaptável a certas ferramentas **3** peça que se coloca na piteira de cigarros ou charutos

ponteiro (pon.tei.ro) *s.m.* **1** agulha que nos relógios se movimenta para indicar as horas, os minutos e os segundos **2** *p.ext.* qualquer agulha que, no mostrador de um aparelho, se movimenta informando algo *<p. de velocímetro>* **3** INF *B* elemento móvel na tela que acompanha os movimentos de um *mouse*, us. para indicar objetos, áreas da tela ou conjuntos de caracteres

pontiagudo (pon.ti.a.gu.do) *adj.* que tem ponta aguçada; pontudo

pontícula (pon.tí.cu.la) *s.f.* ponte pequena ◉ GRAM/USO dim.irreg. de *ponte*

pontificado (pon.ti.fi.ca.do) *s.m.* **1** cargo de papa; papado **2** tempo de exercício desse cargo; papado

pontifical (pon.ti.fi.cal) [pl.: *-ais*] *adj.2g.* **1** relativo a pontífice; pontifício ◼ *s.m.* **2** livro dos ritos das cerimônias próprias ao papa e aos bispos

pontificar (pon.ti.fi.car) *v.* {mod. 1} *int.* **1** oficiar como pontífice **2** *fig.* falar ou escrever em tom categórico

pontífice (pon.tí.fi.ce) *s.m.* **1** bispo **2** bispo de Roma, chefe supremo da Igreja católica; papa ☞ inicial freq. maiúsc. ▣ **Sumo P.** o papa ~ **pontifício** *adj.*

pontilhão (pon.ti.lhão) [pl.: *-ões*] *s.m.* pequena ponte ◉ GRAM/USO dim.irreg. de *ponte*

pontilhar (pon.ti.lhar) *v.* {mod. 1} *t.d.* **1** marcar com pequenos pontos; pontear *<p. um tecido>* **2** desenhar utilizando pontos

P

ponto (pon.to) *s.m.* **1** pequeno sinal ou marca **2** sinal (.) que é colocado após uma abreviação **3** GRAM sinal de pontuação (.) que indica, no final de uma frase, o encerramento de um período, uma pausa acentuada **4** sinal ortográfico posto sobre as letras *i* e *j* **5** porção de linha que passa por entre os furos feitos por agulha em tecidos, couros etc. **6** *p.ext.* cada uma das laçadas de lã ou de linha feitas no tricô ou no crochê; malha **7** qualquer tipo de nó ou laçada em rendas, macramês etc. **8** MED porção de linha firmada com um nó, us. para unir os tecidos em costuras cirúrgicas **9** período determinado de tempo; momento, instante *<pararam a discussão nesse p.>* **10** CUL grau adequado de cozimento de qualquer alimento, esp. caldas açucaradas **11** cada um dos tentos obtidos ou perdidos em certos jogos **12** lugar determinado *<parou num certo p. da estrada>* **13** *B* lugar onde se instala um estabelecimento comercial *<loja em bom p.>* **14** *B* lugar de embarque e desembarque de passageiros em veículos coletivos (ônibus, táxis etc.) **15** certo grau de uma escala *<suas ações na bolsa subiram dez p.>* **16** assunto sobre o qual se conversa, escreve ou pensa; matéria *<concentre-se no p. da discussão>* **17** grau pelo qual se mede o valor ou o merecimento de um aluno, um atleta etc. *<perder p. na prova>* **18** registro de entrada e saída do trabalho **19** funcionário de teatro que, fora da vista do público, recorda aos atores os seus diálogos, quando necessário **20** MAT intersecção de duas retas ▣ **p. cardeal** cada uma das quatro direções (norte, sul, leste e oeste) mais importantes da rosa dos ventos • **p. colateral** cada uma das quatro direções intermediárias da rosa dos ventos correspondentes ao nordeste, sudeste, sudoeste e noroeste • **p. crítico 1** FÍS aquele em que uma substância possui a mesma densidade, pressão e temperatura, seja numa fase ou em outra, como, p.ex., um fluido nas fases líquida e gasosa **2** *fig.* momento decisivo, vital *<chegar ao p. crítico>* • **p. de vista 1** lugar onde fica o observador **2** opinião pessoal • **p.-final 1** GRAM sinal de pontuação com que se encerra uma frase ou um período **2** *fig.* fim, termo *<pôs um p.-final na discussão>* • **p. morto** posição da alavanca de câmbio que interrompe a transmissão da força motriz às rodas • **a p. de** prestes a *<estava muito triste, a p. de chorar>* • **dormir no p.** deixar escapar a ocasião favorável • **em p.** com exatidão; pontualmente *<chegar às três horas em p.>* • **em p. de bala 1** na espessura em que a calda deve estar, para que, ao esfriar, endureça como uma bala ('doce') **2** *fig. infrm.* muito bem preparado para enfrentar problema, situação, desafio etc. *<os atletas estão em p. de bala>* **3** *fig. infrm.* em perfeito estado de funcionamento *<depois do conserto, o carro ficou em p. de bala>* • **entregar os p.** desistir de algo • **não dar p. sem nó** nada fazer que não seja por interesse

pontocom (pon.to.com) *adj.2g.2n.* INTERN que comercializa produtos ou presta serviços pela internet (diz-se de organização mercantil) *<empresas p.>*

ponto de exclamação (pon.to de ex.cla.ma.ção) [pl.: *pontos de exclamação*] *s.m.* GRAM sinal gráfico (!) que vem depois do termo que expressa surpresa, alegria etc.; exclamação

ponto de interrogação (pon.to de in.ter.ro.ga.ção) [pl.: *pontos de interrogação*] *s.m.* GRAM sinal gráfico (?) us. ao final de frase, para indicar entonação de pergunta; interrogação

ponto e vírgula (pon.to e vír.gu.la) [pl.: *ponto e vírgulas* e *pontos e vírgulas*] *s.m.* GRAM sinal de pontuação (;) que indica pausa mais forte que a da vírgula e menos que a do ponto

pontuação (pon.tu.a.ção) [pl.: *-ões*] *s.f.* **1** GRAM sistema de sinais gráficos que marcam pausas, entonações etc. de frases e textos escritos (p.ex., ponto, vírgula, ponto e vírgula etc.) **2** GRAM colocação desses sinais no texto escrito **3** atribuição de nota ou pontos em concurso ou exame *<não obteve a p. mínima exigida>*

pontual (pon.tu.al) [pl.: *-ais*] *adj.2g.* **1** que se reduz a um ponto ou a um detalhe do todo *<questão p.>* ↺ genérico **2** realizado com exatidão ou no tempo em que foi combinado; preciso *<entrega p.>* ↺ impontual **~ pontualidade** *s.f.*

pontuar (pon.tu.ar) *v.* {mod. 1} *t.d. e int.* **1** usar sinais de pontuação em *<p. um texto>* *<um redator que pontua mal>* □ *t.d.* **2** marcar, caracterizar *<a leveza pontuou o filme>* **3** assinalar (fala, discurso etc.) com gestos, exclamações etc.

pontudo (pon.tu.do) *adj.* **1** que possui ponta; agudo *<dente p.>* **2** comprido e terminado em ponta *<gola p.>* ↺ arredondado **3** que tem ponta afiada; pontiagudo *<lápis p.>* ↺ rombo **4** *fig.* áspero, agressivo *<modos p.>* ↺ delicado

popa (po.pa) /ô/ *s.f.* MAR parte posterior de embarcação, onde fica o leme ↺ proa

popelina (po.pe.li.na) ou **popeline** (po.pe.li.ne) *s.f.* tecido macio de algodão, com bom caimento, apropriado para camisas, vestidos etc.

população (po.pu.la.ção) [pl.: *-ões*] *s.f.* **1** conjunto ou número de habitantes de uma certa região, país ou categoria particular **2** BIO conjunto de indivíduos de uma mesma espécie que ocorrem juntos em uma mesma região *<p. de pássaros da mata atlântica>* **~ populacional** *adj.2g.*

populacho (po.pu.la.cho) *s.m.* **1** o grupo economicamente menos favorecido do povo **2** multidão de pessoas dessa camada social; turba

popular (po.pu.lar) [pl.: *-es*] *adj.2g.* **1** do povo, pertencente ao povo *<representação p.>* **2** aprovado ou querido por uma ou mais pessoas *<um presidente p.>* ↺ antipático **3** de baixo custo; barato *<carro p.>* ↺ caro **4** comum, público *<interesse p.>* ↺ particular **5** difundido, conhecido *<ditado p.>* ↺ ignorado ■ *s.m.* **6** pessoa do povo; anônimo *<um p. foi preso na confusão>*

popularidade (po.pu.la.ri.da.de) *s.f.* reconhecimento popular, aprovação de muitos; efeito de se fazer apreciado *<a p. de um cantor>*

popularizar (po.pu.la.ri.zar) *v.* {mod. 1} *t.d. e pron.* **1** tornar(-se) conhecido e/ou estimado por muitas pessoas □ *pron.* **2** ganhar aceitação do povo *<seu governo popularizou-se>* **~ popularização** *s.f.*

populoso (po.pu.lo.so) /ô/ [pl. e fem.: /ó/] *adj.* que tem uma população grande; bastante povoado *<cidade p.>*

pôquer (pô.quer) [pl.: *-es*] *s.m.* RECR jogo de cartas, para duas ou mais pessoas, que envolve apostas e blefes

por *prep.* **1** indica relações: **1.1** de lugar *<os sapatos estão p. aí>* **1.2** de percurso *<passar p. uma rua>* **1.3** de tempo *<viajar p. cinco meses>* **1.4** de causa *<agiu*

P

assim p. medo> **1.5** de modo *<enviar p. fax>* **1.6** de preço, número, quantidade *<comprar p. cem reais> <correr 100 metros p. minuto>* **1.7** de finalidade *<fazer um trabalho p. dinheiro>* **2** rege os predicativos do sujeito ou do objeto *<passou p. mentiroso> <tinham-‑no p. preguiçoso>* **3** introduz o agente da passiva *<o texto foi escrito p. mim>*

pôr *v.* {mod. 23} *t.d.* **1** fazer relato, descrição de; contar *<p. todos os fatos com detalhes>* **2** dispor em certa posição ou direção; colocar *<p. o bico do avião para cima>* **3** expelir, botar (ovos) **4** arrumar para ser usado; preparar *<p. a mesa do jantar>* ↺ desfazer **5** colocar à parte; depor *<p. as armas e entregar-se>* ↺ pegar **6** levantar, criar (dúvida, dificuldade) contra *<p. empecilho ao projeto>* □ *t.d.i.* **7** (prep. *em, sobre*) fazer deslocar-se para um lugar, transportando-o com as mãos, bico etc. ou com auxílio de mecanismo; colocar, depositar *<p. frutas sobre a mesa>* **8** (prep. *em*) tornar fixo, preso a algo; colocar, pendurar, fixar *<p. a roupa no varal>* ↺ retirar **9** (prep. *em*) deixar em funcionamento, pronto para ser usado; instalar, montar *<puseram luz na rua>* **10** (prep. *em*) descansar ou firmar sobre ou contra; apoiar *<p. os pés no chão>* **11** (prep. *em*) deixar guardado para sua proteção, conservação ou acúmulo; depositar *<p. as joias no cofre>* **12** (prep. *em*) acrescentar (elemento, componente, ingrediente) *<p. sal no feijão> <p. malícia num discurso>* **13** (prep. *em*) fazer uso de; aplicar *<p. acento no i>* **14** (prep. *em*) fazer figurar em; incluir *<ponha o nome dele na lista>* ↺ excluir **15** (prep. *em*) aplicar, investir (dinheiro, esforço etc.) em (empreendimento) *<pôs todo o seu dinheiro em ações>* **16** (prep. *em*) aplicar, empregar *<pôs muita força no empurrão>* **17** (prep. *em*) atribuir (qualidades, responsabilidade etc.) a *<p. a culpa no irmão> <p. defeito no texto>* **18** (prep. *em*) consagrar a certo fim; aplicar, dedicar *<p. energia na devoção ao Senhor>* □ *t.d. e t.d.i.* **19** (prep. *em*) sobrepor ou espalhar sobre uma superfície, sobre alguém; colocar, aplicar *<p. remédio para tirar a dor> <p. talco no bebê>* **20** (prep. *em*) (fazer) usar (roupa, acessório); vestir, colocar *<p. uma gravata (no marido)>* □ *t.d.i. e pron.* **21** (prep. *em*) deixar ou ficar em certa posição, estado ou local, ger. para assim ali permanecer um tempo *<p. a guarita na entrada da rua> <pôs-se diante da casa>* **22** (prep. *em*) (fazer) ficar de certa maneira; colocar(-se) *<p. o amigo em risco> <p.-se à vontade>* □ *pred.* **23** fazer ficar; tornar *<o barulho punha-o louco>* □ *pron.* **24** imaginar-se, supor-se *<p.-se no lugar de alguém>* **25** desaparecer no ocaso; esconder-se *<o Sol demorou a se p.>* □ *t.d.pred. e pron.* **26** (fazer) passar ao estado ou à condição de; tornar-se, ficar *<o poder vai pô-lo maluco> <sua face pôs-se branca>* ■ *s.m.* **27** o ocaso (do Sol ou de qualquer astro) ☞ como s.m., pl. *pores* ◉ GRAM/USO part.: *posto*

porão (po.rão) [pl.: *-ões*] *s.m.* **1** parte de uma casa ou edifício entre o primeiro piso e o solo, ger. us. para depósito **2** *fig.* lugar escondido onde se passam atos ilícitos, vergonhosos *<os p. da ditadura>* **3** em navios mercantes, grande espaço us. para transporte de carga ☞ nesta acp., us. freq. no pl.

poraquê (po.ra.quê) *s.m.* ZOO *B* peixe-elétrico

porca (por.ca) *s.f.* **1** fêmea do porco **2** peça com furo central dotado de rosca para receber um parafuso

porcada (por.ca.da) *s.f.* **1** grupo de porcos; vara **2** coisa malfeita; porcaria

porcalhão (por.ca.lhão) [pl.: *-ões*] *adj.s.m.* **1** que(m) é sujo, sem higiene ↺ limpo **2** que(m) trabalha mal, sem capricho ↺ cuidadoso

porção (por.ção) [pl.: *-ões*] *s.f.* **1** parte de um todo; parcela, pedaço ↺ todo **2** parte que cabe a um indivíduo; quinhão *<tome sua p. do bolo>* **3** dose, ração *<deve diminuir sua p. de açúcar>* **4** grande quantidade de algo *<ganhou uma p. de presentes>* ◉ GRAM/USO dim.irreg.: *porciúncula*

porcaria (por.ca.ri.a) *s.f.* **1** acúmulo de sujeira ou lama; imundície, lixo **2** *fig.* palavra ou dito indecente; palavrão **3** *fig. infrm.* algo sem valor, ruim ou de má qualidade **4** *infrm.* guloseima sem valor nutritivo **5** grande quantidade de porcos ■ *adj.2g.s.2g.* **6** *pej.* que(m) é mal-educado ou péssimo no que faz; imprestável

porcelana (por.ce.la.na) *s.f.* **1** produto cerâmico fino, ger. branco e liso, us. na confecção de vasos, estatuetas, serviços de mesa etc. **2** *p.ext.* serviço de jantar, chá, café etc. feito desse produto

porcelanato (por.ce.la.na.to) *s.m.* espécie de cerâmica bastante resistente, de estrutura compacta e vitrificada, us. esp. para revestimento de pisos

porcentagem (por.cen.ta.gem) [pl.: *-ens*] *s.f.* → *PERCENTAGEM*

porciúncula (por.ci.ún.cu.la) *s.f.* pequena porção ◉ GRAM/USO dim.irreg. de *porção*

porco (por.co) /ô/ [pl. e fem.: /ó/] *s.m.* **1** ZOO mamífero robusto, de corpo com pelos ger. esparsos e ásperos e focinho redondo, bastante us. na alimentação humana; cerdo **2** a carne desse animal ■ *adj.s.m.* **3** *p.ext.* que(m) é sujo, sem higiene ■ *adj.* **4** malfeito, de má qualidade *<trabalho p.>* ↺ bem-feito ◉ COL vara ◉ VOZ v.: grunhir, roncar; subst.: grunhido, ronco ~ **porcino** *adj.*

porco-do-mato (por.co-do-ma.to) [pl.: *porcos-do-‑mato*] *s.m.* ZOO **1** caititu **2** queixada ('mamífero') ◉ VOZ v.: grunhir; subst.: grunhido

porco-espinho (por.co-es.pi.nho) [pl.: *porcos-espinhos* e *porcos-espinho*] *s.m.* ZOO nome comum a roedores, esp. noturnos e terrícolas, encontrados na Europa, África e Ásia, de corpo atarracado, patas curtas e longos espinhos protetores ◉ VOZ v.: grunhir; subst.: grunhido

pôr do sol (pôr do sol) [pl.: *pores do sol*] *s.m.* momento em que o Sol desaparece no horizonte

porejar (po.re.jar) *v.* {mod. 1} *t.d. e int.* **1** (fazer) sair pelos poros; suar, transpirar *<a árvore poreja látex> <suas mãos porejavam um suor frio> <o suor porejava na sua testa>* □ *int.* **2** cobrir-se de gotículas, como se suasse *<o vidro de água gelada porejava>*

porém (po.rém) [pl.: *-éns*] *conj.advrs.* **1** mas, contudo, todavia *<disse que viria, p., ainda não chegou>* ■ *s.m.* **2** empecilho, obstáculo *<tudo correu bem, sem nenhum p.>* **3** aspecto negativo; inconveniente, senão *<em tudo há um p.>*

porfia (por.fi.a) *s.f.* **1** discussão, polêmica ↺ consenso **2** insistência, perseverança ↺ desistência **3** insistência insensata ou importuna; teimosia ↺ flexibilidade **4** *fig.* luta por algo desejado tb. por outros; competição ↺ cooperação ~ **porfioso** *adj.*

porfiar (por.fi.ar) *v.* {mod. 1} *t.i. e int.* **1** (prep. *com, sobre*) discutir acaloradamente; altercar <*porfiavam sobre os rumos da economia*> <*porfiaram muito e não chegaram a uma conclusão*> □ *t.d.,t.i. e t.d.i.* **2** (prep. *com, por*) esforçar-se para obter (algo desejado por outro); competir, disputar <*p. um emprego*> <*esse jogador porfia com os melhores atletas do mundo*> <*p. por um ideal*> <*porfiou a presidência com seu melhor amigo*>

porífero (po.rí.fe.ro) *s.m.* ZOO **1** espécime dos poríferos, ramo de animais invertebrados primitivos, desprovidos de órgãos e tecidos verdadeiros, que compreende as esponjas ■ *adj.* **2** relativo a esse ramo de animais

pormenor (por.me.nor) [pl.: *-es*] *s.m.* pequeno elemento ou circunstância; detalhe ↺ generalidade

pormenorizar (por.me.no.ri.zar) *v.* {mod. 1} *t.d. e int.* expor ou descrever com detalhes; detalhar, minuciar <*pormenorizou tudo que podia lembrar do ocorrido*> <*falou por alto, sem p.*> ~ **pormenorização** *s.f.*

pornô (por.nô) *adj.2g.* *B infrm.* **1** pornográfico ■ *s.m.* **2** pornografia

pornochanchada (por.no.chan.cha.da) *s.f.* CINE *B* gênero de filme popular caracterizado por cenas de nudez, sexo explícito e diálogos que mesclam palavras chulas e humor

pornografia (por.no.gra.fi.a) *s.f.* **1** representação de situações em texto, desenho, filme etc. que ferem o pudor **2** indecência, devassidão ↺ decência ~ **pornográfico** *adj.*

poro (po.ro) *s.m.* **1** ANAT cada uma das pequenas aberturas na superfície da pele dos humanos e de certos animais, pelas quais saem suor e matéria sebosa **2** pequeno buraco na estrutura ou na superfície de qualquer ser vivo ou corpo inanimado

pororoca (po.ro.ro.ca) *s.f.* *B* grande onda ruidosa e de efeito destruidor, que ocorre em rios muito volumosos do Amazonas, Pará e Maranhão

poroso (po.ro.so) /ô/ [pl. e fem.: /ó/] *adj.* **1** que tem poros; furado **2** *p.ext.* que deixa passar fluidos; permeável, absorvente <*tecido p.*> ↺ impermeável **3** pouco denso; leve <*osso p.*> ↺ compacto **4** *fig.* que tem predisposição para algo; inclinado a <*p. a doenças*> ~ **porosidade** *s.f.*

porquanto (por.quan.to) *conj.caus.* porque, visto que, já que <*saiu cedo, p. tinha muito a fazer*>

porque (por.que) *conj.explc.* **1** pois, porquanto, que <*entre, p. já é tarde*> ■ *conj.caus.* **2** visto que, já que <*a juventude às vezes erra p. é muito ansiosa*>

porquê (por.quê) *s.m.* explicação de um fato; razão, motivo <*não sei o p. de tanta alegria*>

porqueira (por.quei.ra) *s.f.* **1** chiqueiro, pocilga **2** *p.ext. infrm.* sujeira, imundície **3** *infrm.* coisa ruim, que nada vale ■ *s.2g.* *B infrm.* **4** pessoa ruim, tratante, inútil

porquinho-da-índia (por.qui.nho-da-ín.dia) [pl.: *porquinhos-da-índia*] *s.m.* ZOO roedor sul-americano, encontrado como animal doméstico e us. em experimentos laboratoriais; cobaia

porra (por.ra) /ô/ *s.f.* **1** espécie de clava us. como arma **2** pedaço de pau; porrete **3** *gros.* o pênis **4** *gros.* esperma **5** *gros.* algo muito ruim; porcaria ■ *interj.* *infrm. gros.* **6** expressão de surpresa, espanto **7** expressa tb. uma reação de dor ou aborrecimento

porrada (por.ra.da) *s.f.* *gros.* **1** pancada, bordoada **2** grande quantidade

porra-louca (por.ra-lou.ca) [pl.: *porras-loucas*] *adj.2g.s.2g.* *infrm. pej.* diz-se de ou pessoa que age de maneira louca, irresponsável

porre (por.re) *s.m.* *B infrm.* **1** estado de bebedeira **2** *fig.* pessoa, coisa ou acontecimento tedioso

porreta (por.re.ta) /ê/ *adj.2g.* *infrm.* palavra que caracteriza qualidades positivas, tais como: bom <*um filme p.*>, confiável, leal <*amigo p.*>, muito bonito <*um vestido p.*> <*você está p.*>, simpático, comunicativo <*que avô p. você tem!*>, prestativo <*a secretária do departamento é p.*> etc.

porrete (por.re.te) /ê/ *s.m.* bastão de madeira us. para dar pancadas; cacete

porta (por.ta) *s.f.* **1** abertura ger. retangular, com o lado vertical mais comprido e a base ao nível do chão ou de um pavimento, que serve de entrada para um recinto <*p. de uma casa*> <*p. do banheiro*> **2** peça plana de madeira ou de outro material, ger. provida de maçaneta, com que se fecha essa abertura **3** qualquer tampa ou estrutura us. para fechar o acesso ao interior de algo **4** entrada, acesso para algum lugar <*a cidade do Rio é a p. de entrada de muitos turistas*> **5** *fig.* conjunto de exigências, dificuldades que se encontram para ingressar numa instituição, profissão, categoria social etc. <*a universidade lhe abriu as p.*> ☞ us. freq. no pl. **6** *fig.* meio de se conseguir algo; recurso, modo <*trabalhar duro foi a p. do sucesso*> ◉ GRAM/USO dim. irreg.: *portinhola*

porta-aviões (por.ta-a.vi.ões) *s.m.2n.* MAR navio de guerra com pista, em que aeronaves podem pousar e decolar

porta-bagagem (por.ta-ba.ga.gem) [pl.: *porta-bagagens*] *s.m.* **1** estrutura metálica presa ao teto de carro, ônibus etc., us. para acomodar bagagens; bagageiro **2** porta-malas

porta-bandeira (por.ta-ban.dei.ra) [pl.: *porta-bandeiras*] *s.2g.* **1** indivíduo que carrega uma bandeira ou estandarte em desfile, parada, procissão etc. ■ *s.f.* *B* **2** nos blocos carnavalescos e escolas de samba, moça que dança com o estandarte da agremiação

porta-chapéus (por.ta-cha.péus) *s.m.2n.* móvel ou acessório com ganchos us. para pendurar chapéus, guarda-chuvas etc.

porta-chaves (por.ta-cha.ves) *s.m.2n.* pequeno objeto de uso individual no qual se prendem chaves

porta-cigarros (por.ta-ci.gar.ros) *s.m.2n.* estojo us. para guardar cigarros; cigarreira

porta-copos (por.ta-co.pos) *s.m.2n.* descanso para copos

portador (por.ta.dor) /ô/ [pl.: *-es*] *adj.s.m.* **1** que(m) leva ou traz algo a mando de alguém **2** que(m) tem alguma característica diferencial <*criança p. de deficiência física*> <*p. de deficiência visual*> **3** MED que(m) se encontra infectado por germes de uma doença <*(paciente) p. do vírus da Aids*> ▣ **p. de necessidade especial** aquele que apresenta alguma deficiência (física, cognitiva etc.) e que, por isso, precisa de um ambiente (p.ex., de trabalho) e de métodos (p.ex., de ensino) adaptados às suas necessidades • **ao p.** em que não está inscrito o nome a favor de quem foi emitido (diz-se de cheque, título de crédito) ☞ cf. *nominal*

porta-estandarte (por.ta-es.tan.dar.te) [pl.: *porta-estandartes*] *s.2g.* porta-bandeira

porta-joias (por.ta-joi.as) *s.m.2n.* pequeno cofre ou caixa em que se guardam joias ou bijuterias; escrínio

portal (por.tal) [pl.: *-ais*] *s.m.* **1** entrada principal de um grande edifício **2** ombreira da porta **3** INTERN *site* que oferece serviços variados

porta-luvas (por.ta-lu.vas) *s.m.2n.* pequeno compartimento no painel de veículos para guardar objetos

porta-malas (por.ta-ma.las) *s.m.2n.* compartimento nos automóveis para transportar bagagem

porta-moedas (por.ta-mo.e.das) *s.m.2n.* pequena bolsa para guardar moedas; porta-níqueis

porta-níqueis (por.ta-ní.queis) *s.m.2n.* porta-moedas

portanto (por.tan.to) *conj.concl.* logo; consequentemente *<não veio, p. não receberá o prêmio>*

portão (por.tão) [pl.: *-ões*] *s.m.* **1** espécie de porta que fecha uma abertura em muro ou cerca **2** em casas, edifícios, colégios etc., porta, geralmente grande, que dá acesso à rua *<os p. do estádio serão abertos às 16 horas>*

portar (por.tar) *v.* {mod. 1} *t.d.* **1** trazer consigo, enquanto se movimenta; levar, carregar *<p. uma mochila nas costas>* **2** estar vestido com *<p. um boné na cabeça>* □ *pron.* **3** proceder socialmente; comportar-se *<p.-se mal>* ~ **portabilidade** *s.f.* - **portável** *adj.2g.*

porta-retratos (por.ta-re.tra.tos) *s.m.2n.* moldura para expor retratos, ger. com apoio para colocá-la sobre um móvel

portaria (por.ta.ri.a) *s.f.* **1** local na entrada de edifícios onde fica o porteiro **2** documento emitido por autoridade, contendo ordens e instruções que devem ser seguidas pelos subordinados *<saiu uma p. do Ministério da Saúde>*

porta-seios (por.ta-sei.os) *s.m.2n.* sutiã

portátil (por.tá.til) [pl.: *-eis*] *adj.2g.* que pode ser transportado *<rádio p.>*

porta-toalhas (por.ta-to.a.lhas) *s.m.2n.* peça para pendurar toalhas em banheiros e lavatórios; toalheiro

porta-voz (por.ta-voz) [pl.: *porta-vozes*] *s.m.* indivíduo que fala publicamente por outro *<p. da p0-0residência>*

porte (por.te) *s.m.* **1** condução; transporte **2** aquilo que é transportado; carga, volume **3** preço do transporte dessa carga *<quanto nos custará o p. dessas encomendas>* **4** postura, presença *<homem de belo p.>* **5** altura ou tamanho de um animal ou de um vegetal *<animal de grande p.>* **6** dimensão de uma empresa medida pelo número de empregados, quantidade da produção etc. *<empresa de pequeno p.>* **7** importância, consideração *<o escritório contratou um advogado de p.>*

porteira (por.tei.ra) *s.f.* portão largo que fecha a entrada de fazenda, sítio etc.; cancela

porteiro (por.tei.ro) *s.m.* funcionário que controla a portaria dos edifícios, distribui a correspondência etc.

portenho (por.te.nho) *adj.* **1** de Buenos Aires (Argentina) ■ *s.m.* **2** natural ou habitante dessa capital

portento (por.ten.to) *s.m.* **1** coisa ou fato extraordinário ↺ banalidade **2** pessoa de especial talento ↺ nulidade

portentoso (por.ten.to.so) /ô/ [pl. e fem.: /ó/] *adj.* **1** que é fruto de inteligência, talento, genialidade; genial, prodigioso, fenomenal *<uma obra p.>* **2** excepcionalmente grande; imenso, extraordinário; prodigioso *<esforço p.>*

portfólio (port.fó.lio) *s.m.* conjunto dos trabalhos de um profissional (desenhista, fotógrafo, modelo etc.) dispostos numa pasta para apresentação a clientes

pórtico (pór.ti.co) *s.m.* **1** local coberto à entrada de um edifício **2** galeria cujo teto é sustentado por colunas, ger. à entrada de um edifício

portinhola (por.ti.nho.la) *s.f.* pequena porta ◉GRAM/ uso dim.irreg. de *porta*

porto (por.to) /ô/ [pl.: *portos* /ó/] *s.m.* **1** lugar próximo à terra onde as embarcações carregam ou descarregam mercadorias ou passageiros **2** *p.ext.* cidade dotada de porto **3** *fig.* lugar onde alguém pode se abrigar ou descansar; refúgio *<seus braços são meu p.>*

porto-alegrense (por.to-a.le.gren.se) [pl.: *porto-alegrenses*] *adj.2g.* **1** de Porto Alegre (RS) ■ *s.2g.* **2** natural ou habitante dessa capital

porto-segurense (por.to-se.gu.ren.se) [pl.: *porto-segurenses*] *adj.2g.* **1** de Porto Seguro (BA) ■ *s.2g.* **2** natural ou habitante dessa cidade

porto-velhense (por.to-ve.lhen.se) [pl.: *porto-velhenses*] *adj.2g.* **1** de Porto Velho (RO) ■ *s.2g.* **2** natural ou habitante dessa capital

portuário (por.tu.á.rio) *adj.* **1** relativo a porto *<administração p.>* **2** próximo ou ligado a um porto *<região p.>* ■ *s.m.* **3** quem trabalha no porto

português (por.tu.guês) [pl.: *-eses*] *adj.* **1** de Portugal (Europa) ■ *s.m.* **2** natural ou habitante desse país **3** LING língua oficial de Portugal, Brasil, Angola, Cabo Verde, Moçambique, Guiné-Bissau, São Tomé e Príncipe e Timor Leste

portuguesismo (por.tu.gue.sis.mo) *s.m.* **1** paixão por tudo que é de Portugal **2** peculiaridade exclusiva da língua portuguesa *<o infinitivo pessoal é um p.>*

portunhol (por.tu.nhol) [pl.: *-óis*] *s.m.* *infrm.* *joc.* português misturado com espanhol ou vice-versa

portunídeo (por.tu.ní.deo) *s.m.* ZOO **1** espécime dos portunídeos, família de crustáceos que inclui os siris ■ *adj.* **2** relativo a essa família

porventura (por.ven.tu.ra) *adv.* talvez, acaso, por hipótese *<se p. ele a convidar, você irá?>*

porvir (por.vir) [pl.: *-es*] *s.m.* o que está por acontecer; futuro ~ **porvindouro** *adj.*

pos- ou **pós-** *pref.* 'depois, após': *posfácio, pós-graduação, pós-operatório, pospor*

posar (po.sar) *v.* {mod. 1} *t.i.* e *int.* **1** servir de modelo para fotógrafo, pintor, escultor etc. *<o modelo agora está posando (para o artista)>* □ *pred.* *fig.* **2** (prep. *de*) assumir certa atitude ou caráter, ger. para iludir ou impressionar; fingir-se *<p. de rico>* ☞ cf. *pousar*

P

pós-cranial (pós-cra.ni.al) [pl.: *pós-craniais*] *adj.2g.* que está situado atrás ou abaixo do crânio

pós-diluviano (pós-di.lu.vi.a.no) [pl.: *pós-diluvianos*] *adj.* ocorrido após o dilúvio descrito na Bíblia ↺ antediluviano

pose (po.se) /ô/ *s.f.* **1** posição do corpo; postura **2** *fig.* falta de naturalidade, de espontaneidade; afetação ↺ naturalidade

pós-eleitoral (pós-e.lei.to.ral) [pl.: *pós-eleitorais*] *adj.2g.* posterior a uma eleição ↺ pré-eleitoral

pós-escrito (pós-es.cri.to) [pl.: *pós-escritos*] *adj.* **1** escrito posteriormente ou no final ■ *s.m.* **2** aquilo que se acrescenta a uma carta depois de assinada [abrev.: *P.S.*]

posfácio (pos.fá.cio) *s.m.* adendo ou explicação colocada no fim de um livro, depois de pronto ↺ prefácio ~ **posfaciar** *v.t.d.*

pós-graduação (pós-gra.du.a.ção) [pl.: *pós-graduações*] *s.f.* grau de ensino seguinte à graduação ~ **pós-graduar** *v.t.d. e pron.*

pós-graduando (pós-gra.du.an.do) [pl.: *pós-graduandos*] *s.m.* aluno de um curso de pós-graduação

pós-guerra (pós-guer.ra) [pl.: *pós-guerras*] *s.m.* período seguinte a uma guerra

posição (po.si.ção) [pl.: *-ões*] *s.f.* **1** lugar ocupado por pessoa ou coisa **2** maneira de colocar o corpo ou parte dele; postura *<p. da cabeça>* **3** função ou situação de uma pessoa num grupo, numa firma, na sociedade etc. **4** *fig.* circunstância em que alguém se acha; situação *<o funcionário está numa p. delicada>* ~ **posicional** *adj.2g.*

posicionar (po.si.cio.nar) *v.* {mod. 1} *t.d.,t.d.i. e pron.* **1** (prep. *em*) (fazer) tomar certa posição; colocar (-se) *<p. uma peça de xadrez (no tabuleiro)> <p.-se na primeira fila do teatro>* □ *pron.* **2** (prep. *contra, em*) assumir uma opinião, tomar partido *<p.-se contra uma proposta>* ~ **posicionamento** *s.m.*

positivar (po.si.ti.var) *v.* {mod. 1} *t.d. e pron.* **1** tornar (-se) positivo, real; concretizar(-se) *<p. um contrato> <positivou-se o acordo>* □ *pron.* **2** tornar-se evidente, incontestável; revelar-se *<positivaram-se as denúncias>*

positivismo (po.si.ti.vis.mo) *s.m.* **1** atitude positiva; segurança ↺ pessimismo, negativismo **2** FIL sistema criado por Auguste Comte que só considera válido o modelo de aquisição de conhecimentos baseado em fatos e dados observáveis ☞ cf. *Comte* na parte enciclopédica ~ **positivista** *adj.2g.s2g.*

positivo (po.si.ti.vo) *adj.* **1** que afirma, diz sim *<resposta p.>* ↺ negativo **2** que demonstra intenção de ser útil; construtivo, favorável *<atitude p.>* ↺ desfavorável **3** fundamentado em fatos, na experiência *<conhecimento p.>* **4** que revela otimismo *<pensamento p.>* ↺ pessimista **5** MAT maior que zero (diz-se de número, grau etc.), representado pelo sinal + ↺ negativo ■ *adj.s.m.* **6** (cópia fotográfica) em que os claros e escuros são iguais aos do objeto fotografado ☞ cf. *negativo* ~ **positividade** *s.f.*

pós-meridiano (pós-me.ri.di.a.no) [pl.: *pós-meridianos*] *adj.* posterior ao meio-dia ↺ antemeridiano

pós-morte (pós-mor.te) [pl.: *pós-mortes*] *s.m.* período ou suposta condição que se segue à morte; além-túmulo *<o p. ainda é um mistério para o ser humano>* ◉ GRAM/USO empr. tb. como adj.2g.2n.: *vidas pós-morte*

pós-natal (pós-na.tal) [pl.: *pós-natais*] *adj.2g.* relativo ao período após o nascimento

posologia (po.so.lo.gi.a) *s.f.* indicação da dose adequada de um medicamento

pós-operatório (pós-o.pe.ra.tó.rio) [pl.: *pós-operatórios*] *adj.s.m.* (período ou tratamento) posterior a uma cirurgia

pospor (pos.por) *v.* {mod. 23} *t.d. e t.d.i.* **1** (prep. *a*) pôr depois de *<p. um advérbio (ao verbo)>* ↺ antepor **2** (prep. *a*) pôr em segundo plano; postergar *<p. a riqueza à realização de um ideal>* □ *t.d.* **3** deixar para depois; adiar *<p. a solução do problema>* ↺ antecipar ◉ GRAM/USO part.: *posposto* ~ **posposição** *s.f.*

possante (pos.san.te) *adj.2g.* **1** vigoroso, forte ↺ fraco **2** que gera velocidade ou muita força (diz-se de motor) *<o elefante é o mais p. dos animais>*

posse (pos.se) *s.f.* **1** ato de se apossar de algo ou o seu efeito; propriedade *<a p. de um bem>* **2** área ocupada por posseiro **3** estado de quem possui uma coisa, de quem a detém como sua *<foi autuado por p. de mercadoria contrabandeada>* **4** solenidade de admissão de um cargo público ▼ ***posses*** *s.f.pl.* **5** meios, recursos, haveres *<é um homem de p.>* **6** aptidões, habilidades *<lutaram segundo suas limitadas p.>* ↺ inépcia, incapacidade

posseiro (pos.sei.ro) *adj.s.m.* **1** que(m) tem a posse legal de (algo) ■ *s.m. B* **2** aquele que ocupa terras desocupadas ou abandonadas, a fim de cultivá-las

possessão (pos.ses.são) [pl.: *-ões*] *s.f.* **1** algo que se possui **2** território dominado por outro Estado; colônia **3** condição de quem está dominado por algo *<p. demoníaca>*

possessivo (pos.ses.si.vo) *adj.* **1** que manifesta desejo de possuir ou dominar ■ *adj.s.m.* GRAM **2** (pronome) que indica posse

possesso (pos.ses.so) *adj.s.m.* **1** (o) que se acredita estar dominado pelo demônio; endemoniado **2** *p.ext.* (o) que está tomado de ira; enfurecido ↺ sereno

possibilidade (pos.si.bi.li.da.de) *s.f.* condição do que é possível, do que pode acontecer *<o esforço cria a p. de vitória>*

possibilitar (pos.si.bi.li.tar) *v.* {mod. 1} *t.d. e t.d.i.* (prep. *a, para*) tornar possível; proporcionar, viabilizar *<a herança possibilitou a viagem> <p. educação aos filhos>* ↺ impossibilitar, dificultar

possível (pos.sí.vel) [pl.: *-eis*] *adj.2g.s.m.* **1** (o) que pode acontecer, existir ↺ impossível **2** (o) que pode ser realizado, executado *<o transplante é p.> <ele fez o p. para salvar o doente>* ↺ impossível **3** (o) que é permitido ↺ impossível

possivelmente (pos.si.vel.men.te) *adv.* de modo provável, com possibilidade; talvez *<p. chegaremos a tempo>*

possuído (pos.su.í.do) *adj.* **1** de que se tem a posse **2** que sofre uma possessão; dominado *<p. por um ser sobrenatural>* ■ *s.m.* **3** indivíduo que se crê dominado, esp. por uma força sobrenatural; possesso

possuir (pos.su.ir) *v.* {mod. 26} *t.d.* **1** ser proprietário de; ter *<p. terras>* **2** manter em seu poder; ter *<p.*

provas, documentos> **3** ser caracterizado por; ter *<p. muitas virtudes>* **4** fazer uso de; desfrutar *<p. saúde, prestígio>* **5** ter em si; conter, encerrar *<a fruta possui vitamina> <o trabalho possui falhas>* **6** ser tomado por; dominar *<o ódio possuiu-o>* **7** *fig.* manter relações sexuais com; copular ◉ GRAM/USO part.: *possuído, possesso*; ver QUADRO DE PARTICÍPIOS DUPLOS nas pp. iniciais **~ possuidor** *adj.s.m.*

[1]posta (pos.ta) *s.f.* fatia, pedaço de algum tipo de carne *<p. de peixe>* ◉ ORIGEM do lat. *posta*, part. de *ponĕre* 'pôr, colocar'

[2]posta (pos.ta) *s.f.* correio ◉ ORIGEM do it. *posta* 'id.'

postal (pos.tal) [pl.: *-ais*] *adj.2g.* **1** relativo a correio ■ *s.m.* **2** cartão-postal

[1]postar (pos.tar) *v.* {mod. 1} *t.d.,t.d.i. e pron.* (fazer) ficar em certa posição ou em certo local, ger. para ali permanecer algum tempo; posicionar(-se) *<deu ordens para p. a guarda (na entrada do palácio)> <postou-se diante da casa da amada>* ◉ ORIGEM *[2]posto* + *[2]-ar*

[2]postar (pos.tar) *v.* {mod. 1} *t.d.* **1** pôr (carta, postal etc.) no correio; enviar, expedir **1.1** enviar (textos, imagens, vídeos etc.) para publicação num *site*, página, blogue etc. da internet *<p. fotos em redes sociais>* ◉ ORIGEM do fr. *poster* 'id.'

posta-restante (pos.ta-res.tan.te) [pl.: *postas-restantes*] *s.f.* **1** sistema de envio de correspondência em que esta fica depositada no correio até que o destinatário vá buscá-la **2** local do correio onde ficam essas correspondências

poste (pos.te) *s.m.* coluna fincada no chão na qual são instalados os cabos elétricos e as lâmpadas de iluminação pública

pôster (pôs.ter) [pl.: *pôsteres*] *s.m.* cartaz impresso para fins decorativos

postergação (pos.ter.ga.ção) [pl.: *-ões*] *s.f.* **1** ato ou efeito de postergar **2** demonstração de desinteresse; menosprezo, preterição ↺ priorização **3** mudança de data para mais adiante; adiamento, protelação ↺ adiantamento, antecipação

postergar (pos.ter.gar) *v.* {mod. 1} *t.d. e t.d.i.* **1** (prep. *a*) colocar em segundo plano; pospor *<postergou os antigos e nomeou um apadrinhado> <p. a própria carreira ao bem-estar da família>* □ *t.d.* **2** deixar para trás; passar *<p. o concorrente>* **3** deixar de lado; preterir, desprezar *<um governante não pode p. a Constituição>* **4** deixar de cuidar; negligenciar *<p. o tratamento dos doentes de uma enfermaria>* **5** deixar para depois; adiar *<postergou o cumprimento de sua palavra>* ↺ antecipar **~ postergamento** *s.m.* - **postergável** *adj.*

posteridade (pos.te.ri.da.de) *s.f.* **1** o tempo que virá; futuro ↺ passado **2** descendência ↺ ascendência **3** a humanidade num tempo futuro **4** glória futura; celebridade *<alcançar a p. por seus méritos>*

posterior (pos.te.ri.or) /ô/ [pl.: *-es*] *adj.2g.* **1** situado atrás ou na parte de trás *<parte p. da cabeça>* ↺ frontal **2** seguinte, subsequente *<fatos p.>* ↺ precedente

posterioridade (pos.te.ri.o.ri.da.de) *s.f.* estado ou condição do que é posterior ↺ anterioridade

posteriormente (pos.te.ri.or.men.te) *adv.* **1** num tempo posterior; depois *<falaremos p.>* **2** num espaço posterior; na parte de trás

póstero (pós.te.ro) *adj.* o que está por acontecer; futuro ↺ passado

postiço (pos.ti.ço) *adj.* **1** que se pode pôr ou tirar **2** que se acrescenta depois da obra pronta **3** que não é natural; artificial *<dentes p.> <cabeleira p.>* ↺ natural **4** que não é espontâneo *<sorriso p.>* **5** que não é de sangue (diz-se de parente) *<tio p.>*

postigo (pos.ti.go) *s.m.* **1** pequena janela que se abre em porta ou janela **2** guichê

[1]posto (pos.to) /ô/ [pl. e fem.: /ó/] *adj.* **1** colocado em determinado lugar **2** declarado ou estabelecido *<isso p., passemos à segunda questão>* **3** decidido, combinado ◉ ORIGEM do lat. *posĭtus,a,um* 'posto, assentado' ▣ **p. que 1** ainda que, embora *<não seguiu a carreira do pai, p. que a admirasse>* **2** *B infrm.* porque, visto que *<rejeitou o convite, p. que já tinha outro compromisso>*

[2]posto (pos.to) /ô/ [pl. e fem.: /ó/] *s.m.* **1** lugar ocupado por algo ou alguém **2** cargo, função **3** local destinado a uma função determinada, ger. para atendimento ao público *<p. de saúde> <p. policial>* ◉ ORIGEM do lat. *posĭtus,us* 'posição, situação; assento' ▣ **a postos** pronto, preparado *<esteja a p. para qualquer eventualidade>*

postulado (pos.tu.la.do) *s.m.* afirmação admitida sem demonstração prévia

postular (pos.tu.lar) *v.* {mod. 1} *t.d. e t.d.i.* **1** (prep. *a*) fazer pedido a; solicitar *<p. um emprego> <p. um empréstimo ao banco>* **2** (prep. *a*) pedir com insistência; suplicar *<p. esmola (aos passantes)>* **3** (prep. *a*) pedir, documentando a alegação; requerer *<p. (ao consulado) o visto de permanência>* □ *t.d.* **4** admitir como hipótese; supor *<p. a honestidade do adversário>* **~ postulação** *s.f.* - **postulante** *adj.2g.s.2g.*

póstumo (pós.tu.mo) *adj.* **1** que nasceu depois da morte do pai *<filho p.>* **2** posterior à morte de alguém *<homenagem p.>* **3** que vem a público depois da morte do autor *<livro p.>*

postura (pos.tu.ra) *s.f.* **1** modo de manter o corpo ou parte dele **2** *p.ext.* modo de pensar, de proceder *<p. de vanguarda>* **3** a deposição de ovos por animais ▼ ***posturas*** *s.f.pl.* **4** compêndio de leis, normas e regulamentos de um município

postural (pos.tu.ral) [pl.: *-ais*] *adj.2g.* **1** relativo à postura ou atitude corporal *<elegância p.>* **2** relativo à atitude ou conduta *<arrogância p.>* **3** relativo a posturas legais emanadas de autoridade competente *<determinações p.>*

potassa (po.tas.sa) *s.f.* QUÍM nome comum de diversos derivados do potássio, us. na fabricação de sabão, como reagentes em análises químicas etc.

potássio (po.tás.sio) *s.m.* QUÍM elemento químico alcalino, us. em ligas com sódio em trocadores de calor de usinas nucleares [símb.: *K*] ☞ cf. *tabela periódica* (no fim do dicionário)

potável (po.tá.vel) [pl.: *-eis*] *adj.2g.* saudável para beber *<água p.>* **~ potabilidade** *s.f.*

pote (po.te) *s.m.* **1** vaso bojudo para guardar líquidos, mantimentos etc. **2** pequeno recipiente de boca larga e com tampa, us. para acondicionar substâncias de consistência pastosa

potência (po.tên.cia) *s.f.* **1** característica do que é potente, forte **2** força, vigor ↺ impotência **3** capacidade para criar, para produzir **4** país forte econômica e militarmente **5** capacidade de realizar o ato sexual ↺ impotência **6** FÍS a energia transferida em determinado espaço de tempo **7** MAT o produto de *n* fatores iguais

potenciação (po.ten.ci.a.ção) [pl.: *-ões*] *s.f.* MAT operação em que se multiplica um número por ele mesmo certa quantidade de vezes (potência), a qual é indicada pelo expoente

potencial (po.ten.ci.al) [pl.: *-ais*] *adj.2g.* **1** relativo a potência **2** que só existe como possibilidade ↺ real ■ *s.m.* **3** conjunto de qualidades inatas **4** capacidade de realização, de execução ~ **potencialidade** *s.f.*

potentado (po.ten.ta.do) *s.m.* **1** soberano com muito poder e riqueza **2** *p.ext.* indivíduo poderoso, influente e/ou muito rico

potente (po.ten.te) *adj.2g.* **1** que tem poder; poderoso ↺ submisso **2** que tem força; vigoroso, forte ↺ fraco **3** que tem capacidade para copular (diz-se de homem) ↺ impotente

potiguar (po.ti.guar) [pl.: *-es*] *adj.2g.s.2g.* rio-grandense-do-norte

potiguara (po.ti.gua.ra) *s.2g.* **1** indivíduo dos potiguaras, povo indígena do litoral norte da Paraíba ■ *s.m.* **2** LING língua falada pelos potiguaras ■ *adj.2g.* **3** relativo a esse indivíduo, povo ou língua

potó (po.tó) *s.m.* ZOO *N. N.E. C.-O.* besouro cuja secreção produz inflamações de pele de difícil cicatrização

potoca (po.to.ca) *s.f. B infrm.* mentira, lorota ~ **potoqueiro** *adj.s.m.*

pot-pourri (pot-pour.ri) [fr.; pl.: *pot-pourris*] *s.m.* **1** série de canções ou trechos musicais encadeados **2** *p.ext.* mistura de elementos heterogêneos **3** mistura aromática à base de flores secas, ervas ou especiarias ⇒ pronuncia-se pôpurri

potra (po.tra) /ô/ *s.f.* filhote de égua, do sexo feminino; égua nova

potranco (po.tran.co) [fem.: *potranca*] *s.m.* potro de menos de dois anos

potro (po.tro) /ô/ [fem.: *potra*] *s.m.* cavalo de até quatro anos de idade

pouca-vergonha (pou.ca-ver.go.nha) [pl.: *poucas-vergonhas*] *s.f. infrm.* **1** falta de vergonha; descaramento, despudor ↺ decência **2** ação vergonhosa, indecente

pouco (pou.co) *pron.ind.* **1** pequena quantidade *<p. dinheiro>* ■ *adv.* **2** em quantidade escassa, de modo insuficiente *<come p.> <p. atraente>* ↺ muito ■ *s.m.* **3** pequena quantidade *<consegui um p. de açúcar>* ▣ **p. a p.** ou **aos p.** um pouco de cada vez; gradualmente *<p. a p. as cores desbotaram>* • **daqui a p.** daqui a pouco tempo; daqui a poucos instantes *<daqui a p. as crianças chegarão da escola>* • **fazer p. de** não dar valor, humilhar *<fez p. de nossa ajuda>* • **por p.** por um triz, quase *<escapou da morte por p.>*

pouco-caso (pou.co-ca.so) [pl.: *poucos-casos*] *s.m.* falta de consideração; desdém, desprezo ↺ apreço ◉ GRAM/USO ger. não se usa no pl.

poupança (pou.pan.ça) *s.f.* **1** ato de deixar de consumir ou de gastar (um bem) **2** moderação nas despesas; economia ↺ desperdício **3** ECON fração da renda nacional ou individual que não é aplicada em serviços e bens de consumo **4** ECON caderneta de poupança

poupar (pou.par) *v.* {mod. 1} *t.d.* **1** gastar com moderação; economizar ↺ esbanjar **2** não gastar, juntar (dinheiro); economizar □ *t.d. e t.d.i.* **3** (prep. *a*) fazer com que não gaste; evitar *<p. despesas (aos pais)>* **4** (prep. *de*) deixar(-se) livre (de esforço, trabalho, prejuízo etc.); proteger(-se) *<no bombardeio, os caças pouparam o edifício> <é preciso p. os idosos de desgostos>* □ *pron.* **5** (prep. *a, de*) esquivar-se, eximir-se *<poupei-me desses problemas>* ~ **poupador** *adj.s.m.*

pousada (pou.sa.da) *s.f.* **1** parada para descansar **2** local de hospedagem; hospedaria, albergue

pousar (pou.sar) *v.* {mod. 1} *t.d. e t.d.i.* **1** deixar em certo lugar; pôr, colocar *<pode p. a mala (no chão)>* ↺ retirar □ *t.i. e int.* **2** (prep. *em*) interromper o voo e descer à terra (ave, aeronave); aterrissar *<a nave pousou na Lua> <o avião acaba de p.>* □ *t.i.* **3** (prep. *em*) fixar residência; morar *<p. na casa dos pais>* **4** (prep. *em*) hospedar-se brevemente *<p. num albergue>* **5** (prep. *em*) estar parado; repousar *<a folha pousava na pedra>* ☛ cf. *posar*

pouso (pou.so) *s.m.* **1** lugar onde uma ave descansa de voar **2** lugar onde alguém se acolhe e descansa **3** permanência, estada **4** aterrissagem *<o avião fez um p. forçado>*

povão (po.vão) [pl.: *-ões*] *s.m. B* **1** grande quantidade de pessoas; multidão **2** *infrm.* a classe social menos favorecida economicamente

povaréu (po.va.réu) *s.m.* **1** grande quantidade de pessoas; multidão **2** *pej.* ralé

povo (po.vo) /ô/ [pl.: /ó/] *s.m.* **1** grupo de indivíduos que formam uma nação ou vivem numa mesma região *<o p. brasileiro> <o p. judeu> <o p. nordestino>* **2** conjunto de pessoas da classe menos favorecida; plebe **3** aglomerado de pessoas; multidão

povoação (po.vo.a.ção) [pl.: *-ões*] *s.f.* **1** lugar habitado **2** povoado **3** conjunto dos habitantes de determinado local ou região

povoado (po.vo.a.do) *s.m.* **1** lugar com poucas habitações; vilarejo, povoação ■ *adj.* **2** que se povoou; habitado ↺ desabitado

povoar (po.vo.ar) *v.* {mod. 1} *t.d.* **1** ir (grupo de pessoas) viver em (lugar antes desabitado); colonizar, ocupar *<imigrantes alemães povoaram o sul do Brasil>* **2** *fig.* ocupar (a mente, o espírito) com muita frequência *<lembranças povoam seus pensamentos>* □ *t.d. e t.d.i.* **3** (prep. *com*) espalhar(-se) por (uma região), para que se reproduza (espécie animal ou vegetal) *<os cactos estão povoando as dunas> <p. terras alagadas com eucaliptos>* □ *t.d.,t.d.i. e pron.* **4** (prep. *com, de*) encher(-se) ou estar cheio de *<crianças povoavam a praça> <p. o pátio com alunos> <a floresta povoou-se de pássaros>*

Pr QUÍM símbolo de *praseodímio*

PR sigla do Estado do Paraná

pra *prep. infrm.* para *<vou pra casa>* ◉ GRAM/USO **a)** esta prep. faz contração com os artigos definidos *o, a, os, as* (e tb. com os pronomes demonstrativos homônimos): *pra, pro, pras, pros* *<dei o livro pro menino>* (ver ***PRO***); **b)** às vezes se escreve *prá* com acento

praca (pra.ca) *adv.* [2]paca

praça (pra.ça) *s.f.* **1** área urbanizada, freq. ajardinada, para descanso e lazer **2** lugar fortificado; fortaleza **3** lugar aberto onde se compra e se vende; mercado, feira **4** comunidade comercial e financeira de uma cidade *<ter crédito na p.>* ■ *s.2g.* **5** militar de patente inferior à do oficialato ◘ **p. de alimentação** *B* em *shopping centers*, área em que se encontram restaurantes, lanchonetes e outros estabelecimentos que servem refeições • **p. de guerra 1** MIL local fortemente defendido e munido de armas, com guarnição militar permanente **2** *fig.* local onde ocorre confronto entre grupos antagônicos, com tumulto, pancadaria, briga *<durante a manifestação, as ruas viraram uma p. de guerra>*

pracinha (pra.ci.nha) *s.f.* **1** local público com bancos e brinquedos, como escorregador, gangorra, balanço etc., para o lazer das crianças ■ *s.m. B* **2** soldado da Força Expedicionária Brasileira, que lutou na Segunda Guerra Mundial

pradaria (pra.da.ri.a) *s.f.* **1** série de prados mais ou menos próximos **2** grande extensão de terreno plano; planície

prado (pra.do) *s.m.* **1** campo coberto de vegetação herbácea, ger. destinado a pastagem **2** hipódromo ◉ COL pradaria

praga (pra.ga) *s.f.* **1** expressão que manifesta ódio ou o desejo de que algo de mau aconteça; maldição **2** desgraça coletiva de grandes proporções; calamidade **3** algo que causa malefício *<p. de gafanhotos> <a inveja é uma p.>* ◘ **rogar p.** lançar uma maldição

pragmático (prag.má.ti.co) *adj.* que contém considerações de ordem prática (diz-se de ponto de vista, modo de pensar ou agir etc.); prático, objetivo

pragmatismo (prag.ma.tis.mo) *s.m.* FIL doutrina que preconiza que as ideias devem ter aplicação prática para ter valor

praguejar (pra.gue.jar) *v.* {mod. 1} *t.d.,t.i. e int.* (prep. *contra*) lançar pragas a; amaldiçoar *<praguejou o motorista barbeiro> <p. contra uma pessoa ausente> <a mulher gritava e praguejava>* ↺ abençoar **~ praguejador** *adj.s.m.* - **praguejamento** *s.m.*

praia (prai.a) *s.f.* **1** faixa de terra, coberta ger. de areia ou cascalho, que faz limite com mar ou rio **2** região banhada pelo mar; litoral *<ter casa na p.>* **3** *fig. B infrm.* área de conhecimento ou interesse especial *<minha p. é o teatro>* **~ praieiro** *adj.s.m.*

praiano (prai.a.no) *adj.* **1** relativo a ou próprio da praia ou do litoral *<esportes p.>* **2** situado em praia, localizado à beira-mar; litorâneo *<região p.>* ■ *adj.s.m.* **3** diz-se de ou habitante da praia ou do litoral

prancha (pran.cha) *s.f.* **1** tábua grande e larga **2** *B* tábua de madeira ou de isopor us. em certos esportes aquáticos, como o surfe

prancheta (pran.che.ta) /ê/ *s.f.* **1** tábua ou mesa para desenhar **2** *B* pequena prancha us. como suporte para escrever

prantear (pran.te.ar) *v.* {mod. 5} *t.d. e int.* derramar lágrimas (por); chorar *<depois de anos ainda pranteia (o amigo falecido)>*

pranto (pran.to) *s.m.* **1** ação de chorar; choro **2** queixa, lamentação ↺ alegria

praseodímio (pra.se.o.dí.mio) *s.m.* QUÍM elemento químico us. na coloração de vidros e em materiais fluorescentes, como capacitores para televisão, radares etc. [símb.: *Pr*] ☞ cf. *tabela periódica* (no fim do dicionário)

prata (pra.ta) *s.f.* **1** QUÍM elemento químico metálico, us. na feitura de joias e ornamentos [símb.: *Ag*] ☞ cf. *tabela periódica* (no fim do dicionário) **2** liga metálica feita com esse elemento **3** objeto fabricado com essa liga metálica **4** *B infrm.* dinheiro ('moeda ou cédula') ◉ COL na acp. 3: prataria

prataria (pra.ta.ri.a) *s.f.* conjunto de objetos de prata

pratarraz (pra.tar.raz) [pl.: *-es*] *s.m.* prato grande ou prato muito cheio ◉ GRAM/USO aum.irreg. de *prato*

prateado (pra.te.a.do) *adj.* **1** coberto com uma camada de prata **2** da cor da prata ■ *s.m.* **3** objeto folheado de prata **4** a cor da prata

pratear (pra.te.ar) *v.* {mod. 5} *t.d.* **1** cobrir com camada de prata *<p. um anel>* □ *t.d. e pron.* **2** (fazer) adquirir a cor e o brilho da prata *<a lua prateia o rio> <pratearam-se seus cabelos>* **~ prateação** *s.f.*

prateleira (pra.te.lei.ra) *s.f.* **1** tábua presa horizontalmente numa parede, estante ou armário para se colocarem objetos **2** cada divisão horizontal de um armário, estante, guarda-roupa etc. *<o livro está na última p.>*

prática (prá.ti.ca) *s.f.* **1** ato ou efeito de fazer (algo); ação, execução, exercício **2** realização concreta de uma teoria ↺ teoria **3** capacidade que resulta da experiência *<não tem p. em dirigir caminhão>* ↺ inexperiência **4** maneira usual de fazer ou agir; costume, hábito *<p. de esportes>* ◘ **na p.** na realidade *<na p. tudo é mais simples>*

praticamente (pra.ti.ca.men.te) *adv.* **1** de modo ou maneira prática *<resolver p. um problema>* ↺ teoricamente **2** mais ou menos, quase *<leu p. tudo sobre o assunto>*

praticante (pra.ti.can.te) *adj.2g.s.2g.* **1** que(m) pratica (algo) **2** (pessoa) que se está exercitando numa atividade **3** que(m) obedece a todos os preceitos de uma religião

praticar (pra.ti.car) *v.* {mod. 1} *t.d.* **1** levar a efeito; fazer, realizar *<p. o bem, p. um crime>* **2** executar rotineiramente (uma atividade) *<p. esportes>* **3** estudar, treinar *<p. piano, desenho>* □ *t.d. e int.* **4** exercer (profissão, ofício) □ *t.i.* **5** (prep. *com*) manter trato, contato com; relacionar-se *<p. com pessoas interessantes>* □ *int.* **6** adquirir experiência

praticável (pra.ti.cá.vel) [pl.: *-eis*] *adj.2g.* **1** que é possível pôr em prática ↺ irrealizável ■ *s.m.* TEAT **2** suporte ou plataforma móvel us. em cenários teatrais

prático (prá.ti.co) *adj.* **1** que prioriza resultados concretos *<homem de decisões p.>* ↺ idealista **2** que aplica uma teoria para obter resultado concreto *<aula p.> <atividade p.>* ↺ teórico **3** de aplicação ou uso fácil; funcional *<roupa p.> <móvel p.>* ■ *s.m.* **4** aquele que exerce uma profissão sem habilitação adequada **5** MAR piloto, timoneiro

prato (pra.to) *s.m.* **1** peça, ger. circular e achatada, na qual se serve e se come a comida **2** *p.ext.* comida, alimento <*não posso lhe negar um p.*> **3** cada uma das preparações culinárias servidas numa refeição entre a sopa e a sobremesa <*o p. principal será leitão assado*> **4** cada uma das conchas de uma balança **5** qualquer peça de máquina que lembre um prato **6** MÚS instrumento constituído de um disco de metal que se percute com baqueta ou vassourinha de metal, ou dotado de uma alça para os dedos, que se faz percutir em outro semelhante ◉ GRAM/USO aum.irreg.: *pratarraz* ▣ **p. feito** *B infrm.* refeição barata que já vem servida no prato, pê-efe • **pôr em p. limpos** esclarecer as dúvidas

praxe (pra.xe) *s.f.* aquilo que se faz habitualmente; costume, rotina, prática

prazenteiro (pra.zen.tei.ro) *adj.* **1** simpático, aprazível ↺ antipático **2** alegre, feliz ↺ triste

prazer (pra.zer) *v.* {mod. 13} *t.i.,int. e pron.* **1** (prep. *a*, *em*) causar prazer a ou sentir prazer; deleitar(-se), aprazer ■ *s.m.* **2** sensação agradável oriunda da satisfação de um desejo; alegria, contentamento **3** boa vontade, agrado <*sempre ajudo os outros com p.*> **4** satisfação sexual ◉ GRAM/USO cf. observação no modelo verbal; como s.m., pl. *prazeres*

prazeroso (pra.ze.ro.so) /ô/ [pl. e fem.: /ó/] *adj.* que causa prazer <*companhia p.*> ↺ tedioso

prazo (pra.zo) *s.m.* **1** período de tempo **2** fim, termo desse período de tempo <*o p. para entrega da obra é dia 23*> ▣ **a p.** em prestações <*comprou o carro a p.*> ☞ cf. *à vista*

pre- ou **pré-** *pref.* 'anterioridade, adiantamento': *preâmbulo, pré-datado, pré-histórico, prever*

preá (pre.á) *s.2g.* ZOO **1** nome comum a diversos pequenos roedores encontrados na América do Sul **2** cobaia

pré-adolescência (pré-a.do.les.cên.cia) [pl.: *pré-adolescências*] *s.f.* período do desenvolvimento humano anterior à adolescência ~ **pré-adolescente** *adj.2g.s.2g.*

preamar (pre.a.mar) [pl.: *-es*] *s.f.* nível máximo da maré; maré-cheia

preâmbulo (pre.âm.bu.lo) *s.m.* **1** relatório que precede uma lei ou decreto **2** palavreado mais ou menos vago que antecede o assunto principal <*chega de preâmbulos e diga o que quer!*> ↺ conclusão **3** prefácio ↺ posfácio ~ **preambular** *adj.2g. v.t.d.*

prebenda (pre.ben.da) *s.f.* **1** renda ou benefício eclesiástico **2** *fig.* ocupação rendosa e de pouco trabalho; sinecura **3** *fig.* tarefa trabalhosa, desagradável

precariedade (pre.ca.ri.e.da.de) *s.f.* estado do que é ou está precário; deficiência, insuficiência <*a p. do atendimento médico à população*>

precário (pre.cá.rio) *adj.* **1** insuficiente, escasso <*ajuda p.*> ↺ abundante **2** incerto, instável <*emprego p.*> ↺ estável **3** pouco resistente; frágil, delicado <*saúde p.*> ↺ forte

pré-carnavalesco (pré-car.na.va.les.co) [pl.: *pré-carnavalescos*] *adj.* que precede o carnaval

precatar (pre.ca.tar) *v.* {mod. 1} *t.d.,t.d.i. e pron.* (prep. *contra*, *de*) pôr(-se) de sobreaviso a respeito de; acautelar(-se), prevenir(-se) <*p. a saúde*> <*p. o povo contra os ladrões*> <*p.-se do perigo de enchentes*> ↺ desprevenir(-se)

precatório (pre.ca.tó.rio) *adj.s.m.* (documento, carta) que solicita algo <*mandar uma (carta) p. ao juiz*>

precaução (pre.cau.ção) [pl.: *-ões*] *s.f.* **1** medida antecipada para prevenir um mal; cuidado **2** atitude de quem evita inconvenientes e perigos; prudência, cautela ↺ desleixo

precaver (pre.ca.ver) *v.* {mod. 12} *t.d.,t.d.i. e pron.* (prep. *contra*, *de*) pôr(-se) de sobreaviso, tomando medidas antecipadas para evitar (algo ruim); acautelar(-se) <*p. tumultos*> <*p. as crianças contra os perigos*> <*precavê-lo das surpresas desagradáveis*> <*p.-se contra as doenças infectocontagiosas*> ↺ desprevenir(-se) ◉ GRAM/USO verbo defectivo

precavido (pre.ca.vi.do) *adj.* que se previne; prevenido ↺ descuidado

prece (pre.ce) *s.f.* pedido que se dirige a uma divindade; oração, reza

precedência (pre.ce.dên.cia) *s.f.* **1** situação do que vem antes **2** condição do que, por importância, deve estar em primeiro lugar; preferência, primazia, prioridade

precedente (pre.ce.den.te) *adj.2g.* **1** ocorrido anteriormente; antecedente ↺ seguinte, sequente ■ *s.m.* **2** procedimento anterior que permite explicar acontecimentos ou circunstâncias semelhantes; exemplo <*há um p. que justifica sua atitude*>

preceder (pre.ce.der) *v.* {mod. 8} *t.d.,t.i. e int.* **1** (prep. *a*) estar, ir ou ficar adiante de; anteceder <*o substantivo precede (a)o adjetivo*> <*confira o primeiro dos exemplos que precedem*> **2** (prep. *a*) chegar, existir ou ocorrer antes de; anteceder ↺ seguir □ *t.d.* **3** chegar, existir ou ocorrer antes de; anteceder <*os batedores precediam a comitiva*> ↺ seguir □ *t.i. fig.* **4** (prep. *a*) apresentar qualidade superior; superar

preceito (pre.cei.to) *s.m.* **1** regra de procedimento; norma <*p. moral*> <*p. de higiene*> **2** aquilo que se ensina; lição **3** ordem, determinação ◉ COL preceituário

preceituar (pre.cei.tu.ar) *v.* {mod. 1} *t.d. e int.* estabelecer (regra, norma etc.); ordenar, determinar

preceituário (pre.cei.tu.á.rio) *s.m.* conjunto de preceitos

preceptor (pre.cep.tor) /ô/ [pl.: *-es*] *adj.s.m.* **1** que(m) dá preceitos, instruções; educador, instrutor **2** educador particular de criança ou jovem

preciosidade (pre.ci.o.si.da.de) *s.f.* **1** característica do que é precioso, do que tem muito valor **2** coisa valiosa pela beleza, raridade etc. <*esse quadro de Portinari é uma p.*>

preciosismo (pre.ci.o.sis.mo) *s.m.* afetação exagerada, falta de naturalidade

precioso (pre.ci.o.so) /ô/ [pl. e fem.: /ó/] *adj.* **1** de alto preço <*metais p.*> ↺ barato **2** de grande apreço, estimação **3** magnífico, suntuoso ↺ despojado **4** importante, significativo <*tempo p.*> **5** afetado, rebuscado <*estilo p.*> ↺ simples

precipício (pre.ci.pí.cio) *s.m.* depressão profunda de parede(s) íngreme(s); abismo, ribanceira

P

precipitação (pre.ci.pi.ta.ção) [pl.: *-ões*] *s.f.* **1** queda, descida rápida **2** *p.ext.* grande pressa; afobação ↺ lentidão **3** resolução tomada às pressas **4** QUÍM reação em que um soluto se separa, em forma de sedimento, de seu solvente ▣ **p. atmosférica** MET transformação de nuvens em água ou gelo, como neve, chuva, granizo

precipitado (pre.ci.pi.ta.do) *adj.* **1** que se precipitou; jogado de cima para baixo **2** *fig.* que age sem pensar; imprudente *<motorista p.>* ↺ prudente **3** feito sem reflexão *<decisões p.>* ↺ previdente ■ *s.m.* **4** quem procede de modo imprudente ↺ prudente **5** QUÍM produto sedimentar e insolúvel que resulta do fenômeno da precipitação

precipitar (pre.ci.pi.tar) *v.* {mod. 1} *t.d.i. e pron.* **1** (prep. *em*) jogar(-se) de cima para baixo *<p. a carga no mar> <p.-se no mar>* **2** *fig.* (prep. *em*) (fazer) enfrentar (aventura, perigo, experiências ruins); arrastar(-se) *<a imprudência precipitou-o em situação desfavorável> <p.-se na miséria>* □ *t.d.* **3** *fig.* levar a ocorrer antes do previsto; apressar, antecipar *<as drogas podem p. a morte>* ↺ retardar □ *pron.* **4** *fig.* agir por impulso, sem pensar *<precipitou-se ao pedir demissão>* **5** (prep. *em*) correr ou agir com grande rapidez *<as pessoas precipitavam-se em pedir a palavra>* **6** (prep. *contra*) lançar-se, atirar-se *<p.-se contra o inimigo>* □ *int. e pron.* QUÍM **7** (prep. *em*) separar-se (substância) de uma solução *<a parte sólida precipitou(-se) no fundo do frasco>*

precípuo (pre.cí.puo) *adj.* mais importante; essencial

precisão (pre.ci.são) [pl.: *-ões*] *s.f.* **1** falta de alguma coisa necessária ou útil *<ele tem p. desse remédio>* ↺ desnecessidade **2** rigor na determinação de medida, valor etc.; exatidão, justeza ↺ imprecisão **3** rigor de execução, exatidão de funcionamento, clareza de informação etc. *<passou as instruções com p.> <relógio de p.>* ↺ imprecisão

precisar (pre.ci.sar) *v.* {mod. 1} *t.d. e t.i.* **1** (prep. *de*) ter necessidade de; carecer *<quando precisava (de) algum dinheiro, aparecia por lá> <p. de roupas>* ↺ dispensar □ *t.d.* **2** indicar ou exprimir com exatidão; especificar *<o professor precisara os objetivos do curso>* **3** tornar preciso, exato, rigoroso; ajustar *<p. uma balança>*

preciso (pre.ci.so) *adj.* **1** que faz falta; necessário, indispensável ↺ desnecessário **2** exato, correto *<cálculo p.> <linguagem p.>* ↺ inexato **3** sem excessos; conciso *<estilo p.>* ↺ prolixo

preclaro (pre.cla.ro) *adj.* que se distingue pelo mérito; ilustre, notável ↺ infame ~ **preclaridade** *s.f.*

preço (pre.ço) /ê/ *s.m.* **1** quantia que se pede ou se paga por algo *<p. do feijão> <p. de uma casa>* **2** *fig.* custo em sacrifício, esforço etc. *<a liberdade tem seu p.>*

precoce (pre.co.ce) *adj.2g.* **1** que se desenvolve ou ocorre antes do tempo usual *<demência p.>* ↺ tardio **2** que muito cedo demonstra capacidades ou habilidades próprias de crianças mais velhas ou de adultos *<músico p.> <talento p.>*

precocidade (pre.co.ci.da.de) *s.f.* característica ou estado de quem ou do que é precoce; adiantamento *<ficaram admirados com a p. da criança>*

pré-colombiano (pré-co.lom.bi.a.no) [pl.: *pré-colombianos*] *adj.* anterior à chegada de Cristóvão Colombo à América (1492) ☞ cf. *Cristóvão Colombo* na parte enciclopédica

preconceber (pre.con.ce.ber) *v.* {mod. 8} *t.d.* **1** planejar com antecedência *<p. um espetáculo>* **2** supor antecipadamente; prever *<ninguém havia preconcebido aquele desfecho>*

preconcebido (pre.con.ce.bi.do) *adj.* **1** idealizado ou planejado antecipadamente *<crime p.>* **2** suposto sem base objetiva, real *<opinião p.>*

preconceito (pre.con.cei.to) *s.m.* **1** julgamento ou opinião concebida previamente **2** opinião formada sem fundamento justo ou conhecimento suficiente

preconceituoso (pre.con.cei.tu.o.so) /ô/ [pl. e fem.: /ó/] *adj.* que revela preconceito; parcial ↺ neutro, imparcial

precondição (pre.con.di.ção) [pl.: *-ões*] *s.f.* condição a ser atendida antes da realização de algo

preconizar (pre.co.ni.zar) *v.* {mod. 1} *t.d.* fazer defesa de (algo) com louvor; recomendar, pregar ~ **preconização** *s.f.* - **preconizador** *adj.s.m.*

precursor (pre.cur.sor) /ô/ [pl.: *-es*] *adj.s.m.* que(m) precede, antecipa ou anuncia algo ou alguém

predador (pre.da.dor) /ô/ [pl.: *-es*] *adj.s.m.* (o) que caça, devora ou destrói

pré-datado (pré-da.ta.do) [pl.: *pré-datados*] *adj.* que foi datado para o futuro *<cheque p.>*

pré-datar (pré-da.tar) *v.* {mod. 1} *t.d.* pôr data futura em *<p. um cheque>* ☞ cf. *antedatar*

predatório (pre.da.tó.rio) *adj.* **1** relativo a predador *<hábitos p.>* **2** *p.ext.* que promove destruição *<piratas promoviam ações p. ao longo da costa>* ↺ construtivo

predecessor (pre.de.ces.sor) /ô/ [pl.: *-es*] *adj.s.m.* (o) que precede no tempo; antecessor ↺ sucessor

predestinado (pre.des.ti.na.do) *adj.s.m.* **1** (o) que é destinado de antemão **2** (aquele) que é destinado por Deus à realização de grandes feitos; afortunado, bem-aventurado *<era um (ser) p. pelas leis divinas>*

predestinar (pre.des.ti.nar) *v.* {mod. 1} *t.d.i.* **1** (prep. *a*) destinar com antecipação para *<a avó predestinara-lhe uma parte da herança>* **2** (prep. *a*, *para*) escolher para (certo destino) *<Deus predestinou Moisés para libertar os hebreus>* ~ **predestinação** *s.f.*

predeterminar (pre.de.ter.mi.nar) *v.* {mod. 1} *t.d.* **1** dar (ordem, instrução) com antecedência *<o chefe já havia predeterminado o que fazer no dia seguinte>* **2** planejar, definir com antecedência *<antes de sair, predeterminou tudo que iria fazer>* ~ **predeterminação** *s.f.* - **predeterminante** *adj.2g.*

prédica (pré.di.ca) *s.f.* **1** discurso religioso; sermão **2** *p.ext.* qualquer discurso

predicação (pre.di.ca.ção) [pl.: *-ões*] *s.f.* **1** prédica **2** GRAM relação em que um predicado atribui propriedades a um sujeito ▣ **p. verbal** GRAM particularidade de cada verbo (ou de suas diferentes acepções) de aceitar ou não complemento(s)

predicado (pre.di.ca.do) *s.m.* **1** característica de um ser; atributo, propriedade *<a claridade é um p. do Sol>* **2** qualidade positiva de uma pessoa; virtude, mérito *<uma jovem cheia de predicados>* ↺ demérito **3** GRAM o que se afirma ou se nega sobre o sujeito da oração ▣ **p. nominal** GRAM aquele formado de verbo de ligação mais predicativo • **p. verbal** GRAM aquele que tem como núcleo um verbo intransitivo ou transitivo

predição (pre.di.ção) [pl.: *-ões*] *s.f.* ação de predizer ou o seu efeito; profecia, previsão, vaticínio

predicativo (pre.di.ca.ti.vo) *adj.s.m.* GRAM diz-se de ou qualidade que é atribuída ao sujeito ou ao objeto, e que completa a significação do verbo

predileção (pre.di.le.ção) [pl.: *-ões*] *s.f.* preferência acentuada por algo ou alguém

predileto (pre.di.le.to) *adj.s.m.* (o) que é querido com predileção; preferido, favorito

prédio (pré.dio) *s.m.* imóvel de vários andares us. para várias finalidades (industrial, comercial, residencial etc.)

predisponente (pre.dis.po.nen.te) *adj.2g.* **1** que predispõe **2** que cria as condições para o surgimento de sintoma ou doença *<fatores p. da gripe>*

predispor (pre.dis.por) *v.* {mod. 23} *t.d.,t.d.i. e pron.* (prep. *para, a*) [fazer] adquirir antecipadamente julgamento, sentimento etc. com relação a; preparar(-se) *<o dia ensolarado predispôs os ânimos> <p. os alunos favoravelmente à nova professora> <predispôs-se à troca do cargo>* ◉ GRAM/USO part.: *predisposto*

predisposição (pre.dis.po.si.ção) [pl.: *-ões*] *s.f.* **1** tendência natural *<p. para o crime>* **2** propensão do organismo para contrair determinada doença

predisposto (pre.dis.pos.to) /ô/ [pl. e fem.: /ó/] *adj.* que se predispôs; propenso, preparado, pronto *<poucos estão p. a arriscar a vida>*

predizer (pre.di.zer) *v.* {mod. 15} *t.d. e t.d.i.* (prep. *a*) dizer antecipadamente; prenunciar, profetizar *<p. o futuro> <a mulher predisse-lhe toda sorte de desgraças>* ◉ GRAM/USO part.: *predito* ~ **predito** *adj.*

predominar (pre.do.mi.nar) *v.* {mod. 1} *t.i. e int.* **1** (prep. *em, sobre*) ter mais domínio, influência ou importância; prevalecer *<os navios de guerra romanos predominaram no Mediterrâneo> <deixou que os interesses pessoais predominassem (sobre o bem comum)>* □ *int.* **2** ser ou aparecer em maior quantidade, tamanho, altura ou intensidade; sobressair *<na paisagem predomina o verde>* ~ **predominância** *s.f.* - **predominante** *adj.2g.*

predomínio (pre.do.mí.nio) *s.m.* **1** domínio sobre algo; supremacia *<as duas nações lutam pelo p. na região>* **2** circunstância de estar em maior quantidade ou maior número; preponderância, superioridade *<p. de um dialeto sobre outros>*

pré-eleitoral (pré-e.lei.to.ral) [pl.: *pré-eleitorais*] *adj.2g.* que antecede uma eleição ↺ pós-eleitoral

preeminente (pre.e.mi.nen.te) *adj.2g.* **1** muito acima dos demais; superior, excelso ↺ inferior **2** *p.ext.* que se distingue pelo mérito; nobre, ilustre ↺ indigno ~ **preeminência** *s.f.*

preencher (pre.en.cher) *v.* {mod. 8} *t.d.* **1** tornar (algo) cheio, sem deixar espaço vazio; encher, ocupar, completar *<p. uma lacuna>* **2** acrescentar a (algo) o que lhe falta para torná-lo completo; completar *<usou cimento para p. os vazios do muro>* **3** não deixar ocioso (um tempo livre); ocupar **4** pôr alguém em (cargo, emprego, função livre); ocupar **5** cumprir plenamente *<ela preenche todos os requisitos>* **6** escrever dados, informações em (ficha, formulário etc.) ~ **preenchimento** *s.m.*

preênsil (pre.ên.sil) [pl.: *-eis*] *adj.* capaz de prender, segurar *<mecanismo p.> <cauda p.>*

pré-escola (pré-es.co.la) [pl.: *pré-escolas*] *s.f.* fase da educação infantil, no Brasil, para crianças de quatro a cinco anos e onze meses de idade, em que, além de brincar e fazer várias atividades, elas começam a ser preparadas para o ingresso no ensino escolar

pré-escolar (pré-es.co.lar) [pl.: *pré-escolares*] *adj.2g.* **1** que precede a idade ou o período escolar **2** referente à ou próprio da pré-escola ~ **pré-escolaridade** *s.f.*

preestabelecer (pre.es.ta.be.le.cer) *v.* {mod. 8} *t.d.* estabelecer previamente; predeterminar *<p. regras, horários>* ~ **preestabelecido** *adj.* - **preestabelecimento** *s.m.*

pré-estreia (pré-es.trei.a) [pl.: *pré-estreias*] *s.f.* apresentação de filme ou peça teatral antes da estreia oficial

preexistir (pre.e.xis.tir) /z/ *v.* {mod. 24} *t.i. e int.* (prep. *a*) existir antes de *<a matéria preexistiu à consciência> <o ataque deu certo porque preexistia um plano>* ~ **preexistente** *adj.2g.*

pré-fabricado (pré-fa.bri.ca.do) [pl.: *pré-fabricados*] *adj.* **1** fabricado em partes, em série, para ser montado depois *<casa p.>* **2** *fig. pej.* que não é espontâneo *<alegria p.>*

pré-fabricar (pré-fa.bri.car) *v.* {mod. 1} *t.d.* **1** fabricar de antemão *<p. peças padronizadas>* **2** *fig.* criar antecipadamente; planejar *<p. uma desculpa>* ~ **pré-fabricação** *s.f.*

prefaciar (pre.fa.ci.ar) *v.* {mod. 1} *t.d.* **1** escrever prefácio para (uma obra) **2** *fig.* anunciar antecipadamente; preceder, prenunciar *<nuvens escuras prefaciavam o temporal>* ~ **prefaciador** *adj.s.m*

prefácio (pre.fá.cio) *s.m.* texto de apresentação colocado no começo de um livro; prólogo ↺ posfácio ~ **prefacial** *adj.2g.*

prefeito (pre.fei.to) *s.m.* *B* chefe do poder executivo de um município

prefeitura (pre.fei.tu.ra) *s.f.* *B* **1** poder executivo nos municípios **2** cargo de prefeito **3** prédio da administração municipal em que fica o gabinete do prefeito

preferência (pre.fe.rên.cia) *s.f.* **1** ação de preferir, de escolher um entre outros *<obrigado pela p.>* **2** estima ou amor maior com relação a uma pessoa ou uma coisa do que a outra(s); predileção *<p. por um dos filhos> <gozar da p. do público>* **3** direito ou faculdade de passar à frente dos outros; prioridade, primazia *<idosos devem ter p. no atendimento>*

preferencial (pre.fe.ren.ci.al) [pl.: *-ais*] *adj.2g.* **1** que tem preferência *<cliente p.>* ■ *s.f.* **2** via pública na qual os veículos trafegam sem precisar ceder a vez aos que vêm de ruas transversais

preferente (pre.fe.ren.te) *adj.2g.s.2g.* (o) que tem preferência

preferir (pre.fe.rir) *v.* {mod. 28} *t.d. e t.d.i.* **1** (prep. *a*) decidir-se por; escolher, eleger *<ele preferiu ficar solteiro> <preferiu pintar a ser médico>* **2** (prep. *a*) considerar melhor, gostar mais de *<ela prefere ficar em casa (a ir ao show)>* ~ **preferido** *adj.*

prefixação (pre.fi.xa.ção) /cs/ [pl.: *-ões*] *s.f.* **1** ação de prefixar ou o seu efeito *<p. de salários>* **2** GRAM processo de formação de palavras em que um prefixo é acrescentado a uma palavra ☞ cf. *sufixação*

prefixar (pre.fi.xar) /cs/ *v.* {mod. 1} *t.d.* **1** determinar antecipadamente; preestabelecer *<p. preços>* **2** LING GRAM juntar prefixo a (raiz, radical, tema, palavra etc.)

prefixo (pre.fi.xo) /cs/ *adj.* **1** fixado anteriormente; prefixado ■ *s.m.* **2** AER conjunto de letras e/ou números pintado em aviões para identificá-los **3** RÁD TV identificação de cada emissora de TV ou rádio, de estação transmissora de avião, embarcação, radioamador etc. **4** GRAM elemento acrescentado ao início de uma palavra-base para formar outra palavra por derivação ☞ cf. *sufixo* e [2]*infixo* ~ **prefixal** *adj.2g.*

prega (pre.ga) *s.f.* **1** parte (de tecido, papel etc.) dobrada sobre si mesma **2** ruga ou dobra em membrana, mucosa ou na pele *<rosto cheio de pregas>* ▣ **p. vocal** ANAT cada uma das duas pregas da laringe, relacionadas com a produção da voz, anteriormente denominada *corda vocal*

pregação (pre.ga.ção) [pl.: *-ões*] *s.f.* **1** discurso religioso; sermão **2** discurso cujo objetivo é convencer de algo **3** *p.ext. infrm.* discurso enfadonho, cansativo

[1]**pregador** (pre.ga.dor) /ô/ [pl.: *-es*] *s.m.* (o) que serve para pregar, prender, segurar *<p. de roupas>* ◉ ORIGEM de *pregado* (part. de [1]*pregar*) + *-or*

[2]**pregador** (pre.ga.dor) /ô/ [pl.: *-es*] *adj.s.m.* **1** que(m) faz pregações **2** que(m) apregoa qualquer doutrina ◉ ORIGEM de *pregado* (part. de [2]*pregar*) + *-or*

pregão (pre.gão) [pl.: *-ões*] *s.m.* em bolsas de valores e leilões, anúncio em voz alta dos produtos negociados e das ofertas

[1]**pregar** (pre.gar) *v.* {mod. 1} *t.d. e t.d.i.* **1** (prep. *em*) fixar ou prender com pregos *<p. um caibro> <p. a tampa no caixote>* **2** (prep. *em*) introduzir (prego, alfinete etc.) em; cravar *<p. tachinhas> <p. alfinetes na bainha>* **3** (prep. *em*) unir por meio de costura; coser *<p. botões> <p. um bolso na saia>* □ *t.d.i. e int.* **4** *p.ext.* (prep. *em*) unir(-se) uma coisa a outra, por algum meio; colar *<p. papel na parede> <o cartaz não pregou>* **5** *B infrm.* deixar ou ficar exausto; fatigar(-se) *<o galope pregou os cavalos> <os jogadores pregaram durante a partida>* □ *t.d.i.* **6** (prep. *em*) aplicar, passar (golpe ou similar) em *<p. um tapa na cara do garoto>* **7** (prep. *em*) fazer sentir o efeito de (uma ação, física ou não); dar *<pregou-lhe uma mentira>* **8** (prep. *em*) não tirar de; manter, fixar *<p. os olhos na moça>* ◉ ORIGEM do lat. *plicāre* 'dobrar, enroscar'

[2]**pregar** (pre.gar) *v.* {mod. 1} *t.d. e int.* **1** (prep. *a*) falar (a um ou mais indivíduos) para convencê-los de (crença, doutrina etc.) *<o padre pregou hoje um belo sermão> <pregava, exortando-os à vida piedosa>* □ *t.d.,t.d.i.,t.i. e int.* **2** (prep. *a*) propagar (uma doutrina); alardear, incutir *<os missionários passam a vida a p. (o Evangelho)> <p. o cristianismo aos gentios> <p. aos índios>* □ *t.d. e t.d.i.* **3** (prep. *a*) falar com o intuito de ajudar, ensinar; dirigir, passar *<p. conselhos> <pregou-lhe um sermão>* □ *t.i.* **4** (prep. *contra, por*) exigir em voz alta, com palavras fortes; bradar, clamar *<p. contra os abusos do poder> <p. pelo cumprimento da lei>* ◉ ORIGEM do lat. *praedicāre* 'divulgar doutrina, propagar o cristianismo'

[3]**pregar** (pre.gar) *v.* {mod. 1} *t.d. e int.* preguear ◉ ORIGEM *prega* + [2]*-ar*

prego (pre.go) *s.m.* **1** haste de metal fina e ger. roliça, com uma extremidade achatada e a outra pontiaguda, us. para unir ou fixar um objeto a outro **2** *infrm.* casa de penhor *<sua joias estão no p.>* **3** *B infrm.* cansaço, esgotamento ↺ descanso

pregoeiro (pre.go.ei.ro) *adj.s.m.* **1** que(m) faz propaganda de algo ■ *s.m.* **2** quem apregoa as mercadorias num leilão; leiloeiro

pregresso (pre.gres.so) *adj.* que se passou antes; anterior *<história p.>* ↺ futuro

preguear (pre.gue.ar) *v.* {mod. 5} *t.d.* **1** fazer prega(s) em; pregar *<p. um tecido>* □ *t.d. e int.* **2** (deixar) ficar com rugas, dobras; pregar, enrugar *<o tempo pregueou seu rosto> <sua saia pregueou toda atrás>* ↺ esticar

preguiça (pre.gui.ça) *s.f.* **1** falta de ânimo; prostração ↺ ânimo **2** aversão ao trabalho; ócio ↺ atividade **3** ZOO mamífero desdentado, com membros longos providos de garras que facilitam sua locomoção em árvores

preguiçoso (pre.gui.ço.so) /ô/ [pl. e fem.: /ó/] *adj.s.m.* **1** que(m) tem preguiça ■ *adj. infrm.* **2** que não funciona bem *<intestino p.>*

pré-história (pré-his.tó.ria) [pl.: *pré-histórias*] *s.f.* período da história do homem, anterior à invenção da escrita e ao uso dos metais

pré-histórico (pré-his.tó.ri.co) *adj.* **1** relativo à pré-história **2** *p.ext.* muito antigo **3** *p.ext.* que não se usa mais; que está ultrapassado *<dirige um carro p.> <suas ideias são p.>*

preito (prei.to) *s.m.* **1** manifestação de veneração, de respeito etc.; homenagem *<receba o nosso p. de gratidão>* **2** acordo entre duas ou mais pessoas; pacto **3** sujeição a um senhor; vassalagem, dependência

prejudicar (pre.ju.di.car) *v.* {mod. 1} *t.d. e pron.* **1** (fazer) sofrer prejuízo financeiro; lesar(-se) *<p. os cofres da empresa> <prejudicou-se com a queda da bolsa>* **2** (fazer) sofrer dano ou lesão; estragar(-se), danificar(-se) *<os temporais prejudicaram a colheita> <sua saúde se prejudicou rapidamente>* □ *t.d.* **3** ser um obstáculo a; atrapalhar *<a chuva prejudicou a festa>* ↺ ajudar, favorecer **4** tornar sem efeito; anular, invalidar *<o empastelamento da impressão prejudicou as questões da prova>* ↺ validar

prejudicial (pre.ju.di.ci.al) [pl.: *-ais*] *adj.2g.* **1** que causa prejuízo ↺ favorável **2** que causa dano; nocivo *<o álcool é p. à saúde>*

prejuízo (pre.ju.í.zo) *s.m.* **1** perda ou dano de qualquer natureza *<o furacão causou muitos p.> <o escândalo causou p. à sua imagem>* ↺ benefício, lucro **2** perda financeira *<a firma não pôde suportar os p. e faliu>*

prejulgar (pre.jul.gar) *v.* {mod. 1} *t.d. e t.d.pred.* formar ou emitir opinião sobre (algo) precocemente, sem considerar todos os elementos necessários para fazê-lo *<prefiro quem não me prejulgue> <p. boa uma proposta>* ~ **prejulgamento** *s.m.*

P

prelado (pre.la.do) *s.m.* título honorífico de alguns eclesiásticos

prelatura (pre.la.tu.ra) *s.f.* prelazia

prelazia (pre.la.zi.a) *s.f.* **1** cargo de prelado **2** duração do exercício desse cargo

preleção (pre.le.ção) [pl.: *-ões*] *s.f.* palestra com fins educativos ou didáticos; aula, lição **~ prelecionar** *v.t.d.,t.d.i.,t.i. e int.*

preliminar (pre.li.mi.nar) [pl.: *-es*] *adj.2g.* **1** que antecede; prévio, introdutório *<palavras p.>* ■ *s.m.* **2** relatório que antecede uma lei ou decreto **3** introdução, prefácio ↺ conclusão ■ *s.f.* **4** partida, ger. de futebol, que se realiza antes da principal **5** DIR condição prévia

prélio (pré.lio) *s.m.* luta, combate **~ preliar** *v.int.*

prelo (pre.lo) *s.m.* máquina que serve para imprimir; impressora, prensa ▣ **no p.** em processo de edição e impressão *<seu livro já está no p.>*

preludiar (pre.lu.di.ar) *v.* {mod. 1} *t.d.* **1** fazer o prelúdio de; introduzir *<p. um ato solene>* **2** mostrar por indícios; prenunciar *<nuvens escuras preludiavam uma tempestade>* □ *t.d. e int.* MÚS **3** executar como ou tocar prelúdio *<a orquestra preludiou (a valsa) magistralmente>*

prelúdio (pre.lú.dio) *s.m.* **1** ato preliminar, primeiro passo para (alguma coisa) *<a negociação ainda está nos p.>* **2** primeira etapa para determinado desfecho *<o desentendimento foi um p. da guerra que se deflagrou>* **3** sinal ou indício de algo que acontecerá; prenúncio *<o vento frio era um p. do inverno que se aproximava>* **4** texto ou discurso introdutório; prólogo, preâmbulo **5** MÚS composição que serve como introdução para outra

pré-matrimonial (pré-ma.tri.mo.ni.al) [pl.: *pré-matrimoniais*] *adj.2g.* que precede ao matrimônio *<conselhos p.>*

prematuro (pre.ma.tu.ro) *adj.* **1** que amadurece antes do tempo normal; temporão **2** que ocorre antes da ocasião esperada; precoce *<sua desistência foi p.>* ↺ tardio ■ *adj.s.m.* MED **3** (criança) que nasce antes do tempo normal de gestação **~ prematuridade** *s.f.*

premeditação (pre.me.di.ta.ção) [pl.: *-ões*] *s.f.* ato ou efeito de premeditar; idealização *<admitiu a p. do crime>*

premeditar (pre.me.di.tar) *v.* {mod. 1} *t.d.* decidir, formular com antecedência, depois de reflexão; arquitetar, planejar *<p. a fuga>*

premência (pre.mên.cia) *s.f.* característica do que é premente; urgência

pré-menstrual (pré-mens.tru.al) [pl.: *pré-menstruais*] *adj.2g.* próprio do período que antecede a menstruação ou relativo a ele *<tensão p.>*

premente (pre.men.te) *adj.2g.* **1** que aperta, que faz compressão **2** que exige solução rápida; urgente *<necessita de auxílio p.>* **3** *fig.* que causa aflição; angustiante *<cena p.>* ↺ tranquilo

premer (pre.mer) *v.* {mod. 8} *t.d. e pron.* **1** (fazer) sofrer pressão; comprimir(-se), apertar(-se) *<p. uma tecla> <p.-se na roupa>* □ *t.d.* **2** apertar para extrair suco, líquido etc. de; espremer *<p. um limão>* **3** tornar estreito ou apertado; apertar, estreitar *<os arranha-céus premem as ruas outrora largas>*

premiar (pre.mi.ar) *v.* {mod. 1} *t.d.* **1** conceder prêmio a; galardoar *<a Academia premiou os melhores livros do ano>* **2** dar algo a (alguém) por bom serviço, boa ação etc.; recompensar *<premiou seu salvador com um carro>* **3** dar dinheiro ou objeto a (pessoa cujo bilhete de concurso foi sorteado) *<a loteria premiou 20 ganhadores>*

prêmio (prê.mio) *s.m.* **1** quantia ou objeto de valor oferecido como retribuição de um mérito; recompensa **2** o que se oferece a ganhadores de loterias, rifas etc. **3** lucro ou juros recebidos de uma aplicação financeira ↺ prejuízo

premir (pre.mir) *v.* {mod. 24} *t.d. e pron.* premer ◉ GRAM/USO verbo defectivo

premissa (pre.mis.sa) *s.f.* **1** FIL cada uma das duas proposições de um silogismo que levam a uma terceira, chamada conclusão **2** *p.ext.* princípio que dá base a um raciocínio

pré-molar (pré-mo.lar) [pl.: *pré-molares*] *adj.s.m.* ODONT (dente) localizado entre o canino e o molar e que serve para esmagar alimentos

premonição (pre.mo.ni.ção) [pl.: *-ões*] *s.f.* **1** sensação antecipada de algo que ocorrerá; pressentimento, intuição **2** acontecimento que deve ser tomado como aviso; presságio **~ premonitório** *adj.*

pré-natal (pré-na.tal) [pl.: *pré-natais*] *adj.2g.* **1** anterior ao nascimento ■ *s.m.* **2** acompanhamento médico da gestante durante a gravidez

prenda (pren.da) *s.f.* **1** objeto que se dá a alguém; presente *<ganhar uma p.>* **2** objeto dado como prêmio em jogos; brinde **3** qualidade positiva, habilidade, simpatia, capacidade *<uma jovem de muitas p.>* ☞ mais us. no pl. **4** *RS infrm.* mulher jovem

prendar (pren.dar) *v.* {mod. 1} *t.d. e t.d.i.* **1** ofertar prendas a; presentear *<p. a namorada (com um lindo xale)>* □ *t.d.i.* **2** (prep. *de, com*) favorecer com (capacidade, maestria para fazer algo); dotar *<seus ancestrais os prendaram de (ou com) vários ofícios e artes>*

prender (pren.der) *v.* {mod. 8} *t.d. e t.d.i.* **1** (prep. *a*) ligar firmemente (uma coisa a outra); fixar, pregar *<prenda o burro à árvore>* ↺ soltar, despregar **2** (prep. *em*) privar da liberdade; aprisionar *<o juiz mandou p. os criminosos (no presídio)>* ↺ libertar, soltar **3** (prep. *em*) tolher os movimentos de *<p. o cachorro> <prendeu-a nos braços>* **4** (prep. *em*) pôr em espaço fechado; encerrar *<p. o gado (no curral)>* □ *t.d.* **5** fixar ou juntar (os cabelos) com grampos, elástico, tranças etc. ↺ soltar **6** conter, segurar *<p. a respiração, o choro>* **7** fazer ficar mais tempo; reter *<demorou porque a família o prendeu>* □ *pron.* **8** ficar preso a; agarrar-se **9** casar-se, comprometer-se **10** (prep. *a*) ter relação com; ligar-se *<tal hábito prende-se à sua educação>* □ *t.d. e int.* **11** monopolizar a atenção e o interesse (de) *<essa história prende (as crianças)>* □ *t.d.i. e pron.* **12** (prep. *a*) unir (-se) afetiva ou moralmente a *<os hábitos prendem-no à família> <prendeu-se ao belo rapaz>* **13** (prep. *a*) ter ou estabelecer conexão com; vincular(-se) *<sabe p. uma ideia a outra> <este fato prende-se ao anterior>* ↺ desvincular(-se) ◉ GRAM/USO part.: *prendido, preso*; ver QUADRO DE PARTICÍPIOS DUPLOS nas pp. iniciais

prenhe (pre.nhe) *adj.2g.* **1** que está em período de gestação (diz-se de mulher ou fêmea de animal) **2** *fig.* cheio, repleto *<p. de ideias>* **~ prenhez** *s.f.*

prenome (pre.no.me) *s.m.* nome de um indivíduo, que antecede o nome de família

prensa (pren.sa) *s.f.* **1** máquina destinada a comprimir ou achatar algo **2** máquina para imprimir texto ou imagem, ger. sobre papel

prensar (pren.sar) *v.* {mod. 1} *t.d.* **1** reduzir o volume de (algo) na prensa; comprimir *<p. latas de alumínio>* **2** apertar muito; espremer, comprimir *<p. os pés nos sapatos>* ~ **prensagem** *s.f.*

prenunciar (pre.nun.ci.ar) *v.* {mod. 1} *t.d.* **1** ver ou dizer antes de acontecer; predizer, profetizar *<p. a vitória>* **2** ser indício de; indicar, anunciar *<a febre prenuncia uma forte gripe>* ~ **prenunciação** *s.f.* - **prenunciador** *adj.s.m.* - **prenunciativo** *adj.*

prenúncio (pre.nún.cio) *s.m.* o que precede e anuncia, por indícios, um acontecimento

pré-nupcial (pré-nup.ci.al) [pl.: *pré-nupciais*] *adj.2g.* que acontece antes do casamento *<providências p.>*

preocupação (pre.o.cu.pa.ção) [pl.: *-ões*] *s.f.* **1** sentimento de responsabilidade que causa intranquilidade; apreensão *<os filhos lhe causavam muita p.>* **2** ideia fixa *<sua p. era a aparência>*

preocupado (pre.o.cu.pa.do) *adj.* **1** que se preocupa com (algo ou alguém) ↺ despreocupado **2** com a mente dominada por problemas; pensativo **3** com receio de algo ruim; apreensivo ↺ tranquilo

preocupar (pre.o.cu.par) *v.* {mod. 1} *t.d. e pron.* **1** (prep. *com*) (fazer) ficar apreensivo; inquietar (-se) *<os filhos preocupam-na> <os atrasos não o preocupam> <preocupa-se com a inflação>* ↺ tranquilizar(-se) **2** (prep. *com*) prender a atenção de ou ter atenção em; interessar(-se) *<política não o preocupa> <preocupa-se exageradamente com futebol>* □ *pron.* **3** (prep. *em*) fazer questão de; importar-se *<é um autor que se preocupa em sintetizar>* ~ **preocupante** *adj.2g.*

pré-operatório (pré-o.pe.ra.tó.rio) [pl.: *pré-operatórios*] *adj.* **1** que antecede uma cirurgia ■ *s.m.* MED **2** conjunto de procedimentos ou exames realizados no período que antecede uma cirurgia

pré-pago (pré-pa.go) [pl.: *pré-pagos*] *adj.* cujo pagamento é feito antecipadamente *<cartão telefônico p.>*

preparação (pre.pa.ra.ção) [pl.: *-ões*] *s.f.* **1** ato ou efeito de preparar(-se) **2** ação de aprontar algo para que possa ser utilizado **3** composição, fabricação; manipulação *<p. de um bolo>* **4** ação preliminar para tornar possível que algo aconteça; organização *<p. de uma festa>* **5** ato ou efeito de estudar com uma finalidade *<p. para um concurso>*

preparado (pre.pa.ra.do) *adj.* **1** organizado com antecedência; pronto *<o banquete está p.>* **2** apto, capaz para alguma tarefa *<os alunos têm de estar p. para a prova>* ■ *s.m.* FARM **3** produto confeccionado de acordo com dose e apresentação adequadas para o uso *<encomendou um p. fitoterápico para psoríase>*

preparador (pre.pa.ra.dor) /ô/ [pl.: *-es*] *adj.s.m.* que(m) prepara ▣ **p. físico** ESP indivíduo formado em educação física que, por meio de exercícios apropriados, prepara fisicamente um atleta ou uma equipe

preparar (pre.pa.rar) *v.* {mod. 1} *t.d. e pron.* **1** aparelhar(-se) antecipadamente com o que é útil ou necessário para a realização de algo; equipar(-se) *<p. o salão> <p.-se para o inverno>* **2** aprontar(-se), vestir(-se) **3** pôr(-se) em condições adequadas para; habilitar(-se) *<p. o paciente para a cirurgia> <p.-se para o concurso>* □ *t.d.* **4** tomar as medidas necessárias para a realização de; organizar *<p. um discurso>* **5** organizar, arrumar *<p. as malas>* **6** planejar de antemão; premeditar *<p. uma invasão>* **7** formar com vários elementos; compor *<p. um medicamento>* **8** fazer, elaborar (refeições, pratos)

preparativo (pre.pa.ra.ti.vo) *adj.* **1** preparatório ■ *s.m.* **2** preparação ▼ ***preparativos*** *s.m.pl.* **3** ações práticas prévias que levam à concretização de um projeto *<p. para os festejos da Independência>*

preparatório (pre.pa.ra.tó.rio) *adj.* que serve para preparar; preparativo

preparo (pre.pa.ro) *s.m.* **1** preparação **2** instrução, treinamento *<esse cargo exige p.>* **3** cultura, conhecimento *<indivíduo de grande p.>*

preponderante (pre.pon.de.ran.te) *adj.2g.* **1** que é dominante; principal **2** que tem mais peso, importância; influente *<opinião p.>* **3** superior em número ou quantidade

preponderar (pre.pon.de.rar) *v.* {mod. 1} *t.i. e int.* **1** (prep. *a, sobre*) ter mais influência, importância; predominar *<os costumes da capital preponderam sobre os hábitos do interior> <sua opinião é a que prepondera>* **2** (prep. *a, sobre*) ser maioria; predominar *<na população brasileira preponderam os mestiços (sobre os demais)>* ~ **preponderância** *s.f.*

preposição (pre.po.si.ção) [pl.: *-ões*] *s.f.* **1** colocação antes ou diante; anteposição ↺ posposição **2** GRAM palavra invariável que liga dois termos, subordinando o segundo ao primeiro e estabelecendo uma relação de sentido entre eles ~ **preposicional** *adj.2g.* - **preposicionar** *v.t.d.* - **prepositivo** *adj.*

preposicionado (pre.po.si.ci.o.na.do) *adj.* GRAM **1** que é regido por preposição *<complemento p.>* **2** que complementa um verbo transitivo direto e vem regido de preposição, para dar ênfase ou para evitar imprecisão de sentido (diz-se de objeto direto); p.ex., *amar a Deus*

preposto (pre.pos.to) /ô/ [pl. e fem.: /ó/] *adj.* **1** posto antes **2** anunciado com antecedência **3** favorito

prepotência (pre.po.tên.cia) *s.f.* abuso de poder ou de autoridade

prepotente (pre.po.ten.te) *adj.2g.* **1** que tem muito poder ou influência **2** opressor, tirano ↺ democrático

pré-puberdade (pré-pu.ber.da.de) [pl.: *pré-puberdades*] *s.f.* período que antecede a puberdade

pré-púbere (pré-pú.be.re) [pl.: *pré-púberes*] *adj.2g.s.2g.* que ou quem se encontra na fase da pré-puberdade

prepúcio (pre.pú.cio) *s.m.* ANAT prega da pele que cobre a glande do pênis

pré-requisito (pré-re.qui.si.to) [pl.: *pré-requisitos*] ou **prerrequisito** (prer.re.qui.si.to) *s.m.* condição prévia e indispensável para a realização de algo *<a emissão do diploma é p. para a posse no cargo>*

prerrogativa (prer.ro.ga.ti.va) *s.f.* direito especial, inerente a um cargo ou profissão; privilégio

P

presa (pre.sa) /ê/ *s.f.* **1** o que foi tomado do inimigo **2** pessoa ou coisa subjugada **3** *p.ext.* o que um animal caça para comer **4** ANAT ZOO dente canino ou incisivo mais comprido que os demais, presente em alguns animais **5** ANAT ZOO garra de ave de rapina

pré-sal (pré-sal) [pl.: *pré-sais*] *s.m.* GEOL camada entre 3.000 m e 4.000 m no fundo do mar que guarda petróleo [Estende-se de Santa Catarina ao Espírito Santo.]

presbiterado (pres.bi.te.ra.do) ou **presbiterato** (pres.bi.te.ra.to) *s.m.* condição ou cargo de presbítero

presbiterianismo (pres.bi.te.ri.a.nis.mo) *s.m.* REL sistema eclesiástico preconizado por Calvino (1509-1564), teólogo e reformador cristão, que dá o governo da Igreja a um corpo misto (de pastores e leigos)

presbiteriano (pres.bi.te.ri.a.no) *adj.s.m.* REL (protestante) que não reconhece a autoridade episcopal nem hierarquia superior à dos presbíteros

presbitério (pres.bi.té.rio) *s.m.* **1** área em torno do altar-mor, que ger. se estende até os seus degraus de acesso **2** conjunto dos presbíteros de uma diocese, sob a direção do bispo **3** no presbiterianismo, a corporação dos presbíteros

presbítero (pres.bí.te.ro) *s.m.* **1** sacerdote, padre **2** dirigente e chefe espiritual dos presbiterianos

presciência (pres.ci.ên.cia) *s.f.* **1** conhecimento do futuro **2** ciência inata, anterior ao estudo ~ **presciente** *adj.2g.*

prescindir (pres.cin.dir) *v.* {mod. 24} *t.i.* **1** (prep. *de*) deixar de lado; renunciar, dispensar *<p. de ajuda>* ↺ aceitar **2** (prep. *de*) não levar em conta; abstrair *<p. das coisas terrenas>* ~ **prescindência** *s.f.* - **prescindível** *adj.2g.*

prescrever (pres.cre.ver) *v.* {mod. 8} *t.d.* **1** ordenar antecipada e explicitamente *<p. um cerimonial>* **2** dar ordem ou determinação para; estabelecer *<o diretor prescreveu as funções dos professores>* **3** aconselhar uma norma, padrão para; normatizar *<a gramática prescreve as normas de ortografia>* □ *t.d. e t.d.i.* **4** (prep. *a*) receitar (remédio, tratamento etc.) *<p. um analgésico (a um paciente)>* □ *int.* DIR **5** ficar sem efeito pela expiração do prazo legal; caducar *<depois de 15 anos, o crime prescreveu>* ◉ GRAM/USO part.: *prescrito* ~ **prescritibilidade** *s.f.* - **prescritível** *adj.2g.* - **prescrito** *adj.*

prescrição (pres.cri.ção) [pl.: *-ões*] *s.f.* **1** ordem expressa; determinação **2** norma, regra **3** receita médica **4** MED conjunto de medidas não cirúrgicas determinadas pelo médico **5** DIR esgotamento de prazo estabelecido por lei **6** DIR extinção da possibilidade de um criminoso ser punido, por não ter o Estado agido no tempo determinado

presença (pre.sen.ça) *s.f.* **1** o fato de algo ou alguém estar em algum lugar; comparecimento *<sua p. na festa foi fundamental>* ↺ ausência **2** o fato de algo ou alguém existir em algum lugar; existência *<a p. de montanhas na cidade>* **3** característica do que impressiona; personalidade, individualidade *<teve muita p. em cena>* ▣ **p. de espírito** capacidade de reagir prontamente e de maneira inteligente ou espirituosa, numa situação inesperada • **marcar p.** *B* comparecer a um evento para ser notado ou para não ofender o dono da festa ou o homenageado ~ **presencial** *adj.2g.*

presenciar (pre.sen.ci.ar) *v.* {mod. 1} *t.d.* estar presente a; assistir, ver *<p. o reencontro de mãe e filha>*

presente (pre.sen.te) *s.m.* **1** objeto ofertado; mimo **2** *fig.* dádiva; dom *<essa chuva foi um p. dos céus>* **3** o tempo atual ■ *adj.2g.* **4** que está no local e na hora em que determinado fato ou evento ocorre *<peço que os alunos p. abram seus livros>* ↺ ausente **5** *fig.* evidente, manifesto *<raiva p.>*

presentear (pre.sen.te.ar) *v.* {mod. 5} *t.d. e t.d.i.* (prep. *com*) dar presente a; prendar, regalar *<gosto de presenteá-los>* *<p. a filha com um anel>*

presepada (pre.se.pa.da) *s.f.* *B infrm.* **1** escândalo, confusão **2** inconveniência, palhaçada

presépio (pre.sé.pio) *s.m.* representação da cena do nascimento de Jesus

preservação (pre.ser.va.ção) [pl.: *-ões*] *s.f.* **1** defesa, salvaguarda, conservação *<p. de um bem cultural>* **2** BIO conjunto de práticas, como o manejo planejado e programas de reprodução, que visa à manutenção de populações ou espécies ☞ cf. *conservação*

preservar (pre.ser.var) *v.* {mod. 1} *t.d.,t.d.i. e pron.* **1** (prep. *de*) pôr(-se) a salvo de (mal, dano ou perigo); defender(-se), resguardar(-se) *<p. a saúde>* *<p. a natureza da poluição>* *<p.-se da inveja alheia>* ↺ arriscar(-se) □ *t.d.* **2** manter em bom estado e/ou com suas características naturais; conservar *<p. as florestas>* ↺ destruir ~ **preservador** *adj.s.m.*

preservativo (pre.ser.va.ti.vo) *s.m.* **1** dispositivo ou substância us. para evitar a concepção **2** camisa de vênus **3** substância que se adiciona a um produto para conservá-lo inalterado por mais tempo ■ *adj.s.m.* **4** (o) que preserva

presidência (pre.si.dên.cia) *s.f.* **1** ato ou efeito de presidir; direção **2** título ou cargo de presidente **3** tempo de duração do exercício desse cargo

presidencialismo (pre.si.den.ci.a.lis.mo) *s.m.* POL regime político em que a chefia do governo cabe a um presidente ~ **presidencialista** *adj.2g.s.2g.*

presidente (pre.si.den.te) *s.2g.* **1** quem dirige os trabalhos em um congresso, assembleia, tribunal etc. **2** título oficial do chefe do governo no regime presidencialista **3** título oficial do chefe da nação nas repúblicas parlamentaristas ■ *adj.2g.* **4** que dirige, preside ◉ GRAM/USO o fem. *presidenta* tb. é us. ~ **presidencial** *adj.2g.*

presidiário (pre.si.di.á.rio) *adj.* **1** relativo ou pertencente a presídio; penitenciário *<guarda p.>* ■ *s.m.* **2** indivíduo que cumpre pena em presídio; preso

presídio (pre.sí.dio) *s.m.* casa de detenção; penitenciária

presidir (pre.si.dir) *v.* {mod. 24} *t.d. e t.i.* **1** (prep. *a*) administrar como presidente; dirigir *<p. o país>* *<p. a uma empresa>* **2** (prep. *a*) assistir, dirigindo ou guiando *<p. (a)os alunos>* □ *t.d.,t.i. e int.* **3** (prep. *a*) dar orientação, indicar o que é melhor; guiar, nortear *<a justiça deve p. os homens>* *<são leis que presidem à vida>* *<nem sempre o bom senso preside>*

presilha (pre.si.lha) *s.f.* **1** tira para prender, afivelar, amarrar alguma coisa em outra **2** peça com fecho para prender os cabelos **3** pequena tira de pano presa ao cós da roupa para passar o cinto

preso (pre.so) /ê/ *adj.s.m.* **1** prisioneiro ■ *adj.* **2** atado; amarrado ↺ solto **3** fixado ou unido por meio de prego, parafuso etc. *<as mesas estão p. ao chão>* **4** *fig.* impedido de se mover com liberdade *<p. a uma cadeira de rodas>* **5** *fig.* obrigado a ficar em local fechado *<fico p. no escritório o dia todo>* ◉ GRAM/USO part. de *prender*

pressa (pres.sa) *s.f.* **1** necessidade de fazer algo rápido; urgência *<p. para sair>* **2** rapidez, velocidade *<faz tudo com p.>* ↺ lentidão **3** falta de calma para fazer algo; afobação *<não tenha p. para resolver>* ↺ tranquilidade ▣ **às p.** com muita rapidez e ger. malfeito *<limpeza feita às p.>*

pressagiar (pres.sa.gi.ar) *v.* {mod. 1} *t.d.* **1** anunciar por presságios; vaticinar *<o oráculo pressagiou desgraça>* □ *t.d. e t.d.i.* **2** (prep. *a*) anunciar (o que não aconteceu), com base em indícios ou pela intuição; prever, adivinhar *<havia pressagiado a crise econômica> <p. sucesso à artista>*

presságio (pres.sá.gio) *s.m.* **1** fato ou sinal pelo qual se julga adivinhar o futuro; agouro **2** pressentimento *<teve um mau p. em relação à viagem>* **~ pressagioso** *adj.*

pressago (pres.sa.go) *adj.* que anuncia ou prevê o futuro

pressão (pres.são) [pl.: *-ões*] *s.f.* **1** força que age sobre uma superfície *<fez p. sobre a mala para fechá-la>* **2** *fig.* coação; constrangimento moral *<sofreu p. da família para voltar>* **3** tipo de botão ('pequena peça') em que as duas partes se encaixam por pressão **4** tensão do sangue nas artérias, veias etc. *<p. alta>* ▣ **p. arterial** FISL tensão do sangue nas artérias; pressão sanguínea, tensão arterial • **p. atmosférica** FÍS pressão exercida pelo peso da camada de ar sobre um ponto qualquer da superfície terrestre • **p. sanguínea** FISL pressão arterial

pressentimento (pres.sen.ti.men.to) *s.m.* sentimento que prevê um fato; presságio *<tenho o p. de que isso vai ser bom>*

pressentir (pres.sen.tir) *v.* {mod. 28} *t.d.* **1** sentir antes (o que ainda vai acontecer) *<p. a dor de cabeça>* **2** perceber ao longe ou antes de ver; antever *<pressentiu a perseguição e fugiu>* **3** ter suspeitas de; desconfiar *<pressentiu a traição do marido>*

pressionar (pres.sio.nar) *v.* {mod. 1} *t.d.* **1** fazer pressão sobre; comprimir, apertar *<p. a válvula> <p. o botão da campainha>* ↺ descomprimir □ *t.d. e t.d.i.* **2** (prep. *a*, *por*) forçar (alguém), por constrangimento físico, moral, financeiro etc., a (fazer algo); coagir *<p. o juiz (a agir contra alguém)>*

pressupor (pres.su.por) *v.* {mod. 23} *t.d.* **1** supor antecipadamente; imaginar **2** fazer supor a existência de; presumir, subentender *<esse preço alto pressupõe uma boa qualidade do produto>* ◉ GRAM/USO part.: *pressuposto* **~ pressuposição** *s.f.*

pressuposto (pres.su.pos.to) [pl.: /ó/] *adj.* **1** que se pressupõe; presumido ■ *s.m.* **2** o que se supõe antecipadamente *<os p. para o pedido de empréstimo>* ◉ GRAM/USO part. de *pressupor*

pressurizar (pres.su.ri.zar) *v.* {mod. 1} *t.d.* manter pressão normal em (veículos ou recintos que funcionam em grandes altitudes ou profundidades, como avião, submarino etc.) **~ pressurização** *s.f.*

pressuroso (pres.su.ro.so) /ô/ [pl. e fem.: /ó/] *adj.* **1** que tem pressa; apressado ↺ lento **2** ansioso, impaciente ↺ calmo **3** muito ocupado ↺ ocioso **4** muito dedicado ao trabalho ↺ negligente

prestação (pres.ta.ção) [pl.: *-ões*] *s.f.* **1** ação de prestar algo; fornecimento *<p. de serviços>* **2** quitação parcelada e periódica de um débito *<compra à p.>* **3** cada uma das parcelas desse débito *<tenho que pagar hoje a p. do carro>* ▣ **p. de contas 1** apresentação do emprego de verbas destinadas a determinado fim **2** *p.ext.* qualquer explicação que alguém dá a outrem, sobre algo importante para este

prestar (pres.tar) *v.* {mod. 1} *t.d.i.* **1** (prep. *a*) propiciar, dar (algo) a (quem precisa) *<p. ajuda aos desabrigados>* ↺ negar **2** (prep. *a*) realizar, dedicar *<p. culto aos deuses>* **3** (prep. *a*) dar, transmitir, comunicar *<o barro presta à casa aparência rústica>* □ *t.d. e t.d.i.* **4** (prep. *a*) apresentar com reverência *<p. continência (ao superior)>* □ *t.i. e int.* **5** (prep. *para*) ter utilidade, serventia; valer, servir *<essa ferramenta já não p. (para nada)>* □ *int.* **6** ter bom caráter, ser sério, honesto *<aquele sujeito não p.>* □ *pron.* **7** (prep. *a*) consentir, aceitar *<p.-se a um papel ridículo>* □ *t.d.* **8** realizar por imposição legal; cumprir *<p. serviço militar>* **~ prestável** *adj.2g.*

prestativo (pres.ta.ti.vo) *adj.* que gosta ou tem o hábito de ajudar; solícito

preste (pres.te) *adj.2g. e adv.* prestes

prestes (pres.tes) *adj.2g.2n.* **1** pronto, disponível *<p. a assumir o compromisso>* ↺ despreparado **2** que está na iminência de *<está p. a se aposentar>* ↺ remoto **3** rápido, ligeiro ↺ lento ■ *adv.* **4** sem demora *<devolver p. um anel>* ↺ devagar

presteza (pres.te.za) /ê/ *s.f.* **1** qualidade do que é prestes **2** característica do que é ligeiro para fazer algo; rapidez *<p. no atendimento>* ↺ demora **3** disposição de ajudar com boa vontade e rapidez *<atendeu ao nosso pedido com a habitual p.>* ↺ descaso

prestidigitação (pres.ti.di.gi.ta.ção) [pl.: *-ões*] *s.f.* técnica de iludir o espectador com truques que dependem esp. da rapidez e agilidade das mãos; ilusionismo, mágica

prestidigitador (pres.ti.di.gi.ta.dor) /ô/ [pl.: *-es*] *adj.s.m.* **1** que(m) tem agilidade com as mãos para iludir os demais **2** (aquele) que faz números de mágica; mágico, ilusionista

prestigiar (pres.ti.gi.ar) *v.* {mod. 1} *t.d. e pron.* **1** (fazer) ter prestígio, boa reputação; valorizar(-se) *<o bom nível de educação prestigia o país> <ninguém se prestigia com esse mau procedimento>* ↺ rebaixar(-se) □ *t.d.* **2** valorizar com sua presença, participação etc. *<p. a filha na formatura>*

prestígio (pres.tí.gio) *s.m.* **1** valor positivo atribuído a algo ou alguém *<ele não tem mais o p. de antes>* **2** reconhecimento das qualidades de algo ou alguém *<marca de grande p.>* **~ prestigioso** *adj.*

prestímano (pres.tí.ma.no) *s.m.* **1** quem tem muita habilidade e destreza com as mãos **2** prestidigitador

préstimo (prés.ti.mo) *s.m.* **1** ato de ajudar ou o seu efeito; socorro, auxílio *<não abre mão de seus p.>* ☞ mais us. no pl. **2** utilidade, serventia ↺ inutilidade **~ prestimoso** *adj.*

P

préstito (prés.ti.to) *s.m.* **1** grupo de pessoas que caminham juntas com determinada finalidade; cortejo **2** desfile de carros, carruagens etc.; corso

presto (pres.to) *s.m.* MÚS composição musical ou movimento de uma composição em andamento mais rápido que o alegro

presumido (pre.su.mi.do) *adj.* **1** deduzido por hipótese; suposto *<não encontraram o p. autor da carta>* ■ *adj.s.m.* **2** vaidoso, arrogante ↺ humilde

presumir (pre.su.mir) *v.* {mod. 24} *t.d.* **1** tirar conclusão antecipada, baseada em indícios e suposições e não em fatos comprovados; supor *<p. o melhor para todos>* **2** fazer supor a existência de; subentender **3** desconfiar, suspeitar *<presumiu que seria traído>* **~ presumível** *adj.2g.*

presunção (pre.sun.ção) [pl.: *-ões*] *s.f.* **1** suposição que se toma por verdadeira **2** confiança excessiva em si mesmo; pretensão ↺ humildade **3** opinião muito elogiosa sobre si mesmo; vaidade ↺ modéstia

presunçoso (pre.sun.ço.so) /ô/ [pl. e fem.: /ó/] *adj.s.m.* (aquele) que se supõe melhor, superior, mais bonito, mais inteligente que os demais; presumido, vaidoso ↺ humilde, modesto, simples

presunto (pre.sun.to) *s.m.* **1** pernil de porco defumado ou cozido inteiro **2** *B infrm.* corpo abandonado em lugar ermo

pretendente (pre.ten.den.te) *adj.2g.s.2g.* **1** (o) que pretende algo **2** (o) que solicita algo; requerente **3** que(m) expressa o desejo de casar-se com alguém

pretender (pre.ten.der) *v.* {mod. 8} *t.d.* e *t.d.i.* **1** (prep. *de*) reclamar como um direito; exigir *<p. um reembolso> <o que você pretende de nós?>* □ *t.d.i.* **2** (prep. *de*) contar com algo; esperar, exigir *<naquela situação, não podia p. grandes coisas> <pretendia lealdade dos empregados>* □ *t.d.* **3** ter vontade de; desejar, querer *<pretendo viajar no mês que vem>* □ *pron.* **4** considerar-se, julgar-se *<p.-se um bom ator>* ◉ GRAM/USO part.: *pretendido*, *pretenso*; ver QUADRO DE PARTICÍPIOS DUPLOS nas pp. iniciais

pretensão (pre.ten.são) [pl.: *-ões*] *s.f.* **1** desejo ambicioso ↺ desinteresse **2** vaidade exagerada; presunção ↺ humildade **3** exigência, solicitação ↺ renúncia

pretensioso (pre.ten.si.o.so) /ô/ [pl. e fem.: /ó/] *adj.s.m.* **1** (aquele) que tem muita pretensão; ambicioso ↺ comedido **2** (o) que pretende ser mais do que é na realidade; presumido, vaidoso ↺ simples **3** que(m) é arrogante, soberbo ↺ humilde

pretenso (pre.ten.so) *adj.* **1** suposto; imaginado *<o p. autor do romance>* **2** criado na imaginação; fictício *<fez-me acreditar na sua p. doença>*

preterir (pre.te.rir) *v.* {mod. 28} *t.d.* **1** deixar de lado; desprezar, rejeitar *<nunca preteriu os clientes que não podiam pagar>* **2** deixar de mencionar; omitir *<p. detalhes>* ↺ revelar **3** deixar de promover a posto superior, sem motivo legal ou moral *<preteriu o mais antigo e nomeou um afilhado>* **~ preterição** *s.f.* - **preterível** *adj.2g.*

pretérito (pre.té.ri.to) *adj.* **1** situado no passado *<vidas p.>* ■ *s.m.* GRAM **2** forma verbal que indica ação ou estado anterior ao momento em que se fala (p.ex., no modo indicativo: p. perfeito *andei*; p. imperfeito *andava*; p. mais-que-perfeito *andara*)

pretexto (pre.tex.to) /ê/ *s.m.* motivo que se declara para encobrir a verdadeira razão de (algo); desculpa *<foi embora com o p. de estar cansado>* **~ pretextar** *v.t.d.*

preto (pre.to) /ê/ *s.m.* **1** a cor do piche ou do carvão ■ *adj.s.m.* **2** (o) que tem essa cor **3** (indivíduo) de pele escura ☞ a pal. pode ser ofensiva nessa acp. ■ *adj.* **4** diz-se dessa cor **5** diz-se do que tem cor escura *<pão p.>* **6** *B infrm.* complicado ou perigoso *<a situação ficou p.>* ▣ **pôr o p. no branco 1** escrever, para não ficar só na palavra oral **2** esclarecer (algo)

preto e branco (pre.to e bran.co) *s.m.2n.* **1** combinação de preto com branco, ou de branco, preto e diversas nuances de cinza [siglas: P&B, p&b e PB] *<o p. e branco é a técnica preferida desse fotógrafo> <sofá forrado de p. e branco>* ■ *adj.2g.2n.* **2** REC.AV não colorido (diz-se de filme fotográfico, cinematográfico ou de imagem de TV) [siglas: P&B, p&b e PB] **3** GRÁF executado apenas com a cor preta e seus meios-tons (diz-se de trabalho impresso ou de arte-final) [siglas: P&B, p&b e PB] ☞ em ambas as acp., cf. *colorido*

pretor (pre.tor) /ô/ [pl.: *-es*] *s.m.* **1** HIST magistrado que administrava a justiça na antiga Roma **2** *RJ* juiz de categoria inferior à de juiz de direito **~ pretoria** *s.f.*

pretume (pre.tu.me) *s.m.* **1** cor preta **2** escuridão

prevalecer (pre.va.le.cer) *v.* {mod. 8} *t.i.* e *int.* **1** (prep. *a*, *sobre*) levar vantagem; preponderar, predominar *<a razão prevalece sobre a emoção> <a verdade prevaleceu>* □ *int.* **2** continuar a existir; manter-se *<um antigo costume que ainda prevalece>* □ *pron.* **3** (prep. *de*) tirar proveito pessoal de; servir-se *<p.-se de um cargo de comando>* **~ prevalecente** *adj.2g.*

prevalência (pre.va.lên.cia) *s.f.* característica do que prevalece; superioridade, supremacia *<a p. do bem sobre o mal>* ↺ inferioridade

prevaricar (pre.va.ri.car) *v.* {mod. 1} *t.i.* e *int.* **1** (prep. *a*) transgredir (dever) por má-fé ou interesse próprio *<p. aos deveres> <o juiz prevaricou>* □ *int.* **2** cometer abuso de poder, causando prejuízo ao Estado ou a outrem *<serão punidos os funcionários que prevaricaram>* **3** transgredir a moral e os bons costumes **4** cometer adultério **~ prevaricação** *s.f.*

prevenção (pre.ven.ção) [pl.: *-ões*] *s.f.* **1** conjunto de medidas que visam evitar algo *<p. contra incêndios>* **2** ideia preconcebida *<examine o pedido sem p.>* **3** preconceito, cisma *<ter p. contra camelôs>* **4** cautela ↺ imprudência

prevenido (pre.ve.ni.do) *adj.* **1** que foi avisado de (algo) **2** que se previne ou que se preveniu; precavido *<homem p. vale por dois>* **3** que tem prevenção, desconfiança, aversão, com relação a alguém ou a algo *<esse já chegou de espírito p. contra a manifestação>* **4** com dinheiro no bolso *<não posso comprar isso porque não estou p.>*

prevenir (pre.ve.nir) *v.* {mod. 27} *t.d.* **1** tomar medidas para impedir (mal ou dano); evitar *<a higiene previne doenças>* □ *t.d.* e *t.d.i.* **2** (prep. *de*) informar antes, pondo de sobreaviso; precaver *<p. os caçadores (dos riscos da viagem)>* □ *pron.* **3** agir com cautela; precaver-se *<p.-se enchendo a despensa>*

preventivo (pre.ven.ti.vo) *adj.* **1** que serve ou é próprio para prevenir *<medidas p.>* **2** executado por medida de segurança; profilático *<um tratamento p.>* ■ *s.m.* **3** preservativo ('dispositivo ou substância')

prever (pre.ver) *v.* {mod. 12} *t.d.* **1** ter ideia antecipada de; presumir, antever *<p. um resultado>* **2** perceber (fato futuro) por meios sobrenaturais; adivinhar **3** analisar, examinar com antecedência *<p. as consequências de uma ação>* **4** fazer supor; subentender, pressupor *<este projeto prevê a construção de novas barragens>*

pré-vestibular (pré-ves.ti.bu.lar) [pl.: *pré-vestibulares*] *adj.2g.s.m.* **1** *B* (curso) preparatório para o exame vestibular ■ *adj.2g.* **2** que antecede o exame vestibular

prévia (pré.via) *s.f.* pesquisa junto aos eleitores, anterior às eleições, para conhecer as suas tendências de voto

previdência (pre.vi.dên.cia) *s.f.* **1** precaução, cautela ↺ descuido **2** previsão do futuro; conjectura ▣ **p. privada** instituição privada que, cobrando certo número de contribuições dos associados, garante a eles aposentadorias e pensões • **p. social** conjunto de instituições estatais de amparo ao trabalhador

previdenciário (pre.vi.den.ci.á.rio) *adj.* **1** que diz respeito a previdência ■ *s.m.* **2** funcionário de instituto de previdência

previdente (pre.vi.den.te) *adj.2g.* que toma medidas antecipadas para evitar transtornos; precavido ↺ imprevidente

prévio (pré.vio) *adj.* **1** anterior, antecipado *<fez um contato p. com a empresa>* ↺ posterior **2** que antecede o principal; preliminar *<reunião p. para discutir a pauta do encontro>*

previsão (pre.vi.são) [pl.: *-ões*] *s.f.* **1** presságio **2** antecipação, por suposição, do que ainda não aconteceu; conjectura **3** cálculo antecipado das necessidades e dos custos de realização de um projeto, um programa de governo etc.

previsível (pre.vi.sí.vel) [pl.: *-eis*] *adj.2g.* que se pode prever; presumível *<a tempestade era p.>* ↺ imprevisível

previsto (pre.vis.to) *adj.* **1** deduzido com antecipação; pressentido *<depois da discussão, sua demissão era p.>* **2** conhecido de antemão *<crime p. em lei>*

prezado (pre.za.do) *adj.* querido, estimado ↺ desprezado

prezar (pre.zar) *v.* {mod. 1} *t.d.* **1** ter em alta consideração ou estima; gostar *<p. os homens de ciência>* **2** ter desejo de; almejar, querer *<p. a paz de espírito>* **3** ser adepto de; defender, respeitar *<p. a ordem, a liberdade>* ↺ desrespeitar □ *pron.* **4** (prep. *de*) sentir orgulho de si mesmo *<p.-se de ser bom profissional>*

prima (pri.ma) *s.f.* **1** filha de tio ou tia **2** MÚS a primeira e mais fina corda de alguns instrumentos (cítara, guitarra, viola etc.)

primacial (pri.ma.ci.al) [pl.: *-ais*] *adj.2g.* referente a primaz ou a primazia

primado (pri.ma.do) *s.m.* **1** primazia **2** condição do que está em primeiro lugar; prioridade *<o p. da razão>* **3** superioridade, excelência

prima-dona (pri.ma-do.na) [pl.: *primas-donas*] *s.f.* **1** cantora principal de uma ópera **2** diva ('cantora de ópera')

primar (pri.mar) *v.* {mod. 1} *t.i.* **1** (prep. *entre*) ter a primazia ou preferência **2** (prep. *por*) chamar a atenção por; destacar-se

primário (pri.má.rio) *adj.* **1** o que vem antes; primeiro ↺ último **2** simples, elementar *<questão p.> <raciocínio p.>* ↺ complexo **3** básico *<necessidades p.>* ■ *s.m.* **4** antigo curso equivalente ao primeiro ciclo do ensino fundamental ~ **primariedade** *s.f.*

primarismo (pri.ma.ris.mo) *s.m.* **1** característica do que é primário, primitivo, rudimentar; primariedade **2** caráter do que é limitado, tacanho; limitação *<seus argumentos são de um p. de dar dó>*

primata (pri.ma.ta) *s.m.* ZOO **1** espécime dos primatas, ordem de mamíferos que compreende o homem, os macacos, os lêmures e formas relacionadas ■ *adj.2g.* **2** relativo a esse espécime ou a essa ordem

primavera (pri.ma.ve.ra) *s.f.* **1** estação de temperatura amena, entre o inverno e o verão **2** *fig.* época primeira; aurora *<a p. do mundo>* **3** *fig.* a infância e a juventude **4** BOT buganvília ~ **primaveril** *adj.2g.*

primaz (pri.maz) [pl.: *-es*] *s.m.* **1** título honorífico concedido aos arcebispos de algumas sés da Igreja católica ■ *adj.2g.* **2** que está em primeiro lugar em importância, na hierarquia etc.

primazia (pri.ma.zi.a) *s.f.* **1** prioridade, primado **2** excelência **3** cargo de primaz

primeira-dama (pri.mei.ra-da.ma) [pl.: *primeiras-damas*] *s.f.* mulher de governante (presidente, prefeito ou governador)

primeiro (pri.mei.ro) *n.ord.* **1** (o) que ocupa, numa sequência, a posição número um *<p. andar>* ↺ último ■ *adj.* **2** que precede outros em tempo, importância ou lugar *<p. pessoa a chegar>* ↺ último ■ *adv.* **3** antes de qualquer outro, em espaço, tempo ou importância *<foi p. ao banco>* ↺ finalmente

primeiro-ministro (pri.mei.ro-mi.nis.tro) [pl.: *primeiros-ministros*] *s.m.* chefe do governo no regime parlamentarista

primeiro-sargento (pri.mei.ro-sar.gen.to) [pl.: *primeiros-sargentos*] *s.m.* **1** posto situado entre o de aspirante a oficial e o de segundo-sargento **2** militar que detém esse posto

primeiro-tenente (pri.mei.ro-te.nen.te) [pl.: *primeiros-tenentes*] *s.m.* **1** no Exército, posto situado entre o de capitão e o de segundo-tenente **2** na Marinha, posto de oficial situado entre o de capitão-tenente e o de segundo-tenente **3** na Aeronáutica, posto de oficial situado entre o de capitão-aviador e o de segundo-tenente **4** oficial que ocupa um desses postos

primevo (pri.me.vo) *adj.* **1** dos primeiros tempos; inicial *<habitantes p. do Brasil>* **2** antigo, primitivo

primícias (pri.mí.cias) *s.f.pl.* as primeiras coisas de uma série; começos, prelúdios

primitivo (pri.mi.ti.vo) *adj.* **1** que é o primeiro a existir; inicial, original ↺ último **2** ancestral, remoto *<p. colonizadores>* **3** existente nos primeiros tempos da Terra *<homens p.>* **4** que não evoluiu nem se aperfeiçoou; antiquado *<método p. de colheita>* ↺ moderno **5** sem instrução ou refinamento *<as pessoas ali são muito p.>* ↺ refinado ~ **primitivismo** *s.m.*

primo (pri.mo) *s.m.* **1** indivíduo, em relação aos filhos de tio ou tia **2** parente afastado ■ *adj.* MAT **3** que só é divisível por si mesmo e pela unidade (diz-se de número)

primogênito (pri.mo.gê.ni.to) *adj.s.m.* (filho) que nasceu primeiro **~ primogenitura** *s.f.*

primor (pri.mor) /ô/ [pl.: *-es*] *s.m.* **1** perfeição, excelência *<o trabalho está um p.>* ↺ desprimor **2** riqueza de detalhes; apuro *<o p. da pintura japonesa>* ↺ desleixo

primordial (pri.mor.di.al) [pl.: *-ais*] *adj.2g.* **1** relativo a primórdio **2** primeiro, primitivo **3** que é importante; essencial *<mudanças p.>* ↺ secundário **~ primordialidade** *s.f.*

primórdio (pri.mór.dio) *s.m.* origem, princípio *<nos p. da civilização>* ↺ término ☞ freq. no pl.

primoroso (pri.mo.ro.so) /ô/ [pl. e fem.: /ó/] *adj.* **1** que é maravilhoso, perfeito *<paisagem p.>* **2** feito com primor; caprichado *<acabamento p.>* ↺ descuidado **3** de excelente qualidade; admirável *<educação p.>*

princesa (prin.ce.sa) /ê/ *s.f.* **1** mulher de príncipe **2** soberana de principado **3** filha de rei, imperador ou príncipe **4** *fig.* menina ou moça mimada **5** *fig.* menina ou moça graciosa *<ela é uma p.>*

principado (prin.ci.pa.do) *s.m.* **1** título ou condição de príncipe ou princesa **2** estado independente cujo governante é um príncipe ou uma princesa *<p. de Mônaco>*

principal (prin.ci.pal) [pl.: *-ais*] *adj.2g.* **1** que é o mais considerado ou importante; essencial, fundamental *<p. líder do movimento> <p. porto>* ↺ secundário **2** de maior relevância *<p. argumento>* ↺ insignificante ■ *s.f.* GRAM **3** ver ***ORAÇÃO PRINCIPAL***

principalmente (prin.ci.pal.men.te) *adv.* em especial, sobretudo; mormente *<falou p. de sua experiência do estrangeiro>*

príncipe (prín.ci.pe) [fem.: *princesa*] *s.m.* **1** filho ou membro de família reinante **2** filho primogênito do rei **3** chefe de um principado **~ principesco** *adj.*

principiante (prin.ci.pi.an.te) *adj.2g.* **1** que principia ■ *adj.2g.s.2g.* **2** iniciante, inexperiente ↺ experto

principiar (prin.ci.pi.ar) *v.* {mod. 1} *t.d. e int.* dar início a ou ter início; começar, abrir *<ainda não principiou seu discurso> <as aulas já principiaram>* ↺ terminar

princípio (prin.cí.pio) *s.m.* **1** o primeiro momento de uma ação ou processo; início, começo *<p. da vida na Terra> <no p. da aula>* **2** o que serve de base a alguma coisa *<os p. da física>* **3** elemento ou conjunto de elementos que, por suas propriedades, entra na constituição ou elaboração de qualquer coisa *<p. químico>* **4** preceito, regra *<p. da boa educação>* ▼ ***princípios*** *s.m.pl.* **5** regras de conduta moral **6** convicções *<homem de p.>* ▣ **a p.** no princípio; inicialmente • **em p.** de maneira geral *<em p., não temos nada contra você>*

prior (pri.or) /ô/ [pl.: *-es*; fem.: *priora* e *prioresa*] *s.m.* superior de ordem religiosa *<p. dos franciscanos>*

prioridade (pri.o.ri.da.de) *s.f.* **1** preferência, primazia *<idosos têm p. no atendimento>* ↺ preterição **2** condição do que está em primeiro lugar em importância, urgência, necessidade etc. *<nossa p. é combater a miséria>*

prioritário (pri.o.ri.tá.rio) *adj.* que tem prioridade ↺ preterível

priorizar (pri.o.ri.zar) *v.* {mod. 1} *t.d.* tratar de (algo) em primeiro lugar e com mais empenho *<o governo vai p. a educação>* **~ priorização** *s.f.*

prisão (pri.são) [pl.: *-ões*] *s.f.* **1** captura, aprisionamento ↺ soltura **2** condição de quem está preso; cativeiro *<a p. deixou-o abalado>* ↺ liberdade **3** cadeia, presídio *<escreveu um livro na p.>* **4** *p.ext.* recinto fechado *<seu local de trabalho é uma p. sem ar>* **5** *fig.* vínculo, laço *<não podia fugir à p. do seu olhar>* ▣ **p. de ventre** retenção das fezes no intestino; constipação

prisco (pris.co) *adj.* que pertence a tempos idos; antigo, prístino *<isto vem de p. eras>* ↺ recente

prisional (pri.sio.nal) [pl.: *-ais*] *adj.2g.* **1** relativo a ou próprio de prisão; carcerário *<regime p.>* **2** que deve ser cumprido na prisão *<pena p.>*

prisioneiro (pri.sio.nei.ro) *adj.s.m.* **1** (o) que perdeu a liberdade ↺ livre ■ *s.m.* **2** preso, cativo **3** *fig.* ligado ou fixado a uma ideia *<p. das paixões>*

prisma (pris.ma) *s.m.* **1** GEOM sólido formado por dois polígonos iguais e paralelos na base e por paralelogramos nas laterais **2** FÍS sólido em forma de prisma, transparente, capaz de decompor os raios de luz **3** *fig.* ponto de vista *<apresentar o fato sob novo p.>* **~ prismático** *adj.*

prístino (prís.ti.no) *adj.* prisco

privação (pri.va.ção) [pl.: *-ões*] *s.f.* **1** supressão de um bem ou de uma faculdade normal *<p. da visão>* ▼ ***privações*** *s.f.pl.* **2** necessidade, fome, miséria *<passou por muitas p.>* ↺ opulência

privacidade (pri.va.ci.da.de) *s.f.* vida particular; intimidade ↺ exposição, publicidade

privada (pri.va.da) *s.f.* vaso sanitário; latrina

privado (pri.va.do) *adj.* **1** particular *<empresa p.>* ↺ público, estatal **2** confidencial *<reunião p.>* **3** íntimo, pessoal **4** a quem se privou de (algo); destituído *<criança p. de afeto>*

privar (pri.var) *v.* {mod. 1} *t.d.i.* **1** (prep. *de*) tornar impossível a; proibir, impedir *<p. uma criança de brincar>* ↺ permitir □ *t.d.i. e pron.* **2** (prep. *de*) (fazer) ficar sem ter, usar, fazer (algo); despojar(-se), destituir(-se) *<p. alguém da liberdade> <privou-o de sua terra> <p.-se dos prazeres>* □ *t.i.* **3** (prep. *com*) estar em convivência íntima ou familiar com; relacionar-se *<p. com celebridades>* **4** (prep. *de*) tomar parte; compartilhar, participar *<p. da intimidade de alguém>*

privativo (pri.va.ti.vo) *adj.* **1** próprio, exclusivo *<garagem p. da loja>* ↺ coletivo **2** que contém ou leva à privação *<pena p. da liberdade>* **~ privatividade** *s.f.*

privatizar (pri.va.ti.zar) *v.* {mod. 1} *t.d.* **1** pôr sob responsabilidade de empresa particular a gestão de (bem público) ↺ estatizar, encampar **2** realizar (empresa privada) a aquisição ou incorporação de (empresa pública) **~ privatização** *s.f.*

privilegiado (pri.vi.le.gi.a.do) *adj.* **1** que goza de privilégio, de vantagem **2** que possui elevado nível de vida, a que nem todos têm acesso *<classe economicamente p.>* **3** que é superior ao comum *<ouvido p.>* ■ *s.m.* **4** indivíduo que goza de privilégios, vantagens *<era um p. entre os aposentados>*

privilegiar (pri.vi.le.gi.ar) *v.* {mod. 1} *t.d. e pron.* **1** conceder privilégio, benefício a ou usufrir deles; favorecer(-se), beneficiar(-se) *<p. os banqueiros> <alguns países privilegiam-se com o protecionismo>* □ *t.d.* **2** tratar melhor; distinguir, preferir *<p. um aluno>*

privilégio (pri.vi.lé.gio) *s.m.* **1** regalia para alguém ou um grupo em detrimento da maioria <*os p. da diretoria*> ↺ desvantagem **2** oportunidade especial para realizar algo desejado ou valorizado <*p. de acompanhar a cantora*> **3** talento, dom natural <*p. de escrever bem*>

[1]**pro-** *pref.* 'movimento para a frente': *proeminente, prosseguir, promover* ◉ ORIGEM do lat. *pro* 'diante de'

[2]**pro-** *pref.* **1** antecedência (no espaço ou no tempo): *prognóstico, prólogo* **2** movimento para a frente: *problema, próclise* ◉ ORIGEM do gr. *pró* 'diante de'

pro [fem.: *pra*] *contr. infrm.* **1** da prep. *para* com o artigo definido *o* <*este ônibus vai pro centro*> **2** da prep. *para* com o pronome demonstrativo *o* (significando 'aquele', 'aquilo') <*não ligue pro que ela falou*>

pró- *pref.* 'a favor de, em prol de': *pró-americano*

pró *s.m.* **1** aspecto positivo; vantagem <*não conseguiu citar nem um p.*> ■ *adv.* **2** em defesa, a favor <*quem vai falar p.?*>

proa (pro.a) /ô/ *s.f.* a parte dianteira de uma embarcação ↺ popa

proativo (pro.a.ti.vo) ou **pró-ativo** (pró-a.ti.vo) [pl.: *pró-ativos*] *adj.* **1** que visa antecipar futuros problemas, necessidades ou mudanças; antecipatório <*medidas p.*> **2** que tem iniciativa própria <*funcionário p.*>

probabilidade (pro.ba.bi.li.da.de) *s.f.* **1** característica do que é provável; possibilidade, chance <*p. de chuva*> ↺ improbabilidade **2** número provável correspondente a (algo), calculado estatisticamente <*a p. de vida no país é de 70 anos*>

probatório (pro.ba.tó.rio) *adj.* que contém ou serve de prova <*evidência p.*> <*estágio p.*>

probidade (pro.bi.da.de) *s.f.* qualidade ou característica do que é probo; honestidade, integridade ↺ improbidade, desonestidade

problema (pro.ble.ma) *s.m.* **1** algo de difícil solução ou explicação **2** situação difícil; conflito <*ela vive muitos p. com os vizinhos*> **3** mau funcionamento crônico de alguma coisa, que acarreta transtornos, desgraças etc. <*o p. da corrupção*> **4** questão matemática para ser solucionada **5** distúrbio orgânico ou físico <*p. digestivo*> **6** pessoa, coisa ou situação incômoda, fora de controle etc. <*esse menino é um p.*>

problemática (pro.ble.má.ti.ca) *s.f.* conjunto de problemas da mesma natureza ou de temática semelhante

problemático (pro.ble.má.ti.co) *adj.* **1** relativo a problema **2** de difícil solução; complicado <*será p. viajar com esse temporal*> ↺ fácil, simples **3** sujeito a interferências; duvidoso, incerto <*sua vinda é p.*> ↺ certo, seguro **4** que tem problemas psíquicos; perturbado <*criança p.*> **5** que faz de tudo um problema (diz-se de pessoa)

probo (pro.bo) /ó/ *adj.* de caráter íntegro; honesto, leal ↺ desonesto

proboscídeo (pro.bos.cí.deo) *s.m.* ZOO **1** espécime dos proboscídeos, ordem de grandes mamíferos dotados de longa tromba e presas formadas pelos incisivos superiores, p.ex., o elefante ■ *adj.* **2** relativo a essa ordem de mamíferos

procarionte (pro.ca.ri.on.te) *adj.2g.s.m.* BIO (o) que é desprovido de núcleo celular definido por membrana (diz-se de célula ou organismo); procariota, procarioto ☞ cf. *eucarionte*

procariota (pro.ca.ri.o.ta) *adj.2g.s.m.* ou **procarioto** (pro.ca.ri.o.to) *adj.s.m.* BIO procarionte

procedência (pro.ce.dên.cia) *s.f.* **1** ato ou efeito de proceder **2** lugar de onde algo ou alguém provém; ponto de partida, origem <*produto de boa p.*> **3** característica do que tem base, fundamento <*acusação sem p.*> ↺ improcedência ~ **procedente** *adj.2g.*

proceder (pro.ce.der) *v.* {mod. 8} *t.i.* **1** (prep. *de*) ter como ponto de partida (um lugar); vir, provir <*a tropa procedia da França*> **2** (prep. *de*) ter origem; provir, derivar <*a palavra procede do árabe*> **3** (prep. *de*) ser descendente de; provir **4** (prep. *a*) levar a efeito; realizar, fazer <*p. a uma investigação*> □ *int.* **5** ter seguimento; prosseguir, continuar <*o cortejo procedia tranquilamente*> ↺ parar **6** ter certo comportamento, atitude; portar-se, agir <*não aprovamos o seu modo de p.*> **7** mostrar-se verdadeiro <*sua acusação não procede*>

procedimento (pro.ce.di.men.to) *s.m.* **1** maneira de agir; comportamento <*a suspensão foi resultado de um mau p.*> **2** modo de fazer (algo); técnica, método <*p. de análise química*>

procela (pro.ce.la) *s.f.* forte tempestade no mar ~ **proceloso** *adj.*

prócer (pró.cer) [pl.: *próceres*] *s.m.* indivíduo importante e influente; chefe, líder

processador (pro.ces.sa.dor) /ô/ [pl.: *-es*] *s.m.* INF circuito integrado que realiza o processamento de dados num computador ◉ GRAM/USO tb. us. como adj. ▣ **p. de alimentos** eletrodoméstico que mói, pica, tritura etc. alimentos; multiprocessador • **p. de texto** INF programa de computador destinado à redação, edição e impressão de textos

processamento (pro.ces.sa.men.to) *s.m.* ato ou efeito de processar ▣ **p. de dados** INF tratamento sistemático de dados, por meio de computadores, para a obtenção de um determinado resultado • **p. de textos** INF ato de editar textos com um processador de texto

processar (pro.ces.sar) *v.* {mod. 1} *t.d.* **1** mover ação judicial contra; acionar <*p. um jornal*> **2** observar se há exatidão, correção em; conferir <*p. contas*> **3** INF organizar (dados), de acordo com a sequência de instruções de um programa

processo (pro.ces.so) *s.m.* **1** realização contínua e prolongada de alguma atividade <*p. de aprender a ler*> <*p. de apuração dos votos*> **2** método, procedimento <*p. criativo de um escritor*> **3** conjunto de papéis, documentos, petições etc., que se encaminha a um órgão oficial <*p. de pedido de aposentadoria*> **4** DIR ação judicial **5** ANAT saliência na superfície de um osso, anteriormente denominada *apófise* ~ **processual** *adj.2g.*

procissão (pro.cis.são) [pl.: *-ões*] *s.f.* **1** cortejo religioso **2** *p.ext.* qualquer grupo de pessoas ou coisas deslocando-se em coluna <*os alunos seguiram em p.*> <*p. de carros*> ~ **processional** *adj.2g.*

proclama (pro.cla.ma) *s.m.* **1** anúncio de casamento lido na igreja **2** DIR edital de casamento publicado ☞ mais us. no pl., nas duas acp.

P

proclamação (pro.cla.ma.ção) [pl.: *-ões*] *s.f.* **1** *p.ext.* ato ou efeito de proclamar **2** declaração pública e solene *<p. da República>* **3** texto em que se proclama algo

proclamar (pro.cla.mar) *v.* {mod. 1} *t.d. e pron.* **1** (prep. *a*) declarar publicamente em voz alta e com solenidade; anunciar *<p. a paz> <p.-se presidente>* □ *t.d.* **2** promulgar, decretar (uma lei) □ *t.d.pred. e pron.* **3** atribuir(-se) [título ou posto]; aclamar(-se) *<a assembleia proclamou-o presidente> <o usurpador proclamou-se rei>* ~ **proclamador** *adj.s.m.*

próclise (pró.cli.se) *s.f.* GRAM colocação do pronome átono antes do verbo, p.ex.: *eu* lhe *disse* ☞ a próclise é a posição do pronome mais favorecida pelo ritmo da frase no português do Brasil. cf. *ênclise* e *mesóclise*

Procon (Pro.con) *s.m.* sigla de Procuradoria de Proteção e Defesa do Consumidor

procrastinar (pro.cras.ti.nar) *v.* {mod. 1} *t.d.* marcar para outro dia ou deixar para depois; adiar, postergar ↺ antecipar ~ **procrastinação** *s.f.*

procriar (pro.cri.ar) *v.* {mod. 1} *t.d. e int.* **1** dar existência a (filhos, filhotes, crias); gerar *<p. filhos> <esses gatos já não procriam>* **2** promover a germinação ou a multiplicação de (vegetais) *<p. novas espécies> <sementes para p.>* □ *int.* **3** reproduzir-se, multiplicar-se ~ **procriação** *s.f.*

procura (pro.cu.ra) *s.f.* **1** ato ou efeito de procurar **2** interesse em comprar determinado produto no mercado; demanda *<lei da oferta e da p.>*

procuração (pro.cu.ra.ção) [pl.: *-ões*] *s.f.* DIR **1** autorização que uma pessoa dá a outra para agir em seu nome **2** instrumento legal que confere essa autorização

procurador (pro.cu.ra.dor) /ô/ [pl.: *-es*] *adj.s.m.* **1** que(m) procura (algo) ■ *s.m.* **2** advogado do Estado **3** quem possui procuração para tratar de negócios de outrem

procuradoria (pro.cu.ra.do.ri.a) *s.f.* **1** cargo de procurador **2** local ou repartição em que trabalha o procurador

procurar (pro.cu.rar) *v.* {mod. 1} *t.d.* **1** tentar encontrar ou conseguir; buscar *<p. roupa na gaveta> <p. ajuda>* **2** tentar descobrir; investigar, pesquisar *<p. a causa do desastre>* **3** ser atraído por *<o ferro procura o ímã>* **4** ir ao encontro de *<p. um sacerdote para pedir conselhos>* **5** esforçar-se por; tentar *<p. fazer o melhor>* □ *t.d. e t.i.* **6** (prep. *por*) ir até onde está alguém para vê-lo, em visita ou a negócio; perguntar *<esteve aqui uma pessoa procurando (pel)o senhor>*

prodigalizar (pro.di.ga.li.zar) *v.* {mod. 1} *t.d. e t.d.i.* **1** (prep. *a*) dar em grande quantidade *<p. elogios> <p. dinheiro aos filhos>* □ *t.d.* **2** gastar muito; esbanjar *<p. o prêmio da loteria>* ↺ economizar **3** expor a perigos; arriscar *<p. a saúde>* ↺ proteger

prodígio (pro.dí.gio) *s.m.* **1** fato extraordinário **2** aquele que apresenta um talento fora do comum *<um p. do piano>* ■ *adj.s.m.* **3** que(m) possui inteligência ou talento excepcionais para a idade *<criança p.>*

prodigioso (pro.di.gi.o.so) /ô/ [pl. e fem.: /ó/] *adj.* **1** em que há prodígio; fabuloso *<o p. século XX>* ↺ comum **2** excepcionalmente grande; portentoso *<esforço p.>* ↺ normal, natural

pródigo (pró.di.go) *adj.* **1** que produz em abundância; fértil *<terra p.>* ↺ infértil ■ *adj.s.m.* **2** que(m) gasta mais do que o necessário; esbanjador, perdulário ↺ econômico **3** que(m) é generoso, magnânimo ↺ mesquinho ~ **prodigalidade** *s.f.*

pródromo (pró.dro.mo) *s.m.* **1** prefácio; introdução **2** antecedente, prenúncio ↺ consequência **3** MED sintoma inicial de uma doença

produção (pro.du.ção) [pl.: *-ões*] *s.f.* **1** ato de produzir ou o seu efeito; geração, criação **2** volume do que foi produzido *<tivemos a melhor p. em maio>* **3** obra de um artista, escritor etc. **4** realização de livro, filme, peça, programa de rádio, campanha publicitária, *show* etc., incluindo as partes financeiras, técnicas e administrativas **5** captação dos recursos necessários para a realização de filmes, peças teatrais etc.

producente (pro.du.cen.te) *adj.2g.* **1** que produz ou leva à produção *<atividade p.>* ↺ improducente **2** que conclui; concludente *<argumento p.>* ↺ injustificado

produtividade (pro.du.ti.vi.da.de) *s.f.* **1** característica do que é produtivo **2** capacidade de produzir *<p. do solo>* ↺ improdutividade **3** volume produzido **4** ECON relação entre a quantidade ou valor produzido e um ou vários fatores necessários para a obter; rendimento

produtivo (pro.du.ti.vo) *adj.* **1** relativo a produção *<forças p.>* **2** que produz; produtor, frutífero *<terra p.>* ↺ improdutivo **3** fértil ↺ estéril **4** de que se obtém proveito; proveitoso *<trabalho p.>* ↺ inútil

produto (pro.du.to) *s.m.* **1** resultado de um trabalho ou de uma atividade; produção **2** aquilo que é produzido para venda no mercado *<p. agrícolas> <p. eletrônicos>* **3** quantia apurada em um negócio *<aplicou o p. da venda numa casa>* **4** MAT resultado da operação de multiplicação **5** ECON valor global da produção de bens e serviços num país, em determinado período (ger. um ano) ▣ **p. interno bruto** ECON produto interno de um país, incluindo os pagamentos a fatores de produção no exterior e os gastos de depreciação [sigla: *PIB*] • **p. nacional bruto** ECON produto nacional, incluindo os gastos de depreciação [sigla: *PNB*] • **p. primário** ECON produto de origem agropecuária ou de extração mineral ou vegetal

produtor (pro.du.tor) /ô/ [pl.: *-es*] *adj.s.m.* **1** (o) que produz *<empresa p. de laticínios> <p. de soja>* ■ *s.m.* **2** indivíduo encarregado de reunir os meios materiais para a realização de filme, peça, programa de rádio ou televisão **3** indivíduo ou empresa responsável pela produção ('realização') de obra artística, publicitária, promocional etc.

produzir (pro.du.zir) *v.* {mod. 24} *t.d. e int.* **1** dar origem a, ser fértil; gerar *<p. bom trigo> <durante a seca a terra não produz>* **2** fabricar (bens ou utilidades) *<p. mercadorias> <a empresa não pode parar de p.>* **3** criar (obra intelectual ou artística) *<o pintor vai expor o que produziu no ano passado> <escritor que produz muito>* □ *t.d.* **4** ter como resultado; causar, provocar *<a falta de saneamento produz doenças>* **5** dar como lucro ou rendimento; render *<o quadro produziu uma boa quantia>* **6** fazer a produção de (filme, peça etc.) □ *t.d. e pron.* *B infrm.* **7** arrumar(-se) para ficar com aspecto diferente do habitual; embelezar(-se) *<produziu a filha para o baile de formatura> <levou duas horas para p.-se>*

proeminência (pro.e.mi.nên.cia) *s.f.* **1** característica do que é proeminente **2** parte proeminente de algo; saliência ↺ depressão

proeminente (pro.e.mi.nen.te) *adj.2g.* **1** que se eleva acima do que o rodeia <*construção p.*> ↺ rebaixado **2** que avança em ponta; saliente <*queixo p.*> ↺ cavado **3** *fig.* que se destaca por qualidades intelectuais ou morais ou pela riqueza ou poder <*cidadãos p.*> ↺ inferior

proêmio (pro.ê.mio) *s.m.* **1** prefácio **2** *p.ext.* o que abre ou inicia alguma coisa

proeza (pro.e.za) /ê/ *s.f.* **1** algo difícil de ser realizado; façanha **2** *p.ext. infrm.* ação incomum; aventura

profanar (pro.fa.nar) *v.* {mod. 1} *t.d.* **1** violar ou tratar com irreverência (o que é sagrado ou merece respeito) <*p. um templo*> <*p. a memória de alguém*> ↺ respeitar **2** transgredir, violar (regra, princípio) <*p. os valores da sociedade civilizada*> **3** usar de modo inadequado; degradar <*p. o hino nacional, cantando-o sem respeito*> ~ **profanação** *s.f.*

profano (pro.fa.no) *adj.* **1** que não é sagrado ↺ sacro **2** que viola o sagrado <*atitude p.*> ↺ devoto **3** que não pertence à religião <*música p.*> ↺ eclesiástico **4** que não é religioso; leigo <*educação p.*> ↺ religioso ~ **profanidade** *s.f.*

profecia (pro.fe.ci.a) *s.f.* **1** predição do futuro por inspiração divina **2** *p.ext.* anúncio de acontecimento futuro, feito por conjectura <*não creio nas p. dos economistas*>

proferir (pro.fe.rir) *v.* {mod. 28} *t.d.* **1** expressar oralmente; dizer, pronunciar <*p. um discurso*> <*p. insultos*> **2** dizer em voz alta <*p. a sentença*> ~ **proferição** *s.f.* - **proferimento** *s.m.* - **proferível** *adj.2g.*

professar (pro.fes.sar) *v.* {mod. 1} *t.d. e t.d.i.* **1** (prep. *a*) reconhecer ou prometer publicamente; declarar <*p. a verdade*> <*p. fidelidade ao rei*> □ *t.d.* **2** ser adepto de (religião, doutrina); seguir <*p. a fé cristã*> **3** executar as funções inerentes a (uma profissão); exercer <*p. a medicina*> □ *int.* **4** fazer votos, ao entrar para ordem religiosa

professo (pro.fes.so) *adj.s.m.* **1** (aquele) que professa em uma ordem religiosa **2** *fig.* que(m) é perito, capaz ■ *adj.* **3** relativo a frades ou freiras <*cerimônia p.*>

professor (pro.fes.sor) /ô/ [pl.: *-es*] *s.m.* **1** pessoa que ensina uma arte, uma ciência, uma técnica, uma disciplina **2** quem tem como profissão dar aulas em escola ou universidade; docente **3** *fig.* indivíduo especializado em algo ■ *adj.* **4** que exerce a função de ensinar ou tem diploma ou título para exercer essa profissão ⊙ COL magistério, professorado ~ **professoral** *adj.2g.*

professorado (pro.fes.so.ra.do) *s.m.* **1** cargo ou função de professor **2** a categoria profissional dos professores **3** conjunto dos professores de um determinado local

profeta (pro.fe.ta) [fem.: *profetisa*] *s.m.* **1** o que anuncia os desígnios divinos **2** pessoa que prediz o futuro; vidente, adivinho **3** título dado pelos muçulmanos a Maomé, fundador do islamismo ☞ nesta acp., inicial maiúsc. ~ **profético** *adj.*

profetisa (pro.fe.ti.sa) *s.f.* mulher que faz profecias ⊙ GRAM/USO fem. de *profeta*

profetizar (pro.fe.ti.zar) *v.* {mod. 1} *t.d. e t.d.i.* **1** (prep. *a*) predizer (o futuro), por dom especial ou inspiração divina; prenunciar <*profetizou o fim do mundo (a uma plateia cética)*> <*tem o dom de p.*> □ *t.d.* **2** anunciar ou saber antecipadamente, por dedução, intuição ou acaso <*p. o casamento dos dois*>

proficiente (pro.fi.ci.en.te) *adj.2g.* **1** competente e eficiente no que faz <*um técnico p.*> ↺ incompetente **2** que tem bom aproveitamento <*aluno p.*> **3** que dá proveito; profícuo, proveitoso <*esforço p.*> ↺ inútil ~ **proficiência** *s.f.*

profícuo (pro.fí.cuo) *adj.* proveitoso; vantajoso <*trabalho p.*> ~ **proficuidade** *s.f.*

profiláctico (pro.fi.lác.ti.co) ou **profilático** (pro.fi.lá.ti.co) *adj.* **1** relativo a profilaxia **2** que serve para prevenir doenças; preventivo

profilaxia (pro.fi.la.xi.a) /cs/ *s.f.* MED **1** parte da medicina que cuida da preservação da saúde por meio de medidas preventivas **2** emprego dessas medidas

profissão (pro.fis.são) [pl.: *-ões*] *s.f.* **1** atividade para a qual um indivíduo se preparou e que exerce ou não <*o escritor Guimarães Rosa era diplomata por p.*> <*ele não exerce a p. de advogado*> **2** trabalho que uma pessoa faz para obter o necessário para sua subsistência e à de seus dependentes; ocupação, ofício <*p. de jardineiro*> **3** declaração pública de uma crença, uma religião, uma opinião etc. **4** cerimônia da tomada do hábito por um religioso; voto ▣ **p. liberal** profissão de nível superior que habilita o indivíduo a trabalhar por conta própria, como medicina, odontologia, advocacia etc.

profissional (pro.fis.sio.nal) [pl.: *-ais*] *adj.2g.* **1** relativo a profissão <*carteira p.*> **2** próprio de uma profissão <*equipamento p.*> ■ *adj.2g.s.2g.* **3** que(m) exerce uma atividade por profissão <*cantor p.*> <*p. de letras*> ↺ amador

profissionalismo (pro.fis.sio.na.lis.mo) *s.m.* procedimento característico dos bons profissionais

profissionalizar (pro.fis.sio.na.li.zar) *v.* {mod. 1} *t.d. e pron.* **1** tornar(-se) profissional <*o clube vai p. alguns jogadores iniciantes*> <*quer p.-se como modelo*> **2** formar(-se) para ser um bom profissional; habilitar(-se), capacitar(-se) <*curso para p. garçons*> <*se quer viver de música, tem de p.-se*> ~ **profissionalização** *s.f.* - **profissionalizante** *adj.2g.*

pró-forma (pró-for.ma) [pl.: *pró-formas*] *s.m.* **1** formalidade que deve ser seguida em certos atos oficiais ou formais ■ *adj.2g.* **2** que é formal, convencional <*reunião p.*> <*acordo p.*> ■ *adv.* **3** por pura formalidade, apenas para manter as aparências <*apertaram as mãos e sorriram p.*>

profundeza (pro.fun.de.za) /ê/ *s.f.* **1** lugar muito profundo; (us. freq. no pl.) <*as p. do mar*> **2** *fig.* o íntimo do ser humano; âmago <*na p. da sua alma*> ↺ exterioridade

profundidade (pro.fun.di.da.de) *s.f.* **1** distância vertical da superfície ao fundo ou horizontal de fora para dentro <*p. da piscina, da gaveta*> **2** *fig.* característica do que não fica pelas superficialidades, do que vai além da aparência <*a p. de um pensamento*> **3** *fig.* característica do que é sólido, tem boa base <*a p. dos conhecimentos de alguém*> **4** *fig.* o íntimo de alguém

P

profundo (pro.fun.do) *adj.* **1** cujo fundo está muito distante da borda ou da superfície *<lago p.>* ↺ raso **2** que penetra muito fundo *<corte p.>* **3** que se inclina muito em direção ao solo *<declive p.>* ↺ suave **4** que vem do íntimo *<queixa p.>* **5** muito grande ou extenso *<saber p.> <p. decepção>* ↺ superficial **6** de grande alcance, muito importante *<reformas administrativas p.>* ↺ superficial **7** difícil de entender *<mistério p.>* ↺ simples ~ **profundamente** *adv.* - **profundura** *s.f.*

profusão (pro.fu.são) [pl.: *-ões*] *s.f.* **1** grande quantidade; abundância *<p. de luzes e cores>* ↺ escassez **2** gasto excessivo *<uma recepção de grande p.>*

profuso (pro.fu.so) *adj.* **1** abundante, exuberante *<suor p.> <iluminação p.>* ↺ escasso **2** que gasta ou dá em grande quantidade; generoso, pródigo ↺ econômico

progênie (pro.gê.nie) *s.f.* **1** origem, ascendência ↺ descendência **2** conjunto dos descendentes; prole ↺ ancestralidade

progenitor (pro.ge.ni.tor) /ô/ [pl.: *-es*; fem.: *progenitora*] *s.m.* **1** aquele que gera; pai, genitor **2** antepassado, ancestral ↺ descendente • GRAM/USO tb. us. como adj.

progenitura (pro.ge.ni.tu.ra) *s.f.* progênie

progesterona (pro.ges.te.ro.na) *s.f.* BIOQ hormônio sexual essencial para o equilíbrio do ciclo ovariano e para a gravidez

prognata (prog.na.ta) ou **prógnata** (próg.na.ta) *adj.2g.s.2g.* que(m) apresenta o maxilar inferior saliente; prógnato

prognatismo (prog.na.tis.mo) *s.m.* projeção acentuada do maxilar inferior

prógnato (próg.na.to) *adj.s.m.* prognata

prognóstico (prog.nós.ti.co) *adj.s.m.* **1** (sinal, sintoma) que pode indicar acontecimentos futuros ■ *s.m.* **2** suposição, baseada em dados reais, sobre o que deve acontecer; previsão **3** MED juízo médico sobre a evolução de uma doença ~ **prognosticar** *v.t.d.,t.d.i. e int.*

programa (pro.gra.ma) *s.m.* **1** folheto que descreve as partes que compõem um espetáculo, um evento etc. **2** conjunto das disciplinas que compõem um curso ou que serão cobradas em concurso **3** exposição escrita das intenções e dos projetos de uma chapa, um candidato, um partido político etc. **4** cada quadro apresentado em emissoras de rádio ou televisão **5** lazer previamente planejado *<tem p. para hoje?>* **6** *B* encontro de duas pessoas para fins sexuais, mediante pagamento *<garotos de p.>* ▣ **p. de computador** INF conjunto de instruções a serem executadas em um computador para alcançar um determinado objetivo ~ **programático** *adj.*

programação (pro.gra.ma.ção) [pl.: *-ões*] *s.f.* **1** lista dos programas de um teatro, uma emissora de rádio ou televisão etc. *<p. mensal>* **2** planejamento das ações de uma empresa, projeto etc. *<não conseguem cumprir a p.>* **3** INF ação de desenvolver rotinas ou programas de computador *<trabalha com p.>* **4** INF ciência ou técnica de elaboração desses programas ▣ **p. visual** ramo do desenho industrial que trabalha com a aplicação dos elementos gráfico-visuais em sinalização, peças publicitárias, embalagens, produtos editoriais etc.

programador (pro.gra.ma.dor) /ô/ [pl.: *-es*] *adj.s.m.* (profissional) que desenvolve ou aperfeiçoa programas de computador ▣ **p. visual** especialista em atividades de programação visual

programar (pro.gra.mar) *v.* {mod. 1} *t.d.* **1** criar um programa para; organizar, planejar *<p. a temporada lírica> <p. as férias>* **2** INF determinar a dinâmica de funcionamento de (máquina, computador) □ *int.* **3** elaborar programa de computador

progredir (pro.gre.dir) *v.* {mod. 27} *int.* **1** caminhar para a frente; avançar *<o cortejo progredia devagar>* ↺ voltar **2** ficar maior e/ou melhor, incorporando coisas novas ou modernas; desenvolver-se *<a cidade progrediu muito nos últimos dez anos>* ↺ regredir; estagnar **3** tornar-se mais intenso, mais grave; agravar-se *<a doença progrediu rapidamente>* ↺ melhorar □ *t.i. e int.* **4** vencer etapas, fazer progresso (no aprendizado, treinamento etc.); avançar *<o aluno progrediu muito (nessa matéria)>*

progressão (pro.gres.são) [pl.: *-ões*] *s.f.* **1** ação de progredir; progresso, evolução **2** continuação dos estágios de um processo *<p. rápida dos acontecimentos>* ↺ interrupção ~ **progressivo** *adj.*

progressista (pro.gres.sis.ta) *adj.2g.* **1** favorável ao progresso, às transformações ou às reformas, esp. nos campos político, social e/ou econômico *<administrador p.>* ↺ retrógrado **2** que contém em si progresso ou contribui para ele *<medidas p.>* **3** que evolui continuamente *<sociedade p.>* **4** favorável ao progresso, às transformações ou às reformas, esp. nos campos político, social e/ou econômico ■ *s.2g.* **5** em política, quem defende o progresso *<aliou-se aos p.>* ↺ antiprogressista

progressivo (pro.gres.si.vo) *adj.* **1** que progride **2** que atravessa sucessivamente cada etapa *<aprender é um processo p.>* **3** que tem ritmo e instrumentação complexos e harmonia dissonante (diz-se de certos gêneros de música popular) *<rock p.>* **4** cujo foco tem continuidade das distâncias próximas às mais afastadas (diz-se de lente de contato multifocal)

progresso (pro.gres.so) *s.m.* **1** desenvolvimento; evolução *<p. científico>* **2** movimento para a frente; avanço *<o p. foi pequeno no início da caminhada>* ↺ retrocesso

proibido (pro.i.bi.do) *adj.* **1** que não é permitido *<filme p. para menores>* **2** ilegal, ilícito *<substância p.>*

proibir (pro.i.bir) *v.* {mod. 24} *t.d. e t.d.i.* **1** (prep. *a*, *de*) ordenar que não se faça ou impedir (algo) *<o governo proibiu a passeata> <proibiu-a de sair>* ↺ permitir □ *t.d.* **2** tornar ilegal (uma coisa ou uma prática); interditar, vedar *<p. a venda de remédios sem receita>* ~ **proibição** *s.f.*

proibitivo (pro.i.bi.ti.vo) *adj.* **1** que proíbe, que impede *<lei p.>* **2** muito elevado; excessivo *<preço p.>*

projeção (pro.je.ção) [pl.: *-ões*] *s.f.* **1** arremesso; lançamento **2** o que se projeta para fora; saliência **3** *fig.* prestígio social *<artista de grande p.>* **4** ato de projetar um filme, um diapositivo etc. sobre uma tela, usando um projetor **5** cálculo antecipado a partir de dados parciais *<p. do resultado de uma eleição>* **6** representação, num plano, de uma parte da superfície terrestre ou da abóbada celeste **7** GEOM operação que transforma, por meio de retas, uma figura geométrica contida num plano em outra **8** GEOM representação da figura de um sólido em uma superfície

projetar (pro.je.tar) *v.* {mod. 1} *t.d. e pron.* **1** atirar (-se), lançar(-se) a distância; arremessar *<p. lanças>* *<o avião projetou-se de grande altura>* **2** *fig.* tornar (-se) famoso, por trabalhos ou ações *<o futebol projetou o Brasil>* *<ele se projetou muito cedo no teatro>* □ *pron.* **3** (prep. *de*) estender-se para fora *<seus olhos projetaram-se das órbitas>* □ *t.d.* **4** reproduzir em tela (filme, fita etc.) **5** elaborar plano ou planta de; planejar *<p. uma casa>* **6** organizar, planejar *<p. uma viagem>* ~ **projetado** *adj.*

projétil (pro.jé.til) [pl.: *projéteis*] ou **projetil** (pro.je.til) [pl.: *projetis*] *s.m.* **1** qualquer corpo arremessado *<seus p. eram ovos e tomates>* **2** o que é arremessado por arma de fogo

projetista (pro.je.tis.ta) *adj.2g.s.2g.* (aquele) que faz projetos *<engenheiro p.>* *<p. de móveis>*

projeto (pro.je.to) *s.m.* **1** plano ('intenção') **2** descrição escrita e detalhada de tarefa a ser feita; esquema *<p. de pesquisa>* *<p. de governo>* **3** esboço ou desenho de trabalho ou construção a se realizar *<p. de decoração>* *<p. de um prédio>* ▣ **p. de lei** proposta escrita de uma norma que deve ser apresentada a uma câmara ou assembleia legislativa para ser discutida e votada e, posteriormente, transformada em lei • **p. gráfico** GRÁF planejamento das características gráficas e visuais de uma publicação

projetor (pro.je.tor) /ô/ [pl.: *-es*] *s.m.* qualquer aparelho que serve para projetar filme cinematográfico, *slide*, imagem de computador etc.

prol *s.m.* ▸ usado em: **em p. de** em favor de, em defesa de

pró-labore (pró-la.bo.re) [pl.: *pró-labores*] *s.m.* **1** remuneração paga aos sócios por serviços prestados à empresa **2** pagamento por serviço prestado por estranhos, a uma firma, instituição ou empresa *<recebeu um p. para participar do evento>*

prolação (pro.la.ção) [pl.: *-ões*] *s.f.* **1** FON ato ou efeito de pronunciar; pronúncia, articulação **2** ato de demorar; delonga, demora, procrastinação

prolapso (pro.lap.so) *s.m.* MED deslocamento da posição normal de um órgão

prole (pro.le) *s.f.* **1** conjunto dos filhos ou filhas de um indivíduo ou de um casal *<meus avós tiveram uma p. numerosa>* *<a leoa e sua p.>* **2** descendência

proletariado (pro.le.ta.ri.a.do) *s.m.* **1** a classe dos proletários **2** conjunto dos trabalhadores de determinado país, região etc. *<o p. rural>*

proletário (pro.le.tá.rio) *s.m.* **1** cidadão pobre que vive apenas do seu pequeno salário **2** membro da classe trabalhadora ■ *adj.* **3** relativo a esse cidadão *<classe p.>* **4** relativo ao proletariado *<jornal p.>*

proliferação (pro.li.fe.ra.ção) [pl.: *-ões*] *s.f.* **1** ato ou efeito de proliferar; reprodução, multiplicação *<p. de bactérias>* **2** *fig.* aumento, crescimento *<p. das reivindicações sindicais>*

proliferar (pro.li.fe.rar) *v.* {mod. 1} *int.* **1** ter filhos, gerar prole; reproduzir-se **2** multiplicar-se rapidamente; propagar-se, espalhar-se *<aqui os micróbios têm boas condições para p.>* **3** *fig.* crescer em número; aumentar, multiplicar-se *<nas cidades grandes proliferam os problemas sociais>* ↺ diminuir

prolífero (pro.lí.fe.ro) *adj.* **1** que se reproduz em grande quantidade; fértil, fecundo, prolífico *<rebanho p.>* **2** *fig.* que produz muito; produtivo, prolífico *<escritor p.>*

prolífico (pro.lí.fi.co) *adj.* prolífero

prolixo (pro.li.xo) /cs/ *adj.* **1** que usa palavras em excesso ao falar ou escrever *<orador p.>* ↺ lacônico **2** desnecessariamente longo *<discurso p.>* ↺ sucinto ~ **prolixidade** *s.f.*

prólogo (pró.lo.go) *s.m.* prefácio ~ **prologal** *adj.2g.*

prolongamento (pro.lon.ga.men.to) *s.m.* **1** aumento, acréscimo no tamanho de algo ↺ diminuição **2** estrada, rua ou avenida que é continuação de outro logradouro *<no p. da praça há uma rua sem saída>* **3** aumento da duração de algo; prorrogação *<foi pedido o p. da audiência>* ↺ redução

prolongar (pro.lon.gar) *v.* {mod. 1} *t.d.,t.d.i. e pron.* **1** (prep. *a, de, por*) tornar(-se) mais longo; estender (-se) *<a obra prolongou a ponte (de um porto a outro)>* *<a estrada prolonga-se até a cidade mais próxima>* ↺ encurtar **2** (fazer) durar mais tempo; alongar(-se) *<quis p. a conversa>* *<a festa prolongou-se muito>* ↺ encurtar □ *t.d.* **3** adiar, retardar *<p. o pagamento de uma dívida>* ↺ antecipar

promécio (pro.mé.cio) *s.m.* QUÍM elemento químico radiativo, us. em baterias nucleares, para medir espessuras muito finas etc. [símb.: *Pm*] ☞ cf. *tabela periódica* (no fim do dicionário)

promessa (pro.mes.sa) *s.f.* **1** compromisso oral ou escrito de realizar um ato ou assumir uma obrigação **2** *p.ext.* o que se promete

prometer (pro.me.ter) *v.* {mod. 8} *t.d. e t.d.i.* **1** (prep. *a*) obrigar-se a (fazer, dar, dizer etc. algo); comprometer-se *<prometeu uma recompensa (ao vencedor)>* □ *t.d.* **2** anunciar com antecipação, por indícios; prenunciar *<o tempo promete chuva>* □ *int.* **3** dar sinais de sucesso, de progresso *<essa fábrica promete>* ~ **prometedor** *adj.s.m.*

promiscuidade (pro.mis.cu.i.da.de) *s.f.* **1** mistura desordenada **2** relacionamento sexual com muitos parceiros

promiscuir-se (pro.mis.cu.ir-se) *v.* {mod. 26} *pron.* **1** misturar-se, confundir-se *<as cores promiscuíram-se>* **2** viver em promiscuidade

promíscuo (pro.mís.cuo) *adj.* **1** formado de elementos diferentes entre si; misturado, confuso *<estilos p.>* ↺ ordenado, homogêneo **2** compartilhado ou misturado com elementos de conduta suspeita *<ambiente p.>* ↺ seletivo **3** ocasional, eventual, fortuito *<relações sexuais p.>* ↺ regular, sistemático **4** que tem muitos e eventuais parceiros sexuais (diz-se de indivíduo)

promissor (pro.mis.sor) /ô/ [pl.: *-es*] *adj.* **1** que faz promessas **2** que promete ser bom, bem-sucedido *<uma carreira p.>*

promissória (pro.mis.só.ria) *s.f.* DIR ECON nota promissória

P

promoção (pro.mo.ção) [pl.: *-ões*] *s.f.* **1** ascensão a um cargo superior ↺ declínio **2** venda de artigos por preços mais baixos **3** atividade com o fim de tornar mais conhecido um produto, serviço, pessoa etc. *<a p. de um disco, de um* show*>*

promocional (pro.mo.cio.nal) [pl.: *-ais*] *adj.2g.* referente a ou que envolve promoção *<preços p.>*

promontório (pro.mon.tó.rio) *s.m.* **1** GEO cabo formado por rochas ou penhascos altos **2** saliência; elevação

promoter (pro.mot.er) [ing.] *s.2g.* profissional que cuida da organização de eventos de cunho promocional, publicitário, institucional etc. ⇒ pronuncia-se promouter

promotor (pro.mo.tor) /ô/ [pl.: *-es*] *s.m.* DIR **1** funcionário do poder judiciário que dá andamento a causas e a certos atos jurídicos ■ *adj.s.m.* **2** (aquele) que promove, que executa *<os (funcionários) p. da greve foram punidos>* ▣ **p. público** DIR membro do Ministério Público que defende a sociedade e atua como acusador

promotoria (pro.mo.to.ri.a) *s.f.* **1** cargo ou função do promotor **2** local de trabalho do promotor

promover (pro.mo.ver) *v.* {mod. 8} *t.d.* **1** dar impulso, incentivo a *<p. as artes> <p. a indústria>* **2** ser a causa de; gerar, provocar *<p. a guerra>* **3** fazer propaganda de; anunciar *<p. um produto> <p. um artista>* □ *t.d. e t.d.i.* **4** (prep. *a*) elevar (a cargo ou categoria superior) *<promoveram-no (ao posto de almirante)>*

promulgar (pro.mul.gar) *v.* {mod. 1} *t.d.* **1** ordenar a publicação de (lei ou similar) **2** publicar oficialmente *<p. uma encíclica>* ~ **promulgação** *s.f.* - **promulgador** *adj.s.m.*

pronome (pro.no.me) *s.m.* GRAM palavra que representa ou substitui um nome ▣ **p. demonstrativo** GRAM pronome que tem a função de situar (no espaço ou no tempo) os seres e as coisas mencionados em relação às pessoas que participam do processo comunicativo, p.ex.: expressava-se muito bem para *aquele* lugar • **p. de tratamento** GRAM locução ou palavra us. no lugar de um pronome pessoal, p.ex.: *Vossa Excelência*; *o senhor*; *a senhora*; *Sua Alteza* • **p. indefinido** GRAM pronome que se refere à terceira pessoa do discurso de modo indeterminado, p.ex.: *algo*; *alguém*; *ninguém* etc. • **p. interrogativo** GRAM pronome indefinido que pode ser us. em frases interrogativas, p.ex.: *quem* chegou?; *quantos* saíram?; *qual* é o seu carro? • **p. pessoal** GRAM pronome us. para designar as pessoas do discurso: a que fala (*eu*, *nós*); a com quem se fala (*tu*, *vós*); a de quem se fala (*ele*, *ela*, *eles*, *elas*) • **p. pessoal oblíquo** GRAM forma que o pronome pessoal assume quando empregado como objeto direto ou indireto, p.ex.: não *o* vimos hoje • **p. pessoal reto** GRAM pronome pessoal que funciona como sujeito de uma oração, p.ex.: *eu* fui à praia • **p. possessivo** GRAM pronome que modifica um substantivo, dando a ideia de posse, de relação, de ser parte de (algo) etc., p.ex.: *meu* livro, *seu* carro, *nossas* amigas etc. • **p. relativo** GRAM pronome que se refere a um nome mencionado na oração anterior e que introduz uma oração adjetiva, p.ex.: o livro *que* compramos agradou a Pedro

pronominal (pro.no.mi.nal) [pl.: *-ais*] *adj.2g.* **1** relativo ou pertencente a pronome *<forma p.>* **2** que é acompanhado de um pronome oblíquo da mesma pessoa que o sujeito (diz-se de verbo) *<queixar-se é um verbo p.>*

pronta-entrega (pron.ta-en.tre.ga) [pl.: *prontas--entregas*] *s.f.* **1** entrega imediata *<móveis para p.>* **2** empresa que produz com esse objetivo *<uma p. de roupas femininas>* **3** esse serviço

prontidão (pron.ti.dão) [pl.: *-ões*] *s.f.* **1** estado de quem está preparado para fazer algo **2** rapidez na execução de algo; presteza *<agiu com p. no resgate às vítimas>* **3** MIL medida de segurança em que a tropa é mantida nos quartéis, pronta para entrar em ação

prontificar-se (pron.ti.fi.car-se) *v.* {mod. 1} *pron.* (prep. *a*) pôr-se à disposição; oferecer-se *<p.-se a ajudar>*

pronto (pron.to) *adj.* **1** em condições de ser utilizado; terminado *<a casa está p.> <o jantar está p.>* ↺ inacabado **2** disposto, animado *<está sempre p. para ajudar>* ↺ indisposto **3** que está preparado para algo *<p. para o concurso, para casar>* ↺ despreparado

pronto-socorro (pron.to-so.cor.ro) [pl.: *prontos--socorros*] *s.m.* **1** hospital ou setor do hospital em que se atendem emergências **2** *p.ext.* oficina de consertos *<p. de automóveis, de óculos>*

prontuário (pron.tu.á.rio) *s.m.* **1** manual de informações úteis *<p. de física>* **2** ficha com dados de alguém *<p. médico> <p. policial>* **3** *p.ext.* o conteúdo dessa ficha

pronúncia (pro.nún.cia) *s.f.* **1** modo de pronunciar; articulação *<p. de uma consoante>* **2** a forma oral de uma palavra *<qual a p. deste termo?>*

pronunciamento (pro.nun.ci.a.men.to) *s.m.* **1** ato ou efeito de pronunciar (uma frase, uma mensagem, um discurso etc.) **2** declaração; manifestação *<o ministro fez um p. à nação>* **3** ato de revoltar-se coletivamente contra o governo ou medida governamental e o seu efeito **4** *p.ext.* manifesto redigido em tal ocasião

pronunciar (pro.nun.ci.ar) *v.* {mod. 1} *t.d.* **1** expressar oralmente; proferir **2** decretar, publicar *<o juiz vai p. a sentença>* **3** realizar os movimentos necessários para emitir (som, palavra); articular **4** DIR julgar válida denúncia ou queixa contra (acusado), enviando-o a julgamento □ *pron.* **5** emitir opinião; manifestar-se *<p.-se sobre um assunto>* □ *t.d.pred.* **6** proferir decisão; julgar, declarar *<o juiz pronunciou o réu inocente>* □ *t.d. e pron.* **7** (fazer) adquirir realce ou relevo; acentuar(-se) ~ **pronunciação** *s.f.*

propagação (pro.pa.ga.ção) [pl.: *-ões*] *s.f.* **1** ato ou efeito de propagar(-se), espalhar(-se); disseminação *<p. das espécies vegetais>* **2** reprodução, proliferação *<p. de espécies ameaçadas de extinção>* ↺ diminuição **3** divulgação *<p. de uma doutrina>*

propaganda (pro.pa.gan.da) *s.f.* **1** divulgação, propagação de uma ideia; publicidade *<p. religiosa>* **2** comercial ('mensagem') ~ **propagandista** *adj.2g.s.2g.*

propagar (pro.pa.gar) *v.* {mod. 1} *t.d. e pron.* **1** multiplicar(-se) por meio da reprodução *<p. uma raça de cães> <a espécie humana propagou-se por todos os continentes>* **2** aumentar em número, por contágio (doença, vírus etc.); espalhar(-se) *<novas rotas aéreas propagam doenças com mais rapidez> <o vírus propagou-se aos moradores da casa>* **3** tornar(-se) muito conhecido; difundir(-se) *<p. notícias falsas> <a*

P

bossa nova propagou-se pelos Estados Unidos> □ *pron.* **4** movimentar-se por um meio *<o som se propaga na água>* **~ propagador** *adj.s.m.*

propalar (pro.pa.lar) *v.* {mod. 1} *t.d. e pron.* **1** tornar (-se) público; divulgar(-se) *<p. boatos> <os acontecimentos propalaram-se>* **2** (fazer) aumentar em número (doença, vírus etc.); espalhar(-se) *<p. um vírus> <a cólera propalou-se com a enchente>* **~ propalação** *s.f.*

propano (pro.pa.no) *s.m.* QUÍM constituinte do gás natural e do petróleo, us. como combustível

proparoxítono (pro.pa.ro.xí.to.no) /cs/ *adj.s.m.* GRAM (vocábulo) cuja acentuação tônica está na antepenúltima sílaba

propedêutico (pro.pe.dêu.ti.co) *adj.* **1** que serve de introdução; preliminar *<leitura p.>* **2** que visa dar formação geral e básica para que o aluno ingresse em curso superior *<curso p.>*

propelente (pro.pe.len.te) *s.m.* combustível, esp. o de foguetes

propelir (pro.pe.lir) *v.* {mod. 28} *t.d.* **1** fazer ir para a frente; empurrar, impulsionar *<o vento propele as nuvens>* **2** projetar, lançar *<as turbinas propelem o avião>* **3** *fig.* estimular, impulsionar *<p. o avanço tecnológico>*

propender (pro.pen.der) *v.* {mod. 8} *int.* **1** pender ou inclinar-se para *<o mastro propende para a direita>* □ *t.i.* **2** (prep. *para*, *a*) ter inclinação ou gosto para; tender *<os jurados propendiam a absolver o réu>*

propensão (pro.pen.são) [pl.: *-ões*] *s.f.* **1** ato ou efeito de propender **2** capacidade inata para (algo); inclinação, vocação *<p. para a música>* ↺ inaptidão **3** intenção, disposição *<não tinha nenhuma p. para fingir>*

propenso (pro.pen.so) *adj.* **1** que tem tendência para (algo) *<p. a brigas>* **2** favorável, inclinado *<p. a ir embora> <p. a casar-se>*

propiciar (pro.pi.ci.ar) *v.* {mod. 1} *t.d. e t.d.i.* **1** (prep. *a*) oferecer as condições para a realização de; assegurar, permitir *<a competência propicia bons resultados> <o bom tempo propiciou-lhes o passeio>* **2** (prep. *a*) fazer surgir de modo inesperado para; proporcionar *<o encontro com o amigo propiciou(-lhe) um ótimo negócio>* **~ propiciação** *s.f.* **- propiciatório** *adj.*

propício (pro.pí.cio) *adj.* **1** que tem as características necessárias para; bom, favorável *<ambiente p. à leitura>* **2** oportuno, adequado *<momento p. para sair>* ↺ inoportuno **3** que dá indício de algo de bom; auspicioso *<sinais p. de que a febre vai ceder>* ↺ sinistro **4** que faz o bem; benévolo *<uma fada p.>*

propina (pro.pi.na) *s.f.* **1** gorjeta, gratificação **2** *B* estímulo à prática de algo ilegal em troca de pagamento; suborno **3** *B* quantia oferecida com essa finalidade; suborno

propínquo (pro.pín.quo) *adj.* próximo, vizinho **~ propinquidade** *s.f.*

própolis (pró.po.lis) *s.2g.2n.* ou **própole** (pró.po.le) *s.2g.* resina com que as abelhas vedam rachaduras da colmeia e a protegem de germes

propor (pro.por) *v.* {mod. 23} *t.d. e t.d.i.* **1** (prep. *a*) apresentar (oferta, sugestão, opção) [a alguém], para que a aprecie; sugerir *<p. um acordo (ao adversário)>* **2** (prep. *a*) oferecer como opção; apresentar, sugerir *<p. um projeto de lei (à Câmara de Vereadores)>* **3** (prep. *a*) relatar, expor oralmente ou por escrito *<os alunos propuseram o acontecido (à diretoria da escola)>* □ *t.d.* **4** requerer em juízo; mover *<p. uma ação judicial>* **5** instituir, determinar *<o governo propôs a extinção de dois impostos>* □ *pron.* **6** (prep. *a*) mostrar intenção de; oferecer-se, dispor-se *<os artistas propuseram-se (a) fazer um show beneficente>* **7** (prep. *a*) ter como objetivo; visar *<esta universidade propõe-se (a) formar engenheiros>* ◉ GRAM/USO part.: *proposto* **~ proponente** *adj.2g.s.2g.* **- proposto** *adj.s.m.*

proporção (pro.por.ção) [pl.: *-ões*] *s.f.* **1** relação das partes de um todo comparadas entre si ou cada uma com o todo *<as p. do corpo humano>* **2** conjunto harmônico *<admiramos as p. da escultura>* ↺ desarmonia **3** justa relação entre coisas; conformidade **4** extensão, intensidade, tamanho; dimensão *<incêndio de grandes p.>* ☞ mais us. no pl. **5** gravidade, importância *<o caso tomou p. inesperadas>* ☞ mais us. no pl. **6** MAT igualdade de duas razões ▣ **à p. que** à medida que; conforme *<à p. que subiam, viam mais longe>* **~ proporcionalidade** *s.f.*

proporcional (pro.por.cio.nal) [pl.: *-ais*] *adj.2g.* **1** relativo a proporção **2** que está, em relação a outras coisas, na mesma proporção de intensidade, grandeza, grau etc. *<desempenho p. ao esforço dedicado>* ↺ desproporcional ■ *s.f.* GRAM **3** ver ***CONJUNÇÃO PROPORCIONAL***

proporcionar (pro.por.cio.nar) *v.* {mod. 1} *t.d. e t.d.i.* **1** (prep. *a*) pôr ao alcance, à disposição de; prestar, fornecer *<este programa irá p. assistência médica (à população)>* □ *t.d.i.* **2** (prep. *a*) oferecer as condições ou a oportunidade de; propiciar *<o estudo proporcionou-lhe um bom emprego>* □ *t.d.,t.d.i. e pron.* **3** (prep. *a*, *com*) tornar(-se) proporcional; harmonizar(-se), adequar(-se) *<p. recompensa ao empenho demonstrado> <o mestre proporciona-se com os alunos>* ↺ destoar

proposição (pro.po.si.ção) [pl.: *-ões*] *s.f.* **1** proposta, sugestão **2** em lógica, expressão composta de sujeito, verbo e predicado, que pode ser verdadeira ou falsa; enunciado **~ proposicional** *adj.2g.*

propositado (pro.po.si.ta.do) *adj.* proposital

proposital (pro.po.si.tal) [pl.: *-ais*] *adj.2g.* feito com alguma intenção; intencional, propositado *<atraso p.>* ↺ involuntário

propósito (pro.pó.si.to) *s.m.* **1** intenção de fazer algo; projeto *<mantém-se no firme p. de viajar>* **2** o que se busca alcançar; objetivo *<ter bons p. na vida>* ▣ **a p. 1** a tempo, oportunamente *<a informação veio a p.>* **2** aliás, por sinal *<recusou um trabalho, a p. muito vantajoso>* • **de p.** intencionalmente *<esqueceu o anel de p.>*

proposta (pro.pos.ta) *s.f.* **1** o que se propõe; sugestão **2** projeto, oferta etc. apresentados para a realização, aquisição etc. de algo *<as p. para a construção> <a melhor p. para a compra da casa>* **3** objetivo estético de um artista ao produzir uma obra *<uma p. literária inovadora>*

propriedade (pro.pri.e.da.de) *s.f.* **1** pedaço de terra e/ou imóvel pertencente a indivíduo ou instituição *<a cachoeira fica em p. privada>* **2** qualquer coisa que pertence a alguém *<os livros são p. dele>* **3** característica própria, essencial, inerente *<estudamos as p. dos gases>*

proprietário (pro.pri.e.tá.rio) *adj.s.m.* **1** que(m) possui (algo) *<p. da chave>* **2** que(m) detém a posse legal de bem, imóvel, terra, empresa etc. *<p. da fazenda>*

próprio (pró.prio) *adj.* **1** que pertence a (alguém ou algo) *<casa p.>* **2** que serve para determinado fim *<o formulário p. para inscrição> <o momento p. para a discussão>* ↺ impróprio **3** peculiar, característico *<atitude p. de criança>* **4** verdadeiro, autêntico *<sentido p. da palavra>*

propugnar (pro.pug.nar) *v.* {mod. 1} *t.d. e t.i.* (prep. *por*) lutar em favor de; defender *<p. suas ideias> <p. pela preservação da natureza>* ↺ combater ~ **propugnador** *adj.s.m.*

propulsão (pro.pul.são) [pl.: *-ões*] *s.f.* **1** impulso para a frente **2** o meio de fazer (algo) mover-se para a frente *<aeronave com p. a jato>* **3** *fig.* estímulo, incentivo

propulsar (pro.pul.sar) *v.* {mod. 1} *t.d.* **1** fazer ir para diante; empurrar, impulsionar *<p. as velas dos navios>* **2** jogar para longe ou para fora; repelir *<p. os invasores>* ~ **propulsivo** *adj.*

propulsionar (pro.pul.sio.nar) *v.* {mod. 1} *t.d.* **1** fazer ir para a frente; propelir, impulsionar **2** *fig.* impulsionar, estimular *<p. as artes>*

propulsor (pro.pul.sor) /ô/ [pl.: *-es*] *adj.s.m.* **1** (o) que impele para a frente **2** (dispositivo ou mecanismo) que transmite movimento a máquinas

prorrogação (pror.ro.ga.ção) [pl.: *-ões*] *s.f.* ato ou efeito de prorrogar; adiamento *<a p. das provas finais>* ↺ antecipação

prorrogar (pror.ro.gar) *v.* {mod. 1} *t.d.* fazer durar além do tempo estabelecido; prolongar *<p. o mandato de um presidente>* ↺ reduzir

prorromper (pror.rom.per) *v.* {mod. 8} *t.i.* **1** (prep. *de, em*) iniciar com ímpeto; irromper *<enfurecido, prorrompeu em gritos e palavrões>* **2** *prep. de,/em* manifestar-se de repente; irromper *<a água prorrompia do gêiser> <a multidão prorrompeu em aplausos>* ~ **prorrompimento** *s.m.*

prosa (pro.sa) *s.f.* **1** expressão natural da linguagem escrita ou falada, sem rimas **2** *p.ext.* o que é material, cotidiano *<a p. da realidade>* **3** conversa informal ■ *adj.2g.s.2g.* **4** que(m) se gaba, com ou sem motivo; vaidoso, convencido ↺ humilde

prosador (pro.sa.dor) /ô/ [pl.: *-es*] *adj.s.m.* que(m) escreve em prosa

prosaico (pro.sai.co) *adj.* **1** relativo a prosa **2** sem requinte; comum, trivial *<vida p.>* ↺ sofisticado **3** apegado ao lado prático e material da vida *<preocupações p.>*

prosápia (pro.sá.pia) *s.f.* **1** linhagem, ascendência **2** *p.ext.* altivez, orgulho

prosar (pro.sar) *v.* {mod. 1} *int.* **1** escrever prosa □ *t.i. e int. B* **2** (prep. *com*) conversar informalmente; papear *<não tem tempo de p. (com os amigos)>*

proscênio (pros.cê.nio) *s.m.* TEAT **1** parte anterior do palco **2** *p.ext.* teatro, palco

proscrever (pros.cre.ver) *v.* {mod. 8} *t.d. e t.d.i.* **1** fazer sair de um lugar; banir, expulsar *<p. os revoltosos (de sua terra natal)>* □ *t.d.* **2** proibir ou desaconselhar *<p. um medicamento>* ↺ recomendar ◉ GRAM/USO part.: *proscrito* ~ **proscrição** *s.f.*

proscrito (pros.cri.to) *adj.* **1** exilado, banido **2** proibido, censurado ■ *s.m.* **3** indivíduo banido

prosear (pro.se.ar) *v.* {mod. 5} *t.i. e int.* **1** (prep. *com*) manter diálogo (com); conversar, papear *<gosta de p. (com os netos) depois do almoço>* □ *int. e pron.* **2** (prep. *de*) vangloriar-se, gabar-se *<proseia muito e não faz nada> <proseia-se do que conseguiu na vida>* ~ **proseador** *adj.s.m.*

proselitismo (pro.se.li.tis.mo) *s.m.* atividade de fazer prosélitos; catequese, doutrinação

prosélito (pro.sé.li.to) *s.m.* pessoa que foi atraída e se converteu a uma religião, seita, partido etc.; adepto, partidário

prosódia (pro.só.dia) *s.f.* **1** GRAM pronúncia correta das palavras, quanto à acentuação e à entoação **2** GRAM parte da gramática que estuda a emissão dos sons da fala **3** MÚS adaptação da métrica de um texto à melodia ~ **prosódico** *adj.*

prosopopeia (pro.so.po.pei.a) /éi/ *s.f.* **1** LING figura de linguagem em que o escritor empresta sentimentos humanos e palavras a seres inanimados, a animais ou a ausentes; personificação **2** *p.ext.* discurso empolado ou veemente ~ **prosopopaico** *adj.*

prospecção (pros.pec.ção) [pl.: *-ões*] *s.f.* **1** técnica us. para localizar e estudar preliminarmente uma jazida mineral ou petrolífera **2** *fig.* sondagem dos pensamentos e sentimentos alheios

prospectar (pros.pec.tar) *v.* {mod. 1} *t.d. e int.* **1** procurar (jazidas minerais ou petrolíferas) *<p. petróleo> <já prospectaram neste local>* □ *t.d.* **2** *fig.* buscar saber pensamentos e sentimentos de; sondar *<p. a alma de alguém>* **3** calcular o valor de (jazida) por prospecção □ *int.* **4** ser mais visível ou mais importante; sobressair *<o transatlântico prospectava na baía>* ~ **prospectivo** *adj.*

prospecto (pros.pec.to) *s.m.* **1** folha de papel impressa com propaganda ou divulgação de algum evento, produto, empresa etc.; folheto **2** caráter do que é provável; probabilidade, perspectiva *<o p. de uma nova guerra>*

prosperar (pros.pe.rar) *v.* {mod. 1} *t.d. e int.* **1** tornar (-se) próspero; enriquecer *<a boa administração prospera os negócios> <esse homem nasceu pobre, mas prosperou na vida>* ↺ empobrecer **2** (fazer) ficar maior e/ou melhor; desenvolver-se progredir *<o fortalecimento das instituições prospera os países> <essa cidade, que nasceu pequena, já prosperou muito>* ↺ regredir; estagnar □ *t.i.* **3** (prep. *a*) ser propício a; favorecer, beneficiar *<a sorte prospera aos que trabalham>* ↺ prejudicar

prosperidade (pros.pe.ri.da.de) *s.f.* **1** estado do que é próspero **2** grande produção de alimentos e bens de consumo; fartura *<período de p.>* ↺ carência **3** acúmulo de bens materiais; riqueza ↺ pobreza

próspero (prós.pe.ro) *adj.* **1** que tem êxito, que progride; bem-sucedido *<negociante p.> <nação p.>* ↺ estagnado **2** feliz, ditoso ↺ infeliz

prosseguir (pros.se.guir) *v.* {mod. 28} *t.d. e t.i.* **1** (prep. *em*) levar adiante; continuar, seguir *<prossiga a lição> <p. no seu trabalho>* ↺ interromper □ *t.i. e int.* **2** (prep. *com, em*) retomar (atividade interrompida);

continuar *<o professor prosseguiu na sua explanação> <por favor, prossiga>* □ *t.d. e int.* **3** ir adiante; seguir *<prossiga o seu caminho> <acho que não vamos p.>* ↺ parar □ *pred.* **4** continuar, permanecer (em certo estado ou posição) *<todos prosseguiram de pé>* ~ **prosseguimento** *s.m.*

próstata (prós.ta.ta) *s.f.* ANAT glândula sexual masculina situada em torno da porção inicial da uretra e que produz o esperma ~ **prostático** *adj.*

prosternar (pros.ter.nar) *v.* {mod. 1} *t.d.* **1** deitar por terra; prostrar, abater *<o gladiador prosternou o adversário>* **2** *fig.* deixar indefeso; vencer, subjugar *<p. os trapaceiros> <a gripe prosternou-os>* □ *pron.* **3** curvar-se ao chão em sinal de profundo respeito *<os muçulmanos prosternam-se em oração>*

prostíbulo (pros.tí.bu.lo) *s.m.* local, casa etc., destinado à prostituição ~ **prostibular** *adj.2g.*

prostituição (pros.ti.tu.i.ção) [pl.: *-ões*] *s.f.* **1** ato ou efeito de prostitui(-se) **2** atividade que visa lucro com a exploração de prostitutas e prostitutos **3** meio de vida de prostitutas e prostitutos **4** o conjunto dos indivíduos que se prostituem **5** *fig. pej.* aviltamento, rebaixamento *<p. da missão do médico>*

prostituir (pros.ti.tu.ir) *v.* {mod. 26} *t.d. e pron.* **1** entregar-se a ou manter relações sexuais em troca de dinheiro **2** *fig.* rebaixar(-se) moralmente; degradar(-se), corromper(-se) *<a miséria prostitui algumas famílias> <sem valores morais, os jovens acabam prostituindo-se>* ↺ honrar(-se) ⊙ GRAM/USO part.: *prostituído, prostituto*; ver QUADRO DE PARTICÍPIOS DUPLOS nas pp. iniciais

prostituta (pros.ti.tu.ta) *s.f.* mulher que ganha dinheiro para manter relações sexuais; meretriz

prostituto (pros.ti.tu.to) *s.m.* indivíduo que pratica atos sexuais por dinheiro

prostração (pros.tra.ção) [pl.: *-ões*] *s.f.* **1** ato ou efeito de prostrar(-se) **2** *fig.* ato ou efeito de dominar; submissão **3** *fig.* estado de debilidade física; fraqueza ↺ robustez **4** estado de abatimento psíquico ou moral; depressão, desânimo ↺ animação

prostrar (pros.trar) *v.* {mod. 1} *t.d.* **1** fazer cair; derrubar, prosternar *<prostrou o inimigo de um só golpe>* □ *pron.* **2** (prep. *a, ante*) curvar-se ao chão em súplica ou adoração *<prostrou-se aos pés do ídolo de ouro>* □ *t.d. e pron.* **3** *p.ext.* (fazer) perder as forças; extenuar(-se) *<o cansaço me prostrou> <prostraram-se com a caminhada>* ↺ descansar **4** *fig.* (fazer) perder o ânimo, a resistência moral; abater(-se) *<a perda do pai o prostrou> <p.-se com as adversidades>* ↺ animar(-se) **5** *fig.* impor ou aceitar domínio; submeter(-se) *<prostrou todos os adversários> <prostrou-se ante a cruel realidade>*

protactínio (pro.tac.tí.nio) *s.m.* QUÍM elemento químico radiativo de difícil obtenção em sua forma pura [símb.: *Pa*] ☞ cf. *tabela periódica* (no fim do dicionário)

protagonista (pro.ta.go.nis.ta) *adj.2g.s.2g.* **1** que(m) é personagem principal de peça de teatro, livro, filme etc. **2** (ator) que representa o papel desse personagem no teatro, cinema etc. **3** *fig.* (indivíduo) que tem papel de destaque num acontecimento *<ser p. de um salvamento>*

protagonizar (pro.ta.go.ni.zar) *v.* {mod. 1} *t.d.* **1** ser o personagem principal em *<p. um filme>* **2** ser o agente principal de (ato, fato) *<ela protagonizou uma cena ridícula>*

proteção (pro.te.ção) [pl.: *-ões*] *s.f.* **1** cuidado com algo ou alguém mais fraco; amparo, apoio *<p. aos idosos, à infância>* **2** o que serve para abrigar *<precisam de uma p. contra a chuva>* **3** defesa *<p. contra raios ultravioleta> <p. das reservas florestais>* **4** tratamento privilegiado que alguém recebe; favoritismo *<gozava da p. do chefe>* **5** revestimento, invólucro *<não tire ainda a p. do CD>*

protecionismo (pro.te.cio.nis.mo) *s.m.* ECON sistema de proteção da indústria ou comércio de um país, por meio de leis que proíbem ou inibem a importação de determinados produtos ~ **protecionista** *adj.s.2g.*

proteger (pro.te.ger) *v.* {mod. 8} *t.d.,t.d.i. e pron.* **1** (prep. *de, contra*) pôr(-se) a salvo, livre (de perigos ou fatores externos); defender(-se), preservar(-se) *<p. os fracos> <p. a cidade dos ataques inimigos> <p.-se das doenças>* ↺ arriscar(-se) □ *t.d.* **2** ter ações para manter ou desenvolver; amparar *<p. a pesquisa, as artes>* **3** dar tratamento melhor a; favorecer, beneficiar *<o diretor protege esses alunos>* ↺ prejudicar

protegido (pro.te.gi.do) *adj.* **1** que tem ou recebe proteção; defendido *<crianças p.>* **2** preservado por lei ambiental *<espécies animais p.>* **3** não exposto; coberto *<janela p.>* ■ *s.m.* **4** aquele que está sob proteção **5** aquele que goza de privilégios, de situação melhor que os outros; favorito *<o patrão tinha seus p. no trabalho>*

proteína (pro.te.í.na) *s.f.* BIOQ macromolécula orgânica composta de aminoácidos que constitui grande porção da massa dos seres vivos e é necessária na dieta de animais e organismos que não realizam a fotossíntese ~ **proteico** *adj.* - **proteínico** *adj.*

protelar (pro.te.lar) *v.* {mod. 1} *t.d.* deixar para depois; adiar, postergar *<p. uma decisão>* ↺ antecipar ~ **protelação** *s.f.* - **protelador** *adj.s.m.*

proterozoico (pro.te.ro.zoi.co) /ói/ *s.m.* **1** terceiro e mais recente período geológico da era pré-cambriana, anterior ao Arqueozoico, caracterizado pela solidificação da crosta terrestre e pelo desenvolvimento da vida aquática ☞ inicial maiúsc. ■ *adj.* **2** desse período

prótese (pró.te.se) *s.f.* **1** MED dispositivo implantado no corpo para suprir a falta de um órgão ou restaurar uma função comprometida *<p. dentária>* ☞ cf. *órtese* **2** FON acréscimo de fonema(s) no início de palavra, sem alteração do significado (p.ex., *soprar* > *assoprar*)

protestante (pro.tes.tan.te) *adj.2g.* **1** que protesta **2** relativo ou pertencente ao protestantismo ■ *adj.2g.s.2g.* REL **3** adepto do protestantismo

protestantismo (pro.tes.tan.tis.mo) *s.m.* REL conjunto de doutrinas religiosas e de igrejas oriundas da Reforma religiosa no sXVI ☞ cf. *Reforma* na parte enciclopédica

protestar (pro.tes.tar) *v.* {mod. 1} *t.i. e int.* **1** (prep. *contra*) demonstrar discordância, repulsa ou revolta (contra); reclamar *<p. contra o aumento da anuidade> <eles, sentindo-se lesados, protestaram>* □ *t.d. e t.d.i.* **2** (prep. *a*) comprometer-se ou afirmar solene e publicamente; jurar, prometer *<p. respeito (a todos)>* □ *t.d.* DIR **3** fazer protesto de (título) por falta de pagamento *<p. uma duplicata>*

P

protesto (pro.tes.to) *s.m.* **1** queixa, reclamação *<houve muitos p. contra o aumento das mensalidades>* **2** declaração de desacordo **3** DIR ato pelo qual o portador de um título comercial, não aceito nem pago no dia do vencimento, se resguarda o direito de qualquer procedimento futuro

protético (pro.té.ti.co) *adj.* **1** relativo a prótese ■ *adj.s.m.* ODONT **2** (profissional) especializado em próteses dentárias

protetor (pro.te.tor) /ô/ [pl.: *-es*] *adj.s.m.* (o) que protege ▣ **p. de tela** INF utilitário que substitui os dados por uma imagem em uma tela de computador, após um período determinado de inatividade • **p. solar** qualquer preparação química (loção, óleo etc.) cujo objetivo é bloquear parte dos raios ultravioleta, para proteção da pele exposta ao sol ☞ cf. *bloqueador solar*

protetorado (pro.te.to.ra.do) *s.m.* **1** situação de um país ou território subordinado politicamente a outro **2** esse país ou território

protista (pro.tis.ta) *s.m.* BIO **1** qualquer organismo constituído por uma única célula **2** nome comum aos organismos constituídos por uma única célula ou um grupo de poucas células, que apresentam o núcleo distinto, como protozoários, algas, fungos e bactérias ■ *adj.2g.* **3** relativo a esses organismos ☞ cf. *protozoário*

protocolo (pro.to.co.lo) *s.m.* **1** registro de atos oficiais **2** registro de uma conferência internacional ou negociação diplomática **3** livro de registro das correspondências oficiais de uma empresa, repartição pública etc. **4** *p.ext.* comprovante do que foi registrado nesse livro *<perdeu o p. de inscrição no concurso>* **5** conjunto de normas reguladoras de atos públicos, esp. no governo e na diplomacia; cerimonial ▣ **p. de comunicação** INF conjunto de normas e especificações técnicas que regem a transmissão de dados entre computadores

P

protofonia (pro.to.fo.ni.a) *s.f.* MÚS composição instrumental de introdução a uma ópera, opereta, sinfonia etc.

próton (pró.ton) [pl.: *prótones, (B) prótons*] *s.m.* FÍS partícula de carga elétrica positiva constituinte do núcleo atômico

protoplasma (pro.to.plas.ma) *s.m.* BIO porção fluida do citoplasma, excluindo-se as organelas ~ **protoplasmático** *adj.* - **protoplásmico** *adj.*

protótipo (pro.tó.ti.po) *s.m.* **1** modelo criado para servir de teste **2** modelo, padrão **3** *fig.* o exemplar mais exato, mais típico, de alguma categoria de coisas ou indivíduos *<o p. do bom aluno>* ~ **prototípico** *adj.*

protozoário (pro.to.zo.á.rio) *s.m.* ZOO **1** espécime dos protozoários, grupo que compreende uma grande parcela dos seres unicelulares, muitos dos quais são parasitas dos seres humanos ☞ cf. *protista* ■ *adj.* **2** relativo a esse ser

protuberância (pro.tu.be.rân.cia) *s.f.* parte mais elevada que se destaca numa superfície; saliência, proeminência *<um monte é uma p. no terreno>* ~ **protuberante** *adj.2g.*

ProUni (Pro.U.ni) *s.m.* sigla de Programa Universidade para Todos

prova (pro.va) *s.f.* **1** o que demonstra que uma afirmação ou fato são verdadeiros; evidência **2** qualquer experimento para testar a qualidade ou veracidade de algo **3** trabalho escolar que tem por finalidade avaliar os conhecimentos do aluno; teste **4** concurso ('exame') *<p. para a Marinha>* **5** competição esportiva *<p. de saltos>* **6** GRÁF primeira impressão de trabalho tipográfico, us. para revisão e marcação de correções **7** porção de alguma coisa que se dá para provar *<uma p. do doce>* ▣ **p. de fogo** grande dificuldade por que se tem de passar • **p. dos noves** MAT para as quatro operações, prova em que se subtrai nove ou qualquer múltiplo de nove, devendo o resto do número sobre o qual se opera ficar igual ao resto do resultado da operação • **à p. de** que resiste a, que não se deixa atravessar *<relógio à p. de água> <colete à p. de bala>*

provação (pro.va.ção) [pl.: *-ões*] *s.f.* dificuldade, situação aflitiva ou sofrimento muito grandes, que põem à prova a força moral, a fé religiosa etc. *<passar por duras p.>* ↺ satisfação

provador (pro.va.dor) /ô/ [pl.: *-es*] *adj.s.m.* **1** profissional encarregado de degustar vinhos, café, chá etc., a fim de determinar sua qualidade, classificação comercial etc. ■ *s.m.* **2** *B* cabine para experimentar roupas em lojas

provar (pro.var) *v.* {mod. 1} *t.d. e t.d.i.* **1** (prep. *a*) mostrar a autenticidade de (algo) com razões, fatos etc.; comprovar *<p. sua inocência (ao júri)>* **2** (prep. *a*) dar demonstração de; revelar *<tal ato provou (a todos) seu egoísmo>* ↺ esconder **3** (prep. *a, para*) realizar ações ou portar-se de certo modo para convencer (alguém) [de algo] *<ela quer que ele prove o seu amor> <o político tem de p. para a sociedade que é honesto>* □ *t.d.* **4** conhecer por experiência própria; viver, sofrer *<p. a humilhação>* **5** fazer experiência; tentar, experimentar *<queria p. outro caminho para ir ao povoado>* **6** conferir estado, qualidade, serventia etc. de; testar *<p. a eficácia de um medicamento>* **7** pôr no corpo (roupa, calçado) para ver como assenta; experimentar □ *t.d.,t.i. e int.* **8** (prep. *de*) comer ou beber um pouco de (algo) para avaliar sua qualidade, seu estado; degustar *<p. o vinho> <p. do pudim> <prove antes de beber>*

provável (pro.vá.vel) [pl.: *-eis*] *adj.2g.* **1** cuja ocorrência é possível *<é p. que chova> <p. candidato à presidência>* ↺ improvável **2** que se pode comprovar *<teoria p.>* ~ **provavelmente** *adv.*

provecto (pro.vec.to) *adj.* **1** que apresenta progresso; adiantado *<aluno p.>* ↺ atrasado **2** que conhece muito um assunto *<p. em física>* ↺ principiante **3** *fig.* idoso ou antigo ↺ jovem **4** *p.ext.* relativo a velhice *<idade p.>*

provedor (pro.ve.dor) /ô/ [pl.: *-es*] *adj.s.m.* **1** (aquele) que provê **2** que(m) dirige instituições assistenciais ou de beneficência ▣ **p. de acesso** INF organização com uma conexão de alta capacidade e grande rede de computadores, que disponibiliza a outros usuários o acesso a essa rede

proveito (pro.vei.to) *s.m.* **1** benefício, resultado positivo propiciado por uma experiência, uma ação, um objeto etc. *<pesquisa sem nenhum p.> <que p. há nisso?>* ↺ prejuízo **2** vantagem que se tira de alguma coisa; lucro, ganho ↺ perda

proveitoso (pro.vei.to.so) /ô/ [pl. e fem.: /ó/] *adj.* que traz proveito, tem utilidade; benéfico, útil

provençal (pro.ven.çal) [pl.: *-ais*] *adj.2g.* **1** da Provença, sul da França ■ *s.2g.* **2** natural ou habitante dessa região ■ *s.m.* LING **3** língua medieval dessa região ~ **provençalismo** *s.m.* - **provençalista** *adj.2g.s.2g.*

proveniência (pro.ve.ni.ên.cia) *s.f.* origem, procedência *<não sabemos a p. desse boato>*

proveniente (pro.ve.ni.en.te) *adj.2g.* que provém; originário, procedente *<imigrantes p. da Europa>*

provento (pro.ven.to) *s.m.* **1** ganho, lucro ↺ prejuízo ▼ ***proventos*** *s.m.pl.* **2** remuneração de servidores públicos **3** remuneração de profissionais liberais; honorários

prover (pro.ver) *v.* {mod. 12} *t.d.i. e pron.* **1** (prep. *de*) abastecer(-se) [do que for necessário, útil]; munir(-se) *<p. a cidade de víveres>* *<proveu-se de roupas para o inverno>* □ *t.d.* **2** tomar providências para; providenciar *<proveu tudo no tempo certo>* **3** nomear alguém para (cargo, vaga); preencher *<já proveram o cargo de vice-diretor>* □ *t.d.i.* **4** (prep. *em, para*) nomear (para cargo, função); investir *<p. um subordinado no (ou para) o cargo>* **5** (prep. *de*) agraciar com (qualidade, talentos etc.); dotar *<a natureza não o proveu de talentos especiais>*

proverbial (pro.ver.bi.al) [pl.: *-ais*] *adj.2g.* **1** relativo ou semelhante a provérbio **2** sempre citado como modelo *<a p. pontualidade britânica>* ~ **proverbialidade** *s.f.*

provérbio (pro.vér.bio) *s.m.* dito popular que resume um conceito a respeito da realidade ou uma regra social ou moral (p.ex., *Deus ajuda a quem madruga*); dito, máxima

proveta (pro.ve.ta) /ê/ *s.f.* vaso de vidro em forma de tubo cilíndrico, fechado em uma das extremidades, us. em laboratórios para dosagens, misturas etc.; tubo de ensaio

providência (pro.vi.dên.cia) *s.f.* **1** ação concreta para a realização de algo *<tomar as p. necessárias>* **2** REL ação pela qual Deus conduz os acontecimentos e as criaturas para o fim que lhes foi destinado ☞ inicial maiúsc. **3** REL o próprio Deus ☞ inicial maiúsc.

providencial (pro.vi.den.ci.al) [pl.: *-ais*] *adj.2g.* **1** que parte da Providência divina *<desígnios p.>* **2** oportuno, conveniente *<a transferência foi p.>*

providenciar (pro.vi.den.ci.ar) *v.* {mod. 1} *t.d.* tomar medidas cabíveis para conseguir ou realizar (algo) *<p. passagens para a viagem>*

provimento (pro.vi.men.to) *s.m.* **1** abastecimento, sortimento **2** provisão ('reserva')

província (pro.vín.cia) *s.f.* **1** subdivisão de um país ou império **2** no Brasil imperial, cada uma das grandes divisões administrativas, governada por um presidente **3** *p.ext.* região afastada da capital; interior ~ **provincial** *adj.2g.*

provinciano (pro.vin.ci.a.no) *adj.* **1** da província **2** *p.ext. pej.* atrasado, sem elegância ou sofisticação *<mentalidade p.>* ■ *adj.s.m.* **3** natural ou habitante da província ~ **provincianismo** *s.m.*

provir (pro.vir) *v.* {mod. 31} *t.i.* **1** (prep. *de*) ser originário (de um lugar); vir, sair *<povos que provieram da Ásia>* **2** (prep. *de*) ter origem; proceder, derivar *<essa palavra provém do latim>* **3** (prep. *de*) descender (de família, geração, raça) **4** (prep. *de*) surgir como consequência; resultar *<tal doença provém da falta de higiene>* ~ **provindo** *adj.*

provisão (pro.vi.são) [pl.: *-ões*] *s.f.* **1** abastecimento, fornecimento **2** ²estoque **3** reserva em dinheiro ou em valores **4** reserva de mantimentos, víveres ~ **provisionar** *v.t.d. e pron.*

provisório (pro.vi.só.rio) *adj.* **1** que não é permanente; temporário *<emprego p.>* ↺ definitivo **2** interino *<chefe de seção p.>* ↺ efetivo

provitamina (pro.vi.ta.mi.na) *s.f.* BIOQ molécula ger. encontrada em alimento e que é transformada em uma vitamina pelos seres vivos, pela ação de certos agentes, como a luz solar

provocação (pro.vo.ca.ção) [pl.: *-ões*] *s.f.* **1** ato ou efeito de forçar alguém a uma luta, briga, discussão; desafio *<repórteres presenciaram atos de p. na fronteira para forçar uma guerra>* **2** afronta, insulto, ofensa *<esse filme é uma p. ao público>* **3** petulância, atrevimento *<o professor puniu o aluno por sua p.>* **4** estímulo, incitamento *<as p. do treinador levaram o atleta à vitória>*

provocar (pro.vo.car) *v.* {mod. 1} *t.d.i.* **1** (prep. *a, para*) estimular (alguém) a (agir de certo modo ou fazer algo); incitar, desafiar *<p. alguém para a briga>* *<p. o povo à desordem>* □ *t.d.* **2** ser a causa de; produzir, motivar *<o chá de erva-cidreira provoca sono>* **3** fazer perder a calma; irritar *<p. um animal>* **4** agir de modo a causar; armar, promover *<p. desordem>* **5** despertar desejo sexual em; tentar ~ **provocador** *adj.s.m.* - **provocante** *adj.2g.* - **provocativo** *adj.*

provolone (pro.vo.lo.ne) *s.m.* queijo italiano defumado de massa firme e crua

proxeneta (pro.xe.ne.ta) /cs...ê/ *s.2g.* pessoa que arranja fregueses para prostitutas e fica com grande parte do dinheiro pago a elas; cafetão

proximidade (pro.xi.mi.da.de) /ss/ *s.f.* **1** condição do que é ou está próximo; vizinhança ↺ afastamento **2** pequeno intervalo de tempo; iminência *<a p. dos exames assustava-o>* **3** familiaridade, intimidade *<havia uma certa p. entre nós>*

próximo (pró.xi.mo) /ss/ *adj.* **1** que está a pequena distância no espaço ou no tempo *<mora numa casa p.>* *<nas p. horas sairão os resultados da eleição>* ↺ distante **2** que se segue imediatamente *<na p. semana>* **3** em primeiro grau (diz-se de parente) **4** muito chegado; íntimo *<círculo p. de amigos>* ↺ afastado **5** semelhante *<o desenho ficou bem p. do original>* ■ *s.m.* **6** cada ser humano *<amar ao p.>* **7** aquele que vem em seguida *<mandar entrar o p. da fila>* ■ *adv.* **8** em lugar não distante; perto *<meus primos moram p.>* ↺ longe

prudência (pru.dên.cia) *s.f.* **1** cautela, precaução *<dirigir com p.>* ↺ imprudência **2** ponderação, sensatez *<resolver o problema com toda a p.>* ↺ precipitação

prudente (pru.den.te) *adj.2g.* **1** que não procura o perigo; cauteloso, sensato, ajuizado ↺ imprudente **2** que costuma precaver-se, preparar-se antecipadamente; previdente

prumada (pru.ma.da) *s.f.* **1** direção vertical determinada pelo prumo **2** profundidade em certo ponto do mar, rio etc.

prumo (pru.mo) *s.m.* **1** instrumento constituído de um corpo pesado preso a um fio us. para determinar a linha vertical **2** instrumento us. para medir a profundidade das águas de mar, rio, represa etc. **3** *fig.* juízo, prudência **4** *fig.* porte elegante ▣ **a p.** verticalmente

prurido (pru.ri.do) *s.m.* **1** sensação incômoda de coceira; comichão **2** pudor, escrúpulo *<perder todo p. de honestidade>* **3** *fig.* desejo ardente; impaciência

pruriginoso (pru.ri.gi.no.so) /ô/ [pl. e fem.: /ó/] *adj.* que coça ou causa coceira

prussiano (prus.si.a.no) *adj.* **1** da Prússia, antigo Estado do norte da Alemanha ■ *s.m.* **2** natural ou habitante desse antigo Estado

pseudônimo (pseu.dô.ni.mo) *s.m.* nome fictício adotado por um autor, artista etc. ☞ cf. *heterônimo* ~ **pseudonímico** *adj.*

psicanálise (psi.ca.ná.li.se) *s.f.* PSICN método e técnica de investigação psicológica, formulados por Sigmund Freud, que buscam esclarecer o significado dos processos inconscientes do comportamento humano ☞ cf. *Freud* na parte enciclopédica ~ **psicanalítico** *adj.*

psicanalista (psi.ca.na.lis.ta) *adj.2g.s.2g.* especialista em psicanálise

psicocinese (psi.co.ci.ne.se) *s.f.* deslocação de objetos físicos por suposta ação da mente sobre a matéria ~ **psicocinésico** *adj.* - **psicocinético** *adj.*

psicodélico (psi.co.dé.li.co) *adj.* **1** que produz efeitos alucinógenos **2** relativo a esses efeitos **3** muito extravagante *<decoração p.>*

psicodrama (psi.co.dra.ma) *s.m.* PSIC técnica de psicoterapia em grupo que se baseia na dramatização dos conflitos emocionais dos pacientes

psicografar (psi.co.gra.far) *v.* {mod. 1} *t.d. e int.* no espiritismo, escrever (o médium) [texto, palavras etc. ditados por um espírito]

psicografia (psi.co.gra.fi.a) *s.f.* **1** descrição dos fenômenos psíquicos **2** ato de psicografar ou seu efeito

psicógrafo (psi.có.gra.fo) *s.m.* médium que escreve por psicografia

psicologia (psi.co.lo.gi.a) *s.f.* PSIC **1** estudo das atividades mentais e do comportamento de um indivíduo ou grupo **2** o conjunto dessas atividades e dos respectivos padrões de comportamento previsíveis ~ **psicológico** *adj.* - **psicólogo** *s.m.*

psiconeurose (psi.co.neu.ro.se) *s.f.* PSIC conjunto de problemas de origem psíquica

psicopata (psi.co.pa.ta) *adj.2g.s.2g.* PSIQ que(m) sofre de psicopatia

psicopatia (psi.co.pa.ti.a) *s.f.* PSIQ **1** doença mental grave que gera comportamentos antissociais e amorais, livres de arrependimento ou remorso **2** *p.ext.* qualquer doença mental

psicose (psi.co.se) *s.f.* **1** PSIQ distúrbio mental grave marcado por conflitos com a realidade, alucinações, ilusões etc. ☞ cf. *neurose* **2** *fig.* ideia fixa

psicossocial (psi.cos.so.ci.al) [pl.: *-ais*] *adj.2g.* **1** que envolve aspectos psicológicos e sociais **2** que estuda as relações sociais à luz da saúde mental

psicossomático (psi.cos.so.má.ti.co) *adj.* que pertence ao mesmo tempo ao orgânico e ao psíquico (diz-se de distúrbio) *<reação p.>*

psicotécnica (psi.co.téc.ni.ca) *s.f.* PSIC estudo do uso de conhecimentos psicológicos no domínio prático ~ **psicotécnico** *adj.*

psicoterapia (psi.co.te.ra.pi.a) *s.f.* PSIC aplicação de qualquer das várias técnicas de tratamento de doenças e problemas psíquicos ~ **psicoterapeuta** *s.2g.*

psicótico (psi.có.ti.co) *adj.s.m.* PSIQ **1** que(m) sofre de psicose ■ *adj.* **2** relativo a psicoses *<surto p.>*

psicotrópico (psi.co.tró.pi.co) *adj.s.m.* PSIQ (substância) que atua quimicamente sobre o psiquismo, o comportamento, a percepção etc.

psique (psi.que) *s.f.* **1** a mente **2** PSIC estrutura mental ou psicológica de um indivíduo **3** PSIC psiquismo ☞ cf. [2]*soma*

psiquiatra (psi.qui.a.tra) *s.2g.* MED médico que se dedica ao estudo e à prática da psiquiatria

psiquiatria (psi.qui.a.tri.a) *s.f.* MED ramo da medicina que se dedica ao estudo, diagnóstico e tratamento de doenças mentais ~ **psiquiátrico** *adj.*

psíquico (psí.qui.co) *adj.* **1** relativo a psique ('mente') **2** relativo a aspectos psicológicos ou comportamentais do indivíduo

psiquismo (psi.quis.mo) *s.m.* PSIC conjunto das características psicológicas de um indivíduo; psique

psitacídeo (psi.ta.cí.deo) *s.m.* ZOO **1** espécime dos psitacídeos, família de aves como as araras, periquitos, papagaios, cacatuas e afins, de bico alto e recurvado, e pés com dois dedos para a frente e dois para trás ■ *adj.* **2** relativo a esse espécime ou a essa família

psitacismo (psi.ta.cis.mo) *s.m.* **1** PSIQ distúrbio psíquico que consiste em repetir palavras sem ter ideia do seu significado **2** *p.ext. pej.* palavreado vazio e abundante; verborreia **3** *p.ext. pej.* aprendizagem por repetição mecânica

psiu *interj.* som us. para chamar alguém ou para pedir silêncio

psoríase (pso.rí.a.se) *s.f.* MED doença de pele crônica caracterizada por placas vermelhas cobertas por escamas brancas que ocorre ger. no couro cabeludo, joelhos e cotovelos

Pt QUÍM símbolo de [1]*platina*

pteridófita (pte.ri.dó.fi.ta) *s.f.* BOT espécime das pteridófitas, divisão do reino vegetal que reúne plantas vasculares e com esporos, como as avencas, as samambaias ~ **pteridófito** *adj.*

pterodáctilo (pte.ro.dác.ti.lo) ou **pterodátilo** (pte.ro.dá.ti.lo) *adj.* **1** que tem os dedos unidos por membranas ■ *s.m.* **2** réptil pré-histórico voador, de tamanho aproximado ao de um pombo, com bico longo, dotado de dentes e cauda curta

Pu QUÍM símbolo de *plutônio*

pua (pu.a) *s.f.* **1** ponta aguda; bico **2** furadeira manual ▣ **sentar a p. 1** bater com força **2** agir com grande disposição

puberdade (pu.ber.da.de) *s.f.* período de transição entre a infância e a adolescência

púbere (pú.be.re) *adj.2g.* que está na puberdade ↺ impúbere

pubiano (pu.bi.a.no) *adj.* ANAT relativo a ou próprio de púbis; púbico

púbis (pú.bis) *s.m.2n.* ANAT **1** parte mais frontal do osso ilíaco **2** parte triangular no baixo abdome, que nos adultos é coberta de pelos **3** nome dos pelos da genitália externa **~ púbico** *adj.*

publicação (pu.bli.ca.ção) [pl.: *-ões*] *s.f.* **1** ato de publicar ou seu efeito **2** a obra impressa e publicada

pública-forma (pú.bli.ca-for.ma) [pl.: *públicas-formas*] *s.f.* cópia de documento, autenticada em tabelião, que substitui o original

publicar (pu.bli.car) *v.* {mod. 1} *t.d.* **1** tornar público, muito conhecido; divulgar *<p. uma notícia>* **2** reproduzir (obra escrita) por impressão ou outro meio, pondo à venda ou distribuindo gratuitamente; editar *<p. um livro>*

publicável (pu.bli.cá.vel) [pl.: *-eis*] *adj.2g.* **1** que pode ser publicado **2** que não ofende a moral pública ↺ impublicável

publicidade (pu.bli.ci.da.de) *s.f.* atividade que torna público algo (p.ex., um produto ou serviço, com o intuito de persuadir as pessoas a comprá-lo); propaganda *<agência de p.> <produto divulgado com muita p.>*

publicista (pu.bli.cis.ta) *s.2g.* **1** jornalista ou escritor que escreve sobre política, economia, questões sociais ou jurídicas etc. de interesse do público; articulista **2** especialista em direito público

publicitário (pu.bli.ci.tá.rio) *adj.* **1** relativo a publicidade ■ *s.m.* **2** profissional que planeja, cria ou executa campanhas de publicidade ('atividade')

público (pú.bli.co) *s.m.* **1** conjunto de espectadores **2** conjunto de pessoas com interesses ou características comuns *<livro dirigido ao p. infantil>* ■ *adj.* **3** relativo ou pertencente a uma coletividade *<bem-estar p.>* ↺ particular **4** relativo ou pertencente a um governo, estado, cidade etc. *<funcionalismo p.>* ↺ privado **5** que pertence a todos *<banheiros p.>* ↺ privado **6** conhecido por todos **7** aberto a quaisquer pessoas *<audiência p.>* ↺ privado ▣ **em p. 1** à vista de todos **2** para um auditório *<falar em p.>*

público-alvo (pú.bli.co-al.vo) *s.m.* conjunto de pessoas com características em comum de (idade, sexo, profissão, interesses etc.), ao qual se dirige uma comunicação, uma mensagem de publicidade etc. ◉ GRAM/USO pl.: *públicos-alvo*

puçá (pu.çá) *s.m.* rede em forma cônica, presa a um aro dotado de cabo, us. para pescar crustáceos em águas rasas

puçanga (pu.çan.ga) *s.f.* *B* **1** remédio caseiro; mezinha **2** medicamento receitado pelos pajés **3** *p.ext.* beberagem, poção

pucumã (pu.cu.mã) ou **picumã** (pi.cu.mã) *s.f.* fuligem *<p. das chaminés, das lareiras>*

pudendo (pu.den.do) *adj.* **1** recatado, envergonhado **2** que deve ser alvo de recato, de vergonha *<as partes p. do corpo>* **3** ANAT relativo aos órgãos genitais externos

pudente (pu.den.te) *adj.2g.* que tem pudor; casto ↺ devasso, impudente

pudera (pu.de.ra) *interj.* não era para menos *<ele foi reprovado? p.! não estudou nada!>*

pudicícia (pu.di.cí.cia) *s.f.* **1** pudor ↺ indecência **2** castidade, pureza ↺ luxúria

pudico (pu.di.co) *adj.* recatado, casto ↺ devasso ◉ GRAM/USO sup.abs.sint.: *pudicíssimo*

pudim (pu.dim) [pl.: *-ins*] *s.m.* CUL iguaria de consistência firme, porém macia, assada em banho-maria

pudor (pu.dor) /ô/ [pl.: *-es*] *s.m.* sentimento de vergonha, timidez ou constrangimento ↺ despudor **~ pudoroso** *adj.*

puerícia (pu.e.rí.cia) *s.f.* infância

puericultura (pu.e.ri.cul.tu.ra) *s.f.* MED conjunto de noções para o cuidado médico, higiênico, nutricional etc. das crianças pequenas desde o seu nascimento **~ puericultor** *adj.s.m.*

pueril (pu.e.ril) [pl.: *-is*] *adj.2g.* **1** relativo ou pertencente a criança; infantil *<fase p. da vida>* ↺ adulto **2** *p.ext.* ingênuo; imaturo *<comportamento p.>* ↺ maduro **~ puerilidade** *s.f.*

puérpera (pu.ér.pe.ra) ou **puerpera** (pu.er.pe.ra) *s.f.* mulher que deu a luz há bem pouco tempo

puerperal (pu.er.pe.ral) [pl.: *-ais*] *adj.2g.* **1** relativo a parto ou a puérpera **2** que ocorre em seguida ao parto *<febre p.>*

puerpério (pu.er.pé.rio) *s.m.* MED período de restabelecimento de uma parturiente

pufe (pu.fe) *s.m.* assento baixo e acolchoado, ger. circular

pugilato (pu.gi.la.to) *s.m.* **1** luta a socos **2** *fig.* discussão ou debate acalorado

pugilismo (pu.gi.lis.mo) *s.m.* [1]boxe **~ pugilístico** *adj.*

pugilista (pu.gi.lis.ta) *s.2g.* atleta que pratica pugilismo; boxeador

pugna (pug.na) *s.f.* **1** luta, combate **2** *p.ext.* discussão, debate ↺ acordo **3** *p.ext.* esforço, empenho ↺ displicência

pugnar (pug.nar) *v.* {mod. 1} *t.d.,t.i. e int.* **1** (prep. *com, por*) travar combate (com); lutar, batalhar *<p. uma batalha> <p. pela liberdade> <não foi preciso p.>* □ *t.i. fig.* **2** (prep. *por*) esforçar-se para conseguir; batalhar *<os manifestantes foram para a rua p. pelos seus direitos>* ↺ desistir **3** (prep. *por*) lutar moralmente por; defender *<p. pela pátria>*

puído (pu.í.do) *adj.* bastante gasto devido ao uso (diz-se de roupa, calçado etc.) *<colarinho p.>*

puir (pu.ir) *v.* {mod. 26} *t.d. e pron.* **1** desgastar(-se) por atrito, ger. decorrente do uso *<puiu as botas, andando no mato> <as mangas do paletó puíram-se nos cotovelos>* □ *t.d.* **2** friccionar com pano ou similar para dar brilho; lustrar *<p. a prataria>* ◉ GRAM/USO verbo defectivo

pujança (pu.jan.ça) *s.f.* **1** direito ou poder de agir, de se fazer obedecer; domínio **2** grande força; vigor **3** abundância de bens materiais; fartura, riqueza **4** desenvolvimento máximo de um ser vivo; exuberância, viço *<a selva amazônica em toda a sua p.>* **5** capacidade produtiva de um solo

pujante (pu.jan.te) *adj.2g.* **1** que tem poder; poderoso *<um p. soberano>* **2** vigoroso, possante *<corpo p.>* ↺ débil, fraco **3** em que há abundância; rico *<economia p.>* ↺ modesto, pobre **4** exuberante, viçoso *<natureza p.>* ↺ ressequido **5** fértil, fecundo ↺ estéril, infértil

pula-pula (pu.la-pu.la) *s.m. B* **1** RECR brinquedo constituído de uma haste com apoio para as mãos e uma pequena plataforma para os pés na parte inferior, por baixo da qual há molas que fazem a criança pular **2** RECR espécie de cama elástica, cercada por uma rede de proteção, na qual as crianças pulam

pular (pu.lar) *v.* {mod. 1} *int.* **1** elevar-se por impulso dos pés e das pernas; saltar **2** pulsar com vigor *<o coração pulava no peito>* □ *t.i.* **3** (prep. *de*) jogar-se de lugar mais alto para um mais baixo; saltar *<p. do trampolim>* □ *t.d.* **4** saltar por cima de; transpor *<p. um muro, uma poça>* **5** omitir por distração ou de propósito *<p. parte do texto>*

pule (pu.le) *s.f. B* **1** bilhete de aposta em corridas de cavalos **2** valor provável do rateio total dessas apostas; cotação

pulga (pul.ga) *s.f.* ZOO nome comum dado a insetos saltadores de corpo achatado, que se alimentam de sangue quente de animais vertebrados, incluindo o homem

pulgão (pul.gão) [pl.: *-ões*] *s.m.* ZOO nome comum dado a insetos parasitas de corpo mole e sem asas que sugam a seiva das plantas

pulgueiro (pul.guei.ro) *s.m.* **1** lugar infestado de pulgas **2** *B* cinema de ínfima categoria; poeira

pulguento (pul.guen.to) *adj.* cheio de pulgas *<cachorro p.>*

pulha (pu.lha) *s.f.* **1** gracejo dito com intuito de ridicularizar alguém **2** mentira **3** dito indecoroso, ofensivo **4** ato de um indivíduo sem caráter; canalhice ■ *adj.2g.s.2g.* **5** (indivíduo) sem caráter; canalha, cafajeste ~ **pulhice** *s.f.*

pulmão (pul.mão) [pl.: *-ões*] *s.m.* ANAT cada um dos dois principais órgãos da respiração, situados nas cavidades do tórax ▣ **a plenos p.** com voz forte e alta

pulmonar (pul.mo.nar) [pl.: *-es*] *adj.2g.* **1** relativo a pulmões *<radiografia p.>* **2** que serve aos pulmões *<veia p.>* **3** que ataca os pulmões *<doenças p.>*

pulo (pu.lo) *s.m.* **1** salto **2** pulsação violenta *<sentir os p. do coração>* ▣ **dar um p.** *infrm.* ir a um lugar e voltar logo em seguida *<dar um p. no escritório>*

pulo do gato (pu.lo do ga.to) [pl.: *pulos do gato*] *s.m. B* recurso que permite escapar de uma situação difícil

pulôver (pu.lô.ver) [pl.: *pulôveres*] *s.m.* VEST suéter

púlpito (púl.pi.to) *s.m.* tribuna elevada de onde o sacerdote faz o sermão aos fiéis

pulsação (pul.sa.ção) [pl.: *-ões*] *s.f.* **1** FISL batimento ritmado no coração ou nas artérias **2** ação de contrair-se e dilatar-se ritmicamente; latejamento **3** MÚS unidade abstrata de medida do tempo musical, a partir da qual se estabelecem as relações de ritmo

[1]**pulsar** (pul.sar) *v.* {mod. 1} *int.* **1** ter pulsação; latejar, bater *<seu coração pulsava de medo>* □ *t.d.* **2** movimentar por impulso; impelir *<p. um carro>* **3** pôr em movimento ritmado *<o vento pulsa as águas>* ◉ ORIGEM do lat. *pulsāre* 'impelir, repelir, agitar'

[2]**pulsar** (pul.sar) [pl.: *-es*] *s.m.* objeto estelar que emite radiações eletromagnéticas em ondas de rádio com impulsos muito regulares ◉ ORIGEM do ing. *pulsar* 'id.', de *pulsating star*, lit. 'estrela pulsante'

pulseira (pul.sei.ra) *s.f.* adorno para os pulsos ou braços

pulso (pul.so) *s.m.* **1** ANAT ponto em que o antebraço se articula com a mão **2** FISL batimento arterial que pode ser medido nessa região **3** *fig.* autoridade, firmeza *<teve pulso para acabar com a baderna>* ▣ **a p.** à força *<o doente tomou o medicamento a p.>*

pulular (pu.lu.lar) *v.* {mod. 1} *int.* **1** lançar rebentos (a planta); brotar **2** multiplicar-se com rapidez e abundância, espalhando-se *<pululam barracas por toda a praia>* □ *t.i. e int.* **3** (prep. *de*) estar repleto de ou existir em grande número; abundar, fervilhar *<a represa pululava de peixes>* *<nesse bosque os coelhos pululam>* ↺ faltar ~ **pululante** *adj.2g.*

pulverizar (pul.ve.ri.zar) *v.* {mod. 1} *t.d. e pron.* **1** reduzir(-se) a pó *<p. os grãos de trigo>* *<o prédio pulverizou-se logo depois da implosão>* □ *t.d. e t.d.i.* **2** espalhar pó, farinha etc. sobre; salpicar *<usou sal grosso para p. a carne>* *<pulverize o bolo com açúcar>* **3** borrifar com gotículas de um líquido, esp. inseticida; aspergir *<pulverizou a casa toda em meia hora>* *<p. um estofado com impermeabilizante>* ~ **pulverização** *s.f.* - **pulverizador** *adj.s.m.*

pum [pl.: *puns*] *s.m.* **1** expulsão de gases do intestino pelo ânus; peido, traque ■ *interj. infrm.* **2** expressa o ruído de uma explosão, uma batida, uma queda etc.

puma (pu.ma) *s.m.* ZOO suçuarana

punção (pun.ção) [pl.: *-ões*] *s.f.* MED introdução de instrumento em tecido vivo a fim de retirar líquido, pus etc. *<teve de fazer uma p. nos pulmões>*

puncionar (pun.cio.nar) *v.* {mod. 1} *t.d.* introduzir instrumento apropriado, p.ex. agulha, em (cavidade, veia, órgão) para retirar líquido, secreção ali contidos

punctura (punc.tu.ra) *s.f.* → ***PUNTURA***

pundonor (pun.do.nor) /ô/ [pl.: *-es*] *s.m.* **1** sentimento da própria honra, do próprio valor; amor-próprio, brio *<foi ferido no seu p.>* **2** recato, pudor ~ **pundonoroso** *adj.*

punga (pun.ga) *s.f.* **1** furto praticado com habilidade ■ *s.2g.* **2** batedor de carteira; punguista

pungente (pun.gen.te) *adj.2g.* **1** que tem a ponta rígida e aguçada, capaz de ferir perfurando; pontiagudo *<arma p.>* ↺ rombudo **2** que provoca forte dor; lancinante *<facada p.>* **3** muito comovente *<espetáculo p.>* **4** que desperta sensação física aguda, penetrante *<odor p.>*

pungir (pun.gir) *v.* {mod. 24} *t.d.* **1** ferir ou furar com objeto pontudo; picar *<os espinhos pungem as mãos>* □ *t.d. e int.* **2** causar grande dor moral a; afligir *<as lembranças pungem o culpado>* *<a saudade punge>* □ *t.d. e t.d.i.* **3** (prep. *a*) estimular, incentivar *<a paixão punge o poeta>* ~ **pungimento** *s.m.*

punguista (pun.guis.ta) *adj.2g.s.2g.* batedor de carteira; punga ~ **punguear** *v.t.d. e int.*

punhado (pu.nha.do) *s.m.* **1** porção (de algo) que caiba na mão *<um p. de pedrinhas>* **2** *fig.* pequena ou grande quantidade (de algo) *<um p. de asneiras>*

punhal (pu.nhal) [pl.: *-ais*] *s.m.* arma branca curta com lâmina pontiaguda

punhalada (pu.nha.la.da) *s.f.* golpe dado ou ferimento feito com punhal

punheta (pu.nhe.ta) /ê/ *s.f. gros.* masturbação masculina

punheteiro (pu.nhe.tei.ro) *adj.s.m. B gros.* que(m) se masturba frequentemente

punho (pu.nho) *s.m.* **1** ANAT junção da mão com o antebraço; munheca, pulso **2** a mão fechada **3** tira de tecido dobrado que arremata as mangas longas de camisas, blusas ou vestidos, e cujas pontas se abotoam, contornando o pulso **4** empunhadura **5** pequena corda ou cabo em forma de elo que segura as redes, nos ganchos ou armadores

punição (pu.ni.ção) [pl.: *-ões*] *s.f.* **1** qualquer forma de castigo que se impõe a alguém por falta cometida **2** *fig.* algo penoso ou desagradável que alguém é obrigado a suportar *<ir ao supermercado é uma p. para ele>*

púnico (pú.ni.co) *adj.s.m.* **1** cartaginês **2** *fig.* (aquele) que age de má-fé ↺ leal

[1]**punir** (pu.nir) *v.* {mod. 24} *t.d.,t.d.i. e pron.* **1** (prep. *com, de, por*) infligir(-se) pena, punição; castigar(-se) *<p. o culpado> <p. de morte um sequestrador> <p.-se da falta>* □ *t.d.* **2** servir de castigo a *<a morte não pune os crimes>* ◉ ORIGEM do lat. *punīre* 'id.'

[2]**punir** (pu.nir) *v.* {mod. 24} *t.i.* (prep. *por*) lutar em defesa de; pugnar, batalhar *<p. pelos próprios direitos>* ◉ ORIGEM cruzamento de *punir* com o arc. *punar* 'pugnar'

punitivo (pu.ni.ti.vo) *adj.* **1** que pune *<medidas p.>* **2** que diz respeito a punição

punk [ing.] *s.m.* **1** movimento contestador no qual seus membros manifestam-se contra a ordem social vigente, assumindo comportamentos agressivos e provocadores ■ *s.2g.* **2** cada um dos membros desse movimento ■ *adj.2g.2n.* **3** relativo a esse movimento, ao seu estilo ou aos seus membros ◉ GRAM/USO pl. do s.2g.: *punks* ⇒ pronuncia-se pank

puntura (pun.tu.ra) ou **punctura** (punc.tu.ra) *s.f.* furo ou picada feitos com objeto perfurante

pupa (pu.pa) *s.f.* ZOO em alguns insetos, estágio intermediário entre a larva e o imago

pupila (pu.pi.la) *s.f.* **1** ANAT orifício situado no centro da íris capaz de regular a quantidade de luz que penetra no olho; menina do olho **2** aluna, educanda **3** aquela que é tutelada por alguém

pupilo (pu.pi.lo) *s.m.* **1** aluno, discípulo **2** menor órfão que tem um tutor **3** protegido, afilhado

pupunha (pu.pu.nha) *s.f.* BOT **1** palmeira cultivada por seu fruto saboroso e nutritivo, pela amêndoa, de que se extrai óleo, e pelo palmito comestível **2** esse fruto, amarelo e oleoso, que é consumido cozido

pupunheira (pu.pu.nhei.ra) *s.f.* BOT pupunha ('palmeira')

puramente (pu.ra.men.te) *adv.* **1** de modo puro; sem mácula *<amar o próximo p., sem interesses>* **2** de modo preciso, estrito; exclusivamente, estritamente *<esta é uma questão p. técnica>*

purê (pu.rê) *s.m.* CUL alimento pastoso preparado com frutas ou legumes amassados

pureza (pu.re.za) /ê/ *s.f.* **1** característica do que é puro ↺ impureza **2** inocência; sinceridade ↺ hipocrisia **3** castidade; virgindade

purga (pur.ga) *s.f.* purgante

purgante (pur.gan.te) *adj.2g.s.m.* **1** laxante ('medicamento') **2** (o) que purga ■ *s.m. infrm.* **3** o que é muito enfadonho, insuportável

purgar (pur.gar) *v.* {mod. 1} *t.d. e t.d.i.* **1** (prep. *de*) livrar (de impurezas, coisas indesejáveis); depurar, purificar *<p. o sangue> <p. um metal da escória>* □ *t.d. e pron.* **2** (prep. *de*) livrar(-se) de culpa, pecados; redimir(-se) *<p. os pecados> <p.-se do crime>* **3** (fazer) tomar purgante *<p.(-se) um doente>* □ *int.* **4** expelir secreção, esp. pus *<o ouvido ainda purgava>* ~ **purgação** *s.f.* - **purgativo** *adj.s.m.*

purgatório (pur.ga.tó.rio) *s.m.* **1** REL local onde as almas se redimem de seus pecados, antes de alcançarem o paraíso **2** *fig.* lugar onde se sofre

purificação (pu.ri.fi.ca.ção) [pl.: *-ões*] *s.f.* **1** ato ou efeito de tornar puro, livre de impurezas *<p. da água>* **2** ato ou efeito de se livrar de pecados, de máculas morais; expiação, purgação **3** qualquer rito religioso purificador **4** LITUR festa da purificação da Virgem Maria, celebrada a 2 de fevereiro, chamada tb. Candelária ☞ inicial maiúsc.

purificador (pu.ri.fi.ca.dor) /ô/ [pl.: *-es*] *adj.* **1** que purifica ou que serve para purificar; purificante ■ *s.m.* **2** aquilo que serve para purificar **3** recipiente onde se lavam as pontas dos dedos após as refeições; lavanda **4** dispositivo, ger. com filtro, para purificar ar, água, líquidos

purificar (pu.ri.fi.car) *v.* {mod. 1} *t.d.,t.d.i. e pron.* **1** (prep. *de*) deixar ou ficar sem (impurezas, substâncias indesejáveis); limpar(-se), purgar(-se) *<p. um metal> <p. o açúcar das impurezas> <o organismo leva alguns dias para p.-se do álcool>* **2** *fig.* (prep. *de*) livrar(-se) [de pecados, manchas morais] *<p. o coração> <p. a alma de culpas> <p.-se das consequências dos maus atos>*

purismo (pu.ris.mo) *s.m.* **1** LING preocupação exagerada com a conservação da pureza de um idioma **2** rejeição sistemática de qualquer possibilidade ou proposta de alteração em uma doutrina; ortodoxia ~ **purista** *adj.2g.s.2g.* - **purístico** *adj.*

puritano (pu.ri.ta.no) *adj.s.m.* **1** (o) que era membro de uma seita protestante da Inglaterra do sXVI, que pretendia purificar a prática religiosa mediante uma interpretação literal da Bíblia **2** que(m) demonstra rigidez quanto aos costumes morais e religiosos; moralista ~ **puritanismo** *s.m.*

puro (pu.ro) *adj.* **1** sem mistura; sem impureza *<ouro p.>* **2** límpido, transparente *<água p.>* ↺ turvo **3** inocente, sem malícia ↺ malicioso **4** fiel, exato *<p. verdade>*

puro-sangue (pu.ro-san.gue) [pl.: *puros-sangues*] *adj.2g.s.2g.* (animal) de raça pura *<o haras adquiriu dois (cavalos) p.>*

P

púrpura (púr.pu.ra) *s.f.* **1** cor vibrante vermelho--escura ■ *adj.2g.2n.* **2** dessa cor *<manto p.>* **3** diz-se dessa cor *<a cor p.>* ~ **purpúreo** *adj.* - **purpurino** *adj.*

purpurina (pur.pu.ri.na) *s.f.* **1** pó metálico muito fino us. em impressões a ouro, prata e bronze **2** pó grosso brilhante, us. em maquiagens, trabalhos manuais etc.

purulento (pu.ru.len.to) *adj.* **1** cheio de pus ou que expele pus *<tinha o corpo coberto de chagas p.>* **2** *fig.* que inspira nojo ~ **purulência** *s.f.*

pururuca (pu.ru.ru.ca) *adj.2g.* **1** que quebra com facilidade; frágil, quebradiço **2** com a pele torrada, crespa e crocante *<leitão p.>*

pus *s.m.* líquido espesso e amarelado que se forma numa ferida infeccionada

pusilânime (pu.si.lâ.ni.me) *adj.2g.s.2g.* **1** (indivíduo) moralmente fraco, sem iniciativa **2** covarde, medroso ↺ valente

pusilanimidade (pu.si.la.ni.mi.da.de) *s.f.* **1** fraqueza da vontade; falta de firmeza, de decisão **2** medo, covardia

pústula (pús.tu.la) *s.f.* ferida com pus

pustulento (pus.tu.len.to) *adj.* **1** cheio de pústulas; pustuloso *<pescoço p.>* ■ *s.m.* **2** pessoa pustulenta

pustuloso (pus.tu.lo.so) /ô/ [pl. e fem.: /ó/] *adj.* **1** que tem forma ou aparência de pústula **2** pustulento ■ *s.m.* **3** pustulento

puta (pu.ta) *s.f. gros. pej.* **1** mulher que se prostitui; prostituta ■ *adj.2g.2n. infrm. gros.* **2** termo que se emprega no sentido de 'grande, enorme, fantástico, excelente, sensacional' etc. *<levou dois puta abraços dos irmãos>*

putativo (pu.ta.ti.vo) *adj.* falsamente atribuído a (alguém ou algo); suposto *<filho p.>*

puteada (pu.te.a.da) *s.f. RS gros.* repreensão, bronca *<deu uma p. no empregado relapso>*

P

puteiro (pu.tei.ro) *s.m. gros.* prostíbulo

puto (pu.to) *s.m.* **1** *gros.* homossexual **2** *pej.* indivíduo de mau caráter; sacana *<o p. do juiz me expulsou de campo>* **3** *infrm.* dinheiro de ínfimo valor; tostão, centavo *<não vou comprar nada porque estou sem um p.>* ■ *adj. infrm. gros.* **4** dominado pela raiva; furioso *<ele está p. com você>* ▣ **p. da vida** *gros.* muito zangado

putrefação (pu.tre.fa.ção) [pl.: *-ões*] *s.f.* **1** processo de apodrecer; apodrecimento **2** BIO decomposição da matéria orgânica causada por microrganismos

putrefacto (pu.tre.fac.to) ou **putrefato** (pu.tre.fa.to) *adj.* que apodreceu ou está apodrecendo

putrefazer (pu.tre.fa.zer) *v.* {mod. 14} *t.d.,int. e pron.* **1** tornar(-se) podre; deteriorar(-se), estragar *<a umidade putrefaz a madeira> <o peixe putrefaz(-se) rapidamente com o calor>* **2** (fazer) portar-se contra a ética, a moral etc.; corromper(-se) *<a impunidade colabora para p. os costumes> <putrefez(-se) no posto que ocupava>* ↺ dignificar(-se) ◉ GRAM/USO part.: *putrefeito*

pútrido (pú.tri.do) *adj.* **1** que já se decompôs; podre **2** em processo de putrefação **3** que cheira mal; fétido ↺ cheiroso **4** *fig.* moralmente degradado; corrompido

puxa (pu.xa) *interj.* exprime espanto, admiração, aborrecimento etc. *<puxa!, como você está bonita!>*

puxada (pu.xa.da) *s.f.* **1** ato de puxar ou o seu efeito; puxão **2** puxado ('construção') **3** *infrm.* caminhada longa e árdua *<daqui ao sítio é uma p.!>* **4** concentração de esforços para alcançar um fim

puxado (pu.xa.do) *adj.* **1** esticado, retesado ↺ frouxo **2** de contorno acentuadamente oblongo; amendoado *<os orientais têm olhos p.>* **3** árduo, difícil; cansativo *<tarefa p.>* ↺ leve ■ *s.m.* **4** *B* construção para aumentar a casa

puxador (pu.xa.dor) /ô/ [pl.: *-es*] *s.m.* **1** peça que se puxa para abrir gavetas, portas de armário etc. **2** pessoa que puxa e guia (reza, canto, vaia etc.) **3** *gír.* quem furta (automóveis), ger. em via pública ■ *adj.* **4** que puxa ou serve para puxar

puxão (pu.xão) [pl.: *-ões*] *s.m.* ato ou efeito de puxar com força *<deu-lhe um p. no cabelo>* ▣ **p. de orelha** **1** castigo ou corretivo que consiste em puxar ou torcer a orelha de alguém **2** *fig. infrm.* crítica dirigida a alguém; repreensão, censura *<o ministro levou um p. de orelha do presidente>*

puxa-puxa (pu.xa-pu.xa) *adj.2g.2n.s.m.* (doce ou bala) de consistência grudenta ◉ GRAM/USO pl. do subst.: *puxas-puxas* e *puxa-puxas*

puxar (pu.xar) *v.* {mod. 1} *t.d.* **1** fazer mover para perto de si; trazer, atrair *<puxe a porta ao sair>* **2** usar força física para mover (algo) atrás de si; arrastar *<os cavalos puxavam a carroça>* **3** forçar para si, para arrancar ou como se o tentasse *<p. o cabelo, a orelha de alguém>* **4** iniciar e comandar (ato coletivo) *<p. uma vaia>* **5** ser causa, origem de; provocar, ocasionar *<a falta de higiene puxa a doença>* **6** deixar-se penetrar por (líquido); absorver *<esse material puxa muita tinta>* **7** *B gír.* furtar (automóveis), ger. em via pública □ *t.d. e t.i.* **8** (prep. *de*) tirar (arma) do coldre, da bainha e empunhar; sacar *<p. o revólver> <p. da espada>* **9** (prep. *a*) herdar semelhança, característica de *<puxou o talento do pai> <p. ao avô>* □ *t.i.* **10** (prep. *por*) forçar a estudar, a trabalhar; estimular *<p. pelo filho>* **11** (prep. *para*) estar próximo de (certo tom ou cor); tender *<este verde puxa para o azul>*

puxa-saco (pu.xa-sa.co) [pl.: *puxa-sacos*] *adj.2g.s.2g. infrm.* que(m) procura agradar com palavras ou gestos para obter algum benefício; bajulador *<aquele é o (funcionário) p. do diretor>* ~ **puxa-saquismo** *s.m.*

PVC *s.m.* QUÍM variedade de matéria plástica (polímero) us. em tubos e condutores de todos os tipos

a b c d e f g h i j k l m n o p q r s t u v w x y z

q *s.m.* **1** 17ª letra do nosso alfabeto, consoante ■ *n.ord. adj.2g.2n.* **2** diz-se do 17º elemento de uma série *<casa Q> <item 1q>* ☞ empr. após um substantivo ou numeral ◉ GRAM/USO na acp. s.m., pl.: *qq*

Q.G. *s.m.* sigla de *quartel-general*

Q.I. *s.m.* sigla de *quociente de inteligência*

quadra (qua.dra) *s.f.* **1** série de quatro **2** quarteirão **3** área retangular demarcada us. para prática de determinados esportes *<q. de vôlei>* **4** LIT estrofe composta de quatro versos ◉ GRAM/USO dim.irreg.: *quadrícula*

quadrado (qua.dra.do) *adj.* **1** que tem os lados e os ângulos iguais (diz-se de quadrilátero) **2** que tem a forma desse quadrilátero (diz-se de objeto) *<moldura q.>* ■ *s.m.* **3** GEOM quadrilátero equiângulo e equilátero **4** objeto de quatro lados; quadro

quadragenário (qua.dra.ge.ná.rio) *adj.s.m.* que(m) tem de 40 a 49 anos

quadragésimo (qua.dra.gé.si.mo) *n.ord.* **1** (o) que, numa sequência, ocupa a posição número 40 ■ *n.frac.* **2** (o) que é 40 vezes menor que a unidade

quadrangular (qua.dran.gu.lar) [pl.: *-es*] *adj.2g.* **1** que tem quatro cantos *<terreno q.>* **2** GEOM que tem quatro ângulos (diz-se de base) *<prisma q.>* ■ *adj.2g.s.2g.* ESP **3** (torneio) entre quatro competidores

quadrângulo (qua.drân.gu.lo) *s.m.* → *QUADRILÁTERO*

quadrante (qua.dran.te) *s.m.* **1** GEOM qualquer das quatro partes iguais em que se pode dividir a circunferência com dois diâmetros perpendiculares **2** mostrador de relógio

quadratura (qua.dra.tu.ra) *s.f.* **1** GEOM operação que determina um quadrado de área equivalente a uma dada figura geométrica **2** ASTR distância de 90° entre dois corpos celestes, do ponto de vista da Terra

quadríceps (qua.drí.ceps) ou **quádriceps** (quá.dri.ceps) *adj.2g.2n.s.m.2n.* ANAT diz-se de ou músculo da porção anterior da coxa ~ **quadricipital** *adj.2g.*

quadrícula (qua.drí.cu.la) *s.f.* **1** pequeno quadrado; quadrículo **2** pequena quadra

quadriculado (qua.dri.cu.la.do) *adj.* **1** dividido em quadrículas *<folha q.>* **2** estampado com quadrículas coloridas *<camisa q. de preto e branco>*

quadricular (qua.dri.cu.lar) *v.* {mod. 1} *t.d.* dividir em quadrículas *<q. um papel>* ~ **quadriculado** *adj.*

quadrículo (qua.drí.cu.lo) *s.m.* quadrícula

quadriênio (qua.dri.ê.nio) ou **quatriênio** (qua.tri.ê.nio) *s.m.* período de quatro anos ~ **quadrienal** *adj.2g.*

quadriga (qua.dri.ga) *s.f.* **1** carro de duas rodas puxado por quatro cavalos **2** o conjunto desses quatro cavalos

quadrigêmeo (qua.dri.gê.meo) *s.m.* **1** cada um de quatro irmãos gêmeos ■ *adj.* **2** relativo a esses irmãos, individualmente ou não

quadril (qua.dril) [pl.: *-is*] *s.m.* ANAT cada uma das regiões laterais do corpo que vai da bacia à parte superior da coxa; anca

quadrilátero (qua.dri.lá.te.ro) ou **quadrângulo** (qua.drân.gu.lo) *s.m.* GEOM polígono de quatro lados

quadrilha (qua.dri.lha) *s.f.* **1** grupo de pessoas que se reúnem para praticar crimes **2** grupo de pessoas; bando **3** *B* dança popular brasileira, típica de festas juninas

quadrimestral (qua.dri.mes.tral) [pl.: *-ais*] *adj.2g.* **1** que se dá de quatro em quatro meses **2** que se realiza ao longo de quatro meses

quadrimestre (qua.dri.mes.tre) *s.m.* espaço de tempo de quatro meses

quadringentésimo (qua.drin.gen.té.si.mo) *n.ord.* **1** (o) que, numa sequência, ocupa a posição número 400 ■ *n.frac.* **2** (o) que é 400 vezes menor que a unidade

quadrinho (qua.dri.nho) *s.m.* **1** quadro pequeno ▼ ***quadrinhos*** *s.m.pl. B* **2** história em quadrinhos ~ **quadrinizar** *v.t.d.*

quadrinômio (qua.dri.nô.mio) *s.m.* MAT expressão algébrica composta de quatro termos

quadro (qua.dro) *s.m.* **1** obra de arte executada numa superfície plana, ger. guarnecida de moldura **2** quadro-negro **3** painel onde estão os instrumentos de controle de uma instalação, uma máquina etc. *<q. de energia>* **4** *B* estrutura metálica de bicicleta, motocicleta etc. **5** *fig.* disposição ordenada de fatos; descrição, exposição *<um q. da situação financeira>* **6** *fig.* conjunto de funcionários de empresa, repartição etc. **7** *B* conjunto de atletas que disputam uma partida pelo mesmo clube; equipe, time **8** qualquer tabela, mapa ou gráfico de um texto **9** cada uma das imagens completas exibidas pela televisão

quadro de giz (qua.dro de giz) [pl.: *quadros de giz*] *s.m.* quadro-negro

quadro-negro (qua.dro-ne.gro) [pl.: *quadros-negros*] *s.m.* quadro, ger. negro ou verde, us. para escrever a giz, esp. em escolas; quadro de giz, quadro, lousa

quadrúmano (qua.drú.ma.no) *s.m.* **1** ZOO espécime dos quadrúmanos, antiga divisão dos mamíferos, que compreendia os primatas, com exceção do homem ■ *adj.* **2** relativo a esse espécime **3** que tem quatro mãos *<animal q.>*

quadrúpede (qua.drú.pe.de) *adj.2g.* **1** que tem quatro pés ■ *s.m.* **2** qualquer animal de quatro patas ■ *s.2g. fig. infrm.* **3** indivíduo estúpido, rude

quadruplicação (qua.dru.pli.ca.ção) [pl.: *-ões*] *s.f.* multiplicação por quatro

quadruplicar (qua.dru.pli.car) *v.* {mod. 1} *t.d.,int. e pron.* multiplicar(-se) por quatro; tornar(-se) quatro vezes maior *<q. o patrimônio> <o número de alunos da nova escola quadruplicou(-se) neste ano>*

quádruplo (quá.dru.plo) *n.mult.* **1** (o) que contém quatro vezes a mesma quantidade ■ *adj.* **2** composto de quatro elementos *<lista q.>* ▼ ***quádruplos*** *s.m.pl.* **3** quatro irmãos nascidos do mesmo parto

qual *pron.interg.* **1** refere-se a coisa ou pessoa dentre outras; que, quem *<q. dos livros você quer?> <q. de vocês vai sair?>* **2** de que natureza, de que qualidade (em relação a pessoa ou coisa) *<q. é a sua opinião?>* ■ *pron.rel.* **3** refere-se a um antecedente e vem sempre precedido pelo artigo definido *<é importante o assunto ao q. você se refere>* ☞ como pron., pl. *quais* ■ *conj.comp.* **4** como *<corria q. um touro>* ■ *interj.* **5** designa espanto, negação etc. ▣ **tal q.** exatamente igual

qualidade (qua.li.da.de) *s.f.* **1** atributo que determina a essência ou a natureza de algo ou alguém *<prefere q. a quantidade>* **2** valor moral; virtude *<moça de grandes q.>* ↺ defeito **3** característica comum ou inerente que serve para agrupar seres ou objetos; espécie *<foi gente de toda q.>* **4** condição social, civil, profissional etc. *<compareceu na q. de síndico>* **5** *fig.* capacidade de atingir os efeitos desejados; propriedade *<chá de q. digestivas>* ☞ mais us. no pl. **6** superioridade, excelência *<roupas de q.>*

qualificado (qua.li.fi.ca.do) *adj.* **1** que se qualificou **2** que tem atributos, qualidades **3** que cumpriu as exigências ou pré-requisitos para alguma coisa; habilitado **4** GRAM que teve seu sentido modificado *<um substantivo q. por um adjetivo>*

qualificar (qua.li.fi.car) *v.* {mod. 1} *t.d.i. e pron.* **1** (prep. *para*) considerar(-se) ou mostrar-se apto, capaz; habilitar(-se) *<o mestre qualificou dois alunos para a monitoria> <qualificou-se para exercer a medicina>* □ *t.d.* **2** emitir opinião sobre; avaliar *<não posso q. esse trabalho>* □ *t.d. e t.d.pred.* **3** (prep. *de*) indicar a(s) qualidade(s) de; classificar *<q. um livro> <qualificaram-no de incapaz para o cargo>* ~ **qualificação** *s.f.*

qualitativo (qua.li.ta.ti.vo) *adj.* **1** relativo a qualidade *<há necessidade de mudanças q.>* **2** que expressa qualidade *<pesquisa q.>*

qualquer (qual.quer) [pl.: *quaisquer*] *pron.ind.* **1** us. para designar pessoa ou coisa, mas sem especificar *<q. ajuda sua será bem-vinda> <o tempo muda q. coisa>* **1.1** us. para deixar em aberto algum fato ou ocorrência *<q. dia a gente se vê>* **2** us. para excluir todos os elementos de um citado conjunto; nenhum *<não aceitou q. das desculpas apresentadas>* **3** us. depois de um subst. antecedido de art. indef., tem valor de adj. pejorativo *<risoto não se faz com um arroz q.>*

quando (quan.do) *adv.* **1** em que ocasião *<prometeu ir, mas não disse q.>* ■ *conj.temp.* **2** durante o tempo que, no tempo em que, enquanto *<q. chove, é bom ficar em casa>* ■ *conj.prop.* **3** à medida que *<q. o menino chorava, ela chorava mais ainda>* ■ *conj. concs.* **4** embora, apesar de que *<continua acordado, q. já devia estar dormindo>* ▣ **de vez em q.** de tempos em tempos *<de vez em q. ia à janela>*

quantia (quan.ti.a) *s.f.* soma em dinheiro; importância

quantidade (quan.ti.da.de) *s.f.* **1** propriedade do que pode ser aumentado, diminuído, medido ou contado **2** grande número *<bolsa com uma q. de objetos inúteis>* **3** extensão, área *<a água invadiu uma q. de terras>*

quantificar (quan.ti.fi.car) *v.* {mod. 1} *t.d.* determinar a quantidade ou o valor de *<q. os prejuízos de uma enchente>* ~ **quantificação** *s.f.*

quantitativo (quan.ti.ta.ti.vo) *adj.* **1** que indica quantidade *<pesquisa q.>* **2** relativo a quantidades numéricas ou valores *<grandeza quantitativa>* ■ *s.m.* **3** quantia estabelecida *<um q. de taxa extra>* **4** determinado número ou quantidade *<as palavras escolhidas vão além desse q.>*

quanto (quan.to) *adj.* **1** que intensidade, quão grande *<q. amor havia em seu olhar>* **2** que total *<não lembra há q. dias fez a encomenda>* ■ *pron.ind.* **3** aquele que, cada um que *<escolhe apenas um de quantos temos>* **4** aquilo que, o que *<tem tudo q. quer>* ■ *pron.interg.* **5** que quantidade *<q. virão?>* **6** que preço *<q. custa?>* ■ *adv.* **7** com que intensidade; como *<não sabe q. é querida>* **8** segundo *<porque, q. sei, este ano é bissexto>*

quão *adv.* quanto, como *<o senhor não sabe q. gratos estamos>*

quaradouro (qua.ra.dou.ro) *s.m. B* local ensolarado us. para quarar roupa; coradouro

quarar (qua.rar) *v.* {mod. 1} *t.d.* clarear (roupa, pano etc.), expondo ao sol; corar

quarenta (qua.ren.ta) *n.card.* **1** trinta mais dez **2** diz-se desse número *<pasta número q.>* **3** diz-se do quadragésimo elemento de uma série *<capítulo q.> <os anos q.>* **4** que equivale a essa quantidade (diz-se de medida ou do que é contável) *<um contrato de q. horas semanais de trabalho> <retirou q. palavras do texto>* ■ *s.m.* **5** representação gráfica desse número ☞ em algarismos arábicos, *40*; em algarismos romanos, *XL* ⊙ GRAM/USO seguido do conectivo *e* antes das unidades, forma os numerais cardinais entre 40 e 50

quarentena (qua.ren.te.na) *s.f.* **1** período de 40 dias **2** conjunto de 40 entidades, seres, objetos etc. de igual natureza **3** período de isolamento dos suspeitos de doenças contagiosas **4** *fig.* isolamento de algo ou suspensão de um processo, a fim de assegurar qualidade, importância etc. *<pôs o poema de q. antes de publicá-lo>*

quaresma (qua.res.ma) *s.f.* **1** REL no cristianismo, tempo de preparação para a Páscoa, desde a Quarta-Feira de Cinzas até a noite da Quinta-Feira Santa ☞ inicial maiúsc. **2** BOT quaresmeira

quaresmeira (qua.res.mei.ra) *s.f.* BOT nome comum a diversas árvores e arbustos cultivados como ornamentais pelas belas flores ger. roxas

[1]**quarta** (quar.ta) *s.f.* **1** uma das quatro partes iguais em que se pode dividir uma unidade **2** vasilha para transportar líquidos ⊙ ORIGEM lat. *quarta,ae (pars)* 'a quarta (parte)'

[2]**quarta** (quar.ta) *s.f.* red. de ***QUARTA-FEIRA***

quarta de final (quar.ta de fi.nal) [pl.: *quartas de final*] *s.f.* ESP nos torneios por eliminação, rodada em que oito times disputam entre si, em quatro jogos, a classificação à semifinal ☞ mais us. no pl.

quarta-feira (quar.ta-fei.ra) [pl.: *quartas-feiras*] *s.f.* o quarto dia da semana, a partir do domingo ▣ **q. de cinzas** REL no cristianismo, primeiro dia da Quaresma ☞ iniciais freq. maiúsc.

quarteirão (quar.tei.rão) [pl.: *-ões*] *s.m.* **1** no traçado de uma cidade, terreno formado por quatro ruas que se cruzam duas a duas; quadra **2** *p.ext.* conjunto de edificações situadas nesse terreno; bloco, quadra **3** *p.ext.* trecho de rua entre duas esquinas sucessivas; quadra

[1]**quartel** (quar.tel) [pl.: *-éis*] *s.m.* **1** a quarta parte de um todo; quarta **2** qualquer espaço de tempo; período, época *<reuniam-se no último q. do ano>* ⊙ ORIGEM do esp. *cuartel* 'id.'

[2]**quartel** (quar.tel) [pl.: *-éis*] *s.m.* **1** edifício destinado a abrigar soldados **2** *p.ext.* abrigo, proteção *<dava q. aos romeiros>* ⊙ ORIGEM do fr. *quartier* 'alojamento para a tropa'

quartel-general (quar.tel-ge.ne.ral) [pl.: *quartéis-generais*] *s.m.* **1** local onde funciona o comando de uma região militar, ocupado pelos oficiais comandantes e seu estado-maior [sigla: *Q.G.*] **2** posto de onde o oficial-general comanda as unidades, durante uma operação de guerra [sigla: *Q.G.*]

quarteto (quar.te.to) /ê/ *s.m.* **1** LIT estrofe de quatro versos **2** *infrm.* grupo de quatro pessoas **3** conjunto formado por quatro músicos

quartinha (quar.ti.nha) *s.f.* **1** *BA RS* recipiente pequeno de barro para água potável; moringa **2** *RJ SP* espécie de copo de barro com tampa

quarto (quar.to) *n.ord.* **1** (o) que, numa sequência, ocupa a posição número quatro ■ *n.frac.* **2** (o) que corresponde a cada uma das quatro partes iguais em que pode ser dividido um todo ■ *s.m.* **3** aposento, esp. onde se dorme **4** a quarta parte da hora *<falta um q. para as duas horas>* ▼ ***quartos*** *s.m.pl.* **5** quadris, ancas ▣ **q. crescente** ASTR fase, entre a lua nova e a lua cheia, em que apenas a metade da superfície da Lua voltada para oeste está iluminada • **q. minguante** ASTR fase, entre a lua cheia e a lua nova, em que apenas a metade da superfície da Lua voltada para leste está iluminada

quartzo (quar.tzo) *s.m.* MINER mineral formador de diversas rochas, us. como pedra preciosa, em objetos ornamentais e na indústria eletrônica

quarup (qua.rup) *s.m.* entre os povos indígenas do Xingu, cerimônia de cunho religioso e social, em que se celebram os mortos

quasar (qua.sar) [pl.: *-es*] *s.m.* ASTR qualquer objeto cósmico, de aspecto estelar, que emite ondas de rádio mais intensas que as galáxias

quase (qua.se) *adv.* **1** a pouca distância de; próximo, perto *<falou-lhe q. encostado ao ouvido>* **2** aproximadamente *<tem q. 18 anos>* **3** um tanto *<a capela antiga está q. arruinada>* **4** por um triz *<ela q. fez o gol>*

quaternário (qua.ter.ná.rio) *s.m.* **1** segundo e mais recente período geológico da era cenozoica, posterior ao Terciário ☞ inicial maiúsc. ■ *adj.* **2** desse período **3** formado por quatro unidades **4** MÚS que tem quatro tempos *<compasso q.>*

quati (qua.ti) *s.m.* **1** ZOO mamífero diurno, de focinho longo e cauda ereta com anéis escuros, que se alimenta de frutos e pequenos animais **2** *PR infrm.* moleza, preguiça ⊙ COL vara ⊙ VOZ v.: piar

quatorze (qua.tor.ze) /ô/ *n.card.* → ***CATORZE***

quatriênio (qua.tri.ê.nio) *s.m.* → ***QUADRIÊNIO***

quatrilhão (qua.tri.lhão) [pl.: *-ões*] *n.card. B infrm.* quatrilião

quatrilião (qua.tri.li.ão) [pl.: *-ões*] *n.card.* mil triliões (10^{15})

quatro (qua.tro) *n.card.* **1** três mais um **2** diz-se desse número *<caixa de número q.>* **3** diz-se do quarto elemento de uma série *<dia q.>* **4** que equivale a essa quantidade (diz-se de medida ou do que é contável) *<tomar q. litros de água>* ■ *s.m.* **5** representação gráfica desse número *<no exame de vista, não pôde ler o q.>* ☞ em algarismos arábicos, *4*; em algarismos romanos, *IV* ▣ **de q.** **1** com as mãos e os joelhos apoiados no chão **2** *fig. B infrm.* muito espantado; atônito *<ficou de q. com o prêmio>*

quatro-cantinhos (qua.tro-can.ti.nhos) ou **quatro-cantos** (qua.tro-can.tos) *s.m.2n.* RECR brincadeira infantil em que cinco crianças disputam os quatro cantos de um local, ficando sempre uma de fora para tentar tomar o lugar das outras

Q

quatrocentão (qua.tro.cen.tão) [pl.: *-ões*; fem.: *quatrocentona*] *adj. infrm.* que tem quatro séculos *<Rio e São Paulo são q.>*

quatrocentos (qua.tro.cen.tos) *n.card.* **1** trezentos mais cem **2** diz-se desse número *<memorando de número q.>* **3** diz-se do quadringentésimo elemento de uma série *<ofício q.> <cadeira q.>* **4** que equivale a essa quantidade (diz-se de medida ou do que é contável) *<aquela cidade está a q. metros de altitude> <há q. vagas para mecânicos>* ■ *s.m.2n.* **5** representação gráfica desse número *<o q. do número de inscrição estava ilegível>* ☞ em algarismos arábicos, *400*; em algarismos romanos, *CD* ◉ GRAM/USO seguido do conectivo *e* antes das dezenas e unidades, forma os numerais cardinais entre 400 e 500

que *pron.rel.* **1** substitui um termo antecedente, nome ou pronome, assumindo suas funções e confere a função de adjetivo à oração que inicia *<o rapaz q. passou é pedreiro> <li um livro q. teve boa crítica> <falei com ela, q. me deu um sorriso>* ■ *pron.ind.* **2** em frases interrogativas, diretas ou indiretas, em referência a pessoas ou coisas **2.1** quanto à sua natureza *<q. significa esse rabisco?> <q. moça é aquela sentada ali?> <perguntou em q. estava pensando>* **2.2** entre outras pessoas ou coisas; qual *<q. recomendação teria feito?> <quero saber q. decisão tomará>* **3** em frases exclamativas *<q. susto!> <q. linda aquarela!>* **4** em frases que associam exclamação e interrogação *<Quê!? Não vai aceitar a proposta?>* ■ *conj.intg.* **5** confere à oração subordinada as funções do substantivo; p.ex., a função de sujeito, na frase *é necessário que fique bem claro*, ou de objeto direto, em *sabia que tinha de tomar vacina* ■ *conj.caus.* **6** porque, uma vez que *<vá dormir cedo q. amanhã tem prova>* ■ *conj.concs.* **7** embora, mesmo que *<q. chova, ela virá>* ■ *conj.fin.* **8** para que, a fim de que *<fez-lhe sinal q. se calasse>* ■ *conj.confr.* **9** conforme, segundo *<q. eu saiba, a festa é hoje>* ☞ us. com verbo no subj. ■ *conj.comp.* **10** comparação *<ficou mais alto (do) q. o pai>* ■ *conj.concs.* **11** consequência *<tão exagerado q. muitos o chamam de louco>* ☞ correlaciona-se com *tal, tanto, tão* ■ *conj.explc.* **12** introduz explicação para o que antes foi dito; pois, porque *<espere um pouco q. a chuva já vai parar>* ■ *adv.* **13** exprime intensidade; quão *<q. bela é a noite!>* ◉ GRAM/USO quando us. isoladamente ou no final da frase, é assinalado na escrita por acento circunflexo *<não tem de quê>* ▣ **é q.** tem valor de realce, expressivo *<quando é q. ele chega?>* • **no q.** quando, logo que *<no q. eu saí, ela chegou>* • **q. nem** como *<amargo q. nem jiló>*

[1]**quê** *s.m.* nome da letra *q* ◉ ORIGEM décima sexta letra do alfabeto latino

[2]**quê** *s.m.* **1** alguma coisa *<há um q. estranho aqui>* **2** *fig.* complexidade, complicação *<informática não é difícil, mas tem seus q.>* ↺ facilidade ◉ ORIGEM substantivação de *que* ▣ **não há de q.** ou **por q.** não existe motivo para agradecimentos (fórmula de cortesia em resposta a agradecimento manifestado por alguém)

quebra (que.bra) *s.f.* **1** dobradura em tecido ou papel; prega **2** transgressão de regulamento, norma etc.; violação *<q. de etiqueta>* **3** perda parcial, diminuição, interrupção *<q. no fornecimento de energia>* **4** *fig.* diminuição da intensidade de algo *<q. de amizade>* **5** falência ▼ ***quebras*** *s.f.pl.* **6** *B infrm.* sobras, restos *<deixou no prato apenas as q. do bolo>* ▣ **q. de serviço** ESP no tênis etc., o ponto obtido quando o saque havia sido do adversário • **de q.** **1** além do solicitado; a mais *<comprou uma, mas levou duas de q.>* **2** de sobra *<não ficou nem umazinha de q.>*

quebra-cabeça (que.bra-ca.be.ça) [pl.: *quebra-cabeças*] *s.m.* **1** RECR jogo que consiste em encaixar peças entre si para formar um todo **2** *fig. infrm.* aquilo que preocupa, inquieta ou incomoda alguém ↺ despreocupação **3** *fig.* problema de difícil solução

quebrada (que.bra.da) *s.f.* **1** declive de montanha; encosta **2** recorte, recôncavo no litoral **3** lugar distante **4** volta, curva de caminho, estrada etc. **5** depressão funda e pouco larga numa cadeia de montanhas, numa crista de rochas etc.; brecha

quebradeira (que.bra.dei.ra) *s.f. infrm.* **1** falência em massa; bancarrota ↺ enriquecimento **2** sensação de moleza; prostração ↺ ânimo

quebradiço (que.bra.di.ço) *adj.* **1** fácil de quebrar; frágil, delicado *<cabelo q.> <unha q.>* ↺ forte **2** *fig.* fácil de debilitar-se *<saúde q.>* ↺ forte

quebrado (que.bra.do) *adj.* **1** feito em pedaços; partido *<copo q.>* ↺ inteiro **2** cuja intensidade diminuiu; enfraquecido *<som q.>* ↺ aumentado **3** que se infringiu; violado, transgredido *<protocolo q.>* ↺ cumprido **4** que se fraturou; rompido, partido *<braço q.>* **5** que não funciona (diz-se de qualquer mecanismo); parado *<relógio q.>* ↺ consertado **6** tornado nulo; cassado *<direito q.>* ↺ validado **7** cuja direção foi mudada; desviado *<iluminação q.>* ↺ direto **8** *fig. infrm.* cansado, abatido ↺ repousado **9** não prolongado; entrecortado *<soluço q.>* ↺ longo **10** *B infrm.* lânguido, sensual ■ *adj.s.m.* **11** *infrm.* que(m) faliu ↺ próspero ▼ ***quebrados*** *s.m.pl.* **12** *B* trocados; dinheiro miúdo

quebra-galho (que.bra-ga.lho) [pl.: *quebra-galhos*] *s.m. B gír.* pessoa, coisa ou recurso us. para resolver problemas vários

quebra-gelo (que.bra-ge.lo) [pl.: *quebra-gelos*] *s.m.* navio especial us. para navegação através de águas cobertas de gelo ☞ tb. us. no pl.

quebra-luz (que.bra-luz) [pl.: *quebra-luzes*] *s.m.* **1** abajur **2** viseira que protege os olhos contra a luz

quebra-mar (que.bra-mar) [pl.: *quebra-mares*] *s.m.* muralha ou estrutura natural que protege um porto ou uma baía das ondas do mar; talha-mar

quebra-molas (que.bra-mo.las) *s.m.2n. B infrm.* elevação ou abaixamento de nível de rua ou estrada, us. para forçar a diminuição da marcha de automóvel; lombada

quebra-nozes (que.bra-no.zes) *s.m.2n.* alicate próprio para quebrar nozes, avelãs etc.

quebrantar (que.bran.tar) *v.* {mod. 1} *t.d.* **1** pôr abaixo; quebrar, abater *<q. uma construção>* **2** *fig.* infringir, violar *<q. os mandamentos>* **3** *fig.* vencer, dominar *<q. o medo>* □ *t.d. e pron.* **4** (fazer) perder a energia, o vigor; enfraquecer(-se) *<a doença quebrantou-o> <ele se deixou q. pela derrota>* ↺ fortalecer(-se) **5** *fig.*

tornar(-se) triste, sem ânimo; abater(-se), desanimar *<a injustiça quebranta até os mais fortes> <nunca haveria de q.-se>* ↺ alegrar(-se) ~ **quebrantamento** *s.m.* - **quebrantável** *adj.2g.*

quebranto (que.bran.to) *s.m.* **1** suposta influência maléfica de feitiço **2** *p.ext.* estado de fraqueza, desânimo etc., supostamente resultante de olhar ou atitude maléfica de outra pessoa

quebra-pau (que.bra-pau) [pl.: *quebra-paus*] *s.m. B infrm.* conflito violento; briga, discussão

quebra-pedra (que.bra-pe.dra) [pl.: *quebra-pedras*] *s.f.* nome comum a várias ervas, ger. us. em chás caseiros para dissolver cálculos renais

quebra-quebra (que.bra-que.bra) [pl.: *quebra-quebras*] *s.m. B* confusão em que indivíduos quebram lojas, ônibus etc.

quebra-queixo (que.bra-quei.xo) [pl.: *quebra-queixos*] *s.m.* **1** *B* doce ou bala puxa-puxa **2** *B* charuto de péssima qualidade ■ *adj.2g.* **3** *CE* gelado demais (diz-se de bebida)

quebrar (que.brar) *v.* {mod. 1} *t.d.,int. e pron.* **1** fazer(-se) em pedaços; fragmentar(-se), despedaçar (-se) *<q. um copo sem querer> <o vidro quebrou(-se) com a trepidação>* □ *t.d.* **2** diminuir a intensidade de; enfraquecer *<q. a friagem do banho>* ↺ intensificar **3** violar, transgredir *<q. o protocolo, as regras>* **4** não cumprir *<q. um juramento>* **5** fazer virar sobre si, torcer, dobrar *<q. o corpo para a direita>* **6** mudar a direção de; desviar *<q. a luz>* **7** *B infrm.* bater em; espancar *<q. o concorrente>* □ *t.d. e pron.* **8** dividir (-se) em partes; partir(-se), romper(-se) *<q. a perna> <quebrou-se todo no acidente>* **9** (fazer) chegar ao fim; acabar, interromper *<a música estridente quebrou o silêncio> <quebrou-se a nuvem de poeira>* ↺ conservar(-se) □ *t.d. e int.* **10** (fazer) funcionar mal ou não funcionar; danificar, enguiçar *<o desastrado quebrou o celular> <a máquina quebrou por falta de óleo>* **11** (fazer) entrar em falência *<a crise quebrou alguns bancos> <a grande loja quebrou>* □ *int.* **12** dar com ímpeto (o mar, as ondas); bater **13** *p.ext.* ficar sem dinheiro ~ **quebrável** *adj.2g.*

quebra-vento (que.bra-ven.to) [pl.: *quebra-ventos*] *s.m.* pequeno vidro móvel nas janelas de alguns veículos e que serve para desviar o vento para onde se quer

quebreira (que.brei.ra) *s.f. infrm.* estado de prostração; fadiga

queda (que.da) *s.f.* **1** movimento de algo a cair; tombo *<viu a sua q.>* **2** *p.ext.* cascata, queda-d'água **3** diminuição ou perda de algo *<q. de cabelo>* **4** *p.ext.* perda de influência, de poder; decadência, ruína *<a q. de um império>* ↺ fortalecimento **5** *B* inclinação de terreno; declive ↺ subida **6** *fig. infrm.* inclinação, tendência *<tem q. por louras>* **7** ECON *B* baixa do valor da unidade monetária de um país em relação a outra moeda ou ao ouro; depreciação ↺ subida

queda-d'água (que.da-d'á.gua) [pl.: *quedas-d'água*] *s.f.* quantidade de água que se lança do alto no curso de um rio; cachoeira

queda de braço (que.da de bra.ço) [pl.: *quedas de braço*] *s.f.* disputa entre dois indivíduos, que, com um dos cotovelos apoiado sobre superfície horizontal e as mãos enlaçadas, medem forças quando um tenta fazer tombar ou desdobrar o braço do outro

quedar (que.dar) *v.* {mod. 1} *int. e pron.* **1** estar quedo, quieto **2** ficar ou demorar-se em um lugar; parar *<todos quedaram junto à porta> <o viajante quedou-se em nossa casa>* □ *t.d.pred. e pron.* **3** continuar, permanecer *<quedou(-se) tristonho a chorar>* ◉ GRAM/USO part.: *quedado, quedo*; ver QUADRO DE PARTICÍPIOS DUPLOS nas pp. iniciais

quede (que.de) *adv.* termo interrogativo equivalente a 'onde está'; cadê, quedê

quedê (que.dê) *adv.* quede

quedo (que.do) /ê/ *adj.* **1** que não se move; parado *<ficou ali, q., a olhar a paisagem>* ↺ inquieto **2** que tem comedimento de modos; quieto *<uma freira simples e q.>* ↺ inquieto

quefazer (que.fa.zer) [pl.: *-es*] *s.m.* **1** tarefa a ser cumprida; afazer **2** trabalho rotineiro; faina ☞ em ambas acp., mais us. no pl.

queijadinha (quei.ja.di.nha) *s.f.* doce de coco, feito em forminhas, com recheio de leite, ovos, queijo e açúcar

queijaria (quei.ja.ri.a) *s.f.* local onde se fabricam queijos

queijeiro (quei.jei.ro) *s.m.* quem fabrica e/ou vende queijo

queijo (quei.jo) *s.m.* alimento sólido produzido a partir da coagulação e fermentação do leite de vaca, ovelha, búfala etc.

queijo de minas (quei.jo de mi.nas) [pl.: *queijos de minas*] *s.m. B* queijo branco de massa crua e consistência variável, com baixo teor de gordura

queijo do reino (quei.jo do rei.no) [pl.: *queijos do reino*] *s.m. B* queijo redondo, gorduroso e envolvido por uma crosta avermelhada

queima (quei.ma) *s.f.* **1** destruição de algo pelo fogo **2** estado de um sólido, líquido ou gás que se consome pelo fogo; combustão **3** *fig. B* venda de produtos abaixo do preço usual, para terminar negócio ou renovar estoque

queimação (quei.ma.ção) [pl.: *-ões*] *s.f.* **1** ato de queimar ou o seu efeito; queima, queimadura **2** *infrm.* acidez estomacal ou sensação de ardor intenso

queimada (quei.ma.da) *s.f.* **1** queima de mato para preparar o solo para plantação **2** queima proposital ou acidental de uma parte da floresta ou campo **3** *p.ext.* lugar onde o mato foi queimado **4** RECR m. q. ***QUEIMADO***

queimado (quei.ma.do) *adj.* **1** que se queimou; incendiado *<mato q.>* **2** bronzeado *<pele q.>* **3** *fig.* prejudicado por ações desastradas ou desonrosas *<imagem q.>* ■ *s.m.* RECR **4** jogo infantil em que os integrantes tentam eliminar os adversários com uma bolada dada com a mão; queimada

queimadura (quei.ma.du.ra) *s.f.* **1** ação de destruir por meio de fogo, calor, substância química etc. **2** lesão corporal provocada por qualquer forma de calor

queimar (quei.mar) *v.* {mod. 1} *t.d.* **1** destruir pelo fogo; abrasar *<q. cartas>* **2** *fig.* gastar em excesso;

Q

esbanjar *<queimou a fortuna rapidamente>* ↺ poupar **3** *p.ext.* vender a preços baixos; liquidar *<q. o estoque de inverno>* □ *t.d. e pron.* **4** pôr fogo em ou pegar fogo; incendiar(-se) *<q. uma casa> <o barraco queimou-se>* **5** expor(-se) muito ao calor; tostar(-se) *<o sol queimou a planta> <o jardim queimou-se>* **6** *fig. B* (fazer) deixar de merecer estima, crédito; desabonar(-se) *<q. o opositor com um boato> <q.-se com os amigos>* ↺ abonar(-se) □ *pron. fig. B infrm.* **7** ficar zangado, raivoso; encolerizar-se ↺ acalmar-se □ *t.d. e int.* **8** (fazer) ficar com ardência ou queimadura *<o álcool queima a garganta> <a mão queimou na panela>* **9** deixar ou ficar com a temperatura elevada; esquentar *<a febre queima seus lábios> <ao meio-dia, o sol queimava>* ↺ esfriar □ *int.* **10** *B* parar de funcionar (lâmpada, fusível, aparelhos elétricos); escangalhar, quebrar

queima-roupa (quei.ma-rou.pa) *s.f.* ◗ usado em: **à q. 1** de muito perto *<tiro à q.>* **2** de repente *<sair à q.>*

queixa (quei.xa) *s.f.* **1** expressão de dor, de sofrimento; queixume **2** sentimento de mágoa *<tem queixas da ex-mulher>* **3** relato de ofensa ou prejuízo *<pretendia dar q. do arrombamento>*

queixa-crime (quei.xa-cri.me) [pl.: *queixas-crimes* e *queixas-crime*] *s.f.* DIR denúncia judicial em que se faz uma exposição do fato criminoso com todas as suas circunstâncias; querela

queixada (quei.xa.da) *s.f.* **1** osso da face onde ficam os dentes inferiores; mandíbula **2** queixo grande, saliente ■ *s.2g.* ZOO **3** mamífero, diurno e terrestre, de cerca de 1 m de comprimento, dotado de pelagem negra com o queixo branco; porco-do-mato

queixal (quei.xal) [pl.: *-ais*] *adj.2g.* **1** relativo a queixo ■ *s.m.* **2** cada um dos dentes molares

queixar-se (quei.xar-se) *v.* {mod. 1} *pron.* **1** soltar lamúrias de aflição ou dor; lastimar-se **2** (prep. *de*) demonstrar descontentamento, desgosto; lamentar-se **3** (prep. *a*, *de*) denunciar um mal ou uma ofensa recebida *<queixou-se ao pai dos colegas malvados>* **4** (prep. *de*) expor estado físico ou moral *<q.-se de dores nas costas>*

queixo (quei.xo) *s.m.* ANAT a parte da face abaixo do lábio inferior, ligeiramente saliente

queixoso (quei.xo.so) /ô/ [pl. e fem.: /ó/] *adj.s.m.* **1** que(m) se queixa **2** DIR que(m) apresenta queixa-crime em juízo ■ *adj.* **3** que sente ou demonstra queixa; magoado, tristonho *<voz, pessoa q.>* ↺ feliz

queixudo (quei.xu.do) *adj. infrm.* de queixo grande

queixume (quei.xu.me) *s.m.* queixa ('expressão de dor')

quelídeo (que.lí.deo) *s.m.* ZOO **1** espécime dos quelídeos, família de tartarugas aquáticas ou semiaquáticas, como os cágados e matamatás, que encolhem a cabeça para dentro do casco e dobram o pescoço para o lado ■ *adj.* **2** relativo a essa família

quelônio (que.lô.nio) *s.m.* ZOO **1** espécime dos quelônios, ordem de répteis aquáticos ou terrestres, conhecidos como tartarugas, cágados ou jabutis ■ *adj.* **2** relativo a essa ordem de répteis

quem *pron.interg.* **1** que pessoa *<q. sabe?>* ■ *pron.rel.* **2** a pessoa que *<foi ela q. fez>* ■ *pron.ind.* **3** qualquer pessoa que *<não havia q. pudesse aturá-lo>*

quendô (quen.dô) *s.m.* arte marcial de origem japonesa em que os adversários lutam com espadas de bambu, protegidos por uma armadura

quenga (quen.ga) *s.f. N.E.* **1** vasilha feita de meio coco **2** o conteúdo dessa vasilha **3** *gros. pej.* prostituta

queniano (que.ni.a.no) *adj.* **1** da República do Quênia (África) ■ *s.m.* **2** natural ou habitante desse país

quenopodiácea (que.no.po.di.á.cea) *s.f.* BOT espécime das quenopodiáceas, família de arbustos e ervas que fornecem lenha e são us. como ornamentais ou na alimentação, como o espinafre e a beterraba ~ **quenopodiáceo** *adj.*

quentão (quen.tão) [pl.: *-ões*] *s.m. B* bebida preparada com aguardente de cana fervida com gengibre, canela e açúcar

quente (quen.te) *adj.2g.* **1** que tem ou produz calor *<clima q.>* ↺ frio **2** que foi ao fogo; aquecido *<leite q.>* ↺ esfriado **3** que mantém aquecido *<roupa q.>* ↺ fresco **4** *fig.* picante, apimentado (diz-se de comida, tempero) **5** *fig.* que irradia entusiasmo; ardente *<discurso q.>* ↺ desanimado **6** *fig.* repleto de alegria; caloroso *<acolhida q. da avó>* ↺ frio **7** *fig.* de grande intensidade; profundo *<perseverança q. e inabalável>* **8** *fig.* sensual, ardente, cálido *<beijo q.>* ↺ comportado **9** *gír.* que merece crédito *<um fiador q.>* ■ *s.m.* **10** local em que há calor e conforto *<sair do q. para atender à porta>* **11** *B gír.* o que está na moda *<agora, o q. lá na rua é andar de esqueite>* **12** *N.E.* o calor, a temperatura muito alta *<ao meio-dia, na estrada, o q. é insuportável>*

quentinha (quen.ti.nha) *s.f.* **1** embalagem, ger. de alumínio ou isopor, para transportar e conservar quentes os alimentos em viagem ☞ marca registrada *Kentinha*, que passou a designar o seu gênero **2** *p.ext.* o alimento contido nessa embalagem *<comeu uma q. no almoço>*

quentura (quen.tu.ra) *s.f.* **1** estado do que é quente; calor *<a q. do fogo>* ↺ frieza **2** *fig.* aquilo que serve de abrigo; proteção *<a q. do colo da mãe>* ↺ desproteção

quepe (que.pe) *s.m.* certo tipo de boné militar de pala e copa ger. altas

quer *conj.altv.* ou... ou *<q. viaje de carro, q. de avião, ele vai>*

queratina (que.ra.ti.na) *s.f.* BIO ceratina

querela (que.re.la) *s.f.* **1** DIR queixa-crime **2** *p.ext.* conflito de interesses; briga *<uma q. de vizinhos>* ~ **querelante** *adj.2g.s.2g.* - **querelar** *v.t.d.,int. e pron.*

querença (que.ren.ça) *s.f.* **1** ato de querer bem a alguém ou a algo; afeto ↺ desafeto **2** disposição natural; aptidão, jeito

querência (que.rên.ci.a) *s.f.* **1** *MG RS* lugar onde o animal foi criado ou onde se acostumou a pastar, e para o qual volta por essa razão **2** local onde se nasceu, criou ou se acostumou a viver; torrão

querer (que.rer) *v.* {mod. 18} *t.d.* **1** ter vontade de possuir ou realizar (o que satisfaça exigência intelectual, emocional ou física); desejar *<ela queria ler todos os livros de Machado de Assis> <agora eu queria um doce>* **2** ter a intenção de; tencionar, planejar *<queria sair cedo, mas se atrasou>* **3** fazer tenção de; ensaiar, tentar *<com um ano de idade, já queria correr>* **4** ter forte desejo de; ambicionar, cobiçar *<q. o poder absoluto>* **5** determinar com firmeza; ordenar *<quero silêncio agora!>* **6** estar na iminência ou ter possibilidade de; ameaçar *<o vento quer derrubar tudo>* □ *t.d.i.* **7** (prep. *de*) ter em mente; pretender, esperar *<não sei o que ele quer de nós>* □ *t.i. e pron.* **8** (prep. *a*) ter simpatia, amizade ou afeto por; gostar *<queria muito aos pais> <os dois querem-se demais>* ▣ **por q.** de propósito, com intenção *<atrasou-se por q.>* • **sem q.** sem intenção, de modo involuntário *<derrubou sem q. o vaso da sala>*

querido (que.ri.do) *adj.* **1** muito estimado; dileto, prezado *<q. amigo>* ↺ detestado **2** muito apreciado (por beleza, valor etc.) *<q. cidade>* ■ *adj.s.m.* **3** (o) que se quer muito; amado

quermesse (quer.mes.se) *s.f.* feira com barracas ao ar livre, ger. com fins de caridade

quero-quero (que.ro-que.ro) [pl.: *quero-queros*] *s.m.* ZOO grande ave de áreas alagadas e campestres de todo o Brasil, dotada de plumagem cinzenta, cuja voz forte e característica originou o seu nome popular

querosene (que.ro.se.ne) *s.m.* QUÍM derivado do petróleo us. freq. como solvente, combustível na aviação, em fogareiros, lampiões etc.

querubim (que.ru.bim) [pl.: *-ins*] *s.m.* **1** anjo da primeira hierarquia celeste **2** ART.PLÁST cabeça de criança com asas **3** *fig.* criança linda ~ **querubínico** *adj.*

quesito (que.si.to) *s.m.* **1** questão sobre a qual se pede a opinião ou o juízo de alguém *<a lista dos q. de uma escola de samba>* **2** pergunta, esp. escrita, a ser respondida *<respondeu bem aos q. da prova>* **3** condição para se alcançar um certo fim; requisito

questão (ques.tão) /qu *ou* qü/ [pl.: *-ões*] *s.f.* **1** pergunta para esclarecer algo ou testar conhecimento **2** *p.ext.* assunto, matéria *<a q. de uma aula>* **3** controvérsia, pendência, contenda *<a q. da violência é preocupante>* **4** DIR conflito de interesses submetido à apreciação de um juiz; causa, litígio *<q. da herança>* ⊙ COL questionário ▣ **q. de ordem** expressão us. em assembleias para fazer a discussão voltar ao tema agendado previamente • **q. de vida ou morte** aquela que é muito importante e urgente

questionar (ques.tio.nar) /qu *ou* qü/ *v.* {mod. 1} *t.d.* **1** pôr em dúvida; contestar *<q. uma ordem>* **2** replicar, refutar, contestar *<q. uma afirmativa falsa>* □ *t.d.i. e pron.* **3** (prep. *sobre*) perguntar(-se), indagar(-se) *<q. os pais sobre a vida> <q.-se sobre a carreira>* □ *t.d.,t.i. e int.* **4** (prep. *com, de, por, sobre*) entrar em discussão ou disputa; altercar *<vive a q. com os vizinhos> <agora é o momento de q.>* ~ **questionador** *adj.s.m.* - **questionamento** *s.m.* - **questionável** *adj.2g.*

questionário (ques.tio.ná.rio) /qu *ou* qü/ *s.m.* **1** série de questões **2** lista de perguntas us. para servir de guia a uma investigação, uma entrevista *<q. do censo>*

quiabeiro (qui.a.bei.ro) *s.m.* BOT quiabo ('erva')

quiabo (qui.a.bo) *s.m.* BOT **1** erva esp. cultivada por seus frutos, comestíveis após cozimento, e pelas fibras da casca do caule; quiabeiro **2** o fruto dessa erva

quibe (qui.be) *s.m.* CUL comida árabe que se faz com carne bovina moída e trigo integral, amassados e condimentados com hortelã, cebola etc.

quibebe (qui.be.be) /ê *ou* é/ *s.m.* CUL *B* purê de abóbora

quiçá (qui.çá) *adv.* talvez, porventura

quicar (qui.car) *v.* {mod. 1} *t.d. e int.* **1** (fazer) bater e voltar, pular (esp. a bola) *<a mãe proibiu-o de q. bola dentro de casa> <o atacante chutou sem deixar a bola q.>* □ *int.* **2** *fig. infrm.* ficar muito zangado

quietação (qui.e.ta.ção) [pl.: *-ões*] *s.f.* **1** ação de parar, de imobilizar(-se) ↺ mobilização **2** imobilidade decorrente dessa ação ↺ movimento **3** condição ou estado de quieto; calma, tranquilidade *<a q. das tardes mornas>* ↺ agitação **4** *fig.* estado de harmonia, entendimento *<momento de q. entre as partes>* ↺ conflito

quietar (qui.e.tar) *v.* {mod. 1} *t.d. e pron.* **1** (fazer) ficar tranquilo; acalmar(-se) *<a voz da mãe costuma q. o bebê> <quieta-se ao ouvir música>* ↺ agitar(-se) □ *int. e pron.* **2** ficar quieto, imóvel; parar *<só (se) quietou quando ficou de castigo>*

quieto (qui.e.to) *adj.* **1** que não se move; parado *<mãos q.>* ↺ inquieto **2** que demonstra comedimento no agir, no falar *<criança q.>* ↺ travesso **3** sossegado, tranquilo *<velhice q.>* ↺ intranquilo **4** sem ruído; calmo, sereno *<rua q.>* ↺ barulhento **5** sem agitação; manso, pacífico *<mar q.>* ↺ revolto ~ **quietude** *s.f.*

quilate (qui.la.te) *s.m.* **1** quantidade de ouro fino contida em uma liga, correspondente a 1/24 da liga *<o ouro puro tem 24 q.>* **2** unidade de medida de peso us. para diamantes **3** *fig.* boa qualidade; excelência, superioridade *<pessoa de bom q. moral>*

quilha (qui.lha) *s.f.* **1** MAR peça estrutural do casco de uma embarcação à qual se prendem todas as grandes peças verticais do casco **2** tipo de calçado semelhante a uma raquete, próprio para andar na neve

quilica (qui.li.ca) *s.f.* *SC* bola de gude; tilica

quilo- *pref.* **1** do *SI*, simbolizado por *k*, 'mil' *<quilograma = mil gramas>* **2** INF para múltiplos binários, equivale a 2^{10} (1.024), valor freq. arredondado para mil: *quilobaite, quilobite*

[1]quilo (qui.lo) *s.m.* FISL **1** líquido leitoso em que se transformam os alimentos na última fase da digestão, nos intestinos **2** essa fase ⊙ ORIGEM do gr. *khulós,oû* 'suco produzido pela digestão'

[2]quilo (qui.lo) *s.m.* quilograma ⊙ ORIGEM red. de *quilograma*

quilobaite (qui.lo.bai.te) *s.m.* INF aport. de *kilobyte*

quilobite (qui.lo.bi.te) *s.m.* INF aport. de *kilobit*

quilograma (qui.lo.gra.ma) *s.m.* unidade de massa equivalente a mil gramas [símb.: *kg*]

quilo-hertz (qui.lo-hertz) *s.m.2n.* unidade de medida de frequência equivalente a mil hertz ou 10^3 hertz [símb.: *kHz*]

Q

quilolitro (qui.lo.li.tro) *s.m.* medida de volume equivalente a mil litros [símb.: *kl*]

quilombo (qui.lom.bo) *s.m.* HIST *B* povoação onde se escondiam escravos fugidos do cativeiro, indígenas e brancos marginalizados, dotada de organização interna

quilombola (qui.lom.bo.la) *s.m. B* escravo fugido para o quilombo

quilometragem (qui.lo.me.tra.gem) [pl.: *-ens*] *s.f.* **1** extensão medida em quilômetros **2** quantidade de quilômetros rodados por um veículo

quilômetro (qui.lô.me.tro) *s.m.* **1** unidade de comprimento equivalente a mil metros [símb.: *km*] **2** *B* ponto da estrada localizado entre dois marcos de quilometragem *<saltou do ônibus no q. 35>*

quilowatt (qui.lo.watt) *s.m.* ELETR FÍS unidade de potência equivalente a mil watts [símb.: *kW*]

quilowatt-hora (qui.lo.watt-ho.ra) [pl.: *quilowatts-horas* e *quilowatts-hora*] *s.m.* ELETR FÍS unidade de energia us. para indicar o consumo de instalações elétricas [símb.: *kWh*]

quimbundo (quim.bun.do) *s.m.* LING língua da família banta, falada em Angola

quimera (qui.me.ra) *s.f.* **1** MIT monstro mitológico com cabeça de leão, corpo de cabra e cauda de serpente que lança fogo pelas narinas ☞ inicial maiúsc. **2** qualquer representação de animal fantástico, composto de partes de animais diferentes **3** *fig.* produto da imaginação; ficção, ilusão ↺ realidade **4** *fig.* sonho, esperança ou projeto geralmente irrealizável; utopia

quimérico (qui.mé.ri.co) *adj.* **1** relativo a quimera **2** que é fruto da imaginação; fantasioso, fictício *<delírios q.>* ↺ real **3** *p.ext.* que mistura realidade e fantasia *<personalidade q.>*

química (quí.mi.ca) *s.f.* **1** ciência que estuda a composição da matéria, suas propriedades e leis **2** *fig.* entendimento, boa interação *<a q. das pessoas garantiu o êxito da reunião>* ▣ **q. inorgânica** QUÍM estudo de todos os elementos químicos e seus compostos, exceto os que contenham cadeias de carbonos • **q. orgânica** QUÍM estudo dos compostos que contêm cadeias de carbono

químico (quí.mi.co) *adj.* **1** que se faz conforme as leis da química *<reações q.> <elemento q.>* ■ *s.m.* **2** aquele que se dedica ao estudo da química

quimioterapia (qui.mio.te.ra.pi.a) *s.f.* MED uso de substâncias químicas para tratamento de enfermidades, esp. o câncer ~ **quimioterápico** *adj.*

quimo (qui.mo) *s.m.* FISL produto parcial da digestão do bolo alimentar, que passa do estômago para o duodeno

quimono (qui.mo.no) *s.m.* VEST túnica longa, traspassada e presa com uma faixa, do vestuário japonês

[1]quina (qui.na) *s.f.* **1** qualquer conjunto de cinco unidades de mesma natureza **2** *B* modalidade de loteria que premia o apostador que acertar um total de cinco números ◉ ORIGEM do lat. *quīna* 'de cinco em cinco'

[2]quina (qui.na) *s.f.* extremidade aparente de um ângulo saliente; aresta, esquina *<q. da mesa>* ◉ ORIGEM de *esquina*

[3]quina (qui.na) *s.f.* BOT **1** nome comum a árvores e arbustos cujas cascas são ricas em quinino e us. contra a malária **2** essa casca ◉ ORIGEM duv., talvez do esp. *quina* 'id.' ~ **quinado** *adj.*

quinau (qui.nau) *s.m.* **1** correção de erro; emenda, lição **2** *p.ext.* marca de correção em texto escrito

quindim (quin.dim) [pl.: *-ins*] *s.m.* **1** CUL *B* doce feito de gema de ovo, açúcar e coco **2** *fig.* qualidades físicas e de comportamento de certas mulheres que atraem os homens *<os q. da morena>* ☞ mais us. no pl. **3** *B infrm.* pessoa muito querida

quingentésimo (quin.gen.té.si.mo) /qü/ *n.ord.* **1** (o) que ocupa, numa sequência, a posição número 500 ■ *n.frac.* **2** (o) que é 500 vezes menor que a unidade

quinhão (qui.nhão) [pl.: *-ões*] *s.m.* **1** o que cabe ou deveria caber a uma pessoa ou coisa *<a cada um seu q.>* **2** *fig.* destino, sorte

quinhentos (qui.nhen.tos) *n.card.* **1** quatrocentos mais cem **2** diz-se desse número *<memorando de número q.>* **3** diz-se do quingentésimo elemento de uma série *<ofício q.> <cadeira q.>* **4** equivale a essa quantidade (diz-se de medida ou do que é contável) *<aquela cidade está a q. metros de altitude> <há q. vagas para mecânicos>* ■ *s.m.2n.* **5** representação gráfica desse número *<não dá para ver o q. dessa placa de carro>* ☞ em algarismos arábicos, *500*; em algarismos romanos, *D* ◉ GRAM/USO seguido do conectivo *e* antes das dezenas e unidades, forma os numerais cardinais entre 500 e 600

quinhoeiro (qui.nho.ei.ro) *s.m.* **1** aquele que tem quinhão na partilha de um todo; sócio **2** *fig.* o que toma parte em algo, que se solidariza *<era q. da felicidade de todos>*

quinina (qui.ni.na) *s.f.* ou **quinino** (qui.ni.no) *s.m.* FARM substância extraída da [3]quina, us. contra a malária, como relaxante muscular etc.

quinquagenário (quin.qua.ge.ná.rio) /qü/ *adj.s.m.* (o) que tem entre 50 e 59 anos de idade

quinquagésimo (quin.qua.gé.si.mo) /qü/ *n.ord.* **1** (o) que, numa sequência, ocupa a posição número 50 ■ *n.frac.* **2** (o) que é 50 vezes menor que a unidade

quinquênio (quin.quê.nio) /qü...qü/ *s.m.* período de cinco anos ~ **quinquenal** *adj.2g.*

quinquilharia (quin.qui.lha.ri.a) *s.f.* objeto de pouco ou nenhum valor ou utilidade; bugiganga ☞ mais us. no pl.

[1]quinta (quin.ta) *s.f.* propriedade rural, com moradia ◉ ORIGEM lat. *quintāna,ae* 'pequeno mercado'

[2]quinta (quin.ta) *s.f.* red. de ***QUINTA-FEIRA***

quinta-coluna (quin.ta-co.lu.na) [pl.: *quintas-colunas*] *s.2g.* **1** indivíduo que espiona ou faz propaganda subversiva em país prestes a entrar ou já em guerra com outro ■ *s.f.* **2** a classe desses indivíduos ~ **quinta-colunismo** *s.m.* - **quinta-colunista** *adj.2g.s.2g.*

quinta-essência (quin.ta-es.sên.cia) [pl.: *quintas-essências*] ou **quintessência** (quin.tes.sên.cia) *s.f.* o essencial, o mais puro, o melhor ou o principal de algo

Q

quinta-feira (quin.ta-fei.ra) [pl.: *quintas-feiras*] *s.f.* quinto dia da semana, a partir de domingo ▣ **Q. Santa** REL quinta-feira da Semana Santa

quintal (quin.tal) [pl.: *-ais*] *s.m.* terreno atrás de uma casa ou junto a ela

quintessência (quin.tes.sên.cia) *s.f.* → ***QUINTA--ESSÊNCIA***

quinteto (quin.te.to) /ê/ *s.m.* MÚS **1** música para cinco vozes ou instrumentos **2** conjunto de cinco músicos

quintilha (quin.ti.lha) *s.f.* estrofe de cinco versos, ger. de sete sílabas

quintilhão (quin.ti.lhão) [pl.: *-ões*] *n.card. infrm.* quintilião

quintilião (quin.ti.li.ão) [pl.: *-ões*] *n.card.* mil quatriliões (10^{18})

quinto (quin.to) *n.ord.* **1** (o) que, numa sequência, ocupa a posição número cinco ■ *n.frac.* **2** (o) que é cinco vezes menor que a unidade ■ *s.m.* HIST **3** imposto do período colonial correspondente à quinta parte do ouro, prata e diamantes extraídos do solo brasileiro ▼ ***quintos*** *s.m.pl. infrm.* **4** área mais afastada; confins

quintuplicar (quin.tu.pli.car) *v.* {mod. 1} *t.d.* **1** multiplicar(-se) por cinco □ *t.d.,int. e pron.* **2** tornar (-se) cinco vezes maior

quíntuplo (quín.tu.plo) *n.mult.* **1** (o) que é cinco vezes maior ■ *adj.* **2** composto por cinco elementos *<lista q.>* ▼ ***quíntuplos*** *s.m.pl.* **3** cinco irmãos nascidos do mesmo parto ~ **quintuplicar** *v.t.d.,int. e pron.*

quinze (quin.ze) *n.card.* **1** catorze mais um **2** diz-se desse número *<ofício número q.>* **3** diz-se do décimo quinto elemento de uma série *<capítulo q.> <dia q.>* **4** que equivale a essa quantidade (diz-se de medida ou do que é contável) *<a vaca produzia q. litros de leite por dia>* ■ *s.m.* **5** representação gráfica desse número ☞ em algarismos arábicos, *15*; em algarismos romanos, *XV*

quinzena (quin.ze.na) *s.f.* **1** período de 15 dias seguidos **2** conjunto de 15 unidades de igual natureza

quinzenal (quin.ze.nal) [pl.: *-ais*] *adj.2g.* **1** relativo a quinzena ('período') **2** que se realiza, surge de 15 em 15 dias *<publicação q.>*

quiosque (qui.os.que) *s.m.* **1** pavilhão em estilo oriental, instalado em parques e jardins **2** *p.ext.* pequena construção em lugares públicos, ger. destinada à venda de cigarros, bebidas, lanches etc.

quiproquó (qui.pro.quó) /qü/ *s.m.* **1** equívoco que consiste em tomar-se uma coisa por outra **2** a confusão criada por esse equívoco *<o fato de serem gêmeos gerou um enorme q.>*

quirera (qui.re.ra) *s.f.* **1** *B* no preparo da farinha de mandioca, o resíduo grosseiro que não passa pela peneira **2** milho quebrado que se dá a aves

quiromancia (qui.ro.man.ci.a) *s.f.* adivinhação segundo as linhas e os sinais da mão ~ **quiromante** *adj.2g.s.2g.* - **quiromântico** *adj.*

quiroprática (qui.ro.prá.ti.ca) *s.f.* MED **1** terapia que busca curar doenças pela manipulação das estruturas do corpo, esp. da coluna vertebral; quiropraxia **2** tratamento de doenças pela manipulação das vértebras; quiropraxia ~ **quiroprático** *adj.s.m.*

quiropraxia (qui.ro.pra.xi.a) /cs/ *s.f.* MED quiroprática

quiróptero (qui.róp.te.ro) *s.m.* ZOO **1** espécime dos quirópteros, ordem de mamíferos conhecidos vulgarmente como morcegos ■ *adj.* **2** relativo a essa ordem de mamíferos

quisto (quis.to) *s.m.* MED cisto

quitação (qui.ta.ção) [pl.: *-ões*] *s.f.* **1** pagamento de dívida, obrigação ou encargo **2** documento que atesta esse pagamento; recibo

quitanda (qui.tan.da) *s.f.* estabelecimento onde se vendem frutas, legumes, ovos etc.

quitandeiro (qui.tan.dei.ro) *s.m.* dono ou empregado de quitanda

quitar (qui.tar) *v.* {mod. 1} *t.d.,t.d.i. e pron.* **1** (prep. *com, de*) livrar(-se) [de dívida ou obrigação]; desobrigar (-se) *<q. as dívidas> <quitou-o da obrigação> <q.-se com o credor>* □ *t.d.* **2** evitar (ger. algo desagradável) *<q. brigas>* ↺ buscar **3** desistir de; renunciar *<q. a luta>* □ *pron.* **4** (prep. *de*) separar--se, divorciar-se

quite (qui.te) *adj.2g.* **1** livre de dívida; desobrigado ↺ devedor **2** *p.ext.* desobrigado de promessa, compromisso, dívida moral ↺ comprometido **3** empatado, esp. em jogo, disputa **4** que se afastou; apartado, separado *<estar q. de casa>*

quitina (qui.ti.na) *s.f.* BIOQ substância insolúvel, resistente, parte integrante do esqueleto externo de certos insetos e crustáceos, entre outros animais ~ **quitinoso** *adj.*

quitinete (qui.ti.ne.te) *s.f.* pequeno apartamento de sala e quarto reunidos em único cômodo, com banheiro e cozinha minúscula

quitute (qui.tu.te) *s.m. B* **1** comida refinada; acepipe, petisco **2** *fig.* encanto, meiguice, sedução *<moça cheia de q.>*

quituteiro (qui.tu.tei.ro) *s.m. B* **1** indivíduo que faz quitutes ■ *adj.* **2** relativo a quitute

quiuí (quiu.í) *s.m.* BOT **1** fruta oval de casca peluda, polpa verde e sementes pretas; quivi **2** árvore que dá essa fruta; quivi

quivi (qui.vi) *s.m.* **1** BOT quiuí **2** ZOO nome comum a aves noturnas e não voadoras da Nova Zelândia, que constroem seus ninhos em tocas

quixote (qui.xo.te) *s.m.* indivíduo ingênuo e bom, que luta inutilmente contra as injustiças ~ **quixotada** *s.f.* - **quixotismo** *s.m.*

quixotesco (qui.xo.tes.co) /ê/ *adj.* **1** que diz respeito a D. Quixote, protagonista do romance *El Ingenioso Hidalgo Don Quixote de la Mancha* (1605-1610), do escritor espanhol Miguel de Cervantes Saavedra (1547-1616) **2** *p.ext.* que é generosamente impulsivo, sonhador, romântico, nobre, mas desligado da realidade **3** *fig.* característico ou próprio de fanfarrão

quizila (qui.zi.la) *s.f.* **1** aversão espontânea, irracional, gratuita por alguém ou algo; antipatia ↺ simpatia **2** sensação de impaciência; aborrecimento ↺ calma **3**

conflito de interesses; briga, rixa ~ **quizilar** *v.t.d.,int. e pron.* - **quizilento** *adj.*

quociente (quo.ci.en.te) ou **cociente** (co.ci.en.te) *s.m.* MAT resultado de uma divisão ▣ **q. de inteligência** PSIC valor obtido pela divisão da idade mental de um indivíduo por sua idade cronológica, multiplicado por 100 [sigla: *Q.I.*]

quórum (quó.rum) [pl.: *-uns*] *s.m.* **1** número mínimo obrigatório de pessoas para que uma assembleia possa funcionar *<não houve q. para eleger o novo diretor>* **2** *p.ext.* quantidade necessária de pessoas para acontecer ou realizar-se algo

quota (quo.ta) *s.f.* → ***COTA***

quota-parte (quo.ta-par.te) [pl.: *quotas-partes*] *s.f.* → ***COTA-PARTE***

quotidiano (quo.ti.di.a.no) *adj.s.m.* → ***COTIDIANO***

quotista (quo.tis.ta) *adj.2g.s.2g.* → ***COTISTA***

quotizar (quo.ti.zar) *v.* {mod. 1} *t.d. e pron.* → ***COTIZAR***

Q

r *s.m.* **1** 18ª letra do nosso alfabeto, consoante ■ *n.ord.* *(adj.2g.2n.)* **2** diz-se do 18º elemento de uma série <*casa R*> <*item 1r*> ☞ empr. após um substantivo ou numeral ◉ GRAM/USO na acp. s.m., pl.: *rr*

Ra QUÍM símbolo de ²*rádio*

rã *s.f.* ZOO anfíbio sem cauda e de pele lisa, cujos membros posteriores são desenvolvidos para o salto e a natação, e que vive perto de rios, lagoas ou brejos; jia

rabada (ra.ba.da) *s.f.* **1** parte traseira do tronco de gado bovino e ovino **2** CUL *B* prato feito com rabo de boi

rabadela (ra.ba.de.la) *s.f.* ANAT ZOO rabadilha

rabadilha (ra.ba.di.lha) *s.f.* ANAT ZOO nos mamíferos, local de inserção da cauda; rabadela

¹rabanada (ra.ba.na.da) *s.f.* pancada com o rabo ◉ ORIGEM duv., talvez de *rabo* + *abanada* (fem.substv. de *abanado*)

²rabanada (ra.ba.na.da) *s.f.* CUL iguaria feita de fatia de pão embebida em leite açucarado, recoberta com ovo e frita; fatia de parida ◉ ORIGEM duv., talvez de *rábano* + *-ada*

rabanete (ra.ba.ne.te) /ê/ *s.m.* BOT **1** tipo de rábano com raiz curta **2** raiz dessa planta, apreciada em saladas

rábano (rá.ba.no) *s.m.* BOT designação comum a ervas da fam. das crucíferas, com raízes comestíveis de coloração branca, vermelha ou preta

rabear (ra.be.ar) *v.* {mod. 5} *int.* **1** agitar (animal) a cauda ☞ nesta acp., só us. nas 3ªˢ p., exceto quando fig. **2** fazer movimentos similares ao rabeio do animal <*as labaredas rabeavam*> **3** rebolar, saracotear **4** *B infrm.* derrapar nas rodas traseiras (automóvel) ~ **rabeio** *s.m.*

rabeca (ra.be.ca) *s.f.* MÚS **1** instrumento medieval que deu origem ao violino **2** *B* espécie de violino rudimentar

rabecão (ra.be.cão) [pl.: *-ões*] *s.m.* **1** MÚS *infrm.* contrabaixo **2** *B* furgão em que se transportam cadáveres

rabeira (ra.bei.ra) *s.f.* **1** sobra dos grãos, depois de peneirados **2** *infrm.* o último ou os últimos lugares em corrida, fila etc.

rabi (ra.bi) *s.m.* REL rabino

rabiça (ra.bi.ça) *s.f.* guidão de arado

rabicho (ra.bi.cho) *s.m.* **1** tira de couro que vai da sela ao rabo da cavalgadura **2** trancinha pendente da nuca **3** *infrm.* namoro **4** tubo flexível us. para passagem de água ou gás <*r. do fogão*>

rabicó (ra.bi.có) *adj.2g.* sem cauda ou que possui apenas uma parte dela (diz-se de animal)

rábico (rá.bi.co) *adj.* relativo a raiva ('doença')

rábido (rá.bi.do) *adj.* cheio de raiva, de cólera

rabino (ra.bi.no) *s.m.* REL líder religioso de comunidade judaica; rabi

rabiscar (ra.bis.car) *v.* {mod. 1} *t.d. e int.* **1** fazer em (uma superfície) sinais sem sentido ou desenhos indefinidos, mal traçados; riscar <*r. papéis a esmo*> <*a criança ficou horas rabiscando*> □ *t.d.* **2** escrever de forma pouco legível <*r. a assinatura*> **3** anotar rapidamente <*r. um recado*>

rabisco (ra.bis.co) *s.m.* **1** desenho malfeito; garatuja ■ *s.m.pl.* **2** letras ilegíveis; garranchos **3** textos escritos apressadamente

rabo (ra.bo) *s.m.* **1** apêndice que prolonga o corpo do animal; cauda **2** *fig.* parte posterior ou prolongamento de alguma coisa; cauda <*r. de avião*> **3** *gros.* conjunto das nádegas e/ou o ânus ▣ **meter o r. entre as pernas** *fig. infrm.* **1** tornar-se ou mostrar-se amedrontado, tímido ou dócil **2** não responder a um comentário, censura ou admoestação, por se sentir sem razão, culpado ou amedrontado • **olhar com o r. do olho** *infrm.* olhar de esguelha • **ter o r. preso** *fig. B infrm.* ter algo a esconder, por ter agido de modo criminoso ou eticamente incorreto <*esse político não tem o r. preso*>

rabo de arraia (ra.bo de ar.rai.a) [pl.: *rabos de arraia*] *s.m.* golpe de capoeira que procura acertar a parte superior do corpo do oponente

rabo de cavalo (ra.bo de ca.va.lo) [pl.: *rabos de cavalo*] *s.m.* penteado em que os cabelos são atados na parte de trás da cabeça, pendendo como uma cauda de cavalo

rabo de foguete (ra.bo de fo.gue.te) *s.m. fig. B infrm.* problema difícil de dominar; situação problemática *<o sócio deixou-lhe um r. de foguete para resolver>*

rabo de palha (ra.bo de pa.lha) [pl.: *rabos de palha*] *s.m.* má reputação

rabo de saia (ra.bo de sai.a) [pl.: *rabos de saia*] *s.m. B infrm.* **1** mulher **2** CE espécie de busca-pé pequeno; diabinho

rabugento (ra.bu.gen.to) *adj. fig.* mal-humorado e resmungão

rabugice (ra.bu.gi.ce) *s.f.* mau humor característico de quem é rabugento ↺ simpatia

rabujar (ra.bu.jar) *v.* {mod. 1} *int.* **1** mostrar mau humor **2** teimar e/ou choramingar (esp. criança)

rábula (rá.bu.la) *s.2g.* **1** *pej.* advogado que usa artifícios para conseguir vantagens para o seu cliente **2** *B* quem advoga sem ser formado em direito

raça (ra.ça) *s.f.* **1** classificação de grupos humanos por seus traços físicos hereditários (cor de pele, tipo de cabelo etc.) *<r. branca> <r. negra>* ☞ conceito hoje rejeitado pelas ciências humanas **2** *p.ext.* coletividade de indivíduos unidos por semelhanças socioculturais *<a r. brasileira>* **3** ZOO cada grupo em que se subdividem certas espécies animais *<r. de cães> <r. de cavalos>* **4** *p.ext.* classe, tipo, categoria *<aqueles bandidos eram uma r. maldita>* **5** *fig. B infrm.* empenho, garra *<o time jogou com muita r.>*

ração (ra.ção) [pl.: *-ões*] *s.f.* **1** porção de alimento destinada a uma pessoa ou um animal **2** comida para animais

racha (ra.cha) *s.f.* **1** fenda ou sulco causado por ruptura; rachadura **2** *B gros.* a vulva ■ *s.m. B infrm.* **3** corrida ilegal de carros; pega **4** cisão, separação *<houve um r. no partido>* ↺ união **5** FUTB jogo de futebol entre amadores; pelada

rachadura (ra.cha.du.ra) *s.f.* racha

rachar (ra.char) *v.* {mod. 1} *t.d.,int. e pron.* **1** (fazer) ficar com fendas, aberturas; fender(-se) *<o calor do sol rachou o asfalto> <o vaso rachou(-se)>* □ *t.d.* **2** dividir no sentido do comprimento *<r. uma tora>* **3** deixar em pedaços, lascas; lascar, partir *<r. lenha>* □ *t.d. e t.d.i. B* **4** (prep. *com*) dividir proporcionalmente (entre duas ou mais pessoas); repartir *<r. a conta do almoço>* ~ **rachador** *adj.s.m.*

racial (ra.ci.al) [pl.: *-ais*] *adj.2g.* **1** característico de uma raça *<os traços r. dos índios brasileiros>* **2** referente a raça *<as diferenças r. dos gatos>*

raciocinar (ra.cio.ci.nar) *v.* {mod. 1} *t.i. e int.* **1** (prep. *em, sobre*) fazer uso da razão para entender, calcular, julgar, estabelecer relações; refletir *<pôs-se a r. sobre a melhor solução para o problema> <não conseguia r., naquela balbúrdia>* □ *t.d.* **2** pensar, ponderar, considerar *<raciocinou que havia vantagens>*

raciocínio (ra.cio.cí.nio) *s.m.* **1** encadeamento mental de argumentos para concluir algo **2** capacidade de raciocinar

racional (ra.cio.nal) [pl.: *-ais*] *adj.2g.* **1** dotado de ou conforme à razão *<o homem é um ser r.>* **2** que demonstra bom senso ↺ insensato **3** em que há coerência, lógica *<explicação r.>* ↺ incoerente **4** MAT cuja expressão exata é a razão entre dois inteiros (diz-se de número) ■ *s.m.* **5** MAT número racional ~ **racionalidade** *s.f.*

racionalismo (ra.cio.na.lis.mo) *s.m.* doutrina segundo a qual todo conhecimento é oriundo da razão e não depende da experiência ↺ empirismo ~ **racionalista** *adj.2g.s.2g.*

racionalizar (ra.cio.na.li.zar) *v.* {mod. 1} *t.d.* **1** tornar mais racional, reflexivo *<o estudo o racionalizou>* **2** buscar entender ou explicar de maneira racional, lógica *<r. as emoções>* **3** tornar mais eficaz (trabalho, sistema etc.) usando raciocínio e método ~ **racionalização** *s.f.*

racionamento (ra.cio.na.men.to) *s.m.* **1** ato ou efeito de racionar **2** distribuição ou venda controlada de certos alimentos ou bens escassos, determinada pelas autoridades governamentais para assegurar uma divisão mais justa entre os consumidores ou usuários

racionar (ra.cio.nar) *v.* {mod. 1} *t.d.* **1** distribuir em quantidades limitadas *<racionaram a água na cidade, devido à seca>* **2** limitar a porções controladas a venda de *<o governo racionou a carne>* **3** usar com moderação; poupar *<r. o consumo de energia elétrica>* ↺ desperdiçar

racismo (ra.cis.mo) *s.m.* crença de que gente de algumas culturas, etnias ou grupos sociais seja inferior à de outros e o comportamento desrespeitoso ou preconceituoso que resulta dessa crença *<no Brasil, r. é crime>*

racista (ra.cis.ta) *adj.2g.* **1** relativo a racismo ■ *adj.2g.s.2g.* **2** partidário do racismo

radar (ra.dar) [pl.: *-es*] *s.m.* aparelho que localiza objetos por meio de ondas radioelétricas

radiação (ra.di.a.ção) [pl.: *-ões*] *s.f.* **1** ato de radiar ou o seu efeito **2** FÍS emissão de energia por meio de ondas ou partículas **3** FÍS essa energia

radiador (ra.di.a.dor) /ô/ [pl.: *-es*] *s.m.* **1** dispositivo para aquecer ambientes; aquecedor **2** dispositivo us. para resfriar um motor ■ *adj.* **3** que radia

radial (ra.di.al) [pl.: *-ais*] *adj.2g.* **1** que emite raios **2** ANAT referente ao [1]rádio ■ *s.f.* **3** avenida ou rua que liga o centro de uma cidade à sua periferia

radialista (ra.di.a.lis.ta) *adj.2g.s.2g.* profissional de rádio ou televisão que organiza programas ou os apresenta

radiamador (ra.di.a.ma.dor) /ô/ [pl.: *-es*] *adj.s.m.* → ***RADIOAMADOR***

radiante (ra.di.an.te) *adj.2g.* **1** FÍS que se propaga através de radiação *<calor r.>* **2** brilhante, cintilante *<cristais r.>* **3** *fig.* tomado por sentimento bom e intenso *<r. de felicidade>*

radiar (ra.di.ar) *v.* {mod. 1} *int.* **1** lançar raios de luz ou calor *<as estrelas radiavam no céu>* **2** *p.ext.* brilhar, fulgir □ *t.d.,t.i. e t.d.i. fig.* **3** (prep. *a, de*) transmitir ou ser transmitido de forma viva; irradiar *<r. alegria (a todos)> <a alegria radia dele>*

radiatividade (ra.di.a.ti.vi.da.de) *s.f.* → ***RADIOATIVIDADE***

radiativo (ra.di.a.ti.vo) *adj.* → ***RADIOATIVO***

radical (ra.di.cal) [pl.: *-ais*] *adj.2g.* **1** relativo a raiz ou a origem **2** distante do que é usual *<proposta r.>* **3** *B infrm.* que exige destreza, perícia *<gosta de esportes r.>* ■ *adj.2g.s.2g.* **4** adepto do radicalismo ■ *s.m.* **5** MAT símbolo que indica a extração de raiz algébrica **6** GRAM parte invariável de uma palavra à qual se justapõem os afixos derivacionais e flexionais **7** QUÍM grupo de átomos de uma substância que não se alteram depois de determinadas reações químicas ▣ **r. livre** QUÍM radical químico com um ou mais elétrons desemparelhados

radicalismo (ra.di.ca.lis.mo) *s.m.* **1** POL sistema político que visa à transformação imediata e completa da organização social **2** conduta inflexível ~ **radicalista** *adj.2g.s.2g.*

radicalizar (ra.di.ca.li.zar) *v.* {mod. 1} *t.d.,int. e pron.* adotar postura, ponto de vista etc. extremado, inflexível, drástico em relação a *<o jornal radicalizou o ataque ao político>* *<radicaliza para saber até onde pode chegar>* *<o protesto radicalizou-se>* ~ **radicalização** *s.f.*

radicando (ra.di.can.do) *s.m.* MAT número ou expressão algébrica sob o radical

radicar (ra.di.car) *v.* {mod. 1} *t.d.,t.d.i. e pron.* **1** (prep. *em, entre*) estabelecer(-se) de maneira profunda; arraigar(-se) *<aquela família radica a solidariedade>* *<r. a paz entre os povos>* *<alguns cultos africanos radicaram-se no país>* □ *pron.* **2** fixar residência; estabelecer-se *<r.-se no campo>* ~ **radicação** *s.f.*

radícula (ra.dí.cu.la) *s.f.* BOT **1** pequena raiz **2** parte do embrião de plantas com semente que dá origem à raiz primária ◉ GRAM/USO dim.irreg. de *raiz*

radieletricidade (ra.di.e.le.tri.ci.da.de) *s.f.* → ***RADIOELETRICIDADE***

[1]**rádio** (rá.dio) *s.m.* ANAT osso longo da parte externa do antebraço ◉ ORIGEM do lat. *radĭus,ĭi* 'id.'

[2]**rádio** (rá.dio) *s.m.* QUÍM elemento químico radiativo us. no tratamento de câncer e em radiografia [símb.: *Ra*] ☞ cf. *tabela periódica* (no fim do dicionário) ◉ ORIGEM do lat.cien. *radium*

[3]**rádio** (rá.dio) *s.m.* **1** aparelho que recebe e/ou transmite sinais radiofônicos ■ *s.f.* RÁD **2** local com instalações destinadas à transmissão de programas por ondas hertzianas; estação de rádio, radiodifusora ◉ ORIGEM red. de *radiofonia*

radioamador (ra.dio.a.ma.dor) /ô/ [pl.: *-es*] ou **radiamador** (ra.di.a.ma.dor) /ô/ [pl.: *-es*] *adj.s.m.* que(m) opera aparelho de [3]rádio de ondas curtas não comercial

radioatividade (ra.dio.a.ti.vi.da.de) ou **radiatividade** (ra.di.a.ti.vi.da.de) *s.f.* FÍS desintegração espontânea do núcleo de certos elementos, com emissão de radiação

radioativo (ra.dio.a.ti.vo) ou **radiativo** (ra.di.a.ti.vo) *adj.* FÍS que tem radioatividade

radiodifusão (ra.dio.di.fu.são) [pl.: *-ões*] *s.f.* **1** TEL transmissão de ondas de rádio **2** RÁD TV transmissão de programas de televisão e de [3]rádio por meio de radiofonia

radiodifusora (ra.dio.di.fu.so.ra) /ô/ *s.f.* RÁD estação de radiodifusão; radioemissora

radioeletricidade (ra.dio.e.le.tri.ci.da.de) ou **radieletricidade** (ra.di.e.le.tri.ci.da.de) *s.f.* FÍS ramo da física que estuda as ondas de rádio e suas aplicações na transmissão de sons e mensagens

radioelétrico (ra.dio.e.lé.tri.co) *adj.* **1** relativo a radioeletricidade **2** que utiliza ondas radioelétricas *<estação r.>*

radioemissora (ra.dio.e.mis.so.ra) /ô/ *s.f.* RÁD radiodifusora

radiofonia (ra.dio.fo.ni.a) *s.f.* TEL sistema de transmissão de sons por meio de ondas de rádio ~ **radiofônico** *adj.*

radiografia (ra.dio.gra.fi.a) *s.f.* **1** processo de produção de uma imagem fotográfica utilizando raios X **2** a imagem obtida por esse processo ~ **radiografar** *v.t.d.* - **radiográfico** *adj.*

radiograma (ra.dio.gra.ma) *s.m.* TEL **1** comunicação feita através de radiotelegrafia **2** telegrama transmitido por [3]rádio; radiotelegrama

radiojornalismo (ra.dio.jor.na.lis.mo) *s.m.* JOR forma de jornalismo que utiliza o [3]rádio como veículo de transmissão ~ **radiojornalista** *adj.2g.*

radiola (ra.di.o.la) *s.f.* aparelho que conjuga [3]rádio e vitrola; rádio-vitrola

radiologia (ra.dio.lo.gi.a) *s.f.* **1** FÍS estudo científico de substâncias radioativas e das radiações **2** MED uso de radiações no diagnóstico e tratamento de doenças ~ **radiológico** *adj.*

radiologista (ra.dio.lo.gis.ta) *adj.2g.s.2g.* MED especialista em radiologia

radionovela (ra.dio.no.ve.la) *s.f.* RÁD novela veiculada por [3]rádio

rádio-opaco (rá.dio-o.pa.co) [pl.: *rádio-opacos*] ou **radiopaco** (ra.di.o.pa.co) *adj.* impermeável aos raios X ou a outras formas de energia radiante

rádio-operador (rá.dio-o.pe.ra.dor) /ô/ [pl.: *rádio-operadores*] ou **radioperador** (ra.di.o.pe.ra.dor) /ô/ [pl.: *-es*] *adj.s.m.* RÁD operador de transmissor de [3]rádio

radiopaco (ra.di.o.pa.co) *adj.* → ***RÁDIO-OPACO***

radiopatrulha (ra.dio.pa.tru.lha) *s.f.* **1** sistema de policiamento em que uma estação e viaturas se comunicam por [3]rádio **2** veículo policial dotado desse sistema

radioperador (ra.di.o.pe.ra.dor) /ô/ [pl.: *-es*] *adj.s.m.* → ***RÁDIO-OPERADOR***

rádio-relógio (rá.dio-re.ló.gio) [pl.: *rádios-relógios* e *rádios-relógio*] *s.m.* aparelho que conjuga as funções de [3]rádio e relógio

radioscopia (ra.di.os.co.pi.a) *s.f.* MED exame de órgão através da imagem produzida por raios X numa tela especial ~ **radioscópico** *adj.*

radioso (ra.di.o.so) /ô/ [pl. e fem.: /ó/] *adj.* **1** que emite raios de luz; brilhante **2** que mostra muita alegria; radiante *<sorriso r.>*

radiotáxi (ra.dio.tá.xi) /cs/ *s.m.* táxi equipado com aparelho de [3]rádio, por meio do qual é informado sobre o local e hora das corridas a serem realizadas

radiotelefonia (ra.dio.te.le.fo.ni.a) *s.f.* TEL sistema de telefonia por meio de ondas de rádio ~ **radiotelefônico** *adj.*

radiotelegrafia (ra.dio.te.le.gra.fi.a) *s.f.* TEL telegrafia por meio de ondas de rádio ~ **radiotelegráfico** *adj.*

radioterapia (ra.dio.te.ra.pi.a) *s.f.* MED emprego de raios X ou de outros tipos de radiação no tratamento de doenças ~ **radioterapêutico** *adj.* - **radioterápico** *adj.*

radiotransmissão (ra.dio.trans.mis.são) [pl.: *-ões*] *s.f.* TEL transmissão de sinais através do espaço em frequências de rádio, por meio de ondas eletromagnéticas irradiadas

radiotransmissor (ra.dio.trans.mis.sor) /ô/ [pl.: *-es*] *adj.s.m.* TEL (aparelho) us. para transmitir ondas de rádio ~ **radiotransmitir** *v.t.d.*

radiouvinte (ra.di.ou.vin.te) *s.2g.* indivíduo que ouve programas de emissoras de rádio

rádio-vitrola (rá.dio-vi.tro.la) [pl.: *rádios-vitrolas* e *rádios-vitrola*] *s.f.* radiola

radônio (ra.dô.nio) *s.m.* QUÍM elemento químico radiativo, da família dos gases nobres, us. no tratamento do câncer [símb.: *Rn*] ☞ cf. *tabela periódica* (no fim do dicionário)

rafeiro (ra.fei.ro) *adj.s.m.* (cão) que guarda gado

ráfia (rá.fia) *s.f.* **1** BOT palmeira alta de cujas longas folhas se extrai fibra **2** essa fibra

ragu (ra.gu) *s.m.* CUL ensopado de carne com legumes e muito molho

^{1}**raia** (rai.a) *s.f.* ZOO arraia ◉ ORIGEM do lat. *rāia* ou *rāja,ae* 'id.'

^{2}**raia** (rai.a) *s.f.* **1** linha, listra **2** linha de demarcação; limite, fronteira **3** pista de corrida de cavalos **4** ESP divisão longitudinal de uma piscina, para fins de competições ◉ ORIGEM do lat. *radĭus,i* 'raio'

^{1}**raiar** (rai.ar) *v.* {mod. 1} *t.d. e t.d.i.* **1** (prep. *de, com*) fazer riscas, linhas em; riscar <*a tinta raiou as calças do menino*> <*r. uma pista de amarelo*> □ *t.i. fig.* **2** (prep. *a*) estar próximo a; beirar <*ato que raia à loucura*> ◉ ORIGEM ^{2}*raia* + ^{2}*-ar*

^{2}**raiar** (rai.ar) *v.* {mod. 1} *t.d. e int.* **1** emitir (luz, brilho); brilhar <*o abajur raiava uma leve claridade*> <*ainda era dia, mas a Lua já raiava*> □ *int.* **2** surgir no horizonte; nascer <*o dia já raiou*> **3** *fig.* chegar, surgir <*uma nova era raiou*> ◉ ORIGEM *raio* + ^{2}*-ar*

rainha (ra.i.nha) *s.f.* **1** soberana de um reino **2** esposa de rei **3** *fig.* a que se destaca, a mais importante <*Gigi foi a r. do baile*> **4** ZOO fêmea fértil da colônia de certos insetos, como abelhas, formigas, cupins e vespas **5** RECR peça do jogo de xadrez que se movimenta em qualquer direção, avançando qualquer número de casas

raio (rai.o) *s.m.* **1** MET descarga elétrica na atmosfera, acompanhada de relâmpago e trovão **2** linha de luz que parte de um foco <*r. de sol*> **3** GEOM reta que vai do centro a qualquer ponto de um círculo ou esfera **4** distância que se estende em todas as direções, a partir de um ponto de origem <*o estrondo foi ouvido num r. de 5 km*> ■ *interj.* **5** expressa contrariedade, irritação, impaciência, esp. contra algo que atrapalha (tb.us. no pl.) <*r.! esse telefone não para de tocar!*> ▣ **raios X** FÍS radiação eletromagnética capaz de atravessar sólidos

raiom (rai.om) [pl.: *-ons*] *s.m.* **1** qualquer uma de várias fibras ou filamentos sintéticos feitos de celulose **2** tecido de seda feito com qualquer uma dessas fibras ou filamentos

raiva (rai.va) *s.f.* **1** sentimento de ira, fúria ↺ serenidade **2** MED doença que afeta o sistema nervoso central, transmitida pela mordida de certos animais infectados, como cães, gatos, morcegos etc.; hidrofobia

raivoso (rai.vo.so) /ô/ [pl. e fem.: /ó/] *adj.* **1** dominado por ira ou intensa irritação; furioso **2** que sofre de raiva ('doença'); hidrófobo <*cão r.*>

raiz (ra.iz) [pl.: *-es*] *s.f.* **1** base ou parte inferior de algo **2** BOT órgão da planta ger. fixo ao solo, de onde ela tira nutrientes **3** GRAM parte do vocábulo quando dele se retiram todos os afixos **4** *fig.* fonte, origem <*cortar o mal pela r.*> **5** MAT valor da incógnita que resolve uma equação **6** MAT número que elevado ao índice do radical reproduz o radicando ◉ GRAM/uso dim.irreg.: *radícula* ▣ **r. quadrada** MAT aquela cujo índice é dois

raiz-forte (ra.iz-for.te) [pl.: *raízes-fortes*] *s.f.* BOT **1** planta de origem asiática cuja raiz picante é us. como condimento **2** a raiz dessa planta

rajá (ra.já) [fem.: *rani*] *s.m.* rei ou príncipe de um estado da Índia

rajada (ra.ja.da) *s.f.* **1** lufada de vento **2** série de tiros, ger. de metralhadora **3** *fig.* sequência súbita e intensa <*uma r. de perguntas*>

rajado (ra.ja.do) *adj.* que apresenta raias, riscos; listrado <*cavalo r.*> <*mármore r.*> ~ **rajar** *v.t.d.*

ralador (ra.la.dor) /ô/ [pl.: *-es*] *s.m.* **1** utensílio que serve para ralar; ralo <*r. de queijo*> <*r. de coco*> ■ *adj.* **2** que rala

ralar (ra.lar) *v.* {mod. 1} *t.d.* **1** cortar em pedaços bem pequenos, friccionando em utensílio próprio ou superfície áspera <*r. gengibre para o molho*> **2** ferir levemente, raspando ou provocando arranhões; arranhar <*caiu e ralou o joelho*> □ *int. B infrm.* **3** trabalhar muito <*vive ralando, e não desanima*> **4** fazer algo com aplicação, seriedade; esforçar-se <*ele ralou muito e conseguiu ser aprovado*> ~ **raladura** *s.f.*

ralé (ra.lé) *s.f.* a camada mais baixa da sociedade; escória, escuma, povaréu ↺ elite, escol

ralhar (ra.lhar) *v.* {mod. 1} *t.i. e int.* (prep. *a, com, contra*) repreender severamente, em tom de voz alto <*o professor ralha demais com os alunos*> <*não se deve r., quando o motivo é fútil*> ~ **ralhação** *s.f.* - **ralho** *s.m.*

rali (ra.li) *s.m.* ESP corrida (de automóveis, motos, caminhões) cuja finalidade é testar a habilidade dos pilotos e resistência das máquinas

^{1}**ralo** (ra.lo) *adj.* pouco espesso ou denso <*sopa r.*> ◉ ORIGEM do lat. *rarus,a,um* 'id.'

^{2}**ralo** (ra.lo) *s.m.* **1** tampa gradeada ou com furos colocada no bocal de uma canalização de esgotos, ao nível do piso ou no fundo de pias, banheiras etc., para permitir o escoamento de águas e impedir entupimentos causados por detritos **2** fundo de uma peneira **3** ralador ◉ ORIGEM do lat. *rallum,i* 'aparato de tirar terra do arado'

RAM [ing.] *s.f.* INF tipo de memória que retém os dados somente enquanto os circuitos de armazenamento são alimentados com eletricidade; memória volátil ⇒ pronuncia-se rém

rama (ra.ma) *s.f.* conjunto dos ramos de uma planta; ramada, ramagem

ramada (ra.ma.da) *s.f.* **1** rama **2** ornamento feito com ramos **3** cobertura feita com ramos, para abrigo de pessoas ou animais

ramadã (ra.ma.dã) *s.m.* **1** nono mês do calendário islâmico **2** jejum que os muçulmanos praticam durante esse mês

ramagem (ra.ma.gem) [pl.: *-ens*] *s.f.* **1** rama **2** desenho de ramos e folhagem

ramal (ra.mal) [pl.: *-ais*] *s.m.* **1** conjunto de fios que formam uma corda, um cabo etc. **2** ramificação de uma passagem **3** TEL cada subdivisão de uma rede telefônica

ramalhete (ra.ma.lhe.te) /ê/ *s.m.* pequeno ramo de flores; buquê

ramalho (ra.ma.lho) *s.m.* grande ramo cortado de árvore

rameira (ra.mei.ra) *s.f.* prostituta

ramificação (ra.mi.fi.ca.ção) [pl.: *-ões*] *s.f.* **1** ato ou efeito de ramificar(-se) **2** cada uma das divisões e subdivisões do caule e de outras estruturas vegetais como, p.ex., raízes e nervuras **3** subdivisão de uma associação, grupo, movimento etc.; ramo *<o exército acabou com todas as r. da guerrilha>*

ramificar (ra.mi.fi.car) *v.* {mod. 1} *t.d. e pron.* **1** gerar (ramos, raízes) ou dividir-se em ramos *<a planta ramificou raízes> <o caule ramificou-se em pouco tempo>* **2** *p.ext.* formar novos eixos, partes etc. a partir de (eixo original); subdividir(-se) *<r. uma estrada> <as veias ramificam-se>* □ *pron. fig.* **3** propagar-se, alastrar-se *<a questão foi se ramificando e ganhou proporções enormes>*

ramo (ra.mo) *s.m.* **1** divisão de caule ou galho de planta **2** porção de flores ou folhagem **3** numa árvore genealógica, cada uma das famílias formadas a partir de um mesmo tronco **4** parte componente de um todo; divisão, ramificação *<um r. de rio> <um r. do conhecimento>* **5** especialidade de uma ciência ou atividade profissional *<a cardiologia é um r. da medicina>* ~ **ramoso** *adj.*

ramona (ra.mo.na) *TO GO infrm.* grampo de metal para prender o cabelo

rampa (ram.pa) *s.f.* plano com aclive ou declive que dá acesso a um edifício, estádio, plataforma etc. *<o acesso à garagem é feito por uma r.>*

ranário (ra.ná.rio) *s.m.* **1** local de criação de rãs **2** viveiro de rãs

rancheira (ran.chei.ra) *s.f.* **1** DNÇ dança popular no Rio Grande do Sul, oriunda da Argentina **2** MÚS música com que se acompanha essa dança

rancheiro (ran.chei.ro) *s.m.* **1** habitante, proprietário ou encarregado de rancho **2** pessoa que cozinha as refeições nos quartéis ou presídios

rancho (ran.cho) *s.m.* **1** grupo de pessoas reunidas para determinado fim *<r. de peregrinos>* **2** cabana, choupana **3** comida para grande quantidade de pessoas **4** local onde essa comida é servida **5** bloco carnavalesco **6** pequena fazenda de gado ~ **rancharia** *s.f.* - **rancheiro** *adj.s.m.*

ranço (ran.ço) *s.m.* **1** decomposição ou modificação que sofre uma substância gordurosa em contato com o ar, e que lhe dá um sabor acre e um cheiro desagradável **2** *fig.* caráter antiquado, ultrapassado **3** *fig.* vestígio, sinal *<ter r. de preconceito>* ~ **rançar** *v.int.*

rancor (ran.cor) /ô/ [pl.: *-es*] *s.m.* **1** desgosto causado por experiência desagradável ↺ contentamento **2** ódio profundo, não expresso ↺ estima

rançoso (ran.ço.so) /ô/ [pl. e fem.: /ó/] *adj.* que tem ranço, que apresenta gosto azedo e cheiro desagradável *<manteiga r.>*

ranger (ran.ger) *v.* {mod. 8} *t.d.* **1** pôr em atrito (os dentes) uns contra os outros, por nervosismo, dor etc. □ *int.* **2** produzir ruído desagradável, esp. devido ao atrito entre peças, objetos etc. *<a porta entreabriu-se rangendo>* ~ **rangedor** *adj.*

rangido (ran.gi.do) *s.m.* ruído produzido por objeto que range

rango (ran.go) *s.m. B infrm.* comida, refeição ~ **rangar** *v.t.d. e int.*

ranheta (ra.nhe.ta) /ê/ *adj.2g.s.2g.* que(m) é mal-humorado, intolerante ~ **ranhetice** *s.f.*

ranho (ra.nho) *s.m. infrm.* muco que escorre das narinas ~ **ranhoso** *adj.*

ranhura (ra.nhu.ra) *s.f.* **1** recorte ao longo de uma peça de madeira ou metal, para nela encaixar o ressalto de outra peça; entalhe **2** pequeno sulco escavado numa superfície plana

rani (ra.ni) *s.f.* esposa de rajá

ranicultor (ra.ni.cul.tor) /ô/ [pl.: *-es*] *adj.s.m.* criador de rãs

ranicultura (ra.ni.cul.tu.ra) *s.f.* criação de rãs

ranking (rank.ing) [ing.] *s.m.* listagem ordenada de acordo com critérios determinados *<o r. dos melhores atletas brasileiros>* ⇒ pronuncia-se rânquing

ranúnculo (ra.nún.cu.lo) *s.m.* BOT planta herbácea, de uso ornamental e medicinal, com caule rastejante e flores de cores diversas

ranzinza (ran.zin.za) *adj.2g.s.2g.* que(m) é mal-humorado ~ **ranzinzar** *v.int.*

rap [ing.; pl.: *raps*] *s.m.* MÚS **1** gênero de canção popular em que a letra é declamada ao ritmo de batidas fortes **2** composição desse gênero ⇒ pronuncia-se rép

rapa (ra.pa) *s.m.* **1** *RJ MG* carro de fiscais e policiais que apreendem mercadorias de vendedores ambulantes não licenciados **2** *RJ MG* fiscal ou policial desse tipo ■ *s.f.* **3** resíduo de comida que agarra no fundo da panela; raspa

rapacidade (ra.pa.ci.da.de) *s.f. frm.* intenção de espoliar, roubar; sofreguidão por conseguir bens materiais; avidez, cobiça

rapadura (ra.pa.du.ra) *s.f. B* açúcar mascavo solidificado

rapagão (ra.pa.gão) [pl.: *-ões*] *s.m.* rapaz forte e bonito ◉ GRAM/USO aum.irreg. de *rapaz*

R

rapapé (ra.pa.pé) *s.m.* **1** ato de arrastar os pés para trás, ao cumprimentar **2** saudação exagerada **3** elogio para obter vantagens; adulação, bajulação

rapar (ra.par) *v.* {mod. 1} *t.d.* **1** reduzir a migalhas ou lascas com o ralador; ralar *<r. coco>* **2** tirar certas partes de ou limpar (algo) por meio de fricção; raspar *<r. o chão>* **3** cortar rente o pelo de; raspar *<r. a cabeça>* □ *pron.* **4** barbear-se ~ **rapador** *adj.s.m.*

rapariga (ra.pa.ri.ga) *s.f.* **1** mulher adolescente; jovem, moça **2** namorada **3** *N.E. MG GO* prostituta

rapaz (ra.paz) [pl.: *-es*; fem.: *rapariga, moça*] *s.m.* homem jovem ◉ GRAM/USO aum.irreg.: *rapagão*; dim. irreg.: *rapazote* ◉ COL rapaziada

rapaziada (ra.pa.zi.a.da) *s.f.* grupo de rapazes

rapé (ra.pé) *s.m.* pó de tabaco para inalar

rapel (ra.pel) [pl.: *-éis*] *s.m.* em montanhismo, descida vertical com a ajuda de um cabo

rapidamente (ra.pi.da.men.te) *adv.* **1** com rapidez, velocidade *<a roda girava r.>* **2** com pressa *<passou r. no banco>* **3** quanto antes; o mais rápido possível *<vamos sair r. daqui!>* **4** em curto espaço de tempo *<terminou o trabalho r.>*

rapidez (ra.pi.dez) /ê/ [pl.: *-es*] *s.f.* característica do que é rápido; ligeireza ↺ lentidão

rápido (rá.pi.do) *adj.* **1** que se movimenta com grande velocidade *<barco r.>* ↺ lento **2** capaz de realizar tarefas, decidir, raciocinar etc. com prontidão; ágil *<digitadora r.>* *<ele é r. em cálculos>* **3** que assimila, compreende, apreende etc. em pouco tempo *<raciocínio r.>* **4** de curta duração; breve *<viagem r.>* ↺ longo ■ *adv.* **5** de modo rápido; rapidamente *<a encomenda chegou rápido>*

rapina (ra.pi.na) *s.f.* roubo praticado com violência; pilhagem ~ **rapinagem** *s.f.* - **rapinar** *v.t.d.*

raposa (ra.po.sa) /ô/ *s.f.* **1** ZOO mamífero semelhante ao lobo, de pernas curtas e cauda longa e peluda **2** *fig. infrm.* pessoa que age com astúcia ↺ ingênuo ◉ GRAM/USO masc.: *raposo* /ô/

raposice (ra.po.si.ce) *s.f.* manha, esperteza própria de raposa; astúcia ↺ ingenuidade

R

raposino (ra.po.si.no) *adj.* **1** próprio de raposa *<animal com uma cauda r.>* **2** que demonstra astúcia, malícia *<procedimento r.>* ↺ ingênuo, simplório

rapper (rap.per) [ing.; pl.: *rappers*] *s.2g.* pessoa que canta ou compõe *raps* ⇒ pronuncia-se repâr

rapsódia (rap.só.dia) *s.f.* **1** LIT trecho de poema épico **2** MÚS peça musical de forma livre com trechos de temas populares ~ **rapsódico** *adj.*

rapsodo (rap.so.do) /ó *ou* ô/ *s.m.* **1** pessoa que recita poesias **2** poeta

rapto (rap.to) *s.m.* ação de levar uma pessoa à força do local onde se encontra ~ **raptar** *v.t.d.*

raptor (rap.tor) /ô/ [pl.: *-es*] *adj.s.m.* que(m) rapta

raque (ra.que) *s.f.* **1** ANAT coluna vertebral **2** ZOO eixo sólido da pena das aves **3** BOT eixo que sustenta flor ou fruto

raquetada (ra.que.ta.da) *s.f.* golpe com raquete

raquete (ra.que.te) ou **raqueta** (ra.que.ta) /ê/ *s.f.* ESP **1** instrumento constituído de uma moldura presa a um cabo e preenchida por uma rede de fios, us. para impelir bola, peteca etc. *<r. de tênis>* **2** lâmina de madeira com formato e uso semelhantes a esse instrumento *<r. de pingue-pongue>* *<r. de frescobol>*

raquiano (ra.qui.a.no) *adj.* raquidiano

raquidiano (ra.qui.di.a.no) *adj.* relativo a raque *<nervos r.>*

raquítico (ra.quí.ti.co) *adj.s.m.* **1** que(m) sofre de raquitismo ■ *adj. infrm.* **2** pouco desenvolvido; franzino *<menino r.>* ↺ robusto

raquitismo (ra.qui.tis.mo) *s.m.* MED doença da infância que acarreta deformações ósseas por carência de vitamina D ~ **raquitizar** *v.t.d.*

raramente (ra.ra.men.te) *adv.* **1** com pouca frequência *<ele r. sorri>* **2** de modo ímpar, raro *<é r. bela>*

rarear (ra.re.ar) *v.* {mod. 5} *t.d. e int.* **1** tornar(-se) menos frequente; rarefazer *<r. os passeios>* *<suas visitas rarearam>* ↺ amiudar **2** apresentar(-se) em menor número; diminuir, rarefazer *<a idade rareia os cabelos>* *<as nuvens rarearam>* ~ **rareamento** *s.m.*

rarefazer (ra.re.fa.zer) *v.* {mod. 14} *t.d. e pron.* **1** tornar(-se) menos denso ou menos espesso *<o calor rarefaz o mel>* *<o gás se rarefez na atmosfera>* ↺ encorpar **2** rarear ◉ GRAM/USO part.: *rarefeito* ~ **rarefação** *s.f.*

rarefeito (ra.re.fei.to) *adj.* que se rarefez; diminuído na densidade *<ar r.>* *<nuvens r.>*

raridade (ra.ri.da.de) *s.f.* **1** natureza do que é raro **2** coisa difícil de ser encontrada *<esse livro é uma r.>*

raro (ra.ro) *adj.* **1** que não é comum, ordinário *<inteligência r.>* ↺ usual **2** pouco frequente *<fenômeno r.>* ↺ habitual ■ *adv.* **3** poucas vezes; raramente *<depois da vacina, r. adoecia>* ↺ frequentemente

rasa (ra.sa) *s.f.* antiga medida que correspondia aproximadamente ao alqueire

rasante (ra.san.te) *adj.2g.s.m.* (voo) muito próximo do solo

rasar (ra.sar) *v.* {mod. 1} *t.d.* **1** medir com rasa *<r. o centeio>* **2** nivelar com a rasoura (grãos de um recipiente) **3** tornar plano; igualar, nivelar *<r. uma extensão de terra>* ↺ desnivelar ~ **rasadura** *s.f.*

rascante (ras.can.te) *adj.2g.* **1** que deixa um sabor amargo e adstringente na garganta, por excesso de tanino *<vinho r.>* **2** diz-se de som que parece arranhar

rascunhar (ras.cu.nhar) *v.* {mod. 1} *t.d.* **1** fazer o rascunho de; esboçar *<r. a redação>* □ *int. fig.* **2** fazer riscos ou sinais em algo; riscar

rascunho (ras.cu.nho) *s.m.* esboço não definitivo de qualquer escrito; minuta, borrão *<terminei de ler o r. do contrato>*

rasgão (ras.gão) [pl.: *-ões*] *s.m.* ato ou efeito de rasgar; rasgo

rasgar (ras.gar) *v.* {mod. 1} *t.d. e pron.* **1** partir(-se) em pedaços irregulares (pano, papel etc.) □ *t.d.* **2** golpear (pele, parte do corpo), ferindo muito; dilacerar □ *pron. fig.* **3** afligir-se, atormentar-se *<r.-se de raiva>* ~ **rasgão** *s.m.*

rasgo (ras.go) *s.m.* **1** ato ou efeito de rasgar **2** rasgão, arranhão **3** *fig.* ação nobre, feito *<num r. de coragem, lançou-se às chamas para salvar a criança>* **4** *fig.*

manifestação extraordinária; arroubo <*r. de inspiração poética*>

raso (ra.so) *adj.* **1** pouco profundo <*piscina r.*> ↺ fundo **2** sem elevações ou depressões <*planície r.*> <*prato r.*> **3** cuja superfície não apresenta uma parte reentrante; não côncavo <*prato r.*> **4** cortado junto à base ou à raiz <*vegetação r.*> <*cabelo r.*> ↺ alto **5** cheio de líquido até as bordas <*olhos r. de lágrimas*> **6** cujo conteúdo não ultrapassa as suas bordas <*adicione à massa uma xícara r. de açúcar*> **7** não graduado (diz-se de soldado) ■ *s.m.* **8** terreno plano; planície **9** *B* local onde a água não é profunda <*as crianças vão brincar no r.*>

rasoura (ra.sou.ra) *s.f.* pau cilíndrico com que se tira o cogulo nas medidas de alimentos sólidos (grãos, farinhas etc.) ~ **rasourar** *v.t.d.*

raspa (ras.pa) *s.f.* parte retirada de um corpo ou superfície em que se passou uma raspadeira ou um instrumento semelhante <*raspas de madeira*>

raspadeira (ras.pa.dei.ra) *s.f.* instrumento ou máquina us. para raspar

raspadinha (ras.pa.di.nha) *s.f.* **1** forma de loteria em que se raspa a cartela para descobrir se se foi premiado **2** essa cartela

raspão (ras.pão) [pl.: *-ões*] *s.m.* ferimento superficial causado por atrito ▣ **de r.** muito perto, tocando ou quase tocando <*tiro de r.*>

raspar (ras.par) *v.* {mod. 1} *t.d. e t.i.* **1** (prep. *em*) tocar, arranhar ou ferir superficialmente <*a bala raspou o braço*> <*a roda raspou no meio-fio*> □ *t.d.* **2** retirar o que restou em ou aderiu a (uma superfície), colhendo ou esfregando com instrumento adequado <*o guri comeu tudo e até raspou o prato*> <*r. as paredes para aplicar uma nova pintura*> **3** retirar (o que está grudado), esfregando com instrumento apropriado <*deu trabalho r. a gordura que queimou na frigideira*> **4** cortar rente à pele, com navalha; rapar <*r. o cabelo*> □ *pron. infrm.* **5** fugir, escapar ~ **raspadura** *s.f.* - **raspagem** *s.f.*

rasteira (ras.tei.ra) *s.f.* golpe em que se usa um pé ou a perna por entre as pernas do oponente para o desequilibrar e/ou deixá-lo cair

rasteiro (ras.tei.ro) *adj.* **1** que se arrasta pelo chão <*a serpente é um animal r.*> **2** próximo ao chão; baixo <*vegetação r.*> ↺ alto **3** *fig.* ordinário, sem valor <*piada r.*> ↺ superior

rastejar (ras.te.jar) *v.* {mod. 1} *int.* **1** mover-se tocando o chão; arrastar-se <*as cobras rastejam com rapidez*> **2** ter comportamento indigno; rebaixar-se □ *t.d.* **3** seguir a pista de (caça, fugitivo etc.); rastrear ~ **rastejador** *adj.s.m.* - **rastejante** *adj.2g.* - **rastejo** *s.m.*

rastelo (ras.te.lo) ou **restelo** (res.te.lo) /ê/ *s.m.* ancinho us. para limpar ou afofar a terra

rastilho (ras.ti.lho) *s.m.* **1** fio coberto de substância inflamável que conduz fogo a um explosivo **2** *fig.* aquilo que é a causa, a origem de evento de forte repercussão <*o r. da greve geral*>

rasto (ras.to) *s.m.* → ***RASTRO***

rastreamento (ras.tre.a.men.to) *s.m.* ato ou efeito de rastrear; rastreio

rastrear (ras.tre.ar) *v.* {mod. 5} *t.d.* **1** seguir o rastro, a pista de; caçar, rastejar <*r. o fugitivo*> **2** fazer investigações a respeito de; inquirir, investigar ~ **rastreio** *s.m.*

rastro (ras.tro) ou **rasto** (ras.to) *s.m.* **1** vestígio deixado por pessoa ou animal no seu caminho **2** *fig.* indício, pista <*o forasteiro se foi sem deixar r.*> ▣ **de rastros** ou **de rastos** arrastando-se pelo chão

rasura (ra.su.ra) *s.f.* **1** risco ou raspagem feito em um texto, documento etc., para tornar inválidas ou ilegíveis palavras ali contidas, ou substituí-las por outras **2** aquilo que se risca ou raspa num texto ou documento

rasurar (ra.su.rar) *v.* {mod. 1} *t.d.* fazer rasuras em <*r. um requerimento*>

[1]**rata** (ra.ta) *s.f.* fêmea do rato; ratazana ◉ ORIGEM fem. de *rato*

[2]**rata** (ra.ta) *s.f. B infrm.* ato ou dito inconveniente, indiscreto, que expõe seu autor ao ridículo <*dar uma r.*> ◉ ORIGEM prov. de *ratão* 'indivíduo extravagante'

rataplã (ra.ta.plã) *s.m.* toque do tambor <*r., r., soava forte o tambor*>

rataria (ra.ta.ri.a) *s.f.* grande quantidade de ratos

ratazana (ra.ta.za.na) *s.f.* ZOO **1** roedor de até 27 cm de comprimento, encontrado em todo o mundo em locais úmidos (esgotos, pântanos etc.) **2** fêmea do rato ◉ GRAM/USO aum.irreg. de *rato*

[1]**ratear** (ra.te.ar) *v.* {mod. 5} *t.d. e t.d.i.* (prep. *entre*) dividir proporcionalmente; repartir, rachar <*ratearam o custo do bufê (entre si)*> ◉ ORIGEM do rad. do lat. *ratus,a,um* 'calculado' + *-ear*

[2]**ratear** (ra.te.ar) *v.* {mod. 5} *int.* não funcionar ou funcionar mal (motor, mecanismo) ◉ ORIGEM do fr. *rater* 'fracassar'

rateio (ra.tei.o) *s.m.* divisão proporcional; repartimento

raticida (ra.ti.ci.da) *adj.2g.s.m.* (substância) que mata ratos

ratificação (ra.ti.fi.ca.ção) [pl.: *-ões*] *s.f.* ato ou efeito de ratificar; confirmação

ratificar (ra.ti.fi.car) *v.* {mod. 1} *t.d.* **1** declarar como válido (dito, situação anterior); confirmar <*os dois países ratificaram a promessa de trégua*> **2** mostrar como verdadeiro; comprovar <*os resultados ratificaram nossas previsões*> ☞ cf. *retificar*

rato (ra.to) *s.m.* **1** ZOO roedor encontrado em todo o mundo, responsável pela transmissão de diversas doenças, como a peste bubônica **2** *fig.* pessoa que pratica furtos em locais públicos **3** *fig.* pessoa que frequenta constantemente determinado lugar <*r. de biblioteca*> ◉ GRAM/USO aum.irreg.: *ratazana* ◉ COL rataria

ratoeira (ra.to.ei.ra) *s.f.* **1** armadilha para ratos **2** *fig.* artifício para enganar alguém

rave [ing.] *s.f.* grande festa de dança com música eletrônica, ger. realizada em espaços abertos afastados dos centros urbanos ⇒ pronuncia-se rêive

ravina (ra.vi.na) *s.f.* **1** escoamento de grande quantidade de água por uma encosta **2** depressão no solo produzida por esse escoamento; barranco

ravióli (ra.vi.ó.li) *s.m.* CUL **1** massa alimentícia em quadradinhos recheados **2** prato preparado com essa massa, à qual se adicionam molho de tomate e queijo parmesão

razão (ra.zão) [pl.: *-ões*] *s.f.* **1** faculdade de raciocinar, de compreender, de julgar; inteligência *<o homem tem o uso da r.>* **2** aquilo que provoca um acontecimento; causa, motivo *<estudava as r. do conflito>* ↺ resultado **3** capacidade de avaliar corretamente; juízo *<a paixão fez que ele perdesse a r.>* **4** MAT quociente de dois números ▣ **r. social** DIR nome jurídico adotado por uma sociedade para suas atividades comerciais; firma

razia (ra.zi.a) *s.f.* **1** invasão para saquear **2** *fig.* destruição de valores materiais ou espirituais

razoável (ra.zo.á.vel) [pl.: *-eis*] *adj.2g.* **1** aceitável pela razão; racional **2** que tem bom senso ↺ insensato **3** não excessivo *<preço r.>* **4** nem bom nem mau; aceitável *<salário r.>*

Rb QUÍM símbolo de *rubídio*

re- *pref.* **1** 'volta, recuo': *recaída, regredir* **2** 'repetição': *reeditar, refazer*

Re QUÍM símbolo de *rênio*

[1]ré *s.f.* **1** mulher acusada de um crime **2** mulher que cometeu um crime ◉ GRAM/USO fem. de *réu* ◉ ORIGEM do lat. *rĕa,ae* 'id.'

[2]ré *s.f.* **1** parte de trás de um navio; popa **2** marcha a ré ◉ ORIGEM duv., talvez do adv.lat. *retro* 'por detrás, para trás'

[3]ré *s.m.* MÚS nota musical ◉ ORIGEM do it. *re* 'id.'

reabastecer (re.a.bas.te.cer) *v.* {mod. 8} *t.d.,t.d.i. e pron.* **1** (prep. *de*) abastecer(-se) novamente (de algo útil ou necessário) *<r. a despensa (de alimentos não perecíveis)>* *<a aldeia reabastece-se de lenha e alimentos para passar o inverno>* **2** recolocar combustível no tanque de *<r. o carro>* ~ **reabastecimento** *s.m.*

reabilitação (re.a.bi.li.ta.ção) [pl.: *-ões*] *s.f.* recuperação de capacidade física, moral ou intelectual

reabilitar (re.a.bi.li.tar) *v.* {mod. 1} *t.d. e pron.* (fazer) recuperar a capacidade, estima ou saúde perdidos *<uma vitória poderá r. o time>* *<deixando a bebida, vai r.-se ante a família>* ~ **reabilitador** *adj.s.m.*

reabrir (re.a.brir) *v.* {mod. 24} *t.d.,int. e pron.* abrir (-se) de novo (o que estava fechado, interrompido, retido etc.) *<reabriu a boca e voltou a tagarelar>* *<a ferida reabriu>* *<reabriram-se as aulas>* ◉ GRAM/USO part.: *reaberto* ~ **reabertura** *s.f.*

reação (re.a.ção) [pl.: *-ões*] *s.f.* **1** comportamento de um ser vivo em presença de um estímulo **1.1** modificação produzida no organismo por algo em que se tocou ou um remédio ou substância que se tomou *<r. à vacina>* **1.2** ação contrária a outra; oposição, resistência *<a intimidação provocou uma forte r. no rapaz>* ↺ apoio **1.3** ação em resposta a outra anterior *<diante da ofensa, não teve r.>* *<sua r. foi pular de alegria>* **2** ponto de vista conservador ou contrário à evolução política e social **3** FÍS força de mesma magnitude, mas oposta a outra **4** QUÍM transformação em que uma ou mais substâncias originam outra(s) nova(s) *<o ozônio é produto da r. entre o oxigênio e a luz ultravioleta>* ▣ **r. nuclear** FÍS qualquer reação em que ocorram modificações de um ou mais núcleos atômicos

reacender (re.a.cen.der) *v.* {mod. 8} *t.d.* **1** acender de novo (o que estava apagado, desligado etc.) *<r. o fogo>* □ *t.d. e pron. fig.* **2** (fazer) adquirir novo impulso, novo vigor; renovar(-se) *<r. a esperança>* *<reacendeu-se a antiga alegria>* ☞ cf. *reascender*

reacionário (re.a.cio.ná.rio) *adj.s.m.* (aquele) que reage a inovações (morais, políticas, sociais) ou pretende restabelecer o que foi abolido *<há reacionários de esquerda e de direita>*

readaptar (re.a.dap.tar) *v.* {mod. 1} *t.d.,t.d.i. e pron.* (prep. *a*) tornar a adaptar(-se) [o que estava desajustado, inadequado etc.] *<readaptou a cama (às novas necessidades do enfermo)>* *<vai r.-se rapidamente à escola>* ~ **readaptação** *s.f.*

readmissão (re.ad.mis.são) [pl.: *-ões*] *s.f.* nova admissão; recontratação *<r. de funcionários dispensados>*

readmitir (re.ad.mi.tir) *v.* {mod. 24} *t.d.,t.d.pred. e t.d.i.* **1** (prep. *a, em, por*) tornar a admitir; recontratar *<readmitiram (na fábrica) os operários demitidos>* *<tiveram que readmiti-lo como gerente>* □ *t.d.* **2** passar de novo a reconhecer; reconsiderar *<vai r. que errou?>*

readquirir (re.ad.qui.rir) *v.* {mod. 24} *t.d.* adquirir novamente (algo que estava perdido); recobrar, recuperar *<r. a confiança>* ~ **reaquisição** *s.f.*

reafirmação (re.a.fir.ma.ção) [pl.: *-ões*] *s.f.* **1** nova afirmação **2** demonstração da verdade de uma afirmação; confirmação

reafirmar (re.a.fir.mar) *v.* {mod. 1} *t.d.* afirmar de novo e de forma categórica; confirmar, reiterar *<r. os princípios de uma teoria>*

reagente (re.a.gen.te) *adj.2g.s.m.* QUÍM (substância) que causa reação ou serve para determinar a presença de um elemento numa reação; reativo

reagir (re.a.gir) *v.* {mod. 24} *int.* **1** responder a um estímulo *<o doente finalmente reagiu>* *<esta planta reage ao ser tocada>* □ *t.i. e int.* **2** (prep. *a*) opor ação a (outra contrária); lutar, resistir *<r. a um assalto>* *<apanhou sem r.>* **3** (prep. *com*) entrar em reação química *<o ácido reagiu com o metal>* *<na ausência de febre, o mercúrio do termômetro não reage>*

reagrupar (re.a.gru.par) *v.* {mod. 1} *t.d. e pron.* **1** voltar a reunir(-se) em grupo (o que estava disperso, desorganizado) *<conseguiu r. a família na mesma casa>* *<depois do recreio, a turma reagrupou-se>* **2** reorganizar(-se) em novos grupos, segundo outros critérios *<r. os soldados do batalhão>* *<os jogadores se reagruparam no campo e conseguiram a vitória>*

reajustar (re.a.jus.tar) *v.* {mod. 1} *t.d. e t.d.i.* **1** (prep. *a*) voltar a ajustar (o que estava largo, inadequado, fora de contexto etc.); readaptar *<emagreceu tanto que precisou r. o vestido (ao corpo)>* □ *t.d. B* **2** definir novo valor para (salários, preços etc.) ~ **reajustamento** *s.m.*

reajuste (re.a.jus.te) *s.m.* ato ou efeito de reajustar; reajustamento ▣ **r. salarial** aumento de salário proporcional ao do custo de vida

[1]real (re.al) [pl.: *-ais*] *adj.2g.* próprio de realeza ou rei *<família r.>* *<decreto r.>* ◉ ORIGEM do lat. *regālis,e* 'id.'

[2]real (re.al) [pl.: *-ais*] *s.m.* **1** antiga moeda de Portugal e do Brasil ☞ pl.: *réis* **2** ECON meio através do qual são efetuadas transações monetárias no Brasil desde julho de 1994 ◉ ORIGEM duv., talvez de [1]*real*

^{3}**real** (re.al) [pl.: *-ais*] *adj.2g.* **1** que tem existência palpável, concreta **2** que existe de fato, de verdade *<diga-nos qual a situação r.>* ■ *s.m.* **3** fato verdadeiro; realidade ◉ ORIGEM do b.-lat. *realis,e* 'coisa material' ~ **realmente** *adv.*

realçar (re.al.çar) *v.* {mod. 1} *t.d.* tornar(-se) mais perceptível ou importante traço, característica, feito de; salientar(-se), destacar(-se) *<a roupa pode r. a beleza> <r. o mérito de uma ação>*

realce (re.al.ce) *s.m.* **1** ação ou efeito de realçar **2** preeminência, importância, destaque ↺ irrelevância **3** numa pintura, destaque das zonas claras sobre as escuras

realejo (re.a.le.jo) /ê/ *s.m.* MÚS espécie de órgão portátil movido a manivela

realeza (re.a.le.za) /ê/ *s.f.* **1** dignidade de rei; majestade **2** *fig.* grandeza, importância

realidade (re.a.li.da.de) *s.f.* **1** o que existe de verdade, o que é ^{3}real *<seus sonhos tornaram-se r.>* **2** conjunto das coisas e fatos reais *<dormindo, fugimos da r.>* ▣ **r. virtual** INF simulação de um ambiente real por meio de imagens tridimensionais

realismo (re.a.lis.mo) *s.m.* **1** atitude de quem está atento à realidade e enfrenta as situações de modo prático **2** nas artes, referência à vida ^{3}real *<r. no cinema, na literatura, na pintura etc.>* ~ **realista** *adj.2g.s.2g.* - **realístico** *adj.*

reality show (re.al.i.ty show) [ing.] *loc.subst.* TV gênero de programa televisivo que acompanha e apresenta situações reais vividas por um determinado grupo de pessoas ⇒ pronuncia-se riéliti xou

realização (re.a.li.za.ção) [pl.: *-ões*] *s.f.* **1** o que se consegue pôr em prática **2** feito, ato de heroísmo

realizar (re.a.li.zar) *v.* {mod. 1} *t.d. e pron.* **1** (fazer) ter existência concreta no tempo e/ou no espaço; efetivar(-se) *<realizou o sonho de conhecer Paris> <seu pressentimento felizmente não se realizou>* □ *t.d.* **2** pôr em prática; fazer, efetuar *<realizou algumas alterações na obra>* **3** ECON converter (bens) em dinheiro ou equivalente *<r. um ativo>* □ *pron.* **4** cumprir um ideal ou meta de vida; satisfazer-se *<r.-se como pintor>*

realizável (re.a.li.zá.vel) [pl.: *-eis*] *adj.2g.* que pode ser realizado *<proposta r.>* ↺ irrealizável

reanimação (re.a.ni.ma.ção) [pl.: *-ões*] *s.f.* **1** ação ou efeito de reanimar(-se) **2** MED conjunto de ações que restauram uma ou mais funções vitais de um paciente

reanimar (re.a.ni.mar) *v.* {mod. 1} *t.d.* **1** restituir as funções vitais a *<r. um moribundo>* □ *t.d. e pron.* **2** (fazer) recuperar o vigor, as forças, a consciência; revigorar(-se) *<r. uma pessoa desfalecida> <reanimou--se com o café forte>* **3** *fig.* (fazer) receber novo ânimo; estimular(-se) *<nossas palavras reanimaram-no> <reanimou-se na presença da amada>*

reaparecer (re.a.pa.re.cer) *v.* {mod. 8} *int.* aparecer novamente (o que estava sumido, escondido, esquecido); ressurgir *<o antigo manuscrito reapareceu> <espera que a doença não reapareça>* ~ **reaparecimento** *s.m.* - **reaparição** *s.f.*

reaplicar (re.a.pli.car) *v.* {mod. 1} *t.d.* tornar a aplicar (medicamento, enfeite, dinheiro etc.)

reaprender (re.a.pren.der) *v.* {mod. 8} *t.d. e t.i.* (prep. *a*) tornar a aprender (habilidade, conhecimento, entendimento perdidos ou esquecidos) *<reaprendeu matemática para ajudar o filho> <r. a amar depois de uma desilusão>*

reapresentar (re.a.pre.sen.tar) *v.* {mod. 1} *t.d.* apresentar de novo (algo que já foi mostrado ou esteve em exibição); reexibir *<r. uma peça teatral>*

reaproveitar (re.a.pro.vei.tar) *v.* {mod. 1} *t.d.* voltar a aproveitar; reutilizar *<a escola vai r. os livros do ano passado>* ~ **reaproveitamento** *s.m.*

reaproximar (re.a.pro.xi.mar) /ss/ *v.* {mod. 1} *t.d. e pron.* (prep. *de*) aproximar(-se) novamente; reconciliar(-se) *<só o tempo conseguiu reaproximá-los> <arrependido, reaproximou-se da família>* ~ **reaproximação** *s.f.*

reascender (re.as.cen.der) *v.* {mod. 8} *t.i. e t.d.i.* subir, elevar-se de novo *<r. ao trono> <r. ao céu os corpos dos eleitos>* ☞ cf. *reacender*

reassentamento (re.as.sen.ta.men.to) *s.m.* novo assentamento

reassumir (re.as.su.mir) *v.* {mod. 24} *t.d.* **1** voltar a ser responsável por *<r. o controle dos bens>* **2** *fig.* recuperar, readquirir *<r. o equilíbrio, após o tombo>* **3** voltar ao exercício de (função, cargo) ~ **reassunção** *s.f.*

reatar (re.a.tar) *v.* {mod. 1} *t.d.* **1** amarrar de novo *<r. os nós do sapato>* **2** recomeçar o que se havia interrompido; retomar *<r. a conversa>* ~ **reatamento** *s.m.*

reativar (re.a.ti.var) *v.* {mod. 1} *t.d. e pron.* tornar (-se) ativo novamente (algo parado, interrompido, interditado, sem funcionamento etc.) *<r. uma fábrica> <o reator reativou-se>* ~ **reativação** *s.f.*

reativo (re.a.ti.vo) *adj.* **1** que reage ou provoca reação ■ *adj.s.m.* QUÍM **2** reagente

reator (re.a.tor) /ô/ [pl.: *-es*] *s.m.* motor propulsor ▣ **r. nuclear** mecanismo onde se induz fissão nuclear em cadeia de forma controlada

reavaliar (re.a.va.li.ar) *v.* {mod. 1} *t.d.* fazer nova avaliação de; reconsiderar, rever *<r. uma decisão>* ~ **reavaliação** *s.f.*

reaver (re.a.ver) *v.* {mod. 13} *t.d.* voltar a ter (algo perdido); recuperar *<r. bens> <r. direitos>* ◉ GRAM/USO verbo defectivo

reavivar (re.a.vi.var) *v.* {mod. 1} *t.d.* **1** avivar muito **2** provocar a recordação de (fato, sentimento passado); relembrar **3** reacender o fogo de *<r. a fogueira>* **4** *fig.* conferir novo ânimo a; estimular

rebaixar (re.bai.xar) *v.* {mod. 1} *t.d.,int. e pron.* **1** tornar(-se) mais baixo *<r. o teto> <como prevíamos, o terreno rebaixou> <rebaixaram-se as terras>* □ *t.d.* **2** diminuir o preço ou o valor de; baratear *<a grande produção rebaixou a cebola>* **3** conduzir à categoria inferior *<r. um oficial>* □ *t.d. e pron.* **4** (fazer) perder o valor, tratando(-se) com desdém; humilhar(-se) *<r. os méritos de alguém> <não se deixe r. por essa acusação>* ↺ valorizar(-se) □ *pron.* **5** ter comportamento indigno; rastejar *<rebaixou-se para conseguir o que queria>* ~ **rebaixado** *adj.* - **rebaixamento** *s.m.*

rebanho (re.ba.nho) *s.m.* **1** grande número de animais da mesma espécie agrupados *<r. de cabras>* **2** *p.ext.* conjunto de animais criados para corte *<r. bovino>* **3** *fig.* grupo de pessoas que seguem um líder **4** congregação de paroquianos **5** *p.ext.* multidão de pessoas; massa

rebarba (re.bar.ba) *s.f.* **1** qualquer saliência com formato anguloso; quina, aresta *<uma peça de plástico cheia de rebarbas>* **2** excesso de material em obras de fundição **3** o que sobra; resto *<só pegamos as r. do bolo>*

rebarbativo (re.bar.ba.ti.vo) *adj.* **1** que demonstra mau humor; carrancudo ↺ alegre **2** desagradável, enfadonho **3** que destoa do comum; esquisito

rebater (re.ba.ter) *v.* {mod. 8} *t.d.* **1** afastar com violência (o que vem em sua direção); repelir *<não conseguiram r. as tropas inimigas>* **2** fazer parar (um golpe); deter *<rebateu a bolada com a testa>* **3** *fig.* anular a ação, o efeito ou o ímpeto de; combater, conter *<r. uma revolta, uma doença>* **4** bater de novo ou diversas vezes *<r. o solo, para aplainá-lo>* **5** *fig.* falar sobre ou repetir de modo fatigante; repisar *<r. um assunto horas a fio>* **6** *fig.* contestar ou responder a (ofensa, acusação etc.) *<r. críticas infundadas>* ▫ *t.d.i.* **7** (prep. *sobre*) fazer cair (algo vertical) sobre superfície horizontal *<r. um poste sobre o solo>* ~ **rebate** *s.m.* - **rebatida** *s.f.*

rebelar (re.be.lar) *v.* {mod. 1} *t.d. e t.d.i.* **1** (prep. *contra*) incitar à rebeldia contra governo, poder, instituição; revoltar *<r. os empregados (contra o patrão)>* ▫ *pron.* **2** (prep. *contra*) expressar desacordo em relação a; opor-se *<r.-se contra a injustiça>*

rebelde (re.bel.de) *adj.2g.s.2g.* **1** que(m) se rebela *<as tropas r. dominaram o território> <os r. resolveram tomar o navio à força>* **2** *p.ext.* que(m) não se submete *<criança r.> <amadureceu e deixou de ser um r. sem causa>* ↺ obediente ~ **rebeldia** *s.f.*

rebelião (re.be.li.ão) [pl.: *-ões*] *s.f.* **1** oposição à autoridade estabelecida **2** insurreição, revolta

rebenque (re.ben.que) *s.m.* pequeno chicote de couro

rebentação (re.ben.ta.ção) [pl.: *-ões*] *s.f.* arrebentação

rebentar (re.ben.tar) *v.* {mod. 1} *t.d. e int.* **1** arrebentar ('romper-se', 'estourar', 'fazer-se em espuma') ▫ *int.* **2** lançar (a planta) novos rebentos *<as árvores rebentam na primavera>* **3** *fig.* aparecer de repente e/ou com violência; brotar *<lágrimas rebentaram de repente>* ~ **rebentado** *adj.*

rebento (re.ben.to) *s.m.* **1** BOT vegetal que está no início do desenvolvimento; broto **2** *fig.* filho

rebitar (re.bi.tar) *v.* {mod. 1} *t.d. e pron.* **1** arrebitar ▫ *t.d.* **2** unir (peças de metal) com rebites

rebite (re.bi.te) *s.m.* **1** tipo de prego para unir peças, chapas etc. **2** dobra na ponta de um prego que o impede de sair do lugar

reboar (re.bo.ar) *v.* {mod. 1} *int.* ecoar com força; retumbar ~ **reboante** *adj.2g.*

rebobinar (re.bo.bi.nar) *v.* {mod. 1} *t.d.* enrolar novamente na bobina (filme, fita)

rebocador (re.bo.ca.dor) /ô/ [pl.: *-es*] *adj.* **1** que [2]reboca ■ *s.m.* MAR **2** navio pequeno mas robusto, equipado com guindaste à popa, e us. para rebocar outras embarcações

[1]**rebocar** (re.bo.car) *v.* {mod. 1} *t.d.* revestir com reboco *<r. as paredes>* ◉ ORIGEM duv., talvez do lat. *revocāre* 'revestir parede'

[2]**rebocar** (re.bo.car) *v.* {mod. 1} *t.d.* puxar (carro, navio) por meio de cabo, corda, corrente etc. ◉ ORIGEM do lat. *remulcāre*, de *remulcus,i* 'cabo de trazer à tona'

reboco (re.bo.co) /ô/ *s.m.* CONSTR camada de massa aplicada sobre o emboço de uma parede a fim de prepará-la para receber a pintura

rebojo (re.bo.jo) /ô/ *s.m.* *B* rodamoinho que se forma em rios

rebolado (re.bo.la.do) *s.m.* movimento de quadris; bamboleio, saracoteio

rebolante (re.bo.lan.te) *adj.2g.* que rebola ou faz rebolar *<música r.>*

rebolar (re.bo.lar) *v.* {mod. 1} *t.d.,int. e pron.* **1** mover (-se) balançando (os quadris, o corpo) ao andar, dançar; bambolear(-se) *<r. as cadeiras> <rebolavam(-se) no ritmo do samba>* ▫ *t.d.* **2** fazer mover-se como uma bola; rolar *<r. um barril>*

rebolo (re.bo.lo) /ô/ *s.m.* **1** pedra cilíndrica que gira num eixo, us. para afiar lâminas **2** *infrm.* qualquer objeto de forma cilíndrica

reboo (re.bo.o) /ô/ *s.m.* ato ou efeito de reboar; forte eco

reboque (re.bo.que) *s.m.* **1** ato de [2]rebocar **2** embarcação ou veículo que é rebocado, puxado por outro **3** *B* veículo que reboca; guincho

rebordo (re.bor.do) /ô/ [pl.: *rebordos* /ó/] *s.m.* borda voltada para fora *<r. do colarinho>*

rebordosa (re.bor.do.sa) *s.f.* *B* **1** advertência severa; repreensão ↺ elogio **2** tumulto, confusão ↺ sossego **3** doença grave ou sua reincidência

rebotalho (re.bo.ta.lho) *s.m.* **1** resto inaproveitável; refugo **2** *p.ext.* coisa inútil e sem valor

rebote (re.bo.te) *s.m.* ESP retorno da bola após quicar ou ser rebatida *<o artilheiro pegou o r. e fez o gol>*

rebu (re.bu) *s.m.* *B* *infrm.* confusão, desordem

rebuçado (re.bu.ça.do) *s.m.* pequena guloseima feita de calda de açúcar endurecida

rebuçar (re.bu.çar) *v.* {mod. 1} *t.d. e pron.* **1** cobrir (-se) com rebuço *<um manto rebuçava o rosto dela> <rebuçou-se com a capa>* **2** *fig.* não deixar ou não ficar perceptível, ocultando(-se) totalmente ou disfarçando (-se) *<r. as verdadeiras intenções> <a inveja quase sempre se rebuça>*

rebuço (re.bu.ço) *s.m.* **1** parte da capa que cobre o rosto **2** *fig.* disfarce, dissimulação

rebuliço (re.bu.li.ço) *s.m.* **1** grande agitação; confusão, desordem **2** *fig.* desentendimento, discórdia

rebuscado (re.bus.ca.do) *adj.* **1** muito procurado; buscado com afinco **2** *fig.* bastante aprimorado; requintado *<discurso rebuscado>*

rebuscar (re.bus.car) *v.* {mod. 1} *t.d.* **1** buscar de novo ou com insistência, afinco *<r. as gavetas>* **2** trabalhar com apuro em excesso (esp. texto ou fala); requintar *<rebuscou bastante a redação>* ~ **rebuscamento** *s.m.*

recado (re.ca.do) *s.m.* mensagem curta oral ou escrita

recaída (re.ca.í.da) *s.f.* **1** reincidência em erro **2** nova manifestação dos sintomas de uma doença que estava quase curada

recair (re.ca.ir) *v.* {mod. 25} *t.i.* **1** (prep. *em*) tornar a incorrer (em culpa ou erro); reincidir *<em novo depoimento, recaiu em contradição>* **2** (prep. *em, sobre*) ser de competência de, por direito ou dever; caber *<a responsabilidade recai sempre no líder>* **3** (prep. *sobre*) ser atribuído a; pesar *<o fracasso recaiu sobre nós>* **4** (prep. *em*) ocorrer o acento, a ênfase em (certa sílaba, palavra); incidir *<o acento dos paroxítonos recai na penúltima sílaba>* □ *t.i. e int.* **5** (prep. *em*) ser de novo atacado (por certa doença) *<depois do tratamento, não esperava r. (na pneumonia) outra vez>*

recalcado (re.cal.ca.do) *adj.* **1** que se recalcou *<terra r.>* **2** *fig.* que foi repisado, repetido *<assunto r.>* **3** PSICN relativo a ou próprio do recalque *<personalidade r.>* **4** PSICN excluído do campo da consciência *<desejo r.>*

recalcar (re.cal.car) *v.* {mod. 1} *t.d.* **1** calcar, apertar seguidamente; repisar *<r. a terra de um vaso para plantar uma muda>* **2** *fig.* teimar em; insistir *<r. um assunto>* **3** *fig.* opor-se à expressão ou ação de; conter, reprimir *<r. paixões desordenadas>*

recalcitrante (re.cal.ci.tran.te) *adj.2g.s.2g.* que(m) desobedece insistentemente ↺ obediente

recalcitrar (re.cal.ci.trar) *v.* {mod. 1} *t.i. e int.* **1** (prep. *em*) demonstrar resistência para obedecer; não ceder; obstinar-se *<recalcitrou em chegar na hora marcada>* *<não adianta r., o combinado será cumprido>* □ *t.d.* **2** responder, reagindo em contrário, negando *<não recalcitre os superiores>* □ *t.i.* **3** (prep. *a*) retorquir de maneira descortês *<recalcitrou com veemência à pergunta>* ~ **recalcitração** *s.f.*

recall (re.call) [ing.; pl.: *recalls*] *s.m.* chamada pública dos compradores de um determinado produto, para que se faça sua substituição, caso seja constatado, pelo fabricante, um defeito ou contaminação ⇒ pronuncia-se ricol

recalque (re.cal.que) *s.m.* **1** ato ou efeito de recalcar **2** PSICN meio pelo qual o indivíduo rejeita inconscientemente ideias, sentimentos e impulsos desagradáveis ou inconvenientes, que acabam se manifestando em transtornos do comportamento

recambiar (re.cam.bi.ar) *v.* {mod. 1} *t.d. e t.d.i.* **1** (prep. *a, de, para*) fazer retornar ao lugar de origem; reenviar *<r. os prisioneiros>* *<r. uma criança aos verdadeiros pais>* *<r. uma mercadoria de uma cidade à outra>* □ *t.d.* ECON **2** devolver (letra de câmbio não paga) ~ **recâmbio** *s.m.*

recamo (re.ca.mo) *s.m.* **1** bordado em relevo **2** *fig.* enfeite, adorno ~ **recamador** *adj.s.m.* - **recamar** *v.t.d.,t.d.i. e pron.*

recanto (re.can.to) *s.m.* **1** local retirado, particular **2** esconderijo, recesso **3** reentrância na costa ou em rio **4** local agradável **5** *fig.* o que fica oculto, velado *<os r. da alma>*

recapear (re.ca.pe.ar) *v.* {mod. 5} *t.d.* **1** capear de novo **2** aplicar novo revestimento em (rua, estrada etc.) **3** recauchutar (pneu) ~ **recapeamento** *s.m.*

recapitulação (re.ca.pi.tu.la.ção) [pl.: *-ões*] *s.f.* **1** ato ou efeito de reduzir um assunto aos tópicos principais **2** ato ou efeito de examinar novamente os principais pontos de um fato, assunto etc.

recapitular (re.ca.pi.tu.lar) *v.* {mod. 1} *t.d.* **1** reduzir aos tópicos principais; resumir *<vamos r. o capítulo 5>* **2** lembrar ou examinar novamente os principais pontos de (fato, assunto etc.) *<recapitulou o encontro com os amigos e ficou feliz>*

recapturar (re.cap.tu.rar) *v.* {mod. 1} *t.d.* capturar novamente (caça, fugitivo) ~ **recaptura** *s.f.*

recarga (re.car.ga) *s.f.* **1** ato ou efeito de recarregar (-se) *<esta arma permite uma r. rápida>* **2** o que serve para recarregar *<o cartucho da impressora precisa de uma r.>* **3** novo ataque *<o batalhão partiu para a r.>*

recarregar (re.car.re.gar) *v.* {mod. 1} *t.d.,int. e pron.* carregar(-se) de novo *<r. o celular>* *<a bateria já recarregou(-se)>*

recatado (re.ca.ta.do) *adj.* **1** que tem pudor; casto ↺ imoral, indecente **2** que pensa, age ou se comporta com comedimento; prudente, comedido *<bebedor r.>*

recato (re.ca.to) *s.m.* **1** característica do que é decente; pudor *<r. no vestir>* ↺ despudor, imodéstia **2** resguardo, cautela *<r. no agir e no falar>* ↺ precipitação ~ **recatar** *v.t.d.,t.d.i. e pron.*

recauchutar (re.cau.chu.tar) *v.* {mod. 1} *t.d.* **1** restaurar banda de rodagem de (pneu gasto), recobrindo-o com nova camada de borracha □ *t.d. e pron. B infrm. joc.* **2** reparar com cirurgia plástica imperfeições de (parte do corpo ou de alguém) *<é ele quem recauchuta as mais lindas atrizes>* *<resolveu r.-se aos 50 anos>* ~ **recauchutagem** *s.f.*

recear (re.ce.ar) *v.* {mod. 5} *t.d.,t.i. e pron.* (prep. *de, por*) ter medo de, apreensão por; temer, preocupar (-se) *<r. o perigo da selva>* *<r. pelo seu futuro>* *<r.-se de erros passados>*

recebedoria (re.ce.be.do.ri.a) *s.f.* repartição pública que recolhe impostos e taxas

receber (re.ce.ber) *v.* {mod. 8} *t.d.* **1** passar a ter; ganhar *<r. uma herança>* **2** estar num lugar e tratar de certo modo (esp. parentes, visitas e hóspedes); acolher *<vamos r. os turistas calorosamente>* **3** ser objeto de (avaliação, sentimento, punição etc.) *<o livro deve r. duras críticas>* **4** reagir de certo modo a; aceitar *<não recebeu bem a notícia>* **5** ser alcançado ou atingido por; levar, ganhar *<r. a luz do Sol>* *<r. um soco>* ↺ dar **6** REL *B* ser meio para a incorporação de (orixá ou outra entidade) □ *t.d. e t.d.i.* **7** (prep. *de*) obter como recompensa, favor ou por merecimento; ganhar *<r. (do governo) uma condecoração>* **8** (prep. *de*) chegar às mãos ou aceitar (algo enviado, oferecido etc.) [por alguém] *<r. (de uma amiga) um belo presente>* **9** (prep. *de*) ser informado, comunicado de (algo) [por parte de]; saber *<r. instruções (de um superior)>* **10** (prep. *de*) ser depositário de ou recolher (algo) de certa origem ou fonte *<o Amazonas recebe as águas de muitos rios>* *<o Tocantins recebe do Araguaia suas águas>* □ *t.d.pred. fig.* **11** admitir como legítimo; acolher *<recebeu-o como irmão>* □ *t.d. e t.d.pred.* **12** aceitar por esposa ou esposo *<recebeu por fim a noiva>* *<r. um primo distante por marido>* ~ **recebimento** *s.m.*

receio (re.cei.o) *s.m.* apreensão diante de incerteza; medo ↺ destemor, coragem

receita (re.cei.ta) *s.f.* **1** rendimento, renda **2** indicação médica de remédio, ger. por escrito **3** indicação do preparo de um prato *<r. de feijoada>* **4** *fig.* fórmula, modelo *<não existe r. para o sucesso>* ~ **receitar** *v.t.d.,t.d.i. e int.*

receituário (re.cei.tu.á.rio) *s.m.* formulário us. por médicos para receitar medicamentos

recém- *el.comp.* 'ocorrido há pouco': *recém-casado, recém-nascido*, sempre ligado com hífen à palavra seguinte ◉ GRAM/USO ger. ligado a um particípio

recém (re.cém) *adv. SC RS* ainda agora, recentemente *<ele viajou r.> <chuva caída r.>* ◉ GRAM/USO tem emprego generalizado na língua como prefixo

recém-formado (re.cém.-for.ma.do) *adj.s.m.* que(m) acabou de se formar *<uma professora r.>*

recém-nascido (re.cém-nas.ci.do) [pl.: *recém-nascidos*] *adj.s.m.* **1** (aquele) que nasceu há pouco *<bebê r.> <visitamos a ala de recém-nascidos da maternidade>* ■ *adj.* **2** que existe há pouco tempo; recente, novo *<foram militares os primeiros presidentes da r. República>*

recender (re.cen.der) *v.* {mod. 8} *t.d.* **1** lançar de si (odor, ger. forte e penetrante); exalar *<a carne recendia um cheiro desagradável>* **2** *fig.* espalhar, emanar *<r. inteligência>* □ *t.i. e int.* **3** (prep. *a*) exalar, emanar cheiro (de); cheirar *<o banheiro recendia a alfazema> <as flores recendem deliciosamente>* ~ **recendência** *s.f.* - **recendente** *adj.2g.*

recenseamento (re.cen.se.a.men.to) *s.m.* **1** ato de recensear **2** conjunto de dados estatísticos de uma população; censo

recensear (re.cen.se.ar) *v.* {mod. 5} *t.d.* **1** efetuar recenseamento de *<r. a população escolar>* **2** pôr em rol, lista; relacionar, enumerar *<recenseou mais de 500 membros do clube>* **3** *fig.* fazer análise criteriosa de; apreciar *<r. as resoluções do partido>*

recente (re.cen.te) *adj.2g.* **1** que aconteceu há pouco tempo *<fato r.>* **2** com pouco tempo de existência; novo *<publicação r.>* ~ **recentemente** *adv.*

receoso (re.ce.o.so) /ô/ [pl. e fem.: /ó/] *adj.* que sente receio *<entrou de mansinho, r. de incomodar>*

recepção (re.cep.ção) [pl.: *-ões*] *s.f.* **1** ato ou efeito de receber *<todos estiveram presentes à r. dos prêmios>* **2** setor encarregado de receber clientes, dar informações etc. *<deixou o envelope na r. do clube>* **3** reunião festiva, festa formal *<houve uma r. após a cerimônia>*

recepcionar (re.cep.cio.nar) *v.* {mod. 1} *int.* **1** promover reunião festiva □ *t.d. B* **2** receber com deferência em estação, cais, aeroporto etc., com ou sem festividade *<o prefeito recepcionou o governador no aeroporto>*

recepcionista (re.cep.cio.nis.ta) *s.2g.* encarregado do setor de recepção em hotéis, empresas etc.

receptáculo (re.cep.tá.cu.lo) *s.m.* local ou objeto us. para guardar ou conter algo; recipiente ~ **receptacular** *adj.2g.*

receptador (re.cep.ta.dor) /ô/ [pl.: *-es*] *adj.s.m.* que(m) adquire, guarda ou oculta produtos de crime

receptar (re.cep.tar) *v.* {mod. 1} *t.d.* receber ou ocultar (produto de crime) *<r. joias roubadas>* ~ **receptação** *s.f.*

receptivo (re.cep.ti.vo) *adj.* **1** aberto a estímulos, impressões, sugestões *<o orador encontrou uma plateia r.>* **2** afável, compreensivo ~ **receptividade** *s.f.*

receptor (re.cep.tor) /ô/ [pl.: *-es*] *adj.s.m.* **1** (o) que recebe **2** LING (o) que, no processo de comunicação, recebe a mensagem e a decodifica ☞ cf. *emissor* **3** (aparelho) que recebe sinais de som, luz etc.

recessão (re.ces.são) [pl.: *-ões*] *s.f.* ECON diminuição na atividade econômica com queda na produção, desemprego etc. ☞ cf. *resseção*

recessivo (re.ces.si.vo) *adj.* **1** que causa recessão *<política econômica r.>* **2** BIO que não apresenta seu caráter hereditário, por ter sido ocultado por um gene dominante, mas, por estar latente, pode manifestar-se em alguma geração seguinte (diz-se de gene) ☞ cf. *dominante*

recesso (re.ces.so) *s.m.* suspensão temporária de atividades

rechaçar (re.cha.çar) *v.* {mod. 1} *t.d.* **1** forçar a retirada de; expulsar *<r. o exército inimigo>* **2** mostrar postura, opinião contrária a; opor-se, repelir *<r. um pedido de desculpas>* ↺ aceitar ~ **rechaço** *s.m.*

rechear (re.che.ar) *v.* {mod. 5} *t.d.* **1** colocar recheio em *<r. um bolo> <r. o peru>* **2** encher com estofo; estofar *<r. uma almofada>*

recheio (re.chei.o) *s.m.* **1** alimento posto dentro de outro *<pastel com r. de carne>* **2** o que preenche; conteúdo ~ **recheado** *adj.* - **rechear** *v.t.d. e t.d.i.*

rechonchudo (re.chon.chu.do) *adj.* meio gordo; gorducho *<bebê r.>* ↺ magrelo

recibo (re.ci.bo) *s.m.* documento escrito em que se atesta o recebimento de dinheiro, mercadorias etc. *<r. de aluguel>*

reciclagem (re.ci.cla.gem) [pl.: *-ens*] *s.f.* **1** reaproveitamento de dejetos ou de produtos usados para introduzi-los novamente no ciclo de produção *<r. de papel> <r. de latas de alumínio>* **2** *fig.* atualização de conhecimentos *<cursos de r. para professores>* ~ **reciclar** *v.t.d. e pron.*

reciclável (re.ci.clá.vel) [pl.: *-eis*] *adj.2g.* que se pode reciclar *<baterias r.>*

recidiva (re.ci.di.va) *s.f.* MED reaparecimento de uma doença ou de um sintoma, após período de cura mais ou menos longo ~ **recidivar** *v.int.* - **recidivo** *adj.*

recife (re.ci.fe) *s.m.* formação rochosa, na superfície da água ou submersa, ger. próximo à costa, em áreas de pouca profundidade; arrecife ☞ *cf. atol*

recifense (re.ci.fen.se) *adj.2g.* **1** do Recife (PE) ■ *s.2g.* **2** natural ou habitante dessa capital

recinto (re.cin.to) *s.m.* espaço delimitado, ger. fechado

recipiente (re.ci.pi.en.te) *s.m.* objeto próprio para conter algo *<pôs o perfume em recipientes pequenos>*

reciprocidade (re.ci.pro.ci.da.de) *s.f.* qualidade ou característica do que é recíproco *<o acordo prevê r. entre as partes>*

recíproco (re.cí.pro.co) *adj.* que se faz ou dá em recompensa ou troca de algo similar; mútuo *<presentes r.> <carinho r.>*

récita (ré.ci.ta) *s.f.* **1** representação teatral, esp. concerto de música **2** recital

recital (re.ci.tal) [pl.: *-ais*] *s.m.* apresentação musical *<r. de piano>* ~ **recitalista** *adj.2g.s.2g.*

recitar (re.ci.tar) *v.* {mod. 1} *t.d.* **1** dizer em voz alta e clara, lendo ou não *<r. uma oração>* **2** dizer (texto) em voz alta, usando gestos, expressões faciais e entonação apropriados; declamar *<r. um poema>* ~ **recitação** *s.f.* - **recitador** *adj.s.m.*

recitativo (re.ci.ta.ti.vo) *adj.* **1** próprio para ser declamado *<composição r.>* ■ *s.m.* **2** trecho de ópera, oratório ou cantata em que o cantor declama o texto

reclamação (re.cla.ma.ção) [pl.: *-ões*] *s.f.* **1** ato de reclamar ou o seu efeito **2** reivindicação de um direito; queixa, protesto

reclamar (re.cla.mar) *v.* {mod. 1} *t.i. e int.* **1** (prep. *de, contra*) opor-se por meio de palavras; queixar-se *<r. contra as injustiças> <r. da espera na fila> <temos o direito de r.>* □ *t.i.* **2** (prep. *de*) expor (sofrimento físico ou moral); queixar-se *<reclamava das dores nas juntas>* **3** (prep. *por*) exigir com urgência a presença ou a ação de; clamar *<deveres reclamam por mim>* □ *t.d. e t.d.i.* **4** (prep. *a*) pedir ou exigir para si, ger. com ênfase, insistência; reivindicar, clamar *<r. a autoria de um livro> <r. perdão aos pais>* ↺ desistir ~ **reclamante** *adj.2g.s.2g.*

reclame (re.cla.me) *s.m. desus.* anúncio, comercial

reclassificação (re.clas.si.fi.ca.ção) [pl.: *-ões*] *s.f.* nova classificação *<ganhou a vaga na faculdade na primeira r.>* ~ **reclassificar** *v.t.d.*

reclinar (re.cli.nar) *v.* {mod. 1} *t.d. e pron.* (fazer) deixar a posição vertical, curvando(-se) ou pondo(-se) para trás; inclinar(-se), recostar(-se) *<r. o encosto> <r. a cabeça sobre o colo da mãe> <r.-se sobre o sofá>* ~ **reclinação** *s.f.* - **reclinável** *adj.2g.*

reclusão (re.clu.são) [pl.: *-ões*] *s.f.* **1** ato ou efeito de prender, de encarcerar **2** estado de preso; prisão, cárcere **3** *fig.* isolamento voluntário *<viveu em r. após a viuvez>*

recluso (re.clu.so) *adj.* **1** metido em cela, em clausura **2** *p.ext.* afastado do convívio do mundo ■ *s.m.* **3** pessoa que se afastou do convívio das outras, por opção ou por vocação religiosa **4** pessoa condenada à pena de reclusão

reco (re.co) *s.m. B infrm.* recruta

recoberto (re.co.ber.to) *adj.* que se recobriu; novamente coberto ◉ GRAM/USO part. de *recobrir*

recobrar (re.co.brar) *v.* {mod. 1} *t.d.* **1** passar a ter novamente (o que se tinha perdido); recuperar, retomar *<r. uma propriedade> <r. a saúde>* □ *pron. fig.* **2** recuperar o ânimo, a disposição *<recobrou-se quando começou no novo emprego>* **3** livrar-se de estado ou sensação ruim; recuperar-se *<logo se recobrou do desmaio>*

recobrir (re.co.brir) *v.* {mod. 28} *t.d. e pron.* **1** cobrir (-se) de novo (o que ficou descoberto, perdeu o revestimento etc.) **2** (prep. *de*) ocupar ou ser ocupado por inteiro (superfície, área); espalhar-se, encher-se *<a neve recobriu os campos> <o solo recobriu-se de flores>* ◉ GRAM/USO part.: *recoberto* ~ **recobrimento** *s.m.*

recolher (re.co.lher) *v.* {mod. 8} *t.d.* **1** pegar ou retirar para guardar, usar *<recolheram as cadeiras quando começou a chover> <r. água em baldes>* **2** juntar, reunir (o que estava disperso) *<r. os lençóis espalhados pelo quarto>* **3** cobrar, arrecadar, receber *<r. impostos, aluguéis>* **4** guardar dentro de si *<r. as garras, o riso>* □ *t.d. e t.d.i.* **5** (prep. *de*) apanhar de volta (o que havia sido entregue ou distribuído) *<r. (do comércio) um produto defeituoso>* □ *t.d.,t.d.i. e pron.* **6** (prep. *a*) conduzir ou ir para local privado, abrigo *<r. os animais> <r. mendigos ao abrigo> <r.-se ao quarto>* □ *t.d. e pron.* **7** puxar ou voltar-se para si; retrair(-se) *<r. as asas> <as folhas dessa planta recolhem-se>* □ *pron.* **8** afastar-se do convívio social; isolar-se

recolhimento (re.co.lhi.men.to) *s.m.* **1** ação de retirar-se para proteção, repouso ou meditação **2** *p.ext.* o afastamento decorrente desta ação **3** cobrança, arrecadação (de impostos, débitos etc.)

recolocar (re.co.lo.car) *v.* {mod. 1} *t.d.i.* (prep. *em*) tornar a colocar (o que saiu do lugar, está mal colocado etc.) *<recoloque o livro na estante>* ~ **recolocação** *s.f.*

recomeçar (re.co.me.çar) *v.* {mod. 1} *t.d.* **1** continuar (atividade, trabalho etc.), após interrupção; retomar *<r. um trabalho>* □ *int.* **2** começar novamente (o que havia parado ou se supunha ter acabado) *<após a estiagem, o temporal recomeçou>*

recomeço (re.co.me.ço) /ê/ *s.m.* ato ou efeito de recomeçar; novo começo

recomendação (re.co.men.da.ção) [pl.: *-ões*] *s.f.* **1** aquilo (p.ex., uma carta) que recomenda algo ou alguém **2** prova de aceitação, reconhecimento *<sua clientela é sua melhor r.>* **3** aviso, advertência, informação ou conselho *<ouça as r. do fabricante>* ▼ ***recomendações*** *s.f.pl.* **4** saudações, cumprimentos *<dê minhas r. ao professor>*

recomendar (re.co.men.dar) *v.* {mod. 1} *t.d. e t.d.i.* **1** (prep. *a*) mostrar a necessidade, conveniência, validade, valor etc. de; aconselhar *<r. repouso> <recomendaram-nos prudência>* □ *t.d.i.* **2** (prep. *a*) pedir ou ordenar *<r. ao filho que não demore>* **3** (prep. *a*) pedir atenção ou benevolência em favor de *<r. uma criança ao mestre>* **4** (prep. *a*) entregar à guarda de; confiar ~ **recomendável** *adj.2g.*

recompensa (re.com.pen.sa) *s.f.* **1** presente dado como reconhecimento por um favor, por uma boa ação; prêmio **2** compensação por dano; restituição

recompensar (re.com.pen.sar) *v.* {mod. 1} *t.d. e t.d.i.* **1** (prep. *com, por*) dar algo a (alguém) por bom serviço, boa ação etc.; premiar *<r. um bom aluno (com uma medalha)> <recompensou-a pelos serviços prestados>* **2** reconhecer (ação, atitude, esforço etc.) oferecendo algo de igual valor ou importância; retribuir, compensar *<o chefe recompensou seu esforço (com um elogio)>* ~ **recompensador** *adj.s.m.*

recompor (re.com.por) *v.* {mod. 23} *t.d. e pron.* **1** devolver a ou recuperar formato anterior; restaurar *<r. um texto> <a vida recompõe-se continuamente>* **2** (fazer) ganhar nova composição, arrumação; reorganizar(-se) *<r. uma turma> <o grupo recompôs-se depois das deserções>* **3** (fazer) ficar em harmonia; reconciliar(-se) *<r. amigos> <r.-se com o mestre>* ◉ GRAM/USO part.: *recomposto* ~ **recomposição** *s.f.*

recôncavo (re.côn.ca.vo) *s.m.* **1** cavidade funda **2** cavidade entre rochedos; gruta **3** pequena baía

reconciliação (re.con.ci.li.a.ção) [pl.: *-ões*] *s.f.* ato ou efeito de reconciliar(-se)

reconciliar (re.con.ci.li.ar) *v.* {mod. 1} *t.d. e t.d.i.* (prep. *com*) estabelecer a paz, a harmonia entre; congraçar (-se) *<r. os países beligerantes> <r. com o grupo o amigo extraviado> <os adversários reconciliaram-se>* ~ **reconciliável** *adj.2g.*

reconciliatório (re.con.ci.li.a.tó.rio) *adj.* que reconcilia *<ele desfez o mal-estar com um sorriso r.>*

recondicionar (re.con.di.cio.nar) *v.* {mod. 1} *t.d.* restituir à condição inicial (esp. peça, motor etc.); restaurar ~ **recondicionamento** *s.m.*

recôndito (re.côn.di.to) *adj.* **1** que se escondeu; encoberto, oculto *<pensamentos r.>* ↺ exposto **2** que se conhece pouco ou nada; ignorado ↺ divulgado **3** que existe no âmago de uma pessoa; íntimo, profundo ■ *s.m.* **4** parte central, interior; âmago *<guardava o segredo no r. de sua alma>*

reconduzir (re.con.du.zir) *v.* {mod. 24} *t.d.,t.d.i. e pron.* **1** (prep. *a*) conduzir de novo (ao lugar ou ponto de origem); devolver, reenviar *<r. extraviados> <r. a carta ao remetente> <r. o animal ao seu habitat>* □ *t.d.* **2** renovar (contrato, locação etc.) □ *t.d. e t.d.i.* **3** (prep. *a*) escolher novamente, por votação; reeleger *<r. um executivo (a seu cargo)>* ~ **recondução** *s.f.*

reconfortante (re.con.for.tan.te) *adj.2g.* **1** que reconforta *<sono r.>* ■ *adj.2g.s.2g.* **2** revigorante

reconfortar (re.con.for.tar) *v.* {mod. 1} *t.d. e pron.* **1** (fazer) recuperar o vigor, a energia; revigorar(-se) *<a dança reconforta-a> <reconfortou-se com uma caneca de café>* **2** (fazer) ganhar novo conforto; consolar(-se) *<a visita dos amigos sempre me conforta> <confortou-se na presença do confessor>* ~ **reconforto** *s.m.*

reconhecer (re.co.nhe.cer) *v.* {mod. 8} *t.d.* **1** saber, lembrar quem é ou que é (pessoa ou coisa que se revê); identificar *<r. um antigo professor>* **2** distinguir por certos caracteres; identificar *<ela reconheceu a letra do marido no manuscrito>* **3** admitir como verdadeiro, real *<r. um erro>* **4** observar com atenção; explorar *<r. um território>* **5** mostrar gratidão por; agradecer *<r. um favor>* **6** assumir legalmente *<r. um filho>* **7** observar de novo ou em outra situação; constatar *<é pelas ações que reconhecemos as pessoas>* □ *t.d. e t.d.pred.* **8** admitir como bom, legal ou verdadeiro *<r. o governo de um país> <r. alguém como presidente>* ~ **reconhecível** *adj.2g.*

reconhecido (re.co.nhe.ci.do) *adj.* **1** que se reconheceu **2** que mostra reconhecimento; grato **3** assumido legalmente como filho **4** admitido como verdadeiro; aceito

reconhecimento (re.co.nhe.ci.men.to) *s.m.* **1** exame, verificação *<fez o r. do terreno>* **2** aceitação da legitimidade, verdade etc. **3** *fig.* recordação de benefício recebido; gratidão **4** ato de assumir legalmente a paternidade ou maternidade de alguém

reconquistar (re.con.quis.tar) *v.* {mod. 1} *t.d.* tornar a possuir, controlar, usufruir etc. (o que havia sido tomado ou se perdido); recuperar, recobrar *<r. um território>* ~ **reconquista** *s.f.*

reconsiderar (re.con.si.de.rar) *v.* {mod. 1} *t.d.* **1** tornar a examinar, ponderar (questão, ideia), ger. para fazer modificações *<r. um pedido>* □ *t.d. e int.* **2** pensar melhor; repensar *<reconsiderei (o assunto) e vi que não tinha razão>* □ *int.* **3** anular decisão já tomada; desdizer-se *<reconsidere, rapaz, e você não vai se arrepender>* ~ **reconsideração** *s.f.*

reconstituinte (re.cons.ti.tu.in.te) *adj.2g.* **1** que reconstitui ■ *s.m.* **2** medicamento us. para restabelecer as forças de pessoa fraca ou doente; tônico

reconstituir (re.cons.ti.tu.ir) *v.* {mod. 26} *t.d. e pron.* **1** formar(-se), constituir(-se) de novo (o que acabou, destruiu-se, danificou-se etc.); recompor (-se) *<r.(-se) uma sociedade>* □ *t.d.* **2** devolver as forças a *<a medicação vai r. o doente>* **3** relembrar, recriar (fato, situação) em detalhes *<r. cena de crime>* ~ **reconstituição** *s.f.*

reconstrução (re.cons.tru.ção) [pl.: *-ões*] *s.f.* **1** ato ou efeito de construir de novo o que estava total ou parcialmente arruinado **2** *p.ext.* o que se reconstruiu ou reformou *<este prédio é uma r.>*

reconstruir (re.cons.tru.ir) *v.* {mod. 26} *t.d.* **1** tornar a construir (edificação destruída, muito danificada); restaurar *<r. uma vila>* **2** *fig.* formar novamente, sob outras bases, critérios; reorganizar *<r. os conhecimentos científicos>* **3** *fig.* devolver formato anterior a; reconstituir *<r. um texto, uma peça antiga>*

recontar (re.con.tar) *v.* {mod. 1} *t.d.* **1** contar de novo, minuciosamente *<r. o dinheiro>* **2** calcular novamente *<r. os prejuízos>* □ *t.d. e t.d.i.* **3** (prep. *a*) expor, narrar de novo ou repetidas vezes *<reconta (aos jovens) os feitos de sua juventude>* ~ **recontagem** *s.f.*

recontratar (re.con.tra.tar) *v.* {mod. 1} *t.d.* (prep. *a*) contratar outra vez; readmitir *<r. empregado demitido>*

recordação (re.cor.da.ção) [pl.: *-ões*] *s.f.* **1** ação ou efeito de recordar **2** aquilo que ocorre ao espírito como resultado de experiências já vividas; reminiscência, lembrança *<o encontro trouxe r. dos tempos de colégio>* **3** objeto que recorda alguém, algum fato, lugar etc. *<este colar é uma r. de sua avó>* **4** revisão de matéria lecionada

recordar (re.cor.dar) *v.* {mod. 1} *t.d.,t.d.i. e pron.* **1** (prep. *a*, *de*) trazer de novo à memória; lembrar(-se) *<r. a mocidade> <r. ao marido a lua de mel> <r.-se do tombo>* ↺ esquecer(-se) □ *t.d.* **2** ter semelhança com; lembrar, parecer *<esta rua recorda a da minha terra>*

recorde (re.cor.de) ou **récorde** (ré.cor.de) *s.m.* **1** desempenho que supera os anteriores no mesmo gênero e nas mesmas condições *<novo r. do salto em altura> <r. de correspondência>* ■ *adj.2g.2n.* **2** que ultrapassa o que aconteceu antes *<venda r.>*

recordista (re.cor.dis.ta) *adj.2g.s.2g.* que(m) estabelece ou supera um recorde

reco-reco (re.co-re.co) [pl.: *reco-recos*] *s.m.* *B* **1** MÚS instrumento de percussão feito de bambu seco com entalhes transversais, sobre os quais se esfrega uma vareta **2** RECR brinquedo infantil que produz o som desse instrumento

recorrência (re.cor.rên.cia) *s.f.* **1** qualidade ou característica do que é recorrente; retorno, repetição **2** MED reaparecimento dos sintomas de uma doença; recaída ~ **recorrente** *adj.2g.*

recorrer (re.cor.rer) *v.* {mod. 8} *t.i.* **1** (prep. *a*) pedir auxílio, ajuda; apelar *<r. ao médico>* **2** (prep. *a*) lançar mão de; usar, servir-se *<r. à violência> <r. à poupança>* **3** DIR (prep. *de*) interpor recurso judicial a; apelar *<r. de uma sentença>* □ *t.d.* **4** percorrer novamente *<moradores recorreram a rua em passeata>*

recortar (re.cor.tar) *v.* {mod. 1} *t.d.* **1** fazer em pedaços; picar, cortar *<r. papel>* **2** cortar seguindo os contornos *<r. figuras>* **3** separar, cortando *<r. uma notícia de jornal>* ~ **recortado** *adj.*

recorte (re.cor.te) *s.m.* **1** ato de recortar ou o seu efeito **2** pedaço de revista, jornal etc. que se separa do todo *<tenho uma coleção de recortes das copas do mundo>*

recostar (re.cos.tar) *v.* {mod. 1} *t.d.,t.d.i. e pron.* (prep. *em*) [fazer] deixar a posição vertical, curvando(-se) ou pondo(-se) para trás; reclinar(-se), encostar(-se) *<r. o corpo cansado> <r. a cabeça no ombro do pai> <r.-se no sofá>* ↺ endireitar(-se)

recosto (re.cos.to) /ô/ *s.m.* apoio para as costas em cadeira, sofá etc.

recreação (re.cre.a.ção) [pl.: *-ões*] *s.f.* **1** ato ou efeito de recrear(-se) **2** recreio

recrear (re.cre.ar) *v.* {mod. 5} *t.d. e pron.* **1** proporcionar a ou usufruir de divertimento; divertir(-se), distrair(-se) *<r. a gurizada> <r.-se em um passeio>* ↺ entediar(-se) **2** (fazer) sentir prazer, alegria; contentar(-se) *<recordações de infância recreavam o grupo> <recreava-se ao ver o filho formado>* ↺ entristecer(-se)

recreativo (re.cre.a.ti.vo) *adj.* **1** que diverte *<os jogadores fizeram um treino r.>* **2** próprio para o lazer *<jogos r.>*

recreio (re.crei.o) *s.m.* **1** o que serve para divertir; diversão, brinquedo **2** na escola, espaço de tempo para lazer entre as aulas

recriar (re.cri.ar) *v.* {mod. 1} *t.d.* **1** formar, constituir de novo (o que acabou, destruiu-se, danificou-se etc.); recompor, reconstituir *<r. um ambiente pré-histórico>* **2** dar nova composição, arrumação; reorganizar, reestruturar *<r. um projeto antigo>* ~ **recriação** *s.f.*

recriminar (re.cri.mi.nar) *v.* {mod. 1} *t.d.* **1** censurar, criticar *<r. um comportamento>* ↺ aprovar **2** DIR responder a uma acusação com outra ~ **recriminação** *s.f.*

recrudescer (re.cru.des.cer) *v.* {mod. 8} *int.* **1** tornar-se mais intenso; aumentar, fortalecer-se *<a chuva recrudesceu no fim da tarde>* ↺ enfraquecer, diminuir **2** reaparecer com mais força, mais gravidade (sintoma, doença); agravar-se ~ **recrudescimento** *s.m.*

recruta (re.cru.ta) *s.m.* rapaz recém-admitido no serviço militar

recrutar (re.cru.tar) *v.* {mod. 1} *t.d.* **1** convocar para o serviço militar; alistar ↺ desalistar **2** reunir, convocar (pessoal, adeptos) para certo fim *<r. operários>* ~ **recrutador** *adj.s.m.* - **recrutamento** *s.m.*

récua (ré.cua) *s.f.* **1** grupo de animais de carga atrelados uns aos outros **2** *fig.* grupo de bandidos; corja

recuar (re.cu.ar) *v.* {mod. 1} *t.d. e int.* **1** (fazer) ir, andar para trás; retroceder *<r. o carro> <o animal recuou, rosnando>* ↺ avançar □ *t.i. e int.* **2** (prep. *de*) não ir à frente (num intento); desistir, renunciar *<não recuaremos de nossos objetivos> <pensou bem e recuou a tempo>* □ *int.* **3** ceder terreno ao inimigo; retirar-se *<a tropa, muito castigada, recuou>*

recuo (re.cu.o) *s.m.* **1** ato de recuar ou o seu efeito ↺ avanço **2** espaço de terreno que fica mais para trás de um alinhamento *<estacionou num r. da praça>*

recuperação (re.cu.pe.ra.ção) [pl.: *-ões*] *s.f.* **1** ação ou efeito de readquirir o que se havia perdido **2** recobro da saúde; restabelecimento *<deixou o hospital e está em plena r.>* **3** retorno à vida em sociedade; reabilitação, reintegração *<cooperativa para r. de ex-detentos>* **4** *B* período em que um aluno reprovado em um ciclo regular de estudos se prepara para prestar uma segunda prova que o capacite a passar para a série seguinte

recuperar (re.cu.pe.rar) *v.* {mod. 1} *t.d.* **1** voltar a ter (o que estava perdido); reaver *<r. as joias roubadas>* **2** pôr em bom estado, devolvendo feição anterior, consertando algo quebrado etc.; restaurar *<r. um quadro>* **3** INF localizar e isolar (dados, esp. os apagados ou impropriamente direcionados) □ *t.d. e pron.* **4** ter novamente (saúde, ânimo etc.); restabelecer(-se) *<recuperou a saúde numa estância hidromineral> <passou um ano recuperando-se no sanatório>* **5** (fazer) poder ocupar de novo seu lugar na sociedade; reabilitar(-se), reintegrar(-se) *<r. viciados> <o jogador recuperou-se>* ~ **recuperável** *adj.2g.*

recurso (re.cur.so) *s.m.* **1** pedido de auxílio, socorro **2** meio para resolver algo *<seu único r. era fugir>* **3** DIR meio para mudar sentença desfavorável *<entrou com um r. após o julgamento>* ▼ ***recursos*** *s.m.pl.* **4** aptidões naturais, dons **5** dinheiro, bens *<r. para prosseguir com a obra>* **6** *fig.* riqueza, meios de que se pode dispor *<r. humanos> <r. naturais>*

recurvo (re.cur.vo) *adj.* que se apresenta arqueado ou dobrado *<pestanas r.>* ~ **recurvado** *adj.* - **recurvar** *v.t.d. e pron.*

recusa (re.cu.sa) *s.f.* **1** ação ou efeito de recusar; rejeição **2** resposta negativa; negação *<a seu convite respondeu com uma r.>*

recusar (re.cu.sar) *v.* {mod. 1} *t.d.* **1** não aceitar (o que é oferecido); declinar, repelir *<recusou o posto que lhe ofereceram>* □ *t.d. e t.d.i.* **2** (prep. *a*) não conceder, atender a (pedido, solicitação); negar *<recusou(-lhe) o empréstimo>* □ *pron.* **3** (prep. *a*) opor-se, negar-se *<recusou-se a sair>* **4** não obedecer *<mandou que Pedro saísse, mas ele se recusou>* ~ **recusado** *adj.* - **recusável** *adj.2g.*

redação (re.da.ção) [pl.: *-ões*] *s.f.* **1** modo de escrever *<ter uma boa r.>* **2** exercício escolar de escrita *<hoje temos prova de r.>* **3** sala de trabalho dos redatores de jornal, revista etc. **4** o conjunto desses redatores ~ **redacional** *adj.2g.*

redame (re.da.me) *s.m.* o conjunto das redes de pesca

redator (re.da.tor) /ô/ [pl.: *-es*] *adj.s.m.* (profissional) que escreve num jornal, revista etc. ◉ COL redação

rede (re.de) /ê/ *s.f.* **1** trançado de fios que forma tecido de malha aberto em losangos ou quadrados, us. em pesca, esportes etc. **2** equipamento de material resistente para aparar corpos em queda *<o trapezista caiu na r.>* **3** leito oscilante, ger. de pano, com as extremidades presas à parede por ganchos *<pôs uma r. na varanda>* **4** conjunto de meios de comunicação, informação ou transporte *<r. de televisão>* **5** canalização que distribui água, esgoto, gás **6** conjunto interligado de pessoas ou estabelecimentos *<r. bancária> <r. de prestadores de serviço>* **7** INF sistema constituído por dois ou mais computadores interligados, para comunicação, compartilhamento e intercâmbio de dados **8** INF internet ⊙ COL caceia, redame

rédea (ré.dea) *s.f.* correia presa ao freio de cavalgadura, que o cavaleiro segura e usa para guiar o animal ▣ **à r. solta** à vontade, sem impedimentos, livremente *<as crianças brincavam à r. solta>* • **soltar as r.** deixar à vontade • **tomar as r. de** *fig.* assumir a direção, o governo de *<o filho mais velho tomou as r. da casa>*

redemoinho (re.de.mo.i.nho) *s.m.* rodamoinho

redenção (re.den.ção) [pl.: *-ões*] *s.f.* **1** ato ou efeito de remir; resgate **2** REL resgate do gênero humano por Jesus Cristo, mediante sua paixão, morte e ressurreição ☞ nesta acp., inicial freq. maiúsc.

redentor (re.den.tor) /ô/ [pl.: *-es*] *adj.s.m.* **1** (o) que redime ■ *s.m.* **2** Jesus Cristo ☞ inicial maiúsc. nesta acp.; cf. *Jesus Cristo* na parte enciclopédica

redescobrir (re.des.co.brir) *v.* {mod. 28} *t.d.* tornar a descobrir; reencontrar ~ **redescoberta** *s.f.*

redesconto (re.des.con.to) *s.m.* operação em que um banco desconta em outra instituição financeira, com juros menores, o título descontado a um cliente ~ **redescontar** *v.t.d.*

redigir (re.di.gir) *v.* {mod. 24} *t.d. e int.* exprimir por escrito (ideias, informações etc.); escrever *<r. um requerimento> <é jovem, mas já redige bem>*

redil (re.dil) [pl.: *-is*] *s.m.* **1** curral para cabras ou ovelhas **2** *fig.* conjunto de fiéis; rebanho

redimir (re.di.mir) *v.* {mod. 24} *t.d. e pron.* remir

redistribuir (re.dis.tri.bu.ir) *v.* {mod. 26} *t.d.* distribuir outra vez, segundo novos critérios *<r. as cestas básicas, beneficiando os mais necessitados>* ~ **redistribuição** *s.f.*

redivivo (re.di.vi.vo) *adj.* que voltou à vida; que ressuscitou

redizer (re.di.zer) *v.* {mod. 15} *t.d. e t.d.i.* (prep. *a*) dizer de novo ou muitas vezes (algo já dito); repetir *<r. as palavras do mestre> <r. aos filhos o que ouvira dos pais>* ⊙ GRAM/USO part.: *redito*

redobrar (re.do.brar) *v.* {mod. 1} *t.d.* **1** fazer novas dobras em *<dobrou e redobrou as roupas>* **2** tornar a fazer; repetir *<r. todos os dias as medidas de prevenção>* □ *t.d.,int. e pron.* **3** tornar a duplicar(-se); reduplicar (-se) *<foi preciso r. o empréstimo> <minha conta redobrou> <redobraram-se as atenções>* **4** aumentar muito, multiplicar(-se) *<a chuva redobrava o frio> <os preços redobraram> <redobraram-se os cuidados>* □ *t.d. e int.* **5** (fazer) soar novamente *<o padre redobra o sino a cada hora> <os sinos redobravam tristemente>* ~ **redobramento** *s.m.* - **redobro** *s.m.*

redoma (re.do.ma) *s.f.* **1** espécie de cúpula de vidro colocada sobre objeto delicado, para protegê-lo **2** *fig.* proteção excessiva, cuidado exagerado *<criou o filho numa r.>*

redondeza (re.don.de.za) /ê/ *s.f.* **1** condição ou propriedade do que é redondo *<a r. da Terra>* **2** conjunto de localidades vizinhas; cercania, vizinhança ☞ nesta acp., mais us. no pl.

redondilha (re.don.di.lha) *s.f.* LIT verso de cinco sílabas (redondilha menor) ou sete sílabas (redondilha maior)

redondo (re.don.do) *adj.* **1** em forma de círculo ou esfera *<janela r.> <pedra r.>* **2** *p.ext.* que tem curvas; torneado *<formas r.>* **3** *fig.* bem-acabado, perfeito *<um texto r.>*

redor (re.dor) [pl.: *-es*] *s.m.* espaço que circunda; contorno, volta ▣ **ao r.** em volta, em torno, em redor *<olhe que beleza ao r.!>*

redução (re.du.ção) [pl.: *-ões*] *s.f.* **1** ato ou efeito de reduzir, limitar ou restringir *<r. dos custos, da capacidade>* ↺ aumento **2** peça us. para reduzir o diâmetro de um cano e possibilitar o encaixe em outro cano ou peça **3** *B* abatimento no preço; desconto **4** LING qualquer uma das formas abreviadas de palavras e locuções (abreviaturas, siglas etc.)

redundância (re.dun.dân.cia) *s.f.* **1** característica do que é repetitivo **2** insistência nas mesmas ideias **3** GRAM pleonasmo, tautologia

redundante (re.dun.dan.te) *adj.2g.* **1** repetitivo *<explicação r.>* **2** que excede; supérfluo

redundar (re.dun.dar) *v.* {mod. 1} *t.i.* **1** (prep. *em*) ter como consequência, resultado; resultar *<as dificuldades redundaram em amadurecimento>* □ *int.* **2** ser excessivo; abundar *<redundam no texto os pronomes>* ↺ faltar **3** ir além da borda; transbordar

reduplicar (re.du.pli.car) *v.* {mod. 1} *t.d. e int.* **1** tornar a duplicar(-se); redobrar(-se) *<r. a energia> <o valor da ação reduplicou>* **2** aumentar em quantidade, grandeza ou intensidade; multiplicar(-se) *<o escuro reduplicou o medo> <reduplicaram as alegrias>* □ *t.d.* **3** tornar a fazer, a usar etc.; repetir *<r. um pedido>*

reduto (re.du.to) *s.m.* **1** recinto fortificado dentro de fortaleza **2** espaço fechado **3** *fig.* ponto de concentração *<o parque era um r. de ciclistas>*

reduzir (re.du.zir) *v.* {mod. 24} *t.d.,t.d.i. e int.* **1** (prep. *a*) tornar(-se) menor, menos intenso ou limitado (a); diminuir, limitar-se *<r. um orçamento (às mínimas proporções)> <r. uma foto para impressão> <o volume da bola furada reduziu-se rapidamente> <o frio já se reduziu>* ↺ aumentar □ *t.d.* **2** dominar, subjugar *<r. as últimas resistências>* □ *t.d.i.* **3** (prep. *a*) obrigar, forçar (a fazer o que não quer) *<o Executivo reduziu o parlamento ao silêncio>* ↺ desobrigar □ *t.d.i. e pron.* **4** (prep. *a*) [fazer] passar de um estado (a outro); transformar(-se) *<r. pão a farinha de rosca> <a fortaleza reduziu-se a ruínas>* ↺ conservar(-se) ~ **redutor** *adj.s.m.* - **reduzido** *adj.*

reedição (re.e.di.ção) [pl.: *-ões*] *s.f.* nova edição ('publicação') de uma mesma obra

reeditar (re.e.di.tar) *v.* {mod. 1} *t.d.* **1** editar ou publicar outra vez *<r. os livros de Ana Maria Machado>* **2** *fig.* pôr em prática de novo; restaurar *<r. a moda dos anos 80>* **3** *fig.* manter ativo; perpetuar, reproduzir *<não vamos r. o mesmo erro>*

reeducação (re.e.du.ca.ção) [pl.: *-ões*] *s.f.* **1** ação ou efeito de reeducar **2** MED conjunto de exercícios destinados a recuperar funções ou faculdades afetadas por alguma doença ou traumatismo ▣ **r. postural global** método fisioterápico que trata conjuntamente os sistemas muscular e esquelético, us. para correção postural, prevenção e recuperação de lesões decorrentes de má postura [sigla: *R.P.G.*]

reeducar (re.e.du.car) *v.* {mod. 1} *t.d.* **1** educar de novo **2** reabilitar por meio da educação *<r. delinquentes>* **3** aprimorar a educação de

reeleger (re.e.le.ger) *v.* {mod. 8} *t.d.,t.d.pred. e pron.* eleger(-se) novamente ◉ GRAM/USO part.: *reelegido*, *reeleito*; ver QUADRO DE PARTICÍPIOS DUPLOS nas pp. iniciais ~ **reeleição** *s.f.*

reeleito (re.e.lei.to) *adj.* que se reelegeu; eleito novamente ◉ GRAM/USO part. de reeleger

reembolsar (re.em.bol.sar) *v.* {mod. 1} *t.d. e pron.* **1** (prep. *a*) embolsar(-se) novamente; recuperar a posse de *<quer r. a fortuna que perdeu no jogo>* *<reembolsou-se do dinheiro gasto na reforma>* ◻ *t.d. e t.d.i.* **2** (prep. *de*) devolver (a alguém) dinheiro gasto (com algo); indenizar *<o proprietário reembolsou o inquilino (das despesas extraordinárias)>*

reembolso (re.em.bol.so) /ô/ *s.m.* restituição de dinheiro ▣ **r. postal** *B* serviço oferecido pelos correios que permite a remessa de encomenda a ser paga no local de destino

reencarnar (re.en.car.nar) *v.* {mod. 1} *t.d.,int. e pron.* **1** encarnar novamente **2** viver de novo, com outra aparência física ~ **reencarnação** *s.f.*

reencontrar (re.en.con.trar) *v.* {mod. 1} *t.d.* **1** tornar a achar, a ver (o que estava perdido, esquecido etc.); redescobrir, rever *<r. os amigos>* *<r. o dinheiro perdido>* ◻ *pron.* **2** (prep. *com*) tornar a encontrar-se (com); redescobrir-se *<r.-se nas artes>* *<r.-se com velhos amigos>* ~ **reencontro** *s.m.*

reentrância (re.en.trân.cia) *s.f.* ângulo ou curva para dentro *<escondeu a carta numa r. do armário>* ~ **reentrante** *adj.2g.*

reerguer (re.er.guer) *v.* {mod. 8} *t.d. e pron.* voltar a erguer(-se) *<r. um poste caído>* *<com força de vontade, há de r.-se>* ~ **reerguimento** *s.m.*

reescrever (re.es.cre.ver) *v.* {mod. 8} *t.d.* escrever novamente ou de outra forma *<r. uma petição>* ◉ GRAM/USO part.: *reescrito*

reestruturação (re.es.tru.tu.ra.ção) [pl.: *-ões*] *s.f.* **1** nova estruturação **2** ARQ reforço em estrutura de construção

reestruturar (re.es.tru.tu.rar) *v.* {mod. 1} *t.d.* reformular em novas bases; reorganizar *<r. o currículo de um curso>*

reexaminar (re.e.xa.mi.nar) /z/ *v.* {mod. 1} *t.d.* examinar outra vez e minuciosamente *<r. o doente>* ~ **reexame** *s.m.*

refazer (re.fa.zer) *v.* {mod. 14} *t.d.* **1** tornar a fazer **2** restituir ao estado primitivo; restaurar *<r. uma fachada>* **3** dar nova ou melhor organização a; reformar *<r. um plano de governo>* **4** emendar, corrigir *<r. um texto>* **5** percorrer novamente *<refez o caminho para encontrar o dinheiro perdido>* ◻ *t.d. e pron.* **6** (fazer) recuperar o vigor; restabelecer(-se) *<o repouso refaz as energias>* *<custou-lhe r.-se do susto>* ◉ GRAM/USO part.: *refeito*

refeição (re.fei.ção) [pl.: *-ões*] *s.f.* alimento, ger. ingerido em horas regulares *<para nós, o almoço é a r. mais importante>*

refeito (re.fei.to) *adj.* **1** feito de novo *<demorou, mas trouxe o trabalho r.>* **2** corrigido, emendado **3** fortalecido, revigorado *<sentiu-se r. depois do lanche>*

refeitório (re.fei.tó.rio) *s.m.* sala de refeições coletivas em escola, hospital etc.

refém (re.fém) [pl.: *-éns*] *s.2g.* pessoa capturada e mantida em cativeiro como garantia do cumprimento de exigências

referência (re.fe.rên.cia) *s.f.* **1** ato de relatar, de se reportar a algo; menção *<fez r. ao meu trabalho>* **2** o que serve de base ou guia *<tem seu livro como r.>* ▼ ***referências*** *s.f.pl.* **3** dados declarados sobre a capacidade ou honestidade de alguém *<só aceita funcionários com r.>* ~ **referencial** *adj.2g.s.m.*

referendo (re.fe.ren.do) *s.m.* **1** pedido escrito de instruções de um diplomata a seu governo **2** prática de propor à votação do eleitorado, para aprovação ou rejeição, medidas propostas ou aprovadas por um órgão legislativo **3** plebiscito ~ **referendar** *v.t.d.*

referente (re.fe.ren.te) *adj.2g.* que (se) refere (a); relativo

referir (re.fe.rir) *v.* {mod. 28} *t.d. e t.d.i.* **1** (prep. *a*) expor oralmente ou por escrito; relatar *<a crônica refere assunto interessante>* *<referiu o problema ao marido>* ◻ *t.d.* **2** trazer à baila; citar *<r. bons dicionários>* ◻ *pron.* **3** (prep. *a*) fazer menção a; aludir *<ele se refere à viagem>* **4** (prep. *a*) ter relação com *<o assunto refere-se às notas dos alunos>* ~ **referimento** *s.m.*

refestelar-se (re.fes.te.lar-se) *v.* {mod. 1} *pron.* **1** entregar-se a um prazer; deleitar-se *<refestelou-se na leitura daquele romance>* **2** sentar-se ou estender-se sobre algo, para descansar, acomodar-se *<refestelou-se no sofá>*

refil (re.fil) [pl.: *-is*] *s.m.* produto para recarregar ou reabastecer um utensílio já us. ou vazio; recarga *<r. de tinta de caneta>*

refinado (re.fi.na.do) *adj.* **1** purificado por processo de refinação *<açúcar r.>* *<petróleo r.>* ↺ bruto, natural **2** que se refinou; requintado, aprimorado *<maneiras r.>* **3** *fig.* completo, perfeito *<um r. patife>*

refinamento (re.fi.na.men.to) *s.m.* **1** ato ou efeito de refinar(-se) **2** *fig.* elegância, requinte, esmero

refinar (re.fi.nar) *v.* {mod. 1} *t.d.* **1** submeter (produto) a processos para retirar impurezas, excessos *<r. açúcar>* **2** tornar mais fino **3** requintar, aprimorar *<ela gosta de r. as receitas>* ~ **refinação** *s.f.*

refinaria (re.fi.na.ri.a) *s.f.* usina que refina produtos como açúcar, petróleo etc.

refino (re.fi.no) *s.m.* ato ou efeito de refinar; refinamento *<r. do açúcar>* *<r. do petróleo>*

refletir (re.fle.tir) *v.* {mod. 28} *t.d.* **1** desviar da direção primitiva (p.ex., imagem, raios luminosos) *<r. o sol num espelho>* **2** reproduzir a imagem de; espelhar *<o aço polido refletiu a sua imagem>* **3** deixar ver; evidenciar, revelar *<seus olhos refletiam decepção>* ↺ esconder ◻ *t.d. e int.* **4** (fazer) voltar em outra direção (raios de luz, som etc.) *<o escudo refletiu o tiro>* ◻ *t.i. e pron.* **5** (prep. *em*) pensar demoradamente; meditar *<r. sobre uma oferta>* *<deve-se r. antes de agir>* **6** (prep. *em*) ter efeito sobre; afetar, transmitir(-se) *<os acontecimentos refletiram(-se) em todo o país>* ~ **refletivo** *adj.*

refletor (re.fle.tor) /ô/ [pl.: *-es*] *adj.* **1** que reflete *<lentes r.>* ■ *s.m.* **2** aparelho que reflete a luz, concentrando-a num foco

reflexão (re.fle.xão) /cs/ [pl.: *-ões*] *s.f.* **1** ato de pensar profundamente *<decidiu depois de longa r.>* **2** pensamento, observação que resultam de meditação ou planejamento e que são expressos por escrito ou em voz alta *<o pensador sintetizou suas r. em um livro>* **3** prudência, ponderação *<agir com r.>* ↺ precipitação **4** FÍS processo que faz com que feixes de luz, calor ou ondas ricocheteiem em uma superfície ou meio em vez de atravessá-los

reflexivo (re.fle.xi.vo) /cs/ *adj.* **1** que reflete *<papel r.>* **2** que se volta sobre si mesmo; pensativo, concentrado ↺ disperso **3** GRAM cujo sujeito e objeto se referem ao mesmo ser (diz-se de verbo), p.ex., *eu me limpo* **4** GRAM que é us. como complemento de um verbo, tendo referência idêntica à do sujeito (diz-se de pronome), p.ex., feri-*me* **5** GRAM voz reflexiva ~ **reflexividade** *s.f.*

reflexo (re.fle.xo) /cs/ *adj.* **1** que se volta sobre si mesmo; refletido *<imagem r.>* ■ *s.m.* **2** luz ou imagem refletida *<r. do sol nas águas do lago>* **3** resposta motora rápida e involuntária causada por estímulo ☞ tb. us. como adj. **4** manifestação indireta de algo *<a desatenção era um r. do ambiente>*

reflorestar (re.flo.res.tar) *v.* {mod. 1} *t.d.* plantar nova vegetação em (lugar em que a anterior foi destruída) ~ **reflorestamento** *s.m.*

refluir (re.flu.ir) *v.* {mod. 26} *int.* **1** correr de volta para o lugar de onde veio *<diariamente a maré reflui>* □ *t.i.* **2** (prep. *a*, *para*) voltar ao ponto de partida *<o grupo refluiu ao templo>* ↺ partir, sair ~ **refluxo** *s.m.*

refogado (re.fo.ga.do) *s.m.* **1** molho com temperos fritos em gordura ■ *adj.s.m.* **2** (alimento) feito nesse molho *<couve r.>* *<um r. de carne com batatas>*

refogar (re.fo.gar) *v.* {mod. 1} *t.d.* **1** passar (temperos) por gordura fervente **2** cozinhar (alimento) com refogado; guisar

reforçar (re.for.çar) *v.* {mod. 1} *t.d. e pron.* tornar (-se) mais forte, resistente, intenso ou numeroso *<r. uma viga>* *<r.-se com alimentação rica em proteínas>*

reforço (re.for.ço) /ô/ [pl.: /ó/] *s.m.* **1** ação de tornar mais forte ou sólido **2** pessoa ou grupo que torna mais forte e/ou eficiente uma equipe *<r. para o time, para o batalhão>* **3** peça que se junta a outra para torná-la mais forte *<pôs um r. na janela>* **4** auxílio, complemento *<aulas de r.>* *<r. alimentar>*

reforma (re.for.ma) *s.f.* **1** ação ou efeito de modificar para tornar melhor, mais eficiente, mais bonito etc. *<r. da casa>* **2** nova forma, nova organização *<r. de um regulamento>* *<r. ortográfica>* ↺ cf. *Reforma* na parte enciclopédica

reformar (re.for.mar) *v.* {mod. 1} *t.d.* **1** pôr em bom estado, devolvendo a feição anterior, consertando algo quebrado; restaurar *<r. um antigo sobrado>* **2** dar melhor forma a; corrigir *<r. um texto>* **3** tornar melhor; renovar, aperfeiçoar *<r. o texto da lei>* ↺ piorar □ *t.d. e pron.* **4** aposentar(-se) [militar] □ *pron.* **5** renunciar a maus hábitos; regenerar-se *<reformou-se e hoje é um exemplo para a família>* ↺ desvirtuar-se ~ **reformado** *adj.s.m.*

reformatório (re.for.ma.tó.rio) *s.m.* estabelecimento oficial que recolhe, a fim de regenerar, menores infratores

reformismo (re.for.mis.mo) *s.m.* POL sistema que crê na reforma gradativa das instituições como meio de transformação política ~ **reformista** *adj.2g.s.2g.*

reformular (re.for.mu.lar) *v.* {mod. 1} *t.d.* dar nova formulação, forma a; reorganizar, reestruturar *<a escola pretendia r. seus métodos>* ~ **reformulação** *s.f.*

refração (re.fra.ção) [pl.: *-ões*] *s.f.* FÍS mudança de direção de onda (de luz, som etc.) ao passar de um meio a outro ~ **refratar** *v.t.d. e pron.*

refrão (re.frão) [pl.: *-ões*] *s.m.* LIT MÚS verso ou conjunto de versos que se repete ao final de cada estrofe (em poema, canção); estribilho

refratário (re.fra.tá.rio) *adj.* **1** resistente ao calor *<louça r.>* **2** que resiste às leis, às autoridades etc. *<empregado r.>* **3** imune a certas doenças *<homem r. a gripes>*

refrear (re.fre.ar) *v.* {mod. 5} *t.d.* **1** conter com freio; frear *<r. o animal>* **2** impedir ou controlar o movimento, desenvolvimento, progressão, manifestação de; reprimir, conter *<r. impulsos>* **3** dominar, subjugar *<r. o invasor>* □ *pron.* **4** conter-se, controlar-se *<custa--lhe muito r.-se>* ~ **refreamento** *s.m.*

refrega (re.fre.ga) *s.f.* luta, combate ~ **refregar** *v.int.*

refrescar (re.fres.car) *v.* {mod. 1} *t.d.,int. e pron.* **1** tornar(-se) mais fresco, menos quente; resfriar(-se) *<r. a bebida>* *<a noite refrescou>* *<refrescou-se a água>* ↺ esquentar(-se) □ *t.d. e pron.* **2** proteger(-se) do calor *<o banho refrescou seu corpo>* *<refrescou-se ao mergulhar na piscina>* □ *t.d.* **3** tornar mais leve; aliviar, suavizar *<r. a punição do reincidente>* ↺ intensificar ~ **refrescante** *adj.2g.*

refresco (re.fres.co) /ê/ *s.m.* **1** bebida feita de sumo de fruta com água gelada **2** *fig. infrm.* alívio, consolo

refrigerador (re.fri.ge.ra.dor) /ô/ [pl.: *-es*] *adj.s.m.* **1** (o) que refrigera ■ *s.m.* **2** geladeira

refrigerante (re.fri.ge.ran.te) *adj.2g.* **1** que refrigera ■ *s.m.* **2** bebida industrializada doce, gasosa e não alcoólica

refrigerar (re.fri.ge.rar) *v.* {mod. 1} *t.d.* **1** tornar frio ou fresco; refrescar *<r. alimentos na geladeira>* *<o vento da tarde refrigerou toda a casa>* □ *t.d. e pron.* **2** diminuir o calor de *<no verão, o linho refrigera o corpo>* *<r.-se no chuveiro>* ~ **refrigeração** *s.f.*

refrigério (re.fri.gé.rio) *s.m.* **1** bem-estar produzido pela sensação de frescura **2** *fig.* consolo, alívio

refugar (re.fu.gar) *v.* {mod. 1} *t.d.* **1** pôr à parte; rejeitar, recusar *<r. um alimento>* ↺ aceitar □ *int.* B **2** negar-se (cavalo, boi etc.) a seguir caminho; empacar *<o cavalo refugou na partida>* ~ **refugador** *adj.s.m.*

refugiar-se (re.fu.gi.ar-se) *v.* {mod. 1} *pron.* **1** (prep. *sob*, *em*, *de*) retirar-se para lugar em que haja segurança, proteção *<com a chuva, refugiou-se sob uma árvore>* *<r.-se dos ventos>* **2** (prep. *em*) tomar asilo; asilar-se *<perseguido, refugiou-se no Chile>* **3** (prep. *em*) encontrar amparo *<refugiou-se afinal na religião>* ~ **refugiado** *adj.s.m.*

refúgio (re.fú.gio) *s.m.* **1** lugar para o qual se foge a fim de escapar a um perigo **2** esconderijo *<o r. dos ladrões era na mata>* **3** *fig.* o que serve de amparo, consolo *<a música era seu r.>* ~ **refugiado** *adj.s.m.* - **refugiar-se** *v.pron*

refugo (re.fu.go) *s.m.* o que foi posto de lado; resto

refulgente (re.ful.gen.te) *adj.2g.* **1** muito brilhante *<sol r.>* **2** *fig.* que sobressaiu muito *<talento r.>* ↺ medíocre ~ **refulgência** *s.f.*

refulgir (re.ful.gir) *v.* {mod. 24} *int.* **1** brilhar muito; resplandecer *<suas joias refulgiam>* **2** *fig.* distinguir-se muito; sobressair *<o escritor refulgia pela sua cultura>*

refundir (re.fun.dir) *v.* {mod. 24} *t.d. e pron.* **1** fundir (-se) novamente *<r.(-se) um metal>* □ *t.d.* **2** corrigir, emendar *<r. uma redação>*

refutar (re.fu.tar) *v.* {mod. 1} *t.d.* **1** afirmar o contrário de; desmentir, negar *<r. uma acusação>* **2** não aceitar, não aprovar; rejeitar *<r. uma proposta>* **3** pôr em dúvida; contestar *<r. uma tese>* ↺ confirmar ~ **refutação** *s.f.* - **refutável** *adj.2g.*

rega-bofe (re.ga-bo.fe) [pl.: *rega-bofes*] *s.m. infrm.* festa com muita comida e bebida

regaço (re.ga.ço) *s.m.* [1]colo ('espaço')

regador (re.ga.dor) /ô/ [pl.: *-es*] *adj.s.m.* **1** (o) que rega ■ *s.m.* **2** recipiente com crivo ou bico, próprio para regar plantas

regalar (re.ga.lar) *v.* {mod. 1} *t.d. e pron.* **1** (fazer) ter grande prazer *<a linda paisagem regalou seu coração>* *<regalou-se com a visão das pinturas>* □ *t.d. e t.d.i.* **2** oferecer algo como presente a; presentear *<regalou o marido (com um presente inesperado)>* ~ **regalo** *s.m.*

regalia (re.ga.li.a) *s.f.* **1** direito da realeza **2** vantagem, privilégio

regar (re.gar) *v.* {mod. 1} *t.d.* **1** molhar (planta, jardim etc.) com gotas ou filetes de água, ger. usando utensílio apropriado **2** molhar um pouco; umedecer *<lágrimas regam suas faces>* **3** correr por, passar em ou junto de; banhar *<o São Francisco rega cinco estados brasileiros>* ~ **rega** *s.f.* - **regado** *adj.* - **regadura** *s.f.*

regata (re.ga.ta) *s.f.* ESP competição de barcos a vela ou a remo

regatear (re.ga.te.ar) *v.* {mod. 5} *t.d. e int.* **1** pedir redução do preço, do valor (de); pechinchar *<r. o preço da mercadoria>* *<em qualquer compra, ela regateia>* □ *t.d. e t.d.i.* **2** (prep. *a*) dar com moderação; racionar *<r. aplausos (aos atores)>* ↺ esbanjar ~ **regateador** *adj.s.m.* - **regateio** *s.m.*

regato (re.ga.to) *s.m.* corrente de água de pouca extensão e volume; riacho, córrego

regência (re.gên.cia) *s.f.* **1** governo interino na falta do chefe de Estado, esp. do monarca **2** HIST *B* período da história, de 7 de abril de 1831 a 23 de julho de 1840, em que o Brasil foi governado por regentes, dada a menoridade de Pedro II ☞ inicial maiúsc. **3** GRAM relação de dependência entre termos de uma oração ou entre orações de um período **4** MÚS condução de execução musical feita por maestro

regenerar (re.ge.ne.rar) *v.* {mod. 1} *t.d. e pron.* **1** formar(-se) de novo; reconstituir(-se) *<a ação do organismo regenera as células>* *<os tecidos regeneram-se>* **2** emendar(-se) moralmente; reabilitar(-se) *<r. viciados>* *<muitos presos regeneram-se>* □ *t.d.* **3** efetuar nova organização em; reestruturar *<r. uma sociedade>* ~ **regeneração** *s.f.*

regente (re.gen.te) *adj.2g.* **1** que rege, governa ou dirige ■ *s.2g.* **2** chefe de governo durante a menoridade ou a indisponibilidade de um soberano **3** diretor de orquestra, banda, coral etc.; maestro

reger (re.ger) *v.* {mod. 8} *t.d. e int.* **1** exercer mando sobre; governar, dirigir *<r. uma associação>* *<r. uma monarquia>* *<apenas à aristocracia era facultado r.>* **2** comandar (orquestra, banda) como maestro □ *t.d. e pron.* **3** guiar(-se), conduzir(-se), orientar(-se) *<rege os filhos com carinho e firmeza>* *<que princípios regem o Universo?>* *<r.-se por critérios rígidos>*

reggae (reg.gae) [ing.; pl.: *reggaes*] *s.m.* MÚS ritmo popular jamaicano surgido na década de 1960, mistura de música negra americana, africana e jamaicana ⇒ pronuncia-se réguei

regiamente (re.gi.a.men.te) *adv.* **1** de modo próprio da realeza *<as autoridades foram r. recebidas no palácio>* **2** com luxo e ostentação *<os noivos estavam r. vestidos>* **3** muito ou excepcionalmente bem *<foi r. pago pelo que fez>*

região (re.gi.ão) [pl.: *-ões*] *s.f.* **1** grande extensão de terreno **2** GEO território com características que o distinguem dos demais *<r. montanhosa>* **3** ANAT cada uma das partes em que se divide o corpo humano para estudo *<r. torácica>* ▣ **r. abissal** GEO a das grandes profundidades na terra ou nas águas, zona em que a luz solar não penetra • **grande r.** GEO *B* cada um dos cinco setores geográficos em que se divide o Brasil: Norte, Nordeste, Sudeste, Sul e Centro-Oeste

regicídio (re.gi.cí.dio) *s.m.* assassinato de rei ou rainha ~ **regicida** *adj.2g.s.2g.*

regime (re.gi.me) *s.m.* **1** sistema político; forma de governo **2** conjunto de normas impostas ou consentidas *<r. de comunhão de bens>* **3** conjunto de prescrições alimentares para manter ou restabelecer a saúde, ou perder ou ganhar peso; dieta

regimento (re.gi.men.to) *s.m.* **1** ato, modo de reger ou o seu efeito **2** corpo de tropas **3** regulamento de uma instituição; estatuto *<r. da Câmara dos Deputados>* ~ **regimental** *adj.2g.* - **regimentar** *adj.2g.*

régio (ré.gio) *adj.* **1** próprio de rei **2** *fig.* magnífico, suntuoso *<instalações r.>*

regional (re.gio.nal) [pl.: *-ais*] *adj.2g.* **1** próprio de uma região ■ *s.m.* **2** conjunto que toca música típica de uma região ~ **regionalização** *s.f.* - **regionalizar** *v.t.d. e pron.*

regionalismo (re.gio.na.lis.mo) *s.m.* **1** LING palavra ou locução própria de uma região **2** caráter da arte baseada na cultura de uma região **3** doutrina política e social que favorece interesses de uma região ~ **regionalista** *adj.2g.s.2g.*

registrador (re.gis.tra.dor) /ô/ [pl.: *-es*] *adj.* que registra *<máquina r.>*

registradora (re.gis.tra.do.ra) /ô/ *s.f.* caixa registradora

registrar (re.gis.trar) *v.* {mod. 1} *t.d.i. e pron.* **1** (prep. *em*) inscrever(-se) em livro apropriado, para validar certos atos *<registrou o nome do amigo na lista de adesões> <registrou-se no hotel com um pseudônimo>* □ *t.d.* **2** assinalar ou marcar regularmente (verificação meteorológica, consumo de gás, de eletricidade etc.) **3** tomar nota de; anotar, consignar *<r. um depoimento>* **4** guardar na memória; memorizar *<registrou o que ela disse e nunca mais esqueceu>* **5** marcar por meio de caixa registradora *<r. preços>* ~ **registrado** *adj.*

registro (re.gis.tro) *s.m.* **1** ação de registrar ou o seu efeito **2** livro em que se anotam ocorrências **3** documento, certidão **4** torneira que regula ou isola canalização **5** MÚS cada uma das três partes da escala dos sons audíveis, de um instrumento ou voz *<r. grave, r. médio, r. agudo>* **6** MÚS extensão de voz ou instrumento **7** indicação gráfica do funcionamento de máquinas, motores etc. **8** medidor de consumo (de água, luz, gás etc.) **9** fixação de um fato, por escrito, imagem, lembrança *<fez um r. da festa em seu diário>*

rego (re.go) /ê/ *s.m.* **1** sulco para escoar água; valeta **2** ruga ou comissura na pele

regougar (re.gou.gar) *v.* {mod. 1} *int.* emitir som (o gambá, a raposa) ◉ GRAM/USO só us. nas 3as p., exceto quando fig.

regozijar (re.go.zi.jar) *v.* {mod. 1} *t.d. e pron.* (fazer) sentir grande alegria, prazer; rejubilar(-se) *<uma bela música regozija o coração> <os funcionários se regozijaram com o aumento de salário>* ~ **regozijo** *s.m.*

regra (re.gra) *s.f.* **1** o que regula, dirige; norma, princípio *<r. de gramática> <r. de um jogo>* **2** o que foi determinado por lei ou por costume *<r. de boa educação>* **3** ordem, método ▼ ***regras*** *s.f.pl. infrm.* **4** menstruação ◉ COL regulamento ▣ **r. de três** MAT cálculo de um termo desconhecido por meio de três outros conhecidos, dois dos quais variam, seja em proporção direta, seja em proporção inversa • **cagar regras** *infrm. gros.* fazer-se de muito sabido • **em r. 1** de modo geral, geralmente *<em r., admira a vida no campo>* **2** *infrm.* completo, total *<fez uma limpeza em r.>* ~ **regrar** *v.t.d. e pron.*

R

regredir (re.gre.dir) *v.* {mod. 27} *int.* **1** ir para trás; retroceder ↺ avançar **2** diminuir em número, força, intensidade, qualidade etc. *<a doença regrediu>* ↺ progredir

regressão (re.gres.são) [pl.: *-ões*] *s.f.* ato ou efeito de regredir; retrocesso

regressar (re.gres.sar) *v.* {mod. 1} *t.i. e int.* (prep. *a*, *de*) voltar ao ponto de partida; retornar *<r. ao lar> <não queríamos r. (das férias)>*

regressivo (re.gres.si.vo) *adj.* **1** que regressa ou descresce *<contagem r.>* **2** que tem efeito sobre fatos passados; retroativo

regresso (re.gres.so) *s.m.* ato ou efeito de regressar; volta, retorno ↺ ida

régua (ré.gua) *s.f.* **1** instrumento plano para traçar linhas, esp. retas **2** esse instrumento, dividido em unidades de medida, us. para medições

regulador (re.gu.la.dor) /ô/ [pl.: *-es*] *adj.* **1** que regula, que serve para regular **2** que regulamenta, que define regras e fiscaliza a sua aplicação *<órgão r.>* ■ *s.m.* **3** dispositivo que serve para normalizar o movimento ou os efeitos de uma máquina ou de uma peça

¹regulamentar (re.gu.la.men.tar) [pl.: *-es*] *adj.2g.* que diz respeito a ou está de acordo com o regulamento *<o jogo ultrapassou o tempo r.>* ◉ ORIGEM *regulamento* + *¹-ar*

²regulamentar (re.gu.la.men.tar) *v.* {mod. 1} *t.d.* **1** submeter a regulamento; regular **2** instituir regulamento, regras para ◉ ORIGEM *regulamento* + *²-ar* ~ **regulamentação** *s.f.*

regulamento (re.gu.la.men.to) *s.m.* conjunto de regras *<r. da escola> <r. de um campeonato>*

¹regular (re.gu.lar) [pl.: *-es*] *adj.2g.* **1** segundo as regras *<imigrante r.>* **2** situado entre extremos; mediano *<nota r.>* **3** que apresenta constância *<programação r.>* ◉ ORIGEM do lat. *regulāris,e* 'canônico' ~ **regularidade** *s.f.*

²regular (re.gu.lar) *v.* {mod. 1} *t.d.* **1** estabelecer regras para; regulamentar *<a lei regula os direitos dos trabalhadores>* **2** sujeitar a regras; regrar *<r. o comportamento durante as refeições>* **3** conter, moderar *<r. as despesas>* **4** ajustar o funcionamento de; acertar *<r. o motor>* □ *int.* **5** funcionar bem *<este relógio nunca regula!>* **6** *infrm.* ter equilíbrio emocional ou mental *<ele não regula bem>* □ *t.i.* **7** (prep. *com*) ter aproximadamente a mesma idade de *<não sei a idade dele, mas regula com a do meu pai>* ◉ ORIGEM do lat. *regulāre* 'dirigir, dispor, ordenar' ~ **regulagem** *s.f.*

regularizar (re.gu.la.ri.zar) *v.* {mod. 1} *t.d. e pron.* **1** (fazer) ficar conforme as regras, leis *<r. documentos> <sua situação já se regularizou>* **2** (fazer) ficar em dia, em ordem; normalizar(-se) *<r. os atrasos> <o horário do trem regularizou-se>* ↺ desregular(-se) ~ **regularização** *s.f.* - **regularizador** *adj.s.m.*

régulo (ré.gu.lo) *s.m.* **1** rei ainda criança, ou muito jovem **2** rei de um pequeno Estado **3** *pej.* chefe de pouca importância, mas de temperamento tirânico

regurgitar (re.gur.gi.tar) *v.* {mod. 1} *t.d. e int.* **1** expelir o excedente de (esp. o que está no estômago) *<o bebê regurgitou o leite> <a criança regurgitou durante a viagem>* □ *t.i. e int.* **2** (prep. *de*) estar repleto, cheio de; transbordar *<o ginásio regurgitava de gente> <a festa está regurgitando>* ~ **regurgitação** *s.f.*

rei [fem.: *rainha*] *s.m.* **1** autoridade suprema de uma monarquia; monarca, soberano **2** *fig.* quem detém poder absoluto ou se destaca num grupo *<o r. do petróleo>* **3** RECR certa carta de baralho **4** RECR peça importante do jogo de xadrez, que se movimenta, de casa em casa, em todas as direções

reide (rei.de) *s.m.* breve incursão de tropas militares em território inimigo

reidratar (re.i.dra.tar) *v.* {mod. 1} *t.d. e pron.* hidratar (-se) outra vez [produto ou organismo que se desidratou] *<usou um creme para r. a pele>* ~ **reidratação** *s.f.* - **reidratante** *adj.2g.s.2g.*

reimprimir (re.im.pri.mir) *v.* {mod. 24} *t.d.* fazer nova impressão de (documento, texto, figura etc.) ◉ GRAM/USO part.: *reimprimido*, *reimpresso*; ver QUADRO DE PARTICÍPIOS DUPLOS nas pp. iniciais ~ **reimpressão** *s.f.*

reinação (rei.na.ção) [pl.: *-ões*] *s.f.* **1** brincadeira de criança que inclui certa rebeldia a regras estabelecidas; travessura **2** *B* festa ou brincadeira ruidosa; pândega

reinado (rei.na.do) *s.m.* **1** governo de um rei, imperador etc. **2** duração ou época do governo de alguém **3** *fig. infrm.* tempo de vigência de algo <*o r. da minissaia*>

reinador (rei.na.dor) /ô/ [pl.: *-es*] *adj.s.m. B* (o) que reina ou faz travessuras

reinar (rei.nar) *v.* {mod. 1} *int.* **1** governar um Estado como rei **2** tomar espaço e manter-se; predominar <*o silêncio reinou na sala*> **3** *B infrm.* fazer travessuras; brincar **4** estar em vigor, em uso; viger <*tal moda reinou pouco*> **5** ter poder, influência; dominar <*os romanos reinaram por séculos*>

reincidente (re.in.ci.den.te) *adj.2g.s.2g.* (o) que reincide

reincidir (re.in.ci.dir) *v.* {mod. 24} *t.i. e int.* (prep. *em*) tornar a praticar (certo ato, ger. negativo); recair <*r. no roubo*> <*se reincidirem, virá o castigo*> ~ **reincidência** *s.f.*

reincorporar (re.in.cor.po.rar) *v.* {mod. 1} *t.d.* tornar a incorporar (o que foi descartado, desintegrado etc.) ~ **reincorporação** *s.f.*

reingressar (re.in.gres.sar) *v.* {mod. 1} *t.i.* (prep. *em*) ingressar novamente em (lugar, grupo do qual saíra) <*r. na faculdade*> ~ **reingresso** *s.m.*

reinicializar (re.i.ni.ci.a.li.zar) *v.* {mod. 1} *t.d.* INF reiniciar

reiniciar (re.i.ni.ci.ar) *v.* {mod. 1} *t.d.* **1** dar ou ter novo início (o que havia parado, sido interrompido ou se supunha ter acabado); recomeçar **2** INF restaurar situação, estado ou valor inicial de (computador, programa etc.) ~ **reinício** *s.m.*

reino (rei.no) *s.m.* **1** estado governado por rei; monarquia **2** *fig.* âmbito, esfera <*r. dos contos de fadas*> <*adora o r. das artes*> **3** cada um dos domínios estudados pelas ciências naturais **4** BIO cada uma das mais altas categorias de classificação dos seres vivos na natureza (dos animais, das plantas, das moneras, dos fungos e dos protistas)

reinol (rei.nol) [pl.: *-óis*] *adj.2g.* **1** relativo a ou próprio do reino ■ *s.2g.* **2** natural ou habitante de um reino

reinscrever (re.ins.cre.ver) *v.* {mod. 8} *t.d.,t.d.i. e pron.* (prep. *em*) inscrever(-se) novamente <*r. (numa eleição) uma candidatura impugnada*> <*reinscreveu-se para a maratona*> ◉ GRAM/USO part.: *reinscrito* ~ **reinscrição** *s.f.*

reinserir (re.in.se.rir) *v.* {mod. 28} *t.d.i. e pron.* (prep. *em*) inserir(-se) novamente (em grupo, lugar etc. no qual já estivera) ~ **reinserção** *s.f.*

reintegrar (re.in.te.grar) *v.* {mod. 1} *t.d.i. e pron.* **1** (prep. *em*) restabelecer a (alguém) ou ter novamente a posse de (bem, emprego, cargo de que foi privado) <*reintegraram-no no cargo*> <*procurou r.-se no partido*> □ *t.d.* **2** conduzir de novo ao lugar ou ponto de origem; reconduzir <*r. o gado*> ~ **reintegração** *s.f.*

réis *s.m.pl.* ver [2]***REAL*** ('moeda')

reisado (rei.sa.do) *s.m.* FOLC **1** festa popular realizada na véspera e no dia de Reis (6 de janeiro) **2** auto natalino do Norte e Nordeste, realizado em 6 de janeiro

reiterar (re.i.te.rar) *v.* {mod. 1} *t.d. e t.d.i.* (prep. *a*) dizer ou fazer de novo; repetir <*r. uma provocação*> <*r. um conselho a alguém*> ~ **reiteração** *s.f.*

reiterativo (re.i.te.ra.ti.vo) *adj.* que reafirma, insiste ou repisa <*leitura r. e enfadonha*>

reitor (rei.tor) /ô/ [pl.: *-es*] *s.m.* **1** diretor de universidade **2** superior de convento ou de ordem religiosa ~ **reitoral** *adj.2g.*

reitoria (rei.to.ri.a) *s.f.* **1** cargo de reitor **2** local de trabalho do reitor

reiuno (rei.u.no) *adj.* **1** fornecido pelo Estado, esp. pelo exército, para uso dos soldados <*botas r.*> **2** de baixa qualidade <*cavalo r.*>

reivindicação (rei.vin.di.ca.ção) [pl.: *-ões*] *s.f.* ato ou efeito de reivindicar, de reclamar um direito

reivindicar (rei.vin.di.car) *v.* {mod. 1} *t.d.* **1** intentar demanda para recuperar (o que está na posse de outrem) <*r. uma propriedade*> **2** tentar reaver, recuperar <*queria r. o cargo perdido*> **3** requerer, reclamar (um direito) **4** reclamar para si; assumir <*r. uma responsabilidade*> ~ **reivindicador** *adj.s.m.*

rejeição (re.jei.ção) *s.f.* **1** ato ou efeito de rejeitar **2** MED reação de anticorpos a um órgão ou a tecidos enxertados no organismo

rejeitar (re.jei.tar) *v.* {mod. 1} *t.d.* **1** lançar fora; largar, depor <*r. as armas*> **2** não aceitar, não admitir; recusar <*r. uma proposta*> **3** afastar de si; repelir <*r. alimentos gordurosos*> **4** não considerar bom, justo, adequado; desaprovar <*r. um novo imposto*> ↺ aprovar ~ **rejeitado** *adj.*

rejubilar (re.ju.bi.lar) *v.* {mod. 1} *t.d.,int. e pron.* (fazer) sentir grande alegria, prazer; regozijar(-se) <*sua presença me rejubila*> <*todos (nos) rejubilamos com a chegada do papai*> ~ **rejubilação** *s.f.*

rejuntar (re.jun.tar) *v.* {mod. 1} *t.d.* refazer as juntas de (tijolos, pedras, ladrilhos etc.) com nova aplicação de argamassa ~ **rejuntamento** *s.m.*

rejuvenescer (re.ju.ve.nes.cer) *v.* {mod. 8} *t.d.,int. e pron.* (fazer) ficar mais jovem ou com aparência, vigor de jovem; remoçar <*r. a pele*> <*ela fez uma plástica e rejuvenesceu(-se) muito*> ~ **rejuvenescimento** *s.m.*

relação (re.la.ção) [pl.: *-ões*] *s.f.* **1** ato de informar fatos; descrição, relato **2** lista de nomes de pessoas ou coisas; rol, listagem <*r. de fornecedores*> **3** o que permite relacionar fato, objeto ou indivíduo ao outro; semelhança <*r. entre os dois rostos*> ↺ diferença **4** vinculação entre pessoas, fatos ou coisas; ligação, conexão <*r. de parentesco*> ↺ desvinculação ▼ ***relações*** *s.f.pl.* **5** pessoas com as quais alguém se relaciona por cortesia ou amizade ▣ **r. públicas** atividade profissional que informa o público sobre as realizações de quaisquer organizações ☞ cf. *relações-públicas*

relacionar (re.la.cio.nar) *v.* {mod. 1} *t.d.* **1** fazer relação de; listar <*r. os membros da comitiva*> **2** expor por escrito ou oralmente; relatar <*r. os fatos para a sindicância*> □ *t.d.i. e pron.* **3** (prep. *a, com*) estabelecer(-se) vínculo, conexão entre (dois ou mais elementos); ligar(-se) <*r. um indício a um crime*> <*as coisas se relacionam umas com as outras*> **4** (prep. *com*) (fazer) adquirir amizades, conhecimentos <*relacionei-o com o grupo*> <*relaciona-se bem com os parentes*> ~ **relacionamento** *s.m.*

relações-públicas (re.la.ções-pú.bli.cas) *s.2g.2n.* profissional que trabalha em relações públicas ☞ *cf. relação*

R

relâmpago (re.lâm.pa.go) *s.m.* **1** clarão rápido causado por descarga elétrica entre nuvens **2** *fig.* o que se passa rapidamente *<percebi um r. de raiva no seu rosto impassível>* ■ *adj.2g.2n.* **3** *fig.* que é rápido, dura pouco *<promoção r.>*

relampejar (re.lam.pe.jar) *v.* {mod. 1} ou **relampear** (re.lam.pe.ar) *v.* {mod. 5} *int.* **1** produzir-se relâmpago ou série deles ☞ nesta acp., é impessoal, exceto quando fig. **2** brilhar de repente; fulgurar ☞ nesta acp., só us. nas 3as p., exceto quando fig. ~ **relampejo** *s.m.*

relance (re.lan.ce) *s.m.* ato de olhar rapidamente ou o seu efeito ▣ **de r.** com rapidez; num relance *<viu-a de r. na festa>* ~ **relancear** *v.t.d. e t.d.i.*

relapso (re.lap.so) *adj.s.m.* **1** (aquele) que é descuidado no cumprimento de suas obrigações; relaxado ↺ cuidadoso **2** (aquele) que repete erro, crime, pecado

relatar (re.la.tar) *v.* {mod. 1} *t.d. e t.d.i.* **1** (prep. *a*) expor por escrito ou oralmente (fato, acontecimento); narrar, contar *<r. o que ocorreu> <r. os fatos aos ouvintes>* □ *t.d.* **2** fazer lista de; relacionar *<r. as encomendas>* ~ **relato** *s.m.*

relativamente (re.la.ti.va.men.te) *adv.* **1** em comparação com outros elementos; em termos relativos *<para entender o assunto, é preciso estudá-lo r.>* ↺ absolutamente **2** não inteiramente; mais ou menos *<gostamos r. de teatro> <ser r. esperto>* ▣ **r. a** em relação a, com referência a *<r. ao seu pedido, peço-lhe paciência>*

relativismo (re.la.ti.vis.mo) *s.m.* FIL teoria que nega o caráter absoluto do conhecimento, afirmando que este depende do juízo de cada indivíduo ~ **relativista** *adj.2g.s.2g.*

relativo (re.la.ti.vo) *adj.* **1** que se refere a alguém ou algo; concernente *<notícias r. a cinema>* **2** que não é total; menor *<livro de interesse r.>* ↺ absoluto **3** que pode variar ou não de acordo com uma relação entre elementos *<seu lucro será r. ao capital investido>* **4** que ocorre por acidente; casual, fortuito ↺ previsto ~ **relatividade** *s.f.*

relator (re.la.tor) /ô/ [pl.: *-es*] *adj.* **1** que relata ■ *s.m.* **2** aquele que conta; narrador **3** aquele que faz um relatório

relatório (re.la.tó.rio) *s.m.* exposição detalhada e objetiva, ger. escrita, de fato, estudo, atividades etc.; relato

relaxante (re.la.xan.te) *adj.2g.s.m.* (aquilo) que reduz a tensão física ou mental *<substância r.> <tomou um r. fitoterápico>*

relaxar (re.la.xar) *v.* {mod. 1} *t.d. e int.* **1** tornar(-se) [mais] fraco; debilitar(-se) *<r. o caráter> <a vontade não relaxou, apesar dos obstáculos>* ↺ fortalecer(-se) □ *t.d.* **2** diminuir a força, a tensão ou a compressão de; afrouxar *<r. o cabo que prendia o bote>* **3** tornar menos severo; suavizar □ *t.d. e pron.* **4** corromper (-se), perverter(-se) *<r. os costumes> <r.-se profissionalmente>* □ *int.* **5** procurar repouso ou diversão *<viajou para r.>* **6** aplacar a tensão, a ansiedade *<fez uma pausa para r.>* □ *pron.* **7** tornar-se negligente; desleixar-se *<r.-se na higiene>* ~ **relaxado** *adj.s.m.* - **relaxador** *adj.s.m.* - **relaxamento** *s.m.*

relé (re.lé) *s.m.* ELETR dispositivo que altera um circuito quando certas condições estão presentes *<tive de trocar o r. da geladeira>*

relegar (re.le.gar) *v.* {mod. 1} *t.d. e t.d.i.* **1** (prep. *a, para*) expulsar de um lugar; banir *<r. os revoltosos (ao estrangeiro)>* □ *t.d.i.* **2** (prep. *a*) pôr (em plano secundário ou obscuro); abandonar *<r. um ator ao esquecimento>* ~ **relegação** *s.f.*

releitura (re.lei.tu.ra) *s.f.* **1** ato ou efeito de reler; nova leitura **2** interpretação nova ou diferente dada a um filme, livro, peça teatral etc.

relembrar (re.lem.brar) *v.* {mod. 1} *t.d.,t.d.i. e pron.* (prep. *a, de*) trazer de novo à memória; recordar(-se) *<r. a juventude> <relembrou-lhe a promessa> <r.-se dos velhos tempos>* ~ **relembrado** *adj.* - **relembrança** *s.f.*

relento (re.len.to) *s.m.* umidade da noite; orvalho, sereno ▣ **ao r.** sem um teto *<dormir ao r.>*

reler (re.ler) *v.* {mod. 11} *t.d.* **1** ler de novo ou várias vezes **2** ler outra vez (o que se escreveu) para corrigir, melhorar; revisar

reles (re.les) *adj.2g.2n.* de qualidade ordinária; grosseiro ↺ refinado

relevante (re.le.van.te) *adj.2g.* **1** que tem importância *<pergunta r.>* ↺ insignificante **2** que tem saliências *<terreno r.>* ↺ reentrante **3** de grande valor ou interesse *<nome r. na medicina>* ↺ desprezível **4** considerável, farto, grande *<quantia r.>* ↺ pequeno ■ *s.m.* **5** o essencial, o mais importante *<o r. foi que sobrevivemos>* ↺ supérfluo ~ **relevância** *s.f.*

relevar (re.le.var) *v.* {mod. 1} *t.d. e pron.* **1** (prep. *em*) [fazer] ter relevo, sobressair; destacar(-se) *<o adorno releva a beleza> <as formas mais graciosas se relevavam> <releva-se na sabedoria>* □ *t.d. e t.d.i.* **2** (prep. *a*) ser tolerante com; perdoar, desculpar *<r. uma falta> <o chefe relevou-lhes os atrasos>* □ *int.* **3** ser importante; convir, valer *<releva anotar isto>* ~ **relevação** *s.f.*

relevo (re.le.vo) /ê/ *s.m.* **1** característica das pinturas, desenhos, impressões etc. que parecem destacar-se da superfície na qual estão **2** conjunto de saliências e reentrâncias de uma superfície **3** conjunto de montanhas, vales, planícies etc. ▣ **de r.** de destaque *<nome de r. na medicina>*

relha (re.lha) /ê/ *s.f.* **1** peça de arado que rasga o solo **2** peça de ferro que reforça externamente as rodas do carro de boi

relho (re.lho) /ê/ *s.m.* chicote de couro torcido

relicário (re.li.cá.rio) *s.m.* **1** caixa, cofre, lugar próprio para guardar relíquias **2** *fig.* algo de grande valor *<ele tem relicários na sua biblioteca>*

religião (re.li.gi.ão) [pl.: *-ões*] *s.f.* **1** crença na existência de uma força ou de forças sobrenaturais **2** conjunto de dogmas e práticas que ger. envolvem tal crença **3** observação aos princípios religiosos; devoção *<praticar a r.>*

religiosidade (re.li.gi.o.si.da.de) *s.f.* **1** conjunto de valores éticos de certo teor religioso **2** tendência ou fato de incorporar ensinamentos religiosos à forma de pensar

religioso (re.li.gi.o.so) /ô/ [pl. e fem.: /ó/] *adj.* **1** relativo a religião **2** que tem elementos de adoração *<fervor r.>* **3** realizado segundo os ritos de uma religião *<casamento r.>* **4** *fig.* pontual, cuidadoso, zeloso *<é r. no cumprimento do dever>* ↺ negligente ■ *adj.s.m.*

R

5 que(m) segue ou professa uma religião ↺ ateu **6** (pessoa) que pertence a uma ordem monástica ■ *s.m.* **7** casamento religioso *<casaram-se no r.>* ◉ COL confraria, congregação, irmandade

relinchar (re.lin.char) *v.* {mod. 1} *int.* emitir seu som característico (o cavalo, o burro etc.) ◉ GRAM/USO só us. nas 3as p., exceto quando fig.

relincho (re.lin.cho) *s.m.* voz de cavalo, jumento, zebra etc.; rincho

relíquia (re.lí.quia) *s.f.* **1** parte do corpo de um santo, ou o que resta dele **2** objeto que supostamente pertenceu a um santo ou que teve contato com seu corpo **3** *p.ext.* coisa preciosa e ger. antiga, muito estimada

relógio (re.ló.gio) *s.m.* **1** aparelho us. para marcar o tempo e indicar as horas **2** *B* medidor de água, luz ou gás; registro **3** *fig. infrm.* o que trabalha com muita regularidade *<o intestino dela é um r.>* ▣ **r. analógico** aquele que indica horas com ponteiros em um mostrador • **r. biológico** conjunto de mecanismos fisiológicos que regulam fenômenos cíclicos, como o sono e a fotossíntese • **r. de água** clepsidra • **r. de ponto** maquinismo que marca a hora de entrada e de saída de funcionários e operários de um escritório, fábrica etc. • **r. de sol** apetrecho formado por uma haste vertical que, ao projetar sua sombra num plano horizontal, marca as horas do dia • **r. digital** aquele que indica horas com dígitos numéricos • **correr contra o r.** apressar-se para cumprir determinada ação cujo êxito depende da obediência a um tempo previamente estabelecido

relojoaria (re.lo.jo.a.ri.a) *s.f.* casa onde se fabricam, vendem ou consertam relógios

relojoeiro (re.lo.jo.ei.ro) *adj.* **1** relativo a relojoaria ou a relógio ■ *s.m.* **2** profissional que fabrica ou conserta relógios

relutante (re.lu.tan.te) *adj.2g.* **1** que hesita e opõe resistência *<um réu r. para confessar o crime>* **2** que se opõe por discordância ou aversão, manifestando má vontade *<postura r. a novidades>* ↺ simpatizante

relutar (re.lu.tar) *v.* {mod. 1} *t.i. e int.* (prep. *em*) fazer oposição, resistência a; resistir *<relutou em entrar>* *<aceitou o encargo, depois de r. muito>* ~ **relutância** *s.f.*

reluzente (re.lu.zen.te) *adj.2g.* **1** que reflete luz *<estrela r.>* **2** que tem brilho; lustroso *<metal r.>*

reluzir (re.lu.zir) *v.* {mod. 24} *int.* brilhar muito; resplandecer

relva (rel.va) *s.f.* **1** camada de ervas rasteiras que cobre o solo **2** lugar coberto por essa camada; relvado *<sentar na r.>* **3** [1]grama

relvado (rel.va.do) *adj.s.m.* (terreno) coberto de relva; gramado

relvoso (rel.vo.so) /ô/ [pl. e fem.: /ó/] *adj.* em que há relva

remanchar (re.man.char) *v.* {mod. 1} ou **remanchear** (re.man.che.ar) *v.* {mod. 5} *int. e pron.* (prep. *em*) levar muito tempo fazendo algo; demorar *<de tanto r., atrasou-se para a aula>* *<r.-se no banho>*

remanejar (re.ma.ne.jar) *v.* {mod. 1} *t.d.* **1** modificar a formação, a disposição de, para dar-lhe uma nova estrutura *<o novo presidente remanejará o conselho de ministros>* □ *t.d. e t.d.i.* **2** (prep. *de, para*) dar nova destinação ou distribuição a; redistribuir *<r. verbas (de um ministério para outro)>* ~ **remanejamento** *s.m.*

remanescente (re.ma.nes.cen.te) *adj.2g.s.2g.* (o) que fica, permanece, resta ~ **remanescência** *s.f.* - **remanescer** *v.int.*

remanso (re.man.so) *s.m.* **1** trecho mais largo de rio em que não há correnteza **2** *fig.* período sem atividade; sossego, descanso ↺ agitação **3** ponto em que se recolhe para descanso; pouso, retiro ~ **remansoso** *adj.*

remar (re.mar) *v.* {mod. 1} *t.d. e int.* impulsionar, mover (embarcação) com remo *<r. um barco>* *<a embarcação parou quando deixaram de r.>* ~ **remada** *s.f.* - **remador** *adj.s.m.*

remarcar (re.mar.car) *v.* {mod. 1} *t.d.* **1** marcar novamente **2** *B* fixar novo preço, horário para *<r. toda a mercadoria da loja>* *<r. o encontro>* ~ **remarcação** *s.f.*

rematar (re.ma.tar) *v.* {mod. 1} *t.d.* **1** fazer acabamento em; finalizar *<usei glacê para r. o bolo>* **2** dar os últimos pontos em (uma costura); arrematar □ *t.i.,int. e pron.* **3** (prep. *em*) ficar completo, ter fim; acabar(-se) *<a confusão rematou surpreendentemente>* *<a luta rematou em sucesso>* *<rematou-se a discórdia>* ↺ começar

remate (re.ma.te) *s.m.* **1** última operação para tornar uma obra acabada ou completa ↺ começo **2** acabamento final de roupa; arremate **3** *fig.* o ponto mais alto; o apogeu *<o livro foi o r. de sua carreira>* ↺ declínio

remediado (re.me.di.a.do) *adj.s.m.* que(m) tem recursos suficientes para atender às próprias necessidades

remediar (re.me.di.ar) *v.* {mod. 5} *t.d.* **1** dar remédio a; medicar *<r. os enfermos>* **2** tornar suportável ou aceitável; atenuar *<r. o desconforto>* **3** reparar, emendar, corrigir *<tinha de r. o mal que fez>* □ *t.d. e t.d.i.* **4** (prep. *de*) prover (do que é necessário); abastecer *<r. um pedinte>* *<r. a casa de víveres>* □ *pron.* **5** contar com poucos recursos *<remedeia-se com o que tem>* ~ **remediador** *adj.s.m.* - **remediável** *adj.2g.*

remédio (re.mé.dio) *s.m.* **1** substância ou recurso us. para combater dor, doença *<preciso de um r. para dor de cabeça>* **2** *fig.* tudo que serve para acabar com mal, transtorno; recurso, solução *<rir é o melhor r.>* **3** aquilo que protege, que auxilia *<gente pobre e sem r.>* ↺ desamparo **4** emenda, correção

remela (re.me.la) *s.f.* secreção viscosa que aparece na mucosa dos olhos e na borda das pálpebras ~ **remelento** *adj.*

remelexo (re.me.le.xo) /ê/ *s.m.* *B infrm.* balanço do corpo; rebolado

rememorar (re.me.mo.rar) *v.* {mod. 1} *t.d. e int.* **1** trazer de novo à memória; relembrar *<r. uma viagem>* *<à tarde, senta-se na varanda e rememora>* □ *t.d.* **2** dar ideia de; lembrar *<seu jeito rememora o da avó>* ~ **rememoração** *s.f.* - **rememorativo** *adj.*

remendão (re.men.dão) [pl.: *-ões*] *adj.s.m.* **1** (sapateiro) que conserta sapatos **2** (artesão) pouco habilidoso

remendar (re.men.dar) *v.* {mod. 1} *t.d.* **1** pôr remendos em; emendar, consertar *<r. meias>* **2** *fig.* reparar os efeitos de (equívoco, inconveniência) *<r. um mal-entendido>*

remendo (re.men.do) *s.m.* **1** pedaço de pano us. em roupa para esconder um rasgo, um buraco etc. **2** *fig.* aquilo que corrige, conserta ou emenda; emenda *<esse erro não tem r.>*

remessa (re.mes.sa) *s.f.* **1** ato ou efeito de remeter *<já fez aquela r.?>* **2** aquilo que foi remetido *<sua r. chegou>*

remetente (re.me.ten.te) *adj.2g.s.2g.* (aquele) que envia carta ou encomenda para alguém ↺ destinatário

remeter (re.me.ter) *v.* {mod. 8} *t.d.i.* **1** (prep. *a, de, para*) fazer seguir para; enviar, mandar *<r. uma carta ao marido> <r. a encomenda de um país a outro>* □ *t.d.i. e pron.* **2** (prep. *a*) pôr(-se) sob os cuidados de; entregar(-se), confiar(-se) *<r. o negócio a uma pessoa idônea> <r.-se a um bom médico>* □ *t.d. e t.d.i.* **3** (prep. *para*) deixar para depois; adiar, postergar *<remeteu a decisão (para a semana seguinte)>* ↺ antecipar □ *pron.* **4** (prep. *a*) referir-se, aludir *<r.-se a bons livros>*

remexer (re.me.xer) *v.* {mod. 8} *t.d.* **1** mexer de novo ou repetidamente em *<remexeu o armário à procura das chaves>* **2** mover repetidas vezes *<r. o angu da panela>* □ *t.i.* **3** (prep. *em*) tocar com as mãos ou com um objeto em; bulir *<as crianças remexem em tudo>* □ *pron.* **4** mover-se com inquietação; agitar-se □ *t.d. e pron.* *B* **5** mover(-se) balançando (os quadris, o corpo) ao andar, dançar; rebolar *<as dançarinas remexiam as cadeiras> <os casais remexiam-se no baile>* ~ **remeximento** *s.m.*

remição (re.mi.ção) [pl.: *-ões*] *s.f.* **1** liberação de pena, de ofensa, de dívida; perdão, quitação, resgate **2** compensação por danos ou prejuízos; indenização **3** recuperação de algo ☞ cf. *remissão* ~ **remido** *adj.*

reminiscência (re.mi.nis.cên.cia) *s.f.* **1** o que se conserva na memória *<as r. da infância>* **2** lembrança vaga **3** sinal, fragmento, vestígio que resta de algo que passou *<a cicatriz é r. da luta>* ~ **reminiscente** *adj.2g.*

remir (re.mir) *v.* {mod. 24} *t.d.,t.d.i. e pron.* **1** (prep. *de*) livrar(-se) de cativeiro, sequestro etc.; libertar(-se) *<r. o condenado (de uma pena mais dura)> <remiu-se do castigo pelos próprios esforços>* □ *t.d.* **2** libertar da condenação ao inferno *<r. os pecadores>* **3** compensar, ressarcir (perda, dano etc.) **4** reparar, expiar (falta, crime etc.) **5** livrar (algo) de ônus, pagando *<conseguiu r. a casa alienada>* □ *pron.* **6** (prep. *de*) reabilitar-se, recuperar-se *<remiu-se de suas faltas passadas>* ◉ GRAM/USO verbo defectivo

remissão (re.mis.são) [pl.: *-ões*] *s.f.* **1** ação de perdoar; perdão **2** sentimento de misericórdia; compaixão ↺ crueldade **3** falta de ação, de energia; frouxidão *<a derrota deveu-se à r. do time>* ↺ vivacidade **4** intervalo entre o fim e o reinício de algo *<r. de um processo reiniciado>* **5** alívio, consolo *<sem a r. da amada, vivia infeliz>* ↺ aflição **6** diminuição temporária dos sintomas de uma doença ↺ agravamento **7** condução do leitor para outra parte de um texto escrito ☞ cf. *remição*

remissivo (re.mis.si.vo) *adj.* **1** que perdoa **2** que envia para outro ponto *<índice r.>* **3** que contém referências *<as notas r. de um artigo>*

remisso (re.mis.so) *adj. frm.* **1** que tarda em fazer ou dizer alguma coisa **2** que demonstra negligência; descuidado **3** indolente, a quem falta atividade ◉ GRAM/USO part. de *remitir*

remitir (re.mi.tir) *v.* {mod. 24} *t.d. e t.d.i.* **1** (prep. *a*) conceder perdão a; indultar *<r. culpas> <r. os pecados a alguém>* **2** (prep. *a*) entregar, restituir *<r. uma chefia> <r. um direito a alguém>* □ *t.d.* **3** considerar pago ou satisfeito *<r. uma dívida>* □ *t.d.,int. e pron.* **4** (fazer) perder a intensidade; diminuir, abrandar *<a chuva remitiu o calor> <a febre remitiu> <o mal-estar remitiu-se>* ↺ intensificar(-se) ◉ GRAM/USO part.: *remitido, remisso*; ver QUADRO DE PARTICÍPIOS DUPLOS nas pp. iniciais ~ **remitência** *s.f.* - **remitente** *adj.2g.*

remo (re.mo) *s.m.* **1** haste leve, de ponta chata, plana ou curva, us. para impulsionar embarcação com a força dos braços humanos **2** ESP atividade ou esporte de remar *<praticar r.>*

remoçar (re.mo.çar) *v.* {mod. 1} *t.d. e int.* **1** (fazer) ficar mais jovem ou com aparência, vigor, viço jovem; rejuvenescer *<a convivência com a juventude remoça os velhos> <sua tia remoçou depois da dieta>* □ *pron.* **2** readquirir força, vigor *<remoçou-se após a volta da filha>* ~ **remoçante** *adj.2g.*

remodelar (re.mo.de.lar) *v.* {mod. 1} *t.d.* refazer com base em outro modelo ou com modificações significativas; reestruturar, reformar *<r. a garagem> <a plástica vai r. o rosto dela>* ~ **remodelação** *s.f.* - **remodelador** *adj.s.m.* - **remodelagem** *s.f.*

remoer (re.mo.er) *v.* {mod. 9} *t.d.* **1** moer de novo *<r. a carne>* □ *t.d. e t.i.* **2** (prep. *sobre*) pensar insistentemente em; refletir, ruminar *<r. (sobre) um problema>* □ *pron.* **3** preocupar-se, afligir-se *<r.-se de inveja>* **4** zangar-se, irritar-se *<remoeu-se de ódio com a ofensa>*

remoinho (re.mo.i.nho) *s.m.* rodamoinho

remonta (re.mon.ta) *s.f.* **1** suprimento de animais para uma tropa de cavalaria **2** *infrm.* reforma, conserto ↺ estrago

remontar (re.mon.tar) *v.* {mod. 1} *t.d.,t.d.i. e pron.* **1** (prep. *a, de*) elevar(-se) muito ou novamente *<r. o voo> <r.(-se) da terra às nuvens>* □ *t.d.* **2** tornar a montar (peça de teatro) □ *t.i.* **3** (prep. *a*) volver, recuar (a passado distante) *<r. à pré-história>* **4** (prep. *a*) ter existência desde (tempos antigos); datar *<os grandes descobrimentos remontam ao sXVI>* **5** (prep. *a*) ter origem em; provir *<essa palavra remonta ao latim>* □ *pron.* **6** (prep. *a*) fazer menção a; referir-se *<o romancista se remontava a um passado distante>*

remoque (re.mo.que) *s.m.* **1** insinuação maliciosa ou satírica **2** zombaria, caçoada ~ **remoquear** *v.t.d. e int.*

remorso (re.mor.so) *s.m.* inquietação da consciência que percebe ter cometido erro; arrependimento ↺ impenitência

remoto (re.mo.to) *adj.* **1** que ocorreu há muito tempo; antigo, longínquo *<fatos r.>* ↺ recente **2** distante no espaço *<região r.>* ↺ vizinho

removedor (re.mo.ve.dor) /ô/ [pl.: *-es*] *adj.s.m.* (produto) que tira manchas, verniz, tinta etc.

remover (re.mo.ver) *v.* {mod. 8} *t.d. e t.d.i.* **1** (prep. *de*) mudar de lugar; transferir, deslocar *<removeu (da sala) a cadeira para colocá-la no quarto>* **2** (prep. *a, de, para*) transferir (funcionário, empregado etc.) de um posto ou de um lugar para outro *<o chefe removeu todos os funcionários (para Brasília)>* □ *t.d.*

3 fazer desaparecer; afastar, retirar *<r. obstáculos> <r. a maquiagem>* ~ **remoção** *s.f.* - **removível** *adj.2g.*

remuneração (re.mu.ne.ra.ção) [pl.: *-ões*] *s.f.* **1** retribuição por serviço ou favor prestado; recompensa, prêmio **2** salário, ordenado ~ **remunerador** *adj.s.m.* - **remunerar** *v.t.d.*

remunerativo (re.mu.ne.ra.ti.vo) *adj.* remuneratório

remuneratório (re.mu.ne.ra.tó.rio) *adj.* **1** que recompensa; remunerativo **2** relativo a rendimento e a lucro; remunerativo *<taxas r. dos depósitos bancários>*

rena (re.na) *s.f.* ZOO mamífero do hemisfério norte, com galhadas presentes nos dois sexos e cascos adaptados para a locomoção na neve

renal (re.nal) [pl.: *-ais*] *adj.2g.* relativo a rim *<cálculo r.> <cólica r.>*

renascença (re.nas.cen.ça) *s.f.* **1** ato de renascer ou o seu efeito; renascimento **2** qualquer movimento com ideia de renovação, de restauração; retorno **3** HIST Renascimento ('movimento') ☞ inicial freq. maiúsc. ■ *adj.2g.2n.* **4** pertencente à época ou ao estilo renascentista *<móveis r.>*

renascer (re.nas.cer) *v.* {mod. 8} *int.* **1** nascer de novo (real ou aparentemente) *<depois que aplicou o tônico, seus cabelos renasceram>* **2** *fig.* adquirir novo ímpeto, vigor; renovar-se, revigorar-se *<a liberdade renasceu após anos de opressão>* **3** *fig.* surgir novamente; reaparecer *<o amor renasceu entre os dois>*

renascimento (re.nas.ci.men.to) *s.m.* **1** ato de renascer **2** nova vida, nova existência **3** movimento intelectual, artístico e científico, do sXV, inspirado na Antiguidade Clássica; Renascença ☞ nesta acp., inicial freq. maiúsc. ~ **renascentista** *adj.2g.s.2g.*

[1]**renda** (ren.da) *s.f.* quantia obtida de aluguel, de aplicação de capital, de pensão etc.; rendimento ◉ ORIGEM do lat.vulg. *rendĭta* 'id.'

[2]**renda** (ren.da) *s.f.* tecido transparente, formando desenhos variados, aplicado como enfeite de vestidos, colchas, toalhas etc. ◉ ORIGEM do esp. *randa* 'id.'

rendado (ren.da.do) *adj.* **1** enfeitado ou feito com [2]renda *<saia r.>* ■ *s.m.* **2** o conjunto das [2]rendas que adornam uma peça

rendeira (ren.dei.ra) *s.f.* mulher que faz e/ou vende rendas

[1]**rendeiro** (ren.dei.ro) *adj.s.m.* que(m) toma sítio, fazenda etc. por arrendamento ◉ ORIGEM [1]*renda* + *-eiro*

[2]**rendeiro** (ren.dei.ro) *adj.s.m.* que(m) fabrica ou vende rendas ('tecido') ◉ ORIGEM [2]*renda* + *-eiro*

render (ren.der) *v.* {mod. 8} *t.d. e pron.* **1** (fazer) reconhecer a derrota, desistir; submeter(-se) *<r. um grupo de soldados> <os revoltosos renderam-se por falta de munição>* □ *t.d.* **2** substituir (alguém, um grupo) em serviço, tarefa *<o capitão mandou r. as sentinelas>* **3** pôr de lado; depor *<r. as armas>* ↺ pegar □ *t.d. e int.* **4** dar como produto ou lucro *<a gastronomia rende muito dinheiro> <o capital rendeu bem>* □ *t.d. e t.d.i.* **5** (prep. *a*) ter como efeito; causar, resultar *<o desastre rendeu vítimas> <sua atitude rendeu aborrecimentos à família>* □ *t.d.i.* **6** (prep. *a*) prestar, dispensar, oferecer *<r. honras a alguém>* □ *int.* **7** dar bom resultado, ser útil *<esse trabalho não está rendendo>* **8** *B* levar muito tempo; demorar, durar *<essa reunião ainda vai r.>*

rendição (ren.di.ção) [pl.: *-ões*] *s.f.* **1** ato de entregar-se a uma força inimiga; capitulação *<r. dos soldados, dos sequestradores>* **2** *fig.* ato de render-se a algo; sujeição

rendilha (ren.di.lha) *s.f.* certa renda muito delicada ~ **rendilhar** *v.t.d.*

rendimento (ren.di.men.to) *s.m.* **1** lucro alcançado em uma empresa ou uma operação financeira *<r. de uma venda>* ↺ prejuízo **2** eficiência de produção; produtividade *<com a nova máquina, aumentou o r. da empresa>* **3** eficiência no desempenho de certa função ou tarefa; produtividade *<o r. do atleta melhorou>* **4** total de salários, lucros, juros etc. ganhos por pessoa ou instituição, num período

rendoso (ren.do.so) /ô/ [pl. e fem.: /ó/] *adj.* que dá bons lucros; lucrativo ↺ desvantajoso

renegado (re.ne.ga.do) *adj.s.m.* **1** (aquele) que renega uma religião, um partido, um ideal em nome de outro; apóstata **2** (aquele) que é odiado, rejeitado **3** (aquele) que é perverso; malvado

renegar (re.ne.gar) *v.* {mod. 1} *t.d. e t.i.* **1** (prep. *de*) deixar de seguir (religião, fé etc.); abjurar *<r. (d)a fé>* **2** (prep. *de*) abrir mão de; prescindir, dispensar *<renegava (d)o apoio dos amigos>* ↺ aceitar □ *t.d.* **3** deixar de crer, seguir (ideias, convicções etc.); abandonar *<renegou o anarquismo>* **4** contradizer, negar, desmentir *<r. um crime>* ↺ confirmar **5** mostrar desprezo por; rejeitar *<r. um filho>*

renguear (ren.gue.ar) *v. int. RS* andar meio torto ou mancar

renhido (re.nhi.do) *adj.* **1** disputado com ardor *<um debate r.>* **2** *p.ext.* violento, feroz *<batalha r.>* ~ **renhir** *v.t.d.,int. e pron.*

rênio (rê.nio) *s.m.* QUÍM elemento químico us. como catalisador na indústria petroquímica [símb.: *Re*] ☞ cf. *tabela periódica* (no fim do dicionário)

renitente (re.ni.ten.te) *adj.2g.s.2g.* (o) que teima ou não se conforma; obstinado, pertinaz ↺ dócil ~ **renitência** *s.f.*

renomado (re.no.ma.do) *adj.* que tem renome, fama, celebridade; famoso, renomeado

renome (re.no.me) *s.m.* **1** bom nome ou reputação; crédito ↺ descrédito **2** opinião favorável e geral sobre alguém; fama ↺ anonimato

[1]**renomear** (re.no.me.ar) *v.* {mod. 5} *t.d.* dar fama, celebridade a *<a vitória renomeou os espartanos>* ◉ ORIGEM *renome* + [2]*-ar*

[2]**renomear** (re.no.me.ar) *v.* {mod. 5} *t.d.* **1** dar novo nome a *<r. uma praça>* □ *t.d.,t.d.pred. e t.d.i.* **2** (prep. *para*) nomear novamente (para cargo, função etc.) *<o presidente r. seu velho funcionário (para) seu assessor> <renomeou para chefe de gabinete o amigo afastado>* ◉ ORIGEM *re-* + *nomear*

renovação (re.no.va.ção) [pl.: *-ões*] *s.f.* **1** ato ou efeito de tornar novo outra vez, ou de modificar para melhor *<r. de uma frota de ônibus>* **2** ato ou efeito de dar ou adquirir nova aparência ou constituição *<r. de um contrato>* **3** ato ou efeito de reafirmar, de dar novo vigor ao que já foi feito em tempo anterior *<r. das promessas conjugais>*

R

renovar (re.no.var) *v.* {mod. 1} *t.d. e pron.* **1** (fazer) ficar melhor, com aparência, vigor etc. de novo *<r. a fachada de um edifício> <a amizade se renovou>* **2** (fazer) ter novo início; recomeçar *<os adversários renovaram a disputa>* □ *t.d.* **3** substituir por mais novo *<r. as armas>* **4** fazer ou dizer de novo; repetir *<a pobre mulher renovou suas queixas>* **5** estender ou restabelecer a vigência, a validade de (cláusula, contrato, compromisso etc.) □ *int. e pron.* **6** surgir de novo; reaparecer *<a febre renovou(-se)>* ~ **renovador** *adj.s.m.* - **renovável** *adj.2g.*

rentabilidade (ren.ta.bi.li.da.de) *s.f.* ECON **1** grau de êxito econômico de uma empresa em relação ao capital nela aplicado; lucratividade **2** capacidade de produzir rendimento

rentável (ren.tá.vel) [pl.: *-eis*] *adj.2g.* que produz bom rendimento; lucrativo *<negócio r.>* ↺ desvantajoso

rente (ren.te) *adj.2g.* **1** próximo, junto *<o carro passou r. ao meio-fio>* ↺ distante **2** muito curto *<cabelo, unha r.>* ↺ longo **3** *infrm.* que não falha; pontual, assíduo *<figura r. na lanchonete>* ↺ ocasional ■ *adv.* **4** pela base ou raiz *<cortar r.>*

renúncia (re.nún.cia) *s.f.* **1** ato ou efeito de renunciar, de deixar de querer algo que se tem ou usufrui *<r. a um cargo>* **2** sacrifício, mortificação *<r. aos bens materiais>*

renunciar (re.nun.ci.ar) *v.* {mod. 1} *t.d. e t.i.* **1** (prep. *a*) abrir mão de; recusar, rejeitar *<renunciara os prazeres da mesa> <renunciou a uma herança>* ↺ querer **2** (prep. *a*) deixar de crer, seguir (crença, convicção etc.); renegar *<poucos cristãos renunciam a fé> <renunciou a suas velhas convicções>* □ *t.d.,t.i. e int.* **3** (prep. *a*) desistir de (poder, autoridade) por vontade própria; abdicar *<renunciou o trono porque amava> <é difícil r. ao poder> <o ditador anunciou que não renunciará>* ↺ assumir ~ **renunciante** *adj.2g.s.2g.*

reorganização (re.or.ga.ni.za.ção) [pl.: *-ões*] *s.f.* nova organização; reestruturação

reorganizar (re.or.ga.ni.zar) *v.* {mod. 1} *t.d.* **1** tornar a organizar **2** dar nova organização, fazendo melhoramentos e inovações; reestruturar *<r. uma empresa>* ~ **reorganizador** *adj.s.m.*

reostato (re.os.ta.to) ou **reóstato** (re.ós.ta.to) *s.m.* ELETR resistor que controla corrente em circuito ou dissipa energia

reparação (re.pa.ra.ção) [pl.: *-ões*] *s.f.* **1** restituição da ordem ou do funcionamento original de algo ↺ destruição **2** conserto, reparo *<r. de um muro destruído>* **3** satisfação dada a alguém por uma falta; retratação **4** ação de indenizar; compensação ↺ prejuízo

reparar (re.pa.rar) *v.* {mod. 1} *t.d.* **1** pôr em bom estado (algo quebrado, parado, estragado etc.); consertar **2** eliminar ou atenuar os efeitos de (mal, injustiça, erro etc.) □ *t.d. e t.i.* **3** (prep. *em*) prestar atenção em; notar, atentar *<r. as aparências> <logo reparou nos sapatos da moça>* ~ **reparador** *adj.s.m.* - **reparável** *adj.2g.*

reparo (re.pa.ro) *s.m.* **1** ação de consertar algo; restauração *<o r. do carro foi rápido>* **2** censura leve, advertência *<ninguém fez reparos à cerimônia>*

repartição (re.par.ti.ção) [pl.: *-ões*] *s.f.* **1** ação de dividir em partes; partilha, divisão **2** divisão de organização ou estabelecimento que atende a serviços comunitários; seção, departamento *<r. pública>* **3** secretaria ('local') *<r. da Receita Federal>* **4** lugar em que funciona essa divisão, seção, secretaria; escritório

repartir (re.par.tir) *v.* {mod. 24} *t.d. e t.d.i.* **1** (prep. *entre, por*) dar parcela de (algo) [a vários receptores]; distribuir, dividir *<r. os bens (entre os filhos)>* **2** (prep. *com*) fazer tomar parte em; compartilhar, dividir *<reparte sua alegria (com os amigos)>* □ *pron.* **3** dividir-se em duas ou mais partes *<o rio reparte-se logo adiante>* **4** (prep. *entre*) dedicar-se ou dirigir-se a diferentes lugares, atividades, assuntos etc. *<reparte-se entre filologia, política e futebol>* ~ **repartimento** *s.m.*

repassar (re.pas.sar) *v.* {mod. 1} *t.d.,t.i. e int.* **1** (prep. *por*) passar outra vez; voltar *<passamos e repassamos a ferrovia> <já haviam repassado por aquela estrada várias vezes> <os velhinhos ali passam e repassam>* □ *t.d.* **2** ler, estudar ou analisar de novo; revisar *<r. as falas, a matéria>* □ *t.d. e t.d.i.* **3** (prep. *a*) passar (a alguém) [verba, crédito etc.]; transferir *<r. a verba (às secretarias)>* □ *t.d. e pron.* **4** (prep. *de*) ensopar (-se), impregnar(-se) por completo *<a água repassou meus sapatos> <as flores repassaram-se de orvalho>* ~ **repasse** *s.m.* - **repasso** *s.m.*

repasto (re.pas.to) *s.m.* **1** pastagem abundante **2** refeição, esp. farta e festiva

repatriar (re.pa.tri.ar) *v.* {mod. 1} *t.d. e pron.* (fazer) voltar à pátria (p.ex., exilados, fugitivos) *<repatriaram os exilados políticos> <repatriou-se depois de enriquecer>* ~ **repatriação** *s.f.* - **repatriamento** *s.m.*

repelão (re.pe.lão) [pl.: *-ões*] *s.m.* **1** empurrão violento **2** choque violento; encontrão

repelente (re.pe.len.te) *s.m.* **1** substância ou produto para espantar insetos ■ *adj.2g.* **2** que repugna; asqueroso, nojento ↺ atraente ~ **repelência** *s.f.*

repelir (re.pe.lir) *v.* {mod. 28} *t.d.* **1** pôr para longe ou para fora; expulsar, afastar *<r. o ladrão>* **2** mostrar-se contrário a; rejeitar, recusar *<r. uma ideia>* ↺ aceitar □ *t.d. e pron.* **3** ser incompatível (com) *<a gordura repele a água> <amigos antigos que agora se repelem>* ◉ GRAM/USO part.: *repelido, repulso*; ver QUADRO DE PARTICÍPIOS DUPLOS nas pp. iniciais

repensar (re.pen.sar) *v.* {mod. 1} *t.d.,t.i. e int.* (prep. *em, sobre*) pensar de novo ou repetidas vezes (em); reconsiderar *<repensou (n)o caso> <só decidiu depois de r. bastante>*

repente (re.pen.te) *s.m.* **1** ato ou dito sem reflexão; ímpeto **2** verso ou canto improvisado em desafio *<faz belos r.>* ▣ **de r.** num instante, subitamente *<chegou de r.>*

repentino (re.pen.ti.no) *adj.* que ocorre de súbito; imprevisto *<surpreendeu com a decisão r.>*

repentista (re.pen.tis.ta) *s.2g.* cantador que improvisa versos *<os r. do Nordeste>*

repercussão (re.per.cus.são) [pl.: *-ões*] *s.f.* **1** reverberação, reflexão de som ou de luz **2** *fig.* efeito amplo, indireto e imprevisto de algo *<o livro teve grande r.>* ~ **repercussivo** *adj.*

repercutir (re.per.cu.tir) *v.* {mod. 24} *t.d.,t.i. e int.* **1** (prep. *em*) refletir (raios de luz, som) *<o salão vazio repercute o som dos atabaques> <a lua repercutia na lagoa> <a música está repercutindo muito>*

□ *t.i.,int. e pron.* **2** (prep. *em*) espalhar-se (fato, notícia etc.), exercendo ação ou influência generalizada *<os últimos acontecimentos repercutiram(-se) em todo o país> <as novas decisões repercutiram muito>* ~ **repercutente** *adj.2g.*

repertório (re.per.tó.rio) *s.m.* **1** lista de assuntos em ordem alfabética, de lógica, de tempo etc., para facilitar o uso **2** coleção, conjunto da mesma natureza *<um r. de boas anedotas>* **3** o conjunto de obras, músicas, peças teatrais etc., mostrado por um autor, cantor, ator, companhia etc.

repetente (re.pe.ten.te) *adj.2g.* **1** que repete; repetidor ■ *adj.2g.s.2g.* **2** (aluno) que repete o ano ou semestre letivo ~ **repetência** *s.f.*

repetição (re.pe.ti.ção) [pl.: *-ções*] *s.f.* ato ou efeito de repetir(-se); reiteração

repetidor (re.pe.ti.dor) /ô/ [pl.: *-es*] *adj.s.m.* **1** (o) que repete ■ *s.m.* TEL **2** amplificador us. nas linhas telefônicas de longa distância

repetidora (re.pe.ti.do.ra) /ô/ *s.f.* RÁD TV estação de rádio ou televisão que repete a programação de outra

repetir (re.pe.tir) *v.* {mod. 28} *t.d. e t.d.i.* **1** (prep. *a*) dizer de novo ou muitas vezes; reafirmar, recontar *<repetiu a piada (aos amigos)>* □ *t.d.* **2** tornar a fazer, a usar, a executar *<r. uma música> <repetiu-se a apresentação do programa>* **3** cursar (série, disciplina) pela segunda vez *<a aluna repetiu o quarto ano>* **4** reproduzir (imagens, sons) *<o espelho repete as imagens>* □ *pron.* **5** acontecer de novo *<esse fenômeno se repete todos os anos>* **6** expressar de novo ou muitas vezes as próprias ideias, palavras *<ele se repete muito>* ~ **repetido** *adj.*

repetitivo (re.pe.ti.ti.vo) *adj.* **1** que repete **2** em que há muitas repetições *<melodia r.>*

repicar (re.pi.car) *v.* {mod. 1} *t.d.* **1** picar mais uma vez; reduzir a pedaços *<r. uma carta>* □ *t.d. e int.* **2** (fazer) emitir sons agudos e repetidos *<o padre mandou r. o sino> <os sinos repicam festivamente>* □ *int.* **3** fazer toque festivo de sinos *<a banda repicou no início da apresentação>* ~ **repicado** *adj.* - **repicagem** *s.f.*

repique (re.pi.que) *s.m.* **1** toque festivo de sinos **2** som agudo e repetido, esp. o produzido por instrumento de percussão *<r. de tambores>* **3** sinal que adverte sobre algo; alarme *<r. falso>* **4** MÚS instrumento de percussão pequeno, com som agudo, tocado com uma baqueta em uma das mãos enquanto a outra toca diretamente sobre a pele do instrumento

repiquete (re.pi.que.te) /ê/ *s.m.* **1** mudança súbita da direção do vento **2** repique de sinos com intervalos rápidos entre as badaladas

repisar (re.pi.sar) *v.* {mod. 1} *t.d.* **1** pisar de novo *<r. as uvas>* □ *t.d. e t.i.* **2** (prep. *em*) dizer ou fazer seguidas vezes, com insistência; repetir, teimar *<r. um pedido> <r. nas advertências>* ~ **repisamento** *s.m.*

replay (re.play) [ing.; pl.: *replays*] *s.m.* nova transmissão da gravação de trecho de programa, esp. esportivo ⇒ pronuncia-se riplêi

repleno (re.ple.no) *adj.* muito cheio; repleto ↺ vazio

repleto (re.ple.to) *adj.* **1** que está cheio; abarrotado ↺ vazio **2** que está farto; saciado

réplica (ré.pli.ca) *s.f.* **1** resposta a um dito ou escrito; contestação, refutação *<aceitou o castigo sem r.>* ↺ concordância **2** cópia de pintura, escultura etc.; imitação ↺ original **3** DIR discurso do acusador em resposta ao advogado de defesa

replicar (re.pli.car) *v.* {mod. 1} *t.d.,t.i. e int.* (prep. *a*) combater argumentando; refutar *<r. as injúrias> <r. ao acusador> <não quis r.>*

repolho (re.po.lho) /ô/ *s.m.* BOT tipo de couve de folhas sobrepostas, esverdeadas, esbranquiçadas ou roxas, us. na alimentação humana ou animal ◉ COL repolhal

repolhudo (re.po.lhu.do) *adj.* **1** com forma de repolho *<flor r.>* **2** *fig.* gordo, gorducho *<bebê r.>* ↺ magrelo

repor (re.por) *v.* {mod. 23} *t.d. e t.d.i.* **1** (prep. *em*) pôr de novo; recolocar *<r. o que havia sido tirado> <r. um objeto em seu lugar>* **2** pôr (algo) para ocupar lugar deixado por algo retirado *<r. (no machucado) o esparadrapo usado>* □ *pron.* **3** recuperar estado anterior; reconstituir-se *<a ditadura jamais se reporá aqui>* ◉ GRAM/USO part.: *reposto*

reportagem (re.por.ta.gem) [pl.: *-ens*] *s.f.* **1** ato de reportar notícias **2** atividade jornalística de transformar observações ou informações sobre fatos da vida em noticiário **3** o resultado escrito, filmado, televisionado desse trabalho *<sua r. foi premiada>*

reportar (re.por.tar) *v.* {mod. 1} *t.d.i.* **1** (prep. *a*) fazer voltar para trás, esp. na mente; retroceder *<o poema reportou minhas emoções ao passado>* **2** (prep. *a*) dar como causa; atribuir *<reportava seus acertos à influência do pai>* **3** contar, relatar *<r. a ocorrência aos superiores>* □ *pron.* **4** (prep. *a*) fazer menção a; aludir, referir-se *<r.-se a um assunto>*

repórter (re.pór.ter) *s.2g.* jornalista que recolhe informações, observações, notícias, para transformá-las em noticiário

reposição (re.po.si.ção) [pl.: *-ões*] *s.f.* **1** restituição a uma posição ou a um estado anterior ou antigo **2** devolução de valor, cargo, função, objeto etc.; restituição *<r. de livros>* **3** substituição de algo usado ou defeituoso por outro em perfeitas condições *<r. de peças, de aparelho>*

repositório (re.po.si.tó.rio) *s.m.* **1** lugar onde se guarda, arquiva, coleciona algo **2** *p.ext.* acumulação de objetos, informações etc.; coleção

reposteiro (re.pos.tei.ro) *s.m.* cortina pesada que cobre portas internas de palácios, casas, igrejas etc.

repousante (re.pou.san.te) *adj.2g.* que faz repousar; agradável *<passeio r.>* ↺ estressante

repousar (re.pou.sar) *v.* {mod. 1} *t.d. e int.* **1** (fazer) ficar em repouso, sem atividade *<r. o braço na mesa> <o médico mandou r.>* **2** diminuir a fadiga (de); descansar *<férias para r. a mente> <deitou para r.>* □ *t.i. fig.* **3** (prep. *em, sobre*) ter fundamento em; basear-se *<sua felicidade repousa no seu modo de ver a vida>* □ *int.* **4** estar colocado ou estabelecido em; assentar-se *<a aldeia repousa num vale>*

repouso (re.pou.so) *s.m.* **1** ausência de trabalho; descanso, folga *<hora de r.>* ↺ trabalho **2** ausência de movimento *<corpo em r.>* ↺ mobilidade **3** *fig.* tranquilidade de espírito *<o r. do bebê>* ↺ agitação

repovoar (re.po.vo.ar) *v.* {mod. 1} *t.d. e pron.* povoar (-se) de novo (região desabitada, devastada)

repreender (re.pre.en.der) *v.* {mod. 8} *t.d. e t.d.i.* (prep. *a, de, por*) criticar severamente, apontando erro, falha etc.; admoestar *<a mãe repreendeu-o>* *<r. uma falta a alguém>* ◉ GRAM/USO part.: *repreendido, represo*; ver QUADRO DE PARTICÍPIOS DUPLOS nas pp. iniciais ~ **repreensor** *adj.s.m.*

repreensão (re.pre.en.são) [pl.: *-ões*] *s.f.* crítica severa; reprimenda ↺ elogio, louvor ~ **repreensivo** *adj.*

represa (re.pre.sa) /ê/ *s.f.* **1** estrutura construída num vale e que o fecha transversalmente, proporcionando um represamento de água; barreira **2** barreira para represar água corrente; dique

represália (re.pre.sá.lia) *s.f.* desforra, vingança *<em r., quebrou a boneca da irmã>*

represar (re.pre.sar) *v.* {mod. 1} *t.d.* **1** deter curso de (água) *<r. um rio>* **2** *fig.* impedir ou controlar a progressão, manifestação etc. de; conter, refrear *<r. uma paixão>* ~ **represador** *adj.s.m.* - **represamento** *s.m.*

representação (re.pre.sen.ta.ção) [pl.: *-ões*] *s.f.* **1** exposição escrita ou oral de motivos, razões, queixas etc. **2** ideia ou imagem que se concebe do mundo ou de algo *<r. social>* **3** dom, talento *<não tinha r. para o cargo que exercia>* **4** conjunto de serviços encarregados de representar Estado, país estrangeiro etc. *<r. diplomática>* **5** trabalho desempenhado em nome de uma empresa **6** importância social *<pessoa de r.>* ↺ desprestígio **7** espetáculo teatral; encenação, montagem **8** ato de representar papéis em espetáculos teatrais, cinematográficos etc.; atuação *<a atriz teve uma r. perfeita>* **9** reprodução em imagem, figura ou símbolo *<a escrita é uma forma de r. da linguagem>* **10** contrato remunerado entre empresas em que uma negocia em nome de outra **11** conjunto de representantes; delegação, comissão *<a r. do Brasil na Copa>*

representante (re.pre.sen.tan.te) *adj.2g.s.2g.* **1** (pessoa ou coisa) que representa uma classe, uma categoria **2** que(m) recebeu poder para agir em nome de outro, de uma empresa etc. ■ *s.2g.* DIR **3** aquele que legalmente age em nome de outra pessoa; mandatário ◉ COL representação

representar (re.pre.sen.tar) *v.* {mod. 1} *t.d. e pron.* **1** ser a imagem ou reprodução de *<este quadro representa a pureza>* *<a dignidade do homem representa-se na aquisição das virtudes>* □ *t.d.* **2** tornar presente; denotar, significar *<essa vitória representa sua força>* **3** desempenhar (papel) como ator; interpretar **4** ser ministro ou embaixador de (país, instituição etc.) *<r. o Brasil na ONU>* **5** estar ou ir em nome de; substituir *<ele representou a família>* **6** ser mandatário ou procurador de *<o advogado vai r. a firma>* **7** aparentar, figurar *<r. um intelectual>* ~ **representatividade** *s.f.* - **representativo** *adj.*

represo (re.pre.so) /ê/ *adj. frm.* que foi repreendido ◉ GRAM/USO part. de *repreender*

repressão (re.pres.são) [pl.: *-ões*] *s.f.* **1** ação de reprimir; castigo, punição *<r. muito severa não educa>* **2** aquilo que reprime *<calou-se quando a r. chegou>* ↺ recompensa **3** rejeição de motivações, desejos etc. **4** suspensão violenta de ação ou movimento *<r. de uma revolta coletiva>*

repressivo (re.pres.si.vo) *adj.* que reprime ou tem a finalidade de reprimir *<medidas r.>* *<leis r.>*

repressor (re.pres.sor) /ô/ [pl.: *-es*] *adj.s.m.* (o) que reprime

reprimenda (re.pri.men.da) *s.f.* censura severa; repreensão ↺ elogio

reprimir (re.pri.mir) *v.* {mod. 24} *t.d.* **1** impedir ou controlar o movimento, desenvolvimento, manifestação de; conter *<r. um sentimento>* **2** punir, castigar *<r. os infratores>* □ *pron.* **3** controlar-se, conter-se

reprisar (re.pri.sar) *v.* {mod. 1} *t.d.* exibir, apresentar de novo (programa, filme, imagem etc.) *<a TV vai r. a decisão do campeonato>*

reprise (re.pri.se) *s.f.* nova apresentação de filme, espetáculo etc.

réprobo (ré.pro.bo) *adj.s.m.* **1** (aquele) que foi banido da sociedade; infame **2** malvado, perverso ↺ bondoso

reprochar (re.pro.char) *v.* {mod. 1} *t.d. e t.d.i.* (prep. *a*) criticar com severidade; repreender *<r. a falta de gratidão>* *<r. a negligência aos funcionários>* ~ **reproche** *s.m.*

reprodução (re.pro.du.ção) [pl.: *-ões*] *s.f.* **1** ato ou efeito de reproduzir(-se) **2** imitação, cópia *<r. de filmes, quadros etc.>* **3** estampa exata feita a partir de um original **4** BIO função pela qual os seres vivos geram outros seres semelhantes a eles ~ **reprodutivo** *adj.*

reprodutor (re.pro.du.tor) /ô/ [pl.: *-es*] *adj.s.m.* **1** (aquele) que reproduz ■ *s.m.* **2** animal reservado à reprodução ou capaz de reproduzir

reproduzir (re.pro.du.zir) *v.* {mod. 24} *t.d.* **1** produzir de novo; refazer *<r. um texto>* **2** fazer igual ao original; imitar, copiar *<r. um retrato>* **3** relatar ou descrever em detalhes, com exatidão *<r. um acontecimento>* **4** converter (registro de áudio, vídeo etc.) em sons, imagens etc. *<r. um CD>* □ *t.d. e pron.* **5** perpetuar (-se) pela geração; procriar, multiplicar(-se) *<os seres vivos reproduzem a espécie>* *<coelhos se reproduzem rápido>* □ *pron.* **6** acontecer de novo ou muitas vezes; repetir-se *<reproduziram-se os desatinos>*

reprovação (re.pro.va.ção) [pl.: *-ões*] *s.f.* **1** ato ou efeito de reprovar; rejeição, recusa *<r. de um projeto>* **2** desaprovação, censura **3** sentimento de desprezo; desdém **4** fato de não ser aprovado em um exame

reprovar (re.pro.var) *v.* {mod. 1} *t.d.* **1** ser contrário a; rejeitar, recusar *<r. um projeto de lei>* ↺ aprovar **2** julgar inapto (pessoa submetida à avaliação) *<r. um candidato a fiscal>* **3** censurar com severidade; desaprovar *<r. maus hábitos>* ↺ aprovar, defender ~ **reprovado** *adj.* - **reprovador** *adj.s.m.*

reprovativo (re.pro.va.ti.vo) *adj.* que exprime reprovação; reprovador *<olhar r.>*

reprovável (re.pro.vá.vel) [pl.: *-eis*] *adj.2g.* que merece reprovação *<um comportamento r.>*

reptador (rep.ta.dor) /ô/ [pl.: *-es*] *adj.s.m.* que(m) desafia, provoca; desafiador

[1]**reptante** (rep.tan.te) *adj.2g.s.m.* (o) que anda rastejando ◉ ORIGEM do lat. *reptans,antis* 'id.'

[2]**reptante** (rep.tan.te) *adj.2g.s.2g.* reptador ◉ ORIGEM do lat. *reputans,antis* 'id.'

reptar (rep.tar) *v.* {mod. 1} *t.d.* **1** desafiar, provocar **2** ser contrário a; opor-se ↺ defender ~ **reptação** *s.f.*

réptil (rép.til) [pl.: *-eis*] ou **reptil** (rep.til) [pl.: *-is*] *s.m.* **1** ZOO espécime dos répteis, grande classe de animais vertebrados, como tartarugas, serpentes, lagartos e crocodilos, cujo corpo é coberto por escamas ou placas ■ *adj.2g.* **2** ZOO relativo a essa classe de animais **3** que se arrasta

repto (rep.to) *s.m.* **1** ação de desafiar; desafio **2** ação ou efeito de opor-se; oposição

república (re.pú.bli.ca) *s.f.* **1** forma de governo em que o poder é exercido por indivíduos eleitos pelo povo por tempo determinado **2** *p.ext.* país assim governado **3** *B* moradia coletiva de estudantes **4** *p.ext.* *B* o grupo de estudantes que aí vive ~ **republicano** *adj.s.m.*

republicano (re.pu.bli.ca.no) *adj.* **1** que pertence à república ou lhe diz respeito ■ *adj.s.m.* **2** diz-se de ou partidário da república **3** diz-se de ou membro ou eleitor de um partido republicano

repudiar (re.pu.di.ar) *v.* {mod. 1} *t.d.* **1** estar contrário a, insatisfeito com; repelir, rejeitar *<r. uma decisão ditatorial>* **2** deixar só, abandonado; desamparar *<r. a família>* ↺ amparar **3** separar-se de (cônjuge) de acordo com a lei *<r. a a esposa>* ~ **repudiante** *adj.2g.s.2g.*

repúdio (re.pú.dio) *s.m.* **1** ato ou efeito de repudiar **2** rejeição, desaprovação *<a proposta suscitou r. em todos>*

repugnância (re.pug.nân.cia) *s.f.* **1** sentimento de aversão; asco *<r. a um alimento>* ↺ desejo **2** sentimento de incompatibilidade; antipatia *<sentir r. por alguém>* ↺ simpatia **3** forte relutância em proceder de certa maneira *<sentir r. de mentir>*

repugnante (re.pug.nan.te) *adj.2g.* **1** que provoca enjoo, asco; nojento *<comida r.>* ↺ atraente **2** *fig.* que provoca indignação moral, por ferir os bons costumes, o bom senso etc.; repulsivo *<ato r.>* ↺ contagiante

repugnar (re.pug.nar) *v.* {mod. 1} *t.d.* **1** não aceitar (o que é oferecido); recusar *<r. o alimento>* **2** mostrar oposição a; resistir *<r. mudanças políticas>* ↺ acatar, aceitar □ *t.i. e int.* **3** (prep. *a*) causar aversão, nojo em; enojar *<atitudes que repugnam aos que têm fé>* *<suas atitudes repugnam>* ↺ agradar

repulsa (re.pul.sa) *s.f.* **1** sentimento de aversão *<r. por certo alimento>* ↺ atração **2** oposição, objeção *<r. por certos hábitos>* ↺ aceitação

repulsão (re.pul.são) [pl.: *-ões*] *s.f.* **1** repulsa **2** FÍS força em virtude da qual certos corpos ou partículas se repelem mutuamente

repulsivo (re.pul.si.vo) *adj.* que causa repulsa; repelente, repugnante

repulso (re.pul.so) *adj.* *frm.* que foi repelido ◉ GRAM/USO part. de *repelir*

reputação (re.pu.ta.ção) [pl.: *-ões*] *s.f.* **1** conceito de que alguém ou algo goza *<sua r. era a melhor possível>* **2** renome, reconhecimento, fama *<médico de grande r.>* ↺ obscuridade ~ **reputar** *v.t.d.,t.d.pred.,t.d.i. e pron.*

repuxar (re.pu.xar) *v.* {mod. 1} *t.d.* **1** puxar de novo com força *<r. uma corda>* **2** puxar para trás *<fazer um coque repuxando os cabelos>* **3** distender, esticar *<r. os lábios>* ~ **repuxão** *s.m.*

repuxo (re.pu.xo) *s.m.* **1** ação ou efeito de repuxar **2** conduto construído de modo a fazer a água jorrar em jato contínuo elevando-se alto **3** *p.ext.* água que sai em jato contínuo **4** movimento de recuo; coice *<r. de um revólver>* **5** ferro para embutir tarraxas na madeira

requebrar (re.que.brar) *v.* {mod. 1} *t.d. e pron.* **1** mover(-se) balançando (os quadris, o corpo) ao andar, dançar; rebolar(-se) *<r. as cadeiras>* *<a cabrocha requebrou-se toda>* □ *t.d.* **2** dar flexão terna ou melodiosa a *<r. a voz>*

requebro (re.que.bro) *s.m.* **1** movimento sensual do corpo; meneio **2** expressão amorosa dos olhos, da voz, do corpo **3** som produzido por algumas aves

requeijão (re.quei.jão) [pl.: *-ões*] *s.m.* queijo fresco de consistência pastosa

requentar (re.quen.tar) *v.* {mod. 1} *t.d.* **1** aquecer de novo; reaquecer *<r. o café>* **2** submeter por muito tempo ao calor *<r. o caldo para encorpá-lo>*

requerer (re.que.rer) *v.* {mod. 18} *t.d. e t.d.i.* **1** (prep. *a*) solicitar formalmente *<r. aposentadoria (ao governo)>* □ *t.d.* **2** pedir em juízo *<r. a aplicação de uma pena>* **3** exigir, por ser necessário ou adequado; demandar *<trabalho requer dedicação>* ↺ dispensar **4** ser digno de; merecer *<atos que requerem homenagens>* □ *t.d.i. e int.* **5** (prep. *a*) dirigir petições (a); pedir, solicitar *<os doentes requereram melhor atendimento ao diretor do hospital>* *<vocês têm um mês para r.>* ◉ GRAM/USO a 1ª p.sing. do pres.ind. do verbo *requerer* é *requeiro*, diferentemente do que ocorre com *querer* ~ **requerente** *adj.2g.s.2g.*

requerimento (re.que.ri.men.to) *s.m.* **1** ato de pedir através de petição por escrito **2** *p.ext.* qualquer petição verbal ou por escrito

requesta (re.ques.ta) *s.f.* **1** ato de solicitar com insistência *<r. de socorro>* **2** briga, rixa ↺ concórdia

requestar (re.ques.tar) *v.* {mod. 1} *t.d.* **1** fazer solicitação ou pedido de *<r. auxílio>* **2** esforçar-se para possuir; buscar *<r. votos>* **3** buscar o amor de; cortejar ~ **requestador** *adj.s.m.*

réquiem (ré.qui.em) [pl.: *réquiens*] *s.m.* **1** REL ofício em favor de um morto ou dos mortos *<missa de r.>* **2** MÚS música composta para esse ofício

requintar (re.quin.tar) *v.* {mod. 1} *t.d.,int. e pron.* elevar(-se) ao grau máximo de perfeição, beleza, elegância etc.; aprimorar(-se) *<r. a linguagem>* *<falar requintando>* *<os velhos hábitos agora se requintam>* ~ **requintado** *adj.s.m.*

requinte (re.quin.te) *s.m.* **1** ação ou efeito de requintar(-se); perfeição, primor **2** apuro extremo *<vestir-se com r.>* **3** excesso friamente calculado *<r. de perversidade>*

requisição (re.qui.si.ção) [pl.: *-ões*] *s.f.* pedido, exigência legal *<r. de reforço de tropas>*

requisitar (re.qui.si.tar) *v.* {mod. 1} *t.d. e t.d.i.* **1** (prep. *a*) solicitar formalmente; requerer *<r. veículos>* *<r. ao comandante o número de soldados necessários>* □ *t.d.* **2** convocar, chamar *<requisitou o funcionário para trabalhar no feriado>* ~ **requisitante** *adj.2g.s.2g.* - **requisitório** *adj.*

requisito (re.qui.si.to) *s.m.* condição necessária para alcançar certo fim; quesito

res- *pref.* mesmo que re- *<resguardar>*

rés *adj.2g.* **1** rente, raso ■ *adv.* **2** pela raiz; rente *<cortar r.>* ▣ **ao r. de** ao nível de; rente com *<voou ao r. da montanha>* ☞ cf. *rês*

rês *s.f.* qualquer animal quadrúpede us. na alimentação humana ☞ cf. *rés*

rescaldar (res.cal.dar) *v.* {mod. 1} *t.d.* **1** escaldar de novo *<r. a louça>* **2** esquentar em excesso *<o sol rescaldou sua pele>*

rescaldo (res.cal.do) *s.m.* **1** calor que sai de fornalha, incêndio etc. **2** ato de jogar água nas cinzas de um incêndio

rescindir (res.cin.dir) *v.* {mod. 24} *t.d.* anular, invalidar (contrato) ~ **rescindível** *adj.2g.*

rescisão (res.ci.são) [pl.: *-ões*] *s.f.* anulação de um contrato ~ **rescisório** *adj.*

resenha (re.se.nha) *s.f.* **1** lista ou descrição minuciosa *<r. dos principais fatos do dia>* **2** resumo crítico do conteúdo de livros, notícias etc. ~ **resenhar** *v.t.d.*

reserva (re.ser.va) *s.f.* **1** qualquer coisa que se mantém guardada, para ser us. em situações imprevistas *<chave de r.>* **2** cidadão que se mantém à disposição das Forças Armadas para casos de necessidade **3** aposentadoria de militar **4** parcela do lucro de grupo ou sociedade que não é distribuída, a fim de reforçar sua situação financeira **5** encomenda antecipada de estada em hotéis, de passagens etc. **6** território reservado por lei aos indígenas **7** *fig.* discrição, prudência no dizer ou no fazer algo; recato *<disse-lhe tudo, sem reservas>* **8** *fig.* restrição, ressalva *<aceitou a proposta com r.>* **9** quantidade de minério, carvão ou petróleo etc. disponível em jazida, região, país **10** nos museus e nas bibliotecas, parte das coleções não aberta ao público **11** espaço protegido pelo Estado, reservado para o povoamento de espécies biológicas **12** denominação de vinho de qualidade superior ■ *s.2g.* **13** suplente de atleta titular ▼ ***reservas*** *s.f.pl.* **14** energias acumuladas **15** ECON conjunto de valores que representam a economia de um país *<r. monetárias>*

reservado (re.ser.va.do) *adj.* **1** que se guardou, separou *<economias r. para a velhice>* **2** discreto, calado, circunspecto *<rapaz r.>* ↺ comunicativo **3** que não se expõe ou exibe; oculto, íntimo *<lugar r.>* ↺ público **4** que se reserva; marcado *<mesa r.>* ■ *s.m.* **5** *B* latrina, privada **6** local privado em certos restaurantes, bares etc.

reservar (re.ser.var) *v.* {mod. 1} *t.d.* **1** pôr à parte, guardando; poupar *<r. uma soma de dinheiro>* **2** guardar para si; ocultar *<r. as razões de uma renúncia>* □ *t.d.i.* **3** (prep. *de*) manter livre de; preservar *<seus cuidados reservaram-no de aborrecimentos>* **4** (prep. *a, para*) garantir que esteja disponível para; destinar, separar *<r. uma extensão de terra para os índios>*

reservatório (re.ser.va.tó.rio) *adj.s.m.* **1** (lugar) próprio para armazenar, guardar, conservar ■ *s.m.* **2** depósito, esp. de água

reservista (re.ser.vis.ta) *s.2g.* militar da reserva

resfolegar (res.fo.le.gar) ou **resfolgar** (res.fol.gar) *v.* {mod. 1} *int.* **1** respirar com dificuldade e/ou ruído **2** *p.ext.* recuperar-se de fadiga; descansar □ *t.d.* **3** expelir em jato; golfar *<o touro resfolegava um bafo quente>* ~ **resfolegante** *adj.2g.*

resfriado (res.fri.a.do) *adj.* **1** que se resfriou *<mãos r.>* ↺ aquecido ■ *s.m.* **2** estado gripal caracterizado por coriza e tosse, mas sem febre

resfriar (res.fri.ar) *v.* {mod. 1} *t.d.* **1** tornar a esfriar *<r. a terra>* □ *t.d. e pron.* **2** deixar ou ficar com baixa temperatura; esfriar(-se) *<r. o vinho branco>* *<o leite resfriou-se>* □ *int. e pron.* **3** apanhar um resfriado *<tomou chuva e resfriou(-se)>* □ *t.d.,int. e pron. fig.* **4** diminuir o ardor, a atividade (de); o calor; desanimar(-se) *<r. o entusiasmo>* *<a animação resfriou>* *<resfriou-se por causa das injustiças que sofreu>* ~ **resfriamento** *s.m.*

resgatar (res.ga.tar) *v.* {mod. 1} *t.d. e t.d.i.* **1** (prep. *de*) libertar de sequestro, cativeiro, prisão em troca de dinheiro ou do cumprimento de exigências *<r. reféns (do cativeiro)>* **2** (prep. *de*) pôr a salvo (de perigo, dano, ruína); salvar *<os bombeiros resgataram os sobreviventes (dos escombros)>* □ *t.d.* **3** efetuar o pagamento de (dívida ou compromisso); quitar **4** recuperar (objeto ger. de valor) mediante pagamento *<r. as joias penhoradas>* **5** voltar a ter; recuperar, recobrar *<r. o bom humor de antigamente>*

resgate (res.ga.te) *s.m.* **1** ato de libertar mediante o pagamento de certa quantia **2** a quantia paga por essa libertação **3** extinção de um débito em consequência de pagamento *<r. de uma dívida>* **4** *fig.* recuperação, retomada *<r. da dignidade>* **5** recolhimento de náufragos, acidentados, cadáveres etc.

resguardar (res.guar.dar) *v.* {mod. 1} *t.d. e t.d.i.* **1** (prep. *de*) guardar com cuidado; defender *<r. a esperança>* *<r. os olhos de coisas profanas>* □ *t.d.,t.d.i. e pron.* **2** (prep. *de*) pôr(-se) a salvo de; proteger(-se) *<r. o barco (do mar revolto)>* *<r.-se dos inimigos>* □ *t.d.* **3** mostrar obediência a; cumprir *<r. os regulamentos>* ↺ desrespeitar

resguardo (res.guar.do) *s.m.* **1** cautela, precaução *<agir com r.>* ↺ descuido **2** agasalho, defesa *<r. contra o frio>* ↺ desproteção **3** *B* período de repouso após o parto **4** segredo, mistério *<história coberta de r.>*

residência (re.si.dên.cia) *s.f.* **1** morada habitual em certo lugar; domicílio *<fixar r.>* **2** local onde se reside; domicílio, lar **3** moradia obrigatória no local de trabalho *<a r. de um presidente>* **4** fase do treinamento final de um médico em sua especialidade ~ **residencial** *adj.2g.* - **residente** *adj.2g.s.2g.*

residente (re.si.den.te) *adj.2g.s.2g.* **1** que(m) mora (em determinado local) *<os (alunos) r. do alojamento 4>* **2** que(m) reside no próprio local de trabalho ◉ GRAM/USO na acp. 2, pode ligar-se ou não ao subst. anterior por hífen: *professor residente* ou *professor-residente* etc.

residir (re.si.dir) *v.* {mod. 24} *t.i.* **1** (prep. *em*) ter residência em; morar *<r. em Belo Horizonte>* **2** (prep. *em*) ter seu fundamento; consistir *<o poder reside no povo>* **3** (prep. *em*) manifestar-se, mostrar-se *<a verdade não reside só na aparência>*

residual (re.si.du.al) [pl.: *-ais*] *adj.2g.* que forma resíduo; que resta *<energia r.>*

resíduo (re.sí.duo) *adj.s.m.* **1** (o) que resta ■ *s.m.* **2** qualquer substância que sobra de uma operação industrial

resignação (re.sig.na.ção) [pl.: *-ões*] *s.f.* **1** submissão à vontade de alguém ou ao destino **2** aceitação serena dos sofrimentos da existência **3** demissão voluntária de um cargo

R

resignar (re.sig.nar) *v.* {mod. 1} *pron.* **1** (prep. *a, em*) submeter-se sem revolta; conformar-se *<r.-se a uma perda>* ↺ revoltar-se □ *t.d.* **2** renunciar voluntariamente a (cargo, função)

resiliência (re.si.li.ên.cia) *s.f.* **1** FÍS propriedade que alguns corpos têm de retornar à forma original após terem sido submetidos a uma deformação **2** *fig.* capacidade de se recobrar ou de se adaptar à má sorte, às mudanças ~ **resiliente** *adj.2g.*

resina (re.si.na) *s.f.* substância viscosa, insolúvel na água, solúvel em álcool, combustível, produzida por certos vegetais ou sinteticamente ~ **resinagem** *s.f.*

resinoso (re.si.no.so) /ô/ [pl. e fem.: /ó/] *adj.* **1** que tem ou produz resina *<vegetal r.>* **2** de cor amarelo-pardacenta clara **3** que cheira à resina *<aroma r.>*

resistência (re.sis.tên.cia) *s.f.* **1** o que se opõe ao movimento de um corpo *<a r. do ar durante o voo do pássaro>* **2** capacidade de suportar a fadiga, a fome, o esforço *<a r. de um atleta>* ↺ debilidade **3** defesa contra um ataque *<vacina que dá r. contra doenças>* **4** *fig.* recusa de submissão à vontade de outro; oposição, reação *<a r. da filha ao controle do pai>* ↺ aceitação **5** *fig.* reação a uma força opressora *<r. à ditadura>* ↺ defesa **6** *fig.* qualidade de quem demonstra firmeza *<apesar da pouca idade, mostrou r. nos argumentos>* **7** *fig.* vigor moral; determinação *<teve r. para ir até o fim>* ↺ desânimo **8** ELETR dificuldade que um circuito ou um material opõe à passagem de uma corrente elétrica **9** ELETR grandeza pela qual se mede essa propriedade, cuja unidade no SI é o ohm **10** ELETR resistor

resistente (re.sis.ten.te) *adj.2g.* **1** que resiste, que opõe resistência **2** que possui solidez, firmeza *<laje r.>* **3** que resiste ao desgaste provocado pela passagem do tempo *<tecido r.>*

resistir (re.sis.tir) *v.* {mod. 24} *t.i. e int.* **1** (prep. *a*) conservar-se firme, lutar contra *<r. à tentação> <a tropa era pequena, mas resistiu>* ↺ ceder **2** (prep. *a*) não ser alterado ou danificado pela ação de; conservar-se *<r. ao tempo> <apesar da idade avançada, seu corpo ainda resiste>* ↺ mudar, destruir(-se)

resistor (re.sis.tor) /ô/ [pl.: *-es*] *s.m.* ELETR componente de um circuito elétrico que impede ou dificulta a passagem de corrente; resistência

resma (res.ma) /ê/ *s.f.* conjunto de 500 folhas de papel

resmungão (res.mun.gão) [pl.: *-ões*] *adj.s.m.* (aquele) que resmunga ou vive resmungando

resmungar (res.mun.gar) *v.* {mod. 1} *t.d. e int.* pronunciar em voz baixa, de forma confusa, ger. com mau humor *<r. ordens> <o velho saiu resmungando>* ~ **resmungo** *s.m.*

resolução (re.so.lu.ção) [pl.: *-ões*] *s.f.* **1** decisão de um caso duvidoso, uma questão **2** capacidade de decidir com energia, firmeza; desenvoltura *<mulher de r.>* ↺ vacilação **3** texto com solução proposta a um problema, saído de uma assembleia, um congresso **4** *p.ext.* transformação, conversão, mudança **5** CINE FOT TV precisão e clareza de imagem registrada por câmara de fotografia, cinema ou TV

resoluto (re.so.lu.to) *adj.* **1** que é firme em seus projetos, decisões etc.; determinado, decidido *<o bom diretor deve ser r.>* ↺ hesitante **2** que foi desfeito; dissipado *<capital r.>* ↺ reunido

resolver (re.sol.ver) *v.* {mod. 8} *t.d.,t.i. e pron.* **1** (prep. *a, de, entre, por*) tomar determinação (sobre); decidir(-se) *<resolveu estudar medicina> <o diretor resolveu de fazer uma reunião geral> <resolveu-se a enfrentar o perigo>* □ *t.d.* **2** descobrir, dar ou ser a solução para; solucionar *<r. um mistério, um problema>* □ *int.* **3** trazer solução, vantagem, benefício *<gritar não resolve>* □ *t.d.,t.d.i. e pron.* **4** decompor(-se) nos elementos constituintes *<r.(-se) a água (em oxigênio e hidrogênio)>* ◉ GRAM/USO part.: *resolvido, resoluto*; ver QUADRO DE PARTICÍPIOS DUPLOS nas pp. iniciais

respaldar (res.pal.dar) *v.* {mod. 1} *t.d. e pron.* dar ou ter suporte, amparo, cobertura; apoiar(-se) *<r. os atos dos filhos> <r.-se na lei para agir>*

respaldo (res.pal.do) *s.m.* **1** encosto de um assento **2** *fig.* apoio, ger. de caráter moral ou político ↺ desamparo

respectivo (res.pec.ti.vo) *adj.* **1** que concerne a cada um em particular ou em separado *<sentaram nos r. assentos>* **2** que é devido, próprio; competente *<cheque com a r. assinatura do dono>*

respeitante (res.pei.tan.te) *adj.2g.* que diz respeito; concernente, referente

respeitar (res.pei.tar) *v.* {mod. 1} *t.d.* **1** tratar com estima, consideração, reverência; prezar, honrar *<os filhos devem r. os pais>* **2** mostrar obediência a; cumprir *<r. as ordens>* ↺ descumprir **3** tomar cuidado para não prejudicar, danificar, ofender etc. *<r. um acordo de paz>* **4** ter medo de; recear *<r. animais bravos>* **5** dar atenção ou importância a; considerar *<r. a vontade do povo>* □ *t.i.* **6** (prep. *a*) dizer respeito a; concernir *<este assunto respeita à nossa situação>* ~ **respeitado** *adj.*

respeitável (res.pei.tá.vel) [pl.: *-eis*] *adj.2g.* **1** digno de respeito *<cidadão r.>* **2** de uma importância que se deve tomar em consideração *<sem ser uma obra-prima, era um poema r.>* **3** bastante grande *<uma altura r.>* ↺ desprezível ~ **respeitabilidade** *s.f.*

respeito (res.pei.to) *s.m.* **1** sentimento que leva a tratar alguém ou algo com grande atenção; consideração, reverência ↺ desrespeito **2** obediência, acatamento *<r. às ordens>* ↺ desobediência **3** ponto de vista *<sob todos os r., o projeto é interessante>* **4** sentimento de medo; receio *<r. diante de uma fera>* ↺ valentia ▼ ***respeitos*** *s.m.pl.* **5** cumprimentos *<diga-lhe que lhe enviei meus r.>*

respeitoso (res.pei.to.so) /ô/ [pl. e fem.: /ó/] *adj.* **1** que manifesta respeito *<postura r.>* ↺ desrespeitoso **2** que demonstra cortesia, atenção; reverente *<funcionário r.>* ↺ insolente, malcriado

respingar (res.pin.gar) *v.* {mod. 1} *int.* **1** soltar borrifos ou pingos de um líquido qualquer *<a torneira está respingando>* □ *t.i. e t.d.i.* **2** (prep. *de, em*) atingir (algo ou alguém) com (salpicos) *<a tinta da sua pintura respingou em mim> <desculpe, mas respinguei você de café> <não respingue esse óleo em mim>* □ *pron.* **3** molhar(-se), sujar(-se) com borrifos ou pingos *<ele se respingou todo de lama>* ~ **respingador** *adj.s.m.*

respingo (res.pin.go) *s.m.* ato ou efeito de respingar (-se); borrifo

R

respiração (res.pi.ra.ção) [pl.: *-ões*] *s.f.* **1** movimento duplo dos pulmões, de inspiração e expiração; fôlego **2** BIO função pela qual as células vivas absorvem oxigênio e expelem gás carbônico e água, resultando na liberação de energia **3** o ar que sai pela boca durante a expiração; bafo, hálito *<prender a r.>*

respirador (res.pi.ra.dor) /ô/ [pl.: *-es*] *adj.s.m.* **1** (o) que respira ou serve para respirar **2** (instrumento) que facilita a respiração

respiradouro (res.pi.ra.dou.ro) *s.m.* **1** abertura para entrada e saída do ar **2** em aparelhos mecânicos e tubulações, orifício por onde escapa o ar, vapores etc.

respirar (res.pi.rar) *v.* {mod. 1} *int.* **1** absorver (os seres vivos) o oxigênio do ar e expelir o gás carbônico resultante das queimas orgânicas **2** viver ↺ morrer **3** sentir alívio ou ter folga após penoso trabalho; descansar □ *t.d.* **4** inalar ou absorver (ar, gases, impurezas) durante a respiração *<r. poeira na viagem>* **5** *fig.* tirar proveito de; desfrutar *<r. os prazeres da vida>* ↺ dispensar

respiratório (res.pi.ra.tó.rio) *adj.* **1** relativo a respiração *<dificuldades r.>* **2** que serve para respirar *<vias r.>*

respiro (res.pi.ro) *s.m.* **1** ação de absorver o ar e, a seguir, expeli-lo *<eram seus últimos r.>* **2** *fig. frm.* folga, trégua *<fez, nos r. de sua atividade, uma linda obra>*

resplandecente (res.plan.de.cen.te) *adj.2g.* muito brilhante ↺ sombrio

resplandecer (res.plan.de.cer) *v.* {mod. 8} *int.* **1** brilhar intensamente; fulgurar **2** ser notável; sobressair, destacar-se *<sua cultura resplandece>* ~ **resplandescência** *s.f.*

resplender (res.plen.der) *v.* {mod. 8} *int.* resplandecer

resplendor (res.plen.dor) /ô/ [pl.: *-es*] *s.m.* **1** brilho intenso **2** aro us. sobre a cabeça das imagens de santos; auréola ~ **resplendoroso** *adj.*

respondão (res.pon.dão) [pl.: *-ões*] *adj.s.m.* (aquele) que tem o hábito de responder a tudo, ger. com maus modos

respondedor (res.pon.de.dor) /ô/ [pl.: *-es*] *adj.s.m.* **1** (o) que responde **2** respondão

responder (res.pon.der) *v.* {mod. 8} *t.d.,t.i. e t.d.i.* **1** (prep. *a*) informar (sentimento, pensamento, opinião, solução etc.) [a quem faz pergunta] *<respondemos que todos somos iguais> <r. às perguntas> <nunca lhe respondi uma só carta>* □ *t.d. e t.i.* **2** (prep. *a*) expor como reação a (acusação, ofensa, ataque etc.); replicar *<o acusado respondeu que era inocente> <r. às ofensas>* □ *t.i.* **3** (prep. *por*) ser responsável *<r. pelos filhos>* **4** (prep. *a*) dar em troca de (gentileza ou agressão); retribuir, revidar *<r. a uma cortesia>* **5** (prep. *a*) corresponder, equivaler *<o castigo deve r. à culpa>*

responsabilidade (res.pon.sa.bi.li.da.de) *s.f.* **1** obrigação de responder por seus atos ou os de outros *<desde pequeno sempre demonstrou muita r.>* ↺ irresponsabilidade **2** autoria, culpa (por dano, falta, delito, crime etc.) *<assumir a r. pelo prejuízo>* **3** encargo, obrigação, tarefa que compete a alguém *<as r. dos professores em aula>* **4** procedimento reto, sério *<ser um homem de r.>* **5** DIR dever que resulta da violação de determinado direito, pela prática de um ato contrário ao que permite a lei

responsabilizar (res.pon.sa.bi.li.zar) *v.* {mod. 1} *t.d.,t.d.i. e pron.* (prep. *por*) considerar(-se) ou tornar(-se) responsável por *<r. o subalterno> <r. o governo pela situação econômica do país> <o bom chefe responsabiliza-se pelo resultado do trabalho>* ~ **responsabilização** *s.f.*

responsável (res.pon.sá.vel) [pl.: *-eis*] *adj.2g.s.2g.* **1** que(m) responde pelos seus atos ou pelos de outra pessoa **2** que(m) assume e cumpre seus deveres **3** que(m) deve prestar contas perante certas autoridades **4** *p.ext.* que(m) foi a causa ou a origem de algo

resposta (res.pos.ta) *s.f.* **1** palavras ou gestos com que se responde a uma pergunta **2** argumento ou prova com que se rebate o que foi alegado; réplica *<sua r. foi convincente>* **3** solução de uma questão *<encontrei a r. do problema>* **4** reação a um estímulo *<gritou em r. ao beliscão>*

resquício (res.quí.cio) *s.m.* **1** resto de um material; resíduo **2** vestígio, resto, sobra *<vi resquícios de lágrimas em seu rosto>* **3** pequena abertura estreita; fenda

ressabiar (res.sa.bi.ar) *v.* {mod. 1} *int. e pron.* **1** ser ou ficar assustadiço (o animal) *<ao mais leve ruído o cavalo ressabia(-se)>* **2** ficar desconfiado, ofendido; melindrar-se *<ressabiou(-se) com os comentários>* **3** ficar (alimento) com cheiro ou sabor desagradável *<a manteiga ressabiou(-se)>*

ressaca (res.sa.ca) *s.f.* **1** movimento forte das ondas do mar contra o litoral **2** cada uma das grandes ondas que se formam nesse movimento **3** *B infrm.* mal-estar após uma bebedeira ou uma noite em claro

ressaibo (res.sai.bo) *s.m.* **1** mau sabor; ranço **2** *fig.* vestígio, sinal **3** *fig.* sentimento de desagrado; ressentimento ↺ contentamento

ressaltar (res.sal.tar) *v.* {mod. 1} *t.d. e int.* dar ou adquirir ênfase, realce; destacar(-se), sobressair *<r. alguns aspectos do problema> <ressaltam muito as diferenças entre um produto e outro>* ~ **ressaltante** *adj.2g.*

ressalva (res.sal.va) *s.f.* **1** observação escrita us. para corrigir erro ou para tornar válida a introdução de palavra ou trecho **2** *fig.* restrição, exceção, reserva *<o trabalho está bom, mas merece algumas r.>*

ressalvar (res.sal.var) *v.* {mod. 1} *t.d.* **1** pôr ressalva em (acordo, contrato etc.) *<os sócios ressalvaram o novo contrato>* **2** deixar de fora; excluir, excetuar ↺ incluir **3** corrigir, emendar *<precisava r. os equívocos do texto>* □ *t.d. e t.d.i.* **4** (prep. *de*) deixar livre de (responsabilidade, perigo ou dano); eximir *<r. (de culpa) os doentes mentais>*

ressarcimento (res.sar.ci.men.to) *s.m.* **1** ato ou efeito de ressarcir(-se) **2** DIR reparação de dano causado; indenização

ressarcir (res.sar.cir) *v.* {mod. 24} *t.d.,t.d.i. e pron.* (prep. *de*) dar ou ter compensação por perda, gasto, prejuízo etc.; indenizar(-se) *<r. danos> <r. o inquilino das despesas de reparo> <r.-se dos prejuízos>*

resseção (res.se.ção) ou **ressecção** (res.sec.ção) [pl.: *-ões*] *s.f.* MED ação de retirar nervo, vaso, músculo, tendão, osso, sãos ou doentes ☞ cf. *recessão*

ressecar (res.se.car) *v.* {mod. 1} *t.d. e pron.* **1** (fazer) ficar muito seco, com pouca ou nenhuma umidade *<o*

sol resseca a pele> *<a boca ressecou-se com a febre>* **2** secar de novo ~ **ressecado** *adj.* - **ressecamento** *s.m.*

ressecção (res.sec.ção) [pl.: *-ões*] *s.f.* → ***RESSEÇÃO***

ressentimento (res.sen.ti.men.to) *s.m.* mágoa que se guarda de uma ofensa ou de um mal que se recebeu; rancor

ressentir (res.sen.tir) *v.* {mod. 28} *t.d.* **1** sentir de novo ou intensamente *<r. uma perda>* □ *t.d. e pron.* **2** (prep. *de*) ficar ofendido ou magoado (com); melindrar-se *<ressentiu a frieza do velho amigo>* *<os velhos ressentem-se da indiferença dos jovens>* □ *pron.* **3** sentir os efeitos (ger. ruins) de algo ~ **ressentido** *adj.*

ressequir (res.se.quir) *v.* {mod. 24} *t.d. e pron.* ressecar(-se) ◉ GRAM/USO verbo defectivo

ressoador (res.so.a.dor) /ô/ [pl.: *-es*] *adj.s.m.* **1** (o) que ressoa ■ *s.m.* **2** peça us. para ampliar a sonoridade de um instrumento musical

ressoante (res.so.an.te) *adj.2g.* que faz eco; ressonante

ressoar (res.so.ar) *v.* {mod. 1} *int.* **1** soar com força; retumbar *<ressoavam as trombetas>* □ *t.d.* **2** fazer soar; ressonar *<o relógio ressoou as badaladas>* □ *t.d. e int.* **3** repetir (um som) refletindo-o ou vibrando a partir de suas vibrações; repercutir, ecoar *<o beco ressoava seus passos>* *<o berro ressoou no corredor>* ~ **ressoo** *s.m.*

ressonância (res.so.nân.cia) *s.f.* **1** repercussão de sons **2** *fig.* repercussão, eco *<caso de grande r.>* ▣ **r. magnética nuclear** MED fenômeno físico em que certos núcleos atômicos são postos sob o efeito de um campo magnético, us. em análise química, diagnóstico de doenças etc.

ressonante (res.so.nan.te) *adj.2g.* ressoante

ressonar (res.so.nar) *v.* {mod. 1} *t.d. e int.* **1** (fazer) emitir som forte; ressoar *<um sino ressona as batidas das horas>* *<ressona o tímpano na sala de concertos>* □ *int.* **2** respirar com ruído durante o sono; roncar **3** respirar com regularidade durante o sono ~ **ressono** *s.m.*

ressudar (res.su.dar) *v.* {mod. 1} *t.d.* **1** deixar passar (um líquido); verter *<o muro ressuda umidade>* **2** expelir por meio do suor *<r. sangue>*

ressumar (res.su.mar) *v.* {mod. 1} *t.d.* **1** deixar cair gota a gota; verter, destilar *<a carne ressumava gordura>* □ *int.* **2** dar passagem a um líquido, filtrando-o *<esta moringa ressuma>* ~ **ressumação** *s.f.*

ressurgir (res.sur.gir) *v.* {mod. 24} *t.d.,t.i. e int.* **1** (fazer) voltar a existir, a viver; ressuscitar, renascer *<r. os mortos>* *<segundo a Bíblia, Jesus ressurgiu (dos mortos) no terceiro dia>* □ *int.* **2** manifestar-se de novo; reaparecer *<durante a viagem, a alegria ressurgiu>* ◉ GRAM/USO part.: *ressurgido, ressurreto*; ver QUADRO DE PARTICÍPIOS DUPLOS nas pp. iniciais ~ **ressurgimento** *s.m.*

ressurrecto (res.sur.rec.to) ou **ressurreto** (res.sur.re.to) *adj.s.m.* que ou quem ressurgiu ou ressuscitou ◉ GRAM/USO part. de *ressurgir*

ressurreição (res.sur.rei.ção) [pl.: *-ões*] *s.f.* **1** retorno da morte à vida **2** REL festa em que a Igreja celebra a ressurreição de Jesus Cristo; Páscoa **3** *fig.* reaparecimento, esp. de um fenômeno artístico, literário etc. *<r. do tropicalismo>*

ressuscitador (res.sus.ci.ta.dor) /ô/ [pl.: *-es*] *adj.s.m.* **1** (o) que ressuscita **2** MED diz-se de ou aparelho de emergência us. para estimular os pulmões e restabelecer a respiração normal em casos de parada cardíaca

ressuscitar (res.sus.ci.tar) *v.* {mod. 1} *t.d. e int.* **1** (fazer) voltar à vida; ressurgir *<Jesus ressuscitou os mortos>* *<para os homens sem fé, ninguém ressuscitará>* **2** (fazer) manifestar-se de novo; ressurgir *<r. o vigor perdido>* *<o velho hábito ressuscitou>* ~ **ressuscitação** *s.f.* - **ressuscitamento** *s.m.*

restabelecer (res.ta.be.le.cer) *v.* {mod. 8} *t.d.* **1** pôr em melhor estado ou no estado original; restaurar *<r. uma empresa>* **2** dar novo vigor a; revigorar *<uma boa dieta há de restabelecê-lo>* □ *t.d. e pron.* **3** instituir(-se) novamente; restaurar, retornar *<r. o progresso>* *<a paz restabeleceu-se na cidade>* □ *pron.* **4** (prep. *de*) adquirir novo vigor, ânimo, mais saúde; recuperar-se *<restabeleceu-se depressa da apendicite>*

restabelecimento (res.ta.be.le.ci.men.to) *s.m.* **1** reposição a estado anterior *<r. da ordem>* **2** recuperação, restauração *<r. da fortuna>* **3** reconquista das forças ou da saúde perdidas

restante (res.tan.te) *adj.2g.* **1** que resta, que sobra ■ *s.m.* **2** aquilo que resta *<os que têm bilhete podem passar, o r. aguardará na antessala>*

restar (res.tar) *v.* {mod. 1} *t.i. e int.* **1** (prep. *de*, *a*) ficar, existir depois da destruição, do uso, do gasto, da dispersão etc. de (pessoas ou coisas); sobrar *<nada restou da fortuna>* *<restaram-lhe 200 reais>* *<todos comeram e não restou nada>* *<falou aos que ali restaram>* **2** (prep. *a*) ficar por fazer, incompleto; faltar *<resta-lhes um terço da tarefa>* *<só resta a revisão para publicar o livro>*

restauração (res.tau.ra.ção) [pl.: *-ões*] *s.f.* **1** conserto de coisa quebrada, ruída ou desgastada pelo uso; reparo **2** o que foi restaurado, consertado *<uma r. dentária>* **3** recomposição, restabelecimento de algo *<movimento de r. de eleições diretas>* **4** restabelecimento de forças depois de doença ou fadiga **5** volta a um estado anterior *<r. da monarquia>*

restaurador (res.tau.ra.dor) /ô/ [pl.: *-es*] *adj.s.m.* que ou aquele que restaura, que recupera, que restabelece

restaurante (res.tau.ran.te) *s.m.* **1** estabelecimento comercial que serve refeições **2** lugar onde se fazem refeições coletivas; refeitório

restaurar (res.tau.rar) *v.* {mod. 1} *t.d.* **1** pôr em bom estado, devolvendo feição anterior, consertando algo quebrado; recuperar **2** instituir de novo; restabelecer *<r. a paz>* □ *t.d. e pron.* **3** (fazer) adquirir novo vigor; restabelecer(-se)

restelo (res.te.lo) /ê/ *s.m.* → ***RASTELO***

réstia (rés.tia) *s.f.* **1** trança de caules, palhas etc. secos *<r. de alhos, de cebolas>* **2** feixe de luz que passa através de uma pequena abertura

restinga (res.tin.ga) *s.f.* **1** faixa de areia ou de pedra, presa ao litoral, que avança pelo mar **2** *B* faixa de mato à margem de um rio ou igarapé **3** vegetação característica das dunas e planícies arenosas do litoral brasileiro

restituição (res.ti.tu.i.ção) [pl.: *-ões*] *s.f.* **1** ato ou efeito de restituir **2** devolução de algo a quem realmente pertence **3** retorno ao estado anterior; reabilitação

R

restituir (res.ti.tu.ir) *v.* {mod. 26} *t.d. e t.d.i.* **1** (prep. *a*) fazer (algo emprestado ou tomado) voltar à posse de (quem é direito); devolver *<r. um disco>* *<r. o livro à biblioteca>* **2** (prep. *a*) mandar de volta; reenviar *<as águas restituíram o entulho>* *<r. o menor à família>* **3** (prep. *a*) compensar, ressarcir *<r. (ao funcionário) as perdas salariais>* □ *t.d.* **4** pôr de novo em vigor; restabelecer *<r. a ordem>* □ *t.d.i.* **5** (prep. *a*) fazer readquirir ou recuperar *<o neto restituiu-lhe a alegria>* **6** (prep. *em*) pôr de novo (em cargo, função); reconduzir *<r. o rei ao trono>*

resto (res.to) *s.m.* **1** o que fica depois de uso, consumo etc. *<guardou o r. da comida na geladeira>* **2** MAT resultado de uma subtração **3** MAT diferença entre o dividendo e o produto do divisor pelo quociente ▣ **r. mortais** ossada, cadáver ou cinzas de alguém

restolho (res.to.lho) /ô/ [pl.: /ó/] *s.m.* **1** palha que resta no campo após a colheita **2** erva que nasce de novo depois de ceifada **3** *B* conjunto de sobras; refugo

restrição (res.tri.ção) [pl.: *-ões*] *s.f.* **1** ato ou efeito de restringir(-se); imposição de limite *<r. de acesso>* ↺ liberação **2** aquilo que restringe *<o professor impôs restrições ao livro>*

restringir (res.trin.gir) *v.* {mod. 24} *t.d.* **1** tornar mais estreito, apertado; diminuir *<r. uma passagem>* ↺ ampliar □ *t.d.,t.d.i. e pron.* **2** (prep. *a*) reduzir(-se) a limites mais estreitos, específicos; limitar(-se) *<r. benefícios>* *<r. o dia ao trabalho>* *<sua tolerância restringe-se aos filhos>* ↺ ampliar(-se) ◉ GRAM/USO part.: *restringido, restrito*; ver QUADRO DE PARTICÍPIOS DUPLOS nas pp. iniciais ~ **restritivo** *adj.*

restrito (res.tri.to) *adj.* **1** reduzido em relação a outro *<lei r.>* *<sentido r.>* ↺ amplo **2** mantido em limites estreitos; limitado *<r. a um salário baixo, não viajou>* **3** destinado a certa(s) pessoa(s); privativo *<estacionamento r. aos moradores>* ↺ público

resultado (re.sul.ta.do) *s.m.* **1** efeito de uma ação; consequência **2** produto de uma operação matemática **3** qualquer resolução sobre algo *<os r. da reunião não foram divulgados>*

resultar (re.sul.tar) *v.* {mod. 1} *t.i.* **1** (prep. *de*) ser o efeito natural, a consequência de; derivar *<a doença resulta da má higiene>* **2** (prep. *de*) ser proveniente de; proceder *<filho que resultou do primeiro casamento>* **3** (prep. *em*) ter como consequência; causar, redundar *<o investimento resultou em prejuízo>* ~ **resultante** *adj.2g.s.f.*

resumido (re.su.mi.do) *adj.* **1** que foi sintetizado *<versão r. do livro>* **2** que é curto, breve *<expôs os pontos de forma r.>*

resumir (re.su.mir) *v.* {mod. 24} *t.d.* **1** condensar em poucas palavras; sintetizar *<r. o capítulo de um livro>* **2** reunir ou mostrar o que é mais importante sobre; sintetizar *<esse livro resume a história da pintura>* □ *pron.* **3** ser breve, sucinto *<r.-se ao mais importante>* □ *t.d.i. e pron.* **4** (prep. *a*) (fazer) estar contido em certos limites; restringir(-se), condensar(-se) *<r. sua tese a duas ideias básicas>* *<sua família resume-se aos pais>*

resumo (re.su.mo) *s.m.* **1** exposição abreviada de acontecimento, ideia etc. ↺ aumento **2** condensação em poucas palavras de texto, livro, peça etc. **3** aquilo que simboliza, ilustra algo maior *<ele é um r. da luta pela paz>*

resvaladiço (res.va.la.di.ço) *adj.* **1** escorregadio **2** *fig.* inseguro, arriscado ↺ seguro

resvalar (res.va.lar) *v.* {mod. 1} *t.i. e int.* **1** (prep. *a, de, para, por*) cair por um declive; escorregar, deslizar *<resvalou do sofá ao chão>* *<o cavalo resvalou (pelo) morro abaixo>* □ *t.i. e t.d.i.* **2** (prep. *em*) tocar superficialmente; roçar *<meu braço resvalou na bandeja, e os pratos caíram no chão>* *<resvalei a mão nos cabelos dela>* □ *t.i.* **3** (prep. *em*) ser levado a cometer (ação, erro, falta) *<é um sujeito bom, mas sempre resvala nos mesmos erros>* ~ **resvalamento** *s.m.*

reta (re.ta) *s.f.* **1** linha, traço que segue sempre a mesma direção **2** trecho sem curvas de estrada, caminho, pista etc. **3** GEOM menor distância entre dois pontos

retábulo (re.tá.bu.lo) *s.m.* estrutura em pedra ou talha de madeira que adorna a parte posterior de um altar

retaguarda (re.ta.guar.da) *s.f.* **1** nome genérico dado à última companhia, fila ou esquadrão de qualquer corpo de exército ↺ vanguarda **2** parte posterior ↺ dianteira

retal (re.tal) [pl.: *-ais*] *adj.2g.* relativo ou pertencente ao reto ('parte final')

retalhar (re.ta.lhar) *v.* {mod. 1} *t.d.* **1** cortar em pedaços, em retalhos *<r. um tecido>* **2** golpear várias vezes com instrumento cortante *<r. uma peça de carne>* **3** *fig.* separar, dividir *<as lutas políticas retalharam o país>* ☞ cf. *retaliar*

retalho (re.ta.lho) *s.m.* **1** pedaço, fragmento de algo, esp. de tecido **2** sobra de peça de tecido *<vovó fez uma linda colcha de retalhos>*

retaliação (re.ta.li.a.ção) [pl.: *-ões*] *s.f.* revide a uma ofensa ou a uma agressão sofrida; represália, vingança

retaliar (re.ta.li.ar) *v.* {mod. 1} *t.d. e int.* cometer contra (quem ofendeu, prejudicou) ofensa ou dano igual ao recebido; revidar, vingar *<nunca pensou em r. (os adversários)>* ☞ cf. *retalhar* ~ **retaliativo** *adj.*

retangular (re.tan.gu.lar) [pl.: *-es*] *adj.2g.* que se assemelha ou tem a forma de retângulo

retângulo (re.tân.gu.lo) *adj.* **1** que tem ângulos retos *<triângulo r.>* ■ *s.m.* **2** GEOM quadrilátero cujos ângulos são retos *<o campo de futebol é um r.>*

retardado (re.tar.da.do) *adj.* **1** que demora, tardio *<efeito r.>* ↺ antecipado ■ *adj.s.m.* **2** (indivíduo) cujo desenvolvimento mental está aquém da média normal para sua idade ☞ nesta acp. pode ser ofensivo

retardar (re.tar.dar) *v.* {mod. 1} *t.d.,int. e pron.* **1** tornar(-se) tardio; atrasar(-se) *<o mau tempo retardou o pouso do avião>* *<os que (se) retardaram perderam os lugares>* ↺ adiantar(-se) □ *t.d.* **2** deixar para depois; adiar, postergar *<r. a resposta ao pedido>* ↺ antecipar **3** fazer ficar mais lento; desacelerar *<r. o passo>* ↺ acelerar ~ **retardamento** *s.m.*

retardatário (re.tar.da.tá.rio) *adj.s.m.* que(m) está atrasado *<os candidatos r. não puderam fazer a prova>* *<o r. chegou esbaforido>*

retemperar (re.tem.pe.rar) *v.* {mod. 1} *t.d.* **1** dar nova têmpera a *<r. o aço>* **2** mudar o tempero de (comida), pondo mais condimento ou tornando-o mais brando □ *t.d. e pron.* **3** (fazer) criar novo

R

vigor, físico ou mental; revigorar(-se) *<r. o ânimo> <r.-se do sofrimento>* **4** (fazer) ficar melhor, mais perfeito; aprimorar(-se) *<procurava desenvolver e r. a sua obra> <retemperou-se na prática da solidariedade>*

retenção (re.ten.ção) [pl.: *-ões*] *s.f.* **1** ato ou efeito de reter(-se) **2** estado ou condição do que permanece; demora, permanência *<a r. no trânsito nos atrasou muito>* **3** punição que consiste em reter o aluno após a saída dos demais alunos ou em dia de folga *<agora terá que explicar aos pais o motivo da r.>* **4** MED acúmulo anormal de substância em cavidade do organismo *<r. de líquidos>*

retentiva (re.ten.ti.va) *s.f.* capacidade que uma pessoa tem de conservar na memória, por um tempo mais ou menos longo, as impressões registradas

reter (re.ter) *v.* {mod. 16} *t.d.* **1** guardar, conservar *<retém os livros com ciúme>* **2** manter em seu poder (algo alheio); guardar, deter *<reteve o* video game *do colega>* **3** segurar com firmeza *<r. o leme>* ↺ soltar **4** impedir o movimento, fluxo ou saída de; deter, segurar, prender *<r. as lágrimas>* **5** impedir a queda de; amparar *<um tronco de árvore retém a palhoça>* **6** fixar na mente; memorizar *<conseguiu r. bem aquele ponto complicado>* **7** controlar o impulso de (sentimento, emoção); refrear, reprimir *<r. o ódio>* ~ **retentor** *adj.s.m.*

retesar (re.te.sar) *v.* {mod. 1} *t.d. e pron.* (fazer) ficar tenso, estirado; esticar(-se) *<r. a corda de um arco> <o músculo da minha perna se retesou todo>* ↺ afrouxar(-se) ~ **retesamento** *s.m.* - **reteso** *adj.*

reticência (re.ti.cên.cia) *s.f.* **1** omissão voluntária de algo que devia ser dito **2** *p.ext.* o que foi omitido **3** hesitação em expressar um pensamento, tomar uma decisão etc. ▼ ***reticências*** *s.f.pl.* **4** sinal de pontuação (...) us. para indicar a omissão de algo, insinuação, suspense etc. ~ **reticenciar** *v.t.d.*

reticente (re.ti.cen.te) *adj.2g.* **1** indeciso, desconfiado ↺ decidido **2** calado, introvertido ↺ efusivo

retícula (re.tí.cu.la) *s.f.* GRÁF rede formada por retas finíssimas, traçadas sobre vidro, chapas etc. ou impressas, us. em processos ópticos e tipográficos ~ **reticulação** *s.f.* - **reticulado** *adj.* - **reticulagem** *s.f.* - **reticular** *adj.2g.*

retidão (re.ti.dão) [pl.: *-ões*] *s.f.* **1** condição do que é reto ('sem curvatura') ↺ sinuosidade **2** *fig.* virtude de seguir o senso de justiça, a razão, o dever; integridade, lisura *<r. de caráter>* ↺ imoralidade

retífica (re.tí.fi.ca) *s.f.* **1** recondicionamento de motores **2** *B infrm.* oficina mecânica que faz esse recondicionamento

retificar (re.ti.fi.car) *v.* {mod. 1} *t.d.* **1** tornar reto; alinhar *<r. um traçado>* **2** endireitar (o que está torto, desarrumado) **3** tornar exato (algo com erro, defeito); emendar, corrigir *<r. uma notícia de jornal>* **4** *B* reajustar, restaurar (motor) **5** purificar (uma substância) com nova destilação *<r. cachaça>* ☞ cf. *ratificar* ~ **retificação** *s.f.*

retilíneo (re.ti.lí.neo) *adj.* **1** que segue em linha reta *<movimento r.>* **2** *fig.* cujo comportamento denota austeridade; honesto, correto ↺ desregrado

retina (re.ti.na) *s.f.* ANAT membrana que recobre a face interna do olho, capaz de captar os sinais luminosos

retinir (re.ti.nir) *v.* {mod. 24} *int.* **1** produzir som forte, metálico, agudo e repetido *<retinem as forjas>* □ *t.d.* **2** (fazer) soar ou ecoar fortemente; ressoar *<a banda retine uma alvorada>*

retinto (re.tin.to) *adj.* **1** que recebeu nova tinta, nova cor *<*jeans *r. de azul>* **2** de cor muito escura *<preto r.>*

retirada (re.ti.ra.da) *s.f.* **1** ação de retirar ou o seu efeito **2** saque em dinheiro *<r. da poupança>* ↺ depósito **3** MIL recuo de tropas *<o exército fez uma r. estratégica>*

retirante (re.ti.ran.te) *adj.2g.s.2g. B* que(m) foge da seca do sertão nordestino

retirar (re.ti.rar) *v.* {mod. 1} *t.d.* **1** puxar para trás ou para si; retrair *<sofreu a mordida e retirou a mão>* **2** declarar que não é verdadeiro ou válido (algo já dito) *<desculpe, retiro o que disse>* **3** fazer desaparecer; eliminar, dissipar *<as dificuldades não retiraram a alegria da vovó>* □ *t.d. e pron.* **4** (fazer) sair de onde estava; tirar *<r. a carteira do bolso>* ↺ pôr □ *pron.* **5** ir viver em lugar solitário **6** desistir de, largar (profissão ou atividade) □ *t.d.i.* **7** (prep. *de*) não deixar (algo) na posse ou no direito de; privar, tirar *<o pai retirou do filho a mesada>* ↺ dar **8** (prep. *de*) tirar como proveito, lucro; ganhar *<r. renda de um capital aplicado>* ~ **retirado** *adj.*

retiro (re.ti.ro) *s.m.* **1** lugar afastado, onde se busca paz e recolhimento **2** REL reclusão de religiosos, em conventos, mosteiros etc. **3** *p.ext.* REL local onde essa clausura é feita

reto (re.to) *adj.* **1** que não apresenta curva(s) *<caminho r.>* ↺ curvo **2** *fig.* honesto, íntegro *<homem r.>* ↺ desonesto ■ *s.m.* ANAT **3** parte final do tubo digestivo, que vai do cólon ao ânus

retocar (re.to.car) *v.* {mod. 1} *t.d.* fazer os ajustes finais em (obra, texto etc.), para aperfeiçoá-lo, reparar incorreções *<r. um retrato> <r. uma carta de amor>*

retomada (re.to.ma.da) *s.f.* ação ou efeito de retomar

retomar (re.to.mar) *v.* {mod. 1} *t.d.* **1** voltar a ter (algo concreto ou abstrato que se perdeu); recuperar, reaver *<conseguiu r. os livros emprestados>* **2** seguir de novo (o mesmo rumo) *<retomaram o caminho depois da parada>* **3** continuar, voltar a exercer (trabalho, atividade, função etc.), após interrupção ou grande parada; recomeçar *<ela retomou os estudos depois que os filhos cresceram>*

retoque (re.to.que) *s.f.* **1** ato ou efeito de retocar **2** recuperação ou aperfeiçoamento das cores desbotadas de um quadro, ger. feito por pessoa especializada **3** última demão com que se corrige ou aperfeiçoa uma obra artística ou científica

retorcer (re.tor.cer) *v.* {mod. 8} *t.d.* **1** tornar a torcer; torcer mais de uma vez *<r. a roupa molhada>* □ *t.d. e pron.* **2** imprimir movimentos fortes de torção (a); contorcer(-se) *<r. o corpo> <retorcia-se, lutando para não ser algemado>* ~ **retorcido** *adj.*

retórica (re.tó.ri.ca) *s.f.* **1** arte de se expressar com desenvoltura, de bem argumentar **2** *p.ext.* conjunto de regras dessa arte ~ **retoricismo** *s.m.* - **retorismo** *s.m.*

retórico (re.tó.ri.co) *adj.* **1** de ou próprio de retórica **2** *pej.* de estilo empolado

retornar (re.tor.nar) *v.* {mod. 1} *t.i. e int.* **1** (prep. *a*) voltar (ao ponto de partida); regressar <*partiu e nunca mais retornou (à terra natal)*> ↺ partir □ *t.i.* **2** voltar atrás no tempo; retroceder <*r. à infância*> **3** ir novamente a; voltar <*r. ao escritório*> **4** (prep. a) retomar (atividade, trabalho etc. interrompido, largado, parado) □ *t.d.* **5** fazer voltar; reencaminhar <*a chuva retornou-os ao hotel*>

retorno (re.tor.no) /ô/ *s.m.* **1** regresso, volta ↺ ida **2** *B* nas estradas, desvio próprio para retornar **3** repetição de um fenômeno <*r. de uma frente fria*> **4** recompensa, resultado <*o investimento teve um bom r.*>

retorquir (re.tor.quir) *v.* {mod. 24} *t.d. e t.d.i.* **1** (prep. *a*) argumentar contrariamente a; replicar <*r. o adversário*> <*retorquiu-lhe que não havia explicações*> □ *t.i. e int.* **2** (prep. *a*) responder, retrucar <*r. à pergunta maliciosa*> <*surpreso, não soube r.*> ◉ GRAM/USO verbo defectivo ~ **retorquível** *adj.2g.*

retorta (re.tor.ta) *s.f.* QUÍM recipiente de gargalo estreito e curvo, us. para destilações

retrair (re.tra.ir) *v.* {mod. 24} *t.d.* **1** puxar para si, ger. rapidamente; retirar, recolher <*r. a mão*> **2** controlar a força de (algo prestes a irromper); conter <*o vulcão retraía a lava*> **3** impedir que se manifeste; refrear <*r. sentimentos*> ↺ liberar □ *t.d. e pron.* **4** (fazer) sofrer contração física; encolher(-se) <*r.(-se) um músculo*> **5** (fazer) voltar para trás; recuar, retirar(-se) <*o comandante fez o exército r.*> <*a tropa, vencida, retraiu-se*> **6** tornar(-se) acanhado, tímido, reservado <*a plateia retraiu o palestrante*> <*retrai-se quando fala em público*> □ *pron.* **7** afastar-se do convívio social; isolar-se ~ **retração** *s.f.* - **retraído** *adj.* - **retraimento** *s.m.*

retranca (re.tran.ca) *s.f.* **1** correia que prende a sela, passando sob a cauda do animal **2** *N.E.* tranca (de porta ou janela) **3** ESP posição defensiva <*jogar na r.*>

retrasado (re.tra.sa.do) *adj.* **1** que passou há pouco **2** *B* imediatamente anterior ao passado <*ano r.*>

¹retratar (re.tra.tar) *v.* {mod. 1} *t.d. e pron.* **1** declarar, admitir que é falso, inválido ou impróprio (algo dito antes) <*r. uma promessa*> <*r.-se da informação errônea*> □ *pron.* **2** pedir perdão; desculpar-se ◉ ORIGEM do lat. *retractāre* 'corrigir, retomar, recordar' ~ **retratação** *s.f.*

²retratar (re.tra.tar) *v.* {mod. 1} *t.d. e pron.* **1** fazer o retrato de <*r. uma ninfa*> <*o pintor retratou-se em um de seus quadros*> **2** *p.ext.* expressar(-se), mostrar(-se) <*seu rosto retratava tristeza*> <*sua emoção retratou-se na voz*> ↺ esconder(-se) □ *t.d.pred.* **3** atribuir (certa característica, aspecto) a <*retratam-na como uma pessoa autoritária*> □ *t.d.* **4** ser a imagem ou a reprodução de; representar <*o presente retrata o nosso apreço*> **5** *fig.* apresentar com exatidão, fidelidade; reproduzir <*o documentário retrata a vida numa fazenda*> ◉ ORIGEM *retrato* 'figura, imagem' + ²-*ar*

retrátil (re.trá.til) [pl.: *-eis*] *adj.2g.* capaz de se retrair <*mesa com pés r.*> <*os felinos têm garras r.*>

retratista (re.tra.tis.ta) *adj.2g.s.2g.* **1** que(m) se especializou em pintar figuras humanas **2** que(m) tira fotografias de pessoas profissionalmente

retrato (re.tra.to) *s.m.* **1** imagem de alguém reproduzida em fotografia, pintura, desenho **2** *fig.* descrição exata de algo <*fez um ótimo r. da cena, contando todos os detalhes*> **3** fotografia

retreta (re.tre.ta) /ê/ *s.f.* apresentação de banda de música, ger. em praça pública

retrete (re.tre.te) /ê *ou* é/ *s.f.* vaso sanitário

retribuição (re.tri.bu.i.ção) [pl.: *-ões*] *s.f.* **1** ato, processo ou efeito de retribuir **2** pagamento por trabalhos feitos ou por serviços prestados; salário, honorários **3** agradecimento por favor ou serviço recebido; reconhecimento

retribuir (re.tri.bu.ir) *v.* {mod. 26} *t.d. e t.d.i.* **1** (prep. *a*) dar como pagamento; remunerar <*era preciso r. as horas extras dos funcionários*> <*retribuiu-lhe bem o trabalho*> **2** (prep. *a*) dar prêmio, recompensa a; recompensar <*r. uma atitude corajosa*> <*o professor retribuirá ao aluno a sua dedicação*> **3** (prep. *a*) compensar (tratamento ou coisa recebida) de forma equivalente; devolver <*r. a gentileza (ao atendente)*>

retro- *pref.* 'para trás': *retroativo*, *retrovisor*

retrô (re.trô) *adj.2g.2n.s.2g.2n.* **1** (o) que assinala um retorno ao passado, imitando ou retomando um estilo anterior (diz-se de moda, decoração, obra artística, literária etc.) **2** (o) que adota estilo, comportamento, atitudes próprias do passado (diz-se de pessoa, grupo social etc.)

retroagir (re.tro.a.gir) *v.* {mod. 24} *t.i.,t.d.i. e int.* ter efeito sobre o passado <*a lei, neste caso, não retroage (seus efeitos) [aos anos anteriores]*> ~ **retroação** *s.f.*

retroalimentação (re.tro.a.li.men.ta.ção) [pl.: *-ões*] *s.f.* **1** processo através do qual uma ação é controlada pelo conhecimento do efeito de suas respostas **2** *p.ext.* a resposta resultante desse processo **3** INF retorno automático da informação processada ao ponto inicial

retroativo (re.tro.a.ti.vo) *adj.* que atinge fatos anteriores a sua ocorrência <*lei com efeitos r.*> ~ **retroatividade** *s.f.*

retroceder (re.tro.ce.der) *v.* {mod. 8} *int.* **1** deslocar-se para trás; recuar <*parou diante da porta e retrocedeu*> ↺ avançar **2** passar a estágio inferior de desenvolvimento, qualidade; regredir, decair <*a qualidade do curso retrocedeu*> ↺ progredir **3** *fig.* não levar adiante (desejo, plano etc.); desistir <*conhecendo os perigos da empreitada, ele resolveu r.*> □ *t.i.* **4** (prep. *a*) voltar atrás no tempo; retornar <*r. à infância*> ~ **retrocedimento** *s.m.*

retrocesso (re.tro.ces.so) *s.m.* **1** volta ao local de onde se saiu; recuo, retorno ↺ avanço **2** *p.ext.* volta ao passado **3** *p.ext.* retorno a um estado considerado ultrapassado <*r. político*> **4** atraso, decadência ↺ progresso

retrogradar (re.tro.gra.dar) *v.* {mod. 1} *t.d.,t.i. e int.* **1** (prep. *a*) voltar para trás, no espaço ou no tempo; retroceder <*não é possível r. a escrita*> <*r. à antiga Grécia*> <*a tropa retrogradou estrategicamente*> ↺ avançar □ *t.d.,int. e pron.* **2** passar a estágio inferior de desenvolvimento, qualidade; retroceder <*os mais velhos tentam r. o que é novo*> <*a cidade retrogradava(-se) em vez de progredir*> ↺ progredir ~ **retrogradação** *s.f.*

retrógrado (re.tró.gra.do) *adj.* **1** que anda para trás ■ *adj.s.m.* **2** que(m) se opõe ao progresso ↺ progressista

retrós (re.trós) [pl.: *retroses*] *s.m.* **1** fio de seda ou algodão us. para costura ou bordado **2** *p.ext.* carretel de linha

R

retrospectiva (re.tros.pec.ti.va) *s.f.* **1** exposição em que se apresentam em ordem cronológica as obras de um artista, de uma escola, de uma época, mostrando sua evolução **2** relato de uma série de acontecimentos decorridos durante certo período; retrospecto *<r. de fim de ano>*

retrospectivo (re.tros.pec.ti.vo) *adj.* que se volta para o passado *<análise r.>*

retrospecto (re.tros.pec.to) *s.m.* **1** vista ou análise de fato passado **2** retrospectiva ('relato')

retrovírus (re.tro.ví.rus) *s.m.2n.* BIO cada um dos vírus (p.ex., HIV, lentivírus) que carregam o ARN como material genético, responsáveis por doenças como linfoma, AIDS etc.

retrovisor (re.tro.vi.sor) /ô/ [pl.: *-es*] *adj.s.m.* (espelho) que permite ao motorista ver o que se passa atrás dele, sem se virar

retrucar (re.tru.car) *v.* {mod. 1} *t.d.,t.i. e t.d.i.* (prep. *a*) responder, ger. de modo imediato, a (objeções, acusações etc.); replicar *<o filho retrucou que a mãe estava enganada> <retrucou violentamente à ofensa> <retrucou-lhe a ameaça>*

retumbante (re.tum.ban.te) *adj.2g.* **1** que retumba; que provoca grande ressonância **2** *fig.* de grande repercussão, fora do comum; extraordinário *<sucesso r.>* ↺ insignificante

retumbar (re.tum.bar) *v.* {mod. 1} *t.d. e int.* refletir (som) com estrondo; ressoar, ecoar *<a praça retumbava o eco dos tambores> <os instrumentos retumbam>*

returno (re.tur.no) *s.m.* ESP nos jogos de campeonatos esportivos, segundo período, no qual os concorrentes disputam as mesmas provas, contra os mesmos adversários; segundo turno

réu [fem.: *ré*] *s.m.* DIR quem é chamado em juízo ('órgão') para responder por ação civil ou crime

reumatismo (reu.ma.tis.mo) *s.m.* MED doença caracterizada por dor nas articulações e alterações em músculos e ossos ~ **reumático** *adj.*

reunião (re.u.ni.ão) [pl.: *-ões*] *s.f.* **1** nova união; junção de uma coisa a outra **2** agrupamento de coisas *<r. de flores> <r. de interesses>* **3** agrupamento de pessoas para certo fim *<r. de condomínio, de negócios>*

reunir (re.u.nir) *v.* {mod. 24} *t.d. e pron.* **1** dispor(-se) em conjuntos; agrupar(-se) *<r. os alunos para a aula no laboratório> <o congresso reuniu-se para resolver assunto grave>* **2** promover encontro ou encontrar-se para festa, recreação *<r. os amigos> <a família se reúne todos os meses>* □ *t.d. e t.d.i.* **3** (prep. *a*) pôr no mesmo grupo, pôr junto (o que estava separado, disperso, desorganizado etc.) *<r. os livros soltos> <r. uma ponta da fita à outra>* **4** (prep. *a*) pôr junto, em harmonia (elementos diversos); aliar, combinar *<r. talento e beleza> <r. o útil ao agradável>* □ *pron.* **5** (prep. *com*) ter reunião, conversa com *<o presidente se reunirá com os ministros>*

reutilizar (re.u.ti.li.zar) *v.* {mod. 1} *t.d.* **1** voltar a utilizar *<r. discos de vinil>* **2** dar novo uso a *<r. ferro-velho>*

revanche (re.van.che) *s.f.* **1** desforra, vingança **2** ESP prova ou partida que se torna a disputar, a pedido do perdedor

revanchismo (re.van.chis.mo) *s.m.* **1** ato pelo qual alguém busca desforrar-se de ofensa ou agressão recebida *<torcidas rivais estimulam o r. entre si>* **2** tendência, inclinação para a desforra, esp. em certos meios políticos *<é hora de abrir mão do r. e unir forças>* ~ **revanchista** *adj.2g.s.2g.*

réveillon (ré.veil.lon) [fr.; pl.: *réveillons*] *s.m.* **1** celebração realizada na passagem do ano **2** *p.ext.* véspera de ano-novo ⇒ pronuncia-se rêveion

revel (re.vel) [pl.: *-éis*] *adj.2g.* **1** rebelde ■ *adj.2g.s.2g.* DIR **2** (réu) que não comparece para fazer sua defesa

revelação (re.ve.la.ção) [pl.: *-ões*] *s.f.* **1** divulgação de uma verdade oculta, de um segredo *<fez-lhe uma r. amorosa>* ↺ ocultação **2** REL ato pelo qual Deus se dá a conhecer e manifesta a sua vontade **3** descoberta que revela uma vocação em alguém *<r. de talentos>* **4** pessoa que se revela por algum atributo, qualidade etc. *<prêmio r. do ano>* **5** FOT processo que transforma uma imagem fotográfica latente em imagem visível estável

revelar (re.ve.lar) *v.* {mod. 1} *t.d.,t.d.i. e pron.* **1** (prep. *a*) tornar(-se) visível, perceptível; mostrar(-se) *<as pesquisas revelaram (ao carioca) quem seria o eleito> <seu caráter revelou-se naquela situação difícil>* ↺ esconder(-se) □ *t.d. e t.d.i.* **2** (prep. *a*) fazer conhecer; divulgar, propagar *<revelou(-nos) em primeira mão o seu invento>* ↺ ocultar **3** (prep. *a*) tornar conhecido por meios sobrenaturais *<Deus revelou (aos homens) sua doutrina>* □ *pron.* **4** deixar-se conhecer de verdade *<revelou-se um traidor>* □ *t.d.* **5** ser o índice, marca de; evidenciar *<seus olhos revelam angústia>* **6** FOT fazer aparecer (imagem fotográfica)

revelia (re.ve.li.a) *s.f.* **1** condição de quem se rebela **2** DIR condição de quem não comparece em juízo, ainda que convocado ▣ **à r.** DIR sem conhecimento da parte interessada *<o réu foi julgado à r.>* • **à r. de** sem o conhecimento de *<à r. dos alunos, chamou seus responsáveis para conversar>*

revender (re.ven.der) *v.* {mod. 8} *t.d.* (prep. *a*) vender (algo comprado com intenção de ser vendido) *<r. joias> <revendeu o apartamento ao vizinho>* ~ **revenda** *s.f.* - **revendedor** *s.m.*

[1]rever (re.ver) *v.* {mod. 12} *t.d. e pron.* **1** voltar a ver(-se) *<r. a terra natal> <já pronta, ela se reviu no espelho>* □ *pron.* **2** identificar influências ou características próprias em; reconhecer-se *<r.-se na filha>* □ *t.d.* **3** tornar a examinar, ponderar, ger. para fazer modificações, melhoras; revisar, reconsiderar *<resolveu r. as suas posições políticas>* ◉ ORIGEM *re-* + *ver* ~ **revisto** *adj.*

[2]rever (re.ver) *v.* {mod. 12} *t.d. e int.* **1** deixar cair (líquido) gota a gota; verter *<mão fria que revê suor> <o filtro está revendo>* □ *t.d. fig.* **2** tornar perceptível, evidente; revelar *<uma redação que revê talento>* ↺ esconder ◉ ORIGEM desc.

reverberar (re.ver.be.rar) *v.* {mod. 1} *t.d.* **1** refletir (luz, calor, som); repercutir *<metais polidos reverberavam os raios solares>* □ *int.* **2** emitir brilho, luz; luzir *<o sol reverberava no céu>* ~ **reverberação** *s.f.* - **reverberante** *adj.2g.*

revérbero (re.vér.be.ro) *s.m.* **1** reflexo de luz ou calor **2** luminosidade intensa

R

reverência (re.ve.rên.cia) *s.f.* **1** cumprimento respeitoso, ger. acompanhado de inclinação do tronco para a frente ou de flexão dos joelhos; mesura **2** consideração, respeito profundo **3** tratamento dado aos eclesiásticos ~ **reverencioso** *adj.* - **reverente** *adj.2g.*

reverenciar (re.ve.ren.ci.ar) *v.* {mod. 1} *t.d.* **1** prestar culto a; adorar, venerar *<r. a imagem de um santo>* **2** tratar com consideração; respeitar *<r. os professores>* ↺ desrespeitar **3** saudar com grande respeito *<os atores reverenciaram o público>*

reverendíssimo (re.ve.ren.dís.si.mo) *adj.* **1** muito respeitável **2** tratamento dado aos bispos, arcebispos, monsenhores, cônegos e padres [abrev: *Rev.*mo]

reverendo (re.ve.ren.do) *s.m.* **1** tratamento dispensado a padres, prelados, sacerdotes e madre superiora ■ *adj.* **2** digno de se reverenciar

reversão (re.ver.são) [pl.: *-ões*] *s.f.* **1** retorno ao ponto de partida ou ao estado original *<r. de fluxo>* *<r. de expectativas>* **2** restituição de um bem ao dono; devolução

reversível (re.ver.sí.vel) [pl.: *-eis*] *adj.2g.* **1** que pode voltar atrás *<decisão r.>* ↺ irreversível **2** em que o efeito e a causa podem inverter-se (diz-se de fenômeno) **3** que pode ser observado ou us. pelo direito ou pelo avesso *<casaco r.>* **4** que se pode utilizar de maneira diferente daquela que habitualmente se utiliza *<sala r.>* **5** cuja mão de direção é alterada em determinadas horas (diz-se de faixa de trânsito) **6** DIR que deve retornar ao antigo dono, proprietário etc. ~ **reversibilidade** *s.f.*

reverso (re.ver.so) *adj.s.m.* **1** (o) que está em posição oposta à normal ■ *adj.* **2** que se voltou para o lado oposto ↺ defensor **3** que retornou ao ponto de partida ■ *s.m.* **4** o lado oposto ao principal ou esperado; revés *<o r. de uma situação>* ↺ anverso **5** face que não contém efígie ou emblema (moeda, medalha, papel-moeda)

reverter (re.ver.ter) *v.* {mod. 8} *t.i.* **1** (prep. *a*) voltar (ao ponto de partida, à condição inicial); regressar, retornar *<o conselho do pai o fez r. à realidade>* □ *t.d. e pron.* **2** (fazer) tomar direção, sentido oposto ao que se encontra *<r. a situação>* *<suas expectativas se reverteram>* □ *t.i.* **3** (prep. *em*) ter como consequência; redundar ◉ GRAM/USO part.: *revertido*, *reverso*; ver QUADRO DE PARTICÍPIOS DUPLOS nas pp. iniciais

revertério (re.ver.té.rio) *s.m.* imprevisto que transforma uma situação boa em má

revés (re.vés) [pl.: *-eses*] *s.m.* **1** reverso ('lado oposto') **2** aspecto ruim de alguma coisa *<o r. da fama>* **3** infortúnio; desgraça *<enfrentou muitos reveses>*

revestimento (re.ves.ti.men.to) *s.m.* o que reveste ou cobre; cobertura *<r. de sofá>* *<r. de parede, de piso>*

revestir (re.ves.tir) *v.* {mod. 28} *t.d.* **1** tornar a vestir *<vestiu e revestiu a mesma roupa>* **2** aplicar em (uma superfície) camada, substância etc. que a ocupe por completo; recobrir *<r. o móvel com verniz>* **3** estar sobre ou à volta de (superfície, objeto etc.); cobrir *<algodão revestia o cristal>* □ *pron.* **4** ter ou apresentar certa disposição, característica *<r.-se de orgulho, coragem>*

revezamento (re.ve.za.men.to) *s.m.* substituição alternada de pessoas ou coisas que trocam seus lugares, postos etc. *<r. de operários no trabalho noturno>*

revezar (re.ve.zar) *v.* {mod. 1} *t.d.,t.i.,int. e pron.* (prep. *com*) substituir(-se) de forma intercalada; alternar(-se) *<r. os porteiros de um edifício>* *<r. com outro jogador>* *<os dois médicos revezaram(-se) no plantão>*

revidar (re.vi.dar) *v.* {mod. 1} *t.d.,t.d.i.,t.i. e int.* **1** (prep. *com*) cometer (ofensa, agressão física ou moral) como vingança por (mal tratamento recebido); responder, vingar *<r. um tapa>* *<r. o descaso com desprezo>* *<r. ao bloqueio>* *<ofendido, preferiu não r.>* □ *t.d.,t.i. e int.* **2** (prep. *a*) dar em resposta, reação a; replicar *<r. uma crítica>* *<r. ao provocador>* *<provocado, preferiu não r.>*

revide (re.vi.de) *s.m.* **1** resposta a ofensa; vingança **2** réplica ↺ aceitação

revigorante (re.vi.go.ran.te) *adj.2g.* **1** que revigora ■ *adj.2g.s.m.* **2** FARM (o) que revigora, fortifica (diz-se de substância, medicamento etc.); tônico, reconfortante

revigorar (re.vi.go.rar) *v.* {mod. 1} *t.d.,int. e pron.* **1** (fazer) adquirir vigor, energia, força; fortificar(-se) *<r. os músculos>* *<o convalescente revigorou(-se)>* ↺ debilitar(-se) □ *t.d. e pron. fig.* **2** tornar(-se) seguro, estável; fortalecer(-se) *<medidas para r. a ordem pública>* *<revigoraram-se entre eles os laços afetivos>* **3** (fazer) adquirir novo estímulo; reanimar(-se) ~ **revigorado** *adj.*

revirar (re.vi.rar) *v.* {mod. 1} *t.d.* **1** virar de novo ou muitas vezes *<r. os olhos>* **2** virar na direção oposta *<r. o veículo>* **3** mexer muitas vezes à busca de algo; revolver, remexer *<r. a bolsa>* *<r. a gaveta>* **4** deixar com perturbação emocional, moral etc.; inquietar *<a paixão revirou-a>* □ *t.d.,int. e pron.* **5** remexer(-se) [o corpo] repetidamente *<ao som do pandeiro, as passistas reviraram os pés>* *<quando caminha, seus quadris reviram(-se)>* ~ **reviramento** *s.m.*

reviravolta (re.vi.ra.vol.ta) *s.f.* **1** volta rápida em torno do próprio corpo; viravolta, pirueta *<a r. da dançarina>* **2** *fig.* mudança brusca; viravolta *<as r. do destino>*

revisão (re.vi.são) [pl.: *-ões*] *s.f.* **1** leitura minuciosa e correção de um texto **2** grupo de revisores de um jornal, revista, editora etc. **3** inspeção para correção de falhas *<r. num equipamento>*

revisar (re.vi.sar) *v.* {mod. 1} *t.d.* **1** ter novamente sob os olhos *<r. o caminho no mapa>* **2** fazer a inspeção de *<r. a despensa antes de sair>* **3** examinar com atenção, procurando possíveis erros; rever *<r. uma carta>* **4** *fig.* levar novamente em consideração; repensar

revisionismo (re.vi.sio.nis.mo) *s.m.* atitude ou política dos que discutem as bases de uma doutrina ou que delas discordam ~ **revisionista** *adj.2g.s.2g.*

revisor (re.vi.sor) /ô/ [pl.: *-es*] *adj.s.m.* **1** (o) que revisa ■ *s.m.* **2** quem faz trabalho de revisão de originais ou de provas tipográficas

¹revista (re.vis.ta) *s.f.* exame cuidadoso de algo ou alguém; inspeção ◉ ORIGEM *re-* + *vista*

²revista (re.vis.ta) *s.f.* JOR publicação periódica, ger. ilustrada, de artigos, ensaios etc. ◉ ORIGEM tradução do ing. *review* 'id.' ◉ COL hemeroteca

³revista (re.vis.ta) *s.f.* TEAT teatro de revista

revistar (re.vis.tar) *v.* {mod. 1} *t.d.* **1** fazer inspeção em *<r. a tropa>* **2** procurar algo em; vasculhar *<r. as malas>*

revitalizar (re.vi.ta.li.zar) *v.* {mod. 1} *t.d.* despertar nova vida ou dar novo vigor em *<os alunos procuraram r. as tradições das suas origens>* ~ **revitalização** *s.f.*

revivalismo (re.vi.va.lis.mo) *s.m.* predisposição ou intenção de reviver ou restaurar (estilos, formas, ideias que pertenciam ao passado) ~ **revivalista** *adj.2g.s.2g.*

reviver (re.vi.ver) *v.* {mod. 8} *int.* **1** voltar à vida *<as plantas revivem na primavera>* **2** *fig.* adquirir novo vigor, nova força; renovar-se **3** voltar a se manifestar; reaparecer *<parece que os bons tempos reviveram>* □ *t.d.* **4** experimentar de novo (emoções, fatos etc. do passado) de modo vivo, intenso; recordar **5** pôr de novo em uso *<r. o sentido de uma palavra>*

revoada (re.vo.a.da) *s.f.* bando de aves em voo

revoar (re.vo.ar) *v.* {mod. 1} *int.* **1** voar de volta ao ponto de partida **2** dar pequenos e repetidos voos sem direção definida; esvoaçar, pairar **3** voar alto

revogação (re.vo.ga.ção) [pl.: *-ões*] *s.f.* ato, processo ou efeito de revogar, de tornar sem efeito alguma coisa; anulação, extinção

revogar (re.vo.gar) *v.* {mod. 1} *t.d.* fazer ficar sem efeito, deixar de vigorar; anular *<r. uma lei>* ~ **revogador** *adj.s.m.*

revolta (re.vol.ta) *s.f.* **1** manifestação coletiva contra qualquer autoridade; motim, rebelião ↺ conciliação **2** *p.ext.* desordem, tumulto ↺ ordem **3** *fig.* sentimento de raiva, indignação ↺ submissão ~ **revoltoso** *adj.s.m.*

revoltante (re.vol.tan.te) *adj.2g.* que causa indignação; repugnante, repulsivo *<atitude r.>*

revoltar (re.vol.tar) *v.* {mod. 1} *t.d.,t.d.i. e pron.* **1** (prep. *contra*) incitar a ou ficar em insurreição contra superior ou autoridade; rebelar(-se) *<os tenentes revoltaram a tropa> <r. o empregado contra o patrão> <r.-se contra o governo>* □ *t.d.,int. e pron. fig.* **2** (fazer) sentir indignação, repulsa; indignar(-se), irritar(-se) *<a injustiça revoltou-o> <a desonestidade revolta> <revoltou-se contra a bajulação>* ~ **revoltado** *adj.s.m.*

revolto (re.vol.to) /ô/ *adj.* **1** muito agitado *<mar r.>* ↺ tranquilo **2** desgrenhado *<cabelos r.>* ↺ arrumado **3** furioso, irritado *<passageiros r.>* ↺ calmo

revolução (re.vo.lu.ção) [pl.: *-ões*] *s.f.* **1** rebelião armada; insurreição **2** mudança violenta nas instituições políticas, econômicas e sociais de um país **3** *fig.* transformação súbita *<r. econômica> <r. dos costumes>* **4** ASTR volta completa de um astro em sua órbita

revolucionar (re.vo.lu.cio.nar) *v.* {mod. 1} *t.d.* **1** provocar mudanças significativas, estruturais em *<o prêmio milionário revolucionou a vida da família>* **2** revolver ou agitar muito; remexer *<r. a argamassa>* **3** *fig.* causar agitação emocional ou moral em; perturbar □ *t.d. e pron.* **4** (prep. *contra*) incitar a ou participar de revolta; sublevar(-se) *<ideais democráticos revolucionaram o país> <revolucionaram-se contra o ditador>*

revolucionário (re.vo.lu.cio.ná.rio) *adj.s.m.* **1** que(m) participa de revolução *<os (militares) r. de 1930>* **2** que(m) é favorável a transformações profundas ↺ conservador ■ *adj.* **3** referente a revolução *<processo r.>* ↺ antiquado **4** inovador, ousado *<moda r.>*

revolutear (re.vo.lu.te.ar) *v.* {mod. 5} *int.* **1** agitar-se em vários sentidos, dando voltas; revolver-se **2** pôr-se em movimento, batendo as asas ~ **revoluteio** *s.m.*

revolver (re.vol.ver) *v.* {mod. 8} *t.d. e pron.* **1** mexer(-se) muito, em várias direções ou dando voltas; revirar(-se), agitar(-se) *<r. o corpo> <revolvia-se na cama sem pegar no sono>* □ *t.d.,int. e pron.* **2** movimentar(-se), deslocando(-se) de lugar; mover(-se) *<o vento forte revolvia a areia> <a Terra revolve em sua órbita> <as ondas revolviam-se furiosas>* □ *t.d.* **3** *p.ext.* cavar (a terra), misturando(-a) **4** examinar em detalhes, com atenção *<r. um crime sem solução>* ◉ GRAM/USO part.: *revolvido, revolto*; ver QUADRO DE PARTICÍPIOS DUPLOS nas pp. iniciais ~ **revolvimento** *s.m.*

revólver (re.vól.ver) [pl.: *-es*] *s.m.* arma de fogo manual, dotada de um tambor giratório com várias câmaras, no qual se colocam os cartuchos ('carga')

reza (re.za) *s.f.* ação ou efeito de rezar; oração, prece

rezador (re.za.dor) /ô/ [pl.: *-es*] *s.m.* **1** pessoa que reza **2** pessoa que faz benzeduras tentando com isso afastar o mal

rezar (re.zar) *v.* {mod. 1} *t.d.,t.d.i.,t.i. e int.* **1** (prep. *a*) dizer em voz baixa ou para si (oração ou súplica religiosa); orar *<r. o pai-nosso> <r. à Virgem Maria> <r. uma oração a Deus> <tem o hábito de r. antes de dormir>* □ *t.d.* **2** celebrar (missa) **3** fazer benzeduras em; benzer *<rezou o doente>* **4** conter em si (informação, dado etc.); referir *<a lei reza isto>* **5** prescrever, determinar *<a receita reza que ele deve tomar um tipo de medicamento>*

rezingar (re.zin.gar) *v.* {mod. 1} *t.d. e int.* **1** falar baixo e com mau humor; resmungar *<r. palavras de descontentamento> <não gostou da comida e começou a r.>* □ *t.i.* **2** (prep. *com*) criticar, repreender *<r. com o filho que chegou tarde>* □ *int. infrm.* **3** discutir, brigar ~ **rezinga** *s.f.*

Rf QUÍM símbolo de *rutherfórdio*

Rg QUÍM símbolo de *roentgênio*

Rh símbolo de *ródio*

riacho (ri.a.cho) *s.m.* pequeno rio; córrego

riba (ri.ba) *s.f.* margem alta de um rio; ribanceira

ribalta (ri.bal.ta) *s.f.* TEAT **1** fileira de refletores no piso da parte dianteira do palco **2** *p.ext.* a parte dianteira do palco **3** *p.ext.* o teatro, o palco teatral

ribamar (ri.ba.mar) [pl.: *-es*] *s.f.* **1** margem do mar; beira-mar **2** lugar que fica à beira-mar

ribanceira (ri.ban.cei.ra) *s.f.* **1** riba, barranco **2** precipício

ribeira (ri.bei.ra) *s.f.* **1** terreno às margens de um rio, ger. banhado por ele **2** *p.ext.* terra baixa e alagada pelas águas de um rio ou mar **3** curso de água menos largo e profundo que um rio

ribeirão (ri.bei.rão) [pl.: *-ões*] *s.m.* **1** curso de água menor que um rio e maior que um riacho **2** terreno próprio para a lavra de minas de diamantes

ribeirinho (ri.bei.ri.nho) *adj.* que se localiza ou vive às margens de rio ou ribeira *<população r.>*

ribeiro (ri.bei.ro) *s.m.* regato, riacho

ribombar (ri.bom.bar) *v.* {mod. 1} *int.* produzir barulho muito forte; ressoar, retumbar ~ **ribombante** *adj.2g.* - **ribombo** *s.m.*

ribossomo (ri.bos.so.mo) ou **ribossoma** (ri.bos.so.ma) *s.m.* BIO organela citoplasmática composta de ácidos ribonucleicos e proteínas, na qual ocorre a síntese de proteína

R

ricaço (ri.ca.ço) *adj.s.m.* que(m) é muito rico ◉ GRAM/USO aum.irreg.de *rico*

rícino (rí.ci.no) *s.m.* **1** BOT planta cuja semente tem propriedades laxantes **2** o óleo extraído dessa semente

rico (ri.co) *adj.s.m.* **1** que(m) possui muitos bens, dinheiro ou coisas de valor ↺ pobre ■ *adj.* **2** farto, abundante *<fruta r. em vitamina C>* **3** de muito luxo *<ambiente r.>* **4** fértil, produtivo *<solo r.>*

ricochete (ri.co.che.te) /ê/ *s.m.* salto ou reflexo de um corpo, projétil ou raio após bater em algum obstáculo

ricochetear (ri.co.che.te.ar) *v.* {mod. 5} *t.i. e int.* (prep. *contra*) desviar-se ao bater em um obstáculo *<a bala ricocheteou (contra a pedra) e se alojou no piso>*

ricota (ri.co.ta) *s.f.* queijo branco de consistência macia, preparado com o soro de leite desnatado

ricto (ric.to) *s.m.* ou **rictus** (ríc.tus) *s.m.2n.* **1** contração dos músculos da face ou da boca, que dá ao rosto um ar de riso **2** abertura da boca

ridico (ri.di.co) *adj. TO MG GO infrm. pej.* avarento

ridicularizar (ri.di.cu.la.ri.zar) *v.* {mod. 1} *t.d.* **1** expor ao ridículo; zombar, caçoar *<ridicularizou-se ao tomar aquela atitude>* □ *t.d. e pron.* **2** tornar(-se) ridículo *<aqueles trajes o ridicularizavam> <ridicularizou-se ao tomar essa atitude>* ~ **ridicularização** *s.f.*

ridículo (ri.dí.cu.lo) *adj.* **1** que é alvo de caçoada; risível *<uma figura r.>* ↺ sério **2** que causa vexame; vexaminoso *<atitude r.>* **3** de mau gosto; espalhafatoso *<roupa r.>* ↺ elegante **4** destituído de bom senso; absurdo *<teoria r.>* ↺ sensato **5** de pouco valor *<prestação r.>* ■ *s.m.* **6** pessoa ou coisa ridícula **7** característica, condição ou circunstância ridícula *<falou demais e se expôs ao r.>*

rifa (ri.fa) *s.f.* sorteio de algo mediante venda de talões numerados ~ **rifar** *v.t.d.*

rifle (ri.fle) *s.m.* espingarda

rígido (rí.gi.do) *adj.* **1** rijo, teso *<metal r.>* ↺ maleável **2** *fig.* inflexível em suas opiniões; intransigente, rigoroso ↺ tolerante ~ **rigidez** *s.f.*

rigor (ri.gor) /ô/ [pl.: *-es*] *s.m.* **1** dureza material; inflexibilidade *<o r. do aço>* **2** grande severidade de princípios; austeridade **3** exatidão excessiva; precisão *<r. na avaliação>*

rigoroso (ri.go.ro.so) /ô/ [pl. e fem.: /ó/] *adj.* **1** sem flexibilidade; rígido **2** muito severo; intransigente *<chefe r.>* ↺ brando **3** exato, preciso *<apuração r. dos fatos>* **4** muito intenso *<frio r.> <verão r.>* ↺ suave

rijo (ri.jo) *adj.* **1** duro, resistente *<material r.>* ↺ macio **2** de físico ou estrutura forte; robusto *<músculos r.>* ↺ franzino **3** *fig.* que tem vontade firme *<homem r.>* ↺ volúvel ~ **rijeza** *s.f.*

rilhar (ri.lhar) *v.* {mod. 1} *t.d.* **1** comer roendo *<r. um biscoito duro>* **2** pôr em atrito (os dentes) uns contra os outros; ranger □ *t.d. e int.* **3** (fazer) produzir ruído áspero *<deslizava, sem fazer r. os patins> <esta porta rilha quando movimentada>* ~ **rilhador** *adj.s.m.*

rim [pl.: *rins*] *s.m.* ANAT **1** cada um dos dois órgãos que produzem a urina, situados em cada lado da região lombar ▼ ***rins*** *s.m.pl. infrm.* **2** a parte inferior da região lombar

rima (ri.ma) *s.f.* **1** igualdade de sons, a partir da sílaba tônica da palavra final de dois ou mais versos **2** uniformidade de sons na terminação de duas ou mais palavras **3** palavra que possui terminação idêntica ou similar a outra *<canto é r. de pranto>* ~ **rimador** *adj.s.m.*

rimar (ri.mar) *v.* {mod. 1} *t.d. e int.* **1** escrever em versos com rimas *<rimou alguns poemas na juventude> <ele rima admiravelmente>* □ *t.i. e t.d.i.* **2** (prep. *com*) formar rima *<amor rima com sofredor> <não conseguia r. o primeiro com o terceiro verso>*

rímel (rí.mel) [pl.: *-eis*] *s.m.* cosmético para colorir ou acentuar a curvatura dos cílios ☞ marca registrada (fr. *rimmel*) que passou a designar o seu gênero

rincão (rin.cão) [pl.: *-ões*] *s.m.* lugar afastado; recanto

rinchar (rin.char) *v.* {mod. 1} *int.* **1** emitir rincho (equídeos); relinchar ☞ nesta acp., só us. nas 3ªs p., exceto quando fig. **2** emitir ruído agudo, desagradável; ranger *<o carro de bois ia pela estrada rinchando>*

rincho (rin.cho) *s.m.* relincho

ringue (rin.gue) *s.m.* ESP local delimitado, ger. por uma cerca de cordas, no qual se travam lutas de boxe, luta livre etc.

rinha (ri.nha) *s.f.* **1** briga de galos **2** *p.ext.* local em que se realiza essa briga ~ **rinhar** *v.int.*

rinite (ri.ni.te) *s.f.* MED inflamação da mucosa nasal

rinoceronte (ri.no.ce.ron.te) *s.m.* ZOO grande mamífero selvagem, de pele grossa, com um ou dois chifres no focinho e patas curtas de três dedos cada uma, todos com cascos

rinofonia (ri.no.fo.ni.a) *s.f.* MED distúrbio da fonação caracterizado pelo timbre anasalado da voz, em função da alteração de ressonância das cavidades nasais; rinolalia

rinolalia (ri.no.la.li.a) *s.f.* MED rinofonia

rinque (rin.que) *s.m.* pista própria para patinação

rio (ri.o) *s.m.* **1** curso de água natural que deságua noutro rio, no mar ou num lago **2** *fig.* grande quantidade de líquido *<um r. de lágrimas>*

rio-branquense (ri.o-bran.quen.se) [pl.: *rio-branquenses*] *adj.2g.* **1** de Rio Branco (AC) ■ *s.2g.* **2** natural ou habitante dessa capital

rio-grandense-do-norte (ri.o-gran.den.se-do-nor.te) [pl.: *rio-grandenses-do-norte*] *adj.2g.* **1** do Rio Grande do Norte (RN); norte-rio-grandense, potiguar ■ *s.2g.* **2** natural ou habitante desse estado; norte-rio-grandense, potiguar

rio-grandense-do-sul (ri.o-gran.den.se-do-sul) [pl.: *rio-grandenses-do-sul*] ou **sul-rio-grandense** (sul-rio-gran.den.se) [pl.: *sul-rio-grandenses*] *adj.2g.* **1** do Rio Grande do Sul; relativo a esse estado e à sua população; gaúcho ■ *s.2g.* **2** natural ou habitante do Rio Grande do Sul; gaúcho

ripa (ri.pa) *s.f.* peça de madeira longa e estreita ~ **ripagem** *s.f.* - **ripamento** *s.m.* - **ripar** *v.t.d.*

ripada (ri.pa.da) *s.f.* **1** golpe com ripa **2** *p.ext.* o efeito desse golpe *<r. visíveis na porta do automóvel>*

riqueza (ri.que.za) /ê/ *s.f.* **1** grande quantidade de dinheiro, bens materiais, propriedades etc.; fortuna

↺ pobreza **2** luxo *<sala decorada com muita r.>* **3** *fig.* abundância de qualquer coisa considerada valiosa *<r. de imaginação>* **4** capacidade produtiva da terra; fertilidade ↺ esterilidade

rir *v.* {mod. 30} *t.i.,int. e pron.* **1** (prep. *de*) contrair os músculos faciais, ger. de modo súbito, e emitir som característico, por ter impressão alegre ou cômica *<peça que faz r.> <r.(-se) de um dito picante>* □ *int.* **2** apresentar fisionomia de satisfação, prazer; sorrir *<ele vive rindo>* □ *t.i.* **3** (prep. *de*) tratar sem seriedade, com ditos, gestos de humor, malícia, troça; caçoar *<os colegas riram da gafe que cometeu> <não admite que riam dele>*

risada (ri.sa.da) *s.f.* riso alto

risca (ris.ca) *s.f.* **1** traço feito em uma superfície com lápis, pincel etc.; risco **2** repartição dos cabelos feita ger. com pente

riscado (ris.ca.do) *adj.* **1** que tem riscos **2** marcado com riscos, para realce ou exclusão *<tirou a frase r.>*

riscar (ris.car) *v.* {mod. 1} *t.d.* **1** fazer riscas, traços, desenhos etc. em (uma superfície) com objeto pontiagudo ou lápis, caneta etc. *<a criança riscou a parede do quarto> <raios riscavam o céu escuro>* **2** marcar com um traço (palavra, frase, desenho etc.), ger. para excluí-lo *<riscou uma frase malfeita>* **3** desenhar, determinar os contornos de; esboçar *<r. uma paisagem>* **4** acender friccionando (palito de fósforo) **5** suprimir, eliminar, excluir *<r. os indesejados da lista>*

[1]risco (ris.co) *s.m.* **1** traço sobre uma superfície; risca **2** *B* contorno de um desenho para ser bordado ◉ ORIGEM duv., talvez do v. *riscar*

[2]risco (ris.co) *s.m.* **1** probabilidade de perigo *<r. de infecção>* **2** *p.ext.* probabilidade de insucesso *<r. de perder a verba>* ◉ ORIGEM do fr. *risque* 'perigo'

risível (ri.sí.vel) [pl.: *-eis*] *adj.2g.* **1** que causa riso; ridículo ■ *s.m.* **2** aquilo que causa riso *<todo tombo tem o seu r.>*

riso (ri.so) *s.m.* **1** ato ou efeito de rir **2** o seu som *<ouviu risos detrás da porta>* **3** o modo como se ri *<r. de escárnio>* ▣ **r. amarelo** riso constrangido, sem vontade

risonho (ri.so.nho) *adj.* **1** que ri; sorridente *<criança r.>* ↺ choroso **2** alegre, satisfeito *<mantinha o rosto tranquilo e r.>* ↺ carrancudo

risota (ri.so.ta) *s.f.* **1** risada curta **2** *infrm.* riso de zombaria

risoto (ri.so.to) /ô/ *s.m.* CUL prato da cozinha italiana feito de arroz, ger. com açafrão, manteiga e queijo parmesão ralado *<r. de frutos do mar>*

ríspido (rís.pi.do) *adj.* **1** grosseiro na maneira de tratar os outros; rude *<pessoa r.>* ↺ delicado **2** rígido, severo *<comentários r.>* ↺ brando **3** áspero, estridente *<badaladas r.>* ↺ liso ~ **rispidez** *s.f.*

rissole (ris.so.le) *s.m.* CUL pequeno pastel recheado, feito de massa cozida, que se passa no ovo e na farinha de rosca antes de fritar

riste (ris.te) *s.m.* suporte de ferro que firma o cabo da lança, quando o cavaleiro a carrega ou quando está pronto para atacar ▣ **em r.** em posição erguida *<reclamava com o dedo em r.>*

ritmar (rit.mar) *v.* {mod. 1} *t.d.* **1** dar ritmo a; cadenciar *<r. os passos de acordo com a música>* **2** marcar o ritmo de *<o relógio ritmava as horas>* ~ **ritmado** *adj.*

rítmico (rít.mi.co) *adj.* **1** relativo, pertencente a ou próprio de ritmo **2** em que há ritmo, que possui ritmo *<ginástica r.>*

ritmista (rit.mis.ta) *adj.2g.s.2g.* MÚS que(m) marca o ritmo; que(m) toca instrumentos de percussão; percussionista

ritmo (rit.mo) *s.m.* **1** movimento regular e periódico durante um processo; cadência *<r. das ondas> <r. da fala>* **2** padrão de som ou movimento us. em música, poesia ou dança **3** padrão de marcação do tempo que caracteriza um gênero musical *<o r. do samba> <ele sabe tocar todos os r.>*

rito (ri.to) *s.m.* **1** conjunto de regras e cerimônias praticadas numa religião **2** qualquer processo de caráter sagrado ou simbólico, capaz de estabelecer e desenvolver costumes *<r. fúnebre>* **3** cerimônia que segue preceitos estabelecidos ▣ **r. de passagem** ANTRPOL ritual que permite o acesso de um indivíduo de um grupo a outro, esp. de um grupo de jovens ao grupo de adultos

ritual (ri.tu.al) [pl.: *-ais*] *s.m.* **1** conjunto dos ritos de uma religião e sua prática **2** *p.ext.* o culto religioso **3** *p.ext.* conjunto de regras a se seguir; cerimonial ■ *adj.2g.* **4** relativo a rito ~ **ritualista** *adj.2g.s.2g.* - **ritualístico** *adj.*

rival (ri.val) [pl.: *-ais*] *adj.2g.s.2g.* **1** que(m) pretende obter algo que outro(s) tb. pretende(m); concorrente ↺ aliado **2** que(m) é igual a outro em algum aspecto ou qualidade

rivalidade (ri.va.li.da.de) *s.f.* concorrência, disputa, emulação *<r. entre times de futebol>*

rivalizar (ri.va.li.zar) *v.* {mod. 1} *t.i.* **1** (prep. *com*) competir, concorrer *<nenhum time rivaliza com o nosso>* □ *t.d. e t.i.* **2** (prep. *com*) igualar-se ou assemelhar-se às qualidades de *<r. (com) os grandes mestres>*

rixa (ri.xa) *s.f.* **1** hostilidade entre pessoas, grupos etc.; querela, discórdia **2** disputa; briga ~ **rixar** *v.int.* - **rixento** *adj.*

rizicultura (ri.zi.cul.tu.ra) *s.f.* AGR cultura de arroz; orizicultura

rizófago (ri.zó.fa.go) *adj.* que come raízes

rizoma (ri.zo.ma) *s.m.* BOT caule subterrâneo capaz de lançar ramos e raízes ~ **rizomático** *adj.* - **rizomatoso** *adj.*

rizotônico (ri.zo.tô.ni.co) *adj.* GRAM diz-se de forma verbal cujo acento tônico cai no radical (p.ex., cant-o, am-o) ↺ arrizotônico

RJ sigla do Estado do Rio de Janeiro

Rn QUÍM símbolo de *radônio*

RN sigla do Estado do Rio Grande do Norte

RNA *s.m.* QUÍM ver ***ÁCIDO RIBONUCLEICO***

RO sigla do Estado de Rondônia

roaming (roam.ing) [ing.] *s.m.* TEL tipo de conexão de telefonia celular feita através de uma rede fora da localidade em que a linha está registrada ⇒ pronuncia-se roumin

R

robalo (ro.ba.lo) *s.m.* ZOO peixe comestível de água doce ou salobra, corpo prateado e tamanhos variados

robe (ro.be) *s.m.* VEST **1** penhoar **2** roupão

robô (ro.bô) *s.m.* **1** máquina, ger. de aspecto humano, capaz de agir e se mover **2** mecanismo comandado eletronicamente, capaz de substituir o homem em certas operações **3** *fig.* pessoa que age mecanicamente ~ **robótico** *adj.*

robótica (ro.bó.ti.ca) *s.f.* ciência e técnica de concepção, construção e utilização de robôs

robotizar (ro.bo.ti.zar) *v.* {mod. 1} *t.d.* **1** usar robôs em *<r. uma linha de montagem>* □ *t.d. e pron. fig.* **2** (fazer) agir como um robô ~ **robotização** *s.f.*

robustecer (ro.bus.te.cer) *v.* {mod. 8} *t.d.,int. e pron.* **1** tornar(-se) robusto; fortalecer(-se) *<alimentação que robustece (o organismo)> <tem de r.-se para a próxima competição>* ↺ debilitar(-se) **2** *fig.* (fazer) crescer em dignidade; engrandecer(-se) *<homens que robusteceram a democracia> <seus ideais robusteceram(-se)>* □ *t.d. fig.* **3** confirmar, corroborar *<r. uma afirmação>* ↺ contestar

robustez (ro.bus.tez) /ê/ [pl.: *-es*] *s.f.* **1** característica do que é robusto, vigoroso; força ↺ fraqueza **2** caráter do que é sólido, firme; dureza, solidez **3** firmeza (nos atos, nas opiniões); arrojo, energia *<r. de caráter>*

robusto (ro.bus.to) *adj.* **1** de constituição física forte; vigoroso *<animal r.>* ↺ franzino **2** duro, rijo *<madeira r.>* ↺ mole

roca (ro.ca) *s.f.* haste de madeira na qual se enrola o linho, o algodão etc. a ser fiado

roça (ro.ça) *s.f.* **1** terreno de lavoura; plantação *<r. de milho>* **2** a zona rural, o campo *<veio da r. para a cidade>*

roçado (ro.ça.do) *adj.* **1** cortado, desbastado (diz-se de vegetação) ■ *adj.s.m.* **2** que ou o que foi roçado (acp. 1) ou queimado como preparo para o cultivo (diz-se de terreno) ■ *s.m.* **3** pequena lavoura; roça **4** plantação de mandioca; mandiocal **5** local de vegetação rasteira ou sem vegetação

rocambole (ro.cam.bo.le) *s.m.* CUL pão de ló fino recheado e enrolado sobre si mesmo

rocambolesco (ro.cam.bo.les.co) /ê/ *adj.* que é cheio de peripécias e imprevistos *<história r.>*

roçar (ro.çar) *v.* {mod. 1} *t.d.,t.i. e int.* **1** (prep. *em*) passar, deslizar delicadamente por *<o cabelo roçava o ombro> <sua roupa roçava na moça> <a cortina roça no chão>* □ *t.d.* **2** ter fricção ou pequeno atrito com; raspar *<o bonde roçou o carro> <roçou a perna no muro>* **3** gastar por atrito; desgastar *<r. os sapatos>* **4** passar ou estar rente a; raspar *<a flecha roçou o tronco da árvore>* **5** cortar mato, arbustos de (terreno), esp. com foice

roceiro (ro.cei.ro) *adj.s.m.* **1** que(m) mora na zona rural **2** que(m) trabalha na roça ('terreno')

rocha (ro.cha) *s.f.* **1** massa mineral que apresenta estrutura e composição únicas **2** pedra, penhasco **3** *fig.* o que é sólido, firme *<meu pai é uma r.>*

rochedo (ro.che.do) /ê/ *s.m.* rocha grande, alta e escarpada

rochoso (ro.cho.so) /ô/ [pl. e fem.: /ó/] *adj.* **1** em que há rochas *<montanhas r.>* **2** relativo a rocha *<solo r.>*

rocio (ro.ci.o) *s.m.* MET orvalho ☞ cf. *rossio*

rock and roll [ing.] *loc.subst.* MÚS **1** ritmo musical de origem americana, ger. executado por instrumentos eletricamente amplificados **2** dança que acompanha esse ritmo ◉ GRAM/USO essa loc. não se usa no plural ⇒ pronuncia-se roquenrol

rococó (ro.co.có) *s.m.* ART.PLÁST **1** estilo decorativo desenvolvido no sXVIII, derivado do barroco e caracterizado pelo intenso uso de formas curvas e assimétricas, e muitos ornamentos ■ *adj.2g.* **2** que pertence ou se assemelha a esse estilo **3** *p.ext. pej.* que está fora de uso; antiquado **4** *p.ext. pej.* excessivamente enfeitado ↺ discreto, sóbrio

roda (ro.da) *s.f.* **1** peça circular que gira em torno de um eixo ou de seu centro *<a r. do carro se soltou>* **2** objeto circular; anel, círculo **3** grupo de pessoas dispostas em círculo *<a professora pediu aos alunos que formassem uma r.>* **4** RECR brincadeira em que as crianças se dão as mãos formando um círculo e giram ao som de cantigas **5** grupo de pessoas com interesses afins *<o prêmio era o assunto de todas as r.>*

rodada (ro.da.da) *s.f.* **1** movimento inteiro de qualquer roda **2** ato de se mover em torno de seu eixo ou o seu efeito; giro *<deu uma r. para mostrar a saia>* **3** *B* conjunto de ações, providências etc.; série *<r. de negociações>* **4** ESP *B* série de partidas de um campeonato **5** *B* cada uma das vezes que se serve bebida a um grupo que bebe junto *<eu pago a próxima r.>*

rodagem (ro.da.gem) [pl.: *-ens*] *s.f.* **1** ação ou efeito de rodar **2** conjunto das rodas de uma máquina **3** *B* soma de quilômetros rodados; quilometragem

roda-gigante (ro.da-gi.gan.te) [pl.: *rodas-gigantes*] *s.f.* RECR *B* brinquedo de parques de diversões formado de duas grandes rodas verticais, paralelas e suspensas que giram em torno do mesmo eixo e sustentam, entre si, bancos oscilantes para duas ou mais pessoas

rodamoinho (ro.da.mo.i.nho) *s.m.* **1** movimento rápido e espiralado, que ocorre em águas, da superfície para o fundo **2** rajada de vento que se movimenta em círculos **3** mecha de cabelos e/ou pelos que crescem em espiral, em sentido contrário ao dos outros

rodapé (ro.da.pé) *s.m.* **1** CONSTR barra de madeira, mármore etc. colocada ao longo das paredes, na junção com o piso **2** GRÁF parte inferior de uma página impressa

rodar (ro.dar) *v.* {mod. 1} *t.d. e int.* **1** (fazer) mover-se em volta de um eixo; circular *<o rapaz rodava o pandeiro no dedo> <estes pneus rodam bem na chuva>* **2** *B* percorrer (um veículo) [certa distância, trajeto] *<a van rodou muitos quilômetros> <caminhões não podem r. nesta ponte>* □ *t.d.* **3** andar em volta de; contornar *<r. uma praça>* **4** fazer viagem, passeio por; visitar *<a caravana rodou todo o Brasil>* **5** reproduzir (figura, texto etc.) por meio de molde ou matriz; imprimir *<já estou terminando de r. as apostilas>* **6** *B* registrar em filme; filmar, gravar *<r. um longa-metragem>* **7** *B* em informática, processar (rotina, programa); executar □ *int.* **8** *infrm.* andar, caminhar **9** *B gír.* ser expulso ou excluído *<os bagunceiros rodaram>*

roda-viva (ro.da-vi.va) [pl.: *rodas-vivas*] *s.f.* **1** movimento incessante; agitação **2** barafunda; confusão

rodear (ro.de.ar) *v.* {mod. 5} *t.d.* **1** andar, movimentar-se em volta de; contornar *<a Lua rodeia a Terra>* **2** localizar-se, ficar em volta de; cercar *<seguimos pela estrada que rodeia o açude>* **3** afastar-se, desviar-se de (obstáculo, dificuldade etc.) **4** *p.ext.* ter convivência com, fazer companhia a; cercar *<ele é bondoso com todos que o rodeiam>* □ *pron.* **5** (prep. *de*) estar acompanhado de; cercar-se *<r.-se de pessoas honestas>* ~ **rodeamento** *s.m.*

rodeio (ro.dei.o) *s.m.* **1** giro ao redor de algo **2** desculpa, subterfúgio *<falar sem rodeios>* ☞ mais us. no pl. **3** competição e exibição de [1]peões que montam em cavalos e bois não domesticados

rodela (ro.de.la) *s.f.* **1** fatia redonda *<r. de pepino>* **2** pequeno objeto de forma circular

rodilha (ro.di.lha) *s.f.* rosca de pano us. para apoiar carga transportada na cabeça

ródio (ró.dio) *s.m.* QUÍM elemento químico us. em ligas com platina, em refletores de luz, contatos elétricos, joalheria etc. [símb.: *Rh*] ☞ *cf. tabela periódica* (no fim do dicionário)

rodízio (ro.dí.zio) *s.m.* **1** artefato dotado de esferas que se fixa sob os pés de móveis para que se movam com facilidade **2** *fig.* revezamento em certas funções ou atividades *<faremos um rodízio na utilização dos computadores>* **3** *fig.* alternância de pessoas, fatos, situações etc. *<r. de ideias>* **4** sistema de serviço em que, por um preço fixo, o freguês come à vontade as especialidades da casa ☞ nesta acp., tb. us. como adj.

rodo (ro.do) /ô/ *s.m.* **1** enxada com base de madeira para juntar cereais **2** *p.ext.* vassoura de cabo longo com uma faixa de borracha na base, us. para puxar água ▣ **a r.** em grande quantidade *<ganhou dinheiro a r.>*

rodofícea (ro.do.fí.cea) *s.f.* BOT espécime das rodofíceas, classe de algas dos mares tropicais e subtropicais, de coloração avermelhada, que cresce sobre rochas ou outras algas e serve de alimento ou na formação de recifes; alga vermelha

rodófita (ro.dó.fi.ta) *s.f.* BOT espécime das rodófitas, divisão de algas, considerada por alguns autores como a classe das rodofíceas

rodologia (ro.do.lo.gi.a) *s.f.* BOT estudo das rosas

rodopiar (ro.do.pi.ar) *v.* {mod. 1} *int.* **1** dar muitas voltas, girar muito *<a dançarina rodopiava graciosamente>* **2** andar ou correr movendo-se em espiral

rodopio (ro.do.pi.o) *s.m.* **1** giro contínuo **2** rotação em torno de um eixo

rodovia (ro.do.vi.a) *s.f.* via destinada ao tráfego de veículos que se movem sobre rodas

rodoviária (ro.do.vi.á.ria) *s.f.* estação de embarque e desembarque de passageiros de ônibus

rodoviário (ro.do.vi.á.rio) *adj.* **1** relativo a rodovia ■ *adj.s.m.* **2** que(m) é empregado de empresa de ônibus

roedor (ro.e.dor) /ô/ [pl.: *-es*] *adj.* **1** que rói ■ *s.m.* ZOO **2** espécime dos roedores, ordem de mamíferos como ratos, preás, esquilos etc., ger. herbívoros, com um par de dentes incisivos de crescimento contínuo em cada maxilar e membros posteriores ger. maiores que os anteriores

roentgênio (roent.gê.nio) /rêntguen/ *s.m.* QUÍM elemento químico sintético radiativo, anteriormente denominado *unununium* [símb.: *Rg*] ☞ cf. *tabela periódica* (no fim do dicionário)

roer (ro.er) *v.* {mod. 9} *t.d. e int.* **1** cortar ou triturar com os dentes *<r. as unhas>* *<as formigas roeram a plantação>* *<o cachorrinho não para de r.>* □ *t.d.* **2** destruir de modo lento e contínuo; corroer *<a ferrugem roeu a lataria do carro>* **3** devorar em pequenos pedaços e continuamente *<as hienas roíam a carcaça>* □ *t.d. e pron. fig.* **4** (fazer) sentir sofrimento, inquietação, por raiva, ciúme etc.; atormentar(-se) *<a saudade rói o coração>* *<r.-se de inveja>* ~ **roído** *adj.*

rogar (ro.gar) *v.* {mod. 1} *t.d.,t.i. e t.d.i.* (prep. *a*) pedir com insistência e humildade; suplicar *<roga que o perdoem>* *<r. pelos filhos com fé>* *<r. ao santo que ilumine os caminhos>* ~ **rogação** *s.f.* - **rogatório** *adj.*

rogativa (ro.ga.ti.va) *s.f.* súplica

rogo (ro.go) /ô/ [pl.: /ó/] *s.m.* **1** súplica **2** prece

rojão (ro.jão) [pl.: *-ões*] *s.m.* **1** cartucho com pólvora que estoura no ar; foguete **2** *fig. B infrm.* ritmo intenso de vida, de atividade **3** *fig. B infrm.* trabalho exaustivo ▣ **aguentar** ou **segurar o r.** *B infrm.* resistir a trabalho ou situação difícil; aguentar as pontas

rojar (ro.jar) *v.* {mod. 1} *t.d.* **1** puxar fazendo deslizar por uma superfície; arrastar *<os condenados rojavam correntes pelo chão>* □ *int. e pron.* **2** deslizar pelo solo; rastejar, arrastar-se *<os répteis rojam(-se) na terra>* □ *t.d. e t.d.i.* **3** (prep. *a*, *em*) atirar longe, com força; arremessar *<r. a bola>* *<r. pedras nas latas>*

rol [pl.: *róis*] *s.m.* **1** relação, lista *<r. de compras>* **2** determinada categoria *<r. dos estudiosos>*

rola (ro.la) /ô/ *s.f.* **1** ZOO ave pequena de cor ger. de telha, semelhante ao pombo; rolinha **2** *N. N.E. MG RJ gros.* o pênis

rolagem (ro.la.gem) [pl.: *-ens*] *s.f.* **1** movimento do que rola **2** *fig. B* adiamento de pagamento (de dívida)

rolamento (ro.la.men.to) *s.m.* **1** mecanismo com pequenas esferas de aço, colocadas em anéis, que reduzem o atrito e facilitam a rotação de uma peça **2** fluxo de tráfego

rolar (ro.lar) *v.* {mod. 1} *t.d.* **1** fazer girar; rodar *<r. um pião>* **2** *fig. B* adiar pagamento de (dívida, empréstimo), ger. marcando nova data de vencimento □ *t.d. e int.* **3** (fazer) avançar ou cair dando voltas sobre si mesmo *<r. barricas morro abaixo>* *<as contas do colar rolaram pelo chão>* □ *int.* **4** escorrer, fluir (líquido) **5** mover-se com inquietude; remexer-se *<r. na cama>* **6** *B gír.* acontecer, ocorrer, realizar-se *<rolou uma festa ontem>* *<rolou confusão na saída>* ~ **rolador** *adj.s.m.*

roldana (rol.da.na) *s.f.* mecanismo composto por um disco com uma ranhura na periferia, pela qual passa um cabo, corda ou corrente que o faz girar, ger. us. para levantar pesos

roldão (rol.dão) [pl.: *-ões*] *s.m.* **1** falta de ordem; confusão **2** lançamento com força para longe ▣ **de r.** em meio a agitação confusa; impetuosamente *<foi levado de r. pelos torcedores>*

roleta (ro.le.ta) /ê/ *s.f.* **1** borboleta ('dispositivo') *<r. do ônibus>* **2** jogo de azar em que o número premiado é indicado pela parada de uma pequena bola em uma das casas numeradas de uma roda que gira **3** essa roda

rolete (ro.le.te) /ê/ *s.m.* **1** parte compreendida entre dois nós do caule da cana **2** *B* rodela de cana-de--açúcar descascada

rolha (ro.lha) /ô/ *s.f.* objeto roliço de cortiça, plástico etc. us. para tampar garrafas

roliço (ro.li.ço) *adj.* **1** que tem forma cilíndrica *<ferro r.>* **2** de formas arredondadas *<braços r.>*

rolimã (ro.li.mã) *s.m.* **1** rolamento **2** *p.ext.* RECR carrinho composto de uma tábua de madeira sobre rodinhas com rolamentos

rolinha (ro.li.nha) *s.f.* ZOO rola

rolo (ro.lo) /ô/ *s.m.* **1** qualquer objeto de forma cilíndrica e alongada **2** cilindro us. para estender massas de pastéis, empadas etc. **3** *fig. B infrm.* confusão, situação indefinida *<foi um r. conseguir trocar as passagens>* ▣ **r. compressor 1** máquina us. para nivelamento de pavimentação e compactação de solo **2** *fig. B* grupo de pressão *<o r. compressor do governo funcionou>*

ROM [ing.] INF tipo de circuito integrado capaz de preservar os dados, mesmo quando não alimentado com eletricidade, mas cujo conteúdo não pode ser alterado pelo usuário; memória permanente

romã (ro.mã) *s.f.* BOT fruta com numerosas sementes envoltas em polpa rósea agridoce

romance (ro.man.ce) *s.m.* **1** LIT narrativa em prosa, mais longa que a novela, que versa sobre personagens imaginários dados como reais, descrevendo sua psicologia, suas aventuras, seu destino ☞ cf. *fábula* e *conto* **2** *p.ext.* descrição marcada pelo exagero ou pela fantasia **3** *B* caso amoroso; namoro ◉ GRAM/USO dim. irreg.: *romancete* ▣ **r. de cavalaria** LIT o que narra aventuras dos cavaleiros andantes • **r. de costumes** LIT aquele em que se registram as paixões, o comportamento etc. de uma época, região ou classe social • **r. histórico** LIT aquele em que figuram personagens e cenas extraídos da história

R

romancear (ro.man.ce.ar) *v.* {mod. 5} *t.d.* **1** narrar em forma de romance *<r. fatos históricos>* **2** *p.ext.* dar forma agradável a *<romancearam a vida de um criminoso>* □ *int. p.ext.* **3** contar, criar fatos, histórias inverossímeis; fantasiar *<todos perceberam que ele estava romanceando>*

romancista (ro.man.cis.ta) *adj.2g.s.2g.* que(m) escreve romances

romanesco (ro.ma.nes.co) /ê/ *adj.* referente a romance *<personagem r.> <criação r.>*

românico (ro.mâ.ni.co) *adj.s.m.* **1** (período, arquitetura, estilo) dos sXI e XII na Europa, caracterizado por arcos, abóbodas e ricas ornamentações **2** LING (família de línguas) que derivou do latim **3** LING (cada língua) que derivou do latim vulgar e acabou por gerar as línguas ditas neolatinas modernas (português, francês, espanhol etc.)

romano (ro.ma.no) *adj.* **1** relativo a Roma, Itália ■ *s.m.* **2** natural ou habitante dessa capital

romântico (ro.mân.ti.co) *adj.* **1** relativo ao romantismo *<autor r.>* **2** *fig.* lírico, poético; apaixonado **3** *fig. pej.* sentimental demais; meloso

romantismo (ro.man.tis.mo) *s.m.* **1** atitude, ideais, sentimentos românticos ↺ objetividade **2** movimento artístico do final do sXVIII que cultua o subjetivismo, o sentimento, a imaginação, os temas nacionais e populares ↺ realismo ☞ inicial freq. maiúsc.

romantizar (ro.man.ti.zar) *v.* {mod. 1} *t.d.* **1** contar em forma de romance; romancear *<r. o fato>* □ *int.* **2** contar, criar fatos, histórias inverossímeis; fantasiar □ *t.d.,int. e pron.* **3** (fazer) ter feição, aspecto românticos *<José de Alencar romantizou o índio brasileiro> <o amor leva as pessoas a (se) romantizarem>* ~ **romantização** *s.f.*

romaria (ro.ma.ri.a) *s.f.* **1** peregrinação religiosa **2** *p.ext.* multidão que se dirige a determinado lugar

romãzeira (ro.mã.zei.ra) *s.f.* BOT árvore da romã

¹rombo (rom.bo) *s.m.* **1** grande abertura, buraco *<a brasa fez um r. na colcha>* **2** *fig.* desfalque ('desvio'), prejuízo *<r. na conta bancária>* ◉ ORIGEM desc.

²rombo (rom.bo) *adj.* **1** cuja ponta é arredondada; obtuso ↺ pontudo **2** *fig.* pouco sutil; estúpido ↺ esperto, sagaz ■ *s.m.* GEOM **3** losango ◉ ORIGEM do lat. *rhŏmbus,i* 'losango'

romboide (rom.boi.de) /ói/ *s.m.* GEOM **1** paralelogramo ■ *adj.2g.* **2** que tem a forma de losango

rombudo (rom.bu.do) *adj.* **1** que não tem ou perdeu a ponta *<lápis r.>* ↺ pontiagudo **2** *fig.* pouco esperto; rombo *<ajudante r.>* ↺ perspicaz

romeiro (ro.mei.ro) *s.m.* quem segue em romaria; peregrino

rompante (rom.pan.te) *adj.2g.* **1** arrogante, presunçoso ↺ humilde **2** precipitado, imprudente ↺ ponderado ■ *s.m.* **3** reação impulsiva; ímpeto *<num r. de raiva, bateu a porta>*

romper (rom.per) *v.* {mod. 8} *t.d.* **1** criar abertura ou passagem à força, rasgando, partindo, quebrando etc.; arrombar, dilacerar *<rompeu a porta com uma marreta>* **2** fazer desaparecer; afastar, eliminar *<r. preconceitos>* **3** *fig.* extinguir ou desrespeitar (testamento, contrato, compromisso etc.) □ *t.d. e pron.* **4** fazer(-se) em pedaços; quebrar(-se) *<a jovem rompeu o frasco de perfume> <o vaso rompeu-se>* **5** separar (-se) em partes, com violência; arrebentar *<conseguiu r. o laço> <a corda rompeu-se>* **6** (fazer) parar por um tempo; interromper(-se) *<o telefone rompeu o silêncio> <rompeu-se o falatório com a chegada do diretor>* □ *int.* **7** ter início; começar, surgir *<rompeu o ano-novo>* □ *t.i.* **8** (prep. *em*) aparecer de repente; irromper *<r. em lágrimas>* □ *t.i. e int.* **9** (prep. *com*) desfazer ligação amorosa ou de amizade; terminar *<r. com o falso amigo> <os namorados romperam sem ressentimentos>* ◉ GRAM/USO part.: *rompido, roto*; ver QUADRO DE PARTICÍPIOS DUPLOS nas pp. iniciais ~ **rompedor** *adj.s.m.*

rompimento (rom.pi.men.to) *s.m.* **1** fenda ou buraco em superfície *<r. de uma tubulação>* **2** interrupção de algo; suspensão *<r. da promessa>* ↺ prosseguimento

roncar (ron.car) *v.* {mod. 1} *int.* **1** respirar com ruído durante o sono **2** produzir forte ruído; estrondear *<as trovoadas roncam>* **3** produzir ruído surdo e contínuo *<certos motores roncam>* ~ **roncador** *adj.s.m.* - **roncadura** *s.f.*

ronceiro (ron.cei.ro) *adj.* **1** que se movimenta lentamente; vagaroso ↺ apressado **2** que tem pouca energia; preguiçoso ↺ ágil

roncha (ron.cha) *s.f. N.E.* mancha roxa

ronco (ron.co) *s.m.* **1** ruído áspero e grave da respiração de certas pessoas durante o sono **2** *p.ext.* som cavernoso, rouco, contínuo *<r. de um motor>*

ronda (ron.da) *s.f.* **1** visita, inspeção para a verificação da ordem, da segurança de algo **2** serviço de vigilância noturna **3** *p.ext.* indivíduo ou grupo de indivíduos que fazem esse serviço

rondar (ron.dar) *v.* {mod. 1} *t.d. e int.* **1** percorrer (lugar) vigiando; patrulhar *<soldados rondam o forte>* *<sentinela que ronda durante a noite>* □ *t.d.* **2** observar em segredo; espreitar *<os assaltantes rondavam o banco>* **3** andar ao redor ou nas proximidades de; rodear *<cães rondaram o acampamento>* **4** *fig.* estar junto de; aproximar-se *<o medo rondava sua mente>* ~ **rondante** *adj.2g.s.2g.*

rondoniano (ron.do.ni.a.no) *adj.* **1** de Rondônia ■ *s.m.* **2** natural ou habitante desse estado

[1]**rondoniense** (ron.do.ni.en.se) *adj.2g.s.2g.* rondoniano ◉ ORIGEM top. *Rondônia* (estado) + *-ense*

[2]**rondoniense** (ron.do.ni.en.se) *adj.2g.* **1** do distrito de Rondônia, no município de Porto Velho RO ■ *s.2g.* **2** natural ou habitante desse distrito ◉ ORIGEM top. distrito de *Rondônia* RO + *-ense*

ronqueira (ron.quei.ra) *s.f.* ruído provocado pela respiração difícil

ronronar (ron.ro.nar) *v.* {mod. 1} *int.* fazer (o gato) ruído contínuo com a garganta ◉ GRAM/USO só us. nas 3ªs p., exceto quando fig.

[1]**roque** (ro.que) *s.m.* RECR no jogo de xadrez, movimento combinado do rei e uma das torres ◉ ORIGEM duv., talvez do fr. antigo *roc* 'torre' ~ **rocar** *v.int.*

[2]**roque** (ro.que) *s.m.* MÚS *rock and roll* ◉ ORIGEM aport. do ing. *rock*

roqueiro (ro.quei.ro) *adj.s.m.* que(m) compõe e/ou executa *rock and roll*

ror /ô/ [pl.: *-es*] *s.m. infrm.* grande quantidade de coisas ou pessoas

roraimense (ro.rai.men.se) *adj.2g.* **1** de Roraima ■ *s.2g.* **2** natural ou habitante desse estado

rorejar (ro.re.jar) *v.* {mod. 1} *t.d. e int.* banhar ou brotar gota a gota (orvalho, suor etc.) *<olhos tristes rorejavam discretas lágrimas>* *<em suas faces o suor rorejava>* ~ **rorejante** *adj.2g.*

rosa (ro.sa) *s.f.* BOT **1** a flor da roseira ■ *s.m.2n.* **2** cor-de-rosa ■ *adj.2g.2n.* **3** dessa cor **4** diz-se dessa cor *<a cor r.>* ▼ ***rosas*** *s.f.pl.* **5** alegria, felicidade *<nem tudo são r.>* ↺ tristeza

[1]**rosácea** (ro.sá.cea) *s.f.* **1** ornato em forma de rosa **2** vitral de igreja com essa forma ◉ ORIGEM do lat. *rosacĕus,a,um* 'de rosa, feito de rosas'

[2]**rosácea** (ro.sá.cea) *s.f.* BOT espécime das rosáceas, família que inclui árvores, arbustos e ervas que possuem flores ornamentais ◉ ORIGEM do lat. cien. *Rosaceae*

rosa-choque (ro.sa-cho.que) [pl.: *rosas-choque*] *s.m.* **1** cor-de-rosa muito vivo ■ *adj.2g.2n.* **2** diz-se dessa cor *<a cor r.>* **3** que tem essa cor *<suéter r.>*

rosa-cruz (ro.sa-cruz) [pl.: *rosa-cruzes*] *adj.2g.s.2g.* (membro) de fraternidade esotérica que tem como emblema a rosa e a cruz ~ **rosa-cruzista** *adj.2g.s.2g.*

rosado (ro.sa.do) *adj.* **1** de tom levemente rosa; róseo *<vestido r.>* **2** corado, enrubescido *<tinha as faces r.>* ↺ pálido

rosa dos ventos (ro.sa dos ven.tos) [pl.: *rosas dos ventos*] *s.f.* gráfico circular que mostra as direções da esfera celeste marcadas pelos pontos cardeais

rosal (ro.sal) [pl.: *-ais*] *s.m.* roseiral

rosário (ro.sá.rio) *s.m.* **1** cordão de contas que correspondem a 15 dezenas de ave-marias e 15 pai-nossos **2** a reza em que se utiliza esse cordão **3** *fig.* enfiada, série *<um r. de mentiras>*

rosbife (ros.bi.fe) *s.m.* CUL assado de carne bovina, tostado por fora e sangrento por dentro

rosca (ros.ca) /ô/ *s.f.* **1** espiral de parafuso, porca, extremidades de tubos etc. **2** pão, bolo, biscoito em forma de argola retorcida

roscar (ros.car) *v.* {mod. 1} *t.d.* **1** dotar de roscas (pino, parafuso etc.); rosquear **2** aparafusar, atarraxar

roseira (ro.sei.ra) *s.f.* BOT arbusto da família das rosáceas, cultivado como ornamental ◉ COL roseiral, rosal

roseiral (ro.sei.ral) [pl.: *-ais*] *s.m.* **1** conjunto de roseiras num terreno; rosal **2** terreno plantado de roseiras

róseo (ró.seo) *adj.* **1** relativo a rosa ('flor') **2** rosado

roseta (ro.se.ta) /ê/ *s.f.* **1** qualquer objeto que se assemelhe a uma pequena rosa **2** parte móvel da espora, em forma de roda dentada

rosilho (ro.si.lho) *adj.s.m.* (cavalo) que tem o pelo avermelhado entremeado de branco

rosmaninho (ros.ma.ni.nho) *s.m.* BOT **1** arbusto nativo do Mediterrâneo cultivado por suas flores perfumadas, us. em sachês e para a extração de essências **2** alecrim

rosnar (ros.nar) *v.* {mod. 1} *int.* **1** emitir (cães, lobos etc.) som surdo, diferente do latido, mostrando os dentes, ger. em sinal de ameaça ☞ nesta acp., só us. nas 3ªs p., exceto quando fig. □ *t.d. e int.* **2** dizer em voz baixa, de forma confusa, ger. com mau humor; resmungar *<r. impropérios>* *<arrumou a bagunça rosnando>*

rosquear (ros.que.ar) *v.* {mod. 5} *t.d.* dotar de roscas (pino, parafuso etc.); roscar

rossio (ros.si.o) *s.m.* praça grande ☞ cf. *rocio*

rosto (ros.to) /ô/ *s.m.* **1** ANAT parte anterior da cabeça; cara, face **2** *fig.* expressão do semblante; fisionomia *<exibia um r. alegre>* **3** a parte da frente em relação ao observador; dianteira *<o r. de um casarão>* ↺ traseira

rostro (ros.tro) /ó/ *s.m.* **1** ZOO extensão saliente da cabeça de alguns insetos **2** BOT prolongamento pontiagudo presente em diversos órgãos vegetais **3** ANAT estrutura anatômica semelhante a um bico

rota (ro.ta) *s.f.* caminho, trajetória a ser percorrida ou a percorrer

rotação (ro.ta.<u>ção</u>) [pl.: *-ões*] *s.f.* movimento giratório em torno de um ponto central ▣ **r. da Terra** movimento que a Terra executa em 23 horas e 56 minutos e que dá origem ao dia e à noite ☞ cf. *translação da Terra*

rotativa (ro.ta.<u>ti</u>.va) *s.f.* GRÁF máquina impressora composta de dois cilindros que são pressionados um contra o outro enquanto giram

rotativo (ro.ta.<u>ti</u>.vo) *adj.* **1** que faz girar ou rodar *<engrenagem r.>* **2** que é feito em rodízio, revezamento *<estacionamento r.>* ~ **rotatividade** *s.f.*

rotatória (ro.ta.<u>tó</u>.ria) *s.f.* via circular de mão única para onde convergem várias outras vias; balão ('local')

rotatório (ro.ta.<u>tó</u>.rio) *adj.* **1** relativo a rotação **2** que gira ou roda *<movimento r.>*

rotavírus (ro.ta.<u>ví</u>.rus) *s.m.2n.* BIO grupo de vírus, que possuem forma de roda, causadores da gastrenterite infantil aguda e de diarreia em animais e crianças

roteirista (ro.tei.<u>ris</u>.ta) *adj.2g.s.2g.* que(m) escreve roteiros para cinema, televisão etc.

roteiro (ro.<u>tei</u>.ro) *s.m.* **1** itinerário ou descrição minuciosa de viagem **2** relação de tópicos a serem abordados em trabalho, discussão etc. **3** texto que contém diálogos, planos, cenários de filmes, programas de televisão etc.; *script* ~ **roteirização** *s.f.* - **roteirizar** *v.t.d.*

rotina (ro.<u>ti</u>.na) *s.f.* **1** caminho utilizado habitualmente **2** prática constante e mecânica de repetir certas ações *<r. de trabalho>* ↺ eventualidade **3** procedimento regular ou habitual

rotineiro (ro.ti.<u>nei</u>.ro) *adj.* **1** relativo a rotina ('procedimento') **2** que acontece habitualmente *<foi punido pelos seus atrasos r.>* ↺ inusitado

roto (<u>ro</u>.to) /ô/ *adj.* **1** que se rompeu *<saco r.>* ■ *adj.s.m.* **2** que(m) veste roupa esfarrapada; maltrapilho ◉ GRAM/USO part. de *romper*

rotor (ro.<u>tor</u>) /ô/ [pl.: *-es*] *s.m.* parte giratória de uma máquina ou motor, esp. elétrico

rótula (<u>ró</u>.tu.la) *s.f.* **1** ANAT ver ***PATELA*** **2** gelosia

rotular (ro.tu.<u>lar</u>) *v.* {mod. 1} *t.d.* **1** fixar rótulo, etiqueta, adesivo em **2** ser usado como rótulo em *<papel que rotula uma poção>* □ *t.d.,t.d.pred. e pron. fig.* **3** (prep. *de*) atribuir(-se) [qualidade, defeito] com simplismo ou impropriedade *<tem o costume de r. as pessoas> <r. de leviana a mulher distraída> <costuma r.-se de charmoso>* ~ **rotulação** *s.f.*

rótulo (<u>ró</u>.tu.lo) *s.m.* impresso afixado sobre uma embalagem que nomeia, descreve ou dá informações sobre seu conteúdo

rotunda (ro.<u>tun</u>.da) *s.f.* **1** ARQ construção circular, ger. com uma cúpula no teto **2** praça circular em que desembocam várias ruas ou avenidas **3** cortina, ger. preta, que cobre o fundo do palco de teatro

rotundo (ro.<u>tun</u>.do) *adj.* **1** redondo, esférico **2** *fig.* que encerra uma questão; decisivo *<seu pedido recebeu um não r.>* ~ **rotundidade** *s.f.*

roubada (rou.<u>ba</u>.da) *s.f. B gír.* mau negócio; furada *<entrar numa r.>*

roubalheira (rou.ba.<u>lhei</u>.ra) *s.f.* **1** roubo de bens que pertencem ao Estado, a uma organização ou empresa **2** *infrm.* roubo escandaloso e em grande proporções ↺ lisura

roubar (rou.<u>bar</u>) *v.* {mod. 1} *t.d.,t.d.i.,t.i. e int.* **1** (prep. *a, de*) privar (alguém) da posse de (algo), indevidamente, com fraude, engodo, violência ou ameaça; tomar *<r. gado> <r. um livro ao dono> <rouba a fregueses e fornecedores> <possui o hábito de r.>* □ *t.d. e t.d.i.* **2** (prep. *a, de*) deixar sem (um bem, um direito etc.); destituir, privar *<alguém roubou meu bombom!> <o trabalho roubou-lhe tempo>* **3** *fig.* (prep. *a, de*) causar dano ou destruição a; consumir *<preocupações que roubam energia> <a idade rouba-nos a agilidade>* **4** (prep. *de*) retirar de (família, grupo etc.), de modo violento ou desonesto; raptar *<roubaram a princesa durante a noite> <roubaram (da creche) dois bebês>* **5** (prep. *a*) fazer (agrado, afago) em (alguém) sem consentimento *<r. um beijo (à balconista)>* □ *t.i.* **6** (prep. *em*) enganar quanto a (qualidade ou quantidade) *<r. no peso>*

roubo (<u>rou</u>.bo) *s.m.* **1** apropriação indevida de algo que pertence a outra pessoa ↺ devolução **2** aquilo que foi roubado *<dividiu o r. entre os cúmplices>* **3** favorecimento de um competidor em prejuízo do seu adversário *<a marcação do pênalti foi um r.>*

rouco (<u>rou</u>.co) *adj.* que apresenta rouquidão *<voz r.> <está r. e não pode falar ao telefone>*

roufenho (rou.<u>fe</u>.nho) *adj.* **1** fanhoso **2** com som áspero, rouco *<notas r. saíam do clarinete>* ↺ cristalino

round [ing.; pl.: *rounds*] *s.m.* ESP período de tempo em que se divide uma luta (de boxe, p.ex.) ⇒ pronuncia-se raund

roupa (<u>rou</u>.pa) *s.f.* **1** peça moldada, ger. em pano, para cobrir o corpo; indumentária, vestimenta, traje **2** qualquer peça de tecido de uso doméstico *<r. de cama, de banho>* ◉ COL roupagem, enxoval

roupagem (rou.<u>pa</u>.gem) [pl.: *-ens*] *s.f.* **1** conjunto de roupas **2** *fig.* aspecto exterior; aparência *<a casa está com uma nova r.>*

roupão (rou.<u>pão</u>) [pl.: *-ões*] *s.m.* VEST veste aberta na frente, us. ger. sobre a roupa de dormir; chambre, robe

rouparia (rou.pa.<u>ri</u>.a) *s.f.* **1** grande quantidade de roupas **2** local onde se guardam roupas

roupeiro (rou.<u>pei</u>.ro) *s.m.* **1** encarregado da rouparia de hospitais, internatos etc. **2** *B* móvel em que se guardam roupas

roupeta (rou.<u>pe</u>.ta) /ê/ *s.f.* batina

rouquidão (rou.qui.<u>dão</u>) [pl.: *-ões*] *s.f.* alteração na voz que a torna mais grave e áspera

rouxinol (rou.xi.<u>nol</u>) [pl.: *-óis*] *s.m.* ZOO ave de canto melodioso, emitido pelos machos à noite e durante o período reprodutivo

roxo (<u>ro</u>.xo) /ô/ *s.m.* **1** cor resultante da mistura entre o vermelho e o azul ■ *adj.* **2** que tem essa cor *<cortinas roxas>* **3** diz-se dessa cor *<cor roxa>*

royalty (roy.al.ty) [ing.; pl.: *royalties*] *s.m.* ECON parte do lucro ou comissão paga ao detentor de uma patente, concessão etc. ⇒ pronuncia-se <u>rói</u>alti

R.P.G (R.P.G.) *s.f.* sigla de *reeducação postural global*

RR sigla do Estado de Roraima

R

RS sigla do Estado do Rio Grande do Sul

Ru QUÍM símbolo de *rutênio*

rua (ru.a) *s.f.* passagem pública urbana para o trânsito de pessoas ou pessoas e veículos

rubéola (ru.bé.o.la) *s.f.* MED doença viral contagiosa que provoca pequenas erupções na pele; pode produzir deformações no feto e aborto em mulheres grávidas

rubi (ru.bi) *s.m.* **1** pedra preciosa de cor vermelho-escura **2** vermelho-escuro como essa pedra ■ *adj.2g.2n.* **3** que tem a cor dessa pedra *<bolsa r.>* **4** diz-se dessa cor *<cor r.>*

rubiácea (ru.bi.á.cea) *s.f.* BOT espécime das rubiáceas, família que agrupa diversas árvores, arbustos, ervas, cultivadas por suas propriedades estimulantes

rubiáceo (ru.bi.á.ceo) *adj.* relativo às rubiáceas

rubídio (ru.bí.dio) *s.m.* QUÍM elemento químico us. em semicondutores, células fotoelétricas, tubos de alto vácuo etc. [símb.: *Rb*] ☞ cf. *tabela periódica* (no fim do dicionário)

rubiginoso (ru.bi.gi.no.so) /ô/ [pl. e fem.: /ó/] *adj.* **1** revestido por ferrugem; enferrujado, oxidado **2** de cor vermelho-alaranjada, como a ferrugem

rubor (ru.bor) /ô/ [pl.: *-es*] *s.m.* **1** a cor vermelha e suas variações **2** vermelhidão no rosto causada por vergonha, febre etc.

ruborizar (ru.bo.ri.zar) *v.* {mod. 1} *t.d.,int. e pron.* **1** tornar(-se) rubro; avermelhar(-se) *<tinta própria para r. (tecidos)>* *<r.-se com o sol forte>* **2** (fazer) ficar com a face vermelha, por timidez, indignação etc. ~ **ruborização** *s.f.*

rubrica (ru.bri.ca) *s.f.* assinatura abreviada

rubricar (ru.bri.car) *v.* {mod. 1} *t.d.* **1** pôr rubrica ('assinatura') em (texto, documento etc.) *<é necessário r. todas as páginas do contrato>* **2** *p.ext.* colocar marca, sinal em; assinalar

rubro (ru.bro) *s.m.* **1** vermelho muito intenso, como o sangue ■ *adj.* **2** que tem essa cor *<esmalte r.>* **3** diz-se dessa cor *<cor r.>*

rubro-negro (ru.bro-ne.gro) [pl.: *rubro-negros*] *adj.* **1** que é vermelho e preto ou que tem essas cores *<estampa r.>* **2** ESP referente a um clube ou time cujas cores são vermelho e preto *<o técnico r. foi demitido>* ■ *adj.s.m.* **3** ESP *B* torcedor ou jogador de um desses clubes ou times *<muitos r. aguardavam o time no aeroporto>*

ruço (ru.ço) *adj.* **1** pardo claro **2** com cabelos e/ou pelos grisalhos *<aos 30 anos já estava r.>* **3** *B* desbotado pelo uso; surrado ■ *adj.s.m.* **4** que(m) tem cabelo louro ou castanho muito claro ~ **ruçar** *v.t.d.,int. e pron.*

rúcula (rú.cu.la) *s.f.* ZOO verdura comestível, de sabor meio picante, da mesma família da couve e do repolho, muito apreciada em saladas

rude (ru.de) *adj.2g.* **1** não cultivado, lavrado *<terreno r.>* ↺ cultivado **2** desprovido de delicadeza; grosseiro *<resposta r.>* ↺ delicado **3** feito sem minúcia; pouco elaborado *<construções r.>* ~ **rudeza** *s.f.*

rudimentar (ru.di.men.tar) [pl.: *-es*] *adj.2g.* **1** básico, elementar *<conhecimentos r.>* ↺ complexo **2** pouco desenvolvido ou aperfeiçoado *<sociedade r.>*

rudimento (ru.di.men.to) *s.m.* **1** estrutura inicial; origem **2** elemento básico *<os r. de um sistema computacional>* **3** conjunto das noções básicas de qualquer ciência ou arte *<r. de matemática>* ☞ mais us. no pl.

rueiro (ru.ei.ro) *adj.* **1** relativo a rua ■ *adj.s.m.* **2** (aquele) que gosta de andar pelas ruas ↺ caseiro

rufar (ru.far) *v.* {mod. 1} *t.d. e int.* (fazer) soar (tambor) com toques rápidos e alternados *<com destreza, o músico rufava a viola>* *<rufam os tambores, sobem as cortinas>*

rufião (ru.fi.ão) [pl.: *-ões*] *s.m.* **1** quem vive de explorar prostitutas **2** indivíduo brigão

ruflar (ru.flar) *v.* {mod. 1} *int.* **1** mover-se com rumor semelhante ao da ave a bater as asas *<o vento forte rufla as bandeiras>* □ *t.d.* **2** agitar (asas) para levantar voo **3** fazer tremular; agitar

rufo (ru.fo) *s.m.* **1** toque de tambor com alternância rápida das baquetas **2** *p.ext.* qualquer som semelhante ao do tambor assim tocado

ruga (ru.ga) *s.f.* **1** vinco, sulco que se forma na pele **2** prega ou elevação em qualquer superfície

rúgbi (rúg.bi) *s.m.* ver ***RUGBY***

rugby (rug.by) [ing.] *s.m.* ESP jogo em que duas equipes se enfrentam, usando as mãos e os pés, para levar a bola oval até a linha de fundo adversária ou entre as traves da meta ⇒ pronuncia-se rágbi

ruge (ru.ge) *s.m.* cosmético ger. vermelho us. para dar cor às maçãs do rosto

rugido (ru.gi.do) *s.m.* **1** a voz de grandes felinos selvagens, como o leão, tigre etc.; urro **2** *p.ext.* som cavernoso semelhante ao urro dos felinos

rugir (ru.gir) *v.* {mod. 24} *int.* **1** emitir rugidos (felinos); urrar ☞ nesta acp., só us. nas 3ªˢ p., exceto quando fig. **2** fazer som semelhante a esse *<a ventania ruge>* □ *t.d. e int.* **3** arrastar pelo chão com ruído; ruflar *<as damas rugiram suas sedas>* *<saias longas que rugem>*

rugoso (ru.go.so) /ô/ [pl. e fem.: /ó/] *adj.* que tem rugas ~ **rugosidade** *s.f.*

ruído (ru.í.do) *s.m.* **1** som confuso, indistinto **2** *fig.* notícia, ger. infundada, que se espalha rapidamente **3** TEL qualquer distúrbio que ocasiona perda de informação na transmissão de uma mensagem

ruidoso (rui.do.so) /ô/ [pl. e fem.: /ó/] *adj.* **1** que causa ou produz ruído *<mecanismo r.>* **2** em que há ruído *<reunião r.>*

ruim (ru.im) [pl.: *ruins*] *adj.2g.* **1** que não faz bem, que prejudica *<fumar é r. para a saúde>* ↺ favorável **2** que faz crueldades; mau, perverso *<pessoa r.>* ↺ bondoso **3** de má qualidade *<fruta r.>* **4** com defeito; imperfeito *<trabalho r.>* *<comida r.>* ↺ perfeito **5** que causa sensação desagradável *<cheiro r.>* ~ **ruindade** *s.f.*

ruína (ru.í.na) *s.f.* **1** ação de ruir **2** o que restou de uma construção desmoronada *<no lugar da casa, só encontraram r.>* ☞ tb. us. no pl. **3** *fig.* decadência moral ou material *<a r. de uma civilização>* **4** colapso total; derrocada *<r. do Império Romano>* ↺ prosperidade

ruinoso (rui.no.so) /ô/ [pl. e fem.: /ó/] *adj.* **1** que está em ruínas ou prestes a desmoronar *<prédio r.>* **2** que acarreta perda, prejuízo ou destruição *<decisão r.>* ↺ benigno

ruir (ru.ir) *v.* {mod. 24} *int.* **1** cair com ímpeto e rapidez; desmoronar <*a muralha ruiu*> **2** *fig.* desfazer-se, frustrar-se <*sonhos que ruíram*> ◉ GRAM/USO verbo defectivo

ruivo (rui.vo) *adj.* **1** de cor entre o amarelo e o vermelho <*cabelos r.*> ■ *s.m.* **2** indivíduo que tem o cabelo dessa cor

rum [pl.: *runs*] *s.m.* aguardente obtida por fermentação e destilação simples do caldo ou do melaço da cana-de-açúcar, e envelhecida em tonéis de carvalho

ruma (ru.ma) *s.f.* grupo de coisas sobrepostas; pilha

rumar (ru.mar) *v.* {mod. 1} *t.i. e t.d.i.* **1** (fazer) ir (embarcação) em certa direção; dirigir(-se) <*r. o navio para o sul*> <*r. para o sul*> □ *t.i.* **2** (prep. *para*) pôr-se em direção a; ir <*r. para casa*>

rumba (rum.ba) *s.f.* DNÇ MÚS música e dança popular cubana, de ritmo 2/4 ou 4/4, marcada por pronunciado movimento lateral de quadris no fim de cada tempo

ruminante (ru.mi.nan.te) *adj.2g.* **1** que rumina ■ *s.m.* ZOO **2** espécime dos ruminantes, subordem de mamíferos possuidores de estômago complexo, que permite que a comida já engolida retorne à boca para nova mastigação

ruminar (ru.mi.nar) *v.* {mod. 1} *t.d. e int.* **1** entre os ruminantes, mastigar de novo (alimento que do estômago volta à boca) **2** *fig.* pensar muito em; refletir <*r. um projeto*> <*r. antes de decidir*> ~ **ruminação** *s.f.*

rumo (ru.mo) *s.m.* **1** cada direção indicada pelas pontas da rosa dos ventos **2** percurso a ser seguido para se chegar a determinado lugar; caminho, itinerário

rumor (ru.mor) /ô/ [pl.: *-es*] *s.m.* **1** som indistinto e contínuo de muitas vozes; murmúrio **2** ruído surdo **3** boato

rumorejar (ru.mo.re.jar) *v.* {mod. 1} *t.d. e int.* **1** produzir rumor (em) <*vento que rumoreja a plantação*> <*ao longe, a fonte rumorejava*> **2** dizer em voz baixa (segredo, confidência etc.); sussurrar ~ **rumorejante** *adj.2g.*

rumorejo (ru.mo.re.jo) /ê/ *s.m.* **1** murmúrio **2** ressonância de muitas vozes; vozerio

rumoroso (ru.mo.ro.so) /ô/ [pl. e fem.: /ó/] *adj.* **1** que produz ou causa rumor ↺ silencioso **2** que causa sensação ou grande repercussão <*crime r.*>

ruolz (ru.olz) *s.m.* liga de cor prateada composta de cobre, níquel e prata, us. em ourivesaria

rupestre (ru.pes.tre) *adj.2g.* **1** que vive nas rochas; rupícola <*planta r.*> **2** construído ou gravado na rocha <*habitação r.*> <*desenho r.*>

rupícola (ru.pí.co.la) *adj.2g.* que vive em rochedos; rupestre

ruptura (rup.tu.ra) *s.f.* **1** ação de romper(-se) ou o seu efeito; rompimento **2** interrupção da continuidade; corte <*r. de um pacto*>

rural (ru.ral) [pl.: *-ais*] *adj.2g.* relativo ao ou próprio do campo; campestre ↺ urbano

ruralismo (ru.ra.lis.mo) *s.m.* **1** utilização de cenas do campo na arte **2** predomínio da vida e população do campo sobre as da cidade **3** encanto pela vida rural

ruralista (ru.ra.lis.ta) *adj.2g.s.2g.* **1** que(m) se dedica às questões do campo **2** que(m) representa os interesses dos proprietários rurais **3** adepto do ruralismo

rurícola (ru.rí.co.la) *adj.2g.s.2g.* *frm.* agricultor, camponês

rusga (rus.ga) *s.f.* pequeno desentendimento entre duas pessoas ↺ concórdia

rusgar (rus.gar) *v.* {mod. 1} *int.* **1** entrar em desentendimento **2** falar em voz baixa, ger. com mau humor; resmungar

rusguento (rus.guen.to) *adj.* *B* **1** que se envolve muito em rusgas; briguento **2** que está sempre insatisfeito; implicante

rush [ing.; pl.: *rushes*] *s.m.2n.* tráfego muito intenso, esp. em horários de entrada ou saída do trabalho ⇒ pronuncia-se râch

russo (rus.so) *adj.s.m.* **1** relativo ou pertencente à Federação da Rússia ou o que é seu natural ou habitante **2** diz-se de ou língua falada na Rússia e, como segunda língua, nas outras repúblicas que faziam parte da União das Repúblicas Socialistas Soviéticas

rústico (rús.ti.co) *adj.* **1** campestre, rural ↺ urbano **2** que nasce e cresce sem cuidados especiais (diz-se de planta) **3** sem acabamento; que apresenta simplicidade <*móveis r.*> ↺ requintado, sofisticado ~ **rusticidade** *s.f.*

rutênio (ru.tê.nio) *s.m.* QUÍM elemento químico us. em catalisadores e em ligas muito resistentes à corrosão [símb.: *Ru*] ☞ cf. *tabela periódica* (no fim do dicionário)

rutherfórdio (ru.ther.fór.dio) *s.m.* QUÍM elemento químico sintético, anteriormente denominado *unnilquadium* [símb.: *Rf*] ☞ cf. *tabela periódica* (no fim do dicionário)

rutilação (ru.ti.la.ção) [pl.: *-ões*] *s.f.* brilho muito intenso; esplendor

rutilante (ru.ti.lan.te) *adj.2g.* **1** cintilante, resplandecente, rútilo **2** cujo brilho ofusca; rútilo ~ **rutilância** *s.f.*

rutilar (ru.ti.lar) *v.* {mod. 1} *t.d. e int.* **1** (fazer) brilhar intensamente; resplandecer <*o amanhecer rutilava sinais de um belo dia*> <*estrelas rutilam no céu*> □ *t.d.* *fig.* **2** lançar de si; emitir <*seu olhar rutila bondade*>

rútilo (rú.ti.lo) *adj.* rutilante

Ss

s *s.m.* **1** 19ª letra do nosso alfabeto, consoante ■ *n.ord.* *(adj.2g.2n.)* **2** diz-se do 19º elemento de uma série *<casa S> <item 4s>* ☞ empr. após um substantivo ou numeral ▲ **3** símbolo de *segundo* ◉ GRAM/USO na acp. s.m., pl.: *ss*

S **1** símbolo de *sul* (na rosa dos ventos) **2** FÍS símbolo de *entropia* ('grandeza') **3** QUÍM símbolo de *enxofre*

S. abreviatura de *sul* ('região')

S.A. sigla de *sociedade anônima*

saariano (sa.a.ri.a.no) *adj.* **1** relativo ao deserto de Saara (norte da África) ■ *s.m.* **2** natural ou habitante dessa região

sabá (sa.bá) *s.m.* **1** REL descanso religioso que os judeus devem observar no sábado **2** reunião de feiticeiros e bruxas, segundo crendice popular

sábado (sá.ba.do) *s.m.* o sétimo dia da semana, a partir do domingo

sabão (sa.bão) [pl.: *-ões*] *s.m.* **1** substância detergente us. com água para lavagem de roupas, superfícies, utensílios etc. **2** *B infrm.* superfície escorregadia *<essa pedra está um s.>*

sabático (sa.bá.ti.co) *adj.* **1** relativo a sábado *<descanso s.>* **2** relativo a sabá ('reunião') **3** em que se interrompe alguma atividade regular (diz-se de período, ano) *<férias s.>*

sabatina (sa.ba.ti.na) *s.f.* **1** recapitulação oral de matéria escolar através de perguntas e respostas **2** *fig.* matéria a discutir; tese, debate

sabatinar (sa.ba.ti.nar) *v.* {mod. 1} *t.d.* submeter (alguém) a sabatina; arguir *<o professor sabatinou a turma>*

sabatino (sa.ba.ti.no) *adj.* **1** relativo a sabatina **2** relativo a sábado; sabático

sabedor (sa.be.dor) /ô/ [pl.: *-es*] *adj.s.m.* **1** (aquele) que sabe alguma coisa; ciente *<s. das mudanças nas normas do condomínio>* ↺ desconhecedor **2** (aquele) que tem profundo conhecimento de algo; sábio, erudito *<era um s. em vários aspectos>* ↺ desconhecedor

sabedoria (sa.be.do.ri.a) *s.f.* **1** capacidade de exercer influência pelo acúmulo de conhecimentos; erudição *<a s. dos seus argumentos convenceu-me>* **2** experiência de vida; prudência e moderação ao agir *<ouça a sua avó, que tem muita s.>* **3** *B infrm.* virtude de esperto; astúcia, manha *<a s. do malandro>*

saber (sa.ber) *v.* {mod. 19} *t.d.,t.i. e int.* **1** (prep. *de*) ser, estar ou ficar informado, ciente de; conhecer *<s. o horário do voo> <logo soube do divórcio> <ela chegou atrasada porque não sabia da mudança de horário>* ↺ ignorar □ *t.d.* **2** ter conhecimentos específicos, teóricos ou práticos *<s. álgebra>* **3** ter a certeza de (fatos presentes ou futuros); convencer-se, prever *<sabiam o motivo da briga>* ↺ desconhecer **4** ter força, mérito, meio, capacidade de *<soube cumprir a missão>* **5** poder explicar; compreender *<sei por que chorava>* **6** ser capaz de; conseguir *<não sabe falar em público>* **7** guardar na memória; decorar *<s. poemas>* □ *t.d.pred.* **8** ter como; julgar, considerar *<não o sabia desonesto>* □ *int.* **9** ter sabedoria *<ele sabe muito>* ■ *s.m.* **10** soma de conhecimentos adquiridos; sabedoria, cultura *<o s. dos mestres>* **11** prudência e sensatez ao agir; experiência *<o s. dos mais velhos>* **12** capacidade resultante da experiência; prática *<o s. empírico>* ☞ como s.m., pl. *-es*

sabe-tudo (sa.be-tu.do) *s.2g.2n. infrm.* indivíduo que alardeia sabedoria; sabichão

sabiá (sa.bi.á) *s.2g.* ZOO *B* nome comum a aves muito apreciadas pela beleza do canto, de plumagem marrom, cinza ou preta, com as partes inferiores lisas ou manchadas ◉ VOZ v.: chilrar, piar; subst.: chilreio, pio

sabichão (sa.bi.chão) [pl.: *-ões*; fem.: *sabichã* e *sabichona*] *adj.s.m.* **1** que(m) sabe muito **2** *joc.* (aquele) que julga saber muito ◉ GRAM/USO aum.irreg. pej. de *sábio*

sabido (sa.bi.do) *adj.* **1** que se conhece; público *<um fato s.>* ↺ desconhecido ■ *adj.s.m.* **2** sabedor, conhecedor ↺ desconhecedor **3** *fig.* (aquele) que é prudente, astuto **4** *fig.* velhaco, esperto, trapaceiro

sábio (sá.bio) *adj.s.m.* **1** (aquele) que tem extensos e profundos conhecimentos em dada especialidade; erudito **2** (aquele) que é sensato, prudente ◉ GRAM/USO sup.abs.sint.: *sapientíssimo*; aum.irreg. pej.: *sabichão*

saboaria (sa.bo.a.ri.a) *s.f.* local em que se fabricam ou se guardam sabões

saboeiro (sa.bo.ei.ro) *s.m.* **1** indivíduo que faz ou vende sabão **2** saboneteira

sabonete (sa.bo.ne.te) /ê/ *s.m.* sabão fino, ger. com aroma, us. na higiene pessoal

saboneteira (sa.bo.ne.tei.ra) *s.f.* **1** recipiente para o sabonete **2** ANAT *infrm.* depressão acima da clavícula

sabor (sa.bor) /ô/ [pl.: *-es*] *s.m.* **1** impressão que as substâncias doces, amargas e salgadas exercem sobre o órgão do paladar; gosto *<comida de s. ácido>* **2** propriedade que essas substâncias têm de produzir tal impressão; paladar, gosto *<a água é incolor e sem s.>* **3** o sentido do paladar **4** *fig.* impressão física ou psicológica causada por algo *<gostou da viagem pelo s. da aventura>* **5** *fig.* traço distintivo; caráter, gênero *<música de s. latino>* **6** *fig.* bom humor; graça *<piada sem s.>* **7** *fig.* vontade, capricho *<navegar ao s. do vento>*

saborear (sa.bo.re.ar) *v.* {mod. 5} *t.d.* **1** dar sabor ou gosto a *<erva que saboreia a comida>* **2** apreciar o sabor de; degustar *<s. um sorvete>* **3** comer ou beber com apetite e gosto **4** *p.ext.* experimentar deleite, prazer com; deliciar-se *<s. uma vitória>* **5** *fig.* sofrer, experimentar de forma lenta *<s. uma desilusão>*

saboroso (sa.bo.ro.so) /ô/ [pl. e fem.: /ó/] *adj.* **1** que agrada ao paladar; delicioso, gostoso *<alimento muito s.>* ↺ insípido **2** *fig.* que dá prazer; agradável *<tem um sotaque s.>* ↺ desagradável **3** *fig.* que tem espírito, inteligência; estimulante *<filme s.>* ↺ chato

sabotador (sa.bo.ta.dor) /ô/ [pl.: *-es*] *adj.s.m.* que(m) pratica sabotagem

sabotagem (sa.bo.ta.gem) [pl.: *-ens*] *s.f.* **1** ato ou efeito de sabotar **2** dano proposital a estradas, meios de transporte, instalações industriais, militares etc., para a interrupção dos serviços

sabotar (sa.bo.tar) *v.* {mod. 1} *t.d.* **1** danificar de modo intencional e criminoso *<s. uma aeronave>* **2** prejudicar de forma oculta e traiçoeira; minar *<s. o projeto do colega>* **3** dificultar ou impedir (atividade) com resistência passiva

sabre (sa.bre) *s.m.* **1** arma de lâmina reta ou curva, pontuda e afiada de um só lado **2** espada curta

sabugo (sa.bu.go) *s.m.* **1** parte do dedo à qual a unha adere *<roeu as unhas quase até o s.>* **2** espiga de milho já sem os grãos *<comeu tudo e só deixou o s.>*

sabugueiro (sa.bu.guei.ro) *s.m.* BOT nome comum a arbustos cultivados como ornamentais ou pelas propriedades medicinais

sabujar (sa.bu.jar) *v.* {mod. 1} *t.d. e int.* lisonjear de modo excessivo; bajular, adular *<s. o chefe>* *<os interesseiros têm o hábito de s.>*

sabujice (sa.bu.ji.ce) *s.f.* submissão, servilismo

sabujo (sa.bu.jo) *s.m.* **1** ZOO grande cão de caça, de orelhas longas, pelagem curta, ger. preta com manchas marrons ■ *adj.s.m. fig.* **2** (aquele) que bajula

saburra (sa.bur.ra) *s.f.* **1** camada esbranquiçada que cobre a parte superior da língua, em decorrência de certas doenças, falta de limpeza etc. **2** *p.ext.* camada, casca, revestimento, sedimento

saca (sa.ca) *s.f.* **1** saco largo e comprido us. no comércio e tb. como medida **2** o conteúdo desse saco *<s. de café, de arroz>* **3** bolsa de compras ◉ GRAM/USO dim.irreg.: *sacola* ◉ COL sacaria

sacada (sa.ca.da) *s.f.* ARQ CONSTR plataforma saliente da fachada de casa ou prédio

sacado (sa.ca.do) *adj.* **1** que foi extraído **2** que se sacou (título, cheque, duplicata etc.) ■ *s.m.* ECON **3** pessoa física ou jurídica contra a qual se emite um título de crédito

sacador (sa.ca.dor) /ô/ [pl.: *-es*] *adj.s.m.* **1** (aquele) que saca ■ *s.m.* ECON **2** pessoa física ou jurídica que emite título de crédito contra um sacado

sacana (sa.ca.na) *adj.2g.s.2g.* **1** *pej.* que(m) tem mau caráter, engana ou tira vantagens que caberiam a outros; finório, espertalhão **2** *infrm.* brincalhão, gozador ■ *s.2g.* **3** *p.ext. infrm.* qualquer pessoa *<se aquele s. aparecer, dê-lhe um abraço>* ~ **sacanagem** *s.f.* - **sacanear** *v.t.d. e int.*

sacar (sa.car) *v.* {mod. 1} *t.d.,t.i. e int.* **1** (prep. *de*) tirar para fora de modo brusco, violento; puxar *<s. (d)o sabre>* *<esse pistoleiro saca com enorme agilidade>* □ *int.* ESP **2** dar ou ter direito a um saque (no tênis, vôlei etc.) *<sacou muito bem>* □ *t.d. e int.* **3** abater (certa quantia) de conta bancária *<s. uma quantia elevada>* *<esqueceu o cartão e não pôde s.>* □ *t.d. B gír.* **4** observar oculta e atentamente; vigiar *<s. o ambiente>* □ *t.d. e t.i. gír.* **5** (prep. *de*) compreender, entender, saber *<não sacou a matéria>* *<s. de matemática>*

sacaria (sa.ca.ri.a) *s.f.* **1** grande quantidade de sacos ou de sacas **2** fábrica de sacos

saçaricar (sa.ça.ri.car) *v.* {mod. 1} *int.* **1** dançar ou andar sacudindo o corpo; rebolar(-se) **2** divertir--se muito

sacarina (sa.ca.ri.na) *s.f.* QUÍM adoçante artificial

sacarino (sa.ca.ri.no) *adj.* **1** relativo a cultivo ou a produção de açúcar **2** com as características do açúcar *<ácido s.>* **3** doce como o açúcar

saca-rolhas (sa.ca-ro.lhas) *s.m.2n.* instrumento us. para perfurar e retirar a rolha de cortiça de garrafas

sacarose (sa.ca.ro.se) *s.f.* QUÍM substância adoçante extraída da cana-de-açúcar ou da beterraba

sacerdócio (sa.cer.dó.cio) *s.m.* **1** o ofício do sacerdote **2** a carreira eclesiástica **3** poder espiritual dos sacerdotes **4** *fig.* missão honrosa, nobre ou sacrificada *<a medicina é seu s.>*

sacerdote (sa.cer.do.te) [fem.: *sacerdotisa*] *s.m.* indivíduo responsável pela celebração dos rituais sagrados de uma religião ~ **sacerdotal** *adj.2g.*

sacerdotisa (sa.cer.do.ti.sa) *s.f.* **1** mulher consagrada ao culto de uma divindade **2** mulher que exercia as funções de sacerdote em certos templos das religiões pagãs

sachê (sa.chê) *s.m.* pequeno saco que contém substâncias aromáticas, us. para perfumar roupas

sacho (sa.cho) *s.m.* pequena enxada estreita e longa, us. para afofar a terra

saci (sa.ci) *s.m.* FOLC *B* personagem folclórico, negro, de uma perna só, que fuma cachimbo e usa um gorro vermelho com poderes mágicos; saci-pererê

saciar (sa.ci.ar) *v.* {mod. 1} *t.d. e pron.* **1** aplacar (a fome, a sede), comendo ou bebendo; satisfazer(-se) **2** *fig.* (fazer) ficar contente, satisfeito, sem queixas, dúvidas etc.; satisfazer(-se) *<s. a curiosidade> <s.-se com um livro>*

saciedade (sa.ci.e.da.de) *s.f.* **1** estado de alguém satisfeito, saciado ↺ insatisfação **2** plena satisfação do apetite ↺ insatisfação **3** fastio, aborrecimento *<divertiu-se até atingir a s.>*

saci-pererê (sa.ci-pe.re.rê) [pl.: *sacis-pererês* e *saci-pererês*] *s.m.* **1** saci **2** DNÇ *PE* um dos passos do frevo

saco (sa.co) *s.m.* **1** recipiente de pano, papel, matéria plástica etc. aberto apenas de um dos lados **2** o conteúdo desse recipiente *<usou um s. de açúcar no doce>* **3** tecido grosseiro, ger. de juta ou fibra semelhante *<pano de s.>* **4** GEO enseada pequena **5** *B gros.* chatice, amolação *<reunião de condomínio é um s.>* **6** *B gros.* paciência, pachorra *<não tenho s. para aturar aquele chato!>* **7** ANAT nome dado a diversas cavidades do corpo ■ *adj.2g.2n.* **8** VEST diz-se de caimento reto *<paletó, vestido s.>* ▣ **s. amniótico** ANAT membrana da bolsa que protege o feto dos vertebrados; âmnio • **s. de dormir** saco de pano grosso, ger. acolchoado e impermeável, provido de fecho ecler, dentro do qual dormem as pessoas em acampamento • **s. de gatos** *infrm.* **1** grupo de pessoas sem afinidades entre si *<aquele partido é um s. de gatos>* **2** conjunto de objetos sem organização *<seus livros são um s. de gatos>* • **s. de pancadas** *B* **1** pessoa que é surrada com frequência **2** pessoa a quem se atribuem todas as faltas de um grupo • **s. sem fundo** *infrm.* **1** pessoa incapaz de guardar segredos **2** aquele que come ou gasta muito • **puxar o s. (de)** *infrm.* adular, bajular muito (alguém)

sacola (sa.co.la) *s.f.* **1** bolsa us. para transportar compras e objetos **2** bolsa que se leva a tiracolo

sacolão (sa.co.lão) [pl.: *-ões*] *s.m.* **1** comércio instalado em caminhão, caminhonete etc. que vende hortaliças, legumes e frutas a peso e com preço fixo **2** mercado popular de legumes, frutas e hortaliças

sacoleiro (sa.co.lei.ro) *s.m. B infrm.* **1** pequeno comerciante que traz objetos do exterior, de outro estado ou cidade, para vender de porta em porta ou em locais de trabalho ■ *adj.* **2** relativo a esse comerciante

sacolejar (sa.co.le.jar) *v.* {mod. 1} *t.d.,int. e pron.* agitar(-se) muito, várias vezes, de um lado para outro; sacudir(-se), balançar(-se) *<o vento forte sacolejou os ramos da árvore> <esse ônibus sacoleja muito> <sacolejava-se na garupa da moto>* ~ **sacolejo** *s.m.*

sacralizar (sa.cra.li.zar) *v.* {mod. 1} *t.d. e pron.* (fazer) adquirir caráter sagrado; sacramentar

sacramental (sa.cra.men.tal) [pl.: *-ais*] *adj.2g.* **1** relativo a sacramento *<palavra s.>* **2** *p.ext.* pronunciado em ocasiões oficiais, solenes (diz-se de palavra ou frase) *<elogios s.>* **3** imposto pelo costume, pela prática; habitual *<hora s. do jantar>* ↺ incomum **4** que tem caráter obrigatório ↺ facultativo

sacramentar (sa.cra.men.tar) *v.* {mod. 1} *t.d.* **1** ministrar os sacramentos (esp. confissão, comunhão e extrema-unção) a *<s. alguém que está à beira da morte>* **2** tornar sagrado; consagrar, sacralizar *<s. uma gruta>* **3** *B infrm.* preencher e legalizar os requisitos de (documento, contrato etc.) *<s. um acordo trabalhista>*

sacramento (sa.cra.men.to) *s.m.* REL **1** cada um dos sete ritos sagrados (batismo, crisma, comunhão, confissão, extrema-unção, ordem e matrimônio) do cristianismo **2** a hóstia consagrada, no cerimonial católico

sacrário (sa.crá.rio) *s.m.* REL **1** lugar onde se guardam objetos sagrados **2** lugar onde são guardadas as hóstias consagradas na Igreja católica; tabernáculo

sacrificante (sa.cri.fi.can.te) *adj.2g.s.2g.* **1** (aquele) que sacrifica; sacrificador **2** (aquele) que celebra missa

sacrificar (sa.cri.fi.car) *v.* {mod. 1} *t.d.,t.d.i.,t.i. e int.* **1** (prep. *a*) oferecer (pessoa, coisa) em sacrifício a (divindade); imolar *<s. animais (aos deuses)> <s. à Iemanjá> <havia um sacerdote que sacrificava>* □ *t.d.i. e pron.* **2** (prep. *a*) dedicar-se totalmente a; devotar(-se) *<sacrificou a vida ao magistério> <sacrificou-se aos caprichos do marido>* □ *t.d.,t.d.i. e pron.* **3** (prep. *por*) desprezar ou renunciar voluntariamente a (coisa ou pessoa) em favor de outra; sujeitar(-se) *<s. um ideal> <s. a mocidade pelo bem-estar da família> <s.-se por uma causa útil>* □ *t.d.* **4** causar risco, dano a; prejudicar, abater *<s. uma floresta> <medidas que sacrificam a população>* ~ **sacrificador** *adj.s.m.*

sacrifício (sa.cri.fí.cio) *s.m.* **1** oferenda solene de vítimas ou donativos à divindade **2** renúncia ou privação voluntária, em favor de algo ou de alguém, por razões religiosas, morais ou práticas *<a vida de atleta exige grandes s.>*

sacrilégio (sa.cri.lé.gio) *s.m.* **1** pecado grave contra a religião ou contra as coisas sagradas **2** profanação de lugares, objetos e pessoas sagrados ↺ respeito **3** *fig.* ação digna de reprovação *<foi um s. demolir o prédio histórico>*

sacrílego (sa.crí.le.go) *adj.* **1** em que há sacrilégio *<discurso s.>* ■ *adj.s.m.* **2** (aquele) que comete sacrilégio

sacripanta (sa.cri.pan.ta) *adj.2g.s.2g.* **1** velhaco, patife, indigno ↺ digno ■ *s.2g.* **2** falso beato

sacristão (sa.cris.tão) [pl.: *-ães* e *-ãos*; fem.: *sacristã*] *s.m.* **1** empregado que cuida da sacristia **2** quem auxilia o padre durante a missa e os ofícios divinos

sacristia (sa.cris.ti.a) *s.f.* local da igreja onde se guardam os paramentos do padre e outros objetos de culto

sacro (sa.cro) *s.m.* ANAT **1** osso único que forma a parte posterior da bacia ■ *adj.* **2** ANAT relativo a esse osso **3** sagrado, santo *<música s.>* ↺ profano **4** *fig.* digno de respeito *<o s. lar>*

S

sacroilíaco (sa.cro.i.lí.a.co) *adj.* ANAT relativo aos ossos sacro e ilíaco (diz-se de articulação e ligamento)

sacrossanto (sa.cros.san.to) *adj.* **1** santo e sagrado **2** que não pode ser violado *<s. privacidade>* **3** *p.ext.* tido como sagrado *<o s. respeito à maternidade>*

sacudir (sa.cu.dir) *v.* {mod. 29} *t.d. e pron.* **1** agitar (-se) em vários sentidos, com força e repetidas vezes; sacolejar *<as crianças sacudiram os galhos da árvore> <o mar está forte, as ondas sacodem-se>* □ *t.d.* **2** mover de lado para outro; balançar *<s. um lenço>* **3** agitar para limpar; bater *<s. lençol, tapete>* □ *pron.* **4** mover-se balançando o corpo, os quadris ao andar, dançar; rebolar-se *<o cachorro balançava o rabo e sacudia-se>* ~ **sacudida** *s.f.* - **sacudidela** *s.f.* - **sacudidor** *adj.s.m.*

sádico (sá.di.co) *adj.* **1** referente a ou próprio de sadismo ■ *adj.s.m.* **2** (aquele) que é adepto à prática do sadismo **3** *p.ext.* (o) que gosta de fazer o mal ↺ bondoso

sadio (sa.di.o) *adj.* **1** que tem boa saúde ↺ doentio **2** que é bom para a saúde; saudável *<alimentação s.>* ↺ insalubre **3** *p.ext.* que é bom para o espírito e/ou para a inteligência, a moralidade *<leitura s.>*

sadismo (sa.dis.mo) *s.m.* PSIQ distúrbio psiquíco caracterizado pela obtenção de prazer sexual com a humilhação ou sofrimento físico do outro

sadomasoquismo (sa.do.ma.so.quis.mo) *s.m.* PSIQ distúrbio psiquíco, esp. sexual, que combina o sadismo e o masoquismo ~ **sadomasoquista** *adj.2g.s.2g.*

safadeza (sa.fa.de.za) /ê/ *s.f.* **1** ato ou dito próprio de pessoa ruim, safada; baixeza, indignidade ↺ decência **2** ação ou dito pornográfico ou imoral; imoralidade ↺ moralidade **3** *B* travessura, troça

safado (sa.fa.do) *adj.s.m.* **1** *pej.* sem-vergonha, descarado, desavergonhado **2** *B* (o) que leva uma vida devassa; libertino, obsceno ↺ pudico

safanão (sa.fa.não) [pl.: *-ões*] *s.m.* **1** puxão com que se arranca algo **2** *infrm.* tapa com a mão aberta; bofetão **3** *infrm.* esbarro forte e brusco; empurrão

safar (sa.far) *v.* {mod. 1} *t.d.i. e pron.* **1** (prep. *de*) deixar ou ficar livre de (pessoa ou situação desagradável); esquivar-se *<safou-o da ameaça> <safou-se do cobrador>* □ *t.d.* **2** fazer sair puxando; sacar *<s. os sapatos>* □ *t.d. e t.d.i.* **3** (prep. *a*) tirar, roubar *<safaram(-lhe) o relógio>* ⊙ GRAM/USO part.: *safado, safo*; ver QUADRO DE PARTICÍPIOS DUPLOS nas pp. iniciais

safardana (sa.far.da.na) *s.m.* indivíduo sem escrúpulos; safado, canalha

safári (sa.fá.ri) *s.m.* **1** expedição para caça ou exploração **2** *p.ext.* qualquer expedição ou viagem aventureira

safena (sa.fe.na) *s.f.* ANAT pequeno vaso superficial que leva o sangue dos membros inferiores para o coração

safira (sa.fi.ra) *s.f.* **1** pedra preciosa de cor azul **2** *p.ext.* a cor dessa pedra ~ **safírico** *adj.* - **safirino** *adj.*

safismo (sa.fis.mo) *s.m.* homossexualismo feminino; lesbianismo ~ **safista** *adj.2g.s.f.*

safo (sa.fo) *adj.* **1** gasto pelo uso *<sapato s.>* ↺ novo **2** que se livrou de situação difícil *<estar s. de castigos na escola>* **3** *B infrm.* esperto, vivo *<vendedor s.>* ↺ tímido ⊙ GRAM/USO part.irreg. de *safar*

safra (sa.fra) *s.f.* produção agrícola de um ano; colheita *<a s. de tomate foi pequena>*

saga (sa.ga) *s.f.* **1** LIT narrativa heroica cheia de acontecimentos maravilhosos e extraordinários **2** *fig.* sequência de acontecimentos recheada de incidentes *<chegar em casa hoje foi uma verdadeira s.>*

sagacidade (sa.ga.ci.da.de) *s.f.* **1** aptidão para compreender ou aprender por simples sinais; perspicácia **2** manha, malícia, astúcia *<a s. dos aproveitadores>* ↺ ingenuidade

sagacíssimo (sa.ga.cís.si.mo) *adj.* extremamente sagaz ⊙ GRAM/USO sup.abs.sint. de *sagaz*

sagaz (sa.gaz) [pl.: *-es*] *adj.2g.* **1** que tem agudeza de espírito; inteligente, perspicaz ↺ obtuso **2** que não se deixa enganar; esperto, manhoso ↺ ingênuo ⊙ GRAM/USO sup.abs.sint.: *sagacíssimo*

sagitariano (sa.gi.ta.ri.a.no) *adj.s.m.* **1** ASTRL (aquele) que nasceu sob o signo de Sagitário ■ *adj.* **2** relativo ou pertencente a esse signo

sagitário (sa.gi.tá.rio) *s.m.* **1** ASTR nona constelação zodiacal, situada entre Escorpião e Capricórnio ☞ inicial maiúsc. **2** ASTRL nono signo do zodíaco (de 22 de novembro a 21 de dezembro) ☞ inicial maiúsc. **3** ASTRL sagitariano *<tinha apenas um s. em sua turma>*

sagração (sa.gra.ção) [pl.: *-ões*] *s.f.* **1** consagração de rei, bispo etc., em cerimônia religiosa **2** essa cerimônia *<a s. da rainha da Inglaterra foi inesquecível>* **3** atribuição de caráter sagrado ou religioso a algo

sagrado (sa.gra.do) *adj.* **1** relativo a Deus, a divindade, a religião ou a culto; sacro, santo *<ritual s.>* **2** que recebeu a consagração *<imperador s.>* **3** que inspira ou deve inspirar respeito ou profunda veneração *<a s. imagem dos pais diante dos filhos>* **4** que não se deve infringir; inviolável *<a s. liberdade>* **5** que não se pode deixar de cumprir *<s. compromisso>* ↺ dispensável

sagrar (sa.grar) *v.* {mod. 1} *t.d.,t.d.i. e pron.* **1** (prep. *a*) dedicar(-se), consagrar(-se) [a Deus ou a seu serviço] *<s. uma hóstia> <s. um templo (ao culto protestante)> <s.-se à vida monástica>* □ *t.d.i. e pron.* **2** (prep. *a*) oferecer (vida, sentimento etc.) [a fim, atividade etc.]; devotar(-se), dedicar(-se) *<s. a vida ao estudo> <s.-se à caridade>* □ *t.d. e t.d.pred.* **3** investir numa dignidade por cerimônias religiosas *<s. um imperador> <sagrou-o rei>*

sagu (sa.gu) *s.m.* **1** BOT nome comum a diversas palmeiras de cujo caule se extrai fécula comestível; sagueiro, saguzeiro **2** essa fécula

saguão (sa.guão) [pl.: *-ões*] *s.m.* **1** sala de entrada em prédios ou casas grandes; *hall* **2** pátio no interior de uma construção

sagueiro (sa.guei.ro) /gü/ *s.m.* BOT sagu ('nome de palmeiras')

sagui (sa.gui) /gü/ *s.m.* ZOO nome comum a pequenos macacos florestais dotados de cauda longa, pelagem macia e densa, que vivem em pequenos grupos e se alimentam de insetos e frutas

S

sagum (sa.gum) [pl.: *-uns*] *s.m.* sagu

saguzeiro (sa.gu.zei.ro) *s.m.* BOT sagu ('nome de palmeiras')

saia (sai.a) *s.f.* VEST peça do vestuário feminino que desce da cintura e cobre as pernas ou parte delas ◉ GRAM/USO dim.irreg.: *saiote*

saião (sai.ão) [pl.: *-ões*] *s.m.* BOT planta de folhas espessas e carnosas, com propriedades medicinais

saibo (sai.bo) *s.m. infrm.* sabor, ger. desagradável

saibro (sai.bro) *s.m.* mistura de argila, areia e pedra ~ **saibrento** *adj.* - **saibroso** *adj.*

saída (sa.í.da) *s.f.* **1** ato de sair ou o seu efeito *<aguardavam a s. do desfile>* **2** lugar por onde se sai *<a s. fica ali>* ↺ entrada **3** momento em que se sai *<a s. do colégio é às cinco horas>* ↺ entrada **4** *fig.* meio para sair de um apuro; recurso, expediente *<a única s. foi fazer um empréstimo>* **5** *infrm.* resposta ou observação feliz, espirituosa; escapatória *<perguntada sobre a idade, ficou sem s. e sorriu>* **6** procura ou venda *<produto de grande s.>* ↺ encalhe **7** VEST peça de vestuário feminino us. como agasalho e resguardo, quando se deixa certos lugares, como a praia, a piscina etc. ▣ **não dar nem para a s.** *B infrm.* não ter condições para desempenhar uma tarefa, ganhar uma competição ou alcançar determinado objetivo *<o seu candidato não deu nem para a s.> <os sanduíches que ele trouxe não deram nem para a s.>*

saída de praia (sa.í.da de prai.a) [pl.: *saídas de praia*] *s.f.* VEST peça de roupa feminina us. sobre maiô ou biquíni

saideira (sa.i.dei.ra) *s.f. B infrm.* **1** última dose de bebida alcoólica que se toma **2** última dança de um baile

saído (sa.í.do) *adj.* **1** que se afastou; ausente ↺ presente **2** que se destaca; saliente *<dentes s.>* **3** *B infrm.* atrevido, intrometido ↺ discreto

saimento (sa.i.men.to) *s.m.* **1** ato de sair ou o seu efeito; saída **2** cortejo fúnebre; enterro **3** *B infrm.* descaramento, atrevimento, saliência ↺ discrição

saiote (sai.o.te) *s.m.* VEST **1** saia curta **2** saia curta, de tecido grosso, us. pelas mulheres sob outra saia ◉ GRAM/USO dim.irreg. de *saia*

sair (sa.ir) *v.* {mod. 25} *int.* **1** deixar um local e seus ocupantes; partir *<pegou a pasta e saiu>* **2** fazer-se visível total ou parcialmente *<o sol já saiu> <o cabelo saía por debaixo do gorro>* **3** ser publicado *<saiu na revista que a guerra acabou> <o livro ainda não saiu>* **4** *infrm.* acontecer de repente; sobrevir *<saiu briga no jogo>* □ *t.i. e int.* **5** (prep. *de*) ir ou passar de dentro para fora *<saiu cedo (de casa)> <a fumaça saía da chaminé>* **6** (prep. *com*) manter relacionamento de companheirismo, amoroso ou erótico (com) *<está saindo com a minha vizinha> <soube que estão saindo>* **7** (prep. *a, de, para, por*) ir a um lugar para se distrair ou exercitar *<s. de bicicleta pelo parque> <saímos para jantar fora todas as quintas> <ela precisa s., conhecer pessoas>* **8** (prep. *de*) ser lançado de, emitido por; provir *<da boca saía cheiro de tabaco> <muita água sai da rocha> <veja a fumaça saindo!>* **8.1** *fig.* *<as palavras saíam(-lhe da boca) sem controle>* □ *t.i. fig.* **9** abandonar, deixar de participar (ocupação, trabalho, grupo etc.) *<s. do emprego> <saiu do clube, quando se mudou para Roma>* **10** (prep. *a*) parecer-se com (alguém) no aspecto físico, moral ou intelectual *<a neta saiu à avó>* **11** (prep. *para*) caber a (alguém) por sorte *<a rifa saiu para o síndico>* □ *pred.* **12** parecer, tornar-se *<saiu envelhecido nas fotos>* □ *pron.* **13** chegar a certo resultado (bom ou ruim) *<s.-se bem na entrevista>*

saíra (sa.í.ra) *s.f.* ZOO *B* pequena ave sul-americana dotada de plumagem ger. colorida e brilhante

sal [pl.: *sais*] *s.m.* **1** substância branca, cristalina, constituída de cloreto de sódio, us. como tempero e na conservação de alimentos **2** QUÍM substância derivada da reação de um ácido com uma base **3** *fig.* graça, finura de espírito *<moça bonita, mas sem s.>* **4** *fig.* malícia espirituosa, comicidade *<histórias engraçadas, cheias de s.>* ▼ ***sais*** *s.m.pl.* **5** substâncias voláteis que, aspiradas, provocam reanimação dos sentidos ◉ COL salina ▣ **s. grosso** sal que não foi refinado, us. em preparações culinárias ~ **salinação** *s.f.*

sala (sa.la) *s.f.* **1** compartimento da casa onde se fazem refeições ou se recebem visitas **2** local apropriado para o exercício de alguma função específica *<s. de reuniões>* **3** local para apresentações teatrais, musicais etc. *<s. de espetáculos>* **4** *B* local onde são dadas aulas; classe **5** *B* grupo de alunos de certo ano acadêmico; turma *<a s. toda participou da festa>* ◉ GRAM/USO dim.irreg.: *saleta* ▣ **s. de almoço** ou **de jantar** compartimento da casa com mesa, destinado às refeições • **s. de espera** sala onde as pessoas aguardam a hora de serem atendidas • **s. de estar** compartimento da casa onde a família se reúne, recebe visitas etc. • **s. VIP** sala reservada aos clientes de muito prestígio e/ou poder, esp. em aeroportos • **fazer s.** entreter visitas, convidados

salacíssimo (sa.la.cís.si.mo) *adj.* muito salaz ◉ GRAM/USO sup.abs.sint. de *salaz*

salada (sa.la.da) *s.f.* **1** CUL prato frio feito com hortaliças, legumes etc. temperados **2** *fig.* mistura de coisas diferentes

saladeira (sa.la.dei.ra) *s.f.* recipiente onde se prepara e/ou serve a salada

sala e quarto (sa.la e quar.to) [pl.: *salas e quartos* e *sala e quartos*] *s.m. B* apartamento com apenas um quarto e uma sala ◉ GRAM/USO eventualmente 2n.

salafrário (sa.la.frá.rio) *s.m.* pessoa desonesta, desleal, ordinária

salamaleque (sa.la.ma.le.que) *s.m.* **1** saudação cerimoniosa entre os muçulmanos **2** *infrm.* cumprimento exagerado; mesura

salamandra (sa.la.man.dra) *s.f.* ZOO anfíbio de corpo alongado, ger. com aspecto de lagarto, de cauda longa

salamandrídeo (sa.la.man.drí.deo) *s.m.* ZOO **1** espécime dos salamandrídeos, família de salamandras terrestres, mas de reprodução aquática ■ *adj.* **2** relativo a essa família

salame (sa.la.me) *s.m.* tipo de salsichão de origem italiana, ger. feito de carne de porco, temperado com pimenta em grão e comido frio

salaminho (sa.la.mi.nho) *s.m.* variedade de salame feito com tripa fina

salão (sa.lão) [pl.: *-ões*] *s.m.* **1** cômodo de uma construção destinado a grandes reuniões, recepções, bailes etc. **2** exposição periódica de obras de arte, de livros, de novos produtos etc. *<s. de gastronomia>* **3** *B* loja de barbeiro ou de cabeleireiro **4** *fig.* reunião de pessoas de sociedade, artistas, políticos etc. *<promove animados s.>*

salário (sa.lá.rio) *s.m.* pagamento por serviços prestados; ordenado, vencimentos ▣ **s. mínimo** a menor remuneração, fixada por lei, que um trabalhador pode receber

salário-família (sa.lá.rio-fa.mí.lia) [pl.: *salários-família* e *salários-famílias*] *s.m. B* pagamento adicional em função do número de dependentes de um trabalhador

salário-hora (sa.lá.rio-ho.ra) [pl.: *salários-hora* e *salários-horas*] *s.m.* quantia que o empregado recebe por hora trabalhada

salaz (sa.laz) [pl.: *-es*] *adj.2g.* devasso, libertino ↺ recatado ◉ GRAM/USO sup.abs.sint.: *salacíssimo* ~ **salacidade** *s.f.*

saldar (sal.dar) *v.* {mod. 1} *t.d.* pagar o saldo de (conta, dívida); quitar *<após um ano, conseguiu s. suas dívidas>*

saldo (sal.do) *s.m.* **1** diferença entre o débito e o crédito num balanço, empréstimo, conta etc. *<o s. em sua conta está baixo>* **2** resto de uma quantia a pagar ou a receber *<falta um pequeno s. para quitar a casa>* **3** sobra de mercadoria que entra em liquidação **4** *fig.* resultado, consequência *<o s. da briga foi um olho roxo>* **5** *fig.* ajuste de contas; vingança *<a ofensa não ficará sem s.>*

saleiro (sa.lei.ro) *s.m.* **1** recipiente em que se põe o sal de cozinha **2** lugar onde se deposita sal para o gado

salesiano (sa.le.si.a.no) *s.m.* **1** membro da Congregação de São Francisco de Sales, fundada por são João Bosco, em 1859, que cuida da educação de jovens ■ *adj.* **2** relativo a essa congregação

saleta (sa.le.ta) /ê/ *s.f.* pequena sala ◉ GRAM/USO dim.irreg. de *sala*

salgadinho (sal.ga.di.nho) *s.m.* CUL iguaria miúda, p.ex., amendoins, canapés etc., ger. servida como aperitivo; salgado

salgado (sal.ga.do) *adj.* **1** que contém sal **2** que levou sal, ger. em demasia *<comida s.>* **3** *fig.* picante, mordaz *<história s.>* **4** *fig. infrm.* muito caro *<conta s.>* ↺ barato ■ *s.m.* **5** carne de porco conservada em sal e/ou defumada **6** CUL salgadinho

salgadura (sal.ga.du.ra) *s.f.* ação ou maneira de salgar

salgar (sal.gar) *v.* {mod. 1} *t.d.* **1** temperar com sal *<é preciso s. a salada>* **2** conservar em sal *<s. a carne de porco>* □ *t.d. e pron.* **3** (fazer) ficar com gosto muito forte de sal *<não é bom s. a comida>* *<o bife salgou-se demais>* ~ **salga** *s.f.* - **salgação** *s.f.* - **salgador** *adj.s.m.*

sal-gema (sal-ge.ma) [pl.: *sais-gemas*] *s.m.* MINER cloreto de sódio us. para obtenção de cloro e outros fins industriais

salgueiro (sal.guei.ro) *s.m.* BOT nome comum a árvores e arbustos ger. cultivados como ornamentais ou pela madeira

salicácea (sa.li.cá.cea) *s.f.* BOT espécime das salicáceas, família de árvores e arbustos, como o choupo e o salgueiro, cultivados como medicinais, pelas madeiras, para produção de papel, para trabalhos trançados ou como ornamentais ~ **salicáceo** *adj.*

salicílico (sa.li.cí.li.co) *s.m.* QUÍM **1** ácido us. em medicina, em produtos farmacêuticos e tb. na produção de corantes ■ *adj.* **2** diz-se desse ácido

salicultura (sa.li.cul.tu.ra) *s.f.* produção do sal em salinas ~ **salicultor** *adj.s.m.*

saliência (sa.li.ên.cia) *s.f.* **1** parte mais elevada, que se destaca numa superfície lisa *<um muro com várias s.>* ↺ reentrância **2** *B infrm.* atrevimento, assanhamento ↺ recato

salientar (sa.li.en.tar) *v.* {mod. 1} *t.d. e pron.* **1** tornar (-se) bem visível; destacar(-se) *<s. um quadro>* *<os detalhes salientam-se na decoração>* ↺ esconder(-se) **2** distinguir(-se), evidenciar(-se) *<s. a importância de algo>* *<s.-se como profissional>*

saliente (sa.li.en.te) *adj.2g.* **1** que está em posição mais elevada que os outros *<coluna s.>* ↺ reentrante **2** *fig.* evidente, notório, manifesto *<aspectos mais s. de uma personalidade>* ↺ obscuro **3** *fig.* importante, fundamental *<ter uma posição s. no governo>* ↺ acessório **4** *B infrm.* atrevido, assanhado *<rapaz muito s.>* ↺ recatado

salina (sa.li.na) *s.f.* **1** local onde se produz sal por evaporação da água do mar ou de lago de água salgada **2** *p.ext.* empresa que explora esse tipo de atividade

salineiro (sa.li.nei.ro) *adj.* **1** relativo a salina ■ *s.m.* **2** aquele que trabalha nas salinas **3** dono de salinas **4** vendedor de sal

salinidade (sa.li.ni.da.de) *s.f.* **1** teor de sal em determinado meio *<a s. do solo>* **2** concentração de sais minerais nas águas do mar

salino (sa.li.no) *adj.* **1** que contém ou é formado por sal **2** QUÍM que tem as propriedades de um sal

salitre (sa.li.tre) *s.m.* QUÍM nitrato de potássio (us. em fogos de artifício, explosivos, fósforos, fertilizantes etc.)

saliva (sa.li.va) *s.f.* líquido viscoso secretado pelas glândulas salivares, que atua na boca sobre os alimentos para facilitar a sua digestão; cuspe, cuspo

[1]**salivar** (sa.li.var) [pl.: *-es*] *adj.2g.* **1** relativo a saliva **2** que secreta saliva *<glândulas s.>* ◉ ORIGEM *saliva* + [1]*-ar*

[2]**salivar** (sa.li.var) *v.* {mod. 1} *int.* ejetar saliva; cuspir *<ao ver o biscoito, o cachorro saliva>* ◉ ORIGEM do lat. *salivāre* 'id.' ~ **salivação** *s.f.*

salmão (sal.mão) [pl.: *-ões*] *s.m.* **1** ZOO peixe que possui ger. manchas escuras ou avermelhadas na parte superior do corpo e cuja carne, de tom rosado, tem excelente sabor **2** a cor da carne desse peixe ■ *adj.2g.2n.* **3** que tem essa cor *<paredes salmão.>* **4** diz-se dessa cor *<a cor s.>* ◉ GRAM/USO dim.irreg.: *salmonete*

salmo (sal.mo) *s.m.* REL **1** cântico de louvor a Deus ▼ *salmos* *s.m.pl.* **2** orações poéticas inseridas na Bíblia ☞ inicial maiúsc. ~ **sálmico** *adj.* - **salmista** *adj.2g.s.2g.*

salmonela (sal.mo.ne.la) *s.f.* BIO nome comum a bactérias em forma de bastonetes, comuns em animais e em alimentos, causadoras de meningite, febre tifoide etc.

salmonete (sal.mo.ne.te) /ê/ *s.m.* ZOO **1** salmão pequeno **2** peixe do Atlântico tropical, de valor comercial, com até 30 cm de comprimento, coloração branca a marrom, com manchas escuras no dorso e linhas azuis na cabeça ◉ GRAM/USO dim. irreg. de *salmão*

salmonídeo (sal.mo.ní.deo) *s.m.* ZOO **1** espécime dos salmonídeos, família de peixes fluviais, do hemisfério norte, de grande importância para a pesca esportiva e comercial ■ *adj.* **2** relativo a essa família de peixes

salmoura (sal.mou.ra) *s.f.* água muito salgada us. para a conservação de alimentos

salobro (sa.lo.bro) /ô/ *adj.* ou **salobre** (sa.lo.bre) /ô/ *adj.2g.* **1** que tem certo sabor de sal **2** que tem alguns sais que a tornam desagradável ao paladar (diz-se de água)

salomônico (sa.lo.mô.ni.co) *adj.* considerado sábio e criterioso como foi Salomão, rei dos hebreus (entre 970 a.C.-931 a.C.) *<julgamento s.>*

salpicão (sal.pi.cão) [pl.: *-ões*] *s.m.* CUL *B* espécie de salada feita com galinha desfiada, crustáceos ou carne e legumes picados, ger. servida com maionese ou creme de leite

salpicar (sal.pi.car) *v.* {mod. 1} *t.d.* **1** temperar com gotas salgadas ou pedras de sal **2** matizar ou manchar com pingos; sarapintar *<a tinta salpicou sua roupa>* **3** espalhar (pó, líquido) sobre; polvilhar *<s. talco na criança>* ~ **salpico** *s.m.*

salsa (sal.sa) *s.f.* BOT erva aromática muito rica em vitamina C, cultivada pelas folhas verdes, crespas ou lisas, us. como condimento, em saladas e guarnições de pratos

salsa (sal.sa) [esp.] *s.f.* DNÇ MÚS dança e música afro-cubana de ritmo marcado, que lembra o mambo ⇒ pronuncia-se salsa

salsão (sal.são) [pl.: *-ões*] *s.m.* BOT aipo

salsaparrilha (sal.sa.par.ri.lha) *s.f.* BOT nome comum a plantas com raízes aromáticas, us. como tempero ou para fins medicinais

salseiro (sal.sei.ro) *s.m.* **1** chuva forte, repentina e passageira **2** *B* conflito, briga, escândalo

salsicha (sal.si.cha) *s.f.* CUL tripa ou cobertura sintética comestível que se enche com carne picada e temperada

salsichão (sal.si.chão) [pl.: *-ões*] *s.m.* CUL certa salsicha grande e grossa

salsicharia (sal.si.cha.ri.a) *s.f.* **1** técnica us. na produção de salsichas **2** fábrica ou loja de salsichas

salsicheiro (sal.si.chei.ro) *s.m.* quem prepara ou vende produtos de salsicharia

salsinha (sal.si.nha) *s.f.* BOT salsa ('erva aromática')

salsugem (sal.su.gem) [pl.: *-ens*] *s.f.* **1** percentagem de sal contida nas águas do mar **2** lodo em que há substâncias salinas **3** detrito que flutua na água do mar, nos portos, praias etc. ~ **salsuginoso** *adj.*

saltar (sal.tar) *v.* {mod. 1} *int.* **1** elevar-se por impulso dos pés e pernas; pular *<esses atletas saltam muito bem>* **2** palpitar em ritmo acelerado *<seu coração parecia s.>* □ *t.i.* **3** (prep. *de, em, sobre*) atirar-se, jogar-se *<s. do trampolim>* *<saltaram no barco>* *<s. sobre o cavalo>* **4** (prep. *de, em*) sair de veículo, montaria, em certo lugar; descer *<s. do ônibus>* *<s. no porto>* **5** *p.ext.* (prep. *de*) brotar, irromper *<lágrimas saltaram dos olhos>* □ *t.d.* **6** pular por cima de; transpor *<s. uma poça>* **7** omitir por distração ou de propósito; pular *<s. uma palavra do texto>*

salteado (sal.te.a.do) *adj.* **1** tomado de imprevisto; surpreendido **2** não sucessivo *<saber algo de cor e s.>* ☊ consecutivo **3** CUL frito rapidamente em óleo quente *<vitela s. com batatas>*

salteador (sal.te.a.dor) /ô/ [pl.: *-es*] *adj.s.m.* **1** (aquele) que salteia; assaltante **2** (aquele) que assalta nas estradas ◉ COL corja, horda

saltear (sal.te.ar) *v.* {mod. 5} *t.d.* **1** atacar de surpresa, para roubar ou matar **2** *p.ext.* acometer, aparecer de repente, de improviso; surpreender *<a chuva salteou-o>* **3** CUL cozer (alimento) com gordura, em fogo alto, agitando a frigideira ou caçarola sem parar *<s. legumes>* ~ **salteamento** *s.m.*

saltimbanco (sal.tim.ban.co) *s.m.* integrante de grupo de artistas populares itinerantes que se exibem em circos, feiras e praças públicas

saltitante (sal.ti.tan.te) *adj.2g.* **1** que dá pequenos saltos **2** *fig.* irrequieto, buliçoso ☊ quieto

saltitar (sal.ti.tar) *v.* {mod. 1} *int.* dar saltos pequenos e repetidos *<as aves saltitam>*

salto (sal.to) *s.m.* **1** movimento de elevação do solo que um corpo faz para se deslocar no espaço ou recair no mesmo lugar **2** espaço ou altura que se vence com esse movimento *<o cão deu um s. de mais de um metro>* **3** reflexo de um corpo, projétil ou raio após bater em obstáculo *<s. de uma bola>* **4** queda-d'água **5** *fig.* mudança brusca de posição ou de situação *<deu um s. na carreira profissional>* **6** parte saliente da sola de calçado na altura do calcanhar *<seu s. quebrou no meio da rua>* ▣ **s. com vara** ESP salto em altura no qual o atleta transpõe o sarrafo, apoiando-se em uma vara que finca no chão • **s. em altura** ESP prova em que o atleta parte correndo para tomar impulso e saltar sobre uma barra horizontal, leve e não fixa, apoiada em dois suportes • **s. em distância** ESP prova em que o atleta toma impulso a partir de uma tábua de madeira maciça, arma o salto e cai numa caixa de areia situada logo após a tábua • **s. ornamental** ESP salto de trampolim realizado de forma acrobática • **s. triplo** ESP prova com regras semelhantes às do salto em distância, na qual o atleta cumpre três etapas: um salto antes da linha limite, caindo com o mesmo pé do impulso, um segundo salto para cair sobre o outro pé, e um terceiro no qual ele cai com os dois pés na caixa de areia

salto-mortal (sal.to-mor.tal) [pl.: *saltos-mortais*] *s.m.* volta completa do corpo no ar, sem tocar as mãos no chão, dada ger. por atletas ou acrobatas

salubérrimo (sa.lu.bér.ri.mo) *adj.* muito salubre ◉ GRAM/USO sup.abs.sint. de *salubre*

salubre (sa.lu.bre) *adj.2g.* **1** que contribui para a saúde; sadio, saudável *<ambiente s.>* ☊ insalubre **2** que se pode curar com facilidade *<mal s.>* ☊ incurável ◉ GRAM/USO sup.abs.sint.: *salubérrimo* ~ **salubridade** *s.f.*

salutar (sa.lu.tar) [pl.: *-es*] *adj.2g.* **1** bom para a saúde *<ambiente s.>* ↺ insalubre **2** que aumenta ou restabelece as forças; fortificante **3** *fig.* que visa melhorar, corrigir erros; edificante, construtivo *<ações s.>* ↺ destrutivo

salva (sal.va) *s.f.* **1** descarga simultânea de armas de fogo em sinal de festa ou em honra de alguém **2** saudação militar feita com essa descarga **3** *fig.* repetição de sons, palavras, ditos *<s. de elogios>* **4** pequena bandeja para copos, taças etc. *<uma s. de prata>* ▣ **s. de palmas** aplauso coletivo, longo e entusiasmado; ovação

salvação (sal.va.ção) [pl.: *-ões*] *s.f.* **1** ação ou efeito de salvar(-se) ou de libertar(-se) **2** pessoa ou coisa que salva (de perigo, situação difícil etc.) *<o cavalo foi a nossa s. naquele dia>* **3** REL felicidade eterna obtida após a morte

salvado (sal.va.do) *s.m.* qualquer coisa que escapou de uma catástrofe, esp. de incêndio ou naufrágio ☞ mais us. no pl.

salvador (sal.va.dor) /ô/ [pl.: *-es*] *adj.s.m.* **1** (aquele) que salva **2** (o) que protege e ampara ■ *s.m.* **3** título atribuído a Jesus Cristo ☞ nesta acp., inicial maiúsc.

salvadorenho (sal.va.do.re.nho) *adj.* **1** de El Salvador (América Central) ■ *s.m.* **2** natural ou habitante desse país

salvadorense (sal.va.do.ren.se) *adj.2g.* **1** de Salvador (BA) ■ *s.2g.* **2** natural ou habitante dessa capital; soteropolitano

salvaguarda (sal.va.guar.da) *s.f.* **1** proteção e garantia dadas por autoridade ou instituição **2** o que serve de garantia, de defesa, de amparo *<a lei é a s. da ordem>* ↺ desproteção **3** *fig.* privilégio ou vantagem de certa classe ou espécie *<s. diplomática>* **4** defesa, preservação *<s. do patrimônio cultural>* ↺ negligência

salvaguardar (sal.va.guar.dar) *v.* {mod. 1} *t.d.* **1** tomar medidas para deixar fora de perigo; proteger **2** tornar garantido, seguro; assegurar *<s. a liberdade>*

salvar (sal.var) *v.* {mod. 1} *t.d.,t.d.i. e pron.* **1** (prep. *de*) pôr(-se) a salvo, livre de [perigo, dificuldades, problemas etc.]; proteger(-se) *<s. os náufragos> <s. da falência o amigo> <s.-se da doença grave>* □ *t.d. e pron.* **2** conservar(-se) salvo ou intacto; preservar(-se) *<s. as aparências> <s.-se dos boatos>* **3** livrar(-se) da danação eterna, do inferno *<o vilão arrependeu-se e salvou-se das penas do inferno>* □ *t.d.* **4** INF transferir (dados digitalizados) para disco rígido, CD, disquete; gravar ◉ GRAM/USO part.: *salvado, salvo*; ver QUADRO DE PARTICÍPIOS DUPLOS nas pp. iniciais ~ **salvamento** *s.m.*

salva-vidas (sal.va-vi.das) *adj.2g.2n.s.2g.2n.* **1** (o) que é destinado ao salvamento (boia, bote, colete etc.) **2** nadador que socorre os banhistas em casos de afogamento

salve (sal.ve) *interj.* expressa saudação ou cumprimento

salve-rainha (sal.ve-ra.i.nha) [pl.: *salve-rainhas*] *s.f.* REL oração católica à Virgem Maria que se inicia com essas duas palavras

sálvia (sál.via) *s.f.* BOT nome comum a ervas e arbustos, algumas cultivadas como ornamentais, pelas folhas us. como medicinais e tempero, ou por frutos e sementes de que se fazem bebidas e tinta

salvo (sal.vo) *adj.* **1** livre de perigo; preservado, intacto **2** propício, favorável *<s. intenções>* **3** omitido, excluído *<episódio vergonhoso s. da imprensa>* **4** REL que alcançou a graça eterna *<alma s.>* ■ *prep.* **5** exceto, afora *<s. aquele poema, o livro é bom>* ◉ GRAM/USO part. de *salvar* ▣ **s. se** a não ser que *<preferia não falar, s. se fosse obrigado>* • **a s.** em segurança *<chegar a s.>*

salvo-conduto (sal.vo-con.du.to) [pl.: *salvo-condutos* e *salvos-condutos*] *s.m.* **1** documento que autoriza alguém a viajar e transitar sem restrições; passaporte **2** *fig.* privilégio, segurança, isenção *<ele tem s. para fazer qualquer declaração>*

samambaia (sa.mam.bai.a) *s.f.* BOT *B* nome comum a inúmeras plantas, sem flores nem sementes, ger. cultivadas como ornamentais; sambambaia

samambaiaçu (sa.mam.bai.a.çu) *s.f.* *B* xaxim ('samambaia')

samário (sa.má.rio) *s.m.* QUÍM elemento químico us. em reatores nucleares, em certos ímãs etc. [símb.: *Sm*] ☞ c.f. *tabela periódica* (no fim do dicionário)

samaritano (sa.ma.ri.ta.no) *adj.s.m.* (aquele) que é bom, caridoso ↺ desumano

samba (sam.ba) *s.f.* **1** DNÇ dança popular brasileira cantada **2** MÚS música que acompanha essa dança

samba-enredo (sam.ba-en.re.do) [pl.: *sambas-enredos* e *sambas-enredo*] *s.m.* MÚS em escolas de samba, o samba composto esp. para o desfile de carnaval e que relata o enredo que é tema

sambambaia (sam.bam.bai.a) *s.f.* BOT samambaia

sambaqui (sam.ba.qui) *s.m.* depósito de ostras, ossos humanos, objetos de pedra, chifre e cerâmica amontoados por indígenas que viveram no litoral brasileiro em época pré-histórica

sambar (sam.bar) *v.* {mod. 1} *int.* dançar ao som do samba

sambista (sam.bis.ta) *adj.2g.s.2g.* *B* **1** que(m) samba bem **2** compositor de sambas **3** integrante ou frequentador de escolas de samba

sambódromo (sam.bó.dro.mo) *s.m.* construção com arquibancadas e pista de desfile us. esp., durante o carnaval, para apresentação de agremiações carnavalescas

samburá (sam.bu.rá) *s.m.* *B* cesto de boca estreita, feito de cipó ou taquara, muito us. para carregar material de pesca

samovar (sa.mo.var) [pl.: *-es*] *s.m.* pequena caldeira aquecida, com um tubo central no qual se colocam brasas para ferver e manter quente a água para o chá, us. nas residências russas

samurai (sa.mu.rai) *s.m.* guerreiro do Japão feudal a serviço de um nobre

sanar (sa.nar) *v.* {mod. 1} *t.d.* **1** tornar são; curar, sarar *<s. um enfermo>* **2** reparar, remediar (erro, engano) *<s. uma injustiça>* **3** ser obstáculo a (mal, dificuldade etc.); conter *<essa medida vai s. a alta dos preços>* ~ **sanativo** *adj.*

sanatório (sa.na.tó.rio) *s.m.* estabelecimento destinado ao tratamento de doentes

sanção (san.ção) [pl.: *-ões*] *s.f.* **1** aprovação de uma lei, pelo chefe do poder executivo, votada por órgão legislativo ↺ veto **2** *p.ext.* aprovação ou confirmação que se dá, ou se impõe à lei **3** *p.ext.* reconhecimento público; confirmação *<a moda precisa da s. do uso>* ↺ rejeição **4** medida de repressão imposta por órgão ou autoridade *<o conselho do clube impôs s. aos sócios inadimplentes>* ~ **sancionador** *adj.s.m.*

sancionar (san.cio.nar) *v.* {mod. 1} *t.d.* **1** dar sanção a (lei) ↺ vetar **2** ter como aceitável; aprovar, admitir ↺ proibir ~ **sancionador** *adj.s.m.*

sandália (san.dá.lia) *s.f.* VEST calçado feito de uma sola com tiras que a prendem ao pé

sândalo (sân.da.lo) *s.m.* **1** BOT pequena árvore de madeira aromática us. em perfumaria **2** óleo essencial, perfume, pigmento ou cosmético extraído e/ou preparado a partir da madeira dessa árvore

sandeu (san.deu) [fem.: *sandia*] *adj.s.m. pej.* **1** (aquele) que pratica ou diz sandices **2** (aquele) que age como um tolo

sandia (san.di.a) *s.f. pej.* **1** mulher que diz coisas disparatadas, sem nexo **2** mulher que age como uma tola ou simplória ◉ GRAM/USO fem. de *sandeu*

sandice (san.di.ce) *s.f.* **1** ato ou afirmação que traduz ignorância ou falta de inteligência; disparate, tolice **2** contrassenso, loucura ↺ juízo

sandinista (san.di.nis.ta) *adj.2g.s.2g.* POL que(m) é partidário da Frente Sandinista de Libertação Nacional, fundada por Augusto Sandino, na Nicarágua, em 1967

sanduíche (san.du.í.che) *s.m.* alimento servido entre duas fatias de pão ou produto similar

saneamento (sa.ne.a.men.to) *s.m.* **1** ato de tornar um lugar sadio, limpo, habitável; asseio, limpeza ↺ sujeira **2** série de medidas que oferece condições de vida sadia para a população ou para a agricultura **3** *fig.* conjunto de ações para estabelecer princípios éticos *<o s. da administração pública>* ↺ corrupção ▣ **s. básico** conjunto de condições urbanas essenciais para a preservação da saúde pública, esp. sistemas de distribuição de água por encanamento e de tratamento de esgoto

sanear (sa.ne.ar) *v.* {mod. 5} *t.d.* **1** tornar são, habitável, salubre; limpar *<s. uma vala negra>* **2** deixar saudável, sem doença; curar, sarar *<s. um doente>* **3** remediar, reparar (mal, dano) *<s. injustiças>* **4** eliminar falhas ou excessos de; corrigir *<s. as finanças públicas>* ~ **saneador** *adj.s.m.*

sanfona (san.fo.na) *s.f.* MÚS *B* **1** instrumento da família do acordeão com dois teclados de botões; concertina **2** *infrm.* acordeão

sanfoneiro (san.fo.nei.ro) *s.m. B* aquele que toca sanfona

sanga (san.ga) *s.f.* **1** rio pequeno **2** GEOL *PR SC RS* escavação produzida pela chuva ou por águas subterrâneas

sangradouro (san.gra.dou.ro) *s.m.* canal pelo qual se desvia a água de rio, fonte, barragem etc.

sangradura (san.gra.du.ra) *s.f.* sangramento

sangramento (san.gra.men.to) *s.m.* **1** ato de sangrar ou o seu efeito **2** MED perda de sangue decorrente de lesão de vaso

sangrar (san.grar) *v.* {mod. 1} *t.d.* **1** extrair sangue de (pessoa, animal), picando uma veia com lanceta ou agulha **2** *p.ext.* fazer sair, escoar (líquido) de; drenar *<s. uma barragem>* **3** *fig.* causar mágoa, desgosto a; ferir *<a separação sangrou sua alma>* **4** *fig.* abusar de gastos *<s. as contas de um país>* □ *int.* **5** verter sangue naturalmente *<o animal sangrava muito>* ~ **sangrador** *adj.s.m.*

sangrento (san.gren.to) *adj.* **1** de que sai ou brota sangue *<ferida s.>* **2** coberto de sangue; ensanguentado *<espada s.>* **3** *fig.* que se caracteriza por derramamento de sangue; cruel, feroz *<batalha s.>* **4** *fig.* que tem cor de sangue *<rosas s.>*

sangria (san.gri.a) *s.f.* **1** MED corte em veia para fazer escorrer o sangue **2** perda de sangue provocada por agressão ou acidente **3** *p.ext.* extração de certos produtos naturais, como resina, látex etc. **4** *p.ext.* abertura para escoamento do excesso de água de açude, local encharcado etc. **5** *fig. infrm.* extorsão ardilosa ou fraudulenta de valores *<s. dos cofres públicos>* **6** CUL bebida preparada com vinho, água, açúcar e pedaços de frutas ▣ **s. desatada** *fig.* fato, situação urgente que exige providências imediatas

sangue (san.gue) *s.m.* **1** MED líquido vermelho e viscoso, que corre pelas veias e artérias, bombeado pelo coração, condutor de gases e nutrientes necessários à vida **2** *fig.* vida, existência humana *<guerras custam s.>* **3** *fig.* linhagem, família, origem *<filhos do mesmo s.>* **4** *fig.* alguém ou algo considerado como fonte de energia, de vitalidade *<a empresa recebeu s. novo>* ▣ **s. azul** *fig.* ascendência nobre; fidalguia • **ter s. de barata** *fig.* não reagir a provocações ou a situações ofensivas

sangue-frio (san.gue-fri.o) [pl.: *sangues-frios*] *s.m.* tranquilidade, presença de espírito diante de situações que envolvam sofrimento, perigo *<matar alguém a s.>*

sangueira (san.guei.ra) *s.f.* abundância de sangue derramado

sanguessuga (san.gues.su.ga) *s.f.* **1** ZOO animal invertebrado, marinho, terrestre ou de água doce, dotado de ventosas, que suga o sangue de vertebrados **2** *p.ext. pej.* indivíduo que explora outros, freq. pedindo favores ou dinheiro

sanguinário (san.gui.ná.rio) /gu *ou* gü/ *adj.s.m.* **1** (aquele) que se satisfaz em ver ou derramar sangue ■ *adj.* **2** *p.ext.* cruel, feroz *<luta s.>* **3** relativo a sangue

sanguíneo (san.guí.neo) /gu *ou* gü/ *adj.* **1** relativo a sangue *<célula s.>* **2** que tem a cor do sangue *<lábios s.>* **3** que contém sangue *<líquido s.>* **4** sedento de sangue; sanguinário ■ *adj.s.m.* **5** (aquele) que tem temperamento forte, vigoroso, exaltado

sanguinolência (san.gui.no.lên.cia) /gu *ou* gü/ *s.f.* **1** condição ou estado do que tem sangue **2** *fig.* ferocidade, crueldade *<a s. de um assassino>*

sanguinolento (san.gui.no.len.to) /gu *ou* gü/ *adj.* **1** em que há grande derramamento de sangue *<luta s.>* **2** coberto de sangue *<corpo ferido e s.>* **3** tinto ou misturado com sangue *<saliva s.>* **4** que se satisfaz em ver ou derramar sangue; sanguinário *<piratas s.>*

sanha (sa.nha) *s.f.* desejo de vingança; rancor

S

sanhaço (sa.nha.ço) ou **sanhaçu** (sa.nha.çu) *s.m.* ZOO *B* pássaro de plumagem cinza-azulada ou esverdeada que se alimenta de frutas

sanidade (sa.ni.da.de) *s.f.* **1** normalidade, estabilidade, equilíbrio físico ou mental **2** conjunto de normas que conduzem ao bem-estar e à saúde; higiene, salubridade *<a s. de uma casa>*

sânie (sâ.nie) *s.f.* MED líquido composto de sangue e pus que sai de uma úlcera, ferida ou fístula ~ **sanioso** *adj.*

sanitário (sa.ni.tá.rio) *adj.* **1** relativo a higiene *<cuidado s.>* **2** relativo a banheiro *<louça s.>* ■ *s.m.* **3** privada **4** toalete, mictório, banheiro

sanitarista (sa.ni.ta.ris.ta) *adj.2g.s.2g.* especialista em saúde pública

sânscrito (sâns.cri.to) *s.m.* **1** antiga língua sagrada e literária da Índia, pertencente ao grupo indo-europeu ■ *adj.* **2** relativo a essa língua

sansei (san.sei) *adj.2g.s.2g.* que(m) é neto de imigrantes japoneses, nascido no continente americano ☞ cf. *issei* e *nissei*

santalácea (san.ta.lá.cea) *s.f.* BOT espécime das santaláceas, família de árvores, arbustos e ervas, parasitas de raízes de outras plantas, várias das quais são us. para extração de madeira e óleos, como o sândalo ~ **santaláceo** *adj.*

santantônio (san.tan.tô.nio) *s.m.* *B* **1** saliência da sela à qual o montador pode se agarrar **2** barra de metal transversal em teto de carros de corridas para evitar que este se amasse muito nas capotagens

santeiro (san.tei.ro) *adj.* **1** devoto, beato ■ *adj.s.m.* **2** (aquele) que esculpe ou vende imagens e gravuras de santos **3** *B infrm.* (aquele) que indica locais para a prática de furtos

santelmo (san.tel.mo) *s.m.* pequena chama azulada que surge no topo dos mastros de navios durante tempestades, devido à eletricidade atmosférica

santidade (san.ti.da.de) *s.f.* **1** estado de graça, de santificação *<sua s. era visível>* **2** dedicação a coisas religiosas; religiosidade *<pessoa de grande s.>* ↺ impiedade ▣ **sua s.** título ou tratamento dado ao papa ☞ inicial maiúsc.

santificação (san.ti.fi.ca.ção) [pl.: *-ões*] *s.f.* **1** engrandecimento e valorização de alguém ou algo; exaltação **2** REL processo de canonização **3** celebração de acordo com os ritos religiosos *<s. de uma data>*

santificante (san.ti.fi.can.te) *adj.2g.* **1** que santifica *<a graça s.>* **2** *fig.* que sublima, que eleva *<atitude s.>*

santificar (san.ti.fi.car) *v.* {mod. 1} *t.d.* **1** REL declarar santo; canonizar *<o papa santificará o beato>* **2** celebrar conforme a lei da Igreja *<s. os domingos>* □ *t.d. e pron.* **3** tornar(-se) digno de admiração e respeito; glorificar(-se) *<a caridade santifica o ser humano> <s.-se pela honradez e força de caráter>* **4** elevar(-se) pelo ensino e prática dos princípios religiosos *<s. um herege> <s.-se pela caridade>* ~ **santificador** *adj.s.m.*

santíssimo (san.tís.si.mo) *adj.* **1** extremamente santo **2** REL tratamento dado ao papa ☞ inicial maiúsc. ■ *s.m.* **3** a hóstia consagrada ◉ GRAM/USO sup.abs.sint. de *santo*

santista (san.tis.ta) *adj.2g.* **1** de Santos (SP) ■ *s.2g.* **2** natural ou habitante dessa cidade

santo (san.to) *adj.* **1** que tem um caráter sagrado, religioso **2** bondoso, fraterno *<s. criatura>* ↺ mau **3** perfeito, primoroso *<s. união>* ↺ comum **4** que não pode ser violado *<s. liberdade>* **5** REL diz-se de cada um dos dias santificados segundo a Igreja **6** útil, eficaz *<um s. remédio>* ↺ ineficiente ■ *adj.s.m.* **7** (indivíduo) canonizado pela Igreja **8** (indivíduo) dado como milagroso e a quem o povo rende culto **9** que(m) é inocente, puro **10** *pej.* (indivíduo) que se finge de inocente, simples, ingênuo ■ *s.m.* **11** estátua ou imagem de quem foi canonizado ▣ **s. de** ou **do pau oco 1** imagem de santo feita de madeira oca, que por vezes servia para o contrabando de ouro e diamantes **2** *infrm.* menino levado, mas que aparenta ser calmo • **descobrir um s. para cobrir outro** *infrm.* favorecer alguém em detrimento de outrem ou de si próprio; despir um santo para vestir outro • **despir um s. para vestir outro** *infrm.* descobrir um santo para cobrir outro • **ter s. forte** *infrm.* estar sob a proteção de alguém; ter as costas quentes

santo-antônio (san.to-an.tô.nio) [pl.: *santo-antônios*] *s.m.* santantônio

santo-daime (san.to-dai.me) [pl.: *santos-daimes* e *santo-daimes*] *s.m.* REL **1** seita fundada pelo seringueiro maranhense Raimundo Irineu Serra, no Acre, e codificada pelo seringueiro Sebastião Mota de Melo, em Rio Branco (AC), que tem elementos cristãos, ameríndios e estrangeiros **2** bebida alucinógena dada aos fiéis durante suas cerimônias religiosas

santomense (san.to.men.se) *adj.* **1** de São Tomé e Príncipe (África) ■ *s.m.* **2** natural ou habitante desse país

santuário (san.tu.á.rio) *s.m.* **1** parte de um templo em que se realiza a missa **2** lugar, templo ou edifício consagrado por uma religião **3** BIO área em que a interferência humana se encontra proibida, para preservação das espécies ali existentes

[1]**são** [pl.: *sãos*] *s.m.* forma de tratamento empregada para os santos que têm seus nomes iniciados por consoante, como, p.ex., *são Brás* [abrev.: *S.*] ☞ inicial freq. maiúsc. ◉ ORIGEM de *santo*

[2]**são** [pl.: *sãos*; fem.: *sã*] *adj.s.m.* **1** (aquele) que tem saúde, que não tem defeito físico; sadio ↺ doente ■ *adj.* **2** que readquiriu a saúde; curado ↺ doente **3** que contribui para a saúde física e/ou espiritual; salutar *<ambiente s.>* ↺ insalubre **4** ileso, salvo *<apesar da chuva, chegou s. e salvo>* ↺ lesionado **5** *fig.* sem defeitos; puro ↺ imoral **6** *fig.* confiável, sincero *<conselho s.>* ↺ falso ◉ GRAM/USO sup.abs.sint.: *saníssimo* ◉ ORIGEM do lat. *sanus,a,um* 'são, sadio'

são-bernardo (são-ber.nar.do) [pl.: *são-bernardos*] *s.m.* ZOO **1** raça de cães de origem suíça, de porte grande, de pelagem muito densa, orelhas pequenas e cauda comprida **2** cão dessa raça, famoso por socorrer vítimas de tempestades de neve e avalanches

são-luisense (são-lu.i.sen.se) [pl.: *são-luisenses*] *adj.2g.* **1** de São Luís (MA) ■ *s.2g.* **2** natural ou habitante dessa capital

[1]**sapa** (sa.pa) *s.f.* pá com que se cavam trincheiras, fossas etc. ◉ ORIGEM do fr. *sape* 'id.'

S

[2]**sapa** (sa.pa) *s.f.* atividade de cavar trincheiras, fossos etc., ger. em operações militares ◉ ORIGEM regr. de *sapar*

[3]**sapa** (sa.pa) *s.f.* fêmea do sapo ◉ ORIGEM *sapo* com troca da vogal temática *-o* para *-a*

saparia (sa.pa.ri.a) *s.f.* certa quantidade de sapos

sapata (sa.pa.ta) *s.f.* **1** VEST chinelo grosseiro de couro **2** estribo fechado em forma de chinelo **3** ENG MEC peça de mecanismo que provoca a frenagem por atrito **4** ENG alicerce que serve de base para uma construção **5** MÚS sapatilha ('almofada') **6** *gros.* mulher homossexual **7** RECR *RS* ver ***AMARELINHA***

sapatão (sa.pa.tão) [pl.: *-ões*] *s.f. pej. gros.* mulher homossexual; sapata, lésbica

sapataria (sa.pa.ta.ri.a) *s.f.* **1** ofício de sapateiro **2** fábrica de sapatos **3** loja de sapatos **4** oficina para consertos de sapatos

sapateado (sa.pa.te.a.do) *s.m.* DNÇ dança executada com sapatos dotados de chapa metálica na sola, para produzir um ruído característico

sapateador (sa.pa.te.a.dor) /ô/ [pl.: *-es*] *adj.s.m.* (aquele) que dança o sapateado

sapatear (sa.pa.te.ar) *v.* {mod. 5} *int.* **1** dançar sapateado **2** bater com os pés no chão com força e repetidas vezes ~ **sapateio** *s.m.*

sapateira (sa.pa.tei.ra) *s.f.* **1** mulher de sapateiro **2** *B* móvel ou local onde se guardam sapatos

sapateiro (sa.pa.tei.ro) *s.m.* quem vende, fabrica ou conserta calçados

sapatilha (sa.pa.ti.lha) *s.f.* **1** VEST sapato de bailarinos **2** VEST sapato flexível e macio **3** MÚS almofada de algodão e pelica aplicada às chaves dos instrumentos de sopro; sapata

sapato (sa.pa.to) *s.m.* VEST calçado, ger. de sola dura, que cobre o pé

sapé (sa.pé) ou **sapê** (sa.pê) *s.m.* BOT **1** nome comum a algumas plantas de que se usam os caules ou galhos secos para cobrir casas, estábulos etc. **2** o caule seco dessas plantas

sapeca (sa.pe.ca) *adj.2g.s.2g.* **1** que(m) é assanhado, irrequieto ↺ quieto **2** que(m) é saliente, namorador *<foi um adolescente s.>* ~ **sapequice** *s.f.*

sapecada (sa.pe.ca.da) *s.f. PR* ato de assar pinhões no braseiro

sapecar (sa.pe.car) *v.* {mod. 1} *t.d. B* **1** secar para conservar *<s. as folhas do mate>* ◻ *t.d.,int. e pron.* **2** queimar(-se) ligeiramente; chamuscar(-se) *<ela sapecou o pano no fogo> <o arroz sapecou> <brincando com o fogo, eles se sapecaram>* ◻ *t.d.i. infrm.* **3** (prep. *em*) dar, aplicar (golpe, pancada etc.) *<s. um beijo na namorada>* ◻ *t.d. S. infrm.* **4** bater de leve em

sápido (sá.pi.do) *adj.* que tem sabor; gostoso *<molho s.>* ↺ insípido

sapiência (sa.pi.ên.cia) *s.f.* grande acervo de conhecimentos; sabedoria, erudição ↺ ignorância

sapiente (sa.pi.en.te) *adj.2g.s.2g.* que(m) tem sabedoria, erudição ◉ GRAM/USO sup.abs.sint.: *sapientíssimo*

sapientíssimo (sa.pi.en.tís.si.mo) *adj.* que é muito sábio, que tem grande sabedoria ◉ GRAM/USO sup. abs.sint. de *sábio* e *sapiente*

sapindácea (sa.pin.dá.cea) *s.f.* BOT espécime das sapindáceas, família de árvores, arbustos e cipós, com algumas espécies cultivadas pelos frutos comestíveis, pelas madeiras e para produção de bebidas estimulantes, como o guaraná ~ **sapindáceo** *adj.*

sapinho (sa.pi.nho) *s.m.* **1** sapo pequeno **2** MED doença parasitária que se manifesta sob a forma de placas brancas em certas mucosas, em particular nas fendas dos lábios

sapo (sa.po) *s.m.* ZOO animal anfíbio sem cauda, de pele rugosa e seca ◉ COL saparia ◉ VOZ v.: coaxar ▣ **engolir s.** *B infrm.* suportar situação desagradável sem reagir

sapo-cururu (sa.po-cu.ru.ru) [pl.: *sapos-cururus*] *s.m.* ZOO *B* grande sapo amarelado, com manchas marrons e verrugas avermelhadas, dotado de glândulas de veneno atrás dos olhos; sapo-jururu, cururu

sapo-jururu (sa.po-ju.ru.ru) [pl.: *sapos-jururus*] *s.m.* ZOO sapo-cururu

sapólio (sa.pó.lio) *s.m. B* tipo de sabão, que contém pó mineral, us. para arear utensílios domésticos

saponáceo (sa.po.ná.ceo) *adj.* **1** que tem as propriedades do sabão **2** que pode ser us. como sabão

sapotácea (sa.po.tá.cea) *s.f.* BOT espécime das sapotáceas, família de árvores e arbustos, com algumas espécies cultivadas pelos frutos, como o sapoti e o abio, outras pelas madeiras, como as maçarandubas, e tb. para extração de látex, resinas e óleos ~ **sapotáceo** *adj.*

sapoti (sa.po.ti) *s.m.* BOT **1** árvore de regiões tropicais, com seiva leitosa, us. como chicle desde os maias e astecas; sapotizeiro **2** o fruto dessa árvore, de casca fina marrom, polpa doce e sementes pretas, com propriedades medicinais

sapotizeiro (sa.po.ti.zei.ro) *s.m.* BOT sapoti ('árvore')

saprofitismo (sa.pro.fi.tis.mo) *s.m.* BOT modo de nutrição cuja base é a matéria orgânica em decomposição

saprófito (sa.pró.fi.to) *s.m.* BOT vegetal que se nutre a partir de matéria orgânica em decomposição

saquarema (sa.qua.re.ma) /ê/ *s.2g.* **1** HIST denominação atribuída ao partido conservador e a seus membros em 1842, no Império **2** *RJ pej.* pessoa que vive na zona rural **3** *RJ pej.* pessoa que reside nos subúrbios **4** *RJ pej.* pessoa considerada ignorante ou de mau gosto ◉ GRAM/USO tb. us. como adjetivo

[1]**saque** (sa.que) *s.m.* ato de saquear ou o seu efeito; pilhagem ◉ ORIGEM do v. *saquear*

[2]**saque** (sa.que) *s.m.* **1** retirada de dinheiro de conta bancária, investimento etc. **2** expedição de título de crédito ou ordem de pagamento **3** ESP jogada inicial de vôlei, tênis etc. ◉ ORIGEM do v. *sacar*

saquê (sa.quê) *s.m.* aguardente japonesa feita de arroz fermentado

saquear (sa.que.ar) *v.* {mod. 5} *t.d. e int.* **1** apossar-se com violência dos pertences, valores de; pilhar *<s. uma loja> <ser preso por s.>* ◻ *t.d.* **2** apoderar-se de forma ilícita de; roubar *<os tutores saquearam os bens do príncipe>* **3** *fig.* assolar, devastar *<o tufão saqueou a cidade>* ~ **saqueador** *adj.s.m.*

S

sarabatana (sa.ra.ba.ta.na) *s.f.* zarabatana

sarabulho (sa.ra.bu.lho) *s.m.* **1** aspereza das louças devido ao uso **2** *p.ext.* pequena ferida com crosta

saracotear (sa.ra.co.te.ar) *v.* {mod. 5} *t.d.,int. e pron.* **1** mexer (o corpo, os quadris) em movimentos rápidos; rebolar(-se) *<s. os quadris> <saracoteou sem parar durante o baile> <cabrocha que se saracoteia toda no carnaval>* □ *int.* **2** mover-se de modo irrequieto, agitado *<nervoso, saracoteava>* ~ **saracoteador** *adj.s.m.*

saracoteio (sa.ra.co.tei.o) *s.m.* **1** agitação **2** requebro dos quadris; rebolado

saracura (sa.ra.cu.ra) *s.f.* ZOO ave pernalta que vive em brejos ou lagoas

sarado (sa.ra.do) *adj.* **1** que recuperou a saúde **2** *infrm.* moldado por esportes e exercícios *<corpo s.>*

saraiva (sa.rai.va) *s.f.* **1** granizo **2** saraivada

saraivada (sa.rai.va.da) *s.f.* **1** chuva de granizo **2** *p.ext.* grande quantidade de coisas arremessadas de repente *<s. de balas>* **3** *fig.* grande quantidade de coisas que se sucedem sem parar *<s. de mentiras>*

sarampo (sa.ram.po) *s.m.* MED doença infecciosa que apresenta febre alta e manchas vermelhas na pele seguidas de descamação

sarapatel (sa.ra.pa.tel) [pl.: *-éis*] *s.m.* CUL ensopado de sangue, tripas e miúdos de porco ou carneiro

sarapintar (sa.ra.pin.tar) *v.* {mod. 1} *t.d. e pron.* pintalgar

sarar (sa.rar) *v.* {mod. 1} *t.d.,t.d.i.,t.i.,int. e pron.* **1** (prep. *de*) restituir ou recuperar a saúde (doente, enfermo); curar(-se) *<o remédio sarou-o (da gripe)> <sarou da hepatite> <com a medicação certa, sarou(-se) logo>* □ *t.d.* **2** eliminar os efeitos, os sintomas de (doença, mal) *<s. o comportamento de um aluno vadio>* □ *int.* **3** cicatrizar-se, fechar-se *<a ferida sarou>*

sarará (sa.ra.rá) *adj.2g.s.2g.* **1** (mulato) de cabelos muito crespos e alourados ■ *s.2g.* **2** albino

sarau (sa.rau) *s.m.* reunião festiva, ger. noturna, para ouvir música, poesia, dançar ou conversar

saravá (sa.ra.vá) *interj.* us. como saudação; salve

S

sarcasmo (sar.cas.mo) *s.m.* ironia maliciosa; escárnio ~ **sarcástico** *adj.*

sarcófago (sar.có.fa.go) *s.m.* **1** túmulo no qual os antigos colocavam os cadáveres que não seriam incinerados **2** *p.ext.* qualquer túmulo, tumba

sarcoma (sar.co.ma) *s.m.* MED tumor maligno de tecido conjuntivo que pode ocorrer em osso, músculo etc. ▣ **s. de Kaposi** MED sarcoma hemorrágico, benigno ou maligno, que se forma na pele e, por vezes, nos gânglios linfáticos e vísceras

sarda (sar.da) *s.f.* pequena mancha que aparece na pele, acentuada após exposição ao sol

sardento (sar.den.to) *adj.* que tem a pele manchada de sardas

sardinha (sar.di.nha) *s.f.* ZOO pequeno peixe marinho que vive em cardume, muito us. na alimentação

sardônico (sar.dô.ni.co) *adj.* de ironia maldosa *<comentário s.>*

sargaço (sar.ga.ço) *s.m.* BOT nome comum a algas flutuantes que ocorrem em mares quentes

sargento (sar.gen.to) *s.m.* MIL **1** patente militar entre o cabo e o subtenente **2** militar que ocupa esse posto

sariguê (sa.ri.guê) /gü/ *s.m.* ZOO gambá

sarilhar (sa.ri.lhar) *v.* {mod. 1} *t.d.* **1** enrolar (fio) em sarilho □ *int.* **2** mover-se de um lado para outro

sarilho (sa.ri.lho) *s.m.* **1** artefato no qual se enrolam os fios para fazer meadas **2** cilindro ao qual se enrolam cabos us. para erguer pesos **3** pequena roda dentada us. para tirar água de poços e cisternas **4** MIL haste com braços em cruz para apoiar armas **5** MIL grupo de armas apoiadas umas nas outras pelas baionetas **6** *infrm.* confusão, briga

[1]**sarja** (sar.ja) *s.f.* tecido entrançado de lã, algodão ou seda ◉ ORIGEM do fr. ant. *sarge* 'id.'

[2]**sarja** (sar.ja) *s.f.* MED incisão superficial na pele para drenar pus de um tumor ou retirar sangue ◉ ORIGEM desc. ~ **sarjar** *v.t.d.*

sarjeta (sar.je.ta) /ê/ *s.f.* **1** escoadouro para as águas das chuvas que beira o meio-fio das calçadas **2** *fig.* estado de decadência e humilhação *<foi do poder à s. em trinta anos>*

sarna (sar.na) *s.f.* MED doença contagiosa da pele, causada por certos ácaros e caracterizada por intensa coceira; escabiose ▣ **s. para se coçar** o que causa aborrecimento, preocupação *<no novo trabalho só encontrou s. para se coçar>* ~ **sarnento** *adj.s.m.*

sarnambi (sar.nam.bi) *s.m.* ZOO amêijoa, sernambi

sarongue (sa.ron.gue) *s.m.* VEST pano colorido enrolado no corpo como um vestido ou saia, muito us. na Malásia e na Oceania

sarrabulho (sar.ra.bu.lho) *s.m.* **1** sangue de porco coagulado **2** CUL ensopado feito com esse sangue, miúdos, carne e gordura de porco **3** *fig.* confusão

sarraceno (sar.ra.ce.no) *adj.s.m.* HIST (indivíduo) do povo nômade anterior ao islamismo que habitava os desertos entre a Síria e a Arábia, e depois o norte da África e a península Ibérica

sarrafo (sar.ra.fo) *s.m.* pedaço de madeira estreito e comprido; ripa

sarro (sar.ro) *s.m.* **1** borra que o vinho ou outros líquidos deixam no fundo de suas vasilhas **2** resíduo de nicotina e fumo **3** crosta que se forma em volta de dentes mal escovados **4** *infrm. gros.* ação de bolinar ▣ **tirar um s. 1** *gros.* bolinar **2** *infrm.* zombar de, brincar com *<tirei um sarro com o motorista>*

saruê (sa.ru.ê) *s.m.* **1** ZOO *N.E.* gambá **2** *N.E.* espiga de milho quase sem grãos **3** MÚS DNÇ *C.-O.* dança sertaneja com elementos de quadrilha ■ *adj.2g.s.2g.* **4** *B* (pessoa) que apresenta albinismo

sashimi (sa.shi.mi) [jap.] *s.m.* CUL fatia fina de peixe cru, degustada com molho de soja e pasta apimentada ⇒ pronuncia-se saxími

satã (sa.tã) *s.m.* diabo ☞ inicial freq. maiúsc.

satanás (sa.ta.nás) [pl.: *-es*] *s.m.* diabo ☞ inicial freq. maiúsc.

satânico (sa.tâ.ni.co) *adj.* **1** relativo a Satanás **2** diabólico, terrível *<dor s.>*

satanismo (sa.ta.nis.mo) *s.m.* culto a Satanás ~ **satanista** *adj.2g.s.2g.*

satanizar (sa.ta.ni.zar) *v.* {mod. 1} *t.d.* dar aspecto ou caráter satânico a

satélite (sa.té.li.te) *s.m.* ASTR **1** corpo celeste que gravita em torno de outro *<a Lua é o s. natural da Terra>* ■ *adj.* **2** *p.ext.* que se forma ao redor das metrópoles (diz-se de cidade) ▣ **s. artificial** ASTR ENG artefato ou veículo que gira em torno do Sol, de um planeta ou de um satélite para fins de pesquisa, telecomunicações ou observação; lua artificial

sátira (sá.ti.ra) *s.f.* **1** LIT composição literária que ironiza costumes, pessoas, instituições **2** ironia, zombaria ~ **satírico** *adj.s.m.*

satirizar (sa.ti.ri.zar) *v.* {mod. 1} *t.d.* **1** expor fazendo parecer ridículo; ridicularizar, zombar *<satirizou as pessoas que invejava>* **2** fazer críticas satíricas *<esse cômico satiriza os políticos>* □ *int.* **3** escrever sátiras

sátiro (sá.ti.ro) *s.m.* **1** semideus lascivo da floresta, representado por um ser com chifres, pernas de bode e uma pequena cauda **2** *fig.* homem devasso

satisfação (sa.tis.fa.ção) [pl.: *-ões*] *s.f.* **1** contentamento pela realização do que se queria ↺ insatisfação **2** prazer, alegria *<é uma s. revê-lo>* ↺ aborrecimento **3** explicação, desculpa ou justificativa que se dá ou exige de alguém *<saiu sem dar nenhuma s.>*

satisfatório (sa.tis.fa.tó.rio) *adj.* **1** que causa satisfação **2** razoável, aceitável *<explicação s.>*

satisfazer (sa.tis.fa.zer) *v.* {mod. 14} *t.d. e t.i.* **1** (prep. *a*) dar execução a; cumprir, realizar *<s. uma promessa> <s. às obrigações>* **2** (prep. *a*) atender plenamente a (exigências, requisitos); cumprir, preencher *<é seu dever s. as necessidades da população> <finalmente, pude s. aos meus desejos>* □ *t.d.,int. e pron.* **3** ser suficiente ou conveniente (para); bastar, contentar(-se) *<o estoque satisfaz a demanda> <seu desempenho não é dos melhores, mas satisfaz> <s.-se com pouco é uma vantagem>* □ *t.d. e pron.* **4** comer e/ou beber até fartar(-se); saciar(-se) *<s. a vontade de beber> <s.-se com o bolo>* ◉ GRAM/USO part.: *satisfeito*

satisfeito (sa.tis.fei.to) *adj.* **1** que denota contentamento, alegria; alegre, contente *<abriu um sorriso s.>* **2** sem fome ou sede *<recusou o segundo prato porque estava s.>* **3** que se realizou; cumprido, realizado *<ordem s.>* **4** que foi totalmente atendido em suas exigências ou necessidades *<promessa s.>* **5** cujo pagamento foi efetuado; pago, quite

saturado (sa.tu.ra.do) *adj.* **1** repleto, abarrotado *<uma despensa s. de comida>* **2** *fig.* muito aborrecido, entediado ou farto *<os problemas familiares deixaram-no s.>* **3** QUÍM que só possui ligações simples (diz-se de composto químico) ☞ cf. *insaturado* **4** QUÍM que contém a máxima quantidade de gás ou sólido dissolvido (diz-se de solução)

saturar (sa.tu.rar) *v.* {mod. 1} *t.d. e pron.* **1** aplacar a fome, a sede (de); saciar(-se) *<conseguiram, afinal, s. o guloso> <s.-se de comida>* **2** chegar aos limites de resistência ou tolerância; fartar(-se) *<as reclamações dos moradores saturaram o síndico> <s.-se de queixas>* □ *t.d. e t.d.i.* **3** (prep. *de*) encher inteiramente; impregnar *<o perfume saturava o ar> <s. de vapor um ambiente>* □ *t.d.* QUÍM **4** produzir (composto, substância etc.) com a maior quantidade possível de uma solução sobre outra ~ **saturação** *s.f.* - **saturador** *adj.s.m.*

saturnino (sa.tur.ni.no) *adj.* **1** relativo ao planeta Saturno ☞ cf. *Saturno* na parte enciclopédica **2** relativo ao chumbo e a seus compostos **3** provocado pelo chumbo (diz-se de doença)

saturnismo (sa.tur.nis.mo) *s.m.* MED intoxicação por chumbo ou por um de seus compostos

saturno (sa.tur.no) *s.m.* nome do sexto planeta do sistema solar, a partir do Sol ☞ inicial maiúsc.; cf. *Saturno* na parte enciclopédica ~ **saturnal** *adj.2g.*

saudação (sau.da.ção) [pl.: *-ões*] *s.f.* **1** gesto ou palavra de cumprimento **2** demonstração de cortesia, admiração ou respeito

saudade (sau.da.de) *s.f.* sentimento nostálgico ligado à memória de alguém ou algo ausente *<s. do irmão> <s. da praia>*

saudar (sau.dar) *v.* {mod. 2} *t.d. e pron.* **1** dirigir cumprimentos (a); cumprimentar(-se) *<s. um conhecido> <ao final do encontro, todos se saudaram>* □ *t.d.* **2** demonstrar respeito a; aclamar, louvar *<s. o time campeão>*

saudável (sau.dá.vel) [pl.: *-eis*] *adj.2g.* **1** que é bom para a saúde; salutar *<hábitos s.>* ↺ insalubre **2** que tem saúde *<pessoa s.>* ↺ doente **3** que proporciona bem-estar *<ambiente s.>*

saúde (sa.ú.de) *s.f.* **1** estado do organismo livre de doenças ↺ doença **2** força física, vigor ■ *interj.* **3** voto que se faz a alguém que espirra **4** expressão us. ao se fazer um brinde

saudosismo (sau.do.sis.mo) *s.m.* apego ao passado ~ **saudosista** *adj.2g.s.2g.*

saudoso (sau.do.so) /ô/ [pl. e fem.: /ó/] *adj.* **1** que sente saudades *<pai s. dos filhos>* **2** que inspira saudades *<tempos s.>*

sauna (sau.na) *s.f.* **1** banho de vapor ou de calor seco *<fez uma s. antes do almoço>* **2** estabelecimento, cômodo ou equipamento próprio para esse banho *<construiu uma s. ao lado da piscina>* **3** *p.ext.* recinto quente, abafado *<o ônibus era uma s.>*

sáurio (sáu.rio) *s.m.* ZOO **1** espécime dos sáurios, subordem de répteis com escamas que inclui os lagartos, encontrados em todo o mundo ■ *adj.* **2** relativo a esse espécime ou a essa subordem

saúva (sa.ú.va) *s.f.* ZOO nome comum a várias formigas que cortam pedaços de folhas e carregam para seus ninhos, e constituem uma das maiores pragas agrícolas no Brasil

savana (sa.va.na) *s.f.* BOT vegetação tropical seca caracterizada por grama, arbustos rasteiros e árvores esparsas

saveiro (sa.vei.ro) *s.m.* MAR embarcação a vela, de um ou dois mastros, us. para transporte de passageiros, carga ou pesca

sax /cs/ *s.m.2n.* MÚS saxofone ◉ GRAM/USO admite-se tb. o pl. *saxes*

S

saxão (sa.xão) /cs/ [pl.: *-ões*] *s.m.* **1** HIST indivíduo de antigo povo germânico **2** *p.ext.* inglês (por ter sido a Inglaterra invadida por várias tribos saxônicas) **3** HIST LING língua falada pelos antigos saxões **4** indivíduo do povo germânico que habita o moderno estado da Saxônia ■ *adj.* **5** relativo a esses indivíduos, povos ou língua ~ **saxônico** *adj.*

saxofone (sa.xo.fo.ne) /cs/ *s.m.* MÚS instrumento de sopro de metal, com chaves e palheta simples; sax ~ **saxofonista** *adj.2g.s.2g.*

sazão (sa.zão) [pl.: *-ões*] *s.f.* **1** cada uma das estações do ano **2** época própria para a colheita dos frutos **3** *fig.* ocasião favorável ~ **sazonal** *adj.2g.*

sazonar (sa.zo.nar) *v.* {mod. 1} *t.d.,int. e pron.* **1** (fazer) ficar maduro; amadurecer(-se) *<o calor sazonou as mangas>* *<o fruto já (se) sazonou>* □ *pron. fig.* **2** tornar-se melhor; aprimorar-se *<ninguém acreditou que aquele pintor viria a s.-se>* ↺ piorar □ *t.d.* **3** temperar, condimentar *<s. o peixe>*

Sb QUÍM símbolo de *antimônio*

Sc QUÍM símbolo de *escândio*

SC sigla do Estado de Santa Catarina

scanner (scan.ner) [ing.] *s.m.* ver ***ESCÂNER*** ⇒ pronuncia-se scâner

script [ing.; pl.: *scripts*] *s.m.* roteiro ('texto') ⇒ pronuncia-se script

[1]**se** *pron.p.* **1** da 3ª p.sing., caso oblíquo **2** indica fato ocorrido com o sujeito: *o pintor matou-se* **3** designa reflexividade: *ele mirou-se com prazer* (mirou a si mesmo) **4** designa reciprocidade: *o casal beijou-se ali mesmo* **5** assinala a voz passiva: *alugam-se casas* (= casas são alugadas) **6** marca indeterminação do sujeito: *precisa-se de vendedores* (= alguém não indicado precisa de vendedores) ◉ ORIGEM do lat. *se* (pron.) 'id'

[2]**se** *conj.cond.* **1** no caso de *<se chover, não vou>* ■ *conj.temp.* **2** quando, enquanto *<se fala, irrita a todos>* ■ *conj.caus.* **3** visto que, uma vez que *<se você tem carro, por que ir a pé?>* ■ *conj.intg.* **4** se acaso, se por acaso, se porventura *<não sei se ele vem>* ◉ ORIGEM do lat. *sī* (conj.) 'se'

Se QUÍM símbolo de *selênio*

[1]**SE** sigla do Estado de Sergipe

[2]**SE** símbolo de *sueste* ou *sudeste* (na rosa dos ventos)

S.E. abreviatura de *sudeste* ('região')

sé *s.f.* igreja principal de uma diocese

seabórgio (se.a.bór.gio) *s.m.* QUÍM elemento químico artificial, anteriormente denominado *unnilhexium* [símb.: *Sg*] ☞ cf. *tabela periódica* (no fim do dicionário)

seara (se.a.ra) *s.f.* **1** campo de cereais **2** terreno cultivado ▣ **s. alheia** campo de atividade ou interesse de outra pessoa *<não se meta na s. alheia>*

sebáceo (se.bá.ceo) *adj.* **1** que contém ou produz matérias sebosas *<cisto s.>* **2** que tem sebo; sebento, seboso

sebe (se.be) *s.f.* cerca de plantas vivas ou de arbustos e ramos secos

sebento (se.ben.to) *adj.* seboso

sebo (se.bo) /ê/ *s.m.* **1** produto da secreção das glândulas sebáceas que protege a pele **2** *p.ext.* substância gordurosa **3** tecido adiposo **4** camada suja, lustrosa e com gordura *<casaco coberto de s.>* **5** *B* livraria que comercializa livros usados

seborreia (se.bor.rei.a) /éi/ *s.f.* secreção excessiva das glândulas sebáceas ~ **seborreico** *adj.*

seboso (se.bo.so) /ô/ [pl. e fem.: /ó/] *adj.* **1** da natureza do sebo **2** coberto ou sujo de sebo ou gordura; engordurado ↺ desengordurado ■ *adj.s.m.* **3** *B pej.* que(m) é sujo, imundo **4** *B infrm.* que(m) é convencido, pretensioso

Sebrae (Se.bra.e) *s.m.* sigla de Serviço Brasileiro de Apoio às Micro e Pequenas Empresas

seca (se.ca) /ê/ *s.f.* estiagem longa; falta de chuvas

secador (se.ca.dor) /ô/ [pl.: *-es*] *adj.s.m.* **1** (o) que seca **2** (aparelho) que se usa para secar (cabelos, grãos, roupa etc.)

secagem (se.ca.gem) [pl.: *-ens*] *s.f.* ato de secar ou o seu efeito; enxugamento

[1]**secante** (se.can.te) *adj.2g.s.2g.* (substância) que acelera a secagem dos óleos ◉ ORIGEM do lat. *siccans,antis* 'o que seca'

[2]**secante** (se.can.te) *adj.2g.s.f.* **1** GEOM (reta) que intercepta outra reta ou curva **2** MAT (função) que é igual ao inverso do cosseno ◉ ORIGEM do lat. *secans,antis* 'que separa cortando'

seção (se.ção) ou **secção** (sec.ção) [pl.: *-ões*] *s.f.* **1** porção retirada de um inteiro; parcela **2** local onde algo foi cortado ou dividido *<lixe a s. do cano>* **3** cada uma das divisões correspondentes a determinado serviço ou estabelecimento comercial *<s. de pessoal>* *<s. de móveis>* **4** subdivisão de uma obra, tratado, estudo etc. *<o gráfico está na s. dois do texto>* ☞ cf. *sessão* e *cessão*

secar (se.car) *v.* {mod. 1} *t.d.,int. e pron.* **1** (fazer) ficar sem água ou umidade; enxugar, desidratar(-se) *<s. o chão>* *<a planta secou>* *<secou-se todo o álcool>* ↺ molhar(-se) **2** (fazer) deixar de correr (líquido); estancar(-se) *<s. o sangue do ferimento>* *<o rio secou (-se)>* **3** (fazer) perder o viço, força; murchar(-se) *<o sol forte secou a vegetação>* *<a grama secou(-se)>* □ *int. e pron.* **4** emagrecer, definhar *<a falta de amor o fez secar(-se)>* □ *t.d. B infrm.* **5** lançar um mau-olhado sobre; invejar *<s. o goleiro da outra equipe>* ◉ GRAM/USO part.: *secado, seco*; ver QUADRO DE PARTICÍPIOS DUPLOS nas pp. iniciais

secção (sec.ção) [pl.: *-ões*] *s.f.* → ***SEÇÃO***

seccionar (sec.ci.o.nar) *v.* {mod. 1} *t.d. e pron.* → ***SECIONAR***

secessão (se.ces.são) [pl.: *-ões*] *s.f.* **1** ato de separar (-se) do que estava unido; separação **2** DIR separação de uma porção da unidade política para constituir outra

secionar (se.ci.o.nar) ou **seccionar** (sec.ci.o.nar) *v.* {mod. 1} *t.d. e pron.* dividir(-se) em pedaços ou porções; cortar, partir(-se) *<s. um cano>* *<o tampo da mesa secionou-se>*

seco (se.co) /ê/ *adj.* **1** sem umidade **2** sem chuva *<dias s.>* **3** de que se extrai a umidade para conservação ou

S

exportação (diz-se de alimento) <*tomate s.*> <*bacalhau s.*> **4** murcho, ressequido <*árvore s.*> **5** muito magro **6** *fig.* sem cortesia, grosseiro <*resposta s.*> **7** *fig. B infrm.* cheio de desejo; ansioso <*estava s. por férias*> ◉ GRAM/USO part. de *secar*

secreção (se.cre.ção) [pl.: *-ões*] *s.f.* **1** produção e liberação de substâncias por glândulas **2** a substância secretada

secretar (se.cre.tar) *v.* {mod. 1} *t.d.* expelir (secreção); segregar, excretar <*essas glândulas secretam suor*>

secretaria (se.cre.ta.ri.a) *s.f.* **1** local público ou particular onde são feitos serviços de administração e arquivados documentos; repartição **2** conjunto de órgãos públicos que cuida de um certo setor da administração estadual <*s. de saúde*> ☞ cf. *secretária*

secretária (se.cre.tá.ria) *s.f.* **1** escrivaninha **2** mulher que desempenha as funções de secretário ☞ cf. *secretaria* ▣ **s. eletrônica** ELETRÔN *B* dispositivo acoplado ao telefone que atende a chamadas e grava recados

secretariado (se.cre.ta.ri.a.do) *s.m.* **1** função ou cargo de secretário **2** conjunto dos secretários de um estado **3** *B* curso preparatório para o exercício da função de secretário

secretariar (se.cre.ta.ri.ar) *v.* {mod. 1} *t.d. e int.* desempenhar as funções de secretário (para) <*secretariava o governador*> <*tinha aptidão para s.*>

secretário (se.cre.tá.rio) *s.m.* **1** quem faz a ata das assembleias **2** quem é responsável pela organização administrativa de uma empresa, repartição etc. **3** quem redige cartas, organiza correspondência, agenda compromissos etc. num escritório

secreto (se.cre.to) *adj.* **1** que está em segredo; incógnito <*inimigo s.*> ↺ visível **2** confidencial <*pacto s.*> ↺ público

secretor (se.cre.tor) /ô/ [pl.: *-es*] *adj.s.m.* (o) que segrega

sectário (sec.tá.rio) *adj.s.m.* **1** que(m) pertence a uma seita **2** que(m) segue apaixonadamente uma doutrina ou posição religiosa **3** intransigente ↺ tolerante ~ **sectarismo** *s.m.*

secular (se.cu.lar) [pl.: *-es*] *adj.2g.* **1** relativo a século **2** que atingiu cem anos; centenário <*construção s.*> **3** que se faz a cada século <*comemoração s.*> **4** que não cabe à Igreja; profano <*ensino s.*> ↺ religioso **5** *p.ext.* muito antigo ou muito longo <*regra s.*> <*discussão s.*> ■ *adj.2g.s.2g.* **6** (eclesiástico) que não pertence a uma ordem religiosa e participa do mundo civil ~ **secularidade** *s.f.*

secularizar (se.cu.la.ri.zar) *v.* {mod. 1} *t.d. e pron.* **1** (fazer) voltar à vida leiga (o que era da vida religiosa); deixar de pertencer a uma ordem ou à vida religiosa <*secularizou-se para poder casar*> □ *t.d.* **2** sujeitar às leis civis <*s. o matrimônio*> **3** tomar (bens ou terras de Igreja) ~ **secularização** *s.f.*

século (sé.cu.lo) *s.m.* **1** espaço ou duração de 100 anos; centenário **2** *p.ext.* período de tempo dado como longo <*esperavam há um s.*> **3** tempo ou época conhecida por algum fato ou pessoa importante <*o século dos descobrimentos*> **4** a vida profana, não religiosa

secundar (se.cun.dar) *v.* {mod. 1} *t.d.* **1** criar condições para; propiciar <*a determinação secunda a concretização dos ideais*> □ *t.d. e t.d.i.* **2** (prep. *em*) ajudar em (trabalho, função, tarefa); auxiliar <*a história da arte secunda a compreensão da literatura*> <*o mestre secundou o aluno na elaboração da tese*> □ *t.d. e int. B* **3** fazer ou tentar pela segunda vez; repetir <*s. um pedido*> <*comeu e secundou*>

secundário (se.cun.dá.rio) *adj.* **1** que está em segundo lugar ou ordem **2** de menor importância <*questão s.*> ■ *s.m.* **3** antigo curso equivalente ao ensino médio

secundinas (se.cun.di.nas) *s.f.pl.* placenta, cordão umbilical e membranas expulsas após o parto

secura (se.cu.ra) *s.f.* **1** característica do que é ou está seco **2** falta de água; seca **3** sensação de sede **4** *fig.* aspereza no trato; frieza <*respondeu-lhe com s.*>

securitário (se.cu.ri.tá.rio) *adj.* **1** relativo a seguro ('contrato') ■ *adj.s.m.* **2** que(m) trabalha para companhia de seguros

seda (se.da) /ê/ *s.f.* **1** substância brilhosa que constitui o casulo do bicho-da-seda **2** *p.ext.* o fio feito dessa substância **3** *p.ext.* o tecido feito com esse fio <*vestido de s.*>

sedar (se.dar) *v.* {mod. 1} *t.d.* **1** acalmar (o que estava excitado ou perturbado) **2** dar sedativo a; dopar <*sedaram o animal antes da cirurgia*> **3** MED controlar ação exagerada de (órgão ou sistema de órgãos) ~ **sedação** *s.f.*

sedativo (se.da.ti.vo) *adj.s.m.* FARM (medicamento) que acalma ou faz diminuir dor, ansiedade etc.

sede (se.de) *s.f.* **1** local onde uma empresa ou instituição tem seu principal estabelecimento <*aqui é uma filial, nossa s. fica no interior*> **2** local escolhido para nele acontecer algo <*a s. do campeonato*>

sede (se.de) /ê/ *s.f.* **1** vontade ou necessidade de ingerir líquido **2** *fig.* desejo ardente; ânsia <*s. de poder*>

sedentário (se.den.tá.rio) *adj.s.m.* **1** que(m) passa muito tempo sentado, em função de sua atividade profissional **2** *p.ext.* que(m) se movimenta ou se exercita pouco ↺ ativo ■ *adj.* **3** que tem habitação fixa <*povos s.*> ↺ nômade **4** em que se fica sentado todo o tempo (diz-se de trabalho ou ocupação) ~ **sedentariedade** *s.f.* - **sedentarismo** *s.m.*

sedento (se.den.to) *adj.* **1** que tem muita sede **2** que sente forte desejo ou tem avidez de algo

sediar (se.di.ar) *v.* {mod. 1} *t.d.* servir de sede a (evento, comemoração etc.); acolher <*o Brasil sediou a Copa do Mundo*>

sedição (se.di.ção) [pl.: *-ões*] *s.f.* **1** perturbação da ordem pública **2** crime contra a segurança do Estado

sedicioso (se.di.ci.o.so) /ô/ [pl. e fem.: /ó/] *adj.s.m.* **1** que(m) provoca sedição; revoltoso, insurgente ■ *adj.* **2** que tem caráter de sedição <*movimento s.*> **3** que não segue regras; indisciplinado <*pelotão s.*> ↺ obediente

sedimentação (se.di.men.ta.ção) [pl.: *-ões*] *s.f.* **1** formação de sedimento **2** solidificação **3** GEOL processo de formação ou acumulação de sedimento em camadas; acumulação

[1]**sedimentar** (se.di.men.tar) [pl.: *-es*] *adj.2g.* **1** próprio de ou que contém sedimento *<depósito s.>* **2** GEOL formado pela acumulação de sedimentos ◉ ORIGEM *sedimento* + [1]*-ar*

[2]**sedimentar** (se.di.men.tar) *v.* {mod. 1} *int. e pron.* **1** formar sedimento *<substância mineral que aqui (se) sedimentou>* □ *t.d. e pron. fig.* **2** tornar(-se) firme, sólido; solidificar(-se) *<o acúmulo de afeição e carinho sedimenta o amor> <com o tempo, sua profunda admiração pelo mestre sedimentou-se>* ↺ enfraquecer(-se) ◉ ORIGEM *sedimento* + [2]*-ar*

sedimento (se.di.men.to) *s.m.* **1** GEOL material sólido depositado pela ação da gravidade na água ou no ar **2** *p.ext.* qualquer depósito material insolúvel

sedoso (se.do.so) /ô/ [pl. e fem.: /ó/] *adj.* **1** que tem o aspecto e a natureza da seda **2** *p.ext.* agradável ao tato; macio *<tecido s.>* ↺ áspero

sedução (se.du.ção) [pl.: *-ões*] *s.f.* **1** conjunto de qualidades que despertam simpatia, atração, desejo etc.; fascínio *<a sedução de um astro do cinema>* ↺ repulsa **2** capacidade de persuasão *<um vendedor precisa de boa dose de s.>* **3** *p.ext.* aquilo que seduz, atrai, encanta ~ **sedutor** *adj.s.m.*

seduzir (se.du.zir) *v.* {mod. 24} *t.d.* **1** convencer com astúcia, prometendo vantagens *<s. os eleitores>* **2** exercer influência irresistível sobre; fascinar **3** atrair para fins sediciosos **4** persuadir (moça virgem) a ter relações sexuais ~ **sedutor** *adj.s.m.* - **seduzido** *adj.*

sega (se.ga) *s.f.* ceifa ☞ cf. *cega*

segadeira (se.ga.dei.ra) *s.f.* ceifadeira

segar (se.gar) *v.* {mod. 1} *t.d. e int.* **1** cortar (cereais, ervas etc.) com foice *<é a época própria para s. (o campo)>* □ *t.d.* **2** *p.ext.* fatiar *<s. os legumes da salada>* **3** *fig.* pôr fim a *<s. a amizade>* ☞ cf. *cegar* ~ **segador** *adj.s.m.*

[1]**segmentar** (seg.men.tar) [pl.: *-es*] *adj.2g.* **1** relativo a segmento **2** formado por vários segmentos *<reta s.>* ◉ ORIGEM *segmento* + [1]*-ar*

[2]**segmentar** (seg.men.tar) *v.* {mod. 1} *t.d.* dividir em segmentos; fracionar *<s. um caderno> <s. um texto>* ◉ ORIGEM *segmento* + [2]*-ar* ~ **segmentação** *s.f.* - **segmentado** *adj.*

S

segmento (seg.men.to) *s.m.* **1** parte de um todo *<o filme tinha três s.>* **2** GEOM porção de uma reta ou uma curva limitada por dois pontos ~ **segmentado** *adj.*

segredar (se.gre.dar) *v.* {mod. 1} *t.d.,t.d.i. e int.* (prep. *a*) dizer em segredo ou em voz baixa; confidenciar, cochichar *<s. uma novidade (à amiga)> <estava sempre com as colegas, rindo e segredando>*

segredo (se.gre.do) /ê/ *s.m.* **1** o que não deve ser revelado **2** o que se diz, em voz baixa, no ouvido de alguém; confidência *<contava seus segredos para a prima>* **3** meio conhecido por poucos para atingir determinado fim *<o s. do sucesso>* **4** dispositivo oculto que só pode ser manejado de uma certa maneira *<s. do cofre, do alarme>*

segregação (se.gre.ga.ção) [pl.: *-ões*] *s.f.* DIR ato ou efeito de segregar(-se); afastamento, separação ▣ **s. racial 1** fato de uma minoria racial julgada inferior ser afastada do convívio da maioria, que se considera etnicamente superior; discriminação racial **2** qualquer prática em que ocorra discriminação, inclusive não admitir certo candidato, recusar certos empregos, negar a alguém o direito de voto, proibir a miscigenação; discriminação racial

segregar (se.gre.gar) *v.* {mod. 1} *t.d.,t.d.i. e pron.* **1** (prep. *de*) separar(-se) para isolar, evitar contato; desligar(-se) *<s. uma parte da população> <s. o povo da participação político-social> <segregou-se do convívio social>* **2** (prep. *de*) [fazer] ficar distante, à parte (de); separar(-se) *<o ciúme segrega o casal> <a sabedoria segrega os bons dos maus>* □ *t.d.* **3** expelir (qualquer secreção); secretar *<s. bílis>*

seguida (se.gui.da) *s.f.* ato de seguir ou o seu efeito ▣ **em s.** logo depois; imediatamente *<falo com ele em s.>*

seguinte (se.guin.te) *adj.s.m.* (o) que (se) segue; (o) que vem logo depois *<a figura está na página s.>*

seguir (se.guir) *v.* {mod. 28} *t.d.* **1** ir atrás ou na companhia de; acompanhar *<o cachorro segue o dono>* **2** ir na pista ou no encalço de; perseguir *<s. assaltantes>* **3** ter como modelo; imitar *<s. bons exemplos> <s. os pais>* **4** acompanhar com o olhar *<o turista seguia o desfile das escolas de samba>* **5** observar com atenção; examinar *<os alunos seguiam o raciocínio do professor>* **6** ser partidário de; aderir *<s. um grupo político>* **7** cumprir, respeitar (normas, regras, preceitos) *<s. uma religião, um estatuto>* **8** exercer (carreira, profissão) *<fez duas faculdades, mas seguiu odontologia>* **9** ir ao longo de *<s. a margem do rio>* □ *t.d.,int. e pron.* **10** vir depois de; suceder, prosseguir *<o sucesso seguiu sua luta> <não desanime, siga adiante> <ao exercício segue-se o relaxamento>* □ *int.* **11** continuar, prosseguir *<o sargento ordenou que a tropa seguisse>* **12** ir em certa direção *<siga à direita>* ~ **seguidor** *adj.s.m.* - **seguimento** *s.m.*

segunda (se.gun.da) *s.f.* red. de ***SEGUNDA-FEIRA*** *<viajo na s.>*

segunda-feira (se.gun.da-fei.ra) [pl.: *segundas-feiras*] *s.f.* o segundo dia da semana, a partir do domingo

segundo (se.gun.do) *n.ord.* **1** (o) que, numa sequência, ocupa a posição número dois ■ *s.m.* **2** a 60ª parte do minuto [símb.: *s*] **3** *p.ext.* espaço de tempo muito curto *<só levará um s.>* **4** GEOM unidade de medida de ângulo ou arco equivalente à 360ª parte do grau [símb.: "] **5** ESP auxiliar de um lutador de boxe ■ *prep.* **6** de acordo com *<s. o autor, o livro será lançado esta semana>* ■ *conj.confr.* **7** conforme, como *<cada um recebe s. o que produz>* **8** à medida que *<aumentava o tempo de exercícios s. ia ficando mais forte>* ■ *adv.* **9** em segundo lugar *<o pai saiu primeiro; a filha saiu s.>*

segundo-sargento (se.gun.do-sar.gen.to) [pl.: *segundos-sargentos*] *s.m.* MIL **1** nas três armas, graduação imediatamente superior à de terceiro-sargento e inferior à de primeiro-sargento **2** oficial que detém essa graduação

segundo-tenente (se.gun.do-te.nen.te) [pl.: *segundos-tenentes*] *s.m.* MIL **1** no Exército e na Aeronáutica, posto logo acima do de aspirante a oficial e imediatamente inferior a primeiro-tenente **2** na Marinha do Brasil, posto logo acima do de guarda-marinha e imediatamente inferior a primeiro-tenente **3** oficial que detém um desses postos

segurado (se.gu.ra.do) *adj.* **1** que se segurou **2** que tem seguro *<pessoa s.>* **3** que está no seguro *<casa s.>*

segurador (se.gu.ra.dor) /ô/ [pl.: *-es*] *adj.s.m.* **1** que(m) segura **2** (o) que agarra ou prende **3** DIR (o) que se compromete a ser o fiador ou a assumir os riscos mencionados no contrato de seguro

seguradora (se.gu.ra.do.ra) /ô/ *s.f.* companhia de seguro

seguramente (se.gu.ra.men.te) *adv.* **1** com toda a segurança, sem erro *<a encomenda chegará s. na quinta-feira>* **2** muito possivelmente; decerto *<ele tem s. uns 16 anos>*

segurança (se.gu.ran.ça) *s.f.* **1** ação ou efeito de tornar seguro; firmeza ↺ instabilidade **2** estado ou condição do que está protegido *<o quarto foi feito para a s. do bebê>* ↺ risco **3** autoconfiança *<falou com muita s. sobre seu trabalho>* ↺ insegurança ■ *s.2g.* **4** indivíduo responsável pela proteção pessoal de alguém ou de algo

segurar (se.gu.rar) *v.* {mod. 1} *t.d.* **1** agarrar, prender, pegar *<segurava a filha com cuidado>* **2** tornar seguro; fixar *<s. a estante>* **3** não se desfazer de; guardar *<s. as melhores cartas>* **4** levar nas mãos, nos braços; carregar *<segurou os embrulhos>* ◻ *t.d. e t.d.i.* **5** (prep. *a*) dar como certo; assegurar, garantir *<s. uma promessa (a alguém)>* ◻ *t.d.,t.i. e pron.* **6** (prep. *a*, *em*) apoiar ou agarrar com as mãos; firmar(-se), sustentar(-se) *<s. um objeto>* *<s. na mão do filho>* *<s.-se (ao) no corrimão da escada>* ◻ *t.d. e pron.* **7** acautelar(-se) contra os efeitos de acidentes ou prejuízos *<s. a própria vida e a dos pais>* *<s. uma residência>* *<s.-se é um ato de bom senso>* ◉ GRAM/USO part.: *segurado, seguro*; ver QUADRO DE PARTICÍPIOS DUPLOS nas pp. iniciais

seguro (se.gu.ro) *adj.* **1** estável, fixo *<andaime s.>* ↺ instável **2** posto a salvo; protegido *<estão s. agora>* ↺ desamparado **3** autoconfiante *<um profissional s.>* ↺ hesitante **4** preso ↺ solto ■ *s.m.* **5** o que serve de garantia, amparo, proteção **6** DIR contrato que obriga indenização em casos de acidente, morte etc.

seguro-desemprego (se.gu.ro-de.sem.pre.go) [pl.: *seguros-desempregos* e *seguros-desemprego*] *s.m.* DIR assistência temporária em dinheiro que o poder público dá ao trabalhador quando este é dispensado de um trabalho sem justa causa ou quando o seu empregador paralisa as atividades da firma em que trabalhava

seio (sei.o) *s.m.* **1** ANAT cada uma das glândulas mamárias da mulher **2** *fig.* a parte interna; interior *<o s. da floresta>* **3** *fig.* a alma, o espírito **4** ANAT cavidade no interior de um osso

seis *n.card.* **1** cinco mais um **2** diz-se desse número *<cartões de número s.>* **3** diz-se do sexto elemento de uma série *<capítulo s.>* **4** que equivale a essa quantidade (diz-se de medida ou do que é contável) *<ter s. filhos>* ■ *s.m.2n.* **5** representação gráfica desse número *<no exame de vista, não enxergou o s.>* ☞ em algarismos arábicos, *6*; em algarismos romanos, *VI*

seiscentésimo (seis.cen.té.si.mo) *n.ord.* sexcentésimo

seiscentos (seis.cen.tos) *n.card.* **1** quinhentos mais cem **2** diz-se desse número *<memorando de número s.>* **3** diz-se do seiscentésimo elemento de uma série *<ofício s.>* *<poltrona s.>* **4** que equivale a essa quantidade (diz-se de medida ou do que é contável) *<um terreno de s. metros quadrados>* *<um prédio de s. moradores>* ■ *s.m.2n.* **5** representação gráfica desse número *<o s. do número de inscrição estava ilegível>* ☞ em algarismos arábicos, *600*; em algarismos romanos, *DC* ◉ GRAM/USO seguido do conectivo *e* antes das dezenas e unidades, forma os numerais cardinais entre 600 e 700

seita (sei.ta) *s.f.* **1** conjunto de pessoas que professam a mesma doutrina ou religião **2** doutrina ou sistema que se afasta da crença ou opinião geral

seiva (sei.va) *s.f.* **1** BOT líquido com propriedades nutritivas que circula no interior dos vegetais **2** *p.ext.* qualquer fluido orgânico aquoso

seixo (sei.xo) *s.m.* GEOL pedra miúda arredondada

sela (se.la) *s.f.* assento que se põe sobre o lombo das montarias ☞ cf. *cela* ◉ COL selaria

[1]**selar** (se.lar) *v.* {mod. 1} *t.d.* **1** pôr sinete, estampilha, selo ou carimbo em *<s. uma carta>* **2** cerrar, fechar bem *<s. um cofre>* **3** *fig.* tornar efetivo; validar *<s. um contrato>* **4** *fig.* pôr fim a; concluir *<s. a tese>* ◉ ORIGEM do lat. *sigillāre* 'pôr selo em'

[2]**selar** (se.lar) *v.* {mod. 1} *t.d.* pôr a sela em (montaria) *<selou todos os cavalos antes de sair>* ◉ ORIGEM *sela* + [2]*-ar*

selaria (se.la.ri.a) *s.f.* **1** indústria ou comércio de selas **2** conjunto de selas e outros arreios **3** local onde se guardam selas e arreios

seleção (se.le.ção) [pl.: *-ões*] *s.f.* **1** escolha sob critérios definidos *<era responsável pela s. das laranjas>* **2** ESP grupo de atletas escolhidos entre os melhores; escrete ▣ **s. natural** BIO sobrevivência de indivíduos ou grupos que melhor se adaptam ao meio ambiente

selecionado (se.le.cio.na.do) *s.m.* **1** ESP grupo de atletas que formam uma seleção *<o s. alemão chegará hoje>* ■ *adj.* **2** escolhido; preferido ↺ rejeitado

selecionar (se.le.cio.nar) *v.* {mod. 1} *t.d.* optar por (alguém ou algo), entre dois ou mais, segundo certos critérios; escolher *<s. fotos>*

seleiro (se.lei.ro) *adj.s.m.* **1** que(m) fabrica selas ou é dono de selaria **2** que(m) monta bem ☞ cf. *celeiro*

selênio (se.lê.nio) *s.m.* QUÍM elemento químico us. em semicondutores, xerografia, fotômetros etc. [símb.: *Se*] ☞ cf. *tabela periódica* (no fim do dicionário)

selenita (se.le.ni.ta) *adj.2g.* **1** relativo à Lua ■ *s.2g.* **2** hipotético habitante da Lua

seleta (se.le.ta) *s.f.* **1** LIT conjunto de textos literários escolhidos; antologia **2** certa variedade de laranja

seletivo (se.le.ti.vo) *adj.* **1** que diz respeito a seleção **2** que seleciona *<audição s.>*

seleto (se.le.to) *adj.* **1** escolhido *<público s.>* **2** de primeira ordem ou de primeira qualidade; especial **3** *p.ext.* que ressalta entre os melhores; excelente

selfie [ing.] *s.2g.* foto que se tira de si próprio ger. para ser postada em redes sociais ⇒ pronuncia-se sélfi

S

self-service (self-ser.vice) [ing.] *s.m.* **1** sistema em lojas, restaurantes, mercados etc., em que o cliente se serve sozinho ■ *adj.2g.2n.s.m.* **2** (estabelecimento comercial) que adota esse sistema *<inauguraram mais um s.> <restaurante s.>* ◉ GRAM/USO em ing., invariável; pl. corrente no Brasil: *self-services* ⇒ pronuncia-se sélf sérvis

selim (se.lim) [pl.: *-ins*] *s.m.* **1** sela pequena para montarias **2** assento triangular de velocípedes e bicicletas

selo (se.lo) /ê/ *s.m.* **1** peça com a figura, a assinatura, as armas ou a marca simbólica de um Estado, rei etc. gravadas, us. para autenticar documentos e objetos; sinete **2** pequeno sinal que se põe sobre algo para identificação ou para que não seja violado; carimbo **3** impresso adesivo que se usa em correio **4** marca de fábrica de certos produtos ou instituições *<s. de garantia> <s. de qualidade>*

selva (sel.va) *s.f.* **1** floresta, bosque **2** *fig.* grande quantidade de algo *<s. de prédios>* **3** *fig. pej.* ambiente hostil *<o escritório é uma s.>*

selvagem (sel.va.gem) [pl.: *-ens*] *adj.2g.* **1** próprio da selva ou que nela habita *<vida s.> <tribo s.>* **2** que vive sem cultura ou cuidados especiais *<vegetação s.>* **3** *fig.* que se desenvolve sem controle *<capitalismo s.>* ↺ controlado **4** não domesticado; feroz (diz-se de animal) ↺ domesticado ■ *adj.2g.s.2g.* **5** que(m) manifesta natureza não civilizada **6** que(m) é grosseiro ↺ gentil ~ **selvageria** *s.f.*

selvático (sel.vá.ti.co) *adj.* selvagem ('da selva', 'grosseiro') *<comportamento s.>*

selvícola (sel.ví.co.la) *adj.2g.s.2g.* silvícola

sem *prep.* **1** expressa os sentidos de: **1.1** ausência, privação *<comida s. sal>* **1.2** ausência de condição necessária *<agir s. pensar>* **1.3** exceção *<foi a turma toda, s. o professor>*

semáforo (se.má.fo.ro) *s.m.* aparelho de sinalização que orienta o tráfego por meio de luzes; sinal, sinaleira, farol

semana (se.ma.na) *s.f.* **1** período de sete dias a partir de domingo **2** espaço de sete dias consecutivos *<o resultado chegará em uma s.>* **3** série de seis ou cinco dias úteis (de segunda a sábado ou sexta) *<trabalhou a s. toda e viajou no sábado>* ▣ **S. Santa** REL a última semana da Quaresma

semanada (se.ma.na.da) *s.f.* **1** quantia que se dá ou recebe por semana **2** remuneração por uma semana de trabalho

semanal (se.ma.nal) [pl.: *-ais*] *adj.2g.* **1** relacionado a ou pertencente a semana **2** que ocorre uma vez a cada semana *<feira s.> <revista s.>*

semanário (se.ma.ná.rio) *s.m.* publicação semanal; hebdomadário

semântica (se.mân.ti.ca) *s.f.* LING ramo da linguística que estuda a evolução e as alterações sofridas pelo significado das palavras no tempo e no espaço

semântico (se.mân.ti.co) *adj.* **1** que diz respeito à semântica **2** que diz respeito ao significado das palavras *<trata-se de uma questão s.>*

semblante (sem.blan.te) *s.m.* **1** face, rosto **2** aparência, fisionomia *<s. triste>*

sem-cerimônia (sem-ce.ri.mô.nia) [pl.: *sem-cerimônias*] *s.f.* **1** descontração, informalidade ↺ formalidade **2** desprezo pelas convenções sociais **3** *p.ext.* falta de educação *<entrou no salão com a maior s.>*

semeadura (se.me.a.du.ra) *s.f.* **1** ato de lançar sementes à terra e o seu efeito **2** *p.ext.* extensão de terreno semeado **3** *p.ext.* quantidade de grão suficiente para semear um terreno

semear (se.me.ar) *v.* {mod. 5} *t.d. e int.* **1** lançar sementes de (vegetal) para que germinem *<s. arroz> <é tempo de s.>* □ *t.d. fig.* **2** espalhar, propagar *<s. uma notícia, s. ódio>* **3** ser causa de; promover *<s. pânico>* ~ **semeador** *adj.s.m.*

semelhança (se.me.lhan.ça) *s.f.* relação entre seres, coisas ou ideias que têm elementos iguais ou parecidos, além dos comuns à espécie; similitude ↺ diferença

semelhante (se.me.lhan.te) *adj.2g.s.m.* **1** (o) que é da mesma natureza, forma, espécie em relação a outro ser ou coisa *<ideias s.> <pessoas s.>* ■ *s.m.* **2** qualquer ser humano *<deve-se respeitar os s.>*

semelhar (se.me.lhar) *v.* {mod. 1} *t.d.,t.i. e pron.* assemelhar

sêmen (sê.men) [pl.: *sêmenes* e *(B) semens*] *s.m.* esperma

semente (se.men.te) *s.f.* **1** BOT parte do fruto, ger. dura, responsável pela reprodução do vegetal **2** *fig.* germe; origem *<a s. da mudança>*

sementeira (se.men.tei.ra) *s.f.* **1** canteiro de mudas **2** conjunto de plantas deixadas para produzir sementes

semestral (se.mes.tral) [pl.: *-ais*] *adj.2g.* **1** referente ao período de seis meses **2** que dura seis meses **3** que ocorre de seis em seis meses *<pagamento s.>* ~ **semestralidade** *s.f.*

semestre (se.mes.tre) *s.m.* período de seis meses seguidos

sem-fim (sem-fim) [pl.: *sem-fins*] *s.m.* **1** número indeterminado *<um s. de perguntas>* **2** extensão indeterminada; vastidão ☞ cf. *sem fim* ◉ GRAM/USO nas duas acp., tb. us. como adj.

semi- *pref.* 'meio, metade': *semicircunferência, semi-interno*

semianalfabeto (se.mi.a.nal.fa.be.to) *adj.s.m.* **1** que(m) foi parcialmente alfabetizado **2** *fig. pej.* que(m) demonstra poucos conhecimentos sobre determinado assunto *<crítico s.>*

semiaquático (se.mi.a.quá.ti.co) *adj.* que usa tanto o ambiente terrestre quanto o aquático (diz-se de animal, como a lontra)

semiárido (se.mi.á.ri.do) *adj.* GEO **1** não inteiramente árido (clima, região) ■ *s.m.* GEO **2** região vizinha às regiões áridas

semiautomático (se.mi.au.to.má.ti.co) *adj.* não totalmente automático

semibreve (se.mi.bre.ve) *s.f.* MÚS **1** figura de ritmo de maior duração **2** seu símbolo (𝅝)

semicírculo (se.mi.cír.cu.lo) *s.m.* GEOM metade de um círculo determinada por um diâmetro ~ **semicircular** *adj.2g.*

S

semicircunferência (se.mi.cir.cun.fe.rên.cia) *s.f.* GEOM metade de uma circunferência limitada por um diâmetro

semicolcheia (se.mi.col.chei.a) *s.f.* MÚS **1** figura de ritmo que equivale à metade da colcheia **2** seu símbolo (𝅘𝅥𝅯)

semicondutor (se.mi.con.du.tor) /ô/ [pl.: *-es*] *adj.s.m.* FÍS (substância, dispositivo) cuja resistência elétrica varia entre a de um condutor e a de um isolante

semideus (se.mi.deus) [pl.: *-es*] *s.m.* MIT **1** ser imortal, superior aos homens e inferior aos deuses, como os faunos e as ninfas **2** herói, filho de um ser divino e de um mortal *<assistiu ao desenho animado com o s. Hércules>*

semifinal (se.mi.fi.nal) [pl.: *-ais*] *adj.2g.s.f.* ESP (rodada ou partida) que antecede a final de um campeonato

semifinalista (se.mi.fi.na.lis.ta) *adj.2g.s.2g.* ESP que(m) se classifica para disputar a semifinal de um campeonato

semifusa (se.mi.fu.sa) *s.f.* MÚS **1** figura de ritmo que equivale à metade da fusa **2** seu símbolo (𝅘𝅥𝅱)

semi-internato (se.mi-in.ter.na.to) [pl.: *semi-internatos*] *s.m.* **1** estado ou condição de semi-interno **2** estabelecimento escolar em que os alunos são semi-internos

semi-interno (se.mi-in.ter.no) [pl.: *semi-internos*] *adj.s.m.* (aluno) que permanece quase o dia inteiro na escola

semimorto (se.mi.mor.to) /ô/ [pl. e fem.: /ó/] *adj.* **1** quase morto **2** *fig.* muito cansado; fraco *<terminou o dia s.>*

seminal (se.mi.nal) [pl.: *-ais*] *adj.2g.* **1** relativo a ou que produz sêmen *<vesícula s.>* **2** *fig.* que inspira ou gera novas obras, novas ideias *<inteligência s.> <publicação s.>*

seminário (se.mi.ná.rio) *s.m.* **1** REL instituição para formação de padres **2** congresso científico ou cultural *<participou de um s. internacional de física>* **3** exposição e debate promovidos por um grupo de alunos, sobre um determinado tema *<quase não houve aulas, só s.>*

seminarista (se.mi.na.ris.ta) *adj.2g.* **1** próprio de seminário ■ *adj.2g.s.2g.* **2** REL que(m) é aluno de seminário ('instituição')

semínima (se.mí.ni.ma) *s.f.* MÚS **1** figura de ritmo que equivale a metade da mínima **2** seu símbolo (♩)

seminovo (se.mi.no.vo) /ô/ [pl. e fem.: /ó/] *adj.s.m.* diz-se de ou produto (ger. automóvel) usado, mas supostamente bem conservado

seminu (se.mi.nu) *adj.* **1** parcialmente vestido **2** maltrapilho

semiologia (se.mio.lo.gi.a) *s.f.* estudo das significações que podem ser atribuídas aos fatos da vida social concebidos como sistemas de significação: imagens, gestos, sons melódicos, elementos rituais, protocolos, sistemas de parentesco, mitos etc. ~ **semiológico** *adj.*

semiótica (se.mi.ó.ti.ca) *s.f.* ciência que estuda a relação entre os signos, linguísticos ou não, e seus significados; semiologia ~ **semiótico** *adj.*

semiplano (se.mi.pla.no) *s.m.* GEOM região do plano limitada por uma reta

semiprecioso (se.mi.pre.ci.o.so) /ô/ [pl. e fem.: /ó/] *adj.* de menor valor comercial que uma pedra preciosa (diz-se de gema)

semirreta (se.mir.re.ta) *s.f.* GEOM parte de uma reta limitada por um ponto

semita (se.mi.ta) *s.2g.* **1** grupo étnico e linguístico que compreende os hebreus (atualmente, judeus), fenícios, assírios, arameus e árabes ■ *adj.2g.s.2g.* **2** (membro) desse grupo

semítico (se.mí.ti.co) *adj.* **1** que diz respeito aos semitas **2** relativo ou pertencente aos judeus

semitismo (se.mi.tis.mo) *s.m.* **1** conjunto das características próprias dos semitas **2** conjunto das características próprias dos judeus **3** LING construção peculiar às línguas semíticas

semitom (se.mi.tom) [pl.: *-ons*] *s.m.* MÚS metade de um tom, o menor intervalo na música ocidental tradicional

semivivo (se.mi.vi.vo) *adj.* quase morto

semivogal (se.mi.vo.gal) [pl.: *-ais*] *s.f.* FON cada uma das vogais *i* e *u* quando, juntas a outra vogal, formam um ditongo, p.ex., q*u*ando; pa*i*

sem-número (sem-nú.me.ro) *s.m.2n.* grande número; número indeterminado *<um s. de ofertas>*

sêmola (sê.mo.la) *s.f.* **1** farinha granulada extraída do grão do trigo ou de outros cereais, como o milho, us. em massas, sopas, mingaus etc. **2** semolina

semolina (se.mo.li.na) *s.f.* farinha granulada extraída do grão de arroz, us. para engrossar caldos ou pudins; sêmola

semovente (se.mo.ven.te) *adj.2g.s.2g.* (o) que se move por si próprio

sem-par (sem-par) *adj.2g.2n.* sem igual; raro *<espetáculo s.>*

sempiterno (sem.pi.ter.no) *adj.* **1** que dura para sempre; eterno ↺ finito **2** muito velho

sempre (sem.pre) *adv.* **1** durante todo o tempo; eternamente *<seremos s. amigos>* **2** com muita frequência; de forma habitual *<vai s. ao cinema>* **3** de modo contínuo, sem interrupções *<s. morou na Tijuca>* **4** de qualquer maneira *<está s. lá, chova ou faça sol>*

sempre-viva (sem.pre-vi.va) [pl.: *sempre-vivas*] *s.f.* BOT nome comum dado a flores ornamentais que secam sem murchar

sem-pulo (sem-pu.lo) *s.m.2n.* FUTB *B* chute dado antes de a bola chegar ao chão

sem-sal (sem-sal) *adj.2g.2n.* **1** que não tem sal; insosso **2** *fig.* sem entusiasmo, sem graça *<pessoa s.>*

sem-terra (sem-ter.ra) *adj.2g.2n.s.2g.2n.* (trabalhador rural) sem a posse legal da terra em que vive ou trabalha

sem-teto (sem-te.to) *adj.2g.2n.s.2g.2n.* que(m) vive nas ruas

sem-vergonha (sem-ver.go.nha) *adj.2g.2n.s.2g.2n.* (o) que não tem vergonha, dignidade, moral ~ **sem-vergonhice** *s.f.*

S

sena (se.na) *s.f.* **1** conjunto de seis seres, objetos etc. da mesma espécie **2** RECR loteria oficial em que se sorteiam seis dezenas, premiando quem acertar seis, cinco ou quatro das dezenas sortedas

senado (se.na.do) *s.m.* **1** uma das câmaras do poder legislativo, composta pelos representantes dos estados da federação ☞ inicial freq. maiúsc. **2** conjunto dos membros dessa câmara **3** local onde esses membros se reúnem

senador (se.na.dor) /ô/ [pl.: *-es*] *s.m.* membro do Senado

senão (se.não) *conj.altv.* **1** do contrário *<coma, s. ficará de castigo>* ■ *conj.advrs.* **2** mas *<não conseguiu apoio nem aprovação, s. críticas>* ■ *prep.* **3** exceto *<todos, s. você, riram>* ■ *s.m.* **4** pequena imperfeição; falha *<um teste sem qualquer s.>* ◉ GRAM/USO pl. do subst.: *senões*

senatoria (se.na.to.ri.a) ou **senatória** (se.na.tó.ria) *s.f.* **1** cargo ou função de senador **2** mandato ('período') de um senador ~ **senatorial** *adj.2g.*

senda (sen.da) *s.f.* caminho estreito; vereda

senectude (se.nec.tu.de) *s.f.* idade senil; velhice

senha (se.nha) *s.f.* **1** gesto, frase, sinal secreto combinado entre pessoas ou grupos **2** bilhete ou papel numerado que autoriza o portador a ser atendido numa ordem **3** INF conjunto de caracteres destinado a identificar o usuário de computador e dar-lhe acesso a dados, programas etc.

senhor (se.nhor) /ô/ [pl.: *-es*] *s.m.* **1** aquele que tem algo; dono, proprietário *<era s. de um tesouro em livros>* **2** patrão, amo ↺ empregado **3** *fig.* aquele que tem pleno domínio sobre si, sobre coisa ou sobre situação *<s. da própria vontade>* **4** homem de meia-idade ou idoso *<ele já é um s.>* **5** tratamento cerimonioso dispensado aos homens [abrev.: *Sr.*] **6** homem adulto indeterminado *<havia um s. sentado à janela>* **7** Deus **7.1** Jesus Cristo ☞ nestas duas acp., inicial maiúsc. ■ *adj.* **8** *infrm.* grande, ótimo, desejável *<comprou um s. carro>*

senhora (se.nho.ra) /ó *ou* ô/ *s.f.* **1** dona da casa; patroa **2** aquela que possui algo; dona, proprietária **3** mulher adulta indeterminada *<uma s. telefonou para você>* **4** a esposa em relação ao marido **5** mulher adulta ou casada *<já era uma s. quando engravidou>* **6** tratamento cortês dispensado à mulher casada

S

senhoria (se.nho.ri.a) *s.f.* **1** autoridade de senhor ou senhora **2** domínio, direitos feudais sobre uma terra **3** terra sob esse domínio **4** proprietária de bens imóveis ▣ **Vossa S.** tratamento cerimonioso us. esp. em linguagem comercial

senhorial (se.nho.ri.al) [pl.: *-ais*] *adj.2g.* **1** relativo a senhor **2** relativo a senhorio **3** relativo a nobreza, a aristocracia **4** *p.ext.* dotado de requinte; distinto, elegante ↺ modesto

senhorio (se.nho.ri.o) *s.m.* **1** domínio ou direito de senhor sobre algo; mando, autoridade **2** domínio, posse **3** quem aluga propriedade sua; dono, proprietário **4** proprietário de bens imóveis ↺ inquilino

senhorita (se.nho.ri.ta) *s.f. B* **1** moça solteira **2** tratamento dispensado à moça solteira

senil (se.nil) [pl.: *-is*] *adj.2g.* **1** relativo a velhice ou a velhos *<idade s.>* **2** que resulta da velhice *<fraqueza s.>* **3** que é portador de demência própria dos velhos ↺ lúcido

senilidade (se.ni.li.da.de) *s.f.* **1** estado ou condição de velho, senil; velhice, decrepitude ↺ juventude **2** debilidade física e mental ligada à idade ou a uma alteração prematura dos tecidos

sênior (sê.nior) [pl.: *seniores* /ô/] *adj.2g.s.m.* **1** (aquele) que é o mais velho entre dois ↺ júnior **2** (o) que se estabeleceu primeiro ↺ júnior **3** (aquele) que é mais antigo ou graduado em certa atividade *<analista s.>* ↺ júnior **4** ESP desportista que passou da idade de júnior, mas que ainda não é veterano *<inscreveu-se no campeonato de seniores>*

seno (se.no) *s.m.* MAT razão entre o cateto oposto a um ângulo de um triângulo retângulo e a hipotenusa ~ **senoidal** *adj.2g.*

sensabor (sen.sa.bor) /ô/ [pl.: *-es*] *adj.2g.* **1** que não tem sabor ou gosto; insípido ↺ saboroso ■ *adj.2g.s.2g.* **2** *fig.* (aquele) que é desinteressante, maçante

sensaboria (sen.sa.bo.ri.a) *s.f.* **1** conversa ou escrito enfadonho, monótono **2** *fig.* contratempo *<diversas s. atrasaram a obra>*

sensação (sen.sa.ção) [pl.: *-ões*] *s.f.* **1** impressão captada pelos órgãos dos sentidos *<s. visual, olfativa, gustativa>* **2** *fig.* conhecimento imediato e intuitivo *<s. de que algo não vai bem>* **3** vivência significativa que mobiliza afetos e emoções *<s. confusa de atração e repulsa>* **4** impacto causado por acontecimento especial *<queria causar s. na festa>*

sensacional (sen.sa.cio.nal) [pl.: *-ais*] *adj.2g.* **1** que tem grande repercussão no público *<notícia s.>* **2** maravilhoso, espetacular *<uma peça s.>*

sensacionalismo (sen.sa.cio.na.lis.mo) *s.m.* **1** gosto ou busca pelo sensacional **2** JOR TV exploração de notícias sensacionais, sem compromisso com a verdade dos fatos ~ **sensacionalista** *adj.2g.s.2g.*

sensato (sen.sa.to) *adj.* **1** que tem juízo; equilibrado *<família s.>* ↺ desequilibrado **2** que age ou pensa com cautela; precavido *<era um homem s.>* **3** disciplinado em seus hábitos; sério ↺ descomedido **4** que tem bom senso *<decisão s.>* ↺ tolo **5** lógico, racional *<explicação s.>* ↺ incoerente ~ **sensatez** *s.f.*

sensibilidade (sen.si.bi.li.da.de) *s.f.* **1** faculdade de sentir compaixão pela humanidade; piedade, empatia ↺ indiferença **2** faculdade de receber, por meio do sistema nervoso, informações do meio externo e interno e de a elas reagir através de sensações *<perdeu a s. nas mãos>* ↺ insensibilidade **3** capacidade de captar e expressar sentimentos e coisas *<a s. do artista>* ↺ insensibilidade **4** facilidade para ser ferido ou incomodado por algum agente físico *<sua pele tem s. ao sol>* ↺ insensibilidade **5** disposição especial para sentir ofensas e injúrias; melindre *<ferir a s.>* ↺ frieza **6** precisão de certos aparelhos para indicar erro ou diferença *<a s. de uma balança>*

sensibilizar (sen.si.bi.li.zar) *v.* {mod. 1} *t.d.,int. e pron.* **1** tornar(-se) sensível; comover(-se) *<lembranças que (o) sensibilizam> <ao vê-lo doente, sensibilizou-se até as lágrimas>* ↺ insensibilizar(-se) □ *t.d.* **2** impressionar vivamente; tocar *<um romance que sensibilizou os jovens> <às vésperas da eleição, os candidatos queriam s. os eleitores>* **3** tornar sensível à ação de qualquer agente <*s. a pele, o organismo*> ~ **sensibilização** *s.f.* - **sensibilizador** *adj.s.m.* - **sensibilizante** *adj.2g.*

sensitiva (sen.si.ti.va) *s.f.* BOT nome comum a algumas plantas com folhas que ger. se contraem quando tocadas

sensitivo (sen.si.ti.vo) *adj.* **1** relativo a sensações e a sentidos <*órgão s.*> ■ *adj.s.m.* **2** (aquele) que é muito suscetível <*pessoa s.*> ↺ indiferente **3** (aquele) que é dotado de poderes extrassensoriais <*consultou-se com um s.*> ~ **sensitividade** *s.f.*

sensível (sen.sí.vel) [pl.: *-eis*] *adj.2g.* **1** que recebe impressões ou sensações externas <*dentes s. ao frio*> ↺ insensível **2** que é percebido por (sentido); perceptível <*s. ao paladar, ao tato, ao olfato*> ↺ insensível **3** que produz dor; doloroso <*golpe s.*> ↺ indolor **4** capaz de sentir e captar o que existe e de expressá-lo <*artista s.*> ↺ insensível **5** que requer tato ou habilidade; delicado <*assunto s.*> ↺ indelicado **6** que tem sentimento de compaixão; solidário <*s. aos problemas dos outros*> ↺ desumano **7** evidente, manifesto <*desde o início seu amor era s.*> ↺ secreto **8** que se impressiona ou se ofende facilmente <*pessoa muito s., chorava à toa*> ↺ insensível **9** que indica a menor alteração, contato ou diferença (diz-se de instrumento) <*alarme, balança s.*>

senso (sen.so) *s.m.* **1** cuidado e bom senso na decisão de como agir ↺ imprudência **2** capacidade de julgar, de sentir, de apreciar, de optar bem; juízo <*ter s. de adequação*> ☞ cf. *censo* ▣ **s. comum** modo de pensar e agir tal como o faria a generalidade das pessoas • **bom s.** capacidade de pensar e agir de maneira equilibrada, prudente e coerente

sensor (sen.sor) /ô/ [pl.: *-es*] *adj.s.m.* (dispositivo) que responde a estímulos físicos (calórico, luminoso, sonoro etc.) e transmite um impulso correspondente ☞ cf. *censor*

sensorial (sen.so.ri.al) [pl.: *-ais*] *adj.2g.* **1** referente a sensação <*antenas com função s.*> **2** ANAT relativo a sensório ('região do cérebro') <*nervo s.*>

sensório (sen.só.rio) *adj.* **1** relativo a sensibilidade ou a sensação <*imagens s.*> ■ *s.m.* ANAT **2** região do cérebro que seleciona e combina todas as sensações

sensual (sen.su.al) [pl.: *-ais*] *adj.2g.* **1** relativo a sentidos ou a órgãos dos sentidos <*impressão s.*> **2** referente ao amor carnal <*prazer s.*> ↺ espiritual **3** que atrai fisicamente; belo <*pessoa s.*> **4** que desperta desejos sexuais; lascivo <*corpo, voz s.*> ■ *adj.2g.s.2g.* **5** (aquele) que se devota aos prazeres dos sentidos ~ **sensualização** *s.f.*

sensualidade (sen.su.a.li.da.de) *s.f.* **1** inclinação pelos prazeres dos sentidos **2** propensão exagerada para os prazeres do sexo; volúpia ↺ recato

sensualismo (sen.su.a.lis.mo) *s.m.* **1** FIL doutrina que prega que o conhecimento provém unicamente da sensação **2** sensualidade

sentar (sen.tar) *v.* {mod. 1} *int. e pron.* **1** flexionar as pernas até apoiar as nádegas em alguma superfície horizontal <*s. no sofá*> <*demorou a s.-se*> □ *t.d.* **2** fazer tomar assento <*s. o filho na cadeira*>

sentença (sen.ten.ça) *s.f.* **1** frase que encerra um pensamento de ordem geral e de valor moral; provérbio, máxima <*carregava um pequeno livro de sentenças*> **2** decisão pronunciada por um juiz ou autoridade sobre fato que lhe é submetido <*a s. do presidente surpreendeu toda a empresa*> **3** *p.ext.* decisão ou resolução tomada por qualquer pessoa **4** REL julgamento de Deus sobre os homens

sentenciar (sen.ten.ci.ar) *v.* {mod. 1} *t.d. e t.d.i.* **1** (prep. *a*) julgar ou condenar por meio de sentença <*s. um réu (à pena máxima)*> □ *t.d.* **2** decidir mérito ou demérito de; julgar <*a história vai s. os tiranos*> □ *int.* **3** pronunciar sentença

sentencioso (sen.ten.ci.o.so) /ô/ [pl. e fem.: /ó/] *adj.* **1** que tem a forma ou caráter de sentença **2** *p.ext.* que se expressa com gravidade <*falar com jeito s.*> ↺ natural

sentido (sen.ti.do) *adj.* **1** que se ofende facilmente; suscetível, sensível ↺ insensível **2** que causa tristeza, piedade ou saudade <*canto s.*> ↺ alegre **3** magoado, ressentido <*ficou s. por não ter sido convidado*> **4** feito com sentimento, com dor, com convicção <*apelo s.*> **5** percebido pelos sentidos; pressentido <*demissão s.*> ■ *s.m.* **6** cada um dos órgãos (tato, visão, audição, paladar e olfato) de percepção **7** faculdade de julgar; bom senso <*s. de responsabilidade*> **8** alvo, fim, propósito <*suas últimas ações não tinham s. algum*> **9** ponto de vista; aspecto, face <*analisou a questão sob todos os s.*> **10** razão de ser; lógica, cabimento <*argumento sem s.*> ↺ incoerência **11** a consciência das coisas <*recuperou os s.*> ☞ mais us. no pl. **12** atenção, pensamento <*estuda, mas com o s. na televisão*> **13** cuidado, cautela <*tenha s. no que faz*> **14** direção <*s. Rio-São Paulo*> **15** rumo <*s. norte*> **16** LING o que uma palavra, frase num determinado contexto quer dizer; significado ▼ ***sentidos*** *s.m.pl.* **17** conjunto de funções da vida orgânica que buscam experimentar o prazer físico, a sensualidade **18** faculdades intelectuais ■ *interj.* **19** voz de comando para chamar a atenção da tropa ▣ **s. figurado** LING sentido derivado do sentido primitivo de uma palavra, resultado de uma comparação implícita (metáfora), ou uma associação (metonímia), ou uma extensão do significado original • **s. literal** LING sentido primordial, real de uma palavra, em oposição ao sentido figurado em que possa ser tomado • **duplo s.** propriedade de uma frase ou texto que pode ser interpretado de duas maneiras • **sexto s.** intuição

sentimental (sen.ti.men.tal) [pl.: *-ais*] *adj.2g.s.2g.* **1** (aquele) que é marcado por sentimento, sensibilidade ou idealismo emocional <*era uma pessoa muito s., chorava à toa*> **2** (o) que resulta do sentimento e não do pensamento ou da razão <*decisão s.*> **3** (aquele) que tem excesso de sentimento ou de sensibilidade <*filme s.*>

sentimentalismo (sen.ti.men.ta.lis.mo) *s.m.* **1** tendência a mostrar-se sentimental; exagero de reações e comportamentos sentimentais **2** ideia sentimental ou sua expressão ~ **sentimentalista** *adj.2g.s.2g.*

sentimento (sen.ti.men.to) *s.m.* **1** aptidão para sentir; sensibilidade ↺ indiferença **2** afeto, afeição, ligação <*não tem o menor s. por aquela pessoa*> **3** expressão viva; entusiasmo, emoção <*declamar com s.*> **4** experiência afetiva de desprazer; tristeza, mágoa <*chorar de s.*> ↺ alegria **5** intuição, pressentimento **6** sensação subjetiva de alegria, pesar, paixão, medo etc. <*foi tomado por um s. de pânico*> ▼ ***sentimentos*** *s.m.pl.* **7** conjunto de qualidades morais <*pessoa de bons s.*> **8** pêsames

S

sentinela (sen.ti.ne.la) *s.f.* **1** soldado armado que guarda um posto **2** pessoa que está de vigia; guarda ☞ tb. us. no masc. **3** ato de estar atento a algo ou alguém, ou o seu efeito; vigia *<a enfermeira passou a noite de s.>*

sentir (sen.tir) *v.* {mod. 28} *t.d.* **1** perceber por qualquer órgão dos sentidos *<s. o perfume das flores>* **2** experimentar no corpo, na mente *<s. dor, fome, medo>* **3** ser sensível a; comover-se por *<s. a dor alheia>* **4** perceber ao longe ou antes de acontecer; pressentir, prever *<sentiu que o negócio não daria certo>* □ *t.d. e pron.* **5** ter ou tomar consciência de (impressão íntima, estado espiritual, ou condição física) *<s. o amor pulsar> <s.-se bem à mesa>* **6** encarar de modo negativo; ressentir-se *<s. as injustiças> <sentiu-se das críticas que ouviu>* □ *pron.* **7** estar em certa condição física, mental provisória; passar *<sente-se mal no calor>* □ *t.d.,t.d.pred. e pron.* **8** julgar(-se), considerar(-se) *<agora sentimos que ainda há esperanças> <sinto-o tão feliz!> <sente-se muito idoso>* □ *int.* **9** ter pesar *<sinto tê-lo traído>*

senzala (sen.za.la) *s.f.* HIST alojamento das antigas fazendas que abrigava os escravos

sépala (sé.pa.la) *s.f.* BOT cada uma das peças florais que constituem o [2]cálice

separação (se.pa.ra.ção) [pl.: *-ões*] *s.f.* **1** ato de separar(-se) ou o seu efeito; desunião, divisão ↺ união **2** quebra de uma união íntima **3** fim de casamento **4** aquilo que separa (muro, parede etc.) ou serve para tal fim ↺ junção

separar (se.pa.rar) *v.* {mod. 1} *t.d.,t.d.i. e pron.* **1** (prep. *de*) pôr(-se) à parte; apartar(-se), desagregar(-se) *<separou uma parte dos cabelos com uma fita> <s. o ouro da areia> <alguns fios separaram-se da meada>* ↺ unir(-se) **2** (prep. *de*) pôr(-se) a certa distância de; afastar(-se) *<separou o máximo que pôde as duas pontas do compasso> <separou a sopa de si com nojo> <separou-se da família muito cedo>* ↺ juntar(-se) □ *t.d. e t.d.i.* **3** (prep. *para*) garantir que esteja disponível para (um, uns) e não para outros; reservar *<costuma s. o prato do filho> <separou um bombom para o namorado>* □ *t.d.* **4** distribuir segundo certos critérios *<s. a correspondência>* **5** impedir a união, o convívio de; distanciar *<a má distribuição das riquezas separa as pessoas>* **6** fazer parar; interromper, apartar *<s. uma briga>* □ *pron.* **7** deixar de ser uno; partir-se *<a rua se separa em duas>* **8** romper relacionamento amoroso, esp. casamento *<após vinte anos separaram-se>* ~ **separador** *adj.s.m.*

separata (se.pa.ra.ta) *s.f.* GRÁF edição à parte de artigos já publicados em revista ou jornal

separatismo (se.pa.ra.tis.mo) *s.m.* **1** doutrina política ou religiosa que se baseia numa separação ou independência **2** tendência de constituição de um Estado independente ~ **separatista** *adj.2g.s.2g.*

sépia (sé.pia) *s.f.* **1** ZOO nome comum a moluscos marinhos, conhecidos como sibas, que secretam um líquido negro **2** esse líquido secretado, us. para sua defesa, é utilizado pelos humanos na confecção de tintas **3** pigmento presente nesse líquido ■ *s.m.* **4** a cor desse pigmento, que vai de um cinzento-acastanhado a um marrom-escuro ■ *adj.2g.2n.* **5** que tem essa cor *<cromos sépia>* **6** diz-se dessa cor *<a cor s.>*

sepsia (sep.si.a) *s.f.* MED sépsis

sépsis (sép.sis) *s.f.2n.* MED presença de microrganismos patogênicos ou suas toxinas no sangue ou nos tecidos; sepsia

septenário (sep.te.ná.rio) *adj.* **1** que contém ou vale sete elementos ou unidades ■ *s.m.* **2** espaço de sete dias ou sete anos

septênio (sep.tê.nio) *s.m.* período de sete anos; setênio

septicemia (sep.ti.ce.mi.a) *s.f.* MED estado infeccioso generalizado devido à presença de microrganismos patogênicos e suas toxinas no sangue ~ **septicêmico** *adj.*

séptico (sép.ti.co) *adj.* **1** que causa infecção *<processo s.>* **2** que contém germes patogênicos *<fossa s.>*

septilha (sep.ti.lha) *s.f.* LIT poesia ou estrofe de sete versos; setilha

septingentésimo (sep.tin.gen.té.si.mo) *n.ord.* **1** (o) que, numa sequência, ocupa o número 700 ■ *n.frac.* **2** (o) que é 700 vezes menor que a unidade

septissílabo (sep.tis.sí.la.bo) *adj.s.m.* (o) que tem sete sílabas; setissílabo

septo (sep.to) *s.m.* ANAT estrutura vegetal ou animal que divide duas cavidades ou massas de tecido mais mole ▣ **s. nasal** ANAT cartilagem que divide a cavidade nasal em duas metades

septuagenário (sep.tu.a.ge.ná.rio) *adj.s.m.* (aquele) que está na faixa dos 70 anos de idade

septuagésimo (sep.tu.a.gé.si.mo) *n.ord.* **1** (o) que, numa sequência, ocupa a posição número 70 ■ *n.frac.* **2** (o) que é 70 vezes menor que a unidade

séptuplo (sép.tu.plo) *n.mult.* **1** (o) que contém sete vezes a mesma quantidade ▼ ***séptuplos*** *s.m.pl.* **2** sete irmãos nascidos do mesmo parto ~ **septuplicar** *v.t.d.,int. e pron.*

sepulcral (se.pul.cral) [pl.: *-ais*] *adj.2g.* **1** relativo a ou próprio de sepulcro *<estátua s.>* **2** que contém sepulcros *<terreno s.>* **3** relativo a morte *<silêncio s.>* **4** *fig.* que evoca a morte; sombrio, triste *<sala de aula s.>* ↺ alegre **5** *fig.* que ressoa grave; rouco, cavernoso *<voz s.>* ↺ suave

sepulcro (se.pul.cro) *s.m.* **1** sepultura, túmulo **2** local no centro do altar onde se guardam as relíquias dos santos **3** *fig.* local onde morre muita gente ▣ **Santo S.** REL local onde, segundo a tradição, Jesus Cristo foi sepultado (hoje dentro de uma basílica, em Jerusalém)

sepultar (se.pul.tar) *v.* {mod. 1} *t.d.* **1** pôr em túmulo; enterrar *<s. os mortos>* **2** pôr fim a; extinguir *<a separação sepultou suas angústias>* □ *pron.* **3** afastar-se do convívio social; isolar-se *<sepultou-se para sempre em um convento>* ◉ GRAM/USO part.: *sepultado, sepulto*; ver QUADRO DE PARTICÍPIOS DUPLOS nas pp. iniciais ~ **sepultamento** *s.m.*

sepulto (se.pul.to) *adj.* **1** enterrado, sepultado **2** *fig.* que se extinguiu; acabado *<um amor s.>* ◉ GRAM/USO part.irreg. de *sepultar*

sepultura (se.pul.tu.ra) *s.f.* buraco na terra onde se enterram os cadáveres

sequaz (se.quaz) [pl.: *-es*] *adj.2g.s.2g.* **1** (aquele) que segue um filósofo, uma religião etc.; partidário, sectário **2** (aquele) que faz parte de agremiação, partido, bando ou seita ■ *s.2g.* **3** parceiro de criminoso

sequela (se.que.la) /qü/ *s.f.* **1** efeito de uma causa; consequência, resultado *<as s. de uma guerra>* ↺ causa **2** ato de dar seguimento a algo que foi iniciado ou o seu efeito; continuação *<esse filme é a s. de um sucesso de bilheteria>* **3** sequência ou cadeia de algo; série, sucessão *<proferiu uma s. de palestras e viajou>* **4** MED anomalia consequente direta ou indiretamente de uma moléstia *<o derrame deixou sequelas>*

sequência (se.quên.cia) /qü/ *s.f.* **1** continuação, seguimento *<leia a s. desse romance>* **2** sucessão ou cadeia de algo; série *<proferiu uma s. de insultos e saiu>* **3** ordem das palavras numa frase ~ **sequencial** *adj.2g.*

sequente (se.quen.te) /qü/ *adj.2g.* que vem ou acontece logo depois; seguinte ↺ antecedente

sequer (se.quer) *adv.* **1** pelo menos, ao menos *<não vai comer s. a sobremesa?>* **2** nem mesmo *<não é s. corajoso>*

sequestrar (se.ques.trar) /qü/ *v.* {mod. 1} *t.d.* **1** tomar à força ou às escondidas *<s. documentos>* **2** DIR pôr sob sequestro; apreender *<s. os bens de um réu>* **3** levar consigo de forma ilegal, ger. pedindo resgate para libertar *<s. um banqueiro>* **4** desviar da rota (avião, ônibus etc.) mediante violência, mantendo os passageiros como reféns ~ **sequestrador** *adj.s.m.* - **sequestro** *s.m.*

sequidão (se.qui.dão) [pl.: *-ões*] *s.f.* **1** falta de água; secura **2** *fig.* falta de expressividade; frieza *<a s. de um bilhete de adeus>* ↺ sensibilidade

sequilho (se.qui.lho) *s.m.* CUL espécie de biscoito seco e quebradiço, ger. feito de araruta

sequioso (se.qui.o.so) /ô/ [pl. e fem.: /ó/] *adj.* **1** que tem sede; sedento **2** muito seco ↺ molhado **3** *fig.* extremamente desejoso, ávido ↺ desinteressado

séquito (sé.qui.to) /qui *ou* qüi/ *s.m.* cortejo que acompanha uma pessoa, ger. distinta, para servi-la ou honrá-la; comitiva

sequoia (se.quoi.a) /ói/ *s.f.* BOT árvore norte-americana que chega a viver mil anos e medir mais de 100 m de altura e ter mais de 8 m de diâmetro de tronco

ser *v.* {mod. 22} *pred.* **1** ter como característica ou propriedade de si mesmo *<o fogo é quente>* *<o homem é mortal>* *<ela sempre foi inteligente>* **2** ter ou estar em certa condição ou situação, permanente ou temporária *<um dia serei rico>* *<seu texto é inédito>* **3** ter total ou parcialmente os mesmos atributos, qualidades ou condições de *<esse sentimento é amor>* *<essa flor é uma orquídea>* **4** ter significado, função, aspecto, efeito etc. equivalente ou comparável ao de (outro); representar *<desistir é assumir a derrota>* *<suas palavras foram um consolo>* **5** *infrm.* representar certo preço ou valor; custar *<quanto é a dúzia de maçãs?>* **6** *fig.* parecer ou estar inteiramente formado ou tomado por *<a rua era lama pura>* *<a festa foi um luxo>* **7** ter existência ou presença, constituindo grupo ou quantidade especificada *<somos cinco na sala>* □ *int.* **8** fazer parte do conjunto dos entes materiais ou das entidades abstratas do universo **9** ter ou ocupar lugar; estar, ficar *<aqui foi um templo romano>* **10** apresentar-se como fato; ocorrer, acontecer *<a reunião será amanhã>* **11** determina ou expressa a passagem de tempo, momento, período *<ainda era cedo>* *<são oito horas>* □ *t.i.* **12** (prep. *de*) ter por dono; pertencer *<a bolsa é dela>* **13** (prep. *de*) ser próprio de; convir *<essa atitude é de moleque>* **14** (prep. *por*) mostrar-se favorável a *<sempre foi pelos pobres>* **15** (prep. *de*) ter inclinação a, atração por ou hábito de *<não é de falar muito>* **16** (prep. *com*) dizer respeito a ou ser da competência de; depender, caber *<reclamação é com o chefe>* **17** *infrm.* (prep. *com*) despertar interesse, atenção ou preocupação de *<aventura é com ele mesmo>* ■ *s.m.* **18** o que existe ou se supõe existir; ente **19** pessoa, indivíduo *<apenas um s. aqui sabe a verdade>* **20** qualquer ente vivo *<as coisas e os s.>* **21** a natureza íntima de uma pessoa; essência *<o s. verdadeiro da mulher>* **22** o sentimento, a consciência de si mesmo *<isso diz respeito ao seu próprio s.>* ◉ GRAM/USO **a)** como pred., liga o predicativo ao sujeito e é por vezes considerado de sentido vazio; **b)** us. com particípio, é verbo auxiliar e forma a voz passiva do verbo principal da locução: *Ela foi ferida pelo cão*; **c)** como s.m., pl. *seres* ▣ **era uma vez** expressão invariável que introduz uma narrativa, muito us. em contos de fadas • **isto é** locução que se coloca entre duas palavras ou frases para introduzir, na segunda, uma explicação, um desenvolvimento ou uma retificação do que foi dito antes; ou seja, quer dizer • **já era** *B infrm.* **1** loc. que remete para ou associa algo ou alguém com o passado, para rotulá-lo de não atual, ou indicar que não é mais aceito ou não está mais na moda, ou para dizer que cessou de existir *<ele pensa que a minissaia já era>* **2** em relação a fatos futuros, dá a entender que não há mais possibilidade de que venha a acontecer, existir ou se realizar *<se ela recusar a oferta, nossos planos já eram>* • **não é** us. de forma interrogativa, indicando pedido de confirmação ou de concordância com o que foi dito, ou apenas assinalando uma pausa [contr.: *né*] *<hoje temos um encontro marcado, não é?>* • **ou seja** isto é

seráfico (se.rá.fi.co) *adj.* **1** referente ou próprio dos serafins **2** *fig.* que experimenta um estado de santidade e graça celestial; místico *<visão s.>* **3** *fig.* belo, puro, sublime *<amor s.>*

serafim (se.ra.fim) [pl.: *-ins*] *s.m.* **1** REL anjo, querubim **2** *fig.* pessoa de rara beleza

serão (se.rão) [pl.: *-ões*] *s.m.* **1** trabalho extraordinário feito à noite **2** remuneração desse trabalho

sereia (se.rei.a) *s.f.* **1** MIT ser metade mulher e metade peixe, cujo canto melodioso atrairia quem o ouvisse para dentro do mar **2** *fig.* mulher atraente, sedutora

serelepe (se.re.le.pe) *s.m.* **1** ZOO caxinguelê ■ *adj.2g.s.2g. fig.* **2** (aquele) que é esperto, vivo **3** (aquele) que é gracioso, atraente ↺ feio

serenar (se.re.nar) *v.* {mod. 1} *t.d.,int. e pron.* **1** tornar(-se) sereno, calmo; tranquilizar(-se) *<a confiança nos novos rumos políticos serenou os ânimos>* *<o mar, afinal, serenou>* *<serenaram-se os passageiros quando o avião conseguiu pousar>* ↺ agitar(-se) □ *t.d. e int.* **2** tornar(-se) menos intenso; abrandar *<s. a angústia>* *<a tempestade serenou>* ↺ intensificar(-se)

serenata (se.re.na.ta) *s.f.* **1** cantoria romântica feita à noite ao ar livre **2** MÚS composição musical de caráter simples e melodioso

serenidade (se.re.ni.da.de) *s.f.* qualidade ou estado do que é ou está sereno

sereníssimo (se.re.nís.si.mo) *adj.* muito sereno ◉ GRAM/USO sup.abs.sint. de *sereno* (adj.)

sereno (se.re.no) *adj.* **1** isento de movimentos bruscos; tranquilo, manso *<rio s.>* ↺ agitado **2** que denota paz e tranquilidade de espírito *<rosto s.>* ↺ perturbado **3** claro, limpo (diz-se do tempo) *<céu s.>* **4** isento de perturbações ou de inquietações *<vida s.>* ↺ agitado **5** em que não há tumulto; ordeiro *<uma classe s.>* ↺ desordeiro ■ *s.m.* **6** orvalho, relento **7** *B infrm.* o ar livre ao crepúsculo ou à noite ◉ GRAM/USO sup.abs. sint.do adj.: *sereníssimo*

seresta (se.res.ta) *s.f.* MÚS *B* serenata ('cantoria')

seresteiro (se.res.tei.ro) *adj.s.m.* que(m) canta serestas

sergipano (ser.gi.pa.no) *adj.* **1** de Sergipe ■ *s.m.* **2** natural ou habitante desse estado

seriado (se.ri.a.do) *adj.* **1** disposto em série **2** que se realiza em série *<fizemos exames s.>* ■ *adj.s.m.* **3** CINE TV (filme) que é exibido em partes e em intervalos regulares

serial (se.ri.al) [pl.: *-ais*] *adj.2g.* **1** referente ou pertencente a série **2** disposto em série; seriado **3** que forma uma série **4** que executa uma série de ações semelhantes *<assassino s.>*

seriar (se.ri.ar) *v.* {mod. 1} *t.d.* **1** dispor em série **2** distribuir em classes; ordenar, classificar ~ **seriação** *s.f.*

sericicultura (se.ri.ci.cul.tu.ra) *s.f.* **1** criação de bicho-da-seda **2** beneficiamento e industrialização da seda ~ **sericicultor** *adj.s.m.*

sericultura (se.ri.cul.tu.ra) *s.f.* sericicultura ~ **sericultor** *adj.s.m.*

seridó (se.ri.dó) *s.m.* **1** GEO região entre o campo e a caatinga, nos estados da Paraíba e do Rio Grande do Norte, onde se fazem grandes culturas de uma variedade de algodão de fibra longa ☞ inicial maiúsc. **2** *p.ext.* esse algodão

série (sé.rie) *s.f.* **1** continuação ordenada e sucessiva de coisas ou fatos da mesma classe; sequência *<s. de eventos novos> <colocar as fichas em s.>* **2** grupo de objetos parecidos ou iguais que formam um conjunto *<s. de selos>* **3** divisão de acordo com uma classificação; classe, categoria **4** quantidade considerável *<trabalho com uma s. de erros>* **5** *B* classe, ano escolar *<cursava a 3ª s.>* **6** conjunto de obras literárias independentes, de diversos autores, publicado com um título comum ▣ **fora de s. 1** fora do comum; excepcional *<um filme fora de s.>* **2** em pequena escala e segundo padrões próprios

seriedade (se.ri.e.da.de) *s.f.* **1** característica do que ou de quem é sério **2** modo de se comportar severo ou muito discreto

seriema (se.ri.e.ma) *s.f.* ZOO *B* grande ave sul-americana de pernas longas, plumagem cinzenta com tons pardos ou amarelados e um feixe de penas no bico vermelho ◉ voz v.: guinchar; subst.: guincho

serifa (se.ri.fa) *s.f.* GRÁF traço ou barra que remata cada haste de certas letras, de um ou de ambos os lados

serigrafia (se.ri.gra.fi.a) *s.f.* GRÁF **1** técnica de impressão de desenhos de cores planas através de uma moldura com tela **2** estampa impressa através desse processo

seriguela (se.ri.gue.la) /gü/ ou **ciriguela** (ci.ri.gue.la) /gü/ *s.f.* BOT **1** árvore pequena da fam. das anacardiáceas, encontrada em regiões tropicais, com pequenas flores e drupas vermelhas, de polpa suculenta, agridoce e saborosa **2** fruto dessa árvore

seringa (se.rin.ga) *s.f.* pequena bomba portátil que serve para injetar ou aspirar líquido ou gás, us. esp. para retirar líquidos ou para introduzir substâncias no corpo

seringal (se.rin.gal) [pl.: *-ais*] *s.m.* **1** BOT grande concentração de seringueiras em determinada área **2** propriedade em geral à margem dos rios amazônicos

seringalista (se.rin.ga.lis.ta) *adj.2g.s.2g.* que(m) é dono de seringal ('propriedade'); seringueiro

seringueira (se.rin.guei.ra) *s.f.* BOT árvore amazônica de madeira branca, cujo látex de qualidade superior é considerado a melhor fonte de produção de borracha natural ◉ COL seringal

seringueiro (se.rin.guei.ro) *s.m.* **1** trabalhador que extrai o látex da seringueira e com ele prepara a borracha; borracheiro **2** seringalista

sério (sé.rio) *adj.* **1** que merece consideração especial, cuidado ou atenção; importante *<uma descoberta, um trabalho s.>* ↺ insignificante **2** que pode ter consequências graves; perigoso *<um problema s. de saúde>* **3** isento de fingimento, de brincadeira; verdadeiro *<sua decisão de parar de fumar agora é s.>* **4** de aparência sóbria; austero *<roupa s.>* ↺ alegre **5** sisudo, grave *<homem s.>* ↺ risonho **6** que cumpre seus compromissos ou é digno de confiança *<aluno, profissional s.>* ↺ irresponsável **7** que age com honradez; honesto *<governante s.>* ↺ inescrupuloso ■ *adv.* **8** a sério ('deveras') *<falou s. com o aluno>* ▣ **a s. 1** de fato; deveras, sério **2** de forma severa, com gravidade *<falou a s.>* • **levar a s.** dar importância a; considerar como coisa grave *<leva a s. tudo que digo>* ☞ cf. *cério*

sermão (ser.mão) [pl.: *-ões*] *s.m.* **1** REL discurso religioso pregado pelo sacerdote, esp. católico **2** *fig.* advertência severa; repreensão, descompostura ↺ louvor

sernambi (ser.nam.bi) *s.m.* ZOO **1** molusco comestível que vive enterrado na areia da praia, encontrado na costa brasileira **2** amêijoa, sarnambi

seroalbumina (se.ro.al.bu.mi.na) *s.f.* BIOQ soroalbumina

serôdio (se.rô.dio) *adj.* **1** que ocorre tarde ou fora do tempo apropriado *<amor s.>* ↺ precoce **2** que aparece fora da estação própria (diz-se de planta, flor, fruto) **3** antigo, ultrapassado *<ideia s.>*

seropositivo (se.ro.po.si.ti.vo) *adj.s.m.* MED soropositivo ~ **seropositividade** *s.f.*

seroso (se.ro.so) /ô/ [pl. e fem.: /ó/] *adj.* **1** relativo a soro **2** que contém soro *<líquido s.>* **3** que produz uma secreção fluida e aquosa *<cavidade s.>* ~ **serosidade** *s.f.*

serotonina (se.ro.to.ni.na) *s.f.* MED substância existente nos tecidos e fluidos dos vertebrados e invertebrados, com propriedades similares às das drogas alucinógenas

serpeante (ser.pe.an.te) *adj.2g.* **1** que se arrasta, ondulando pelo chão **2** que provoca ou faz curvas como uma serpente ao se deslocar *<riacho s.>*

serpear (ser.pe.ar) *v.* {mod. 5} *int.* **1** arrastar-se pelo chão, movendo-se de modo sinuoso; serpentear *<as cobras serpeavam>* **2** *p.ext.* ter curso sinuoso ou tortuoso; ziguezaguear *<o rio serpeia>*

serpentário (ser.pen.tá.rio) *s.m.* *B* viveiro de cobras

serpente (ser.pen.te) *s.f.* **1** ZOO espécime das serpentes, subordem de répteis escamados, tb. chamada de ofídios, conhecidas como cobras; cobra **2** ZOO nome geral dado às cobras venenosas ou de aspecto ameaçador ou gigantesco **3** *fig. pej.* pessoa má, traiçoeira; víbora ◉ VOZ v.: sibilar; subst.: silvo

serpentear (ser.pen.te.ar) *v.* {mod. 5} *int.* serpear

serpentiforme (ser.pen.ti.for.me) *adj.2g.* em forma de serpente ou que descreve curvas como ela *<riacho s.>*

serpentina (ser.pen.ti.na) *s.f.* **1** castiçal de braços em espiral **2** tubo metálico em espiral, us. para operar troca de calor entre o fluido que passa por ela e o ambiente **3** fita de papel estreita e colorida, que se desenrola em arremesso, us. esp. no carnaval

serpentino (ser.pen.ti.no) *adj.* **1** relativo a serpente **2** que tem ou descreve curvas; ondulante *<movimento s.>*

serra (ser.ra) *s.f.* **1** instrumento de cortar madeira, metal etc., dotado de lâmina ou disco fino dentado **2** lâmina ou disco desse instrumento **3** *fig.* longa extensão de montanhas e montes com picos e quebradas ◉ COL cordilheira, serrania

serragem (ser.ra.gem) [pl.: *-ens*] *s.f.* **1** ato de serrar **2** resíduo de madeira serrada

serralharia (ser.ra.lha.ri.a) *s.f.* → *SERRALHERIA*

serralheiro (ser.ra.lhei.ro) *s.m.* indivíduo que fabrica ou conserta fechaduras, grades etc.

serralheria (ser.ra.lhe.ri.a) ou **serralharia** (ser.ra.lha.ri.a) *s.f.* **1** a arte ou a obra do serralheiro **2** oficina para trabalhos em ferro

serralho (ser.ra.lho) *s.m.* **1** palácio dos príncipes maometanos ou do sultão da Turquia **2** espaço desse palácio destinado às mulheres; harém **3** *p.ext.* as mulheres desse harém **4** *fig.* local destinado à prostituição

serrania (ser.ra.ni.a) *s.f.* conjunto de serras ou montes

serranídeo (ser.ra.ní.deo) *s.m.* ZOO **1** espécime dos serranídeos, família de peixes ósseos, ger. marinhos, representados pelos badejos e garoupas ■ *adj.* **2** relativo a essa família de peixes

serrano (ser.ra.no) *adj.* **1** relativo a serra *<região s.>* ■ *adj.s.m.* **2** (aquele) que nasceu ou vive nas serras; montanhês

serrar (ser.rar) *v.* {mod. 1} *t.d. e int.* cortar com serra ou serrote *<s. um cano>* *<ele serra muito bem>* ☞ cf. *cerrar* ~ **serração** *s.f.* - **serrador** *adj.s.m.*

serraria (ser.ra.ri.a) *s.f.* oficina em que se serram madeiras

serrear (ser.re.ar) *v.* {mod. 5} *t.d.* **1** dar aspecto de serra a **2** recortar como os dentes de uma serra; dentear

serrilha (ser.ri.lha) *s.f.* **1** serra ('instrumento') com pequenos dentes **2** adorno estriado na periferia das moedas **3** bordo denteado de qualquer objeto

serrilhar (ser.ri.lhar) *v.* {mod. 1} *t.d.* abrir serrilhas em ~ **serrilhado** *adj.*

serrote (ser.ro.te) *s.m.* serra manual portátil

sertanejo (ser.ta.ne.jo) *adj.* **1** relativo a sertão *<tradição s.>* **2** não cultivado; rude, rústico *<queijo s.>* ■ *adj.s.m.* **3** (aquele) que habita o sertão *<população s.>*

sertanista (ser.ta.nis.ta) *adj.2g.s.2g.* **1** (pessoa) que frequenta e conhece bem o sertão e os hábitos sertanejos ■ *adj.2g.* **2** relativo ou pertencente a sertão

sertão (ser.tão) [pl.: *-ões*] *s.m.* **1** região agreste, afastada do centro urbano e das terras cultivadas *<o s. da Amazônia>* **2** o interior do país *<explorou o s.>* **3** *B* região pouco povoada do interior do país, esp. a zona mais seca que a caatinga, onde permanecem tradições e costumes antigos

servente (ser.ven.te) *s.2g.* **1** empregado que cuida da limpeza e da arrumação de um ambiente ■ *adj.2g.s.2g.* **2** trabalhador que ajuda o pedreiro nas construções

serventia (ser.ven.ti.a) *s.f.* **1** propriedade do que serve ou pode servir; a utilidade ou a utilização proveitosa de uma coisa ou pessoa *<a s. de um coador de café>* ↺ inutilidade **2** trabalho de serventuário ou de servente

serventuário (ser.ven.tu.á.rio) *s.m.* **1** pessoa que presta um serviço provisório **2** aquele que desempenha função pública, autorizada pelo Estado, como escrivão, oficial de justiça etc., cujos rendimentos provêm dos serviços executados

serviçal (ser.vi.çal) [pl.: *-ais*] *adj.2g.* **1** que está sempre pronto a servir **2** zeloso, diligente *<coração s.>* ↺ descuidado **3** relativo a criados ■ *s.2g.* **4** empregado doméstico

serviço (ser.vi.ço) *s.m.* **1** ação de dar de si algo em forma de trabalho ou o seu efeito; trabalho **2** trabalho estabelecido por contrato; emprego *<s. público>* **3** local onde esse trabalho acontece; emprego *<saiu cedo do s.>* **4** celebração de cerimônias religiosas *<s. fúnebre>* **5** favor, obséquio ↺ desfavor **6** taxa incluída em contas de restaurantes, hotéis etc. para gratificação dos empregados **7** modo de servir em restaurante ou hotel *<s. rápido>* **8** conjunto de peças para mesa (talheres, copos, pratos etc.) **9** ESP o saque, em esportes como tênis, vôlei etc. ▣ **s. militar** conjunto das obrigações previstas em lei e impostas aos cidadãos para a defesa do país • **de s. 1** destinado a banhistas, entregadores etc. (diz-se das vias de acesso e das dependências de um prédio ou casa) *<entrada, elevador de s.>* **2** que está de plantão (diz-se de profissional)

servidão (ser.vi.dão) [pl.: *-ões*] *s.f.* **1** serventia, escravidão ↺ liberdade **2** sujeição, dependência ↺ autonomia **3** passagem pública em terreno ou propriedade particular *<seu quintal era s. dos vizinhos>*

servidor (ser.vi.dor) /ô/ [pl.: *-es*] *adj.s.m.* **1** aquele que serve; servente **2** empregado doméstico ■ *s.m.* **3** INF computador que compartilha dados e serviços entre usuários de uma rede

servil (ser.vil) [pl.: *-is*] *adj.2g.* **1** do servo, do empregado, do escravo **2** *fig.* de caráter vil, baixo; indigno *<ato s.>* ↺ nobre **3** que é fiel a um modelo ou original *<tradução s.>*

servilismo (ser.vi.lis.mo) *s.m.* **1** espírito de servidão, de obediência, submissão **2** ato, dito ou modo daquele que é servil

servir (ser.vir) *v.* {mod. 28} *t.d. e t.i.* **1** (prep. *a*) trabalhar em favor, a serviço de (alguém, instituição, causa) *<o cardeal servia o rei> <serviram à causa do partido>* □ *t.i. e int.* **2** (prep. *a*) trabalhar como empregado ou servo de *<servia (a)o tribunal das 10 às 17 horas> <aqui, ser presidente é tanto administrar como s.>* **3** (prep. *a*) ter serventia como *<a corda servia(-lhe) de cinto>* **4** (prep. *a*) ser útil, conveniente ou apropriado para *<a crítica serviu a eles de estímulo> <qualquer desculpa serve>* □ *t.d.,t.i. e int.* **5** (prep. *em*) fazer o serviço militar (em) ou ser militar *<que Arma ele serviu?> <serviu na Aeronáutica> <no tempo em que servimos, a Marinha não tinha porta-aviões>* □ *t.d.* **6** prestar favor, serviço ou ajuda a **7** dar atenção a (freguês, cliente) ou apresentar(-lhe) o que pediu □ *t.d. e t.d.i.* **8** (prep. *a*) apresentar (algo) a (alguém), pondo(-o) à disposição *<os garçons serviram o vinho> <não serviram a ela o jantar>* □ *pron.* **9** (prep. *de*) aceitar ou usar algo oferecido **10** (prep. *de*) tomar para si (porção, unidade etc. de algo) *<serviu-se de mais bolo>* **11** (prep. *de*) lançar mão de; valer-se, utilizar *<de que recurso pode ele s.-se para superar o adversário?>* ↺ dispensar □ *t.i.* **12** (prep. *a, para*) ser adequado às necessidades de *<essa máquina nunca lhe serviu> <viver a s. a um patrão>* **13** (prep. *em, a*) adequar-se (roupa ou acessório) ao corpo de *<a saia não serve nela>* □ *int.* **14** ESP em determinados jogos de bola, executar o serviço ('o saque'); sacar *<s. forte e com muito efeito>*

servo (ser.vo) *adj.s.m.* **1** (aquele) que não é livre, que sofre algum domínio ou tirania **2** (aquele) que faz ou presta serviços; serviçal **3** (aquele) que é sujeito a um poder ou a um senhor; escravo ☞ cf. *cervo*

sesmaria (ses.ma.ri.a) *s.f.* HIST terreno não cultivado ou abandonado, cedido no Brasil pelos reis de Portugal aos novos povoadores

sesmeiro (ses.mei.ro) *s.m.* aquele a quem se fazia a doação de sesmaria

S

sesquicentenário (ses.qui.cen.te.ná.rio) *adj.s.m.* **1** (o) que tem 150 anos ■ *s.m.* **2** comemoração do 150º aniversário

sessão (ses.são) [pl.: *-ões*] *s.f.* **1** período em que uma assembleia, corporação etc. mantém-se em reunião **2** essa reunião **3** espaço de tempo em que se realiza uma atividade ou parte dela *<uma s. de fotos>* **4** cada uma das apresentações de um espetáculo num mesmo dia *<assistiu ao filme na primeira s.>* **5** cada encontro do terapeuta com seu cliente *<vai a duas s. por semana>* ☞ cf. *cessão* e *seção*

sessenta (ses.sen.ta) *n.card.* **1** cinquenta mais dez **2** diz-se desse número *<pasta número s.>* **3** diz-se do sexagésimo elemento de uma série *<anos s.> <capítulo s.>* **4** que equivale a essa quantidade (diz-se de medida ou do que é contável) *<fez uma festa para s. convidados>* ■ *s.m.* **5** representação gráfica desse número ☞ em algarismos arábicos, *60*; em algarismos romanos, *LX* ◉ GRAM/USO seguido do conectivo *e* antes das unidades, forma os numerais cardinais entre 60 e 70

séssil (sés.sil) [pl.: *-eis*] *adj.2g.* **1** que não tem suporte *<flor s.>* **2** BIO que se encontra preso à porção principal do corpo de um ser vivo (diz-se de órgão)

sesta (ses.ta) *s.f.* **1** repouso após o almoço **2** a hora desse repouso ☞ cf. *cesta*

sestro (ses.tro) *adj.* **1** que está à esquerda ↺ direito **2** *fig.* agourento, sinistro ↺ benigno ■ *s.m.* **3** destino, sorte, sina **4** vício, hábito, cacoete **5** manha para evitar o trabalho *<o s. das mulas>*

sestroso (ses.tro.so) /ô/ [pl. e fem.: /ó/] *adj.* **1** manhoso, teimoso *<cavalo s.>* **2** capaz de perceber algo rapidamente; esperto, vivo ↺ preguiçoso

set [ing.] *s.m.* **1** CINE TEAT TV cenário para representação e filmagem **2** ESP cada parte em que se divide uma partida, em alguns esportes *<um set de tênis, de vôlei>* ◉ GRAM/USO pl.: *sets* (ing.) ⇒ pronuncia-se sét

seta (se.ta) *s.f.* **1** flecha **2** sinal com forma de flecha que indica direção, rumo

sete (se.te) *n.card.* **1** seis mais um **2** diz-se desse número *<cartões de número s.>* **3** diz-se do sétimo elemento de uma série *<capítulo s.>* **4** que equivale a essa quantidade (diz-se de medida ou do que é contável) *<ter s. filhos>* ■ *s.m.* **5** a representação gráfica desse número *<no exame de vista, não pôde ler o s.>* ☞ em algarismos arábicos, *7*; em algarismos romanos, *VII*

setecentos (se.te.cen.tos) *n.card.* **1** seiscentos mais cem **2** diz-se desse número *<memorando de número s.>* **3** diz-se do septingentésimo elemento de uma série *<ofício s.> <cadeira s.>* **4** que equivale a essa quantidade (diz-se de medida ou do que é contável) *<um terreno de s. metros quadrados> <um prédio de s. moradores>* ■ *s.m.2n.* **5** representação gráfica desse número *<o s. do número de inscrição estava ilegível>* ☞ em algarismos arábicos, *700*; em algarismos romanos, *DCC* ◉ GRAM/USO seguido do conectivo *e* antes das dezenas e unidades, forma os numerais cardinais entre 700 e 800

seteira (se.tei.ra) *s.f.* **1** pequena abertura nas muralhas, pela qual se atiravam setas contra os inimigos **2** em edificações, fresta para passagem de luz

setembro (se.tem.bro) *s.m.* o nono mês do ano no calendário gregoriano, composto de 30 dias

setemês (se.te.mês) [pl.: *-es*] *adj.2g.s.2g.* *B* setemesinho

setemesinho (se.te.me.si.nho) *adj.s.m.* (criança) que nasceu de sete meses

setenário (se.te.ná.rio) *adj.s.m.* septenário

setênio (se.tê.nio) *s.m.* septênio

setenta (se.ten.ta) *n.card.* **1** sessenta mais dez **2** diz-se desse número *<ofício número s.>* **3** diz-se do septuagésimo elemento de uma série *<anos s.> <capítulo s.>* **4** que equivale a essa quantidade (diz-se de medida ou do que é contável) *<vão construir um arranha-céu de s. andares>* ■ *s.m.* **5** representação gráfica desse número ☞ em algarismos arábicos, *70*; em algarismos romanos, *LXX* ◉ GRAM/USO seguido do conectivo *e* antes das unidades, forma os numerais cardinais entre 70 e 80

setentrião (se.ten.tri.ão) [pl.: *-ões*] *s.m.* **1** o polo Norte **2** conjunto das regiões do norte

setentrional (se.ten.tri.o.nal) [pl.: *-ais*] *adj.2g.* situado no ou voltado para o Norte ↺ meridional

setilha (se.ti.lha) *s.f.* septilha

sétimo (sé.ti.mo) *n.ord.* **1** (o) que, numa sequência, ocupa a posição número sete *<foi o s. a chegar>* ■ *n.frac.* **2** (o) que é sete vezes menor que a unidade

setingentésimo (se.tin.gen.té.si.mo) *n.ord.* **1** septingentésimo ■ *n.frac.* **2** septingentésimo

setissílabo (se.tis.sí.la.bo) *adj.s.m.* septissílabo

setor (se.tor) /ô/ [pl.: *-es*] *s.m.* **1** subdivisão de uma região, distrito, seção etc. *<mora no s. norte da cidade>* **2** cada uma das divisões de um estabelecimento qualquer, correspondente a certo serviço ou assunto; seção *<s. de pessoal>* **3** ramo de atividade; âmbito *<s. social>* ▣ **s. primário** ECON parte das atividades econômicas que compreende a agricultura e o extrativismo • **s. secundário** ECON parte das atividades econômicas representada pela indústria • **s. terciário** ECON parte das atividades econômicas que compreende o comércio, os transportes, os serviços, as atividades financeiras e a administração pública ~ **setorial** *adj.2g.*

setra (se.tra) *s.f. RJ PR SC* RECR bodoque ('brinquedo')

setuplicar (se.tu.pli.car) *v.* {mod. 1} *t.d.,int. e pron.* **1** tornar(-se) sete vezes maior **2** (fazer) crescer muito; aumentar *<capital que (se) setuplicou>* ↺ diminuir

sétuplo (sé.tu.plo) *n.mult.* **1** séptuplo ▼ ***sétuplos*** *s.m.pl.* **2** séptuplos

[1]**seu** [pl.: *seus*; fem.: *sua*] *pron.pos.* determina um substantivo (coisa ou pessoa) relacionado a pessoas de quem se fala ou a quem se fala, significando o que pertence ou diz respeito a elas *<aquele é Teo, este é s. irmão> <o livro é s.> <s. trem sai às três>* ☞ Em textos infrm. pode ser substituído pela contr. *dele* ou *dela* quando relacionado a coisa ou pessoa de quem se fala ◉ ORIGEM pron.pos. lat. *suus,sua,suum* 'seu, sua' ▣ **os seus** a família, os amigos da pessoa de quem se fala ou a quem se fala

[2]**seu** *pron.trat.* senhor ('tratamento respeitoso') [Empregado diante de nome de pessoa ou de palavra designativa de profissão.] *<seu Joaquim> <seu doutor>* ◉ GRAM/USO **a)** fem.: *sinhá, sua*; **b)** empregado tb. com valor afetivo (*s. bobinho...*) ◉ ORIGEM red. de *senhor*

seu-vizinho (seu-vi.zi.nho) [pl.: *seus-vizinhos*] *s.m. infrm.* dedo anular

sevandija (se.van.di.ja) *s.f.* **1** nome comum aos parasitos e vermes ■ *s.2g.* **2** quem vive à custa dos outros **3** pessoa muito servil

severo (se.ve.ro) *adj.* **1** que impõe as condições com todo o rigor; rígido *<julgamento s.>* **2** que não se deixa comover; inflexível *<era s. com a família>* ↺ tolerante **3** muito sério; grave *<fisionomia s.>* ↺ alegre **4** importante, relevante *<assuntos s.>* **5** que se caracteriza pela rispidez; duro, rígido *<falar em tom s.>* ↺ suave **6** que não dá margem à repreensão ou censura; digno *<comportamento s.>* **7** exato, sério *<um s. cumpridor de suas obrigações>* **8** diz-se do estilo correto, simples, sóbrio *<pintura s.>* **9** *fig.* bem definido; acentuado, distinto *<traços s.>* ↺ indefinido ~ **severidade** *s.f.*

sevícia (se.ví.cia) *s.f.* **1** ato de causar maus-tratos físicos ou morais a alguém **2** o efeito físico ou moral desses maus-tratos ☞ mais us. no pl.

sexagenário (se.xa.ge.ná.rio) /cs/ *adj.s.m.* (aquele) que está na faixa dos 60 anos de idade

sexagésimo (se.xa.gé.si.mo) /cs/ *n.ord.* **1** (o) que, numa sequência, ocupa a posição número 60 *<o s. aviso>* ■ *n.frac.* **2** (o) que é 60 vezes menor que a unidade *<esse trecho é um s. do livro>*

sexangular (se.xan.gu.lar) /cs/ [pl.: *-es*] *adj.2g.* GEOM de seis ângulos

sexcentésimo (sex.cen.té.si.mo) /cs/ *n.ord.* **1** (o) que, numa sequência, ocupa a posição número 600 ■ *n.frac.* **2** (o) que é 600 vezes menor que a unidade

sexênio (se.xê.nio) /cs/ *s.m.* período de seis anos seguidos *<o mandato dura um s.>*

sexismo (se.xis.mo) /cs/ *s.m.* atitude de discriminação baseada no sexo ~ **sexista** *adj.2g.s.2g.*

sexo (se.xo) /cs/ *s.m.* **1** condição orgânica que distingue o macho da fêmea e que lhes permite reproduzir-se **2** nos vegetais, o que distingue os órgãos reprodutores femininos e masculinos **3** conjunto das pessoas que têm a mesma forma do aparelho sexual, mulheres e homens *<um concurso para ambos os s.>* **4** *fig.* sensualidade, volúpia, sexualidade **5** prazer sexual *<só pensa em s.>* **6** *B* órgão genital

sexologia (se.xo.lo.gi.a) /cs/ *s.f.* ciência que estuda a sexualidade ~ **sexológico** *adj.* - **sexologista** *adj.2g.s.2g.* - **sexólogo** *s.m.*

sexta (sex.ta) /ê/ *s.f.* red. de ***SEXTA-FEIRA***

sexta-feira (sex.ta-fei.ra) [pl.: *sextas-feiras*] *s.f.* o sexto dia da semana, a partir de domingo ▣ **S. Santa** REL sexta-feira da Semana Santa

sextante (sex.tan.te) *s.m.* AER ASTR MAR **1** a sexta parte de um círculo **2** instrumento óptico para medir, a bordo de navio ou aeronave, a altura de um astro acima do horizonte

sextavar (sex.ta.var) *v.* {mod. 1} *t.d.* dar seis lados ou ângulos a

sexteto (sex.te.to) /ê/ *s.m.* MÚS grupo formado por seis cantores ou instrumentistas

sextilha (sex.ti.lha) *s.f.* LIT **1** estrofe de seis versos **2** *B infrm.* estrofe de seis versos de sete sílabas, com o 2º, o 4º e o 6º rimados

sexto (sex.to) / ê / *n.ord.* **1** (o) que ocupa, numa sequência, a posição número seis *<desceu no s. andar>* ■ *n.frac.* **2** (o) que é seis vezes menor que a unidade *<comeu um s. do pudim>*

sêxtuplo (sêx.tu.plo) *n.mult.* **1** (o) que contém seis vezes a mesma quantidade ▼ ***sêxtuplos*** *s.m.pl.* **2** seis irmãos nascidos de um mesmo parto ~ **sextuplicar** *v.t.d.,int. e pron.*

S

sexuado (se.xu.a.do) /cs/ *adj.* **1** que tem sexo **2** BIO que tem células sexuais diferenciadas para sua reprodução (diz-se de ser vivo)

sexual (se.xu.al) [pl.: *-ais*] *adj.2g.* que tem a ver com sexo *<reprodução s.>* ~ **sexualmente** *adv.*

sexualidade (se.xu.a.li.da.de) /cs/ *s.f.* **1** conjunto de aspectos externos ou internos, determinado pelo sexo do indivíduo **2** sensualidade, lubricidade, volúpia ↺ castidade

sexualismo (se.xu.a.lis.mo) /cs/ *s.m.* **1** estado de seres que têm órgãos sexuais **2** predominância da sexualidade no modo de ser **3** a atividade sexual

sexy (se.xy) [ing.] *adj.2g.2n.* **1** sexualmente atraente (diz-se de pessoa) **2** sexualmente sugestivo ou estimulante (diz-se de coisa); erótico *<vestido s.>* ◉ GRAM/USO esta pal. vem recebendo flexão plural no Brasil, mostrando que o sistema da língua a adotou ⇒ pronuncia-se sécsi

sezão (se.zão) [pl.: *-ões*] *s.f.* febre intermitente ou cíclica

Sg QUÍM símbolo de *seabórgio*

shiatsu (shi.at.su) [jap.] *s.m.2n.* técnica terapêutica em que se massageiam com os dedos pontos específicos do corpo ⇒ pronuncia-se chiatsu

shiitake (shi.i.ta.ke) [jap.] *s.m.* cogumelo comestível e de propriedades terapêuticas, muito utilizado na culinária oriental ⇒ pronuncia-se chiitake

shopping center (shopp.ing cen.ter) [ing.; pl.: *shopping centers*] *loc.subst.* centro comercial que reúne lojas, restaurantes, cinemas etc. ⇒ pronuncia-se xópin center

short [ing.] *s.m.* VEST shorts ⇒ pronuncia-se xórt

shorts [ing.] *s.m.pl.* VEST calça curta esportiva, menor que a bermuda ⇒ pronuncia-se xórts

show [ing.; pl.: *shows*] *s.m.* espetáculo de entretenimento, em teatro, televisão, rádio, casas noturnas ou ao ar livre, apresentado para uma plateia ⇒ pronuncia-se xôu

show business (show bu.si.ness) [ing.] *loc.subst.* indústria de espetáculos recreativos (esp. teatro, cinema, televisão, rádio, feiras de amostras e circos) ⇒ pronuncia-se xôu biznis

S

showmício (show.mí.cio) *s.m.* *B* reunião em praça pública, com números musicais e discursos de caráter social ou político

showroom (show.room) [ing.; pl.: *showrooms*] *s.m.* local em que se expõem produtos industriais e comerciais para venda ⇒ pronuncia-se xourum

[1]**si** *pron.p.* da 3ª p.sing. e pl., caso oblíquo tônico, não reflexivo, para os dois gêneros, forma do pron. *ele* (*ela*, *eles*, *elas*), sempre que precedido de preposição, salvo quando se trata da preposição *com* (caso em que se diz *consigo*) ◉ ORIGEM do lat. *si*, forma reduzida do pron. reflexivo lat. *sibi* ▣ **de per si 1** considerado de forma isolada **2** um de cada vez • **de si para consigo** consigo mesmo • **fora de si** agitado, exaltado, desnorteado, furioso ou em êxtase • **por si** por sua conta

[2]**si** *s.m.* MÚS sétima nota da escala musical ◉ ORIGEM do it. *si* 'id.'

Si QUÍM símbolo de *silício*

SI FÍS sigla de *sistema internacional de unidades*

siamês (si.a.mês) [pl.: *-es*] *s.m.* **1** natural ou habitante do Sião (depois Tailândia) **2** gêmeo (pessoa ou animal) que nasceu ligado a outro por partes similares de seus corpos **3** ZOO raça de gato de olhos azuis e pelo curto, creme no corpo e castanho na face, orelhas, patas e cauda ■ *adj.* **4** relativo a essa pessoa, animal ou localidade **5** diz-se desse gato

siba (si.ba) *s.f.* **1** ZOO nome comum a moluscos nadadores, de corpo curto, largo e achatado, e concha interna, que produzem um líquido negro, chamado sépia **2** essa concha interna, us. como pó de polir e como alimento de pássaros de gaiola

sibarita (si.ba.ri.ta) *adj.s.m.* (aquele) que é dado à vida de prazeres ou à preguiça ~ **sibaritismo** *s.m.*

siberiano (si.be.ri.a.no) *adj.* **1** da Sibéria (região da Federação Russa) ■ *s.m.* **2** natural ou habitante dessa região

sibila (si.bi.la) *s.f.* **1** para os antigos gregos e romanos, profetisa **2** *p.ext.* bruxa, feiticeira

sibilar (si.bi.lar) *v.* {mod. 1} *int.* **1** produzir som agudo e prolongado, assoprando; assobiar *<o animal sibilava>* **2** fazer ruído semelhante ao das abelhas ao voar; zumbir *<acima de sua cabeça, uma bala sibilou>* **3** assobiar como as cobras, serpentes etc. ~ **sibilante** *adj.2g.s2g.* - **sibilo** *s.m.*

sibilino (si.bi.li.no) *adj.* **1** relativo a sibila **2** *fig.* difícil de entender; obscuro, enigmático *<estilo s.>* ↺ claro

sibite (si.bi.te) *s.m.* **1** ZOO *RO* gaturamo **2** *CE infrm.* pessoa miúda

sicário (si.cá.rio) *adj.* **1** sedento de sangue; cruel ↺ bondoso ■ *s.m.* **2** assassino pago; facínora ◉ COL bando

siciliano (si.ci.li.a.no) *adj.* **1** da Sicília (Itália) ■ *s.m.* **2** natural ou habitante dessa ilha

sicômoro (si.cô.mo.ro) *s.m.* BOT **1** figueira de origem africana, cultivada pelos figos comestíveis e pela madeira **2** a madeira dessa árvore

sicrano (si.cra.no) *s.m.* indivíduo indeterminado ◉ GRAM/USO empr. ger. depois de *fulano* e de *beltrano*

Sida (Si.da) *s.f.* sigla de *síndrome de imunodeficiência adquirida*

sideral (si.de.ral) [pl.: *-ais*] *adj.2g.* **1** relativo a estrelas ou a astros **2** relativo ou próprio do céu; celeste *<região s.>*

siderar (si.de.rar) *v.* {mod. 1} *t.d.* **1** deixar sem ação; paralisar *<a bela voz da cantora siderou-o>* **2** *fig.* causar perturbação em; atordoar

sidéreo (si.dé.reo) *adj. frm.* sideral

siderurgia (si.de.rur.gi.a) *s.f.* conjunto dos conhecimentos teóricos e práticos empr. na produção, fundição e preparação do ferro e do aço ~ **siderúrgico** *adj.s.m.*

siderúrgica (si.de.rúr.gi.ca) *s.f.* usina ou empresa de siderurgia

sidra (si.dra) *s.f.* bebida preparada com suco fermentado de maçã ☞ cf. *cidra*

sifão (si.fão) [pl.: *-ões*] *s.m.* **1** tubo em forma de S, us. para passar um líquido de um vaso para outro sem incliná-lo **2** tubo de dupla curvatura, us. em latrinas, pias etc. para impedir que deles exale mau cheiro **3** garrafa dotada de dispositivo que faz jorrar a água gasosa sob pressão nela contida

sífilis (sí.fi.lis) *s.f.2n.* MED doença infecciosa ger. transmitida por contato sexual, causada por uma bactéria e caracterizada por lesões da pele e mucosas; lues ~ **sifilítico** *adj.s.m.*

sifonáptero (si.fo.náp.te.ro) *s.m.* ZOO **1** espécime dos sifonápteros, ordem de insetos vulgarmente conhecidos como pulgas, que parasitam aves e mamíferos ■ *adj.* **2** relativo a essa ordem de insetos

sigilo (si.gi.lo) *s.m.* **1** o que permanece escondido da vista ou do conhecimento **2** coisa ou notícia que não se pode revelar ou divulgar **3** silêncio ou discrição sobre algo que nos foi revelado ~ **sigiloso** *adj.*

sigla (si.gla) *s.f.* grupo de letras ou sílabas iniciais que funcionam como abreviação de uma ou mais palavras ◉ COL siglário

siglário (si.glá.rio) *s.m.* conjunto de siglas

sigmoidoscopia (sig.moi.dos.co.pi.a) *s.f.* MED exame da última parte do cólon com um sigmoidoscópio

sigmoidoscópio (sig.moi.dos.có.pio) *s.m.* MED instrumento dotado de lentes e iluminação, us. em exames de gastrenterologia ~ **sigmoidoscópico** *adj.*

signatário (sig.na.tá.rio) *adj.s.m.* (aquele) que assina ou subscreve texto, documento etc.

significação (sig.ni.fi.ca.ção) [pl.: *-ões*] *s.f.* **1** o sentido que tem algo (um fato, um comportamento, uma palavra etc.); significado **2** relevância, mérito, importância *<uma obra social de grande s.>*

significado (sig.ni.fi.ca.do) *s.m.* **1** importância, valor de algo ou alguém *<seu sacrifício não tem o menor s. para ela>* **2** LING sentido de uma palavra; acepção, conceito

significante (sig.ni.fi.can.te) *adj.2g.* **1** significativo ■ *s.m.* **2** LING sequência de fonemas correspondente a um significado

significar (sig.ni.fi.car) *v.* {mod. 1} *t.d.* **1** ter o sentido de; querer dizer, exprimir *<dialogar significa falar e, principalmente, ouvir>* **2** expressar, exprimir *<que significa isso que você acaba de fazer?>* **3** ser sinal ou indício de; denotar *<o fracasso nas últimas eleições significou o fim da sua carreira política>*

significativo (sig.ni.fi.ca.ti.vo) *adj.* **1** que exprime com clareza; expressivo *<olhar s.>* ↺ inexpressivo **2** que contém revelação importante *<índices s. do aumento de ofertas de emprego>* **3** considerável, grande *<compareceu um número s. de pessoas à estreia>*

signo (sig.no) *s.m.* **1** sinal indicativo; indício, marca *<para os agricultores, a chuva era um s. de esperança>* **2** cada uma das 12 divisões do zodíaco e sua correspondente constelação ☞ cf. *zodíaco*

signo de salomão (sig.no de sa.lo.mão) [pl.: *signos de salomão*] *s.m.* REL estrela de davi

sílaba (sí.la.ba) *s.f.* FON vogal ou grupo de sons da fala pronunciados numa só emissão de voz ~ **silábico** *adj.*

silabada (si.la.ba.da) *s.f.* erro de pronúncia, esp. o que resulta do deslocamento do acento tônico de uma palavra, como, por ex., o uso de *rúbrica* por *rubrica*

silabar (si.la.bar) *v.* {mod. 1} *t.d. e int.* **1** ler ou pronunciar (as palavras), separando as sílabas □ *t.d.* **2** separar em sílabas na escrita ~ **silabação** *s.f.*

silagem (si.la.gem) [pl.: *-ens*] *s.f.* B **1** ato de armazenar forragem ou cereal em silos, ou o seu efeito **2** essa forragem tirada para alimentar os animais

silenciador (si.len.ci.a.dor) /ô/ [pl.: *-es*] *adj.s.m.* **1** (o) que silencia ■ *s.m.* **2** peça que se adapta ao cano de arma de fogo para abafar o som do tiro

silenciar (si.len.ci.ar) *v.* {mod. 1} *t.d. e int.* **1** (fazer) ficar calado, sem fazer ruído; calar(-se) *<a um gesto todos silenciaram>* *<a pedido da filha, silenciou o assunto>* □ *t.d. e t.i.* **2** (prep. *sobre*) deixar de informar; omitir *<s. fatos importantes>* *<s. sobre o álibi>*

silêncio (si.lên.cio) *s.m.* **1** estado de quem se abstém de falar **2** interrupção de comunicação oral ou escrita *<quando o filme começou todos fizeram s.>* **3** ausência ou cessação de ruído, agitação *<findo o tumulto, fez-se s. no ambiente>* **4** condição necessária do que é calmo, tranquilo **5** sigilo, segredo *<pediu s. quanto ao fato>* ↺ indiscrição ■ *interj.* **6** us. com a intenção de fazer calar ou cessar barulho

silencioso (si.len.ci.o.so) /ô/ [pl. e fem.: /ó/] *adj.* **1** em que não há ruídos *<noite s.>* ↺ barulhento **2** que não fala *<aluno s.>* ↺ tagarela **3** que não produz barulho *<sapatos s.>* ↺ barulhento ■ *s.m.* **4** dispositivo us. para reduzir o ruído de veículos, máquinas etc.

silepse (si.lep.se) *s.f.* GRAM **1** figura com a qual a concordância das palavras se faz pelo sentido e não pelas regras da gramática, p.ex., *pediu à garotada que não fizessem barulho*, por *pediu à garotada que não fizesse barulho* **2** emprego de um mesmo vocábulo, tanto no seu sentido próprio como no figurado, num único enunciado, p.ex., *era baixo de estatura e de instintos*

sílfide (síl.fi.de) *s.f. frm.* mulher esbelta e delicada

silhueta (si.lhu.e.ta) /ê/ *s.f.* traçado do perfil de pessoa ou objeto de acordo com os contornos que a sua sombra projeta

sílica (sí.li.ca) *s.f.* QUÍM composto químico derivado do silício, branco e duro, us. na fabricação de vidro etc.

silicato (si.li.ca.to) *s.m.* QUÍM grupo de substâncias minerais encontradas em boa parte das rochas da crosta terrestre

silício (si.lí.cio) *s.m.* QUÍM elemento químico não metálico, muito abundante na crosta terrestre, us. em aços de grande dureza e em semicondutores [símb.: *Si*] ☞ cf. *cilício*; cf. *tabela periódica* (no fim do dicionário)

silicone (si.li.co.ne) *s.m.* QUÍM composto resistente ao calor, à água e à oxidação, us. em dermatologia, cosmética, como lubrificante etc.

silo (si.lo) *s.m.* reservatório fechado, próprio para armazenamento de cereais, cimento etc.

silogismo (si.lo.gis.mo) *s.m.* FIL raciocínio estruturado a partir de duas premissas, das quais, por dedução, se chega a uma terceira, dita conclusão (p.ex.: "todos os animais são mortais; os elefantes são animais; logo, os elefantes são mortais") ~ **silogístico** *adj.*

siluriano (si.lu.ri.a.no) *s.m.* **1** GEOL terceiro período geológico da era paleozoica, entre o Ordoviciano e o Devoniano, em que se verificam o progresso dos crustáceos e o aparecimento dos escorpiões ☞ inicial maiúsc. ■ *adj.* **2** desse período

silvestre (sil.ves.tre) *adj.2g.* **1** próprio das selvas; selvagem *<mel s.>* **2** que vive ou nasce sem ser cultivado; nativo *<fruto s.>* ↺ cultivado

silvícola (sil.ví.co.la) *adj.2g.s.2g.* que(m) nasce ou vive na selva; selvagem

silvicultura (sil.vi.cul.tu.ra) *s.f.* ciência que estuda as espécies florestais, além da identificação, caracterização e devido uso das madeiras ~ **silvicultor** *adj.s.m.*

silvo (sil.vo) *s.m.* assobio ou som agudo provocado por alguns animais ou quando se assopra um instrumento ~ **silvar** *v.t.d. e int.*

sim *adv.* **1** exprime afirmação, aprovação, consentimento *<s., concordo com isso>* ↺ não **2** exprime uma repetição de algo já afirmado *<é preciso, s., estudar>* ↺ não ■ *s.m.* **3** ato de consentir *<o s. do pai foi um alívio>* ↺ não ☞ como s.m., pl. *sins*

simarubácea (si.ma.ru.bá.cea) *s.f.* BOT espécime das simarubáceas, família de árvores e arbustos com várias espécies ornamentais, us. para fins medicinais ou para extração de madeiras e óleo das sementes ~ **simarubáceo** *adj.*

simbiose (sim.bi.o.se) *s.f.* BIO associação de dois organismos que vivem juntos, com benefício de ambos ou de apenas um deles ~ **simbiótico** *adj.*

simbólico (sim.bó.li.co) *s.f.* **1** relativo a símbolo, que tem caráter de ou que serve como símbolo **2** que é um símbolo ou que se vale de símbolos para se exprimir; metafórico, figurado

simbolismo (sim.bo.lis.mo) *s.m.* **1** expressão ou interpretação por meio de símbolos **2** ART.PLÁST LIT movimento literário e artístico do fim do sXIX, marcado por uma visão subjetiva, simbólica e espiritual do mundo ☞ nesta acp., inicial maiúsc. ~ **simbolista** *adj.2g.s2g.*

simbolizar (sim.bo.li.zar) *v.* {mod. 1} *t.d.* **1** expressar ou representar por símbolo(s) **2** ser o símbolo de; significar, representar *<a cor branca simboliza a paz>* ~ **simbolização** *s.f.* - **simbolizador** *adj.s.m.*

S

símbolo (sím.bo.lo) *s.m.* **1** o que, por analogia ou convenção, representa, sugere ou substitui outra coisa *<o leão é o s. da coragem>* **2** ser, objeto ou imagem a que se atribuiu certo significado; emblema *<traz na farda s. militares>* **3** sinal gráfico, arbitrário e convencional, us. para representar operações, quantidades, elementos etc. *<s. algébrico, de perigo>* ~ **simbologia** *s.f.*

simbranquídeo (sim.bran.quí.deo) *s.m.* ZOO **1** espécime dos simbranquídeos, família de peixes de águas tropicais e subtropicais, com algumas espécies capazes de utilizar o oxigênio do ar ■ *adj.* **2** relativo a essa família de peixes

simetria (si.me.tri.a) *s.f.* **1** correlação entre as partes dispostas em cada lado de uma linha divisória, um plano médio, um centro ou eixo ↺ assimetria **2** *p.ext.* semelhança entre duas metades *<veja a s. dessa fruta>* ↺ assimetria **3** *fig.* correspondência entre duas ou mais situações ou fenômenos *<houve, no ataque, uma s. de ações>* ↺ assimetria **4** conjunto de proporções equilibradas *<s. de um prédio>* ↺ assimetria ~ **simétrico** *adj.*

simiano (si.mi.a.no) *adj.* simiesco

simiesco (si.mi.es.co) /ê/ *adj.* semelhante ao macaco; simiano

similar (si.mi.lar) [pl.: *-es*] *adj.2g.* **1** que tem a mesma natureza; análogo *<comprou biscoitos, macarrão e outros alimentos s.>* ↺ diferente ■ *s.m.* **2** objeto ou produto semelhante *<o importado era caro, preferiu comprar o s. nacional>* ~ **similaridade** *s.f.*

símile (sí.mi.le) *adj.2g.* **1** que se semelha; análogo ↺ diferente ■ *s.m.* **2** comparação entre coisas semelhantes **3** GRAM figura que estabelece uma comparação entre dois termos de sentidos diferentes ligados pela palavra *como* ou por um sinônimo desta (*qual, assim como, do mesmo modo que* etc.) [p.ex.: a jovem desabrochava *como* uma rosa na primavera; investiu *qual* uma fera contra o assaltante]

similitude (si.mi.li.tu.de) *s.f.* semelhança, analogia ↺ diferença

símio (sí.mio) *s.m.* ZOO **1** espécime dos símios, subordem de primatas de cérebro grande, face capaz de expressar emoção, olhos voltados para a frente, desprovidos de cauda, como o orangotango e o homem ■ *adj.* **2** relativo a essa subordem

simonia (si.mo.ni.a) *s.f.* comércio ilícito de coisas sagradas, como perdão, sacramentos etc.

simpatia (sim.pa.ti.a) *s.f.* **1** afinidade de espírito que aproxima duas ou mais pessoas ↺ antipatia **2** relação de atração espontânea por alguém ou algo *<ter enorme s. pelo dia>* ↺ antipatia **3** disposição favorável; inclinação, tendência *<sempre teve s. pelas artes>* ↺ aversão **4** boa disposição em atender às solicitações de alguém ↺ indiferença **5** pessoa que costuma ser agradável, delicada, afável *<esse menino é uma s.!>* ↺ antipatia **6** *B* prática supersticiosa us. como proteção ou para conseguir algo *<s. para acabar com soluços>*

simpaticíssimo (sim.pa.ti.cís.si.mo) *adj.* muito simpático; simpatiquíssimo ◉ GRAM/USO sup.abs. sint. de *simpático*

simpático (sim.pá.ti.co) *adj.* **1** que inspira ou revela simpatia, amabilidade *<garçom s.>* ↺ rude **2** que agrada aos sentidos; aprazível, atraente *<ambiente s.>* ↺ desagradável **3** ANAT relativo à parte do sistema nervoso ■ *s.m.* **4** indivíduo que revela amabilidade, delicadeza ↺ antipático ◉ GRAM/USO sup.abs.sint.do adj.: *simpaticíssimo, simpatiquíssimo*

simpatiquíssimo (sim.pa.ti.quís.si.mo) *adj.* simpaticíssimo ◉ GRAM/USO sup.abs.sint. de *simpático*

simpatizante (sim.pa.ti.zan.te) *adj.2g.s.2g.* **1** (aquele) que tem simpatia por alguém ou algo *<político s. das reformas> <os s. da escola de samba vibraram com a vitória>* **2** (pessoa) que sente afinidade por uma causa, uma orientação política *<é s. da causa ecológica>*

simpatizar (sim.pa.ti.zar) *v.* {mod. 1} *t.i.* (prep. *com*) ter afeição, interesse, afinidade por *<simpatizou logo com o grupo> <simpatizara com o apartamento>* ↺ antipatizar

simples (sim.ples) *adj.2g.2n.* **1** que não é composto, múltiplo, nem se desdobra em partes *<movimento s.>* **2** que não se compõe de partes ou substâncias diferentes *<objeto s.>* **3** que evita ornatos, artifícios ou qualquer aparato; modesto *<cerimônia, decoração s.>* ↺ pomposo **4** de fácil entendimento, compreensão ou resolução *<uma questão s.>* ↺ complexo **5** isento de significações secundárias; puro *<um s. cumprimento>* ☞ nesta acp., usa-se antes do substantivo **6** só, único *<uma s. barata assustou-a>* **7** que não tem graduação, título, nem exerce função de responsabilidade *<era um s. soldado>* ☞ nesta acp., usa-se antes do substantivo **8** que não é sofisticado; habitual, comum *<comida s.>* ↺ sofisticado **9** sem luxo; singelo, modesto *<levava uma vida s.>* ↺ luxuoso **10** GRAM formado de uma única oração (diz-se de período) ↺ composto **11** GRAM formado por um só núcleo (diz-se de sujeito) ↺ composto ■ *adj.2g.2n.s.2g.2n.* **12** (aquele) que não tem recursos materiais ↺ rico **13** (indivíduo) ingênuo, crédulo e sem malícia ↺ malicioso **14** (aquele) que é de origem humilde ■ *adv.* **15** com simplicidade *<vestia-se s.>* ◉ GRAM/USO sup.abs.sint. do adj.: *simplicíssimo, simplíssimo*

simplicidade (sim.pli.ci.da.de) *s.f.* **1** ausência de complicação *<uma operação matemática de grande s.>* **2** comportamento natural e espontâneo, sem pretensão *<admirava a s. do presidente>* **3** caráter de quem é sincero; franqueza ↺ falsidade **4** ausência de luxo, de pompa, de sofisticação *<vestir-se com s.>*

simplificar (sim.pli.fi.car) *v.* {mod. 1} *t.d.* **1** tornar mais simples, fácil ou claro; ajudar, facilitar *<as máquinas simplificam o trabalho>* ↺ complicar **2** MAT reduzir (fração) a termos menores ~ **simplificação** *s.f.* - **simplificador** *adj.s.m.*

simplismo (sim.plis.mo) *s.m.* **1** simplificação exagerada, ger. com desprezo de aspectos fundamentais **2** uso de meios por demais simples; ingenuidade *<métodos de um s. infantil>* ~ **simplista** *adj.2g.s.2g.*

simplório (sim.pló.rio) *adj.s.m.* (aquele) que é muito crédulo; ingênuo ↺ esperto ~ **simploriedade** *s.f.*

simpósio (sim.pó.sio) *s.m.* reunião de especialistas para discussão de algum assunto; congresso

simulacro (si.mu.la.cro) *s.m.* **1** representação artificial da realidade *<s. de vestibular>* **2** falso aspecto, aparência enganosa *<s. de democracia>* **3** cópia malfeita ou grosseira; arremedo *<o cenário era um s. de ilha deserta>*

simulado (si.mu.la.do) *adj.* **1** falso, fingido *<doença s.>* ↺ verdadeiro **2** a que se dá, por fraude, a aparência de realidade *<contrato s.>* ↺ autêntico **3** feito à imitação de coisa verdadeira *<voo s.>* ↺ real ■ *s.m.* **4** exercício que simula as condições reais de uma prova *<os estudantes fizeram simulados na semana anterior ao concurso>*

simular (si.mu.lar) *v.* {mod. 1} *t.d.* **1** fazer parecer real (o que não é); fingir, aparentar *<s. uma dor> <s. um contrato>* **2** representar com semelhança certos aspectos de; imitar, reproduzir *<simulava bem a voz de certas aves>* ~ **simulação** *s.f.* - **simulatório** *adj.*

simuliídeo (si.mu.li.í.deo) *s.m.* ZOO **1** espécime dos simuliídeos, família de insetos que reúne mosquitos ger. de cor escura, cujas fêmeas alimentam-se do sangue de vertebrados ■ *adj.* **2** relativo a essa família de insetos

simultâneo (si.mul.tâ.neo) *adj.* que se faz ou se realiza ao mesmo tempo (ou quase) que outra coisa; concomitante *<trabalhos s.>* ~ **simultaneidade** *s.f.*

sin- *pref.* 'reunião, simultaneidade': *sincronia, sinergia, sinfonia*

sina (si.na) *s.f. infrm.* destino, sorte, fado *<cantar é minha s.>*

sinagoga (si.na.go.ga) *s.f.* REL templo onde se reúnem os israelitas para o exercício do seu culto ~ **sinagogal** *adj.2g.*

sinal (si.nal) [pl.: *-ais*] *s.m.* **1** o que possibilita conhecer, reconhecer ou prever algo *<céu nublado é s. de chuva>* **2** o que se convencionou ou combinou com um objetivo e que tem certa informação *<s. de incêndio>* **3** som para indicar o início e o término das aulas **4** gesto para comunicar algo a alguém *<fez-lhe um s. com a cabeça>* **5** o que restou de algo que desapareceu; vestígio, rastro *<sumiu sem deixar s.>* **6** marca, traço *<olheiras são s. de cansaço>* **7** mancha ou marca na pele *<tinha um s. perto do olho direito>* **8** aviso, indicação *<não ligou para o s. de perigo>* **9** algo dado para garantir o cumprimento de um contrato; penhor *<deixou um cheque como s.>* **10** *fig.* manifestação, prova *<ofereceu-lhe o jantar como s. de gratidão>* **11** *fig.* manifestação clara de algo; demonstração *<não tinha s. de remorso>* **12** MAT símbolo de uma operação matemática **13** *B* semáforo, sinaleira ▼ ***sinais*** *s.m.pl.* **14** feições de uma pessoa ◉ COL sinalização ▣ **s. de pontuação** GRAM LING cada um dos sinais us. na pontuação • **s. diacrítico** aquele que modifica o valor fonológico de uma letra, como a cedilha e o til • **por s.** por falar nisso; a propósito *<por s., estive com seu irmão hoje>*

sinal da cruz (si.nal da cruz) [pl.: *sinais da cruz*] *s.m.* REL gesto com que o cristão se benze, tocando a testa, o peito e cada um dos ombros, e pronunciando certas palavras

sinaleira (si.na.lei.ra) *s.f.* *B* aparelho de sinalização que orienta o tráfego por meio de luzes; sinal, semáforo

sinaleiro (si.na.lei.ro) *adj.s.m.* **1** (o) que dá sinais **2** encarregado de sinalizar em pista de pouso, linha de trem etc. ■ *s.m.* *B* **3** semáforo

sinalização (si.na.li.za.ção) [pl.: *-ões*] *s.f.* **1** conjunto de sinais us. como meio de comunicação *<s. visual, luminosa>* **2** conjunto dos sinais que facilitam e dão mais segurança à circulação em estradas, portos, aeroportos etc. *<acidente por erro de s.>*

sinalizar (si.na.li.zar) *v.* {mod. 1} *t.d.* **1** pôr sinalização em (certos locais) *<afinal, sinalizaram a estrada>* **2** anunciar por sinais *<s. entradas e saídas>* **3** *fig.* dar mostra de; indicar *<a aprovação desta lei sinaliza novos tempos para a economia>* □ *int.* **4** exercer as funções de sinaleiro

sinapismo (si.na.pis.mo) *s.m.* cataplasma feito de mostarda, farinha e vinagre

S

sinceramente (sin.ce.ra.men.te) *adv.* **1** com sinceridade, sem mentira; honestamente *<declarou-se a ela s.>* **2** de fato, deveras *<estava s. arrependido>* **3** expressa reprovação ou descontentamento; francamente *<s., meu caro, que vergonha!>*

sinceridade (sin.ce.ri.da.de) *s.f.* **1** condição ou qualidade do que é sincero; franqueza, lisura *<a s. é uma virtude>* ↺ falsidade **2** atitude franca, verdadeira; honestidade, veracidade *<falou com s. sobre o assunto>*

sincero (sin.ce.ro) *adj.* **1** que se exprime sem enganar ou disfarçar pensamentos ou sentimentos *<pessoa s.>* **2** que é dito ou feito sem fingimento *<s. cumprimentos>* ↺ falso **3** em quem se pode confiar; verdadeiro, leal *<amizade s.>* **4** que demonstra afeto; cordial *<abraço s.>*

síncope (sín.co.pe) *s.f.* **1** FON supressão de fonema(s) dentro de palavra (p.ex.: *maior* > *mor*) **2** MED desmaio por má irrigação sanguínea no cérebro **3** MÚS articulação do som na parte fraca do tempo ou compasso, prolongando-se pela parte forte seguinte

sincretismo (sin.cre.tis.mo) *s.m.* **1** REL fusão de diferentes cultos ou doutrinas com nova interpretação de seus elementos **2** *p.ext.* fusão de elementos culturais diversos ~ **sincretista** *adj.2g.s.2g.*

sincretizar (sin.cre.ti.zar) *v.* {mod. 1} *t.d. e t.d.i.* **1** (prep. *em*) integrar (elementos diferentes) [numa síntese] *<esse escritor moderno sincretizou tendências românticas e barrocas em seu texto>* □ *t.d.* **2** tentar combinar (elementos díspares, heterogêneos); conciliar

sincronia (sin.cro.ni.a) *s.f.* fato de ocorrer ao mesmo tempo que outra coisa; simultaneidade ↺ assincronia ~ **sincronismo** *s.m.*

sincrônico (sin.crô.ni.co) *adj.* que acontece ou existe ao mesmo tempo; síncrono *<movimentos s.>* ↺ assíncrono

sincronizar (sin.cro.ni.zar) *v.* {mod. 1} *t.d.* **1** tornar sincrônico (ação, movimento etc.) *<sincronizem seus passos>* **2** estabelecer relação entre (fatos ocorridos ao mesmo tempo) **3** REC.AV fazer coincidir com as imagens o som de (filme, programa etc.)

síncrono (sín.cro.no) *adj.* que ocorre ao mesmo tempo; sincrônico ↺ assíncrono

sindético (sin.dé.ti.co) *adj.* GRAM diz-se de oração ligada a outra por conjunção coordenativa ☞ cf. *assindético*

sindical (sin.di.cal) [pl.: *-ais*] *adj.2g.* relativo ou pertencente a sindicato *<luta s.>* *<imposto s.>*

sindicalismo (sin.di.ca.lis.mo) *s.m.* **1** movimento que tem como objetivo unir associações de trabalhadores para defender seus interesses **2** conjunto dos sindicatos ~ **sindicalista** *adj.2g.s.2g.*

sindicalizar (sin.di.ca.li.zar) *v.* {mod. 1} *t.d. e pron.* **1** organizar(-se) em sindicato *<s. uma atividade>* *<certas categorias profissionais sindicalizaram-se há muito tempo>* **2** filiar(-se) a sindicato *<a diretoria recusou sindicalizá-lo>* *<sindicalizaram-se no mês passado>* ~ **sindicalização** *s.f.*

sindicância (sin.di.cân.cia) *s.f.* conjunto de procedimentos que visam apurar a verdade de algo; investigação, inquérito

sindicar (sin.di.car) *v.* {mod. 1} *t.d.,t.i. e int.* **1** (prep. *de*) tomar informações (de algo) por ordem superior; investigar *<mandou s. (de) seu comportamento>* *<a comissão iria s. mesmo sem o apoio do presidente>* □ *t.d. e pron.* **2** reunir(-se) em sindicato; sindicalizar (-se)

sindicato (sin.di.ca.to) *s.m.* associação de profissionais de uma mesma categoria ◉ COL sindicalismo

síndico (sín.di.co) *s.m.* *B* pessoa eleita para administrar condomínio

síndrome (sín.dro.me) *s.f.* MED conjunto de sintomas observáveis em vários processos patológicos diferentes, sem causa específica ▣ **s. de Down** MED alteração cromossomial que se caracteriza por deficiência mental e várias anormalidades físicas, como retardo de crescimento, face pequena e achatada, semelhante à dos mongóis etc. • **s. de imunodeficiência adquirida** MED deficiência do sistema imunológico, adquirida esp. por via sexual (sêmen ou secreção vaginal), transfusão de sangue contaminado ou uso compartilhado de seringas infectadas ☞ sigla *Aids*, *Sida*

sinecura (si.ne.cu.ra) *s.f.* emprego que dá muito dinheiro e pouco trabalho

sine die (si.ne di.e) [lat.] *loc.adv.* sem data marcada ⇒ pronuncia-se sine die

sinédoque (si.né.do.que) *s.f.* GRAM tipo de metonímia em que uma palavra é empregada por outra de sentido mais genérico ou de sentido mais específico (p.ex., *a maldade do homem* por 'da espécie humana'; *é preciso pensar na criança* por 'nas crianças')

sinédrio (si.né.drio) *s.m.* HIST assembleia administrativa e legislativa entre os antigos judeus

sineiro (si.nei.ro) *adj.s.m.* que(m) fabrica ou toca sino

sinérese (si.né.re.se) *s.f.* GRAM passagem de um hiato a ditongo no interior de uma palavra (p.ex.: *ma-goa-do* por *ma-go-a-do*) ☞ cf. *diérese*

sinergia (si.ner.gi.a) *s.f.* **1** ação ou esforço simultâneo; cooperação **2** ECON ação conjunta de empresas para obter desempenho melhor do que aquele conseguido de forma isolada

sineta (si.ne.ta) /ê/ *s.f.* sino pequeno

sinete (si.ne.te) /ê/ *s.m.* **1** tipo de carimbo que imprime monograma ou outra marca distintiva do seu proprietário **2** a marca feita com esse objeto; chancela **3** *fig.* sinal, marca

sinfonia (sin.fo.ni.a) *s.f.* MÚS composição para orquestra em forma de sonata, caracterizada pelos vários executantes para cada tipo de instrumento e pela grande diversidade de timbres ~ **sinfônico** *adj.*

sinfônica (sin.fô.ni.ca) *s.f.* MÚS orquestra sinfônica

singelo (sin.ge.lo) *adj.* **1** desprovido de ornatos ou enfeites *<um vestido s.>* **2** que não tem malícia; puro, inocente *<comentário s.>* ~ **singeleza** *s.f.*

singnatídeo (sing.na.tí.deo) *s.m.* ZOO **1** espécime dos singnatídeos, família de peixes ósseos, representados pelos cavalos-marinhos, cujos machos carregam os ovos no ventre ■ *adj.* **2** relativo a essa família

singrar (sin.grar) *v.* {mod. 1} *int.* MAR **1** seguir caminhos nas águas; navegar □ *t.d.* **2** MAR percorrer, navegando *<s. o Atlântico>*

singular (sin.gu.lar) [pl.: *-es*] *adj.2g.* **1** único de sua espécie; sem igual *<pedra s.>* ↺ ordinário **2** fora do comum; excepcional *<fez um trabalho s.>* ↺ banal **3** incomum, inusitado *<atitute s.>* ↺ usual ■ *adj.2g.s.m.* GRAM **4** (flexão de número) que indica apenas uma só coisa ou pessoa ☞ cf. *plural* ~ **singularidade** *s.f.*

singularizar (sin.gu.la.ri.zar) *v.* {mod. 1} *t.d. e pron.* **1** tornar(-se) diferente, singular; destacar (-se) *<singulariza-se pela facilidade de aprender>* ↺ banalizar(-se) □ *t.d.* **2** expor em detalhes; minuciar *<s. uma descrição>* ~ **singularização** *s.f.*

sinhá (si.nhá) *s.f.* HIST *B* forma de tratamento com que os escravos no passado designavam a senhora ou patroa

sinhô (si.nhô) *s.m.* HIST *B* forma de tratamento com que os escravos no passado designavam o senhor ou patrão

sinhô-moço (si.nhô-mo.ço) [pl.: *sinhôs-moços*; fem.: *sinhá-moça*] *s.m.* HIST *B* sinhozinho

sinhozinho (si.nho.zi.nho) [fem.: *sinhazinha*] *s.m.* HIST *B* forma de tratamento us. pelos escravos para dirigir-se ao filho do senhor; sinhô-moço

sinistra (si.nis.tra) *s.f.* a mão esquerda ↺ destra

sinistro (si.nis.tro) *adj.* **1** que usa a mão esquerda com mais habilidade; canhoto ↺ destro **2** que prevê acontecimentos ruins; funesto, agourento **3** que causa o mal ↺ inofensivo **4** terrível, assustador *<um barulho s.>* ■ *s.m.* **5** desastre, acidente **6** dano, esp. sobre bem segurado

sino (si.no) *s.m.* **1** instrumento metálico, cônico e oco percutido com badalo **2** MÚS instrumento de orquestra que consiste em um conjunto de tubos metálicos, de número e diâmetro variáveis, que produz sons semelhantes ao do sino ◉ COL carrilhão

sinódico (si.nó.di.co) *adj.* relativo ao movimento dos astros

sínodo (sí.no.do) *s.m.* REL **1** assembleia regular de párocos convocada pelo seu bispo **2** assembleia periódica de bispos de todo o mundo, presidida pelo papa ~ **sinodal** *adj.2g.*

sinonímia (si.no.ní.mia) *s.f.* GRAM **1** relação de sentido entre vocábulos sinônimos ↺ antonímia **2** estudo de ou teoria sobre os sinônimos **3** lista de sinônimos

sinônimo (si.nô.ni.mo) *adj.s.m.* LING (palavra) que tem com outra uma semelhança de significação que permite que uma seja escolhida pela outra em alguns contextos, sem alterar a significação literal da sentença *<belo e bonito são s.>* ◉ COL sinonímia ~ **sinonímico** *adj.*

sinopse (si.nop.se) *s.f.* resumo, ger. escrito ~ **sinóptico** *adj.*

sintagma (sin.tag.ma) *s.m.* GRAM unidade sintática composta de um núcleo e de outros termos que a ele se unem e que a ele estão subordinados, formando uma expressão com valor sintático entre o da palavra e o da oração *<s. nominal>* ~ **sintagmático** *adj.*

sintático (sin.tá.ti.co) ou **sintáxico** (sin.tá.xi.co) /ss/ *adj.* **1** de, relativo ou pertencente a sintaxe *<normas s.>* **2** conforme as regras da sintaxe *<seus textos revelam correção s.>*

sintaxe (sin.ta.xe) /ss/ *s.f.* GRAM parte da gramática que estuda a estruturação das palavras numa frase e das orações no discurso

sintáxico (sin.tá.xi.co) /ss/ *adj.* → **SINTÁTICO**

sinteco (sin.te.co) *s.m.* verniz transparente para cobrir assoalho de madeira ~ **sintecar** *v.t.d.*

síntese (sín.te.se) *s.f.* **1** reunião de elementos diferentes num todo coerente *<o autor fez uma s. das teorias literárias de várias épocas>* **2** operação intelectual que apreende o todo partindo dos elementos que o constituem **3** exposição abreviada e genérica; resumo *<fez uma excelente s. do filme>* **4** BIOQ biossíntese **5** QUÍM preparação de um composto químico a partir de substâncias mais simples *<a s. do amido>*

sintético (sin.té.ti.co) *adj.* **1** que não se detém em detalhes; conciso, resumido ↺ analítico **2** produzido por síntese artificial ou elaborado com compostos artificiais *<insulina s.>* *<seda s.>* ↺ natural

sintetizador (sin.te.ti.za.dor) /ô/ [pl.: *-es*] *adj.* **1** que sintetiza ■ *s.m.* **2** MÚS instrumento eletrônico que imita sons de vários instrumentos, voz etc.

sintetizar (sin.te.ti.zar) *v.* {mod. 1} *t.d. e t.d.i.* **1** (prep. *em*) reunir ou mostrar o que é mais importante sobre; resumir *<conseguiu s. a reação da plateia, dizendo que desistiam da eleição>* *<sintetizou numa palavra o que todos sentíamos>* **2** (prep. *em*) combinar (partes, elementos) compondo um todo *<s. dados complexos e torná-los simples>* *<s. informações científicas em notas breves>* □ *t.d.* **3** ter as características principais, exemplares de; representar *<ela sintetiza todos os bons sentimentos>* **4** QUÍM produzir (uma substância) por síntese natural ou artificial

sintoma (sin.to.ma) *s.m.* **1** MED sensação subjetiva (dor, mal-estar etc.), narrada pelo paciente, us. para estabelecer o diagnóstico de uma doença **2** *fig.* indício, sinal *<os s. indicavam uma greve iminente>* ~ **sintomático** *adj.*

sintomatologia (sin.to.ma.to.lo.gi.a) *s.f.* MED estudo dos sintomas relatados por um paciente ~ **sintomatológico** *adj.* - **sintomatologista** *adj.2g.s.2g.*

sintonia (sin.to.ni.a) *s.f.* **1** RÁD igualdade de frequência de dois circuitos de transmissão ou recepção de ondas de rádio **2** *fig.* acordo, harmonia *<s. de ideias>* ↺ discordância

sintonizar (sin.to.ni.zar) *v.* {mod. 1} *t.d. e int.* **1** ajustar (aparelho de rádio) ao comprimento de onda da emissora □ *t.i.* *B* **2** (prep. *com*) entrar em sintonia; harmonizar-se *<a música sintoniza com o voo dos insetos>* *<ele não sintoniza com os sogros>*

sinuca (si.nu.ca) *s.f.* **1** RECR espécie de bilhar jogado com oito bolas numa mesa com seis caçapas **2** *infrm.* situação embaraçosa

sinuoso (si.nu.o.so) /ô/ [pl. e fem.: /ó/] *adj.* **1** cheio de curvas *<rio s.>* ↺ reto **2** *fig.* cheio de ardis; astuto *<transação s.>* ~ **sinuosidade** *s.f.*

sinusite (si.nu.si.te) *s.f.* MED inflamação de cavidade óssea próxima ao nariz

sionismo (si.o.nis.mo) *s.m.* movimento internacional judeu que resultou na criação do Estado de Israel ~ **sionista** *adj.2g.s.2g.* - **sionístico** *adj.*

sirene (si.re.ne) ou **sirena** (si.re.na) *s.f.* dispositivo de som estridente us. para sinalizar algo, como alarmes, horários em fábricas, deslocamento de ambulâncias, carros de bombeiros e de polícia

sirenídeo (si.re.ní.deo) *s.m.* ZOO espécime dos sirenídeos, família de salamandras aquáticas que não possuem membros posteriores, dentes e pálpebras

sirênio (si.rê.nio) *s.m.* ZOO epécime dos sirênios, ordem de mamíferos aquáticos, herbívoros, que possuem cauda com forma de nadadeira

siri (si.ri) *s.m.* ZOO designação comum de certos crustáceos marinhos semelhantes ao caranguejo, que possuem o último par de pernas em forma de remo

sirigaita (si.ri.gai.ta) *s.f. B pej.* mulher espertalhona

sírio (sí.rio) *adj.* **1** da Síria (Ásia) ■ *s.m.* **2** natural ou habitante desse país ☞ cf. *círio*

sírio-libanês (sí-rio-li.ba.nês) [pl.: *sírio-libaneses*] *adj.* **1** relativo à Síria e ao Líbano *<fronteira s.>* **2** que tem elementos das duas culturas *<culinária s.>* ■ *adj.s.m.* **3** diz-se de ou pessoa natural da unidade geográfica formada pela Síria e pelo Líbano

siririca (si.ri.ri.ca) *s.f. gros.* masturbação feminina

siroco (si.ro.co) /ô/ *s.m.* vento quente que sopra do sudeste sobre o Mediterrâneo

sisal (si.sal) [pl.: *-ais*] *s.m.* BOT **1** planta que fornece fibra áspera e resistente us. para fazer cordas, tapetes etc. **2** essa fibra

sismo (sis.mo) *s.m.* GEOL terremoto ~ **sísmico** *adj.*

sismógrafo (sis.mó.gra.fo) *s.m.* instrumento que detecta e registra terremotos ~ **sismografia** *s.f.*

siso (si.so) *s.m.* **1** bom senso, juízo ↺ desatino **2** ODONT terceiro molar, que aparece entre os 17 e 21 anos; dente de siso

sistema (sis.te.ma) *s.m.* **1** conjunto de elementos, concretos ou abstratos, relacionados entre si **2** conjunto de unidades organizadas de determinada forma para alcançar um fim *<s. eleitoral> <s. financeiro>* **3** qualquer conjunto natural de partes interdependentes *<s. auditivo> <s. planetário>* **4** *p.ext.* constituição política, econômica ou social de um estado, de uma comunidade etc. *<s. capitalista>* **5** método, modo *<elaborou um s. para organizar seus desenhos>* ▣ **s. cardiovascular** ou **circulatório** FISL conjunto formado pelo coração e pelos vasos sanguíneos e que possibilita a circulação do sangue • **s. digestório** FISL conjunto de órgãos que têm por função básica a assimilação dos alimentos, compreendendo o tubo digestivo e as glândulas digestivas • **s. imunitário** FISL sistema graças ao qual o organismo se defende contra as infecções causadas por agentes patogênicos (vírus, bactérias, fungos e parasitas) e contra corpos estranhos de modo geral; imunossistema • **s. imunológico** FISL s. imunitário • **s. internacional de unidades** sistema de unidades de medida composto por unidade de base (quilograma, metro, segundo, Kelvin, mol, ampere e candela) e unidades derivadas [sigla: *SI*] • **s. locomotor** FISL conjunto de órgãos que permite o deslocamento e que, nos vertebrados, compreende os ossos, as articulações dos membros e da coluna vertebral, assim como os ligamentos, músculos e tendões que se unem e os acionam • **s. métrico decimal** FÍS sistema de unidades de medida que emprega o metro e seus múltiplos e submúltiplos decimais • **s. nervoso** FISL nos vertebrados, conjunto dos centros nervosos (cérebro, medula e gânglios) e dos nervos que agem no comando e coordenação dos órgãos e do aparelho locomotor, na recepção dos estímulos sensoriais e, nos humanos, nas funções psíquicas e intelectuais • **s. operacional** INF *software* que controla a operação de *hardwares* e outros *softwares* instalados no computador • **s. respiratório** FISL conjunto dos órgãos que possibilitam a respiração e que compreendem as vias aéreas e os pulmões • **s. reprodutor** FISL conjunto dos órgãos (masculinos ou femininos) que possibilitam a reprodução • **s. solar** ASTR conjunto de corpos celestes (planetas, satélites, cometas etc.) que gravitam em torno do Sol • **s. urinário** FISL conjunto de órgãos que elaboram a urina e a eliminam do corpo, compreendendo os rins, os ureteres, a bexiga e a uretra ~ **sistematicidade** *s.f.*

sistemática (sis.te.má.ti.ca) *s.f.* **1** conjunto de elementos classificados e organizados segundo um ou mais critérios **2** BIO ciência que classifica os seres vivos através do estudo comparativo de suas características

sistemático (sis.te.má.ti.co) *adj.* **1** que segue ou observa um sistema *<organização s.>* **2** *p.ext.* que se processa segundo um método ou ordenação; metódico *<trabalho s.>*

sistematizar (sis.te.ma.ti.zar) *v.* {mod. 1} *t.d.* **1** organizar num sistema ▫ *t.d. e pron.* **2** tornar(-se) metódico, ordenado, coerente *<s. a distribuição da água no prédio> <a iluminação da rua sistematizou-se com moderna aparelhagem>* ~ **sistematização** *s.f.*

sistêmico (sis.tê.mi.co) *adj.* **1** relativo a sistema ou sistemática **2** MED que afeta o corpo inteiro *<medicamentos s.> <doença s.>*

sístole (sís.to.le) *s.f.* FISL movimento de contração do coração, que ejeta o sangue para a aorta e para a artéria pulmonar ☞ cf. *diástole* ~ **sistolar** *adj.2g.* - **sistólico** *adj.*

sisudo (si.su.do) *adj.s.m.* que(m) é muito sério, circunspecto ↺ alegre ~ **sisudez** *s.f.*

site (si.te) [ing.; pl.: *sites*] ou ***website*** (web.site) [ing.; pl.: *websites*] *s.m.* INF endereço na internet que pode conter textos, gráficos e informações em multimídia ⇒ pronuncia-se sait, uébsait

¹sitiante (si.ti.an.te) *s.2g.* quem possui ou mora em sítio, roça ◉ ORIGEM formação irreg. de ¹*sítio* + *-ante*

²sitiante (si.ti.an.te) *adj.2g.s.2g.* que(m) sitia ◉ ORIGEM de *sitiar* + *-ante*

sitiar (si.ti.ar) *v.* {mod. 1} *t.d.* impor cerco militar a; bloquear *<s. uma cidade>* ~ **sitiador** *adj.s.m.*

¹sítio (sí.tio) *s.m.* **1** local ocupado por um corpo qualquer *<encontrou as chaves fora do seu s.>* **2** qualquer local; lugar *<passaram por s. quase desertos>* **3** *B* chácara ou moradia rural **4** INF *site* ◉ ORIGEM desc.

²sítio (sí.tio) *s.m.* ação de sitiar ou o seu efeito ◉ ORIGEM duv., talvez regr. de *sitiar*

sito (si.to) *adj.* que se situa, estabelecido ◉ GRAM/USO part.irreg. de *situar*

S

situação (si.tu.a.ção) [pl.: *-ões*] *s.f.* **1** localização de um corpo; posição <*não dispunham de dados para precisar a s. do navio*> **2** estado de algo ou alguém <*em que s. se encontra a disputa?*> <*após a demissão, ficou em s. desesperadora*> **3** combinação de circunstâncias num dado momento; conjuntura <*s. favorável*> **4** POL poder dirigente de um estado, de uma empresa etc. <*candidato da s.*> ↺ oposição

situacionismo (si.tu.a.cio.nis.mo) *s.m.* POL condição dos que exercem e/ou apoiam o governo ☞ cf. *oposicionismo*

situacionista (si.tu.a.cio.nis.ta) *adj.2g.* **1** próprio do situacionismo ■ *adj.2g.s.2g.* POL **2** partidário do situacionismo ☞ cf. *oposicionista*

situar (si.tu.ar) *v.* {mod. 1} *t.d. e pron.* **1** pôr(-se) em certo lugar; posicionar(-se) <*s. a casa na encosta*> <*veio s.-se a meu lado*> □ *t.d.* **2** determinar lugar certo a; localizar <*s. a novela no Rio*> □ *pron.* **3** (prep. *em*) assumir uma opinião; posicionar-se <*não sei como me s. nesta questão*> ◉ GRAM/USO part.: *situado, sito*; ver QUADRO DE PARTICÍPIOS DUPLOS nas pp. iniciais

skate [ing.; pl.: *skates*] *s.m.* RECR esqueite ⇒ pronuncia-se squêit

skinhead (skin.head) [ing.] *s.2g.* pessoa, ger. do sexo masculino, pertencente a um bando, que tosa rente os cabelos e age com violência e de modo racista, preconceituoso, avesso a estrangeiros etc. ⇒ pronuncia-se squinrêd

slide [ing.; pl.: *slides*] *s.m.* FOT REC.AV diapositivo ⇒ pronuncia-se slaid

slogan (slo.gan) [ing.; pl.: *slogans*] *s.m.* frase curta e persuasiva us. em campanhas políticas, publicitárias etc. ⇒ pronuncia-se slôgã

Sm QUÍM símbolo de *samário*

smartphone (smart.phone) [ing.; pl.: *smartphones*] *s.m.* telefone móvel com recursos e funções comparáveis às de um computador pessoal ⇒ pronuncia-se smartfoune

smoking (smok.ing) [ing.; pl.: *smokings*] *s.m.* VEST terno preto com lapela de cetim, us. com gravata-borboleta preta em eventos formais ⇒ pronuncia-se smôquin

SMS [ing.] *s.m.* INF mensagem curta de texto enviada e recebida em telefone celular ⇒ pronuncia-se esse eme esse

Sn QUÍM símbolo de *estanho*

so- *pref.* 'movimento de baixo para cima': *soerguer*

S.O. abreviatura de *sudoeste* ('região')

só *adj.2g.s.m.* **1** que(m) não tem companhia; solitário <*antes só que mal acompanhado*> <*governo de um só*> ■ *adj.2g.* **2** que é apenas um; único <*há só uma resposta certa*> ↺ vários ■ *adv.* **3** apenas, exclusivamente <*da vida só quer saúde*>

soalhar (so.a.lhar) *v.* {mod. 1} *t.d.* assoalhar

soalheira (so.a.lhei.ra) *s.f.* calor mais intenso do sol; soleira <*usava chapéu para proteger-se da s.*>

soalho (so.a.lho) *s.m.* assoalho

soante (so.an.te) ou **sonante** (so.nan.te) *adj.2g.* que soa

soar (so.ar) *v.* {mod. 1} *t.d. e int.* **1** emitir ou produzir (som) <*os instrumentos soavam uma melodia suave*> <*os tambores soam*> □ *int.* **2** repercutir, ecoar <*o grito soou na caverna*> **3** *p.ext.* impressionar os ouvidos <*seus versos soam bem*> □ *pred. fig.* **4** ter semelhança com; parecer-se <*o elogio soou como zombaria*>

sob- *pref.* 'posição inferior ou abaixo': *sobescavar, sobpor*

sob /ô/ *prep.* **1** por baixo de <*usava camiseta s. a blusa de lã*> ↺ sobre **2** debaixo de <*dormiu s. a mangueira*> ↺ acima de **3** no tempo de ou no governo de <*s. o reinado de Pedro II*>

soba (so.ba) *s.m.* chefe de pequeno estado africano

sobejar (so.be.jar) *v.* {mod. 1} *t.i. e int.* (prep. *de*) ultrapassar os limites do necessário; restar, sobrar <*esperavam a comida que sobejaria do jantar*> <*não há dinheiro que sobeje*>

sobejo (so.be.jo) /ê/ *adj.* **1** que sobra <*o pão s. é distribuído aos pobres*> ■ *s.m.* **2** qualquer coisa que sobrou; resto <*s. de comida*> ▣ **de s.** a mais que o necessário; demasiado <*sabia de s. o que vinha se passando*>

soberania (so.be.ra.ni.a) *s.f.* **1** POL poder político supremo do Estado como afirmação de sua personalidade independente, de sua autoridade plena e governo próprio, dentro do território nacional e em suas relações com outros Estados **2** qualidade, condição de soberano ou autoridade de um soberano

soberano (so.be.ra.no) *adj.* **1** que detém o poder sem restrições <*país s.*> <*vontade s.*> ↺ subordinado **2** que ocupa o mais alto grau em seu gênero <*futebol s.*> ↺ inferior ■ *s.m.* **3** quem exerce o poder supremo de uma monarquia; monarca **4** quem tem grande influência ou poder

soberba (so.ber.ba) /ê/ *s.f.* arrogância, presunção ↺ modéstia ~ **soberbia** *s.f.*

soberbo (so.ber.bo) /ê/ *adj.s.m.* **1** que(m) é arrogante <*lançou-lhes um olhar a.*> ↺ humilde ■ *adj.* **2** que é mais alto ou está mais elevado <*lá no alto, s. picos recortavam o céu*> **3** de aspecto grandioso, magnífico <*um jantar s.*> ↺ singelo

sobescavar (so.bes.ca.var) *v.* {mod. 1} *t.d.* socavar

sobpor (sob.por) *v.* {mod. 23} *t.d.i. e pron.* **1** (prep. *a*) pôr(-se), colocar(-se) debaixo ou por baixo de <*a água do lago sobpunha-se à camada de gelo*> **2** *fig.* (prep. *a*) diminuir o valor, a qualidade de (alguém, algo ou de si mesmo); depreciar(-se) <*sem escrúpulos, sobpõe os meios aos fins*>

sobra (so.bra) *s.f.* o que fica depois de tirado o necessário ou principal <*almoçou e deu as s. para o cachorro*> ▣ **de s.** em muita quantidade ou em excesso <*na festa havia comida de s.*>

sobraçar (so.bra.çar) *v.* {mod. 1} *t.d.* **1** segurar embaixo do ou com o braço <*sobraçava um pacote de livros*> **2** apoiar nos braços; sustentar <*sobraçou o cego, para ajudá-lo a atravessar a rua*>

sobrado (so.bra.do) *s.m.* **1** piso de madeira **2** o pavimento superior de uma casa de dois pavimentos <*o s. foi alugado porque possui entrada independente*> **3** *B* casa de dois andares

S

sobranceiro (so.bran.cei.ro) *adj.* **1** que está em local mais alto <*platô s. sobre o vale*> ↺ baixo **2** que está em posição de superioridade <*manteve-se s. a todos os infortúnios*> **3** de quem se julga melhor; arrogante <*olhar s.*> ↺ humilde ~ **sobrançaria** *s.f.* - **sobranceria** *s.f.*

sobrancelha (so.bran.ce.lha) /ê/ *s.f.* arco de pelos acima de cada órbita ocular

sobrar (so.brar) *v.* {mod. 1} *t.d.i. e int.* **1** (prep. *a*) possuir ou existir em excesso; sobejar, exorbitar <*sobrara(-lhe) ainda algo de prudência*> **2** (prep. *a*, *de*) subsistir depois de uso, destruição, gasto etc.; restar <*sobrou(-lhe) muito dinheiro*> <*pouco sobrou do jantar*> **3** ser mais do que suficiente; bastar <*o tempo sobrava-lhe para resolver tudo*> <*duas horas dão e sobram para descansarmos*> ☐ *int.* **4** ser esquecido ou posto em segundo plano <*fomos promovidos, mas ele sobrou*> ☐ *t.i. infrm.* **5** (prep. *para*) caber (alguma coisa ger. ruim ou desconfortável) <*ninguém quis o trabalho e então sobrou para mim*>

sobre- *pref.* **1** 'posição acima': *sobrescrever, sobrevoar* **2** 'excesso': *sobrecarregar*

sobre (so.bre) /ô/ *prep.* **1** por ou em cima de <*a casa s. a colina*> <*dorme com a mão s. o peito*> **2** na superfície de <*pássaros s. a lagoa*> <*uma blusa leve s. a pele*> **3** a respeito de <*leu o texto s. o pai*> <*prova s. a última aula*> **4** em relação de dominância ou influência <*exerce poder s. os irmãos*>

sobreaviso (so.bre.a.vi.so) *s.m.* prevenção, precaução <*o s. impediu que se assustasse*> ↺ imprudência ▣ **de s.** à espera <*ligarei na hora de sairmos, fique de s.*>

sobrecapa (so.bre.ca.pa) *s.f.* BIBLIO cobertura solta com que se envolve a capa de um livro para protegê-la

sobrecarga (so.bre.car.ga) *s.f.* **1** carga excedente que interfere na marcha de navio ou de outro veículo ou que é superior às forças do animal ou da viatura que faz o transporte <*o barco parecia que ia afundar devido à s.*> **2** *p.ext.* tudo que excede a carga normal <*s. de trabalho*>

sobrecarregar (so.bre.car.re.gar) *v.* {mod. 1} *t.d.* **1** pôr excesso de carga em <*s. um caminhão*> **2** impor esforço, responsabilidade excessivos a <*s. os empregados, os filhos*> **3** aumentar de forma exagerada <*s. os preços*>

S

sobrecarta (so.bre.car.ta) *s.f.* envelope

sobrecasaca (so.bre.ca.sa.ca) *s.f.* VEST casaco masculino comprido, abotoado até a cintura, hoje em desuso

sobrecenho (so.bre.ce.nho) *s.m.* **1** o par de sobrancelhas <*s. espesso*> **2** *fig.* aparência carrancuda

sobrecéu (so.bre.céu) *s.m.* dossel

sobrecomum (so.bre.co.mum) [pl.: *-uns*] *adj.2g.s.m.* GRAM (substantivo) que possui apenas um gênero gramatical para designar pessoas de ambos os sexos (p.ex.: o carrasco, a criança, a vítima) ☞ cf. *comum de dois* e *epiceno*

sobrecoxa (so.bre.co.xa) /ô/ *s.f.* ANAT ZOO *B infrm.* coxa das aves

sobrecu (so.bre.cu) *s.m.* ANAT ZOO *infrm.* uropígio

sobrecusto (so.bre.cus.to) *s.m.* ECON custo indireto acrescentado ao custo de alguma coisa

sobre-humano (so.bre-hu.ma.no) [pl.: *sobre-humanos*] *adj.* acima da capacidade ou natureza humana <*é pessoa de uma compreensão s.*>

sobrejacente (so.bre.ja.cen.te) *adj.2g.* que está por cima ↺ subjacente

sobrelevar (so.bre.le.var) *v.* {mod. 1} *t.d. e pron.* **1** exceder em altura; ultrapassar <*as torres sobrelevavam as muralhas*> <*o castelo sobreleva-se à cidade*> **2** erguer(-se) do chão; levantar(-se) <*ordenou que sobrelevassem a estátua caída*> <*o trapezista sobrelevou-se ao topo da lona*> ☐ *t.d.* **3** tornar mais elevado ou alto <*mandou s. os postes da cerca*> ☐ *t.d.,t.i. e int. fig.* **4** (prep. *a*) ser de maior qualidade ou importância; suplantar <*suas qualidades sobrelevam seus defeitos*> <*o peso do julgamento do presidente sobreleva a todos*> <*suas virtudes sobrelevam em muito*> ☐ *t.i.,int. e pron.* **5** (prep. *a*, *sobre*) sobressair entre outros; destacar-se <*sua inteligência sobreleva à dos colegas*> <*os aplausos sobrelevavam sobre as poucas vaias*> <*entre os cantores do coro, ele (se) sobreleva*>

sobreloja (so.bre.lo.ja) *s.f.* **1** pavimento entre o térreo e o primeiro andar de prédio comercial **2** loja situada nesse pavimento <*tem uma s. no centro da cidade*>

sobremaneira (so.bre.ma.nei.ra) *adv.* além da normalidade; em excesso; demasiado <*cansou-se s.*> ↺ pouco

sobremesa (so.bre.me.sa) /ê/ *s.f.* **1** fruta, doce etc. que se come ao fim da refeição **2** momento da refeição em que se come essa fruta ou doce <*vieram para a s.*>

sobremodo (so.bre.mo.do) *adv.* sobremaneira

sobrenadar (so.bre.na.dar) *v.* {mod. 1} *int.* nadar ou surgir à superfície da água; boiar, flutuar <*um barco recolheu os sobreviventes que sobrenadavam*>

sobrenatural (so.bre.na.tu.ral) [pl.: *-ais*] *adj.2g.s.m.* **1** (o) que está fora das leis da natureza <*poderes s.*> **2** (o) que é extraordinário ou maravilhoso <*dedicação s.*>

sobrenome (so.bre.no.me) *s.m.* nome de família <*seu nome era João, e seu s., Ferreira*>

sobrepeliz (so.bre.pe.liz) [pl.: *-es*] *s.f.* veste branca que um clérigo usa sobre a batina

sobrepor (so.bre.por) *v.* {mod. 23} *t.d.i. e pron.* **1** (prep. *a*) pôr(-se) em cima ou por cima de; superpor <*sobrepôs o xale ao vestido*> <*uma nuvem escura sobrepunha-se ao pico da montanha*> ☐ *t.d.i.* **2** *fig.* (prep. *a*) colocar por cima, para esconder <*s. o riso às lágrimas*> **3** (prep. *a*) juntar por acréscimo; acrescentar <*a seus títulos vai s. o de doutor*> **4** (prep. *a*) dar mais importância a; antepor <*s. o bem público ao particular*> ☐ *pron.* **5** (prep. *a*) vir depois; seguir-se <*a bonança sobrepõe-se à tempestade*> ◉ GRAM/USO part.: *sobreposto* ~ **sobreposição** *s.f.*

sobreposição (so.bre.po.si.ção) [pl.: *-ões*] *s.f.* ato ou efeito de sobrepor; colocação de (algo) por cima de outra coisa; superposição

sobreposto (so.bre.pos.to) /ô/ [pl. e fem.: /ó/] *adj.* superposto

sobrepujar (so.bre.pu.jar) *v.* {mod. 1} *t.d.* **1** exceder em altura; ultrapassar, sobrelevar <*a torre sobrepujava os edifícios em redor*> **2** vencer, dominar, superar <*s. o inimigo, um obstáculo*> **3** ter primazia sobre;

suplantar *<o bem público há de s. o particular>* □ *t.i. e int.* **4** (prep. *a*) ganhar destaque; sobressair *<os bons valores devem s. (aos maus)>* ~ **sobrepujança** *s.f.*

sobrescrever (so.bres.cre.ver) *v.* {mod. 8} *t.d.* **1** escrever sobre ou acima de **2** sobrescritar *<s. um envelope>* ☞ cf. *subscrever* ◉ GRAM/USO part.: *sobrescrito*

sobrescritar (so.bres.cri.tar) *v.* {mod. 1} *t.d.* escrever nome e endereço do destinatário em (envelope) ☞ cf. *subscritar*

sobrescrito (so.bres.cri.to) *s.m.* **1** nome e endereço que se escrevem sobre envelope ou invólucro de correspondência ■ *adj.* **2** GRÁF diz-se de letra, número ou outro sinal, menor que as letras e sinais us. no texto, que se grafa acima deles, utilizado como expoente matemático, indicação de nota etc. *<os números das notas estavam s.>* ☞ p.opos. a *subscrito*

sobressair (so.bres.sa.ir) *v.* {mod. 25} *int.* **1** ser, estar ou ficar saliente; destacar-se *<um enfeite que sobressai muito>* **2** atrair a atenção; salientar-se *<na parede, seu quadro sobressaía>* **3** ser bem perceptível entre outros (sons, cores etc.); distinguir-se *<sua voz sobressaía em meio às outras>* □ *t.i.,int. e pron.* **4** (prep. *a*) ganhar destaque sobre (os demais); sobrepujar *<naquela família, as mulheres sempre sobressaíram aos homens> <a casa de três andares sobressaía facilmente na rua> <ela se sobressai como quituteira>*

sobressalente (so.bres.sa.len.te) ou **sobresselente** (so.bres.se.len.te) *adj.2g.s.m.* (peça) reservada para repor outra gasta, quebrada etc. *<pneu s.>*

sobressaltar (so.bres.sal.tar) *v.* {mod. 1} *t.d. e pron.* **1** tomar ou ser tomado de supresa, de repente; surpreender(-se) *<a tristeza sobressalta-a com frequência> <sobressaltou-se com a presença do estranho>* **2** (fazer) sentir receio, temor; assustar (-se) *<a notícia sobressaltou-o> <sobressaltou-se ao ler o telegrama>*

sobressalto (so.bres.sal.to) *s.m.* **1** reação brusca causada por forte emoção *<ao saber do acidente teve um s.>* ↺ serenidade **2** inquietação inesperada; susto *<levou uma vida cheia de sobressaltos>* ↺ calma

sobresselente (so.bres.se.len.te) *adj.2g.s.m.* → *SOBRESSALENTE*

sobrestar (so.bres.tar) *v.* {mod. 7} *t.d. e int.* não (deixar) ir adiante; parar, interromper *<s. o teste> <ao ouvir o grito, sobrestou>* ↺ prosseguir ~ **sobrestamento** *s.m.*

sobretaxa (so.bre.ta.xa) *s.f.* taxa que se acrescenta à normal *<adicionaram uma s. à conta de luz>* ~ **sobretaxar** *v.t.d.*

sobretudo (so.bre.tu.do) *adv.* **1** principalmente *<teme a família, s. o pai>* ■ *s.m.* **2** VEST casaco masculino comprido e largo que se usa sobre outras vestes para proteger do frio e da chuva

sobrevida (so.bre.vi.da) *s.f.* **1** prolongamento da vida além de certo limite *<sabia que tinha apenas uns meses de s.>* **1.1** *fig.* *<com a vitória, o time ganhou s. no campeonato>*

sobrevir (so.bre.vir) *v.* {mod. 31} *t.i. e int.* **1** (prep. *a*) vir ou acontecer logo depois; seguir-se *<se o esforço era grande, sobrevinha-lhe a dor> <passado o caso, uma grande angústia sobreveio>* □ *int.* **2** acontecer de modo inesperado *<uma tempestade sobreveio>* ~ **sobrevindo** *adj.s.m.*

sobreviver (so.bre.vi.ver) *v.* {mod. 8} *t.i. e int.* (prep. *a*) continuar a viver ou existir depois de (fato ruim, perda, morte etc.); manter-se *<muito poucos sobreviveram à avalancha> <após a quarta-feira, a alegria do carnaval sobrevive>* ~ **sobrevivência** *s.f.* - **sobrevivente** *adj.2g.s.2g.*

sobrevoar (so.bre.vo.ar) *v.* {mod. 1} *t.d. e int.* voar ou pairar por cima (de) *<um helicóptero sobrevoava a mata> <uma revoada de gaivotas sobrevoava muito alto>* ~ **sobrevoo** *s.m.*

sobrinha (so.bri.nha) *s.f.* filha de irmão ou irmã, ou de cunhado e cunhada *<tinha duas s.>*

sobrinho (so.bri.nho) *s.m.* filho de irmão ou irmã, ou de cunhado ou cunhada *<seu s. viajou para o interior>*

sobrinho-neto (so.bri.nho-ne.to) [pl.: *sobrinhos-netos*] *s.m.* neto do irmão ou da irmã

sóbrio (só.brio) *adj.* **1** sem excessos; simples *<decoração s.>* ↺ extravagante **2** não alcoolizado ↺ bêbado ~ **sobriamente** *adv.* - **sobriedade** *s.f.*

soca (so.ca) *s.f.* **1** *infrm.* caule subterrâneo **2** brotamento da cana-de-açúcar após o primeiro corte

socado (so.ca.do) *adj.* **1** amassado com socador ou pisado com pilão; moído *<milho s.>* **2** que levou soco(s) *<a cara s. de um pugilista>* **3** *p.ext.* enfiado em algum lugar não visível; metido *<a prova estava s. no fundo da gaveta>* **4** *fig.* gordo e baixo (diz-se de pessoa); atarracado **5** *fig.* de físico vigoroso; forte ↺ fraco

socapa (so.ca.pa) *s.f.* **1** disfarce, máscara **2** *fig.* fingimento, dissimulação ↺ sinceridade ▣ **à s.** de maneira disfarçada, furtiva *<rir à s.>*

socar (so.car) *v.* {mod. 1} *t.d. e pron.* **1** dar ou trocar socos *<s. a mesa> <socaram-se por meia hora>* □ *t.d.* **2** moer, esmagar, sovar (alimento, massa) **3** apertar ou bater (algo) para endurecer ou ganhar consistência *<s. a terra em volta das mudas>* **4** *p.ext.* pôr de qualquer jeito num espaço pequeno; meter *<s. as roupas na mala>* □ *pron. fig.* **5** ir para lugar reservado; refugiar-se *<socou-se no quarto quando as visitas chegaram>*

socavar (so.ca.var) *v.* {mod. 1} *t.d.* escavar por baixo; sobescavar

social (so.ci.al) [pl.: *-ais*] *adj.2g.* **1** que pertence a ou vive em sociedade *<o ser humano é um animal s.>* ↺ individual **2** de boa convivência; sociável **3** *B* que não deve ser us. por empregados, entregadores etc. (diz-se de elevador, entrada etc. de edifício ou casa) ■ *s.m.* **4** o que pertence a todos; público, coletivo **5** o que diz respeito ao bem-estar das massas, esp. as menos favorecidas

socialismo (so.ci.a.lis.mo) *s.m.* POL ECON conjunto de doutrinas que pregam a reorganização social por meio da estatização dos bens e dos meios de produção ☞ cf. *comunismo*

socialista (so.ci.a.lis.ta) *adj.2g.* **1** do socialismo, relativo a socialismo *<partido s.>* ■ *adj.2g.s.2g.* **2** POL que(m) é partidário ou militante do socialismo

S

socialite (social.ite) [ing.; pl.: *socialites*] *s.2g.* pessoa proeminente, das camadas mais altas da sociedade, cujo nome aparece nas colunas sociais ⇒ pronuncia--se socialait

socializar (so.ci.a.li.zar) *v.* {mod. 1} *t.d. e pron.* **1** tornar(-se) sociável *<é preciso s. os animais desde filhotes>* *<socializa-se facilmente>* **2** tornar(-se) socialista ou estatal *<s. empresas>* **3** adaptar(-se) [p.ex., uma criança, um delinquente] à convivência normal com outras pessoas □ *t.d. fig.* **4** dividir com todos *<socializou seu lanche>* ~ **socialização** *s.f.*

sociável (so.ci.á.vel) [pl.: *-eis*] *adj.2g.* **1** aberto ao convívio social; afável *<não é s. e prefere ficar sozinho>* **2** passível de associação ~ **sociabilidade** *s.f.*

socieconômico (so.ci.e.co.nô.mi.co) *adj.* → SOCIOECONÔMICO

sociedade (so.ci.e.da.de) *s.f.* **1** agrupamento de seres que convivem em colaboração mútua *<s. humana>* *<s. de abelhas>* **2** SOC conjunto de pessoas que vivem em determinado período de tempo e lugar, seguindo normas comuns *<s. medieval>* **3** grupo de pessoas que vivem, por vontade própria, sob normas comuns; comunidade, coletividade *<s. religiosa>* **4** grupo que, sob contrato, une recursos para certo fim, negócio etc. *<s. dos escritores>* **5** alta sociedade *<uma dama da s.>* ▣ **s. anônima** DIR empresa mercantil cujo capital é dividido em ações • **alta s.** elite, alta-roda

societário (so.ci.e.tá.rio) *adj.s.m.* **1** que(m) faz parte de uma sociedade comercial ■ *adj.* **2** que vive em sociedade

sócio (só.cio) *s.m.* **1** parceiro, aliado ↺ adversário **2** aquele que se associou a outro para abrir uma empresa comercial, industrial, de serviços etc. **3** aquele que ingressou em uma associação ou clube

sociobiologia (so.ci.o.bi.o.lo.gi.a) *s.f.* SOC biossociologia

sociocultural (so.cio.cul.tu.ral) [pl.: *-ais*] *adj.2g.* que se refere a fatores ou aspectos sociais e culturais de um dado grupo *<problema s.>*

socioeconômico (so.cio.e.co.nô.mi.co) ou **socieconômico** (so.ci.e.co.nô.mi.co) *adj.* relativo a fatores econômicos e sociais *<desenvolvimento s.>*

socioeducativo (so.cio.e.du.ca.ti.vo) *adj.* que envolve condições, elementos, circunstâncias, fatores sociais e educativos *<medidas s.>*

sociologia (so.ci.o.lo.gi.a) *s.f.* estudo da organização e do funcionamento das sociedades humanas e das leis fundamentais que regem as relações sociais, as instituições etc. ~ **sociológico** *adj.* - **sociólogo** *s.m.*

sociopolítico (so.cio.po.lí.ti.co) *adj.* que diz respeito simultaneamente ao social e ao político, contendo elementos ou aspectos dos dois *<realidade s. de um país>*

soco (so.co) /ô/ *s.m.* pancada forte dada com a mão fechada; murro

socó (so.có) *s.m.* ZOO designação comum a várias aves que se alimentam de peixes e vivem isoladas ou aos pares

soçobrar (so.ço.brar) *v.* {mod. 1} *t.d.* **1** revolver de cima para baixo e vice-versa; revirar *<o ciclone soçobrou o que encontrou no caminho>* □ *t.d. e int.* **2** (fazer) naufragar; afundar(-se) *<temiam que a tempestade os soçobrasse>* *<a embarcação soçobrou>* **3** *fig.* reduzir(-se) a nada; aniquilar(-se) *<s. a própria vida>* *<com tanto descontrole, sua fortuna soçobrara>* □ *t.d. e pron. fig.* **4** tornar(-se) inquieto, agitado; perturbar(-se) *<aquela notícia soçobrara a família>* *<soçobrou-se com a negativa dela>* ~ **soçobro** *s.m.*

soco-inglês (so.co-in.glês) [pl.: *socos-ingleses*] *s.m.* peça metálica que se encaixa entre os dedos da mão, exceto o polegar, para intensificar o soco

socorrer (so.cor.rer) *v.* {mod. 8} *t.d.* **1** trazer auxílio, esmola ou remédio a; ajudar, salvar *<s. um amigo, um doente>* □ *pron.* **2** (prep. *de*) lançar mão de; valer-se *<s.-se de lembranças da infância>*

socorrista (so.cor.ris.ta) *adj.2g.s.2g.* **1** que(m) tem habilitação profissional para prestar primeiros socorros **2** que(m) é membro de instituição criada para tal fim

socorro (so.cor.ro) /ô/ [pl.: /ó/] *s.m.* **1** ajuda, assistência em caso de perigo, doença etc. **2** aquilo que se dá para auxiliar ou socorrer alguém; ajuda, auxílio *<s. aos necessitados>* **3** reboque, guincho *<o carro quebrou e teve de chamar o s.>* **4** *BA PR* pneu sobressalente; estepe ■ *interj.* **5** serve para pedir auxílio ou proteção ▣ **primeiros s.** em casos de emergência, atendimento prestado enquanto se aguarda a chegada do médico ou a internação hospitalar do paciente

socrático (so.crá.ti.co) *adj.* **1** relativo a Sócrates ou a sua filosofia ■ *adj.s.m.* **2** que(m) é partidário dessa filosofia ☞ cf. *Sócrates* na parte enciclopédica

[1]**soda** (so.da) *s.f.* QUÍM **1** carbonato de sódio **2** hidróxido de sódio; soda cáustica ◉ ORIGEM do it. *soda* 'planta'

[2]**soda** (so.da) *s.f.* água gaseificada, de modo artificial, com gás carbônico ◉ ORIGEM do ing. *soda water* 'id.'

sódio (só.dio) *s.m.* QUÍM elemento químico us. em ligas, lâmpadas, motores de aviões etc. [símb.: *Na*] ☞ cf. *tabela periódica* (no fim do dicionário)

sodomia (so.do.mi.a) *s.f.* coito anal ~ **sodomizar** *v.t.d.*

soer (so.er) *v.* {mod. 9} *t.d. e int.* ser comum, frequente; costumar *<nos momentos difíceis, ele sói ser o melhor conselheiro>* *<nessa região, soía chover em janeiro>* ◉ GRAM/USO verbo defectivo

soerguer (so.er.guer) *v.* {mod. 8} *t.d. e pron.* **1** levantar(-se) um pouco *<s. o corpo, a cabeça>* *<quis s.-se e não conseguiu>* **2** *fig.* tornar a erguer(-se), recobrando solidez, força, vitalidade; reerguer(-se) *<s. a indústria de calçados>* *<o artista passou um período de depressão mas já está soerguendo-se>* ~ **soerguimento** *s.m.*

soez (so.ez) /ê/ [pl.: *-es*] *adj.2g.* sem valor; desprezível, vulgar *<observação s.>* ↺ superior

sofá (so.fá) *s.m.* assento com encosto e estofado, ger. dotado de braços, para duas ou mais pessoas

sofá-cama (so.fá-ca.ma) [pl.: *sofás-cama* e *sofás--camas*] *s.m.* sofá que se transforma em cama

sofisma (so.fis.ma) *s.m.* argumento ou raciocínio falso, mas com aparência de verdade ~ **sofista** *adj.2g.s.2g.* - **sofístico** *adj.*

sofismar (so.fis.mar) *v.* {mod. 1} *t.d.* **1** dar interpretação falsa a *<s. o texto de uma lei>* □ *int.* **2** raciocinar por ou usar sofisma(s) *<não provava nada, apenas sofismava>* ~ **sofismável** *adj.2g.*

sofisticação (so.fis.ti.ca.ção) [pl.: *-ões*] *s.f.* **1** extremo requinte **2** estado do que é muito avançado, eficiente *<naquele hospital não havia a s. dos grandes centros cirúrgicos>*

sofisticado (so.fis.ti.ca.do) *adj.* **1** que tem requinte, bom gosto *<um ambiente s.>* ↺ ordinário **2** muito avançado, complexo *<indústria s.>* ↺ simples

sofisticar (so.fis.ti.car) *v.* {mod. 1} *t.d.* **1** tornar mais complexo, com afetação ou exagero; complicar *<sofisticou demais o arranjo da música>* □ *t.d. e pron.* **2** *B* tornar(-se) fino, culto; requintar(-se) *<s. o gosto com viagens ao exterior> <o público consumidor sofisticou-se>* **3** tornar(-se) melhor, mais eficiente; aprimorar(-se) *<os novos aparelhos sofisticaram a técnica do diagnóstico> <a indústria eletrônica sofisticou-se muito>* ~ **sofisticador** *adj.s.m.*

sofrear (so.fre.ar) *v.* {mod. 5} *t.d.* **1** controlar (cavalgadura) com as rédeas *<sofreou o cavalo para fazer a curva>* □ *t.d. e pron. fig.* **2** conter o ímpeto (de); controlar(-se) *<s. a raiva> <mesmo provocado, sofreou-se>* ~ **sofreadura** *s.f.* - **sofreamento** *s.m.*

sofredor (so.fre.dor) /ô/ [pl.: *-es*] *adj.s.m.* **1** que ou quem sofre *<ser s. de um mal de pele> <os s. desse mal têm cura>* **2** que ou quem padece com frequência ou todo o tempo

sôfrego (sô.fre.go) *adj.* **1** que come ou bebe com pressa ou avidez; voraz *<tem um apetite s.>* **2** *p.ext.* impaciente pela posse ou realização de alguma coisa *<aguardava sua vez com uma expressão s.>* ~ **sofregamente** *adv.*

sofreguidão (so.fre.gui.dão) [pl.: *-ões*] *s.f.* **1** voracidade, gulodice *<comia com s.>* ↺ saciedade **2** *p.ext.* impaciência, ansiedade ↺ paciência

sofrer (so.frer) *v.* {mod. 8} *t.d.,t.i. e int.* **1** (prep. *de*, *por*) sentir (dores físicas ou morais); padecer *<s. a dor da dúvida> <s. por orgulho> <a gastrite fazia-o s.>* □ *t.d. e int.* **2** experimentar com resignação e paciência; aguentar *<sofre injúrias e cala-se, para não ser demitido> <s. não é com ela, prefere agir>* □ *t.d.* **3** ser alvo de (golpe, pancada, acusação etc.); receber *<s. uma pancada na perna>* **4** passar por; experimentar *<o projeto sofreu mudanças>* □ *t.i.* **5** (prep. *de*) ser acometido por (doença, mal) *<sofre de asma>* □ *int.* **6** ter danos ou prejuízos; perder *<com a falta de chuva, a agricultura sofre>*

sofrido (so.fri.do) *adj.* **1** que se sofreu ou que se sofre; suportado *<dores s.>* **2** que já sofreu ou sofre muito; sofredor *<tinha um ar de gente s.>* **3** de que (alguém) é ou foi alvo; recebido *<revidar uma agressão s.>* **4** feito à custa de muito esforço e sofrimento *<seu ingresso na carreira de professor foi muito s.>*

sofrimento (so.fri.men.to) *s.m.* **1** dor física causada por ferimento ou doença; padecimento *<o médico lhe deu um remédio para diminuir seu s.>* ↺ bem-estar **2** dor moral; amargura, consternação, desgosto *<s. de saudade>* ↺ alegria, contentamento **3** vida miserável; desgraça, desventura, infortúnio *<enriqueceu à custa do s. alheio>*

sofrível (so.frí.vel) [pl.: *-eis*] *adj.2g.* **1** que se pode sofrer; tolerável *<uma dor s.>* ↺ insuportável **2** que não é bom nem inteiramente mau; razoável, passável *<foi um desempenho s.>*

software (soft.ware) [ing.; pl.: *softwares*] *s.m.* INF programa ou conjunto de instruções que o computador interpreta e executa ⇒ pronuncia-se sóftuér

soga (so.ga) *s.f.* **1** corda grossa **2** *RS* nas boleadeiras, conjunto das três tiras de couro que ligam as pedras ▣ **andar à s.** *RS* estar apaixonado

sogra (so.gra) *s.f.* a mãe de um dos cônjuges em relação ao outro

sogro (so.gro) /ô/ [pl.: /ô/; fem.: /ó/] *s.m.* o pai de um dos cônjuges em relação ao outro

soja (so.ja) *s.f.* planta originária da China e do Japão, e sua semente rica em proteínas, da qual se extrai óleo, farinha etc.

[1]**sol** [pl.: *-óis*] *s.m.* **1** ASTR estrela em torno da qual a Terra e outros planetas giram ☞ inicial maiúsc. **2** *p.ext.* ASTR qualquer estrela, esp. aquelas que tb. são centro de um sistema planetário *<há outros sóis com planetas>* **3** *p.ext.* sua luz e calor *<tomar s.> <o s. cobre a cama>* ◉ ORIGEM do lat. *sol,sōlis* 'id.' ▣ **chova ou faça s.** aconteça o que acontecer *<iremos com certeza, chova ou faça s.>* • **de s. a s.** do nascer ao pôr do sol; todo o dia, o dia todo *<estudava de s. a s.>* • **tapar o s. com a peneira** querer esconder algo que já é de conhecimento público *<todos já sabem do namoro, mas ele ainda tenta tapar o s. com a peneira>*

[2]**sol** [pl.: *-óis*] *s.m.* MÚS quinta nota da escala musical ◉ ORIGEM do it. *sol* 'id.'

sola (so.la) *s.f.* **1** peça do calçado que encosta no chão; solado **2** couro grosso curtido **3** *fig.* qualquer coisa dura e espessa como esse couro *<o bife está uma s.>* ▣ **s. do pé** planta do pé

solado (so.la.do) *s.m.* **1** sola *<o s. do sapato descolou>* ■ *adj.* **2** em que se pôs sola (diz-se de calçado) **3** *p.ext.* de consistência densa e dura como uma sola (diz-se de bolo ou outra massa)

solanácea (so.la.ná.cea) *s.f.* BOT espécime das solanáceas, família de arbustos, cipós e ervas, cultivados como alimento (p.ex., a batata, o tomate, algumas pimentas) e tb. para a extração de drogas medicinais e como ornamentais ~ **solanáceo** *adj.*

solapar (so.la.par) *v.* {mod. 1} *t.d.* **1** fazer cova em; escavar **2** abalar as bases de; aluir *<a água da enchente solapou os alicerces de várias casas>* **3** *fig.* atacar, destruir, abalar *<seus discursos visavam s. os adversários>* **4** *fig.* não deixar que percebam; encobrir, disfarçar *<s. más intenções> <s. a própria opinião>* ↺ expor ~ **solapador** *adj.s.m.* - **solapamento** *s.m.*

[1]**solar** (so.lar) [pl.: *-es*] *s.m.* palacete ou casa imponente ↺ casebre ◉ ORIGEM [1]*solo* + *-ar*

[2]**solar** (so.lar) [pl.: *-es*] *adj.2g.* relativo ou semelhante ao Sol *<luz s.> <raios s.>* ◉ ORIGEM do lat. *solāris,e* 'do Sol'

[3]**solar** (so.lar) *v.* {mod. 1} *t.d.* **1** pôr sola em (calçado) *<vou mandar s. este sapato>* □ *t.d. e int.* *B* **2** não assar por igual (bolo, massa) *<o forno frio solou a massa> <o bolo solou>* ◉ ORIGEM *sola* + [2]*-ar*

S

[4]**solar** (so.lar) *v.* {mod. 1} *t.d. e int.* MÚS executar ou tocar um solo (de música, dança) <*s. uma ária*> <*convidaram sua irmã para s.*> ◉ ORIGEM [2]*solo* + [2]*-ar*

solário (so.lá.rio) *s.m.* **1** estabelecimento onde se tratam certas doenças com banhos de sol **2** terraço ou cômodo reservado para banhos de sol

solavanco (so.la.van.co) *s.m.* balanço brusco, esp. de veículo; tranco <*o carro saiu aos s.*>

solda (sol.da) *s.f.* substância metálica que se funde para ligar peças tb. metálicas

soldada (sol.da.da) *s.f.* salário de criado, operário etc.

soldadesca (sol.da.des.ca) /ê/ *s.f.* **1** grupo de soldados; tropa **2** *pej.* grupo insubordinado de soldados

[1]**soldado** (sol.da.do) *adj.* unido com solda <*cano s.*> ◉ ORIGEM part. de *soldar*

[2]**soldado** (sol.da.do) *s.m.* MIL **1** militar que ocupa o mais baixo grau da hierarquia das Forças Armadas e das Forças Auxiliares **2** designação genérica para militar terrestre ◉ ORIGEM do it. *soldato* 'quem luta em troca de pagamento' ◉ COL tropa ~ **soldadesco** *adj.*

soldar (sol.dar) *v.* {mod. 1} *t.d.* **1** unir ou lacrar por meio de solda <*s. dois fios*> □ *t.d.i.,int. e pron. fig.* **2** (prep. *a, com*) unir(-se), formando um todo <*s. uma palavra a outra*> <*a preposição soldou-se ao artigo*> <*em pouco tempo a fratura soldou(-se)*> ~ **soldadura** *s.f.* - **soldagem** *s.f.*

soldo (sol.do) /ô/ *s.m.* salário de militar

solecismo (so.le.cis.mo) *s.m.* GRAM erro de sintaxe (p.ex., erros de concordância, de regência etc.)

soledade (so.le.da.de) *s.f.* **1** lugar desabitado **2** tristeza de quem está só

[1]**soleira** (so.lei.ra) *s.f.* **1** laje ou madeira na parte inferior do vão de uma porta ou de uma janela **2** limiar da porta ◉ ORIGEM [1]*solo* + *-eira*

[2]**soleira** (so.lei.ra) *s.f.* soalheira ◉ ORIGEM [1]*sol* + *-eira*

solene (so.le.ne) *adj.2g.* **1** que se faz com pompa <*comemoração s.*> ↺ modesto **2** executado com formalidades da lei ou do costume <*visita s. do governador*> ↺ informal **3** que denota seriedade; austero, grave <*discurso s.*> ↺ informal

solenidade (so.le.ni.da.de) *s.f.* **1** caráter solene de alguém ou de algo <*apertaram-se as mãos sem s.*> **2** festa solene <*a s. da Páscoa*> **3** cerimônia ou festividade formal <*s. de formatura*>

solenizar (so.le.ni.zar) *v.* {mod. 1} *t.d.* **1** comemorar com cerimônia e pompa <*solenizaram seu aniversário de casamento*> **2** dar caráter solene a <*ele tem um jeito de s. tudo que diz*>

solerte (so.ler.te) *adj.2g.* **1** que age com desembaraço; hábil, esperto ↺ tolo **2** hábil para enganar, aparentando honestidade; velhaco, ardiloso ↺ ingênuo

soletrar (so.le.trar) *v.* {mod. 1} *t.d. e int.* **1** ler ou pronunciar devagar, proferindo as sílabas letra por letra <*surpreendeu a filha soletrando os nomes das lojas*> <*cedo aprendeu a s.*> □ *t.d.* **2** enumerar na ordem correta as letras que compõem (uma palavra, um nome) <*soletrou seu nome na recepção*> **3** ler devagar ou por partes <*soletrou uma página do livro*> <*não lia, soletrava*> **4** ler por alto <*soletrou as manchetes dos jornais*> ~ **soletração** *s.f.*

solfejar (sol.fe.jar) *v.* {mod. 1} *t.d. e int.* MÚS entoar melodia, cantando o nome das notas ~ **solfejo** *s.m.*

solferino (sol.fe.ri.no) *s.m.* **1** cor entre encarnado e roxo ■ *adj.* **2** que tem essa cor <*capa s.*> **3** diz-se dessa cor <*cor s.*>

solicitação (so.li.ci.ta.ção) [pl.: *-ões*] *s.f.* **1** ação de solicitar ou o seu efeito **2** pedido insistente <*teve de atender às s. dos passageiros*>

solicitar (so.li.ci.tar) *v.* {mod. 1} *t.d. e t.d.i.* **1** (prep. *a, de*) pedir com insistência; rogar <*s. ajuda*> <*s. das autoridades uma solução para o caso*> <*correu a s.-lhe um emprego*> **2** (prep. *a, de*) pedir com educação ou de acordo com as convenções; requerer <*antes de viajar, é preciso s. visto (ao consulado)*> <*solicitou do professor uma carta de recomendação*> □ *t.d.* **3** tentar conseguir; buscar <*s. apoio para uma causa*> ~ **solicitante** *adj.2g.s.2g.*

solícito (so.lí.ci.to) *adj.* **1** que está pronto para atender; prestativo ↺ indolente **2** que não poupa esforços para ajudar; atencioso ↺ relapso ~ **solicitude** *s.f.*

solidão (so.li.dão) [pl.: *-ões*] *s.f.* estado de quem está ou se sente só

solidariedade (so.li.da.ri.e.da.de) *s.f.* **1** cooperação mútua entre duas ou mais pessoas ↺ desamparo **2** *fig.* interdependência entre seres e coisas ↺ independência **3** identidade de sentimentos, de ideias, de doutrinas

solidário (so.li.dá.rio) *adj.* **1** em que há responsabilidade ou interesse mútuo <*havia entre os dois uma estima forte e s.*> **2** que adere à causa, sentimento etc. de outros <*o sindicato estava s. com os grevistas*>

solidarizar (so.li.da.ri.zar) *v.* {mod. 1} *t.d.,t.d.i. e pron.* (prep. *com*) tornar(-se) solidário com <*realizaram shows para s. as pessoas (com o sofrimento da população)*> <*pede o apoio dos que se solidarizaram com sua luta*>

solidéu (so.li.déu) *s.m.* VEST pequeno barrete que cobre o alto da cabeça, us. por bispos, padres e judeus, em certas ocasiões

solidez (so.li.dez) /ê/ [pl.: *-es*] *s.f.* **1** propriedade do que é sólido, compacto ↺ maciez **2** característica do que é firme, resistente, durável <*s. de uma amizade*> <*s. de um prédio*> ↺ instabilidade

solidificar (so.li.di.fi.car) *v.* {mod. 1} *t.d.,int. e pron.* **1** converter(-se) em sólido; endurecer(-se) <*o frio solidifica a água*> <*a massa precisa s.(-se)*> **2** *fig.* tornar(-se) estável, firme, durável; fortalecer(-se) <*as eleições livres solidificam a democracia*> <*essas novas medidas solidificarão a gerência da empresa*> ↺ enfraquecer(-se) ~ **solidificação** *s.f.*

sólido (só.li.do) *adj.* **1** que tem consistência dura ↺ mole **2** feito de matéria compacta, sem partes ocas; maciço <*construção s.*> <*investimento s.*> ■ *s.m.* **3** GEOM figura de três dimensões <*o cubo é um s.*>

solilóquio (so.li.ló.quio) *s.m.* conversa de alguém consigo próprio; monólogo

solípede (so.lí.pe.de) *adj.2g.s.m.* ZOO (mamífero) que possui um único casco em cada pata <*o cavalo é um (animal) s.*>

solista (so.lis.ta) *adj.2g.s.2g.* que(m) executa [2]solo <*cantor s.*> <*ele é o s. da orquestra*>

solitária (so.li.tá.ria) *s.f.* **1** ZOO designação comum a vários vermes platelmintos, ger. longos e finos, encontrados no homem e em outros animais **2** *B* cela para isolar um prisioneiro rebelde ou violento

solitário (so.li.tá.rio) *adj.s.m.* **1** que(m) está ou vive só ■ *adj.* **2** que ocorre em solidão *<decisão s.>* **3** isolado, afastado *<moradia s.>* ■ *s.m.* **4** joia com uma só pedra preciosa

solitude (so.li.tu.de) *s.f.* solidão

[1]solo (so.lo) *s.m.* **1** camada superior da crosta terrestre **2** piso, chão ◉ ORIGEM do lat. *sŏlum,i* 'chão, pavimento'

[2]solo (so.lo) *s.m.* **1** MÚS DNÇ melodia ou dança executada por um só artista **2** algo que se faz sozinho ☞ nesta acp., pode ser us. como adj.: *voo s., carreira s.* ◉ ORIGEM do it. *solo* 'só'

solstício (sols.tí.cio) *s.m.* ASTR época em que o Sol está no ponto mais distante do equador, ao norte ou ao sul ☞ cf. *equinócio*

solta (sol.ta) /ô/ *s.f.* peia de amarrar cavalgadura ▣ **à s.** livre, com liberdade *<viver à s.>*

soltado (sol.ta.do) *adj.* que se soltou; solto

soltar (sol.tar) *v.* {mod. 1} *t.d. e pron.* **1** tornar(-se) livre; libertar(-se) *<s. todos os presos> <soltou-se das amarras>* ↺ prender **2** livrar(-se) da timidez; desinibir(-se) *<soltou o espírito> <com a ajuda dos amigos conseguiu s.-se>* ↺ inibir(-se) □ *t.d.* **3** retirar o que prende *<s. os cabelos>* ↺ prender **4** desfazer, desatar (nó, elo etc.) ↺ atar **5** desfazer a tensão de; afrouxar *<s. as rédeas>* ↺ apertar **6** lançar a distância; disparar *<s. uma flecha>* **7** deixar escapar (som, fala, grito) de lábios, bico etc.; emitir *<não soltou um ruído>* **8** lançar de si; emitir *<s. fumaça>* **9** dar livre curso a, deixar fluir *<s. a imaginação, o pranto>* ↺ refrear **10** deixar escapar das mãos; largar *<soltou a bandeja do café>* ↺ pegar **11** desprender, exalar (cheiro, perfume etc.) *<as plantas soltavam um doce perfume>* **12** *infrm.* dar, liberar (dinheiro, recursos, verba etc.) *<afinal, soltou o dinheiro para as obras>* ◉ GRAM/USO part.: *soltado, solto*; ver QUADRO DE PARTICÍPIOS DUPLOS nas pp. iniciais ~ **soltador** *adj.s.m.* - **soltura** *s.f.*

solteirão (sol.tei.rão) [pl.: *-ões*] *adj.s.m.* (homem maduro) que nunca se casou

solteiro (sol.tei.ro) *adj.s.m.* **1** que(m) não se casou ↺ casado **2** *B infrm.* que(m) não está mais casado ↺ casado

solto (sol.to) /ô/ *adj.* **1** livre de prisão *<esteve preso, agora está s.>* **2** entregue à própria sorte; sozinho *<um jovem s. no mundo>* **3** desatado ou desprendido *<cabelo s.> <fios elétricos s.>* **4** folgado, largo *<uma blusa s.>* **5** sem aderência entre suas partes *<arroz s.>* **6** separado de outros a que estava ligado *<papéis s. no chão>* **7** não reprimido *<risada s.>* ◉ GRAM/USO part. de *soltar*

solução (so.lu.ção) [pl.: *-ões*] *s.f.* **1** resultado, conclusão de um problema, enigma etc. *<a s. da adivinha estava no fim do livro> <esforçaram-se para encontrar uma s. que agradasse a todos>* **2** MAT conjunto de operações que levam à resposta de um problema ou equação **3** QUÍM líquido em que uma ou mais substâncias estão dissolvidas

soluçar (so.lu.çar) *v.* {mod. 1} *int.* **1** soltar soluço(s) **2** chorar muito, entremeando o pranto com soluços □ *t.d.* **3** exprimir entre soluços *<a criança soluçava seu endereço>* ~ **soluçante** *adj.2g.*

solucionar (so.lu.cio.nar) *v.* {mod. 1} *t.d.* dar, ser ou encontrar a solução para (problema, questão, enigma etc.); resolver

soluço (so.lu.ço) *s.m.* **1** FISL espasmo do diafragma seguido de ruído **2** suspiro ruidoso que entrecorta o choro

soluto (so.lu.to) *s.m.* QUÍM numa solução, a substância dissolvida ☞ cf. *solvente*

solúvel (so.lú.vel) [pl.: *-eis*] *adj.2g.* **1** que se pode dissolver *<café s.>* ↺ indissolúvel **2** *fig.* que se pode resolver, decifrar etc. *<charada s.>* ↺ indecifrável ~ **solubilidade** *s.f.*

solvável (sol.vá.vel) [pl.: *-eis*] *adj.2g.* solvível ~ **solvabilidade** *s.f.*

solvente (sol.ven.te) *adj.2g.s.2g.* **1** devedor que paga ou pode pagar o que deve ■ *s.m.* QUÍM **2** numa solução, substância líquida em que outra se dissolve ☞ cf. *soluto*

solver (sol.ver) *v.* {mod. 8} *t.d.* **1** encontrar ou dar solução para (problema, dificuldade, questão, enigma etc.); resolver **2** pôr fim ao funcionamento de (algo), desmembrando-o; dissolver *<s. o parlamento>* **3** dissolver (substância sólida, em pó ou pastosa) em meio líquido *<s. tinta>* **4** pagar, saldar (dívida) *<levou mais de um ano para s. a dívida>* ~ **solvência** *s.f.*

solvível (sol.ví.vel) [pl.: *-eis*] *adj.2g.* que (se) pode solver *<dívida s.> <pasta s. em água>*

som [pl.: *-ons*] *s.m.* **1** FÍS vibração que se propaga pelo ar e pode ser percebida pelo aparelho auditivo **2** tudo que é captado pelo sentido da audição, que podemos ouvir; ruído, barulho *<ouviram s. estranhos vindo da cozinha>* **3** ruído ou timbre característico de uma determinada fonte sonora *<s. de passos> <gostava de ouvir os s. da fazenda>* **4** *B infrm.* música *<gosto de descansar ouvindo um s.>* **5** *B infrm.* equipamento para reprodução sonora *<comprou um s. novo>*

[1]soma (so.ma) *s.f.* **1** conjunto constituído pela reunião de diversos subconjuntos; total, conjunto, somatório *<a s. dos conhecimentos humanos> <a s. de todos os esforços possibilitou a vitória do time>* **2** MAT operação e resultado da adição **3** certa quantidade de dinheiro; quantia *<gastou uma pequena s. no mercado> <viajou com uma boa s. em dólares>* ◉ ORIGEM do lat. *summa,ae* 'apogeu; totalidade'

[2]soma (so.ma) *s.m.* **1** o corpo como um todo ☞ cf. *psique* **2** BIO conjunto das células de um organismo, com exceção das reprodutivas ◉ ORIGEM do gr. *sôma,atos* 'corpo'

somar (so.mar) *v.* {mod. 1} *t.d. e t.d.i.* **1** (prep. *a, com*) fazer a soma de (uma coisa, quantidade) [a outras]; adicionar *<s. parcelas> <s. 20 com 30>* □ *t.d.* **2** formar o total de; totalizar *<os presentes à reunião somavam 75 pessoas>* □ *pron.* **3** vir para junto de; acrescentar-se *<ali, à riqueza somava-se a sorte>*

somático (so.má.ti.co) *adj.* do corpo; físico, corporal *<reação s.>*

somatizar (so.ma.ti.zar) *v.* {mod. 1} *t.d. e int.* manifestar problemas orgânicos em consequência de (conflitos psíquicos, nervosismo, depressão etc.) ~ **somatização** *s.f.*

somatório (so.ma.tó.rio) *adj.* **1** que envolve ou indica [1]soma <*sinal s.*> ■ *s.m.* MAT **2** [1]soma dos resultados de várias [1]somas <*calcular o s.*>

sombra (som.bra) *s.f.* **1** área escurecida pela presença de um corpo opaco que impede a passagem da luz <*este lado da casa está na s.*> <*as crianças ficaram na s. da barraca*> **2** ausência de luz; escuridão <*a planta morreu porque não se dá bem na s.*> ↺ claridade **3** *fig.* indício, sinal <*sem s. de dúvida*> **4** *fig.* fantasma, espírito **5** *fig.* pessoa que segue outra por toda parte <*o irmão menor é sua s.*> **6** maquiagem que serve para colorir as pálpebras ~ **sombroso** *adj.*

sombrear (som.bre.ar) *v.* {mod. 5} *t.d. e pron.* **1** cobrir(-se) de sombra <*uma velha árvore sombreava o caminho*> <*a floresta sombreava-se aos poucos*> □ *t.d.* **2** tornar menos claro, como sombra; escurecer <*a barba sombreava seu rosto*> □ *t.d. e int.* **3** ART.PLÁST fazer gradação de escuro em (pintura, desenho etc.) <*s. um retrato*> <*está aprendendo a s.*> ~ **sombreado** *adj.* - **sombreamento** *s.m.*

sombreiro (som.brei.ro) *adj.* **1** que faz sombra <*árvore s.*> ■ *s.m.* VEST **2** chapéu de aba muito larga

sombrinha (som.bri.nha) *s.f.* guarda-chuva pequeno, ger. us. por mulheres

sombrio (som.bri.o) *adj.* **1** com sombra ou pouca luz <*bosque s.*> <*sala s.*> ↺ iluminado **2** *fig.* que traz desânimo, tristeza <*um dia s.*> <*uma pessoa s.*> ↺ estimulante **3** *fig.* que denota desgraça; tenebroso, lúgubre <*o hospício era um lugar s.*>

somenos (so.me.nos) *adj.2g.2n.* de menor valor ou menos importante <*objetos de s. importância*> ↺ relevante

somente (so.men.te) *adv.* apenas, só, exclusivamente <*estacionamento s. para moradores*>

somítico (so.mí.ti.co) *adj.s.m.* avarento, mesquinho ↺ gastador

sonambulismo (so.nam.bu.lis.mo) *s.m.* PSIC distúrbio que leva algumas pessoas a se levantar, falar e andar durante o sono

sonâmbulo (so.nâm.bu.lo) *adj.s.m.* que(m) sofre de sonambulismo ~ **sonambúlico** *adj.*

sonante (so.nan.te) *adj.2g.* → *SOANTE*

sonar (so.nar) [pl.: *-es*] *s.m.* MAR equipamento que utiliza a propagação de ondas sonoras na água para detecção de objetos e comunicação no mar

sonata (so.na.ta) *s.f.* MÚS **1** forma de composição instrumental em três ou quatro movimentos **2** composição com essa forma

sonda (son.da) *s.f.* **1** prumo us. para conhecer a profundidade e a natureza do fundo (de mar, rio, represa etc.) **2** *p.ext.* qualquer instrumento com que se fazem investigações das condições físicas de um local **3** broca que perfura o solo para verificar a existência de minério, água, petróleo etc. **4** MED tubo fino e longo que se introduz no córpo para fins diagnósticos ou terapêuticos

sondagem (son.da.gem) [pl.: *-ens*] *s.f.* **1** ação de sondar ou o seu efeito **2** investigação das condições físicas de um local feita com aparelhagem especial <*s. atmosférica*> **3** *fig.* pesquisa, estudo minucioso; investigação <*fez sondagens sobre o caráter do candidato*>

sondar (son.dar) *v.* {mod. 1} *t.d.* **1** examinar com sonda <*s. uma ferida*> <*s. o subsolo*> **2** *fig.* investigar de modo cauteloso, discreto; tentear <*s. os sentimentos de alguém*> ▣ **s. o terreno** informar-se sobre determinada situação ou sondar o estado de espírito de alguém antes de agir <*sonde o terreno antes de convidá-la para sair*>

soneca (so.ne.ca) *s.f. infrm.* dormida rápida, cochilo

sonegação (so.ne.ga.ção) [pl.: *-ões*] *s.f.* **1** ato ou efeito de sonegar(-se) **2** falta deliberada e fraudulenta de pagamento de algum imposto, esp. o de renda; calote **3** ocultação de dados, documentos etc.; omissão <*s. de informações*>

sonegador (so.ne.ga.dor) /ô/ [pl.: *-es*] *adj.s.m.* que(m) deixa de pagar imposto devido

sonegar (so.ne.gar) *v.* {mod. 1} *t.d.* **1** deixar de mencionar ou descrever (algo), nos casos em que a lei o exige <*os herdeiros sonegaram diversos bens*> **2** não pagar ou não contribuir com (quantia devida prevista em lei) <*foi preso por s. impostos*> **3** *p.ext.* guardar para si (informação); ocultar

soneira (so.nei.ra) *s.f.* sonolência

sonetista (so.ne.tis.ta) *adj.2g.s.2g.* que(m) escreve sonetos

soneto (so.ne.to) /ê/ *s.m.* LIT poema com dois quartetos e dois tercetos

songamonga (son.ga.mon.ga) *s.2g. infrm.* pessoa sonsa, fingida

songbook (song.book) [ing.; pl.: *songbooks*] *s.m.* coletânea de canções, ger. de um mesmo compositor; cancioneiro ⇒ pronuncia-se songbuc

sonhador (so.nha.dor) /ô/ [pl.: *-es*] *adj.s.m.* **1** que(m) sonha **2** que(m) sonha acordado, devaneia, fantasia; imaginativo <*é poeta e s.*> **3** que(m) anseia por (algo); desejoso

sonhar (so.nhar) *v.* {mod. 1} *t.d.,t.i. e int.* **1** (prep. *com*) ver a imagem de (algo ou alguém) enquanto dorme, em sonho(s) <*sonhou que ia à Europa*> <*s. com um amigo*> <*disse que sonhou a noite toda*> **2** (prep. *com*) ter fantasias, devaneios com (o que é inacessível) <*sonha coisas impossíveis*> <*sonha com uma mulher que não existe*> <*passa a vida a s.*> □ *t.d. e t.i.* **3** (prep. *com*) desejar muito, com insistência; almejar <*sonha ser advogado*> <*sonha com a riqueza*>

sonho (so.nho) *s.m.* **1** sequência de imagens produzidas pela mente durante o sono **2** *fig.* forte aspiração, desejo **3** *fig.* ilusão, utopia ↺ realidade **4** CUL doce de massa frita passado em açúcar e ger. recheado

sônico (sô.ni.co) *adj.* relativo ao som ou a sua velocidade

sonido (so.ni.do) *s.m.* **1** qualquer som; ruído **2** som muito forte; estrondo

sonífero (so.ní.fe.ro) *adj.* **1** que provoca sono <*filme s.*> <*voz s.*> ↺ excitante ■ *s.m.* **2** FARM substância que provoca sono <*o médico receitou-lhe um s.*>

sono (so.no) *s.m.* **1** FISL estado de repouso com supressão temporária da consciência e desaceleração do metabolismo corporal <*oito horas de sono por dia fazem bem à saúde*> **2** vontade ou necessidade de dormir <*sentiu muito s. durante a aula*>

sonolência (so.no.lên.cia) *s.f.* **1** vontade de dormir; sono **2** estado de moleza causado pela sensação de sono ↺ vigor

sonolento (so.no.len.to) *adj.2g.* **1** relativo a sonolência **2** que tem sonolência ou sono *<o cachorro está s.>* ↺ desperto **3** que causa sono *<história s.>*

sonoplasta (so.no.plas.ta) *s.2g.* quem trabalha em sonoplastia

sonoplastia (so.no.plas.ti.a) *s.f.* CINE RÁD TEAT TV **1** conjunto de efeitos sonoros (música, ruídos etc.) em filme, peça, rádio, televisão etc. **2** atividade de criar e usar tais efeitos

sonorizador (so.no.ri.za.dor) /ô/ [pl.: *-es*] *s.m.* **1** redutor de velocidade constituído de conjunto de relevos baixos e seguidos fixados em ruas e estradas para fazer o carro trepidar com um ruído característico ■ *adj.* **2** que sonoriza

sonorizar (so.no.ri.zar) *v.* {mod. 1} *t.d. e pron.* **1** tornar(-se) sonoro (um som) *<s. um filme>* □ *t.d.* **2** instalar aparelhagem de som em (ambiente) *<s. uma sala de espetáculos>* **3** REC.AV fazer amplificação, reprodução ou edição do som em (concerto, filme, espetáculo etc.) □ *int.* **4** produzir som; soar *<na calma da tarde as cigarras sonorizavam>* ~ **sonorização** *s.f.*

sonoro (so.no.ro) *adj.* **1** que tem, produz ou amplia um som **2** que tem som intenso; estrondoso, ruidoso *<risada s.>* ↺ silencioso **3** *fig.* que tem som agradável, harmonioso *<melodia s.>*

sonoterapia (so.no.te.ra.pi.a) *s.f.* MED tratamento que consiste em fazer o paciente dormir por dias seguidos, com o auxílio de medicamentos ~ **sonoterápico** *adj.*

sonso (son.so) *adj.s.m.* que(m) é dissimulado, fingido ~ **sonsice** *s.f.*

sopa (so.pa) /ô/ *s.f.* **1** CUL alimento líquido preparado com carnes, legumes e/ou massas **2** *infrm.* coisa fácil de resolver *<esse negócio foi uma s.>* ↺ dificuldade ▣ **cair a s. no mel** vir, ser ou acontecer (uma coisa) muito a propósito, em momento conveniente *<quando seus pais concordaram, caiu a s. no mel>* • **dar s.** *infrm.* **1** oferecer facilidade, dar oportunidade de (ser roubado ou enganado etc.) *<deu s. e levaram sua carteira> <deram s. e perderam seus lugares>* **2** mostrar-se fácil de ser conquistado; dar confiança *<ela nunca dá s. para ninguém>* **3** existir em abundância, com bom preço *<o açúcar aqui está dando s.>* • **ser (uma) s.** *infrm.* ser muito fácil, simples *<levantar 100 quilos é s. para ele>*

sopapear (so.pa.pe.ar) *v.* {mod. 5} *t.d.* atingir com sopapos; estapear, bater

sopapo (so.pa.po) *s.m.* **1** golpe dado sob o queixo; soco, murro **2** tapa dado com força; bofetão

sopé (so.pé) *s.m.* parte inferior (de monte, encosta, serra etc.) *<o s. da montanha>* ↺ cume

sopeira (so.pei.ra) *s.f.* vasilha, ger. larga, funda e com tampa, para servir sopa

sopesar (so.pe.sar) *v.* {mod. 1} *t.d.* **1** avaliar com a mão o peso de *<sopesou a mercadoria antes de pagar>* **2** equilibrar o peso de; contrabalançar *<s. os pratos da balança>* **3** sustentar o peso de *<vigas sopesam o teto>* **4** considerar, avaliar *<s. uma proposta>*

sopitar (so.pi.tar) *v.* {mod. 1} *t.d.* **1** fazer dormir; adormecer *<o cansaço acabou por sopitá-lo>* ↺ acordar **2** tirar a sensibilidade de; entorpecer *<a pancada sopitou seu braço>* **3** tirar a força, a intensidade de; abrandar *<s. o instinto> <s. a discórdia>* ↺ intensificar **4** refrear, conter, reprimir *<s. revoltas>* ↺ liberar ~ **sopitável** *adj.2g.*

sopor (so.por) /ô/ [pl.: *-es*] *s.m.* **1** sonolência causada por ingestão de substância química **2** sono profundo *<depois da pesada refeição caiu em s.>* **3** estado de coma

soporífero (so.po.rí.fe.ro) *adj.s.m.* **1** (substância) que causa sopor, sono; soporífico *<medicamento s.>* **2** *p.ext.* que ou o que é enfadonho, cansativo, maçante *<livro s.> <palestra s.>*

soporífico (so.po.rí.fi.co) *adj.s.m.* soporífero

soprano (so.pra.no) *s.m.* MÚS **1** a voz feminina de registro mais agudo ■ *s.2g.* MÚS **2** cantora com essa voz ■ *adj.2g.* MÚS **3** que tem esse registro (diz-se de cantora ou instrumento)

soprar (so.prar) *v.* {mod. 1} *t.d. e int.* **1** expelir o ar dos pulmões com força em certa direção *<soprou o machucado da filha> <soprou com força, para não inspirar a poeira>* □ *t.d.* **2** fazer mover-se com sopro *<s. o pó>* **3** apagar com sopro *<s. uma vela>* **4** encher de ar por meio de sopro, fole etc. *<s. um balão>* □ *t.d. e t.d.i.* **5** (prep. *a*, *para*) dizer em voz baixa (lição, resposta etc.) *<s. a alternativa certa (para o colega)>*

sopro (so.pro) /ô/ *s.m.* **1** expulsão do ar inspirado *<mal se ouvia o s. da respiração da criança>* **2** o ar expirado *<exala um s. de bebida alcoólica>* **3** movimento do ar; vento, brisa **4** MED ruído anormal ouvido por auscultação, que pode ocorrer em vários órgãos **5** *fig.* estímulo, incentivo *<recebeu na sua carreira um grande s. do avô> <um s. de renovação anima o país>* ↺ desencorajamento **6** *fig.* poder misterioso ou sobrenatural *<o s. divino o guiou> <Cervantes foi tocado por um s. de gênio>* **7** tempo curto; instante *<só lhe resta um s. de vida>*

soquear (so.que.ar) *v.* {mod. 5} *t.d.* dar socos em; socar, esmurrar

soquete (so.que.te) *s.f.* meia curta de mulher *<saiu de soquetes e tênis>* ◉ GRAM/USO tb. us. como apositivo: *meias soquete*

[1]**soquete** (so.que.te) /ê/ *s.m.* **1** instrumento us. para comprimir a pólvora dentro da boca do canhão **2** peça para socar ou comprimir terra **3** *B* utensílio de cozinha próprio para socar, amassar; pilão ◉ ORIGEM *soco* (com alt. *-c-/-qu-*) + *-ete*

[2]**soquete** (so.que.te) /ê/ *s.m.* ELETR peça com roscas internas, para encaixar lâmpadas elétricas; bocal ◉ ORIGEM ing. *socket* 'abertura ou buraco que forma um encaixe para algo'

-sor *suf.* equivale a *-or* ('agente')

sorbet (sor.bet) [fr.] *s.m.* CUL espécie de sorvete leve à base de água ou suco de frutas e pouco açúcar, às vezes com um licor ⇒ pronuncia-se sorbé

sórdido (sór.di.do) *adj.* **1** que é ou está sujo ↺ limpo **2** *p.ext.* nojento, repugnante *<hábitos s.>* ↺ aprazível **3** *fig.* que fere a decência, os bons princípios; indigno *<a prostituição infantil é uma coisa s.>* ↺ decente ~ **sordidez** *s.f.*

S

soro (so.ro) /ô/ *s.m.* **1** BIO MED líquido de cor amarelada que surge após a coagulação do sangue **2** MED esse líquido contendo bactérias ou toxinas, us. com finalidade de prevenção ou tratamento de doenças **3** MED solução medicamentosa us. para alimentar, hidratar etc. pacientes **4** líquido amarelo-claro que se separa da parte sólida do leite quando este coalha

soroalbumina (so.ro.al.bu.mi.na) *s.f.* BIOQ proteína presente no plasma, essencial ao transporte de ácidos graxos e à regulação do volume do sangue; seroalbumina

soronegativo (so.ro.ne.ga.ti.vo) *adj.s.m.* MED que(m) não tem anticorpos para determinado antígeno no soro sanguíneo

soropositivo (so.ro.po.si.ti.vo) *adj.s.m.* MED **1** (aquele) que tem anticorpos para certo antígeno no soro sanguíneo **2** (aquele) que tem anticorpos no soro sanguíneo para o vírus da *AIDS* ~ **soropositividade** *s.f.*

sóror (só.ror) [pl.: *sorores*, ocorrendo tb. *sórores*] ou **soror** (so.ror) /ô/ [pl.: *sorores*] *s.f.* forma de tratamento us. para freiras; irmã, freira ◉ GRAM/USO fem. de *frei*

sorrateiro (sor.ra.tei.ro) *adj.* **1** que faz ou é feito às ocultas *<o vulto esgueirou-se, s., para um canto escuro>* ↺ manifesto **2** que esconde seus verdadeiros sentimentos ou intenções; dissimulado *<um rapaz s. e astuto>*

sorridente (sor.ri.den.te) *adj.2g.* **1** que sorri **2** que expressa alegria **3** *fig.* que indica algo bom *<futuro s.>*

sorrir (sor.rir) *v.* {mod. 30} *int. e pron.* **1** rir sem fazer ruído, com ligeira contração muscular da boca e dos olhos *<ao vê-lo s.(-se) ela também sorriu>* **2** mostrar-se alegre *<s.(-se) de contentamento>* ◻ *t.i.* **3** (prep. *a*) dirigir um sorriso a *<contente, sorriu à noiva>* **4** (prep. *a*) ser favorável a; favorecer *<a sorte lhe sorriu>*

sorriso (sor.ri.so) *s.m.* riso leve, sem som

sorte (sor.te) *s.f.* **1** o destino e seus efeitos *<as trapaças da s.>* **2** acaso feliz, favorável *<escapou por s.> <sua s. foi estar em casa>* ↺ azar **3** modo como alguém ou algo termina *<o irmão teve melhor s.>* **4** caracterísitca de quem consegue o que quer *<homem de muita s.>* ↺ azar **5** sorteio e o que nele se ganha *<vamos decidir pela s. quem sentará na frente>* **6** espécie, tipo *<tinha gente de toda s. naquela festa>*

sortear (sor.te.ar) *v.* {mod. 5} *t.d.* dar, ganhar ou escolher ao acaso *<sortearam dez entradas de teatro>*

sorteio (sor.tei.o) *s.m.* **1** maneira de escolher, de forma aleatória, esp. por meio de números; loteria, rifa **2** concessão de prêmios por meio dessa escolha aleatória

sortido (sor.ti.do) *adj.* **1** abastecido, provido *<despensa s.>* **2** de vários tipos (em cor, espécie, tipo, modelo etc.); variado *<bombons s.>*

sortilégio (sor.ti.lé.gio) *s.m.* **1** ato de magia; bruxaria **2** *p.ext.* plano preparado em segredo; artimanha *<usou de s. para conseguir o emprego>*

sortir (sor.tir) *v.* {mod. 27} *t.d.,t.d.i. e pron.* **1** (prep. *com, de*) abastecer(-se) de produtos, mercadorias, provisões etc. *<s. a despensa> <sortiu a loja com mercadorias novas> <s.-se para o ano todo>* ◻ *t.d.* **2** pôr junto (coisas diversas); misturar *<s. as cores de um quadro>* ~ **sortimento** *s.m.*

sortudo (sor.tu.do) *adj.s.m.* que ou aquele que tem muita sorte, que obtém boas coisas com facilidade *<é uma equipe s.> <s., ganha todas as apostas que faz>*

sorumbático (so.rum.bá.ti.co) *adj.s.m.* que(m) é tristonho, sombrio *<tornou-se um velho s.>* ↺ alegre

sorvedouro (sor.ve.dou.ro) *s.m.* **1** redemoinho em rio, mar etc., que leva coisas para o fundo; turbilhão **2** cavidade natural de que não se vê o fundo; abismo

sorver (sor.ver) *v.* {mod. 8} *t.d.* **1** beber aspirando, fazendo ruído *<s. um líquido> <s. a sopa>* **2** beber em pequenos goles *<sorveu o chá com calma>* **3** aspirar para a boca, fazendo um vácuo; sugar *<com um canudinho sorveu o suco de frutas>* **4** embeber-se de; absorver *<a esponja sorveu a água>* **5** *fig.* atrair para o fundo; submergir *<o mar sorveu o navio>* **6** *fig.* destruir, aniquilar *<a nova epidemia já sorveu centenas de vidas>* ~ **sorvedura** *s.f.*

sorvete (sor.ve.te) /ê/ *s.m.* CUL iguaria doce feita de suco de frutas, cremes ou leite, que se consome gelada

sorveteira (sor.ve.tei.ra) *s.f.* máquina de fazer sorvete

sorveteiro (sor.ve.tei.ro) *adj.s.m.* que(m) faz ou vende sorvetes

sorveteria (sor.ve.te.ri.a) *s.f.* local onde se fazem ou vendem sorvetes

sorvo (sor.vo) /ô/ *s.m.* **1** ato de sorver ou o seu efeito; sorvedura **2** trago, gole *<tomou alguns s. de vinho>*

S.O.S. *s.m.* código internacional para pedido de socorro

sósia (só.sia) *s.2g.* indivíduo quase idêntico a outro

soslaio (sos.lai.o) *s.m.* ▸ usado em: **de s.** de lado, de maneira oblíqua *<olhou-a de s.>*

sossegar (sos.se.gar) *v.* {mod. 1} *t.d.,int. e pron.* **1** (fazer) ficar quieto, sem agitar-se; aquietar(-se) *<quero s. meu corpo e minha mente> <não sossegou durante todo o dia> <logo depois sossegava-se o mar>* ↺ agitar(-se) **2** (fazer) ficar sem preocupação; tranquilizar(-se), acalmar(-se) *<o médico sossegou-o quanto à gravidade da doença> <sossegou(-se) quando soube que o prazo da inscrição fora prorrogado>* ↺ preocupar(-se) ~ **sossegado** *adj.*

sossego (sos.se.go) /ê/ *s.m.* **1** descanso, repouso ↺ movimento **2** ausência de preocupações; tranquilidade ↺ inquietação

sota- *pref.* 'posição inferior, subordinação': *sota-vento*

sótão (só.tão) [pl.: *-ãos*] *s.m.* compartimento entre o teto e o telhado de uma casa

sotaque (so.ta.que) *s.m.* pronúncia característica de um país, região, indivíduo etc. *<s. gaúcho> <s. francês>*

sota-vento (so.ta-ven.to) [pl.: *sota-ventos*] *s.m.* MAR **1** direção para onde sopra o vento **2** *p.ext.* lado da embarcação contrário àquele que recebe o vento ☞ cf. *barlavento*, em todas as acp.

soteropolitano (so.te.ro.po.li.ta.no) *adj.* **1** de Salvador (BA) ■ *s.m.* **2** natural ou habitante dessa capital

soterrar (so.ter.rar) *v.* {mod. 1} *t.d. e pron.* cobrir(-se) de terra, escombros, areia etc.; enterrar(-se) ~ **soterramento** *s.m.*

soto- *pref.* 'posição inferior, subordinação': *soto-pôr*

soto-pôr (so.to-pôr) *v.* {mod. 23} *t.d.i. e pron.* **1** (prep. *a*) pôr(-se) por baixo (de) *<s. o texto ao título>* *<as ondas soto-põem-se umas às outras>* ↺ sobrepor (-se) ◻ *t.d.i.* **2** (prep. *a*) deixar em plano inferior, para favorecer (outro ou outrem); preterir *<s. os interesses da nação aos próprios>* ◉ GRAM/USO part.: *soto-posto*

soturno (so.tur.no) *adj.* **1** escuro, sombrio *<casa s.>* ↺ claro **2** sem alegria, melancólico *<pessoa s.>* ↺ contente

soul music [ing.] *loc.subst.* MÚS estilo criado pelos negros norte-americanos, originário do canto *gospel* e caracterizado por uma expressão intensa de sentimentos ⇒ pronuncia-se sôul miusic

sova (so.va) *s.f.* espancamento, surra

sovaco (so.va.co) *s.m. infrm.* axila

sovar (so.var) *v.* {mod. 1} *t.d.* **1** misturar bem a massa de (alimento), enrolando-a e apertando com as mãos **2** amassar bem (p.ex., barro, argila) para ficar homogêneo e liso **3** dar várias pancadas em; surrar *<ameaçou s. o lutador>* **4** *fig.* usar muito; surrar *<s. terno, botas>*

sovela (so.ve.la) *s.f.* instrumento formado por uma agulha reta ou curva, com cabo, us. por sapateiros para furar o couro

soverter (so.ver.ter) *v.* {mod. 8} *t.d. e pron.* **1** (fazer) sumir *<a criança soverteu o doce na hora>* *<depois do roubo, o ladrão soverteu-se>* ◻ *t.d.* **2** cobrir de terra; soterrar *<o desabamento soverteu dez casas>* ↺ desenterrar

soviete (so.vi.e.te) *s.m.* HIST cada um dos conselhos constituídos por representantes de trabalhadores, camponeses e soldados e que, após a Revolução de Outubro de 1917, na Rússia e, depois, na ex-União Soviética, passaram a ter função de órgão deliberativo ☞ cf. *União Soviética* na parte enciclopédica

soviético (so.vi.é.ti.co) *adj.s.m.* **1** (natural ou habitante) da antiga União Soviética ☞ cf. *União Soviética* na parte enciclopédica ■ *adj.* **2** relativo a soviete

sovina (so.vi.na) *adj.2g.s.2g.* que(m) guarda dinheiro e não se dispõe a gastá-lo; pão-duro ↺ mão-aberta

sovinice (so.vi.ni.ce) *s.f.* característica ou atitude de sovina; avareza, mesquinharia *<deixe de s. e pague a sua parte da despesa>* ↺ generosidade

sozinho (so.zi.nho) *adj.* **1** inteiramente só, sem nenhuma companhia *<prefere comer s.>* ↺ acompanhado **2** sem auxílio ou intervenção de ninguém *<fez o trabalho s.>* *<a estante caiu s.>*

SP sigla do Estado de São Paulo

spa [ing.] *s.m.* **1** hotel ou estabelecimento, ger. localizado fora das cidades, que oferece tratamentos de saúde e/ou beleza, emagrecimento, alimentação controlada, ginástica, massagens etc. **2** *p.ext.* estabelecimento com instalações para exercícios físicos e banhos de piscina, termas e/ou sauna ⇒ pronuncia-se spa

spam [ing.; pl.: *spams*] *s.m.* INTERN mensagem indesejada ou não solicitada, ger. com fins comerciais, recebida por correio eletrônico via internet ⇒ pronuncia-se spem

spinning (spin.ning) [ing.] *s.m.2n.* aula de ginástica composta apenas de exercícios sobre bicicleta ergométrica ⇒ pronuncia-se spinin

split [ing.; pl.: *splits*] *s.m.* tipo de ar-condicionado próprio para ambientes sem contato direto com o exterior ⇒ pronuncia-se split

spot [ing.; pl.: *spots*] *s.m.* pequena luminária direcionável, composta de uma lâmpada de alta potência e de refletor que concentra a luz num feixe estreito ⇒ pronuncia-se spót

spray [ing.; pl.: *sprays*] *s.m.* **1** recipiente fechado, com uma bomba de pressão, que projeta um jato de pequenas gotas de líquido **2** *p.ext.* esse jato (de tinta, perfume etc.) ⇒ pronuncia-se sprêi

sprinkler (sprin.kler) [ing.] *s.m.* ver ***CHUVEIRO AUTOMÁTICO*** ⇒ pronuncia-se sprinklêr

Sr QUÍM símbolo de *estrôncio*

staff [ing.; pl.: *staffs*] *s.m.* **1** conjunto de funcionários de uma empresa, instituição etc. **2** grupo de assessores de um político, dirigente etc. ⇒ pronuncia-se stéf

status [lat.] *s.m.2n.* **1** situação, estado ou qualidade de uma pessoa ou coisa em determinado momento; condição **2** *p.ext.* prestígio social ou funcional *<ter s.>* ⇒ pronuncia-se status

stent [ing.; pl.: *stents*] *s.m.* MED pequeno tubo artificial que se insere em um conduto do corpo, a fim de prevenir ou impedir seu estreitamento *<colocou um s. na artéria do coração>* ⇒ pronuncia-se stent

step [ing.; pl.: *steps*] *s.m.* ver [3]***ESTEPE*** ⇒ pronuncia-se stép

STF *s.m.* sigla de Supremo Tribunal Federal

STJ *s.m.* sigla de Superior Tribunal de Justiça

STM *s.m.* sigla de Superior Tribunal Militar

stress [ing.] *s.m.* ver ***ESTRESSE*** ⇒ pronuncia-se strés

striptease (strip.tease) [ing.; pl.: *stripteases*] *s.m.* ato de se despir em público de forma lenta e sensual, ger. ao som de música ⇒ pronuncia-se striptiz

[1]**sua** (su.a) *pron.pos.* **1** determina um substantivo (coisa ou pessoa) do gênero feminino, que pertence ao interlocutor (você, o senhor, Vossa Excelência) *<senhor, s. mãe está chamando>* *<você vai com s. irmã?>* **2** determina um substantivo (coisa ou pessoa) do gênero feminino, que pertence a alguém ou algo de que se fala (ele, ela, eles, elas) *<ele perdeu s. chave>* ☞ Em textos *infrm.* pode ser substituído pela contr. *dele* ou *dela* ■ *s.f. infrm.* **3** sua intenção, seu objetivo *<qual é a s., amigo?>* ◉ ORIGEM fem. substv. de [1]*seu* ▣ **fazer as** ou **das s.** proceder mal, como de costume • **na s. 1** insistindo na própria opinião, sem se convencer do contrário *<ele, na s., não se deixava convencer>* **2** cuidando dos próprios assuntos, sem se intrometer nos alheios *<fique na s., que meus problemas resolvo eu>* **3** sem se deixar influenciar pelo que se passa em volta e conservando a maneira própria, pessoal (de viver, pensar, sentir ou proceder); impassível *<com toda aquela agitação, ele ficava na s.>*

[2]**sua** (su.a) *pron.trat. infrm. pej.* senhora, dona *<cale a boca, s. boba>* ◉ ORIGEM fem. de [2]*seu*

suã (su.ã) *s.f.* parte inferior do lombo do porco

suadouro (su.a.dou.ro) *s.m.* **1** o que faz suar (bebida, remédio etc.) *<tomou um s. para baixar a febre>* **2** local quente *<essa sala é um s.>* **3** parte do lombo da cavalgadura onde se põe a sela

suar (su.ar) *v.* {mod. 1} *int.* **1** verter suor pelos poros; transpirar *<suou tudo o que tinha bebido> <suava por todos os poros>* **2** *p.ext.* cobrir-se de ou verter líquido ou umidade *<de tão gelado, o pote de sorvete suava>* □ *t.d.* **3** ensopar de suor; molhar *<o calor era forte e ele suou três camisas>* □ *t.i. e int.* **4** (prep. *para, por*) empregar grandes esforços; empenhar-se *<teve de s. pelo cargo> <para entrar na universidade ele terá que s. muito>*

suarento (su.a.ren.to) *adj.* **1** coberto de suor *<rosto s.>* **2** que faz suar *<dia s.>*

suástica (su.ás.ti.ca) *s.f.* **1** símbolo em forma de cruz com as extremidades das hastes curvas ou angulares, e que, entre brâmanes e budistas, representava a felicidade, a boa sorte, a saudação ou a salvação **2** essa cruz, com as hastes angulares voltadas para o lado direito, us. como símbolo do nazismo

suave (su.a.ve) *adj.2g.* **1** de pouca força ou intensidade; brando *<brisa s.>* **2** feito sem movimentos rápidos ou repentinos *<aterissagem s.>* **3** sem aspereza; macio *<mãos s.> <tecido s.>* **4** pouco íngreme *<ladeira s.>* **5** que se faz sem esforço *<trabalho s.>* ~ **suavidade** *s.f.*

suavizar (su.a.vi.zar) *v.* {mod. 1} *t.d. e pron.* **1** tornar (-se) suave, doce; abrandar(-se) *<procurou s. a voz> <suavizou-se com a idade>* **2** tornar(-se) menos intenso; amenizar(-se) *<o medicamento suavizou sua dor> <com a chuva, o calor suavizou-se>* ↺ intensificar (-se) **3** tornar(-se) menos severo, inflexível; afrouxar *<s. as críticas> <a linguagem do jornal suavizou-se>* ~ **suavização** *s.f.* - **suavizante** *adj.2g.*

sub- *pref.* **1** 'posição abaixo ou inferior': *subconjunto, subdelegado, subsolo* **2** 'falta, insuficiência': *subdesenvolvido, subnutrido* ☞ conforme indicado pela Academia Brasileira de Letras, o pref. *sub-* leva hífen antes de palavra começada com *r-* (*sub-reptício*), visto que aí não representa uma vibrante alveolar (como, p.ex., em *abraço*)

subalimentação (su.ba.li.men.ta.ção) [pl.: *-ões*] *s.f.* subnutrição ~ **subalimentado** *adj.s.m.*

subalimentado (sub.a.li.men.ta.do) *adj.s.m.* que(m) não ingeriu ou não ingere a quantidade necessária de alimentos; desnutrido, subnutrido

subalimentar (su.ba.li.men.tar) *v.* {mod. 1} *t.d. e pron.* subnutrir

subalterno (su.bal.ter.no) *adj.s.m.* que(m) está sob as ordens de outro ou é inferior a outro *<oficial s.>* ~ **subalternidade** *s.f.*

subalugar (su.ba.lu.gar) *v.* {mod. 1} *t.d. e t.d.i.* (prep. *a*) sublocar ~ **subaluguel** *s.m.*

subaquático (su.ba.quá.ti.co) *adj.* que está ou vive sob a água

subarrendar (su.bar.ren.dar) *v.* {mod. 1} *t.d. e t.d.i.* (prep. *a*) transferir (a outrem) os direitos e os deveres sobre o arrendamento de (propriedade arrendada) *<s. terras>* ~ **subarrendamento** *s.m.* - **subarrendatário** *adj.s.m.*

subatômico (su.ba.tô.mi.co) *adj.* FÍS **1** menor que um átomo **2** relativo a cada uma das partículas que compõem os átomos, isto é, os prótons, nêutrons e elétrons

subconjunto (sub.con.jun.to) *s.m.* MAT conjunto que está contido em outro

subconsciente (sub.cons.ci.en.te) *adj.2g.* **1** PSIC que existe na mente, mas não ao alcance imediato da consciência ■ *s.m.* **2** conjunto dos fatos ou vivências fora do âmbito da consciência ☞ cf. *consciente* e *inconsciente*

subcontinente (sub.con.ti.nen.te) *s.m.* GEO grande extensão de terra ligada a um continente, menor do que este, considerada como um pequeno continente ~ **subcontinental** *adj.2g.*

subcutâneo (sub.cu.tâ.neo) *adj.* aplicado, operado ou situado sob a pele *<injeção s.> <tecido s.>*

subdelegado (sub.de.le.ga.do) *s.m.* substituto do delegado ou o funcionário imediatamente inferior a ele

subdelegar (sub.de.le.gar) *v.* {mod. 1} *t.d.i.* **1** (prep. *a*) transmitir (parte de ou o que já fora delegado) a (terceiros) *<o chefe subdelegou parte de seus deveres ao assistente>* □ *t.d.* **2** nomear ou substituir (alguém) como subdelegado

subdesenvolvido (sub.de.sen.vol.vi.do) *adj.s.m.* pouco desenvolvido; atrasado *<país s.> <região s.>*

subdesenvolvimento (sub.de.sen.vol.vi.men.to) *s.m.* condição de país, região ou economia com baixo padrão de vida, escolarização, serviços de assistência e saúde de baixa qualidade, dependência externa quanto a produtos industrializados, instituições frágeis etc.

subdividir (sub.di.vi.dir) *v.* {mod. 24} *t.d.,t.d.i. e pron.* **1** (prep. *em*) dividir(-se) de novo (resultado de uma divisão) *<s. um lote de terra (em três partes)> <o departamento subdividiu-se em dois outros>* **2** (prep. *em*) separar(-se) em várias partes; fragmentar(-se) *<s. uma ala de escola de samba> <pretendem s. a firma em várias filiais> <naquele trecho o rio subdivide-se em vários braços>*

subdivisão (sub.di.vi.são) [pl.: *-ões*] *s.f.* **1** divisão do que já estava dividido *<s. das tarefas> <a s. do partido originou dois partidos novos>* **2** divisão de algo inteiro em duas ou mais partes menores; ramificação *<as s. do rio começavam ali>*

subemprego (su.bem.pre.go) /ê/ *s.m.* emprego sem qualificação e mal remunerado

subentender (su.ben.ten.der) *v.* {mod. 8} *t.d.* perceber ou compreender (o que não está bem claro ou explicado, apenas sugerido) *<todos subentenderam a ameaça contida em seu discurso>* ~ **subentendimento** *s.m.*

subentendido (sub.en.ten.di.do) *adj.* **1** que se entende, mas que não foi expresso *<intenções s.>* ■ *s.m.* **2** aquilo que se pensa ou se deduz, mas que não foi dito ou escrito *<fora os s., tinha-se certeza de pouca coisa>*

subestação (su.bes.ta.ção) [pl.: *-ões*] *s.f.* ELETR numa rede elétrica, estação que distribui a corrente elétrica de uma central

subestimar (su.bes.ti.mar) *v.* {mod. 1} *t.d.* dar menos estima, valor, apreço ou importância do que o devido; desdenhar *<subestimaram sua inteligência>* ↺ superestimar ~ **subestimação** *s.f.*

subfaturar (sub.fa.tu.rar) *v.* {mod. 1} *t.d.* emitir fatura com preço menor do que o realmente cobrado por (serviço, produto), recebendo à parte a diferença, para burlar a lei ☞ cf. *superfaturar* ~ **subfaturamento** *s.m.*

subgrupo (sub.gru.po) *s.m.* grupo que é parte de outro grupo

sub-humano (sub-hu.ma.no) [pl.: *sub-humanos*] ou **subumano** (su.bu.ma.no) /sub-u/ *adj.* **1** inferior (física, psíquica, moralmente) ao nível considerado humano *<condições de vida s.>* **2** cujos instintos, desenvolvimento, capacidades são inferiores aos do homem comum; desumano, inumano

subida (su.bi.da) *s.f.* **1** movimento para cima (a pé, de carro etc.) ↺ descida **2** elevação de terreno; ladeira *<havia uma s. forte logo adiante>* **3** ato ou processo de aumentar *<s. dos preços>* ↺ queda

subir (su.bir) *v.* {mod. 29} *t.d.* **1** percorrer de baixo para cima *<s. uma ladeira>* **2** elevar de plano mais baixo para mais alto; levantar, erguer *<suba o varal de roupa, por favor>* ↺ baixar □ *int.* **3** mover-se para lugar mais alto *<s. no telhado>* **4** ficar maior em volume, altura, intensidade etc.; aumentar *<o nível da água subiu> <felizmente, a febre não subiu>* ↺ baixar **5** entrar em (veículo, embarcação etc.) *<s. no ônibus>* ↺ descer **6** ficar sobre; montar, trepar *<s. no muro>* ↺ descer □ *t.d. e int.* **7** (fazer) ficar maior (preço); encarecer *<o comerciante subiu os preços de todas as mercadorias> <o custo dos alimentos subiu muito>* □ *t.i.* **8** (prep. *a*) elevar-se a (cargo, posição social mais altos) *<s. a gerente>* □ *t.i. e int.* **9** (prep. *a*, *em*, *para*) passar a ocupar lugar mais alto em (classificação, *ranking* etc.) *<sua escola de samba subiu para o primeiro grupo> <esse tenista subiu no* ranking *mundial>*

súbito (sú.bi.to) *adj.* **1** que chega de repente; inesperado *<morte s.> <um s. acontecimento mudou nossos planos>* ■ *adv.* **2** de maneira rápida e inesperada *<s. surgiu algo que chamou a atenção de todos>* ▣ **de s.** de forma imprevisível, de repente

subjacente (sub.ja.cen.te) *adj.2g.* **1** que está por baixo *<camada s.>* **2** *fig.* que não se manifesta de forma clara *<intenções s.>*

subjetivar (sub.je.ti.var) *v.* {mod. 1} *t.d.* tornar ou julgar subjetivo ~ **subjetivação** *s.f.*

subjetividade (sub.je.ti.vi.da.de) *s.f.* **1** característica do que é subjetivo ↺ objetividade **2** domínio da consciência, das percepções e sentimentos de um indivíduo ↺ objetividade

subjetivo (sub.je.ti.vo) *adj.* **1** do sujeito; pessoal *<sensação s.>* **2** que não é imparcial; tendencioso *<julgamento s.>* ↺ isento **3** que não é concreto, exato ou objetivo *<realidade s.>* ~ **subjetivismo** *s.m.*

subjugar (sub.ju.gar) *v.* {mod. 1} *t.d.* **1** prender (bois) no jugo **2** sujeitar pela força das armas; dominar *<Roma subjugou toda a península Ibérica>* **3** *fig.* ter domínio sobre; vencer, domar *<s. o adversário> <s. os nervos>* □ *pron. fig.* **4** (prep. *a*) deixar-se dominar, seguindo os caprichos de *<subjugou-se aos caprichos da namorada>* ~ **subjugação** *s.f.* - **subjugador** *adj.s.m.* - **subjugante** *adj.2g.*

subjuntivo (sub.jun.ti.vo) *adj.* **1** subordinado, dependente ↺ autônomo **2** GRAM que exprime a ação ou estado expressado pelo verbo como um fato irreal, ou apenas possível ou desejado, ou que faz certo julgamento sobre o fato real (diz-se de modo verbal) [p.ex.; *é bom que ele chegue logo*] ■ *s.m.* GRAM **3** modo subjuntivo

sublevar (sub.le.var) *v.* {mod. 1} *t.d.* **1** mover de baixo para cima; erguer *<um longo suspiro sublevou seu peito>* ↺ baixar □ *t.d. e pron. fig.* **2** provocar ou armar revolta; rebelar(-se) *<o conhecimento do caso sublevou alguns presos> <o regimento sublevou-se>* ~ **sublevação** *s.f.*

sublimar (su.bli.mar) *v.* {mod. 1} *t.d. e pron.* **1** tornar (-se) sublime; engrandecer(-se) *<s. uma ação> <o artista sublima-se ao criar sua arte>* ↺ envilecer(-se) **2** FISQUÍM (fazer) passar diretamente do estado sólido ao gasoso □ *pron.* **3** distinguir-se pela excelência; sobressair *<sublimou-se pelos seus méritos>* ↺ ofuscar-se ~ **sublimação** *s.f.*

sublime (su.bli.me) *adj.2g.* **1** próximo da perfeição *<a s. arquitetura de um palácio>* **2** esplêndido, encantador *<tiveram um dia s.>* ↺ simples ~ **sublimidade** *s.f.*

subliminar (sub.li.mi.nar) [pl.: *-es*] *adj.2g.* PSIC diz-se de estímulo indireto que atua no subconsciente *<propaganda s.>* ~ **subliminal** *adj.2g.* - **subliminaridade** *s.f.*

sublingual (sub.lin.gual) [pl.: *-ais*] *adj.2g.* que está, fica ou é posto sob a língua *<comprimido s.>*

sublinhar (sub.li.nhar) *v.* {mod. 1} *t.d.* **1** traçar linha embaixo de (palavra, frase, número etc.), chamando a atenção do leitor; grifar *<a professora pediu que sublinhássemos os adjetivos das orações>* **2** *p.ext.* fazer sobressair (palavra, frase etc.) com entonação, gesto etc.; frisar *<fez a leitura em voz alta, sublinhando certas passagens>*

sublocar (sub.lo.car) *v.* {mod. 1} *t.d. e t.d.i.* (prep. *a*) transmitir (a terceiro) em nova locação (parte de ou todo o imóvel que alugou); subalugar *<sublocou um dos quartos (ao primo)>* ~ **sublocação** *s.f.* - **sublocatário** *s.m.*

sublunar (sub.lu.nar) [pl.: *-es*] *adj.2g.* que está abaixo da Lua ou entre a Terra e a Lua *<órbita s.>*

submarino (sub.ma.ri.no) *adj.* **1** que está no fundo do mar *<vegetação s.>* **2** que se realiza sob as águas do mar *<pesca s.>* ■ *s.m.* MAR **3** navio de guerra que opera submerso

submergir (sub.mer.gir) *v.* {mod. 24} *t.d. e int.* **1** cobrir (-se) de água; inundar(-se) *<a chuva prolongada submergiu o vale> <na enchente, as terras baixas submergiram>* □ *t.d.,int. e pron.* **2** (fazer) ficar totalmente mergulhado na água; afundar *<uma onda enorme submergiu o barco> <a embarcação submergiu(-se) em plena baía>* ↺ emergir ◉ GRAM/USO **a)** part.: *submergido*, *submerso* /é/; ver QUADRO DE PARTICÍPIOS DUPLOS nas pp. iniciais; **b)** cf. observação no modelo ~ **submersão** *s.f.*

submerso (sub.mer.so) *adj.* coberto pelas águas; inundado, alagado *<uma rua s. pela chuvarada>* ◉ GRAM/USO part. de *submergir*

submeter (sub.me.ter) *v.* {mod. 8} *t.d.* **1** tirar a liberdade e a independência de; dominar *<submeteu as nações vencidas>* ↺ emancipar □ *t.d.,t.d.i. e pron.* **2** (prep. *a*) [fazer] ter obediência servil a; subjugar *<s. o adversário pelo cansaço> <s. os próprios atos às convenções sociais> <os revoltosos submeteram-se> <de boa vontade submetia-se às decisões do pai>* □ *t.d.i. e pron.* **3** (prep. *a*) [fazer] ser alvo, objeto de; sujeitar(-se) *<s. o aluno a humilhações> <s.-se a sofrimentos>* **4** (prep. *a*) apresentar(-se) ao exame ou à apreciação de *<submeteu seu trabalho à aprovação do chefe> <submeteu-se à prova para o curso de teatro>* ◉ GRAM/USO part.: *submetido*, *submisso*; ver QUADRO DE PARTICÍPIOS DUPLOS nas pp. iniciais

subministrar (sub.mi.nis.trar) *v.* {mod. 1} *t.d. e t.d.i.* 1 (prep. *a*) prover com o necessário; fornecer *<s. ensino> <s. alimentos aos doentes>* □ *t.d.i.* 2 (prep. *a*) dar a conhecer; apresentar *<subministrou à gerência as razões da dispensa>* ↺ ocultar

submissão (sub.mis.são) [pl.: *-ões*] *s.f.* 1 condição em que se é obrigado a obedecer *<s. às leis>* ↺ desobediência 2 disposição para obedecer; docilidade *<s. canina>* ↺ revolta 3 *pej.* obediência servil, humilhante

submisso (sub.mis.so) *adj.* 1 disposto à submissão; obediente *<soldados s.>* 2 que serve sem contestar ou reclamar; servil, subserviente *<servidor s.>* 3 que demonstra ou envolve submissão *<atitude s.>* 4 dócil, humilde *<sempre fora uma mulher s. e carinhosa>*

submúltiplo (sub.múl.ti.plo) *s.m.* MAT número inteiro que divide outro número inteiro sem deixar resto

submundo (sub.mun.do) *s.m.* setor social que desenvolve atividades ligadas a delinquência, vício, crime organizado etc. *<o s. das drogas>*

subnutrição (sub.nu.tri.ção) [pl.: *-ões*] *s.f.* alimentação insuficiente em quantidade e deficiente em vitaminas, sais minerais, proteínas etc.

subnutrido (sub.nu.tri.do) *adj.s.m.* desnutrido

subnutrir (sub.nu.trir) *v.* {mod. 24} *t.d. e pron.* alimentar(-se) pouco ou mal, sem ingerir as quantidades necessárias dos alimentos e nutrientes; subalimentar(-se)

suboficial (su.bo.fi.ci.al) [pl.: *-ais*] *s.m.* MIL 1 na Aeronáutica e na Marinha, graduação que corresponde à de subtenente no Exército 2 militar que detém essa graduação

subordem (su.bor.dem) [pl.: *-ens*] *s.f.* BIO categoria taxonômica situada abaixo da ordem e acima da família

subordinação (su.bor.di.na.ção) [pl.: *-ões*] *s.f.* 1 ordem de sujeição de um a outro, ger. do inferior ao superior; dependência *<s. aos pais, aos chefes>* ↺ autonomia 2 disciplina, obediência *<s. militar>* ↺ insubordinação 3 GRAM processo sintático que consiste numa relação de dependência entre unidades linguísticas com funções diferentes, formando um sintagma; p.ex., o verbo subordina-se ao sujeito; os complementos verbais, ao verbo etc. ☞ nesta acp. cf. *coordenação*

subordinada (su.bor.di.na.da) *s.f.* GRAM red. de ***ORAÇÃO SUBORDINADA***

subordinado (su.bor.di.na.do) *adj.* 1 que é inferior na hierarquia ou dependente de alguém ou de alguma coisa; subalterno *<classe s.> <oficial s.>* 2 GRAM que exerce uma função sintática (de sujeito, adjunto adnominal, complemento etc.) dentro de uma oração principal (diz-se de oração, ou de cada um dos seus termos) ■ *s.m.* 3 aquele que serve ou trabalha sob as ordens de outrem; subalterno *<o s. transmitiu o pedido do superior>*

subordinar (su.bor.di.nar) *v.* {mod. 1} *t.d.i.* 1 (prep. *a*) ter influência ou poder sobre (um ser inferior) [para que siga suas determinações]; dominar *<as leis subordinam o cidadão à autoridade>* □ *t.d.i. e pron.* 2 (prep. *a*) pôr(-se) sob a dependência de; submeter (-se) *<s. o desejo à realidade> <s.-se às leis>*

S

subordinativa (su.bor.di.na.ti.va) *s.f.* GRAM ver ***CONJUNÇÃO SUBORDINATIVA***

subornar (su.bor.nar) *v.* {mod. 1} *t.d.* induzir a burlar a lei em troca de (dinheiro, vantagem etc.); peitar *<tentou s. o guarda de trânsito>* ~ **subornado** *adj.s.m.* - **subornador** *adj.s.m.* - **subornável** *adj.2g.*

suborno (su.bor.no) /ô/ *s.m.* 1 oferecimento de dinheiro ou vantagem em troca de um benefício, ger. indevido ou ilegal 2 esse dinheiro ou essa vantagem

subprefeito (sub.pre.fei.to) *s.m.* quem, subordinado ao prefeito, administra parte da cidade

subprefeitura (sub.pre.fei.tu.ra) *s.f.* 1 porção de município administrada por subprefeito 2 local ou repartição onde ele trabalha 3 o mandato do subprefeito

subproduto (sub.pro.du.to) *s.m.* 1 produto obtido de outro *<a gasolina é um s. do petróleo>* 2 *fig.* consequência indireta *<o mau humor é s. do cansaço>* □

sub-região (sub-re.gi.ão) [pl.: *sub-regiões*] *s.f.* cada subdivisão de uma região ~ **sub-regional** *adj.2g.*

sub-reptício (sub-rep.tí.cio) [pl.: *sub-reptícios*] *adj.* 1 feito às ocultas; clandestino *<entrou na casa de modo s.>* 2 conseguido por meios ilegais; fraudulento *<empregou meios s. para obter o depoimento>* ↺ honesto ~ **sub-repção** *s.f.*

sub-rogar (sub-ro.gar) *v.* {mod. 1} *t.d.i.* 1 (prep. *por*) colocar em lugar de; substituir, trocar *<s. um sim por um não>* □ *t.d. e pron.* 2 assumir ou tomar o lugar de (outrem) *<s. o assessor na chefia do cargo> <o presidente sub-rogou-se alguns ministérios>* □ *t.d. e t.d.i.* DIR 3 (prep. *a*) transferir (encargo, direito) a; substabelecer *<sub-rogou(-lhe) o encargo que tinha assumido>* ~ **sub-rogação** *s.f.*

subsaariano (sub.sa.a.ri.a.no) *adj.* relativo ou situado ao sul do deserto do Saara, na África *<vegetação s.> <povos s.>*

subscrever (subs.cre.ver) *v.* {mod. 8} *t.d. e pron.* 1 assinar embaixo; firmar *<s. uma carta> <o leitor subscreve-se apenas João>* □ *t.d. e t.i.* 2 (prep. *a*) estar ou pôr-se de acordo com; aprovar *<subscrevo a sua opinião> <s. ao regulamento>* □ *t.i. e t.d.i.* 3 (prep. *com, para*) obrigar-se a dar cota ou contribuição para *<s. para a construção de um monumento> <s. (com) mil reais para um orfanato>* □ *t.d.* 4 adquirir por subscrição (cota, ações de uma empresa etc.) ◉ GRAM/USO part.: *subscrito* ~ **subscrito** *adj.s.m.* cf. *sobrescrever*

subscrição (subs.cri.ção) [pl.: *-ões*] *s.f.* 1 assinatura ao fim de carta, documento etc. 2 compromisso escrito de contribuição financeira *<o hospital foi equipado por meio de subscrições>* 3 lista para angariar recursos para certo fim *<s. para amparar os desabrigados>*

subscritar (subs.cri.tar) *v.* {mod. 1} *t.d.* pôr assinatura em; subscrever ☞ cf. *sobrescritar*

subscrito (subs.cri.to) *adj.* 1 que foi assinado, demonstrando que obteve aprovação *<contrato s.>* 2 que se obteve por meio de subscrição *<capital s.>* 3 GRÁF diz-se de sinal (letra, algarismo etc.) menor que os demais constantes do texto, que se grafa abaixo do alinhamento deles, us. em fórmulas químicas, linguagem matemática etc. ☞ p.opos. a *sobrescrito*

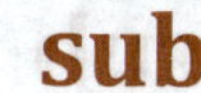

subsequente (sub.se.quen.te) /qü/ *adj.2g.s.m.* (o) que se segue imediatamente a outro; seguinte <*dormiu nas primeiras horas s. à viagem*> ↺ anterior ~ **subsequência** *s.f.*

subserviência (sub.ser.vi.ên.cia) *s.f.* **1** característica ou estado do que é subserviente; submissão, servilismo **2** comportamento de quem bajula; bajulação, adulação

subserviente (sub.ser.vi.en.te) *adj.2g.* que se submete às vontades de outrem; submisso

subsidiar (sub.si.di.ar) *v.* {mod. 1} *t.d.* **1** dar subsídio a; financiar <*o governo deixará de s. o trigo*> **2** ajudar com subsídio para; contribuir <*s. a campanha contra a mortalidade infantil*>

subsidiária (sub.si.di.á.ria) *s.f.* empresa controlada por outra que detém a maior parte ou o total de suas ações

subsidiário (sub.si.di.á.rio) *adj.* **1** relativo a subsídio <*recursos s. para instituições de assistência*> **2** que subsidia, ajuda <*essa doação tem caráter s.*> **3** secundário, acessório <*tópicos s. de um texto*> **4** que faz parte ou é controlado por empresa mais poderosa <*companhia s.*>

subsídio (sub.sí.dio) *s.m.* **1** ajuda financeira **2** quantia que o governo destina a obras e atividades; subvenção <*novos s. para o cinema*> ▼ ***subsídios*** *s.m.pl.* **3** dados, informações <*s. para a tese*> **4** salário, esp. de parlamentares

subsistência (sub.sis.tên.cia) *s.f.* **1** manutenção da vida <*lutava pela s.*> **2** conjunto de meios para mantê-la; sustento **3** permanência, continuação <*a s. de medidas impopulares*> ~ **subsistente** *adj.2g.*

subsistir (sub.sis.tir) *v.* {mod. 24} *int.* **1** continuar a existir; perdurar <*apesar de adulto, seus hábitos de infância subsistem*> **2** ficar, existir depois da destruição, do uso, do gasto, da dispersão etc.; restar <*um regulamento que ainda subsiste*> <*construções muito antigas subsistem aqui*> **3** *fig.* viver em condições impróprias e difíceis <*vivendo em barracas, a comunidade subsiste*> □ *t.i.* **4** (prep. *com, de*) prover as próprias necessidades; sustentar-se <*s. de empréstimos*> <*subsiste com a pequena poupança deixada pelo marido*>

subsolo (sub.so.lo) *s.m.* **1** camada logo abaixo do solo <*s. rico em minerais*> **2** parte de um prédio abaixo do nível do chão <*a garagem fica no s.*>

substabelecer (subs.ta.be.le.cer) *v.* {mod. 8} *t.d.i.* **1** (prep. *a*) transferir (encargo, procuração recebidos) a; sub-rogar <*substabeleceu-lhe o encargo que tinha assumido*> □ *t.d.* **2** nomear como substituto ~ **substabelecimento** *s.m.*

substância (subs.tân.cia) *s.f.* **1** qualquer espécie de matéria <*s. sólida*> **2** a parte essencial de algo <*a s. de seu discurso estava no final*> **3** *fig.* força, vigor <*faltou s. em sua apresentação*> **4** o que há de nutritivo nos alimentos <*esse caldo não tem s.*>

substancial (subs.tan.ci.al) [pl.: *-ais*] *adj.2g.* **1** relativo a substância **2** que é considerado grande <*aumento s. de preços*> ■ *adj.2g.s.m.* **3** (o) que tem substância, nutritivo <*alimento s.*> **4** (o) que é mais importante <*a introdução foi s.*>

substancioso (subs.tan.ci.o.so) /ô/ [pl. e fem.: /ó/] *adj.* **1** em que há substância, conteúdo; substancial **2** que alimenta; nutritivo, substancial

substantivação (subs.tan.ti.va.ção) [pl.: *-ões*] *s.f.* ato ou efeito de substantivar(-se)

substantivar (subs.tan.ti.var) *v.* {mod. 1} *t.d.* **1** usar como substantivo <*s. uma frase*> <*s. um adjetivo*> □ *t.d. e pron.* **2** tornar(-se) substantivo (vocábulo, locução etc.)

substantivo (subs.tan.ti.vo) *adj.s.m.* **1** GRAM (palavra) que nomeia um ser, coisa, ação, estado, qualidade ■ *adj.* **2** fundamental, substancial <*crescimento s.*>

substituição (subs.ti.tu.i.ção) [pl.: *-ões*] *s.f.* **1** ato ou efeito de substituir(-se); troca, permuta <*fizeram a s. da geladeira com defeito*> **2** ESP troca de um jogador por outro, durante uma partida

substituir (subs.ti.tu.ir) *v.* {mod. 26} *t.d.,t.d.i. e pron.* **1** (prep. *por*) pôr(-se) em lugar de; trocar (-se) <*s. peças de um automóvel*> <*s. leite por suco na receita*> <*a filha substituiu-se à mãe na fila do banco*> □ *t.d. e t.d.i.* **2** (prep. *a, em, por*) executar as funções e o serviço de <*substituiu a funcionária que havia se acidentado*> <*substituiu-o na função de coordenador*> □ *t.d.,t.i. e t.d.i.* **3** (prep. *a, por*) tomar o lugar de (algo, alguém) para pôr (outro) novo, diferente <*um prédio substituirá o cinema*> <*a nova praça substituiu ao terreno abandonado*> <*ele quer s. o telhado por uma laje*>

substitutivo (subs.ti.tu.ti.vo) *adj.s.m.* **1** substituto ■ *s.m.* **2** DIR alteração sugerida para o texto de um projeto de lei, proposta etc.

substituto (subs.ti.tu.to) *adj.s.m.* **1** (o) que substitui <*peça s.*> **2** que(m) exerce, por um período determinado, a função de outro <*professor s.*>

substrato (subs.tra.to) *s.m.* **1** a essência **2** o que sustenta; base <*o s. de uma tese*> **3** ECO superfície, sedimento, base ou meio no qual os organismos vivos se apoiam ou se desenvolvem

subtenente (sub.te.nen.te) *s.2g.* MIL **1** no Exército, a graduação mais elevada entre as praças e que, na Marinha e na Aeronáutica, corresponde à de suboficial **2** militar que detém essa graduação

subterfúgio (sub.ter.fú.gio) *s.m.* **1** evasiva <*responder com subterfúgios*> **2** pretexto ou manobra para fugir de algo difícil <*usou um s. para sair mais cedo da reunião*>

subterrâneo (sub.ter.râ.neo) *adj.* **1** que fica ou ocorre sob a terra <*abrigo s.*> ■ *s.m.* **2** passagem ou construção feita debaixo da terra <*os s. do castelo*>

subtítulo (sub.tí.tu.lo) *s.m.* título secundário que complementa o principal

subtotal (sub.to.tal) [pl.: *-ais*] *s.m.* total parcial ~ **subtotalidade** *s.f.*

subtração (sub.tra.ção) [pl.: *-ões*] *s.f.* **1** MAT operação aritmética em que se diminui um número de outro **2** ato de se apossar de bem alheio sem violência; furto ↺ devolução

subtraendo (sub.tra.en.do) *s.m.* MAT número subtraído de outro ☞ cf. *diminuendo*

S

subtrair (sub.tra.ir) *v.* {mod. 25} *t.d. e t.d.i.* **1** (prep. *a, de*) apropriar-se de (algo), às escondidas, com astúcia ou fraude; furtar *<subtraiu o celular sem ser visto> <s. dinheiro da conta da empresa>* □ *t.d.,t.d.i. e int.* MAT **2** (prep. *a, de*) tirar (quantidade, quantia, parcela, número) [de outro]; diminuir *<subtraiu (do total) a parcela reclamada> <s. quatro de sete> <essa criança já sabe s.>* □ *pron.* **3** (prep. *a*) esquivar-se, livrar-se *<s.-se aos deveres>*

subtropical (sub.tro.pi.cal) [pl.: *-ais*] *adj.2g.* situado perto dos trópicos *<região s.> <clima s.>*

subumano (su.bu.ma.no) /sub-u/ *adj.* → ***SUB-HUMANO***

suburbano (su.bur.ba.no) *adj.* **1** referente a subúrbio *<tranquilidade s.>* ■ *adj.s.m.* **2** que(m) vive em subúrbio

subúrbio (su.búr.bio) *s.m.* região longe do centro de uma cidade; periferia

subvenção (sub.ven.ção) [pl.: *-ões*] *s.f.* ajuda financeira dada por órgão governamental ~ **subvencional** *adj.2g.*

subvencionar (sub.ven.cio.nar) *v.* {mod. 1} *t.d.* **1** prestar auxílio a; ajudar *<s. empresas que faliram>* **2** dar subvenção a; subsidiar *<s. o ensino particular>*

subversão (sub.ver.são) [pl.: *-ões*] *s.f.* **1** revolta contra a ordem ou o poder estabelecido **2** perturbação, tumulto

subversivo (sub.ver.si.vo) *adj.s.m.* (aquele) que defende ou executa atos visando à transformação ou derrubada da ordem estabelecida; revolucionário *<grupo s.> <os s. atacaram a sede do governo>*

subverter (sub.ver.ter) *v.* {mod. 8} *t.d.* **1** causar agitação, desequilíbrio em; perturbar *<s. as instituições>* ↺ serenar **2** realizar mudanças profundas em; revolucionar *<s. a ordem>* ↺ conservar **3** destruir os bons valores de; perverter *<s. a tradição, a moral>* □ *t.d. e pron.* **4** revolver(-se) de baixo para cima; revirar(-se) *<um terremoto subverteu Lisboa em 1755> <com a tempestade, subverteu-se a plantação>*

sucata (su.ca.ta) *s.f.* **1** ferro-velho ('objeto', 'local') *<o carro pegou fogo e virou s.> <era dono de uma s.>* **2** qualquer material que pode ser reaproveitado ou reciclado *<os meninos fizeram um carro com s.>* **3** *fig.* coisa imprestável ou sem importância

sucatear (su.ca.te.ar) *v.* {mod. 5} *t.d.* **1** transformar em sucata **2** *fig.* deixar arruinar-se por falta de cuidados, de investimentos etc. *<s. a frota de ônibus>*

sucção (suc.ção) [pl.: *-ões*] *s.f.* ato de sugar ou o seu efeito

sucedâneo (su.ce.dâ.neo) *adj.s.m.* (o) que pode substituir outro por ter as mesmas propriedades; substituto *<medicamento s.>*

suceder (su.ce.der) *v.* {mod. 8} *int.* **1** ocorrer, acontecer *<não irei à aula, suceda o que s.>* □ *t.i. e pron.* **2** (prep. *a*) vir ou ocorrer em seguida (a); seguir-se *<a noite sucede ao dia> <as horas sucedem-se umas às outras>* ↺ preceder □ *t.d. e t.i.* **3** (prep. *a*) assumir, por direito, nomeação ou eleição, as funções de; substituir *<o rei queria um filho que o sucedesse> <a filha sucedeu ao pai em seu ofício>*

sucessão (su.ces.são) [pl.: *-ões*] *s.f.* **1** série de coisas, fatos, pessoas que ocorrem seguidamente *<s. de reis> <s. de ideias>* **2** transmissão de direitos, encargos ou bens de uma pessoa falecida a seus herdeiros *<direito de s.> <s. do reino>* **3** *p.ext.* conjunto dos herdeiros ou descendentes *<não deixaram s.>*

sucessivo (su.ces.si.vo) *adj.* **1** que vem em seguida *<governo s.>* ↺ anterior **2** que se repete sem intervalos; consecutivo *<três faltas s.>* **3** hereditário *<direitos s.>*

sucesso (su.ces.so) *s.m.* **1** bom resultado; triunfo *<a tentativa não teve s.>* ↺ insucesso **2** *B* o que alcança êxito ou fama *<o livro foi um s.>* ↺ fracasso **3** o que acontece; fato *<os s. da história>*

sucessor (su.ces.sor) /ô/ [pl.: *-es*] *adj.s.m.* **1** (o) que sucede a outro ou o substitui *<o diretor saiu sem indicar um s.>* ↺ antecessor ■ *s.m.* **2** herdeiro (esp. de trono) *<único s. da família>* ▼ ***sucessores*** *s.m.pl.* **3** os descendentes

sucessório (su.ces.só.rio) *adj.* **1** relativo a sucessão *<linha s. de um reino>* **2** relativo à transmissão de bens e direitos de alguém que morreu

súcia (sú.cia) *s.f.* corja, malta *<uma s. de ladrões>*

sucinto (su.cin.to) *adj.* **1** de poucas palavras; conciso *<só havia uma notícia s. no jornal>* ↺ prolixo **2** limitado ao essencial; breve *<exame s.>*

suco (su.co) *s.m.* **1** [1]sumo **2** FISL secreção de glândula ou mucosa *<s. gástrico>*

suçuarana (su.çu.a.ra.na) *s.f.* ZOO felino grande cujo pelo do dorso é de cor marrom clara e uniforme; onça-parda, puma

suculento (su.cu.len.to) *adj.2g.* **1** cheio de suco ou caldo *<fruta s.>* ↺ seco **2** que tem aspecto, aroma e sabor atraentes *<bife s.>*

sucumbir (su.cum.bir) *v.* {mod. 24} *t.i.* **1** (prep. *a*) cair sob o peso ou a força de; dobrar-se *<a árvore sucumbiu ao vendaval>* □ *int.* **2** *fig.* perder o ânimo; abater-se *<sucumbiu depois do divórcio>* ↺ animar-se **3** morrer, perecer □ *t.i. e int.* **4** (prep. *a*) ser vencido, dominado por; ceder *<s. à tentação do chocolate> <a justiça nunca deve s.>* ↺ resistir

sucupira (su.cu.pi.ra) *s.f.* BOT árvore brasileira de madeira nobre e resistente

sucuri (su.cu.ri) *s.f.* ZOO serpente sul-americana não venenosa, a maior do mundo, que vive em rios e lagoas e se alimenta de vertebrados, que mata enroscando-se neles e triturando seus ossos; anaconda, boiuna

sucursal (su.cur.sal) [pl.: *-ais*] *s.f.* **1** filial **2** JOR representação de um jornal, revista em outra cidade, país etc.

sudação (su.da.ção) [pl.: *-ões*] *s.f.* produção de suor

sudário (su.dá.rio) *s.m.* **1** pano com que se enxugava o suor **2** mortalha ▣ **Santo S.** REL mortalha que se crê ter envolvido Cristo, após ser retirado da cruz

sudeste (su.des.te) *s.m.* **1** direção a meio entre o sul e o leste **2** na rosa dos ventos, ponto colateral que marca essa direção [símb.: *SE*] ■ *adj.2g.s.m.* **3** que ou o que se situa a sudeste (diz-se de região ou conjunto de regiões) [abrev.: *S.E.*] **3.1** diz-se de ou região brasileira que compreende os estados do Espírito Santo, Rio de Janeiro, de São Paulo e Minas Gerais [abrev.: *S.E.*] ☞ inicial maiúsc. ■ *adj.2g.* **3.2** que fica, está ou segue na direção sudeste (acp. 1 e 2)

súdito (sú.di.to) *adj.s.m.* que(m) está submetido a outrem; vassalo *<homens s.> <o sultão dirigiu-se aos seus s.>* ↺ soberano, livre

sudoeste (su.do.es.te) *s.m.* **1** direção a meio entre o sul e o oeste **2** na rosa dos ventos, ponto colateral que marca essa direção [símb.: *SW*] ■ *adj.2g.s.m.* **3** que ou o que se situa a sudoeste (diz-se de região ou conjunto de regiões) [abrev.: *S.O.*] **4** (vento) que sopra dessa direção ■ *adj.2g.* **5** que se situa ou segue na direção sudoeste (acp. 1 e 2)

sudorese (su.do.re.se) *s.f.* FISL produção de suor; transpiração

sudorífero (su.do.rí.fe.ro) *adj.s.m.* (o) que faz suar

sudoríparo (su.do.rí.pa.ro) *adj.* **1** relativo a suor **2** que produz suor *<glândulas s.>*

sueco (su.e.co) *adj.* **1** da Suécia (Europa) ■ *s.m.* **2** natural ou habitante desse país **3** LING a língua falada na Suécia

sueste (su.es.te) *adj.2g.s.m.* sudeste ('direção') [símb.: *SE*]

suéter (su.é.ter) [pl.: *suéteres*] *s.2g.* VEST agasalho de lã fechado, que se veste pela cabeça; pulôver

suficiência (su.fi.ci.ên.cia) *s.f.* **1** condição do que é suficiente *<s. de recursos>* ↺ insuficiência **2** habilitação, qualificação *<ele não mostrava s. para o cargo> <professores sem diploma fizeram um exame de s.>* **3** vaidade, presunção *<fala sempre do alto de sua s.>*

suficiente (su.fi.ci.en.te) *adj.2g.s.m.* **1** (o) que basta ou satisfaz *<ganhava o s.> <tinha comida s.>* ↺ insuficiente ■ *adj.2g.* **2** que está entre o bom e o tolerável *<conhecimento s.>* ↺ insuficiente

sufixação (su.fi.xa.ção) /cs/ [pl.: *-ões*] *s.f.* GRAM processo de formação de palavras em que um sufixo é acrescentado a uma palavra ☞ cf. *prefixação*

sufixo (su.fi.xo) /cs/ *s.m.* GRAM elemento acrescentado após o radical para produzir formas derivadas ou flexionadas (gênero, número etc.) ☞ cf. *prefixo* e [2]*infixo* ~ **sufixal** *adj.2g.* - **sufixar** *v.t.d. e int.*

suflê (su.flê) *s.m.* CUL prato leve de forno, salgado ou doce, à base de um creme (de legumes, queijo, chocolate etc.) e claras em neve

sufocação (su.fo.ca.ção) [pl.: *-ões*] *s.f.* ou **sufocamento** (su.fo.ca.men.to) *s.m.* **1** ato ou efeito de sufocar(-se); extrema dificuldade de respirar; asfixia **2** sensação de falta de ar; abafamento

sufocar (su.fo.car) *v.* {mod. 1} *t.d.,int. e pron.* **1** (fazer) perder a respiração; asfixiar *<s. alguém> <o pranto a sufocava> <eles sufocavam(-se) na fumaça do incêndio>* **2** (fazer) sentir falta de ar ou forte mal-estar, ger. por calor, indisposição *<o calor do meio-dia nos sufocava> <o verão aqui sufoca> <quase (nos) sufocamos neste cinema abafado>* ◻ *t.d.* **3** impedir o desenvolvimento, a manifestação de; reprimir *<s. uma revolta>* ~ **sufocamento** *s.m.* - **sufocante** *adj.2g.*

sufoco (su.fo.co) /ô/ *s.m.* **1** dificuldade de respirar **2** *B infrm.* situação muito difícil, assustadora, angustiante *<passaram um s. no elevador quebrado>*

sufragar (su.fra.gar) *v.* {mod. 1} *t.d.* **1** aprovar, apoiar com voto; eleger *<sufragou o candidato vencedor>* **2** rezar em favor da alma de *<s. os mortos>*

sufrágio (su.frá.gio) *s.m.* **1** processo de escolha por votação *<saíram eleitos no s. apenas dois candidatos>* **2** voto em uma eleição *<foi derrotado pelo s.>* **3** aprovação, concordância *<o elogio contou com o s. de todos>* **4** oração pelos mortos

sugador (su.ga.dor) [pl.: *-es*] *adj.* **1** que suga ■ *s.m.* ANAT ZOO **2** sugadouro

sugadouro (su.ga.dou.ro) *s.m.* ANAT ZOO aparelho bucal de certos insetos, us. para sugar; sugador

sugar (su.gar) *v.* {mod. 1} *t.d.* **1** fazer (líquido) entrar na boca com movimentos dos lábios e da língua, que formam um vácuo na cavidade bucal; chupar *<o bebê suga o peito da mãe>* **2** extrair líquido de; absorver *<as raízes das plantas sugam a terra>* ◻ *t.d. e t.d.i. fig.* **3** (prep. *a, de*) apropriar-se com fraude ou abuso; extorquir *<sugaram o velho todos esses anos e o deixaram sem um tostão> <sugou quase todo o dinheiro do pai>* ~ **sugação** *s.f.*

sugerir (su.ge.rir) *v.* {mod. 28} *t.d. e t.d.i.* **1** (prep. *a*) fazer pensar (algo) sem expor de forma clara ou completa; insinuar *<sua atitude sugeria discrição> <seu tom de voz sugeria aos alunos que prestassem atenção>* ◻ *t.d.i.* **2** (prep. *a*) apresentar (ideia, solução) a (alguém), para que a aceite ou não; propor *<seu médico sugeriu-lhe uma mudança de hábitos>* **3** (prep. *a*) fazer surgir pensamento ou sentimento por associação de ideias; despertar *<as luzes acesas sugeriam-lhe que a mãe estava acordada>* ◻ *t.d.* **4** ser indício de; indicar *<nem sempre o céu nublado sugere chuva>*

sugestão (su.ges.tão) [pl.: *-ões*] *s.f.* **1** o que é sugerido; proposta, conselho *<adoramos a sua s.>* **2** estímulo, inspiração *<ele age mal por s. dos amigos>* **3** ideia, lembrança *<a casa era a s. de sua infância>*

sugestionar (su.ges.tio.nar) *v.* {mod. 1} *t.d. e pron.* **1** convencer(-se) por meio de sugestão; influenciar(-se) *<o médico sugestionou o paciente>* ◻ *t.d.* **2** fazer pensar ou agir por sugestão; manipular *<ele sugestiona-se facilmente>*

sugestionável (su.ges.tio.ná.vel) [pl.: *-eis*] *adj.2g.* que se deixa influenciar por ideias e opiniões dos outros

sugestivo (su.ges.ti.vo) *adj.* **1** que contém conselho ou insinuação *<dizer algo em tom s.>* **2** inspirador *<ambiente s.>*

suíça (su.í.ça) *s.f.* cada uma das faixas de barba masculina junto à orelha; costeleta ☞ mais us. no pl.

suicida (su.i.ci.da) *adj.2g.* **1** relativo a ou que envolve suicídio **2** que serviu de instrumento de suicídio *<faca s.>* **3** perigoso, danoso *<tentar aquele salto foi uma atitude s.>* ■ *adj.2g.s.2g.* **4** (o) que comete suicídio

suicidar-se (su.i.ci.dar-se) *v.* {mod. 1} *pron.* **1** pôr fim à própria vida; matar-se **2** *fig.* causar a própria ruína; desgraçar-se

suicídio (su.i.cí.dio) *s.m.* **1** ação de dar fim dar à própria vida *<cometer s.>* **2** *fig.* desgraça causada pela ação do próprio indivíduo *<aceitar este emprego foi s.>*

suíço (su.í.ço) *adj.* **1** da Suíça (Europa) ■ *s.m.* **2** natural ou habitante desse país

suídeo (su.í.deo) *s.m.* ZOO **1** espécime dos suídeos, família de mamíferos que compreende os porcos domésticos e selvagens ■ *adj.* **2** relativo a essa família de mamíferos

sui generis (sui ge.ne.ris) [lat.] *loc.adj.* sem semelhança com nenhum outro, único no seu gênero <*uma resposta* sui generis> ⇒ pronuncia-se súi gêneris

suingue (su.in.gue) *s.m.* **1** MÚS estilo de jazz popular nos anos 1930, ger. executado por grande orquestra **2** *infrm.* ginga, molejo <*não dança mal, mas falta um pouco de s.*> ~ **suingar** *v.int.*

suíno (su.í.no) *s.m.* ZOO **1** espécime dos suínos, mamíferos que compreendem a família dos porcos e a dos caititus e queixadas **2** porco ■ *adj.* **3** relativo a suíno e a porco

suinocultura (su.i.no.cul.tu.ra) *s.f.* criação de porcos ~ **suinocultor** *adj.s.m.*

suíte (su.í.te) *s.f.* **1** quarto com banheiro anexo exclusivo **2** COMN desdobramento de matéria jornalística já publicada **3** MÚS série de composições instrumentais com variação de andamentos, ger. no mesmo tom

sujar (su.jar) *v.* {mod. 1} *t.d. e pron.* **1** (fazer) adquirir sujeira, manchas, substância poluidora etc. <*s. a roupa, o chão*> <*sujou-se com tinta*> ↺ limpar(-se) **2** construir má imagem (para); manchar(-se) <*s. o próprio nome*> <*s.-se por pouca coisa*> □ *int.* **3** *B infrm.* não haver mais condição de continuar (a prática de um delito ou falta), devido à chegada repentina de (polícia, guarda, vigilante etc.) <*ih, sujou, cara, vamos dar o fora*> <*sujou, o professor vem aí*> ☞ nesta acp., é impessoal, exceto quando *fig.* ◉ GRAM/USO part.: *sujado, sujo*; ver QUADRO DE PARTICÍPIOS DUPLOS nas pp. iniciais

sujeira (su.jei.ra) *s.f.* **1** acúmulo de lixo, poeira etc. <*a sala está uma s.*> **2** mancha de poeira, barro etc. **3** *fig. infrm.* ato ou comportamento desonesto <*esconder os documentos foi uma grande s.*>

sujeitar (su.jei.tar) *v.* {mod. 1} *t.d.,t.d.i. e pron.* **1** (prep. *a*) impor domínio moral a (o que era livre e independente), tornando obediente ou dependente; submeter <*s. uma nação*> <*s. um povo à escravidão*> <*a tropa vencida sujeitou-se ao inimigo*> □ *t.d.i. e pron.* **2** (prep. *a*) [fazer] seguir, obedecer; submeter(-se) <*s. o doente à dieta*> <*s.-se a imposições*> □ *pron.* **3** (prep. *a*) entregar-se à lei, vontade, desejos de alguém; render-se <*sujeita-se ao mau humor dos colegas*> **4** aceitar sem relutar; conformar-se <*teve de s.-se às contingências*> ↺ resistir ◉ GRAM/USO part.: *sujeitado, sujeito*; ver QUADRO DE PARTICÍPIOS DUPLOS nas pp. iniciais ~ **sujeição** *s.f.*

sujeito (su.jei.to) *s.m.* **1** pessoa indeterminada ou cujo nome não se diz <*passou por aqui um s. à sua procura*> **2** GRAM termo da oração a respeito do qual se faz uma declaração ■ *adj.* **3** que se submete ao poder ou à vontade dos outros <*estava s. aos desejos da família*> **4** que possui fatores que predispõem a algo negativo <*s. a febres*> <*região s. a enchentes*> **5** suscetível, passível de <*textos s. à revisão*>

sujidade (su.ji.da.de) *s.f.* **1** condição ou estado do que é ou está sujo; sujeira **2** o que suja; imundície **3** fezes, excremento

sujo (su.jo) *adj.s.m.* **1** que(m) não tem asseio ou está coberto de sujeira <*toalha s.*> ↺ limpo **2** *fig.* desonesto, inescrupuloso <*negócio s.*> ↺ honesto ■ *adj.* **3** obsceno <*piada s.*> **4** *B* desmoralizado <*está s. com o chefe*> **5** que parece sujo; turvo (diz-se de cor) <*branco s.*>

sul [pl.: *suis*] *s.m.* **1** direção à direita de quem se volta para o nascente **2** na rosa dos ventos, ponto cardeal que marca essa direção [símb.: *S*] ■ *adj.2g.s.m.* **3** que ou o que se situa ao sul (diz-se de região ou conjunto de regiões) [abrev.: *S.*] <*viajou para o s. do Canadá*> <*a região s. do país*> **3.1** diz-se de ou região brasileira que compreende os estados do Paraná, Santa Catarina e Rio Grande do Sul [abrev.: *S.*] ☞ inicial maiúsc. **4** (vento) que sopra dessa direção ■ *adj.2g.* **5** que fica, está ou segue na direção sul (acp. 1 e 2) <*latitude s.*>

sul-africano (sul-a.fri.ca.no) [pl.: *sul-africanos*] *adj.* **1** da África do Sul (África) ■ *s.m.* **2** natural ou habitante desse país

sul-americano (sul-a.me.ri.ca.no) [pl.: *sul-americanos*] *adj.* **1** da América do Sul ■ *s.m.* **2** natural ou habitante desse continente

sulcar (sul.car) *v.* {mod. 1} *t.d.* **1** fazer sulcos em <*o arado sulca a terra*> **2** *fig.* MAR navegar, deixando esteira <*s. os mares*> **3** marcar ruga(s), prega(s) em <*o tempo sulcou sua testa*>

sulco (sul.co) *s.m.* **1** marca estreita e mais ou menos profunda; ranhura <*o garfo fez sulcos na mesa*> **2** *p.ext.* traço profundo na pele; ruga

sulfa (sul.fa) *s.f.* FARM nome de uma família de substâncias medicamentosas com efeito bactericida

sulfato (sul.fa.to) *s.m.* QUÍM sal do ácido sulfúrico ou ânion dele derivado ~ **sulfatar** *v.t.d. e pron.*

súlfur (súl.fur) *s.m.* QUÍM enxofre ~ **sulfúrico** *adj.*

sulfuroso (sul.fu.ro.so) /ô/ [pl. e fem.: /ó/] *adj.* **1** relativo a enxofre **2** que contém enxofre <*água s.*> **3** que tem a aparência (cor, cheiro etc.) do enxofre

sulino (su.li.no) *adj.* **1** do sul do Brasil; sulista ■ *s.m.* **2** natural ou habitante dessa região; sulista

sulista (su.lis.ta) *adj.2g.s.2g.* **1** (natural ou habitante) de região ou país ao sul **2** sulino

sul-mato-grossense (sul-ma.to-gros.sen.se) [pl.: *sul-mato-grossenses*] *adj.2g.s.2g.* mato-grossense-do-sul

sul-rio-grandense (sul-rio-gran.den.se) [pl.: *sul-rio-grandenses*] *adj.2g.s.2g.* → ***RIO-GRANDENSE-DO-SUL***

sultana (sul.ta.na) *s.f.* concubina de sultão, esp. a favorita

sultão (sul.tão) [pl.: *-ães, -ãos, -ões*] *s.m.* **1** antigo imperador da Turquia **2** nome comum a alguns imperadores muçulmanos **3** *fig.* homem com muitas amantes

suma (su.ma) *s.f.* resumo, sinopse ▣ **em s.** de forma resumida <*em s., conseguimos chegar a tempo*>

sumaré (su.ma.ré) *s.m.* BOT orquídea terrestre de flor amarela

sumarento (su.ma.ren.to) *adj.* cheio de sumo; suculento <*fruta s.*>

sumariar (su.ma.ri.ar) *v.* {mod. 1} *t.d.* fazer sumário de; resumir, sintetizar <*s. um acontecimento*> <*tivemos de s. dois livros*>

sumário (su.má.rio) *adj.* **1** resumido, curto <*explicação s.*> ↺ prolixo **2** que cobre pouco <*biquíni s.*> **3** que não demora; decisivo, rápido <*julgamento s.*> ■ *s.m.* **4** resumo dos pontos principais de livro, discurso etc. <*fez um s. da palestra*> **5** lista de assuntos, capítulos, seções etc., e as páginas em que se encontram numa obra

S

sumaúma (su.ma.<u>ú</u>.ma) *s.f.* BOT imensa árvore nativa da América do Sul e da África, com raízes em forma de tábuas, flores brancas e sementes, envoltas em paina, de que se extrai óleo

sumério (su.<u>mé</u>.rio) *s.m.* **1** natural ou habitante da Suméria, antiga região asiática **2** língua falada nessa região ■ *adj.* **3** relativo a essa região, indivíduo, povo e língua

sumiço (su.<u>mi</u>.ço) *s.m.* **1** ato ou efeito de sumir; desaparecimento **2** perda, extravio *<o s. das cartas continua sem explicação>*

sumidade (su.mi.<u>da</u>.de) *s.f.* **1** ponto mais alto; cume, eminência **2** *fig.* pessoa de muito saber ou talento *<ele é uma s. em matemática>*

sumido (su.<u>mi</u>.do) *adj.* **1** de que não se sabe o paradeiro; desaparecido *<aquele cachorro anda s.>* **2** encoberto por alguma coisa que lhe veda a visão *<vimos de longe o bote quase s. na água>* **3** quase imperceptível; fraco *<voz s.>* **4** que já perdeu a intensidade; apagado *<cores s.>*

sumidouro (su.mi.<u>dou</u>.ro) *s.m.* **1** orifício ou fenda por onde algo desaparece **2** rio que desaparece para dentro da terra, ressurgindo em locais mais baixos **3** *fig.* lugar onde tudo some **4** *p.ext.* lugar ou coisa em que se gasta muito dinheiro *<essa obra é um s.>* **5** esgoto

sumir (su.<u>mir</u>) *v.* {mod. 29} *t.d.,t.i.,int. e pron.* **1** (prep. *com*) pôr(-se) onde não pode ser encontrado; desaparecer, ocultar(-se) *<ele sumiu sua pasta por aí> <as chaves sumiram> <a criança sumiu com os meus óculos> <depois do vexame, ela sumiu-se>* □ *int. e pron.* **2** gastar-se muito rápida ou inexplicavelmente; desaparecer *<o dinheiro que levamos para a viagem sumiu(-se) em poucos dias>* □ *int.* **3** não estar mais onde deveria; desaparecer *<o mágico fez a cartola s.>* **4** ausentar-se por longo tempo de local que frequenta *<você sumiu; estava viajando?>*

[1]**sumo** (<u>su</u>.mo) *s.m.* caldo que se extrai de matéria animal ou vegetal por pressão ou sucção; suco ◉ ORIGEM de um lat. *zumu* 'id.', com influência do lat. *sucus,i* 'qualquer líquido; sumo' ~ **sumoso** *adj.*

[2]**sumo** (<u>su</u>.mo) *adj.* **1** mais elevado em poder ou categoria *<s. sacerdote>* **2** muito grande *<tenho s. prazer em ajudá-lo>* **3** extraordinário, excelente *<s. intérprete da alma humana>* ↺ medíocre ◉ ORIGEM do lat. *summus,a,um* 'o mais alto'

súmula (<u>sú</u>.mu.la) *s.f.* sinopse, resumo *<o juiz anotou todas as faltas na s.>*

sundae (sun.dae) [ing.; pl.: *sundaes*] *s.m.* CUL sorvete coberto com calda e, ger., castanhas, confeitos etc. ⇒ pronuncia-se <u>sân</u>dei

sunga (<u>sun</u>.ga) *s.f.* VEST *B* calção de banho de cintura baixa, curto e justo

sunita (su.<u>ni</u>.ta) *adj.2g.s.2g.* diz-se de ou indivíduo do grupo dos sunitas, muçulmanos ortodoxos que reconhecem a autoridade dos quatro primeiros califas ~ **sunismo** *s.m.*

suntuário (sun.tu.<u>á</u>.rio) *adj.* **1** relativo a gastos, despesas *<contas s.>* **2** luxuoso *<cerimônia s.>* ↺ despojado

suntuoso (sun.tu.<u>o</u>.so) /ô/ [pl. e fem.: /ó/] *adj.* **1** que consome muito dinheiro; dispendioso *<tinham de parar com as viagens s.>* **2** *p.ext.* luxuoso, magnífico *<edifício s.>* ↺ simples ~ **suntuosidade** *s.f.*

suor (su.<u>or</u>) [pl.: *-es*] *s.m.* **1** líquido incolor, salgado e de odor característico, secretado pelas glândulas sudoríparas e eliminado pelos poros **2** *fig.* trabalho árduo, intenso *<este sucesso é fruto de seu s.>*

super- *pref.* **1** 'posição acima': *supercílio, supervisão* **2** 'excesso': *superalimentação, superprodução*

superabundar (su.pe.ra.bun.<u>dar</u>) *v.* {mod. 1} *int.* **1** existir ou manifestar-se em excesso *<nesta colheita a soja superabundou>* □ *t.i.* **2** (prep. *a*) ser mais do que o necessário para; exceder *<os suprimentos superabundavam às necessidades>* ~ **superabundância** *s.f.* - **superabundante** *adj.2g.*

superação (su.pe.ra.<u>ção</u>) [pl.: *-ões*] *s.f.* ato ou efeito de superar(-se)

superado (su.pe.<u>ra</u>.do) *adj.* **1** que foi derrotado; vencido, subjugado *<mais um desafio s.>* **2** que já não tem vigência ou aplicação; ultrapassado, obsoleto *<uma norma s.>*

superalimentação (su.pe.ra.li.men.ta.<u>ção</u>) [pl.: *-ões*] *s.f.* dieta farta, de alto valor nutritivo, para atletas, doentes etc.

superalimentar (su.pe.ra.li.men.<u>tar</u>) *v.* {mod. 1} *t.d. e pron.* **1** alimentar(-se) em excesso, fazendo ingerir ou ingerindo nutrientes além das necessidades do organismo *<insiste em s. os filhos> <você não deve s.-se antes de fazer exercícios>* **2** ingerir ou receitar dieta de alto valor nutritivo (esp. pessoas ou animais debilitados, doentes)

superaquecer (su.pe.ra.que.<u>cer</u>) *v.* {mod. 8} *t.d.* **1** submeter a temperatura muito alta *<s. um metal>* □ *t.d.,int. e pron.* **2** aquecer(-se) em excesso *<s. uma sala> <o café superaqueceu> <não vá se s. aí perto da fogueira>* ~ **superaquecimento** *s.m.*

superar (su.pe.<u>rar</u>) *v.* {mod. 1} *t.d.* **1** alcançar vitória sobre; derrotar *<s. um adversário>* ↺ perder **2** livrar-se de; afastar, ultrapassar *<s. problemas, obstáculos>* □ *t.d. e pron.* **3** ser ou tornar-se superior (a) em quantidade, eficiência, talento, criatividade etc.; exceder, sobrepujar *<por vezes a arte supera a vida> <o cozinheiro conseguiu s.-se naquele molho>* ~ **superável** *adj.2g.*

superavit (su.pe.ra.vit) [lat.] *s.m.2n.* ECON diferença a mais entre receita e despesa ↺ *deficit* ⇒ pronuncia-se supe<u>ra</u>vit ~ **superavitário** *adj.*

superávit (su.pe.<u>rá</u>.vit) *s.m.* ver ***SUPERAVIT***

supercílio (su.per.<u>cí</u>.lio) *s.m.* sobrancelha ~ **superciliar** *adj.2g.v.int.*

supercivilização (su.per.ci.vi.li.za.<u>ção</u>) [pl.: *-ões*] *s.f.* civilização muito desenvolvida ~ **supercivilizado** *adj.s.m.*

supercondutividade (su.per.con.du.ti.vi.<u>da</u>.de) *s.f.* FÍS ausência de resistência elétrica de certas substâncias quando atingem temperaturas muito baixas

supercondutor (su.per.con.du.<u>tor</u>) /ô/ [pl.: *-es*] *adj.s.m.* FÍS (metal, composto etc.) em que ocorre supercondutividade

superdimensionar (su.per.di.men.si.o.<u>nar</u>) *v.* {mod. 1} *t.d.* **1** fazer com que (algo) pareça maior do que na realidade é *<s. uma conquista>* **2** dar importância exagerada a (algo) *<superdimensionou o resultado do exame>*

S

superdose (su.per.do.se) *s.f.* dose excessiva ~ **superdosagem** *s.f.*

superdotado (su.per.do.ta.do) *adj.s.m.* que(m) tem inteligência acima da média ☞ cf. *bem-dotado*

superego (su.pe.re.go) *s.m.* **1** PSICN nível psíquico que inibe moralmente o ego, desenvolvido sob a influência da educação durante o processo de socialização **2** *infrm.* indivíduo que é um modelo, um exemplo (para alguém) cf. *ego*

superestimar (su.pe.res.ti.mar) *v.* {mod. 1} *t.d.* dar mais estima, valor, apreço ou importância do que o devido ou real; supervalorizar ↺ subestimar ~ **superestima** *s.f.* - **superestimação** *s.f.*

superestrutura (su.pe.res.tru.tu.ra) *s.f.* **1** estrutura, construção etc. erguida como um prolongamento vertical de outra ↺ infraestrutura **2** ENG parte de uma construção situada sobre o solo, em nível *<viadutos são s. da rede viária>* ~ **superestrutural** *adj.2g.*

superfaturar (su.per.fa.tu.rar) *v.* {mod. 1} *t.d.* **1** cobrar preço muito alto por *<s. uma obra para o governo>* **2** ECON emitir fatura de venda com preço acima do realmente cobrado para (produto, serviço) ☞ cf. *subfaturar* ~ **superfaturamento** *s.m.*

superficial (su.per.fi.ci.al) [pl.: *-ais*] *adj.2g.* **1** que fica na superfície; pouco profundo *<corte s.>* ↺ profundo **2** que não se aprofunda; que não chega ao essencial *<conhecimento s.> <reforma s.>* ↺ profundo **3** que não tem seriedade *<comentário s.> <leitura s.>* ~ **superficialmente** *adv.*

superficialidade (su.per.fi.ci.a.li.da.de) *s.f.* **1** característica do que é superficial ↺ profundidade **2** coisa superficial *<evitar superficialidades, ir ao fundo do assunto>*

superfície (su.per.fí.cie) *s.f.* **1** extensão de área delimitada *<terreno com 100 m^2 de s.>* **2** face externa dos corpos *<a s. da mesa está áspera>* **3** parte da água em contato com o ar *<o submarino subiu à s.>* **4** *fig.* pouco aprofundamento em estudo, conhecimento etc. *<os estudantes ficaram na s. do tema>*

supérfluo (su.pér.fluo) *adj.s.m.* **1** (o) que vai além da necessidade *<artigos s.> <só compra o que é s.>* ↺ necessário **2** *p.ext.* (o) que é redundante, excessivo *<explicação s.> <tire o s. do seu texto>* ↺ indispensável ~ **superfluidade** *s.f.*

super-herói (su.per-he.rói) [pl.: *super-heróis*] *s.m.* **1** personagem fictício com poderes sobre-humanos, que combate o mal, defende os fracos etc. **2** *p.ext.* indivíduo de excelente comportamento, grande coragem etc. *<o pai era seu s.>*

super-homem (su.per-ho.mem) [pl.: *super-homens*] *s.m.* homem com qualidades extraordinárias *<só um s. consegue trabalhar tanto>*

superintendência (su.pe.rin.ten.dên.cia) *s.f.* **1** ato de superintender ou o seu efeito **2** cargo ou função de superintendente *<assumiu a s. da obra>* **3** local ou departamento onde se exercem essas funções

superintendente (su.pe.rin.ten.den.te) *adj.2g.s.2g.* que(m) dirige ou supervisiona empresa, obra etc.

superintender (su.pe.rin.ten.der) *v.* {mod. 8} *t.d.* **1** dirigir como chefe (obra, empresa etc.); administrar **2** inspecionar em nível superior; supervisionar *<contrataram mais um engenheiro para s. a construção>*

superior (su.pe.ri.or) /ô/ [pl.: *-es*] *adj.2g.* **1** que está acima ou por cima de *<gaveta s.>* ↺ inferior **2** de maior valor ou qualidade *<preço s. a 20 reais> <mercadoria s.>* ↺ inferior **3** de nível universitário *<curso s.>* ■ *adj.s.m.* **4** chefe, diretor ↺ subalterno **5** REL que(m) dirige convento ou comunidade religiosa

superioridade (su.pe.ri.o.ri.da.de) *s.f.* **1** posição ou condição de ser superior a outro(s); vantagem *<s. numérica> <s. tecnológica>* ↺ inferioridade **2** arrogância, vaidade *<fala comigo com s.>*

superlativo (su.per.la.ti.vo) *adj.* **1** que exprime qualidade num grau elevado *<elogio s.>* **2** extremo *<a casa era a expressão s. de sua riqueza>* ■ *s.m.* **3** GRAM grau de um adjetivo ou de um advérbio que indica intensidade maior ou menor do que ele expressa normalmente

superlotação (su.per.lo.ta.ção) [pl.: *-ões*] *s.f.* **1** excesso de lotação *<s. de um trem>* **2** aglomeração (de seres) num espaço exíguo para sua quantidade *<s. de porcos num chiqueiro>*

superlotar (su.per.lo.tar) *v.* {mod. 1} *t.d.* **1** ingressar (em um lugar) em quantidade maior do que o ambiente comporta *<o público superlotou o salão>* **2** pôr (unidades de algo) além do correto ou desejável *<s. um estábulo>* ~ **superlotado** *adj.*

supermercado (su.per.mer.ca.do) *s.m.* grande loja de alimentos, artigos para limpeza, eletrodomésticos etc., em que o cliente se serve sozinho e paga na saída ~ **supermercadista** *adj.2g.s.2g.*

superpoder (su.per.po.der) [pl.: *superpoderes*] *s.m.* capacidade extraordinária de algum tipo, superior às que têm os seres humanos em geral *<os s. do Super-Homem>*

superpopulação (su.per.po.pu.la.ção) [pl.: *-ões*] *s.f.* excesso de população; superpovoamento

superpor (su.per.por) *v.* {mod. 23} *t.d.i. e pron.* sobrepor ◉ GRAM/USO part.: *superposto* ~ **superposição** *s.f.*

superposto (su.per.pos.to) /ô/ [pl. e fem.: /ó/] *adj.* que se superpõe, posto em cima; sobreposto *<improvisaram um altar com pedras s.>*

superpotência (su.per.po.tên.cia) *s.f.* POL país que se destaca das demais potências por seu poderio econômico e militar, esp. no que diz respeito a armas atômicas

superpovoamento (su.per.po.vo.a.men.to) *s.m.* superpopulação ~ **superpovoar** *v.t.d.*

superprodução (su.per.pro.du.ção) [pl.: *-ões*] *s.f.* **1** produção em excesso *<s. de café>* **2** produção grandiosa, e ger. de custo elevado, de evento, filme, programa de televisão etc.

superproteger (su.per.pro.te.ger) *v.* {mod. 8} *t.d.* **1** dar proteção especial e acima do normal a *<s. um bem valioso>* **2** proteger em demasia, afastando (de um indivíduo) os perigos, mas impedindo-o freq. de se desenvolver por conta própria *<s. um filho>* ~ **superproteção** *s.f.*

supersensível (su.per.sen.sí.vel) [pl.: *-eis*] *adj.2g.* **1** incompreensível aos sentidos humanos *<cores s.> <sons s.>* **2** sensível demais ~ **supersensibilidade** *s.f.*

supersônico (su.per.sô.ni.co) *adj.* **1** diz-se de velocidade superior à do som *<rapidez s.>* **2** que tem ou alcança essa velocidade *<avião s.>*

superstição (su.pers.ti.ção) [pl.: *-ões*] *s.f.* **1** crença infundada em certos atos que trariam sorte, azar etc. **2** crença em presságios e sinais, originada por acontecimentos casuais ou coincidências

supersticioso (su.pers.ti.ci.o.so) /ô/ [pl. e fem.: /ó/] *adj.* **1** que é fruto de superstição *<atos s.>* ■ *adj.s.m.* **2** que(m) tem superstição

supérstite (su.pérs.ti.te) *adj.2g.* que sobreviveu *<irmão s.>*

superveniente (su.per.ve.ni.en.te) *adj.2g.* que vem depois; subsequente ~ **superveniência** *s.f.*

supervisão (su.per.vi.são) [pl.: *-ões*] *s.f.* **1** ato de supervisionar ou o seu efeito **2** função de supervisor

supervisar (su.per.vi.sar) *v.* {mod. 1} *t.d.* supervisionar

supervisionar (su.per.vi.sio.nar) *v.* {mod. 1} *t.d.* dirigir ou orientar inspecionando (trabalho, grupo, tarefa) de um nível superior *<não havia ninguém para s. a obra>*

supervisor (su.per.vi.sor) /ô/ [pl.: *-es*] *adj.s.m.* (aquele) que tem o cargo ou a função de supervisionar

supetão (su.pe.tão) [pl.: *-ões*] *s.m.* ◗ usado em: **de s.** de repente

supimpa (su.pim.pa) *adj.2g. B infrm.* ótimo, excelente

supino (su.pi.no) *adj.* **1** deitado de costas, de barriga para cima *<ficar em postura s. sobre o colchão>* **2** que está em local elevado; alto *<a posição s. de um bloco de rocha>* **3** *fig.* excessivo *<alegria s.>*

suplantar (su.plan.tar) *v.* {mod. 1} *t.d.* **1** calcar com os pés; pisar *<s. a grama>* □ *t.d. e pron.* **2** ser ou tornar-se superior (a) em tamanho, quantidade, eficiência, talento etc.; superar(-se) *<o novo arranha-céu suplantou o antigo> <com dedicação, conseguiu s.-se e atingir o sucesso>* ~ **suplantação** *s.f.*

[1]**suplementar** (su.ple.men.tar) [pl.: *-es*] *adj.2g.* relativo a ou que serve de suplemento *<aulas s.>* ◉ ORIGEM *suplemento* + [1]*-ar* ~ **suplementação** *s.f.*

[2]**suplementar** (su.ple.men.tar) *v.* {mod. 1} *t.d.* **1** acrescentar alguma coisa a *<fez um curso para s. o ensino fundamental>* **2** suprir ou compensar a deficiência de *<frutas suplementam a refeição>* ◉ ORIGEM *suplemento* + [2]*-ar*

suplemento (su.ple.men.to) *s.m.* **1** o que supre uma falta *<s. de verba> <s. alimentar>* **2** acréscimo a um livro, apresentação etc. **3** JOR caderno ou página com matéria especial em jornal ou revista; encarte *<s. literário>*

suplente (su.plen.te) *adj.2g.s.2g.* substituto previamente escolhido para eventual falta do titular *<senador s.> <s. de deputado>* ~ **suplência** *s.f.*

supletivo (su.ple.ti.vo) *adj.* **1** que serve de suplemento ■ *s.m. B* **2** ensino para adolescentes e adultos que não concluíram sua escolarização na idade própria

súplica (sú.pli.ca) *s.f.* pedido humilde e intenso

suplicar (su.pli.car) *v.* {mod. 1} *t.d. e t.d.i.* (prep. *a*) pedir de maneira humilde e intensa; implorar *<suplicou auxílio aos amigos>* ~ **suplicante** *adj.2g.s.2g.*

súplice (sú.pli.ce) *adj.2g.* que suplica

supliciar (su.pli.ci.ar) *v.* {mod. 1} *t.d.* **1** aplicar suplício em; torturar **2** *fig.* causar sofrimento a; afligir, magoar *<recordações tristes o supliciavam>*

suplício (su.plí.cio) *s.m.* **1** tortura física imposta por sentença ('decisão') *<na Idade Média, pessoas eram condenadas a suplícios>* **2** sofrimento físico provocado intencionalmente; crueldade **3** *p.ext.* sofrimento longo e intenso *<o trabalho era, para ele, um s.>* ↺ prazer

supor (su.por) *v.* {mod. 23} *t.d.* **1** admitir como hipótese *<suponho que você irá à festa>* **2** presumir como verdadeiro, existente, necessário etc.; pressupor *<o efeito supõe a causa>* □ *t.d.pred. e pron.* **3** considerar (-se), julgar(-se) *<supunha estar no caminho certo> <supunha-o doente> <s.-se educado não é ser educado>* ◉ GRAM/USO part.: *suposto*

suportar (su.por.tar) *v.* {mod. 1} *t.d.* **1** ter sobre ou contra si e não ceder ao peso ou à força; aguentar, resistir *<a pilastra suporta a viga> <a barragem não suportou a força da água>* **2** ser capaz de segurar ou carregar (certo peso) *<esse animal suporta muita carga>* **3** *fig.* reagir com firmeza ou resignação a (algo ruim, penoso); aguentar *<s. humilhações>* **4** *fig.* ser tolerante com (algo desagradável); aturar *<não suporta pessoas preconceituosas> <suportou bem a espera por uma vaga>* ~ **suportado** *adj.* - **suportável** *adj.2g.*

suporte (su.por.te) *s.m.* **1** o que sustenta; base *<s. para vasos de plantas>* **2** o que dá apoio, auxilia *<o filho era seu s.>* **3** base de qualquer material, como papel, plástico, madeira, tecido, filme, fita magnética etc., na qual se registram informações impressas, manuscritas, fotografadas, gravadas etc.

suposição (su.po.si.ção) [pl.: *-ões*] *s.f.* **1** ideia sem comprovação **2** hipótese **3** proposição que se aceita verdadeira ou possível para dela se tirar uma indução ou conclusão *<partiu de uma s. falsa>*

supositório (su.po.si.tó.rio) *s.m.* FARM medicamento sólido, de forma cônica ou cilíndrica, que se introduz em orifícios do corpo, esp. ânus e vagina

supostamente (su.pos.ta.men.te) *adv.* de modo suposto, hipotético *<os curandeiros s. afastam doenças com suas práticas>*

suposto (su.pos.to) /ô/ [pl. e fem.: /ó/] *adj.* **1** admitido por hipótese *<julgado por s. crimes>* ↺ real **2** falso, fictício *<s. testamento>* ↺ autêntico

supra- *pref.* **1** 'posição acima': *supracitado, suprarrenal* **2** 'excesso': *suprassumo*

supracitado (su.pra.ci.ta.do) *adj.* citado acima ou antes *<as tabelas estão no texto s.>*

supranacional (su.pra.na.cio.nal) [pl.: *-ais*] *adj.2g.* que pertence a um organismo ou a um poder posto acima do governo de cada nação *<forças s. da ONU>*

suprapartidário (su.pra.par.ti.dá.rio) *adj.* **1** que está acima dos partidos *<interesses s.>* **2** que reúne vários partidos *<frente s.>*

suprarregional (su.prar.re.gi.o.nal) [pl.: *-ais*] *adj.2g.* que está acima ou além do que é regional *<culinária s.>*

suprarrenal (su.prar.re.nal) [pl.: *-ais*] *adj.2g.s.f.* ANAT (glândula) que fica acima dos rins

S

suprassumo (su.pras.su.mo) *s.m.* grau mais elevado de algo; máximo *<o s. do conforto> <s. da tolice>*

supremacia (su.pre.ma.ci.a) *s.f.* superioridade absoluta; hegemonia *<s. econômica dos países desenvolvidos>*

supremo (su.pre.mo) *adj.* **1** que está acima de tudo *<autoridade s.>* ↺ insignificante **2** que se refere a Deus; divino *<a s. sabedoria>* ↺ profano **3** que está no limite máximo *<num esforço s., fez a prova>* ↺ mínimo

supresso (su.pres.so) *adj. frm.* suprimido ◉ GRAM/USO part. de *suprimir*

suprimir (su.pri.mir) *v.* {mod. 24} *t.d.* **1** agir para acabar com; extinguir, eliminar *<s. os focos de dengue>* □ *t.d. e t.d.i.* **2** (prep. *de*) tirar (parte) de (um todo); cortar *<o autor suprimiu alguns diálogos do texto inicial> <s. uma sobremesa do cardápio>* ◉ GRAM/USO part.: *suprimido, supresso*; ver QUADRO DE PARTICÍPIOS DUPLOS nas pp. iniciais ~ **supressão** *s.f.*

suprir (su.prir) *v.* {mod. 24} *t.d.* **1** ocupar o lugar de (pessoas ou coisas); substituir, preencher *<s. a falta de alguém>* **2** ajuntar (uma parte) a algo incompleto; inteirar *<s. a quantia que falta para o pagamento>* □ *t.d.i. e pron.* **3** (prep. *de*) fornecer ou adquirir (algo necessário ou útil); prover *<mandou supri-lo do necessário> <supriu-se de alimentos para o inverno>* ~ **suprimento** *s.m.*

supurar (su.pu.rar) *v.* {mod. 1} *int.* MED formar ou expelir pus *<a ferida supurou>* ~ **supuração** *s.f.* - **supurativo** *adj.s.m.*

-sura *suf.* equivale a *-ura* ('ação')

surdez (sur.dez) /ê/ [pl.: *-es*] *s.f.* ausência, diminuição ou perda do sentido da audição

surdina (sur.di.na) *s.f.* **1** som baixo, abafado **2** MÚS dispositivo móvel ou fixo us. para abafar o som e alterar o timbre de certos instrumentos; abafador ▣ **na s.** às escondidas *<armaram o golpe na s.>*

surdo (sur.do) *adj.s.m.* **1** que(m) não ouve; deficiente auditivo *<é s. de nascença>* ☞ nesta acp., a palavra pode ser ofensiva **2** que(m) não demonstra solidariedade; insensível *<um governante s. aos apelos dos eleitores>* ■ *adj.* **3** abafado (diz-se de som) ↺ sonoro ■ *s.m.* **4** MÚS tambor grave

surdo-mudo (sur.do-mu.do) [pl.: *surdos-mudos*] *adj.s.m.* que(m) é surdo e mudo ☞ a palavra pode ser ofensiva ~ **surdo-mudez** *s.f.*

surfe (sur.fe) *s.m.* ESP esporte aquático em que o praticante, de pé sobre uma prancha de poliuretano e resina, faz manobras sobre as ondas ▣ **s. de peito** ato de nadar sob o impulso da arrebentação de uma onda, até a praia ~ **surfar** *v.int.*

surfista (sur.fis.ta) *adj.2g.s.2g.* diz-se de ou pessoa que pratica o surfe

surgir (sur.gir) *v.* {mod. 24} *int.* **1** chegar, vir ou tornar-se visível, perceptível, ger. de repente; aparecer *<as flores começam a s.>* ↺ sumir **2** erguer-se de baixo, para fora de; elevar-se, aparecer *<ao longe a montanha surgia imponente>* **3** tornar-se realidade, passar a existir; acontecer, ocorrer *<resolvida a questão inicial, outros problemas surgiram>* **4** vir do fundo para a superfície; emergir *<o corpo do tubarão surgiu (na água)>* ☞ com ou sem indicação de lugar ◉ GRAM/USO part.: *surgido, surto*; ver QUADRO DE PARTICÍPIOS DUPLOS nas pp. iniciais ~ **surgimento** *s.m.*

surinamense (su.ri.na.men.se) *adj.2g.s.2g.* surinamês

surinamês (su.ri.na.mês) [pl.: *-es*] *adj.* **1** do Suriname, antiga Guiana Holandesa (América do Sul); surinamense ■ *s.m.* **2** natural ou habitante desse país; surinamense

suro (su.ro) *adj. B* sem rabo ou sem parte dele *<animal s.>*

surpreendente (sur.pre.en.den.te) *adj.2g.* **1** que causa surpresa; inesperado *<uma aparição s.>* **2** que causa grande admiração ou impacto; espantoso *<um filme de beleza s.>*

surpreender (sur.pre.en.der) *v.* {mod. 8} *t.d.* **1** ver ou parar alguém quando fazia algo; flagrar *<a polícia surpreendeu o bandido quando assaltava uma pessoa>* **2** pegar desprevenido *<a chuva os surpreendeu na rua>* **3** aparecer de repente diante de *<s. o inimigo>* **4** fazer surpresa para *<chegou antes para s. a namorada>* □ *t.d.,int. e pron.* **5** (fazer) ter surpresa, pasmo; espantar(-se), admirar(-se) *<aqueles fatos o surpreendiam muito> <vindo de quem veio, isso não surpreende> <já não se surpreendem com mais nada>* ◉ GRAM/USO part.: *surpreendido, surpreso*; ver QUADRO DE PARTICÍPIOS DUPLOS nas pp. iniciais

surpresa (sur.pre.sa) /ê/ *s.f.* **1** fato ou coisa que surpreende *<foi s. ele ter vencido a corrida>* **2** fato repentino e imprevisto *<o ônibus chegar adiantado foi uma s.>* **3** sensação por ele causada

surpreso (sur.pre.so) /ê/ *adj.* **1** que se surpreendeu **2** espantado, perplexo *<ficaram s. com o divórcio do filho>*

surra (sur.ra) *s.f.* **1** ação de maltratar por meio de pancadas; espancamento **2** *infrm.* derrota imposta a um adversário *<deram uma s. de cinco a zero>* **3** *infrm.* esforço excessivo *<depois da s. que levaram para montar a estante, os rapazes estavam exaustos>*

surrado (sur.ra.do) *adj.* **1** que levou surra *<o pugilista s. nem ficava em pé>* **2** muito usado, gasto pelo uso; velho *<sapatos s.>* **3** *fig.* que tem jeito de coisa velha, repetida *<ideias s.>*

surrão (sur.rão) [pl.: *-ões*] *s.m.* **1** saco para mantimentos; embornal **2** roupa gasta e suja

surrar (sur.rar) *v.* {mod. 1} *t.d.* **1** curtir ou bater (as peles) para amaciar **2** dar surra em; bater, espancar □ *t.d. e pron.* **3** (fazer) ficar gasto demais (roupa e acessórios) pelo uso excessivo *<surrou os sapatos em busca de emprego> <a manga do casaco já começava a s.-se>* ~ **surrador** *adj.s.m.*

surrealismo (sur.re.a.lis.mo) *s.m.* movimento literário e artístico surgido no início do sXX, que busca representar as manifestações do inconsciente ~ **surrealista** *adj.2g.s.2g.*

surrupiar (sur.ru.pi.ar) *v.* {mod. 1} *t.d. e t.d.i.* (prep. *a, de*) tirar às escondidas; furtar *<surrupiaram a minha carteira> <tentou s. o dinheiro ao irmão>*

surtar (sur.tar) *v.* {mod. 1} *int.* entrar em surto (por ansiedade, falta de adaptação, neurose, psicose etc.)

surtir (sur.tir) *v.* {mod. 24} *t.d.* dar como resultado, produzir (efeito) *<seu esforço não surtirá efeito>*

surto (sur.to) *s.m.* **1** aparecimento repentino de vários casos de uma doença em determinado lugar

<*s. de gripe*> **2** arroubo, impulso <*s. de honestidade*> **3** MED crise psicótica

surubim (su.ru.bim) [pl.: *-ins*] ou **surubi** (su.ru.bi) *s.m.* ZOO bagre de cabeça grande e achatada

surucucu (su.ru.cu.cu) *s.f.* ZOO jararacuçu

surucutinga (su.ru.cu.tin.ga) *s.f.* ZOO jararacuçu

sururu (su.ru.ru) *s.m.* **1** ZOO molusco de concha alongada, comum nos estuários dos rios da costa, esp. em Alagoas **2** *B infrm.* confusão, briga de várias pessoas

SUS *s.m.* sigla de Sistema Único de Saúde

suscetível (sus.ce.tí.vel) [pl.: *-eis*] ou **susceptível** (sus.cep.tí.vel) [pl.: *-eis*] *adj.2g.* **1** capaz de receber, experimentar certas modificações <*ser s. a opiniões e críticas*> **2** que tem tendência a sentir influências ou contrair doenças <*s. a resfriados*> ↺ resistente **3** que se ofende muito <*pessoa muito s.*> ~ **suscetibilidade/susceptibilidade** *s.f.*

suscitar (sus.ci.tar) *v.* {mod. 1} *t.d.* **1** fazer nascer ou aparecer; criar <*s. novas espécies de plantas e animais*> □ *t.d. e t.d.i.* **2** (prep. *a, em, entre*) ser a causa, o motivo de; provocar, causar <*sua luta suscitou adeptos*> <*a peça suscitou polêmicas (entre os atores)*> **3** (prep. *a, em, entre*) fazer surgir ou trazer à mente; sugerir, lembrar <*o processo suscitou muitas dúvidas*> <*o trecho lido suscitou-lhe novas ideias*>

suserano (su.se.ra.no) *adj.s.m.* HIST que(m) tem feudo do qual pessoas e outros feudos dependem ~ **suserania** *s.f.*

sushi (su.shi) [jap.] *s.m.* CUL bolinho de arroz envolvido ou não em folha de alga, ornado com fatias de peixe cru, ovas de peixe etc. ⇒ pronuncia-se suxi

suspeição (sus.pei.ção) [pl.: *-ões*] *s.f.* suspeita, desconfiança, dúvida

suspeita (sus.pei.ta) *s.f.* **1** suposição não provada, fundamentada em certos indícios <*a s. de que ele seria o mandante do crime não foi comprovada*> <*lançar suspeitas sobre alguém*> ↺ certeza **2** pressentimento <*teve a s. de que estava sendo seguida*>

suspeitar (sus.pei.tar) *v.* {mod. 1} *t.d. e t.i.* **1** (prep. *de*) imaginar com base em indícios; pressentir, supor <*suspeitara a mudança de rumos*> <*suspeitavam da existência de mais um planeta*> □ *t.i.* **2** (prep. *de*) supor a culpa de; desconfiar <*o detetive suspeitava do mordomo*> **3** (prep. *de*) não confiar em; duvidar <*ele suspeita de tudo e de todos*> <*s. da sinceridade do colega*> ↺ acreditar ◉ GRAM/USO part.: *suspeitado, suspeito*; ver QUADRO DE PARTICÍPIOS DUPLOS nas pp. iniciais

suspeito (sus.pei.to) *adj.* **1** que inspira desconfiança, suspeita <*atitude s.*> ↺ confiável **2** de cuja existência, veracidade ou exatidão não se tem certeza <*declaração s.*> ↺ seguro ■ *adj.s.m.* **3** (aquele) de quem se suspeita <*(indivíduo) s. de um crime*>

suspeitoso (sus.pei.to.so) /ô/ [pl. e fem.: /ó/] *adj.* **1** que desperta dúvida ou suspeita <*casamento s.*> **2** desconfiado, receoso <*decisão s.*>

suspender (sus.pen.der) *v.* {mod. 8} *t.d.,t.d.i. e pron.* **1** (prep. *a, em*) deixar ou ficar pendente; pendurar (-se) <*suspendeu o lampião (numa viga do telhado)*> <*o macaco suspendia-se pela cauda ao galho da árvore*> **2** (prep. *a, em*) pôr(-se) em posição alta; levantar(-se) <*pegou o filho e suspendeu-o (ao ombro)*> □ *t.d.* **3** puxar ou empurrar para cima; levantar <*s. a persiana*> **4** *fig.* privar, para sempre ou não, de função, cargo etc. <*s. o jogador*> **5** *fig.* fazer parar de forma temporária ou definitiva; interromper <*s. os trabalhos*> **6** *fig.* impedir a realização de (algo antes decidido ou planejado); cancelar <*suspenderam a viagem mais uma vez*> ◉ GRAM/USO part.: *suspendido, suspenso*; ver QUADRO DE PARTICÍPIOS DUPLOS nas pp. iniciais

suspensão (sus.pen.são) [pl.: *-ões*] *s.f.* **1** interrupção temporária ou definitiva de (algo) <*s. do pagamento*> **2** castigo imposto a alguém que o priva de suas atividades de forma temporária ou definitiva <*s. do jogador, do aluno*> **3** QUÍM sistema constituído de líquido e partículas que não se dissolvem **4** MEC conjunto de molas e peças que sustenta a carroceria e amortece a trepidação nos veículos

suspense (sus.pen.se) *s.m.* **1** CINE LIT RÁD TEAT TV gênero ficcional que se utiliza de artifícios para criar e manter o interesse e a expectativa do público <*filme de s.*> <*o s. de uma cena*> **2** *p.ext.* situação ou fato cuja continuação ou desfecho são aguardados com ansiedade <*manteve o s. até o fim da aula*>

suspenso (sus.pen.so) *adj.* **1** sustentado do alto; pendente <*um lustre s. do teto*> <*ponte s.*> **2** que se interrompeu de forma temporária ou definitiva; parado <*sessão s.*> **3** privado das suas funções, atividades ou cargo por um período determinado <*empregado s.*> <*aluno s.*> **4** que se acha confuso e incapaz de tomar decisões; perplexo, hesitante <*estavam todos s. com a notícia do naufrágio*>

suspensório (sus.pen.só.rio) *s.m.* VEST cada uma das duas tiras que passam pelos ombros e seguram as calças ou saias pelo cós

suspicaz (sus.pi.caz) [pl.: *-es*] *adj.2g.* **1** que causa suspeitas; suspeito <*atitude s.*> **2** que costuma suspeitar de outrem; desconfiado <*pessoa s.*> ~ **suspicácia** *s.f.*

suspirar (sus.pi.rar) *v.* {mod. 1} *int.* **1** inspirar de forma longa e profunda, por tristeza, saudade, cansaço etc. **2** *B* soltar a voz (a ema) ☞ nesta acp., só us. nas 3as p., exceto quando fig. □ *t.d. e t.i.* **3** (prep. *por*) exprimir entre suspiros (sentimento, emoção) <*s. (por) um amor perdido*> **4** (prep. *por*) sentir saudades de <*s. o tempo da infância*> <*ela suspira pelo filho ausente*>

suspiro (sus.pi.ro) *s.m.* **1** inspiração longa seguida de expiração de som melancólico, ger. provocada por cansaço, tristeza ou alívio **2** respiradouro **3** CUL doce feito de claras de ovos batidas com açúcar, ger. assado em forno

sussurrar (sus.sur.rar) *v.* {mod. 1} *int.* **1** produzir leve rumor; murmurar <*perto, a água de uma fonte sussurrava*> □ *t.d. e t.d.i.* **2** (prep. *a*) dizer em voz baixa; cochichar <*s. segredos*> <*sussurrou-lhe palavras de amor*> ~ **sussurrante** *adj.2g.* - **sussurro** *s.m.*

sustança (sus.tan.ça) *s.f. infrm.* sustância

sustância (sus.tân.cia) *s.f.* o que alimenta, fortalece; substância, sustança

sustar (sus.tar) *v.* {mod. 1} *t.d.,int. e pron.* (fazer) parar; suspender(-se), interromper(-se) <*s. a venda de um imóvel*> <*na corrida, ele sustou*> ~ **sustação** *s.f.* - **sustamento** *s.m.*

S

sustenido (sus.te.ni.do) *s.m.* MÚS **1** sinal gráfico que indica que a nota por ele antecedida deve subir um semitom [símb.: #] ■ *adj.* **2** alterada por este sinal (diz-se de nota) *<dó s.>* ☞ cf. *bemol*

sustentação (sus.ten.ta.ção) [pl.: *-ões*] *s.f.* **1** abastecimento continuado das substâncias necessárias à conservação da vida **2** ação de amparar; apoio *<partidos que estão dando s. ao governo>* **3** aquilo que sustenta, apara; sustentáculo *<a s. do telhado não aguentou e ruiu>* **4** ato ou efeito de defender (algo); defesa *<s. de tese>*

sustentáculo (sus.ten.tá.cu.lo) *s.m.* o que sustenta; apoio *<os s. da ponte> <o s. da família>*

sustentar (sus.ten.tar) *v.* {mod. 1} *t.d.* **1** segurar por baixo, carregando o peso de; suster *<várias colunas sustentam o teto>* **2** segurar no alto; carregar *<os da frente sustentavam as bandeiras>* **3** garantir os meios para a realização e continuação de; manter *<s. uma guerra, um projeto>* **4** impedir a ruína de; auxiliar *<um crédito amplo sustentou o banco>* **5** sofrer com resignação; suportar *<não conseguiu s. tanto desgosto>* **6** defender com argumentos, provas *<s. uma teoria>* **7** afirmar categoricamente *<sustentou até o fim que era inocente>* **8** repetir (algo já dito); insistir, reafirmar *<a testemunha sustentou sua declaração anterior>* □ *t.d. e pron.* **9** manter o equilíbrio (de); apoiar(-se), firmar(-se) *<enormes vigas sustentam as paredes da igreja> <sustentou-se no corrimão para não cair>* **10** manter a resistência (a); aguentar(-se), resistir *<a população sustentou o cerco por cinco meses> <a tropa não pôde s.-se frente ao inimigo>* **11** dar ou receber o necessário à vida; manter(-se) *<ganhava para s. a família> <não se sustenta sem o auxílio do pai>* **12** *fig.* manter(-se) firme, sem fraquejar; fortalecer(-se) *<o que a sustentou foi a sua fé> <os cônjuges sustentaram-se um ao outro>* □ *pron.* **13** conservar a mesma posição; suster-se *<mal podia se s. em pé>*

sustentável (sus.ten.tá.vel) [pl.: *-eis*] *adj.2g.* **1** que pode ser sustentado *<uma estrutura de ponte s.>* **2** ECON planejado com base na utilização de recursos e na implantação de atividades industriais, de forma a não esgotar ou degradar os recursos naturais ~ **sustentabilidade** *s.f.*

sustento (sus.ten.to) *s.m.* **1** satisfação das necessidades básicas para a sobrevivência *<já ganha para o s. da família>* **2** o que é necessário para essa satisfação *<tira seu s. da terra>*

suster (sus.ter) *v.* {mod. 16} *t.d. e pron.* **1** segurar(-se) para evitar que caia; sustentar(-se) *<um pilar sustém o teto> <não caiu porque se susteve a uma cerca>* **2** interromper movimento (de); parar *<susteve o galope do cavalo> <s.-se na corrida>* **3** conter(-se), refrear(-se) *<s. o riso> <sem poder s.-se avançou sobre o provocador>* **4** manter(-se) em equilíbrio; sustentar(-se) *<ferida e sem poder s.-se no ar, a ave caiu>* □ *t.d.* **5** impedir de soltar-se, mover-se etc.; deter, segurar *<o guarda susteve o ladrão pelo braço> <s. o avanço inimigo>* **6** alimentar, nutrir *<uma rigorosa dieta sustinha suas forças>* **7** fazer ficar menor ou nulo; cortar, restringir, moderar *<s. os gastos>*

susto (sus.to) *s.m.* **1** sobressalto, medo repentino *<levou um s. ao ver a arma>* **2** choque causado por notícia ou fato **3** *p.ext.* falta de tranquilidade; receio *<vive em permanente s.>*

sutache (su.ta.che) *s.f.* trança ou cadarço de seda, lã ou algodão us. para enfeitar peças de roupa

sutiã (su.ti.ã) *s.m.* VEST peça do vestuário feminino us. sob a roupa para sustentar os seios

sutil (su.til) [pl.: *-is*] *adj.2g.* **1** quase imperceptível *<um s. fio de seda>* ↺ espesso **2** delicado, minucioso *<trabalho s.>* ↺ grosseiro **3** *fig.* de grande sensibilidade; perspicaz, astuto *<observação s.>* ↺ tolo

sútil (sú.til) [pl.: *-eis*] *adj.2g.* feito de pedaços costurados uns nos outros

sutileza (su.ti.le.za) /ê/ *s.f.* **1** particularidade, minúcia *<as s. do poema>* **2** agudeza de espírito *<esse senhor não tinha nenhuma s.>* **3** fala ou argumento inesperado e inteligente *<a s. do bom texto cômico>* **4** fala ou ação de difícil entendimento *<raciocínio cheio de s.>* **5** delicadeza *<s. de um gesto>*

sutura (su.tu.ra) *s.f.* MED costura cirúrgica ~ **suturação** *s.f.* - **suturar** *v.t.d.*

S.U.V. [ing.] *s.m.* automóvel de passageiros de alto desempenho, similar às caminhonetes e de tração nas quatro rodas ◉ ORIGEM SUV é abrev. do inglês *sport utility vehicle* 'veículo utilitário esportivo' ⇒ pronuncia-se essiuvi

suvenir (su.ve.nir) [pl.: *-es*] *s.m.* objeto típico de um lugar, trazido como lembrança

SW símbolo de *sudoeste* (na rosa dos ventos)

a b c d e f g h i j k l m n o p q r s **t** u v w x y z

t *s.m.* **1** 20ª letra do nosso alfabeto, consoante ■ *n.ord.* *(adj.2g.2n.)* **2** diz-se do 20º elemento de uma série *<casa T> <item 1t>* ☞ empr. após um substantivo ou numeral ▲ **3** símbolo de *tonelada* ◉ GRAM/USO na acp. s.m., pl.: *tt*

T9 ® [ing.] *s.m.* INF TEL *software* com uma lista ampliável de palavras que auxilia a digitação da mensagem via celular (p.ex., ao digitar duas letras, o programa sugere a palavra) ◉ GRAM/USO tb. us. como adj.2g.2n.: *modo de digitação* T9 ⇒ pronuncia-se ti nain, *corrente* tê nove

ta *contr.* ver *TO <Queres a pulseira? Dou-ta.>*

Ta QUÍM símbolo de *tântalo*

tá *interj.* expressa concordância; sim, está bem *<tá, então vamos embora>* ◉ GRAM/USO é aférese da 3ª p.s. do pres.ind. do v. *estar*

taba (ta.ba) *s.f.* *B* aldeia indígena

tabacaria (ta.ba.ca.ri.a) *s.f.* loja onde se vendem cigarros, charutos etc.; charutaria

tabaco (ta.ba.co) *s.m.* BOT **1** erva nativa das Américas, cultivada para a produção de cigarros, charutos etc., e tb. para combater pragas e vermes **2** folha seca dessa planta us. para fumar ou mascar; fumo

tabagismo (ta.ba.gis.mo) *s.m.* **1** consumo excessivo de tabaco **2** intoxicação causada por esse consumo ~ **tabagista** *adj.2g.s.2g.* - **tabagístico** *adj.*

tabajara (ta.ba.ja.ra) *s.2g.* **1** indivíduo dos tabajaras, grupo indígena que vive no município de Viçosa (CE) ■ *adj.2g.* **2** relativo a esse indivíduo ou grupo

tabaqueira (ta.ba.quei.ra) *s.f.* caixa, bolsa etc. para guardar fumo

tabaréu (ta.ba.réu) [fem.: *tabaroa*] *s.m.* *B* habitante do campo ou da roça; caipira

tabaroa (ta.ba.ro.a) *s.f.* *B* mulher que vive no campo ou na roça; caipira

tabatinga (ta.ba.tin.ga) *s.f.* *B* argila mole de coloração variada ◉ COL tabatingal

tabatingal (ta.ba.tin.gal) [pl.: *-ais*] *s.m.* terreno com grande quantidade de tabatinga

tabefe (ta.be.fe) *s.m.* **1** *infrm.* pancada dada com a mão; bofetada **2** CUL espécie de caldo grosso feito com gemas batidas com açúcar e fervidas no leite **3** CUL doce feito com claras de ovos, batidas com açúcar e canela **4** coalhada de soro de leite

tabela (ta.be.la) *s.f.* **1** pequena tábua ou quadro para consulta de dados como preços, relação de pessoas, horários etc. **2** lista us. para registro, fixação ou recordação *<fez uma t. para os textos recebidos e os devolvidos>* **3** relação oficial de preços de mercadorias ou serviços *<consultou a t. do sindicato antes de fazer seu orçamento>* **4** ESP suporte retangular onde a cesta de basquete é fixada **5** ESP relação dos jogos de um campeonato com as datas **6** FUTB troca rápida de passes entre jogadores, rumo ao gol *<fizeram uma t. linda antes do chute>* ▣ **por t.** *B infrm.* de forma indireta *<na discussão, seu irmão foi atingido por t.>*

tabelamento (ta.be.la.men.to) *s.m.* **1** organização em tabela, lista, colunas etc. **2** fixação de preços por tabela; tarifação **3** controle oficial desses preços

tabelar (ta.be.lar) *v.* {mod. 1} *t.d.* **1** organizar (dados, informações) em tabela; tabular *<t. os horários de trens> <t. os dados da pesquisa>* **2** *p.ext.* submeter a uma tabela de preços *<t. produtos alimentícios>* □ *t.i. e int.* FUTB *B* **3** (prep. *com*) trocar passes rápidos com (outro jogador) rumo ao gol

tabeliã (ta.be.li.ã) *s.m.* tabelioa

tabelião (ta.be.li.ão) [pl.: *-ães*; fem.: *tabeliã* e *tabelioa*] *s.m.* escrivão público ~ **tabelional** *adj.2g.* - **tabelionar** *adj.2g.*

tabelioa (ta.be.li.o.a) *s.f.* mulher que exerce funções de tabelião ou mulher de tabelião; tabeliã ◉ GRAM/USO fem. de *tabelião*

tabelionato (ta.be.li.o.na.to) *s.m.* **1** função exercida pelo tabelião **2** local de trabalho do tabelião; cartório

taberna (ta.ber.na) ou **taverna** (ta.ver.na) *s.f.* **1** restaurante que serve refeições simples **2** estabelecimento onde se vende vinho a varejo ~ **taberneiro** *adj.s.m.*

tabernáculo (ta.ber.ná.cu.lo) *s.m.* REL **1** entre os hebreus, santuário portátil da arca da Aliança **2** local considerado sagrado **3** local onde ficam as hóstias consagradas no altar católico; sacrário

tabique (ta.bi.que) *s.m.* **1** divisória us. em uma casa **2** parede feita de taipa

tablado (ta.bla.do) *s.m.* estrutura de tábuas erguida acima do chão us. para apresentações artísticas, comícios etc.

tablet (tab.let) [ing.; pl.: *tablets*] *s.m.* INF dispositivo de entrada de dados que permite inserir gráficos desenhados à mão por meio de uma caneta ou estilete especial pressionado contra uma superfície sensível, similar a uma prancheta ⇒ pronuncia-se tablet ▣ ***t. PC*** INF computador portátil cuja tela, além de ser monitor de vídeo, é o principal dispositivo de entrada e comando [Pode ter acesso à internet ou funcionar como celular.]

tablete (ta.ble.te) *s.m.* medicamento, alimento ou qualquer produto sólido em forma de placa, ger. retangular *<t. de doce, de fermento, de sabão>*

tabloide (ta.bloi.de) /ói/ *s.m.* JOR **1** publicação que tem cerca da metade do tamanho habitual dos jornais ☞ marca registrada, em ing., *Tabloid*, que passou a designar o seu gênero ■ *adj.2g.* **2** relativo a essa publicação

taboa (ta.bo.a) *s.f.* → *TABUA*

taboca (ta.bo.ca) *s.f.* **1** vara de bambu **2** taquara

tabu (ta.bu) *s.m.* **1** proibição religiosa, social ou cultural de certo comportamento, gesto ou linguagem *<t. sexual, linguístico>* **2** o que é objeto dessa proibição ■ *adj.2g.* **3** que não pode ser us., feito, tocado ou pronunciado, por crença, respeito ou pudor *<assunto t.>*

tabua (ta.bu.a) ou **taboa** (ta.bo.a) *s.f.* BOT nome comum a várias ervas que nascem em brejos e margens de rios

tábua (tá.bua) *s.f.* **1** peça de madeira serrada, plana, pouco espessa e relativamente larga **2** espécie de móvel us. para diversos fins; mesa *<t. de passar roupa>* **3** quadro, tabela *<t. de matérias de um livro>* ▣ **t. de salvação** *fig.* último recurso a que se apela em uma situação crítica *<a avó era sua t. de salvação>*

tabuada (ta.bu.a.da) *s.f.* **1** tabela com as operações aritméticas elementares e seus resultados *<os alunos têm de conhecer bem a t.>* **2** o livro que contém essa tabela *<t. foram distribuídas na sala de aula>*

tabulador (ta.bu.la.dor) /ô/ [pl.: *-es*] *adj.s.m.* **1** (mecanismo) que permite, em máquinas de escrever, computadores etc., tabular colunas no texto em que se escreve ■ *s.m.* INF **2** nos teclados de computador, tecla que permite passar de um campo a outro e/ou possibilita fazer alinhamentos, tabulações etc.

[1]**tabular** (ta.bu.lar) [pl.: *-es*] *adj.2g.* relativo a tábua, tabela, mapa ou ao seu uso ⊙ ORIGEM do lat. *tabulāris,e* 'feito em forma de tábua'

[2]**tabular** (ta.bu.lar) *v.* {mod. 1} *t.d.* **1** organizar (informações) em tabela; tabelar **2** ajustar as margens laterais em máquina de escrever, computador etc. para alinhar (o texto) ⊙ ORIGEM do ing. (*to*) *tabulate* 'colocar em forma de tabela' ~ **tabulação** *s.f.*

tabule (ta.bu.le) *s.m.* CUL salada da cozinha árabe feita com alfaces e tomates picados, temperos e ervas, e a que se acrescenta trigo posto de molho

tabuleiro (ta.bu.lei.ro) *s.m.* **1** prancha sobre a qual se movimentam as peças de um jogo *<t. de xadrez>* **2** mesa de tábuas na qual os feirantes expõem seus produtos **3** recipiente raso e com bordas baixas à volta, us. ger. para servir alimentos, líquidos etc.; bandeja **4** recipiente em que se assam comidas no forno; assadeira *<assou o bolo no t. pequeno>*

tabuleta (ta.bu.le.ta) /ê/ *s.f.* **1** placa na qual se inscrevem anúncios, avisos etc. **2** o que se escreve ou desenha sobre essa placa; anúncio

taça (ta.ça) *s.f.* **1** copo com pé us., p.ex., para beber água, vinho etc. **2** o conteúdo desse copo *<tomar uma t. de champanhe>* **3** *p.ext.* ESP troféu com a forma desse copo

tacacá (ta.ca.cá) *s.m.* CUL *PA* caldo feito com a goma da mandioca, camarões, tucupi e temperos, a que se adiciona jambu

tacada (ta.ca.da) *s.f.* **1** ESP pancada com taco, ger. em bola ou similar, no bilhar, no hóquei etc. **2** *B infrm.* pedido de dinheiro **3** *fig. infrm.* golpe de sorte

tacanho (ta.ca.nho) *adj.* **1** pequeno, baixo ou curto, quanto às dimensões *<físico t.>* **2** *fig.* sem riqueza material; pobre ↺ rico **3** *fig.* sem valor; insignificante *<um padrão t.>* ■ *adj.s.m.* **4** que(m) não tem clareza de ideias; estúpido **5** avarento, sovina ↺ esbanjador **6** (indivíduo) velhaco, manhoso ↺ ingênuo ~ **tacanharia** *s.f.*

tacão (ta.cão) [pl.: *-ões*] *s.m.* **1** salto do calçado **2** parte mais grossa da sola do calçado, na altura do calcanhar

tacape (ta.ca.pe) *s.m.* *B* arma indígena de ataque; borduna

[1]**tacar** (ta.car) *v.* {mod. 1} *t.d.* **1** dar pancada com taco em (bola de bilhar, golfe etc.) □ *t.d.i.* *B infrm.* **2** (prep. *em*) bater com (algo) em; acertar *<t. a mão na cara do agressor>* ⊙ ORIGEM de *taco* + [2]*-ar*

[2]**tacar** (ta.car) *v.* {mod. 1} *t.d.* e *t.d.i.* **1** (prep. *em*) atirar, lançar, jogar a distância *<tacou longe a laranja>* *<t. tomate em um orador>* □ *t.d.i.* **2** (prep. *em*) atear (fogo) em *<tacaram fogo no lixo>* ⊙ ORIGEM alt. de *atacar*

[1]**tacha** (ta.cha) *s.f.* **1** nódoa, mancha **2** *fig.* defeito moral; desonra ☞ cf. *taxa* ⊙ ORIGEM do fr. *tache* 'id.'

[2]**tacha** (ta.cha) *s.f.* prego de cabeça redonda, chata e larga ☞ cf. *taxa* ⊙ ORIGEM duv., talvez do esp. *tacha* 'id.' ~ **tachear** *v.t.d.*

tachar (ta.char) *v.* {mod. 1} *t.d.pred.* e *pron.* (prep. *de*) atribuir(-se) defeitos, imperfeições; acoimar (-se), qualificar(-se) *<adora t. as pessoas>* *<tachou-o de insensível>* *<tachava-se de inseguro>* ☞ cf. *taxar*

tacho (ta.cho) *s.m.* grande panela de metal, barro etc., larga e pouco funda, ger. com alças

tácito (tá.ci.to) *adj.* **1** não traduzido por palavras; silencioso, calado <*amores t.*> ↺ patente **2** que não é preciso dizer por estar implícito ou subentendido <*um acordo t.*> ↺ explícito **3** secreto, oculto <*um t. entendimento*>

taciturno (ta.ci.tur.no) *adj.* **1** de poucas palavras; calado ↺ falador **2** *fig.* tomado pela tristeza ou insatisfação; triste ↺ alegre **3** *p.ext.* mal-humorado, carrancudo ↺ risonho

taco (ta.co) *s.m.* **1** ESP bastão de madeira longo e roliço, us. para tocar a bola em jogo de bilhar, golfe etc. **2** pedaço de madeira, ger. retangular, us. para revestir pisos

tacômetro (ta.cô.me.tro) *s.m.* ENG FÍS dispositivo que fornece informações sobre a velocidade de um veículo; conta-giros

táctil (tác.til) [pl.: *-eis*] *adj.2g.* → ***TÁTIL***

tacto (tac.to) *s.m.* → ***TATO***

tae kwon do [coreano] *loc.subst.* ESP arte marcial de origem coreana semelhante ao caratê ⇒ pronuncia-se tai cuon dô

tafetá (ta.fe.tá) *s.m.* tecido de seda com brilho, sem avesso, us. em vestidos, estofos de móveis etc.

tagarela (ta.ga.re.la) *adj.2g.s.2g.* **1** (aquele) que fala muito; linguarudo ↺ discreto **2** que(m) não guarda segredo; indiscreto ↺ discreto

tagarelar (ta.ga.re.lar) *v.* {mod. 1} *int.* falar muito, sem pensar; matraquear

tagarelice (ta.ga.re.li.ce) *s.f.* **1** hábito de tagarelar ↺ mudez **2** coisa de pouca importância que se diz ou escreve <*não ligue, é só t.*> **3** indiscrição, intrometimento ↺ discrição

taiaçuídeo (tai.a.çu.í.deo) *s.m.* ZOO **1** espécime dos taiaçuídeos, família de mamíferos aparentados aos porcos, que inclui o queixada e o caititu ■ *adj.* **2** relativo a essa família de mamíferos

tai chi chuan [chn.] *loc.subst.* série de movimentos lentamente executados, us. pelos chineses como sistema de exercícios de relaxamento e meditação ☞ tb. se diz apenas *tai chi* ⇒ pronuncia-se tai chi chuan

taifa (tai.fa) *s.f.* MAR grupo de taifeiros ou marinheiros

taifeiro (tai.fei.ro) *s.m.* MAR **1** soldado que faz o serviço de copa, mesa e camarotes dos oficiais de marinha **2** serviçal de navio mercante ◉ COL taifa

taiga (tai.ga) *s.f.* BOT região situada ao norte da Europa, Ásia e América setentrional, constituída por florestas com algumas árvores que não perdem as folhas mesmo no rigoroso inverno

tainha (ta.i.nha) *s.f.* ZOO grande peixe tropical de listas negras longitudinais ◉ GRAM/USO dim.irreg.: *tainhota* ◉ COL cardume

tainhota (ta.i.nho.ta) *s.f.* ZOO *B* filhote de tainha ◉ GRAM/USO dim.irreg. de *tainha*

taioba (tai.o.ba) *s.f.* BOT *B* erva tropical da família do antúrio e do inhame, cujas folhas, muito grandes, e tubérculos são comestíveis

taipa (tai.pa) *s.f.* **1** CONSTR processo de construção de paredes que usa barro amassado para preencher espaços entre paus, varas etc., trançados **2** *p.ext.* parede feita por esse processo; estuque **3** *p.ext.* esse barro amassado

tal *pron.dem.* **1** este, esta, isto, esse, essa, isso, aquele, aquela, aquilo <*nunca foi possível esquecer t. fato*> **2** semelhante, análogo <*nunca viu t. paixão*> **3** us. com conotação ger. pejorativa ou desdenhosa <*o t. político nunca vem trabalhar*> **4** us. quando se trata de algo que se deseja generalizar <*página t.*> ☞ empr. a seguir a um substantivo ■ *adv.* **5** desse jeito ou modo, assim <*t. era o estado real das coisas*> ■ *s.2g.* **6** aquele de quem se fala, mas cujo nome se oculta <*falo do t. que me pediu dinheiro*> **7** *B infrm.* pessoa notável <*em matemática, ele é o t.*> ◉ GRAM/USO pl. do pron. e do subst.: *tais* ▣ **t. como 1** us. para apresentar um exemplo ou uma enumeração <*os pedidos eram básicos, tais como casa, comida e dinheiro*> **2** introduz uma comparação <*falar t. como o pai*> • **de t.** expressão us. após um nome próprio, quando não se sabe ou se quer ocultar o sobrenome de alguém <*Jorge de t.*>

tala (ta.la) *s.f.* MED dispositivo us. para imobilizar um membro ou parte do corpo fraturada ou deslocada

talagada (ta.la.ga.da) *s.f.* *B infrm.* gole de bebida alcoólica que se toma de uma vez <*uma t. de conhaque*>

talagarça (ta.la.gar.ça) *s.f.* tecido encorpado, us. para bordar ou na encadernação de livros

talante (ta.lan.te) *s.m.* **1** vontade, desejo <*a polícia prendia e soltava a seu t.*> **2** atitude de interesse; empenho <*progredir na medida de seu t.*>

talão (ta.lão) [pl.: *-ões*] *s.m.* **1** ANAT calcanhar dos humanos e de certos animais **2** parte do calçado ou da meia que cobre o calcanhar **3** extremidade de ferradura **4** bloco de folhas com uma parte destacável e outra onde se anota o emitente; talonário <*t. de cheques*>

¹talar (ta.lar) *v.* {mod. 1} *t.d.* **1** abrir fenda em (terreno), para a água escoar <*talou uma parte das terras e os alagamentos cessaram*> **2** causar graves danos a; devastar, arrasar <*os gafanhotos talaram a plantação*> ◉ ORIGEM do esp. *talar* 'devastar'

²talar (ta.lar) [pl.: *-es*] *adj.2g.* **1** relativo a talão ('calcanhar') **2** que desce até os calcanhares <*veste t.*> ◉ ORIGEM do lat. *talāris,e* 'que desce até os tornozelos; comprido'

talássico (ta.lás.si.co) *adj.* **1** relativo a mar e a águas oceânicas profundas **2** *frm.* da cor do mar <*azul t.*>

talassofobia (ta.las.so.fo.bi.a) *s.f.* PSIC pavor do mar

talassofóbico (ta.las.so.fó.bi.co) *adj.* PSIC relativo a talassofobia e/ou a talassófobo

talassófobo (ta.las.só.fo.bo) *s.m.* PSIC quem tem medo do mar

talassoterapia (ta.las.so.te.ra.pi.a) *s.f.* MED uso do clima marinho e de banhos de mar para o tratamento de doenças ~ **talassoterápico** *adj.*

talco (tal.co) *s.m.* MINER mineral em pó finíssimo, us. em remédios, cosméticos etc.

talento (ta.len.to) *s.m.* **1** inteligência notável, que se afirma por méritos excepcionais <*seu t. de advogado salvou o réu*> **2** *p.ext.* capacidade inata ou adquirida <*ter t. para a música*> ↺ incapacidade

talentoso (ta.len.to.so) /ô/ [pl. e fem.: /ó/] *adj.* 1 que tem muito talento, inteligência 2 habilidoso na sua arte e/ou ciência <*cirurgião, músico t.*>

[1]**talha** (ta.lha) *s.f.* ART.PLÁST obra de arte que se faz entalhando a madeira ◉ ORIGEM de *talhar*

[2]**talha** (ta.lha) *s.f.* 1 vaso bojudo us. para armazenar líquidos e cereais 2 *B* moringa ◉ ORIGEM de um lat. **tinacŭla* 'pequeno vaso de servir vinho'

talhadeira (ta.lha.dei.ra) *s.f. B* ferramenta us. para esculpir ou cortar madeira, metal etc.

talhado (ta.lha.do) *adj.* 1 que foi dividido, cortado <*fruta t.*> ↺ inteiro 2 *fig.* que se convencionou; ajustado <*pagou o preço t.*> 3 disposto na vertical, em escarpa ou rampa <*rochedo t.*> 4 apropriado, adequado <*pessoa t. para um cargo*> 5 que coalhou <*leite t.*> 6 que foi ajustado e costurado, depois de cortado (diz-se de peça de vestuário) ■ *s.m.* 7 GEO *B* passagem estreita de rio entre paredes íngremes

talhador (ta.lha.dor) /ô/ [pl.: *-es*] *adj.s.m.* 1 (instrumento ou máquina) us. para talhar, cortar ■ *s.m.* 2 proprietário ou funcionário de açougue

talha-mar (ta.lha-mar) [pl.: *talha-mares*] *s.m.* 1 quebra-mar 2 MAR parte externa da proa de uma embarcação

talhar (ta.lhar) *v.* {mod. 1} *t.d.* 1 fazer talho(s) em; cortar 2 ART.PLÁST entalhar, esculpir, gravar <*t. o mármore*> <*t. a imagem de um santo*> 3 VEST cortar tecido, couro na justa medida do corpo, para confeccionar (roupa, sapato) 4 abrir sulcos em; fender <*t. a terra*> 5 cortar ramos de (plantas); podar □ *t.d.i.* 6 (prep. *a*, *por*) fazer (algo) à imitação de; ajustar, moldar <*talha seu comportamento pelo do irmão*> <*t. a solução ao problema*> □ *int. e pron.* 7 coalhar(-se), coagular(-se) [o leite] □ *pron.* 8 ficar com fendas; abrir-se, rachar-se <*as paredes talharam-se com o calor*> ~ **talhadura** *s.f.* - **talhamento** *s.m.*

talharim (ta.lha.rim) [pl.: *-ins*] *s.m.* massa alimentícia cortada em tiras

talhe (ta.lhe) *s.m.* 1 porte e configuração física <*era um homem de t. alto*> 2 *p.ext.* tronco do corpo humano <*cansada, reclinou o t. na poltrona*> 3 aspecto e forma de qualquer objeto; talho <*o t. de uma letra*> 4 modo de cortar um tecido ou esculpir uma obra de arte; talho <*o t. de uma capa*> <*vestido de t. perfeito*>

talher (ta.lher) [pl.: *-es*] *s.m.* 1 utensílio us. para comer, como garfo, faca, colher 2 *fig.* lugar de cada um à mesa <*banquete de 300 t.*> ◉ COL faqueiro

T

talho (ta.lho) *s.m.* 1 rasgo, corte ou golpe com objeto cortante; sulco, vergão <*deu um t. na saia com a tesoura*> 2 *p.ext.* corte da carne, no açougue, e sua divisão em categorias 3 talhe ('aspecto', 'modo de cortar')

talião (ta.li.ão) [pl.: *-ões*] *s.m.* qualquer vingança em proporção igual ou considerada equivalente ao mal sofrido; retaliação

talibã (ta.li.bã) *adj.2g.s.2g.* 1 (o) que é membro do movimento nacionalista islâmico que governou o Afeganistão entre 1996 e 2001 ■ *s.m.* 2 esse movimento ☞ inicial maiúsc. ■ *adj.2g.* 3 que resulta desse movimento <*governo t.*>

talidomida (ta.li.do.mi.da) *s.f.* FARM substância presente em medicamentos sedativos e hipnóticos, que deve ser evitada por gestantes por causar má-formação no feto

tálio (tá.lio) *s.m.* QUÍM elemento químico us. em vidros de baixo ponto de fusão, células fotoelétricas, pesticidas etc. [símb.: *Tl*] ☞ cf. *tabela periódica* (no fim do dicionário)

talismã (ta.lis.mã) *s.m.* objeto a que se atribui o poder mágico de conseguir o que se deseja

talmude (tal.mu.de) *s.m.* REL conjunto das antigas leis e tradições do povo judeu ☞ inicial maiúsc. ~ **talmúdico** *adj.*

talo (ta.lo) *s.m.* BOT 1 parte das plantas que dá suporte a flores, folhas e frutos 2 nervura fibrosa principal das folhas de certas plantas <*t. de couve*> ~ **taloso** *adj.*

talonário (ta.lo.ná.rio) *s.m.* 1 bloco cujas folhas são talões 2 talão de cheques

talpídeo (tal.pí.deo) *s.m.* ZOO 1 espécime dos talpídeos, família de mamíferos da Eurásia e América do Norte, que inclui diversas espécies de toupeiras ■ *adj.* 2 relativo a essa família de mamíferos

talude (ta.lu.de) *s.m.* 1 superfície inclinada de um aterro, muro ou qualquer obra 2 terreno em declive; escarpa

taludo (ta.lu.do) *adj.* 1 que tem talo rijo (diz-se esp. de vegetal) 2 *fig.* de grande vulto; considerável <*problemas t.*> ■ *adj.s.m.* 3 (indivíduo) grande, corpulento, parrudo 4 (criança ou jovem) que é ou está bem desenvolvido ↺ franzino

talvez (tal.vez) *adv.* possivelmente, porventura <*um dia t. saibamos a verdade*>

tamancada (ta.man.ca.da) *s.f.* pancada com tamanco

tamanco (ta.man.co) *s.m.* VEST calçado cuja base é de madeira inteiriça

tamanduá (ta.man.du.á) *s.m.* ZOO mamífero desdentado, de focinho longo, dotado de língua longa e pegajosa, e grandes garras us. para cavar abrigos de formigas e cupins, pois esses animais são seu alimento

tamanduá-bandeira (ta.man.du.á-ban.dei.ra) [pl.: *tamanduás-bandeiras* e *tamanduás-bandeira*] *s.m.* ZOO tamanduá de cauda comprida e peluda, de coloração cinza acastanhada, com listra preta que vai do peito até a metade do dorso

tamanho (ta.ma.nho) *adj.* 1 tão grande, tão extenso <*nunca recebera t. castigo*> ■ *s.m.* 2 grandeza física (volume, área etc.) <*o t. da sala*> 3 porte, corpo, estatura <*um homem do seu t. devia tomar juízo!*> 4 cada uma das medidas de roupa e calçado padronizadas pela indústria <*calça t. 42*>

tâmara (tâ.ma.ra) *s.f.* BOT fruto da tamareira

tamareira (ta.ma.rei.ra) *s.f.* BOT palmeira africana cultivada esp. pelas tâmaras, mas tb. pelo açúcar que delas se extrai, e como ornamental

tamarindal (ta.ma.rin.dal) [pl.: *-ais*] *s.m.* aglomeração de tamarindeiros

tamarindeiro (ta.ma.rin.dei.ro) *s.m.* árvore que produz o tamarindo ◉ COL tamarindal

tamarindo (ta.ma.rin.do) *s.m.* 1 árvore cultivada como ornamental e pelos frutos 2 o fruto dessa árvore, cuja polpa é escura e ácida, us. em farmácia e na alimentação

tambaqui (tam.ba.qui) *s.m.* ZOO peixe encontrado no rio Amazonas e afluentes, que atinge 90 cm de comprimento e 13 kg de peso

também (tam.bém) *adv.* **1** da mesma forma *<um queria falar e o outro queria t.>* **2** além disso *<ganhou livros e t. jogos>* **3** por outro lado, de outra forma *<uns gostam de calor, mas, t., há os que preferem o frio>* **4** realmente, na verdade *<essa história t. já é demais!>* ■ *conj.adt.* **5** nem *<nada disse, t. ninguém lhe perguntou nada>* ■ *conj.advrs.* **6** mas, porém *<ela faltou ontem, t., hoje, trabalhou dobrado>* ■ *interj.* **7** exprime desgosto, desprazer *<chegamos atrasados. T., ele demorou tanto!>*

tambor (tam.bor) /ô/ [pl.: *-es*] *s.m.* **1** MÚS instrumento de percussão, ger. de forma cilíndrica, revestido por membrana e tocado com as mãos ou baquetas **2** parte do revólver em que se colocam as balas **3** grande cilindro de metal us. para transportar e/ou armazenar substâncias as mais variadas *<t. de óleo>*

tamborete (tam.bo.re.te) /ê/ *s.m.* assento individual sem encosto e sem braços; banco

tamboril (tam.bo.ril) [pl.: *-is*] *s.m.* **1** tamborim **2** ZOO peixe marinho, comestível, que vive escondido na areia ou na lama e possui uma haste no focinho, us. para atrair presas ◉ GRAM/USO dim.irreg.: *tamborilete*

tamborilar (tam.bo.ri.lar) *v.* {mod. 1} *int.* **1** percutir levemente com os dedos **2** produzir som semelhante ao do tambor ~ **tamborilada** *s.f.*

tamborilete (tam.bo.ri.le.te) /ê/ *s.m.* MÚS tamboril pequeno ◉ GRAM/USO dim.irreg. de *tamboril*

tamborim (tam.bo.rim) [pl.: *-ins*] *s.m.* MÚS pequeno tambor seguro por uma das mãos e tocado por baqueta

tamoio (ta.moi.o) /ô/ *s.2g.* **1** indivíduo dos tamoios, povo indígena que habitava a costa brasileira, do norte de São Paulo a Cabo Frio, e o vale do Paraíba (RJ) ■ *adj.2g.* **2** relativo a esse indivíduo e a esse povo

tampa (tam.pa) *s.f.* peça móvel com que se tapa ou cobre algo *<encontrou no armário várias caixas sem t.>* ◉ GRAM/USO aum.irreg.: *tampão*

tampão (tam.pão) [pl.: *-ões*] *s.m.* **1** grande tampa ou tampo **2** tampa de caixa de esgoto, pia, tanque etc. **3** MED bola de gaze ou algodão, us. para obstruir canal ou cavidade, deter hemorragia etc. ◉ GRAM/USO aum. irreg. de *tampa*

tampar (tam.par) *v.* {mod. 1} *t.d.* pôr tampa ou tampo em; tapar, fechar *<tampe a panela do feijão, por favor>* ↺ destampar

tampinha (tam.pi.nha) *s.f.* **1** tampa pequena *<t. de garrafa>* **2** RECR *B* jogo infantil em que uma pequena bola de papel é escondida embaixo de uma entre três tampas metálicas de garrafas de cerveja e/ou refrigerante e deve ser encontrada após as tampas serem embaralhadas ■ *s.2g. infrm. pej.* **3** pessoa muito baixa

tampo (tam.po) *s.m.* **1** peça us. para vedar ou tampar tonéis, tinas etc. **2** peça de madeira ou plástico que cobre o vaso sanitário **3** superfície de uma mesa **4** no piano, a cobertura móvel do teclado **5** *gros.* hímen (mais us. no pl.) ▣ **tirar os t. de** *gros.* deflorar uma mulher

tamponar (tam.po.nar) *v.* {mod. 1} *t.d.* **1** obstruir, vedar com tampão **2** MED pôr tampão em (cavidade, orifício) para estancar hemorragia, impedir saída de remédio etc. ~ **tamponamento** *s.m.*

tampouco (tam.pou.co) *adv.* também não, muito menos *<não lê, t. estuda>*

tam-tam (tam-tam) [pl.: *tam-tans*] *s.m.* MÚS **1** certo tambor africano **2** instrumento de percussão chinês; gongo ☞ cf. *tantã*

tanajura (ta.na.ju.ra) *s.f.* **1** ZOO fêmea alada de diversas espécies de saúva **2** *fig. joc.* mulher de cintura fina e quadris largos

tanatologia (ta.na.to.lo.gi.a) *s.f.* **1** estudo sobre a morte, suas causas e fenômenos relacionados a ela **2** MED rotina de realização de autópsias ~ **tanatológico** *adj.* - **tanatologista** *adj.2g.s.2g.*

tanatopraxia (ta.na.to.pra.xi.a) /cs/ *s.f.* qualquer das técnicas de conservação de cadáveres (p.ex., o embalsamamento)

tanga (tan.ga) *s.f.* **1** VEST pedaço de pano ou de outro material que cobre da cintura até as coxas **2** VEST pedaço de pano ou outro material us. para cobrir o sexo; tapa-sexo **3** VEST parte de baixo do biquíni, esp. quando muito cavada **4** *N. N.E.* tipo de franja colocada na rede; varanda ▣ **de t.** mal de vida, na miséria *<o divórcio deixou-o de t.>*

tangará (tan.ga.rá) *s.m.* ZOO ave cujas fêmeas são verdes e cujos machos, ger. coloridos, executam uma dança para o acasalamento

tangência (tan.gên.cia) *s.f.* GEOM contato de uma reta com a curva ou superfície que ela toca

tangencial (tan.gen.ci.al) [pl.: *-ais*] *adj.2g.* **1** relativo a tangência ou a tangente **2** *fig.* feito de modo superficial *<um exame t.>* ↺ profundo

tangenciar (tan.gen.ci.ar) *v.* {mod. 1} *t.d.* **1** traçar uma tangente a ou seguir a tangente de *<a linha do horizonte parecia t. o Sol>* **2** estar ou passar muito perto de; tocar *<naquele ponto a estrada quase tangenciava o rio>* **3** *fig.* ser muito parecido, semelhante; aproximar-se *<sua prosa tangencia a poesia>*

tangente (tan.gen.te) *adj.2g.* **1** que tangencia *<linha t.>* ■ *s.f.* **2** linha que toca uma curva ou superfície sem cortá-la **3** MAT razão entre o cateto oposto a um ângulo agudo de um triângulo retângulo e o cateto adjacente

tanger (tan.ger) *v.* {mod. 8} *t.d.* **1** chegar até encostar em (ponto, objeto, pessoa etc.); tocar, atingir *<a torre parecia t. as nuvens>* **2** executar, tocar (música) *<as flautas tangiam uma linda melodia>* **3** apressar, estimular a marcha de (ser humano ou animal); tocar *<é ele quem melhor tange a boiada>* □ *t.d. e int.* **4** (fazer) soar (instrumento ou objeto); tocar *<t. campainhas, flautas, pandeiros>* *<sinos tangem ao meio-dia>* □ *t.i.* **5** (prep. *a*) dizer respeito a; referir-se *<no que tange a animais, não há ninguém mais hábil que ela>* ~ **tangedor** *adj.s.m.* - **tangimento** *s.m.*

tangerina (tan.ge.ri.na) *s.f.* BOT fruto da tangerineira, redondo, amarelo e com suco refrescante; bergamota, mexerica, laranja-cravo

tangerineira (tan.ge.ri.nei.ra) *s.f.* BOT árvore de flores brancas e aromáticas, e frutos apreciados como alimento, cultivada tb. para extração de óleo us. em cosméticos

T

tangível (tan.gí.vel) [pl.: *-eis*] *adj.2g.* **1** que se pode tanger *<cordas t. de uma harpa>* **2** que se pode tocar ou alcançar *<corpos t.>* **3** *fig.* claro o bastante para se entender *<sinal t. de interesse pela moça>* ~ **tangibilidade** *s.f.*

tanglomanglo (tan.glo.man.glo) *s.m.* **1** doença que supostamente se origina de feitiço, magia; tangolomango **2** *p.ext. infrm.* qualquer doença

tango (tan.go) *s.m.* **1** DNÇ dança de origem espanhola que se desenvolveu esp. na Argentina **2** MÚS música que acompanha essa dança

tangolomango (tan.go.lo.man.go) *s.m. B* tanglomanglo

tanino (ta.ni.no) *s.m.* QUÍM ácido de origem vegetal, us. esp. para curtir o couro, na produção de tintas e bebidas, e tb. no tratamento de queimaduras ~ **taninoso** *adj.*

tanoaria (ta.no.a.ri.a) *s.f.* **1** ofício de tanoeiro **2** local onde se fabricam tonéis, pipas, barris

tanoeiro (ta.no.ei.ro) *s.m.* aquele que fabrica tonéis, pipas, barris etc.

[1]**tanque** (tan.que) *s.m.* **1** depósito natural de águas; açude, cisterna, poço **2** *p.ext.* reservatório para armazenar líquidos *<t. de água, de gasolina>* **3** recipiente de louça, mármore, metal etc. em que se lava roupa ◉ ORIGEM duv., talvez de *estanque*

[2]**tanque** (tan.que) *s.m.* carro de guerra blindado e dotado de armas de combate; carro de combate ◉ ORIGEM do ing. *tank* 'id.'

tantã (tan.tã) *adj.2g.s.2g. B infrm.* que(m) não está no uso da razão; desequilibrado, maluco ↺ são ☞ cf. *tam-tam*

[1]**tantálico** (tan.tá.li.co) *adj.* relativo a tântalo *<ácido t.>* ◉ ORIGEM *tântalo* + *-ico*

[2]**tantálico** (tan.tá.li.co) *adj.* **1** relativo a Tântalo, personagem mitológico condenado a passar sede e fome por roubar os manjares dos deuses e entregá-los aos homens **2** *p.ext.* que apresenta sofrimento; penoso *<momento t.>* ↺ agradável ◉ ORIGEM *Tântalo* + *-ico*

tantalizar (tan.ta.li.zar) *v.* {mod. 1} *t.d.* **1** ser um suplício para, ser terrível; torturar, atormentar *<saber que riem de nossa desgraça nos tantaliza>* **2** despertar em (alguém) o desejo por algo inatingível *<perseguir o sucesso a qualquer preço tantaliza aquele rapaz>* **3** atrair muito a atenção ou a admiração de; maravilhar *<a bailarina tantalizava multidões>* ~ **tantalização** *s.f.*

tântalo (tân.ta.lo) *s.m.* QUÍM elemento químico us. em aços, filamento de lâmpadas incandescentes, instrumentos cirúrgicos e dentários etc. [símb.: *Ta*] ☞ cf. *tabela periódica* (no fim do dicionário)

tanto (tan.to) *adv.* **1** em tão grande quantidade *<t. repetiu a leitura que decorou>* **2** em tão alto grau *<desejava t.!>* **3** com tamanha intensidade *<gritou t. que ficou com dor de garganta>* ■ *pron.ind.* **4** tal número ou quantidade *<não deves ler tantos livros>* ■ *adj.* **5** tamanho, tão grande *<nunca teve t. alegria>* **6** tão numeroso *<t. aplausos fizeram-na chorar>* ☞ mais us. no pl. ■ *s.m.* **7** porção, quantidade, quantia indeterminada *<ganhar t. pelos aluguéis>* **8** volume, extensão (iguais ao de outro) *<neste tanque cabem quatro tantos de água daquele>* **9** quantidade igual a outra certo número de vezes *<um quadro que vale três tantos de outro>* ▼ ***tantos*** *s.m.pl.* **10** muitos *<entre os t. citados, estava seu nome>*

tão *adv.* em tal grau, maneira ou quantidade (em frases comparativas de igualdade) *<o terreno era t. grande que se perdia a cerca de vista>* ▣ **t. logo** assim que, mal *<foi operado t. logo chegou ao hospital>*

taoismo (ta.o.is.mo) *s.m.* FIL REL doutrina mística e filosófica que enfatiza a integração do ser humano à realidade cósmica primordial por meio de uma existência natural, espontânea e serena ~ **taoista** *adj.2g.s.2g.*

tão só *adv.* tão somente

tão somente (tão so.men.te) *adv.* apenas, só, exclusivamente; tão só *<faz tão somente o que mandam>*

tapa (ta.pa) *s.m.* **1** pancada aplicada com a mão aberta **2** *drg.* tragada em cigarro de maconha ◉ GRAM/USO aum.irreg.: *tapona*

tapa-buraco (ta.pa-bu.ra.co) [pl.: *tapa-buracos*] *s.2g.2n. infrm.* indivíduo sem função definida que substitui outro por um período determinado

tapado (ta.pa.do) *adj.* **1** que se tapou; fechado, vedado *<a fenda t. não resistiu à chuva>* **2** *SP* sem interrupções; contínuo *<uma discussão t.>* ■ *adj.s.m. pej.* **3** que(m) não tem inteligência, é bronco

tapagem (ta.pa.gem) [pl.: *-ens*] *s.f.* **1** MIL barreira us. para defesa militar **2** cerca em volta de horta, quintal etc. **3** barragem feita com cipós na margem dos rios

tapa-olho (ta.pa-o.lho) [pl.: *tapa-olhos*] *s.m. infrm.* **1** pancada no olho **2** venda us. em um dos olhos e presa por uma tira em volta da cabeça *<queria um t. para sua fantasia de pirata>*

tapar (ta.par) *v.* {mod. 1} *t.d.* **1** vedar (abertura, buraco, recipiente etc.) com rolha, tampa, tampo etc.; fechar *<t. as garrafas, o buraco>* ↺ abrir **2** não deixar à mostra; esconder, ocultar, cobrir *<tapou o cartão de respostas para que o colega não o visse>* ↺ mostrar ~ **tapamento** *s.m.*

tapa-sexo (ta.pa-se.xo) [pl.: *tapa-sexos*] *s.m.* VEST roupa mínima que cobre apenas os órgãos genitais

tape [ing.; pl.: *tapes*] *s.m.* ELETRÔN fita magnética us. para reproduzir ou gravar sons e imagens ⇒ pronuncia-se têipi ▣ ***t. deck*** ELETRÔN componente de sistema de áudio que, equipado de amplificador externo e caixas acústicas, é us. para tocar fitas

tapear (ta.pe.ar) *v.* {mod. 5} *t.d.* enganar, ludibriar *<tapeou os pais e saiu sozinho>* ~ **tapeação** *s.f.* - **tapeador** *adj.s.m.*

tapeçaria (ta.pe.ça.ri.a) *s.f.* **1** tecido bordado, próprio para adornar e/ou forrar móveis, assoalhos, paredes ou janelas **2** *p.ext. B* local onde se fabricam ou se vendem tapetes

tapeceiro (ta.pe.cei.ro) *s.m.* quem tece e/ou vende tapetes

tapera (ta.pe.ra) *s.f.* **1** *B* aldeia indígena abandonada **2** casa em ruínas tomada pelo mato ■ *adj.2g.* **3** *B* diz-se de indivíduo sem um ou os dois olhos

taperebá (ta.pe.re.bá) *s.m.* BOT **1** fruto da cajazeira; cajá **2** cajazeira **3** umbuzeiro **4** umbu ('fruto')

tapete (ta.pe.te) /ê/ *s.m.* **1** peça de tecido ou outro material, us. para revestir e/ou adornar pisos, paredes etc. **2** *fig.* o que cobre uma superfície extensa de solo *<t. de flores, de grama>* ~ **tapetar** *v.t.d.*

tapioca (ta.pi.o.ca) *s.f.* **1** *B* farinha comestível extraída das raízes da mandioca ou do aipim **2** CUL *N.E.* beiju feito dessa farinha e recheado de coco ralado e outros ingredientes

tapir (ta.pir) [pl.: *-es*] *s.m.* ZOO anta

tapirídeo (ta.pi.rí.deo) *s.m.* ZOO **1** espécime dos tapirídeos, família de grandes mamíferos que compreende as antas e os tapires ■ *adj.* **2** relativo a essa família

tapiti (ta.pi.ti) *s.m.* → ***TIPITI***

tapona (ta.po.na) *s.f.* *infrm.* forte tapa ◉ GRAM/USO aum.irreg. de *tapa*

tapuia (ta.pui.a) *s.2g.* **1** indígena dos tapuias, grupo indígena que habita o noroeste de Goiás **2** HIST nome dado pelos portugueses ao indígena dos grupos que não falavam línguas do tronco tupi, e que viviam no interior do país **3** indígena dominado pelo branco e que perdeu alguns traços de sua própria civilização **4** filho de branco e índia; mameluco ■ *adj.2g.* **5** relativo a esses indígenas **6** relativo a esse mameluco

tapuio (ta.pui.o) *s.m.* *B* **1** tapuia ('nome', 'filho') **2** descendente de índio ■ *adj.* **3** relativo a tapuia **4** relativo a esse descendente

tapume (ta.pu.me) *s.m.* proteção provisória, ger. de madeira, com que se veda a entrada numa área, num prédio, numa construção etc.

tapuru (ta.pu.ru) *s.m.* ZOO **1** *B* larva de mosca que se alimenta da carne de vertebrados vivos ou mortos, frutas como a goiaba, paus podres etc. **2** *MT* cupim

taquara (ta.qua.ra) *s.f.* BOT *B* nome comum a várias plantas cujo caule é ger. oco, como os bambus ◉ COL taquaral

taquaral (ta.qua.ral) [pl.: *-ais*] *s.m.* BOT grande aglomerado de taquaras em certa área

taquear (ta.que.ar) *v.* {mod. 5} *t.d.* revestir com, pôr tacos em (piso, lugar); assoalhar *<taquearam apenas a sala de jantar>* ~ **taqueamento** *s.m.*

taquicardia (ta.qui.car.di.a) *s.f.* MED aceleração dos batimentos cardíacos ↺ bradicardia ~ **taquicardíaco** *adj.s.m.*

taquigrafia (ta.qui.gra.fi.a) *s.f.* estenografia ~ **taquigrafar** *v.t.d. e int.* - **taquigráfico** *adj.* - **taquígrafo** *s.m.*

tara (ta.ra) *s.f.* **1** defeito de fabricação *<moeda com t.>* **2** *fig.* defeito físico, mental ou moral **3** grande interesse por algo *<nossa t. é cinema>* **4** *fig.* perversão, depravação *<foi condenado por sua t.>* **5** desconto da diferença entre o peso da mercadoria e o de sua embalagem *<a t. é a diferença entre o peso bruto e o peso líquido>* **6** peso de uma carroceria de caminhão ou de um vagão de trem sem carga

tarado (ta.ra.do) *adj.* **1** equilibrado com o desconto do peso da tara *<balança t.>* **2** que traz defeito ou falha *<moeda t.>* **3** *B gír.* muito interessado; gamado *<t. por caqui>* ■ *adj.s.m.* **4** *B* que(m) é moralmente devasso ou sexualmente degenerado

taramela (ta.ra.me.la) *s.f.* → ***TRAMELA***

taramelar (ta.ra.me.lar) *v.* {mod. 1} *t.d.* **1** fechar com a taramela ('peça'); trancar □ *int. infrm.* **2** falar muito e sem pensar; tagarelar *<as duas não param de t.>*

tarantela (ta.ran.te.la) *s.f.* **1** DNÇ dança popular originária de Nápoles (Itália), ger. acompanhada por castanholas e tamborim **2** *p.ext.* MÚS música que acompanha essa dança

tarântula (ta.rân.tu.la) *s.f.* ZOO aranha marrom ou negra cuja picada é venenosa

tarar (ta.rar) *v.* {mod. 1} *t.d.* **1** pesar para descontar a tara *<t. um caixote de tomates>* **2** marcar o peso da tara em (recipientes, carrocerias etc.) *<t. um pote de azeitonas>* □ *t.i.* *B infrm.* **3** (prep. *por*) desejar de forma ardente; apaixonar-se *<t. por um vestido>*

tardar (tar.dar) *v.* {mod. 1} *t.d.* **1** passar para data ou oportunidade posterior; adiar *<a chuva forte tardou sua ida ao cinema>* ↺ antecipar □ *t.d.,t.i. e int.* **2** (prep. *em*, *a*) levar mais tempo ou muito tempo para; retardar(-se), demorar *<t. em responder>* *<tardou a levantar-se>* ↺ apressar(-se) □ *t.i. e int.* **3** (prep. *em*) agir com lentidão, não ter pressa *<tardou em responder os* e-mails*>* *<boas notícias são sempre bem-vindas, mesmo que tardem>* ~ **tardança** *s.f.*

tarde (tar.de) *adv.* **1** depois do tempo ou da hora certa, apropriada ou combinada *<chegar t. para a festa>* **2** em hora avançada *<dormir t.>* ↺ cedo ■ *s.f.* **3** período do dia que vai do meio-dia ao crepúsculo

tardinha (tar.di.nha) *s.f.* *infrm.* o fim da tarde

tardio (tar.di.o) *adj.* **1** que se dá após o tempo apropriado *<apoio t.>* ↺ antecipado **2** que leva muito tempo; lento *<crescimento t.>* ↺ ligeiro

tardo (tar.do) *adj.* **1** que tudo faz sem pressa *<trabalhador t.>* ↺ apressado **2** que demora *<passo t.>* ↺ rápido **3** preguiçoso, indolente ↺ ativo

tareco (ta.re.co) *s.m.* **1** objeto de pouco valor; cacareco, tralha ☞ mais us. no pl. **2** CUL *PE AL* biscoito torrado

tarefa (ta.re.fa) *s.f.* **1** qualquer trabalho, manual ou intelectual *<já terminou as t. da escola?>* *<sua t. é organizar o arquivo>* **2** contrato de trabalho cujo salário é calculado pelo serviço executado; empreitada ~ **tarefeiro** *s.m.*

tarifa (ta.ri.fa) *s.f.* **1** tabela de preços de serviços como telefone, água e esgoto, energia elétrica etc. **2** tabela de taxas alfandegárias **3** tabela fixada para o transporte de passageiro ou de carga ◉ GRAM/USO aum.irreg.: *tarifaço* ~ **tarifário** *adj.*

tarifaço (ta.ri.fa.ço) *s.m.* *B* grande aumento das taxas dos serviços em geral, impostos etc. ◉ GRAM/USO aum.irreg. de *tarifa*

tarifar (ta.ri.far) *v.* {mod. 1} *t.d.* **1** reduzir a tarifa de *<o governo resolveu t. o leite>* **2** aplicar tarifa a *<t. a navegação mercante>* ~ **tarifação** *s.f.*

tarimba (ta.rim.ba) *s.f.* **1** MIL estrado em que dormem soldados em quartéis, postos de guarda etc. **2** *fig.* tempo de prática em uma profissão ou arte; experiência, jeito *<um ator com muita t.>*

tarimbado (ta.rim.ba.do) *adj.* *B* que tem muita experiência e prática *<médico t.>* ↺ inexperiente

tarimbar (ta.rim.bar) *v.* {mod. 1} *int.* servir nas Forças Armadas

tarja (tar.ja) *s.f.* **1** listra preta posta em envelopes, objetos etc. para indicar luto **2** listra negra us. para encobrir parte de um trabalho impresso **3** ornato que contorna um objeto ◉ GRAM/USO dim.irreg.: *tarjeta* ▣ **t. magnética** em cartões e bilhetes, faixa magnética onde se podem registrar informações

tarjar (tar.jar) *v.* {mod. 1} *t.d.* pôr tarja em; cercar, orlar

tarjeta (tar.je.ta) /ê/ *s.f.* **1** tarja pequena ou estreita **2** pequeno ferrolho sobre placa metálica ◉ GRAM/USO dim.irreg. de *tarja*

tarô (ta.rô) *s.m.* **1** conjunto de 78 cartas de baralho ilustradas por figuras simbólicas e us. para supostamente predizer o futuro e conhecer o que se encontra escondido no passado ou no presente **2** *p.ext.* jogo de interpretações que usa esse baralho

tarol (ta-rol) [pl.: *-óis*] *s.m.* MÚS tipo de tambor mais estreito do que a caixa ('tipo de tambor'), que se percute com duas baquetas e que sustenta o ritmo, produzindo um som repicado, como o das marchas militares

tarrafa (tar.ra.fa) *s.f.* rede de pesca circular com peso nas bordas e um cabo fino no centro, por onde é puxada ~ **tarrafar** *v.t.d.*

tarraxa (tar.ra.xa) *s.f.* **1** rosca externa feita em parafuso, rebite, cano etc. para receber porca, luva etc. **2** ferramenta us. para fazer roscas **3** peça us. para apertar; cunha

tarso (tar.so) *s.m.* ANAT esqueleto da parte posterior do pé

tartamudear (tar.ta.mu.de.ar) *v.* {mod. 5} *t.d. e int.* falar (algo) com dificuldade, repetindo, interrompendo ou prolongando sílabas, letras; gaguejar <*tartamudeava (nomes de pessoas) enquanto dormia*>

tartamudo (tar.ta.mu.do) *adj.s.m.* **1** que(m) se exprime com dificuldade; gago **2** (aquele) que fala com voz trêmula ~ **tartamudez** *s.f.*

[1]**tártaro** (tár.ta.ro) *s.m.* **1** natural ou habitante da Tartária (república da Federação Russa) **2** LING língua falada nessa república ■ *adj.* **3** relativo a essa república e a essa língua ◉ ORIGEM do lat. *tartărus* 'tártaro, mongol'

[2]**tártaro** (tár.ta.ro) *s.m.* **1** substância espessa originária do suco de uva e do vinho; sarro **2** ODONT depósito duro sobre a borda dos dentes ou sob as gengivas ◉ ORIGEM do lat. *tartărum,i* 'sarro'

tartaruga (tar.ta.ru.ga) *s.f.* **1** ZOO réptil cujo corpo é coberto por uma carapaça, encontrado tanto na água doce ou salgada como em ambientes terrestres **2** ZOO nome comum a répteis aquáticos, em oposição às espécies terrestres, ger. conhecidas como jabutis **3** *fig. pej.* indivíduo lerdo ou descansado

tartufice (tar.tu.fi.ce) *s.f.* **1** disfarce, dissimulação, hipocrisia ↺ sinceridade **2** ato, dito ou modos de tartufo

tartufo (tar.tu.fo) *s.m.* **1** indivíduo hipócrita ↺ verdadeiro **2** beato enganador

tarugo (ta.ru.go) *s.m.* **1** espécie de torno us. para unir ou prender duas peças de madeira **2** peça que se embute na parede para receber prego, parafuso etc.

tasca (tas.ca) *s.f.* *B* tasco ('porção')

tascar (tas.car) *v.* {mod. 1} *t.d.* **1** tirar o tasco, a fibra de (linho) **2** *infrm.* comer, mastigar (alimento) <*tascava, nervoso, a rapadura*> **3** tirar pedaço de (algo), mordendo <*tascou a maçã*> **4** *infrm.* dar uma surra em; espancar **5** *B infrm.* lançar-se sobre; atacar, pegar <*ninguém tasca meu bolo*> **6** *B infrm.* rasgar, despedaçar (balões ou pipas que caem) **7** *p.ext. fig. B infrm.* falar mal de; arrasar com <*tascaram o projeto na Câmara*> □ *t.d.i.* **8** (prep. *em*) dar, aplicar <*tascou-lhe um tapa*> **9** (prep. *em*) atear, pôr (fogo) em **10** *B* (prep. *para*) ceder um pedaço de (o que se come) <*tascou um pedaço do sanduíche para o amigo*>

tasco (tas.co) *s.m.* **1** a parte mais grossa e fibrosa do linho **2** *B infrm.* porção de alimento que se está comendo; pedaço, tasca <*pode me dar um t. do seu pão?*>

tã-tã (tã-tã) [pl.: *tã-tãs*] *s.m.* MÚS **1** instrumento de percussão chinês **2** certo tambor africano

tatame (ta.ta.me) *s.m.* esteira de palha de arroz us. nas casas japonesas e sobre a qual tb. se praticam certas artes marciais, tais como o judô e o caratê

tatarana (ta.ta.ra.na) *s.f.* → ***TATURANA***

tataraneta (ta.ta.ra.ne.ta) *s.f.* tetraneta

tataraneto (ta.ta.ra.ne.to) *s.m.* tetraneto

tataravó (ta.ta.ra.vó) *s.f.* tetravó

tataravô (ta.ta.ra.vô) *s.m.* tetravô

tatear (ta.te.ar) *v.* {mod. 5} *t.d.* **1** conhecer pelo tato; apalpar, tocar <*tateou muito os travesseiros antes de comprá-los*> **2** examinar com cuidado <*tateava a perna machucada*> **3** tentar conhecer com cautela; sondar <*a tropa tateou o terreno antes de atacar*> □ *int.* **4** orientar-se pelo tato ou usando algum objeto <*com cuidado, tateou com a bengala e atravessou a ponte*> ~ **tateante** *adj.2g.*

tatibitate (ta.ti.bi.ta.te) *adj.2g.s.2g.* **1** (aquele) que fala trocando algumas consoantes **2** *p.ext.* que(m) gagueja **3** *fig.* que(m) é muito acanhado, atrapalhado

tática (tá.ti.ca) *s.f.* **1** MIL manobra militar durante um combate **2** *p.ext.* maneira hábil de encaminhar empreendimento, negócio, disputa etc. <*o time melhorou depois de mudar de t.*>

tático (tá.ti.co) *adj.* **1** que é feito com tática <*manobra t.*> **2** que é resultado de uma determinada tática <*decisão t.*> ■ *adj.s.m.* **3** (indivíduo) especialista em tática

tátil (tá.til) [pl.: *-eis*] ou **táctil** (tác.til) [pl.: *-eis*] *adj.2g.* **1** relativo a tato <*órgão t.*> **2** que pode ser tocado, tateado ~ **tatilidade** *s.f.*

tato (ta.to) ou **tacto** (tac.to) *s.m.* **1** sentido pelo qual se percebem as sensações de temperatura, forma, aspereza e consistência **2** *fig.* procedimento cauteloso; prudência <*só com muito t. se poderia resolver aquela situação*> **3** *fig.* habilidade, capacidade <*é homem de grande t. político*>

tatorana (ta.to.ra.na) *s.f.* → ***TATURANA***

tatu (ta.tu) *s.m.* ZOO mamífero desdentado, terrestre, cujo corpo é coberto por placas que formam uma carapaça

tatuagem (ta.tu.a.gem) [pl.: *-ens*] *s.f.* **1** arte de gravar na pele, através de pigmentos coloridos, desenhos, símbolos etc. **2** *p.ext.* qualquer marca ou desenho feitos por esse processo **3** *p.ext.* sinal, marca, cicatriz

tatuar (ta.tu.ar) *v.* {mod. 1} *t.d. e pron.* **1** pintar ou gravar desenhos no corpo de (alguém ou de si mesmo) *<tatuou um urso nas costas> <tatuou-se quando tinha 20 anos>* □ *t.d.* **2** pintar ou gravar (marca, desenho) em *<t. um escudo>* ~ **tatuador** *adj.s.m.*

tatu-bola (ta.tu-bo.la) [pl.: *tatus-bolas* e *tatus-bola*] *s.m.* ZOO tatu, com cerca de 30 cm de comprimento, marrom escuro, capaz de se enrolar dentro da carapaça, formando uma bola

tatuí (ta.tu.í) *s.m.* ZOO pequeno crustáceo esbranquiçado que vive enterrado na areia da zona de arrebentação das praias

taturana (ta.tu.ra.na), **tatarana** (ta.ta.ra.na) ou **tatorana** (ta.to.ra.na) *s.f.* ZOO *B* lagarta de mariposa, dotada de pelos abundantes, longos e extremamente finos que, ao menor contato, liberam forte toxina que causa queimaduras

tatuzinho (ta.tu.zi.nho) *s.m.* ZOO pequeno crustáceo, comum no Brasil, que, quando incomodado ou ameaçado, se enrola formando uma bola perfeita

taumaturgia (tau.ma.tur.gi.a) *s.f.* **1** realização de milagres **2** poder de quem opera milagres

taumatúrgico (tau.ma.túr.gi.co) *adj.* relativo a taumaturgia ou a taumaturgo

taumaturgo (tau.ma.tur.go) *adj.s.m.* **1** que(m) opera milagres **2** *p.ext.* (aquele) que adivinha; visionário

taurino (tau.ri.no) *adj.s.m.* **1** ASTRL que(m) é do signo de Touro ■ *adj.* **2** relativo a esse signo **3** relativo ou pertencente a touro ('boi')

tauromaquia (tau.ro.ma.qui.a) *s.f.* arte de tourear ~ **tauromáquico** *adj.*

tautologia (tau.to.lo.gi.a) *s.f.* LING pleonasmo; redundância ~ **tautológico** *adj.*

taverna (ta.ver.na) *s.f.* → ***TABERNA***

tavolagem (ta.vo.la.gem) [pl.: *-ens*] *s.f.* **1** qualquer casa de jogo **2** o vício do jogo

taxa (ta.xa) *s.f.* **1** tributo arrecadado pela União, pelos estados ou pelos municípios, a título de prestar certos serviços *<t. de incêndio>* **2** *p.ext.* preço cobrado ao usuário pela prestação de algum serviço *<t. de condomínio>* **3** proporção de algo num conjunto, ger. expressa em percentagem *<t. de mortalidade infantil>* ☞ cf. *tacha* ▣ **t. de câmbio 1** ECON preço da moeda estrangeira no mercado de capitais **2** relação de troca entre duas moedas

taxar (ta.xar) *v.* {mod. 1} *t.d.* **1** cobrar imposto sobre; tributar *<t. a importação de automóveis>* **2** regulamentar, fixar preços de (mercadorias, serviços, salários etc.) *<o governo irá t. o litro da gasolina comum>* □ *t.d.pred. e pron.* **3** atribuir(-se) qualidade ou defeito; qualificar(-se), considerar(-se) *<taxaram-no de incapaz> <taxava-se de esperto>* ☞ cf. *tachar* ~ **taxação** *s.f.*

taxativo (ta.xa.ti.vo) *adj.* **1** que limita ou regulamenta, com base em lei ou decreto; restritivo *<ordem t.>* **2** *fig.* que não dá margem a objeção ou resposta; categórico *<resposta t.>* ↺ discutível

táxi (tá.xi) /cs/ *s.m.* carro de aluguel para transporte de passageiros provido de taxímetro ▣ **t. aéreo** *B* pequeno avião de aluguel

taxiar (ta.xi.ar) /cs/ *v.* {mod. 1} *int.* movimentar-se (avião) na pista para decolagem ou após o pouso

taxidermia (ta.xi.der.mi.a) /cs/ *s.f.* antigo processo de encher de palha animal morto, deixando-o com aparência de vivo ~ **taxidérmico** *adj.* - **taxidermista** *adj.2g.s.2g.*

taxímetro (ta.xí.me.tro) /cs/ *s.m.* aparelho que, num táxi, registra o preço que o passageiro deve pagar pela corrida

taxinomia (ta.xi.no.mi.a) /cs/ ou **taxonomia** (ta.xo.no.mi.a) /cs/ *s.f.* **1** ciência da classificação **2** BIO parte da biologia que trata da classificação dos seres vivos ~ **taxinômico** *adj.* - **taxonômico** *adj.*

taxista (ta.xis.ta) /cs/ *s.2g.* condutor de táxi

taxonomia (ta.xo.no.mi.a) /cs/ *s.f.* → ***TAXINOMIA***

Tb QUÍM símbolo de *térbio*

Tc QUÍM símbolo de *tecnécio*

tchau *interj.* **1** até logo, até a vista ■ *s.m.* **2** aceno, adeus *<dar um t.>*

tchê *s.2g.* *RS* forma de tratamento us. para se dirigir a alguém com familiaridade *<bá, t., que maravilha!>*

tcheco (tche.co) ou **checo** (che.co) *s.m.* **1** natural ou habitante da República Tcheca (Europa central) **2** LING língua da família indo-europeia falada nessa república ■ *adj.* **3** relativo ao povo dessa região e a essa língua

TCU *s.m.* sigla de Tribunal de Contas da União

te *pron.p.* da 2ª p.sing., caso oblíquo, com função de objeto direto (*a ti*) ou objeto indireto (*de ti, para ti, em ti*)

Te QUÍM símbolo de *telúrio*

tê *s.m.* nome da letra *t*

tear (te.ar) [pl.: *-es*] *s.m.* **1** máquina us. para fabricar tecidos, tapetes etc. **2** *B* equipamento us. para dividir mármore em pedaços

teatral (te.a.tral) [pl.: *-ais*] *adj.2g.* **1** relativo ou pertencente a teatro *<arte t.>* **2** que visa causar efeito espetacular *<gesto t.>* **3** *fig. pej.* pouco natural; forçado *<tom t.>* ↺ espontâneo ~ **teatralidade** *s.f.*

teatralismo (te.a.tra.lis.mo) *s.m.* *B* **1** conjunto de efeitos teatrais **2** *fig. pej.* tendência a atrair a atenção sobre si, com um comportamento teatral, dramático; teatralidade

teatralizar (te.a.tra.li.zar) *v.* {mod. 1} *t.d.* **1** adaptar para ser representado no teatro *<t. um romance>* **2** dar caráter dramático a; dramatizar *<t. uma dor>*

teatro (te.a.tro) *s.m.* **1** lugar destinado à apresentação de obras dramáticas, óperas e outros espetáculos *<ir ao t.>* **2** TEAT conjunto de obras dramáticas de um autor, de uma época ou de um país *<o t. medieval>* **3** *fig.* TEAT a arte de representar *<formar-se em t.>* **4** *fig.* TEAT o ofício do ator *<deixou o t. e foi ser médica>* **5** *fig.* local em que acontece algo notável; palco *<aquela região foi t. de muitos combates>* **6** *fig.* fingimento, hipocrisia *<tudo que disse é puro t.>* ↺ sinceridade ▣ **t. de revista** MÚS TEAT DNÇ espetáculo teatral com dança, números falados, musicais etc.

teatrólogo (te.a.tró.lo.go) *s.m.* TEAT escritor de peças teatrais; dramaturgo

T

tecedura (te.ce.du.ra) *s.f.* **1** ato de tecer ou o seu efeito **2** conjunto das tramas dos fios de um tecido **3** *fig.* rede de intrigas; trama *<uma t. de boatos>*

tecelã (te.ce.lã) *s.f.* artesã que trabalha em tear, que tece panos; teceloa

tecelagem (te.ce.la.gem) [pl.: *-ens*] *s.f.* **1** ofício de tecelão **2** indústria de tecidos *<havia várias t. na cidade>*

tecelão (te.ce.lão) [pl.: *-ões*; fem.: *teceloa* e *tecelã*] *s.m.* quem tece o pano no tear

teceloa (te.ce.lo.a) *s.f.* tecelã ◉ GRAM/USO fem. de *tecelão*

tecer (te.cer) *v.* {mod. 8} *t.d.* **1** entrelaçar metodicamente os fios de *<t. a lã>* **2** confeccionar (tecidos, redes, cestos etc.) entrelaçando fios *<t. uma colcha>* **3** construir a habitação (certos animais), entrelaçando fios produzidos por seu próprio corpo ou materiais da natureza **4** *fig.* compor (algo) encadeando seus elementos *<t. a trama de um romance>* **5** *fig.* formar na imaginação; criar *<t. sonhos>* **6** *fig.* expressar verbalmente; dizer *<t. elogios, comentários>* **7** *fig.* arquitetar, tramar (intriga, golpe etc.) *<teceram um plano cuidadoso>*

techno (tech.no) [ing.] *s.m.* MÚS tipo de música eletrônica basicamente dançante, de ritmo acelerado e melodia repetitiva ◉ GRAM/USO **a)** tb. se usa como adj.2g.2n.: *músicas techno* **b)** f. aport.: tecno ⇒ pronuncia-se técno

tecido (te.ci.do) *s.m.* **1** produto final da tecelagem de fios de algodão, seda, lã ou sintéticos, us. para fazer roupas, cortinas etc.; fazenda, pano **2** BIO grupo de células com mesma forma e função *<t. conjuntivo, muscular>*

tecla (te.cla) *s.f.* **1** peça móvel que, ao ser pressionada pelo dedo, produz um som no órgão, piano e instrumentos afins **2** peça que, ao ser pressionada, faz funcionar rádio, gravador, televisão etc. **3** cada uma das peças de calculadora, teclado de computador etc. que corresponde a um sinal e que se aciona para aparecer em papel, tela etc. ◉ COL teclado

tecladista (te.cla.dis.ta) *adj.2g.s.2g.* MÚS que(m) toca teclado de instrumento musical (esp. eletrônico)

teclado (te.cla.do) *s.m.* **1** conjunto de teclas de um instrumento musical, computador etc. **2** parte de máquina ou instrumento em que se agrupam as teclas *<o t. do celular fica abaixo da tela>*

teclar (te.clar) *v.* {mod. 1} *t.d.* **1** acionar por meio de teclas *<tecle o botão do quinto andar, por favor>* *<teclava, no piano, só as teclas brancas>* □ *int.* **2** pressionar tecla de instrumento musical, máquina de datilografia etc. *<mal acabei de t., o computador pifou>* □ *t.i. e int.* **3** (prep. *com*) usar o computador para se comunicar com *<teclava (com os amigos) todas as noites>* ~ **teclagem** *s.f.*

tecnécio (tec.né.cio) *s.m.* QUÍM elemento químico artificial us. em radiologia [símb.: *Tc*] ☞ cf. *tabela periódica* (no fim do dicionário)

técnica (téc.ni.ca) *s.f.* **1** conjunto de procedimentos ligados a uma arte ou ciência *<t. pedagógicas>* **2** *p.ext.* maneira própria de realizar uma tarefa *<uma t. especial de resolver problemas>* ~ **tecnicidade** *s.f.*

tecnicismo (tec.ni.cis.mo) *s.m.* **1** caráter técnico de algo *<o t. de uma explicação>* **2** palavra do universo das técnicas ou da tecnologia *<os t. da mecânica, da informática>* **3** *p.ext.* uso excessivo desses termos na linguagem comum *<abusava de t. e dificultava a compreensão>* ~ **tecnicista** *adj.2g.s.2g.*

técnico (téc.ni.co) *adj.* **1** relativo a uma arte, profissão, ofício ou ciência *<parecer t.>* **2** dotado de certa técnica (diz-se de pessoa) *<jogador muito t.>* **3** que visa formar profissionais de nível médio *<escola t.>* ■ *s.m.* **4** perito, especialista *<o parecer de um t.>* **5** treinador esportivo ◉ COL equipe

tecnicolor (tec.ni.co.lor) /ô/ [pl.: *-es*] *adj.2g.* CINE **1** processado esp. em cores (diz-se de cinema ou filme) ■ *s.m.* CINE **2** esse processo ou esse tipo de filme

tecno (tec.no) *s.m.* MÚS aport. de *techno* ◉ GRAM/USO empr. tb. como adj.2g.2n.

tecnocracia (tec.no.cra.ci.a) *s.f.* POL sistema de organização política e social baseado na supremacia dos técnicos ~ **tecnocrático** *adj.*

tecnocrata (tec.no.cra.ta) *adj.2g.s.2g.* POL **1** adepto da tecnocracia **2** governante ou alto funcionário que busca apenas soluções técnicas ou racionais para os problemas, sem levar em conta aspectos humanos e sociais

tecnofobia (tec.no.fo.bi.a) *s.f.* aversão à tecnologia ~ **tecnofóbico** *adj.* - **tecnófobo** *s.m.*

tecnologia (tec.no.lo.gi.a) *s.f.* **1** conjunto dos conhecimentos científicos, dos processos e métodos us. na criação e utilização de bens e serviços *<t. da informação>* **2** técnica ou conjunto de técnicas de um domínio particular *<as novas t. cirúrgicas>* ▣ **t. de ponta** aquela que se utiliza de técnicas de última geração ~ **tecnológico** *adj.* - **tecnologista** *adj.2g.s.2g.* - **tecnólogo** *adj.s.m.*

teco-teco (te.co-te.co) [pl.: *teco-tecos*] *s.m.* AER *B infrm.* pequeno avião com um só motor, próprio para treinamento ou para trajetos curtos

tectônica (tec.tô.ni.ca) *s.f.* **1** a arte de construir edifícios **2** GEOL ramo da geologia que trata das deformações da crosta terrestre decorrentes das forças internas que sobre ela aconteceram

tédio (té.dio) *s.m.* sensação de enfado, fadiga, aborrecimento ou zanga *<o forte calor aumentava seu t.>* *<filmes ruins lhe davam t.>*

tedioso (te.di.o.so) /ô/ [pl. e fem.: /ó/] *adj.* que contém ou provoca tédio *<assunto t.>* ↺ prazeroso

teenager (teen.ager) [ing.; pl.: *teenagers*] *s.2g.* adolescente ⇒ pronuncia-se tinêidjâr

Teflon ® (Te.flon) *s.m.* nome comercial de material não aderente e resistente ao calor, us. em revestimentos, isolantes térmicos etc.

tegumento (te.gu.men.to) *s.m.* **1** ANAT o conjunto formado pela pele e seus anexos (pelos, cabelos, unhas e glândulas) **2** BOT estrutura que reveste e protege um órgão vegetal ou parte dele ~ **tegumentar** *adj.2g.*

teia (tei.a) *s.f.* **1** tecido formado pelo entrelaçamento dos fios no tear; trama **2** *fig.* qualquer estrutura semelhante a essa trama *<t. de corrupção>* **3** *fig.* série, sequência de eventos *<sua vida é uma t. de alegrias>* **4** rede tecida pela aranha

teiídeo (tei.í.deo) *s.m.* ZOO **1** espécime dos teiídeos, família de lagartos que inclui o calango e o teiú, dotados de língua longa e bipartida ■ *adj.* **2** relativo a essa família de lagartos

teima (tei.ma) *s.f.* **1** repetição proposital de uma atitude, um comportamento; birra *<sua t. resultou em nada>* **2** *p.ext.* sentimento ou demonstração de aversão ou antipatia *<tem t. com o genro>* ↺ simpatia

teimar (tei.mar) *v.* {mod. 1} *t.d.,t.i. e int.* (prep. *em*) manter constância e firmeza em (postura, atitude, decisão etc.); insistir, persistir *<até hoje ele teima que o homem não foi à Lua> <apesar do mau tempo, teimou em sair> <às vezes é preciso t. para se conseguir alguma coisa>* ↺ desistir

teimosia (tei.mo.si.a) *s.f.* **1** comportamento de quem é muito decidido, insistente **2** atitude de quem é determinado, mas não aceita ceder

teimoso (tei.mo.so) /ô/ [pl. e fem.: /ó/] *adj.s.m.* **1** (o) que teima; turrão, cabeçudo *<cavalo t.>* ■ *adj.* **2** que não desiste facilmente; obstinado *<atleta t., depois do acidente treinava todos os dias>* ↺ conformado **3** *fig.* que se prolonga *<gripe t.>* ↺ ligeiro

teína (te.í.na) *s.f.* QUÍM alcaloide principal da folha do chá, análogo à cafeína

teísmo (te.ís.mo) *s.m.* FIL REL doutrina que afirma a existência de um único Deus ~ **teísta** *adj.2g.s.2g.*

teiú (tei.ú) *s.m.* ZOO grande lagarto brasileiro terrestre que se alimenta de pequenos animais e frutos

tela (te.la) *s.f.* **1** tecido formado por fios de lã, seda, ouro etc.; teia, trama **2** *p.ext.* ART.PLÁST tecido preparado e esticado sobre o qual se pintam quadros **3** *p.ext.* ART.PLÁST quadro pintado sobre esse tecido *<encontrou duas t. pintadas por seu tio>* **4** *B* trançado de arame, próprio para cercados *<ponha logo uma t. no galinheiro>* **5** REC.AV painel sobre o qual se projetam filmes, *slides* etc. **6** superfície de TV, computador etc. em que aparece a imagem ◉ GRAM/USO aum.irreg.: *telão* ▣ **t. subcutânea** ANAT tecido gorduroso situado abaixo da derme, antes denominado *hipoderme*

telão (te.lão) [pl.: *-ões*] *s.m.* **1** grande tela **2** *B* sistema de projeção de imagens em tela grande, como no cinema ◉ GRAM/USO aum.irreg. de *tela*

telecinagem (te.le.ci.na.gem) [pl.: *-ens*] *s.f.* TV conversão de imagens de filmes de cinema ou *slides* em sinais elétricos, para transmissão por TV

telecinesia (te.le.ci.ne.si.a) *s.f.* deslocamento de objetos a distância, sem intervenção direta ou contato físico de alguém e supostamente devido a poder paranormal ~ **telecinético** *adj.*

telecomunicação (te.le.co.mu.ni.ca.ção) [pl.: *-ões*] *s.f.* COMN TEL **1** sistema de comunicação a distância por fios, ondas eletromagnéticas etc. (telefone, rádio, televisão etc.) ▼ ***telecomunicações*** *s.f.pl.* COMN TEL **2** a totalidade dos meios técnicos de comunicação; comunicações

teleconferência (te.le.con.fe.rên.cia) *s.f.* TEL comunicação entre mais de dois interlocutores ligados por telefonia, computador ou televisão

telecurso (te.le.cur.so) *s.m.* **1** conjunto de matérias ensinadas por meio de televisão educativa **2** curso oferecido por teleducação

teleducação (te.le.du.ca.ção) [pl.: *-ões*] *s.f.* processo de ensino a distância, ger. por meio de rádio, televisão ou internet

teleférico (te.le.fé.ri.co) *s.m.* **1** cabine suspensa por cabos, us. para transportar pessoas ou cargas ■ *adj.s.m.* **2** (cabo) que transporta algo a distância, em deslocamento aéreo

telefonar (te.le.fo.nar) *v.* {mod. 1} *t.i. e int.* **1** (prep. *a, para*) comunicar-se por telefone; ligar *<telefonou à mãe no sábado> <precisando, pode t. quando quiser>* □ *int.* **2** fazer uso de telefone *<quando telefonei, ninguém atendeu>*

telefone (te.le.fo.ne) *s.m.* **1** aparelho que transmite e reproduz o som falado a grandes distâncias **2** *p.ext.* série de números com que se efetua uma ligação telefônica *<meu t. mudou>* **3** *p.ext.* chamada telefônica *<Pai, t. pra você!>* **4** *B infrm.* tapa aplicado ao mesmo tempo nas duas orelhas de alguém com as mãos em concha ▣ **t. celular** TEL telefone portátil que utiliza ondas de rádio para a transmissão de sinais; celular ~ **telefonada** *s.f.*

telefonema (te.le.fo.ne.ma) *s.m.* comunicação telefônica *<preciso dar muitos t. hoje>*

telefonia (te.le.fo.ni.a) *s.f.* TEL processo de transmissão e reprodução de sons a distância, tendo como receptor um telefone

telefônico (te.le.fô.ni.co) *adj.* **1** relativo a telefone ou telefonia **2** que se utiliza de telefone *<mensagem t.>*

telefonista (te.le.fo.nis.ta) *s.2g.* **1** profissional que recebe e transmite telefonemas numa central telefônica **2** pessoa encarregada do serviço telefônico de uma empresa ou repartição

telefoto (te.le.fo.to) *s.f.* TEL fotografia transmitida a distância por ondas de rádio

telefotografia (te.le.fo.to.gra.fi.a) *s.f.* **1** FOT arte ou técnica de fotografar a grandes distâncias **2** TEL telefoto ~ **telefotografar** *v.t.d.*

telegrafar (te.le.gra.far) *v.* {mod. 1} *t.d.,t.d.i.,t.i. e int.* (prep. *a, para*) comunicar(-se) pelo telégrafo *<mandou t. as ordens> <telegrafou ao amigo, dando-lhe parabéns> <telegrafou a boa-nova aos pais> <prometeu t. assim que chegasse>*

telegrafia (te.le.gra.fi.a) *s.f.* TEL processo que transmite, em código Morse, através de fios, textos escritos (telegramas)

telegráfico (te.le.grá.fi.co) *adj.* **1** relativo a telégrafo ou a telegrafia **2** transmitido ou recebido pelo telégrafo **3** relativo ou semelhante a um telegrama **4** *fig.* muito conciso *<estilo t.>* ↺ prolixo

telégrafo (te.lé.gra.fo) *s.m.* aparelho que transmite ou recebe mensagens a distância, por meio de sinais ~ **telegrafista** *s.2g.*

telegrama (te.le.gra.ma) *s.m.* **1** comunicação transmitida ou recebida por telégrafo **2** o impresso que traz essa comunicação

teleguiado (te.le.gui.a.do) *adj.s.m.* **1** (engenho) guiado a distância por ondas de rádio **2** *fig.* (indivíduo) que age influenciado por alguém ~ **teleguiar** *v.t.d.*

telejornal (te.le.jor.nal) [pl.: *-ais*] *s.m.* *B* noticiário transmitido pela televisão

telejornalismo (te.le.jor.na.lis.mo) *s.m.* *B* produção e apresentação de telejornais

telemarketing (tele.mar.ket.ing) [ing.] *s.m.2n.* utilização de telefone e demais meios de telecomunicação para fazer *marketing* de bens ou serviços ⇒ pronuncia-se telemarquetim

telenovela (te.le.no.ve.la) *s.f.* novela exibida em capítulos pela televisão

teleobjetiva (te.le.ob.je.ti.va) *s.f.* CINE FOT TV lente especial para fotografar ou filmar a grande distância

teleologia (te.le.o.lo.gi.a) *s.f.* doutrina que considera a finalidade como princípio explicativo da realidade ~ **teleológico** *adj.*

telepata (te.le.pa.ta) *adj.2g.s.2g.* que(m) pratica a telepatia

telepatia (te.le.pa.ti.a) *s.f.* comunicação extrassensorial entre duas mentes ~ **telepático** *adj.*

TelePrompTer ® (Tele.Promp.Ter) [ing.] *s.m.* TV tela rotativa que exibe o texto a ser lido pelos atores ou apresentadores de programas, telejornais etc., fora da visão do telespectador ⇒ pronuncia-se teleprompter

telescópico (te.les.có.pi.co) *adj.* **1** relativo a telescópio **2** realizado com auxílio do telescópio *<observação t.>* **3** visível somente pelo telescópio *<astro t.>*

telescópio (te.les.có.pio) *s.m.* ENG ÓPT instrumento óptico constituído de lentes e/ou espelhos que permite aproximar a imagem de um objeto muito distante

telespectador (te.les.pec.ta.dor) /ô/ [pl.: *-es*] *adj.s.m.* *B* que(m) assiste a programas de televisão

televisão (te.le.vi.são) [pl.: *-ões*] *s.f.* TEL **1** transmissão e recepção de imagens em movimento e áudio convertidos em sinais eletromagnéticos **2** aparelho receptor de imagens televisionadas; televisor **3** estação transmissora dessas imagens; televisora

televisar (te.le.vi.sar) *v.* {mod. 1} *t.d.* televisionar

televisionar (te.le.vi.sio.nar) *v.* {mod. 1} *t.d.* transmitir (imagem, programa etc.) por televisão; televisar *<t. os jogos do campeonato nacional>*

televisivo (te.le.vi.si.vo) *adj.* **1** relativo a televisão; televisual **2** transmitido pela televisão **3** produzido para exibição em televisão *<filme t.>*

televisor (te.le.vi.sor) /ô/ [pl.: *-es*] *adj.* **1** relativo a televisão *<rede t.>* ■ *adj.s.m.* **2** (aparelho) que recebe imagens televisionadas *<desligue o t., por favor>*

televisora (te.le.vi.so.ra) /ô/ *s.f.* estação transmissora de imagens televisionadas; televisão

televisual (te.le.vi.su.al) [pl.: *-ais*] *adj.2g.* relativo a televisão; televisivo

telex (te.lex) /cs/ *s.m.2n.* TEL **1** serviço telegráfico que permite a comunicação direta entre usuários por meio de aparelho próprio que conjuga teclado de letras e impressora **2** aparelho us. nesse serviço **3** a mensagem transmitida por esse aparelho ◉ GRAM/USO admite-se tb. o pl. *telexes*

telha (te.lha) /ê/ *s.f.* peça, ger. de barro cozido, us. em cobertura de casas e edifícios ◉ COL telhado

telhado (te.lha.do) *s.m.* ARQ **1** conjunto de telhas que cobrem uma edificação **2** parte superior e exterior de uma edificação, ger. coberta por telhas

telha-vã (te.lha-vã) [pl.: *telhas-vãs*] *s.f.* telhado sem [2]forro

telheiro (te.lhei.ro) *s.m.* **1** fabricante de telhas **2** cobertura feita de telhas e sustentada por colunas, us. para abrigar utensílios, animais, lenha etc.

telúrico (te.lú.ri.co) *adj.* **1** relativo à Terra ou ao solo **2** relativo ao telúrio

telúrio (te.lú.rio) *s.m.* QUÍM elemento químico us. em semicondutores [símb.: *Te*] ☞ cf. *tabela periódica* (no fim do dicionário)

tema (te.ma) *s.m.* **1** aquilo sobre o que se discorre numa conversa ou num trabalho **2** MÚS frase musical que se repete, por vezes com variações, em uma composição **3** GRAM parte da palavra constituída do radical mais a vogal temática ◉ COL temário

temaki [jap.] (te.ma.ki) *s.m.* CUL espécie de *sushi* envolto em folha de alga, formando um cone aberto ⇒ pronuncia-se temaqui

temário (te.má.rio) *s.m.* reunião dos temas a serem discutidos em seminários, congressos etc.

temático (te.má.ti.co) *adj.* **1** relativo a tema **2** baseado num tema

tememinó (te.me.mi.nó) ou **temiminó** (te.mi.mi.nó) *s.2g.* **1** indivíduo dos tememinós, grupo indígena, considerado extinto, que habitava o sul do Espírito Santo, o Rio de Janeiro e o vale do Paranapanema (SP) ■ *adj.2g.* **2** relativo a esse indivíduo ou grupo indígena

temer (te.mer) *v.* {mod. 8} *t.d. e int.* **1** sentir medo ou temor (de); recear *<a cidade teme um temporal esta noite>* *<o bravo nunca teme>* □ *t.i.* **2** (prep. *por*) sentir inquietação quanto a; preocupar-se *<teme pela saúde de seu pai>* □ *t.d.* *p.ext.* **3** ter profundo respeito e obediência a *<t. as leis>* ~ **temente** *adj.2g.*

temerário (te.me.rá.rio) *adj.* **1** que apresenta risco; perigoso ↺ seguro **2** audacioso, imprudente *<decisão t.>* ↺ cauteloso **3** sem fundamento; contestável *<juízo t.>* ↺ procedente

temeridade (te.me.ri.da.de) *s.f.* **1** audácia excessiva ↺ covardia **2** ação ou dito imprudente, perigoso

temeroso (te.me.ro.so) /ô/ [pl. e fem.: /ó/] *adj.* **1** que causa medo *<tempestade t.>* **2** que sente temor; medroso *<criança t.>* ↺ corajoso

temido (te.mi.do) *adj.* que mete medo

temiminó (te.mi.mi.nó) *adj.2g.s.2g.* → *TEMEMINÓ*

temível (te.mí.vel) [pl.: *-eis*] *adj.2g.* que se deve temer

temor (te.mor) /ô/ [pl.: *-es*] *s.m.* **1** sensação de ameaça; medo, receio ↺ tranquilidade **2** *p.ext.* sentimento de profundo respeito e obediência *<t. aos pais>* ↺ desrespeito

têmpera (têm.pe.ra) *s.f.* **1** consistência que se dá aos metais banhando-os, em brasa, na água fria **2** esse banho **3** *fig.* comportamento característico de alguém; caráter, índole *<t. aristocrática>*

temperado (tem.pe.ra.do) *adj.* **1** que possui têmpera (diz-se de metal) **2** que tem tempero *<comida bem t.>* **3** cuja temperatura não é nem muito quente nem muito fria *<clima t.>* *<região t.>* **4** MÚS diz-se do sistema empr. na afinação dos instrumentos como piano, órgão etc. e que consiste em dividir a oitava em 12 semitons absolutamente iguais, de maneira que uma mesma tecla possa produzir mais de uma nota, de som igual, mas de nomes diferentes (ex., dó, si sustenido e ré dobrado bemol etc.)

temperamental (tem.pe.ra.men.tal) [pl.: *-ais*] *adj.2g.* **1** relativo a temperamento **2** de natureza, índole instável *<foi uma criança t.>* ■ *adj.2g.s.2g.* **3** que(m) reage obedecendo apenas aos impulsos de seu temperamento

temperamento (tem.pe.ra.men.to) *s.m.* modo de agir; têmpera *<t. violento>*

temperança (tem.pe.ran.ça) *s.f.* virtude de quem é comedido, moderado, prudente ↺ descontrole

temperar (tem.pe.rar) *v.* {mod. 1} *t.d.* **1** pôr tempero em; condimentar *<t. a carne>* **2** *fig.* reduzir a intensidade de; suavizar *<uma brisa fresca veio t. a quentura do sol>* *<puxou as cortinas para t. a luz forte>* ↺ intensificar **3** misturar de forma proporcional *<t. o mate com água>* **4** dar a (um metal) consistência ou rijeza *<t. o ferro>* □ *t.d. e pron.* **5** moderar(-se), conter(-se) *<tempere seu ânimo>* *<t.-se nas palavras>* ↺ liberar(-se)

temperatura (tem.pe.ra.tu.ra) *s.f.* grau ou quantidade de calor existente num corpo ou num lugar

tempero (tem.pe.ro) /ê/ *s.m.* substância us. para realçar o sabor da comida; condimento

tempestade (tem.pes.ta.de) *s.f.* manifestação atmosférica, ger. acompanhada de vento, chuva, granizo ou neve; temporal ↺ calmaria

tempestivo (tem.pes.ti.vo) *adj.* que ocorre no momento certo; oportuno ↺ inesperado ~ **tempestividade** *s.f.*

tempestuoso (tem.pes.tu.o.so) /ô/ [pl. e fem.: /ó/] *adj.* **1** que causa tempestade ou está sujeito a ela ↺ pacífico **2** *fig.* muito agitado; violento *<foi uma reunião t.>* ↺ tranquilo ~ **tempestuosidade** *s.f.*

templo (tem.plo) *s.m.* REL edifício destinado ao culto religioso

tempo (tem.po) *s.m.* **1** período contínuo e indefinido no qual os eventos se sucedem e criam no homem a noção de presente, passado e futuro **2** oportunidade para a realização de algo *<estar sem t. para estudar>* **3** época em que determinados acontecimentos ocorrem *<o t. das grandes descobertas>* **4** conjunto das condições meteorológicas *<previsão do t.>* **5** época propícia para certos fenômenos ou atividades; sazão *<t. de colheita>* **6** GRAM flexão verbal que indica o momento em que se dá o fato expresso pelo verbo **7** MÚS duração de cada unidade do compasso, a partir da qual se estabelecem as relações rítmicas ▣ **a t. 1** dentro do prazo *<entregou o texto a t.>* **2** no momento apropriado *<a oferta veio a t.>* • **dar um t.** parar por algum período *<decidiram dar um t. no namoro>*

têmpora (têm.po.ra) *s.f.* ANAT parte lateral da cabeça, entre o olho e a orelha; fonte

temporada (tem.po.ra.da) *s.f.* **1** certo espaço de tempo *<alugou a casa por uma t.>* **2** estação do ano **3** época propícia para realização de certas atividades *<t. de pesca>*

[1]**temporal** (tem.po.ral) [pl.: *-ais*] *adj.2g.* **1** relativo a tempo **2** temporário, passageiro ↺ permanente **3** não religioso; mundano *<bens t.>* ↺ espiritual ■ *s.m.* **4** chuva forte com vento ■ *s.f.* **5** GRAM ver ***CONJUNÇÃO TEMPORAL*** ◉ ORIGEM do lat. *temporālis,e* 'relativo a tempo'

[2]**temporal** (tem.po.ral) [pl.: *-ais*] *adj.2g.* ANAT da têmpora *<região t.>* ◉ ORIGEM do lat. *temporālis,e* 'id.'

temporão (tem.po.rão) [pl.: *-ãos*; fem.: *temporã*] *adj.* **1** que surge fora da época adequada *<fruto t.>* ■ *adj.s.m.* B **2** (filho) que nasce muito tempo depois do irmão que o precede

temporário (tem.po.rá.rio) *adj.* provisório, não definitivo *<trabalho t.>* *<solução t.>* ↺ permanente ~ **temporariedade** *s.f.*

temporizador (tem.po.ri.za.dor) /ô/ [pl.: *-es*] *adj.s.m.* ELETRÔN (dispositivo) cuja função é ativar ou desativar um circuito, um alarme em momentos predeterminados

temporizar (tem.po.ri.zar) *v.* {mod. 1} *t.d.* **1** transferir para depois; adiar, protelar *<t. uma transação comercial>* ↺ antecipar □ *t.i.* **2** (prep. *com*) ser flexível, tolerante com; contemporizar *<preferiu t. com o amigo a romper os laços que os uniam>* □ *int.* **3** esperar ocasião mais propícia *<para solucionar melhor a questão, resolveu t.>* ~ **temporização** *s.f.*

tenacíssimo (te.na.cís.si.mo) *adj.* muito tenaz ◉ GRAM/USO sup.abs.sint. de *tenaz*

tenaz (te.naz) [pl.: *-es*] *adj.2g.* **1** que apresenta resistência *<utilizaram material t. para o calçamento>* **2** que adere ou prende com firmeza *<resina t.>* **3** *fig.* obstinado, persistente *<t. defensor da liberdade>* ■ *s.f.* **4** alicate ◉ GRAM/USO nas acp. adj., sup.abs.sint.: *tenacíssimo* ~ **tenacidade** *s.f.*

tenção (ten.ção) [pl.: *-ões*] *s.f.* **1** o que se pretende fazer; intenção, propósito *<sua t. era enfrentar o adversário>* **2** devoção, adoração *<era aquele o santo de sua t. particular>* ☞ cf. *tensão*

tencionar (ten.cio.nar) *v.* {mod. 1} *t.d.* ter intenção, propósito de; intentar, planejar *<tencionava viajar>*

tenda (ten.da) *s.f.* **1** barraca de acampamento **2** barraca para comércio de gêneros alimentícios

tendão (ten.dão) [pl.: *-ões*] *s.m.* ANAT tecido fibroso que une o músculo ao osso ▣ **t. calcâneo** ANAT tendão, antes denominado *tendão de aquiles*, situado na parte posterior e inferior da perna • **t. de aquiles** ANAT denominação substituída por *tendão calcâneo*

tendência (ten.dên.cia) *s.f.* **1** inclinação, vocação *<t. para música>* **2** força ou ação pela qual um corpo é levado a mover-se num determinado sentido *<t. de atração e repulsão dos átomos>* **3** orientação, direção *<novas t. da moda>*

tendencioso (ten.den.ci.o.so) /ô/ [pl. e fem.: /ó/] *adj.* em que há alguma intenção oculta *<versão t. dos fatos>* ↺ imparcial

tendente (ten.den.te) *adj.2g.* **1** que se inclina ou encaminha para determinado fim *<medidas t. a baixar a inflação>* **2** propenso, favorável *<personalidade t. para a vida pública>*

tender (ten.der) *v.* {mod. 8} *t.i.* **1** (prep. *a*) encaminhar-se para (certo rumo, desfecho, solução etc.) *<sua iniciativa tende ao fracasso>* **2** (prep. *para*) ter inclinação, pendor ou disposição para *<sempre tendeu para matemática>* **3** (prep. *para*) ter característica, aspecto parecido com; aproximar-se *<era um tecido cuja cor marrom tendia para o azul>* □ *int.* **4** inclinar-se, voltar-se *<o navio tendeu para a direita>* □ *t.d. e pron.* **5** estender(-se) no espaço; esticar(-se) *<t. os braços>*

<suas propriedades tendiam-se por quilômetros de terras> ↺ encolher(-se)

tênder (tên.der) [pl.: *-es*] *adj.2g.2n.* **1** defumado de forma industrial (diz-se de certos alimentos) *<peru t.>* ■ *s.m.* CUL **2** presunto cozido e defumado *<não haverá t. neste Natal>*

tendinha (ten.di.nha) *s.f. B* pequena mercearia, ger. em bairros pobres; birosca

tendinite (ten.di.ni.te) *s.f.* MED inflamação de tendão

tenebroso (te.ne.bro.so) /ô/ [pl. e fem.: /ó/] *adj.* **1** que provoca horror; medonho *<um crime t.>* **2** cheio de trevas; escuro, sombrio *<subterrâneo t.>* ↺ claro ~ **tenebrosidade** *s.f.*

tenência (te.nên.cia) *s.f. B infrm.* precaução, cautela ▣ **tomar t. (de)** *B infrm.* examinar com prudência, ser cauteloso

tenente (te.nen.te) *s.m.* MIL **1** posto militar imediatamente inferior ao de capitão **2** oficial nesse posto

tenente-brigadeiro (te.nen.te-bri.ga.dei.ro) [pl.: *tenentes-brigadeiros*] *s.m.* AER **1** patente imediatamente superior à de major-brigadeiro **2** oficial que detém essa patente

tenente-coronel (te.nen.te-co.ro.nel) [pl.: *tenentes--coronéis*] *s.m.* MIL *B* **1** patente logo acima da de major e imediatamente inferior à de coronel ■ *s.2g.* **2** oficial que detém essa patente

tênia (tê.nia) *s.f.* ZOO **1** designação comum a vários vermes de corpo alongado entre os quais se encontram importantes parasitas intestinais do homem **2** solitária

teníase (te.ní.a.se) *s.f.* MED infecção provocada por tênia

tênis (tê.nis) *s.m.2n.* **1** VEST *B* sapato de material leve e sola de borracha flexível, ger. us. em práticas esportivas **2** ESP jogo entre dois jogadores ou duas duplas, com raquete e bola de borracha numa quadra dividida ao meio por uma rede ▣ **t. de mesa** ESP jogo semelhante ao tênis, praticado sobre uma mesa dividida por uma rede e jogado com raquete e bola de celuloide; pingue-pongue

tenista (te.nis.ta) *adj.2g.s.2g.* que(m) joga tênis

tenor (te.nor) /ô/ [pl.: *-es*] *s.m.* MÚS **1** a voz masculina de registro mais agudo **2** cantor com essa voz ■ *adj.2g.2n.* **3** de registro comparável ao da voz dos tenores (diz-se de instrumento) *<saxofone t.>*

tenorino (te.no.ri.no) *s.m.* tenor que canta em falsete

tenro (ten.ro) *adj.* **1** mole, macio *<carne t.>* ↺ duro **2** que tem pouco tempo; recente *<t. amizade>* ↺ antigo **3** fresco, verdejante *<relva t.>*

tensão (ten.são) [pl.: *-ões*] *s.f.* **1** estado do que está esticado *<a t. de uma corda>* ↺ afrouxamento **2** *fig.* estado do que ameaça romper-se, desfazer-se *<t. nas negociações>* ↺ tranquilidade **3** FÍS diferença de potencial entre dois pontos de um circuito elétrico **4** MED estado de sobrecarga física ou mental ☞ cf. *tenção* ▣ **t. alta** MED hipertensão • **t. arterial** MED pressão arterial • **t. pré-menstrual** MED conjunto de sintomas (irritação, ansiedade, dor de cabeça etc.) que podem ocorrer nos dias que antecedem à menstruação [sigla: *TPM*]

tensivo (ten.si.vo) *adj.* que provoca tensão

tenso (ten.so) *adj.* **1** esticado com força ↺ frouxo **2** *fig.* em estado de tensão ('sobrecarga') *<situação t.>* ↺ descontraído

tensor (ten.sor) /ô/ [pl.: *-es*] *adj.s.m.* **1** (o) que estende **2** ANAT (músculo) que estende qualquer órgão ou membro

tentação (ten.ta.ção) [pl.: *-ões*] *s.f.* **1** disposição para prática de atos censuráveis ou não recomendáveis *<não conseguia resistir às t.>* **2** desejo intenso *<chegou a sentir a t. de comer toda a torta>* **3** pessoa ou coisa provocante *<aquela moça é uma t.>* ■ *s.m. B infrm.* **4** o diabo

tentacular (ten.ta.cu.lar) [pl.: *-es*] *adj.2g.* **1** relativo a tentáculo **2** que tem tentáculos

tentáculo (ten.tá.cu.lo) *s.m.* ANAT ZOO apêndice fino e flexível de certos invertebrados aquáticos, como polvo, lula etc., us. na locomoção e esp. para obtenção de alimentos

tentador (ten.ta.dor) /ô/ [pl.: *-es*] *adj.s.m.* **1** (o) que tenta *<uma proposta t.>* ■ *s.m.* **2** *fig.* o diabo

tentame (ten.ta.me) ou **tentâmen** (ten.tâ.men) [pl.: *tentâmenes* e *(B) tentamens*] *s.m.* tentativa, ensaio

tentar (ten.tar) *v.* {mod. 1} *t.d.* **1** esforçar-se para conseguir; buscar, procurar *<tentava uma promoção na empresa>* **2** pôr em experiência; testar *<tentou duas vezes, mas a chave não abriu a porta>* **3** pôr em execução; empreender, arriscar *<tentaram organizar uma manifestação de protesto>* **4** despertar vontade em *<o convite não chegou a tentá-la>* **5** induzir a ou seduzir para o mal; atentar *<a cobiça sem medida que o tentou também o arruinou>*

tentativa (ten.ta.ti.va) *s.f.* **1** esforço ou ensaio para fazer, resolver, estabelecer, conseguir algo **2** experimento

tentativo (ten.ta.ti.vo) *adj.* **1** que tenta, instiga; tentador **2** que se pode tentar, experimentar *<proposta t.>* ↺ definitivo **3** ainda experimental ↺ definitivo

[1]**tentear** (ten.te.ar) *v.* {mod. 5} *t.d.* **1** averiguar com cuidado; sondar *<t. uma saída para a situação>* **2** tocar com parte do corpo ou objeto para se orientar; tatear *<t. o caminho>* **3** fazer teste com; experimentar ◉ ORIGEM *tenta* 'estilete cirúrgico' + *-ear*

[2]**tentear** (ten.te.ar) *v.* {mod. 5} *t.d.* **1** dar atenção, cuidado a; cuidar *<t. as relações familiares>* ↺ descuidar **2** examinar ou dirigir com atenção, cuidado; pesar *<t. as despesas>* **3** aliviar de forma provisória; paliar *<t. a dor>* ◉ ORIGEM [1]*tento* + *-ear*

[1]**tento** (ten.to) *s.m.* **1** cuidado especial; atenção ↺ descuido **2** capacidade de avaliar as coisas com bom senso; juízo ◉ ORIGEM do lat. *tentus,a,um* 'detido, contido, atento'

[2]**tento** (ten.to) *s.m.* **1** peça com que se marcam pontos no jogo **2** *p.ext.* esse ponto **3** *p.ext. B* gol ◉ ORIGEM do lat. *talentum,i* 'peso, moeda romana'

tênue (tê.nue) *adj.2g.* **1** delicado, fino *<uma t. teia de aranha>* *<t. neblina>* **2** *fig.* fraco, débil *<um t. fio de esperança>* ↺ forte **3** quase imperceptível; sutil *<perfume t.>* ↺ forte

teocentrismo (teo.cen.tris.mo) *s.m.* doutrina que considera Deus o centro de tudo ~ **teocêntrico** *adj.* - **teocentrista** *adj.2g.s.2g.*

teocracia (teo.cra.ci.a) *s.f.* sistema de governo em que o poder político se encontra fundamentado no poder religioso, pela encarnação da divindade no governante, como no Egito dos faraós, ou por sua escolha direta, como nas monarquias absolutas ~ **teocrático** *adj.*

teocrata (teo.cra.ta) *adj.2g.s.2g.* **1** que(m) exerce o poder teocrático **2** integrante ou partidário de uma teocracia

teologal (teo.lo.gal) [pl.: *-ais*] *adj.2g.* **1** relativo a teologia **2** que tem em Deus sua fonte e objeto *<virtude t.>*

teologia (teo.lo.gi.a) *s.f.* **1** estudo de Deus e suas relações com o homem **2** doutrina religiosa ~ **teológico** *adj.*

teólogo (te.ó.lo.go) *s.m.* especialista em teologia

teor (te.or) /ô/ [pl.: *-es*] *s.m.* **1** o conteúdo de um documento escrito *<a carta tinha um t. ofensivo>* **2** proporção, em um todo, de determinado componente *<t. alcoólico de uma bebida>*

teorema (te.o.re.ma) *s.m.* proposição que pode ser demonstrada por meio de um processo lógico

teoria (te.o.ri.a) *s.f.* **1** conjunto de regras sistematizadas que fundamentam uma ciência ou uma área específica *<t. política>* **2** conhecimento especulativo sobre determinado assunto; conjectura *<explicou sua t. sobre o desaparecimento do avião>* ~ **teorético** *adj.*

teoricamente (te.o.ri.ca.men.te) *adv.* **1** do ponto de vista teórico; segundo a teoria *<vamos aplicar o que aprendemos t.>* **2** em teoria, em tese *<ambos os tratamentos são t. eficazes>*

teórico (te.ó.ri.co) *adj.* **1** referente a teoria *<aulas t. e aulas práticas>* **2** próprio de uma teoria *<socialismo t.>* **3** hipotético, especulativo *<conhecimento apenas t.>* ■ *adj.s.m.* **4** que(m) é hábil em formular teorias **5** (pessoa) que teoriza sobre ou domina a teoria de uma arte, ciência, atividade, método ou conhecimento *<era um excelente t.>*

teorizar (te.o.ri.zar) *v.* {mod. 1} *t.d.* **1** expor ou explicar por meio de teoria(s) *<t. uma escolha>* **2** reduzir a teoria(s) *<t. um fato>* □ *int.* **3** discorrer teoricamente *<em suas aulas, ele esquece a prática e apenas teoriza>* ~ **teorização** *s.f.*

tépido (té.pi.do) *adj.* **1** não muito quente **2** *fig.* sem força ou intensidade; frouxo *<um t. aperto de mão>* ↺ forte ~ **tepidez** *s.f.*

tequila (te.qui.la) *s.f.* aguardente mexicana produzida pela destilação do agave

ter *v.* {mod. 16} *t.d.* **1** estar com a posse, a propriedade ou estar no gozo de; possuir, usufruir *<t. uma casa, fortuna>* **2** manter à disposição ou contar com; possuir *<seu prédio tem garagem?> <teve um bom advogado>* **3** levar ou trazer consigo; portar *<você tem fósforos?>* **4** receber por transmissão; herdar *<tem a beleza da mãe>* **5** passar por, viver (certa experiência) *<tive o desprazer de vê-lo>* **6** possuir como medida (certa extensão, altura etc.); medir *<a piscina tem 15 metros>* **7** ser formado ou constituído por; compor-se *<o livro tem dez capítulos>* **8** contar de idade ou de existência *<tem dez anos>* **9** encerrar em si; conter *<o tonel tinha 20 litros de álcool>* **10** levar a efeito; realizar *<teremos reunião hoje>* **11** ser visitado, assistido etc. por; receber *<teve muitos ouvintes>* **12** gozar de (certo *status*, privilégio, título, direito) *<ele tem uma cadeira no estádio>* **13** manter vinculação (p.ex., de parentesco, hierárquica, afetiva) com *<t. filhos, amigos, patrão>* **14** dar vida a (filhos, crias) **15** conquistar para si; alcançar, obter *<t. a atenção merecida>* **16** frequentar, assistir a (curso, aula, lição) *<teve aulas de francês>* ↺ dar **17** apresentar ou caracterizar-se por (atributo, detalhe, qualidade); possuir *<t. juízo, muito gênio>* **18** experimentar no organismo; sentir *<t. sede>* **19** tomar consciência de (impressão, estado, sensação); sentir *<t. ódio, medo>* **20** adquirir por contágio (doença); contrair *<ele teve uma gripe forte>* □ *pron.* **21** ficar em certa posição; conservar-se *<mal podia t.-se em pé>* □ *t.d.,t.d.pred. e pron.* **22** (prep. *por*) fazer julgamento sobre; considerar(-se), julgar(-se) *<tenho que seu texto foi o melhor que li> <sempre o tivera como honesto> <tinha-se por entendido em música>* □ *int. B infrm.* **23** estar presente; haver *<tem muita gente aqui>* **24** fazer, haver *<tem muito tempo que viajou>* **25** acontecer, realizar-se *<hoje vai t. reunião>* ☞ nestas três acp., é impessoal ◉ GRAM/USO **a)** o verbo *ter*, seguido de prep. *de* e verbo no infinitivo, exprime 'obrigatoriedade' ou 'firme propósito' de realizar o fato expresso por este verbo: *tenho de fazer exercícios*; **b)** modernamente, nessas construções, tem-se us. *que* em vez da prep. *de*

tera- *pref.* **1** do *SI*, simbolizado por T, "um bilião" (de vezes a unidade indicada) [na nomenclatura da numeração, correspondente à tradicional 'um trilião'] *<teragrama = um bilião de gramas>* ☞ adotado na 11ª Conferência Geral de Pesos e Medidas, em 1960 **2** INF para múltiplos binários, tera- equivale a 2^{40} (1.099.511.627.776), valor freq. arredondado para um trilião ☞ terabaite, *terabit* (ing.), terabite, *terabyte* (ing.); ver ***GIGA-***

terabaite (te.ra.bai.te) *s.m.* INF aport. de *terabyte*, ver

terabit (tera.bit) [ing.; pl.: *terabits*] *s.m.* INF múltiplo do bit, que vale 1024 gigabits (símb.: *Tb*) [Freq., tem o valor arredondado para mil gigabits.] ⇒ pronuncia-se terabite

terabite (te.ra.bi.te) *s.m.* INF aport. de *terabit*, ver

terabyte (tera.byte) [ing.; pl.: *terabytes*] *s.m.* INF múltiplo do *byte*, que vale 1024 *gigabytes* (símb.: *TB*) [Freq., tem o valor arredondado para mil *gigabytes*.] ⇒ pronuncia-se terabaite

terapeuta (te.ra.peu.ta) *s.2g.* MED aquele que fornece tratamento ou cuidado médico a alguém

terapêutica (te.ra.pêu.ti.ca) *s.f.* terapia

terapêutico (te.ra.pêu.ti.co) *adj.* **1** relativo a terapêutica **2** que tem propriedades medicinais, curativas *<produto t.>*

terapia (te.ra.pi.a) *s.f.* MED **1** tratamento de doentes; terapêutica **2** qualquer intervenção para tratar problemas físicos e/ou psíquicos

térbio (tér.bio) *s.m.* QUÍM elemento químico us. em aparelhos de televisão colorida [símb.: *Tb*] ☞ cf. *tabela periódica* (no fim do dicionário)

terça (ter.ça) /ê/ *s.f.* red. de ***TERÇA-FEIRA***

T

terçã (ter.çã) *s.f.* MED febre provocada pela malária, que reaparece a cada três dias ◉ GRAM/USO tb. us. com adj.: *febre terçã*

terça-feira (ter.ça-fei.ra) [pl.: *terças-feiras*] *s.f.* o terceiro dia da semana, a partir de domingo

terçar (ter.çar) *v.* {mod. 1} *t.d.* **1** mesclar (três substâncias, elementos etc.) em partes iguais *<t. farinha, ovos e açúcar para fazer um bolo>* **2** dividir em três partes *<t. uma herança>* **3** pôr em diagonal (esp. espada, lança); atravessar **4** dispor de forma transversal; cruzar *<terçou as pontas do cachecol e prendeu-o bem>* □ *t.d. e t.d.i.* **5** (prep. *com*) misturar em proporções adequadas *<t. concreto> <t. cal com água e areia>* □ *t.i.* **6** (prep. *por*) intervir em favor de; interceder *<terçava pelo pequeno negociante>* **7** (prep. *por*) lutar em defesa de; defender *<terçava por seus ideais>* ~ **terçador** *adj.s.m.*

terceirização (ter.cei.ri.za.ção) [pl.: *-ões*] *s.f.* ECON contratação de serviços de terceiros por uma empresa, para a realização de certas tarefas

terceirizar (ter.cei.ri.zar) *v.* {mod. 1} *t.d.,int. e pron.* proceder à terceirização de ou sofrer processo de terceirização ~ **terceirizado** *adj.*

terceiro (ter.cei.ro) *n.ord.* **1** (o) que, numa sequência, ocupa a posição número três *<parágrafo t.> <o t. da fila>* ■ *s.m.* **2** aquele que intercede a favor de alguém ou de algo; mediador, intermediário **3** outra pessoa *<não houve opinião de t.>* ☞ nesta acp., tb. us. no pl.

terceiro-sargento (ter.cei.ro-sar.gen.to) [pl.: *terceiros-sargentos*] *s.m.* MIL **1** graduação imediatamente superior à de cabo e imediatamente inferior à de segundo-sargento **2** praça que detém essa graduação

terceto (ter.ce.to) /ê/ *s.m.* **1** LIT estrofe de três versos **2** MÚS trio

terciário (ter.ci.á.rio) *s.m.* GEOL **1** primeiro e mais antigo período geológico da era cenozoica, anterior ao Quaternário ☞ inicial maiúsc. ■ *adj.* **2** desse período **3** que está ou vem em terceiro lugar

terço (ter.ço) /ê/ *n.frac.* **1** (o) que é três vezes menor que a unidade ■ *s.m.* REL **2** a terça parte do rosário

terçol (ter.çol) [pl.: *-óis*] *s.m.* MED pequeno abscesso na borda da pálpebra

terebintina (te.re.bin.ti.na) *s.f.* QUÍM resina extraída de certas plantas, us. na fabricação de vernizes, diluição de tintas etc.

tererê (te.re.rê) *s.m.* aplique de linhas coloridas sobre uma trança de cabelo natural

teresinense (te.re.si.nen.se) *adj.2g.* **1** de Teresina (PI) ■ *s.2g.* **2** natural ou habitante dessa capital

tergiversar (ter.gi.ver.sar) *v.* {mod. 1} *int.* **1** usar evasivas, subterfúgios, rodeios *<isso terá de ser feito, não adianta t.>* **2** voltar as costas *<ouviu, sem t., toda a acusação que lhe faziam>* ~ **tergiversação** *s.f.*

termal (ter.mal) [pl.: *-ais*] *adj.2g.* **1** quente **2** relativo a termas **3** cuja temperatura normal é superior a 25°C (água)

termas (ter.mas) *s.f.pl.* **1** balneário equipado para uso terapêutico das águas medicinais quentes **2** estabelecimento equipado para banhos; balneário **3** HIST entre alguns povos da Antiguidade, edifício destinado aos banhos públicos *<as t. romanas>*

termelétrica (ter.me.lé.tri.ca) ou **termoelétrica** (ter.mo.e.lé.tri.ca) *s.f.* usina produtora de energia elétrica que utiliza uma fonte térmica como fonte primária de energia ~ **termeletricidade/termoeletricidade** *s.f.* - **termelétrico/termoelétrico** *adj.*

térmico (tér.mi.co) *adj.* **1** relativo a calor ou a termas **2** que conserva a temperatura *<garrafa t.>*

terminação (ter.mi.na.ção) [pl.: *-ões*] *s.f.* **1** momento em que algo é interrompido ↺ introdução **2** modo como uma coisa acaba **3** parte final; extremidade, limite **4** GRAM desinência de uma palavra *<em cantava, -va é a t.>*

terminal (ter.mi.nal) [pl.: *-ais*] *adj.2g.* **1** que constitui o limite ou a extremidade **2** que evolui para a morte (diz-se da última fase de uma doença) ↺ inicial ■ *s.m.* **3** aquilo que termina, completa **4** estação final de trem, ônibus etc. **5** INF conjunto de teclado e monitor que se comunica com um ou mais computadores remotos

terminante (ter.mi.nan.te) *adj.2g.* **1** decisivo, categórico *<deu ordens t. para que se esvaziasse o recinto>* ↺ refutável **2** que põe fim; conclusivo *<suas razões, no caso, eram t.>*

terminar (ter.mi.nar) *v.* {mod. 1} *t.d.,t.i.,int. e pron.* **1** (prep. *com*) [fazer] chegar ao fim; acabar(-se), concluir(-se) *<t. uma tarefa> <conseguiu t. com a festa> <a viagem terminou(-se) antes da hora>* ↺ começar □ *t.d.* **2** ocupar a extremidade de *<uma pequena praça terminava a rua>* **3** estabelecer os limites de; delimitar *<t. uma propriedade>* □ *int. e pron.* **4** ter como limite *<a rua terminava(-se) num beco>* □ *t.i.* **5** (prep. *com*) pôr fim a ligação amorosa com; romper **6** (prep. *em*) ter certo fim (a palavra) *<no infinitivo, os verbos terminam em -r>* ~ **terminável** *adj.2g.*

terminativo (ter.mi.na.ti.vo) *adj.* que faz terminar

término (tér.mi.no) *s.m.* **1** momento em que algo se interrompe; fim ↺ início **2** parte extrema de um objeto; extremidade

terminologia (ter.mi.no.lo.gi.a) *s.f.* **1** conjunto de palavras de uma ciência, de uma técnica ou das ciências e tecnologias em geral **2** vocabulário próprio de um escritor, de uma região etc. *<a t. gaúcha>* ~ **terminológico** *adj.*

termo (ter.mo) /ê/ *s.m.* **1** fim no tempo ou espaço *<pôr t. a uma conversa> <o t. de uma viagem>* **2** marco divisório, limite *<os t. de um município>* **3** palavra, vocábulo *<t. botânico>* **4** teor, conteúdo (de um texto) *<os t. de uma declaração>* **5** modo, maneira *<falar com bons t.>* **6** MAT qualquer elemento de uma expressão algébrica

termodinâmica (ter.mo.di.nâ.mi.ca) *s.f.* FÍS parte da física que estuda o calor e as demais formas de energia ~ **termodinâmico** *adj.*

termoelétrica (ter.mo.e.lé.tri.ca) *s.f.* → *TERMELÉTRICA* ~ **termoeletricidade** *s.f.*

termômetro (ter.mô.me.tro) *s.m.* **1** instrumento para medição de temperatura **2** *fig.* indicação do estado físico ou moral de algo; medida *<as greves*

são o t. do descontentamento dos trabalhadores> ~ **termométrico** *adj.*

termonuclear (ter.mo.nu.cle.ar) [pl.: *-es*] *adj.2g.* FÍS que provoca fusão nuclear acompanhada de liberação de energia (diz-se de processo)

termoplástico (ter.mo.plás.ti.co) *adj.s.m.* QUÍM diz-se de ou qualquer resina que amolece ao ser aquecida e enrijece ao ser resfriada (p.ex., o polietileno, o vinil etc.)

termorresistente (ter.mor.re.sis.ten.te) *adj.2g.* que não mais se deforma sob a ação do calor (diz-se de matéria plástica)

termosfera (ter.mos.fe.ra) *s.f.* FÍS camada atmosférica (entre 95 km e 500 km de altitude) onde ocorre grande aumento de temperatura

termostato (ter.mos.ta.to) *s.m.* FÍS dispositivo que controla as variações de temperatura de um sistema *<o t. da geladeira está com defeito>* ~ **termostático** *adj.*

ternário (ter.ná.rio) *adj.* **1** relativo ao número três **2** composto por três unidades **3** MÚS que tem três tempos iguais *<compasso t.>*

terneiro (ter.nei.ro) *s.m.* **1** *RS* a cria da vaca até um ano de idade; bezerro **2** *RS* nonato (animal, como alimento) **3** *PE* feto de gado vacum

[1]**terno** (ter.no) *adj.* **1** que sente ou desperta afetos *<amigo t.>* **2** que é brando, suave *<voz t.>* **3** que causa pena; lastimoso *<gemidos t.>* ◉ ORIGEM do lat. *tener,era,erum* 'id.'

[2]**terno** (ter.no) *s.m.* **1** conjunto de três seres, objetos etc. de igual natureza; trio *<um t. de zabumba>* **2** VEST traje composto de paletó, calça e, eventualmente, colete do mesmo tecido e cor ◉ ORIGEM do lat. *tērnus,i*, mais comum no pl. *tērni* 'cada três'

ternura (ter.nu.ra) *s.f.* **1** sentimento terno, meigo, afetuoso *<tinha t. pelos animais>* **2** ligação afetiva manifestada em palavras, modos de agir etc. *<olharam-se com t.>*

terra (ter.ra) *s.f.* **1** ASTR nome do terceiro planeta do sistema solar, a partir do Sol ☞ inicial maiúsc.; cf. *Terra* na parte enciclopédica **2** a superfície mais externa da crosta terrestre; chão, solo *<a viagem será feita por t.>* **3** região, território *<vivia em t. estranha>* **4** terreno cultivado de uma propriedade *<extensas t. de café>* **5** pó, poeira *<móveis cobertos de t.>* **6** *fig.* a vida material ↺ céu ■ *s.m.* **7** ELETR ponto de contato de um circuito elétrico com o solo ▣ **t. batida** *B* piso de terra compactada *<depois do asfalto, pegaram uma estrada de t. batida>*

terra a terra (ter.ra a ter.ra) *adj.2g.2n.* prosaico, trivial *<tinha uma visão muito terra a terra da situação>*

terraço (ter.ra.ço) *s.m.* **1** varanda descoberta **2** cobertura plana de um edifício **3** GEOL superfície plana, constituída por depósito sedimentar ou modelada pela erosão, num terreno inclinado ou numa encosta

terracota (ter.ra.co.ta) *s.f.* **1** argila manufaturada e cozida em forno **2** cerâmica obtida por esse processo

terral (ter.ral) [pl.: *-ais*] *adj.2g.* **1** relativo a terra ■ *adj.2g.s.m.* **2** (vento) que sopra da terra para o mar

terraplenar (ter.ra.ple.nar) *v.* {mod. 1} *t.d.* preparar (terreno, lugar) para abrigar uma construção, executando as operações necessárias, como escavação, aterro, compactação da terra etc. ~ **terraplenagem** *s.f.*

terráqueo (ter.rá.queo) *adj.s.m.* (habitante) da Terra

terreiro (ter.rei.ro) *s.m.* **1** espaço de terra plano e amplo **2** porção de terra cultivável **3** terreno, ger. cimentado, onde cereais, grãos de café etc. são colocados para secar **4** REL *B* local onde se celebram cultos de candomblé, umbanda etc.

terremoto (ter.re.mo.to) *s.m.* GEOL tremor na superfície da Terra causado por movimentos de massas rochosas no seu interior; sismo

terreno (ter.re.no) *s.m.* **1** espaço não construído de uma propriedade *<possuía alguns t. em Búzios>* **2** chão, solo *<t. irregular>* **3** área de ação; campo, domínio *<uma questão do t. da física>* ■ *adj.* **4** que se assemelha à terra ou é da cor dela **5** *fig.* mundano *<bens t.>* ↺ espiritual

térreo (tér.reo) *adj.* **1** relativo à ou próprio da terra ■ *adj.s.m.* ARQ **2** (pavimento) que fica ao nível do solo *<morava no (andar) t.>*

terrestre (ter.res.tre) *adj.2g.* **1** relativo à ou próprio da Terra **2** que provém da terra *<fruto t.>* **3** que vive na terra *<macacos são animais t.>*

terrier [ing.; pl.: *terriers*] *s.m.* **1** família de cães de origem inglesa, que inclui grande variedade de raças; são us. na caça de coelhos e outros animais que habitam covis **2** cão dessa família ⇒ **pronuncia-se** têriâr

terrificante (ter.ri.fi.can.te) *adj.2g.* que aterroriza; terrífico *<uma situação t.>*

terrificar (ter.ri.fi.car) *v.* {mod. 1} *t.d.* causar terror a; apavorar, aterrorizar *<as chuvas fortes terrificavam a população>*

terrífico (ter.rí.fi.co) *adj.* terrificante

terrina (ter.ri.na) *s.f.* vasilha larga e funda, ger. com tampa, us. para servir caldos, sopas etc.

territorial (ter.ri.to.ri.al) [pl.: *-ais*] *adj.2g.* relativo a ou pertencente a um território *<aqui ficam os limites t.>*

território (ter.ri.tó.rio) *s.m.* **1** grande extensão de terra **2** área de um distrito, município, cidade, país etc. **3** DIR extensão geográfica do Estado sobre a qual ele exerce a sua soberania

terrível (ter.rí.vel) [pl.: *-eis*] *adj.2g.* **1** que provoca terror; assustador, temível **2** muito grande; enorme *<sentia uma tristeza t.>* ↺ mínimo **3** que produz resultados nefastos **4** muito ruim, de má qualidade *<viram um filme t.>* ~ **terribilidade** *s.f.*

terror (ter.ror) /ô/ [pl.: *-es*] *s.m.* **1** medo intenso; pavor **2** o que inspira esse medo *<as gangues espalharam o t. pela cidade>* **3** aspecto amedrontador *<o t. da guerra>* **4** terrorismo

terrorismo (ter.ro.ris.mo) *s.m.* POL emprego sistemático da violência para fins políticos, esp. práticas como atentados, sequestros etc.

terrorista (ter.ro.ris.ta) *adj.2g.* **1** relativo a terrorismo ■ *adj.2g.s.2g.* **2** partidário do terrorismo **3** que(m) pratica atos de terrorismo

T

terroso (ter.ro.so) /ô/ [pl. e fem.: /ó/] *adj.* **1** que tem cor, aspecto, natureza ou mistura de terra **2** *fig.* sem brilho *<coloração t.>* ↺ brilhante

tertúlia (ter.tú.lia) *s.f.* **1** reunião de parentes ou amigos **2** palestra literária **3** pequena agremiação literária

tesão (te.são) [pl.: *-ões*] *s.2g. gros.* **1** estado ereto do pênis **2** *p.ext.* desejo sexual **3** *p.ext. B infrm.* qualquer coisa que causa prazer *<aquela sobremesa era um t.>* ~ **tesudo** *adj.s.m.*

tesar (te.sar) *v.* {mod. 1} *t.d.* tornar teso, estirado; entesar, retesar *<t. uma corda>* ↺ afrouxar

tese (te.se) *s.f.* **1** proposição para discussão **2** proposição defendida para obtenção de um grau acadêmico *<t. de doutorado>* ▣ **em t.** teoricamente *<ambos os medicamentos são, em tese, adequados>*

teso (te.so) /ê/ *adj.* **1** que se esticou; estirado *<manter a corda t.>* ↺ frouxo **2** imóvel, parado *<corpo t.>* ↺ móvel **3** rijo, duro ↺ flexível

tesoura (te.sou.ra) *s.f.* instrumento cortante, composto de duas lâminas móveis que se unem por um eixo

tesourar (te.sou.rar) *v.* {mod. 1} *t.d.* **1** cortar com tesoura **2** destroçar com cortes *<t. papéis>* **3** *infrm.* falar mal de; malhar *<tesourou o ex-namorado>* ↺ elogiar

tesouraria (te.sou.ra.ri.a) *s.f.* **1** local onde se administra o tesouro público **2** cargo ou local de trabalho do tesoureiro

tesoureiro (te.sou.rei.ro) *s.m.* funcionário responsável pelas finanças de uma empresa, instituição etc.

tesouro (te.sou.ro) *s.m.* **1** grande quantidade de coisas valiosas como dinheiro, joias etc. **2** *fig.* pessoa ou coisa a que se tem profunda afeição *<meus filhos são meus t.>* ▣ **T. Público 1** o dinheiro do Estado **2** a administração desse dinheiro

tessitura (tes.si.tu.ra) *s.f.* **1** MÚS disposição das notas para se acomodarem a determinada voz ou instrumento **2** *p.ext.* composição, organização *<a t. de um romance>*

testa (tes.ta) *s.f.* **1** ANAT parte superior do rosto, entre as sobrancelhas e o couro cabeludo **2** *fig.* frente, vanguarda *<vinham na t. do cortejo>* ↺ retaguarda ▣ **à t. de** à frente de *<havia apenas um homem à t. do projeto>*

testada (tes.ta.da) *s.f.* **1** porção de via pública que fica à frente de um prédio **2** parte anterior do imóvel que o separa da via pública **3** pancada com a testa *<deu uma t. na porta e ficou tonto>* **4** *fig. B* atitude impensada; tolice

testa de ferro (tes.ta de fer.ro) [pl.: *testas de ferro*] *s.2g.* quem se faz passar por responsável de ato ou empreendimento de outrem

[1]**testador** (tes.ta.dor) /ô/ [pl.: *-es*] *adj.s.m.* **1** que(m) faz um testamento **2** que(m) dá testemunho de alguma coisa ◉ ORIGEM do lat. *testātor,ōris* 'id.'

[2]**testador** (tes.ta.dor) /ô/ [pl.: *-es*] *adj.s.m. B* que(m) testa ou serve para submeter a prova ou exame ◉ ORIGEM do rad. de *testado* (part. de *testar*[2]) + *-or*

testamental (tes.ta.men.tal) [pl.: *-ais*] *adj.2g.* referente a testamento; testamentário

testamentário (tes.ta.men.tá.rio) *s.m.* **1** herdeiro por testamento ■ *adj.* **2** testamental

testamenteiro (tes.ta.men.tei.ro) *adj.s.m.* que(m) cumpre ou faz cumprir as determinações de um testamento

testamento (tes.ta.men.to) *s.m.* DIR documento mediante o qual alguém determina a distribuição de seus bens após a sua morte ▣ **Antigo** ou **Velho T.** REL conjunto de textos sagrados, para judeus e cristãos, que relatam a origem do mundo, a criação e a queda do homem e a posterior aliança de Deus com os hebreus • **Novo T.** REL parte cristã da Bíblia, que relata a vida e o sacrifício de Jesus Cristo, a redenção e a nova aliança de Deus com os homens

[1]**testar** (tes.tar) *v.* {mod. 1} *t.d. e t.d.i.* **1** (prep. *a*) deixar em testamento (para) *<decidiu t. seu patrimônio (a um orfanato)>* □ *int.* **2** fazer o seu testamento □ *t.d.* **3** dar testemunho de; atestar *<t. a salvação>* ◉ ORIGEM do lat. *testāri* 'ser testemunha, deixar em testamento'

[2]**testar** (tes.tar) *v.* {mod. 1} *t.d.* **1** *B* aplicar teste(s) a; avaliar *<t. candidatos>* **2** *p.ext.* pôr à prova; experimentar *<t. o som>* *<t. a paciência dos pais>* ◉ ORIGEM *teste* + [2]*-ar*

teste (tes.te) *s.m.* **1** prova, exame para avaliar as qualidades de alguém ou algo *<foi reprovado no t. de direção>* **2** exame para avaliar os conhecimentos de alguém *<tirou 10 no t. de geografia>* **3** MED exame para estabelecer um diagnóstico *<t. de alergia>*

testemunha (tes.te.mu.nha) *s.f.* **1** quem presencia um fato qualquer *<ele foi t. da minha alegria>* **2** DIR quem é chamado ou convocado para depor numa investigação *<t. de acusação>* *<t. de defesa>* **3** pessoa presente a uma transação ou cerimônia para atestar a sua ocorrência *<t. de casamento>* ◉ COL testemunhal

testemunhal (tes.te.mu.nhal) [pl.: *-ais*] *adj.2g.* **1** relativo a testemunha ou a testemunho **2** resultante das declarações de uma testemunha *<prova t.>* **3** que serve para testemunhar *<salientou o valor t. do documento>* ■ *s.m.* **4** conjunto de testemunhas

testemunhar (tes.te.mu.nhar) *v.* {mod. 1} *t.d.,t.i. e int.* **1** (prep. *a, contra, sobre*) declarar como testemunha *<t. (sobre) um crime>* *<nenhum dos presentes à briga quis t.>* □ *t.d.* **2** ser testemunha de; ver, presenciar *<testemunhou o acidente>* □ *t.d. e t.d.i.* **3** (prep. *a*) tornar evidente, claro; comprovar, demonstrar *<os dados podiam t. (a todos) nosso sucesso>* □ *t.d.,t.d.i. e int.* **4** REL dar (depoimento sobre graças recebidas de Deus) a (alguém)

testemunho (tes.te.mu.nho) *s.m.* **1** ação de testemunhar ou o seu efeito **2** declaração de testemunha **3** prova, evidência *<via-se naquele gesto o t. de uma grande afeição>* **4** REL depoimento sobre graças recebidas de Deus

testículo (tes.tí.cu.lo) *s.m.* ANAT cada uma das duas glândulas sexuais masculinas produtoras de testosterona e dos espermatozoides ~ **testicular** *adj.2g.*

testificar (tes.ti.fi.car) *v.* {mod. 1} *t.d. e t.d.i.* **1** (prep. *a*) tornar evidente; testemunhar, comprovar *<tal gesto testifica (aos pais) sua maturidade>* **2** (prep. *a*) afirmar com certeza; assegurar *<testificou(-lhe) que estava certa>*

testo (tes.to) /ê/ *s.m.* **1** tampa de vasilha **2** vaso de barro em que se põe a cal ☞ cf. *texto*

testosterona (tes.tos.te.ro.na) /ô/ *s.f.* BIOQ hormônio masculino produzido nos testículos

testudo (tes.tu.do) *adj.* **1** (o) que tem testa ou cabeça grande **2** *fig.* que(m) é teimoso; cabeçudo

teta (te.ta) /ê/ *s.f.* glândula mamária; mama

tetânico (te.tâ.ni.co) *adj.* MED **1** referente a ou próprio do tétano **2** que produz sintomas semelhantes aos do tétano

tétano (té.ta.no) *s.m.* MED infecção provocada por bacilo que penetra na pele através de ferimento e cuja toxina age no sistema nervoso central, provocando contrações musculares

teteia (te.tei.a) /éi/ *s.f.* **1** enfeite, adorno **2** ser ou objeto gracioso e delicado *<você está uma t. com essa roupa>*

teto (te.to) *s.m.* **1** ARQ CONSTR parte superior interna de um recinto, que assenta ger. sobre paredes **2** *p.ext.* ARQ telhado **3** *p.ext.* casa, habitação *<voltou a viver sob o t. paterno>* **4** AER condição de visibilidade para pouso ou decolagem de aeronaves **5** limite máximo de determinado valor *<t. salarial>*

tetra (te.tra) *adj.2g.2n.s.2g.2n.* red. de ***TETRACAMPEÃO*** e ***TETRACAMPEONATO***

tetracampeão (te.tra.cam.pe.ão) [pl.: *-ões*; fem.: *-ã*] *adj.s.m.* diz-se de ou indivíduo, time, clube etc. que é campeão quatro vezes de um mesmo campeonato, torneio ou competição ☞ tb. se diz apenas *tetra* ~ **tetracampeonato** *s.m.*

tetraciclina (te.tra.ci.cli.na) *s.f.* FARM antibiótico de ampla ação bactericida

tetraedro (te.tra.e.dro) *s.m.* GEOM poliedro de quatro faces

tetragonal (te.tra.go.nal) [pl.: *-ais*] *adj.2g.* **1** relativo a tetrágono **2** que tem forma de tetrágono **3** com quatro ângulos

tetrágono (te.trá.go.no) *adj.* **1** tetragonal ■ *s.m.* **2** GEOM quadrilátero

tetraneta (te.tra.ne.ta) *s.f.* filha do trineto ou da trineta; tataraneta

tetraneto (te.tra.ne.to) *s.m.* filho do trineto ou trineta; tataraneto

tetraplegia (te.tra.ple.gi.a) *s.f.* MED paralisia que atinge os membros inferiores e superiores ao mesmo tempo

tetraplégico (te.tra.plé.gi.co) *adj.* **1** relativo a tetraplegia ■ *adj.s.m.* **2** (aquele) que sofre de tetraplegia

tetrassílabo (te.tras.sí.la.bo) *adj.s.m.* (palavra ou verso) que tem quatro sílabas ~ **tetrassilábico** *adj.*

tetravó (te.tra.vó) *s.f.* mãe do trisavô ou da trisavó; tataravó

tetravô (te.tra.vô) [fem.: *tetravó*] *s.m.* pai do trisavô ou da trisavó; tataravô

tétrico (té.tri.co) *adj.* **1** muito triste; fúnebre *<ambiente t.>* ↺ feliz **2** que causa pavor; medonho *<era uma figura t.>*

teu [fem.: *tua*] *pron.pos.* determina um substantivo (coisa ou pessoa) relacionado à pessoa com quem se fala, significando o que pertence ou diz respeito a ela *<este é t. irmão> <o livro é t.> <t. trem sai às duas>* ▣ **os teus** a família, os amigos da pessoa com quem se fala

teutão (teu.tão) [pl.: *-ões*; fem.: *teutoa*] *s.m.* **1** indivíduo dos teutões, povo germânico **2** LING língua falada por esse povo **3** *p.ext.* LING a língua alemã ■ *adj.* **4** relativo a esse indivíduo, povo ou língua

teuto (teu.to) *adj.s.m.* teutônico

teutônico (teu.tô.ni.co) *adj.s.m.* **1** teutão **2** da Alemanha

tevê (te.vê) *s.f.* televisão

têxtil (têx.til) [pl.: *-eis*] *adj.2g.* **1** que se pode tecer **2** de tecelagem *<indústria t.>*

texto (tex.to) /ê/ *s.m.* **1** conjunto de palavras, frases escritas que constituem um todo dotado de sentido **2** trecho ou fragmento da obra de um autor *<o t. analisado era de Graciliano Ramos>* ☞ cf. *testo* ◉ COL coletânea

textual (tex.tu.al) [pl.: *-ais*] *adj.2g.* **1** relativo a texto **2** reproduzido ou transcrito com fidelidade *<citação t.>* ↺ inexato ~ **textualidade** *s.f.*

textualmente (tex.tu.al.men.te) *adv.* com total fidelidade ao que foi dito ou escrito por outrem *<repetiu t. suas palavras>*

textura (tex.tu.ra) *s.f.* **1** trama, tecido **2** aspecto tátil de uma superfície *<a t. da mesa lhe dava arrepios>*

texugo (te.xu.go) *s.m.* ZOO designação comum a diversos mamíferos de hábitos noturnos que vivem em tocas e cujos pelos são us. na confecção de pincéis

tez /ê/ [pl.: *-es*] *s.f.* pele, esp. a do rosto; cútis *<t. morena>*

Th QUÍM símbolo de *tório*

ti *pron.p.* da 2ª p.sing., caso oblíquo tônico, não reflexivo, para os dois gêneros, forma do pron. *tu*, sempre que precedido de preposição, salvo quando se trata da preposição *com* (caso em que se diz *contigo*) *<ela ainda sofre por ti>*

Ti QUÍM símbolo de *titânio*

tia (ti.a) *s.f.* **1** para os filhos, a irmã do pai ou da mãe **2** para os sobrinhos, a mulher do tio **3** *B* tratamento carinhoso que os jovens dão às amigas de seus pais ou às mães de seus amigos, ou que, nas escolas, as crianças dispensam às suas professoras ▣ **ficar para tia** ou **titia** não se casar

tia-avó (ti.a-a.vó) [pl.: *tias-avós*] *s.f.* irmã do avô ou da avó em relação aos netos destes

tiamina (ti.a.mi.na) *s.f.* substância encontrada em cereais, legumes, leite, ovos etc., essencial para o funcionamento do sistema nervoso e para o metabolismo de carbo-hidratos

tiara (ti.a.ra) *s.f.* adorno de cabeça em forma de semicírculo

tibetano (ti.be.ta.no) *adj.* **1** do Tibete (região da China) ■ *s.m.* **2** natural ou habitante dessa região **3** LING a língua falada nessa região e em alguns territórios vizinhos

tíbia (tí.bia) *s.f.* ANAT o maior e mais interno osso da perna ~ **tibial** *adj.2g.*

T

tíbio (tí.bio) *adj.* 1 pouco aquecido; morno <*água t.*> 2 sem vigor; fraco <*a t. claridade do luar*> ↺ vigoroso 3 sem ânimo; indolente <*vontade t.*> ↺ vibrante 4 em que há pequena quantidade; escasso ↺ abundante ~ **tibieza** *s.f.*

tição (ti.ção) [pl.: *-ões*] *s.m.* 1 pedaço de lenha ou carvão aceso ou meio queimado 2 *fig.* indivíduo muito sujo 3 *fig.* indivíduo negro ☞ nesta acp., uso por vezes pej.

ticar (ti.car) *v.* {mod. 1} *t.d. e int.* assinalar com tique ou vezinho para efeito de verificação (texto, palavras, números, parcelas de soma etc.)

tico (ti.co) *s.m. B* pequena quantidade <*comeu um t. de comida*>

tico-tico (ti.co-ti.co) [pl.: *tico-ticos*] *s.m.* 1 ZOO passarinho de até 15 centímetros de comprimento, de cabeça cinza e negra, com um topete, comum em quase todo o Brasil 2 RECR pequeno velocípede 3 serra de dentes pequenos, us. para recortar peças em madeira fina

tiete (ti.e.te) *s.2g. B infrm.* admirador ou admiradora fanática; fã

tifo (ti.fo) *s.m.* MED infecção causada por microrganismos que contaminam a água, o leite e os alimentos ~ **tífico** *adj.*

tifoide (ti.foi.de) /ói/ *adj.2g.* que se assemelha ao tifo

tifoso (ti.fo.so) /ô/ [pl. e fem.: /ó/] *adj.* 1 tifoide ■ *adj.s.m.* 2 (o) que sofre de tifo

tigela (ti.ge.la) *s.f.* 1 vasilha côncava, ger. sem asas, us. para preparar ou servir alimentos 2 o conteúdo dessa vasilha <*comeu uma t. de sorvete*>

tigre (ti.gre) [fem.: *tigresa*] *s.m.* ZOO grande felino asiático de pelo amarelado com listras negras

tigresa (ti.gre.sa) *s.f.* ZOO a fêmea do tigre

tijoleiro (ti.jo.lei.ro) *s.m.* 1 fabricante ou vendedor de tijolos 2 forno para cozer tijolos

tijolo (ti.jo.lo) /ô/ [pl.: /ó/] *s.m.* 1 bloco de barro cozido us. em construções 2 a cor avermelhada do tijolo ■ *adj.2g.2n.* 3 que tem essa cor <*vestido t.*> 4 diz-se dessa cor <*a cor t.*>

tijuco (ti.ju.co) *s.m.* 1 pântano, atoleiro 2 barro, esp. quando de cor escura

til [pl.: *tis*] *s.m.* GRAM sinal (~) que indica nasalização da vogal sobre a qual é posto

tilápia (ti.lá.pia) *s.f.* ZOO designação comum a vários peixes originários da África, que se reproduzem rapidamente em lagos e açudes do Brasil

tílburi (tíl.bu.ri) *s.m.* carro de duas rodas e dois assentos, com capota, puxado por um só animal

tília (tí.lia) *s.f.* BOT designação comum a certas árvores de regiões temperadas, cultivadas como ornamentais e por suas madeiras claras

tilica (ti.li.ca) *s.f. SC* bola de gude; quilica

tilintar (ti.lin.tar) *v.* {mod. 1} *t.d. e int.* (fazer) emitir sons metálicos repetidos, como sino, moedas que se chocam etc. <*a campainha tilintou*> ~ **tilintante** *adj.2g.*

timão (ti.mão) [pl.: *-ões*] *s.m.* 1 roda ou volante com que se manobra o leme de uma embarcação 2 *fig.* ação de dirigir ou governar <*o t. da greve estava nas mãos do sindicato*>

timbale (tim.ba.le) *s.m.* MÚS tímpano ('instrumento')

timbrado (tim.bra.do) *adj.* marcado em relevo com timbre

timbrar (tim.brar) *v.* {mod. 1} *t.d.* 1 pôr timbre em; marcar com timbre <*mandou t. os cartões*> □ *t.d.pred.* 2 (prep. *de*) atribuir certa característica, qualidade a; taxar <*timbraram-no de mesquinho*>

timbre (tim.bre) *s.m.* 1 insígnia colocada sobre um escudo para indicar a nobreza de seu proprietário 2 *p.ext.* marca que se coloca sobre um impresso para distingui-lo de outros 3 carimbo, selo 4 MÚS o que permite distinguir sons de mesma altura e intensidade, por ex., tocados por instrumentos diferentes 5 FON característica acústica de um som da fala <*vogal de t. aberto*> 6 FON qualidade acústica da voz humana <*esse ator tem um t. muito grave*> ~ **timbragem** *s.f.*

time (ti.me) *s.m.* 1 ESP grupo de atletas que constituem uma equipe 2 *p.ext.* grupo de pessoas empenhadas numa mesma tarefa

timer (tim.er) [ing.] *s.m.* 1 dispositivo visual ou sonoro que sinaliza o final de um período predeterminado de tempo 2 dispositivo que liga ou desliga automaticamente uma máquina ou aparelho em um ou mais momentos preestabelecidos ⇒ pronuncia-se táimer

timidez (ti.mi.dez) /ê/ [pl.: *-es*] *s.f.* 1 modo de ser de quem é tímido; acanhamento ↺ coragem, ousadia 2 *p.ext.* característica daquilo a que falta energia, força <*a t. das tentativas de reduzir as despesas*>

tímido (tí.mi.do) *adj.* 1 que não tem facilidade no convívio social; acanhado ↺ extrovertido 2 que tem temor; receoso ↺ destemido 3 *fig.* que revela fraqueza; delicado <*a t. luz da lua*> ↺ intenso

timo (ti.mo) *s.m.* ANAT pequena glândula situada no tórax, em frente à traqueia, cuja função é ligada ao *sistema imunitário*

timoneiro (ti.mo.nei.ro) *s.m.* 1 quem controla o timão de uma embarcação 2 *fig.* quem dirige ou regula algo

timorato (ti.mo.ra.to) *adj.* 1 que tem temor; medroso ↺ corajoso 2 acanhado, tímido ↺ extrovertido 3 cuidadoso, exigente

timorense (ti.mo.ren.se) *adj.2g.* 1 do Timor Leste (Oceania) ■ *s.2g.* 2 natural ou habitante desse país

timpânico (tim.pâ.ni.co) *adj.* relativo a ou próprio do tímpano ('membrana')

timpanista (tim.pa.nis.ta) *adj.2g.s.2g.* que(m) toca tímpano ('instrumento')

tímpano (tím.pa.no) *s.m.* 1 ANAT membrana fina e tensa que constitui o limite entre a orelha média e a orelha externa 2 nas campainhas, peça de metal em forma de sino 3 MÚS instrumento de percussão que pode ser afinado, composto por uma membrana de couro ou plástico esticada sobre uma meia esfera de cobre; timbale

tim-tim (tim-tim) [pl.: *tim-tins*] *interj.* 1 expressão us. pelos que saúdam com copos de bebida ■ *s.m.* 2 *p.ext.* o ruído do bater desses copos ▣ **t. por t.** com todos os detalhes <*ouviu tudo t. por t.*>

T

tina (ti.na) *s.f.* **1** vasilha semelhante a um barril cortado ao meio us. para carregar água, lavar roupa etc. **2** banheira

tingir (tin.gir) *v.* {mod. 24} *t.d.* **1** imergir na tinta, dando nova cor a *<tingiu o vestido>* □ *t.d.,t.i. e pron.* **2** *fig.* (prep. *de*) (fazer) tomar cor; colorir(-se) *<o sol nascente tingia o muro (de dourado)>* *<à luz da lua, o rio tinge-se de luz>* □ *pron.* **3** (prep. *de*) tornar(-se) corado; enrubescer *<envergonhada, seu rosto tingiu-se de um rubro forte>* ◉ GRAM/USO part.: *tingido, tinto*; ver QUADRO DE PARTICÍPIOS DUPLOS nas pp. iniciais ~ **tingidura** *s.f.* - **tingimento** *s.m.*

tinha (ti.nha) *s.f.* MED infecção da pele por fungos de diversos tipos

tinhorão (ti.nho.rão) [pl.: *-ões*] *s.m.* BOT planta ornamental e venenosa, com propriedades vermífugas e contra o catarro

tinhoso (ti.nho.so) /ô/ [pl. e fem.: /ó/] *adj.s.m.* **1** que(m) sofre de tinha **2** *fig. B* que(m) é insistente; teimoso *<que criança tinhosa!>* ■ *s.m.* **3** *infrm.* o diabo

tinir (ti.nir) *v.* {mod. 24} *int.* **1** soar (vidro, metal etc.) de maneira aguda ou vibrante *<o cristal das taças tiniu>* *<moedas tiniam no fundo da bolsa>* **2** sentir (o ouvido) vibração interior semelhante a esse som; zunir *<com o estrondo, seus ouvidos tiniram>* **3** *infrm.* tremer de frio ou de medo; tiritar **4** estar muito quente ▣ **deixar (algo) tinindo** *B infrm.* deixá-lo em excelentes condições *<a pintura nova deixou o carro tinindo>* • **estar tinindo** *B infrm.* estar (alguém) em excelente disposição ou forma; sentir-se forte, capaz etc. *<tive febre, mas agora estou tinindo>* *<os jogadores estão tinindo>* ~ **tinido** *adj.*

tino (ti.no) *s.m.* **1** juízo, discernimento *<tem t. para gerenciar o negócio>* **2** faculdade de perceber ou pressentir coisas; intuição *<possui grande t. comercial>* **3** *fig.* capacidade de prever e evitar inconveniências e perigos; prudência, precaução *<aqui é preciso agir com t.>* ↺ imprudência

tinta (tin.ta) *s.f.* **1** substância corante us. para pintura *<precisamos de mais t. branca>* **2** essa substância, em estado líquido ou pastoso, us. para tingir, escrever ou imprimir *<a caneta está sem t.>* **3** tom, cor ou conjunto de cores *<o verão dá novas t. à cidade>*

tinteiro (tin.tei.ro) *s.m.* frasco ger. de vidro em que se coloca tinta para escrever

tinto (tin.to) *adj.* **1** que se tingiu; tingido **2** colorido de cor mais ou menos intensa *<uva t.>* **3** que tem mancha, nódoa *<camisa t. de sangue>* ■ *s.m.* **4** vinho tinto

tintura (tin.tu.ra) *s.f.* matéria corante us. para tingir (tecido, cabelo etc.)

tinturaria (tin.tu.ra.ri.a) *s.f.* **1** estabelecimento onde se tingem tecidos, roupas etc. **2** estabelecimento onde se lavam e passam roupas; lavanderia

tintureiro (tin.tu.rei.ro) *s.m.* indivíduo que tinge tecidos ou que é dono ou empregado de tinturaria

tio (ti.o) *s.m.* **1** para os filhos, o irmão do pai ou da mãe **2** para os sobrinhos, o marido da tia **3** tratamento carinhoso que os jovens dão aos amigos de seus pais ou aos pais de seus amigos

tio-avô (ti.o-a.vô) [pl.: *tios-avôs, tios-avós*] *s.m.* para os netos, o irmão do avô ou da avó

típico (tí.pi.co) *adj.* que tipifica; característico *<exemplo t. de falta de educação>* *<comida t. de Minas Gerais>* ↺ atípico ~ **tipicidade** *s.f.*

tipificar (ti.pi.fi.car) *v.* {mod. 1} *t.d. e pron.* tornar(-se) típico; caracterizar(-se) *<há características que tipificam gêneros de pessoas>* *<as novelas tipificam-se>*

tipiti (ti.pi.ti) ou **tapiti** (ta.pi.ti) *s.m.* cesto cilíndrico de palha em que se põe a massa de mandioca para ser espremida; paneiro

tipo (ti.po) *s.m.* **1** objeto ou coisa us. para produzir outro igual; modelo *<criaram um t. original para uma nova série de carros>* **2** categoria de seres ou objetos agrupados segundo algumas características; espécie *<carros desse t. são caros>* **3** conjunto de características de uma família, povo, região etc. *<t. eslavo>* **4** GRÁF bloco de metal fundido ou de madeira, que traz, em uma das faces, gravação em relevo de um sinal de escrita **5** GRÁF caráter ('sinal'), letra **6** *infrm.* qualquer indivíduo; sujeito *<era um t. gozador>*

tipografia (ti.po.gra.fi.a) *s.f.* **1** a arte e a técnica de compor e imprimir com uso de tipos ('bloco') **2** conjunto de procedimentos que abrangem as várias etapas de criação de caracteres, impressão e acabamento de um livro **3** *p.ext.* estabelecimento destinado a composição, paginação e impressão de livros, textos etc.

tipográfico (ti.po.grá.fi.co) *adj.* relativo a tipografia ou a tipógrafo

tipógrafo (ti.pó.gra.fo) *s.m.* **1** proprietário ou administrador de oficina tipográfica **2** quem executa serviços tipográficos

tipoia (ti.poi.a) /ói/ *s.f.* tira de pano que se amarra ao pescoço para apoiar mão ou braço enfermo

tipologia (ti.po.lo.gi.a) *s.f.* **1** estudo, análise ou classificação baseada em tipos, em um conjunto de traços distintivos **2** GRÁF conjunto dos caracteres tipográficos utilizados num trabalho gráfico

tique (ti.que) *s.m.* **1** hábito ridículo ou incômodo; cacoete *<tem o t. de morder o lábio>* **2** *fig.* prática repetitiva; mania ▣ **t. nervoso** atividade repetida de um ou vários músculos, independente da vontade

tique-taque (ti.que-ta.que) [pl.: *tique-taques*] *s.m.* imitação de som repetido e cadenciado *<o t. do relógio>*

tíquete (tí.que.te) *s.m.* bilhete impresso que dá direito a um serviço qualquer, como uma passagem, um ingresso etc.

tira (ti.ra) *s.f.* **1** pedaço de pano, papel, couro etc., mais comprido do que largo **2** qualquer estrutura com largura e espessura bem menores que o comprimento; faixa *<uma t. de terreno>* **3** fragmento de história em quadrinhos, apresentado numa só faixa horizontal ■ *s.2g. B infrm.* **4** policial

tiracolo (ti.ra.co.lo) *s.m.* tira atravessada de um lado do pescoço para o lado oposto do corpo, passando por baixo do braço ▣ **a t.** colocado desse modo *<leva uma bolsa a t.>*

tirada (ti.ra.da) *s.f.* **1** longa caminhada **2** frase longa **3** *infrm.* dito espirituoso *<fala pouco, mas solta ótimas t.>*

tiragem (ti.ra.gem) [pl.: *-ens*] *s.f.* número de exemplares de uma edição de livro, revista etc.

tira-gosto (ti.ra-gos.to) [pl.: *tira-gostos*] *s.m. B* petisco, ger. salgado, que acompanha bebidas

tira-manchas (ti.ra-man.chas) *s.m.2n.* produto para acabar com manchas

tirania (ti.ra.ni.a) *s.f.* **1** governo de tirano **2** *p.ext.* opressão, violência

tirânico (ti.râ.ni.co) *adj.* próprio de tirano ou tirania *<diretor t.>*

tiranizar (ti.ra.ni.zar) *v.* {mod. 1} *t.d.* **1** governar ou tratar com tirania **2** *p.ext.* tratar com grande severidade ou rigor; oprimir *<t. os filhos>*

tirano (ti.ra.no) *s.m.* **1** quem usurpa o poder **2** soberano injusto e cruel **3** quem se excede em autoridade *<o chefe era um t.>* ■ *adj.* **4** tirânico *<governo t.>*

tiranossauro (ti.ra.nos.sau.ro) *s.m.* ZOO grande dinossauro carnívoro, bípede, de até 12 metros e 6 toneladas, com membros anteriores muito reduzidos e dentes enormes

tirante (ti.ran.te) *adj.2g.* **1** que se aproxima de ou se assemelha a *<t. a azul>* **2** *fig.* excetuado(s) *<os alunos, t. um ou dois, eram ótimos>* ■ *s.m.* **3** correia que prende as cavalgaduras ao veículo que puxam **4** CONSTR viga que sustenta o madeiramento de um teto ■ *prep.* **5** exceto, salvo *<eram iguais, t. a cor dos cabelos>*

tirar (ti.rar) *v.* {mod. 1} *t.d.* **1** fazer sair de onde estava; retirar *<t. a carteira do bolso>* ↺ pôr **2** pôr de lado; excluir *<tirando as contas, pouco sobra do salário>* ↺ incluir **3** *B* obter em banco (extrato, demonstrativo, dinheiro etc.) *<tirei o dinheiro depois de t. o extrato>* **4** puxar para fora de; sacar, arrancar *<tirou o punhal e atirou-o>* *<t. pregos da parede>* **5** afastar de si ou mover, levantando, depondo, despindo etc.; retirar *<t. a roupa>* ↺ colocar **6** fazer desaparecer; apagar, eliminar *<t. manchas, rugas>* ↺ causar **7** atingir, receber (quantia, avaliação acadêmica etc.) *<t. nota oito em física>* *<t. bom lucro dos investimentos>* **8** extrair (texto, informação) de uma fonte *<de onde você tirou esse exemplo?>* **9** reproduzir (texto, ilustração etc.) **10** ter imagem em (fotografia, radiografia etc.); bater *<não gosta de t. fotos>* **11** *B* transcrever (música, letra) por ouvi-la ou lembrar-se dela *<tiraram duas canções novas>* **12** *B* tocar (uma música) sem cifras ou partitura *<meu irmão sabe t. músicas de ouvido>* **13** convidar (para dançar) *<todos a tiravam nos bailes>* **14** *B* formar opinião sobre; julgar, avaliar *<não sei de onde ela tirou isso>* □ *t.d.i.* **15** (prep. *de*) retirar (quantidade, parcela, número) [de outro]; subtrair *<t. cinco de sete>* ↺ adicionar **16** (prep. *de*) deduzir a partir de; concluir **17** *fig.* (prep. *de, a*) deixar sem; levar, privar *<a traição tirou-lhe a paz>* *<a dor tirou os movimentos do cão>* ↺ restituir **18** (prep. *de*) colher, auferir (certo resultado) de *<t. proveito da ocasião>* □ *t.d. e t.d.i.* **19** (prep. *de*) apossar-se de (algo alheio) por fraude, violência etc. ↺ devolver □ *t.d.i. e pron.* **20** (prep. *de*) [fazer] desvencilhar-se de situação difícil ou perigosa; salvar(-se) □ *t.i.* **21** (prep. *a*) ter semelhança com; aproximar-se *<um amarelo que tira ao castanho>* *<um comentário que tira à malícia>* ▣ **sem t. nem pôr** completamente igual

tira-teima (ti.ra-tei.ma) [pl.: *tira-teimas*] *s.m.* ou **tira-teimas** (ti.ra-tei.mas) *s.m.2n. infrm.* **1** prova categórica *<as tabelas eram o t. da tese>* **2** qualquer objeto us. para castigar pessoas teimosas **3** TV *B* recurso eletrônico que analisa trechos de imagens gravadas, esp. lances de competições esportivas, avaliando detalhes que tenham suscitado dúvidas

tireoide (ti.re.oi.de) /ói/ *s.f.* ANAT **1** glândula controlada pela hipófise, situada na base do pescoço e responsável pela secreção de hormônios ■ *adj.2g.* **2** relativo a essa glândula ~ **tireóideo** *adj.*

tiririca (ti.ri.ri.ca) *s.f.* BOT **1** nome comum a várias ervas daninhas ■ *adj.2g.* **2** *B infrm.* muito irritado; furioso *<ficou t. com a derrota do time>*

tiritar (ti.ri.tar) *v.* {mod. 1} *int.* tremer de frio, medo ou febre; tinir ~ **tiritante** *adj.2g.*

tiro (ti.ro) *s.m.* **1** disparo de arma de fogo **2** bala ou carga que se dispara de cada vez **3** *p.ext.* distância que a carga pode alcançar *<o objetivo ficava a um t. de fuzil>* **4** ESP chute muito forte na bola, esp. no futebol ▣ **t. com arco** prática ou esporte no qual se usa arco e flechas procurando atingir um alvo • **t. de misericórdia** *fig.* medida ou ação que põe fim a qualquer coisa *<a interdição da rua foi o t. de misericórdia na paciência dos moradores>*

tirocínio (ti.ro.cí.nio) *s.m.* **1** aprendizagem; estágio *<fez t. em enfermaria>* **2** prática, experiência ↺ inexperiência **3** discernimento *<ter bom t.>* ↺ inépcia

tiro de guerra (ti.ro de guer.ra) [pl.: *tiros de guerra*] *s.m. B* escola de treinamento e formação de reservistas do Exército

tirolês (ti.ro.lês) [pl.: *-eses*; fem.: *tirolesa*] *adj.2g.s.m.* relativo ao Tirol (província da Áustria) ou o que é seu natural ou habitante

tirolesa (ti.ro.le.sa) /ê/ *s.f.* **1** mulher do Tirol (província da Áustria) **2** RECR atividade ao ar livre em que a pessoa se desloca numa espécie de cadeirinha pendurada num cabo aéreo mais ou menos longo, fixado entre dois pontos

tiroteio (ti.ro.tei.o) *s.m.* **1** sucessão de tiros **2** troca de tiros **3** troca de palavras entre pessoas que discutem ou brigam *<t. de recriminações>* **4** *fig.* grande quantidade de palavras, sons etc. *<foi vítima de um t. de inconveniências>* ~ **tirotear** *v.t.d. e int.*

tisana (ti.sa.na) *s.f.* bebida, ger. us. como medicamento, obtida por maceração, infusão ou cocção

tísica (tí.si.ca) *s.f.* MED tuberculose

tísico (tí.si.co) *adj.* **1** referente a ou próprio da tísica ■ *adj.s.m.* **2** tuberculoso **3** *fig.* (indivíduo) muito magro

tisnar (tis.nar) *v.* {mod. 1} *t.d. e pron.* **1** tornar(-se) negro com carvão, fumo etc.; enegrecer(-se) *<a fumaça do fogão a lenha tisnou o teto>* *<o céu tisnou-se de cinza>* **2** sujar(-se), manchar(-se) *<a tinta tisnou suas roupas>* *<tisnou-se de graxa>* □ *t.d.* **3** queimar de forma superficial; tostar *<o sol tisnou seu rosto>*

tisne (tis.ne) *s.m.* **1** fuligem **2** escurecimento da pele pela ação do calor ou do fogo

titã (ti.tã) *s.m.* **1** MIT cada um dos gigantes que quiseram escalar o céu para destronar Júpiter ☞ inicial freq. maiúsc.; cf. *Júpiter* e *Titã* na parte enciclopédica

T

2 pessoa ou coisa gigantesca **3** pessoa de grande capacidade, poder ou conhecimento *<era um t. nos negócios>* ~ **titânico** *adj.*

titânio (ti.tâ.nio) *s.m.* QUÍM elemento químico us. em aço, ligas leves e estáveis a altas temperaturas, na construção de barcos, aviões etc. [símb.: *Ti*] ☞ cf. *tabela periódica* (no fim do dicionário)

títere (tí.te.re) *s.m.* **1** marionete **2** *fig. pej.* indivíduo que se deixa manipular por outra pessoa ■ *adj.2g.* **3** que representa interesses alheios *<político t.>*

titia (ti.ti.a) *s.f.* tia

titica (ti.ti.ca) *s.f.* **1** excremento, esp. de aves; caca **2** *fig. infrm. pej.* pessoa ou coisa insignificante, desprezível

titilar (ti.ti.lar) *v.* {mod. 1} *t.d.* **1** fazer cócegas ligeiras em; coçar *<com os dedos, titilava a cabeça do gato>* **2** *fig.* fazer afagos a; lisonjear, agradar *<t. a vaidade de alguém>* ↺ desagradar □ *int.* **3** palpitar, estremecer *<sua veia titilava>* **4** causar coceira; coçar ~ **titilante** *adj.2g.*

titio (ti.ti.o) *s.m. B* tio

ti-ti-ti (ti-ti-ti) [pl.: *ti-ti-tis*] *s.m. infrm.* **1** situação confusa, barulhenta **2** ruído prolongado de muitas pessoas falando ao mesmo tempo; burburinho **3** sucessão de mexericos, boatos, falatório **4** conversa interminável

titubeante (ti.tu.be.an.te) *adj.2g.* que titubeia; hesitante, vacilante ↺ decidido, resoluto

titubear (ti.tu.be.ar) *v.* {mod. 5} *int.* **1** não conseguir se manter em pé; cambalear *<veio titubeando em direção à mesa>* **2** ficar indeciso, inseguro quanto a; hesitar *<titubeou por um instante e depois seguiu>* ↺ decidir-se □ *t.d. e int.* **3** falar com hesitação; gaguejar *<procurou t. uma desculpa>* *<falava sem t.>*

titubeio (ti.tu.bei.o) *s.m.* dúvida, vacilação ↺ certeza

[1]**titular** (ti.tu.lar) *v.* {mod. 1} *t.d.* **1** dar título a; intitular *<t. um livro>* *<t. um aluno>* **2** registrar em livros de padrões e títulos autênticos ◉ ORIGEM do lat. *titulāre* 'dar um título a' ~ **titulação** *s.m.*

[2]**titular** (ti.tu.lar) [pl.: *-es*] *adj.2g.s.2g.* **1** que(m) tem título honorífico **2** que(m) ocupa função ou cargo efetivo *<professor, goleiro t.>* ↺ substituto, reserva ◉ ORIGEM *título* + [1]*-ar* ~ **titularidade** *s.f.*

título (tí.tu.lo) *s.m.* **1** nome ou expressão colocada em começo de livro, capítulo, matéria de jornal, filme etc. para indicar o assunto ou identificar a obra **2** *p.ext.* obra, trabalho *<autor de muitos t.>* **3** letreiro, rótulo **4** qualificação que exprime uma relação social, uma função, um cargo honorífico etc. *<t. de benfeitor>* *<t. de barão>* **5** grau conferido por escola superior *<t. de bacharel em Letras>* **6** documento que atesta a propriedade de um bem ou de um valor **7** razão que justifica uma ação ou algo; pretexto, motivo *<não sabiam a que t. queria vê-lo>* ▣ **t. de crédito** ECON documento que formaliza um crédito

-tivo *suf.* equivalente a *-ivo*

Tl QUÍM símbolo de *tálio*

Tm QUÍM símbolo de *túlio*

TNT *s.m.* QUÍM substância us. em explosivos, como a dinamite (abrev. de trinitrotolueno)

to *contr.* do pron. pessoal oblíquo *te* com o pron. pessoal oblíquo *o*, que junta numa mesma palavra o objeto indireto e o objeto direto representados por esses pronomes (p.ex., *teu livro não está aqui; já to devolvi?* [= 'já o devolvi a ti?']; *as camisas, deixei-tas em teu quarto* [='deixei-as para ti no teu quarto']) ◉ GRAM/USO **a)** fem.: *ta*; pl.: *tos, tas*; **b)** no Brasil, o emprego de tais pronomes combinados hoje não mais se registra na língua corrente e, mesmo na linguagem literária, soa artificial

TO sigla do Estado do Tocantins

toa (to.a) *s.f.* MAR cabo para reboque de embarcação ▣ **à t. 1** ao acaso *<andar à t.>* **2** sem motivo *<brigaram à t.>* **3** sem fazer nada *<vive à t.>* ☞ cf. *à toa* (adj.)

toada (to.a.da) *s.f.* MÚS **1** entoação, canto **2** cantiga de melodia simples e monótona e texto ger. curto

toalete (to.a.le.te) *s.f.* **1** ato de lavar-se, pentear-se, maquiar-se etc. (para deitar-se, sair etc.) **2** traje, esp. feminino, para noite ■ *s.m.* **3** banheiro ('local')

toalha (to.a.lha) *s.f.* **1** pano de tecido absorvente, próprio para enxugar *<t. de rosto>* **2** peça de tecido ou plástico que se estende sobre a mesa à hora das refeições

toalheiro (to.a.lhei.ro) *s.m.* **1** porta-toalhas **2** empresa que fornece toalhas para firmas, consultórios etc. e substitui as já usadas por limpas

toar (to.ar) *v.* {mod. 1} *int.* **1** fazer tom ou som forte *<um trovão toou ao longe>* **2** repercutir, ressoar, ecoar *<a música toava em seus ouvidos>* □ *t.i.* **3** (prep. *com*) estar em hamonia com; condizer, combinar *<as cortinas leves toavam com o ambiente>* *<o acompanhamento não toava com o cantor>* ~ **toante** *adj.2g.*

tobogã (to.bo.gã) *s.m.* **1** ESP trenó pequeno com esquis de aço atados a uma estrutura leve, us. em campeonatos **2** RECR rampa ondulada sobre a qual se desliza, em parque de diversões

toca (to.ca) *s.f.* **1** buraco onde certos animais se abrigam **2** *fig. B* o que serve de abrigo; refúgio *<seu quarto era sua t.>*

toca-discos (to.ca-dis.cos) *s.m.2n.* aparelho elétrico que reproduz o som gravado num disco de vinil

toca-fitas (to.ca-fi.tas) *s.m.2n.* aparelho que reproduz sons gravados em fita magnética

tocaia (to.cai.a) *s.f. B* vigilância secreta ao inimigo ou à caça ▣ **de t.** de vigia, à espreita

tocaiar (to.cai.ar) *v.* {mod. 1} *t.d.* **1** esperar, às escondidas, em prontidão para atacar ou matar; tocaiar **2** atacar a partir de uma tocaia □ *t.d. e int.* **3** observar escondido; vigiar, espreitar *<t. um animal>* *<passou a noite tocaiando>*

tocante (to.can.te) *adj.2g.* **1** referente, relativo *<assuntos t. à escola>* **2** que comove; emocionante *<filme t.>* ↺ frio ▣ **no t. a** a respeito de *<no t. a dinheiro, estamos bem>*

tocantinense (to.can.ti.nen.se) *adj.2g.* **1** do Tocantins ■ *s.2g.* **2** natural ou habitante desse estado

tocar (to.car) *v.* {mod. 1} *t.d.,t.i. e int.* **1** (prep. *em*) pôr a mão em; pegar, apalpar *<é proibido t. (em) qualquer mercadoria>* *<precisava ver para crer e t. para sentir>* ↺ largar □ *t.d.,t.i.,t.d.i. e pron.* **2** (prep.

T

em) pôr(-se) em contato com; encostar(-se) *<seus lábios tocaram os dela> <atravessou a multidão, mas não tocou em ninguém> <por descuido, tocou o dedo no espinho> <a tacada fez que várias bolas se tocassem>* ↺ afastar(-se) □ *t.d. e t.i.* **3** (prep. *em*) fazer alusão ou referência a; mencionar *<não chegou a t. o ponto essencial> <não toca mais no assunto>* ↺ omitir **4** (prep. *em*) servir-se de, consumir (alimento ou bebida) *<não podia t. (em) camarão>* □ *pron.* **5** tornar-se próximo; unir-se, identificar-se *<suas ideias se tocavam>* **6** ficar magoado; ofender-se *<tocou-se muito com as acusações>* **7** *B infrm.* dar-se conta de; perceber *<custou a t.-se>* ↺ ignorar □ *int. e pron. B* **8** ir na direção de; dirigir-se *<do aeroporto tocou(-se) para casa>* ↺ voltar □ *t.d.* **9** estimular a marcha de; tanger *<t. os bois>* **10** *p.ext.* fazer sair do lugar em que estava; expulsar *<tocou o brigão do bar>* ↺ atrair **11** estar vizinho a ou junto de; confinar *<seu terreno toca o meu>* **12** causar abalo a; sensibilizar, comover *<a demissão do porteiro tocou todos os moradores>* ↺ empedernir **13** provocar inspiração ou mudança em; influir *<precisava de algo que tocasse os alunos>* **14** fazer mover a; impulsionar *<t. a bola no campo adversário>* **15** *fig. B* fazer progredir, ir adiante *<t. o projeto, a vida>* ↺ paralisar □ *t.d. e int.* **16** fazer soar (música, melodia) num ou mais instrumentos musicais *<a banda pôs-se a t. (um samba)>* **17** (fazer) emitir toques, sons, ger. para anunciar (algo) *<o relógio tocou três horas> <t. a campainha> <ouviu o sinal t.>* □ *t.i.* **18** (prep. *a*) caber por sorte; pertencer **19** (prep. *a*) ser da responsabilidade de; competir, caber *<a direção toca ao mais velho>* **20** (prep. *a*) dizer respeito a; interessar *<esse assunto não toca aos visitantes>*

tocata (to.ca.ta) *s.f.* MÚS peça para instrumentos de teclado, ger. com características vivazes e de virtuosismo

tocha (to.cha) *s.f.* facho de fogo, ger. na ponta de uma haste de qualquer material, us. para iluminar, sinalizar etc.

toco (to.co) /ô/ *s.m.* **1** parte de planta cortada que fica presa ao solo *<tropeçou num t. de árvore>* **2** pedaço de vela ou tocha; coto **3** *B* resto de algo que se quebrou ou consumiu *<t. de lápis>* **4** ESP no voleibol, basquetebol etc., bloqueio feito ao ataque adversário **5** ESP FUTB *B* infração em que um jogador, com um pé, prende o pé do adversário

T

todavia (to.da.vi.a) *conj.advrs.* mas, contudo *<saiu cedo, t. perdeu o ônibus>*

todo (to.do) /ô/ *adj.* **1** a que não falta parte alguma; completo *<comeu o bolo t.> <choveu o dia t.>* ■ *pron. ind.* **2** seja qual for; qualquer *<t. cidadão tem direitos iguais>* ■ *adv.* **3** completamente, por inteiro *<sou t. ouvidos>* ■ *s.m.* **4** totalidade *<as partes formam o t.>*

todo-poderoso (to.do-po.de.ro.so) [pl.: *todo-poderosos*] *adj.s.m.* **1** que(m) pode tudo **2** que(m) tem poderes relativamente ilimitados *<um exército t.>* ■ *s.m.* **3** Deus ☞ inicial maiúsc.

tofu (to.fu) [jap.] *s.m.* espécie de queijo feito de bebida de soja ⇒ pronuncia-se tofu

toga (to.ga) *s.f.* **1** manto de lã us. pelos antigos romanos **2** roupa de magistrado

togado (to.ga.do) *adj.s.m.* **1** que(m) usa toga **2** diz-se de ou magistrado judicial *<juiz t.>*

toicinho (toi.ci.nho) *s.m.* → *TOUCINHO*

tolda (tol.da) *s.f.* **1** toldo ('cobertura') **2** MAR espécie de telhado de palha ou madeira us., em certos barcos, para abrigar carga e/ou passageiros

toldar (tol.dar) *v.* {mod. 1} *t.d.* **1** cobrir com tolda ou toldo *<mandou t. a embarcação>* **2** *fig.* obscurecer, cegar *<a ira pode t. a razão>* □ *t.d. e pron.* **3** tornar(-se) nublado; anuviar(-se) *<uma neblina espessa toldava o horizonte> <o céu toldou-se de repente>* ↺ desanuviar(-se) **4** tornar(-se) turvo; turvar(-se) *<a tinta toldou a água> <o vinho toldou-se>*

toldo (tol.do) /ô/ *s.m.* cobertura, ger. de lona ou plástico, posta em janela, porta, varanda etc., para abrigar da chuva e/ou do sol

tolerância (to.le.rân.cia) *s.f.* **1** característica de certas pessoas de admitir e respeitar ideias diferentes das suas ↺ intolerância **2** dispensa (de regra geral); licença *<t. de horário>* **3** capacidade do organismo para suportar (a ação de certas substâncias) *<t. a antibióticos>*

tolerante (to.le.ran.te) *adj.2g.* **1** que tolera; que desculpa certas falhas ou erros ■ *adj.2g.s.2g.* **2** que(m) é dotado de tolerância ou indulgência *<ser t. com as crianças> <os t. ouvem opiniões diferentes>*

tolerar (to.le.rar) *v.* {mod. 1} *t.d.* **1** aguentar com resignação, paciência; aceitar, suportar *<t. uma visita incômoda>* **2** ser conivente com; consentir *<t. os excessos do filho>* ↺ impedir **3** MED ser capaz de suportar, de assimilar (medicação)

tolerável (to.le.rá.vel) [pl.: *-eis*] *adj.2g.* **1** que se pode tolerar; suportável *<mal-estar t.>* ↺ intolerável, insuportável **2** que não tem grandes defeitos; aceitável, sofrível *<a saia não ficou perfeita, mas é t.>* ↺ intolerável, inaceitável **3** merecedor de indulgência *<erro t.>* ↺ intolerável

tolete (to.le.te) /ê/ *s.m.* **1** MAR cada uma das hastes de ferro ou madeira que servem de apoio para os remos **2** rolo de madeira, fumo etc. **3** *B gros.* rolo de fezes

tolher (to.lher) *v.* {mod. 8} *t.d.* **1** ser obstáculo a; atrapalhar, impedir *<a dor tolheu seus movimentos>* ↺ permitir **2** impor proibição a; vedar *<a polícia tolheu a passagem dos invasores>* ↺ autorizar **3** impedir que se manifeste; conter *<o susto tolheu sua voz>* ↺ liberar □ *t.d. e t.d.i.* **4** (prep. *de*) deixar sem; privar *<tolheram sua liberdade> <a doença tolhera-o da visão>* □ *t.d. e pron.* **5** deixar ou ficar sem os movimentos; paralisar(-se) *<um derrame tolheu seu lado direito> <com a artrite, tolheram-se-lhe os dedos> <t.-se de medo>* ~ **tolhido** *adj.s.m.* - **tolhimento** *s.m.*

tolice (to.li.ce) *s.f.* **1** ato ou dito tolo, impensado ↺ sensatez **2** coisa ou motivo fútil, insignificante *<gastou o dinheiro em tolices> <brigaram por uma t.>*

tolo (to.lo) /ô/ *adj.s.m.* **1** bobo ↺ esperto ■ *adj.* **2** que não tem sentido ou significação *<ideia t.>* ↺ coerente

tom [pl.: *-ons*] *s.m.* **1** FÍS variação de altura, intensidade ou duração de um som *<t. breve> <t. estridente>* **2** MÚS altura de um som na escala musical **3** MÚS tônica a partir da qual se estabelecem as relações tonais; tonalidade *<qual o t. dessa canção?>* **4** maneira de se expressar, falando ou escrevendo *<t. ameaçador>* **5** modo de realizar algo; estilo, caráter *<romance de t. realista>* **6** característica de uma cor; matiz, tonalidade *<um belo t. de azul>*

tomada (to.ma.da) *s.f.* **1** ELETR dispositivo intermediário entre uma fonte de energia elétrica e um aparelho alimentado por esta energia *<ligou a TV na t.>* **2** TV registro contínuo de cena de filme ou vídeo *<fizeram várias t. da cena do casamento>*

tomar (to.mar) *v.* {mod. 1} *t.d. e t.d.i.* **1** (prep. *de*) apossar-se de (algo alheio); tirar, arrebatar *<costumava t. nossos brinquedos> <tomou da irmã parte de sua herança>* ↺ devolver **2** (prep. *com*) pedir, exigir (explicação, satisfação) [a alguém] **3** (prep. *de*) ser vítima de (pancada, surra); levar *<tomou um tapa (do irmão)>* ↺ dar □ *t.d.* **4** *fig.* apropriar-se de; assumir *<o medo tomou-o por completo>* **5** conquistar, dominar *<t. o castelo> <t. o poder>* **6** realizar apreensão ou a prisão de; capturar *<a patrulha tomou os detentos fugidos>* **7** segurar com firmeza, para proteger, amparar *<tomou a mão do avô>* **8** ingerir (alimentos, medicamentos) *<t. um comprimido> <t. suco>* **9** engolir o conteúdo de *<t. um copo de café>* **10** *B* ingressar, embarcar em (ônibus, trem etc.) *<tomou um táxi e foi para casa>* ↺ descer **11** preencher, ocupar (espaço, local) *<a cama tomava quase todo o quarto>* **12** fazer uso de (tempo); consumir, gastar *<a tarefa tomará várias horas>* **13** ser surpreendido por; levar *<t. um susto>* **14** *fig.* invadir o espírito de; dominar *<o riso tomou a plateia>* **15** sofrer a ação de; expor-se *<t. sol>* **16** seguir ou encaminhar-se por *<t. a rua da direita>* **17** passar a ter; adquirir, assumir *<seu rosto tomou um ar de surpresa> <a tarde tomava um aspecto cinzento>* ↺ perder **18** receber, ter (aula, instrução) *<tomava aulas de piano>* □ *t.d. e t.i.* **19** (prep. *de*) ter em mãos, ger. para utilizar; empunhar, pegar, segurar *<t. armas> <t. da caneta para escrever>* □ *t.d.pred. e t.i.pred.* **20** (prep. *a*) fazer opção por; escolher *<tomei-o como/por testemunha>* □ *t.d. e pron. fig.* **21** sentir-se invadido por (impressão, sentimento) *<t. ódio à mulher> <t.-se de amores pelo vizinho>* □ *t.d. e t.d.pred.* **22** levar em consideração; considerar *<toma tudo com seriedade> <t. as palavras como insulto>*

tomara (to.ma.ra) *interj. B* exprime desejo, votos *<t. que chova logo>*

tomara que caia (to.ma.ra que cai.a) *adj.2g.2n.s.m.* VEST diz-se de ou peça do vestuário feminino que vai até a altura das axilas sem que algo a prenda ao pescoço ou aos ombros

tomate (to.ma.te) *s.m.* BOT fruto vermelho comestível, rico em proteínas e açúcar, muito us. em saladas, molhos etc.

tomateiro (to.ma.tei.ro) *s.m.* BOT planta hortense que produz frutos comestíveis de polpa vermelha carnuda e rica em vitamina C

tombadilho (tom.ba.di.lho) *s.m.* MAR construção erguida na popa de um navio, us. para alojamento

[1]**tombamento** (tom.ba.men.to) *s.m.* **1** ato de se guardar alguma coisa num arquivo público **2** *B* ato de o governo colocar sob sua guarda bens imóveis e/ou móveis de valor histórico, arqueológico, paisagístico etc. *<o t. de um cidade, de um monumento>* ◉ ORIGEM [2]*tombar* + *-mento*

[2]**tombamento** (tom.ba.men.to) *s.m.* ato de cair, ruir *<o t. de uma ponte>* ↺ erguimento ◉ ORIGEM [1]*tombar* + *-mento*

[1]**tombar** (tom.bar) *v.* {mod. 1} *t.d. e int.* **1** (fazer) cair, deitar por terra; derrubar *<a ventania tombou o varal> <o muro tombou>* □ *t.d.* **2** deixar cair enviesado; inclinar *<com sono, tombava a cabeça>* □ *int.* **3** movimentar-se para baixo; descer *<tomba o sol no horizonte>* ↺ subir **4** perder a vida; morrer □ *int. e pron.* **5** cair para o lado; inclinar-se, virar *<o ônibus tombou(-se) na curva>* ◉ ORIGEM do rad. *tumb-*, imitativo do som da pancada de uma queda, + [2]*-ar*

[2]**tombar** (tom.bar) *v.* {mod. 1} *t.d.* **1** fazer o [2]tombo de; arrolar, inventariar **2** *B* pôr (o governo) sob sua guarda (bens imóveis e/ou móveis de interesse público por seu valor histórico, artístico etc.) *<t. um prédio>* ◉ ORIGEM [2]*tombo* + [2]*-ar*

[1]**tombo** (tom.bo) *s.m.* queda, trambolhão *<levou um t. na escada>* ◉ ORIGEM de [1]*tombar*

[2]**tombo** (tom.bo) *s.m.* **1** inventário dos prédios urbanos e rurais com todas as demarcações **2** registro ou relação de coisas ou fatos referentes a uma especialidade, a uma região etc. ◉ ORIGEM duv., talvez do lat. *tomus,i* 'volume, tomo', ou relacionado ao port. *tumba*

tômbola (tôm.bo.la) *s.f.* RECR tipo de loteria com fins beneficentes em que os prêmios não são em dinheiro

tomilho (to.mi.lho) *s.m.* BOT erva aromática, de folhas pequenas retas ou em forma de lança, us. como tempero

tomo (to.mo) *s.m.* divisão de uma obra que pode ou não corresponder a um volume do trabalho impresso

tomografia (to.mo.gra.fi.a) *s.f.* exame radiológico que permite visualizar as estruturas anatômicas na forma de cortes ~ **tomógrafo** *s.m.*

tona (to.na) *s.f.* **1** película externa, mais ou menos fina, que envolve certos corpos; pele, casca *<a t. do alho> <a t. da laranja>* **2** parte externa e visível de um corpo *<emergir do fundo para a t. do lago>* ▣ **à t.** à superfície *<boiavam à t. da água> <os problemas vieram à t.>*

tonalidade (to.na.li.da.de) *s.f.* **1** cor, matiz *<preferiu uma t. mais escura de azul para as cortinas>* **2** MÚS sistema de relações entre os tons, notas e harmonias de uma peça musical **3** MÚS tom ('tônica') *<a peça está numa t. muito aguda>* ~ **tonal** *adj.2g.*

tonante (to.nan.te) *adj.2g.* **1** que troveja *<tempestade t.>* **2** vibrante, forte *<voz t.>* ↺ fraco

tonel (to.nel) [pl.: *-éis*] *s.m.* recipiente para líquidos formado por tábuas abauladas unidas e presas por aros metálicos e dois tampos planos *<t. de vinho>* ~ **tonelaria** *s.f.*

tonelada (to.ne.la.da) *s.f.* FÍS unidade de medida de massa igual a 1.000 kg [símb.: *t*]

tonelagem (to.ne.la.gem) [pl.: *-ens*] *s.f.* **1** capacidade ('volume') de um caminhão, navio etc. **2** a medida dessa capacidade

tongo (ton.go) *adj.s.m.* ou **tonga** (ton.ga) *adj.2g.s.2g. PR pej.* diz-se de ou pessoa tola

tônica (tô.ni.ca) *s.f.* **1** FON sílaba ou vogal sobre a qual recai a acentuação **2** ponto tratado com ênfase *<a demissão foi a t. do discurso>* **3** MÚS nota que nomeia o tom de uma escala musical

tônico (tô.ni.co) *adj.s.m.* FARM **1** (remédio) revigorante *<cosmético t.> <t. capilar>* ■ *adj.* **2** relativo a tom *<nota t.>* **3** FON que, num vocábulo, se pronuncia com mais intensidade (vogal, sílaba) ↺ átono ~ **tonicidade** *s.f.* - **tonificação** *s.f.*

tonificar (to.ni.fi.car) *v.* {mod. 1} *t.d. e pron.* (fazer) adquirir força, vigor; fortalecer(-se), robustecer(-se) *<novos ares tonificam os nervos> <tonificou-se com uma dieta alimentar rigorosa>* ↺ enfraquecer(-se) ~ **tonificante** *adj.2g.*

tonitruante (to.ni.tru.an.te) *adj.2g.* **1** muito ruidoso **2** *fig.* que fala ou canta com estrondo *<voz t.>* ~ **tonitruância** *s.f.*

tonsila (ton.si.la) *s.f.* ANAT cada um dos órgãos formados por uma aglomeração de nódulos linfáticos, esp. os que se situam, em par, à entrada da garganta; amígdala

tonsilite (ton.si.li.te) *s.f.* MED inflamação, de origem infecciosa, da(s) tonsila(s); amigdalite

tonsura (ton.su.ra) *s.f.* corte redondo dos cabelos no topo da cabeça, us. pelos clérigos ~ **tonsurar** *v.t.d. e pron.*

tontas (ton.tas) *s.f.pl.* ◗ usado em: **às tontas** sem rumo, cuidado, critério etc. *<andar às t.>*

tontear (ton.te.ar) *v.* {mod. 5} *int.* **1** agir como tonto; disparatar **2** deixar tombar a cabeça; cabecear *<t. de sono>* □ *t.d. e int.* **3** (fazer) ter tonturas; estontear, atordoar(-se) *<o golpe tonteou-o> <o barulho era tanto que ele tonteou>* **4** (fazer) sofrer agitação, perturbação; alvoroçar *<a chegada da moça tonteara-o> <com tal notícia qualquer um tontearia>*

tonteira (ton.tei.ra) *s.f.* **1** tolice ↺ sensatez **2** MED *infrm.* vertigem *<sentiu uma forte t. ao levantar>*

tontice (ton.ti.ce) *s.f.* asneira, tolice ↺ sensatez

tonto (ton.to) *adj.s.m.* **1** que(m) tem ou sente tontura **2** que(m) está confuso, atrapalhado *<ficou t. com a notícia>*

tontura (ton.tu.ra) *s.f.* MED *infrm.* sensação de que tudo está girando; vertigem

tônus (tô.nus) *s.m.2n.* estado normal de elasticidade e resistência de um órgão ou tecido *<o t. da pele>*

top [ing.; pl.: *tops*] *s.m.* VEST **1** bustiê **2** blusa curta e justa, ger. sem mangas ⇒ pronuncia-se tóp

topada (to.pa.da) *s.f.* **1** tropeço *<deu uma t. na pedra e machucou o dedo>* **2** encontrão, esbarrão *<ao sair do elevador, dei uma t. no vizinho>*

topar (to.par) *v.* {mod. 1} *t.d.,t.i. e pron.* **1** (prep. *com*) ficar frente a frente com; deparar(-se), encontrar (-se) *<topou (com) a tia na saída do clube> <vez por outra topava-se (com) uma casa abandonada>* □ *int.* **2** bater sem querer com o pé em *<topou no degrau e caiu>* **3** ir de encontro a; chocar-se, bater *<t. no poste>* □ *t.d.* *B infrm.* **4** aceitar, concordar com (negócio, proposta etc.) *<disse que toparia o risco do contrato>* ↺ recusar **5** ter simpatia por; gostar *<não topo o vizinho>* ↺ detestar

topa-tudo (to.pa-tu.do) *s.2g.2n.* quem aproveita ou aceita tudo que surge ou que lhe é proposto

topázio (to.pá.zio) *s.m.* MINER pedra preciosa ger. amarela

tope (to.pe) *s.m.* **1** topo *<o t. de um monte>* ↺ base **2** laço de fita em chapéu, flâmula, estandarte **3** altura física, moral, intelectual etc. *<só andava com pessoas do seu t.>*

topete (to.pe.te) /ê *ou* é/ *s.m.* **1** tufo de cabelos no alto da testa **2** *B infrm.* audácia, ousadia *<teve muito t. para gritar com o patrão>* ↺ respeito

topetudo (to.pe.tu.do) *adj.* **1** que traz ou usa topete ■ *adj.s.m.* *infrm.* **2** *B* valentão, arrogante

tópico (tó.pi.co) *adj.* **1** relativo a lugar *<o linguajar t. de uma região>* **2** FARM de uso externo (diz-se de remédio) *<pomada para uso t.>* ■ *s.m.* **3** ponto de um texto, discurso etc.; tema, assunto *<destacou os principais t. do discurso>* **4** JOR breve comentário de jornal, ger. sobre assunto da atualidade

topo (to.po) /ô/ *s.m.* **1** parte mais alta; cume, tope *<o t. de uma montanha, de uma escada>* **2** ponto mais alto que se pode atingir na profissão, nos estudos etc. *<atingiu o t. da carreira>*

topografia (to.po.gra.fi.a) *s.f.* **1** representação gráfica do relevo de um terreno **2** descrição exata e minuciosa de uma localidade; topologia ~ **topográfico** *adj.* - **topógrafo** *s.m.*

topologia (to.po.lo.gi.a) *s.f.* **1** descrição minuciosa de um local; topografia **2** MAT estudo das propriedades geométricas de um corpo não alteradas por uma deformação contínua ~ **topológico** *adj.*

toponímia (to.po.ní.mia) *s.f.* **1** estudo dos nomes próprios de lugares **2** lista de topônimos

topônimo (to.pô.ni.mo) *s.m.* nome próprio de lugar

toque (to.que) *s.m.* **1** ato de tocar ou o seu efeito **2** som produzido por contato ou percussão *<o t. dos tambores>* **3** sinal militar dado por clarim, corneta etc. *<t. de recolher>* **4** *fig.* o que restou; vestígio, marca *<um t. de juventude>* **5** *B infrm.* conselho discreto *<vou te dar um t.: não saia com essa blusa>* **6** MED exame de uma cavidade natural do corpo praticado com o auxílio dos dedos

-tor *suf.* → ***-OR***

tora (to.ra) *s.f.* tronco grosso de madeira, cortado ou não

torá (to.rá) *s.2g.* REL **1** lei sagrada dos judeus; Pentateuco ☞ inicial maiúsc. **2** livro que a contém (Antigo Testamento) ☞ inicial maiúsc.

torácico (to.rá.ci.co) *adj.* relativo a ou próprio do tórax *<região t.>*

toranja (to.ran.ja) *s.f.* BOT fruta cítrica grande, arredondada, de casca amarela grossa e polpa branca ~ **toranjeira** *s.f.*

torar (to.rar) *v.* {mod. 1} *t.d.* **1** partir (a madeira) em toros **2** *B* cortar rente; tosar *<mandou t. o cabelo>*

tórax (tó.rax) /cs/ *s.m.2n.* ANAT parte do corpo entre o pescoço e o músculo do diafragma que aloja os pulmões e o coração

torçal (tor.çal) [pl.: *-ais*] *s.m.* **1** cordão torcido de retrós ou seda **2** *B* espécie de cabresto para conter animais ariscos

torção (tor.<u>ção</u>) [pl.: *-ões*] *s.f.* rotação brusca e doída (de articulação, órgão etc.); torcedura *<sofreu uma t. no joelho>*

torcedor (tor.ce.<u>dor</u>) /ô/ [pl.: *-es*] *adj.* **1** que torce ■ *adj.s.m.* **2** *B* que(m) torce por um time

torcedura (tor.ce.<u>du</u>.ra) *s.f.* torção

torcer (tor.<u>cer</u>) *v.* {mod. 8} *t.d.* **1** revirar em espiral; enroscar, enrolar *<t. um pano>* ↺ destorcer **2** unir enrolando *<t. fios de seda>* **3** lesar os ligamentos de (parte do corpo) por movimento brusco de rotação *<t. o pé>* **4** *fig.* alterar o sentido ou a proporção real de; deturpar, distorcer *<torceu nossa ideia inicial>* ↺ preservar **5** reduzir à obediência; sujeitar *<não conseguiu t. o filho>* □ *t.d.,int. e pron.* **6** mudar a direção ou a orientação (de); desviar *<a falência torceu seus planos de vida>* *<com os ventos, a expedição torceu(-se) para leste>* □ *t.d. e pron.* **7** tornar(-se) curvo; vergar(-se), dobrar(-se) *<t. ferro em brasa>* *<ao chegar ao teto, a planta torceu-se>* ↺ endireitar(-se) **8** contrair ou contorcer (o corpo, parte dele) por dor, desespero, riso etc. *<torcia os braços e a cabeça>* *<t.-se de rir>* **9** alterar a forma ou o aspecto habitual (de); contorcer(-se) *<t. o nariz>* *<ao vê-lo, seus olhos torceram-se>* ↺ endireitar(-se) □ *pron.* **10** seguir um curso sinuoso; serpear *<os rios torciam-se na floresta>* **11** mover-se dando voltas *<a fumaça torcia-se no ar>* □ *t.i. fig.* **12** (prep. *por*) desejar com intensidade *<torço por sua melhora>* **13** *B* (prep. *por*) mostrar sua predileção por (equipe desportiva, agremiação etc.) ◉ GRAM/USO part.: *torcido, torto*; ver QUADRO DE PARTICÍPIOS DUPLOS nas pp. iniciais

torcicolo (tor.ci.<u>co</u>.lo) *s.m.* MED forte contração de músculo do pescoço, que leva a uma posição anormal da cabeça

torcida (tor.<u>ci</u>.da) *s.f.* **1** mecha de candeeiro, lamparina etc.; pavio **2** numa competição, o conjunto dos torcedores *<a t. foi ao ginásio>* **3** conjunto dos simpatizantes de um clube, entidade ou agremiação esportiva *<o Flamengo tem uma imensa t.>*

torcido (tor.<u>ci</u>.do) *adj.* **1** que se torceu; torto *<galhos t.>* **2** que sofreu torção *<pescoço t.>* **3** *fig.* mal interpretado ou forçado *<o significado t. de uma frase>*

torço (<u>tor</u>.ço) /ô/ *s.m.* VEST *BA* espécie de xale ou manta que se enrola na cabeça como turbante *<t. de linho>* ☞ cf. *torso*

tordilho (tor.<u>di</u>.lho) *adj.s.m.* diz-se de ou cavalo cujo pelo é de fundo branco-sujo, salpicado de pequenas manchas

-tório *suf.* equivalente a *-ório*

tório (<u>tó</u>.rio) *s.m.* QUÍM elemento químico us. como combustível nuclear, em lâmpadas solares, células fotoelétricas etc. [símb.: *Th*] ☞ cf. *tabela periódica* (no fim do dicionário)

tormenta (tor.<u>men</u>.ta) *s.f.* **1** tempestade violenta, esp. no mar; temporal, borrasca ↺ calmaria **2** *fig.* grande barulho; desordem ↺ calma

tormento (tor.<u>men</u>.to) *s.m.* **1** sofrimento físico; suplício **2** aflição, angústia *<sua partida era um t.>*

tormentoso (tor.men.<u>to</u>.so) /ô/ [pl. e fem.: /ó/] *adj.* **1** relativo a ou em que há tormenta *<mar t.>* ↺ bonançoso **2** que causa tormento; aflitivo *<sonho t.>* **3** penoso, árduo *<vida t.>*

tornado (tor.<u>na</u>.do) *s.m.* tempestade violenta cujo núcleo, uma nuvem em forma de cone invertido, gira velozmente, derrubando árvores, construções etc.

tornar (tor.<u>nar</u>) *v.* {mod. 1} *int. e pron.* **1** voltar ao lugar de onde saiu; regressar *<tornou(-se) para a cabine>* ↺ partir □ *int.* **2** manifestar-se, acontecer de novo *<a infância jamais torna>* □ *t.d.i.* **3** (prep. *a*) dar de volta (o que é devido ou esperado); restituir, devolver *<t. o objeto a seu dono>* ↺ tomar □ *t.d.pred. e pron.* **4** (fazer) mudar de estado, forma etc.; transformar(-se) *<o estudo tornou os meninos maus em bons>* *<o céu tornara-se carregado>* ↺ manter(-se)

tornassol (tor.nas.<u>sol</u>) [pl.: *-óis*] *s.m.* **1** girassol **2** QUÍM corante obtido de várias espécies de liquens, us. esp. para determinar o quanto uma substância é ácida ou básica

torneado (tor.ne.<u>a</u>.do) *adj.2g.s.m.* **1** (o) que foi feito ou lavrado ao torno ■ *adj.* **2** bem-feito, bem contornado; roliço *<braços t.>* **3** *fig.* escrito e redigido com elegância

tornear (tor.ne.<u>ar</u>) *v.* {mod. 5} *t.d.* **1** trabalhar ou modelar no torno *<t. uma peça de madeira>* **2** dar forma cilíndrica, arredondada ou roliça a *<exercitava-se para tornear as pernas>* **3** estar em volta de; rodear *<uma gargantilha de pérolas torneava seu pescoço>* **4** *fig.* tornar mais apurado; aprimorar, polir *<t. um verso, uma frase>* ~ **torneamento** *s.m.*

tornearia (tor.ne.a.<u>ri</u>.a) *s.f.* ofício de torneiro

torneio (tor.<u>nei</u>.o) *s.m.* **1** justa ('medieval') **2** ESP competição esportiva *<t. de tênis>*

torneira (tor.<u>nei</u>.ra) *s.f.* **1** tubo com uma espécie de chave us. para reter ou deixar sair líquido ou gás; bica **2** a chave desse tubo

torneiro (tor.<u>nei</u>.ro) *s.m.* quem trabalha com o torno

torniquete (tor.ni.<u>que</u>.te) /ê/ *s.m.* **1** tipo de cruz horizontal que gira sobre um eixo vertical, colocada à entrada de rua, estrada etc., que deixa passar apenas pessoas a pé **2** instrumento destinado a apertar **3** instrumento ou recurso us. para impedir o fluxo de sangue em um membro *<fizeram um t. logo acima do corte>*

torno (<u>tor</u>.no) /ô/ *s.m.* suporte giratório us. para fabricar ou arredondar peças de madeira, ferro, aço etc.

tornozeleira (tor.no.ze.<u>lei</u>.ra) *s.f.* **1** peça elástica para proteger o tornozelo **2** adorno para o tornozelo

tornozelo (tor.no.<u>ze</u>.lo) /ê/ *s.m.* ANAT região entre a perna e o pé

toro (<u>to</u>.ro) *s.m.* tronco de árvore cortada, ainda com a casca, sem os ramos

toró (to.<u>ró</u>) *s.m.* *B* chuva forte e súbita

torpe (<u>tor</u>.pe) /ô/ *adj.2g.* **1** que contraria os bons costumes, a moral; indecoroso *<cenas t.>* ↺ decente **2** que causa repulsa; repugnante *<atitute t.>* ↺ atraente **3** mesquinho, vil *<indivíduo t.>* ↺ nobre

torpedear (tor.pe.de.<u>ar</u>) *v.* {mod. 5} *t.d.* **1** MAR lançar torpedo(s) contra *<t. uma embarcação>* **2** *fig.* promover meios para prejudicar ou acabar com *<t. um projeto>* ~ **torpedeamento** *s.m.*

torpedeiro (tor.pe.dei.ro) *s.m.* MAR navio de guerra que lança torpedos

torpedo (tor.pe.do) /ê/ *s.m.* **1** MAR míssil cilíndrico lançado contra alvos marítimos **2** *B infrm.* bilhete que alguém entrega ou manda entregar a outrem em local público, ger. com intenções amorosas **3** *p.ext.* mensagem de texto enviada de um telefone celular para outro(s)

torpeza (tor.pe.za) /ê/ *s.f.* **1** ato que revela indignidade; infâmia **2** ato indecoroso, obsceno; obscenidade

torpor (tor.por) /ô/ [pl.: *-es*] *s.m.* **1** entorpecimento, insensibilidade *<t. causado pelo frio>* ↺ sensibilidade **2** apatia, indiferença *<estado de t.>* ↺ ânimo **3** MED ausência de reação a estímulos comuns

torque (tor.que) *s.m.* ENG MEC força que o motor imprime ao eixo de manivela, fazendo-o girar para impulsionar o veículo

torquês (tor.quês) [pl.: *-eses*] *s.f.* espécie de alicate us. para segurar e/ou arrancar pregos, grampos etc. ou para cortar arame

torrada (tor.ra.da) *s.f.* CUL fatia de pão torrado

torradeira (tor.ra.dei.ra) *s.f.* utensílio, ger. elétrico, para fazer torradas

torrão (tor.rão) [pl.: *-ões*] *s.m.* **1** porção de terra mais ou menos endurecida **2** terreno próprio para cultivo **3** *fig.* pedaço de algo que se esfarela facilmente *<t. de açúcar>* **4** *fig.* terra natal

torrar (tor.rar) *v.* {mod. 1} *t.d.* **1** tornar muito seco (ao sol ou ao fogo); ressecar *<o sol torrara o solo>* *<o calor do incêndio torrou até plantas distantes>* **2** queimar levemente; tostar *<t. pão, café>* **3** tornar (mais) moreno; queimar *<t. a pele>* **4** *fig. B infrm.* gastar com exagero (dinheiro, bens); esbanjar *<torrou todo o salário>* ↺ poupar □ *t.d. e int. B infrm.* **5** *fig.* vender a preço ínfimo; liquidar, queimar *<torrou o carro por uma ninharia>* *<t. o estoque>* **6** *gír.* importunar, aborrecer *<t. a paciência>* *<não torra, por favor!>* ~ **torra** *s.f.* - **torração** *s.f.* - **torrado** *adj.*

torre (tor.re) /ô/ *s.f.* **1** ARQ parte alta, ger. cilíndrica, de uma construção **2** ARQ campanário **3** peça do jogo de xadrez, em forma de torre com ameias, que pode se movimentar em linha reta, para a frente, para trás e para os lados

torreão (tor.re.ão) [pl.: *-ões*] *s.m.* ARQ **1** torre larga com ameias **2** torre ou terraço no alto de prédio

torrefação (tor.re.fa.ção) [pl.: *-ões*] *s.f.* **1** ação de torrefazer ou o seu efeito **2** local ou estabelecimento onde se torra café

torrefato (tor.re.fa.to) *adj.* bem torrado; torrefeito

torrefazer (tor.re.fa.zer) *v.* {mod. 14} *t.d.* torrificar ◉ GRAM/USO part.: *torrefeito*

torrefeito (tor.re.fei.to) *adj.* torrefato

torrencial (tor.ren.ci.al) [pl.: *-ais*] *adj.2g.* **1** relativo ou semelhante a torrente **2** abundante, copioso *<chuvas t.>* ↺ escasso

torrente (tor.ren.te) *s.f.* **1** fluxo de água rápido e violento causado por enxurrada **2** grande quantidade de coisa que jorra ou cai *<t. de lava>* *<t. de lágrimas>* **3** grande fluência *<uma t. de palavras>*

torresmo (tor.res.mo) /ê/ *s.m.* CUL toucinho picado e frito

tórrido (tór.ri.do) *adj.* quente demais; ardente *<zona t.>*

torrificar (tor.ri.fi.car) *v.* {mod. 1} *t.d.* **1** expor ao fogo; queimar, torrar **2** tornar tórrido *<t. o solo>* **3** torrar levemente, tostar *<t. a carne>* ~ **torrificação** *s.f.* - **torrificante** *adj.2g.*

torso (tor.so) /ô/ *s.m.* **1** corpo humano sem a cabeça e os membros; tronco **2** estátua ou pintura do tronco de alguém

torta (tor.ta) *s.f.* CUL **1** massa ('mistura') assada com recheio doce ou salgado *<t. de limão>* *<t. de peixe>* **2** bolo em camadas, com recheio e cobertura

torto (tor.to) /ô/ [pl. e fem.: /ó/] *adj.* **1** retorcido; sinuoso *<costura t.>* ↺ reto **2** não perpendicular; inclinado *<o quadro estava t. na parede>* ↺ direito **3** *fig.* que se mostra injusto, errado *<resposta t.>* *<comportamento t.>* ↺ correto

tortuoso (tor.tu.o.so) /ô/ [pl. e fem.: /ó/] *adj.* **1** sinuoso, torto *<caminho t.>* ↺ reto **2** *fig.* que não é honesto ou justo *<usou de meios t. para vencer>* ↺ leal ~ **tortuosidade** *s.f.*

tortura (tor.tu.ra) *s.f.* **1** dor violenta infligida a alguém; suplício **2** *p.ext.* sofrimento, angústia *<a t. de uma separação>* **3** volta tortuosa; dobra

torturante (tor.tu.ran.te) *adj.2g.* **1** que tortura, que atormenta **2** que causa aflição, que angustia *<remorsos t.>*

torturar (tor.tu.rar) *v.* {mod. 1} *t.d.* **1** submeter a dor longa, intensa, crescente; supliciar *<t. um prisioneiro>* **2** causar incômodo físico *<o sapato apertado a torturava>* □ *t.d. e pron.* **3** (fazer) sofrer grande aflição, angústia; atormentar(-se) *<a indiferença dela torturava-o>* *<t.-se por alguém>* ↺ consolar(-se)

torvelinho (tor.ve.li.nho) *s.m.* rodamoinho

torvo (tor.vo) /ô/ *adj.* **1** que causa terror; medonho *<havia naquele olhar uma t. ameaça>* **2** indignado *<respondeu, com o semblante t., que não se prestava àquele papel>* ↺ tranquilo **3** de aspecto sombrio, sinistro *<nuvens t.>* *<uma construção antiga e t.>* ~ **torvar** *v.t.d.,int. e pron.*

tosa (to.sa) *s.f.* **1** trabalho de tosar a lã ou aparar-lhe a felpa; tosadura, tosquia **2** *p.ext.* trabalho de cortar ou aparar pelos de cães *<abriu uma loja de tosa e banho>*

tosão (to.são) [pl.: *-ões*] *s.m.* pelagem de carneiro

tosar (to.sar) *v.* {mod. 1} *t.d.* **1** cortar o velo de (animais que produzem lã); tosquiar *<t. carneiros>* **2** *p.ext.* cortar ou aparar o pelo de (cães de pelo longo) **3** aparar os fios levantados de (estofos de lã, panos etc.) **4** *fig.* cortar rente; raspar *<t. o cabelo>* ~ **tosadura** *s.f.*

tosco (tos.co) /ô/ *adj.* **1** tal como veio da natureza *<uma pedra grande e t.>* **2** sem apuro ou refinamento *<móveis t.>* ↺ lapidado **3** inculto, bronco *<homem t.>* ↺ refinado

tosquiar (tos.qui.ar) *v.* {mod. 1} *t.d.* **1** cortar rente (lã, pelo, cabelo) **2** cortar lã, pelo ou cabelo de; tosar **3** cortar curto; desbastar, aparar *<t. o gramado>* ~ **tosquia** *s.f.* - **tosquiadura** *s.f.*

tosse (tos.se) *s.f.* **1** ato de tossir **2** o som provocado por esse ato **3** MED expectoração repetida de ar pela boca *<estar com t.>* ~ **tossida** *s.f.* - **tossidela** *s.f.*

tossir (tos.sir) *v.* {mod. 28} *int.* **1** expelir o ar dos pulmões de modo repentino e com ruído explosivo característico *<tossia o dia todo>* ▫ *t.d.* **2** expelir da garganta *<t. catarro> <tossiu uma espinha do peixe>*

tostão (tos.tão) [pl.: *-ões*] *s.m.* **1** antiga moeda de 100 réis **2** *infrm.* qualquer quantia pequena

tostar (tos.tar) *v.* {mod. 1} *t.d. e pron.* **1** queimar(-se) leve ou superficialmente; crestar(-se) *<t. o pão> <o bolo tostou-se no forno>* **2** dar ou adquirir cor (mais) escura; bronzear(-se) *<o sol tostou seu rosto> <t.-se ao sol>* ~ **tostadela** *s.f.* - **tostadura** *s.f.*

total (to.tal) [pl.: *-ais*] *s.m.* **1** resultado de uma adição; soma *<apurou o t. das compras para pagar>* **2** reunião das partes que formam um todo *<o t. de alunos inscritos chegava a mil>* ■ *adj.2g.* **3** inteiro, completo *<perda t. da lavoura>* ↺ parcial

totalidade (to.ta.li.da.de) *s.f.* **1** reunião de todas as partes de um conjunto *<precisou vender a t. de seus bens>* ↺ porção **2** condição de ser total, inteiro; universalidade ↺ parcialidade

totalitário (to.ta.li.tá.rio) *adj.* POL **1** diz-se de regime político que concentra todos os poderes do Estado em um único grupo ou partido e exerce forte intervenção em todos os âmbitos da vida dos cidadãos **2** diz-se de Estado em que vigora esse regime ■ *adj.s.m.* POL **3** que(m) é adepto do totalitarismo

totalitarismo (to.ta.li.ta.ris.mo) *s.m.* **1** qualidade de quem ou do que é totalitário; autoritarismo **2** POL doutrina ou regime ditatorial ~ **totalitarista** *adj.2g.s.2g.*

totalização (to.ta.li.za.ção) [pl.: *-ões*] *s.f.* **1** ato ou efeito de totalizar, de perfazer um todo **2** resultado de soma

totalizar (to.ta.li.zar) *v.* {mod. 1} *t.d.* **1** calcular o total de *<t. as despesas>* **2** realizar por completo; concluir, completar *<t. a colheita>* **3** atingir o total de; perfazer *<as compras totalizaram cem reais>* ~ **totalizador** *adj.s.m.*

totalmente (to.tal.men.te) *adv.* de modo total, completo *<foi t. impossível atravessar a rua após a enchente>*

totem (to.tem) [pl.: *-ens*] *s.m.* **1** animal, planta ou objeto sagrado, tido como ancestral protetor de tribo ou clã **2** *p.ext.* representação desse animal, planta ou objeto ~ **totêmico** *adj.* - **totemismo** *s.m.*

totó (to.tó) *s.m.* **1** cão pequeno **2** RECR ver ***FUTEBOL TOTÓ***

touca (tou.ca) *s.f.* VEST peça de tecido ou lã que cobre a cabeça

touça (tou.ça) *s.f.* BOT moita

toucador (tou.ca.dor) /ô/ [pl.: *-es*] *s.m.* penteadeira

touceira (tou.cei.ra) *s.f.* BOT **1** grande moita **2** conjunto de plantas da mesma espécie que nascem muito próximas entre si *<t. de capim>*

touch screen [ing.; pl.: *touch screens*] *loc.subst.* INF tela de monitor de vídeo sensível ao toque de dedo ou instrumento próprio, permitindo interação com a informação visual que está sendo exibida ⇒ pronuncia-se tâtch scrin

toucinho (tou.ci.nho) ou **toicinho** (toi.ci.nho) *s.m.* gordura de porco, que fica por baixo da pele, com ou sem o respectivo couro

toupeira (tou.pei.ra) *s.f.* **1** ZOO nome comum a diversos pequenos mamíferos que se alimentam de insetos, de corpo e focinho longos, olhos muito pequenos e patas anteriores adaptadas para cavar ou nadar **2** *pej.* pessoa pouco inteligente

tourada (tou.ra.da) *s.f.* duelo em arena pública entre homem e touro

tourear (tou.re.ar) *v.* {mod. 5} *t.d. e int.* **1** correr ou lidar com (touros) *<t. um animal> <aprendeu cedo a t.>* ▫ *t.d. fig.* **2** efetuar ataque contra; investir *<t. moinhos de vento>* ~ **toureador** *adj.s.m.*

toureiro (tou.rei.ro) *adj.* **1** relativo a touro ■ *adj.s.m.* **2** que(m) toureia

touro (tou.ro) *s.m.* **1** ZOO boi não castrado, us. como reprodutor ou em tauromaquia **2** *fig.* homem muito forte *<o professor de ginástica é um t.>* **3** segunda constelação zodiacal, situada entre Áries e Gêmeos ☞ inicial maiúsc. **4** ASTRL segundo signo do zodíaco (de 21 de abril a 20 de maio) ☞ inicial maiúsc. **5** ASTRL taurino *<os três filhos dele são t.>*

tóxico (tó.xi.co) /cs/ *adj.s.m.* **1** (o) que produz efeitos nocivos no organismo **2** (o) que contém veneno *<planta t.>* ■ *s.m.* **3** droga, entorpecente ~ **toxicidade** *s.f.*

toxicologia (to.xi.co.lo.gi.a) /cs/ *s.f.* MED ramo da medicina que estuda a composição e os efeitos das substâncias tóxicas e dos venenos, e trata intoxicações e envenenamentos ~ **toxicológico** *adj.* - **toxicólogo** *s.m.*

toxicomania (to.xi.co.ma.ni.a) /cs/ *s.f.* uso compulsivo de substâncias que atuam sobre o psiquismo, como o álcool e as drogas ~ **toxicomaníaco** *adj.s.m.* - **toxicômano** *adj.s.m.*

toxina (to.xi.na) /cs/ *s.f.* BIOQ substância tóxica produzida por um organismo vivo, que pode causar doenças em seres de outras espécies

toxoplasmose (to.xo.plas.mo.se) /cs/ *s.f.* MED infecção, congênita ou adquirida, causada por um parasita intracelular e que ocorre em numerosos animais e no homem

TPM *s.f.* sigla de *tensão pré-menstrual*

tra- *pref.* → ***TRANS-***

trabalhador (tra.ba.lha.dor) /ô/ [pl.: *-es*] *adj.s.m.* **1** que(m) trabalha **2** que(m) gosta de trabalhar ↺ malandro ■ *s.m.* **3** empregado, operário

trabalhar (tra.ba.lhar) *v.* {mod. 1} *t.i. e int.* **1** (prep. *em, com*) ocupar-se com ofício, profissão ou atividade *<trabalha no comércio>* ▫ *int.* **2** realizar bem as atividades; funcionar *<o relógio parou de t.>* ▫ *t.i.* **3** (prep. *em*) empenhar-se para executar ou alcançar (algo) *<t. na redação do livro>* **4** (prep. *para*) ter influência em (um resultado); contribuir *<tudo trabalhava para sua vitória>* **5** (prep. *com*) ter comércio de (produtos, serviços) *<a loja trabalha com carne>* ▫ *t.d.* **6** dar nova forma, tratamento a (mármore, madeira etc.); manipular **7** preparar (solo) para cultivo **8** executar ou preparar com esmero *<t. um discurso>* **9** preparar para desempenhar certo papel ou função *<t. os alunos, o povo>* **10** *B* exercitar, fortalecer (musculatura, membros, o corpo)

trabalheira (tra.ba.lhei.ra) *s.f.* **1** trabalho cansativo *<foi uma t. terminar a pesquisa>* **2** *fig.* grande dificuldade *<tirá-lo de casa é uma t.>* ↺ facilidade

trabalhismo (tra.ba.lhis.mo) *s.m.* nome dado às formas de ação política e econômica que dão destaque aos direitos dos trabalhadores

trabalhista (tra.ba.lhis.ta) *adj.2g.* **1** relativo a trabalhismo **2** relativo a trabalho **3** relativo a trabalhadores e a seus direitos *<lei t.> <justiça t.>* ■ *adj.2g.s.2g.* **4** adepto do trabalhismo **5** DIR especialista em direito do trabalho *<consultou um (advogado) t.>*

trabalho (tra.ba.lho) *s.m.* **1** atividade profissional, remunerada ou não *<t. de meio expediente> <t. voluntário>* **2** atividade produtiva ou criativa, exercida para determinado fim *<t. manual>* **3** o resultado ou o exercício dessas atividades *<o t. de um jornalista> <um belo t. de tapeçaria>* **4** local onde a atividade é exercida *<mora perto do t.>* **5** esforço, lida **6** REL em cultos afro-brasileiros, prática ritual que visa obter auxílio, proteção ou conquista de algum desejo

trabalhoso (tra.ba.lho.so) /ô/ [pl. e fem.: /ó/] *adj.* **1** que dá ou causa trabalho *<serviço t.>* **2** difícil *<travessia t.>* ↺ fácil

trabécula (tra.bé.cu.la) *s.f.* **1** trave pequena **2** filamento cruzado de teia de aranha ◉ GRAM/USO dim. irreg. de *trave*

trabuco (tra.bu.co) *s.m.* bacamarte

traça (tra.ça) *s.f.* ZOO nome comum a larvas de várias espécies de mariposa que corroem papel, tecido etc.

traçado (tra.ça.do) *adj.* **1** representado por meio de traços **2** delineado, delimitado *<a trilha t. era bem clara>* **3** *fig.* que se esboçou; delineado, projetado *<o plano t. não deu certo>* ■ *s.m.* **4** ato ou efeito de traçar (linhas, riscos etc.) *<o t. de uma curva>* **5** ARQ ENG esboço ou desenho definitivo de trabalho a realizar-se ou já realizado (planta, projeto etc.) *<o t. de uma estrada de ferro>*

tração (tra.ção) [pl.: *-ões*] *s.f.* **1** ato de puxar, arrastar, alongar ou o seu efeito **2** ação de uma força que desloca objeto móvel por meio de corda, cabo etc. ~ **tratório** *adj.*

traçar (tra.çar) *v.* {mod. 1} *t.d.* **1** descrever, desenhar traços; riscar *<t. uma curva, uma reta>* **2** representar por traços; desenhar *<o avião traçou um arco no céu>* **3** fazer traços em; pautar, riscar *<t. uma folha>* **4** pôr marca, demarcação em; assinalar *<t. limites de um terreno>* ↺ desmarcar **5** desenhar os contornos de; esboçar *<t. a planta do prédio>* **6** compor o retrato, a imagem, a trajetória de *<t. o perfil de um bandido>* **7** descrever, expor *<t. a situação da firma>* **8** projetar, planejar *<t. meios de vencer> <t. um plano>* **9** pôr de través, a tiracolo; cruzar *<t. o colar> <traçou as pernas ao sentar-se>*

tracejar (tra.ce.jar) *v.* {mod. 1} *int.* **1** fazer traços ou linhas; riscar *<pegou lápis e papel e começou a t.>* □ *t.d.* **2** formar com traços sucessivos *<t. uma linha>* **3** descrever ou planejar superficialmente *<o jornal apenas tracejou o fato>* ~ **tracejamento** *s.m.*

tracionar (tra.cio.nar) *v.* {mod. 1} *t.d.* deslocar por tração; puxar *<o boi traciona a carroça>*

traço (tra.ço) *s.m.* **1** risco ou linha feita com lápis, giz, pincel etc. **2** modo próprio de desenhar *<adorava o t. daquele desenhista>* **3** linha do rosto; fisionomia *<mulher de t. delicados>* **4** caráter, qualidade *<a bondade era seu t. marcante>* **5** *fig.* o que restou; vestígio, rastro *<traços da civilização inca>*

traço de união (tra.ço de u.ni.ão) [pl.: *traços de união*] *s.m.* GRAM hífen

tradição (tra.di.ção) [pl.: *-ões*] *s.f.* **1** herança cultural passada oralmente através das gerações *<t. indígenas>* **2** conjunto dos valores morais, espirituais etc., transmitidos de geração em geração *<eles romperam com as t.>*

tradicional (tra.di.cio.nal) [pl.: *-ais*] *adj.2g.* **1** pertencente ou relativo a tradição *<festas t.>* **2** transmitido por tradição *<costume t.>*

tradicionalismo (tra.di.cio.na.lis.mo) *s.m.* forte ligação com as tradições; conservadorismo ↺ renovação ~ **tradicionalista** *adj.2g.s.2g.*

trading company (trad.ing com.pa.ny) [ing.; pl.: *trading companies*] *loc.subst.* companhia de grande porte que atua no comércio internacional ⇒ pronuncia-se trêidin câmpani

tradução (tra.du.ção) [pl.: *-ões*] *s.f.* **1** transposição de uma língua para outra **2** obra traduzida *<temos uma ótima t. de Cervantes>* **3** *fig.* o que expressa de modo indireto; imagem, reflexo *<o texto era a t. de seus sentimentos>* **4** ato de tornar claro o significado de algo; interpretação, explicação

tradutor (tra.du.tor) /ô/ [pl.: *-es*] *adj.* **1** que traduz *<software t. de textos>* ■ *adj.s.m.* **2** (aquele) cuja função ou profissão é traduzir textos

traduzir (tra.du.zir) *v.* {mod. 24} *t.d. e t.d.i.* **1** (prep. *para*) passar (texto, frase etc.) de uma língua para (outra) *<traduz obras clássicas> <traduziu dois livros para o espanhol>* □ *t.d.pred.* **2** dar certo sentido a; considerar, interpretar *<traduziu seu gesto como uma recusa>* □ *t.d. e pron.* **3** tornar(-se) evidente, perceptível; manifestar(-se), revelar(-se) *<esse presente traduz o nosso amor> <sua perturbação traduziu-se no rubor de suas faces>* □ *t.d.* **4** ser representação de; simbolizar *<a balança traduz a justiça>* **5** tornar conhecido ou compreensível; explicar *<teve de t. suas ideias>* ~ **traduzível** *adj.2g.*

trafegar (tra.fe.gar) *v.* {mod. 1} *int.* deslocar-se no tráfego ☞ cf. *traficar*

tráfego (trá.fe.go) *s.m.* trânsito ('circulação') *<avenida com t. lento>* ☞ cf. *tráfico*

traficante (tra.fi.can.te) *adj.2g.s.2g.* (aquele) que trafica, que faz tráfico

traficar (tra.fi.car) *v.* {mod. 1} *t.d.,t.i. e int.* (prep. *com*) fazer negócio clandestino, fraudulento, ilegal *<t. (com) entorpecentes> <foi preso quando traficava>* ☞ cf. *trafegar*

tráfico (trá.fi.co) *s.m.* comércio ou negociação ilegal *<t. de armas>* ☞ cf. *tráfego*

tragada (tra.ga.da) *s.f.* **1** ato de aspirar fumaça de cigarro **2** gole, esp. de bebida alcoólica; trago

tragar (tra.gar) *v.* {mod. 1} *t.d.* **1** engolir num gole **2** comer rapidamente, com avidez **3** fazer sumir;

absorver <*a onda tragou o barco*> **4** aspirar <*t. o ar da manhã*> **5** *fig.* ser tolerante, paciente com; aguentar <*não tragava aquele sujeito*> □ *t.d. e int.* **6** inalar a fumaça de (cigarro)

tragédia (tra.gé.dia) *s.f.* **1** CINE TEAT TV peça ou filme dramático ger. com final infeliz ou desastroso **2** *fig.* catástrofe, desgraça <*sua demissão foi uma t.*>

trágico (trá.gi.co) *adj.* **1** próprio de tragédia **2** *fig.* que traz morte ou desgraça; funesto <*acontecimento t.*>

tragicomédia (tra.gi.co.mé.dia) *s.f.* **1** CINE TEAT TV peça que mescla tragédia e comédia **2** *fig.* mistura de acontecimentos trágicos e risíveis ~ **tragicômico** *adj.*

trago (tra.go) *s.m.* **1** gole **2** dose de bebida alcoólica

traição (tra.i.ção) [pl.: *-ões*] *s.f.* **1** quebra de fidelidade; deslealdade <*jogar no time adversário foi uma t.*> ↺ lealdade **2** *p.ext.* infidelidade amorosa <*não perdoou a t. do marido*> ↺ fidelidade

traiçoeiro (trai.ço.ei.ro) *adj.* **1** em que há ou que revela traição <*golpe t.*> <*palavras t.*> **2** que é perigoso sem que o pareça <*animal t.*> <*ondas t.*> ■ *adj.s.m.* **3** (aquele) que atraiçoa, que é desleal; traidor

traidor (tra.i.dor) /ô/ [pl.: *-es*] *adj.s.m.* **1** (aquele) que atraiçoa; traiçoeiro ■ *adj.* **2** perigoso sem o parecer; traiçoeiro

trailer (trail.er) [ing.; pl.: *trailers*] *s.m.* **1** CINE TV montagem de trechos de filme, novela etc., exibida como anúncio antes do lançamento **2** veículo puxado por carro, us. em viagens, excursões ou como casa ⇒ pronuncia-se trêiler

trainee (train.ee) [ing.; pl.: *trainees*] *s.2g.* **1** pessoa que está sendo treinada, esp. para um trabalho determinado **2** profissional ger. recém-formado que participa de programa de treinamento oferecido por uma empresa ⇒ pronuncia-se treini

traineira (trai.nei.ra) *s.f.* **1** MAR barco de pesca a motor com um grande porão, us. no litoral sul do Brasil **2** *B* grande rede em forma de trapézio, us. na pesca da sardinha

trair (tra.ir) *v.* {mod. 25} *t.d.* **1** ser desleal, infiel com; atraiçoar, enganar <*o rapaz prometeu nunca t. ninguém*> **2** abandonar, contrariar (crença, convicção etc.) <*t. os princípios do partido*> ↺ seguir **3** deixar de cumprir (promessa, compromisso etc.) <*o produtor traiu os artistas e fugiu com o dinheiro*> **4** revelar de modo involuntário <*seu olhar traía seus pensamentos*> □ *pron.* **5** revelar, por descuido, o que deveria ficar oculto <*dizia-se inocente, mas traiu-se ao cair em contradição*>

traíra (tra.í.ra) *s.f.* ZOO peixe carnívoro de cerca de 60 cm de comprimento, cor variando do negro ao pardo escuro, ventre branco e manchas escuras espalhadas pelo corpo

trajar (tra.jar) *v.* {mod. 1} *t.d.,int. e pron.* usar como vestuário; vestir(-se) <*trajava um vestido branco*> <*aquele senhor trajava muito bem*> <*trajava-se com elegância*>

traje (tra.je) ou **trajo** (tra.jo) *s.m.* **1** roupa que se veste habitualmente <*era reconhecido por seus t.*> **2** vestuário próprio de uma profissão <*t. de mecânico*> **3** roupa, vestimenta <*t. de gala*>

trajeto (tra.je.to) *s.m.* espaço a percorrer de um ponto a outro; percurso

trajetória (tra.je.tó.ria) *s.f.* **1** trajeto **2** FÍS linha descrita por um corpo em movimento

trajo (tra.jo) *s.m.* → ***TRAJE***

tralha (tra.lha) *s.f.* **1** pequena rede de pesca que pode ser lançada por uma só pessoa **2** amontoado de objetos velhos ou inúteis; bugiganga, cacareco

trama (tra.ma) *s.f.* **1** conjunto de fios paralelos à largura de um tecido ☞ cf. *urdidura* **2** o que foi tecido; tela **3** CINE LIT TEAT sucessão de fatos numa história; enredo <*a t. do filme era muito interessante*> **4** intriga contra alguém ou algo; complô <*descobriram a t. dos rebeldes*>

tramar (tra.mar) *v.* {mod. 1} *t.d.* **1** passar a trama entre os fios da urdidura de; tecer **2** *fig.* planejar a execução de (ger. algo ruim); urdir, maquinar <*t. uma grande jogada de ataque*> □ *t.i. e t.d.i.* **3** (prep. *contra*) planejar em segredo e em conjunto (ações danosas) contra; conspirar <*tramavam invadir o castelo à noite*> <*t. contra o imperador*>

trambique (tram.bi.que) *s.m.* *B infrm.* negócio fraudulento; trapaça ~ **trambicar** *v.t.d. e t.i.*

trambiqueiro (tram.bi.quei.ro) *adj.s.m.* (aquele) que faz trambiques

trambolhão (tram.bo.lhão) [pl.: *-ões*] *s.m.* **1** ato de cair aos trancos ou rolando <*levou um t. ao tentar sair do mar*> **2** queda com barulho ~ **trambolhar** *v.int.*

trambolho (tram.bo.lho) /ô/ *s.m.* **1** peso atado aos pés de animais domésticos para dificultar seu deslocamento **2** *fig.* obstáculo, empecilho <*aquele móvel era um t.*>

tramela (tra.me.la) ou **taramela** (ta.ra.me.la) *s.f.* peça que gira presa a um prego, us. para fechar porta, porteira etc.

tramitação (tra.mi.ta.ção) [pl.: *-ões*] *s.f.* **1** ato ou efeito de tramitar **2** DIR conjunto dos atos necessários para o andamento de um processo

tramitar (tra.mi.tar) *v.* {mod. 1} *int.* seguir os trâmites, o curso regular para conseguir (documento, requisição etc.) <*a petição ainda tramita no ministério*>

trâmite (trâ.mi.te) *s.m.* **1** o que conduz a algum ponto; via <*a aliança entre as nações foi-se construindo por t. sinuosos*> **2** procedimento normal para atingir determinado fim <*os t. para a realização do concurso*> ☞ mais us. no pl.

tramoia (tra.moi.a) /ói/ *s.f.* artimanha; trapaça ~ **tramoieiro** *s.m.*

tramontana (tra.mon.ta.na) *s.f.* **1** a estrela polar **2** vento que sopra do norte **3** *p.ext.* direção, rumo

trampo (tram.po) *s.m.* *SP RS gír.* trabalho, serviço

trampolim (tram.po.lim) [pl.: *-ins*] *s.m.* **1** prancha para impulsionar salto, mergulho etc. **2** *fig.* pessoa ou coisa que serve de meio para se obter ou realizar algo <*o tio, escritor famoso, foi seu t. para iniciar uma carreira de sucesso*>

tranca (tran.ca) *s.f.* **1** viga de madeira ou ferro que fecha portas e janelas pelo lado de dentro **2** artefato us. em portões, portas de residências, veículos etc. para fins de segurança

T

trança (tran.ça) *s.f.* entrelaçamento de três madeixas, fios etc. ~ **trançador** *adj.s.m.*

trançado (tran.ça.do) *adj.* **1** disposto em trança; entrelaçado *<cabelos t.>* **2** que se cruzou; atravessado *<sentou-se com as pernas t.>*

trancafiar (tran.ca.fi.ar) *v.* {mod. 1} *t.d. B* **1** prender em penitenciária, xadrez etc. ↺ libertar □ *t.d. e pron. B* **2** isolar(-se) num ambiente, afastando (-se) do convívio social; encarcerar(-se) *<trancafia os cães e não cuida deles como deveria> <trancafiou-se em seu gabinete para concluir o livro>*

trancar (tran.car) *v.* {mod. 1} *t.d.* **1** fechar com chave ou tranca *<tranque a porta ao sair>* **2** prender em penitenciária, cela etc.; encarcerar **3** suspender (matrícula, inscrição), podendo reativá-la depois □ *t.d. e pron.* **4** manter(-se) em recinto fechado *<trancou o cão de guarda por causa das crianças> <trancou-se no quarto para meditar>* □ *pron.* **5** mostrar-se reservado, pouco comunicativo *<tranca-se diante de estranhos> <trancou-se com o marido sobre aquele assunto>* ~ **trancamento** *s.m.*

trançar (tran.çar) *v.* {mod. 1} *t.d.,t.d.i. e pron.* **1** (prep. *com*) juntar(-se), metendo(-se) uns por entre os outros; entrançar(-se) *<t. palha> <t. fitas amarelas com brancas> <a trepadeira trançou-se na cerca>* □ *t.d.* **2** fazer trança em *<t. os cabelos>*

tranco (tran.co) *s.m.* **1** salto largo que dá o cavalo **2** solavanco *<o carro deu um t.>* **3** encontrão, esbarrão *<levou um t. na saída do cinema>* ▣ **aos t. e barrancos** *fig.* com muito custo *<terminou o curso aos t. e barrancos>*

tranqueira (tran.quei.ra) *s.f.* **1** *SP* pilha de troncos ou galhos secos de árvore, no meio da mata, ou impedindo o trânsito **2** *S.* coisa que impede ou embaraça o deslocamento, a realização ou o desenvolvimento de algo; dificuldade, obstáculo **3** porteira **4** *infrm. pej.* coisa sem valor, barata ou inútil; bugiganga, porcaria

tranquilamente (tran.qui.la.men.te) /qü/ *adv.* **1** com calma, tranquilidade; em paz *<dormiu t.>* **2** com facilidade, sem esforço *<ela passará na prova t.>*

tranquilidade (tran.qui.li.da.de) /qü/ *s.f.* **1** ausência de agitação, de inquietações ou alvoroço *<a t. de umas férias na montanha>* ↺ afobação, correria **2** inexistência de culpa ou remorso *<t. de consciência>* ↺ intranquilidade

tranquilizador (tran.qui.li.za.dor) /qü...ô/ [pl.: -*es*] *adj.* **1** que tranquiliza; tranquilizante *<notícia t.>* ■ *s.m.* **2** indivíduo que tranquiliza

tranquilizante (tran.qui.li.zan.te) /qü/ *adj.2g.* **1** que tranquiliza ■ *adj.2g.s.m.* **2** FARM (medicamento) que acalma; sedativo

tranquilizar (tran.qui.li.zar) /qü/ *v.* {mod. 1} *t.d. e pron.* tornar(-se) tranquilo; acalmar(-se), serenar ↺ agitar(-se)

tranquilo (tran.qui.lo) /qü/ *adj.* **1** sem agitação, inquietação *<férias t.>* **2** calmo, sereno *<bebê t.>* **3** em que não há dúvida; certo, seguro *<a aprovação é t.>* ↺ incerto

tranquitana (tran.qui.ta.na) *s.f.* → *TRAQUITANA*

trans-, **tra-**, **tras-** ou **tres-** *pref.* 'mudança, deslocamento para além de ou através de': *transbordar, travestir, trasladar, tresnoitado*

transa (tran.sa) /z/ *s.f. B infrm.* **1** combinação para atingir determinado fim; acordo *<a t. que tem com o primo tem dado bom retorno>* **2** assunto, questão *<não se meta, isso é uma t. minha com ele>* **3** relação sexual

transação (tran.sa.ção) /z/ [pl.: -*ões*] *s.f.* **1** ato de transigir ou o seu efeito **2** ajuste em consequência do qual se realiza uma negociação ou contrato; acordo, convenção *<não contou a ninguém sobre as novas t.>* **3** operação comercial *<a compra dos ônibus foi uma t. desonesta>* **4** *infrm.* transa

transacionar (tran.sa.cio.nar) /z/ *v.* {mod. 1} *t.d.,t.d.i. e int.* (prep. *com*) efetuar transações ou negócios (com); comerciar *<o país transaciona vários produtos (com países europeus)> <com a recessão, passou a t. menos>* ~ **transacional** *adj.2g.*

transacto (tran.sac.to) /z/ *adj.* → *TRANSATO*

transado (tran.sa.do) /z/ *adj. gír.* moderno, na moda (*roupa t.*; *decoração t.*); especial, diferente (*conto t.*; *blogue t.*); feito com capricho, bem-acabado (*carro t.*; *desenho t.*) etc.

transamazônico (tran.sa.ma.zô.ni.co) /za/ *adj.* que atravessa a região amazônica

transar (tran.sar) /z/ *v.* {mod. 1} *t.d. e t.i. infrm.* **1** (prep. *com*) chegar a acordo sobre; combinar *<t. a venda de um imóvel> <ele transa com produtos importados>* □ *t.i. e int. infrm.* **2** (prep. *com*) fazer sexo (com)

transatlântico (tran.sa.tlân.ti.co) /z/ *adj.* **1** que fica além do oceano Atlântico *<civilizações t.>* **2** que atravessa o oceano Atlântico *<viagem t.>* ■ *s.m.* **3** MAR grande navio de passageiros que atravessa oceanos e mares

transato (tran.sa.to) /z/ ou **transacto** (tran.sac.to) /z/ *adj.* que já passou; pretérito

transbordar (trans.bor.dar) *v.* {mod. 1} *t.d. e int.* **1** (fazer) sair pelas bordas *<as chuvas transbordaram o rio> <encheu tanto o copo que a água transbordou>* **2** entornar, derramar □ *t.i. fig.* **3** (prep. *de*) estar repleto, tomado de *<sentia o peito t. de angústia>* **4** *fig.* (prep. *em, por*) lançar-se em muitas direções; derramar-se, espalhar-se *<após o comício, o povo transbordou pelas ruas>* ~ **transbordamento** *s.m.* - **transbordante** *adj.2g.*

transbordo (trans.bor.do) /ô/ *s.m.* **1** ato de transbordar ou o seu efeito; transbordamento **2** passagem de mercadoria, passageiro etc., de um transporte para outra linha do mesmo transporte; baldeação *<fizeram t. no aeroporto de Brasília>*

transcendência (trans.cen.dên.cia) *s.f.* **1** caráter do que é transcendente **2** superioridade de inteligência; perspicácia, sagacidade **3** FIL na tradição metafísica, caráter inerente a um princípio ou ser divino que ultrapassa a realidade sensível, e com a qual mantém, em decorrência de sua perfeição e superioridade absolutas, uma relação de superioridade e de distância

transcendentalismo (trans.cen.den.ta.lis.mo) *s.m.* FIL doutrina filosófica que afirma a supremacia da intuição ou da fé sobre os instrumentos materiais e racionais do conhecimento humano ~ **transcendentalista** *adj.2g.s.2g.*

transcendente (trans.cen.den.te) *adj.2g.* **1** que ultrapassa os limites normais; superior, sublime *<espírito t.>* ↺ inferior **2** que vai além da natureza física das coisas; metafísico *<entidades t.>* ↺ físico **3** que ultrapassa a capacidade normal de conhecer ou compreender *<verdade t.>* **4** agudo, sagaz *<olhar t.>* ↺ idiota ~ **transcendental** *adj.2g.*

transcender (trans.cen.der) *v.* {mod. 8} *t.d. e t.i.* **1** (prep. *a*) elevar-se sobre ou ir além de; ultrapassar, exceder *<administrar as finanças transcende as funções de diretor> <esses fatos incomuns transcendem ao nosso entendimento>* □ *t.d.* **2** ser superior a; superar, exceder *<o líder transcende seu grupo>* □ *pron.* **3** ultrapassar suas limitações; superar-se *<o ser humano transcende-se a cada dia>*

transcontinental (trans.con.ti.nen.tal) [pl.: *-ais*] *adj.2g.* que atravessa um continente de um extremo a outro *<voo t.>*

transcorrer (trans.cor.rer) *v.* {mod. 8} *int.* **1** decorrer, passar (o tempo) *<anos transcorreram, mas sua ausência ainda é sentida>* **2** desenrolar-se, acontecer de certa forma *<a viagem transcorreu bem, sem incidentes>* □ *t.d.* **3** passar além de (região, vale, ilha etc.); transpor *<ao transcorrerem a serra, avistaram o castelo>* ~ **transcorrência** *s.f.*

transcrever (trans.cre.ver) *v.* {mod. 8} *t.d.* **1** reproduzir (texto escrito ou falado) copiando-o **2** realizar a transcrição ('escrita') de ⊙ GRAM/USO part.: *transcrito*

transcrição (trans.cri.ção) [pl.: *-ões*] *s.f.* **1** ato de reproduzir um texto, copiando-o *<a t. da entrevista levou dois dias>* **2** o texto assim reproduzido *<deixei as t. sobre a sua mesa>* **3** FON LING escrita fonética de uma língua, procurando registrar a sua pronúncia real ~ **transcrito** *adj.s.m.*

transcurso (trans.cur.so) *s.m.* **1** ato de transcorrer; passagem *<o t. do tempo>* **2** intervalo de tempo

transdução (trans.du.ção) [pl.: *-ões*] *s.f.* **1** BIO transferência de ADN entre bactérias, através de um vírus que nelas penetra e as destrói **2** FÍS processo pelo qual uma energia se transforma em outra, de natureza diferente

transe (tran.se) /z/ *s.m.* **1** estado de extrema angústia; agonia *<viver um terrível t.>* **2** PSIC estado alterado de consciência, em que há distanciamento da realidade exterior; êxtase

transepto (tran.sep.to) *s.m.* ARQ corredor transversal de igreja

transeunte (tran.se.un.te) /z/ *adj.2g.* **1** que não permanece; passageiro *<condições t.>* ↺ duradouro ■ *adj.2g.s.2g.* **2** (pessoa) que passa ou está passando; passante

transexual (tran.se.xu.al) /cs/ [pl.: *-ais*] *adj.2g.s.2g.* **1** que(m) manifesta o transexualismo **2** *p.ext.* que(m) recebeu tratamento médico e cirúrgico para adquirir as características físicas do sexo oposto ■ *adj.2g.* **3** relativo a transexualismo **4** relativo à mudança de sexo *<cirurgia t.>* ~ **transexualidade** *s.f.*

transexualismo (tran.se.xu.a.lis.mo) /cs/ *s.m.* sentimento de total falta de adaptação ao próprio sexo, associado a um desejo forte de adquirir as características físicas do sexo oposto

transferência (trans.fe.rên.cia) *s.f.* **1** troca de um lugar pelo outro *<t. de escola>* **2** mudança, remoção *<t. de cargo>* ↺ manutenção **3** adiamento, suspensão *<t. da festa>* **4** INF movimentação de dados ou de controle de um programa de computador **5** DIR transmissão de um bem ou um direito para outra pessoa

transferidor (trans.fe.ri.dor) /ô/ [pl.: *-es*] *s.m.* **1** semicírculo de metal, matéria plástica etc. us. para medir ou reproduzir ângulos em um desenho ■ *adj.* **2** que transfere

transferir (trans.fe.rir) *v.* {mod. 28} *t.d.,t.d.i. e pron.* **1** (prep. *para*) mudar(-se) de um lugar para outro; deslocar(-se) *<t. domicílio> <t. a conta para outro banco> <a empresa transferiu-se para São Paulo>* ↺ manter(-se) □ *t.d.i.* **2** (prep. *a*) pôr a cargo de; incumbir *<transferiu ao secretário a culpa pelo ocorrido>* **3** (prep. *a*) transmitir (a outrem) [propriedade, direitos etc.] por meios legais *<transferiu aos filhos a posse do imóvel>* □ *t.d. e t.d.i.* **4** (prep. *para*) marcar para depois; adiar *<transferiu a festa (para dia 15)>*

transfiguração (trans.fi.gu.ra.ção) [pl.: *-ões*] *s.f.* **1** alteração radical de figura, feições, forma, caráter **2** mudança no modo de proceder, de pensar, de sentir

transfigurar (trans.fi.gu.rar) *v.* {mod. 1} *t.d. e pron.* **1** (fazer) mudar de figura, feição ou caráter; alterar(-se) *<o acidente transfigurou-o> <t. conceitos> <t.-se por medo>* ↺ conservar(-se) □ *t.d.i. e pron.* **2** (prep. *em*) [fazer] passar de um estado ou condição a (outro); transformar(-se) *<t. perdas em ganhos> <t.-se em monstro>* ↺ manter(-se) □ *t.d.* **3** dar ideia errônea de (fatos, palavras etc.); deturpar *<t. uma declaração>* ~ **transfigurador** *adj.s.m.*

transfixar (trans.fi.xar) /cs/ *v.* {mod. 1} *t.d.* perfurar de lado a lado; atravessar, transpassar *<uma flecha transfixou o peito do cacique>* ~ **transfixação** *s.f.*

transformação (trans.for.ma.ção) [pl.: *-ões*] *s.f.* ato ou efeito de transformar(-se); alteração, mudança ↺ conservação

transformador (trans.for.ma.dor) /ô/ [pl.: *-es*] *s.m.* **1** ELETR dispositivo que transforma a tensão, a intensidade ou a forma de uma corrente elétrica ■ *adj.s.m.* **2** (o) que transforma *<descoberta t.>*

transformar (trans.for.mar) *v.* {mod. 1} *t.d. e pron.* **1** (prep. *em*) (fazer) tomar nova feição ou caráter; alterar(-se) *<as más companhias transformaram-no> <com a pintura, a sala transformou-se em outra>* ↺ conservar(-se) □ *t.d.i. e pron.* **2** (prep. *em*) [fazer] passar de um estado ou condição a (outro); converter (-se) *<o trabalho transformou-o em um indivíduo responsável> <a lagarta transforma-se em borboleta>* ↺ manter(-se) □ *pron.* **3** (prep. *em*) passar-se por outra pessoa; disfarçar-se *<o jornalista transformou-se num mendigo, para fazer sua pesquisa>*

transformista (trans.for.mis.ta) *s.2g.* **1** ator que caricatura tipos diferentes com trocas rápidas e sucessivas de trajes, que identificam esses personagens **2** travesti ■ *adj.2g.* **3** diz-se desse ator ou desse travesti ~ **transformismo** *s.m.*

trânsfuga (trâns.fu.ga) *s.2g.* **1** soldado desertor **2** *p.ext.* pessoa que muda de partido político **3** pessoa que muda de crença religiosa

T

transfundir (trans.fun.dir) *v.* {mod. 24} *t.d. e t.d.i.* **1** (prep. *em*, *para*) derramar (líquido) de um recipiente para outro *<t. a água (em uma jarra de metal)>* □ *t.d.i.* **2** (prep. *em*, *para*) fazer passar (sangue ou componentes dele) para a corrente sanguínea de (pessoa ou animal) *<o veterinário teve de t. sangue no organismo debilitado do gorila>* **3** (prep. *em*) transmitir, difundir *<t. uma doutrina na comunidade> <transfundiu nos filhos a sua generosidade>* □ *pron.* **4** (prep. *em*) transformar-se, converter-se *<transfundiu-se em um cético>*

transfusão (trans.fu.são) [pl.: *-ões*] *s.f.* ato ou efeito de transfundir(-se) ▣ **t. de sangue** injeção de sangue ou de um de seus componentes na corrente sanguínea de um indivíduo

transgênero (trans.gê.ne.ro) *adj.s.m.* que ou quem não se identifica com as noções convencionais de homem ou mulher, combinando ou alternando essas duas identidades

transgênico (trans.gê.ni.co) *adj.s.m.* BIO (organismo) que contém um ou mais genes transferidos de outra espécie de forma artificial *<soja t.> <milho t.>*

transgredir (trans.gre.dir) *v.* {mod. 27} *t.d.* **1** não seguir determinações de (ordem, lei etc.); infringir ↺ cumprir **2** ir além de; atravessar *<t. a fronteira>*

transgressão (trans.gres.são) [pl.: *-ões*] *s.f.* ato ou efeito de transgredir

transgressor (trans.gres.sor) /ô/ [pl.: *-es*] *adj.s.m.* (aquele) que transgride; contraventor, infrator ↺ cumpridor

transição (tran.si.ção) /zi/ [pl.: *-ões*] *s.f.* passagem de um ponto, estado, condição etc. a outro *<a t. da condição de colônia para a de país independente> <a t. de menina a moça>*

transido (tran.si.do) /zi/ *adj.* **1** dominado por medo, tristeza, frio etc. **2** *p.ext.* assustado, apavorado *<olhos t.>*

transigência (tran.si.gên.cia) /zi/ *s.f.* **1** conciliação, contemporização *<t. com amigos>* **2** tolerância, condescendência *<não podemos tolerar t. com essa injustiça>* ↺ intolerância

transigente (tran.si.gen.te) /zi/ *adj.2g.s.2g.* (aquele) que transige, que cede; condescendente *<sempre foi t. com os mais velhos>*

transigir (tran.si.gir) /zi/ *v.* {mod. 24} *t.i. e int.* **1** (prep. *com*) chegar a acordo por mútuas concessões; conciliar, ceder *<recusou-se a t. com os traidores> <relutou mas acabou transigindo>* **2** (prep. *com*) ser tolerante com; condescender *<não se deve t. com a falsidade> <alguns pais acabam transigindo>*

transir (tran.sir) /zi/ *v.* {mod. 24} *t.d.* **1** passar através de; transpassar *<o suor transiu a camisa>* □ *int.* **2** ficar imóvel de frio, dor ou medo ◉ GRAM/USO verbo defectivo

transistor (tran.sis.tor) /zi...ô/ [pl.: *-es*] ou **transístor** (tran.sís.tor) [pl.: *-es*] *s.m.* **1** ELETRÔN dispositivo semicondutor us. para controlar o fluxo de eletricidade em um equipamento eletrônico **2** *B* rádio de pilha, portátil, montado com esse dispositivo ~ **transistorizar** *v.t.d.*

transitar (tran.si.tar) /zi/ *v.* {mod. 1} *t.d. e int.* **1** passar ou andar ao longo, entre ou através de; percorrer *<t. o quintal> <veículos transitam por aqui>* □ *t.i.* **2** (prep. *a*, *de*, *para*) mudar de lugar, situação ou condição *<t. de um partido para outro>*

transitável (tran.si.tá.vel) /zi/ [pl.: *-eis*] *adj.2g.* que pode ser transitado; por onde se pode passar *<via t.>*

transitivo (tran.si.ti.vo) /zi/ *adj.* **1** que dura pouco; transitório *<estado t.>* ↺ duradouro **2** GRAM que requer a presença de um ou mais complementos (diz-se de verbo) ↺ intransitivo ~ **transitividade** *s.f.*

trânsito (trân.si.to) /zi/ *s.m.* **1** ato de transitar *<à noite, o t. por aqui deve ser evitado>* **2** circulação, esp. de veículos e pedestres; tráfego *<rua de pouco t.>* **3** passagem, acesso *<uma pedra enorme interrompeu o t. por aqui>* **4** ASTR movimentação de um corpo celeste **5** *fig.* boa aceitação em certos meios *<ter bom t. no meio acadêmico>*

transitório (tran.si.tó.rio) /zi/ *adj.* **1** efêmero, passageiro *<situação t.>* ↺ duradouro **2** provisório, temporário *<cargo t.>* ↺ permanente ~ **transitoriedade** *s.f.*

translação (trans.la.ção) [pl.: *-ões*] *s.f.* **1** ato, processo ou efeito de transladar; transferência **2** FÍS movimento de um sistema físico no qual todos os seus componentes se deslocam de forma paralela e mantendo as mesmas distâncias entre si ▣ **t. da Terra** movimento orbital da Terra em torno do Sol, cuja duração é de 365 ou 366 dias ☞ cf. *rotação da Terra* ~ **translativo** *adj.*

transladar (trans.la.dar) *v.* {mod. 1} *t.d.* **1** transferir para outro lugar; mudar, levar *<t. o corpo para o país natal>* **2** transferir para outra ocasião; adiar *<t. um compromisso>* **3** fazer cópia de; reproduzir, transcrever □ *t.d.i.* **4** (prep. *para*) passar (texto, frase etc.) de uma língua para (outra); traduzir *<transladava do russo para o português>* □ *pron.* **5** mudar-se, transferir-se *<t.-se para o interior>* **6** alterar-se, transformar-se ↺ conservar-se

translado (trans.la.do) *s.m.* traslado

transliterar (trans.li.te.rar) *v.* {mod. 1} *t.d.* representar com um sistema de escrita (algo escrito com outro) *<t. japonês para o português>* ~ **transliteração** *s.f.*

translúcido (trans.lú.ci.do) *adj.* **1** diz-se de corpo que deixa passar a luz, sem que se possa ver um objeto atrás dele; diáfano *<esse vidro é t.>* **2** levemente iluminado *<manhã t.>* ↺ sombrio **3** *fig.* culto, ilustrado *<espírito t.>* ↺ inculto ~ **translucidar** *v.t.d.* - **translucidez** *s.f.*

transluzir (trans.lu.zir) *v.* {mod. 24} *int.* **1** brilhar através de *<o sol transluzia entre as nuvens>* □ *int. e pron. fig.* **2** mostrar-se por meio de; transparecer *<a alegria transluzia(-se) em seu rosto>* ~ **transluzimento** *s.m.*

transmigrar (trans.mi.grar) *v.* {mod. 1} *int. e pron.* **1** mudar(-se) de um lugar, país para outro *<t.(-se) para São Paulo>* □ *int.* **2** passar (a alma) de um corpo para outro ~ **transmigração** *s.f.* - **transmigratório** *adj.*

transmissão (trans.mis.são) [pl.: *-ões*] *s.f.* **1** ato de comunicar; comunicação *<t. de notícia>* **2** ação de passar característica genética, posses, cargo etc. a alguém **3** condução, propagação *<t. de calor>* **4** envio de informação sonora ou visual por ondas eletromagnéticas *<t. de jogo pela TV>*

transmissível (trans.mis.sí.vel) [pl.: *-eis*] *adj.2g.* passível de ser transmitido

T

transmissor (trans.mis.sor) /ô/ [pl.: *-es*] *s.m.* TEL **1** emissor de mensagem cifrada e convertida em sinais **2** equipamento que emite sinais telegráficos, telefônicos, radiofônicos etc. ■ *adj.s.m.* **3** (aquele) que transmite

transmitir (trans.mi.tir) *v.* {mod. 24} *t.d. e pron.* **1** ser condutor de ou conduzido por; propagar (-se), transportar(-se) *<o metal transmite calor>* *<o som transmite-se por ondulação>* □ *t.d. e t.d.i.* **2** (prep. *a*) passar a (alguém) por sucessão, contágio, herança etc. *<bichos que transmitem doenças>* *<t. bens, valores aos filhos>* **3** (prep. *a*) destinar para; expedir, enviar *<t. ordem, mensagem (ao secretário)>* **4** (prep. *a*) fazer sentir; infundir *<sua fala transmite calma (aos pacientes)>* □ *t.d.* **5** TEL enviar (informação sonora ou visual) por sinais elétricos, eletromagnéticos **6** noticiar, relatar *<t. as novidades>* ~ **transmissivo** *adj.*

transmudar (trans.mu.dar) *v.* {mod. 1} *t.d.,t.d.i. e pron.* transmutar

transmutar (trans.mu.tar) *v.* {mod. 1} *t.d. e t.d.i.* **1** (prep. *a, para*) dar a posse de (algo) a; passar, transmitir *<t. bens>* *<o pai transmutou os imóveis aos filhos>* □ *t.d.,t.d.i. e pron.* **2** (prep. *em*) [fazer] passar de um estado ou condição a (outro); transformar (-se) *<o sucesso transmutou-a>* *<as longas viagens o transmutaram num solitário>* *<a indignação transmutou-se em raiva>* ↺ conservar(-se) □ *t.d.* **3** mudar de lugar; transferir *<foi preciso t. hóspedes>* ~ **transmutação** *s.f.*

transnacional (trans.na.cio.nal) [pl.: *-ais*] *adj.2g.* que se estende por várias nações *<corporações t.>*

transoceânico (tran.so.ce.â.ni.co) *adj.* **1** que se situa além-mar *<país t.>* **2** que atravessa o oceano *<regata t.>*

transparecer (trans.pa.re.cer) *v.* {mod. 8} *int.* **1** aparecer, total ou parcialmente, através de; transluzir *<pedras transpareciam sob a água clara>* **2** *fig.* fazer-se conhecido; revelar-se, mostrar-se *<seus verdadeiros motivos acabaram transparecendo>* ↺ ocultar-se

transparência (trans.pa.rên.cia) *s.f.* **1** característica de deixar passar luz e formas que certos materiais têm *<a t. do vidro>* ↺ opacidade **2** o que é transparente **3** *fig.* clareza, limpidez *<política da t.>* ↺ obscuridade **4** GRÁF folha de material translúcido na qual se imprimem ou escrevem textos, desenhos etc. para projeção

transparente (trans.pa.ren.te) *adj.2g.* **1** que deixa passar a luz e ver nitidamente o que está por trás *<água t.>* ↺ opaco **2** claro, luminoso *<luz t.>* ↺ sombrio **3** *fig.* que tem clareza, exatidão *<contabilidade t.>* ↺ obscuro **4** *fig.* que permite perceber com clareza a verdade *<caráter t.>* ↺ obscuro

transpassar (trans.pas.sar) *v.* {mod. 1} *t.d.* **1** furar de parte a parte; atravessar, transfixar *<uma lança transpassou-lhe o peito>* *<a lâmina da tesoura transpassou o braço da boneca>* **2** passar através de; transpor *<o suor transpassou a roupa>* **3** ir de um extremo a outro de; atravessar *<t. um rio>* **4** ir além de (limites); ultrapassar *<t. os limites do bom senso>* **5** fechar (saia, cinto etc.), sobrepondo duas partes **6** *fig.* causar profunda dor moral a; ferir, pungir *<a traição transpassou sua alma>* ~ **transpasse** *s.m.*

transpiração (trans.pi.ra.ção) [pl.: *-ões*] *s.f.* **1** eliminação de suor pelos poros **2** suor

transpirar (trans.pi.rar) *v.* {mod. 1} *t.d. e int.* **1** secretar (suor) pelos poros do corpo; suar *<transpirava toda a cerveja que tomou>* *<t. muito>* □ *t.d. fig.* **2** lançar de si; exalar *<ele transpira sabedoria>* **3** deixar perceptível, evidente; transparecer, revelar *<seu olhar transpira amor>* □ *int.* **4** tornar-se público; divulgar-se *<o segredo transpirou>*

transplantar (trans.plan.tar) *v.* {mod. 1} *t.d. e t.d.i.* **1** (prep. *de, em, para*) remover (vegetal) e plantá-lo em outro lugar *<t. mudas (do jardim para o sítio)>* **2** *p.ext* (prep. *de, em, para*) transferir de um lugar ou contexto para outro *<os imigrantes transplantam usos e costumes (para outra cultura)>* **3** MED implantar (tecido, órgão etc.) em outra parte do corpo ou em outro indivíduo *<hoje, conseguem-se t. rins com bastante segurança>* *<t. o fígado de um acidentado para um paciente com insuficiência hepática>* ~ **transplantação** *s.f.*

transplante (trans.plan.te) *s.m.* **1** ato de plantar novamente vegetais em outro lugar **2** MED transferência de tecido, órgão ou parte dele para outra parte do corpo ou para outro corpo *<t. de coração>*

transplatino (trans.pla.ti.no) *adj.* **1** que fica além do rio da Prata (América do Sul) ☞ cf. *cisplatino* **2** relativo ao povo que habita na região além do rio da Prata ■ *s.m.* **3** natural ou habitante dessa região

transpor (trans.por) *v.* {mod. 23} *t.d.* **1** passar além de; ultrapassar *<t. a fronteira>* *<o foguete transpôs a atmosfera>* **2** superar, vencer (obstáculo) *<t. os próprios limites>* *<o cavalo transpôs a cerca com facilidade>* **3** alterar a ordem de *<t. os termos de um contrato>* **4** mudar de um lugar e/ou de um tempo para outro; transferir *<transpôs o drama clássico para a época atual>* □ *pron.* **5** não se deixar ver; esconder-se ◉ GRAM/USO part.: *transposto* ~ **transponível** *adj.2g.* - **transposição** *s.f.*

transportadora (trans.por.ta.do.ra) /ô/ *s.f. B* empresa especializada no transporte de cargas

transportar (trans.por.tar) *v.* {mod. 1} *t.d.* **1** levar ou conduzir de um lugar para outro; carregar *<t. a carga até a fronteira>* □ *pron.* **2** passar de um lugar para outro; transferir-se *<não tinha disposição para transportar-se até a sala>* *<transportou-se do Rio para São Paulo>* □ *t.d.i.* **3** (prep. *a, para*) fazer chegar (conhecimento, informação) a; transmitir *<a ciência transportará essa descoberta ao futuro>* □ *t.d.i. e pron. fig.* **4** levar ou ir mentalmente para (época, momento); remontar *<o jogo transportou-o às férias>* *<ao vê-la, transportou-se à infância>* **5** (fazer) sentir êxtase; arrebatar(-se) *<a paz do campo transportou o visitante>* *<t.-se de contentamento>* ~ **transportador** *adj.s.m.*

transporte (trans.por.te) *s.m.* **1** ato de transportar ou o seu efeito *<o t. à noite é proibido>* **2** veículo que transporta *<o trem é um t. econômico>*

transposto (trans.pos.to) /ô/ [pl. e fem.: /ó/] *adj.* que se transpôs; que sofreu transposição ◉ GRAM/USO part. de *transpor*

transtornado (trans.tor.na.do) *adj.* **1** fora do juízo normal *<ficou t. com a má notícia>* **2** alterado nas suas feições; desfigurado *<estava t. de tão zangado>* **3** que teve a ordem ou a colocação alterada

T

transtornar (trans.tor.nar) *v.* {mod. 1} *t.d.* **1** modificar a ordem de; desorganizar *<a nova secretária transtornou os arquivos>* ↺ ordenar **2** provocar confusão em; atrapalhar *<o acidente transtornou o trânsito>* ↺ organizar □ *t.d. e pron.* **3** (fazer) sofrer perturbação; atordoar(-se), confundir(-se) *<a chegada dos parentes transtornou a rotina da família> <transtornou-se com o prêmio>* **4** (fazer) perder o equilíbrio emocional; descontrolar(-se) *<a grave acusação transtornou-o>* ↺ conter(-se)

transtorno (trans.tor.no) /ô/ *s.m.* **1** situação incômoda; contratempo *<a visita causou um grande t.>* **2** contrariedade, decepção *<mudar para a nova escola foi um t.>* ↺ satisfação **3** perturbação de saúde *<t. digestivo>* ▣ **t. bipolar** PSIQ depressão bipolar

transubstanciação (tran.subs.tan.ci.a.ção) [pl.: *-ões*] *s.f.* **1** transformação de uma substância em outra **2** REL no catolicismo, conversão de pão e vinho no corpo e sangue de Cristo ~ **transubstanciar** *v.t.d. e pron.*

transudar (tran.su.dar) *v.* {mod. 1} *int.* **1** sair (o suor) pelos poros **2** correr em gotas; exsudar □ *t.d.* **3** deixar passar (um líquido); ressudar *<as paredes transudam umidade>* ~ **transudação** *s.f.*

transumância (tran.su.mân.cia) *s.f.* migração de rebanhos ou de pessoas ~ **transumante** *adj.2g.*

transvasar (trans.va.sar) *v.* {mod. 1} *t.d.* derramar (líquido) de um recipiente para outro; transfundir ☞ cf. *transvazar*

transvazar (trans.va.zar) *v.* {mod. 1} *t.d. e pron.* (fazer) transbordar (um líquido) para fora do recipiente; derramar, entornar ☞ cf. *transvasar*

transversal (trans.ver.sal) [pl.: *-ais*] *adj.2g.s.f.* **1** (linha) que forma ângulo reto com outra **2** diz-se de ou rua, avenida etc. que corta outra

transverso (trans.ver.so) *adj.* em posição transversal *<flauta t.>*

transviar (trans.vi.ar) *v.* {mod. 1} *t.d.i. e pron.* afastar (-se) do bom caminho, do dever; corromper(-se) *<t. os jovens (das boas atitudes)> <transviou-se pelos caminhos do vício>* ↺ regenerar(-se) ~ **transvio** *s.m.*

trapaça (tra.pa.ça) *s.f.* ação que envolve fraude ou artifício para enganar alguém, ou o seu efeito ~ **trapacear** *v.int.*

trapaceiro (tra.pa.cei.ro) *adj.s.m.* que(m) faz trapaças; vigarista

trapagem (tra.pa.gem) [pl.: *-ens*] *s.f.* monte de trapos

trapalhada (tra.pa.lha.da) *s.f.* **1** grande desordem; confusão *<o embarque foi uma t.>* **2** ação de má-fé; logro *<perceberam logo que a proposta era uma t.>*

trapalhão (tra.pa.lhão) [pl.: *-ões*; fem.: *trapalhona*] *adj.s.m.* **1** (o) que (se) atrapalha muito **2** que(m) faz trapaças

trapeiro (tra.pei.ro) *s.m.* catador de trapos ou de papéis nas ruas, para vender

trapézio (tra.pé.zio) *s.m.* **1** GEOM quadrilátero que tem dois lados paralelos **2** tipo de balanço us. para exercícios físicos ou em acrobacias de circo **3** ANAT grande músculo posterior do pescoço humano **4** ANAT um dos ossos localizados na mão ~ **trapezoidal** *adj.2g.* - **trapezoide** *adj.2g.*

trapezista (tra.pe.zis.ta) *adj.2g.s.2g.* que(m) trabalha em trapézio

trapiche (tra.pi.che) *s.m.* **1** armazém à beira do cais **2** *N.E.* pequeno engenho de açúcar movido por bois ~ **trapicheiro** *adj.s.m.*

trapista (tra.pis.ta) *adj.2g.* **1** relativo à ordem religiosa da Trapa ■ *adj.2g.s.2g.* **2** diz-se de ou religioso dessa ordem *<monge t.>*

trapo (tra.po) *s.m.* **1** roupa ou pedaço de pano gasto, velho **2** *fig.* indivíduo muito velho **3** *fig.* indivíduo de aparência muito cansada, abatida *<ficou um t. após o término do noivado>* ◉ COL trapagem

traque (tra.que) *s.m.* **1** estrondo pouco ruidoso; estouro **2** *infrm.* expulsão ruidosa de gases do intestino pelo ânus; peido, pum **3** certo fogo de artifício que, ao estourar, produz estalos

traqueia (tra.quei.a) /éi/ *s.f.* ANAT canal situado na frente do esôfago, que liga a laringe aos brônquios e serve para a passagem de ar

traquejo (tra.que.jo) /ê/ *s.m.* *B* muita prática ou experiência *<era um professor com muito t.>*

traqueostomia (tra.que.os.to.mi.a) *s.f.* MED abertura cirúrgica da traqueia e colocação de uma cânula para a passagem de ar ~ **traqueostômico** *adj.*

traqueotomia (tra.que.o.to.mi.a) *s.f.* MED traqueostomia ~ **traqueotômico** *adj.*

traquina (tra.qui.na) *adj.2g.s.2g.* traquinas

traquinada (tra.qui.na.da) *s.f.* **1** barulho forte; estrondo **2** ação de um traquinas ou o seu resultado; travessura, traquinagem, traquinice **3** *fig.* intriga, tramoia

traquinagem (tra.qui.na.gem) [pl.: *-ens*] *s.f.* traquinada ('ação')

traquinas (tra.qui.nas) *adj.2g.2n.s.2g.2n.* (indivíduo) inquieto, travesso; traquina ~ **traquinar** *v.int.*

traquinice (tra.qui.ni.ce) *s.f.* **1** característica de quem é traquinas **2** traquinada ('ação')

traquitana (tra.qui.ta.na) ou **tranquitana** (tran.qui.ta.na) *s.f.* **1** antiga carruagem de quatro rodas e um só assento **2** *p.ext. infrm.* automóvel velho, de mau aspecto; calhambeque

tras- *pref.* → *TRANS-*

trás *adv.* **1** depois de, após *<chegaram todos, um t. o outro>* ↺ antes **2** atrás, detrás *<a bola foi jogada para t. do muro>* ■ *prep.* **3** atrás, detrás *<mora t. da estação>*

trasanteontem (tra.san.te.on.tem) ou **trasantontem** (tra.san.ton.tem) *adv.* no dia anterior a anteontem

trasbordar (tras.bor.dar) *v.* {mod. 1} *t.d.,t.i. e int.* (prep. *de*) transbordar

traseira (tra.sei.ra) *s.f.* a parte oposta à da frente *<sentaram-se na t. do ônibus>* ↺ dianteira

traseiro (tra.sei.ro) *adj.* **1** que fica atrás; dorsal *<a parte t. do boi>* ↺ dianteiro ■ *s.m.* **2** *infrm.* conjunto das nádegas

trasladar (tras.la.dar) *v.* {mod. 1} *t.d.,t.d.i. e pron.* (prep. *para*) transladar

traslado (tras.la.do) *s.m.* **1** ação ou efeito de trasladar; translado **2** em viagens de negócios ou de turismo,

T

transporte de passageiros dos aeroportos, portos, estações etc. até o local de estadia ou vice-versa; translado *<a agência oferecia serviço gratuito de t.>*

traspassar (tras.pas.sar) *v.* {mod. 1} *t.d.* transpassar

traste (tras.te) *s.m.* **1** móvel ou utensílio de pouco valor da casa *<livre-se desses t. e a sala parecerá maior>* **2** *fig. infrm.* indivíduo sem caráter ou imprestável *<namorava um t.>* **3** MÚS divisão no braço dos instrumentos de cordas, us. para orientar a posição dos dedos a fim de obter as notas necessárias

trasto (tras.to) *s.m.* MÚS traste

tratadista (tra.ta.dis.ta) *s.2g.* indivíduo que escreve tratado sobre algo

tratado (tra.ta.do) *adj.s.m.* **1** (o) que foi objeto de discussão, estudo ou exposição *<o assunto t. era de interesse geral>* **2** (o) que foi combinado ■ *s.m.* **3** convenção entre dois ou mais países *<t. de paz>* **4** trato ('contrato') **5** obra ou estudo extenso sobre um tema científico, de artes etc. *<um t. sobre artes plásticas>*

tratador (tra.ta.dor) /ô/ [pl.: *-es*] *adj.s.m.* que(m) trata ou cuida de algo, esp. de animais, como o cavalo

tratamento (tra.ta.men.to) *s.m.* **1** ação de cuidar de pessoa, coisas ou animais; trato *<receber t. de rei>* **2** maneira de interagir com alguém; trato *<t. carinhoso>* **3** título honorífico ou de graduação *<não sabia que forma de t. usar com tão ilustre pessoa>* **4** conjunto dos meios us. na cura de doença *<t. contra o câncer>* **5** abordagem de um tema, questão, assunto *<o t. de uma intriga numa novela>*

tratante (tra.tan.te) *adj.2g.s.2g.* que(m) age como patife ~ **tratantada** *s.f.* - **tratantice** *s.f.*

tratar (tra.tar) *v.* {mod. 1} *t.d. e t.i.* **1** (prep. *de, sobre*) expor pensamentos, ideias sobre (tema, questão, proposta etc.); discorrer *<tratemos hoje o problema dos vazamentos> <vou t. sobre morfologia, deixando a sintaxe para outra aula>* □ *t.i.* **2** (prep. *de, sobre*) ter por assunto; versar *<livro que trata da (ou sobre) agricultura>* **3** (prep. *de, sobre*) examinar em conjunto (assunto, problema); discutir *<trataremos do caso do porteiro na próxima reunião>* □ *t.d. e t.d.i.* **4** (prep. *com*) fazer acerto com; ajustar, combinar *<tratou o preço (com o vendedor) antes de fechar o negócio>* □ *t.d.pred. e pron.* **5** (prep. *de*) dar ou trocar entre si denominação, qualificativo, título etc. *<t. alguém de ladrão> <são de gerações diferentes, mas tratam-se por você>* □ *t.d.,t.i. e pron.* **6** (prep. *com*) manter relações de convivência (com) *<teve de t. (com) muita gente a que não conhecia> <viviam sob o mesmo teto, mas não se tratavam>* **7** (prep. *de*) tomar conta, ocupar-se de; cuidar(-se) *<t. bem (d)a casa e (d)os filhos> <ela tem tão boa aparência porque se trata>* **8** (prep. *de*) eliminar ou suavizar (doença, indisposição etc.) com medicamentos, procedimentos *<trataram a febre amarela nessa região> <é preciso t. da dor de cabeça> <tratou-se daquela tosse e curou-se>* □ *t.d.* **9** portar-se ou agir com (alguém ou algo) de certa maneira *<o pai tratou-a bem>* **10** preparar para cozinhar (alimento) *<t. o peixe>* □ *pron.* **11** submeter-se a tratamento ou procedimento médico *<t.-se do câncer>* **12** ter atenção, esmero consigo mesmo; cuidar-se *<trata-se desde muito jovem>* ↺ relaxar **13** (prep. *de*) estar em questão, em causa *<trata-se de questão de saúde>* ☞ nesta acp., só us. na 3ª p.s.

tratativa (tra.ta.ti.va) *s.f.* trato ('contrato')

tratável (tra.tá.vel) [pl.: *-veis*] *adj.2g.* **1** que se pode tratar *<mal, doença t.>* ↺ intratável **2** fácil de lidar; afável ↺ desagradável

trato (tra.to) *s.m.* **1** tratamento ('ação', 'maneira') *<t. dado a um animal> <t. social>* **2** contrato entre particulares ou entre um particular e uma autoridade; tratado, tratativa *<fizeram um t., mas não o cumpriram>* **3** delicadeza, cortesia *<mostrou t., apesar do ambiente hostil>* ↺ indelicadeza ▣ **dar tratos à bola** *fig.* empenhar-se, esforçar-se

trator (tra.tor) /ô/ [pl.: *-es*] *s.m.* ENG MEC veículo pesado que se desloca sobre rodas ou esteiras de aço, us. para operar equipamentos agrícolas, de aterro, de escavação etc.

tratorista (tra.to.ris.ta) *s.2g.* indivíduo que dirige trator

trauma (trau.ma) *s.m.* traumatismo

traumático (trau.má.ti.co) *adj.* referente a trauma

traumatismo (trau.ma.tis.mo) *s.m.* **1** lesão de um tecido, órgão ou parte do corpo, causada por um agente externo *<t. craniano>* **2** o estado físico ou psíquico resultante dessa lesão *<o acidente causou alguns t. em seu braço> <o t. com a morte dos pais foi grave>* **3** *fig.* sofrimento moral

traumatizante (trau.ma.ti.zan.te) *adj.2g.* que traumatiza, que causa trauma *<história t.> <fato t.>*

traumatizar (trau.ma.ti.zar) *v.* {mod. 1} *t.d. e pron.* causar ou sofrer trauma *<o abandono pode t. uma pessoa> <o cão traumatizou-se com a queda>*

traumatologia (trau.ma.to.lo.gi.a) *s.f.* MED especialidade que cuida dos traumatismos

traumatologista (trau.ma.to.lo.gis.ta) *adj.2g.s.2g.* profissional que se dedica à traumatologia

traupídeo (trau.pí.deo) *s.m.* ZOO **1** espécime dos traupídeos, família de aves de plumagem colorida e contrastante, representada por gaturamos, saíras e sanhaços ■ *adj.* **2** relativo a essa família de aves

trautear (trau.te.ar) *v.* {mod. 5} *t.d. e int.* cantar baixo, para si mesmo; cantarolar *<passa o dia trauteando (canções infantis)>* ~ **trauteio** *s.m.*

trava (tra.va) *s.f.* **1** ato de travar ou o seu efeito; travamento **2** qualquer dispositivo que impeça o movimento de algum mecanismo *<ponha a t. na serra>* **3** pedaço de madeira us. atravessado para trancar porta ou janela **4** peça de metal colocada à boca de cavalgadura e que serve para guiá-la **5** FUTB cada uma das saliências da sola da chuteira

travanca (tra.van.ca) *s.f.* obstáculo, empecilho

travão (tra.vão) [pl.: *-ões*] *s.m.* **1** trava em que se amarram os animais **2** freio preso às rédeas das cavalgaduras **3** freio de máquinas ou de automóveis

travar (tra.var) *v.* {mod. 1} *t.d.* **1** segurar com força; agarrar *<t. as mãos do pai>* ↺ soltar **2** juntar, prender (peças de madeira) **3** prender com peia *<t. jumentos>* **4** dificultar ou impedir os movimentos a; tolher *<com seu corpo, travou o adversário>* ↺ libertar **5** dar início a; começar *<t. contato>* ↺ acabar **6** pôr entrave em; obstruir *<um dos gerentes travou o acordo> <t. a entrada da casa>* ↺ liberar □ *t.d. e pron.* **7** dispor(-se)

T

de forma transversal; cruzar(-se) <*t. espadas*> ↺ descruzar(-se) □ *t.d. e int.* **8** parar por meio do travão; frear, brecar <*t. o carro*> <*a carroça travou*> □ *t.d.,t.i. e int.* **9** deixar ou ter travo, amargor; amargar <*t. a boca*> <*a realidade travava em sua garganta*> ☞ tb. fig. □ *int.* **10** tornar-se difícil de movimentar; emperrar <*o veículo travou*> ↺ desemperrar **11** parar de funcionar (máquina, mecanismo) <*o motor travou*> ~ **travamento** *s.m.*

trave (tra.ve) *s.f.* **1** CONSTR grande tronco grosso e comprido, us. para sustentar partes elevadas de uma construção **2** CONSTR viga **3** ESP cada poste lateral do gol ◉ GRAM/USO dim.irreg.: *trabécula* ◉ COL travejamento

travejamento (tra.ve.ja.men.to) *s.m.* **1** colocação de traves ou vigas em um local **2** conjunto de traves ou vigas

travejar (tra.ve.jar) *v.* {mod. 1} *t.d.* **1** colocar traves em **2** pôr sobre vigas <*t. um telhado*>

través (tra.vés) *s.m.* direção oblíqua ou diagonal ▣ **de t.** de lado, de esguelha <*olhou de t. para o porteiro e entrou*>

travessa (tra.ves.sa) *s.f.* **1** CONSTR trave ou barra longa atravessada sobre tábuas **2** CONSTR parte superior das portas, esp. de madeira **3** pequena rua secundária transversal <*mora numa t. arborizada*> **4** prato largo no qual a comida é servida à mesa <*ponha o arroz na t. maior*> **5** pente pequeno e arqueado us. para prender os cabelos **6** traço horizontal de certas letras maiúsculas, como o *A*, o *H*, o *E* etc.

travessão (tra.ves.são) [pl.: *-ões*] *s.m.* **1** grande barra ou travessa **2** GRAM sinal de pontuação (–) que indica a mudança de interlocutores num diálogo, que acrescenta comentários num texto etc.

travesseiro (tra.ves.sei.ro) *s.m.* almofada us. para deitar a cabeça

travessia (tra.ves.si.a) *s.f.* **1** ação de atravessar uma região, um continente, um mar etc., ou o seu efeito <*a t. durou doze horas*> **2** caminho longo e solitário

travesso (tra.ves.so) /ê/ *adj.* **1** que se comporta de modo irrequieto, ruidoso; traquinas <*menino t.*> ↺ quieto **2** malicioso, maroto <*sorriso, olhar t.*> ↺ ingênuo

travessura (tra.ves.su.ra) *s.f.* **1** ação de quem é travesso; traquinice <*esconder os óculos do avô foi uma grande t.*> **2** resultado dessa ação; arte, traquinada **3** atitude graciosa e maliciosa; brejeirice

travesti (tra.ves.ti) *s.2g.* pessoa que se veste e se comporta como se fosse do sexo oposto

travestir (tra.ves.tir) *v.* {mod. 28} *t.d. e pron.* **1** vestir(-se) para aparentar ser de outro sexo, condição ou idade <*t. um ator de mulher*> <*travestiu-se de criança no carnaval*> □ *t.d.,t.d.i. e pron. fig.* **2** (prep. *em*) [fazer] tomar nova aparência, caráter; transformar(-se) <*travestindo o seu medo, aparentou segurança ao assaltante*> <*t. desalento em esperança*> <*a ideia copiada travestiu-se em projeto original*> ↺ conservar(-se) □ *t.d. fig.* **3** tornar irreconhecível; falsificar <*t. a verdade*>

travestismo (tra.ves.tis.mo) *s.m.* PSIQ prática de vestir-se ou disfarçar-se com roupas do sexo oposto

travo (tra.vo) *s.m.* **1** sabor amargo e adstringente; cica <*esta fruta tem t.*> **2** *fig.* impressão desagradável, dolorosa <*experimentar o t. da derrota*>

travor (tra.vor) /ô/ [pl.: *-es*] *s.m.* travo

trazer (tra.zer) *v.* {mod. 20} *t.d. e t.d.i.* **1** (prep. *para*) transportar ou conduzir, deslocando-se para o lugar onde está quem fala <*devo t. a sua bengala?*> <*Lia pode t. as crianças para casa?*> **2** (prep. *a*) fazer surgir em (mente do falante); suscitar, sugerir <*um texto que traz belas recordações*> <*o desastre trouxe de volta à minha lembrança fatos desagradáveis*> **3** (prep. *a*) ocasionar como consequência; acarretar <*dinheiro não traz felicidade*> <*o cargo trouxe satisfação ao gerente*> **4** (prep. *a*) fazer aproximar-se; atrair, chamar <*seu grito trouxe logo a gente que por ali passava*> <*a publicidade trouxe muita freguesia para o restaurante*> □ *t.d.* **5** dirigir (um veículo) até onde está quem fala ou de quem se fala; guiar <*mas, afinal, quem trará o caminhão?*> **6** levar consigo ou sobre si; carregar <*bem-vestido, trazia um chapéu e uma echarpe*> <*não trazia moeda alguma*> **7** ter em si; apresentar <*t. feridas nas mãos*> **8** conter em si; abranger, incluir <*o livro traz boas dicas*> **9** fazer-se ou estar acompanhado de <*os famosos trazem muita gente à volta*> <*trouxe o irmão para a festa*>

trecentésimo (tre.cen.té.si.mo) *n.ord.* **1** tricentésimo ■ *n.frac.* **2** tricentésimo

trecho (tre.cho) /ê/ *s.m.* **1** intervalo entre dois pontos no tempo ou no espaço <*a casa que você procura fica no t. entre as duas ruas*> **2** fragmento de texto, música etc. **3** parte de um todo; fração, segmento

treco (tre.co) *s.m. B infrm.* **1** objeto que não se sabe ou não se quer nomear <*o menino deixou cair um t. no chão*> ☞ tb. us. no pl. **2** perturbação na saúde; mal-estar <*sentiu um t. e pediu para sair mais cedo*> <*teve um t. ao ouvir a notícia*>

trêfego (trê.fe.go) *adj.* **1** hábil para enganar; astuto, esperto ↺ ingênuo **2** que se agita sem cessar; irrequieto ↺ quieto

trégua (tré.gua) *s.f.* suspensão temporária de confronto, hostilidade, esforço, dor etc. <*a tosse deu uma t.*> <*fizeram uma t. após três meses de batalha*>

treinador (trei.na.dor) /ô/ [pl.: *-es*] *adj.s.m.* (profissional) que instrui ou treina um atleta ou um time

treinar (trei.nar) *v.* {mod. 1} *t.d.* **1** tornar hábil, capaz com instrução, disciplina ou exercício; preparar <*treina cachorros para competições*> <*t. atletas*> **2** executar com regularidade (atividade); praticar <*t. a pontaria*> □ *t.d. e pron.* **3** exercitar-se para ter perícia, habilidade, destreza em algo; preparar-se para <*t. cobrança de pênaltis*> ~ **treinamento** *s.m.*

treino (trei.no) *s.m.* **1** ação, processo ou efeito de treinar(-se) **2** a habilidade, o conhecimento ou a experiência adquirida em qualquer ramo de atividades; destreza, treinamento <*fez um longo t. antes de assumir o cargo*> **3** ESP conjunto de exercícios feitos com jogadores para avaliar suas habilidades; jogo onde são ensaiadas táticas de defesa e ataque <*t. é t., jogo é jogo*>

trejeito (tre.jei.to) *s.m.* **1** gesto cômico **2** movimento que altera a expressão do rosto; careta **3** tique nervoso

T

trela (tre.la) *s.f.* **1** correia para animais, ger. cães **2** *infrm.* conversa longa e despretensiosa; tagarelice *<vive de t. com a vizinha>* **3** *fig.* independência, liberdade *<ela quer t., mas não vou dar>* ▣ **dar t.** aceitar que alguém puxe conversa consigo ou demonstrar interesse por alguém *<deu t. ao colega e agora não se livra mais dele>* *<na festa, dava t. para todas as meninas>*

treliça (tre.li.ça) *s.f.* CONSTR *B* **1** estrutura ornamental feita de ripas cruzadas *<porta de t.>* **2** cruzamento de vigas na estrutura de uma ponte

trem [pl.: *-ns*] *s.m.* **1** *B* veículo sobre trilho com vagões puxados por locomotiva **2** comitiva, caravana **3** bagagem de uma viagem **4** ritmo, compasso *<o t. de uma corrida>* **5** conjunto dos utensílios us. em certa tarefa *<t. de cozinha>* **6** *MG GO TO* qualquer coisa, concreta ou abstrata *<trouxe para cá os t. que comprou>* *<o t. complicou entre o casal>* *<foi um t. difícil de resolver>* ▣ **t. de pouso** mecanismo que sustenta as rodas de avião

trema (tre.ma) *s.m.* GRAM duplo ponto (¨) que, em algumas línguas, se sobrepõe a uma vogal para indicar que esta é pronunciada em sílaba separada (como no francês *naïve*) ou para alterar o som de determinada vogal (como no alemão *Führer*) [Pelo Acordo Ortográfico de 1990, no Brasil, o trema passou a ser us. apenas em palavras derivadas de nomes próprios estrangeiros (p.ex., *hübnerita*, a partir de Adolf *Hübner*).]

trem-bala (trem-ba.la) [pl.: *trens-balas* e *trens-bala*] *s.m.* trem de passageiros de alta velocidade

tremedal (tre.me.dal) [pl.: *-ais*] *s.m.* área pantanosa; lodaçal

tremedeira (tre.me.dei.ra) *s.f.* **1** *B infrm.* tremor ('movimentação') **2** *fig.* MED malária

tremelicar (tre.me.li.car) *v.* {mod. 1} *int.* **1** tremer de frio, susto ou medo; tiritar □ *t.d. e int.* **2** (fazer) tremer de forma rápida e contínua *<o vapor tremelicava a tampa da panela>* *<as folhas da amendoeira tremelicavam ao vento>*

tremelique (tre.me.li.que) *s.m.* **1** ato de tremer de frio, susto ou medo, ou o seu efeito **2** *B infrm.* trejeito afetado, pedante *<não era má pessoa, mas exagerava nos t.>*

tremeluzir (tre.me.lu.zir) *v.* {mod. 24} *int.* brilhar com luz trêmula, intermitente *<à distância, as luzes do povoado tremeluziam>* ~ **tremeluzente** *adj.2g.*

tremendamente (tre.men.da.men.te) *adv.* em grau muito elevado; muito *<engordou t. nas férias>*

tremendo (tre.men.do) *adj.* **1** que causa terror; medonho *<uma noite t.>* **2** que provoca o respeito; respeitável *<era um t. adversário e a luta seria difícil>* **3** difícil de suportar; penoso *<tempos t.>* **4** de grande intensidade; enorme *<sede, fome t.>* **5** extraordinário, formidável *<viagem t.>*

tremer (tre.mer) *v.* {mod. 8} *t.d. e int.* **1** agitar(-se) fisicamente por medo, forte emoção ou por fenômeno externo *<tremeu as mãos>* *<suas pernas tremiam quando recebeu a notícia>* **2** provocar ou sofrer grande abalo *<a ação do vulcão tremeu as cidades vizinhas>* *<a terra tremeu e os habitantes da região abandonaram suas casas>* □ *t.d. e t.i. fig.* **3** (prep. *de*, *por*) sentir medo ou receio de; temer *<treme a má sorte>* *<tremia da desgraça>* *<tremeu pela sua honra>* ~ **tremente** *adj.2g.*

treme-treme (tre.me-tre.me) [pl.: *tremes-tremes* e *treme-tremes*] *s.m.* **1** tremor constante **2** ZOO *B* arraia encontrada na costa brasileira, que produz uma corrente elétrica capaz de paralisar presas

tremoceiro (tre.mo.cei.ro) *s.m.* tremoço ('planta')

tremoço (tre.mo.ço) /ô/ [pl.: *tremoços* /ó/] *s.m.* BOT **1** planta cultivada desde a Antiguidade para adubo e pelas sementes nutritivas, comestíveis após cozimento; tremoceiro **2** essa semente, amarelada e achatada

tremor (tre.mor) /ô/ [pl.: *-es*] *s.m.* **1** série de movimentos repetidos que agita algo *<t. da chama>* **2** movimentação involuntária, pequena e repetida do corpo ou de parte dele; tremura *<t. de frio>* **3** *fig.* medo, receio *<t. do escuro>* ↺ destemor

tremular (tre.mu.lar) *v.* {mod. 1} *t.d. e int.* **1** mover (-se) no ar sem parar; tremer *<o vento tremulava as bandeiras da praça>* *<da sua janela, via as folhas das palmeiras tremularem>* □ *int.* **2** brilhar com variações rápidas; tremeluzir *<à noite, as estrelas tremulavam no céu límpido>* **3** *fig.* vibrar de modo contínuo e trêmulo (som) *<as vozes das crianças tremulavam>*

trêmulo (trê.mu.lo) *adj.* **1** que tem vibrações físicas, em razão de algum fator externo ou interno *<mãos t.>* **2** sem segurança ou firmeza; hesitante *<passo, voz t.>* ↺ firme **3** que cintila; brilhante *<luzes t.>* ↺ sombrio **4** *fig.* acanhado, receoso *<comportamento t.>* ↺ seguro

tremura (tre.mu.ra) *s.f.* tremor ('movimentação')

trena (tre.na) *s.f.* **1** corda que faz mover o pião **2** CONSTR *B* fita métrica ger. us. para medir terrenos

treno (tre.no) *s.m.* MÚS canto lamentoso; elegia

trenó (tre.nó) *s.m.* pequeno carro provido de esquis, us. na locomoção sobre neve ou gelo

trepada (tre.pa.da) *s.f. gros.* ato sexual; cópula, coito

trepadeira (tre.pa.dei.ra) *s.f.* BOT planta que cresce apoiando-se sobre outra ou sobre barrancos, muros, cercas etc.

trepanação (tre.pa.na.ção) [pl.: *-ões*] *s.f.* MED técnica cirúrgica de perfuração de um orifício em um osso, esp. do crânio

trépano (tré.pa.no) *s.m.* MED instrumento cirúrgico us. para abrir orifício em osso, esp. do crânio ~ **trepanar** *v.t.d.*

trepar (tre.par) *v.* {mod. 1} *int.* **1** ir para cima de algo, agarrando-se com os pés e as mãos; subir *<t. em árvores>* **2** subir ao longo de algo *<semeamos no caramanchão muitas plantas que trepam>* □ *t.d. e int.* **3** pôr(-se) em cima ou por cima de; sobrepor(-se) *<t. o irmão na bicicleta>* *<o dente trepou sobre outro>* □ *t.i. e int. fig. B gros.* **4** (prep. *com*) fazer sexo (com)

trepidação (tre.pi.da.ção) [pl.: *-ões*] *s.f.* **1** movimento vibratório; estremecimento **2** movimento saltitante de alguns veículos quando em marcha *<t. do carro>*

trepidante (tre.pi.dan.te) *adj.2g.* **1** caracterizado por tremores; oscilatório *<chama t.>* **2** que vibra, sacode *<automóvel t.>* **3** *fig.* muito agitado, movimentado *<festa t.>* ↺ calmo

trepidar (tre.pi.dar) *v.* {mod. 1} *t.d. e int.* **1** (fazer) sofrer rápido tremor físico; estremecer *<a explosão trepidou os vidros das janelas> <ao passar pela rua esburacada, o caminhão trepidou>* □ *t.i. e int. fig.* **2** (prep. *em*) revelar hesitação em; vacilar *<não trepide em pedir-lhe o que deve> <na hora de tomar uma atitude, ele trepida>* □ *int.* **3** tremer de medo, susto; tiritar

tréplica (tré.pli.ca) *s.f.* **1** a resposta a uma réplica **2** DIR resposta fundamentada com que o defensor responde à réplica do acusador

treplicar (tre.pli.car) *v.* {mod. 1} *t.d.,t.i. e int.* **1** (prep. *a*) responder a uma réplica *<t. uma refutação> <vou t.-lhe, assim que encerrar sua contestação> <subiu à tribuna e treplicou>* □ *t.d. e t.d.i.* **2** DIR (prep. *a*) contestar ou responder com tréplica a (réplica, contradita etc.) *<t. uma objeção (ao colega)>*

tres- *pref.* → ***TRANS-***

três *n.card.* **1** dois mais um **2** diz-se desse número *<caixas de número t.>* **3** diz-se do terceiro elemento de uma série *<camisa t.>* **4** que equivale a essa quantidade (diz-se de medida ou do que é contável) *<ter t. filhos>* ■ *s.m.2n.* **5** representação gráfica desse número *<no exame de vista, não pôde ler o t.>* ☞ em algarismos arábicos, *3*; em algarismos romanos, *III*

tresandar (tre.san.dar) *v.* {mod. 1} *t.d.* **1** mover para trás; recuar, desandar *<t. os ponteiros do relógio> <t. o ônibus>* ↺ avançar **2** *fig.* provocar (confusão, desordem); perturbar □ *t.d.,t.i. e int.* **3** (prep. *a*) exalar (odor desagradável); feder *<o lixo tresandava um mau cheiro insuportável> <tresanda a fumo> <sujeito imundo, tresanda ao longe>*

trescalar (tres.ca.lar) *v.* {mod. 1} *t.d. e int.* exalar odor forte (de); cheirar *<t. um aroma exótico> <à noite, o jasmim de seu jardim trescalava>* ~ **trescalante** *adj.2g.*

3D *adj.2g.2n.* produzido em três dimensões (diz-se de imagem)

tresloucado (tres.lou.ca.do) *adj.s.m.* **1** louco, doido ↺ são **2** (indivíduo) sem juízo ↺ prudente

tresloucar (tres.lou.car) *v.* {mod. 1} *t.d. e int.* (fazer) perder o juízo, a razão; enlouquecer

tresmalhado (tres.ma.lha.do) *adj.* **1** que fugiu *<prisioneiro t.>* **2** que se desgarrou, separando-se dos demais *<boi t.>*

tresmalhar (tres.ma.lhar) *v.* {mod. 1} *t.d.* **1** deixar cair ou perder as malhas de *<sem atenção, tresmalhou o xale que tecia>* □ *t.d.,int. e pron.* **2** (deixar) escapar, afastando(-se) do bando; debandar *<não desejava t. suas reses> <foi procurar as vacas que (se) tresmalharam>* **3** *p.ext.* espalhar(-se) em diferentes direções; dispersar(-se) *<a tempestade tresmalhou as naus> <com o golpe, as formigas tresmalharam(-se)>* ↺ aglomerar(-se) □ *int. e pron.* **4** sair do caminho; extraviar-se *<a carta tresmalhou(-se) no caminho>* ~ **tresmalho** *s.m.*

tresnoitado (tres.noi.ta.do) *adj.* **1** que passou a noite em claro ou que dormiu muito pouco *<médico t.>* ■ *adj.s.m.* **2** que(m) sofre de insônia ~ **tresnoitar** *v.t.d. e int.*

trespassar (tres.pas.sar) *v.* {mod. 1} *t.d.* transpassar

trespasse (tres.pas.se) *s.m.* **1** ato de trespassar ou o seu efeito **2** *fig.* falecimento, morte

tresvario (tres.va.ri.o) *s.m.* ausência de razão; alucinação *<a febre alta trouxe-lhe um passageiro t.>* ↺ juízo

treta (tre.ta) /ê/ *s.f.* **1** ESP habilidade no jogo da esgrima **2** *p.ext.* astúcia, manha ▼ ***tretas*** *s.f.pl.* **3** palavreado us. para enganar *<diz t. na maioria do tempo>* ~ **treteiro** *adj.s.m.*

treva (tre.va) *s.f.* **1** total ausência de luz; escuridão *<procuramos uma luz nas t.>* ↺ claridade **2** *fig.* falta de conhecimento; ignorância *<estudava para não viver nas t.>* ↺ sabedoria **3** *fig.* o castigo do inferno *<seus pecados o condenaram à t.>* ☞ tb. us. no plural

trevo (tre.vo) /ê/ *s.m.* **1** BOT erva medicinal ou ornamental cujas folhas são compostas de três partes **2** *B* ponto de encontro de vias elevadas e/ou rebaixadas, para evitar cruzamentos de nível em rodovias de tráfego intenso

treze (tre.ze) *n.card.* **1** doze mais um **2** diz-se desse número *<envelope número t.>* **3** diz-se do décimo terceiro elemento de uma série *<capítulo t.> <dia t.>* **4** que equivale a essa quantidade (diz-se de medida ou do que é contável *<gastou t. metros de seda na cortina>* ■ *s.m.* **5** representação gráfica desse número *<no painel do elevador, o t. tinha caído>* ☞ em algarismos arábicos, *13*; em algarismos romanos, *XIII*

trezentos (tre.zen.tos) *n.card.* **1** duzentos mais cem **2** diz-se desse número *<memorando de número t.>* **3** diz-se do tricentésimo elemento de uma série *<ofício t.> <cadeira t.>* **4** que equivale a essa quantidade (diz-se de medida ou do que é contável) *<aquela nuvem está a uns t. metros de altura> <há t. vagas para merendeiros no Estado>* ■ *s.m.2n.* **5** representação gráfica desse número *<o t. do número de inscrição está ilegível>* ☞ em algarismos arábicos, *300*; em algarismos romanos, *CCC* ◉ GRAM/USO seguido do conectivo *e* antes das dezenas e unidades, forma os numerais cardinais entre 300 e 400

tri *adj.2g.2n.s.2g.2n.* red. de ***TRICAMPEÃO*** e de ***TRICAMPEONATO***

tríada (trí.a.da) *s.f.* tríade ('conjunto')

tríade (trí.a.de) *s.f.* **1** conjunto de três entidades, objetos etc. de igual natureza; tríada **2** MÚS acorde de três sons ~ **triádico** *adj.*

triagem (tri.a.gem) [pl.: *-ens*] *s.f.* separação, seleção, escolha *<t. de pacientes> <t. de documentos>*

[1]**triangular** (tri.an.gu.lar) [pl.: *-es*] *adj.2g.* **1** que tem três ângulos **2** cuja base é um triângulo *<prisma t.>* **3** que tem forma de triângulo *<músculo t.>* **4** que envolve três grupos, pessoas, países etc. *<torneio t.>* ◉ ORIGEM do lat. *triangulāris,e* 'id.' ~ **triangulação** *s.f.*

[2]**triangular** (tri.an.gu.lar) *v.* {mod. 1} *t.d.* **1** dividir (terreno, região etc.) em triângulos □ *int.* FUTB **2** trocar passes (três ou mais jogadores) em posições que lembram a formação de um triângulo ◉ ORIGEM *triângulo* + [2]*-ar* ~ **triangulação** *s.m.*

triângulo (tri.ân.gu.lo) *s.m.* **1** GEOM polígono de três lados **2** MÚS instrumento de percussão feito de metal, na forma triangular, tocado por vareta de metal

triásico (tri.á.si.co) *adj.* composto por três; triplo

triássico (tri.ás.si.co) *s.m.* **1** GEOL primeiro e mais antigo período geológico da era mesozoica, anterior ao Jurássico, em que surgem os primeiros dinossauros ☞ inicial maiúsc. ■ *adj.* **2** desse período

triatleta (tri.a.tle.ta) *s.2g.* ESP atleta que disputa provas de triatlo

triatlo (tri.a.tlo) *s.m.* ESP competição com três atividades esportivas diferentes (natação, ciclismo e corrida)

tribal (tri.bal) [pl.: *-ais*] *adj.2g.* **1** relativo a tribo **2** que tem por base a tribo *<organização t.>*

tribo (tri.bo) *s.f.* **1** grupo de pessoas que ocupa um mesmo território, fala a mesma língua, tem os mesmos costumes e, geralmente, as mesmas origens *<t. nômades dos desertos da Ásia> <no parque do Xingu vivem diferentes t. indígenas>* ☞ como termo de antropologia, é cada vez menos empregado, por sua definição ser imprecisa e preconceituosa **2** *p.ext. infrm.* grupo com ocupações e interesses comuns, ou ligado por laços de amizade **3** BIO na classificação dos seres vivos, categoria que agrupa gêneros afins de uma família

tribologia (tri.bo.lo.gi.a) *s.f.* FÍS parte da física que estuda o fenômeno do atrito em suas diversas manifestações

tribulação (tri.bu.la.ção) [pl.: *-ões*] *s.f.* sofrimento moral; aflição ↺ prazer

tribuna (tri.bu.na) *s.f.* **1** lugar elevado de onde falam os oradores *<t. parlamentar>* **2** lugar de onde o sacerdote faz o sermão aos fiéis; púlpito **3** palanque reservado para autoridades e figuras importantes em assembleias, cerimônias, espetáculos etc.

tribunal (tri.bu.nal) [pl.: *-ais*] *s.m.* DIR **1** lugar em que se realizam audiências judiciais e se fazem os julgamentos **2** conjunto dos magistrados ou pessoas que administram a justiça **3** jurisdição de magistrados

tribunício (tri.bu.ní.cio) *adj.* **1** relativo a tribuno **2** *fig.* que tem caráter revoltoso *<discurso t.>*

tribuno (tri.bu.no) *s.m.* orador popular, defensor dos direitos do povo

tributar (tri.bu.tar) *v.* {mod. 1} *t.d.* **1** impor tributos a ou cobrar tributo sobre; taxar □ *t.d.i.* **2** (prep. *a*) pagar como tributo *<a colônia tributava grandes somas à metrópole>* **3** (prep. *a*) dedicar, prestar como tributo *<t. respeito ao pai> <t. uma homenagem a alguém>* ~ **tributação** *s.f.*

tributário (tri.bu.tá.rio) *adj.* **1** relativo a tributo ■ *adj.s.m.* **2** que(m) paga tributo ■ *s.m.* **3** rio que deságua em outro curso de água *<os t. do rio Amazonas>*

tributo (tri.bu.to) *s.m.* **1** contribuição monetária imposta pelo Estado ao povo; imposto **2** *fig.* aquilo que se sofre por razões morais, necessidade etc. *<pagar alto t. por uma ousadia>* **3** homenagem prestada *<t. aos mortos>* ~ **tributal** *adj.2g.*

tricampeão (tri.cam.pe.ão) [pl.: *-ões*; fem.: *-ã*] *adj.s.m.* diz-se de ou indivíduo, equipe ou clube campeão pela terceira vez na mesma competição, torneio ou campeonato ☞ tb. se diz apenas *tri* ~ **tricampeonato** *s.m.*

tricentenário (tri.cen.te.ná.rio) *adj.* **1** que tem entre 300 e 400 anos ■ *s.m.* **2** espaço de 300 anos **3** festejo de evento ocorrido há 300 anos

tricentésimo (tri.cen.té.si.mo) *n.ord.* **1** (o) que, numa sequência, ocupa a posição número 300 ■ *n.frac.* **2** (o) que é 300 vezes menor que a unidade

tríceps (trí.ceps) *s.m.2n.* ANAT **1** músculo que tem três feixes fibrosos em uma das extremidades ■ *adj.2g.2n.* **2** diz-se desse músculo

triciclo (tri.ci.clo) *s.m.* veículo com pedal ou motor, selim e três rodas

tricô (tri.cô) *s.m.* **1** malha tecida à mão com duas agulhas ou em máquina apropriada *<blusa feita de t.>* **2** ato de tecer essa malha *<aprender t.>* **3** VEST peça de vestuário feita dessa malha *<havia vários t. no desfile>*

tricolor (tri.co.lor) /ô/ [pl.: *-es*] *adj.2g.* **1** de três cores *<bandeira t.>* **2** ESP *B* referente a um clube ou time com camisa e bandeira de três cores *<o time t. treinou pela manhã>* ■ *adj.2g.s.2g.* **3** ESP *B* torcedor ou jogador de um desses clubes ou times *<os jogadores t. foram dispensados da concentração>*

tricórnio (tri.cór.nio) *s.m.* VEST chapéu de três bicos ou de três pontas

tricotar (tri.co.tar) *v.* {mod. 1} *t.d. e int.* **1** fazer (roupa, manta etc.) em trabalho de tricô *<tricotou um cachecol> <aprender a t.>* □ *int. fig.* **2** fazer intrigas, mexericos *<passaram o dia tricotando>*

tridente (tri.den.te) *s.m.* **1** forquilha ou forcado de três dentes **2** o bastão mitológico de Netuno, divindade romana que reina nos mares ■ *adj.2g.* **3** que tem três dentes *<garfo t.>*

tridimensional (tri.di.men.sio.nal) [pl.: *-ais*] *adj.2g.* **1** que tem altura, largura e comprimento **2** que dá a sensação de relevo *<fotografia t.>*

tridimensionalidade (tri.di.men.sio.na.li.da.de) *s.f.* caráter de tridimensional

tríduo (trí.duo) *s.m.* espaço de três dias seguidos

triedro (tri.e.dro) *s.m.* GEOM figura formada por três planos que se encontram num ponto

trienal (tri.e.nal) [pl.: *-ais*] *adj.2g.* **1** que dura três anos *<mandato t.>* **2** que é nomeado por três anos *<diretor t.>* **3** que ocorre de três em três anos *<eleição t.>* **4** que dá fruto de três em três anos (diz-se de planta)

triênio (tri.ê.nio) *s.m.* período de três anos

trifásico (tri.fá.si.co) *adj.* de três fases (diz-se de corrente elétrica)

trifoliado (tri.fo.li.a.do) *adj.* com três folhas ou folíolos *<ramo t.>*

trifólio (tri.fó.lio) *s.m.* **1** BOT nome comum a várias plantas da família do trevo **2** forma decorativa que reproduz um trevo ou a disposição de suas folhas

trifurcação (tri.fur.ca.ção) [pl.: *-ões*] *s.f.* divisão em três partes ou ramos *<a t. de uma estrada>*

trigêmeo (tri.gê.meo) *s.m.* **1** cada um dos três irmãos que nasceram do mesmo parto **2** ANAT nervo do conjunto de nervos cranianos ■ *adj.* **3** diz-se desses irmãos **4** ANAT diz-se desse nervo

trigésimo (tri.gé.si.mo) *n.ord.* **1** (o) que, numa sequência, ocupa a posição número 30 *<pegou o t. cartão>* ■ *n.frac.* **2** (o) que é 30 vezes menor que a unidade *<recebeu um t. do total>*

trigo (tri.go) *s.m.* BOT **1** planta cujos frutos, ricos em amido, constituem o cereal mais us. na alimentação humana desde a Antiguidade **2** o grão dessa planta ~ **trigal** *s.m.*

trigonometria (tri.go.no.me.tri.a) *s.f.* MAT parte da matemática que estabelece os métodos de resolução dos triângulos ~ **trigonométrico** *adj.*

trigueiro (tri.guei.ro) *adj.* 1 relativo a trigo *<produção t.>* ■ *adj.s.m.* 2 que(m) tem a cor do trigo maduro; moreno *<juventude t.>*

trilar (tri.lar) *v.* {mod. 1} *int.* soltar a voz (certas aves); gorjear *<um rouxinol trilava ao longe>* ◉ GRAM/USO só us. nas 3as p., exceto quando fig. ~ **trilo** *s.m.*

trilegal (tri.le.gal) [pl.: *-ais*] *adj.2g.* *RS infrm.* muito bom, adorável, fantástico *<bá, tchê, aquilo foi t.>* ☞ tb. se diz apenas *tri*

trilha (tri.lha) *s.f.* 1 caminho, ger. estreito e tortuoso, entre vegetação; trilho 2 vestígio deixado no caminho percorrido; pista 3 *fig.* exemplo, modelo *<segue a t. dos pais>* ▣ **t. sonora** CINE TV 1 fita na qual está gravado o som de filme, novela etc. 2 *p.ext.* conjunto das músicas de um filme, novela etc.

trilhão (tri.lhão) [pl.: *-ões*] *n.card.* 1 mil bilhões (10^{12}) ■ *s.m.* 2 conjunto de mil bilhões 3 *p.ext.* grande número *<contou a história um t. de vezes>*

trilhar (tri.lhar) *v.* {mod. 1} *t.d.* 1 tirar os grãos ou os bagos de (cereal, fruta, legume), com [1]trilho; debulhar 2 sinalizar com pegadas, vestígios *<o animal trilhou as margens por onde fugiu>* 3 ir por, seguir (caminho, direção, rumo) *<trilhou todas as ruas em busca de uma casa para alugar>* 4 *fig.* guiar-se por (conduta moral, regra, preceito); seguir *<t. o caminho dos pais>*

[1]**trilho** (tri.lho) *s.m.* espécie de grade us. para debulhar cereais ◉ ORIGEM do lat. *tribŭlum,i* 'id.'

[2]**trilho** (tri.lho) *s.m.* 1 cada uma das barras paralelas pela qual passam bondes, trens etc. 2 qualquer estrutura us. como guia ou apoio à movimentação de janelas, portas corrediças etc. 3 trilha ('caminho') ◉ ORIGEM de *trilhar*

trilião (tri.li.ão) [pl.: *-ões*] *n.card.* trilhão

trilíngue (tri.lín.gue) /gü/ *adj.2g.* 1 que tem três línguas *<país t.>* 2 feito em três línguas *<discurso t.>* ■ *adj.2g.s.2g.* 3 (aquele) que conhece ou fala três línguas

trilo (tri.lo) *s.m.* trinado

trilogia (tri.lo.gi.a) *s.f.* grupo de três obras artísticas unidas entre si por temática comum *<lançou uma t. sobre a música do século XIX>* ~ **trilógico** *adj.*

trimensal (tri.men.sal) [pl.: *-ais*] *adj.2g.* 1 que ocorre três vezes ao mês *<faxina t.>* 2 trimestral ~ **trimensalidade** *s.f.*

trimestral (tri.mes.tral) [pl.: *-ais*] *adj.2g.* 1 que dura três meses *<curso t.>* 2 que ocorre de três em três meses *<prova t.>* ~ **trimestralidade** *s.f.*

trimestre (tri.mes.tre) *s.m.* período de três meses

trinado (tri.na.do) *s.m.* 1 MÚS grupo de notas que consiste na repetição rápida de uma nota alternada com uma nota próxima 2 som melodioso de alguns pássaros

trinar (tri.nar) *v.* {mod. 1} *int.* 1 soltar a voz (pássaro); gorjear, trilar ☞ nesta acp., só us. nas 3as p., exceto quando fig. 2 MÚS alternar de forma rápida e repetida duas notas próximas

[1]**trinca** (trin.ca) *s.f.* reunião de três coisas ou seres similares *<t. de ases>* *<t. de meninos bagunceiros>* ◉ ORIGEM duv., talvez do esp. *trinca* 'atadura, ligadura'

[2]**trinca** (trin.ca) *s.f.* *B* 1 pequeno ferimento superficial; arranhão 2 qualquer abertura estreita; fresta ◉ ORIGEM de *trincar*

trincar (trin.car) *v.* {mod. 1} *t.d.* 1 cortar ou prender com os dentes; morder 2 comprimir, apertar (os dentes) *<trincou os dentes a noite toda>* *<o cachorro trincou a botina do homem>* 3 partir em vários pedaços; cortar, picar *<t. legumes>* 4 triturar com os dentes; mastigar □ *t.d. e int.* 5 (fazer) ficar com fendas, rachaduras; estalar, rachar *<a água quente trincou a garrafa>* *<o copo trincou ao ser colocado sobre a pia>*

trincha (trin.cha) *s.f.* 1 ferramenta us. para alargar orifícios quadrados em madeira 2 haste de ferro com ponta estreita us. para soltar pregos 3 grande pincel largo e achatado

trinchante (trin.chan.te) *adj.2g.s.2g.* 1 (o) que trincha ■ *s.m.* 2 faca grande us. para cortar a carne 3 móvel sobre o qual se corta a carne

trinchar (trin.char) *v.* {mod. 1} *t.d.* cortar em pedaços ou fatias (esp. carne servida à mesa)

trincheira (trin.chei.ra) *s.f.* 1 buraco aberto na terra para proteger os soldados dos ataques inimigos 2 *fig.* alicerce, fortaleza *<sua t. política é a escola>*

trinco (trin.co) *s.m.* 1 em certas fechaduras, pequena tranca de mola acionada por maçaneta ou chave 2 fechadura que tem essa tranca

trindade (trin.da.de) *s.f.* 1 conjunto de três entidades, seres, objetos etc. de igual natureza 2 REL mistério central do cristianismo, segundo o qual em um só Deus há três pessoas distintas com a mesma essência: o Pai, o Filho e o Espírito Santo ☞ inicial maiúsc. 3 REL Deus, entendido como a união dessas três pessoas divinas ☞ inicial maiúsc.

trineta (tri.ne.ta) *s.f.* filha do bisneto ou da bisneta

trineto (tri.ne.to) *s.m.* filho do bisneto ou bisneta

trinitrotolueno (tri.ni.tro.to.lu.e.no) *s.m.* QUÍM substância us. em explosivos, p.ex. na dinamite (abrev. *TNT*)

[1]**trino** (tri.no) *adj.* composto por três; triplo ◉ ORIGEM do lat. *trinus,a,um* 'id.'

[2]**trino** (tri.no) *s.m.* trinado ◉ ORIGEM onomatopaica

trinômio (tri.nô.mio) *s.m.* MAT 1 polinômio de três termos ■ *adj.s.m.* *p.ext.* 2 (o) que tem três partes ou é composto por três elementos

trinque (trin.que) *s.m.* 1 cabide em que o mascate expõe roupas de tecido barato 2 *p.ext.* elegância, esmero ▣ **estar nos t.** estar bem vestido

trinta (trin.ta) *n.card.* 1 vinte mais dez 2 diz-se desse número *<ofício número t.>* 3 diz-se do trigésimo elemento de uma série *<capítulo t.>* *<dia t.>* 4 que equivale a essa quantidade (diz-se de medida ou do que é contável) *<t. professores corrigirão as redações do concurso>* ■ *s.m.* 5 representação gráfica desse número *<o t. estava ilegível na data carimbada pelo banco>* ☞ em algarismos arábicos, *30*; em algarismos romanos, *XXX* ◉ GRAM/USO seguido do conectivo *e* antes das unidades, forma os numerais cardinais entre 30 e 40

trio (tri.o) *s.m.* **1** conjunto de três entidades, seres, objetos etc. de igual natureza; trindade **2** grupo de três músicos ou cantores *<um t. de flautas> <o t. se apresentou à noite>* **3** MÚS composição escrita para três instrumentos ou três vozes

tripa (tri.pa) *s.f.* **1** intestino animal **2** *B infrm.* o que tem forma alongada e estreita; tira *<umas t. de pano presas ao chapéu>* ▣ **fazer das t. coração** *infrm.* esforçar-se muito para enfrentar situação penosa, desagradável; ter audácia

tripanossomíase (tri.pa.nos.so.mí.a.se) *s.f.* MED doença causada por tripanossomo

tripanossomo (tri.pa.nos.so.mo) *s.m.* BIO parasita do sistema circulatório do homem e de outros vertebrados, causador da doença de Chagas e da doença do sono

tripartir (tri.par.tir) *v.* {mod. 24} *t.d. e pron.* dividir (-se) em três partes *<t. a herança> <o vaso tripartiu--se>* ~ **tripartição** *s.f.*

tripartite (tri.par.ti.te) *adj.2g.* dividido em três partes

tripé (tri.pé) *s.m.* **1** tripeça **2** suporte portátil com três apoios, sobre o qual se assenta um aparelho, como, p.ex., uma máquina fotográfica, um telescópio etc.

tripeça (tri.pe.ça) *s.f.* assento de três pés, ger. baixo e arredondado; tripé

tríplex (trí.plex) /cs/ *n.mult.* **1** multiplicado por três ■ *adj.2g.2n.s.m.2n.* **2** (o) que se triplica em características ou funções **3** *B* (o) que tem três andares *<mora num (apartamento) tríplex>* ◉ GRAM/USO em nível infrm. da língua, pronuncia-se como oxítona

triplicação (tri.pli.ca.ção) [pl.: *-ões*] *s.f.* **1** multiplicação por três **2** *p.ext.* aumento excessivo

triplicar (tri.pli.car) *v.t.d.,int. e pron.* **1** tornar(-se) três vezes maior; multiplicar-se por três *<t. o salário dos vendedores> <mesmo se o investimento (se) triplicasse, a empresa não daria lucro>* **2** *p.ext.* fazer crescer ou crescer muito *<triplicava a paciência para esperar o atendimento> <sua ira triplicava(-se)>*

triplicata (tri.pli.ca.ta) *s.f.* **1** terceira cópia **2** DIR documento substituto de duplicata ('título') extraviada

tríplice (trí.pli.ce) *n.mult.* **1** multiplicado por três ■ *adj.2g.* **2** composto por três elementos ou desenvolvido em três etapas *<lista t.>* ■ *s.f.* **3** nome reduzido de vacina us. contra difteria, tétano e coqueluche ~ **triplicidade** *s.f.*

triplo (tri.plo) *n.mult.* **1** que contém três vezes a mesma quantidade *<receita t. de bolo>* ■ *s.m.* **2** quantidade três vezes maior *<seis é o t. de dois>* ■ *adj.* **3** que tem três características, três componentes, três etapas etc.

tripudiar (tri.pu.di.ar) *v.* {mod. 1} *int.* **1** dançar ou saltar batendo com os pés *<parecia um louco, tripudiando sozinho>* □ *t.i. e int.* **2** (prep. *sobre*) exultar por vitória, superioridade sobre (outrem), desprezando-o ou humilhando-o *<evitemos t. sobre o time derrotado> <quando vencia concorrências, nunca deixava de t.>* ~ **tripudiante** *adj.2g.s.2g.*

tripúdio (tri.pú.dio) *s.m.* **1** ato de tripudiar ou o seu efeito **2** DNÇ dança de sapateado **3** agressão ou desafio a convenções sociais e morais; libertinagem ↺ moralidade

tripulação (tri.pu.la.ção) [pl.: *-ões*] *s.f.* conjunto de pessoas que trabalham a bordo de navio ou avião

tripulante (tri.pu.lan.te) *s.2g.* membro de tripulação *<era um avião pequeno, com apenas três t.>* ◉ COL equipagem

tripular (tri.pu.lar) *v.* {mod. 1} *t.d.* **1** prover de pessoal (embarcação ou aeronave) **2** dirigir, pilotar (embarcação ou aeronave)

triquecídeo (tri.que.cí.deo) *s.m.* ZOO **1** espécime dos triquecídeos, família de mamíferos aquáticos conhecidos como peixes-boi ■ *adj.* **2** relativo a essa família de mamíferos

triquiurídeo (tri.qui.u.rí.deo) *s.m.* ZOO **1** espécime dos triquiurídeos, família de peixes ósseos, marinhos, que possuem corpo muito alongado e comprimido, e dentes longos ■ *adj.* **2** relativo a essa família de peixes

trisanual (tri.sa.nu.al) [pl.: *-ais*] *adj.2g.* **1** que dura três anos *<plano t.>* **2** que ocorre de três em três anos *<exposição t.>*

trisavó (tri.sa.vó) *s.f.* mãe do bisavô ou da bisavó

trisavô (tri.sa.vô) [fem.: *trisavó*] *s.m.* **1** pai do bisavô ou da bisavó ▼ ***trisavós*** *s.m.pl.* **2** gerações anteriores de um indivíduo; ancestrais

trissilábico (tris.si.lá.bi.co) *adj.* que tem três sílabas

trissílabo (tris.sí.la.bo) *adj.s.m.* (palavra) que tem três sílabas

trissomia (tris.so.mi.a) *s.f.* BIO condição de organismo que tem um cromossomo a mais no par de cromossomos, o que causa anomalias, como, p.ex., a síndrome de Down

triste (tris.te) *adj.2g.* **1** que exprime ou desperta tristeza; comovente *<olhar t.>* ↺ alegre **2** que provoca sentimentos de piedade; doloroso *<a fome é t.>* ↺ agradável **3** que atormenta pelo aspecto medíocre ou odioso; insuportável *<espetáculo ridículo, t.>* ↺ satisfatório **4** palavra que qualifica pessoas ou coisas com atributos negativos; feio, mau, preguiçoso etc. *<que horror, esse filme é t.!> <essa menina é t., vive batendo na irmã> <esse homem é t., não quer trabalhar>* ■ *adj.2g.s.2g.* **5** (pessoa) que não sente alegria *<foi uma criança t.>*

tristeza (tris.te.za) /ê/ *s.f.* **1** estado emocional caracterizado pela melancolia *<a separação causou muita t. ao filho>* ↺ alegria **2** caráter do que desperta esse estado *<a t. daquela noite marcou sua vida>* ↺ alegria **3** falta de alento; desânimo *<pensar que ainda ficaria três horas na rua lhe dava t.>* ↺ ânimo

tristonho (tris.to.nho) *adj.* **1** que experimenta ou aparenta tristeza *<um rapaz t.>* ↺ alegre **2** que desperta sentimentos de tristeza *<uma noite t.>* ↺ alegre

triticultura (tri.ti.cul.tu.ra) *s.f.* AGR cultura do trigo ~ **triticultor** *s.m.*

tritongo (tri.ton.go) *s.m.* GRAM grupo vocálico, formado de uma vogal cercada de duas semivogais, pronunciado em uma única sílaba (p.ex.: enxaguei, Uruguai, quais) ☞ cf. *ditongo* e *hiato*

triturador (tri.tu.ra.dor) /ô/ [pl.: *-es*] *adj.s.m.* **1** (o) que tritura *<instalaram um t. de alimentos no ralo da pia>* ■ *s.m.* **2** aparelho us. para triturar material sólido *<a empresa usa um t. de garrafas PET>*

triturar (tri.tu.rar) *v.* {mod. 1} *t.d.* **1** reduzir a pó ou a pequenos pedaços; moer *<t. grãos de café>* **2** transformar em massa **3** *fig.* causar aflição, mágoa a; atormentar *<triturava seu cérebro com perguntas difíceis>* ~ **trituração** *s.f.*

triunfal (tri.un.fal) [pl.: *-ais*] *adj.2g.* **1** relativo a triunfo **2** que comemora uma vitória *<exército t.>* **3** *fig.* magnífico, esplêndido *<saída t>* ↺ humilhante **4** *fig.* muito bem-sucedido *<uma turnê t.>* ↺ fracassado

triunfalismo (tri.un.fa.lis.mo) *s.m.* sentimento exagerado de triunfo ~ **triunfalista** *adj.2g.s.2g.*

triunfante (tri.un.fan.te) *adj.2g.* triunfal

triunfar (tri.un.far) *v.* {mod. 1} *int.* **1** obter triunfo, vitória (sobre); vencer, ganhar *<sofreram muito, mas triunfaram>* ↺ perder **2** levar vantagem (sobre); prevalecer *<a justiça há de t.>* **3** encher-se de alegria; exultar *<após a vitória decisiva, os torcedores triunfaram>* □ *t.i.* **4** (prep. *de*) ostentar méritos e conquistas; vangloriar-se *<tinha o desagradável costume de t. de seus conhecimentos>* ~ **triunfador** *adj.s.m.*

triunfo (tri.un.fo) *s.m.* **1** vitória em guerra, competição, disputa ↺ derrota **2** êxito brilhante ou glorioso *<a peça foi um grande t.>* ↺ fracasso **3** grande satisfação; regozijo *<a queda do ditador foi motivo de t.>* ↺ desgosto **4** aclamação festiva, ruidosa *<ao longe ouviam-se gritos de t.>* *<os vencedores foram carregados em t.>*

triunvirato (tri.un.vi.ra.to) *s.m.* **1** cargo e título de triúnviro **2** governo de três pessoas ou triúnviros **3** *p.ext.* período de duração desse governo

triúnviro (tri.ún.vi.ro) *s.m.* membro de triunvirato ~ **triunviral** *adj.2g.*

trivial (tri.vi.al) [pl.: *-ais*] *adj.2g.* **1** que é do conhecimento de todos; corriqueiro *<conceito t.>* ↺ novo **2** que é muito usado, repetido; vulgar *<expressão t.>* ↺ inédito **3** que tem pouco valor *<brigaram por motivo t.>* ↺ importante **4** que não revela maiores qualidades; ordinário *<espetáculo t.>* ↺ excepcional ■ *s.m.* **5** qualquer prato simples e cotidiano das refeições caseiras ~ **trivialidade** *s.f.*

trivializar (tri.vi.a.li.zar) *v.* {mod. 1} *t.d. e pron.* tornar(-se) trivial, corriqueiro; banalizar(-se) *<t. uma conquista>* *<com as repetições, a comemoração trivializou-se>* ↺ singularizar(-se)

triz *s.m.* ▸ usado em: **por um t.** por pouco, quase *<por um t. não morreu no acidente>* *<a bola não entrou por um t.>*

troada (tro.a.da) *s.f.* **1** ação de fazer um barulho semelhante ao estrondo de muitos tiros disparados **2** esse barulho

troar (tro.ar) *v.* {mod. 1} *int.* fazer grande barulho; estrondear *<a tempestade troava>* *<de repente, uma sinistra voz troou>* ◉ GRAM/USO verbo impessoal, exceto quando fig.

troca (tro.ca) *s.f.* **1** permuta de coisa por outra *<fazer a t. de um carro por outro novo>* **2** preferência de alguma coisa em relação a outra *<t. da cidade pelo campo>* **3** transferência mútua de algo entre seus respectivos donos *<estava ansioso pela t. de figurinhas>* **4** colocação de coisa ou pessoa no lugar de outra; substituição *<fez a t. das lâmpadas queimadas>* **5** ato de confundir uma coisa com outra *<t. de nomes>* **6** mudança, transformação *<t. de hábitos>* ↺ manutenção

troça (tro.ça) *s.f.* **1** ação ou palavras para provocar riso; zombaria **2** ato ou dito engraçado, divertido **3** *B* festa ou brincadeira muito animada

trocadilho (tro.ca.di.lho) *s.m.* jogo de palavras com sons semelhantes e significados diferentes, de que resultam equívocos por vezes engraçados

trocado (tro.ca.do) *adj.* **1** que foi mudado ou substituído *<lençóis t.>* ■ *s.m.* **2** conjunto de moedas ou cédulas de pequeno valor; troco *<estava sem t. para o ônibus>* ☞ nesta acp., tb. us. no pl.

trocador (tro.ca.dor) /ô/ [pl.: *-es*] *adj.s.m.* **1** (aquele) que troca ■ *s.m.* **2** indivíduo que cobra as passagens nos ônibus; cobrador

trocar (tro.car) *v.* {mod. 1} *t.d.,t.i. e t.d.i.* **1** (prep. *de, por*) pôr ou dar (uma coisa) no lugar de (outra); substituir, mudar *<t. a camisa, nomes>* *<t. de roupa, de assunto>* *<t. o carro velho por um novo>* ↺ destrocar □ *t.d.i.* **2** (prep. *em*) converter, transformar em *<t. o amor em ódio>* □ *t.d.* **3** mudar as características originais de; alterar *<o jornal trocou suas declarações>* ↺ conservar **4** mudar a posição de; cruzar *<bêbado, trocava os pés>* □ *t.d. e pron.* **5** mudar a roupa (de) *<t. o bebê>* *<t.-se para sair>*

troçar (tro.çar) *v.* {mod. 1} *t.d. e t.i.* (prep. *com, de*) expor ao ridículo com gestos, atos de zombaria; caçoar *<troçaram (com) o rapaz a noite toda>*

troca-troca (tro.ca-tro.ca) [pl.: *trocas-trocas* e *troca-trocas*] *s.m.* negociação que não envolve dinheiro, mas troca entre duas coisas ou pessoas

trocista (tro.cis.ta) *adj.2g.s.2g.* (aquele) que gosta de fazer troças; debochado

troco (tro.co) /ô/ *s.m.* **1** trocado **2** soma devolvida a quem pagou com nota, ou moeda, de valor maior que o preço da mercadoria **3** *fig. infrm.* vingança, resposta *<jurou que a traição teria t.>*

troço (tro.ço) /ó/ *s.m.* *B gír.* palavra us. em lugar de qualquer fato ou objeto; negócio, coisa *<costurar é um t. difícil>*

troço (tro.ço) /ô/ [pl.: /ó/] *s.m.* **1** pedaço de pau **2** *p.ext.* pedaço de qualquer coisa **3** reunião de pessoas; multidão

troféu (tro.féu) *s.m.* **1** triunfo sobre o inimigo; êxito, vitória **2** *p.ext.* qualquer objeto que atesta vitória ou grande feito *<t. de caça, de futebol>*

troglodita (tro.glo.di.ta) *s.2g.* **1** indivíduo dos trogloditas, povos da África que habitavam em cavernas ■ *adj.2g.* **2** relativo a esses povos ■ *adj.2g.s.2g.* **3** *fig.* (indivíduo) primitivo, incivilizado *<era muito grosseiro, quase um t.>*

troglodítídeo (tro.glo.di.tí.deo) *s.m.* ZOO **1** espécime dos troglodítídeos, família de aves americanas, cujas vozes são variadas e de alta qualidade, que inclui, entre outros, os uirapurus e as cambaxirras ■ *adj.* **2** relativo a essa família de aves

trole (tro.le) *s.m.* *B* **1** carretilha de metal que desliza sobre cabo elétrico e transmite energia ao motor de bondes e ônibus elétricos **2** pequeno carro, movido a força humana, que desliza sobre os trilhos nas ferrovias

trólebus (tró.le.bus) *s.m.2n.* *B* ônibus elétrico ligado a cabos aéreos

trolha (tro.lha) /ô/ *s.f.* **1** CONSTR pequena tábua, provida de empunhadeira, us. para alisar reboco de parede ■ *s.m.* **2** *infrm.* ajudante de pedreiro

tró-ló-ló (tró-ló-ló) [pl.: *tró-ló-lós*] *s.m. B infrm.* **1** música ligeira, fácil de cantar **2** *p.ext.* conversa vazia; lero-lero

trom [pl.: *-ns*] *s.m.* estrondo ou qualquer grande ruído, como o som de trovão ou canhão

tromba (trom.ba) *s.f.* **1** ANAT ZOO extensão longa, tubular e flexível do focinho de animais, como o elefante e a anta, com narinas na ponta, us. esp. para conduzir alimento e água até a boca **2** *p.ext. joc.* expressão fechada, zangada *<fez uma t. quando soube que não poderia sair>*

trombada (trom.ba.da) *s.f.* **1** pancada com a tromba ou com o focinho **2** *p.ext.* qualquer colisão forte; batida *<uma t. de dois carros>*

tromba-d'água (trom.ba-d'á.gua) [pl.: *trombas-d'água*] *s.f.* **1** fenômeno meteorológico em que nuvens espessas e negras se movem, formando um cone cuja base é voltada para o alto; manga-d'água **2** *p.ext.* forte pancada de chuva

trombadinha (trom.ba.di.nha) *s.m. B infrm.* criança que vive nas ruas cometendo pequenos delitos

trombar (trom.bar) *v.* {mod. 1} *t.i. e int. B infrm.* (prep. *com*) sofrer choque com; colidir, bater *<trombou com seu ex-namorado na rua> <vários veículos trombaram por causa da chuva>*

trombeta (trom.be.ta) /ê/ *s.f.* MÚS nome comum a grandes instrumentos de sopro, feitos de madeira ou metal, que emitem sons muito potentes

trombetear (trom.be.te.ar) *v.* {mod. 5} *t.d. e int.* **1** tocar na trombeta (música, melodia) *<t. um trecho de música> <no início da caçada, os arautos trombeteiam>* □ *t.d. fig.* **2** fazer divulgação de; alardear *<na arquibancada, os gritos dos torcedores trombeteavam o gol>*

trombeteiro (trom.be.tei.ro) *adj.s.m.* **1** que(m) toca trombeta **2** que(m) fabrica trombeta

trombicar (trom.bi.car) *v.* {mod. 1} *t.d. fig.* **1** enganar com artimanhas; ludibriar *<t. os competidores>* □ *pron. B infrm.* **2** sair-se mal; estrepar-se, trumbicar-se *<tentou enganar o chefe, mas trombicou-se>*

trombone (trom.bo.ne) *s.m.* **1** MÚS instrumento de sopro de metal, com vara ou pistons, e tubo longo que dá uma volta sobre si mesmo **2** *infrm.* pessoa de voz grossa

trombose (trom.bo.se) *s.f.* MED formação de coágulo em um vaso sanguíneo ou no coração ~ **trombótico** *adj.*

trombudo (trom.bu.do) *adj.s.m.* **1** (o) que tem tromba **2** *fig.* que(m) é carrancudo, emburrado *<menina t.>*

trompa (trom.pa) *s.f.* **1** MÚS instrumento musical de sopro, metálico, composto de tubo longo enrolado sobre si mesmo e que termina em um bocal largo **2** ANAT denominação substituída por *tuba* **3** instrumento de vidro us. em laboratório de química para aspirar o ar ▣ **t. de Eustáquio** ANAT denominação substituída por *tuba auditiva* • **t. de Falópio** ANAT denominação substituída por *tuba uterina*

trompete (trom.pe.te) *s.m.* MÚS instrumento metálico de sopro com corpo cilíndrico alongado que termina em forma de sino

trompetista (trom.pe.tis.ta) *adj.2g.s.2g.* que(m) toca trompete

trompista (trom.pis.ta) *adj.2g.s.2g.* que(m) toca trompa

troncho (tron.cho) *s.m.* **1** talo grosso de couve ■ *adj.s.m.* **2** (membro) cortado, mutilado ■ *adj.* **3** torto de um lado *<mesa t.>* ↺ reto

tronco (tron.co) *s.m.* **1** caule grosso de árvores e arbustos **2** ANAT parte do corpo humano composta do tórax, abdome e bacia **3** estirpe, linhagem ou origem de família; cepa *<indivíduo de t. nobre>* **4** TEL canal de comunicação entre dois equipamentos de uma mesma central **5** LING grande grupo de línguas que se supõe terem tido uma origem comum ▣ **t. cerebral** ANAT parte do encéfalo que forma uma transição entre o cérebro e a medula espinhal

troncudo (tron.cu.do) *adj. B* **1** com o tronco bem desenvolvido; corpulento, forte ↺ franzino **2** *p.ext.* de maior diâmetro; grosso *<pernas t.>* ↺ fino

trono (tro.no) *s.m.* **1** assento elevado destinado ao rei **2** *fig.* poder ou autoridade real **3** *joc.* vaso sanitário; latrina

tropa (tro.pa) *s.f.* **1** grande grupo de soldados **2** conjunto de muitas pessoas **3** *p.ext. B* o conjunto dos trabalhadores braçais em estiva ou armazém de depósito **4** *B* bando de animais, esp. de carga

tropeção (tro.pe.ção) [pl.: *-ões*] *s.m.* **1** ato de bater o pé contra um obstáculo, o que faz perder o equilíbrio ou o ritmo, ou o seu efeito; tropeçada, tropeço **2** *fig. B* equívoco, erro *<os t. gramaticais o fizeram perder muitos pontos>*

tropeçar (tro.pe.çar) *v.* {mod. 1} *int.* **1** bater sem querer com o pé em; topar *<tropeçou e caiu>* □ *t.i. fig.* **2** (prep. *em*) encontrar de modo inesperado (obstáculo, problema etc.) *<tropeçou na solução quando menos esperava>* **3** (prep. *em, com*) incidir em erro *<t. na tabuada>* ↺ acertar □ *t.i. e int. fig.* **4** (prep. *em*) mostrar-se hesitante, indeciso (em); vacilar *<tropeçou na resposta> <declamou o poema sem t.>*

tropeço (tro.pe.ço) /ê/ *s.m.* **1** tropeção ('ato') **2** obstáculo em que se tropeça **3** *fig.* dificuldade, embaraço *<a língua é um t. para o viajante estrangeiro>* ↺ facilidade **4** *fig.* erro, mancada *<cometer muitos t.>* ↺ acerto

trôpego (trô.pe.go) *adj.* que anda ou se move com dificuldade *<chegou, t., à porta de casa>*

tropeirada (tro.pei.ra.da) *s.f.* grupo de tropeiros

tropeiro (tro.pei.ro) *s.m.* **1** condutor de tropas **2** condutor de bestas de carga ou de gado

tropel (tro.pel) [pl.: *-éis*] *s.m.* **1** grande número de pessoas ou animais em movimento **2** *p.ext.* grande barulho provocado pela marcha de animais **3** *fig.* confusão, balbúrdia *<em meio ao t., perdeu a carteira>*

tropelia (tro.pe.li.a) *s.f.* **1** confusão causada por muita gente se movimentando **2** *fig.* ardil, artimanha **3** *fig.* arte de traquinas; travessura **4** *infrm.* dano, prejuízo

tropical (tro.pi.cal) [pl.: *-ais*] *adj.2g.* **1** relativo ou pertencente a trópico *<clima, floresta t.>* **2** situado entre os trópicos, zona de clima quente, úmido e chuvoso (diz-se de região) ■ *s.m.* **3** tecido leve, ger. us. no vestuário masculino

tropicalismo (tro.pi.ca.lis.mo) *s.m.* MÚS movimento de um grupo de compositores baianos liderados por Caetano Veloso e Gilberto Gil, que resultou numa síntese de elementos brasileiros em sintonia com as manifestações estéticas e culturais daquela época (1967-1968)

tropicar (tro.pi.car) *v.* {mod. 1} *int.* **1** tropeçar várias vezes **2** andar a trote (a cavalgadura); trotar ~ **tropicada** *s.f.* - **tropicão** *s.m.*

trópico (tró.pi.co) *s.m.* GEO **1** no globo terrestre, cada um dos dois círculos horizontais imaginários, paralelos ao equador e dele distantes 23° 27' **2** a região compreendida entre esses círculos ▣ **t. de Câncer** o círculo situado ao norte do equador • **t. de Capricórnio** o círculo situado ao sul do equador

tropismo (tro.pis.mo) *s.m.* BIO reação de atração ou de afastamento apresentada por organismos vivos ou por suas partes, em resposta a estímulos externos

troposfera (tro.pos.fe.ra) *s.f.* FÍS camada da atmosfera mais próxima da Terra, situada de 10 km a 12 km de altitude ~ **troposférico** *adj.*

troquilídeo (tro.qui.lí.deo) *s.m.* ZOO **1** espécime dos troquilídeos, família de aves que compreende os beija-flores ■ *adj.* **2** relativo à essa família de aves

trotador (tro.ta.dor) /ô/ [pl.: *-es*] *adj.s.m.* (cavalo) que trota

trotar (tro.tar) *v.* {mod. 1} ou **trotear** (tro.te.ar) *v.* {mod. 5} *int.* **1** andar a trote (cavalgadura) *<essa égua trota devagar>* ☞ nesta acp., só us. nas 3as p. **2** cavalgar a trote *<cavaleiros voltaram trotando para a fazenda>* **3** andar imitando o trote do cavalo *<crianças trotavam em volta da casa>*

trote (tro.te) *s.m.* **1** marcha ritmada de cavalgaduras, entre o passo e o galope **2** troça, zombaria **3** *p.ext.* telefonema anônimo para brincar, zombar etc. *<quando criança, passava trotes para os avós>* **4** brincadeira que alunos antigos das universidades impõem aos calouros *<o t. esse ano foi sair fantasiado pelo bairro>*

trotear (tro.te.ar) *v.* {mod. 5} *int.* → ***TROTAR***

trouxa (trou.xa) *s.f.* **1** embrulho de pano para transportar objetos, ger. roupas **2** *p.ext.* grande embrulho ■ *adj.2g.s.2g.* **3** *infrm.* que(m) é facilmente iludido ou enganado; tolo ↺ esperto

trova (tro.va) *s.f.* **1** cantiga poética medieval **2** LIT composição poética popular, composta de quatro versos **3** cantiga, canção *<tocava violão e cantava trovas para a amada>*

trovador (tro.va.dor) /ô/ [pl.: *-es*] *adj.s.m.* **1** LIT MÚS na Idade Média, (aquele) que fazia ou cantava trovas **2** *p.ext.* (poeta) que declama poemas próprios ou alheios

trovadoresco (tro.va.do.res.co) /ê/ *adj.* LIT MÚS que diz respeito aos trovadores medievais, a sua lírica e a sua época *<comprou um livro sobre a poesia t.>*

trovão (tro.vão) [pl.: *-ões*] *s.m.* **1** forte ruído causado por descarga elétrica na atmosfera; trovoada *<depois do clarão do raio, ouviu-se um forte t.>* **2** *p.ext.* qualquer ruído forte ◉ COL trovoada

trovar (tro.var) *v.* {mod. 1} *int.* compor ou cantar trovas *<orgulhava-se de saber t.>*

trovejar (tro.ve.jar) ou **trovoar** (tro.vo.ar) *v.* {mod. 1} *int.* **1** soar, retumbar (o trovão) *<começou a t., é chuva na certa>* ☞ nesta acp., é impessoal, exceto quando fig. **2** *p.ext.* soar forte como trovão (barulho, voz); ressoar *<os tambores trovejavam>* ~ **trovejante** *adj.2g.*

trovoada (tro.vo.a.da) *s.f.* **1** série de trovões **2** *p.ext.* grande estrondo *<a t. dos canhões>*

trovoar (tro.vo.ar) *v.* {mod. 1} *int.* → ***TROVEJAR***

truanice (tru.a.ni.ce) *s.f.* **1** palhaçada, momice *<deixe de t. e comece a comer>* **2** mentira ardilosa

truão (tru.ão) [pl.: *-ões*] *s.m.* pessoa que diverte outras; palhaço ~ **truanesco** *adj.*

trucagem (tru.ca.gem) [pl.: *-ens*] *s.f.* CINE **1** efeito cinematográfico que cria a ilusão de uma realidade inesperada, divertida ou dramática **2** fase final da produção de um filme, quando se fazem os truques

trucidar (tru.ci.dar) *v.* {mod. 1} *t.d.* matar de modo cruel; massacrar *<t. os invasores>*

truculência (tru.cu.lên.cia) *s.f.* **1** ato de crueldade, de violência *<assustaram-se com a t. do jogador>* **2** brutalidade, grosseria, estupidez *<a observação foi feita com t.>*

truculento (tru.cu.len.to) *adj.* **1** que usa de violência; cruel, bárbaro *<um marido t.>* ↺ bondoso **2** que contém grosseria *<resposta t.>* ↺ cortês

trufa (tru.fa) *s.f.* **1** BIO cogumelo subterrâneo comestível, de cor escura e sabor marcante, encontrado somente na Europa **2** CUL bombom de chocolate, aromatizado com conhaque, café etc., recoberto de pó de cacau

trufeira (tru.fei.ra) *s.f.* terreno em que se acham trufas ('cogumelo')

trufeiro (tru.fei.ro) *adj.* **1** relativo a trufa *<região t.>* ■ *adj.s.m.* **2** que(m) apanha trufas **3** (animal) farejador de trufas

truísmo (tru.ís.mo) *s.m.* verdade incontestável ou evidente

trumbicar-se (trum.bi.car-se) *v.* {mod. 1} *pron. gír.* sair-se mal; estrepar-se, dar-se mal *<faltou às aulas e trumbicou-se na prova>*

truncar (trun.car) *v.* {mod. 1} *t.d.* **1** separar do tronco; cortar **2** retirar uma parte de; mutilar *<t. uma imagem>* **3** tirar parte importante de (escrito, obra literária), dificultando a compreensão ~ **truncamento** *s.m.*

trunfo (trun.fo) *s.m.* **1** RECR certo jogo de cartas em parceria de dois, quatro ou seis jogadores **2** *p.ext.* RECR em jogos de cartas, naipe que prevalece sobre os outros **3** RECR a carta desse naipe **4** *fig.* aquilo que dá vantagem a alguém para conseguir algo *<suas boas notas eram seu t. para conseguir ir ao passeio>*

trupe (tru.pe) *s.f.* **1** conjunto de artistas, comediantes, de pessoas que atuam em conjunto *<t. de acrobatas>* **2** companhia de teatro

truque (tru.que) *s.m.* **1** ação que visa enganar; tramoia **2** modo hábil e sutil de agir *<um médico com muitos t. para acalmar os clientes>* **3** CINE TEAT processo us. para criar ilusões, em filmes ou no palco *<fazia alguns t. com a luz para indicar dia e noite>*

truste (trus.te) *s.m.* ECON fusão de empresas, sem perda de autonomia jurídica, para assegurar o controle sobre o mercado e aumentar a margem de lucro ☞ cf. *cartel*

truta (tru.ta) *s.f.* **1** ZOO peixe de grande valor comercial, encontrado ou criado ger. em águas doces, frias e correntes **2** *infrm.* negociata, trambique *<cuidado, aí tem t.!>* ◉ COL trutaria

trutaria (tru.ta.ri.a) *s.f.* ZOO grande quantidade de trutas

tsar [pl.: *-es*; fem.: *tsarina*] *s.m.* → ***CZAR***

tsarina (tsa.ri.na) *s.f.* → ***CZARINA***

tsarismo (tsa.ris.mo) *s.m.* → ***CZARISMO***

TSE *s.m.* sigla de Tribunal Superior Eleitoral

tsé-tsé (tsé-tsé) [pl.: *tsé-tsés*] *s.2g.* ZOO mosca africana transmissora de parasitas causadores da doença do sono

tsunami (tsu.na.mi) [jap.] *s.m.* onda gigantesca provocada por um tremor de terra ou por uma erupção vulcânica no fundo do mar ⇒ pronuncia-se tsunâmi

tu *pron.p.* representa a 2ª p.sing. e é us. para indicar aquele a quem se fala ou escreve *<tu és inteligente>*

tua (tu.a) *pron.pos.* **1** indica um ser (coisa ou pessoa) do gênero feminino que pertence, é parte de, está relacionado à 2ª p.sing. (tu) *<t. filha> <t. mão>* ■ *s.f.* **2** tua opinião, tua posição *<qual é a t., afinal?>* ◉ GRAM/USO fem. de *teu* ▣ **ficar na t.** *B infrm.* **1** permanecer com a sua própria opinião, hipótese etc. *<não te deixes convencer: fica na t.>* **2** não se envolver em (alguma coisa); ficar de fora *<é melhor ficar na t. e deixar que resolvam o problema>*

tuba (tu.ba) *s.f.* **1** MÚS instrumento de sopro grande e grave, dotado de três ou quatro pistões, us. em banda de música **2** ANAT estrutura ou canal em forma de tubo, anteriormente denominada *trompa* ▣ **t. auditiva** ANAT canal auditivo que vai do tímpano à faringe, anteriormente denominado *trompa de Eustáquio* • **t. uterina** ANAT canal que corre em cada um dos lados do fundo do útero até o final do respectivo ovário, anteriormente denominado *trompa de Falópio*

tubáceo (tu.bá.ceo) *adj.* em forma de tuba ('instrumento')

tubagem (tu.ba.gem) [pl.: *-ens*] *s.f.* tubulação ('conjunto', 'instalação')

tubarão (tu.ba.rão) [pl.: *-ões*] *s.m.* **1** ZOO nome de grandes peixes marinhos, predadores e comestíveis **2** *fig.* empresário sem escrúpulos, que só visa ao próprio lucro

tubário (tu.bá.rio) *adj.* ANAT relativo a tuba ('estrutura em forma de tubo') *<gravidez t.>*

tubérculo (tu.bér.cu.lo) *s.m.* **1** BOT parte espessa do caule de certas plantas rica em reservas nutritivas, ger. subterrânea *<a batata é um t.>* **2** ANAT saliência arredondada na superfície de um órgão **3** MED pequena lesão cutânea arredondada

tuberculose (tu.ber.cu.lo.se) *s.f.* MED doença contagiosa, que pode afetar quase todos os tecidos do corpo, esp. os pulmões, causada por um bacilo

tuberculoso (tu.ber.cu.lo.so) /ô/ [pl. e fem.: /ó/] *adj.s.m.* **1** MED que(m) tem tuberculose ■ *adj.* **2** relativo a tubérculo *<caule t.>*

tuberiforme (tu.be.ri.for.me) *adj.2g.* em forma de tubérculo *<raiz t.>*

tubiforme (tu.bi.for.me) *adj.2g.* em forma de tubo; tubular

tubo (tu.bo) *s.m.* **1** qualquer estrutura cilíndrica e oca pela qual podem passar líquidos ou gases *<tubos de água> <t. de pomada>* **2** ANAT qualquer cavidade tubária **3** ESP espaço vazio, tubular, que se forma entre a parte mais baixa das ondas maiores e sua crista *<um surfista especializado em tubos>* ◉ COL tubulação ▣ **t. de ensaio** QUÍM recipiente cilíndrico de vidro ou plástico, us. em laboratórios; proveta • **os tubos** *B infrm.* grande soma de dinheiro *<o vestido custa os t.>*

tubulação (tu.bu.la.ção) [pl.: *-ões*] *s.f.* **1** conjunto de tubos; encanamento, tubagem **2** instalação de um ou mais tubos; tubagem **3** canalização para passagem de gás, água, eletricidade etc.

tubular (tu.bu.lar) [pl.: *-es*] *adj.2g.* **1** relativo a tubo **2** que tem a forma de tubo; tubiforme

tucano (tu.ca.no) *s.m.* ZOO *B* **1** ave de bico muito grande e forte, coloração preta, vermelha, laranja ou verde, e plumagem dorsal negra, com a garganta branca ou amarela ■ *s.2g.* **2** indivíduo dos tucanos, grupo indígena que habita no noroeste do Amazonas e na Colômbia

tucunaré (tu.cu.na.ré) *s.m.* *B* **1** ZOO peixe amazônico prateado com mancha redonda no rabo, muito apreciado na alimentação **2** tipo de embarcação us. na Amazônia

tucupi (tu.cu.pi) *s.m.* CUL molho feito com mandioca e pimenta, típico da cozinha do norte do Brasil

tudo (tu.do) *pron.ind.* **1** o total das coisas ou seres que são objeto do discurso *<disse t.>* ↺ nada **2** a totalidade das coisas (concretas ou abstratas), sem faltar nenhuma *<t. é belo aqui> <tem t. para ser uma ótima médica>* ↺ nada **3** o que é importante, essencial *<a saúde é t.>* ↺ nada

tudo-nada (tu.do-na.da) [pl.: *tudos-nadas* e *tudo-nadas*] *s.m.* quantidade insignificante, quase nada *<queria somente um t. de felicidade>*

tufão (tu.fão) [pl.: *-ões*] *s.m.* **1** furacão nos mares do Oriente, esp. no da China **2** *p.ext.* ventania, vendaval

¹tufar (tu.far) *v.* {mod. 1} *t.d.,int. e pron.* **1** (fazer) aumentar de volume; inchar(-se), estufar(-se) *<o vento tufava as velas do barco> <o vento foi tão forte que a saia tufou> <o peixe tufou-se e virou uma bola>* ↺ murchar □ *int. e pron. fig.* **2** encher-se de orgulho ou vaidade; enfatuar-se *<a riqueza acabou por fazer com que ele (se) tufasse>* ↺ humilhar-se ◉ ORIGEM do port.ant. *tufo* (ligado ao lat. *typhus,i* 'inchação, orgulho') + ²*-ar*

²tufar (tu.far) *v.* {mod. 1} *t.d. e pron.* dar ou tomar forma de tufo ◉ ORIGEM *tufo* + ²*-ar*

tufo (tu.fo) *s.m.* **1** porção de coisas que crescem ou estão juntas (como pelos, penas, cabelos, folhagens etc.) **2** *p.ext.* qualquer coisa arredondada e proeminente; saliência

tugir (tu.gir) *v.* {mod. 24} *t.d. e int.* **1** falar baixo; murmurar, sussurrar *<ficaram sem t. uma palavra>* *<as duas mulheres continuavam a t.>* **2** *p.ext.* expressar-se oralmente; dizer, falar *<se alguém t. alguma coisa, será expulso da sala>* *<de medo, ninguém tugia>*

tugúrio (tu.gú.rio) *s.m.* **1** choupana, casebre **2** *p.ext.* abrigo, refúgio *<a casa dos pais era seu t.>*

tuim (tu.im) [pl.: *-ins*] *s.m.* ZOO *B* nome comum a pequenas aves de coloração ger. verde e cauda curta; periquito ● voz v.: chalrear; subst.: chalreio

tuiuiú (tui.ui.ú) *s.m.* ZOO *B* ave de plumagem branca, enorme bico negro levemente curvado para cima e pescoço negro, nu e com a base vermelha

tule (tu.le) *s.m.* tecido leve e transparente, de fios de seda ou algodão; filó

tulha (tu.lha) *s.f.* **1** recipiente us. para armazenagem de cereais **2** *p.ext.* construção rural para armazenar grãos ou provisões; celeiro **3** grande quantidade de cereais

túlio (tú.lio) *s.m.* QUÍM elemento químico us. em tubos de raios X [símb.: *Tm*] ☞ cf. *tabela periódica* (no fim do dicionário)

tulipa (tu.li.pa) *s.f.* **1** BOT planta ornamental de flores eretas e raiz bulbosa, de grande valor comercial **2** BOT a flor dessa planta **3** *B* copo alto, em forma de cone, us. para servir chope **4** *p.ext.* o conteúdo de bebida que cabe nesse copo *<bebeu três t. e saiu cambaleando>* ~ **tulipáceo** *adj.*

tumba (tum.ba) *s.f.* **1** cova em que se enterram os mortos; sepultura **2** construção de pedra, mármore etc. sobre essa cova

tumefação (tu.me.fa.ção) [pl.: *-ões*] ou **tumefacção** (tu.me.fac.ção) [pl.: *-ões*] *s.f.* MED aumento de volume em algum tecido ou órgão do corpo, devido a inflamação ou edema; inchação ~ **tumefato/tumefacto** *adj.*

tumefato (tu.me.fa.to) *adj.* **1** que se tumefez; inchado, tumefeito **2** que se mostra vaidoso, arrogante *<o t. fidalgo>* ● GRAM/USO part. de *tumefazer*

tumefazer (tu.me.fa.zer) *v.* {mod. 14} *t.d. e pron.* (fazer) sofrer tumefação; inchar(-se), intumescer(-se) *<a pancada tumefez seu pé>* *<o estômago tumefez-se>* ↺ desinchar(-se) ● GRAM/USO part.: *tumefeito, tumefato*; ver QUADRO DE PARTICÍPIOS DUPLOS nas pp. iniciais

tumefeito (tu.me.fei.to) *adj.* que se tumefez; inchado, tumefato ● GRAM/USO part. de *tumefazer*

T

túmido (tú.mi.do) *adj.* **1** que aumentou de volume; dilatado *<olhos t. de chorar>* **2** saliente, proeminente *<queixo t.>* ↺ cavado **3** grosso, volumoso *<lábios t.>* ↺ fino **4** *fig.* presunçoso, vaidoso ↺ modesto ~ **tumidez** *s.f.*

tumor (tu.mor) /ô/ [pl.: *-es*] *s.m.* MED crescimento anormal de tecido ~ **tumoral** *adj.2g.*

túmulo (tú.mu.lo) *s.m.* **1** cova coberta de terra ou por uma laje de pedra, mármore etc., na qual um cadáver é enterrado **2** grande e imponente monumento funerário de uma família **3** *fig.* lugar triste, sem vida *<nas férias, a escola fica um t.>* ~ **tumular** *adj.2g.*

tumulto (tu.mul.to) *s.m.* **1** explosão de rebeldia; motim *<um t. na prisão>* **2** briga envolvendo várias pessoas; pancadaria *<t. entre torcedores de futebol>* **3** alvoroço, barulho *<o t. das grandes cidades>* ↺ silêncio **4** confusão, desordem *<os camelôs causam t. nas calçadas>* ↺ tranquilidade **5** desavença, discórdia *<t. entre duas famílias>* ↺ harmonia **6** *fig.* desassossego, inquietação *<os t. da alma>* ↺ paz

tumultuar (tu.mul.tu.ar) *v.* {mod. 1} *t.d. e int.* **1** incitar à ou atuar em revolta; levantar(-se), sublevar(-se) *<a fraude nas eleições tumultuou a população>* *<a empresa perderá muito se os funcionários começarem a t.>* □ *t.d.* **2** desordenar, desarrumar *<os gatos tumultuaram a casa>* ↺ arrumar **3** destruir a paz, a tranquilidade de; agitar *<a briga dos vizinhos tumultuou o prédio>* ↺ serenar **4** causar confusão em; perturbar, atrapalhar *<fiquem calados e não tumultuem a reunião>* ~ **tumultuante** *adj.2g.*

tumultuoso (tu.mul.tu.o.so) /ô/ [pl. e fem.: /ó/] *adj.* **1** em que há tumulto *<uma recepção t.>* **2** agitado, efervescente *<fugiu da vida t. da cidade grande>* **3** em que há revoltas, lutas, choques **4** acompanhado de rixas, disputas, desavenças *<um t. processo de divórcio>* **5** sem ordem, sem disciplina; confuso *<congresso t.>*

tunar (tu.nar) *v.t.d.* realizar alterações mecânicas e/ou estéticas em (carros, motocicletas, equipamentos eletrônicos etc.), para personalizá-los ou melhorar seu aspecto, desempenho etc. ~ **tunagem** *s.f.*

tunda (tun.da) *s.f.* **1** ato de maltratar por meio de pancadas, socos etc.; surra **2** *fig.* crítica dura

tundra (tun.dra) *s.f.* **1** GEO paisagem geográfica da região ártica, caracterizada por vegetação baixa, herbácea, constituída por gramíneas, liquens e musgos **2** BOT essa vegetação

túnel (tú.nel) [pl.: *-eis*] *s.m.* passagem subterrânea sob montanha, rio, estrada, rua etc., destinada à comunicação *<abriram um t. na montanha, e a viagem ficou mais curta>* *<as formigas fazem t. no formigueiro>*

tungstênio (tungs.tê.nio) *s.m.* QUÍM elemento químico us. em filamentos de lâmpadas incandescentes, elétrodos, aviões etc. [símb.: *W*] ☞ cf. *tabela periódica* (no fim do dicionário)

túnica (tú.ni.ca) *s.f.* **1** VEST roupa feminina mais longa que a blusa **2** VEST casaco militar justo e abotoado na frente; dólmã **3** LITUR veste do sacerdote **4** ANAT membrana que envolve órgãos animais ou certos órgãos vegetais

tupã (tu.pã) *s.m.* MIT entre os indígenas de língua tupi, o trovão, cultuado como divindade suprema ☞ inicial freq. maiúsc.

tupi (tu.pi) *s.2g.* **1** indígena de qualquer um dos grupos tupis, povos cujas línguas pertencem a um tronco linguístico de mesmo nome ■ *s.m.* **2** LING tronco linguístico formado de várias línguas desses povos, habitantes do Brasil e de vários outros países da América do Sul ■ *adj.2g.* **3** relativo a esse indígena, a esses povos ou a esse tronco linguístico ☞ cf. *macro-jê*

tupi-guarani (tu.pi-gua.ra.ni) [pl.: *tupis-guaranis*] *s.2g.* **1** indígena pertencente a qualquer dos grupos tupis-guaranis, povos cujas línguas pertencem a uma família de mesmo nome ■ *s.m.* **2** LING família linguística que inclui o tupi, o guarani e outras línguas indígenas ■ *adj.2g.* **3** relativo a esse indígena, a esses povos ou a essa família linguística *<língua t.>* *<povos t.>*

tupinambá (tu.pi.nam.bá) *s.2g.* **1** indígena dos tupinambás, grupo que habitava a costa brasileira, hoje considerado extinto ■ *s.m.* **2** LING língua da família linguística tupi-guarani falada por esse povo ■ *adj.2g.* **3** relativo a esse indígena, a esse grupo ou a essa língua *<costumes t.>*

tupiniquim (tu.pi.ni.quim) [pl.: *-ins*] *s.2g.* **1** indígena dos tupiniquins, grupo da família linguística tupi-guarani, que habita no município de Aracruz (ES) e no município de Ilhéus (BA) ■ *adj.2g.* **2** relativo a esse indígena e a esse grupo *<festa t.>* **3** *B infrm.* brasileiro ☞ pode ter uso pejorativo

-tura *suf.* equivale a *-ura* (1)

turba (tur.ba) *s.f.* **1** grande número de pessoas reunidas; multidão **2** multidão desordenada ou em movimento *<a t. das ruas durante o protesto>* **3** conjunto dos grupos menos favorecidos de uma comunidade **4** coro de vozes ☞ nos três primeiros sentidos, esta palavra é freq. de uso pejorativo

turbante (tur.ban.te) *s.m.* VEST **1** faixa de tecido enrolada na cabeça, de origem oriental, us. por homens **2** *p.ext.* echarpe ou lenço enrolado em torno da cabeça das mulheres

turbar (tur.bar) *v.* {mod. 1} *t.d.,int. e pron.* turvar ~ **turbação** *s.f.* - **turbamento** *s.m.*

túrbido (túr.bi.do) *adj.* **1** que é pouco transparente ou límpido; escuro *<céu t.>* ↺ claro **2** que inquieta ou perturba *<notícia t.>* ↺ calmante ~ **turbidez** *s.f.*

turbilhão (tur.bi.lhão) [pl.: *-ões*] *s.m.* **1** massa de ar em forte movimento giratório *<t. de fumaça>* **2** movimento de um líquido que forma um redemoinho na superfície; sorvedouro **3** *fig.* aquilo que arrasta ou excita de maneira muito intensa *<um t. de desejos>*

turbina (tur.bi.na) *s.f.* ENG MEC máquina geradora de energia mecânica giratória, a partir da energia cinética de água, gás etc. em movimento ~ **turbinagem** *s.f.*

turbinar (tur.bi.nar) *v.* {mod. 1} *int.* **1** deslocar-se (a água) de modo circular ou helicoidal, formando um rodamoinho □ *t.d. fig. B infrm.* **2** melhorar as qualidades, o funcionamento, as características de *<t. carro, computador>* ~ **turbinado** *adj.*

turbulência (tur.bu.lên.cia) *s.f.* **1** ação ou comportamento caracterizado por agitação, tumulto *<as greves geraram um clima de t.>* ↺ tranquilidade **2** *p.ext.* agitação ruidosa e desordenada *<a t. das crianças no recreio>* ↺ disciplina **3** agitação de massa de água ou ar *<t. aérea>*

turbulento (tur.bu.len.to) *adj.s.m.* **1** que(m) se comporta de modo irrequieto, ruidoso *<matilha t.>* **2** (o) que é animado, alegre *<foliões t.>* ↺ triste **3** (o) que se agita *<mar t.>* **4** que(m) se comporta com violência, brutalidade *<homem t.>* *<os t. assumiram o controle da situação>* ↺ pacífico

turco (tur.co) *adj.* **1** da Turquia ■ *adj.s.m.* **2** natural ou habitante desse país **3** LING língua falada na Turquia

turfa (tur.fa) *s.f.* BIO massa constituída de restos de vegetais em decomposição, us. como fertilizante, forragem, combustível e na feitura de carvão

turfe (tur.fe) *s.m.* **1** local para corridas de cavalo; hipódromo **2** o esporte das corridas de cavalos

turfista (tur.fis.ta) *s.2g. B* **1** quem gosta de corridas de cavalos **2** quem joga em corridas de cavalos

turfístico (tur.fís.ti.co) *adj.* relativo a turfe ou a turfista *<competições t.>*

túrgido (túr.gi.do) *adj.* **1** dilatado, inchado *<trazia o rosto t. e a expressão desesperada>* **2** gordo, cheio *<corpo t.>* ↺ franzino ~ **turgência** *s.f.* - **turgidez** *s.f.*

turíbulo (tu.rí.bu.lo) *s.m.* vaso no qual se queima o incenso nas igrejas; incensório ~ **turibular** *v.t.d.*

turismo (tu.ris.mo) *s.m.* **1** ação de viajar por diversão ou para fins culturais **2** atividade econômica de dirigir grupos de turistas em viagem, dando informações e vendendo itinerários de excursão **3** conjunto de serviços decorrentes dessa atividade ▣ **t. ecológico** ECO ecoturismo ~ **turístico** *adj.*

turista (tu.ris.ta) *s.2g.* **1** indivíduo que faz turismo **2** *infrm. joc.* aquele cuja presença é imprevisível e inconstante *<quase não aparece no trabalho; é um t. perfeito>*

turma (tur.ma) *s.f.* **1** conjunto de pessoas; grupo *<t. de torcedores>* **2** conjunto dos estudantes da mesma sala; classe **3** grupo profissional *<t. da faxina>* **4** *B* grupo de amigos **5** divisão de horário de trabalho ou estudo; turno *<ser da t. da noite>*

turmalina (tur.ma.li.na) *s.f.* MINER pedra semipreciosa de coloração variada, us. tb. em aparelhos de rádio e instrumentos ópticos ~ **turmalínico** *adj.*

turnê (tur.nê) *s.f.* viagem com itinerário e paradas definidas com antecedência, ger. feita por artista, grupo de pessoas etc.

turno (tur.no) *s.m.* **1** cada um dos grupos de pessoas que alternam um trabalho ou ocupação com outro; turma *<o pessoal desse t. é ótimo>* **2** *B* hora, vez *<agora é seu t. de falar>* **3** *B* período fixado para um trabalho, serviço, tarefa, estudo etc.; horário *<o t. da noite começa às 24 horas>* **4** ESP *B* cada uma das etapas de um campeonato ou torneio

turquesa (tur.que.sa) /ê/ *s.f.* MINER **1** pedra preciosa de cor azul, verde-azulada ou verde-amarelada ■ *s.m.* **2** a cor dessa pedra *<o t. combina com sua pele>* ■ *adj.2g.2n.* **3** que tem essa cor *<almofadas turquesa>* **4** diz-se dessa cor *<a cor t. de seus olhos>*

turra (tur.ra) *s.f.* **1** diferença entre pontos de vista *<os dois viviam em turras, só se falavam para brigar>* ↺ entendimento **2** teimosia, teima *<deixe de t. e venha logo para a mesa>* **3** pancada, voluntária ou involuntária, com a cabeça ou a testa *<dois bodes dando turras um no outro>* **4** *p.ext.* encontro violento; colisão *<uma t. lançou-os fora da charrete>* ■ *adj.2g.* **5** que não se deixa convencer; teimoso *<aquele menino era muito t.>*

turrão (tur.rão) [pl.: *-ões*; fem.: *turrona*] *adj.s.m.* que(m) é teimoso, obstinado *<garoto t., só faz o que quer>*

turrar (tur.rar) *v.* {mod. 1} *t.d. e int.* **1** bater com a cabeça, a testa ou os chifres (em) □ *t.i. e int. fig.* **2** (prep. *com*) discutir com calor; altercar, brigar *<t. com um irmão>* *<os dois turravam o tempo todo>*

turvação (tur.va.ção) [pl.: *-ões*] *s.f.* **1** distúrbio, perturbação *<as t. do delírio>* **2** exaltação, irritabilidade ou inquietude *<foi com muita t. que entraram na sala>* ↺ calma **3** perda de transparência *<a t. do vinho>*

T

turvar (tur.var) *v.* {mod. 1} *t.d.,int. e pron.* **1** (fazer) ficar opaco, sem transparência; embaçar *<as chuvas turvaram a água das praias> <com o passar do tempo, o suco turvou(-se)>* ↺ desembaçar **2** cobrir(-se) de nuvens; nublar(-se) *<nuvens turvaram o céu> <com a chegada do inverno, o tempo turva(-se)>* ↺ desanuviar(-se) **3** *fig.* tornar(-se) fechado ou triste *<o ódio turvou o seu olhar> <seu rosto turvou(-se) com a notícia da falência>* ↺ alegrar(-se) **4** (fazer) sofrer abalo psicológico, moral etc.; perturbar(-se) *<a chegada do filho turvou o seu humor> <meu espírito turvou(-se) com aquela visão>* ~ **turvamento** *s.m.*

turvo (tur.vo) *adj.* **1** que se movimenta muito; agitado *<as águas t. da cachoeira>* ↺ tranquilo **2** sem transparência; opaco *<urina t.>* ↺ transparente **3** coberto de nuvens ou de nebulosidade *<um céu t.>* ↺ limpo **4** *fig.* desamparado, inseguro *<o t. olhar dos sem-teto>* **5** *fig.* carrancudo, fechado *<semblante t.>* ↺ alegre **6** *fig.* intranquilo, instável *<tempos t. de uma revolução>* ↺ estável

tutano (tu.ta.no) *s.m.* **1** matéria que preenche as cavidades ósseas; medula *<comia t. de boi>* **2** *fig.* essência, âmago *<o t. de uma lei>* **3** *infrm.* palavra us. em lugar de algumas boas qualidades, como coragem, talento etc. *<tirou 10 porque tem t.>*

tutela (tu.te.la) *s.f.* **1** proteção exercida em relação a alguém ou a algo mais frágil *<estar sob a t. de um político>* **2** *p.ext.* dependência, subordinação ou submissão a alguém ou algo mais poderoso *<muitos países não se livram da t. americana>* ↺ independência **3** DIR responsabilidade legal por alguém incapaz, como um órfão, um doente etc. **4** DIR a autoridade legal para ter essa responsabilidade

[1]**tutelar** (tu.te.lar) [pl.: *-es*] *adj.2g.* **1** que tem sob sua responsabilidade ou ação a guarda, a defesa ou a proteção de alguém ou algo *<anjo t.> <família t.>* **2** relativo a tutela ◉ ORIGEM do lat. *tutelāris,e* 'id.'

[2]**tutelar** (tu.te.lar) *v.* {mod. 1} *t.d.* **1** exercer tutela sobre *<t. um menor>* **2** *p.ext.* agir na defesa de; amparar, proteger *<t. os desamparados>* ◉ ORIGEM *tutela* + [2]*-ar*

tutor (tu.tor) /ô/ [pl.: *-es*] *s.m.* **1** DIR indivíduo que exerce uma tutela **2** quem ampara, protege; guardião **3** quem ou o que supervisiona, dirige, governa *<o Executivo é um dos t. da administração nacional>* **4** em algumas instituições de ensino, aluno escolhido para instrução de outros alunos ■ *adj.* **5** que exerce tutela, judicial ou não ~ **tutorial** *adj.2g.*

tutoria (tu.to.ri.a) *s.f.* **1** DIR função ou autoridade de tutor **2** governo, direção *<a t. de uma escola religiosa>* **3** proteção de alguém ou algo *<a t. de crianças órfãs>*

[1]**tutu** (tu.tu) *s.m.* CUL *B* feijão cozido engrossado com farinha de mandioca ◉ ORIGEM duv., talvez do quimb. *ki'tutu* 'indigestão'

[2]**tutu** (tu.tu) *s.m. infrm.* dinheiro ◉ ORIGEM onomatopaica

tuxaua (tu.xau.a) *s.m. B* **1** entre indígenas da Amazônia, o chefe temporal **2** *p.ext. B* indivíduo influente no lugar em que mora

TV *s.f.* abrev. de *televisão* ⊡ **TV aberta** TV sistema de televisão com transmissão gratuita de programas • **TV a cabo** TV sistema de televisão exclusivo para assinantes que transmite o sinal através de cabos coaxiais subterrâneos ou terrestres

twist [ing.] *s.m.2n.* DNÇ MÚS dança americana caracterizada pelo movimento de rotação das pernas e dos quadris ⇒ pronuncia-se tuíst

tzar [pl.: *-es*; fem.: *tzarina*] *s.m.* → ***CZAR***

tzarina (tza.ri.na) *s.f.* → ***CZARINA***

tzarismo (tza.ris.mo) *s.m.* → ***CZARISMO***

Uu

u *s.m.* **1** 21ª letra do nosso alfabeto, vogal ■ *n.ord. (adj.2g.2n.)* **2** diz-se do 21º elemento de uma série *<casa U> <item 1u>* ☞ empr. após um substantivo ou numeral ◉ GRAM/USO na acp. s.m., pl.: *uu*

U QUÍM símbolo de *urânio*

uacari (u.a.ca.ri) *s.m.* ZOO nome comum a macacos amazônicos arborícolas, de hábitos diurnos, cauda curta e cabeça quase sem pelos

uai (u.ai) *interj. B* exprime espanto, admiração, susto ou impaciência *<claro que vou, u.>*

uau (u.au) *interj.* exprime alegria, surpresa *<U.! Que paisagem linda!>*

ubá (u.bá) *s.f.* pequena canoa indígena, de fundo chato, talhada em tronco ou casca de árvore

[1]**úbere** (ú.be.re) *s.m.* mama de animal, esp. de vaca; teta ◉ ORIGEM do lat. *ūber,ĕris* 'peito, teta'

[2]**úbere** (ú.be.re) *adj.2g.* **1** fértil, fecundo *<terras ú.>* ↺ estéril **2** que se desenvolve com abundância e vigor *<a ú. mata atlântica>* ◉ GRAM/USO sup.abs.sint.: *ubérrimo* ◉ ORIGEM do lat. *ūber,ĕris* 'id.' ~ **uberdade** *s.f.*

ubíquo (u.bí.quo) *adj.* onipresente ~ **ubiquação** *s.f.* - **ubiquidade** *s.f.*

-uça *suf.* 'aumento': *dentuça*

-ucho *suf.* 'diminuição': *gorducho*

UCP *s.f.* INF sigla de *Unidade Central de Processamento*

-udo *suf.* 'posse, abundância': *cabeçudo, cabeludo, massudo*

ué (u.é) *interj.* exprime espanto, surpresa, admiração *<Ué, você veio!>*

ufa (u.fa) *interj.* exprime cansaço, desabafo, por vezes alívio *<entregamos o trabalho a tempo. U.!>*

ufanar (u.fa.nar) *v.* {mod. 1} *t.d. e pron.* **1** (fazer) sentir orgulho ou vaidade; envaidecer(-se) *<ufanaram-no os elogios> <u.-se do sucesso de seu time>* ↺ humilhar(-se) □ *pron.* **2** ostentar os próprios méritos e conquistas, reais ou falsos; gabar-se *<a coragem, de que sempre se ufanou, era mais uma presunção que um fato>*

ufanismo (u.fa.nis.mo) *s.m.* **1** atitude ou sentimento exorbitante de orgulho de si mesmo ou de algo **2** orgulho exagerado do país em que se nasceu ~ **ufanista** *adj.2g.s.2g.*

ufano (u.fa.no) *adj.* **1** orgulhoso, vaidoso **2** *pej.* arrogante, convencido ↺ humilde ~ **ufania** *s.f.*

ufo (u.fo) *s.m.* ver ***ÓVNI***

ufologia (u.fo.lo.gi.a) *s.f.* conjunto de conhecimentos e de hipóteses sobre os chamados ufos ('óvnis')

-ugem *suf.* 'semelhança': *ferrugem*

UHT *s.f.* **1** método de esterilização de alimentos líquidos (esp. leite) que consiste em submetê-los, por um tempo muito curto, a uma temperatura entre 130 °C e 150 °C e imediatamente resfriá-los a uma temperatura inferior a 32 °C ■ *adj.2g.2n.* **2** esterilizado por esse método *<leite UHT>*

ui *interj.* **1** exprime espanto, surpresa ou susto *<Ui! Que barulho foi esse?>* **2** exprime sensação de dor *<ui, me queimei!>*

uiara (ui.a.ra) *s.f. B* **1** mãe-d'água **2** ZOO boto rosado amazônico

uirapuru (ui.ra.pu.ru) *s.m.* ZOO ave florestal de plumagem colorida, ger. preta com vermelho, laranja ou branco, e canto melodioso

uísque (u.ís.que) *s.m.* **1** bebida alcoólica feita de grãos fermentados de cevada, milho ou centeio **2** *p.ext.* cada dose servida dessa bebida *<tomou dois u.>*

uivar (ui.var) *v.* {mod. 1} *int.* **1** soltar uivos (p.ex., cão, lobo) ☞ nesta acp., só us. nas 3as p., exceto quando fig. **2** *fig.* produzir ruído agudo e contínuo *<o vento uivava>*

□ *t.d. e int. fig.* **3** exprimir (algo) com voz semelhante ao uivo *<a plateia uivava (a sua decepção)>*

uivo (ui.vo) *s.m.* **1** voz triste e aguda de animais como cães, lobos e raposas **2** *p.ext.* grito alto e contínuo de dor ou tristeza **3** *fig.* qualquer clamor alto ou estridente *<a torcida exigia aos u. a expulsão do jogador>* **~ uivante** *adj.2g.*

úlcera (úl.ce.ra) *s.f.* MED ferida interna ou externa na pele ou mucosa, que provoca dor e, por vezes, sangramento ◉ COL ulceração

ulceração (ul.ce.ra.ção) [pl.: *-ões*] *s.f.* MED **1** o processo de formação de uma úlcera *<o exame indicou uma u. no estômago>* **2** a úlcera ou grupo de úlceras

ulcerar (ul.ce.rar) *v.* {mod. 1} *t.d.* **1** causar úlcera em *<o excesso de álcool pode u. o estômago>* □ *t.d.,int. e pron.* **2** transformar(-se) em úlcera *<a falta de tratamento ulcerou a sua gastrite> <a doença começou com uma pequena inflamação que (se) ulcerou>* **3** cobrir(-se) de úlceras *<as varizes ulceraram sua perna> <a perna ulcerou(-se)>*

ulcerativo (ul.ce.ra.ti.vo) *adj.* **1** que produz úlcera ou ulceração *<processo u.>* **2** que diz respeito à ulceração ou é por ela caracterizado *<colite u.>*

ulceroso (ul.ce.ro.so) /ô/ [pl. e fem.: /ó/] *adj.* **1** relativo a ou da natureza da úlcera *<ferida u.>* ■ *adj.s.m.* **2** que(m) tem úlceras

ulna (ul.na) *s.f.* ANAT osso longo da parte interna do antebraço, antes denominado cúbito **~ ulnar** *adj.2g.*

-ulo ou **-culo** *suf.* 'diminuição': *cubículo, nódulo, óvulo, versículo*

ulterior (ul.te.ri.or) /ô/ [pl.: *-es*] *adj.2g.* **1** que ocorre depois; posterior *<o erro foi corrigido na edição u.>* ↺ anterior **2** que está além de *<região u. dos Alpes>* **~ ulterioridade** *s.f.*

última (úl.ti.ma) *s.f.* **1** notícia mais recente; novidade *<sabe da ú.?>* **2** fato habitual a respeito de alguém *<depois da ú. que aprontou, foi demitido>* ▼ ***últimas*** *s.f.pl.* **3** o ponto extremo ▣ **nas ú.** à beira da morte

ultimar (ul.ti.mar) *v.* {mod. 1} *t.d. e pron.* **1** (fazer) chegar ao fim; completar(-se), terminar(-se) *<ultimar (-se) os preparativos para a festa>* ↺ iniciar(-se) □ *t.d.* **2** concluir (um negócio) *<hoje ultimamos a venda da nossa casa>* **~ ultimação** *s.f.*

ultimato (ul.ti.ma.to) ou **ultimátum** (ul.ti.má.tum) [pl.: *-uns*] *s.m.* **1** exigência, pedido ou proposta final apresentada por um Estado a outro, cuja rejeição leva, ger., à guerra **2** na guerra, comunicado enviado por um chefe militar ao inimigo, exigindo rendição imediata **3** *p.ext.* exigência final e irrevogável *<recebeu um u. da namorada e parou de fumar>* **~ ultimação** *s.f.*

último (úl.ti.mo) *adj.s.m.* **1** (o) que vem depois de todos *<o ú. lugar na fila> <é o ú. na classificação>* ↺ primeiro ■ *adj.* **2** mais moderno ou recente *<a ú. moda>* ↺ antigo **3** anterior *<esta aula foi melhor que a ú.>* **4** que não volta atrás; decisivo *<a ú. palavra>* ↺ momentâneo

ultra- *pref.* **1** 'além de': *ultrapassar* **2** 'excesso': *ultracorreção*

ultracorreção (ul.tra.cor.re.ção) [pl.: *-ões*] *s.f.* GRAM fenômeno que ocorre quando o falante estranha, e interpreta como incorreta, uma forma correta da língua e acaba trocando-a por uma que ele considera culta, por preocupação excessiva em falar de forma certa (por. ex., usar *rúbrica* por *rubrica*)

ultrajante (ul.tra.jan.te) *adj.2g.* que ultraja; desrespeitoso, ofensivo *<observações u.>*

ultrajar (ul.tra.jar) *v.* {mod. 1} *t.d.* **1** atingir de forma grave a dignidade de; ofender, insultar *<seus atos ultrajam a família>* **2** não seguir determinações de (lei, regra); transgredir *<u. a constituição> <u. as regras de uma língua>* ↺ obedecer

ultraje (ul.tra.je) *s.m.* **1** ofensa muito grave ↺ elogio **2** afirmação caluniosa a respeito de alguém

ultraleve (ul.tra.le.ve) *adj.* **1** extremamente leve *<uma peça de metal u.>* ■ *s.m.* **2** AER pequeno avião de um ou dois lugares dotado de motor pouco potente

ultramar (ul.tra.mar) [pl.: *-es*] *adj.2g.2n.s.m.* **1** (região) situada além do mar *<terras ultramar> <partiram para o u.>* ■ *s.m.* **2** tinta azul extraída do lápis-lazúli **3** a cor dessa tinta *<o u. da água da piscina>*

ultramarino (ul.tra.ma.ri.no) *adj.* **1** situado no ultramar *<província u.>* **2** relativo ou pertencente ao ultramar **3** da cor do ultramar ('tinta') *<azul u.>*

ultrapassado (ul.tra.pas.sa.do) *adj.* **1** *fig.* que foi superado *<dificuldades u.>* **2** que se tornou fora de moda ou obsoleto; antiquado *<ideias u.> <tecnologia u.>* ↺ moderno

ultrapassagem (ul.tra.pas.sa.gem) [pl.: *-ens*] *s.f.* ato ou efeito de passar à frente de pessoa ou veículo indo no mesmo sentido

ultrapassar (ul.tra.pas.sar) *v.* {mod. 1} *t.d.* **1** ir além de; transpor, extrapolar *<u. a paciência de alguém> <u. os limites da honestidade>* **2** *fig.* ser superior a; exceder *<sua inteligência ultrapassava sua simpatia>* **3** passar à frente de (pessoa, animal, veículo indo no mesmo sentido) *<o ônibus ultrapassou o caminhão>*

ultrassom (ul.tras.som) [pl.: *-ons*] *s.m.* **1** FÍS vibração acústica inaudível ao ouvido humano **2** ultrassonografia

ultrassonografia (ul.tras.so.no.gra.fi.a) *s.f.* **1** técnica de visualização de órgãos internos ou feto por meio de ultrassons; ultrassom **2** exame baseado nessa técnica; ultrassom

ultravioleta (ul.tra.vi.o.le.ta) /ê/ *adj.2g.2n.s.2g.* FÍS diz-se de ou radiação eletromagnética invisível situada além da região da luz violeta (sigla: *UV*)

ululante (u.lu.lan.te) *adj.2g.* **1** que uiva ou produz ruído semelhante ao uivo *<cães u.>* **2** *B infrm.* de caráter óbvio *<comentário u.> <verdades u.>*

ulular (u.lu.lar) *v.* {mod. 1} *int.* soltar a voz (esp. aves noturnas, cães etc.) de modo triste, lamentoso; uivar ◉ GRAM/USO só us. nas 3ªs p., exceto quando fig.

um [pl.: *uns*] *n.card.* **1** número que indica a unidade **2** diz-se desse número *<pastas de número um>* **3** diz-se do primeiro elemento de uma série *<casa um>* **4** que equivale a essa quantidade (diz-se de medida ou do que é contável) *<gastei um litro de gasolina> <fiquei uma hora no engarrafamento>* ■ *s.m.* **5** representação gráfica desse número *<na*

placa, o um está apagado> ☞ em algarismos arábicos, *1*; em algarismos romanos, *I* ■ *art.ind.* **6** qualquer; algum <*um dia desses apareço por aí*> ■ *pron.ind.* **7** alguém <*ela é uma que vencerá na vida*>

umbanda (um.ban.da) *s.f.* REL religião afro-brasileira que, originalmente, conjugava elementos espíritas e bantos

umbaúba (um.ba.ú.ba) *s.f.* BOT embaúba

umbela (um.be.la) ou **umbrela** (um.bre.la) *s.f.* **1** guarda-chuva **2** qualquer objeto em forma de guarda-chuva **3** pequeno dossel levado por uma só pessoa

umbigada (um.bi.ga.da) *s.f.* ação de dar encontrões umbigo contra umbigo, que ocorre esp. em danças de origem africana (como o *jongo*)

umbigo (um.bi.go) *s.m.* **1** ANAT depressão localizada no centro do abdome, formada a partir da cicatriz do corte do cordão umbilical **2** qualquer depressão semelhante a essa cicatriz <*o u. da maçã*>

umbilical (um.bi.li.cal) [pl.: *-ais*] *adj.2g.* ANAT relativo ao ou próprio do umbigo <*hérnia u.*>

umbral (um.bral) [pl.: *-ais*] *s.m.* **1** CONSTR cada uma das peças verticais, componentes dos vãos de portas ou janelas **2** *p.ext.* local de entrada <*o porto é o u. da cidade*>

umbrela (um.bre.la) *s.f.* → **UMBELA**

umbrífero (um.brí.fe.ro) *adj.* **1** que faz sombra; umbroso <*árvore u.*> **2** que tem sombra; sombrio <*sala u.*>

umbroso (um.bro.so) /ô/ [pl. e fem.: /ó/] *adj.* **1** que produz sombra; umbrífero <*floresta u.*> **2** que é sombrio, escuro <*caverna u.*> ↺ claro

umbu (um.bu) ou **imbu** (im.bu) *s.m.* BOT **1** fruto do umbuzeiro; taperebá **2** árvore desse fruto; umbuzeiro

umbuzeiro (um.bu.zei.ro) ou **imbuzeiro** (im.bu.zei.ro) *s.m.* BOT árvore alta da América tropical, com pequenos frutos avermelhados comestíveis, raízes e casca do caule com propriedades medicinais; imbu, umbu, taperebá

-ume *suf.* 'quantidade, abundância, coleção': *pretume*

ume (u.me) *s.m.* QUÍM alume

umectar (u.mec.tar) *v.* {mod. 1} *t.d.* umedecer, hidratar <*usa um creme para u. as mãos*> ~ **umectante** *adj.2g.*

umedecer (u.me.de.cer) *v.* {mod. 8} *t.d. e pron.* deixar ou ficar levemente molhado; umidificar(-se) <*umedeça o tecido antes de passá-lo*> <*seus olhos umedeceram-se*> ↺ secar ~ **umedecedor** *adj.* - **umedecimento** *s.m.*

úmero (ú.me.ro) *s.m.* ANAT osso do braço que se articula com o ombro e o cotovelo ~ **umeral** *adj.2g.*

umidade (u.mi.da.de) *s.f.* **1** característica ou estado do que está impregnado de vapor de água ou levemente molhado **2** MET quantidade de vapor de água na atmosfera, determinada por uma dada medida

úmido (ú.mi.do) *adj.* **1** levemente molhado **2** impregnado de líquido ou de vapor de água <*ar ú.*> **3** que tem consistência de água; aquoso <*substância ú.*>

unânime (u.nâ.ni.me) *adj.2g.* **1** que é da mesma opinião, sentimento etc. que todas as outras pessoas <*gostos u.*> **2** que é resultado de acordo ou concordância geral <*voto u.*>

unanimidade (u.na.ni.mi.da.de) *s.f.* **1** concordância de opinião, de modo de sentir etc. entre todas as pessoas **2** concordância de julgamentos, opinião, avaliações, votos etc. <*o síndico foi reeleito por u.*>

unção (un.ção) [pl.: *-ões*] *s.f.* **1** ato de untar, de esfregar com gordura ou o seu efeito <*a u. de um tabuleiro de bolo*> **2** REL ato de ungir ou o seu efeito <*a u. do batismo*> **3** sentimento de piedade religiosa ▣ **u. dos enfermos** unção dos moribundos com os santos óleos, um dos sete sacramentos da Igreja católica ☞ antes do Concílio Vaticano II (1962-1965) denominada *extrema-unção*

undécimo (un.dé.ci.mo) *n.ord.* **1** que ou o que, numa sequência, ocupa a posição do número 11 ■ *n.frac.* **2** que ou o que corresponde a cada uma das 11 partes iguais em que pode ser dividido um todo ■ *s.m.* **3** cada uma das 11 partes iguais em que pode ser dividido um todo

underground (under.ground) [ing.] *s.m.* **1** local ou área situada abaixo da superfície **2** organização secreta que luta contra um governo estabelecido ou forças de ocupação **3** movimento ou grupo que atua fora dos padrões sociais comuns, ger. refletindo pontos de vista de vanguarda ou radicais **4** o submundo do crime **5** metrô, na Grã-Bretanha ⇒ pronuncia-se andergraund

undícola (un.dí.co.la) *adj.2g.s.m.* BIO (o) que vive na água <*animal u.*>

undívago (un.dí.va.go) *adj.* que anda ou flutua sobre as ondas

undoso (un.do.so) /ô/ [pl. e fem.: /ó/] *adj.* **1** que apresenta ondulações <*canavial u.*> **2** que forma ou tem ondas <*correnteza u.*> <*cabelos u.*>

Unesco (U.nes.co) [ing.] *s.f.* sigla de *United Nations Educational Scientific and Cultural Organization* (Organização das Nações Unidas para a Educação, Ciência e Cultura) ⇒ pronuncia-se unêsco

ungir (un.gir) *v.* {mod. 24} *t.d. e pron.* **1** passar(-se) óleo, unguento ou qualquer substância gordurosa <*u. o corpo de um faraó*> <*ungia-se com cremes antes de dormir*> □ *t.d.* **2** REL aplicar óleos consagrados em <*u. um batizando*> **3** REL dar a extrema-unção a **4** molhar, umedecer <*ungiu a testa com água fresca*> □ *t.d. e t.d.pred.* **5** investir de autoridade por sagração; sagrar <*ungir o bispo*> <*ungiram-no imperador*>

ungueal (un.gue.al) [pl.: *-ais*] *adj.2g.* relativo a unha

unguento (un.guen.to) /gü/ *s.m.* medicamento gorduroso que se aplica sobre a pele

unguífero (un.guí.fe.ro) /gü/ *adj.* com unhas, garras ou estruturas similares

ungulado (un.gu.la.do) *adj.s.m.* ZOO (mamífero) que possui cascos

unha (u.nha) *s.f.* ANAT lâmina dura que recobre a última falange dos dedos e artelhos ▣ **com unhas e dentes** de todas as formas possíveis <*agarrou a oportunidade com u. e dentes*> • **fazer as u.** *B* cortar, lixar e pintar as unhas com esmalte <*faz as u. uma vez por semana*> • **ser u. e carne** ser muito unido, ter muita intimidade <*os irmãos eram u. e carne*> ~ **unguiforme** *adj.2g.*

unhada (u.nha.da) *s.f.* ferimento feito com a unha

U

unha de fome (u.nha de fo.me) [pl.: *unhas de fome*] *adj.2g.s.2g.* avarento ↺ gastador

unha-de-gato (u.nha-de-ga.to) [pl.: *unhas-de-gato*] *s.f.* BOT planta com espinhos recurvados

unhar (u.nhar) *v.* {mod. 1} *t.d.,int. e pron.* **1** ferir(-se) com as unhas; arranhar(-se) *<unhou -a criança ao tirá-la do berço> <este gato gosta de u.> <unhou-se para ver se estava acordado>* □ *t.d.* **2** marcar com riscos feitos com a unha *<unhou o tecido no seu comprimento>*

unheiro (u.nhei.ro) *s.m. infrm.* inflamação crônica da pele em volta da unha

união (u.ni.ão) [pl.: *-ões*] *s.f.* **1** junção, ligação *<a u. faz a força> <a u. das peças foi mal feita>* ↺ separação **2** pacto ↺ discórdia **3** casamento **4** *p.ext.* qualquer relação comparável ao casamento **5** harmonia, conciliação *<a u. da família foi fundamental para superarem a tragédia>* ↺ discórdia **6** *B* o governo federal brasileiro ☞ inicial maiúsc. **7** confederação ('agrupamento') *<U. Internacional dos Arquitetos>* ▣ **U. Europeia** associação política e econômica de alguns Estados europeus; seus membros têm representantes no Parlamento Europeu e gozam de livre comércio entre si, moeda única e tarifas externas comuns

Unicef (U.ni.cef) [ing.] *s.f.* sigla de *United Nations International Children's Emergency Fund* (Fundo das Nações Unidas para a Infância) ⇒ pronuncia-se unicef

unicelular (u.ni.ce.lu.lar) [pl.: *-es*] *adj.2g.* BIO composto por apenas uma célula *<as bactérias são organismos u.>* ~ **unicelularidade** *s.f.*

único (ú.ni.co) *adj.* **1** de que só existe um em seu gênero; sem outro igual *<obra-prima ú.> <filho ú.>* **2** que é incomum, raro; exclusivo *<paisagem de beleza ú.>* ↺ banal **3** que é o mesmo para vários indivíduos ou coisas *<cinto de tamanho ú.>* ~ **unicidade** *s.f.*

unicorne (u.ni.cor.ne) *adj.2g.* **1** que possui apenas um chifre ■ *s.m.* **2** unicórnio

unicórnio (u.ni.cór.nio) *s.m.* ser fabuloso representado por um cavalo branco com um único chifre no meio da testa

unidade (u.ni.da.de) *s.f.* **1** qualquer quantidade que se tome para comparar grandezas da mesma espécie *<em três dúzias, uma dúzia é a u.>* **2** o número um **3** uniformidade, homogeneidade *<u. de opiniões>* ↺ heterogeneidade **4** coesão, união *<a u. levou-os à vitória>* ↺ desunião **5** MIL tropa militar constituída para manobrar em conjunto **6** setor, repartição *<faça sua queixa na u. apropriada>* ▣ **u. central de processamento** INF conjunto de circuitos internos de armazenamento, processamento e controle de um computador (sigla: *UCP*, em inglês, *CPU*) • **u. de terapia intensiva** MED unidade hospitalar própria para pacientes em situação de alto risco; centro de terapia intensiva [sigla: *U.T.I.*]

unidimensional (u.ni.di.men.sio.nal) [pl.: *-ais*] *adj.2g.* com apenas uma dimensão *<figura u.>* ~ **unidimensionalidade** *s.f.*

unidirecional (u.ni.di.re.cio.nal) [pl.: *-ais*] *adj.2g.* que se faz ou se move em uma única direção *<orientação u.> <tráfego u.>*

U

unificar (u.ni.fi.car) *v.* {mod. 1} *t.d. e pron.* **1** reunir(-se) formando um todo; unir(-se) *<os moradores unificaram as casas, formando uma grande residência> <as várias tendências unificaram-se num movimento coeso>* ↺ separar(-se) **2** tornar(-se) uniforme, semelhante; padronizar(-se) *<fizemos esforços para u. nossos ideais>* ↺ diferenciar(-se) □ *t.d.* **3** fazer convergir para o mesmo fim *<u. os objetivos de todos>* ~ **unificação** *s.f.* - **unificador** *adj.s.m.*

uniforme (u.ni.for.me) *adj.2g.* **1** que tem a mesma ou aprox. a mesma forma ou aspecto que outros do mesmo tipo *<dentes u.> <preços u.>* ↺ diferente **2** que não varia em forma, intensidade etc. *<tom de voz u.>* ↺ variável ■ *s.m.* **3** traje comum a uma categoria; farda ~ **uniformidade** *s.f.*

uniformizar (u.ni.for.mi.zar) *v.* {mod. 1} *t.d. e pron.* **1** tornar(-se) uniforme; padronizar(-se) *<o gerente resolveu u. os salários> <as despesas aos poucos uniformizaram-se>* **2** (fazer) vestir uniforme ou farda *<uniformizou-se para participar do desfile>* ~ **uniformização** *s.f.*

unilateral (u.ni.la.te.ral) [pl.: *-ais*] *adj.2g.* **1** que se situa ou vem de um lado só *<compressão u.>* **2** feito ou emitido por uma só pessoa, grupo, partido etc. *<opinião u.> <atitude u.>* **3** em que só uma das partes se obriga para com a outra (diz-se de contrato) ~ **unilateralidade** *s.f.* - **unilateralismo** *s.m.*

unilênio (u.ni.lê.nio) *s.m.* QUÍM → ***UNNILENNIUM***

uniléxio (u.ni.lé.xio) /cs/ *s.m.* QUÍM → ***UNNILHEXIUM***

unilóctio (u.ni.lóc.tio) *s.m.* QUÍM → ***UNNILOCTIUM***

unilpêntio (u.nil.pên.tio) *s.m.* QUÍM → ***UNNILPENTIUM***

unilquádio (u.nil.quá.dio) *s.m.* QUÍM → ***UNNILQUADIUM***

unilséptio (u.nil.sép.tio) *s.m.* QUÍM → ***UNNILSEPTIUM***

uníparo (u.ní.pa.ro) *adj.* **1** BIO que dá à luz um filho ou uma cria por vez ■ *s.m.* **2** quem pariu uma só vez

unir (u.nir) *v.* {mod. 24} *t.d.,t.d.i. e pron.* **1** (prep. *a, com, em*) reunir(-se) [com outros] formando um todo; unificar(-se) *<o professor uniu suas duas turmas para a prova> <resolvi u. o último capítulo à conclusão> <as duas firmas uniram-se numa única empresa>* ↺ separar(-se) **2** (prep. *a, com*) [fazer] ficar junto, grudado; aderir, colar(-se) *<uniu o pires que havia espatifado> <uniu os tijolos com cimento> <com este remédio os bordos do ferimento logo se unirão>* ↺ soltar(-se) **3** (prep. *a, com*) associar(-se) [uma coisa] (com outra); aliar(-se), misturar(-se) *<u. o útil ao agradável> <água e azeite não se unem>* □ *t.d. e t.d.i.* **4** (prep. *a*) pôr em contato com (o que o completa); juntar, ligar *<u. as pontas da corda> <u. o fio à tomada>* **5** (prep. *a*) servir de elo entre; comunicar, ligar *<o corredor vai u. os quartos> <a rua une o centro à periferia>* **6** (prep. *a*) ligar(-se) pelo casamento; casar(-se) □ *t.d.* **7** estabelecer harmonia entre; conciliar *<um grande político poderia u. aquele país dividido>* ~ **unido** *adj.*

unissex (u.nis.sex) /cs/ *adj.2g.2n.* que pode ser usado por homem ou mulher

uníssono (u.nís.so.no) *adj.* **1** que tem o mesmo som que outro som, voz etc. *<a batida u. dos surdos das escolas de samba> <as vozes u. de uma ladainha>* **2** *fig.* que soa junto, em harmonia com outros *<o ruído u. do público>* ▣ **em u. 1** MÚS à mesma altura, ou com a diferença de uma oitava, na escala de sons <*cantar em u.*> 2 *fig.* em conjunto, no mesmo tempo <*aplaudir em u.*> ~ **unissonância** *s.f.*

unitário (u.ni.tá.rio) *adj.* relativo a unidade <*preço u.*>

univalve (u.ni.val.ve) *adj.2g.* que tem a concha constituída por uma só peça (diz-se de molusco)

universal (u.ni.ver.sal) [pl.: *-ais*] *adj.2g.* **1** que pertence ao universo **2** da Terra como um todo; mundial <*a internet foi um fênomeno u.*> **3** que pode ser exercido ou aproveitado por todos <*método u. de aprendizagem*> <*direito u.*> **4** comum a todos de uma classe ou grupo <*queixas u. dos trabalhadores*> **5** geral; total <*conhecimento u.*>

universalidade (u.ni.ver.sa.li.da.de) *s.f.* **1** caráter do que é universal, geral, total <*a u. da atração pela beleza*> **2** natureza ou índole do que se refere à humanidade ou se estende a todo o globo <*u. de certos fenômenos climáticos*>

universalismo (u.ni.ver.sa.lis.mo) *s.m.* **1** característica do que é universal **2** tendência a tornar universal uma religião, ideia, sistema etc., fazendo que alcance e inclua a totalidade e não um grupo particular ~ **universalista** *adj.2g.s.2g.*

universalizar (u.ni.ver.sa.li.zar) *v.* {mod. 1} *t.d. e pron.* **1** tornar(-se) universal; generalizar(-se) <*a rapidez dos meios de comunicação universaliza os fatos*> <*a tecnologia universaliza-se rapidamente*> ↺ particularizar(-se) □ *t.d.i.* **2** (prep. *a*) tornar comum a; propagar <*u. um gênero musical*> ~ **universalização** *s.f.*

universidade (u.ni.ver.si.da.de) *s.f.* **1** conjunto de faculdades e escolas que visam à formação profissional e científica de pessoal de nível superior **2** *p.ext.* sede na qual funciona esse conjunto de faculdades <*vai de ônibus para a u.*>

universitário (u.ni.ver.si.tá.rio) *adj.s.m.* **1** que(m) é aluno de universidade ou de algum curso superior ■ *adj.* **2** de universidade <*professor u.*>

universo (u.ni.ver.so) *s.m.* **1** o conjunto de tudo que existe, inclusive os astros e planetas; o cosmos ☞ inicial por vezes maiúsc. **2** o sistema solar <*o Sol é o centro do U.*> ☞ inicial por vezes maiúsc. **3** a Terra e seus habitantes ☞ inicial por vezes maiúsc. **4** conjunto que constitui uma totalidade tomada como referência <*num u. de cem provas, 80% estavam excelentes*> **5** *fig.* ambiente em que se vive ou trabalha <*o consultório era seu u.*> <*seu u. era a montanha*> **6** *fig.* domínio de uma disciplina, atividade etc. <*o u. teatral*> **7** *fig.* conjunto de partes reunidas com total harmonia <*esta obra é um u. fascinante*>

univitelino (u.ni.vi.te.li.no) *adj.* BIO que provém de um mesmo óvulo (diz-se de gêmeos)

unívoco (u.ní.vo.co) *adj.* **1** que só tem um significado <*explicação u.*> ↺ ambíguo **2** MAT que associa a cada elemento de um conjunto apenas um elemento de outro conjunto (diz-se de relação) ~ **univocidade** *s.f.*

unnilennium (un.ni.len.ni.um) ou **unilênio** (u.ni.lê.nio) *s.m.* QUÍM denominação substituída por *meitnério*

unnilhexium (un.ni.lhe.xi.um) /cs/ ou **uniléxio** (u.ni.lé.xio) /cs/ *s.m.* QUÍM denominação substituída por *seabórgio*

unniloctium (un.ni.loc.ti.um) ou **unilóctio** (u.ni.lóc.tio) *s.m.* QUÍM denominação substituída por *hássio*

unnilpentium (un.nil.pen.ti.um) ou **unilpêntio** (u.nil.pên.tio) *s.m.* QUÍM denominação substituída por *dúbnio*

unnilquadium (un.nil.qua.di.um) ou **unilquádio** (u.nil.quá.dio) *s.m.* QUÍM denominação substituída por *rutherfórdio*

unnilseptium (un.nil.sep.ti.um) ou **unilséptio** (u.nil.sép.tio) *s.m.* QUÍM denominação substituída por *bóhrio*

uno (u.no) *adj.* **1** único em seu gênero; singular **2** sem partes; indivisível <*massa u.*> **3** unido, íntegro <*a turma deve permancer u.*>

untar (un.tar) *v.* {mod. 1} *t.d. e pron.* **1** aplicar óleo ou qualquer matéria gordurosa em; ungir <*untou a forma com manteiga*> <*untou-se com protetor solar antes de ir à praia*> **2** lambuzar(-se) <*untou a camisa com o molho*> <*u.-se de maionese*> ~ **untura** *s.f.*

unto (un.to) *s.m.* **1** gordura de porco; banha **2** *p.ext.* qualquer substância gordurosa **3** medicamento gorduroso us. sobre a pele; unguento

untuoso (un.tu.o.so) /ô/ [pl. e fem.: /ó/] *adj.* **1** em que há gordura; gorduroso, oleoso <*carne u.*> **2** *fig. pej.* bajulador <*sujeito u.*> <*palavras u.*> ~ **untuosidade** *s.f.*

unumpêntio (u.num.pên.tio) *s.m.* QUÍM → ***UNUNPENTIUM***

ununbium (u.nun.bi.um) ou **unúmbio** (u.núm.bio) *s.m.* QUÍM denominação provisória do elemento químico artificial de número atômico 112 [símb.: *Uub*] ☞ cf. *tabela periódica* (no fim do dicionário)

ununhexium (u.nu.nhe.xi.um) /cs/ *s.m.* QUÍM denominação provisória do elemento químico artificial de número atômico 116 [símb.: *Uuh*] ☞ cf. *tabela periódica* (no fim do dicionário)

ununnilium (u.nun.ni.li.um) ou **ununílio** (u.nu.ní.lio) *s.m.* QUÍM denominação substituída por *darmstádtio*

ununoctium (u.nu.noc.ti.um) ou **ununóctio** (u.nu.nóc.tio) *s.m.* QUÍM denominação provisória do elemento químico artificial de número atômico 118 [símb.: *Uuo*] ☞ cf. *tabela periódica* (no fim do dicionário)

ununpentium (u.nun.pen.ti.um) ou **unumpêntio** (u.num.pên.tio) *s.m.* QUÍM denominação provisória do elemento químico artificial de número atômico 115 [símb.: *Uup*] ☞ cf. *tabela periódica* (no fim do dicionário)

ununquadium (u.nun.qua.di.um) ou **ununquádio** (u.nun.quá.dio) *s.m.* QUÍM denominação provisória do elemento químico artificial de número atômico 114 [sím.: *Uuq*] ☞ cf. *tabela periódica* (no fim do dicionário)

ununtrium (u.nun.tri.um) ou **unúntrio** (u.nún.trio) *s.m.* QUÍM denominação provisória do elemento químico artificial de número atômico 113 [símb.: *Uut*] ☞ cf. *tabela periódica* (no fim do dicionário)

unununium (u.nu.nu.ni.um) ou **ununúnio** (u.nu.nú.nio) *s.m.* QUÍM denominação substituída por *roentgênio*

-uoso *suf.* → *-oso*

upa (u.pa) *interj.* **1** expressa admiração, espanto, estímulo *<U.! Que beleza de jogada!>* ■ *s.m. RS infrm.* **2** abraço *<dá um u. gostoso na mamãe, filho>*

upgrade (up.grade) [ing.; pl.: *upgrades*] *s.m.* **1** INF atualização dos componentes (*hardware* ou *software*) de um computador **2** *fig. infrm.* subida de nível, de padrão *<dar um u. na vida, na casa>* ⇒ **pronuncia-se** apgreid

-ura *suf.* **1** 'ação ou resultado de ação': *atadura, clausura, soltura* **2** 'característica': *largura*

urânio (u.râ.nio) *s.m.* QUÍM elemento químico us. na produção de energia nuclear [símb.: *U*] ☞ cf. *tabela periódica* (no fim do dicionário) ~ **urânico** *adj.*

urano (u.ra.no) *s.m.* ASTR nome do sétimo planeta do sistema solar, a partir do Sol ☞ inicial maiúsc.; cf. *Urano* na parte enciclopédica

uranografia (u.ra.no.gra.fi.a) *s.f.* astronomia

urbanidade (ur.ba.ni.da.de) *s.f.* civilidade, cortesia ↺ grosseria

urbanismo (ur.ba.nis.mo) *s.m.* estudo da organização das aglomerações humanas, que visa criar condições adequadas de habitação às populações das cidades ~ **urbanístico** *adj.*

urbanista (ur.ba.nis.ta) *adj.2g.* **1** relativo ou pertencente ao urbanismo ■ *adj.2g.s.2g.* **2** especialista em urbanismo

urbanizar (ur.ba.ni.zar) *v.* {mod. 1} *t.d.* **1** realizar técnicas e obras para dotar (cidade ou área de cidade) de condições de infraestrutura, planejamento, administração e embelezamento *<u. os bairros da periferia>* □ *t.d. e pron.* **2** tornar(-se) urbano **3** *p.ext.* tornar(-se) cortês, polido; educar(-se) *<acreditavam que o colégio interno o urbanizaria>* ~ **urbanização** *s.f.*

urbano (ur.ba.no) *adj.* **1** relativo a ou próprio da cidade *<população, paisagem u.>* ↺ campestre **2** que tem caráter de cidade *<aglomeração u.>*

urbe (ur.be) *s.f.* cidade ('área')

urdideira (ur.di.dei.ra) *s.f.* **1** mulher que urde fios, que tece *<uma excelente u. fez a colcha da cama>* **2** máquina que urde

urdidor (ur.di.dor) /ô/ [pl.: *-es*] *adj.s.m.* **1** que(m) urde fios, tramas etc. ■ *s.m.* **2** tecelão

urdidura (ur.di.du.ra) *s.f.* **1** conjunto de fios transversais à largura do tear ☞ cf. *trama* **2** *fig.* enredo, trama *<a u. de uma novela>*

urdir (ur.dir) *v.* {mod. 24} *t.d.* **1** dispor (os fios da urdidura) para depois tecer *<u. a lã>* **2** *p.ext.* entrelaçar fios para (teia, tecido etc.); tecer *<a moça urdia um lindo tapete> <a aranha urdia sua teia>* **3** *fig.* planejar a execução de; tramar, maquinar *<u. uma vingança>* **4** criar na imaginação; fantasiar, pensar *<em pensamento, ela urdia uma boa resposta para aquele insulto>* ~ **urdimento** *s.m.*

ureia (u.rei.a) /éi/ *s.f.* QUÍM substância encontrada na urina dos mamíferos, que tb. pode ser produzida de forma sintética para uso na indústria farmacêutica, na fabricação de papel, como fertilizante etc. ~ **ureico** *adj.*

uremia (u.re.mi.a) *s.f.* acúmulo no sangue de substâncias tóxicas que normalmente devem ser eliminadas pelos rins na urina

urente (u.ren.te) *adj.2g.* que queima; ardente

ureter (u.re.ter) [pl.: *-es*] *s.m.* ANAT cada um dos dois canais que conduzem a urina dos rins à bexiga ~ **ureteral** *adj.2g.* - **uretérico** *adj.*

uretra (u.re.tra) *s.f.* ANAT canal pelo qual se elimina a urina da bexiga e que, no homem, tb. conduz o esperma ~ **uretral** *adj.2g.*

urgência (ur.gên.cia) *s.f.* **1** o que exige atitude ou solução rápida *<tenho u. deste documento>* **2** situação grave e prioritária; emergência *<u. médica>*

urgente (ur.gen.te) *adj.2g.* que deve ser feito imediatamente *<encomenda u.> <cirurgia u.>*

urgir (ur.gir) *v.* {mod. 24} *int.* **1** ser necessário realizar-se ou resolver-se sem demora; instar *<urge comermos>* **2** estar próximo de ocorrer; instar *<a catástrofe urgia>* **3** não admitir demora ou atraso *<o tempo urgia, tínhamos de sair logo>* □ *t.i.* **4** (prep. *com*) solicitar com insistência; insistir *<u. com os pais para sair>* **5** (prep. *a*) ser indispensável para *<urge ao idoso ter atenção>* □ *t.d.* **6** reclamar como necessário; exigir, requerer *<o sofrimento do doente urgia um tratamento adequado>* ↺ dispensar ◉ GRAM/USO só us. nas 3as p.

úrico (ú.ri.co) *adj.s.m.* QUÍM diz-se de ou ácido presente na urina dos animais carnívoros, us. em síntese orgânica

urina (u.ri.na) *s.f.* líquido orgânico que contém substâncias metabólicas a serem eliminadas, formado nos rins, coletado na bexiga e depois expelido pela uretra; xixi

urinar (u.ri.nar) *v.* {mod. 1} *int.* **1** expelir urina □ *t.d.* **2** expelir junto com urina *<u. sangue>* **3** molhar com urina *<u. as calças>* □ *pron.* **4** sujar-se com urina sem querer *<u.-se de susto>* **5** *fig. infrm.* sentir muito medo

urinário (u.ri.ná.rio) *adj.* relativo a urina *<retenção u.> <sistema u.>*

urinol (u.ri.nol) [pl.: *-óis*] *s.m.* penico

urna (ur.na) *s.f.* **1** recipiente inviolável, us. para recolher os votos numa eleição, cupons para sorteio etc. **2** caixa na qual se depositam as cinzas ou os restos mortais **3** caixão de defunto ▣ **u. eletrônica** em sistemas eleitorais computadorizados, terminal de computador us. para a votação eletrônica e a computação dos votos

urodelo (u.ro.de.lo) *s.m.* ZOO **1** espécime dos urodelos, ordem de anfíbios com cauda, que compreende as salamandras ■ *adj.* **2** relativo a esse espécime ou a essa ordem

urologia (u.ro.lo.gi.a) *s.f.* MED ramo da medicina que estuda as vias urinárias dos dois sexos e o sistema reprodutor masculino ~ **urológico** *adj.*

urologista (u.ro.lo.gis.ta) *adj.2g.s.2g.* MED especialista em urologia

uropígio (u.ro.pí.gio) *s.m.* ANAT ZOO apêndice triangular do qual saem as penas da cauda das aves; sobrecu

urrar (ur.rar) *v.* {mod. 1} *int.* **1** soltar urros (o animal); rugir **2** *p.ext.* produzir forte ruído (o vento, o mar); bramir ☞ nestas acp., só us. nas 3as p., exceto quando fig. □ *t.d. fig.* **3** soltar, proferir à maneira de urros *<desesperados, urravam ameaças aos motoristas>*

urro (ur.ro) *s.m.* **1** rugido de algumas feras **2** *fig.* berro rouco e forte *<um u. de dor>*

ursada (ur.sa.da) *s.f. infrm.* traição, deslealdade *<roubar-lhe a namorada foi uma grande u.>*

urso (ur.so) *s.m.* ZOO grande mamífero carnívoro, peludo e feroz, de membros curtos e fortes, e cauda curta ~ **ursídeo** *adj.* - **ursino** *adj.*

urso-polar (ur.so-po.lar) [pl.: *ursos-polares*] *s.m.* ZOO grande urso branco, encontrado nas regiões árticas ao redor do polo norte, com patas adaptadas para nadar

urticária (ur.ti.cá.ria) *s.f.* MED erupção cutânea que se caracteriza por placas avermelhadas, ger. acompanhadas de coceira ~ **urticante** *adj.2g.*

urtiga (ur.ti.ga) *s.f.* BOT planta cujas folhas peludas causam coceira e irritação na pele ~ **urtical** *adj.2g.*

urubu (u.ru.bu) *s.m.* ZOO ave de cabeça e pescoço nus que se alimenta de carne podre de animais mortos

urubu-rei (u.ru.bu-rei) [pl.: *urubus-reis* e *urubus-rei*] *s.m.* ZOO ave de plumagem alvinegra, pescoço e cabeça nus, pintados de vermelho, com uma proeminência carnosa amarelo-alaranjada

urucu (u.ru.cu) ou **urucum** (u.ru.cum) [pl.: *-uns*] *s.m.* **1** BOT fruto de cuja polpa se extrai corante vermelho **2** esse corante

urucubaca (u.ru.cu.ba.ca) *s.f. B infrm.* má sorte constante

urucum (u.ru.cum) [pl.: -uns] *s.m.* → ***URUCU***

urucungo (u.ru.cun.go) *s.m.* MÚS berimbau

urucuzeiro (u.ru.cu.zei.ro) *s.m.* BOT árvore do urucu

uruguaio (u.ru.guai.o) *adj.* **1** do Uruguai (América do Sul) ■ *s.m.* **2** natural ou habitante desse país

urupê (u.ru.pê) *s.m.* BIO certo tipo de cogumelo que decompõe madeira e causa doença em árvores

urutu (u.ru.tu) *s.2g.* ZOO serpente venenosa com até 2 m de comprimento, corpo marrom com manchas pretas, alto da cabeça marrom mais escuro com riscas claras, formando uma espécie de cruz

usar (u.sar) *v.* {mod. 1} *t.d. e t.i.* **1** (prep. *de*) ter como hábito ou empregar habitualmente; costumar *<usa farinha trigo para engrossar os molhos> <ela usa de escovar os cabelos à noite>* **2** (prep. *de*) lançar mão de; servir-se, empregar *<usava os amigos sempre que desejava algo> <usaram de esperteza para conseguir o convite>* ↺ dispensar **3** (prep. *de*) ter como fonte de energia; consumir *<carros que usam (de) álcool>* **4** (prep. *de*) trazer vestido ou sobre si (roupa, acessório) *<usa as mesmas meias dias seguidos> <usa de uniforme para trabalhar>* □ *t.d.* **5** tirar vantagem de; aproveitar *<u. as fraquezas do inimigo>* **6** expor-se à vista de; apresentar-se *<u. cabelos curtos>* ~ **usável** *adj.2g.*

USB [ing.] *s.2g.* INF porta de interface de comunicação que permite conectar periféricos ao computador ◉ ORIGEM sigla de Universal Serial Bus 'barramento serial universal' ⇒ **pronuncia-se** iuesbi, *corrente* usb

-usco *suf.* **1** 'diminuição': *chamusco* **2** 'depreciação': *velhusco*

useiro (u.sei.ro) *adj.* que costuma usar ou fazer algo ▣ **u. e vezeiro** que tem por hábito fazer repetidas vezes a mesma coisa *<u. e vezeiro em filar merenda dos colegas>*

usina (u.si.na) *s.f.* **1** estabelecimento industrial equipado de máquinas, no qual se transforma matéria-prima em produtos finais ou quase acabados; fábrica **2** engenho ('fazenda') **3** conjunto de instalações para geração e aproveitamento de energia ▣ **u. hidrelétrica** hidrelétrica • **u. termelétrica** termelétrica

usineiro (u.si.nei.ro) *adj.* **1** referente a usina ■ *adj.s.m.* **2** *B* que(m) é proprietário de usina de açúcar

uso (u.so) *s.m.* **1** prática, exercício *<o u. de uma teoria>* **2** emprego habitual *<fazer u. dos conhecimentos>* **3** aplicação de algo de acordo com sua finalidade *<ferramenta com diversos u.>* **4** costume, prática consagrada pela tradição *<novos hábitos que fogem ao u.>*

usual (u.su.al) [pl.: *-ais*] *adj.2g.* costumeiro, habitual *<acordou com seu u. mau humor> <idas u. ao teatro>* ↺ desusado ~ **usualidade** *s.f.*

usuário (u.su.á.rio) *adj.s.m.* **1** que(m) possui ou desfruta alguma coisa por direito de uso *<u. de transporte coletivo>* **2** que(m) usa habitualmente algo *<u. de medicamentos fortes>*

usucapião (u.su.ca.pi.ão) [pl.: *-ões*] *s.f.* DIR direito de posse de bens móveis ou imóveis, adquirido por uso ininterrupto e longo do bem em questão ◉ GRAM/USO tb. us. como s.m. ~ **usucapir** *v.t.d. e int.*

usufruir (u.su.fru.ir) *v.* {mod. 26} *t.d. e t.i.* **1** (prep. *de*) possuir ou usar (algo inalienável) *<u. (de) um imóvel>* **2** (prep. *de*) estar na posse de (benefício material ou moral); gozar, desfrutar *<u. (de) boa condição financeira> <usufrui de um bom conceito entre os colegas>* **3** *p.ext.* (prep. *de*) usar de forma prazerosa; desfrutar, apreciar *<u. (d)as férias> <u. (de) uma boa leitura>*

usufruto (u.su.fru.to) *s.m.* **1** DIR direito de gozar ou fruir de um bem que pertence a outrem **2** *p.ext.* posse ou uso de algo garantido por esse direito ~ **usufrutuário** *adj.*

usura (u.su.ra) *s.f.* **1** juro ou rendimento de capital **2** agiotagem ('empréstimo') **3** *p.ext. infrm.* avareza, mesquinharia ↺ generosidade ~ **usurar** *v.int.*

usurário (u.su.rá.rio) *adj.* **1** em que há usura ■ *adj.s.m.* **2** (aquele) que faz empréstimos com usura; agiota **3** *p.ext.* (indivíduo) obcecado por adquirir e acumular dinheiro, que não gosta de gastar; muito apegado a bens materiais; avaro, mesquinho, sovina

usurpação (u.sur.pa.ção) [pl.: *-ões*] *s.f.* **1** ato ou efeito de usurpar **2** DIR crime de posse ilícita de bens, títulos, estado, autoridade etc.

usurpar (u.sur.par) *v.* {mod. 1} *t.d. e t.d.i.* **1** (prep. *a*) apossar-se de (algo) sem ter direito, à força ou por fraude *<u. o trono francês> <u. aos primos as terras de seus pais>* □ *t.d.* **2** exercer (cargo, função etc.) de forma indevida *<um tirano usurpou o governo por um longo período>* ~ **usurpador** *adj.s.m.*

utensílio (u.ten.sí.lio) *s.m.* **1** qualquer instrumento de trabalho; ferramenta **2** objeto criado para ser us. em determinada função *<u. de cozinha>*

útero (ú.te.ro) *s.m.* ANAT órgão muscular oco do aparelho genital feminino em que o feto dos mamíferos se desenvolve até o fim da gestação ~ **uterino** *adj.*

U.T.I. *s.f.* sigla de *unidade de terapia intensiva*

útil (ú.til) [pl.: *úteis*] *adj.2g.* **1** que tem serventia ↺ inútil **2** que traz benefícios *<empreendimento ú.>* ↺ desvantajoso **3** reservado para o trabalho produtivo (dia, hora etc.) *<entrega em três dias ú.>*

utilidade (u.ti.li.da.de) *s.f.* **1** uso proveitoso de algo *<a u. de uma lição>* **2** função, serventia *<ferramenta com várias u.>* **3** proveito, vantagem *<o novo equipamento foi de grande u.>* **4** utensílio *<u. domésticas>*

utilitário (u.ti.li.tá.rio) *adj.* **1** relativo à utilidade **2** que tem por objetivo a utilidade, o interesse comum *<deve haver um critério justo e u. para a desapropriação de imóveis>* ■ *s.m.* **3** carro us. para transporte de pequenas cargas **4** INF programa de computador us. para pesquisa, cópia e organização de arquivos ou detecção e correção de defeitos

utilitarismo (u.ti.li.ta.ris.mo) *s.m.* doutrina que valoriza o que é útil ~ **utilitarista** *adj.2g.s.2g.*

utilização (u.ti.li.za.ção) [pl.: *-ões*] *s.f.* ato ou efeito de utilizar(-se)

utilizar (u.ti.li.zar) *v.* {mod. 1} *t.d.* **1** lançar mão de; usar, empregar *<utilize essa fórmula e achará a resposta>* **2** tornar (algo) útil, proveitoso; aproveitar *<sabe u. o tempo vago>* ↺ desperdiçar □ *t.d. e pron.* **3** (prep. *de*) tirar vantagem de; aproveitar(-se) *<u. as falhas do adversário>* *<u.-se de amizade para subir na vida>* ↺ desperdiçar ~ **utilizado** *adj.*

utopia (u.to.pi.a) *s.f.* **1** descrição imaginativa de uma sociedade ideal **2** *p.ext.* plano irrealizável; fantasia

utópico (u.tó.pi.co) *adj.* **1** relativo à ou próprio da utopia **2** *p.ext.* que tem o caráter de utopia; que é fruto da imaginação, da fantasia, de um ideal, de um sonho *<projeto u.>*

utopista (u.to.pis.ta) *adj.2g.s.2g.* que(m) tem projetos idealistas; sonhador

Uub QUÍM símbolo de *ununbium*

Uuh QUÍM símbolo de *ununhexium*

Uuo QUÍM símbolo de *ununoctium*

Uup QUÍM símbolo de *ununpentium*

Uuq QUÍM símbolo de *ununquadium*

Uut QUÍM símbolo de *ununtrium*

Uuu QUÍM símbolo de *unununium*

UV [ing.] FÍS sigla de *Ultraviolet* (*radiation*); (radiação) ultravioleta ⇒ pronuncia-se iu.vi, *corrente* uvê

uva (u.va) *s.f.* BOT fruta oval, que dá em cachos, de cor verde, rosada, rubra ou preta, comestível ao natural e tb. seca, em geleias, sucos etc., e de que se fazem o vinho e o vinagre

uvaia (u.vai.a) *s.f.* BOT **1** nome comum a algumas plantas que têm frutos ger. pequenos e comestíveis **2** fruto dessas plantas

úvula (ú.vu.la) *s.f.* ANAT **1** nome genérico de massas carnosas pendentes **2** pequena massa carnosa pendente da borda do palato; campainha

uvulite (u.vu.li.te) *s.f.* MED inflamação da úvula

uxoricídio (u.xo.ri.cí.dio) /cs/ *s.m.* DIR assassinato da mulher pelo marido ~ **uxoricida** *adj.2g.*

v *s.m.* **1** 22ª letra do nosso alfabeto, consoante ■ *n.ord.* *(adj.2g.2n.)* **2** diz-se do 22º elemento de uma série *<casa V> <item 1v>* ☞ empr. após um substantivo ou numeral ◉ GRAM/USO na acp. s.m., pl.: *vv*

V **1** ELETR símbolo de *volt* **2** QUÍM símbolo de *vanádio*

vaca (va.ca) *s.f.* ZOO fêmea do boi ◉ COL vacaria

vaca-fria (va.ca-fri.a) [pl.: *vacas-frias*] *s.f.* assunto já tratado *<voltar à v.>*

vacância (va.cân.cia) *s.f.* **1** estado do que não está ocupado ou preenchido *<v. de um cargo>* ↺ preenchimento **2** período durante o qual isso ocorre *<a v. desse cargo já dura cinco meses>* ~ **vacante** *adj.2g.*

vacaria (va.ca.ri.a) *s.f.* **1** rebanho de vacas **2** curral em que se recolhem as vacas

vacilação (va.ci.la.ção) [pl.: *-ões*] *s.f.* **1** movimento alternado de um lado a outro; oscilação **2** *fig.* indecisão, dúvida ↺ determinação

vacilante (va.ci.lan.te) *adj.2g.* **1** que oscila ou não tem firmeza ↺ fixo **2** *fig.* que se mostra incerto, inseguro ↺ determinado

vacilão (va.ci.lão) *adj.s.m.* *infrm.* papo-furado, conversa-fiada, furão

vacilar (va.ci.lar) *v.* {mod. 1} *int.* **1** balançar por falta de firmeza *<a torre começou a v. desde os alicerces>* **2** estar sem firmeza; cambalear *<suas pernas já vacilam>* ↺ firmar-se **3** sofrer abalo, tremor; tremer, oscilar *<vacila a luz da vela>* **4** *p.ext.* perder a força; enfraquecer *<a saúde um dia vacila>* ↺ fortalecer-se □ *t.i. e int.* *fig.* **5** (prep. *em*) mostrar-se indeciso; hesitar *<vacilava em atravessar a ponte> <escolhi o vestido sem v.>* ↺ decidir-se

vacilo (va.ci.lo) *s.m.* *B infrm.* **1** hesitação **2** erro, deslize (intencional ou não) *<perder a matrícula foi o maior v.>*

vacina (va.ci.na) *s.f.* FARM MED vírus ou princípio orgânico que se inocula no organismo humano ou animal para imunizá-lo contra determinada doença ▣ **v. B.C.G.** FARM MED aquela que produz imunidade contra tuberculose • **v. Sabin** FARM MED aquela que produz imunidade contra poliomielite • **v. tríplice** FARM MED aquela que produz imunidade contra difteria, tétano e coqueluche ☞ tb. se diz apenas *tríplice*

vacinar (va.ci.nar) *v.* {mod. 1} *t.d. e pron.* (fazer) ficar imune a micróbios, vírus etc., por meio de vacina *<o governo pretende v. a população infantil> <vacinou-se contra hepatite>* ~ **vacinação** *s.f.*

vacum (va.cum) [pl.: *-uns*] *adj.2g.s.m.* (gado) composto de vacas, bois, touros, novilhos

vácuo (vá.cuo) *adj.s.m.* (espaço) sem qualquer matéria; vazio ~ **vacuidade** *s.f.*

vacúolo (va.cú.o.lo) *s.m.* BIO pequena cavidade de uma célula preenchida por ar ou fluido

vadear (va.de.ar) *v.* {mod. 5} *t.d.* atravessar (rio, brejo etc.) pelos lugares mais rasos ☞ cf. *vadiar*

vade-mécum (va.de-mé.cum) [pl.: *vade-mécuns*] *s.m.* livro de uso muito frequente, que o usuário costuma carregar consigo

vadiagem (va.di.a.gem) [pl.: *-ens*] *s.f.* **1** ato ou efeito de vadiar **2** vida de vadio, ociosidade, vagabundagem **3** o conjunto dos vadios

vadiar (va.di.ar) *v.* {mod. 1} *int.* **1** andar à toa, sem destino certo; vagar, passear **2** viver sem ocupação, na ociosidade ↺ trabalhar cf. *vadear*

vadio (va.di.o) *adj.s.m.* **1** que(m) não tem ocupação, trabalho **2** que(m) não se esforça

[1]**vaga** (va.ga) *s.f.* lugar ou cargo disponível *<há v. na garagem> <a v. de secretária foi preenchida>* ◉ ORIGEM regr. de [1]*vagar*

[2]**vaga** (va.ga) *s.f.* grande onda ◉ GRAM/USO aum.irreg.: *vagalhão* ◉ ORIGEM do fr. *vague* 'onda'

vagabundagem (va.ga.bun.da.gem) [pl.: *-ens*] *s.f.* **1** vida ou condição de vagabundo **2** situação ou estado daquele que passa o tempo sem ocupação, sem empenho, sem responsabilidades; ociosidade, preguiça, vadiagem **3** o conjunto dos vagabundos

vagabundar (va.ga.bun.dar) *v.* {mod. 1} *int.* → *VAGABUNDEAR*

vagabundear (va.ga.bun.de.ar) *v.* {mod. 5} ou **vagabundar** (va.ga.bun.dar) *v.* {mod. 1} *int.* **1** viver de modo errante, sem objetivo certo **2** levar vida ociosa, sem ter ocupação; vadiar ↺ ocupar-se, trabalhar

vagabundo (va.ga.bun.do) *adj.s.m. infrm.* **1** que(m) não trabalha; desocupado, vadio ↺ trabalhador **2** que(m) anda sem destino ↺ sedentário **3** *B* que(m) age com desonestidade; canalha ■ *adj. B* **4** de má qualidade *<relógio v.>* ↺ excelente

vagalhão (va.ga.lhão) [pl.: *-ões*] *s.m.* onda enorme

vaga-lume (va.ga-lu.me) [pl.: *vaga-lumes*] *s.m.* ZOO designação comum a certos besouros dotados de órgãos que emitem luz; pirilampo

vagamundo (va.ga.mun.do) *adj.s.m.* que(m) anda sem destino

vagão (va.gão) [pl.: *-ões*] *s.m.* cada um dos carros do trem

^{1}**vagar** (va.gar) *v.* {mod. 1} *int.* **1** estar ou ficar vago, vazio; desocupar-se *<a superintendência vagou com a renúncia do diretor> <vagou um quarto no hotel>* ↺ ocupar-se □ *t.i.* **2** (prep. *para, a*) sobrar, restar (tempo) *<se me v. tempo, prometo que irei>* □ *t.d.* **3** deixar ou proclamar vago *<os acionistas vagaram a diretoria>* ■ *s.m.* **4** falta de pressa; lentidão, calma ↺ pressa ☞ como s.m., pl. *vagares* ◉ GRAM/USO part.: *vagado*, *vago*; ver QUADRO DE PARTICÍPIOS DUPLOS nas pp. iniciais ◉ ORIGEM do lat. *vacāre* 'estar vazio, desocupado'

^{2}**vagar** (va.gar) *v.* {mod. 1} *int.* andar sem rumo, destino certo; errar *<a criança vagava perdida pelas ruas>* ◉ ORIGEM do lat. *vagāre* 'andar errante'

vagaroso (va.ga.ro.so) /ô/ [pl. e fem.: /ó/] *adj.* **1** que tem ou atua com lentidão; demorado *<desmontou a bomba com movimentos v.> <um v. carro de boi>* ↺ apressado **2** que se faz sem pressa *<um v. passeio pela praia> <dedicou-se a um exame v. da questão>*

vagem (va.gem) [pl.: *-ens*] *s.f.* BOT **1** fruto longo e fino de certas plantas no qual as sementes ficam dispostas em fileira **2** fruto do feijoeiro; feijão

vagido (va.gi.do) *s.m.* **1** choro da criança recém-nascida **2** *fig.* som semelhante a esse choro; gemido ~ **vagir** *v.int.s.m.*

vagina (va.gi.na) *s.f.* ANAT **1** na genitália feminina, canal que se estende do útero à vulva **2** qualquer estrutura anatômica tubular que serve de revestimento para um órgão ou parte dele ~ **vaginal** *adj.2g.*

vaginite (va.gi.ni.te) *s.f.* MED inflamação das paredes da vagina; colpite

^{1}**vago** (va.go) *adj.* não preenchido ou ocupado; vazio *<há muitos lugares v. no teatro>* ◉ GRAM/USO part. de ^{1}*vagar* ◉ ORIGEM do lat. *vacŭus,a,um* 'vazio'

^{2}**vago** (va.go) *adj.* **1** que vagueia **2** inconstante, mutável ↺ estável **3** sem características bem definidas *<v. lembrança> <tenho uma v. ideia sobre o assunto>* ↺ nítido ◉ ORIGEM do lat. *vagus,a,um* 'id.'

vagonete (va.go.ne.te) /ê/ *s.m.* vagão pequeno ◉ GRAM/USO dim.irreg. de *vagão*

^{1}**vaguear** (va.gue.ar) *v.* {mod. 5} *t.d. e int.* **1** andar por (lugares) sem rumo certo; perambular, vagar *<v. países e reinos encantados> <se pudesse, vaguearia por todas as praias>* □ *int.* **2** ficar ocioso, sem trabalho ou ocupação; vadiar ◉ ORIGEM ^{2}*vagar* + *-ear* ~ **vagueação** *s.f.*

^{2}**vaguear** (va.gue.ar) *v.* {mod. 5} *int.* flutuar nas vagas ou ao sabor delas ◉ ORIGEM ^{2}*vaga* + *-ear*

vaia (vai.a) *s.f.* desagrado manifestado por um público com gritos e assobios ↺ ovação ~ **vaiar** *v.t.d. e int.*

vaidade (vai.da.de) *s.f.* **1** orgulho excessivo de si mesmo ↺ modéstia **2** necessidade de ser admirado e elogiado **3** futilidade, coisa sem importância *<ser apegado às v. terrenas>*

vaidoso (vai.do.so) /ô/ [pl. e fem.: /ó/] *adj.s.m.* que(m) tem ou mostra vaidade

vai e vem (vai e vem) *s.m.2n.* vaivém

vai não vai (vai não vai) *s.m.2n.* situação ou atitude que revela indecisão

vaivém (vai.vém) [pl.: -éns] *s.m.* **1** movimento de um lado para outro; balanço, oscilação *<o v. do pêndulo do relógio>* ↺ imobilidade **2** *fig.* sucessão de mudanças de eventos *<um filme cheio de v.>* ↺ constância

vala (va.la) *s.f.* escavação longa que escoa água, esgoto etc. ▣ **v. comum** sepultura coletiva para indigentes ou para vítimas de epidemias, calamidades etc.

valdevinos (val.de.vi.nos) *s.m.2n.* sujeito vagabundo ou irresponsável

^{1}**vale** (va.le) *s.m.* **1** depressão alongada entre montes, colinas, montanhas **2** depressão alongada cavada pelas águas de um rio ◉ ORIGEM do lat. *valles* ou *vallis,is* 'id.'

^{2}**vale** (va.le) *s.m.* **1** declaração escrita de um empréstimo, adiantamento etc. **2** documento com valor impresso para ser trocado por determinados serviços ou mercadorias, como transporte, alimentação, medicamento ◉ ORIGEM de *valer*

vale-alimentação (va.le-a.li.men.ta.ção) [pl.: *vales-alimentações* e *vales-alimentação*] *s.m.* vale fornecido pelo empregador ao funcionário, como complementação salarial ou mediante desconto no salário, ou provido pelo governo à população de baixa renda, para ser trocado por alimentos

vale-brinde (va.le-brin.de) [pl.: *vales-brindes* e *vales-brinde*] *s.m.* impresso que dá direito ao portador de receber, a título de brinde, um produto, um valor em dinheiro, uma viagem ou um desconto

valência (va.lên.cia) *s.f.* **1** QUÍM capacidade que os átomos e radicais químicos possuem de se unir e formar compostos **2** QUÍM número de ligações com hidrogênio que um átomo ou radical é capaz de fazer **3** validade

valentão (va.len.tão) [pl.: *-ões*] *adj.s.m.* **1** que(m) é muito valente **2** que(m) diz ser mais valente do que realmente é

valente (va.len.te) *adj.2g.s.2g.* que(m) não tem medo do perigo; corajoso

valentia (va.len.ti.a) *s.f.* qualidade do que ou de quem é valente; coragem ↺ covardia

valer (va.ler) *v.* {mod. 10} *t.d.* **1** corresponder em valor a; equivaler *<o bilhete vale ida e volta>* **2** ter o valor ou o preço de; custar *<o livro vale 20 reais>* **3** ser digno de; merecer *<este fato não vale sua atenção>* □ *t.i.* **4** (prep. *por*) ter o mesmo valor de *<o lanche valeu por um jantar>* **5** (prep. *a*) ter utilidade para; servir *<sua ajuda muito valeu aos desabrigados>* **6** (prep. *a*) prestar auxílio a, socorrer, acudir *<valha-me Deus!>* □ *int.* **7** ter muito valor, importância *<sua amizade vale muito>* **8** ser conveniente, útil, proveitoso; convir *<valeu ter viajado?>* □ *t.d.i.* **9** (prep. *a*) trazer como consequência para; acarretar, atrair *<o trabalho esforçado valeu-lhe um prêmio>* □ *pron.* **10** (prep. *de*) contar com, servir-se de; utilizar *<valeu-se do apito para distrair o cão>* ↺ dispensar

valeta (va.le.ta) /ê/ *s.f.* pequena vala à beira de ruas para escoamento de águas

valete (va.le.te) *s.m.* RECR carta de baralho com a figura de um jovem escudeiro

vale-transporte (va.le-trans.por.te) [pl.: *vales-transportes* e *vales-transporte*] *s.m.* vale que o empregador fornece ao funcionário, seja a título de complementação salarial, seja mediante desconto no salário, para ser utilizado no pagamento do transporte de ida e volta ao trabalho

vale-tudo (va.le-tu.do) *s.m.2n.* **1** certa luta livre que permite golpes muito violentos **2** *p.ext.* contexto em que qualquer expediente é válido *<lá o comércio é um v.>*

valia (va.li.a) *s.f.* **1** aquilo que uma coisa vale; preço, valor **2** proveito, serventia

validação (va.li.da.ção) [pl.: *-ões*] *s.f.* ação de tornar ou declarar algo válido; legitimação, ratificação ↺ invalidar

validade (va.li.da.de) *s.f.* **1** capacidade do que está em condições de produzir os efeitos dele esperados *<qual a v. desse remédio?>* **2** funcionamento satisfatório, eficácia *<a ajuda dele não teve v.>* **3** DIR atributo do ato jurídico que foi concluído de acordo com as formalidades legais exigidas

validar (va.li.dar) *v.* {mod. 1} *t.d. e pron.* tornar(-se) ou declarar(-se) válido, legal, legítimo *<v.(-se) um contrato>* ↺ invalidar(-se), anular(-se)

validez (va.li.dez) /ê/ [pl.: *-es*] *s.f.* característica ou estado do que ou de quem é válido

válido (vá.li.do) *adj.* **1** que tem existência ou valor legal *<contrato v.>* ↺ ilegal **2** que é apropriado ao fim a que se destina *<método v.>* ↺ inadequado **3** que goza de saúde; são, sadio *<homem v.>* ↺ inválido

valioso (va.li.o.so) /ô/ [pl. e fem.: /ó/] *adj.* **1** de grande valor monetário; caro *<joia v.>* ↺ barato **2** que é de grande utilidade *<v. conselho>* ↺ inútil **3** que é importante *<v. fonte de pesquisa>* ↺ irrelevante

valise (va.li.se) *s.f.* maleta de mão

valo (va.lo) *s.m.* **1** fosso que protege campo de batalha ou acampamento da tropa **2** vala pouco profunda; rego **3** rede de cercar peixe

valor (va.lor) /ô/ [pl.: *-es*] *s.m.* **1** preço de um bem ou serviço *<pagou em prestações o v. do eletrodoméstico>* **2** importância que se atribui a algo ou alguém; mérito, estima **3** MÚS duração de nota musical ■ *s.m.pl.* **4** bens, riquezas **5** quaisquer títulos de crédito negociáveis em bolsa de valores

valorar (va.lo.rar) *v.* {mod. 1} *t.d.* **1** analisar (algo) para atribuir-lhe valor ou julgamento *<v. um lote de castanhas importadas>* **2** emitir juízo sobre o valor de **3** reconhecer o valor de; valorizar *<devem-se v. os esforços do diplomata pela paz>*

valorizado (va.lo.ri.za.do) *adj.* **1** a que se deu valor ou cujo valor foi reconhecido **2** que teve o seu valor aumentado; encarecido

valorizar (va.lo.ri.zar) *v.* {mod. 1} *t.d. e pron.* **1** dar ou reconhecer o valor, a importância de (algo, alguém ou si mesmo) *<v. a ajuda dos pais>* *<valorizou-se quando passou a estudar mais>* ↺ desvalorizar (-se) **2** (fazer) ter aumento no valor ou no preço *<o revestimento de mármore valorizou o apartamento>* *<o casario antigo valorizou-se depois do tombamento>* ↺ desvalorizar(-se) □ *t.d.* **3** dar destaque positivo a *<o quadro valorizou a sala>* ~ **valorização** *s.f.* - **valorizador** *adj.s.m.*

valoroso (va.lo.ro.so) /ô/ [pl. e fem.: /ó/] *adj.* que tem valor, bravura, energia *<guerreiros v.>* ↺ medroso

valsa (val.sa) *s.f.* MÚS **1** certa dança de compasso ternário **2** música que acompanha essa dança

valsar (val.sar) *v.* {mod. 1} *int.* **1** dançar valsas □ *t.d.* **2** dançar em ritmo de valsa *<v. um bolero>*

valsista (val.sis.ta) *adj.2g.s.2g.* que(m) dança valsa

valva (val.va) *s.f.* **1** ANAT estrutura anatômica que permite o escoamento de um líquido (esp. sangue) em um único sentido ☞ v. substituiu *válvula* na terminologia anatômica **2** ZOO cada uma das peças da concha de um molusco **3** BOT cada um dos segmentos resultantes da abertura de antera ou de fruto maduro

válvula (vál.vu.la) *s.f.* **1** pequena valva **2** peça que interrompe ou abre a passagem de um líquido ou gás numa tubulação **3** ANAT valva ('estrutura') **4** ANAT estrutura no interior de um orifício cardíaco ou de um vaso que permite o retorno do sangue a seu ponto de origem ~ **valvular** *adj.2g.*

vampiro (vam.pi.ro) *s.m.* **1** ser lendário que sai à noite de seu túmulo para sugar o sangue dos vivos **2** ZOO designação comum aos morcegos que se alimentam de sangue ~ **vampírico** *adj.*

van [ing.; pl.: *vans*] *s.f.* utilitário que comporta entre oito e 16 passageiros ⇒ pronuncia-se vã

vanádio (va.ná.dio) *s.m.* QUIM elemento químico us. em aços, reatores nucleares e tubos de raios X [símb.: *V*] ☞ cf. *tabela periódica* (no fim do dicionário)

vandalismo (van.da.lis.mo) *s.m.* **1** ação própria dos vândalos ('povo') **2** *p.ext.* ato ou efeito de produzir estrago ou destruição de monumentos ou quaisquer bens públicos ou particulares

vândalo (vân.da.lo) *s.m.* **1** indivíduo dos vândalos, povo germânico que invadiu o sul da Europa e o norte da África no sV, provocando grande destruição ■ *adj.s.m. fig.* **2** (aquele) que estraga ou destrói bens públicos, coisas belas, valiosas, históricas etc. *<grupo de v.>* *<ataque v.>* ~ **vandalização** *s.f.* - **vandalizar** *v.t.d.,int. e pron.*

vanglória (van.gló.ria) *s.f.* exaltação dos próprios méritos; vaidade, bazófia ↺ modéstia

vangloriar (van.glo.ri.ar) *v.* {mod. 1} *t.d.* **1** estimular vanglória, vaidade em; envaidecer <*cuidado para não v. os jovens com falsos elogios*> □ *pron.* **2** (prep. *de*) ostentar os próprios méritos e conquistas, reais ou falsos; gabar-se <*v.-se da vitória*>

vanglorioso (van.glo.ri.o.so) /ô/ [pl. e fem.: /ó/] *adj.* que é exageradamente convencido dos próprios méritos ou qualidades, que exibe suas pretensas conquistas; vaidoso

vanguarda (van.guar.da) *s.f.* **1** parte de tropa militar que vai na frente ↺ retaguarda **2** dianteira, frente ↺ traseira **3** *fig.* parcela de indivíduos que exerce papel pioneiro entre outros do mesmo grupo

vanguardista (van.guar.dis.ta) *adj.2g.s.2g.* que(m) atua como vanguarda de um movimento

vantagem (van.ta.gem) [pl.: *-ens*] *s.f.* **1** posição ou condição de superioridade ↺ desvantagem **2** circunstância que beneficia algo ou alguém ↺ desvantagem **3** ganho obtido numa transação; lucro ↺ prejuízo

vantajoso (van.ta.jo.so) /ô/ [pl. e fem.: /ó/] *adj.* em que há superioridade, benefício ou lucro <*fez uma troca v.*>

vão [pl.: *vãos*; fem.: *vã*] *adj.* **1** que não tem conteúdo; vazio <*palavreado vão*> **2** que não tem eficácia; inútil <*esforço v.*> ↺ eficaz **3** que se baseia em aparências ou mentiras; enganador, falso <*promessas v.*> ↺ verdadeiro ■ *s.m.* **4** espaço que se encontra vazio ▣ **em vão** inutilmente

vapor (va.por) /ô/ [pl.: *-es*] *s.m.* **1** substância em estado gasoso, ger. oriunda da vaporização de um líquido ou da sublimação de um sólido **2** embarcação movida por máquina acionada a vapor de água ▣ **a todo v.** muito rapidamente

vaporização (va.po.ri.za.ção) [pl.: *-ões*] *s.f.* **1** FÍS passagem do estado líquido ao gasoso ↺ liquefação **2** conversão de um líquido em gotículas

vaporizar (va.po.ri.zar) *v.* {mod. 1} *t.d. e pron.* **1** converter(-se) em vapor <*emprega-se esta caldeira para v. o combustível*> <*a água vaporizou-se rapidamente*> □ *t.d.* **2** espalhar em gotículas; borrifar <*v. desodorante na sala*> ~ **vaporizador** *adj.s.m.*

vaporoso (va.po.ro.so) /ô/ [pl. e fem.: /ó/] *adj.* **1** que tem ou exala vapores <*floresta v.*> **2** *fig.* tênue, transparente <*tecido v.*> **3** *fig.* que tem aparência delicada, diáfana <*moça v.*> ~ **vaporosidade** *s.f.*

vapt *interj.* exprime um gesto ou um golpe rápido; vapt-vupt

vapt-vupt (vapt-vupt) *interj.* **1** vapt ■ *s.m.* **2** *infrm.* lençol que se prende à cama por meio de um elástico que o circunda ☞ como s.m., pl.: *vapt-vupts*

vaqueiro (va.quei.ro) *s.m.* pastor de gado bovino

vaquejada (va.que.ja.da) *s.f.* *B* **1** competição de [1]peões; rodeio **2** ação de reunir o gado espalhado nos campos

vaquinha (va.qui.nha) *s.f.* *B* **1** *infrm.* coleta de dinheiro entre um grupo de amigos para pagamento de uma despesa comum **2** ZOO designação comum a vários pequenos besouros de formato oval e que se alimentam de folhas

vara (va.ra) *s.f.* **1** galho fino e comprido <*as v. da goiabeira*> **2** ramo fino us. como açoite <*levou uma surra de v.*> **3** peça de qualquer material, fina, roliça e longa **4** cajado, bordão **5** haste à qual se prende uma linha com anzol para pescar **6** DIR área judicial em que o juiz exerce sua autoridade **7** DIR o cargo de juiz **8** manada de porcos **9** antiga unidade de comprimento brasileira equivalente a 1,10 m

varal (va.ral) [pl.: *-ais*] *s.m.* **1** em veículos puxados por animal, cada uma das duas varas grossas entre as quais ele é atrelado **2** *B* fio ou arame esticado, ger. entre varas, no qual se pendura roupa para secar

varanda (va.ran.da) *s.f.* **1** parte da casa sem parede externa; alpendre, sacada, balcão **2** *N.* a sala da frente **3** *AMAZ RS* sala de refeições, sala de jantar **4** *RS* a mobília da sala de jantar **5** *N. N.E.* guarnição rendada ou franjada que se estende nos dois lados das redes de dormir; tanga

varão (va.rão) [pl.: *-ões*] *adj.s.m.* **1** (indivíduo) do sexo masculino ■ *s.m.* *p.ext.* **2** homem respeitável

varapau (va.ra.pau) *s.m.* **1** pau comprido **2** *fig.* *B* *infrm.* pessoa alta e magra

varar (va.rar) *v.* {mod. 1} *t.d.* **1** golpear com vara <*v. o prisioneiro*> **2** transpor, percorrer (grandes distâncias) <*v. a planície a cavalo*> **3** *fig.* passar (certo período) <*v. a noite conversando*> **4** perfurar de lado a lado; atravessar <*a pedra varou o vidro*> □ *t.d. e t.i.* **5** (prep. *por*) ir para o interior de; embrenhar-se <*v. a sala*> <*v. pela mata*> □ *t.i.* **6** sair ou passar por <*v. pela porta*>

varejar (va.re.jar) *v.* {mod. 1} *t.d.* **1** sacudir ou bater com vara <*v. a jaqueira*> **2** derrubar batendo com vara <*v. frutas*> **3** *fig.* destruir, arrasar <*o temporal varejou a esquadra*> **4** *B* atirar com força; arremessar <*v. longe um copo*> **5** procurar algo em; revistar <*a polícia varejou o bairro*> ~ **varejadura** *s.f.* - **varejamento** *s.m.*

varejeira (va.re.jei.ra) *s.f.* ZOO mosca-varejeira

varejista (va.re.jis.ta) *adj.2g.s.2g.* **1** que(m) negocia a varejo ☞ cf. *atacadista* ■ *adj.2g.* **2** próprio do varejo ☞ cf. *atacadista*

varejo (va.re.jo) /ê/ *s.m.* venda de mercadorias em pequenas porções ou quantidades ☞ cf. [2]*atacado*

vareta (va.re.ta) /ê/ *s.f.* **1** vara não muito longa e fina **2** cada uma das hastes da armação do guarda-chuva **3** RECR jogo constituído de vários palitos longos e coloridos que são soltos em uma superfície e devem ser retirados um a um, sem esbarrar em outros

vargem (var.gem) *s.f.* várzea

variação (va.ri.a.ção) [pl.: *-ões*] *s.f.* ato ou efeito de variar; mudança <*v. de temperatura*> <*gostava de acompanhar as v. da moda*>

variado (va.ri.a.do) *adj.* **1** que se apresenta em formas múltiplas, diferentes <*formatos v.*> **2** que apresenta diversidade em algum ou alguns atributos como tons, cores, formato, tamanho, sonoridade etc. <*formas v. de bolos*> **3** que apresenta diversidade de tipos dentro de uma mesma classe ou espécie <*doces v.*> **4** que difere de outro em espécie <*exposição de animais v.*> **5** em estado de perturbação mental ou delírio; alucinado, desvairado

variante (va.ri.an.te) *adj.2g.s.f.* **1** (o) que varia ou pode variar ■ *s.f.* **2** GRAM forma alternativa de uma palavra, p.ex., *assobio* e *assovio* **3** caminho alternativo ou que substitui um trecho interrompido de uma estrada

variar (va.ri.ar) *v.* {mod. 1} *t.d.* **1** tornar diverso, variegado; diversificar <*v. as mercadorias da quitanda*> **2** alternar, revezar <*v. o banho quente e o frio*> □ *int.*

3 exibir aspectos novos ou diferenciados; alterar-se, mudar *<o mar varia tanto que é impossível fotografá-lo uma só vez>* ↺ manter-se **4** ser diferente; discrepar *<as opiniões sobre isso variam>* ↺ igualar-se **5** perder o uso da razão; desvairar **6** mudar de direção; desviar-se *<o vento mudou, fazendo a nau v.>* □ *t.i. e int.* **7** (prep. *de*) optar por (algo diverso) como alternativa ao que é familiar, comum *<que tal variarmos de cinema?>* *<vamos sair, só para v.>*

variável (va.ri.á.vel) *adj.2g.s.f.* **1** (o) que pode variar ■ *s.f.* MAT **2** símbolo que representa qualquer um dos elementos de um conjunto **3** quantidade que pode assumir qualquer valor de um conjunto de valores

varicela (va.ri.ce.la) *s.f.* MED catapora

varicoso (va.ri.co.so) /ô/ [pl. e fem.: /ó/] *adj.* que tem varizes ou relativo a elas *<veia v.>* *<pernas v.>*

variedade (va.ri.e.da.de) *s.f.* **1** característica do que tem diferentes formas ou tipos *<a v. das espécies animais>* **2** cada um desses elementos *<procuro uma v. específica de peixe>* **3** LING cada uma das modalidades que a língua abrange *<a v. do português de Portugal, a v. regional nordestina etc.>* ▼ ***variedades*** *s.f.pl.* **4** espetáculo em teatro, rádio, televisão com números variados

variegar (va.ri.e.gar) *v.* {mod. 1} *t.d.* **1** dar cores ou tons diversos a; matizar *<v. as tonalidades de um tecido>* **2** tornar diverso, variado; diversificar, variar ↺ uniformizar

vário (vá.rio) *adj.* **1** que apresenta diferentes formas *<uma floresta de árvores v.>* **2** que não tem coerência; contraditório, incongruente *<tem um discurso forte, mas é v. nas ações>* ↺ coerente **3** que não é constante; volúvel *<humor v.>* ↺ constante ▼ ***vários*** *pron.ind.pl.* **4** alguns; muitos *<na feira encontramos v. tipos de laranja>*

varíola (va.rí.o.la) *s.f.* MED doença contagiosa causada por vírus, caracterizada por febre, dor no corpo, vômitos e lesões na pele ~ **variólico** *adj.* - **varioloso** *adj.s.m.*

variz (va.riz) [pl.: *-es*] *s.f.* MED vaso sanguíneo ou linfático dilatado, esp. uma veia, que perdeu elasticidade ☞ mais us. no pl.

varonia (va.ro.ni.a) *s.f.* **1** qualidade ou característica de varão **2** descendência pela linha paterna

varonil (va.ro.nil) [pl.: *-is*] *adj.2g.* **1** de homem, de varão; viril *<rosto de traços v.>* ↺ feminino **2** *p.ext.* que tem força; potente ↺ fraco **3** *p.ext.* corajoso, heroico ↺ covarde

varrão (var.rão) [pl.: *-ões*] *s.m.* porco reprodutor; cachaço

varredura (var.re.du.ra) *s.f.* **1** ação de varrer ou o seu efeito; varrição **2** busca cuidadosa; rastreamento

varrer (var.rer) *v.* {mod. 8} *t.d. e int.* **1** limpar com vassoura *<terminou de v. (a casa toda) antes do meio-dia>* □ *t.d.* **2** *fig.* deixar vazio; esgotar, esvaziar *<os meninos varreram a despensa>* ↺ encher **3** arrastar-se por; roçar *<o vestido varria o salão>* **4** *fig.* destruir, arrasar, devastar *<o incêndio varreu a mata>* **5** *fig.* examinar em detalhes; vasculhar *<v. o texto buscando erros>* □ *t.d.i.* **6** (prep. *de*) fazer desaparecer; excluir, expulsar *<v. do bairro os bandidos>* ~ **varredor** *adj.s.m.* - **varrição** *s.f.*

várzea (vár.zea) *s.f.* **1** grande extensão de terra plana **2** *B* terreno baixo e plano à margem de um rio ou ribeirão; vargem

vasa (va.sa) *s.f.* **1** lama muito fina, de origem orgânica, encontrada no fundo do mar **2** depósito de terra e matéria orgânica no fundo das águas do mar, rios, lagos etc.; lodo **3** *fig.* a camada mais baixa da sociedade; escória, ralé ☞ cf. *vaza*

vasco (vas.co) *adj.* → ***BASCO***

vasconço (vas.con.ço) *s.m.* **1** idioma basco **2** *fig.* linguagem ininteligível

vascular (vas.cu.lar) *adj.2g.* relativo a vaso ('canal', 'espécie de tubo') *<tecido v.>* *<sistema v.>* ~ **vascularização** *s.f.* - **vascularizar** *v.t.d.*

vasculhar (vas.cu.lhar) *v.* {mod. 1} *t.d.* **1** limpar com vasculho **2** examinar com cuidado, procurando algo; revistar *<v. arquivos>* ~ **vasculhador** *adj.s.m.*

vasculho (vas.cu.lho) *s.m.* vassoura de cabo longo com que se limpam tetos

vasectomia (va.sec.to.mi.a) *s.f.* MED corte ou laqueadura dos canais pelos quais passam os espermatozoides, promovendo a esterilização masculina

vaselina (va.se.li.na) *s.f.* FARM **1** substância gordurosa e incolor de uso farmacêutico ☞ marca registrada (ing. *Vaseline*) que passou a designar o seu gênero ■ *s.2g.* **2** *fig. B pej.* indivíduo maleável nas opiniões para agradar a todos, em todas as ocasiões

vasilha (va.si.lha) *s.f.* **1** vaso para pôr líquidos **2** *B* recipiente para guardar alimentos sólidos ou líquidos ◉ COL vasilhame

vasilhame (va.si.lha.me) *s.m.* **1** conjunto de vasilhas **2** *B* recipiente para armazenar líquidos ou sólidos; vasilha

vaso (va.so) *s.m.* **1** recipiente côncavo, de vários formatos, próprio para conter líquidos ou sólidos **2** objeto semelhante a esse no qual se põe terra e uma planta **3** ANAT canal que conduz sangue ou linfa **4** BOT espécie de tubo que permite a circulação de seiva na planta ▣ **v. linfático** ANAT canal que conduz linfa • **v. sanguíneo** ANAT qualquer canal que conduz sangue • **v. sanitário** vaso de louça para dejeções em banheiro; latrina, privada

vasoconstritor (va.so.cons.tri.tor) /ô/ [pl.: *-es*] *adj.s.m.* BIOQ (substância ou medicamento) que diminui o calibre dos vasos sanguíneos ↺ vasodilatador

vasodilatador (va.so.di.la.ta.dor) /ô/ [pl.: *-es*] *adj.s.m.* BIOQ (substância ou medicamento) que aumenta o calibre dos vasos sanguíneos ↺ vasoconstritor

vasomotor (va.so.mo.tor) /ô/ [pl.: *-es*] *adj.* que produz contração ou dilatação dos vasos sanguíneos ◉ GRAM/USO fem.irreg.: *vasomotriz*

vassalagem (vas.sa.la.gem) *s.f.* **1** estado ou condição de vassalo **2** tributo que o vassalo pagava ao suserano **3** submissão, dependência ↺ independência **4** grupo de vassalos

vassalo (vas.sa.lo) *adj.s.m.* **1** (pessoa) que possui um feudo concedido pelo senhor feudal; feudatário ■ *adj. fig.* **2** que se subordina a; submisso *<cidadão v. do governo>* ◉ COL vassalagem

vassoura (vas.sou.ra) *s.f.* utensílio com pelos ou fibras na extremidade de um cabo longo, us. para arrastar e juntar o lixo do chão ~ **vassoureiro** *s.m.*

vassourada (vas.sou.ra.da) *s.f.* golpe aplicado com vassoura

vastidão (vas.ti.dão) [pl.: *-ões*] *s.f.* **1** espaço de grande dimensão *<admirava a v. das pastagens>* ↺ exiguidade **2** *fig.* importância, relevância *<a v. de um saber>* ↺ insignificância

vasto (vas.to) *adj.* **1** extenso, espaçoso *<dançar no v. salão>* ↺ pequeno **2** *fig.* importante, relevante *<admirou-nos com tão v. argumentos>* ↺ insignificante

vatapá (va.ta.pá) *s.m.* CUL *B* prato baiano à base de massa de pão, camarão seco, castanhas, leite de coco e dendê

vate (va.te) *s.m.* **1** pessoa que faz vaticínios; profeta **2** poeta

vaticano (va.ti.ca.no) *adj.* pertencente ou relativo ao Vaticano, estado soberano que tem o papa como chefe *<biblioteca v.>* *<correio v.>*

vaticinar (va.ti.ci.nar) *v.* {mod. 1} *t.d.,t.d.i. e int.* **1** (prep. *a*) adivinhar (algo) sobre o futuro (de); prenunciar, profetizar *<Cassandra vaticinou (aos troianos) grandes ruínas>* *<aprendeu ciências ocultas e passou a v.>* □ *t.d. p.ext.* **2** prever com base em fatos, indícios; antever *<o ministro vaticinou a queda da inflação>* ~ **vaticinação** *s.f.* - **vaticinador** *adj.s.m.*

vaticínio (va.ti.cí.nio) *s.m.* profecia

vau *s.m.* local raso de rio, mar, lagoa, pelo qual se pode passar a pé ou a cavalo

vaza (va.za) *s.f.* RECR conjunto de cartas recolhidas da mesa pelo ganhador ☞ cf. *vasa*

vazado (va.za.do) *adj.s.m.* **1** que ou o que vazou, entornou, escapou ■ *s.m.* **2** lugar oco, vazio

vazadouro (va.za.dou.ro) *s.m.* local em que se despejam líquidos ou detritos

vazamento (va.za.men.to) *s.m.* **1** ato de vazar ou o seu efeito **2** abertura pela qual vaza um líquido *<o cano está com um v.>* **3** *p.ext.* o líquido vazado *<o v. atingiu dois andares abaixo>*

vazante (va.zan.te) *adj.2g.* **1** que vaza ■ *s.f.* **2** intervalo entre uma preamar e a baixa-mar subsequente **3** período de menor volume da água de um rio ☞ cf. *cheia*

vazão (va.zão) [pl.: *-ões*] *s.f.* **1** ato de vazar ou o seu efeito; vazamento **2** *fig.* movimento de saída; escoamento **3** *fig.* venda, comercialização *<produtos populares têm mais v.>* ▣ **dar v. a 1** dar solução a *<dar v. aos compromissos>* **2** liberar, soltar *<dar v. a sentimentos>*

vazar (va.zar) *v.* {mod. 1} *t.d.,int. e pron.* **1** (fazer) ficar vazio (recipiente, vasilha); esvaziar(-se) *<v. uma piscina, um caixote>* *<a prateleira de brinquedos vazou(-se) rapidamente>* ↺ encher(-se) □ *t.d. e pron.* **2** (deixar) sair, externar; desabafar(-se) *<vazou sua mágoa>* *<sua ira vazou-se em gritos>* □ *t.d. e int.* **3** (fazer) correr (líquido); entornar, escoar(-se) *<v. a água da bilha>* *<o leite vazava aos poucos>* □ *int.* **4** (deixar) escapar (um líquido) pouco a pouco *<o tanque está vazando>* *<a água vaza pelo furo do cano>* □ *t.d.* **5** despejar (metal fundido) nos moldes **6** deixar oco ou abrir buraco em; furar, escavar *<v. um tronco>* **7** passar através de; traspassar, varar *<a baioneta vazou o ombro do soldado>* □ *t.i. e int.* **8** tornar-se conhecido (algo sigiloso), por denúncia, engano, indiscrição ou negligência *<o escândalo vazou (para os jornais)>*

vazio (va.zi.o) *adj.* **1** que não contém nada *<copo v.>* *<gaveta v.>* ↺ cheio, repleto **2** que não contém determinada coisa *<a rua estava v.>* **3** *fig.* que não tem qualidades positivas *<mente v.>* ↺ fértil **4** *fig.* que não produz efeito positivo; fútil, vão *<vida v.>* ↺ importante ■ *s.m.* **5** espaço não ocupado por matéria; vácuo

vê *s.m.* nome da letra *v*

veado (ve.a.do) *s.m.* **1** ZOO designação comum a vários mamíferos cervídeos de coloração acastanhada, pernas longas e cauda curta **2** *fig. gros.* homossexual masculino

vedação (ve.da.ção) [pl.: *-ões*] *s.f.* **1** ato ou efeito de vedar; estancamento, veda **2** tudo que serve para vedar, estancar *<vamos usar cortiça como v. nestes vidros>* **2.1** qualquer tapume (cerca, sebe, valado etc.) próprio para cercar, fechar ou defender uma área **3** *fig.* ato de não permitir; impedimento, interdição, proibição *<v. de tráfego>*

vedar (ve.dar) *v.* {mod. 1} *t.d.* **1** fechar bem abertura(s) [de recipiente ou local] para impedir que algo saia ou entre *<v. a caixa-d'água>* *<v. as janelas>* **2** impedir que escape (líquido, luz, som etc.) por abertura(s) *<v. a claridade que entra pelas janelas>* □ *t.d.,int. e pron.* **3** (fazer) deixar de correr; estancar(-se) *<vedou o sangue que escorria do ferimento>* *<a hemorragia vedou(-se)>* □ *t.d. e t.d.i.* **4** (prep. *a*) impedir ou proibir (atividade, entrada etc.) [a alguém] *<a lei veda a bigamia>* *<o médico vedou o uso de açúcar ao meu tio>* ↺ autorizar ~ **veda** *s.f.*

vedete (ve.de.te) *s.f.* **1** atriz de teatro de revista **2** atriz principal de um espetáculo **3** *p.ext.* quem se destaca em sua atividade *<Romário foi a v. da copa de 1994>*

veeiro (ve.ei.ro) *s.m.* GEOL depósito mineral que ocorre em fendas de uma rocha; filão

veemência (ve.e.mên.cia) *s.f.* **1** força impetuosa que se manifesta nos sentimentos ou na sua expressão; ardor, fervor, intensidade *<declarou com v. seu amor>* ↺ apatia, desinteresse, indiferença **2** vigor de ânimo; arrebatamento, entusiasmo *<trabalhar com v.>* **3** eloquência que busca comover, tocar, convencer; magniloquência **4** grande força; energia, ímpeto, violência *<o vento sopra com v.>* ↺ bonança, brandura, calma

veemente (ve.e.men.te) *adj.2g.* **1** que se manifesta com intensidade; vivo, ardente *<sentimentos v.>* ↺ fraco **2** que tem energia, vigor *<v. obstinação>* ↺ frágil **3** que denota emoção; comovente ↺ indiferente

végan (vé.gan) [pl.: *végans*] ou **végã** (vé.gã) [pl.: *végãs*] *s.2g.* **1** pessoa que não usa produtos de origem animal na alimentação e evita empregar artefatos dessa mesma origem (p.ex., roupas ou bolsas de couro, acessórios de seda, lã etc.) ■ *adj.2g.* **2** relativo aos végans ou ao veganismo; baseado em princípios végans ~ **veganismo** *s.m.* - **veganista** *adj.2g.s.2g.*

vegano (ve.ga.no) *adj.s.m.* végan

vegetação (ve.ge.ta.ção) [pl.: *-ões*] *s.f.* **1** ação de vegetar ou o seu efeito **2** conjunto de plantas características de uma região

vegetal (ve.ge.tal) [pl.: *-ais*] *adj.2g.* **1** referente a planta *<espécie v.>* **2** procedente de planta *<carvão v.>* *<óleo v.>* ■ *s.m.* BIO **3** planta

vegetar (ve.ge.tar) *v.* {mod. 1} *t.d. e int.* **1** (fazer) crescer (planta); medrar ↺ murchar □ *int. fig.* **2** ter vida puramente física, sem atividade mental *<vegeta após o acidente>* **3** levar vida sem entusiasmo, atividades

V

vegetariano (ve.ge.ta.ri.a.no) *adj.s.m.* que(m) só come vegetais ~ **vegetarianismo** *s.m.*

vegetativo (ve.ge.ta.ti.vo) *adj.* **1** relativo a crescimento e nutrição **2** que faz vegetar, crescer, medrar *<força v.>* **3** relativo, pertencente ou característico das plantas **4** BIO cujo funcionamento é involuntário ou inconsciente *<sistema nervoso v.>* **5** BOT diz-se do período ou estado em que um vegetal não se reproduz **6** BOT diz-se de estrutura vegetal que não está relacionada à reprodução *<broto v.>* **7** *fig.* caracterizado pela ausência de atividade *<estado v.>* ↺ ativo, atuante, operante ■ *s.m.* **8** o que vegeta **9** o que é vegetal

veia (vei.a) *s.f.* ANAT **1** vaso que reconduz o sangue ao coração **2** *fig.* disposição, tendência, vocação *<v. cômica>* ▣ **v. cava** ANAT a que drena o sangue para a aurícula direita do coração

veiculação (ve.i.cu.la.ção) [pl.: *-ões*] *s.f.* **1** ação de veicular ou o seu efeito **2** *fig.* ação de propagar, difundir *<v. de um alerta pela televisão>* **3** divulgação de mensagem publicitária pelos veículos de comunicação

[1]**veicular** (ve.i.cu.lar) [pl.: *-es*] *adj.2g.* relativo ou pertecente a veículo ◉ ORIGEM *veículo* + [1]*-ar*

[2]**veicular** (ve.i.cu.lar) *v.* {mod. 1} *t.d.* **1** transportar em veículo; carregar **2** fazer a difusão de; propagar, transmitir *<a rádio veicula boas músicas> <o mosquito veicula doença>* ◉ ORIGEM *veículo* + [2]*-ar*

veículo (ve.í.cu.lo) *s.m.* **1** qualquer meio us. para transportar ou conduzir pessoas, carga etc. **2** automóvel **3** *fig.* qualquer meio capaz de propagar, difundir algo *<a língua é um v. da cultura>*

veio (vei.o) *s.m.* **1** parte da mina em que se encontra o minério; filão **2** faixa longa de cor diferente em rocha, madeira etc. *<mármore com veios>* **3** *p.ext.* rachadura, estria **4** corrente de água doce; riacho

-vel *suf.* 'passível de': *amável, navegável, perecível, suportável, visível*

[1]**vela** (ve.la) *s.f.* **1** peça de tecido que se estende no mastro de certas embarcações para que o vento soprado sobre essa superfície movimente o barco **2** *p.ext.* embarcação movida dessa forma **3** *p.ext.* ESP qualquer modalidade desportiva náutica em que se empregam embarcações a vela ◉ ORIGEM do lat. *vēla,ae* 'id.'

[2]**vela** (ve.la) *s.f.* **1** vigília **2** peça de cera ou outra substância gordurosa, ger. cilíndrica, com um pavio no centro que se acende para iluminar **3** peça cilíndrica oca que serve para filtrar água **4** peça que origina a fagulha que aciona o motor de combustão interna ◉ ORIGEM regr. de [1]*velar*

[1]**velar** (ve.lar) *v.* {mod. 1} *t.d.* **1** permanecer de guarda; vigiar *<guardas velavam o palácio>* **2** passar acordado *<velava as noites, chorando de saudade>* **3** ficar acordado junto de (doente ou morto) □ *int.* **4** ficar acordado, em vigília □ *t.d. e t.i.* **5** (prep. *por*) dispensar cuidados, proteção a; zelar *<v. o bom nome da família> <o padre velava pelos pobres da paróquia>* ◉ ORIGEM do lat. *vigilāre* 'velar, não dormir, vigiar' ~ **velador** *adj.s.m.*

[2]**velar** (ve.lar) *v.* {mod. 1} *t.d. e pron.* **1** cobrir(-se) com véu *<v. o rosto> <velou-se para não ser reconhecida>* **2** *fig.* (fazer) desaparecer, encobrindo(-se); tapar(-se) *<as sombras velavam seu rosto> <velou-se na penumbra da sala>* ↺ exibir(-se) **3** *fig.* tornar(-se) secreto; ocultar(-se) *<v. os próprios sentimentos> <seu olhar velou-se durante o interrogatório>* ↺ expor(-se) **4** *fig.* tornar(-se) sombrio, preocupado; anuviar(-se) *<a má resposta do neto velou a fisionomia do avô> <seu olhar velou-se de tristeza>* ↺ desanuviar(-se) □ *t.d. fig.* **5** tornar escuro; escurecer *<quando a noite vela a cidade, o inimigo ataca>* ↺ clarear ◉ ORIGEM do lat. *velāre* 'cobrir, ocultar, dissimular'

[3]**velar** (ve.lar) [pl.: *-es*] *adj.2g.* referente ao véu palatino ◉ ORIGEM *véu* (do lat. *vēlum*) sob a f. *vel-* + [1]*-ar*

Velcro ® (Vel.cro) [fr.; pl.: *Velcros*] *s.m.* tecido fabricado em tiras duplas aderentes, us. como fecho ou para fixar, uma na outra, duas coisas ou duas partes da mesma coisa

veleidade (ve.lei.da.de) *s.f.* **1** ideia caprichosa ou excêntrica; fantasia *<v. de poeta>* **2** comportamento sem reflexão; leviandade ↺ seriedade **3** presunção, vaidade ↺ simplicidade

veleiro (ve.lei.ro) *s.m.* barco movido a vela

velejar (ve.le.jar) *v.* {mod. 1} *t.d. e int.* navegar em barco a vela *<v. os mares e lagoas> <veleja há muitos anos>* ~ **velejador** *adj.s.m.*

velhacaria (ve.lha.ca.ri.a) *s.f.* **1** ação ou comportamento de pessoa que é velhaca ou que age como tal; canalhice, patifaria ↺ decência, dignidade **2** atributo do que é velhaco *<sua ação teve erro, mas não v.>*

velhaco (ve.lha.co) *adj.s.m.* **1** que(m) é traiçoeiro, patife **2** que(m) é obsceno; devasso

velharia (ve.lha.ri.a) *s.f.* **1** o que é antiquado ↺ novidade **2** *pej.* objeto velho de pouco valor; traste **3** grupo de velhos

velhice (ve.lhi.ce) *s.f.* período da vida humana que se segue à maturidade

velho (ve.lho) *adj.* **1** que tem muito tempo de vida ↺ jovem **2** muito usado *<sapato v.>* ↺ novo **3** que data de época passada; antigo ↺ recente **4** que é antigo numa situação, função *<v. morador do bairro>* ↺ novo **5** que se contrapõe ao moderno; antiquado *<v. técnicas de impressão>* ↺ moderno ■ *s.m.* **6** homem idoso **7** *infrm.* pai, papai *<meu v. viajou>* ▼ ***velhos*** *s.m.pl.* **8** *infrm.* o pai e a mãe *<chamei meus v. para jantar>* ◉ COL velharia

velhusco (ve.lhus.co) *adj.s.m.* **1** que ou aquele que tem idade avançada; velho ■ *adj. infrm.* **2** que é velho ou um tanto velho *<gato v.> <casa v.>*

velo (ve.lo) *s.m.* **1** lã de carneiro, ovelha ou cordeiro **2** *p.ext.* pele desses animais com a respectiva lã **3** *p.ext.* lã cardada

velocidade (ve.lo.ci.da.de) *s.f.* **1** movimento rápido, ligeiro *<o carro partiu a grande v.>* ↺ lentidão **2** FÍS relação entre espaço percorrido e tempo de percurso *<o trem se desloca a uma v. de 200 km/h>*

velocímetro (ve.lo.cí.me.tro) *s.m.* instrumento que mede e indica a velocidade de um veículo

velocípede (ve.lo.cí.pe.de) *s.m.* veículo infantil de três rodas, movido por pedais ligados à roda dianteira

velocista (ve.lo.cis.ta) *adj.2g.s.2g.* ESP *B* que(m) pratica corridas de velocidade ou é especialista nesse esporte

velódromo (ve.ló.dro.mo) *s.m.* ESP pista de corrida para bicicletas

velório (ve.ló.rio) *s.m.* evento coletivo no qual pessoas velam o defunto exposto, durante as horas que precedem o enterro ou a cremação

veloz (ve.loz) [pl.: *-es*] *adj.2g.* que se movimenta com rapidez; rápido, ligeiro ↺ lento ◉ GRAM/USO sup.abs. sint.: *velocíssimo*

veludo (ve.lu.do) *s.m.* **1** tecido que tem uma das superfícies coberta por pelos curtos, densos e macios **2** *fig.* maciez ou suavidade que lembra esse tecido *<o v. de sua voz>* ~ **veludoso** *adj.*

venal (ve.nal) [pl.: *-ais*] *adj.2g.* **1** relativo a venda *<valor v. do imóvel>* **2** que pode ser vendido **3** *fig.* que se corrompe por dinheiro *<político v.>* ~ **venalidade** *s.f.* - **venalizar** *v.t.d. e pron.*

vencedor (ven.ce.dor) /ô/ [pl.: *-es*] *adj.s.m.* **1** que(m) vence ou venceu; ganhador *<o (time) v. da copa>* ↺ perdedor **2** que(m) triunfa, que comemora as honras da vitória; triunfante, vitorioso *<o público aclama os (atletas) v.>* ↺ vencido ■ *s.m.* **3** indivíduo que conseguiu superar dificuldades, vencer na vida

vencer (ven.cer) *v.* {mod. 8} *t.d. e int.* **1** obter vitória ou triunfo (sobre); derrotar, ganhar *<nosso time venceu o visitante> <na guerra, ninguém vence>* ↺ perder □ *t.d.* **2** ser vitorioso em (competição, eleição etc.); ganhar *<v. o campeonato>* ↺ perder **3** ter vantagem, primazia sobre (problema, obstáculo etc.); superar *<v. a doença> <v. os problemas>* **4** ter domínio sobre; refrear, conter *<v. o mau gênio>* **5** percorrer (caminho, percurso) *<v. a escadaria em poucos minutos>* **6** ir além de; ultrapassar *<venceu a curva e capotou>* **7** ganhar, receber (salário) □ *int.* **8** ser bem-sucedido; triunfar *<nasceu pobre, mas venceu>* **9** chegar ao fim (prazo de validade, vencimento etc.) *<inscreva-se já no concurso, antes que o prazo vença>* ~ **vencível** *adj.2g.*

vencilho (ven.ci.lho) *s.m.* corda de vime ou palha com que se prendem as videiras ao suporte, se amarram feixes etc.

vencimento (ven.ci.men.to) *s.m.* **1** ação de vencer ou o seu efeito **2** DIR fim do prazo para cumprimento de uma obrigação **3** DIR fim da validade de um contrato **4** remuneração de um cargo público ☞ nesta acp., mais us. no pl.

[1]**venda** (ven.da) *s.f.* **1** ato de vender ou o seu efeito *<as v. do comércio aumentam no Natal>* **2** *B* bar, botequim **3** *B* pequena mercearia ◉ ORIGEM de *vender*

[2]**venda** (ven.da) *s.f.* faixa de pano us. para cobrir os olhos ◉ ORIGEM f.divg. de [2]*banda*

vendar (ven.dar) *v.* {mod. 1} *t.d.* **1** cobrir com venda *<v. os olhos da aniversariante>* **2** pôr venda nos olhos de *<v. o falcão para acalmá-lo>* **3** *fig.* incapacitar de perceber a realidade; cegar *<a paixão vendou-a para os defeitos do amado>* ~ **vendagem** *s.f.*

vendaval (ven.da.val) [pl.: *-ais*] *s.m.* vento muito forte ↺ calmaria

vendedor (ven.de.dor) /ô/ [pl.: *-es*] *adj.* **1** que vende ↺ comprador ■ *s.m.* **2** aquele que vende algo, em nome próprio ou de terceiros **3** pessoa que tem por profissão vender *<v. de livros>*

vendeiro (ven.dei.ro) *s.m.* proprietário de venda

vender (ven.der) *v.* {mod. 8} *t.d. e t.d.i.* **1** (prep. *a*) dar (a outrem) em troca de dinheiro *<vendeu todo o estoque de mercadorias> <v. a casa (a um amigo)>* **2** (prep. *a*) ceder o direito ao uso de (projeto, obra etc.) *<v. o roteiro de um filme> <vender o direito de imagem (a um patrocinador)>* **3** *fig. pej.* (prep. *a*) sacrificar, trair por interesse *<v. a pátria (ao inimigo)>* □ *t.d.* **4** ter negócio de (produto, serviço); comercializar *<a loja da esquina vende roupas femininas>* **5** *fig.* possuir muito de (qualidade, virtude etc.) *<v. saúde>* □ *int.* **6** trabalhar como vendedor *<na loja, uns trabalham nas caixas, outros vendem>* **7** ser facilmente vendido *<no verão, sorvete vende bem>* ~ **vendável** *adj.2g.* - **vendível** *adj.2g.*

vendeta (ven.de.ta) *s.f.* sentimento de hostilidade e vingança entre famílias ou grupos rivais

vendilhão (ven.di.lhão) [pl.: *-ões*] *s.m.* **1** vendedor ambulante **2** *fig.* quem negocia coisas de valor moral *<v. da pátria>*

veneno (ve.ne.no) *s.m.* **1** substância que destrói ou altera funções vitais de um organismo *<o v. da jararaca é muito forte> <cigarro é um v. para as pessoas>* **2** *fig.* que causa prejuízo moral **3** *fig.* intenção perversa; intriga *<há muito v. no que ela diz>*

venenoso (ve.ne.no.so) /ô/ [pl. e fem.: /ó/] *adj.* **1** que tem veneno ou propriedade de envenenar *<planta v.> <cobra v.>* **2** *fig.* em que há intenção perversa *<comentário v.>*

veneração (ve.ne.ra.ção) [pl.: *-ões*] *s.f.* **1** respeito inspirado pela dignidade; reverência **2** sentimento de amor devotado; admiração *<v. pelos pais>*

venerando (ve.ne.ran.do) *adj.* digno de respeito ou veneração; respeitável, venerável

venerar (ve.ne.rar) *v.* {mod. 1} *t.d.* **1** dedicar respeito e deferência a; reverenciar *<v. a pátria>* **2** render culto a; cultuar, adorar *<v. um santo>* ↺ blasfemar **3** ter consideração ou estima por; respeitar *<v. a arte nacional>*

venerável (ve.ne.rá.vel) [pl.: *-eis*] *adj.2g.* **1** digno de veneração, que se deve respeitar; respeitável, venerando **2** na Igreja católica, diz-se de pessoa cujo processo de beatificação foi instaurado ◉ GRAM/USO sup.abs.sint.: *venerabilíssimo*

venéreo (ve.né.reo) *adj.* **1** relativo a contato sexual **2** que afeta os órgãos genitais *<doença v.>*

veneta (ve.ne.ta) /ê/ *s.f.* **1** acesso de loucura **2** *fig.* ímpeto, impulso *<não planeja nada, faz tudo de v.>* ▣ **dar na v.** ter vontade de *<deu na v. cantar no meio da aula>*

veneziana (ve.ne.zi.a.na) *s.f.* janela feita de lâminas (de madeira ou metal) que formam frestas, escurecendo o ambiente, mas deixando penetrar o ar

veneziano (ve.ne.zi.a.no) *adj.* **1** de Veneza (Itália) ■ *s.m.* **2** natural ou habitante dessa cidade

venezuelano (ve.ne.zu.e.la.no) *adj.* **1** da Venezuela (América do Sul) ■ *s.m.* **2** natural ou habitante desse país

vênia (vê.nia) *s.f.* **1** licença, permissão *<nada faz sem a v. do patrão>* **2** absolvição de culpa; perdão *<pedir v. ao pai>* **3** saudação respeitosa *<fazer v. ao santo>*

venial (ve.ni.al) [pl.: *-ais*] *adj.2g.* digno de perdão; desculpável *<falha v.>* ~ **venialidade** *s.f.*

venoso (ve.no.so) /ô/ [pl. e fem.: /ó/] *adj.* que tem veias ou se refere a elas

venta (ven.ta) *s.f.* **1** narina ▼ ***ventas*** *s.f.pl.* **2** *infrm.* nariz ou focinho **3** *fig. infrm.* rosto, cara ▣ **nas v. de** na presença de *<surrupiou a mercadoria nas v. do vendedor>*

ventana (ven.ta.na) *s.f.* janela ('abertura')

ventania (ven.ta.ni.a) *s.f.* vento contínuo e forte

ventanilha (ven.ta.ni.lha) *s.f.* RECR BOT cada buraco da mesa de sinuca; caçapa

ventar (ven.tar) *v.* {mod. 1} *int.* haver vento ou soprar o vento *<aqui só venta no inverno> <feche a porta, está ventando muito>* ◉ GRAM/USO verbo impessoal, exceto quando fig.

ventarola (ven.ta.ro.la) *s.f.* espécie de leque que não se fecha; abano

ventilação (ven.ti.la.ção) [pl.: *-ões*] *s.f.* **1** ato ou efeito de ventilar **2** passagem contínua de ar fresco e renovado, num espaço ou recinto; aeração, circulação *<quarto com boa v.>* **3** agitação ou movimentação do ar, natural ou provocada *<comprou circulador de ar para a v. da cozinha>* **4** *fig.* exposição de assunto, para fins de exame e discussão **5** movimento de ar nos pulmões

ventilador (ven.ti.la.dor) /ô/ [pl.: *-es*] *adj.* **1** que ventila ■ *s.m.* **2** aparelho munido de pás que se movimentam para produzir corrente de ar e refrescar um recinto

ventilar (ven.ti.lar) *v.* {mod. 1} *t.d.* **1** fazer circular o ar em; arejar *<abriu a janela para v. o quarto>* **2** *p.ext.* expor ao ar, ao vento; arejar *<v. o colchão>* **3** *fig.* trazer à mente; cogitar, pensar *<não queria nem v. tal hipótese>* **4** *fig.* discutir, debater abertamente *<v. as várias soluções alternativas>* ▫ *pron.* **5** refrescar-se com abano; abanar-se *<v.-se com um leque>*

vento (ven.to) *s.m.* **1** movimento natural do ar atmosférico *<o v. derrubou as árvores>* **2** agitação do ar provocado artificialmente *<v. do leque, do ventilador>* **3** o ar atmosférico *<crescer ao v.>* **4** *infrm.* ventosidade, flatulência

ventoinha (ven.to.i.nha) *s.f.* **1** lâmina móvel do cata-vento; grimpa **2** pequeno ventilador que refrigera um motor

ventosa (ven.to.sa) *s.f.* **1** instrumento cônico que se aplica sobre a pele para fazer o sangue subir à superfície **2** ANAT ZOO órgão circular e abaulado de certos animais, como o polvo, que adere a determinadas superfícies *<as v. do polvo>*

ventosidade (ven.to.si.da.de) *s.f.* expulsão de gases do estômago ou intestino; flatulência

ventoso (ven.to.so) /ô/ [pl. e fem.: /ó/] *adj.* **1** em que venta muito *<Chicago é uma cidade v.>* **2** exposto ao vento *<jardim v.>* **3** caracterizado pela ocorrência de ventos ou de ventanias *<tarde v.>*

ventre (ven.tre) *s.m.* ANAT **1** no homem e em outros animais vertebrados, parte do corpo entre o tórax e a bacia ('cavidade'); abdome, barriga **2** útero *<bendito é o fruto do vosso v.>* **3** intestino *<prisão de v.>* ~ **ventral** *adj.2g.*

ventrículo (ven.trí.cu.lo) *s.m.* ANAT pequena cavidade, esp. do coração ou do cérebro ▣ **v. cardíaco** ANAT cada uma das duas cavidades inferiores do coração • **v. cerebral** ANAT cada uma das cinco cavidades do cérebro humano ~ **ventricular** *adj.2g.*

ventriloquia (ven.tri.lo.qui.a) *s.f.* técnica de falar, movendo muito pouco os lábios, para dar a impressão de que a voz vem de outra pessoa

ventríloquo (ven.trí.lo.quo) *adj.s.m.* que(m) pratica a ventriloquia

ventura (ven.tu.ra) *s.f.* **1** acontecimento imprevisível; acaso, destino **2** boa sorte, felicidade *<agradeço a v. de ter chegado até aqui>* ↺ infelicidade **3** risco, perigo *<as v. de uma viagem>* ↺ segurança

vênus (vê.nus) *s.f.* ASTR nome do segundo planeta do sistema solar; estrela-d'alva ☞ inicial maiúsc.; cf. *Vênus* na parte enciclopédica ~ **venusiano** *adj.*

ver *v.* {mod. 12} *t.d. e int.* **1** perceber pela visão; enxergar *<viu a luz acesa> <o cego não vê>* ▫ *t.d. e pron.* **2** dirigir os olhos a ou fixá-los em (algo, alguém, si mesmo); olhar(-se) *<v. paisagens> <via-se no espelho>* **3** encontrar-se com *<vejo você à noite> <veem-se aos domingos>* **4** manter relações ou contato com; conviver, frequentar *<a mulher não vê o filho há seis meses> <vivem próximos, mas não se veem>* ▫ *t.d.* **5** estar presente a; testemunhar, assistir *<v. um assalto>* **6** ter contato, experiência com; conhecer *<é a melhor pessoa que já vi>* ↺ desconhecer **7** ter cuidado com; atentar, cuidar *<não viu por onde andava?>* **8** tomar consciência ou conhecimento de; entender, perceber *<vi a importância do assunto depois de ler o texto>* ↺ ignorar **9** experimentar, provar, verificar *<vamos v. como está o bolo>* **10** pesquisar, procurar *<v. uma palavra no dicionário>* **11** fazer avaliação de; ponderar *<v. se o preço é justo>* **12** providenciar, trazer, tratar *<v. uma babá> <v. um café para as visitas>* ▫ *t.d.,t.d.pred. e pron.* **13** fazer julgamento de (outrem ou si mesmo); considerar(-se) *<vê o professor como amigo> <vê-se como vítima>* ▫ *pron.* **14** perceber-se, reconhecer-se *<viu-se derrotado>*

veracidade (ve.ra.ci.da.de) *s.f.* **1** natureza do que é verdadeiro ou corresponde à verdade; exatidão, fidedignidade *<é preciso estabelecer a v. dos fatos>* ↺ inexatidão, mentira **2** capacidade de ser verdadeiro ou de dizer a verdade; autenticidade ↺ falsidade

veranear (ve.ra.ne.ar) *v.* {mod. 5} *int.* **1** passar o verão em *<v. na Bahia>* **2** viajar a lazer no verão

veraneio (ve.ra.nei.o) *s.m.* ato de veranear, de passar o verão de folga, em local aprazível

veranico (ve.ra.ni.co) *s.m.* **1** verão ameno **2** calor intenso em estação mais amena que o verão

verão (ve.rão) [pl.: *-ões*] *s.m.* estação mais quente do ano, entre o outono e a primavera

veraz (ve.raz) [pl.: *-es*] *adj.2g.* **1** que diz a verdade; sincero ↺ mentiroso **2** em que há verdade; verdadeiro, verídico ↺ falso

verba (ver.ba) *s.f.* **1** quantia de um orçamento destinada a fim específico *<a v. da segurança pública>* **2** *p.ext.* qualquer importância em dinheiro **3** cada cláusula, condição ou artigo de uma escritura ou outro documento

verbal (ver.bal) [pl.: *-ais*] *adj.2g.* **1** relativo a verbo **2** expresso oralmente; falado, oral *<declaração v.>*

verbalismo (ver.ba.lis.mo) *s.m.* **1** transmissão oral de conhecimentos **2** PSIQ psitacismo

verbalizar (ver.ba.li.zar) *v.* {mod. 1} *t.d. e int.* **1** expressar em palavras (pensamento, sentimento) *<é importante v. as emoções> <o bebê já verbaliza>* **2** expor oralmente; falar *<v. uma ideia> <v. é útil para compreender uma questão>* ~ **verbalização** *s.f.*

verbalmente (ver.bal.men.te) *adv.* de modo oral, pelo uso da palavra *<transmitir v. uma instrução>*

verbena (ver.be.na) *s.f.* BOT designação comum a várias ervas muito perfumadas, quase todas nativas de regiões tropicais e temperadas das Américas, cultivadas como ornamentais

verberar (ver.be.rar) *v.* {mod. 1} *t.d. e pron.* **1** golpear(-se) com vara ou açoite; flagelar(-se) *<v. os escravos> <v.-se como penitência>* □ *t.d.* **2** fazer enérgica censura a; reprovar, criticar ↺ elogiar □ *int.* **3** reverberar ~ **verberação** *s.f.*

verbete (ver.be.te) /ê/ *s.m.* **1** conjunto de informações explicativas sobre uma palavra listada em dicionário ou enciclopédia *<dicionário com cerca de 30 mil v.>* **2** papel com anotação **3** essa anotação

verbo (ver.bo) *s.m.* **1** palavra, discurso **2** GRAM classe de palavras que designam ação, processo ou estado **3** REL a palavra de Deus, a sua eterna sabedoria, identificada com a segunda pessoa da Trindade ☞ inicial maiúsc. ▣ **v. abundante** GRAM verbo com duas ou mais formas equivalentes no particípio (p.ex.: *entregado* e *entregue*) • **v. defectivo** GRAM verbo que não se conjuga em todas as formas • **v. de ligação** GRAM verbo que estabelece a ligação entre um sujeito e um predicativo; verbo predicativo (p.ex.: *o dia está lindo*) • **v. intransitivo** GRAM verbo cuja ação do sujeito dispensa objeto (p.ex.: nascer, crescer) • **v. irregular** GRAM verbo que não segue os padrões de sua conjugação, apresentando alterações no seu radical e/ou na sua flexão • **v. predicativo** GRAM verbo de ligação • **v. pronominal** GRAM verbo que exige ou aceita pronome oblíquo átono de mesma pessoa e número do sujeito (p.ex.: *lastimar-se, queixar-se*) • **v. transitivo** GRAM verbo cuja ação do sujeito recai sobre o objeto • **soltar o verbo** dizer tudo que pensa, sem contenção

verborragia (ver.bor.ra.gi.a) *s.f. pej.* uso excessivo de palavras para dizer coisas de pouca importância; verborreia

verborrágico (ver.bor.rá.gi.co) *adj.* **1** que pratica ou é propenso à verborragia; verborreico *<professor v.>* **2** em que há verborragia; verborreico *<discurso v.>*

verborreia (ver.bor.rei.a) /éi/ *s.f. pej.* verborragia ~ **verborreico** *adj.*

verboso (ver.bo.so) /ô/ [pl. e fem.: /ó/] *adj.* **1** que fala muito; palavroso *<orador v.>* **2** que tem facilidade para exprimir-se verbalmente; eloquente **3** que é abundante em palavras; prolixo *<texto v.>* ↺ lacônico ~ **verbosidade** *s.f.*

verbossubstantivo (ver.bos.subs.tan.ti.vo) *adj.* GRAM que tem as propriedades de verbo e de substantivo *<locução v.>*

verdade (ver.da.de) *s.f.* **1** o que está de acordo com o real; exatidão *<a v. de uma afirmação> <v. histórica>* ↺ falso **2** *p.ext.* procedimento sincero, sem fingimento ↺ mentira **3** coisa, fato ou evento real, verdadeiro, certo *<o que eu contei corresponde à v.>*

verdadeiro (ver.da.dei.ro) *adj.* **1** que está em conformidade com os fatos ou a realidade; palpável, real, verídico *<depoimento v.>* ↺ fantasioso, inverídico, irreal **2** que não é fictício, imaginário ou enganoso; factual, real *<história v.>* **3** que é realmente o que parece; autêntico, genuíno, legítimo *<um v. vinho francês> <um Monet v.>* ↺ duvidoso, enganoso, fraudado **3.1** *fig.* extremamente semelhante a *<o divórcio foi uma v. guerra>* **4** que é exato; certo, incontestável, preciso, válido *<este é o v. resultado da apuração dos votos>* ↺ contestável, errado, inexato **5** *fig.* certo, com quem se pode contar; confiável, fiel, leal *<amigo v.>* ↺ desleal, infiel, insincero ■ *s.m.* **6** a verdade, a realidade

verde (ver.de) *adj.2g.* **1** que tem a cor da relva *<parede v.>* **2** diz-se dessa cor *<cor v.>* **3** que ainda tem seiva *<madeira v.>* ↺ seco **4** que ainda não amadureceu *<fruta v.>* ↺ maduro **5** *fig.* que não tem prática, experiência *<novos alunos ainda muito v.>* ↺ experiente **6** *fig.* que tem o viço, o frescor do que é novo *<os v. anos da adolescência>* ■ *s.m.* **7** a cor da relva **8** a vegetação, as plantas em geral ou de determinado lugar *<nossa rua tem muito v.>* ■ *adj.2g.s.2g.* **9** que(m) participa de ou apoia movimento, grupo ou partido político que defende o meio ambiente *<parlamentar v.> <os v. fizeram uma passeata>* ▣ **jogar v. para colher maduro** dizer algo para provocar alguém a dizer algo que não responderia se perguntado diretamente ~ **verdoso** *adj.*

verde-amarelo (ver.de-a.ma.re.lo) *s.m.* **1** cor que fica entre o verde e o amarelo ■ *adj.* **2** que tem essa cor **3** diz-se dessa cor **4** *fig.* relativo ao Brasil *<o pavilhão v.> <o time v.>* **5** patriótico em relação ao Brasil *<ser v. até o fim>* ☞ tb. se diz verde e amarelo ◉ GRAM/USO pl. do subst.: *verdes-amarelos*; pl. do adj.: *verde-amarelos*

verdejante (ver.de.jan.te) *adj.2g.* que verdeja, que se torna verde ou ostenta a cor verde; verde, verdoso, viçoso

verdejar (ver.de.jar) *v.* {mod. 1} *int.* ter cor verde ou tornar-se verde *<os campos verdejam>* ◉ GRAM/USO só us. nas 3as p., exceto quando fig.

verde-oliva (ver.de-o.li.va) *s.m.* **1** a cor verde-escura da azeitona ■ *adj.2g.2n.* **2** que tem essa cor *<uniformes verde-oliva>* **3** diz-se dessa cor ☞ pl. do s.m.: *verdes-olivas* e *verdes-oliva*

verdoengo (ver.do.en.go) *adj.* **1** *B* de cor esverdeada **2** quase maduro (diz-se de fruto)

verdor (ver.dor) /ô/ [pl.: *-es*] *s.m.* **1** propriedade visual do que é verde **2** a cor verde das plantas; verdura *<o v. de nossas matas>* **3** *p.ext.* a vegetação **4** *fig.* viço, força, vigor *<o v. da juventude>* **5** estado do que ainda não está maduro *<o v. de uma fruta>* **5.1** *fig.* falta de experiência ou de prática (ger. de pessoa jovem); imperícia, inexperiência ↺ experiência, perícia, traquejo

verdugo (ver.du.go) *s.m.* [1]carrasco

verdura (ver.du.ra) *s.f.* **1** a cor verde das plantas **2** ervas us. na alimentação humana; hortaliça

verdureiro (ver.du.rei.ro) *s.m.* *B* vendedor de verduras, legumes e frutas

vereador (ve.re.a.dor) /ô/ [pl.: *-es*] *s.m.* membro do poder legislativo de um município, eleito para representar o povo na Câmara Municipal

vereança (ve.re.an.ça) *s.f.* cargo ou função de vereador ~ **verear** *v.int.*

vereda (ve.re.da) /ê/ *s.f.* **1** *B* caminho estreito **2** *fig.* caminho, direção **3** *B* nas caatingas, área mais úmida e com mais vegetação

veredito (ve.re.di.to) ou **veredicto** (ve.re.dic.to) *s.m.* **1** sentença judicial **2** *p.ext.* opinião ou juízo definitivo

verga (ver.ga) /ê/ *s.f.* **1** vara flexível de madeira **2** barra fina de metal **3** CONSTR viga de pedra ou madeira que se apoia nas ombreiras de portas e janelas

vergalhão (ver.ga.lhão) [pl.: *-ões*] *s.m.* barra de metal comprida e sólida

vergalhar (ver.ga.lhar) *v.* {mod. 1} *t.d.* bater com vergalho ('chicote') em; açoitar

vergalho (ver.ga.lho) *s.m.* **1** pênis de boi ou cavalo, cortado e seco **2** chicote feito dele **3** *p.ext.* qualquer chicote

vergão (ver.gão) [pl.: *-ões*] *s.m.* **1** verga comprida ou grossa **2** marca na pele provocada por chicotada ou outra causa

vergar (ver.gar) *v.* {mod. 1} *t.d.,int. e pron.* **1** tornar (-se) curvo; arquear(-se), dobrar(-se) *<v. uma barra de ferro>* *<o poste vergou(-se) com a ventania>* ↺ esticar (-se) **2** (fazer) perder as forças, o ânimo; abater(-se) *<nem os insultos conseguiram vergá-la>* *<sua vontade jamais (se) vergou>* ↺ animar(-se) □ *t.d.,t.i. e pron. fig.* **3** (prep. *a*) tornar(-se) submisso a; sujeitar(-se) *<v. (-se) a vontade de alguém>* *<vergou(-se) aos argumentos dos adversários>* □ *int.* **4** ceder ao peso de algo *<a pequena ponte vergou com a passagem do caminhão>* ~ **vergadura** *s.f.* - **vergamento** *s.m.*

vergasta (ver.gas.ta) *s.f.* **1** vara fina e flexível, us. para açoitar **2** *p.ext.* qualquer chicote, chibata **3** *fig.* castigo, flagelo *<disciplina à base de v.>*

vergastar (ver.gas.tar) *v.* {mod. 1} *t.d.* **1** golpear com vergasta; açoitar **2** *fig.* enxotar, espantar *<o boi vergastava as moscas com o rabo>* **3** *fig.* criticar ou repreender com severidade ↺ elogiar

vergonha (ver.go.nha) *s.f.* **1** sentimento de ultraje, humilhação; opróbrio *<a v. de um insulto>* ↺ glória **2** sentimento penoso de insegurança; timidez *<v. de cantar, de errar>* ↺ desembaraço **3** atitude indecorosa, desonesta *<roubar é uma v.>* ▣ **pouca v.** coisa que merece reprovação, por ser uma desonestidade ou indignidade • **ter v. na cara** ser digno, honesto

vergonheira (ver.go.nhei.ra) *s.f.* **1** grande vergonha; série de vergonhas *<a derrota neste jogo será uma v.>* **2** coisa ou situação que provoca vergonha; vexame *<o exame oral foi uma v.>* **3** atitude ou ato desonesto; patifaria, negociata *<a v. na política não tem fim>*

vergonhoso (ver.go.nho.so) /ô/ [pl. e fem.: /ó/] *adj.* **1** que causa vergonha *<ato v.>* *<exemplo v.>* **2** que tem ou sente vergonha *<rapaz v.>* ↺ desembaraçado

verídico (ve.rí.di.co) *adj.* verdadeiro, autêntico, real *<história v.>* ↺ falso, mentiroso ~ **veridicidade** *s.f.*

verificar (ve.ri.fi.car) *v.* {mod. 1} *t.d.* **1** examinar a veracidade de; averiguar *<v. os fatos relatados>* **2** provar a verdade de; confirmar, comprovar *<os acontecimentos verificaram minhas suposições>* ↺ contestar □ *pron.* **3** acontecer, realizar-se *<as profecias verificaram-se no século seguinte>* ~ **verificação** *s.f.* - **verificável** *adj.2g.*

verme (ver.me) *s.m.* **1** ZOO designação comum a invertebrados sem patas, de corpo longo e mole **2** ZOO larva **3** *fig. pej.* pessoa vil, desprezível ~ **vermicular** *adj.2g.* - **verminoso** *adj.*

vermelhão (ver.me.lhão) [pl.: *-ões*] *s.m.* pigmento de mercúrio us. em tintas

vermelhidão (ver.me.lhi.dão) [pl.: *-ões*] *s.f.* **1** propriedade visual do que é vermelho *<a v. dos morangos>* **2** rubor das faces

vermelho (ver.me.lho) /ê/ *s.m.* **1** primeira cor do espectro solar; cor primária entre o laranja e o violeta; a cor do sangue **2** ZOO peixe, abundante no Nordeste e Sudeste, que tem uma coloração vermelha ■ *adj.* **3** que tem essa cor *<xícara v.>* **4** diz-se dessa cor *<cor v.>* **5** *fig.* ruborizado, corado *<ficou v. de vergonha>* ■ *adj.s.m.* **6** (indivíduo) que segue o comunismo ou socialismo ~ **vermelhar** *v.t.d.,int. e pron.*

vermicida (ver.mi.ci.da) *adj.2g.s.m.* vermífugo

vermífugo (ver.mí.fu.go) *adj.s.m.* (substância ou produto) que combate vermes; vermicida

verminose (ver.mi.no.se) *s.f.* MED doença por infestação de vermes

vermute (ver.mu.te) *s.m.* aperitivo à base de vinho e extratos aromáticos

vernáculo (ver.ná.cu.lo) *adj.* **1** próprio de um país, nação ou região ↺ estrangeiro **2** sem estrangeirismos na pronúncia, vocabulário ou sintaxe; castiço *<português v.>* ■ *s.m.* **3** a língua própria de um país, nação ou região *<o ensino do v.>*

vernissage (ver.nis.sa.ge) [fr.; pl.: *vernissages*] *s.m.* ver ***VERNISSAGEM*** ⇒ pronuncia-se vérnissaj

vernissagem (ver.nis.sa.gem) [pl.: *-ens*] *s.f.* inauguração de uma exposição de obras de arte

verniz (ver.niz) [pl.: *-es*] *s.m.* **1** solução incolor à base de resina, us. para proteger e dar brilho em madeira, couro, cerâmica etc. **2** *fig.* cortesia superficial **3** *fig.* conhecimento superficial *<estudou piano e um v. de francês>*

vero (ve.ro) *adj.* verdadeiro, real ↺ falso

verônica (ve.rô.ni.ca) *s.f.* imagem do rosto de Cristo estampada, gravada ou pintada sobre um tecido

verossímil (ve.ros.sí.mil) [pl.: *-eis*] *adj.2g.* **1** que parece verdadeiro *<uma narrativa v.>* ↺ inacreditável **2** que é possível ou provável por não contrariar a verdade; plausível *<sua teoria é v.>* ↺ improvável ~ **verossimilhança** *s.f.* - **verossimilhante** *adj.2g.*

verruga (ver.ru.ga) ou **berruga** (ber.ru.ga) *s.f.* **1** MED saliência pequena na pele causada por vírus **2** BOT pequena protuberância rugosa nas plantas ~ **verrugoso/berrugoso** *adj.* - **verruguento/berruguento** *adj.*

verruma (ver.ru.ma) *s.f.* instrumento de aço com ponta em espiral, us. para furar madeira ~ **verrumar** *v.t.d. e int.*

versado (ver.sa.do) *adj.* **1** que foi ou é objeto de estudo ou discussão; estudado, tratado *<o assunto aqui v.>* **2** conhecedor, perito *<v. em fotografia>*

versal (ver.sal) [pl.: *-ais*] *s.2g.* GRÁF **1** letra maiúscula ■ *adj.2g.* **2** diz-se dessa letra

versalete (ver.sa.le.te) /ê/ *s.m.* GRÁF letra com forma de maiúscula e altura de minúscula

versão (ver.são) [pl.: *-ões*] *s.f.* **1** tradução de um texto para uma língua estrangeira **2** esclarecimento de algum fato ou assunto; explicação **3** cada um dos diferentes modos de contar ou interpretar um assunto *<v. pessoal dos fatos>* **4** produto que é apresentado para comercialização com modificações em relação a sua forma anterior *<a montadora lançou uma v. nova do veículo>*

[1]**versar** (ver.sar) *v.* {mod. 1} *t.d.* **1** pegar (esp. livros) para manusear, consultar **2** observar ou estudar em detalhes *<v. obras antigas>* **3** exercitar, praticar, treinar *<v. línguas estrangeiras>* □ *t.d. e t.i.* **4** (prep. *sobre*) ter como tema; tratar *<a palestra versou a conjuntura do país> <a conversa do Pedro sempre versa sobre você>* ◉ ORIGEM do lat. *versāre* 'voltar, revirar, mudar'

[2]**versar** (ver.sar) *v.* {mod. 1} *t.d.* **1** pôr em versos (algo em prosa); versificar *<v. Romeu e Julieta>* **2** compor em versos *<v. um soneto>* □ *int.* **3** fazer versos; versejar ◉ ORIGEM *verso* + [2]*-ar*

versátil (ver.sá.til) [pl.: *-eis*] *adj.2g.* **1** que tem tendência a mudar *<temperamento v.>* ↺ constante **2** que se move facilmente *<ave v.>* **3** que tem variadas qualidades ou habilidades, podendo aprender ou realizar diferentes coisas *<artista v.>* **4** que tem utilidade variada; polivalente *<sala v.>*

versatilidade (ver.sa.ti.li.da.de) *s.f.* **1** característica do que é versátil **2** falta de firmeza em princípios ou opiniões; inconstância, instabilidade, volubilidade ↺ constância, perseverança **3** capacidade de ser diverso nas suas habilidades, saberes, usos etc.; polivalência *<artista de grande v.> <um aparelho de muita v.>*

versejar (ver.se.jar) ou **versificar** (ver.si.fi.car) *v.* {mod. 1} *int.* **1** compor versos; versar □ *t.d.* **2** pôr em versos (algo em prosa); versar **3** compor em versos; versar *<v. um poema>* ~ **versejador** *adj.s.m.*

versículo (ver.sí.cu.lo) *s.m.* **1** cada uma das breves divisões dos capítulos de certos livros, esp. os da Bíblia **2** cada subdivisão de um artigo ou parágrafo

versificar (ver.si.fi.car) *v.* {mod. 1} *t.d. e int.* → **VERSEJAR**

[1]**verso** (ver.so) *s.m.* **1** cada linha de um poema **2** *p.ext.* poema, poesia *<fazer versos>* **3** *p.ext.* qualquer quadra ou estrofe que se declama **4** *p.ext.* a linguagem literária característica das obras poéticas, em oposição à prosa; poesia ◉ ORIGEM do lat. *versus,us* 'linha (de escritura)' ◉ COL estrofe

[2]**verso** (ver.so) *s.m.* **1** página de uma folha de papel que fica oposta à da frente *<tirei cópia de frente e v. desta carta>* ↺ frente **2** *p.ext.* o lado posterior de qualquer objeto ↺ frente ◉ ORIGEM do lat. *versus,a,um* 'virado'

versus (ver.sus) [lat.] *prep.* contra ⇒ pronuncia-se vérsus

vértebra (vér.te.bra) *s.f.* ANAT cada um dos cerca de 33 ossos que compõem a coluna vertebral

vertebrado (ver.te.bra.do) *s.m.* ZOO **1** espécime dos vertebrados, subdivisão de um ramo de animais que compreende peixes, anfíbios, répteis, aves e mamíferos, caracterizados pela presença de coluna vertebral segmentada e de crânio que protege o cérebro ■ *adj.* **2** relativo a esse espécime **3** que possui vértebras

vertebral (ver.te.bral) [pl.: *-ais*] *adj.2g.* **1** relativo, semelhante ou pertencente à(s) vértebra(s) **2** composto por ou que apresenta vértebras *<coluna v.>*

vertente (ver.ten.te) *adj.2g.* **1** que verte *<águas v.>* **2** a respeito de que se fala *<assunto v.>* ■ *s.f.* **3** encosta de montanha **4** cada lado de um telhado

verter (ver.ter) *v.* {mod. 8} *t.d. e int.* **1** fazer correr ou transbordar (um líquido) para fora do recipiente; derramar, entornar *<seus olhos vertiam lágrimas> <o leite verteu no fogão>* **2** (deixar) sair com força; jorrar, brotar *<a mina vertia água> <o petróleo verteu das profundezas>* □ *int.* **3** ter origem em; brotar *<o rio verte da colina>* **4** correr para; desaguar *<o rio verte no mar>* **5** deixar sair ou cair um líquido em gotas; gotejar □ *t.d.i.* **6** (prep. *para*) passar de uma língua para (outra); traduzir *<v. a Bíblia para as línguas indígenas>*

vertical (ver.ti.cal) [pl.: *-ais*] *adj.2g.* **1** perpendicular ao horizonte *<linha v.>* ↺ horizontal **2** que se opera, usa etc. nessa posição *<flauta v.>* ↺ horizontal **3** *fig.* que compreende pessoas de níveis diferentes *<a organização v. de uma empresa>* ■ *s.f.* GEOM **4** reta perpendicular a uma outra reta ou a um plano horizontal ↺ horizontal ~ **verticalidade** *s.f.*

vértice (vér.ti.ce) *s.m.* **1** o ponto oposto mais afastado da base de uma figura *<v. de uma pirâmide>* **2** *p.ext.* ápice, cume *<o v. da montanha>* ↺ base **3** GEOM ponto em que duas ou mais retas se cruzam, formando um ângulo **4** ANAT parte superior do crânio

vertigem (ver.ti.gem) [pl.: *-ens*] *s.f.* **1** MED sensação de que o corpo ou as coisas ao seu entorno giram; tonteira, tontura **2** *p.ext.* qualquer sensação de desmaio ou fraqueza **3** *fig.* perda momentânea do autocontrole; loucura

vertiginoso (ver.ti.gi.no.so) /ô/ [pl. e fem.: /ó/] *adj.* **1** que causa vertigem *<altura v.>* **2** que tem vertigem *<paciente v.>* **3** *fig.* que muda muito e rapidamente *<os v. tempos contemporâneos>* **4** *fig.* que causa intensa perturbação *<um sentimento v.>*

verve (ver.ve) *s.f.* **1** entusiasmo e inspiração de artista, orador ou poeta **2** *p.ext.* graça, vivacidade *<conta anedotas com muita v.>* **3** *fig.* sentimento de vida, vitalidade *<anda desanimado, sem v.>* ↺ abatimento

vesgo (ves.go) /ê/ *adj.s.m.* **1** que(m) sofre de desvio de um ou ambos os olhos; estrábico ■ *adj.* **2** *p.ext.* oblíquo, tortuoso, torto *<linha v.>* **3** que se revela desleal, insincero *<proposta v.>* ↺ leal ~ **vesguear** *v.int.* - **vesguice** *s.f.*

vesícula (ve.sí.cu.la) *s.f.* **1** ANAT pequeno reservatório membranoso em forma de saco, ger. preenchido por líquido *<v. biliar>* **2** MED bolha na pele cheia de líquido ~ **vesical** *adj.2g.*

vesicular (ve.si.cu.lar) [pl.: *-es*] *adj.2g.* **1** relativo a ou próprio da vesícula **2** BOT em forma de vesícula

vespa (ves.pa) /ê/ *s.f.* ZOO inseto alado, da ordem que reúne as abelhas, formigas e marimbondos, provido de ferrão no abdome ◉ COL vespeiro ◉ VOZ v.: zumbir; subst.: zumbido

vespeiro (ves.pei.ro) *s.m.* **1** ninho de vespas **2** agrupamento de vespas; enxame **3** *fig.* local ou situação perigosa, em que há desavenças, traições

vésper (vés.per) *s.m.* ASTR o planeta Vênus, quando aparece à tarde ☞ inicial maiúsc.

véspera (vés.pe.ra) *s.f.* **1** dia imediatamente anterior àquele de que se trata ▼ ***vésperas*** *s.f.pl.* **2** os dias que mais proximamente antecedem a um fato

vesperal (ves.pe.ral) [pl.: *-ais*] *adj.2g.* **1** relativo à tarde ■ *s.f. B* **2** filme, peça, concerto etc. realizados à tarde *<sessão v. de teatro>*

vespertino (ves.per.ti.no) *adj.* **1** relativo à tarde *<hora v.>* **2** que ocorre à tarde *<cinema com sessão v.>* ■ *s.m.* JOR **3** jornal publicado à tarde

vestal (ves.tal) [pl.: *-ais*] *s.f.* **1** mulher virgem oferecida para velar o fogo sagrado perpétuo do altar de Vesta, a deusa romana do lar **2** *p.ext.* mulher casta; virgem ■ *adj.2g.* **3** relativo a essa deusa e a essa virgem

veste (ves.te) *s.f.* **1** roupa, vestimenta **2** roupa que se usa para certo fim *<v. sacerdotal>*

vestiário (ves.ti.á.rio) *s.m.* **1** lugar de um clube, colégio etc. onde as pessoas guardam ou trocam suas roupas **2** antessala de casa, restaurante etc., us. para deixar capas, casacos etc.

vestibulando (ves.ti.bu.lan.do) *adj.s.m. B* (estudante) que se prepara para prestar o exame vestibular

vestibular (ves.ti.bu.lar) [pl.: *-es*] *s.m.* **1** *B* o exame que dá acesso aos cursos universitários ■ *adj.2g.* **2** *B* diz-se desse exame **3** relativo a vestíbulo *<entrada v. do edifício>*

vestíbulo (ves.tí.bu.lo) *s.m.* **1** saguão de entrada **2** ANAT cavidade que dá acesso a um órgão oco

[1]**vestido** (ves.ti.do) *s.m.* VEST roupa feminina composta de uma peça única em forma de saia e blusa ◉ ORIGEM do lat. *vestītus,us* 'roupa'

[2]**vestido** (ves.ti.do) *adj.* **1** coberto com roupa ↺ nu **2** trajado de modo apropriado para uma ocasião *<v. para o casamento>* **3** que usa roupa de um certo tipo ou feita de um material ou tecido *<homens v. de terno> <príncipes v. de seda e veludo>* ◉ ORIGEM do lat. *vestītus,a,um*, part.pas. de *vestīre* 'vestir'

vestígio (ves.tí.gio) *s.m.* **1** pisada ou marca deixada por homem ou animal nos caminhos por onde passa; rastro, pegada **2** *fig.* sinal, indício *<sumiu sem deixar v.>* **3** *fig.* o que restou de algo destruído ou desaparecido *<durante as escavações encontraram vestígios de uma antiga civilização>*

vestimenta (ves.ti.men.ta) *s.f.* **1** peça de roupa que veste qualquer parte do corpo **2** roupa us. em cerimônia, liturgia etc.; traje

vestir (ves.tir) *v.* {mod. 28} *t.d. e pron.* **1** cobrir(-se) com roupa *<vista as crianças, por favor> <vestiu-se e saiu>* ↺ despir(-se) **2** *fig.* (prep. *de*) recobrir(-se), envolver(-se) *<o capim vestiu o quintal> <o campo vestiu-se de flores>* □ *t.d. e t.d.i.* **3** (prep. *em*) pôr (peça de roupa) *<venha v. o paletó> <vestiu o casaco na filha>* □ *int.* **4** acomodar-se de certa forma *<esta calça veste bem> <a blusa veste mal>* □ *t.d.* **5** usar (vestimenta, peça de roupa etc.); trajar *<v. ternos> <v. andrajos>* **6** usar ou colocar (luvas) **7** *p.ext.* fazer roupa para; costurar *<ficou famoso quando passou a v. a alta sociedade>* **8** usar roupa de (certa marca, tipo etc.) *<v. jeans>* □ *t.d.pred. e pron.* **9** (prep. *de*) (fazer) usar certa roupa como disfarce, fantasia *<vestiu a filha de havaiana> <vestiu-se de policial>*

vestuário (ves.tu.á.rio) *s.m.* **1** conjunto das peças de vestir; roupa **2** *fig.* modo de apresentar-se vestido e arrumado *<destaca-se mais pelo v. do que pela beleza>*

vetar (ve.tar) *v.* {mod. 1} *t.d.* **1** opor veto a (lei, proposta etc.) **2** *p.ext.* pôr obstáculo ou oposição a; impedir, proibir ↺ autorizar

veterano (ve.te.ra.no) *adj.s.m.* **1** que(m) serviu muitos anos como militar **2** *p.ext.* que(m) é experiente numa atividade ou profissão ↺ novato ■ *s.m.* **3** militar já fora do serviço ativo **4** universitário que já cursou o primeiro ano ↺ calouro

veterinária (ve.te.ri.ná.ria) *s.f.* **1** ciência que previne, diagnostica e trata as doenças dos animais; medicina veterinária **2** clínica veterinária *<levamos os gatos à v. todos os anos>*

veterinário (ve.te.ri.ná.rio) *s.m.* **1** especialista em veterinária; médico de animais ■ *adj.* **2** relativo a veterinária *<clínica v.>*

veto (ve.to) *s.m.* **1** DIR ato do chefe do poder executivo que nega, total ou parcialmente, aprovação de uma lei votada pelo poder legislativo **2** *p.ext.* proibição, impedimento *<queria ir, mas teve o v. do pai>* ↺ autorização

vetor (ve.tor) /ô/ [pl.: *-es*] *s.m.* **1** MAT segmento orientado de reta **2** BIO todo ser vivo capaz de transmitir parasita, bactéria ou vírus causadores de doenças ☞ nesta acp., tb. us. como adj. ~ **vetorial** *adj.2g.*

vetusto (ve.tus.to) *adj.* **1** de idade muito avançada; antigo ↺ novo **2** originário de época remota *<costumes v.>* ↺ contemporâneo **3** danificado ou deteriorado pelo tempo *<o v. casario da vila>* ↺ preservado **4** respeitável pela idade *<v. ancião>* ~ **vetustez** *s.f.*

véu *s.m.* **1** tecido us. para cobrir **1.1** pano fino us. pelas mulheres para cobrir o rosto ou a cabeça *<o v. da noiva arrastava no chão>* **2** *fig.* o que serve para ocultar, envolver ou encobrir algo *<o v. da noite cobriu a cidade>*

vexado (ve.xa.do) *adj.* **1** que foi maltratado **2** que foi humilhado **3** que sofreu vergonha; envergonhado **4** *N.E.* que tem pressa; apressado, impaciente

vexame (ve.xa.me) *s.m.* **1** tudo aquilo que causa aflição ou dor; opressão *<crianças abandonadas sofrem vexames nas ruas>* **2** tudo o que causa vergonha ou afronta *<sua reprovação foi um v. para a família>* **3** sentimento de vergonha *<o tombo durante o desfile foi um grande v.>* ~ **vexativo** *adj.*

vexaminoso (ve.xa.mi.no.so) /ô/ [pl. e fem.: /ó/] *adj.* que vexa ou causa vexame; vexativo, vexatório

vexar (ve.xar) *v.* {mod. 1} *t.d.* **1** impor maus-tratos a; maltratar *<o padrasto vexava o enteado>* **2** humilhar, afrontar *<v. idosos que não podem se defender>* □ *t.d. e pron.* **3** (fazer) sentir vergonha; envergonhar(-se) *<vexava a família com suas dívidas> <vexou-se com o comportamento do filho>* ↺ desinibir(-se) **4** *N.E.* dar pressa a ou ter pressa; apressar(-se) *<v. as crianças para irem à escola> <não se vexe não, que o ônibus vai demorar>*

vexatório (ve.xa.tó.rio) *adj.* vexaminoso

vez /ê/ *s.f.* **1** termo que marca a ocorrência de um fato ou a repetição de um evento idêntico ou análogo *<o relógio bateu uma v. ou várias v.?>* **2** ocasião, oportunidade *<desta v. farei tudo certo>* **3** hora, turno *<esperar a sua v.>* **4** quantidade que multiplica algo ou serve para comparar coisas *<uma v. três é igual a três> <ganhou duas vezes mais que o irmão>* ▼ **vezes** *s.m.pl.* **5** indicador de função que executa uma operação de multiplicação **6** o símbolo desse indicador (ger. *x*) **7** precedido de um número, indica a quantidade de repetições de outro número que, somadas, fornecem o resultado da multiplicação (p.ex., 4 vezes 2 = 2+2+2+2) ▣ **às vezes**

ou **por vezes** ocasionalmente *<às v. ela chora, às v. ri>* • **de v.** *B* **1** quase maduro *<a goiaba está de v.>* **2** definitivamente *<resolver de v. o problema>* • **de v. em quando** ocasionalmente, uma vez ou outra *<de v. em quando jantamos fora>* • **em v. de 1** em lugar de *<quero o vestido de seda em v. do de algodão>* **2** ao contrário de, ao invés de *<em vez de rir, chorou>* ☞ cf. *ao invés de* • **fazer as v. de 1** desempenhar as funções que são da competência de outro *<agora a patroa está fazendo as v. da empregada>* **2** ser us. para o mesmo fim que outro *<era uma faca fazendo as v. de garfo>*

vezeiro (ve.zei.ro) *adj.* **1** que tem costume de fazer certa coisa; acostumado *<ele é v. de chegar só na hora do jantar>* **2** que repete o que fez; reincidente *<delinquente v.>* ~ **vezar** *v.t.d. e pron.*

vezo (ve.zo) /ê/ *s.m.* **1** hábito de fazer algo censurável **2** *p.ext.* costume, hábito *<ela tem o v. de jantar muito cedo>*

via (vi.a) *s.f.* **1** avenida, caminho, estrada *<as principais v. estão engarrafadas>* **2** rumo, direção *<essa v. de raciocínio não os ajudará>* **3** ANAT qualquer canal do organismo, conduto **4** meio de deslocamento ou transporte de algo ou alguém, ou de transmissão de uma mensagem *<v. aérea>* **5** cada exemplar ou cópia de carta ou documento escrito *<recibo em três v.>* ■ *prep.* **6** através de; por *<chegamos a Campo Grande v. Corumbá>* **7** por meio de; por *<transmissão v. satélite>* ▣ **v. de regra** geralmente *<saía v. de regra acompanhado>* • **v. dolorosa** REL o trajeto seguido por Cristo do Pretório até o Calvário, carregando a cruz; via-crúcis, via-sacra ☞ iniciais ger. maiúsc. • **v. férrea** ferrovia • **Via Láctea** ASTR faixa luminosa larga composta por imenso número de estrelas e outros corpos celestes, da qual fazem parte o Sol e o sistema solar; galáxia • **v. aéreas superiores** ANAT conjunto dos órgãos envolvidos na respiração, formado pelas fossas nasais, cavidade da boca, faringe e laringe • **vias de fato** luta corporal, violência física entre duas ou mais pessoas *<chegar às v. de fato>* • **v. respiratórias** ANAT conjunto de órgãos ocos do aparelho respiratório que conduz o ar até os alvéolos pulmonares • **por v. das dúvidas 1** como medida de precaução *<por v. das dúvidas, vamos fechar as janelas>* **2** a fim de evitar mal-entendidos

viabilidade (vi.a.bi.li.da.de) *s.f.* **1** qualidade ou condição do que é viável, realizável; possibilidade ↺ inviabilidade, impossibilidade **2** *fig.* característica do que pode ter bom resultado, bom êxito; probabilidade ↺ improbabilidade, inviabilidade

viabilizar (vi.a.bi.li.zar) *v.* {mod. 1} *t.d.* tornar viável, possível; possibilitar ↺ impedir ~ **viabilização** *s.f.*

viação (vi.a.ção) [pl.: *-ões*] *s.f.* **1** conjunto de caminhos, vias de determinado território *<a região sul tem ótima v.>* **2** serviço ou empresa de transporte de passageiros ou carga *<v. de ônibus>*

via-crúcis (vi.a-crú.cis) [pl.: *vias-crúcis*] *s.f.* **1** REL via dolorosa ☞ iniciais freq. maiúsc. **2** *fig.* grave provação; conjunto de terríveis experiências

viaduto (vi.a.du.to) *s.m.* via urbana situada acima do nível do solo

viagem (vi.a.gem) [pl.: *-ens*] *s.f.* **1** deslocamento que se faz para ir de um local a outro relativamente distante *<fez uma v. a São Paulo>* *<dormiu na v.>* **2** *fig. drg.* experiência alucinógena provocada pela ingestão de entorpecente **3** *p.ext. infrm.* experiência intensa que proporciona forte emoção, prazer etc. *<o filme foi uma v.>* ~ **viageiro** *adj.s.m.*

viajado (vi.a.ja.do) *adj.* que fez muitas viagens; que conhece muitos lugares *<homem v.>*

viajante (vi.a.jan.te) *adj.2g.s.2g.* que(m) viaja; excursionista, viageiro

viajar (vi.a.jar) *v.* {mod. 1} *int.* **1** fazer viagem ou viagens **2** transitar (por um caminho, estrada etc.) *<v. por estrada de terra>* □ *t.d. e t.i.* **3** (prep. *por*) passar por (lugar) viajando; visitar *<v. terras longínquas>* *<v. pela Europa>*

viandante (vi.an.dan.te) *adj.2g.s.2g.* que(m) viaja; viajante

viário (vi.á.rio) *adj.* referente a viação *<sistema v.>*

via-sacra (vi.a-sa.cra) [pl.: *vias-sacras*] *s.f.* REL **1** série de 14 quadros ou esculturas com cenas da paixão de Cristo ☞ iniciais freq. maiúsc. **2** *p.ext.* o conjunto de orações rezadas diante desses quadros

viatura (vi.a.tu.ra) *s.f.* automóvel, veículo

viável (vi.á.vel) [pl.: *-eis*] *adj.2g.* **1** que pode ser realizado ↺ inviável **2** BIO capaz de viver, crescer, germinar ou se desenvolver *<semente v.>* *<embrião v.>*

víbora (ví.bo.ra) *s.f.* **1** nome comum a diversas serpentes venenosas encontradas na Europa, África e Ásia **2** *fig.* pessoa má, traiçoeira

vibração (vi.bra.ção) [pl.: *-ões*] *s.f.* **1** movimento agitado e rápido; trepidação ↺ estabilidade **2** oscilação, tremor *<sentia a v. do solo>* ↺ imobilidade **3** *fig.* sentimento ou manifestação de entusiasmo *<v. da torcida>* ↺ desinteresse

vibrafone (vi.bra.fo.ne) *s.m.* MÚS espécie de xilofone com lâminas de metal providas de ressoadores cujas tampas abrem e fecham acionadas por motor elétrico ~ **vibrafonista** *s.2g.*

vibrante (vi.bran.te) *adj.2g.* **1** que vibra; vibratório *<as cordas v. de um violão>* **2** que tem intensidade; sonoro, forte (diz-se de som, voz) **3** *fig.* que contém ou comunica alegria ou entusiasmo *<uma torcida v.>*

vibrar (vi.brar) *v.* {mod. 1} *t.d. e int.* **1** (fazer) sofrer tremor; tremer *<o solo arenoso vibrava a carroceria do caminhão>* *<sem controle, seus lábios vibravam>* **2** (fazer) oscilar, balançar *<os torcedores vibravam as bandeiras>* *<as flâmulas vibravam ao vento>* **3** emitir ou fazer-se ouvir (som, canção); soar *<o pássaro vibrou um canto>* *<um assobio vibrou no escuro>* □ *t.d.* **4** mover com força; agitar, brandir *<v. o cassetete>* **5** produzir som tocando (corda, instrumento); dedilhar, tanger □ *int.* **6** ter som claro e distinto *<a voz das crianças vibrava acima das demais>* **7** sentir, mostrar alegria ou entusiasmo intenso *<a torcida vibrou com a vitória>* ~ **vibrátil** *adj.2g.*

vibratório (vi.bra.tó.rio) *adj.* **1** que vibra; vibrátil, vibrante *<cristal v.>* **2** em que há vibração *<cama v.>*

vibrião (vi.bri.ão) [pl.: *-ões*] *s.m.* BIO nome comum a bactérias móveis em forma de bastão curvo

viçar (vi.çar) *v.* {mod. 1} *t.d. e int.* → ***VICEJAR***

vicariato (vi.ca.ri.a.to) *s.m.* **1** cargo ou jurisdição de vigário **2** duração do exercício desse cargo **3** território que está sob a responsabilidade de um vigário **4** colocação de uma pessoa no lugar de outra; substituição

vicário (vi.cá.rio) *adj.* **1** que substitui outra coisa ou pessoa; substituto *<plantonista v.>* ■ *s.m.* **2** vigário

vice- *pref.* 'em lugar de, que substitui a, abaixo de' *<vice-diretor, vice-campeão>* ☞ sempre seguido de hífen

vice (vi.ce) *s.2g.* redução de substantivos compostos, tendo *vice-* como primeiro elemento, p.ex. *vice-presidente, vice-campeão <quando o presidente viaja, o v. assume>*

vice-almirante (vi.ce-al.mi.ran.te) [pl.: *vice-almirantes*] *s.m.* MAR **1** na Marinha do Brasil, posto de oficial-general, logo acima de contra-almirante e imediatamente abaixo de almirante de esquadra **2** oficial que ocupa esse posto

vice-campeão (vi.ce-cam.pe.ão) [pl.: *vice-campeões*] *adj.s.m.* (o) que obteve o segundo lugar num campeonato

vice-diretor (vi.ce-di.re.tor) /ô/ [pl.: *vice-diretores*] *s.m.* funcionário que exerce as funções de imediato do diretor e o substitui nas suas ausências ou impedimentos

vice-governador (vi.ce-go.ver.na.dor) [pl.: *vice-governadores*] *s.m.* **1** cargo imediatamente abaixo do de governador **2** quem ocupa esse cargo e exerce a função de governador em caso de ausência ou impedimento deste

vicejante (vi.ce.jan.te) *adj.2g.* **1** que viceja, que tem viço; verde, verdejante *<horta v.>* ↺ murcho, seco **2** que emprega muitos recursos de retórica; florido, ornado *<estilo v.>* ↺ simples

vicejar (vi.ce.jar) ou **viçar** (vi.çar) *v.* {mod. 1} *t.d. e int.* **1** (fazer) adquirir viço, desenvolver-se com força *<a chuva vicejou o jasmim> <nesta época as plantas vicejam mais>* **2** encher(-se) de plantas (um local) *<as chuvas vicejaram os jardins e as campinas> <na primavera, os campos vicejam>*

vicênio (vi.cê.nio) *s.m.* período de 20 anos ~ **vicenal** *adj.2g.*

vice-presidente (vi.ce-pre.si.den.te) [pl.: *vice-presidentes*] *s.m.* **1** cargo imediatamente abaixo do de presidente **2** quem ocupa esse cargo e substitui o presidente em caso de ausência ou impedimento ~ **vice-presidência** *s.f.*

vice-rei (vi.ce-rei) [pl.: *vice-reis*] *s.m.* representante direto do poder do rei numa província ou num Estado subordinado a um reino

vice-versa (vi.ce-ver.sa) *adv.* **1** em sentido inverso; ao contrário *<o que está em cima desce, e v.>* **2** de modo recíproco ou mútuo *<eu telefono para você, e v.>*

viciado (vi.ci.a.do) *adj.s.m.* **1** diz-se de ou quem tem um vício nefasto (p.ex., jogo) **2** diz-se de ou quem se tornou dependente de droga estupefaciente **3** *fig.* diz-se de ou quem sente dificuldade de se desligar de alguma prática habitual *<ser (um) v. em vôlei de praia>* **4** diz-se de ou quem gosta muito de alguém *<sou (um) v. em você>* ■ *adj.* **5** que se alterou para mal, tornando-se decadente, corrompido *<uma sociedade v., de gente sem caráter>* **6** que sofreu falsificação; adulterado *<bebida v.>* **7** capaz de prejudicar a saúde por não ser puro *<o ar v. de uma velha sala fechada>*

viciar (vi.ci.ar) *v.* {mod. 1} *t.d. e pron.* **1** tornar(-se) mau, impuro física ou moralmente; deteriorar(-se), perverter(-se) *<a fumaça viciou o ar> <o mau exemplo viciou a criança> <viciou-se por causa da preguiça>* □ *t.d.* **2** alterar (balança, medidor etc.) para ter vantagem **3** falsificar, adulterar (documento, contrato etc.) □ *t.d.,t.d.i. e pron.* **4** (prep. *em*) [fazer] adquirir dependência por (substância ou hábito nocivo) *<v. um jovem (em drogas)> <v.-se em jogo>*

vicinal (vi.ci.nal) [pl.: *-ais*] *adj.2g.* **1** próximo, adjacente *<bairro v. a este>* ↺ distante **2** que liga localidades próximas *<estrada v.>* ~ **vicinalidade** *s.f.*

vício (ví.cio) *s.m.* **1** hábito nocivo e ger. incontrolável *<v. em calmantes>* **2** *p.ext.* costume persistente de fazer algo; mania *<tem o v. de tamborilar na mesa>* **3** defeito físico ou moral **4** tendência para o mal; depravação

vicioso (vi.ci.o.so) /ô/ [pl. e fem.: /ó/] *adj.* **1** em que há vício(s) *<vida v.>* **2** que apresenta erro ou defeito *<produto v.>* ↺ perfeito **3** que revela falhas de caráter ou degradação moral; depravado ↺ virtuoso ~ **viciosidade** *s.f.*

vicissitude (vi.cis.si.tu.de) *s.f.* **1** inconstância dos fatos; sucessão de mudanças *<as v. dos dias>* ↺ estabilidade **2** acaso, eventualidade *<coragem para enfrentar as v. da vida>* ↺ certeza **3** condição contrária ou desfavorável a algo ou alguém; revés ↺ sorte ~ **vicissitudinário** *adj.*

viço (vi.ço) *s.m.* **1** força de crescimento das plantas *<o v. do milharal>* ↺ fraqueza **2** energia vital; vigor *<era idoso, mas cheio de v.>* ↺ esgotamento **3** caráter do que é jovem; frescor

viçoso (vi.ço.so) /ô/ [pl. e fem.: /ó/] *adj.* **1** que tem força vegetativa; que cresce e se desenvolve com vigor; pujante, verdejante, vicejante *<roseirais v.>* ↺ murcho, ressequido, seco **2** coberto de verdura; em que plantas vicejam, vicejante *<um vale fértil e v.>* ↺ ressecado, seco **3** que está com aparência saudável; sadio, são *<faces v.>* ↺ doentio, malsão **4** cheio de energia vital ou juvenil; bem-disposto, forte, vigoroso ↺ desanimado

vicunha (vi.cu.nha) *s.f.* **1** ZOO ruminante andino, menor e mais claro que a lhama **2** a lã desse animal **3** o tecido feito com essa lã

vida (vi.da) *s.f.* **1** conjunto de propriedades que mantêm ativos animais e plantas *<a goiabeira ficou seca, sem v.>* **2** período entre nascer e morrer; existência *<meu avô teve um v. longa>* **3** *fig.* tempo de existência ou funcionamento de algo *<a v. de um automóvel>* **4** modo de viver *<v. de rico> <v. santa>* **5** conjunto de acontecimentos na existência de alguém; biografia *<estuda a v. de estadistas>* **6** *fig.* conjunto dos fatos e atividades relativos a um grupo, uma época, um lugar *<v. republicana>* **7** *fig.* ânimo, força *<dar v. ao espetáculo>*

vide (vi.de) *s.f.* AGR muda de videira; bacelo

vide (vi.de) [lat.] *v.* fórmula us. para remeter a outro trecho, texto, fato etc. *<v. bula> <v. verso>* ⇒ pronuncia-se vide

videira (vi.dei.ra) *s.f.* BOT trepadeira que dá uva

vidência (vi.dên.cia) *s.f.* **1** qualidade ou faculdade de quem é vidente **2** visão sobrenatural

vidente (vi.den.te) *adj.2g.* **1** que pode ver o passado, prever o futuro ou ver cenas nas quais não está presente ■ *s.2g.* **2** pessoa que faz previsões; profeta, adivinho **3** aquele que é capaz de ver *<escola para cegos e v.>* ↺ cego

V

vídeo (ví.deo) *s.m.* **1** INF TV técnica de reprodução de imagens em movimento **2** parte visual de uma transmissão televisiva ou cinematográfica **3** filme, programa, espetáculo etc. gravados para reprodução em aparelho de televisão; videoteipe **4** tela da televisão **5** tela do monitor de um computador **6** videocassete

videocassete (vi.de.o.cas.se.te) *s.m.* **1** fita magnética que registra e/ou reproduz som e imagem; vídeo **2** equipamento que reproduz as imagens gravadas nessa fita; vídeo

videoclipe (vi.de.o.cli.pe) *s.m.* curta-metragem em filme ou vídeo que ilustra uma música; clipe

videoclube (vi.de.o.clu.be) *s.m.* **1** local que exibe obras gravadas em vídeo **2** loja de venda ou aluguel de fitas de vídeos já gravadas; videolocadora

videoconferência (vi.de.o.con.fe.rên.cia) *s.f.* TEL teleconferência com transmissão de som e imagem realizada via televisão, em circuito fechado ou em rede de computadores

video game [ing.; pl.: *video games*] *loc.subst.* jogo com controle eletrônico praticado em tela de computador ou de televisão ⇒ pronuncia-se vídeo guêim

videolaparoscopia (vi.de.o.la.pa.ros.co.pi.a) *s.f.* MED laparoscopia feita com o auxílio de uma câmera de vídeo

videolocadora (vi.de.o.lo.ca.do.ra) /ô/ *s.f.* loja de aluguel de videocassetes, *video games*, videodiscos etc.

videoquê (vi.de.o.quê) *s.m.* equipamento de vídeo ou programa de computador, ligado a um microfone, que toca em *playback* uma música, apresentando na tela a sua letra para se cantar

videoteca (vi.de.o.te.ca) *s.f.* **1** coleção de fitas de vídeo **2** móvel ou local em que ficam guardadas essas fitas

videoteipe (vi.de.o.tei.pe) *s.m.* **1** gravação de imagens e som em fita magnetizada; vídeo **2** essa fita; vídeo

videotexto (vi.de.o.tex.to) *s.m.* ELETRÔN sistema de visualização de informações em monitor de vídeo, transmitidas por linha telefônica ou televisão a cabo

vidraça (vi.dra.ça) *s.f.* **1** folha de vidro polido us. em janelas **2** caixilho em que foi encaixada essa folha

vidraçaria (vi.dra.ça.ri.a) *s.f.* local de fabricação e/ou comércio de vidros; vidraria

vidraceiro (vi.dra.cei.ro) *s.m.* quem fabrica, vende ou instala vidros

vidrado (vi.dra.do) *adj.* **1** revestido de substância vitrificável; vitrificado *<cerâmica v.>* **2** guarnecido de vidros ou vidraças; envidraçado *<recinto v.>* **3** que tem o brilho do vidro; brilhante, lustroso *<sapatos v. de tanto polimento>* ↺ baço, embaçado, fosco **4** sem brilho, sem transparência; embaçado *<olhos v.>* ↺ brilhante **5** *fig. B infrm.* extremamente interessado; apaixonado, gamado *<estar v. numa garota>* ↺ alheio, indiferente

vidrar (vi.drar) *v.* {mod. 1} *t.d.* **1** cobrir com substância vitrificável *<v. a louça>* **2** pôr vidros ou vidraça em; envidraçar *<v. a janela>* □ *t.i. e int. B gír.* **3** (prep. *em*) ficar fascinado, encantado por; gamar *<vidrou na linda colega>* *<este carro importado vai fazê-lo v.>*

vidraria (vi.dra.ri.a) *s.f.* **1** arte de fabricar vidros ou objetos de vidro **2** grande quantidade de vidros **3** vidraçaria

vidreiro (vi.drei.ro) *adj.s.m.* **1** que(m) trabalha com vidro ■ *adj.* **2** referente à indústria do vidro

vidrilho (vi.dri.lho) *s.m.* pequeno canudo oco de massa de vidro ou similar, us. na confecção de bijuterias, bordados em tecidos etc.

vidro (vi.dro) *s.m.* **1** substância sólida, frágil e translúcida, fabricada por fusão a altas temperaturas de areia e carbonatos, seguida de rápida solidificação **2** recipiente feito desse material; frasco **3** lâmina desse material *<v. da janela>* *<v. do relógio>*

viela (vi.e.la) *s.f.* rua estreita; travessa

viés (vi.és) [pl.: *vieses*] *s.m.* **1** direção oblíqua **2** tira de pano cortada obliquamente, us. como enfeite ou para acabamentos **3** *fig.* meio dissimulado de fazer, conseguir ou concluir algo **4** caráter básico de algo; natureza *<comentário de v. satírico>* **5** *fig.* tendência determinada por fatores externos *<o v. inflacionário de uma medida econômica>* ⊡ **de v.** de esguelha, de lado *<olhar de v.>*

viga (vi.ga) *s.f.* CONSTR peça de madeira, ferro ou concreto us. para dar sustentação horizontal à construção, reforçando as colunas; trave ⊡ **v. mestra** ARQ CONSTR ENG numa estrutura, num edifício, a viga que recebe a maior carga de peso

vigarice (vi.ga.ri.ce) *s.f.* qualidade de vigarista ou de um ato de trapaça por ele praticado

vigário (vi.gá.rio) *s.m.* padre que substitui o pároco ~ **vicarial** *adj.2g.*

vigarista (vi.ga.ris.ta) *adj.2g.s.2g.* que(m) se aproveita da boa-fé dos outros; trapaceiro ↺ honesto ~ **vigarismo** *s.m.*

vigência (vi.gên.cia) *s.f.* tempo durante o qual algo tem validade *<v. de uma lei, de costume>*

vigente (vi.gen.te) *adj.2g.* que está em vigor, que vigora, que vige; atual, contemporâneo *<a velha constituição continuava v.>* ↺ antigo, antiquado

viger (vi.ger) *v.* {mod. 8} *int.* estar em vigência; vigorar, valer

vigésimo (vi.gé.si.mo) *n.ord.* **1** (o) que, numa sequência, ocupa a posição número 20 ■ *n.frac.* **2** (o) que é 20 vezes menor que a unidade ~ **vigesimal** *adj.2g.*

vigia (vi.gi.a) *s.2g.* **1** sentinela ■ *s.f.* **2** observação atenta ↺ descuido **3** guarita para sentinela **4** *p.ext.* orifício pelo qual se espreita

vigiar (vi.gi.ar) *v.* {mod. 1} *t.d.* **1** observar com atenção; controlar *<v. a passagem do carteiro>* **2** observar às escondidas; espionar *<a polícia vigia a movimentação dos bandidos>* **3** cuidar com atenção; velar *<v. o doente>* **4** verificar se (algo) está-se realizando como previsto; fiscalizar *<a polícia rodoviária vigia o uso do cinto de segurança>* □ *int.* **5** ficar de sentinela, de guarda

vigilância (vi.gi.lân.cia) *s.f.* **1** ato ou efeito de vigiar; guarda, patrulhamento, vigia *<permaneçamos em v. contra o crime>* ↺ descuido, negligência **2** estado de quem permanece alerta, de quem age com precaução para não correr risco; cautela, cuidado *<a v. de quem atravessa a rua>* ↺ descuido, imoderação, precipitação **3** interesse ou zelo que se aplica na realização de algo; aplicação, atenção, diligência ↺ desatenção, desinteresse

vigilante (vi.gi.lan.te) *adj.2g.s.2g.* **1** (o) que vigia ↺ distraído ■ *s.2g.* **2** sentinela, segurança *<os. v. do banco>*

vigília (vi.gí.lia) *s.f.* **1** estado daquele que passa a noite em claro em vigilância ↺ sono **2** REL celebração noturna em véspera de festa religiosa

vigor (vi.gor) /ô/ *s.m.* característica do que ou de quem possui força; energia *<o v. de um atleta>* ↺ abatimento ▣ **com v.** com firmeza, determinação, segurança *<defender com v. uma opinião>* ↺ apaticamente • **em v.** em vigência; válido *<preceito de lei em v.>* ↺ extinto

vigorar (vi.go.rar) *v.* {mod. 1} *t.d. e int.* **1** (fazer) adquirir vigor físico; fortalecer(-se) *<o leite fresco vigora a criança>* *<o enfermo vigorou com o tratamento>* ↺ enfraquecer(-se) □ *t.d.* **2** tornar mais ativo, eficaz; potencializar *<v. um remédio>* **3** *fig.* dar estímulo a; encorajar ↺ desestimular □ *int.* **4** estar em vigência; viger, valer *<a lei vigora a partir da data de sua publicação>* ~ **vigorante** *adj.2g.*

vigoroso (vi.go.ro.so) /ô/ [pl. e fem.: /ó/] *adj.* **1** forte, poderoso *<v. lutadores>* ↺ fraco **2** que tem saúde; saudável *<juventude v.>* ↺ doentio **3** que tem viço *<árvore v.>* ↺ murcho **4** robusto, corpulento *<homem v.>* ↺ frágil **5** expressivo, acentuado *<discurso v.>* ↺ débil

vil [pl.: *vis*] *adj.2g.* **1** que não tem dignidade; desprezível, abjeto *<inimigo v.>* ↺ digno **2** de valor ou preço muito baixo *<objeto v.>* ↺ valioso

vila (vi.la) *s.f.* **1** *B* conjunto de casas em beco, ger. com uma única saída para a rua **2** pequena cidade **3** agrupamento de moradias *<v. militar>*

vilania (vi.la.ni.a) *s.f.* **1** afronta, ultraje ↺ elogio **2** ato indigno

vilão (vi.lão) [pl.: *vilães*, *vilãos* e *vilões*; fem.: *vilã*, *viloa*] *adj.s.m.* **1** que(m) mora em vila **2** (indivíduo) desprezível, indigno ↺ digno

vilarejo (vi.la.re.jo) /ê/ *s.m.* pequena aldeia; povoado

vileza (vi.le.za) /ê/ *s.f.* baixeza, indignidade ↺ nobreza

vilipendiar (vi.li.pen.di.ar) *v.* {mod. 1} *t.d.* **1** tratar com desdém; desprezar *<v. os pobres>* ↺ respeitar **2** considerar vil, indigno, sem valor; rebaixar *<v. o preço de um produto>* ↺ elevar **3** causar ofensa a; insultar

vilipêndio (vi.li.pên.dio) *s.m.* **1** desvalorização, aviltamento *<trata os empregados com v.>* ↺ exaltação **2** desprezo, desconsideração *<por sua ação iníqua, mereceu o v. dos amigos>* ↺ respeito

vilipendioso (vi.li.pen.di.o.so) /ô/ [pl. e fem.: /ó/] *adj.* em que há vilipêndio, menoscabo; afrontoso, agressivo, depreciador *<palavras v.>* ↺ elogioso, enaltecedor

vime (vi.me) *s.m.* **1** vara de vimeiro, ger. flexível, us. em trabalhos trançados **2** *p.ext.* qualquer vara flexível

vimeiro (vi.mei.ro) *s.m.* BOT nome comum a algumas árvores e arbustos de que se extrai o vime

vina (vi.na) *s.f.* CUL *PR* salsicha

vinagre (vi.na.gre) *s.m.* condimento resultante da fermentação do ácido de certas bebidas, esp. o vinho, ou de frutas ~ **vinagrado** *adj.*

vinagreira (vi.na.grei.ra) *s.f.* **1** recipiente onde se faz ou guarda vinagre **2** BOT arbusto de até 3 m, caule avermelhado e folhas de sabor azedo us. na culinária

vinagrete (vi.na.gre.te) /ê/ *s.m.* CUL molho preparado com vinagre, óleo, sal, pimenta e outros condimentos para acompanhar saladas, pratos frios etc.

vincar (vin.car) *v.* {mod. 1} *t.d.* **1** fazer vinco(s) em *<vincou a bainha da saia antes de costurá-la>* **2** *fig.* pôr em destaque; realçar, marcar *<v. as palavras com longas pausas>* ↺ disfarçar □ *t.d. e int.* **3** (fazer) ficar com rugas; encarquilhar(-se) *<a velhice vincou seu rosto>* *<vê-se que os cantos de seus olhos vincaram>* ↺ desenrugar(-se)

vinco (vin.co) *s.m.* **1** marca ou sulco que fica em algo que se dobrou *<calça com v.>* **2** sulco ou prega na pele ou em qualquer superfície *<está velha, cheia de vincos na face>*

vinculação (vin.cu.la.ção) [pl.: *-ões*] *s.f.* ato ou efeito de ligar(-se) por vínculo; conexão, ligação ↺ desconexão, desvinculação

vincular (vin.cu.lar) *v.* {mod. 1} *t.d. e pron.* **1** unir(-se) por laços ou nós *<v. embrulhos de livros>* *<o bombeiro vinculou-se ao andaime e jogou-se>* □ *t.d.,t.d.i. e pron.* **2** (prep. *a*) [fazer] estar unido, preso por algum vínculo; ligar(-se) *<a amizade vinculou-as>* *<o casamento vinculou sua filha ao filho de seu patrão>* *<a empresa vinculou-se à rival>* ↺ separar(-se) □ *t.d. e t.d.i.* **3** (prep. *a*) estabelecer relação lógica ou de dependência; associar *<v. dois fatos>* *<vinculou o acidente ao mau estado da pista>* ↺ desvincular ~ **vinculador** *adj.s.m.*

vínculo (vín.cu.lo) *s.m.* **1** o que ata, liga ou aperta; laço **2** o que liga duas ou mais pessoas ou instituições; relacionamento *<v. afetivo>* *<v. empregatício>*

vinda (vin.da) *s.f.* **1** ato de chegar, comparecer ou o seu efeito *<a v. do médico foi um alívio>* ↺ ausência **2** regresso, volta ↺ ida

vindicar (vin.di.car) *v.* {mod. 1} *t.d.* **1** exigir a restituição de (algo que lhe pertence) *<resolveu v. o apartamento da família>* **2** reclamar ou exigir com base na lei; reivindicar *<a mãe vindica a guarda dos filhos>* ~ **vindicação** *s.f.* - **vindicador** *adj.s.m.* - **vindicante** *adj.2g.s.2g.* - **vindicativo** *adj.*

vindima (vin.di.ma) *s.f.* **1** colheita das uvas **2** época dessa colheita **3** *p.ext.* conjunto de uvas colhidas ~ **vindimador** *adj.s.m.*

vindimar (vin.di.mar) *v.* {mod. 1} *t.d. e int.* **1** colher a uva de *<terminaram de v. (todas as videiras) ontem>* □ *t.d. p.ext.* **2** fazer a colheita de; apanhar *<v. frutas no pomar>* **3** *fig.* aniquilar, destruir

vindita (vin.di.ta) *s.f.* **1** vingança **2** punição ou castigo legal

vindouro (vin.dou.ro) *adj.* que está por vir ou por acontecer *<mês v.>* *<festas v.>*

vingança (vin.gan.ça) *s.f.* ato praticado em represália contra aquele que é ou seria o causador de algum dano; retaliação, revide

vingar (vin.gar) *v.* {mod. 1} *t.d.,t.d.i. e pron.* **1** (prep. *de*) obter reparação de (ofensa); desforrar *<v. a morte da família>* *<vingou a irmã das injúrias>* *<o artilheiro fez três gols e vingou-se da última derrota>* □ *t.d.* **2** servir de castigo a; punir *<sua pobreza vinga sua preguiça>* □ *int.* **3** resistir vivo; crescer, desenvolver-se *<a plantinha vingou e cresceu>* **4** *fig.* produzir resultado; consolidar-se, crescer *<o cristianismo vingou, apesar das perseguições>* ~ **vingador** *adj.s.m.*

vingativo (vin.ga.ti.vo) *adj.* **1** que se vinga; que sente necessidade de vingar-se *<pessoa v.>* **2** em que há vingança *<atitude v.>*

vinha (vi.nha) *s.f.* **1** grande plantação de videiras **2** AGR BOT videira ◉ COL vinhedo

vinha-d'alho (vi.nha-d'a.lho) [pl.: *vinhas-d'alho*] *s.f.* → *VINHA-D'ALHOS*

vinha-d'alhos (vi.nha-d'a.lhos) [pl.: *vinhas-d'alhos*] ou **vinha-d'alho** (vi.nha-d'a.lho) [pl.: *vinhas-d'alho*] *s.f.* CUL molho de vinagre, sal, alho, cebola e algum outro condimento (pimenta, louro etc.) que se usa para conservar certos alimentos ou para amaciar e temperar carnes

vinhataria (vi.nha.ta.ri.a) *s.f.* **1** fabricação de vinhos; viticultura **2** cultura de videiras; viticultura ~ **vinhateiro** *adj.s.m.*

vinhático (vi.nhá.ti.co) *s.m.* BOT árvore da família das leguminosas, de madeira amarelada

vinhedo (vi.nhe.do) /ê/ *s.m.* grande plantação de vinhas em determinada área

vinheta (vi.nhe.ta) /ê/ *s.f.* **1** RÁD TV pequena peça ou trecho musical tocado em início e encerramento de programa de televisão ou rádio **2** GRÁF ornamento tipográfico que ilustra texto ou livro ~ **vinhetista** *s.2g.*

vinho (vi.nho) *s.m.* **1** bebida alcoólica resultante da fermentação do mosto da uva **2** nome comum a vários tipos de bebidas resultantes da fermentação do sumo de plantas ou frutas *<v. de maçã>* **3** a cor do vinho tinto ■ *adj.2g.2n.* **4** dessa cor *<camisa v.>* **5** diz-se dessa cor ▣ **v. branco** vinho de cor branca ou amarelada, feito com a polpa de uvas brancas ou tintas • **v. tinto** vinho de cor vermelha acentuada, feito com a polpa e a película de uvas tintas

vinícola (vi.ní.co.la) *s.f.* **1** propriedade em que se cultivam vinhas **2** firma produtora de vinhos ■ *adj.2g.* **3** que diz respeito a vinicultura *<produção v.>*

vinicultor (vi.ni.cul.tor) /ô/ *adj.s.m.* que(m) se dedica à vinicultura

vinicultura (vi.ni.cul.tu.ra) *s.f.* fabricação de vinho

[1]**vinil** (vi.nil) [pl.: *-is*] *s.m.* material us. na fabricação de discos ('placa') de sulco contínuo cuja leitura é feita por uma agulha ◉ ORIGEM *vin-* (do lat. *vīnum,i* 'vinho') + *-il*

[2]**vinil** (vi.nil) [pl.: *-is*] *s.m.* MÚS red. de disco de vinil

vinte (vin.te) *n.card.* **1** dezenove mais um **2** diz-se desse número *<ofício número v.>* **3** diz-se do vigésimo elemento de uma série *<capítulo v.> <dia v.>* **4** que equivale a essa quantidade (diz-se de medida ou do que é contável) *<tinha uma produção de v. litros de leite por dia>* ■ *s.m.* **5** representação gráfica desse número ☞ em algarismos arábicos, *20*; em algarismos romanos, *XX* **6** *infrm. vintes* ▼ *vintes s.f.pl.* **7** guimba de cigarro ou charuto ◉ GRAM/USO seguido do conectivo *e* antes das unidades, forma os numerais cardinais entre 20 e 30

vintém (vin.tém) [pl.: *-éns*] *s.m.* antiga moeda portuguesa equivalente a 20 réis

vintena (vin.te.na) *s.f.* **1** conjunto de 20 seres, objetos etc. de igual natureza *<comprei uma v. de lápis>* **2** a vigésima parte *<ela me deixou a v. de seus bens>*

viola (vi.o.la) *s.f.* MÚS **1** instrumento de cordas dedilháveis menor que o violão, com cinco ou seis cordas duplas **2** instrumento de arco e quatro cordas friccionáveis semelhante ao violino, porém maior e de som mais grave

violação (vi.o.la.ção) [pl.: *-ões*] *s.f.* **1** desrespeito ao que é sagrado; profanação *<v. de túmulos>* **2** estupro **3** transgressão a normas, leis etc.; desobediência *<v. do espaço aéreo> <v. contratual>*

violácea (vi.o.lá.cea) *s.f.* BOT espécime das violáceas, família que reúne muitas ervas e arbustos, poucos cipós e árvores, vários cultivados como ornamentais, como a violeta e o amor-perfeito, e alguns como medicinais

violáceo (vi.o.lá.ceo) *s.m.* **1** a cor roxa da violeta ■ *adj.* **2** que tem essa cor *<estofo v.>* **3** diz-se dessa cor *<a cor v.>* **4** relativo à violácea e a sua família

violão (vi.o.lão) [pl.: *-ões*] *s.m.* MÚS instrumento de seis cordas dedilháveis com caixa de ressonância em forma de oito

violar (vi.o.lar) *v.* {mod. 1} *t.d.* **1** tratar com desrespeito; profanar *<v. um túmulo>* **2** ter relação sexual forçada com; estuprar **3** não seguir o que manda (lei, contrato etc.); transgredir *<v. um tratado com um país amigo>* ↺ obedecer **4** desrespeitar (direito alheio) ↺ respeitar **5** abrir (correspondência alheia) sem permissão **6** abrir à força; arrombar *<v. um cofre>* **7** entrar sem permissão em; invadir *<v. uma residência>* **8** conhecer, divulgar (segredo, intimidade) sem permissão ~ **violador** *adj.s.m.*

violeiro (vi.o.lei.ro) *s.m.* quem toca viola ('instrumento menor que o violão')

violência (vi.o.lên.cia) *s.f.* **1** uso de força física **2** ação de intimidar alguém moralmente ou o seu efeito **3** ação, freq. destrutiva, exercida com ímpeto, força *<a v. da tempestade>* **4** expressão ou sentimento vigoroso; fervor *<a v. de um discurso>* ↺ doçura

violentar (vi.o.len.tar) *v.* {mod. 1} *t.d.* **1** usar violência ou ameaça contra *<sua negociação desonesta acabou por v. o sócio>* **2** ter relação sexual forçada com; estuprar **3** abrir à força; arrombar *<v. uma fechadura>* □ *pron.* **4** agir contra sua vontade ou consciência; forçar-se *<v.-se para ser agradável à família>* ~ **violentador** *adj.s.m.*

violento (vi.o.len.to) *adj.* **1** que ocorre com muita intensidade *<dor v.>* ↺ suave **2** que possui ou usa grande força; brutal *<ação v.> <animal v.>* ↺ comedido ~ **violentamente** *adv.*

violeta (vi.o.le.ta) /ê/ *s.f.* BOT **1** planta ornamental de flores vistosas e folhas cobertas de pequenos pelos ■ *s.m.* **2** a cor roxa, mais comum dessa planta ■ *adj.2g.2n.* **3** dessa cor *<saia v.>* **4** diz-se dessa cor *<a cor v.>*

violinista (vi.o.li.nis.ta) *adj.2g.s.2g.* que(m) toca violino

violino (vi.o.li.no) *s.m.* MÚS instrumento de arco e quatro cordas friccionáveis, que se toca apoiado sobre o ombro

violista (vi.o.lis.ta) *adj.2g.s.2g.* que(m) toca viola ('instrumento de arco')

violoncelista (vi.o.lon.ce.lis.ta) *adj.2g.s.2g.* que(m) toca violoncelo

violoncelo (vi.o.lon.ce.lo) *s.m.* MÚS instrumento de arco e quatro cordas friccionáveis, que se toca apoiando-o no chão, entre as pernas

violonista (vi.o.lo.nis.ta) *adj.2g.s.2g.* que(m) toca violão

VIP [ing.] *s.2g.* sigla de *very important person* (pessoa muito importante)

viperino (vi.pe.ri.no) *adj.* **1** próprio da víbora ou semelhante a ela **2** venenoso *<substância v.>* **3** *fig.* que agride ou critica em excesso; mordaz *<língua v.>*

vir *v.* {mod. 31} *t.i.,int. e pron.* **1** (prep. *a*) ir ou ser levado de um lugar para (onde estamos) *<meu amigo virá ao Rio> <a encomenda virá de avião> <cansada, vinha-se para meu colo e dormia>* □ *t.i.* **2** (prep. *a*) estar presente; comparecer *<os ministros vieram à reunião>* **3** (prep. *de*) partir, ser proveniente de; proceder *<a seda vem da China>* **4** (prep. *de*) ir para o lugar de onde saiu; regressar *<nos falamos quando vier de Paris>* ↺ partir **5** (prep. *de*) ter como origem; derivar *<o português vem do latim>* □ *int.* **6** estar prestes a ocorrer ou chegar *<estamos apreensivos com a tempestade que vem>* **7** acontecer, ocorrer, surgir *<a doença veio de repente>* □ *t.i. e int.* **8** (prep. *em*) atingir ou chegar a (certa extensão, comprimento, altura) *<seu cabelo vem na cintura> <a estrada vem até a entrada do sítio>*

[1]**vira** (vi.ra) *s.f.* tira estreita de couro que se prega entre as solas do sapato, junto às bordas ◉ ORIGEM do lat. *viriă,ae* 'pequeno bracelete'

[2]**vira** (vi.ra) *s.m.* DNÇ MÚS música e dança popular portuguesas acompanhadas por cavaquinho, guitarra e tambor ◉ ORIGEM do v. *virar*

virabrequim (vi.ra.bre.quim) [pl.: *-ins*] *s.m.* MEC eixo de manivela

viração (vi.ra.ção) [pl.: *-ões*] *s.f.* **1** brisa marinha que sopra à tarde **2** *B gír.* biscate, bico

vira-casaca (vi.ra-ca.sa.ca) [pl.: *vira-casacas*] *s.2g.* quem troca constantemente de partido, time, opinião conforme sua conveniência

virada (vi.ra.da) *s.f.* **1** ato de virar(-se) ou o seu efeito *<dar uma v. na maçaneta>* **2** mudança súbita de situação, atitude etc. *<o emprego deu uma v. na sua vida>* **3** FUTB reação de um time que, depois de estar perdendo um jogo, se sai vencedor no final

virado (vi.ra.do) *adj.* **1** que alguém virou ou que virou por si mesmo *<cadeira v. para a parede>* ■ *s.m.* CUL *B* **2** prato feito com feijão escorrido e refogado, misturado com farinha, servido freq. com linguiça, torresmo e ovo

viral (vi.ral) [pl.: *-ais*] *adj.2g.* **1** relativo a ou causado por vírus; virótico *<doença v.>* ■ *adj.2g.s.m. fig.* **2** (o) que se espalha como um vírus (p.ex., na internet)

vira-lata (vi.ra-la.ta) [pl.: *vira-latas*] *adj.2g.s.2g.* (o) que não tem raça definida (diz-se de animal doméstico, esp. cão)

virar (vi.rar) *v.* {mod. 1} *t.d.,int. e pron.* **1** colocar(-se) em direção ou posição diversa da anterior *<v. o rosto, a cabeça> <o vento fez a aba do chapéu v.> <virou-se de lado para entrar>* **2** (fazer) tomar a direção de; desviar *<no fim da estrada, virou (o carro) para a porteira> <subitamente, virou(-se) para a direita>* **3** (fazer) ficar de cabeça para baixo; emborcar *<a correnteza pode v. esses caiaques> <o barco virou(-se) em meio à tempestade>* □ *t.d.* **4** seguir por (caminho que volteia ou se dobra); dobrar *<v. a esquina>* **5** pôr o lado interior para fora; revirar *<v. os bolsos>* ↺ desvirar **6** jogar para fora; derramar, despejar *<virou a água suja na pia>* **7** despejar bebendo *<virou uma garrafa de vinho>* □ *t.i. e t.d.i.* **8** (prep. *para*) apontar em certa direção; voltar *<a janela virava para o nascente> <virou o olhar para o pai>* □ *t.d. e int.* **9** mover(-se) em torno do próprio eixo; girar *<v. a chave na fechadura> <de dentro, víamos a chave que virava lentamente>* **10** sobrepor(-se) parte de (tecido, papel etc.) sobre ele mesmo; dobrar(-se) *<virei duas vezes a bainha da saia> <o jornal virou por causa do vento>* □ *pron.* **11** esforçar-se para vencer dificuldades, alcançar objetivos etc. *<teve de se v. para consertar o carro na estrada>* □ *int.* **12** sofrer alteração (o tempo); mudar □ *pred.* **13** assumir a forma ou a natureza de; transformar-se *<virou uma linda mulher quando cresceu> <Jesus fez água v. vinho>*

viravolta (vi.ra.vol.ta) *s.f.* reviravolta ~ **viravoltar** *v.int.* - **viravoltear** *v.int.*

virgem (vir.gem) [pl.: *-ens*] *adj.2g.s.2g.* **1** que(m) nunca teve relações sexuais ■ *adj.2g.* **2** *p.ext.* que ainda não foi fecundado *<óvulo v.>* **3** *p.ext.* casto; puro *<pensamentos v.>* **4** *p.ext.* que nunca foi visto ou explorado *<mata v.>* **5** *p.ext.* que nunca foi usado *<CD v.>* ■ *s.f.* **6** a mãe de Jesus Cristo ☞ inicial maiúsc. **7** ASTRL sexta constelação zodiacal, situada entre Leão e Libra ☞ inicial maiúsc. **8** ASTRL sexto signo do zodíaco (de 23 de agosto a 22 de setembro) ☞ inicial maiúsc. **9** ASTRL virginiano

virginal (vir.gi.nal) [pl.: *-ais*] *adj.2g.* **1** relativo a ou próprio de virgem **2** que não tem pecado; casto *<amor v.>*

virgindade (vir.gin.da.de) *s.f.* **1** condição de quem nunca teve relação sexual **2** estado do que se encontra intacto *<a v. de uma folha de papel>* **3** *p.ext.* pureza, inocência *<v. de espírito>*

virginiano (vir.gi.ni.a.no) *adj.s.m.* **1** ASTRL que(m) é do signo de Virgem ■ *adj.* **2** relativo a esse signo

vírgula (vír.gu.la) *s.f.* sinal de pontuação (,) que indica uma pausa ligeira, us. para separar frases ou elementos dentro de uma frase ~ **virgulação** *s.f.* - **virgular** *v.t.d. e int.*

viril (vi.ril) [pl.: *-is*] *adj.2g.* **1** referente a homem; masculino *<a população v. do país>* **2** *p.ext.* com características consideradas próprias do homem; másculo *<ter uma beleza v.>* **3** *p.ext.* corajoso, forte *<heróis v.>* ~ **virilizar** *v.t.d. e pron.*

virilha (vi.ri.lha) *s.f.* ANAT área de junção da parte superior interna de cada coxa com o abdome

virilidade (vi.ri.li.da.de) *s.f.* **1** característica do que é viril **2** conjunto dos atributos e características físicas e sexuais próprias do homem; hombridade, masculinidade *<queria provar a própria v.>* **3** capacidade do homem de realizar o ato sexual ou de procriar **4** idade que, no homem, vai da adolescência à velhice **5** *fig.* força física ou moral; energia, vigor

virologia (vi.ro.lo.gi.a) *s.f.* BIO ramo da microbiologia que estuda os vírus

virologista (vi.ro.lo.gis.ta) *adj.2g.s.2g.* especialista em virologia

virose (vi.ro.se) *s.f.* MED doença causada por vírus

[1]virótico (vi.ró.ti.co) *adj.* relativo a ou próprio de virose ◉ ORIGEM *virose* + *-ico*

[2]virótico (vi.ró.ti.co) *adj.* relativo a ou pertencente a vírus; viral ◉ ORIGEM de *vírus*, com influência de *[1]virótico*

virtual (vir.tu.al) [pl.: *-ais*] *adj.2g.* **1** possível de ser, existir ou ocorrer *<solução hipotética, v.>* **2** simulado por programas de computador *<realidade v.>* **3** praticamente completo *<o v. esquecimento de um escritor>* ~ **virtualidade** *s.f.*

virtude (vir.tu.de) *s.f.* **1** tendência habitual para pensar e fazer o que é certo *<a caridade é a maior de todas as v.>* **2** boa qualidade moral *<a honestidade é uma v.>* ↺ vício **3** poder de produzir um efeito ou atingir um objetivo *<a v. calmante de um chá>* ▣ **v. cardeal** REL cada uma das quatro virtudes (prudência, justiça, fortaleza e temperança) que constituem o eixo da vida moral segundo o catolicismo • **v. teologal** REL cada uma das três virtudes (fé, esperança e caridade) que dirigem a alma a Deus por Cristo, segundo o catolicismo • **em v. de** por causa de, em consequência de, em razão de *<o show foi cancelado em v. da chuva>*

virtuose (vir.tu.o.se) /ô/ *s.2g.* **1** músico muito talentoso **2** *p.ext.* quem tem total domínio de uma técnica ou arte *<um v. do violão>* ~ **virtuosidade** *s.f.* - **virtuosístico** *adj.*

virtuosismo (vir.tu.o.sis.mo) *s.m.* **1** a técnica e o talento do virtuose; virtuosidade *<o v. de um grande pianista>* **2** *p.ext.* grande habilidade técnica (na arte ou em geral) *<cozinhava com v.>* **3** *pej.* talento baseado na técnica, sem profundidade de inspiração

virtuoso (vir.tu.o.so) /ô/ [pl. e fem.: /ó/] *adj.* **1** que tem virtudes *<mulher v.>* ■ *s.m.* **2** quem possui ou pratica virtudes

virulência (vi.ru.lên.cia) *s.f.* **1** qualidade ou estado do que é ou está virulento *<a v. de um veneno> <a v. de uma ferida>* **2** capacidade de um vírus ou bactéria se multiplicar dentro de um organismo, provocando doença *<bactéria de alta v.>* **3** *fig.* característica do que tem violência, rancor, ódio *<a v. de uma crítica>*

virulento (vi.ru.len.to) *adj.* **1** relativo a vírus *<ferida v.>* **2** que tem capacidade de se multiplicar num organismo, provocando doença; patogênico *<bactéria v.>* **3** que contém vírus ou veneno *<substância v.>* **4** que é provocado por vírus *<afecção v.>* **5** *fig.* cheio de violência ou rancor *<discurso v.>*

vírus (ví.rus) *s.m.2n.* **1** BIO agente infeccioso diminuto que se multiplica no interior de células vivas **2** INF programa de computador capaz de criar cópias de si mesmo, que ger. destrói arquivos, memória etc. ▣ **v. da imunodeficiência humana** BIO nome de dois tipos de vírus, responsáveis pela Aids [sigla, em ing.: *HIV*]

visado (vi.sa.do) *adj.* **1** que recebeu visto, que se visou (diz-se de documento, cheque etc.) **2** que se tem em vista *<os alvos v.>* **3** sobre que ou quem se presta muita atenção; marcado, procurado *<produto muito v. pela fiscalização>*

visagem (vi.sa.gem) [pl.: *-ens*] *s.f.* **1** trejeito ou expressão do rosto; careta *<fazer uma v. maldosa>* **2** *B* assombração, fantasma

visão (vi.são) [pl.: *-ões*] *s.f.* **1** sentido através do qual, por meio dos órgãos da vista, se percebem cor, forma e tamanho dos objetos **2** *p.ext.* representação imaginária causada por delírio ou ilusão; aparição, fantasma **3** *fig.* ponto de vista

[1]visar (vi.sar) *v.* {mod. 1} *t.d.* pôr sinal de visto em *<v. um cheque>* ◉ ORIGEM do fr. *viser* 'examinar documento para validá-lo'

[2]visar (vi.sar) *v.* {mod. 1} *t.d.* **1** dirigir a vista para; olhar *<o rapaz visava a linda jovem>* **2** dirigir arma para; mirar *<v. o alvo>* □ *t.d. e t.i. fig.* **3** (prep. *a*) ter como objetivo; mirar, propor-se *<estas providências visam solucionar o problema> <os pais visam ao bem dos filhos>* ◉ ORIGEM do fr. *viser* 'dirigir o olhar para'

víscera (vís.ce.ra) *s.f.* ANAT **1** qualquer órgão situado na cavidade do tronco, como o coração, o estômago, o útero, o pâncreas e os intestinos ▼ ***vísceras*** *s.f.pl.* **2** o conjunto desses órgãos; entranhas **3** *fig.* a parte mais íntima ou essencial de qualquer coisa; âmago ~ **visceroso** *adj.*

visceral (vis.ce.ral) [pl.: *-ais*] *adj.2g.* **1** relativo ou pertencente a víscera(s); visceroso **2** que se encontra arraigado; muito íntimo ou profundo *<amor v. pela família>*

visceralmente (vis.ce.ral.men.te) *adv.* de modo essencial, íntimo, substancial; profundamente *<estão v. unidos na luta>*

visco (vis.co) *s.m.* → ***VISGO***

viscondado (vis.con.da.do) *s.m.* **1** título de visconde e viscondessa **2** área sobre que o visconde ou viscondessa exerce o seu poder **3** terras ou bens de visconde ou viscondessa

visconde (vis.con.de) [pl.: *viscondessa*] *s.m.* homem com título de nobreza superior ao de barão e inferior ao de conde ~ **viscondado** *s.m.*

viscondessa (vis.con.des.sa) /ê/ *s.f.* **1** a esposa ou viúva de um visconde **2** mulher que tem o título de um viscondado **3** dona de um viscondado ('terras e bens')

viscosidade (vis.co.si.da.de) *s.f.* **1** atributo ou condição do que é viscoso, pegajoso **2** propriedade pela qual as partículas de uma substância aderem umas às outras *<óleo de pouca v.>*

viscoso (vis.co.so) /ô/ [pl. e fem.: /ó/] *adj.* que tem visco; pegajoso, grudento ~ **viscidez** *s.f.*

viseira (vi.sei.ra) *s.f.* **1** parte anterior do capacete que protege o rosto **2** pala do boné ou quepe **3** aba que se usa na cabeça, acima dos olhos, para proteger o rosto do sol

visgo (vis.go) ou **visco** (vis.co) *s.m.* **1** seiva pegajosa de certos vegetais; visco **2** viscosidade ~ **visguento** *adj.*

visibilidade (vi.si.bi.li.da.de) *s.f.* **1** caráter ou condição do que pode ser percebido pelo sentido da vista ↺ invisibilidade **2** percepção pela vista; visão *<o prédio tirou a v. da praia>*

visigodo (vi.si.go.do) /ô/ *adj.* **1** diz-se da ramificação ocidental dos godos, antigo povo germânico ■ *adj.s.m.* **2** (indivíduo) desse povo ☞ cf. *godo* e *ostrogodo*

visionário (vi.sio.ná.rio) *adj.s.m.* **1** que(m) tem ou acredita ter visões sobrenaturais **2** que(m) tem ideias grandiosas ou acredita em ideais ↺ realista **3** que(m) tem ideias extravagantes; excêntrico

visita (vi.si.ta) *s.f.* **1** ato de ir ver alguém por cortesia ou dever *<o presidente recebeu a v. dos embaixadores>* **2** aquele que cumpre esse ato *<as v. chegaram tarde>* **3** inspeção, vistoria ~ **visitação** *s.f.* - **visitador** *adj.s.m.*

visitante (vi.si.tan.te) *adj.2g.s.2g.* **1** que(m) visita, faz visitas; visitador **2** que(m) percorre um local para conhecê-lo e apreciá-lo *<aulas de um professor v.>* *<guias turísticos recebem os v. no aeroporto>*

visitar (vi.si.tar) *v.* {mod. 1} *t.d.* **1** ir até um lugar ver (alguém) por cortesia, dever, afeição etc. *<foi v. a madrinha>* **2** ir a (um lugar) por interesse ou curiosidade *<v. museus>* **3** percorrer para fiscalizar; inspecionar *<inspetores visitam a fábrica mensalmente>* ~ **visitação** *s.f.*

visível (vi.sí.vel) [pl.: *-eis*] *adj.2g.* **1** que pode ser visto *<estrelas v.>* ↺ invisível **2** que se destaca, que é facilmente visto ou notado *<alterações v. de comportamento>* ↺ imperceptível **3** fácil de se perceber; óbvio *<era v. que estava feliz>*

visivelmente (vi.si.vel.men.te) *adv.* de maneira visível, evidente *<ele está v. cansado>*

vislumbrar (vis.lum.brar) *v.* {mod. 1} *t.d. e int.* **1** lançar uma luz fraca em *<o lampião vislumbrava fracamente o quartinho>* *<na sala embaçada, velas vislumbravam tristemente>* □ *t.d.* **2** enxergar com dificuldade, de forma confusa; entrever *<na noite escura, apenas se vislumbrava o contorno da floresta>* **3** *fig.* perceber ou compreender parcialmente *<depois de muito pensar, vislumbramos a solução do problema>* □ *int. p.ext.* **4** mostrar-se vagamente ou aos poucos; despontar *<já vislumbra a aurora>*

vislumbre (vis.lum.bre) *s.m.* **1** luz fraca **2** visão incompleta, imprecisa *<tinha-se apenas um v. da estrada>* **3** *p.ext.* início do surgimento de algo, de algum sentimento etc. *<v. da Lua>* *<um v. de saudade>* **4** *fig.* ideia imprecisa, compreensão parcial *<um v. sobre o seu futuro>* *<meros v. do raciocínio do professor>*

viso (vi.so) *s.m.* **1** maneira de apresentar-se; aspecto *<as respostas sempre tinham um v. de certeza>* **2** sinal, vestígio *<há um v. de honestidade em suas palavras>*

vison (vi.son) [fr.; pl.: *visons*] *s.m.* **1** animal semelhante à doninha, de pelo macio **2** a pele desse animal **3** agasalho feito dessa pele ⇒ pronuncia-se vizon

visor (vi.sor) /ô/ [pl.: *-es*] *adj.s.m.* **1** (o) que permite ou ajuda a ver ■ *s.m.* **2** em câmaras fotográficas e filmadoras, dispositivo us. para enquadrar o que se vai fotografar ou filmar

víspora (vís.po.ra) *s.f.* RECR loto, bingo

vista (vis.ta) *s.f.* **1** capacidade de perceber o mundo exterior pelos órgãos da vista; visão **2** conjunto dos olhos *<ter a v. cansada>* **3** cada um dos olhos *<perdeu a v. direita>* **4** o que é visto; cena *<a v. da rua escura fez com que desistisse>* **5** paisagem, panorama ('visão') *<apreciar a v. do mar>* ▣ **à v.** mediante pagamento integral no ato da compra *<comprou um carro à v.>* ☞ cf. *a prazo*

visto (vis.to) *adj.* **1** percebido pela visão *<a rua v. daqui parece maior>* **2** tido em certo conceito *<pessoa bem v.>* ■ *s.m.* **3** assinatura, sinal, marca que atesta a verificação de um documento *<este pedido precisa do v. do diretor>* **4** carimbo em passaporte que autoriza a entrada em certos países ▣ **v. que** dado que, já que *<não viajará, v. que está doente>*

vistoria (vis.to.ri.a) *s.f.* **1** DIR ato em que peritos, na presença do juiz, inspecionam coisas ou locais relacionados a uma ação judicial **2** *p.ext.* exame, inspeção *<fez uma v. no alojamento>*

vistoriar (vis.to.ri.ar) *v.* {mod. 1} *t.d.* fazer vistoria, exame em; inspecionar

vistoso (vis.to.so) /ô/ [pl. e fem.: /ó/] *adj.* **1** agradável de ver *<pessoa alta e v.>* **2** que chama a atenção por seu tamanho, brilho, cores etc. *<roupa, casa v.>* ↺ discreto

visual (vi.su.al) [pl.: *-ais*] *adj.2g.* **1** relativo à visão *<campo v.>* *<percepção v.>* ■ *s.m. B infrm.* **2** aparência, aspecto exterior *<pintou o cabelo para mudar o v.>*

visualização (vi.su.a.li.za.ção) [pl.: *-ões*] *s.f.* **1** capacidade ou ato de formar na mente imagens visuais de coisas que não estão à vista, ou a imagem daí resultante *<tem o dom da v. >* *<é capaz de fazer v. fantásticas>* **2** conversão de conceitos em formas visíveis *<fazer a v. das estatísticas em gráficos e escalas>* **3** ato ou processo de tornar algo visível, perceptível à vista *<usam-se certas substâncias para a v. das células>* **4** *fig.* ato ou processo de colocar algo em evidência *<a v. dos movimentos sociais>*

visualizar (vi.su.a.li.zar) *v.* {mod. 1} *t.d.* **1** converter em imagem mental ou real *<visualizemos este raciocínio sob a forma de um esquema>* **2** tornar (algo) visível mediante determinado recurso *<em radiologia, usa-se contraste para v. certos órgãos>*

vital (vi.tal) [pl.: *-ais*] *adj.2g.* **1** que diz respeito à vida ou a sua preservação *<o calor v. do Sol>* *<o coração é um órgão v.>* **2** *fig.* essencial, fundamental *<uma opinião v. para minha decisão>* ↺ acessório

vitalício (vi.ta.lí.cio) *adj.* que dura a vida toda *<cargo v.>* *<pensão v.>* ↺ temporário ~ **vitaliciedade** *s.f.*

vitalidade (vi.ta.li.da.de) *s.f.* **1** qualidade do que é vivo ou vital **2** capacidade de se desenvolver *<a v. de uma planta>* ↺ fragilidade **3** vigor físico ou mental *<atleta de grande v.>* **4** *p.ext.* ânimo, entusiasmo *<a v. da turma era contagiante>*

vitalizar (vi.ta.li.zar) *v.* {mod. 1} *t.d.* **1** restituir a vida a; ressuscitar **2** dar mais força, vigor a; revigorar *<tomei vitaminas para v. meu organismo>* ↺ debilitar(-se) ~ **vitalizante** *adj.2g.*

vitamina (vi.ta.mi.na) *s.f.* **1** BIOQ molécula orgânica essencial ao metabolismo dos seres vivos **2** *B* suco de fruta(s) e/ou legume(s) batidos ger. com leite

vitaminar (vi.ta.mi.nar) *v.* {mod. 1} *t.d.* **1** incorporar vitamina(s) a (bebida, alimento) *<v. os biscoitos>* **2** *fig.* aumentar o rendimento de; otimizar *<os desfalques do time vitaminam o adversário>*

vitamínico (vi.ta.mí.ni.co) *adj.* que contém vitamina ('molécula') *<o médico receitou um complexo v.>*

vitela (vi.te.la) *s.f.* **1** novilha de menos de um ano **2** a carne dessa novilha ou de vitelo **3** CUL prato feito com essa carne

vitelino (vi.te.li.no) *adj.* **1** relativo à gema do ovo **2** amarelo como a gema do ovo

vitelo (vi.te.lo) *s.m.* **1** novilho com menos de um ano **2** BIO material nutritivo contido nos óvulos dos animais

V

viticultor (vi.ti.cul.tor) /ô/ [pl.: *-es*] *adj.s.m.* que ou aquele que cultiva videiras

viticultura (vi.ti.cul.tu.ra) *s.f.* cultura de vinhas

vitiligo (vi.ti.li.go) *s.m.* MED doença caracterizada por descoloração localizada da pele

vítima (ví.ti.ma) *s.f.* **1** aquele que sofre qualquer desgraça, dano ou infortúnio *<as v. da enchente> <v. da injustiça>* ↺ algoz **2** aquele que foi oferecido em sacrifício à divindade **3** DIR aquele contra quem se comete um crime *<v. de assalto>* ↺ algoz

vitimar (vi.ti.mar) *v.* {mod. 1} *t.d. e pron.* **1** tornar(-se) vítima; sacrificar(-se) *<v. animais> <Cristo vitimou-se pela humanidade>* □ *t.d. p.ext.* **2** causar a morte de; matar *<o acidente vitimou quatro pessoas>* **3** causar dano a; prejudicar *<a enchente vitimou o povoado>*

vitivinicultura (vi.ti.vi.ni.cul.tu.ra) *s.f.* cultivo de vinhas e fabricação de vinho ~ **vitivinicultor** *adj.s.m.*

vitória (vi.tó.ria) *s.f.* **1** ato de triunfar sobre um inimigo ou antagonista; triunfo *<esta v. deu ao time o título de campeão>* ↺ derrota **2** sucesso alcançado na extinção de uma adversidade ou como resultado de um esforço *<v. dos bombeiros sobre o incêndio>* ↺ insucesso

vitoriar (vi.to.ri.ar) *v.* {mod. 1} *t.d.* **1** saudar com entusiasmo; aclamar *<a população foi à rua v. o herói>* **2** mostrar aprovação a; aplaudir *<os leitores vitoriavam o novo romance do grande autor>* ↺ atacar □ *int.* **3** comemorar vitória

vitória-régia (vi.tó.ria-ré.gia) [pl.: *vitórias-régias*] *s.f.* BOT planta aquática nativa da América do Sul, com folhas planas que formam um disco circular de quase 2 m de diâmetro e flores solitárias brancas

vitoriense (vi.to.ri.en.se) *adj.2g.* **1** de Vitória (ES) ■ *s.2g.* **2** natural ou habitante dessa capital

vitorioso (vi.to.ri.o.so) /ô/ [pl. e fem.: /ó/] *adj.s.m.* que(m) alcançou a vitória, venceu; ganhador, vencedor ↺ perdedor, vencido

vitral (vi.tral) [pl.: *-ais*] *s.m.* painel feito de vidros coloridos que ger. formam desenhos; vitrô

vitralista (vi.tra.lis.ta) *adj.2g.s.2g.* (artista) que faz vitrais

vítreo (ví.treo) *adj.* **1** relativo a ou próprio de vidro **2** que tem a natureza do vidro ou é feito de vidro *<parede v.>* **3** *p.ext.* que tem o aspecto do vidro *<olhos v.>*

vitrificado (vi.tri.fi.ca.do) *adj.* **1** que se transformou em vidro *<usa-se areia v. para fabricar objetos vítreos>* **2** recoberto de substância vitrificável; vidrado *<azulejo v.>* ↺ desvitrificado **3** *fig.* que tomou aparência ou consistência de vidro *<os olhos v. de um morto>*

vitrificar (vi.tri.fi.car) *v.* {mod. 1} *t.d.,int. e pron.* **1** converter(-se) em vidro *<v. a areia> <descobriram-se novas substâncias que (se) vitrificam>* **2** (fazer) tomar aparência de vidro *<o frio vitrificou a superfície do lago> <a massa de açúcar vitrificou(-se)>* ~ **vitrificação** *s.f.* - **vitrificável** *adj.2g.*

vitrine (vi.tri.ne) ou **vitrina** (vi.tri.na) *s.f.* local, ger. envidraçado, onde se expõem mercadorias destinadas à exposição ou à venda; mostruário

vitrinista (vi.tri.nis.ta) *adj.2g.s.2g.* *B* que(m) se ocupa da arrumação e decoração de vitrinas

vitrô (vi.trô) *s.m.* *B* vitral

vitrola (vi.tro.la) *s.f.* fonógrafo

vituperar (vi.tu.pe.rar) *v.* {mod. 1} *t.d.* **1** dirigir vitupérios a; insultar **2** criticar, repreender severamente **3** tratar com desdém; desprezar ↺ respeitar ~ **vituperação** *s.f.* - **vituperador** *adj.s.m.*

vitupério (vi.tu.pé.rio) *s.m.* **1** palavra, ato ou gesto que ofende a dignidade ou a honra de alguém; afronta, insulto **2** acusação infame; injúria ~ **vituperioso** *adj.*

viúva (vi.ú.va) *s.f.* mulher cujo marido morreu, e não casou de novo

viúva-negra (vi.ú.va-ne.gra) [pl.: *viúvas-negras*] *s.f.* ZOO aranha venenosa negra com uma mancha vermelha no ventre, ger. encontrada embaixo de pedras, troncos secos e em cavidades no solo

viuvez (vi.u.vez) *s.f.* **1** estado de viúvo ou viúva **2** *fig.* estado ou sentimento de desamparo, privação, solidão ↺ alento, consolo

viúvo (vi.ú.vo) *adj.s.m.* (homem) cuja esposa faleceu e que não se casou novamente

viva (vi.va) *s.m.* **1** aplauso, felicitação etc. *<ouviram-se muitos v. ao final do espetáculo>* ■ *interj.* **2** expressa aclamação, entusiasmo, desejo de que (alguém) viva muito e com sucesso *<viva! fui aprovado!>*

vivacidade (vi.va.ci.da.de) *s.f.* **1** qualidade daquilo que tem vida ou vitalidade; força, vigor ↺ abatimento, derreamento, esmorecimento **2** desembaraço ou rapidez que se imprime a uma ação ou reação; agilidade, presteza *<respondeu ao juiz com v.>* ↺ lentidão, lerdeza, morosidade **3** facilidade de compreender ou perceber rápido; esperteza, inteligência ↺ burrice, estupidez **4** entusiasmo com que se realiza uma atividade; arrebatamento, energia *<a v. do debate contagiou a assistência>* ↺ apatia, indiferença, indolência **5** *gír.* esperteza, manha *<cuidado com a v. dos vivaldinos>* ↺ correção, honestidade

vivaldino (vi.val.di.no) *adj.s.m.* *B infrm.* que(m) é espertalhão

vivalma (vi.val.ma) *s.f.* alguma pessoa, alguém *<não morava v. naquela casa>* ◉ GRAM/USO emprega-se quase sempre em frases negativas ou que subentendem uma negação

vivamente (vi.va.men.te) *adv.* **1** de modo intenso; fortemente, intensamente *<empenhou-se v. na tarefa>* **2** com vivacidade, esperteza, animação; animadamente ↺ desanimadamente **3** com muito vigor, energia *<repreendeu-o v. pelo acontecido>* **4** de modo rápido; rapidamente *<levantou-se v. após a queda>*

viva-voz (vi.va-voz) *s.m.2n.* função ou dispositivo que permite que se escute a voz daquele com quem se fala ao telefone sem segurar o aparelho

vivaz (vi.vaz) [pl.: *-es*] *adj.2g.* **1** que vive ou pode viver por muito tempo; vivedouro **2** ativo, dinâmico *<dança v.> <pessoa v.>* ↺ desanimado ◉ GRAM/USO sup.abs.sint.: *vivacíssimo*

vivedouro (vi.ve.dou.ro) *adj.* que vive ou pode viver por muito tempo; vivaz

viveiro (vi.vei.ro) *s.m.* local apropriado para criação, reprodução ou conservação de animais ou plantas

vivência (vi.vên.cia) *s.f.* **1** existência, vida ↺ morte **2** conhecimento adquirido com a vida; experiência, prática <*grande v. em negócios*> ↺ inexperiência ~ **vivencial** *adj.2g.* - **vivenciamento** *s.m.*

vivenciar (vi.ven.ci.ar) *v.* {mod. 1} *t.d.* viver (uma situação) intensamente, sendo muito afetado por ela <*v. o sofrimento*>

vivenda (vi.ven.da) *s.f.* casa, mais ou menos luxuosa, em que se vive

vivente (vi.ven.te) *s.2g.* **1** ser vivo ■ *adj.2g.* **2** vivo, que vive <*o pai ainda é v.*>

viver (vi.ver) *v.* {mod. 8} *int.* **1** ter vida <*viveu cinco anos depois do transplante*> ↺ morrer **2** continuar a existir; perdurar <*nosso amor viverá para sempre*> **3** morar em; habitar <*quer v. na Europa*> **4** levar a vida (de certo modo) <*v. bem*> <*vive sozinho*> □ *t.d. e int.* **5** aproveitar (a vida) no que há de melhor <*este é um homem que sabe v. (a vida)*> □ *t.i.* **6** (prep. *de*) ter como principal alimento; alimentar-se <*o boi vive de capim*> **7** (prep. *de*) retirar o sustento de; manter-se <*v. da agricultura*> **8** (prep. *com*) ter relações com; conviver <*vive com a família*> □ *t.d.* **9** passar por (certa experiência); vivenciar <*v. um trauma*>

víveres (ví.ve.res) *s.m.pl.* provisão de alimentos

vivido (vi.vi.do) *adj.* **1** que viveu muito **2** experiente <*jovem, mas v.*>

vívido (ví.vi.do) *adj.* **1** que tem vivacidade, animação <*olhar v.*> **2** cintilante, brilhante <*iluminação v.*> **3** intenso, vigoroso <*sentimento v.*> ~ **vividez** *s.f.*

vivificar (vi.vi.fi.car) *v.* {mod. 1} *t.d.* **1** dar vida a; animar <*Deus vivificou a matéria inerte*> **2** restituir a vida a; reanimar □ *t.d. e pron.* **3** tornar(-se) animado, vívido; revigorar(-se) <*o respeito às leis vivifica o relacionamento social*> <*sempre se vivifica nos debates*> ~ **vivificação** *s.f.*

vivíparo (vi.ví.pa.ro) *adj.s.m.* ZOO (animal) cujo ovo se desenvolve completamente dentro do útero materno e que pare filhos já formados ☞ cf. *ovíparo*, *ovovivíparo* ~ **viviparidade** *s.f.*

vivissecção (vi.vis.sec.ção) ou **vivisseção** (vi.vis.se.ção) [pl.: *-ões*] *s.f.* operação feita em animal vivo para estudo ou experimentação

vivo (vi.vo) *adj.* **1** que tem vida <*ser v.*> ↺ morto **2** esperto, inteligente <*criança muito v.*> ↺ tolo **3** cheio de entusiasmo; dinâmico <*discussão v.*> ↺ indiferente **4** que penetra nos sentidos; intenso <*luz v.*> <*dor v.*> ↺ fraco **5** dotado de recursos para exprimir ideias, sentimentos, emoções; expressivo <*narrativa v.*> ↺ insignificante ■ *s.m.* **6** ser que está com vida <*Deus julgará os v. e os mortos*> ↺ morto ▣ **ao v.** no momento em que ocorre <CD *gravado ao v.*>

vizinhança (vi.zi.nhan.ça) *s.f.* **1** fato de estar próximo de algo ou alguém <*receia a v. com a delegacia*> **2** *p.ext.* região perto ou ao redor de um local; cercania, imediação <*mora aqui na v.*> **3** *p.ext.* grupo de pessoas que moram próximas <*amigos da v.*>

vizinho (vi.zi.nho) *adj.s.m.* **1** que(m) está ou mora próximo <*cidade v.*> <*somos v. da prefeitura*> ■ *adj.* **2** que está ao lado; limítrofe <*sentaram-se em cadeiras v.*> ~ **vizinhar** *v.t.d.,t.i.,int. e pron.*

vizir (vi.zir) *s.m.* antigo governador ou ministro de um reino muçulmano

voador (vo.a.dor) /ô/ [pl.: *-es*] *adj.* **1** que voa ou que pode voar <*o avião é um artefato v.*> **2** *fig.* que corre com enorme rapidez; veloz <*uma lancha v.*> ■ *s.m.* **3** aquele que voa **4** dispositivo com rodas e assento, us. para auxiliar crianças que começam a andar; andarilho

voar (vo.ar) *v.* {mod. 1} *int.* **1** sustentar-se ou mover-se no ar <*os pássaros voam*> <*o homem criou máquinas para v.*> **2** *p.ext.* deslocar-se velozmente pelo ar <*as flechas voavam*> **3** *fig.* passar rapidamente <*o ano voou*> **4** desaparecer rapidamente; sumir <*dinheiro na sua mão voa*> **5** *fig.* desligar-se da realidade; vagar <*deixou o pensamento v.*> □ *t.i. e int.* **6** (prep. *para*) viajar de avião <*voo hoje para São Paulo*> <*vai de carro pois tem medo de v.*> **7** (prep. *para*) mover-se com velocidade <*voou para o quarto*> <*esse carro voa*>

vocabulário (vo.ca.bu.lá.rio) *s.m.* **1** conjunto de vocábulos de uma língua **2** esse conjunto com suas definições; dicionário **3** conjunto de termos de dado campo de conhecimento ou atividade, com ou sem definições; glossário <*v. médico*> **4** conjunto de vocábulos conhecidos ou utilizados por alguém <*como lê pouco, tem um v. muito pequeno*> ◉ COL léxico ~ **vocabularização** *s.f.* - **vocabularizar** *v.t.d.*

vocábulo (vo.cá.bu.lo) *s.m.* palavra ◉ COL vocabulário

vocação (vo.ca.ção) [pl.: *-ões*] *s.f.* **1** disposição natural que orienta uma pessoa no sentido de uma atividade, uma função ou profissão; tendência <*v. para o sacerdócio*> <*ele tem v. para médico*> **2** *p.ext.* qualquer talento ou dom natural <*v. para a dança*> ↺ inaptidão **3** ato de chamar(-se) ou o seu efeito

vocacional (vo.ca.cio.nal) [pl.: *-ais*] *adj.2g.* relativo a ou próprio de vocação <*teste v.*>

vocal (vo.cal) [pl.: *-ais*] *adj.2g.* **1** que diz respeito à voz ou aos seus órgãos <*som v.*> <*pregas v.*> **2** que se exprime por meio da voz <*grupo v.*>

vocálico (vo.cá.li.co) *adj.* **1** relativo a ou próprio de vogal <*som v.*> ☞ cf. *consonantal* **2** formado por vogais <*encontro v.*>

vocalista (vo.ca.lis.ta) *s.2g.* MÚS cantor de conjunto musical popular

vocalização (vo.ca.li.za.ção) [pl.: *-ões*] *s.f.* **1** emissão de sons falados ou cantados **2** passagem de som consonântico a vocálico

vocalizar (vo.ca.li.zar) *v.* {mod. 1} *int.* cantar modulando a voz sobre uma vogal ~ **vocalizador** *adj.s.m.*

vocativo (vo.ca.ti.vo) *adj.s.m.* GRAM (termo) que expressa, num discurso direto, aquele com o qual se está falando, p.ex.: – *Rapaz*, volte aqui!

você (vo.cê) *pron.trat.* aquele a quem se fala ou escreve <*v. almoçou?*> <*vi v. na rua*> ☞ o pl. *vocês* tb. se emprega como pl. de *tu* no lugar de *vós*, e como o pl. de *o senhor, a senhora* ◉ GRAM/USO em quase todo o Brasil, *você* toma o lugar do *tu* como pronome de segunda pessoa, mas o verbo fica flexionado na terceira pessoa: *"Você fez o seu dever?"*

vociferar (vo.ci.fe.rar) *v.* {mod. 1} *t.d. e int.* **1** falar aos gritos ou com raiva; berrar <*v. insultos e reclamações*> <*o patrão vociferava no escritório*> □ *t.i.* **2** (prep. *contra*) reclamar, acusar com veemência ou cólera <*v. contra o governo*> ~ **vociferador** *adj.s.m.*

vodca (vod.ca) *s.f.* aguardente de cereal originária da Rússia

vodu (vo.du) *s.m.* REL **1** *B* nome genérico de cada uma das divindades jejes, equivalentes aos orixás **2** culto religioso das Antilhas, esp. Haiti, semelhante ao candomblé afro-brasileiro

voejar (vo.e.jar) *v.* {mod. 1} *int.* bater as asas com força ◉ GRAM/USO só us. nas 3as p., exceto quando fig.

voga (vo.ga) *s.f.* **1** ato de remar ou o seu efeito **2** ritmo das remadas **3** moda, mania *<cabelos longos estão em v.>* ■ *s.m.* **4** remador que marca o ritmo das remadas

vogal (vo.gal) [pl.: *-ais*] *adj.2g.s.f.* **1** (som da fala) produzido sem obstrução da corrente de ar pela boca **2** (letra) que representa esse som: *a, e, i, o, u* ■ *s.m.* DIR **3** juiz que representa empregados ou empregadores em questões trabalhistas **4** quem tem direito a voto em assembleias **5** membro de júri, comissão etc. ▣ **v. temática** GRAM vogal que se junta a uma raiz ou radical, formando o tema, a que se juntam as desinências ☞ nos verbos em português, as vogais temáticas são *a*, *e* e *i*, para a 1ª, 2ª e 3ª conjugações, respectivamente

volante (vo.lan.te) *adj.2g.* **1** que pode voar **2** que pode ser facilmente movido ou transportado; móvel *<consultório v.>* ■ *s.m.* **3** peça circular presa a um eixo, que permite fazê-lo girar *<v. de uma válvula>* **4** nos veículos a motor, peça presa a um eixo, que permite dar rumo ao veículo; direção, guidão **5** formulário para marcar apostas de loteria ■ *s.2g.* FUTB **6** jogador de função defensiva no meio-campo

volátil (vo.lá.til) [pl.: *-eis*] *adj.2g.* **1** que pode voar **2** que se evapora *<substância v.>*

volatilizar (vo.la.ti.li.zar) *v.* {mod. 1} *t.d.,int. e pron.* **1** (fazer) passar ao estado de gás ou vapor *<v. o mercúrio pelo calor> <o líquido volatilizou(-se) rapidamente>* **2** *fig.* (fazer) desaparecer; dissipar(-se) *<sua decisão volatilizou nossas esperanças> <seu sorriso volatilizou(-se)>*

vôlei (vô.lei) *s.m.* ESP jogo entre duas equipes de seis jogadores que devem passar a bola de um lado a outro de uma quadra retangular, dividida ao meio por uma rede, usando as mãos e os punhos; voleibol ▣ **v. de praia** ESP modalidade adaptada de vôlei jogada em quadra de areia (ger. na praia), com equipes de dois ou quatro jogadores

voleibol (vo.lei.bol) *s.m.* vôlei

voleio (vo.lei.o) *s.m.* **1** ESP no tênis, frescobol etc., devolução da bola ao oponente antes que ela toque no chão **2** FUTB lance em que o jogador chuta a bola a meia altura, de lado, antes que ela toque no chão

volição (vo.li.ção) [pl.: *-ões*] *s.f.* manifestação da vontade ~ **volitivo** *adj.*

vo-lo *contr.* do pron. pessoal oblíquo átono *vos* com o pron. pessoal oblíquo *lo* ou com o pron. demonstrativo neutro *lo* (= *o*), com assimilação do *s* ao *l* *<o segredo jamais vo-lo confessarei> <saireis apenas se vo-lo permitirem>* ◉ GRAM/USO **a)** fem.: *vo-la*; pl.: *vo--los, vo-las*; **b)** no Brasil, tais pronomes combinados hoje já não têm uso na língua corrente e mesmo na linguagem literária

VOLP *s.m.* sigla de Vocabulário Ortográfico da Língua Portuguesa

volt *s.m.* unidade de medida de tensão elétrica [símb.: *V*]

volta (vol.ta) *s.f.* **1** regresso, retorno *<a v. à terra natal>* ↺ ida **2** movimento circular em torno de um centro ou eixo; giro *<deu duas v. na chave> <uma v. ao redor da casa>* **3** passeio ou caminhada curta *<dar uma v. pelo bairro>* **4** circuito circular completo *<as v. da corrida>* **5** curva numa linha ou caminho *<fez a v. na segunda esquina> <as v. de uma espiral>* **6** o que se recebe em resposta a algo que se disse ou fez *<a ofensa vai ter v.>* ▣ **v. e meia** frequentemente *<v. e meia ele aparece por aqui>* • **à v. de** ao redor de *<sentamos à v. da fogueira>* • **dar a v. por cima** *fig.* superar uma frustração, uma situação difícil etc. *<foi reprovado, mas deu a v. por cima>* • **por v. de** em torno de; mais ou menos *<chegaram por v. das três horas>*

voltagem (vol.ta.gem) [pl.: *-ens*] *s.f.* **1** tensão elétrica medida em volts **2** indicação do potencial de corrente elétrica necessário para o funcionamento de máquina ou aparelho elétrico

voltar (vol.tar) *v.* {mod. 1} *t.i. e int.* **1** (prep. *de, para*) vir ou ir de um local para lugar de onde partiu ou onde estivera; regressar, retornar *<v. de Paris> <v. para a casa dos pais> <partiu e nunca mais voltou>* ↺ partir **2** (prep. *a*) manifestar-se ou acontecer de novo; reaparecer, recomeçar *<v. a chover> <a febre voltou>* □ *t.i.* **3** retroceder no tempo; regressar *<v. à infância>* **4** (prep. *a*) retornar a (estado anterior); recobrar *<v. ao normal>* **5** (prep. *a*) ocupar-se novamente (de assunto, hábito etc.); tornar *<v. ao tema anterior> <v. a fumar>* □ *t.i. e t.d.i.* **6** (prep. *a, para*) [fazer] tornar à posse de; restituir, devolver *<o quadro voltou à parede da sala> <ele me voltou o dinheiro que lhe emprestei>* □ *t.d.,t.d.i. e pron.* **7** (prep. *para*) dirigir a frente de (algo) para outra direção; apontar, virar *<v. o banco (para o canto)> <v. a arma para o rival> <v.-se para os convidados>* □ *t.d.i. e pron.* **8** (prep. *para*) dirigir(-se), aplicar(-se) para *<v. as atenções para a família> <v.-se para Deus>* □ *t.d. e pron.* **9** mover (o corpo) em torno de si mesmo; virar(-se) *<voltava o corpo sem parar sobre o colchão duro> <com febre, voltava-se na cama>* □ *pron.* **10** (prep. *contra*) tomar atitude contrária ou hostil com; revoltar-se *<voltou-se contra a família>*

voltear (vol.te.ar) *v.* {mod. 5} *t.d.* **1** deslocar-se à volta de; contornar *<v. um obstáculo>* □ *t.d. e int.* **2** (fazer) dar voltas; girar *<v. uma manivela> <o laço volteou no ar>* ~ **volteador** *adj.s.m.* - **volteio** *s.m.*

voltímetro (vol.tí.me.tro) *s.m.* ELETR instrumento que mede a tensão elétrica entre dois pontos de um circuito elétrico

volume (vo.lu.me) *s.m.* **1** unidade encadernada de uma obra escrita *<dicionário em dois v.>* **2** FÍS grandeza que indica a quantidade de matéria em um corpo; massa **3** *p.ext.* quantidade de água que flui de uma fonte ou curso de água *<o v. do rio aumentou com a chuva>* **4** *fig.* quantidade de qualquer coisa *<imenso v. de trabalho>* **5** pacote, fardo *<voltou de viagem carregada de volumes>* **6** intensidade da voz ou do som emitido por instrumento ou aparelho *<o v. do rádio>*

volumoso (vo.lu.mo.so) /ô/ [pl. e fem.: /ó/] *adj.* que tem grandes proporções *<mala v.> <gritaria v.>*

voluntariado (vo.lun.ta.ri.a.do) *s.m.* **1** serviço de voluntários **2** grupo de voluntários

voluntariedade (vo.lun.ta.ri.e.da.de) *s.f.* **1** ato realizado ou comportamento tido por vontade ou iniciativa própria **1.1** ato ou modo de agir de quem segue apenas sua própria vontade; capricho

voluntário (vo.lun.tá.rio) *adj.* **1** que não é forçado; espontâneo *<movimento v.> <demissão v.>* ↺ consciente, obrigatório ■ *s.m.* **2** quem ingressa no serviço militar ou num exército por vontade própria **3** quem se dedica a um trabalho sem vínculo empregatício *<v. do corpo de bombeiros>*

voluntarioso (vo.lun.ta.ri.o.so) /ô/ [pl. e fem.: /ó/] *adj.s.m.* **1** que(m) só age segundo sua própria vontade **2** que(m) é obstinado

volúpia (vo.lú.pia) *s.f.* grande prazer dos sentidos, esp. o sexual

voluptuoso (vo.lup.tu.o.so) /ô/ [pl. e fem.: /ó/] *adj.* **1** que aprecia ou procura os prazeres dos sentidos *<pessoa v.>* **2** em que existe grande prazer *<carícia v.> <leitura v.>* ~ **voluptuosidade** *s.f.*

voluta (vo.lu.ta) *s.f.* ARQ **1** ornato em espiral no alto das colunas **2** *p.ext.* qualquer objeto, enfeite ou motivo decorativo enrolado em espiral

volutear (vo.lu.te.ar) *v.* {mod. 5} *int.* dar voltas; girar, rodopiar ~ **voluteio** *s.m.*

volúvel (vo.lú.vel) [pl.: *-eis*] *adj.2g.* **1** que gira facilmente **2** que muda facilmente de opinião; inconstante *<pessoa v.>* ↺ constante ◉ GRAM/USO sup.abs.sint.: *volubilíssimo* ~ **volubilidade** *s.f.*

volver (vol.ver) *v.* {mod. 8} *pron.* **1** dar voltas; virar-se, voltar-se *<volvia-se na cama sem dormir>* **2** decorrer, passar (o tempo) *<volveram-se os anos>* □ *t.d.,t.d.i. e pron.* **3** (prep. *para*) dirigir(-se) para outra direção, virar(-se) *<ao ouvir o ruído, volveu o rosto> <volveu os olhos para a jovem> <seu olhar volveu-se para o filho>* □ *t.d.* **4** mexer ou cavoucar muitas vezes; remexer *<v. a terra>* **5** virar em torno de um eixo; girar *<v. a manivela>* **6** dizer ou fazer em resposta a; devolver, retrucar *<v. uma ofensa>* □ *t.i. e t.d.i.* **7** (prep. *a*) [fazer] voltar (a local, ponto ou estado anterior); regressar *<v. à casa dos pais> <nada pode v. ao pai o filho morto>* □ *t.d.i. e pron.* **8** (prep. *em*) tornar(-se), transformar (-se) *<v. frutas em suco> <o ouro volveu-se em pó>*

volvo (vol.vo) /ô/ *s.m.* MED obstrução causada por torção do intestino

vômico (vô.mi.co) *adj.* que faz vomitar; emético, vomitório *<substância v.>*

vomitar (vo.mi.tar) *v.* {mod. 1} *t.d. e int.* **1** expelir pela boca (o que estava no estômago) *<v. o almoço> <tomou um remédio para parar de v.>* □ *t.d. e pron. p.ext.* **2** sujar(-se) de vômito *<o bebê vomitou a roupinha> <vomitou-se todo>* □ *t.d. fig.* **3** lançar pela boca ou de si; expelir *<o dragão vomita fogo>* **4** falar (injúrias, tolices etc.)

vomitivo (vo.mi.ti.vo) *adj.s.m.* vomitório

vômito (vô.mi.to) *s.m.* **1** expulsão do conteúdo do estômago pela boca **2** o material expelido

vomitório (vo.mi.tó.rio) *adj.s.m.* (o) que provoca vômito; vomitivo

vôngole (vôn.go.le) *s.m.* ZOO ***BERBIGÃO***

vontade (von.ta.de) *s.f.* **1** faculdade que tem o ser humano de querer, de praticar ou não certos atos **2** ânimo, determinação, firmeza *<com v. de ferro, conseguiu sua casa>* **3** empenho, interesse, zelo *<a v. política de um governo>* **4** desejo motivado por um apelo físico, fisiológico, psicológico ou moral; querer *<v. de comer, dormir>* **5** sensação de prazer; gosto *<comia e dançava com v.>* **6** capricho, fantasia, veleidade *<criança cheia de v.>* **7** deliberação, determinação, decisão *<escreveu no testamento suas v.>* ▣ **à v.** sem constrangimento; livremente *<sirva-se à v.>* ☞ cf. *à vontade* (s.m.) • **boa v.** disposição favorável (em relação a alguém ou algo)

voo (vo.o) /ô/ *s.m.* **1** deslocamento de animal, inseto ou aeronave no ar e sem contato com o solo **2** o trajeto que uma aeronave percorre *<v. tranquilo>* ▣ **v. livre** ESP esporte que consiste em planar sem motor ou leme numa asa-delta • **levantar v.** iniciar o voo; decolar

voragem (vo.ra.gem) [pl.: *-ens*] *s.f.* **1** o que devora, destrói com violência *<a v. de uma fornalha>* **2** redemoinho **3** *fig.* o que arrebata *<v. das paixões>* ~ **voraginoso** *adj.*

voraz (vo.raz) [pl.: *-es*] *adj.2g.* **1** que é difícil de saciar; devorador *<fera v.>* **2** *p.ext.* que come muito *<criança v.>* **3** *p.ext.* que é capaz de destruir *<incêndio v.> <vício v.>* **4** *fig.* ambicioso, ávido *<v. desejo de poder>* ↺ desinteressado ~ **voracidade** *s.f.*

vórtice (vór.ti.ce) *s.m.* rodamoinho

vos *pron.p.* **1** da 2ª p. do pl., caso oblíquo, com função de objeto direto ou objeto indireto, equivalente a: *a vós, em vós, para vós* e *de vós* *<Ana vos viu>* **2** com alguns verbos, indica a voz passiva *<vós vos batizastes naquela igreja?>*

vós *pron.p.* GRAM representa a 2ª p.pl. e é us. para indicar aqueles a quem se fala ou escreve, cerimoniosamente ◉ GRAM/USO apenas us. em textos mais form., como os jurídicos, bíblicos, etc.; ger. substituído por *vocês*

vosmecê (vos.me.cê) *pron.trat.* contr. de *vossemecê*; forma respeitosa de tratamento, equivalente a *o senhor/a senhora* ou *você*

vossemecê (vos.se.me.cê) *pron.trat.* contr. de *vossa mercê*; ver ***MERCÊ*** ◉ GRAM/USO não é mais us.

vosso (vos.so) *pron.pos.* o que vos pertence *<v. mãos são abençoadas>*

votação (vo.ta.ção) [pl.: *-ões*] *s.f.* **1** aprovação ou escolha por meio de votos *<a v. durou duas horas>* **2** conjunto de votos *<a v. do segundo colocado quase igualou a do primeiro>*

votar (vo.tar) *v.* {mod. 1} *t.d.* **1** submeter à votação *<os deputados devem v. o projeto hoje>* **2** fazer voto de *<os padres votam castidade>* □ *t.d. e t.i.* **3** (prep. *em*) eleger por meio de voto *<lutou pelo direito de v. (n)os governantes>* **4** (prep. *por*) aprovar, decidir por meio de voto *<os metalúrgicos votaram a (pela) greve geral>* □ *int.* **5** ter direito a voto *<jovens de 16 podem v.>* □ *t.d.i. e pron.* **6** (prep. *a*) oferecer(-se) a [Deus, santo etc.]; consagrar(-se) *<votou a filha à Virgem> <v.-se aos pais>* ~ **votante** *adj.2g.s.2g.*

votivo (vo.ti.vo) *adj.* **1** relativo a voto ('promessa') **2** oferecido em cumprimento a voto ('promessa') *<missa v.>*

V

voto (vo.to) *s.m.* **1** sufrágio eleitoral **2** promessa, juramento <*fazer um v. a um santo*> **3** manifestação de preferência dos participantes de uma assembleia, eleição etc. **4** REL obrigação a que alguém se compromete além dos deveres impostos pelas leis da religião <*v. de castidade, de pobreza*> **5** expectativa ou desejo íntimo, e sua manifestação <*faço votos de que fique bom*>

vovó (vo.vó) *s.f. infrm.* a mãe do pai (avó paterna) ou da mãe (avó materna); avó

vovô (vo.vô) [fem.: *vovó*] *s.m. infrm.* o pai do pai (avô paterno) ou da mãe (avô materno); avô

voz [pl.: *vozes*] *s.f.* **1** som produzido pela vibração de pregas na laringe dos vertebrados, us. como meio de comunicação **2** capacidade de falar **3** direito de se manifestar; voto, opinião <*as crianças não têm v. naquela casa*> **4** GRAM forma do verbo que indica se a ação é praticada, sofrida ou praticada e sofrida ao mesmo tempo pelo sujeito **5** MÚS cada uma das partes vocais de uma composição ◉ GRAM/USO aum.irreg.: *vozeirão* ◉ COL rumor, vozerio ▣ **v. ativa 1** autoridade; direito de opinar, de influir sobre decisões <*ter v. ativa no trabalho*> **2** GRAM voz do verbo na qual o sujeito pratica a ação (p.ex., *João cortou a árvore*) ☞ tb. se diz apenas *ativa* • **v. passiva** GRAM voz do verbo na qual o sujeito da oração recebe a ação em vez de ser quem age (p.ex., *Pedro foi demitido*) ☞ tb. se diz apenas *passiva* • **v. reflexiva** ou **reflexa** GRAM voz com verbo na forma ativa, com pronome reflexivo, em que a pessoa que provoca a ação verbal é a mesma que a recebe (p.ex., *feri-me*; *eles se prejudicaram*)

vozear (vo.ze.ar) *v.* {mod. 5} *int.* **1** emitir gritos; berrar **2** soltar a sua voz (algumas aves); cantar ☞ nesta acp., só us. nas 3as p., exceto quando fig. ◻ *t.d.* **3** dizer em voz alta; gritar <*os torcedores vozeavam seu apoio ao time*>

vozeirão (vo.zei.rão) [pl.: *-ões*] *s.m.* voz forte e grossa

vozerio (vo.ze.ri.o) *s.m. B* som de muitas vozes juntas

vulcanização (vul.ca.ni.za.ção) [pl.: *-ões*] *s.f.* tratamento dado à borracha para torná-la mais resistente e flexível

vulcanizar (vul.ca.ni.zar) *v.* {mod. 1} *t.d.* **1** submeter (borracha) à vulcanização <*v. um pneu*> **2** *p.ext.* transmitir intenso calor a; calcinar ↺ esfriar ~ **vulcanizado** *adj.*

vulcanologia (vul.ca.no.lo.gi.a) *s.f.* GEOL ramo da geologia que estuda os vulcões

vulcão (vul.cão) [pl.: *-ões*] *s.m.* GEOL abertura na crosta terrestre pela qual são expelidos magma e gases ~ **vulcânico** *adj.*

vulgar (vul.gar) *adj.2g.* **1** referente à plebe, ao [1]vulgo; popular <*latim v.*> ↺ nobre **2** comum, corriqueiro <*isso é uma ocorrência v. entre nós*> ↺ raro **3** chulo, grosseiro <*ter um comportamento v.*> ↺ fino

vulgaridade (vul.ga.ri.da.de) *s.f.* **1** característica do que é comum, banal <*seus desenhos perderam a v. e ganharam qualidade*> **2** coisa corriqueira, trivial <*enjoar em viagem para ela era uma v.*> **3** banalidade; coisa sem importância <*uma conversa cheia de vulgaridades*> **4** termo us. para o que tem ou é de mau gosto <*a v. de um vestido*> **5** coisa que incomoda por ser rude, desagradável ou imoral <*a v. de uma piada*>

vulgarizar (vul.ga.ri.zar) *v.* {mod. 1} *t.d. e pron.* **1** tornar(-se) comum; popularizar(-se) <*v. o estilo clássico*> <*vários termos científicos se vulgarizaram na língua cotidiana*> ↺ singularizar(-se) **2** tornar (-se) muito conhecido; divulgar(-se) <*a propaganda vulgarizou a imagem do artista*> <*no Brasil, a ópera não se vulgarizou*> **3** (fazer) perder a dignidade, o respeito <*v. os costumes*> <*v.-se diante dos colegas*> ↺ dignificar(-se) ~ **vulgarização** *s.f.*

vulgarmente (vul.gar.men.te) *adv.* **1** de modo informal, comum ou não especializado <*os sifonápteros são v. conhecidos por pulgas*> **2** com grosseria ou vulgaridade <*comporta-se v.*>

vulgata (vul.ga.ta) *s.f.* tradução latina da Bíblia reconhecida pela Igreja como a versão oficial

[1]vulgo (vul.go) *s.m.* **1** a classe popular da sociedade; plebe, povo **2** a maior parte das pessoas ◉ ORIGEM do lat. *vūlgus* ou *vōlgus,i* 'o povo'

[2]vulgo (vul.go) *adv.* vulgarmente <*Édson Arantes, v. Pelé*> ◉ ORIGEM do lat. *vulgo* 'por toda parte, aqui e ali'

vulnerar (vul.ne.rar) *v.* {mod. 1} *t.d.* **1** provocar ferimento em; machucar **2** causar mágoa a; ofender

vulnerável (vul.ne.rá.vel) *adj.2g.* **1** que pode ser fisicamente ferido ↺ invulnerável **2** sujeito a ser atacado, derrotado, prejudicado ou ofendido ↺ invulnerável ~ **vulnerabilidade** *s.f.*

vulpino (vul.pi.no) *adj.* **1** relativo a raposa <*pelagem v.*> **2** *fig.* ardiloso, astuto <*vendedor v.*> ↺ sincero

vulto (vul.to) *s.m.* **1** face, rosto **2** aparência, aspecto <*netos com o v. altivo dos avós*> **3** constituição física, corpo <*um deus com v. humano*> **4** figura ou imagem pouco nítida <*no nevoeiro, viam-se apenas vultos*> **5** *fig.* importância, interesse <*negócio de v.*> **6** pessoa notável, importante <*os v. da História*> **7** imagem de escultura <*v. em mármore*>

vultoso (vul.to.so) /ô/ [pl. e fem.: /ó/] *adj.* **1** que faz grande volume; volumoso <*cargas v.*> **2** muito grande, considerável <*uma v. soma em dinheiro*> ↺ insignificante **3** importante, considerável <*v. fatos históricos*> ↺ insignificante

vultuoso (vul.tu.o.so) /ô/ [pl. e fem.: /ó/] *adj.* MED que tem a face e os lábios vermelhos e inchados, e os olhos salientes

vulva (vul.va) *s.f.* ANAT conjunto das partes externas dos órgãos genitais femininos da mulher e da fêmea dos animais mamíferos ~ **vulvar** *adj.2g.*

Ww

w *s.m.* **1** 23ª letra do nosso alfabeto, consoante ☞ representa o som de 'v' (wagneriano) ou de 'u' (watt), us. em símbolos internacionais, em abreviaturas consagradas em todo o mundo, em termos estrangeiros e em derivados de nomes próprios dos quais consta essa letra ■ *n.ord. adj.2g.2n.* **2** diz-se do 23º elemento de uma série *<casa W> <item 1w>* ☞ empr. após um substantivo ou numeral ◉ GRAM/USO na acp. s.m., pl.: *ww*

W **1** ELETR FÍS símbolo de *watt* **2** símbolo de *oeste* (na rosa dos ventos) **3** QUÍM símbolo de *tungstênio*

waffle (waf.fle) [ing.; pl.: *waffles*] *s.m.* CUL tipo de panqueca aberta, mais grossa, assada em uma forma elétrica especial, ger. comido com mel, manteiga, geleia, açúcar, canela etc. ⇒ pronuncia-se uófol

wagneriano (wag.ne.ri.a.no) *adj.* **1** relativo ao compositor Richard Wagner (1813-1883) e a sua obra ☞ cf. *Wagner* na parte enciclopédica ■ *adj.s.m.* **2** que(m) admira, estuda ou é adepto das teorias e/ou do estilo musical desse compositor ~ **wagnerismo** *s.m.* - **wagnerista** *adj.2g.s.2g.*

wakeboard (wake.board) [ing.; pl.: *wakeboards*] *s.m.* ESP modalidade de surfe em que um barco reboca a prancha ⇒ pronuncia-se ueikbórd

walkie-talkie (walk.ie-talk.ie) [ing.; pl.: *walkie-talkies*] *s.m.* ELETRON pequeno rádio emissor e receptor, us. para a comunicação em curtas distâncias ⇒ pronuncia-se uóki tóki

walkman ® (walk.man) [ing.; pl.: *walkmans* e *walkmen*] *s.m.* ELETRÔN aparelho portátil com rádio, toca-fitas, us. com fones de ouvido ⇒ pronuncia-se uókmen

watt *s.m.* ELETR FÍS unidade de medida de energia elétrica ou mecânica [símb.: *W*]

w.c. [ing.] *s.m.* **1** compartimento ou recinto com vaso sanitário e pia; toalete, banheiro **2** vaso sanitário e seus acessórios ◉ ORIGEM abrev. do ing. *water closet* '*idem*' ⇒ pronuncia-se debliu ci, *corrente* dáblio cê

web [ing.; pl.: *webs*] *s.f.* INF nome pelo qual a rede mundial de computadores se tornou conhecida; é uma forma simplificada de *world wide web*, formada a partir de *web*, que significa "teia, rede", e *world wide*, "de alcance mundial" ☞ cf. *internet* ⇒ pronuncia-se uéb

web designer (web de.sign.er) [ing.; pl.: *web designers*] ou ***web master*** (web mas.ter) [ing.; pl.: *web masters*] *loc.subst.* INTERN profissional que cria a estrutura e o aspecto das diversas páginas que compõem um *site* da internet ⇒ pronuncia-se uéb desainer

web master (web.mas.ter) [ingl.; pl.: *web masters*] *loc. subst.* m. q. *web designer* ⇒ pronuncia-se uéb master

website (web.site) [ing.; pl.: *websites*] *s.m.* → ***SITE*** ⇒ pronuncia-se uébsait

weekend (week.end) [ing.; pl.: *weekends*] *s.m.* final de uma semana, esp. o período de sexta-feira à noite até a manhã de segunda-feira *<passaram o w. na fazenda>* ⇒ pronuncia-se uíquend

western (wes.tern) [ing.; pl.: *westerns*] *s.m.* faroeste ⇒ pronuncia-se uéstern

windsurfe (wind.sur.fe) /uind/ *s.m.* ESP esporte em que se navega em pé sobre uma prancha dotada de uma vela ~ **windsurfista** *adj.2g.s.2g.*

w.o. [ing.] *s.m.* ESP **1** vitória fácil ou sem resistência em competição desportiva **2** vitória de um concorrente cujo oponente desistiu da disputa, ger. ao não comparecer ao campo, quadra ou ginásio *<venceram por w.o.>* ◉ ORIGEM *w.o.* é abrev. do ing. *walkover*, de mesmo sentido

workshop (work.shop) [ing.; pl.: *workshops*] *s.m.* curso rápido e intensivo, em que técnicas, saberes, artes etc. são demonstrados e aplicados; oficina ⇒ pronuncia-se uôrqchóp

x *s.m.* **1** 24ª letra do nosso alfabeto, consoante **2** MAT incógnita **3** *fig.* o que é mais importante e ainda desconhecido *<voltar à estrada principal era o x do problema>* ■ *n.ord. (adj.2g.2n.)* **4** diz-se do 24º elemento de uma série *<casa X> <item 1x>* ☞ empr. após um substantivo ou numeral ◉ GRAM/USO na acp. s.m., pl.: *xx*

xá *s.m.* título de monarcas iranianos até a revolução islâmica de 1979

xácara (xá.ca.ra) *s.f.* narrativa popular rimada, de origem árabe ☞ cf. *chácara*

xadrez (xa.drez) /ê/ *s.m.* **1** RECR ESP jogo que simula o conflito entre dois exércitos, cada qual representado por 16 peças que se movimentam sobre um tabuleiro de 64 casas de duas cores alternadas **2** padrão semelhante ao desenho quadriculado desse tabuleiro *<o x. brilhante da bolsa>* **3** *B infrm.* cela, prisão ■ *adj.2g.2n.* **4** que é quadriculado *<colcha x.>* ◉ GRAM/USO pl. do s.m.: *-es*

xadrezista (xa.dre.zis.ta) *adj.2g.s.2g.* ESP enxadrista

xairel (xai.rel) [pl.: *-éis*] *s.m.* revestimento de tecido ou couro que cobre a anca da cavalgadura; chairel

xale (xa.le) ou **xaile** (xai.le) *s.m.* manta us. por mulheres sobre os ombros como agasalho

xamã (xa.mã) *s.m.* ANTRPOL em certos povos ou culturas, sacerdote com supostos poderes mágicos para curar doentes, prever o futuro e desvendar enigmas ~ **xamanismo** *s.m.*

xampu (xam.pu) *s.m. B* produto líquido us. para lavar os cabelos

xangô (xan.gô) *s.m.* REL **1** *B* entidade iorubá, quarto rei (lendário) de Oyo, na Nigéria, orixá dos raios e trovões ☞ inicial maiúsc. **2** *PE AL SE* culto afro-brasileiro de padrão litúrgico nagô adaptado por diversos grupos étnicos que convivem no nordeste do Brasil **3** *PE AL SE* local onde se realiza esse culto; terreiro

xantungue (xan.tun.gue) *s.m.* tecido de seda com fios torcidos e superfície áspera

xará (xa.rá) *s.2g. B* **1** pessoa com nome ('prenome') igual ao de outra **2** *infrm.* us. como indeterminador de pessoa; cara *<tudo bem, x.?>*

xarda (xar.da) ou **czarda** (czar.da) *s.f.* dança e música populares húngaras

xarelete (xa.re.le.te) /ê/ ou **xerelete** (xe.re.le.te) *s.m.* ZOO peixe marinho de dorso azulado, comum no Atlântico ocidental e Pacífico

xaréu (xa.réu) [pl.: *xaréus*] *s.m.* ZOO peixe marinho comum no nordeste do Brasil, com cerca de 1 m de comprimento

xaropada (xa.ro.pa.da) *s.f.* **1** quantidade de xarope que se toma em um só gole **2** *fig. B infrm.* coisa entediante, enfadonha

xarope (xa.ro.pe) *s.m.* **1** FARM remédio líquido e doce **2** *p.ext.* qualquer solução preparada com muito açúcar ~ **xaroposo** *adj.*

xavante (xa.van.te) *s.2g.* **1** indivíduo dos xavantes, povo indígena do centro-oeste brasileiro ■ *s.m.* **2** LING a língua falada pelos xavantes ■ *adj.2g.* **3** relativo a esse indivíduo, povo ou língua

xaveco (xa.ve.co) *s.m.* **1** tipo de antigo navio dos mouros **2** *p.ext.* barco velho, em mau estado de conservação **3** *p.ext. B* indivíduo ou objeto de pouca importância **4** *p.ext. B infrm.* comportamento trapaceiro; patifaria ↺ integridade **5** *PR infrm.* conversa fiada ~ **xavecar** *v.int.*

xaxado (xa.xa.do) *s.m.* DNÇ MÚS **1** dança masculina pernambucana cujo ritmo é marcado por batidas dos pés no chão **2** a música para esta dança

xaxim (xa.xim) [pl.: *-ins*] *s.m. B* **1** BOT samambaia nativa da mata atlântica (MG, RJ a RS), de folhas que atingem até 2 m; samambaiaçu **2** massa fibrosa retirada do caule dessa planta, da qual se fabricam vasos, placas e jardineiras, adubo etc. **3** vaso e placa feitos dessa massa

xaxixo (xa.xi.xo) *s.m. PR pej. joc.* qualquer coisa feita sem capricho

Xe símbolo de *xenônio*

xeique (xei.que) /êi/ *s.m.* → [1]*XEQUE*

xenofilia (xe.no.fi.li.a) *s.f.* simpatia acentuada pelo que é estrangeiro ↺ xenofobia

xenófilo (xe.nó.fi.lo) *adj.s.m.* que(m) tem forte simpatia pelo que é estrangeiro ↺ xenófobo

xenofobia (xe.no.fo.bi.a) *s.f.* repulsa ao que é estrangeiro ↺ xenofilia

xenófobo (xe.nó.fo.bo) *adj.s.m.* que(m) tem aversão ao que é estrangeiro ↺ xenófilo

xenônio (xe.nô.nio) *s.m.* QUÍM elemento químico da família dos gases nobres, us. em *laser* ultravioleta, tubos de descarga etc. [símb.: *Xe*] ☞ cf. *tabela periódica* (no fim do dicionário)

xepa (xe.pa) /ê/ *s.f. B infrm.* **1** comida servida em quartel **2** resto de mercadorias que são pechinchadas ao final da feira livre ~ **xepeiro** *s.m.*

[1]**xeque** (xe.que) ou **xeique** (xei.que) /êi/ *s.m.* chefe muçulmano ☞ cf. *cheque* ◉ ORIGEM do ár. *xāyh* 'id.'

[2]**xeque** (xe.que) *s.m.* **1** ESP RECR no xadrez, cerco ao rei **2** *p.ext.* situação perigosa; ameaça, risco ☞ cf. *cheque* ◉ ORIGEM do ár. *xāh* 'ataque ao rei (no jogo de xadrez)'

xeque-mate (xe.que-ma.te) [pl.: *xeques-mate*, *xeques-mates*] *s.m.* ESP RECR em xadrez, cerco sem saída ao rei e que põe fim à partida

xereca (xe.re.ca) *s.f. gros.* a vulva

xerém (xe.rém) [pl.: *-éns*] *s.m. B* milho pilado grosso, us. como comida para os pintos

xereta (xe.re.ta) /ê/ *adj.2g.s.2g. B pej.* que(m) invade assuntos particulares de outras pessoas; intrometido, bisbilhoteiro

xeretar (xe.re.tar) *v.* {mod. 1} *t.d. e int.* investigar, participar de modo indiscreto, inconveniente; bisbilhotar <*os netos xeretaram as gavetas da avó procurando fotos antigas*> <*ele vive a x.*>

xerez (xe.rez) /ê/ [pl.: *-es*] *s.m.* vinho andaluz branco e licoroso

xerife (xe.ri.fe) *s.m.* autoridade policial, espécie de delegado, nos E.U.A. e na Inglaterra

xerocar (xe.ro.car) *v.* {mod. 1} *t.d.* xerocopiar

xerocópia (xe.ro.có.pia) *s.f.* xerox ('cópia')

xerocopiar (xe.ro.co.pi.ar) *v.* {mod. 1} *t.d.* fazer cópia de (texto, imagem) em máquina xerox; xerocar, xerografar <*x. uma imagem*>

xerografar (xe.ro.gra.far) *v.* {mod. 1} *t.d.* xerocopiar

xerografia (xe.ro.gra.fi.a) *s.f.* **1** processo de reprodução de texto ou imagem com o uso da máquina xerox **2** *p.ext.* cópia obtida por esse processo

xerográfico (xe.ro.grá.fi.co) *adj.* relativo a xerox e a xerografia

xerox (xe.rox) /cs/ ou **xérox** (xé.rox) /cs/ *adj.2g.2n.s.2g.2n.* **1** (máquina) que copia a seco texto ou imagem **2** diz-se de ou essa cópia ☞ marca registrada (*Xerox*) que passou a designar seu gênero; cf. *fotocópia* ◉ GRAM/USO admite-se, na forma oxítona, o pl. *xeroxes*

xexelento (xe.xe.len.to) *adj. B infrm. pej.* **1** que tem mau aspecto; feio, desagradável <*comida x.*> **2** ordinário, ruim, malfeito <*discurso x.*> **3** implicante, que incomoda (diz-se de pessoa)

xexéu (xe.xéu) *s.m. B* **1** ZOO japiim **2** *infrm.* mau cheiro corporal; bodum, catinga

xi *interj.* exprime decepção, espanto, desagrado <*xi! começou a chover!*>

xibio (xi.bio) *s.m.* **1** *MG GO MT MS PR* diamante pequeno **2** *N.E. gros.* a vulva

xibiu (xi.biu) *s.m.* xibio ☞ a term. *-iu* é de flexão verbal; prefira escrever essa palavra com final *-io*

xícara (xí.ca.ra) *s.f.* **1** pequeno recipiente com asa us. esp. para bebidas quentes **2** a quantidade comportada por esse recipiente <*uma x. de açúcar*>

xifoide (xi.foi.de) /ói/ *adj.2g.* em forma de espada

xifopagia (xi.fo.pa.gi.a) *s.f.* MED deformidade genética que duplica a parte superior do corpo desde o tórax

xifópago (xi.fó.pa.go) *adj.s.m.* (gêmeo) que tem o corpo ligado ao outro na região do tórax e da cabeça

xiita (xi.i.ta) *adj.2g.s.2g.* **1** REL (membro) de um grupo muçulmano caracterizado pelo zelo extremo da tradição religiosa **2** (pessoa) radical, extremista ~ **xiismo** *s.m.*

xilindró (xi.lin.dró) *s.m. B infrm.* prisão, cadeia

xilofone (xi.lo.fo.ne) *s.m.* MÚS instrumento com lâminas de madeira de tamanhos variados que são percutidas com baqueta ~ **xilofonista** *adj.2g.s.2g.*

xilografar (xi.lo.gra.far) *v.* {mod. 1} *t.d.* xilogravar

xilografia (xi.lo.gra.fi.a) *s.f.* GRÁF ART.PLÁST **1** técnica de gravura em relevo cujos caracteres são entalhados em prancha de madeira e que permite a impressão tipográfica de figura ou texto **2** impressão obtida por esse processo ~ **xilógrafo** *adj.s.m.*

xilogravar (xi.lo.gra.var) *v.* {mod. 1} *t.d.* GRÁF ART.PLÁST gravar em madeira (imagem ou texto em relevo), para posterior impressão; xilografar

xilogravura (xi.lo.gra.vu.ra) *s.f.* GRÁF ART.PLÁST **1** arte e técnica de fazer gravuras em relevo sobre madeira **2** estampa obtida através dessa técnica ~ **xilogravador** *adj.s.m.* - **xilogravurista** *adj.2g.s.2g.*

ximango (xi.man.go) *s.m.* ZOO *B* ave de rapina do sul, sudeste e parte do centro-oeste do Brasil

ximbica (xim.bi.ca) *s.f. RJ SP* carro velho; calhambeque

xingamento (xin.ga.men.to) *s.m.* agressão por meio de palavras; ofensa

xingar (xin.gar) *v.* {mod. 1} *t.d. e t.d.pred.* (prep. *de*) agredir com palavras insultuosas, injuriosas; ofender, tachar <*xingou o motorista (de maluco)*> ~ **xingação** *s.f.* - **xingatório** *adj.s.m.*

xintoísmo (xin.to.ís.mo) *s.m.* REL religião japonesa que venera várias divindades representantes das forças da natureza ~ **xintoísta** *adj.2g.s.2g.*

xinxim (xin.xim) [pl.: *-ins*] *s.m.* CUL *B* guisado baiano de carne ou frango com camarão seco, dendê, amendoim e castanha

xiquexique (xi.que.xi.que) *s.m.* BOT *B* **1** designação comum a vários arbustos pequenos ou ervas lenhosas, ocorrentes no Brasil e freq. us. como adubo verde **2** certo tipo de cacto de frutos globosos, nativo de Pernambuco e da Bahia

xis *s.m.2n.* nome da letra *x*

xisto (xis.to) *s.m.* designação comum a certas rochas com propriedade de dividir-se em finas lâminas ~ **xistoso** *adj.*

xixi (xi.xi) *s.m. B infrm.* urina

xi-xi-xi (xi-xi-xi) ou **xi-xi** (xi-xi) *s.m. AC CE PE infrm.* chuva fina, miúda

XML [ing.] *s.m.* INF linguagem us. para codificar documentos eletronicamente e de forma estruturada para armazenamento e envio pela internet

xô *interj.* us. para enxotar aves

xodó (xo.dó) *s.m. B infrm.* **1** namoro ou namorado **2** afeto especial; estima *<tem um x. pela netinha>*

xote (xo.te) *s.m.* MÚS música e dança populares difundidas esp. no Nordeste, em andamento não muito rápido e ao som de sanfonas

xoxota (xo.xo.ta) *s.f. gros.* a vulva

xucro (xu.cro) *adj.* chucro

y *s.m.* **1** 25ª letra do nosso alfabeto ☞ us. em símbolos internacionais, em abreviaturas universalmente consagradas, em termos estrangeiros, em etnônimos brasílicos e em derivados de nomes próprios dos quais consta essa letra ■ *n.ord. (adj.2g.2n.)* **2** diz-se do 25º elemento de uma série *<casa Y> <item 1y>* ☞ empr. após um substantivo ou numeral ◉ GRAM/USO na acp. s.m., pl.: *yy*

Y QUÍM símbolo de *ítrio*

yakisoba (ya.ki.so.ba) [jap.] *s.m.* CUL prato japonês de macarrão com carne e verduras ⇒ pronuncia-se iakissôba

yang [chn.] *s.m.* FIL REL princípio fundamental presente nas manifestações ativas, quentes e luminosas do universo, cuja interação com a força oposta e complementar *yin* influenciou a filosofia, a religião e a medicina chinesas ⇒ pronuncia-se iang

Yb QUÍM símbolo de *itérbio*

yd símbolo de *jarda*

yin [chn.] *s.m.* FIL REL princípio fundamental presente nas manifestações passivas, frias e escuras do universo, cuja interação com a força oposta e complementar *yang* influenciou a filosofia, a religião e a medicina chinesas ⇒ pronuncia-se in

yom kippur [heb.] *loc.subst.* REL entre os judeus, o dia do perdão, dedicado a orações e jejum em busca do perdão divino ☞ iniciais maiúsc. ⇒ pronuncia-se iom kipur

yuppie [pl.: *yuppies*] *adj.2g.s.2g.* diz-se de ou jovem executivo profissionalmente bem remunerado que gasta seu dinheiro em artigos de luxo e atividades caras ⇒ pronuncia-se iâpi

Zz

z *s.m.* **1** 26ª letra do nosso alfabeto, consoante ■ *n.ord.adj.2g.2n.* **2** diz-se do 26º elemento de uma série *<casa Z> <item 1z>* ☞ empr. após um substantivo ou numeral ◉ GRAM/USO na acp. s.m., pl.: *zz*

zabumba (za.bum.ba) *s.2g.* MÚS tambor formado por um cilindro de madeira ou metal e duas peles esticadas e presas em cada uma das bases desse cilindro, sendo a da base de cima mais grossa, o que produz uma sonoridade grave ~ **zabumbar** *v.int.* - **zabumbeiro** *adj.s.m.*

zaga (za.ga) *s.f.* FUTB **1** a dupla de zagueiros **2** a posição desses jogadores no campo *<a z. estava desfalcada>*

zagaia (za.gai.a) *s.f.* azagaia

zagueiro (za.guei.ro) *s.m.* FUTB jogador da defesa que atua imediatamente à frente do goleiro; beque

zaino (zai.no) *adj.s.m.* **1** (cavalo) que não apresenta malhas brancas no pelo **2** (animal) de pelagem castanha sem mesclas **3** (cavalo ou touro) que possui pelagem negra e fosca ■ *adj.* **4** que age com dissimulação; matreiro *<sujeito z.>* ↺ sincero

zambeta (zam.be.ta) /ê/ *adj.2g.s.2g. pej.* (pessoa) que tem as pernas tortas; cambaio

zambi (zam.bi) *s.m.* HIST zumbi ('chefe')

zambo (zam.bo) *adj.s.m.* **1** que(m) tem pés ou pernas tortos; cambaio **2** *B* mestiço de negro com índio

zanga (zan.ga) *s.f.* **1** sensação de mau humor; irritação *<aquela discussão inútil causava-lhe z.>* **2** exaltação de natureza violenta; ira **3** desavença; inimizade *<havia uma z. antiga entre eles>* ↺ harmonia

zangado (zan.ga.do) *adj.* **1** com raiva; bravo, furioso *<o vizinho está muito z. com você>* ↺ sereno **2** que se zanga com frequência; que mantém uma constante irritação *<foi um adolescente z.>* ↺ calmo, tranquilo

zangão (zan.gão) ou **zângão** (zân.gão) [pl.: *-ões,-ãos*; fem.: *abelha*] *s.m.* ZOO o macho da abelha

zangar (zan.gar) *v.* {mod. 1} *t.d.,int. e pron.* **1** tornar (-se) irritado, raivoso; aborrecer(-se), irar(-se) *<evite zangá-lo, para não ouvir desaforos> <zangou(-se) muito com os atrasos do funcionário>* ↺ acalmar(-se) □ *t.i.* **2** (prep. *com*) censurar com severidade; repreender, brigar *<zangou com o filho>*

zanzar (zan.zar) *v.* {mod. 1} *int.* **1** andar ao acaso, sem destino certo; errar *<z. pelo bairro>* **2** andar de um lado para outro *<zanzava enquanto esperava o resultado do exame>*

zapear (za.pe.ar) *v. t.d. e int.* trocar a todo minuto de canal de TV para percorrer sua programação *<z. programas esportivos> <zapeia a noite inteira, trocando de canal>*

zarabatana (za.ra.ba.ta.na) *s.f.* tubo longo para arremessar setas, grãos etc. com o sopro

zarcão (zar.cão) [pl.: *-ões*] *s.m.* **1** produto us. sob a tinta para evitar ferrugem **2** a cor alaranjada forte desse produto ■ *adj.2g.2n.* **3** dessa cor *<grade z.>* **4** diz-se dessa cor *<portão de cor z.>*

zarolho (za.ro.lho) /ô/ [pl.: /ó/] *adj.s.m.* **1** que(m) é cego de um olho **2** que(m) é estrábico, vesgo

zarpar (zar.par) *v.* {mod. 1} *int.* **1** partir (uma embarcação) *<o navio zarpou de manhã>* **2** *p.ext.* ir embora; partir, sair *<os dois zarparam cedo>* **3** retirar-se depressa; fugir *<viu que o esperavam e zarpou>*

-zarrão *suf.* equivalente a *-arrão*

zarzuela (zar.zu.e.la) *s.f.* MÚS TEAT teatro musical espanhol em um ato, ger. com melodias folclóricas e texto irônico

zás *interj.* zás-trás

zás-trás (zás-trás) *interj.* **1** sugere ação rápida **2** sugere pancada, batida rápida

zê *s.m.* nome da letra *z*

zebra (ze.bra) /ê/ *s.f.* **1** ZOO mamífero quadrúpede africano, listrado de preto e branco **2** *p.ext.* faixa listrada de preto e branco pintada em ruas, avenidas etc. para o trânsito de pedestres **3** ESP *B infrm.* em competições esportivas, resultado inesperado *<a vitória do time pequeno foi a z. do fim de semana>* ▣ **dar z.** *B infrm.* dar um resultado inesperado ou negativo *<pensavam (em) viajar no feriado, mas deu z.>* ~ **zebral** *adj.2g.*

zebral (ze.bral) [pl.: *-ais*] *adj.2g.* zebrino

zebrar (ze.brar) *v.* {mod. 1} *t.d.* **1** cobrir com listras semelhantes às da zebra **2** cobrir com quaisquer listras; listrar *<z. a parede do banheiro foi um má ideia>*

zebrino (ze.bri.no) *adj.* **1** relativo a ou próprio da zebra; zebral **2** caracterizado por ou semelhante ao padrão da pelagem das zebras; zebral *<pintura z.>*

zebroide (ze.broi.de) /ói/ *adj.2g.* **1** relativo ou semelhante a zebra ■ *s.m.* ZOO **2** animal resultante do cruzamento de zebra e cavalo

zebruno (ze.bru.no) *adj.* de cor acastanhada (diz-se de cavalo); baio

zebu (ze.bu) *adj.2g.s.m.* ZOO (espécime) de gado bovino de origem indiana, dotado de uma grande corcova

zebueiro (ze.bu.ei.ro) ou **zebuzeiro** (ze.bu.zei.ro) *adj.s.m.* que(m) cria ou negocia gado zebu

zéfiro (zé.fi.ro) *s.m.* vento suave; aragem

zelador (ze.la.dor) /ô/ [pl.: *-es*] *adj.s.m.* **1** que(m) zela, vigia ■ *s.m.* **2** *B* funcionário encarregado de tomar conta de prédios, condomínios etc.

zelar (ze.lar) *v.* {mod. 1} *t.d.* e *t.i.* (prep. *por*) tratar com atenção, cuidado e interesse; proteger, velar *<ainda tão jovem, a moça zelava a mãe e os irmãos> <zelava pelos gatos sem dono>* ↺ negligenciar

zelo (ze.lo) /ê/ *s.m.* **1** cuidado que se dedica a alguém ou algo *<tinha grande z. pelos interesses do afilhado>* ↺ negligência **2** presteza, empenho que se aplica na realização de algo *<z. aos estudos>* ↺ displicência **3** intensa afeição *<demonstrava seu z. aos sobrinhos cobrindo-os de presentes>* ↺ desinteresse

zeloso (ze.lo.so) /ô/ [pl. e fem.: /ó/] *adj.* **1** que demonstra cuidado, esmero, atenção e aplicação no que faz; cuidadoso, diligente *<trabalhador z.>* ↺ descuidado, negligente **2** que vigia, vela, permanece atento; cuidadoso *<conduta z. no trânsito>* ↺ imprevidente **3** que dispensa grande atenção, afeto, interesse e cuidados para com alguém; atencioso, dedicado *<acompanhante z.>* ↺ distraído **4** que tem ciúmes; cioso, ciumento *<namorado z.>* ↺ indiferente

zen *s.m.* FIL REL **1** escola do budismo que busca um estado de iluminação pessoal por meio de meditação ou de reflexão sobre absurdos, paradoxos e enigmas insolúveis; zen-budismo ■ *adj.2g.2n.* **2** *p.ext. infrm.* muito tranquilo e confiante *<pessoas z.>*

zen-budismo (zen-bu.dis.mo) [pl.: *zen-budismos*] *s.m.* ZEN ~ **zen-budista** *adj.2g.s.2g.*

zé-ninguém (zé-nin.guém) [pl.: *zés-ninguém*] *s.m.* pessoa pobre ou sem importância na sociedade

zênite (zê.ni.te) *s.m.* ASTR ponto da esfera celeste que se situa na vertical do observador, sobre a sua cabeça ↺ nadir ~ **zenital** *adj.2g.*

zepelim (ze.pe.lim) [pl.: *-ins*] *s.m.* AER balão dirigível rígido e alongado muito us., na década de 1930, em travessias transatlânticas com passageiros

zé-pereira (zé-pe.rei.ra) [pl.: *zé-pereiras* e *zés-pereiras*] *s.m. B* **1** antigo bloco de foliões animado ao som de zabumbas **2** *p.ext.* ritmo carnavalesco executado em zabumba

zé-povinho (zé-po.vi.nho) [pl.: *zé-povinhos* e *zés-povinhos*] *s.m.* **1** *infrm.* homem do povo **2** *pej.* a camada mais humilde da população; ralé ↺ alta sociedade

zerar (ze.rar) *v.* {mod. 1} *t.d.* **1** pagar, quitar (contas, dívidas etc.) *<conseguir z. suas dívidas>* **2** retirar o total de (dinheiro, conta bancária etc.) *<zerou suas reservas para comprar a casa>* **3** dar nota zero a □ *t.d.* e *t.i.* **4** (prep. *em*) obter nota zero em *<o candidato que z. alguma das provas será eliminado do concurso> <z. em matemática>*

zero (ze.ro) *n.card.* **1** cardinal que corresponde a um conjunto vazio **2** diz-se desse número *<camiseta tamanho z.>* **3** diz-se do elemento inicial de uma série *<volume z.>* ■ *s.m.* **4** a representação gráfica desse número **5** ponto inicial de contagem, medida etc. *<a marcação da régua começa em z.>* **6** coisa nenhuma; nada ▣ **z. absoluto** FÍS a menor temperatura que, em teoria, é possível atingir e corresponde ao zero na escala Kelvin e a 273,15 graus negativos na escala Celsius • **z. à esquerda** em que não há valor algum; nulidade *<em casa, ela é um z. à esquerda>*

zero-quilômetro (ze.ro-qui.lô.me.tro) *adj.2g.2n.s.m.2n.* **1** (veículo) que ainda não percorreu nenhuma distância *<carro z.> <escolheu entre os zero-quilômetro>* ■ *adj.2g.2n.* **2** novo em folha (diz-se de máquina) *<computador z.>*

zigoma (zi.go.ma) *s.m.* ANAT osso quadrangular que constitui as maçãs do rosto ~ **zigomático** *adj.*

zigoto (zi.go.to) /ô *ou* ó/ *s.m.* BIO primeira célula gerada da união dos gametas masculino e feminino

zigue-zague (zi.gue-za.gue) [pl.: *zigue-zagues*] *s.m.* **1** linha que sobe e desce formando ângulos **2** traçado que lembra essa forma *<subiu a escada em z.>* ~ **ziguezagueante** *adj.2g.* - **ziguezaguear** *v.int.*

zilhão (zi.lhão) [pl.: *-ões*] *n.mult. infrm.* **1** falso numeral multiplicativo que descreve um grande número indeterminado de algo *<zilhões de preocupações>* ■ *s.m. infrm.* **2** grande quantidade *<um z. de coisas para resolver>*

zimbório (zim.bó.rio) *s.m.* ARQ parte superior externa da cúpula de grandes edifícios, esp. de igrejas; cúpula ('teto'), domo

¹zimbro (zim.bro) *s.m.* BOT arbusto cuja pinha é doce e aromática, com propriedades estomacais e diuréticas, esp. us. no preparo do gim e na aromatização de licores ◉ ORIGEM do lat. *junipĕrus,i* 'id.'

²zimbro (zim.bro) *s.m.* **1** orvalho; sereno **2** chuva miúda; chuvisco ◉ ORIGEM desc.

zinabre (zi.na.bre) *s.m.* azinhavre

zincar (zin.car) *v.* {mod. 1} *t.d.* revestir (esp. metal) com capa de zinco

zinco (zin.co) *s.m.* **1** QUÍM elemento químico us. em várias ligas, calhas e telhados, em pilhas secas etc.

[símb.: *Zn*] ☞ cf. *tabela periódica* (no fim do dicionário) **2** chapa ou folha desse metal, us. para cobrir construções <*telhado de z.*>

zíngaro (zín.ga.ro) *adj.* **1** relativo ou próprio do povo cigano ■ *s.m.* **2** cigano ('indivíduo')

-zinho *suf.* equivalente a *-inho*

zipar (zi.par) *v.* {mod. 1} *t.d.* INF compactar (arquivo) para armazenamento de dados ou transmissão via *modem*

zíper (zí.per) [pl.: *zíperes*] *s.m.* fecho ecler ☞ marca registrada (ing. *Zipper*) que passou a designar o seu gênero

zircônio (zir.cô.nio) *s.m.* QUÍM elemento químico us. em ligas que resistem à corrosão, como as necessárias à construção de barcos, reatores nucleares etc. [símb.: *Zr*] ☞ cf. *tabela periódica* (no fim do dicionário)

-zito *suf.* equivalente a *-ito* ('diminuição')

ziziar (zi.zi.ar) *v.* {mod. 1} *int.* **1** emitir seu ruído característico (p.ex., cigarra, gafanhoto) ☞ nesta acp., só us. nas 3as p., exceto quando fig. **2** produzir som agudo, longo e sibilante; zunir ~ **ziziamento** *s.m.* - **zizio** *s.m.*

Zn QUÍM símbolo de *zinco*

zoada (zo.a.da) *s.f.* **1** som confuso; barulheira <*ouvia a z. das crianças no quintal*> **2** zumbido

zoar (zo.ar) *v.* {mod. 1} *int.* **1** fazer barulho, produzir som forte e confuso **2** fazer ruído ao voar (p.ex., besouro, mosca); zumbir ☞ nesta acp., só us. nas 3as p., exceto quando fig. **3** produzir ruído semelhante; zumbir □ *t.d.,t.i. e int. B gír.* **4** (prep. *com*) rir de (alguém) ou fazer brincadeira, por divertimento; gozar <*zoava o irmão mais novo*> <*ficou de castigo por z. com o diretor*> <*está só zoando, não é?*>

zodíaco (zo.dí.a.co) *s.m.* ASTRL faixa da esfera celeste dividida em 12 partes iguais, sendo cada uma delas nomeada conforme a constelação mais próxima ☞ cf. *signo* ~ **zodiacal** *adj.2g.*

zoeira (zo.ei.ra) *s.f.* zoada

zombar (zom.bar) *v.* {mod. 1} *t.i. e int.* **1** (prep. *de*) expor ao ridículo com gestos, palavras etc.; debochar, caçoar <*z. dos defeitos de alguém*> <*você não está falando sério, está zombando, não é?*> **2** (prep. *de*) tratar com menosprezo; desdenhar <*quem tem o hábito de z. (dos menos favorecidos) revela falta de caráter*> **3** dizer em tom de brincadeira; brincar <*a criançada zombava do palhaço*> <*para de z., ele está chateado*> □ *t.i. p.ext.* **4** (prep. *de*) não dar importância a; desprezar <*z. do perigo*> ↺ importar-se ~ **zombador** *adj.s.m.*

zombaria (zom.ba.ri.a) *s.f.* **1** o que é dito ou feito com intenção de provocar riso; caçoada <*não me venha com z. pois a situação é grave*> **2** desprezo, escárnio <*magoava-se com as z. do instrutor*> ↺ reconhecimento **3** o que é objeto de troça, desdém, ironia <*o vestido novo serviu de z. aos colegas*>

zombeteiro (zom.be.tei.ro) *adj.s.m.* **1** (indivíduo) brincalhão <*temperamento z.*> <*era um z. desde criança*> ↺ sisudo ■ *adj.* **2** em que há zombaria, troça, ironia <*respondeu-lhe com um sorriso z.*>

zona (zo.na) *s.f.* **1** região delimitada; faixa <*z. petrolífera*> **2** GEO região com características particulares <*z. urbana*> **3** *B infrm.* local de prostituição **4** *B infrm.* bagunça, desordem <*esse quarto está uma z.*> ↺ organização ▣ **z. franca** ECON área beneficiada com isenção de impostos ou redução de tarifas alfandegárias sobre produtos importados ~ **zonal** *adj.2g.*

zonear (zo.ne.ar) *v.* {mod. 5} *t.d.* **1** separar, delimitar ou distribuir por zonas <*z. a produção industrial*> □ *t.d. e int. B gír.* **2** (fazer) ficar em desordem; bagunçar <*esses meninos gostam de z. (a casa)*> ↺ arrumar **3** promover tumulto, confusão (em) <*vieram só para z. (a festa)*>

zonzeira (zon.zei.ra) *s.f.* tontura, vertigem

zonzo (zon.zo) *adj.* **1** com tonteira <*sentiu-se z. ao levantar*> **2** atordoado, desnorteado <*ficou z. com a notícia*> ↺ tranquilo

zoo (zo.o) /ô/ *s.m.* forma reduzida de jardim zoológico

zoofagia (zo.o.fa.gi.a) *s.f.* ZOO hábito alimentar de certos animais que ingerem a presa ainda viva ~ **zoofágico** *adj.* - **zoófago** *adj.s.m.*

zoofilia (zo.o.fi.li.a) *s.f.* **1** amizade, amor aos animais ☞ cf. *zoofobia* **2** BOT polinização feita por animais ~ **zoófilo** *adj.s.m.*

zoofobia (zo.o.fo.bi.a) *s.f.* MED horror, medo doentio de animais ☞ cf. *zoofilia* ~ **zoófobo** *adj.s.m.*

zoolatria (zo.o.la.tri.a) *s.f.* **1** adoração por animais **2** REL culto a animais considerados como manifestações de divindades ~ **zoólatra** *adj.2g.s.2g.*

zoólite (zo.ó.li.te) ou **zoólito** (zo.ó.li.to) *s.m.* GEOL MINER qualquer animal ou parte de um animal fossilizado ~ **zoolítico** *adj.*

zoologia (zo.o.lo.gi.a) *s.f.* BIO ramo da biologia que estuda os animais ~ **zoologista** *adj.2g.s.2g.*

zoológico (zo.o.ló.gi.co) *adj.* **1** relativo à zoologia ■ *s.m.* **2** jardim zoológico

zoólogo (zo.ó.lo.go) *s.m.* BIO especialista em zoologia

zoom [ing.; pl.: *zooms*] *s.m.* CINE FOT TV zum ⇒ pronuncia-se zum

zooplâncton (zo.o.plânc.ton) [pl.: *zooplânctones*, *zooplânctons*] *s.m.* BIO conjunto de pequenos animais que vivem em suspensão nas águas doces, salobras e marinhas, sem tocar no fundo

zootecnia (zo.o.tec.ni.a) *s.f.* ZOO **1** ciência da produção, criação, trato, domesticação ou manejo de animais **2** ciência que visa ao aumento da produtividade e da rentabilidade na criação de animais economicamente úteis **3** ciência voltada ao aperfeiçoamento genético de animais economicamente úteis ~ **zootécnico** *adj.s.m.*

zorra (zor.ra) /ô/ *s.f.* **1** carro baixo e resistente us. para o transporte de cargas pesadas **2** RECR pião, feito originalmente de folha de flandres, que assobia ao girar **3** *B infrm.* barulheira; bagunça <*a reunião foi uma z.*>

Zr QUÍM símbolo de *zircônio*

zuarte (zu.ar.te) *s.m.* tecido de algodão encorpado e sem refinamento, ger. azul ou preto

zum [pl.: *zuns*] *s.m.* CINE FOT TV **1** efeito de afastamento ou aproximação sucessiva obtido pela variedade de planos com uma câmera ■ *s.f.* CINE FOT TV **2** objetiva especial que permite obter os efeitos de afastamento ou aproximação sucessiva graças à sua distância focal, que, ajustada de forma contínua, oferece vários graus de ampliação sem prejuízo do foco

zumbaia (zum.bai.a) *s.m.* salamaleque

zumbi (zum.bi) *s.m.* **1** ser humano ressuscitado por poderes sobrenaturais, capaz apenas de movimentos automáticos *<assistia a filmes de zumbis uma vez por semana>* **2** *fig.* indivíduo de comportamento maquinal, como se não tivesse consciência ou vontade própria **3** HIST título do chefe de um quilombo; zambi

zumbido (zum.bi.do) *s.m.* **1** ruído de abelha, besouro etc. **2** qualquer ruído semelhante ao dos insetos *<o computador fazia um z. estranho>*

zumbir (zum.bir) *v.* {mod. 24} *int.* **1** fazer ruído ao voar (p.ex., besouro, mosca); zoar, zunir *<um mosquito zumbiu a noite inteira>* ☞ nesta acp., só us. nas 3as p., exceto quando fig. **2** produzir ruído semelhante ao de um inseto; zoar **3** *fig.* perceber (o ouvido) som como um zumbido; zunir *<com o som estridente da serra, seus ouvidos zumbiam>*

zum-zum (zum-zum) [pl.: *zum-zuns*] ou **zum-zum-zum** (zum-zum-zum) [pl.: *zum-zum-zuns*] *s.m.* **1** zumbido **2** *infrm.* boato, falatório *<estava cansada dos z. do escritório>*

zunido (zu.ni.do) *s.m.* zumbido

zunir (zu.nir) *v.* {mod. 24} *int.* **1** movimentar-se produzindo ruído agudo, sibilante; assobiar *<o vento zunia pelas frestas>* **2** zumbir **3** *B* partir ou deslocar-se com pressa, rapidez; correr *<vamos z., se não quisermos perder o avião>* *<como estavam distantes da cidade, os carros zuniam>* ◻ *t.d. e t.d.i. B* **4** (prep. *em*) atirar (algo) com força (em); arremessar *<o menino, com raiva, zuniu a pedra (no vizinho)>*

zura (zu.ra) *adj.2g.s.2g. B infrm.* avarento, sovina *<garoto z.>*

zureta (zu.re.ta) /ê/ *adj.2g.s.2g. infrm.* **1** (indivíduo) amalucado, doido *<ficou z. com a pancada na cabeça>* ↺ ajuizado **2** (indivíduo) aborrecido, indignado *<estava z. com o desrespeito dos colegas>* ↺ calmo

zurrapa (zur.ra.pa) *s.f.* **1** vinho ruim ou estragado **2** *p.ext.* qualquer bebida de má qualidade *<jogue fora essa z., peça outra coisa para beber>* ■ *adj.2g.* **3** de má qualidade; ordinário *<bar z.>*

zurrar (zur.rar) *v.* {mod. 1} *int.* soltar a voz (esp. burro, jumento) ◉ GRAM/USO só us. nas 3as p., exceto quando fig. ~ **zurrador** *adj.s.m.*

zurro (zur.ro) *s.m.* voz do burro

zuruó (zu.ru.ó) *adj. AC N.E. infrm.* confuso, atordoado ou transtornado; azoratado

zurzir (zur.zir) *v.* {mod. 24} *t.d.* **1** bater com chibata, vara etc.; açoitar *<z. um cavalo>* **2** dar golpes violentos em; espancar **3** *fig.* causar dor ou sofrimento a; magoar *<sua indiferença zurzia o coração da namorada>* **4** impor pena ou castigo a; punir *<a justiça zurze os criminosos>* **5** repreender com severidade *<z. um filho>* *<z. os vícios de alguém>*

Adendos I

Adendos

I • Correspondência de medidas

❶ lineares

1 polegada = 2,54 centímetros
1 pé = 12 polegadas = 30,48 centímetros
1 jarda = 3 pés = 91,44 centímetros
1 milha (inglesa) = 1.609,30 metros
1 milha náutica (nó) = 1.853 metros
1 légua terrestre = 3 milhas = 4.827 metros
1 légua marítima = 3 nós = 5.559 metros
1 quilômetro = 1.000 metros

❷ de superfície

1 polegada quadrada
= 6,45 centímetros quadrados
1 pé quadrado = 929,03 centímetros quadrados
1 quilômetro quadrado = 1.000.000
de metros quadrados
1 hectare = 10.000 metros quadrados
1 alqueire mineiro = 4,84 hectares
= 48.400 metros quadrados
1 alqueire paulista = 2,42 hectares
= 24.200 metros quadrados

❸ de volume líquido

1 galão inglês = 4,54 litros
1 galão americano = 3,78 litros
1 barril = 42 galões americanos = 159 litros
1 *pint* = 1/8 galão inglês = 0,568 litro

❹ de volume sólido

1 *bushel* = 8 galões ingleses = 36,37 litros

❺ de peso comum

1 onça = 1/16 libra = 28,35 gramas
1 libra = 453,60 gramas
1 tonelada inglesa = 2.240 libras
= 1.016 quilos
1 tonelada americana
= 2.000 libras = 907,20 quilos

❻ de peso de pedras preciosas

1 quilate = 200 miligramas
1 onça *troy* = 31,10 gramas
1 libra = 12 onças *troy* = 373,20 gramas
1 grão = 64,80 gramas

II • Prefixos para múltiplos e submúltiplos decimais

múltiplos	submúltiplos
10 – deca (da)	10^{-1} – deci (d)
10^2 – hecto (h)	10^{-2} – centi (c)
10^3 – quilo (k)	10^{-3} – mili (m)
10^6 – mega (M)	10^{-6} – micro (µ)
10^9 – giga (G)	10^{-9} – nano (n)
10^{12} – tera (T)	10^{-12} – pico (p)

III • Unidades de base

Comprimento: metro (m)
Massa: quilograma (kg)
Tempo: segundo (s)
Intensidade de corrente elétrica: ampere (A)
Temperatura termodinâmica: Kelvin (K)
Intensidade luminosa: candela (cd)
Quantidade de matéria: mol (mol)

IV • Unidades derivadas

Superfície: metro quadrado
Volume: metro cúbico
Velocidade: metro por segundo
Aceleração: metro por segundo ao quadrado
Densidade: quilograma por metro cúbico
Frequência: hertz
Força: newton
Pressão: quilograma por metro quadrado
Energia, trabalho, quantidade de calor: joule
Potência: watt
Tensão elétrica, potencial elétrico: volt
Resistência elétrica: ohm
Capacitância: farad

V • Quadro de algarismos

arábico	romano
1	I
2	II
3	III
4	IV (IIII)
5	V
6	VI
7	VII
8	VIII
9	IX
10	X
11	XI
12	XII
13	XIII
14	XIV (XIIII)
15	XV
16	XVI
17	XVII
18	XVIII
19	XIX (XVIIII)
20	XX
21	XXI
25	XXV
29	XXIX (XXVIIII)
30	XXX
40	XL (XXXX)
50	L
60	LX
70	LXX
80	LXXX
90	XC (LXXXX)
100	C
101	CI
105	CV
110	CX
200	CC
300	CCC
400	CD (CCCC)
500	D
600	DC
700	DCC
800	DCCC
900	CM (DCCCC)
1.000	M
2.000	MM
3.000	MMM

VI • Quadro dos numerais

nº	cardinal	ordinal	fracionário
1	um	primeiro	—
2	dois	segundo	meio
3	três	terceiro	terço
4	quatro	quarto	quarto
5	cinco	quinto	quinto
6	seis	sexto	sexto
7	sete	sétimo	sétimo
8	oito	oitavo	oitavo
9	nove	nono	nono
10	dez	décimo	décimo
11	onze	undécimo ou décimo primeiro	onze avos
12	doze	duodécimo ou décimo segundo	doze avos
13	treze	décimo terceiro	treze avos
14	catorze (quatorze)	décimo quarto	catorze (quatorze) avos
15	quinze	décimo quinto	quinze avos
16	dezesseis	décimo sexto	dezesseis avos
17	dezessete	décimo sétimo	dezessete avos
18	dezoito	décimo oitavo	dezoito avos
19	dezenove	décimo nono	dezenove avos
20	vinte	vigésimo	vinte avos ou vigésimo
21	vinte e um	vigésimo primeiro	vinte e um avos
30	trinta	trigésimo	trinta avos ou trigésimo
31	trinta e um	trigésimo primeiro	trinta e um avos
40	quarenta	quadragésimo	quarenta avos ou quadragésimo
41	quarenta e um	quadragésimo primeiro	quarenta e um avos
50	cinquenta	quinquagésimo	cinquenta avos ou quinquagésimo
51	cinquenta e um	quinquagésimo primeiro	cinquenta e um avos
60	sessenta	sexagésimo	sessenta avos ou sexagésimo
61	sessenta e um	sexagésimo primeiro	sessenta e um avos
70	setenta	septuagésimo	setenta avos ou septuagésimo
71	setenta e um	septuagésimo primeiro	setenta e um avos
80	oitenta	octogésimo	oitenta avos ou octogésimo
81	oitenta e um	octogésimo primeiro	oitenta e um avos
90	noventa	nonagésimo	noventa avos ou nonagésimo
91	noventa e um	nonagésimo primeiro	noventa e um avos
100	cem	centésimo	cem avos ou centésimo
101	cento e um	centésimo primeiro	cento e um avos
200	duzentos	ducentésimo	duzentos avos ou ducentésimo
300	trezentos	trecentésimo ou tricentésimo	trezentos avos ou trecentésimo
400	quatrocentos	quadringentésimo	quatrocentos avos ou quadringentésimo
500	quinhentos	quingentésimo	quinhentos avos ou quingentésimo
600	seiscentos	sexcentésimo ou seiscentésimo	seiscentos avos ou sexcentésimo
700	setecentos	septingentésimo ou setingentésimo	setecentos avos ou septingentésimo
800	oitocentos	octingentésimo	oitocentos avos ou octingentésimo
900	novecentos	nongentésimo ou noningentésimo	novecentos avos ou nongentésimo
1.000	mil	milésimo	milésimo
2.000	dois mil	segundo milésimo ou bismilésimo	dois mil avos ou bismilésimo
3.000	três mil	terceiro milésimo	três mil avos

nº	cardinal	ordinal	fracionário
4.000	quatro mil	quarto milésimo	quatro mil avos
5.000	cinco mil	quinto milésimo	cinco mil avos
6.000	seis mil	sexto milésimo	seis mil avos
7.000	sete mil	sétimo milésimo	sete mil avos
8.000	oito mil	oitavo milésimo	oito mil avos
9.000	nove mil	nono milésimo	nove mil avos
10.000	dez mil	décimo milésimo	dez mil avos
20.000	vinte mil	vigésimo milésimo	vinte mil avos
100.000	cem mil	centésimo milésimo	cem mil avos
200.000	duzentos mil	ducentésimo milésimo	duzentos mil avos
1.000.000	um milhão	milionésimo	milionésimo
10.000.000	dez milhões	décimo milionésimo	dez milhões de avos
10^9	um bilhão	bilionésimo	bilionésimo
10^{12}	um trilhão	trilionésimo	trilionésimo

VII • Correspondência entre os alfabetos grego e latino

grego *(minúscula)*	**grego *(maiúscula)***	**nome da letra grega**	**correspondente latino**
α	Α	alfa	a/A
β	Β	beta	b/B
γ	Γ	gama	g/G
δ	Δ	delta	d/D
ε	Ε	épsilon	e/E
ζ	Ζ	dzeta	z/Z
η	Η	eta	e/E
θ	Θ	teta	th/Th
ι	Ι	iota	i/I
κ	Κ	capa	k/K
λ	Λ	lambda	l/L
μ	Μ	mi (mu)	m/M
ν	Ν	ni (nu)	n/N
ξ	Ξ	xi (csi)	ks/Ks
ο	Ο	ômicron	o/O
π	Π	pi	p/P
ρ	Ρ	rô	r, rh/R, Rh (inicial)
σ, ς	Σ	sigma	s/S
τ	Τ	tau	t/T
υ	Υ	ípsilon	u/U
ϕ, φ	Φ	fi	ph/Ph
χ	Χ	qui (chi)	kh/Kh
ψ	Ψ	psi	ps/Ps
ω	Ω	ômega	Ö/O

VIII • Lista de elementos químicos

nome	símbolo	nº atômico
Actínio	Ac	89
Alumínio	Al	13
Amerício	Am	95
Antimônio	Sb	51
Argônio	Ar	18
Arsênio	As	33
Astatínio	At	85
Bário	Ba	56
Berílio	Be	4
Berkélio	Bk	97
Bismuto	Bi	83
Bóhrio	Bh	107
Boro	B	5
Bromo	Br	35
Cádmio	Cd	48
Cálcio	Ca	20
Califórnio	Cf	98
Carbono	C	6
Cério	Ce	58
Césio	Cs	55
Chumbo	Pb	82
Cloro	Cl	17
Cobalto	Co	27
Cobre	Cu	29
Criptônio	Kr	36
Cromo	Cr	24
Cúrio	Cm	96
Darmastádtio	Ds	110
Disprósio	Dy	66
Dúbnio	Db	105
Einstêinio	Es	99
Enxofre	S	16
Érbio	Er	68
Escândio	Sc	21
Estanho	Sn	50
Estrôncio	Sr	38
Európio	Eu	63
Férmio	Fm	100
Ferro	Fe	26
Flúor	F	9
Fósforo	P	15
Frâncio	Fr	87
Gadolínio	Gd	64
Gálio	Ga	31
Germânio	Ge	32
Háfnio	Hf	72
Hássio	Hs	108
Hélio	He	2
Hidrogênio	H	1
Hólmio	Ho	67
Índio	In	49
Iodo	I	53
Irídio	Ir	77
Itérbio	Yb	70
Ítrio	Y	39
Lantânio	La	57
Laurêncio	Lr	103
Lítio	Li	3
Lutécio	Lu	71

nome	símbolo	nº atômico
Magnésio	Mg	12
Manganês	Mn	25
Meitnério	Mt	109
Mendelévio	Md	101
Mercúrio	Hg	80
Molibdênio	Mo	42
Neodímio	Nd	60
Neônio	Ne	10
Netúnio	Np	93
Nióbio	Nb	41
Níquel	Ni	28
Nitrogênio	N	7
Nobélio	No	102
Ósmio	Os	76
Ouro	Au	79
Oxigênio	O	8
Paládio	Pd	46
Platina	Pt	78
Plutônio	Pu	94
Polônio	Po	84
Potássio	K	19
Praseodímio	Pr	59
Prata	Ag	47
Promécio	Pm	61
Protactínio	Pa	91
Rádio	Ra	88
Radônio	Rn	86
Rênio	Re	75
Ródio	Rh	45
Roentgênio	Rg	111
Rubídio	Rb	37
Rutênio	Ru	44
Rutherfórdio	Rf	104
Samário	Sm	62
Seabórgio	Sg	106
Selênio	Se	34
Silício	Si	14
Sódio	Na	11
Tálio	Tl	81
Tântalo	Ta	73
Tecnécio	Tc	43
Telúrio	Te	52
Térbio	Tb	65
Titânio	Ti	22
Tório	Th	90
Túlio	Tm	69
Tungstênio	W	74
Unúmbio	Uub	112
Ununéxio	Uuh	116
Ununquádio	Uuq	114
Ununóctio	Uuo	118
Unumpêntio	Uup	115
Unúntrio	Uut	113
Urânio	U	92
Vanádio	V	23
Xenônio	Xe	54
Zinco	Zn	30
Zircônio	Zr	40

* Em *itálico*, os elementos artificiais.

IX • Tabela periódica

Zn *Sólido*

Hg *Líquido*

Ne *Gás*

Cf *Artificial*

1 → *Número Atômico*
H → *Símbolo*
1,0079 → *Massa Atômica*

* Série dos Lantanídeos

◊ Série dos Actinídeos

1	2	3	4	5	6	7	8	9	10	11	12	13	14	15	16	17	18
1 H 1,0079																	2 He 4,0026
3 Li 6,941	4 Be 9,0122											5 B 10,811	6 C 12,011	7 N 14,007	8 O 15,999	9 F 18,998	10 Ne 20,180
11 Na 22,990	12 Mg 24,305											13 Al 26,982	14 Si 28,086	15 P 30,974	16 S 32,065	17 Cl 35,453	18 Ar 39,948
19 K 39,098	20 Ca 40,078	21 Sc 44,956	22 Ti 47,867	23 V 50,942	24 Cr 51,996	25 Mn 54,938	26 Fe 55,845	27 Co 58,933	28 Ni 58,693	29 Cu 63,546	30 Zn 65,409	31 Ga 69,723	32 Ge 72,64	33 As 74,922	34 Se 78,96	35 Br 79,904	36 Kr 83,798
37 Rb 85,468	38 Sr 87,62	39 Y 88,906	40 Zr 91,224	41 Nb 92,906	42 Mo 95,94	43 Tc [98]	44 Ru 101,07	45 Rh 102,91	46 Pd 106,42	47 Ag 107,87	48 Cd 112,41	49 In 114,82	50 Sn 118,71	51 Sb 121,76	52 Te 127,60	53 I 126,90	54 Xe 131,29
55 Cs 132,91	56 Ba 137,33	57-71 *	72 Hf 178,49	73 Ta 180,95	74 W 183,84	75 Re 186,21	76 Os 190,23	77 Ir 192,22	78 Pt 195,08	79 Au 196,97	80 Hg 200,59	81 Tl 204,38	82 Pb 207,2	83 Bi 208,98	84 Po [209]	85 At [210]	86 Rn [222]
87 Fr [223]	88 Ra [226]	89-103 ◊	104 Rf [261]	105 Db [262]	106 Sg [266]	107 Bh [264]	108 Hs [270]	109 Mt [268]	110 Ds [281]	111 Rg [272]	112 Uub [285]	113 Uut [284]	114 Uuq [289]	115 Uup [288]	116 Uuh [291]		118 Uuo [294]

57 La 138,91	58 Ce 140,12	59 Pr 140,91	60 Nd 144,24	61 Pm [145]	62 Sm 150,36	63 Eu 151,96	64 Gd 157,25	65 Tb 158,93	66 Dy 162,50	67 Ho 164,93	68 Er 167,26	69 Tm 168,93	70 Yb 173,04	71 Lu 174,97
89 Ac [227]	90 Th 232,04	91 Pa 231,04	92 U 238,03	93 Np [237]	94 Pu [244]	95 Am [243]	96 Cm [247]	97 Bk [247]	98 Cf [251]	99 Es [252]	100 Fm [257]	101 Md [258]	102 No [259]	103 Lr [262]

X • Fahrenheit/Centígrados, Centígrados/Fahrenheit

Na conversão de Fahrenheit em graus centígrados (ou vice-versa), vá sempre à coluna central, em números mais escuros. O equivalente da temperatura procurada em graus Fahrenheit aparece em graus Celsius à direita e o equivalente da temperatura em graus Celsius aparece em Fahrenheit à esquerda.

°F		°C
– 40,0	**– 40**	– 40,0
– 38,2	**– 39**	– 39,4
– 36,4	**– 38**	– 38,9
– 34,6	**– 37**	– 38,3
– 32,8	**– 36**	– 37,8
– 31	**– 35**	– 37,2
– 29,2	**– 34**	– 36,7
– 27,4	**– 33**	– 36,1
– 25,6	**– 32**	– 35,6
– 23,8	**– 31**	– 35
– 22	**– 30**	– 34,4
– 20,2	**– 29**	– 33,9
– 18,4	**– 28**	– 33,3
– 16,6	**– 27**	– 32,8
– 14,8	**– 26**	– 32,2
– 13	**– 25**	– 31,7
– 11,2	**– 24**	– 31,1
– 9,4	**– 23**	– 30,6
– 7,6	**– 22**	– 30
– 5,8	**– 21**	– 29,4
– 4	**– 20**	– 28,9
– 2,2	**– 19**	– 28,3
– 0,4	**– 18**	– 27,8
1,4	**– 17**	– 27,2
3,2	**– 16**	– 26,7
5	**– 15**	– 26,1
6,8	**– 14**	– 25,6
8,6	**– 13**	– 25
10,4	**– 12**	– 24,4
12,2	**– 11**	– 23,9
14	**– 10**	– 23,3
15,8	**– 9**	– 22,8
17,6	**– 8**	– 22,2
19,4	**– 7**	– 21,7
21,2	**– 6**	– 21,1
23	**– 5**	– 20,6
24,8	**– 4**	– 20
26,6	**– 3**	– 19,4
28,4	**– 2**	– 18,9
30,2	**– 1**	– 18,3

°F		°C
32	**0**	– 17,8
33,8	**1**	– 17,2
35,6	**2**	– 16,7
37,4	**3**	– 16,1
39,2	**4**	– 15,6
41	**5**	– 15
42,8	**6**	– 14,4
44,6	**7**	– 13,9
46,4	**8**	– 13,3
48,2	**9**	– 12,8
50	**10**	– 12,2
51,8	**11**	– 11,7
53,6	**12**	– 11,1
55,4	**13**	– 10,6
57,2	**14**	– 10
59	**15**	– 9,4
60,8	**16**	– 8,9
62,6	**17**	– 8,3
64,4	**18**	– 7,8
66,2	**19**	– 7,2
68	**20**	– 6,7
69,8	**21**	– 6,1
71,6	**22**	– 5,6
73,4	**23**	– 5
75,2	**24**	– 4,4
77	**25**	– 3,9
78,8	**26**	– 3,3
80,6	**27**	– 2,8
82,4	**28**	– 2,2
84,2	**29**	– 1,7
86	**30**	– 1,1
87,8	**31**	– 0,6
89,6	**32**	0
91,4	**33**	0,6
93,2	**34**	1,1
95	**35**	1,7
96,8	**36**	2,2
96,6	**37**	2,8
100,4	**38**	3,33
102,2	**39**	3,89

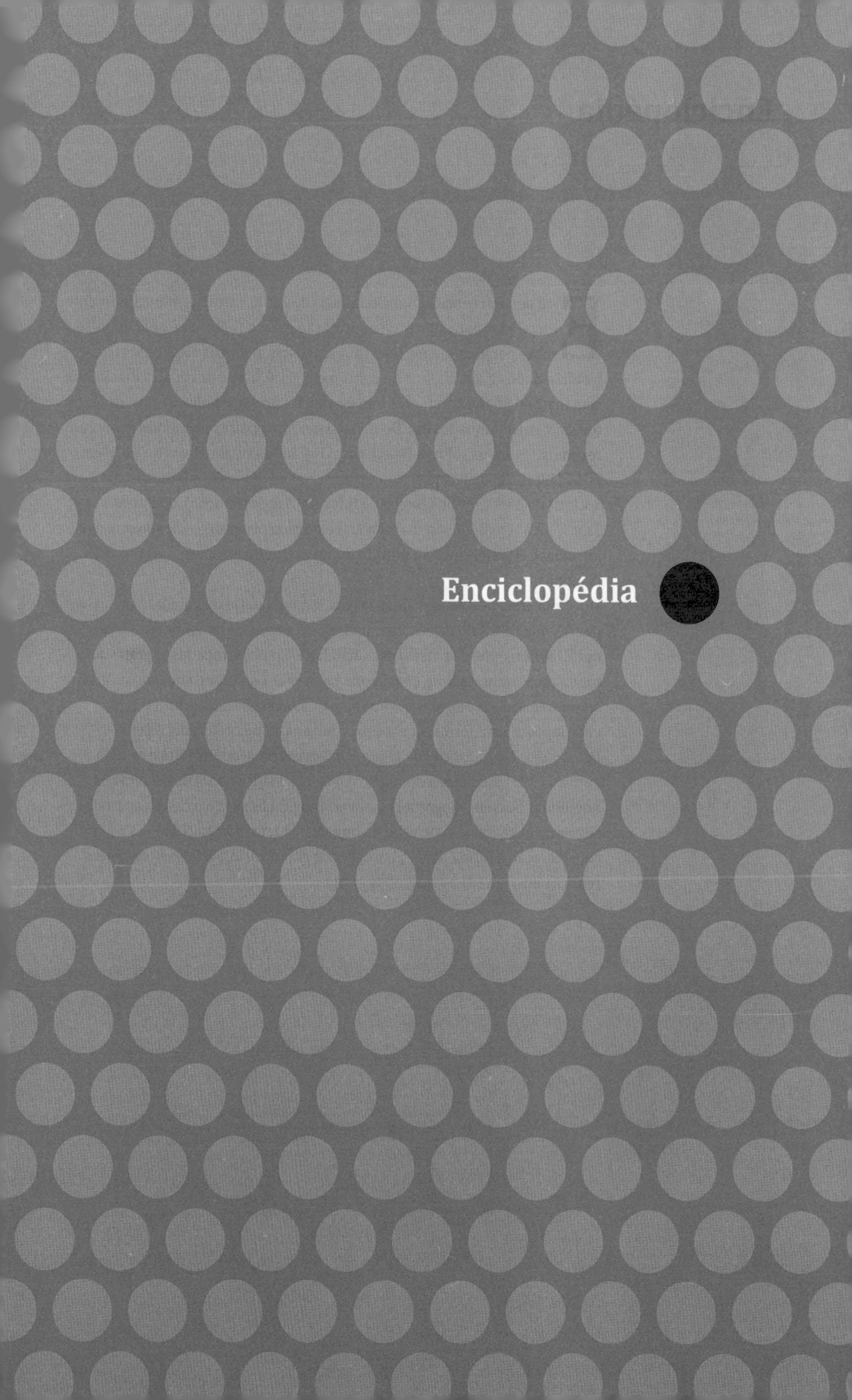
Enciclopédia

Enciclopédia

Vera Lúcia Coelho Villar

Esta pequena enciclopédia tem mais de 2.200 entradas minuciosamente escolhidas para suprir de informação geral os leitores, estendendo-se sobre personalidades (escritores, artistas, políticos etc.), cenas da história, dados geográficos e de cultura em geral. Todas as cidades brasileiras com mais de 50 mil habitantes têm verbetes com seus dados de produção, turismo, bens tombados etc. Do mesmo modo, os países do mundo ganharam resumos. Os dados sobre o Brasil são extraídos das estimativas do IBGE em 2014 (Diretoria de Pesquisas, Coordenação de População e Indicadores Sociais) da aneel.gov.br (Banco de Informações de Geração), do Portal Transporta Brasil (quanto a rodovias) e do blog.planalto.gov.br (quanto a ferrovias). Os referentes ao mundo foram obtidos nas fontes mais recentes disponíveis.

Uma série de adendos finaliza esta segunda parte do volume e inclui os pontos mais altos do Brasil, um quadro de nossas capitanias hereditárias, outro, abrangente, de países/nacionalidade/idiomas/moedas. A grafia de topônimos como: *Aquirás, Camajaribe, Campos de Goitacases, Itaquatiara, Majé, Moçoró, Mojiguaçu, Mojimirim, Piraçununga, Susano* não segue, nesta enciclopédia, esta forma, que a é preconizada como preferencial pelo *Vocabulário Onomástico da Lingua Portuguesa* da Academia Brasileira de Letras (1999), mas sim a do registro das localidades no IBGE. Quanto aos nomes das pessoas biografadas, a averbação foi feita, salvo casos especiais, seguindo as regras de correção da língua; não leva, portanto, em consideração a forma dos registros feitos em cartório, se diferentes dessas regras, nem reproduz ortografias antigas.

Aachen, Aix-la-Chapelle para os franceses, cidade da Alemanha. Foi capital do império de Carlos Magno, que ali morreu. Termas.

Abaeté, lagoa situada em Salvador BA, famosa pelo contraste de suas águas escuras com as areias brancas.

Abaetetuba (PA), município com 1.610,4 km^2, no nordeste paraense. Desmembrado de Belém e instalado (1880) com o antigo nome de Abaeté, obteve o nome definitivo em 1943. Hab.: 148.873.

ABC (região do), região industrial do Estado de São Paulo, formada pelos municípios de Santo André, São Bernardo do Campo e São Caetano do Sul; por vezes inclui-se o município de Diadema, mudando a sigla para ABCD.

Abel, filho de Adão e Eva, que, segundo a Bíblia, foi morto pelo irmão, Caim.

Abertura dos Portos, ato (28/01/1808) do príncipe regente português D. João, mais tarde rei D. João VI o Clemente, suspendendo o monopólio português e abrindo os portos brasileiros às nações amigas.

Abrafil sigla de *Academia Brasileira de Filologia*.

ABI sigla de *Associação Brasileira de Imprensa*.

Abissínia, antigo nome da *Etiópia*.

ABL sigla de *Academia Brasileira de Letras*.

ABNT sigla de *Associação Brasileira de Normas Técnicas*.

Abolicionismo, movimento pela extinção do trabalho escravo, cuja figura principal no Brasil foi Joaquim Nabuco, e que culminou com a promulgação da Lei Áurea (13/05/1888).

Abraão patriarca hebreu, uma das figuras importantes do Antigo Testamento da Bíblia, cuja obediência foi testada por Deus, que lhe ordenou o sacrifício do filho Isaac.

Abrantes (Miguel Calmon Du Pin e Almeida, **marquês de**) [Santo Amaro BA, 1794 ou 1796 — Rio de Janeiro RJ, 1865], diplomata e estadista brasileiro, várias vezes ministro e defensor do Brasil em causas internacionais.

Abreu, João **Capistrano** Honório **de** [Maranguape CE, 1853 — Rio de Janeiro RJ, 1927], historiador e pesquisador brasileiro. Obras: *O descobrimento do Brasil e o seu desenvolvimento no século XVI*, *Capítulos de história colonial* etc.

Abreu, Casimiro José Marques **de** [Capivari, atual Barra de São João RJ, 1839 — Nova Friburgo RJ, 1860], poeta romântico brasileiro, compôs esp. versos sobre a infância, a vida em família e a saudade da pátria, reunidos em um único livro, *Primaveras*. Patrono da cadeira 6 da ABL.

Abreu, **Manoel** Dias **de** [São Paulo SP, 1894 — Rio de Janeiro RJ, 1962], médico e cientista brasileiro, inventor da *abreugrafia*, método de fixação fotográfica da imagem radioscópica.

Abreu (José Gomes de Abreu, dito **Zequinha de**) [Sta. Rita do Passa Quatro SP, 1880 — São Paulo SP, 1935], pianista e compositor popular brasileiro, autor de maxixes, valsas, como *Tardes de Lindoia*, e choros, como o *Tico-tico no fubá*.

Abreu e Lima (PE), município com 126,1 km^2, situado na região metropolitana do Recife. Hab.: 98.201.

Abrolhos (arquipélago de), área de proteção ambiental composta de cinco ilhas (Guarida, Sueste, Siriba, Sta. Bárbara e Redonda), situada no sul da Bahia, 70 km ao largo do município de Caravelas BA.

Academia Brasileira de Ciências (ABC), instituição científica privada fundada em 1916, no Rio de Janeiro, com o nome de Sociedade Brasileira de Ciências. Possui centenas de membros titulares e associados. Publicações: *Anais da Academia Brasileira de Ciências* e *Revista Brasileira de Biologia*.

Academia Brasileira de Filologia (Abrafil), entidade cultural fundada em 1944, no Rio de Janeiro, com o objetivo de estudar a língua e seus documentos e estabelecer a autenticidade de textos literários. Compõe-se de 40 membros vitalícios, brasileiros, e de sócios correspondentes, do país e estrangeiros.

Academia Brasileira de Letras (ABL), instituição criada por Machado de Assis e Lúcio de Mendonça, no Rio de Janeiro (1896), com a finalidade de preservar a língua e a literatura nacionais, é composta de 40 membros efetivos e perpétuos. Publica atualmente: *Revista brasileira*, *Discursos acadêmicos*, *Vocabulário ortográfico da língua portuguesa* etc.

Academia Brasileira de Música (ABM), instituição fundada pelo compositor Heitor Villa-Lobos, no Rio de Janeiro (1945), é constituída de 40 membros, personalidades de destaque nas áreas da composição e educação musical, da interpretação e da musicologia.

Academia Nacional de Medicina (ANM), sociedade fundada em 1829 sob o nome de Sociedade de Medicina do Rio de Janeiro, que promove o estudo das ciências médicas e colabora com o governo como órgão consultivo em questões de saúde pública. Conta com 100 membros titulares. Publicação: *Boletim Informativo da Academia Nacional de Medicina*.

Açailândia (MA), município com 5.806,4 km^2, situado na divisa com o Estado do Pará, na área de transição de palmeiras e cerrados para a Floresta Amazônica. Hab.: 108.765.

Ação Integralista Brasileira (1932-1938), organização política de âmbito nacional inspirada no fascismo italiano, fundada por Plínio Salgado.

Acará (PA), município com 4.343,8 km^2; a Denpasa cultiva ali 3.152 hectares de palma para a produção de óleo. Hab.: 54.047.

Acaraú (CE), município com 842,5 km², situado na foz do rio de mesmo nome, no norte do estado. Pesca (maior produtor de lagosta do Brasil), agricultura e pecuária. Turismo. Hab.: 60.684.

Acari (RN), município com 608,5 km², situado na divisa com o Estado da Paraíba; antiga aldeia dos indígenas cariris. Casa de Câmara e Cadeia e Igreja de N.S.ª do Rosário tombadas pelo Iphan. Hab.: 11.349.

Aconcágua (pico do), ponto culminante dos Andes e do continente americano, na Argentina, com 6.962 m.

Acopiara (CE), município com 2.265,3 km², localizado na região centro-sul do estado. Agricultura e criação de aves. Hab.: 52.903.

Açores, arquipélago português (ilhas: São Miguel, Terceira, São Jorge, Faial, Graciosa, Pico, Santa Maria, Flores e Corvo), no oceano Atlântico, com 2.333 km². Região autônoma desde 1976, com assembleia e governo próprios. Capital: *Ponta Delgada*; recurso principal: agropecuária. Hab.: 246.746 (2011).

Acra, capital de Gana, porto no golfo da Guiné. Recursos principais: agricultura, pesca e indústria (manufatureira, madeireira, têxtil). Hab.: 2.291.352 (2013).

Acre (AC), estado brasileiro desde 1962, na Região Norte, com 164.123,739 km² e 22 municípios, sendo os mais populosos, além da capital: Cruzeiro do Sul e Tarauacá. Grande parte da população é ribeirinha e utiliza barcos para locomover-se. A Floresta Amazônica recobre todo o estado, com suas seringueiras, palmeiras e bambuzais, além de árvores frutíferas (açaí, andiroba, camu-camu, copaíba, cacau etc.) e plantas medicinais. Capital: *Rio Branco*; recursos principais: borracha, castanha-do-pará e madeira. Hab.: 790.101 (est. 2014).

Açu (RN), município com 1.303,4 km², localizado na região do Vale do Açu. Agricultura (fruticultura voltada para a exportação) e pecuária. Cerâmica. Hab.: 56.829.

Adão, segundo a Bíblia, o primeiro homem criado por Deus, expulso do paraíso terrestre juntamente com a mulher, *Eva*, após ter comido o fruto proibido.

Adonias Aguiar **Filho** [Ilhéus BA, 1915 — *id.*, 1990], jornalista, crítico, ensaísta e romancista brasileiro. Membro da ABL. Obras: *O forte*, *Corpo vivo*, *Memórias de Lázaro* etc.

Adônis, na mitologia grega, rapaz de grande beleza, nascido da casca da árvore em que sua mãe, Mirra, foi transformada pelos deuses. Afrodite apaixonou-se por ele.

Adorno, Antônio **Dias** [?, Bahia, ? — ?, Bahia, 1583], sertanista, chefiou uma bandeira na Bahia, em fevereiro de 1574, à procura de pedras preciosas.

Adriático (mar), formado pelo Mediterrâneo, banha a Itália, a Albânia, a Eslovênia, a Croácia, a Bósnia-Herzegovina e Montenegro.

Afeganistão, país da Ásia, entre o Irã e o Paquistão, com 652.864 km². Em 2004 ganhou nova constituição e adotou o regime presidencial. Em 2005 teve novo parlamento eleito. Capital: *Cabul*; recursos principais: agricultura (trigo, uva, outras frutas, algodão em pluma), mineração (lápis-lazúli) e indústria: alimentícia, têxtil (algodão), fertilizantes (químicos) etc. Hab.: 31.822.848 (2014).

Afonso Celso, (Afonso Celso de Assis Figueiredo Júnior) [Ouro Preto MG, 1860 — Rio de Janeiro RJ, 1938], político, escritor e jornalista brasileiro, um dos membros fundadores da Academia Brasileira de Letras. Obras: *Oito anos de parlamento*, *Porque me ufano de meu país*, *O imperador no exílio* etc.

Afonso, Martim ver *Tibiriçá*

África, um dos cinco continentes, com 30.221.532 km² e 54 países. Pode-se dividi-lo em cinco regiões: Norte, Ocidental, Centro-ocidental, Centro-oriental e Meridional. A característica peculiar da Região Norte é o deserto do Saara, que se estende por mais de um quarto do território africano. Recursos minerais: grandes jazidas de carvão; reservas de petróleo e de gás natural; as maiores reservas do mundo de ouro, diamantes, cobre, bauxita, manganês, níquel etc. Hab.: aprox. 1,031 bilhão (2010).

África do Sul (República da), país da África, com 1.221.037 km², situado no sul do continente, dividido em nove províncias. República presidencialista desde 1994. Capitais: *Pretória* (administrativa), *Cidade do Cabo* (legislativa) e *Bloemfontein* (judiciária); recurso principal: mineração (carvão, ouro, minério de ferro). Hab.: 53.071.000 (2013).

Afrodite, Vênus entre os romanos, segundo a mitologia foi uma das 12 divindades gregas do Olimpo, considerada a deusa da beleza, do amor e da fertilidade.

Agostinho, santo [Tagaste, Argélia 354 — Hipona (entre as atuais Argélia e Tunísia), 430], filho de santa Mônica, é um dos doutores da Igreja e seus escritos são um tratado sobre a fé, no qual demonstra todo seu amor e devoção ao Criador. Obras: *De civitate Dei* ("Sobre a cidade de Deus") e *Confessiones* ("Confissões").

Agreste, região semiárida do Nordeste brasileiro, com vegetação intermediária entre a floresta e a caatinga, faixa de transição entre a Zona da Mata e o Sertão.

Águas Lindas de Goiás (GO), município com 188,4 km², situado no entorno de Brasília. Foi instalado em 1997. Hab.: 182.526.

Agulhas Negras (pico das), (2.791 m) no maciço de Itatiaia, um dos dez maiores do Brasil, na fronteira entre os estados do Rio de Janeiro e Minas Gerais.

Aires, Matias Ramos da Silva de Eça [São Paulo SP, 1705 — Lisboa, Portugal, 1763], escritor brasileiro, cursou Direito na Universidade de Coimbra (1722) e viveu em Paris (1728-1733), onde estudou Direito Civil e Canônico, Física, Química e Matemática. Escreveu *Reflexões sobre a vaidade dos homens* (1752), obra moralista, de grande êxito na época.

Alagoas (AL), estado brasileiro desde 1889, na Região Nordeste, com 27.774,993 km² e 102 municípios, sendo os mais populosos, além da capital: Arapiraca, Palmeira dos Índios, União dos Palmares e Rio Largo. É um dos estados brasileiros mais densamente povoados. Capital: *Maceió*; recursos principais: agroindústria do açúcar e do álcool, polo alcoolquímico, indústrias (têxtil e de alimentos) e turismo. Hab.: 3.321.730 (est. 2014).

Alagoinhas (BA), município com 718,1 km², o maior produtor baiano de limão. Hab.: 153.560.

Alasca, região a noroeste da América do Norte, com 1.717.856 km², comprada do Império Russo pelos EUA (1867); é estado americano desde 1959. Capital: *Juneau*; recursos principais: pesca do salmão, exploração de ouro, petróleo e carvão e turismo. Hab.: 731.449 (2012).

Albânia, país da Europa, nos Bálcãs, às margens do mar Adriático, com 28.750 km². República parlamentarista desde 1991. Capital: *Tirana*; recursos principais: agricultura (trigo, batata, milho) e pecuária. Hab.: 2.783.000 (2012).

Albuquerque, Jerônimo [?,? — Olinda PE 1854], chegou em outubro de 1535 ao Brasil, na comitiva de Duarte Coelho. Feito prisioneiro pelos tabajaras, ia ser devorado, mas foi salvo pela filha do cacique Arco Verde, depois batizada Maria do Espírito Santo Arco Verde. Da união com Maria nasceram oito filhos, inaugurando a mais antiga linhagem miscigenada pernambucana. — **Jerônimo de Albuquerque Maranhão** [Olinda PE, 1548 — São Luís MA, 1618], seu filho, militar e colonizador brasileiro, lutou junto ao pai contra os indígenas potiguares; reconquistou a Capitania do Rio Grande (atual Rio Grande do Norte) invadida por franceses e fundou a cidade de Natal em 25/12/1599. Capitão-mor da capitania do Maranhão, fixou-se na cidade de São Luís, onde faleceu.

Albuquerque Coelho, **Matias de** (marquês de Alegrete) [Olinda PE, 1590 — Lisboa, 1647], governador da capitania de Pernambuco (1620) e governador-geral (1624), sucedendo a Diogo de Mendonça Furtado, combateu os holandeses, retomou Porto Calvo e fez enforcar Domingos Calabar.

Alcântara (MA), município com 1.457,9 km², situado na baía de São Marcos, que a separa de São Luís; foi das mais ricas cidades do país. Conjunto arquitetônico e urbanístico tombado pelo Iphan. Abriga uma base aeroespacial. Hab.: 21.652.

Alcorão ou **Corão**, livro sagrado que contém o código religioso, moral e político dos muçulmanos, segundo a tradição transmitido por Deus a Maomé por meio do arcanjo Gabriel.

Alegrete (RS), município com 7.803,9 km², o maior do estado em área. Agropecuária, possuindo o maior rebanho bovino do estado. Hab.: 78.768.

Aleijadinho (Antônio Francisco Lisboa, dito **o**) [Ouro Preto MG, c. 1730 — *id.*, 1814], arquiteto e escultor do Rococó brasileiro, autor de numerosas obras, entre as quais as estátuas dos 12 profetas e as 66 imagens dos Passos do Calvário, em Congonhas do Campo MG.

Alemanha (República Federal da), país do centro-norte da Europa, com 357.137 km². República parlamentarista desde 1990, divide-se em 16 estados. Capital da Alemanha unificada desde 1990: *Berlim*; recurso principal: indústria, esp. automobilística. Hab.: 80.780.000 (2014).

Alencar, José Martiniano **de** [Mecejana CE, 1829 — Rio de Janeiro RJ, 1877], escritor considerado o maior representante do Romantismo brasileiro. Obras: *O guarani*, *Iracema*, *Senhora* etc. Patrono da cadeira 23 da ABL.

Alenquer (PA), município com 23.645,4 km², localizado na margem esquerda do rio Amazonas. Pecuária, pesca. Turismo (pinturas ruprestes, no local denominado Morada dos Deuses). Hab.: 54.353.

Alexandre Magno ou **o Grande** [Pela, Macedônia, 356 a.C. — Babilônia, 323 a.C.], rei da Macedônia, foi aluno de Aristóteles. Por muitos considerado o maior gênio militar da história, lutou contra os persas e derrotou Dario III. Em poucos anos expandiu o território helênico por todo o império persa, o maior reunido por um homem.

Alfaiates, Revolta dos ver *Baiana, Conjuração*

Alfenas (MG), município com 850,4 km², instalado em 1869; é cercado pela represa da hidrelétrica de Furnas. Hab.: 78.176.

Aliança Renovadora Nacional (Arena), partido político brasileiro criado pelo Ato Institucional nº 2 (1965), que extinguiu os partidos existentes e implantou o bipartidarismo no país.

Almeida, Aracy Teles **de** [Rio de Janeiro RJ, 1914 — *id.*, 1988], cantora popular, começou na Rádio Educadora em 1933. Amiga e principal intérprete de Noel Rosa, gravou 30 músicas do compositor.

Almeida, Guilherme de Andrade e [Campinas SP, 1890 — São Paulo SP, 1969], jornalista, escritor e tradutor, participou da Semana de Arte Moderna (1922). Obras: *Nós*, *A dança das horas*, *A frauta que eu perdi* etc. (poesia); *Do sentimento nacionalista na poesia brasileira*, *Histórias talvez* (prosa) etc.

Almeida, José Américo de [Areia PB, 1887 — João Pessoa PB, 1980], ficcionista, ensaísta e político brasileiro, membro da ABL. Obras: *Reflexões de uma cabra*, *A bagaceira*, *O boqueirão*, *Coiteiros*, *A Paraíba e seus problemas* etc.

Almeida, Manuel Antônio de [Rio de Janeiro RJ, 1831 — Macaé RJ, 1861], escritor e crítico literário brasileiro, precursor do romance urbano. Obras: *Memórias de um sargento de milícias*. Patrono da cadeira 28 da ABL.

Almeida, Miguel Calmon Du Pin e ver *Abrantes, marquês de*

Almeida Júnior, José Ferraz de [Itu SP, 1850 — Piracicaba SP, 1899], pintor naturalista brasileiro, frequentou a Escola de Belas-Artes de Paris, financiado por D. Pedro II. Obras: *Caipiras negaceando*, *A partida da monção*, *Saudade* etc.

Almirante (Henrique Foréis Domingues, dito) [Rio de Janeiro RJ, 1908 — *id.*, 1980], cantor e radialista brasileiro, organizou o primeiro grande arquivo de música popular, hoje incorporado ao acervo do Museu da Imagem e do Som (MIS), no Rio de Janeiro.

Almirante Tamandaré (PR), município com 194,7 km², no sudeste do estado, instalado em 1947. Indústrias de cal e calcário. Hab.: 111.586.

Alpes (maciço dos), maior cadeia de montanhas da Europa (1.200 km), atravessa seis países, do mar

Mediterrâneo até Viena (Áustria). Ponto culminante: *Monte Branco* (4.808 km); recursos principais: pecuária e turismo.

Alphonsus de Guimaraens ver *Guimaraens, Alphonsus de*

Alsácia, região ao leste da França, às margens do rio Reno, com 8.280 km². Capital: *Estrasburgo*. Hab.: 1.837.087 (2008).

Altamira (gruta de), com suas gravuras e pinturas rupestres, é um dos mais impressionantes sítios paleolíticos conhecidos. Descoberta em fins do séc. XIX e situada na Cantábria, Espanha, está classificada como patrimônio mundial desde 1985.

Altamira (PA), município com 159.533,3 km², situado na margem esquerda do rio Xingu, é o maior do Brasil em área. Teve sua origem nas missões jesuíticas (primeira metade do séc. XVIII). Hab.: 106.768.

Alto Volta, antigo nome de *Burquina Faso*.

Alvarenga, Manuel Inácio da **Silva** [Vila Rica, atual Ouro Preto MG, 1749 — Rio de Janeiro RJ, 1814], poeta brasileiro, considerado um dos grandes representantes do Arcadismo no país. Sua obra principal é *Glaura* (1799).

Alves de Sousa, **Ataulfo** [Miraí MG, 1909 — Rio de Janeiro RJ, 1969], compositor e cantor popular brasileiro, compôs mais de 300 músicas. Obras: *Ai que saudades da Amélia, Pois é, Mulata assanhada, Na cadência do samba* etc.

Alves, Antônio Frederico de **Castro** [Muritiba BA, 1847 — Salvador BA, 1871], poeta romântico brasileiro. Defendeu o abolicionismo em versos de tom dramático e eloquente. Obras: *Espumas flutuantes, Cachoeira de Paulo Afonso, Vozes d'África, Navio negreiro, Os escravos, Gonzaga ou a revolução de Minas* (teatro) etc. Patrono da cadeira 7 da ABL.

Alves, Francisco de Morais [Rio de Janeiro RJ, 1898 — Pindamonhangaba SP, 1952], um dos cantores mais populares do Brasil, conhecido como Chico Viola e Rei da Voz. Sua primeira gravação (de uma série de mais de 500) foi a marcha *Pé de anjo*, de Sinhô.

Alvim, Álvaro [Vassouras RJ, 1863 — Rio de Janeiro RJ, 1928], médico e cientista brasileiro, introdutor da radiologia e da radioterapia no Brasil e o primeiro a instalar um aparelho de raios X no Rio de Janeiro (1897).

Alvorada (RS), município com 71,3 km², situado na região metropolitana de Porto Alegre; desmembrado de Viamão, foi instalado em 1965. Hab.: 205.683.

Alvorada de Minas (MG), município com 374 km². Balneário Tanque do Corumbé, com cascatas e piscinas naturais. Igreja de São José, tombada pelo Iphan. Hab.: 3.661.

Amado, Jorge [Itabuna BA, 1912 — Salvador BA, 2001], escritor brasileiro mundialmente conhecido, autor de diversos romances e novelas de cunho social, membro da ABL. Obras: *Cacau*; *Suor*; *Mar morto*; *Dona Flor e seus dois maridos*; *Gabriela, cravo e canela* e outros (traduzidos em inúmeras línguas e adaptados para teatro, cinema e televisão).

Amapá (AP), estado desde 1988, situado no extremo setentrional da Região Norte do país e cortado pela linha do equador; tem 142.828,520 km² e 16 municípios, sendo o mais populoso, além da capital, Santana. Capital: *Macapá*; recursos principais: extração de castanha-do-pará, madeira e palmito e mineração de manganês. Ecoturismo. Hab.: 750.912 (est. 2014).

Amaral Leite Penteado, **Amadeu** Ataliba Arruda [Capivari SP, 1875 — São Paulo SP, 1929], poeta pós-parnasiano, folclorista, filólogo e ensaísta, estudou o linguajar regional. Obras: *Urzes, Névoa, Espumas, Lâmpada antiga* (poesia); *Letras floridas, O elogio da mediocridade, A pulseira de ferro, O dialeto caipira* (prosa) etc.

Amarelo (mar), situado no oceano Pacífico, com 293.965 km² e 88 m de profundidade média, entre a China e a península da Coreia.

Amazonas (AM), o maior estado do Brasil, na Região Norte, com 1.559.148,890 km² e 62 municípios, sendo os mais populosos, além da capital: Manacapuru, Tefé, Parintins e Itacoatiara. Abriga a Floresta Amazônica e sua bacia hidrográfica (6.217.220 km²) e possui mais de 20 mil km de vias navegáveis. Principais rios: Amazonas, Negro, Solimões, Purus, Juruá e Madeira. Capital: *Manaus*; recursos principais: Zona Franca e ecoturismo. Hab.: 3.873.743 (est. 2014).

Amazonas, barão do ver *Barroso, almirante*

Amazonas (rio), o maior e mais caudaloso rio do Brasil, primeiro do mundo em volume de águas e um dos mais extensos (cerca de 7.000 km); nasce na cordilheira dos Andes, no Peru, e desemboca no oceano Atlântico, junto à ilha de Marajó PA.

Amazônia, grande região do norte da América do Sul, formada pela bacia do rio Amazonas e com a maior floresta equatorial do mundo, a *Floresta Amazônica*. — **Amazônia Legal**, com 5.016.136,3 km² (cerca de 59% do território nacional) e 3,5 milhões de hectares de floresta virgem, detém 1/5 das águas doces do planeta e 17 milhões de hectares de reservas e parques nacionais e abrange nove estados do Brasil (Acre, Amapá, Amazonas, Pará, Rondônia, Roraima e Tocantins, além de trechos do Maranhão e Mato Grosso). Hab.: 24.728.000 (2009).

América, um dos cinco continentes e o maior em extensão (cerca de 15.000 km de norte a sul), com 42.560.270 km², é formado pelas Américas do Norte, Central e do Sul. Hab.: 954 milhões (2013).

América Central, parte mais estreita do continente americano, com 523.780 km², estende-se da fronteira com o México até o limite do Panamá com a Colômbia, compreendendo Guatemala, Honduras, Belize, El Salvador, Nicarágua, Costa Rica e Panamá. Hab.: 42 milhões (2010).

América do Norte, parte superior do continente americano, com 24.709.000 km², compreende o Canadá, os Estados Unidos da América e o México. Hab.: 522.257.000.

América do Sul, parte inferior do continente americano, com 17.850.568 km², estende-se do limite da Colômbia com o Panamá até o cabo Horn, na Argentina, compreendendo os seguintes países: Colômbia, Venezuela, Guiana, Suriname, Brasil, Equador, Peru, Bolívia, Chile, Paraguai, Argentina e Uruguai. Hab.: 378 milhões (2009).

América Latina, nome dado ao conjunto de países da América colonizados por espanhóis e portugueses.

Americana (SP), município com 133,9 km², situado na região leste do estado e colonizado por americanos, alemães, portugueses, árabes e italianos. Indústria têxtil. Hab.: 226.970.

Américo de Figueiredo e Mello, **Pedro** [Areia PB, 1843 — Florença, Itália, 1905], pintor brasileiro, autor de telas famosas sobre a história do Brasil, como *Batalha do Avaí*, *Batalha do Campo Grande* e *Grito do Ipiranga*.

Amora, Antônio Augusto **Soares** [São Paulo SP, 1917 — *id.*, 1999], linguista, crítico literário, professor de Literatura Portuguesa, foi um dos fundadores e organizadores da Fundação Padre Anchieta, além de professor emérito da Universidade de São Paulo. Obras: *História da literatura brasileira*, *Panorama da poesia brasileira* etc.

Amparo (SP), município com 445,3 km², situado na região de Campinas; estância hidromineral na serra da Mantiqueira, com fontes de águas medicinais. Turismo. Hab.: 69.808.

Amsterdã, capital dos Países Baixos (Holanda setentrional). Cidade industrial com museus famosos, construída entre numerosos canais, e porto movimentado do rio Ij, ligado ao mar do Norte por um canal navegável. Hab.: 813.562 (2014).

Ananindeua (PA), município com 190,4 km². Antiga parada da Estrada de Ferro de Bragança e depois distrito de Belém; sua instalação data de 1944. Hab.: 499.776.

Anápolis (GO), município com 933,2 km², situado no planalto Central, é o principal centro comercial de grãos do estado. Base aérea, sede do 1º Grupo de Defesa Aérea. Hab.: 361.991.

Anchieta (ES), município com 409,2 km², situado na foz do rio Benevente, no litoral sul. Antiga aldeia indígena, povoada pelos jesuítas (1565). Igreja de N. S.ª da Assunção tombada pelo Iphan. Hab.: 27.145.

Anchieta, Pe. José de [S. Cristóbal de la Laguna, Canárias, 1534 — Reritiba, atual Anchieta, ES, 1597], jesuíta, dito o Apóstolo do Brasil, dedicou-se à catequese dos indígenas. Compôs uma gramática (*Arte da gramática da língua mais usada na costa do Brasil*) e um vocabulário do tupi e usou o teatro na educação das crianças e dos jovens nativos. Obras: *Poema da bem-aventurada Virgem Maria*, *Mãe de Deus*, *Sermões*, *O auto de São Lourenço* etc.

Andaraí (BA), município com 1.865,1 km², situado na chapada Diamantina. Antigo território dos cariris, foi invadido no séc. XIX por garimpeiros em busca de pedras e ouro. Conjunto arquitetônico, urbanístico e paisagístico de Igatu, com ruínas de habitações de pedra, tombado pelo Iphan. Hab.: 13.716.

Andes (cordilheira dos), grande cadeia de montanhas, a oeste da América do Sul; estende-se da Venezuela até a Terra do Fogo, na Argentina (7.500 km). Ponto culminante: *Aconcágua* (6.960 m).

Andorra (Principado de), país do sudoeste da Europa, nos Pireneus, entre a França e a Espanha, com 470 km². Monarquia parlamentarista, independente desde 1993. Capital: *Andorra la Vella*; recursos principais: turismo e comércio. Hab.: 85.293 (2013).

Andrada, Antônio Carlos Ribeiro **de** [Barbacena MG, 1870 — Rio de Janeiro RJ, 1946], político, ocupou o cargo de prefeito de Belo Horizonte. Foi eleito deputado federal e senador, foi ministro de Estado, organizou a Aliança Liberal e criou o Partido Progressista.

Andrada e Silva, **José Bonifácio de** [Santos SP, 1763 — Niterói RJ, 1838], escritor, orador, poeta e estadista brasileiro, dito o Patriarca da Independência pela influência que exerceu junto a D. Pedro I. Foi tutor de D. Pedro II e um dos homens mais cultos de sua época. Obra poética: *Poesias avulsas*. — **Antônio Carlos** Ribeiro **de Andrada** Machado e Silva [Santos SP, 1773 — Rio de Janeiro RJ, 1845], seu irmão, político e grande orador, diplomata e jornalista, participou da revolução de 1817 e foi preso. Foi autor do projeto de constituição para a Constituinte de 1823, anulado por D. Pedro I, e deputado por São Paulo às Cortes Constituintes portuguesas.

Andrade, Joaquim Pedro de [Rio de Janeiro RJ, 1932 — *id.*, 1988], cineasta brasileiro. Obras: *Garrincha, alegria do povo* (documentário); *Macunaíma*; *O padre e a moça* etc.

Andrade, Mário Raul **de** Morais [São Paulo SP, 1893 — *id.*, 1945], poeta, romancista, contista, crítico e musicólogo brasileiro, líder do movimento modernista de 1922, influenciou gerações de escritores. Obras: *Pauliceia desvairada*; *Amar, verbo intransitivo*; *Macunaíma*; *Pequena história da música* etc.

Andrade, José **Oswald de** Sousa [São Paulo SP, 1890 — *id.*, 1954], poeta, romancista, dramaturgo, ensaísta e jornalista brasileiro, um dos expoentes do movimento modernista de 1922, criador da *Revista de antropofagia*. Obras: *Pau-Brasil*, *Memórias sentimentais de João Miramar*, *Marco zero*, *O rei da vela* (teatro) etc.

Andrade, Rodrigo Melo Franco de [Belo Horizonte MG, 1898 — Rio de Janeiro RJ, 1969], historiador, jornalista e escritor brasileiro, fundador e primeiro diretor do Instituto do Patrimônio Histórico e Artístico Nacional — Iphan (1937-1968). Obras: *Brasil: monumentos históricos e arqueológicos*, *Rio Branco e Gastão da Cunha*, *Artistas coloniais* etc.

Andradina (SP), município com 964,2 km²; planejado pelo maior fazendeiro do Estado de São Paulo, Antônio Joaquim de Moura Andrade, o "rei do gado", foi instalado em 1937. Recurso principal: pecuária. Hab.: 57.198.

Angola (República Popular de), país da África ocidental, junto ao oceano Atlântico, com 1.246.700 km². Antiga colônia de Portugal, é uma república presidencialista, independente desde 1975. Capital: *Luanda*; recursos principais: agricultura (café, cana-de-açúcar, mandioca), mineração (diamante), petróleo. Hab.: 24.383.301 (2014).

Angra dos Reis (RJ), município com 825,1 km². Com um grande terminal marítimo de petróleo, um estaleiro naval e as usinas nucleares Angra I e II, é tb. polo turístico. Capela do Senhor do Bonfim, casa da Fazenda Morcego, convento do Carmo, igrejas de N. S.ª da Lapa da Boa Morte, de N. S.ª do Carmo, Matriz de N. S.ª da Conceição e o conjunto arquitetônico e paisagístico de Mambucaba, entre outros bens tombados pelo Iphan. Hab.: 184.940.

Anguilla, colônia britânica nas Antilhas, com 96 km², compreendendo a ilha principal e algumas ilhotas próximas, ao norte das ilhas de Sotavento, nas Pequenas Antilhas. Desmembrada de São Cristóvão e Névis, adquiriu autonomia em 1971. Capital: *The Valley*. Hab.: 15.754 (2013).

Anhanguera ("diabo velho" ou "espírito maligno") [séc. XVII], nome dado pelos indígenas ao bandeirante paulista Bartolomeu Bueno da Silva, que encontrou ouro nos sertões de Goiás.

Anjos, Augusto de Carvalho Rodrigues **dos** [Cruz do Espírito Santo PB, 1884 — Leopoldina MG, 1914], poeta brasileiro, considerado um pré-modernista e célebre por sua temática angustiada. Obra: *Eu e outras poesias*.

Anjos, Ciro Versiani **dos** [Montes Claros MG, 1906 — Rio de Janeiro RJ, 1994], romancista e ensaísta brasileiro. Foi membro da ABL. Obras: *O amanuense Belmiro*, *Abdias*, *Montanha* etc.

ANM sigla de *Academia Nacional de Medicina*.

Antártica ou **Antártida**, continente de cerca de 14.000.000 km² quase inteiramente localizado dentro do círculo polar austral e habitado apenas nas estações de pesquisa científica e por animais (p.ex., pinguins, *krill*) e plantas (p.ex., musgos) perfeitamente adaptados às temperaturas glaciais.

Antígua e Barbuda, país com 440 km², situado a leste da América Central, no mar do Caribe, formado por três ilhas do arquipélago das Pequenas Antilhas (Antígua, Barbuda e Redonda). Monarquia parlamentarista, independente desde 1981. Capital: *Saint John's* (Antígua); recurso principal: turismo. Hab.: 90.801 (2012).

Antilhas, arquipélago da América Central, estende-se desde as proximidades da península da Flórida até a Venezuela (2.500 km) e separa o mar das Antilhas do oceano Atlântico. É formado pelas *Grandes Antilhas* (Cuba, Jamaica, Hispaniola, ou ilha de São Domingos, e Porto Rico), ao norte, e *Pequenas Antilhas*, a leste e ao sul, que se subdividem em ilhas de Barlavento (Barbados, Martinica etc.) e de Sotavento (Aruba, Curaçau, Trinidad e Tobago etc.). Hab.: 33 milhões.

Antilhas (mar das), tb. dito mar do Caribe ou das Caraíbas, é a parte do Atlântico entre a América Central, a América do Sul e o arco das Antilhas.

Antipoff, Helena [Grodno, Belarus, 1892 — Belo Horizonte MG, 1974], pedagoga de origem bielorrussa, emigrou para o Brasil, onde trabalhou na reforma do ensino, em Minas Gerais. Fundou a Faculdade de Filosofia e o Instituto Pestalozzi.

Antonil, André João (padre Giovanni Antonio Andreoni) [Lucca, Itália, 1649 — Salvador BA, 1716], cronista da vida colonial brasileira, chegou ao Brasil em 1681 e viveu na Bahia. Obra: *Cultura e opulência do Brasil*.

Antônio Carlos (MG), município com 529,9 km². Fazenda da Borda do Campo tombada pelo Iphan. Hab.: 11.534.

Antônio de Pádua ou **de Lisboa, santo** (nome de batismo: Fernando) [Lisboa, Portugal, 1195 — Pádua, Itália, 1231], franciscano, conhecido como grande pregador, fixou-se em Pádua, reformou a cidade, acabou com a prisão de devedores e ajudou os pobres. No Brasil e em Portugal é o santo casamenteiro.

Antônio Prado (RS), município com 347,6 km², na região dos vinhedos, foi a última colônia italiana criada pelo governo imperial. Conjunto arquitetônico e urbanístico e casa de Dona Neni tombados pelo Iphan. Hab.: 13.274.

Antunes Filho, José Alves de [São Paulo SP, 1929], diretor teatral muitas vezes premiado, estreou em 1953, montando a comédia *Weekend*, de Noël Coward. *Macunaíma* foi seu espetáculo mais aplaudido e a origem do grupo de mesmo nome que criou.

Apalaches (montes), cordilheira a leste da América do Norte, entre o Estado do Alabama, nos EUA, e a província de Terra Nova e Labrador, no Canadá. Ponto culminante: *monte Mitchell* (2.037 m).

Aparecida de Goiânia (GO), município com 288,1 km² situado na região de Goiânia. Indústria metalúrgica. Hab.: 511.323.

Apolo, na mitologia grega, deus da luz, da beleza, da medicina e das artes, em cujo templo, em Delfos, uma pitonisa servia-lhe de oráculo.

Apucarana (PR), município com 558,3 km², situado no topo de uma montanha. No verão, para ali acorrem milhares de andorinhas, oriundas da América do Norte. Hab.: 129.265.

Aquiles, segundo a mitologia, um dos maiores heróis gregos. É filho de Tétis, a ninfa marinha, que o mergulhou, assim que nasceu, no rio Estige, para torná-lo invulnerável. O calcanhar pelo qual ela o segurava não foi coberto pela água, tornando-se seu ponto fraco. Por isso, a expressão "calcanhar de aquiles" indica o lado vulnerável de alguém.

Aquiraz (CE), município com 482,4 km², a primeira capital do Ceará. Local tradicional de jangadeiros e rendeiras, tem 24 km de praias e um grande parque aquático. Mercado da Carne tombado pelo Iphan. Hab.: 76.967.

Arábia, grande península no sudoeste da Ásia, entre o mar Vermelho e o golfo Pérsico, com cerca de 3.000.000 km². Hab.: 62 milhões (2009).

Arábia Saudita (Reino da), país do sudoeste da Ásia, o maior da península da Arábia, com 2.149.690 km². Monarquia islâmica desde 1932. Não há uma constituição formal no país; a xaria, conjunto das leis do Islã, regulamenta os assuntos públicos. Capital: *Riyad* (Riad); recurso principal: petróleo. Hab.: 28.705.133 (2012).

Aracaju (SE), capital do Estado de Sergipe desde 1855, com 181,9 km². Foi uma das primeiras cidades planejadas do Brasil, seu litoral, com 25 km de praias, justifica a expansão do turismo. Hab.: 623.766.

Aracati (CE), município com 1.228,1 km², situado às margens do rio Jaguaribe, na divisa com o Estado do Rio Grande do Norte. Casa de Câmara e Cadeia, Igreja Matriz de N. S.ª do Rosário e conjunto arquitetônico e urbanístico da cidade tombados pelo Iphan. Atrações turísticas: praias de Canoa Quebrada, Majorlândia e Quixaba. Hab.: 72.248.

Araçatuba (SP), município com 1.167,4 km², no noroeste do estado, em região pecuarista. Sua origem está intimamente ligada ao surgimento da Estrada de Ferro Noroeste do Brasil. Hab.: 191.662.

Araci (BA), município com 1.556,1 km², localizado no nordeste baiano. Agricultura, pecuária, avicultura. Artesanato com fibra de caroá. Complexo turístico do Poço Grande. Hab.: 56.023.

Aracruz (ES), município com 1.423,9 km². Antiga aldeia dos indígenas tememinós, ali fica o único porto do Brasil para exportação de celulose. Sede da indústria que produz celulose para fabricação de papel (Aracruz). Hab.: 93.325.

Araguaia (rio), corta os estados de Goiás, Mato Grosso, Mato Grosso do Sul, Pará e Tocantins; deságua no rio Tocantins, após percorrer 2.627 km e formar a ilha do Bananal.

Araguaína (TO), município com 4.000,4 km², seu desenvolvimento socioeconômico começou a partir de 1960, com a construção da rodovia Belém-Brasília. Hab.: 167.176.

Araguari (MG), município com 2.729,5 km², localizado no Triângulo Mineiro, na divisa com o Estado de Goiás, às margens da BR-050. Hab.: 115.632.

Aral (mar de), grande lago salgado asiático, entre o Cazaquistão e o Uzbequistão. Quarto maior lago do mundo em 1960 (68.000 km²), está hoje em vias de desaparecer (6.600 km²).

Aranha, José Pereira da **Graça** [São Luís MA, 1868 — Rio de Janeiro RJ, 1931], escritor e diplomata brasileiro, estreou na literatura com o romance *Canaã* (1902). Foi um dos organizadores da Semana de Arte Moderna (São Paulo, 1922) e um dos fundadores da ABL (cadeira nº 38). Outras obras: *A viagem maravilhosa* (romance), *Malazarte* (teatro), *O espírito moderno* (ensaio) etc.

Aranha, Osvaldo Euclides de Sousa [Alegrete RS, 1894 — Rio de Janeiro RJ, 1960], político brasileiro, um dos arquitetos da Revolução de 1930, com grande influência no primeiro governo de Getúlio Vargas. Chefiou a delegação brasileira na primeira sessão especial da assembleia geral da ONU (1947) e lutou pela criação do Estado de Israel.

Arapiraca (AL), município com 352 km², tem a maior área contínua de plantação de tabaco do mundo. Hab.: 229.329.

Arapongas (PR), município com 382,2 km², situado no médio rio Paranapanema; é conhecido como "Cidade dos Passarinhos", pois mais de 400 logradouros têm nome de pássaros. Fábricas de móveis. Hab.: 113.833.

Araranguá (SC), município com 303,3 km², localizado no extremo sul do estado; antigo território de indígenas carijós e caingangues, foi colonizado pelos italianos. Hab.: 65.090.

Araraquara (SP), município com 1.003,6 km², situado na região central do estado. Grande produtor de sucos cítricos e cana-de-açúcar. Hab.: 224.304.

Araras (SP), município com 644,8 km², seu nome deriva da grande quantidade dessas aves existentes na região. Foi a primeira cidade do estado a libertar escravos, antes mesmo da Lei Áurea (1888). Indústria (Nestlé). Hab.: 127.661.

Arariboia, indígena brasileiro, chefe dos tememinós, lutou ao lado de Estácio de Sá e Mem de Sá contra os franceses e tamoios (séc. XVI) e estabeleceu-se em uma aldeia, hoje o município de Niterói RJ.

Araripe (chapada do), planalto do nordeste brasileiro, 700 m acima do nível do mar, situado entre os estados de Pernambuco, Ceará e Piauí; abriga uma Floresta Nacional (1946), uma Área de Proteção Ambiental (1997) e um Geoparque (2006).

Araripe Jr., Tristão de Alencar [Fortaleza CE, 1848 — Rio de Janeiro RJ, 1911], crítico, ensaísta e romancista. Teve atuação destacada no movimento abolicionista, ao lado de José do Patrocínio (1882-88), participou da fundação da ABL (1896) e foi consultor-geral da República (1903-1911). Obras: *Contos brasileiros*, *Gregório de Matos*, *José de Alencar* etc.

Araripina (PE), município com 1.892,6 km², situado na divisa com os estados do Piauí e Ceará. Grande produtor de gesso. Hab.: 82.298.

Araruama (RJ), município com 638 km², situado na Região dos Lagos, às margens da lagoa de mesmo nome. Fazendas de café e cana-de-açúcar, da época do Império, abertas à visitação. Plantações de laranja e salinas. Hab.: 120.948.

Araucária (PR), município com 469,2 km², situado às margens do rio Iguaçu, na região metropolitana de Curitiba. Indústrias (química, de papel e papelão e de madeira) e agropecuária. Hab.: 131.356.

Araújo, Murilo [Serro MG, 1894 — Rio de Janeiro RJ, 1980], poeta simbolista brasileiro, estreou em 1917, com *Carrilhões*, e participou da Semana de Arte Moderna (1922) e do grupo Festa, com Cecília Meireles e Adonias Filho, entre outros. Outras obras: *Árias de muito longe*, *A cidade de ouro*, *A iluminação da vida*, *A estrela azul* etc.

Araxá (MG), município com 1.164,3 km²; estação termal, construída sobre a cratera de um vulcão extinto e rico em águas minerais e lamas medicinais. Maior produtor mundial de nióbio. Ali teria vivido Ana Jacinta de São José, dita Dona Beja. Hab.: 101.136.

Arcoverde (PE), município com 350,9 km^2, porta de entrada do sertão pernambucano. Turismo: festa de São João. Hab.: 72.672.

Arena sigla de *Aliança Renovadora Nacional*.

Ares, chamado Marte entre os romanos, na mitologia grega foi uma das 12 divindades do Olimpo; deus da guerra. Era acompanhado em sua carruagem pelos filhos Deimos (Temor) e Fobos (Terror) e pela irmã Éris (Discórdia).

Arês (RN), município com 115,5 km^2, instalado em 1876. Portada do cemitério tombada pelo Iphan. Hab.: 13.905.

Argel, capital da Argélia, grande centro comercial e financeiro, situada no litoral do mar Mediterrâneo, cujo bairro antigo, a Casbá, de origens otomanas, foi declarado patrimônio da humanidade (1992). Hab.: 2.364.230 (2008).

Argélia (República Democrática e Popular da), país do norte da África, junto ao Mediterrâneo, com 2.381.740 km^2. República mista, independente desde 1962. Capital: *Argel*; recursos principais: produtos petrolíferos (o país possui uma das maiores jazidas de gás natural do mundo). Hab.: 39.928.947 (2014).

Argentina (República), país do sudeste da América do Sul, entre os Andes e o oceano Atlântico, com 2.791.810 km^2. República presidencialista, independente desde 1816. Os rios Paraná, Paraguai e Uruguai formam a bacia do Prata, segunda maior do continente. Capital: *Buenos Aires*; recursos principais: agricultura (esp. trigo) e pecuária. Hab.: 41.803.125 (2014).

Arinos de Melo Franco, **Afonso** [Belo Horizonte MG, 1905 — Rio de Janeiro RJ, 1990], jurista e político mineiro, um dos autores do Manifesto dos Mineiros (1943), que apressou a derrubada da ditadura de Getúlio Vargas. Criou a lei contra a discriminação racial, dita Afonso Arinos, e, como senador pelo Rio de Janeiro, presidiu a Comissão de Sistematização da Assembleia Nacional Constituinte (1987).

Ariquemes (RO), município com 4.426,5 km^2, situado às margens do rio Jamari. O maior garimpo de cassiterita a céu aberto do mundo. Cacau, café e guaraná. Indústria de móveis. Hab.: 102.860.

Aristóteles [Estagira, Macedônia, 384 a.C. — Cálcis, Eubeia, Grécia, 322 a.C.], filósofo grego, discípulo de Platão, preceptor de Alexandre o Grande, da Macedônia, fundou aos 49 anos o Liceu de Atenas, onde dava aulas passeando. Obras: *Poética*, *Ética a Nicômaco*, *Ética a Euderno*, *Política*, *Retórica* etc.

Armação dos Búzios (RJ), município com 70,2 km^2, localizado em uma península, foi desmembrado de Cabo Frio e é hoje um dos balneários mais conhecidos internacionalmente. Turismo. Hab.: 30.439.

Armênia (República da), país do extremo leste da Europa, no Cáucaso, com 29.743 km^2. República parlamentarista, independente desde 1991. Capital: *Erevan*; recursos principais: agricultura, pecuária, mineração (cobre, basalto, granito etc.) e indústrias (metalúrgica, máquinas industriais e equipamentos elétricos). Hab.: 3.108.972 (2012).

Arquimedes [Siracusa, 287 a.C. — *id.*, 212 a.C.], sábio e inventor grego, considerado o mais importante matemático e físico da Antiguidade. Calculou o valor de pi (π) e estabeleceu as leis fundamentais da estática dos sólidos, da hidrostática etc. Tb. lhe são atribuídas as invenções do parafuso sem fim, da roldana móvel, das rodas dentadas etc.

Ártemis, Diana entre os romanos, na mitologia grega foi uma das 12 divindades do Olimpo; deusa do nascimento e da caça, armava-se com um arco e passava o tempo nas montanhas, acompanhada de seus cães.

Ártico (oceano), o menor dos oceanos, com 12.257.000 km^2, formado por pequenos mares situados no extremo norte do globo terrestre e limitados pelo litoral norte da Europa, Ásia e América do Norte e pelo círculo polar ártico. Liga-se ao oceano Atlântico por uma passagem entre a Groenlândia e as ilhas Spitzberg e ao oceano Pacífico pelo estreito de Bering.

Aruba, ilha no mar do Caribe, com 193 km^2, situada diante do litoral da Venezuela. Capital: *Oranjestad*. Recursos principais: refino do petróleo venezuelano e turismo. Hab.: 102.911 (2012).

Arujá (SP), município com 96,2 km^2, situado na região nordeste do estado, entre a zona do Alto Tietê e o vale do Paraíba. Grande polo industrial. Hab.: 82.651.

Ásia, o maior dos cinco continentes, com 44.397.460 km^2 — um terço da área terrestre –, localiza-se no hemisfério norte. É formado por 49 países: Afeganistão, Arábia Saudita, Armênia, Azerbaijão, Bangladesh, Barein, Brunei, Butão, Camboja, Catar, Cazaquistão, China, Chipre, Cingapura, Coreia do Norte, Coreia do Sul, Emirados Árabes Unidos, Filipinas, Geórgia, Iêmen, Índia, Indonésia, Irã, Iraque, Israel, Japão, Jordânia, Kuwait, Laos, Líbano, Malásia, Maldivas, Mongólia, Myanmar, Nepal, Omã, Palestina, Paquistão, Quirguistão, Rússia, Síria, Sri Lanka, Tadjiquistão, Tailândia, Timor-Leste, Turcomenistão, Turquia, Uzbequistão e Vietnã. Hab.: 4,164 bilhões (2011).

Ásia Menor, termo histórico que designa a Anatólia, península em que os continentes da Europa e da Ásia se encontram e que hoje forma a maior parte da Turquia asiática.

Assis, Joaquim Maria **Machado de** [Rio de Janeiro RJ, 1839 — *id.*, 1908], jornalista, contista, cronista, romancista, poeta e teatrólogo; fundador da cadeira 23 e por mais de dez anos presidente da ABL, tb. chamada Casa de Machado de Assis. Com 16 anos incompletos publicou o primeiro trabalho literário ("Ela" — poema), no jornal *Marmota Fluminense*. Seu primeiro livro de poesias foi *Crisálidas* (1864) e o primeiro romance, *Ressurreição* (1872). Outras obras: *Contos fluminenses*, *Histórias da meia-noite* (contos); *A mão e a luva*, *Helena*, *Iaiá Garcia*, *Memórias póstumas de Brás Cubas*, *Quincas Borba*, *Dom Casmurro*, *Memorial de Aires* (romances) etc.

Assis (SP), município com 460,6 km^2, antiga aldeia dos indígenas caingangues, teve seu desenvolvimento inicial ligado à chegada dos trilhos da Estrada de Ferro Sorocabana. Pecuária de corte, cultivo de soja, trigo e cana-de-açúcar. Hab.: 100.911.

Associação Brasileira de Imprensa (ABI), entidade fundada em 1908, que visa congregar os profissionais da área, dando-lhes assistência e defendendo-lhes os interesses.

Associação Brasileira de Normas Técnicas (ABNT), entidade privada criada em 1940, responsável pela normalização técnica no país, fornecendo a base necessária ao desenvolvimento tecnológico brasileiro.

Associação Latino-Americana de Livre Comércio (ALALC), órgão criado em 1960, com sede em Montevidéu, visando à formação de um mercado comum latino-americano.

Assunção, capital do Paraguai, às margens do rio Paraguai, com 117 km2. Recursos principais: indústria têxtil, comércio. Hab.: 742.023 (2010).

Athayde, Belarmino Maria **Austregésilo** Augusto **de** [Caruaru PE, 1898 — Rio de Janeiro RJ, 1993], jornalista e escritor brasileiro, presidente da ABL durante 34 anos. Obras: *Histórias amargas*, *Quando as hortênsias florescem*, *Vana verba* etc.

Ataíde, Manuel da Costa [Mariana MG, 1762 — *id.*, 1830], pintor barroco brasileiro, autor de várias pinturas e douramentos em igrejas de Ouro Preto e Mariana MG.

Ataíde, Tristão de ver *Lima, Alceu de Amoroso*

Atena, Minerva entre os romanos, na mitologia grega foi uma das 12 divindades do Olimpo; deusa da sabedoria, das artes e da guerra, inventou o carro de combate e ensinou o homem a extrair azeite das azeitonas.

Atibaia (SP), município com 478,5 km^2, estância climática (1945), na serra da Mantiqueira. Maior produtor de morangos do país. Casa de Câmara e Cadeia tombada pelo Iphan. Hab.: 135.895.

Atlântico (oceano), com 106.200.000 km^2 e formado por uma série de grandes bacias ao longo das costas continentais, separa a América da Europa e da África. O segundo do mundo em superfície e quase inteiramente localizado no hemisfério ocidental, alonga-se no sentido norte-sul e comunica-se com o oceano Ártico pelo estreito da Islândia e com o Pacífico e o Índico pela ampla passagem que se abre entre a América, a África e a Antártida.

Atlas, conjunto de montanhas ao norte da África, formado por diversas cadeias, cujo ponto mais alto é o monte Toubkal (4.167 m), em Marrocos.

Aulete, Francisco Júlio de **Caldas** [Lisboa, Portugal, 1826 — *id.*, 1878], pedagogo português, publicou uma *Gramática nacional* e uma *Cartilha nacional*, além do seu *Dicionário contemporâneo* (1881), um dos melhores da língua portuguesa.

Australásia, conjunto geográfico formado pela Austrália, Nova Zelândia, Tasmânia e Nova Guiné.

Austrália (Comunidade da), país do sudoeste da Oceania pertencente à Comunidade Britânica, com 7.741.220 km^2. Monarquia parlamentarista, independente desde 1901. É formado por seis estados e dois territórios. Capital: *Camberra*; recursos principais: agropecuária, indústria (aeronáutica, automobilística, têxtil etc.) e mineração (bauxita, ferro, cobre, ouro, chumbo, prata e zinco). Hab.: 22.918.688 (2013).

Áustria (República da), país da Europa central, com 83.879 km^2. República parlamentarista, composta por nove províncias. Capital: *Viena*; recursos principais: mineração (minério de ferro), indústria (máquinas, metalúrgica, alimentícia, madeireira, papel, química), extrativismo mineral (petróleo, gás natural), pecuária e turismo. Hab.: 8.428.915 (2013).

Autran, Paulo [Rio de Janeiro RJ, 1922 — São Paulo SP, 2007], ator brasileiro. Trabalhou no Teatro Brasileiro de Comédia (TBC). Formou companhia teatral com Tônia Carrero e Adolfo Celi. Atuou tb. em cinema e telenovelas.

Avaí (Batalha de), combate às margens do arroio Avaí, no Paraguai (1868), durante a Guerra da Tríplice Aliança, em que o Exército brasileiro, chefiado pelo duque de Caxias, derrotou os paraguaios ver *Paraguai, Guerra do*

Avaré (SP), município com 1.213,1 km^2, no vale do Paranapanema. Numerosos haras. Indústrias (metalurgia, laticínios, equipamentos náuticos). Hab.: 87.820.

Azerbaijão ou **Azerbaidjão (República do)**, país do sudeste da Europa, situado no Cáucaso, às margens do mar Cáspio, com 86.600 km^2. Antiga república soviética, atual república mista, independente desde 1991. Capital: *Baku*; recursos principais: indústria (de refino de petróleo, alimentícia, química, têxtil, máquinas), extração de petróleo, gás natural e minérios. Hab.: 9.590.159 (2013).

Azevedo, Aluísio Tancredo Gonçalves de [São Luís MA, 1857 — Buenos Aires, Argentina, 1913], romancista brasileiro, representante do Naturalismo no Brasil. Obras: *O mulato*, *Casa de pensão*, *O coruja*, *O cortiço* etc.

Azevedo, Manuel Antônio **Álvares de** [São Paulo SP, 1831 — Rio de Janeiro RJ, 1852], poeta romântico brasileiro, foi tb. dramaturgo e contista. É patrono da cadeira 2 da ABL. Obras: *Lira dos 20 anos*, *Macário* (teatro), *Noite na taverna* (contos) etc.

Azevedo, Artur Nabantino Gonçalves de [São Luís MA, 1855 — Rio de Janeiro RJ, 1908], contista e teatrólogo brasileiro, um dos criadores do teatro musicado (revistas, farsas cômicas e operetas). Foi um dos fundadores da ABL. Obras: *Contos efêmeros*, *A capital federal*, *O dote* etc.

Azevedo, Fernando de [São Gonçalo de Sapucaí MG, 1894 — São Paulo SP, 1974], educador, crítico e sociólogo, realizou um levantamento sobre instrução pública que foi um marco decisivo na história educacional brasileira. Foi presidente da Associação Brasileira de Educação, fundou a Biblioteca Pedagógica Brasileira e foi membro da ABL. Obras: *A educação na encruzilhada*, *Princípios de sociologia*, *Sociologia educacional* etc.

Azov (mar de), golfo formado pelo mar Negro, entre a Ucrânia e o sul da Rússia, com 38.400 km^2 e profundidade máxima de 15 m.

Bb

Babilônia (chapada da), altiplano (1.000 m) do Estado de Minas Gerais, situado entre os rios Grande e das Velhas.

Babo, Lamartine de Azevedo [Rio de Janeiro RJ, 1904 — *id.*, 1963], um dos mais importantes compositores populares do Brasil, celebrizou-se pelas marchinhas para o carnaval, das quais a mais famosa é *O teu cabelo não nega*. Outras obras: *Eu sonhei que tu estavas tão linda, Hino do Flamengo* etc.

Bacabal (MA), município com 1.683,1 km^2, situado na região central do estado, às margens do rio Mearim. Criação de gado. Hab.: 102.265.

Bach, Johann Sebastian [Eisenach, 1685 — Leipzig, Alemanha, 1750], compositor barroco alemão, autor de obras para coro vocal, piano, órgão, cravo, flauta, violino etc. e orquestra. Obras: *Cravo bem temperado, Concertos de Brandemburgo* etc.

Baco, divindade romana identificada com o *Dionísio* grego.

Badaró, João Batista **Líbero** [Laigneglia, Itália, 1798 — São Paulo SP, 1830], jornalista e político italiano radicado no Brasil, liberal, com papel importante ao defender a liberdade dos cidadãos no país independente havia pouco tempo.

Baden-Powell (Robert Stephenson Smyth, lorde) [Londres, Inglaterra,1857 — Nyeri, Quênia, 1941], general inglês, fundador do escotismo (1908). Sua experiência no Exército convenceu-o de que os meninos britânicos precisavam de mais educação física e experiência de vida ao ar livre.

Baffin (Terra de), grande ilha ao norte do Canadá, com 507.451 km^2, rica em minério de ferro.

Bagdá, capital do Iraque, às margens do rio Tigre. Comércio e indústrias têxteis. Hab.: 7.216.040 (2011).

Bagé (RS), município com 4.095,5 km^2. Forte de Santa Tecla e Igreja Matriz de São Sebastião tombados pelo Iphan. Hab.: 121.500.

Bahamas ou **Baamas (Comunidade das)**, país da América Central, com 13.880 km^2, formado por um arquipélago com cerca de 700 ilhas e 2.400 recifes de coral, que se estendem por mais de 800 km da costa leste da Flórida até o extremo noroeste de Cuba. Monarquia parlamentarista, independente desde 1973. As ilhas mais povoadas são a Nova Providência, onde fica a capital, e a Grande Bahama. Capital: *Nassau*; recurso principal: turismo. Hab.: 351.275 (2012).

Bahia (BA), o maior estado da Região Nordeste, com 564.733,081 km^2 e 417 municípios, sendo os mais populosos, além da capital: Feira de Santana, Vitória da Conquista, Camaçari, Itabuna e Juazeiro. Capital: *Salvador*; recursos principais: agricultura (cacau, mamona, coco, dendê, fumo, sisal etc.), pecuária, petróleo, indústria petroquímica e turismo. Hab.: 15.126.371 (est. 2014).

Bahrein ou **Barein**, Estado monárquico do sudoeste asiático que é um arquipélago formado por 35 ilhas, com 760 km^2, que os portugueses ocuparam no séc. XVI. Ex-protetorado britânico, monarquia islâmica, independente desde 1971. Capital: *Manama*; recursos principais: refino de petróleo e indústria (química, metalúrgica etc.). Hab.: 1.359.485 (2012).

Baiana (Conjuração), tb. dita Revolta dos Alfaiates, conspiração emancipacionista, surgida na Bahia (1798) por articulação de pequenos comerciantes e artesãos, destacando-se os alfaiates, além de soldados, religiosos, intelectuais e setores populares.

Baixo Império, período compreendido entre os séc. III e V, caracterizado pela crise e decadência do Império Romano, devido à desorganização econômica e à consequente desordem social.

Balaiada, movimento ocorrido no Maranhão (1838-1841) devido a uma crise na economia agrária, e caracterizado por intensa participação popular (vaqueiros, escravos, sertanejos), como no caso de Manuel Francisco dos Anjos Ferreira, um fazedor de balaios (de onde vem o nome da rebelião).

Bálcãs (península dos), região montanhosa do sul da Europa, que se estende pela Albânia, Bósnia-Herzegovina, Bulgária, Croácia, Eslovênia, Grécia, Kosovo, Macedônia, Romênia, Sérvia, Montenegro e a parte europeia da Turquia. Agricultura e indústria extrativa.

Baleares (ilhas), situadas na zona mais ocidental do Mediterrâneo, compõem-se de cinco ilhas principais: Maiorca, Minorca, Ibiza, Formentera e Cabrera. Os árabes ali chegaram em 901. Comunidade autônoma e província da Espanha. Capital: *Palma de Maiorca*; recurso principal: turismo. Hab.: 1.095.426 (2009).

Bali, ilha da Indonésia, separada de Java pelo estreito de Bali. Cidade principal: *Singaradja*; recursos principais: artesanato e turismo. Hab.: 3.551.000 (2009).

Balneário Camboriú (SC), município com 46,2 km^2, está situado na foz do rio Itajaí-Açu. Suas praias no verão atraem milhares de turistas. Hab.: 124.557.

Balsas (MA), município com 13.141,7 km^2, situado na divisa com o Estado de Tocantins, é um grande produtor de soja. Hab.: 90.679.

Báltico (mar), faz parte do oceano Atlântico, tem baixa salinidade, área de 422.000 km^2 e profundidade média de 55 m. Separa a Escandinávia do continente europeu e comunica-se com o mar do Norte por vários estreitos. Gelado 150 dias por ano, é rico em esturjões, enguias e salmões.

Bálticos (Países), nome dado ao conjunto formado por Letônia, Estônia e Lituânia, países de pequena dimensão banhados pelo mar Báltico, que foram os primeiros a se declararem independentes da União Soviética (1990-1991). Pesca e extração de xisto, turfa, madeira e âmbar. Hab.: cerca de 7 milhões.

Baluchistão ver *Beluquistão*

Balzac, Honoré de [Tours, França, 1799 — Paris, França, 1850], escritor francês, autor da *Comédia humana*, que reúne cerca de 90 romances sobre a sociedade burguesa, além de contos e peças teatrais.

Bananal (ilha do), importante santuário ecológico do Brasil. É a maior ilha fluvial do mundo, situada entre os estados do Tocantins e Mato Grosso, cercada pelos rios Araguaia e Javaés, com aprox. 20.000 km², um terço dos quais corresponde ao Parque Nacional do Araguaia (desde 1959) e o restante a uma reserva indígena, em que vivem indígenas javaés e carajás.

Bananal (SP), município com 616,4 km². Casa da Fazenda do Resgate tombada pelo Iphan. Hab.: 10.728.

Bandeira, Antônio [Fortaleza CE, 1922 — Paris, França, 1967], pintor e desenhista brasileiro, autodidata, integrou o grupo de artistas da Escola de Paris, cidade para onde se mudou definitivamente em 1965.

Bandeira Filho, **Manuel** Carneiro de Sousa [Recife PE, 1886 — Rio de Janeiro RJ, 1968], um dos mais importantes poetas da literatura nacional e dos pioneiros do Modernismo. Obras: *A cinza das horas*, *Carnaval*, *Estrela da manhã*, *Itinerário de Pasárgada* etc.

Bandeira (pico da), o terceiro mais alto do Brasil (2.889,8 m), situado no Parque Nacional do Caparaó, entre os estados do Espírito Santo e de Minas Gerais, devendo seu nome ao fato de D. Pedro II ter mandado lá hastear uma bandeira (1859).

Bandeirantes do Brasil (Federação das), instituição fundada em 1919 para ajudar meninas e moças a desenvolver seu potencial como cidadãs responsáveis.

Bandeiras, expedições armadas ao interior do Brasil organizadas por particulares, os bandeirantes, com o fim de desbravar os sertões, descobrir ouro e pedras preciosas, aprisionar indígenas e tb. escravos fugidos. As mais importantes percorreram os sertões nos séc. XVII e XVIII.

Bangladesh (República Popular de), localizada no delta dos rios Ganges e Bramaputra, no centro-sul da Ásia, com 144.000 km². República parlamentarista, independente desde 1971. Capital: *Daca*; recurso principal: indústria (têxtil e de vestuário). Hab.: 156.594.962 (2015).

Barão de Cocais (MG), município com 340,5 km². Capelas de N. S.ª do Rosário e de Santana e Igreja Matriz de São João Batista tombadas pelo Iphan. Hab.: 30.893.

Barata Ribeiro, Agildo da Gama [Rio de Janeiro RJ, 1905 — *id.*, 1968], tenente do Exército brasileiro, revolucionário de 1930, participante da insurreição comunista de 1935, ex-militante do PCB. Seu filho, **Agildo Ribeiro** (Rio de Janeiro RJ, 1938), é ator cômico de teatro e TV.

Barbacena (Felisberto Caldeira Brant Pontes Oliveira e Horta, **visconde** e **marquês de**) [Mariana MG, 1772 — Rio de Janeiro RJ, 1842], destacado militar e político, chegou ao posto de marechal no Exército brasileiro e comandante em chefe em operações no Rio Grande do Sul. Formou um gabinete para D. Pedro I, ocupando a pasta da Fazenda.

Barbacena (MG), município com 759,2 km². Capela de N. S.ª da Boa Morte, Igreja Matriz de N. S.ª da Piedade, sobrado dos Andradas e sede da Fazenda do Registro Velho tombados pelo Iphan. Hab.: 133.972.

Barbados, país integrado à Comunidade Britânica de Nações, com 430 km², localizado em uma ilha situada no oceano Atlântico, 160 km a leste do arco das Pequenas Antilhas. Monarquia parlamentarista, independente desde 1966. Capital: *Bridgetown*; recurso principal: turismo. Hab.: 288.725 (2013).

Barbalha (CE), município com 569,5 km², situado no sul cearense. Agricultura (esp. cana-de-açúcar). Balneário de Caldas. Hab.: 58.347.

Barbosa, Adoniran (João Rubinato, dito) [Valinhos SP, 1910 — São Paulo SP, 1982], compositor e cantor popular. Obras: *Saudosa maloca*, *Trem das onze*, *Samba do Arnesto* etc.

Barbosa, Francisco de Assis [Guaratinguetá SP, 1914 — Rio de Janeiro RJ, 1991], jornalista, biógrafo, historiador e ensaísta. Membro da ABL. Obras: *A vida de Lima Barreto*, *Achados do vento*, *Retratos de família*, *Machado de Assis em miniatura* etc.

Barbosa, Haroldo [Rio de Janeiro RJ, 1915 — *id.*, 1979], compositor, redator e humorista. Obras: *Adeus, América*; *Adiós, pampa mia*; *Amor*; *Baião de Copacabana*; *Bar da noite*; *Palhaçada*; *Nossos momentos* etc.

Barbosa, Orestes [Rio de Janeiro RJ, 1893 — *id.*, 1966], escritor brasileiro, autor de poemas, crônicas, crítica teatral e letras de canção. Obras: *Penumbra sagrada* (livro de poemas); *Pato preto* (crônica); *Carioca*, *Sergipana*, *Flor do asfalto*, *Chão de estrelas* (letras de canção) etc.

Barbosa de Oliveira, **Rui** [Salvador BA, 1849 — Petrópolis RJ, 1923], jurista, estadista, político e jornalista brasileiro; participou da transição do Império para a República; foi ministro da Fazenda, deputado e senador; defensor das liberdades civis, contribuiu para a consolidação jurídica da República; representou o Brasil na Segunda Conferência de Paz, o que o consagrou no meio popular como o "Águia de Haia". Obras: *Queda do império*, *A questão social e política no Brasil*, *Cartas da Inglaterra*, *Oração aos moços* etc.

Barcarena (PA), município com 1.310,5 km², foi palco da Cabanagem, movimento popular ocorrido durante a regência. Extração e industrialização da bauxita e do caulim. Hab.: 112.921.

Bardi, Pietro Maria [La Spezia, Ligúria, Itália, 1900 — São Paulo SP, 1999], crítico e historiador de arte, veio para o Brasil em 1946 e, a convite de Assis Chateaubriand, orientou a aquisição do acervo do Museu de Arte de São Paulo, fundado em 1947, e encarregou-se de sua direção. — **Lina Bo Bardi** [Roma, Itália, 1914 — São Paulo SP, 1992], sua mulher, arquiteta, projetou em São Paulo SP o prédio do MASP, a Casa de Vidro e o SESC (Fábrica da Pompeia), e fez intervenções no Centro Histórico de Salvador BA.

Barein ver *Bahrein*

Barra (BA), município com 11.422,5 km², situado no encontro do rio Grande com o rio São Francisco, no Médio São Francisco. Agropecuária. Cerâmica. Hab.: 53.786.

Barra do Corda (MA), município com 5.190,3 km², situado às margens dos rios Corda e Mearim, na região central do estado. Agricultura (arroz). Hab.: 85.603.

Barra do Garças (MT), município com 9.078,9 km², antiga aldeia de indígenas xavantes e bororos, está situado na região do alto Araguaia, na divisa de Mato Grosso com Goiás. Reserva de vida selvagem e esportes radicais. Pesca. Hab.: 58.099.

Barra do Piraí (RJ), município com 579 km², situado no vale do Paraíba, na confluência do rio Paraíba com o rio Piraí, é importante entroncamento ferroviário e rodoviário. Hab.: 96.568.

Barra Mansa (RJ), município com 547,2 km², localizado no vale do Paraíba, é importante eixo fluvial para a ligação Rio-São Paulo. Hab.: 179.697.

Barreiras (BA), município com 7.859,2 km², importante entroncamento rodoviário entre o Norte, o Nordeste e o Centro-oeste do Brasil. Um dos maiores produtores de grãos do Nordeste do país. Hab.: 152.208.

Barreirinhas (MA), município com 3.024 km², situado nas margens do rio Preguiças, na região norte do Estado do Maranhão. Turismo (porta de entrada da região turística conhecida como Lençóis Maranhenses). Hab.: 59.623.

Barreto, João **Paulo** Emílio Cristóvão dos Santos Coelho ver *João do Rio*

Barreto, Afonso Henriques de **Lima** [Rio de Janeiro RJ, 1881 — *id.*, 1922], escritor brasileiro, fino representante do romance urbano carioca. Obras: *Clara dos Anjos, Triste fim de Policarpo Quaresma, Recordações do escrivão Isaías Caminha* etc.

Barreto, Luís Carlos [Sobral CE, 1928], cineasta, produtor e roteirista brasileiro, começou como corroteirista e coprodutor de *Assalto ao trem pagador* (1961). Figura importante do Cinema Novo, produziu mais de 70 filmes nacionais — **Bruno Barreto** [Rio de Janeiro RJ, 1955], seu filho, cineasta brasileiro, cujo primeiro longa-metragem foi *Tati, a garota* (1973). Outras obras: *A estrela sobe*; *Dona Flor e seus dois maridos*; *Gabriela, cravo e canela* etc. — **Fábio Barreto** [Rio de Janeiro RJ, 1957], tb. filho de Luís Carlos, cineasta brasileiro cujo primeiro longa-metragem foi *Índia, a filha do Sol.* Outras obras: *Luzia homem*; *Bela Donna*; *A paixão de Jacobina*; *O quatrilho*; *Lula, o filho do Brasil* etc.

Barreto, Mário Castelo Branco [Rio de Janeiro RJ, 1879 — *id.*, 1931], filólogo e gramático brasileiro, patrono da Abrafil. Obras: *Estudos da língua portuguesa, Fatos da língua portuguesa, De gramática e de linguagem, Através do dicionário e da gramática* etc.

Barreto de Menezes, **Tobias** [Campos do Rio Real SE, 1839 — Recife PE, 1889], escritor, ensaísta, poeta, professor, advogado e filósofo brasileiro, mestre da oratória, foi um dos fundadores da Escola do Recife. É patrono da cadeira 38 da ABL. Obras: *Ensaios e estudos de filosofia e crítica, Filosofia e crítica, Estudos alemães, Polêmicas, Discursos* etc.

Barreto, Vítor **Lima** [Casa Branca SP, 1906 — Campinas SP, 1982], cineasta brasileiro. Seu filme *O cangaceiro* foi o primeiro longa-metragem brasileiro a ganhar um prêmio no festival de cinema de Cannes, na França (1953). Outras obras: *Primeira missa, São Paulo em festa, Santuário* etc.

Barretos (SP), município com 1.566,1 km². Pecuária (bovinos). Festa do Peão de Boiadeiro. Hab.: 118.521.

Barriga (serra da), situada no município de União dos Palmares, a 83 km de Maceió, foi o local de nascimento do núcleo do Quilombo dos Palmares, símbolo da resistência negra no país. Tombada pelo Governo Federal, ali foi criado o Parque Nacional de Zumbi.

Barros, Manoel Wenceslau Leite **de** [Cuiabá MT, 1916 — Campo Grande MS, 2014], poeta brasileiro de intimismo naturalista, aos 21 anos publicou *Poemas concebidos sem pecado.* Outras obras: *Face imóvel, Compêndio para uso dos pássaros, Gramática expositiva do chão, Matéria de poesia, O guardador de águas* etc.

Barroso, almirante (Francisco Manuel Barroso da Silva, barão do Amazonas) [Lisboa, Portugal, 1804 — Montevidéu, Uruguai, 1882], herói da Guerra do Paraguai, comandou os navios brasileiros na Batalha do Riachuelo, derrotando os paraguaios. É dele a frase: "O Brasil espera que cada um cumpra o seu dever".

Barroso, Ary Evangelista Resende [Ubá MG, 1903 — Rio de Janeiro RJ, 1964], compositor popular, pianista, responsável por uma das músicas brasileiras mais executadas no exterior, *Aquarela do Brasil*, compôs tb. para o teatro e o cinema. Homem de rádio e TV, sua "Hora do Calouro" notabilizou-se por descobrir novos talentos musicais. Outras obras: *No rancho fundo, Maria, Na batucada da vida, Na Baixa do Sapateiro, Camisa amarela* etc.

Barroso, Gustavo Dodt [Fortaleza CE, 1888 — Rio de Janeiro RJ, 1959], historiador e jornalista brasileiro, fundou o Museu Histórico Nacional (1922), militou na Ação Integralista Brasileira (1933) e foi duas vezes presidente da ABL. Obras: *Terra de sol, Heróis e bandidos, Almas de lama e de aço, O livro dos enforcados* etc.

Barueri (SP), município com 65,7 km², na região metropolitana de São Paulo, não possui zona rural, concentrando-se toda a população na zona urbana. Tem 99,9% de vias asfaltadas. Hab.: 259.555.

Basquíria ou **Bashkortostão**, república autônoma da Federação Russa com 143.600 km². Capital: *Ufa*; recursos principais: petróleo, gás natural, linhito. Hab.: 4.104.336.

Bastilha, fortaleza construída em Paris no séc. XIV, para proteger a cidade dos ingleses, e depois transformada em prisão; tornou-se o símbolo da tirania e arbitrariedade da monarquia. Sua tomada pelos parisienses (14/07/1789) marcou o início da Revolução Francesa.

Bastos, Aureliano Cândido **Tavares** [atual Marechal Deodoro AL, 1839 — Nice, França, 1875], escritor, jornalista, historiador e político brasileiro. Notabilizou-se por sua oposição política à centralização administrativa do Segundo Império. É patrono da cadeira 35 da ABL. Obras: *Cartas do solitário, A província, Estudos sobre a reforma eleitoral* etc.

Batatais (SP), município com 849,5 km², situado entre duas colinas. Teve grande impulso econômico com o café. Estância turística. Hab.: 60.128.

Bates, Henry Walter [Leicester, Inglaterra, 1825 — Londres, Inglaterra, 1892], naturalista inglês, viveu na Amazônia brasileira de 1848 a 1859, onde catalogou e estudou cerca de 8.000 espécies (a maioria insetos) até então desconhecidas.

Batista de Oliveira, **Wilson** [Campos RJ, 1913 — Rio de Janeiro RJ, 1968], compositor brasileiro, polemizou com Noel Rosa a partir do samba *Lenço no pescoço* (1933). Os dois conheceram-se pessoalmente entre um e outro desafio e tornaram-se amigos.

Bauhaus, escola de arquitetura e artes aplicadas fundada em Weimar, Alemanha, por Walter Gropius (1919) e extinta em 1933 pelo regime nazista. Procurava conciliar a estética industrial com as vanguardas artísticas.

Bauru (SP), município com 667,7 km², situado no sudeste do estado. Antiga aldeia dos indígenas caingangues. Indústria (metal-mecânica, editorial e gráfica, alimentícia, eletroeletrônica e de plásticos). Hab.: 364.562.

Bayeux (PB), município com 27,5 km², situado na região metropolitana de João Pessoa. Ecoturismo e manguezais. Aeroporto Internacional Presidente Castro Pinto. Hab.: 95.677.

BBC sigla da *British Broadcasting Corporation*, emissora oficial inglesa de rádio e televisão fundada em 1922.

Beatles, grupo inglês de *rock*, de Liverpool, Inglaterra. Surgido na década de 1960, o quarteto (Paul McCartney, John Lennon, George Harrison e Ringo Star) dissolveu-se em 1970.

Bebedouro (SP), município com 683,1 km², antigo pouso de tropas e boiadas à beira do córrego Bebedor, teve sua instalação oficial em 1884. Economia baseada na produção de suco de laranja. Hab.: 77.558.

Beberibe (CE), município com 1.623,8 km², localizado no norte cearense. Agricultura (cana-de-açúcar, caju, coco-da-baía), pecuária e minérios (jazidas de quartzo e feldspato). Hab.: 51.885.

Bechuanalândia, antigo nome de *Botsuana*.

Becker Yáconis, **Cacilda** [Pirassununga SP, 1928 — São Paulo SP, 1969], atriz brasileira, uma das pioneiras da revolução do teatro no país. Primeira atriz por muitos anos, a partir de 1948, do Teatro Brasileiro de Comédia (TBC), fundou mais tarde com o marido, Walmor Chagas, o Teatro Cacilda Becker.

Beckman, Manuel (ou Bequimão) [Portugal, primeiro terço do séc. XVII — São Luís MA, 1685], senhor de engenho do Brasil colonial e principal líder da revolta, que levou seu nome, contra a Companhia de Comércio do Estado do Maranhão (1684). Condenado, foi decapitado.

Beja (Ana Jacinta de São José, dita **Dona**) [Formiga MG, 1800 — Estrela do Sul MG, 1874], viveu em Araxá MG e, por ter sido mãe solteira de duas filhas, escandalizou a sociedade. Teria tido influência política e sido proprietária de imóveis e escravos. A residência em que teria recebido personalidades para saraus e reuniões políticas hoje abriga um museu.

Belarus, Bielorrússia ou **Rússia Branca**, país da Europa oriental, com 207.600 km², situado entre a Ucrânia e os Países Bálticos. Ex-república federada da URSS, atual república mista, independente desde 1991. Capital: *Minsk*; recursos principais: indústria pesada e agricultura. Hab.: 9.625.888 (2013).

Bela Vista de Goiás (GO), município com 1.253,4 km². Casa do Senador Canedo tombada pelo Iphan. Hab.: 27.112.

Belém (PA), capital do Estado do Pará, com 1.059,5 km², às margens da baía de Guajará e do rio Guamá. Maior entreposto comercial da Região Norte. Atrações turísticas: o *Círio de Nazaré*, uma das maiores festas religiosas do Brasil; monumentos tombados pelo Iphan: Forte do Castelo, Igreja da Sé, parque zoobotânico do Museu Emílio Goeldi, conjunto arquitetônico do mercado Ver-o-Peso etc. Hab.: 1.432.844.

Belford Roxo (RJ), município com 77,8 km², na Baixada Fluminense, foi desmembrado de Nova Iguaçu e instalado em 01/01/1993. Hab.: 479.386.

Bélgica (Reino da), país da Europa ocidental, com 30.530 km². Monarquia parlamentarista. Capital: *Bruxelas*; recursos principais: indústria (siderúrgica e metalúrgica). Hab.: 10.787.788 (2012).

Belize (ant. Honduras Britânicas), país da América Central, a sudeste da península de Iucatã, com 22.970 km². Monarquia parlamentarista, independente desde 1981. Capital: *Belmopan*; recurso principal: agricultura (cana-de-açúcar, banana, citrinos, cacau e coco). Hab.: 334.297 (2013).

Belo Horizonte (MG), capital do Estado de Minas Gerais, com 331,4 km². Planejada para ser a sede do governo, foi inaugurada em 1897. Casa da Fazenda do Leitão, Igreja de São Francisco de Assis, conjunto paisagístico da serra do Curral e conjunto arquitetônico e paisagístico da Pampulha tombados pelo Iphan. Hab.: 2.491.109.

Belo Jardim (PE), município com 647,6 km², localizado no vale do Ipojuca, em pleno Agreste pernambucano. Agroindústria e turismo. Hab.: 75.186.

Belo Vale (MG), município com 365,9 km², um dos primeiros arraiais mineiros fundados pelos bandeirantes. Casa da Fazenda da Boa Esperança tombada pelo Iphan. Hab.: 7.803.

Beluquistão ou **Baluchistão**, região da Ásia que se estende do leste do Irã ao oeste do Paquistão. Atualmente é uma província do Paquistão.

Benedetti, Lúcia [Mococa SP, 1914 — Rio de Janeiro RJ, 1998], escritora e teatróloga brasileira especializada na temática infantil; a Fundação Nacional do Livro Infantil e Juvenil criou um prêmio que leva seu nome. Obras: *A rainha do fundo do mar*, *O casaco encantado*, *Auto de Natal* etc.

Beneditinos, membros da ordem monástica mais antiga do Ocidente, fundada por são Bento (529), que tem por divisa "reza e trabalha".

Benevides (PA), município com 187,8 km², localizado na região metropolitana de Belém. Agricultura. Hab.: 57.393.

Bengala, região da Ásia meridional banhada pelos rios Bramaputra e Ganges e politicamente dividida entre a Índia (Bengala Ocidental) e Bangladesh (Bengala Oriental). A língua lá falada, o bengali, é usada por cerca de 180 milhões de falantes.

Bengala (golfo de), situado no norte do oceano Índico, entre o Decã (região ao sul da Índia), Bangladesh e Myanmar.

Benim (República do), antigo Daomé, país da África Ocidental, com 112.620 km². República presidencialista, independente desde 1960. Capital: *Porto Novo*; recursos principais: agropecuária e pesca. Sua antiga estatuária de bronze e marfim é das mais belas da África negra. Hab.: 9.877.292 (2013).

Bento Gonçalves (RS), município com 274,1 km², situado na serra Gaúcha, foi instalado em 1938. Maior produtor de vinho do país. Hab.: 112.318.

Bequimão ver *Beckman, Manuel*

Berilo (MG), município com 587,1 km². Igrejas de N. S.ª do Rosário e Matriz de N. S.ª da Conceição tombadas pelo Iphan. Hab.: 12.469.

Bering (estreito de), separa a Sibéria do Alasca e une o oceano Pacífico ao Ártico.

Bering (mar de), parte do oceano Pacífico, com 2.261.330 km² e 1.491 m de profundidade, entre a Ásia e a América.

Bermudas conjunto de 360 ilhas (20 habitadas), situadas no Atlântico, a leste do cabo Hatteras (EUA), com 53 km². Capital: *Hamilton*. Em 1941, os EUA arrendaram 6 km² para ali construir uma base aeronaval. Hab.: 69.467 (2013).

Bernardelli, José Maria Oscar **Rodolfo** [Guadalajara, México, 1852 — Rio de Janeiro RJ, 1931], escultor naturalizado brasileiro, diretor da Escola Nacional de Belas-Artes e autor de inúmeras obras no campo da escultura monumental, no Rio de Janeiro e em outras cidades brasileiras. — **Henrique Bernardelli** [Valparaíso, Chile, 1858 — Rio de Janeiro RJ, 1936], irmão de Rodolfo, pintor e desenhista, professor de pintura na Escola Nacional de Belas-Artes, autor da decoração do Teatro Municipal do Rio de Janeiro, entre outras obras.

Bernardes, Artur da Silva [Viçosa MG, 1875 — Rio de Janeiro RJ, 1955], político brasileiro, presidente da República (1922-1926), teve sua administração marcada por revoltas militares (como o Tenentismo, p.ex.) e crises políticas.

Bertioga (SP), município com 490,1 km², localizado na Baixada santista. Estância balneária. Turismo. Hab.: 55.138.

Bessarábia, região do leste da Europa situada entre os rios Dniester e Prut, anexada pelos soviéticos e hoje pertencente à Moldávia.

Bethânia Vianna Telles Veloso, **Maria** [Santo Amaro da Purificação BA, 1946], cantora brasileira, apresentou-se em público pela primeira vez na peça *Boca de Ouro* (1963), de Nelson Rodrigues, musicada por seu irmão, *Caetano Veloso*, e projetou-se no *show* "Opinião" (Teatro de Arena, 1965), cantando *Carcará*, de João do Vale e José Cândido.

Betim (MG), município com 343,7 km², situado na zona metalúrgica e instalado em 1923. Indústria automobilística. Hab.: 412.003.

Betinho (Herbert José de Sousa, dito) [Bocaiuva MG, 1935 — Rio de Janeiro RJ, 1997], sociólogo e cientista político brasileiro exilado em 1971; morou no Chile, Panamá, Canadá e México. De volta ao Brasil, fundou o Instituto Brasileiro de Análises Sociais e Econômicas (Ibase), criou a Ação da Cidadania contra a Miséria e pela Vida e a campanha "Natal sem fome".

Beviláqua, Clóvis [Viçosa do Ceará CE, 1859 — Rio de Janeiro RJ, 1944], jurista brasileiro, redator do anteprojeto do Código Civil (1889) e um dos fundadores da ABL. Obra principal: *Teoria geral do Direito Civil* (1908).

Bezerros (PE), município com 490,8 km², localizado no Agreste pernambucano; tem mirantes com cerca de 900 m de altitude, de onde se pode ver a paisagem da reserva ecológica da Serra Negra e praticar voos de asa-delta. Ecoturismo. Hab.: 60.301.

Biafra, república da região do sudeste da Nigéria, rica em petróleo; manteve-se independente de maio de 1967 a janeiro de 1970, quando se rendeu ao governo central da Nigéria, após uma guerra civil que deixou quase um milhão de mortos, a maioria, de fome.

Bielorrússia ou **Rússia Branca** ver *Belarus*

Biguaçu (SC), município com 367,9 km², situado na região metropolitana de Florianópolis. Turismo. Sobradão e conjunto arquitetônico e paisagístico da vila de São Miguel tombados pelo Iphan. Hab.: 63.440.

Bilac, Olavo Brás Martins dos Guimarães [Rio de Janeiro RJ, 1865 — *id.*, 1918], poeta brasileiro expoente do Parnasianismo, defendeu a República e a abolição da escravatura e foi um dos fundadores da ABL. Obras: *Poesias*, *Tarde*, *Dicionário de rimas*, *Conferências literárias* etc.

Biquíni (atol de), situado no oceano Pacífico, a noroeste das ilhas Marshall. Entre 1946 e 1958 foi usado pelos EUA como centro experimental de explosões atômicas.

Birigui (SP), município com 530 km², no noroeste do estado. Antiga parada de locomotivas da Estrada de Ferro Noroeste. Indústria (de móveis, confecção, cartonagem). Hab.: 117.143.

Birmânia, antigo nome de *Myanmar*.

Biscaia, província do norte da Espanha, na região dos Países Bascos, junto ao mar Cantábrico, com 2.217 km², tb. chamado golfo de Biscaia. Capital:

Bilbao. Recurso principal: indústria (siderúrgica e metalúrgica). Hab.: 1,2 milhão.

Bittencourt, Edmundo [Santa Maria RS, 1866 — Rio de Janeiro RJ, 1943], jornalista brasileiro, fundou o *Correio da Manhã* (1901), jornal de opinião, defensor das causas populares. Combateu o controle do poder pelas oligarquias e chegou a duelar a pistola com o senador gaúcho Pinheiro Machado (1906), ferindo-se no combate.

Bloqueio Continental, série de medidas adotadas por Napoleão (1806) para isolar totalmente a Inglaterra do continente europeu, com maus resultados para a economia francesa. Levou à invasão de Portugal (fins de 1807), à insurreição espanhola e às hostilidades com a Rússia.

Blumenau (SC), município com 518,4 km², às margens do rio Itajaí-Açu. Originou-se de uma colônia agrícola estabelecida pelo filósofo alemão Dr. Hermann Bruno Otto Blumenau. Hab.: 334.002.

Boa Esperança (cabo da), situado no extremo sul de uma península da região da Cidade do Cabo (África do Sul), eleva-se a 243 m de altitude e nele se juntam as águas dos oceanos Atlântico e Índico. Antigo cabo das Tormentas, foi transposto pela primeira vez pelo navegador português *Bartolomeu Dias* (1488).

Boa Viagem (CE), município com 2.836,7 km², situado no sertão cearense. Agricultura (esp. algodão). Hab.: 53.725.

Boa Vista (RR), capital do Estado de Roraima desde 1943, com 5.687 km². A instalação como município data de 1890; a cidade localiza-se na margem direita do rio Branco. Hab.: 314.900.

Bobadela, (Antônio Gomes Freire de Andrade, **conde de**) [Juromenha, Portugal, 1685 — Rio de Janeiro RJ, 1763], militar e político português, foi nomeado governador e capitão-general do Rio de Janeiro (1733), onde fomentou obras públicas, de assistência e culturais.

Bocage, Manuel Maria Barbosa du [Setúbal, Portugal, 1765 — Lisboa, Portugal, 1805], poeta português árcade e romântico, reconhecido principalmente pelos sonetos, sendo famosos os eróticos e satíricos. Obras: *Rimas*, *Poesias*.

Bocaina (serra da), nome de várias elevações no relevo brasileiro, sendo a mais alta (2.000 m) a situada entre os estados de São Paulo e Rio de Janeiro.

Bocaiuva, Quintino Antônio Ferreira de Sousa [Itaguaí RJ, 1836 — Rio de Janeiro RJ, 1912], jornalista e político brasileiro. Defensor da República, foi ministro do primeiro gabinete republicano, senador e governador do Rio de Janeiro.

Boêmia, região ocidental da República Tcheca, com 52.769 km², que formou com a Morávia e a Eslováquia, até 31/12/1992, a Tchecoslováquia. Jazidas de hulha e ferro.

Boff (Genézio Darci, dito **Leonardo**) [Concórdia SC, 1938], teólogo brasileiro, da Ordem dos Frades Menores Franciscanos. Um dos criadores da Teologia da Libertação e ardoroso defensor da causa dos direitos humanos, foi premiado no Brasil e no exterior por sua luta em favor dos oprimidos e marginalizados. Obras: *Igreja, carisma e poder*; *Feminino e masculino*; *Tempo de transcendência* etc.

Bogotá, capital da Colômbia, fundada em 1538 e situada na cordilheira dos Andes, a 2.640 m de altitude. Conserva várias igrejas dos séc. XVI e XVII. Hab.: 7.363.782 (2011).

Boituva (SP), município com 248,9 km², localizado na região de Sorocaba. Maior centro de paraquedismo da América Latina. Hab.: 54.594.

Bojunga Nunes, **Lygia** [Pelotas RS, 1932], escritora brasileira, dedicada à literatura infantojuvenil. Recebeu diversos prêmios no Brasil e no exterior, destacando-se a medalha *Hans Christian Andersen* (1982). Obras: *A bolsa amarela*, *Angélica*, *Corda bamba*, *Tchau* etc.

Bolívar, Simón [Caracas, Venezuela, 1783 — Santa Marta, Colômbia, 1830], general venezuelano, dito El Libertador; derrotou os espanhóis e tornou independentes a Bolívia, a Colômbia, o Equador, o Peru e a Venezuela.

Bolívia (República da), país da América do Sul, com 1.098.580 km², situado na vertente ocidental dos Andes. República presidencialista, independente desde 1825. Capitais: administrativa — *La Paz*, legal — *Sucre*; recursos principais: agricultura (coca), petróleo, gás natural e minérios (cobre, ouro, prata, estanho, zinco). Hab.: 10.248.042 (2012).

Bolshoi, teatro de Moscou para espetáculos de ópera e balé. A sua escola de balé é, juntamente com o Balé Kirov, a principal companhia da Rússia. A primeira e única cidade do mundo a ter uma filial dessa escola é Joinville SC, no Brasil.

Bom Jesus da Lapa (BA), município com 4.115,5 km², situado no centro-oeste do estado, às margens do rio São Francisco. Cresceu em torno da gruta de Bom Jesus, descoberta em 1691. Santuário religioso e centro de peregrinação e turismo. Hab.: 68.922.

Bom Jesus do Amparo (MG), município com 195,6 km². Casa da Fazenda do Rio São João tombada pelo Iphan. Hab.: 5.871.

Bom Jesus dos Navegantes (festa do), procissão marítima realizada em Salvador BA, a 1º de janeiro, em honra do Senhor Bom Jesus dos Navegantes e de N. S.ª da Boa Viagem, na baía de Todos-os-Santos. Atração turística.

Bonito (MS), município com 4.934,4 km². Grutas do lago Azul e de N. S.ª Aparecida tombadas pelo Iphan. Hab.: 20.825.

Bopp, Raul [Santa Maria RS, 1898 — Rio de Janeiro RJ, 1984], poeta modernista e diplomata brasileiro. Obras: *Cobra Norato*, *Memórias de um embaixador* etc.

Borba de Carvalho Filho, Hermilo [Palmares PE, 1917 — Recife PE, 1976], escritor e crítico brasileiro, de estilo autobiográfico e linguagem despojada, pautada na realidade política e na cultura popular brasileira. Obras: *Apresentação do bumba meu boi*, *Fisionomia e espírito do mamulengo*, *Sobrados e mocambos* etc.

Bornéu, ilha do sudeste asiático, a maior da Insulíndia e a terceira maior do mundo, com 750.000 km^2. Está dividida entre a Indonésia, ao sul, e a Malásia (Sabah e Sarawak) e o Brunei, ao norte. Hab.: 16 milhões.

Bósforo (estreito de), braço de mar entre a Europa e a Ásia, que liga o mar Negro ao mar de Mármara, com cerca de 30 km de comprimento, largura entre 600 e 3.000 m e profundidade entre 30 e 120 m.

Bósnia-Herzegóvina (República da), país europeu nos Bálcãs, com 51.210 km2 (9.119 km^2 da Herzegovina). República presidencialista tripartite — com um representante bósnio-muçulmano, um croata e um sérvio — de 1918 a 1992 fez parte da Iugoslávia, mas teve a independência proclamada em 1992. Capital: *Sarajevo*; recursos principais: minério e indústria (têxtil, aço, couro e alimentos). Hab.: 3.744.235 (2012).

Bosquímanos ver *Boxímanes*

Botafogo Gonçalves Fonseca, **Ana** Maria [Rio de Janeiro RJ, 1957], primeira-bailarina do Teatro Municipal, premiada pelo Ministério da Cultura do Brasil com o Troféu Mambembe/1998 pelo conjunto de seu trabalho e divulgação da dança em todo o território nacional.

Botafogo (enseada de), situada no Rio de Janeiro, na baía de Guanabara, entre os morros da Viúva e da Urca; seu primeiro nome foi *Le lac* ("O lago"), dado pelos franceses. Passou à denominação atual depois que nela foi morar João Sousa Pereira Botafogo, dono de uma fazenda que se estendia da praia até a quinta de São Clemente.

Botelho, Diogo [? — ?], oitavo governador e capitão-mor da Bahia e quinto governador-geral do Brasil (1602 a 1607); continuou a obra do seu antecessor, D. Fernando de Sousa, subjugou os aimorés e autorizou Pero Coelho de Sousa a explorar os rios cearenses e expulsar franceses instalados em arraiais na serra da Ibiapaba.

Botelho de Oliveira, **Manuel** [Salvador BA, 1636 — *id.*, 1711], poeta, advogado e político brasileiro, escreveu versos em latim, italiano e espanhol, além do português. Obras: *À ilha de Maré, Música do Parnaso, Lira sacra.*

Botsuana (República de), antiga Bechuanalândia, país do sul da África, com 581.730 km^2. República presidencialista, independente desde 1966. Capital: *Gaborone*; recursos principais: extração de diamantes, minério de cobre, minério de níquel, carbonato de sódio. Hab.: 2.053.237 (2012).

Botticelli (Alessandro di Mariano di Vanni Filipepi, dito **Sandro**) [Florença, Itália, 1445 — *id.*, 1510], pintor renascentista italiano, começou pintando retratos para as grandes famílias de Florença, como os Médici. Pintou alguns afrescos da Capela Sistina, em Roma (1481-1482). Outras obras: *Adoração dos magos, O nascimento de Vênus, Madona do Magnificat* etc.

Botucatu (SP), município com 1.482,6 km^2, situado na região de Itapetininga. Teve 26% de seu território transformados em área de proteção ambiental. *Campus* da Universidade Estadual Paulista "Júlio de Mesquita Filho" (Unesp). Hab.: 137.899.

Boxímanes /cs/ ou **bosquímanos**, povos nômades de pele pardo-amarelada, rosto triangular e baixa estatura, que habitam esp. Botsuana, Namíbia, noroeste da África do Sul e sudeste de Angola.

Braga, Antônio **Francisco** [Rio de Janeiro RJ, 1868 — *id.*, 1945], compositor e regente brasileiro, autor da música do *Hino à Bandeira* e um dos fundadores da Sociedade de Concertos Sinfônicos. Outras obras: *Jupira* (ópera), *Marabá* (poema sinfônico), entre muitas outras.

Braga, Rubem [Cachoeiro de Itapemirim ES, 1913 — Rio de Janeiro RJ, 1990], escritor e jornalista brasileiro; autor de vários livros. Fundou a *Folha do Povo* (São Paulo SP) e *Diretrizes*, com Samuel Wainer, e *Comício*, com Joel Silveira e Rafael Correia de Oliveira (Rio de Janeiro RJ).

Bragança (PA), município com 2.092 km^2, às margens do rio Caeté e banhado pelo oceano Atlântico; é dos mais antigos do estado. Atrações turísticas: praia de Ajuruteua e ilha de Canela (santuário ecológico, reserva de guarás). Hab.: 120.124.

Bragança Paulista (SP), município com 512,5 km^2, estância climática na serra da Mantiqueira. O nome é uma homenagem à família real portuguesa. Indústria (linguiça) e agropecuária. Hab.: 158.856.

Braguinha (Carlos Alberto Ferreira Braga, dito João de Barro) [Rio de Janeiro RJ, 1907 — *id.*, 2006], compositor popular brasileiro, começou a cantar no grupo amador A Flor do Tempo; como profissional, apresentava-se ao lado de Noel Rosa no Bando dos Tangarás. Especializou-se em marchinhas para o carnaval, como *Linda lourinha, Dama das camélias, Cadê Mimi, Pastorinhas, Chiquita bacana* etc.

Brahms, Johannes [Hamburgo, Alemanha, 1833 — Viena, Áustria, 1897], compositor erudito alemão, recebeu do pai as primeiras aulas de música aos cinco anos e, aos sete, já era capaz de tocar violino, violoncelo e trompa, além de piano. Compôs música sinfônica e de câmara. Obras: *Concerto nº 2 para piano e orquestra, Variações sobre um tema de Haydn, Um réquiem alemão* etc.

Braille, Louis [Coupvray, Seine-et-Marne, França, 1809 — Paris, França, 1852], pedagogo francês cego, inventou um alfabeto para os deficientes visuais (escrita *braille*) que utiliza pontos em relevo.

Branco (cabo), situado na costa ocidental da África, junto à fronteira do Saara Ocidental com a Mauritânia, foi descoberto (1441) por Nuno Tristão, navegador português.

Branco (cabo), ponto extremo oriental da América, situado no Estado da Paraíba, na cidade de João Pessoa.

Branco, Camilo Castelo [Lisboa, Portugal, 1825 — S. Miguel de Seide, Portugal, 1890], escritor português, o primeiro a viver apenas de seus livros. Seu gênio criador revelou-se esp. na novela (58 obras que vão do Romantismo ao Realismo). Obras: *Vingança, Amor de perdição, O romance d'um homem rico, Novelas do Minho, A brasileira de Prazins, A corja* etc.

Branco (rio), afluente do rio Negro, no Estado de Roraima, formado pelos rios Tacutu e Urariquera (584 km).

Brandão, Ignácio de Loyola [Araraquara SP, 1936], escritor brasileiro. Recebeu o Prêmio Jabuti (2000) por *O homem que odiava a segunda-feira* (contos). Outras obras: *Zero, Bebel que a cidade comeu, Não verás país nenhum, O ganhador* etc.

Brant Pontes Oliveira e Horta, **Felisberto Caldeira** ver *Barbacena, visconde e marquês de*

Brás Pereira Gomes, **Venceslau** [Brasópolis MG, 1868 — Itajubá MG, 1966], presidente da República (1914-1918), em seu governo, durante a Primeira Guerra Mundial, ocorreu o afundamento do navio brasileiro Paraná, o que provocou o rompimento das relações com o Império Alemão e uma declaração de guerra (26/10/1917). Tb. houve a pacificação do *Contestado*.

Brás Cubas, personagem principal do romance de Machado de Assis *Memórias póstumas de Brás Cubas* (1881), um típico burguês da segunda metade do séc. XIX, homem contraditório, que passou a vida sem realizar quase nada e que, após morrer, conta a própria história, do fim para o começo.

Brasil (República Federativa do), quinto país do mundo em extensão territorial e em população e o maior da América Latina (8.515.767,049 km^2). População: 202.768.562 hab. (IBGE, 2014); produto interno bruto (PIB): R$ 4,84 trilhões; PIB *per capita*: R$ 24.065,00 (IBGE, 2013). Constitui uma república presidencialista, dividida administrativamente em 26 estados, agrupados em cinco grandes regiões (Norte, Nordeste, Sudeste, Sul e Centro-Oeste), o *Distrito Federal*, onde está a capital do país, *Brasília*, e 5.570 municípios. Pontos extremos do território: ao norte, nascente do rio Ailã (RR), ao sul, o arroio Xuí (RS), a leste, a ponta do Seixas (Cabo Branco PB) e a oeste, a nascente do rio Moa, na serra da Contamana AC. Fusos horários: quatro. Climas: equatorial, tropical de altitude, tropical atlântico, semiárido e subtropical. Malha viária: *ferrovias* — 28.000 km; *rodovias* — 1.691.000 km (202.920 pavimentados). Recursos principais: *agricultura* — café, cana-de-açúcar (para açúcar refinado e álcool combustível), cacau, milho, soja etc.; *pecuária* — gado bovino para corte e leite, além de suínos, aves, ovinos e equinos; *silvicultura* — carnaúba, castanha, borracha, plantas medicinais, óleos vegetais, resinas, madeiras para construção e móveis etc.; *mineração* — ferro, petróleo bruto, gás natural, prata, manganês, diamante, cromo, zircônio etc.; *indústria* — alimentos processados, ferro e aço, cimento, tecidos, veículos automotores, produtos químicos, navios, equipamentos elétricos etc.; energia — 3.636 empreendimentos em operação (usinas hidrelétricas, termelétricas etc.) geram cerca de 135.137.539 kW de potência instalada.

Cronologia histórica

1500-1822	**Brasil Colônia**
1500	Descobrimento por Pedro Álvares Cabral
1501-1503	Expedições de Gaspar de Lemos, Fernão de Noronha — exploração do pau-brasil
1508-1513	Chegada de João Ramalho e Caramuru: colonizadores acidentais
1516-1526	Expedições guarda-costas de Cristóvão Jacques
1530-1532	Expedição de Martim Afonso de Sousa: fundação da primeira vila (São Vicente)
1534-1536	Capitanias hereditárias
1549-1553	Governo-geral (Tomé de Sousa, Salvador, Bahia) e vice-reinados
1555	Primeira invasão francesa — Villegagnon no Rio de Janeiro (França Antártica)
1580	Portugal fica sob domínio espanhol
1612-1615	Franceses no Maranhão (França Equinocial)
1624	Primeira invasão holandesa: Bahia
1630	Segunda invasão holandesa: ocupação de Pernambuco
1637-1644	Maurício de Nassau: missões artísticas e científicas
1640	Restauração do trono português (dinastia de Bragança)
1641-1644	Invasão holandesa no Maranhão
1645	Insurreição Pernambucana
1645-1649	Batalha do Monte das Tabocas e duas dos Guararapes
1654	Fim da invasão holandesa
1664-1693	Entradas e bandeiras
1684	Revolta de Beckman
1694	Destruição do Quilombo de Palmares
1702	A corrida do ouro: Minas Gerais e a cobrança do "quinto"
1707-1709	Guerra dos Emboabas
1710-1711	Guerra dos Mascates
1711	Duguay-Trouin e a invasão do Rio de Janeiro
1720	O levante de Vila Rica (Filipe dos Santos)
1720	As monções (expedições fluviais)
1729	Mineração: diamantes no arraial do Tijuco
1750-1777	Tratado de Madri — marquês de Pombal — As derramas
1754-1756	Os Sete Povos das Missões e as guerras contra os guaranis
1759	Expulsão dos jesuítas pelo marquês de Pombal
1763	Transferência da capital para o Rio de Janeiro
1785	Proibição de indústrias no Brasil
1789-1792	A Inconfidência Mineira e a morte de Tiradentes
1794	A Conjuração do Rio de Janeiro
1808	Vinda de D. João e sua corte para o Brasil; Abertura dos Portos
1809-1827	As questões de Caiena e a do Prata
1815	Elevação do Brasil a Reino Unido a Portugal e Algarves

Brasil | Brasil

Cronologia histórica	
1816-1819	As missões artísticas francesa e austro-alemã
1822-1889	**Brasil Império**
1822-1831	Primeiro Reinado: D. Pedro I
1822	Proclamação da Independência do Brasil
1823	Assembleia Constituinte
1824	Confederação do Equador Primeira Constituição
1825-1828	Guerra da Cisplatina
1826	Abdicação de D. Pedro I do trono de Portugal
1831	Abdicação de D. Pedro I do trono do Brasil
1831-1840	Regências Trina Provisória, Trina Permanente, 1ª e 2ª Regências Unas
1835-1845	Guerra dos Farrapos
1835-1840	Cabanagem
1837-1838	Sabinada
1838-1841	Balaiada
1840-1889	Segundo Reinado: D. Pedro II
1847-1889	Parlamentarismo
1848-1850	Revolução Praieira
1850	Extinção do tráfico de escravos
1864-1870	Guerra do Paraguai
1871	Lei do Ventre Livre
1872-1875	Questão Religiosa
1884-1887	Questão Militar
1885	Lei dos Sexagenários
1888	Lei Áurea
1889	Proclamação da República
1889	**Brasil República**
1889-1930	A Primeira República ou República Velha
1889	Mal. Deodoro da Fonseca: chefe do Governo Provisório
1889	Governo Provisório: iniciado com o banimento da família imperial (17/11)
1891	Mal. Deodoro da Fonseca: eleito pelo Congresso Constituinte; renunciou Mal. Floriano Peixoto: vice-presidente; assumiu o cargo
1891-1894	Revoltas da Armada
1892-1894	Mal. Floriano Peixoto
1893-1895	Revolta Federalista
1894-1898	Prudente de Morais: presidente eleito pelo voto direto
1896-1897	Guerra de Canudos
1898-1902	Campos Sales: presidente eleito pelo voto direto
1902-1906	Rodrigues Alves: presidente eleito pelo voto direto
1906-1909	Afonso Pena: presidente eleito pelo voto direto

Cronologia histórica	
1909	Afonso Pena: presidente; faleceu no cargo Nilo Peçanha: vice-presidente; assumiu
1909-1910	Nilo Peçanha Mal. Hermes da Fonseca: presidente eleito pelo voto direto Revolta da Chibata
1911-1914	Mal. Hermes da Fonseca
1914	Venceslau Brás: presidente eleito pelo voto direto
1914-1918	Venceslau Brás
1918	Rodrigues Alves: presidente; faleceu sem assumir Delfim Moreira: vice-presidente; assumiu o cargo
1919-1922	Epitácio Pessoa: presidente eleito pelo voto direto
1922	Artur Bernardes: presidente eleito pelo voto direto
1923-1926	Artur Bernardes
1925	Início da Coluna Prestes
1926	Washington Luís: presidente eleito pelo voto direto
1927-1930	Washington Luís
1930	Washington Luís: deposto pela Revolução de 1930 Getúlio Vargas: chefe do Governo Provisório
1931-1934	Getúlio Vargas
1932	Revolução Constitucionalista; Ação Integralista Brasileira
1934	Getúlio Vargas: presidente eleito pela Assembleia Constituinte
1935-1937	Getúlio Vargas
1935	Intentona Comunista
1937	Getúlio Vargas: chefe do Estado Novo
1938-1944	Getúlio Vargas II
1945	Getúlio Vargas II: deposto; redemocratização Min. José Linhares: assumiu a presidência
1946	Gen. Eurico Gaspar Dutra: presidente eleito pelo voto direto Assembleia Nacional Constituinte
1947-1950	Gen. Eurico Gaspar Dutra
1951	Getúlio Vargas III: presidente eleito pelo voto direto
1952-1954	Getúlio Vargas III
1953	Criação da Petrobras
1954	Getúlio Vargas III: suicidou-se Café Filho: vice-presidente; assumiu o cargo; impedido em novembro Carlos Luz: presidente da Câmara dos Deputados; assumiu
1955	Nereu de Oliveira Ramos: vice-presidente do Senado; assumiu a presidência

Cronologia histórica

1956	Juscelino Kubitschek: presidente eleito pelo voto direto; tomou posse
1957-1960	Juscelino Kubitschek
1960	Inauguração de Brasília
1961	Jânio Quadros: eleito presidente; tomou posse e renunciou após 8 meses João Goulart: vice-presidente; assumiu a presidência. Instalou-se o parlamentarismo Tancredo Neves: 1º ministro; Francisco Brochado da Rocha: 1º ministro
1962	João Goulart: presidente Hermes Lima: 1º ministro
1963	João Goulart: presidente. Reinstaura-se o presidencialismo
1964	João Goulart deposto por golpe militar Pascoal Ranieri Mazzilli: presidente da Câmara; assumiu a presidência Mal. Castelo Branco: presidente eleito pelo Congresso
1965-1967	Mal. Castelo Branco
1967	Gen. Costa e Silva: presidente eleito indiretamente
1969	Mal. Costa e Silva: adoeceu no cargo Junta Militar: ministros militares assumiram provisoriamente
1969	Gen. Emílio Garrastazu Médici: presidente eleito indiretamente
1969-1974	Gen. Emílio Garrastazu Médici
1974-1979	Gen. Ernesto Geisel: presidente eleito indiretamente
1979	Gen. João Batista Figueiredo: presidente eleito indiretamente Lei da Anistia
1979-1985	Gen. João Batista Figueiredo
1985	Tancredo Neves: presidente eleito indiretamente; faleceu na véspera de assumir a presidência José Sarney: vice-presidente; assumiu a presidência
1986-1990	José Sarney
1990	Fernando Collor de Mello: presidente eleito pelo voto direto
1991-1992	Fernando Collor de Mello
1992	Fernando Collor de Mello: sofreu *impeachment* Itamar Franco: vice-presidente; assumiu interinamente (02/10) enquanto Collor era julgado; assumiu o cargo em caráter definitivo a 29/12
1993-1995	Itamar Franco
1994	Fernando Henrique Cardoso: presidente eleito pelo voto direto
1995-1998	Fernando Henrique Cardoso
1999-2002	Fernando Henrique Cardoso: presidente reeleito pelo voto direto

Cronologia histórica

2002	Luís Inácio Lula da Silva: presidente eleito pelo voto direto
2003-2006	Luís Inácio Lula da Silva
2007-2010	Luís Inácio Lula da Silva: presidente reeleito pelo voto direto
2010	Dilma Roussef: presidente eleita pelo voto direto
2011-2013	Dilma Roussef
2014	Dilma Rousseff: presidente reeleita pelo voto direto. Obs.: o presidente é eleito em um ano e começa a governar no ano seguinte, salvo as exceções por morte, *impeachment* etc.

Brasil Mineiro da Campanha, **Vital** [Campanha MG, 1865 — Rio de Janeiro RJ, 1965], médico sanitarista, durante as epidemias de febre amarela, varíola e cólera, chefiou a comissão sanitária e combateu a peste bubônica na cidade de Santos. Foi criador e o primeiro diretor do Instituto Butantan.

Brasília (DF), capital do Distrito Federal, com 5.779,9 km², concebida por Lúcio Costa e construída por Oscar Niemeyer, com jardins de Burle Marx, sob encomenda do presidente Juscelino Kubitschek e inaugurada em 1960. É a maior área urbana tombada do mundo. Conjunto urbanístico, Catedral Metropolitana e Catetinho tombados pelo Iphan. Patrimônio da Humanidade, pela Unesco. Hab.: 2.852.372.

Brecheret, Vítor [São Paulo SP, 1894 — *id.*, 1955], escultor brasileiro, participou da Semana de Arte Moderna (1922) e foi um dos fundadores da Sociedade Pró-Arte Moderna. Em 1936, iniciou sua obra mais famosa: o *Monumento às bandeiras* (Parque Ibirapuera, São Paulo SP).

Brecht, Bertolt [Augsburg, Alemanha, 1898 — Berlim, Alemanha, 1956], poeta e dramaturgo alemão. Deixou a Alemanha com a ascensão de Hitler ao poder; esteve na Finlândia, na Dinamarca e nos EUA, onde permaneceu até 1947. Foi nesse período que escreveu suas grandes obras da maturidade. De regresso à Europa, fundou o Berliner Ensemble. Obras: *A mãe*, *A ópera dos três vinténs*, *A vida de Galileu*, *Mãe coragem e seus filhos*, *O círculo de giz caucasiano* etc.

Brennand, Francisco [Recife PE, 1927], pintor e escultor brasileiro, usa o barro para conseguir efeitos de rara criatividade, em figuras mitológicas e eróticas, e imagens religiosas.

Breu Branco (PA), município com 3.941,9 km², localizado na margem direita do rio Tocantins, próximo à Hidrelétrica de Tucuruí. Siderúrgica, reserva de minério de quartzo. Hab.: 59.651.

Breves (PA), município com 9.550,5 km², antiga sesmaria doada em 1738 a dois irmãos portugueses, Manuel e Ângelo Breves, que ali construíram um engenho (Engenho dos Breves). Realiza anualmente o Festival Brevense de Folclore. Hab.: 97.351.

Britânicas (ilhas), grupo de ilhas do noroeste da Europa com 314.900 km². Dele fazem parte a Grã-Bretanha (Inglaterra, País de Gales e Escócia), a Irlanda do Norte e a República da Irlanda, o arquipélago das Hébridas, as ilhas Órcadas e Shetland, bem como a ilha de Man.

Brito, Francisco de **Paula** [Rio de Janeiro RJ, 1809 — *id.*, 1861], livreiro e escritor brasileiro, dono de uma tipografia, depois livraria, que marcou o início do movimento editorial no Rio de Janeiro. Obras: *A mulher do Simplício, Poesias de Francisco de Paula Brito* (ed. póstuma).

Brizola, Leonel Itajiba de Moura [Carazinho RS, 1922 — Rio de Janeiro RJ, 2004], político brasileiro, chefiou a campanha eleitoral que levou à presidência o seu cunhado, João Goulart (1961). De 1964 a 1977 viveu no exílio. Em 1980 fundou o Partido Democrático Trabalhista — PDT. Governador do Estado do Rio de Janeiro por duas vezes (1983 e 1991).

Broadway, rua de Nova York, em Manhattan, em que se localiza o maior conjunto de teatros dos EUA.

Broca, José **Brito** [Guaratinguetá SP, 1903 — Rio de Janeiro RJ, 1961], crítico literário e historiador cultural brasileiro. Em São Paulo, trabalhou em vários jornais e escreveu as primeiras crônicas literárias, sob os pseudônimos de Lauro Rosas e Alceste. Sua obra *A vida literária no Brasil — 1900* foi quatro vezes premiada.

Brodósqui (SP), município com 278,4 km². Casa natal de Cândido Portinari tombada pelo Iphan. Hab.: 23.134.

Brumado (BA), município com 2.207,6 km², situado na serra das Éguas, é o portão de entrada do sertão. Reservas de magnesita e talco. Hab.: 69.022.

Brunei (Sultanato de), pequeno país da Ásia tropical, com 5.765 km², situado a noroeste da ilha de Bornéu. Monarquia islâmica, independente desde 1984. Capital: *Bandar Seri Begawan*; recursos principais: petróleo e gás natural. Hab.: 412.892 (2012).

Brusque (SC), município com 283,2 km², situado no vale do rio Itajaí-Mirim; é um dos maiores polos têxteis do Sul do país e sede da única colônia de língua inglesa do estado e do primeiro núcleo de colonização polonesa do Brasil. Hab.: 119.719.

Bruxelas, capital da Bélgica, situada às margens do rio Senne. Porto fluvial, centro industrial e sede de arcebispado e de organismos internacionais, como a Organização do Tratado do Atlântico Norte (Otan). Hab.: 1.138.854.

Buarque de Holanda Ferreira, **Aurélio** [Passo de Camaragibe AL, 1910 — Rio de Janeiro RJ, 1989], ensaísta, tradutor, contista e lexicógrafo. Aos 15 anos ingressou no magistério. Foi membro da ABL e da Abrafil. Obras: *Território lírico, Vocabulário ortográfico brasileiro, Novo dicionário da língua portuguesa* (1975), *Minidicionário da língua portuguesa* etc.

Bucareste, capital da Romênia (desde 1862), na Valáquia. É o principal centro industrial e comercial do país. Hab.: 1.942.000 (2010), 2.600.000 na área metropolitana.

Buda (em sânscrito, "iluminado") [Índia, c. 566 a.C. — *id.*, c. 486 a.C.], cognome de Siddharta Gautama, fundador do budismo. Após tornar-se monge viajante e levar uma vida penitente, atingiu a "iluminação".

Budapeste, capital da Hungria, às margens do rio Danúbio. A atual cidade formou-se pela fusão de Buda, na margem direita, e Peste, na margem esquerda (1873), unidas por dez pontes. Recurso principal: indústria (metalúrgica, têxtil, química e alimentícia). Hab.: 1.740.041 (2012), 3.271.110 na região metropolitana ou Grande Budapeste.

Bueno da Ribeira, **Amador** [São Paulo SP, c. 1584 — *id.*, c. 1649], filho de um explorador de origem espanhola. Ficou conhecido como o "Aclamado", por ter sido escolhido para ser rei de São Paulo, honraria que recusou.

Bueno, Maria Ester Adion [São Paulo SP, 1939], tenista brasileira, aos 15 anos era a campeã do país. Venceu em Wimbledon (Inglaterra) por oito vezes (simples e duplas), e no Aberto dos EUA outras oito. Ganhou ao todo 71 torneios e seu nome faz parte do International Tennis Hall of Fame, em Nova York.

Buenos Aires, capital da República Argentina, junto ao rio da Prata, com 202 km². Fundada em 1580, chamou-se de início *Nuestra Señora Santa María del Buen Aire*, em honra da padroeira dos marinheiros. Porto movimentado, comércio de carne e cereais. Hab.: cerca de 3 milhões (13.047.384 na área metropolitana [2011]).

Buíque (PE), município com 1.329,8 km², localizado no Vale do Ipanema. Reserva arqueológica do Vale do Catimbau. Parque Nacional do Catimbau, cavernas. Hab.: 55.905.

Bujumbura, capital do Burundi, situada no extremo norte do lago Tanganica. Hab.: 497.169 (2011).

Bulgária (República da), país europeu, com 111.000 km², situado na península dos Bálcãs. República parlamentarista, independente desde 1908. Capital: *Sófia*; recursos principais: bauxita, cobre, chumbo, petróleo e gás natural. Hab.: 7.397.873 (2012).

Buriticupu (MA), município com 2.545,4 km², tem 43,9 mil hectares de terra repletos de árvores valiosas para o mercado madeireiro, como o ipê e o jatobá. Seu nome foi formado com a junção de buriti e cupuaçu. Hab.: 69.548.

Burle Marx, Roberto ver *Marx, Roberto Burle*

Burquina Faso (República de), país da África ocidental, antigo Alto Volta, dos mais pobres do continente, com 274.220 km². República mista, independente desde 1960. Capital: *Uagadugu*; recursos principais: pecuária e agricultura. Hab.: 17.481.984 (2012).

Burroughs, Edgar Rice [Chicago, EUA, 1875 — Encino, Califórnia, EUA 1950], escritor norte-americano, criador de Tarzã (1914), personagem sobre quem escreveu mais de 20 livros.

Burundi (República do), país do centro-leste da África, antigo Urundi, com 27.830 km². República presidencialista, independente desde 1962. Capital: *Bujumbura*; recursos principais: mineração (ouro, estanho); reservas não exploradas de níquel, vanádio e urânio. Hab.: 8.749. 387 (2012).

Bush, George [Milton, Mass., EUA, 1924], político norte-americano, diretor da CIA (1976-1977), vice-presidente (1981-1989) e presidente dos EUA (1989-1993). — **George** Walter **Bush** [New Haven, Conn., EUA, 1946], seu filho, foi presidente dos EUA (2001-2009) eleito tb. pelo Partido Republicano.

Butão ou **Butã (Reino do)**, país asiático, com 38.394 km², situado no centro-sul da Ásia, a leste do Himalaia, entre a Índia e o Tibete. Monarquia independente desde 1949. Capital: *Timfu*, único centro urbano; recursos principais: mineração (carvão, gipsita, calcário, dolomita, ardósia), indústria (cimento). Hab.: 750.443 (2012).

Búzios, península de aprox. 8 km de extensão, 180 km ao norte do Rio de Janeiro, situada em região habitada por tamoios e goitacases e onde piratas franceses, ingleses e holandeses agiam (séc. XVI). Em 1950, José Bento Ribeiro Dantas deu início ao desenvolvimento da cidade. Balneário concorrido, tem 23 praias.

Cc

Cabanada, revolta popular que pretendia trazer o imperador D. Pedro I de volta ao trono do Brasil, ocorrida em Pernambuco e Alagoas (1832-1835), contra o governo da Regência Trina Permanente. Liderados por Vicente Ferreira de Paula, os cabanos — assim chamados devido às suas pobres moradias — entraram em luta contra as tropas do governo, mas foram perdendo força após a morte do imperador (1834).

Cabanagem, grande revolta popular que explodiu na província do Grão-Pará, em 1835, e da qual participaram negros, indígenas e mestiços que trabalhavam na exploração de produtos da floresta e moravam em cabanas à beira dos rios — daí o nome de cabanos. Eles chegaram a tomar o poder, mas foram derrotados em 1840 pelas tropas do governo do Império. Calcula-se que cerca de 30% da população local morreram por causa da revolta.

Cabardino-Balcária (Kabardino-Balkaria), república autônoma da Federação Russa, situada nos contrafortes ao norte do Cáucaso, com 12.500 km². Capital: *Naltchik*. Hab.: 859.939 (2010).

Cabedelo (PB), município com 32 km², situado na Zona da Mata, porto fluvial entre a foz do rio Paraíba e o oceano Atlântico. Fortaleza de Santa Catarina e ruínas do Forte Velho tombadas pelo Iphan. Folclore: nau catarineta. Hab.: 64.360.

Cabo (Cidade do), capital legislativa da África do Sul e da Província do Cabo, fundada pelos holandeses (1652) à beira da baía da Mesa. Recursos principais: construção naval, refinarias de petróleo, indústria pesada, petroquímica e lapidação de diamantes, além do turismo. Hab.: 3.497.097 (2007).

Cabo de Santo Agostinho (PE), município com 448,7 km², com 24 km de praias, foi o primeiro ponto do solo brasileiro a ser pisado pelos europeus, já que consta que Vicente Pinzón ali chegou em janeiro de 1500 e tomou posse das terras para a Espanha, antes que Cabral chegasse ao Brasil. A posse não foi reivindicada devido ao Tratado de Tordesilhas. Igreja de N. Sª. de Nazaré tombada pelo Iphan. Hab.: 198.383.

Cabo Frio (RJ), município com 410,4 km², situado na Região dos Lagos. Extração de sal. Pesca. Turismo. Conjunto paisagístico, Capela de N. S.ª da Guia, Convento e Igreja de N. S.ª dos Anjos e Forte de São Mateus tombados pelo Iphan. Hab.: 204.486.

Cabo Verde (República de), país africano, com 4.030 km², a oeste de Dacar, Senegal, no oceano Atlântico. É constituído por dez ilhas de origem vulcânica e cinco ilhotas, divididas em dois grupos, Sotavento (Santiago, Fogo, Brava, Maio) e Barlavento (Santo Antão, São Vicente, Santa Luzia, São Nicolau, Sal, Boavista e os ilhéus Branco e Raso). A maior ilha é Santiago (903 km²) e a menor, a Brava. Capital: *Praia* (em Santiago); recurso principal: agricultura (café, banana, cana-de-açúcar, frutos tropicais etc.) e pesca. Hab.: 505.335 (2012).

Cabral, Pedro Álvares [Belmonte, Portugal, 1467 ou 1468 — Santarém, Portugal, 1520 ou 1526], navegador português a quem D. Manuel I confiou o comando da 2ª armada (13 caravelas e 1.500 homens) que enviou à Índia. Consta ter-se desviado da rota, descobrindo o Brasil no dia 22 de abril de 1500. Seguiu depois até a Índia e voltou a Portugal em 1501 com apenas cinco embarcações carregadas de especiarias. Morreu esquecido em Santarém, no Ribatejo, por ter-lhe D. Manuel concedido muitas honras, mas nunca mais utilizado seus serviços.

Cabral de Melo Neto, João [Recife PE, 1920 — Rio de Janeiro RJ, 1999], poeta e diplomata brasileiro, membro da ABL. Filho de senhor de engenho, sua obra caracteriza-se pelo rigor estético e pela preocupação com a construção do poema. Obras: *Pedra do sono, O cão sem plumas, Duas águas, O engenheiro, Morte e vida severina, A escola das facas, Agrestes* etc.

Cabrália (baía), situada no Estado da Bahia, município de S.ta Cruz de Cabrália, com 13 km de extensão e 5,5 km de largura, nela aportou a esquadra de Pedro Álvares Cabral, em 1500.

Caçador (SC), município com 984,2 km², no alto vale do rio do Peixe. Indústria (madeira serrada, celulose, papel e papelão, mobiliário). Hab.: 75.048.

Caçapava (SP), município com 368,9 km², às margens da rodovia Presidente Dutra, no vale do Paraíba. Abriga as principais indústrias de vidro do país. Hab.: 90.426.

Caçapava do Sul (RS), município com 3.047,1 km², na serra do Sudeste. Importante centro geológico com fósseis. Forte de Caçapava tombado pelo Iphan. Hab.: 34.665.

Cáceres (MT), município com 24.351,4 km², antiga aldeia dos indígenas bororos às margens do rio Paraguai, é uma das entradas do Pantanal mato-grossense. Marco do Jauru tombado pelo Iphan. Festival de pesca de água doce. Pecuária. Hab.: 90.106.

Cachoeira (BA), município com 395,2 km², situado na região metropolitana de Salvador, na margem esquerda do rio Paraguaçu. Conjunto arquitetônico e paisagístico, igrejas do Seminário de Belém, do Convento do Carmo, da Ordem Terceira do Carmo, do Convento de Paraguaçu, casas, sobrados e outros prédios tombados pelo Iphan. Monumento nacional em 1971. Hab.: 34.394.

Cachoeira do Sul (RS), município com 3.735,1 km², cidade centenária às margens do rio Jacuí, antiga aldeia de indígenas provenientes da região das Missões. Recurso principal: agricultura (arroz). Hab.: 85.830.

Cachoeiras de Macacu (RJ), município com 953,8 km², localizado na região metropolitana do Rio de Janeiro. Esportes radicais. Ecoturismo. Reserva Ecológica de Guapiaçu. Hab.: 55.967.

Cachoeirinha (RS), município com 44 km², desmembrado de Gravataí e instalado em 1966. Pecuária (gado leiteiro). Hab.: 125.246.

Cachoeiro de Itapemirim (ES), município com 878,2 km², antiga aldeia dos indígenas puris às margens do rio Itapemirim e mais tarde parada de tropeiros que desciam dos sertões. Extração e industrialização de mármore. Hab.: 206.973.

Cacoal (RO), município com 3.792,9 km², situado na divisa com o Estado de Mato Grosso. Próspero distrito industrial. Hab.: 86.556.

Caetano dos Santos, **João** [Itaboraí RJ, 1808 — Rio de Janeiro RJ, 1863], ator e empresário teatral brasileiro, rompeu com a tradição criando uma dramaturgia autenticamente nacional, e inaugurou sua companhia com uma peça (*O príncipe amante da liberdade ou A independência da Escócia*) interpretada exclusivamente por atores nacionais. Publicou dois livros com seu ideário estético: *Reflexões dramáticas* e *Lições dramáticas*.

Caeté (MG), município com 542,6 km², na região metropolitana de Belo Horizonte. Foi palco da *Guerra dos Emboabas*, a primeira revolução civil do país. Igreja de N. S.ª do Rosário, Matriz de N. S.ª de Nazaré, Matriz de N. S.ª do Bonsucesso e conjunto arquitetônico e paisagístico do Santuário de N. S.ª da Piedade tombados pelo Iphan. Produtor de laranja. Hab.: 43.395.

Caetité (BA), município com 2.651,5 km², localizado no centro-sul baiano. Jazidas minerais (urânio, ametista, manganês e ferro). Pecuária. Hab.: 52.353.

Café Filho, João [Natal RN, 1889 — Rio de Janeiro RJ, 1970], presidente do Brasil de 1954 a 1955. Vice-presidente da República desde 1951, assumiu a presidência após o suicídio de Getúlio Vargas (24/08/1954). Depois de 15 meses de governo, renunciou por motivos de saúde.

Caicó (RN), município com 1.228,5 km², antiga aldeia dos indígenas caicós, na região do Seridó, foi elevado a município com o nome de Vila Nova do Príncipe. Tem o nome atual desde 1890. Hab.: 66.759.

Caieiras (SP), município com 97,6 km²; seu nome deve-se ao primeiro núcleo habitacional planejado para trabalhadores livres no país, surgido em torno de uma produtora de cal. Hab.: 94.516.

Caiena, capital da Guiana Francesa, situada na ilha homônima. Sob o domínio português de 1809 a 1817, dessa ocupação resultou a vinda para o Brasil de plantas e árvores, como a cana-caiana ou caiena (variedade de cana-de-açúcar) e a fruta-pão. Hab.: 58.004 (2011).

Caiena (questão de), em 1º de maio de 1808, já instalada no Brasil a sede do reino, D. João VI declarou guerra a Napoleão e à França, considerando nulos os tratados assinados anteriormente. Visando ampliar seu império na América, eliminar a ameaça francesa e, ao mesmo tempo, vingar-se da invasão napoleônica em Portugal, resolveu ocupar a Guiana Francesa, incorporando-a aos seus domínios. Com a derrota de Napoleão, foram iniciadas conversas para que a França retomasse o território, o que aconteceu em 1817.

Caim, filho de Adão e Eva, que, segundo a Bíblia, matou o irmão mais novo, Abel.

Caimãs (ilhas), colônia britânica, ao sul de Cuba, com 260 km². Capital: *George Town*. Região turística, esp. para pesca e mergulho. Hab.: 53.737 (2013).

Cairo, capital do Egito fundada em 969 e situada às margens do rio Nilo, perto das célebres pirâmides. Centro administrativo, comercial e intelectual. Recurso principal: indústria têxtil. Hab.: 11.169.000 (2013).

Cairu (BA), município com 461 km², situado na Costa do Dendê, sul do estado, foi desmembrado de Ilhéus. Suas principais atrações são o morro de São Paulo e Boipeba, ilhas do arquipélago de Tinharé. Convento e Igreja de Santo Antônio, ruínas da Fortaleza e Fonte Grande do morro de São Paulo tombados pelo Iphan. Hab.: 17.457.

Cairu, José da Silva Lisboa, **visconde de** [Salvador BA, 1756 — Rio de Janeiro RJ, 1835], político, jornalista, economista brasileiro e o primeiro professor de Ciências Econômicas. Conselheiro de D. João VI, foi o responsável por medidas econômicas em prol da autonomia brasileira, como a abertura dos portos às nações amigas. Escreveu, entre outras obras, *Princípios de economia política*.

Cajamar (SP), município com 131,4 km². Extração de calcário para produção de cimento e brita. Hab.: 70.710.

Cajazeiras (PB), município com 565,9 km², situado na planície dos rios Piranha e do Peixe, região castigada pela seca. Centro de educação e cultura. Hab.: 61.030.

Calabar, Domingos Fernandes [Porto Calvo AL, c. 1600 — *id.*, 1635], militar brasileiro; participou das lutas contra a invasão holandesa, mas passou para o lado inimigo (1632). Profundo conhecedor da região, foi nomeado major do exército holandês. Três anos depois, foi preso por Matias de Albuquerque e enforcado.

Calais (passo de), estreito que separa do continente europeu o Reino Unido e do mar do Norte o canal da Mancha, com 185 km de extensão e 33 km de largura. Sob o passo há um túnel que liga a França à Inglaterra.

Caldas, Antônio Pereira de **Sousa** [Rio de Janeiro RJ, 1762 — *id.*, 1814], sacerdote, poeta e orador sacro brasileiro. Preso por suas ideias iluministas, passou seis meses internado em um convento. Posteriormente, torna-se sacedorte e passa a dedicar-se mais como pregador e poeta sacro. Patrono da cadeira 34 da ABL. Obras: *Poesias sacras e profanas, Ode ao homem selvagem* etc.

Caldas Novas (GO), município com 1.596 km². Polo turístico do Estado de Goiás, dotado de piscinas termais. Hab.: 79.705.

Califórnia (golfo da), situado entre a península da Califórnia (Baixa Califórnia) e o México, tem 1.100 km e uma área de 160.000 km².

Callado, Antônio Carlos [Niterói RJ, 1917 — Rio de Janeiro RJ, 1997], jornalista e escritor brasileiro, membro da ABL, trabalhou no *Correio da Manhã*, em *O Globo* e na *BBC* de Londres. Foi correspondente na Guerra do Vietnã pelo *Jornal do Brasil*. Obras: *Quarup, A assunção de Salviano, Bar Don Juan, Reflexos do baile* etc. (romances); *A cidade assassinada, Frankel, Pedro Mico* (teatro).

Calmon Muniz de Bittencourt, **Pedro** [Amargosa BA, 1902 — Rio de Janeiro RJ, 1985], historiador, ensaísta e orador brasileiro, celebrizou-se com a sua *História do Brasil*, em sete volumes.

Calógeras, João **Pandiá** [Rio de Janeiro RJ, 1870 — Petrópolis RJ, 1934], engenheiro, político e historiador brasileiro, foi autor da Lei Calógeras, de regulação da propriedade das minas. Ministro da Fazenda do governo Venceslau Brás, reorganizou o Banco do Brasil; ministro da Guerra de Epitácio Pessoa. Obras: *As minas do Brasil e sua legislação, Os jesuítas e o ensino, Rio Branco e a política exterior* etc.

Calvário, em hebraico *Gólgota* ("caveira"), é a colina de Jerusalém em que, segundo a Bíblia, Jesus Cristo foi crucificado e onde hoje se situa a Igreja do Santo Sepulcro.

Camaçari (BA), município com 784,7 km², na região metropolitana de Salvador, antiga aldeia fundada pelos jesuítas, é a sede do maior polo petroquímico do Nordeste. Turismo: orla com 42 km, incluindo a praia de Arembepe. Hab.: 281.413.

Camaquã (RS), município com 1.679,4 km², localizado na Serra do Sudeste, às margens da laguna dos Patos. Turismo (Caminho Farroupilha). Hab.: 65.628.

Câmara, Dom Hélder Pessoa [Fortaleza CE, 1909 — Recife PE, 1999], religioso brasileiro, arcebispo emérito de Recife e Olinda, fortaleceu as comunidades eclesiais de base, criou o Banco da Providência e a Cruzada São Sebastião (Rio de Janeiro) e foi o fundador e primeiro secretário-geral da Conferência Nacional dos Bispos do Brasil (CNBB). Recebeu inúmeros prêmios e títulos nacionais e internacionais e foi indicado ao Prêmio Nobel da Paz por seu trabalho em prol dos direitos humanos.

Camaragibe (PE), município com 51,2 km², antigo distrito de São Lourenço da Mata emancipado em 1982, suas terras foram uma das primeiras a serem ocupadas pelos portugueses (séc. XVI) para exploração do pau-brasil. Hab.: 152.840.

Camarão, Antônio **Filipe** [aldeia Igapó, Pernambuco, 1600 ou 1601 — Recife, Pernambuco, 1648], nome adotado por Poti, chefe indígena potiguara, ao ser batizado. Herói na luta contra os holandeses na Bahia e em Pernambuco, notabilizou-se como guerreiro, o que lhe valeu o título de Dom, de "Governador de todos os índios do Brasil" e a patente de capitão-mor. Sua mulher, **Clara Camarão** [Pernambuco, início do séc. XVII — *id.*, 1648], tb. índigena, lutou a seu lado, chefiando um grupo de mulheres.

Camargo, Iberê Bassani de [Restinga Seca RS, 1914 — Porto Alegre RS, 1994], pintor, gravador e desenhista brasileiro, com obras figurativas, abstratas e expressionistas. Fundou o curso de gravura no Instituto Nacional de Belas-Artes (1953, RJ); executou o painel de 49 m² oferecido pelo Brasil à Organização Mundial de Saúde, em Genebra.

Camargo, Joracy Schafflor [Rio de Janeiro RJ, 1898 — *id.*, 1973], jornalista, cronista, professor e teatrólogo, membro da ABL. Em 1931, escreveu a primeira comédia para o ator Procópio Ferreira, *O bobo do rei*, considerada pela crítica como o início do teatro social no Brasil. Outras obras: *Deus lhe pague, Sindicato dos mendigos, Figueira do inferno* etc.

Camarões, República de (República do Cameroun), país do centro-oeste da África, com 475.440 km², situado no golfo da Guiné. República presidencialista, independente desde 1960. Capital: *Iaundê*; recursos principais: petróleo, bauxita e ferro. Hab.: 20.468.943 (2012).

Cambé (PR), município com 495,3 km², foi fundado por alemães e chamou-se Nova Dantzig, antes da Segunda Guerra Mundial. Hab.: 103.036.

Camberra, capital federal da Austrália, situada no sudeste do país, projetada pelo arquiteto americano Walter Burley Griffin e fundada em 1927, às margens do lago artificial que leva o nome do arquiteto. O clima e a infraestrutura fazem dela excelente local para velejar, pescar, praticar esportes e voo livre. Hab.: 399.000 (2011).

Camboja ou **Cambodja (Reino do)**, país do sudeste asiático, antigo Império *khmer* e ex-República Popular do Kampuchea, com 181.040 km², situado na península da Indochina. Monarquia parlamentarista, independente desde 1953. Capital: *Phnom Penh*; recursos principais: agricultura (esp. arroz) e turismo (ruínas de Angkor, antiga capital do império). Hab.: 14.478.320 (2012).

Camboriú (SC), município com 212,3 km², localizado na região de Itajaí. Turismo ecológico e rural. Hab.: 72.261.

Cametá (PA), município com 3.081,3 km², às margens do rio Tocantins, que o atravessa e forma várias ilhas. Hab.: 129.161.

Caminha, Adolfo Ferreira [Aracati CE, 1867 — Rio de Janeiro RJ, 1897], romancista, contista e poeta, grande representante do Naturalismo no Brasil; sua curta vida coincidiu com um período de profundas transformações econômicas, políticas e sociais no país. Obras: *A normalista, Bom-crioulo, Cartas literárias* (crítica), *Voos incertos* (poesia) etc.

Caminha, Pero Vaz de [Porto ?, Portugal, 1450 — Calicut, Índia, 1500], escrivão na esquadra de Pedro Álvares Cabral, enviou ao rei D. Manuel a *Carta sobre o achamento do Brasil*, o mais importante documento relativo ao descobrimento do país.

Camocim (CE), município com 1.124,7 km^2, cercado por antigas muralhas de pedra. Importante porto pesqueiro. Hab.: 62.201.

Camões, Luís Vaz de [?, c. 1525 — Lisboa, Portugal, 1580], poeta português, combateu em Ceuta, onde perdeu um dos olhos. Autor do célebre poema épico *Os lusíadas*, foi após a sua morte que se publicou a maior parte de sua obra lírica e suas peças de teatro. É um dos maiores nomes da literatura portuguesa de todos os tempos.

Campina Grande (PB), município com 594,2 km^2, situado na região do Agreste, é o maior polo industrial e tecnológico do estado e importante centro universitário. Turismo: Festa de São João. Hab.: 402.912.

Campinas (SP), município com 794,5 km^2, antigo pouso de tropeiros a caminho das minas de Goiás e Mato Grosso. É o terceiro polo industrial do país. Palácio dos Azulejos tombado pelo Iphan. Aeroporto internacional (Viracopos), centros de pesquisa e universidades (entre as quais a Unicamp). Hab.: 1.154.617.

Campo Alegre (AL), município com 313,6 km^2, localizado no leste alagoano. Agricultura. Pecuária. Hab.: 55.814.

Campo Belo (MG), município com 528,2 km^2, localizado no oeste mineiro. Indústria têxtil e cerâmica. Agropecuária. Hab.: 53.870.

Campo Bom (RS), município com 60,5 km^2. Grande indústria de calçados, exporta para mais de 20 países. Hab.: 63.767.

Campo Formoso (BA), município com 7.258,7 km^2. Ali se localizam as duas maiores cavernas do Brasil: a Toca da Boa Vista (92.100 m) e a Toca da Barriguda (23.700 m). Hab.: 71.900.

Campo Grande (MS), capital do Mato Grosso do Sul, com 8.093 km^2, fundada em 1899. É uma das maiores comunidades de descendentes de japoneses oriundos de Okinawa; destaca-se no cultivo de milho, algodão, arroz e café e na pecuária. Hab.: 843.120.

Campo Largo (PR), município com 1.243,5 km^2. Museu Parque do Mate tombado pelo Iphan. Indústria (de louça e cerâmica). Fonte de água mineral. Hab.: 122.443.

Campo Limpo Paulista (SP), município com 79,4 km^2; a cidade surgiu com a construção do leito da estrada de ferro São Paulo Railway (1867), ligando Jundiaí a Santos, para o transporte de café dos fazendeiros da zona bragantina. Hab.: 79.982.

Campo Maior (PI), município com 1.675,7 km^2, o maior produtor de gado de corte do estado. Cemitério do Batalhão tombado pelo Iphan. Hab.: 45.904.

Campo Mourão (PR), município com 757,8 km^2, antiga aldeia guarani. Sede de importante cooperativa agropecuária e importante eixo rodoviário. Hab.: 92.300.

Campos, Augusto Luís Browne **de** [São Paulo SP, 1931], poeta concretista, ensaísta, crítico e tradutor, publicou sua primeira obra, *O rei menos o reino* (poemas), em 1951 e no ano seguinte lançou a revista literária *Noigandres*, com seu irmão, Haroldo de Campos, e Décio Pignatari. Outras obras: *Poetamenos, Linguaviagem, Equivocábulos*. — **Haroldo** Érico Browne **de Campos** [São Paulo SP, 1929 — *id.*, 2003], foi tb. poeta concretista, crítico, ensaísta e tradutor. Traduziu James Joyce, Goethe, Mallarmé, Dante, além de textos em grego, hebraico etc.

Campos, Dioclécio **Redig de** [Belém PA, 1905 — Roma, Itália, 1990], crítico, historiador e restaurador de arte brasileiro. Formou-se em Filosofia e Letras pela Universidade de Roma, Itália. Tornou-se superintendente dos museus e do patrimônio da Santa Sé, no Vaticano, Itália.

Campos, Roberto de Oliveira [Cuiabá MT, 1917 — Rio de Janeiro RJ, 2001], político e economista brasileiro, tornou-se mestre em economia pela Universidade George Washington, Washington D. C., EUA. No Brasil, foi colaborador e executor do plano de metas do governo Juscelino Kubitschek e colaborou na criação do FGTS — Fundo de Garantia do Tempo de Serviço, do Banco Central do Brasil, do BNDES etc.

Campos do Jordão (SP), município com 290,5 km^2, localizado no maciço da serra da Mantiqueira, região do Vale do Paraíba paulista. Estância climática. Turismo. Hab.: 50.541.

Campos dos Goytacazes (RJ), município com 4.026,7 km^2, situado no litoral norte do estado. Capela de N. S.ª do Rosário do Visconde, solares da Baronesa de Muriaé, de Santo Antônio, do Colégio, do Visconde e dos Airizes tombados pelo Iphan. Maiores reservas de petróleo e gás natural do país. Usina termelétrica. Hab.: 480.648.

Canaã, romance de Graça Aranha (1902) sobre a colonização alemã.

Canadá, país da Comunidade Britânica que abrange o extremo setentrional da América do Norte, com 9.984.670 km^2. É o segundo maior país em extensão territorial e, hoje, um dos mais prósperos do mundo. Governo federalista e parlamentarista, independente desde 1867, divide-se em dez províncias e três territórios federados. Capital: *Otawa*; recursos principais: indústria (alimentos, papel), mineração (ouro, urânio, prata, cobre, ferro), petróleo, gás natural e agropecuária (cevada, trigo, cereais). Hab.: 34.674.708 (2012).

Cananeia (SP), município com 1.239,4 km^2, estância balneária do litoral sul do estado desde 1948, originou-se de antiga aldeia dos tupis. Abriga as ilhas do Cardoso, Bom Abrigo, Casca e Cananeia. Hab.: 12.601.

Canárias (ilhas), arquipélago espanhol situado a oeste da costa de Marrocos, no oceano Atlântico, com 7.447 km^2. Principais ilhas: Tenerife, La Palma, La Gomera, El Hierro, Gran Canaria, Lanzarote, Fuerteventura. Capitais: *Las Palmas* (Gran Canária) e *Santa Cruz de Tenerife*. Recurso principal: turismo. Hab.: 2.103.992 (2009).

Canastra (serra da), nome de três serras do Brasil: a primeira, com cerca de 1.000 m de altitude, no Estado de Minas Gerais; a segunda, no Estado da Bahia, na divisa com o Estado de Sergipe (c. 500 m), e a terceira, no Estado da Paraíba, no limite com o Estado do Rio Grande do Norte (c. 600 m).

Canaveral (cabo), estreito promontório que se estende sobre o oceano Atlântico, na costa leste da Flórida, EUA, antigo cabo Kennedy (1963 a 1973), no qual se situa o Centro Espacial Kennedy.

Candeias (BA), município com 258,4 km², na região de Salvador, foi centro de romarias à Igreja de N. S.ª das Candeias, a partir do séc. XVII. A grande mudança, porém, ocorreu a partir de junho de 1941, com a descoberta de petróleo. Engenhos da Freguesia e Matoim tombados pelo Iphan. Hab.: 88.308.

Cândido de Melo e Sousa, **Antônio** [Rio de Janeiro RJ, 1918], escritor, ensaísta e professor universitário, é um dos principais críticos da literatura e cultura brasileiras. Foi um dos fundadores do Partido dos Trabalhadores. Obras: *Formação da literatura brasileira*, *Literatura e sociedade* etc.

Cândido do Nascimento, **João** [Encruzilhada RS, 1880 — Rio de Janeiro RJ, 1969], marinheiro brasileiro, dito o Almirante Negro, foi o líder da Revolta da Chibata (1910), página sangrenta, heroica e esquecida de nossa história.

Caneca (Joaquim do Amor Divino Rabelo, dito **Frei**) [Recife PE, 1779 — *id.*, 1825], sacerdote e revolucionário brasileiro, participou da *Revolução Pernambucana* de 1817 e foi um dos chefes da revolução republicana e separatista de 1824. Morreu fuzilado.

Canguaretama (RN), município com 245,4 km², situado no litoral sul do estado. Capela de N. S.ª das Candeias tombada pelo Iphan. Atração turística: passeio pelo estuário do rio Curimataú, com mangues e rica biodiversidade. Hab.: 33.289.

Canguçu (RS), município com 3.525,2 km², situado no topo da serra dos Tapes; foi palco da Guerra dos Farrapos. Hab.: 55.637.

Canindé (CE), município com 3.218,4 km², situado no sertão. Recebe anualmente numerosos romeiros devotos de são Francisco das Chagas. Hab.: 76.724.

Canoas (RS), município com 131 km², situado na região metropolitana de Porto Alegre. Antiga aldeia de indígenas guaranis, foi colonizado por alemães, italianos, palestinos e ucranianos. Indústrias metalúrgicas e petroquímicas. Hab.: 339.979.

Canoinhas (SC), município com 1.140,4 km², fundado em 1912, sua economia foi organizada em torno da exploração das reservas de madeira e erva-mate. Hab.: 54.079.

Canudos (Guerra de), teve como estopim uma encomenda de madeira para a construção da igreja da cidade de Canudos feita por *Antônio Conselheiro* em Juazeiro BA. Por ter pago adiantado e não ter recebido a madeira, espalhou-se o boato de que a cidade seria invadida pelos conselheiristas. O juiz local, que tinha antigas divergências com Conselheiro, solicitou tropas policiais e foi atendido pelo governador Luís Viana. A guerra durou um ano (1896-1897) e mobilizou mais de 10 mil soldados oriundos de 17 estados brasileiros. Estima-se que morreram mais de 25 mil pessoas, culminando com a destruição total da cidade de Canudos.

Capanema (PA), município com 614,7 km², conhecido pelos tapetes de serragem que ornamentam a festa de *Corpus Christi*. Hab.: 65.932.

Capibaribe ou **Capiberibe (rio)**, nasce na serra do Jacarará, na divisa de Pernambuco com a Paraíba. Seu curso tem cerca de 250 km e sua bacia aprox. 5.880 km². Com cerca de 74 afluentes, banha 42 municípios pernambucanos.

Capitanias hereditárias, faixas de terra de extensão entre 30 e 100 léguas, do litoral até a linha de Tordesilhas, em que foi dividido o território brasileiro (1534-1536). D. João III doou-as a pessoas de sua confiança, os capitães-mores, para que nelas fundassem vilas, construíssem engenhos, nomeassem funcionários, aplicassem a justiça etc., com o direito de explorá-las e transmitir a sua posse a descendentes.

Capitão Poço (PA), município com 2.899,6 km², localizado no nordeste paraense. Agricultura (grande produtor de laranja). Hab.: 52.616.

Capitu, principal personagem feminina do romance *Dom Casmurro*, de Machado de Assis, caracterizada por seus "olhos de cigana oblíquos e dissimulados".

Capivara (serra da) ver *Serra da Capivara* (*Parque Nacional da*)

Capivari (SP), município com 322,9 km², localizado na região de Piracicaba. Agricultura (cana-de-açúcar, cereais, algodão, chá, café). Hab.: 52.559.

Capri, ilha italiana, no golfo de Nápoles, com 10,4 km²; divide-se em dois municípios: Capri e Anacapri. De clima temperado, é centro turístico. Hab.: 13.000 (2013).

Caracas, capital da Venezuela, situada a 25 km do porto comercial de La Guaíra, no mar das Antilhas, a 900 m de altitude. Recursos principais: indústria (alimentícia e têxtil) e turismo. Hab.: 3,3 milhões (2014).

Caraguatatuba (SP), município com 485,1 km², situado no litoral norte do Estado de São Paulo, entre a serra do Mar e o oceano Atlântico, belo balneário procurado por turistas. Hab.: 111.524.

Carajás (serra dos), situada no Estado do Pará, sua altitude máxima não ultrapassa os 600 m. Sua riqueza está nos minerais, com bilhões de toneladas de metais, inclusive a mais rica jazida de minério de ferro do mundo.

Caramuru (Diogo Álvares Correia, dito) [Viana do Castelo, Portugal, c. 1475 — Salvador BA, 1557], colonizador português, sobreviveu a um naufrágio ocorrido na baía de Todos-os-Santos (c. 1510). Casou-se com Paraguaçu, filha de um cacique tupinambá, aprendeu a língua e os costumes indígenas e muito contribuiu para a fundação das primeiras povoações da Bahia.

Carapicuíba (SP), município com 34,5 km², foi uma das 12 aldeias fundadas pelo P.ᵉ Anchieta (c. 1580). Conjunto arquitetônico e urbanístico e Capela de São João Batista tombados pelo Iphan. Hab.: 390.073.

Caratinga (MG), município com 1.258,7 km², situado no sul do estado. Reserva Particular do Patrimônio Natural (RPPN) Feliciano Miguel Abdalla, com 957,6 hectares de área de Mata Atlântica preservados. Hab.: 90.192.

Carazinho (RS), município com 665,1 km², situado entre as bacias hidrográficas do Uruguai e do Jacuí, no centro-norte do estado. Fazia parte da redução de Santa Teresa, província das Missões. Hab.: 61.875.

Cardiff, capital do País de Gales, situada no canal de Bristol, na Grã-Bretanha. Porto comercial. Recurso principal: indústria (siderúrgica, metalúrgica e estaleiros navais). Hab.: 327.706 (2011).

Cardim, Fernão [Viana do Alentejo, Portugal, c. 1540 — Salvador BA, 1625], padre jesuíta português, veio em 1583 para o Brasil (Bahia), onde foi reitor do Colégio dos Jesuítas. Obras: *Narrativa epistolar de uma viagem e missão jesuítica, Tratados da terra e da gente do Brasil* etc.

Cardoso Valdez, **Elizeth** [Rio de Janeiro RJ, 1920 — *id.*, 1990], cantora popular brasileira, dita a Divina, foi descoberta por Jacob do Bandolim e apresentou-se pela primeira vez em 1936, na Rádio Guanabara, ao lado de Vicente Celestino, Aracy de Almeida, Noel Rosa e Moreira da Silva. Sua primeira gravação foi *Canção de amor*, em 1950.

Cardoso, Fernando Henrique [Rio de Janeiro RJ, 1931], sociólogo e político brasileiro, eleito presidente da República em 1994 e reeleito em 1998. Exilado em 1964, foi professor no Chile e na França. Obras: *Capitalismo e escravidão no Brasil meridional, O modelo político brasileiro, Dependência e desenvolvimento na América Latina* etc.

Cardoso Filho, Joaquim **Lúcio** [Curvelo MG, 1912 — Rio de Janeiro RJ, 1968], jornalista, dramaturgo, poeta e escritor brasileiro. Criador de um universo literário intimista, a inquietação marcou sua vida e obra. Obras: *Crônica da casa assassinada, A luz no subsolo, Mãos vazias* etc.

Carélia, república autônoma da Federação Russa com 172.400 km². Grande parte está ocupada por lagos e o restante, coberto de pinheiros e abetos. Capital: *Petrozavodsk*; recurso principal: indústria madeireira. Hab.: 643.548 (2010).

Cariacica (ES), município com 280 km², situado na região central do estado, foi uma antiga aldeia dos goitacases, colonizada por jesuítas. Atrações: Reserva Biológica Estadual Duas Bocas e Parque Municipal do Monte Mochuara. Hab.: 378.915.

Caribe (mar do) ou **Caraíbas (mar das)** ver *Antilhas, mar das*

Cariri (região do), é um oásis em pleno semiárido do Ceará, por sua natureza exuberante. Ali estão as cidades de Barbalha, única estância hidromineral do estado, e Santana do Cariri, que concentra um dos maiores sítios de fósseis do mundo, em que podem ser encontrados vegetais, invertebrados, peixes, anfíbios, quelônios, lagartos, crocodilos, pterossauros e dinossauros.

Cáritas ["caridade" em latim], organização católica internacional, surgida em 1928 e reestruturada em 1951, que tem por objetivo promover e coordenar obras de alcance social.

Carlos Braga, **Roberto** [Cachoeiro de Itapemirim ES, 1941], cantor e compositor popular brasileiro; tornou-se símbolo do movimento Jovem Guarda (1965-68). Em cinco décadas, vendeu mais de 100 milhões em discos. Participou de diversos filmes nacionais.

Carlos Magno [?, 742 — Aachen, Alemanha, 814], filho de Pepino, o Breve, rei dos francos a partir de 768 e imperador do Ocidente coroado pelo papa Leão III (800). Conquistou o norte da Itália, a Baviera, a Saxônia e a Panônia, criando um vasto império no Ocidente. Defensor do cristianismo, foi o criador da Europa cristã ocidental. Sua maior obra foi como patrono da cultura.

Carlota Joaquina de Bourbon [Aranjuez, Espanha, 1775 — Queluz, Portugal, 1830], rainha de Portugal, filha de Carlos IV de Espanha e esposa de D. João VI. Ambiciosa e manipuladora, em 1806 tornaram-se públicas as suas desavenças com o marido, que considerava fraco e tolerante. Veio para o Brasil em 1808 e ficou até 1821. Recusou-se a jurar a Constituição portuguesa de 1822.

Carmo (RJ), município serrano, com 324,7 km², na divisa com o Estado de Minas Gerais, emancipado em 1881. Igreja Matriz de N. S.ª do Carmo tombada pelo Iphan. Hab.: 18.074.

Cárpatos, cadeia montanhosa da parte oriental da Europa, em forma de arco, com 1.300 km de extensão, estendendo-se sobre a República Tcheca, Eslováquia, Polônia, Romênia e Ucrânia. Atinge a altitude máxima de 2.663 m no monte Tatra (Cárpatos ocidentais). Nos seus contrafortes há jazidas de petróleo, gás natural, hulha e linhito.

Carpina (PE), município com 144,9 km², na Zona da Mata, instalado em 1928. Os festejos de Reis atraem turistas. Hab.: 80.194.

Carrero (Maria Antonieta Portocarrero Thedim, dita **Tônia**) [Rio de Janeiro RJ, 1922], atriz brasileira, estreou em teatro com a peça *Um deus dormiu lá em casa*, com Paulo Autran. Fez cinema na Vera Cruz (*Tico-tico no fubá, É proibido beijar* etc.), entrou para o Teatro Brasileiro de Comédia — TBC (*Uma certa cabana*) e fez novelas na TV (*Sangue do meu sangue, Pigmalião 70*, entre outras). — **Cecil Thiré** [Rio de Janeiro RJ, 1943], seu filho, é ator e diretor teatral.

Cartola (Angenor de Oliveira, dito) [Rio de Janeiro RJ, 1908 — *id.*, 1980], compositor popular brasileiro. Ganhou o apelido quando trabalhava em obras, por usar um chapéu-coco para não sujar os cabelos. Foi um dos fundadores da Estação Primeira de Mangueira, para a qual compôs o primeiro samba-enredo e escolheu as suas cores, verde e rosa. Obras: *Alvorada no morro, O mundo é um moinho, As rosas não falam* etc.

Cartum, capital do Sudão, situada na confluência do Nilo Branco com o Nilo Azul, é o principal centro industrial, comercial e cultural do país. Hab.: 1.974.647 (2010).

Caruaru (PE), município com 920,6 km², conhecido como Princesa do Agreste, é o maior centro de arte popular e local da mais famosa feira popular do país. Hab.: 342.328.

Carvalho, Eleazar de [Iguatu CE, 1912 — São Paulo SP, 1996], maestro brasileiro, regente da

Orquestra Sinfônica Brasileira, fez sua primeira apresentação no Teatro Municipal do Rio de Janeiro (1939). Foi maestro titular da Orquestra Sinfônica de Saint Louis, nos Estados Unidos, e, em 1972, assumiu a Orquestra Sinfônica do Estado de São Paulo, onde ficou 24 anos. Foi membro da Academia Brasileira de Música. Obras: *A descoberta do Brasil* e *Tiradentes* (óperas).

Carvalho, Joubert de [Uberaba MG, 1900 — Rio de Janeiro RJ, 1977], compositor popular brasileiro. Começou a compor aos 13 anos. Formou-se em Medicina, mas continuou compondo valsas, toadas, foxtrotes, canções, até hoje sucessos. Obras: *Cai cai, balão*; *Tutu Marambá*; *Taí*; *Maringá*; *De papo pro ar* etc.

Carvalho, Ronald de [Rio de Janeiro RJ, 1893 — *id.*, 1935], poeta, ensaísta, crítico e historiador brasileiro, estudou Filosofia em Paris, lançou ali sua primeira obra, *Luz gloriosa*; estabeleceu-se em Portugal, onde participou do lançamento da revista *Orpheu*, marco inicial do Modernismo português. No Brasil, tomou parte na Semana de Arte Moderna (1922). Outras obras: *Poemas e sonetos*, *Epigramas irônicos e sentimentais*, *Toda a América* (poesia); *Pequena história da literatura brasileira* (prosa) etc.

Carvalho, Vicente Augusto **de** [Santos SP, 1866 — São Paulo SP, 1924], advogado, jornalista e poeta lírico brasileiro, de tendência parnasiana. Obras: *Ardentias*; *Relicário*; *Rosa, rosa de amor*; *Poemas e canções*; *Versos da mocidade* etc.

Casa Nova (BA), município com 9.647 km^2, localizado à margem esquerda do lago de Sobradinho. Agricultura em área irrigada. Vitivinicultura. Hab.: 71.504.

Cascavel (CE), município com 835 km^2. Atrações turísticas: 15 km de praias, artesanato de barro e móveis de cipó. Hab.: 69.498.

Cascavel (PR), município com 2.100,8 km^2, situado no oeste do estado, foi colonizado por poloneses, alemães e italianos que se dedicaram à lavoura de cereais e criação de suínos. É responsável por 26% da produção de grãos do estado. Hab.: 309.259.

Cascudo, Luís da **Câmara** [Natal RN, 1898 — *id.*, 1986], jornalista, pesquisador e autoridade nacional em folclore, desde cedo dedicou-se às pesquisas de campo sobre as tradições, hábitos, crendices e superstições nas áreas rurais e urbanas. Na África, pesquisou sobre a influência africana na alimentação brasileira, de que resultou a História da alimentação no Brasil. Outras obras: *Vaqueiros e cantadores*, *Antologia do folclore brasileiro*, *Dicionário de folclore brasileiro*, *Geografia dos mitos brasileiros* etc.

Casimiro de Abreu (RJ), município com 460,8 km^2, situado na região da Bacia de São João. Casa de Casimiro de Abreu tombada pelo Iphan. Reserva biológica com micos-leões-dourados. Hab.: 39.414.

Cáspio (mar), maior mar interior da Terra, situa-se 28 m abaixo do nível dos oceanos, com 371.000 km^2 e profundidade máxima de 995 m. Situa-se entre o extremo leste da Europa e o extremo oeste da Ásia, a leste do Cáucaso. Alimentado pelo rio Volga, sofre forte evaporação. Constitui uma das principais fontes de exploração pesqueira da Federação Russa.

Castanhal (PA), município com 1.028,9 km^2, foi desmembrado de Belém e instalado em 1932. Criação de gado e exportação de pimenta-do-reino. Hab.: 186.895.

Castilho, Antônio Feliciano de [Lisboa, Portugal, 1800 — *id.*, 1875], escritor português, cego aos 6 anos de idade, foi poeta romântico. Esteve no Brasil em 1863. Criticou as renovações da literatura portuguesa e foi um dos polemistas da questão literária do Bom Senso e do Bom Gosto. Obras: *Cartas de Eco a Narciso*, *A primavera*, *A noite do castelo*, *O outono* etc.

Castro, Inês Pires **de** [Galícia, Espanha, 1320 — Coimbra, Portugal, 1355], dama que viajou para Portugal no séquito de D. Constança, noiva castelhana do infante D. Pedro, que por ela se apaixonou, tomando-a como amante. Tiveram quatro filhos. O rei D. Afonso IV expulsou-a de Portugal, mas D. Pedro trouxe-a de volta assim que ficou viúvo. Por ordem do rei, Inês foi degolada. É lenda literária que, ao subir ao trono, D. Pedro mandou desenterrá-la e coroou-a rainha.

Castro, Josué Apolônio **de** [Recife PE, 1908 — Paris, França, 1973], escritor, cientista e professor universitário, realizou o primeiro inquérito levado a efeito no Brasil para apurar as condições de alimentação e nutrição do povo (1932). Foi presidente da Organização de Alimentação e Agricultura das Nações Unidas (FAO, 1951). Obras: *Geopolítica da fome*, *O livro negro da fome*, *Geografia da fome* etc.

Castro (PR), município com 2.531,5 km^2, colonizado por holandeses, alemães e poloneses. Produção de leite, extração de talco e calcário, ecoturismo. Hab.: 70.454.

Castro Alves ver *Alves, Antônio Frederico de Castro*

Castro Alves (BA), município com 711,7 km^2. Capela de São José de Jenipapo tombada pelo Iphan. Hab.: 27.194.

Cataguases (MG), município com 491,8 km^2, situado na Zona da Mata, antiga aldeia de indígenas coroados, coropós e puris, catequizados por jesuítas. Conjunto histórico, arquitetônico e paisagístico tombado pelo Iphan. Indústria de tecidos. Hab.: 73.712.

Catalão (GO), município com 3.821,5 km^2, na divisa com o Estado de Minas Gerais. Jazidas de minério. Hab.: 96.836.

Catanduva (SP), município com 290,5 km^2, situado no noroeste do estado, desenvolveu-se com a chegada da Estrada de Ferro Araraquara. Produção de laranjas. Hab.: 118.853.

Catar, Qatar (Al-) ou **Katar (Estado do)**, país do sudoeste da Ásia, com 11.590 km^2, situado em uma península, no golfo Pérsico. Monarquia islâmica (emirado), independente desde 1971. Capital: *Doha*; recurso principal: petróleo. Hab.: 1.938.754 (2012).

Catete (Palácio do), construído no Rio de Janeiro (1858-1864) por Antônio Clemente Pinto, primeiro barão de Nova Friburgo, foi adquirido pelo governo brasileiro e serviu de palácio presidencial de 1897 a 1960, tornando-se depois o Museu da República.

Catmandu ou **Katmandu**, capital do Nepal, situada a 1.450 m de altitude, nos Himalaias. É o principal centro industrial, comercial e cultural do país. Hab.: 1.006.656 (2012).

Catu (BA), município com 416,2 km^2, localizado na região metropolitana de Salvador. Setor petrolífero. Comércio. Hab.: 55.380.

Caucaia (CE), município com 1.228,5 km^2, situado na região metropolitana de Fortaleza, antiga aldeia indígena potiguara. Casa de Câmara e Cadeia tombada pelo Iphan. Hab.: 349.526.

Caxambu (MG), município com 100,5 km^2, estância hidromineral turística, com 12 fontes de água mineral, situada no planalto da Mantiqueira. Hab.: 22.244.

Caxias (Luís Alves de Lima e Silva, **barão, marquês** e **duque de**) [Vila do Porto da Estrela RJ, 1803 — Barão de Juparanã RJ, 1880], militar e estadista brasileiro, patrono do Exército; aos cinco anos de idade, assentou praça como cadete no Regimento de Infantaria do Exército. Combateu em guerras internas e externas e saiu-se sempre vitorioso. O dia de seu nascimento, 25 de agosto, passou a ser, por decreto, o Dia do Soldado.

Caxias (MA), município com 5.196,8 km^2, situado na região leste do estado, antigo aglomerado de aldeias dos indígenas timbiras e gamelas invadido por colonizadores portugueses no séc. XVIII. Produz óleo de babaçu. Hab.: 160.291.

Caxias do Sul (RS), município com 1.644,2 km^2, situado na Serra Gaúcha; foi colonizado por agricultores italianos, que introduziram as primeiras mudas de videira. Produção de vinho. Festa da uva. Hab.: 470.223.

Caymmi, Dorival [Salvador BA, 1914 — Rio de Janeiro RJ, 2008], compositor e cantor popular, fez de sua terra natal o tema principal de suas canções. Obras: *O que é que a baiana tem*, *Você já foi à Bahia?*, *Saudade de Itapoã*, *A lenda do Abaeté* etc. Seus filhos Nana, Dorival e Danilo tb. se dedicam à música.

Cazaquistão (República do), país do centro-oeste da Ásia, com 2.724.900 km^2, um dos dez maiores em extensão territorial. Antiga república soviética, atual república mista, independente desde 1991. Capital: *Astana*; recursos principais: mineração (minério de ferro, cobre, zinco) e indústria (metalúrgica, petroquímica etc.). Hab.: 16.381.297 (2012).

Ceará (CE), estado brasileiro ao norte da Região Nordeste, com 148.886,308 km^2 e 184 municípios, sendo os mais populosos, além da capital: Juazeiro do Norte, Maracanaú, Caucaia, Sobral, Crato, Iguatu, Crateús, Quixadá e Maranguape. Diversidade de ecossistemas: caatinga, floresta, mata de cocais, matas de várzea e manguezais. Capital: *Fortaleza*; recursos principais: agricultura (esp. caju e algodão), pecuária de corte (bovinos, suínos), pesca (lagosta e camarão), indústria (têxtil, vestuário, calçados etc.), extrativismo mineral (calcário, argila, granito etc.) e artesanato. É um dos centros turísticos mais procurados do país. Hab.: 8.842.791 (est. 2014).

Ceará-Mirim (RN), município com 724,4 km^2. Cidade histórica. Ecoturismo e parques nacionais. Agropecuária. Hab.: 72.374.

Cearense, Catulo da Paixão [São Luís MA, 1863 — Rio de Janeiro RJ, 1946], poeta popular, compositor, cantor e teatrólogo brasileiro, sofreu influência dos cantadores do Nordeste, com quem conviveu durante parte da juventude, chegando a produzir literatura de cordel. Acompanhava ao violão os seus recitais poéticos. Obras: *Luar do sertão*, *Flor amorosa*, *Caboca de Caxangá* etc. (canções); *Alma do sertão*, *Sertão em flor* (poemas) etc.

CEE sigla de *Comunidade Econômica Europeia*

Ceilão, antigo nome do *Sri Lanka*

Celi, Adolfo [Messina, Itália, 1922 — Siena, Itália, 1986], ator e diretor teatral italiano; no Teatro Brasileiro de Comédia (TBC), encenou peças que mudaram a gramática do teatro brasileiro, como *Arsênico e alfazema*, *Antígona*, *Seis personagens à procura de um autor* e *A longa jornada de um dia para dentro da noite*. A seguir formou sua própria companhia de teatro, com Paulo Autran e Tônia Carrero, a Companhia Tônia-Celi-Autran.

Celsius, Anders [Uppsala, Suécia, 1701 — *id.*, 1744], astrônomo e físico sueco. Foi o criador da escala termométrica centesimal (1742), que tem seu nome.

Centro-Africana (República), país situado na África Central, com 622.980 km^2. República mista, independente desde 1960. Capital: *Bangui*; recursos principais: mineração de diamantes e extração de cobre. Hab.: 4.575.586 (2012).

Centro-Oeste (região) ver *Região Centro-Oeste*

Cervantes Saavedra, **Miguel de** [Alcalá de Henares, Espanha, 1547 — Madri, Espanha, 1616], escritor, dramaturgo e poeta espanhol, autor de *Dom Quixote*, uma das obras-primas da literatura universal. Outras obras: *Novelas exemplares*, *Viagem ao Parnaso* etc.

César, Caio **Júlio** [Roma, 100 a.C. — *id.*, 44 a.C.], general e estadista romano, uma das grandes figuras da história universal. Formou extenso império através da Europa, cuja capital era Roma. Morreu assassinado por inimigos políticos.

Chade ou **Tchad (República do)**, ex-colônia francesa, com 1.284.000 km^2, situada no centro-norte da África. República mista, independente desde 1960. Capital: *Ndjamena*; recursos principais: agricultura (algodão, sorgo, amendoim), pecuária, mineração (carbonato de sódio, argila, sal). Hab.: 11.830.573 (2012).

Chagas, Carlos Ribeiro Justiniano [Oliveira MG, 1879 — Rio de Janeiro RJ, 1934], cientista, pesquisador e médico brasileiro, especializou-se em doenças tropicais e descobriu o mal que tem o seu nome (1909). Foi diretor do Instituto Osvaldo Cruz. — **Evandro Serafim Lobo Chagas** [Rio de Janeiro RJ, 1905 — *id.*, 1940], seu filho, tb. médico, seguiu-lhe os passos, na pesquisa sobre doenças tropicais. — **Carlos Chagas Filho** [Rio de Janeiro RJ, 1910 — *id.*, 2000], cientista e ensaísta, foi membro da ABL e presidente da Academia Brasileira de Ciências.

Chalaça (Francisco Gomes da Silva, dito) [Lisboa, Portugal, 1791 — *id.*, 1852], cortesão português, veio com a corte de D. João VI para o Brasil e tornou-se amigo e confidente de Pedro I. Foi ele quem apresentou a marquesa de Santos ao imperador. O apelido deve-se ao fato de ter sido bom contador de anedotas.

Champollion, Jean-François [Figeac, França, 1790 — Paris, França, 1832], linguista e estudioso francês, aos 11 anos já conhecia o latim e o grego e começava a aprender hebraico. Foi o primeiro a decifrar os hieróglifos egípcios, usando as inscrições da Pedra de Roseta.

Chapada dos Guimarães (MT), município com 6.257 km², situado no centro-sul do estado, dentro do parque nacional de mesmo nome. Igreja da Sé de Santana tombada pelo Iphan. Hab.: 18.548.

Chapadinha (MA), município com 3.247,4 km², cortado pela estrada BR 222. Riquezas naturais: amêndoa de babaçu, cera de carnaúba. Agricultores da Região Sul vêm comprando ali terras e preparando-as para o plantio de soja. Hab.: 76.972.

Chapecó (SC), município com 626,1 km², situado na região oeste do estado, na divisa com o Estado do Rio Grande do Sul. Criação, abate e comercialização de aves e suínos. Indústria alimentícia. Hab.: 202.009.

Chaplin, Charles Spencer [Londres, Inglaterra, 1889 — Corsier-sur-Vevey, Suíça, 1977], ator e cineasta inglês, foi um dos fundadores da United Artists e criou o personagem *Carlitos*, um vagabundo, de bengala e chapéu-coco. Filmes: curtos — *Carlitos repórter*, *O vagabundo* etc.; longos — *O grande ditador*, *Em busca do ouro*, *Luzes da cidade* etc.

Chateaubriand Bandeira de Melo, Francisco de **Assis** [Umbuzeiro PB, 1892 — São Paulo SP, 1968], jornalista brasileiro, fundador dos *Diários Associados* (1924) e do Museu de Arte de São Paulo (MASP), e criador das revistas *O Cruzeiro* e *A Cigarra*, entre outras publicações. Foi membro da ABL. Obras: *Terra desumana*; *Um professor de energia*, *Pedro Lessa* etc. — **Gilberto Chateaubriand** [Paris, França, 1925], seu filho, é colecionador de arte.

Chibata (Revolta da), movimento que surgiu em 1910, quando a tripulação (majoritariamente formada por negros e mulatos pobres) da armada brasileira, liderada por João Cândido, o Almirante Negro, prendeu os oficiais e tomou o controle dos navios, rebelando-se contra os maus-tratos recebidos. O governo resolveu anistiar os revoltosos e atender a todas as suas reivindicações, desde que o grupo se rendesse e entregasse os navios, mas a promessa não foi cumprida.

Chile (República do), país com 756.096 km², no sudoeste da América do Sul, encravado entre a cordilheira dos Andes e o oceano Pacífico; tem o território mais estreito do mundo — sua largura média é de 175 km. República presidencialista, independente desde 1818. Capital: *Santiago*; recursos principais: mineração (cobre, ouro, prata, molibdênio, minério de ferro, nitrogênio, minério de manganês, chumbo, carvão), indústria (alimentícia, metalúrgica). Hab.: 17.423.214 (2012).

China (República Popular da), país mais populoso do mundo, com 9.600.000,5 km²; é banhado pelo mar da China e possui vegetação e clima bastante variados. Regime de partido único (Partido Comunista Chinês) e um órgão supremo (Congresso Nacional do Povo). Capital: *Pequim*; recursos principais: indústria e agropecuária. Hab.: 1.349.585.838 (cerca de metade nas áreas rurais e em pequenas aldeias) [2013].

Chipre (República de), país situado em uma ilha com 9.251 km², na extremidade nordeste do mar Mediterrâneo. República presidencialista, independente desde 1960. Capital: *Nicósia*; recursos principais: turismo, azeite de oliva, vinho. Hab.: 1.129.166 (2012).

Christie (Questão), crise diplomática, surgida entre o Brasil e a Inglaterra no Segundo Reinado, originada por dois incidentes: o saque de um navio inglês naufragado, no Rio Grande do Sul, e a prisão de oficiais navais britânicos embriagados, no Rio de Janeiro. Causou o rompimento das relações diplomáticas entre os dois países (de 1863 a 1865).

Cianorte (PR), município com 811,6 km², maior polo atacadista de confecções do sul do país. Hab.: 76.456.

Cícero (Cícero Romão Batista, dito **Padre**) [Crato CE, 1844 — Juazeiro do Norte CE, 1934], religioso brasileiro, desenvolveu intenso trabalho pastoral em Juazeiro do Norte CE e ganhou a simpatia e o respeito da comunidade. Suspenso pela Igreja católica por ter divulgado milagres ocorridos em sua paróquia, tomou o caminho da política e tornou-se a maior liderança da região. Até hoje fazem-se romarias à cidade de Juazeiro, onde lhe ergueram grande estátua.

Cidade Ocidental (GO), município com 390 km², localizado no leste goiano, entorno do Distrito Federal. Pecuária (gado bovino de corte e leite). Agricultura (soja). Hab.: 62.903.

Cingapura (República de), país com 718,3 km², localizado na maior ilha de um arquipélago do sudeste da Ásia. República parlamentarista, independente desde 1965. Capital: *Cidade de Cingapura*; recursos principais: turismo e indústria (produtos eletroeletrônicos, refino de petróleo, química, metalúrgica, naval). Hab.: 5.256.278 (2012).

Cintra, Luís Filipe **Lindley** [Lisboa, Portugal, 1925 — *id.* 1991], linguista português, doutorado em Filologia pela Faculdade de Letras da Universidade de Lisboa (1952), local em que exerceu toda a sua atividade docente. Fez parte da equipe de linguistas que recolheu material para o *Atlas linguístico da península Ibérica* (1953-1954). Obras: *Breve gramática do português contemporâneo*, *Nova gramática do português contemporâneo* (com Celso Cunha), entre outras.

Círio de Nazaré, uma das maiores festas religiosas do Brasil, em homenagem a N. S.ª de Nazaré, introduzida em 1793 e realizada em Belém PA, no segundo domingo de outubro.

Cisplatina (Guerra da), luta pela independência do Uruguai (1825), envolvendo Brasil e Argentina, que lutaram entre si. Um acordo de paz foi firmado (1828), pelo qual a província cisplatina não pertenceria nem ao Brasil nem à Argentina e, sim, seria um país independente.

Clark, Lygia [Belo Horizonte MG, 1920 — Rio de Janeiro RJ, 1988], pintora e escultora neoconcretista brasileira, criou os *Bichos*, estruturas móveis de placas de metal que convidam à manipulação, e a *Obra mole*, pedaços de borracha laminada entrelaçados (1964). Criou tb. *Objetos relacionais* com fins terapêuticos.

Cléopatra [Alexandria, 69 a.C. — *id.*, 30 a.C.], rainha do Egito (51 a.C.), da linhagem dos Ptolomeus; uniu-se a Júlio César, imperador romano, com quem teve um filho, e depois a Marco Antônio, militar e político romano. Suicidou-se, após ser derrotada pelo imperador Otávio Augusto.

CNBB ver *Conferência Nacional dos Bispos do Brasil*

Coari (AM), município com 57.921,9 km^2, a segunda maior cidade do Estado do Amazonas, é cortada pelo rio Solimões. Extrativismo vegetal (madeira, castanha, cacau). Hab.: 82.209.

Cochrane, Thomas ver *Maranhão* (*Thomas Cochrane, marquês do*)

Codó (MA), município com 4.361,3 km^2, situado nas margens do rio Itapecuru. Tradicional desse município é o terecô ou tambor da mata, denominação usual de certo ritual religioso afro-brasileiro. Hab.: 119.962.

Coelho Pereira, **Duarte** [Miragaia, Portugal, c. 1480 — Portugal, 1554], militar e administrador português, primeiro donatário da capitania hereditária de Pernambuco, a que mais prosperou. — **Gonçalo Coelho** [c. 1451 — 1512], seu pai, foi um navegador e cosmógrafo português que comandou uma expedição exploratória pelo Brasil (1503) e fez o reconhecimento de alguns pontos do litoral, publicando uma *Descrição do Brasil*. — **Duarte Coelho de Albuquerque** [Olinda PE, 1537 — África, 1580], filho de Duarte Coelho e segundo donatário da capitania de Pernambuco, expulsou de lá os franceses e enviou tropas para auxiliar o governador-geral Mem de Sá a combatê-los no Rio de Janeiro (1567).

Coelho, Paulo [Rio de Janeiro RJ, 1947], escritor, compositor e jornalista brasileiro, tornou-se conhecido como parceiro de Raul Seixas (*Gita*, *Eu nasci há dez mil anos* etc.). Membro da ABL, tem livros traduzidos em 69 línguas. Outras obras: *O diário de um mago*, *Brida*, *O alquimista* etc.

Coelho Neto (Henrique Maximiano) [Caxias MA, 1864 — Rio de Janeiro RJ, 1934], escritor, jornalista e professor brasileiro, um dos fundadores da ABL, destacou-se nos romances e nos contos (*Rapsódia* foi o primeiro livro publicado). É autor do poema "Ser mãe". Outras obras: *A capital federal*, *Fruto proibido*, *O rei fantasma* etc.

Colatina (ES), município com 1.416,8 km^2, situado no noroeste do estado, às margens do rio Doce. Indústria (de confecção e de móveis). Hab.: 121.670.

Collor de Mello, **Fernando** Afonso [Rio de Janeiro RJ, 1949], político brasileiro, prefeito de Maceió e governador de Alagoas, foi o primeiro presidente da República eleito pelo voto direto após 1960. Assumiu o governo (1990), mas teve o mandato cassado e os direitos políticos suspensos por oito anos (1992).

Colômbia (República da), país com 1.138.914 km^2, situado no noroeste da América do Sul, o único do continente banhado simultaneamente pelo oceano Pacífico e o mar do Caribe. República presidencialista, independente desde 1810. Capital: *Bogotá*; recursos principais: agricultura (café, cacau, cana-de-açúcar, banana, tabaco) e mineração (petróleo, gás natural, carvão, níquel, esmeralda). Hab.: 47.550.708 (2012).

Colombo, Cristóvão [Gênova, Itália, c. 1451 — Valladolid, Espanha, 1506], navegador genovês considerado o descobridor da América, em 1492. Sua expedição ao dito Novo Mundo, composta por uma frota de três caravelas (Santa Maria, Pinta e Niña), foi patrocinada pelos reis Fernando de Aragão e Isabel de Castela.

Colombo (PR), município com 197,8 km^2, situado na região metropolitana de Curitiba; colonizado por imigrantes italianos. Atração turística: grutas do Bacaetava. Hab.: 229.872.

Comores (República Federal Islâmica de), país com 1.861 km^2, situado entre a África e Madagascar, no oceano Índico. República presidencialista, independente desde 1975. Formado por três grandes ilhas e outras menores. Capital: *Moroni* (ilha de Njazidja); recursos principais: agricultura, mineração, indústria alimentícia, esp. baunilha e essências. Hab.: 773.344 (2012).

Companhia de Jesus, ordem fundada por santo Inácio de Loyola (1540) para a conversão dos heréticos e a serviço da Igreja. Os jesuítas dedicaram-se à catequese indígena e à educação dos colonos. Estabeleceram as primeiras missões, onde os nativos eram aculturados, cristianizados e preservados da escravização colonial.

Companhia Geral do Grão-Pará e Maranhão, empresa privada criada pelo marquês de Pombal (1755), recebeu concessão do Estado português para navegar, transportar e comercializar produtos da região por cerca de 20 anos. Fornecia créditos, escravos e ferramentas aos lavradores, que começaram a dedicar-se mais intensamente e com mais condições à cultura do algodão, mudando toda a economia do Maranhão, que experimentou então grande prosperidade.

Comte, Augusto [Montpellier, França, 1798 — Paris, França,1857], filósofo francês. Fundou a escola filosófica conhecida como Positivismo e é considerado um dos fundadores da Sociologia.

Comunidade Econômica Europeia (CEE), organização internacional criada em 1958 com a finalidade de estabelecer um mercado comum europeu, com impostos alfandegários externos comuns, uma política conjunta para a agricultura, políticas comuns para o movimento de mão de obra e para os transportes, e instituições comuns para o desenvolvimento econômico. Em 1993, a CEE foi substituída pela União Europeia.

Conceição do Coité (BA), município com 1.016 km², situado no nordeste do estado. Indústria de fibras de sisal (terceiro produtor baiano). Hab.: 67.651.

Conceição do Mato Dentro (MG), município com 1.726,8 km², situado na zona metalúrgica do estado, na borda da serra do Espinhaço. Chafariz da praça D. Joaquim, igrejas de N. S.ª do Rosário e Matriz de N. S.ª da Conceição e prédio na praça D. Joaquim tombados pelo Iphan. Hab.: 18.235.

Concórdia (SC), município com 799,9 km². Considerado um dos melhores lugares do estado em qualidade de vida. Lago da hidrelétrica de Itá. Avicultura, suinocultura. Frigoríficos. Hab.: 72.073.

Confederação dos Tamoios, reunião dos chefes indígenas da região do litoral norte paulista e sul fluminense (1554 a 1567), devido à revolta ante a ação violenta dos portugueses contra os indígenas tupinambás. Cunhambebe, eleito chefe da confederação, junto com Pindobuçu, Aimberê e outros, resolveu guerrear os portugueses. Foi combinada a Paz de Iperoig (praia em Ubatuba), que depois os portugueses traíram, dizimando os indígenas.

Conferência Nacional dos Bispos do Brasil (CNBB), entidade religiosa que congrega a ação evangelizadora dos bispos do Brasil, idealizada por Dom Hélder Câmara e concretizada em 1952.

Confúcio (K'ung Ch'iu, dito) [Tsou, China, 551 a.C. — *id.*, 479 a.C.], erudito chinês, criador do Confucionismo, pregador moralista, tratadista e legislador, legou um conjunto de normas e elevados valores morais expressos em frases curtas, de fácil entendimento.

Congo (República Democrática do), antigo Zaire, com 2.345.409 km², no centro da África, é o segundo maior país africano. República presidencialista, independente desde 1960. Capital: *Kinshasa*; recursos principais: exploração e produção de diamantes, reservas de cobre e cobalto. Parques nacionais de Kahuzi-Biega e Virunga, ambos santuários de gorilas, foram declarados Patrimônio Natural da Humanidade. Hab.: 69.575.394 (2012).

Congo (República do), país com 342.000 km², localizado no centro-oeste da África e cortado pela linha do equador. República presidencialista, independente desde 1960. Capital: *Brazzaville*; recursos principais: agricultura (mandioca, banana-da-terra, cana-de-açúcar, cacau etc.), mineração (petróleo, gás natural), indústria (alimentícia, madeireira, de cimento, química). Hab.: 4.233.063 (2012).

Congonhas (MG), município com 304,1 km², situado na região metropolitana de Belo Horizonte. Conjunto arquitetônico e urbanístico, Igreja Matriz de N. S.ª da Conceição e Santuário de Bom Jesus de Matosinhos tombados pelo Iphan. Hab.: 52.280.

Conjuração Mineira ver *Inconfidência Mineira*

Conselheiro (Antônio Vicente Mendes Maciel, dito **Antônio**) [Campo Maior de Quixeramobim CE, 1830 — Canudos BA, 1897], andarilho e pregador com fama de milagreiro que reuniu seguidores e criou uma comunidade às margens do rio Vaza-Barris, em Canudos BA. Vários conflitos com autoridades e proprietários de terra locais provocaram a intervenção federal contra os seus seguidores, os *conselheiristas*, e originaram a *Guerra de Canudos*.

Conselheiro Lafaiete (MG), município com 370,2 km², situado na serra do Espinhaço; antiga aldeia dos indígenas carijós, suas terras foram desbravadas por garimpeiros. Turismo ecológico. Hab.: 124.370.

Constant Botelho de Magalhães, **Benjamim** [Niterói RJ, 1833 — Rio de Janeiro RJ, 1891], militar, professor e político brasileiro, lutou na Guerra do Paraguai, foi um dos fundadores do Clube Militar (1887) e fez parte da campanha pela proclamação da República.

Constitucionalista (Revolução), desencadeou-se em São Paulo (1932), no Governo Provisório de Getúlio Vargas, com o fito de trazer o país de volta ao regime constitucional. Em maio de 1933, realizaram-se eleições para a Assembleia Nacional Constituinte, preparatória da Constituição de 1934.

Contagem (MG), município com 195,2 km², situado na região metropolitana de Belo Horizonte, o segundo mais populoso do estado. Antigo posto de registro do gado que vinha do rio São Francisco. Hab.: 643.476.

Contamana ou **do Divisor (serra da)**, situada no extremo oeste do continente brasileiro, na nascente do rio Moa na fronteira do Estado do Acre com o Peru. Seu ponto mais alto tem 609 m.

Contestado ou **dos Pelados (Guerra do)**, conflito iniciado (1912) em uma região disputada por Paraná e Santa Catarina, em que camponeses, expulsos de suas terras e sem trabalho, decidiram organizar uma comunidade sob o comando de um líder religioso, o "monge" João Maria, que se considerava enviado por Deus. O governo sufocou o movimento, utilizando até aviões (1916).

Cony, Carlos Heitor [Rio de Janeiro RJ, 1926], jornalista e escritor brasileiro, representante do Neorrealismo; escreveu seu primeiro romance, *O ventre* (1958), sob a influência de Jean-Paul Sartre. Membro da ABL. Outras obras: *A verdade de cada dia*, *Tijolo de segurança*, *Matéria de memória*, *Quase memória* etc.

Cook (ilhas), Estado autônomo associado, arquipélago formado por 15 ilhas com 236 km², situado no Pacífico sul, a nordeste da Nova Zelândia. Capital: *Avarua*. Hab.: 10.777 (2011).

Copérnico, Nicolau [Torun, Polônia, 1473 — Frauenburgo, Polônia, 1543], astrônomo e matemático polonês, autor da teoria segundo a qual o Sol é o verdadeiro centro do sistema solar, devendo-se a sucessão de dias e noites ao movimento da rotação da Terra sobre seu próprio eixo.

Corão ver *Alcorão*

Corção Braga, **Gustavo** [Rio de Janeiro, 1896 — *id.*, 1978], professor, jornalista e escritor católico brasileiro, foi colaborador semanal de *O Estado de S. Paulo*, *Diário de Notícias*, do Rio de Janeiro, e *Correio do Povo*, de Porto Alegre. Obras: *A descoberta do outro*, *Três alqueires e uma vaca*, *Lições de abismo* etc.

Corcovado (morro do), com 710 m de altitude, em plena floresta da Tijuca, é uma atração turística da cidade do Rio de Janeiro RJ, com o *Cristo Redentor* no topo.

Cordisburgo (MG), município com 823,6 km², situado na região de Sete Lagoas, onde fica a gruta de Maquiné. Hab.: 8.981.

Coreia do Norte (República Democrática Popular da Coreia), Estado socialista com 120.540 km², situado no leste da Ásia. Regime de partido único (PTC) e um órgão supremo (Assembleia Suprema do Povo). Capital: *Pyongyang*; recursos principais: agricultura (arroz, milho, batata etc.) e indústria (aço, química, cimento, máquinas, têxtil). Hab.: 24.720.407 (2013).

Coreia do Sul (República da Coreia), país com 99.900 km², um dos chamados Tigres Asiáticos. Situado no leste da Ásia. República mista. Capital: *Seul*; recursos principais: mineração (carvão, minério de ferro, ouro) e indústria (naval, química, siderúrgica, alimentícia, têxtil). Hab.: 48.955.203 (2013).

Coroatá (MA), município com 2.263,8 km², situado à margem esquerda do rio Itapicuru-Mirim, no centro do Maranhão. Hab.: 63.497.

Coronel Fabriciano (MG), município com 221,2 km², na zona metalúrgica do estado, suas terras começaram a ser desbravadas por engenheiros que construíram a Estrada de Ferro Vitória-Minas. Hab.: 108.843.

Correia, Manuel **Pio** [Porto, Portugal, 1874 — Paris, França, 1934], botânico e naturalista. Foi pesquisador e autor de inúmeros trabalhos científicos, entre eles a obra referencial *Dicionário das plantas úteis do Brasil e das exóticas cultivadas* (6 vol., 1926-1931), um marco no estudo da botânica nacional.

Correia, Raimundo da Mota de Azevedo [Maranhão, 1859 — Paris, França, 1911], magistrado, professor e poeta parnasiano brasileiro, fundador da ABL (cadeira nº 5). Obras: *Primeiros sonhos, Sinfonias, Versos e versões, Aleluias* etc.

Correia Baima do Lago Filho, Manuel **Viriato** [Pirapemas MA, 1884 — Rio de Janeiro RJ, 1967], jornalista, advogado e escritor brasileiro, radicou-se no Rio de Janeiro, onde advogou e atuou na imprensa. Membro da ABL. Escreveu romances, peças teatrais, livros para crianças e crônicas históricas. Obras: *Terra de Santa Cruz, Balaiada, História do Brasil para crianças* etc.

Cortés, Hernán [Medellín, Espanha, 1485 — Castilleja de la Cuesta, Sevilha, Espanha, 1547], conquistador espanhol; encarregado da exploração do império asteca, contrariou as ordens e lançou-se à sua conquista. Foi nomeado governador-geral da Nova Espanha (1522).

Corumbá (MS), município com 64.962,7 km², situado às margens do rio Paraguai, abrange 60% do pantanal sul-mato-grossense. Pecuária, mineração, pesca e turismo. Conjunto histórico arquitetônico e paisagístico e Forte de Coimbra tombados pelo Iphan. Hab.: 108.010.

Coruripe (AL), município com 898,6 km², localizado na região de São Miguel dos Campos. Agricultura (cana-de-açúcar, coco). Usina açucareira. Turismo. Hab.: 56.153.

Cosmópolis (SP), município com 154,6 km², localizado na região de Campinas. Usina Açucareira Ester S/A. Hab.: 65.628.

Costa, Cláudio Manuel da [Vila do Ribeirão do Carmo MG, 1729 — Ouro Preto MG, 1789], poeta brasileiro, considerado o mais barroco dos árcades, participou da Inconfidência Mineira. Patrono da cadeira 8 da ABL. Obras: *Obras poéticas* (lírica); *Vila Rica* (épica) etc.

Costa, Duarte da [Portugal, início do séc. XVI — c. 1560] segundo governador-geral do Brasil (1553-1557), tendo sucedido Tomé de Sousa. Seu governo foi marcado pela invasão dos franceses, que vieram fundar a França Antártica, e tb. por conflitos entre colonos, que sujeitavam os indígenas ao trabalho forçado, e jesuítas, que eram contra isso.

Costa (Maria da Graça Costa Pena Burgos, dita **Gal**) [Salvador BA, 1945], cantora popular brasileira; iniciou-se na música quando conheceu Caetano Veloso e participou do *show* "Nós, por exemplo", no Teatro Vila Velha, em Salvador BA, fazendo dueto com Maria Bethânia. A partir de então, mudou-se para o Rio de Janeiro e seu nome artístico tornou-se conhecido no país. Participou do movimento tropicalista.

Costa Pereira Furtado de Mendonça, **Hipólito** José **da** [Colônia do Sacramento, hoje Uruguai, 1774 — Londres, Inglaterra, 1823], jornalista brasileiro; após ter sido acusado pela Inquisição de disseminar a maçonaria e ficar três anos preso, fugiu para Londres, onde fundou o *Correio Braziliense*, que consta ser o primeiro jornal do Brasil. É patrono da cadeira 17 da ABL. Obras: *Diário de minha viagem para Filadélfia, Narrativa da perseguição* etc.

Costa, Lúcio [Toulon, França, 1902 — Rio de Janeiro RJ, 1998], arquiteto e urbanista brasileiro, estudou pintura e arquitetura na Escola Nacional de Belas-Artes, da qual foi diretor (1930). Venceu o concurso nacional para a elaboração do plano piloto de Brasília (1957); chefiou a equipe que projetou a recuperação de Florença (Itália), afetada por uma inundação (1964) etc.

Costa do Marfim (República da), país com 322.460 km², situado no oeste da África. República presidencialista, independente desde 1960 (ditadura militar desde 1999). Capital: *Abidjan*; recursos principais: agricultura (cacau, café), mineração, indústria (alimentícia e têxtil [algodão]), refino de petróleo. Hab.: 20.594.615 (2012).

Costa do Ouro, antigo nome de *Gana*.

Costa Marques (RO), município com 4.987,1 km², situado na fronteira com a Bolívia, na região Madeira-Guaporé. Forte Príncipe da Beira tombado pelo Iphan. Hab.: 16.258.

Costa Rica (República da), país com 51.100 km², situado no sudoeste da América Central. República presidencialista, independente desde 1821. Capital: *San José*; recursos principais: agricultura (banana, café, frutas tropicais, flores), turismo. Hab.: 4.793.725 (2012).

Cotia (SP), município com 324 km². Casas do Sítio do Padre Inácio e do Sítio Mandu tombadas pelo Iphan. Cultivo de rosas e plantas ornamentais (Roselândia). Hab.: 225.306.

Coutinho, Bento do Amaral [Rio de Janeiro RJ, 2ª metade do séc. XVII — *id.*, 1711], herói brasileiro que comandou o batalhão de estudantes do Colégio dos Jesuítas e voluntários que derrotou o corsário francês Duclerc, quando este invadiu o Rio de Janeiro (1710). Ao fazer o mesmo contra Duguay-Trouin, foi morto.

Couto, Deolindo Augusto de Nunes [Teresina PI, 1902 — Rio de Janeiro RJ, 1992], médico neurologista, professor e ensaísta brasileiro, fundador e diretor do Instituto de Neurologia da Universidade do Brasil. Obras: *Vultos e ideias*; *Afrânio Peixoto, professor e homem de ciência*; *Clementino Fraga, o médico* (ensaios) etc.

Couto, Diogo do [Lisboa, Portugal, 1542 — Goa, Índia, 1616], historiador português; em 1559 vai para a Índia, de onde só regressaria uma década depois. Ao retornar, em 1569, encontra Camões em Moçambique, com dívidas e sem dinheiro para voltar. Com outros amigos, resolve ajudar financeiramente o poeta, que deste modo pode apresentar em Lisboa a sua maior obra, *Os lusíadas*. Obras: *Diálogo do soldado prático* e *Décadas* (IV a XII).

Couto, Miguel [Rio de Janeiro RJ, 1865 — *id.*, 1934], médico e professor brasileiro, membro da Academia Nacional de Medicina, presidiu a entidade durante 21 anos consecutivos. Em 1930, apresentou um projeto sobre educação, em que era sugerida a criação do Ministério da Educação com dois departamentos: o do ensino e o da higiene. Obras: *Lições de clínica médica*, *Só há um problema: a educação* etc.

Couto, Rui **Ribeiro** [Santos SP, 1898 — Paris, 1963], escritor e jornalista brasileiro. Escreveu poesias, romances, contos e crônicas. Recebeu influências simbolistas e esp. modernistas. Membro da ABL. Obras: *Um homem na multidão*, *A casa do gato cinzento*, *Cabocla* etc.

Crateús (CE), município com 2.985,1 km², localizado no sertão dos Inhamuns. Região de caatinga. Vários sítios arqueológicos importantes. Hab.: 74.188.

Crato (CE), município com 1.176.4 km², situado na região do Cariri, das mais férteis do Nordeste, na divisa com o Estado de Pernambuco. É a terra natal do P.ᵉ Cícero Romão Batista. Hab.: 127.657.

Crespo, Antônio Cândido **Gonçalves** [Rio de Janeiro RJ, 1846 — Lisboa, Portugal, 1883], poeta parnasiano luso-brasileiro, formou-se em Direito em Coimbra e naturalizou-se português, para poder advogar. Fez carreira no mundo das letras e tb. na política, pois chegou a ser deputado às Cortes, pela Índia (1879). Obras: *Miniaturas* e *Noturnos*.

Criciúma (SC), município com 235,7 km², situado na região sul do estado, possui uma das maiores reservas de carvão mineral do país. Indústria de vestuário. Cerâmica. Hab.: 204.667.

Criciúma (serra da), situada na fronteira de Minas Gerais com o Estado do Espírito Santo (1.200 m de altitude).

Cristalina (GO), município com 6.162 km², localizado no entorno do Distrito Federal. Agricultura (esp. grãos). Comercialização de pedras de cristal de rocha. Turismo. Hab.: 52.235.

Cristo Redentor, imagem com 38 m de altura, revestida de pedra-sabão, executada na França pelo escultor polonês Paul Landowski e transportada nos trens da Estrada de Ferro do Corcovado, Rio de Janeiro, para o topo do morro. Foi inaugurado em 1931 e eleito, em 07/07/2007, uma das sete maravilhas do mundo moderno.

Croácia (República da), país com 56.590 km², situado no centro-sul da Europa. República mista, independente desde 1991. Capital: *Zagreb*; recursos principais: agropecuária, petróleo e turismo. Hab.: 4.387.376 (2012).

Cromwell, Oliver [Huntington, Inglaterra, 1599 — Londres, Inglaterra, 1658], político inglês, de formação puritana. Em 1649 conseguiu a condenação à morte de Carlos I e a proclamação da República (Commonwealth). Tornou-se ditador virtual da Grã-Bretanha, manteve a conquista da Irlanda e da Escócia, dissolveu o Parlamento (1653) e proclamou-se Lorde Protetor.

Cronos, Saturno entre os romanos, na mitologia grega era filho de Urano e Gaia, e pai de Zeus (Júpiter).

Cruz, Eddy Dias da ver *Rebelo, Marques*

Cruz, Joaquim Carvalho [Taguatinga DF, 1963], atleta brasileiro, campeão olímpico, vencedor dos 800 metros rasos nos Jogos Olímpicos de Los Angeles (1984), quando estabeleceu um novo recorde.

Cruz, Osvaldo Gonçalves [São Luís do Paraitinga SP, 1872 — Petrópolis RJ, 1917], médico sanitarista brasileiro, assumiu a direção técnica do Instituto de Manguinhos (1900). Como diretor da Saúde Pública (1903), liderou a equipe sanitária que erradicou as doenças que dizimavam a população: febre amarela, varíola e peste bubônica. Membro da ABL.

Cruz Alta (RS), município com 1.360,3 km². Teve início quando os jesuítas, depois que os bandeirantes destruíram a missão de S.ᵗᵃ Teresa e os expulsaram, mudaram-se para a Capela do Menino Jesus, onde havia um enorme cruzeiro de madeira. Hab.: 63.946.

Cruz das Almas (BA), município com 145,7 km², localizado no Recôncavo Baiano. Plantações de fumo, laranja e mandioca. Escola de Agronomia. Atração turística: festa de São João, "guerra de espadas" (fogos de artifício). Hab.: 63.761.

Cruzeiro (SP), município com 305,6 km², situado às margens do rio Paraíba. Instalado (1891) com o nome de Vila Novais, passou ao nome atual (1901), devido a um marco divisório no formato de cruz. Hab.: 80.749.

Cruzeiro do Sul (AC), município com 8.779,4 km², situado a oeste de Rio Branco, quase na fronteira com o Peru. É a capital do vale do Juruá, um dos mais importantes polos econômicos e turísticos do estado. Hab.: 80.953.

Cuba (República de), país com 110.861 km², ilha das Antilhas, única nação comunista das Américas, localizada na entrada do golfo do México. Regime de partido único (PCC) e um órgão supremo (Assembleia Nacional do Poder Popular). Capital: *Havana*; recursos principais: agricultura (cana-de-açúcar, tabaco, arroz, frutas cítricas, banana), turismo. Hab.: 11.249.266 (2012).

Cubatão (SP), município com 142,8 km², situado na área da baixada Santista, no sopé da serra do Mar. Usinas hidrelétrica e termelétrica. Indústria química e refino de petróleo. Título de Exemplo Mundial de Recuperação Ambiental, dado pela ONU (1992). Hab.: 126.105.

Cuiabá (MT), capital do Mato Grosso, com 3.495,4 km², situada na margem esquerda do rio Cuiabá, no centro da América do Sul. Conjunto arquitetônico, urbanístico e paisagístico e Igreja de N. S.ª do Rosário e São Benedito tombados pelo Iphan. Ecoturismo. Pantanal mato-grossense. Hab.: 575.480.

Cunha, Brasílio Itiberê da [Paranaguá PR, 1846 — Berlim, Alemanha, 1913], compositor e diplomata brasileiro, um dos pioneiros na utilização de temas folclóricos na música erudita. Obras: *Poème d'amour* ("Poema de amor), *Rhapsodies brésiliennes* ("Rapsódias brasileiras"), *A sertaneja*, entre outras.

Cunha, Celso Ferreira da [Teófilo Otoni MG, 1917 — Rio de Janeiro RJ, 1989], professor, ensaísta e filólogo, dedicou-se ao estudo dos cancioneiros medievais, importantes para o conhecimento da origem e evolução da língua. Foi membro da ABL e da Abrafil. Escreveu várias gramáticas (*Gramática da língua portuguesa*, *Nova gramática do português contemporâneo*, com Luís Filipe Lindley Cintra).

Cunha (Antônio Álvares da Cunha, 1º **Conde da**) [Lisboa, Portugal, 1700 — *id.*, 1791], primeiro vice-rei do Brasil, encarregado de instalar no Rio de Janeiro a capital (1763) antes localizada em Salvador. Fortificou a cidade, promoveu reformas e mandou fazer o primeiro levantamento topográfico.

Cunha, Euclides Rodrigues Pimenta **da** [Cantagalo RJ, 1866 — Rio de Janeiro RJ, 1909], engenheiro, jornalista, escritor e ensaísta brasileiro, participou ativamente da propaganda republicana no jornal *O Estado de S. Paulo*. Durante a Guerra de Canudos, foi enviado por esse jornal para presenciar o fim do conflito. Escreveu, então, sua obra-prima: *Os sertões: campanha de Canudos*. Foi membro da ABL. Outras obras: *Contrastes e confrontos*, *Peru* versus *Bolívia*, *À margem da história* etc.

Cunha Filho, **Fausto** Fernandes da [Recife PE, 1923 — Rio de Janeiro RJ, 2004], escritor e crítico literário, mudou-se ainda jovem para o Rio de Janeiro, onde foi um dos fundadores da *Revista Branca*, dedicada à divulgação de obras dos escritores da Geração 1945. Atuou nos jornais *Folha de S.Paulo*, *A Manhã*, *Correio da Manhã*, entre outros. Obras: *Poesia de Deolindo Tavares*, *A luta literária*, *As noites marcianas* etc.

Cunhambebe [?, ? — litoral de São Paulo, c. 1557], guerreiro da tribo dos tupinambás, indígenas que habitavam extensa faixa no litoral; entrou para a história por sua valentia, destreza e obstinação contra os portugueses. Exímio estrategista, foi eleito chefe supremo da *Confederação dos Tamoios*, principal movimento de resistência contra os portugueses.

Curie, família de cientistas franceses: **Pierre** [Paris, 1859 — *id.*, 1906] e sua mulher **Marie** [Varsóvia, Polônia, 1867 — perto de Sallanches, França, 1934], receberam o Prêmio Nobel de Física (1903), juntamente com Antoine Henri Becquerel, por suas descobertas no campo da radioatividade. Marie foi a primeira mulher a ensinar na Sorbonne e recebeu ainda o Prêmio Nobel de Química (1911), pela descoberta do polônio e do rádio e por ter conseguido obter este último em estado puro. — **Irene** [Paris, 1897 — *id.*, 1956], filha dos dois, e seu marido **Jean Frédéric Joliot** [Paris, 1900 — Arcouest, França, 1958] tb. receberam o Prêmio Nobel de Química (1935), pela descoberta do isótopo radiativo artificial e do pósitron.

Curitiba (PR), capital do Paraná, com 435 km², modelo de qualidade de vida e de planejamento urbano. Antigo ponto estratégico do caminho do Viamão a São Paulo e às Minas Gerais, o povoado inicial viu crescer o comércio com a passagem dos tropeiros. Prédio do Paço Municipal tombado pelo Iphan. Hab.: 1.864.416.

Curvelo (MG), município com 3.296,2 km², situado no chapadão central do estado; é o pioneiro da indústria têxtil mineira. Hab.: 78.373.

Dd

Dacar, capital do Senegal, situada na extremidade da península de Cabo Verde; porto pesqueiro e comercial. Hab.: 1.056.009 (2011).

Dacca, capital da República Popular de Bangladesh, situada no delta do rio Bramaputra. Principal centro industrial e comercial do país. Recursos principais: estaleiros navais, indústrias química e metalúrgica. Hab.: 14.399.000 (2013).

Dacosta (Milton Rodrigues da Costa, dito **Milton**) [Niterói RJ, 1915 — Rio de Janeiro RJ, 1988], pintor e gravador brasileiro, estudou em Nova York e Paris e frequentou os ateliês de Braque e Rouault. Casou-se com a tb. pintora **Maria Leontina** Mendes Franco da Costa [São Paulo SP, 1917 — Rio de Janeiro RJ, 1984].

Daguestão, república autônoma da Federação Russa, situada no Cáucaso, na costa leste do mar Cáspio, com 50.300 km². Capital: *Makhatchkala*; recursos principais: gás natural, petróleo, hulha e enxofre. Hab.: 2.977.400 (2010).

Daimler, Gottlieb [Schorndorf, 1834 — Cannstatt, Alemanha, 1900], engenheiro alemão, criou um motor de combustão interna (1883) e adaptou-o a sua motocicleta; em seguida ao primeiro automóvel Daimler, a barcos, veículos sobre trilhos, dirigíveis e, por fim, a aviões.

Dalí i Domènech, **Salvador** Domingo Felipe Jacinto [Figueras, Espanha, 1904 — *id.*, 1989], pintor espanhol surrealista, criou cenas oníricas de desenho refinado e técnica meticulosa. Dentre suas numerosas obras, destacam-se *A persistência da memória*, *A última ceia*, *Metamorfose de Narciso* e *Sono*.

Dalmácia, região a sudoeste dos Bálcãs, junto ao mar Adriático, com 19.635 km^2. Compreende parte da Croácia, da Bósnia-Herzegóvina e de Montenegro. Hab.: 2 milhões.

Damão, território da Índia, ao norte de Bombaim, com 72 km^2. Faz parte da União Indiana, juntamente com a ilha de Diu. Conquistado por D. Constantino de Bragança (1559), esteve na posse de Portugal até ser ocupado pelas tropas indianas (1961). Capital: *Damão*; recurso principal: turismo. Hab.: aprox. 100.000 (2009).

Damasco, capital da Síria, situada no oásis de Ghuta, é o centro comercial e financeiro do país, célebre por seus tecidos. Hab.: 1.680.000 (2011).

Dâmocles [séc. IV a.C.], cortesão do tirano Dionísio, o Moço, de Siracusa. O rei ofereceu-lhe um banquete, mas pendurou sobre o lugar que ele ocuparia uma espada presa apenas por uma simples crina de cavalo. A expressão "espada de Dâmocles" passou a significar "a iminência de perigo mortal".

Dante Alighieri [Florença, Itália, 1265 — Ravena, Itália, 1321], poeta italiano, cultivou o lirismo e a epopeia. Escreveu, entre outras obras, *A vida nova*, coleção de poemas inspirados em seu amor por Beatriz, e a *Divina comédia*, com 100 cantos repartidos por três partes (Inferno, Purgatório e Paraíso) — epopeia que tem por tema o destino do homem após a morte, a sua aventura espiritual à luz da revelação cristã.

Danton, Georges Jacques [Arcis-sur-Aube, França, 1759 — Paris, França, 1794], político que teve destacada participação nos primeiros anos da Revolução Francesa. Após o julgamento de Luís XVI, tornou-se praticamente o chefe do governo. Afastado do poder por Robespierre, morreu na guilhotina.

Danúbio (rio), o segundo maior rio da Europa central (o primeiro é o Volga), nasce na Floresta Negra e deságua no mar Negro após um percurso de 2.850 km, em sua maior parte navegáveis.

Daomé, antigo nome do *Benim*.

Dardanelos (estreito dos), antigo Helesponto, braço de mar situado entre a Europa e a Ásia, com 65 km de comprimento, largura variando entre 1.200 e 6.000 m e profundidade média de 50 m. Faz a ligação entre o mar de Mármara e o mar Egeu.

Dario I, o Grande [?, c. 550 a.C. — Egito, 486 a.C.], governou o império persa no seu auge, sufocou revoltas internas e, depois de restabelecer a ordem no império, empreendeu importante reforma administrativa. Alargou as fronteiras persas, conquistando a Trácia e a Macedônia, ao norte da Grécia, mas foi derrotado pelos gregos na planície de Maratona (490 a.C.).

Darwin, Charles [Shrewsbury, Inglaterra, 1809 — Downe, Kent, Inglaterra, 1882], médico e naturalista inglês, em sua obra *Sobre a origem das espécies* (1859), estabeleceu que a formação das novas espécies é fruto da seleção natural e da sobrevivência do mais forte na luta pela conservação da vida.

David [?, c. 1040 a.C. — ?, c. 970 a.C.], sucedendo a Saul, foi proclamado rei de Judá e, a seguir, de todas as tribos de Israel. Submeteu os filisteus e conquistou Jerusalém, fazendo dela a capital e centro religioso do Estado hebreu. Autor de muitos salmos, dos mais belos da Bíblia.

Debret, Jean Baptiste [Paris, 1768 — *id.*, 1848], desenhista, gravador e pintor francês que veio para o Brasil e viveu no Rio de Janeiro (1816-1831); suas gravuras e pinturas retratam fielmente os costumes e vestuários do país no séc. XIX.

Debussy, Claude-Achille [Saint-Germain-en-Laye, França, 1862 — Paris, França, 1918], compositor francês, rompeu com o Romantismo alemão e francês. Mestre do Impressionismo musical. Obras: *Prèlude à l'aprés-midi d'un faune* ("Prelúdio à tarde de um fauno"), *La mer* ("O mar"), *Pelléas et Mélisande* etc.

Decã, região no sul da Índia, constituída por um planalto de altitude média entre 500 e 600 m. De um lado e outro cercam-no os Gates, orientais e ocidentais, enquanto ao sul erguem-se vários maciços que atingem 2.700 m. Ali predominam florestas, pastos e lavouras e encontra-se a maior parte dos minérios do país.

Dedo de Deus (pico) [1.695 m]. Seu contorno lembra uma espécie de mão apontando o indicador para cima. É um dos vários monumentos geológicos da serra dos Órgãos, entre as cidades de Petrópolis e Teresópolis RJ, e encontra-se nos limites do Parque Nacional da Serra dos Órgãos.

Delfim Neto, Antônio [São Paulo SP, 1928], economista e político brasileiro, ministro da Fazenda do governo Costa e Silva; autor do Plano Estratégico de Desenvolvimento, tentativa de contenção do processo inflacionário (1974), e ministro da Agricultura e do Planejamento do governo Figueiredo (1980). Foi deputado federal por São Paulo.

Delfino dos Santos, **Luís** [Nossa Senhora do Desterro, atual Florianópolis SC, 1834 — Rio de Janeiro RJ, 1910], poeta romântico, parnasiano e simbolista brasileiro. Teve uma vastíssima produção literária, mas nunca editou um livro em vida. Obras: *Algas e musgos*, *Rosas negras*, *Poesias líricas* etc.

Della Costa Polloni, Gentile **Maria** Marchioro [Flores da Cunha RS, 1926 — São Paulo SP, 2015], atriz brasileira, fundou uma companhia de teatro, ao lado do marido, Sandro Polloni, e construiu sua própria casa de espetáculos.

Del-Rei, Francisco **Homem** [séc. XVIII], marinheiro e piloto brasileiro, tornou-se sertanista, por ter encalhado sua embarcação no Rio de Janeiro. Embrenhou-se terra adentro e chegou até as Minas Gerais, onde fundou uma vila que hoje é Belo Horizonte.

Dentro (mar de), região de mangue formada por lagunas emolduradas por extensas porções de mata Atlântica. Um dos últimos santuários de flora e fauna da mata Atlântica, com extensão de cerca de 200 km pontilhados continuamente por ilhas — desde Iguape, no litoral sul de São Paulo, até Guaraqueçaba, no Paraná.

Descartes, René [La Haye en Touraine atual Descartes, França, 1596 — Estocolmo, Suécia, 1650], filósofo, matemático e físico francês, considerado o pai da filosofia moderna. Seu sistema tornou-se conhecido como filosofia cartesiana. Sua proposição básica era: "Penso, logo existo."

Descoberto (serra do), situada em Minas Gerais, na divisa dos municípios de Guarani e Descoberto, junto ao rio Pomba, integra o Patrimônio Natural do Alto da Boa Vista, supervisionado pelo Ibama.

D'Eu (Luís Filipe Maria Fernando Gastão de Orléans, **conde**) [Neuilly-sur-Seine, França, 1842 — a bordo do navio *Massília*, 1922], príncipe que adotou a nacionalidade brasileira, marido da princesa Isabel. Como marechal de exército, substituiu Caxias à frente das tropas na Guerra do Paraguai, comandou a artilharia e acompanhou a rendição dos paraguaios em Uruguaiana.

Diadema (SP), município com 30,7 km², situado na região metropolitana de São Paulo, cuja urbanização ocorreu em consequência da expansão industrial de São Bernardo do Campo. Autopeças; embalagens; metalurgia; indústria (de cosméticos e plásticos). Hab.: 409.613.

Diamantina (MG), município com 3.891,6 km², situado na região do Jequitinhonha. Conjunto arquitetônico e urbanístico, igrejas de N. S.ª das Mercês, de N. S.ª do Amparo, de N. S.ª do Rosário, de São Francisco de Assis, do Senhor do Bonfim, Matriz de Santana e Museu do Diamante tombados pelo Iphan. Patrimônio Histórico da Humanidade (1999). Hab.: 47.803.

Diana, divindade romana identificada com a *Ártemis* grega.

Diários Associados, grupo de empresas de comunicação fundado por Assis Chateaubriand (1924), chegou a contar com 36 jornais, 36 estações de rádio, 18 estações de televisão e 18 revistas, além de uma agência de notícias e outra de publicidade.

Dias, Antônio Manuel Lima [Campina Grande PB, 1944], pintor brasileiro, estudou sob a orientação de Osvaldo Goeldi. Foi premiado na Bienal de Paris (1965). Professor da Universidade Federal da Paraíba, ali criou o Núcleo de Arte Contemporânea.

Dias, Bartolomeu [c. 1450 — 1500], navegador português; foi o primeiro europeu, em 1486, a navegar além do cabo das Tormentas (extremo sul da África), hoje cabo da Boa Esperança. Em 1500, acompanhou Pedro Álvares Cabral na viagem em que este chegou ao Brasil.

Dias, Cícero [Escada PE, 1907 — Paris, 2003], pintor brasileiro, estudou na Escola de Belas-Artes do Rio de Janeiro; em 1927, ali realizou sua primeira exposição de desenhos e aquarelas. Viajou para a França (1937), expôs seus trabalhos em Paris, frequentou o ateliê de Picasso e juntou-se aos surrealistas.

Dias, Antônio **Gonçalves** [Caxias MA, 1823 — costas do Maranhão, 1864], poeta romântico brasileiro, em 1847 publicou os *Primeiros cantos*, livro que lhe trouxe a fama e a admiração de Alexandre Herculano e do imperador Dom Pedro II. É patrono da cadeira 15 da ABL e da 6 da Abiofil. Outras obras: *I-Juca-Pirama*, *A canção do exílio*, *Os timbiras* (poemas), *Leonor de Mendonça*, *Boabdil* (teatro) etc.

Dias, Henrique [Pernambuco, início do séc. XVII — *id.*, 1662], herói brasileiro. Um dos líderes da reação contra as invasões holandesas em Pernambuco e na Bahia, comandava um contingente de negros e mulatos, muitos ex-escravos. Participou ativamente da Insurreição Pernambucana, junto a Filipe Camarão, João Fernandes Vieira e André Vidal de Negreiros.

Dias, Marcílio [Rio Grande RS, 1838 — a bordo da corveta Parnaíba, Paraguai, 1865], marinheiro brasileiro, herói da Guerra do Paraguai, morreu em combate na batalha naval do Riachuelo.

Dias d'Ávila (BA), município com 184,2 km², localizado na região metropolitana de Salvador. Estância hidromineral. Hab.: 76.624.

Di Cavalcanti (Emiliano Augusto Cavalcanti de Albuquerque e Melo, dito) [Rio de Janeiro RJ, 1897 — *id.*, 1976], pintor, desenhista e caricaturista brasileiro, participou da Semana de Arte Moderna (1922). Em Paris, conheceu Picasso, a maior influência de sua carreira artística. No Brasil, optou pela arte figurativa, passando a mostrar o país em seus múltiplos aspectos e retratando esp. mulatas.

Dickens, Charles John Huffam [Portsmouth, Inglaterra, 1812 — Kent, Inglaterra, 1870], escritor inglês, começou a carreira como cronista parlamentar e redator de jornais humorísticos. Com *As aventuras do Sr. Pickwick*, aos 20 anos, tornou-se um autor de sucesso. Outras obras: *David Copperfield*, *Oliver Twist*, *Um conto de Natal* etc.

Diegues (Carlos José Fontes Diegues, dito **Cacá**) [Maceió AL, 1940], cineasta brasileiro, no Rio de Janeiro criou um cineclube e iniciou as atividades de cineasta amador, com David Neves, Arnaldo Jabor, Paulo Perdigão e outros. É um dos líderes do Cinema Novo. Obras: *Ganga Zumba*, *Joanna francesa*, *Xica da Silva*, Bye bye *Brasil*, *Orfeu*, *Deus é brasileiro* etc.

Diesel, Rudolf Christian Karl [Paris, França, 1858 — Canal da Mancha, 1913], engenheiro alemão, inventor do motor que leva seu nome.

Dinamarca, país do norte da Europa, com 43.090 km², formado por uma península, a Jutlândia, 406 ilhas, sendo 97 inabitadas, a Groenlândia e as ilhas Féroe, ambos territórios externos. Monarquia parlamentarista. Capital: *Copenhague*; recurso principal: agropecuária. Hab.: 5.592.738 (2012).

Dionísio ou **Dioniso**, Baco entre os romanos, na mitologia grega era o deus do vinho e da embriaguez.

Disney (Walter Elias, dito **Walt**) [Chicago, 1901 — Los Angeles, EUA, 1966], desenhista, produtor e cineasta norte-americano, pioneiro e grande divulgador do desenho animado e criador de personagens como Mickey, Pato Donald etc. Em 1955, implantou o parque temático Disneyland, em Anaheim, Califórnia.

Distrito Federal (DF), unidade da federação brasileira, com 5.780 km², situada no planalto Central. Concentra as sedes dos poderes Executivo, Legislativo e Judiciário, os ministérios, as embaixadas e a maioria dos órgãos públicos federais. É composto pela capital, Brasília, e 18 cidades-satélites: Gama, Taguatinga, Brazlândia, Sobradinho, Planaltina, Paranoá, Núcleo Bandeirante, Ceilândia, Guará, Cruzeiro, Samambaia, Santa Maria, São Sebastião, Recanto das Emas, Lago Sul, Riacho Fundo, Lago Norte e Candangolândia. Hab.: 2.852.372 (est. 2014).

Divina Pastora (SE), município com 91,8 km², situado na região de Cotinguiba. Igreja Matriz da Divina Pastora tombada pelo Iphan. Hab.: 4.804.

Divinópolis (MG), município com 708,1 km², situado na região oeste do estado; antiga aldeia indígena. Indústria de confecção. Hab.: 228.643.

Divisor (serra do) ver *Contamana ou do Divisor (serra da)*

Djacarta ver *Jacarta*

Djanira da Mota e Silva [Avaré SP, 1914 — Rio de Janeiro RJ, 1979], pintora, desenhista e gravadora brasileira, começou a desenhar em um sanatório em São José dos Campos, após ser internada com tuberculose. Em 1940, já no Rio de Janeiro, aprimorou sua arte em contato com Émeric Marcier e Mílton Dacosta. Ganhou o Prêmio Guggenheim, em Nova York (1958).

Djavan Caetano Viana [Maceió AL, 1949], cantor, músico e compositor popular brasileiro, gravou no Rio de Janeiro seu primeiro LP, *A voz, o violão, a música de Djavan* (1976), contendo "Flor-de-lis", uma de suas canções mais consagradas. Outros discos: *Alumbramento*, *Seduzir*, *Lilás* etc.

Djibuti (República de), país situado no nordeste do continente africano, com 23.200 km², é uma das áreas mais quentes e áridas do planeta. Seus desertos contêm lagos salgados e apenas 1% do território é arável. República mista, ex-Somália francesa, foi a última colônia a conquistar a independência no continente (1977). Capital: *Djibuti*; recursos principais: comércio e serviços. Hab.: 922.708 (2012).

Doce (rio), interestadual (MG e ES), nasce na serra da Mantiqueira, no município de Ressaquinha MG, a 1.200 m de altitude, e tem mais de 1.000 km de extensão até a foz, no Espírito Santo. Seu vale é rico em jazidas minerais, esp. ferro e pedras preciosas.

Dodô (Adolfo Antônio Nascimento, dito) [Salvador BA, 1914 — *id.*,1978], músico brasileiro, criador, com Osmar Macedo, do 'trio elétrico' e do 'pau elétrico', espécie de bandolim eletrificado, conhecido tb. como guitarra baiana.

Dom Eliseu (PA), município com 5.268,8 km², localizado no sudeste paraense. Agricultura (goiaba). Pecuária. Hab.: 55.513.

Domínica (Comunidade de), Estado-membro da Comunidade Britânica, com 750 km², situado em uma ilha de origem vulcânica do arquipélago das Pequenas Antilhas, no mar das Antilhas. República parlamentarista, independente desde 1978. Capital: *Roseau*; recurso principal: turismo. Hab.: 71.293 (2012).

Dominicana (República), país do centro-leste da América Central, no mar das Antilhas, com 48.670 km². República presidencialista com 26 províncias e um distrito nacional (Santo Domingo), independente desde 1865. Capital: *Santo Domingo*; recurso principal: agricultura, esp. café, tabaco e bananas. Patrimônio Cultural da Humanidade, pela Unesco, em 1990 (área colonial de Santo Domingo). Hab.: 10.183.339 (2012).

Dominicanos, ordem católica fundada em 1215 por são Domingos de Gusmão, que tem como finalidade o apostolado por meio de pregação e ensino.

Don (rio), localizado na Europa, nasce ao sul de Moscou, percorre 1.967 km e deságua no mar de Azov.

Donga (Ernesto Joaquim Maria dos Santos, dito) [Rio de Janeiro RJ, 1891 — *id.*, 1974], compositor popular e violonista brasileiro, autor do primeiro samba gravado, *Pelo telefone* (1916), com letra de João Mauro de Almeida. Participou do conjunto Oito Batutas, criado por Pixinguinha.

Dourados (MS), município com 4.086,2 km², o segundo do estado; a cidade, fundada no séc. XIX, foi habitada por gaúchos, paraguaios e indígenas caiouás. Hab.: 210.218.

Douro (região do), situada no nordeste de Portugal, estende-se por cerca de 250.000 ha, dividida em três sub-regiões: Baixo Corgo, Cima Corgo e Douro Superior. Cerca de 15% da região estão ocupados por vinhas; é ali que se produz o vinho do Porto.

Douro (rio), nasce na Espanha, nos picos da serra de Urbión, a 2.080 m de altitude, e tem a foz na cidade do Porto, Portugal. Seu curso tem a extensão total de 850 km, sendo 213 km em Portugal.

Dover, cidade inglesa, porto de onde partem e onde chegam os *ferryboats* e a ferrovia que fazem a travessia de 35 km do canal da Mancha entre a Inglaterra e a França (cidade de Calais). Hab.: 39.878 (2001).

Drummond (João Batista Viana Drummond, **barão de**) [Itabira MG, 1825 — Rio de Janeiro RJ, 1897], diretor da Companhia de Ferro-Carril de Vila Isabel e criador do Jardim Zoológico, no Rio de Janeiro. Inventou uma loteria para arrecadar dinheiro para a manutenção e compra dos animais, conhecida como 'jogo do bicho'.

Drummond de Andrade, Carlos [Itabira MG, 1902 — Rio de Janeiro RJ, 1987], poeta e prosador brasileiro, começou a carreira de escritor como colaborador do *Diário de Minas* e fundou com outros escritores *A Revista*, veículo de afirmação do Modernismo em Minas Gerais. Colaborou como cronista no *Correio da Manhã* e no *Jornal do Brasil*. Obras: *Alguma poesia*, *Brejo das almas*, *O sentimento do mundo*, *A rosa do povo*, *Claro enigma* etc.

Duarte (Ariclenes Venâncio Martins, dito **Lima**) [Sacramento MG, 1930], ator brasileiro, radioator, dublador, atuou em diversos filmes (*O auto da Compadecida*; *Eu, tu, eles*; *Sargento Getúlio*; *Os sete gatinhos* etc.) e novelas de televisão; continua trabalhando no cinema e na TV.

Dublin, capital da República da Irlanda, situada na costa leste do território. Foi fundada no séc. IX pelos *vikings*, que ali ficaram até que Brian Boru, o rei guerreiro da Irlanda, os expulsou, depois da Batalha de Clontarf (1014). Indústria (elétrica, metalúrgica, alimentícia e gráfica). Hab.: 506.211; 1.661.185 na área metropolitana (2011).

Duclerc, Jean-François [Guadalupe, ? — Rio de Janeiro RJ, 1711], corsário francês, invadiu o Rio de Janeiro (1710), com seis navios e cerca de mil homens. As tropas do governo e um grupo de estudantes do Colégio dos Jesuítas e voluntários, chefiado por Bento do Amaral Coutinho e pelo Pe. Francisco de Meneses, resistiram. Foi aprisionado e morreu assassinado em circunstâncias misteriosas.

Duguay-Trouin, René [Saint-Malo, 1673 — Paris, França, 1736], corsário francês, comandou a esquadra de 17 embarcações que, em 1711, invadiu o Rio de Janeiro. Ameaçou incendiar a cidade, se não fosse pago um resgate, e conseguiu 610.000 cruzados, 100 caixas de açúcar, 200 bois, escravos etc.

Dulce (Maria Rita de Souza Brito Lopes Pontes, dita **irmã**) [Salvador BA, 1914 — *id.*, 1992], aos 13 anos, começou a ajudar mendigos, enfermos e desvalidos e, aos 18 anos, decidiu tornar-se freira. Cuidou de doentes, criou um albergue, construiu uma farmácia, um posto de saúde e uma cooperativa de consumo. Fundou o Círculo Operário da Bahia.

Dumas, Alexandre [Villers-Cotterêts, França, 1802 — Puys, França, 1870], romancista e dramaturgo francês, seus romances, publicados em fascículos, obtiveram grande êxito popular. Obras: *O conde de Monte Cristo, Os três mosqueteiros, A rainha Margot* etc. — Alexandre, dito **Dumas Filho** [Paris, França, 1824 — Marly-le-Roi, França, 1895], seu filho ilegítimo, começou escrevendo novelas e terminou por dedicar-se exclusivamente ao teatro. É autor de *A dama das camélias, As ideias de madame Aubray, Denise* etc.

Duque de Caxias (Refinaria), com 13 km^2 e uma capacidade de 239 mil barris por dia, produz lubrificantes, gasolina, óleo diesel, querosene de aviação, GLP e nafta petroquímica. Inaugurada em 1961, é hoje a mais completa refinaria do sistema Petrobras.

Duque de Caxias (RJ), município da baixada Fluminense, com 467,6 km^2. Casa-grande da Fazenda São Bento e Igreja Matriz de N. S.ª do Pilar tombadas pelo Iphan. Polo industrial. Refinaria de petróleo. Hab.: 878.402.

Duran (Adileia Silva da Rocha, dita **Dolores**) [Rio de Janeiro RJ, 1930 — *id.*, 1959], cantora e compositora brasileira, criou, em parceria com músicos como Tom Jobim, várias canções da MPB: *Castigo, A noite do meu bem, Por causa de você, Estrada do sol* etc.

Durão, frei José de **Santa Rita** [Cata Preta MG, 1722 — Lisboa, Portugal, 1784], poeta neoclássico brasileiro e orador. Pode ser considerado um precursor do indianismo no Brasil: seu poema épico "Caramuru", a primeira obra a ter como tema o habitante nativo do Brasil, foi escrito ao estilo de Camões.

Dutra, Eurico Gaspar [Cuiabá MT, 1883 — Rio de Janeiro RJ, 1974], militar e político brasileiro, foi ministro da Guerra do governo de Getúlio Vargas. Presidente da República de 1946 a 1951, em seu governo ocorreram a promulgação de uma nova Constituição, a proibição dos jogos de azar e a inauguração da primeira estação de televisão do país (TV Tupi, 1950).

Ee

Eanes, Gil [séc. XV], navegador português, escudeiro do Infante D. Henrique que, em 1434, pela primeira vez passou além do cabo Bojador, ou Cabo do Medo, na costa africana, dissipando o terror supersticioso que este promontório inspirava e iniciando assim a época dos grandes descobrimentos.

Eastman, George W. [Waterville, Nova York, EUA, 1854 — Rochester, Nova York, EUA, 1932], industrial norte-americano, em 1884 organizou a companhia Eastman Dry Plate and Film. Fabricou a primeira máquina fotográfica Kodak (1888), tornando a fotografia mais acessível a todos.

Eça de Queirós ver *Queirós, José Maria Eça de*

Eckout, Albert [Groningen, Países Baixos, c. 1610 — *id.*, c. 1666], pintor e desenhista holandês, veio para o Brasil na comitiva do conde Maurício de Nassau, de quem recebeu a incumbência de retratar a fauna, a flora e o povo durante a dominação holandesa em Pernambuco.

Eco, Umberto [Alexandria, Itália, 1932], linguista, ensaísta e escritor italiano, tem-se dedicado à pesquisa nos campos da informação e comunicação. Obras: *O nome da rosa* (romance); *Tratado geral de semiótica* etc.

Edimburgo, capital da Escócia desde 1492, situada na costa sul do estuário de Forth. Minas de ferro e de carvão. Hab.: 448.624 (2011).

Edimburgo (príncipe Philip da Grécia e Dinamarca, **duque de**) [Corfu, Grécia, 1921], príncipe grego naturalizado britânico e casado desde 1947 com a rainha Elizabeth II da Inglaterra.

Édipo, segundo a mitologia grega, filho de Laio, rei de Tebas, e de Jocasta. Abandonado ao nascer e adotado, soube por um oráculo que seria o assassino do pai e que se casaria com a própria mãe — profecia que se cumpriu.

Edison, Thomas Alva [Milan, Ohio, EUA,1847 — West Orange, EUA, 1931], físico e inventor norte-americano, criou o gramofone (1877), a lâmpada elétrica (1878), a primeira usina elétrica (Nova York, 1882) e uma câmara cinematográfica (1891).

Edmundo de Melo Pereira da Costa, **Luís** [Rio de Janeiro RJ, 1878 — *id.*, 1961], escritor e jornalista brasileiro, membro da ABL. Como cronista histórico, publicou: *O Rio de Janeiro no tempo dos vice-reis, O Rio de Janeiro do meu tempo* etc. Como poeta, escreveu: *Nimbus, Poesias, Rosa dos ventos* etc.

Egeu (mar), porção do mar Mediterrâneo entre a costa leste da Grécia, com a ilha de Creta ao sul, e o litoral da Turquia. Tem 196.000 km^2 e sua profundidade máxima é de 1.256 m. Portos principais: Pireu (Grécia) e Izmir (Turquia).

Egito (República Árabe do), país com 1.001.450 km^2, situado no nordeste da África, na fronteira com a Ásia, é berço de uma das mais remotas civilizações da Antiguidade. República presidencialista. Capital: *Cairo*; recursos principais: agricultura (esp. algodão), mineração (petróleo, gás natural, manganês etc.), indústrias (têxtil e alimentícia), refino de petróleo, turismo. Pirâmides consideradas patrimônio da humanidade. Hab.: 85.294.388 (2013).

Eiffel (torre), construída em Paris (1887-1889) por Alexandre Gustave Eiffel, engenheiro francês, tem 324 m de altura.

Einstein, Albert [Ulm, Alemanha, 1879 — Princeton, EUA, 1955], físico alemão, formulou a *Teoria da relatividade restrita* (1905) e a *Teoria da relatividade geral* (1915), revolucionando a física de Newton. Recebeu o Prêmio Nobel de Física (1921).

Eire ver *Irlanda*

Elba, ilha montanhosa, com 224 km^2, a maior do arquipélago toscano e a terceira em grandeza das ilhas italianas, situada no mar Tirreno. Capital: *Portoferraio*. Ali esteve preso e depois exilado Napoleão Bonaparte, que fez construir estradas e incrementou a produção e exportação do vinho. Turismo.

Élis Fleury de Campos Curado, **Bernardo** [Corumbá de Goiás GO, 1915 — *id.*, 1997], poeta, contista e romancista brasileiro, escreveu o primeiro conto aos 12 anos. Fundou a revista *Oeste* (1942) e publicou *Ermose gerais* (contos, 1944). Foi membro da ABL. Outras obras: *O tronco* (romance); *Veranico de janeiro, Caminhos e descaminhos* (contos) etc.

Elis Regina ver *Regina, Elis*

Elizabeth II [Londres, Inglaterra, 1926], rainha da Grã-Bretanha e da Irlanda do Norte desde 1952. Em 1947, casou-se com o príncipe Philip da Grécia, duque de Edimburgo, com quem teve quatro filhos: Charles, Anne, Andrew e Edward.

El Salvador (República de), o menor país da parte continental da América Central, com 21.040 km^2, e o único da região que não possui litoral no mar das Antilhas — é banhado pelo oceano Pacífico. República presidencialista, independente desde 1821. Divide-se em 14 departamentos, cada um com governo próprio. Capital: *San Salvador*; recursos principais: café e cana-de-açúcar. Hab.: 6.264.129 (2012).

Emboabas (Guerra dos), sucessão de conflitos pelo controle das Minas Gerais (1708-1710), em que se enfrentaram, de um lado, os paulistas — descobridores e exploradores da área — e, do outro, os emboabas, gente chegada após os paulistas se terem ali estabelecido.

Embu das Artes (SP), município com 70,3 km^2, na região metropolitana do estado, com tradição artística, desde que os jesuítas ali esculpiam santos. Daí seu nome. Igreja de N. S.ª do Rosário tombada pelo Iphan. Hab.: 259.053.

Embu-Guaçu (SP), município com 155,6 km^2, localizado na região metropolitana de São Paulo. Represa Guarapiranga. Parque Ecológico da Várzea do Embu-Guaçu Professor Aziz Ab'Saber. Hab.: 66.792.

Emirados Árabes Unidos, país localizado no extremo sul do golfo Pérsico, Oriente Médio, aprox. 83.600 km^2; federação formada por sete emirados (Abu Dhabi, Dubai, Sharjah, Aiman, Um al Qaiuan, Al Fujayrah e Ra's al Khaymah), cada um governado por um xeque, com total soberania nos assuntos internos. Capital: *Abu Dhabi*; recurso principal: exploração de petróleo e gás natural. Hab.: 8.105.873 (2012).

Empresa Brasileira de Correios e Telégrafos (ECT), instituição pública, importante fator de integração nacional pela natureza dos serviços que presta. A data do início da atividade postal regular no país é a de nomeação do alferes João Cavalheiro Cardoso para o cargo de Correio da Capitania do Rio de Janeiro (1663).

Engels, Friedrich [Barmen, Alemanha, 1820 — Londres, Inglaterra, 1895], cientista social, jornalista e teórico socialista alemão. Colaborador de Karl Marx, fez importantes contribuições à teoria marxista.

Entradas, nome que se davam às incursões feitas pelos portugueses ao interior do Brasil, logo após o Descobrimento, em busca de ouro, prata, pedras preciosas ou visando tomar terras dos indígenas.

Equador (Confederação do), movimento republicano de caráter separatista (1824) que ocorreu em Pernambuco e em outras províncias do nordeste brasileiro, como reação à tendência absolutista do governo de D. Pedro I. Os rebeldes foram cercados no Recife pelas forças do brigadeiro Francisco de Lima e Silva e pela frota do almirante Cochrane e fugiram para o interior, onde os principais chefes foram julgados e condenados à prisão (Cipriano Barata) ou executados (Frei Caneca).

Equador (República do), país do noroeste da América do Sul, com 283.561 km^2, banhado pelo oceano Pacífico e cortado por duas cadeias montanhosas da cordilheira dos Andes. República presidencialista, independente desde 1809. Capital: *Quito*; recursos principais: agricultura (café, cacau e banana, da qual é o maior exportador mundial) e exploração de petróleo. Hab.: 14.864.987 (2012).

Erechim (RS), município com 430,7 km^2, situado na região noroeste do estado, sobre a cordilheira da serra Geral. Foi colonizado por poloneses, italianos e alemães. Hab.: 101.752.

Eritreia (República da), país do leste da África, com 117.600 km^2, às margens do mar Vermelho. República presidencialista, independente desde 1993, ocupa posição estratégica no estreito de Bab el-Mandeb (ou Bab al-Mandab), que dá acesso ao canal de Suez. Capital: *Asmará*; recurso principal: turismo (arquipélago de corais Dahlak, parque nacional). Hab.: 5.580.862 (2012).

Ernesto do Rego Batista, **Pedro** [Recife PE, 1884 — Rio de Janeiro RJ, 1942], médico e político brasileiro, participou da Revolução de 1930 e foi interventor do Distrito Federal (1931 a 1936). Foi preso sob acusação de ligação com os comunistas e, em seguida, absolvido (1935). Em 1937, abandonou a vida política.

Escada (PE), município com 342,2 km^2, localizado na região da Mata Sul do estado, onde o solo fértil para a lavoura da cana motivou a concentração de engenhos para produção de açúcar. Hab.: 66.907.

Escandinávia, península do norte da Europa que compreende os países da Noruega, Suécia e Finlândia. É delimitada ao norte pelo mar de Barents, a leste pela Rússia e pelo mar Báltico, e a oeste pelo mar do Norte e o mar da Noruega. A altura máxima é de 2.472 m, ao sul da Noruega.

Escócia, um dos quatro países que formam o Reino Unido da Grã-Bretanha e Irlanda do Norte (junto com Inglaterra, o País de Gales e Irlanda do Norte), com 78.772 km², localizado no norte da Grã-Bretanha. Capital: *Edimburgo*; recursos principais: indústria (de aparelhos eletrônicos, têxtil e de bebidas [uísque]). Hab.: 5.168.500 (2008).

Escurial ou **Escorial (serra do)**, elevação no Estado da Bahia, junto ao rio São Francisco, com 1.200 m de altitude.

Eslováquia (República Eslovaca), país da Europa, com 49.040 km², situado na porção oriental da antiga Tchecoslováquia, que foi dividida pacificamente no início da década de 1990. República parlamentarista, independente desde 1993. Capital: *Bratislava*; recursos principais: agricultura (cereais), indústria madeireira, jazidas de carvão, minério de cobre e ferro etc. Hab.: 5.480.332 (2012).

Eslovênia (República da Eslovênia), país da Europa Central, nos Bálcãs, com 20.270 km², é a mais ocidental das repúblicas da ex-Iugoslávia. República mista, independente desde 1991. Capital: *Liubliana*; recursos principais: mineração (carvão, minério de chumbo, minério de zinco), indústria (de equipamentos elétricos, alimentícia, química, metalúrgica, madeireira). Hab.: 2.040.057 (2012).

Esmeraldas (MG), município com 909,4 km², localizado na região metropolitana de Belo Horizonte. Extração de areia. Agropecuária. Artesanato. Hab.: 66.237.

Esopo [séc. VII ou VI a.C.], fabulista grego, ex-escravo, libertado pelo último dono, foi mestre na criação de fábulas que contêm ensinamentos por meio de histórias vividas por animais e/ou coisas que falam. Não deixou nada escrito: as fábulas que lhe são atribuídas pela tradição foram recolhidas pela primeira vez por Demétrio de Falera, por volta de 325 a.C.

Espanha (Reino da), país do sudoeste da Europa, com 505.370 km², ocupa cerca de 80% da península Ibérica e é banhado pelo mar Mediterrâneo e pelo oceano Atlântico. Monarquia parlamentarista. Capital: *Madri*; recursos principais: indústria (automobilística, naval, química, siderúrgica, têxtil, de calçados) e turismo. Hab.: 47.370.542 (2013).

Espártaco [Trácia, 111 a.C. — Lucânia, Itália, 71 a.C.], prisioneiro de guerra trácio; vendido como escravo (73 a.C.), conseguiu fugir e chefiar uma rebelião de escravos contra Roma, mas acabou derrotado e executado.

Espia (morro da), situado entre os estados de Santa Catarina e Paraná, com 1.350 m de altitude.

Espia (ponta da), no litoral paulista, separada da ilha Anchieta por um estreito canal de cerca de 900 m.

Espigão (serra do), situada no Estado de Santa Catarina, perto da fronteira com o Estado do Paraná, com cerca de 1.200 m de altitude.

Espigão Mestre, extenso chapadão, com altitudes de 700 a 900 m, entre as bacias dos rios Tocantins (TO) e São Francisco (BA), onde nascem vários de seus afluentes e predominam grandes áreas de solos estéreis.

Espinhaço (serra do), cadeia de montanhas, entre as bacias do rio São Francisco e de rios que deságuam no Atlântico, alcança 2.044 m no pico do Itambé (MG). Recebe denominações locais (p.ex., chapada Diamantina, na Bahia).

Espírito Santo (ES), estado brasileiro na Região Sudeste, com 46.096,025 km² e 78 municípios, sendo os mais populosos, além da capital: Vila Velha, Cariacica, Serra e Cachoeiro de Itapemirim. Capital: *Vitória*; recursos principais: extração de petróleo, gás natural e calcário; agricultura (café, milho, feijão etc.); indústria (química, alimentícia, madeireira, metalúrgica e de mineração). Hab.: 3.885.049 (est. 2014).

Estado Novo, regime (1937-1945) que se caracterizou pelo poder centralizado no Executivo, instituído após o golpe de Estado dado por Getúlio Vargas. Durante esse regime, foi criado o Departamento de Imprensa e Propaganda (DIP), encarregado do controle ideológico dos meios de comunicação.

Estados Unidos da América (EUA), o quarto país mais extenso do mundo, com 9.826.675 km² e o terceiro mais populoso; banhado pelos oceanos Atlântico e Pacífico, está situado no centro da América do Norte. Divisão administrativa: 50 estados e o Distrito de Colúmbia. República presidencialista, independente desde 1776. Capital: *Washington D.C.*; recursos principais: agricultura (tabaco, milho, soja etc.); pecuária; extração de petróleo, gás natural, carvão, minérios etc.; indústria (de transportes, alimentícia, máquinas, química, metalúrgica etc.). Hab.: 316.668.567 (2013).

Estância (SE), município com 644 km², situado na região leste do estado. Área de catequese dos jesuítas, é das mais antigas cidades do país. Casa à praça Rio Branco tombada pelo Iphan. Hab.: 67.953.

Esteio (RS), município com 27,6 km², na região metropolitana de Porto Alegre. Indústria (de cimento, óleos, escovas, telhas). Hab.: 83.846.

Estocolmo, capital da Suécia, fundada em meados do séc. XIII. É a sede do governo e a residência oficial dos membros da monarquia sueca. Situa-se onde o lago Mälar encontra o mar Báltico e espalha-se por diversas ilhas pequenas e pelo continente. As diferentes partes da cidade são ligadas por pontes. Hab.: 825.057 (2009), 1.252.020 na área metropolitana.

Estônia, país localizado no centro-norte da Europa, com 45.230 km², é o menor e mais ocidental dos Países Bálticos e tem mais de 1.500 ilhas e ilhotas espalhadas pelo litoral. República mista, independente desde 1991. Capital: *Tallin*; recursos principais: mineração (óleo de xisto, turfa); indústria (alimentícia, de bebidas, têxtil etc.). Hab.: 1.339.762 (2012).

Estrada, Joaquim Osório **Duque** [Pati do Alferes RJ, 1870 — Rio de Janeiro RJ, 1927], poeta, professor e crítico brasileiro, venceu o concurso que escolheu o autor da letra do Hino Nacional do Brasil

(1909). Membro da ABL. Obras: *A arte de fazer versos, Crítica e polêmica* etc.

Estrasburgo, cidade do nordeste da França, capital da Alsácia junto à fronteira da Alemanha, à beira do rio Reno, cercada de canais naturais e artificiais. Recursos principais: refinaria de petróleo, metalurgia, construção de maquinaria e indústria química. É sede do Conselho da Europa e do Parlamento Europeu. Hab.: 272.975 (2006).

Estrella, Arnaldo de Azevedo [Rio de Janeiro, 1908 — Petrópolis RJ, 1980], pianista brasileiro, venceu o concurso Columbia Concertos, em Nova York, e realizou numerosas turnês internacionais. Catedrático da Escola de Música da UFRJ. Seu livro, *Os quartetos de cordas de Villa-Lobos*, foi premiado em concurso (1970).

Estrela (serra da), com cerca de 800 m de altitude, está situada na fronteira dos estados de Mato Grosso e Goiás, entre o rio Araguaia e o rio das Garças.

Estrondo (serra do), elevação no Estado do Tocantins, com cerca de 400 m de altitude, que se estende por 200 km no sentido norte-sul, entre os rios Tocantins e Araguaia.

Etiópia (República Federal Democrática da), antiga Abissínia, país da África Oriental, com 1.104.300 km², é uma das duas únicas nações africanas (a outra é a Libéria) que não foram colonizadas por europeus. República parlamentarista. Sua população detém uma das menores rendas per capita do mundo. Capital: *Adis Abeba*; recurso principal: agricultura (café, feijão, cana-de-açúcar, trigo, milho, sorgo e cevada). Hab.: 86.538.534 (2012).

Etna, o vulcão mais ativo da Europa (3.323 m), está localizado na Sicília (sul da Itália). Desde a primeira erupção conhecida (475 a.C.) até hoje, contam-se cerca de 150. A pior foi em 1669 — durou quatro meses e destruiu 27 mil casas na Catânia, porto italiano na Sicília.

Euclides [séc. IV ou III a.C.], matemático grego conhecido por sua obra *Os elementos*, tratado de geometria que se tornou o centro do ensino de matemática por 2.000 anos.

Euclides da Cunha (BA), município com 2.028,4 km², situado na região nordeste do estado, desmembrado de Monte Santo e instalado em 1898. Turismo. Hab.: 60.932.

Eufrates, o maior rio do Oriente Médio, nasce na Turquia, atravessa a Síria e o Iraque e vai unir-se ao rio Tigre, formando o Shatt al-Arab. Deságua no golfo Pérsico, após 2.775 km de percurso.

Euler, Leonhard [Basileia, Suíça, 1707 — São Petersburgo, Rússia, 1783], matemático suíço, iniciou a carreira na Academia de Berlim, Alemanha, onde passou 25 anos. Ocupou-se de quase todos os ramos da matemática pura e aplicada, sendo responsável pelas notações que se usam até hoje.

Eunápolis (BA), município com 1.426 km², situado na região sul do estado. Grande produtor baiano de pimenta-do-reino. Hab.: 112.032.

Eurásia, massa continental formada pela Ásia e pela Europa, com cerca de 55 milhões de km². Hab.: aprox. 4,8 bilhões.

Europa, o mais densamente povoado dos cinco continentes, com 10.498.000 km², localiza-se no hemisfério norte. É formado por 48 países, 27 dos quais integram hoje a União Europeia (UE), bloco econômico em que não há barreiras comerciais. O euro, moeda única comum, começou a operar em 11 dos países-membros em 1999. Hab.: 740 milhões (2013).

Eva, segundo a Bíblia, a primeira mulher, criada por Deus a partir de uma das costelas de *Adão*. Depois de ter comido e feito Adão comer o fruto proibido, ambos foram expulsos do Paraíso.

Everest (monte), pico dos Himalaias situado na Ásia, na fronteira do Nepal com o Tibete. Com 8.846 m de altitude, é o cume mais elevado do mundo.

FAB ver *Força Aérea Brasileira (FAB)*

Fahrenheit, Daniel Gabriel [Gdansk, Alemanha, 1686 — Haia, Holanda, 1736], físico alemão. Elaborou uma escala de temperatura que leva seu nome e até hoje é utilizada nos países de língua inglesa. Criou o primeiro termômetro de mercúrio (1714).

Falkland, ilhas ver *Malvinas ou Falkland (ilhas)*

Farias, Roberto [Nova Friburgo RJ, 1932], cineasta brasileiro; todos os filmes que dirigiu foram roteirizados por ele próprio. Obras: *O assalto ao trem pagador*; *Pra frente, Brasil*; *Cidade ameaçada* etc.

Farofa (serra da), com 1.200 m de altitude, situada no Estado de Santa Catarina, na fronteira com o Rio Grande do Sul.

Farrapos (Guerra dos) ou **Revolução Farroupilha**, a mais longa guerra civil brasileira (1835-1845), foi liderada por fazendeiros de gado gaúchos que repudiavam o desinteresse do governo central pelos problemas das províncias. Comandados por Bento Gonçalves, tomaram Porto Alegre, proclamando a República Rio-Grandense (ou República de Piratini); auxiliados por Giuseppe Garibaldi, conquistaram tb. Santa Catarina. Capitularam em 1845.

Farroupilha (Revolução) ver *Farrapos (Guerra dos)*

Farroupilha (RS), município com 360,3 km², na serra Gaúcha, está ligado ao início da colonização italiana no estado. Grande produtor de quiuís. Hab.: 68.030.

Fazenda, José **Vieira** [Rio de Janeiro RJ, 1847 — *id.*, 1917], médico, político e historiador brasileiro. Nomeado bibliotecário do IHGB (1898), fez inúmeras pesquisas históricas, destacando-se *Antiqualhas* e *Memórias do Rio de Janeiro*.

Fazenda Rio Grande (PR), município com 116,6 km², na região de Curitiba. Hab.: 90.648.

FEB ver *Força Expedicionária Brasileira*

Federação Russa, antiga União Soviética (URSS), com 17.098.240 km², é a maior nação do mundo. Parte dela está localizada no leste da Europa e a outra parte está no norte da Ásia. República mista, divide-se em 21 repúblicas, uma região autônoma, 49 regiões administrativas, 6 províncias e 10 distritos autônomos. Capital: *Moscou*; recursos principais: extrativismo mineral (cobre, minério de ferro, níquel, turfa, gás natural, petróleo) e indústria (alimentícia, de máquinas, siderúrgica). Hab.: 142.703.181 (2012).

Federalista (Revolução), iniciou-se no Rio Grande do Sul (1893), durante o governo de Floriano Peixoto, como resistência ao excessivo controle exercido pelo governo central e tentativa de garantir um sistema federativo em que os estados tivessem maior autonomia. Os revoltosos receberam a adesão dos participantes da Revolta da Armada, que tomaram Santa Catarina e parte do Paraná (1894). Os focos de revolução só foram dominados em 1895.

Feijó, Padre Antônio **Diogo** [São Paulo SP, 1784 — *id.*, 1843], estadista brasileiro, foi deputado por São Paulo em Lisboa e lutou abertamente pela Independência do Brasil. Após a abdicação de D. Pedro I, assumiu a regência do Império (1835) e presidiu o Senado (1839). Obras: *Demonstração da necessidade da abolição do celibato clerical*, *Noções preliminares da filosofia* etc.

Feira de Santana (BA), município com 1.337,9 km². No início era parada obrigatória de viajantes e tropeiros procedentes do alto sertão baiano e de outros estados a caminho do porto de Cachoeira. Segundo maior polo comercial do estado. Criação de gado. Hab.: 612.000.

Fernandes, Millôr [Rio de Janeiro RJ, 1924 — *id.*, 2012], escritor, jornalista, teatrólogo, tradutor, cartunista, trabalhou na revista *O Cruzeiro* e escreveu para vários jornais. Obras: *Fábulas fabulosas*, *Livro branco do humor*, *Livro vermelho dos pensamentos de Millôr* etc.; *Um elefante no caos*; *Liberdade, liberdade*; *É...* etc. (teatro).

Fernando de Noronha (PE), município (Distrito Estadual) com 17 km² na ilha principal, é um arquipélago vulcânico (21 ilhas, ilhotas e rochedos). Foi descrito por Américo Vespúcio em 1503. Forte de N. S.ª dos Remédios e Igreja de N. S.ª dos Remédios tombados pelo Iphan. Turismo. Hab.: 2.884.

Fernandópolis (SP), município com 549,8 km², situado na região noroeste do estado. Plantações de cana-de-açúcar. Hab.: 67.836.

Féroe ou **Feroé (ilhas)**, arquipélago dinamarquês com 1.399 km², no norte da Europa. Autônomo desde 1948. Capital: *Thoshavn*; recursos principais: pesca e criação de gado. Hab.: 48.856 (2009).

Ferraz de Vasconcelos (SP), município com 29,5 km², na área metropolitana de São Paulo, conhecido como berço da uva tipo Itália. Hab.: 182.544.

Ferreira, Alexandre Rodrigues [Bahia, 1756 — Lisboa, Portugal, 1815], naturalista brasileiro. Estudou a biodiversidade da região amazônica (1783). Seus manuscritos, reunidos em *Viagem filosófica*, constituem importante fonte de estudo da estrutura social brasileira da época.

Ferreira, Ascenso Carneiro Gonçalves [Palmares PE, 1895 — Recife PE, 1965], escritor, poeta e ensaísta brasileiro, sua temática é a vida nordestina. Foi o primeiro poeta brasileiro a gravar seus poemas em disco. Obras: *Catimbó*, *Cana-caiana*, *Xenhenhém*.

Fico (Dia do), assim ficou conhecido o dia 9 de janeiro de 1822, quando D. Pedro I, então regente do Império no lugar de D. João, seu pai, recusou-se a partir para Portugal, com a frase: "se é para o bem de todos e felicidade geral da nação, diga ao povo que fico".

Figueiredo, Guilherme Oliveira **de** [Campinas SP, 1915 — Rio de Janeiro RJ, 1997], escritor, jornalista, poeta e dramaturgo brasileiro. Obras: *A bala perdida: memórias* (autobiografia); *A raposa e as uvas* e *Um deus dormiu lá em casa* (teatro) etc.

Fiji ou **Fidji (República de)**, arquipélago do centro-sul da Oceania, no oceano Pacífico, com 18.270 km² (nove ilhas e cerca de 300 ilhotas e atóis de origem vulcânica), dos quais apenas um terço é habitado. República mista, independente desde 1970; ditadura militar desde 2000. Capital: *Suva*; recursos principais: agricultura (cana-de-açúcar e coco) e exportação de açúcar. Hab.: 875.822 (2012).

Filipinas (República das), arquipélago do sudeste asiático (7 mil ilhas), com 300.000 km², 90% dos quais nas 11 ilhas maiores. República presidencialista, independente desde 1898. Capital: *Manila*; recursos principais: agricultura (coco, cana-de-açúcar), exportação de matérias-primas (madeira). Hab.: 105.720.644 (2013).

Finlândia (República da), nação escandinava com 338.420 km²; o norte do território abrange parte da Lapônia, região montanhosa e semidesértica. República mista, independente desde 1917. Capital: *Helsinque*; recursos principais: indústrias de madeira e papel. Hab.: 5.402.627 (2012).

Fleming, Sir **Alexander** [Lochfield, Escócia, 1881 — Londres, Inglaterra, 1955], bacteriologista escocês, descobridor da penicilina e Prêmio Nobel de Fisiologia e Medicina (1945).

Floresta Amazônica, situada no norte da América do Sul, tem cerca de 67% no Brasil, sendo o restante distribuído entre Venezuela, Suriname, Guianas, Bolívia, Colômbia, Peru e Equador. É banhada pelo rio Amazonas e afluentes e formada por três tipos de mata: igapó (sempre inundada), várzea (inundada na cheia) e mata de terra firme.

Floriano (PI), município com 3.409,6 km², porto fluvial no rio Parnaíba, na divisa com o Estado do Maranhão. Castanha-de-caju. Hab.: 58.702.

Florianópolis (SC), capital do Estado de Santa Catarina, com 675,4 km². Dividido em duas partes, a maior parte do município fica na ilha de Sta. Catarina e apenas 12 km² no continente. Fortaleza de Sto. Antônio de Ratones, Forte de Santa Bárbara, sítio arqueológico e paisagístico da ilha do Campeche, Museu Casa Natal de Victor Meirelles e Ponte Hercílio Luz, entre outros bens tombados pelo Iphan. Hab.: 461.524.

Fluminense (baixada), região litorânea do Estado do Rio de Janeiro, de relevo baixo e ondulado, onde estão os municípios de Belford Roxo, Duque de Caxias, Guapimirim, Itaguaí, Japeri, Magé, Mangaratiba, Mesquita, Nilópolis, Nova Iguaçu, Paracambi, Queimados, São João de Meriti e Seropédica.

FMI ver *Fundo Monetário Internacional*

Fonseca, Mal. Manuel **Deodoro da** [atual Marechal Deodoro AL, 1827 — Rio de Janeiro RJ, 1892], militar e político brasileiro, proclamador da República (1889), primeiro presidente eleito pelo Congresso (1891), logo depois dissolveu-o e declarou estado de sítio. Intimado pelo almirante Custódio de Melo, à frente de uma esquadra armada, rendeu-se, renunciando em favor de Floriano Peixoto.

Fonseca, Hermes Rodrigues **da** [São Gabriel RS, 1855 — Petrópolis RJ, 1923], militar e político brasileiro, republicano. Ministro da Guerra (1906--1909), instituiu a lei do serviço militar obrigatório. Foi presidente da República (1910-1914).

Fonseca, José **Rubem** [Juiz de Fora MG, 1925], contista e romancista brasileiro. Obras: *Os prisioneiros, A coleira do cão, Feliz ano novo* (contos); *O caso Morel, A grande arte, Agosto, Bufo & Spallanzani, O seminarista* (romances).

Força Aérea Brasileira (FAB), surgiu em 20 de janeiro de 1941, quando da criação do ministério da Aeronáutica, no governo Getúlio Vargas. Tem a missão de defender a integridade e a inviolabilidade do espaço aéreo brasileiro.

Força Expedicionária Brasileira (FEB), força militar enviada pelo Brasil à Europa, para lutar ao lado dos Aliados na Segunda Guerra Mundial. Seus integrantes eram ditos pracinhas e combateram os alemães na Itália (1944), sob as ordens do general Mascarenhas de Morais. Suas principais batalhas aconteceram em Monte Castelo e Castelnuovo di Garfagna.

Ford (Sean Aloysius Feeney O'Fearna, dito **John**) [Cape Elizabeth, Maine, EUA, 1894 — Palm Desert, Califórnia, EUA, 1973], cineasta norte-americano de origem irlandesa, recebeu o Oscar por *O delator*, *As vinhas da ira*, *Depois do vendaval* (direção) e *Como era verde meu vale* (direção e melhor filme).

Formiga (MG), município com 1.502 km^2, situado no centro-oeste do estado, próximo ao lago de Furnas; é uma das raras cidades mineiras que conservam o nome dado pelos primeiros povoadores da região. Hab.: 67.833.

Formosa, antigo nome de *Taiwan*.

Formosa (GO), município com 5.811,7 km^2, situado na região leste do estado, na divisa com o Estado de Minas Gerais. Parque Municipal de Itiquira, com a maior queda de água da Região Centro-oeste (169 m). Hab.: 110.388.

Fortaleza (CE), capital do Estado do Ceará, com 315 km^2. Tem um dos mais importantes parques industriais do Nordeste. Turismo. Casa de José de Alencar, Passeio Público, prédio da antiga sede do DNOCS e Teatro José de Alencar tombados pelo Iphan. Hab.: 2.571.896.

Foz do Iguaçu (PR), município com 617,7 km^2, localizado na fronteira com o Paraguai e a Argentina. Cataratas do Iguaçu tombadas pela Unesco como Patrimônio Natural da Humanidade. Usina Binacional de Itaipu (com o Paraguai). Hab.: 263.647.

Fragoso, Augusto **Tasso** [São Luís MA, 1869 — Rio de Janeiro RJ, 1945], político, militar e historiador militar brasileiro. Participou da comissão encarregada do levantamento da Carta Geral da República (1903). Foi o chefe da Casa Militar da Presidência no governo Hermes da Fonseca. Após a Revolução de 1930, integrou a junta governativa que assumiu o poder. Escreveu, entre outros, *História da guerra entre a Tríplice Aliança e o Paraguai*.

França, o terceiro maior país da Europa, com 549.190 km^2, situado no oeste da Europa. República mista. Capital: *Paris*; recursos principais: turismo, indústria (aeroespacial, de telecomunicações e de biotecnologia) e exportação de alimentos (esp. queijos e vinhos). Hab.: 63.457.777 (2012).

Franca (SP), município com 605,6 km^2, situado na região nordeste do estado. Não tem favelas nem bolsões de miséria. Indústria de calçados, curtumes, agricultura e pecuária. Hab.: 339.461.

França Antártica, primeira tentativa de estabelecimento, no Rio de Janeiro, de uma colônia de protestantes franceses, liderada por Nicolau Durand de *Villegaignon* (1555). O grupo foi expulso (1565) pelas forças do governador-geral Mem de Sá e de Estácio de Sá.

França Equinocial, segunda tentativa francesa de estabelecimento de uma colônia no Brasil, desta vez no Maranhão (1612), sob a liderança de Daniel de la Touche, senhor de La Ravardière, com a fundação da cidade de São Luís. Os franceses renderam-se e entregaram o forte S. Luís (1615).

França Júnior, Joaquim José da [Rio de Janeiro RJ, 1838 — Poços de Caldas MG, 1890], escritor brasileiro, autor de peças teatrais de apelo crítico e popular. Obras: *Meia hora de cinismo, A república modelo, O defeito de família, Amor com amor se paga, Caiu o ministério* etc.

Francisco Beltrão (PR), município com 735,1 km^2, um dos principais polos econômicos do estado. Pecuária e indústria (alimentícia, de confecções, móveis etc.) Hab.: 85.486.

Francisco de Assis, são [Assis, Itália, 1182 — *id.*, 1226], religioso italiano, fundou a Ordem dos Frades Menores, que em poucos anos se transformou numa das maiores da cristandade. Com Clara de Assis, criou o ramo feminino da mesma ordem; e, para os que não faziam parte do clero, mas desejavam ser fiéis ao espírito de pobreza, fundou a Ordem Terceira.

Francisco Morato (SP), município com 49 km^2, na Grande São Paulo, instalado em 1964. Hab.: 166.505.

Franco, Afrânio de Melo [Paracatu MG, 1870 — Rio de Janeiro RJ, 1943], político e jurista brasileiro, um dos fundadores da Faculdade de Direito de Minas Gerais (1892). Participou da preparação do Código Civil (1916) e presidiu a comissão que elaborou o anteprojeto da Constituição (1932).

Franco, Itamar Augusto Cautiero [Salvador BA, 1930 — São Paulo SP, 2011], político brasileiro, assumiu a presidência da República após o *impeachment* de Fernando Collor de Melo (29/09/1992). No seu governo (1992-1994) foi lançado o Plano Real, programa brasileiro de estabilização econômica (27/02/1994) que acabou com as elevadas taxas de inflação.

Franco da Rocha (SP), município com 132,7 km², situado na região metropolitana de São Paulo. Hab.: 143.817.

Freire, Nélson [Boa Esperança MG, 1944], pianista brasileiro consagrado internacionalmente; aos oito anos tocou um concerto de Mozart com a Orquestra Sinfônica Brasileira. João Moreira Sales, cineasta, filmou um documentário sobre sua vida e obra (2003).

Freire, Paulo Reglus Neves [Recife PE, 1921 — São Paulo SP, 1997], educador brasileiro, criou um método de alfabetização para adultos. Obras: *Pedagogia do oprimido*, *Educação prática da liberdade* etc.

Freud, Sigmund [Freiberg, atual Příbor, República Tcheca, 1856 — Londres, Inglaterra, 1939], neurologista austríaco, seus estudos sobre o inconsciente humano e suas motivações deram-lhe o título de "Pai da psicanálise". Obras: *A interpretação dos sonhos*, *Cinco lições de psicanálise*, *O mal-estar na civilização* etc.

Freyre, Gilberto de Mello [Recife PE, 1900 — *id.*, 1987], sociólogo e escritor brasileiro, sua obra retrata a terra, a vida, as coisas, os animais, os fatos do cotidiano, enfim a própria identidade do Brasil e do brasileiro. Obras: *Casa-grande & senzala*, *Sobrados e mocambos*, *Novo mundo nos trópicos* etc.

Frutal (MG), município com 2.427 km², localizado na região do Triângulo Mineiro, Alto Paranaíba. Agricultura (cana-de-açúcar, abacaxi, grãos) e pecuária. Hab.: 57.269.

Fundo Monetário Internacional (FMI), organização criada em uma conferência das Nações Unidas (1944) para promover a cooperação e a estabilidade econômica internacional, estimular o crescimento econômico e fornecer assistência financeira temporária a países em crise.

Furtado, Celso Monteiro [Pombal PB, 1920 — Rio de Janeiro RJ, 2004], economista brasileiro, doutor em Economia pela Universidade de Paris e membro da ABL. Obras: *Formação econômica do Brasil*, *O Brasil pós-"milagre"*, *Dialética do desenvolvimento* etc.

Furtado, Diogo de Mendonça [?, Portugal, séc. XVI — ?, séc. XVII], administrador português, governador-geral do Brasil (1621-1624), foi preso quando da invasão holandesa na Bahia e enviado para a Holanda.

Gg

Gabão (República do), país com 267.670 km², situado no centro-oeste da África, é um dos mais ricos e urbanizados do continente. República mista, independente desde 1960. Capital: *Libreville*; recursos principais: extração de petróleo, mineração de ferro e manganês. Hab.: 1.563.873 (2012).

Gal Costa ver *Costa* (*Maria da Graça Costa Pena Burgos, dita Gal*)

Gales, País de, um dos quatro países que compõem o Reino Unido da Grã-Bretanha e da Irlanda do Norte (os outros são a Inglaterra, a Irlanda do Norte e a Escócia), com 20.766 km², ocupa uma larga península da costa oeste da ilha da Grã-Bretanha. Monarquia parlamentarista. Capital: *Cardiff.*; recursos principais: mineração de carvão, processamento de metais, jazidas de pedra calcária e ardósia, indústria metalúrgica (alumínio, ferro, aço, folha de flandres e outros metais). Hab.: 3.060.000 (2011).

Galileu Galilei [Pisa, Itália, 1564 — Arcetri, Itália, 1642], físico, matemático e astrônomo italiano, descobriu a lei dos corpos e enunciou o princípio da inércia. Construiu uma luneta astronômica e fez observações da Via Láctea (1610) que o levaram a adotar o sistema de Copérnico.

Galvão (santo Antônio de Sant'Ana Galvão, dito **são frei**) [Guaratinguetá SP, 1739 — São Paulo SP, 1822], sacerdote católico da Ordem dos Frades Menores, primeiro santo brasileiro, canonizado pelo papa Bento XVI em 11 de maio de 2007.

Gama, José **Basílio da** [atual Tiradentes MG, 1741 — Lisboa, Portugal, 1795], poeta brasileiro, tornou-se secretário do Marquês do Pombal, a quem louvou no poema épico "O Uraguai". É patrono da cadeira 4 da ABL. Outras obras: *Declamação trágica: poema dedicado às belas-artes*, *Os Campos Elíseos* etc.

Gama, Luís Gonzaga Pinto da [Salvador BA, 1830 — São Paulo SP, 1882], escritor, advogado e líder abolicionista brasileiro, filho de Luísa Mahin, escrava liberta, e de pai desconhecido, foi alfabetizado aos 17 anos. Obra principal: *Primeiras trovas burlescas de Getulino*.

Gama, Vasco da [Sines, Portugal, c. 1460 — Cochim, Índia, 1524], navegador e explorador português, alcançou as Índias contornando o continente africano (1497).

Gâmbia (República do), país da África ocidental, com 11.300 km², economicamente pobre, pertencente à Comunidade Britânica. República presidencialista, independente desde 1965. Capital: *Banjul*; recursos principais: mineração (argila, areia sílica), agropecuária. Hab.: 1.824.777 (2012).

Gana (antiga Costa do Ouro), país da África ocidental, com 238.540 km², uma das nações economicamente mais estáveis do continente, membro da Comunidade Britânica. República presidencialista, independente desde 1957. Capital: *Acra*; recursos principais: agricultura (cacau), extrativismo mineral (petróleo, ouro, manganês e diamantes). Hab.: 25.545.939 (2012).

Gândavo, Pêro de Magalhães [Braga, Portugal, c. 1540 — ?, c. 1580], historiador e cronista português, viveu no Brasil nas capitanias da Bahia e de Ilhéus. É autor de um manual ortográfico da língua portuguesa (1574) e do primeiro livro publicado sobre o Brasil (*História da província de Santa Cruz*).

Gandhi (Mohandas Karamchand Gandhi, dito **Mahatma**) [Porbandar, Índia, 1869 — Nova Délhi, Índia, 1948], líder pacifista indiano. Na luta pela independência de seu país, usou o método da resistência passiva, negou-se a colaborar com o domínio britânico e pregou a não violência.

Garanhuns (PE), município com 458,5 km², situado na serra da Borborema, região agreste do sul do estado. Antiga aldeia dos indígenas cariris. Fontes ricas em magnésio. Hab.: 136.057.

Garcia, padre José Maurício Nunes [Rio de Janeiro RJ, 1767 — *id.*, 1830], compositor e organista autodidata brasileiro, compôs motetos, salmos, missas, réquiens, matinas, obras orquestrais etc. Sua mais antiga obra conhecida é uma antífona, *Tota pulchra es Maria* ("Toda bela és Maria"), que fez aos 16 anos.

Garibaldi (Ana Maria Ribeiro da Silva, dita **Anita**) [Laguna SC, 1821 — Mandriole, Itália, 1849], heroína brasileira da Guerra dos Farrapos e da luta pela unificação da Itália. — **Giuseppe Garibaldi** [Nice, França, 1807 — Caprera, Itália, 1882], seu marido, herói italiano, lutou no Rio Grande do Sul e no Uruguai. Na Itália, organizou a expedição dos Camisas Vermelhas (1860), que desembarcou na Sicília e derrotou as tropas do rei de Nápoles.

Garrafadas (Noite das), assim ficou conhecida a noite de 13/03/1831, em que brasileiros, insatisfeitos com o reinado de D. Pedro I, entraram em conflito com portugueses que lhe ofereciam uma festa; na briga houve grande quebra de garrafas. Pouco depois (7/04/1831), o monarca abdicou em favor de seu filho, Pedro de Alcântara, encerrando o 1º Reinado.

Garrett, João Francisco da Silva Leitão de **Almeida** [Porto, Portugal, 1799 — Lisboa, Portugal, 1854], poeta e dramaturgo português, responsável pela introdução do Romantismo em Portugal. Obras: *Viagens na minha terra*, *Frei Luís de Sousa* etc.

Garrincha (Manuel Francisco dos Santos, dito **Mané**) [Magé RJ, 1933 — Rio de Janeiro RJ, 1983], jogador brasileiro de futebol, conhecido como "Anjo das pernas tortas", ponta-direita aclamado internacionalmente, foi bicampeão mundial (1958 e 1962).

Gaspar (SC), município com 386,7 km², localizado na região do Vale do Itaguaí, desmembrado de Blumenau. Turismo. Hab.: 63.826.

Gato, Manuel de **Borba** [São Paulo SP, c. 1630 — Sabará MG, 1718], bandeirante brasileiro, acompanhou o sogro, Fernão Dias Pais, na procura de esmeraldas pelo sertão mineiro e foi o primeiro a achar ouro no rio das Velhas. Acusado do assassinato de um fidalgo, ficou foragido por 18 anos, vivendo com os indígenas no vale do rio Sabará, onde fundou a cidade de Sabará.

Gattai, Zélia [São Paulo SP, 1916 — Salvador BA, 2008], fotógrafa e escritora brasileira, filha de pais italianos e casada com Jorge Amado, cuja vida narra em seu primeiro livro (1979), *Anarquistas graças a Deus*. Membro da ABL. Outras obras: *Um chapéu para viagem*, *Jardim de inverno* etc.

Geisel, Ernesto [Bento Gonçalves RS, 1907 — Rio de Janeiro RJ, 1996], militar e político brasileiro, apoiou a revolução de 1930. Eleito indiretamente presidente da República (1974-1979), os anos de seu governo foram marcados por uma lenta transição ao regime democrático.

Geórgia (República da), país do sudeste europeu, no Cáucaso, com 69.700 km², às margens do mar Negro. República presidencialista, independente desde 1918. Capital: *Tbilisi*; recursos principais: turismo, extração de carvão e manganês. Hab.: 4.304.363 (2012).

Gerchman, Rubens [Rio de Janeiro RJ, 1942 — São Paulo SP, 2008], pintor, desenhista e gravador brasileiro, iniciou sua aprendizagem artística no Liceu de Artes e Ofícios do Rio de Janeiro (1957). Prêmio de viagem ao estrangeiro do Salão Nacional de Arte Moderna (1967).

Gibraltar, última colônia existente em território europeu, na península Ibérica, com 6,5 km², que, pelo Tratado de Utrecht (1713), a Espanha cedeu ao Reino Unido, mantendo-se até o presente sob a soberania da Coroa britânica. Capital: *Gibraltar*; recursos principais: turismo e serviços. Hab.: 28.034 (2009).

Gil Moreira, **Gilberto** Passos [Salvador BA, 1942], cantor e compositor brasileiro. Aos 18 anos, formou o conjunto Os Desafinados. Logo após conhecer Caetano Veloso, Maria Bethânia e Gal Costa, iniciou a carreira fazendo com eles o *show* "Nós, por exemplo", no Teatro Vila Velha, em Salvador BA (1963). Ministro da Cultura (2002-2008).

Gilberto Prado Pereira de Oliveira, **João** [Juazeiro BA, 1931], cantor, violonista e compositor brasileiro, mudou a maneira de tocar violão e cantar no país. Em 1958, gravou duas músicas que lançaram seu estilo e inauguraram o movimento bossa nova: *Chega de saudade* e *Desafinado*. — **Bebel Gilberto** [Nova York, EUA, 1966], sua filha, tb. é cantora.

Gilmar dos Santos Neves [Santos SP, 1930 — São Paulo SP 2013], goleiro brasileiro, foi duas vezes campeão do mundo (1958 e 1962).

Giorgi, Bruno [Mococa SP, 1905 — Rio de Janeiro RJ, 1993], escultor brasileiro. Obras: *Monumento à juventude brasileira* (1947, jardins do Palácio da Cultura RJ); *Candangos* (1960, praça dos Três Poderes) e *Meteoro* (1967, no lago do Ministério das Relações Exteriores), ambos em Brasília; entre outras.

Gnattali, Radamés [Porto Alegre RS, 1906 — Rio de Janeiro RJ, 1988], compositor brasileiro. Sua música destaca-se pela temática nacionalista, recriada em um estilo pessoal. Autor de 6 mil arranjos, foi considerado um dos melhores arranjadores de música popular do país. Obras: *Brasilianas*, *Concerto para violoncelo e orquestra* etc.

Goeldi, Emílio Augusto [Ennetbuhl, Suíça, 1859 — Berna, Suíça, 1917], naturalista e zoólogo suíço, veio dirigir o Museu Nacional do Rio de Janeiro (1884). Em Belém PA (1894), reorganizou o Museu Paraense, que hoje tem seu nome. Obras: *As aves do Brasil*, *Os mamíferos do Brasil* etc. — **Osvaldo Goeldi** [Rio de Janeiro RJ, 1895 — *id.*, 1961], seu filho, gravurista e desenhista expressionista, ilustrou várias obras literárias.

Goiana (PE), município com 445,8 km², no litoral norte do estado. Convento e Igreja de N. S.ª da Soledade, igrejas da Ordem Terceira do Carmo, N. S.ª da Conceição, N. S.ª da Misericórdia e Matriz de N. S.ª do Rosário, entre outros bens tombados pelo Iphan. Hab.: 78.287.

Goianésia (GO), município com 1.547,2 km², localizado no centro goiano, Vale do São Patrício. Agricultura (cana-de-açúcar) e usinas sucroalcoleiras (álcool combustível). Hab.: 64.861.

Goiânia (GO), capital do Estado de Goiás, com 733,1 km². É uma cidade planejada, próxima de Brasília, com ruas em forma de raio, tendo como centro a praça cívica, onde estão as sedes dos governos estadual e municipal. Hab.: 1.412.364.

Goiás (GO), estado brasileiro a leste da Região Centro-Oeste, com 340.111,376 km² e 246 municípios, sendo os mais populosos, além da capital: Anápolis e Luziânia. Relevo de planalto e planície; vegetação de cerrado. Ali está encravado o Distrito Federal. Capital: *Goiânia*; recursos principais: agricultura (esp. a soja), pecuária (corte e leite), exploração de madeira (esp. mogno), extrativismo vegetal (babaçu, pequi), extrativismo mineral (calcário, titânio, ardósia, níquel, cobre etc.), indústria (alimentícia, metalúrgica, química etc.). Hab.: 6.523.222 (est. 2014).

Góis, Damião de [Alenquer, Portugal, 1502 — *id.*, 1574], historiador, cronista e humanista português, desempenhou importantes missões diplomáticas na Holanda, Polônia, Alemanha, Itália etc. Obras: *Crônica do felicíssimo rei D. Manuel*, *Crônica do príncipe D. João*, *Livro de Marco Túlio Cícero* etc.

Golan (planalto ou colinas do), região a sudoeste da Síria, ocupada por Israel na Guerra dos Seis Dias (1967).

Gomes, Antônio **Carlos** [Campinas SP, 1836 — Belém PA, 1896], compositor e maestro brasileiro, iniciou os estudos musicais aos 10 anos, aprendendo a tocar vários instrumentos, e aos 15 já compunha valsas, polcas e quadrilhas. Obras: *A noite do castelo*, *Joana de Flandres*, *O guarani*, *Fosca* (óperas) etc.

Gonçalves da Silva, **Bento** [Triunfo RS, 1788 — Pedras Brancas RS, 1847], militar e político brasileiro, líder da Guerra dos Farrapos e presidente da República Rio-Grandense (1836-1845), única experiência republicana efetiva no Brasil antes da Proclamação da República.

Gonçalves, Mílton [Monte Santo MG, 1934], ator e diretor. O Teatro de Arena de São Paulo foi sua grande escola; ali foi ator, contrarregra, produtor, iluminador etc. Além de atuar em teatro (mais de 30 peças), faz tb. cinema (mais de 60 filmes) e TV (seriados, minisséries, casos especiais e novelas).

Gonzaga, Ademar [Rio de Janeiro RJ, 1901 — *id.*, 1978], cineasta, pioneiro do cinema brasileiro, ator, crítico, diretor e criador dos Estúdios Cinédia (*Alô, alô carnaval*; *O ébrio*; *Bonequinha de seda*).

Gonzaga (Francisca Edwiges Neves, dita **Chiquinha**) [Rio de Janeiro RJ, 1847 — *id.*, 1935], compositora, pianista e regente. Historicamente foi a primeira mulher, a primeira pianista de choro e tb. a primeira compositora brasileira a ser reconhecida. Obras: *Atraente*, *Ó abre alas*, *Lua branca* etc.

Gonzaga do Nascimento, **Luís** [Exu PE, 1912 — Recife PE, 1989], compositor, sanfoneiro e cantor brasileiro. *Vira e mexe* foi seu primeiro sucesso (1941). Outras obras: *Asa branca*, *Juazeiro*, *Qui nem jiló* etc. — Luís Gonzaga do Nascimento Júnior, dito **Gonzaguinha** [Rio de Janeiro RJ, 1945 — Renascença PR, 1991], seu filho, foi cantor e tb. compositor. Obras: *Grito de alerta*, *Explode coração*, *É* etc.

Gonzaga, Tomás Antônio [Porto, Portugal, 1744 — Moçambique, África, 1810], poeta brasileiro de origem portuguesa. Ouvidor em Vila Rica (atual Ouro Preto), apaixonou-se por Maria Doroteia Joaquina de Seixas Brandão, a quem se referia como Marília e para quem compôs as *Liras*. Foi preso e depois enviado para o degredo em Moçambique. Patrono da cadeira 37 da ABL.

Goulart (João Belchior Marques, dito **Jango**) [São Borja RS, 1919 — Mercedes, Argentina, 1976], político brasileiro, presidente da República após a renúncia de Jânio Quadros (que governou de 8/09/1961 a 24/01/1963), junto com o primeiro gabinete parlamentarista, chefiado por Tancredo Neves. Restabeleceu o presidencialismo, mas foi deposto por um golpe de Estado em 31 de março de 1964.

Gouveia, Delmiro Augusto da Cruz [Ipu CE, 1863 — Pedra, atual Delmiro Gouveia, AL, 1917], industrial brasileiro, instalou uma fábrica de linhas, abriu estradas e construiu a primeira hidrelétrica da América Latina (Usina Angiquinho). Morreu assassinado.

Governador Celso Ramos (SC), município litorâneo, com 117,1 km², situado na região metropolitana de Florianópolis. Fortaleza de Santa Cruz de Anhatomirim tombada pelo Iphan. Hab.: 13.801.

Governador Valadares (MG), município com 2.342,3 km², na região do vale do Rio Doce. Pico do Ibituruna e campeonatos de voo livre. Mineração e agropecuária. Hab.: 276.995.

Grã-Bretanha e Irlanda do Norte (Reino Unido da), monarquia parlamentarista formada por quatro países: Inglaterra, Irlanda do Norte, Escócia e País de Gales, com 243.610 km², localizada na Europa ocidental. Capital: *Londres*; recursos principais: mineração (carvão, gás natural, petróleo, calcário), indústria (alimentícia, de equipamentos de transporte, de máquinas não elétricas, química, metalúrgica). Hab.: 63.395.574 (2013).

Gracindo (Pelópidas Guimarães Brandão Gracindo, dito **Paulo**) [Rio de Janeiro RJ, 1911 — *id.*, 1995], ator brasileiro, trabalhou em teatro (*Gata em teto de zinco quente*, *O rei de Ramos* etc.), rádio (*O direito de nascer*, *Balança mas não cai*), cinema (*A falecida*, *Terra em transe* etc.) e televisão (*O bem-amado*, *Roque santeiro* etc.). — Epaminondas Xavier Gracindo, dito **Gracindo Júnior** [Rio de Janeiro, 1943], seu filho, é ator de teatro, cinema e TV.

Grajaú (MA), município com 8.842,7 km², localizado no centro maranhense. Turismo (rio Grajaú, balneários, cachoeiras). Hab.: 66.732.

Gramado (RS), município com 237,8 km², situado na serra Gaúcha, colonizado por italianos e alemães. Indústria de alimentos, malhas, chocolates e vinhos. Turismo. Hab.: 34.365.

Granada, país em uma ilha com 334 km², no sudeste da América Central (Antilhas). Monarquia parlamentarista, independente desde 1974 e membro da Comunidade Britânica. Capital: *Saint George's*;

recursos principais: agricultura (esp. noz-moscada, cardamomo, banana e cacau), pecuária (suínos, ovinos e caprinos). Hab.: 105.303 (2012).

Grande (rio), um dos afluentes da margem esquerda do rio São Francisco, na Bahia, com 505 km de extensão.

Grande (rio), com 1.351 km de extensão, é um dos dois rios dos estados de Minas Gerais e São Paulo que formam o rio Paraná (o outro é o Paranaíba). Alimenta usinas hidrelétricas (Furnas, Mal. Mascarenhas de Morais, Camargos e Itutinga).

Grande Otelo (Sebastião Bernardes de Souza Prata, dito) [Uberlândia MG, 1915 — Paris, França, 1993], ator brasileiro de teatro (*O petróleo é nosso*, etc.), cinema (várias chanchadas da Atlântida, *Assalto ao trem pagador*, *Macunaíma* etc.), *shows* etc.

Granja (CE), município com 2.663 km^2, localizado no noroeste cearense. Turismo. Açude Gangorra (capacidade de 62.500.000 m^3). Hab.: 53.682.

Gravatá (PE), município com 506,7 km^2, estância climática serrana da região do Agreste pernambucano. Antiga aldeia cariri. Turismo. Hab.: 81.182.

Gravataí (RS), município com 463,4 km^2, situado na região metropolitana de Porto Alegre; antiga aldeia guarani. Foi colonizado por açorianos, desmembrado de Porto Alegre e instalado em 1880. Hab.: 270.689.

Grécia ou **República Helênica**, país do sul da Europa, com 131.960 km^2, berço da civilização europeia. República parlamentarista, independente desde 1832. Capital: *Atenas*; recursos principais: turismo, indústria alimentícia (esp. azeite de oliva). Hab.: 11.418.878 (2012).

Greenhalgh, João Guilherme [Rio de Janeiro RJ, 1845 — Arroio Richuelo, Paraguai, 1865], herói naval brasileiro morto na Batalha do Riachuelo, tentando evitar que um oficial paraguaio arriasse a bandeira do Brasil hasteada na corveta *Parnaíba*.

Groenlândia, território da Dinamarca com 2.166.086 km^2, dos quais 4/5 cobertos de gelo (inlândsis), é a maior ilha do mundo, situada a nordeste da América do Norte. Capital: *Nuuk* (ou *Godthab*); recurso principal: pesca. Bases aeronáuticas. Hab.: 57.600 (2009).

Guadalupe, uma das pequenas Antilhas francesas, departamento da França desde 1946, com 1.708 km^2. Capital: *Basse-Terre*; recursos principais: agricultura (cana-de-açúcar, banana) e rum. Hab.: 405.500 (2008).

Guaíba (rio), na realidade um lago, formado pelos rios Jacuí, Caí, Sinos e Gravataí, com 60 km de extensão. Em sua margem esquerda fica Porto Alegre RS.

Guaíba (RS), município com 377 km^2, situado a 37 km de Porto Alegre, na outra margem do rio Guaíba. Indústrias de celulose e papel. Hab.: 98.864.

Guam (Território de), ilha com 544 km^2, ao norte da Oceania sob o domínio dos EUA. Base militar norte-americana. Capital: *Agaña*; recurso principal: turismo. Hab.: 178.430 (2009).

Guanabara (baía de), com 412 km^2, no Estado do Rio de Janeiro, é a segunda maior baía do litoral do Brasil. Banha o Rio de Janeiro, Niterói, Duque de Caxias, Magé, São Gonçalo e Itaboraí.

Guanabara (Quarteto da), conjunto instrumental criado em 1972 e formado inicialmente por Mariuccia Iacovino, violino, Arnaldo Estrela, piano, Frederick Stephany, viola, e Iberê Gomes Grosso, violoncelo.

Guanambi (BA), município com 1.272,3 km^2, localizado numa das ramificações da serra Geral, 525 m acima do nível do mar. Pecuária. Hab.: 85.237.

Guapimirim (RJ), município com 360,7 km^2, localizado na região metropolitana do Rio de Janeiro (Serra Verde Imperial). Turismo (*mountain bike*, ciclismo, rapel, escalada e *trekking*). Hab.: 55.626.

Guaporé (rio), com 1.185 km de extensão, seu vale é uma região riquíssima em biodiversidade e belezas naturais na fronteira oeste do Estado de Rondônia, divisa do Brasil com a Bolívia.

Guarabira (PB), município com 165,7 km^2, situado na região do Piemonte da Borborema, ao pé da cordilheira do mesmo nome. Turismo religioso (Frei Damião). Hab.: 57.780.

Guarapari (ES), município com 594,4 km^2, situado no litoral do estado. Estação balneária com praias de areias monazíticas. Igreja de N. S.ª da Conceição tombada pelo Iphan. Hab.: 118.056.

Guarapuava (PR), município com 3.178,6 km^2, situado na região centro-sul do estado. Agricultura (erva-mate, grãos) e pecuária. Hab.: 176.973.

Guararapes (Batalhas dos), lutas que determinaram o fim do domínio holandês no Nordeste brasileiro (19/04/1648 e 18/02/1649), travadas no monte Guararapes, Recife PE.

Guararema (SP), município com 270,8 km^2, situado na região metropolitana de São Paulo. Turismo. Igreja de N. S.ª da Escada tombada pelo Iphan. Hab.: 28.016.

Guaratinguetá (SP), município com 752,6 km^2, situado no vale do Paraíba. Agropecuária. Casa de Rodrigues Alves tombada pelo Iphan. Hab.: 118.378.

Guaratuba (PR) município litorâneo com 1.326,7 km^2, na região de Paranaguá. Turismo. Igreja Matriz de Guaratuba tombada pelo Iphan. Hab.: 34.767.

Guarnieri, Mozart **Camargo** [Tietê SP, 1907 — São Paulo SP, 1993], compositor brasileiro com cerca de 700 títulos em que predominam as composições para piano e para canto e piano. Obras: *Pedro Malasarte* e *Um homem só* (óperas), sonatas, cantatas, sinfonias, concertos etc.

Guarnieri, Gianfrancesco Sigfrido Benedetto Martinenghi de [Milão, Itália, 1934 — São Paulo SP, 2006], teatrólogo e ator italiano naturalizado brasileiro. Integrou a fase nacionalista do Teatro de Arena, produzindo textos voltados à realidade nacional e discutindo problemas sociais e políticos. Trabalhou em teatro, cinema e TV. Obras: *Eles não usam* black-tie, *Gimba*, *A semente*, *O filho do cão* etc.

Guarujá (SP), município com 143,5 km^2, situado na ilha de Santo Amaro, litoral sul do estado. Turismo. Fortaleza de Barra Grande e Forte de São Filipe tombados pelo Iphan. Hab.: 308.989.

Guarulhos (SP), município industrial com 318,6 km^2, no nordeste da região metropolitana de São Paulo. Aeroporto de Cumbica. Hab.: 1.312.197.

Guatemala ou *Cidade de Guatemala*, capital da República da Guatemala. Arcebispado. Hab.: 2.149.107 (2010).

Guatemala (República da), país ao norte da América Central, com 108.890 km^2. República presidencialista, independente desde 1821. Capital: *Cidade de Guatemala*; recursos principais: agricultura (café, cana-de-açúcar, algodão), madeiras raras e extração de petróleo. Hab.: 15.137.569 (2012).

Guaxupé (MG), município com 286,3 km^2, localizado no sudoeste do estado. Agricultura (esp. café). Hab.: 51.704.

Guerras Mundiais — **Primeira Guerra Mundial** (1914-1918), iniciou-se com o assassinato do arquiduque Francisco Ferdinando, herdeiro do trono da Áustria-Hungria, e terminou com um armistício (11/11/1918) entre as nações envolvidas (Alemanha, França, Grã-Bretanha, Estados Unidos e mais 28 nações aliadas ou coligadas) — **Segunda Guerra Mundial** (1939-1945), a mais terrível guerra da história mundial inaugurou a era atômica e opôs os países aliados (Polônia, Inglaterra, França e, mais tarde, URSS, Estados Unidos e China) ao bloco das potências do Eixo (Alemanha, Itália, Japão e países que serviram de apoio estratégico). As principais causas do conflito estão relacionadas com os acordos resultantes da Primeira Guerra Mundial; em 1º de setembro de 1939, a Alemanha atacou a Polônia. Em 2 de setembro de 1945, a bordo do encouraçado *Missouri*, na baía de Tóquio, os Aliados assinaram com o Japão o acordo de rendição.

Guiana (República Cooperativa de), país com 214.969 km^2, ao norte da América do Sul. República mista, independente desde 1966. Membro da Comunidade Britânica. Capital: *Georgetown*; recursos principais: agricultura (cana-de-açúcar, arroz) e jazidas de bauxita, ouro e diamante. Hab.: 757.623 (2012).

Guiana Francesa, departamento francês com 91.000 km^2, ao norte da América do Sul. Capital: *Caiena*; recursos principais: agricultura (cana-de-açúcar) e jazidas de bauxita. Hab.: 221.500 (2009).

Guignard, Alberto da Veiga [Nova Friburgo RJ, 1896 — Belo Horizonte MG, 1962], pintor e desenhista brasileiro, dirigiu a Escola de Belas-Artes em Belo Horizonte. Muitos de seus quadros inspiraram-se na paisagem de Minas Gerais.

Guimaraens (Afonso Henrique da Costa Guimarães, dito **Alphonsus de**) [Ouro Preto MG, 1870 — Mariana MG, 1921], poeta simbolista brasileiro. Obras: *Setenário das dores de Nossa Senhora*, *Câmara ardente*, *Kyriale* etc. — **João Alphonsus de Guimaraens** [Conceição do Mato Dentro MG, 1901 — Belo Horizonte MG, 1944], seu filho, foi contista e romancista. Obras: *Galinha cega*, *Pesca da baleia* etc. —**Alphonsus de Guimaraens Filho** [Mariana MG, 1918 — Rio de Janeiro RJ, 2008], tb. seu filho, foi poeta. Obras: *A cidade do Sul*, *Poemas reunidos* etc.

Guimarães, Bernardo Joaquim da Silva [Ouro Preto MG, 1825 — km^2., 1884], poeta romântico, crítico e ficcionista brasileiro, estreou com *Cantos de solidão* (poemas). Patrono da cadeira 5 da ABL. Obras: *A escrava Isaura*, *O índio Afonso*, *O garimpeiro* (ficção).

Guimarães, Ulysses Silveira [Rio Claro SP, 1916 — Angra dos Reis RJ, 1992], político e advogado brasileiro, foi deputado estadual e federal, ministro, presidente do PMDB e da Assembleia Nacional Constituinte. Liderou a campanha pelas eleições diretas, lutando pela redemocratização do país (1984).

Guimarães Júnior, Luís Caetano Pereira [Rio de Janeiro RJ, 1845 — Lisboa, Portugal, 1898], poeta lírico e diplomata brasileiro. Aos 16 anos, escreveu *Lírio branco*, romance dedicado a Machado de Assis. Foi um dos fundadores da ABL (cadeira 31). Obras: *Uma cena contemporânea* (teatro); *Corimbos*, *Noturnos* (poesia); *A família agulha* (romance) etc. — **Luís Guimarães Filho** [Rio de Janeiro RJ, 1878 — Petrópolis RJ, 1940], seu filho, foi tb. poeta e diplomata. Foi membro da ABL. Obras: *Versos íntimos*, *Pedras preciosas* etc.

Guiné (República da), país com 245.860 km^2, situado na África ocidental, ao sul do Senegal. Ex-colônia francesa. República presidencialista, independente desde 1958. Capital: *Conacri*; recurso principal: produção de bauxita. Hab.: 10.480.710 (2012).

Guiné-Bissau (República da), país com 36.130 km^2, situado na África ocidental, ao sul do Senegal, e banhado pelo oceano Atlântico. Ex-província ultramarina de Portugal, república mista, independente desde 1974. Capital: *Bissau*; recurso principal: agricultura (caju, coco, amendoim). Hab.: 1.579.632 (2012).

Guiné Equatorial (República da), país situado na África ocidental, no golfo da Guiné, com 28.050 km^2. Ex-província espanhola, república mista, independente desde 1968. Capital: *Malabo*; recurso principal: agricultura (café e cacau). Hab.: 740.471 (2012).

Guinle Filho, Jorge [Nova York EUA, 1947 — *id.*, 1987], pintor brasileiro, estudou em Paris, fez a primeira exposição no Rio de Janeiro (1973) e destacou-se entre os representantes da Geração 80.

Gullar, José Ribamar **Ferreira** [São Luís MA, 1930], poeta, crítico e teatrólogo brasileiro. Aos 15 anos, publicou seu primeiro poema ("O trabalho") e quatro anos depois o livro *Um pouco acima do chão*. Obras: *Muitas vozes*, *Poema sujo* etc. (poesia); *Cultura posta em questão*, *Relâmpagos* etc. (ensaios); *Se correr o bicho pega, se ficar o bicho come*, *A saída? Onde fica a saída?* (teatro) etc.

Gurupá (PA), município com 8.540 km^2. Criação de camarão nos rios. Forte de Santo Antônio tombado pelo Iphan. Hab.: 31.182.

Gurupi (TO), município com 1.836 km^2, instalado em 1958. Sedia uma das etapas do Rally Internacional dos Sertões, no mês de julho. Hab.: 82.762.

Gusmão (Pe. **Bartolomeu** Lourenço **de**) [Santos SP, 1685 — Toledo, Espanha, 1724], jesuíta e inventor brasileiro, dedicou-se à construção de um aeróstato (espécie de balão), pela qual ficaria conhecido como o Padre Voador. — **Alexandre de Gusmão** [Santos SP, 1695 — Lisboa, Portugal, 1753], seu irmão, geógrafo e diplomata brasileiro, destacou-se na negociação com a Espanha do Tratado de Madri (1750), que revogou o limite estabelecido pelo Tratado de Tordesilhas (1494), triplicando o território que originalmente caberia a Portugal e que viria a constituir, em sua maior parte, o Brasil atual.

Gutenberg, Johannes Gensfleisch zur Laden zum [Mogúncia, Alemanha, c. 1398 — *id.*, 1468), aristocrata alemão, inventou os tipos móveis de metal para impressão, revolucionando e facilitando o modo de fazer livros.

Hades, Plutão entre os romanos, na mitologia grega foi uma das 12 divindades do Olimpo; deus do mundo subterrâneo e dos mortos.

Haiti (República do), país da América Central, com 27.750 km², situado a oeste da ilha de Hispaniola, no mar do Caribe. República mista, independente desde 1804. Capital: *Porto Príncipe*; recurso principal: agricultura (esp. café e cana-de-açúcar). Hab.: 10.255.644 (2012).

Haydée, Márcia Salaverry Pereira da Silva [Niterói RJ, 1937], bailarina clássica de renome internacional, começou a carreira aos 16 anos no Royal Ballet, em Londres. Foi par de Rudolf Nureiev e diretora e primeira bailarina do Balé Nacional de Stuttgart, Alemanha (1976).

Helênica (República) ver *Grécia*

Henfil (Henrique de Souza Filho, dito) [Ribeirão das Neves MG, 1944 — Rio de Janeiro RJ, 1988], cartunista, jornalista e escritor brasileiro, foi colaborador de *O Pasquim* (1969) e lançou a revista *Os Fradinhos*, seus personagens mais famosos. Obras: *Diário de um cucaracha*, *Dez em humor*, *Diretas já!* etc.

Henrique, o Navegador [Porto, Portugal, 1394 — Sagres, Portugal, 1460], infante português filho do rei D. João I, incentivou as pesquisas cartográficas e as primeiras viagens expansionistas que descobriram a costa africana até Serra Leoa.

Hera, Juno entre os romanos, na mitologia grega foi uma das 12 divindades do Olimpo; deusa do casamento, simbolizava a grandeza e a soberania maternal.

Héracles, Hércules entre os romanos, na mitologia grega foi um semideus, personificação da força, filho de Zeus com Alcmena.

Herculano de Carvalho e Araújo, **Alexandre** [Lisboa, Portugal, 1810 — Santarém, Portugal, 1877], erudito historiador e escritor do Romantismo português. Obras: *A harpa do crente* (poesia); *Eurico, o presbítero* (romance); *O monge de Cister*, *Lendas e narrativas*, *História de Portugal* etc.

Hércules, divindade romana identificada com o *Héracles* grego.

Hermes, Mercúrio entre os romanos, na mitologia grega foi uma das 12 divindades do Olimpo; deus dos pastores e protetor dos rebanhos.

Herval, marquês do ver *Osório*

Higino Duarte Pereira, **José** [Recife PE, 1847 — Cidade do México, Mexico, 1901], magistrado brasileiro, pesquisou e selecionou na Holanda um total de cerca de 12 mil folhas manuscritas sobre a fase da ocupação holandesa (1630-1654), material inédito arquivado no Instituto Arqueológico, Histórico e Geográfico de Pernambuco.

Himalaias, sistema montanhoso de 2.410 km em extensão no continente asiático, formado por uma série de cordilheiras paralelas e convergentes, constituindo a região montanhosa mais alta do planeta. Ali está o *monte Everest* (8.846 m), a montanha mais elevada do mundo.

Hirszman, Leon [Rio de Janeiro RJ, 1937 — *id.*, 1987], cineasta brasileiro, um dos fundadores do Cinema Novo. Obras: *A falecida*, *São Bernardo*, *Eles não usam* black-tie etc.

Hitler, Adolf [Braunau, Áustria, 1889 — Berlim, Alemanha, 1945], ditador alemão, líder do nazismo, chefe de Estado da Alemanha e causador da Segunda Guerra Mundial (1939). Promoveu o genocídio do povo judeu. Ante a iminente vitória dos Aliados, suicidou-se com a mulher, Eva Braun. Deixou uma biografia (*Minha luta*).

Holanda, designação não oficial dos *Países Baixos*.

Honduras, país da América Central com 112.088 km², banhado pelo mar do Caribe e oceano Pacífico. Grande parte da superfície é coberta por florestas. República presidencialista, independente desde 1821. Capital: *Tegucigalpa*; recurso principal: agricultura (banana e café). Hab.: 7.912.032 (2012).

Honduras Britânica, antigo nome de *Belize*.

Hong Kong, região administrativa especial administrada pela China, com 1.104 km² de terras continentais e 235 ilhas, no sudeste da Ásia. É um dos principais portos do mundo. Capital: *Vitória*; recursos principais: turismo e indústria têxtil. Hab.: 7.055.071 (2009).

Horizonte (CE), município com 160 km², localizado na região metropolitana de Fortaleza. Agricultura (caju). Indústria (têxtil, calçados). Hab.: 62.002.

Hortência de Fátima Marcari [Potirendaba SP, 1957], atleta brasileira, jogou basquete na seleção brasileira durante 16 anos. Medalha de ouro nos Jogos Pan-americanos (1991) e campeã mundial (1994).

Hortolândia (SP), município com 62,2 km², a 24 km de Campinas, colonizado por espanhóis e italianos. Hab.: 212.527.

Houaiss, Antônio [Rio de Janeiro RJ, 1915 — *id.*, 1999], filólogo, enciclopedista, crítico literário e diplomata. Membro da ABL e da Abrafil. Obras: *Seis poetas e um problema*, *Sugestões para uma política da língua*, *O português no Brasil*, *A crise da nossa língua de cultura*, *Elementos de bibliologia*, *Grande enciclopédia Delta Larousse*, *Enciclopédia Mirador internacional*, *Dicionário Houaiss da língua portuguesa* (concluído em dezembro de 2000) etc.

Humboldt (Alexander, **Barão von**) [Berlim, Alemanha, 1769 — *id.*, 1859], naturalista e explorador alemão, é autor da expressão "Hileia amazônica", referindo-se à imensa área de floresta da Amazônia. Obra: *Cosmos*.

Hungria (República da), país do leste da Europa, com 93.030 km². República parlamentarista, independente desde 1918. Capital: *Budapeste*; recursos principais: bauxita e manganês (2º produtor da Europa); reservas de gás natural maiores que as de petróleo. Hab.: 9.949.589 (2012).

Ibéria, nome dado pelos geógrafos e historiadores da Antiguidade à atual península Ibérica.

Ibérica (península), região do sudoeste da Europa, dividida entre Portugal e Espanha, com aprox. 597.000 km². Hab.: 54.386.723 (2011).

IBGE ver *Instituto Brasileiro de Geografia e Estatística*

Ibiporã (PR), município com 297,7 km², localizado no norte paranaense. Agropecuária. Hab.: 51.802.

Ibirité (MG), município com 72,5 km², situado na região metropolitana de Belo Horizonte, instalado em 1962. Hab.: 171.932.

Ibitinga (SP), município com 689,3 km², localizado na região de Araraquara. Indústria têxtil (bordado). Agropecuária. Hab.: 57.098.

Ibiúna (SP), município com 1.058 km², estância turística a 62 km de São Paulo. Centro abastecedor hortifrutigranjeiro da capital. Hab.: 75.845.

Içara (SC), município com 229 km², localizado no litoral sul de Santa Catarina. Turismo (20 km de praias e lagoas). Apicultura e agricultura (fumo). Hab.: 52.284.

Icó (CE), município histórico com 1.871,9 km², na região centro-sul do estado. Conjunto arquitetônico e urbanístico e Casa de Câmara e Cadeia tombados pelo Iphan. Hab.: 67.045.

Idade da Pedra, período da Pré-História em que os seres humanos começaram a usar pedras, além de madeira e ossos, para fazer suas armas e ferramentas, e que terminou por volta de 2700 a.C., quando se descobriu o bronze. Esse período subdivide-se em Idade da Pedra Lascada (Paleolítico) e Idade da Pedra Polida (Neolítico), com um período intermediário (o Mesolítico).

Idade do Bronze, período da Pré-História, de c. 2700 a c. 1200 a.C, que se caracteriza pela utilização desse metal em utensílios, obras de arte etc.

Idade do Ferro, período da História em que o ser humano começou a fazer utensílios e armas de ferro, em substituição ao bronze. Seu início varia de acordo com a região geográfica. No Oriente Médio e no sudeste da Europa, começou aproximadamente em 1200 a.C.

Iêmen (República do), país do sudoeste da Ásia, com 527.970 km², ao sul da península da Arábia, às margens do mar Vermelho e golfo de Áden. República mista, reunificada em 1990. Capital: *Sanaa*; recurso principal: petróleo. Hab.: 25.569.263 (2012).

Igaraçu (PE), município com 305,5 km², na região metropolitana do Recife; antiga aldeia dos indígenas caetés. Conjunto arquitetônico e paisagístico, Convento e Igreja de Santo Antônio, igrejas de São Cosme e São Damião e do Sagrado Coração de Jesus etc. tombados pelo Iphan. Hab.: 110.917.

Igarapé-Miri (PA), município com 1.996,8 km², a 73 km de Belém. É conhecido como a "Capital Mundial do Açaí" por ser o município com a maior produção do fruto no mundo. Hab.: 59.998.

Igreja de Jesus Cristo dos Santos dos Últimos Dias, doutrina protestante, fundada nos EUA por Joseph Smith em 1830. Seus seguidores são ditos mórmons.

Iguaçu (Parque Nacional do), com cerca de 185.000 ha e localizado no extremo oeste do Paraná, foi criado em 10/01/1939 e tombado pela Unesco (1986) como Patrimônio Natural da Humanidade. Faz fronteira com o território argentino e é uma das maiores reservas florestais da América do Sul. Ali estão as **cataratas do Iguaçu**, de forma semicircular, com 2.700 m de largura e altura de até 72 m.

Iguatu (CE), município com 1.029 km², situado no centro-sul do estado, às margens do rio Jaguaribe. Fachada da Igreja Matriz de Santana tombada pelo Iphan. Hab.: 100.733.

IHGB ver *Instituto Histórico e Geográfico Brasileiro*

Ijuí (RS), município com 689,1 km², situado na região noroeste do estado. Turismo. Extração de erva-mate. Hab.: 82.563.

Ilha de Itamaracá (PE), município com 66,6 km², situado em uma ilha separada do continente pelo canal de Santa Cruz e rio Jaguaribe. Fortaleza de Orange tombada pelo Iphan. Hab.: 24.413.

Ilhabela (SP), município com 347,5 km², estação balneária do litoral norte do estado. Casa da Fazenda Engenho d'água tombada pelo Iphan. Hab.: 31.599.

Ilhéus (BA), município com 1.584,6 km², do litoral sul do estado, é o principal porto exportador da Bahia. Capela de N. Sª Santana tombada pelo Iphan. Hab.: 182.350.

Imperatriz (MA), município com 1.368,9 km², na região oeste do estado, às margens do rio Tocantins. Atrações turísticas: balneários Estância do Recreio e do Bananal, praias do Cacau e do Imbiral e ilha da Serra Quebrada. Hab.: 252.320.

Império Romano, vigorou de 31 a.C. a 476 d.C., tendo atingido o seu auge no início da Era Cristã. Após o regime republicano (510 a 31 a.C.), durante o qual Roma ocupou toda a bacia do mar Mediterrâneo, o império estendeu a todo esse território uma civilização comum.

Inconfidência Mineira (ou Conjuração Mineira), principal movimento de emancipação do Brasil Colônia, inicialmente organizado como oposição à cobrança por Portugal do pagamento de tributos atrasados. Lideraram a conspiração (1789-1792) proprietários rurais, intelectuais, clérigos e militares de Minas Gerais. Denunciados, 11 dos acusados foram condenados à morte, mas apenas Tiradentes foi executado. Os demais tiveram a pena comutada em degredo perpétuo por D. Maria I.

Indaial (SC), município com 430,7 km^2, localizado no Vale do Itajaí, região de Blumenau. Turismo (rotas de cicloturismo e mochileiros). Hab.: 61.968.

Indaiatuba (SP), município com 311,5 km^2, situado na região sudoeste do estado. Antigo pouso de sertanistas, viajantes e tropeiros que iam para Sorocaba. Hab.: 226.602.

Índia (República da), país com 3.287.260 km^2, situado no centro-sul da Ásia, é o segundo mais populoso do mundo (China é o primeiro). República parlamentar, independente desde 1947. Capital: *Nova Délhi*; recursos principais: agricultura (esp. arroz), minérios (carvão e ferro), reservas de petróleo. Hab.: 1.220.800.359 (2013).

Indonésia (República da), país asiático, com 1.904.570 km^2, situado no sudeste do continente, o quarto mais populoso do mundo; é o maior arquipélago-Estado do mundo, com 17.500 ilhas: Grandes Ilhas de Sonda (Bornéu, Java, Samatra etc.), Pequenas Ilhas de Sonda (Bali, Timor etc.) e Molucas. República presidencialista, independente desde 1945. Capital: *Jacarta*; recursos principais: agricultura (arroz, chá, café, seringueira, dendê etc.) e petróleo. Hab.: 251.160.124 (2013).

Inglaterra, maior dos quatro países que constituem o Reino Unido da Grã-Bretanha e Irlanda do Norte (os outros são a Escócia, o País de Gales e a Irlanda do Norte), com 130.395 km^2, e uma das maiores nações industriais e comerciais do mundo. Situa-se na região sudeste da ilha da Grã-Bretanha. Monarquia constitucional. Capital: *Londres*; recursos principais: extração de carvão, minério de ferro, petróleo e gás natural (no mar do Norte); indústria (aço e ferro, automóveis, aviões, cerâmica e porcelana etc.). Hab.: 61.113.205 (2009).

Inhaúma (Joaquim José Inácio, **visconde de**) [Lisboa, Portugal, 1808 — Rio de Janeiro RJ, 1869], militar brasileiro, foi comandante da esquadra brasileira na Guerra do Paraguai.

Inhumas (GO), município com 613,2 km^2, localizado no centro goiano. Indústria (esp. confecção). Hab.: 51.144.

Inquisição, instituição judicial eclesiástica, criada na Idade Média (séc. XIII) pela Igreja católica, para localizar, processar e sentenciar sumariamente pessoas culpadas de heresia e pretensos feiticeiros.

Instituto Brasileiro de Geografia e Estatística (IBGE), órgão federal criado por Getúlio Vargas (1934) para coordenar nacionalmente todas as atividades estatísticas das diversas esferas administrativas. É integrado pelo Conselho Nacional de Estatística e pelo Conselho Nacional de Geografia.

Instituto Butantan, centro de renome internacional em pesquisa científica de animais dotados de veneno, possui uma das maiores coleções de serpentes do mundo (54 mil exemplares) e é o maior produtor nacional de soros e vacinas. Foi criado em 1901 e seu primeiro diretor foi Vital Brasil.

Instituto do Patrimônio Histórico e Artístico Nacional (Iphan), órgão federal, criado em 1990, em substituição à Secretaria do Patrimônio Histórico e Artístico Nacional (1937), fundada por Rodrigo Melo Franco de Andrade. Realiza um trabalho permanente de fiscalização, proteção, identificação, restauração, preservação e revitalização dos monumentos, sítios e bens móveis do país.

Instituto Histórico e Geográfico Brasileiro (IHGB), criado em 1838, dedica-se a publicar e arquivar documentos sobre História e Geografia do Brasil.

Insulíndia, região da Ásia que compreende o conjunto de ilhas entre o sudeste da Ásia e a Austrália, formado pela Indonésia, Filipinas, Malásia e Brunei.

Insurreição Pernambucana, revolta contra o domínio holandês em Pernambuco (1645-1654) liderada por João Fernandes Vieira, com a participação de Antônio Filipe Camarão, porque a Holanda, em guerra na Europa, passou a cobrar os empréstimos que fizera às elites rurais pernambucanas.

Intentona Comunista, insurreição político-militar promovida pelo Partido Comunista Brasileiro (PCB), em novembro de 1935, com o objetivo de derrubar o presidente Getúlio Vargas e instalar um governo no Brasil.

Invasões Holandesas, em 1621 o governo da Holanda e um grupo de comerciantes fundaram a Companhia das Índias Ocidentais, para tentar recuperar seus negócios na África e na América, onde tinham tido os seus interesses econômicos prejudicados quando o trono português passou para a Coroa espanhola (1580). Investiram contra a Bahia (1624) e Pernambuco (1630). Foram rechaçados na primeira vez, mas conseguiram seu intento na segunda.

Ipatinga (MG), município com 164,8 km^2, situado na região do vale do Rio Doce, sede da Usiminas (Usina Siderúrgica de Minas Gerais). Hab.: 255.266.

Iperó (SP), município com 170,2 km^2, na região de Sorocaba. Remanescentes da Fábrica de Ferro São João do Ipanema tombados pelo Iphan. Hab.: 32.568.

Iphan ver *Instituto do Patrimônio Histórico e Artístico Nacional*

Ipirá (BA), município com 3.060,2 km^2, situado na região centro-norte do estado. Pecuária e artesanato em couro. Hab.: 62.172.

Ipiranga (Grito do), episódio ocorrido em 07/09/1822, às margens do rio Ipiranga. D. Pedro, tendo recebido ordens para retornar a Portugal, lançou o brado "Independência ou Morte", proclamando a independência do Brasil.

Ipixuna do Pará (PA), município com 5.215,5 km^2, localizado no nordeste paraense. Agropecuária e agroindústria (beneficiamento de castanha-de-caju). Hab.: 56.613.

Ipojuca (PE), município litorâneo com 527,1 km², na região de Suape. Usinas de cana-de-açúcar. Convento e Igreja de Santo Antônio tombados pelo Iphan. Hab.: 89.660.

Irã (República Islâmica do), país do sudoeste da Ásia, com 1.745.150 km². República presidencialista. Capital: *Teerã*; recursos principais: agricultura (algodão, arroz, cereais), fabrico artesanal de tapetes, petróleo. Hab.: 79.853.900 (2013).

Iraque (República Democrática Islâmica do), país do sudoeste da Ásia, com 435.240 km². República presidencialista, ex-ditadura militar desde 2003, após a queda de Saddam Hussein. Capital: *Bagdá*; recursos principais: agricultura (tâmaras) e petróleo. Hab.: 33.703.768 (2012).

Irati (PR), município com 999,5 km², na região sudeste do estado, antiga aldeia dos indígenas caingangues. Hab.: 59.339.

Irecê (BA), município com 319 km², situado na região centro-norte do estado; é um dos maiores produtores de feijão da Bahia. Hab.: 72.730.

Irlanda (República da) ou Eire, país do noroeste da Europa, com 70.280 km². República mista, independente desde 1921. Capital: *Dublin*; recursos principais: pecuária e indústria (alimentícia, de bebidas alcoólicas, de tabaco etc.). Hab.: 4.579.498 (2012).

Irlanda do Norte, um dos quatro países integrantes do Reino Unido da Grã-Bretanha e Irlanda do Norte (junto com Escócia, País de Gales e Inglaterra), e o menor dos quatro, com 14.120 km². Capital: *Belfast*; recursos principais: indústria (de tecidos [linho, lã, algodão], estaleiros, de aviões). Hab.: 1.780.000 (2009).

Isabel, a Redentora (Isabel Cristina Leopoldina Augusta Micaela Gabriela Rafaela Gonzaga de Bragança e Bourbon, **princesa**) [Rio de Janeiro RJ, 1846 — Castelo d'Eu, França, 1921], filha do imperador D. Pedro II, casada com o príncipe francês Luís Gastão de Orléans, conde d'Eu, promulgou a Lei do Ventre Livre (1871) e a Lei Áurea (1888).

Islândia (República da), país da Europa, uma ilha com 103.000 km² situada logo abaixo do círculo polar ártico. República mista, independente desde 1944. Capital: *Reykjavik*; recurso principal: pesca (bacalhau, hadoque, arenque etc.). Hab.: 328.290 (2012).

Israel (Estado de), país da Ásia ocidental, com 22.070 km², situado no litoral leste do mar Mediterrâneo. República parlamentarista, independente desde 1948. Ocupa militarmente os territórios: colinas de Golan (Síria), Cisjordânia e a Grande Jerusalém. Capitais: *Jerusalém* e *Tel-Aviv* (reconhecida pela ONU); recursos principais: agricultura, lapidação de diamantes. Hab.: 7.694.670 (2012).

Itabaiana (SE), município com 336,6 km², na região do agreste de Itabaiana. Indústria madeireira, confecção de carrocerias de caminhão. Hab.: 92.732.

Itaberaba (BA), município com 2.343,5 km², situado no centro-norte do estado. Maior produtor de abacaxi do Nordeste. Hab.: 66.065.

Itabira (MG), município com 1.253,7 km², na região de mesmo nome. Terra natal de Carlos Drummond de Andrade. Minério de ferro (Cia. Vale do Rio Doce). Igreja de N. S.ª do Rosário tombada pelo Iphan. Hab.: 116.745.

Itabirito (MG), município com 543 km². Igrejas de N. S.ª do Rosário e de São Vicente e conjunto paisagístico do pico de Itabira, ou do Itabirito, tombados pelo Iphan. Hab.: 49.203.

Itaboraí (Joaquim José Rodrigues Torres, **visconde de**) [São João de Itaboraí RJ, 1802 — Rio de Janeiro RJ, 1872], político brasileiro, foi deputado, senador, primeiro presidente da província do Rio de Janeiro e presidente do Banco do Brasil.

Itaboraí (RJ), município com 430,3 km². Casa do visconde de Itaboraí (atual Fórum), ruínas do Convento de São Boaventura e Igreja Matriz de São João Batista tombadas pelo Iphan. Hab.: 227.168.

Itabuna (BA), município com 401 km², no sul do estado, centro geográfico da região cacaueira. Cultura e industrialização do cacau, criação de gado e cavalos de raça, extração de granito etc. Hab.: 218.925.

Itacoatiara (AM), município com 8.892 km², situado na região centro do estado, na margem esquerda do rio Amazonas. Hab.: 95.714.

Itaguaí (RJ), município com 275,8 km², situado na região metropolitana do Rio de Janeiro e sede do porto de Sepetiba. Hab.: 117.374.

Itaituba (PA), município com 62.041 km², situado no noroeste do estado, às margens do rio Tapajós. Jazidas de calcário, ouro e pedras preciosas. Hab.: 98.405.

Itajaí (SC), município com 288,2 km², situado no litoral norte do estado, na foz do rio Itajaí-Açu. Terra de indígenas xoclengues colonizada por imigrantes alemães. Hab.: 201.557.

Itajubá (MG), município com 294,8 km², situado na região sul/sudoeste do estado. Antiga aldeia dos indígenas puris (coroados). Sete universidades. Fábrica de helicópteros (Helibras — Helicópteros do Brasil S/A). Hab.: 95.491.

Itália (República Italiana), país da Europa, com 301.340 km², situado em uma península do mar Mediterrâneo. República parlamentarista. Capital: *Roma*; recursos principais: agricultura (esp. oliveiras e vinhedos), pecuária e indústria (alimentícia, metalúrgica, mecânica, têxtil etc.). Hab.: 61.482.297 (2013).

Itamaraju (BA), município com 2.360,2 km², situado no sul do estado. Antiga aldeia dos indígenas pataxós, foi desmembrado de Prado e instalado em 1961. Hab.: 67.191.

Itanhaém (Manuel Inácio de Andrade Souto Maior Pinto Coelho, **barão** e **marquês de**) [Marapicu RJ, 1782 — *id.*, 1867], militar e político brasileiro, foi nomeado tutor de D. Pedro II e suas irmãs (1833) e redigiu um texto ("Instruções"), contendo os princípios a observar na educação do príncipe.

Itanhaém (SP), município histórico do litoral sul do estado, com 601,8 km², é a segunda cidade mais antiga do Brasil. Convento e igrejas de N. S.ª da Conceição e Matriz de Santana tombados pelo Iphan. Hab.: 94.977.

Itapajé (CE), município com 430,5 km^2, localizado no norte cearense. Agricultura e pecuária. Hab.: 50.671.

Itaparica (BA), município com 118 km^2, situado em uma ilha da região metropolitana de Salvador. Turismo. Conjunto arquitetônico, urbanístico e paisagístico, igrejas Matriz do Santíssimo Sacramento e de São Lourenço e Forte de São Lourenço tombados pelo Iphan. Hab.: 22.476.

Itapecerica da Serra (SP), município com 150,7 km^2, na região metropolitana de São Paulo. Represa de Guarapiranga. Hab.: 165.327.

Itapecuru Mirim (MA), município com 1.471,4 km^2, localizado no norte maranhense, desmembrado de São Luís. Agricultura (babaçu). Hab.: 65.713.

Itapema (SC), município com 57,8 km^2, localizado no Vale do Itajaí. Turismo (praias, ecoturismo, voos de ultraleves). Hab.: 55.016.

Itaperuna (RJ), município com 1.105,3 km^2, situado na região noroeste do estado, divisa com Minas Gerais. Fonte de águas minerais no distrito de Raposo. Hab.: 98.521.

Itapetinga (BA), município com 1.651,1 km^2, situado na região sul do estado. Agropecuária. Hab.: 75.440.

Itapetininga (SP), município com 1.790,1 km^2, situado na região sul do estado. Antigo pouso de tropeiros que levavam gado para Minas Gerais. Três universidades. Agricultura (pêssegos) e pecuária. Hab.: 155.436.

Itapeva (SP), município com 1.826,2 km^2, situado no sudoeste do estado. Mata de araucária e mata Atlântica. Mineração. Hab.: 92.265.

Itapevi (SP), município com 82,6 km^2, situado na região oeste da Grande São Paulo, desmembrado de Cotia e instalado em 1959. Hab.: 220.250.

Itapipoca (CE), município com 1.614,1 km^2, situado no litoral norte do estado. Assentamento Maceió (1985) abriga 5.000 pessoas em 12 comunidades. Hab.: 123.613.

Itapira (SP), município com 518,4 km^2, localizado na região de Campinas. Indústria (biotecnologia). Hab.: 72.514.

Itaporanga d'Ajuda (SE), município com 740 km^2, situado no litoral. Igreja do Engenho Retiro, primeira residência jesuíta no estado. Casa de Tejubeba tombada pelo Iphan. Hab.: 32.911.

Itaquaquecetuba (SP), município com 82,6 km^2, na região metropolitana de São Paulo, banhado pelo rio Tietê. Hab.: 348.739.

Itaquatiara (AM), município com 8.892 km^2, situado na região centro do estado, na margem esquerda do rio Amazonas. Hab.: 95.714.

Itararé (Aparício Fernando de Brinkerhoff Torelly, dito **barão de**) [Rio Grande RS, 1895 — Rio de Janeiro RJ, 1971], jornalista e humorista brasileiro, colaborou em vários jornais cariocas e fundou seu próprio jornal, *A manha*, tabloide de circulação nacional. Obras: *Pontas de cigarro*, *Almanhaque*.

Itarema (CE), município com 720,6 km^2, no litoral norte do estado. Igreja de N. S.ª da Conceição de Almofala tombada pelo Iphan. Hab.: 39.955.

Itatiaia (Parque Nacional de), com cerca de 30.000 ha, foi o primeiro parque criado no país (1937). Localizado na divisa dos estados do Rio de Janeiro e de Minas Gerais, abrange a serra da Mantiqueira, onde está o pico das Agulhas Negras, o quarto mais alto do Brasil (2.787 m).

Itatiba (SP), município com 322,2 km^2, situado na serra da Jurema, região de Campinas. Indústria de móveis. Hab.: 111.620.

Itaúna (MG), município com 495,8 km^2, situado na região oeste do estado, desmembrado de Pará de Minas e instalado em 1901. Pecuária e indústria siderúrgica. Hab.: 90.783.

Itaverava (MG), município com 284,2 km^2, situado no nordeste do estado. Igreja Matriz de Santo Antônio e Sobrado do Padre Taborda tombados pelo Iphan. Hab.: 5.795.

Itororó (Batalha de), confronto na Guerra do Paraguai (6/12/1868), entre cinco mil paraguaios e 20 mil brasileiros comandados pelo duque de Caxias, na ponte sobre o arroio Itororó. Os paraguaios foram derrotados.

Itu (SP), município com 640,7 km^2, situado na região de Sorocaba. Convento e igrejas de N. S.ª do Carmo, Matriz de N. S.ª da Candelária e Museu Republicano Convenção de Itu tombados pelo Iphan. Hab.: 165.511.

Ituaçu (BA), município com 1.199,4 km^2, situado no sudoeste do estado. Gruta de Mangabeira (há uma igreja inteira construída dentro dela) tombada pelo Iphan. Hab.: 19.311.

Ituiutaba (MG), município com 2.598 km^2, situado no Triângulo Mineiro. Agropecuária e indústria alimentícia. Hab.: 102.690.

Itumbiara (GO), município com 2.463 km^2, situado na região sul do estado. Beneficiamento de grãos. Usinas elétricas de Cachoeira Dourada e Itumbiara, no rio Paranaíba. Hab.: 99.526.

Itupeva (SP), município com 200,8 km^2, localizado na região de Jundiaí. Indústria (plásticos, química, autopeças). Comércio. Hab.: 52.627.

Itupiranga (PA), município com 7.880,1 km^2, localizado no sudeste paraense. Agropecuária. Hab.: 51.743.

Iugoslávia (República Federativa da), extinta em fevereiro de 2003, era formada por seis repúblicas (Eslovênia, Croácia, Bósnia-Herzegóvina, Sérvia, Montenegro e Macedônia) e duas regiões autônomas (Kosovo e Voivodina), passando a chamar-se República da Sérvia e Montenegro. Em junho de 2006, Sérvia e Montenegro tornaram-se independentes, constituindo a *República da Sérvia* e a *República de Montenegro*.

Ivo, Ledo [Maceió AL, 1924 — Sevilha, Espanha, 2012], poeta, romancista e ensaísta, estreou (1944) com o livro de poemas *As imaginações*. Membro da ABL. Obras: *Ode e elegia*, *Acontecimento do soneto*, *Cântico*, *Ninho de cobras*, *Poesia observada* etc.

Ivoti (RS), município com 63,1 km^2, situado na serra gaúcha, colonizado por alemães. Ponte do Imperador tombada pelo Iphan. Hab.: 21.739.

Jaboatão dos Guararapes (PE), município com 258,6 km2, na região metropolitana do Recife. Igrejas de N. Sª da Piedade e de N. Sª dos Prazeres e Parque Histórico Nacional dos Guararapes tombados pelo Iphan. Hab.: 680.943.

Jabor, Arnaldo [Rio de Janeiro RJ, 1940], cineasta brasileiro, do Cinema Novo, autor de documentários e filmes premiados: *Toda nudez será castigada* (Festival de Berlim, 1973), *Eu sei que vou te amar* etc. É tb. comentarista político (jornal e TV).

Jaboticabal (SP), município com 706,6 km², situado no noroeste do estado. Agricultura (cana-de--açúcar) e usinas de açúcar e álcool. Hab.: 75.436.

Jabre (pico do), localizado no parque estadual de mesmo nome, no município de Matureia, região da serra do Teixeira, tem 1.197 m de altitude.

Jacareí (SP), município com 464,2 km², situado na região do vale do Paraíba. Grandes fábricas de cerveja. Hab.: 224.826.

Jacarta ou **Djacarta**, capital da Indonésia, situada junto à costa a noroeste da ilha de Java. Estaleiros navais. Hab.: 9.607.787 (2011).

Jacobina (BA), município com 2.358,7 km², situado na região centro-norte do estado. Sítio arqueológico (gruta dos Ossos). Capela do Bom Jesus da Glória tombada pelo Iphan. Hab.: 84.577.

Jacob do Bandolim (Jacob Pick Bittencourt, dito) [Rio de Janeiro RJ, 1918 — *id.*, 1969], instrumentista e compositor brasileiro, tocava violão e bandolim. A preferência pelo choro é demonstrada nos discos que gravou a partir de 1957: *Choros evocativos*, *Assanhado*, *Chorinhos e chorões*, *Vibrações* (os dois últimos com o conjunto Época de Ouro) etc.

Jacundá (PA), município com 2.008,3 km², localizado no sudeste paraense. Agropecuária. Hab.: 55.204.

Jaguaquara (BA), município com 928,2 km², localizado no centro-sul baiano. Agricultura (abacate, limão, hortigranjeiros) e pecuária. Hab.: 55.127.

Jaguar (Sérgio de Magalhães Gomes Jaguaribe, dito) [Rio de Janeiro RJ, 1932], humorista e cartunista brasileiro, foi um dos fundadores de *O Pasquim*. Colabora em vários jornais do Rio de Janeiro.

Jaguaribe Gomes de Matos, **Hélio** [Rio de Janeiro RJ, 1923], sociólogo e escritor brasileiro, participou da fundação do Instituto Superior de Estudos Brasileiros (Iseb, 1955) e foi ministro da Ciência e Tecnologia (1992). Obras: *Alternativas do Brasil*, *Desenvolvimento econômico e político* etc.

Jaguaripe (BA), município com 898,6 km², situado no Recôncavo Baiano, cortado por túneis subterrâneos que eram us. pelos moradores como defesa contra os indígenas. Casa do Ouvidor, Igreja Matriz de N. S.ª da Ajuda e prédio do Paço Municipal tombados pelo Iphan. Hab.: 18.432.

Jamaica, país situado em uma ilha no centro do mar do Caribe (a terceira maior das Antilhas), América Central, com 10.990 km². Nação independente da Comunidade Britânica, monarquia parlamentarista. Capital: *Kingston*; recursos principais: produção de bauxita e turismo. Hab.: 2.761.331 (2012).

Janaúba (MG), município com 2.181,3 km², situado na região norte do estado. Fruticultura irrigada. Hab.: 70.472.

Jandira (SP), município com 17,5 km², situado na região de Osasco; seu surgimento está ligado ao desenvolvimento da Estrada de Ferro Sorocabana. Hab.: 117.457.

Januária (MG), município com 6.661,6 km², situado às margens do rio São Francisco; suas terras foram desbravadas por Manuel de Borba Gato, genro de Fernão Dias. Engenho de cana-de-açúcar. Hab: 68.065.

Japão, país situado em um arquipélago, no leste da Ásia, com 377.947 km². Monarquia parlamentarista. Capital: *Tóquio*; recursos principais: pesca, agropecuária, indústria (de equipamento de transporte, maquinaria elétrica e eletrônica). Hab.: 127.253.075 (2013).

Japeri (RJ), município com 81,8 km², situado na baixada Fluminense, às margens do rio Guandu. Agricultura e comércio. Hab.: 99.141.

Jaraguá (GO), município com 1.849,5 km², situado na região de Anápolis. Igreja de N. Sª do Rosário tombada pelo Iphan. Hab.: 46.048.

Jaraguá do Sul (SC), município com 529,4 km², situado na região nordeste do estado. Suas terras eram parte do dote da princesa Isabel, ao casar-se (1864). Hab.: 160.143.

Jardel Jércolis **Filho** [São Paulo SP, 1928 — Rio de Janeiro RJ, 1983], ator brasileiro de teatro, cinema e televisão. Filmes: *Floradas na serra*, *Terra em transe*, *Macunaíma*, *Rio Babilônia*.

Jardim, Antônio da **Silva** [Capivari RJ, 1860 — vulcão Vesúvio, Itália, 1891], jornalista brasileiro, defensor da república, considerado radical até por seus companheiros republicanos. Colaborou no periódico carioca *Gazeta de Notícias*. Publicou: *A crítica de escada abaixo*, *Campanhas de um propagandista* etc.

Jaru (RO), município com 2.944 km², situado na região leste do estado. Reserva biológica. Turismo. Frigoríficos e curtumes. Hab.: 55.669.

Jataí (GO), município com 7.174,2 km², situado na região sul do estado, na serra do Caiapó. Grãos e bananas. Lençol de águas termais. Hab.: 94.890.

Jatene, Adib Domingos [Xapuri AC, 1929 — São Paulo SP, 2014] cirurgião cardíaco brasileiro, operava no Incor (Instituto do Coração), no Hospital das Clínicas SP. Foi duas vezes ministro da Saúde (1992 e 1995). Escreveu mais de 300 trabalhos científicos.

Jaú (SP), município com 687,1 km², situado na região centro-oeste do estado. Indústria (esp. calçados) e agricultura (cana-de-açúcar). Hab.: 141.703.

Jequié (BA), município com 3.227,3 km², situado no centro-sul do estado; desenvolveu-se em torno de movimentada feira que atraía comerciantes de toda região. Pecuária e agricultura. Hab.: 161.150.

Jequitinhonha, visconde de (Francisco Gomes Brandão, que adotou o nome de Francisco Gê Acaiaba de Montezuma) [Salvador BA, 1794 — Rio de Janeiro RJ, 1870], político brasileiro, um dos precursores do abolicionismo, teve parte ativa na luta pela independência da Bahia. Fundador e presidente honorário da Ordem dos Advogados do Brasil (1830), foi tb. sócio-fundador do Instituto Histórico e Geográfico Brasileiro (IHGB).

Jesus Cristo, para os cristãos, o filho de Deus que se tornou homem, o Messias que veio salvar a humanidade. Para os católicos, nasceu da Virgem Maria por obra e graça do Espírito Santo.

Ji-Paraná (RO), município com 6.896,6 km², situado na região leste do estado, na divisa com Mato Grosso. Indústria madeireira e turismo. Hab.: 129.242.

Joana Angélica de Jesus **(sóror)** [Salvador BA, 1762 — *id.*, 1822], monja da Ordem Concepcionista, abadessa do Mosteiro da Lapa, em Salvador BA, heroína da independência, morreu trespassada por uma baioneta ao tentar impedir que as forças portuguesas invadissem o mosteiro.

João de Barro ver *Braguinha* (*Carlos Alberto Ferreira Braga, dito João de Barro*)

João do Rio (João Paulo Emílio Cristóvão dos Santos Coelho Barreto, dito) [Rio de Janeiro RJ, 1881 — *id.*, 1921], escritor, teatrólogo,ensaísta e um dos jornalistas mais importantes de sua época. Obras: *A bela madame Vargas*, *A última noite* (teatro); *As religiões do Rio* (reportagens); *Vida vertiginosa*, *Os dias passam* (crônicas) etc.

João Monlevade (MG), município com 99,2 km², situado na região de Itabira; sede da Cia. Siderúrgica Belgo-Mineira, criada em 1939. Hab.: 78.040.

João Pessoa (PB), capital do Estado da Paraíba, com 211,4 km², situada no litoral. Ali fica a ponta do Seixas, extremo oriental da América. Turismo; pesca; extração de caju e coco. Capela do Engenho da Graça, Convento e Igreja de Santo Antônio, Fonte do Tambiá, igrejas da Misericórdia, da Ordem Terceira de São Francisco, da Ordem Terceira do Carmo, entre outros bens imóveis tombados pelo Iphan. Hab.: 780.738.

Jobim, Danton [Avaré SP, 1906 — Rio de Janeiro RJ, 1978], redator-chefe do *Diário Carioca*, diretor de *Última Hora* (1965), criador do primeiro curso de jornalismo do Brasil e um dos maiores teóricos da comunicação brasileira. Foi presidente da Associação Brasileira de Imprensa (ABI) e senador pelo Estado da Guanabara. Obras: *Introdução ao jornalismo contemporâneo*, *Espírito do jornalismo* etc.

Jobim (Antônio Carlos Brasileiro de Almeida Jobim, dito **Tom**) [Rio de Janeiro RJ, 1927 — Nova York, EUA, 1994], compositor brasileiro conhecido internacionalmente. Além de piano, aprendeu flauta, harmônica de boca e violão. Suas harmonias e melodias foram fundamentais para o surgimento da bossa nova. Compôs, entre muitos outros sucessos, *Garota de Ipanema* (com Vinicius de Moraes).

Jofre, Éder [São Paulo SP, 1936], pugilista entre os maiores da história, primeiro brasileiro campeão mundial de boxe, primeiro sul-americano a ingressar no Hall da Fama do Boxe (Nova York). Conquistou os títulos mundiais de pesos galo e pena.

Joinville (SC), município com 1.126,1 km², situado na região norte do estado, é o 3º polo industrial do Sul do país. Suas terras faziam parte do dote da irmã de D. Pedro II, D. Francisca, ao casar-se com o príncipe de Joinville. Cemitério protestante, Palácio dos Príncipes e parque à rua Mal. Deodoro tombados pelo Iphan. Hab.: 554.601.

Jordânia (Reino Hachemita da), país da Ásia ocidental, com 89.320 km². Monarquia parlamentarista, independente desde 1946. Capital: *Amã*; recursos principais: extrativismo mineral (sal de fosfato, sais de potássio) e indústria (química, refino de petróleo, alimentícia, produtos minerais não metálicos). Hab.: 6.457.260 (2012).

Juazeiro (BA), município com 6.500,6 km², situado na região do vale do rio São Francisco, na divisa com o Estado de Pernambuco. Polo agroindustrial e porto fluvial. Turismo: Gruta do Convento, com mais de 5.000 m de comprimento, na divisa com Campo Formoso. Hab.: 216.588.

Juazeiro do Norte (CE), município com 248,8 km², situado na região sul do estado, no Cariri. É famoso pela devoção ao padre Cícero, responsável até hoje pelo grande número de fiéis que para ali são atraídos. Hab.: 263.704.

Judas Iscariotes, um dos 12 apóstolos de Jesus Cristo, que, por 30 moedas de prata, indicou-o à guarda com um beijo — o "beijo de Judas", sinônimo de traição. No Brasil é tradição malhar um judas no Sábado de Aleluia.

Juiz de Fora (MG), município com 1.435,6 km², situado na Zona da Mata do estado. Indústria (automobilística e siderúrgica), pecuária e agricultura. Cineteatro Central tombado pelo Iphan. Hab.: 550.710.

Jundiaí (SP), município com 431,2 km², situado na região de mesmo nome. Agricultura (esp. café). Parque industrial diversificado. Hab.: 397.965.

Juno, divindade romana identificada com a *Hera* grega.

Junqueira, Ivan Nóbrega [Rio de Janeiro RJ, 1934 — *id.*, 2014], crítico literário, ensaísta e poeta brasileiro; presidente da ABL (2004-05). Detentor de importantes prêmios literários, seus poemas estão vertidos para oito línguas. Obras: *Os mortos*, *Três meditações na corda lírica*, *A rainha arcaica*, *A sagração dos ossos* etc.

Júpiter, divindade romana identificada com o *Zeus* grego. Em astronomia, é o primeiro dos planetas gasosos e o maior do sistema solar. Diâmetro equatorial: 142.796 km; diâmetro polar: 133.708 km; distância média do Sol: 778.330.000 km; satélites: 16.

Juruena (rio), corre nos estados de Mato Grosso e Pará (1.036 km). Conhecido por ser piscoso; tem como atrativo o salto do Juruena, com cerca de 40 m de queda. Um braço do seu leito abastece a usina hidrelétrica Santa Lúcia, em Sapezal MT.

Juruna, Mário [Barra do Garças MT, 1943 — Brasília DF, 2002], cacique xavante, lutou pelos direitos indígenas. Como deputado federal, criou a Comissão Permanente do Índio, propôs soluções para a demarcação das terras e idealizou o I Encontro de Lideranças dos Povos Indígenas do Brasil, reunindo 664 caciques de todo o país.

Juruti (PA), município com 8.306,2 km^2, localizado no baixo Amazonas. Mineração e agropecuária. Hab.: 52.755.

Kk

Kafka, Franz [Praga, atual República Tcheca, 1883 — Kierling, Áustria, 1924], escritor tcheco. Seus escritos não se encaixam em nenhuma escola literária tradicional. Grande parte de sua obra só foi publicada postumamente. Autor de: *A metamorfose*, *O processo*, *O julgamento* etc.

Kant, Immanuel [Königsberg, antiga Prússia, 1724 — *id.*, 1804], filósofo alemão. Em seus estudos, dedicou-se esp. a desvendar a natureza e os limites do conhecimento humano. Obras: *Crítica da razão pura*, *Crítica da razão prática* etc.

Kardec (Léon Hippolyte Denizard Rivail, dito **Allan**) [Lyon, França, 1804 — Paris, França 1869], pedagogo e escritor francês, foi discípulo de Pestalozzi e dedicou-se ao ensino. Estudou o fenômeno das "mesas girantes e falantes" e converteu-se ao espiritismo. Obras: *O livro dos espíritos*, *O livro dos médiuns* etc.

Katar ver *Catar*

Katmandu ver *Catmandu*

Kepler, Johannes [Weil, atual Weil der Stadt, Württemberg, Alemanha, 1571 — Ratisbona, atual Regensburg, Alemanha, 1630], astrônomo e matemático alemão. Formulou três leis do movimento planetário, que formaram a base da lei da gravitação universal de Newton.

Khouri, Walter Hugo [São Paulo SP, 1929 — *id.*, 2003], cineasta brasileiro; foi assistente do diretor Lima Barreto em *O Cangaceiro*. Seu primeiro longa-metragem foi *O gigante de pedra* (1953). Outros filmes: *Amor, estranho amor*; *Noite vazia*; *Corpo ardente* etc.

Kierkegaard, Søren Aabye [Copenhague, Dinamarca, 1813 — *id.*, 1855], filósofo e pensador religioso dinamarquês, considerado um dos fundadores do existencialismo. Dedicou-se esp. ao pensamento religioso, na filosofia e na literatura.

Kiribati (República do), país da Oceania centro-oriental, um arquipélago da Polinésia com 33 ilhas e 810 km^2. Antiga ilha Gilbert, que formava com Ellice (atual Tuvalu) uma colônia inglesa, tornou-se independente (1979) e país-membro da ONU (1999). Capital: *Bairiki*; recurso principal: turismo. Hab.: 102.697 (2012).

Klink, Amyr [São Paulo SP, 1955], navegador brasileiro. Em 1984, realizou a primeira travessia do Atlântico Sul a remo, viagem contada no livro *Cem dias entre céu e mar*, e dois anos depois a viagem preparatória à Antártida e cabo Horn, a bordo do veleiro polar Rapa Nui. A bordo do Paratii, percorreu 27.000 milhas, da Antártida ao Ártico, em 642 dias (1989-1991). Os livros *Paratii — entre dois polos* e *As janelas do Paratii* relatam e ilustram esse projeto.

Kosovo, país europeu localizado nos Bálcãs, ao sul da antiga Iugoslávia, com 10.908 km^2. Até 2008 era uma província da Sérvia, quando se declarou independente. É hoje administrado pela ONU. Capital: *Pristina*; recurso principal: agricultura (trigo, cevada, milho, tabaco). Hab.: 1.826.000 (2011).

Krajcberg, Frans [Kozienice, Polônia, 1921], gravador e pintor, veio para o Brasil (1948) e naturalizou-se brasileiro (1954); fixado em Nova Viçosa BA, passou a recolher do mangue e da floresta os materiais com que trabalha. Suas obras estão expostas em museus e coleções particulares do Rio de Janeiro, São Paulo, Paris e Nova York.

Krieger, Edino [Brusque SC, 1928] violinista e compositor brasileiro. Estudou no Conservatório Brasileiro de Música RJ (1943), ganhou o prêmio Música Viva com sua composição *Trio de sopros* (1945) e passou a fazer parte do grupo que defendia no Brasil o dodecafonismo. Foi diretor da Orquestra Sinfônica Nacional.

Kubitschek de Oliveira, **Juscelino** [Diamantina MG, 1902 — Resende RJ, 1976], político brasileiro, foi deputado federal (1934 e 1945) e prefeito de Belo Horizonte (1940). Elegeu-se governador de seu estado (1950) e presidente da República (1955). Iniciou a construção de estradas e hidrelétricas e a instalação da indústria automobilística. A construção da nova capital federal (inaugurada em 1960), Brasília, foi outra realização sua.

Kuweit ou **Kuwait (Estado do)**, pequeno país desértico, com 17.820 km^2; localizado no sudoeste asiático. Monarquia islâmica, independente desde 1961. Capital: *Cidade do Kuweit* ou *Kuwait*; recurso principal: petróleo. Hab.: 2.891.553 (2012).

Lacerda, Benedito [Macaé RJ, 1903 — Rio de Janeiro RJ, 1958], flautista e compositor popular brasileiro. Criou o conjunto Gente do Morro (1930), depois chamado Regional Benedito Lacerda. Compôs grandes sucessos carnavalescos: *Acorda, escola de samba!*; *Jardineira*; *Despedida da Mangueira* etc.

Lacerda, Carlos Frederico Werneck de [Vassouras RJ, 1914 — Rio de Janeiro RJ, 1977], político e jornalista brasileiro. Fundou o jornal *A Tribuna da Imprensa* (1949). Foi um dos líderes da oposição ao segundo governo Vargas e do golpe militar de 1964. Primeiro governador eleito do antigo Estado da Guanabara (1960-1965), atual município do Rio de Janeiro.

Lacombe, Américo Lourenço **Jacobina** [Rio de Janeiro RJ, 1909 — *id.*, 1993], historiador e professor brasileiro. Secretário do Conselho Nacional de Educação, diretor da Casa de Rui Barbosa e presidente do Instituto Histórico e Geográfico Brasileiro (IHGB). Membro da ABL. Obras: *Um passeio pela história do Brasil, Ensaios brasileiros de história, Formação literária de Rui Barbosa* etc.

Laet, Carlos Maximiliano Pimenta **de** [Rio de Janeiro RJ, 1847 — *id.*, 1927], professor, jornalista, escritor, filólogo e político brasileiro, grande defensor da monarquia durante a campanha republicana. Membro fundador e presidente da ABL. Obras: *Poesias, A descoberta do Brasil, Antologia nacional* (com Fausto Barreto) etc.

La Fontaine, Jean de [Château-Thierry, França, 1621 — Paris, França, 1695], poeta francês conhecido pelas suas *Fábulas* (1668 a 1694), versos leves inspirados nas *Fábulas de Esopo*, que mostram o comportamento humano através dos animais. São utilizadas, até hoje, como parte da educação das crianças de muitos países.

Lagarto (SE), município com 969,5 km^2, situado a 78 km de Aracaju, foi uma antiga aldeia dos indígenas cariris, na confluência dos rios Piauí e Jacaré. Hab.: 101.305.

Lagoa Santa (MG), município da região metropolitana de Belo Horizonte, com 229,2 km^2. É o segundo produtor de abacaxi do estado. Túmulos do Dr. Pedro Guilherme Lund e seus colaboradores tombados pelo Iphan. Gruta da Lapinha, com 511 m de extensão e 40 de profundidade. Hab.: 58.702.

Laguna (Retirada da), episódio da Guerra do Paraguai, em 1867, quando uma tropa de 1.700 homens, liderada pelo coronel Carlos de Morais Camisão, entrou em território inimigo, foi rechaçada pelos paraguaios e teve de retirar-se.

Laguna (SC), município histórico litorâneo, com 336,3 km^2, situado na extremidade sul de uma península da região sul do estado. Por ali passava a linha imaginária do Tratado de Tordesilhas. Centro histórico e casa à praça da Bandeira tombados pelo Iphan. Pesca e turismo. Hab.: 44.316.

Lajeado (RS), município com 90 km^2, na região centro-oriental do estado, às margens do rio Taquari. Agroindústria, indústria alimentícia e de móveis. Hab.: 77.761.

Lajes (SC), município com 2.631,5 km^2, situado na região de Campos de Lajes, na divisa com o Estado do Rio Grande do Sul. Pioneira do turismo rural. Hab.: 158.846.

Lampião (Virgulino Ferreira da Silva, dito) [Serra Talhada PE, 1898 — Angicos SE, 1938], cangaceiro brasileiro, dito Rei do Cangaço. Chefiou um bando que dominou o sertão nordestino por quase 20 anos. Suas histórias serviram de inspiração para muitos autores da literatura de cordel.

Langsdorff, Georg Heinrich von [Wöllstein, Alemanha, 1773 — Freiburg, Alemanha, 1852], naturalista alemão. Participou da expedição russa à América do Sul (1803) e realizou importante pesquisa sobre a fauna e a flora brasileiras. Foi cônsul-geral da Rússia no Rio de Janeiro (1813-1820). Obra: *Notas sobre uma viagem ao redor do mundo nos anos 1803-1807*.

Laos (República Popular Democrática do), país do sudeste asiático, com 236.800 km^2. Regime de partido único (militar ditatorial de orientação comunista). Capital: *Vientiane*; recursos principais: agricultura (arroz, milho, cana-de-açúcar, café) e pecuária (bovinos, búfalos, suínos). Hab.: 6.373.934 (2012).

Lapa (PR), município da região de mesmo nome, com 2.093,8 km^2, situado na divisa com o Estado de Santa Catarina. Conjunto arquitetônico e paisagístico, cadeia pública, Igreja Matriz da Lapa e Teatro São João tombados pelo Iphan. Hab.: 47.294.

Lapa, Manuel **Rodrigues** [Anadia, Portugal, 1897 — *id.*, 1989], filólogo e historiador literário português. Dedicou-se à pesquisa de textos clássicos. Morou algum tempo no Brasil, onde foi professor na Faculdade de Filosofia de Belo Horizonte MG. Obras: *Lições de literatura portuguesa: época medieval, Estilística da língua portuguesa* etc.

Laranjeiras (SE), município com 162,2 km^2, situado na região leste do estado, no vale do Cotinguiba. Importante cidade histórica. Conjunto arquitetônico e paisagístico, Capela do Engenho Jesus Maria José, Casa do Engenho Retiro, Igreja de Comandaroba e Igreja Matriz do Coração de Jesus tombados pelo Iphan. Hab.: 28.835.

Lara Resende, Otto de Oliveira ver *Resende, Otto de Oliveira Lara*

Lassance (MG), município com 3.204,2 km^2, situado na região de Pirapora, na margem direita do rio São Francisco. Casa de Saúde Carlos Chagas e estação ferroviária tombadas pelo Iphan. Hab.: 6.663.

Lattes, César Mansueto Giulio [Curitiba PR, 1924 — Campinas SP, 2005], físico brasileiro, um dos fundadores e diretor do Centro Brasileiro de Pesquisas Físicas, instituto que inspirou a criação do hoje Conselho Nacional de Desenvolvimento Científico e Tecnológico (CNPq), em 1951. A descoberta do píon, partícula nuclear elementar, em 1947, foi o grande marco da sua carreira.

Lauro de Freitas (BA), município com 57,6 km^2, situado na região metropolitana de Salvador. Aeroporto internacional. Igreja Matriz de Santo Amaro de Ipitanga tombada pelo Iphan. Hab.: 188.013.

Lavras (MG), município com 564,7 km^2 situado na região sul do estado. Café e gado leiteiro. Igreja Matriz de N. S.ª do Rosário tombada pelo Iphan. Hab.: 99.229.

Leão Diegues, **Nara** Lofego [Vitória ES, 1942 — Rio de Janeiro RJ, 1989], cantora e compositora brasileira, dita Musa da bossa nova, e uma das grandes intérpretes desse movimento. Imortalizou clássicos da MPB: *O barquinho*; *Olê, olá*; *Esse mundo é meu*; *Com açúcar, com afeto*; *Apanhei-te cavaquinho* etc.

Le Corbusier (Charles-Édouard de Jeanneret-Gris, dito) [La Chaux-de-Fonds, Suíça, 1887 — Roquebrune-Cap-Martin, França, 1965], arquiteto e urbanista franco-suíço, um dos pioneiros da arquitetura moderna, criador de um novo estilo de habitação, dito funcional. Exerceu influência decisiva sobre a obra dos arquitetos brasileiros Lúcio Costa e Oscar Niemeyer.

Lei Áurea, promulgada pela regente princesa Isabel em 13/05/1888, abolindo a escravidão no Brasil.

Leibniz, Gottfried Wilhelm [Liepzig, Alemanha, 1646 — Hanover, Alemanha, 1716], matemático e filósofo alemão. Descobriu, simultaneamente com Isaac Newton, a teoria do cálculo integral e diferencial. Inventou a máquina de calcular. Obra principal: *Novos ensaios sobre o entendimento humano*.

Lei dos Sexagenários, escrita originalmente pelo então jovem deputado Rui Barbosa, foi aprovada em 1885, tornando livres os escravos com idade igual ou superior a 65 anos. Provocou grande mobilização nas cidades e nos campos contra a escravidão.

Lei do Ventre Livre, promulgada pelo governo imperial, tornou livres as crianças nascidas de mães escravas a partir de 28/09/1871.

Leite, Ascendino [Conceição do Piancó PB, 1915 — João Pessoa PB, 2010], romancista, memorialista e jornalista brasileiro. Fundou a *Gazeta da Paraíba* (1937) e dirigiu vários jornais no Rio de Janeiro e em São Paulo. Obras: *A viúva branca*, *Estética do Modernismo*, *A prisão*, *O brasileiro* etc.

Leme (SP), município com 403 km², situado na região administrativa de Campinas e cortado pelo rio Mogi Guaçu. Anualmente acontece a Romaria dos Canoeiros e Cavaleiros de Leme. Hab.: 98.460.

Leminski Filho, **Paulo** [Curitiba PR, 1944 — *id.*, 1989], poeta brasileiro, um dos mais reconhecidos de sua geração. Compositor, realizou parcerias com músicos como Caetano Veloso e o conjunto *A Cor do Som*. Obras: *Catatau*, *Caprichos e relaxos*, *Agora é que são elas*, *Distraídos venceremos* etc.

Lençóis (BA), município da chapada Diamantina, região centro-sul do estado, com 1.277 km². Conjunto arquitetônico e paisagístico tombado pelo Iphan. Hab.: 11.340.

Lençóis Paulista (SP), município com 809,5 km², localizado na região centro-oeste do estado. Indústria (açúcar, álcool, celulose, óleo lubrificante, estruturas metálicas e alimentos). Hab.: 65.587.

Lênin (Vladimir Ilitch Ulianov, dito) [Simbirsk, Rússia, 1870 — Gorki, Rússia, 1924], estadista russo, fundador do Estado soviético. Chefiou a revolução socialista de 1917 e lançou as bases da doutrina comunista. Obras: *Imperialismo, fase superior do capitalismo*; *O Estado e a revolução* etc.

Leoni Ramos, **Raul de** [Petrópolis RJ, 1895 — Itaipava RJ, 1926], poeta brasileiro da fase pré-modernista, considerado um autor independente, sem ligações com movimentos literários. Obras: *Ode a um poeta morto*, *Luz mediterrânea* etc.

Leônidas da Silva [Rio de Janeiro RJ, 1913 — Cotia SP, 2004], jogador de futebol brasileiro, centroavante, dito Diamante Negro. Jogou no Flamengo (1936-1941) e tornou-se um grande ídolo da história do clube. Artilheiro da Copa de 1938. Considerado o inventor do chute "bicicleta".

Leopoldina (Maria Leopoldina Josefa Carolina de Habsburgo-Lorena, **imperatriz**) [Viena, Áustria, 1797 — Rio de Janeiro RJ, 1826], primeira imperatriz brasileira, esposa de D. Pedro I. Dita Paladina da Independência por sua atuação política favorável à independência do Brasil.

Leopoldina (MG), município com 943 km², situado na região da Zona da Mata, às margens da BR-116. Pecuária leiteira. Hab.: 53.032.

Léry, Jean de [La Margelle, França, 1536 — Berna, Suíça, 1613], missionário protestante francês, veio ao Brasil (1557) para fixar-se na França Antártica, colônia fundada por Villegaignon no Rio de Janeiro. Publicou o livro *Viagem à terra do Brasil*, fonte de estudo das origens do país, da vida e dos costumes dos primeiros habitantes.

Lesoto (Reino de), país do sul da África, com 30.360 km². Monarquia parlamentarista, independente desde 1966. Capital: *Maseru*; recurso principal: agropecuária. Hab.: 2.216.850 (2012).

Lessa, Aureliano José [Diamantina MG, 1828 — Conceição do Serro MG, 1861], poeta brasileiro, da segunda fase do Romantismo, companheiro de Álvares de Azevedo. Obra: *Poesias póstumas*.

Lessa, Orígenes [Lençóis Paulista SP, 1903 — Rio de Janeiro RJ, 1986], jornalista e escritor brasileiro. Trabalhou em diversos jornais e foi redator publicitário. Na literatura, escreveu contos e romances. Membro da ABI e da ABL. Obras: *O feijão e o sonho*, *Rua do sol*, *O evangelho de Lázaro*, *Não há de ser nada* etc.

Letícia Quadros, **Ana** [Teresópolis RJ, 1929], gravadora e pintora brasileira, notabilizou-se por suas gravuras de caracóis e folhas. Bastante atuante nos anos 1960, foi contemporânea de Ivan Serpa, Osvaldo Goeldi e Darel Lins.

Letônia (República da), país do norte da Europa central, um dos Países Bálticos, com 64.560 km². República parlamentarista, é uma das 15 ex-repúblicas da União Soviética que se tornaram independentes em 1991. Capital: *Riga*; recursos principais: agricultura e serviços. Hab.: 2.234.572 (2012).

Líbano (República do), país da Ásia ocidental, com 10.450 km², situado na extremidade leste do mar Mediterrâneo. República parlamentarista, independente desde 1943. Capital: *Beirute*; recurso principal: agricultura (trigo, algodão, oliveira, vinhas). Hab.: 4.291.719 (2012).

Libéria (República da), país da África ocidental, com 111.370 km². República presidencialista, independente desde 1847. Capital: *Monróvia*; recursos principais: agricultura (arroz, café, cana-de-açúcar, cacau), extrativismo mineral (ferro). Hab.: 4.244.684 (2012).

Líbia (Grande Jamahirya Popular Socialista da), país do norte da África, com 1.759.540 km². República ditatorial militar desde 1969. Capital: *Trípoli*; recurso principal: petróleo. Hab.: 6.469.497 (2012).

Liechtenstein (Principado de), país da Europa centro-ocidental, entre a Suíça e a Áustria, com 160 km^2. Monarquia parlamentarista, independente desde 1806. Capital: *Vaduz*; recursos principais: agricultura (trigo, aveia, centeio, milho) e indústria (têxtil, de produtos farmacêuticos, instrumentos de precisão etc.). Hab.: 36.475 (2012).

Lima, José Inácio Ribeiro de **Abreu e**, dito *padre Roma* [Recife PE, 1768 — Salvador BA, 1817], revolucionário brasileiro, lutou na Revolução Pernambucana de 1817 e foi julgado e executado na Bahia. — **José Inácio de Abreu e Lima** [Recife PE, 1794 — *id.*, 1869], seu filho, militar, revolucionário, político e historiador brasileiro, lutou pela independência da Venezuela, junto a Simón Bolívar.

Lima, Alceu de Amoroso [Rio de Janeiro RJ, 1893 — Rio de Janeiro RJ, 1983] ensaísta, crítico e pensador brasileiro, adotou o pseudônimo de Tristão de Ataíde; convertido ao catolicismo, tornou-se um defensor da Igreja católica no Brasil. Foi membro da ABL. Obras: *Introdução à economia moderna*, *Preparação à sociologia*, *No limiar da idade nova*, *O espírito e o mundo* etc.

Lima, Arthur Moreira [Rio de Janeiro RJ, 1940], pianista brasileiro. Tocou com a OSB, pela primeira vez, aos 9 anos. Apresentou-se em orquestras de diversos países e lançou alguns discos. Além da música clássica, a MPB tb. faz parte de seu repertório.

Lima, Antônio **Augusto de** [Nova Lima MG, 1859 — Rio de Janeiro RJ, 1934], professor, político e poeta parnasiano brasileiro. Desempenhou importantes funções públicas. Foi um dos fundadores da Faculdade de Direito de Minas Gerais. Membro da ABL. Obras: *Contemporâneas*, *Símbolos*, *Noites de sábado* etc.

Lima, Hermes [Livramento do Brumado BA, 1902 — Rio de Janeiro RJ, 1978], magistrado e político brasileiro. Chefe da Casa Civil durante o governo João Goulart, membro do Conselho Federal de Educação, ministro do Supremo Tribunal Federal, membro da ABL. Obras: *Introdução à ciência do Direito*, *Problemas do nosso tempo*, *Lições da crise* etc.

Lima, Jorge Mateus **de** [União dos Palmares AL, 1895 — Rio de Janeiro RJ, 1953], escritor brasileiro, recebeu influências de diversos movimentos literários no romance e na poesia. A religiosidade fez parte da sua temática e tornou-se conhecido como o poeta do lirismo cristão. Obras: *Invenção de Orfeu*, *O acendedor de lampiões*, *A túnica inconsútil*, *Calunga*, *Mulher obscura* etc.

Lima Barreto, Afonso Henriques de ver *Barreto, Afonso Henriques de Lima*

Lima Barreto, Vítor ver *Barreto, Vítor Lima*

Lima e Silva, Luís Alves de ver *Caxias, duque de*

Lima Sobrinho, Alexandre José **Barbosa** [Recife PE, 1897 — Rio de Janeiro RJ, 2000], advogado, jornalista, ensaísta, historiador, professor, político brasileiro e membro da ABL, defendeu a liberdade de imprensa e os direitos humanos. Obras: *A língua portuguesa e a unidade do Brasil*, *Estudos nacionalistas*, *Sistemas eleitorais e partidos políticos* etc.

Limeira (SP), município com 581 km^2, da região central do estado, localizado entre os rios Mogi Guaçu e Piracicaba. Maior produtor de cítricos da América Latina. Hab.: 294.128.

Limoeiro (PE), município da região do Agreste do estado, com 273,7 km^2, entre a serra do Redentor e o rio Capibaribe. Hab.: 56.336.

Limoeiro do Norte (CE), município com 750 km^2, localizado na região de Jaguaribe. Agropecuária, artesanato, cantaria. Hab.: 57.762.

Lincoln, Abraham [Hodgenville EUA, 1809 — Washington EUA, 1865], político norte-americano, décimo sexto presidente dos Estados Unidos (1861 a 1865), conhecido pelos seus ideais democráticos e abolicionistas.

Linhares (ES), município com 3.504,1 km^2, situado no litoral norte do estado, às margens do rio Doce; antiga aldeia dos indígenas botocudos, é responsável por 60% do petróleo e 90% do gás natural do estado. Hab.: 160.765.

Linhares, José [Baturité CE, 1886 — Caxambu MG, 1957], magistrado brasileiro. Foi juiz de Direito, desembargador, ministro do Tribunal Superior Eleitoral e presidente do Supremo Tribunal Federal. Presidiu interinamente o país por três meses (1945-1946), após a queda de Getúlio Vargas. Passou o cargo para o marechal Eurico Gaspar Dutra.

Lins, Álvaro de Barros [Caruaru PE, 1912 — Rio de Janeiro RJ, 1970], escritor, crítico, ensaísta, professor e jornalista brasileiro. Foi chefe da Casa Civil do governo Juscelino Kubitscheck, embaixador em Portugal e membro da ABL. Obras: *História literária de Eça de Queirós*, *A glória de César e o punhal de Brutus*, *Literatura e vida literária* etc.

Lins, Osman da Costa [Vitória de Santo Antão PE, 1924 — São Paulo SP, 1978], escritor brasileiro, produziu romances, contos, peças teatrais e ensaios. Obras: *O visitante*, *Avalovara*, *Lisbela e o prisioneiro*, *Guerra do cansa-cavalo* etc.

Lins (SP), município da região oeste do estado, com 570 km^2, formado a partir do povoamento de um núcleo em torno da estação ferroviária da Estrada de Ferro Noroeste do Brasil. Hab.: 75.612.

Lins e Silva, Evandro ver *Silva, Evandro Lins e*

Lisboa, Henriqueta [Lambari MG, 1903 — Belo Horizonte MG, 1985], poetisa simbolista brasileira, primeira mulher eleita para a Academia Mineira de Letras (1963), recebeu o prêmio Machado de Assis da ABL. Obras: *Fogo-fátuo*, *Enternecimento*, *Velário*, *Flor da morte* etc.

Lisboa, João Francisco [Pirapemas MA, 1812 — Lisboa, Portugal, 1863], historiador, pensador político e escritor brasileiro. Patrono da ABL, cadeira 18. Obras: *Jornal de Timon*, *Vida do padre Antônio Vieira*, *Obra completa* etc.

Lispector, Clarice [Tchetchelnik, Ucrânia, 1920 — Rio de Janeiro RJ, 1977], jornalista e escritora brasileira de origem ucraniana, publicou romances, contos, crônicas e livros infantojuvenis. Inspirou-se nos conflitos da existência humana e dissecou a alma dos personagens. Obras: *O lustre, A hora da estrela, Perto do coração selvagem, Laços de família* etc.

Liszt, Franz [Doborján, Hungria, 1811 — Bayreuth, Alemanha, 1886], compositor húngaro, conhecido pelo virtuosismo ao piano. Compôs poemas sinfônicos e regeu óperas e concertos. Obras: *Fausto, Rapsódias húngaras, Sonata em si menor, Sonhos de amor* etc.

Lituânia (República da), país do norte da Europa central, com 65.300 km^2, o maior dos Países Bálticos. República parlamentarista, uma das 15 ex-repúblicas da União Soviética que se tornaram independentes em 1991. Capital: *Vilnius*; recursos principais: agropecuária e indústria (alimentícia e de máquinas). Hab.: 3.292.454 (2012).

Lobato, José Bento **Monteiro** [Taubaté SP, 1882 — São Paulo SP, 1948], escritor brasileiro, um dos maiores autores de literatura infantil da língua portuguesa. Criou personagens antológicos, como a boneca Emília e o Visconde de Sabugosa. Foi um nacionalista, defensor do petróleo brasileiro. Obras: *O Sítio do Pica-pau Amarelo, Reinações de Narizinho, Caçadas de Pedrinho, Urupês, Cidades mortas* etc.

Lobo, Aristides da Silveira [Mamanguape PB, 1838 — Barbacena MG, 1896], político brasileiro, um dos chefes do levante da Proclamação da República (1889). Adversário do governo Deodoro da Fonseca (1891), apoiou Floriano Peixoto.

Lobo (Eduardo de Góis Lobo, dito **Edu**) [Rio de Janeiro RJ, 1943], cantor, compositor e arranjador brasileiro. Sua obra foi no início influenciada pela bossa nova. Fez parcerias com Vinicius de Moraes e Capinam, entre outros. Recebeu o prêmio Shell de melhor compositor brasileiro (1994). Discografia: *Edu canta Zumbi, 5 na bossa, Camaleão, O grande circo místico* etc.

Lobo, Francisco **Rodrigues** [Leiria, Portugal, c. 1580 — Lisboa, Portugal, 1622], escritor português, destacou-se na prosa e na poesia. Suas *Églogas* são consideradas clássicos da língua portuguesa. Autor tb. de importante trilogia pastoril: *Primavera, Pastor peregrino* e *Desencantado*.

Lomas Valentinas (Batalha das), uma das decisivas batalhas da Guerra do Paraguai (1868), comandada pelo futuro duque de Caxias e pelo general Mena Barreto, forçou os paraguaios, liderados pelo general Solano López, a baterem em retirada da região.

Londrina (PR), município com 1.652,5 km^2, situado na região norte central do estado. Plantações de café. Hab.: 543.003.

Lopes, Fernão [Portugal, séc. XIV — *id.*, séc. XV], cronista português, registrou a história dos primeiros reis portugueses. Seus escritos são de grande importância para a história de Portugal e para a língua portuguesa. Obras: *Crônica de Dom João I, Crônica de Dom Pedro I, Crônica de Dom Fernando* etc.

Lopes, José **Leite** [Recife PE, 1918 — Rio de Janeiro RJ, 2006], físico brasileiro, diretor científico do Centro Brasileiro de Pesquisas Físicas. Professor universitário no Brasil, México, França, Argentina e Venezuela. Membro da ABC. Obras: *Introdução à teoria atômica da matéria, Unificando as forças da natureza* etc.

Lopes, Moacir Costa [Quixadá CE, 1927 — Rio de Janeiro RJ, 2010], romancista brasileiro. Seus livros têm sido adotados em colégios do ensino fundamental e estudados em universidades brasileiras e estrangeiras. Obras: *Maria de cada porto, A ostra e o vento, O almirante negro* etc.

Lopes Neto, João **Simões** [Pelotas RS, 1865 — *id.*, 1916], escritor e jornalista brasileiro. Produziu diversos gêneros literários, mas notabilizou-se como dramaturgo e contista. Obras: *Contos gauchescos, Lendas do Sul* etc.

Lorena (SP), município com 414,1 km^2, situado na região do vale do Paraíba, aos pés da serra da Mantiqueira. Hab.: 86.764.

Lucas do Rio Verde (MT), município com 3.664 km^2, localizado no norte mato-grossense. Agricultura (grãos, esp. soja) e pecuária. Hab.: 55.094.

Lucena (PB), município com 88,5 km^2. Igreja de N. S.ª da Guia tombada pelo Iphan. Hab.: 12.635.

Luft, Lya Fett [Santa Cruz RS, 1938], tradutora e escritora brasileira, formou-se em Pedagogia e Letras anglo-germânicas. Professora de Linguística, traduziu mais de cem livros. Escreveu poemas, romances, crônicas e ensaios. Obras: *Canções de limiar, A asa esquerda do anjo, O quarto fechado, O rio do meio, Histórias do tempo, Perdas e ganhos* etc.

Luís Pereira de Sousa, **Washington** [Macaé RJ, 1869 — São Paulo SP, 1957], político brasileiro, elegeu-se presidente da República (1926-1930), sendo o último da República Velha (1889-1930). A Revolução de 1930 eclodiu pouco antes do fim de seu mandato. Foi deposto por uma junta militar e Getúlio Vargas assumiu o poder.

Luís Eduardo Magalhães (BA), município com 3.941 km^2, localizado no extremo oeste baiano. Agricultura (soja) e pecuária. Hab.: 76.420.

Luís IX ou **São Luís** [Poissy, França, 1214 — Túnis, Tunísia, 1270], rei da França (1226-1270), conhecido por sua integridade e justiça. Assinou o Tratado de Paris (1259) com Henrique III da Inglaterra e obteve a Normandia, Anjou, Maine e Poitou. Lançou as bases do parlamento francês. Construiu em Paris a Sainte-Chapelle. Foi canonizado (1287).

Luís XIV, o Grande [Saint-Germain-en-Laye, França, 1638 — Versalhes, França, 1715], rei da França (1643-1715), dito o Rei Sol, monarca absolutista, a ele se atribui a frase "O Estado sou eu". Restabeleceu as finanças, fomentou o comércio e a indústria, investiu em obras públicas e na marinha. Incentivou escritores e artistas. Deflagrou várias guerras para impor o predomínio francês, o que arruinou as finanças do país.

Luís XVI [Versalhes, França, 1754 — Paris, França, 1793], rei da França (1774-1791) e dos franceses (1791-1792), mergulhou o país em crise econômica. Ao eclodir a Revolução Francesa (1789), tentou fugir do país (1791). Foi preso, julgado traidor da República e condenado à morte na guilhotina. Sua mulher, Maria Antonieta, teve o mesmo fim.

Lula da Silva, Luís Inácio [Garanhuns PE, 1945], político brasileiro. Torneiro mecânico na juventude, presidiu o Sindicato dos Metalúrgicos do ABC paulista na década de 1970. Foi um dos fundadores do PT (1980). Presidente de honra do partido, elegeu-se à Presidência da República em 2002 e reelegeu-se em 2006.

Lund, Peter Wilhelm [Copenhague, Dinamarca, 1801 — Lagoa Santa MG, 1880], naturalista dinamarquês radicado no Brasil, tido como pai da paleontologia brasileira. Encontrou em Minas Gerais (1843) os ossos do dito Homem da Lagoa Santa, um antepassado do homem moderno.

Lutero, Martinho [Eisleben, Alemanha, 1483 — *id.*, 1546], teólogo alemão, líder da Reforma, movimento religioso que originou o protestantismo em oposição ao catolicismo. Foi excomungado pelo papa Leão X (1521). Suas doutrinas e crenças ficaram conhecidas como luteranas.

Lutz, Adolfo [Rio de Janeiro RJ, 1855 — *id.*, 1940], médico e cientista brasileiro, estudioso do combate a diversas doenças epidêmicas: cólera, febre amarela, febre tifoide e malária. Foi diretor do Instituto Bacteriológico de São Paulo, agora chamado Instituto Adolfo Lutz. Obras: *A propósito da leishmaniose*, *Novas espécies de mosquitos no Brasil*, *Febre tifoide em São Paulo* etc.

Luxemburgo (Grão-Ducado de), o menor dos países da Comunidade Europeia, com apenas 2.590 km², incrustrado entre a França, a Alemanha e a Bélgica. Monarquia parlamentarista, independente desde 1867. Capital: *Cidade de Luxemburgo*; recurso principal: indústria (metalúrgica e siderúrgica). Hab.: 523.362 (2012).

Luz, Carlos Coimbra da [Três Corações MG, 1894 — Rio de Janeiro RJ, 1961], político brasileiro, ocupou interinamente a Presidência da República (1955), durante o governo Café Filho. Ao longo de sua vida pública, exerceu diversos cargos municipais, estaduais e federais.

Luziânia (GO), município histórico com 3.961,1 km², no entorno de Brasília. É rico em ouro, cristais de rocha e madeira de lei. Hab.: 191.139.

Lyra Barbosa, **Carlos** Eduardo [Rio de Janeiro RJ, 1936], compositor e cantor popular brasileiro, um dos pioneiros da bossa nova. Obras: *Coisa mais linda*, *Minha namorada*, *Primavera*, *Marcha da quarta-feira de cinzas* etc.

Mm

Mabe, Manabu [Kumamoto, Japão, 1924 — São Paulo SP, 1997], pintor brasileiro de origem japonesa. Chegou ao Brasil em 1934. Pintou seus primeiros quadros na década de 1940, tendo sido premiado em diversas exposições nacionais e internacionais. Dedicou-se tb. à tapeçaria. Foi um dos pioneiros da pintura abstrata no Brasil.

Macaé (RJ), município litorâneo, com 1.216,8 km², situado na região norte do estado. Suas terras faziam parte da Capitania de São Tomé. Extração de petróleo. Hab.: 229.624.

Macaíba (RN), município com 510,7 km², situado na região metropolitana de Natal, a apenas 20 km da capital. Primeiro produtor de mandioca e o segundo maior de caju do estado. Hab.: 76.801.

Macapá (AP), capital do Estado do Amapá desde 1943, com 6.407,1 km², localizada na margem esquerda do rio Amazonas, em sua foz. Foi colonizada por açorianos. Zona de Livre Comércio desde 1991. Fortaleza de São José tombada pelo Iphan. Hab.: 446.757.

Macau (Região Administrativa Especial de), antiga colônia portuguesa, localizada na Ásia oriental, com 28,6 km², desde dezembro de 1999 região autônoma administrada pela China. Capital: *Macau*; recursos principais: ópio, chá e pesca. Hab.: 559.846 (2009).

Macaúbas (Abílio César Borges, **barão de**) [Rio de Contas BA, 1824 — Rio de Janeiro, RJ, 1891], educador brasileiro conhecido por suas ideias renovadoras, como a da abolição dos castigos corporais nas escolas. Foi um dos precursores do livro didático no Brasil e mestre de Castro Alves, Rui Barbosa e Raul Pompeia.

Macedo, Joaquim Manuel de [Itaboraí RJ, 1820 — Rio de Janeiro RJ, 1882], escritor brasileiro, amigo pessoal de D. Pedro II. Seu primeiro romance, *A moreninha* (1845), alcançou grande popularidade. Patrono da cadeira 20 da ABL. Obras: *Os dois amores*, *A luneta mágica*, *Memórias do sobrinho de meu tio* etc.

Macedônia (República da), país do sudeste europeu, com 25.710 km². República parlamentarista, independente desde 1991. Capital: *Skopje*; recurso principal: agropecuária. Hab.: 2.066.785 (2012).

Maceió (AL), capital do Estado de Alagoas, cidade turística litorânea com 510,6 km², entre a lagoa de Mundaú e o oceano Atlântico. Tem a maior unidade de preservação marinha do Brasil, a costa dos Corais (415.565 ha). Hab.: 1.005.319.

Machado, Ana Maria [Rio de Janeiro RJ, 1941], escritora brasileira, autora, entre outros estilos, de literatura infantojuvenil. Suas obras foram traduzidas para vários idiomas. Membro da ABL. Obras: *Alice e Ulisses*; *Bisa Bia, Bisa Bel*; *A audácia dessa mulher* etc.

Machado, Anésia Pinheiro [Itapetininga SP, 1904 — Rio de Janeiro RJ, 1999], aviadora brasileira, uma das primeiras mulheres a tirar brevê de piloto no Brasil (1922). Recebeu várias condecorações do governo do Brasil e de governos estrangeiros. Suas cinzas estão no Museu Santos Dumont, em Minas Gerais.

Machado, Aníbal Monteiro [Sabará MG, 1894 — Rio de Janeiro RJ, 1964], escritor brasileiro. Presidente da Associação Brasileira de Escritores (1944), ajudou a criar grupos de teatro, como o Teatro Popular Brasileiro, Os Comediantes, o Teatro Experimental do Negro e o Tablado. Obras: *João ternura*, *Histórias reunidas*, *A morte da porta-estandarte* etc.

— **Maria Clara Machado** [Belo Horizonte MG, 1921 — Rio de Janeiro RJ, 2001], sua filha, teatróloga, diretora e atriz brasileira, referência do teatro infantil. Fundou o Tablado, grupo de teatro amador e escola de atores (Rio de Janeiro, 1951). Obras: *Pluft, o fantasminha*; *A bruxinha que era boa*; *O rapto das cebolinhas*; *A menina e o vento* etc.

Machado, Gilka da Costa de Melo [Rio de Janeiro RJ, 1893 — *id.*, 1980], poetisa simbolista brasileira, adepta do verso livre. Recebeu o prêmio Machado de Assis da ABL (1979). Obras: *Cristais partidos*, *Mulher nua*, *Carne e alma* etc.

Machado, José Gomes **Pinheiro** [Cruz Alta RS, 1851 — Rio de Janeiro RJ, 1915], político brasileiro. Abolicionista e um dos fundadores do Partido Republicano Conservador (1910). Elegeu-se senador na primeira Constituinte republicana (1891). Teve muita força e influência política.

Machado de Assis, Joaquim Maria ver *Assis, Joaquim Maria Machado de*

Maciel, Luís Carlos [Porto Alegre RS, 1938], teatrólogo, cineasta, escritor e jornalista brasileiro. Lecionou na Escola de Teatro da Universidade Federal da Bahia. Foi um dos fundadores da edição brasileira da revista *Rolling Stones*. Obras: *Nova consciência*, *A morte organizada* etc.

Maciel, Olegário [Bom Despacho MG, 1855 — Belo Horizonte MG, 1933], político brasileiro. Durante o Império, elegeu-se duas vezes deputado por Minas Gerais. Após a Proclamação da República, foi deputado na Assembleia Constituinte mineira e senador. Durante o governo Getúlio Vargas, foi nomeado interventor (1930) e depois presidente de Minas Gerais, cargo que ocupou até a morte.

Madagascar (República de), país situado em uma ilha do sudeste africano, separada do continente pelo canal de Moçambique, com 587.040 km^2. República parlamentarista, independente desde 1960. Capital: *Antananarivo*; recursos principais: agricultura (maior produtor mundial de baunilha) e pecuária. Hab.: 22.599.098 (2013).

Madeira (rio), afluente da margem direita do rio Amazonas, é o 3º rio do país em extensão (3.370 km) e o 20º do mundo. Banha algumas das regiões mais férteis do Brasil, nos estados do Amazonas e de Rondônia.

Mafra (SC), município com 1.404 km^2, localizado no norte catarinense. Agricultura (soja, milho, feijão). Pecuária. Silvicultura. Hab.: 55.012.

Magaldi, Antônio **Sábato** [Belo Horizonte MG, 1927], crítico de teatro brasileiro, tornou-se conhecido como comentarista cultural de *O Estado de S. Paulo* e do *Jornal da Tarde*. Foi professor da Sorbonne, em Paris, França. Membro da ABL. Obras: *Panorama do teatro brasileiro*, *Iniciação ao teatro*, *O cenário no avesso* etc.

Magalhães, Basílio de [Barroso MG, 1874 — Lambari MG, 1957], historiador, escritor e professor brasileiro, um dos primeiros a estudar com seriedade o folclore brasileiro. Escreveu tb. livros didáticos de História e Geografia. Membro do IHGB. Obra: *Expansão geográfica do Brasil colonial*.

Magalhães, Antônio **Valentim** da Costa [Rio de Janeiro RJ, 1859 — *id.*, 1903], jornalista e escritor brasileiro. Colaborou em diversas publicações literárias e foi diretor de *A semana*. Como poeta, foi um dos precursores do Parnasianismo. Membro fundador da ABL. Obras: *Vinte contos e fantasias*, *Flor de sangue*, *Cantos e lutas*, *Rimário* etc.

Magé (RJ), município da região metropolitana do Rio de Janeiro, com 385,7 km^2, localizado no lado norte da baía de Guanabara. Trecho da estrada de ferro Mauá-Fragoso tombado pelo Iphan. Hab.: 233.634.

Mairiporã (SP), município com 321,4 km^2, situado na região metropolitana de São Paulo, na serra da Cantareira. A riqueza da biodiversidade encontrada em suas áreas naturais determinaram sua inclusão na chamada Reserva da Biosfera do Cinturão Verde da Cidade de São Paulo, estabelecida pela Unesco em 1994. Hab.: 90.627.

Malásia (Federação da), país do sudeste asiático, com 330.800 km^2. Monarquia parlamentarista, independente desde 1957. Capital: *Kuala Lumpur*; recurso principal: exportação de aparelhos e componentes eletrônicos. Hab.: 29.628.392 (2013).

Malaui ou **Malawi (República do)**, país situado no sudeste da África, com 118.480 km^2. República presidencialista, independente desde 1964. Capital: *Lilongue*; recurso principal: agricultura (chá). Hab.: 15.882.815 (2012).

Maldivas (República das), país situado em um arquipélago ao sul da Ásia, no oceano Índico, com 300 km^2. República presidencialista, independente desde 1965. Capital: *Male*; recurso principal: pesca. Hab.: 324.313 (2012).

Mali (República do), país situado no noroeste da África, com 1.240.190 km^2, é um dos mais pobres do mundo. República mista, independente desde 1960. Capital: *Bamaco*; recurso principal: agropecuária. Hab.: 16.318.897 (2012).

Mallarmé, Stéphane [Paris, França, 1842 — Valvins, França, 1898], poeta francês, integrante do movimento simbolista, sua obra antecipou a moderna poesia do século XX.

Malta (República de), país localizado em ilhas do sul da Europa, no mar Mediterrâneo, com 320 km^2. República parlamentarista independente desde 1964. Capital: *Valeta*; recursos principais: turismo e agricultura. Hab.: 419.212 (2012).

Malthus, Thomas Robert [Westcott, Inglaterra, 1766 — Bath, Inglaterra, 1834], economista inglês, famoso por sua obra *Um ensaio sobre o princípio da população* (1798), que sugeriu a Charles Darwin a relação entre o progresso e a sobrevivência do indivíduo mais apto, tese fundamental para a teoria da evolução das espécies.

Malvinas ou **Falkland (ilhas)**, arquipélago formado por duas ilhas maiores e quase 200 ilhas ou ilhotas, com 12.200 km^2, situado no Atlântico sul, ao largo da costa da Argentina. Capital: *Stanley*; recursos principais: pesca, agricultura, criação de ovinos. Hab.: 3.140 (2009).

Man (ilha de), ilha na Europa ocidental, localizada a meio do mar da Irlanda, com 572 km². Território dependente do Reino Unido. Capital: *Douglas*; recursos principais: turismo e pesca. Hab.: 76.512 (2009).

Manacapuru (AM), município com 7.329,2 km², localizado à margem esquerda do rio Solimões, no encontro deste com o rio Manacapuru. Extrativismo vegetal e pesca. Hab.: 92.996.

Manaus (AM), capital do Estado do Amazonas, cidade portuária histórica, com 11.401 km², situada na margem esquerda do rio Negro. Zona Franca. Conjunto arquitetônico e paisagístico do Porto de Manaus, Mercado Público, Reservatório do Mocó e Teatro Amazonas tombados pelo Iphan. Hab.: 2.020.301.

Manga (MG), município na divisa entre Minas Gerais e Bahia, às margens do rio São Francisco, com 1.968 km². Igreja Matriz de N. S.ª da Conceição tombada pelo Iphan. Hab.: 19.757

Mangaratiba (RJ), município litorâneo da região metropolitana do Rio de Janeiro, com 351,6 km². Turismo. Igreja de N. S.ª da Guia tombada pelo Iphan. Hab.: 40.008.

Manhuaçu (MG), município com 627,2 km², situado na região da Zona da Mata do estado. Cafeicultura e pecuária, esp. produção de leite. Hab.: 85.909.

Manicoré (AM), município com 48.282,5 km², localizado no sul amazonense. Agricultura (esp. banana) e extrativismo (borracha, castanha) Hab.: 52.200.

Maomé [Meca, Arábia Saudita, c. 570 — Medina, 632], fundador da religião islâmica, dito o Profeta do Islã. Seus seguidores, os muçulmanos ou maometanos, acreditam ter sido ele o último mensageiro de Deus, por ter completado os ensinamentos sagrados dos profetas anteriores (Abraão, Moisés e Jesus).

Maquiavel, Nicolau [Florença, Itália, 1469 — *id.*, 1527], estadista, escritor e estudioso de política italiano. Notabilizou-se pelo seu livro *O príncipe* (1513), pelo qual é considerado o pai da moderna ciência política.

Marabá (PA), município com 15.128 km², situado na margem esquerda do rio Tocantins, rico em jazidas de ouro e cobre. Hab.: 257.062.

Maracanaú (CE), município da região metropolitana de Fortaleza, com 106,6 km², cercado pelos rios Timbó e Maranguapinho. Indústria. Hab.: 219.749.

Maragogipe (BA), município com 440,1 km², situado no Recôncavo Baiano. Turismo náutico, reduto de saveiros. Igreja Matriz de São Bartolomeu, Forte do Paraguaçu, casa da Fazenda São Roque e Paço Municipal tombados pelo Iphan. Hab.: 45.928.

Marajó (ilha de), situada no Estado do Pará, na foz do rio Amazonas, a maior ilha fluviomarinha do mundo (45.000 km²) é um dos mais preservados santuários ecológicos da Amazônia, tendo o búfalo como meio de transporte mais comum. Recursos principais: pecuária e produção de borracha.

Maranguape (CE), município com 590,8 km², situado a 30 km de Fortaleza, no pé da serra com o mesmo nome. Hab.: 122.020.

Maranhão, Jerônimo de Albuquerque ver em *Albuquerque, Jerônimo*

Maranhão (MA), estado brasileiro a oeste da Região Nordeste, com 331.937,450 km² e 217 municípios, sendo os mais populosos, além da capital: Imperatriz, Caxias, Bacabal, Santa Inês e Alcântara. Diversidade de ecossistemas: desde a Floresta Amazônica e litoral a cerrados e pântanos. Maior banco de corais da América Latina. Capital: *São Luís;* recursos principais: agricultura (arroz), indústria de transformação de alumínio, e extrativismo vegetal (babaçu). Hab.: 6.850.884 (est. 2014).

Maranhão (Thomas Cochrane, **marquês do**) [Annsfield, Escócia, 1775 — Kensington, Inglaterra, 1860], militar e político inglês, teve papel determinante na luta pela Independência do Brasil, do Chile e do Peru. Foi primeiro-almirante da Marinha do Brasil. Comandou a esquadra brasileira que lutou contra a resistência portuguesa contrária à Independência.

Marechal Deodoro (AL), município com 331,6 km², banhado pelas lagoas de Mundaú e Manguaba. Casa do Mal. Deodoro da Fonseca e Convento e Igreja de São Francisco tombados pelo Iphan. Polo cloro-álcool-químico. Hab.: 50.512.

Maria Bonita [Paulo Afonso BA, c. 1908 — Angicos SE, 1938], apelido dado por Lampião a sua companheira, cujo nome se desconhece. Sabe-se que era casada com um sapateiro e largou tudo para viver no cangaço. Morreram juntos em uma emboscada da polícia.

Maria I [Lisboa, Portugal, 1734 — Rio de Janeiro RJ, 1816], dita A Louca, rainha de Portugal (1777-1816), filha mais velha de D. José I. Subiu ao trono e mudou os rumos políticos do país, restabelecendo a influência da nobreza e soltando os jesuítas que tinham sido presos pelo Marquês de Pombal. Pressionada política e emocionalmente, enlouqueceu em 1792. Seu filho, D. João VI, governou como regente até a sua morte.

Maria II de Bragança [Rio de Janeiro RJ, 1819 — Lisboa, Portugal, 1853], rainha de Portugal (1834-1853), filha de D. Pedro I e da imperatriz Leopoldina, chegou ao trono com 15 anos. Enfrentou grandes crises e muitas revoltas durante seu reinado. Só após a reforma da Constituição (1852), a situação tranquilizou-se.

Mariana (MG), município histórico, com 1.194,2 km², situado na região de Ouro Preto. Conjunto arquitetônico e urbanístico, Casa do Seminário Menor, Fonte da Samaritana, igrejas da Sé, de N. S.ª das Mercês, de São Francisco de Assis, Matriz de Bom Jesus do Monte e Passos da Ladeira do Rosário, entre outros bens tombados pelo Iphan. Hab.: 58.233.

Mariano Carneiro da Cunha, **Olegário** [Recife PE, 1889 — Rio de Janeiro RJ, 1958], poeta brasileiro. Sua poesia, de cunho pessoal, teve alguma influência simbolista. O compositor Joubert de Carvalho musicou-lhe os poemas *Cai, cai, balão* e *Tutu Marambá*. Membro da ABL. Obras: *Angelus*, *Últimas cigarras*, *Castelos na areia*, *A vida que já vivi* etc.

Maricá (RJ), município litorâneo, recortado por vários lagos, com 362,4 km^2, situado na região metropolitana do Rio de Janeiro. Turismo. Hab.: 143.111.

Marília (SP), município com 1.170 km^2, situado no oeste do estado. Agropecuária e indústria. Universidades. Hab.: 230.336.

Maringá (PR), município planejado, com 487 km^2 e extensas áreas verdes, situado no centro da região norte do estado e cortado pelo trópico de Capricórnio. Hab.: 391.698.

Marinho, Irineu [Niterói RJ, 1876 — Rio de Janeiro RJ, 1925], jornalista brasileiro. Em *A Gazeta de Notícias*, foi repórter, chefe de reportagem e diretor. Fundou o jornal *A Noite* e morreu poucos dias após fundar o jornal *O Globo*. — **Roberto Marinho** [Rio de Janeiro RJ, 1904 — *id.*, 2003], seu filho, jornalista brasileiro, continuou a obra paterna. Tornou-se um grande empresário. Com 61 anos, fundou a *TV Globo* (1965). Membro da ABL. Obra: *Uma trajetória liberal*.

Marituba (PA), município novo, com 103,2 km^2, instalado em 1994 na região metropolitana de Belém. Cidade-dormitório. Hab.: 120.305.

Marques Rebelo ver *Rebelo (Eddy Dias da Cruz, dito Marques)*

Marrocos (Reino do), país do noroeste da África, com 446.550 km^2. Monarquia parlamentarista, independente desde 1956. Capital: *Rabat*; recursos principais: minerais (fosfato, chumbo), extração de madeira e cortiça, e turismo. Hab.: 32.649.130 (2013).

Marshall (República das Ilhas), país da Oceania, independente dos EUA desde 1986 e reconhecido pela ONU em 1991; é um arquipélago com 1.152 ilhas a leste do oceano Pacífico, com 180 km^2. República parlamentar. Capital: *Majuro* (Dalap-Uliga-Darrit); recurso principal: turismo. Hab.: 54.999 (2012).

Marte, divindade romana identificada com o *Ares* grego. Em astronomia, planeta esp. explorado em missões espaciais, por sua proximidade com a Terra. Tipo: rochoso; diâmetro: 6.794 km; distância média do Sol: 227.940.000 km; satélites: Fobos e Deimos.

Martinho da Vila (Martinho José Ferreira, dito) [Duas Barras RJ, 1938], cantor e compositor popular brasileiro. Popularizou o samba de partido-alto. Faz parte da ala dos compositores da escola de samba Vila Isabel. Obras: *Disritmia*; *Canta, canta, minha gente*; *Ex-amor*; *Devagar, devagarinho* etc.

Martinica (Departamento Ultramarino da), ilha no sudeste da América Central, pertencente ao grupo Barlavento das Pequenas Antilhas, com 1.128 km^2, território administrado pela França. Capital: *Fort-de-France*; recursos principais: cultura de cana-de-açúcar e frutas tropicais. Hab.: 412.305 (2012).

Martins Pena, Luís Carlos ver *Pena, Luís Carlos Martins*

Marx, Roberto **Burle** [São Paulo SP, 1909 — Rio de Janeiro RJ, 1994], arquiteto, pintor e paisagista de renome internacional, projetou, entre outros, os jardins do Parque Ibirapuera SP, do Aterro do Flamengo RJ, do Eixo Monumental, em Brasília, e da sede da Unesco, em Paris. Sua coleção de plantas, no Rio de Janeiro, foi doada à Fundação Nacional Pró-Memória (1985).

Marx, Karl Heinrich [Trier, Prússia, 1818 — Londres, Inglaterra, 1883], filósofo, cientista social e revolucionário alemão. Foi o principal idealizador do socialismo e do comunismo revolucionário. Obras: *Manifesto do Partido Comunista*, *O capital* etc.

Mascates (Guerra dos), guerra civil entre Olinda e Recife (1710), depois que esta foi elevada à categoria de vila. A aristocracia de Olinda, que até então era o centro das decisões em Pernambuco, não aceitou a ascensão da povoação vizinha, em que os comerciantes (mascates) começavam a prosperar.

Mata de São João (BA), município com 633,1 km^2, localizado na região de Catu. Casa da Torre de Garcia D'Ávila tombada pelo Iphan. Atrações turísticas: Praia do Forte e Imbassaí. Hab.: 45.194.

Matão (SP), município com 524,8 km^2, situado na região nordeste do estado, a 300 km de São Paulo. Hab.: 80.990.

Matarazzo, conde **Francisco** [Castellabate, Itália, 1854 — São Paulo, 1937], patriarca de uma família de industriais paulistas. Pioneiros da industrialização brasileira, a família Matarazzo criou um dos maiores complexos fabris da América do Sul.

Matias Barbosa (MG), município com 157,1 km^2, situado no sul do estado. Capela de N. S.ª da Conceição tombada pelo Iphan. Hab.: 14.196.

Mato Grosso (MT), estado brasileiro a oeste da Região Centro-Oeste, com 903.366,192 km^2 e 141 municípios, sendo os mais populosos, além da capital: Várzea Grande, Rondonópolis, Cáceres e Barra do Garça. Apresenta três ecossistemas: o Pantanal, a Floresta Amazônica e os cerrados. Ali está o marco geodésico da América Latina. Capital: *Cuiabá*; recursos principais: agricultura (cana-de-açúcar, soja, arroz, algodão), extrativismo mineral (cassiterita, ouro, diamante), pecuária e extrativismo vegetal (borracha, castanha, madeira, babaçu). Hab.: 3.224.357 (est. 2014).

Mato Grosso do Sul (MS), estado brasileiro ao sul da Região Centro-Oeste, com 357.145,532 km^2 e 79 municípios, sendo os mais populosos, além da capital: Dourados, Corumbá e Três Lagoas. Contém dois terços do Pantanal. Capital: *Campo Grande*; recursos principais: agricultura (soja, arroz, café, trigo), extrativismo mineral (ferro, manganês, calcário, estanho), pecuária, indústria (de cimento, fiação, curtume e siderúrgica), além de uma das maiores jazidas mundiais de ferro (em Corumbá, no Monte Urucum). Hab.: 2.619.657 (est. 2014).

Matos Guerra, **Gregório de** [Salvador BA, 1636 — Recife PE, 1696], poeta brasileiro, dito Boca do

Inferno devido à veia satírica dos seus versos. Como poeta, foi um cronista da sociedade colonial brasileira do séc. XVII. Patrono da cadeira 16 da ABL. Bibliografia: *Obras poéticas*, *Obras completas* etc.

Matosinhos (MG), município com 252,9 km², na região de Sete Lagoas. Patrimônio arqueológico (pinturas na pedra). Lapa da Cerca Grande tombada pelo Iphan. Hab.: 36.382.

Mauá (Irineu Evangelista de Sousa, **barão de**) [Arroio Grande RS, 1813 — Petrópolis RJ, 1889], empresário, industrial e político brasileiro. Foi dono de fundição, estaleiro, banco, companhia de iluminação a gás e companhia de navegação, entre outros. Destacou-se pela criação da primeira estrada de ferro no Brasil (1854).

Mauá (SP), município com 61,9 km², situado na região do ABC, na Grande São Paulo. Polo petroquímico de Capuava e polo industrial de Sertãozinho. Hab.: 448.776.

Maués (AM), município com 39.989,3 km², localizado no centro amazonense. Agricultura (guaraná). Pecuária. Hab.: 58.834.

Maurício ou **Mauritius (República de)**, país situado em ilhas do sudeste africano, no oceano Índico, com 2.040 km². República parlamentarista, independente desde 1968. Capital: *Port Louis*; recursos principais: agricultura (cana-de-açúcar, chá e tabaco), empresas do setor financeiro e turismo. Hab.: 1.313.803 (2012).

Mauritânia (República Islâmica da), país do noroeste da África, com 1.030.700 km². República mista, independente desde 1960. Capital: *Nouakchott*; recursos principais: minério de ferro e agricultura. Hab.: 3.622.961 (2012).

Mauro, Humberto [Volta Grande MG, 1897 — *id.*, 1983], cineasta brasileiro, trabalhou como diretor, ator, roteirista e fotógrafo. Produziu em muitos estilos, entre eles documentários e filmes de aventura. Obras: *Brasa dormida*, *Sangue mineiro*, *O canto da saudade* etc.

Mayotte (Coletividade Territorial de), ilha do arquipélago de Comores, na África meridional, com 374 km². Território independente, administrado pela França. Capital: *Mamoudzou*; recursos principais: turismo e agricultura (flor de ilangue-ilangue, baunilha e canela). Hab.: 223.765 (2009).

Maysa Figueira Monjardim Matarazzo [Vitória ES, 1936 — Niterói RJ, 1977], cantora e compositora popular brasileira. Sua música *Meu mundo caiu* imortalizou um estilo musical, dito *fossa*. Seu LP *Barquinho* tornou-se marco da bossa nova, gênero no qual tb. se destacou. Obras: *Ouça*, *Adeus*, *Agonia*, *Rindo de mim* etc.

MDB ver *Movimento Democrático Brasileiro*

Meca, cidade santa da Arábia Saudita, terra natal de Maomé, centro de peregrinações que os muçulmanos procuram visitar ao menos uma vez na vida. Ali está a mesquita que guarda a *caaba*. Hab.: 1.294.168 (2011).

Medeiros, Antônio Augusto **Borges de** [Caçapava do Sul RS, 1864 — Porto Alegre RS, 1961], político brasileiro, governador do Rio Grande do Sul e chefe do Partido Republicano gaúcho, apoiou a *Revolução Constitucionalista* de 1932, articulando um levante no Rio Grande do Sul contra o interventor federal, Flores da Cunha, e sendo por isso preso.

Médici, Emílio Garrastazu [Bagé RS, 1905 — Rio de Janeiro RJ, 1985], militar e político brasileiro, 3º militar presidente da República eleito indiretamente, após a Revolução de 1964. A rodovia Transamazônica (2.075 km) e o chamado milagre econômico foram marcas do seu governo.

Medina, cidade santa da Arábia Saudita que serviu de refúgio a Maomé em 622. Hab.: 918.889 (2011).

Meireles, Cecília [Rio de Janeiro RJ, 1901 — *id.*, 1964], poetisa brasileira, um dos grandes nomes da literatura moderna do Brasil. Sua poesia é lírica e pessoal. Foi tb. educadora, tradutora e folclorista. Recebeu da ABL o prêmio Machado de Assis. Obras: *Espectros*, *Romanceiro da Inconfidência*, *Ou isto ou aquilo* etc.

Meirelles de Lima, **Victor** [Desterro, atual Florianópolis SC, 1832 — Rio de Janeiro RJ, 1903], pintor e professor de pintura brasileiro. Pintou esp. telas históricas. Lecionou na antiga Academia Imperial de Belas-Artes e no Liceu de Artes e Ofícios. Foi o mestre de Henrique Bernardelli, Rodolfo Amoedo, Antônio Parreiras e Eliseu Visconti.

Melo, Custódio José **de** [Salvador BA, 1840 — Rio de Janeiro RJ, 1902], militar e político brasileiro, lutou na Guerra do Paraguai. Comandou revoltas contra os presidentes Deodoro da Fonseca (1891), que renunciou, e Floriano Peixoto (1893), que o derrotou.

Melo, José Alexandre **Teixeira de** [Campos RJ, 1833 — Rio de Janeiro RJ, 1907], médico, jornalista, historiador e poeta brasileiro. Sua poesia lírica, influenciada pelo Romantismo, apresenta características que a tornam precursora do Parnasianismo no Brasil. Membro fundador da ABL. Obras: *Sombras e sonhos*, *Efemérides nacionais* etc.

Melo Franco, Afrânio de ver *Franco, Afrânio de Melo*

Mercosul (Mercado Comum do Sul), zona de livre comércio, instituída em 1991 pelo Tratado de Assunção. Seus membros plenos são Argentina, Brasil, Paraguai, Uruguai e Venezuela. Bolívia, Chile, Colômbia, Equador e Peru são estados associados.

Mercúrio, divindade romana identificada com o *Hermes* grego. Em astronomia, é um planeta que pode ser visto a olho nu ao amanhecer e ao entardecer. Tipo: rochoso; diâmetro: 4.878 km e distância média do Sol: 57.910.000 km.

Mesquita (RJ), município com 39 km², situado na baixada Fluminense, região metropolitana do Rio de Janeiro. Hab.: 170.473.

México (Estados Unidos Mexicanos), país do sul da América do Norte, com 1.964.380 km². República presidencialista, independente desde 1821. Capital: *Cidade do México*; recursos principais: turismo, carvão, minério de ferro. Hab.: 116.220.947 (2013).

Micronésia (Federação dos Estados da), país situado em um arquipélago com 607 ilhas e ilhotas, na Oceania ocidental, com 700 km^2. República presidencialista, independente desde 1991. Capital: *Palikir*; recursos principais: agricultura (coco, banana, mandioca) e turismo. Hab.: 112.098 (2012).

Mignone, Francisco [São Paulo SP, 1897 — Rio de Janeiro RJ, 1986], compositor nacionalista brasileiro. Compôs óperas, poemas sinfônicos, música de câmara etc. Obras: *O sargento de milícias*, *Maracatu do Chico Rei*, *Festa das igrejas*, *Valsas brasileiras* etc.

Miguez, Leopoldo Américo [Rio de Janeiro RJ, 1850 — *id.*, 1902], compositor brasileiro. Compôs a melodia do Hino da Proclamação da República. Foi diretor do Instituto Nacional de Música. Estudou na Europa e recebeu influências de Wagner e de Liszt. Obras: *Sinfonia em si bemol*, *Parisiana*, *Prometeu* etc.

Milliet da Costa e Silva, **Sérgio** [São Paulo SP, 1898 — *id.*, 1966], sociólogo, jornalista e escritor modernista brasileiro. Sua obra inclui diversos gêneros literários. Fundador da revista *Cultura* e da Sociedade de Etnografia e Folclore. Membro da Academia Paulista de Letras. Obras: *Quinze poemas*, *Duas cartas do meu destino*, *Roteiro do café* etc.

Minas Gerais (MG), o maior estado da Região Sudeste, o quinto do Brasil em área, com 586.522,122 km^2 e 853 municípios, sendo os mais populosos, além da capital: Contagem, Juiz de Fora, Montes Claros e Uberlândia. Maior produtor nacional de aço bruto (Cia. Vale do Rio Doce). Capital: *Belo Horizonte*; recursos principais: agricultura (café, feijão), pecuária (esp. gado leiteiro) e extrativismo mineral (ferro, manganês). Hab.: 20.734.097 (est. 2014).

Minas Novas (MG), município com 1.812,3 km^2, situado no vale do Jequitinhonha. Igreja de São José e Sobradão tombados pelo Iphan. Hab.: 31.864.

Mineiros (GO), município com 9.060 km^2, localizado no sudoeste de Goiás. Agricultura (soja, trigo). Pecuária. Avicultura. Hab.: 59.275.

Minerva, divindade romana identificada com a *Atena* grega.

Miranda (Maria do Carmo Miranda da Cunha, dita **Carmen**) [Marco de Canaveses, Portugal, 1909 — Califórnia, EUA, 1955], cantora e atriz naturalizada brasileira, tb. dita a Pequena Notável. Seu traje de baiana tornou-se sua marca registrada. Trabalhou no cinema americano (*Uma noite no Rio*, *Entre a loura e a morena* etc.). Musicografia: *No tabuleiro da baiana*, *Na baixa do sapateiro*, *O que é que a baiana tem?* etc.

Mirassol (SP), município com 243,2 km^2, localizado na região de São José do Rio Preto. Indústria (móveis). Agricultura. Hab.: 57.390.

Moçambique (República de), país do sudeste da África, com 799.380 km^2. República mista, independente desde 1975. Capital: *Maputo*; recursos principais: açúcar e refino de petróleo. Hab.: 24.475.186 (2012).

Mococa (SP), município com 854,8 km^2, situado no vale do rio Pardo, na divisa com o Estado de Minas Gerais. Turismo rural (antigas fazendas de café). Hab.: 68.695.

Mogi das Cruzes (SP), município com 712,5 km^2, situado na região metropolitana de São Paulo. Produção de cogumelos. Casarão do Chá e Convento e Igreja do Carmo tombados pelo Iphan. Hab.: 419.839.

Mogi Guaçu (SP), município com 812,7 km^2, às margens do rio do mesmo nome, a 160 km da capital. Central Hidrelétrica (AES — Tietê — Usina Mogi-Guaçu). Produção de cítricos. Hab.: 146.114.

Mogi Mirim (SP), município com 497,7 km^2, situado na região metropolitana de Campinas. Indústria alimentícia. Hab.: 91.027.

Moisés, líder e profeta dos israelitas, escolhido por Deus para libertar os judeus da escravidão no Egito e dar-lhes um código de leis. Consolidou a ideia de um Deus único e criador de todas as coisas, promulgou os dez mandamentos e várias leis civis convenientes para a legislação da época.

Moju (PA), município com 9.094,1 km^2, situado no nordeste paraense. Hab.: 76.096.

Moldávia (República da), país do centro-leste europeu, com 33.850 km^2. República mista independente desde 1991. Capital: *Chisinau*; recursos principais: agricultura (cereais) e pecuária. Hab.: 3.519.266 (2012).

Mônaco (Principado de), pequeno país da Europa ocidental, entre a França e a Itália, com 2 km^2. Monarquia parlamentarista. Capital: *Mônaco-Ville*; recursos principais: turismo e lazer (cassinos). Competições automobilísticas. Hab.: 36.126 (2012).

Mongaguá (SP), município com 141,8 km^2, localizado no litoral sul paulista. Turismo. Hab.: 51.580.

Mongólia (República da), país do centro-leste asiático, com 1.564.120 km^2. República parlamentarista, independente desde 1945. Capital: *Ulan Bator*; recursos principais: criação de ovelhas, cavalos e camelos; minerais (cobre, estanho, carvão e petróleo). Deserto de Gobi. Hab.: 2.844.081 (2012).

Monte Alegre (PA), município com 18.152,5 km^2, situado na região do baixo Amazonas, no oeste do estado. Agropecuária, produção de cal, pesca. Hab.: 56.231.

Monteiro, Antônio Peregrino **Maciel** [Recife PE, 1804 — Lisboa, Portugal, 1868], político, médico e poeta brasileiro. Sua formação cultural europeia tornou-o precursor do Romantismo no Brasil. Patrono da ABL, cadeira 27. Obra: *Poesias* (ed. póstuma).

Monteiro, Vicente do Rego [Recife PE, 1889 — *id.*, 1970], pintor, desenhista, muralista, escultor e poeta brasileiro. Teve participação ativa na Semana de Arte Moderna de 1922. Sua pintura é marcada pela sinuosidade, pelo uso de poucas cores e pela presença frequente de temas religiosos e populares.

Monteiro Lobato, José Bento ver *Lobato, José Bento Monteiro*

Montello, Josué [São Luís MA, 1917 — Rio de Janeiro RJ, 2006], escritor brasileiro. Escreveu novelas, ensaios, literatura infantil, biografias, dramaturgia e romances. Recebeu diversos prêmios literários. Membro da ABL e da Academia Portuguesa da História. Obras: *Cais da sagração*, *Aleluia*, *O baile da despedida* etc.

Monte Mor (SP), município com 240,5 km², localizado na região de Campinas. Agropecuária. Hab.: 54.462.

Montenegro (Arlete Pinheiro Monteiro Torres, dita **Fernanda**) [Rio de Janeiro RJ, 1929], atriz brasileira. Interpreta comédia e drama, e atua no teatro, cinema e televisão. Filmografia: *Eles não usam* black-tie, *A hora da estrela*, *O auto da compadecida*, *Central do Brasil* etc. Teatro: *As lágrimas amargas de Petra von Kant* (Prêmio Molière), *Panorama visto da ponte*, *É...* etc.

Montenegro (República de), país balcânico do sudeste da Europa, com 13.810 km². É uma ex-república iugoslava que fazia parte de uma confederação com a Sérvia denominada Estado da Sérvia e Montenegro até 5 de junho de 2006, data em que foi reconhecida a sua independência. Capital: *Podgorica*; recurso principal: turismo. Hab.: 632.796 (2012).

Montenegro (RS), município com 424 km², situado na região de mesmo nome, no vale do Caí, uma das regiões mais produtivas do estado. Agropecuária. Hab.: 62.861.

Monte Santo (BA), município com 3.186,3 km², situado no sertão de Canudos. Local de peregrinação. Conjunto arquitetônico, urbanístico e paisagístico tombado pelo Iphan. Hab.: 54.807.

Montes Claros (MG), município com 3.569 km² situado na serra do Espinhaço, no Polígono das Secas, nordeste do estado. Indústria (têxtil e alimentícia). Hab.: 390.212.

Montezuma, Francisco Gomes Brandão, dito Francisco **Gê Acaiaba de** ver *Jequitinhonha, visconde de*

Montserrat (Colônia de), território ultramarino administrado pelo Reino Unido, é uma das ilhas do grupo sotavento, das Pequenas Antilhas, no norte do Caribe, 40 km a sudoeste de Antígua, com 102 km². Capital: *Plymouth*; recurso principal: turismo. Hab.: 5.097 (2009).

Moog, Clodomir **Vianna** [São Leopoldo RS, 1906 — Rio de Janeiro RJ, 1988], ensaísta e romancista brasileiro. Durante muitos anos foi o representante brasileiro na Comissão de Ação Cultural da OEA. Membro da ABL. Obras: *Heróis da decadência*, *Um rio imita o Reno*, *Bandeirantes e pioneiros*, *Toia* etc.

Morada Nova (CE), município com 2.779,2 km², situado a leste do estado, na região do baixo Jaguaribe. Agricultura (arroz). Hab.: 62.091.

Moraes, Marcus **Vinicius** da Cruz **de** Melo [Rio de Janeiro RJ, 1913 — *id.*, 1980], poeta e compositor brasileiro. Como compositor, foi um expoente da bossa nova e formou, com Tom Jobim, uma das parcerias mais celebradas da MPB. Bibliografia: *Antologia poética*, *Livro de sonetos*, *Para viver um grande amor* etc. Musicografia: *Garota de Ipanema*, *Valsa de Eurídice*, *Tarde em Itapoã*, *Eu sei que vou te amar* etc.

Morais Silva, Antônio de [Rio de Janeiro RJ, 1757 — Recife PE, 1824], lexicógrafo, filólogo e magistrado brasileiro. Sua maior obra, o *Dicionário da língua portuguesa*, lançada em 1789 com dois volumes, recebeu sucessivas ampliações e reedições. Outras obras: *Epítome da gramática da língua portuguesa*, *Gramática portuguesa* etc.

Moraes, Antônio **Evaristo de** [Rio de Janeiro RJ, 1871 — *id.*, 1939], advogado, historiador e jornalista brasileiro, conhecido como defensor dos fracos e dos pobres devido à sua atuação na justiça e na imprensa. Foi um dos fundadores da ABI. Obras: *Apontamentos de direito operário*, *A campanha abolicionista*, *Estudos de direito criminal* etc.

Moraes Filho, Evaristo de [Rio de Janeiro RJ, 1914], jurista e sociólogo brasileiro, lecionou na Faculdade Nacional de Direito. Publicou vários estudos sobre Direito do Trabalho. Membro da ABL. Obras: *O problema de uma sociologia do direito*, *Liberdade e cultura*, *Liberalismo e federalismo* etc.

Moreira da Costa Ribeiro, **Delfim** [Cristina MG, 1868 — Santa Rita do Sapucaí MG, 1920], político brasileiro, exerceu diversos cargos no legislativo. Vice-presidente, tomou posse em 1918, como presidente interino devido à enfermidade de Rodrigues Alves. Após a morte do presidente, passou a faixa presidencial para Epitácio Pessoa.

Moreno (PE), município com 196 km², localizado na região metropolitana do Recife. Agricultura (cana-de-açúcar, coco, banana). Hab.: 60.435.

Mossoró (RN), município com 2.110,2 km², situado na divisa com o Estado do Ceará. Produção de sal. Maior produtora terrestre de petróleo do país. Hab.: 284.288.

Movimento Democrático Brasileiro, partido político criado pelo Ato Institucional nº 2 (1965), que extinguiu os partidos políticos existentes e instituiu o bipartidarismo, reunindo os oposicionistas, em contraponto à Arena (Aliança Renovadora Nacional), partido político da situação.

Mucugê (BA), município com 2.461,4 km², situado na chapada Diamantina. Conjunto arquitetônico e paisagístico e cemitério tombados pelo Iphan. Ecoturismo. Hab.: 10.400.

Muriaé (MG), município com 841,6 km², situado na Zona da Mata do estado. Parque Estadual da Serra do Brigadeiro (flora e espécimes raros de animais em extinção). Hab.: 106.576.

Musas, na mitologia grega, deusas das artes e ciências, filhas de Zeus e de Mnemósine, a deusa da memória. Podiam ver o futuro. Eram nove: Calíope (musa da poesia épica), Érato (poesia lírica), Melpômene (tragédia), Talia (comédia), Clio (história), Urânia (astronomia), Polímnia (canto religioso), Terpsícore (dança) e Euterpe (música).

Mussolini, Benito [Predappio, Itália, 1883 — Giulino di Mezzegra, Itália, 1945], político italiano, inicialmente socialista, depois fundador e chefe do Movimento Fascista (1919). Tomou o poder em 1922. Responsável pela entrada de seu país na Segunda Guerra Mundial, junto com os alemães (1940), foi deposto em julho de 1943 e fuzilado em abril de 1945.

Myanmar, Myanma ou Mianmá (União de), antiga Birmânia, país do sudeste asiático, com 676.590 km², situado na parte oeste da Indochina. Independente desde 1948; regime militar desde 1988. Capital: *Yangum*; recursos principais: petróleo e minérios. Hab.: 48.724.387 (2012).

Nn

Nabuco de Araújo, **Joaquim** Aurélio Barreto [Recife PE, 1849 — Washington D.C., EUA, 1910], político, diplomata e escritor brasileiro, defensor da abolição da escravatura e advogado do Brasil na questão dos limites com a Guiana Inglesa.

Namíbia (República da), país do sudoeste da África, com 824.290 km². República mista, independente desde 1990. Deserto de Kalahari. Capital: *Windhoek*; recursos principais: pesca e mineração (cobre, zinco, cádmio); segundo produtor mundial de chumbo. Hab.: 2.364.433 (2012).

Napoleão I [Ajácio, Córsega, 1769 — Santa Helena, 1821], imperador dos franceses (1804-1815), nascido Napoleão Bonaparte. No comando do exército na Itália, em 1796, obteve várias vitórias. Empreendeu campanha no Egito (1798-1799), mas sua frota foi destruída pelo almirante Nelson. Nomeado cônsul vitalício (1802), promulgou o Código Civil e proclamou-se imperador da França (1804). Abdicou em 1814 e foi confinado na ilha de Elba. Fugiu para a França em 1815, promulgou nova Constituição e foi derrotado na Batalha de Waterloo e preso na ilha de Santa Helena.

Nascentes, Antenor de Veras [Rio de Janeiro, 1886 — *id.*, 1972], filólogo, lexicógrafo e professor brasileiro. Grande estudioso da língua portuguesa, renovador do ensino do português. Escreveu livros didáticos e consagrou-se como dicionarista. Obras: *Dicionário etimológico da língua portuguesa*, *A gíria brasileira* etc.

Nascimento, Edson Arantes do ver *Pelé*

Nascimento, Mílton [Rio de Janeiro RJ, 1942], cantor e compositor popular brasileiro, um dos grandes representantes da música "mineira" (LP *Clube da Esquina*, 1972). Já recebeu diversos prêmios no Brasil e no exterior, inclusive o Grammy de World Music (1998). Musicografia: *Travessia*, *Nos bailes da vida*, *Canção da América*, *Caçador de mim*, *Coração de estudante* etc.

Nassau (Johan Maurits Van Nassau-Siegen, dito **Maurício de**) [Dillemburg, Alemanha, 1604 — Kleve, Alemanha, 1679], militar e administrador colonial holandês. Foi nomeado governador das possessões holandesas no Brasil (1637-1644) pela Companhia das Índias Ocidentais. Entre as suas realizações, destacam-se o incentivo às atividades culturais e as inúmeras obras de melhorias na cidade do Recife.

Natal (RN), capital do Estado do Rio Grande do Norte, com 167,2 km²; importante porto marítimo no oceano Atlântico. Foi base aérea norte-americana na Segunda Guerra Mundial. Turismo. Forte dos Reis Magos, Palácio do Governo e casa na rua da Conceição tombados pelo Iphan. Hab.: 862.044.

Natividade (TO), município com 3.240,7 km². Conjunto arquitetônico, urbanístico e paisagístico tombado pelo Iphan. Hab.: 9.279.

Nauru (República do), país do centro-norte da Oceania, no oceano Pacífico, com 20 km²; o terceiro menor país do mundo, depois do Vaticano e de Mônaco. República parlamentarista, independente desde 1968. Capital: *Yaren*; recurso principal: fosfato. Hab.: 10.185 (2012).

Nava, Pedro da Silva [Juiz de Fora MG, 1903 — Rio de Janeiro RJ, 1984], escritor e médico brasileiro, especialista em reumatologia. Na literatura, foi poeta e memorialista. Participou da publicação do grupo modernista mineiro *A Revista*. Obras: *Baú de ossos*, *Balão cativo*, *Chão de ferro* etc.

Navegantes (SC), município com 112 km², localizado no vale do Itajaí. Porto. Indústria naval (estaleiro). Hab.: 70.565.

Navio (serra do), localizada no noroeste do Estado do Amapá, às margens do rio Amapari, com altitude média de 150 m; ali se implementou o primeiro grande projeto de extrativismo mineral (manganês) na Amazônia.

Nazaré (BA), município com 253,7 km², situado na região de Sto. Antônio de Jesus, às margens do rio Jaguaribe. Grande produtor de azeite de dendê. Igrejas de N. S.ª da Conceição, de N. S.ª de Nazaré de Camamu e Matriz de N. S.ª de Nazaré tombadas pelo Iphan. Hab.: 29.297.

Nazaré da Mata (PE), município com 130,5 km², localizado no sul da Região da Mata. Sede de bispado. Capela do Engenho Bonito tombada pelo Iphan. Hab.: 31.951.

Nazareth, Ernesto [Rio de Janeiro, 1863 — *id.*, 1934], compositor brasileiro. Compôs valsas, polcas e maxixes para o piano. Sua musicalidade, influenciada pela seresta e pelo choro, expressou a alma carioca no início do séc. XX. Obras: *Ameno Resedá*; *Apanhei-te, cavaquinho*; *Travesso* etc.

Neblina (pico da), ponto culminante do Brasil, com 3.014 m de altitude, na serra do Imeri, Estado do Amazonas, na fronteira com a Venezuela.

Negreiros, André Vidal de [Engenho São João PB, 1606 — Engenho Novo PE, 1681], militar e administrador colonial brasileiro, líder vitorioso do exército luso-brasileiro que derrotou os holandeses na Bahia e em Pernambuco (*Insurreição Pernambucana* e *Batalhas dos Guararapes*). Ocupou vários cargos, entre eles governador do Estado do Maranhão e do Grão-Pará e chefe de governo de Angola.

Negro (rio), principal afluente do rio Amazonas, percorre 1.700 km e banha três países sul-americanos: nasce no leste da Colômbia, na fronteira com a Venezuela, entra no Brasil pelo Estado do Amazonas e corre na direção sudeste até encontrar o rio Solimões e formar o Amazonas.

Neiva, Artur [Salvador BA, 1880 — Rio de Janeiro RJ, 1943], cientista brasileiro, discípulo de Osvaldo Cruz, estudou os barbeiros, insetos transmissores da doença de Chagas. Fez diversas campanhas sanitárias. Remodelou o serviço sanitário de São Paulo SP. Foi diretor do Museu Nacional (Rio de Janeiro RJ).

Nelson Cavaquinho (Nelson Antônio da Silva, dito) [Rio de Janeiro RJ, 1911 — *id.*, 1986], compositor popular brasileiro, legítimo representante da cultura carioca relacionada ao samba. Seu parceiro mais constante foi Guilherme de Brito. Obras: *A flor e o espinho*, *Palhaço*, *Luz negra* etc.

Neolítico, período da Pré-História tb. chamado de Idade da Pedra Polida.

Nepal (Reino do), país do centro-sul da Ásia, norte da Índia, com 147.180 km^2, situa-se na região dos Himalaias, cordilheira com o ponto mais alto do planeta, o monte Everest. Capital: *Katmandu*; recursos principais: agricultura (arroz, cana-de-açúcar, tabaco) e pecuária. Hab.: 31.011.137 (2012).

Nepomuceno, Alberto [Fortaleza CE, 1864 — Rio de Janeiro RJ, 1920], compositor e maestro brasileiro, estudou no Brasil e na Europa. Foi professor e diretor do INM, atual Escola de Música da UFRJ. Inspirou-se nos elementos populares brasileiros. Obras: *Série brasileira*, *Abul*, *O garatuja* (baseado na obra de José de Alencar) etc.

Nery, Adalgisa [Rio de Janeiro RJ, 1905 — *id.*, 1980], escritora, jornalista e política brasileira. Colaborou em diversas revistas e jornais cariocas. Na política, elegeu-se por três vezes deputada estadual. Foi poetisa, mas sua obra mais conhecida é o romance memorialista *A imaginária*. Outras obras: *Poemas*, *A mulher ausente*, *Mundos oscilantes* etc.

Néri, Ana Justina Ferreira [Cachoeira de Paraguaçu, atual Cachoeira, BA, 1814 — Rio de Janeiro RJ, 1880], pioneira da enfermagem no Brasil, dita Mãe dos Brasileiros por sua atuação voluntária na assistência aos soldados feridos durante a Guerra do Paraguai. O governo federal deu seu nome à primeira escola oficial de enfermagem do país (1923).

Nery, Ismael [Belém PA, 1900 — Rio de Janeiro RJ, 1934], artista plástico brasileiro, de influências cubista e esp. surrealista. Estudou na Escola Nacional de Belas-Artes, no Rio de Janeiro, e na Academia Julian, em Paris. Sua obra só teve o valor reconhecido postumamente.

Neruda (Neftalí Ricardo Reyes Basoalto, dito **Pablo**) [Parral, Chile, 1904 — Santiago, Chile, 1973], poeta chileno, considerado um dos grandes da América Latina, influenciado esp. pelo Surrealismo. Recebeu o Prêmio Nobel de Literatura (1971). Obras: *Vinte poemas de amor e uma canção desesperada*, *Cem sonetos de amor*, *A rosa separada* etc.

Neto Campelo ver *Campelo Júnior, Manuel Neto Carneiro*

Netuno, divindade romana identificada com o *Poseidon* grego. Em astronomia, é o último dos planetas gasosos. Diâmetro equatorial: 49.528 km; diâmetro polar: 48.600 km; distância média do Sol: 4.504.000.000 km; satélites: 8.

Neves (Luiz Moreira Neves, dito **Dom Lucas Moreira**) [São João del Rei MG, 1925 — Roma, Itália, 2002], sacerdote brasileiro, arcebispo de Salvador BA (1987-1998). Nomeado cardeal pelo papa João Paulo II (1988), foi presidente da CNBB e prefeito da Sagrada Congregação para os Bispos, no Vaticano.

Neves, Tancredo de Almeida [São João del Rei MG, 1910 — São Paulo SP, 1985], político brasileiro. Foi deputado, senador e ministro da Justiça no governo Getúlio Vargas. Em 1985, então governador de Minas Gerais, candidatou-se e foi eleito presidente da República, indiretamente, pelo Colégio Eleitoral. Seria o primeiro presidente civil desde 1964, mas faleceu pouco antes de tomar posse.

Newton, Sir **Isaac** [Lincolnshire, Inglaterra, 1642 — Londres, Inglaterra, 1727], físico, astrônomo e matemático inglês, considerado um dos maiores nomes da ciência de todos os tempos. Formulou as teorias físicas do movimento e da gravitação, criou o cálculo infinitesimal, um novo ramo da matemática, e fez importantes descobertas na física óptica.

Nicarágua (República da), maior país da América Central, com 130.370 km^2. República presidencialista, independente desde 1821. Capital: *Manágua*; recursos principais: agricultura (banana, café, algodão), pecuária e indústria (vestuário, tecidos). Hab.: 5.954.898 (2012).

Niemeyer Soares Filho, **Oscar** [Rio de Janeiro RJ, 1907 — *id.*, 2012], arquiteto brasileiro considerado grande nome da arquitetura mundial. Utilizou o concreto como escultura em seus projetos. Obras: conjunto arquitetônico da Pampulha MG, Museu de Arte Contemporânea (MAC) RJ, Palácio da Alvorada, Palácio do Planalto e Congresso Nacional DF etc.

Níger (República do), país do centro-oeste africano, com 1.267.000 km^2. República mista, independente desde 1960. Capital: *Niamei*; recurso principal: jazidas de minérios (urânio, ferro, carvão e estanho). Hab.: 16.644.339 (2012).

Nigéria (República Federal da), país do centro-oeste da África, com 923.770 km^2. República presidencialista, independente desde 1960. É o oitavo país mais populoso do mundo. Capital: *Ajuba*; recursos principais: agricultura (amendoim, cacau) e petróleo. Hab.: 174.507.539 (2013).

Nilópolis (RJ), município com 19,3 km^2, situado na região metropolitana do Rio de Janeiro. Campo de Instrução de Gericinó, do Ministério do Exército. Hab.: 158.299.

Niquelândia (GO), município com 9.843,2 km^2, situado na região de Porangatu, às margens do rio Tocantins. Jazidas de níquel. Ruínas da Igreja de N. S.ª do Rosário (antiga São José do Tocantins) tombadas pelo Iphan. Hab.: 44.895.

Niterói (RJ), município com 134 km^2, na região metropolitana do Rio de Janeiro. Estaleiros, turismo. Fortaleza de Santa Cruz, Igreja de São Lourenço, conjunto arquitetônico e paisagístico da ilha da Boa Viagem, Museu Antônio Parreiras e Museu de Arte Contemporânea (MAC), entre outros bens imóveis, tombados pelo Iphan. Hab.: 495.470.

Niue (Governadoria do), território autônomo administrado pela Nova Zelândia, com 260 km^2, situado em uma ilha do leste da Oceania. Capital: *Alofi*. Hab.: 1.398 (2009).

Nóbrega, Pe. Manuel da [Sanfins do Douro, Portugal, 1517 — Rio de Janeiro RJ, 1570], missionário jesuíta português, chefiou a primeira missão jesuítica ao Brasil e tornou-se conhecido como o grande catequizador dos indígenas brasileiros. Conseguiu pacificar os tamoios. Fundou a aldeia de Piratininga (1554), atual São Paulo SP.

Nordeste (região) ver *Região Nordeste*

Noronha, Fernando ou **Fernão de** [Portugal, séc. XV — Portugal, séc. XVI], comerciante português, enviou diversas expedições marítimas à costa brasileira para explorar o pau-brasil. Uma delas descobriu a ilha de São João (1504), atual Fernando de Noronha. Ganhou do rei de Portugal essa ilha, que foi a 1ª capitania do Brasil.

Norte (região) ver *Região Norte*

Noruega (Reino da), país do extremo norte europeu, com 323.780 km². Monarquia parlamentarista, independente desde 1905. Capital: *Oslo*; recursos principais: polpa de madeira, papel, petróleo e produtos químicos. Hab.: 4.960.482 (2012).

Nossa Senhora do Socorro (SE), município com 156,7 km², na região metropolitana de Aracaju. Igreja Matriz de N. S.ª do Perpétuo Socorro tombada pelo Iphan. Hab.: 174.974.

Nova Caledônia e Dependências (Território de Ultramar de), arquipélago localizado a leste da Oceania, com 18.575 km²; território autônomo sob a administração da França, independente desde 1979. Capital: *Numeia* (*Noumea*); recurso principal: níquel. Hab.: 260.166 (2011).

Nova Era (MG), município com 361,9 km², situado na região central do estado. Produção de ferro. Jazida de esmeraldas. Igreja Matriz de S. José e conjunto arquitetônico e paisagístico da praça da Matriz tombados pelo Iphan. Hab.: 18.000.

Nova Friburgo (RJ), município com 933,4 km², situado na região serrana do estado. Horticultura, floricultura, indústria têxtil. Casa e Parque da Cidade, Hotel do Parque São Clemente e conjunto arquitetônico e paisagístico da praça Getúlio Vargas tombados pelo Iphan. Hab.: 184.460.

Nova Iguaçu (RJ), município com 521,2 km², situado na região metropolitana do Rio de Janeiro. Reserva Biológica de Tinguá. Casa da Fazenda São Bernardino tombada pelo Iphan. Hab.: 806.177.

Novais Pinto, **Guiomar** [São João da Boa Vista SP, 1896 — São Paulo, 1979], pianista brasileira, considerada grande intérprete de Chopin. Começou a tocar piano aos quatro anos. Ganhou uma bolsa do governo (1909) e estudou no Conservatório de Paris, França, formando-se em primeiro lugar. Apresentou-se por todo o mundo e recebeu muitos prêmios e condecorações.

Nova Lima (MG), município com 429 km², situado na região metropolitana de Belo Horizonte. Extração de minério de ferro e ouro. Hab.: 88.672.

Nova Odessa (SP), município com 73,7 km², localizado na região de Campinas. Indústria (alimentícia, tecidos). Hab.: 56.008.

Nova Serrana (MG), município com 282,3 km², localizado no oeste mineiro. Indústria (calçados esportivos). Hab.: 87.260.

Nova Zelândia, país do sudoeste do Pacífico, na Polinésia, com 267.710 km². Composto de duas ilhas principais e numerosas ilhotas, estende-se por mais de 1.600 km ao longo de seu eixo principal norte-nordeste. Monarquia parlamentarista, membro da Comunidade Britânica. Capital: *Wellington*; recurso principal: pecuária (bovinos e ovinos). Hab.: 4.461.257 (2012).

Novo Gama (GO), município com 195 km², no entorno do Distrito Federal, a 40 km de Brasília. Hab.: 104.899.

Novo Hamburgo (RS), município com 223,8 km², no vale dos Sinos, região metropolitana de Porto Alegre. O maior exportador de calçados do país. Casa Presser tombada pelo Iphan. Hab.: 248.251.

Novo Repartimento (PA), município com 15.398,7 km², localizado no sudeste paraense. Sua origem está relacionada à construção da rodovia Transamazônica e da Usina Hidrelétrica de Tucuruí. Agricultura. Hab.: 69.267.

Nutels, Noel [Ananiev, Ucrânia, 1913 — Rio de Janeiro RJ, 1973], médico sanitarista e indigenista brasileiro. Foi diretor do Serviço de Proteção ao Índio e médico da Fundação Brasil Central. Publicou dezenas de trabalhos em revistas científicas do Brasil e do exterior.

Óbidos (PA), município com 28.021,4 km², localizado no baixo Amazonas. Agricultura (juta, castanha-do-pará). Pesca. Hab.: 50.317.

Oceania, não exatamente um continente, mas uma divisão geográfica do mundo, com 14 países independentes e 8.480.354 km², ali estão a Austrália, a Nova Zelândia e cerca de dez mil ilhas e atóis espalhados pelo oceano Pacífico (ilhas Fidji, Salomão e Marshall, Kiribati, Micronésia, Nauru, Palau, Papua Nova Guiné, Samoa, Tonga, Tuvalu e Vanuatu). Hab.: 33,5 milhões (2009).

OEA ver *Organização dos Estados Americanos*

Oeiras (PI), município com 2.702,4 km², antiga capital do estado. Igreja Matriz de N. S.ª das Vitórias, Ponte Grande e o sobrado João Nepomuceno tombados pelo Iphan. Hab.: 36.266.

Ohtake, Tomie [Kioto, Japão, 1913 — São Paulo SP, 2015], artista plástica japonesa naturalizada brasileira. Seu estilo é o abstracionismo informal. Além de pintura, trabalhou com serigrafia, litografia e gravuras em metal. Realizou obras públicas, como os painéis para o Memorial da América Latina.

Oiapoque (rio), situado no Estado do Amapá, na fronteira com a Guiana Francesa; nasce na serra de Tumucumaque e percorre 350 km antes de desaguar no oceano Atlântico.

Oiticica, Hélio [Rio de Janeiro RJ, 1937 — *id.*, 1980], artista plástico brasileiro, influenciado esp. pelo Neoconcretismo. Fundou o grupo Frente, com

Ivan e Franz Weissman e Lygia Clark (1953-1956). Vanguardista e experimentador, a linguagem de sua obra instiga a interação do observador. Um de seus trabalhos, *Tropicália*, deu nome ao Tropicalismo, movimento do final dos anos 1960.

Olímpia (SP), município com 802,6 km², localizado na região de São José do Rio Preto. Agroindústria. Turismo. Capital do Folclore. Hab.: 53.010.

Olinda (PE), município com 41,6 km², situado na região metropolitana do Recife. Conjunto arquitetônico, urbanístico e paisagístico, Convento e Forte de São Francisco, igrejas da Misericórdia, de N. S.ª do Monte, de Santa Teresa, do Antigo Convento de N. S.ª do Carmo, Igreja e Mosteiro de São Bento e Seminário de Olinda, entre outros bens imóveis tombados pelo Iphan. Patrimônio Cultural da Humanidade desde 1982. Hab.: 388.821.

Olinto Marques da Rocha, **Antônio** [Ubá MG, 1919 — Rio de Janeiro RJ, 2009], escritor, jornalista, poeta e crítico literário brasileiro. Foi adido cultural em Londres e na Nigéria e especializou-se na África. Assinou a crítica literária do jornal *O Globo* durante 25 anos. Recebeu o Prêmio Machado de Assis da ABL (1994). Membro da ABL. Obras: *Presença*, *Resumo*, *Cadernos de crítica*, *A verdade na ficção* etc.

Omã (Sultanato de), pequeno país situado no extremo sudeste da península da Arábia, a sudoeste da Ásia, com 309.500 km². Monarquia islâmica. Capital: *Mascate*; recursos principais: extração de petróleo e gás natural, e indústria metalúrgica (cobre). Hab.: 2.904.037 (2012).

ONU ver *Organização das Nações Unidas*

Organização das Nações Unidas (ONU), organismo internacional sediado em Nova York, constituído em 1945, e criado pelos Estados que acataram as obrigações previstas na Carta das Nações Unidas no interesse da salvaguarda da paz e da segurança internacionais e da cooperação econômica, social e cultural entre as nações.

Organização das Nações Unidas para Educação, Ciência e Cultura (Unesco), organismo da ONU sediado em Paris e criado em 1945 com o fito de contribuir para a paz e a segurança internacionais, estreitando os laços entre as nações por meio da educação, ciência, cultura, comunicação e respeito aos direitos humanos e liberdades fundamentais.

Organização dos Estados Americanos (OEA), organismo internacional constituído em 30 de abril de 1948, que reúne os 35 Estados independentes das Américas que assinaram os princípios de paz e colaboração mútua estabelecidos no ato constitutivo da Carta da Organização dos Estados Americanos, de Bogotá.

Oriximiná (PA), município com 107.603,2 km², localizado no baixo Amazonas. Agropecuária. Pesca. Extração de bauxita. Hab.: 67.939.

Orlando da Silva, **Artur** [Recife PE, 1858 — *id.*, 1916], advogado, jornalista e escritor brasileiro, pertenceu à chamada Escola do Recife. Foi redator-chefe do *Diário de Pernambuco* (1901-1911) e um dos primeiros a defender a aproximação dos países latino-americanos com os EUA. Membro da ABL. Obras: *O meu álbum*, *Pan-americanismo*, *O Brasil: a terra e o homem* etc.

Orquestra Sinfônica Brasileira (OSB), entidade cultural sem fins lucrativos, criada em 11 de julho de 1940 por um grupo de músicos liderados pelo maestro José Siqueira, com o objetivo de preservar a música erudita.

Osasco (SP), município com 64,9 km², situado na região metropolitana de São Paulo. Grande parque industrial (esp. indústrias têxtil e metalúrgica). Hab.: 693.271.

Oscarito (Oscar Lorenzo Jacinto de la Imaculada Concepción Teresa Diaz, dito) [Málaga, Espanha, 1906 — Rio de Janeiro RJ, 1970], ator cômico naturalizado brasileiro. Formou com o ator Grande Otelo uma dupla de muito sucesso no cinema, nas chamadas chanchadas da Atlântida. Filmografia: *Carnaval Atlântida*, *Nem Sansão nem Dalila*, *Dupla do barulho* etc.

Osório (Manuel Luís, marquês do Herval, dito **general**) [Santo Antônio do Arroio RS, 1808 — Rio de Janeiro RJ, 1879], militar e político brasileiro, destacado comandante na Guerra do Paraguai. Na Guerra dos Farrapos esteve inicialmente ao lado dos rebeldes, mas passou para o lado do governo, iniciando as negociações para pacificar a província.

Oswald, Henrique José Pedro Maria Carlos Luís [Rio de Janeiro RJ, 1852 — *id.*, 1931], pianista e compositor brasileiro. Foi professor catedrático do Instituto Nacional de Música, atual Escola de Música da UFRJ, e compositor de grande produção musical. Sofreu influência esp. do estilo romântico europeu. Obras: *Ofélia*, *Valsa lenta*, *Idílio* etc.

Otaviano de Almeida Rosa, **Francisco** [Rio de Janeiro RJ, 1826 — *id.*, 1889], político, jornalista e poeta romântico brasileiro. Defendeu as causas do Partido Liberal e engajou-se na campanha pela promulgação da Lei do Ventre Livre. Participou da elaboração do Tratado da Tríplice Aliança (1865). Patrono da cadeira 13 da ABL. Obras: *Cantos de Selma*, *Traduções e poesias* etc.

Ottoni, Teófilo Benedito [atual Serro MG, 1807 — Rio de Janeiro RJ, 1869], político brasileiro. Conhecido por suas ideias republicanas durante o Império, liderou a revolução liberal no seu estado (1842); foi derrotado, preso e depois anistiado. Fundou a Companhia do Mucuri (1850), para desenvolver e colonizar o nordeste mineiro. — **Cristiano Benedito Ottoni**, [atual Serro MG, 1811 — Rio de Janeiro RJ, 1896], seu irmão, político brasileiro, elegeu-se deputado e senador diversas vezes. Autor do primeiro plano ferroviário do Brasil (*O futuro das estradas de ferro no Brasil*, 1859), foi o primeiro diretor da Estrada de Ferro Dom Pedro II, atual Central do Brasil, Rio de Janeiro RJ.

Ouricuri (PE), município com 2.422,9 km², situado no sertão de Araripe, na região oeste do estado. Seus primitivos habitantes foram indígenas da família dos cariris. Hab.: 67.098.

Ourinhos (SP), município com 295,8 km², situado na região sudoeste do estado. Importante entroncamento ferroviário responsável pela distribuição de combustível no sul do país. Hab.: 109.489.

Ouro Branco (MG), município com 258,7 km^2, situado na região de Conselheiro Lafaiete; compõe o Circuito do Ouro. Indústria siderúrgica. Igreja Matriz de Sto. Antônio e Matriz de Sto. Antônio de Itatiaia tombadas pelo Iphan. Hab.: 37.878.

Ouro Preto (MG), município histórico, antiga Vila Rica, com 1.245,8 km^2, situado na serra do Espinhaço. Conjunto arquitetônico e urbanístico, Casa dos Contos, igrejas de N. S.ª das Mercês e Misericórdia, de Bom Jesus do Matosinho, de N. S.ª do Carmo, de N. S.ª do Rosário, de São Francisco de Assis, Matriz do Pilar, Museu da Inconfidência, entre outros bens imóveis tombados pelo Iphan. Monumento Nacional, em 1933, e Patrimônio Histórico e Cultural da Humanidade, pela Unesco, em 1980. Hab.: 73.700.

Ovalle, Jayme [Belém PA, 1894 — Rio de Janeiro RJ, 1955], compositor erudito e poeta brasileiro. Sua música mais famosa, *Azulão*, foi feita em parceria com Manuel Bandeira. A inspiração de sua obra erudita está nas raízes da cultura brasileira. Obras: *Pedro Álvares Cabral, Modinha* etc.

Pacajus (CE), município com 254,6 km^2, localizado na região metropolitana de Fortaleza. Agricultura (esp. caju). Indústria. Turismo. Hab.: 67.678.

Pacaraima (serra do), situada no Estado de Roraima; ali fica o monte Roraima, com 2.875 m de altitude.

Pacatuba (CE), município com 132 km^2, situado na região de Fortaleza, a 25 km dessa capital. Hab.: 79.077.

Pacheco, José **Félix** Alves [Teresina PI, 1879 — Rio de Janeiro RJ, 1935], escritor simbolista e político brasileiro, fundador do Gabinete de Identificação e Estatística, hoje Instituto Félix Pacheco. Introduziu no Brasil o processo de tirar impressões digitais. Elegeu-se várias vezes para cargos legislativos. Membro da ABL. Obras: *Chicotadas, poesias revolucionárias*; *Tu, só tu* etc.

Paço do Lumiar (MA), município com 122,8 km^2, na região metropolitana de São Luís. Hab.: 115.693.

Pais, Fernão Dias [São Paulo SP, 1608 — ? MG, 1681], bandeirante brasileiro, desbravou o sul do Brasil. Foi depois nomeado governador das esmeraldas e partiu para o interior do país à procura de pedras preciosas. Nada encontrou. Olavo Bilac inspirou-se nele para compor o poema "O caçador de esmeraldas".

País Basco, comunidade autônoma pertencente à França e à Espanha e situada na região dos Pireneus ocidentais, com 7.234 km^2. Compreende, na Espanha, as províncias Alava (cap. *Vitória*), Biscaia (cap. *Bilbao*), Guipúzcoa (cap. *San Sebastián*) e Navarra (cap. *Pamplona*); e, na França, Soule, Labourd e a Baixa Navarra (*Pyrenées-Atlantiques*, sudoeste da França); recursos principais: comércio, pesca, turismo e indústria siderúrgica. Hab.: 2.172.175 (2009).

Países Baixos (Reino dos), país do noroeste da Europa, junto ao mar do Norte, com 41.540 km^2. Monarquia parlamentarista. Capital: *Amsterdã*; recursos principais: pesca, mineração (gás natural, petróleo), indústria (alimentícia, de máquinas, química). Hab.: 16.714.228 (2012).

Pajeú (rio), afluente do rio São Francisco, nasce na chapada de Borborema, na serra da Balança, entre os estados de Pernambuco e Paraíba (430 km).

Palau (República de), país constituído por um arquipélago no oeste da Oceania, com 460 km^2. República presidencialista, independente desde 1994. Capital: *Melekeok*; recursos principais: agricultura (coco, banana, raízes e tubérculos) e indústria (vestuário). Hab.: 20.643 (2012).

Paleolítico, período mais antigo da Idade da Pedra, na Pré-História, caracterizado pelo uso de armas e ferramentas feitas de pedaços de rocha quebrados grosseiramente. É tb. chamado de Idade da Pedra Lascada.

Palestina (Território da Autoridade), país situado no extremo oeste da Ásia, dividido em duas partes: uma estreita faixa de terra entre o deserto de Neguev e o litoral, denominada Faixa de Gaza, e uma parte da Cisjordânia, na margem ocidental do rio Jordão, com 6.220 km^2. República independente, não instituída. Capital (provisória): *Jericó*. Área em conflito entre palestinos e israelenses.

Palheta, Francisco de Melo [?, c. 1670 — ? c. 1750], desbravador brasileiro, chefiou diversas expedições pelo interior do país, alcançando inclusive a Guiana Francesa, lugar de onde trouxe as primeiras sementes de café (1727). Plantado primeiramente no Pará, em 1767 o fruto já era exportado para a Europa.

Palhoça (SC), município com 395,1 km^2, situado na região metropolitana de Florianópolis entre o litoral e a serra do Mar. Turismo. Parque Estadual Serra do Tabuleiro. Hab.: 154.244.

Palmares (PE), município com 339,2 km^2, situado na região da Mata do estado. Seu nome recorda a rebelião dos negros, os quilombos e a República Independente dos Palmares. Hab.: 62.020.

Palmares (Quilombo dos) ver *Quilombo dos Palmares*

Palmas (TO), capital do Estado do Tocantins, com 2.218,9 km^2, cidade planejada e construída (1989) sobre o centro geodésico do Brasil, às margens do rio Tocantins. Hab.: 265.409.

Palmeira dos Indígenas (AL), município com 452,5 km^2, situado na região do Agreste do estado, na divisa com o Estado de Pernambuco. Antiga aldeia de indígenas cariris. Hab.: 73.725.

Palmeiras (BA), município com 700,6 km^2, situado na chapada Diamantina. Conjunto paisagístico do morro do Pai Inácio tombado pelo Iphan. Hab.: 9.066.

Palmério, Mário de Ascenção [Monte Carmelo MG, 1916 — Uberaba MG, 1996], professor, educador, político e romancista brasileiro. Fundou as faculdades de Odontologia, de Direito e de Medicina, em Minas Gerais. Começou na literatura aos 40 anos de idade. Membro da ABL. Obras: *Vila dos confins*, *Chapadão do bugre* etc.

Panamá (canal do), liga os oceanos Atlântico e Pacífico, encurtando distâncias entre o Ocidente e o extremo Oriente. Tem 82 km de extensão e três sistemas de eclusas. Em suas extremidades ficam a Cidade do Panamá, no Pacífico, e Colón, no Atlântico (mar das Antilhas).

Panamá (República do), país situado no sudoeste da América Central, com 75.420 km^2. República presidencialista, independente desde 1903. Capital: *Cidade do Panamá*; recursos principais: turismo, esp. ecoturismo. Hab.: 3.624.991 (2012).

Pancetti (Giuseppe Gianinni, dito **José**) [Campinas SP, 1902 — Rio de Janeiro RJ, 1958], pintor brasileiro. Não se ligou a nenhum movimento. Pintou esp. marinhas, autorretratos e paisagens litorâneas brasileiras. Conquistou muitos prêmios e a medalha de ouro do Salão Nacional de Belas-Artes (1948).

Pantagruel, personagem de um romance de François Rabelais (c. 1494-1553), filho de Gargântua, é um gigante comilão, fortíssimo, que vive diversas aventuras com seu companheiro Panurge.

Pantanal Mato-grossense (Parque Nacional do), criado em 1981, possui uma área de 135.000 ha, com perímetro de 260 km. Está localizado no extremo sudoeste do Estado do Mato Grosso, no município de Poconé, junto à divisa com o Estado do Mato Grosso do Sul, na confluência dos rios Paraguai e Cuiabá. Uma de suas principais atrações é a abundância de fauna (jacarés, garças, capivaras, tuiuiús, piranhas etc.).

Pão de Açúcar, elevação na cidade do Rio de Janeiro RJ, com 396 m de altitude; o nome vem da semelhança de forma com o açúcar em massa saído das formas, nos antigos engenhos. Uma linha de bondes aéreos liga-o ao morro da Urca (220 m) e este à praia Vermelha.

Papagaio (serra do) ver *Serra do Papagaio* (*Parque Estadual da*)

Papua-Nova Guiné (Estado Independente de), país a oeste da Oceania, com 462.840 km^2. Monarquia parlamentarista, independente desde 1975. Capital: *Port Moresby*; recursos principais: agricultura (cacau, coco, chá), pecuária, extração de cobre e turismo. Hab.: 7.170.112 (2012).

Paquistão (República Islâmica do), país do centro-sul da Ásia, com 796.100 km^2. República parlamentarista, ditadura militar desde 1999. Capital: *Islamabad*; recursos principais: agricultura (algodão, cana-de-açúcar), indústria (cimento, fertilizantes) e extração (gás natural, petróleo). Hab.: 193.238.868 (2013).

Pará (PA), estado brasileiro da Região Norte, com 1.247.954,320 km^2 e 143 municípios, sendo os mais populosos, além da capital: Santarém, Marabá, Altamira, Caucaia e Abaetuba. Porta de entrada da Amazônia, ali fica Marajó, a maior ilha fluviomarinha do mundo. Capital: *Belém*; recursos principais: agricultura (dendê, pimenta-do-reino), pecuária (esp. bovinos e búfalos), e extração de madeira, castanha-do-pará. Hab.: 8.073.924 (est. 2014).

Paracatu (MG), município com 8.229,6 km^2, situado na região noroeste do estado. Mineração de ouro e pecuária leiteira. Igreja de N. S.ª do Rosário e Matriz de Santo Antônio tombadas pelo Iphan. Hab.: 90.294.

Paracatu (rio), afluente do rio São Francisco, corre em Minas Gerais. Tem 441 km de extensão.

Pará de Minas (MG), município com 551,2 km^2, na região metropolitana de Belo Horizonte. Maior produtor de frangos do estado. Hab.: 90.306.

Paragominas (PA), município com 19.342,2 km^2, situado a leste do estado, na fronteira com o Estado do Maranhão. Exploração da madeira. Hab.: 105.417.

Paraguai, Guerra do (1864-1870), tb. dita Guerra da Tríplice Aliança, referindo-se ao tratado assinado pelo Brasil, Argentina e Uruguai contra o Paraguai, originou-se devido à política militar e expansionista do presidente paraguaio Solano López. A Batalha do Riachuelo foi decisiva para a vitória dos aliados. A guerra provocou mais de 30 mil baixas no Exército brasileiro.

Paraguai (República do), país do centro-sul da América do Sul, com 406.750 km^2; república presidencialista, independente desde 1811. Capital: *Assunção*; recursos principais: agropecuária e indústria alimentícia (carnes). Hab.: 6.682.943 (2012).

Paraguai (rio), nasce na chapada dos Parecis, em Mato Grosso, banha tb. o Estado de Mato Grosso do Sul e, ao longo de seu curso rumo ao sul, recebe vários afluentes importantes, destacando-se os rios Cuiabá e Negro. Desde a nascente até seu encontro com o rio Paraná, na fronteira do Paraguai com a Argentina, percorre 2.621 km, sendo 1.683 km em território brasileiro.

Paraíba (PB), estado brasileiro, a leste da Região Nordeste, com 56.469,744 km^2 e 223 municípios, sendo os mais populosos, além da capital: Campina Grande, Santa Rita, Patos, Bayeux e Sousa. Tem 98% de seu território no Polígono das Secas. A ponta do Seixas, limite oriental do país, fica em seu litoral. Capital: *João Pessoa*; recursos principais: agropecuária e indústria (alimentícia, de cimento e de plásticos). Hab.: 3.943.885 (est. 2014).

Paraíba do Norte (rio), formado pelos rios da Serra e do Meio, nasce na chapada da Borborema, no limite do Estado da Paraíba com o Estado de Pernambuco. Tem 360 km de extensão.

Paraíba do Sul (rio), formado pelos rios Paraibuna e Paraitinga, suas águas abastecem parte da população de três estados brasileiros, Rio de Janeiro, São Paulo e Minas Gerais, e são aproveitadas pelas hidrelétricas de Nilo Peçanha, Fontes, Salto do Funil e Ilha dos Pombos. Tem 1.019 km de extensão.

Paraibuna (rio), está localizado na divisa dos estados do Rio de Janeiro e Minas Gerais, onde nasce, perto da cidade de Juiz de Fora. Sua profundidade média é de 4 m e pode chegar a até 30 m em alguns trechos. Deságua no rio Paraíba do Sul. Tem 170 km de extensão.

Paraná (PR), estado brasileiro da Região Sul, com 199.307,945 km² e 399 municípios, sendo os mais populosos, além da capital: Maringá, Londrina, Ponta Grossa, Foz do Iguaçu e Cascavel. É cortado ao norte pelo trópico de Capricórnio. Capital: *Curitiba*; recursos principais: agricultura (café, soja), indústria (agroindústria, papel e celulose) e extrativismo vegetal (erva-mate, madeira). Hab.: 11.081.692 (est. 2014).

Paranaguá (PR), município histórico litorâneo, com 826,6 km², situado na região metropolitana de Curitiba. Colégio dos Jesuítas, Fortaleza da Ilha do Mel, igrejas da Ordem Terceira de São Francisco das Chagas e de São Benedito tombados pelo Iphan. Hab.: 149.467.

Paranaíba (rio), nasce na serra da Mata da Corda, corre nos estados de Minas Gerais e Goiás, e forma, com o rio Grande, o rio Paraná. Tem 1.170 km de extensão.

Paranapanema (rio), nasce na serra de Paranapiacaba, corre nos estados de São Paulo e Paraná, e deságua no rio Paraná, formando limite entre os dois estados. Tem 929 km de extensão.

Paranavaí (PR), município com 1.202,2 km², situado na região noroeste do estado, na divisa com o Estado de São Paulo. Agricultura (laranja) e indústria (alimentos, vestuário). Hab.: 86.218.

Paraopeba (rio), nasce na serra da Mantiqueira, banha o Estado de Minas Gerais e deságua na margem direita do rio São Francisco. Tem 546,5 km de extensão.

Parati (RJ), município histórico litorâneo, com 925,3 km², situado na região sul do estado. Conjunto arquitetônico e paisagístico da cidade, Forte Defensor Perpétuo, igrejas de N. S.ª das Dores, de N. S.ª do Rosário, de Santa Rita, Matriz de N. S.ª dos Remédios e município de Parati (Monumento Nacional desde 1966), entre outros monumentos tombados pelo Iphan. Hab.: 39.965.

Parauapebas (PA), município com 6.886,2 km², situado na região sudeste do estado, no sopé da serra de Carajás. Tem 90% de suas terras ocupadas pela Cia. Vale do Rio Doce, pelos indígenas caiapós-xicrins e áreas de preservação ambiental. Hab.: 183.352.

Pardo (rio), afluente do Paraná (428 km), corre no Estado de Mato Grosso do Sul — rio dos estados de Minas Gerais e Bahia (644 km), nasce na serra das Almas e deságua no oceano Atlântico — rio dos estados de Minas Gerais e São Paulo, desce da serra do Cervo MG (573 km), banhando a cidade de São José do Rio Pardo SP — rio do Estado do Rio Grande do Sul (250 km), afluente do rio Jacuí — rio do Estado de São Paulo (240 km), afluente do rio Paranapanema, nasce na serra de Botucatu.

Parima (serra do), formação do relevo brasileiro, localizada no planalto das Guianas, na fronteira do Brasil com a Venezuela, no extremo oeste do Estado de Roraima.

Parintins (AM), município com 5.951,2 km², situado na região central do estado, na ilha de Tupinambarana, na margem direita do rio Amazonas. Grandes reservas de madeira. Festival folclórico no Bumbódromo. Hab.: 110.411.

Parnaíba (PI), município com 435,5 km², situado no litoral norte do estado, no delta do Parnaíba. Turismo. Hab.: 149.348.

Parnaíba (rio), nasce na serra da Tabatinga, a 800 m de altitude, e banha vários municípios do Estado do Piauí. Um dos rios mais extensos do Nordeste (1.450 km), faz divisa entre Maranhão e Piauí. Na sua foz, forma um delta com cinco ramificações.

Parnamirim (RN), município litorâneo com 123,4 km², situado na região metropolitana de Natal. Na Segunda Guerra Mundial ficou conhecido como "Trampolim da Vitória". Aeroporto Augusto Severo. Hab.: 235.983.

Parobé (RS), município com 108,6 km², localizado na região metropolitana de Porto Alegre. Indústria (calçados). Hab.: 55.056.

Parreiras, Antônio Diogo da Silva [Niterói RJ, 1860 — *id.*, 1937], pintor brasileiro, fundou a Escola do Ar Livre, onde os alunos pintavam fora dos estúdios. Foi muito premiado e reconhecido como um dos pintores mais importantes de sua época. A partir do início do séc. XX, dedicou-se à pintura histórica. Obras: *Proclamação da República*, *Prisão de Tiradentes*, *A tarde* etc.

Paru (rio), afluente da margem esquerda do rio Amazonas (741 km), corre no Estado do Pará.

Pascal, Blaise [Clermont-Ferrand, França, 1623 — Paris, França, 1662], físico, matemático, filósofo e escritor francês, conhecido esp. por suas descobertas científicas. Formulou a Lei de Pascal, que descreve as relações de pressão sobre um líquido contido em um recipiente fechado, princípio hoje us. nos motores hidráulicos e compressores de ar.

Pascoal, Hermeto [Lagoa da Canoa, Arapiraca AL, 1936], músico brasileiro. Começou a tocar sanfona de ouvido, ainda criança. Seu estilo musical é único e pessoal, difícil de ser rotulado. Tornou-se conhecido por usar objetos comuns e animais para obter sons durante as gravações. Obras: *O ovo*, *Porco na festa* etc.

Pascoal (monte), elevação montanhosa, com 586 m de altitude, foi o primeiro ponto de terra avistado pelos portugueses, em 1500, quando descobriram o Brasil. — **Parque Nacional do Monte Pascoal**, criado no seu entorno, é uma das mais importantes reservas de mata Atlântica do sul da Bahia, com 22.500 ha de área total e 110 km de perímetro.

Passo Fundo (RS), município com 783,4 km², situado na região noroeste do estado. Usinas hidrelétricas de Ernestina e Jacuí. Agricultura (trigo, soja) e pecuária (bovinos). Bispado. Hab.: 195.620.

Passos, Edison Junqueira [Carangola MG, 1893 — Rio de Janeiro RJ, 1954], engenheiro e político brasileiro. Dirigiu a construção da Estrada de Ferro Mossoró, em 1919. Foi secretário de Viação da Prefeitura do antigo Distrito Federal, catedrático da Escola Nacional de Engenharia, deputado federal e presidente do Clube de Engenharia.

Passos (MG), município com 1.338 km², situado na região sudoeste do estado. Gado leiteiro e indústria de confecção. Hab.: 112.402.

Passos, Francisco **Pereira** [São João Marcos RJ, 1836 — no mar, 1913], engenheiro e político brasileiro, autor de projetos ferroviários como o trecho do morro do Corcovado RJ. Foi nomeado prefeito do Rio de Janeiro (1903-1906), construiu avenidas e túneis e realizou importantes obras de infraestrutura.

Pasteur, Louis [Dole, França, 1822 — Marnes-la-Coquette, França, 1895], químico e biólogo francês, um dos grandes cientistas da humanidade. Criou a primeira vacina contra a raiva e descobriu que as doenças são transmitidas por micro-organismos. Desenvolveu um processo (pasteurização) que mata os germes pela alternância de frio e calor.

Pati do Alferes (RJ), município com 318,8 km², situado na região de Vassouras. Maior produtor de tomates do estado. Igreja Matriz de N. S.ª da Conceição tombada pelo Iphan. Hab.: 26.758.

Pato Branco (PR), município com 539 km², situado na região sudoeste do estado. Parque industrial de eletrônica (*software*). Hab.: 78.136.

Patos (lagoa dos), grande lagoa costeira no Estado do Rio Grande do Sul, com 280 km de extensão e 60 km de largura, recebe as águas dos rios Turucu, Jacuí e Camaquã. Comunica-se com o Atlântico pela barra do Rio Grande e com a lagoa Mirim pelo canal de São Gonçalo. Em suas margens estão localizadas as cidades de Porto Alegre, Pelotas e Rio Grande.

Patos (PB), município com 473 km², situado no sertão, na margem esquerda do rio Espinhares, na região da Depressão do Alto Piranhas. Turismo religioso (Santuário Cruz da Menina). Hab.: 105.531.

Patos de Minas (MG), município com 3.189,7 km², situado no Triângulo Mineiro / Alto Paranaíba. Agricultura e indústria de alimentos. Hab.: 147.614.

Patrocínio, José Carlos **do** [Campos RJ, 1853 — Rio de Janeiro RJ, 1905], jornalista, orador e escritor brasileiro, um dos líderes do movimento abolicionista. Considerado grande jornalista, foi proprietário dos periódicos *Gazeta da Tarde* e *Cidade do Rio*. Membro fundador da ABL. Obras: *Os retirantes*, *Pedro espanhol* etc.

Patrocínio (MG), município com 2.874,3 km², estância hidromineral, situado no Alto Paranaíba. Exportação de café. Hab.: 87.928.

Paudalho (PE), município com 277,5 km², situado ao norte da Zona da Mata do estado. Mosteirinho de São Francisco tombado pelo Iphan. Hab.: 54.547.

Paula, Inimá José **de** [Itanhomi MG, 1918 — Belo Horizonte MG, 1999], pintor paisagista brasileiro, autodidata, frequentou o ateliê de Cândido Portinari. Conhecido por seu lirismo, foi abstracionista e depois recebeu forte influência do Fauvismo. Ganhou diversos prêmios e medalhas em mostras e participou de exposições e bienais no Brasil e no exterior.

Paulinho da Viola (Paulo César Batista de Faria, dito) [Rio de Janeiro RJ, 1942], cantor e compositor popular brasileiro, um dos grandes nomes contemporâneos do samba e do choro. Desde pequeno conviveu com grandes músicos, como Pixinguinha e Jacob do Bandolim. Fez parte do conjunto A Voz do Morro. Obras: *Coração leviano*, *Bêbadosamba*, *Sinal fechado*, *Foi um rio que passou em minha vida* etc.

Paulínia (SP), município com 138,7 km², situado no nordeste do estado. Polo petroquímico. Hab.: 95.221.

Paulista (PE), município com 97,3 km², situado na região metropolitana do Recife. Turismo (praia de Maria Farinha). Forte do Pau Amarelo tombado pelo Iphan. Hab.: 319.769.

Paulo Afonso (BA), município com 1.579,7 km², situado na região do vale do São Francisco, na divisa dos estados de Sergipe e Alagoas. Cachoeira de Paulo Afonso. Hab.: 118.323.

Pederneiras, Mário Veloso Paranhos [Rio de Janeiro RJ, 1867 — *id.*, 1915], poeta brasileiro, pertenceu à segunda geração simbolista. Fundou as revistas *Galáxia*, *Mercúrio*, *Rio-Revista* e *Fon-Fon*. Foi pioneiro no uso do verso livre. Obras: *Agonia*, *Rondas noturnas*, *Histórias do meu casal*. — **Raul** Paranhos **Pederneiras** [Rio de Janeiro RJ, 1874 — *id.*, 1953], seu irmão, caricaturista e escritor brasileiro, consagrou-se no *Jornal do Brasil*, com a série de cartuns *Cenas da vida carioca*. Lecionou na Escola Nacional de Belas-Artes. Obras: *Lições de caricatura*, *Geringonça carioca* etc.

Pedra da Mina (pico), o ponto mais alto da serra da Mantiqueira (2.797 m) e o quarto em altura do país, 8 m acima do pico das Agulhas Negras RJ, está situado entre Passa Quatro MG e Queluz SP.

Pedra do Sino de Itatiaia (pico), situado na serra da Mantiqueira MG (2.670 m), é o nono em altura do país.

Pedro I, Dom [Queluz, Portugal, 1798 — *id.*, 1834], primeiro imperador do Brasil. Proclamou a Independência brasileira no dia 7 de setembro de 1822 e subiu ao trono, ficando até 1831. Absolutista e cercado por pressões políticas, abdicou em favor de seu filho, ainda criança, Dom Pedro II.

Pedro II, Dom [Rio de Janeiro RJ, 1825 — Paris, França, 1891], segundo e último imperador do Brasil (1841-1889), filho de Dom Pedro I e da imperatriz Leopoldina, subiu ao trono com 14 anos. Seu reinado foi marcado por transformações sociais e econômicas, pela *Guerra do Paraguai* (1864-1870) e pela promulgação da *Lei Áurea* (1888). Com o advento da República, foi convidado a retirar-se do Brasil com a família (1889).

Pedro Leopoldo (MG), município com 293 km², a 40 km de Belo Horizonte. O fóssil conhecido como Luzia, com idade de 11.500 anos, encontrado na região, é uma das peças de maior importância da arqueologia brasileira. Hab.: 62.473.

Pedrosa, Mário [Timbaúba PE, 1900 — Rio de Janeiro RJ, 1981], crítico de arte e literatura, e jornalista brasileiro. Presidiu a Associação Brasileira de Críticos de Arte, dirigiu o Museu de Arte Moderna de São Paulo SP. Colaborou em diversos jornais, como o *Diário da Noite* (SP) e o *Jornal do Brasil* (RJ). Obras: *Panorama da pintura moderna*; *Arte, forma e personalidade*; *A opção imperialista* etc.

Peixe (rio), situado no Estado de São Paulo, é afluente da margem esquerda do rio Paraná (500 km).

Peixoto, Júlio **Afrânio** [Lençóis BA, 1876 — Rio de Janeiro RJ, 1947], escritor, professor e médico brasileiro. Escreveu romances, crítica literária, livros didáticos e ensaios sobre Pedagogia, Medicina e Direito. Foi autor regionalista, de influência simbolista. Membro da ABL. Obras: *Rosa mística*, *A esfinge*, *Fruta do mato* etc.

Peixoto, Inácio José de **Alvarenga** [Rio de Janeiro RJ, 1744 — Angola, 1793], poeta brasileiro, ativo participante da Inconfidência Mineira, foi condenado a desterro na África, onde morreu. Suas obras poéticas só foram publicadas postumamente (1865).

Peixoto, Floriano Vieira [Maceió AL, 1839 — Barra Mansa RJ, 1895], militar e político brasileiro, vice-presidente no governo Deodoro da Fonseca. Quando este renunciou, assumiu a presidência (1891 a 1894). Autoritário, dito *Marechal de Ferro*, enfrentou muitas revoltas durante seu governo, como a Revolução Federalista e a Revolta da Armada.

Pelé (Édson Arantes do Nascimento, dito) [Três Corações MG, 1940], jogador de futebol brasileiro, eleito pela Fifa (2000) o melhor jogador de futebol do séc. XX. Marcou 1.282 gols oficiais. Participou de quatro Copas do Mundo e conquistou três (1958, 1962 e 1970), recorde que ainda não foi alcançado por nenhum outro jogador. Consagrou-se vestindo a camisa 10 da seleção brasileira.

Pelotas (RS), município com 1.610 km², situado no sudeste do estado, às margens do canal São Gonçalo, que liga as lagoas dos Patos e Mirim. Caixa-d'água na praça Piratinino de Almeida, obelisco republicano, prédios na praça Cel. Pedro Osório e Teatro Sete de Abril tombados pelo Iphan. Indústria de conservas. Hab.: 342.053.

Pena, Afonso Augusto Moreira [Santa Bárbara MG, 1847 — Rio de Janeiro RJ, 1909], político brasileiro, presidente da República (1906-1910), legítimo representante da chamada política café com leite. Seu governo sofreu grande desgaste político por causa da sucessão presidencial. Faleceu antes de completar o mandato.

Pena, Cornélio de Oliveira [Petrópolis RJ, 1896 — Rio de Janeiro RJ, 1958], escritor modernista brasileiro. Escreveu densos romances psicológicos, ambientados esp. nas grandes fazendas de Minas Gerais. Obras: *Fronteira*, *Dois romances de Nico Horta*, *Repouso* etc.

Pena, Luís Carlos **Martins** [Rio de Janeiro RJ, 1815 — Lisboa, Portugal, 1848], dramaturgo brasileiro, considerado o fundador do teatro de costumes no Brasil. Sua obra é bem-humorada e os tipos populares são seus preferidos. Patrono da cadeira 29 da ABL. Obras teatrais: *O juiz de paz na roça*, *O noviço*, *As casadas solteiras* etc.

Penápolis (SP), município com 711,3 km², localizado na região de Araçatuba. Agricultura (cana-de-açúcar, café). Pecuária. Hab.: 61.726.

Penedo (AL), município com 689,8 km², situado na região leste do estado, sobre um rochedo às margens do rio São Francisco, na divisa com o Estado de Sergipe. Convento dos Franciscanos, igrejas de São Gonçalo Garcia dos Homens Pardos e de N. S.ª da Corrente tombados pelo Iphan. Hab.: 63.842.

Pereira, Geraldo Theodoro [Juiz de Fora MG, 1918 — Rio de Janeiro RJ, 1955], compositor popular brasileiro. Seu samba sincopado é considerado precursor da bossa nova. Boêmio, sua música fala do cotidiano dos cariocas dos morros. Obras: *Acabou a sopa*, *Acertei no milhar*, *Bolinha de papel*, *A voz do morro* etc.

Pereira, Lafayette Rodrigues [Queluz MG, 1834 — Rio de Janeiro RJ, 1917], advogado, jornalista, político e diplomata brasileiro. Ocupou diversos cargos públicos, entre eles, presidente das províncias do Ceará e do Maranhão, e conselheiro de Estado. Membro da ABL. Obras: *Direitos de família*, *Direito das coisas* etc.

Pereira, Lúcia Vera **Miguel** [Barbacena MG, 1903 — Rio de Janeiro RJ, 1959], escritora brasileira, filha do médico Miguel Pereira, na literatura escreveu ensaios, romances, críticas e biografias. Obras: *Maria Luísa*, *Amanhecer*, *A vida de Gonçalves Dias* etc.

Pernambuco (PE), estado brasileiro, no centro-leste da Região Nordeste, com 98.149,119 km² e 185 municípios, sendo os mais populosos, além da capital: Jaboatão dos Guararapes, Olinda, Caruaru, Paulista e Petrolina. Abriga o arquipélago de Fernando de Noronha, uma das grandes atrações turísticas do país. Capital: *Recife*; recursos principais: agricultura (cana-de-açúcar), pecuária, indústria (alimentícia, têxtil, de cimento) e turismo. Hab.: 9.277.727 (est. 2014).

Perneta, Emiliano David [Curitiba PR, 1866 — *id.*, 1921], escritor brasileiro, vanguardista do Simbolismo no país. Fundou e dirigiu diversos jornais e revistas literárias, destacando-se sua atuação no periódico carioca *Folha Popular* (1891). Obras: *Músicas*, *O inimigo*, *Alegoria*, *Ilusão* etc.

Peru (República do), país situado a oeste da América do Sul, na costa do oceano Pacífico, com 1.285.220 km². República presidencialista, independente desde 1821. Foi o berço de uma das civilizações mais interessantes e intrigantes da história — a dos Incas. Capital: *Lima*; recursos principais: ecoturismo, agricultura e pesca. Hab.: 29.849.303 (2013).

Peruíbe (SP), município com 324,5 km², situado no litoral sul do estado. Estação Ecológica Jureia-Itatins. Praias, rios, cachoeiras. Hab.: 64.531.

Pesqueira (PE), município com 995,5 km², situado na região do Agreste do estado, na divisa com o Estado da Paraíba. Artesanato e doces. Hab.: 65.770.

Pessoa, Epitácio Lindolfo da Silva [Umbuzeiro PB, 1865 — Petrópolis RJ, 1942], político e jurista brasileiro, elegeu-se presidente da República (1919 a 1922), concorrendo com Rui Barbosa. O ano final de seu governo foi marcado por intensa agitação política, destacando-se a Revolta dos 18 do Forte de Copacabana.

Pessoa, Fernando Antônio Nogueira [Lisboa, 1888 — *id.*, 1935], poeta modernista português, de renome internacional, ao lado de Luís de Camões. Criou inúmeros heterônimos, autores imaginários, para escrever suas obras: entre eles, Alberto Caeiro, Álvaro de Campos e Ricardo Reis. Só depois de sua morte foi editada sua obra completa. Em vida publicou apenas *Mensagem* (1934).

Pessoa Cavalcanti de Albuquerque, **João** [Umbuzeiro PB, 1878 — Recife PE, 1930], político brasileiro. Elegeu-se presidente da Paraíba em 1928. Um ano depois foi candidato à vice-presidência da República na chapa de Getúlio Vargas (1929). Esse fato desencadeou revoltas armadas em seu estado, culminando com seu assassinato. Seu nome foi dado à capital do Estado da Paraíba, em 1930.

Petrobras (Petróleo Brasileiro S.A.), empresa de economia mista criada em 1953, que opera no segmento de energia, esp. em prospecção, produção, refino, comercialização e transporte de petróleo e derivados no Brasil e em outros 27 países.

Petrolina (PE), município com 4.561,8 km², situado no sertão do São Francisco, na divisa com o Estado da Bahia. É o maior polo agroindustrial do Nordeste. Agricultura irrigada (uva, melão, cebola). Carrancas. Hab.: 326.017.

Petrópolis (RJ), município com 795,7 km², situado na região serrana, foi capital do estado por nove anos (1894-1903). Conjunto urbano-paisagístico, Casas da Fazenda Samambaia, da Fazenda Santo Antônio, de Santos-Dumont, do Padre Correia, de Carlos Oswald, Palácio de Cristal, da Princesa Isabel e Palácio Imperial tombados pelo Iphan. Museu Imperial. Indústria têxtil e de confecções. Hab.: 298.017.

Piauí (PI), estado brasileiro, a noroeste da Região Nordeste, com 251.611,932 km² e 222 municípios, sendo os mais populosos, além da capital: Parnaíba, Picos e Floriano. Abriga o delta do Parnaíba, com suas cerca de 80 ilhas. Achados pré-históricos e pinturas rupestres. Capital: *Teresina*; recursos principais: agropecuária e extrativismo vegetal (carnaúba, babaçu, castanha-de-caju etc.). Hab.: 3.194.718 (est. 2014).

PIB ver *Produto Interno Bruto*

Picasso, Pablo Ruiz y [Málaga, Espanha, 1881 — Mougins, França, 1973], um dos criadores do estilo dito Cubismo. Os horrores da Guerra Civil Espanhola foram a inspiração de sua célebre *Guernica* (1937).

Picos (PI), município com 577,3 km², situado na região sudeste do estado. Universidade federal. Agricultura (esp. alho e cebola), produção de mel e de castanha-de-caju. Hab.: 76.309.

Piedade (SP), município com 746,8 km², situado nas encostas da serra de Paranapiacaba. Reserva Estadual do Jurupará, com 24.000 ha de mata Atlântica (criada em 1992). Agricultura (esp. cebola e alcachofra). Hab.: 54.523.

Pignatari, Décio [Jundiaí SP, 1927 — São Paulo SP, 2012], poeta, semiólogo, ensaísta e teórico da comunicação brasileiro, grande nome da poesia concreta e um dos precursores desse estilo, em 1956, ao lado dos irmãos Haroldo e Augusto de Campos. Foi membro fundador da Associação Internacional de Semiótica, em Paris, França (1969).

Pilar (PB), município com 102,3 km², situado na região de Sapé, a leste do estado. Prédio da Antiga Cadeia Pública tombado pelo Iphan. Hab.: 11.705.

Pilar de Goiás (GO), município com 906,6 km², situado nas montanhas do centro-norte do estado. Antigo reduto de escravos negros foragidos (Quilombo Papuã). Conjunto arquitetônico e paisagístico e Casa da Princesa tombados pelo Iphan. Hab.: 2.658.

Pindamonhangaba (SP), município com 730 km², situado na região central do vale do Paraíba paulista, a leste do estado. Produção de leite e derivados e cultura de arroz. Aviários. Hab.: 158.864.

Pindaré-Mirim (MA), município com 273,5 km², situado às margens do rio Pindaré. Prédio do Engenho Central São Pedro (onde funcionou a Companhia Progresso Agrícola do Maranhão) tombado pelo Iphan. Hab.: 32.037.

Pinhais (PR), município com 61 km², situado na região metropolitana de Curitiba. Cerâmica e indústria de cimento. Hab.: 125.808.

Pinheiro (MA), município com 1.513 km², situado na baixada Maranhense. Barragem e eclusa do rio Pericumã. Hab.: 80.917.

Pinzón, Vicente Yáñez [Palos de la Frontera, Espanha, 1462 — Sevilha, Espanha, 1514], navegador espanhol, financiou parte da viagem de Cristóvão Colombo à América (1492) e dela participou no comando da caravela *Niña*. Em 1499, liderou viagem de exploração em direção ao hemisfério austral. Descobriu a foz do rio Amazonas. Sem registros precisos, considera-se que atingiu o atual cabo de Santo Agostinho, em Pernambuco.

Piracicaba (SP), município com 1.378 km², situado às margens do rio Piracicaba. Antiga aldeia dos indígenas paiaguás, desenvolveu-se graças aos engenhos de açúcar. Indústria (metalúrgica, alimentícia, têxtil, petroquímica). Bispado. Aeroporto. Hab.: 388.412.

Piracuruca (PI), município com 2.380,4 km², Parque Nacional Sete Cidades, inscrições rupestres. Igreja Matriz de N. S.ª do Carmo tombada pelo Iphan. Hab.: 28.066.

Piranga (MG), município com 658,8 km², situado na região de Viçosa, às margens do rio Piranga. Conjunto arquitetônico e paisagístico do Santuário do Senhor Bom Jesus de Matosinhos tombado pelo Iphan. Hab.: 17.835.

Pirapora (MG), município com 549,5 km², situado na região norte do estado, às margens do rio São Francisco. Agropecuária. Carrancas. Hab.: 55.972.

Piraquara (PR), município com 227 km², situado aos pés da serra do Mar, na região metropolitana de Curitiba. Muitas nascentes de água. Hab.: 102.798.

Pirassununga (SP), município com 727,1 km², situado na região leste do estado. Turismo, agropecuária, metalurgia e mecânica. Hab.: 74.128.

Piratini (RS), município histórico com 3.539,6 km^2, situado na região sudeste do estado. Casa de Garibaldi, Palácio Farroupilha e Quartel Farroupilha tombados pelo Iphan. Hab.: 20.664.

Pireneus, cordilheira (430 km) que se estende do golfo de Gasconha ao golfo de Lion; a vertente norte pertence à França, e a vertente sul, à Espanha. Maior altitude: 3.404 m, no pico de Aneto.

Pirenópolis (GO), município histórico com 2.205 km^2. Festa do Divino Espírito Santo e Cavalhadas. Conjunto arquitetônico, urbanístico e paisagístico, Casa da Fazenda da Babilônia e Igreja Matriz de N. S.ª do Rosário tombados pelo Iphan. Hab.: 24.279.

Piripiri (PI), município com 1.408,9 km^2, situado na região norte do estado. Parque Nacional Sete Cidades, inscrições rupestres. Hab.: 62.600.

Pita, Sebastião da **Rocha** [Salvador BA, 1660 — *id.*, 1738], escritor, poeta e historiador brasileiro. Sua obra mais importante, *História da América portuguesa, desde o ano de 1500 até o de 1724*, foi pioneira na pesquisa histórica nacional.

Pitágoras [Samos, Grécia, primeira metade do séc. VI a.C. — Metaponto, Itália, início do séc. V a.C.], filósofo e matemático grego, formulou o teorema que leva seu nome sobre a relação matemática entre os lados de um triângulo retângulo. Na filosofia, considerava o número como a essência de todas as coisas.

Pitangui (MG), município com 569,6 km^2, situado a 131 km de Belo Horizonte; foi a Sétima Vila do Ouro das Gerais. Casa do Padre Belquior e Paço Municipal tombados pelo Iphan. Hab.: 27.040.

Pitanguy, Ivo Hélcio Jardim de Campos [Belo Horizonte MG, 1926], médico brasileiro, referência mundial no campo da cirurgia plástica, premiado e condecorado no Brasil e no exterior. Membro titular da ANM, do Colégio Brasileiro de Cirurgiões e da Sociedade Brasileira de Cirurgia Plástica. Membro da ABL. Obras: *Um jeito de ver o Rio*, *Aprendendo com a vida* etc. Obras científicas: *Mamaplastias*, *Atlas de cirurgia palpebral* etc.

Pixinguinha (Alfredo da Rocha Viana Júnior, dito) [Rio de Janeiro RJ, 1897 — *id.*, 1973], músico e compositor popular brasileiro, mestre da flauta, um dos responsáveis pela popularização do choro. Liderou vários grupos musicais, entre eles a *Orquestra Típica Pixinguinha-Donga*. Compôs mais de mil músicas; a mais famosa, *Carinhoso* (letra de Braguinha), tornou-se referência da MPB.

Pizarro, Francisco [Trujilo, Espanha, c. 1475 — Lima, Peru, 1541], conquistador espanhol, derrotou o Império Inca e conquistou o Peru. Fundou a cidade de Lima, atual capital desse país. Ganhou do rei espanhol o título de marquês e o cargo de governador.

Planaltina (GO), município com 2.543,6 km^2, situado no entorno de Brasília. Hab.: 86.751.

Platão [Atenas, Grécia, c. 428 a.C. — *id.*, c. 348 a.C.], filósofo e pensador grego, um dos maiores da cultura ocidental, discípulo de Sócrates. Fundou a Academia, escola de filosofia e ciências, considerada a primeira universidade. Escreveu os *Diálogos*, peças teatrais em que os personagens discutem temas filosóficos. O filósofo grego Aristóteles foi o seu discípulo mais famoso.

Plutão, divindade romana identificada com o *Hades* grego. Em astronomia, é um planeta-anão do sistema solar. Diâmetro: 2.320 km; distância média do Sol: 5.913.520.000 km; satélite: 1.

PNB ver *Produto Nacional Bruto*

Poá (SP), município com 17,2 km^2 situado na região metropolitana de São Paulo. Estância turística e hidromineral. Hab.: 112.917.

Poços de Caldas (MG), município com 547,2 km^2, situado no sudoeste do estado, na divisa com o Estado de São Paulo, foi construído sobre a cratera de um vulcão extinto. Fontes de águas e lama medicinais. Hab.: 162.379.

Polígono das Secas, compreende a área do nordeste brasileiro (1.079.893 km^2) reconhecida pela legislação (1951) como sujeita a repetidos e longos períodos de estiagem e, portanto, objeto de especiais providências do setor público. Abrange oito estados do Nordeste (exceto o Maranhão e o litoral leste) e parte do norte do Estado de Minas Gerais.

Polinésia Francesa (Território da), arquipélago ao sul da Oceania, com 4.167 km^2; colônia ultramarina francesa. Compreende as ilhas da Sociedade (com Taiti), as Marquesas, Tuamotu e Gambier e mais de 100 outras ilhas e atóis. Capital: *Papeete* (em Taiti); recurso principal: turismo. Hab.: 287.032 (2009).

Polo, Marco [Veneza, Itália, 1254 — *id.*, 1324], comerciante e explorador italiano, tornou-se famoso por suas viagens pelo Oriente. Partiu com 17 anos e retornou a sua terra natal 24 anos depois. Escreveu *O livro das maravilhas*, que relata os hábitos e os costumes do império de Kublai Khan e faz um mapeamento geográfico da Ásia oriental.

Polônia (República da), país do centro-norte da Europa, com 312.680 km^2. República mista, independente desde 1918. Capital: *Varsóvia*; recursos principais: indústria (máquinas, ferro, aço, navios etc.) e mineração (cobre, prata, carvão e zinco) Hab.: 38.383.809 (2013).

Pombal (Sebastião José de Carvalho e Melo, primeiro conde de Oeiras e primeiro **marquês de**) [Lisboa, Portugal, 1699 — Quinta de Pombal, Portugal, 1782], estadista português, a mais importante figura política durante o reinado de D. José I (1750 a 1777). Considerado um déspota esclarecido, melhorou a organização da economia colonial brasileira, com o intuito de gerar mais lucros para Portugal.

Pombo, José Francisco da **Rocha** [Morretes PR, 1857 — Rio de Janeiro RJ, 1933], historiador e escritor brasileiro. Considerado um dos pioneiros do romance simbolista no país. Eleito para a ABL, morreu antes da posse. Obras: *História do Brasil*, *Nossa Pátria*, *No hospício* etc.

Pompeia, Raul d'Ávila [Angra dos Reis RJ, 1863 — Rio de Janeiro RJ, 1895], escritor e jornalista brasileiro. Escreveu ficção, poemas e crônicas, recebendo, na poesia, certa influência do Parnasianismo. Abolicionista e republicano, colaborou em diversos jornais paulistas e cariocas. Obras: *O Ateneu*, *As joias da coroa* etc.

Ponta Grossa (PR), município com 2.054,7 km^2, situado na região centro-oriental do estado. Centro processador de soja. Turismo. Parque estadual de Vila Velha. Hab.: 334.535.

Ponta Porã (MS), município com 5.330,4 km², situado na região sudoeste do estado, na fronteira com o Paraguai. Erva-mate. Hab.: 85.251.

Ponte Nova (MG), município com 470,6 km², situado na Zona da Mata do estado, às margens do rio Piranga. Cana-de-açúcar. Hab.: 59.814.

Portella, Eduardo Matos [Salvador BA, 1932], crítico literário, professor e ensaísta brasileiro. Foi diretor da Faculdade de Letras da UFRJ, ministro da Educação e Cultura no governo João Figueiredo, diretor-geral adjunto da Unesco, na França, e membro da ABL. Obras: *Dimensões I*, *Teoria da comunicação literária*, *Vanguarda e cultura de massa* etc.

Portinari, Cândido Torquato [Brodósqui SP, 1903 — Rio de Janeiro RJ, 1962], artista plástico modernista brasileiro, pintor nacional de expressão internacional. Sua temática explora esp. problemas sociais. Produziu vasta obra, destacando-se, p.ex., os afrescos da biblioteca do Congresso norte-americano, em Washington, e o painel do edifício da ONU, em Nova York, ambos nos EUA.

Porto Alegre (Manuel Marques de Sousa, dito **barão**, **visconde** e **conde de**) [Rio Grande RS, 1804 — Rio de Janeiro RJ, 1875], político e militar brasileiro. Sempre apoiando o monarquismo, empunhou armas e foi o líder em diversas batalhas, como a resistência à Guerra dos Farrapos, a vitória de Monte Caseros e o cerco de Uruguaiana.

Porto Alegre (RS), capital do Estado do Rio Grande do Sul, com 496,6 km², situada na margem esquerda do rio Guaíba. Cais do Porto — pórtico central e armazéns, casa do visconde de Pelotas, Correios e Telégrafos, Igreja de N. S.ª das Dores, Palacete Argentina, prédios do Observatório Astronômico e da Faculdade de Direito tombados pelo Iphan. Indústria (têxtil, de artefatos de couro, de tecidos e metalúrgica). Hab.: 1.472.482.

Porto-Alegre, Manuel José de **Araújo** (barão de Santo Ângelo) [Rio Pardo RS, 1806 — Lisboa, Portugal, 1879], pintor e escritor, precursor do Romantismo brasileiro; estudou pintura com Debret, no Rio de Janeiro. Obras: *Brasilianas*, *Colombo*.

Porto Calvo (AL), município com 304,3 km², situado na região da Zona da Mata alagoana. Igreja de N. S.ª da Apresentação tombada pelo Iphan. Hab.: 27.171.

Porto Feliz (SP), município com 556,6 km², localizado na região de Sorocaba. Indústria (metalurgia, papelão, tintas, confecção). Turismo. Hab.: 51.628.

Porto Ferreira (SP), município com 244,9 km², localizado na região de Campinas. Agricultura (cana-de-açúcar). Indústria (vidro, cerâmica). Hab.: 54.413.

Porto Nacional (TO), município com 4.450 km², localizado na região oriental do Tocantins. Agropecuária. Hab.: 51.846.

Porto Rico (Comunidade de), ilha ao norte da América Central, uma das ilhas antilhanas a leste do Haiti, com 13.790 km²; território independente administrado pelos EUA. Capital: *San Juan*; recurso principal: exportação de açúcar, café, cacau, tabaco etc. Hab.: 3.971.020 (2009).

Porto Seguro (BA), município histórico com 2.287 km², situado na região sul do estado. Conjunto arquitetônico e paisagístico da cidade alta e Monte Pascoal tombados pelo Iphan. Turismo. Hab.: 143.282.

Porto Velho (RO), capital do Estado de Rondônia, com 34.096,3 km², situado na margem direita do rio Madeira, na divisa com o Estado do Amazonas. Extração de cassiterita. Universidade. Hab.: 494.013.

Portugal (República Portuguesa), país do extremo oeste da Europa, situado na península Ibérica, com 92.090 km², incluindo os Açores e a ilha da Madeira. República mista. Capital: *Lisboa*; recursos principais: pesca e vinho. Hab.: 10.699.333 (2012).

Posêidon ou **Posídon**, Netuno entre os romanos, na mitologia grega foi uma das 12 divindades do Olimpo; deus grego dos mares.

Poti ver *Camarão, Antônio Filipe*

Pouso Alegre (MG), município com 543 km², situado na região sudoeste do estado, no vale do Sapucaí. Indústria (alimentícia, têxtil e metalúrgica). Universidades. Hab.: 142.073.

Prado Freitas, **Adélia** Luzia [Divinópolis MG, 1935], escritora e professora brasileira. Destacou-se na prosa e na poesia. Recebeu o Prêmio Jabuti de Poesia (1978). Obras: *Bagagem*, *O coração disparado*, *O homem da mão seca* etc.

Prado Júnior, Caio [São Paulo SP, 1907 — *id.*, 1990], historiador e político brasileiro, de ideias marxistas. Foi dirigente da Aliança Nacional Libertadora. Fundou a *Revista Brasiliense*. Foi preso durante a ditadura militar (1970-1971). Obras: *Formação do Brasil contemporâneo*, *O mundo do socialismo*, *Dialética do conhecimento* etc.

Prados (MG), município histórico com 264,1 km², situado na região de São João del Rei. Igrejas de N. S.ª da Penha e Matriz de N. S.ª da Conceição tombadas pelo Iphan. Hab.: 8.865.

Praia Grande (SP), município com 147 km², situado na região de Santos. Estação balneária. Turismo. Hab.: 293.695.

Praieira (Revolução ou **Insurreição)**, movimento de caráter liberal e federalista contra o Império, ocorrida em Pernambuco (1848-1849). Seus líderes foram o deputado Joaquim Nunes Machado, o jornalista Antônio Borges da Fonseca e o capitão Pedro Ivo Veloso da Silveira.

Prata (Questão do), surgida (1809) devido à insistência de D. João VI em retomar a Colônia do Sacramento, atual Uruguai, e com ela a Banda Oriental, para dessa forma fixar a fronteira meridional brasileira na margem esquerda da bacia do rio da Prata.

Prazeres, Heitor dos [Rio de Janeiro RJ, 1898 — *id.*, 1966], pintor primitivo e compositor popular brasileiro. Seus quadros retratam a vida dos morros cariocas. Na música, dedicou-se ao samba e foi autor de diversos sucessos carnavalescos. Obras: *Deixaste meu lar*, *Mulher de malandro*, *Pierrô apaixonado* (com Noel Rosa) etc.

Presidente Prudente (SP), município com 560,6 km^2, situado no planalto ocidental paulista. Pecuária. Exportação de carne bovina. Bacia leiteira. Hab.: 220.599.

Prestes (Coluna), movimento político-militar de origem tenentista (1924-1927), que se deslocou pelo interior do país, pregando reformas políticas e sociais, e combatendo o governo do presidente Artur Bernardes e, depois, de Washington Luís. Sem jamais ser vencida, enfrentou tropas regulares do Exército, forças policiais dos estados e bandos de jagunços estimulados por promessas oficiais de anistia.

Prestes de Albuquerque, **Júlio** [Itapetininga SP, 1882 — São Paulo SP, 1946], político brasileiro. Elegeu-se governador, deputado federal e seis vezes deputado estadual, sempre por São Paulo. Em 1930, elegeu-se presidente da República, mas não tomou posse, em decorrência da revolução que levou Getúlio Vargas ao poder.

Prestes, Luís Carlos [Porto Alegre RS, 1898 — Rio de Janeiro RJ, 1990], político brasileiro ligado ao movimento comunista. Foi um dos líderes do Tenentismo. Organizou a Coluna Prestes (1924-1927). Em 1945, líder do Partido Comunista Brasileiro, elegeu-se senador, mas foi cassado em 1948.

Primavera do Leste (MT), município com 5.471,6 km^2, localizado na região oriental do Tocantins. Agroindústria (soja). Avicultura. Hab.: 56.450.

Produto Interno Bruto (PIB), produto interno de um país, incluindo os gastos de depreciação. Mostra o valor dos bens e serviços que o país produz em um determinado período.

Produto Nacional Bruto (PNB), somatório de todos os bens e serviços produzidos por um país durante certo período. É índice utilizado para medir o desempenho da economia nacional.

Prudentópolis (PR), município com 2.236,5 km^2, localizado no sudeste paranaense. Cachoeiras gigantes. Ecoturismo (tirolesa, rapel). Hab.: 51.281.

Purus (rio), afluente da margem direita do rio Amazonas, nasce no Peru, nas encostas da cordilheira dos Andes (3.330 km).

Qq

Qatar ver *Catar*

Qorpo-Santo (José Joaquim de Campos Leão, dito) [Triunfo RS, 1829 — Porto Alegre RS, 1883], teatrólogo brasileiro, considerado um dos precursores do teatro do absurdo e do Surrealismo na dramaturgia nacional. Obras (encenadas postumamente): *A separação de dois esposos*, *Mateus e Mateusa* etc.

Quadros, Jânio da Silva [Campo Grande MS, 1917 — São Paulo SP, 1992], político brasileiro, ocupou vários cargos, como prefeito e governador de São Paulo, até atingir a presidência da República (1961). Renunciou após seis meses no poder, alegando ser pressionado por "forças ocultas".

Queimados (RJ), município com 75,6 km^2, situado na baixada Fluminense, região metropolitana do Rio de Janeiro. Desmembrado de Nova Iguaçu, foi instalado em 1990. Hab.: 142.709.

Queiroz, Dinah Silveira de [São Paulo SP, 1911 — Rio de Janeiro RJ, 1982], contista, romancista e cronista brasileira. Consagrou-se com o romance *Floradas na serra* (1939). Membro da ABL. Outras obras: *A sereia verde*, *A muralha*, *As noites do morro do Encanto* etc.

Queirós, José Maria **Eça de** [Póvoa de Varzim, Portugal, 1845 — Paris, França, 1900], escritor português, maior representante do Realismo em seu país e um dos grandes romancistas do séc. XIX. Autor de romances que reproduzem um exato quadro da sociedade portuguesa de seu tempo. Obras: *O crime do padre Amaro*, *O primo Basílio*, *A relíquia*, *Os Maias* etc.

Queirós Coutinho Matoso da Câmara, **Eusébio de** [São Paulo de Luanda, Angola, 1812 — Rio de Janeiro RJ, 1868], político e magistrado brasileiro. Foi um dos líderes do Partido Conservador e ministro da Justiça no gabinete do Visconde de Olinda. Autor de importantes leis, como a que extinguiu o tráfico de escravos africanos no Brasil (1850).

Queiroz, Rachel de [Fortaleza CE, 1910 — Rio de Janeiro RJ, 2003], escritora e jornalista brasileira, considerada uma das mais importantes autoras da literatura nacional. Primeira mulher a entrar para a ABL (1977). Obras: *O quinze*, *As três Marias*, *Memorial de Maria Moura* etc.

Quênia ou **Kênia (República do)**, país da África oriental, com 580.370 km^2, república presidencialista, independente desde 1963. Capital: *Nairóbi*; recurso principal: turismo (safáris). Hab.: 42.749.418 (2012).

Quental, Antero Tarquínio **de** [Ponta Delgada, Açores, 1842 — *id.*, 1891], poeta e prosador português. Sua poesia rompeu com os rígidos padrões da época. Tornou-se líder de sua geração e referência na literatura portuguesa. Obras: *Odes modernas*, *Sonetos completos*, *Primaveras românticas* etc.

Questão Militar, série de eventos (1884-1887) que colocaram em confronto direto oficiais do Exército e políticos conservadores e monarquistas. O estopim foi o fato de os militares estarem proibidos por lei de discutir assuntos políticos na imprensa. O verdadeiro motivo foi o crescente ressentimento dos militares com o egoísmo impatriótico da classe política.

Questão Religiosa, conflito (1872) entre a Igreja católica e a maçonaria. Como ambas as partes radicalizaram suas posições, quase se tornou um confronto entre o próprio D. Pedro II, maçom, e o papa Pio IX. Os bispos de Olinda e do Pará foram presos por ordem do imperador e condenados a quatro anos de prisão, com trabalhos forçados (1874). A pena foi comutada para prisão simples.

Quilombo dos Palmares, maior e mais importante quilombo do Brasil, ocupou uma área de cerca de 400 km^2, onde hoje estão localizados os estados de Alagoas e Pernambuco. Estado independente formado por escravos negros fugidos (e outros participantes) que se organizaram em aldeias para produzir e resistir à escravidão (1630 a 1695). Seu primeiro rei foi Gangazumba, que terminou envenenado e foi substituído por Zumbi, o mais famoso herói da resistência negra.

Quintana, Mário de Miranda [Alegrete RS, 1906 — Porto Alegre RS, 1994], escritor, jornalista e tradutor brasileiro, notabilizou-se como poeta. Sua obra recebeu influência simbolista e surrealista: *A rua dos cataventos*, *Espelho mágico*, *Antologia poética*, *Velório sem defunto* etc.

Quirguistão ou **Quirguizistão (República do)**, país do centro-oeste da Ásia, com 199.949 km^2, república mista, independente desde 1991. Capital: *Bishkek*; recursos principais: agricultura (trigo, legumes e verduras) e pecuária. Hab.: 5.448.085 (2012).

Quitéria de Jesus Medeiros, **Maria** [Feira de Santana BA, 1792 — Salvador BA , 1853], patriota e heroína brasileira. Alistou-se no Exército durante as guerras da Independência e lutou contra os portugueses. Foi promovida a cadete e condecorada pessoalmente por D. Pedro I com a *Ordem Imperial do Cruzeiro do Sul* (1823).

Quixadá (CE), município com 2.019,8 km^2, situado no sertão de Quixeramobim. Possui 121 açudes com capacidade para armazenar 633.130.000 m^3 de água e sete lagoas com capacidade de 4.380.000 m^3. Açude do Cedro tombado pelo Iphan. Hab.: 84.684.

Quixeramobim (CE), município com 3.275,6 km^2, situado no sertão de mesmo nome. Barragem do Jaguaribe com área de 3.579 km^2. Casa de Câmara e Cadeia tombada pelo Iphan. Hab.: 76.386.

Rabelo, Laurindo José da Silva [Rio de Janeiro RJ, 1826 — *id.*, 1864], poeta do Romantismo brasileiro, dito Poeta Lagartixa por seu físico esguio. Notabilizou-se por seus versos satíricos e por vezes nostálgicos. Patrono da cadeira 26 da ABL. Bibliografia: *Trovas*, *Obras completas* etc.

Rademaker Grünewald, **Augusto** Hamann [Rio de Janeiro RJ, 1905 — *id.*, 1985], almirante brasileiro, lutou na batalha do Atlântico, durante a Segunda Guerra Mundial. Participou ativamente do golpe militar de 1964, que depôs o presidente João Goulart. Foi ministro da Marinha no governo Costa e Silva e vice-presidente da República no governo Médici.

Ramos, Graciliano [Quebrangulo AL, 1892 — Rio de Janeiro RJ, 1953], escritor brasileiro. Seus romances contam a vida e o sofrimento do nordestino com uma linguagem seca e vigorosa e são considerados clássicos da literatura nacional. Obras: *São Bernardo*, *Angústia*, *Vidas secas*, *Memórias do cárcere* etc.

Ramos, Nereu de Oliveira [Lajes SC, 1888 — Curitiba PR, 1958], político brasileiro, ocupou muitos cargos, entre eles: deputado federal constituinte (1934), governador de SC, senador e vice-presidente da República (no governo Dutra). Foi um dos fundadores do PSD (1945) e ministro da Justiça no governo JK.

Rangel, Alberto do Rego [Recife PE, 1871 — Nova Friburgo RJ, 1945], historiador e escritor brasileiro, discípulo de Euclides da Cunha. Sua obra constitui importante trabalho de pesquisa sobre fatos e figuras da história do Brasil. Autor de: *Inferno verde — cenas e cenários do Amazonas*, *No rolar do tempo*, *A educação do príncipe* etc.

Rangel, Flávio Nogueira [Tabapuã SP, 1934 — São Paulo SP, 1988], diretor de teatro e dramaturgo brasileiro, importante figura do movimento teatral brasileiro dos anos 1960 e 1970. Autor de: *A praça dos sem poderes*, *Seria cômico se não fosse trágico*, *Liberdade, liberdade* (com Millôr Fernandes) etc.

Raposos (MG), município com 72,2 km^2, situado na região metropolitana de Belo Horizonte. Igreja de N. S.ª da Conceição tombada pelo Iphan. Hab.: 16.144.

Ratto, Gianni [Milão, Itália, 1916 — São Paulo SP, 2005], diretor, ator, figurinista e cenógrafo italiano, fixou-se no Brasil desde 1954. Foi um dos fundadores do Teatro dos Sete. Dirigiu o Teatro Brasileiro de Comédia (TBC). Escreveu: *A mochila do mascate*, *Antitratado de cenografia* etc.

Reale, Miguel [São Bento do Sapucaí SP, 1910 — São Paulo SP, 2006], advogado, jurista, professor, filósofo e ensaísta brasileiro. Foi reitor da USP e secretário de Justiça de SP. Fundou a *Revista Brasileira de Filosofia*. Membro da ABL. Obras: *O Estado moderno*, *Fundamentos do direito*, *Pluralismo e liberdade*, *Introdução à filosofia* etc.

Real Gabinete Português de Leitura, maior biblioteca de autores portugueses fora de Portugal, fundada pela colônia portuguesa no Rio de Janeiro (1837). Tornou-se biblioteca pública a partir de 1900. Em 1935, passou a receber da Biblioteca Nacional de Lisboa um exemplar de cada livro publicado em Portugal.

Rebelo (Eddy Dias da Cruz, dito **Marques**) [Rio de Janeiro RJ, 1907 — *id.*, 1973], escritor e jornalista brasileiro. Produziu diversos gêneros literários. Pertencente à segunda geração modernista, foi um cronista da vida simples do subúrbio carioca. Membro da ABL. Obras: *Três caminhos*, *Cortina de ferro*, *A estrela sobe* etc.

Rebouças, André Pinto [Cachoeira BA, 1838 — Funchal, ilha da Madeira, 1898], engenheiro e jornalista brasileiro. De suas obras de engenharia destacam-se as primeiras docas do Rio de Janeiro, Bahia, Pernambuco, Paraíba e Maranhão. Utilizou a imprensa para divulgar suas ideias abolicionistas.

Recife (PE), capital do Estado de Pernambuco, com 218,4 km^2, situada na foz dos rios Capiberibe e Beberibe. Antigo bairro do Recife — conjunto arquitetônico, urbanístico e paisagístico, casas de Gilberto Freire e Joaquim Nabuco, Convento e Igreja de N. S.ª do Carmo, Forte de Cinco Pontas, igrejas da Ordem Terceira de N. S.ª do Carmo, de N. S.ª do Pilar, Mercado de São José e Teatro Sta. Isabel, entre outros bens tombados pelo Iphan. Turismo. Hab.: 1.608.488.

Redenção (PA), município com 3.823,8 km^2, situado na região sudeste do estado. Desmembrado de Conceição do Araguaia, foi instalado em 1982. Hab.: 79.917.

Redenção da Serra (SP), município com 309,4 km^2, situado entre as montanhas da serra do Mar, no vale do Paraíba. Fazenda Ponte Alta tombada pelo Iphan. Turismo rural, ecológico e cultural. Hab.: 3.941.

Redondo (morro do), situado no Estado de Minas Gerais, entre os rios Araçuaí e das Velhas (1.200 m).

Reforma, movimento contra certas práticas da Igreja católica, iniciado em 1517 por Martinho Lutero, teólogo alemão; deu origem ao protestantismo.

Regências, sistema de governo brasileiro adotado logo após a abdicação de D. Pedro I em favor de seu filho menor, D. Pedro II. O período, um dos mais conturbados da história brasileira, durou de 1831 a 1840 e dividiu-se em várias fases, ditas Regência Trina Provisória, Regência Trina Permanente e Regência Una. Dentre os regentes que governaram o país, destacam-se o brigadeiro Lima e Silva, apelidado Chico Regência, e o padre Diogo Antônio Feijó.

Região Centro-Oeste, formada pelos estados de Mato Grosso, Mato Grosso do Sul, Goiás e Distrito Federal, com 1.61.077 km^2 e cerca de 12 milhões de hab. Ali fica Brasília, a capital federal. Agropecuária. Reservas de manganês. Pantanal mato-grossense e chapada dos Guimarães.

Região Nordeste, formada pelos estados do Maranhão, Piauí, Ceará, Rio Grande do Norte, da Paraíba, de Pernambuco, Alagoas, Sergipe e da Bahia, com 1.561.177,8 km^2 e cerca de 48 milhões de hab. Bacia do rio São Francisco. Polígono das Secas. Divide-se em Zona da Mata (cana-de-açúcar, cacau e coco), Agreste (pecuária), Sertão Semiárido (caatinga e seca) e Meio-Norte (babaçu, carnaúba e arroz). Metrópoles: Salvador BA, Recife PE e Fortaleza CE.

Região Norte, formada pelos estados do Acre, Amazonas, Amapá, Pará, de Rondônia, Roraima e Tocantins, com 3.869.638 km^2 e cerca de 13 milhões de hab. Única região brasileira cortada pela linha do equador. Extensa planície. Bacia Amazônica e Floresta Amazônica. Extrativismo vegetal (seringueira, guaraná, baunilha, castanha-do-pará) e mineral (manganês AP; cassiterita RO, AM e PA; minério de ferro, bauxita, cobre e níquel PA; ouro PA, RO e RR; e diamante RR). Ilha de Marajó (o maior rebanho de búfalos do país). Zona Franca de Manaus AM.

Região Sudeste, formada pelos estados do Espírito Santo, Rio de Janeiro, São Paulo, Minas Gerais, com 927.286 km^2 e cerca de 72,5 milhões de hab. A região possui grandes reservas de minério de ferro MG; sal marinho RJ; manganês MG; apatita SP e MG; petróleo, na bacia de Campos no litoral norte do Estado do Rio de Janeiro, que representa 92% da produção nacional. Agricultura (café, cana-de-açúcar e laranja).

Região Sul, a menor das regiões brasileiras, formada pelos estados do Paraná, de Santa Catarina e do Rio Grande do Sul, com 577.142 km^2 e cerca de 25,5 milhões de hab. Extrativismo vegetal: madeiras (pinho, cedro, imbuia), erva-mate e carvão mineral, esp. em Santa Catarina, que fornece 70% do carvão brasileiro, e Rio Grande do Sul. Agricultura (esp. soja e trigo) e pecuária.

Regina, Elis Carvalho da Costa [Porto Alegre RS, 1945 — São Paulo SP, 1982], cantora brasileira, considerada uma das maiores intérpretes do país em todos os tempos, lançou alguns grandes compositores nacionais (João Bosco e Aldir Blanc, Renato Teixeira, Fátima Guedes). Foi a primeira a inscrever a voz como instrumento na Ordem dos Músicos do Brasil. Deixou extensa discografia: *Trem azul, Luz das estrelas, Elis Regina no fino da bossa* etc. Seus filhos, **João Marcelo Bôscoli** (com Ronaldo Bôscoli) e **Pedro Camargo** e **Maria Rita Mariano** (com César Camargo Mariano), tb. se dedicam à música.

Registro (SP), município com 722,2 km^2, situado no vale da Ribeira, litoral sul do estado. Agricultura (banana e chá preto) e turismo rural. Pesca. Hab.: 56.203.

Rego Cavalcanti, **José Lins do** [Pilar PB, 1901 — Rio de Janeiro RJ, 1957], escritor brasileiro. Suas memórias do mundo rural do Nordeste formaram a base de seus romances, que retratam a decadência dos senhores de engenho, o patriarcalismo, o cangaço e o misticismo. Membro da ABL. Obras: *Menino de engenho, Cangaceiros, Riacho doce* etc.

Reidy, Affonso Eduardo [Paris, França, 1909 — Rio de Janeiro RJ, 1964], arquiteto brasileiro. Entre seus projetos destacam-se o Ministério da Educação, o Conjunto Residencial Prefeito Mendes de Moraes e o MAM, todos no Rio de Janeiro RJ.

Reino Unido da Grã-Bretanha e Irlanda do Norte ver *Grã-Bretanha e Irlanda do Norte (Reino Unido da)*

Reis, Aarão Leal de Carvalho [Belém PA, 1853 — Rio de Janeiro RJ, 1936], engenheiro brasileiro, planejou a construção da cidade de Belo Horizonte MG (1894). Foi diretor do Banco do Brasil e da Comissão das Estradas de Ferro em PE e deputado federal.

Renault, Abgar de Castro Araújo [Barbacena MG, 1901 — Rio de Janeiro RJ, 1995], escritor, político e educador brasileiro. Foi secretário da Educação de MG, ministro da Educação e Cultura e representante brasileiro junto à Unesco. Como poeta, participou do movimento modernista mineiro. Membro da ABL. Obras: *Sonetos antigos, A outra face da lua, Sofotulafai* etc.

República Rio-Grandense, tb. conhecida como República de Piratini e única experiência republicana efetiva no Brasil antes da Proclamação da República, foi proclamada em 11 de setembro de 1836 pelo general Antônio de Sousa Neto, como consequência direta da vitória obtida por forças oligárquicas gaúchas na Batalha do Seival (1836), durante a Guerra dos Farrapos (1835-1845). A presidência da nova República ficou a cargo de Bento Gonçalves.

República Velha ou **Primeira República**, período da história brasileira que se iniciou com a Proclamação da República (1889) e terminou com a Revolução de 1930. Foi marcado pelo domínio político das oligarquias paulistas e mineiras, dita "política café com leite".

Resende, Otto de Oliveira **Lara** [São João del Rei MG, 1922 — Rio de Janeiro RJ, 1992], escritor e jornalista brasileiro, colaborou em vários jornais e revistas mineiras e cariocas. Escreveu contos, novelas, romances e crônicas. Membro da ABL. Obras: *O lado humano, O retrato na gaveta, Boca do inferno, O braço direito* etc.

Resende (RJ), município com 1.094,3 km², situado na região sul do estado, na divisa com os estados de São Paulo e Minas Gerais. Sede da Academia Militar das Agulhas Negras. Turismo (esp. Visconde de Mauá, na serra da Mantiqueira). Hab.: 124.316.

Resende Costa (MG), município com 618,3 km², situado na região de São João del Rei. Artesanato (tapeçaria). Casa à praça Cônego Cardoso, 84, tombada pelo Iphan. Hab.: 11.429.

Reunião (Departamento de), ilha no sudeste da África, com 2.512 km², território ultramarino administrado pela França. Sede: *Saint-Dénis*; recursos principais: agricultura (baunilha e outras especiarias), exportação de açúcar e rum. Hab.: 816.364 (2009).

Revolução Francesa, processo social e político ocorrido na França (1789-1799). Causas: incapacidade das classes dominantes (nobreza, clero e burguesia) de enfrentar os problemas do Estado, indecisão da monarquia, excesso de impostos, empobrecimento dos trabalhadores, agitação intelectual e o exemplo da Guerra da Independência norte-americana. Consequências: queda de Luís XVI, abolição da monarquia e proclamação da república.

Revolução Industrial, foi a acelerada transformação no setor produtivo industrial, ocorrida primeiro na Inglaterra, (final do séc. XVIII, início do séc. XIX), seguida pela França, Bélgica, Holanda, Rússia, Alemanha e Estados Unidos, e devida à descoberta do carvão como fonte de energia e à consequente invenção da máquina a vapor e da locomotiva.

Revolução Pernambucana (1817), último movimento de revolta anterior à Independência do Brasil, suas causas estão intimamente relacionadas ao estabelecimento e permanência do governo português no Brasil (1808-1821) e à grave crise econômica em razão do declínio das exportações do açúcar e do algodão. Os líderes da rebelião chegaram a constituir um governo provisório, composto por representantes de várias classes sociais.

Riachuelo (Batalha naval do), combate ocorrido no rio Paraná, no dia 11 de junho de 1865, durante a Guerra do Paraguai. A esquadra brasileira, liderada pelo almirante Barroso, alcançou a vitória em menos de 24 horas acabando com o domínio naval paraguaio na bacia do Prata.

Riachuelo (SE), município com 78,9 km², situado no leste sergipano. Capela do Engenho Penha tombada pelo Iphan. Hab.: 9.949.

Ribeira do Pombal (BA), município com 762,2 km², localizado no nordeste baiano. Agricultura (feijão). Pecuária. Hab.: 51.026.

Ribeirão das Neves (MG), município com 155,5 km², situado na região metropolitana de Belo Horizonte. Fábrica de circuitos integrados, microprocessadores. Hab.: 319.310.

Ribeirão Pires (SP), município com 99 km², situado na região metropolitana de São Paulo, na serra do Paranapiacaba. Estância turística. Esportes aquáticos e radicais (rapel, *trekking* etc.). Hab.: 119.644.

Ribeirão Preto (SP), município com 650,3 km², situado na região nordeste do estado. Produção de açúcar, álcool e café. Santuário das Sete Capelas. Hab.: 658.059.

Ribeiro Carneiro Monteiro, **Bento** Manuel [Jaguarão RS, 1856 — Rio de Janeiro RJ, 1921], militar e político brasileiro. Formou-se em engenharia e chefiou a construção de estradas de ferro, linhas telegráficas e colônias militares. No governo Hermes da Fonseca, foi prefeito do Distrito Federal.

Ribeiro, Bernardim [Vila do Torrão, Portugal, c. 1500 — ?, Portugal, c. 1550], escritor e poeta português, fundador da poesia bucólica no seu país e considerado um dos maiores desse gênero, ao lado de Luís de Camões. Escreveu: *Menina e moça, Éclogas* etc.

Ribeiro, Darcy [Montes Claros MG, 1922 — Brasília DF, 1997], etnólogo, antropólogo, professor, educador e político brasileiro. Estudou as comunidades indígenas brasileiras. Fundou a Universidade de Brasília. Elegeu-se vice-governador (1982) e depois senador (1990), ambos pelo RJ. Membro da ABL. Obras: *As Américas e a civilização, O povo brasileiro, Maíra* etc.

Ribeiro de Andrade Fernandes, **João** Batista [Laranjeiras SE, 1860 — Rio de Janeiro RJ, 1934] foi filólogo, folclorista, ensaísta, jornalista e crítico literário. Membro da ABL. Obras: *Dicionário gramatical, História do Brasil, Estudos filológicos* etc.

Ribeiro Vaughan, **Júlio** César [Sabará MG, 1845 — Santos SP, 1890], escritor, filólogo, gramático e jornalista brasileiro, um dos primeiros romancistas naturalistas do país. Patrono da cadeira 24 da ABL. Obras: *Gramática portuguesa, A carne* etc.

Ricardo Leite, **Cassiano** [São José dos Campos SP, 1895 — Rio de Janeiro RJ, 1974], escritor e jornalista brasileiro. Notabilizou-se como poeta, sofreu influência do Parnasianismo e, depois, do Modernismo. Membro da ABL. Obras: *Vamos caçar papagaios, O arranha-céu de vidro, Martim Cererê* etc.

Rio Bonito (RJ), município com 456,4 km², situado nas baixadas litorâneas do estado. Turismo rural. Igreja de Santana do Basílio tombada pelo Iphan. Hab.: 57.284.

Rio Branco (AC), capital do Estado do Acre, com 8.835,5 km², situada às margens do rio Acre. Porto fluvial. Madeira, borracha, plantas medicinais etc. Hab.: 363.928.

Rio Claro (SP), município com 498,4 km², situado na região de Campinas. Cana-de-açúcar, cítricos e pastagens. Sobrado da baronesa de Dourados tombado pelo Iphan. Hab.: 198.413.

Rio das Ostras (RJ), município com 229 km², situado na Região dos Lagos; recebeu *royalties* da Petrobras que vinha aplicando em infraestrutura. Hab.: 127.171.

Rio de Contas (BA), município com 1.071 km², situado na chapada Diamantina. Conjunto arquitetônico, Casa da Câmara e Cadeia, casa natal do barão de Macaúbas, igrejas de Santana e Matriz do Santíssimo Sacramento tombados pelo Iphan. Hab.: 13.653.

Rio de Janeiro (Conjuração do), tb. conhecida como **Conjuração Carioca**, movimento conspiratório surgido em 1794, no seio de uma sociedade literária, cujos membros foram acusados de conspirar contra a dominação portuguesa e tramar a independência do Brasil.

Rio de Janeiro (RJ), estado brasileiro da Região Sudeste, com 43.777,954 km² e 92 municípios, sendo os mais populosos, além da capital: São Gonçalo, Nova Iguaçu, Duque de Caxias e Niterói. Capital: *Rio de Janeiro*; recursos principais: agricultura (cana-de--açúcar, arroz, laranja), petróleo (bacia de Campos), agropecuária (vale do Paraíba do Sul), indústria (de construção naval, siderúrgica, química, editorial e gráfica) e turismo. Hab.: 16.461.173 (est. 2014).

Rio de Janeiro (RJ), capital do Estado do Rio de Janeiro, cidade turística litorânea com 1.197,4 km², situada no litoral leste do estado. Prédios públicos (Biblioteca Nacional, Casa da Moeda, Teatro Municipal, Fundação Oswaldo Cruz, Observatório Nacional etc.), igrejas (Santa Teresa, Santo Antônio, Candelária, N. S.ª da Glória do Outeiro, entre várias outras), morros (Corcovado, Pedra da Gávea, Pão de Açúcar, Cara de Cão, Dois Irmãos etc.), museus (do Açude e Chácara do Céu, Nacional de Belas-Artes), parques (do Flamengo, Guinle, Lage e Nacional da Tijuca), Estádio Mário Filho (Maracanã), Fortaleza da Conceição, Jardim Botânico, conjunto paisagístico da Lagoa Rodrigo de Freitas, Passeio Público, praça Quinze de Novembro, praia de Paquetá, entre outros bens tombados pelo Iphan. Hab.: 6.453.682.

Rio dos Cedros (SC), município com 554 km², situado na região de Blumenau. Escola rural tombada pelo Iphan. Hab.: 11.019.

Rio do Sul (SC), município com 261 km², situado na região do vale do Itajaí. Turismo ecológico. Hab.: 66.251.

Rio Grande (RS), município com 2.709,5 km², situado na região sudeste do estado. Único porto marítimo do estado. Indústria de carnes. Petróleo. Casa da Alfândega e Igreja Matriz de São Pedro tombadas pelo Iphan. Hab.: 207.036.

Rio Grande do Norte (RN), estado brasileiro, a nordeste da Região Nordeste, com 52.811,126 km² e 167 municípios, sendo os mais populosos, além da capital: Mossoró, Apodi, Açu, Piranhas e Potengi. A maior parte de seu território fica no Polígono das Secas. Capital: *Natal*; recursos principais: agricultura (algodão, feijão, caju), extrativismo vegetal (carnaúba), pecuária e indústria (alimentícia, têxtil, de vestuário). Hab.: 3.408.510 (est. 2014).

Rio Grande do Sul (RS), estado brasileiro, ao sul da Região Sul, com 281.731,445 km² e 497 municípios, sendo os mais populosos, além da capital: Pelotas, Caxias do Sul, Canoas, Santa Maria e Novo Hamburgo. Capital: *Porto Alegre*; recursos principais: agricultura (aveia, soja, milho, erva-mate), vinicultura, pecuária, mineração (calcário, cobre, granito) e indústria (de couro, calçado, pele, têxtil, alimentícia). Hab.: 11.207.274 (est. 2014).

Rio Largo (AL), município com 299,1 km², situado na região leste do estado, às margens do rio Mundaú. Agroindústria. Hab.: 75.267.

Rio Verde (GO), município com 8.379,6 km², situado na região sudeste do estado. Agropecuária e turismo rural. Hab.: 202.221.

Ritápolis (MG), município com 404,8 km², situado na região de São João del Rei. Remanescentes da Fazenda do Pombal, onde nasceu Tiradentes, tombados pelo Iphan. Hab.: 4.922.

Rocas (atol das), reserva biológica marinha com 36.249 ha, foi a primeira do Brasil, criada em 1979. Única formação de atol existente no Atlântico sul, esse santuário ecológico, localizado aprox. a 260 km a leste da cidade de Natal RN, abriga cerca de 150 mil aves, além de peixes, tartarugas e crustáceos. Foi descoberto em 1503 por Gonçalo Coelho, que ali naufragou.

Rocha, Glauber Pedro de Andrade [Vitória da Conquista BA, 1939 — Rio de Janeiro RJ, 1981], cineasta brasileiro. Foi o nome principal do dito Cinema Novo, movimento estético que buscou uma linguagem cinematográfica nacional. Obras: *Deus e o diabo na terra do sol, Terra em transe, O dragão da maldade contra o santo guerreiro* etc.

Rocha, Ruth Machado Lousada [São Paulo SP, 1931], escritora brasileira, uma das grandes autoras da literatura infantojuvenil do país. Recebeu diversas premiações nacionais e internacionais. Obras: *Marcelo, marmelo, martelo*; *Boi, boiada, boiadeiro*; *O reizinho mandão*; *Palavras, muitas palavras*; *Minidicionário* etc.

Rodin, François-**Auguste**-René [Paris, França, 1840 — Meudon, França, 1917], escultor francês, considerado grande mestre. Dedicou-se, quase que exclusivamente, às figuras humanas. *O pensador* e *O beijo* estão entre suas obras mais conhecidas.

Rodrigues, Augusto [Recife PE, 1913 — Resende RJ, 1993], pintor, desenhista e caricaturista brasileiro, grande incentivador da educação artística infantil. Fundou a Escolinha de Arte do Brasil (1948) e dedicou-se à pintura figurativa.

Rodrigues, João **Barbosa** [São Gonçalo de Capivari MG, 1842 — Rio de Janeiro RJ, 1909], botânico e antropólogo brasileiro, estudou a fauna e a flora do rio Amazonas. Obras: *Genera et species orchidearum novarum* etc.

Rodrigues, Lupicínio [Porto Alegre RS, 1914 — *id.*, 1974], compositor popular brasileiro. Autor de sambas famosos, notabilizou-se tb. como grande nome do estilo dito "dor de cotovelo". Obras: *Se acaso você chegasse, Brasa, Nervos de aço, Vingança* etc.

Rodrigues, Nelson Falcão [Recife PE, 1912 — Rio de Janeiro RJ, 1980], dramaturgo, romancista e jornalista brasileiro. Como autor teatral, desenvolveu nova estética e linguagem cênica; considerado criador do moderno teatro brasileiro. Obras: *Vestido de noiva, A falecida, Perdoa-me por me traíres, Boca de ouro, O beijo no asfalto* etc.

Rodrigues, Raimundo **Nina** [Vargem Grande MA, 1862 — Paris, França, 1906], médico, etnógrafo, folclorista e sociólogo brasileiro, considerado introdutor do africanismo no país. Foi grande estudioso dos costumes e das religiões dos antigos escravos na Bahia. Obras: *O animismo fetichista dos negros da Bahia, Os africanos no Brasil* etc.

Rolândia (PR), município com 459 km², localizado na região metropolitana de Londrina. Agronegócio (soja, café, trigo). Hab.: 62.590.

Rolim de Moura (RO), município com 1.457,8 km², localizado no leste rondoniense. Agropecuária. Indústria madeireira. Hab.: 55.807.

Roma, Padre ver *Lima, José Inácio Ribeiro de Abreu e*

Romênia, país do sudeste europeu, com 238.390 km²; é uma república mista dividida em 41 condados e uma municipalidade. Capital: *Bucareste*; recursos principais: exploração de petróleo e gás natural, mineração (minério de ferro, carvão, linhita etc.). Hab.: 21.790.479 (2013).

Romero, Sílvio Vasconcelos da Silveira Ramos [Lagarto SE, 1851 — Rio de Janeiro RJ, 1914], crítico, ensaísta e professor brasileiro. Foi um dos líderes da chamada Escola do Recife e um dos primeiros a buscar uma metodologia para a crítica literária no país. Membro fundador da ABL. Obras: *História da literatura brasileira, A literatura brasileira e a crítica moderna* etc.

Rondônia (RO), estado brasileiro, a oeste da Região norte, com 237.590,543 km² e 52 municípios, localizados esp. às margens dos rios, sendo os mais populosos, além da capital: Ji-Paraná, Ariquemes, Cacoal e Vilhena. Um dos estados de menor densidade populacional do país. Capital: *Porto Velho*; recursos principais: extrativismo vegetal (borracha, madeira, castanha-do-pará) e mineral (primeiro produtor brasileiro de estanho). Hab.: 1.748.531 (est. 2014).

Rondonópolis (MT), município com 4.159,1 km², situado na região sudeste do estado. Maior produtor de grãos do Estado de Mato Grosso. Pecuária leiteira. Turismo. Hab.: 211.718.

Roosevelt, Franklin Delano [Hyde Park NY, EUA, 1882 — Warm Springs, EUA, 1945], político norte-americano. Elegeu-se, quatro vezes consecutivas, presidente dos EUA (1933 a 1945). Em resposta à depressão econômica causada pela crise de 1929, implantou uma série de medidas socioeconômicas, chamadas *New Deal*.

Roquette-Pinto, Edgar [Rio de Janeiro RJ, 1884 — *id.*, 1954], antropólogo brasileiro. Fundou a Rádio Sociedade do Rio de Janeiro (atual Rádio Ministério da Educação e Cultura), a *Revista Nacional de Educação* e o Instituto Nacional do Cinema Educativo etc. Membro da ABL. Obras: *Rondônia, Guia de antropologia, Samambaia* etc.

Roraima (monte), monte do Estado de Roraima, na convergência dos limites com Venezuela e Guiana (2.772 m de altitude), é a maior atração turística do parque nacional de mesmo nome.

Roraima (RR), estado brasileiro, a noroeste da Região Norte, com 224.303,187 km² e 15 municípios, sendo os mais populosos, além da capital: Mucajaí, Alto Alegre e Normandia. Criação de reserva ianomâmi (1991). Capital: *Boa Vista*; recursos principais: extrativismo vegetal (madeira, castanha-do-pará), mineral (ouro, diamante, cassiterita), agricultura e pecuária. Hab.: 496.936 (est. 2014).

Rosa, Noel de Medeiros [Rio de Janeiro RJ, 1910 — *id.*, 1937], músico e compositor popular brasileiro, considerado um dos grandes sambistas cariocas, autor de obras-primas do gênero: *Fita amarela, Conversa de botequim, Pra que mentir, Pastorinhas, Pierrô apaixonado* etc.

Rousseff, Dilma Vana [Belo Horizonte MG, 1947], economista e política brasileira. Ajudou na fundação do Partido Democrático Trabalhista (PDT) e, em 2001, filiou-se ao Partido dos Trabalhadores. Foi ministra de Minas e Energia (2002-2005) e, depois, da Casa Civil. Em 2010, foi eleita a primeira presidente do Brasil (2011-2014) e em seguida reeleita.

Ruanda (República Ruandesa), país do centro-leste da África, com 26.340 km². República mista, independente desde 1962. Capital: *Kigali*; recursos principais: exportação de chá e café, e mineração de estanho e tungstênio. Hab.: 11.271.786 (2012).

Rubens, Petrus Paulus [Siegen, Alemanha, 1577 — Antuérpia, Bélgica, 1640], pintor flamengo, um dos maiores do seu tempo. Sua influência é o Barroco e seus quadros são carregados de cores e emoções. De sua obra destacam-se, esp., os retratos e as pinturas históricas e mitológicas.

Rubião, Murilo Eugênio [Carmo de Minas MG, 1916 — Belo Horizonte MG, 1991], jornalista literário e contista brasileiro, um dos pioneiros do Realismo fantástico no país. Criou o *Suplemento Literário de Minas Gerais*, que se tornou muito prestigiado. Obras: *O pirotécnico Zacarias, A estrela vermelha, O convidado* etc.

Rugendas, Johann Moritz [Augsburgo, Alemanha, 1802 — Weilheim, Alemanha, 1858], pintor e desenhista alemão. Chegou ao Brasil, em 1821, na expedição do barão de Langsdorff. Pintou cenas brasileiras, mostrando imagens do cotidiano rodeadas de paisagens exuberantes. Escreveu *Viagem pitoresca através do Brasil*.

Ruschi, Augusto [Santa Teresa ES, c. 1916 — Vitória ES, 1986], naturalista e zoólogo brasileiro, considerado uma das grandes autoridades mundiais em beija-flores. Catalogou centenas de espécies da fauna e da flora brasileira e seu nome virou gênero de orquídea (*Ruschia*).

Russas (CE), município com 1.590,2 km², situado na região do Baixo Jaguaribe. Açude do DNOCS (abastecimento, irrigação e piscicultura). Hab.: 74.243.

Rússia (Federação Russa), maior país do mundo, estende-se do norte da Ásia até o norte da Europa, com 17.098.240 km^2. República mista, herdeira política da extinta União Soviética. Capital: *Moscou*; recursos principais: mineração (cobre, minério de ferro, carvão, gás natural, petróleo) e indústria (alimentícia, máquinas, siderúrgica, de equipamentos de transporte, química). Hab.: 142.500.482 (2013).

Rússia Branca ver *Belarus*

Ss

Sá, Estácio de [Portugal, c. 1520 — Rio de Janeiro RJ, 1567], militar e administrador colonial português, sobrinho de Mem de Sá. Foi o fundador, em 1º de março de 1565, e primeiro capitão-mor da cidade de São Sebastião do Rio de Janeiro, atual Rio de Janeiro.

Sá, Francisco [Grão Mogol MG, 1862 — Rio de Janeiro RJ, 1936], engenheiro e político brasileiro. Ocupou diversos cargos públicos e foi o responsável, na cidade do Rio de Janeiro, por obras de modernização e infraestrutura.

Sá, Mem de [Coimbra, Portugal, c. 1500 — Salvador BA, 1572], administrador colonial português, terceiro governador-geral do Brasil (1557-1572). De seu governo destacam-se o processo de pacificação dos indígenas e a expulsão dos franceses, que invadiram o Rio de Janeiro.

Sabará (MG), município histórico com 302,1 km^2, situado na região metropolitana de Belo Horizonte. Casa da Intendência, igrejas de N. S.ª das Mercês, N. S.ª do Carmo, N. S.ª do Ó e de N. S.ª do Pilar, conjunto arquitetônico e urbanístico da rua D. Pedro II e Teatro Municipal, entre outros bens tombados pelo Iphan. Hab.: 133.528.

Sabin, Albert [Bialystok, Polônia, 1906 — Washington D.C., EUA, 1993], médico norte-americano de origem polonesa. Grande pesquisador, sua maior descoberta foi a vacina oral contra a poliomielite (1955), dita vacina Sabin.

Sabinada, revolta que explodiu na Bahia (1837-1838), liderada por Francisco Sabino Álvares da Rocha Vieira. Os revoltosos, ditos sabinos, proclamaram a independência e instalaram um governo, a República Baiense. Conseguiram apoio popular, mas o movimento foi violentamente rechaçado pelas tropas federais.

Sabino, Fernando Tavares [Belo Horizonte MG, 1923 — Rio de Janeiro RJ, 2004], escritor e jornalista brasileiro. Consagrou-se como grande cronista contemporâneo. Recebeu o prêmio Machado de Assis, da ABL (1999). Obras: *O encontro marcado*, *O homem nu*, *O grande mentecapto*, *A faca de dois gumes* etc.

Sá e Benevides, Salvador Correia **de** [Cádis, Espanha, 1602 — Lisboa, Portugal, 1688], militar e administrador colonial português. Ocupou vários cargos importantes, como capitão-mor do Rio de Janeiro, governador das capitanias do Sul do Brasil e governador de Angola, entre outros.

Saint-Pierre e Miquelon (Território da Coletividade de), arquipélago na costa leste do Canadá, com 242 km^2. Território autônomo em comunidade com a França desde 1946. Capital: *Saint-Pierre*; recurso principal: pesca. Hab.: 7.051 (2009).

Sales, Herberto de Azevedo [Andaraí BA, 1917 — Rio de Janeiro RJ, 1999], jornalista e escritor brasileiro, foi romancista, contista, memorialista e diretor do Instituto Nacional do Livro. Membro da ABL. Obras: *Cascalho*, *A porta de chifre*, *Histórias ordinárias*, *Subsidiário* etc.

Salgado, Plínio [São Bento do Sapucaí SP, 1895 — São Paulo SP, 1975], político, escritor modernista e jornalista brasileiro. Na política, foi líder e fundador da Ação Integralista Brasileira (1932). Publicou trabalhos políticos: *Psicologia da revolução*, *O que é o integralismo*, *Espírito da burguesia* etc.

Salgueiro (PE), município com 1.686,8 km^2, situado na região do sertão, na divisa com o Estado do Ceará. Agropecuária. Hab.: 59.409.

Salomão (ilhas), país-membro da Comunidade Britânica, é um arquipélago no sudoeste do oceano Pacífico, a leste da Papua Nova Guiné, com 28.900 km^2. Departamento francês de ultramar, independente desde 1978. Capital: *Honiara*; recursos principais: pesca e agricultura. Hab.: 566.481 (2012).

Salto (SP), município com 133 km^2, na região de Sorocaba, às margens do rio Tietê. Usina hidrelétrica. Indústria (de cimento, química, de componentes eletrônicos). Hab.: 113.127.

Salvador (BA), capital do Estado da Bahia, com 692,8 km^2, situada na entrada da baía de Todos-os-Santos. Cidade histórica mais antiga do país. Centro histórico, conjunto arquitetônico, urbanístico e paisagístico, Catedral Basílica, Convento e Igreja de São Francisco, Fortalezas de São Pedro, Barbalho e Monte Serrat, Forte de São Marcelo, Oratório da Cruz do Pascoal, Palacete Berquó, Solar do Unhão e inúmeras igrejas, prédios, sobrados solares, palácios e casas tombados pelo Iphan. Hab.: 2.902.927.

Salvador (Vicente Rodrigues Palha, dito **frei Vicente do**) [Salvador BA, c. 1564 — *id.*, c. 1639], padre franciscano, historiador e cronista brasileiro, autor de *História do Brasil* (1627). No Estado da Bahia foi cônego, vigário-geral e governador do bispado.

Samoa (Estado Independente de), país na Oceania central com 2.840 km^2, arquipélago formado por duas ilhas principais, Upolu e Savaii; monarquia parlamentarista. Capital: *Ápia*; recursos principais: agricultura (banana, coco e cacau), indústrias (alimentícia, bebidas, tabaco, construção, madeireira, couro). Hab.: 184.772 (2012).

Samoa Americana (Território da), arquipélago no sul da Oceania, com 197 km^2; território autônomo administrado pelos EUA. Capital: *Pago-Pago*;

recursos principais: agricultura, pesca e turismo. Hab.: 54.719 (2013).

Sampaio, Teodoro Fernandes [Santo Amaro BA, 1885 — Rio de Janeiro, 1937], geógrafo e historiador brasileiro. Acompanhou o geógrafo norte-americano Orville Derby nos seus estudos e expedições ao vale do rio São Francisco. Publicou *O tupi na geografia nacional, O rio São Francisco e a Chapada Diamantina* etc.

San Marino (República de), país do sul da Europa, situado no norte da Itália, próximo ao mar Adriático, com 60 km^2; república parlamentarista. Capital: *San Marino*; recursos principais: turismo e selos postais. Hab.: 33.402 (2012).

Santa Bárbara (MG), município histórico com 684 km^2, situado na região metropolitana de Belo Horizonte. Conjunto arquitetônico e paisagístico do Caraça (colégio), casa no largo do Rosário, Igreja de Santo Amaro, Matriz de N. S.ª da Conceição e de Santo Antônio tombados pelo Iphan. Hab.: 29.888.

Santa Bárbara do Oeste (SP), município com 271 km^2, situado na região de Campinas. Cana-de-açúcar. Indústrias (açúcar, álcool, mecânica e têxtil). Hab.: 189.233.

Santa Catarina (SC), estado no centro da Região Sul, o menor da região, com 95.733,978 km^2 e 295 municípios, sendo os mais populosos, além da capital: Joinville, Blumenau, Criciúma, Itajaí e Chapecó. Ali fica o 5º maior centro de lazer e entretenimento do mundo, Beto Carrero World. Capital: *Florianópolis*; recursos principais: agricultura (arroz, milho, maçã), agropecuária, extrativismo mineral (carvão) e indústrias (agroindustrial, moveleira, cerâmica, metalomecânica, têxtil, máquinas e equipamentos eletromecânicos). Hab.: 6.727.148 (est. 2014).

Santa Cruz Cabrália (BA), município histórico litorâneo, com 1.459,8 km^2, situado na região sul do estado, próximo à foz do rio João de Tiba. Ali foi rezada a primeira missa do Brasil. Conjunto paisagístico, esp. o ilhéu da Coroa Vermelha, e conjunto arquitetônico e paisagístico da cidade alta (com a Igreja de N. S.ª da Conceição e a Casa da Câmara e Cadeia) tombados pelo Iphan. Hab.: 28.045.

Santa Cruz do Capibaribe (PE), município com 335,3 km^2, situado no extremo oeste do estado, na região do Alto Capibaribe. Feira da Sulanca, maior feira livre do país, produz 96 milhões de peças de vestuário por ano, fatura R$ 300 milhões anuais e concentra 60% das indústrias de confecção do estado. Hab.: 99.232.

Santa Cruz do Sul (RS), município com 733,4 km^2, situado na região centro-leste do estado. Universidade. Agricultura (fumo), pecuária (bovinos e suínos). Bispado. Hab.: 125.353.

Santa Helena, Ascensão e **Tristão da Cunha**, arquipélago no oceano Atlântico sul, com 308 km^2; território ultramarino administrado pelo Reino Unido e território ultramarino da União Europeia. Foi ali que esteve preso Napoleão Bonaparte. Capital: *Jamestown*; recursos principais: agricultura de subsistência e pesca. Hab.: 7.637 (2009)

Santa Inês (MA), município com 605,6 km^2, situado na região oeste do estado, antiga aldeia dos guajajaras e urubus. Pecuária. Hab.: 82.680.

Santa Isabel (SP), município com 363,3 km^2, localizado na região metropolitana de São Paulo. Agricultura (hortifrutigranjeiros). Indústria (têxtil). Hab.: 54.363.

Santa Isabel do Pará (PA), município com 717,6 km^2, localizado na região metropolitana de Belém. Turismo (balneários, igarapés). Hab.: 65.251.

Santa Lúcia, país do leste da América Central, maior das ilhas de Barlavento, Pequenas Antilhas, no mar do Caribe, com 620 km^2. Monarquia parlamentarista, independente desde 1979. Capital: *Castries*; recursos principais: agricultura (banana) e turismo. Hab.: 177.794 (2012).

Santa Luzia (MA), município com 5.462,9 km^2, localizado no oeste maranhense. Agricultura (arroz, milho, mandioca, feijão). Hab.: 75.762.

Santa Luzia (MG), município histórico com 235,3 km^2, situado na região metropolitana de Belo Horizonte. Convento de Macaúbas e casa à praça da Matriz (quartel-general da Revolução de 1842) tombados pelo Iphan. Hab.: 214.830.

Santa Maria (RS), município com 1.781,7 km^2, situado na região central do estado. Agricultura (arroz, trigo). Indústrias (móveis, serralheria). Bispado. Hab.: 274.838.

Santana (AP), município com 1.569,4 km^2, situado na margem esquerda do rio Amazonas, a 20 km de Macapá, a capital do estado. Porto. Hab.: 110.565.

Santana de Parnaíba (SP), município histórico com 180 km^2, situado no vale do Tietê, região metropolitana de São Paulo. Capela de N. S.ª da Conceição e casas à praça da Matriz, n.ºs 9, 19 e 25 tombadas pelo Iphan. Hidrelétrica. Hab.: 123.825.

Santana do Araguaia (PA), município com 11.591,4 km^2, localizado no sudeste paraense. Turismo (rio Araguaia, praias, cachoeiras). Hab.: 65.062.

Santana do Livramento (RS), município com 6.950,3 km^2, situado na região sudoeste do estado, na Campanha, fronteira com o Uruguai. Casa de Davi Canabarro (chefe da Guerra dos Farrapos) tombada pelo Iphan. Produção de vinho. Hab.: 83.324.

Sant'Anna, Affonso Romano de [Belo Horizonte MG, 1937], poeta, jornalista e crítico literário brasileiro. Cronista na imprensa carioca e presidente da Fundação Biblioteca Nacional (1990). Autor de poesia vanguardista. Obras: *Drummond — o "gauche" no tempo, Música popular e moderna poesia brasileira, Vestígios* etc.

Sant'Anna e Silva, **Sérgio** Andrade [Rio de Janeiro RJ, 1941], contista, romancista e poeta brasileiro, vencedor por duas vezes do Prêmio Jabuti. Seu livro, *A senhorita Simpson*, foi adaptado para o cinema (*Bossa nova*, de Bruno Barreto). Obras: *Amazona, Um crime delicado, Breve história do espírito* etc.

Santarém (PA), município com 17.898,3 km^2, situado na margem direita do rio Amazonas, na foz do rio Tapajós. Indústria madeireira; frigoríficos. Produção de borracha, castanha-do-pará e juta. Agropecuária. Usina hidrelétrica. Hab.: 290.521.

Santa Rita (PB), município com 730,2 km^2, situado na região de João Pessoa, às margens do rio

Paraíba. Agricultura (cana-de-açúcar), usinas de açúcar. Têxteis. Capelas de N. S.ª das Batalhas, de N. S.ª do Socorro e do Engenho tombadas pelo Iphan. Hab.: 133.927.

Santa Rosa (RS), município com 489,8 km², situado na região noroeste do estado. Agricultura (soja) e indústria de máquinas e implementos agrícolas. Hab.: 71.961.

Santa Rosa Júnior, Tomás [João Pessoa PB, 1909 — Nova Délhi, Índia, 1956], pintor, ilustrador, gravador, desenhista, cenógrafo e crítico de arte brasileiro. Notabilizou-se como ilustrador das obras de grandes escritores, como Jorge Amado e Graciliano Ramos. No teatro, é considerado um revolucionário da cenografia nacional.

Santiago (RS), município com 2.413 km², situado na região centro-ocidental do estado, às margens do rio Rosário. Suas terras faziam parte das Missões. Agropecuária e apicultura. Hab.: 50.622.

Santo Amaro (BA), município histórico, com 493 km², situado na região metropolitana de Salvador. Igrejas Matriz de N. S.ª da Purificação e de N. S.ª da Oliveira dos Campinhos, Paço municipal, Santa Casa e Solar do conde de Subaé tombados pelo Iphan. Hab.: 61.559.

Santo Amaro das Brotas (SE), município com 234,1 km², situado no leste sergipano. Capela de N. S.ª da Conceição e Igreja Matriz de Santo Amaro tombadas pelo Iphan. Hab.: 11.963.

Santo André (SP), município com 175,7 km², situado na região metropolitana do estado, no ABC paulista. Bispado. Indústrias (metalúrgica, química, farmacêutica, têxtil). Hab.: 707.613.

Santo Ângelo (RS), município com 680,4 km², situado na região noroeste do estado, nas Missões. Turismo. Casa feita com material missioneiro e ruínas da Igreja de São Miguel tombadas pelo Iphan. Hab.: 78.908.

Santo Antônio de Jesus (BA), município com 261,3 km², situado no Recôncavo Baiano. Agropecuária. Hab.: 100.550.

Santo Antônio do Descoberto (GO), município com 944,1 km², situado no entorno de Brasília. Usina Corumbá II. Turismo. Hab.: 69.000.

Santo Estêvão (BA), município com 362,9 km², localizado no centro-norte baiano. Agricultura (fumo). Pecuária. Hab.: 52.704.

Santoro, Cláudio [Manaus AM, 1919 — Brasília DF, 1989], músico e regente brasileiro, importante compositor erudito. Obras: *Sinfonia nº 5*, *Canto do amor e paz*, *Frevo* etc.

Santos, Joaquim **Felício dos** [Diamantina MG, 1828 — *id.*, 1895], escritor, historiador e político brasileiro. Foi deputado e senador constituinte (1890), mas foi na literatura que se notabilizou, com a obra *Memórias do distrito diamantino* (1868), considerada um clássico na historiografia brasileira.

Santos, (Domitila de Castro Canto e Melo, dita viscondessa e **marquesa de**) [São Paulo SP, 1797 — *id.*, 1867], sua ligação amorosa com D. Pedro I, com quem teve quatro filhos, tornou-a famosa.

Santos, Milton Almeida dos [Brotas de Macaúbas BA, 1926 — São Paulo SP, 2001], professor e geógrafo brasileiro. Publicou dezenas de livros e centenas de artigos científicos, editados em vários países. Notabilizou-se como um dos intelectuais brasileiros de maior projeção internacional. Obras: *Espaço e método*, *Por uma outra globalização* etc.

Santos, Nélson Pereira dos [São Paulo SP, 1928], cineasta e jornalista brasileiro. Estreou na direção com *Rio 40 graus* (1955), considerado um dos precursores do Cinema Novo. Membro da ABL. Filmografia: *Boca de ouro*, *Vidas secas*, *Como era gostoso o meu francês*, *Tenda dos milagres* etc.

Santos (SP), município com 280,6 km², situado no litoral paulista, na ilha de São Vicente. Maior porto do país. Casa de Câmara e Cadeia, Casa do Trem, Fortaleza de São João, Igreja da Ordem Terceira de N. S.ª do Carmo e Igreja e Mosteiro de São Bento entre outros bens tombados pelo Iphan. Hab.: 433.565.

Santos, Turíbio Soares [São Luís MA, 1943], violonista brasileiro de renome internacional. Estudou com dois grandes nomes do violão: o inglês Julian Bream e o espanhol Andrés Segovia. Diretor do Museu Villa-Lobos (desde 1986), solista de importantes orquestras europeias e criador da Orquestra Brasileira de Violões.

Santos-Dumont, Alberto [atual Santos Dumont MG, 1873 — Guarujá SP, 1932], inventor e aeronauta brasileiro, patrono da FAB, considerado o Pai da Aviação. Sua maior invenção, o 14-bis, foi o primeiro aparelho mais pesado que o ar a decolar usando meios mecânicos próprios (1906). Caiu em depressão quando o avião começou a ser us. em guerras e acabou por se suicidar.

Santos Dumont (MG), município com 637,3 km², situado na Zona da Mata, serra da Mantiqueira. Pecuária leiteira e indústria de laticínios. Usinas hidrelétricas. Casa do Sítio Cabangu tombada pelo Iphan. Hab.: 47.558.

São Bento do Sul (SC), município com 501,6 km², situado na região norte do estado, na divisa com o Estado do Paraná. Estância climática. Indústria de móveis. Metalurgia e cerâmica. Hab.: 79.971.

São Bento do Una (PE), município com 719,1 km², localizado no agreste pernambucano. Agropecuária e avicultura. Hab.: 57.046.

São Bernardo do Campo (SP), município com 409,5 km², situado na região metropolitana de São Paulo, no ABC paulista. Indústria automobilística, agricultura e pecuária. Hab.: 811.489.

São Borja (RS), município com 3.616 km², situado na região sudoeste do estado, na Campanha, fronteira do Brasil com a Argentina. Ponte da Integração liga o município à cidade de São Tomé. Agropecuária. Hab.: 63.089.

São Caetano do Sul (SP), município com 15,3 km², situado na região metropolitana de São Paulo, no ABC paulista. Indústria (tecnologia de ponta). Hab.: 157.205.

São Carlos (SP), município com 1.137 km², situado na região de Araraquara, centro do estado. Bispado. Universidade. Indústrias (mecânica, de material elétrico e eletrônico, de móveis). Fazenda do Pinhal tombada pelo Iphan. Hab.: 238.958.

São Cristóvão (SE), município com 436,8 km², situado na região leste do estado. Monumento Histórico Nacional desde 1939. Conjunto arquitetônico, urbanístico e paisagístico, Convento e Igreja do Carmo, igrejas da Misericórdia e da Ordem Terceira do Carmo, Matriz de N. S.ª das Vitórias, entre outros monumentos tombados pelo Iphan. Hab.: 85.814.

São Cristóvão e Névis (Federação de), país formado por duas ilhas das Pequenas Antilhas, no arquipélago de Sotavento, ao leste da América Central, com 260 km². Monarquia parlamentarista, independente desde 1983. Capital: *Basseterre*; recurso principal: agricultura (algodão e cana-de-açúcar). Hab.: 51.970 (2012).

São Félix do Xingu (PA), município com 84.213 km², situado na zona de mesmo nome e desmembrado de Altamira. Pecuária de corte. Produção de arroz com casca, borracha e milho. Hab.: 111.633.

São Francisco (MG), município com 3.308,1 km², situado na região norte do estado, às margens do rio de mesmo nome. Pecuária (um dos maiores rebanhos bovinos do estado). Hab.: 56.217.

São Francisco (rio), chamado "rio da unidade nacional", nasce na serra da Canastra MG, percorre 3.160 km e drena uma área de 631.133 km². O maior rio genuinamente brasileiro banha cinco estados (MG, BA, SE, AL e PE) e 504 municípios. É navegável entre Pirapora MG e Juazeiro BA / Petrolina PE (1.371 km) e entre Piranhas AL e a foz, no oceano Atlântico. Várias hidrelétricas (Paulo Afonso, Três Marias, Sobradinho etc.) são movidas por suas águas.

São Francisco do Conde (BA), município com 262,8 km², situado na região metropolitana de Salvador. Convento e Igreja de Santo Antônio e casa do Engenho São Miguel e Almas tombados pelo Iphan. Hab.: 38.838.

São Francisco do Sul (SC), município histórico com 498,6 km², situado na região norte do estado. Porto natural. Centro histórico tombado pelo Iphan. Hab.: 47.547.

São Gabriel (João de Deus Mena Barreto, primeiro **barão** e **visconde de**) [Rio Pardo RS, 1808 — São Gabriel RS, 1849], titular do império e militar brasileiro. Lutou nas batalhas de Ibirocaí (1816), Catalão (1817) e Taquarembó (1820). Foi governador das armas e da província do Rio Grande do Sul.

São Gabriel (João Propício Mena Barreto, segundo **barão** com grandeza **de**) [Rio Pardo RS, 1769 — São Gabriel RS, 1867], militar brasileiro. Tomou parte na Batalha do Passo do Rosário e na Guerra dos Farrapos. Durante a campanha do Uruguai, recebeu o comando do exército brasileiro em operações naquele país (1864).

São Gabriel (RS), município com 5.023,8 km², situado na região sudoeste do estado. Sobrado à praça Fernando Abott tombado pelo Iphan. Agricultura (arroz, soja) e pecuária (gado de corte). Hab.: 62.692.

São Gonçalo (RJ), município com 247,7 km², situado na região metropolitana do estado. Indústria (esp. têxtil, cerâmica, papel etc.). Fazenda do Columbandê tombada pelo Iphan. Hab.: 1.031.903.

São Gonçalo do Amarante (RN), município com 249,1 km², situado no leste potiguar, a 18 km de Natal. Igreja de São Gonçalo tombada, pelo Iphan. Hab.: 96.759.

São João da Barra (RJ), município com 455 km², situado na região norte do estado. Praias. Foz do rio Paraíba do Sul, no pontal de Atafona. Casa de Câmara e Cadeia tombada pelo Iphan. Hab.: 34.273.

São João da Boa Vista (SP), município com 516,3 km², situado na região de Campinas, na encosta oeste da serra da Mantiqueira, divisa com o Estado de Minas Gerais. Agropecuária (esp. batata-inglesa). Hab.: 88.477.

São João del Rei (MG), município histórico com 1.464,3 km², situado na região dos Campos das Vertentes. Turismo. Conjunto arquitetônico e urbanístico, igrejas de N. S.ª do Carmo, de São Francisco de Assis e Matriz de N. S.ª do Pilar, entre outros imóveis tombados pelo Iphan. Hab.: 88.902.

São João de Meriti (RJ), município com 35,2 km², situado na região metropolitana do Rio de Janeiro, na baixada Fluminense. Universidade. Hab.: 460.711.

São José (SC), município com 150,4 km², situado no litoral catarinense, região metropolitana de Florianópolis. Colonizado por açorianos. Turismo (Balneário de Guararema, Pedra Branca). Hab.: 228.561.

São José de Ribamar (MA), município com 388,3 km², situado na região norte do estado, na ilha de São Luís. Centro de peregrinação e romaria. Hab.: 172.402.

São José do Barreiro (SP), município com 570,6 km², situado no vale do Paraíba, no sopé da serra da Bocaina. Turismo ecológico e fazendas de café. Casa da Fazenda do Pau D'Alho tombada pelo Iphan. Hab.: 4.188.

São José do Rio Pardo (SP), município com 419,2 km², situado na serra da Mantiqueira, região de Campinas. Casa de zinco, em que o autor de *Os sertões*, Euclides da Cunha, trabalhou em sua obra, tombada pelo Iphan. Hab.: 54.209.

São José do Rio Preto (SP), município com 432 km², situado na região noroeste do estado. Estação Ecológica do Noroeste Paulista (área de 168,63 ha). Hab.: 438.354.

São José dos Campos (SP), município com 1.099,4 km², situado no vale do Paraíba. Estância hidromineral. Instituto Nacional de Pesquisas Espaciais (Inpe), Centro Tecnológico da Aeronáutica (CTA) e Empresa Brasileira de Aeronáutica (Embraer). Indústrias. Hab.: 681.036.

São José dos Pinhais (PR), município com 946,4 km², situado na região metropolitana de Curitiba. Indústria (eletrodomésticos, celulose, móveis, plásticos etc.). Aeroporto internacional Afonso Pena. Hab.: 292.934.

São Leopoldo (RS), município com 102,7 km², situado na região metropolitana de Porto Alegre. Indústrias metalúrgicas, de borracha, couro e peles e de calçados. Hab.: 226.988.

São Lourenço da Mata (PE), município com 262,1 km², situado na região metropolitana do Recife. Antiga aldeia de indígenas tabajaras. Reservas ecológicas. Hab.: 109.298.

São Luís (MA), capital do Estado do Maranhão, com 834,7 km², situada na ilha de São Luís. Liga-se ao continente por duas pontes. Patrimônio da humanidade. Conjunto arquitetônico e paisagístico, Academia Maranhense de Letras, Fortaleza de Santo Antônio, Palacete Gentil Braga, Sambaqui do Pindaí, ruínas do Sítio do Fisco e outros bens imóveis tombados pelo Iphan. Hab.: 1.064.197.

São Luís do Paraitinga (SP), município histórico com 617,3 km², situado no vale do Paraíba, entre as montanhas da serra do Mar. Turismo ecológico. Agricultura (milho, feijão) e pecuária leiteira. Casa natal de Osvaldo Cruz tombada pelo Iphan. Hab.: 10.726.

São Luís Gonzaga (RS), município com 1.295,6 km², situado na região noroeste do estado, nas Missões. Ruínas de São Lourenço tombadas pelo Iphan. Hab.: 35.266.

São Mateus (ES), município histórico com 2.338,7 km², situado no litoral norte do estado. Antiga aldeia dos indígenas aimorés. Petróleo. Hab.: 122.668.

São Miguel das Missões (RS), município com 1.229,8 km², situado na região noroeste do estado, nas Missões. Uma das rotas turísticas culturais reconhecidas pela Unesco (1966). Ruínas da Igreja de São Miguel das Missões tombadas como patrimônio mundial em 1983. Hab.: 7.714.

São Miguel do Guamá (PA), município com 1.110,1 km², localizado no nordeste paraense. Agropecuária. Indústria (cerâmica). Hab.: 55.191.

São Miguel dos Campos (AL), município litorâneo com 360,8 km², situado na região leste do estado. Petróleo e gás natural. Agroindústria. Hab.: 59.830.

São Nicolau (RS), município com 485,3 km², situado na região noroeste do estado, nas Missões. Ruínas tombadas pelo Iphan. Hab.: 5.762.

São Paulo (SP), estado brasileiro da Região Sudeste, com 248.222,362 km² e 645 municípios, sendo os mais populosos, além da capital: Campinas, Guarulhos, Osasco, Santo André, São Bernardo do Campo. O mais importante centro industrial e econômico da América do Sul. Capital: *São Paulo*; recursos principais: agricultura (cana-de-açúcar, cebola, laranja, mandioca), pecuária (gado bovino para corte e leiteiro, suínos, ovinos e caprinos), mineração (calcário, caulim, dolomita), indústrias (têxtil, metalúrgica, de calçados, aeronáutica etc.). Hab.: 44.035.304 (est. 2014).

São Paulo (SP), capital do Estado de São Paulo, com 1.521,1 km², situado a sudeste da Região Sudeste. Maior centro consumidor e produtivo do país. Estação da Luz, Igreja da Ordem Terceira do Carmo, Mosteiro da Luz, conjunto composto pelo Museu Paulista, Monumento à Independência, Parque da Independência e Casa do Grito, entre outros imóveis tombados pelo Iphan. Hab.: 11.895.893.

São Pedro da Aldeia (RJ), município com 332,7 km², situado na Região dos Lagos, no litoral norte do estado. Base aeronaval. Igreja jesuítica e residência anexa tombadas pelo Iphan. Hab.: 95.318.

São Raimundo Nonato (PI), município com 2.415,6 km², situado na região sudoeste do estado. Parque Nacional da serra da Capivara tombado pelo Iphan e declarado Patrimônio Histórico e Natural da Humanidade pela Unesco (1991). Hab.: 33.613.

São Roque (SP), município com 306,9 km², situado na região de Sorocaba. Sítio de Santo Antônio tombado pelo Iphan. Hab.: 85.502.

São Sebastião (SP), município com 399,6 km², situado no litoral norte do estado. Estação balneária. Terminal da Petrobras. Sobrado na avenida Dr. Altino Arantes tombado pelo Iphan. Hab.: 81.718.

São Sebastião do Paraíso (MG), município com 815 km², situado na região sudoeste do estado. Agricultura (café). Produção de couro. Hab.: 69.057.

São Sebastião do Passé (BA), município com 538,3 km², situado no litoral norte. Extração de petróleo. Sobrado do Engenho Lagoa e Capela de Santo Antônio dos Valasques tombados pelo Iphan. Hab.: 45.292.

São Tomé e Príncipe (República Democrática de), país formado por duas ilhas do centro-oeste africano, no golfo da Guiné, com 960 km². República mista, independente desde 1975. Capital: *São Tomé*; recursos principais: agricultura (café, coco, cacau) e pecuária. Hab.: 171.878 (2012).

São Vicente (SP), município com 147,8 km², situado na região de Santos. Estância balneária. Primeira vila fundada no país (1532). Remanescentes da Vila Colonial tombados pelo Iphan. Hab.: 353.040.

São Vicente e Granadinas, país formado pela ilha de São Vicente e ilhas do arquipélago das Granadinas do Norte (Barlavento), no mar das Antilhas, com 390 km². Monarquia parlamentarista, independente desde 1979. Capital: *Kingstown*; recurso principal: agricultura (banana, raízes e tubérculos, cana-de-açúcar, coco etc.). Hab.: 109.367 (2012).

Sapé (PB), município com 315,5 km², localizado na região da Mata paraibana. Agricultura (abacaxi, cana-de-açúcar). Hab.: 51.964.

Sapiranga (RS), município com 138,3 km², situado na região metropolitana de Porto Alegre. Indústrias de calçados, metalurgia e extrativismo vegetal. Hab.: 79.152.

Sapucaia do Sul (RS), município com 58,3 km², situado na região metropolitana de Porto Alegre. Indústria (ferro, lanifício). Esportes radicais. Hab.: 137.750.

Saquarema (RJ), município com 353,5 km², situado na Região dos Lagos, no litoral norte do estado. Turismo e esportes náuticos (esp. o surfe). Hab. 80.915.

Saraiva, conselheiro José Antônio [Santo Amaro BA, 1823 — Salvador BA, 1895], político e conselheiro do Império brasileiro. Foi deputado, senador e presidente das províncias de Alagoas, São Paulo, Pernambuco e Piauí. Nesta última, fundou a cidade de Teresina, transformando-a na capital, que até então era Oeiras. Foi homem de confiança de D. Pedro II.

Saramago, José de Sousa [Azinhaga, Portugal, 1922 — Lanzarote, Espanha, 2010], escritor português, considerado um dos maiores do seu país. Foi o primeiro autor de língua portuguesa a conquistar o Prêmio Nobel de Literatura (1998). Obras: *Ensaio sobre a cegueira*, *A jangada de pedra*, *História do cerco de Lisboa*, *O evangelho segundo Jesus Cristo* etc.

Sarandi (PR), município com 103,4 km^2, situado na região de Maringá. Indústria (carrocerias). Hab.: 89.388.

Sardinha, Pero Fernandes [Évora, Portugal, c. 1496 — Alagoas, 1556], sacerdote português, primeiro bispo brasileiro, nomeado por D. João III, rei de Portugal. Estabeleceu-se em Salvador BA, onde criou as paróquias da Sé de Nossa Senhora da Vitória de Vila Velha e de São Jorge, em Ilhéus. Tendo naufragado no litoral de Alagoas, foi preso e devorado pelos indígenas caetés.

Sarney, José Ribamar Ferreira de Araújo Costa [Pinheiro MA, 1930], político e escritor brasileiro. Presidente da República (1985-1990) e primeiro civil a governar o país após o golpe de 1964. Em seu governo houve a promulgação da nova Constituição Federal (1988). Membro da ABL. Obras: *Marimbondos de fogo*, *O dono do mar* etc.

Saturno, o sexto planeta a partir do Sol e o segundo maior, famoso por seus anéis. Tipo: gasoso; diâmetro equatorial: 120.536 km; diâmetro polar: 108.728 km; distância média do Sol: 1.429.400.000 km; satélites: 18.

Schemberg, Mário [Recife PE, 1916 — São Paulo SP, 1990], físico brasileiro, alcançou renome internacional por suas pesquisas nas áreas da física quântica, do eletromagnetismo e da gravitação. Formulou, junto com o físico brasileiro José Leite Lopes, a teoria do elétron puntiforme.

Scliar, Moacyr Jaime [Porto Alegre RS, 1937 — *id.*, 2011], médico e escritor brasileiro. Sua obra literária abrange crônica, conto, romance, ensaio e literatura infantil. Recebeu por três vezes o Prêmio Jabuti. Membro da ABL. Obras: *O centauro no jardim*, *A majestade do Xingu*, *O imaginário cotidiano* etc.

Segall, Lasar [Vilnius, Lituânia, 1891 — São Paulo SP, 1957], pintor, desenhista, gravador e escultor naturalizado brasileiro. Retratou as questões sociais brasileiras e é considerado introdutor da arte moderna no Brasil, ao lado de Anita Malfatti. Sua residência, em São Paulo SP, tornou-se um museu com seu nome e abriga grande parte de sua obra.

Seicheles ou **Seychelles (República de)**, país formado por um arquipélago de cerca de 90 ilhas, no oceano Índico, a sudeste da África, com 460 km^2. República presidencialista, independente desde 1976. Capital: *Vitória*; recursos principais: agricultura (coco, chá, canela, limão e lima, baunilha, patchuli), pecuária (bovinos, suínos, caprinos) e pesca. Hab.: 87.441 (2012).

Seixas (ponta do), ponto extremo oriental do Brasil, situado em João Pessoa, capital do Estado da Paraíba.

Semana de Arte Moderna, encontro de artistas brasileiros, no Teatro Municipal de São Paulo SP (1922), com o objetivo de lançar o movimento modernista brasileiro. Houve exposição de artes plásticas, conferências, leituras, música e dança. Participaram, entre outros artistas, Anita Malfatti, Di Cavalcanti, Oswald de Andrade, Villa-Lobos, Vítor Brecheret e Goeldi.

SENAC sigla de *Serviço Nacional de Aprendizagem Comercial*

Senador Canedo (GO), município com 248,2 km^2, situado na região de Goiânia. Polo petroquímico. Hab.: 97.719.

SENAI sigla de *Serviço Nacional de Aprendizagem Industrial*

Senegal (República do), país da África ocidental, com 196.720 km^2. República mista, independente desde 1960. Capital: *Dacar*; recursos principais: agricultura (amendoim, algodão em pluma), pecuária (bovinos, ovinos, caprinos), mineração (fosfato de cálcio, sal, fosforito) e indústria (alimentícia, química, têxtil, refino de petróleo). Hab.: 13.107.945 (2012).

Senhor do Bonfim (BA), município com 827,4 km^2, situado no centro-norte do estado, junto às nascentes do rio Itapicuru. Festejos de São João. Bispado. Açude para irrigação e abastecimento. Hab.: 80.810.

Senna da Silva, **Ayrton** [São Paulo SP, 1960 — Imola, Bolonha, Itália, 1994], automobilista brasileiro, tricampeão mundial de Fórmula 1 (1988, 1990 e 1991). Considerado um dos maiores pilotos de todos os tempos, faleceu em um acidente durante o GP de San Marino, Itália.

Sergipe (SE), estado brasileiro da Região Nordeste, com 21.918,493 km^2 e 75 municípios, sendo os mais populosos, além da capital: Lagarto, Itabaiana e Estância. Menor estado do país, apresenta a melhor renda *per capita* da região. Capital: *Aracaju*; recursos principais: agricultura (cana-de-açúcar, laranja, coco-da-baía, maracujá) extrativismo (mármore, potássio, calcário etc.), pecuária e indústrias (têxtil, de alimentos, petroquímica). Hab.: 2.219.574 (est. 2014).

Seropédica (RJ), município com 283,7 km^2, situado na região metropolitana do Rio de Janeiro. Universidade Federal Rural. Hab.: 82.090.

Serpa, Ivan Ferreira [Rio de Janeiro RJ, 1923 — *id.*, 1973], pintor, gravador e desenhista brasileiro, professor do ateliê livre do MAM RJ e um dos criadores do Grupo Frente (1954). Foi um dos precursores do Concretismo no Brasil; produziu, principalmente, obras abstratas.

Serra (ES), município litorâneo com 551,6 km^2, situado na região metropolitana de Vitória. Centro industrial. Siderúrgica. Balneários. Igreja dos Reis Magos tombada pelo Iphan. Hab.: 476.428.

Serra da Capivara (Parque Nacional da), com 97.933 ha. e situado no sudeste do Estado do Piauí, foi criado (1979) para a proteção de sítios arqueológicos em que se encontram antigos vestígios da presença do ser humano (entre 50 mil e 60 mil anos) e pinturas rupestres, talvez as primeiras manifestações da arte pré-histórica americana. Patrimônio mundial pela Unesco.

Serra do Papagaio (Parque Estadual da), criado em 05/08/1998, com área total de 22.917 ha, está localizado na região sul de Minas Gerais, na serra da Mantiqueira, abrangendo os municípios de Aiuruoca, Alagoa, Baependi, Itamonte e Pouso Alto.

Serra Leoa (República de), país da África ocidental, ao norte da linha do equador, com 71.740 km². República presidencialista, independente desde 1961. Capital: *Freetown*; recursos principais: agricultura (amendoim, banana, café, cacau), pecuária (bovinos, ovinos) e mineração (ouro, diamantes, minério de ferro e bauxita). Hab.: 6.126.450 (2012).

Serra Talhada (PE), município com 2.980 km², situado na região do sertão do estado, no Alto Pajeú. Açude para irrigação e abastecimento. Piscicultura. Hab.: 83.712.

Serrinha (BA), município com 613,6 km², situado na região nordeste do estado. Universidade estadual. Mineração. Hab.: 82.733.

Serro (MG), município histórico com 1.217,8 km², situado no Alto Jequitinhonha. Agropecuária, mineração e laticínios. Conjunto arquitetônico e urbanístico, igrejas do Bom Jesus de Matosinhos, de N. S.ª da Conceição e de N. S.ª do Carmo tombados pelo Iphan. Hab.: 21.423.

Sertãozinho (SP), município com 403 km², situado no nordeste do estado, na região de Ribeirão Preto. Usinas de açúcar e álcool. Hóquei sobre patins. Hab.: 118.864.

Sérvia (República da), país balcânico do sudeste da Europa, com 88.360 km². É uma ex-república iugoslava que fazia parte de uma confederação com Montenegro denominada Sérvia e Montenegro até 5 de junho de 2006, data em que declarou sua independência. Capital: *Belgrado*; recursos principais: agricultura (trigo, milho, cânhamo, linho) e indústrias (processamento do cobre e manufatura de tecidos, produtos químicos e maquinaria). Hab.: 9.846.582 (2012).

SESC sigla de *Serviço Social do Comércio*

SESI sigla de *Serviço Social da Indústria*

Sete Lagoas (MG), município com 537,6 km², situado a 69 km de Belo Horizonte, na zona metalúrgica. Exportação de ferro-gusa. Reserva de ardósia. Pecuária leiteira. Casa à praça Santo Antônio tombada pelo Iphan. Hab.: 229.887.

Severo de Albuquerque Maranhão, **Augusto** [Macaíba RN, 1864 — Paris, França, 1902], aeronauta e político brasileiro. Construiu um balão dirigível, o *Pax*, e faleceu a bordo do seu invento, que explodiu durante o primeiro voo, realizado em Paris.

Shakespeare, William [Stratford-upon-Avon, Inglaterra, 1564 — *id.*, 1616], escritor inglês, considerado um dos maiores dramaturgos de todos os tempos e grande poeta da língua inglesa. Escreveu peças históricas, trágicas e cômicas. Obras: *Hamlet*, *Romeu e Julieta*, *Macbeth*, *Rei Lear*, *Ricardo III* etc.

Shaw, George **Bernard** [Dublin, Irlanda, 1856 — Ayot Saint Lawrence, Inglaterra, 1950], dramaturgo, crítico e ensaísta irlandês. Prêmio Nobel de Literatura (1925). Escreveu mais de 50 peças teatrais. Obras: *Cândida*, *Pigmaleão*, *Santa Joana* etc.

Silva, Antônio José da [Rio de Janeiro RJ, 1705 — Lisboa, Portugal, 1739], teatrólogo brasileiro, dito o Judeu, figura exponencial da dramaturgia portuguesa do séc. XVIII, expoente do estilo rococó. Obras: *Anfitrião*, *Labirinto de Creta*, *Guerras do alecrim e da manjerona* etc.

Silva (Francisca da Silva, dita **Chica da**) [Diamantina MG, c. 1732 — *id.*,1796], figura popular brasileira. Escrava liberta, amante do contratador de diamantes João Fernandes de Oliveira, viveu no arraial do Tijuco, hoje Diamantina MG, e foi detentora de poder e riquezas. Sua casa foi tombada pelo Iphan.

Silva, Evandro Lins e [Parnaíba PI, 1912 — Rio de Janeiro RJ, 2002], jurista brasileiro, um dos maiores criminalistas do país. Foi ministro das Relações Exteriores, do STF e um dos fundadores do PSB (1947). Defendeu incontáveis presos políticos na época da ditadura militar. Membro da ABL. Obras: *A defesa tem a palavra*, *Arca de guardados*, *O salão dos passos perdidos* etc.

Silva, Francisco Manuel da [Rio de Janeiro RJ, 1795 — *id.*, 1865], compositor brasileiro, autor da melodia do *Hino Nacional brasileiro*. Compôs valsas, peças para canto e piano e música religiosa. Escreveu diversas obras de teoria musical.

Silva Neto, Serafim Pereira **da** [Rio de Janeiro RJ, 1917 — *id.*, 1960], professor e filólogo brasileiro, seus estudos têm importância considerável para a nossa língua. Fundou a *Revista Brasileira de Filologia*. Obras: *História da língua portuguesa*, *Fontes do latim vulgar* etc.

Silveira, Nise da [Maceió AL, 1905 — Rio de Janeiro RJ, 1999], psicóloga e psicanalista brasileira, fundou o Museu de Imagens do Inconsciente (1952), centro de estudos voltado para a terapia ocupacional, e a Casa das Palmeiras (1956), clínica de reabilitação para doentes mentais. Publicou: *Jung vida e obra*; *Imagens do inconsciente*; *A farra do boi* etc.

Silveira, Tasso Azevedo **da** [Curitiba PR, 1895 — Rio de Janeiro RJ, 1968], poeta, ensaísta e jornalista brasileiro. Foi um dos fundadores da revista simbolista Festa. Sua poesia, de cunho religioso, recebeu influência do Modernismo. Obras: *Alegorias do homem novo*, *Cântico do Cristo do Corcovado*, *O canto absoluto* etc.

Simões Filho (BA), município com 201,5 km², situado na região metropolitana de Salvador. Indústria. Hab.: 131.630.

Simonsen, Mário Henrique [Rio de Janeiro, 1935 — *id.*, 1997], economista brasileiro, ministro da Fazenda, durante o governo Geisel, e do Planejamento, no governo seguinte. Foi professor e primeiro diretor de pós-graduação da FGV. Publicou: *A nova economia brasileira* etc.

Singapura ver *Cingapura*

Sinhô (José Barbosa da Silva, dito) [Rio de Janeiro RJ, 1888 — *id.*, 1930], compositor popular e pianista brasileiro. Notabilizou-se como autor de sambas e marchinhas. Compôs: *Fala, meu louro*; *O pé de anjo*; *Jura* etc.

Sinop (MT), município com 3.942,2 km², situado na região norte do estado. Foi colonizado pela

Sociedade Imobiliária do Nordeste do Paraná, cujas iniciais lhe deram o nome. Indústria madeireira. Hab.: 126.817.

Siqueira Campos, Antônio de [Rio Claro SP, 1898 — Rio da Prata, perto de Montevidéu, Uruguai, 1930], militar e político brasileiro. Tomou parte em diversas revoltas como o movimento tenentista, a Revolta dos Dezoito do Forte de Copacabana e a Coluna Prestes.

Síria (República Árabe da), país da Ásia Ocidental, com 185.180 km^2. República presidencialista, independente desde 1946. Capital: *Damasco*; recursos principais: agricultura (algodão em pluma, frutas, legumes e verduras), pecuária (bovinos, ovinos, caprinos) e mineração (gás natural, petróleo). Hab.: 21.117.690 (2012).

Sirinhaém (PE), município com 374,6 km^2, situado na Zona da Mata, ao sul do estado. Praias selvagens e desertas. Convento de Santo Antônio tombado pelo Iphan. Hab.: 43.620.

Soares (José Eugênio Soares, dito **Jô**) [Rio de Janeiro RJ, 1938], ator, diretor, escritor, dramaturgo e apresentador de televisão brasileiro, considerado um dos grandes humoristas do país. Criou tipos famosos como o Capitão Gay e o Zé da Galera. Obras: *O xangô de Baker Street*, *O homem que matou Getúlio Vargas* etc.

Sobral (CE), município com 2.123 km^2, situado na região noroeste do estado. Indústria. Conjunto arquitetônico e urbanístico tombado pelo Iphan. Hab.: 199.750.

Sócrates [Atenas, Grécia, c. 470 a.C. — *id.*, 399 a.C.], filósofo grego. Seus pensamentos, baseados na teoria das ideias, valorizavam a ética e a lógica. Nada publicou em vida e seus ensinamentos vêm das obras de seus discípulos, esp. Platão e Xenofonte.

Sodré e Silva, **Lauro** Nina [Belém PA, 1858 — Rio de Janeiro RJ, 1944], político e militar brasileiro. Abolicionista e republicano. Assumiu o governo do Pará (1891) e foi o único governador que se opôs ao golpe de Estado do marechal Deodoro. Candidatou-se à presidência da República, mas perdeu para Campos Sales.

Sodré, Nélson Werneck [Rio de Janeiro RJ, 1911 — Itu SP, 1999], militar, ensaísta, crítico, historiador e memorialista brasileiro. Na carreira militar chegou a general. Foi professor do Instituto Superior de Estudos Brasileiros. Obras: *Memórias de um escritor*, *História da literatura brasileira*, *O naturalismo no Brasil* etc.

Solimões (rio), nasce no Peru, entra no Brasil pelo município de Benjamin Constant AM e encontra-se com o rio Negro nas imediações de Manaus AM, passando a se chamar Amazonas. O encontro dos dois rios provoca curioso fenômeno: as águas escuras do rio Negro e as barrentas do Solimões correm lado a lado, sem se misturar, por quilômetros.

Somália (República Democrática Somali), país do extremo leste da África, com 637.660 km^2, às margens do golfo de Áden e do oceano Índico. República presidencialista, independente desde 1960. Grave período de fome (1991-1994). Capital: *Mogadíscio*; recurso principal: agricultura de subsistência. Hab.: 9.797.445 (2012).

Sorocaba (SP), município com 450,3 km^2, situado na região metropolitana de São Paulo. Polo industrial (cerca de 1.400 indústrias). Hab.: 637.187.

Sorriso (MT), município com 9.329,6 km^2, localizado no norte mato-grossense. Agricultura (soja). Hab.: 77.735.

Sousa, Auta de [Macaíba RN, 1876 — Natal RN, 1901], poetisa brasileira. Deixou somente um livro de poesia publicado, *Horto* (1900), de tendência simbolista, prefaciado por Olavo Bilac.

Sousa, Bernardino José **de** [Vila Cristina SE, 1884 — Rio de Janeiro RJ, 1949], historiador e magistrado brasileiro. Escreveu *Onomástica geral da geografia brasileira*, *O ciclo do carro de boi no Brasil* etc.

Sousa (Manuel de Sousa Coutinho, dito **Frei Luís de**) [Santarém, Portugal, c. 1556 — Lisboa, Portugal, 1632], escritor português, importante prosador da língua. Notabilizou-se tb. como tradutor e grande latinista. Obras: *Vida de Dom frei Bartolomeu dos mártires*, *História de são Domingos* etc.

Sousa, Gabriel Soares de [?, Portugal, c. 1540 — sertão da Bahia, c. 1592], cronista português, autor de importante estudo para o conhecimento da sociedade brasileira do séc. XVI: *Tratado descritivo do Brasil* (1587).

Sousa, Herbert José **de** ver *Betinho*

Sousa, Otávio Tarquínio de [Rio de Janeiro RJ, 1889 — *id.*, 1959], romancista, biógrafo, historiador e crítico literário brasileiro. Foi o primeiro presidente da Associação Brasileira de Escritores. Obras: *História dos fundadores do império do Brasil*; *Fatos e personagens em torno de um regime* etc.

Sousa (PB), município com 738,5 km^2, situado na depressão do Alto Piranhas, no sertão do estado. Vale dos Dinossauros (vestígios de animais pré-históricos). Casa, capela e sobrado da Fazenda Acauã tombados pelo Iphan. Hab.: 68.434.

Sousa, Tomé de [Portugal, 1501 — *id.*, c. 1579], administrador colonial português, primeiro governador-geral do Brasil (1549-1553). De seu governo, destaca-se a construção da cidade de Salvador BA e o incentivo ao desenvolvimento da agricultura e da pecuária naquele estado.

Sousândrade (Joaquim de Sousa Andrade, dito) [Guimarães MA, 1832 — São Luís MA, 1902], poeta brasileiro, representante da segunda geração romântica, considerado um precursor do Simbolismo e do Modernismo no país. Obras: *Harpas selvagens*, *Obras poéticas*, *O novo Éden* etc.

Sri Lanka (República Social Democrática do), antigo Ceilão, país do sul da Ásia, situado em uma ilha do oceano Índico, com 65.610 km^2. República com forma mista de governo, independente desde 1948. Capital: *Colombo*; recursos principais: chá, especiarias, pedras preciosas. Hab.: 21.223.550 (2012).

Staden, Hans [Alemanha, séc. XVI], viajante e cronista alemão. Escreveu importante material de pesquisa histórica sobre os indígenas brasileiros do séc. XVI, colhido em duas viagens que fez ao Brasil: *Descrição verdadeira de um país de selvagens nus, ferozes e canibais*.

Stevenson, Robert Louis Balfour [Edimburgo, Escócia, 1850 — Vailima, Samoa, 1894], romancista, ensaísta e poeta escocês. Escreveu histórias cheias de imaginação e fantasia, inspiradas em muitas de suas viagens. Obras: *A ilha do tesouro*, *Raptado*, *O médico e o monstro* etc.

Suassuna, Ariano Vilar [João Pessoa PB, 1927 — Recife PE, 2014], advogado, professor, teatrólogo e romancista brasileiro. Fundou o Teatro Popular do Nordeste (1959) e iniciou o Movimento Armorial (1970), dedicado ao estudo da cultura tradicional nordestina. Membro da ABL. Obras: *Auto da compadecida*, *O santo e a porca*, *A pena e a lei* etc.

Suassunas (Conspiração dos), influenciados pelos ideais republicanos, os irmãos Suassuna, Francisco de Paula (proprietário do Engenho Suassuna), Luís Francisco e José Francisco de Paula Cavalcante de Albuquerque, tramaram (1801) a independência de Pernambuco. Foram denunciados e presos e, mais tarde, libertados por falta de provas. [Pela ortografia aceita pela ABL, este nome se grafa *Suaçuna*.]

Suazilândia (Reino da), país do sul da África, com 17.360 km². Monarquia parlamentarista, independente desde 1968. Capital: *Mbabane*; recurso principal: mineração (carvão, ouro, diamante). Hab.: 1.120.408 (2012).

Sudão (República do), país do centro-leste da África, com 1.879.358 km². República presidencialista (ditadura militar desde 1989), independente desde 1956. O rio Nilo atravessa o país de norte a sul. Capital: *Cartum*; recursos principais: agricultura irrigada (esp. algodão). Hab.: 45.722.083 (2012).

Sudeste (região) ver *Região Sudeste*

Suécia (Reino da), país do norte da Europa, com 450.300 km². Monarquia parlamentarista, com um dos sistemas previdenciários mais desenvolvidos do mundo. Capital: *Estocolmo*; recursos principais: madeira, minério de ferro e energia hidráulica. Hab.: 9.495.392 (2012).

Suíça (Confederação Helvética), país do centro-oeste da Europa, com 41.280 km². República confederativa. Capital: *Berna*; recursos principais: indústria (alimentícia, esp. chocolate, de relógios de precisão, química, têxtil, farmacêutica). Hab.: 7.733.709 (2012).

Sul (região) ver *Região Sul*

Sumaré (SP), município com 153,4 km², situado na região metropolitana de Campinas. Indústria (nos setores automotivo, metalomecânico, de plásticos e borracha e químico). Hab.: 262.308.

Suriname (República do), país ao norte da América do Sul, antiga Guiana Holandesa, com 163.820 km². República mista, independente desde 1975. Capital: *Paramaribo*; recursos principais: agricultura (arroz, banana) e mineração (bauxita, ouro, petróleo). Hab.: 534.175 (2012).

Surubim (PE), município com 252,8 km², situado no Agreste pernambucano. Casa Grande da Fazenda Cachoeira do Taepe tombada pelo Iphan. Hab.: 62.530.

Suzano (SP), município com 206,2 km², situado na região de Mogi das Cruzes. Termelétricas. Indústria (de papel, papelão e produtos farmacêuticos). Hab.: 282.441.

Svalbard (Spitzbergen), arquipélago ao norte da Europa, com 62.045 km², situado entre o extremo norte daquele país e o polo Norte. Território autônomo administrado pela Noruega. Capital: *Longyearbyen*; recurso principal: turismo. Hab.: 2.394 (2011).

Swift, Jonathan [Dublin, Irlanda, 1667 — *id.*, 1745], escritor irlandês, autor de um dos maiores clássicos da literatura em língua inglesa, *Viagens de Gulliver*, que conta a história de um náufrago que vai parar em lugares muito estranhos, como uma ilha habitada por indivíduos minúsculos.

Tt

Tabatinga (AM), município com 3.224,8 km², localizado no sudoeste amazonense. Comércio (Área Livre). Agricultura (banana, mandioca). Pesca. Hab.: 59.684.

Taboão da Serra (SP), município com 20,3 km², situado na região de Itapecerica da Serra. Indústria (mecânica, química e de móveis). Hab.: 268.321.

Tacutu (rio), situado no Estado de Roraima, forma o rio Branco, juntando-se ao Urariquera, e serve de limite entre o Brasil e a Guiana (400 km).

Tadjiquistão ou **Tajiquistão (República do)**, país situado no centro-oeste da Ásia, com 142.550 km². República presidencialista, independente desde 1991. Capital: *Duchambe*; recursos principais: mineração (carvão, gás natural, petróleo, ouro), indústria (alimentícia, têxtil, metalúrgica). Hab.: 7.078.755 (2012).

Tagliaferro (Magdalena Maria Yvonne, mais conhecida como **Magda**) [Petrópolis RJ, 1893 — Rio de Janeiro RJ, 1986], pianista brasileira, professora do Conservatório de Paris. Nessa mesma cidade, promovia anualmente importante concurso de piano com seu nome.

Tahan (Júlio César de Melo e Sousa, dito **Malba**) [Rio de Janeiro RJ, 1895 — Recife PE, 1974], escritor e professor brasileiro. Produziu contos, romances e livros didáticos, esp. sobre o ensino da Matemática. Obras: *O homem que calculava*, *Céu de Alá*, *O livro de Aladim* etc.

Tailândia (PA), município com 4.430,2 km², localizado no nordeste paraense. Agricultura (dendê, caju). Pecuária. Agroindústria (castanha de caju). Hab.: 93.906.

Tailândia (Reino da), país situado no sudeste da Ásia, com 513.120 km²; monarquia parlamentarista. Capital: *Bangcoc*; recursos principais: agropecuária, mineração (pedras preciosas, estanho), indústria (têxtil, do vestuário). Hab.: 69.892.142 (2012).

Taiwan (República da China — território da ilha de Taiwan), antiga Formosa, país com 35.980 km², situado no leste da Ásia; é um arquipélago (uma ilha grande e 77 menores), situado a 160 km da China continental, no mar da China oriental. República mista. Capital: *Taipé*; recursos principais: indústrias de produtos eletrônicos (esp. computadores), têxteis (fios sintéticos) etc., agricultura (arroz, milho, cana-de-açúcar), pecuária (suínos, ovinos, caprinos), mineração (carvão, mármore). Hab.: 23.299.716 (2013).

Tamandaré (Joaquim Marques Lisboa, **barão, visconde, conde** e **marquês de**) [Rio Grande RS, 1807 — Rio de Janeiro RJ, 1897], almirante brasileiro, patrono da Marinha do Brasil. Considerado a figura mais importante da Marinha brasileira no séc. XIX. O Dia do Marinheiro é comemorado na data de seu nascimento.

Tangará da Serra (MT), município com 11.323,6 km², situado na região médio norte do estado. Aviários e frigoríficos. Turismo (cachoeira Salto das Nuvens). Hab.: 92.298.

Tanzânia (República Unida da), país do sudeste da África, com 947.300 km²; república presidencialista. Capital: *Dodoma* (constitucional) e *Dar es Salaam* (sede do governo); recursos principais: agricultura (café, algodão, castanha-de-caju), pecuária, mineração (diamante, ouro), indústria (alimentícia, têxtil). Hab.: 47.656.367 (2012).

Tapajós (rio), afluente da margem direita do rio Amazonas, corre nos estados de Mato Grosso e Pará (1.784 km).

Taquara (RS), município com 457,8 km², situado na região Gramado-Canela. Pecuária leiteira. Indústria calçadista, metalúrgica, eletrônica. Hab.: 57.072.

Taquari (bacia do rio), abrange cerca de 78.000 km² nos estados de Mato Grosso e Mato Grosso do Sul. Da sua área total, 50.000 km² constituem a planície de aluvião correspondente a 36 % do Pantanal.

Taquaril (serra do), situada no Estado do Rio de Janeiro, com 1.200 m de altitude.

Taquaritinga (SP), município com 594,3 km², situado na região de Jabuticabal. Agricultura (cana-de-açúcar). Hab.: 56.398.

Tarsila do Amaral [Capivari SP, 1886 — São Paulo SP, 1973], pintora brasileira, modernista. Assimilou na Europa influências cubistas (fase Pau-Brasil). Seu quadro *Abaporu* estimula o marido, Oswald de Andrade, a criar o movimento antropofágico. Obras: *A negra*, *O ovo*, *Operários* etc.

Tatuí (SP), município com 523,7 km², situado na região de Sorocaba. Pecuária leiteira. Cerâmica. Hab.: 115.515.

Tauá (CE), município com 4.018,1 km², situado no sertão de Inhamuns, no sudoeste do estado. Agropecuária. Hab.: 57.478.

Taubaté (SP), município com 625 km², situado no vale do Paraíba. Terra natal de Monteiro Lobato. Capela de N. S.ª do Pilar e casa de Monteiro Lobato tombadas pelo Iphan. Pecuária leiteira e hortifrutigranjeiros. Hab.: 299.423.

Taunay (Félix Émile Taunay, **barão de**) [Montmorency, França, 1795 — Rio de Janeiro RJ, 1881], pintor brasileiro de origem francesa, diretor da Academia de Belas-Artes e um dos fundadores do IHGB. Sua obra, de estilo academicista, está em grande parte no acervo do Museu Nacional de Belas-Artes, no Rio de Janeiro RJ. — O **visconde de Taunay** (Alfredo Maria Adriano d'Escragnolle Taunay) [Rio de Janeiro RJ, 1843 — *id.*, 1899], seu filho, foi engenheiro militar, professor, político, historiador, sociólogo, romancista e memorialista. Presidiu as províncias de Santa Catarina e do Paraná. Membro fundador da ABL. Obras: *Inocência, A retirada da Laguna, O encilhamento* etc. — **Afonso d'Escragnolle Taunay** [Florianópolis SC, 1876 — São Paulo SP, 1958], seu neto, foi professor, historiador, ensaísta, biógrafo, romancista, tradutor e lexicógrafo brasileiro. Dedicou-se especialmente aos estudos sobre o bandeirismo paulista. Membro da ABL. Obras: *Leonor de Ávila*, *História geral das bandeiras paulistas*, *Léxico de termos técnicos e científicos* etc.

Tavares da Silva Cavalcanti, **Adelmar** [Recife PE, 1888 — Rio de Janeiro RJ, 1963], advogado, professor, jurista, magistrado e poeta brasileiro. Notabilizou-se como trovador, um dos maiores nesse gênero no Brasil. Membro da ABL. Obras: *Trovas e trovadores, A poesia das violas, Noite cheia de estrelas* etc.

Tavares, Hekel [Satuba AL, 1896 — Rio de Janeiro RJ, 1969], compositor brasileiro. Sua obra musical, influenciada pelo nosso folclore, situa-se entre o erudito e o popular: *Sabiá*; *Azulão*; *Casa de caboclo*; *Chove, chuva!* etc.

Tavares, Aurélio de **Lyra** [João Pessoa PB, 1905 — Rio de Janeiro RJ, 1998], engenheiro civil, general de exército, ensaísta, historiador da engenharia militar e memorialista brasileiro. Membro da ABL. Obras: *O Brasil de minha geração*; *Nosso exército, essa grande escola* etc.

Távora, João **Franklin** da Silveira [Baturité CE, 1842 — Rio de Janeiro RJ, 1888], escritor e jornalista brasileiro, considerado precursor do regionalismo nordestino. Escreveu contos, romances e peças de teatro. Patrono da cadeira 14 da ABL. Obras: *O cabeleira*, *O matuto*, *A casa de palha* etc.

Tchad ver *Chade*

Tcheca (República), país da Europa central desde 1993, com 78.870 km²; república parlamentarista, criada após a dissolução da antiga Tchecoslováquia. Capital: *Praga*; recursos principais: jazidas de carvão e indústrias (cristais, equipamentos militares, maquinaria, produtos químicos etc.). Hab.: 10.565.678 (2012).

Teatro Brasileiro de Comédia (TBC), fundado em 1948 pelo italiano Franco Zampari, é considerado um marco na modernização do teatro brasileiro. Formou toda uma geração de diretores, dramaturgos e atores, entre eles, Cacilda Becker, Paulo Autran e Tônia Carrero. Fechou as portas em 1964.

Tefé (AM), município com 23.704,4 km², situado na fronteira noroeste do país, na margem esquerda do rio Solimões. 16ª Brigada de Infantaria Motorizada. Hab.: 62.662.

Tefé (Antônio Luís von Hoonholtz, **barão de**) [Itaguaí RJ, 1837 — Petrópolis RJ, 1931], almirante e ministro plenipotenciário brasileiro. Participou ativamente da Guerra do Paraguai, esp. da Batalha naval do Riachuelo. Foi senador pelo Estado do Amazonas e escreveu o primeiro compêndio de hidrografia do Brasil.

Teixeira, Anísio Spínola [Caetité BA, 1900 — Rio de Janeiro RJ, 1971], educador e escritor brasileiro, seus estudos influenciaram fortemente o sistema educacional brasileiro e de toda a América Latina. Sua obra pedagógica é considerada uma das mais importantes sobre educação na língua portuguesa: *Educação não é privilégio*, *Educação e o mundo moderno* etc.

Teixeira, Bento [Porto, Portugal, c. 1560 — ?, c. 1618], poeta luso-brasileiro, autor de uma das primeiras obras da literatura brasileira, *Prosopopeia* (1601), um elogio aos primeiros donatários da capitania de Pernambuco, obra inspirada em *Os lusíadas*, de Camões.

Teixeira de Freitas (BA), município com 1.165,6 km², situado na região sul do estado, na região de Porto Seguro. Turismo. Hab.: 155.659.

Telêmaco Borba (PR), município com 1.382,8 km², situado no leste do estado, às margens do rio Tibagi. Agropecuária. Centro industrial da madeira. Indústria de papel. Hab.: 75.054.

Telles, Lygia Fagundes [São Paulo SP, 1923], escritora brasileira, considerada entre os grandes autores da moderna ficção brasileira. Recebeu os principais prêmios literários do país. Membro da ABL. Obras: *Antes do baile verde*, *As horas nuas* etc.

Tenentismo, movimento político, militar e revolucionário brasileiro, liderado pela jovem oficialidade das forças armadas (1922 a 1932). De sua ação, destacaram-se os episódios da Revolta dos 18 do Forte de Copacabana (1922) e a Revolução de 1924.

Teófilo Otoni (MG), município com 3.242,2 km², situado no nordeste do estado, no vale do Mucuri. Exploração e comercialização de pedras preciosas. Hab.: 140.567.

Teresina (PI), capital do Estado do Piauí, com 1.392 km², foi a primeira capital planejada do país e é a única capital nordestina não litorânea. Banhada pelo rio Parnaíba. Indústria de confecções. Igreja de São Benedito tombada pelo Iphan. Hab.: 840.600.

Teresópolis (RJ), município com 770,6 km², situado na região serrana, é o mais alto do estado. Cercado pela serra dos Órgãos. Turismo: Dedo de Deus. Produção de hortaliças. Hab.: 171.482.

Terra, quinto maior planeta do sistema solar. Diâmetro: 12.756,3 km; distância média do Sol: 149.600.000 km; satélite: 1.

Tianguá (CE), município com 908,8 km², situado na região noroeste do estado, na serra de Ibiapaba, divisa com o Estado do Piauí. Pecuária leiteira. Turismo rural. Hab.: 72.803.

Tibete (Região Autônoma do), situada no oeste da China, ao norte dos Himalaias, com 1.200.000 km². República parlamentarista ocupada pela China. Capital: *Lhasa*; recurso principal: criação de carneiros, cabras e iaques. Hab.: 2.910.000 (2009).

Tibiriçá [?, ? — Santana de Parnaíba SP, 1562], indígena brasileiro, cacique dos guaianases, dito Martim Afonso após sua conversão ao catolicismo. Combateu, ao lado das forças do governador Mem de Sá, um ataque indígena à cidade de São Paulo.

Tietê (rio), nasce em Salesópolis SP, na serra do Mar, a 840 m de altitude, percorre o estado de leste a oeste. Não conseguindo vencer os picos rochosos rumo ao litoral, segue para o interior, atravessa a região metropolitana de São Paulo e percorre 1.100 km até a sua foz no rio Paraná, divisa com Mato Grosso do Sul.

Tigre, Manuel **Bastos** [Recife PE, 1882 — Rio de Janeiro RJ, 1957], jornalista, poeta, compositor, teatrólogo, humorista e publicitário brasileiro. Foi autor da letra do primeiro *jingle* do Brasil (1934), "Chopp em garrafa", com música de Ari Barroso e cantado por Orlando Silva. Obras: *Versos perversos*, *Fonte da Carioca*, *A ceia dos coronéis*, *Poemas da primeira infância* etc.

Timbaúba (PE), município com 289,5 km², situado na região da Mata Norte do estado. Turismo rural, voo livre, esportes radicais. Hab.: 53.844.

Timberg, Nathalia [Rio de Janeiro RJ, 1929], atriz brasileira, considerada uma das grandes intérpretes do teatro. Iniciou a carreira nos teleteatros da TV Tupi e integrou o elenco do Teatro Brasileiro de Comédia (TBC). Atua tb. na TV e no cinema: *Viagem aos seios de Duília*, *Dedé Mamata*, *Condenado à liberdade* etc.

Timon (MA), município com 1.764,6 km², situado na região de Caxias, às margens do rio Parnaíba. Hab.: 163.342.

Timor-Leste (República Democrática de), país do sudeste asiático, com 14.870 km². República presidencialista, independente desde 1975. Capital: *Dili*; recursos principais: agricultura (café), silvicultura (sândalo) e mineração (petróleo, mármore). Hab.: 1.187.194 (2012).

Timóteo (MG), município com 144,3 km², situado na região do vale do rio Doce, no chamado "Vale do Aço". Sede da Cia. de Aços Especiais Itabira. Hab.: 86.794.

Tiomno, Jayme [Rio de Janeiro RJ, 1920 — *id.*, 2011], físico brasileiro. Foi um dos fundadores do Centro Brasileiro de Pesquisas Físicas (CBPF). Formulou a teoria que previu a existência de ressonância nos mésons K, partícula atômica elementar (1960).

Tiradentes (Joaquim José da Silva Xavier, dito) [São João del Rei MG, 1746 — Rio de Janeiro RJ, 1792], herói nacional, mártir da independência do Brasil. Participou da Inconfidência Mineira, foi preso, enforcado e esquartejado. A data de sua morte, 21 de abril, é feriado nacional.

Tiradentes (MG), município histórico com 83 km², situado na região dos Campos das Vertentes, às margens do rio das Mortes. Conjunto arquitetônico e urbanístico, capelas da S.ma Trindade e do Senhor Bom Jesus, Chafariz de São José, igrejas de N. S.a do Rosário e Matriz de Santo Antônio, entre outros bens tombados pelo Iphan. Hab.: 7.551.

Titãs, segundo a mitologia grega, eram os 12 filhos gigantes de Gaia (a Terra) e Urano (o Céu). Seis eram do sexo masculino e seis do sexo feminino.

Tobias Barreto (SE), município com 1.021,3 km^2, localizado na região do Agreste sergipano. Confecções (cama, mesa, banho). Artesanato. Hab.: 50.971.

Tocantins (rio), corta os estados de Tocantins, Goiás, Maranhão e Pará. Encontra o rio Araguaia na divisa dos estados de Tocantins e Pará e deságua na baía de Marajó (2.416 km).

Tocantins (TO), estado brasileiro a sudeste da Região Norte do país, criado pela divisão da parte norte de Goiás, com 277.720,569 km^2 e 139 municípios, sendo os mais populosos, além da capital: Araguaína, Gurupi e Porto Nacional. Capital: *Palmas*; recursos principais: agricultura (arroz, milho, feijão etc.), pecuária (bovinos e suínos) e extrativismo mineral (cristal de rocha) e vegetal (babaçu, pequi, mogno etc.). Hab.: 1.496.880 (est. 2014).

Todos-os-Santos (baía de), situada no litoral do Estado da Bahia, é a maior baía da costa brasileira, com 1.100 km^2 de extensão. É bordejada por exuberantes manguezais nos estuários dos rios Paraguaçu, Subaé, Jaguaripe, entre outros, apresentando uma flora muito rica e duas pequenas baías em seu interior: a do Iguape e a de Aratu.

Togo (República Togolesa), país do oeste da África, com 56.790 km^2. República presidencialista (ditadura militar desde 1967), independente desde 1960. Capital: *Lomé*; recursos principais: agricultura (algodão em pluma, café, cacau, mandioca, milho) e mineração (fosfato de cálcio, cádmio, calcário). Hab.: 6.283.092 (2012).

Toledo (PR), município com 1.197 km^2, situado na região oeste do estado. Universidade. Piscicultura comercial. Suinocultura. Hab.: 130.295.

Tomar do Jeru (SE), município com 304,9 km^2, situado a 131 km de Aracaju, na divisa com o Estado da Bahia. Igreja de N. S.a do Socorro tombada pelo Iphan. Hab.: 13.196.

Tomás de Aquino, são [Roccasecca, Itália, c. 1225 — Abadia de Fossanova, Lácio, Itália, 1274], teólogo e filósofo da Igreja cristã. Influenciado pelo pensamento de Aristóteles, afirmava não haver conflito entre a filosofia e o cristianismo. Escreveu vários livros, destacando-se a *Suma teológica*. Foi canonizado em 1323.

Tomé-Açu (PA), município com 5.145,3 km^2, localizado no nordeste paraense. Agricultura (pimenta-do-reino, acerola). Hab.: 59.795.

Tonga (Reino de), país do centro-sul da Oceania, em um arquipélago da Polinésia, no oceano Pacífico, com 750 km^2. Monarquia parlamentarista, independente desde 1970. Capital: *Nukualofa*; recursos principais: agricultura (coco, baunilha) e pecuária. Hab.: 104.891 (2012).

Toquelau ou **Tokelau (ilhas)**, território autônomo administrado pela Nova Zelândia, com 12 km^2, situado na Polinésia, Pacífico sul. Cada atol tem seu centro administrativo. Recurso principal: pesca. Hab.: 2.100 (2011).

Torelly, Aparício ver *Itararé, barão de*

Trairi (CE), município com 925,7 km^2, localizado no norte cearense. Agricultura (coco). Turismo. Hab.: 53.998.

Três Corações (MG), município com 828 km^2, situado na região sudoeste do estado, é a terra natal de Pelé. Agricultura (café, milho) e pecuária. Indústria de couro. Extração da pedra de São Tomé. Hab.: 77.340.

Três Estados (pico dos), situado na serra da Mantiqueira, no encontro dos estados de Minas Gerais, Rio de Janeiro e São Paulo; está entre os dez maiores do país, com 2.665 m de altitude.

Três Lagoas (MS), município com 10.207 km^2, situado na região leste do estado, na divisa com o Estado de São Paulo. Pecuária. Hab.: 111.652.

Três Pontas (MG), município com 689,7 km^2, situado na região sudoeste do estado e banhado pelo rio Verde. Terra de Mílton Nascimento. Grande produtor de café. Hab.: 56.408.

Três Rios (RJ), município com 326,7 km^2, situado na região central do estado, divisa com o Estado de Minas Gerais. É banhado pelos rios Paraíba do Sul, Paraibuna e Piabanha. Turismo ecológico. Estação Rodoviária de Paraibuna tombada pelo Iphan. Hab.: 78.998.

Trevisan, Dalton Jérson [Curitiba PR, 1925], escritor e advogado brasileiro, notabilizou-se como contista, considerado um dos maiores desse gênero no país. Obras: *O vampiro de Curitiba*, *Cemitério de elefantes*, *Essas malditas mulheres* etc.

Trindade (GO), município com 710,7 km^2, situado na região metropolitana de Goiânia. Romaria de Trindade (julho), quando milhares de romeiros dirigem-se ao Santuário do Divino Pai Eterno. Hab.: 115.470.

Trinidad e Tobago (República de), país do sudeste da América Central, situado em duas ilhas do mar das Antilhas, com 5.130 km^2. República parlamentarista, independente desde 1962. Capital: *Port of Spain*; recursos principais: agricultura (cana-de-açúcar, café, cacau, frutas cítricas) e mineração (petróleo, gás natural, asfalto natural). Hab.: 1.350.999 (2012).

Trinta e Um de Março (pico), situado na serra do Imeri, entre o Estado do Amazonas e a Venezuela, é o segundo mais alto do Brasil, com 2.992,4 m de altitude.

Tríplice Aliança (Guerra da) ver *Paraguai (Guerra do)*

Triunfo (José Joaquim de Andrade Neves, **barão do**) [Rio Pardo RS, 1807 — Assunção, Paraguai, 1869], militar brasileiro. Comandante das brigadas de cavalaria, destacou-se em ações militares no Uruguai e na Guerra do Paraguai. Seu nome, Andrade Neves, foi dado ao Regimento Escola de Cavalaria do Exército.

Triunfo (RS), município com 818,7 km², situado na região metropolitana de Porto Alegre. Polo Petroquímico. Casa de Bento Gonçalves tombada pelo Iphan. Hab.: 27.638.

Trombetas (rio), um dos mais importantes da Bacia Amazônica, tem 800 km de extensão. Seu trecho navegável fica entre a cachoeira da Porteira e a foz (260 km).

Tubarão (SC), município com 301,7 km², situado na região sul do estado, entre a serra e o mar. Cerâmica. Turismo. Hab.: 102.087.

Tucano (BA), município com 2.799,1 km², situado na região nordeste do estado, em plena caatinga. Ali está a estância hidromineral de Caldas do Jorro, um oásis no sertão. Turismo. Agricultura. Hab.: 56.131.

Tucuruí (PA), município com 2.086,1 km², situado na região sudeste do estado, às margens do rio Tocantins. Hidrelétrica. Produção de alumínio. Danças folclóricas (carimbó, lundu etc.). Pesca do tucunaré. Hab.: 105.431.

Tucuruí (Usina de), criada para aproveitar o potencial hidrelétrico do rio Tocantins; inaugurada em 1984. Já gerou mais de 250 milhões de MWh de energia, beneficiando cerca de 11 milhões de habitantes em 360 municípios dos estados do Pará, Maranhão e Tocantins.

Tunísia (República da), país do norte da África, com 163.610 km². República mista, independente desde 1956. Capital: *Túnis*; recursos principais: agricultura (trigo, cevada, azeitona, tâmara), pecuária (camelos, ovinos, caprinos) e mineração (petróleo, fosforito). Hab.: 10.704.948 (2012).

Tupã (SP), município com 628,1 km², situado na Alta Paulista, no oeste de São Paulo. Indústria (de calçados, malas para viagem, implementos agrícolas, móveis) e agricultura (café, amendoim, arroz etc.). Hab.: 65.596.

Turcomenistão (República do), país da Ásia central, com 488.100 km². República de orientação comunista, independente desde 1991. Capital: *Ashkhabad*; recursos principais: agricultura (algodão em pluma), mineração (petróleo, gás natural), indústrias (refino de petróleo, têxtil, beneficiamento de algodão). Hab.: 5.169.660 (2012).

Turks e Caicos (ilhas), arquipélago no norte da América Central, com 948 km². Território ultramarino administrado pelo Reino Unido. Com mais de 30 ilhas, divide-se em dois grandes grupos, mas apenas oito das maiores são habitadas. Capital: *Cockburn Town*; recursos principais: turismo e pesca. Hab.: 46.400 (2012).

Turquia (República da), país do sudeste europeu e oeste da Ásia, com 783.560 km². República parlamentarista. Capital: *Ancara*; recursos principais: agricultura (algodão em pluma, tabaco, trigo), mineração (cromita, feldspato, cobre, bórax) e indústrias (têxtil, alimentícia, refino de petróleo, siderúrgica, química). Hab.: 80.694.485 (2013).

Tutoia (MA), município com 1.651,6 km², localizado no norte maranhense. Pesca. Agricultura. Artesanato (fibra de buriti). Hab.: 56.501.

Tuvalu (ilhas de), país situado no centro da Oceania, no oceano Pacífico, um arquipélago com nove atóis, com 30 km². Monarquia parlamentarista, independente desde 1978, membro da Comunidade Britânica. Capital: *Funafuti*; recursos principais: agricultura (coco), indústria alimentícia (coco), química (sabão) e artesanato. Hab.: 11.206 (2012).

Uaupés (rio), nasce na Colômbia, nas encostas da serra de Araraquara, e corre para o Brasil, Estado do Amazonas, onde encontra o rio Negro (1.102 km).

Ubá (MG), município com 407,6 km², situado na Zona da Mata. Produção de móveis, fabricação de vestuário, calçados e colchões. Terra natal de Ari Barroso. Hab.: 109.779.

Ubaldo Ribeiro, João Osório Pimentel [Itaparica BA, 1941 — Rio de Janeiro RJ, 2014], jornalista, professor, romancista, contista e cronista. Considerado um dos grandes escritores do moderno romance brasileiro. Membro da ABL. Obras: *Sargento Getúlio*, *Viva o povo brasileiro*, *O sorriso do lagarto* etc.

Ubatuba (SP), município litorâneo com 723,8 km², situado na região do vale do Paraíba. Única cidade litorânea cortada pelo trópico de Capricórnio. Turismo. Sobrado do Porto tombado pelo Iphan. Hab.: 85.399.

Uberaba (MG), município com 4.524 km², situado na região do Triângulo Mineiro. Pecuária (gado zebu). Produção de grãos. Igreja de Santa Rita tombada pelo Iphan. Hab.: 318.813.

Uberlândia (MG), município com 4.115,2 km², situado na região do Triângulo Mineiro. Ecoturismo e esportes náuticos (rio Araguari). Hidrelétrica. Hab.: 654.681.

Ucrânia (República da), país do centro-leste da Ásia, com 603.550 km². República mista, independente desde 1991. Capital: *Kiev*; recursos principais: mineração (minério de ferro, manganês, petróleo, gás natural, carvão, turfa) e indústrias (metalúrgica, de máquinas, química, de engenharia mecânica). Hab.: 44.940.268 (2012).

UE sigla de *União Europeia*

Uganda (República de), país do centro-leste da África, com 241.550 km². República presidencialista, ditadura militar desde 1986. Capital: *Campala*; recursos principais: agricultura (café, algodão em rama) e indústria (de equipamentos de transporte, alimentícia, de materiais de construção, têxtil, de fertilizantes). Hab.: 35.620.977 (2012).

Umuarama (PR), município com 1.232,7 km², situado na região noroeste do estado. Pecuária (gado bovino de corte e leiteiro). Indústria (alimentícia, de móveis etc.). Centro universitário. Hab.: 107.319.

Unaí (MG), município com 8.447,1 km², situado na região noroeste do estado, no chapadão de Paracatu. Agricultura (soja). Turismo (gruta do Tamboril e corredeiras do rio Preto). Hab.: 82.298.

Unesco (United Nations Educational, Scientific and Cultural Organization) ver *Organização das Nações Unidas para Educação, Ciência e Cultura*

União da Vitória (PR), município com 719,9 km², localizado no sul paranaense. Agropecuária. Indústria. Hab.: 55.874.

União dos Palmares (AL), município histórico com 420,7 km², situado na região leste do estado. Quilombo dos Palmares. Serra da Barriga tombada pelo Iphan. Hab.: 65.764.

União Europeia (UE), associação política e econômica formada por 28 países (Alemanha, Áustria, Bélgica, Bulgária, Chipre, Croácia, Dinamarca, Eslováquia, Eslovênia, Espanha, Estônia, Finlândia, França, Grécia, Hungria, Irlanda, Itália, Letônia, Lituânia, Luxemburgo, Malta, Países Baixos, Polônia, Portugal, Reino Unido, República Tcheca, Romênia e Suécia); seus membros têm representantes no Parlamento Europeu e gozam de livre comércio entre si.

União Ibérica (1580-1640), após as mortes do rei Dom Sebastião I, na Batalha de Alcácer-Quibir contra os mouros, no norte da África (1578), e do seu tio e sucessor, cardeal D. Henrique (1580), e não havendo herdeiros, extinguiu-se a segunda dinastia de Portugal, a de Avis. Filipe II, rei da Espanha, neto de Dom Manuel o Venturoso, tomou a Coroa portuguesa, unindo Portugal e Espanha. O fato marcou uma mudança na orientação da política de colonização do Brasil, até então baseada na ocupação da costa e na extração do pau-brasil.

União Soviética (União das Repúblicas Socialistas Soviéticas — URSS), formada por 15 repúblicas socialistas — Federação Russa, Bielorrússia, Ucrânia, Letônia, Estônia, Lituânia, Armênia, Azerbaidjão, Geórgia, Cazaquistão, Quirguistão, Uzbequistão, Tadjiquistão, Moldávia e Turcomenistão —, foi o maior país do mundo (mais de 1/7 da superfície terrestre) e a nação comunista mais poderosa entre 1922, quando foi criada, até dezembro de 1991, quando foi extinta.

Urano divindade grega que personificava o céu; em astronomia, é o sétimo planeta a partir do Sol. Tipo: gasoso; diâmetro equatorial: 51.118 km; massa: 8.686 elevado a 25 kg; distância média do Sol: 2.870.990.000 km; satélites: 15.

Uruguai (República Oriental do), país do sudeste da América do Sul, com 176.220 km²; república presidencialista, independente desde 1825. Capital: *Montevidéu*; recursos principais: agricultura (arroz, cana-de-açúcar, trigo), pecuária (bovinos, ovinos), mineração (ouro, pedras semipreciosas), indústrias (alimentícia, têxtil, vestuário, petroquímica, couro). Hab.: 3.391.428 (2012).

Uruguaiana (RS), município com 5.715,7 km², situado no extremo oeste do estado, na fronteira com a Argentina. Exportação de carne, lã e arroz. Turismo. Hab.: 129.580.

Uzbequistão (República do), país do centro-oeste da Ásia, com 447.400 km²; república presidencialista, independente desde 1991. Capital: *Tashkent*; recursos principais: mineração (petróleo, gás natural, carvão), indústria (de máquinas e equipamentos, metalúrgica). Hab.: 28.661.637 (2013).

Vacaria (RS), município com 2.124,5 km², situado na região nordeste do estado, na divisa com Santa Catarina. Maior produtor de maçãs do estado e segundo do país. Produz tb. mudas de flores para exportação. Hab.: 64.564.

Valença (BA), município histórico litorâneo com 1.192,6 km², situado na costa do Dendê. Polo turístico. Estaleiros navais. Primeiro produtor de dendê do estado. Casa da Fazenda Santa Mônica tombada pelo Iphan. Hab.: 96.507.

Valença (RJ), município histórico, com 1.304,8 km², situado na região sul do estado, entre os vales dos rios Preto e Paraíba do Sul, na divisa com o Estado de Minas Gerais. Distrito de Conservatória (serestas). Hab.: 73.445.

Valentim da Fonseca e Silva (dito **Mestre**) [Serro MG, 1750 — Rio de Janeiro RJ, 1813], escultor e entalhador brasileiro. De suas obras no Rio de Janeiro, destacam-se as escadarias e a cascata dos Jacarés, no Passeio Público, os dois lampadários da igreja do Mosteiro de São Bento e a decoração da Igreja da Candelária.

Valinhos (SP), município turístico com 148,5 km², situado na região de Campinas. Fruticultura (figo e goiaba). Hab.: 118.312.

Valparaíso de Goiás (GO), município com 61,4 km², situado no entorno de Brasília. Hab.: 150.005.

Vanuatu (República de), país da Oceania (Melanésia), a nordeste da Nova Caledônia, arquipélago vulcânico com 12.190 km². República parlamentarista, independente desde 1980. Capital: *Porto-Vila*; recursos principais: agricultura (coco, cacau, café), pecuária (suínos, bovinos), indústria alimentícia. Hab.: 251.674 (2012).

Vargas, Getúlio Dornelles [São Borja RS, 1883 — Rio de Janeiro RJ, 1954], político brasileiro. Assumiu a presidência do país após a Revolução de 1930 e permaneceu até 1945. Elegeu-se novamente em 1950, tomou posse em 1951 e suicidou-se antes do fim do mandato (24/8/1954). Promoveu grandes avanços na legislação trabalhista brasileira e criou muitas empresas estatais importantes, como a Petrobras e a Eletrobrás.

Vargem Grande (MA), município com 1.957,7 km², localizado no norte maranhense. Agropecuária. Extração de babaçu. Hab.: 53.918.

Varginha (MG), município com 395,3 km², situado na região sudoeste do estado. Cultivo e industrialização de café e produção de leite. Porto seco. Hab.: 131.269.

Varnhagen, Francisco Adolfo de (visconde de Porto Seguro) [Sorocaba SP, 1816 — Viena, Áustria, 1878], historiador e diplomata brasileiro. Considerado um dos maiores pesquisadores da história brasileira dos séc. XVI, XVII e XVIII. Membro do IHGB, da Academia Real de Ciências de Lisboa e patrono da cadeira 39 da ABL.

Várzea Grande (MT), município com 1.048,2 km², situado na região metropolitana de Cuiabá. Artesanato (redes), pecuária e indústria de transformação. Hab.: 265.775.

Várzea Paulista (SP), município com 35,1 km², situado na região de Jundiaí. Agropecuária. Hab.: 115.403.

Vasconcelos, Bernardo **Pereira de** [Ouro Preto MG, 1795 — Rio de Janeiro RJ, 1850], político e magistrado brasileiro. Uma das figuras mais influentes do Império, ocupou diversos cargos, entre eles o de senador, ministro da Fazenda, ministro da Justiça e conselheiro de Estado.

Vassouras (RJ), município histórico com 538,1 km², situado no vale do Paraíba, na região centro-sul do estado. Universidade. Fazendas de café. Conjunto urbano-paisagístico, Casa da Hera e Fazenda Santa Eufrásia tombados pelo Iphan. Hab.: 35.275.

Vaticano (Estado da Cidade do), estado soberano, situado em Roma, capital da Itália, com 0,44 km². Papado vitalício, constituído após o Tratado de Latrão (1929), assinado entre a Santa Sé (Pio XI) e o governo italiano (Benito Mussolini), reconhecendo a soberania do papa. Hab.: 836 (2011).

Veadeiros (chapada dos), o ponto de maior luminosidade visto da órbita da Terra, segundo a Nasa, devido à quantidade de cristais de quartzo que afloram do solo; possui o mais antigo patrimônio geológico do continente, a placa Araí, formada há 1 bilhão e 800 milhões de anos. — O **Parque Nacional da Chapada dos Veadeiros**, criado em 11 de janeiro de 1961 e ocupando área de 65.515 ha, está localizado no Estado de Goiás, a 250 km de Brasília e 500 km de Goiânia. Sua rica fauna abriga espécies ameaçadas de extinção, como o veado-campeiro, o cervo-do-pantanal, a onça-pintada e o lobo-guará.

Veiga e Barros, **Evaristo** Ferreira **da** [Rio de Janeiro RJ, 1799 — *id.*, 1837], político, jornalista e escritor brasileiro. Liberal moderado, fundou o jornal *A Aurora Fluminense*. Patrono da ABL, foi um dos pioneiros do Romantismo no Brasil. Autor da letra do Hino da Independência, musicado por D. Pedro I.

Veiga (José Jacinto Veiga, dito **J.J.**) [Corumbá de Goiás GO, 1915 — Rio de Janeiro RJ, 1999], contista brasileiro, um dos introdutores do Realismo fantástico na literatura do país. Obra: *Os cavalinhos de Platiplanto*, *A máquina extraviada*, *Objetos turbulentos* etc.

Velhas (rio das), maior afluente em extensão (1.135 km) do rio São Francisco, tem grande importância econômica e social para o estado onde corre, Minas Gerais. No seu alto curso está localizada a região metropolitana de Belo Horizonte.

Velho, Domingos Jorge [Santana de Parnaíba SP, c. 1641 — Piancó PB, c. 1703], bandeirante paulista. Grande desbravador do interior do país, combateu tribos indígenas hostis e comandou a destruição do Quilombo dos Palmares.

Veloso, Caetano Emanuel Vianna Telles [Santo Amaro da Purificação BA, 1942], cantor e compositor brasileiro. Foi um dos mentores do Tropicalismo, integrou o conjunto Doces Bárbaros e é considerado um dos artistas mais importantes da MPB. Compôs: *Alegria, alegria*; *Sampa*; *Força estranha*; *Podres poderes*; *Você é linda*; *Haiti* etc.

Venâncio Aires (RS), município com 773,2 km², situado na região centro-oeste do estado, entre os vales Taquari e rio Pardo. Indústrias de beneficiamento de fumo e erva-mate. Hab.: 69.521.

Venezuela (República da), país do norte da América do Sul, com 912.050 km². República presidencialista, independente desde 1811. Capital: *Caracas*; recursos principais: mineração (petróleo, gás natural, carvão, diamante, bauxita, minério de ferro) e indústria (de refino de petróleo, metalúrgica, siderúrgica, alimentícia, química). Hab.: 29.890.694 (2012).

Vênus, divindade romana identificada com a *Afrodite* grega. Em astronomia, é o segundo planeta a partir do Sol, pode ser visto a olho nu e é chamado de estrela matutina e estrela vespertina. Tipo: rochoso; diâmetro: 12.103,6 km, distância média do Sol: 108.200.000 km.

Vergueiro, Nicolau Pereira **de Campos** [Bragança, Portugal, 1778 — Rio de Janeiro RJ, 1859], político português radicado no Brasil. Figura importante na vida política brasileira no início do séc. XIX. Liberal, participou do movimento que levou à abdicação de D. Pedro I. Elegeu-se membro da Regência Trina Provisória e depois ocupou, sucessivamente, o ministério da Fazenda e o da Justiça.

Verissimo, Érico Lopes [Cruz Alta RS, 1905 — Porto Alegre RS, 1975], escritor brasileiro. Produziu diversos gêneros literários, mas notabilizou-se com o romance. Sua obra caracteriza-se pelos temas regionais e históricos do Rio Grande do Sul. Obras: *Olhai os lírios do campo*, *O tempo e o vento* (trilogia), *Incidente em Antares* etc. — **Luís Fernando Verissimo**, seu filho [Porto Alegre, RS, 1936], é escritor, humorista e jornalista brasileiro, um dos grandes cronistas contemporâneos. Tem colaborado em diversas revistas e jornais. Já foi redator publicitário e de programas televisivos. Entre sua vasta obra, destacam-se: *Gula — O clube dos anjos*, *Comédias para ler na escola*, *Comédias da vida privada* etc.

Veríssimo, José Dias de Matos [Óbidos, PA, 1857 — Rio de Janeiro RJ, 1916], escritor e crítico literário brasileiro, considerado um dos introdutores do Naturalismo na literatura nacional. Membro do IHGB e da ABL (fundador da cadeira 18). Obras: *Estudos de literatura*, *Questão de limites*, *Cenas da vida amazônica* etc.

Vespasiano (MG), município com 71,2 km², situado na região metropolitana de Belo Horizonte, na área da depressão do São Francisco. Polo industrial. Folclore (boi da mata). Hab.: 116.506.

Vespúcio, Américo [Florença, Itália, c. 1454 — Sevilha, Espanha, 1512], explorador e navegador italiano, o primeiro a perceber que as terras visitadas por Colombo, Pinzón e Cabral não integravam as três antigas partes do mundo (Europa, Ásia e África), mas formavam um novo continente. Teria alcançado a América em 1499, um ano após a 3ª expedição de Cristóvão Colombo, e o Brasil, a mando de D. Manuel I, em 1501. O nome do continente americano foi dado em sua homenagem.

Via Láctea, galáxia em espiral, em que fica a Terra, de diâmetro equivalente a 100.000 anos-luz e espessura de 16.000 anos-luz. O nome vem de sua aparência leitosa.

Viamão (RS), município com 1.497 km², situado na região metropolitana de Porto Alegre. Indústrias metalúrgicas e de couro. Igreja de N. S.ª da Conceição de Viamão tombada pelo Iphan. Hab.: 251.033.

Viana (ES), município com 312,7 km², situado na região metropolitana de Vitória. Um dos mais antigos núcleos da colonização açoriana no estado. Agropecuária e turismo. Hab.: 73.318.

Viana (MA), município com 1.168,4 km², localizado no norte maranhense. Agricultura. Hab.: 50.976.

Viana Filho, Luís [Paris, França, 1908 — São Paulo SP, 1990], ensaísta, biógrafo e político brasileiro. Colaborou em diversos órgãos da imprensa. Foi governador e senador pelo Estado da Bahia. Membro da ABL. Obra: *O negro na Bahia, A vida de Joaquim Nabuco, A vida de José de Alencar* etc.

Vianna Filho, Oduvaldo [Rio de Janeiro RJ, 1936 — *id.*, 1974], ator e autor teatral brasileiro, tb. dito Vianinha. Sua dramaturgia refletiu os problemas sociais e políticos do país. Participou ativamente do Teatro de Arena e foi um dos fundadores do Grupo Opinião e do CPC da UNE. Autor de: *Chapetuba F.C.*,; *Se correr o bicho pega, se ficar o bicho come*; *Rasga coração* etc.

Vicente, Gil [Guimarães, Portugal, c. 1465 — Lisboa, Portugal, c. 1536], dramaturgo português. Considerado o maior escritor da literatura portuguesa na passagem da Idade Média para o Renascimento. Obra: *O velho da horta, Auto da barca do inferno, Farsa de Inês Pereira, Auto da Lusitânia* etc.

Viçosa (MG), município com 299,4 km², situado na Zona da Mata do estado. Universidade Federal. Agropecuária e agroindústria. Hab.: 76.745.

Viçosa do Ceará (CE), município com 1.311,6 km², localizado no noroeste cearense. Agropecuária. Hab.: 58.332.

Vieira, padre Antônio [Lisboa, Portugal, 1608 — Salvador BA, 1697], orador sacro, missionário português, um dos maiores escritores da língua no séc. XVII. Da sua obra, destacam-se os *Sermões* e as *Cartas.* Foi notável orador e por muitas vezes representou o governo português. Viveu no Brasil a maior parte de sua vida.

Vietnã, Vietname ou **Viet-Nam (República Socialista do)**, país do sudeste da Ásia, com 331.051 km². Regime de partido único (PC) e um órgão supremo (Assembleia Nacional). Capital: *Hanói*; recursos principais: agricultura (arroz, látex, chá, algodão em pluma), pecuária (bovinos, búfalos), mineração (carvão, estanho, zinco, petróleo) e indústrias (alimentícia, química, de máquinas, têxtil). Hab.: 92.477.857 (2013).

Vigia (PA), município com 539 km², situado na região de Salgado. Igreja da Madre de Deus tombada pelo Iphan. Hab.: 50.622.

Vila Bela da Santíssima Trindade (MT), município com 13.421 km², situado na região do Alto Guaporé, na fronteira com a Bolívia. Ruínas da Igreja Matriz da Santíssima Trindade tombadas pelo Iphan. Hab.: 15.138.

Vila Flor (RN), município com 47,6 km², situado no litoral sul do estado. Ruínas da Casa de Câmara e Cadeia tombadas pelo Iphan. Hab.: 3.086.

Villas Boas (irmãos), sertanistas e indigenistas brasileiros, **Orlando** [Botucatu SP, 1914 — São Paulo SP, 2002], **Cláudio** [Botucatu SP, 1916 — São Paulo SP, 1998] e **Leonardo** [Botucatu SP, 1918 — São Paulo SP, 1962] seguiram os passos do marechal Rondon. Lideraram a expedição Roncador-Xingu (1943), que durante 40 anos criou 43 cidades e a reserva do Parque Nacional do Xingu. Pode-se dizer que foram os responsáveis por incorporar o indígena e o território do Xingu à sociologia e à geografia nacional.

Vila Velha (ES), município com 210 km², situado na região metropolitana de Vitória. Indústria alimentícia (chocolate). Convento e Igreja de N. S.ª da Penha e Igreja de N. S.ª do Rosário tombados pelo Iphan. Hab.: 465.690.

Vilhena (RO), município com 11.518,9 km², situado no planalto dos Parecis, na divisa com o Estado de Mato Grosso. Extrativismo e industrialização da madeira. Hab.: 89.797.

Villa-Lobos, Heitor [Rio de Janeiro RJ, 1887 — *id.*, 1959], compositor e regente brasileiro, considerado o maior nome da história da música erudita no Brasil. Compôs mais de mil peças, com influências modernistas, folclóricas e populares, nos mais diversos gêneros e formações instrumentais e vocais. De sua obra destacam-se os *Choros* e as *Bachianas brasileiras*.

Villegaignon, Nicolau Durand de [Provins, França, 1510 — Nemours, França, 1571], oficial de marinha e colonizador francês. Organizou uma expedição ao Brasil (1555) e fundou a França Antártica, na atual ilha de Villegaignon, no Rio de Janeiro. A colônia tinha o objetivo de explorar as riquezas do país e acolher protestantes, proibidos de exercer sua religião na França. Ficou no Brasil até 1559.

Vinci, Leonardo da [Vinci, Itália,1452 — Amboise, França, 1519], pintor, escultor, arquiteto, engenheiro, cientista e inventor italiano, considerado o maior nome no campo das artes e das ciências na Renascença. Inventou máquinas voadoras. Pintou um dos quadros mais famosos de todos os tempos, a *Gioconda* (Mona Lisa).

Vinhedo (SP), município com 81,6 km², localizado na região de Campinas. Agricultura (uva). Turismo. Hab.: 71.217.

Virgílio Marão, Públio [atual Pietole, Itália, c. 70 a.C. — Brindisi, Itália, 19 a.C.], poeta latino, considerado o maior da Roma antiga e um dos grandes nomes da literatura universal. Sua obra-prima, *Eneida*, conta a epopeia nacional de Roma. Influenciou escritores, como Dante Alighieri e Luís de Camões, através dos séculos.

Visconti, Eliseu D'Angelo [Salerno, Itália, 1866 — Rio de Janeiro RJ, 1944], pintor e desenhista brasileiro. Impressionista, é considerado o introdutor desse movimento no país. Notabilizou-se como grande paisagista. Autor da decoração do Teatro Municipal, da Biblioteca Nacional e do Palácio Tiradentes, todos no Rio de Janeiro RJ.

Viseu (PA), município com 4.915 km², situado na região de Guamá, na margem esquerda do rio Gurupi. Pesca. Extrativismo (bacuri, murici, cupuaçu, buriti, açaí). Hab.: 58.694.

Vitalino Pereira dos Santos (dito **Mestre**) [Caruaru PE, 1909 — *id.*, 1963], ceramista popular brasileiro. Sua obra foi ligada aos tipos e às tradições nordestinas, destacando-se figuras de cangaceiros, homens do campo, animais etc. Deu notoriedade à feira de artesanato de Caruaru PE, local em que vendia seus trabalhos.

Vitória (ES), capital do Estado do Espírito Santo, com 98,1 km², município histórico formado por 34 ilhas, na baía de Vitória, e uma área continental. A maior ilha é a de Vitória, porto ligado à terra firme por uma ponte. Pesca e turismo. Igrejas de N. S.ª do Rosário, de Santa Luzia e de São Gonçalo e Chácara Barão de Monjardim tombadas pelo Iphan. Hab.: 325.104.

Vitória da Conquista (BA), município com 3.704 km², situado no sudoeste do estado, tem a melhor infraestrutura urbana da região. Agropecuária. Hab.: 340.199.

Vitória de Santo Antão (PE), município histórico, com 336 km², situado na Zona da Mata, palco de uma batalha durante a invasão holandesa. Hab.: 134.871.

Volpi, Alfredo [Lucca, Itália, 1896 — São Paulo SP, 1988], pintor brasileiro de origem italiana. Veio para o Brasil ainda bebê. Autodidata, jamais admitiu a influência de pintores ou movimentos sobre sua obra. Voltou-se esp. para temas populares e religiosos e notabilizou-se por suas casas, bandeiras, fachadas e composições.

Volta Redonda (RJ), município com 182,4 km², situado no médio vale do Paraíba, entre as serras do Mar e Mantiqueira. Companhia Siderúrgica Nacional. Hab.: 262.259.

Votorantim (SP), município com 183,5 km², situado na região sudoeste do estado. Indústria (de papel, celulose, tecidos e esp. cimento), agricultura (hortifrutigranjeiros) e pecuária (corte e leite). Hab.: 116.706.

Votuporanga (SP), município com 421 km², situado na região noroeste do estado. Agricultura (café, milho, laranja etc.), pecuária (de corte e leiteira) e indústrias (esp. de móveis e de confecções). Hab.: 90.508.

Vulcano, divindade romana identificada com o Hefesto grego.

Ww

Wagner, Richard [Leipzig, Alemanha, 1813 — Veneza, Itália, 1883], compositor alemão. Criou uma nova linguagem musical e notabilizou-se por suas óperas: *O anel do Nibelungo*, *Tristão e Isolda*, *Lohengrin*, *Parsifal* etc.

Wandenkolk, Eduardo [Rio de Janeiro RJ, 1838 — *id.*, 1902], militar e político brasileiro. Participou da Guerra do Paraguai. Ocupou diversos postos de destaque, como senador (eleito quatro vezes consecutivas), ministro da Marinha do Governo Provisório (1889) e chefe do Estado-Maior da Armada.

Washington, George [Westmoreland, EUA, 1732 — Mount Vernon, EUA, 1799], general e político norte-americano. Liderou as tropas que venceram a guerra da Independência (1781) e foi um dos fundadores da República. Presidiu a Assembleia Constituinte, que redigiu a Constituição dos EUA (1787) e foi o primeiro presidente eleito de seu país.

Xavier, Joaquim José da Silva ver *Tiradentes*

Xingu (rio), com 1.979 km de extensão, corre da savana tropical da região central do Estado de Mato Grosso, rumo ao norte da Amazônia. Corta o Parque Nacional do Xingu, reserva indígena criada em 1961. Sua bacia cobre uma área de 531.000 km².

Xuí (arroio), localizado no extremo sul do território brasileiro, delimita a fronteira entre o Brasil e o Uruguai. Desemboca no oceano Atlântico, ao lado do farol da barra do Xuí, o ponto mais meridional do país.

Yáconis, Cleide Becker [Pirassununga SP, 1923 — São Paulo SP, 2013], atriz brasileira, irmã de Cacilda Becker. Integrou o elenco do Teatro Brasileiro de Comédia (TBC), no qual estreou em 1950. Atuou em dezenas de peças teatrais. Fez cinema e foi uma das pioneiras da televisão. Participou da fundação do Teatro Cacilda Becker, no Rio de Janeiro RJ.

Zz

Zagallo, Mário Jorge Lobo [Maceió AL, 1931], jogador e técnico de futebol brasileiro, uma das grandes figuras do nosso futebol. Esteve presente, como jogador, técnico ou coordenador, nas conquistas de quatro dos cinco títulos mundiais da seleção brasileira.

Zaire antigo nome do *Congo, República Democrática do*

Zâmbia (República de), país do sul da África, com 752.610 km^2. República presidencialista, independente desde 1964. Capital: *Lusaka*; recursos principais: agricultura (milho, sorgo), pecuária (bovinos, caprinos), mineração (cobre, cobalto), indústria (metalúrgica, automobilística, de refino de petróleo, alimentícia etc.). Hab.: 13.883.577 (2012).

Zerbini, Euryclides de Jesus [Guaratinguetá SP, 1912 — São Paulo SP, 1993], médico brasileiro. Realizou no Hospital das Clínicas de São Paulo SP (maio de 1968) a primeira cirurgia de transplante de coração humano da América do Sul. A cirurgia aconteceu poucos meses depois da primeira realizada em todo o mundo.

Zeus, Júpiter entre os romanos, na mitologia grega foi uma das 12 divindades do Olimpo; o rei dos deuses.

Zico (Arthur Antunes Coimbra, dito) [Rio de Janeiro RJ, 1953], jogador de futebol brasileiro, tb. dito Galinho de Quintino. Atacante e artilheiro, considerado um dos maiores jogadores de todos os tempos, é um dos grandes ídolos do Flamengo, clube pelo qual conquistou dezenas de títulos, destacando-se o Mundial Interclubes (1981). Em 2002, tornou-se técnico da seleção japonesa de futebol.

Zimbábue (República do), país do sudeste da África, com 390.760 km^2. República presidencialista, independente desde 1965. Capital: *Harare*; recursos principais: agricultura (tabaco, cana-de-açúcar, café), mineração (ouro, níquel, amianto), indústrias (alimentícia, siderúrgica, química, têxtil). Hab.: 13.013.678 (2012).

Ziraldo Alves Pinto [Caratinga MG, 1932], desenhista e escritor brasileiro. Notabilizou-se por suas caricaturas e charges políticas. Foi um dos fundadores de *O Pasquim*. Autor de histórias em quadrinhos, roteiros cinematográficos, peças teatrais e literatura infantil. Dentre seus muitos personagens, destacam-se *O Menino Maluquinho*, *A Supermãe*, *a Turma do Pererê* e o *Mineirinho*.

Zumbi dos Palmares [Palmares AL, 1655 — *id.*, 1695], figura histórica brasileira, símbolo da resistência negra contra o escravismo.. Foi líder do Quilombo dos Palmares na luta contra as tropas coloniais portuguesas. O dia de sua morte, 20 de novembro, passou a ser comemorado como o Dia da Consciência Negra.

Zwinglio, Ulrich [Wildhaus, Suíça, 1484 — Kappel, Suíça, 1531], humanista e reformador suíço, líder da Reforma protestante, formulou teses doutrinárias que exigiam o recurso exclusivo à Bíblia, o uso da língua alemã na liturgia e a rejeição do magistério de Roma.

Zaire antigo nome da atual *República Democrática do Congo*.

Zeus [illegible] comandante dos deuses, um dos 12 olímpicos [illegible] pai dos deuses.

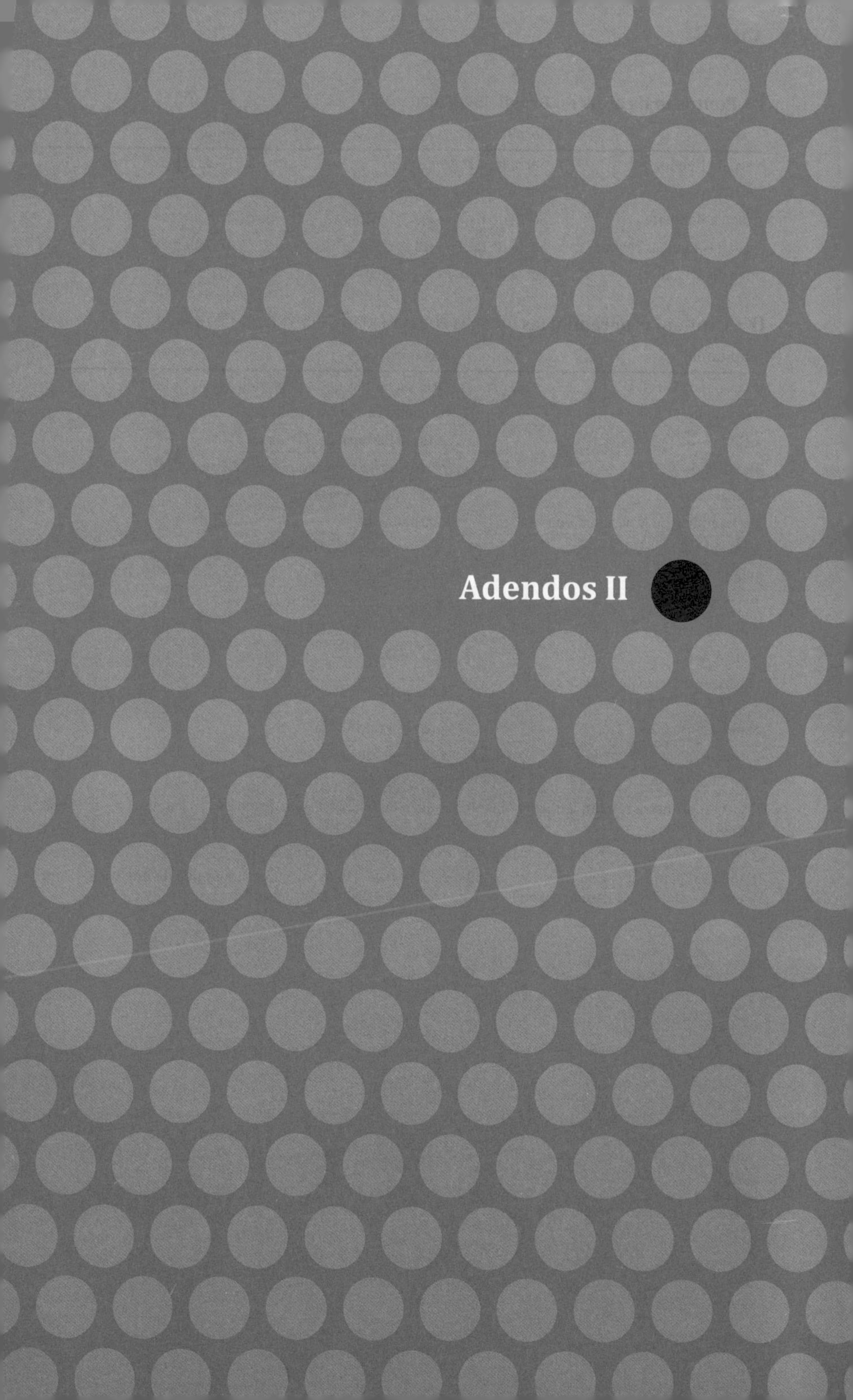

Adendos II

I • Pontos mais altos do Brasil IBGE/2000

	localização	altitude
Pico da Neblina	Serra Imeri (Amazonas)	3.014,1 metros
Pico 31 de Março	Serra Imeri (Amazonas)	2.992,4 metros
Pico da Bandeira	Serra do Caparaó (ES/MG)	2.889,8 metros
Pico das Agulhas Negras	Serra de Itatiaia (RJ/MG)	2.787,0 metros
Pico do Cristal	Serra do Caparaó (ES/MG)	2.780,0 metros

II • Capitanias hereditárias DOADAS POR DOM JOÃO III, ENTRE 1534 E 1536

capitania	donatário
Maranhão (1º lote)	Aires da Cunha, que se associou a João de Barros
Maranhão (2º lote)	Fernando Álvares de Andrade
Ceará	Antônio Cardoso de Barros
Rio Grande do Norte	João de Barros, sócio de Aires da Cunha
Itamaracá	Pero Lopes de Sousa
Pernambuco ou Nova Lusitânia	Duarte Coelho
Bahia de Todos-os-Santos	Francisco Pereira Coutinho
Ilhéus	Jorge de Figueiredo Correia
Porto Seguro	Pero do Campo Tourinho
Espírito Santo	Vasco Fernandes Coutinho
São Tomé	Pero de Góis
São Vicente (*dividida em dois lotes: São Vicente e Rio de Janeiro*)	Martim Afonso de Sousa
Santo Amaro	Pero Lopes de Sousa
Santana	Pero Lopes de Sousa

Obs.: 1) A primeira capitania foi a da ilha de São João ou da Quaresma, doada por D. Manuel I a Fernão de Noronha (1504).

2) As capitanias que mais prosperaram foram as de Pernambuco e São Vicente.

3) Após 1536, foram criadas mais três: a) ilha da Trindade – Belchior Camacho; b) ilha de Itaparica – Dom Antônio de Ataíde e c) Paraguaçu ou Recôncavo da Bahia – Dom Álvaro da Costa.

III • Países/nacionalidades/idiomas/moedas

país	nacionalidade	idioma	moeda
Afeganistão	afegane/afegã	pusthu e dari	afegani
África do Sul	sul-africana	africânder, inglês, línguas tribais	rand
Albânia	albanesa	tosco	lek novo
Alemanha	alemã	alemão	euro
Andorra	andorrana/andorrense	catalão	euro
Angola	angolana/angolense	português, dialetos tribais	novo kuanza
Antígua e Barbuda	antiguana	inglês	dólar do Caribe oriental
Arábia Saudita	árabe-saudita/saudita	árabe	rial saudita
Argélia	argelina/argeliana	árabe	dinar argelino
Argentina	argentina	espanhol	peso argentino
Armênia	armênia	armênio	dram
Austrália	australiana	inglês	dólar australiano
Áustria	austríaca	alemão	euro
Azerbaidjão	azerbaidjana/azeri	azerbaijanês	manat azerbaidjano
Baamas (Bahamas)	baamesa/baamiana/ baamense	inglês	dólar baamense
Bangladesh	bengalesa/bengali	bengali e dialetos regionais	taca
Barbados	barbadiana	inglês	dólar barbadiano
Barein (Bahrein)	bareinita/baremês/ baremense	árabe	dinar bareinita
Bélgica	belga	neerlandês, francês e alemão	euro
Belize	belizenha/belizense	inglês	dólar belizenho
Benin	beninense/beninesa	francês, ioruba	franco C.F.A.
Bielorrússia (Belarus)	bielorrussa	bielorrusso e russo	rublo bielorrusso
Bolívia	boliviana	espanhol, quéchua, aimará	boliviano
Bósnia-Herzegóvina	bósnia/bosnense/ bosníaca/bosniense	servo-croata/serbo-croata	marco conversível
Botsuana	botsuanesa/botsuana/ botsuanense	inglês	pula
Brasil	brasileira	português	real
Brunei	bruneana	malaio	dólar bruneano
Bulgária	búlgara	búlgaro	lev novo
Burquina (Burkina Fasso)	burquinense/burquinabê	francês	franco C.F.A.
Burundi	burundiense/burundinesa/ burundiana	francês, quirundi	franco burundinês
Butão (Butã)	butanesa/butâni/ butani/ butanense	dzonka	ngultrum e rupia indiana
Cabo Verde	cabo-verdiana	português	escudo cabo-verdiano
Camarões	camaronense/camaronesa	francês, inglês, línguas regionais	franco C.F.A.
Camboja	cambojana/cambojiana/ campucheana	khmer	riel novo
Canadá	canadense	inglês e francês	dólar canadense
Catar, Katar ou Qatar	catarense/catari	árabe e inglês	rial catariano
Cazaquistão	cazaque/cazaquistanesa	kazac, russo	tenge
Chade (Tchad)	chadiense/tchadiana/ tchadiense	francês	franco C.F.A.

país	nacionalidade	idioma	moeda
Chile	chilena	espanhol	peso chileno
China	chinesa/sínica	chinês (mandarim, wu, min)	iuan
Chipre	cipriota/cípria	grego, turco	euro
Cingapura	cingapuriana/cingapurense	malaio, mandarim, tâmil, inglês	dólar cingapuriano
Colômbia	colombiana	espanhol, línguas indígenas	peso colombiano
Comores	comorense/comoriana	comorense, árabe e francês	franco comorense
Congo (República do)	congolense/congolesa	francês, congo, ruanda	franco C.F.A.
Congo (Rep. Democrática do)	congolense/congolesa	francês, quicongo, lingala	franco congolês
Coreia do Norte	norte-coreana	coreano	won norte-coreano
Coreia do Sul	sul-coreana	coreano	won sul-coreano
Costa do Marfim	ebúrnea/marfinense/marfiniana	francês	franco C.F.A.
Costa Rica	costa-riquenha/costa-riquense/costa-ricense	espanhol	colom costa-riquenho
Croácia	croata	croata	kuna
Cuba	cubana	espanhol	peso cubano
Dinamarca (Escandinávia)	dinamarquesa	dinamarquês	coroa dinamarquesa
Djibouti	djibutiense/djibutiana	árabe, francês	franco djibutiano
Dominica	dominiquesa/dominiquense	inglês, crioulo	dólar do Caribe oriental
Egito	egípcia	árabe	libra egípcia
El Salvador	salvadorenha/salvatoriana/salvadorense	espanhol	colom salvadorenho e dólar americano
Emirados Árabes Unidos	árabe	árabe	dirrã
Equador	equatoriana	espanhol, línguas regionais	dólar americano
Escandinávia – *ver* Dinamarca, Finlândia, Islândia, Noruega, Suécia			
Eritreia	eritreia	árabe, tigrino, línguas regionais	nafka
Escócia (Reino Unido)	escocesa	inglês, gaélico	libra esterlina
Eslováquia (Rep. Eslovaca)	eslovaca	eslovaco, línguas regionais	coroa eslovaca
Eslovênia	eslovena	esloveno	euro
Espanha	espanhola	espanhol	euro
Estados Unidos da América	americana/norte-americana/estadunidense	inglês	dólar americano
Estônia	estoniana	estônio	coroa estoniana
Etiópia	etíope	aramaico, línguas regionais	birr
Federação Russa (Rússia)	russa	russo	rublo
Fidji	fidjiana/fijiana	fidjiano, híndi, inglês	dólar fidjiano
Filipinas	filipina	tagalo, inglês, espanhol	peso filipino
Finlândia (Escandinávia)	finlandesa/finesa/finense/fínica	finez, sueco	euro
França	francesa (esp. bretão)	francês, línguas regionais	euro
Gabão	gabonense/gabonesa	francês, fang	franco C.F.A.
Gâmbia	gambiana/gambiense	inglês, línguas regionais	dalasi
Gana	ganense/ganesa	inglês, línguas tribais	cedi novo

país	nacionalidade	idioma	moeda
Geórgia	georgiana	georgiano	lari
Grã-Bretanha (Inglaterra, Escócia, País de Gales)	britânica/bretã	inglês, galês, gaélico	libra esterlina
Granada	granadina	inglês, crioulo francês	dólar do Caribe oriental
Grécia	grega	grego	euro
Guatemala	guatemalteca/guatemalense	espanhol, línguas indígenas	quetzal
Guiana	guianense/guianesa	inglês, línguas regionais	dólar guianense
Guiné	guineana/guineia	francês e línguas indígenas (mandinga, p. ex.)	franco guineano
Guiné-Bissau	guineense	português, crioulo português	franco C.F.A.
Guiné Equatorial	guinéu-equatoriana	português e espanhol, fang, línguas tribais	franco C.F.A.
Haiti	haitiana	francês, crioulo francês	gurde
Holanda – *ver* Países Baixos			
Honduras	hondurenha	espanhol, línguas indígenas	lempira
Hungria	húngara/hungaresa/magiar	húngaro	forinte
Iêmen	iemenita	árabe	rial iemenita
Ilhas Marshall	marshalina	inglês, línguas regionais	dólar americano
Ilhas Salomão	salomônica	inglês, dialetos regionais	dólar das Ilhas Salomão
Ilhas Seychelles	seichelense	crioulo francês, inglês, francês	rupia seichelense
Índia	indiana/hindu/índia	híndi, inglês	rupia indiana
Indonésia	indonésia	bahasa	rupia indonésia
Inglaterra	inglesa/bretã/britânica	inglês	libra esterlina
Irã	iraniana/irânica	iraniano	rial iraniano
Iraque	iraquiana	árabe	dinar iraquiano
Irlanda (Eire)	irlandesa	irlandês, inglês	euro
Irlanda do Norte (Ulster)	irlandesa/bretã/britânica	inglês, gaélico	euro
Islândia (Escandinávia)	islandesa	islandês	nova coroa islandesa
Israel	israelense	hebraico	shekel
Itália	italiana	italiano, dialetos	euro
Jamaica	jamaicana	inglês, crioulo inglês	dólar jamaicano
Japão	japonesa/japônica	japonês	iene
Jordânia	jordaniana/jordaniense/jordânia	árabe	dinar jordaniano
Kiribati	quiribatiana	kiribati, inglês	dólar australiano
Kuwait (Kuweit, Coveite)	kuwaitiana/kuweitiana/kowaitiana/koweitiana/coveitiana	árabe, inglês	dinar kuwaitiano
Laos	laosiana	lao	kip
Lesoto	lesotiana/lesotense/lesota	inglês, sotho	loti
Letônia	letã/leta	letão	lat
Líbano	libanesa	árabe	libra libanesa
Libéria	liberiana	inglês, línguas tribais	dólar liberiano
Líbia	líbia/líbica	árabe	dinar líbio
Liechtenstein	liechtensteinense/liechtensteiniense/listenstainiana	alemão	franco suíço

país	nacionalidade	idioma	moeda
Lituânia	lituana	lituano	euro
Luxemburgo	luxemburguesa	luxemburguês	euro
Macedônia	macedônia	macedônio	novo dinar macedônio
Madagascar	malgaxe/madagascarense	francês, malgaxe, dialetos locais	franco malgaxe
Malásia	málasia/malaia	malaio	dólar malásio, ringgit
Malaui	malauiana/malauiense/ malauita	chicheua, inglês	kwacha do Malaui
Maldivas	maldívia	divehi	rupia das Maldivas
Mali	malinesa	francês, línguas nativas	franco C.F.A.
Malta	maltesa	maltês, inglês	euro
Marrocos	marroquina	árabe	dirrã marroquino
Maurício	mauriciana	inglês	rupia mauriciana
Mauritânia	mauritana/mauritânica/ mauretânica	árabe, línguas regionais	uguia
México	mexicana	espanhol	peso mexicano
Mianmá (Myanmar)	birmanesa/bermá/bermã/ bermana/birmã/birmane/ birmanense/birmaniana/ birmana/mianmarense	birmanês, dialetos regionais	kyat
Micronésia (Estados Federados)	micronésia	micronesiano, inglês	dólar americano
Moçambique	moçambicana	português, línguas regionais	metical
Moldávia (Moldova)	moldávia/moldávica	romeno, russo	leu
Mônaco	monegasca	francês, inglês, italiano, monegasco	euro
Mongólia	mongol/mogol	mongol, cazaque	tugrik
Montenegro	montenegrina	montenegrino, sérvio	euro
Namíbia	namibiana	inglês, africânder, alemão, dialetos locais	dólar da Namíbia
Nauru	nauruana	nauruano	dólar australiano
Nepal	nepalesa	nepalê, dialetos locais	rupia nepalesa
Nicarágua	nicaraguense/nicaraguana	espanhol	córdoba ouro
Níger	nigerense/nigerina	francês, línguas locais	franco C.F.A.
Nigéria	nigeriana	inglês, hauçá, ioruba, ibo	naira
Noruega	norueguesa	bokmal, nynorsk	coroa norueguesa
Nova Zelândia	neozelandesa	inglês	dólar neozelandês
Omã	omani/omanense/omaniana	árabe, dialetos	rial omani
País de Gales	galesa/galense/bretã/ bretânica	inglês, galês	libra esterlina
Países Baixos (Holanda)	holandesa	neerlandês	euro
Palau	palauense	paluano, inglês	dólar americano
Palestina	palestina	árabe	shekel
Panamá	panamenha	espanhol	balboa
Papua Nova Guiné	papuásia	inglês	kina
Paquistão	paquistanesa/paquistanense	urdu	rupia paquistanesa
Paraguai	paraguaia	espanhol	guarani
Peru	peruana	espanhol, aimará, quéchua	sol novo
Polônia	polonesa/polaca	polaco	zloty
Portugal	portuguesa	português	euro

país	nacionalidade	idioma	moeda
Quênia	queniana	suaíli	xelim queniano
Quirguistão ou Quirguízia	quirguiz/quirguistanesa	quirguiz, russo	som
Reino Unido (Grã-Bretanha e Irlanda do Norte)	bretã/britânica	inglês	libra esterlina
República Centro--africana	centroafricana/ centrafricana	francês, sango	franco C.F.A.
República Dominicana	dominicana	espanhol	peso dominicano
República Tcheca	tcheca/checa	tcheco	coroa tcheca
Romênia	romena	romeno	leu
Ruanda	ruandesa	francês, ruanda (banto), dialetos tribais	franco ruandês
Rússia – *ver* Federação Russa			
Samoa (Estado Independente)	samoana/samoense	inglês, samoano	tala
San Marino	samarinesa	italiano	euro
Santa Lúcia	santa-luciense	inglês	dólar do Caribe oriental
São Cristóvão e Névis	são-cristovense	inglês	dólar do Caribe oriental
São Tomé e Príncipe	santomense/são-tomense/ sã-tomense	português	dobra
São Vicente e Granadinas	são-vicentina	inglês	dólar do Caribe oriental
Senegal	senegalesa	francês, línguas regionais	franco C.F.A.
Serra Leoa	serra-leonesa/ serra-leonense	inglês	leone
Sérvia	sérvia	sérvio	dinar sérvio
Síria	síria/siríaca/sírica	árabe	libra síria
Somália (República Democrática Somali)	somali/somaliana/ somaliense	somali	xelim somaliano
Sri Lanka	cingalesa	cingalês, tâmil, inglês	rupia cingalesa
Suazilândia	suazi/suazilandesa	suazi, inglês	lilangeni
Sudão	sudanesa	árabe	libra sudanesa ou dinar sudanês
Suécia (Escandinávia)	sueca	sueco	coroa sueca
Suíça	suíça/helvécia/helvética	alemão, francês, italiano, reto-romanês	franco suíço
Suriname	surinamesa	neerlandês	florim surinamês
Tadjiquistão	tadjique/tadjiquistanesa/ tajiquistanesa	tágico	rublo tadjique
Tailândia	tailandesa	thai	baht
Taiwan (Formosa)	taiwanesa/formosina	chinês (mandarim), dialetos	novo dólar de Taiwan
Tanzânia	tanzaniana	suaíli, inglês, línguas locais	xelim tanzaniano
Timor Leste	timorense	português e titum	dólar americano e rupia indonésia
Togo	togolesa/togolense/ toguense/toguesa	francês	franco C.F.A.
Tonga	tonganesa	tonganês, inglês	paanga
Trinidad e Tobago	trinitário-tobagense/ trinitária/trinitina/ tobaguiana	inglês	dólar de Trinidad e Tobago
Tunísia	tunisiana/tunetana	árabe	dinar tunisiano

país	nacionalidade	idioma	moeda
Turcomenistão	turcomena/turcmena	turquemeno	manat turcomeno
Turquia	turca	turco	lira turca
Tuvalu	tuvaluana	tuvaluano, inglês	dólar australiano
Ucrânia	ucraniana/ucraína/ucrânia	ucraniano	hryvnia
Uganda	ugandense/ugandesa	inglês, línguas locais	novo xelim ugandense
Uruguai	uruguaia	espanhol	peso uruguaio
Uzbequistão	uzbeque/uzbequistanesa	uzbeque	som
Vanuatu	vanuatense	bislama, inglês, francês, línguas regionais	vatu
Vaticano	vaticana	italiano, latim	euro
Venezuela	venezuelana	espanhol	bolívar
Vietnã (Vietname)	vietnamita/vietnamesa/ vietnamense	vietnamita	dong
Zaire – *ver* Congo (República Democrática)			
Zâmbia	zambiense/zambiana/ zâmbia	inglês, línguas locais	kwacha da Zâmbia
Zimbábue	zimbabuana/zimbabuense	línguas locais, inglês	dólar zimbabuano

Composto em Cambria corpo 7/7,5 pt,
impresso em papel Alta Alvura 56 g/m²,
no ano de 2023, na Bercrom Gráfica e Editora.

